漢韓大字典

民衆書林 編輯局 編

제 3 판

[全面改訂·增補版]

辭典專門

民衆書林

제3판을 내면서

우리나라 한자자전(漢字字典)의 자취를 살펴보면, 조선 초기부터 중국 특정 운서(韻書)의 색인(索引) 구실을 하는 옥편이 나오다가 정조(正祖) 때에 〈전운옥편(全韻玉篇)〉이 간행되었다. 이때 비로소 한자(漢字)마다 한글로 음(音)을 달고 뜻과 사성(四聲)의 운자(韻字)를 붙여 자전(字典)의 효시(嚆矢)를 이루게 되었으며, 이후 한자의 음과 뜻을 한글로 단 옥편들이 나오기 시작했다.

광복 후, 여러 종류의 사전이 출판됨에 따라 옥편이나 자전도 사전식이어야 한다는 인식이 높아 갔다. 당시 민중서림의 전신(前身)인 민중서관에서는 1960년 초부터 표제자의 음과 뜻에 그 출전 문헌을 보이고, 표제자가 앞에 오는 숙어(熟語)도 실어, 명실상부한 한자사전으로서의 면모를 갖춘 자전 편찬에 착수하여 1966년 드디어 〈漢韓大字典〉이 빛을 보게 된 것이다. 이 자전이 1997년 전면 개정을 거치면서 현대 자전의 표본으로서 많은 독자들의 사랑을 받아 왔음은 결코 지나친 자찬(自讚)은 아닐 것이다.

한때, 한자에 대한 소양(素養)에 소홀했던 때도 있었으나, 현재는 한문이 정식으로 교과 과정에 오르고, 일반인들에게도 한자의 중요성에 대한 새로운 인식이 널리 확산되어 가고 있다. 이에 우리는 자전도 한자 학습과 한문 이해에 보다 가까이 다가갈 수 있도록 해야겠다는 판단 아래 이번에 제3판을 펴내게 되었다.

제3판에서는 자원란(字源欄)을 설정하여 갑골문(甲骨文)·금문(金文) 및 〈說文(설문)〉에 실려 있는 전문(篆文)·별체(別體)·고문(古文)·주문(籀文) 등을 실어 자형의 변화를 보이고, 육서(六書)와 문자의 구성 및 원뜻을 밝혔다. 그리고 사성(四聲)과 운자(韻字) 다음에는 반절(反切)을 표기하여 한자의 본음을 정확히 알 수 있게 하였으며, 중국어를 공부하는 학생들을 위하여 한어 병음 자모(漢語拼音字母)와 간체자(簡體字)를 병기(倂記)하였고, 더불어 초서(草書)도 함께 수록하였다.

또한, 중요 한자에는 필순(筆順)을 보임으로써 보다 쉽게 한자에 접할 수 있도록 하는 동시에, 표제자도 더욱 보충하여 약 21,000여 자를 실어 명실공히 대자전(大字典)의 면모를 갖추었다.

아무쪼록 이 개정판이 독자들의 한자 소양 증진에 좋은 벗이 되기를 바라면서, 계속 강호 제위(江湖諸位)의 편달(鞭撻)을 바라는 바이다.

2009년 1월   일

민중서림 편집국

머 리 말(초판)

중국에서 우리나라에 한자(漢字)가 전래(傳來)한 것은 멀리 고조선 시대(古朝鮮時代)의 옛일로 추정(推定)된다고 한다. 그 후 수천 년 동안을 내려오면서 한자는 우리나라의 문화의 중요한 기둥으로서 큰 구실을 하여 왔으며, 오늘날에 있어서도 우리 민족 고유(固有)의 한글과 함께 국자(國字)로서 소화(消化)되고 있는 것이 엄연한 사실이다. 그런즉, 한자에 관한 지식은 비단 중국 문화의 이해(理解)에 관련하는 요건(要件)일 뿐 아니라, 우리나라의 문화의 발자취를 더듬고 나아가서는 장래의 한국 문화의 건전한 전개(展開)를 위하여서도 수유(須臾)도 등한히 할 수 없는 일이라고 보겠다.

근자에 항간에는 한글의 전용(專用)과 한자의 폐지(廢止)를 부르짖는 소리가 제고(提高)되고 있고, 또 한편에서는 상용한자(常用漢字)의 제한과 점진적(漸進的)인 한글 전용을 주장하는 의견이 양립(兩立)하여 의론이 분분(紛紛)한 바 있거니와, 그에 대한 시비(是非)는 잠깐 논외(論外)로 한다 하더라도, 위의 양론(兩論)의 어느 경우나 한자가 우리의 일상생활 위에 현실적으로 중대한 영향력을 가지고 있음을 부인(否認)하지는 못할 것이다. 그러므로 설혹 한자를 완전히 폐지한다 하더라도, 우리 민족의 고전(古典)을 해독(解讀)하고 이해하며 나아가서는 민족 문화의 올바른 진로를 모색(摸索)하자면 그럴수록에 더욱 한자와 한문학(漢文學)에 대한 전문적(專門的)인 깊은 연찬(研鑽)이 촉구(促求)될 것으로 여겨지는 터이다. 우리는 이와 같은 뜻에서 해방(解放) 후 이제껏 등한시되어 온 이 면(面)을 늦게나마 헤쳐 보려는 의욕에서 이 자전(字典)의 편찬을 기획(企劃)하였던 것이다.

그런데 한자(漢字)의 특색은 문자가 곧 「말」인 점에 있다. 한자가 곧 말이므로 일자 일자(一字一字)가 그대로 문화를 표상(表象)하고 있는 것이며, 따라서 한자는 문화의 진전(進展)에 따라 발달 증가(增加)하여 그 총수(總數)는 수만(數萬)에 이르렀고 한 문자의 훈의(訓義)도 수십(數十)에 이르는 것조차 생기게 되었다.

이렇게 복잡한 구조(構造)와 수다(數多)한 자수(字數)를 가진 한자에 대하여 완벽(完璧)하고 방대(尨大)한 거편(巨篇)의 자전을 이룩하기에는 여러 모로 벅찬 현실(現實)이므로 우리는 우선 그 수록(收錄) 한자의 범위에 있어서 일만 이천 자(一萬

二千字) 정도로 좁히고, 주로 그 글자들의 자해(字解)에 주력(主力)을 기울이기로 하였다. 이를 위하여서는 우리나라의 신자전(新字典), 중국의 강희자전(康熙字典)·사해(辭海) 등을 비롯한 정평(定評) 있는 여러 자전을 종합하여 알기 쉽고 자세한 내용을 담기에 힘썼다. 또 이 자전이 아래로는 중등학교(中等學校) 학생을 비롯해서 위로는 일반 사회인까지도 널리 쓰일 수 있도록 하기 위하여 일상생활에 직결된 한어(漢語)는 물론 여러 고전(古典) 문적(文籍)에 나오는 숙어(熟語)·성어(成語) 들도 되도록 망라(網羅) 채록(採錄)하고자 힘썼다.

　위와 같은 의도(意圖)로 엮어진 이 책이 우리의 미력(微力)으로 해서 어느 정도의 성과(成果)를 거두었는지는 이 책을 이용하는 여러분의 비판에 맡기겠거니와, 앞으로 애용자 여러분의 교시(敎示)를 기다려 수시로 집고 고쳐 더욱 나은 자전으로 키워 나갈 것을 다짐하며, 이 책이 우리 문화의 올바른 이해와 국학(國學)의 연구를 지향(志向)하는 학도(學徒)에게 비익(裨益)되고 일반 사회인의 실용(實用)에 이바지되기를 바란다.

　끝으로, 이 자전이 고려대학교의 이상은(李相殷) 교수님의 지도로 편찬(編纂) 감수(監修)되었음을 특기하고 심심한 사의(謝意)를 드린다.

1965년 4월　일

편자 씀

일 러 두 기

〈漢韓大字典〉은 현행(現行) 각급 학교 국어·한문 교과서는 물론 사서(四書) 등을 비롯한 고전(古典)에 나오는 일체의 한자(漢字)를 망라(網羅)하여 정확하고 자세한 뜻을 매기고, 또 그 글자를 첫머리에 가지는 숙어를 간결하게 해석하여 '가나다'순으로 편집하였다.

이 책에 표제자로 수록한 한자는 대체로 강희자전(康熙字典)에 준거(準據)하였지만, 오늘날 이미 폐자(廢字)되어 버린 글자는 싣지 않고, 강희자전에 들어 있지 않은 글자라도 오늘날 널리 쓰이는 글자는 그것이 와자(訛字)이건 속자(俗字)이건 간에 모두 보충하여 실었으며, 우리나라에서 만든 글자도 되도록 많이 채록하였다. 또, 학습에나 일반 사회의 실용에 지장이 없도록 국어·고전어 및 일상의 생활 한어(生活漢語)를 망라하고, 거기에 인명·지명·서명(書名)·왕조명(王朝名)·고사성어(故事成語) 등도 널리 엄선하여 곁들였으므로, 종합적인 한한사전(漢韓辭典)으로서 본래의 사명을 충분히 다할 수 있게 되어 있다. 이 책을 이용하는 데 꼭 알아 두어야 할 점은 다음과 같다.

Ⅰ. 표제자(表題字)의 해설(解說)

(1) 표제자의 배열　강희자전(康熙字典)에 따라 부수순(部首順)·획수순(畫數順)으로 하였으며, 같은 획수일 경우에는 자형상(字形上) 그 소속 부수가 놓인 차례, 관·변·방·각(冠偏旁脚), 곧 상·좌·우·하의 차례로 배열하였다.

(2) 표제자의 개괄적 해설
① **표제자**　표제자는 큰 활자로 실어 [　]로 묶었다.
② **획수 및 총획**　표제자 왼쪽에 부수를 뺀 획수를 밝혔고, 총획은 그 아래 원 안에 숫자로 표시하였다.
③ 표제자가 중학교 교육한자, 고등학교 교육한자인 경우 붉은색을 넣고 中人 高人 약물로 표시하였다.
④ 우리나라에서만 쓰이는 한자 및 우리나라에 특유한 음을 가지는 한자에는 그 음 다음에 ㉿, 현대에 와서 새로 만든 표제자에는 ㉾을

표시하였다.
⑤ 표제자의 음은 현재 널리 쓰이는 음을 표준음으로 내세우고, 그 본음(本音)을 ㉰, 속음(俗音)을 ㉱으로 표시하였다.
⑥ **운자(韻字)**　한자의 음(音)에 바로 이어 그 표제자가 속하는 운목(韻目)을 표시하였다. 그리고, 그 사성(四聲)의 구별은 ㉠ ㉡ ㉢ ㉣으로 각각 나타내었다.
　㉠ 평성(平聲)…억양이 없는 평평한 음
　㉡ 상성(上聲)…어미가 세고 끝이 올라가는 음
　㉢ 거성(去聲)…어두가 세고 끝이 올라가는 음
　㉣ 입성(入聲)…짧고 빨리 거두어들이는 음
⑦ 반절(反切)과 병음(拼音)을 표기하여 한자의 중국음을 정확히 알도록 하였다. 또, 간체자(簡體字)와 초서(草書)를 참고로 실었다.

２⑨ [計] 中人 계 ㉠霽 古詣切 jì　计计
筆順 ` 亠 亍 訁 訁 言 言 計 計

(3) 필순(筆順)
중학교·고등학교의 교육용 기초 한자, 중요 한자, 부수자(部首字)에는 필순을 보였다.

(4) 자해(字解)
① 훈(訓)과 음(音)을 고딕체 활자로 표시하고, 그 뒤에 한자어(漢字語)를 용례로 보이고 그 출전(出典)을 밝혔다.
② 음(音)과 훈(訓)이 다를 경우에는 ■ ■ ■…으로 구별하였다.
③ 훈(訓)이 둘 이상 있을 경우에는 ① ② ③…으로 구분하였다.

(5) 자원(字源)
먼저 육서(六書)로써 문자(文字)의 구성(構成)을 표시한 다음, 그 글자의 자원(字源)을 간결하게 해설하고, 금문(金文)·전문(篆文)·주문(籒文)·고문(古文) 등을 보여, 그 글자의 전거(典據)를 확실히 하였다.

４⑥ [伍] 人名 오 ㉡麌 疑古切 wǔ　伍
字解 ……
字源 篆文 伍 形聲. 亻(人)＋五[晉]. '五ㅇ'는 '다섯'의 뜻. 오인조(五人組)의 뜻을 나타냄.

① 상형(象形)……눈으로 볼 수 있는 것의 모양에서 그 특징을 강조해서 나타내는 글자 형성법. 소의 뿔을 강조하여 나타낸 '牛' 따위.

② 지사(指事)……'一, 二'나 '上, 下'와 같이 추상적인 것을 기호로 나타내는 글자 형성법.

③ 회의(會意)……둘 이상의 글자를 합쳐서 한 글자를 만들고, 본디의 각 글자와는 음(音) 및 뜻이 다른 별개의 것을 나타내는 글자 형성법. '人'과 '言'을 합쳐 '信'을 만드는 따위.

④ 형성(形聲)……두 글자를 합쳐서 된 새 글자의 한쪽 부분이 음을, 다른 한쪽 부분이 뜻을 나타내는 글자 형성법. '靑'으로 음을 나타내고 'ᅟ氵=水'로 뜻을 나타내어, '淸'을 만드는 따위.

⑤ 가차(假借)……음(音)만을 빌려서 본디의 뜻과는 다른 의미를 나타내는 글자 형성법. '길다'의 뜻을 가진 '長'을 '장관(長官)'의 뜻으로 사용하는 따위.

⑥ 전주(轉注)……한 글자를 다른 뜻으로 전용(轉用)하는 글자 사용법. 풍류를 나타내는 '樂(악)'을 '즐겁다'의 뜻인 '樂(락)'으로 쓰는 따위.

(6) 참고(參考)

  참고 에서는 그 표제자의 본자(本字)·약자(略字)·동자(同字)·속자(俗字) 등을 밝혔다.

6
⑧ [來] 中人 래 ㉠灰 落哀切 lái
      ㉠隊 洛代切 lài   来書
  字解 ……
  字源 ……
  참고 来(木部 三畫)는 俗字

(7) 속자·약자·동자(同字)·와자(訛字)

  속자·약자·동자·와자 등은 그 본자(本字)가 속해 있는 쪽수를 밝혔다.

6
⑨ [淺] 〔천〕 淺(水部 八畫〈p. 1251〉)의 俗字

II. 숙어(熟語)와 그 풀이

(1) 숙어의 배열

① 자수(字數)의 다소(多少)에 관계없이 음의 가나다순에 따라 배열하였다.

② 음이 같을 때에는, 둘째 한자의 획수의 적고 많은 순서에 따랐다.

(2) 숙어의 풀이   뜻이 둘 이상 있을 경우에는

㉠ ㉡ ㉢…으로 구별하고, 우리나라에 특유한 뜻을 가진 것에는 (韓) 표시를 하였다.

  [伴倘 반당] (韓) ㉠ 옛날 서울의 각 관청에서 부리던 사환(使喚). ㉡ 중국에 가는 사신이 자비(自費)로 데리고 가던 하인.

(3) 참고 숙어(參考熟語)

  표제자를 맨 끝에 가지는 숙어를 그 표제자 항목의 맨 끝에 ●표 다음에 가나다순으로 배열하여 놓음으로써, 이 자전(字典)의 활용도(活用度)를 더욱 높였다.

5
⑦ [佐] 高人 좌 ㉠箇 則箇切 zuǒ
          ㉡智 子我切 zuǒ   佐
  字解 ……
  字源 ……
  [佐攻 좌공] 도와서 공격함.
  ●匡佐. 規佐. 輔佐. 毗佐. 書佐. 屬佐…

(4) 삽도(揷圖)

  표제자 또는 숙어의 이해(理解)를 돕기 위하여 예기(禮器)·악기(樂器)·관복(冠服)·병기(兵器)·천문(天文)·건축(建築)·선거(船車)·잡기(雜器) 등에 관한 삽도를 해당 항목에 실었다.

III. 색인(索引)의 이용법

  부록에 총획 색인(總畫索引)·자음 색인(字音索引) 등을 첨부하였고, 또 〈인명용 한자표〉를 실어 작명(作名)에 도움이 되게 하였다. 앞뒤의 면지(面紙)에는 부수 색인(部首索引)을 실어 본문을 찾아보는 데 편리하도록 하였다.

(1) 총획 색인(總畫索引)   이 책에 수록된 모든 표제자를 부수(部首)에 의하지 않고 획수만으로도 찾아볼 수 있도록 총획수에 따라 대별(大別)하고, 다시 부수순으로 배열하였다.

(2) 자음 색인(字音索引)

① 이 책에 수록된 모든 표제자를 가나다순으로 배열하고, 같은 음의 글자는 부수·획수순으로 늘어놓았다.

② 한 글자가 몇 개의 음을 가질 때에는 각 음마다 실었다. 또, 본음·속음도 각각 그 음자리에 실었다.

(3) 부수 색인(部首索引)

  앞면지 1, 2면과 뒷면지 2, 3면에 각각 부수 색인을 붙여, 그 부수가 시작되는 쪽수를 표시하였다.

한자(漢字)의 필순(筆順)

필순이란 점(點)과 획(畫)이 차례로 거듭되어 하나의 글자를 다 쓸 때까지의 차례를 말한다. 필순은 전체의 글자 모양이 정돈되고 구조적(構造的)으로도 바르며, 또 무리 없이 쓸 수 있도록 오랜 동안에 걸쳐서 연구(硏究)되고, 오늘날까지 전해 내려온 것이므로 그에 따라서 쓰는 것이 능률적이고도 효과적이다.

필순은 원칙적으로 각 글자마다 일정한 차례로 정해져 있지만, 개중에는 예외적인 필순이 일반적으로 인정되고 있는 것도 있다. 또, 한 글자에 두 가지 또는 그 이상의 필순이 있는 것도 있다. 이 경우에 다른 필순은 서로 다를 뿐, 어느 한쪽이 틀린 것이 아님을 명심해야 한다.

(1) 위로부터 아래로 써 내려간다.
  보기 三 … 一 二 三
       言 … 二 三 言

(2) 왼쪽에서부터 오른쪽으로 써 나간다.
  보기 川 … 丿 川 川
       例 … 亻 仍 例

(3) 가로획을 먼저 쓴다.
  ▷ 가로획과 세로획이 교차(交叉)할 때에는 일반적으로 가로획을 먼저 쓴다.
  보기 十 … 一 十
       土 … 一 十 土
       無 … 仁 無 無
  [주의] '無'에는 두 가지의 필순이 있다.
    ㉠ 仁 仁 無 無 無 〈필기식(筆記式)〉
    ㉡ 仁 仁 仁 無 無 〈서예식(書藝式)〉

(4) 가운데를 먼저 쓴다.
  보기 小 … 丨 小 小
       水 … 丨 才 水 (=丞·蒸)
       樂 … 白 幼 樂 樂
  [주의] 가운데를 나중에 쓰는 것
  보기 火 … 丶 丷 火 (=炎·灰)
       性 … 丷 忄 性 (=惟)

(5) 바깥쪽을 먼저 쓴다.
  ▷ 에워싸는 꼴을 취하는 것
  보기 同 … 丨 冂 冂 同 (=司)
       國 … 丨 冂 國 國 (=圍·固·圓)
  [주의] 區 … 一 丆 品 區
        匹 … 一 丆 兀 匹

(6) 왼쪽 삐침을 먼저 쓴다.
  ▷ 왼쪽 삐침과 오른쪽 삐침이 만나는 것
  보기 文 … 亠 亣 文
       父 … 八 父 父 (=支·又)
  ▷ 만나지 않을 때도 왼쪽 삐침을 먼저 쓴다.
  보기 人 … 丿 人
       入 … 丿 入
       欠 … 仁 仍 欠
       金 … 丿 人 金 (=合)
  [주의] '必'은 두 가지의 필순이 있다.
    ㉠ 丶 丷 必 必
    ㉡ 丿 必 必 必 必
  본디 '必'은 '弋'과 '八'이 합쳐서 된 글자인데도 불구하고, 명조(明朝) 활자(活字)의 서체(書體)로는 마치 '心'에 '丿'을 더한 것처럼 보여, 일반 사람이 '心丿'의 필순으로 쓰지만, 역시 ㉠의 필순이 가장 좋은 필순이라고 하겠다.

(7) 가로획과 왼쪽 삐침
  ▷ 가로획이 길고 왼쪽 삐침이 짧은 글자는 왼쪽 삐침을 먼저 쓴다.
  보기 右 … 丿 ナ 右
       有 … 丿 ナ 有
       希 … 丷 㐅 产 希
  ▷ 가로획이 짧고 왼쪽 삐침이 긴 글자는 가로획을 먼저 쓴다.
  보기 左 … 一 ナ 左
       友 … 一 ナ 友

存 … 一 ナ 𡿨 存
在 … 一 ナ 在

〔참고〕 '右'와 '左'는 자원(字源)에 있어서 글자 모양이 다르기 때문에 좌우 삐침의 차례가 달라진 것이다.

㉠ 右 … 右 ('有'·'布'도 마찬가지)
㉡ 左 … 左

다만, '希'는 자원에 관계 없이 '右'의 필순을 따르고 있으며, '左'의 필순을 따르는 것에는 '友'(자원이 '右'에 속하므로 초서(草書)에서는 자원대로의 필순으로 쓴다)·'存'·'在'가 있다.

〔주의〕 먼저 쓰는 왼쪽 삐침

보기 九 … 丿 九
及 … 丿 乃 乃 及

〔주의〕 나중에 쓰는 왼쪽 삐침

보기 力 … ㇆ 力
万 … 一 丂 万
方 … 亠 亐 方

(8) 좌우로 꿰뚫은 획은 맨 나중에 쓴다.

▷ 글자 전체를 가로 꿰뚫은 것

보기 女 … 𡿨 女 女
母 … 𠃊 𠘧 母 母
子 … ㇇ 了 子
舟 … 丿 舟 舟

〔예외〕 世 … 一 廾 廿 世

(9) 아래위로 꿰뚫린 획은 맨 나중에 쓴다.

▷ 글자 전체를 꿰뚫은 것

보기 中 … 口 中 (=半·申)
車 … 一 亘 亘 車
事 … 一 亖 亖 事

▷ 위 또는 아래가 막혀도 맨 나중에 쓴다.

보기 手 … 三 手
平 … 一 亣 平

〔주의〕 원칙적으로는 아래가 막힌 세로획은 먼저 쓴다.

보기 虫 … 口 中 虫

▷ 아래위가 모두 막힌 세로획은 윗부분·세로획·아랫부분의 차례로 쓴다. 따라서, 맨 밑의 가로획을 마지막에 쓴다.

보기 里 … 旦 甲 里
重 … 二 亶 重 重

(10) 오른쪽 어깨의 '丶'은 나중에 찍는다.

보기 犬 … 一 大 犬
伐 … 代 伐 伐
博 … 十 恒 博 博

(11) '走·免·是'는 맨 먼저 쓴다.

보기 起 … 土 丰 丰 走 起
勉 … 𠂊 色 争 免 勉
題 … 日 旦 早 早 是 題

(12) '辶·廴·乚'는 맨 나중에 쓴다.

보기 近 … 厂 斤 斤 近
建 … ㇕ ヨ 彐 聿 建
直 … 一 十 冇 盲 直

(13) 특수한 자형의 필순의 보기

보기 凸 … 丨 ㇀ 凵 凸 凸 (5획)
凹 … 丨 𠃑 凹 凹 凹 (5획)
亞 … 一 丅 丅 亞 亞 亞
亞 亞 (8획)

(14) '止·耳·感·盛·興' 등은 일반적으로 두 가지의 필순이 있으나, ㉠을 주로 쓴다.

보기 止 { ㉠ 丨 卜 止
㉡ 一 卜 止 }

耳 { ㉠ 丅 巨 耳
㉡ 丌 再 耳 }

感 { ㉠ 后 咸 感
㉡ 后 咸 感 }

興 { ㉠ 𦥑 㒸 興
㉡ 𦥑 㒸 興 }

부수(部首)에 대하여

한자를 주로 자형의 성립에 따라 분류하는 방법이 있다. 그 분류된 무리들을 각각 부(部)라고 하며, 그 대표 문자를 부수라고 한다. 이를테면, '糸部'에는 '系(계)'·'素(소)'·'紙(지)'·'細(세)'·'絹(견)'·'線(선)' 등과 같이 '糸(사)'를 바탕으로 해서 이루어진 글자를 모으고, '糸(사)'를 '부수(部首)'로 삼고 있다.

부수(部首)와 부(部) 속의 한자는 일반적으로 뜻에 연관이 있다. 이를테면, '糸部'에 속하는 글자는 '糸'에 관계가 있고, '水部'에 속하는 글자는 '水'에 관계가 있다.

부수에 해당하는 한자가 다른 글자 속에 포함될 때는 보통은 모양이 조금 변한다. 이것을 '변·방'이라고 한다.

주요한 부수(部首)와 '변·방'의 보기

○ 人部(인부) 〔사람과 관계가 있음〕
  • 亻(사람인변)의 글자…位(위)·休(휴)·信(신) 따위
○ 刀部(도부) 〔칼붙이·날붙이·베다 따위와 관계가 있음〕
  • 刂(칼도방)의 글자…刊(간)·別(별)·前(전) 따위
○ 力部(역부) 〔힘·일하다 따위와 관계가 있음〕
  • 力(력)·加(가)·助(조)·勞(로) 따위
○ 口部(구부) 〔입·먹다·마시다 따위와 관계가 있음〕
  • 口(입구변)의 글자…味(미)·吸(흡)·唱(창) 따위
○ 土部(토부) 〔흙·지형(地形) 따위와 관계가 있음〕
  • 土(흙토변)의 글자…地(지)·場(장) 따위
○ 心部(심부) 〔사람의 마음과 관계가 있음〕
  • 忄(심방변)의 글자…快(쾌)·性(성)·情(정) 따위
○ 手部(수부) 〔손이나 손으로 하는 일과 관계가 있음〕
  • 扌(재방변)의 글자…打(타)·投(투)·持(지) 따위

○ 水部(수부) 〔물·강·액체 따위와 관계가 있음〕
  • 氵(삼수변)의 글자…河(하)·漢(한)·池(지) 따위
○ 火部(화부) 〔불·빛·열 따위와 관계가 있음〕
  • 火(불화변)의 글자…燒(소)·燈(등)·燃(연) 따위
  • 灬(연화발)의 글자…照(조)·熱(열)·無(무) 따위
○ 糸部(사부) 〔실·천 따위와 관계가 있음〕
  • 糸(실사변)의 글자…紙(지)·細(세)·絹(견) 따위
○ 艸部(초부) 〔식물과 관계가 있음〕
  • ++(초두밑)의 글자…花(화)·草(초)·葉(엽) 따위
○ 雨部(우부) 〔기상과 관계가 있음〕
  • 雨(비우부)의 글자…雲(운)·雪(설)·電(전) 따위

부수(部首)의 수는 여러 가지 분류법이 있어 일정하지 않지만, 가장 대표적인 분류법으로는 214의 부수를 들고 있다.

'변·방'이란 '변'·'방'·'머리'·'발'·'몸'·'밑'·'받침' 등 일곱 종류의 형을 대표해서 가리키는 말이다.

① 변　女(계집녀변)…姉(자)·妹(매) 따위
　　　車(수레거변)…轉(전)·輪(륜) 따위
② 방　彡(터럭삼·삐친석삼)…形(형) 따위
　　　隹(새추)…雜(잡)·難(난) 따위
③ 머리　宀(갓머리)…安(안)·宮(궁) 따위
　　　竹(대죽머리)…筆(필)·菅(관) 따위
④ 발　灬(연화발)…照(조)·熱(열) 따위
　　　皿(그릇명받침)…益(익)·盟(맹)·監(감) 따위
⑤ 몸　囗(에운담몸·큰입구몸)…國(국)·園(원) 따위
　　　門(문문)…開(개)·關(관) 따위
⑥ 밑　厂(민엄호밑)…原(원)·厚(후) 따위
　　　广(엄호밑)…店(점)·庭(정) 따위
⑦ 받침　走(달아날주변)…起(기) 따위
　　　辶(책받침)…進(진)·近(근) 따위

一 (1획) 部
[한일부]

0
① [一] 甲人 일 ⑧質 於悉切 yī

字解 ①한 일, 하나 일 ㉠수의 처음. ‘一人’. ‘擧而慶百’《孟子》. ㉡단독. 단지 하나. ‘一手獨拍, 雖疾無聲’《韓非子》. ㉢처음. 근본. ‘務一不尙繁密’《顏延之》. ㉣순전(純全). 순수. ‘純一’. ‘維精維一’《書經》. ‘天得一以淸’《老子》. ㉤같음. 동일(同一). ‘一樣’. ‘一色’. ‘先聖後聖, 其揆一也’《孟子》. ㉥전일(專一). ‘一心’. ‘一意’. ‘用心一也’《淮南子》. ②하나로할 일 ㉠합침. ‘人主者, 一力以共戴之’《韓非子》. ㉡동일하게 함. ‘一度量, 平權衡’《呂氏春秋》. ㉢고르게 함. ‘靜生民之業, 而一其俗’《史記》. ㉣통일함. ‘孰能一之’《孟子》. ③첫째 일 제일. ‘一等’. ‘治爲天下第一’《漢書》. ④온통 일 전부. 전체. ‘一國’. ‘一軍皆驚’《史記》. ⑤낱낱 일 하나하나. ‘逐一點檢’《朱子語錄》. ⑥한번 일 1회. ‘一能之, 己百之’《中庸》. ‘所一見, 輒訟于口’《後漢書》. ⑦만일 일 만약. ‘一旦’. ‘彼一見秦王, 秦王必相之’《戰國策》. ⑧오로지 일 외곬으로. 전혀. ‘一遵蕭何之約束’《史記》. ‘賞利一從上出’《韓非子》. ⑨모두 일 다. 빠짐없이. ‘一切’. ‘一可以爲法則’《荀子》. ⑩어느 일 어떤. ‘一日’. ‘一說’. ‘一夕自恨死’《柳宗元》. ⑪어조사 일 어세(語勢)를 강하게 하는 조사(助辭). ‘一遊一豫, 爲諸侯度’《孟子》. ⑫성 일 성(姓)의 하나.

字源 甲骨文 一 金文 一 篆文 一 古文 弌 같을지자 壹 指事. 가로의 한 획으로 수(數)의 ‘하나’의 뜻을 나타냄. 수(數)의 첫째인 데서 ‘처음·근본’의 뜻도 가리킴. 또 둘 이상의 것이 아닌 하나의 뜻에서, ‘같다·오로지’의 뜻을 나타내며, 둘 이상으로 나뉘지 않고 합쳐져 있는 전체의 뜻을 나타냄.

[一架 일가] ㉠시렁 하나. 한 시렁. ㉡시렁 가득히.

[一家 일가] ㉠한 가옥. 한 집. ㉡한 가족. 한집안. ㉢한 가지 학문이나 기예에 대한 성가(成家). ㉣한 학과(學派). 한 유파(流派).

[一家團欒 일가단란] 한집안 식구가 무릎을 모아 둘러앉는다는 뜻으로, 한집안 식구가 화목하게 지냄을 이름.

[一家富貴千家怨 일가부귀천가원] 한 집이 부귀를 누리면, 천 집이 이를 시기하고 미워함.

[一家言 일가언] 일가견(一家見).

[一家之言 일가지언] 자가 독특(自家獨特)의 학설. 자신의 설. 또, 그 저작.

[一角 일각] ㉠한 뿔. 뿔 하나. ㉡한 모퉁이. 일우(一隅).

[一刻 일각] ㉠1시간의 4분의 일. 곧, 십오 분. ㉡매우 짧은 시간.

[一刻千金 일각천금] 일각(一刻)의 짧은 시간도 아깝기가 천금(千金)과 같음. 또, 썩 즐거운 경우를 이름.

[一竿 일간] 장대 하나. 낚싯대 하나.

[一間 일간] ㉠가운데에 한 사람이 끼여 있는 정도의 거리라는 뜻으로, 약간의 차이를 이름. ㉡집의 기둥과 기둥과의 사이.

[一竿風月 일간풍월] 낚싯대 하나를 벗 삼아 풍월(風月)을 즐기는 일. 낚시질을 하며 자연의 풍경(風景)을 즐기는 일.

[一喝 일갈] 한 번 큰 소리로 꾸짖음.

[一葛 일갈] 갈포(葛布)로 지은 여름옷 한 벌.

[一龕 일감] 하나의 감실(龕室). 하나의 사탑(寺塔).

[一鑑 일감] 거울 하나.

[一个 일개] ㉠하나. 한 개. ㉡한 사람. 일개(一介).

[一介 일개] ㉠한 사람. ㉡약간. 근소.

[一個 일개] 하나. 일개(一箇).

[一箇 일개] 일개(一個).

[一槩 일개] ㉠한데 아우름. ㉡같음. 동일함. ㉢모두. 일률적으로.

[一槪 일개] 일개(一槩).

[一介不取 일개불취] 욕심이 아주 없음을 이름.

[一介書生 일개서생] 보잘것없는 한 사람의 서생.

[一噱 일각] 한 번 크게 웃음. 한 번 웃음.

[一炬 일거] 횃불 하나.

[一擧 일거] ㉠한 번 날아오름. ㉡한 번 행함. 또, 한 번의 일. ㉢한 번 희생(犧牲)을 죽여 제기(祭器)에 담음.

[一去無消息 일거무소식] 한 번 간 뒤에 아주 소식이 없음.

[一擧手一投足 일거수일투족] 손 한 번 들고 발 한 번 내디딘다는 뜻으로, 동작 하나하나를 이름.

[一擧兩得 일거양득] 한 가지 일을 하여 두 가지 이득을 봄. 일석이조(一石二鳥).

[一擧一動 일거일동] 사소한 동작.

[一去一來 일거일래] 갔다 왔다 함.

[一劍 일검] 칼 한 자루.

[一劍之任 일검지임] 척살(刺殺) 또는 결투 등에 의하여 일을 결말지어야 할 임무.

[一擊 일격] 한 번 침.

[一見 일견] ㉠한 번 봄. 또, 언뜻 봄. 잠깐 봄. ㉡한 번 만남. ㉢처음으로 만남. 초대면(初對面)함.

[一見如舊 일견여구] 일면여구(一面如舊).

[一犬吠形百犬吠聲 일견폐형백견폐성] 한 마리의 개가 사람이나 물건의 형상을 보고 짖으면 이 소리를 들은 여러 개는 덩달아 짖는다는 뜻으로, 한 사람이 거짓말을 하면 이 말을 들은 여러 사람들은 모두 이를 곧이듣고 남에게 전함을 비유한 말. 일인전허만인전실(一人傳虛萬人傳實).

[一決 일결] 단번에 결단함.

[一関 일결] 한 곡(曲)의 음악이 끝나는 일.

[一傔 일겸] 하인 한 사람. 종 한 사람. 일복(一僕).

[一更 일경] 오후 여덟 시경. 초경(初更).

[一經 일경] ㉠한 경서(經書). 한 가지의 경서. ㉡경서 한 권.

[一莖九穗之瑞 일경구수지서] 한 줄기에서 아홉 개의 이삭이 나왔다는 상서로운 곡초(穀草).

[一經博士 일경박사] 경서(經書) 한 가지만 연구하여 된 박사. 박사는 학예를 맡은 벼슬임.

[一系 일계] 한 계통. 같은 계통.

[一計 일계] 한 가지 꾀. 한 꾀.

1획

[一階半級 일계반급] 하찮은 벼슬. 낮은 벼슬.
[一考 일고] 한 번 생각함.
[一鼓 일고] 진군(進軍)할 때 처음에 북을 한 번 침.
[一篙 일고] ㉠한 상앗대. ㉡한 상앗대의 길이만큼의 물의 깊이.
[一顧 일고] ㉠한 번 뒤돌아봄. ㉡조금 돌봄.
[一顧傾國 일고경국] 절세(絶世)의 미인임을 이름.
[一顧傾城 일고경성] 일고경국(一顧傾國).
[一曲 일곡] ㉠한 물굽이. ㉡한 굴곡. ㉢한 모퉁이. 일우(一隅). ㉣음악 한 곡(曲).
[一孔 일공] ㉠한 구멍. ㉡한 점(點)·한 장소 등의 뜻.
[一空 일공] 텅 빔. 모두 없어짐.
[一過 일과] ㉠한 번 지나감. ㉡한 번 읽음. ㉢한 가지 과실.
[一顆 일과] 한 덩어리. 둥근 것을 세는 데 씀.
[一貫 일관] ㉠한 이치(理致)로 만사를 꿰뚫음. ㉡종시 변하지 아니함. 뜻을 굽히지 아니함. ㉢같음.
[一括 일괄] 한데 묶음. 또, 그것. 한 묶음. 일속(一束).
[一匡 일광] 어지러운 천하(天下)를 바로잡아 다스림.
[一塊 일괴] 한 덩어리.
[一塊肉 일괴육] 한 덩어리의 고기라는 뜻으로, 살아남은 오직 한 사람의 자손을 이름.
[一塊土 일괴토] 한 덩어리의 흙.
[一口 일구] ㉠한 입. 한 사람의 입. 전(轉)하여, 같은 말. 같은 소리. ㉡한 사람. ㉢음식 같은 것을 먹을 때에 한 번 놀리는 입. ㉣한 말. 말 한 마디. 일언(一言). ㉤칼 한 자루. ㉥한 마리. 한 개. 새·짐승·기구 등의 입이 있는 것을 세는 데 쓰는 말.
[一句 일구] 문장의 한 구.
[一具 일구] 한 벌. 의복·기구 등을 세는 데 쓰는 말.
[一區 일구] 한 구획의 땅.
[一口難說 일구난설] 한 말로는 다 설명할 수 없음.
[一口二言 일구이언] 한 입으로 두 가지의 말을 함. 곧, 약속을 어김.
[一裘一葛 일구일갈] 여름에 입는 갈포(葛布)로 만든 옷 한 벌과 겨울에 입는 가죽으로 만든 옷 한 벌. 전(轉)하여, 가난한 살림. 빈한한 생활.
[一邱一壑 일구일학] 때로는 언덕에 올라가 소풍하고 때로는 골짜기의 시내에서 낚시질한다는 뜻으로, 속세(俗世)를 떠나 자연을 벗 삼으며 몸을 고상하게 가짐을 이름.
[一丘之貉 일구지학] 한 언덕에서 같이 사는 오소리라는 뜻으로, 동류(同類)의 비유로 쓰임.
[一局 일국] 바둑 한 판.
[一匊 일국] 일국(一掬).
[一掬 일국] ㉠한 움큼. ㉡좌우 두 손에 하나 가득.
[一國 일국] 한 나라. 온 나라. 전국(全國).
[一局棊 일국기] 바둑 한 판. 일국(一局).
[一掬淚 일국루] 두 손에 가득히 괸 눈물. 많은 눈물.
[一掬土 일국토] 두 손으로 한 번 움켜쥔 흙. 한 움큼의 흙.
[一軍 일군] ㉠주대(周代)의 제도에서 군대 1만2천5백 명의 일컬음. ㉡온 군대. 전군(全軍).
[一群 일군] 한 떼.
[一弓 일궁] ㉠한 활. 활 하나. ㉡땅을 측량할 때의 길이로 8척(尺)의 일컬음. 일설(一說)에는, 7척 2촌이라 함. ㉢궁술상(弓術上)의 거리로 6척(尺)의 일컬음.
[一卷石 일권석] 한 덩어리의 돌.
[一蹶 일궐] 한 번 넘어짐.
[一軌 일궤] ㉠통일함. 통일하여 다스림. 일통(一統). ㉡같은 길. 같은 경로. 같은 법칙. 일철(一轍). ㉢같음. 동일함.
[一簣 일궤] 한 삼태기의 흙.
[一饋而十起 일궤이십기] 하(夏)나라의 우왕(禹王)이 지극히 백성을 사랑하여 한 번 식사하는 동안에도 열 번이나 일어나 그들을 걱정한 고사(故事).
[一揆 일규] 같은 길. 같은 경로. 같은 법칙. 일철(一轍).
[一鈞 일균] 30근(斤).
[一琴一鶴 일금일학] 거문고 하나와 학 한 마리가 전 재산이라는 뜻으로, 벼슬아치의 청렴(淸廉)함을 이름.
[一己 일기] 자기 한 사람. 오직 자기만.
[一技 일기] 한 가지의 기예. 한 가지의 재주.
[一紀 일기] 열두 해. 12년.
[一氣 일기] ㉠천지(天地)의 원기(元氣). 음양으로 나뉘지 않은 기(氣). ㉡한숨. 단숨.
[一基 일기] 한 자리. 하나. 무덤·비석(碑石) 같은 것을 세는 데 쓰는 말.
[一期 일기] ㉠일기(一朞). ㉡어떤 시기(時期)를 몇에 나눈 그 하나. 또, 그 최초의 시기. ㉢《佛敎》평생. 일생(一生).
[一朞 일기] 한 돌. 일주년(一周年).
[一騎 일기] 한 사람의 말 탄 군사.
[一氣呵成 일기가성] 단숨에 글을 지음. 전(轉)하여, 한숨에 일을 해냄.
[一騎當千 일기당천] 일인당천(一人當千).
[一己之欲 일기지욕] 오직 자기 한 사람만을 위하는 욕심.
[一諾 일낙] 한 번 승낙함.
[一諾千金 일낙천금] 한 번 승낙한 것은 값이 천금이나 된다는 뜻으로, 약속은 굳게 지켜야 함을 비유한 말.
[一年 일년] ㉠한 해. 12개월. ㉡세기(世紀)·연호(年號)의 첫 해. ㉢어느 해.
[一年三百六十日 일년삼백육십일] 1년 내내. 1년 중.
[一年之計莫如樹穀 일년지계막여수곡] 1년간의 계획을 하는 데는 곡식을 심는 것이 제일임.
[一年之計在于春 일년지계재우춘] 모든 일은 만일에 대비하기 위하여 미리 계획하여야 하므로, 한 해의 방침은 첫봄에 세워야 함.
[一年草 일년초] 해마다 씨에서 새싹이 돋아나는 풀. 당년초(當年草).
[一年虛渡秋 일년허도추] 추석날 밤에 하늘에 구름이 끼어 달을 볼 수 없는 것을 탄식한 시구(詩句).
[一念 일념] ㉠한결같은 마음. 일심(一心). ㉡한 마음. 하나의 마음. ㉢짧은 시간.
[一念不生 일념불생] 《佛敎》화엄(華嚴)의 오의(奧義)로서, 조금도 잡념(雜念)이 생기지 아니함을 이름.
[一念三千 일념삼천] 《佛敎》사람의 마음속에 3천

1획

의 법계 (法界)를 갖추고 있다는 뜻으로, 사람의 마음이 곧 전체의 우주 (宇宙)라는 말.

[一念唱名 일념창명] 《佛敎》 일념칭명 (一念稱名).

[一念稱名 일념칭명] 일심 (一心)으로 아미타불 (阿彌陀佛)을 믿고 나무아미타불 (南無阿彌陀佛)을 부름.

[一念通天 일념통천] 마음만 한결같이 먹으면 어떠한 어려운 일이라도 이룰 수 있음.

[一怒而安天下 일노이안천하] 성인 (聖人)은 한번 노하면 어지러운 세상을 바로잡아 천하를 편안하게 함.

[一能 일능] 한 가지의 재능.

[一茶頃 일다경] 차 한 잔 마시는 시간. 전 (轉)하여, 잠시 (暫時).

[一旦 일단] ㉠어느 날 아침. 하루 아침. 또, 어느 날. ㉡한번. 만일. 일조 (一朝). ㉢잠시. 잠깐.

[一段 일단] 한층. 한층 더.

[一端 일단] ㉠한끝. 한 부분. ㉡포백 (布帛)의 길이 2장 (丈).

[一團 일단] 한 덩어리. 한 떼.

[一簞食一豆羹 일단사일두갱] 대나무로 만든 밥그릇 하나에 담은 밥과 제기 (祭器) 하나에 담은 국이라는 뜻으로, 소량의 음식을 이름.

[一簞食一瓢飮 일단사일표음] 대나무로 만든 밥그릇 하나에 담은 밥과 표주박 하나에 담은 음료라는 뜻으로, 빈한한 사람의 간소한 소량의 음식을 이름.

[一旦有急 일단유급] 일조유사시 (一朝有事時)에는.

[一旦有緩急 일단유완급] 일단유급 (一旦有急).

[一團和氣 일단화기] 단합되어 원만한 화기. 주위를 둘러싸고 있는 온화한 공기.

[一旦豁然貫通 일단활연관통] 장구한 세월을 사리 (事理)를 연구하느라고 정신을 집중한 결과 하루아침에 모든 의문이 풀려 이치를 환히 깨달음.

[一黨 일당] 목적과 행동을 같이하는 무리. 같은 당파.

[一當百 일당백] 하나가 백을 당함.

[一代 일대] ㉠일평생 (一生). ㉡그 시대. 당대 (當代). ㉢군주가 왕위에 있는 동안. ㉣호주가 가계 (家系)를 계승하고 있는 동안.

[一帶 일대] ㉠한 줄기. ㉡부근 전체. 어느 지역의 전부.

[一隊 일대] 한 떼.

[一對 일대] 한 쌍.

[一大劫 일대겁] 《佛敎》 성겁 (成劫)·주겁 (住劫)·괴겁 (壞劫)·공겁 (空劫)을 각각 일소겁 (一小劫)이라 하고, 이 사소겁 (四小劫)을 합친 기간을 일대겁 (一大劫)이라 함. 대단히 긴 시간을 이름.

[一大事 일대사] 한 큰 일. 용이하지 아니한 일. 중대한 일.

[一大事因緣 일대사인연] 《佛敎》 부처가 중생 제도 (衆生濟度)의 큰 일을 위하여 이 세상에 나타나는 일.

[一代楷模 일대해모] 일세 (一世)의 모범.

[一德 일덕] 순일 (純一)의 덕. 순수한 덕.

[一刀 일도] 칼 한 자루.

[一度 일도] ㉠한 번. ㉡한때.

[一途 일도] 같은 길. 같은 이치. 같은 방법.

[一道 일도] ㉠한 가지 이치. 일리 (一理). ㉡한 줄. 한 가닥. ㉢한 통. 편지·서류 등을 세는 말.

[一刀三禮 일도삼례] 《佛敎》 불상 (佛像)을 새길 때 부처에게 경의 (敬意)를 표하기 위하여 세 번 절하는 일.

[一刀兩斷 일도양단] ㉠칼로 베어 단번에 둘로 냄. ㉡과단성 있게 일을 처리함.

[一讀 일독] 한 번 읽음. 죽 읽음.

[一頓 일돈] ㉠한 번. 일차 (一次). ㉡한 번 휴식함. 잠시 쉼. 일식 (一息).

[一同 일동] ㉠모든 사람. 전체 (全體). ㉡100리 사방 (四方).

[一動一靜 일동일정] 때로는 움직이고 때로는 정지함. 활동하기도 하고 정지하기도 함.

[一頭 일두] 한 마리.

[一斗粟尙可舂 일두속상가용] 얼마 안 되는 양식이라도 찧어서 서로 나누어 먹어야 한다는 뜻으로, 형제의 우애 (友愛)가 좋아야 함을 이름. 한 (漢)나라 문제 (文帝)가 아우와 불목 (不睦)한 것을 기자 (譏刺)한 민요 (民謠)의 한 구임.

[一得一失 일득일실] ㉠한 가지 이익이 있으면 한 가지 손해가 따름. 이해가 상반함. 일리일해 (一利一害). ㉡한쪽은 좋고 딴 쪽은 서투름.

[一等 일등] 첫째의 등급. ㉡같음. 마찬가지임.

[一等國 일등국] 국력이 강대하여 국제상 (國際上) 가장 우세 (優勢)한 나라.

[一樂 일락] ㉠삼락 (三樂) 중의 첫째가는 즐거움. 곧, 부모가 구존 (俱存)하고 형제가 무고한 일. ㉡한 가지 즐거움.

[一覽 일람] 한 번 봄. 죽 봄.

[一覽不忘 일람불망] 한 번 보면 잊지 아니함.

[一覽輒記 일람첩기] 한 번 보면 곧 기억함. 총기 (聰氣)가 썩 좋음.

[一覽表 일람표] 여러 가지 사항을 죽 보아 바로 그 내용을 알 수 있도록 꾸민 표.

[一臘 일랍] ㉠사람이 태어나서 이레 되는 날. ㉡《佛敎》 중이 득도 (得道)한 후의 한 해. 일법랍 (一法臘).

[一兩 일량] ㉠한둘. 한두. 일이 (一二). ㉡일량 (一輛).

[一輛 일량] 수레 한 대.

[一旅 일려] 주대 (周代)의 제도 (制度)에서 군사 5백 명의 일컬음.

[一力 일력] 한 사람의 하인. 일복 (一僕).

[一聯 일련] ㉠시문 (詩文) 중의 한 대구 (對句). 한 연구 (聯句). ㉡하나의 연속.

[一臠 일련] 고기 한 점. 고기 한 조각.

[一蓮托生 일련탁생] 죽은 후에 같이 극락정토 (極樂淨土)의 연꽃 위에서 남. 전 (轉)하여, 남과 운명을 같이함.

[一列 일렬] ㉠한 줄. ㉡첫째 줄.

[一令 일령] 한 번 명령함. 또, 한 번의 명령.

[一領 일령] 옷 한 벌.

[一齡 일령] 누에의 처음 슬어 놓은 때로부터 첫잠을 잘 때까지의 동안.

[一例 일례] ㉠한결같음. ㉡한 가지 예 (例). 하나의 예증 (例證).

[一勞永逸 일로영일] 한때 고생하고 오랫동안 안락하게 지냄.

[一路平安 일로평안] 여행하는 사람을 전송할 때 인사하는 말로, 무사히 여행하기를 바란다는 뜻.

[一弄 일롱] ㉠한 곡 (曲)을 연주함. ㉡일롱 (一哢).

[一哢 일롱] 새가 한 번 지저귐.

[一壟 일롱] ㉠밭 한 뙈기. ㉡한 두덕. 한 언덕.

**1
획**

[一龍一蛇 일룡일사] 혹은 용이 되어 하늘로 올라가고 혹은 뱀이 되어 못 속에 숨는다는 뜻으로, 치세(治世)에는 나가 입신양명(立身揚名)하고 난세에는 숨어 명철보신(明哲保身)함을 이름.

[一龍一豬 일룡일저] 한 사람은 용이 되고 한 사람은 돼지가 된다는 뜻으로, 지위 또는 현우(賢愚)의 차이가 현격(懸隔)하여짐을 이름.

[一樓 일루] ㉠한 누각(樓閣). ㉡온 누각.

[一縷 일루] ㉠한 오리의 실. ㉡간신히 유지하는 연속.

[一縷之任係千鈞之重 일루지임계천균지중] 몹시 위태로움의 형용.

[一流 일류] ㉠일등의 지위. ㉡한 유파(流派). ㉢한 학파.

[一類 일류] 같은 종류. 한 종류.

[一輪車 일륜거] 바퀴가 하나 달린 수레.

[一輪明月 일륜명월] 하나의 둥글고 밝은 달.

[一輪月 일륜월] 하나의 둥근 달.

[一律 일률] ㉠같은 음률(音律). 같은 음악의 가락. ㉡같은 방법. 같은 내용.

[一里 일리] 이정(里程)의 단위. 360보(步). 우리 나라에서는 한 마장.

[一利 일리] 한 가지 이로움. 한 가지 이익.

[一理 일리] 한 가지 이치.

[一犁雨 일리우] 밭 갈기에 알맞게 온 비.

[一利一害 일리일해] ㉠한 가지 이와 한 가지 해. ㉡이가 있는 대신 해도 있음. 이해가 서로 상반(相半)함.

[一里一堠 일리일후] 1리(里)마다 이정(里程)을 표시하기 위하여 쌓은 돈대.

[一馬不被兩鞍 일마불피양안] 한 마리의 말의 등에 안장 둘을 얹지 못한다는 뜻으로, 한 여자가 두 남자를 섬길 수 없음을 비유한 말.

[一抹 일말] ㉠한 번 칠함. ㉡한 번 길게 칠한 것 같은 연기 등의 모양을 이름.

[一望無涯 일망무애] 일망무제(一望無際).

[一望無際 일망무제] 아득하게 끝없이 멀어 눈을 가리는 것이 없음.

[一網打盡 일망타진] 한 그물에 물고기를 모두 잡듯이 한꺼번에 모조리 잡아서 처치함.

[一枚 일매] ㉠한 개. 1개(個). ㉡(韓) 한 장(張).

[一脈 일맥] 한 맥락(脈絡). 한 줄.

[一盲引衆盲 일맹인중맹] 《佛敎》 한 소경이 여러 소경을 인도한다는 뜻으로, 한 어리석은 자가 여러 어리석은 자를 그릇된 곳으로 인도함을 이름.

[一面 일면] ㉠한 방면. 한 지방. ㉡온 면(面). 전면(全面). ㉢한 번의 면회. 한 번의 대면. ㉣한 편에서는.

[一面交 일면교] 일면식(一面識).

[一面識 일면식] 한 번 서로 대하여 본 사이.

[一面如舊 일면여구] 서로 처음으로 만나 보고서 옛 벗과 같이 친밀함.

[一名 일명] ㉠한 사람. ㉡따로 부르는 이름. 별명. 별칭(別稱). ㉢과거(科擧)에서 첫째의 급제. 장원 급제(壯元及第). 또, 장원 급제한 사람.

[一命 일명] ㉠처음으로 벼슬하는 일. 초사(初仕). 또, 그 최하급의 벼슬. ㉡목숨. 일(一)은 어세(語勢)를 강하게 하기 위하여 첨가한 말.

[一鳴驚人 일명경인] 이 새가 있는데 이 새는 한 번 울기만 하면 사람을 놀라게 한다는 뜻으로, 한번 일을 착수하기만 하면 사람을 놀라게 할

만한 큰 사업을 함을 비유한 말.

[一毛 일모] ㉠한 가닥의 털. ㉡지극히 가벼운 것의 비유.

[一眸 일모] 한 번 보는 일. 일견(一見).

[一暮 일모] 하룻밤. 일석(一夕).

[一毛不白 일모불백] 일발불백(一髮不白).

[一木 일목] 한 나무. 나무 한 그루.

[一目 일목] ㉠한 눈. 눈 하나. ㉡애꾸눈. 척안(隻眼). ㉢한 번 보는 일. 일견(一見). ㉣바둑돌 한 개.

[一沐 일목] 한 번 머리를 감음.

[一目十行 일목십행] 글 열 줄을 동시에 본다는 뜻으로, 독서력이 비상하여 대단히 속독(速讀)함을 이름.

[一目瞭然 일목요연] 한 번 언뜻 보아 환히 알 수 있음.

[一目之羅 일목지라] 눈이 하나 있는 그물.

[一木之枝 일목지지] 나무 한 그루의 가지.

[一無可觀 일무가관] 하나도 볼 만한 것이 없음.

[一文 일문] ㉠한 편(篇)의 문장(文章). ㉡한 점의 무늬.

[一門 일문] ㉠한집안. 일가. 동족(同族). ㉡같은 종류. 동류. 일류(一類). ㉢대포 하나.

[一門普門 일문보문] 《佛敎》 한 교리(敎理)를 통하면 모든 교리를 다 쉽게 통할 수 있다는 말.

[一文不知 일문부지] 글자 하나도 읽지 못함. 눈뜬 소경임. 판무식. 일자무식(一字無識).

[一文不通 일문불통] ㉠서로 편지를 한 번도 하지 아니함. ㉡일문부지(一文不知).

[一問一答 일문일답] 한 가지의 물음과 한 가지의 대답. 하나의 문의와 한 번의 대답.

[一物 일물] ㉠한 물건. ㉡한 건(件).

[一物一累 일물일루] 물건 하나가 있으면 반드시 이에 따르는 누(累)가 한 가지 있음.

[一味 일미] ㉠음식의 맛이 같음. ㉡한 가지 음식. ㉢(韓) 썩 좋은 맛.

[一味雨 일미우] 《佛敎》 한결같이 오는 비라는 뜻으로, 불설(佛說)이 일반에 유포(流布)함의 비유로 쓰임.

[一泊 일박] 일숙(一宿).

[一半 일반] 절반(折半).

[一般 일반] ㉠같음. 동일함. ㉡보통. 통상(通常). 특별(特別)의 대(對). ㉢온통. 모두. 일체(一切).

[一班 일반] ㉠한 줄. 일렬(一列). ㉡한 지위. 한 계급.

[一斑 일반] 여러 아롱진 무늬 중의 한 점. 전(轉)하여, 일부분. 일단(一端).

[一飯 일반] ㉠한 입의 밥. ㉡한 번의 식사(食事).

[一飯三吐哺 일반삼토포] 주공(周公)이 어진 이를 구(求)하는 데 열심이어서, 한 끼의 식사에 세 번이나 입에 넣은 밥을 뱉고 일어나 손을 영접한 고사(故事). '토포악발(吐哺握髮)' 참조.

[一飯恩 일반은] 일반지덕(一飯之德).

[一飯之德 일반지덕] 한 끼니의 밥을 얻어먹은 은덕(恩德).

[一飯之報 일반지보] 한 끼니의 밥을 얻어먹은 데 대한 보은(報恩). 아주 작은 은혜에 대한 보은.

[一飯千金 일반천금] 한신(韓信)이 표모(漂母)한테 한 끼니의 밥을 얻어먹고 후에 천금을 주어 그 은혜를 갚은 일.

[一發 일발] 활 또는 총포를 한 번 쏨.

[一髮 일발] ㉠한 가닥의 머리털. 한 머리카락. ㉡한 가닥의 머리털을 놓은 것처럼 먼 데 있는 산이 희미하게 보이는 것을 형용하는 말.

[一髮不白 일발불백] 늙은이의 머리가 하나도 세지 아니함. 일모불백 (一毛不白).

[一髮引千鈞 일발인천균] 한 가닥의 머리카락으로 3만 근이나 되는 무거운 물건을 끌어당긴다는 뜻으로, 극히 위험하거나 무모한 일을 비유하는 말.

[一方 일방] ㉠한편. 한쪽. ㉡저쪽.

[一方之藝 일방지예] 한 방면에 뛰어난 기예.

[一方之任 일방지임] 한 지방을 통치하는 직임 (職任).

[一放砲手 일방포수] 일자포수 (一字砲手).

[一杯 일배] ㉠한 잔. 또, 한 잔에 채울 만한 분량. 곧, 소량 (少量). ㉡한 잔의 술. 전 (轉)하여, 술.

[一輩 일배] 한 패. 한 동아리.

[一杯酒 일배주] 한 잔 술.

[一百五日 일백오일] 동짓날부터 105일째 되는 날. 곧, 한식날.

[一番 일번] ㉠한 번. ㉡종이 같은 것의 한 장.

[一帆 일범] ㉠돛 하나. ㉡돛단배 한 척. 범선 (帆船) 한 척.

[一碧 일벽] 똑같은 푸른색.

[一癖 일벽] 한 버릇.

[一碧萬頃 일벽만경] 푸른 수면 (水面)이 한없이 넓은 모양.

[一變 일변] 아주 달라짐. 또, 아주 변경시킴.

[一別 일별] 한 번 이별함. 한 번 작별함. 또, 한 번의 이별.

[一瞥 일별] 한 번 흘긋 봄.

[一別三春 일별삼춘] 작별한 지 3년이 된다는 뜻으로, 오래 만나지 않아 그리운 마음이 간절함을 이름.

[一別如秦胡 일별여진호] 진 (秦)과 호 (胡)와 같이 서로 멀리 떨어져 있음.

[一餠 일병] 한 덩이. 한 조각. 일편 (一片).

[一步 일보] 한 걸음.

[一報 일보] 한 번의 보고. 통지.

[一步一喘 일보일천] 한 번 걷고 한 번 헐떡거린다는 뜻으로, 험준한 비탈을 가는 것을 형용하는 말.

[一伏時 일복시] 일주야 (一晝夜).

[一封 일봉] 봉한 편지, 또는 서류 한 통.

[一蓬 일봉] 한 척의 거룻배.

[一夫 일부] ㉠한 사람. 일인 (一人). ㉡한 남편. ㉢한 사내. ㉣폭군 (暴君)을 이름.

[一部 일부] ㉠한 부분. ㉡책 한 벌.

[一夫多妻 일부다처] 한 남편이 둘 이상의 아내를 거느림.

[一夫當關萬夫莫開 일부당관만부막개] 한 사람의 파수병 (把守兵)이 관문 (關門)을 지키면 만 명의 적병을 막아낸다는 뜻으로, 지세 (地勢)가 극히 험준 (險峻)하여 수비하기 아주 용이함을 이름.

[一夫一婦 일부일부] 한 남편에 한 아내.

[一夫從事 일부종사] 한 남편을 섬김.

[一夫終身 일부종신] 남편이 죽은 뒤에 후살이 가지 않고 일생을 마침.

[一傅衆咻 일부중휴] 한 사람이 가르치는 데 여러 사람이 이를 잘 듣지 않고 떠들어 댄다는 뜻으로, 성공하지 않음의 비유로 쓰임.

[一抔土 일부토] ㉠한 줌의 흙. ㉡천자 (天子)의 무덤. 능 (陵).

[一分 일분] ㉠기장 〔糯黍〕 한 알의 길이. ㉡한 시간의 60분의 1. 60초.

[一佛淨土 일불정토] 《佛敎》 같은 불계 (佛界). 같은 정토 (淨土).

[一悲一喜 일비일희] 슬퍼하기도 하고 기뻐하기도 함.

[一臂之力 일비지력] 조그마한 힘. 조그마한 조력 (助力).

[一貧一富 일빈일부] 가난하여지기도 하고 부자가 되기도 함.

[一嚬一笑 일빈일소] 얼굴을 찡그리기도 하고 웃기도 함. 혹은 근심하고 혹은 기뻐함.

[一死 일사] ㉠한 번 죽음. ㉡죽음. 사 (死).

[一事 일사] 한 일. 한 사건.

[一舍 일사] 30리 (里).

[一絲 일사] 한 오리의 실. 전 (轉)하여, 조금. 약간. 없음.

[一事無成 일사무성] 한 가지 일도 이룬 것이 없음.

[一絲不掛 일사불괘] 옷을 하나도 걸치지 아니함. 발가숭이로 있음.

[一絲不亂 일사불란] 질서 (秩序)가 정연 (整然)하여 조금도 어지러운 데가 없음.

[一蛇二首 일사이수] 조정 (朝廷)에 권력이 있는 신하 (臣下)가 두 사람 있음의 비유.

[一死一生乃知交情 일사일생내지교정] 참다운 우정 (友情)은 살아 있는 때보다 죽은 후에 알 수 있다는 말.

[一絲一毫 일사일호] 한 오리의 실과 한 가닥의 털.

[一瀉千里 일사천리] ㉠강물의 물살이 빨라서 한 번 흘러 천 리 밖에 다다름. 전 (轉)하여, 일을 빨리 하는 모양. ㉡문장·언론 등이 힘차고 거침이 없는 모양.

[一朔 일삭] 한 달.

[一殺多生 일살다생] 《佛敎》 많은 사람을 살리기 위하여 한 사람을 죽이는 일. 여러 사람을 위하여 한 사람을 희생시키는 일.

[一三昧 일삼매] 《佛敎》 잡념 (雜念)을 떨고 열심히 수행 (修行)하는 일.

[一霎 일삽] 한바탕 내리는 비. 일삽우 (一霎雨). 전 (轉)하여, 잠시 (暫時). 일삽시 (一霎時).

[一霎時 일삽시] 잠시 (暫時).

[一霎雨 일삽우] 한바탕 내리는 비.

[一上 일상] 한 번 올라감. 한 번 닒.

[一牀書 일상서] 한 침상 위의 책이란 뜻으로, '얼마 되지 않는 책'을 이름.

[一狀案過 일상안과] 한 사람마다 죄상 (罪狀)을 조사하여 처결 (處決)하지 않고 여러 사람을 동시에 처결하는 일. 일상영과 (一狀領過).

[一狀領過 일상영과] 일상안과 (一狀案過).

[一觴一詠 일상일영] 때로는 술을 마시고, 때로는 시가 (詩歌)를 읊음.

[一上一下 일상일하] 혹은 올라가고 혹은 내려옴.

[一色 일색] ㉠똑같은 빛. ㉡《韓》뛰어난 미인.

[一生 일생] ㉠살아 있는 동안. 평생. ㉡한 유생 (儒生). 한 서생.

[一眚 일생] ㉠일시 (一時)의 과실. 조그마한 과실. ㉡조그마한 흠.

[一生不犯 일생불범] 《佛敎》 일평생 불계 (佛戒)를 지켜 여자를 범 (犯)하지 아니함.

1획

[一生一死 일생일사] 한 번 나고 한 번 죽는 일.

[一書 일서] ㉠한 책. ㉡어떤 책. 딴 책. 이본(異本). ㉢한 통의 서면.

[一黍 일서] 기장 한 알의 중량. 최소의 중량. 아주 적은 무게.

[一緒 일서] 한 줄.

[一曙 일서] 하루 아침. 일단(一旦). 일조(一朝).

[一夕 일석] ㉠하루 저녁. 하룻밤. ㉡어느 저녁. 어느 밤. ㉢밤새도록.

[一石 일석] ㉠120근(斤). 사균(四鈞). ㉡열 말. ㉢돌 한 개.

[一昔 일석] 하룻밤. 일석(一夕). 일야(一夜).

[一石二鳥 일석이조] 일거양득(一擧兩得).

[一夕話 일석화] 하룻밤의 이야기. 전(轉)하여, 간단한 이야기. 짧은 이야기. 또, 그 책.

[一說 일설] ㉠한 설(說). 한 가지의 설. ㉡딴 설. 이설(異說).

[一舌之任 일설지임] 변설(辯舌)로 일을 처리하는 임무.

[一閃 일섬] 한 번 번쩍함.

[一成 일성] ㉠10리 사방의 땅. ㉡음악이 한 곡 끝나는 일.

[一聲 일성] 하나의 소리. 또는 한 마디의 말.

[一盛一衰 일성일쇠] 성하는 때도 있고, 쇠하는 때도 있음. 한 번 성하면 한 번 쇠함. 일영일락(一榮一落).

[一世 일세] ㉠30년. ㉡평생. 일평생. 일생(一生). ㉢그 시대. 당세(當世). ㉣군주가 왕위에 있는 동안. ㉤호주가 가계(家系)를 계승하고 있는 동안.

[一洗 일세] ㉠한 번 씻음. ㉡깨끗이 씻어 버림. 모조리 없애 버림. 일소(一掃).

[一歲 일세] ㉠1년(年). ㉡어느 해.

[一世冠 일세관] 그 시대의 우두머리. 당세(當世)의 수령(首領).

[一歲九遷 일세구천] 한 해 동안에 아홉 번이나 승진한다는 뜻으로, 제왕의 총애를 받음을 이름.

[一世紀 일세기] 서력(西曆) 연대의 한 구획으로, 100년의 일컬음.

[一歲所 일세소] 1년쯤.

[一世之雄 일세지웅] 그 시대에 가장 뛰어난 인물.

[一笑 일소] ㉠한 번 웃음. 단지 웃는 뜻으로도 쓰임. ㉡비웃음. ㉢웃음거리.

[一宵 일소] 일석(一夕).

[一掃 일소] 죄다 쓸어 버림. 모조리 없애 버림.

[一粟 일속] 한 알의 좁쌀. 지극히 작은 것의 비유로 쓰임.

[一水 일수] ㉠한 하천(河川). ㉡물 한 방울.

[一手 일수] ㉠한 손. ㉡같은 수. 동일한 방법.

[一睡 일수] 한 잠.

[一穗 일수] ㉠한 이삭. ㉡촛불 따위, 모양이 이삭과 같은 것을 셀 때의 그 하나.

[一手獨拍雖疾無聲 일수독박수질무성] 한 손으로는 암만 빨리 쳐도 소리가 안 난다는 뜻으로, 군주는 현명한 신하(臣下)를 얻어야 대업(大業)을 이룰 수 있고, 신하는 명철한 군주를 만나야 재능을 발휘할 수 있음의 비유.

[一樹百穫 일수백확] 나무 한 그루를 심으면 100의 수확이 있다는 뜻으로, 인재(人材)를 길러 내면 사회에 막대한 이익이 있음을 비유한 말.

[一樹蔭一河流 일수음일하류] 《佛敎》 같은 나무 밑에서 묵고 같은 강에서 물을 긷는 것도 모두 전세(前世)의 인연(因緣)이라는 뜻으로, 사소한 일에도 깊은 인연이 있음을 비유한 말.

[一宿 일숙] 하룻밤을 잠.

[一旬 일순] 열흘. 10일. 10일간.

[一瞬 일순] ㉠눈 한 번 깜짝하는 일. 전(轉)하여, 눈 한 번 깜짝하는 사이. 일순간(一瞬間). ㉡한 번 보는 일. 일견(一見).

[一襲 일습] 옷 한 벌.

[一乘 일승] ㉠수레 한 대. 일량(一輛). ㉡《佛敎》 성불(成佛)할 수 있는 유일(唯一)의 도(道). 법화경(法華經)만을 지칭(指稱)하는 때도 있음.

[一勝一負 일승일부] 이기기도 하고 지기도 하여 승부의 결말이 아니 남.

[一時 일시] ㉠한때. 한동안. 잠시(暫時). ㉡같은 때. 동시(同時). ㉢그때. 당시(當時). ㉣한 시대. 일시대(一時代). ㉤춘·하·추·동의 각각 3개월간.

[一視同仁 일시동인] 피아(彼我)의 차별이 없이 똑같이 사랑함.

[一時雄兒 일시웅아] 일대(一代)의 영웅. 일세지웅(一世之雄).

[一是一非 일시일비] 한 사람은 옳다고 하고 한 사람은 그르다고 한다는 뜻으로, 시비(是非)의 단정(斷定)이 아직 내려지지 않음을 이름.

[一息 일식] ㉠잠시 쉼. ㉡한숨. 숨. 한 호흡.

[一食頃 일식경] 한 번 식사하는 시간. 잠시(暫時).

[一食萬錢 일식만전] 한 번의 식사에 많은 돈을 들인다는 뜻으로, 극히 호화로움을 이름.

[一身 일신] ㉠자기 한 몸. 자신. ㉡온몸. 전신(全身). ㉢몸.

[一新 일신] 아주 새롭게 함. 또, 아주 새로워짐.

[一神敎 일신교] 전지전능(全知全能)한 신(神) 하나만을 인정하고 이를 믿는 종교. 기독교·회교 등이 이에 속함. 다신교(多神敎)의 대(對).

[一身都是膽 일신도시담] 온몸이 담 덩어리라는 뜻으로, 사람이 아주 대담함을 이름.

[一身兩役 일신양역] 한 몸에 두 가지 일을 맡아 함.

[一伸一縮 일신일축] 늘어나기도 하고 줄어들기도 함.

[一室 일실] ㉠한 방. 하나의 방. ㉡어떤 방. ㉢같은 방.

[一實 일실] 《佛敎》 진실(眞實)의 이치. 평등(平等)의 실상(實相). 진여(眞如). ㉡일승(一乘)의 실교(實敎).

[一實圓頓 일실원돈] 일승(一乘)의 실교(實敎)인 법화경(法華經)에 의하여 원만돈오(圓滿頓悟)의 경지에 다다른다는 천태종(天台宗)의 교리(敎理).

[一心 일심] ㉠한마음. 같은 마음. 동심(同心). ㉡한결같은 마음. 전일(專一)한 마음. 전심(專心). 일념(一念). ㉢마음.

[一心可以事百君 일심가이사백군] 신하(臣下)는 한결같은 진심(眞心)만 있으면 어떤 군주라도 섬길 수 있음.

[一心萬能 일심만능] 어떤 일이든지 전심전력하면 불가능한 것이 없음.

[一心百君 일심백군] 일심가이사백군(一心可以事百君).

[一心不亂 일심불란] 《佛敎》 오직 한 가지 일에만

마음을 씀.

[一心三觀 일심삼관] 《佛敎》천태종(天台宗)에서 말하는 오도법 (悟道法)으로서, 자기의 마음을 공(空)이며 가(假)이며 중(中)이라고 보는 일. 이 삼관 (三觀)을 일심 (一心)에 구유 (具有)하면 생사 (生死)·번뇌 (煩惱)를 벗어나 열반 (涅槃)·보리 (菩提)의 경지 (境地)에 도달한다 함.

[一雙 일쌍] 한 쌍.

[一握 일악] ㉠한 줌. ㉡조금. 약간.

[一安 일안] 한결같이 편안함.

[一眼 일안] ㉠한 눈. 한쪽 눈. ㉡애꾸눈. 척안 (隻眼).

[一夜 일야] ㉠하룻밤. ㉡어느 밤.

[一躍 일약] 한 번 뜀.

[一陽 일양] 동지 (冬至). 동짓달.

[一樣 일양] 같음. 동일함. 모두 다.

[一陽來復 일양내복] ㉠음력 시월은 음 (陰)이 가장 왕성한 때여서 양 (陽)이 하나도 없다가 동짓달이 되어 비로소 일양 (一陽)이 처음 생김. 전 (轉)하여, 동지 (冬至). 동짓달. ㉡겨울이 가고 봄이 옴. 또, 신년 (新年). 새해. ㉢흉 (凶)한 것이 가고, 길 (吉)한 것이 돌아옴. ㉣사물 (事物)이 호운 (好運)으로 향함.

[一語頃 일어경] 잠시 이야기하는 사이.

[一魚濁水 일어탁수] 한 마리의 고기가 물을 흐린다는 뜻으로, 한 사람의 잘못으로 여러 사람이 그 피해를 받게 됨을 비유하는 말.

[一言 일언] ㉠한 말. ㉡한 자(字). ㉢한 구(句). ㉣한 번 말함.

[一言可破 일언가파] 여러 말을 하지 않고 한 마디의 말만으로도 논파 (論破)할 수 있음.

[一言半句 일언반구] 아주 짧은 말. 또는 글귀.

[一言半辭 일언반사] 아주 짧은 말.

[一言而駟馬不能追 일언이비사마불능추] 한번 입 밖에 나간 말은 말 네 필이 끄는 빠른 수레로도 따를 수 없음. 곧, 말은 조심하여야 한다는 말.

[一言而蔽之 일언이폐지] 한 말로 전체의 뜻을 총괄하여 말함.

[一言一句 일언일구] ㉠하나하나의 말, 또는 글귀. ㉡일언반구 (一言半句).

[一言一行 일언일행] 사소한 언행 (言行).

[一言千金 일언천금] 한 마디의 말이 천금 (千金)의 가치가 있음.

[一如 일여] 《佛敎》㉠순일 (純一)한 진여 (眞如)의 이치. ㉡동일함. 틀리지 아니함.

[一與一奪 일여일탈] 혹은 주기도 하고 혹은 빼앗기도 함.

[一葉 일엽] ㉠오동나무의 한 잎. ㉡한 잎. 잎 하나. ㉢한 거룻배. ㉣한 장 (張).

[一葉知秋 일엽지추] 오동나무 잎이 하나 떨어지는 것을 보고 가을이 다가오는 것을 안다는 뜻으로, 사소한 일을 보고 장차 올 큰 일을 미리 짐작한다는 말.

[一榮一落 일영일락] 일성일쇠 (一盛一衰).

[一藝 일예] ㉠육예 (六藝)의 하나. ㉡한 가지 기예 (技藝) 또는 재능.

[一往 일왕] ㉠오로지. 외곬으로. ㉡《佛敎》대충 말하면.

[一往一來 일왕일래] 왔다 갔다 함.

[一羽 일우] ㉠깃 하나. ㉡극히 가벼운 것의 비유.

[一宇 일우] 한 건물. 사묘 (寺廟)·전당 (殿堂) 등을 이름.

[一隅 일우] 한 모퉁이. 한구석.

[一遇 일우] 한 번 만남.

[一牛鳴地 일우명지] 소의 우는 소리가 들릴 만한 가까운 땅.

[一韻到底 일운도저] 고시 (古詩)에서, 처음부터 끝까지 같은 운 (韻)을 다는 일.

[一元 일원] ㉠만물 (萬物)이 아직 나뉘기 전의 처음. ㉡일 원년 (元年). ㉢역법 (曆法)에서 4,560세 (歲)의 일컬음. ㉣중국 화폐 (貨幣)의 이름. 우리나라의 원 (圓)에 해당함.

[一原 일원] ㉠처음. 길. ㉡하나의 근원 (根原).

[一員 일원] 어떤 단체를 구성한 한 사람.

[一元大武 일원대무] 소〔牛〕의 별칭.

[一元論 일원론] 우주 만물의 근원은 유일 (唯一)하다고 하는 학설.

[一月 일월] ㉠정월 (正月). ㉡한 달. 1개월.

[一月九遷 일월구천] '일세구천 (一歲九遷)'을 보라.

[一月三舟 일월삼주] 《佛敎》같은 달도 배의 동지 (動止)에 따라 달리 보인다는 뜻으로, 똑같은 부처도 중생 (衆生)의 신앙의 정도에 따라 각각 달리 보임을 비유한 말.

[一位 일위] ㉠첫째. 제1번. 수위 (首位). ㉡한 사람. 한 분.

[一葦 일위] 한 작은 배.

[一游一豫 일유일예] 한 번 놀고, 한 번 즐거움.

[一戎衣 일융의] 한 번 군복 (軍服)을 입는 일.

[一陰一陽 일음일양] 음양 (陰陽)의 두 원리.

[一應 일응] ㉠한 번 응함. ㉡모두. 일체 (一切).

[一意 일의] 일심 (一心). ㉡

[一儀 일의] 한 일. 한 건 (件). 또는, 한 법칙.

[一衣帶水 일의대수] 한 줄기의 띠와 같은 좁은 냇물.

[一二 일이] 한둘.

[一人 일인] ㉠한 사람. ㉡어떤 사람. ㉢천자 (天子). 군주.

[一因 일인] ㉠한 원인. 원인 중의 하나. ㉡《佛敎》만물은 모두 같은 근본에서 나오므로 다 평등 (平等)하다는 이치.

[一人當千 일인당천] 한 사람이 천 사람의 적을 당한다는 뜻으로, 위인 (爲人)이 대단히 용감함을 이름.

[一人有慶兆民賴之 일인유경조민뇌지] 군주 (君主)의 선악은 만민 (萬民)의 행불행에 관계되므로, 군주는 정사를 하는 데 신중을 기하지 않으면 안 된다는 뜻.

[一人敵 일인적] 검 (劍). 또는, 검술 (劍術).

[一人傳虛萬民傳實 일인전허만민전실] 한 사람이 거짓말을 전하면, 이를 들은 모든 사람이 참말로 알고 전함.

[一人稱 일인칭] 남에 대하여 자기의 일컬음.

[一一 일일] ㉠낱낱이. 죄다. 일일이. ㉡한 사람 한 사람. 각자 (各自). 모두.

[一日 일일] ㉠하루. 종일 (終日). ㉡어느 날. 모일 (某日). ㉢요사이. 작금 (昨今). ㉣달의 첫째 날. 초하루.

[一日計在晨 일일계재신] 그날 할 일은 그날 아침에 짜 놓아야 함을 이름.

[一日九遷 일일구천] 하루 동안에 아홉 번 벼슬이 오른다는 뜻으로, 군주의 총애를 대단히 받음을 이름. 일설 (一說)에는, 일월구천 (一月九遷)의 잘못이라 함.

[一日難再晨 일일난재신] 하루에 새벽이 두 번 오

1획

지 않는다는 뜻으로, 이미 지난 시간은 다시 오지 않음을 이름.

[一溢米 일일미] 한 줌의 쌀.

[一日不作百日不食 일일부작백일불식] 농부가 하루 경작(耕作)을 쉬면 100일간 먹을 수확이 줄어듦.

[一日三秋 일일삼추] 하루만 만나지 않아도 3년이나 만나지 않은 것같이 생각된다는 뜻으로, 사람을 사모하는 마음이 대단히 간절함을 이름. 일일천추(一日千秋).

[一日二日萬幾 일일이일만기] 군주(君主)를 경계한 말로서, 단 하루 이틀 사이에 만 가지 일의 기틀이 싹트므로 군주는 조금이라도 정사(政事)를 태만히 하여서는 안 된다는 뜻.

[一日程 일일정] 하루 걸리는 노정(路程).

[一日之雅 일일지아] 하루의 교제. 전(轉)하여, 조금 사귄 교제. 깊지 않은 교유(交遊). 아(雅)는 평소의 사귐이라는 뜻.

[一日之長 일일지장] ㉠하루 먼저 태어남. 조금 나이가 많음. ㉡조금 나음.

[一日千里 일일천리] ㉠말의 걸음이 빠름. ㉡물의 흐름이 빠름. ㉢진보(進步)가 빠름.

[一日千秋 일일천추] '일일삼추(一日三秋)'를 보라.

[一日片時 일일편시] 잠시(暫時).

[一日暴之十日寒之 일일폭지십일한지] 하루 동안 따뜻하게 하고 열흘 동안 식힌다는 뜻으로, 학업 같은 것을 닦는 데 힘쓸 때는 적고 게을리할 때가 많음을 비유한 말.

[一稔 일임] ㉠곡물이 1년에 한 번 여물어 익음. ㉡일년(一年).

[一任 일임] 전적(全的)으로 맡김.

[一入 일입] ㉠한 번 들어감. ㉡옷감을 물들이기 위하여 물감을 탄 물에 담금. 또, 그렇게 물들인 옷감.

[一字 일자] 한 글자.　　　　　　「級」.

[一資半級 일자반급] 낮은 벼슬. 일계반급(一階半級).

[一字不說 일자불설]《佛敎》부처의 오도(悟道)의 내용은 언어나 문자로는 설명할 수 없음.

[一字不識 일자불식] 글자를 한 자도 모름.

[一字三禮 일자삼례]《佛敎》경문(經文) 한 자를 베낄 때마다 세 번 절함.

[一字一珠 일자일주] 노랫소리가 구슬같이 아름답다는 말.

[一字之師 일자지사] 겨우 한 자만 배운 선생. 시 또는 글 중에서 온당치 않은 한 자를 고쳐 주어 명편(名篇)이 되게 하여 준 사람을 존경하여 이르는 말. 당(唐)・오대(五代) 때 제기(齊己)라는 중이 자기가 지은 조매(早梅)의 시(詩) '前村深雪裏, 昨夜數枝開'의 글귀를 정곡(鄭谷)에게 보이니 그가 평하기를, 수지(數枝)는 조매(早梅)에 적당하지 않으니 일지(一枝)로 고치는 것이 좋다고 하였는데, 제기가 이 평에 감복(感服)하여 일어나 정곡에게 절을 하였다는 고사(故事)에서 유래(由來)함.

[一字千金 일자천금] 한 자(字)의 값이 천금에 해당한다는 뜻으로, 의미가 심장(深長)하여 지극히 가치가 있는 시문(詩文)을 이름. 진(秦)나라 사람 여불위(呂不韋)가 〈여씨춘추(呂氏春秋)〉를 짓고 그 첨삭(添削)을 한 자마다 천금(千金)의 상(賞)을 걸어 구(求)한 고사(故事)에서 나온 말.

[一字砲手 일자포수] 한 방으로 바로 맞히는 명포수(名砲手).

[一字褒貶 일자포폄] 공자(孔子)의 저서 〈춘추(春秋)〉의 서법(書法)으로서, 한 자(字)에도 포폄(褒貶)의 뜻이 있는 일. 예컨대, 칭찬할 때는 그 사람의 자(字)를, 깎아 말할 때는 그 사람의 이름을 쓰는 따위.

[一字行 일자행] 똑바로 감. 일직선으로 감. 직행(直行).

[一勺 일작] ㉠액체(液體)를 구기 같은 것으로 한 번 뜨는 일. 또, 그 분량. ㉡분량의 단위의 하나. 1홉(合)의 10분의 1.

[一盞茶時 일잔다시] 일다경(一茶頃).

[一帀 일잡] 한 바퀴 돎. 일주(一周).

[一壯 일장] 뜸질 한 번 하는 일.

[一張 일장] ㉠짐승의 가죽 한 장. ㉡현악기(絃樂器)를 세는 말. ㉢현악기의 줄을 갊.

[一場 일장] ㉠한 번. 한바탕. ㉡그때뿐. 잠시(暫時).

[一將功成萬骨枯 일장공성만골고] 다수의 병졸이 죽고 공은 오직 대장 한 사람이 차지하는 것을 개탄한 말.

[一場說話 일장설화] 한바탕의 이야기.

[一長一短 일장일단] 장점도 있고 단점도 있음.

[一張一弛 일장일이] 활시위를 죄었다 늦추었다 한다는 뜻으로, 나라를 다스리는 데도 백성을 적당히 쉬게 하며 혹은 엄하게 하고 혹은 너그럽게 하여야 한다는 말.

[一場春夢 일장춘몽] 꾼 그때뿐이고 꾼 후에는 아무 흔적도 남기지 않는 봄밤의 꿈이라는 뜻으로, 인생의 영고성쇠(榮枯盛衰)가 덧없음을 비유한 말. 일취지몽(一炊之夢). 남가일몽(南柯一夢).

[一場風波 일장풍파] 한바탕의 소란.

[一再 일재] 한두 번. 일이 회.

[一再行 일재행] 일재(一再).

[一滴 일적] 한 방울.

[一敵國 일적국] 나에게 필적(匹敵)하는 한 나라라는 뜻으로, 경시(輕視) 못할 상대방을 이름.

[一廛 일전] 하나의 주택(住宅).

[一戰 일전] 한 싸움.

[一錢 일전] 돈 한 푼. 한 푼의 돈.

[一轉 일전] 아주 변함. 완전히 달라짐. 일변(一變).

[一轉語 일전어] ㉠《佛敎》선(禪)의 수행(修行)을 할 때 지금까지 말한 바와 느닷없이 의미가 다른 말. ㉡지금까지 말한 것과는 생각하는 바가 갑자기 다른 말.

[一轉悟 일전오] 깨달아 다시 생각함.

[一切 일절] 아주. 도무지(사물을 부인하거나 금할 때 씀).

[一節 일절] ㉠일의 한 부분. ㉡문장(文章) 한 편(篇)을 여러 장(章)으로 나누고, 다시 이 장을 소분(小分)한 것의 하나. ㉢끝까지 변하지 않는 절개. 종시일관(終始一貫)한 지조.

[一點 일점] ㉠한 점. ㉡오직 하나. 하나. ㉢조금. 근소(僅少).

[一點淚 일점루] 눈물 한 방울.

[一點鐘 일점종] ㉠한 시간. ㉡한 시. 곧, 오전 1시나 오후 1시.

[一點紅 일점홍] ㉠여럿 중에서 오직 하나만이 특별히 뛰어난 것. ㉡여러 남자 중에 섞이어 있는 오직 한 사람의 여자. ㉢기녀(妓女)의 별칭(別稱). ㉣석류(石榴)의 별칭.

1획

[一定 일정] ㉠하나로 정함. 또, 하나로 정하여짐. ㉡정하여져 변하지 않음. 확정됨. 또, 그렇게 함.

[一丁字 일정자] 글자 한 자(字). 일자(一字).

[一定之論 일정지론] 만세불변(萬世不變)의 확론(確論).

[一齊 일제] ㉠같은 때. 동시(同時). ㉡같음. 서로 다른 것이 없음.

[一條 일조] ㉠한 일. 일건(一件). ㉡한 줄기. ㉢한 조목(條目).

[一朝 일조] ㉠하루 아침. 어떤 날 아침. ㉡잠시간. ㉢한 번. 만일, 일단(一旦). ㉣한 조정(朝廷). 온 조정. 조정 전체의 사람.

[一遭 일조] 한 번. 일차(一次).

[一朝富貴 일조부귀] 빈천(貧賤)한 사람이 갑자기 부귀를 누리게 되는 일.

[一朝一夕 일조일석] ㉠단시일(短時日). ㉡요사이. 작금(昨今).

[一朝之忿 일조지분] 감정이 복받쳐 일어난 일시의 분노.

[一族 일족] 같은 겨레붙이. 일가(一家).

[一簇 일족] 한 떨기. 한 떼. 일총(一叢).

[一存一亡 일존일망] 존재하기도 하고 멸망하기도 함.

[一宗 일종] 일족(一族).

[一終 일종] 12년(年).

[一種 일종] ㉠한 종류. 동일한 종류. 동종(同種). ㉡딴 종류. 별종(別種).

[一坐 일좌] ㉠한자리에 앉은 모든 사람. ㉡산·종묘(宗廟)·솥 같은 것을 세는 말.

[一座 일좌] 일좌(一坐)❶.

[一肘 일주] 가운뎃손가락 끝에서 팔꿈치까지의 길이.

[一周 일주] 한 바퀴 돎.

[一炷 일주] ㉠한 심지. 한 등심(燈心). ㉡한 번 분향(焚香)함. 또, 그 향.

[一籌 일주] ㉠한 개의 산가지. ㉡한 계책. 일책(一策).

[一周忌 일주기] 소상(小祥) 날.

[一晝一夜 일주일야] 일주야(一晝夜).

[一尊 일준] 술 그릇 하나. 일준(一樽). 일준(一罇).

[一樽 일준] 일준(一尊).

[一罇 일준] 일준(一尊).

[一枝 일지] 한 가지.

[一紙 일지] ㉠한 종이. 같은 종이. ㉡종이 한 장. ㉢한 장의 문서.

[一知半解 일지반해] 하나쯤 알고 반쯤 이해함. 곧, 수박 겉 핥기로 앎.

[一之爲甚 일지위심] 한 번 그르친 일은 돌이키기 힘들다는 뜻으로, 한 번 저지른 과오는 다시 되풀이하지 말라는 말.

[一枝春 일지춘] 이미 봄의 정취(情趣)가 나타나는 한 가지의 매화(梅花). 전(轉)하여, 매화.

[一陣 일진] ㉠1회의 싸움. ㉡한바탕. ㉢선봉. 선진(先陣)의 한 군대. 또, 그 전부의 군사.

[一塵 일진] 티끌 하나. 전하여, 극히 적은 분량, 또는 사물.

[一陣狂風 일진광풍] 한바탕 부는 사나운 바람.

[一塵起天地收 일진기천지수]《佛教》심중에 조금이라도 욕념(慾念)이 생기면 전심(全心)이 흐려짐의 비유.

[一塵不染 일진불염]《佛教》티끌만큼도 물욕(物慾)에 물들어 더럽혀져 있지 않음.

[一進一退 일진일퇴] 앞으로 나아갔다 뒤로 물러났다 함.

[一陣淸風 일진청풍] 한바탕 부는 시원한 바람.

[一陣寒 일진한] 한바탕의 추위.

[一帙 일질] 한 질(帙)의 책.

[一秩 일질] 10년.

[一次 일차] ㉠처음. 최초(最初). 첫째. ㉡한 번. 한 차례.

[一粲 일찬] 흰 이를 드러내고 웃음. '粲'은 쓿은 쌀의 뜻. 일소(一笑).

[一札 일찰] 글씨를 쓴 한 장의 종이.

[一倡三歎 일창삼탄] ㉠주(周)나라 문왕(文王)의 종묘(宗廟)에서 아뢰는 풍류는 고상하여서 이를 좋아하는 사람이 얼마 안 되기 때문에 한 사람이 발성(發聲)하면 겨우 세 사람이 탄미(歎美)하여 화창(和唱)할 뿐임. ㉡뛰어난 시문을 격찬하여 이르는 말. 일창삼탄(壹倡三歎)으로도 씀.

[一策 일책] 한 계책. 일계(一計).

[一妻多夫 일처다부] 한 아내에 둘 이상의 남편이 있는 일.

[一妻一妾 일처일첩] 한 아내와 한 첩.

[一隻 일척] ㉠배 한 척. ㉡새 한 마리. ㉢한 쌍을 이룬 것의 한쪽.

[一擲 일척] ㉠생명을 내던짐. 생명을 아낌없이 버림. ㉡돈을 내던짐. 금전을 아낌없이 씀.

[一擲賭乾坤 일척도건곤] 천하(天下)를 걸고 큰 도박을 한다는 뜻으로, 천하를 차지하느냐 못하느냐의 운명을 건 판가름 싸움을 함을 이름.

[一擲百萬 일척백만] 일척천금(一擲千金).

[一隻眼 일척안] ㉠눈 하나. 한 눈. ㉡비범한 식견(識見).

[一擲千金 일척천금] 막대한 돈을 물 쓰듯이 씀. 호유(豪遊)함.

[一尺布尚可縫一斗粟尚可春 일척포상가봉일두속상가용] 얼마 안 되는 베와 조도 형제가 서로 나누어 입고 먹고 함.

[一天 일천] ㉠온 하늘. 만천(滿天). ㉡같은 하늘. 동일한 하늘. ㉢천자(天子). ㉣하루. 어느 간.

[一喘 일천] ㉠헐떡거리는 한숨. 한숨. ㉡짧은 시간.

[一天萬乘 일천만승] 천자(天子). 천자의 자리. 주대(周代)에 천자는 병거(兵車) 만승(萬乘)을 소유하고 있었으므로 이름.

[一天四海 일천사해] 천하(天下). 온 세상. 온 세계.

[一轍 일철] 같은 수레의 수레바퀴 자국이라는 뜻으로, '같은 길, 같은 이치, 같은 법칙' 등의 뜻으로 쓰임.

[一靑螺 일청라] 한 푸른 산.

[一切 일체] ㉠모두. 다. 남김없이. ㉡모든 것.

[一體 일체] ㉠한 몸. 동체(同體). ㉡같은 관계. 동류(同類).

[一切經音義 일체경음의] 책 이름. 당(唐)나라 현응(玄應)의 찬(撰). 25권. 또, 혜림(慧琳)이 찬(撰)한 것. 100권.

[一切有情 일체유정] 일체중생(一切衆生).

[一切藏經 일체장경]《佛教》불전(佛典)의 전부. 경(經)·율(律)·논(論)의 삼장(三藏)의 총칭. 모두 7천여 권임. 약(略)하여 '일체경(一切經)'이라고도 함.

[一切種智 일체종지]《佛教》삼지(三智)의 하나. 부처의 지혜로, 일체의 제불(諸佛)의 도법(道法)을 아는 일. 또, 일체중생(一切衆生)의 인종

1
획

(因種)을 아는 일.
[一切衆生 일체중생]《佛教》㉠지옥(地獄)·아귀(餓鬼)·축생(畜生)·수라(修羅)·인간(人間)·천상(天上)의 육도(六道)에 있는 모든 생물. ㉡이 세상에 살고 있는 인류·동물 등의 모든 생물.
[一寸 일촌] ㉠1척(尺)의 10분의 1. ㉡지극히 가까운 거리. ㉢지극히 짧은 시간. ㉣지극히 작음.
[一寸光陰不可輕 일촌광음불가경] 아주 짧은 시간도 헛되이 보내지 말라는 뜻.
[一叢 일총] 한 떨기. 한 떼. 일족(一簇).
[一撮 일촬] 한 움큼. 한 줌. 전(轉)하여, 조금. 극소량(極小量).
[一撮土 일촬토] 한 줌의 흙.
[一軸 일축] 한 폭(幅). 축(軸)을 달아 꾸민 서화(書畫)를 세는 말.
[一出而不可反者言也 일출이불가반자언야] 한번 입 밖에 낸 말은 다시 돌이킬 수 없다는 뜻으로, 말을 삼가야 한다는 말.   「음.
[一炊之夢 일취지몽] ‘한단지몽(邯鄲之夢)’과 같
[一醉千日 일취천일] 한 번 마시면 1,000일을 취함. 술이 대단히 좋음을 이름.
[一層 일층] ㉠한결. 더. ㉡겹.
[一致 일치] ㉠같은 취지(趣旨). ㉡서로 맞음. 부합(符合)함. ㉢협력하여 일을 함. 협동(協同).
[一則 일칙] 한 조목(條目).   「함.
[一針 일침] 한 바늘. 일침(一鍼).
[一朶 일타] 한 가지. 일지(一枝). 한 떨기.
[一彈 일탄] 한 탄알.
[一彈指 일탄지]《佛教》손가락을 한 번 튀기는 시간. 아주 짧은 시간.
[一彈丸地 일탄환지] 한 탄알만한 땅. 아주 협소한 땅.
[一通 일통] 한 문서. 한 편지.
[一統 일통] 하나로 합침. 또, 하나로 합쳐짐.
[一把 일파] 한 줌. 일악(一握).
[一派 일파] ㉠본류(本流)로 흐르는 한 물줄기. 한 지류(支流). ㉡종교(宗教)·학설(學說) 등의 한 파(派).
[一波纔動萬波隨 일파재동만파수] 한 물결이 조금 움직이면 천만의 물결이 이에 따라 움직인다는 뜻으로, 조그마한 일이라도 그 영향이 여러 군데로 파급(波及)함을 이름.
[一瓣香 일판향] 한 줌의 향. 남을 공경(恭敬)할 때에 피움.
[一敗塗地 일패도지] 싸움에 한 번 패하여 간(肝)과 뇌(腦)가 땅바닥에 으깨어진다는 뜻으로, 여지없이 패하여 재기 불능(再起不能)하게 됨.
[一片 일편] ㉠한 조각. ㉡한편. 한쪽.
[一偏 일편] 한쪽에 치우침. 치우쳐 바르지 아니함.
[一遍 일편] 한 번. 1회(回).
[一篇 일편] ㉠시(詩) 한 수(首). 또는 문장 하나. ㉡책의 일부(一部).
[一片丹心 일편단심] 한 조각의 정성된 마음. 마음속에서 우러나오는 성의(誠意).
[一片氷心 일편빙심] 지극히 맑은 마음.
[一片月 일편월] 한 조각의 달. 하나의 달.
[一幅 일폭] ㉠포백(布帛) 같은 것의 한 폭(幅). ㉡서화(書畫) 같은 것의 한 폭. 일축(一軸).
[一暴十寒 일폭십한] 일일폭지십일한지(一日暴之十寒之).
[一品 일품] ㉠하나의 물품. ㉡특히 뛰어난 물품.

절품(絶品). ㉢벼슬의 품계(品階)의 첫째.
[一彼一此 일피일차] 혹은 저것을 따르기도 하고 혹은 이것을 따르기도 한다는 뜻으로, 항상 일정하지 않음을 이름.
[一匹 일필] ㉠4장(丈)의 길이. 네 길. ㉡포백(布帛) 2단(端). 길이가 4장(丈) 되는 포백. ㉢한 마리.
[一筆 일필] ㉠붓 한 자루. ㉡한 번의 운필(運筆). ㉢짧은 한 편(篇)의 문장. ㉣같은 필적. ㉤전답·터의 한 필지.
[一筆勾之 일필구지] 붓으로 선을 죽 그어서 글자를 지워 버림.
[一筆難記 일필난기] 한 붓으로는 이루 적을 수 없음.   「글씨.
[一筆書 일필서] 한 번의 운필(運筆)로 죽 내리쓴
[一筆畫 일필화] 한 번의 운필(運筆)로 단숨에 그린 간단한 그림.
[一筆揮之 일필휘지] 한숨에 죽 내리씀.
[一下 일하] 명령·분부 등이 한 번 내림.
[一何 일하] 어찌. 일(一)은 어세(語勢)를 강하게 하는 조사(助辭).
[一寒 일한] 대단히 가난함. 일(一)은 어세(語勢)를 강하게 하는 조사(助辭).
[一合一離 일합일리] 혹은 합치고 혹은 떨어짐. 어느 때는 합하고 어느 때는 떨어짐.
[一闔一闢 일합일벽] 닫았다 열었다 한다는 뜻으로, 변화가 심함을 이름.
[一解 일해] 고시(古詩)의 1장(章)을 이름.
[一行 일행] ㉠동행(同行)하는 사람 전체. ㉡한 행위(行爲). ㉢한 줄. ㉣한 번 감. ㉤혼자 감. ㉥벼슬의 직책을 감당(堪當)하는 일. ㉦6개월(個月).
[一行爲吏 일행위리] 한번 관도(官途)에 발을 들여놓아 벼슬아치가 됨.
[一向 일향] 한결같이. 꾸준히. 오로지.
[一餉 일향] 한 번의 식사(食事). 전(轉)하여, 짧은 시간. 한 식경(食頃).
[一向專念 일향전념]《佛教》정신을 집중하여 염불(念佛)을 함.
[一虛一實 일허일실] 일허일영(一虛一盈).
[一虛一盈 일허일영] 있는가 하면 없고, 없는가 하면 있음. 곧, 변화가 무쌍함.
[一驗 일험] 한 효험(效驗).
[一絃琴 일현금] 줄이 하나인 거문고.
[一毫 일호] 한 가닥의 터럭. 전(轉)하여, 조금. 근소.
[一壺 일호] ㉠병 하나. ㉡표주박 하나. 호(壺)는 호(瓠).
[一毫 일호] 일호(一毫).
[一狐裘三十年 일호구삼십년] 제(齊)나라의 재상(宰相) 안영(晏嬰)이 절검역행(節儉力行)을 숭상하여 호구(狐裘) 하나를 30년간 입은 고사(故事).
[一呼再諾 일호재락] 한 번 부르는데 두 번 대답함. 사람이 비굴하여 아유구용(阿諛苟容)하며 무조건 복종함을 이름. 일설(一說)에는, 노복(奴僕)이 주인 명령에 공손히 복종하는 뜻이라 함.
[一狐之腋 일호지액] 한 마리의 여우의 겨드랑 밑의 털. 아주 귀하여 값이 비싼 물건의 비유.
[一壺千金 일호천금] 표주박 하나도 파선(破船)하였을 때에는 이것을 가지고 물 위에 뜰 수 있으므로 천금(千金)의 값이 나감.

1획

[一笏之地 일홀지지] 아주 협소(狹小)한 땅. 일탄환지(一彈丸地). 한 홀(笏)의 길이는 두 자 여섯 치이므로, 협소한 것을 형용한 말.

[一話一言 일화일언] 한 이야기와 한 마디의 말이라는 뜻으로, 일상(日常) 쓰는 자질구레한 말을 이름.

[一攫千金 일확천금] 단번에 많은 재물을 얻음.

[一丸泥封函谷關 일환니봉함곡관] 한 덩이의 진흙으로 함곡관(函谷關)을 봉(封)한다는 뜻으로, 적(敵)의 문호(門戶)를 봉쇄하는 데 과히 힘들지 않음을 이름.

[一晦一明 일회일명] 밤에는 어두워지고 낮에는 밝아짐.

[一薰一蕕十年尙猶有臭 일훈일유십년상유유취] 좋은 일은 잘 잊혀지나, 나쁜 일은 오래도록 전하여 내려온다는 뜻. 훈(薰)은 향초(香草). 유(蕕)는 취초(臭草).

[一興 일흥] ㉠한 번 흥함. 한 번 일어남. ㉡한 흥. 한 흥취(興趣).

[一喜一憂 일희일우] 기뻐하기도 하고 근심하기도 함.

●歸一. 均一. 單一. 大一. 同一. 萬不失一. 萬一. 百不失一. 不一. 三一. 小一. 守一. 純一. 臣一. 寧一. 徼倖萬一. 唯一. 惟精惟一. 六一. 理氣合一. 專一. 正一. 精一. 靜一. 齊一. 終始如一. 主一. 知行合一. 執一. 尺一. 初一. 總一. 逐一. 太一. 泰一. 統一. 抱一. 混一. 畫一.

1 ② [丁] 정 ①-⑥㊀靑 當經切 dīng / ⑦-⑬㊀庚 中莖切 zhēng　꿰

筆順 一丁

字解 ①넷째천간 정 십간(十干)의 제4위(第四位). 오행(五行)으로는 화(火)에 속하고, 방위로는 남방에 배당함. '太歲在一, 曰彊圉'《爾雅》. ②성할 정, 셀 정 왕성함. 강성함. '一者謂萬物之壯'《史記》. ③장정 정 ㉠성년(成年)의 남자. '一男'. '赤手募一修險隘'《劉克莊》. ㉡부역(賦役)에 징집(徵集)되는 남자 '一役'. '每月役一, 二百萬人'《隋書》. ④일꾼 정 하인. 노동자. '庖一'. '馬一'. '畦一負籠至'《杜甫》. ⑤당할 정 일을 만남. 조우(遭遇)함. '一憂'. '其兄班一內艱'《五代史》. ⑥성 정 성(姓)의 하나. ⑦벌목소리 정 나무를 찍는 소리. '伐木一一, 鳥鳴嚶嚶'《詩經》. ⑧말뚝박는소리 정 '椓之一一'《詩經》. ⑨바둑두는소리 정 '宜圍棊, 子聲一然'《王禹偁》. ⑩거문고타는소리 정 거문고·비파(琵琶) 같은 현악기를 타는 소리. '但聞琴聲一一然'《捫蝨新語》. ⑪물방울소리 정 물방울이 떨어지는 소리. '一一漏向盡'《白居易》. ⑫문두드리는소리 정 '一啄門疑啄木'《韓愈》. ⑬옥소리 정 옥(玉)이 울리는 소리. '雙璜一一聯尺素'《李商隱》. ※속(俗)에 '고무래 정'으로 훈(訓)함은 잘못.

字源 □(甲骨文)·●(金文) ↑(篆文) 象形. 甲骨文·金文은 못을 대가리 위에서 본 모양. 뒤에 옆에서 본 형태를 본떠, '못'의 뜻을 나타냄.

[丁艱 정간] 부모의 상(喪)을 당함.
[丁彊 정강] 젊고 기운이 있는 사람.
[丁口 정구] 인구(人口)·호구(戶口).
[丁男 정남] 장정. 청년.
[丁女 정녀] 정년(丁年) 이상의 여자. 한창때의 여자.
[丁年 정년] ㉠남자의 만 20세. ㉡태세(太歲)의 천간(天干)이 정(丁)으로 된 해.
[丁寧 정녕] ㉠군중(軍中)에서 쓰는 정(鉦) 비슷한 악기. 전시(戰時)에 쳐서 군사들이 경계(警戒)를 게을리 하지 않도록 함. 전(轉)하여, 재삼 고함. 되풀이하여 알림. ㉡정중(鄭重)함. 친절함.
[丁當 정당] 정동(丁東).
[丁璫 정당] 정동(丁東).
[丁冬 정동] 정동(丁東).
[丁東 정동] ㉠옥(玉) 같은 것이 서로 부딪쳐 나는 소리. ㉡풍경(風磬) 같은 것이 울리는 소리.
[丁力 정력] 한 사람 몫의 일을 할 만한 힘. 장정의 힘.
[丁零 정령] 북방의 만족(蠻族)의 이름. 한대(漢代)에 지금의 시베리아의 예니세이 강(Enisei 江)의 상류로부터 바이칼 호의 남방에 걸쳐 살던 터키 종족. 후에 흉노(匈奴)의 속국이 됨.
[丁抹 정말] 유럽의 서북부에 있는 나라. 덴마크.
[丁斑魚 정반어] 물고기 이름. 송사리.
[丁方 정방] 24방위(方位)의 하나. 정남(正南)에서 서쪽으로 15도(度)째 되는 방위.
[丁夫 정부] 장정. 젊은이.
[丁賦 정부] 정년(丁年)에 달한 자에게 과(課)하는 구실. 정은(丁銀).
[丁算 정산] 정부(丁賦).
[丁夜 정야] 오야(五夜)의 하나. 지금의 오전 2시. 사경(四更).
[丁役 정역] 부역(賦役)의 적령자(適齡者).
[丁徭 정요] 부역(賦役).
[丁憂 정우] 부모의 상(喪)을 당함. 정간(丁艱).
[丁銀 정은] 정부(丁賦).
[丁子 정자] 올챙이.
[丁匠 정장] 관아(官衙)의 공장(工匠).
[丁壯 정장] ㉠왕성함. ㉡정년(丁年) 이상의 기력이 왕성한 사람. 청장년(靑壯年).
[丁丁 정정] 자해(字解) ❼ 이하(以下)를 보라.
[丁祭 정제] 공자에게 지내는 제사. 석전(釋奠).
[丁香 정향] 물푸레나뭇과에 속하는 낙엽 관목(落葉灌木). 열대(熱帶)에서 남. 열매는 향료(香料) 및 약재(藥材)로 쓰임.

●吉丁. 東丁. 馬丁. 白丁. 梵丁. 兵丁. 付丙丁. 不識丁. 成丁. 押丁. 役丁. 零丁. 五丁. 園丁. 六丁. 肉丁. 紫花地丁. 壯丁. 正丁. 添丁. 庖丁. 畦丁.

1 ② [勹] 고 ㊤晧 kǎo

字解 기뻐하려하다막힐 고 기(氣)가 뻗어 오르려고 하다 장애물에 막히어 고부라지는 모양. '一, 氣欲舒出, 勹, 上礙於一也'《說文》.
字源 象形. 꼬부라진 조각칼의 모양을 본뜸.

1 ② [七] 칠 ㉠質 親吉切 qī　七

筆順 一七

字解 ①일곱 칠 여섯에 하나를 보탠 수. '一旬'. '一書'. '摽有梅, 其實一兮'《詩經》. ②일

곱번 칠 7회. '一擒一縱'《蜀志》. ③문체이름 칠 한문의 한 체(體). 곧, 문대(問對). 초사(楚辭) 의 '一諫'에서 시작되어, 매승(枚乘)의 '一發', 조식(曹植)의 '一啓' 등이 있음. '一者文章之 一體也'《文體明辯》. ④성 칠 성(姓)의 하나.

字源 甲骨文 十 金文 十 篆文 𠀁 갈초문 柒 指事. 칼로 가 로세로 벤 모 양에서 '베다'의 뜻을 나타냄. '切'의 원자(原 字). 가차(假借)하여 수사(數詞)로 써서 '일 곱'의 뜻을 나타냄.

參考 예전엔 금전(金錢)의 기재 따위에서, 그 개변(改變)을 막기 위해 '柒·漆' 따위의 글자 를 빌려 쓰기도 했음.

[七覺支 칠각지]《佛教》일곱 가지 각지(覺支) 곧, 택법(擇法)·정진(精進)·희(喜)·제(除)·사 (捨)·정(定)·염(念). 각지(覺支)는 수도(修道) 할 때 그 진위선악(眞僞善惡)을 관찰하여 깨닫 는 일.

[七去 칠거] 유교(儒教)에서 아내를 내쫓아야 할 일곱 가지 조건. 곧, 불순구고(不順舅姑)·무자 (無子)·음행(淫行)·질투(嫉妬)·악질(惡疾)· 구설(口舌)·도절(盜竊).

[七去之惡 칠거지악] 칠거(七去).

[七見 칠견]《佛教》부정한 일곱 가지 견해. 곧, 사견(邪見)·아견(我見)·단견(斷見)·상견(常 見)·계도견(戒盜見)·과도견(果盜見)·의견(疑 見).

[七經 칠경] 일곱 가지 경서. 고래(古來)로 여러 설이 있는데, 후한서(後漢書) 장순전(張純傳) 의 주(註)에는 시경(詩經)·서경(書經)·예기(禮 記)·악기(樂記)·주역(周易)·춘추(春秋)·논어 (論語). 소학감주(小學紺珠)에는 주역(周易)· 서경(書經)·시경(詩經)·주례(周禮)·의례(儀禮)· 예기(禮記)·춘추(春秋). 또는 서경(書經)· 시경(詩經)·춘추(春秋)·의례(儀禮)·주례(周 禮)·예기(禮記)·논어(論語). 칠경소전(七經小 傳)에는 서경(書經)·시경(詩經)·의례(儀禮)· 주례(周禮)·예기(禮記)·공양전(公羊傳)·논어 (論語).

[七古 칠고] 칠언 고시(七言古詩)의 약칭(略稱).

[七教 칠교] ㉠사람이 지켜야 할 일곱 가지 가르 침. 곧, 부자(父子)·형제(兄弟)·부부(夫婦)· 군신(君臣)·장유(長幼)·붕우(朋友)·빈객(賓 客)의 도의(道義). ㉡백성을 다스리는 일곱 가 지 근본의 가르침. 곧, 경로(敬老)·존치(尊齒)· 악시(樂施)·친현(親賢)·호덕(好德)·오탐(惡 貪)·염절(廉節).

[七垢 칠구]《佛教》일곱 가지의 마음의 때. 곧, 욕(欲)·견(見)·의(疑)·만(慢)·교(憍)·타면(惰 眠)·간(慳).

[七國 칠국] ㉠칠웅(七雄). ㉡'오초칠국(吳楚七 國)'과 같음.

[七竅 칠규] ㉠사람의 얼굴에 있는 일곱 구멍. 곧, 귀·눈·코의 각각 두 구멍과 입의 한 구멍. ㉡사람의 가슴에 있다는 일곱 구멍.

[七氣 칠기] 일곱 가지 심기(心氣). 곧, 희(喜)· 노(怒)·비(悲)·은(恩)·애(愛)·경(驚)·공(恐).

[七難 칠난]《佛教》일곱 가지 재난(災難). 법화 경(法華經)에는 화난(火難)·수난(水難)·나찰 난(羅刹難)·도장난(刀杖難)·귀난(鬼難)·가쇄 난(枷鎖難)·원적난(怨賊難). 약사경(藥師經)에 는 인중역질난(人衆疫疾難)·타국침핍난(他國

侵逼難)·자계반역난(自界叛逆難)·성수변성난 (星宿變性難)·일월박식난(日月薄蝕難)·비시 풍우난(非時風雨難)·과시불우난(過時不雨難). 인왕반야경(仁王般若經)에는 일월실도난(日月 失度難)·성수실도난(星宿失度難)·재화난(災火 難)·우수변이난(雨水變異難)·악풍난(惡風難)· 항양난(亢陽難)·악적난(惡賊難).

[七難八苦 칠난팔고] 갖은 고난(苦難).

[七年之病求三年之艾 칠년지병구삼년지애] 7년 동안 고생한 병에 뜸뜰하려고 3년 동안 말린 쑥 을 구한다는 뜻으로, 평소에 미리 갖추어 놓지 않고 소용이 있을 때 급히 구하려 하면 얻지 못 한다는 말.

[七堂 칠당]《佛教》삼문(三門)·불전(佛殿)·법당 (法堂)·주방(廚房)·승당(僧堂)·욕실(浴室)· 동사(東司)가 완비(完備)된 절의 당우(堂宇).

[七大 칠대]《佛教》사대(四大)에 삼대(三大)를 보탠 것. 곧, 지대(地大)·수대(水大)·화대(火 大)·풍대(風大)·공대(空大)·견대(見大)·식대 (識大).

[七德 칠덕] ㉠무(武)의 일곱 가지 덕(德). 곧, 금포(禁暴)·즙병(戢兵)·보대(保大)·정공(定 功)·안민(安民)·화중(和衆)·풍재(豐財). ㉡시 (詩)의 일곱 가지 덕. 곧, 식리(識理)·고고(高 古)·전려(典麗)·풍류(風流)·정신(精神)·질간 (質幹)·체재(體裁).

[七德舞 칠덕무] 당태종(唐太宗)이 지은 무곡(舞 曲)의 이름. 본이름은 진왕파진악(秦王破陣樂) 이라 함.

[七略 칠략] 전한(前漢) 사람 유향(劉向)이 아들 유흠(劉歆)과 같이 작성한 서적의 목록 칠종 (七種). 곧, 집략(輯略)·육예략(六藝略)·제자 략(諸子略)·시부략(詩賦略)·병서략(兵書略)· 술수략(術數略)·방기략(方伎略).

[七律 칠률] ㉠칠언 율시(七言律詩)의 약칭(略 稱). ㉡칠음(七音) ❼.

[七里結界 칠리결계]《佛教》㉠7리(里) 사방에 경 계를 만들어 방해물을 방어함. ㉡사물(事物)을 꺼려서 접근을 못하게 함.

[七望 칠망] 음력 열이렛날에 드는 망(望).

[七廟 칠묘] 주대(周代)의 천자(天子)의 종묘(宗 廟). 곧, 태조(太祖)의 종묘와 삼소(三昭)·삼목 (三穆)의 총칭.

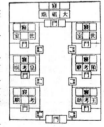

[七廟]

[七寶 칠보]《佛教》㉠일곱 가지 보배. 아미타경(阿 彌陀經)에는 금(金)·은 (銀)·유리(瑠璃)·파려(玻 瓈)·거거(硨磲)·산호(珊 瑚)·마노(瑪瑙). 반야경 (般若經)에는 금·은·유 리·거거·마노·호박(琥 珀)·산호. 항수경(恒水經)에는 금·은·유리·진 주(眞珠)·거거·명월주(明月珠)·마니주(摩尼 珠). 법화경(法華經)에는 금·은·마노·유리·거 거·진주·매괴(玫瑰). ㉡전륜성왕(轉輪聖王)이 가지고 있는 일곱 가지 보배. 곧, 윤보(輪寶)· 상보(象寶)·마보(馬寶)·여의주보(如意珠寶)· 여보(女寶)·장보(將寶)·주장신보(主藏臣寶).

[七寶牀 칠보상] 칠보로 장식한 평상(平牀).

[七寶莊嚴 칠보장엄]《佛教》칠보로 장중(莊重) 하게 꾸밈.

[七步才 칠보재] 일곱 걸음 걷는 사이에 시 한 수를 짓는 재능이라는 뜻으로, 걸작의 시문을 빨리 짓는 재주를 이름. 위(魏)나라 문제(文帝) 조비(曹丕)가 그의 아우 조식(曹植)을 꺼려서 '일곱 걸음 걷는 동안에 시 한 수를 지어라. 만일 못 지으면 처형하겠다.'고 명하니, 조식이 즉석에서 '煮豆持作羹, 漉菽以爲汁, 其在釜下然, 豆在釜中泣, 本是同根生, 相煎何太急'이라는 시를 지어, 형으로서 아우를 죽이는 것은 너무 무정한 일이라고 풍자한 고사(故事)에서 나온 말.

[七佛 칠불]《佛敎》과거에 나타난 일곱 부처. 곧, 비바시(毘婆尸)·시기(尸棄)·비사부(毘舍浮)·구류손(拘留孫)·구나함모니(俱那含牟尼)·가섭(迦葉)·석가(釋迦).

[七佛藥師 칠불약사]《佛敎》약사여래(藥師如來)가 중생(衆生)을 제도(濟度)하기 위하여 변화분신(變化分身)하여 나타나는 일곱 불체(佛體). 곧, 선칭명길상왕여래(善稱名吉祥王如來)·보월지엄광음자재왕여래(寶月智嚴光音自在王如來)·금색보광승길상여래(金色寶光妙行成就如來)·무우최승길상여래(無憂最勝吉祥如來)·법해뇌음여래(法海雷音如來)·법해승혜유희신도여래(法海勝慧遊戲神道如來)·약사유리광여래(藥師瑠璃光如來).

[七死七生 칠사칠생]《佛敎》일곱 번 죽고 일곱 번 다시 태어남.

[七色 칠색] 일곱 가지 빛. 곧, 적(赤)·청(靑)·황(黃)·녹(綠)·자(紫)·감(紺)·화(樺).

[七生 칠생]《佛敎》일곱 번 다시 태어남. 몇 번이고 다시 태어남. 이 세상에 다시 태어날 수 있는 한 영원히 언제까지나의 뜻.

[七書 칠서] ㉠삼경(三經)과 사서(四書). 곧, 주역(周易)·서경(書經)·시경(詩經)·논어(論語)·맹자(孟子)·중용(中庸)·대학(大學). ㉡일곱 가지 병서(兵書). 곧, 손자(孫子)·오자(吳子)·사마법(司馬法)·울료자(尉繚子)·삼략(三略)·육도(六韜)·이위공문대(李衛公問對). 무경칠서(武經七書).

[七夕 칠석] 명절의 하나. 음력 칠월 초이렛날. 이날 저녁에 은하(銀河) 동쪽에 있는 견우성(牽牛星)이 서쪽에 있는 직녀성(織女星)과 오작교(烏鵲橋)에서 만난다고 함. 고래로 이날 걸교전(乞巧奠)을 행하는 풍습이 있음.

[七星 칠성]㉠북두칠성(北斗七星). ㉡피부에 난 일곱 개의 별 모양으로 된 점.

[七聲 칠성] 칠음(七音)❶.

[七星劍 칠성검] 춘추 시대(春秋時代)의 초(楚)나라 사람 오자서(伍子胥)가 차던 명검(名劍).

[七順 칠순] 덕(德)을 높이는 일곱 가지 순종(順從)하는 도(道). 곧, 순천(順天)·순지(順地)·순민(順民)·순리(順利)·순덕(順德)·순인(順仁)·순도(順道).

[七十二疑冢 칠십이의총] 위(魏)나라의 조조(曹操)가 죽은 후에 자기의 무덤을 발굴당할까 염려하여 가짜로 만든 일흔두 기(基)의 무덤.

[七十二弟子 칠십이제자] 공자(孔子)의 제자 중에서 육예(六藝)에 통한 일흔두 사람의 일컬음. 일설(一說)에는, 일흔일곱 사람이라고도 함.

[七十二候 칠십이후] 1년의 기후를 일흔둘로 나눈 것의 일컬음. 오일(五日)을 일후(一候), 삼후(三候)를 일기(一氣), 육후(六候)를 1개월로 함. 칠십이후의 이름은 다음 표와 같음.

月名	二十四氣	七十二候
正月	立春	東風解凍. 蟄蟲始振. 魚上水.
	雨水	獺祭魚. 鴻雁來. 草木萌動.
二月	驚蟄	桃始華. 倉庚鳴. 鷹化爲鳩.
	春分	玄鳥至. 雷乃發聲. 始電.
三月	淸明	桐始華. 田鼠化爲鴽. 虹始見.
	穀雨	萍始生. 鳴鳩拂其羽. 戴勝降于桑.
四月	立夏	螻蟈鳴. 蚯蚓出. 王瓜生.
	小滿	苦菜秀. 靡草死. 麥秋至.
五月	芒種	螳螂生. 鵙始鳴. 反舌無聲.
	夏至	鹿角解. 蜩始鳴. 半夏生.
六月	小暑	溫風始至. 蟋蟀居壁. 鷹乃學習.
	大暑	腐艸爲螢. 土潤溽暑. 大雨時行.
七月	立秋	涼風至. 白露降. 寒蟬鳴.
	處暑	鷹祭鳥. 天地始肅. 禾乃登.
八月	白露	鴻雁來. 玄鳥歸. 羣鳥養羞.
	秋分	雷始收聲. 蟄蟲坏戶. 水始涸.
九月	寒露	鴻雁來賓. 雀入大水爲蛤. 鞠有黃華.
	霜降	豺乃祭獸戮禽. 草木黃落. 蟄蟲咸俯.
十月	立冬	水始氷. 地始凍. 雉入大水爲蜃.
	小雪	虹藏不見. 天氣上騰. 地氣下降. 閉塞而成冬.
十一月	大雪	鶡旦不鳴. 虎始交. 荔挺出.
	冬至	蚯蚓結. 麋角解. 水泉動.
十二月	小寒	雁北鄉. 鵲始巢. 雉始雊.
	大寒	鷄乳. 征鳥厲疾. 水澤腹堅.

[七十子 칠십자] 칠십이 제자(七十二弟子).

[七言 칠언] 한 구(句)가 일곱 자로 된 한시(漢詩).

[七言古詩 칠언고시] 칠언(七言)으로 된 고시(古詩). 구(句)의 수가 일정하지 아니함. 항우(項羽)의 '해하가(垓下歌)', 한고조(漢高祖)의 '대풍가(大風歌)' 따위. 칠고(七古).

[七言古風 칠언고풍] 칠언 고시(七言古詩).

[七言排律 칠언배율] 칠언 율시(七言律詩)의 연구(聯句) 여섯 구 이상으로 된 한시(漢詩).

[七言律詩 칠언율시] 칠언(七言) 여덟 구로 되고, 제3구·제4구와 제5구·제6구가 대구(對句)를 이룬 한시(漢詩). 칠률(七律).

[七言絶句 칠언절구] 칠언(七言) 네 구로 된 한시(漢詩). 칠절(七絶).

[七葉 칠엽] 일곱 대(代). 칠세(七世).

[七曜 칠요]㉠해·달과, 화(火)·수(水)·목(木)·금(金)·토(土)의 다섯 별. 칠정(七政). ㉡일주일. 이레에 칠요(七曜)를 할당한 일컬음. 곧, 일요·월요·화요·수요·목요·금요·토요.

[七曜星 칠요성] 북두성(北斗星).

[七雄 칠웅] 전국 시대(戰國時代)의 일곱 강국(强國). 곧, 진(秦)·초(楚)·연(燕)·제(齊)·조(趙)·위(魏)·한(韓). 웅(雄)은 수장(首長)의 뜻임. 칠국(七國).

[七緯 칠위]㉠해·달과, 화·수·목·금·토의 다섯 별. ㉡일곱 가지 위서(緯書). 곧, 역위(易緯)·서위(書緯)·시위(詩緯)·예위(禮緯)·악위(樂緯)·춘추위(春秋緯)·효경위(孝經緯).

[七音 칠음]㉠음악의 일곱 가지 가락. 곧, 궁(宮)·상(商)·각(角)·치(徵)·우(羽)의 오음

(五音)과 반치(半徵)·반상(半商). ⓛ음운상(音韻上)에 있어서의 일곱 가지 성음(聲音). 곧, 순음(脣音)·설음(舌音)·아음(牙音)·치음(齒音)·후음(喉音)·반설음(半舌音)·반치음(半齒音).

[七才子 칠재자] ㉠명(明)나라의 재치 있는 시인(詩人) 일곱 사람. 곧, 이몽양(李夢陽)·하경명(何景明)·서정경(徐禎卿)·변공(邊貢)·강해(康海)·왕구사(王九思)·왕정상(王廷相). ⓛ명나라의 재사(才士) 일곱 사람. 곧, 왕세정(王世貞)·이반룡(李攀龍)·사진(謝榛)·종신(宗臣)·양유예(梁有譽)·서중행(徐中行)·오국륜(吳國倫).

[七顚八倒 칠전팔도] ㉠일어났다가는 넘어지고, 또 일어났다가는 넘어져 마침내 일어나지 못함. ⓛ고통을 참지 못하여 몸부림을 침. ㉢분란(紛亂)이 심함. 대단히 어지러움.

[七絕 칠절] ㉠칠언 절구(七言絕句)의 약칭(略稱). ⓛ절구(絕句) 일곱 수(首).

[七政 칠정] ㉠해·달과, 화·수·목·금·토의 다섯 별. 그 운행이 절도(節度)가 있어 국가의 정사(政事)와 비슷하므로 이름. ⓛ북두칠성(北斗七星). 칠성(七星). ㉢이십팔수(二十八宿) 중의 사방에 각각 일곱씩 있는 별.

[七情 칠정] 일곱 가지 감정(感情). 유학(儒學)에서는 희(喜)·노(怒)·애(哀)·구(懼)·애(愛)·오(惡)·욕(欲). 또는 희·노·애·낙(樂)·애·오·욕. 불가(佛家)에서는 희(喜)·노(怒)·우(憂)·구(懼)·애(愛)·증(憎)·욕(欲).

[七條 칠조] 《佛敎》삼의(三衣)의 하나. 일곱 폭(幅)으로 만든 가사(袈裟).

[七族 칠족] 증조·조부·부친·자기·아들·손자·증손.

[七宗 칠종] 《佛敎》율(律)·법상(法相)·삼론(三論)·화엄(華嚴)·천태(天台)·진언(眞言)·선(禪)의 일곱 종파(宗派).

[七縱七擒 칠종칠금] 적(敵)을 일곱 번 석방하였다가 일곱 번 사로잡음. 제갈공명(諸葛孔明)이 맹획(孟獲)을 사로잡은 고사(故事). 금(擒)은 금(禽)으로도 씀.

[七衆 칠중] 《佛敎》불제자(佛弟子)의 일곱 종류의 사람. 곧, 비구(比丘)·비구니(比丘尼)·사미(沙彌)·사미니(沙彌尼)·식사미니(式沙彌尼)·우바새(優婆塞)·우바이(優婆夷).

[七重寶樹 칠중보수] 《佛敎》극락정토(極樂淨土)에 있다고 하는 일곱 줄로 늘어선 일곱 종류의 보수(寶樹). 곧, 금수(金樹)·은수(銀樹)·유리수(瑠璃樹)·파리수(玻璃樹)·산호수(珊瑚樹)·마노수(瑪瑙樹)·거거수(硨磲樹).

[七支 칠지] 《佛敎》십악(十惡) 중에서 살생(殺生)·투도(偸盜)·사음(邪淫)·망어(妄語)·기어(綺語)·악구(惡口)·양설(兩舌)의 일곱 가지. 십악(十惡)에서 갈려 나간 것이므로 지(支)라 함.

[七志 칠지] ㉠책(冊)의 분류법(分類法)의 한 가지. 곧, 경전(經典)·제자(諸子)·문한(文翰)·군서(軍書)·음양(陰陽)·예술(藝術)·도보(圖譜). ⓛ송(宋)나라 사람 왕검(王儉)이 유흠(劉歆)의 칠략(七略)을 본떠 작성하고, 도불편(道佛篇)으로 한 책.

[七珍 칠진] 칠보(七寶).

[七秩 칠질] 일흔 살. 70세. 일질(一秩)은 10년.

[七札 칠찰] 갑옷미늘 일곱 매(枚).

[七尺去不踢師影 칠척거부답사영] 제자(弟子) 된 자는 항상 스승을 존경하여 수행(隨行)할 때에도 스승의 그림자를 밟지 않도록 조심하라는 훈계.

[七尺之軀 칠척지구] 신장이 7척 되는 몸.

[七出 칠출] 칠거(七去).

[七七 칠칠] 사람이 죽은 지 49일째 되는 날을 이름. 중음(中陰).

[七香車 칠향차] 일곱 가지 향나무로 만든 수레.

[七賢 칠현] ㉠춘추 시대(春秋時代)의 일곱 현인(賢人). 곧, 백이(伯夷)·숙제(叔齊)·우중(虞仲)·이일(夷逸)·주장(朱張)·소련(少連)·유하혜(柳下惠). ⓛ'죽림칠현(竹林七賢)'과 같음.

[七絃琴 칠현금] 일곱 줄로 된 거문고.

[七花八裂 칠화팔렬] 여러 갈래로 갈라짐. 산산조각이 남.

●累七. 陽七. 陰七. 齊七. 週七.

2 ③ [三] 中
人 삼 ①-③㉮覃 蘇甘切 sān
④㉲勘 蘇暫切 sàn 𠫶

筆順 一 二 三

字解 ①석 삼 셋. '一冬'. '不孝有一'《孟子》. ②세번 삼 3회. '一拜'. '一思而後行'《論語》. ③성 삼 성(姓)의 하나. ④자주 삼 여러 번. '湯一使往聘之'《孟子》.

字源 甲骨文 三 金文 彡 篆文 三 古文 弎 隸書 芎 參 指事 세 개의 가로획으로 수(數)의 '셋'의 뜻을 나타냄.

參考 특히 금전상(金錢上)의 숫자 표시에서 그 변개(變改)를 막기 위해 '參'을 갖은자로 씀.

[三加 삼가] 가관(加冠)의 예(禮). 먼저 치포관(緇布冠)을 쓰고, 다음에 피변(皮弁)을 가(加)하고, 그 다음에 작변(爵弁)을 가하므로 이름.

[三家 삼가] 춘추 시대(春秋時代)의 노(魯)나라의 삼대부(三大夫). 곧, 맹손씨(孟孫氏)·숙손씨(叔孫氏)·계손씨(季孫氏). 삼환(三桓).

[三駕 삼가] 세 번 군사를 일으킴.

[三迦葉 삼가섭] 《佛敎》우루빈라가섭(憂樓頻螺迦葉)·나제가섭(那提迦葉)·가야가섭(伽耶迦葉)의 삼 형제. 불〔火〕을 숭배하는 교(敎)인 사화외도(事火外道)의 수장(首長)인데, 후에 석가(釋迦)를 섬겼음.

[三角 삼각] 세 모.

[三恪 삼각] 왕자(王者)가 선왕(先王)을 공경하는 일. 주(周)나라의 무왕(武王)이 우(虞)·하(夏)·은(殷) 삼대(三代)의 후손(後孫)을 봉(封)하여 '三恪'이라 한 고사(故事)에서 나옴. 恪은 공경(恭敬)의 뜻임.

[三覺 삼각] 《佛敎》㉠본각(本覺)·시각(始覺)·구경각(究竟覺). ⓛ자각(自覺)·타각(他覺)·각행원만(覺行圓滿).

[三角關係 삼각관계] ㉠세 사람 또는 세 단체 사이의 관계. ⓛ남녀 관계에 있어서 일남 이녀(一男二女) 혹은 이남 일녀(二男一女) 사이에 맺어진 연애(戀愛) 관계.

[三角同盟 삼각동맹] 삼국(三國) 또는 삼자의 동맹(同盟).

[三角法 삼각법] 삼각형(三角形)의 변(邊)과 각(角)과의 관계를 연구하는 수학(數學).

[三角鬚 삼각수] 두 빰과 턱에 세 갈래로 난 수염.

[三角形 삼각형] ㉠세모진 형상. ⓛ세 개의 직선(直線)으로 된 평면형(平面形). 세모꼴.

(三時)의 농사. 일설 (一說)에는, 고원 (高原)·
저습 (低濕)·평지 (平地)의 농사라 함.
[三思 삼사] ㉠세 번 생각함. 여러 번 생각하고 숙
고 (熟考)함. ㉡너무 지나치게 생각함.
[三徙 삼사] 삼천 (三遷).
[三赦 삼사] 주 (周)나라 때 죄를 범하여도 형 (刑)
을 면한 세 종류의 사람. 곧, 일곱 살 이하의 유
약자 (幼弱者), 여든 살 이상의 노인 (老人) 및
천치.
[三事戒 삼사계] 《佛敎》 몸을 삼가고, 말을 조심
하며, 마음을 깨끗이 하는 일.
[三事大夫 삼사대부] 삼공 (三公)과 경대부 (卿大
夫). 곧, 공경대부 (公卿大夫).
[三沙彌 삼사미] 《佛敎》 연령별로 나눈 세 가지
사미. 곧, 구오사미 (驅烏沙彌) 〈일곱 살부터 열
세 살까지〉·응법사미 (應法沙彌) 〈열네 살부터
열아홉 살까지〉·명자사미 (名字沙彌) 〈이십 세
이상〉.
[三三五五 삼삼오오] 3~4 인 혹은 4~5 인씩 떼
지어 여기저기 흩어져 있는 모양. 삼삼오오 (參
參伍伍).
[三上 삼상] 시문 (詩文)을 구상하기 좋은 세 곳.
곧, 마상 (馬上)·침상 (枕上)·측상 (廁上).
[三象 삼상] 주공 (周公)이 지은 풍류 이름.
[三殤 삼상] 성년 (成年)이 되기 전에 죽은 사람의
나이에 따라 구별한 세 가지. 곧, 장상 (長殤)
〈열여섯 살부터 열아홉 살까지〉·중상 (中殤)
〈열두 살부터 열다섯 살까지〉·하상 (下殤) 〈여
덟 살부터 열한 살까지〉.
[三生 삼생] 《佛敎》 사람이 태어나는 과거·현재·
미래의 세상. 곧, 전생 (前生)·현생 (現生)·후생
(後生).
[三牲 삼생] ㉠세 가지 희생 (犧牲). 곧, 소·양·돼
지. ㉡미식 (美食). 성찬 (盛饌).
[三生緣分 삼생연분] 삼생에 걸쳐 끊어질 수 없는
가장 깊은 인연. 곧, 부부간 (夫婦間)의 인연.
[三善 삼선] 세 가지 착한 일. 곧, 부자 (父子)의
도 (道), 군신 (君臣)의 의 (義), 장유 (長幼)의
절 (節) 〈예절〉.
[三聖 삼성] ㉠복희씨 (伏羲氏)·문왕 (文王)·공자
(孔子). ㉡요 (堯)·순 (舜)·우왕 (禹王). ㉢우왕
(禹王)·주공 (周公)·공자 (孔子). ㉣문왕 (文
王)·무왕 (武王)·주공 (周公). ㉤노자 (老子)·공
자 (孔子)·안자 (顏子). ㉥석가 (釋迦)·공자 (孔
子)·기독 (基督). ㉦석가 (釋迦)·공자 (孔子)·기
독 (基督). ◎《韓》 환인 (桓因)·환웅 (桓雄)·환
검 (桓儉).
[三聖祠 삼성사] 《韓》 ㉠황해도 (黃海道) 구월산
(九月山)에 있었던 환인 (桓因)·환웅 (桓雄)·환
검 (桓儉)을 모신 사당 (祠堂). ㉡제주도 (濟州
道) 제주시에 있는 탐라 (耽羅)를 개국 (開國)한
고 (高)·부 (夫)·양 (良) 삼을나 (三乙那)를 제사
지내는 신사 (神祠).
[三世 삼세] ㉠삼대 (三代)❶. ㉡《佛敎》 과거·현
재·미래, 또는 전세 (前世)·현세 (現世)·내세
(來世).
[三少 삼소] 삼고 (三孤).
[三笑 삼소] 진 (晉)나라의 중 혜원 법사 (慧遠法
師)가 호계 (虎溪)를 건너지 않겠다고 맹세하였
는데, 어느 날 찾아온 도연명 (陶淵明)·육수정
(陸修靜) 두 사람을 배웅하다가 이야기에 정신
이 팔려 자기도 모르는 사이에 호계를 건너 버
려 세 사람이 대소 (大笑)하였다는 고사 (故事).

호계삼소 (虎溪三笑).
[三蘇 삼소] 북송 (北宋)의 삼대 문장가 (三大文章
家)인 소순 (蘇洵)과 그의 두 아들 소식 (蘇軾)·소
철 (蘇轍) 형제. 순 (洵)을 노소 (老蘇), 식 (軾)
을 대소 (大蘇), 철 (轍)을 소소 (小蘇)라고도 하
여 구별함.
[三蘇熟喫羊肉 삼소숙끽양육] 송 (宋)나라 때 삼
소 (三蘇)의 문장이 널리 애독 (愛讀)되었으므
로, 그의 문장을 숙독하면 과거 (科擧)에 급제
하여 양의 고기를 먹을 수 있는 신분 (身分)이
된다는 뜻.
[三損友 삼손우] 사귀어서 해로운 세 가지 벗. 곧,
편벽 (便辟)한 벗, 선유 (善柔)한 벗, 편녕 (便
佞)한 벗. 손자삼우 (損者三友).
[三獸渡河 삼수도하] 《佛敎》 같이 부처의 설법 (說
法)을 들어도 깨닫는 정도에 심천 (深淺)이 있
음을 코끼리·말·토끼의 세 짐승이 강을 건너는
데 비유한 말. 곧, 코끼리의 발이 물의 밑바닥
까지 닿는 것은 보살 (菩薩)에, 말의 발이 물속
에 있는 것은 연각 (緣覺)에, 토끼의 발이 물 위
에 있는 것은 성문 (聲聞)에 비유함.
[三旬 삼순] ㉠상순 (上旬)·중순 (中旬)·하순 (下
旬). ㉡30일간.
[三旬九食 삼순구식] 30일에 아홉 끼니밖에 못 먹
는다는 뜻으로, 가세 (家勢)가 지극히 가난함을
이름.
[三乘 삼승] 《佛敎》 성문 (聲聞)·연각 (緣覺)·보살
(菩薩).
[三升布 삼승포] 석새삼베.
[三尸 삼시] 삼시충 (三尸蟲).
[三始 삼시] 세시 (歲始)이고 월시 (月始)이며 일
시 (日始)라는 뜻으로, 정월 초하루의 아침을
이름. 널리 정월 초하루의 뜻으로 쓰임.
[三施 삼시] 《佛敎》 세 가지 보시 (布施). 곧 재시
(財施)·법시 (法施)·무외시 (無畏施).
[三時 삼시] ㉠농사짓는 데 중요한 세 철. 곧 봄·
여름·가을. ㉡아침과 낮과 밤. ㉢《佛敎》 정법
시 (正法時)·상법시 (像法時)·말법시 (末法時).
㉣《佛敎》 천태종 (天台宗)의 종·혹짧·탈
(脫). 삼시교 (三時敎). ㉤《佛敎》 법상종 (法相
宗)의 아함 (阿含)·반야 (般若)·심밀 (深密).
[三時敎 삼시교] 삼시 (三時)❷.
[三豕金根 삼시금근] 문자 (文字)를 오독 (誤讀)·
오용 (誤用)함을 이름. 기해 (己亥)의 자형 (字
形)을 잘못 보고 삼시 (三豕)라고 읽고, 금은
(金銀)을 잘못이라 하여 금근 (金根)이라고 고
친 고사 (故事)에서 나온 말.
[三豕渡河 삼시도하] 문자 (文字)를 오독 (誤讀)·
오용 (誤用)함을 이름. 기해도하 (己亥渡河)를
삼시도하 (三豕渡河)로 잘못 읽은 고사 (故事)에
서 나온 말. '삼시금근 (三豕金根)'을 보라.
[三尸蟲 삼시충] 도가 (道家)에서 이르는, 사람의
배 속에 있는 세 마리의 벌레. 경신 (庚申)날 밤
에 나와 사람의 음사 (陰事)를 천제 (天帝)에게
고발한다 함.
[三辰 삼신] 해·달·별. 일 (日)·월 (月)·성 (星).
삼광 (三光).
[三身 삼신] ㉠《佛敎》 부처의 본체 (本體)인 법신
(法身)과, 법신 (法身)의 과보 (果報)에 의하여
나타나는 중덕원만 (衆德圓滿)의 몸인 보신 (報
身)과, 중생 (衆生)을 제도 (濟度)하기 위하여
나타나는 몸인 응신 (應身). ㉡과거·현재·미래
의 삼신 (三身).

1획

[三神 삼신] ㉠천(天)·지(地)·인(人)의 세 신(神). ㉡《韓》상고 시대에 조선(朝鮮)의 국토를 열었다는 세 신. 곧, 환인(桓因)·환웅(桓雄)·환검(桓儉).

[三神山 삼신산] 신선(神仙)이 산다는 세 산. 곧, 봉래(蓬萊)·방장(方丈)·영주(瀛洲).

[三心 삼심] 《佛敎》삼십구족(三心具足)을 보라.

[三心具足 삼심구족] 《佛敎》지성심(至誠心)·심심(深心)·발원심(發願心)을 갖추는 일. 이 삼심을 갖추면 정토(淨土)에 왕생(往生)한다 함.

[三十講 삼십강] 《佛敎》법화경(法華經) 28권의 앞에 무량의경(無量義經) 1권과 같에 보현관경(普賢觀經) 1권을 넣은 30권을 30일간 강(講)하는 일. 조석(朝夕)으로 1권씩 15일간에 강하는 수도 있음.

[三棒 삼십봉] 《佛敎》선승(禪僧)이 제자를 가르칠 때 곤봉으로 때리는 일. 전(轉)하여, 과오를 알리는 뜻으로 쓰임.

[三十三神 삼십삼신] 《佛敎》관세음보살(觀世音菩薩)의 서른세 가지의 화신(化身).

[三十三天 삼십삼천] 《佛敎》㉠수미산(須彌山) 꼭대기의 네 봉우리에 각각 있는 팔천(八天)과, 중앙에 있어서 이것을 통치하는 제석천(帝釋天). 도리천(忉利天). ㉡욕계 육천(欲界六天)·색계 십팔천(色界十八天)·무색계 구천(無色界九天)의 총칭.

[三十六計 삼십육계] 서른여섯 가지 꾀. 많은 계책(計策).

[三十六計不如逃 삼십육계불여도] 삼십육책주위상계(三十六策走爲上計).

[三十六宮 삼십육궁] 한대(漢代)의 궁전(宮殿)의 수. 전(轉)하여, 제왕(帝王)의 궁전의 수.

[三十六鱗 삼십육린] 잉어(鯉)의 별칭(別稱). 육륙린(六六鱗).

[三十六策走爲上計 삼십육책주위상계] 삼십육계 줄행랑이 제일이란 말과 같은 뜻. 곧, 딴 계책을 강구하는 것보다는 우선 도망하여 화를 피한 연후에 방책을 서서히 세우는 것이 제일 상책이라는 말. 전(轉)하여, 비겁한 자를 조소하는 뜻으로 쓰임.

[三十輻共一轂 삼십폭공일곡] 바퀴의 서른 개의 살이 모두 한 바퀴통에 모여 수레가 달릴 수 있는데, 이 바퀴통은 속이 비었기 때문에 이런 중요한 구실을 할 수 있다는 뜻으로, 군주(君主)는 허공무위(虛空無爲)를 중히 여겨야 한다는 것을 비유한 말.

[三椏 삼아] 삼지닥나무. 삼아나무. 껍질은 종이의 원료로 쓰임.

[三惡道 삼악도] 자기가 한 악업(惡業) 때문에 죽은 후에 가는 곳. 곧, 지옥도(地獄道)·아귀도(餓鬼道)·축생도(畜生道). 삼도(三途).

[三惡聲 삼악성] 세 가지 듣기 싫고 흉한 소리. 곧, 초혼(招魂)하는 소리, 불이 나서 불이야 하고 외치는 소리, 도둑을 퇴하는 소리.

[三惡趣 삼악취] 삼악도(三惡道).

[三養 삼양] 복(福)·기(氣)·재(財) 세 가지를 길러 늘리는 일. 곧, 분수(分數)에 만족하고, 위(胃)를 너그럽게 하고 마음을 크게 가지며, 씀씀이를 절약하는 일.

[三壤 삼양] 세 가지 전지. 곧, 상전(上田)·중전(中田)·하전(下田).

[三業 삼업] 《佛敎》㉠신업(身業)·구업(口業)·의업(意業)의 세 가지. ㉡탐욕(貪慾)·진에(瞋恚)·우치(愚癡)의 세 가지 죄업(罪業).

[三餘 삼여] 겨울(해의 나머지)과 밤(날의 나머지)과 음우(陰雨 (때의 나머지)로서 학문을 하는 데 가장 좋은 세 가지 여가(餘暇).

[三易 삼역] 삼종(三種)의 역(易). 곧, 하(夏)나라의 연산(連山)과 은(殷)나라의 귀장(歸藏)과 주(周)나라의 주역(周易).

[三逆 삼역] 《佛敎》부친·모친·아라한(阿羅漢)을 죽이는 일.

[三緣 삼연] 《佛敎》친연(親緣)·근연(近緣)·증상연(增上緣).

[三營門 삼영문] 삼군문(三軍門).

[三五 삼오] ㉠삼황오제(三皇五帝)를 이름. ㉡삼신(三辰)과 오성(五星). ㉢삼신(三辰)과 오행(五行). ㉣30세와 500세. 30세에 조금 변하고, 500세에 크게 변함. ㉤삼심 오주(三心五嚋). 곧, 심(心)·유(柳)의 두 성수(星宿). ㉥음력 보름날. ㉦음력 보름날 밤. 또, 음력 팔월 보름날 밤.

[三五之隆 삼오지륭] 삼황오제(三皇五帝) 시대의 융성(隆盛)한 세상.

[三五七言詩 삼오칠언시] 한 구(句) 중에 삼언구(三言句) 둘과 오언구(五言句) 둘과 칠언구(七言句) 둘을 갖춘 시(詩). 예컨대, 이백(李白)의 '秋風淸, 秋月明, 落葉聚還散, 寒鴉棲復驚, 相思相見知何日, 此時此夜難爲情'

[三瓦戒 삼와계] 지붕을 이는데 일부러 기와 석 장을 모자라게 하여 충족(充足)을 경계하는 일.

[三澣 삼완] 삼한(三澣).

[三王 삼왕] 하(夏)나라의 우왕(禹王)과 은(殷)나라의 탕왕(湯王)과 주(周)나라의 문왕(文王)·무왕(武王). 문왕과 무왕은 부자(父子)이므로 한 임금으로 봄.

[三畏 삼외] 군자(君子)가 두려워하여 삼가야 할 세 가지 일. 곧, 천명(天命)·대인(大人)·성인지언(聖人之言).

[三慾 삼욕] 《佛敎》세 가지 욕심. 곧, 음식욕(飮食慾)·수면욕(睡眠慾)·음욕(淫慾).

[三浴三薰 삼욕삼훈] 몸에 자주 향(香)을 바르고 자주 목욕을 함.

[三友 삼우] ㉠유익한 세 종류의 벗. '삼익우(三益友)'를 보라. 또, 해로운 세 종류의 벗. '삼손우(三損友)'를 보라. ㉡거문고·술·시. 금(琴)·주(酒)·시(詩). ㉢소나무·대나무·매화나무. 송(松)·죽(竹)·매(梅). 세한삼우(歲寒三友). ㉣산수(山水)·난죽(蘭竹)·금주(琴酒).

[三虞 삼우] 장사(葬事) 지낸 후 세 번째 지내는 제사(祭祀).

[三元 삼원] ㉠천(天)·지(地)·인(人) 삼재(三才). ㉡정월 초하루. 삼시(三始). ㉢정월 보름인 상원(上元)과 칠월 보름인 중원(中元)과 시월 보름인 하원(下元). ㉣진사(進士)〈중국의 대과(大科)〉에 삼 등 안으로 급제한 세 사람. 또, 향시(鄕試)·회시(會試)·정시(廷試)에 수석을 차지한 사람. 곧, 해원(解元)·회원(會元)·장원(狀元).

[三垣 삼원] 상원(上垣)·중원(中垣)·하원(下垣)의 총칭. 고대의 천문학에서 북극(北極)을 이름.

[三怨 삼원] 사람에게 원망을 당하는 세 가지. 곧, 작위(爵位)가 높으면 사람에게 원망을 당하고, 관직(官職)이 크면 임금에게 원망을 당하며, 녹(祿)이 후하여도 원망을 당함.

[三願 삼원] 세 가지 소원. 곧, 세상의 호인(好人)·호서(好書)·호산수(好山水)를 모두 알고자 하는 소원.

[三位一體 삼위일체] ㉠《佛教》 부처는 법신(法身)·응신(應身)·보신(報身)의 삼위(三位)로 구분되나, 본래는 일체라는 뜻. ㉡기독교(基督教)에서 성부(聖父)·성자(聖子)·성령(聖靈)의 삼위(三位)를 한 몸으로 보는 교의(敎義).

[三宥 삼유] ㉠주대(周代)에 죄를 용서하는 세 가지 조건. 곧, 불식(不識)·과실(過失)·유망(遺亡). ㉡왕족(王族)이 죄를 범하였을 때 왕이 세 번 용서한 뒤에 형을 과하는 법.

[三揖一辭 삼읍일사] 군자(君子)는 벼슬길에 나아가는 데는 신중(愼重)하고, 벼슬을 물러나는 데는 간이(簡易)하다는 뜻.

[三衣 삼의] 《佛教》 중이 입는 세 가지 가사(袈裟). 곧, 대의(大衣)·칠조(七條)·오조(五條).

[三宜休 삼의휴] 사람이 마땅히 쉬어야 할 세 가지 경우. 재주가 얼마나 있나 헤아리고, 제 분수에 맞나 헤아리고, 늙어서 귀가 먹었을 때를 이름. 당(唐)의 사공도(司空圖)의 고사에서 온 말.

[三易 삼이] 문장을 쉽게 짓는 세 가지 방법. 곧, 보기 쉽게 쓰고, 쉬운 자를 쓰며, 읽기 쉽게 씀.

[三益 삼익] 삼익우(三益友).

[三益友 삼익우] ㉠사귀어서 자기에게 도움이 되는 세 가지 벗. 곧, 곧은 벗, 믿음직한 벗, 문견이 많은 벗. 익자삼우(益者三友). 삼우(三友). ㉡화제(畫題)에서 쓰는 말로 매화(梅花)나무·대나무·돌의 일컬음.

[三益主義 삼익주의] 영업 단체의 이익은 자본가와 경영자와 노동자가 삼분(三分)하여야 한다는 주장.

[三仁 삼인] 은(殷)나라 말년의 세 사람의 충신(忠臣). 곧, 미자(微子)·기자(箕子)·비간(比干).

[三人成市虎 삼인성시호] 한두 사람이 거리에 범이 있다고 말하면 곧이듣지 않으나, 세 사람까지 그렇게 말하면 곧이듣는다는 뜻으로, 무근(無根)한 일도 이야기하는 사람이 많으면 자연히 믿게 됨을 비유한 말.

[三人爲一龍 삼인위일룡] 세 사람의 극친한 벗의 비유.

[三人行必有我師 삼인행필유아사] 자기와 딴 두 사람이 일을 같이할 때에는 선악간(善惡間)에 반드시 스승으로서 배울 만한 사람이 있음.

[三日哭 삼일곡] ㉠사흘 동안 곡함. 사당(祠堂)이 탔을 때의 예(禮)임. ㉡오랫동안 곡함.

[三日僕射 삼일복야] ㉠진(晉)나라 사람 주의(周顗)가 상서성(尙書省)의 장관(長官)인 복야(僕射)가 되었을 때 주야로 술만 마시고 정사(政事)는 돌보지 않은 고사(故事). '삼일'은 집정(執政)한 날이 적다는 뜻.

[三日不讀書語言無味 삼일부독서어언무미] 불과 3일간이라도 독서를 하지 않으면 마음이 비열(卑劣)하여져서 하는 말도 자연히 아치(雅致)가 없다는 말.

[三日不飮酒義理形神不相親 삼일불음주의리형신불상친] 3일 동안 술을 마시지 않으면 육체와 정신이 서로 떨어진 것과 같은 심경(心境)이라는 뜻.

[三日三夜 삼일삼야] 삼주야(三晝夜).

[三日雨 삼일우] 사흘 동안 계속하여 내리는 비.

[三日葬 삼일장] 죽은 지 사흘 만에 지내는 장사.

[三日點考 삼일점고] 《韓》 수령(守令)이 부임한 지 사흘 만에 관속(官屬)을 점고하는 일.

[三日天下 삼일천하] 짧은 동안 정권(政權)을 잡았다가 곧 축출당함을 이름.

[三子 삼자] ㉠노자(老子)·장자(莊子)·열자(列子). ㉡맹자(孟子)·순자(荀子)·양자(楊子).

[三長 삼장] 사가(史家)가 되는 데 필요한 세 가지 장점. 곧, 재지(才智)·학문(學問)·식견(識見).

[三章 삼장] ㉠한고조(漢高祖)가 제창한 세 조목의 법률. ㉡간명한 규칙.

[三障 삼장] 《佛教》 정도(正道)와 선심(善心)을 방해하는 세 가지 장애(障礙). 곧, 번뇌장(煩惱障)·업장(業障)·보장(報障).

[三藏 삼장] 《佛教》 ㉠불타(佛陀)의 설법(說法)을 결집(結集)한 경장(經藏)과, 승속(僧俗)의 계율(戒律)과 위의(威儀)를 결집한 율장(律藏)과, 교리(敎理)의 논석(論釋)을 모은 논장(論藏)의 세 가지. 또, 이에 통효(通曉)한 고승(高僧). ㉡성문장(聲聞藏)·연각장(緣覺藏)·보살장(菩薩藏).㉢천태종(天台宗)에서 소승(小乘)의 별칭(別稱).

[三才 삼재] ㉠하늘과 땅과 사람. 천(天)·지(地)·인(人). ㉡천지간(天地間)의 만물. ㉢세 사람의 재사(才士).

[三災 삼재] 《佛教》 ㉠수재(水災)·화재(火災)·풍재(風災). ㉡도병재(刀兵災)·질병재(疾病災)·기근재(飢饉災).

[三災八難 삼재팔난] 삼재(三災)와 팔난(八難). 곧, 모든 재난.

[三傳 삼전] 공자(孔子)가 저술한 춘추(春秋)의 세 가지 해설서(解說書). 곧, 〈좌씨전(左氏傳)〉·〈공양전(公羊傳)〉·〈곡량전(穀梁傳)〉.

[三戰三北 삼전삼배] 세 번 싸워 세 번 패배함. 자주 싸움에 패(敗) 함. 삼전 삼패(三戰三敗).

[三戰三走 삼전삼주] 세 번 싸우고 세 번 패하여 달아남.

[三戰神 삼전신] 《佛教》 전쟁을 맡은 세 신(神). 곧, 마리지천(摩利支天)·대흑천(大黑天)·비사문천(毘沙門天).

[三絶 삼절] ㉠세 번 끊어짐. ㉡세 가지의 뛰어난 일, 또는 재주.

[三折肱爲良醫 삼절굉위양의] 쓰라린 경험을 여러 번 겪어야만 명의(名醫)가 됨.

[三正 삼정] ㉠천(天)·지(地)·인(人) 삼재(三才)의 정도(正道). ㉡군신(君臣)·부자(父子)·부부(夫婦)의 도(道)인 삼강(三綱)이 바름. ㉢역법(曆法)의 술어(術語)로서, 하(夏)·은(殷)·주(周) 삼대(三代)의 달력, 또는 자(子)·축(丑)·인(寅)의 일컬음. 하(夏)나라의 달력은 인(寅)의 달을, 은(殷)나라의 달력은 축(丑)의 달을, 주(周)나라의 달력은 자(子)의 달을 정월(正月)로 하였으므로 이름.

[三精 삼정] 해·달·별. 일(日)·월(月)·성(星).

[三諦 삼제] 《佛教》 천태종(天台宗)에서 말하는 세 가지 진리. 곧, 제법(諸法)을 모두 공(空)이라고 보는 공제(空諦)와, 제법을 모두 유(有)라고 보는 가제(假諦)와, 공도 아니고 유도 아니라고 보는 중제(中諦). 세 가지는 진리(眞理).

[三諦卽是 삼제즉시] 삼제(三諦)는 하나이면서도 셋이고, 셋이면서도 하나임.

[三朝 삼조] ㉠삼시(三始). ㉡초사흗날 아침. ㉢주대(周代)의 내조(內朝)〈천자가 휴식하는

곳〉·치조(治朝)〈천자가 정사(政事)를 보는 곳〉·외조(外朝)〈군신(君臣)이 회의하는 곳〉. ㉣삼대(三代)의 왕조(王朝)를 이름. 또, 삼대의 군주(君主). ㉤세 번의 입조(入朝). 공자(孔子)가 노(魯)나라에서 세 번 벼슬한 것을 이름.

[三條椽下 삼조연하]《佛敎》선당(禪堂) 안의 한 사람이 앉을 만한 자리를 이름.

[三族 삼족] ㉠부모·형제·처자. ㉡부친·아들·손자. 부(父)·자(子)·손(孫). ㉢부친의 곤제(昆弟), 자기의 곤제, 아들의 곤제. ㉣부족(父族)·모족(母族)·처족(妻族).

[三足烏 삼족오] ㉠해 속에 산다는 세 발 가진 까마귀. ㉡태양(太陽)의 별칭.

[三尊 삼존] ㉠존앙(尊仰)하여야 할 세 사람. 곧, 군주·부친·스승. 군(君)·부(父)·사(師). ㉡《佛敎》미타(彌陀)·관음(觀音)·세지(勢至). 미타 삼존(彌陀三尊). ㉢《佛敎》석가(釋迦)·문수(文殊)·보현(普賢). 석가 삼존(釋迦三尊). ㉣《佛敎》약사여래(藥師如來)·일광천(日光天)·월광천(月光天). 약사 삼존(藥師三尊).

[三尊來迎 삼존내영]《佛敎》미타(彌陀)·관음(觀音)·세지(勢至)의 삼존(三尊)이 출현하여 정토(淨土)로 인도함.

[三宗 삼종]《佛敎》세 종파(宗派). 곧, 화엄종(華嚴宗)·삼론종(三論宗)·법상종(法相宗). 또는 천태종(天台宗)·진언종(眞言宗)·법상종(法相宗).

[三從 삼종] ㉠여자가 지켜야 할 세 가지 도덕. 곧, 어렸을 때에는 어버이를, 시집가서는 남편을, 남편을 여읜 뒤에는 아들을 좇는 일. 삼종지의(三從之義). ㉡삼종형제(三從兄弟).

[三種世間 삼종세간]《佛敎》중생세간(衆生世間)·국토세간(國土世間)·오온세간(五蘊世間).

[三從兄弟 삼종형제] 고조(高祖)가 같고 증조(曾祖)가 다른 형제. 팔촌(八寸).

[三晝夜 삼주야] 꼭 3일. 삼일삼야(三日三夜).

[三知 삼지] 천분(天分)의 고하(高下)로 인한 도(道)를 깨닫는 힘의 세 층등(層等). 곧, 태어나면서부터 아는 생지(生知)와, 배워서 아는 학지(學知)와, 애써서 아는 곤지(困知).

[三智 삼지]《佛敎》부처의 슬기의 세 구분. 곧, 진여(眞如)를 해득(解得)하는 진지(眞智)와, 무명(無明)을 깨닫는 내지(內智)와, 세사(世事)에 통효(通曉)하는 외지(外智)와.

[三旨相公 삼지상공] 무능한 재상을 조소(嘲笑)하는 말. 우리나라의 '지당 대신'과 뜻이 같음. 송(宋)나라의 재상(宰相) 왕규(王珪)가 일(一)에도 성지(聖旨)가 지당하고, 이(二)에도 성지가 지당하며, 삼(三)에도 성지가 지당하다고 하여 무슨 일에나 천자(天子)의 뜻만 좇은 고사(故事)에 의함.

[三枝之禮 삼지지례] 비둘기는 예의를 지켜 어미 새가 앉은 가지에서 세 가지 아래 되는 데 앉는다는 말.

[三枝槍 삼지창] 끝이 세 갈래 진 창(槍).

[三秦 삼진] ㉠옹(雍)·새(塞)·적(翟)의 세 나라. 항우(項羽)가 진(秦)나라를 멸(滅)하고 그 영토를 나누어 진나라의 항장(降將) 장한(章邯)·사마흔(司馬欣)·동예(董翳)를 왕으로 봉(封)하였으므로 이름. ㉡십육국 시대(十六國時代)의 전진(前秦)·후진(後秦)·서진(西秦)의 세 나라.

[三晉 삼진] 전국 시대(戰國時代)의 한(韓)·위(魏)·조(趙)의 세 씨(氏). 이들의 선조(先祖)는 본시 진(晉)나라를 섬겼는데, 후에 진나라를 분할하여 각각 독립하였으므로 이름.

[三徵七辟 삼징칠벽] 세 번 천자(天子)가 부르고 일곱 번 주군(州郡)에서 부른다는 뜻으로, 자주 임관시키려고 조정에서나 지방 관아(地方官衙)에서 부름을 이름.

[三叉 삼차] 세 갈래.

[三車 삼차] 양차(羊車)·녹차(鹿車)·우차(牛車).

[三倉 삼창] 자서(字書)의 총칭(總稱). 한대(漢代)에는 창힐편(倉頡篇)·원력편(爰曆篇)·박학편(博學篇)을 이르고, 위진(魏晉) 이후에는 창힐편(倉頡篇)·훈찬편(訓纂篇)·방희편(滂喜篇)도 일컬음.

[三尺 삼척] ㉠삼척법(三尺法). ㉡칼. 검(劍). 길이가 석 자이므로 이름.

[三尺童子 삼척동자] 대여섯 살의 어린아이.

[三尺法 삼척법] 법. 법률. 옛날에 길이가 석 자 되는 죽찰(竹札)에 법문(法文)을 적었으므로 이름.

[三尺秋水 삼척추수] 서슬이 시퍼런 칼. 삼척(三尺)은 칼의 길이, 추수(秋水)는 칼의 빛을 형용한 말.

[三天 삼천]《佛敎》마리지천(摩利支天)·대흑천(大黑天)·변재천(辨財天).

[三遷 삼천] 삼천지교(三遷之敎).

[三千大千世界 삼천대천세계]《佛敎》㉠소천세계(小千世界)·중천세계(中千世界)·대천세계(大千世界)의 총칭(總稱). 수미산(須彌山)을 중심으로 하여 해와 달과 사천하(四天下)를 한 세계라 이르고, 이것을 천 배한 것을 소천세계(小千世界), 소천세계를 천 배한 것을 중천세계(中千世界), 중천세계를 천 배한 것을 대천세계(大千世界)라 함. 삼천 세계(三千世界). ㉡전 세계. 넓은 세계.

[三千世界 삼천세계] 삼천 대천세계(三千大千世界).

[三遷之敎 삼천지교] 맹자(孟子)의 어머니가 맹자를 가르치기 위하여 집을 세 번 옮긴 일. 좋은 환경을 택하기 위하여 처음에 묘지(墓地) 옆에서 살다가 저잣거리로, 저잣거리에서 또 학교 옆으로 옮겼음. 「애.

[三千寵愛 삼천총애] 여러 시녀(侍女)가 받는 총

[三淸 삼청] 도교(道敎)에서 옥청(玉淸)·상청(上淸)·태청(太淸)을 이름(신선이 산다는 궁의

[三諦 삼체] 삼체(三諦). 「이름).

[三體 삼체] ㉠세 가지 체형(體形). ㉡진(眞)·행(行)·초(草)의 세 서체(書體). ㉢고체(固體)·액체(液體)·기체(氣體).

[三體詩 삼체시] 송말(宋末)에 주필(周弼)이 당대(唐代)의 시인 167인의 시를 칠언 절구(七言絕句)·칠언 율시(七言律詩)·오언 율시(五言律詩)의 삼체(三體)로 나누어 편찬한 시집. 총 6권.

[三焦 삼초] 한방(漢方)에서 이르는 육부(六腑)의 하나로서 상초(上焦)·중초(中焦)·하초(下焦)의 총칭. 상초는 심장 아래에, 중초는 위(胃) 속에, 하초는 방광(膀胱) 위에 있어서 수분(水分)의 배설(排泄)을 맡는다고 함.

[三寸不律 삼촌불률] 붓[筆]의 별칭(別稱). 삼촌(三寸)은 붓의 길이, 불률(不律)의 합음(合音)은 필[筆].

[三寸舌 삼촌설] ㉠혀. 삼촌(三寸)은 혀의 길이. ㉡언어(言語)·변설(辯舌)을 이름.

[三秋 삼추] ㉠가을의 3개월. 곧, 음력 7월의 초

추(初秋), 음력 8월의 중추(仲秋), 음력 9월의 만추(晩秋). ㉡9개월. 춘·하·추·동은 각각 3개월씩이므로 이름. 삼계(三季). ㉢3개년. 3개년 동안에 가을이 세 번 돌아오므로 이름.
[三秋之思 삼추지사] 하루만 만나지 않아도 3년 동안이나 만나지 않은 것같이 생각된다는 뜻으로, 사람을 사모하는 마음이 대단히 간절함을 이름. 일설(一說)에, 삼추(三秋)는 9개월. 일일삼추(一日三秋).
[三春 삼춘] ㉠봄의 3개월. 곧, 음력 정월의 맹춘(孟春), 음력 2월의 중춘(仲春), 음력 3월의 계춘(季春). ㉡3개년. 3개년 동안에 봄이 세 번 돌아오므로 이름. 삼추(三秋).
[三蟲 삼충] 삼시충(三尸蟲).
[三層樓 삼층루] 삼 층의 건물.
[三致意 삼치의] 깊이 마음을 씀. 대단히 관심을 둠.
[三親 삼친] ㉠부자(父子)·부부(夫婦)·형제(兄弟). ㉡부족(父族)·모족(母族)·처족(妻族).
[三七日 삼칠일] 해산(解產)한 지 스무하루 되는 날.
[三嘆 삼탄] 여러 번 찬탄(讚嘆)함.
[三台 삼태] ㉠자미궁(紫微宮)의 주위에 있는 상태(上台)·중태(中台)·하태(下台)의 각각 두 별씩 도합 여섯 별. ㉡삼공(三公)의 뜻.
[三台星 삼태성] 삼태(三台)㉠.
[三宅 삼택] '삼택삼준(三宅三俊)'을 보라.
[三宅三俊 삼택삼준] 삼택(三宅)은 상백(常伯)·상임(常任)·준인(準人)의 지위. 삼준(三俊)은 삼택이 될 만한 덕(德)이 있는 사람.
[三通 삼통] 이름에 통(通)의 글자가 든 세 책. 곧, 당(唐)나라 사람 두우(杜佑)가 지은 〈통전(通典)〉, 송(宋)나라 사람 정초(鄭樵)가 지은 〈통지(通志)〉, 송나라 사람 마단림(馬端臨)이 지은 〈문헌통고(文獻通考)〉.
[三巴 삼파] 파(巴)라는 글자가 든 세 고을. 후한(後漢)의 파(巴)·파동(巴東)·파서(巴西)를 이름.
[三品 삼품] 그림의 세 가지 품위. 곧, 신품(神品)·묘품(妙品)·능품(能品).
[三風十愆 삼풍십건] 세 가지 나쁜 풍습. 곧, 무풍(巫風)·음풍(淫風)·난풍(亂風)과 그 세목(細目)인 열 가지 허물. 곧, 항무(恆舞)·감가(酣歌)·순화(殉貨)·순색(殉色)·항유(恆遊)·항전(恆畋)·모성언(侮聖言)·역충직(逆忠直)·원기덕(遠耆德)·비완동(比頑童).
[三河 삼하] ㉠황하(黃河)·회하(淮河)·낙하(洛河). ㉡한대(漢代)의 하내(河內)·하남(河南)·하동(河東)의 세 군(郡)을 이름. ㉢황하(黃河). 하동·하남·하북의 세 군을 흐르므로 이름.
[三夏 삼하] ㉠여름의 3개월. 곧, 음력 4월의 맹하(孟夏), 음력 5월의 중하(仲夏), 음력 6월의 계하(季夏). 구하(九夏). ㉡3개년. 3개년 동안에 여름이 세 번 돌아오므로 이름.
[三學 삼학] ㉠당대(唐代)의 국자학(國子學)·태학(太學)·사문학(四門學). 송대(宋代)에는 태학을 외사(外舍)·중사(中舍)·상사(上舍)로 나누어 이를 삼학이라 하였음. ㉡문학(文學)·무학(武學)·종학(宗學). ㉢《佛敎》 수업승(修業僧)이 닦아야 할 세 가지 학문. 곧, 계학(戒學)·정학(定學)·혜학(慧學).
[三澣 삼한] 달의 상·중·하순의 일컬음. 한(澣)은 본래 씻는다는 뜻이나 한당(漢唐)의 제도에, 관리는 열흘마다 휴가를 얻어 목욕하였으므로, 전(轉)하여 십 일의 뜻으로 쓰임. 삼순(三旬). 삼완(三浣).
[三韓 삼한] 《韓》 전한(前漢) 초에 우리나라 남부에 일어난 세 나라. 곧, 마한(馬韓)·진한(辰韓)·변한(弁韓).
[三寒四溫 삼한사온] 겨울철에 한국·만주 등지에서 사흘가량 추운 날씨가 계속되다가 그 다음에 나흘가량 따스한 날씨가 계속되는 주기적(週期的)인 기후 현상.
[三解脫 삼해탈] 세 가지 해탈(解脫). 곧, 공(空)·무상(無想)·무원(無願).
[三行 삼행] ㉠자식으로서 어버이에게 행하여야 할 세 가지 행위. 곧, 양친(養親)·치상(治喪)·봉제사(奉祭祀). ㉡사람이 중히 여겨야 할 세 가지 행위. 곧, 부모를 섬기는 효행(孝行), 군자(君子)를 존경하는 우행(友行), 사장(師長)을 섬기는 순행(順行).
[三革 삼혁] ㉠가죽으로 만드는 세 가지 무기. 곧, 갑옷·투구·방패. ㉡개원(改元)의 이유가 된 세 혁명. 곧, 갑자혁명(甲子革命)·무진혁명(戊辰革命)·신유혁명(辛酉革命).
[三絃 삼현] 삼현금(三絃琴).
[三賢 삼현] 《佛敎》 대승(大乘)의 십주(十住)·십행(十行)·십회향(十回向)의 세 보살(菩薩).
[三絃琴 삼현금] 줄 셋을 맨 거문고.

[三絃琴]

[三峽 삼협] 촉(蜀) 땅의 세 협곡(峽谷). 곧, 무협(巫峽)·구당협(瞿塘峽)·서릉협(西陵峽). 일설(一說)에는, 서릉협·귀향협(歸鄕峽)·무협(巫峽).
[三慧 삼혜] 《佛敎》 세 가지 지혜. 곧, 견문하여 얻는 문혜(聞慧), 사유(思惟)하여 얻는 사혜(思慧), 수행(修行)하여 얻는 수혜(修慧).
[三壺 삼호] 해중(海中)에 있는 신선(神仙)이 산다는 세 산. 곧, 봉호(蓬壺)·방호(方壺)·영호(瀛壺). 산의 모양이 병과 같다 하여 이른 말. 삼신산(三神山). 삼도(三島).
[三魂 삼혼] 《佛敎》 ㉠사람의 몸 가운데 있는 세 가지 정혼(精魂). 곧, 태광(台光)·상령(爽靈)·유정(幽精). ㉡업상(業相)·전상(轉相)·현상(現相).
[三桓 삼환] 춘추 시대(春秋時代)의 노(魯)나라의 삼경(三卿). 곧, 맹손씨(孟孫氏)·계손씨(季孫氏)·숙손씨(叔孫氏). 모두 환공(桓公)의 자손이므로 이름. 삼가(三家).
[三皇 삼황] 중국 고대의 천자(天子). 곧, 복희씨(伏羲氏)·신농씨(神農氏)·황제(黃帝), 또는 수인씨(燧人氏). 일설(一說)에는, 포희씨(包犧氏)·여왜씨(女媧氏)·신농씨(神農氏). 또 일설에는, 천황씨(天皇氏)·지황씨(地皇氏)·인황씨(人皇氏).
[三皇五帝 삼황오제] 삼황(三皇)과 오제(五帝). 오제는 소호(少昊)·전욱(顓頊)·제곡(帝嚳)·요(堯)·순(舜). 《사기(史記)》에는 소호(少昊) 대신 황제(黃帝)로 되어 있음.
[三會 삼회] 《佛敎》 ㉠미륵(彌勒)이 나타나 용화수(龍華樹) 밑에서 세 번 설법(說法)하는 일. 이를 용화삼회(龍華三會)라 함. ㉡흥복사(興福寺)의 유마회(維摩會), 약사사(藥師寺)의 최승회(最勝會), 금중(禁中)의 어재회(御齋會). 이를 남경(南京)의 삼회(三會)라 함. ㉢원종사

(圓宗寺)의 법화회(法華會)·최승회(最勝會), 법
승사(法勝寺)의 대승회(大乘會). 이를 북경(北
京)의 삼회라 함.
[三回忌 삼회기]《佛敎》3년째의 기일(忌日). 대
상(大祥) 날. 대상기(大祥忌).
[三孝 삼효] 세 가지 효행. 곧, 첫째는 존친(尊
親), 둘째는 불욕(弗辱), 셋째는 능양(能養).
[三釁 삼흔 삼혼삼욕] 삼욕삼훈(三浴三薰).
[三犧 삼희] 삼생(三牲).
●擧一反三. 九三. 達尊三. 務三. 無二無三. 文
體三. 民生三. 什二三. 五三. 再三. 朝四暮
三. 重三. 初三.

2 [下] 中 하 ①-②上馬 胡雅切 xià
③   入   ③-⑥去禡 胡駕切 xià

筆順 一 丁 下

字解 ①아래 하 ㉠위의 대 (對). '上一'. '一層'.
'一臨無地'《王勃》. ㉡낮은 곳. '猶水之就一'《孟
子》. ㉢밑. 바닥. '地一'. '出魚乎十仞之一'《呂
氏春秋》. ㉣물건의 머리와 반대되는 쪽 끝. '一
文'. '若河決一流而東注'《韓愈》. ㉤뒤. 후세.
'千歲之一'《歷代名畫記》. '上自唐虞, 一至秦繆'
《十八史略》. ㉥열등. '一劣'. '厥賦一上'《書
經》. ㉦두 사물(事物) 중의 경(輕)한 쪽. '上以
安主體, 一以便萬民'《漢書》. ㉧낮은 지위. 낮
은 사람. '一嫁'. '在一不怨'《孝經》. ㉨부하.
'手一'. '強將之一無弱兵'《蘇軾》. ㉩백성. 서
민. '上之化一, 得其道'《韓愈》. ㉪곁. 가. '數
州之土壤, 皆在衽席之一'《柳宗元》. ㉫산기슭.
'禱爾于上一神祇'《論語》. ㉬어의(語意)를 강하게 하기 위
하여 조사(助辭)와 같이 씀. '但見古來盛名一,
終日坎壈纏其身'《杜甫》. ㉭자기의 사물에 관한
겸칭(謙稱). '懷'. '一走將歸延陵之墓'《漢
書》. ②낮을 하 아래임. 미치지 못함. '一位'.
'一等'. '一王后一等'《詩經序》. ③ 내릴 하 ㉠
낮은 데로 옮김. 내려감. '一車'. '一山'. '浮
西河而一'《史記》. 또, 낮은 데로 옮김. '糟糠之
妻不一堂'《後漢書》. ㉡비가 옴. '陰雲曀兮雨未
一'《曹丕》. 또, 비가 오게 함. '天油然作雲, 沛
然一雨'《孟子》. ㉢명령이 나옴. '制一'《十八史
略》. 또, 명령을 냄. '一命'. '趣使使一令'《史
記》. ㉣착수함. 손을 댐. '一手'. '將軍一筆開
生面'《杜甫》. ④ 떨어질 하 ㉠낙하함. '慷慨傷
悵, 泣數行一'《史記》. ㉡함락함. 항복함. '齊城
不一者兩城耳'《史記》. ⑤ 떨어뜨릴 하 함락시킴.
항복받음. '憑軾一東藩'《魏徵》. ⑥ 낮을 하 ㉠
겸손함. '卑一'. '以貴一賤, 大得民也'《易》.
㉡감함. 적게 함. '歲登一其損益之數'《周禮》.

字源 甲骨文 一 金文 二 古文 一 篆文 丅 指事. 甲骨文·
金文·古文은
기준(基準)되는 가로획 밑에 짧은 가로획을, 篆
文은 기준되는 가로획 밑에 긴 세로획을 긋고,
'밑·아래'의 뜻을 나타냄.

[下嫁 하가] 군주(君主)의 딸이 신하(臣下)에게
시집감. 하강(下降).
[下疳 하감] 성병(性病)의 한 가지. 음식창(陰蝕
瘡). 감창(疳瘡).
[下瞰 하감] 내려다봄. 부감(俯瞰).
[下降 하강] ㉠아래로 내려옴. ㉡하가(下嫁).
[下車 하거] ㉠수레에서 내림. ㉡고을 원 따위의

벼슬아치가 임소(任所)에 부임함.
[下計 하계] 졸렬한 계책. 제일 좋지 않은 계책.
하책(下策).
[下界 하계]《佛敎》사람이 사는 이 세상. 천상계
(天上界)의 대(對).
[下工 하공] 서투름. 졸렬함.
[下官 하관] ㉠지위가 낮은 벼슬아치. 속리(屬
吏). ㉡관리의 겸칭(謙稱). 소관(小官).
[下棺 하관] 관을 광중(壙中)에 내려놓음.
[下管 하관] 당하(堂下)에서 연주하는 관악(管
樂). 이때 당상(堂上)에서는 녹명(鹿鳴)을 노
래 부름.
[下顴 하관] 얼굴의 아래쪽 턱 부분.
[下卦 하괘] 팔괘(八卦) 중의 두 괘(卦)가 겹친
괘. 곧, 육효(六爻)로 된 괘 중의 아래 괘. 상괘
(上卦)의 대(對).
[下交 하교] 자기보다 신분이 낮은 사람과의 사
귐.
[下敎 하교] ㉠윗사람이 아랫사람에게 가르쳐 줌.
㉡《韓》왕의 명령. 전교(傳敎).
[下國 하국] ㉠온 세상. 천하(天下). ㉡경사(京
師)에서 떨어진 곳. 지방(地方). 상국(上國)의
대(對). ㉢자기 나라의 겸칭(謙稱). 폐국(敝
國).   「권.
[下卷 하권] 두 권 또는 세 권으로 된 책의 맨 끝
[下剋上 하극상] 아래가 위를 능범(凌犯)한다는
뜻으로, 신하(臣下)가 군주보다 권력이 셈을
이름.
[下根 하근]《佛敎》하등의 근성(根性). 열등의
기근(機根). 하기(下機). 상근(上根)의 대(對).
[下級 하급] 아래의 계급. 또는 등급.
[下氣 하기] 기운을 가라앉힘. 기운을 내리게 함.
[下機 하기]《佛敎》하근(下根).
[下女 하녀] ㉠계집 하인. ㉡재야(在野)의 현인
(賢人)을 비유하여 이르는 말.
[下年 하년] 뒤에 오는 해. 후년(後年).
[下念 하념] 윗사람이 아랫사람에 대하여 염려함.
[下奴 하노] ㉠하인. 종. ㉡남을 욕하여 이르는
말. 고놈. ㉢자기를 낮추어 이르는 말. 소인(小
[下端 하단] 아래쪽의 끝.   「人).
[下壇 하단] 단에서 내려옴.
[下丹田 하단전] 도가(道家)에서 이르는 삼단전
(三丹田)의 하나. 배꼽 아래 한 치쯤 되는 곳.
[下達 하달] 윗사람의 뜻이 아랫사람에게 미치어
이름.
[下答 하답] 윗사람이 아랫사람에게 대답함.
[下待 하대] 낮게 대우함.
[下道 하도] 샛길. 간도(間道).   「급.
[下等 하등] ㉠나쁜 물품. ㉡낮은 등급. 또는 계
[下等動物 하등동물] 진화의 정도가 낮아서 조직
(組織)이 지극히 간단한 동물. 아메바 따위.
[下等植物 하등식물] 진화의 정도가 낮아서 조직
이 지극히 간단한 식물. 세균류(細菌類) 따위.
[下落 하락] ㉠내림. 떨어짐. ㉡값이 떨어짐.
등급이 떨어짐.
[下略 하략] ㉠이하(以下)를 생략한다는 뜻으로,
문장의 아랫부분을 빼고 쓰지 않는 일. ㉡하계
(下計).   「알아줌.
[下諒 하량] 윗사람이 아랫사람의 사정을 살피어
[下慮 하려] 하념(下念).
[下廉 하렴] 발을 내림.
[下令 하령] ㉠명령을 내림. ㉡《韓》왕세자(王世
子)가 영지(令旨)를 내림.

[下隷 하례] 하인(下人).　　　　　「하관(下官).
[下僚 하료] 지위가 낮은 벼슬아치. 말료(末僚).
[下流 하류] ㉠하등의 계급. 낮은 지위(地位). 하위(下位). ㉡하천(河川)의 아래 편. 하유(下游).
[下陸 하륙] 짐을 땅으로 옮기어 내림.
[下陵上替 하릉상체] 아랫사람이 윗사람을 능범(陵犯)하여 윗사람의 권위가 땅에 떨어짐. 능체(陵替).
[下吏 하리] 낮은 벼슬아치. 하료(下僚).
[下里 하리] ㉠죽은 사람의 혼(魂)이 모이는 곳. ㉡시골. 촌.
[下俚 하리] 천함. 상스러움. 상스러운 노래.
[下痢 하리] 설사(泄瀉). 또, 설사를 함.
[下里巴人 하리파인] 상스러운 속요. 유행가.
[下臨 하림] ㉠하감(下瞰). ㉡고귀한 사람이 비천한 사람을 방문함. ㉢신(神)이 하늘에서 내려옴. 강림(降臨).
[下馬 하마] 말에서 내림.
[下馬坊 하마방] 능묘(陵墓)·종묘(宗廟) 등에 세우는, 누구든지 그 앞을 지날 때에는 말에서 내리라는 뜻을 적은 푯말.
[下馬碑 하마비] 누구든지 그 앞을 지날 때에는 말에서 내리라는 뜻을 새긴 푯돌.
[下錨 하묘] 닻을 내림. 배를 항구에 댐. 정박(碇泊)함.　　　　　　　　　　　　　「文).
[下文 하문] 아래의 글. 다음의 문장. 후문(後
[下門 하문] 보지. 음문(陰門).
[下問 하문] ㉠아랫사람에게 물음. ㉡윗사람의 물음을 높이어 이르는 말.
[下物 하물] 하주물(下酒物).
[下米 하미] 품질이 낮은 쌀.
[下民 하민] ㉠하토(下土)의 백성. 백성. 국민. 세상 사람. ㉡아래에 있는 사람.
[下膊 하박] 팔의 팔꿈치에서 손목까지의 부분. 전박(前膊).
[下薄石 하박석] 비(碑)·탑(塔) 등의 맨 아래에 까는 돌.　　　　　　　　　　　　「(對).
[下半 하반] 둘로 나눈 아래쪽. 상반(上半)의 대
[下班 하반] 아래의 반열(班列). 아래의 석차(席次). 말반(末班).
[下飯 하반] 반찬. 부식물.
[下半天 하반천] 오후(午後).　　　　「間界).
[下方 하방] ㉠아래쪽. ㉡낮은 곳. ㉢인간계(人
[下服 하복] 하체(下體)에 행하는 형벌. 곧, 음부(陰部)를 자르는 형벌. 궁형(宮刑). 상복(上服)의 대(對).
[下僕 하복] ㉠하인. 종. ㉡자기의 겸칭(謙稱). 하노(下奴).
[下付 하부] 관아(官衙) 또는 귀인(貴人)이 아랫사람에게 내려 줌. 또, 그것. 하부(下附).
[下附 하부] 하부(下付).
[下部 하부] 아래쪽의 부분.
[下卑 하비] 하천(下賤).
[下士 하사] 국군의 부사관 계급의 하나. 병장의 위, 중사의 아래. ㉡초야(草野)에 있는 선비.
[下賜 하사] 고귀(高貴)한 사람이 내려 줌.
[下山 하산] ㉠산에서 내려옴. ㉡절에서 수업(修業)을 끝내고 돌아감.
[下三連 하삼련] 한시(漢詩)에서 동성(同聲)의 글자를 석 자 연용(連用)하는 일. 보통 이를 꺼림.　　　　　　　　　　　　　「학교.
[下庠 하상] 주대(周代)에 서민(庶民)이 배우던

[下霜 하상] 서리가 내림.
[下殤 하상] 요사(夭死). 여덟 살부터 열한 살까지의 사이에 죽는 일. '삼상(三殤)'을 보라.
[下生 하생] 《佛敎》부처가 이 세상에 태어나는　　　　　　　　　　　　　　「일.
[下書 하서] 웃어른이 보낸 글월.
[下窆 하폄] 무덤의 구덩이. 광(壙).
[下船 하선] 배에서 내림.
[下泄 하설] 하리(下痢).
[下世 하세] ㉠이 세상을 버리고 땅속에 들어감. 곧, 죽음. ㉡후세(後世).
[下屬 하속] 부하(部下).　　　　　　「냄.
[下送 하송] 윗사람이 아랫사람에게 물건을 보
[下手 하수] ㉠손을 댐. 착수(着手)함.
[下水 하수] ㉠물을 아래쪽으로 흘러가게 함. ㉡흐름을 따라 내려감.
[下垂 하수] 아래로 처짐. 축 늘어짐.
[下壽 하수] 사람의 수명을 상·중·하의 셋으로 나눈 중의 최하의 수명. 《장자(莊子)》에는 예순 살, 《좌전(左傳)》에는 여든 살.
[下旬 하순] 그 달의 스무하루부터 그믐날까지의 동안. 하한(下澣).
[下詢 하순] 군주(君主)가 신하(臣下)에게 물음.
[下濕 하습] 땅이 낮고 습기가 많음.
[下乘 하승] ㉠굼뜬 말. 노둔한 말. 노마(駑馬). ㉡《佛敎》비근(卑近)한 교리(敎理). 평범한 교리. 소승(小乘). 상승(上乘)의 대(對).
[下視 하시] 하감(下瞰).
[下顎骨 하악골] 아래턱의 뼈.
[下壓力 하압력] 물체가 그 중량(重量)으로 인해서 밑으로 내리누르는 힘.
[下野 하야] 관직에서 물러나 민간으로 돌아감. 정계(政界)에서 은퇴함.
[下若酒 하약주] 미주(美酒)의 이름.
[下陽 하양] 춘추 시대(春秋時代)의 북위(北魏)의 도읍. 지금의 산시 성(山西省) 평륙현(平陸縣)의 땅.
[下劣 하열] 비열(卑劣)함. 누열(陋劣).
[下午 하오] 오후(午後). 상오(上午)의 대(對).
[下獄 하옥] 옥에 갇힘. 또, 옥에 가둠.
[下浣 하완] 하순(下旬).
[下舂 하용] 황혼(黃昏).
[下愚 하우] 대단히 미련함. 또, 그 사람. 천치. 지우(至愚). 대우(大愚).　　　　　　「라.
[下元 하원] 음력 10월 15일. '삼원(三元)'을 보
[下院 하원] 양원제(兩院制) 의회 제도에서 국민의 직접 선거에 의하여 선출된 의원(議員)으로 구성되는 입법 기관.
[下位 하위] ㉠낮은 지위. 낮은 벼슬. ㉡아래쪽. 하방(下方).
[下帷 하유] 발을 친다는 뜻으로, ㉠집에 들어앉아 독서(讀書)함. ㉡글방을 차리고 글을 가르침.
[下游 하유] 하천(河川)의 아래 편. 하류(下流). 또, 그 부근의 땅. 그 지방.　　　「稱).
[下儒 하유] ㉠쓸모없는 학자. ㉡학자의 겸칭(謙
[下意 하의] 아랫사람의 마음. 백성의 의사. 민의(民意). 상의(上意)의 대(對).
[下人 하인] ㉠지위가 낮은 사람. ㉡마음이 비열한 사람. ㉢종. 노복(奴僕).
[下載 하재] 배에서 짐을 내림.
[下箸 하저] 음식을 먹음.
[下田 하전] 척박한 전지(田地). 상전(上田)의 대(對).

1획

[下節 하절] 그달 열엿새부터 그믐날까지의 동안.

[下情 하정] ㉠백성의 마음. 백성의 사정. 민심 (民心). 민정 (民情). ㉡자기의 심사의 겸칭 (謙稱).

[下情上達 하정상달] 백성의 뜻이 위에 미침.

[下第 하제] ㉠시험에 떨어짐. 급제 (及第)하지 못함. 낙제 (落第). 낙방 (落榜). ㉡열등 (劣等). 하등 (下等).

[下劑 하제] 설사 (泄瀉)를 시키는 약.

[下從 하종] 아내가 남편의 뒤를 따라 자결 (自決)함.

[下種 하종] ㉠씨를 뿌림. 파종 (播種). ㉡《佛敎》 부처가 중생 (衆生)에게 성불득도 (成佛得道)의 씨를 내림.

[下坐 하좌] 아랫자리. 낮은 자리. 말석 (末席). 말좌 (末坐). 상좌 (上坐)의 대 (對).

[下座 하좌] 하좌 (下坐). 말석 (末席).

[下走 하주] ㉠심부름꾼. 하인. 하노 (下奴). ㉡자기의 겸칭 (謙稱).

[下酒物 하주물] 술안주.

[下肢 하지] 발. 다리. 상지 (上肢)의 대 (對).

[下陳 하진] ㉠뒷줄. 후열 (後列). ㉡궁녀 (宮女)가 있는 방. 후궁 (後宮). 전 (轉)하여 궁녀.

[下秩 하질] 낮은 지위. 하위 (下位). ㉡첩 (妾).

[下車 하차] 하거 (下車).

[下策 하책] 졸렬한 계책. 하계 (下計). 상책 (上策)의 대 (對).

[下妻 하처] 첩 (妾).

[下泉 하천] ㉠폭포 (瀑布). 비천 (飛泉). ㉡저승. 황천 (黃泉).

[下賤 하천] ㉠천 (賤)한 사람. 하천인 (下賤人). 비천 (卑賤). ㉡손아랫사람에게 겸양 (謙讓)함.

[下遷 하천] 벼슬자리가 떨어짐. 좌천 (左遷).

[下體 하체] ㉠몸의 아랫부분. 아랫도리. ㉡식물의 뿌리와 줄기. 절개 (節槪)를 굽힘.

[下焦 하초] '삼초 (三焦)'를 보라.

[下矚 하촉] 내려다봄. 하감 (下瞰).

[下層 하층] ㉠아래층. ㉡아래의 계급.

[下値 하치] 헐한 값. 싼 값. 또, 값을 헐하게 함. 염가 (廉價).

[下鍼 하침] 침 (鍼)을 놓음.

[下澤車 하택차] 바퀴통이 짧은 수레.

[下土 하토] ㉠땅. 지면 (地面). 하계 (下界). 상천 (上天)의 대 (對). ㉡낮은 땅. 저지 (低地).

[下腿 하퇴] 종아리.

[下版 하판] 《佛敎》 절의 큰방의 아랫목. 항두 (桁頭).

[下篇 하편] 두 편 또는 세 편으로 된 책의 맨 마지막 편.

[下平 하평] 한자의 운 (韻) 사성 (四聲) 중의 평성 (平聲) 서른 운을 상하로 양분한 그 아래의 반 (半). 곧, 선 (先)·소 (蕭)·효 (肴)·호 (豪)·가 (歌)·마 (麻)·양 (陽)·경 (庚)·청 (靑)·증 (蒸)·우 (尤)·침 (侵)·담 (覃)·염 (鹽)·함 (咸)의 열다섯 운. 상평 (上平)의 대 (對).

[下品 하품] ㉠나쁜 물품. ㉡낮은 지위. 낮은 계급. ㉢《佛敎》 구품 정토 (九品淨土) 중의 최하 (最下)의 삼품 (三品).

[下風 하풍] ㉠바람이 부는 방향. 상풍 (上風)의 대 (對). ㉡다른 사람의 아래. 인후 (人後).

[下筆 하필] 붓을 댐. 서화 (書畵)를 그림. 또, 시문 (詩文)을 지음. 낙필 (落筆).

[下筆成章 하필성장] 붓을 들면 막힘이 없이 죽죽

글을 써 내려감.

[下下 하하] 아래의 아래. 최하.

[下學 하학] ㉠비근 (卑近)한 데서부터 배움. 인사 (人事)를 배움. ㉡정도가 낮은 학문. ㉢공부를 끝내고 학교에서 집으로 돌아감.

[下學上達 하학상달] 아래로 인사 (人事)를 배운 후에 위로 천리 (天理)에 도달한다는 뜻으로, 비근 (卑近)한 사물을 배운 후에 점차로 깊은 학리 (學理)에 나아감을 이름.

[下澣 하한] 하순 (下旬).

[下鄕 하향] 시골로 내려감.

[下弦 하현] 음력 22~23일경의 반원 (半圓)의 달. 상현 (上弦)의 대 (對).

[下血 하혈] 항문 (肛門) 또는 하문 (下門)에서 피가 나옴.

[下戶 하호] ㉠주량 (酒量)이 적은 사람. ㉡가난한 사람. 빈민 (貧民).

[下火 하화] 《佛敎》 화장 (火葬).

[下化冥暗 하화명암] 《佛敎》 하화중생 (下化衆生).

[下化衆生 하화중생] 《佛敎》 중생 (衆生)을 교화하여 제도 (濟度)함.

[下回 하회] 다음 회. 차회 (次回).

[下懷 하회] 하정 (下情) ➍.

[下恤 하휼] 아랫사람을 구휼 (救恤)함.

●却下. 脚下. 閣下. 降下. 轂下. 瓜田李下. 群下. 闕下. 貴下. 駕下. 帶下. 登泰山小天下. 燈下. 馬上得天下. 幕下. 目下. 眇天下. 門下. 放下. 旁下. 配下. 凡下. 普天下. 俛出胯下. 負下. 部下. 盆下. 不出戶知天下. 卑下. 殺下. 上下. 聲淚俱下. 銷金帳下. 手下. 膝下. 臣下. 惡濕居下. 言下. 輦轂下. 輦下. 汗下. 五行幷下. 牛口下. 宇下. 雨下. 轅下. 月下. 流下. 遺下. 潤下. 以下. 一上一下. 低下. 殿下. 節下. 足下. 注下. 地下. 直下. 稷下. 擲下. 千里行始足下. 千載之下. 天下. 天下天之天下. 泉下. 墜下. 趨下. 治國平天下. 沈下. 吐下. 版築下. 陛下. 豊下. 閤下. 形而下. 麾下. 休下. 戲下.

万 人名 万 만 ㉠韻 無販切 wàn / 万 묵 ㉡識 莫北切 mò

[筆順] 一 丆 万

[字解] ❶ 일만 만 萬 (艸部 九畫)의 俗字. ❷ 성 묵. '一俟'는 오랑캐의 복성 (複姓).

[參考] '万'은 卐 (十部 四畫)의 변형으로, 예로부터 '萬'의 통용자 (通用字)로 쓰였음.

[万俟 묵기] 오랑캐의 복성 (複姓).

丈 高人 丈 장 ㉠養 直兩切 zhàng

[筆順] 一 ナ 丈

[字解] ①장 장 길이의 단위의 하나. 열 자. 10척 (尺). ②길이 장 긴 정도. '屬役賦一'《左傳》. ③어른 장 장자 (長者)의 존칭 (尊稱). '富鄭公稱范文正公, 曰范十二一'《長編》. ④지팡이 장 杖 (木部 三畫)과 통용. '老人持杖, 故曰一人'《六書正譌》. ⑤성 장 성 (姓)의 하나.

[字源] 篆文 𠀋 象形. 긴 막대기를 손에 든 모양을 본떠, 막대로 잰 신장 (身長), 10척 (尺)의 뜻을 나타냄.

[丈勘 장감] 장량(丈量).
[丈量 장량] 토지의 면적을 측량함.
[丈六 장륙] ㉠1장(丈) 6척(尺). ㉡길이가 1장 6척 되는 불상(佛像). 장륙불(丈六佛).
[丈六佛 장륙불] 장륙(丈六) ㉡.
[丈母 장모] 아내의 친어머니. 빙모(聘母).
[丈夫 장부] ㉠장성한 남자. ㉡남편.
[丈夫女 장부녀] 남자 못지않은 여자. 남자같이 걸걸한 여자.
[丈夫淚 장부루] 절의(節義)를 위하여 우는 남자의 눈물.
[丈夫非無淚不灑離別間 장부비무루불쇄이별간] 남자라고 하여 눈물이 없는 것은 아니지만, 이별과 같은 소소한 일에는 눈물을 흘리지 아니함.
[丈夫爲志窮當益堅 장부위지궁당익견] 남자가 일단 뜻을 세운 바에는, 궁하면 궁할수록 더욱 뜻을 견고히 하여야 함.
[丈夫子 장부자] 사내. 남자.
[丈室 장실] 사방이 1장(丈) 되는 방.
[丈人 장인] ㉠장로(長老). ㉡노인(老人). ㉢아내의 친아버지. 악부(岳父). ㉣주인(主人). ㉤죽은 할아버지. 조고(祖考).
[丈人峯 장인봉] 태산(泰山)의 꼭대기에 있는 봉우리의 이름.
[丈人行 장인행] ㉠장인뻘. ㉡장로(長老)의 존자(尊者).
[丈丈 장장] 손윗사람. 존장(尊丈).
[丈尺 장척] ㉠길이. ㉡길이가 1장(丈) 되는 자.
[丈八 장팔] 1장(丈) 8척(尺).
●光燄萬丈. 老丈. 墨丈. 方丈. 百丈. 査丈. 石丈. 食前方丈. 我丈. 岳丈. 嶽丈. 吾丈. 尺丈. 淸丈. 函丈.

2③ 丌 기 ㉓支 居之切 jī

字解 ①상(床) 기 물건을 받쳐서 내는 소반같이 된 제구. '典從冊在一上'《書經 註》. ②其(八部 六畫)의 古字. ③성 기 성(姓)의 하나.
字源 金文 丌 篆文 丌 象形. 밑에 다리가 달린, 물건을 얹어 놓는 받침을 나타냄.

才 〔수〕
手部(p.843)를 보라.

廾 〔공〕
部首(p.713)를 보라.

2③ 上 ㉠入 상 ①-⑧㉑漾 時亮切 shàng
⑨㊀養 時掌切 shǎng

筆順 丨 十 上

字解 ①위 상 ㉠높은 데. '天一'. '輟耕之壟一'《史記》. ㉡존귀한 데. 높은 계급. '賢者在一'《呂氏春秋》. ㉢꼭대기. 정상. '藏寶符於常山一'《史記》. ㉣하늘. '格于一下'《書經》. ㉤거죽. 표면. '地一'. '猶燕之巢于幕一'《左傳》. ㉥손윗사람. 존장. 長一'. '忠順不失以事其一'《孝經》. ㉦천자(天子). 군주. '一意'. '一自將而往'《史記》. ㉧조정(朝廷). '一無名君'《史記》. 또, 조정에 있는 사람. '居下位, 而不獲於一'《孟子》. ㉨처음. 앞. '一卷'. '誦一篇'《南史》. ㉩옛날. 이전. '一古'. '自此以一者'《呂氏春秋》. ㉪다른 것보다 나은 쪽. '一等'. '未有

得一策者也'《漢書》. ㉫둘 있는 사물 중의 중요한 쪽. '一以安主體, 下以便萬民'《漢書》. ②가상. 변두리. '江一'. '子在川一'《論語》. ③숭상할 상 尙(小部 五畫)과 통용. '一賢'《漢書》. ④성 상 성(姓)의 하나. ⑤바랄 상 尙(小部 五畫)과 통용. '一愼旃哉'《詩經》. ⑥가할 상 尙(小部 五畫)과 통용. '草一之風必偃'《論語》. ⑦오를 상 ㉠아래에서 위로 감. '一天'. '摶扶搖羊角而一者九萬里'《莊子》. ㉡탈것을 탐. '天子呼來不一船'《杜甫》. ㉢그 장소에 감. '一途'. '一厠'. ⑧올릴 상 ㉠높게 함. '毋一於面'《儀禮》. ㉡드림. 진헌(進獻)함. '一訴'. '向一書及所著文'《韓愈》. ㉢기재(記載)함. '一梓'. '翻經一蕉葉'《張籍》. ⑨상성 상 사성(四聲)의 하나.
字源 甲骨文 二 金文 二 古文 二 篆文 二 指事. 甲骨文·金文은 기준선 (基準線) 위에 짧은 가로획을 그어, '위'의 뜻을 나타냄.

[上價 상가] 비싼 값. 고가(高價).
[上監 상감] 《俗》임금의 존칭(尊稱).
[上甲 상갑] 초하루. 삭일(朔日).
[上客 상객] 상등의 손님. 중요한 손님. 상빈(上賓). 존객(尊客).
[上件 상건] 위에 말한 사건.
[上格 상격] 뛰어난 자격. 높은 격식(格式).
[上京 상경] ㉠천자(天子)의 수도(首都). 서울. ㉡서울로 올라감.
[上卿 상경] 상위(上位)의 경(卿).
[上界 상계] 《佛敎》부처가 있는 곳. 천상계(天上界). 하계(下界)의 대(對).
[上計 상계] ㉠뛰어난 계책. 가장 좋은 꾀. 상책(上策). ㉡계책을 올림. ㉢한대(漢代)에 군국(郡國)에서 매년 회계 장부를 조정(朝廷)에 올리던 일.
[上啓 상계] 문서로 천자(天子)에게 아룀. 상서(上書). 계상(啓上).　「(上世).
[上古 상고] 아주 오랜 옛날. 태고(太古). 상세
[上告 상고] ㉠윗사람에게 고함. ㉡제이심(第二審)의 판결에 불복하여 판결의 파기(破棄) 또는 변경을 상급 재판소에 신청하는 행위.
[上考 상고] 벼슬아치의 성적(成績)의 최상(最
[上工 상공] 뛰어난 의원. 명의(名醫).　「上).
[上公 상공] ㉠오등작(五等爵)의 첫째인 공작(公爵)의 존칭(尊稱). ㉡한(漢)나라의 제도에서, 태보(太保)·태부(太傅)의 일컬음. 지위가 삼공(三公)의 위이므로 이름.
[上官 상관] 윗자리의 벼슬아치. 상급(上級)의 관리. 상사(上司).
[上卦 상괘] 팔괘(八卦) 중의 두 괘(卦)가 겹친 괘, 곧 육효(六爻)로 된 괘 중 위의 괘. 하괘(下卦)의 대(對).
[上交 상교] ㉠손윗사람과의 사귐. ㉡친밀한 사귐. 친교(親交).
[上求菩提 상구보리] 《佛敎》위로 향하여 보리(菩提)의 도(道)를 구함. 하화중생(下化衆生)의 대(對).
[上求材臣殘木 상구재신잔목] 임금이 재목을 구하면 신하가 그의 뜻을 맞추려고 큰 나무를 함부로 남벌(濫伐)하기에 이름. 곧, 임금의 호오(好惡)가 신하의 태도에 곧장 반영됨을 이름.
[上局 상국] 상사(上司).
[上國 상국] ㉠춘추 시대(春秋時代)에 중원(中

1획

原), 곧 황하 유역(黃河流域)의 땅을 이름. ㉡
속국(屬國)이 종주국(宗主國)을 일컫는 말. ㉢
경사(京師)에 가까운 나라. 근기(近畿). 상방
(上方).

[上卷 상권] 두 권 또는 세 권으로 된 책의 첫째.

[上根 상근] 《佛敎》 뛰어난 근성(根性). 뛰어난
기근(機根). 하근(下根)의 대(對).

[上級 상급] 위의 등급. 높은 등급.

[上機 상기] 《佛敎》 상근(上根).

[上納 상납] 조세(租稅) 등을 바침.

[上年 상년] 지난해. 작년.

[上端 상단] 위의 끝. 하단(下端)의 대(對).

[上丹田 상단전] 도가(道家)에서 이르는 삼단전
(三丹田)의 하나로서 뇌(腦)를 이름.

[上達 상달] ㉠진보함. 숙달(熟達). ㉡웃어른에게
말이나 글로 여쭈어 알게 함.

[上答 상답] 웃어른에게 대답함.

[上堂 상당] 《佛敎》 ㉠선사(禪寺)에서 식사를 하
기 위하여 식당에 감. ㉡도사(導師)가 설법(說
法)을 하기 위하여 법당(法堂)에 올라감.

[上代 상대] 상고(上古).

[上德 상덕] ㉠최상의 덕. 더할 나위 없이 훌륭한
덕. ㉡군주(君主)의 행위.

[上德不德 상덕부덕] 최상의 덕이 있는 사람은 덕
이 있는 체하지 아니함.

[上道 상도] 길을 떠남. 출발함. 상도(上道).

[上都 상도] 서울. 경사(京師).

[上道 상도] 상도(上途).　　　　　　　「(上戶).

[上頓 상돈] 대주가(大酒家). 주호(酒豪). 상호

[上冬 상동] 겨울의 처음 달. 곧, 음력 10월. 맹동
(孟冬).

[上棟 상동] 마룻대를 올림.

[上棟下宇 상동하우] 마룻대를 올리고 서까래를
얹어 집을 지음.

[上頭 상두] 여자가 열다섯 살에 비녀를 꽂고, 남
자가 관(冠)을 쓰는 일.

[上等 상등] ㉠가장 뛰어남. 뛰어나게 좋음. ㉡위
의 등급. ㉢높은 등급.

[上騰 상등] 올라감. 떠오름. 상승(上升).

[上洛 상락] 서울로 올라감. 상경(上京).

[上覽 상람] 임금이 보심. 천람(天覽).

[上略 상략] ㉠글이나 말의 윗부분을 생략함. 전
략(前略). ㉡훌륭한 계책. 썩 좋은 계책. 상책
(上策).

[上梁文 상량문] 상량식(上梁式)의 축문(祝文).

[上漏下濕 상루하습] 지붕에서는 비가 새고 밑에
서는 습기가 올라온다는 뜻으로, 허술한 집이
나 빈한한 가정의 형용.

[上流 상류] ㉠하천(河川)의 수원(水源)에 가까
운 부분. ㉡높은 자리. 좋은 지위(地位). ㉢높
은 신분(身分).

[上陸 상륙] 육지로 오름.

[上馬 상마] ㉠상등(上等)의 말. 좋은 말. 준마
(駿馬). ㉡말을 탐.

[上面 상면] 위쪽의 겉면. 윗면.

[上命 상명] 군주(君主)의 명령. 군명(君命).

[上木 상목] 상재(上梓).

[上文 상문] 위의 글. 전술(前述)한 글.

[上聞 상문] 임금의 귀에 들어감. 임금이 들음.
또, 임금이 들어 알게 함. 임금에게 알림. 상청
(上聽).

[上文右武 상문우무] 문무(文武)를 모두 숭상함.

[上米 상미] 품질이 좋은 쌀.

[上味 상미] 좋은 맛.

[上膊 상박] 팔의 어깨부터 팔꿈치까지의 부분.
하박(下膊)의 대.

[上半 상반] 절반으로 나눈 위쪽.

[上方 상방] ㉠위쪽. ㉡산 위의 절. 산사(山寺).
㉢천자(天子)가 쓰는 물건을 만들고, 또 이것
을 저장하는 관아(官衙). 상방(尙方). ㉣북방
과 동방. 양기(陽氣)가 나오는 곳이므로 이름.

[上番 상번] ㉠첫째. 제일번(第一番). 당(唐)나라
사람의 방언(方言)임. ㉡벼슬아치가 출근 또는
숙직을 함.

[上輔 상보] 재상(宰相). 상재(上宰).

[上服 상복] 상체(上體)에 행하는 형벌. 곧, 의형
(劓刑)과 묵형(墨刑). 하복(下服)의 대(對).

[上峯 상봉] 높은 산봉우리.

[上奉下率 상봉하솔] 부모를 봉양하고 처자를 거
느림.　　　　　　　　　　　　　　　　　「느림.

[上部 상부] 위쪽 부분.

[上賓 상빈] 상등의 손님. 중요한 손님. 귀빈(貴
賓). 상객(上客).

[上士 상사] ㉠덕(德)이 뛰어난 사람. ㉡주대(周
代)에 사(士)를 상·중·하의 세 등급으로 나눈
중의 상위(上位)의 계급. ㉢《佛敎》 보살(菩薩).
㉣부사관 계급의 하나(중사의 위, 원사(元士)
의 아래).

[上巳 상사] 음력 3월의 첫 번의 사일(巳日). 계
제사(禊祭祀)를 지내어 상서롭지 못한 기운을
떨어 버리는 풍습이 있었고, 또 곡수연(曲水
宴)도 베풀었음. 후세(後世)에는 3월 3일의 명
절. 곧, 삼짇날. 중삼(重三).

[上司 상사] ㉠한대(漢代)에 삼공(三公)을 이름.
㉡상급 관청. 또, 상관(上官).

[上庠 상상] 고대(古代)에 귀인(貴人)의 자제가
배우던 대학. 우학(右學).

[上相 상상] ㉠군주(君主)의 곁에 있어 예(禮)를
돕는 수석(首席)의 벼슬아치. ㉡재상(宰相)의
존칭(尊稱).　　　　　　　　　　「별 이름.

[上賞 상상] 최상의 상. 일등 상.

[上序 상서] 상상(上庠).

[上書 상서] ㉠자기의 의견을 써서 천자(天子) 또
는 귀인(貴人)에게 올림. 또, 그 글. 상표(上
表). 상소(上疏). 상전(上牋). ㉡《韓》 조신(朝
臣)이 동궁(東宮)에게 글을 올림. 또, 그 글.

[上席 상석] 윗자리. 높은 자리. 상좌(上坐).

[上仙 상선] 상선(上僊).

[上船 상선] 배를 탐. 승선(乘船).

[上僊 상선] ㉠하늘로 올라가 신선(神仙)이 됨.
㉡이 세상을 떠남. 죽음.

[上善 상선] 최상의 선(善).

[上聲 상성] 사성(四聲)의 하나. 발음이 높고 맹
렬한 소리. 동(董)·종(腫)·강(講)·지(紙)·미
(尾)·어(語)·우(麌)·제(薺)·해(蟹)·회(賄)·
진(軫)·문(吻)·원(阮)·한(旱)·산(潸)·선(銑)·
소(篠)·교(巧)·호(皓)·가(哿)·마(馬)·양(養)·
경(梗)·형(逈)·유(有)·침(寢)·감(感)·염(琰)·
함(豏)의 스물아홉 운(韻)이 이에 속함.

[上世 상세] 상고(上古).

[上訴 상소] ㉠군주(君主) 또는 관부(官府)에 하
소연함. 또, 그 하소연. ㉡판결에 불복(不服)하
여 그 취소 또는 변경을 상급 법원에 요구하는
행위.

[上疏 상소] 상서(上書)❶.

[上手 상수] ㉠교묘한 솜씨. 또, 그 솜씨를 가진
사람. ㉡착수(着手)함.

[上水 상수] 물이 거꾸로 흐름. 역류(逆流)함.
[上首 상수] 《佛敎》㉠국사(國師)의 존칭(尊稱). 수좌(首座). ㉡출가(出家).
[上壽 상수] ㉠사람의 수명을 상·중·하 셋으로 나눈 중의 최상의 수명. 《장자(莊子)》에는 100세, 《좌전(左傳)》에는 120세. ㉡장수(長壽)를 비는 뜻으로 술잔을 올림. 헌수(獻壽).
[上熟 상숙] 잘 여묾. 잘 익음.
[上旬 상순] 초하루부터 열흘까지의 동안. 상한 [上澣].
[上脣 상순] 윗입술.
[上述 상술] 위에 진술함. 앞에 말함.
[上術 상술] 좋은 수단. 좋은 방법.
[上升 상승] 위로 올라감. 떠오름.
[上昇 상승] 상승(上升).
[上乘 상승] ㉠말 네 필로 끄는 수레. ㉡좋은 말. 준마(駿馬). ㉢《佛敎》심원(深遠)한 교리(敎理). 대승(大乘). 하승(下乘)의 대(對).
[上食 상식] 상가(喪家)에서 조석으로 궤연(几筵)에 올리는 음식.
[上申 상신] 웃어른이나 관청 등에 의견이나 사정을 여쭘.
[上謁 상알] 명함을 올려 배알(拜謁)하기를 청함. 전(轉)하여 배알함. 윗사람과 면회함.
[上壓力 상압력] 액체가 물체를 위로 밀어 올리는 힘.
[上葉 상엽] 상고(上古). 상세(上世).
[上午 상오] 오전(午前). 하오(下午)의 대(對).
[上浣 상완] 상순(上旬).
[上腕 상완] 상박(上膊).
[上用目則下節觀 상용목즉하절관] 윗사람이 너무 지나치게 살피면 아랫사람이 외관(外觀)을 꾸민다는 뜻으로, 너무 살피면 도리어 진상(眞相)을 잘 모르게 된다는 말. 〔샘.
[上雨 상우] ㉠때에 알맞게 잘 오는 비. ㉡비가
[上愚 상우] 대단히 미련함. 또, 그 사람. 천치. 하우(下愚).
[上雨旁風 상우방풍] 위에서는 비가 새고, 옆에서는 바람이 불어 들어온다는 뜻으로, 허술한 집을 형용한 말.
[上元 상원] 명절의 하나. 정월 보름날. 대보름.
[上苑 상원] 천자(天子)의 정원. 대궐(大闕) 안의 동산.
[上院 상원] 양원 제도(兩院制度)의 국회(國會)에 있어서, 주로 귀족·관선 의원 등으로 조직된 의원(議院).
[上援下推 상원하추] 위에 있는 사람이 끌어올리고 밑에 있는 사람이 밀어주어 벼슬에 취임함. 일설(一說)에는, 위에 있는 사람은 아랫사람을 끌어 올리고 아래에 있는 사람은 윗사람을 추대(推戴)함.
[上位 상위] 높은 자리. 높은 지위.
[上流 상류] ㉠상류(上流). 또, 그 부근의 땅. 그 지방. ㉡중요한 곳. ㉢높은 지위. 또, 지위가 높은 사람.
[上腴 상유] 토지가 비옥함. 땅이 걺.
[上諭 상유] 조칙(詔勅).
[上遊星 상유성] 화성(火星)·목성(木星)·토성(土星)·천왕성(天王星)·해왕성(海王星)의 일컬음.
[上衣 상의] ㉠겉에 입는 옷. ㉡《韓》저고리.
[上意 상의] 임금의 마음. 천자(天子)의 뜻.
[上醫 상의] 뛰어난 의원. 명의(名醫).
[上人 상인] 《佛敎》㉠지덕(智德)이 뛰어난 중.

성인(聖人). ㉡법안(法眼)에 다음가는 중의 지위. ㉢중의 존칭(尊稱).
[上日 상일] 초하루. 삭일(朔日). 일설(一說)에는 상순(上旬).
[上梓 상재] 상재(上梓).
[上長 상장] 지위가 위인 사람. 장상(長上).
[上章 상장] ㉠십이지(十二支) 중의 경(庚)의 별칭(別稱). ㉡군주(君主) 또는 정부에 표문(表文)을 올림. 또, 그 표문. ㉢앞에 있는 장(章). 전장(前章).
[上將 상장] ㉠상위(上位)의 장군. 상장군(上將軍). ㉡별 이름. ㉢중국 장성 계급의 하나. 중장의 위.
[上將軍 상장군] 상장(上將)❶.
[上才 상재] 뛰어난 재능(才能). 또, 뛰어난 인물.
[上宰 상재] ㉠재상(宰相)의 일컬음. 상보(上輔). ㉡별 이름.
[上梓 상재] 문서를 출판함. 옛날에 가래나무〔梓〕를 판목(版木)으로 썼으므로 이름.
[上裁 상재] ㉠군주(君主)의 재결(裁決). ㉡귀인(貴人)의 재결.
[上田 상전] 상등의 전지(田地). 하전(下田)의 대(對).
[上牋 상전] 상서(上書)❶.
[上程 상정] ㉠여정(旅程)에 오름. ㉡의안(議案)을 회의에 내놓음.
[上帝 상제] ㉠하늘. 또, 하느님. 천제(天帝). ㉡조물주(造物主). 조화(造化). ㉢천자(天子). ㉣상고(上古)의 제왕(帝王).
[上第 상제] 위의 등급. 높은 등급. 상등(上等).
[上製 상제] 상등의 제조.
[上足 상족] 뛰어난 제자. 수제자(首弟子). 고족제자(高足弟子).
[上簇 상족] 누에를 발이나 섶에 올림.
[上尊 상존] ㉠위에 있어 존귀(尊貴)함. ㉡'상준(上尊)'을 보라.
[上佐 상좌] 《佛敎》㉠속인(俗人)으로서 절에 들어가 불도(佛道)를 연구하는 사람. 행자(行者). ㉡사승(師僧)의 대를 이을 여러 사람 중에서 가장 높은 사람.
[上坐 상좌] 윗자리. 높은 자리. 상좌(上座). 상석(上席).
[上座 상좌] ㉠상좌(上坐). ㉡《佛敎》절의 식당(食堂)에 안치한 문수보살(文殊菩薩), 또는 빈두로존자(賓頭盧尊者)의 상(像).
[上酒 상주] 상등의 술. 좋은 술.
[上奏 상주] 천자(天子)에게 의견 또는 사실을 아룀. 상소(上疏).
[上柱國 상주국] 전국 시대(戰國時代)의 초(楚)나라의 벼슬 이름. 발군(拔群)의 전공(戰功)을 세운 공신에게 수여하였는데, 명대(明代)에 이르기까지 최고의 훈위(勳位)였음. 단지 주국(柱國)이라고도 함. 〔술.
[上尊 상준] 상등의 술. 좋은 술. 또, 남이 보낸
[上衆 상중] 귀(貴)한 사람. 귀인(貴人).
[上旨 상지] 천자(天子)의 뜻. 상의(上意). 상지(上指).
[上地 상지] 상등의 땅. 곡식이 잘 여무는 땅.
[上志 상지] 상고(上古)의 기록. 고기(古記). 지(志)는 지(誌).
[上知 상지] 가장 뛰어난 슬기. 선천적(先天的)으로 탁월한 지혜. 또, 그 슬기가 있는 사람.

[上肢 상지] 손. 팔. 하지(下肢)의 대(對).
[上枝 상지] 형(兄)의 별칭(別稱).
[上指 상지] ㉠상지(上旨). ㉡위를 가리킴.
[上智 상지] 상지(上知).
[上之所好下必甚焉 상지소호하필심언] 윗사람이 좋아하는 것은 아랫사람이 한층 더 좋아하게 된다는 뜻으로, 윗사람이 하는 일은 아랫사람이 대개 본받게 된다는 말.
[上池水 상지수] 이슬.
[上知與下愚不移 상지여하우불이] 보통 사람의 성질은 경우와 교육 여하에 따라서 변하지만, 선천적으로 슬기가 아주 뛰어난 사람과 아주 미련한 사람은 절대로 변하지 아니함.
[上陳 상진] 상신(上申).
[上僭 상참] 아랫사람이 자기 분수에 넘치는 참람(僭濫)한 짓을 함.
[上策 상책] 상계(上計).
[上天 상천] ㉠하늘. 하토(下土)의 대(對). ㉡하느님. 천제(天帝). 조물주(造物主). ㉢사천(四天)의 하나. 겨울의 하늘. ㉣하늘로 올라감. 승천(升天).
[上天下地 상천하지] 하늘과 땅. 천지(天地).
[上聽 상청] 상문(上聞).
[上體 상체] 몸의 윗부분. 윗도리.
[上焦 상초] '삼초(三焦)'를 보라.
[上秋 상추] 초가을. 음력 7월. 초추(初秋).
[上春 상춘] 초봄. 음력 정월. 초춘(初春).
[上衝 상충] 위로 치밀어 오름.
[上廁 상측] 뒷간에 감. 뒤보러 감.
[上層 상층] ㉠위층(層). ㉡위의 계급.
[上濁下不淨 상탁하부정] 윗물이 흐리면 아랫물도 자연히 깨끗하지 못함. 윗물이 맑아야 아랫물이 맑음.
[上通天文下達地理 상통천문하달지리] 천문과 지리에 모두 통달함. 천지 만물의 이치를 모두 환히 앎.
[上篇 상편] 두 권 또는 세 권으로 된 책의 첫째 권.
[上平 상평] 한자의 운(韻) 사성(四聲) 중의 평성(平聲) 서른 운을 상하로 양분한 그 위의 반(半). 곧, 동(東)·동(冬)·강(江)·지(支)·미(微)·어(魚)·우(虞)·제(齊)·가(佳)·회(灰)·진(眞)·문(文)·원(元)·한(寒)·산(刪)의 열다섯 운. 하평(下平)의 대(對).
[上幣 상폐] ㉠주옥(珠玉). ㉡금. 황금.
[上表 상표] 군주(君主)에게 의견서(意見書)를 올림. 또, 그 의견서. 상서(上書). 상소(上疏).
[上品 상품] ㉠상류의 계급. 상류 사회. ㉡《佛敎》 극락정토(極樂淨土)의 상·중·하 세 등급의 최상급.
[上風 상풍] 바람이 부는 반대 방향. 하풍(下風)의 대(對).
[上下 상하] ㉠위와 아래. ㉡높음과 낮음. 높은 데와 낮은 데. ㉢하늘과 땅. 천지(天地). ㉣임금과 신하. 또, 치자(治者)와 피치자(被治者). 조야(朝野). ㉤윗사람과 아랫사람. 높은 사람과 낮은 사람. 귀한 사람과 천한 사람. ㉥올라갔다 내려갔다 함.
[上下相蒙 상하상몽] 윗사람과 아랫사람이 서로 속임.
[上下一致 상하일치] 윗사람과 아랫사람이 마음을 합침. 상하가 협력함.
[上下之分 상하지분] 윗사람과 아랫사람의 분별.
[上下天光 상하천광] 위의 하늘과 아래의 호수(湖水)가 서로 비치는 하늘빛.
[上學 상학] 학교에 감.
[上澣 상한] 상순(上旬).
[上合 상합] 유성(遊星) 또는 위성(衛星)이 태양(太陽)과 같은 방향으로 와서, 태양보다 멀리 있을 때의 일컬음.
[上玄 상현] 하늘. 또, 하느님.
[上弦 상현] 음력 7~8일경의 반원(半圓)의 달. 반월(半月). 현월(弦月). 하현(下弦)의 대(對).
[上賢 상현] ㉠뛰어나게 현명함. 아주 어짊. 또, 그 사람. ㉡어진 이를 숭앙함.
[上血 상혈] 피를 토함. 토혈(吐血).
[上刑 상형] 가장 중한 형벌. 중형(重刑). 극형(極刑). 사형(死刑).
[上戶 상호] 대주가(大酒家). 주호(酒豪). 대호(大戶). 호대(戶大). 부자(富者).
[上皇 상황] ㉠양위(讓位)한 천자(天子)의 존칭(尊稱). 태상황(太上皇). ㉡상고(上古)의 제왕(帝王). ㉢천제(天帝). 상제(上帝).
◉公上. 君上. 極上. 謹上. 今上. 無上. 番上. 鼻孔上. 史上. 三上. 世上. 霄上. 垂千鈞鳥卵上. 身上. 眼睛上. 若在掌上. 燕巢幕上. 炎上. 零上. 蝸牛角上. 運之掌上. 以上. 以鴻毛燎爐炭上. 作文三上. 長上. 掌上. 呈上. 頂上. 尊上. 主上. 奏上. 至上. 地上. 紙上. 直上. 進上. 天上. 最上. 太上. 苔上. 霸上. 蔽上. 豐上. 形而上.

2
③ [丄] 〔차·조〕
且(一部 四畫〈p. 41〉)의 古字

3
④ [不] [中·入] [一] 불 [入]物 分勿切 bù
[二] 부 [平]尤 甫鳩切 fōu
[三] 비 [平]虞 風無切 pī

[筆順] 一 丆 不 不

[字解] [一] ①아니 불 아님. '一可'. '一利'. '雖一中, 一遠'《大學》. ②아니할 불 '一爲'. '我四十一動心'《孟子》. [二] ①아닌가 부 의문(疑問)의 미정사(未定辭). '借問有酒一'《杜甫》. ②성 부 성(姓)의 하나. [三] 클 비 丕(一部 四畫)와 통용(通用). '一顯惟德'《詩經》.
[字源] 甲骨文 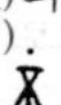 金文 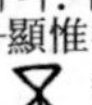 篆文  象形. 꽃의 암술의 씨방의 뜻. 가차(假借)하여 부정(否定)의 말로 쓰임.
[參考] '아니불'은 뒤에 오는 자(字)의 초성(初聲)이 'ㄷ, ㅈ'일 때에는 '不當부당', '不正부정'처럼 '부'로 읽음.

[不斷 부단] 결단력이 없음.
[不達時變 부달시변] 시세의 변화에 따르지 못함. 곧, 완고하여 변통성이 없음.
[不達時宜 부달시의] 부달시변(不達時變).
[不當 부당] 이치(理致)에 맞지 아니함. 정당하지 아니함.
[不當利得 부당이득] 정당하지 못한 방법에 의하여 남에게 손해를 끼치면서 얻는 이익.
[不大不小 부대불소] 크지도 작지도 않고 알맞음.
[不德 부덕] ㉠도덕에 어그러짐. ㉡덕(德)이 없음.

[不道 부도] 도덕에 어그러짐. 무도(無道).

[不圖 부도] 뜻밖에. 우연히.

[不倒翁 부도옹] 장난감의 한 가지. 오뚝이.

[不導體 부도체] 열(熱)·전기(電氣) 등을 전하지 못하는 물체(物體).

[不同 부동] 같지 아니함.

[不動 부동] ㉠물건이 움직이지 아니함. ㉡마음이 외계(外界)의 사물(事物)로 인하여 움직이지 아니함. ㉢《佛敎》부동존(不動尊)의 약칭(略稱).

[不動明王 부동명왕]《佛敎》부동존(不動尊).

[不動産 부동산] 움직여서 옮길 수 없는 재산. 곧, 토지·가옥 등.

[不同意 부동의] 동의하지 아니함. 찬성하지 아니함. 불찬성(不贊成).

[不同日而論 부동일이론] 양자(兩者)의 차이(差異)가 심하여 함께 논(論)할 수가 없음.

[不動尊 부동존]《佛敎》오대 명왕(五大明王)의 하나. 밀교(密敎)에서 이르기를 대일여래(大日如來)가 일체의 악마를 항복시키기 위하여 이 세상에 변신(變身)하여 나타난 것이라 함. 부동명왕(不動明王).

[不凍港 부동항] 겨울에도 얼지 아니하는 항구(港口).

[不得其位 부득기위] 실력은 충분하나, 그 실력을 펴볼 적당한 자리를 얻지 못함.

[不得不 부득불] 불가불(不可不). 「去」

[不得不失 부득불실]《佛敎》불래불거(不來不

[不得要領 부득요령] 요령을 잡을 수 없음.

[不得意 부득의] 뜻을 이루지 못함.

[不得已 부득이] 마지못하여. 하는 수 없이.

[不得志 부득지] 품은 뜻을 펼 기회를 얻지 못함.

[不等 부등] 같지 아니함. 부동(不同).

[不實 부실] ㉠몸이 튼튼하지 못함. ㉡셈속이 넉넉지 못함. ㉢믿음성이 적음. ㉣일에 성실하지 못함.

[不貲 부자] ㉠많아서 이루 셀 수 없음. ㉡자산(資産)이 많음.

[不訾 부자] ㉠꾸짖지 아니함. 헐뜯지 아니함. ㉡부자(不貲). 자(訾)는 자(貲).

[不慈 부자] 아들을 사랑하지 아니함.

[不自量 부자량] 자기를 자기가 스스로 헤아리지 못함.

[不自然 부자연] 자연스럽지 못함.

[不自由 부자유] 구속(拘束)을 받아 자유롭지 못함.

[不杖朞 부장기] 오복(五服)의 하나. 자최(齊衰)만 입고 상장(喪杖)을 짚지 않는 1년 동안만 입는 복(服).

[不藏怒 부장노] 성낸 마음을 언제까지나 가슴에 품어 두지 아니함. 화를 쉬 풂.

[不才 부재] 재주가 없음.

[不在 부재] 있지 아니함.

[不在投票 부재투표] 특별한 사정으로 선거(選擧) 당일(當日)에 투표소(投票所)에 못 나갈 사람에게 미리 그 뜻을 증명하여 신고하게 하고, 정한 투표일(投票日)에 투표케 하는 제도.

[不適當 부적당] 적당하지 아니함.

[不腆 부전] 후(厚)하지 않다는 뜻으로, 남에게 물건을 보낼 때 겸사(謙辭)로 쓰는 말.

[不絶 부절] 끊이지 아니함.

[不絶如帶 부절여대] 부절여선(不絶如綫).

[不絶如縷 부절여루] 부절여선(不絶如綫).

[不絶如髮 부절여발] 부절여선(不絶如綫).

[不絶如綫 부절여선] 가는 실이나 머리털처럼 끊어질 듯 끊어질 듯하면서도 겨우 지탱한다는 뜻으로, 지극히 위태로움을 형용한 말.

[不正 부정] 바르지 아니함.

[不定 부정] ㉠일정하지 아니함. ㉡《佛敎》믿기 어려움. 덧없음.

[不貞 부정] 여자가 정조(貞操)를 지키지 아니함.

[不庭 부정] 내조(來朝)하지 아니함. 조공(朝貢)하지 아니함.

[不逞 부정] 불령(不逞).

[不淨 부정] 깨끗하지 못함.

[不精 부정] 조촐하거나 깨끗하지 못하고 거칠거나 지저분함.

[不正當 부정당] 정당하지 아니함.

[不淨行 부정행]《佛敎》정사(情事).

[不正確 부정확] 정확하지 아니함.

[不弟 부제] 형에게 공손하지 아니함.

[不悌 부제] 부제(不弟).

[不第 부제] 합격하지 못함. 낙제(落第). 낙방(落榜).

[不齊 부제] 가지런하지 아니함.

[不弔 부조] ㉠조상(弔喪)하지 않음. ㉡좋지 못함. 불선(不善).

[不祧之典 부조지전] 나라에 큰 공훈이 있는 사람의 신주(神主)를 영구히 사당(祠堂)에 모시고 제사 지내게 하는 특전.

[不調和 부조화] 서로 잘 조화되지 아니함. 어울리지 않음.

[不足 부족] ㉠모자람. ㉡넉넉하지 못함.

[不足掛齒 부족괘치] 더불어 말할 가치가 없음.

[不足論 부족론] 논할 거리가 못 됨.

[不足數 부족수] 하찮아서 셈속에 넣을 것이 못 됨. 하찮아서 들어 말할 것이 못 됨.

[不從 부종] 따르지 아니함.

[不注意 부주의] 조심을 아니함.

[不卽不離 부즉불리] 붙지도 아니하고 떨어지지도 아니함. 찬성도 하지 아니하고 그렇다고 반대도 하지 아니함. 따르지도 아니하고 배반도 하지 아니함.

[不增不減 부증불감]《佛敎》제법(諸法)은 공(空)이므로 증감(增減)이 없음.

[不知 부지] 알지 못함.

[不知甘苦 부지감고] 닮과 씀을 분별(分別) 못한다는 뜻으로, 극히 알기 쉬운 이치도 알지 못함의 비유.

[不知去處 부지거처] 간 곳을 모름.

[不知其數 부지기수] 많아서 그 수효를 알 수가 없음.

[不躓山躓垤 부지산지질] 사람은 산에는 걸려 넘어지지 아니하나 개밋둑에는 걸려 넘어진다는 뜻으로, 큰 일에는 신중(愼重)을 기하므로 실패가 적으나, 작은 일은 그렇지 아니하므로 실패하기 쉬움을 이름.

[不知所向 부지소향] 갈 곳을 알지 못함.

[不知手之舞足之蹈 부지수지무족지도] 기뻐 날뜀. 매우 기뻐하는 모양.

[不知肉味 부지육미] 고기 맛을 알지 못함. 곧, 한 일에 열중(熱中)하여서, 마음이 딴 데에 팔리지 아니함을 말함.

[不知人間有羞恥事 부지인간유수치사] 파렴치(破廉恥)한 사람을 조롱하는 말.

[不知寢食 부지침식] 생활에 제일 중한 침식(寢食)을 잊음의 뜻. 어떤 일에 열중함을 이름.

[不知痛痒 부지통양] 아프지도 가렵지도 않음. 아무런 감각이 없음. 이해관계가 없는 것.

[不知何歲月 부지하세월] 언제나 될지 그 기한을 알지 못함.

[不職 부직] 임무를 감당하지 못함.

[不振 부진] 떨치지 못함.

[不進 부진] 앞으로 나아가지 아니함.

[不盡 부진] 다하지 아니함.   「함.

[不可 불가] ㉠옳지 아니함. 나쁨. ㉡안 됨. 못

[不可干以私 불가간이사] 사삿일로 윗사람에게 청탁하여서는 안 됨.

[不可缺 불가결] 없어서는 안 됨.

[不可近 불가근] 가까이할 것이 못 됨.

[不可能 불가능] ㉠할 수 없음. ㉡힘이 미치지 못함.

[不可當 불가당] 당하여 낼 수 없음.

[不可無 불가무] 없어서는 안 됨.

[不可分 불가분] 나누려야 나눌 수가 없음.

[不可不 불가불] 아니하여서는 안 되겠으므로 마땅히.

[不可不念 불가불념] 꼭 염두(念頭)에 두어야 함.

[不可思議 불가사의] 사람의 생각으로는 미루어 생각할 수 없이 이상야릇함. 불가해(不可解).

[不可說 불가설] 《佛敎》 참된 이치는 증과(證果)에 의하여 체득(體得)할 것이지 말로는 설명할 수 없음.

[不可勝數 불가승수] 하도 많아서 이루 셀 수가 없음.

[不可信 불가신] 믿을 수가 없음.

[不可以無鼠而養不捕之猫 불가이무서이양불포지묘] 쥐가 없다고 쥐를 잡지 못하는 고양이를 길러서는 안 된다는 뜻으로, 쓸데없는 자를 공연(空然)히 먹여 살려서는 안 된다는 말.

[不可入性 불가입성] 두 물체가 동시에 같은 공간(空間)을 점유(占有)할 수 없는 일.

[不可知 불가지] 알 수가 없음.

[不可知論 불가지론] 알 수 없는 실재(實在)를 인정하고, 또 궁극의 실재(實在)는 알 수 없는 것이라고 하는 철학설(哲學說).

[不可侵 불가침] 침범하여서는 안 됨.

[不可廢 불가폐] 폐(廢)하여 버릴 수가 없음.

[不可避 불가피] 피하려야 피할 도리가 없음.

[不可抗力 불가항력] 천재(天災)·지이(地異)와 같이 사람의 힘으로 어찌 할 수가 없는 힘.

[不可解 불가해] 이해할 수 없음.

[不可形言 불가형언] 형용(形容)하여 말할 수 없음.

[不可諱 불가휘] 사람의 죽음을 이름. 죽음은 사람으로서 피할 수 없다는 뜻임.

[不恪 불각] 삼가지 아니함. 조심하지 아니함. 공손하지 아니함. 불경(不敬).

[不刊之書 불간지서] 영구히 전하여 없어지지 않는 양서(良書). 불후(不朽)의 책.

[不堪 불감] ㉠직무를 감당 못함. ㉡견딜 수 없음. ㉢형용사 뒤에서 정도의 심함을 나타냄.

[不敢 불감] 감히 하지 못함.   「못함.

[不敢當 불감당] 감히 그 일을 감당하여 해내지

[不敢生心 불감생심] 불감생의(不敢生意).

[不敢生意 불감생의] 힘에 겨워서 감히 할 생각도 내지 못함.

[不敢贊一辭 불감찬일사] 너무 훌륭하여 감히 칭찬의 말을 한 마디도 못함.

[不開港 불개항] 외국 통상이 허가되지 않은 항구.

[不潔 불결] ㉠깨끗하지 못함. 더러움. 또, 더러운 것. 오물(汚物). ㉡마음이 더러움.

[不結轍 불결철] 수레가 되돌아오지 않음을 이름.

[不經 불경] ㉠정도(正道)에 어그러짐. 또, 그러할 죄인(罪人). ㉡겪지 않음.

[不敬 불경] 공손(恭遜)하지 못함. 공경하지 아니함. 존엄한 자리에 무례함.

[不經之說 불경지설] 도덕에 어그러진 말.

[不計 불계] ㉠시비(是非)나 이해를 생각하지 아니함. ㉡수효의 차가 심하여 셀 필요가 없음.

[不繫之舟 불계지주] 매어 놓지 않은 배라는 뜻으로, 속세(俗世)를 초월한 허심탄회한 마음. 또는 정처 없이 방랑하는 몸의 비유로 쓰임.

[不辜 불고] 죄 없는 사람. 무고(無辜)한 사람.

[不顧 불고] 돌아보지 아니함.

[不顧家事 불고가사] 집안일을 돌아보지 아니함.

[不顧廉恥 불고염치] 염치를 돌아보지 아니함.

[不顧利害 불고이해] 이해를 가려 따지지 아니함.

[不顧體面 불고체면] 체면(體面)을 돌아보지 아니함.

[不穀 불곡] 불선(不善)이라는 뜻으로, 왕후(王侯)의 겸칭(謙稱). 과인(寡人).

[不共 불공] ㉠공손하지 않음. 불공(不恭). ㉡준비하지 않음.

[不恭 불공] 공손하지 아니함.

[不共戴天 불공대천] 한 하늘 아래에서 같이 살지 못함. 곧, 살려 둘 수 없다는 뜻.

[不共戴天之讎 불공대천지수] 함께 한 하늘 아래에서 살 수 없는 원수(怨讎). 살려 둘 수 없는 원수. 아주 큰 원수.

[不攻自破 불공자파] 치지 아니하여도 스스로 깨어짐.

[不公正 불공정] 공정하지 아니함.

[不公平 불공평] 공평하지 아니함.

[不過 불과] 지나지 아니함. 넘지 아니함.

[不關 불관] 관계하지 아니함.

[不關之事 불관지사] 상관없는 일.

[不愧屋漏 불괴옥루] 사람이 보지 아니하는 곳에 있어도 행동을 신중히 하고 경계하므로, 귀신에게도 부끄럽지 아니함을 이름.

[不久 불구] 오래지 아니함.

[不拘 불구] 거리끼지 아니함.

[不具 불구] ㉠갖추어지지 아니함. 모자람. 부족함. ㉡몸의 어느 부분에 결함이 있음. ㉢편지 끝에 써서, 충분히 쓰지 못하였다는 뜻을 나타내는 말. 불비(不備).

[不俱戴天 불구대천] 불공대천(不共戴天).

[不求聞達 불구문달] 세상에 이름이 떨치기를 바라지 아니함.

[不拘小節 불구소절] 자질구레한 예절에 얽매이지 아니함.

[不求甚解 불구심해] 뜻을 통하기 어렵고 의문이 많은 곳은 무리(無理)하게 그 뜻을 밝히려 들지 않음.

[不具者 불구자] 몸의 어느 부분에 고장이 있는 사람. 병신.

[不君 불군] 임금 노릇을 못함. 임금으로서 할 도리를 하지 아니함.   「群〕

[不群 불군] 여럿 속에서 훨씬 뛰어남. 발군(拔

[不屈 불굴] 뻗대고 굽히지 아니함.
[不軌 불궤] ㉠법을 지키지 아니함. ㉡모반(謀反)을 꾀함.
[不軌之心 불궤지심] 모반(謀反)을 꾀하는 마음.
[不歸 불귀] 돌아오지 아니함.
[不歸客 불귀객] 죽은 사람.
[不規則 불규칙] 규칙이 서지 아니함.
[不龜手之藥 불균수지약] 손이 터지지 않는 약.
[不均衡 불균형] 균형이 잡히지 아니함.
[不勤 불근] 부지런하지 못함.
[不近人情 불근인정] 인정에 벗어남.
[不根持論 불근지론] 나무에 뿌리가 없는 것 같은 확실하지 않은 설(說)을 지론(持論)으로 함.
[不禁 불금] 금하지 아니함.
[不禁而自禁 불금이자금] 금하지 아니하여도 스스로 그만둠.
[不及 불급] 미치지 못함.
[不急 불급] 급하지 아니함.
[不急官 불급관] 급히 두지 않아도 괜찮은 벼슬. 당장 필요하지 않은 벼슬.
[不急之察 불급지찰] 필요 없는 성찰(省察).
[不肯 불긍] 즐기어 하고자 하지 아니함.
[不起 불기] 병으로 드러누워 영영 일어나지 못함.
[不器 불기] 그릇과 같이 한 군데에만 쓰이는 것이 아님. 어디든지 쓰임. 군자(君子)를 이름.
[不羈 불기] ㉠매이지 않음. 아무 속박도 받지 아니함. ㉡재능이나 학식이 뛰어나 거리낌 없이 행동함. 또, 그 사람.
[不欺闇室 불기암실] 사람이 보지 않는 암실(闇室)에서도 행동(行動)을 삼가 양심을 속이는 일을 하지 아니함.
[不期而會 불기이회] 우연히 만남.
[不起人 불기인] 죽어 가는 사람. 죽은 사람.
[不緊 불긴] 긴하지 아니함. 긴요(緊要)하지 아니함.
[不緊之事 불긴지사] 긴하지 않은 일.
[不吉 불길] 길(吉)하지 아니함. 상서롭지 못함. 불상(不祥).
[不吉之兆 불길지조] 불길한 일이 일어날 징조. 불상지조(不祥之兆).
[不耐煩 불내번] ㉠번거로운 일에 견디지 못함. ㉡귀찮아서 못 견딤.
[不念舊惡 불념구악] 남의 예전 허물을 괘념(掛念)치 않음.
[不佞 불녕] ㉠구변이 없음. 말이 서투름. ㉡재능이 없음. ㉢자기의 겸칭(謙稱).
[不農不商 불농불상] 농사도 장사도 아니하고 놀고먹음.
[不撓 불뇨] 불요(不撓).
[不能 불능] ㉠재능이 없음. 무능(無能). ㉡힘에 겨움. 할 수 없음.
[不能分馬鹿 불능분마록] 말과 사슴의 구별(區別)을 하지 못함. 지극히 어리석음을 이름.
[不能贊一辭 불능찬일사] 한 마디의 말도 덧붙일 수가 없음. 극히 명문(名文)임을 이름.
[不來不去 불래불거] 《佛敎》불법(佛法). 법(法)은 원래 공(空)으로서, 얻는 것도 없고 잃는 것도 없으며, 오는 것도 없고 가는 것도 없다는 뜻.
[不良 불량] 착하지 못함. 또, 그 사람.
[不慮 불려] ㉠생각하지 아니함. ㉡뜻밖.
[不廉 불렴] 값이 싸지 아니함. 비쌈.
[不躐等 불렵등] 등급이나 순서를 뛰어넘지 아

니함.
[不逞 불령] ㉠아무 거리낌 없이 함부로 행동함. ㉡불쾌하게 여김. 불만을 품음.
[不逞之徒 불령지도] 불량배(不良輩).
[不例 불례] 평상시와 다름.
[不老不死 불로불사] 늙지도 죽지도 아니함.
[不老長生 불로장생] 늙지 않고 오래 삶.
[不老草 불로초] 사람이 먹으면 늙지 않는다는 풀. 선경(仙境)에 있다 함.
[不祿 불록] ㉠사(士)의 죽음. 녹(祿)을 다 타지 못하고 죽는다는 뜻임. ㉡대부(大夫)의 요사(夭死). ㉢제후(諸侯)의 죽음을 타국(他國)에 고(告)할 때 겸손하여 쓰는 말.
[不了事 불료사] 사리(事理)를 환히 깨닫지 못함.
[不聊生 불료생] 마음 놓고 살 수가 없음.
[不類 불류] ㉠불선(不善). ㉡나쁜 사람. 악인.
[不倫 불륜] ㉠인륜(人倫)에 어긋남. ㉡인도에 어그러짐.
[不律 불률] ㉠붓의 이칭(異稱). 삼촌불률(三寸不律)을 보라. ㉡규칙을 지키지 아니하는 자(者). 집.
[不利 불리] ㉠이롭지 못함. 해로움. ㉡전쟁에 짐.
[不立文字 불립문자] 《佛敎》문자에 의하여 교(敎)를 세우지 않는다는 뜻으로, 진여(眞如)는 마음에서 마음으로 전하는 것이라는 선종(禪宗)의 교의(敎義)임.
[不磨 불마] 마멸(磨滅)하지 아니함. 없어지지 아니함.
[不忘 불망] 잊지 아니함.
[不忘記 불망기] 잊지 않기 위하여 적어 두는 글발.
[不忘之恩 불망지은] 잊지 못할 은혜.
[不昧 불매] ㉠어둡지 아니함. 환함. ㉡물욕(物欲)에 마음이 흐려지지 아니함.
[不眠 불면] 자지 아니함. 잠이 오지 아니함.
[不眠不休 불면불휴] 자지도 아니하고 쉬지도 아니함. 곧, 조금도 쉬지 않고 힘써 함.
[不滅 불멸] 멸망하지 아니함.
[不明 불명] ㉠밝지 아니함. ㉡분명하지 아니함. 확실하지 아니함. 불명랑(不明亮). ㉢마음이 흐림. 어리석음.
[不明亮 불명량] 분명하지 않음. 불명(不明).
[不名譽 불명예] 명예스럽지 못함.
[不毛 불모] 토지가 메말라 초목이 나지 아니함. 또, 그 토지. 불모지지(不毛之地).
[不侮闇室 불모암실] 사람이 보지 않는 암실(闇室)에서도 행동(行動)을 삼감. 불기암실(不欺闇室).
[不謀而同 불모이동] 의논하지 않고서도 의견(意見)이 서로 같음.
[不毛之地 불모지지] 초목이 나지 않는 척박한 땅.
[不睦 불목] 일가 사이에 화목(和睦)하지 아니함.
[不文 불문] ㉠문자(文字)에 어두움. 학문이 없음. 글자를 모름. ㉡글로 쓰지 아니함. 불성문(不成文). 성문(成文)의 대(對).
[不問 불문] ㉠묻지 아니함. ㉡묻지 않고 덮어 둠. 추궁하지 않고 내버려 둠.
[不問可知 불문가지] 묻지 않아도 알 수가 있음.
[不問曲直 불문곡직] 옳고 그른 것을 묻지 아니함.
[不文法 불문법] 불문율(不問律). 함.
[不文律 불문율] 문서(文書)로 공포(公布)되지 아니하였으나, 관례상(慣例上) 인정된 법률. 불문법(不文法).

[不文憲法 불문헌법] 성문법(成文法)의 형식을 갖추지 아니하는 헌법. 현재 영국(英國)에만 있음.

[不美 불미] 아름답지 못함.

[不敏 불민] 둔하여 민첩(敏捷)하지 못함. 노둔(魯鈍)함. 어리석음.

[不拔 불발] 든든하여 빠지지 아니함. 움직이지 아니함. 확고부동함.

[不發 불발] ㉠폭발(爆發)하지 아니함. ㉡계발(啓發)되지 아니함. ㉢떠나지 아니함.

[不凡 불범] 평범하지 아니함. 보통이 아님.

[不犯 불범] ㉠침범하지 아니함. ㉡《佛敎》여자를 범(犯)하지 않는다는 뜻으로, 색욕(色欲)을 끊는 일. 대처(帶妻)하지 않는 일.

[不凡子 불범자] 비범(非凡)한 아들. 남의 아들을 칭찬하는 말.

[不法 불법] 법에 어그러짐. 비법(非法).

[不法監禁 불법감금] 법률에 의하지 아니하고 남을 감금(監禁)함.

[不法行爲 불법행위] 고의(故意) 또는 과실(過失)로 인하여 남의 권리(權利)를 침해(侵害)하는 행위.

[不辨 불변] 분변(分辨)하지 못함.

[不變 불변] 변하지 아니함. 고쳐지지 아니함. 불역(不易).

[不變色 불변색] 오래도록 변하지 아니하는 빛깔.

[不辨菽麥 불변숙맥] 콩과 보리를 구별하지 못함. 아주 어리석음을 이름.

[不辨咫尺 불변지척] 지척(咫尺)을 분간 못함. 코앞을 볼 수 없음.

[不寶金玉 불보금옥] 군자(君子)는 금옥(金玉)을 보배로 여기지 아니함.

[不服 불복] ㉠복종하지 아니함. ㉡복죄(服罪)하지 아니함.

[不卜日 불복일] 택일(擇日)을 하지 않고 혼인(婚姻)·장사(葬事)를 급히 지냄.

[不分東西 불분동서] 동서를 분별 못한다는 뜻으로, 어리석어 사리를 분간(分揀) 못함을 이름.

[不分明 불분명] 분명하지 아니함.

[不憤不啓不悱不發 불분불계불비불발] 학문을 하는 데는 우선 분발(憤發)하는 마음이 있어야만 계발(啓發)이 된다는 말.

[不分上下 불분상하] 상하 귀천(貴賤)을 분간(分揀)하지 못함.

[不分勝負 불분승부] 승부를 가릴 수 없음.

[不分晝夜 불분주야] 밤낮을 가리지 않고 힘씀.

[不備 불비] 다 갖추지 못하였다는 뜻으로, 편지 끝에 써서 충분히 쓰지 못한 것을 나타내는 말.

[不費之惠 불비지혜] 자기에게 손해 없이 남에게 베풀어 주는 은혜.

[不貧 불빈] 가난하지 아니함.

[不賓之士 불빈지사] 임금에게 복종하지 않는 선비. 인신(人臣) 이상의 예우(禮遇)를 받는 사람.

[不死 불사] 죽지 아니함. 무량수(無量壽).

[不仕 불사] 벼슬을 시켜도 하지 아니함.

[不似 불사] 비슷하지 아니함. 닮지 아니함.

[不竢 불사] 기다리지 아니함.

[不死不滅 불사불멸] 천주교(天主敎)에서 말하는 신(神)의 특성의 한 가지. 죽지도 아니하고 없어지지도 아니함. 사멸(死滅)하지 아니함.

[不事事 불사사] 해야 할 일을 하지 아니함.

[不死之藥 불사지약] 사람이 먹으면 죽지 않는다고 하는 약. 선경(仙境)에 있다 함.

[不死永生 불사영생] 죽지 않고 영원히 삶.

[不思議 불사의] 불가사의(不可思議).

[不死鳥 불사조] 이집트 신화(神話)에 나오는 신조(神鳥). 500~600년마다 스스로 소사(燒死)하고, 그 재 속에서 새끼 새가 새로 다시 재생(再生)한다 함. 불사영생(不死永生)의 뜻으로 쓰임. 피닉스.

[不死草 불사초] 백합과에 속하는 다년초(多年草). 맥문동(麥門冬). 겨우살이풀.

[不三宿桑下 불삼숙상하] 불자(佛者)는 은애(恩愛)의 정이 생길까 두려워하여 뽕나무 밑에서 사흘 밤을 계속하여 묵지 아니함.

[不祥 불상] 불길(不吉)함. 상서롭지 못함.

[不詳 불상] ㉠자세(仔細)하지 아니함. 상세히 알지 못함. 잘 모름. ㉡불상(不祥).

[不相見 불상견] 의사가 맞지 아니하여 서로 만나지 아니함.

[不相能 불상능] 사이가 좋지 못함.

[不相得 불상득] 서로 마음이 맞지 아니함.

[不祥事 불상사] 상서롭지 못한 일.

[不相容 불상용] 서로 용납하지 않음.

[不相杵 불상저] 절구질하는 자가 너무 슬퍼서 절구질할 때 부르는 노래를 부르지 아니함. 상(相)은 절구질할 때 부르는 노래.

[不祥之兆 불상지조] 상서롭지 못한 징조. 불길지조(不吉之兆).

[不生不滅 불생불멸] 나지도 죽지도 아니함. 곧, 상주 불변(常住不變)한 열반(涅槃)의 경계(境界).

[不惜 불석] 아끼지 아니함.

[不釋卷 불석권] 항상 책을 손에서 떼지 않음. 항시 독서(讀書)를 함. 불폐권(不廢卷).

[不惜身命 불석신명] 《佛敎》신명(身命)을 아끼지 않고 불도(佛道)에 힘을 씀.

[不惜千金 불석천금] 많은 돈을 아끼지 아니함.

[不宣 불선] 다 말하지 못하였다는 뜻으로, 편지 끝에 쓰는 말.

[不善 불선] 착하지 아니함. 좋지 아니함. 또, 그 일.

[不鮮明 불선명] 또렷하지 않음.

[不善人善人之資 불선인선인지자] 착하지 않은 사람은 착한 사람이 그의 언행(言行)을 보고 반성하고 경계하므로, 도(道)를 닦는 데 도움이 됨.

[不屑 불설] 탐탁하게 여기지 아니함. 우습게 여겨 마음에 두지 아니함.

[不屑不潔 불설불결] 더러운 행위를 함을 떳떳이 여기지 아니함.

[不設城府 불설성부] 흉금(胸襟)을 터놓음.

[不屑之敎誨 불설지교회] 가르치는 것을 탐탁하게 여기지 않고, 가르치지 않는 것이 도리어 그 사람을 위하여 좋은 교훈이 되는 수가 있다는 말.

[不贍 불섬] 넉넉하지 못함.

[不成 불성] 이루어지지 아니함.

[不成文 불성문] 문서로 되어 있지 아니함.

[不成文律 불성문율] 불문율(不文律).

[不誠實 불성실] 성실하지 못함.

[不成人 불성인] 병신. 불구자(不具者). 또, 미성인(未成人). 전(轉)하여, 예의를 모르는 사람의 비유.

[不省人事 불성인사] 정신이 혼미(昏迷)하여 인

사(人事)를 차리지 못함.　　　　「勞).

[不世之功 불세지공] 세상에 드문 큰 공로(功

[不世之才 불세지재] 세상에 썩 드물게 뛰어난 재주. 또, 그 사람.

[不世出 불세출] 세상에 여간하여 나오지 아니함. 곧, 극히 드묾.

[不少 불소] 적지 아니함.

[不孫 불손] 불손(不遜).

[不遜 불손] 겸손(謙遜)하지 아니함. 거만함. 건방짐.

[不首 불수] 복죄(服罪)하지 아니함.

[不隨 불수] 불인(不仁) ⓛ.

[不數年 불수년] 수삼 년이 지나지 아니함.

[不須多言 불수다언] 여러 말을 할 필요가 없음.

[不隨意 불수의] 뜻대로 잘되지 아니함. 불여의(不如意).

[不輸租田 불수조전] 구실을 바치지 않는 전지.

[不淑 불숙] ㉠마음이 착하지 않아 실덕(失德)함. ㉡나라가 망함. ㉢재능이 없음. ㉣사람이 죽음. ㉤생이별(生離別).

[不熟 불숙] ㉠과실(果實)·곡식 등이 익지 아니함. ㉡음식이 익지 아니함. ㉢사이가 나쁨. 불화(不和). ㉣익숙하지 아니함. 서투름. 미숙(未熟).

[不宿諾 불숙낙] 승낙(承諾)한 것은 곧장 실행(實行)함.

[不純 불순] 순수하지 못함.

[不順 불순] ㉠순종하지 아니함. ㉡순조(順調)롭지 못함.　　　　「안.

[不崇朝 불숭조] 아침을 넘기지 아니함. 아침

[不拾遺 불습유] ㉠나라가 잘 다스려져 결백하여서 길바닥에 떨어진 물건을 주워 갖지 아니함. ㉡법률이 엄하여 백성이 두려워하여서 길바닥에 떨어진 물건을 주워 갖지 못함.

[不勝杯杓 불승배작] 과음(過飮)하여 그 이상 술을 더 마실 수 없음.

[不勝桮杓 불승배작] 불승배작(不勝杯杓).

[不勝數 불승수] 너무 많아서 이루 다 셀 수 없음.

[不時 불시] ㉠뜻하지 아니함. 뜻밖임. ㉡때가 되지 아니함. 제때가 아님. ㉢기후가 일정하지 아니함.　　　　「식.

[不時需 불시수] 때 아닌 때에 먹게 된 음

[不時着陸 불시착륙] 비행기가 사고·기후 관계 등으로 인하여 불시에 착륙하는 일.

[不食 불식] 먹지 아니함.

[不息 불식] 쉬지 아니함.

[不識不知 불식부지] 깨닫지 못하는 사이에. 어느 틈에. 부지불식간(不知不識間)에.

[不食自逋 불식자포] 횡령하지 아니하였는데도 공금(公金)이 저절로 축남.

[不息之工 불식지공] 쉬지 않고 꾸준히 하는 일.

[不食之報 불식지보] 부조(父祖)의 음덕(蔭德)으로 자손(子孫)이 잘되는 보응(報應).

[不食之地 불식지지] 개간할 수 없는 땅.

[不臣 불신] 신하 노릇을 못함. 신하의 도리에 어그러짐.

[不信 불신] ㉠신의가 없음. 허위가 많음. ㉡믿지 아니함.

[不實 불실] 실(實)답지 아니함.

[不信任 불신임] 신임하지 아니함. 믿고 맡기지 아니함.

[不臣之心 불신지심] 신하로서 섬기려고 하지

않는 마음. 임금을 배반하려고 하는 마음.

[不悉 불실] 할 말을 충분히 쓰지 못하였다는 뜻으로, 편지 끝에 쓰는 말.

[不失其本 불실기본] 근본을 잃지 아니함. 본분을 지킴.

[不失本色 불실본색] 본색을 지켜 잃지 아니함.

[不失正鵠 불실정곡] 과녁을 빗나가지 아니함. 핵심을 벗어나지 아니함.

[不失尺寸 불실척촌] 법도·규격에 꼭 맞아 조금도 어긋나지 아니함.

[不失錙銖 불실치수] 조금도 틀리지 아니함.

[不審 불심] 자세히 알지 못함. 잘 모름. 불상(不詳).

[不安 불안] 마음이 편안(便安)하지 아니함. 마음에 걸림. 걱정이 됨.　　　　「함.

[不安枕席 불안침석] 걱정이 있어 편히 자지 못

[不夜城 불야성] ㉠동래군(東萊郡) 불야현(不夜縣)에 있었던 성(城). 그곳에 밤에 해가 나타난 일이 있어 이름 지었다고 함. ㉡밤에도 낮과 같이 환한 곳. ㉢환하게 비치는 등불 같은 것의 형용.

[不夜侯 불야후] 차(茶)의 별칭(別稱). 많이 마시면 잠이 오지 아니하므로 이름.

[不若 불약] 도깨비. 요괴(妖怪).

[不言可知 불언가지] 말을 아니하여도 알 수 있음.

[不言不語 불언불어] 말을 하지 아니함.

[不言實行 불언실행] 아무 말없이 착한 일을 함. 말을 내세우지 않고 실지로 행함.

[不言之敎 불언지교] 무위(無爲)로써 자연에 동화(同化)시키는 교(敎)라는 뜻으로, 노자(老子)·장자(莊子)의 교를 이름.

[不言之化 불언지화] 무언중에 미치게 하는 감화. 곧, 덕(德)에 의한 감화.

[不言之花 불언지화] 복숭아꽃 또는 자두 꽃. 곧, 도화(桃花)·이화(李花)의 별칭(別稱).

[不如歸 불여귀] 두견(杜鵑)의 별칭(別稱).

[不如意 불여의] 뜻과 같이 되지 아니함.

[不易 불역] ㉠변하지 아니함. 변경할 수 없음. 불변(不變). ㉡평온하지 아니함. 소란함. 불온(不穩).

[不易之論 불역지론] 변경할 수 없는 바른말.

[不易之典 불역지전] 변경할 수 없는 법(法).

[不易糊 불역호] 썩지 않게 방부제(防腐劑)를 넣어 만든 풀.

[不然 불연] ㉠명령을 좇지 아니함. 또, 그 사람. ㉡그렇지 아니함.

[不豫 불예] ㉠기뻐하지 아니함. 불쾌하게 여김. ㉡임금의 병환(病患).

[不五鼎食五鼎烹耳 불오정식오정팽이] 공명(功名)을 세워 영화(榮華)를 누리지 못할 바에는, 멋대로 굴어서 죄를 얻어 죽는 것이 소망임.

[不穩 불온] 평온하지 아니함. 험악(險惡)함.

[不完全 불완전] 완전하지 못함. 충분하지 아니함.

[不枉法 불왕법] 국법(國法)을 굽히지 아니함.

[不枉法贓 불왕법장] 나라의 법은 굽히지 않고 뇌물을 받은 죄.

[不撓 불요] 굽히지 아니함. 흔들리지 않음.

[不辱君命 불욕군명] 임금의 명령을 욕되게 하지 않는다는 뜻으로, 외국으로 사신(使臣)가서 사명(使命)을 완수함을 이름.

[不用 불용] ㉠쓰지 아니함. ㉡소용이 없음.

[不容刀 불용도] 강이 좁아 작은 배도 들어가지 못함. 도(刀)는 도(舠).

[不用說 불용설] 말할 필요도 없음. 물론(勿論).

[不用意 불용의] 궁리하여 인공(人工)을 가하지 아니함. 자연(自然).

[不遇 불우] 때를 만나지 못함. 불운(不運)하여 재능을 가지고도 세상에 쓰이지 아니함.

[不虞 불우] ㉠미처 생각지도 못함. 예기(豫期)하지 아니함. ㉡뜻밖의 재난.

[不耦 불우] 불우(不遇).

[不遇時 불우시] 제때를 만나지 못함.

[不虞之變 불우지변] 뜻밖에 생기는 변고(變故).

[不虞之備 불우지비] 뜻밖의 일에 대한 준비.

[不虞之患 불우지환] 뜻밖에 생기는 환난.

[不運 불운] 운수가 나쁨. 불행함.

[不遠 불원] ㉠멀지 아니함. ㉡오래지 아니함.

[不遠千里 불원천리] 천 리(里)를 멀다 아니함.

[不怨天不尤人 불원천불우인] 어떠한 역경(逆境)에 처하여도 팔자가 기박(奇薄)하다고 하늘을 원망하거나 세상 사람들이 자기를 몰라 준다고 탓하지 않고 태연히 도(道)를 닦음.

[不遺餘力 불유여력] 있는 힘을 남기지 않고 다 씀.

[不遊環 불유환] 그릇의 두 쪽 귀에 고착되어 놀지 않는 고리.

[不允 불윤] 임금이 용허(容許)하지 아니함.

[不乙 불을] 불실(不悉).

[不應 불응] 응하지 아니함.

[不意 불의] ㉠뜻밖. 의외(意外). ㉡마음에 두지 않음. 유의하지 않음.

[不義 불의] 의리(義理)에 어그러짐. 인도(人道)에 어긋남.

[不意之變 불의지변] 뜻밖의 변고(變故). 「부귀.

[不義之富貴 불의지부귀] 부정한 수단으로 얻은

[不義之財 불의지재] 부정한 수단으로 얻은 재물(財物).

[不疑何卜 불의하복] 점을 침은 의심을 풀기 위한 것이므로, 의심이 없을 때는 점을 칠 필요가 없다는 말.

[不二 불이] ㉠둘도 없음. ㉡둘이 아님. 단지 하나임. ㉢같음. ㉣둘로 하지 아니함. 달리 하지 아니함.

[不二價 불이가] 에누리 없는 값. 정가(正價).

[不貳過 불이과] 잘못을 두 번 다시 저지르지 아니함. 같은 잘못을 되풀이하지 아니함.

[不易得 불이득] 얻기 쉽지 아니함.

[不夷不惠 불이불혜] 백이(伯夷)와 같이 편벽되지도 않고 유하혜(柳下惠)와 같이 불공(不恭)하지도 않아 출처 진퇴(出處進退)가 언제나 시의(時宜)에 맞음.

[不二法門 불이법문] 8만 4천의 법문(法門) 중에서 그 제일의제(第一義諦)를 이름.

[不以人廢言 불이인폐언] 옳은 말이면 말한 사람의 신분이 낮다 할지라도 결코 버려서는 안됨.

[不仁 불인] ㉠어질지 아니함. 잔인함. ㉡수족(手足)이 마비(痲痺)됨.

[不忍 불인] 차마 하지 못함.

[不忍見 불인견] 차마 볼 수 없음.

[不忍聞 불인문] 차마 들을 수 없음.

[不忍言 불인언] 차마 말할 수 없음.

[不因人熱 불인인열] 독립하여 남의 힘을 빌리지 않는다는 뜻.

[不忍正視 불인정시] 차마 바로 볼 수가 없음.

[不忍之心 불인지심] 차마 할 수 없는 마음.

[不忍之政 불인지정] 대단히 가혹한 정치.

[不一 불일] ㉠한결같지 아니함. 고르지 아니함. ㉡불을(不乙).

[不日 불일] ㉠날짜를 정하지 아니함. 기한을 두지 아니함. ㉡일광이 보이지 아니함. ㉢며칠 걸리지 아니함. ㉣며칠 안으로. 불일내(不日內)로.

[不一其端 불일기단] 일의 실마리가 한둘이 아님.

[不日成之 불일성지] 며칠 안으로 이룩함.

[不日送之 불일송지] 며칠 안으로 보냄.

[不一而足 불일이족] 하나만이 아님. 대단히 많음. 자주 나타남.

[不一致 불일치] 일치하지 아니함.

[不入虎穴不得虎子 불입호혈부득호자] 범의 굴에 들어가지 아니하면 범의 새끼를 잡지 못한다는 뜻으로, 위험을 무릅쓰지 않고서는 큰 이익을 얻을 수 없다는 말.

[不次 불차] ㉠순서·순번에 의하지 아니함. ㉡불선(不宣).

[不借 불차] 짚신의 이칭(異稱). 초혜(草鞋).

[不次擢用 불차탁용] 벼슬의 차례를 밟지 않고 발탁하여 씀.

[不贊成 불찬성] 찬성하지 아니함.

[不察 불찰] 자세(仔細)히 살펴보지 못하여 저지른 잘못.

[不天 불천] 하늘의 도움을 받지 못함.

[不遷怒 불천노] 갑(甲)에게 대한 분노를 을(乙)에게 풀지 아니함. 엉뚱한 사람에게 화풀이하지 아니함.

[不踐迹 불천적] 종래(從來)의 관례(慣例)에 따르지 아니하고 자기 의사대로 행함.

[不撤薑食 불철강식] 생강은 몸에 유익하므로 공자(孔子)가 식사(食事)할 때에 언제나 생강을 가려내지 아니하고 먹었다는 고사(故事).

[不撤晝夜 불철주야] 밤낮을 가리지 아니하고 일에 힘씀.

[不聽 불청] 듣지 아니함.

[不請客 불청객] 청하지 아니한 손.

[不逮 불체] 미치지 못함.

[不肖 불초] ㉠아버지를 닮지 않아 미련함. ㉡미련함. ㉢자기의 겸칭(謙稱).

[不肖孤 불초고] 부모가 죽은 뒤 졸곡(卒哭) 때까지 상제가 자기를 일컫는 말.

[不肖子 불초자] 아들이 부모에게 대하여 자기를 일컫는 말. 불초남(不肖男).

[不觸 불촉] 손으로 직접 건드리지 아니함.

[不出凡眼 불출범안] 범인(凡人)의 눈으로 보아서도 알 만큼 선악이 환함.

[不出所料 불출소료] 미리 생각한 바와 틀리지 아니함.

[不出戶知天下 불출호지천하] 집 속에 있어 천하의 일을 앎. 들어앉아서 세상일을 앎. 심오한 도리(道理)를 깨친 사람의 경지(境地)를 이름.

[不忠 불충] ㉠충성을 다하지 아니함. 신하(臣下)의 도리를 다하지 아니함. 임금을 배반함. ㉡남을 위하여 정성을 다하지 아니함.

[不取 불취] 취하지 아니함.

[不就 불취] 어떠한 일에 대하여 나서지 아니함.

[不揣其本而齊其末 불취기본이제기말] 근본을

헤아리지 아니하고 끝만 가지런히 한다는 뜻
으로, 근본을 추구(推究)하지 아니하고 지엽
적인 것만 따지는 잘못을 지적한 말.
[不娶同姓 불취동성] 성이 같은 사람끼리는 혼
인(婚姻)을 아니함.
[不測 불측] 미루어 생각하기 어려움. 알기 어
려움. 알 수 없음.
[不測之變 불측지변] 뜻밖에 일어나는 사변(事
變).
[不測之淵 불측지연] 깊이를 알지 못하는 못이
라는 뜻으로, 위험한 곳, 불안한 것의 비유
(譬喩)로 쓰임.
[不治 불치] 병이 낫지 아니함.
[不齒 불치] ㉠호적(戶籍)에 수록(收錄)하지 않
음. 옛날에는 연치(年齒)의 순서대로 사람을
호적부(戶籍簿)에 기록하였으므로 이름. ㉡동
등하게 취급(取扱)하지 않음.
[不治病 불치병] 고칠 수 없는 병. 고질(痼疾).
[不侈不儉 불치불검] 사치하지도 검소하지도 않
고 수수함.
[不痴不聾不成姑公 불치불롱불성고공] 며느리에
대하여 바보나 귀머거리가 되지 않으면 좋은
시어머니라 말할 수 없음.
[不直一錢 불치일전] 한 푼의 값어치도 없음.
무능(無能)함을 비꼬는 말.
[不恥下問 불치하문] 자기보다 학식(學識)이 낮
은 사람에게 모르는 것을 묻는 것을 부끄럽게
여기지 아니함.
[不親切 불친절] 친절하지 아니함.
[不快 불쾌] ㉠마음이 상쾌하지 아니함. 기분이
좋지 아니함. ㉡병(病).
[不托 불탁] 물만두. 일설(一說)에는 떡국.
[不通 불통] ㉠통하지 아니함. ㉡연락이 끊어
짐. ㉢글 또는 말을 알지 못함.
[不憚煩 불탄번] 번잡(煩雜)을 마다하지 아니함.
번잡한 것을 꺼리지 않음.
[不退轉 불퇴전] ㉠《佛敎》일심(一心)으로 부처
를 믿어, 이미 얻은 공덕(功德)을 잃지 않음.
㉡일심불란(一心不亂)함. 꾸준히 힘씀.
[不便 불편] 편리하지 아니함. 거북스러움.
[不偏不黨 불편부당] 어느 쪽에도 치우치지 아
니함.
[不平 불평] ㉠공평하지 아니함. ㉡마음에 불만
스럽게 생각함.
[不平等 불평등] 평등하지 못함.
[不廢卷 불폐권] 불석권(不釋卷).
[不蔽風雨 불폐풍우] 집이 헐어서 비바람을 가
리지 못함.
[不避湯火 불피탕화] 물불을 가리지 아니함.
[不避風雨 불피풍우] 비바람을 무릅쓰고 일함.
[不必要 불필요] 필요하지 아니함.
[不必再言 불필재언] 다시 말할 필요가 없음.
[不必他求 불필타구] 다른 데에 구할 필요가 없
음.
[不下 불하] ㉠못하지 아니함. 어떤 수 이하에
내려가지 아니함. ㉡항복하지 아니함.
[不下一杖 불하일장] 매 한 대도 치지 않았다는
뜻으로, 죄인이 매 한 대도 맞기 전에 미리
자백함을 이름.
[不學 불학] 배우지 아니함. 학문이 없음.
[不學亡術 불학무술] 학문도 없고 책략(策略)도
없음. 불학 무술(不學無術).
[不學無識 불학무식] 배운 것이 없어 아는 것이

없음.
[不閑 불한] 《佛敎》불도(佛道)를 열심히 닦느
라고 조금도 겨를이 없음.
[不汗黨 불한당] 떼를 지어 돌아다니는 강도.
[不寒不熱 불한불열] 기후(氣候)가 춥지도 않고
덥지도 아니함.
[不咸 불함] ㉠마음에 차지 않음. ㉡뜻이 맞지
않음. 또, 그런 것.
[不合 불합] ㉠뜻에 맞지 아니함. ㉡뜻이 서로
맞지 않음. 화합하지 아니함.
[不合格 불합격] ㉠합격(合格)하지 못함. ㉡격
식(格式)에 맞지 아니함.
[不合理 불합리] 이치에 맞지 아니함.
[不合意 불합의] ㉠뜻에 어그러짐. ㉡의사가 맞
지 아니함.
[不解衣帶 불해의대] 옷을 벗지 아니함.
[不幸 불행] ㉠운수가 나빠서 언짢은 일을 당
함. ㉡사람이 죽음. 사망함.
[不享 불향] 불공(不共).
[不許 불허] 허락하지 아니함.
[不許葷酒入山門 불허훈주입산문] 《佛敎》훈채
(葷菜)는 부정(不淨)하고 술은 정념(淨念)을
어지럽히기 때문에 청정(淸淨)한 사찰(寺刹)
안으로 들여옴을 허락하지 아니함. 절의 문
곁의 계단석(戒壇石)에 새기는 글임.
[不見齒 불현치] 이를 나타내지 않음. 곧, 웃지
않음을 이름.
[不血食 불혈식] 희생(犧牲)을 올려 제사를 지
내지 못한다는 뜻으로, 나라가 망함을 이름.
[不愜 불협] 뜻이 맞지 아니함.
[不挾長 불협장] 재능·기예 등이 뛰어난 것을
뽐내지 아니함.
[不慧 불혜] 부재(不才).
[不好 불호] 좋아하지 아니함.
[不惑 불혹] ㉠미혹(迷惑)하지 아니함. ㉡40세
의 일컬음. 불혹지년(不惑之年). 공자(孔子)
가 40세 때부터 세상일에 미혹하지 않았다고
한 데서 나온 말.
[不惑之年 불혹지년] 불혹(不惑)🄛.
[不和 불화] 사이가 서로 화합(和合)하지 못함.
[不確定 불확정] 확정되지 아니함.
[不患人之不己知 불환인지불기지] 남이 자기 재
덕(才德)을 몰라주더라도 조금도 개의하지 아
니함.
[不遑啓處 불황계처] 집 안에서 편히 쉴 겨를이
없음.
[不獲命 불획명] 어명(御命)을 얻지 못함. 윤허
(允許)가 내리지 아니함.
[不孝 불효] ㉠자식(子息)이 부모를 잘 섬기지
아니함. ㉡상중(喪中)에 있을 때의 자
칭(自稱). 청조(淸朝)의 초기부터 쓰였음.
[不孝子 불효자] 부모를 잘 섬기지 아니하는 자
식.　　　　　　　　　　　　　　　　［전함.
[不朽 불후] 썩어서 없어지지 아니함. 영구히
[不朽之功 불후지공] 영구히 전하는 큰 공(功).
[不朽之盛事 불후지성사] ㉠영구히 썩지 않고 남
는 성대(盛大)한 사업(事業). ㉡문장(文章)을
이름.
[不諱 불휘] ㉠군부(君父)의 함자(銜字)를 함부
로 씀. ㉡꺼리지 않고 간함. 직간(直諫)함.
㉢불가휘(不可諱).
[不恤緯 불휼위] 주(周)나라 때 베를 짜는 과부
가 씨줄이 모자라는 것을 걱정하지 않고 나라

가 망하는 것을 근심하였다는 고사(故事). 전
(轉)하여, 자기 몸을 돌보지 않고 나랏일을
근심함을 이름.
[不歆非類 불흠비류] 귀신은 그 족류(族類)가
아닌 자가 지내는 제사는 흠향(歆饗)하지 아
니함.

³⁄₄ [丐] 개 ㉿泰 古太切 gài

字解 ①빌 개 달라고 함. '納干一取士'《唐書》.
②빌릴 개 빌려 줌. '飢寒無所貸一'《唐書》. ③
거지 개 비렁뱅이. '卑隷傭一, 皆得上父母之邱
墓'《柳宗元》.
參考 ①丐(次條)과는 別字. ②匂(勹部 三畫)
가 匄(勹部 三劃)로 변화하고, 다시 변형(變
形)된 자형(字形)이 '丐'임.

[丐乞 개걸] ㉠빌어먹음. ㉡거지.
[丐食 개식] 빌어먹음.
[丐子 개자] 구걸하는 자. 거지.
[丐取 개취] 졸라 대어 손에 넣음.
[丐戶 개호] 장쑤 성(江蘇省)·저장 성(浙江省)
일대에 살았던 하층 계급의 사람의 이름. 개
자(丐子).
●干丐. 歆丐. 乞丐. 貸丐. 士丐. 要丐. 流丐.
遊丐.

³⁄₄ [丏] 면 ㉿銑 彌殄切 miǎn

字解 ①가릴 면 엄폐(掩蔽)하여 보이지 않게
함. '一, 不見也'《說文》. ②살막이토담 면 '一,
避箭短牆也'《字彙》.
字源 象形. 사람이 가면(假面)을 쓴 모양
을 본떠서, '덮어 가리다', '보이지
않다'의 뜻을 나타냄.
參考 丐(前條)와는 別字.

³⁄₄ [丈] 〔장〕
丈(一部 二畫〈p.26〉)의 俗字

³⁄₄ [丘] 〔구〕
丘(一部 四畫〈p.41〉)와 同字
參考 공자(孔子)의 휘(諱)를 피(避)하여 만든
글자.

³⁄₄ [卮] 하 ㉿歌 虎何切 hē

字解 기쁨을 하 맺혔던 기(氣)가 뻗어 나옴.
字源 指事. '一'로 막히어 맺혔던 기운의 뜻인
'丂'의 모양을 거꾸로 함.

³⁄₄ [丑] 中人 축
(추㉿) ㉦有 敕久切 chǒu

筆順 フ コ ユ 丑

字解 ①둘째지지 축 십이지(十二支) 중의 제이
위(第二位). 시간으로는 오전 1시부터 3시까지
의 사이. 방위로는 자(子)와 인(寅) 사이. 곧,
북동(北東). 띠로는 소. '一時'. '一方'. 달로는
음력 12월. ②수갑 축 고랑. ③성 축 성(姓)의 하
나.
字源 甲骨文 金文 篆文 象形. 손가락에 잔뜩 힘을
주어 비트는 모양을 나타

냄. 가차(假借)하여, 십이지(十二支)의 둘째로
쓰임.

[丑末 축말] 축시(丑時)의 마지막. 곧, 오전 3
시경.
[丑方 축방] 이십사방위(二十四方位)의 하나. 정
북(正北)으로부터 동으로 30도(度) 되는 방위
를 중심으로 한 좌우 15도의 방위.
[丑時 축시] 오전 1시부터 3시까지.

[卅] 〔삽〕
十部 二畫(p. 296)을 보라.

³⁄₄ [与] 〔여〕
與(臼部 七畫〈p.1880〉)의 俗字
字源 篆文 象形. 본디는 牙와 같은 자(字)로 맞
물린 이[齒]의 象形. 동아리를 짜서
주고받는 뜻을 나타냄.

³⁄₄ [与] 〔여〕
與(臼部 七畫〈p.1880〉)의 俗字
參考 与(前條)의 변형(變形).

⁴⁄₅ [丙] 中人 병 ㉿梗 兵永切 bǐng

筆順 一 丆 丙 丙 丙

字解 ①셋째천간 병, 남녘 병 십간(十干) 중의
제삼위(第三位). 방위로는 남쪽, 오행(五行)으
로는 불에 배당함. '一丁'. ②셋째 병 셋째.
'遂出貴人姉妹置一舍'《後漢書》. ③불 병
'付一'은 불에 던져 태운다는 뜻. '共付一丁'
《王守仁》. ④강(剛)할 병 굳셈. 단단함. '一,
剛'《廣雅》. ⑤빛날 병 밝음. 환함. '一, 炳也.
物生炳然, 皆著見也'《釋名》. ⑥성 병 성(姓)의
하나.
字源 甲骨文 丙 金文 冂 篆文 丙 象形. 다리가 내뻗친
상의 모양을 본뜸. 가
차(假借)하여 십간(十干)의 셋째로 쓰임.

[丙科 병과] 시험 성적의 셋째 등급.
[丙吉 병길] 전한(前漢)의 선제(宣帝) 때의 재
상(宰相). 무제(武帝) 재위 중에 옥리(獄吏)로
있을 때 선제(宣帝)가 위태자(衛太子)의 일로
옥에 갇힌 것을 동정하여 보양(保養)한 공으
로 선제가 즉위한 후 박양후(博陽侯)에 봉후
(封候)되고 승상(丞相)으로 승진하였음.
[丙吉牛喘 병길우천] 전한(前漢)의 명상(名相)
병길(丙吉)이 소가 허덕이는 것을 보고 시
후(時侯)가 조화(調和)를 잃은 것을 알아 천
하(天下)의 정치에 더욱 주의한 고사(故事).
[丙部 병부] 자류(子類)의 서적. 자서(子書). 제
자류(諸子類). 당대(唐代)에 경(經)·사(史)·
자(子)·집(集)의 사부(四部)의 서적을 갑·을·
병·정으로 구분하였으므로 이름.
[丙舍 병사] ㉠궁중(宮中)의 제3등의 사(舍).
㉡묘막(墓幕).
[丙夜 병야] 밤을 갑·을·병·정·무의 오야(五
夜)로 나눈 것 중의 셋째 시각. 오후 12시경.
삼경(三更).
[丙午丁未 병오정미] 시속(時俗)에 병오년과 정
미년의 두 해를 액년(厄年)이라 하여 재액이
많다고 꺼림.

[丙魏 병위] 전한(前漢) 선제(宣帝) 때의 명상
(名相) 병길(丙吉)과 위상(魏相).
[丙丁 병정] 병(丙)과 정(丁)은 모두 오행(五行)
의 불에 배당하므로, 불의 뜻으로 쓰임.

4
⑤ [世] 🀙 ㉮세 ㉠霽 舒制切 shì
　　　　 🀚 ㉯생 ㉭庚 師敬切 shēng

筆順 一 十 卄 世 世

字解 ■ ①인간 세 ‘一界’. ‘一上’. ‘辟一之士’
《論語》. ②시세 세 때. 시대. ‘與一推移’《史記》.
③세대 세 30년. ‘必一而後仁’《論語》. ④대 세
㉠한 왕조(王朝)의 계속하는 동안. ‘夏后之一’
《詩經》. ㉡부자(父子)의 상속(相續). ‘君子之
澤五一而斬’《孟子》. ⑤해 세 한 해. ‘去國三一’
《禮記》. ⑥평생 세 일생. ‘沒一不忘也’《大學》.
⑦대대로 세 여러 대를. 누대(屢代). ‘一襲
‘一有哲王’《詩經》. ⑧대이을 세 대대로 계속함.
‘凡周之士, 不顯亦一’《詩經》. ⑨성 세 성(姓)의
하나. ■ 날 생 生(部首)과 同字. ‘皮膚爪髮
隨一隨落’《列子》.
字源 金文 止 篆文 世 會意. 본래 ‘十’을 세 개 합쳐
서 ‘30, 30년, 오랜 시간의 흐
름’의 뜻을 보이며, 전(轉)하여 ‘세상’의 뜻도
나타냄.

[世家 세가] 대대로 국록(國祿)을 타 먹는 집안.
작록(爵祿)을 세습(世襲)하는 집안. 곧, 제후
(諸侯)·왕 등의 집안.
[世間 세간] ㉠세상. 인간(人間). 인세(人
世). ㉡《佛敎》중생(衆生)이 서로 의지하며
살아가는 세상. 출세간(出世間)의 대(對).
[世降俗末 세강속말] 세상이 내려갈수록 못되어
져서 풍속이 어지러움.
[世居 세거] 대대로 삶.
[世卿 세경] 세습(世襲)의 경(卿). 춘추 시대(春
秋時代)의 제도에서 대대로 경(卿)이 되는 사
람.
[世系 세계] 대대의 계통. 대대로 계승하는 혈통
(血統).
[世界 세계] ㉠이 세상. 세간(世間). ㉡이 세상
사람. 세인(世人). ㉢지구상의 모든 나라. 만
국(萬國). ㉣천지(天地). 우주(宇宙). ㉤지구
(地球). 사해(四海). ㉥나라. 토지. ㉦같은 종
류의 것의 모임. 사회(社會). ㉧구역. 범위.
㉨《佛敎》과거·현재·미래의 삼세(三世)를 세
(世)라 하고 동서·남북·상하를 계(界)라 함.
곧, 시간과 공간의 전체. 객관적 현상(現象)
의 온 범위.
[世界觀 세계관] 세계의 본질(本質)과 의의(意
義)에 관한 견해.
[世界記錄 세계기록] 세계에서 가장 우수한 경기
성적의 기록.
[世界語 세계어] 온 세상 사람이 다 같이 공통
으로 쓸 수 있게 하기 위하여 만든 말. 에스
페란토 같은 것. 국제어(國際語).
[世界主義 세계주의] 민족이나 국가를 도외시하
고 온 세계의 인류를 한 덩어리로 하는 세계
국가를 구성하여 세계의 평화적 발전을 도모
(圖謀)하려고 하는 주의. 국제주의(國際主義).
국가주의(國家主義)의 대(對).
[世告 세고] 모든 번국(蕃國). 옛날에 구주(九
州) 밖의 번국(蕃國)의 수장(首長)은 그 자리

에 오를 때마다 반드시 조근(朝覲)하여 천자
(天子)에게 그 뜻을 아뢰게 되어 있었으므로
[世故 세고] 세상일. 세속(世俗)의 일.
[世官 세관] 대대로 하는 같은 벼슬. 세습(世襲)
의 벼슬.
[世交 세교] 대대로 사귀어 온 교분(交分).
[世教 세교] 사회의 풍교(風敎).
[世仇 세구] 대대로 내려오는 원수. 세수(世讐).
[世局 세국] 세상의 되어 가는 형편. 시대의 정
세. 시국(時局).
[世規 세규] 사회의 규율(規律).
[世及 세급] 세습(世襲).
[世紀 세기] ㉠100년. 100년간. ㉡서력(西曆)으
로 기원 원년부터 세어 100년씩 나눈 기간의
칭호(21세기는 2001～2100년). ㉢시대. 연대
(年代).
[世紀末 세기말] 19세기(世紀) 말기(末期)에 과
학의 진보에 의하여 재래의 이상주의적 인생
관이 타파(打破)되고 퇴폐적(頹廢的)·회의적
인 풍조(風潮)가 인심(人心)을 지배한 시기.
전(轉)하여, 사회가 몰락(沒落期)에 들어가
퇴폐적인 사회 현상이 나타나는 시기를 이름.
[世難 세난] 세상살이의 어려움.
[世年 세년] 세월(歲月).
[世念 세념] 세상살이에 관한 생각. 세속(世俗)
일에 관한 생각. 속념(俗念).
[世代 세대] ㉠시대. 세상(世上). ㉡대(代). 연
대(年代)의 층(層).
[世途 세도] ㉠이 세상(世上). ㉡처세(處世)의 방
법. 처세술. 세로(世路).
[世塗 세도] 세도(世途).
[世道 세도] 세상 사람이 지켜야 할 도덕. 세상
의 도의(道義). 사회 도덕.
[世道人心 세도인심] 세상의 도의(道義)와 사람
의 마음. 풍교(風敎).
[世篤忠貞 세독충정] 대대로 독실히 충성을 다함.
[世羅 세라] 세상의 그물이라는 뜻으로, 국법
(國法) 또는 정치(政治)를 이름. 황강(皇綱).
[世亂識忠臣 세란식충신] 세상이 어지러운 연후
에 비로소 누가 충신인지 알 수 있음.
[世路 세로] 세도(世途).
[世祿 세록] 대대로 타는 녹봉(祿俸). 세습(世襲)의
국록(國祿). 또, 그 녹을 탐.
[世祿之臣 세록지신] 대대로 국록(國祿)을 타는
신하(臣下). 세신(世臣).
[世論 세론] ㉠세상의 의론(議論). 여론(輿論). 물론
(物論). 물의(物議). ㉡불교 신자가 유교(儒
敎)를 가리켜 이르는 말.
[世累 세루] 세속(世俗)의 번거로운 일. 속루
(俗累).
[世吏 세리] 대대로 벼슬아치가 될 자격이 있는
사람. 세습(世襲)에 의하여 임용되는 벼슬아
치. 세습의 관리.
[世網 세망] 세상의 그물이라는 뜻으로, 세상의
계루(係累), 곧 세루(世累)를 이름. 세승(世
繩).
[世母 세모] 큰어머니. 백모(伯母).
[世務 세무] 당세에 할 일. 시무(時務).
[世門 세문] 세가(世家).
[世味 세미] 세상의 맛. 세태인정(世態人情).
[世法 세법] 이 세상의 법. 속세(俗世)의 법.
[世範 세범] 세상의 모범.

[世變 세변] ㉠세상의 변천. ㉡세상의 어지러움. 세상의 변란 (變亂).
[世譜 세보] 대대의 계보 (系譜).
[世父 세부] 큰아버지. 백부 (伯父). 세 (世)는 대 (代)를 잇는다는 뜻임.
[世婦 세부] 고대 (古代)에 부인 (婦人) 다음가는 후궁 (後宮)의 여관 (女官). 비빈 (妃嬪)에 해당함.
[世紛 세분] 세상의 분란 (紛亂).
[世祀 세사] 대대로 전하여 내려오며 지내는 제사.
[世事 세사] ㉠세상일. 세속 (世俗) 일. 세고 (世故). ㉡당세에 할 일. 세무 (世務).
[世嗣 세사] 제후 (諸侯)의 사자 (嗣子). 세자 (世子).
[世上 세상] 사람이 살고 있는 땅 위. 세간 (世間).
[世相 세상] 세태 (世態).
[世說 세설] 세상의 풍설 (風說).
[世世 세세] 대대로. 대대 (代代).
[世世相傳 세세상전] 대대로 전하여 내려옴.
[世生生 세세생생] 《佛教》 몇 번이고 다시 환생 (幻生)하는 일.
[世俗 세속] ㉠세상의 풍속. ㉡세상 (世上). ㉢세상의 속인 (俗人). 세상 사람. 보통 사람.
[世孫 세손] 세자 (世子)의 사자 (嗣子).
[世守 세수] 대대로 지켜 내려옴.
[世數 세수] 대 (代)의 수.
[世讎 세수] 대대로 내려오는 원수. 세구 (世仇).
[世襲 세습] 작위·재산 등을 대대로 이어받음. 세급 (世及).
[世繩 세승] 세망 (世網).
[世臣 세신] 대대로 섬기는 신하. 세록지신 (世祿之臣).
[世室 세실] 천자 (天子)의 종묘 (宗廟).
[世諺 세언] 세상에서 널리 쓰는 이언 (俚諺). 속담 (俗談).
[世業 세업] 대대로 내려오는 가업 (家業).
[世緣 세연] 이 세상의 인연 (因緣). 속연 (俗緣).
[世塵 세진] 세상의 너저분한 일. 속세 (俗世).
[世榮 세영] 세상의 영예.   ㄴ일.
[世譽 세예] 세상의 명예.
[世外 세외] ㉠세속 (世俗)을 떠난 깨끗한 땅. 별세계 (別世界). 선경 (仙境). ㉡속세 (俗世)의 누 (累)를 벗어난 경우 (境遇).
[世運 세운] 세상의 운수. 시세 (時世)의 변천.
[世雄 세웅] 《佛教》 부처의 존호 (尊號). 부처는 가장 웅맹심 (雄猛心)이 많아 모든 번뇌 (煩惱)를 끊으므로 이름.
[世儒 세유] ㉠세상에서 떠받드는 유학자. 세속 (世俗)의 유학자. 속유 (俗儒). ㉡대대로 가학 (家學)을 전하는 유학자.
[世蔭 세음] 좋은 문벌 (門閥).
[世誼 세의] 대대로 사귀어 내려온 정의 (情誼).
[世醫 세의] 대대로 의약 (醫藥)을 업으로 하는 일. 또 그 의원 (醫員).
[世議 세의] 세상의 의론. 세평 (世評).
[世人 세인] 세상 사람.
[世子 세자] 천자 (天子)의 후사 (後嗣). 후세 (後世)에는 오로지 제후 (諸侯)나 왕 (王)의 후사의 뜻으로 쓰이고 천자의 후사인 태자 (太子)와 구별하게 되었음. 세사 (世嗣).
[世子嬪 세자빈] 세자의 아내.

[世爵 세작] 세습 (世襲)의 작위 (爵位).
[世箴 세잠] 세상의 교훈 (教訓).
[世葬 세장] 어느 장소에 대대로 장사 지냄.
[世才 세재] 처세 (處世)하는 재능.
[世嫡 세적] 집의 대 (代)를 잇는 사람. 적사 (嫡嗣). 총적 (家嫡).
[世傳 세전] 대대로 전함. 세세상전 (世世相傳).
[世傳之物 세전지물] 대대로 전하여 내려오는 물건.
[世情 세정] ㉠세상의 물정 (物情). 세태인정 (世態人情). ㉡세속 (世俗) 일에 대하여 쓰는 마음.
[世諦 세제] 《佛教》 속세 (俗世)의 실상 (實狀)에 따라서 알기 쉽게 설명한 진리. 속제 (俗諦).
[世濟其美 세제기미] 후대 사람이 대대로 전대 사람을 계승하여 그 미덕 (美德)을 완성함.
[世族 세족] 세가 (世家).
[世尊 세존] 《佛教》 석가모니 (釋迦牟尼)의 존칭 (尊稱). 석가모니는 세간 (世間)·출세간 (出世間)의 사람이 모두 존경한다는 뜻임.
[世主 세주] 임금. 군주 (君主).
[世胄 세주] ㉠세가 (世家). ㉡맏아들. 사자 (嗣子).
[世中 세중] 세상. 사회.
[世塵 세진] 세상의 귀찮고 너저분한 일. 세속 (世俗)의 일.
[世諦 세체] 세제 (世諦).
[世忠 세충] 대대의 충성 (忠誠).
[世稱 세칭] 세상에서의 일컬음.
[世態 세태] 세상의 형편. 세정 (世情).
[世態炎涼 세태염량] 세정 (世情)의 성쇠 (盛衰).
[世態人情 세태인정] 세상의 형편과 인심의 동태 (動態).
[世澤 세택] 조상이 남긴 은택.
[世統 세통] 세계 (世系).
[世波 세파] 험궂은 풍파. 험난 (險難)한 세상.
[世評 세평] 세상의 평판.
[世標 세표] 세범 (世範).
[世嫌 세혐] 대대로 지녀 내려오는 혐원 (嫌怨).
[世兄 세형] 벗의 아들의 경칭 (敬稱).
● 家世. 愾世. 蓋世. 擧世. 隔世. 經世. 季世. 繫世. 高世. 曲學阿世. 過世. 曠世. 救世. 近世. 今世. 金玉世. 金革世. 亂世. 來世. 累世. 短世. 當世. 逾世. 晩世. 萬世. 末世. 沒世. 拔山蓋世. 百世. 辟世. 竝世. 本支百世. 逢世. 浮世. 不世. 三世. 上世. 先世. 盛世. 聖世. 俗世. 衰世. 夙世. 叔世. 宿世. 時世. 身世. 阿世. 歷世. 列世. 閱世. 厭世. 永世. 往世. 澆世. 遺世. 人世. 一世. 前世. 轉世. 絕世. 濟世. 早世. 中世. 塵世. 創世. 處世. 清世. 超世. 出世. 治世. 濁世. 平世. 奕世. 現世. 幻世. 後世.

⁴⁄₅ [卋] 世 (前條)와 同字

[未] 〔미〕木部 一畫 (p. 1027)을 보라.

[末] 〔말〕木部 一畫 (p. 1028)을 보라.

[本] 〔본〕木部 一畫 (p. 1025)을 보라.

4
⑤ [且]

中人 〓 차 ㉠馬 七也切 qiě
〓〓 저 ㉤魚 子魚切 jū
〓〓 조 ㉠語 此與切 qù

筆順 丨 冂 冂 月 且

字解 〓 ①또 차 ㉠그 위에 또한. '孔子貧一賤《史記》. ㉡…爾言過矣《論語》. ㉢…까지도 또한. '臧獲一羞與之同名矣《史記》. ㉢…하면서. '飮一食兮《韓愈》. '一馳一射《漢書》 ㉣그러함에도 불구하고 또한. '行雖修而不顯於衆, 猶一月費俸錢《韓愈》. ㉤우선. 잠시. '一以喜樂, 一以永日《詩經》 ㉥가설(假設)의 말. 비록. '予縱不得大葬, 予死於道路乎《論語》. ②만일 차 만약. '一如'로 연용(連用)하기도 함. '君一欲霸王, 非吾吾, 不可《史記》 ③장차 차 장차 …하려. '城一拔矣《戰國策》. ④이 차 此(止部 二畫)와 뜻이 같음. '匪一有一《詩經》. ⑤구차스러울 차 고식적(姑息的)임. '與物一者, 其身不容, 焉能容人《莊子》. ⑥성 차 성(姓)의 하나. 〓 ①머뭇거릴 저 망설임. 趄(走部 五畫)와 同字. '其行次一《易經》. ②많을 저 많은 모양. '籩豆有一《詩經》 ③어조사 저 어세(語勢)를 강하게 하는 조사(助辭). '不見子都, 乃見狂一《詩經》. ④공경스러울 저 공근(恭謹)한 모양. '有蕢有一《詩經》. 〓 도마 조, 적대 조 俎(人部 七畫)와 同字. '俎本作一《正字通》.

字源 甲骨文 金文 篆文 古文 象形. 받침 위에 신(神)에게 바칠 희생을 겹쳐 쌓은 모양을 본떠서 '도마'의 뜻을 나타냄. '俎'의 원자(原字). '또한', '장차 …하려 하다' 따위 뜻의 조사(助辭)로도 전용(轉用)함.

[且看 차간] 잠시 봄.
[且驚且喜 차경차희] 한편으로 놀라고 한편으로는 기뻐함.
[且得 차득] 그것은 그렇다 치더라도. 차희(且喜).
[且夫 차부] 그리고 또한. 전문(前文)에 이어 다음 글을 강하게 말할 때의 발어사(發語辭).
[且月 차월] 음력 6월의 별칭(別稱).
[且戰且走 차전차주] 한편으로 싸우며 한편으로는 달아남.
[且千 차천] 수가 많은 모양.
[且喜 차희] 《佛敎》 그것은 그렇다 치더라도. 차득(且得).
●姑且. 苟且. 卽且. 次且. 巴且.

4
⑤ [丕]

人名 비 ㉤支 敷悲切 pī

字解 ①클 비 '一業'. '嘉乃一績《書經》. ②으뜸 비 원시(元始). 첫째. '是有一子之責于天《詩經》. ③받들 비 봉행(奉行)함. '一天之大律《漢書》. ④엄숙할 비 장중함. '一, 莊也《小爾雅》. ⑤성 비 성(姓)의 하나.

字源 金文 篆文 形聲. 一+不〔音〕. '不부'는 볼록히 부푼 씨방을 본뜬 모양에서 '부풀고 큰'의 뜻을 나타내는데, '不'가 부정사(否定詞)로 쓰이게 되자 '一'을 덧붙여 그것과 구별했음.

[丕構 비구] 비업(丕業).
[丕基 비기] 제왕(帝王)의 큰 기업(基業). 홍기(鴻基). 대기(大基).
[丕圖 비도] 큰 계획. 홍도(鴻圖).
[丕烈 비렬] 비열(丕烈).
[丕命 비명] 천자(天子)의 명령. 군주의 명령. 대명(大命). 군명(君命).
[丕丕 비비] 큰 모양.
[丕基 비비기] 비기(丕基).
[丕緖 비서] 비적(丕績).
[丕承 비승] 천자(天子)가 제업(帝業)을 계승(繼承)함.
[丕業 비업] 큰 사업. 대업(大業). 홍업(洪業). 위업(偉業). 비구(丕構).
[丕烈 비렬] 비적(丕績).
[丕子 비자] 천자(天子)의 적장자(嫡長子). 원자(元子). 태자(太子).
[丕績 비적] 큰 공적. 대공(大功).
[丕祚 비조] 천자(天子)의 지위. 보조(寶祚). 성조(聖祚).
[丕址 비지] 큰 기지(基址). 큰 기초.
[丕祉 비지] 큰 복(福). 대행(大幸).
[丕闡 비천] 크게 나타남.
[丕顯 비현] 크게 밝음. 크게 나타남.
[丕顯德 비현덕] 크게 밝은 덕. 훌륭한 덕.
[丕訓 비훈] 큰 교훈. 큰 훈계.
[丕休 비휴] 큰 경사(慶事).
[丕欽 비흠] 몹시 공경(恭敬)함.

4
⑤ [丘]

高人 구 ㉤尤 去鳩切 qiū

筆順 一 厂 斤 斤 丘

字解 ①언덕 구 구릉(丘陵). '一山'. '降一宅土'《書經》. ②메 구, 산 구 산악(山嶽). '崑崙山爲無熱一《水經注》. ③마을 구 방리(方一里)의 16배 되는 촌락. 4읍(邑) 128가(家)가 삶. '一井'. '四井爲邑, 四邑爲一《漢書》. ④무덤 구 분묘. '一壟'. '爲宮室, 不斬一木《禮記》. ⑤클 구 '一, 大也《廣韻》. ⑥손윗사람 구 '過其一嫂食《漢書》. ⑦모일 구 '一, 聚也《釋名》. ⑧빌 구 공허함. '一墟'. '寄居一亭《漢書》. ⑨성 구 성(姓)의 하나.

字源 甲骨文 金文 篆文 古文 象形. 甲骨文에서 알 수 있듯이 언덕을 본뜬 모양으로, '언덕'의 뜻을 나타냄. 능(陵)에 비해 작음.

[丘軻 구가] 공자(孔子)와 맹자(孟子). 구(丘)는 공자의 이름, 가(軻)는 맹자의 이름.
[丘甲 구갑] 한 구(丘), 곧 128집에서 징수(徵收)하는 세법(稅法).
[丘岡 구강] 언덕. 구릉(丘陵).
[丘壟 구롱] ㉠언덕. 구릉(丘陵). ㉡무덤. 분묘(墳墓).
[丘隴 구롱] 구롱(丘壟).
[丘陵 구릉] 언덕.
[丘里之言 구리지언] 시골 사람의 말. 이속(里俗)의 말. 상말. 비언(鄙諺). 구언(丘言).
[丘木 구목] 무덤 위에 난 나무.
[丘墓 구묘] 무덤. 분묘(墳墓).
[丘墓之鄕 구묘지향] 선산(先山)이 있는 시골. 추향(楸鄕).
[丘民 구민] ㉠많은 백성. ㉡시골 사람. 전부야인(田夫野人).

[丘封 구봉] 언덕. 구릉(丘陵).
[丘阜 구부] 언덕. 구릉(丘陵).
[丘賦 구부] 128집이 사는 한 구(丘)의 백성에게 부과하는 구실. 말 한 필과 소 세 마리를 냄.
[丘墳 구분] ㉠무덤. 분묘(墳墓). ㉡언덕. 구릉(丘陵). ㉢〈구구(九丘)〉와 〈삼분(三墳)〉. 모두 고서(古書)의 이름.
[丘史 구사] 공(功)이 있는 신하에게 임금이 내려준 지방의 관노비(官奴婢).
[丘索 구색] 〈구구(九丘)〉와 〈팔삭(八索)〉. 모두 고서(古書)의 이름.
[丘山 구산] ㉠언덕과 산. ㉡많은 물건의 비유. ㉢조용히 정지하는 형용.
[丘山臺 구산대] 물건을 높이 쌓은 더미.
[丘壻 구서] 죽은 딸의 남편.
[丘首 구수] 여우는 한평생 언덕에 굴을 파고 살기 때문에 죽을 때에 머리를 반드시 언덕 쪽으로 두고 죽는다는 뜻으로, 근본을 잊지 않거나 또는 고향을 생각함을 이름.
[丘嫂 구수] 큰형수. 맏형수.
[丘隰 구습] 고지(高地)와 저지(低地).
[丘言 구언] 구리지언(丘里之言).
[丘塋 구영] 무덤. 구묘(丘墓).
[丘隅 구우] 언덕의 모퉁이.
[丘園 구원] ㉠언덕진 동산. 언덕의 동산. ㉡언덕과 동산. 은거(隱居)하는 땅을 이름.
[丘坻 구저] 언덕. 구릉(丘陵).
[丘井 구정] 마을. 촌락(村落). 1정(井)은 1리 사방(四方)의 여덟 집이 사는 마을. 1구(丘)는 16정(井)이 사는 마을.
[丘亭 구정] 빈 집. 공가(空家).
[丘兆 구조] 무덤. 구묘(丘墓).
[丘垤 구질] 언덕과 개밋둑. 부질(阜垤).
[丘冢 구총] 무덤. 구묘(丘墓).
[丘塚 구총] 구총(丘冢).
[丘坂 구판] 언덕과 산비탈.
[丘壑 구학] 언덕과 골짜기. 속세(俗世)를 떠난 곳.
[丘墟 구허] ㉠큰 언덕. ㉡성터. 성지(城址). ㉢빈 터. 또, 공허(空虛).
●介丘. 葵丘. 陵丘. 東家丘. 旄丘. 方丘. 蓬丘. 比丘. 山丘. 小丘. 首丘. 崇丘. 阿丘. 圓丘.

4
⑤ [屮] 丘(前條)와 同字

4
⑤ [业] 業(木部 九畫〈p.1090〉)의 簡體字

5
⑥ [両] 兩(入部 六畫〈p.204〉)의 俗字

5
⑥ [甛] 첨 ⑪琰 他點切 tiàn
⑰豔 他念切
[字解] ①혀모양 첨 '一, 舌皃'《說文》. ②핥을 첨 혀끝을 드러내어 핥음. '一, 以舌鉤取也'《六書正譌》.
[字源] 象形. 입에서 혀를 내민 모양을 본뜸.

5
⑥ [甛] 〔기〕 箕(竹部 八畫〈p.1669〉)의 古字

5
⑥ [丽] 〔려·리〕 麗(鹿部 八畫〈p.2691〉)의 古字

5
⑥ [丕] 〔불·부〕 不(一部 三畫〈p.30〉)의 本字

[再] 〔재〕 冂部 四畫(p.222)을 보라.

[西] 〔서〕 両部(p.2081)를 보라.

[而] 〔이〕 部首(p.1817)를 보라.

[百] 〔백〕 白部 一畫(p.1506)을 보라.

[吏] 〔리〕 口部 三畫(p.345)을 보라.

5
⑥ [丞] 〔入名〕⊟승 ㉠蒸 署陵切 chéng
⊟증 ㉡迥 蒸之上聲 zhěng

[筆順] 一 了 了 才 丞 丞 丞

[字解] ⊟①도울 승 보좌함. '一天子'《漢書》. 또, 돕는 사람. 장관(長官)을 보좌하는 사람. '遺一請還'《古詩》. ②받들 승 承(手部 四畫)의 古字. '一上指'《史記》. ③벼슬이름 승 장관의 뜻을 받들어 사무를 처리하는 벼슬. '一史'. '有六一'《漢書》. ⊟①나아갈 증 향상(向上)하는 모양. 蒸(艸部 十畫)·烝(火部 六畫)의 古字. '一一治不至姦'《史記》. ②구할 증. 도울 증 구원함. 원조함. 拯(手部 六畫)과 통용. '一民於農桑'《揚雄》. ※'승' 음은 인명자로 쓰임.
[字源] 會意. 甲骨文은 ㄈㄈ + 卩 + 凵. ㄈㄈ는 양손을 나타낸 모양. 卩은 무릎 꿇은 사람의 형상. 凵은 함정의 상형(象形). 함정에 빠진 사람을 두 손으로 건져 올리는 모양에서, '돕다'의 뜻을 보임.

[丞史 승사] 승(丞)과 사(史). 모두 장관(長官)의 속료(屬僚)임.
[丞相 승상] 천자(天子)를 보좌하는 대신. 정승(政丞). 재상(宰相).
[丞掾 승연] 승(丞)과 연(掾). 모두 장관(長官)의 속료(屬僚)임.
[丞丞 증증] ㉠사물이 왕성하게 일어나는 모양. ㉡나아가는 모양. 향상(向上)하는 모양. 증증(烝烝). 증증(蒸蒸).
●郡丞. 御史中丞. 驛丞. 縣丞.

5
⑥ [丢] 주 ㉱尤 丁羞切 diū
[字解] ①아주갈 주 한번 가면 돌아오지 않음. '一, 一去不還也'《字彙》. ②던질 주 '一下'. ③《現》잃어버릴 주.
[字源] 會意. 一+去. 한번 떠나가 버리다, 던지다, 잃어버리다의 뜻을 나타냄.

[丢巧針 주교침] 음력 7월 칠석날 저녁에 부녀(婦女)들이 직녀성(織女星)에게 바늘을 물에 띄워 바느질을 잘할 수 있게 하여 달라고 빌던 일.

5
⑥ [北]
〔구〕
丘(一部 四畫〈p.41〉)의 本字

[**吉**]
〔세〕
十部 四畫(p.304)을 보라.

[更]
〔경〕
日部 三畫(p.972)을 보라.

6
⑦ [所]
〔소〕
所(戶部 四畫〈p.840〉)의 俗字

6
⑦ [兩]
〔량〕兩(入部 六畫〈p.204〉)의 俗字·簡體字

6
⑦ [乑]
〔유〕
酉(部首〈p.2350〉)의 古字
参考 卯(戶部 三畫〈p.839〉)는 別字.

6
⑦ [麗]
〔려·리〕
麗(鹿部 八畫〈p.2691〉)의 簡體字

[事]
〔사〕
亅部 七畫(p.70)을 보라.

7
⑧ [並]
高 〔병〕
人
竝(立部 五畫〈p.1647〉)과 同字
筆順 ` ˇ ⺌ 计 艹 並 並 並

7
⑧ [丽]
〔려·리〕
麗(鹿部 八畫〈p.2691〉)의 古字

8
⑨ [𠦂]
並(前前條)과 同字

10
⑪ [盟]
두 去宥 徒口切 dòu
字解 ①술그릇 두 옛날에 술을 담는 예기(禮器)의 하나. '鐙, 一'《說文》. ②구기 두 술을 푸는 제구. 斗(部首)와 同字

12
⑬ [憂]
〔우〕
憂(心部 十一畫〈p.808〉)의 俗字

12
⑬ [虜]
〔우〕
虞(虍部 七畫〈p.1999〉)의 俗字

13
⑭ [虧]
〔휴〕
虧(虍部 十一畫〈p.2000〉)의 俗字

14
⑮ [盡]
〔곤〕
壺(土部 十畫〈p.475〉)의 俗字

丨 (1획) 部
〔뚫을곤부〕

0
① [丨] 곤 上阮 古本切 gǔn

筆順 丨

字解 위아래로통할 곤 상하(上下)를 통함.
字源 篆 指事. 세로의 한 획으로, 상하(上下)로
文 통하는 뜻을 보이는데, '丨'이 독립된 문자로 쓰이는 예는 없음. 문자 정리상 부수로 침.

1
② [屮]
二 구 尤 居求切 jiū
一
교 篠 巨夭切
字解 一 얽힐 구 서로 얽힘. '一, 相糾繚也. 一日, 瓜瓠結屮起'《說文》. 二 얽힐 교 曰과 뜻이 같음.
字源 象形. 끈이 서로 얽혀 있는 모양을 본뜸.

1
② [卟]
〔복〕
卜(部首〈p.311〉)의 古字

2
③ [个]
개 去箇 古賀切 gè
字解 ①낱 개, 개개 물건의 수를 세는 말. 箇(竹部 八畫)·個(人部 八畫)와 同字. '一', '搉三—挾—'《儀禮》. ②곁방 개 몸채의 사면(四面)에 있는 좁은 방. 편실(偏室). '君居右一'《禮記》. ③한사람 개 1인. 介(人部 二畫)와 同字. '又弱一—焉'《左傳》.
字源 象形. 본디 대나무의 줄기를 본뜬 모양. 수효를 세는 말로 쓰임.
参考 個(人部 八畫)·箇(竹部 八畫)의 簡體字.

[个个 개개] 하나하나. 한 개 한 개.
[个人 개인] 한 사람. 개인(個人).
●一个.

2
③ [丫]
아 中麻 於加切 yā
字解 ①가닥 아, 가장귀 아 물건의 가닥진 형상. 또, 나뭇가지의 아귀. '一叉', '一, 象物岐之形'《廣韻》. ②총각 아 어린아이의 머리를 두 가닥으로 나누어 땋아서 머리의 양쪽에 뿔 모양으로 잡아맨 것. '徒使蒼頭一髻, 巨扇揮颺'《歐陽修》. ③《現》포크 아 두 가닥진 삼지창.
字源 象形. 물건의 위가 두 가닥으로 갈라진 모양을 본떠, 두 갈래, 두 가닥 뿔 모양으로 둥글게 묶어 올린 머리의 뜻을 나타냄.

[丫髻 아계] 총각(總角)으로 땋은 머리. 전(轉)하여 소녀(少女). 또 계집종. 비녀(婢女).
[丫童 아동] 아동(兒童). 소년.
[丫頭 아두] 아계(丫髻).
[丫丫 아아] 머리를 총각(總角)으로 땋은 모양.
[丫叉 아차] ㉠팔짱을 낌. ㉡가장귀.
[丫鬟 아환] 아계(丫髻).

3
④ [中]
中 중 ①-⑬上東 陟弓切 zhōng
人 ⑭-⑯去送 陟仲切 zhòng
筆順 丨 ㄇ 口 中

字解 ①가운데 중 ㉠속. 내부. '美在其一'《易經》. ㉡한가운데. 중앙. '一心', '洛陽居天下之一'《李格非》. 또, 한가운데에 있음. '一天下而立'《孟子》. ㉢상하·대소·전후 등의 사이. 중

간. ‘一旬’ ‘上一下’. ‘其書始言一理, 一散爲萬事, 末復合爲一理’《中庸》. ②동아리. 반려(伴侶). ‘軍—’. ‘在市屠—’《史記》. ②안 쪽 내측(內側). ‘—外’. ‘—表’. ‘若錐之處囊—’《史記》. ③중 중 ㉠과불급(過不及)이 없는 도(道). 중용의 도. ‘—庸’. ‘執允厥—’《書經》. ㉡치우치지 않은 순정(純正)의 덕(德). ‘—也者天下之大本也’《中庸》. ㉢천지(天地)의 정기(正氣). ‘民受天地之一以生’《左傳》. ④마음 중 심정. 충심(衷心). ‘情動於—’《史記》. ⑤몸 중 신체. ‘文子其一退然如不勝衣’《禮記》. ⑥대궐안 중 금중(禁中). 또, 정부. ‘其事當—’《後漢書》. ⑦반 중 절반. 반분(半分). ‘—途’. ‘得亦—, 失亦—’《列子》. ⑧곧을 중, 바를 중 ‘頭頸必—’《禮記》. ⑨찰 중 분량에 참. ‘一二千石’ (‘比二千石’의 대)《漢書》. ⑩그을 중 균등함. ‘斷擊之—’《禮記》. ⑪뚫을 중 꿰뚫음. ‘—其莖’《周禮》. ⑫버금 중 仲(人部 四畫)과 통용. ‘—兄’. ‘律中—몸’《禮記》. ⑬성 중 성(姓)의 하나. ⑭맞을 중 ㉠과녁에 맞음. ‘百發百—’. ‘射—則得爲諸侯’《禮記》. ㉡예언·점 같은 것이 맞음. ‘所言多一’《蜀志》. ‘靈竹占屢一’《魏書》. ㉢계책이 맞음. ‘是秦之計一也’《戰國策》. ㉣뜻에 맞음. ‘未嘗不—吾志’《左傳》. ㉤적당함. ‘刑罰—則民畏死’《尹文子》. ㉥일치함. ‘從容一道’《中庸》. ㉦응(應)함. ‘律—大簇’《禮記》. ㉧몸의 독이 됨. 몸이 상함. ‘—風’. ‘—毒’. ‘—身當心則爲病’《莊子》. ㉨합격함. ‘武成親試之, 皆一’《北齊書》. ⑮맞힐 중 포항의 타동사. ‘危法—之’ (죄에 빠뜨림)《唐書》. ⑯격할 중 사이에 둠. ‘—年’. ‘—月而禫’《儀禮》.

字源 甲骨文 金文 篆文 古文 指事. 어떤 것을 하나의 선(線)으로 꿰뚫어 ‘속·안’의 뜻을 나타냄. 甲骨文·金文으로 특히 군대의 중앙에 세운 깃발 모양으로, ‘속’의 뜻을 보임. ‘맞다, 맞히다’의 뜻일 때에는, 속으로 들어가는 뜻을 나타냄.

[中間 중간] ㉠가운데, 사이. ㉡소개(紹介).
[中堅 중견] ㉠정예(精銳)한 군사가 모인 중군(中軍). ㉡장군(將軍)의 칭호.
[中京 중경] ㉠중하(中夏)❶. ㉡남조(南朝)에서 당대(唐代)까지의 낙양(洛陽)의 일컬음. ㉢당(唐)나라의 발해현덕부(渤海顯德府)·요(遼)나라의 대정부(大定府)·금(金)나라의 금창부(金昌府)의 일컬음. ㉣(韓) 고려(高麗)의 서울 개성(開城)의 일컬음.
[中徑 중경] 지름. 직경(直徑).
[中景 중경] 그림의 전경(前景)과 원경(遠景)과의 중간의 부분.
[中經 중경] 경서(經書)를 분량에 의하여 대·중·소로 나눈 것 중의 중간 것으로서 시경(詩經)·의례(儀禮)·주례(周禮)의 총칭.
[中扃外閉 중경외폐] 마음속의 욕심을 밖에 나타내지 않고, 외부의 사악(邪惡)을 마음속에 들어오지 못하게 하는 일. 경(扃)은 폐(閉).
[中計 중계] 중책(中策).
[中古 중고] 상고(上古)와 근세(近世)와의 사이. 중세(中世). ㉡약간 흠. 또, 그 물건.
[中古主義 중고주의] 중세(中世)에 구주(歐洲)에서 일어난 개인의 해방, 신생활의 요구를 주장한 주의. 중세주의(中世主義).
[中空 중공] ㉠중천(中天). ㉡속이 빔.

[中官 중관] ㉠환관(宦官). 중인(中人). ㉡지방관(地方官)에 대하여 조정(朝廷)에서 근무하는 벼슬아치. 조관(朝官).
[中冓 중구] ㉠궁중(宮中)의 깊숙한 곳. 또, 부부(夫婦)가 거처하는 방. 내실(內室). ㉡음란(淫亂)한 일.
[中國 중국] ㉠세계의 중앙에 있는 나라라는 뜻. 중국 사람이 자기 나라를 일컫는 말. 중주(中州). ㉡나라의 중앙.
[中軍 중군] 상·중·하 삼군(三軍)의 중앙의 군대. 주장(主將)이 거느리는 정예(精銳)한 군대의 중군(中權).
[中帬 중군] 속옷. 내의(內衣).
[中宮 중궁] ㉠황후(皇后)의 일컬음. ㉡북극성(北極星). ㉢(韓) 중궁전(中宮殿).
[中宮殿 중궁전] (韓) 왕비(王妃)의 존칭(尊稱).
[中權 중권] 중군(中軍).
[中權後勁 중권후경] 삼군(三軍) 중에서 중군(中軍)은 주장(主將)이 있는 군대로서 권모(權謀)를 쓰고, 후군(後軍)은 정병(精兵)을 모은 군대로서 용감히 싸워 강함.
[中饋 중궤] 주부(主婦)가 부엌 안에서 한집안의 식사(食事)를 주장(主掌)하는 일. 전(轉)하여, 아내의 일컬음.
[中貴人 중귀인] 궁중(宮中)에서 굄을 받는 사람. 후세(後世)에는 오로지 환관(宦官)을 이름.
[中逵 중규] 한길의 가운데.
[中氣 중기] ㉠중풍(中風). ㉡동지(冬至)를 기점(起點)으로 하여 다음의 동지까지의 기간을 12등분(等分)한 구분점(區分點). 곧, 동지(冬至)·대한(大寒)·우수(雨水)·춘분(春分)·곡우(穀雨)·소만(小滿)·하지(夏至)·대서(大暑)·처서(處暑)·추분(秋分)·상강(霜降)·소설(小雪).
[中男 중남] ㉠둘째 아들. 차남(次男). ㉡당대(唐代)에서 17세 이상 20세 이하의 남자.
[中年 중년] ㉠청년과 노년과의 사이의 연령. 곧, 40세 전후의 원기가 왕성한 때. ㉡중세(中世). ㉢풍년도 흉년도 아닌 수확이 보통인 해. 평년(平年). ㉣한 해를 격(隔)함.
[中農 중농] 대지주와 소작인의 중간층의 농민. 머슴을 두고 자작(自作)하는 농민.
[中單 중단] (韓) 남자의 상복(喪服) 속에 입는 소매가 넓은 두루마기.
[中斷 중단] 중간이 끊어짐. 또, 중간을 끊음. 중절(中絕).
[中堂 중당] ㉠중앙의 궁전(宮殿). ㉡재상(宰相)이 정사(政事)를 보는 곳. ㉢당상(堂上)의 남북의 중간.
[中唐 중당] ㉠종묘(宗廟)의 문에서 종묘로 가는 중정(中庭)의 길. ㉡시학상(詩學上) 시체(詩體)의 변천에 따라서 당대(唐代)를 초당(初唐)·성당(盛唐)·중당(中唐)·만당(晚唐)의 네 기간으로 구분한 것 중의 셋째. 대종(代宗)의 대력(大曆) 4년, 서기 762년부터 헌종(憲宗)의 원화(元和) 15년, 서기 840년까지의 70여 년 간으로서, 백거이(白居易)·한유(韓愈)·유종원(柳宗元) 등을 배출(輩出)하였음.
[中隊 중대] 육군과 해병대의 부대 편제상(部隊編制上)의 이름. 셋 내지 네 소대(小隊)로 구성된 부대.
[中臺 중대] 《佛敎》 중존(中尊)을 안치(安置)하는 대(臺).

[中途 중도] ㉠가는 길의 중간. ㉡하는 일의 중간. 반도(半途). ㉢길의 한가운데. 길의 복판. 중도(中道).

[中都 중도] 지명(地名). 지금의 산둥 성(山東省) 문상현(汶上縣). 공자(孔子)가 일찍이 이곳의 재(宰)가 된 일이 있음.

[中道 중도] ㉠과불급(過不及)이 없는 중용(中庸)의 도(道). 중정(中正)의 도. ㉡길의 한가운데. 길의 복판. ㉢일의 중간. 중도(中途).

[中塗 중도] 중도(中道) ㉡.

[中道而廢 중도이폐] 일을 하다가 중간에서 그만둠.

[中毒 중독] 음식물이나 약 같은 것의 독성(毒性)에 치어서 기능(機能)의 장애(障礙)를 일으키는 일.

[中等 중등] 상등과 하등, 또는 고등과 초등의 사이.

[中郎 중랑] ㉠중랑장(中郎將). ㉡동진(東晉)·남북조 시대(南北朝時代)의 여러 공부(公府) 및 장군(將軍)의 속관(屬官). 수(隋)나라 이후에 폐(廢)하였음.

[中郎將 중랑장] 진대(秦代)부터 당대(唐代) 이전까지 전문(殿門)과 숙위(宿衛)의 일을 맡은 마을의 장관(長官). 약하여 단지 '중랑'이라고도 함.

[中略 중략] 중간의 글귀를 생략함.

[中呂 중려] 십이율(十二律)의 하나. 달로는 4월에 배당하므로, 전(轉)하여 음력 4월의 별칭(別稱)으로 쓰임. 중려(仲呂).

[中老 중로] 초로(初老), 곧 40세 전후의 사람에 대하여 50~60세 전후의 사람을 이름. 중늙은이.

[中路 중로] ㉠길의 한가운데. 길의 복판. ㉡다니는 길의 중간. 중도(中途).

[中論 중론] 책 이름. 후한(後漢) 사람 서간(徐幹)의 찬(撰). 2권 20편.

[中牢 중뢰] 소뢰(少牢)의 별칭(別稱).

[中壘 중루] ㉠한대(漢代)의 집금오(執金吾)의 속관(屬官). ㉡한대(漢代)에 북군 누문(北軍 樓門)의 안을 맡고, 또 서좌(西座)도 관리하던 벼슬.

[中流 중류] ㉠하천(河川)의 중앙. ㉡중등. 중위(中位).

[中霤 중류] ㉠방 가운데. 방의 중앙. 경대부(卿大夫)의 집에서는 토신(土神)을 제사 지내는 곳임. 옛날에 혈거(穴居)하였을 때 위에 구멍을 뚫고 채광(採光)을 하였는데, 비 올 때 그곳에서 낙숫물이 떨어졌으므로 이름. ㉡가옥을 지키는 신(神).

[中流擊楫 중류격즙] 굳은 결심을 보이느라고 강의 한복판에서 노로 뱃전을 침.

[中流砥柱 중류지주] 허난 성(河南省) 산저우(陜州)에서 동쪽으로 40리 되는 황하(黃河)의 중류에 있는 주상(柱狀)의 돌. 강이 판판하여 숫돌 같으며, 격류(激流) 속에서 우뚝 솟아 꼼짝도 하지 않으므로, 난세(亂世)에 처하여 의연(毅然)히 절개를 지키는 선비의 비유로 쓰임.

[中立 중립] ㉠양자의 어느 쪽에도 치우치지 아니함. 중정 독립(中正獨立). ㉡곧아 한쪽으로 기울지 아니함. ㉢교전국(交戰國)의 어느 쪽에도 편들지 아니함.

[中立國 중립국] 교전국(交戰國)의 어느 쪽에도 편들지 않고, 또 전쟁에 영향을 끼치는 행동을 일체 피하는 나라. 국외(局外) 중립국과 영세(永世) 중립국의 두 가지가 있음.

[中立不偏 중립불편] 한가운데에 있어 어느 쪽에도 치우치지 아니함.

[中無所主 중무소주] 줏대가 없음. 주견(主見)이 없음.

[中門 중문] 대궐(大闕)의 가운데 문.

[中民 중민] 중산 계급(中産階級)의 백성.

[中飯 중반] ㉠점심. 오찬(午餐). ㉡밥을 먹을 때. 식사 중.

[中枋 중방] 중인방(中引枋).

[中保 중보] 두 쪽 사이에 서서 일을 주선하는 사람.

[中伏 중복] 삼복(三伏)의 하나. 하지(夏至) 뒤의 넷째 경일(庚日). '삼복(三伏)'을 보라.

[中腹 중복] 산의 중턱. 산복(山腹).

[中部 중부] 가운데 부분.

[中賁 중분] 중간쯤 해서 일어남.

[中分 중분] 가운데에서 나눔. 둘로 똑같게 가름. 절반함.

[中士 중사] ㉠사(士)를 상·중·하의 세 계급으로 나눈 것의 둘째. ㉡하사관 계급의 하나(상사의 아래, 하사의 위).

[中使 중사] 궁중(宮中)에서 보내는 사신(使臣). 내밀(內密)히 보내는 사신. 내사(內使).

[中射 중사] 전국 시대(戰國時代)에 제후(諸侯)의 궁성(宮城)을 수비하던 무인(武人).

[中謝 중사] ㉠신하가 천자(天子)에게 올리는 표문(表文)에 '성황성구돈수돈수(誠惶誠懼頓首頓首)'의 여덟 자를 쓴 것을 나중에 베끼는 경우에 이를 생략하는 표시로 쓰는 말. ㉡임관(任官)의 명(命)을 받고 입궐(入闕)하여 사례(謝禮)함.

[中産 중산] 중등의 재산.

[中産階級 중산계급] 유산자와 무산자의 중간에 있는 사회층(社會層). 곧, 중소 상공업자·소지주·봉급생활자의 계급.

[中山 중산] ㉠유구(琉球)의 별칭(別稱). ㉡전국 시대(戰國時代)의 나라 이름. 지금의 허베이 성(河北省) 정현(定縣)의 땅. ㉢당(唐)나라의 지명(地名). 고래로 품질이 썩 좋은 붓을 산출함. 지금의 안후이 성(安徽省) 의성현(宜城縣). ㉣광둥 성(廣東省) 남부의 현명(縣名). 고명(古名)은 향산(香山)인데 현내의 취형촌(翠亨村)이 손문(孫文)의 출생지인 까닭에 그의 호(號)를 따서 민국(民國) 14년에 중산현으로 개칭하였음.

[中山酒 중산주] 술 이름. 취기가 오래 깨지 않는 좋은 술이라 함.

[中商 중상] 되넘기장사도 하고, 남의 거간(居間)도 하는 장수.

[中傷 중상] 사실무근(事實無根)의 말을 하여 남의 명예를 손상시킴.

[中殤 중상] 열두 살부터 열다섯 살까지에 죽는 일. 요사(夭死).

[中庶 중서] 《韓》 중인(中人)과 서얼(庶孽).

[中書 중서] ㉠궁중(宮中)에서 천자(天子)의 조명(詔命) 등을 맡은 벼슬. 후세(後世)에는 대정(大政)을 총리(總理)하는 내각(內閣)이 되었음. ㉡궁중의 비부(祕府)의 서적. 천자(天子)가 비장(祕藏)하는 서적.

[中暑 중서] 더위 먹는 일. 더위로 인하여 생기

는 병.

[中書君 중서군] 붓〔筆〕의 아칭(雅稱).

[中書令 중서령] 중서성(中書省)의 장관(長官).

[中書門下 중서문하] 당(唐)나라 개원(開元) 11년에 정사당(政事堂)을 고친 이름. 구제(舊制)에 재상(宰相)이 항상 문하성(門下省)에서 정사(政事)를 의논하였는데, 이를 정사당이라 하였음.

[中書省 중서성] 기무(機務)·조명(詔命)·비기(祕記) 등을 관장(管掌)하는 관서(官署).

[中書侍郎 중서시랑] 중서성(中書省)의 한 벼슬. 중서랑(中書郎).

[中夕 중석] 한밤중. 정밤중. 야반(夜半). 중야(中夜). 중소(中宵).

[中昔 중석] 중석(中夕).

[中性 중성] ㉠이것도 저것도 아닌 중간의 성질. ㉡남성(男性)도 여성(女性)도 아닌 성(性). ㉢산성(酸性)도 염기성(鹽氣性)도 아닌 성.

[中城 중성] 주장(主將)이 있는 내성(內城). 아성(牙城).

[中聲 중성] ㉠높지도 낮지도 않은 소리. ㉡중국 음악에서 상(商)의 가락. ㉢홀소리.

[中世 중세] ㉠고대와 현대, 또는 상대(上代)와 근세(近世)와의 사이의 시대. ㉡역사상의 시대 구분의 하나. 중고(中古). 중국에서는 진(秦)나라의 통일부터 당(唐)나라의 멸망까지, 우리나라에서는 고려 건국 초부터 그 멸망까지의 시대.

[中歲 중세] ㉠풍년도 흉년도 아닌 수확이 보통인 해. 평년(平年). 중년(中年). ㉡장정(壯丁)의 나이. 중년(中年).

[中宵 중소] 중석(中夕).

[中霄 중소] 중천(中天).

[中壽 중수] 중위(中位)의 수명(壽命). 80세. 일설에는 100세. '상수(上壽)'를 보라.

[中宿 중숙] 이틀 밤의 숙박. 이박(二泊). 신숙(信宿).

[中旬 중순] 한 달의 11일부터 20일까지의 열흘 동안.

[中試 중시] ㉠시험을 대·중·소의 세 등급으로 나눈 것 중의 중간의 것. ㉡시험에 합격함. 급제함.

[中始祖 중시조] 《韓》 쇠퇴한 집안을 중흥(中興)시킨 조상. 〔림.

[中食 중식] ㉠점심. 주식(晝食). ㉡식중독에 걸

[中身 중신] ㉠중년(中年)❶. ㉡몸의 중간.

[中室 중실] 방 안. 중류(中霤).

[中心 중심] ㉠마음속. 심중(心中). 중정(中情). ㉡한가운데. 복판. 중앙(中央). ㉢중요한 데. 중추(中樞). ㉣사물이 모이는 곳. ㉤직선의 양단, 또 원주(圓周)·구면(球面) 등의 모든 점에서 같은 거리(距離)에 있는 점. 중심(重心)·원심(圓心)·구심(球心) 따위.

[中丞相 중승상] 환관(宦官)으로서 승상(丞相)의 지위에 있는 자의 일컬음. 예컨대, 조고(趙高) 같은 사람.

[中岳 중악] 숭산(嵩山)의 별칭(別稱).

[中嶽 중악] 중악(中岳).

[中央 중앙] ㉠한가운데. 복판. ㉡중요한 위치. 중추(中樞).

[中央銀行 중앙은행] 전국의 모든 은행의 중심이 되어 금융(金融)의 통제를 하며, 은행의 자금 공급의 원천(源泉)이 되는 은행. 우리나라의 한국은행 따위.

[中央政府 중앙정부] 전국의 행정(行政)을 통할(統轄)하는 행정 관청.

[中央集權 중앙집권] 한 나라의 정치 권력을 중앙 정부에 집중하여, 지방의 관리는 단지 중앙의 지휘·명령에 복종하는 권력 조직.

[中夜 중야] 한밤중. 정밤중. 야반(夜半). 중석(中夕). 중소(中宵).

[中嚴 중엄] 궁성(宮城)의 경비(警備).

[中涓 중연] 궁중(宮中)의 청소(淸掃)를 맡은 사람. 또, 천자(天子)를 측근(側近)에서 모시는 사람.

[中熱 중열] 중서(中暑).

[中葉 중엽] ㉠중세(中世)❶. 엽(葉)은 세(世). ㉡어느 시대의 중간쯤 되는 시대.

[中午 중오] 오정. 정오(正午).

[中浣 중완] 중순(中旬).

[中外 중외] ㉠안과 밖. 내외(內外). ㉡국내와 국외. ㉢조정(朝廷)과 민간. 조야(朝野).

[中庸 중용] ㉠과불급(過不及)이 없는 중정(中正)의 도(道). 범상의 재능. 범상(凡常). ㉡책 이름. 사서(四書)의 하나. 공자(孔子)의 손자 자사(子思)의 저(著). 1권. 중용불편(中庸不偏)의 덕을 설명하였음. 원은 예기(禮記) 49편 중의 제31편임.

[中庸之道 중용지도] 중용(中庸)❶.

[中元 중원] 삼원(三元)의 하나. 음력 7월 15일. 백중(百中)날.

[中原 중원] ㉠들. 원야(原野). ㉡한족(漢族)의 발상지(發祥地)인 황하 유역을 이름. 지금의 북지(北支), 곧, 허베이(河北)·허난(河南)·산둥(山東)·산시 성(陝西省) 지방. ㉢천하(天下)의 중앙의 땅. 변방(邊方)이나 만국(蠻國)에 대하여 이름.

[中原之鹿 중원지록] 여러 사냥군이 한 마리의 사슴을 잡으려고 중원(中原)을 치구(馳驅)하는 모양을 군웅(群雄)이 제왕의 자리를 얻으려고 다투는 데 비유한 데서 나온 말로, 천자(天子)의 자리 또는 경쟁의 목적물을 이름.

[中尉 중위] ㉠경사(京師)를 경호(警護)하는 벼슬. 한무제(漢武帝) 때 집금오(執金吾)라고 고쳤음. ㉡《韓》 육·해·공군의 위관(尉官)의 제2위.

[中有 중유] 《佛敎》 사람이 죽어 다음의 생(生)을 받을 때까지의 49일 동안. 생유(生有)·본유(本有)·사유(死有)와 함께 사유(四有)의 하나.

[中允 중윤] 벼슬 이름. 동궁(東宮)의 속관(屬官)으로서 시종(侍從)·의례(儀禮) 등을 맡음.

[中陰 중음] 《佛敎》 중유(中有).

[中耳 중이] 귀청의 속. 청기(聽器)의 일부로서 고실(鼓室)과 이관(耳管)으로 이루어짐.

[中二千石 중이천석] 한대(漢代)의 제도에서, 관계(官階)를 석(石)으로 나타냈는데 이천석(二千石)은 최고의 벼슬이고, 중이천석은 이에 다음가는 벼슬임. 중(中)은 만(滿).

[中人 중인] ㉠지식·재주 등이 보통인 사람. 범상한 사람. 상인(常人). ㉡중류 생활을 하는 사람. ㉢체력이 보통인 사람. ㉣환관(宦官). ㉤귀(貴)하고 권세가 있는 사람. ㉥중개(仲介)하는 사람. 중인(仲人). ㉦《韓》 양반(兩班)과 상인(常人)의 중간의 계급에 있는 사람. 과거하여 벼슬할 자격은 없으나, 내의원

는 격 (格).

[主見 주견] 주장되는 의견.

[主敬存誠 주경존성] 공경 (恭敬)을 존중하고 성의 (誠意)를 보존함. 송유 (宋儒)는 이를 수신 (修身)의 근본으로 삼았음.

[主計 주계] 회계 (會計)를 맡음. 또, 그 벼슬.

[主顧 주고] 단골손님. 고객 (顧客).

[主公 주공] ㉠섬기는 사람. 주인 (主人). ㉡임금. 주군 (主君).

[主管 주관] 주장 (主掌)하여 관리함.

[主觀 주관] ㉠대상 (對象)을 인식 (認識)·사고 (思考)하는 주체 (主體). 객관 (客觀)의 대 (對). ㉡물건 그 자체.

[主國 주국] 서로 사신 (使臣)을 교환하고 있는 나라.

[主君 주군] ㉠임금. 군주 (君主). ㉡자기가 섬기는 주인을 부르는 경칭 (敬稱).

[主權 주권] 국가를 통치하는 최고·독립·절대적인 권력. 군주국에서는 군주, 공화국에서는 국민 또는 의회 (議會)의 권력을 이름.

[主饋 주궤] 가정에서 음식에 관한 일을 주관하는 여자.

[主器 주기] 사당 (祠堂)·종묘 (宗廟)의 제기 (祭器)를 맡아 간수하는 일. 이 일은 장자 (長子)가 맡으므로, 전 (轉)하여, 장자의 뜻으로 쓰임.

[主腦 주뇌] 수뇌 (首腦).

[主櫝 주독] 신주 (神主)를 모시는 독.

[主動 주동] 어떤 일에 주장이 되어 행동함.

[主力 주력] 중심이 되는 힘. 중심이 되는 세력.

[主領 주령] 두목. 수령 (首領).

[主流 주류] ㉠흐르는 큰 물의 주장되는 줄기. ㉡사조 (思潮)의 근본되는 줄기.

[主吏 주리] 서기 (書記).

[主盟 주맹] 맹세를 할 때 주장 (主掌)이 되는 사람. 맹주 (盟主).

[主命 주명] ㉠주인의 명령. ㉡군주 (君主)의 명령. ㉢천주 (天主)의 명령.

[主名不知 주명부지] 살인 (殺人)한 하수인이 누구인지 판명이 되지 아니함.

[主母 주모] 첩이 본처 (本妻)를 부르는 말. 주부 (主父)의 대 (對).

[主謀 주모] 주장하여 계교 (計巧)를 부림.

[主文 주문] ㉠글을 맡았다는 뜻으로, 과거 (科擧)의 시관 (試官)을 이름. ㉡(韓) 대제학 (大提學)의 별칭 (別稱).

[主犯 주범] 범죄 행위를 실행한 자. 정범 (正犯).

[主法 주법] 권리·의무의 내용을 규정한 법률. 민법·상법·형법 따위. 조법 (助法)의 대 (對).

[主壁 주벽] ㉠좌우로 벌여 앉은 자리의 한가운데의 주되는 자리. 또, 그 자리에 앉는 사람. ㉡사원 (祠院)에 모신 신주 (神主) 가운데에서 으뜸되는 신주.

[主僕 주복] 주인과 종. 상전과 하인.

[主峯 주봉] 주산 (主山)의 봉우리.

[主父 주부] ㉠한집안의 어른. 가장 (家長). ㉡첩 (妾)이 남편을 부르는 말. 주모 (主母)의 대 (對).

[主婦 주부] ㉠한집안의 주인의 아내. ㉡한집안의 제사 (祭祀)를 받드는 사람의 아내.

[主簿 주부] 문서·장부를 맡은 한대 (漢代) 이후의 벼슬.

[主父偃 주부언] 한 (漢)나라 때 학자. 임치 (臨淄) 사람. 주역 (周易)·춘추 (春秋) 백가 (百家)에 통하였으며, 무제 (武帝)의 신임을 받았음.

[主賓 주빈] ㉠주장되는 손님. ㉡주인과 손님. 주객.

[主司 주사] 과거 (科擧)의 시관 (試官).

[主事 주사] ㉠일을 주장 (主掌)함. 또, 그 사람. ㉡선종 (禪宗)의 승직 (僧職)의 이름.

[主使 주사] 범죄의 모주 (謀主)가 되어 남을 부려 죄를 범하게 하는 사람.

[主査 주사] 주장이 되어 조사함. 또, 그 사람.

[主辭 주사] 명제 (命題)의 주격 (主格)이 되는 말.

[主山 주산] ㉠북쪽의 높은 산. 안산 (按山). 객산 (客山)의 대 (對). ㉡한 산맥 중에서 중심이 되는 가장 큰 산. ㉢산수화 (山水畵)에서 중심이 되는 가장 큰 산.

[主産物 주산물] 어떤 지방에서 가장 많이 생산되는 물건.

[主上 주상] 임금. 천자 (天子).

[主書 주서] 문서를 맡은 벼슬.

[主席 주석] ㉠연회 등을 주재 (主宰)하는 사람. ㉡주인의 자리. ㉢단체 (團體)나 합의체 (合議體)의 통솔자 (統率者). ㉣정부 (政府)에서 제1위의 자리. 또, 나라를 대표하는 사람 중에서 주된 사람.

[主成分 주성분] 어떤 물질을 구성하는 주요한 성분.

[主勢 주세] 군주 (君主)로서의 권력.

[主帥 주수] 주장 (主將).

[主臣 주신] 신하 (臣下)가 임금에게 아뢸 때 임금을 부르는 말.

[主審 주심] 경기의 심판원의 우두머리.

[主眼 주안] 주가 되는 점. 중요한 점.

[主語 주어] 한 문장에서 주격 (主格)이 되는 말.

[主役 주역] ㉠주요한 역할. ㉡영화·연극의 주요 인물. 또, 주요한 역 (役)을 맡아 하는 배우.

[主演 주연] 연극·영화에서 주인공으로 분장하여 연기 (演技)를 함.

[主媼 주온] 늙은 주부 (主婦).

[主翁 주옹] 주인옹 (主人翁).

[主要 주요] 주 (主)되고 중요 (重要)로움.

[主辱臣死 주욕신사] 신하는 임금의 치욕을 씻기 위하여 목숨을 바침.

[主位 주위] ㉠중요한 지위. ㉡중요한 위치. 중요한 장소.

[主恩 주은] ㉠군주 (君主)의 은혜. 군은 (君恩). ㉡주인의 은혜. ㉢천주 (天主)의 은혜.

[主意 주의] ㉠군주 (君主)의 생각. ㉡중요한 뜻. 주지 (主旨). ㉢의지 (意志)를 주로 함.

[主義 주의] ㉠의 (義)를 주장삼음. ㉡굳게 지키어 변하지 않는 일정한 주장이나 방침. 주지 (主旨)로 삼아 주장하는 표준.

[主人 주인] ㉠한집안의 주장이 되는 사람. 가장 (家長). ㉡섬기는 사람. 고용주 (雇傭主). ㉢아내가 남편을 가리키어 일컫는 말.

[主因 주인] 주되는 원인·이유.

[主人公 주인공] ㉠주인 (主人)의 경칭 (敬稱). ㉡사건 또는 소설·희곡 중의 중요 인물.

[主人翁 주인옹] 주인공 (主人公) ❶.

[主一無適 주일무적] 마음을 한군데에 집중하여 잡념 (雜念)을 버리는 일. 정주 (程朱) 이후의 송유 (宋儒)의 수양설 (修養說)임.

[主任 주임] 어떤 임무를 주장하여 담당함. 또, 그 사람.

[主子 주자] ㉠천자(天子). ㉡주인(主人).
[主者 주자] 일을 주장(主掌)하는 사람.
[主張 주장] ㉠굳게 내세우는 의견. 지설(持說).
　㉡주재(主宰).
[主將 주장] ㉠여러 장군을 지휘 통솔하는 으뜸
　이 되는 장수. ㉡운동 경기에 있어서 팀을 통
　솔하는 사람.
[主掌 주장] 목대 잡아 맡음.
[主宰 주재] 주장(主掌)하여 처리함. 또, 그 사
　람.
[主裁 주재] 주재(主宰).
[主戰 주전] 전쟁하기를 주장함.
[主政 주정] 정권(政權)을 잡은 사람.
[主靜 주정] 마음을 가라앉혀 외계(外界)의 유
　혹에 움직이지 않는 일. 송유(宋儒)의 수양법
　임.
[主題 주제] ㉠주되는 제목. ㉡작품의 중심이 되
　는 사상 내용. 테마.
[主從 주종] ㉠주인(主人)과 종자(從者). ㉡주
　체(主體)와 종속(從屬).
[主旨 주지] 중요한 뜻. 주의(主意).
[主知說 주지설] 행위·경험보다 지성(知性)과
　이론적(理論的)인 것을 중히 여기는 설(說).
[主著 주착] 확실하게 정한 생각.
[主唱 주창] 앞장서서 창도(唱道)함.
[主鬯 주창] 울창주(鬱鬯酒)를 맡았다는 뜻인데,
　울창주는 종묘(宗廟)에서 제사 지낼 때 태자
　(太子)가 올리므로, 전(轉)하여 태자를 이름.
[主體 주체] ㉠군주(君主)의 몸. ㉡사물(事物)
　의 주장이 되는 부분.
[主催 주최] 어떠한 행사나 회합(會合)을 주장
　하여 엶. 또는 그 당자.
[主治 주치] 병을 주장(主掌)하여 다스림.
[主澤 주택] 주군(主君)의 은혜.
[主辦 주판] 어떤 사무를 주장하여 취급함. 또,
　그 사람.
[主筆 주필] 신문사나 잡지사(雜誌社) 등에서 기
　자(記者)의 수위(首位)에 앉아, 주요 기사·사
　설·논설 등을 집필하는 이.
[主婚 주혼] 혼사(婚事)를 주관(主管)함.
●家主. 公主. 救主. 舊主. 國主. 鬼主. 金主.
　吉主. 厓主. 大長公主. 貸主. 萬機主. 萬乘
　主. 盟主. 謀主. 木主. 無主. 伯主. 百川主.
　法主. 兵主. 副主. 北道主. 上公主. 常主.
　塞主. 城主. 聖主. 世主. 宿主. 神主. 心主.
　心肺主. 暗主. 弱主. 女主. 英主. 領主. 翁
　主. 窩主. 王主. 庸主. 幼主. 誼主. 議主.
　人主. 主主. 長公主. 嫡長主. 典主. 亭主.
　帝主. 祭主. 宗主. 座主. 地主. 眞主. 震主.
　天主. 天下主. 親主. 太公主. 統主. 賢主.
　戶主. 火主.

[永]〔영〕
　水部 一畫(p.1179)을 보라.

[以]〔이〕
　人部 三畫(p.99)을 보라.

4
⑤ [丼]〔정〕
　井(二部 二畫〈p.80〉)과 同字

4
⑤ [ㅂ]〔단〕
　丹(丶部 三畫〈p.49〉)의 古字

丿 (1획) 部
[삐침부]

0　[丿] 별 ㊀屑 普蔑切 piě
①

筆順 丿

字解 삐칠 별 오른편에서 왼편으로 삐친 형상.
字源 〔篆文〕丿 指事. 오른쪽 위에서 왼쪽 아래로 구
부려 그은 모양을 나타내어, 우(右)
에서 좌(左)로 굽혀 삐치는 모양을 보임. 부수
(部首)로 세워지며, 독립한 문자로 쓰이는 예는
없음. 서법(書法)에서, 붓을 왼쪽으로 삐치는
것을 '별(撇)'이라고 함.

0　[乀] 불 ㊀物 敷勿切 fú
①

字解 삐칠 불 왼편에서 오른편으로 삐친 형상.
字源 〔篆文〕乀 指事. '丿'을 반대로 한 모양으로, 왼
쪽에서 오른쪽으로 그어 구부리는 뜻
을 나타냄. 독립한 문자로 쓰이는 예는 없음.

0　[乁] 〔급〕
①　及(又部 二畫〈p.328〉)의 古字

1　[乂] ㉠名 ㊀예 ㊀隊 魚肺切 yì
②　　 ㊁애 ㊀泰 牛蓋切 ài

筆順 丿 乂

字解 ㊀①깎을 예, 벨 예 풀을 깎음. 刈(刀部
二畫)·艾(艸部 二畫)와 同字. ②다스릴 예 나
라를 다스림. '有能俾一'《書經》. ③다스려질
예 나라가 잘 다스려짐. '一安'. '政乃一'《書
經》. ④평온할 예 무사 안온함. '朝野安一'《北
史》. ⑤어진이 예 현명한 사람. 현재(賢才).
'俊一在官'《書經》. ⑥적적할 예, 쓸쓸할 예 '山
澤含哀, 天地肅一'《陸雲》. ㊁징계할 애 징치
(懲治)함, 경계함. '懲懲一而不改'《劉向》. ※
'예' 음은 인명자로 쓰임.
字源 〔甲骨文〕乂 〔篆文〕乂 象形. 풀을 베는 가위를 본뜬 모
양으로, 풀을 베는 뜻을 나타냄.

[乂寧 예녕] 예안(乂安).
[乂安 예안] 잘 다스려져 편안함.
[乂淸 예청] 잘 다스려져 조용함.
●康乂. 保乂. 蕭乂. 安乂. 英乂. 俊乂. 創
　乂. 統乂.

[九]〔구〕
　乙部 一畫(p.58)을 보라.

1　[乃] ㊀人 ㊀내 ㊀賄 奴亥切 nǎi
②　　　 ㊁애 ㊀賄 依亥切 ǎi

筆順 丿 乃

字解 ㊀①이에 내 ㉠이리하여. '一命羲和'《書
經》. ㉡곧. 즉. '見一謂之象'《易經》. ②어조사
내 두 가지 사물을 들어 말할 때 어세(語勢)를

고르게 하기 위하여 쓰는 말. '一武一文'. '一聖一神'《書經》. ③너 내 汝(水部 三畫)와 뜻이 같음. '嘉一丕績'《書經》. ④그 내 ⑦其(八部 六畫)와 뜻이 같음. '惟一祖一父'《書經》. ⑥그 사람. '是自其所以一'《莊子》. ⑤아무 내 아무개. 모(某). '祝稱卜葬虞, 子孫曰哀, 夫曰一'《禮記》. ⑥접때 내 이전에. '一昔'으로 연용(連用)하기도 함. '一者過桂山'《戰國策》. ⑦ 다스릴 내 治(水部 五畫)와 뜻이 같음. '五月一瓜'《大戴禮》. ⑧성 내 성(姓)의 하나. 〓 뱃노래 애 '欸一'는 배를 저어 가며 부르는 노래. 뱃노래. '欸一一聲山水綠'《柳宗元》.

字源 [甲骨文] ᒣᒣᒣ [金文] 𝟹 [篆文] 𝟹 [古文] 𝟹 [籀文] 𝟹𝟹 象形. 모태 내 (母胎內)에서 아직 손발의 모양이 불분명한 채 몸을 둥그렇게 구부린 태아(胎兒)를 본뜬 모양. '孕'잉'의 원자(原字). 가차(假借)하여 '너'나 '이에'의 뜻으로서 옛 금문(金文)의 시대로부터 사용됨.

[乃公 내공] ⑦너의 임금이라는 뜻으로, 군주(君主)가 신하(臣下)에 대하여 쓰는 자칭(自稱). ⑥아버지가 아들에 대하여 쓰는 자칭. ⑥자기의 과칭(誇稱). 나.
[乃今 내금] 지금. 이마적.
[乃武乃文 내무내문] 문무(文武)를 모두 갖추었다는 뜻으로, 천자(天子)의 덕(德)이 있다고 칭송하는 말. 윤문윤무(允文允武).
[乃父 내부] ⑦너의 아버지. 그대의 아버지. 전(轉)하여, 널리 아버지의 뜻으로 쓰임. ⑥아버지가 아들에 대하여 쓰는 자칭(自稱). 내옹(乃翁).
[乃昔 내석] 접때. 이전에.
[乃心 내심] 너의 마음.
[乃翁 내옹] ⑦아버지가 아들에 대하여 쓰는 자칭(自稱). 내부(乃父). ⑥노인(老人)의 자칭.
[乃往 내왕] 이전(以前). 기왕(旣往). 〔나.
[乃者 내자] 접때. 이전에.
[乃祖 내조] 너의 선조. 그대의 선조. 전(轉)하여, 널리 선조의 뜻으로 쓰임.
[乃至 내지] ⑦무엇부터 무엇무엇에 이르기까지라는 뜻으로, 중간을 생략할 때 쓰는 말. ⑥혹은. 또는.
[乃後 내후] 너의 자손. 그대의 자손. 전(轉)하여, 널리 자손의 뜻으로 쓰임.
●無乃. 欸乃. 若乃.

1 ② [夕] 〓 갈 ⑧月 居謁切 jié
　　　〓 진 ⑧銑 徒典切 tiǎn
字解 〓 움직일 갈 '屯一'은 움직이는 모양. '屯一, 動貌'《字彙補》. 〓 殄(夕部 五畫〈p. 1148〉)의 古字.

2 ③ [久] 中人 구 ⑧有 擧有切 jiǔ

筆順 丿 ク 久

字解 ①오랠 구 ⑦시간을 경과하여도 변하지 아니함. 오래감. '恒一. 道乃一'《老子》. '不息則一'《中庸》. ⑥시간을 많이 경과함. '一遠'. '忘戰曰一'《後漢書》. ②오래기다릴 구 '是以一子'《左傳》. ③오래머무를 구 '可以一則一'《孟子》. ④막을 구, 가릴 구 '幕用疏布一之'《儀禮》. ⑤성 구 성(姓)의 하나.

字源 [篆文] 久 象形. 병으로 누워 있는 사람의 등 뒤에서 뜸[灸]을 뜨는 모양을 본떠, '뜸'의 뜻을 나타냈음. '灸'의 原字. 파생(派生)하여, '시간이 길다'·'오래다'의 뜻을 나타냄.

[久敬 구경] 오래 사귈수록 더욱 존경(尊敬)함.
[久故 구고] 오랫동안 사귄 친한 사이.
[久困 구곤] 오랫동안 고생함.
[久曠 구광] ⑦벼슬자리 등을 오랫동안 비워 둠. ⑥세월을 오랫동안 허송(虛送)함. 광일미구(曠日彌久).
[久久 구구] 오랫동안. 긴 세월. 유구(悠久).
[久耐 구내] 오래 견딤. 오래 변하지 아니함. 오래감.
[久例 구례] 옛날부터 내려오는 전례(前例).
[久勞 구로] 오래 힘씀. 오래 수고함.
[久留 구류] 오래 머무름.
[久痢 구리] 오래된 이질.
[久離 구리] 오래 이별함. 오래 만나지 못함. 구별(久別).
[久聞 구문] 오랫동안 들었다는 뜻으로, 고명(高名)함을 이름.
[久別 구별] 오래 떨어져 있음. 또, 오랜 이별.
[久病 구병] 구질(久疾).
[久泄 구설] 오래된 설사.
[久世 구세] 세상을 오래 삶. 장수(長壽).
[久習 구습] ⑦오래 익힘. ⑥오래된 관습(慣習).
[久視 구시] 오래 삶. 장수(長壽)함.
[久安 구안] 오래 편안함. 영구히 태평(泰平)함.
[久約 구약] 오랫동안 곤궁함.
[久仰 구앙] 전부터 성화(聲華)는 익히 듣고 있음. 초대면(初對面)의 인사에 쓰이는 말.
[久仰大名 구앙대명] 구앙(久仰).
[久淹 구엄] 구류(久留). 엄(淹)은 엄류(淹留).
[久延 구연] 오래 끎.
[久要 구요] 옛날의 약속. 구약(久約).
[久雨 구우] 장마.
[久怨 구원] 오래된 묵은 원한. 구원(舊怨).
[久遠 구원] ⑦아득하게 멀고 오램. 시세(時世)가 멀리 떨어짐. ⑥널리 퍼져 큼. ⑥《佛敎》시간이 무궁(無窮)함.
[久遠實成 구원실성] 《佛敎》지극히 먼 과거에 이미 성불(成佛)한 사람.
[久淫 구음] 오래 놂. 오래 머무름.
[久佚 구일] 구일(久逸).
[久逸 구일] 오랫동안 편안히 지냄. 오랫동안 안일(安逸)한 생활을 함. 〔遠〕.
[久長 구장] 오래고 긺. 지극히 오램. 구원(久遠).
[久阻 구조] 소식이 오랫동안 막힘.
[久住 구주] 오래 머물러 삶.
[久之 구지] 잠시(暫時). 또, 시간이 조금 지남. 지(之)는 조사(助辭).
[久疾 구질] 병을 오래 앓음. 또, 오래된 병.
[久次 구차] 오랫동안 같은 벼슬에 머물러 있어 승진(昇進)하지 못함.
[久滯 구체] ⑦오랫동안 일이 정체(停滯)함. ⑥구류(久留). ⑥《韓》오래된 체증. 또, 만성 위장병.
[久旱逢甘雨 구한봉감우] 오랜 가물 끝에 비가 온다는 뜻으로, 인생의 가장 기쁜 일을 이름.
[久闊 구활] 오래 만나지 못함.
[久懷 구회] 오래전부터 품은 생각.

●稽久. 曠日彌久. 耐久. 彌久. 耶久. 良久.
淹久. 永久. 迂久. 悠久. 長久. 積久. 積日
累久. 遲久. 天長地久. 恆久.

2
③
[久] 久(前條)의 訛字

2
③
[乇] 탁(척㉮) ⑧陌 陟格切 zhè

[字解] ①풀잎 탁 일설에는, 풀의 꽃이 늘어져
있는 모양. '一, 艸葉也'《說文》. ②부탁할 탁
託(言部 三畫)의 訛字.
[字源] 篆文 '一'은 땅, 그 밑의 구
부려있는 것은 뿌리, 위로 나와 늘
어져 있는 것은 잎이 늘어진 모양을 나타냄. 땅
위에 나오기 시작한 풀의 잎. 일설(一說)에는,
'화초' 라고도 함.

2
③
[乂] 〔의〕 義(羊部 七畫⟨p. 1799⟩)의 俗
字·簡體字

2
③
[幺] 〔요〕 幺(部首⟨p. 689⟩)의 俗字

[千] 〔천〕
十部 一畫(p. 300)을 보라.

3
④
[乌] 〔오〕
鳥(火部 六畫⟨p. 1330⟩)의 簡體字

[夭] 〔요〕
大部 一畫(p. 498)을 보라.

[壬] 〔임〕
士部 一畫(p. 473)을 보라.

[午] 〔오〕
十部 二畫(p. 303)을 보라.

3
④
[之] ⊕支 止而切 zhī

[筆順] ' 十 ㄓ 之

[字解] ①갈 지 ㉠도달함. '將一楚'《孟子》. ㉡
향함. 향방(向方)을 정함. '天下賞賞焉, 莫知
所一'《十八史略》. ㉢부임(赴任)함. '皇甫謐有
從姑子梁柳, 爲城陽太守, 將一官'《世說》. ㉣변
(變)하여 감. 주역(周易)의 서법(筮法)에서
괘(卦)가 변함을 이름. '遇觀一否'《左傳》. ㉤
이를 지 다른 데에 미침. '一死靡他'《詩經》.
③이 지 是(日部 五畫)와 뜻이 같음. '一子
歸'《詩經》. ④어조사 지 ㉠사물을 지시(指示)
하는 뜻을 나타내는 조사(助辭). '老者安一,
朋友信一, 少者懷一'《論語》. ㉡도치법(倒置法)
에서 목적어(目的語)가 동사 위에 올 때 목적
어와 동사 사이에 끼우는 조사. '父母唯其疾
一憂'《論語》. ㉢어세(語勢)를 고르게 하는 조
사. '皮一不存, 毛將何傳'《左傳》. ㉣성과 이름
사이에 끼우는 무의미한 조사. '孟一反'《論
語》. ㉤무의미한 조사. '久一'. '頃一'. '日有
食一'《春秋》. ⑤의 지 소유·소재 등을 나타내
는 접속사. '大學一道'. '游於舞雩一下'《論
語》. ⑥및 지 …과. 與(臼部 七畫)와 뜻이 같

음. '惟有司一牧夫'《書經》. ⑦끼칠 지 후세에
남김. '一後世君子'《揚子法言》. ⑧쓸 지 사용
함. '一其所短'《戰國策》. ⑨성 지 성(姓)의 하
나.
[字源] 甲骨文 金文 篆文 指事. 止十一. '止지'는
'발'의 뜻. 가로획 '一'
은 출발선을 보임. 출발선에서 막 한 발짝 내딛
고자 함을 나타냄. '가다'의 뜻. 가차(假借) 하
여, 지시사(指示詞) '이'의 뜻으로도 쓰임.

[之江 지강] 절강(浙江)의 별칭(別稱). 강이 갈
지자(之) 모양으로 꼬불꼬불하므로 이름.
[之無 지무] 갈지자(之)와 없을무자(無). 몇 자
안 되는 글자라는 뜻. 또, 무식한 사람을 업
신여겨 불식지무(不識之無)라 함. 곧, 갈지자
와 없을무자 같은 쉬운 글자도 모른다는 뜻.
[之死靡他 지사미타] 죽어도 마음이 변치 않음.
[之子 지자] 이 애. 이 사람.
[之字路 지자로] 갈지자(之)와 같이 꼬불꼬불한
길.
●可使由之不可使知之. 騏驥之衰也駑馬先之.
斷而敢行鬼神避之. 鳴鼓攻之. 目逆而送之.
無日忘之. 說大人則藐之. 由是觀之. 人一能
之己百之. 一言以蔽之. 日月欲明浮雲掩之.
一人有慶兆民賴之. 一日暴之十日寒之. 自侮
人侮之. 自我得之自我損之. 將欲奪之必固與
之. 叢蘭欲茂秋風敗之.

4
⑤
[乎] ⊕虞 戶吳切 hū(hú)

[筆順] 一 ㄷ ㄸ 立 乎

[字解] ①그런가 호 ㉠의문사(疑問辭). '禮後一'
《論語》. ㉡의문의 반어(反語). '可謂孝一'《史
記》. ㉢감탄의 반어. '不亦樂一'《論語》. ②오
흡다할 호 감탄사. '於一小子'《詩經》. ③어조
사 호 于(二部 一畫)·於(方部 四畫)와 뜻이 같
음. '浴一沂'(기수(沂水)에서 목욕함)《論語》.
'攻一異端'(이단을 침)《論語》. '莫大一尊親'
(어버이를 존경하는 것보다 더 큰 것이 없음)
《孟子》.
[字源] 甲骨文 金文 篆文 象形. 호각판(板)을 본뜬
모양. 위의 작은 점(點)
이 그 혀를 본뜸. '부르다'의 뜻을 나타냄. '呼
호'의 원자(原字). 나중에 조사(助辭)로 쓰임.

●斷乎. 牢乎. 純乎. 鬱乎. 嗟乎. 確乎. 煥乎.
噫乎.

4
⑤
[乏] 〔人名〕핍 ⑧洽 房法切 fá

[字解] ①떨어질 핍 물자가 다 없어짐. '窮一'.
'一盡'. '振一絶'《禮記》. ②빌 핍 인원이 차지
못함. 또, 벼슬의 빈자리. '不敏攝官承一'《左
傳》. ③모자랄 핍 힘이 부족함. '足
力一不能拜而先止'《五代史》. ④폐할
핍 폐기(廢棄)함. '不敢以一國事'《戰
國策》. ⑤살림 핍 화살을 쏠 때
살이 맞고 안 맞는 것을 알리는 사
람이 살을 막는 가죽으로 만든 물
건. '事僕大射共三一'《周禮》.
[字源] 篆文 指事. '足족'(正)을 반대 방향으로
써서, '모자라다'의 뜻을 나타냄. 또,

[乏⑤]

'法'의 고문(古文)과 글자 모양이 비슷하여, 법(法)에 비추어 폐(廢)하다의 뜻도 나타냄.

[乏困 핍곤] 가난하여 고생함. 또, 그 사람.
[乏匱 핍궤] 물자가 떨어짐.
[乏氣 핍기] 기력(氣力)이 부족함.
[乏餒 핍뇌] 양식이 떨어져 배를 주림.
[乏頓 핍돈] 양식이 떨어지고 고달픔. 지쳐서 쓰러짐.
[乏劣 핍렬] 모자라고 빠짐. 재능이 떨어짐.
[乏迫 핍박] 핍곤(乏困)함.
[乏少 핍소] 식량 같은 것이 모자람.
[乏厄 핍액] 핍곤(乏困)함.
[乏戹 핍액] 핍곤(乏困)함.
[乏月 핍월] 음력 4월의 별칭(別稱). 양식이 떨어지는 달. 곧, 보릿고개의 달이라는 뜻임.
[乏人 핍인] 인재(人材)가 결핍함.
[乏材 핍재] 핍인(乏人).
[乏錢 핍전] 돈이 떨어짐.
[乏絕 핍절] 양식 같은 것이 아주 떨어짐.
[乏盡 핍진] 다 없어짐.
●缺乏. 馨乏. 困乏. 空乏. 寡乏. 窶乏. 窮乏. 闕乏. 匱乏. 耐乏. 勞乏. 貧乏. 承乏. 餓乏. 人乏. 絕乏. 波乏. 懸乏. 欠乏.

4 ⑤ [乍] 人名 ■ 사 㴳禡 鋤駕切 zhà　■ 작 入藥 卽各切 zuò
字解 ■ ①언뜻 사 졸지에. 갑자기. '今人一見孺子入於井'《孟子》. ②잠깐 사 잠시. '燈滅而一明'《淮南子》. ③차라리 사 可와 연용(連用)하여 寧(宀部 十一畫의 뜻으로 씀. '一可沈爲香, 不能浮作虒'《元稹》. ④성 사 성(姓)의 하나. ■ 일어날 작 作(人部 五畫)과 통용(通用). '乍, 說文, 起也'《集韻》. ※ '사' 음은 인명자로 쓰임.
字源 甲骨文 乚 金文 乚 篆文 乚 指事 亡(乚) + 一. 乚은 '달아나다'의 뜻. 달아나는 사람을 불러 멈추게 하는 소리의 뜻으로 봄. 甲骨文은 乚+一로서 亡(乚) '乚' 꼴로 '베다'의 뜻을 나타내는 象形. '作乍'의 原字. 싹 베다의 뜻에서, '갑자기'의 뜻을 나타냄.

[失] 〔실〕
大部 二畫 (p. 499)을 보라.

4 ⑤ [乐] 〔악·락·요〕
樂(木部 十一畫〈p. 1104〉)의 簡體字

5 ⑥ [乒] 㴳 핑 娉平聲 pīng
字解 ①의성어(擬聲語) 핑 총소리 따위를 나타냄. ②핑퐁 핑 '一乓'은 탁구(卓球)의 영어 핑퐁(ping-pong)의 음역(音譯).
字源 '兵'의 중국어 음 '핑'에 가까운 음(音)을 나타내는 의성어(擬聲語)로, '兵'의 한 획(畫)을 떼어 내어 '乒'으로 함.

5 ⑥ [乓] 㴳 팡 音㵾 pāng
字解 ①의성어(擬聲語) 팡 총소리나 물건이 부딪치는 소리 따위를 나타냄. ②핑퐁 팡 '乒一'은 탁구의 영어 핑퐁(ping-pong)의 음역(音譯).

字源 '兵'의 중국어 음 '핑'에 가까운 음을 나타내는 의성어(擬聲語)로, '兵'의 한 획을 떼어 내어 '乓'으로 함.

5 ⑥ [丢] 〔주〕
丟(一部 五畫〈p. 42〉)의 俗字

5 ⑥ [乔] 〔교〕
喬(口部 九畫〈p. 393〉)의 簡體字

5 ⑥ [甲] 〔중〕
重(里部 二畫〈p. 2367〉)의 俗字

5 ⑥ [自] 퇴 㴳灰 都回切 duī
字解 작은산 퇴 堆(土部 八畫)의 本字. '一, 小自也'《說文》.
字源 形聲. 작은 언덕의 모양을 본뜸. '自부'보다 작으므로, '自'의 모양으로 나타낸 것임.

[囟] 〔신〕
口部 三畫 (p. 422)을 보라.

6 ⑦ [𠂹] 〔호〕
虎(虍部 二畫〈p. 1994〉)의 俗字

[囱] 〔창〕
口部 四畫 (p. 423)을 보라.

7 ⑧ [乖] 人名 괴 㴳佳 古懷切 guāi
字解 ①어그러질 괴 ㉠빗나가서 틀어짐. '一刺'. '家道窮必一'《易經傳》. ㉡생각과는 달라짐. 맞지 아니함. '一舛'. '機失而謀一'《後漢書》. ②거스를 괴 거역함. 배반함. '一作'. '楚執政衆而一'《左傳》. ③떨어질 괴 분리됨. 나누임. '一別'. '官失學微, 六家分一'《漢書》. ④가를 괴 구별함. 차별함. '法者所以齊衆異, 亦所以一名分'《尹文子》.
字源 篆文 㐅 象形. 양(羊)의 뿔과 등이 서로 등져 어그러지거나 떨어진 형상을 본떠, '어긋남, 어김'의 뜻을 나타냄.

[乖角 괴각] 성질이 비꼬임.
[乖隔 괴격] 멀리 떨어짐. 분리됨.
[乖暌 괴규] 어그러짐.
[乖亂 괴란] 어그러지고 어지러움.
[乖剌 괴랄] 어그러짐. 빗나가 틀어짐.
[乖濫 괴람] 어그러지고 외람(猥濫)됨.
[乖戾 괴려] ㉠어그러짐. ㉡성질(性質)이 비꼬임.
[乖繆 괴류] 틀림. 맞지 아니함.
[乖離 괴리] 배반하여 떨어져 나감.
[乖彎 괴만] 활 모양으로 휨. 뒤틀려 활 모양으로 됨.
[乖叛 괴반] 배반함. 반역(叛逆)함.
[乖背 괴배] 배반함. 배치(背馳)함.
[乖僻 괴벽] 성질(性質)이 비꼬임. 괴팍하고 편벽됨.
[乖別 괴별] 흩어짐. 떨어짐. 이별함.
[乖散 괴산] 배반하여 이산(離散)함. 배반하여 흩어져 달아남.
[乖常 괴상] 상리(常理)에 어긋남.
[乖疏 괴소] 등져 멀리함. 소원(疏遠)해짐.

[乖失 괴실] 떨어져 나가 잃음. 잃음.
[乖惡 괴악] 성질이 비꼬여 나쁨.
[乖逆 괴역] 괴반(乖叛).
[乖忤 괴오] 배반하여 거역함.
[乖迕 괴오] 서로 틀림.
[乖越 괴월] ㉠어그러져 틀림. 괴위(乖違). ㉡정도에 지나쳐 인도(人道)에 어그러짐.
[乖違 괴위] 어그러져 틀림. 틀림.
[乖歪 괴의] 비틀어짐.
[乖異 괴이] 서로 어긋남. 틀림.
[乖貳 괴이] 배반함. 이심(二心)을 품음.
[乖張 괴장] ㉠틀림. 어긋남. ㉡성질이 비꼬임. ㉢뽐냄. 잘난 체함.
[乖爭 괴쟁] 서로 틀려 다툼.
[乖絶 괴절] 사이가 틀어져 교제하지 않음.
[乖差 괴차] 어긋남. 틀림.
[乖錯 괴착] ㉠실패함. ㉡어긋남. 틀림.
[乖舛 괴천] 어그러짐. 이치에 어긋남. 틀림.
[乖愎 괴퍅] 성질이 비꼬이고 별남.
[乖悖 괴패] 이치에 어그러짐.
[乖謔 괴학] 남의 비위를 거슬러 희학질함. 약을 올리며 조롱함.
[乖候 괴후] 괴상한 기후.
   ●暌乖. 分乖. 中乖. 醜乖.

[垂] 〔수〕
土部 五畫(p. 442)을 보라.

8⑨ [乗] 乘(次次條)의 俗字

8⑨ [受] 〔관〕 管(竹部 八畫〈p. 1671〉)의 俗字

9⑩ [乘] [中][人] 승 ①-⑧㊅蒸 食陵切 chéng
⑨-⑭㊅徑 實證切 shèng

[筆順] 一 千 千 千 乖 乖 乖 乘

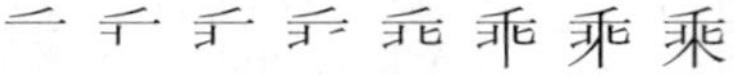

[字解] ①탈 승 ㉠거마(車馬) 등을 탐. '一馬'. '婦人不立一'《禮記》. ㉡기회를 탐. '一機'. '一虛'. '雖有知慧, 不如一勢'《孟子》. ②태울 승 타게 함. '風一我耶, 我乘風乎'《列子》. ③오를 승 ㉠올라감. '一城'. '俱一高臺'《列子》. ㉡올라가 손질함. '函其一'《詩經》. ④이길 승 지게 함. 승리함. '一人不義'《國語》. ⑤업신여길 승 능모(凌侮)함. '侵一君子'《漢書》. ⑥헤아릴 승, 꾀할 승 계획함. '一其事'. '一其財用之出入'《周禮》. ⑦곱할 승, 곱셈 승 배함. 또, 그 셈. '一法'. '一陽一除'. '因其成數, 以三一之'《漢書註》. ⑧성 승 성(姓)의 하나. ⑨탈것 승 거마(車馬) 따위. '駕塞一之'(노둔한 승용의 말). '今一輿已駕矣'《孟子》. 또, 병거(兵車)에 탄 전사(戰士). '卒一輯睦'《左傳》. ⑩대 승 차량을 세는 수사(數詞). '後車數千一'《孟子》. ⑪한쌍 승 쌍대(雙對). '雙雁曰一'《揚子方言》. ⑫넷 승 원은 사마(駟馬)가 끄는 수레 한 대의 일컬음. 전(轉)하여, 같은 물건 넷으로 한 벌을 이룬 것의 일컬음. '一壺酒'《禮記》. '發一矢而後反'《孟子》. ⑬사기 승 역사책. '史一'. '家一'. '晉之一'《孟子》. ⑭법 승 《佛教》 중생(衆生)을 싣고 생사(生死)의 고해(苦海)를 떠나 열반(涅槃)의 피안(彼岸)에 이르게 하는 교법(教法). '小一'. '大一'. '此心卽佛日最上一'《傳燈錄》.

[字源] [甲骨文][金文][篆文][古文] 會意. 大+舛+木. '大대'는 양 손발을 벌린 사람의 형상. '舛천'은 두 발을 벌린 모양을 본뜸. 나무에 붙들어 매어진 사람의 모습에서, 사람이 배·말·수레·기회 따위를 '타다'의 뜻을 나타냄.

[乘間 승간] 승극(乘隙).
[乘客 승객] 배나 수레를 탄 손님.
[乘居 승거] 두 마리(자웅)의 새가 나란히 있음.
[乘堅策肥 승견책비] 견고한 수레를 타고 살진 말을 채찍질함.
[乘廣 승광] 병거(兵車).
[乘轎 승교] 가마.
[乘隙 승극] 틈을 탐.
[乘機 승기] 기회를 탐.
[乘騎 승기] 말을 탐. 승마(乘馬).
[乘龍 승룡] ㉠용을 타고 하늘로 올라감. 때를 만나 귀(貴)하게 됨을 이름. ㉡동한(東漢) 때 황헌(黃憲)과 이응(李膺)을 사위로 삼은 환숙원(桓叔元)의 두 딸을 당시 사람들이 평(評)하기를 용을 탔다고 한 고사(故事)에서 나온 말로, 훌륭한 사위를 얻음을 이름. 또, 전(轉)하여 사위를 이름.
[乘馬 승마] ㉠말을 탐. 또, 타는 말. 승용(乘用). ㉡한 수레를 끄는 네 마리의 말. 사마(駟馬).
[乘望風旨 승망풍지] 윗사람의 비위를 잘 맞춤.
[乘冪 승멱] 둘 이상의 같은 수(數)나 식(式)을 서로 곱한 수.
[乘牡 승모] 승마(乘馬)❶.
[乘法 승법] 곱하여 계산하는 방법.
[乘算 승산] 승법(乘法).
[乘船 승선] 배를 탐.
[乘城 승성] 성에 올라감.
[乘勢 승세] 유리한 형세를 이용함.
[乘乘 승승] 움직이는 것 같으면서도 움직이지 않는 모양.
[乘勝 승승] 이긴 기회를 탐.
[乘矢 승시] 네 개 한 묶음으로 된 화살.
[乘時 승시] 때를 탐. 기회를 이용함.
[乘夜 승야] 밤을 탐. 밤중을 이용함.
[乘輿 승여] ㉠탈것의 총칭(總稱). ㉡천자(天子)가 타는 수레. 대가(大駕). ㉢행행(行幸) 중의 천자(天子)를 이름.
[乘運 승운] 좋은 운수를 이용함.
[乘雲 승운] ㉠구름에 오름. 속세를 떠남의 비유. ㉡전(轉)하여, 고위(高位)에 오름.
[乘人之車者載人之患 승인지거자재인지환] 남의 은혜를 입으면, 또한 그 사람의 근심을 떠맡아 힘을 쓰지 않으면 아니 됨의 비유.
[乘積 승적] 둘 이상의 수나 식을 곱하여 얻은 수나 식.
[乘田 승전] 춘추 시대(春秋時代)에 노(魯)나라에서 가축(家畜)의 사육(飼育)을 맡은 낮은 벼슬아치.
[乘傳 승전] 역참(驛站)에서 비치(備置)하는 네 마리의 말이 끄는 수레. 또, 그 수레를 타고 급행함.
[乘除 승제] ㉠곱하기와 나누기. ㉡계산(計算). ㉢혹은 더하고 혹은 덜함. 좋아졌다 나빠졌다 함. 서로 득실(得失)이 있음. ㉢적당히 조절

함. 가감(加減)함.
[乘志 승지] 사서(史書), 또는 기록.
[乘車 승차] ㉠수레를 탐. ㉡차를 탐.
[乘弊 승폐] 피폐(疲弊)한 틈을 탐. 피폐한 기회를 이용함.
[乘風先影 승풍선영] 바람을 타고 그림자를 앞선다는 뜻으로, 대단히 신속함을 이름.
[乘風破浪 승풍파랑] 풍운(風雲)을 타고 세상에 나와 수완을 부려 대업(大業)을 이룬다는 뜻으로, 원대한 뜻이 있음을 이름.
[乘匹 승필] 승마(乘馬) [ㄱ].
[乘鶴 승학] 학을 타고 하늘로 올라감. 신선(神仙)이 되어 승천(昇天)함.
[乘閒 승한] 승간(乘間).
[乘虛 승허] 적(敵)의 허술한 틈을 탐. 적의 허(虛)를 찌름. 마음 놓고 있을 때 쳐들어감.
[乘軒 승헌] 수레를 탐. 헌(軒)은 대부(大夫)가 타는 수레.
[乘號 승호] 곱셈의 부호. 곧 '×'.
[乘黃 승황] ㉠신마(神馬). ㉡수레 한 대를 끄는 네 마리의 말. 사마(駟馬).
[乘興 승흥] 흥이 나서 마음이 내킴.
◉家乘. 駕乘. 騎乘. 鷙乘. 大乘. 萬乘. 陪乘. 百乘. 副乘. 史乘. 三乘. 上乘. 相乘. 小乘. 帥乘. 野乘. 臆乘. 五乘. 寓乘. 二乘. 一乘. 日乘. 自乘. 傳乘. 卒乘. 坐乘. 驂乘. 千乘. 超乘. 最上乘. 侵乘. 退凡下乘. 便乘. 下乘.

9 ⑩ [𠂹] 〔수〕
垂(土部 五畫〈p.442〉)의 古字

9 ⑩ [兼] 〔겸〕
兼(八部 八畫〈p.220〉)의 正字

10 ⑪ [𠃀] 〔관〕
管(竹部 八畫〈p.1671〉)의 俗字

10 ⑪ [𠂿] 괴 [平]佳 古懷切 guāi

[字解] ①등뼈 괴 '一, 背呂也'《說文》. ②乖(ノ部 七畫)의 古字.
[字源] 象形. '𠂆'는 등뼈가 사람의 한가운데 있는 모양. '仌'은 좌우의 갈비뼈의 모양임.

10 ⑪ [𠃁] 〔수〕
手(部首〈p.842〉)의 古字

乙(乚) (1획)部
〔새을부〕

0 ① [乙] [中人] 을 [入]質 於筆切 yǐ 

[筆順] 乙

[字解] ①둘째천간 을 십간(十干)의 제2위. 방위로는 남방에, 오행(五行)으로는 목(木)에 배당함. '甲一'. '太歲在一曰旃蒙'《爾雅》. ②둘째 을 제2위. 갑(甲)의 다음. '一種'. '一科'. ③표할 을 ㉠문장의 구절이 끊어지는 곳에 표를 함. 구두점(句讀點) 같은 것을 찍음. '朔初上書, 人主從上方讀之, 止輒一其處'《史記》. ㉡탈자(脫字)를 방기(旁記)하고 그 들어갈 자리에 갈고리 모양의 표시를 함. '唐詩士, 字有遺脫, 句其旁而增之曰一'《康熙字典》. ㉢글자의 선후가 전도(顚倒)된 것을 갈고리 모양의 표시를 하여 바로잡음. '韓文公讀鶡冠子, 一者三滅者二十二, 注者十有二字'《徐氏筆精》. ④굽을 을 굴곡함. 초목의 싹이 구부러져 나오는 모양. '一屈也'《京房易傳》. ⑤생선창자 을 물고기의 장(腸). 일설(一說)에는, 물고기의 아가미의 뼈. 모두 만곡(彎曲)하여 을자형(乙字形)임. '魚去一'《禮記》. ⑥아무 을 아무개. '長子建, 次子甲, 次子一, 次子慶'《史記》. ⑦삐걱거릴 을 '一, 軋也'《廣雅》. ⑧을골 을 범의 가슴 양쪽의 피하(皮下)에 있는 을자형(乙字形)의 뼈. 이것을 차면 벼슬하는 사람은 위엄(威嚴)이 있고, 벼슬하지 않는 사람은 남에게 미움을 받지 않는다 함. 위골(威骨). '得如虎挾一'《蘇軾》. ⑨성 을 성(姓)의 하나.
[字源] 甲骨文 〈 金文 乙 篆文 乙 象形. 갈지자형의 것의 모양을 본떠, 사물이 원활히 나아가지 않는 상태를 나타냄. 가차(假借)하여, 십간(十干)의 제2위(位)로 쓰임.

[乙骨 을골] 자해(字解) ❽을 보라.
[乙科 을과] ㉠과거(科擧)의 시험에서 둘째로 어려운 과목. 최고의 어려운 과목은 갑과(甲科)라 함. ㉡시험 성적의 제2위(位). 갑과(甲科)의 다음. ㉢과거의 시험 중의 향시(鄕試)에 합격한 사람. 곧, 거인(擧人). 전시(殿試)에 급제한 진사(進士)를 갑과(甲科)라 함의 대(對). 을방(乙榜).
[乙禽 을금] 제비. 을조(乙鳥).
[乙覽 을람] 을야지람(乙夜之覽)의 약칭(略稱).
[乙方 을방] 24방위(方位)의 하나. 정동(正東)으로부터 남쪽으로 15도째의 방위를 중심으로 한 15도의 각도 안.
[乙榜 을방] 거인(擧人). 을과(乙科) [ㄷ]을 보라.
[乙部 을부] 서적을 갑〈경(經)〉·을〈사(史)〉·병〈자(子)〉·정〈집(集)〉의 네 종류로 구분한 사부(四部)의 둘째. 곧, 역사류(歷史類)의 서적을 이름. 사부(史部).
[乙夜 을야] 하룻밤을 갑·을·병·정·무의 오야(五夜)로 나눈 것 중의 둘째. 지금의 오후 10시의 전후(前後) 두 시간. 이경(二更).
[乙夜之覽 을야지람] 천자(天子)의 독서. 천자가 정무(政務)를 끝내고 취침(就寢)하기 전인 10시경에 독서를 하므로 이름.
[乙乙 을을] ㉠싹 같은 것이 땅 위로 삐져 나가려고 하는데 삐져 나가기 힘든 모양. ㉡낱낱. 일일(一一).
[乙第 을제] 별장(別莊).
[乙種 을종] 둘째 종류. 갑종(甲種)의 다음.
◉甲乙. 涂乙. 某乙, 不乙. 太乙.

0 ① [乚] 을 [入]質 於筆切 yǐ

[字解] 제비 을 연작류(燕雀類)에 속하는 철새. 현조(玄鳥). '一, 燕燕, 一鳥也'《說文》.
[字源] 甲骨文 〈 篆文 ⟆ 別體 象形. 《說文》에서는 제비가 나는 모양을 나타낸다고 하지만, 실은 '乙을'과 동일어(同一語). '乙'이

십간(十干)의 둘째로 쓰이게 되매, 그와 구별하기 위하여 '乙'로 쓰게 됨.

[乙鳥 을조] 제비[燕]의 별칭(別稱).

0
① [乚] 은 ㊀吻 於謹切 yǐn

字解 숨을 은, 숨길 은 隱(阜部 十四畫)의 古字. '─, 匿也'《說文》.

字源 篆文 指事. '隱'의 古字. 篆文의 모양처럼, 몸을 웅크리어 '숨다'의 뜻을 나타냄.

1
② [乜] 먀 ㊀馬 彌也切 ①miē, ③niè

字解 ①사팔뜨기 먀 사시(斜視). '─, 眼─斜也'《字彙》. ②무당 먀 굿을 하는 여자. '西夏語, 以巫爲斯─'《遼史》. ③성 먀 성(姓)의 하나. '─, 蕃姓'《萬姓統譜》.

字源 指事. '也야' 자(字)에서 'ㅣ'의 한 획을 없애어 '乜'로 했으며, 본래 중국어(中國語)에서 음절(音節)로 존재하지 않는 '먀' 음을 나타내어, 부자연스러운 '사팔뜨기'나 이민족의 성(姓)으로 쓰임.

1
② [九] 中入 ䷀二 구 ㊀有 擧有切 jiǔ
䷀人 三 규 ㊀尤 渠尤切 jiū

筆順 丿 九

字解 一 ①아홉 구 여덟에 하나를 보탠 수. 전(轉)하여, 많은 수의 뜻으로 쓰임. '一牛一毛'. '叛者一國'《公羊傳》. 아홉번 구 9회. '一死─生'. '腸─日而─廻'(대단히 걱정함)《司馬遷》. ③성 구 성(姓)의 하나. 二 ①모을 규 糾(糸部 二畫)와 통용. '桓公─合諸侯'《論語》. ②모일 규 鳩(鳥部 二畫)와 통용. '─, 與鳩同, 聚也'《字彙》.

字源 甲骨文 𠂉 金文 𠃌 篆文 九 같을자 玖 象形. 굴곡되어 끝나는 모양을 본뜸. 수(數)가 다하여 끝나는 '아홉'의 뜻을 나타냄. '久구'와 통하여 '오래다'의 뜻도 나타냄.

參考 금전(金錢)의 기재 따위에는 그 개변(改變)을 막기 위해 玖(玉部 三畫) 자(字)를 빌려 쓰기도 함.

[九江 구강] 동정호(洞庭湖)의 구명(舊名). 원(沅)·점(漸)·원(元)·진(辰)·서(敍)·유(酉)·예(澧)·자(資)·상(湘)의 아홉 강이 흘러 들어가므로 이름.

[九蓋草 구개초] 현삼과(玄蔘科)에 속하는 다년초(多年草). 수뤼나물.

[九去法 구거법] 어떤 정수(整數)를 9로 나눈 나머지를 구하는 간편한 방법. 곧, 그 나머지는 그 수의 각 자리의 수의 합(合)을 9로 나눈 나머지와 같음.

[九乾 구건] 구천(九天).

[九卿 구경] ㉠아홉 사람의 장관(長官). 시대에 따라 이름이 다름. 주(周)나라에서는 소사(少師)·소보(少保)·소부(少傅)의 삼고(三孤)와 총재(冢宰)·사도(司徒)·종백(宗伯)·사마(司馬)·사구(司寇)·사공(司空)의 육경(六卿). 한(漢)나라에서는 대상(大常)·광록훈(光祿勳)·대홍려(大鴻臚)·대사농(大司農)·위위(衛尉)·태복(太僕)·정위(廷尉)·종정(宗正)·소부(少

府). 북제(北齊)에서는 대상(大常)·광록훈(光祿勳)·위위(衛尉)·태복(太僕)·대리(大理)·종정(宗正)·대홍려(大鴻臚)·대사농(大司農)·대부(大府). 청(淸)나라에서는 대구경(大九卿)과 소구경(少九卿)이 있는데, 대구경은 태자태사(太子太師)·태자태부(太子太傅)·태자태보(太子太保) 및 육부상서(六部尙書), 소구경은 대상(大常)·태복(太僕)·대리(大理)·홍려(鴻臚)·광록(光祿) 오시(五寺)의 경(卿)과 통정사사(通政使司)·국자감(國子監)·한림원(翰林院)·도찰원(都察院)의 장관(長官). ㉡《韓》의정부 좌우 참찬(議政府左右參贊)과 육조 판서(六曹判書) 및 한성 판윤(漢城判尹).

[九經 구경] ㉠아홉 가지 경서(經書). 곧, 주례(周禮)·의례(儀禮)·예기(禮記)·좌전(左傳)·공양전(公羊傳)·곡량전(穀梁傳)·역경(易經)·서경(書經)·시경(詩經). 또는 역경·서경·예기·효경(孝經)·춘추(春秋)·논어(論語)·맹자(孟子)·주례(周禮). ㉡천하(天下)를 다스리는 데 필요한 아홉 가지 도(道). 곧, 수신(修身)·존현(尊賢)·친친(親親)·경대신(敬大臣)·체군신(體群臣)·자서민(子庶民)·내백공(來百工)·유원인(柔遠人)·회제후(懷諸侯).

[九經庫 구경고] 구경(九經)에 정통(精通)함을 이름. 고(庫)는 온축(蘊蓄)이 깊다는 뜻.

[九皐 구고] 으슥한 소택(沼澤).

[九穀 구곡] 아홉 가지 곡식. 곧, 메기장[黍]·찰기장[稷]·차조[秫]·벼[稻]·깨[麻]·콩[大豆]·팥[小豆]·보리[大麥]·밀[小麥].

[九曲肝臟 구곡간장] 깊은 마음속.

[九功 구공] 아홉 가지 공적(功績). 곧, 양민(養民)의 기본인 수(水)·화(火)·목(木)·금(金)·토(土)·곡(穀)의 육부(六府)와 선정(善政)의 근본인 정덕(正德)·이용(利用)·후생(厚生)의 삼사(三事)를 닦는 공적.

[九空 구공] 구천(九天). ┌름.

[九功舞 구공무] 당태종(唐太宗) 때의 춤의 이

[九官 구관] ㉠순(舜)임금 때의 아홉 대관(大官). 주(周)나라 이후의 구경(九卿)에 해당함. 곧, 사공(司空)·후직(后稷)·사도(司徒)·사(士)·공공(共工)·우(虞)·질종(秩宗)·전악(典樂)·납언(納言). ㉡찌르레깃과에 속하는 새. 구관조(九官鳥). 진길료(秦吉了).

[九九 구구] ㉠옛날의 산법(算法)의 한 가지. 또, 아홉은 기수(基數) 중에서 가장 큰 수이고 구배(九倍)는 최대수(最大數)의 최대배(最大倍)로서 수의 극진(極盡)한 것이므로 수법(數法)의 대표어(代表語)로 쓰임. ㉡하나로부터 아홉까지의 수 중의 두 수를 곱하는 산법(算法). 이 외에도 나누기·개평(開平)·개립(開立)에 각각 구구가 있음. 구구법(九九法). ㉢아홉에 아홉을 곱한 수. 곧 여든하나. 81. ㉣동지(冬至)의 다음 날부터 81일째의 날. 또 그 기간.

[九丘 구구] 구주(九州), 곧 중국 본토의 지리(地理)책.

[九衢 구구] 천자(天子)의 도읍(都邑) 중에 있는 아홉의 한길. 전(轉)하여 도읍. 경사(京師). 서울.

[九國 구국] ㉠전국 시대(戰國時代)의 아홉 나라. 곧, 제(齊)·초(楚)·연(燕)·조(趙)·한(韓)·위(魏)·송(宋)·위(衛)·중산(中山). ㉡중국 전토(全土). 구주(九州). ㉢여러 나라. 많은 나라.

[九軍 구군] ㉠천자(天子)의 육군(六軍)과 제후(諸侯)의 삼군(三軍). ㉡천자의 군대.

[九逵 구규] 사통오달(四通五達)하는 도시의 가로(街路).

[九竅 구규] 사람의 몸에 있는 아홉 구멍. 곧, 눈·귀·코의 각각 두 구멍씩 여섯 구멍과 입·항문(肛門)·요도(尿道)의 세 구멍.

[九棘位 구극위] 궁중(宮中)에 심어 놓은 아홉 그루의 가시나무의 왼쪽에 앉는 고(孤)·경(卿)·대부(大夫)와 오른쪽에 앉는 공(公)·후(侯)·백(伯)·자(子)·남(男)의 자리. 외조(外朝)를 이름. 구경(九卿)의 지위. 대신.

[九禁 구금] 아홉 겹으로 세운 금문(禁門)이라는 뜻으로, 금중(禁中), 곧 대궐(大闕)을 이름.

[九氣 구기] 사람의 아홉 가지 감정. 곧, 노(怒)·공(恐)·희(喜)·비(悲)·경(驚)·사(思)·노(勞)·한(寒)·열(熱)에 의하여 움직이는 감정의 변화.

[九旗 구기] 존비귀천(尊卑貴賤)을 표시하는 아홉 가지 기(旗).

[九畿 구기] 주대(周代)에 왕기(王畿)를 천 리 사방(千里四方)으로 하고, 그 주위를 좌우 각각 500리마다 1기(畿)로 구획하여, 후기(侯畿)·전기(甸畿)·남기(男畿)·채기(采畿)·위기(衛畿)·만기(蠻畿)·이기(夷畿)·진기(鎭畿)·번기(蕃畿)로 한 일컬음. 구복(九服).

[九年面壁 구년면벽] '면벽(面壁)'을 보라.

[九年之蓄 구년지축] 9년간의 저축.

[九丹 구단] 도가(道家)가 단사(丹砂)를 고아 만든 선약(仙藥).

[九達 구달] 도로(道路)의 이름.

[九德 구덕] ㉠사람이 마땅히 지켜야 할 아홉 가지 덕. 곧, 관이율(寬而栗)·유이립(柔而立)·원이공(愿而恭)·난이경(亂而敬)·요이의(擾而毅)·직이온(直而溫)·간이렴(簡而廉)·강이색(剛而塞)·강이의(彊而義). ㉡충(忠)·신(信)·경(敬)·강(剛)·유(柔)·화(和)·고(固)·정(貞)·순(順).

[九道 구도] ㉠학문의 아홉 가지 도(道). 곧, 도덕(道德)·음양(陰陽)·법령(法令)·천관(天官)·신징(神徵)·기예(技藝)·인정(人情)·계기(械器)·처병(處兵). ㉡달이 다니는 길.

[九冬 구동] 겨울의 90일간의 일컬음.

[九連環 구련환] 장난감의 한 가지. 수수께끼고리.

[九禮 구례] 관(冠)·혼(婚)·조(朝)·빙(聘)·상(喪)·제(祭)·빈주(賓主)·향음주(鄕飮酒)·군려(軍旅)의 아홉 가지 예.

[九黎 구려] 중국 상고(上古)의 소호씨(少昊氏) 때의 제후(諸侯). 후의 삼묘씨(三苗氏).

[九龍吐水 구룡토수] 《佛敎》 석가모니(釋迦牟尼)가 탄생할 때 아홉 마리의 용이 물을 뿜어 목욕을 시켰다는 일.

[九流 구류] 한대(漢代)의 아홉 학파. 곧, 유가(儒家)·도가(道家)·음양가(陰陽家)·법가(法家)·명가(名家)·묵가(墨家)·종횡가(縱橫家)·잡가(雜家)·농가(農家).

[九旒冕 구류면] 전후에 아홉 개의 옥을 꿴 장식 끈을 늘어뜨린 면류관(冕旒冠). 제후(諸侯)가 쓰는 것임.

[九六 구륙] 아홉과 여섯. 또, 양(陽)과 음(陰). 전(轉)하여, 음양판합만물생생(陰陽判合萬物生生)의 도(道)를 이름.

[九輪 구륜] 《佛敎》 불탑(佛塔)의 노반(露盤) 위에 있는 높은 기둥의 장식. 노반 위의 청화(請花)와 맨 꼭대기의 수연(水煙) 사이에 있는 아홉 개의 테 장식. 상륜(相輪) 참조.

[九里香 구리향] 물푸레나무, 곧 목서(木犀)의 별칭(別稱).

[九萬里 구만리] 거리가 대단히 먼 것을 이름.

[九陌 구맥] 한(漢)나라 서울 장안(長安)의 성(城) 안에 있던 아홉 한길.

[九貊 구맥] 사방의 오랑캐. 일설(一說)에는, 중국 동북방에 있었다고 하는 구종(九種)의 오랑캐.

[九命 구명] 주대(周代)의 관작(官爵)의 아홉 등급. 최하는 일명(一命), 최고는 구명(九命)임.

[九牧 구목] ㉠구주(九州)의 장관. ㉡구주(九州).

[九門 구문] 대궐(大闕)의 주위의 아홉 문. 곧, 노문(路門)·응문(應門)·치문(雉門)·고문(庫門)·고문(皐門)·성문(城門)·근교문(近郊門)·원교문(遠郊門)·관문(關門). 노문(路門) 참조.

[九尾狐 구미호] ㉠청구국(靑丘國)에 있다고 하는 꼬리가 아홉 달린 여우. 사람을 잘 속인다 함. ㉡간사하고 아첨 잘하는 사람의 비유. 교활한 사람.

[九民 구민] 여러 계급의 백성. 각종의 직업에 종사하는 백성.

[九旻 구민] ㉠가을의 하늘. ㉡구천(九天).

[九拜 구배] ㉠아홉 가지 절. 곧, 계수(稽首)·돈수(頓首)·공수(空首)·진동(振動)·길배(吉拜)·흉배(凶拜)·기배(奇拜)·포배(褒拜)·숙배(肅拜). ㉡여러 번 절함.

[九百 구백] 어리석은 사람, 모자라는 사람을 일컫는 은어(隱語).

[九伯 구백] 구패(九伯).

[九法 구법] ㉠구주(九疇). ㉡주대(周代)에 대사마(大司馬)가 나라를 다스리는 데 준수(遵守)하여야 할 아홉 가지 법칙. 곧, 제기봉국(制畿封國)·설의변위(設儀辨位)·진현흥공(進賢興功)·건목입감(建牧立監)·제군힐금(制軍詰禁)·시공분직(施貢分職)·간계향민(簡稽鄕民)·균수평칙(均守平則)·비소사대(比小四大).

[九服 구복] 주대(周代)에 왕기(王畿)를 천 리 사방(千里四方)으로 하고 그 주위를 상하좌우(上下左右) 각각 500리마다 1기(畿)로 구획하여, 후복(侯服)·전복(甸服)·남복(男服)·채복(采服)·위복(衛服)·만복(蠻服)·이복(夷服)·진복(鎭服)·번복(蕃服)으로 한 것의 일컬음. 복(服)은 천자(天子)에게 복종한다는 뜻. 구기(九畿).

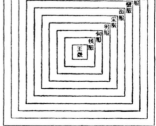

[九服]

[九府 구부] ㉠주대(周代)에 재화(財貨)를 맡은 아홉 관부(官府). 곧, 대부(大府)·옥부(玉府)·내부(內府)·외부(外府)·천부(泉府)·천부

(天府)·직내(職內)·직금(職金)·직폐(職幣). ⓛ구주(九州)의 보배를 저장한 곳집. 전국(全國)의 보고(寶庫).

[九賓 구빈] 아홉 사람의 접대계(接待係). 천자(天子)가 귀빈(貴賓)을 우대할 때의 예(禮).

[九嬪 구빈] 주대(周代)의 제도에서, 천자(天子)가 둘 수 있는 아홉 사람의 빈(嬪). 빈(嬪)은 궁중(宮中)의 여관(女官)의 한 계급.

[九思 구사] 군자(君子)가 항상 유의(留意)하고 반성하여야 할 아홉 가지 생각. 곧, 시사명(視思明)·청사총(聽思聰)·색사온(色思溫)·모사공(貌思恭)·언사충(言思忠)·사사경(事思敬)·의사문(疑思問)·분사난(忿思難)·견득사의(見得思義).

[九死一生 구사일생] ㉠거의 죽을 뻔하다가 겨우 살아남. ⓛ대단히 위태로움. 거의 살 가망이 없음.

[九山 구산] ㉠구주(九州)의 각 지방의 아홉 명산(名山). 《사기(史記)》에는 견(汧)·호구(壺口)·지주(砥柱)·태행(太行)·서경(西傾)·웅이(熊耳)·파총(嶓冢)·내방(內方)·기(岐). 《회남자(淮南子)》에는 회계(會稽)·태산(泰山)·왕옥(王屋)·수산(首山)·태화(太華)·기산(岐山)·태행(太行)·양장(羊腸)·맹문(孟門). ⓛ많은 산. 여러 산.

[九暑 구서] 여름의 90일간의 더위.

[九錫 구석] 천자(天子)가 특히 공로가 있는 사람에게 하사하는 아홉 가지 물품. 곧, 거마(車馬)·의복(衣服)·악칙(樂則)·주호(朱戶)·납폐(納陛)·호분(虎賁)·궁시(弓矢)·부월(鈇鉞)·거창(秬鬯).

[九成 구성] ㉠음악 아홉 곡을 연주하는 일. 음악 한 곡이 끝나는 것을 일성(一成)이라 함. 구주(九奏). ⓛ구소(九霄).

[九星 구성] ㉠하도(河圖)·낙서(洛書)에 도시(圖示)된 아홉 개의 별. 곧, 일백(一白)·이흑(二黑)·삼벽(三碧)·사록(四綠)·오황(五黃)·육백(六白)·칠적(七赤)·팔백(八白)·구자(九紫). 이것은 오행(五行)·방위(方位)·간지(干支)에 배당하여 점(占)을 침. ⓛ《佛敎》구요(九曜). ㉢북두성(北斗星)을 이름. ㉣성(星)·신(辰)·일(日)·월(月)·사시(四時)·세(歲).

[九世同居 구세동거] 당(唐)나라 사람 장공예(張公藝)의 구대(九代)가 한집안에서 산 고사(故事)에서 나온 말로, 집안이 화목함을 이름.

[九韶 구소] 순(舜)임금이 지은 음악 이름.

[九霄 구소] 하늘. 구천(九天). 아주 멀거나 높은 곳의 비유로 쓰임.

[九屬 구속] 구족(九族).

[九數 구수] 최고(最古)의 산법(算法)으로서 황제(黃帝)가 예수(隸首)에게 명하여 만들었다고 하는 수학상(數學上)의 아홉 가지 법식(法式). 곧, 방전(方田)〈전지(田地)의 측량〉·속미(粟米)〈교역매매산(交易賣買算)〉·최분(衰分)〈귀천혼합법(貴賤混合法)〉·소광(少廣)·평방(平方)·입방(立方)·상공(商功)〈공력공정산(工力工程算)〉·균수(均輸)〈주차(舟車) 등의 운임산(運賃算)〉·영뉴(盈朒)〈안분비례(按分比例)〉·방정(方程)〈방정식〉·구고(句股)〈삼각법〉. 구장산술(九章算術).

[九藪 구수] 구택(九澤).

[九寺 구시] 당송 시대(唐宋時代)에 특수한 사무를 취급하던 아홉 관아(官衙). 곧, 태상시(太常

寺)·광록시(光祿寺)·위위시(衛尉寺)·종정시(宗正寺)·태복시(太僕寺)·대리시(大理寺)·홍려시(鴻臚寺)·사농시(司農寺)·태부시(太府寺). 그 장관은 모두 경(卿)이므로 구경(九卿)이라 합칭(合稱)함.

[九式 구식] 주대(周代)의 왕실(王室) 재정(財政) 지출의 아홉 가지 조목. 곧, 제사(祭祀)·빈객(賓客)·상황(喪荒)·수복(羞服)·공사(工事)·폐백(幣帛)·추말(芻秣)·비반(匪頒)·호용(好用). 구부(九賦)로써 이 비용을 충당하였는데, 액수에 일정한 절도(節度)가 있었음.

[九十六外道 구십육외도] 《佛敎》인도(印度)에서 불교를 제외한 96파의 종교를 이름. 외도(外道)는 불교의 정도(正道)에 대하여 이른 말.

[九十春光 구십춘광] 90일간의 화창한 봄 경치.

[九野 구야] ㉠구주(九州)의 들. 구주(九州). ⓛ하늘의 아홉 분야(分野). 구천(九天).

[九陽 구양] ㉠해. 태양(太陽). ⓛ해가 돋는 곳. ㉢순수한 양기(陽氣). ㉣하늘. 구천(九天)의 끝.

[九御 구어] ㉠후궁(後宮)의 아홉 궁녀(宮女). ⓛ궁녀 아홉이 임금을 곁에서 모심.

[九域 구역] 구주(九州).

[九譯 구역] 아홉 번 다시 통역하지 않으면 의사가 통하지 않을 만큼 아주 먼 땅을 이름.

[九埏 구연] 천지(天地)의 끝. 구은(九垠).

[九淵 구연] 아홉 겹의 못. 아주 깊은 웅덩이. ⓛ아홉의 못. 아홉의 웅덩이.

[九列 구열] 구경(九卿)의 지위.

[九五 구오] 구(九)는 주역(周易)에서 양(陽)의 수. 오(五)는 괘(卦)의 오효(五爻), 곧 밑에서 세어 다섯 번째의 양효(陽爻). 이 괘효(卦爻)는 천자(天子)의 자리임. 전(轉)하여, 천자의 지위(地位).

[九五之位 구오지위] 구오지존(九五之尊).

[九五之尊 구오지존] 천자의 지위(地位).

[九醞酒 구온주] 전국 술.

[九曜 구요] 《佛敎》일요(日曜)·월요(月曜)·화요(火曜)·수요(水曜)·목요(木曜)·금요(金曜)·토요(土曜)·계도(計都)·나후(羅睺)의 아홉 개의 별. 구성(九星).

[九牛一毛 구우일모] 여러 마리의 소의 털 중에서 한 가닥의 털. 곧, 대단히 많은 것 중의 대단히 적은 부분. 없어져도 아무 표가 나지 않는 극소 부분. 대해(大海)의 일적(一滴).

[九京 구원] 구원(九原).

[九原 구원] ㉠전국 시대(戰國時代)의 진(晉)나라 경대부(卿大夫)의 묘지(墓地). ⓛ묘지. 황천(黃泉).

[九月九日 구월구일] 명절(名節)의 하나. 중양(重陽). 중양절(重陽節).

[九圍 구위] 구주(九州).

[九有 구유] 구주(九州).　　　　「나락(奈落).

[九幽 구유] 대지(大地)의 밑바닥. 지저(地底).

[九垠 구은] ㉠구천(九天)의 끝. 천지(天地)의 끝. ⓛ구주(九州)의 끝.

[九疑 구의] 산(山) 이름. 후난 성(湖南省) 영릉현(零陵縣)의 북쪽에 있음.

[九儀 구의] ㉠귀천(貴賤)·상하(上下)의 품등(品等)을 바로잡는 일. ⓛ천자(天子)가 제후(諸侯)·대부(大夫) 등 아홉 등급의 빈객을 접대하는 의식. 구빈(九賓).

[九夷 구이] ㉠상고(上古)에 동방(東方)에 있던 구종(九種)의 오랑캐. 곧, 견이(畎夷)·우이(于

夷)·방이 (方夷)·황이 (黃夷)·백이 (白夷)·적이 (赤夷)·원이 (元夷)·풍이 (風夷)·양이 (陽夷). ㉡많은 오랑캐. 여러 오랑캐. ㉢미개한 나라. 야만국(野蠻國).

[九夷八蠻 구이팔만] 모든 오랑캐.

[九仞功虧一簣 구인공휴일궤] 높이가 구인 (九仞), 곧 72척의 산을 쌓는데 한 삼태기의 흙을 쌓아 올리థ 완성하는 최후의 순간에 가서 실패한다는 뜻으로, 적년(積年)의 공을 들인 일도 한 번의 실수로 허사로 돌아감의 비유.

[九日 구일] 9월 9일.

[九紫 구자] 9성 (星)의 하나. 화성 (火星)을 이름.

[九腸 구장] 온 창자. 창자 전부.

[九藏 구장] 오장 (五臟)에 위 (胃)·방광 (膀胱)·대장 (大腸)·소장 (小腸)을 합친 것. 장 (藏)은 장 (臟).

[九章算術 구장산술] ㉠구수 (九數). ㉡책 이름. 저자 미상. 총 9권. 구장산술의 산법 (算法)을 수록(收錄)한 최고 (最古)의 수학책.

[九轉靈砂 구전영사] 수은 (水銀)에 유황 (硫黃)을 넣어 아홉 번 고아 만든 약. 어린아이의 간기 (癎氣) 약으로 쓰임.

[九折 구절] ㉠꼬불꼬불한 비탈길. ㉡꼬불꼬불함.

[九折臂 구절비] 명의 (名醫)가 되기까지 아홉 번 팔꿈치를 꺾었다는 뜻으로, 열력 (閱歷)·경험 (經驗)이 많음의 비유.

[九節草 구절초] 국화과에 속하는 다년초. 잎은 약용. 관상용으로도 심음.

[九鼎 구정] 우왕 (禹王) 때 주조 (鑄造)한 솥. 하은주 (夏殷周) 삼대 (三代) 상전 (相傳)의 보배임.

[九鼎大呂 구정대려] 구정 (九鼎)과 대려 (大呂). 모두 극히 소중한 주묘(周廟)의 보기 (寶器)이며, 또 썩 무거우므로, 전 (轉)하여 중한 지위의 비유로 쓰임. 생략하여 '정려 (鼎呂)'라고도 함.

[九族 구족] 고조 (高祖)·증조 (曾祖)·조부 (祖父)·부모 (父母)·자기·아들·손자·증손·현손. 일설 (一說)에는, 부족 (父族) 넷, 곧 고모의 자녀·자매의 자녀·딸의 자녀 및 자기의 동족과 모족 (母族) 셋, 곧 외할아버지·외할머니·이모의 자녀와 처족 (妻族) 둘, 곧 장인·장모.

[九州 구주] 중국 전토 (全土)를 아홉으로 구분한 일컬음. 요순우 (堯舜禹) 때는 기 (冀)·연 (兗)·청 (靑)·서 (徐)·형 (荊)·양 (揚)·예 (豫)·양 (梁)·옹 (雍), 은 (殷)나라 때는 기 (冀)·예 (豫)·옹 (雍)·양 (揚)·형 (荊)·서 (徐)·유 (幽)·영 (營), 주 (周)나라 때는 양 (揚)·형 (荊)·예 (豫)·청 (靑)·연 (兗)·옹 (雍)·유 (幽)·기 (冀)·병 (幷) 중국 전토.

[九疇 구주] 천하 (天下)를 다스리는 아홉 가지 대법 (大法). 본시 우왕 (禹王)이 천계 (天啓)에 의하여 얻은 것으로서 대대로 전 (轉)하여 기자 (箕子)에 이르러 기자가 무왕 (武王)의 물음에

[九疇]

대답한 후 비로소 세상에 알려졌다 함. 곧, 오행 (五行)·오사 (五事)·팔정 (八政)·오기 (五紀)·황극 (皇極)·삼덕 (三德)·계의 (稽疑)·서징 (庶徵)·오복 (五福). 오행은 수 (水)·화 (火)·목 (木)·금 (金)·토 (土). 오사는 모 (貌)·언 (言)·시 (視)·청 (聽)·사 (思). 팔정은 식 (食)·화 (貨)·사 (祀)·사공 (司空)·사도 (司徒)·사구 (司寇)·빈 (賓)·사 (師). 오기는 세 (歲)·월 (月)·일 (日)·성신 (星辰)·역수 (曆數). 삼덕은 정직 (正直)·강극 (剛克)·유극 (柔克). 계의는 우 (雨)·제 (霽)·몽 (蒙)·역 (驛)·극 (克)·정 (貞)·회 (悔). 서징은 우 (雨)·양 (暘)·오 (燠)·한 (寒)·풍 (風)·시 (時). 오복은 수 (壽)·부 (富)·강녕 (康寧)·유호덕 (攸好德)·고종명 (考終命). 구법 (九法). 홍범구주 (洪範九疇).

[九重 구중] ㉠아홉 겹. ㉡하늘. 구천 (九天). ㉢궁중 (宮中). 궁궐 (宮闕).

[九重天 구중천] ㉠하늘의 가장 높은 곳. 천상(天上). 구천 (九天). ㉡궁정 (宮廷).

[九地 구지] ㉠땅의 가장 낮은 곳. 구천 (九天)의 대 (對). ㉡작전상 (作戰上)의 아홉 종류의 땅. 곧, 산지 (散地)〈사졸이 흩어지기 쉬운 땅〉·경지 (輕地)〈적지에 들어가서 아직 깊숙하지 않은 땅〉·쟁지 (爭地)〈피아 쌍방이 서로 다투는 땅〉·교지 (交地)〈피아 쌍방이 서로 교통하는 땅〉·구지 (衢地)〈왕래의 통로가 되는 땅〉·중지 (重地)〈적지 깊숙이 들어간 땅. 경지 (輕地)의 대〉·비지 (圮地)〈험준한 땅〉·위지 (圍地)〈막다른 골목 같이 앞이 꽉 막힌 땅〉·사지 (死地)〈필사 (必死)의 땅〉. ㉢적 (敵)이 발견하기 어려운 땅.

[九枝 구지] 구지등 (九枝燈).

[九枝燈 구지등] 아홉의 가지가 나와서 그곳에 초 같은 것을 꽂게 된 등 (燈). 우리나라 사람이 구지등수 (九枝燈樹)를 가지고 있었다는 것이 〈개원유사 (開元遺事)〉에 기재되어 있음.

[九職 구직] ㉠요 (堯)임금 때의 아홉 가지 벼슬. 곧, 사도 (司徒)·사마 (司馬)·사공 (司空)·전주 (田疇)·악정 (樂正)·공사 (工師)·질종 (秩宗)·대리 (大理)·구금 (敺禽). ㉡주대 (周代)의 아홉 가지 직업.

[九眞藤 구진등] 다년생 (多年生) 만초 (蔓草)의 하나. 새박덩굴. 박주가리.

[九秩 구질] 아흔 살. 90세.

[九采 구채] ㉠구목 (九牧). ㉡아홉 가지 채색 (彩色). 구색 (九色).

[九川 구천] 구주 (九州)의 중요한 강 아홉. 곧, 양쯔 강(揚子江)·황허 (黃河)·한수이 (漢水)·지수이 (濟水)·화이수이 (淮水)·웨이수이 (渭水)·뤄수이 (洛水)·뤄수이 (弱水)·헤이수이 (黑水).

[九天 구천] ㉠하늘을 중앙·사정 (四正)·사우 (四隅)의 아홉 분야 (分野)로 나눈 칭호. 중앙을 균천 (鈞天), 동방을 창천 (蒼天), 동북을 민천 (旻天), 북방을 현천 (玄天), 서북을 유천 (幽天), 서방을 호천 (昊

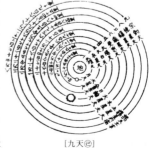

[九天㉡]

天), 서남을 주천(朱天), 남방을 염천(炎天), 동남을 양천(陽天)이라 함. 구야(九野). ㉡하늘의 가장 높은 곳. 또, 하늘. 구지(九地)의 대(對). ㉢궁중(宮中). 구중(九重). ㉣《佛敎》구를 중심으로 하여 도는 아홉 천체(天體). 곧, 월천(月天)·수성천(水星天)·금성천(金星天)·일륜천(日輪天)·화성천(火星天)·목성천(木星天)·토성천(土星天)·항성천(恆星天)·종동천(宗動天).

[九泉 구천] ㉠구지(九地)의 밑에 있는 샘. 전(轉)하여 황천(黃泉). 저승. ㉡땅. 대지(大地).

[九天直下 구천직하] 하늘에서 땅을 향하여 일직선으로 떨어진다는 뜻. 일사천리(一瀉千里)의 형세를 이름.

[九天玄女 구천현녀] 황제(黃帝)가 치우(蚩尤)와 싸울 때 그에게 병법(兵法)을 내려 주었다는 선녀(仙女). 현녀(玄女).

[九招 구초] 시경(詩經)에 빠진 시편(詩篇), 곧 고일시(古逸詩)의 하나. 제곡(帝嚳) 때에 함묵(咸墨)이 노래 부른 것이라 함.

[九秋 구추] 가을의 90일간.

[九春 구춘] 봄의 90일간.

[九層之臺起於累土 구층지대기어누토] 9층의 고대(高臺)도 처음에 얼마 안 되는 흙으로 쌓아 올리기 시작하여 이룬 것이라는 뜻으로, '진합태산(塵合泰山)'과 같은 말.

[九澤 구택] 아홉의 소택(沼澤). 곧, 대륙(大陸)·뇌하(雷夏)·맹제(孟諸)·하택(荷澤)·영택(榮澤)·대야(大野)·팽려(彭蠡)·진택(震澤)·운몽(雲夢).

[九土 구토] ㉠아홉 가지 지세(地勢). ㉡아홉 가지 토질(土質).

[九通 구통] 역대(歷代)의 제도를 적은 아홉 가지 서적. 곧, 통전(通典)·통지(通志)·문헌통고(文獻通考)·황조문헌통고(皇朝文獻通考)·황조통전(皇朝通典)·황조통지(皇朝通志)·속통지(續通志)·속통전(續通典)·속문헌통고(續文獻通考).

[九伯 구패] 구주(九州)의 장(長). 패(伯)는 지방 장관. 구백(九伯).

[九卿 구경] ㉠구경(九卿). ㉡위(魏)나라 때 인재(人才)의 우열(優劣)에 의하여 관리(官吏)를 전형(銓衡)하던 아홉 등급. ㉢벼슬의 아홉 품계(品階). ㉣《佛敎》극락왕생(極樂往生)의 아홉 등급.

[九夏 구하] ㉠여름의 3개월 90일간. 구서(九暑). ㉡주대(周代)에 조정(朝廷)에서 연주하던 아홉 가지 주악(奏樂).

[九合 구합·규합] ㉠아홉 번 회합함. ㉡규합(九合)을 보라.

[九垓 구해] ㉠구천(九天)의 위. 하늘의 밖. 천외(天外). ㉡나라의 끝. 땅의 끝. 구해(九陔).

[九行 구행] ㉠아홉 가지 훌륭한 행위. 〈일주서(逸周書)〉에는 인(仁)·행(行)·양(讓)·신(信)·고(固)·치(治)·의(義)·용(勇). 〈습유기(拾遺記)〉에는 효(孝)·자(慈)·문(文)·신(信)·언(言)·충(忠)·공(恭)·용(勇)·의(義). ㉡아홉 순배(巡杯) 돎.

[九獻 구헌] 옛날의 향례(饗禮)에 주객(主客)이 아홉 번 술잔을 드리는 일.

[九玄 구현] ㉠구천(九天). ㉡도교(道敎)에서 존경하는 신선(神仙).

[九穴 구혈] 구규(九竅).

[九刑 구형] ㉠주대(周代)의 아홉 가지 형벌. 곧, 묵형(墨刑)·의형(劓刑)·비형(剕刑)·궁형(宮刑)·대벽(大辟)·유형(流刑)·속형(贖刑)·편형(鞭刑)·복형(扑刑). ㉡형서(刑書)의 이름.

[九華 구화] ㉠산 이름. 안후이 성(安徽省) 청양현(靑陽縣) 서남 40리에 있음. 왕양명(王陽明)이 이 산중에서 독서하였다 함. ㉡궁전(宮殿)이나 기물(器物)에 아름다운 장식을 한 것을 이름. 구(九)는 많다는 뜻.

[九華帳 구화장] 여러 가지 꽃무늬를 놓은 아름다운 장막.

[九廻腸 구회장] ㉠창자가 아홉 번 비틀릴 정도로 몸부림치며 괴로워함. ㉡꼬불꼬불한 것의 형용.

[九合 규합] 일을 꾸미려고 사람을 모음. 규합(糾合).

●三九. 上九. 十中八九. 十八九. 陽九. 重九. 初九. 出九.

② ③ [乞] 高入 ㊀ 걸 ㋦物 去訖切 qǐ / ㊁ 기 ㋤未 丘旣切 qì

乞

筆順 ノ ノ 乞

字解 ㊀ ①빌 걸 구걸함. '一人'. '行一于市'《史記》. ②청할 걸, 구할 걸 청구함. 요구함. '一求'. '三王有 一言'《禮記》. ③청컨대 걸 바라건대. '一以此骨付之有司, 投諸水火'《韓愈》. ④거지 걸 걸식하는 사람. '外舍家寒一'《宋書》. ⑤청 걸 요청. 소청. '安得金丹從爾一'《張羽》. ⑥성 걸 성(姓)의 하나. ㊁ 줄 기 내줌. '一與'. '以墅一汝'《晉書》.

字源 假借. 본디 운기(雲氣)의 모양을 본떠 기체(氣體)의 뜻을 나타냈으나, 음형(音形)이 '祈기'에 가까워, 빌려서 '빌다'의 뜻으로 쓰임.

[乞假 걸가] ㉠휴가를 얻어 쉼. 가(假)는 가(暇)의 고자(古字). ㉡금전 같은 것을 대여 대여(貸與)함.

[乞丐 걸개] ㉠거지. 걸인(乞人). ㉡구걸(求乞)함.

[乞匄 걸개] 걸개(乞丐).

[乞巧 걸교] 칠석(七夕)날 밤에 부녀자가 견우(牽牛)·직녀(織女) 두 별에게 길쌈과 바느질 솜씨가 늘기를 비는 제사.

[乞巧棚 걸교붕] 걸교(乞巧)를 할 때 제전(祭奠)을 올려놓는 시렁.

[乞求 걸구] 청함. 구함.

[乞郡 걸군] 조선 시대 문과(文科)에 급제한 자로서 어버이는 늙고 집안이 가난한 경우에 수령(守令) 자리를 주청(奏請)하는 일.

[乞憐 걸련] 곤궁할 때 동정을 받으려고 생각함.

[乞靈 걸령] 남의 권세에 의지하여 자기의 이익을 구함.

[乞盟 걸맹] ㉠적(敵)에게 강화(講和)하기를 청함. ㉡맹세할 때 천지신명(天地神明)에게 고함.

[乞命 걸명] 목숨을 살려 달라고 빎.

[乞不並行 걸불병행] 한꺼번에 달라는 사람이 많으면 연기가 어렵다는 말.

[乞士 걸사] 《佛敎》중. 위로는 제불(諸佛)에게 법(法)을 구걸하고, 아래로는 시주(施主)에게 밥을 구걸하는 사람이라는 뜻임.

[乞食 걸식] 밥을 구걸함. 빌어먹음. 또, 그 사람. 거지. 걸인(乞人).

[乞身 걸신] 사직(辭職)하기를 청함. 사직원을 냄. 걸해골(乞骸骨).

[乞兒 걸아] 거지. 걸인(乞人).

[乞言 걸언] 노인(老人)에게 좋은 말을 하여 달라고 청함.
[乞人 걸인] 거지. 비렁뱅이.
[乞借 걸차] 빎. 빌어 얻음. 차용(借用)함.
[乞請 걸청] 간절히 바람. 열망함.
[乞貸 걸특] 걸차(乞借). 특(貸)은 특(貣).
[乞骸 걸신] 걸신(乞身).
[乞骸骨 걸해골] 걸신(乞身).
[乞火不若取燧 걸화불약취수] 남에게서 불을 얻기보다는 자기 스스로 부시를 쳐서 불을 일으키는 것이 좋음. 남에게 의지하기보다는 자기 스스로 해 나가는 것이 좋음의 이름.
[乞與 기여] 줌. 시여(施與)함.
●丐乞. 求乞. 陳乞. 寒乞. 行乞.

2③ [也] 中人 ■ 야 ㉠馬 羊者切 yě ㉤禡 羊謝切
■ 이 ㉠紙 演爾切 yí

筆順 フ 九 也

字解 ■ ①어조사 야 ㉠구말(句末)에 써서 결정의 뜻을 나타내는 조사. '廟有二主, 自桓公始—'《禮記》. ㉡어간(語間)에 넣어 병설(竝說)하는 조사. '野馬—, 塵埃—, 生物之以息相吹—'《莊子》. ㉢이름을 부를 때 아래에 쓰는 조사. '回—其庶乎'《論語》. ㉣의문에 쓰이는 조사. '寡人之民不加多何—'《孟子》. ㉤반어(反語)에 쓰이는 조사. '君子何患乎無兄弟—'《論語》. ㉥감탄의 뜻을 나타내는 조사. '何其智之明—'《史記》. ㉦어세(語勢)를 강하게 하는 조사. '必—狂狷乎'《論語》. ㉧형용의 의미를 강하게 하는 조사. '始作翕如—'《論語》. ㉨무의미한 조사. '禮與其奢—寧儉'《論語》. ㉩탄식을 나타내는 조사. …도다. …구나. (口部 六畫)와 뜻이 같음. '惜—, 不如多與之邑'《左傳》. ②이를 야 …라 이르는. '孝弟—者, 其爲仁之本歟'《論語》. ③성 야 성(姓)의 하나. ④또 야 ㉠시(詩) 또는 속어(俗語)에서 亦(亠部 四畫)과 같은 뜻으로 쓰임. '靑袍—白公'《杜甫》. ㉡발어(發語)하는 말로 쓰임. '—知鄕信日應疏'《岑參》. '—知造物有深意'《蘇軾》. ■ 이 이 이것. 迤(辵部 三畫)와 同字. '—, 詞也. 斯也'《集韻》.

字源 金文 篆文 象形. 《說文》은 여자의 생식기를 본뜬 것으로 봄. 그러나 실제로 그 뜻으로 쓰이는 일은 없음. 가차(假借)하여 조사(助辭)로 쓰임.

[也速該 야속해] 원(元)나라 열조(烈祖) 성길사한(成吉思汗)의 부친(父親). 타타르 사람에게 독살당함.
[也有 야유] 또한 있음. …도 있음.   「뿐.
[也已 야이] 단정(斷定)의 조사(助辭). 단지 그것
[也哉 야재] ㉠강한 단정(斷定)의 뜻을 나타내는 조사(助辭). ㉡반어(反語)의 뜻을 나타내는 조사(助辭).
[也乎 야호] 강조의 조사(助辭).
[也乎哉 야호재] ㉠감탄의 뜻을 나타내는 조사(助辭). ㉡의문 또는 반어(反語)의 뜻을 나타내는 조사.

2③ [乫] 韓 굴
字解 《韓》 뜻은 없음.
字源 '굴' 음(音)을 나타내기 위하여, '九구'와 '乙을'을 포개어 만듦.

3④ [糺] 규 jiǔ
字解 군대이름 규 '一軍'은 요(遼)·금(金) 시대의 궁전(宮殿)을 지키는 군대의 이름. '金有護衛一軍. 疑卽糾字'《字彙補》.

3④ [壱] 韓 살
字解 《韓》 뜻은 없음.
字源 '살' 음(音)을 나타내기 위하여, '士사'와 '乙을'을 포개어 만듦.

3④ [乤] 韓 할
字解 《韓》 뜻은 없음.
字源 '할' 음(音)을 나타내기 위하여, '下하'와 '乙을'을 포개어 만듦.

3④ [乯] 人名 韓 울
字解 《韓》 뜻은 없음.
字源 '울' 음(音)을 나타내기 위하여, '于우'와 '乙을'을 포개어 만듦.

[孔] 〔공〕 子部 一畫(p.555)을 보라.

4⑤ [乽] 韓 글
字解 《韓》 뜻은 없음.
字源 '글' 음(音)을 나타내기 위하여, '文문'과 '乙을'을 포개어 만듦.

4⑤ [乧] 韓 둘
字解 《韓》 뜻은 없음.
字源 '둘' 음(音)을 나타내기 위하여, '斗두'와 '乙을'을 포개어 만듦.

4⑤ [乭] 韓 올
字解 《韓》 뜻은 없음.
字源 '올' 음(音)을 나타내기 위하여, '五오'와 '乙을'을 포개어 만듦.

4⑤ [芒] 〔야·이〕 也(乙部 二畫〈p.63〉)의 古字

4⑤ [㐌] 이 ㉤支 余支切 yí
字解 오랑캐이름 이 광동(廣東) 지방에 살던 만족(蠻族)의 하나. '—, 粵中猺種'《類篇》.

[㾍] 〔액〕 戶部 一畫(p.839)을 보라.

5⑥ [乫] 人名 韓 갈
字解 《韓》 땅이름 갈 지명(地名)에 쓰임. '—

波知'.
字源 '갈' 음(音)을 나타내기 위하여, '加가'와
'乙을'을 포개어 만듦.

5
⑥ [⻳] 韓 걸

字解 《韓》걸 걸 걸어 둠. '一麴床'《喪禮補》.
字源 '걸' 음(音)을 나타내기 위하여 '巨거'와
'乙을'을 포개어 만듦.

5
⑥ [⻳] 계 ㋫齊 堅奚切 jī

字解 ①무꾸리할 계, 점 계 쟁반에 담은 모래 위
에 송곳 모양의 막대로 글자를 써서 길흉화복
(吉凶禍福)을 점침. '一筆'. ②상고할 계 생각
함. 稽(禾部 十畫)와 통용. '卟, 一曰, 考也. 或
作一, 通作稽'《集韻》.
字源 會意. 占+卜. '占'은 '무꾸리·점'의 뜻,
'卜'은 갈지자 꼴을 본뜬 모양. 갈지자 모양
으로 길흉(吉凶)을 점치는 뜻을 나타냄.

5
⑥ [⻳] 〔비〕
飛(部首〈p.2566〉)의 略字

5
⑥ [⻳] 〔시〕
始(女部 五畫〈p.522〉)의 古字

5
⑥ [⻳] 韓 놀

字解 《韓》뜻은 없음.
字源 '놀' 음(音)을 나타내기 위하여, '奴노'와
'乙을'을 포개어 만듦.

5
⑥ [⻳] 韓 돌

字解 《韓》뜻은 없음.
字源 '돌' 음(音)을 나타내기 위하여, '冬동'과
'乙을'을 포개어 만듦.

5
⑥ [⻳] 韓 졸

字解 《韓》뜻은 없음.
字源 '졸' 음(音)을 나타내기 위하여, '召소'와
'乙을'을 포개어 만듦.

5
⑥ [⻳] 韓 묠

字解 《韓》 땅이름 몰 지명(地名)에 쓰임. '一
山'.
字源 '묠' 음(音)을 나타내기 위하여 '卯묘'와
'乙을'을 포개어 만듦.

[亙] 〔돌〕
石部 一畫(p.1565)을 보라.

6
⑦ [乱] 〔란〕
亂(乙部 十二畫〈p.67〉)의 俗字

6
⑦ [⻳] 韓 놀

字解 《韓》뜻은 없음.
字源 '놀' 음(音)을 나타내기 위하여, '老노'와
'乙을'을 포개어 만듦.

7
⑧ [⻳] 韓 둘

字解 《韓》뜻은 없음.
字源 '둘' 음(音)을 나타내기 위하여, '豆두'와
'乙을'을 포개어 만듦.

7
⑧ [乳] 高人 유 ⑪囊 而主切 rǔ

筆順 ⼀ ⼂ ⼂ ⼂ ⼂ ⼃ 乎 乎 乳

字解 ①젖 유 ㉠젖통이. 유방(乳房). '一汁'.
'文王四一'《白虎通》. ㉡젖통이에서 분비하는
액체. '牛一'. '乳人乏一'《南史》. ㉢젖통이 또
는 젖꼭지같이 생긴 물건. '鐘四帶有一'《康熙
字典》. 또, 젖통이처럼 늘어진 것. '鍾一石'.
㉣젖과 같이 희고 부연 액체. '石灰一'. '池一
交巖脈'《韓愈》. ②젖먹일 유 젖을 먹임. '一
養一'. '虎一之'《左傳》. ③기를 유 양육함. 또, 사
랑함. '阿一'. '皇子棄不一'. 椒房抱羌渾'《李商
隱》. ④낳을 유 분만함. '瓴一乃得歸'《十八史
略》. ⑤어머니 유, 어버이 유 모친 또는 양친.
'兄弟共一而生'《唐書》.
字源 篆文 會意. 爪+子+乙. '爪조'는 손을 아
래로 향해 쥐는 모양을 나타냄. '乙
을'은 유방(乳房)을 본뜬 모양. 젖먹이로 하여
금 젖을 향하게 하는 모양에서, '젖, 젖을 먹이
다'의 뜻을 나타냄.

[乳柑 유감] 운향과(芸香科)에 속하는 상록 관목
(常綠灌木). 인도차이나 원산(原産). 흰 꽃이
피고 향기가 높음. 열매는 밀감(密柑) 비슷함.
[乳嫗 유구] 유모(乳母).
[乳氣 유기] 어린아이의 태.
[乳糖 유당] 젖 속에 포함된 당분.
[乳道 유도] 젖이 나오는 분비선.
[乳犢 유독] 젖 먹는 송아지.
[乳頭 유두] ㉠젖꼭지. ㉡젖꼭지 같은 돌기(突起).
혀의 표면에 있는 작은 돌기 같은 것.
[乳酪 유락] 우유 중의 지방분을 굳힌 것. 버터.
[乳名 유명] 아명(兒名).
[乳母 유모] 젖어머니.
[乳母子 유모자] 유모의 아들.
[乳木 유목] 《佛敎》호마(護摩)를 할 때에 불사르
는 나무.
[乳糜 유미] ㉠먹은 음식이 위 속에서 소화되어
젖 모양의 액체로 된 것. ㉡유락(乳酪).
[乳鉢 유발] 약을 이기거나 또는 갈아서 가루로
만드는 데 쓰는 그릇. 막자사발.
[乳房 유방] 젖. 젖통이.
[乳餠 유병] 우유를 굳혀 만든 과자.
[乳棒 유봉] 유발(乳鉢)에 약을 넣고 갈 때에 쓰
는 막자.
[乳婢 유비] 유모(乳母).
[乳酸 유산] 썩은 젖에서 생기는 산(酸).
[乳石 유석] 종유석(鍾乳石)의 별칭(別稱).
[乳首 유수] 젖꼭지. 유두(乳頭).
[乳兒 유아] 젖먹이.　　　　　　　　　　　[腫]
[乳癌 유암] 부인(婦人)의 젖에 생기는 암종(癌
[乳液 유액] 식물체(植物體)의 유관(乳管) 및 유
기(乳器) 중에 포함되어 있는 액체(液體).
[乳藥 유약] ㉠백색(白色)의 약. ㉡독약(毒藥).
[乳養 유양] 젖을 먹여 기름.
[乳燕 유연] 새끼를 기르는 제비. 또, 제비 새끼.

[乳媼 유온] 유모(乳母).
[乳癰 유옹] 유종(乳腫).
[乳牛 유우] 젖소.
[乳醫 유의] ㉠젖의 병을 고치는 의원. ㉡산과의(産科醫). 또, 산파(産婆).
[乳人 유인] 유모(乳母).
[乳子 유자] 젖먹이, 갓난아기.
[乳牸 유자] 새끼를 가진 암소. 젖이 나오는 암소.
[乳雀 유작] 새끼를 가진 참새. 새끼를 기르는 참새.
[乳漿 유장] 젖의 한 성분으로서 단백질(蛋白質)과 지방(脂肪)을 제하고 남은 부분.
[乳腫 유종] 젖이 곪는 종기.
[乳汁 유즙] 젖. 「새끼.
[乳雛 유추] ㉠조류(鳥類)가 새끼를 기름. ㉡새
[乳臭 유취] 젖내. 젖내가 남. 전(轉)하여, 아직 나이가 어려서 경험이 적은 사람을 낮잡아 이름.
[乳齒 유치] 젖니. 배냇니.
[乳痛 유통] 유현증(乳懸症). 「름.
[乳抱 유포] 젖을 빨리고 안음. 아이나 새끼를 기
[乳哺 유포] 젖을 먹여 기름. 포유(哺乳).
[乳香 유향] 감람과(橄欖科)에 속하는 열대 식물인 유향수(乳香樹)의 분비액을 말려 만든 수지(樹脂). 종기·복통 등의 약재로 씀.
[乳懸症 유현증] 산후(産後)에 양편 젖이 늘어져서 아랫배까지 내려오는 병.
[乳虎 유호] 새끼를 가진 범. 새끼가 있는 범은 평시보다 훨씬 사나우므로, 대단히 사나운 사람의 비유로 쓰임.
●桐乳. 馬乳. 免乳. 母乳. 褓乳. 孚乳. 粉乳. 産乳. 西施乳. 石乳. 石鍾乳. 石灰乳. 援乳. 阿乳. 羊乳. 煉乳. 王乳. 牛乳. 字乳. 孳乳. 瓶乳. 鍾乳. 竹乳. 天乳. 草鍾乳. 哺乳. 孩乳.

7/⑧ [乭] 韓 올
字解 《韓》뜻은 없음.
字源 '올' 음(音)을 나타내기 위하여, '吾오'와 '乙을'을 포개어 만듦.

7/⑧ [乷] 人名 韓 살
字解 《韓》뜻은 없음.
字源 '살' 음(音)을 나타내기 위하여, '沙사'와 '乙을'을 포개어 만듦.

8/⑨ [乿] 〔란〕 亂(乙部 十二畫〈p.67〉)과 同字

8/⑨ [乯] 韓 길
字解 《韓》뜻은 없음.
字源 '길' 음(音)을 나타내기 위하여, '其기'와 '乙을'을 포개어 만듦.

8/⑨ [㐛] 韓 굴
字解 《韓》뜻은 없음.
字源 '굴' 음(音)을 나타내기 위하여, '拘구'와 '乙을'을 포개어 만듦.

8/⑨ [㐙] 구 ㉭尤 渠尤切 qiú
字解 ①바를 구 남녀(男女)의 도리가 바름. 음

란하지 않음. '初一, 謹於嬰一, 初貞, 後寧'《太玄經》. ②원수 구 '仇, 說文, 讎也. 或作一'《集韻》. ③성 구 성(姓)의 하나.

8/⑨ [乽] 韓 솔
字解 《韓》①솔 솔 풀칠할 때 쓰는 도구. ②땅이름 솔 지명(地名)에 쓰임.
字源 '솔' 음(音)을 나타내기 위하여 '所소'와 '乙을'을 포개어 만듦.

8/⑨ [乫] 一 韓 얼 / 二 韓 늘
字解 《韓》一 뜻은 없음. '얼'은 '얼기'의 표기에 쓰임. 二 뜻은 없음. '늘'은 주로 인명·지명 표기에 쓰임. 一 '얼' 二 '늘' 음(音)을 나타내기 위하여 '於어'와 '乙을'을 포개어 만듦.

8/⑨ [乹] 〔건〕 乾(乙部 十畫〈p.65〉)의 俗字

8/⑨ [㐘] 韓 줄
字解 《韓》줄 줄 묶거나 동이는 데 쓰는 노끈·새끼 따위.
字源 '줄' 음(音)을 나타내기 위하여 '注주'와 '乙을'을 포개어 만듦.

9/⑩ [乧] 韓 잘
字解 땅이름 잘 지명(地名)에 쓰임. '一山'.
字源 '잘' 음(音)을 나타내기 위하여 '者자'와 '乙을'을 포개어 만듦.

10/⑪ [乻] 韓 골
字解 《韓》뜻은 없음.
字源 '골' 음(音)을 나타내기 위하여, '庫고'와 '乙을'을 포개어 만듦.

10/⑪ [乲] 韓 뜰
字解 《韓》뜻은 없음.
字源 '뜰' 음(音)을 나타내기 위하여, '浮부'와 '乙을'을 포개어 만듦.

10/⑪ [乾] 中 건(⑤- ㉭先 渠焉切 qián / 入⑧간 木 ㉭寒 古寒切 gān 干
筆順 十 古 古 直 卓 卓 草 乾
字解 ①하늘 건 상천(上天). '一坤', '一命', '一, 天地'《易經》. ②건괘 건 ㉠팔괘(八卦)의 하나. 곧, ☰. 순양(純陽)의 괘(卦). 곤괘(坤卦)의 대(對)로서, 하늘·위 등 양성(陽性)·남성(男性)의 것을 뜻하며, 방위로는 서북간에 배당함. '一, 西北之卦也'《易經》. ㉡육십사괘(六十四卦)의 하나. 곧, ䷀〈건하(乾下), 건상(乾上)〉. 강건불식(剛健不息)의 상(象). '一, 元亨利貞'《易經》. ③임금 건 군주. 제왕. 또, 제위(帝位). '一統', '握一綱而子萬姓'《沈約》. ④굳셀 건 부지런할 건 강함. 또, 쉬지 않고 부지런히 힘쓰는 모양. '一, 健也'《易經》. '君子終日——'《易經》. ⑤마를 건 ㉠습기가 없음. '一燥', '嘆其一

矣'《詩經》. '朝曝夕乃一'《周禮》. ㉡물이 마름. '碧海有 一'《梁元帝》. ㉢목이 마름. '一喉燋脣 仰天而歎'《說苑》. ㉣결핍함. 생기가 없 어짐. '供給軍需, 民力一'《華功武義兵行》. ⑥말 릴 건 ㉠마르게 함. '將被髮而一'《莊子》. 또, 말린 것. 말린 음식. '以竹貫魚爲一'《集韻》. ㉡ 물을 말리듯이 죄다 거두어들임. 마구 몰수함. '始爲小吏一沒'《史記》. ⑦건성 건, 건성으로할 건 겉으로만 그러함. 겉으로만 함. '一兒' '何 須一啼溫笑'《北史》. ⑧성 건 성(姓)의 하나.

字源 金文 篆文 籀文 象形. 金文은 긴 깃대로 본뜬 모양. 위로 나오 다, 위로 나오는 것, 하늘의 뜻을 나타냄. ❺이 하는 '暵'과 통하여 '마르다'의 뜻을 나타냄. 《說文》에서는 形聲으로, 乙+軟〔音〕.

[乾葛 건갈] 말린 칡뿌리. 갈근(葛根).
[乾竭 건갈] 말라 없어짐.
[乾剛 건강] 굳세어 굴(屈)하지 않는 덕(德). 굴 하지 않고 쉬지 않는 강건(剛健)한 덕.
[乾綱 건강] ㉠하늘이 만물을 주재(主宰)하는 대 본(大本). ㉡천자(天子)가 만기(萬機)를 주재 하는 대본(大本). 군주(君主)의 대권(大權).
[乾薑 건강] 말린 생강. 약재(藥材)로 씀.
[乾疥 건개] 마른옴.
[乾乾 건건] 쉬지 않고 나아가는 모양. 조금도 쉬 지 않고 부지런히 힘쓰는 모양. 자강불식(自強 不息).
[乾啓 건계] 하늘의 도움. 하늘의 가르침.
[乾谿 건계] 지금의 안후이 성(安徽省) 박현(亳 縣)에 있던 지명. 초(楚)나라 영왕(靈王)이 나 라가 망한 뒤에 달아나 죽은 곳이라 함.
[乾固 건고] 말라서 굳어짐.
[乾枯 건고] ㉠마름. 또, 말림. ㉡나무가 말라 죽 음. 고사(枯死)함.
[乾皐 건고] 앵무(鸚鵡)의 별칭(別稱).
[乾穀 건곡] 말린 곡식.
[乾坤 건곤] ㉠하늘과 땅. 천지(天地). 우주(宇 宙). ㉡건괘(乾卦)와 곤괘(坤卦). ㉢양(陽)과 음(陰). 음양(陰陽). ㉣건방(乾方)과 곤방(坤 方). 서북방과 서남방.
[乾坤日夜浮 건곤일야부] 천지의 만물이 밤낮 수 면(水面)에 떠 있음. 동정호(洞庭湖)의 수면이 바다와 같이 넓은 것을 형용한 말.
[乾坤一擲 건곤일척] 흥하느냐 망하느냐, 성공하 느냐 파멸하느냐를 운에 맡기고 단번에 일을 결정함.
[乾坤鑿度 건곤착도] 책 이름. 역위(易緯) 팔종 (八種)의 하나. 상하 2편 2권으로 됨.
[乾坤淸氣 건곤청기] 천지간에 가득 찬 맑은 기운.
[乾坤洞然 건곤통연] 천지(天地)가 광활하여 아 무 장애(障礙)가 없음.
[乾霍亂 건곽란] 토사(吐瀉)를 하지 않는 곽란.
[乾卦 건괘] 자해(字解) ❷를 보라.
[乾溝 건구] 물이 없는 구역. 헛구역. 건구역.
[乾基 건기] 제왕(帝王)의 기업(基業). 제업(帝 業)의 터전. 제기(帝基).
[乾娘 건낭] 남의 모친의 경칭(敬稱). 자당(慈堂).
[乾斷 건단] 천자(天子)가 스스로 정사(政事)를 재결(裁決)함. 「끝.
[乾端坤倪 건단곤예] 하늘의 끝과 땅의 끝. 천지
[乾闥婆城 건달바성]《佛敎》신기루(蜃氣樓).
[乾德 건덕] ㉠건건(乾乾)의 덕. 곧, 강건(剛健)

하여 쉬지 않는 덕. 조금도 쉬지 않고 부지런히 힘쓰는 덕. ㉡천자(天子)의 덕. 황후의 덕(德) 인 곤덕(坤德)의 대(對).
[乾道 건도] 지강지건(至剛至健)의 도(道). 강건 하여 쉬지 않는 도. 하늘의 도. 곤도(坤道)의 대(對).
[乾圖 건도] 하늘의 그림. 하늘의 형상. 천상(天象).
[乾道成男 건도성남] 지강지건(至剛至健)한 건도 (健道)를 얻은 것이 남성(男性)이 됨. 건(乾) 은 하늘로서 양(陽)에 속함.
[乾酪 건락] 우유를 정제(精製)하여 말려 굳힌 식 료품. 치즈.
[乾糧 건량] ㉠식료(食料). 음료(飮料)의 대(對). ㉡말린 밥. 건반(乾飯).
[乾靈 건령] ㉠하늘의 신(神). 천신(天神). ㉡양 (陽)의 정기(精氣).
[乾麪 건면] ㉠밀가루. ㉡말린 면류(麪類). 말린 「국수.
[乾命 건명] 천명(天命).
[乾木 건목] 마른 나무. 마른 재목.
[乾沒 건몰] ㉠돈을 벌기 위하여 매점(買占) 같은 것을 하여 이(利)를 보기도 손해를 보기도 함. ㉡물을 말려 없애듯이, 백성 또는 남의 재물을 마구 횡령·몰수함.
[乾飯 건반] 말린 밥. 건후(乾餱).
[乾杯·乾盃 건배] ㉠잔의 술을 마셔 비움. ㉡서로 술잔을 들어 경사(慶事)나 건강의 축배를 올림.
[乾符 건부] 천자(天子)가 될 상서(祥瑞). 제왕의 부서(符瑞).
[乾符坤珍 건부곤진] 천자(天子)가 될 상서(祥瑞). 천신(天神)과 지기(地祇)가 수여하므로 이름.
[乾蔘 건삼] 말린 인삼.
[乾澁 건삽] 말라서 윤기(潤氣)가 없음.
[乾象 건상] 천체(天體)의 형상. 천문(天文). 천 「상(天象).
[乾石魚 건석어] 말린 조기. 굴비.
[乾癬 건선] 마른버짐.
[乾城 건성] 건달바성(乾闥婆城).
[乾星照濕土 건성조습토] 반짝반짝 빛나는 별이 습한 땅에 비친다는 뜻으로, 물건은 상반(相 反)되어야 서로 소용이 된다는 말.
[乾笑 건소] 건성으로 웃음.
[乾嗽 건수] 가래가 나오지 않는 기침. 마른기침.
[乾愁 건수] 아무 소용없는 근심을 함.
[乾濕 건습] 건조함과 습함.
[乾柹 건시] 곶감.
[乾時 건시] 춘추 시대(春秋時代)의 제(齊)나라 의 땅. 지금의 산둥 성(山東省) 박흥현(博興縣) 의 남쪽에 있었음.
[乾屎橛 건시궐] 똥을 씻는 막대기.
[乾兒 건아] 명의상(名義上)의 아들. 문하(門下) 에 두고 먹여 살리는 사람.
[乾艾 건애] 말린 쑥. 뜸쑥.
[乾魚 건어] 말린 물고기. 건어물(乾魚物).
[乾曜 건요] 태양(太陽)의 별칭(別稱).
[乾浴 건욕] 밤에 잠을 잘 때 두 손으로 몸을 마찰 하는 일종의 양생법(養生法).
[乾元 건원] 하늘. 상천(上天). 하늘의 이치. 천 리(天理). 원(元)은 대(大).
[乾圓 건원] 하늘이 둥긂.
[乾維 건유] 하늘이 떨어지지 않게 매어 놓는 큰 바. 하늘을 유지하는 대본(大本).
[乾肉 건육] 말린 고기. 포(脯).
[乾儀 건의] 하늘의 법(法). 전(轉)하여, 천자(天 子)의 법.

[乾咽 건인] 먹고 싶어하여 군침을 삼킴.
[乾鵲噪而行人至 건작조이행인지] 까치가 요란하게 울면 원행(遠行)의 손이 찾아온다는 속설(俗說).
[乾材 건재] 정제(精製)하지 않은 약재(藥材).
[乾淨 건정] 건조하고 정결하게 함.
[乾淨地 건정지] 편안하고 정결한 땅.
[乾啼 건제] 건성으로 옮.
[乾燥 건조] ㉠마름. 또, 말림. ㉡재미가 없음.
[乾坐巽向 건좌손향] 서북방에서 동남방을 바라보는 좌향.
[乾竹 건죽] 말라 죽은 대나무. 고사(枯死)한 대「나무.
[乾草 건초] 베어서 말린 풀. 또, 말라 죽은 풀.
[乾芻 건추] 베어서 말린 풀. 말린 꼴.
[乾竺 건축] ㉠하늘. ㉡'천축(天竺)'과 같음.
[乾縮 건축] 말라서 줆.
[乾雉 건치] 말린 꿩의 고기.
[乾則 건칙] 자연의 법칙. 천칙(天則).
[乾唾 건타] 치욕을 참는 일. 당(唐)나라 사람 누사덕(婁師德)이 그의 아우에게 남이 네 얼굴에 침을 뱉으면 닦지 말고 그냥 마르게 하라고 한 고사(故事)에서 나온 말.
[乾打碑 건타비] 탑본(搨本)을 하는 데 쓰는 먹.
[乾統 건통] 제왕(帝王)의 계통(系統). 천자(天子)의 혈통(血統).
[乾涸 건학] 하천이나 호수의 물이 좋아 말라붙음.
[乾暵 건한] 건학(乾涸).
[乾鞋 건혜] 마른날 신는 가죽신.
[乾喉 건후] 목이 쉬도록 지걸임.
[乾吃 건흘] 말을 더듬음.
●九乾. 九燥脣乾. 口血未乾. 未乾. 抔土未乾. 桑乾. 析乾. 連乾. 靈乾. 萎乾. 折乾. 風乾. 旱乾. 暵乾. 皇乾.

10
⑪ **[龜]** 〔구·균·귀〕
龜(部首〈p.2732〉)의 俗字

11
⑫ **[乹]** 〔건·간〕
乾(乙部 十畫〈p.65〉)의 俗字

12
⑬ **[亂]** 〔高人〕 란 ㊤翰 郎段切 luàn　乱亂

筆順 ´ ´´ ´´´ ´´´´ ´´´´´ ´´´´´´ 亂

字解 ①어지러울 란 ㉠흩어짐. 산란함. 이산(離散)함. '散一'. '收敗一之兵'《史記》. ㉡뒤섞임. 혼잡함. '一雜'. '紛然殽一'《漢書》. ㉢다스러지지 아니함. 질서가 문란함. '一國'. '昭公奔齊魯一'《朱熹》. ㉣난리·폭동 같은 것으로 세상이 시끄러움. '騷一'. ㉤마음이 어수선함. '一心不一'. '春思一如麻'《鮑照》. ㉥행실이 난잡함. '一暴'. ㉦일이 아직 정하여지지 아니함. '夫婦方一'《禮記》. ②어지럽힐 란 어지럽게 함. '一法'. '誅魯大夫一政者少正卯'《史記》. '近理而大一眞矣'《朱熹》. ③다스릴 란 어지러운 것을 바로잡음. '一民'. '予有亂臣十人'《書經》. ④음할 란 사통(私通)함. '常與太后私一'《史記》. ⑤건널 란 강을 건넘. '一流'. '一于河'《書經》. ⑥난리 란 전쟁·폭동·반란 등. '兵一'. '平晉一'《漢書》. ⑦음행 란 음란한 행위. '東門之墠刺一也'《詩經 鄭風東門之墠 序》. ⑧풍류끝가락 란 음악의 종장(終章). '一辭'. '關雎之一'《論語》.

[亂家 난가] 화목(和睦)하지 못하여 소란한 집.
[亂擊 난격] 서로 어지러이 뒤섞이어 침.
[亂階 난계] 어지러워지는 단서(端緒).
[亂曲 난곡] 가락에 맞지 않는 노래.
[亂供 난공] 난초(亂招).
[亂蛩 난공] 여기저기서 시끄럽게 우는 귀뚜라미.
[亂撾 난과] 북을 세게 마구 침. 북을 난타(亂打)함.
[亂魁 난괴] 난적(亂賊)의 괴수. 난수(亂首).
[亂攪 난교] 어지러워 시끄러움. 또, 어지럽혀 시끄럽게 함.
[亂局 난국] 어지러운 판국.
[亂國 난국] 어지러운 나라. 난방(亂邦). 「君」
[亂君 난군] 무도(無道)한 군주(君主). 폭군(暴君).
[亂軍 난군] ㉠서로 뒤섞이어 하는 싸움. 혼전(混戰). 난전(亂戰). ㉡혼란한 군대.
[亂潰 난궤] 혼란하여 무너짐. 질서가 없어 혼란「함.
[亂今 난금] 어지러운 현재.
[亂氣 난기] 어지러운 감정.
[亂踏 난답] 함부로 짓밟음.
[亂黨 난당] 난리·소란을 일으키는 무리.
[亂刀 난도] 함부로 쓰는 칼.
[亂道 난도] ㉠사설(邪說)로써 도(道)를 어지럽힘. ㉡난잡하게 말함. 또, 난잡한 말. ㉢졸렬한 시문을 지음. 또, 그 시문. 자기가 지은 시문(詩文)의 겸칭(謙稱).
[亂擣 난도] 짓이김. 「음.
[亂讀 난독] 순서도 체계(體系)도 없이 함부로 읽
[亂動 난동] 문란한 행동.
[亂頭 난두] 봉두난발(蓬頭亂髮)을 함.
[亂略 난략] 어지러워지는 시정(施政).
[亂流 난류] ㉠하천을 건넘. ㉡물이 본류(本流) 밖으로 터져 나와 아무 데로나 흘러감.
[亂倫 난륜] 인륜(人倫)을 어지럽게 함. 주로 남녀의 관계에 관하여 이름.
[亂離 난리] ㉠나라가 어지러워서 백성이 뿔뿔이 흩어짐. ㉡전쟁.
[亂立 난립] 질서 없이 뒤섞이어 섬.
[亂麻 난마] 이리저리 얽혀 여러 가닥의 삼실. 혼란한 세상, 또는 혼란한 사물의 비유. 「함.
[亂脈 난맥] 조리가 서지 아니함. 난잡
[亂命 난명] 거의 죽게 되어 정신이 혼미(昏迷)할 때에 하는 유언(遺言). 치명(治命)의 대(對).
[亂舞 난무] 아무 질서 없이 뒤섞이어 춤을 춤.
[亂民 난민] ㉠사회의 질서를 어지럽히는 백성. 국법을 어지럽히는 백성. ㉡백성을 다스림.
[亂髮 난발] 흩어진 머리.
[亂邦 난방] 난국(亂國).
[亂罰 난벌] 함부로 처벌함.
[亂法 난법] 법을 문란하게 함. 법을 어김.
[亂峯 난봉] 여기저기 솟은 고저(高低)가 고르지 않은 산봉우리. 난산(亂山).
[亂憤 난분] 제정신을 잃다시피 몹시 성을 냄.
[亂飛 난비] 질서 없이 뒤섞이어 낢.
[亂射 난사] 함부로 쏨. 화살·탄환 같은 것을 겨

字源 篆文 亂 形聲. 乙+𤔔〔音〕. '𤔔란'은 '어지러워지다'의 뜻. '乙을'은 헝클어진 실의 끝을 본뜸. '𤔔치'와 혼동(混同)하여, '어지러워지다'의 뜻을 나타냄. '다스리다'의 뜻도 나타냄.

냥도 하지 않고 함부로 발사함.
[亂辭 난사] 노래의 끝에 전편(全篇)의 대지(大旨)를 요약하여 설명한 말. 초사(楚辭)에 많은데, '亂曰云云'으로 되어 있는 것은 곧 이것임.
[亂山 난산] 여기저기 솟은 고저가 고르지 않은 산. 난봉(亂峯).
[亂揷 난삽] 질서 없이 아무 데나 꽂음.
[亂想 난상] 두서(頭緒)없는 생각. 부질없는 생각. 엉뚱한 생각.
[亂序 난서] 순서를 문란하게 함. 또, 순서가 문란
[亂書 난서] 난필(亂筆). 〔함.
[亂緖 난서] 난계(亂階).
[亂蟬 난선] 여기저기서 요란하게 우는 매미.
[亂世 난세] 어지러운 세상. 혼란한 세상.
[亂世之英雄 난세지영웅] 재략(才略)이 뛰어나고 권모술수(權謀術數)에 능하여 어지러운 세상에 큰 공을 세우는 영웅.
[亂俗 난속] 어지러운 풍기(風紀). 어지러운 풍속. 또, 풍기·풍속을 어지럽게 함.
[亂首 난수] 반란(反亂)의 수괴(首魁). 모반(謀反)의 장본인.
[亂愁 난수] 얽힌 수심(愁心).
[亂時 난시] 어지러운 때. 소란한 시대.
[亂視 난시] 굴절 이상(屈折異常)으로 광선이 망막(網膜)의 한 점에 모이지 아니하여 물체가 바로 보이지 아니함. 또, 그 눈. 난시안(亂視眼).
[亂臣 난신] ㉠나라를 어지럽게 하는 신하. ㉡나라를 잘 다스리는 신하.
[亂臣賊子 난신적자] 난신과 적자. 나라를 어지럽게 하고 군부(君父)를 죽이는 악인(惡人). 무부무군(無父無君)한 악인.
[亂心 난심] 착란한 마음. 미친 마음.
[亂鴉 난아] 질서 없이 여기저기 나는 까마귀.
[亂鶯 난앵] 여기저기서 우는 꾀꼬리.
[亂弱 난약] 어지러워 약함.
[亂言 난언] 난폭(亂暴)한 말.
[亂餘 난여] 전란(戰亂)이 끝난 뒤. 전후(戰後). 난후(亂後).
[亂逆 난역] 모반(謀叛). 반역(反逆).
[亂獄 난옥] 부정한 옥사(獄事). 불공평한 재판.
[亂搖 난요] 어지럽게 움직임. 또, 어지럽게 요동시킴.
[亂雲 난운] ㉠어지러이 뒤섞이어 떠도는 구름. ㉡온 하늘을 두껍게 뒤덮은 모양이 일정치 않은 구름. 비구름.
[亂人 난인] ㉠나라를 어지럽게 하는 사람. 소동을 일으키는 사람. 반역(反逆)하는 사람. ㉡미친 사람.
[亂入 난입] 난폭하게 뛰어 들어감.
[亂子 난자] 부모를 부모로 여기지 않는 패륜의 자식. 부모의 말에 따르지 않는 자식.
[亂刺 난자] 아무 데나 함부로 찌름.
[亂斫 난작] 마구 찍음.
[亂雜 난잡] 뒤섞이어 질서가 없음.
[亂賊 난적] 세상을 어지럽게 하는 악인. 역적(逆賊).
[亂戰 난전] 서로 뒤섞이어 싸움. 혼전(混戰)함.
[亂颭 난점] 바람이 불어 물결이 읾.
[亂政 난정] 문란한 정치. 난폭한 정치.
[亂梯 난제] 난계(亂階).
[亂噪 난조] 질서 없이 시끄럽게 떠듦.
[亂鐘 난종] 연달아 치는 종소리.

[亂主 난주] 무도한 임금. 폭군(暴君).
[亂酒 난주] 너무 지나치게 술을 많이 마심.
[亂中 난중] 난리가 벌어지고 있는 동안.
[亂帙 난질] 난잡하게 늘어놓은 책. 〔함.
[亂次 난차] 차례를 어지럽힘. 순서를 문란하게
[亂招 난초] 죄인(罪人)이 신문에 대하여 함부로 하는 공초(供招).
[亂草 난초] ㉠거친 풀. ㉡함부로 갈겨쓴 초서.
[亂礁 난초] 질서 없이 여기저기 있는 암초(暗礁).
[亂抽 난추] 책을 손이 닿는 대로 아무것이나 뽑음.
[亂醉 난취] 정신을 차릴 수 없도록 대단히 취함. 대취(大醉)함.
[亂打 난타] 함부로 침. 마구 때림.
[亂鬪 난투] 서로 뒤섞이어 싸움.
[亂暴 난폭] 무법(無法)하게 거칠고 사나움. 또, 그 행위.
[亂筆 난필] 함부로 쓴 글씨.
[亂虐 난학] 난폭하고 잔학(殘虐)한 짓을 함.
[亂行 난행] 음란한 행동. 난폭한 행위.
[亂惑 난혹] 혼란하고 미혹(迷惑)함. 또, 혼란하게 하고 미혹하게 함.
[亂鴻 난홍] 질서 없이 어지러이 나는 기러기.
[亂花 난화] 어지러이 핀 꽃.
[亂後 난후] 난리가 끝난 뒤. 전란(戰亂)의 뒤.
●居治不忘亂. 傾亂. 霍亂. 慣亂. 聒亂. 狂亂. 誑亂. 壞亂. 攪亂. 寇亂. 內亂. 惱亂. 當斷弗斷反受其亂. 動亂. 亡言訕亂. 耗亂. 眷亂. 貿亂. 紊亂. 迷亂. 泯亂. 悶亂. 剝亂. 叛亂. 勃亂. 撥亂. 煩亂. 變亂. 兵亂. 紛亂. 拂亂. 散亂. 喪亂. 衰亂. 惹亂. 逆亂. 歷亂. 零亂. 撓亂. 嬈亂. 繞亂. 繚亂. 擾亂. 勇無禮則亂. 淫亂. 鷹多鳥亂. 離亂. 一心不亂. 殘亂. 雜亂. 沮亂. 戰亂. 靖亂. 濟亂. 酒極則亂. 酒亂. 酒無禮則亂. 錯亂. 唱亂. 醉亂. 治亂. 波涌雲亂. 悖亂. 詩亂. 暴亂. 駁亂. 胡亂. 惑亂. 昏亂. 混亂. 禍亂. 猾亂. 荒亂. 淆亂. 殽亂. 喜亂.

12/⑬ [㐾] 의 ㉮眞 乙翼切 yì
字解 탐할 의, 인색할 의 '荊汝江湘之郊, 凡貪而不施, 謂之一'《揚子方言》.
字源 形聲. 乙+㐾[音]

15/⑯ [鑡] ㉠ 설
字解 《韓》①설쇠〔鑡金〕설 석쇠. ②설자(鑡煮) 설 기름에 띄어서 지진 음식을 건져 내는 데 쓰는, 철사로 그물처럼 만든 기구.
字源 '설' 음(音)을 나타내기 위하여, '鉏서'와 '乙을'을 포개어 만듦.

18/⑲ [乹] 〔건·간〕 乾(乙部 十畫〈p.65〉)의 籀文

18/⑲ [𢎫] ☰ ㉠ 들 ☷ ㉠ 걸
字解 《韓》☰ 뜻은 없음. '들'은 '擧거'의 훈. '들다'의 어간 '들'에 '乙을'을 첨가하여 만듦. ☷ 뜻은 없음. '거' 음(音)을 나타내기 위하여 '擧거'와 '乙을'을 포개어 만듦.

亅 (1획) 部
[갈고리궐부]

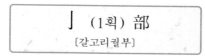

0
①
[亅] 궐 入月 其月切 jué

筆順 亅

字解 갈고리 궐 갈고랑이.
字源 篆文 象形. 갈고리를 본뜬 모양. 문자의 구성 요소(構成要素)로는 되지만, 이 자(字) 자체의 단독 용례는 없음.

0
①
[乚] 궐 入月 居月切 jué

字解 갈고리표 궐 갈고리 표지(表識). '乚, 鉤識也'《說文》.
字源 指事. 갈고리 표지를 나타냄.

0
①
[乚] 韓 장

字解 《韓》 장지 장 가운뎃손가락. 장지(長指). 악보(樂譜) 기호로 쓰는 글자의 하나. 장자(長字)의 생략체.

0
①
[乃] 〔내〕
乃(丿部 一畫〈p. 52〉)의 本字

1
②
[了] 高人 료 上篠 盧鳥切 liǎo, 6le(liǎo)

筆順 了 了

字解 ①깨달을 료 명확히 앎. 이해함. '一解'. '武帝日, 卿殊不一事'《南史》. ②똑똑할 료 ㉠혜민(慧敏)함. '小而一一, 大未必奇'《後漢書》. ㉡분명함. '明一'. '事總則難一'《後漢書》. ③끝날 료 다 이루어짐. '未一'. '責一矣'《北史》. ④마칠 료 끝냄. '完一'. '便足一生'《世說》. ⑤마침내 료 마지막에. 결국. 속어(俗語)에 쓰임. '一復何益'《唐書》. ⑥어조사 료 결정 또는 과거·완료 등의 뜻을 나타내기 위하여 어미(語尾)에 첨가(添加)하는 조사(助辭). 속어에 쓰임. '忘一'. '道一'. '讀一後, 又只是此等人'《程子》. '不是知行的本體一'《傳習錄》.
字源 篆文 象形. '子'자의 자형(字形)에 양손이 없는 모양으로, 손발이 모두 감싸인 젖먹이 모양을 본뜸. 감싸는 모양에서, 하나의 일이 끝남의 뜻을 나타냄. 또 瞭와 통하여 '뚜렷하다'의 뜻도 나타냄.

[了覺 요각] 깨달음. 요해(了解).
[了勘 요감] 끝을 막음. 결정함.
[了決 요결] 요감(了勘).
[了得 요득] 요해(了解).
[了諾 요락] 승낙함. 들어줌.
[了了 요료] ㉠똑똑한 모양. 약은 모양. ㉡분명한 모양. 요연(了然).
[了不得 요부득] 감당할 수 없음. 견딜 수 없음.
[了事 요사] ㉠사리(事理)를 환히 깨달아 앎. ㉡일의 결말을 지음. 일을 끝냄.
[了承 요승] 알아들음. 승낙함.
[了役 요역] 역사를 끝냄. 필역(畢役).
[了然 요연] 분명한 모양. 명백한 모양. 요연(瞭然). 요료(了了).
[了悟 요오] ㉠환히 깨달음. 요해(了解). ㉡《佛敎》진리를 깨달음.
[了因 요인] 《佛敎》이인(二因)의 하나. 근본의(根本義)를 깨닫는 일.
[了知 요지] 깨달아 앎. 확실히 앎.
[了叉 요차] 팔짱을 낌.
[了察 요찰] 남의 사정을 잘 살펴 헤아림.
[了畢 요필] 끝남. 또, 끝냄. 마침.
[了解 요해] 환히 깨달음. 분명히 이해함.
●幹了. 校了. 訖了. 讀了. 滿了. 魅了. 明了. 末了. 分了. 不了. 修了. 閱了. 完了. 議了. 照了. 終了. 秦吉了. 聰了. 解了. 曉了.

2
③
[乜] 韓 마

字解 《韓》①망치 마 철추(鐵鎚). 쇠몽둥이. ②땅이름 마 '胡名見野史初本粟, 名肇子一赤粟, 見農事直說'《輿地勝覽》.

[于] 〔우〕
二部 一畫 (p. 73)을 보라.

3
④
[予] 高人 여 ①上語 余呂切 yǔ ②平魚 以諸切 yú

筆順 フ マ 予 予

字解 ①줄 여 與(臼部 七畫)와 同字. '一奪'. '何錫一之'《詩經》. ②나 여 余(人部 五畫)와 同字. '一二人'. '一豈好辯哉'《孟子》.
字源 甲骨文 象形. 베틀의 씨실을 자유로이 왔다 갔다 하게 하기 위한 제구. 북을 본뜬 모양으로, 이쪽에서 저쪽으로 밀어 보냄의 뜻에서, 전(轉)하여 '주다'의 뜻을 나타냄. 평성(平聲)일 때에는 가차(假借)하여 '나'의 뜻으로 쓰임.
參考 현재 豫(豕部 九畫)의 俗字로 쓰임.

[予告 여고] 한대(漢代)에 관리(官吏)가 휴가를 얻어 귀향(歸鄕)하는 일. 여고(與告).
[予勾 여구] 천자(天子)가 상주문(上奏文)에 대하여 비준(批准)함.
[予寧 여령] 휴가(休暇)를 얻어 부모(父母)의 상(喪)을 치르는 일.
[予小子 여소자] ㉠옛날에 천자(天子)가 상중(喪中)에 있을 때의 자칭(自稱). ㉡천자의 자칭. 여소자(予小子).
[予一人 여일인] 천자(天子)의 자칭(自稱). 여소자(予小子).
[予奪 여탈] 줌과 빼앗음. 전(轉)하여, 상벌(賞罰)의 뜻으로 쓰임. 여탈(與奪).
●起予. 付予. 分予. 賜予. 錫予. 施予. 天生德予. 蟲臂鼠肝隨天付予. 取予.

5
⑥
[争] 〔쟁〕
爭(爪部 四畫〈p. 1365〉)의 俗字

5
⑥
[孒] 〔내·애〕
乃(丿部 一畫〈p. 52〉)의 籒文

7
⑧ [事] 〔申人〕 사 ①-⑤法眞 鉏吏切 shì ƒ
       ⑥法眞 側吏切 zì

筆順 一 ㄱ ㄱ ㄐ ㄐ ㄐ 写 事

字解 ①일 사 ㉠사건. ‘萬一’. ‘一物’. ‘物有本末, 一有始終’《大學》. ㉡행위. 생업(生業). ‘一業’. ‘先一後得’《論語》. ㉢임무. ‘一務’. ‘三事就緖’《詩經》. ㉣사고. 변고. ‘無一一變’. ‘秦有荊軻之一’《史記》. ㉤반역. 모반. ‘因以此發謀, 欲擧一’《史記》. ②섬길 사 ㉠받들어 모심. ‘一父’. ‘夫孝, 始於一親, 中於一君, 終於立身’《孝經》. ㉡벼슬을 함. ‘皆高年不一者, 人慕之’《唐書》. ③부릴 사 사역(使役)함. ‘一國人’《史記》. ④일삼을 사 종사함. 경영함. 힘씀. ‘賓客見參不一事’《史記》. ⑤성 사 성(姓)의 하나. ⑥찌를 사, 꽂을 사 剚(刀部 八畫)와 통용. ‘不能一刃於公之腹者, 畏秦法也’《漢書》.

字源 〔甲骨 ㄓ ㄤ〕〔金文 ㄤ ㄥ〕〔篆文 事〕〔古文 ㄤ〕象形. 신(神)에 대한 기원(祈願)의 말을 써서 나뭇가지 따위에 맨 팻말을 손에 든 모양을 본뜸. 제사(祭祀)에 종사하는 사람의 모양에서, ‘일’・‘섬기다’의 뜻을 나타냄. 《說文》은 史＋之〔音〕의 形聲文字로 봄.

[事件 사건] ㉠일. 일거리. ㉡뜻밖에 일어난 일. ㉢새나 짐승의 내장.
[事戒 사계] 《佛敎》 밖으로 모든 계행(戒行)을 지키는 일.
[事故 사고] ㉠뜻밖의 변고(變故). ㉡까닭. 사정.「(事情).
[事功 사공] 공. 공로(功勞).
[事君 사군] 임금을 섬김.
[事貴神速 사귀신속] 일은 신속히 하는 것이 좋음.
[事根 사근] 일의 근원.
[事機 사기] 기회(機會).
[事端 사단] 일의 단서. 일의 실마리.
[事大 사대] 약자(弱者)가 강자(强者)를, 또는 소국이 대국을 섬김.「파.
[事大黨 사대당] 세력이 강대한 나라를 붙좇는 당.
[事大主義 사대주의] 일정한 주견(主見)이 없이 세력이 강한 나라나 사람을 붙좇아 자기의 존재를 유지하려고 하는 주의.
[事力 사력] 일을 힘써 하는 사람. 곧, 하인. 종.
[事例 사례] 일의 전례(前例). 전례의 사실. 실례(實例).
[事理 사리] ㉠일의 이치. ㉡《佛敎》 상대적이며 차별이 있는 현상(現象)과 절대적이며 평등한 법성(法性). 천차만별(天差萬別)의 제법(諸法)과 유일법성(惟一法性)의 진여(眞如). 현상과 본체.
[事脈 사맥] 일의 내맥(來脈). 일의 갈피.
[事務 사무] 맡아보는 일. 직무(職務).
[事無二成 사무이성] 두 가지 일을 양쪽 다 성공시킬 수는 없음.
[事文類聚 사문유취] 책 이름. 전집(前集) 60권, 후집(後集) 50권, 속집(續集) 28권, 별집(別集) 32권의 사집(四集)은 송(宋)나라 축목(祝穆)의 편찬. 신집(新集) 36권, 외집(外集) 15권의 2집(集)은 원(元)나라 부대용(富大用)의 편찬. 유집(遺集) 15권은 원나라 축연(祝淵)의 편찬. 군서(群書)의 요어(要語), 고금(古今)의 사실・시문 등을 모아 유별(類別)하여 모은 유서(類書)임.
[事物 사물] ㉠일과 물건. ㉡무형(無形)과 유형

(有形). ㉢세속(世俗)의 일. 속사(俗事). 세사(世事).
[事物紀原 사물기원] 책 이름. 송(宋)나라 고승(高承)의 편찬. 총 10권. 천지(天地)・산천(山川)・조수(鳥獸)・초목(草木)・음양(陰陽)・오행(五行)・예악(禮樂)・제도(制度)를 55부(部)로 나누어 사물의 유래를 상세히 설명한 유서(類書)임.
[事半功倍 사반공배] 들인 힘은 적고 성과(成果)는 많음.
[事煩 사번] 일이 번거로움.
[事變 사변] ㉠천재지이(天災地異)와 같은 큰 변고(變故). ㉡폭동・소동과 같은 나라의 중대한 변사(變事). 변란(變亂). ㉢선전 포고(宣戰布告) 없는 전쟁.
[事本 사본] 일의 근본.
[事不如意 사불여의] 일이 뜻대로 되지 아니함.
[事事 사사] ㉠할 일을 함. 일에 힘씀. ㉡모든 일. 매사(每事).
[事事無成 사사무성] 한 가지 일도 이루지 못함. 모든 일에 실패함.
[事事物物 사사물물] ㉠모든 사물. ㉡무슨 일이나 무슨 물건이나.
[事事如意 사사여의] 매사(每事)가 뜻대로 됨.
[事上 사상] 웃어른을 섬김.
[事狀 사상] 일의 상태.
[事上磨鍊 사상마련] 실무(實務)를 맡아보며 정신의 수양과 의지의 단련을 쌓음.
[事緖 사서] 일의 첫 시작. 일의 발단.
[事勢 사세] 일의 형세(形勢). 일의 추세(趨勢).
[事勢固然 사세고연] 일의 형세로 보아 그러함이 당연함.
[事勢當然 사세당연] 사세고연(事勢固然).
[事守 사수] 일. 업무. 직무(職務).
[事實 사실] 실제로 있는 일. 거짓이 아닌 일. 일의 진상.
[事業 사업] 일. 하는 일.
[事緣 사연] 사정과 연유(緣由).
[事由 사유] 일의 까닭. 사정. 사정(事情).
[事育 사육] 어버이를 섬기고 아들딸을 기름.
[事宜 사의] 일이 마땅함. 일이 잘됨.
[事以密成 사이밀성] 모든 일은 치밀히 하여야 이루어짐.
[事已至此 사이지차] 일이 이미 이렇게 됨.
[事因 사인] 일이 일어난 원인.
[事障 사장] 지장. 장애.
[事跡 사적] 사적(事蹟).
[事蹟 사적] 일의 자취. 사적(事跡). 사적(事迹).
[事前 사전] 일이 벌어지기 전.
[事情 사정] ㉠일의 정상(情狀). 일의 형편. ㉡사유(事由).
[事際 사제] 사변이 일어난 기회.
[事蹤 사종] 사적(事蹟).
[事酒 사주] 어떤 일이 있을 때 마시는 술.
[事體 사체] 일의 형편. 일의 대체(大體).
[事親 사친] 부모를 섬김.
[事態 사태] 일의 상태.
[事弊 사폐] 일의 폐단.
[事必歸正 사필귀정] 만사(萬事)는 반드시 정리(正理)로 돌아감.
[事項 사항] 일의 조항.
[事效 사효] 공(功). 또, 공효(功效).
[事後 사후] 일이 지난 뒤.

[事後承諾 사후승낙] 급한 경우에 우선 일을 처리하고 뒤에 관계자에게 승낙을 받는 일.
●家事. 幹事. 檢事. 慶事. 啓事. 古事. 故事. 工事. 公事. 口事. 國事. 軍事. 今事. 紀事. 記事. 機事. 古事. 吉祥善事. 樂事. 難事. 內事. 錄事. 農事. 能事. 多事. 大事. 咄咄怪事. 同平章事. 萬事. 武事. 無事. 文事. 美事. 民事. 百事. 法事. 兵事. 服事. 本事. 封事. 父事. 佛事. 不祥事. 不朽盛事. 祕事. 鄙事. 私事. 師事. 三事. 常事. 庶事. 敍事. 成事. 省事. 盛事. 世事. 細事. 歲事. 小事. 俗事. 屬辟比事. 逐事. 崇事. 從事. 臣事. 神事. 心事. 餘事. 歷事. 聯事. 年中行事. 五事. 王事. 往事. 外事. 用事. 韻事. 有事. 遺事. 戎事. 陰事. 疑事. 議事. 理事. 人事. 因人知事. 逸事. 軼事. 日常茶飯事. 子事. 虀死. 知事. 指事. 職事. 珍事. 塵事. 執事. 參知政事. 天事. 靑事. 廳事. 椿事. 炊事. 致事. 他事. 通事. 判事. 學事. 聞事. 海事. 行事. 兄事. 刑事. 好事. 火事. 宦事. 後事. 凶事.

7
⑧ [予] 서 ㊤語 象呂切 xù
字解 ①물고기이름 서 ‘堪一’는 물고기의 이름. ‘山海經, 㹨山無草木, 其下多水, 其中多堪一之魚’《正字通》. ②어란 서 물고기의 알. ‘一, 一曰, 魚子’《集韻》.

二 (2획) 部

〔두이부〕

0
② [二] ㊥㏑ 이 ㊤寘 而至切 èr

筆順 一 二
字解 ①두 이 ㊀둘. 하나에 하나를 보탠 수. ‘一三’. ‘一生一’《老子》. ㊁두 가지. ‘一色’. ‘權出於一者弱’《荀子》. ㊂짝. 대등. 비견(比肩). ‘功無一於天下’《史記》. ㊃다음의 둘째. ‘君行一臣行一’《韓詩外傳》. ③버금 이 차석(次席). 부이(副貳). ‘惟卜之日, 稱一君’《禮記》. ④두 가지 마음 이 이심(異心). ‘有死無一’《左傳》. ⑤두번 이 재차. ‘一敗而三勝’《蘇洵》. ⑥두가지로 할 이 다르게 함. ‘不一價’《後漢書》. ⑦의심하게 함. ‘一人主之心’《韓非子》. 또, 의심함. ‘臣共而不一’《左傳》. ⑦이단(異端)이 다른 옳지 못한 설(說). ‘幷一而不一’《荀子》.
字源 甲骨文 金文 古文 篆文 籀文 古文 籀文 貳 指事. 두 개의 가로획으로 수사(數詞)의 ‘둘’의 뜻을 나타냄.
參考 금전상(金錢上)의 액수 기재에서 그 개변(改變)을 막기 위해 갖은자 ‘貳’를 씀.

[二更 이경] 하룻밤을 오경(五更)으로 나눈 둘째의 경(更). 곧, 오후 9시부터 11시까지. 을야(乙夜). 〔京〕
[二京 이경] 동경(東京)〈뤄양(洛陽)〉과 서경(西京).
[二季 이계] ㊀봄과 가을. ㊁여름과 겨울.

[二鼓 이고] 이경(二更).
[二極 이극] 남극과 북극.
[二氣 이기] 음(陰)과 양(陽)의 두 기운.
[二難 이난] ㊀두 가지의 난처한 일. ㊁두 가지 얻기 힘든 것. 곧, 현명한 임금〔賢主〕과 훌륭한 손님〔嘉賓〕. ㊂두 가지의 성사(成事)하기 어려운 일.
[二南 이남] 시경(詩經)의 주남(周南)과 소남(召南)의 두 편(篇).
[二塗 이도] 두 길.
[二桃殺三士 이도살삼사] 기계(奇計)로써 사람을 자살(自殺)케 하는 일. 제(齊)나라 경공(景公)의 신하에 공손접(公孫接)·전개강(田開彊)·고야자(古冶子)의 세 장사(壯士)가 있었는데, 공(功)을 믿고 방자스러운 짓이 많아 경공이 골치를 앓던 중, 안자(晏子)의 계교를 받아들여서 복숭아 두 개를 세 장사에게 내어 주고, 공로 많은 자가 먹으라 하니, 처음에는 세 사람이 서로 싸우다가 나중에는 서로 양보하고 마침내 모두 자살하여 죽었다는 고사(故事)에서 나온 말.
[二等 이등] 둘째의 등급(等級).
[二齡 이령] 누에의 첫잠을 잔 뒤로부터 두 잠 잘 때까지의 동안.
[二陸 이륙] ㊀진(晉)나라의 육기(陸機)와 육운(陸雲). 형제가 함께 시문(詩文)을 잘했음. ㊁송(宋)나라의 육구령(陸九齡)과 육구연(陸九淵) 형제.
[二六時中 이륙시중] 일주야. 종일. 전(轉)하여, 밤낮. 항상.
[二利 이리]《佛敎》자리(自利)와 이타(利他).
[二毛 이모] 반백(斑白)의 머리. 또, 반백이 되는 연기(年紀)의 노인.
[二毛之年 이모지년] 흰 머리털이 나기 시작하는 나이. 곧, 서른두 살.
[二傅 이부] 태부(太傅)와 소부(少傅).
[二府 이부] ㊀한대(漢代)의 승상(丞相)과 어사(御史)의 일컬음. ㊁송(宋)나라 때, 중서성(中書省)·추밀원(樞密院)의 일컬음.
[二柄 이병] 군주(君主)가 신하(臣下)를 제어(制御)하는 두 가지 권병(權柄). 곧, 형벌과 덕(德).
[二分 이분] ㊀둘로 나눔. 또, 둘로 나뉨. ㊁춘분(春分)과 추분(秋分).
[二三 이삼] ㊀두셋. 소수(小數). ㊁지조(志操)가 굳지 않아 번절을 잘함.
[二三其德 이삼기덕] 지키지 않고 절개(節槪)를 자주 바꿈.
[二三子 이삼자] ㊀스승이 두서넛의 제자를 부르는 말. ㊁임금이 두서넛의 대부(大夫)를 부르는 말.
[二色 이색] 두 가지의 빛.
[二鼠嚙藤 이서교등]《佛敎》오욕(五欲)에 집착(執着)하여 벗어나지 못함의 비유. 이서(二鼠)는 달과 해, 등(藤)은 생명을 가리킴.
[二姓 이성] 두 가지의 성(姓).
[二聖 이성] ㊀문왕(文王)과 무왕(武王). ㊁주공(周公)과 공자(孔子). ㊂대우(大禹)와 공자(孔子).
[二姓之合 이성지합] 성(姓)이 다른 남자와 여자가 혼인(婚姻)하는 일.
[二世 이세]《佛敎》현세(現世)와 내세(來世).
[二疏 이소] 한(漢)나라의 소광(疏廣)·소수(疏受) 두 사람의 일컬음.
[二手 이수] 두 손. 양수(兩手).
[二豎 이수] 병. 질병. 또, 병마(病魔). 진(晉)나

라 경공(景公)이 병으로 누워 있을 때 병마(病魔)가 아이 둘로 화신(化身)하여 왔다는 고사(故事)에서 나온 말.

[二叔 이숙] 주(周)나라의 관숙(管叔)과 채숙(蔡叔). 이 두 사람은 주공단(周公旦)의 공(功)을 시새워 유언(流言)을 퍼뜨리고 반란을 일으켰음.

[二乘 이승] 성문승(聲聞乘)과 연각승(緣覺乘). 대승(大乘)과 소승(小乘).

[二信 이신] 신의(信義)를 두 가지로 함. 곧, 이심(二心)을 품음.

[二心 이심] 두 가지 마음. 배반(背叛)하고자 하는 마음.

[二十 이십] 스물.

[二十四氣 이십사기] 15일(日)을 1기(氣)로 하여 1년을 24분(分)한 칭호. 이십사절기.

기(氣)	양　력(陽曆)
입춘(立春)	2월　4 ～ 5일
우수(雨水)	2월 19 ～ 20일
경칩(驚蟄)	3월　5 ～ 6일
춘분(春分)	3월 21 ～ 22일
청명(淸明)	4월　5 ～ 6일
곡우(穀雨)	4월 20 ～ 21일
입하(立夏)	5월　6 ～ 7일
소만(小滿)	5월 21 ～ 22일
망종(芒種)	6월　6 ～ 7일
하지(夏至)	6월 21 ～ 22일
소서(小暑)	7월　7 ～ 8일
대서(大暑)	7월 23 ～ 24일
입추(立秋)	8월　8 ～ 9일
처서(處暑)	8월 23 ～ 24일
백로(白露)	9월　8 ～ 9일
추분(秋分)	9월 23 ～ 24일
한로(寒露)	10월　8 ～ 9일
상강(霜降)	10월 23 ～ 24일
입동(立冬)	11월　7 ～ 8일
소설(小雪)	11월 22 ～ 23일
대설(大雪)	12월　7 ～ 8일
동지(冬至)	12월 22 ～ 23일
소한(小寒)	1월　6 ～ 7일
대한(大寒)	1월 20 ～ 21일

[二十四氣節 이십사기절] 이십사기(二十四氣).

[二十四番花信風 이십사번화신풍] 이십사기(二十四氣)의 소한(小寒)에서 곡우(穀雨)까지의 사이의 일후(一候). 곧, 닷새마다 새로운 꽃이 피는 것을 알려 주는 바람.

〔二十四番花信風〕

[二十四史 이십사사] 이십이사(二十二史) 중의 당서(唐書)와 오대사(五代史)를 각각 신구(新舊) 두 종류로 나누어 일컫는 말.

[二十四節氣 이십사절기] 이십사기(二十四氣).

[二十四節候 이십사절후] 이십사기(二十四氣).

[二十四孝 이십사효] 대순(大舜)·한문제(漢文帝)·증삼(曾參)·민손(閔損)·중유(仲由)·동영(董永)·염자(剡子)·강혁(江革)·육적(陸績)·당부인(唐夫人)·오맹(吳猛)·왕상(王祥)·곽거(郭巨)·양향(楊香)·주수창(朱壽昌)·유검루(庾黔婁)·노래자(老萊子)·채순(蔡順)·황향(黃香)·강시(姜詩)·왕포(王褒)·정난(丁蘭)·맹종(孟宗)·황정견(黃庭堅) 등 24인(人)의 효자. 또, 그들의 행적을 적은 책. 원(元)나라 곽거업(郭居業)의 찬(撰).

[二十世紀 이십세기] 서력기원 1901년부터 2000년까지의 사이.

[二十五菩薩 이십오보살] 부처 다음가는 유덕자(有德子) 25인의 일컬음. 곧, 관세음(觀世音)·대세지(大勢至)·약왕(藥王)·약상(藥上)·보현(普賢)·법자재 왕(法自在王)·다라니(陀羅尼)·허공장(虛空藏)·백상왕(白象王)·보장(寶藏)·덕장(德藏)·금장(金藏)·광명왕(光明王)·금강장(金剛藏)·산해혜(山海慧)·화엄왕(華嚴王)·일조왕(日照王)·월광왕(月光王)·중보왕(衆寶王)·삼매왕(三昧王)·사자후(獅子吼)·정자재왕(定自在王)·대위덕왕(大威德王)·대자재왕(大自在王)·무변신왕(無邊身王).

[二十五史 이십오사] 이십사사(二十四史)에 중화민국(中華民國)의 가소민(柯劭忞)이 찬한 〈신원사(新元史)〉를 더한 것.

[二十五絃 이십오현] 줄이 스물다섯 있는 큰 거문고.

[二十二史 이십이사] 중국 상대(上代)부터 명(明)나라까지의 22종(種)의 사서(史書).

책　명	편　찬　자
사 기(史 記)	사마천(司馬遷)
한 서(漢 書)	반 고(班固)
후한서(後漢書)	범 엽(范曄)
이상 삼사(三史)	
삼국지(三國志)	진 수(陳壽)
진 서(晉 書)	방현령(房玄齡)
송 서(宋 書)	심 약(沈約)
남제서(南齊書)	소자현(蕭子顯)
양 서(梁 書)	요사렴(姚思廉)
진 서(陳 書)	요사렴(姚思廉)
후위서(後魏書)	위 수(魏收)
북제서(北齊書)	이백약(李百藥)
주 서(周 書)	영호덕분(令狐德棻)
수 서(隋 書)	위 징(魏徵)
남 사(南 史)	이연수(李延壽)
북 사(北 史)	이연수(李延壽)
당 서(唐 書)	구양수(歐陽修)
오대사(五代史)	구양수(歐陽修)
이상 십칠사(十七史)	
요 사(遼 史)	탁극탁(托克托)
금 사(金 史)	탁극탁(托克托)
송 사(宋 史)	탁극탁(托克托)
원 사(元 史)	송 렴(宋濂)
이상 이십일사(二十一史)	
명 사((明 史)	장정옥(張廷玉)
이상 이십이사(二十二史)	

[二十一史 이십일사] '이십이사(二十二史)'를 보라.

[二十八宿 이십팔수] 옛날 천문학(天文學)에서 하늘을 사궁(四宮)〈사신(四神)〉으로 나누고, 다시 각 궁(宮)마다 일곱 성수(星宿)로 나눈 것의 일컬음.

사궁	사신	이 십 팔 수
동	청룡 (靑龍)	각(角)·항(亢)·저(氐)·방(房)· 심(心)·미(尾)·기(箕)
서	백호 (白虎)	규(奎)·누(婁)·위(胃)·묘(昴)· 필(畢)·자(觜)·삼(參)
남	주작 (朱雀)	정(井)·귀(鬼)·유(柳)·성(星)· 장(張)·익(翼)·진(軫)
북	현무 (玄武)	두(斗)·우(牛)·여(女)·허(虛)· 위(危)·실(室)·벽(壁)

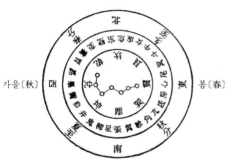

겨울〔冬〕

가을〔秋〕　봄〔春〕

여름〔夏〕

[二雅 이아] 시경(詩經)의 대아(大雅)와 소아(小雅).

[二五 이오] 음양(陰陽)과 오행(五行).

[二王 이왕] ㉠두 임금. ㉡진(晉)나라의 서성(書聖) 왕희지(王羲之)와 그의 아들 왕헌지(王獻之). ㉢진(晉)나라의 청담(淸談)의 선비로서 유명한 왕융(王戎)과 왕연(王衍). ㉣《佛敎》불법(佛法) 수호(守護)의 신(神)으로서 절문의 좌우에 세우는 금강역사(金剛力士)의 상(像). 인왕(仁王).

[二曜 이요] 해와 달. 일월(日月).

[二元論 이원론] 우주(宇宙)의 근본(根本) 실재(實在)를 단지 하나라고만 하지 않고, 반대(反對)되는 두 가지의 원리(原理)로 되어 있다고 하는 학설(學說).

[二月 이월] 1년 중 두 번째 드는 달.

[二酉 이유] 후난 성(湖南省)에 있는 대유(大酉)와 소유(小酉)의 두 산. 산 밑의 동굴(洞窟)에 고서(古書) 1,000권의 장서(藏書)가 있었으므로, 전(轉)하여 장서가 많음을 이름.

[二律背反 이율배반] 논리(論理)에서 타당(妥當)하다고 보는 두 개의 명제(命題)가 서로 모순되는 일.

[二儀 이의] 하늘과 땅. 음(陰)과 양(陽). 양의(兩儀).

[二人 이인] ㉠두 사람. ㉡양친(兩親).

[二日 이일] ㉠이틀. ㉡이튿날.

[二日瘧 이일학] 이틀 걸러 일어나는 학질(瘧疾). 당고금. 이틀걸이.

[二藏 이장] 《佛敎》대승경(大乘經)과 소승경(小乘經).

[二典 이전] 상서(尙書)의 요전(堯典)과 순전(舜典).

[二程 이정] 송대(宋代)의 대유(大儒)인 정호(程顥)와 정이(程頤) 형제.

[二程全書 이정전서] 책 이름. 68권. 송(宋)나라의 정호(程顥)·정이(程頤) 형제의 유저(遺著).

[二諦 이제] 《佛敎》진제(眞諦)와 속제(俗諦).

[二帝三王 이제삼왕] 이제(二帝)〈당요(唐堯)·우순(虞舜)〉와 삼왕(三王)〈하(夏)나라의 우왕(禹王)·은(殷)나라의 탕왕(湯王) 및 주(周)나라의 문왕(文王)·무왕(武王)〉.

[二尊 이존] ㉠양친(兩親). 어버이. ㉡《佛敎》석가(釋迦)와 미타(彌陀).

[二周 이주] 중국 주대(周代)의 동주(東周)와 서주(西周).

[二重 이중] 두 겹.

[二重過歲 이중과세] 음력(陰曆)과 양력(陽曆)의 설을 두 번 쇠는 일.

[二重意識 이중의식] 동시(同時)에 두 가지로 작용하는 의식(意識).

[二重人格 이중인격] 인격(人格)을 통일(統一)하는 힘이 없어져서 앞뒤가 모순(矛盾)된 행동을 하는 병적(病的)인 인격(人格).

[二至 이지] 동지(冬至)와 하지(夏至).

[二志 이지] 두 마음. 이심(二心).

[二至線 이지선] 하지선(夏至線)과 동지선(冬至線).

[二天 이천] 남의 특별한 은혜를 하늘에 비겨 이른 말.

[二千里外故人心 이천리외고인심] 달을 쳐다보면서 멀리 떨어진 친구를 그리는 마음.

[二千石 이천석] ㉠태수(太守)의 이칭(異稱). 한대(漢代)에 그 녹(祿)이 2천 석(石)이었으므로 이름. ㉡지방 장관(地方長官).

[二七癸至 이칠계지] 여자가 14세가 되면 경수(經水)가 통한다는 말.

[二八 이팔] ㉠한 줄이 여덟 사람인 무악(舞樂)의 두 줄. ㉡이(二)와 팔(八)의 승수(乘數), 곧 열여섯. ㉢팔원(八元)과 팔개(八愷).

[二八靑春 이팔청춘] 열여섯 살 전후(前後)의 젊은이.

[二合絲 이합사] 두 올을 겹으로 꼰 실.

●九二. 莫二. 無二. 百二. 凡聖不二. 不二. 異二. 臣一主二. 什二. 六二. 知其一未知其二.

1③ 〔于〕 中入 우 ①-⑥㊌虞 羽俱切 yú ⑦㊌魚 休居切 xū

〔筆順〕一 二 于

〔字解〕①어조사 우 ㉠목적과 동작, 또는 장소와 동작의 관계를 나타냄. '志—學'《論語》. '去之—岐山之下居焉'《孟子》. ㉡발어사(發語辭). '—以采蘋'《詩經》. ㉢비교를 나타냄. '介—石'《書經》. ②할 우 동작을 함. '宜之—假'《儀禮》. ③갈 우 향하여 감. '予翼以—'《書經》. ④클 우 광대한 모양. '易則易, 于則—'《禮記》. ⑤굽힐 우 迂(辵部 三畫)와 통용. '况—其身, 以善其身乎'《禮記》. ⑥성 우 성(姓)의 하나. ⑦탄식할 우 吁(口部 三畫)와 통용. '—嗟麟兮'《詩經》.

〔字源〕象形. 트집 간 활을 바로잡는 제구를 본뜬 모양. 일설(一說)에, 자루가 굽은 인두를 본뜬 꼴. 가차(假借)하여, 조자(助字)로 쓰임.

[于謙 우겸] 명(明)나라 전당(錢塘) 사람. 선종(宣

宗)을 섬겨 크게 공(功)을 세워 벼슬이 병부상서(兵部尙書)에 이르렀음. 후에 영종(英宗) 때 참소를 입어 죽음을 당하였음.

[于公 우공] 한(漢)나라의 동해(東海) 사람. 공평하고 자비로운 판관(判官)이었음. 일찍이 대문을 높고 크게 하여 거마(車馬) 통행에 지장이 없도록 하여 이르되 내 후손 중에 반드시 흥(興)하는 자 나오리라 하였더니, 과연 그 아들 정국(定國)이 크게 되어 승상(丞相)이 되었음.

[于嘔 우구] 구역질. 느글거림.

[于歸 우귀] 신부가 처음으로 시집에 들어가는 일.

[于今 우금] 지금까지.

[于禁 우금] 위(魏)나라 조조(曹操) 수하(手下)의 용장(勇將).

[于禮 우례] 우귀(于歸).

[于飛 우비] 부부(夫婦)의 의(誼)가 좋음의 비유. 봉황(鳳凰) 한 쌍이 사이좋게 날아간다는 시(詩)에서 유래(由來)함.

[于思 우사] 수염이 많은 모양. 또, 머리가 흰 모양.

[于役 우역] ㉠부역(賦役) 나감. ㉡임금의 명령을 받들어 다른 나라에 사신으로 감.

[于于 우우] ㉠보행하는 모양. ㉡만족하는 모양.

[于喁 우우] 앞과 뒤의 소리가 서로 가락이 맞음.

[于越 우월] 월(越)나라. 우(于)는 발어사.

[于闐 우전] 한대(漢代)의 서역(西域)의 나라 이름. 지금의 신장(新疆) 화전성(和闐城).

[于定國 우정국] 한(漢)나라 동해(東海) 사람. 우공(于公)의 아들. 선제(宣帝) 때 정위(廷尉)가 되어 옥사(獄事)의 처결(處決)이 자못 공평하였음. 뒤에 승상(丞相)이 되었음.

[于嗟 우차] '아' 하고 소리를 내어 탄식함. 또, 그 소리.

◉單于. 錞于. 友于. 諸于.

1 ③ [亏] [一] 于(前條)의 本字 [二] 〔휴·규〕虧(虍部 十一畫〈p. 2000〉)의 簡體字

1 ③ [亍] [一] 촉 [入]沃 丑玉切 chù [二] 마 [韓]

[字解] [一] ①멈출 촉 걸음을 멈춤. '澤馬—阜'《左思》. ②외발로걸을 촉 오른발 하나로 걷는 모양. '步爲彳, 右步爲—, 合之, 則爲行字'《正字通》. [二]《韓》땅이름 마 지명(地名).

[字源] 篆文 指事. 나아가는 뜻을 나타내는 '彳척'의 모양을 반대로 하여 되돌아와 멈춤의 뜻을 나타냄. '彳亍척촉'은 '躑躅척촉'과 같이 왔다 갔다 하는 모양.

2 ④ [云] [中·人] 운 [平]文 王分切 yún

[筆順] 一 二 𠫔 云

[字解] ①이를 운 말함. ㉠남의 말을 간접적으로 말할 때 많이 쓰임. '牢曰, 子—, 吾不試, 故藝'《論語》. ㉡스스로말함. '—, 言也'《廣韻》. '我舊—, 刻子'《書經》. ②운행할 운 회전(回轉)함. 運(辵部 九畫)의 古字. '四時—下, 而萬物化'《管子》. ③돌아갈 운 귀부(歸附)함. '其誰—之'《左傳》. ④어조사 운 어조(語調)를 맞추는 말. '伊誰—憎'《詩經》. ⑤운운 운 다른 글이나 말을 인용할 때 끝을 생략하여 '이러이러하다'는 뜻으로 쓰는 말. '武帝曰, 吾欲——'《史記》. ⑥성(盛)할 운 芸(艸部 四畫)과 통용. '萬物——'《抱朴子》. ⑦구름 운 구름. 雲(雨部 四畫)의 古字. ⑧성 운 성(姓)의 하나.

[字源] 雲의 古文 象形. 구름이 뭉게뭉게 피어오르는 모양을 본뜸. '雲'의 原字. 가차(假借)하여, '말하다, 이에'의 뜻을 나타냄.

[云云 운운] ㉠여러 가지 말. 소문. 또, 여러 가지 이야기를 함. 소문을 서로 전함. ㉡언어·문장을 생략할 때 쓰는 말. 여차여차함. 자해(字解) ❺를 보라. ㉢물건이 많은 모양. ㉣말이 많은 모양. ㉤빙 돌려 퍼지는 모양. ㉥성(盛)한 모양. 자해(字解) ❻을 보라.

[云爲 운위] ㉠말과 행동. 언행(言行). ㉡세태(世態)와 인정(人情).

[云爾 운이] 문장의 끝에 써, 위에 말한 바와 같다는 뜻을 나타내는 말.

[云何 운하] '여하(如何)'와 같음.

◉紛云. 言云.

2 ④ [亖] 〔사〕 四(口部 二畫〈p. 415〉)의 籒文

2 ④ [亓] 〔기〕 其(八部 六畫〈p. 218〉)의 古字

2 ④ [开] 〔개〕 開(門部 四畫〈p. 2433〉)의 簡體字

2 ④ [专] 〔전〕 專(寸部 八畫〈p. 606〉)의 簡體字

[元] 〔원〕 儿部 二畫(p. 189)을 보라.

2 ④ [互] [高·人] 호 [去]遇 胡誤切 hù

[筆順] 一 工 五 互

[字解] ①어긋매낄 호 교차함. '—生'《漢書》. '—, 差互'《廣韻》. ②번갈아들 호 갈마듦. 교대함. '周遊晦明—'《宋之問》. ③서로 호 함께 다 같이. '—選'. '—讓'. '—有得失'《何晏》. ④뒤섞일 호 '宗族磐—'《漢書》. ⑤고기시렁 호 고기를 거는 시렁. '凡祭祀, 供其牛牲之—'《周禮》. ⑥울짱 호 목책(木柵). '國中宿—榛者'《周禮》.

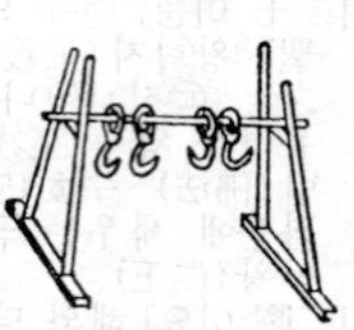

[互⑤]

[字源] 古文 互 篆文 象形. 古文은 나무틀을 어긋매껴 짜 놓은 새끼 감는 틀의 모양을 본떠, '서로'의 뜻을 나타냄. 篆文은 그것이 대나무로 만들어진 데서 '竹죽'을 덧붙였음.

[互角 호각] 둘이 서로 낫고 못하고가 없음. 백중(伯仲).

[互跪 호궤] 좌우의 무릎을 번갈아 바닥에 대어 꿇어앉음. 오래 앉을 때의 좌법(座法).

[互物 호물] 딱딱한 껍데기가 있는 생물의 총칭. 패류(貝類)·갑각류(甲殼類) 따위.

[互相 호상] 서로. 상호(相互).

[互生 호생] ㉠식물의 잎이 줄기나 가지의 각 마

디에 한 개씩 어긋매껴 남. ㉡바둑을 둘 때 서로 싦.
[互選 호선] 피선거권(被選擧權)이 있는 사람들이 모여 그들끼리 서로 투표하여 선출하는 방법.
[互送 호송] 피차(彼此)에 서로 보냄.
[互市 호시] ㉠무역(貿易). ㉡소인(小人)들이 서로 결탁하여 이익(利益)을 도모하는 일.
[互讓 호양] 서로 사양함.
[互用 호용] 서로 넘나들며 씀.
[互有長短 호유장단] 서로 장처(長處)와 단처(短處)가 있음.
[互助 호조] 서로 도움.
[互稱 호칭] 서로 일컫는 이름.
[互惠條約 호혜조약] 대등(對等)의 지위(地位)에 있는 나라와 나라가 서로 수입품(輸入品)에 최저 관세율을 물리어 상호 간의 이익(利益)을 꾀하고자 하여 맺는 조약.
●交互. 磐互. 紛互. 相互. 連互. 障互. 錯互. 參互. 舛互.

2
④ [五] 中
人 오 ㊀麌 疑古切 wǔ

筆順 一 丁 ㄉ 五

字解 ①다섯 오 넷에 하나를 보탠 수. ‘一音’. ‘天數一, 地數一’《易經》. ②다섯번 오 5회. ‘一勝’. ‘一戰於秦’《蘇洵》. ③다섯번할 오 5회 함. ‘良馬之一’《詩經》. ④성 오 성(姓)의 하나.
字源 〔甲骨文〕X 〔金文〕X 〔篆文〕X 〔古文〕X 〔강尹필〕伍 指事. ‘二(天地)’, ‘乂’는 교차(交差)를 가리켜, 천지간(天地間)에 번갈아 작용하는 다섯 원소(元素)(木·火·土·金·水)의 뜻에서, 수(數)의 ‘다섯’의 뜻을 나타냄.
參考 금전(金錢)의 기재 따위에서는, 개변(改變)을 막기 위해 伍(人部 四畫) 자(字)를 빌려 쓰기도 함.

[五稼 오가] 오곡(五穀).
[五家法 오가법] 행정상 편의를 위하여 다섯 집을 한 반(班)으로 해서 연대(連帶)하여 공무(公務)를 부담시키던 제도.
[五角 오각] 다섯모가 진 형상.
[五覺 오각]《佛敎》다섯 가지 깨달음. 곧, 시각(始覺)·본각(本覺)·상사각(相似覺)·수분각(隨分覺)·구경각(究竟覺). 또, 중생각(衆生覺)·성문각(聲聞覺)·삼승각(三乘覺)·보살각(菩薩覺)·불각(佛覺).
[五諫 오간] 다섯 가지의 간(諫). 곧, 휼간(譎諫)·장간(戇諫)·강간(降諫)·직간(直諫)·풍간(諷諫).
[五感 오감] 오관(五官)의 감각. 곧, 시각(視覺)·청각(聽覺)·후각(嗅覺)·미각(味覺)·촉각(觸覺).
[五蓋 오개]《佛敎》심식(心識)을 가려서 정도(正道)에 밝지 못하게 하는 다섯 가지의 번뇌. 곧, 탐욕(貪慾)·진에(瞋恚)·수면(睡眠)·의법(疑法)·도산(掉散).
[五車 오거]《佛敎》오차(五車).
[五車韻瑞 오거운서] 책 이름. 160권. 명(明)나라 능치륭(凌稚隆) 편(編). 경(經)·사(史)·자(子)·집(集)·부(賦)의 다섯 부(部)로 나누고, 매부(每部)에 두 자(字), 석 자, 넉 자의 숙자(熟字)를 뽑아, 그 출전(出典)을 낱낱이 밝혔

음. 〈패문운부(佩文韻府)〉는 이 책을 기초로 만든 것임.
[五車之書 오거지서] 수레 다섯에 가득 실을 만큼 많은 장서(藏書).
[五劍難名 오검난명] ㉠월왕(越王) 구천(句踐)이 설촉(薛燭)으로 하여금 다섯 자루의 보검(寶劍)을 감정(鑑定)케 하였을 때 그 어느 것도 다 명검(名劍)이었으므로 양부(良否)를 판별치 못한 일. ㉡시비(是非)를 가리기 어려움.
[五更 오경] ㉠경험을 많이 쌓은 장로(長老). ㉡오야(五夜). ㉢오야(五夜)의 최종. 곧, 오전 3시부터 5시까지의 사이.
[五經 오경] ㉠다섯 가지 경서(經書). 역경(易經)·서경(書經)·시경(詩經)·춘추(春秋)·예기(禮記). ㉡다섯 가지의 예(禮). 곧, 길(吉)·흉(凶)·군(軍)·빈(賓)·가(嘉)의 오례(五禮).
[五經庫 오경고] 독서를 많이 하여 경서(經書)에 정통한 사람을 비유한 말.
[五經博士 오경박사] ㉠오경의 문의(文義)에 통한 박사. ㉡한(漢)나라 무제(武帝)가 둔 오경의 각 전문 박사.　　　　　　　　　 「진 대상자.
[五經笥 오경사] 오경고(五經庫). 사(笥)는 네모
[五經掃地 오경소지] 오경이 쇠퇴하여 없어짐. 성인(聖人)의 가르침이 창달되지 않음을 한탄하여 이른 말.
[五戒 오계] 불교(佛敎)에서 지키는 다섯 가지 계율(戒律). 곧, 불살생(不殺生)·불투도(不偸盜)·불사음(不邪淫)·불망어(不妄語)·불음주(不飮酒). 이 오계(五戒)를 범(犯)함을 오악(五惡)이라 함.
[五季 오계] 후량(後梁)·후당(後唐)·후진(後晉)·후한(後漢)·후주(後周)의 오대(五代)를 일컬음.　　　　　　　　　　　　　　 「詩」.
[五古 오고] 한 구가 오언(五言)으로 된 고시(古
[五苦 오고]《佛敎》㉠인생의 다섯 가지 괴로움. 곧, 생고(生苦)·노고(老苦)·병고(病苦)·사고(死苦)·애별리고(愛別離苦). 일설(一說)에는, 생로병사고(生老病死苦)·애별리고(愛別離苦)·원증회고(怨憎會苦)·구부득고(求不得苦)·오성음고(五盛陰苦). 오통(五痛). ㉡미계(迷界)의 다섯 가지 괴로움. 곧, 제천고(諸天苦)·인도고(人道苦)·축생고(畜生苦)·아귀고(餓鬼苦)·지옥고(地獄苦).
[五穀 오곡] 다섯 가지 곡식. 그 명목에 여러 설(說)이 있는데, 주로 벼·보리·콩·조·기장을 말하며, 전(轉)하여, 곡식의 총칭으로도 쓰임.
[五穀不升 오곡불승] 흉년이 듦.
[五果 오과] 다섯 종류의 과실. 곧, 자두·살구·대추·복숭아·밤.
[五官 오관] ㉠사람의 다섯 가지 감각 기관(器官). 곧, 시각(視覺)의 눈, 청각(聽覺)의 귀, 미각(味覺)의 입, 후각(嗅覺)의 코, 촉각(觸角)의 피부. ㉡오감(五感)의 작용(作用).
[五交 오교] 다섯 가지 좋지 아니한 교제(交際). 곧, 세교(勢交)·회교(賄交)·논교(論交)·궁교(窮交)·양교(量交).
[五敎 오교] 오상(五常)의 가르침.
[五權憲法 오권헌법] 중국 국민 정부(國民政府)의 헌법(憲法)의 일컬음. 통치권(統治權)을 행정(行政)·사법(司法)·입법(立法)·고시(考試)·감찰(監察)의 오권(五權)으로 나누어짐.
[五均 오균] ㉠왕망(王莽) 때의 제도(制度)로서, 정부에서 물가를 균일하게 하여 겸병(兼倂)을

억제하고 빈부(貧富)의 차가 현격히 나지 않도록 하는 다섯 가지 정책(政策). ㉡오성(五聲)의 가락.

[五極 오극] 사람이 행하여야 할 가장 착한 일. 오상(五常)의 지극(至極)한 일.

[五根 오근] ㉠외계(外界)를 인식하는 다섯 가지 기관. 곧, 안근(眼根)·이근(耳根)·비근(鼻根)·설근(舌根)·신근(身根). ㉡일체(一切)의 선법(善法)을 낳게 하는 근본이 되는 신근(信根)·근근(勤根)·염근(念根)·정근(定根)·혜근(慧根).

[五金 오금] 금(金)·은(銀)·동(銅)·철(鐵)·석(錫)

[五禽之戲 오금지희] 도가(道家)에서 다섯 종류의 짐승의 자세를 본떠서, 손을 펴고 발을 뻗고 몸을 굽히고 머리를 들어 근골(筋骨)을 부드럽게 하며 혈액을 잘 순환하게 하는 양생법(養生法).

[五紀 오기] 세(歲)·월(月)·일(日)·성신(星辰)·역수(曆數)의 총칭.

[五氣 오기] ㉠오방(五方)의 기운. 동·서·남·북·중앙의 기운. ㉡비 오고, 볕 나고, 덥고, 춥고, 바람 부는 다섯 가지 일기. ㉢한(寒)·열(熱)·풍(風)·조(燥)·습(濕)의 병증(病症)의 다섯 가지 기운. ㉣희(喜)·노(怒)·욕(欲)·구(懼)·우(憂)의 오정(五情). ㉤오장(五臟)의 기운.

[五內 오내] 오장(五臟).

[五段教授 오단교수] 예비(豫備)·제시(提示)·연결(連結)·통괄(通括)·응용(應用)의 다섯 가지 단계(段階)로 나누어 하는 교수 방법.

[五疸 오달] 황달(黃疸)·곡달(穀疸)·주달(酒疸)·황한(黃汗)·여로달(女勞疸)의 다섯 가지 달병(疸病).

[五達 오달] 길이 다섯 군데로 통함.

[五大 오대] 《佛敎》 오진(五塵)에서 생기는 지(地)·수(水)·화(火)·풍(風)·공(空)의 다섯 가지.

[五代 오대] ㉠당(唐)·우(虞)·하(夏)·상(商)·주(周). ㉡황제(黃帝)·요(堯)·순(舜)·우(禹)·탕(湯). ㉢송(宋)·제(齊)·양(梁)·진(陳)·수(隨)(전오대). ㉣후량(後梁)·후당(後唐)·후진(後晉)·후한(後漢)·후주(後周). 후오대(後五代). 오계(五季).

[五大夫 오대부] ㉠작위(爵位)의 하나. 진(秦)나라 때 유공자에게 주었음. 한대(漢代)에도 이 제도를 답습하였음. ㉡소나무[松]의 아칭(雅稱). 진시황(秦始皇)이 태산(泰山)에 올라갔을 때 그 밑에서 폭풍우를 피했던 소나무를 봉(封)하여 오대부(五大夫)로 한 고사(故事)에서 나옴.

[五代史 오대사] 책 이름. 신구(新舊) 양종(兩種)이 있음. 구(舊)오대사는 송태종(宋太宗) 때 설거정(薛居正)의 찬(撰). 150권. 인종(仁宗) 때 구양수(歐陽修)가 수정(修正)을 가하여 75권으로 함. 이것을 신(新)오대사라 함.

[五代十二國 오대십이국] 후오대(後五代) 때 중국 본토에서 할거(割據)하여 흥망한 열두 나라. 곧, 전촉(前蜀)·기(岐)·오(吳)·연(燕)·남한(南漢)·남평(南平)·오월(吳越)·초(楚)·민(閩)·남당(南唐)·후촉(後蜀)·북한(北漢).

[五大洋 오대양] 다섯 대양(大洋). 곧, 태평양(太平洋)·대서양(大西洋)·인도양(印度洋)·남빙양(南氷洋)·북빙양(北氷洋).

[五大洲 오대주] 전 세계의 육지(陸地)를 다섯으로 구분한 이름. 곧, 아시아 주·유럽 주·아프리카 주·오세아니아 주·아메리카 주. 또, 아시아 주, 유럽 주, 아프리카 주, 북아메리카 주, 남아메리카 주.

[五德 오덕] ㉠사람의 다섯 가지 덕(德). 곧, 총명예지(聰明叡智)·관유온유(寬裕溫柔)·발강강의(發强剛毅)·제장중정(齊莊中正)·문리밀찰(文理密察). ㉡장군(將軍)의 다섯 가지 덕(德). 곧, 지(智)·신(信)·인(仁)·용(勇)·엄(嚴). ㉢《佛敎》 비구(比丘)가 중히 여기는 포마(怖魔)·걸사(乞士)·정계(淨戒)·정명(淨命)·파악(破惡).

[五度 오도] 분(分)·촌(寸)·척(尺)·장(丈)·인(引).

[五斗米 오두미] 얼마 안 되는 녹(祿).

[五等 오등] ㉠다섯 등급의 작(爵). 곧, 공(公)·후(侯)·백(伯)·자(子)·남(男). ㉡남편(男便)이 있는 부인(婦人)의 다섯 가지 등급. 후(后)·부인(夫人)·유인(孺人)·부인(婦人)·처(妻). ㉢사망(死亡)을 일컫는 다섯 등급의 말. 곧, 붕(崩)·훙(薨)·졸(卒)·불록(不祿)·사(死).

[五等爵 오등작] 오작(五爵).

[五樑 오량] 보를 다섯 줄로 놓아 두 칸 넓이가 되게 짓는 집의 구조(構造).

[五力 오력] 《佛敎》 수행(修行)하는 데 필요한 다섯 가지 힘. 곧, 신(信)·염(念)·정진(精進)·정(定)·혜(慧).

[五齡 오령] 누에의 네 번째 잠을 잔 뒤로부터 상족(上蔟)할 때까지의 동안.

[五靈 오령] 다섯 가지 영물(靈物). 곧, 기린(麒麟)·봉황(鳳凰)·거북(龜)·용(龍)·백호(白虎).

[五靈脂 오령지] 산박쥐의 똥. 산전(産前)·산후(産後)의 혈증(血症)에 씀.

[五禮 오례] ㉠다섯 가지 예(禮). 곧, 길례(吉禮)〈제사(祭死)〉·흉례(凶禮)〈상례(喪禮)〉·빈례(賓禮)〈빈객(賓客)〉·군례(軍禮)〈군려(軍旅)〉·가례(嘉禮)〈관혼(冠婚)〉. ㉡공(公)·후(侯)·백(伯)·자(子)·남(男) 오등 제후(五等諸侯)의 예(禮).

[五鹿 오록] 허베이(河北) 땅 내(內)의 한 지명(地名). 진(晉)나라 문공(文公)이 유랑 중(流浪中) 이곳에서 한 그릇의 밥을 빌 때 야인(野人)이 토괴(土塊)를 바치었던 바 흙을 얻음은 나라를 보전(保全)할 징조라 하여 받았다 함.

[五龍 오룡] 모두 준재(俊才)인 오형제(五兄弟).

[五倫 오륜] 다섯 가지의 인륜(人倫). 곧, 부자(父子)의 친애(親愛), 군신(君臣)의 의리(義理), 부부(夫婦)의 분별(分別), 장유(長幼)의 차서(次序), 붕우(朋友)의 신의(信義). 친(親)·의(義)·별(別)·서(序)·신(信).

[五輪 오륜] ㉠《佛敎》 오대(五大). ㉡《佛敎》 오체(五體). ㉢왼쪽으로부터 청색·황색·흑색·녹색·적색의 순서로 연결된 다섯 개의 고리. 올림픽 기(旗)의 기폭에 그림. 올림픽 마크.

[五輪大會 오륜대회] 올림픽의 경기 대회(競技大會).

[五輪塔 오륜탑] 《佛敎》 밑에서부터 지(地)·수(水)·화(火)·풍(風)·공(空)의 오대(五大)를 상징(象徵)한 방형(方形)과 원형(圓形)의 다섯 개의 돌을 쌓아 올려 만든 탑.

[五律 오율] 오율(五律).

[五吏 오리] 문사(文事)를 맡은 벼슬아치.

[五里霧中 오리무중] 널리 끼인 짙은 안

[五輪塔]

개 속에서 길을 찾아 헤맨다는 뜻. 무슨 일에 관하여 알 길이 없거나 마음을 잡지 못하여 허둥지둥함을 이름.

[五淋 오림] 다섯 가지 임질. 곧, 기림(氣淋)·노림(勞淋)·혈림(血淋)·고림(膏淋)·석림(石淋).

[五粒松 오립송] 잣나무.

[五馬 오마] 태수(太守)의 수레는 다섯 필의 말이 끌었으므로, 전(轉)하여 태수의 별칭으로 쓰임.

[五魔 오마]《佛敎》사람의 마음을 해치는 다섯 가지의 악마(惡魔). 곧, 천마(天魔)·죄마(罪魔)·행마(行魔)·뇌마(惱魔)·사마(死魔).

[五望 오망] 음력(陰曆) 보름날에 드는 망(望).

[五明 오명] ㉠고대(古代)의 인도(印度)에서 바라문족(婆羅門族)이 연구한 다섯 가지 학술. 곧, 성명(聲明)·공교명(工巧明)·의방명(醫方明)·인명(因明)·내명(內明). ㉡부채〔扇〕의 이칭(異稱).

[五廟 오묘] 제후(諸侯)의 태조(太祖)와 이소(二昭)·이목(二穆)의 다섯 묘(廟).

[五味 오미] 다섯 가지 맛. 곧, 매운맛·신맛·짠맛·쓴맛·단맛. 신(辛)·산(酸)·함(鹹)·고(苦)·감(甘).

[五美 오미] 다섯 가지의 미덕(美德). 곧, 헤이불비(惠而不費)·노이불원(勞而不怨)·욕이불탐(欲而不貪)·태이불교(泰而不驕)·위이불맹(威而不猛).

[五民 오민] 사(士)·농(農)·공(工)·상(商)·고(賈). 일설(一說)에는, 오방(五方)의 백성.

[五方 오방] ㉠동·서·남·북·중앙(中央)의 다섯 방면. ㉡중국(中國)과 사방(四方)에 있는 이적(夷狄)의 나라.

[五百 오백] ㉠백의 다섯 곱. ㉡벽제(辟除)를 맡은 별배(別陪).

[五百戒 오백계]《佛敎》여승(女僧)이 지켜야 할 모든 계법(戒法).

[五百羅漢 오백나한]《佛敎》5백 명의 아라한(阿羅漢). 곧, 석가(釋迦)의 사후(死後) 그의 유경(遺經)을 모으기 위하여 모였던 제자(弟子)들.

[五百生 오백생]《佛敎》몇 번이고 자꾸 태어남을 일컫는 말.

[五兵 오병] 다섯 가지의 무기. 과(戈)·수(殳)·극(戟)·추모(酋矛)·이모(夷矛). 또는 궁(弓)·수(殳)·모(矛)·과(戈)·극(戟). 또는 도(刀)·검(劍)·모(矛)·극(戟)·시(矢). 오융(五戎).

[五服 오복] ㉠왕기(王畿)를 중심으로 하여 주위(周圍)를 순차적(順次的)으로 나눈 다섯 구역(區域). 상고(上古)에는 전복(甸服)·후복(侯服)·수복(綏服)·요복(要服)·황복(荒服), 주대(周代)에는 후복(侯服)·전복(甸服)·남복(男服)·채복(采服)·위복(衞服)인데, 한 복(服)은 각각 500리임. ㉡다섯 등급의 상복(喪服). 참최(斬衰)〈3년〉·자최(齊衰)〈주년(周年)〉·대공(大功)〈9개월〉·소공(小功)〈5개월〉·시마(緦麻)〈3개월〉. ㉢천자(天子)·제후(諸侯)·경(卿)·대부(大夫)·사(士)의 의복(衣服).

[五福 오복] 다섯 가지 복(福). 곧, 수(壽)·부(富)·강녕(康寧)·유호덕(攸好德)·고종명(考終命). 또는 수(壽)·부(富)·귀(貴)·강녕(康寧)·자손중다(子孫衆多).

[五父 오부] 아버지로서 공경(恭敬)하여야 할 다섯 사람. 곧, 실부(實父)·양부(養父)·계부(繼父)·의부(義父)·사부(師父).

[五府 오부] 후한(後漢)의 태부(太傅)·태위(太尉)·사도(司徒)·사공(司空)·대장군(大將軍).

[五部 오부] 조선 시대에 서울 안을 나눈 다섯 구획(區劃). 곧, 중부(中部)·동부(東部)·서부(西部)·남부(南部)·북부(北部).

[五不取 오불취] 아내로 삼을 수 없는 다섯 가지 조건. 곧, 역가자(逆家子)〈반역자를 낸 집 딸〉·난가자(亂家子)〈가정이 어지러운 집 딸〉·세유형인(世有刑人)〈대대로 형벌을 받은 집 딸〉·세유악질(世有惡疾)〈대대로 악질이 있는 집 딸〉·상부장녀(喪夫長女)〈과부의 맏딸, 곧 아비가 없어 멋대로 자란 여자〉.

[五不孝 오불효] 다섯 가지 불효(不孝)의 행위(行爲). 타기사지불고부모지양(惰其四支不顧父母之養)·박혁호음주불고부모지양(博奕好飮酒不顧父母之養)·호화재사처자불고부모지양(好貨財私妻子不顧父母之養)·종이목지욕이위부모륙(從耳目之欲以爲父母戮)·호용투한이위부모(好勇鬪很以危父母). 또는 거처부장(居處不莊)·사군불충(事君不忠)·이관불경(涖官不敬)·붕우불신(朋友不信)·전진무용(戰陣無勇).

[五士 오사] 옛날 민간에서 준재(俊才)를 선발하여 가르치고 업(業)을 마친 뒤에 임관시키는 다섯 가지의 사(士). 곧, 수사(秀士)·선사(選士)·준사(俊士)·조사(造士)·진사(進士).

[五史 오사] 다섯 사관(史官). 곧, 태사(太史)·소사(小史)·내사(內史)·외사(外史)·어사(御史).

[五事 오사] ㉠홍범구주(洪範九疇)의 하나. 예절상(禮節上) 다섯 가지의 중요한 일. 곧, 모(貌)·언(言)·시(視)·청(聽)·사(思). ㉡세(歲)·월(月)·일(日)·성신(星辰)·역수(曆數). ㉢병법(兵法)에서 중요한 근본 조건. 곧, 도(道)·천(天)·지(地)·장(將)·법(法). ㉣오기(五紀). ㉤오시(五始). ㉥《佛敎》일상생활에 항상 조심하여야 할 다섯 가지 일. 곧, 심(心)·신(身)·식(息)·면(眠)·식(食).

[五蛇 오사] 다섯 마리의 뱀. 진문공(晉文公)을 따라 천하를 주유(周遊) 한 호언(狐偃)·조최(趙衰)·위무자(魏武子)·사공계자(司空季子)·개지추(介之推)의 다섯 사람을 이름. 문공을 용(龍)으로 비유하여 일컫는 말.

[五山 오산] ㉠다섯의 명산(名山). 곧, 화산(華山)·수산(首山)·태실(太室)·태산(岱山)·동래(東萊). ㉡발해(渤海)의 동쪽에 있는 신선이 산다는 다섯의 산. 곧, 대여(岱輿)·원교(員嶠)·방호(方壺)·영주(瀛洲)·봉래(蓬萊). ㉢다섯의 절. 인도에서는 기원정사(祇園精舍)·죽림정사(竹林精舍)·대림정사(大林精舍)·서다림정사

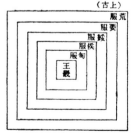
[五廟]

（古上）
[五服㉠]

(誓多林精舍)・나란타사(那蘭陀寺). 중국에서는 경산사(經山寺)・육왕사(育王寺)・천룡사(天龍寺)・영은사(靈隱寺)・정자사(淨慈寺)

[五三 오삼] ㉠다섯과 셋. 너더댓 개. 너더댓 사람. ㉡오제(五帝)와 삼왕(三王).

[五常 오상] ㉠사람으로서 항상 지켜야 할 다섯 가지의 도리(道理). 곧 인(仁)・의(義)・예(禮)・지(智)・신(信). 또, 부의(父義)・모자(母慈)・형우(兄友)・제공(弟恭)・자효(子孝). ㉡오륜(五倫). ㉢《佛教》오계(五戒).

[五色 오색] 다섯 가지의 정색(正色). 곧, 청(青)・황(黃)・적(赤)・백(白)・흑(黑).

[五色無主 오색무주] 지나친 공포(恐怖) 때문에 안색(顏色)이 가지가지로 변하고 있음을 말함.

[五色玲瓏 오색영롱] 오색이 영롱함. 여러 가지 빛이 한데 섞이어 찬란(燦爛)하게 비침.

[五色筆 오색필] 문재(文才) 또는 문재가 있는 사람을 이름. 강엄(江淹)의 고사(故事)에서 나온 말.

[五牲 오생] 다섯 가지 희생(犧牲). 곧, 소・양・돼지・개・닭.

[五瑞 오서] 천자(天子)가 공(公)・후(侯)・백(伯)・자(子)・남(男)의 오등(五等)의 제후(諸侯)에게 봉작(封爵)의 증거로 주는 홀(笏). 곧, 환규(桓圭)・신규(信圭)・궁규(躬圭)・곡벽(穀璧)・포벽(蒲璧). 오옥(五玉).

[五性 오성] 사람의 다섯 가지 성정(性情). 곧, 희(喜)・노(怒)・욕(欲)・구(懼)・우(憂).

[五星 오성] 오행(五行)의 정(精)이라고 일컫는 다섯 별. 곧, 목성(木星)〈세성(歲星)〉・화성(火星)〈형혹성(熒惑星)〉・금성(金星)〈태백성(太白星)〉・수성(水星)〈신성(辰星)〉・토성(土星)〈진성(鎭星)〉.

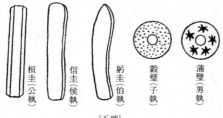

桓圭 (公執)
信圭 (侯執)
躬圭 (伯執)
穀璧 (子執)
蒲璧 (男執)

[五瑞]

[五聖 오성] ㉠다섯 성인(聖人). 곧, 황제(黃帝)・요(堯)・순(舜)・우(禹)・탕(湯). ㉡문묘(文廟)에 합사(合祀)하는 공자(孔子)・안자(顏子)・증자(曾子)・자사(子思)・맹자(孟子).

[五聲 오성] 오음(五音).

[五細 오세] 다섯 가지 천한 행실이 있는 자. 곧, 천(賤)한 자가 귀(貴)한 이를 방해하며, 어린 사람이 어른을 업신여기며, 소원(疏遠)한 사람으로 친한 사이를 갈라놓으며, 신참(新參)으로 오래된 사람을 제쳐 놓으며, 작으면서 큰 것을 범하는 자.

[五俗 오속] 시(詩)를 짓는 데 있어서의 다섯 가지 속습(俗習). 곧, 속체(俗體)・속의(俗意)・속구(俗句)・속자(俗字)・속운(俗韻).

[五獸不動 오수부동] 고양이・개・닭・사자・범의 다섯 짐승이 한 곳에 모이면 서로 무서워서 움직이지 않음.

[五銖錢 오수전] 무게가 다섯 수(銖) 나가는 돈.

[五乘 오승] 《佛教》교법(教法)의 다섯 종별. 곧,

인승(人乘)・천승(天乘)・성문승(聲聞乘)・연각승(緣覺乘)・보살승(菩薩乘).

[五侍 오시] 《佛教》장로(長老) 좌우에 모시고 있는 다섯 사람. 곧, 시향(侍香)・시장(侍狀)・시객(侍客)・시약(侍藥)・시의(侍衣).

[五銖錢]

[五始 오시] 다섯 가지 사물(事物)의 시초. 곧, 원(元)・춘(春)・왕자(王者)・정월(正月)・즉위(卽位). 원은 기(氣)의 시초, 봄은 사시(四時)의 시초, 왕자는 수명(受命)의 시초, 정월은 정교(政教)의 시초, 즉위는 일국(一國)의 시초임.

[五時教 오시교] 《佛教》석가여래(釋迦如來)의 일생(一生)의 설교(說教)를 연대에 의하여 오기(五期)로 나눈 천태종(天台宗)의 교판(教判). 곧, 화엄시(華嚴時)・아함시(阿含時)・방등시(方等時)・반야시(般若時)・법화열반시(法華涅槃時).

[五識 오식] 《佛教》오근(五根)에 의하여 일어나는 색(色)・성(聲)・향(香)・미(味)・촉(觸)의 다섯 가지 심식(心識). 곧, 안(眼)・이(耳)・비(鼻)・설(舌)・신(身)의 지각 작용.

[五辛菜 오신채] 오훈채(五葷菜).

[五心熱 오심열] 위경(胃經) 속에 화기(火氣)가 뭉치어 몸 특히 수족(手足)이 몹시 더워지는 병(病).

[五十步百步 오십보백보] 오십보소백보(五十步笑百步).

[五十步笑百步 오십보소백보] 오십 보를 달아난 사람이 백 보를 달아난 사람을 보고 웃었는데, 실상 도망간 것은 마찬가지라는 뜻으로, 피차(彼此)의 차이(差異)가 그다지 심하지 아니함을 이르는 말. 대동소이(大同小異).

[五十而知四十九年非 오십이지사십구년비] 오늘에야 비로소 전일(前日)의 잘못을 깨달았다는 말.

[五岳 오악] 오악(五嶽).

[五惡 오악] 《佛教》오계(五戒)를 지키지 않는 일. 곧, 살생(殺生)・투도(偸盜)・사음(邪淫)・망어(妄語)・음주(飲酒).

[五樂 오악] 다섯 가지 음악. 곧, 금슬(琴瑟)・생우(笙竽)・고(鼓)・종(鐘)・경축(磬竹). 또는 고(鼓)・종(鐘)・탁(鐸)・경(磬)・소(韶).

[五嶽 오악] 다섯 높은 산(山). 곧, 태산(泰山)〈동악(東嶽), 산둥 성(山東省)〉・화산(華山)〈서악(西嶽), 산시 성(陝西省)〉・형산(衡山)〈남악(南嶽), 후난 성(湖南省)〉・항산(恆山)〈북악(北嶽), 산시 성(山西省)〉・숭산(嵩山)〈중악(中嶽), 허난 성(河南省)〉. 오악(五岳).

[五眼 오안] 《佛教》다섯 가지의 눈. 곧, 육안(肉眼)・천안(天眼)・법안(法眼)・혜안(慧眼)・불안(佛眼).

[五夜 오야] 밤을 갑(甲)・을(乙)・병(丙)・정(丁)・무(戊)의 다섯으로 구분한 칭호. 오경(五更).

[五言 오언] ㉠인(仁)・의(義)・예(禮)・지(智)・신(信)의 오덕(五德)의 말. ㉡한시(漢詩)의 한 체(體). 한 구(句)가 다섯 자(字)씩으로 된 것.

[五言金城 오언금성] 오언장성(五言長城).

[五言長城 오언장성] 오언시(五言詩)에 능한 사람.

[五逆 오역] 《佛教》무간지옥(無間地獄)에 떨어질 다섯 가지 큰 죄악. 곧, 해부(害父)・해모(害母)・해나한(害羅漢)・파승(破僧)・출불신혈(出

0
②
〔ㅗ〕 두 ⊕尤 徒鉤切 tóu ㆍ

筆順 ' ㅗ

字解 두 자의 미상(字義未詳).
字源 문자 정리(文字整理)의 필요에서 부수(部首)로 올려진 문자로, 본래 음(音)도 뜻도 없었으나, 이것이 문자의 머리〔頭〕가 되므로 편의적으로 '頭두'라 읽게 됨. 우리나라에서는 '돼지해밑'이라 불림.

1
③
〔亡〕 ⊕■ 망 ⊕陽 武方切 wáng ㅎ
⊕人 ■ 무 ⊕虞 微夫切 wú

筆順 ' ㅗ 亡

字解 ■ ①잃을 망 없어짐. 분실(紛失)함. '一失'. '一逸'. '楚人一弓'《孔子家語》. ②멸할 망 멸망함. 멸망시킴. '一國'. '國家將一'《中庸》. ③달아날 망 도망함. '一命'. '一匿'. '蕭何聞信一, 自追之'《漢書》. ④죽을 망 '一父一友'. '一者有靈'《風俗通》. ⑤죽일 망 살해함. '楚已一龍且'《史記》. ⑥업신여길 망 경멸(輕蔑)함. '一其言'《史記》. ⑦없을 망 ㉠존재하지 아니함. '今也則一'《論語》. ㉡부재(不在)함. '時其一而往拜之'《論語》. ⑧잊을 망 忘(心部 三畫)과 통용. '必其憂矣, 曷維其一'《詩經》. ⑨빠질 망 탐닉(耽溺)함. '樂酒無厭謂之一'《孟子》. ■ 없을 무 無(火部 八畫)와 同字. '一慮'. '一而爲有'《論語》.
字源 象形. 굽혀진 사람의 시체(屍體)에 무엇인가를 더한 모양을 본떠, '사람이 죽다'의 뜻을 나타냄.

[亡家 망가] ㉠집안을 결딴냄. 집안을 망침. ㉡결딴난 집. 망한 집.
[亡缺 망결] 망궐(亡闕).
[亡骨 망골] 언행(言行)이 주책없는 사람.
[亡國 망국] 망(亡)한 나라.
[亡國之大夫不可以圖存 망국지대부불가이도존] 망한 나라의 대부는 나라의 존립(存立)을 꾀할 자격이 없음.
[亡國之民 망국지민] 망하여 없어진 나라의 백성.
[亡國之本 망국지본] 나라가 망할 근본(根本).
[亡國之聲 망국지성] 망국지음(亡國之音).
[亡國之音 망국지음] 망(亡)한 나라의 음악(音樂)이란 뜻. 음란(淫亂)한 음악 또는 애상적(哀傷的)인 음악을 이름.
[亡闕 망궐] 잃어버려 갖추지 못함. 일부를 망실(亡失)함. ㉠망일(亡逸). 망결(亡缺).
[亡年交 망년교] 재덕(才德)으로써 사귀어, 나이의 장유(長幼)를 가리지 않는 교우(交友). 망년우(亡年友).
[亡匿 망닉] 달아나 숨음.
[亡靈 망령] 죽은 사람의 영혼.
[亡隷 망례] 도망쳐 숨은 죄인(罪人). 포도(逋徒).
[亡虜 망로] 달아난 포로(捕虜).
[亡滅 망멸] 망함. 멸망(滅亡).
[亡命 망명] ㉠명적(名籍)에서 이탈(離脫)하고 달아남. ㉡혁명 또는 그 밖의 이유로 자기 나라에 살지 못하고 타국으로 몸을 피함.
[亡命客 망명객] 망명한 사람.
[亡命逃走 망명도주] 망명하여 달아남.
[亡母 망모] 죽은 어머니.

[亡物 망물] ㉠아주 몹쓸 놈. ㉡《佛教》죽은 중의 유물(遺物).
[亡夫 망부] 죽은 남편.
[亡父 망부] 죽은 아버지.
[亡妣 망비] 죽은 어머니. 망모(亡母).
[亡思不服 망사불복] 은덕을 사모하여 복종하지 아니하는 자가 없음.
[亡散 망산] 달아나 흩어짐. 또, 그 사람.
[亡僧 망승] 죽은 중.
[亡臣 망신] 국외로 달아난 신하. 망명(亡命)한 신하.
[亡身 망신] 자기의 지위나 명망(名望)을 망침.
[亡失 망실] 잃어버림. 없어짐.
[亡室 망실] 죽은 아내. 망처(亡妻).
[亡羊得牛 망양득우] 양을 잃고 소를 얻음. 곧, 작은 손해(損害)를 보고 큰 이익(利益)을 얻음. 손해를 본 것이 도리어 이익이 됨.
[亡羊補牢 망양보뢰] 양이 달아난 뒤에 울을 고친다는 뜻으로, '소 잃고 외양간 고치기'란 말과 뜻이 같음.
[亡陽症 망양증] 몸의 양기(陽氣)가 없어지는 병. 땀이 많이 나는 것과 안 나는 것의 두 가지가 있음.
[亡羊之歎 망양지탄] 도망한 양을 쫓는데 갈림길이 많아서 마침내 잃어버리고 탄식하였다는 뜻으로, 학문의 길이 다방면이어서 진리를 깨닫기가 어려움을 한탄하는 것을 비유한 말.
[亡友 망우] 죽은 벗.
[亡運 망운] 망(亡)할 운수(運數).
[亡義 망의] '불의(不義)'와 같음.
[亡人 망인] ㉠타국으로 도망한 사람. 망명(亡命)한 사람. ㉡죽은 사람.
[亡日 망일] 죽은 날.
[亡軼 망일] 흩어져 없어짐.
[亡逸 망일] ㉠망일(亡軼). 산일(散逸). ㉡달아남. 도주함.
[亡子 망자] 죽은 아들.
[亡者 망자] ㉠죽은 사람. ㉡《佛教》죽은 사람으로서 아직 성불(成佛)하지 못하고 명도(冥途)에 있는 사람.
[亡弟 망제] 죽은 아우.
[亡兆 망조] 망(亡)할 징조(徵兆).
[亡卒 망졸] ㉠도망한 병졸. ㉡전사(戰死)한 병졸.
[亡終 망종] 죽음이 끝남. 인생의 마지막.
[亡種 망종] 아주 몹쓸 놈의 종자.
[亡走 망주] 도주(逃走)함. 도망.
[亡酒 망주] 술자리를 피하여 달아남.
[亡徵敗兆 망징패조] 결딴날 징조.
[亡竄 망찬] 망닉(亡匿).
[亡妻 망처] 죽은 아내.
[亡祝 망축] 《佛教》죽은 사람의 명복을 비는 일.
[亡八 망팔] 인(仁)·의(義)·예(禮)·지(智)·효(孝)·제(悌)·충(忠)·신(信)의 여덟 도덕(道德)을 잃었다는 뜻으로, 오입쟁이 또는, 전(轉)하여 갈보집을 이름. 망팔(忘八).
[亡逋 망포] 달아남. 도망함. 또, 그 사람.
[亡兄 망형] 죽은 형.
[亡魂 망혼] ㉠죽은 사람의 영혼(靈魂). ㉡혼비백산(魂飛魄散)함.
[亡後 망후] 사람이 죽은 뒤. 사후(死後). 몰후(歿後).
[亡慮 무려] '무려(無慮)'와 같음.
[亡賴 무뢰] '무뢰(無賴)'와 같음.

2
획

[亡聊 무료] '무료(無聊)'와 같음.
[亡狀 무상] '무상(無狀)'과 같음.
[亡是公 무시공] 이 공(公)이 없다는 뜻으로, 가설(假設)의 인명(人名)으로 쓰임. 오유선생(烏有先生).
◉缺亡. 梏亡. 逃亡. 滅亡. 死亡. 散亡. 脣亡. 往亡. 危急存亡. 遺亡. 人琴俱亡. 存亡. 陣亡. 敗亡. 荒亡. 興亡.

2 ④ [亢] [人名] 항 ①[平]陽 古郎切 gāng ②-⑫[去]漾 苦浪切 kàng 

[筆順] ' 亠 亣 亢

[字解] ①목 항 ㉠목덜미. '搤其一'《史記》. ㉡목구멍. '一, 咽也'《正字通》. ㉢요해처(要害處). '批一擣虛'《史記》. ②지나칠 항 너무 지나침. 태과(太過)함. '一陽'. '土潤蘇一旱'《劉詵》. ③극진히할 항 極(木部 八畫)과 뜻이 같음. '可以一寵'《左傳》. ④가릴 항 안 보이도록 가림. 엄폐(掩蔽)함. '鄭太叔曰, 吉不能一身, 焉能一宗'《左傳》. ⑤겨룰 항 필적(匹敵)함. 抗(手部 四畫)과 同字. '料敵制勝, 威謀靡一'《揚雄》. ⑥굳셀 항 강직함. 비굴(卑屈)하지 않음. '一直'. '崔信明蹇一以門望自負'《唐書》. ⑦거만할 항 오만함. '一傲'. '一顔'. '高論怨誹爲一而已矣'《莊子》. ⑧올라갈 항 높이 올라감. '一龍有悔'《易經》. ⑨막을 항 항거(抗拒)함. '戎一其下'《左傳》. ⑩마룻대 항 집의 용마루 밑에 서까래가 걸리게 된 재목. '有四阿中一重廊'《北史》. ⑪별이름 항 이십팔수(二十八宿)의 하나. 동쪽에 있음. '仲夏之月, 日在東井, 昏一中, 且危中'《禮記》. ⑫성 항 성(姓)의 하나.

[字源] 篆文  別體  象形. 人 모양으로 속이 비고 솟아오른 결후(結喉) 또는 경동맥(頸動脈)의 모양을 본떠, '목, 높아지다'의 뜻을 나타냄.

[亢答 항답] 응대(應對).
[亢羅 항라] 명주실·모시실·무명실 등으로 짠 피륙의 한 가지. 씨를 세 올이나 다섯 올마다 걸러서 구멍이 송송 뚫어지게 한 여름 옷감.
[亢禮 항례] 대등(對等)한 예로써 대(對)하여 굽히지 않음. 항례(抗禮).
[亢龍有悔 항룡유회] 하늘 끝까지 올라가 내려올 줄 모르는 용은 반드시 후회할 때가 있다는 뜻으로, 극히 존귀한 지위에 올라간 자가 조심하고 겸퇴(謙退)할 줄 모르면 반드시 패가망신하게 됨을 비유하는 말.
[亢滿 항만] 신분이 존귀하고 재산이 풍족함. 부귀(富貴).
[亢奮 항분] 흥분함. 격(激)함.
[亢鼻 항비] 높은 코. 융비(隆鼻).
[亢星 항성] 이십팔수(二十八宿)의 하나. 동방(東方)에 위치함.
[亢顔 항안] 거만한 얼굴. 방약무인(傍若無人)한 행동.
[亢陽 항양] 항한(亢旱).
[亢傲 항오] 오만(傲慢)함. 교오(驕傲).
[亢燥 항조] 땅이 높고 건조함.
[亢直 항직] 강직(剛直)하여 남에게 굽히지 않음. 항직(抗直).
[亢進 항진] 자꾸 높아짐. 심하여짐.
[亢秩 항질] 가장 높은 품계(品階).
[亢扞 항한] 적대(敵對)하여 막음. 대항(對抗)함.
[亢旱 항한] 대단한 가뭄.
◉強亢. 蹇亢. 鶱亢. 高亢. 矯亢. 久亢. 重亢.

2 ④ [亣] 〔대·태〕 大(部首〈p.483〉)의 籒文

[六] 〔륙〕 八部 二畫(p.212)을 보라.

[卞] 〔변〕 卜部 二畫(p.311)을 보라.

[文] 〔문〕 部首(p.943)를 보라.

[主] 〔주〕 丶部 四畫(p.50)을 보라.

[市] 〔시〕 巾部 二畫(p.667)을 보라.

[玄] 〔현〕 部首(p.1410)를 보라.

[立] 〔립〕 部首(p.1646)를 보라.

4 ⑥ [交] [中人] 교 [平]肴 古肴切 jiāo 

[筆順] ' 亠 亣 六 交 交

[字解] ①사귈 교 교유(交遊)함. '一際'. '一款'. '與朋友一, 而不信乎'《論語》. ②합할 교 합동함. '上下一'《易經》. 또, 합하는 곳. '戰于河謂之一'《班固》. ③섞일 교 ㉠섞여짐. '一流'. '兵刃既一'《孟子》. ㉡참가함. '章一公車'《漢書》. ④엇걸릴 교 교차함. '一錯'. ⑤엇걸 교 교차시킴. '一臂歷指'《莊子》. ⑥오고갈 교 왕래함. '一易爲言'《公羊傳》. ⑦주고받을 교 수수(授受)함. '男女不一爵'《禮記》. ⑧서로 교 '一互'. '上下一征利而國危矣'《孟子》. ⑨벗 교 붕우(朋友). '以軀借一報仇'《史記》. ⑩흘레할 교 '一尾'. '虎始一'《禮記》. ⑪어름 교 달이나 계절이 바뀔 때. '春夏之一'. '十月之一'《詩經》. ⑫옷깃 교 '衿謂之一'《揚子方言》. ⑬성 교 성(姓)의 하나.

[字源] 金文  篆文  象形. 사람이 정강이를 엇걸어 꼬는 모양을 본떠서, '교차함, 섞임, 사귐'의 뜻을 나타냄.

[交加 교가] ㉠뒤섞임. ㉡왕래함. 교제(交際)함.
[交感 교감] 서로 접촉되어 감응(感應)함.
[交感神經 교감신경] 고등 척추동물의 척추 양측에 달린 한 쌍의 줄기와, 거기에서 내장(內臟)의 제기관(諸器官)에 퍼진 자율 신경의 하나.
[交蓋 교개] '경개(傾蓋)'를 보라.
[交結 교결] 서로 맺어 사귐. 교제(交際).
[交更 교경] 교대(交代).
[交頸 교경] ㉠서로 목을 엇걺. 서로 목을 비벼댐. ㉡전(轉)하여, 부부 금슬이 좋음.
[交契 교계] 교분(交分).
[交界 교계] 땅의 경계(境界). 접경(接境).

[交骨 교골] 여성 (女性) 의 치골 (恥骨).

[交款 교관] 교환 (交驩).

[交關 교관] 왕래함.

[交交 교교] 새가 뒤섞여 나는 모양.

[交媾 교구] ㉠성교 (性交). ㉡음양 (陰陽) 이 상교 (相交) 함.

[交構 교구] 교묘하게 꾸며 댐.　　　　「衛」.

[交戟 교극] ㉠창을 교차 (交叉) 시킴. ㉡수위 (守

[交拏 교나] 서로 드잡이하고 싸움.

[交單 교단] 금전의 영수증.

[交黨 교당] 사귀어 한 당파를 이룸.

[交代 교대] 갈마듦. 교체 (交替).

[交道 교도] 사귀는 길. 교제의 방법.

[交頭結尾 교두결미] 수미 (首尾) 가 교결 (交結) 한 다는 뜻으로, 한쪽의 끝이 한쪽의 시작 (始作) 이 되어 순환 (循環) 하는 일.

[交頭接耳 교두접이] 귀에다 입을 대고 속삭거림. 밀담 (密談) 함.

[交領 교령] ㉠옷깃. ㉡받음. 영수 (領收) 함.

[交龍 교룡] ㉠두 용 (龍) 이 서로 얽힌 그림. 용틀임. ㉡교룡 (蛟龍).

[交流 교류] ㉠근원을 달리한 물이 서로 만나서 흐름. ㉡강도 (強度) 와 방향이 일정한 시간을 주기 (週期) 로 하여 반대로 변하는 전류 (電流).

[交隣 교린] 이웃 나라와의 교제.

[交貿 교무] 교역 (交易).

[交尾 교미] 흘레. 자미 (莘尾).

[交拜 교배] 혼인 (婚姻) 때 신랑 (新郎) 과 신부 (新婦) 가 서로 절함.

[交配 교배] 종류 (種類) 가 다른 자웅 (雌雄) 의 배합 (配合).　　　　　　　　　　「番」.

[交番 교번] 번을 갈아 듦. 체번 (遞番). 윤번 (輪

[交兵 교병] 교전 (交戰).

[交鋒 교봉] 교전 (交戰).

[交付 교부] 내어 줌. 내리어 줌.

[交分 교분] 친구 (親舊) 사이의 정의 (情誼). 교계 (交契). 교의 (交誼).

[交紛 교분] 뒤섞임.

[交朋 교붕] 교우 (交友).

[交臂 교비] ㉠경의를 표하여 깍지를 낌. 공수 (拱 手). ㉡친밀한 정을 표하여 서로 손을 마주 잡음. 파비 (把臂). ㉢두 손을 뒤로 묶음.

[交聘 교빙] 나라와 나라 사이에 서로 사신 (使臣) 을 보냄.

[交牀 교상] 교의 (交椅).

[交喪 교상] 서로 상대 (相對) 를 잃음. 서로 따로 떨어짐.

[交噬 교서] 서로 묾. 서로 다툼.

[交涉 교섭] ㉠서로 의논하여 일을 처결함. 절충 함. ㉡관계함.

[交疏 교소] 엇갈려 통함. '疏' 는 '通' 의 뜻. '一 一結綺窓 《古詩》.

[交手 교수] ㉠웃깃. ㉡손과 손을 마주 줌. 접근 함. ㉢깍지를 낌. 공수 (拱手).

[交收 교수] 받아들임. 손에 넣음. 교부 (交付) 의 대 (對).

[交授 교수] 수수 (授受).

[交綏 교수] 양군 (兩軍) 이 다 같이 물러감.

[交酬 교수] 예물 (禮物) 의 교환.

[交詢 교순] 신실 (信實) 로써 사귐.

[交承 교승] 인계 (引繼) 함. 전임자가 갈려 가고 후임자가 그 자리에 앉음.

[交市 교시] 교역 (交易).

[交識 교식] 사귀어 앎. 사귐.

[交讓 교양] 호양 (互讓).

[交讓木 교양목] 대극과 (大戟科) 에 속하는 상록 활엽 교목 (常綠闊葉喬木). 굴거리나무.

[交易 교역] ㉠물건을 서로 팔고 사고 하여 바꿈. 거래 (去來) 를 함. ㉡왕래 (往來).

[交午 교오] 서로 뒤섞임.

[交友 교우] ㉠벗. 친구 (親舊). ㉡벗을 사귐. 친구와 교제 (交際) 함.

[交遊 교유] ㉠사귀어 놂. 교제 (交際) 하여 왕래 (往來) 함. ㉡교우 (交友).

[交椅]

[交倚 교의] 교의 (交椅).

[交椅 교의] 다리가 교차 (交叉) 되어 접을 수 있게 된 의자 (椅子). 호상 (胡床).

[交誼 교의] 교분 (交分).

[交引 교인] 송대 (宋代) 에 쓰이던 어음의 한 가지.

[交印 교인] 연명 (連名) 하여 날인 (捺印) 함.

[交一臂 교일비] 우연히 만나 잠시 사귐을 이름.

[交子 교자] 송대 (宋代) 의 지폐 (紙幣).

[交雜 교잡] 뒤섞임.

[交腸症 교장증] 오줌에 대변 (大便) 이 섞여 나오 는 부인병 (婦人病).

[交戰 교전] 서로 싸움. 교병 (交兵). 교봉 (交鋒). 교화 (交火).

[交戰國 교전국] 서로 전쟁하는 나라.

[交節 교절] 철이 바뀜. 환절 (換節).

[交絶不出惡聲 교절불출악성] 절교는 하여도 상 대방을 욕하지 아니 함.

[交點 교점] 교차점 (交叉點).

[交接 교접] ㉠서로 접촉함. 사귐. ㉡교유 (交遊). ㉢성교 (性交).

[交情 교정] 사귄 정 (情). 우정 (友情).

[交精 교정] 푸른백로. 교청 (鵁鶄).

[交際 교제] ㉠예물 (禮物) 을 증답 (贈答) 하고 사 귐. ㉡교우 (交遊). 사귀어 가까이함.

[交捽 교졸] 서로 맞서서 버티며 다툼. 대항 (對 抗) 함.

[交趾 교지] 한 (漢) 나라 때의 군명 (郡名). 지금의 월남 (越南) 북부 (北部) 의 통킹·하노이 지방.

[交織 교직] 명주실로 날을 삼고 무명실로 씨를 삼아 짠 피륙. 또는 두 가지 이상의 실을 섞어 서 짠 피륙.

[交迭 교질] 교체 (交替).

[交叉 교차] 종횡 (縱橫) 으로 엇걸림.

[交叉點 교차점] 교차 (交叉) 된 곳.

[交錯 교착] 서로 뒤섞이어 엇걸림. 또, 뒤섞이어 혼잡함.

[交參 교참] 서로 엇걸림.

[交窓 교창] 창살을 '井' 자 모양으로 짜지 않고 '爻' 자 모양으로 짠 창.

[交淺言深 교천언심] 사귄 지 얼마 안 되는데 자 기 속을 털어 이야기함.

[交睫 교첩] 잠을 자기 위하여 눈을 감음. 접목 (接目).

[交替 교체] 갈마듦. 교질 (交迭).

[交鈔 교초] 금 (金)·원 (元) 시대의 지폐 (紙幣).

[交泰 교태] 음양 (陰陽) 이 조화 (調和) 하여 만물 이 안태 (安泰) 함.

[交態 교태] 교제 (交際) 하는 꼴.

[交通 교통] ㉠서로 오고 가는 일. 내왕 (來往). ㉡섞어 통하게 함. ㉢사람의 왕복, 화물의 운

반, 의사(意思)의 전달 등의 총칭.

[交片 교편] 청조(淸朝) 시대에 군기처(軍機處)에서 각 아문(衙門)에 조회(照會)하던 공용 문서(公用文書).

[交合 교합] 성교(性交).

[交響樂 교향악] 교향곡·교향시 등 관현악을 위하여 만든 음악의 총칭. 보통 네 악장(樂章)으로 되었음. 심포니.

[交互 교호] ㉠서로 어긋매낌. ㉡번갈아듦. 교대함. 교대(交代).

[交婚 교혼] 서로 바꾸어 혼인(婚姻)을 맺음.

[交火 교화] 교전(交戰).

[交換 교환] ㉠서로 바꿈. ㉡서로 주고받음. 증답(贈答)함. ㉢경제적(經濟的)인 방법에 의한 재화(財貨)의 수수(授受).

[交歡 교환] 교환(交驩).

[交驩 교환] 서로 사이좋게 사귀며 즐김.

[交會 교회] ㉠서로 사귐. 서로 섞임. ㉡서로 만나는 곳. 모이는 곳. ㉢교자(交子)와 회자(會子). 모두 송대(宋代)의 지폐(紙幣).

●結交. 管鮑之交. 膠漆之交. 舊交. 國交. 金蘭之交. 金石之交. 亂交. 蘭交. 南交. 斷交. 斷金之交. 莫逆之交. 亡年之交. 面交. 刎頸之交. 文字交. 貧交. 貧賤之交. 死交. 私交. 社交. 上交. 石交. 善交. 勢利之交. 素交. 修交. 市交. 深交. 烏集之交. 外交. 爾汝交. 隣交. 一面之交. 絶交. 定交. 情交. 至交. 直交. 青雲之交. 締交. 親交. 布衣之交. 下交.

4 [亥] 해 ㊲賄 胡改切 hài
⑥ 中入

[筆順] ' 亠 ㄊ 步 亥 亥

[字解] ①열두째지지 해 십이지(十二支)의 끝. 시간(時間)으로는 오후 9시부터 11시까지의 사이. 방위(方位)로는 술(戌)과 자(子) 사이. 곧, 서북(西北)과 북(北)과의 사이. 달로는 음력 10월의 일컬음. 띠로는 돼지. ②성 해 성(姓)의 하나.

[字源] 甲骨文 金文 篆文 古文 象形. 甲骨文에서 잘 알 수 있듯이 멧돼지를 본뜬 모양. 가차(假借)하여 십이지(十二支)의 제십이위(第十二位)의 뜻으로 쓰임.

[亥末 해말] 해시(亥時)의 마지막 시각(時刻). 오후 11시경.

[亥方 해방] 24 방위(方位)의 하나. 서북(西北)과 북(北)과의 사이.

[亥市 해시] 하루 걸러 서는 장. 일설(一說)에는, 해일(亥日)에 서는 장.

[亥豕 해시] 해시지와(亥豕之譌).

[亥豕之譌 해시지와] 문자(文字)의 오사(誤寫). '亥'와 '豕'는 고문(古文)의 자체(字體)가 비슷하여 잘못 쓴 고사(故事). 노어지오(魯魚之誤).

[亥月 해월] 음력(陰曆) 10월의 별칭.

●三亥己亥.

4 [亦] 역 ㊂陌 羊益切 yì
⑥ 中入 혁(역)㊄

[筆順] ' 亠 广 方 亦 亦

[字解] ■ ①또한 역 ㉠이것도 저것도 마찬가지

로. '怨不在大, 一不在小'《書經》. '丘一恥之'《論語》. ㉡又(部首)와 뜻이 비슷하나, 별 뜻 없이 가볍게 첨가하여 쓰는 말. '尙一有利哉'《大學》. '學而時習之, 不一說乎'《論語》. ②모두 역 總(糸部 十一畫)과 뜻이 같음. '一行有九德'《書經》. ③다스릴 역 '一, 治也'《廣雅》. ④쉬울 역 '二者一知'《列子》. ⑤성 역 성(姓)의 하나. ■ 클 혁 奕(大部 六畫)의 古字. '一服爾耕'《詩經》.

[字源] 甲骨文 金文 篆文 指事. 사람의 양쪽 겨드랑이에 점(點)을 더하여 '겨드랑이'의 뜻을 나타냄. 가차(假借)하여 '또한'의 뜻을 보임. 나중에 '겨드랑이'의 뜻으로는 '腋액'이 쓰이게 됨.

[亦是 역시] 또한. 마찬가지로.

[亦然 역연] 역시 그러함.

[亦參其中 역참기중] 어떤 일에 참여함.

[衣] 〔의〕部首(p. 2051)를 보라.

5 [亨] ■ 형 ㊦庚 許庚切 hēng(héng)
⑦ 高入 ■ 향 ㉦養 許兩切 xiǎng
■ 팽 ㊦庚 披庚切 pēng

[筆順] ' 亠 亡 古 古 亨 亨

[字解] ■ 형통할 형 뜻과 같이 잘됨. 아무 지장 없이 잘되어 나감. '元一利貞'《易經》. ■ 드릴 향 享(亠部 六畫)과 통용. '公用一于天子'《易經》. ■ 삶을 팽 烹(火部 七畫)과 同字. '一煮'. '大一以養聖賢'《易經》.

[字源] 象形. 조상신(祖上神)을 모신 장소를 본뜬 모양으로, 받들다, 바치다, 신의(神意)에 어긋나지 않아 일이 형통함의 뜻을 나타냄. 본디, '享향'과 동일어(同一語).

[亨熟 팽숙] 삶음. 삶아서 익힘. 또, 삶아짐.

[亨人 팽인] 주대(周代)의 관명(官名). 취사(炊事)를 맡음. 팽인(烹人).

[亨煮 팽자] 삶음.

[亨醢 팽해] 사형(死刑)에 처해짐. '醢해'는 사체(死體)를 소금에 절이는 일.

[亨侑 향유] 주식(酒食)을 권함. 향응(饗應)함. 향유(享侑).

[亨嘉 형가] 좋은 때를 만남.

[亨途 형도] 평탄한 길.

[亨運 형운] 순조로운 운명.

[亨通 형통] ㉠모든 일이 뜻과 같이 잘됨. ㉡운(運)이 좋아져 출세함.

●吉亨. 彭亨. 豐亨.

5 [旒] ■ 류 ㊦尤 九求切 liú
⑦ ■ 황 ㊦陽 呼光切 huāng

[字解] ■ 깃발 류 旒(方部 九畫)와 同字. '旒, 旌旗之旒也. 或省'《集韻》. ■ 거칠 황 荒(艸部 六畫)과 同字. '一, 與荒同'《字彙補》.

5 [宙] 〔묘〕畝(田部 五畫〈p. 1465〉)의 簡體字
⑦

[辛] 〔신〕部首(p. 2281)를 보라.

6⑧ [享] 高入 향 ㉠養 許兩切 xiǎng
㉤庚 虛庚切 hēng

筆順 ` 亠 古 方 古 亨 享 享

字解 ①드릴 향 진헌(進獻)함. '賓服者—'《國語》. ②제사지낼 향 제사를 드림. '—祀'. '—于西山'《易經》. ③잔치할 향 잔치를 베풂. '—侑'. '止而—二'《左傳》. ④흠향할 향 제사를 받음. '百神—之'《孟子》. ⑤누릴 향 차지함. '—有'. '桓公之一國也'《公羊傳》. ⑥잔치 향 연향(宴饗). '—以訓恭儉, 燕以示慈惠'《左傳》.

字源 甲骨文 金文 籀文 篆文 象形. 甲骨文·金文에서 알 수 있듯이 기초가 되는 대상(臺上)에 세워진 조상을 모신 곳을 본뜬 모양으로, 조상신(神)에게 음식물을 바침의 뜻을 나타냄. 篆文은 곽(郭)의 篆文의 방(旁) 비슷한 모양으로, 나중에 아랫부(下部)가 잘못되어 '子'로 변형(變形)되어서 '享'의 자형(字形)을 이루게 되었다. '享'은 '亨'과 같은 말이었으나, '享'은 사람이 바치는 뜻을, '亨'은 신(神)이 받아들여 일이 형통(亨通)함의 뜻을 각기 분담하기에 이름.

[享官 향관] 제관(祭官).
[享國 향국] 나라를 향유(享有)하여 재위(在位)함. 곧, 군주(君主)의 재위 연수(在位年數).
[享年 향년] ㉠이 세상에 존속(存續)함. 이 세상에 생존(生存)함. ㉡한평생에 누린 나이. 행년(行年).
[享樂 향락] 즐거움을 누림.
[享樂主義 향락주의] 주(主)로 육체(肉體)의 쾌락을 인생의 목적으로 삼는 주의.
[享福 향복] 복(福)을 누림.
[享祀 향사] 제사(祭祀). 향제(享祭).
[享嘗 향상] 제수(祭需)를 차리고 제사를 지냄.
[享受 향수] 받아 누림.
[享壽 향수] 오래 사는 복(福)을 누림. 장수(長壽)함.
[享宴 향연] 잔치. 향연(饗宴).
[享右 향우] ㉠신(神)에게 주식(酒食)을 권함. ㉡향유(享侑).
[享祐 향우] 신(神)의 도움을 받아 지님.
[享有 향유] 누리어 가짐. 몸에 받아 지님.
[享侑 향유] 주식(酒食)을 권함. 향응(饗應)함.
[享儀 향의] 제례(祭禮). 일설(一說)에는, 제사 때 쓰는 장식물.
[享祭 향제] 제사(祭祀). 향사(享祀).
[享祉 향지] 향복(享福).
[享春客 향춘객] 봄을 향락(享樂)하는 사람.
●來享. 大享. 配享. 不享. 聘享. 世享. 朝享. 春享. 孝享. 歆享.

6⑧ [京] 中入 경 ㉠庚 舉卿切 jīng
원 ㉤元 愚袁切 yuán

筆順 ` 亠 古 方 古 亨 京 京

字解 一 ①서울 경 수도(首都). '—師'. '驛召至—'《唐書》. ②언덕 경 높은 언덕. '如坻如—'《詩經》. ③클 경 '—觀'. '—, 大也'《爾雅》. ④높을 경 '燎—薪'《張衡》. ⑤천만 경 조(兆)의 10배. 또, 조(兆)의 만배. ⑥고래 경 鯨(魚部 八畫)과 同字. '騎—魚'《揚雄》. ⑦곳집 경 창고. '見建家—下方石'《史記》. ⑧가지런할 경 '八世之後莫之與—'《左傳》. ⑨근심할 경 걱정함. '憂心——'《詩經》. ⑩성 경 성(姓)의 하나. 二 언덕 원 原(厂部 八畫)과 통용. '從先大夫於九—'《禮記》.

字源 甲骨文 金文 籀文 篆文 象形. 높은 언덕 위에 서 있는 집 모양을 본떠, '높은 언덕·수도(首都)'의 뜻을 나타내고, 전(轉)하여 '크다'의 뜻도 나타냄.
參考 京(亠部 七畫)은 同字.

[京間 경간] 한 간(間)을 곡척(曲尺) 여섯 자 세치, 또는 여섯 자 다섯 치의 길이로 함.
[京京 경경] 대단히 근심하는 모양.
[京官 경관] 서울에서 근무하는 관원.
[京觀 경관] 큰 구경거리라는 뜻으로, 전공(戰功)을 보이기 위하여 적의 시체(屍體)를 높이 쌓고 크게 봉분(封墳)한 것.
[京郊 경교] 서울의 교외(郊外).
[京國 경국] 경사(京師).
[京闕 경궐] 서울의 대궐. 전(轉)하여, 경사(京師). 서울.
[京劇 경극] ㉠경사(京師)의 번화(繁華)한 곳. 일설(一說)에는, 경사의 바쁜 임무. 연극(筵劇). ㉡북경(北京)의 극(劇)이란 뜻으로, 청(淸)나라 때에 시작된 중국의 구극(舊劇). 희문(戱文)을 개편 각색(脚色)한 것을 각본으로 삼는 가극 같은 연극. 가창(歌唱)을 주로 하는 문희(文戱), 몸짓을 주로 하는 무희(武戱), 양자(兩者)를 합친 문무희(文武戱) 등이 있음. 본래는 장치 없는 무대에서 하였음. 경희(京戱).
[京圻 경기] 경기(京畿).
[京畿 경기] 서울을 중심으로 한 가까운 지역(地域). 전(轉)하여, 경사(京師). 서울.
[京都 경도] 경사(京師).
[京童 경동] 서울의 아이들.
[京洛 경락] 경사(京師).
[京輦 경련] 경사(京師).
[京陵 경릉] 높고 큰 언덕.
[京耗 경모] 서울 소식. 경신(京信).
[京坊 경방] 서울의 동(洞).
[京本 경본] 지방에서 출판되는 책에 대해, 서울에서 출판되는 책의 일컬음.
[京府 경부] 경사(京師).
[京師 경사] 경(京)은 대(大), 사(師)는 중(衆), 곧 대중(大衆)이 사는 곳이라는 뜻. 임금의 궁성(宮城)이 있는 곳.
[京山 경산] 서울 근처에 있는 산.
[京城 경성] ㉠궁성(宮城). 대궐. 전(轉)하여, 경사(京師). ㉡《韓》 우리나라의 수도(首都) 서울의 옛 이름.
[京信 경신] 서울에서 온 편지 또는 소식.
[京室 경실] 왕실(王室).
[京樣 경양] 서울의 풍속. 또, 서울티.
[京魚 경어] ㉠고래. '京'은 '鯨'과 같음. ㉡큰 물고기.
[京外 경외] 서울의 밖. 수도(首都) 이외의 땅.
[京尹 경윤] 경조윤(京兆尹).
[京邑 경읍] 경사(京師).
[京兆 경조] ㉠경사(京師). ㉡경조윤(京兆尹). ㉢옛 군(郡)의 이름. 지금의 산시 성(陝西省) 장안현(長安縣)의 서북쪽.
[京調 경조] ㉠서울의 풍속(風俗)과 습관(習慣). ㉡《韓》 서울에서 특별히 부르는 시조(時調)의

창법 (唱法).
[京兆眉 경조미] 아내를 위하여 눈썹을 그렸다는 장창 (張敞)의 고사 (故事).
[京兆尹 경조윤] 경사 (京師)의 태수 (太守). 수도 (首都)의 장관 (長官).
[京中 경중] 경사 (京師) 안. 서울 안.
[京職 경직] 수도 (首都)에서 근무하는 벼슬. 조정 (朝廷)에 출사 (出仕)하는 관직 (官職).
[京倉 경창] ㉠미속 (米粟)을 저장하는 큰 창고. ㉡서울에 있는 미속 (米粟)을 저장하는 창고.
[京峙 경치] 높은 언덕.
[京風 경풍] 경양 (京樣).
[京鄕 경향] 서울과 시골.
[京華 경화] 경사 (京師).
[京戲 경희] 경극 (京劇).
●九京. 舊京. 歸京. 洛京. 三京. 上京. 神京. 離京. 入京. 帝京. 出京. 華京. 皇京.

6 ⑧ [亝] 〔극〕
克 (儿部 五畫〈p. 195〉)의 本字

6 ⑧ [亯] 〔름〕
廩 (广部 十三畫〈p. 710〉)과 同字

[夜] 〔야〕
夕部 五畫 (p. 481)을 보라.

7 ⑨ [亭] 〔高入〕 정 ㉗青 特丁切 tíng

筆順 ` 亠 亠 宁 高 高 高 亭

字解 ①주막집 정 여인숙. 여관 (旅館). '敗官— 民舍'《漢書》. ②역말 정 역참 (驛站). 또, 역참이 있는 곳. '驛—'. '郵—'. '十里—', 十一—鄕'《後漢書》. ③정자 정 경치가 좋은 곳에 놀려고 지은 집. '園—'. '—榭'. '起齋—'《北齊書》. ④기를 정 화육 (化育)함. '—之毒之'《老子》. ⑤평평하게할 정 ㉠평탄하게 함. '決河—水'《史記》. ㉡공평하게 처리함. '平—疑法'《漢書》. ⑥고를 정 조화 (調和)됨. '甘之而五味—'《淮南子》. ⑦곧을 정 바름. '以征不—'《史記》. ⑧이를 정 어느 시간에 이름. '羲和—午'《孫綽》. ⑨머무를 정 停 (人部 九畫)과 同字. '其水—居'《漢書》. ⑩가를 정 형상 (形象)을 이루어 가름. '—之, 如字. 別也'《釋文》. ⑪빼어날 정 뛰어남. '嶺無—菊'《袁宏》. ⑫우뚝솟을 정 '——長松'. '干雲霧而上達, 狀——以苕苕'《張衡》. ⑬성 정 성 (姓)의 하나.

字源 篆文 亭 形聲. 高〈省〉+丁〈音〉. '高'는 높은 건물의 뜻. '丁정'은 못을 쳐 박아 안정 (安定)시킴의 뜻. 사람들이 자리 잡고 앉아 편히 쉬는 장소, '정자'의 뜻.

[亭閣 정각] 정자 (亭子).
[亭館 정관] 높은 전각 (殿閣).
[亭居 정거] 정지 (停止)함. 체류 (滯留)함. 정 (亭)은 停 (人部 九畫)과 같음.
[亭毒 정독] 정육 (亭育)함.
[亭林文集 정림문집] 청 (淸)나라 고염무 (顧炎武)의 문집 (文集). 정림 (亭林)은 그의 호 (號). 6권. 변론 (辯論)·서 (序)·서 (書)·기 (記)·묘지명 (墓誌銘)을 실었음.
[亭父 정부] 정장 (亭長).

[亭榭 정사] 정자 (亭子)와 전망대.
[亭燧 정수] 망루 (望樓)를 만들어 적 (敵)을 발견하면 봉화 (烽火)를 올리도록 한 곳.
[亭然 정연] 우뚝 솟은 모양.
[亭午 정오] 한낮. 오정 (午正).
[亭宇 정우] 고루 (高樓). 전각 (殿閣).
[亭育 정육] 양육 (養育)함.
[亭子 정자] 산수 (山水)가 좋은 곳에 놀거나 쉬기 위하여 지은 집.
[亭長 정장] 역정 (驛亭)의 장.
[亭障 정장] 변방 (邊方)의 요새 (要塞)에 설치하여 사람의 출입을 검사하는 관문 (關門).
[亭亭 정정] ㉠우뚝 솟은 모양. ㉡아름다운 모양. 예쁜 모양.
[亭主 정주] 여관 (旅館)의 주인. 전 (轉)하여, 한 집안의 주인.
[亭次 정차] 역정 (驛亭).
[亭戶 정호] 당대 (唐代)에 관 (官)에서 명 (命)하여 소금을 백성에게 팔게 하던 집.
[亭候 정후] 변경 (邊境)에 쌓은 적정 (敵情)을 살피기 위한 망루 (望樓).
●客亭. 官亭. 丘亭. 旗亭. 短亭. 山亭. 申明亭. 野亭. 旅亭. 料亭. 郵亭. 子亭. 長亭. 齋亭. 池亭. 靑亭. 平亭.

7 ⑨ [亮] 〔人名〕 량 ①-⑤㉗漾 力讓切 liàng ⑥⑦㉗陽 呂張切 liáng

筆順 ` 亠 亠 宁 亨 亨 亮

字解 ①밝을 량 '一月'. '一察'. '輝煥朝日—'《韓愈》. ②도울 량 익찬 (翊贊)함. '翼—三世'《晉書》. ③미쁠 량 신의 (信義)가 있음. '君子不—, 惡乎執'《孟子》. ④참으로 량 진실로. '君一執高節'《古詩》. ⑤성 량 성 (姓)의 하나. ⑥거상 (居喪)입을 량 ㉠陰'은 천자 (天子)가 상중 (喪中)에 있는 일. '王宅憂—陰'《書經》.

字源 篆文 亮 會意. 儿 (人)+高〈省〉. 사람이 높은 곳에 있는 모양에서, 사물에 밝다의 뜻을 나타냄. 일설에는, '亮'은 본래 '倞'으로, '倞'은 形聲. 人+京〈音〉. '京'은 높고 상쾌하며 '밝다'의 뜻을 나타냄.

[亮達 양달] 총명 (聰明)하여 사리 (事理)에 통달 (通達)함. 명달 (明達).
[亮明 양명] 밝음.
[亮拔 양발] 마음이 밝아 남보다 뛰어남.
[亮然 양연] 밝은 모양. 맑은 모양.
[亮月 양월] 밝은 달. 교월 (皎月).
[亮遺巾幗 양유건괵] 중국 삼국 시대 (三國時代) 촉 (蜀)의 제갈공명 (諸葛孔明)과 위 (魏)의 사마의 (司馬懿)가 위수 (渭水)에서 대진 (對陣)했을 때, 의 (懿)가 자중하여 움직이지 않았으므로 공명이 건괵 (巾幗)〈여성의 머리 장식〉을 보내어 의 (懿)의 소심함을 놀렸다는 고사 (故事).
[亮陰 양음] 임금이 상중 (喪中)에 있음. 양암 (諒闇).
[亮節 양절] 깨끗한 절개 (節槪).
[亮濟 양제] 밝아서 막힘이 없음.
[亮直 양직] 마음이 공명정대 (公明正大)함.
[亮察 양찰] 남의 사정을 잘 살펴 줌. 동정 (同情)함. 명감 (明鑒).
[亮許 양허] 허락함. 허용함.
●高亮. 明亮. 劉亮. 翼亮. 貞亮. 直亮. 淸亮. 忠亮.

7 ⑨ [京] 〔경·원〕
京(亠部 六畫〈p. 87〉)과 同字

7 ⑨ [亯] [一] 〔향〕 享(亠部 六畫〈p. 87〉)의 籒文
[二] 〔형〕 亨(亠部 五畫〈p. 86〉)과 同字

7 ⑨ [亱] 〔야〕
夜(夕部 五畫〈p. 481〉)의 俗字

[哀] 〔애〕
口部 六畫(p. 372)을 보라.

[兗] 〔연〕
儿部 七畫(p. 198)을 보라.

8 ⑩ [亳] 박 [入]藥 傍各切 bó(bò)

[字解] ①은나라서울 박 은(殷)나라의 탕왕(湯王)이 도읍한 곳. 지금의 허난 성(河南省) 귀덕부(歸德府) 상추 현(商邱縣). ②성 박 성(姓)의 하나.

[字源] 甲骨文 金文 篆文 形聲. 高〈省〉+乇〔音〕. '乇탁'은 또 '갈라 트다'의 뜻. 고지(高地)를 터서 살 수 있게 만든 곳. 옛날에는 보통 높은 곳을 안주(安住)하는 곳으로 삼았음.

8 ⑩ [亮] 〔량〕
亮(亠部 七畫〈p. 88〉)의 俗字

8 ⑩ [亭] 〔정〕
亭(亠部 七畫〈p. 88〉)의 俗字

[高] 〔고〕
部首(p. 2619)를 보라.

[畝] 〔묘〕
田部 五畫(p. 1465)을 보라.

9 ⑪ [亭] 〔극〕
克(儿部 五畫〈p. 195〉)의 古字

10 ⑫ [高] 경 ㊤梗 犬穎切 qǐng

[字解] 작은집 경 '一, 小堂也'《集韻》.

[字源] 形聲. 高〈省〉+冋〔音〕

11 ⑬ [亶] [人名] [一] 단 ㊤旱 多旱切 dǎn, ④dàn
[二] 천 [去]霰 時戰切 shàn
[三] 선 [平]先 時連切 chán

[字解] [一] ①미쁨 단 신의(信義). '誕告用一'《書經》. ②진실로 단 참으로. '一其然乎'《詩經》. ③클 단 '逢天一怒'《詩經》. ④다만 단 단지. 但(人部 五畫)과 同字. '非一倒懸而已'《漢書》. ⑤성 단 성(姓)의 하나. [二] 오로지 천 擅(手部 十三畫)과 同字. '相國之於勝人之勢, 一有之'《荀子》. [三] 날 선 날아오름. '堪巖一翔'《揚雄》. ※'단' 음은 인명자로 쓰임.

[字源] 篆文 形聲. 亩+旦〔音〕. '旦단'은 '多다'와 통하여 '많다'의 뜻. '亩'는 쌀 창고를 본뜬 모양. '곡물이 많다, 풍족'의 뜻을 나타냄.

[亶亶 단단] 평탄한 모양. 탄탄(坦坦).
[亶父 단보] 주문왕(周文王)의 조부(祖父), 태왕(太王)의 이름.
◉屯亶. 非亶.

[雍] 〔옹〕
隹部 五畫(p. 2485)을 보라.

[齊] 〔제〕
部首(p. 2720)를 보라.

19 ㉑ [亹] 亹(次條)의 俗字

20 ㉒ [亹] [一] 미 ㊤尾 無匪切 wěi
[二] 문 [平]元 莫奔切 mén

[字解] [一] ①부지런할 미 부지런히 힘쓰는 모양. 근면(勤勉)한 모양. '成天下之一一'《易經》. ②흐를 미 시간이나 물 같은 것이 쉬지 않고 흐르는 모양. '淸流一一'《左思》. ③달릴 미 달려가는 모양. '一一孤獸騁'《陸機》. ④아름다울 미 '一, 美也'《廣韻》. [二] 골어귀 문 물이 산과 산 사이를 흘러 양쪽 언덕이 우뚝 솟아 문처럼 서로 마주 대한 데. '鳧鷖在一'《詩經》.

[字源] 會意. 高〈省〉+興〈省〉+且. '興홍'은 힘을 합쳐 무엇을 들어 올림의 뜻. '且차'는 무엇을 쌓아 올리기 위한 받침대(臺)의 뜻. 높은 쪽으로 무엇을 들어 올리는 모양에서, '힘쓰다'의 뜻을 보임. '美미'와 통하여 '아름답다'의 뜻. 또, '門문'과 통하여 양쪽 기슭의 산이 문같이 바싹 접근해 있는 곳의 뜻도 나타냄.

[亹亹 미미] ㉠부지런히 힘쓰는 모양. ㉡나아가는 모양. 흐르는 모양. ㉢달려가는 모양.

人(亻) (2획) 部

〔사람인부〕

0 ② [人] [中人] 인 [平]眞 如隣切 rén

[筆順] 丿 人

[字解] ①사람 인 ㉠인간. '一生'. '惟一萬物之靈'《書經》. ㉡백성. 신민(臣民). '一民'. '國一皆曰可殺'《孟子》. ㉢어떤 사람. '使一謂子胥'《史記》. ㉣제구실을 하는 사람. '俾至於成一'《歐陽修》. ㉤뛰어난 사람. 현인(賢人). '子無謂秦無一'《左傳》. ㉥인품. 성질. '爲一'. '讀其文, 其一可知'《歐陽修》. ㉦사람의 모양으로 만든 상(像). '金一'. '帝寧能爲石一邪'《史記》. ㉧사람을 세는 수사(數詞). '五一'. '三一行必有我師'《論語》. ㉨사람이 하는 일. 하늘이 하는 일인 자연에 대하여 부자연을 이름. '牛馬四足, 是謂天, 落馬首穿牛鼻, 是謂一'《莊子》. ②사람마다 인 매인(每人). 매인이. '家給一足'. '一給家足'《史記》. ③남 인 타인(他人). '正己而不求於一則無怨'《中庸》. ④성 인 성(姓)의 하나.

[字源] 甲骨文 金文 篆文 象形. 옆에서 본 사람을 본뜬 모양으로, '사람'의 뜻을

2획

나타냄.

參考 부수(部首)로 세워지며, '人·亻'을 의부(意符)로 하여, 사람의 성질이나 상태 따위를 나타내는 글자를 이룸.

[人家 인가] 사람이 사는 집.

[人各有能有不能 인각유능유불능] 사람은 각기 재능이 달라 능한 일과 능치 못한 일이 있음.

[人各有耦 인각유우] 사람은 제각기 알맞은 배우자(配偶者)를 구하여야 한다는 뜻.

[人間 인간] ㉠사람. ㉡세상(世上). 속세(俗世).

[人間萬事塞翁馬 인간만사새옹마] 인생(人生)의 화복(禍福)이 전변무상(轉變無常)함을 이름.

[人間性 인간성] 사람의 본성(本性).

[人間行路難 인간행로난] 사람의 세상 살아 나가기가 어려움을 이름.

[人綱 인강] 인륜(人倫)의 대본(大本).

[人皆有一癖 인개유일벽] 사람은 누구든지 한 가지 버릇은 가지고 있음. 「物].

[人傑 인걸] 걸출(傑出)한 인재(人材). 걸물(傑

[人傑地靈 인걸지령] 출생(出生)한 인물은 걸출(傑出)하고, 토지(土地)의 형세(形勢)는 수려(秀麗)함.

[人格 인격] ㉠사람의 품격(品格). ㉡도덕적 행위의 주체(主體)로서의 개인.

[人格者 인격자] 인격이 있는 사람.

[人格化 인격화] 사람이 아닌 사물(事物)을 사람과 같이 의사(意思)가 있는 것으로 봄.

[人絹 인견] 인조견(人造絹).

[人境 인경] 사람이 사는 곳. 곧, 이 세상.

[人界 인계] 이 세상. 인간계(人間界).

[人骨 인골] 사람의 뼈.

[人工 인공] 사람이 하는 일. 사람이 자연(自然)에 가공(加工)하는 일. 인위(人爲).

[人巧 인교] 사람의 정교(精巧)한 솜씨.

[人口 인구] ㉠어떠한 지역(地域) 안에 사는 사람의 수효. ㉡여러 사람의 입길. 세평(世評).

[人君 인군] 임금.

[人權 인권] 사람이 사람으로서 당연히 가지는 기본적인 권리. 곧, 사람의 자유와 평등의 권리.

[人鬼 인귀] 죽은 사람의 영혼.

[人鬼相半 인귀상반] 죽을 지경에 이르러서 형용(形容)이 반쯤 귀신같이 됨.

[人琴之歎 인금지탄] 사람이 죽어 그 사람이 쓰던 거문고의 가락이 맞지 않게 된 탄식이라는 뜻으로, 사람의 죽음을 몹시 슬퍼하는 정(情)을 이름.

[人給家足 인급가족] 물자(物資)가 풍부하여 집집마다 부족(不足)이 없음. 가급인족(家給人足).

[人紀 인기] 사람이 행하여야 할 길. 사람의 도리.

[人器 인기] 사람의 기국(器局). 사람의 됨됨이.

[人饑不食烏喙 인기불식오훼] 사람은 굶주려도 오두(烏頭) 풀은 먹지 않음. 한때 공복(空腹)을 채우지는 모르나, 중독(中毒)되면 아사(餓死)와 다를 바 없기 때문임.

[人棄我取 인기아취] 남이 버리는 것을 나는 씀.

[人奴 인노] 종. 노복(奴僕).

[人德 인덕] 남의 도움을 많이 받는 복(福).

[人道 인도] ㉠사람이 행하여야 할 도덕. 인륜(人倫). ㉡세상 사람의 인정(人情). 세정(世情). ㉢인류 생존(人類生存)의 길. ㉣부부간(夫婦間)의 성교(性交). ㉤사람이 다니는 길.

[人道教 인도교] 프랑스의 콩트가 제창(提唱)한

윤리설(倫理說). 종교·애정(愛情)을 기초로 하고, 인류의 행복(幸福)의 증진(增進)을 주로 한다.

[人道橋 인도교] 사람이 다니는 다리. 「함.

[人道惡盈而好謙 인도오영이호겸] 사람은 으레 영만(盈滿)한 자를 미워하고, 겸손한 사람을 좋아한다는 뜻.

[人道主義 인도주의] 인종(人種)·국가(國家)·종교(宗教) 등을 초월(超越)하여, 인류 전체의 행복을 향상시키고자 하는 것을 이념(理念)으로 하는 박애주의(博愛主義).

[人力 인력] 사람의 힘.

[人力車 인력거] 사람을 태우고, 사람이 끄는 두 바퀴 달린 수레.

[人籟 인뢰] 사람이 만들어 내는 소리. 곧, 피리·퉁소를 불거나, 거문고·비파 등을 타는 소리. 천뢰(天籟)·지뢰(地籟)의 대(對).

[人類 인류] 사람을 다른 생물과 구별하여 일컫는 말.

[人類愛 인류애] 인류로서의 사랑.

[人倫 인륜] ㉠사람과 사람과의 관계에 있어서의 도의적인 일정한 질서. ㉡사람. 인류(人類). ㉢인물(人物)을 비평(批評)하는 일. 인물평.

[人里 인리] 사람이 많이 사는 동네.

[人利 인리] 인민의 이익.

[人理 인리] 사람의 도리. 인도(人道).

[人立 인립] 동물이 사람이 서는 것처럼 섬.

[人馬 인마] 사람과 말.

[人馬絡繹 인마낙역] 인마의 왕래(往來)가 끊이지 않는다는 뜻으로, 번화(繁華)한 도시(都市)를 형용한 말.

[人莫知其子惡 인막지기자악] 사람은 애정(愛情)에 눈이 멀어 아들이 악하여도 악한 줄 모름.

[人莫躓於山而躓於垤 인막지어산이지어질] 작은 일을 소홀히 하므로 도리어 실패하기 쉽다는 말.

[人萬物之靈 인만물지령] 사람은 만물의 영장(靈長)임.

[人望 인망] ㉠사람들이 모두 바라는 것. ㉡세상 사람이 존경하고 신뢰하는 덕망(德望).

[人面獸心 인면수심] 얼굴은 사람이나 마음은 짐승과 다름이 없음. 곧, 남의 은혜(恩惠)를 모르는 사람, 또는 행동이 흉악(凶惡)한 사람을 욕하는 말.

[人名 인명] 사람의 이름.

[人命 인명] 사람의 목숨.

[人命在天 인명재천] 사람의 수명(壽命)은 하늘에 달려 있음.

[人謀 인모] 사람의 머리에서 짜낸 꾀.

[人牧 인목] 백성을 기르고 다스리는 사람이란 뜻으로, 제후(諸侯)·지방 장관 또는 임금을 이름.

[人文 인문] ㉠인류 사회(人類社會)의 문화(文化). ㉡인물(人物)과 문물(文物).

[人文主義 인문주의] 유럽 중세기(中世紀)에 교권(教權)의 구속(拘束)에 반대하고, 고대 문예(古代文藝)의 자유로운 연구(研究)를 주(主)로 한 주의.

[人文地理 인문지리] 각국(各國)의 자연환경(自然環境)에 관련하여 발달된 인문(人文) 현상. 곧, 국가(國家)·경제(經濟)·교통(交通)·인구(人口)·취락(聚落) 등을 지역적(地域的)으로 연구하는 학문.

[人物 인물] ㉠사람. ㉡사람의 됨됨이. 인격(人格). 인품(人品). ㉢뛰어난 사람. 인재(人材). ㉣사람과 물건. ㉤사람의 허울. 모습.

[人民 인민] 백성. 창생 (蒼生).

[人別 인별] 호적 (戶籍).

[人本主義 인본주의] 일체의 진리 (眞理) 및 인식 (認識)은 모두 절대적인 것이 아니며, 반드시 인간의 요구 (要求)·선택 (選擇)·평가 (評價)에 의해서 상대적 (相對的)으로 생기고, 또한 제약 (制約) 당한다고 하는 설 (說).

[人夫 인부] ㉠막벌이꾼. ㉡부역 (賦役)에 나가 일하는 사람.

[人糞 인분] 사람의 똥.

[人非木石 인비목석] 사람은 목석 (木石)과 달라서 인정 (人情)이 있음.

[人士 인사] 교양 (敎養) 또는 지위가 있는 사람. 신분이 좋은 사람.

[人事 인사] ㉠사람의 하는 일. ㉡세상일. 세태 (世態). ㉢남에게 보내는 예물 (禮物). ㉣개인의 신분 (身分)과 능력 (能力)에 관계되는 일. ㉤알지 못하던 사람끼리 서로 성명을 통함. ㉥안부 (安否)를 묻고 동작 (動作)으로 예 (禮)를 표함. ㉦사람 사이에 지켜야 할 언행 (言行).

[人師 인사] 덕행 (德行)을 구비하여 남의 모범이 될 만한 사람.

[人事蓋棺定 인사개관정] 사람의 행한 일의 시비 선악 (是非善惡)은, 그 사람이 죽은 뒤에야 비로소 그 진가 (眞價)가 가려진다는 뜻.

[人事不省 인사불성] ㉠중병 (重病)이나 중상 (重傷) 등에 의하여 의식 (意識)을 잃고 인사 (人事)를 모름. ㉡사람으로서 지킬 예절 (禮節)을 차릴 줄 모름.

[人山人海 인산인해] 사람으로 이룬 산과 바다란 뜻으로, 사람이 몹시 많이 모여 있음을 이르는 말.

[人蔘 인삼] 두릅나뭇과 (科)에 속하는 숙근초 (宿根草). 뿌리는 황백색의 인형 (人形)으로 생겼는데, 강장제 (强壯劑)로 유명함.

[人相 인상] 사람의 얼굴 모양. 용모.

[人生 인생] ㉠사람. ㉡사람의 목숨. 사람의 생존. ㉢사람이 세상에서 사는 동안.

[人生感意氣 인생감의기] 사람은 남과 의기가 상투 (相投)하면 감격하여 생명까지도 희생 (犧牲)하기를 아끼지 아니함.

[人生觀 인생관] 인생의 목적 (目的)·가치 (價値) 등에 대하여 가지는 견해.

[人生得意須盡懽 인생득의수진환] 세상에 태어나 뜻을 이루었을 때에는 최대한으로 인생을 즐겨야 함.

[人生莫作婦人身 인생막작부인신] 사람은 모름지기 여자로 태어나지 말 것이라는 뜻.

[人生識字憂患始 인생식자우환시] 인생은 글자를 아는 것이 우환의 시초라는 뜻. 글자를 알면 글을 읽어 지식이 생겨서 인생의 여러 가지 모순 (矛盾)을 알게 되어 저절로 근심 걱정이 생기므로 이름.

[人生若寓 인생약우] 사람의 일생은 남의 집에 우거 (寓居)하는 것과 다름없어서, 죽음이 느닷없이 옴.

[人生如朝露 인생여조로] 인생의 무상 (無常)함은 아침 이슬이 사라지는 것 같음.

[人生如風燈 인생여풍등] 사람의 목숨은 풍전등화 (風前燈火)와 같아서 내일을 기약 (期約)할 수 없다는 뜻.

[人生五十愧無功 인생오십괴무공] 인생은 50살쯤의 짧은 기간에 아무 공적 (功績)도 남기지 못

함은 남자로서 부끄러운 일이라는 뜻.

[人生自古誰無死 인생자고수무사] 사람은 누구나 다 죽게 마련이므로, 충성을 다하여 이름을 후세에 남겨야 한다는 뜻.

[人生七十古來稀 인생칠십고래희] 인생은 짧은 것으로, 70까지 사는 자는 옛날부터 드물다는 말. 당 (唐)나라 시인 (詩人) 두보 (杜甫)의 〈곡강시 (曲江詩)〉의 한 글귀.

[人生行樂耳 인생행락이] 인생은 무상 (無常)하므로 그 덧없는 짧은 동안만이라도 모름지기 향락하여야 함.

[人庶 인서] 백성. 서민.

[人選 인선] 사람을 가리어 뽑음.

[人性 인성] 사람의 성품.

[人聲 인성] 사람의 음성 (音聲).

[人世 인세] 세상 (世上).

[人所不堪 인소불감] 사람의 마음이나 힘으로는 견딜 수 없는 형편.

[人數 인수] 사람의 수효 (數爻).

[人勝 인승] 정월 초이레, 곧 인일 (人日)에 하는 부인 (婦人)의 머리꾸미개.

[人時 인시] 백성의 생업 (生業)에 필요한 시기 (時期). 곧, 봄에 갈고 여름에 매고 가을에 거두는 각각 적당한 시기. 민시 (民時).

[人臣 인신] 신하 (臣下).

[人身 인신] ㉠사람의 몸. ㉡남의 신분 (身分).

[人身攻擊 인신공격] 남의 신상 (身上)에 대한 공격 (攻擊).

[人身賣買 인신매매] 사람을 짐승과 같이 팔고 사는 일.

[人心 인심] ㉠사람의 마음. ㉡백성의 마음. ㉢사람의 물욕 (物欲)에서 나오는 마음. 사심 (私心). 도심 (道心)의 대 (對).

[人心難測 인심난측] 사람의 마음은 헤아리기 어려움.

[人心世態 인심세태] 인심 (人心)과 세상의 형편.

[人心所關 인심소관] 인심과 관계되는 바.

[人心如面 인심여면] 사람의 마음이 각각 같지 아니한 것은 그 얼굴이 각각 다른 것과 같음.

[人心險於山川 인심험어산천] 사람의 마음은 산천 (山川)보다도 험하여 매섭다는 뜻.

[人我 인아] 남과 자기. 또 남도 나도.

[人我之相 인아지상] 《佛敎》 나는 나, 남은 남으로 차별을 두어 남을 업신여기고 나를 중히 여기는 마음.

[人魚 인어] ㉠양서류 (兩棲類)에 속하는 동물. 모양은 도마뱀과 비슷하고, 두 쌍의 다리가 있으며, 숲의 낙엽 밑 등에 서식함. 도룡뇽. ㉡상반신은 여자의 몸이고, 하반신은 물고기 같으며, 갓난아이의 울음소리를 낸다는 상상상 (想像上)의 동물. 〔言〕.

[人語 인어] 사람의 말. 사람이 하는 말. 인언 (人言).

[人言 인언] ㉠사람의 말. 사람이 하는 말. 인어 (人語). ㉡남의 말. 남의 평판. ㉢비석 (碑石)의 이칭 (異稱).

[人烟 인연] 사람의 집에서 불을 때는 연기 (煙氣). 전 (轉)하여 인가 (人家). 인연 (人烟).

[人影 인영] 사람의 그림자.

[人王 인왕] 임금. 군주.

[人外 인외] 사람의 도리에 벗어남. 사람이 아님.

[人妖 인요] 상도 (常道)에 벗어난 짓을 하는 사람. 여자가 사내로 변복하고, 사내가 여자로 행

세하는 따위.

[人妖物怪 인요물괴] 요사하고 간악한 사람.

[人欲 인욕] 사람의 욕심. 물욕(物欲)에서 나오는 사심(私心).

[人員 인원] ㉠사람의 수효. ㉡단체(團體)를 이룬 여러 사람.

[人爲 인위] 사람이 하는 일. 사람의 행위.

[人爲刀俎我爲魚肉 인위도조아위어육] 남은 식칼과 도마가 되고, 나는 어육(魚肉)이 되었다는 뜻으로, 남이 칼자루를 쥔 것을 비유한 말.

[人爲淘汰 인위도태] 인공(人工)에 의하여 어떤 생물을 일정한 방향으로 변화시키거나 개량하거나 하는 일. 자연도태(自然淘汰)의 대(對).

[人乳 인유] 사람의 젖.

[人肉市場 인육시장] 매음부들이 몸을 파는 거리나 지대.

[人意 인의] 사람의 뜻.

[人義 인의] 사람으로서 행하여야 할 도리(道理).

[人人 인인] 사람사람. 사람마다.

[人日 인일] 음력 정월 초이레의 아칭(雅稱). 고대에 이날의 기후(氣候) 여하로 그해의 길흉을 점쳤다 함.

[人一能之己百之 인일능지기백지] 자기는 남보다 몇 갑절 더 공부하여야 한다는 뜻.

[人子 인자] 사람의 아들.

[人作 인작] 인공(人功)으로 만듦. 인조(人造). 천작(天作)의 대(對).

[人爵 인작] 관위(官位). 작위(爵位).

[人才 인재] 재능(才能)이 있는 사람.

[人材 인재] 인재(人才).

[人迹 인적] 인적(人跡).

[人跡 인적] 사람의 발자취. 사람의 왕래.

[人迹不到處 인적부도처] 인적(人跡)이 이르지 아니한 곳.

[人丁 인정] ㉠성년(成年)된 남자. ㉡사람의 수효. 인구(人口).

[人定 인정] 사람이 자는 시각(時刻). 곧, 오후(午後) 10시경.

[人情 인정] ㉠사람의 정욕(情慾). ㉡세상 사람의 마음. 민심(民心). ㉢선물(膳物). ㉣남을 동정(同情)하는 따뜻한 마음.

[人情所不能免 인정소불능면] 인정상(人情上) 마땅히 있을 법한 일.

[人定鐘 인정종] 인정(人定) 때 울리는 종.

[人造 인조] 사람의 힘으로 만듦.

[人造絹 인조견] 인조(人造) 섬유소(纖維素)로 천연 비단처럼 짠 피륙.

[人種 인종] ㉠사람의 씨. ㉡인류의 종별(種別).

[人主 인주] 임금.

[人中 인중] ㉠코와 윗입술 사이에 우묵하게 들어간 곳. ㉡사람 가운데. 인간계(人間界).

[人中騏驥 인중기기] 뛰어나게 잘난 인물.

[人中白 인중백] 오줌버캐.

[人中獅子 인중사자] 비범(非凡)한 인물.

[人衆者勝天 인중자승천] 사람이 많아 세력이 강하면 하늘도 이김. 악운(惡運)이 세어서 천벌(天罰)도 받지 않음.

[人中尊 인중존] 《佛教》사람 중에서 가장 존귀한 사람. 곧, 부처·보살(菩薩).

[人中之龍 인중지룡] 비범(非凡)한 인걸(人傑).

[人中之末 인중지말] 사람 가운데 행실이나 인품이 가장 못난 사람.

[人智 인지] 사람의 슬기. 사람의 지능(知能).

[人之常情 인지상정] 사람의 보편적(普遍的)인 인정(人情).

[人地生疎 인지생소] 아는 사람도 없거니와, 땅도 생소하여 지리에 어두움.

[人之水鏡 인지수경] 맑고 깨끗한 마음의 비유.

[人之將死其言也善 인지장사기언야선] 사람이 바야흐로 죽으려 할 때에는 본심(本心)으로 돌아가서 그 하는 말도 착하다는 뜻.

[人之準繩 인지준승] 남의 모범. 모범 인물(模範人物).

[人天 인천] ㉠사람과 하늘. ㉡군주(君主)의 이칭(異稱).

[人天眼目 인천안목] 《佛教》슬기가 지극히 뛰어난 사람.

[人彘 인체] '돼지 같은 사람'이란 뜻. '체(彘)'는 암돼지. 여태후(呂太后)가 한고조(漢高祖)의 총희(寵姬) 척부인(戚夫人)의 수족을 자르고 눈을 빼내고 귀를 지지고 벙어리가 되는 약을 먹인 후 뒷간에서 살게 하고 '인체(人彘)'라고 하였음.

[人體 인체] 사람의 신체. 몸.

[人總 인총] 인구(人口).

[人畜 인축] 사람과 가축(家畜).

[人波 인파] 많이 모인 사람의 동작이 물결처럼 보이는 상태(狀態).

[人便 인편] 사람이 오고 가는 편.

[人表 인표] 사람의 모범(模範).

[人品 인품] ㉠사람의 품격(品格). ㉡용모(容貌). 외모.

[人皮 인피] 사람의 가죽.

[人必自侮然後人侮之 인필자모연후인모지] 사람은 스스로를 멸시(蔑視)하여 몸을 닦지 않으므로 남에게 모멸(侮蔑)을 받게 됨.

[人形 인형] ㉠사람의 형상(形像). ㉡사람의 형상(形像)과 같이 만든 물건.

[人戶 인호] 인가(人家). 민가(民家).

[人豪 인호] 호걸(豪傑).

[人和 인화] 인심(人心)이 화합(和合)함. 마음이 서로 맞음.

[人禍 인화] 사람의 원망.

[人寰 인환] 인경(人境).

[人皇 인황] 중국의 태고 초매(草昧)의 세상에 순차로 계승하였다고 하는 제3대의 제왕.

[人稀地廣 인희지광] 사람은 적고 땅은 넓음.

◉佳人. 家人. 歌人. 奸人. 監人. 江湖散人. 個人. 巨人. 舉人. 故人. 高人. 藁人. 穀人. 公人. 寡人. 官人. 倡人. 館人. 狂人. 校人. 驕人. 求備一人. 舊人. 九品官人. 軍人. 君子人. 弓人. 宮人. 窮人. 歸人. 今人. 金人. 金鍼度人. 己所不欲勿施於人. 奇人. 畸人. 吉人. 亂人. 南極老人. 南人. 浪人. 內人. 老成人. 路人. 農人. 廩人. 凌雲閣上人. 凌人. 短人. 端人. 達人. 當人. 黨人. 大人. 度外人. 陶人. 盜人. 道人. 讀書人. 咄咄逼人. 東西南北人. 東野人. 同人. 東人. 斗南一人. 斗筲之人. 萬人. 蠻人. 亡人. 妄人. 盲人. 名人. 謀及婦人. 木人. 牧人. 沒人. 無位眞人. 武人. 舞人. 文人. 聞人. 未亡人. 美人. 民人. 傍若無人. 方人. 坊人. 邦人. 百年苦樂只依人. 白玉樓中人. 凡人. 病人. 卜人. 本人. 封人. 夫人. 浮人. 婦人. 不愧天不怍人. 不怨天不尤人. 卑人. 鄙人. 貧人. 氷人. 紗籠中人. 寺人. 舍人. 死人. 私人. 詞人. 絲人. 山人. 散人.

殺人. 上人. 相人. 商人. 常人. 象人. 生人. 西人. 庶人. 石人. 昔人. 碩人. 仙人. 先人. 船人. 善人. 先制人. 舌人. 成人. 聖人. 歲月不待人. 世人. 細人. 小人. 宵人. 訴人. 騷人. 俗人. 松菊主人. 囚人. 狩人. 順天應人. 矢人. 時人. 詩人. 信人. 神人. 新人. 心中人. 我輩人. 牙人. 惡人. 惡其罪不惡其人. 樂人. 眼中人. 艾人. 愛人. 野人. 良醫門多疾人. 良人. 養形人. 御人. 如夫人. 女人. 旅人. 餘人. 輿人. 麗人. 矛一人. 力人. 涓人. 英雄忌人. 英雄欺人. 佞人. 藝人. 吾人. 玉人. 王門伶人. 外人. 要人. 友人. 羽人. 偶人. 虞人. 遠人. 月下老人. 月下林人. 偉人. 乳人. 流人. 幽人. 孺人. 嬬人. 輪人. 義人. 以貌取人. 泥塑人. 以言取人. 二人. 里人. 易人. 異人. 仁人. 忍人. 一人. 逸人. 慈老人. 作人. 丈人. 才人. 適人. 全人. 觝人. 正人. 貞人. 精人. 諸人. 罪人. 主人. 舟人. 酒人. 竹夫人. 華人. 中人. 衆人. 曾參殺人. 證人. 至人. 知人. 津人. 眞人. 陳人. 撰人. 甄人. 讒人. 天道無親常與善人. 天人. 鐵石人. 鐵人. 哲人. 寸馬豆人. 寸鐵殺人. 治人. 他人. 貪人. 太夫人. 通人. 使人. 嬖人. 廢人. 庖人. 胞人. 風流人. 風月主人. 下人. 何人. 閑人. 寒人. 函人. 恒人. 海夫人. 海人. 行人. 眩人. 賢人. 形人. 胡人. 豪人. 闇人. 畫眉人. 化飯道人. 化人. 畫人. 訓人.

0
② [亻] 人(前條)이 변으로 쓰일 때의 자체 (字體)

1
③ [人] 집 ㉠緝 籍入切 jí
字解 모일 집 한데 모임.
字源 象形. 세 개의 물건이 모이는 모양을 본뜸.

[个] 〔개〕
｜部 二畫(p.43)을 보라.

2
④ [仑] 〔륜〕
侖(人部 六畫⟨p.124⟩)의 簡體字

2
④ [仓] 〔창〕
倉(人部 八畫⟨p.146⟩)의 簡體字

2
④ [从] 〔종〕
從(彳部 八畫⟨p.746⟩)의 本字
字源 會意. 人+人. 두 사람이 나란히 있는 모양에서, 다른 것에 붙좇아 따르다의 뜻을 나타냄. '從'의 本字.

2
④ [今] ㉥金 금 ㉣侵 居吟切 jīn
筆順 ノ 人 人 今
字解 ①이제 금 ㉠지금. 현재. '去來—'. 一釋弗繫. 此所謂養虎自遺患也《史記》. ㉡발어(發語)의 조사(助辭) '一夫'. '一有殺人者'《孟子》. ㉢지금 세상. 현대. '一之爲民者六'《韓愈》. ㉣오늘. 금일. '一夕'. '覺一是而昨非'《陶潛》. ②곧 금 바로. '一時'. '方一'. '吾一召君矣'《史記》. ③성 금 성(姓)의 하나.

字源 甲骨文 △ 金文 A 篆文 今 指事. 어떤 것을 덮어 싸서 포함하는 모양을 나타내며, '陰음'·'含함' 따위와 뜻이 통하는 것이었을 테지만, 가차(假借)하여 '지금'의 뜻으로 쓰임.

[今古 금고] 지금과 예. 금석(今昔).
[今年 금년] 올해. 당년(當年). 금자(今玆).
[今年生 금년생] 올해에 낳은 아이. 올해에 낳은 것.
[今年花落顏色改 금년화락안색개] 올해의 꽃도 다 떨어지고 사람의 얼굴도 시들어 변함.
[今年花似去年好 금년화사거년호] 금년에 핀 꽃은 작년에 핀 꽃과 같이 아름다움.
[今旦 금단] 오늘 아침. 금효(今曉).
[今代 금대] 지금의 시대(時代). 현대.
[今道心 금도심] 《佛教》 새로 참예(參詣)한 도심자(道心者).
[今冬 금동] 올겨울.
[今晩 금만] 오늘 저녁.
[今明間 금명간] 오늘 내일 사이.
[今文 금문] 현대의 문자(文字).
[今方 금방] 이제 곧. 바로 이제.
[今番 금번] 이번.
[今夫 금부] 발단(發端)의 말. 발어사(發語辭).
[今上 금상] 현재의 천자(天子).
[今生 금생] ㉠지금 세상. ㉡살고 있는 동안. 생존 중(生存中).
[今夕 금석] 오늘 저녁.
[今昔 금석] 금고(今古).
[今昔之感 금석지감] 이제와 예가 너무도 틀림을 보고 받는 깊은 느낌.
[今夕何夕 금석하석] 오늘 밤은 얼마나 좋은 밤인가.
[今世 금세] 지금 세상. 당세(當世). 현세(現世). 현대(現代).
[今歲 금세] 금년(今年).
[今宵 금소] 오늘 밤. 금석(今夕).
[今時 금시] 지금.
[今時發福 금시발복] 당장에 부귀(富貴)를 누리게 됨.
[今是昨非 금시작비] 과거의 과오를 오늘 처음 깨달음.
[今時初見 금시초견] 이제야 처음 봄.
[今時初聞 금시초문] 이제야 처음으로 들음.
[今也 금야] 지금. 오늘.
[今夜 금야] 오늘 밤. 금석(今夕).
[今如古 금여고] 예나 이제나 같음.
[今吾 금오] 지금의 나. 오늘의 자기.
[今友 금우] 새로 사귄 벗.
[今月 금월] 이달. 당월(當月).
[今人 금인] 지금 세상의 사람. 지금 생존하고 있는 사람.
[今日 금일] ㉠오늘. ㉡지금.
[今日之顔子 금일지안자] 지금 세상의 안회(顏回)라는 뜻으로, 어진 사람을 칭찬하는 말.
[今者 금자] 요즈음. 근자.
[今玆 금자] 금년(今年). 내년(來年)을 내자(來玆)라고 하는 대(對).
[今纔 금재] 이제 겨우.
[今帝 금제] 지금의 천자. 금상(今上).
[今朝 금조] 오늘 아침.
[今週 금주] 이 주일(週日).

[今體 금체] 현대의 체재. 현대의 양식.
[今秋 금추] 올가을.
[今春 금춘] 올봄.
[今夏 금하] 올여름.
[今回 금회] 이번.
[今曉 금효] 오늘 새벽.
[今後 금후] 이 뒤.
◉去來今. 古今. 當今. 目今. 方今. 如今. 而今. 一彈指頃去來今. 自今. 昨今. 卽今. 只今. 現今.

2 ④ [介] [高人] 개 [去]卦 古拜切 jiè

[筆順] ノ 人 介 介

[字解] ①낄 개 사이에 낌. '一在'. '一入'. '一居二大國之間'《左傳》. ②격할 개 격리(隔離)함. '後一大河'《漢書》. ③도울 개, 도움 개 돕는 사람. '一佐'. '一輔'. '爲此春酒, 以一眉壽'《詩經》. ④클 개 큼. 또, 크게 함. '一圭'. '一福'. '神之聽之, 一爾景福'《詩經》. ⑤작을 개 '一丘'. '蒞于一次'《周禮》. ⑥인(因)할 개 의뢰함. 의지함. '一人之寵, 非勇也'《左傳》. ⑦소개할 개 '一紹'. '紹一'. '媒一'. 또, 소개하는 사람. 중간에 든 사람. '士無一不見'《孔叢子》. ⑧버금 개 다음가는 차례나 벼슬. '一卿'. '一貳'. 또, 그 사람. '嗟嗟保一'《詩經》. ⑨모실 개 '一其側'. ⑩홀로 개 고독(孤獨). '一特'. '一獨'. '惡乎一也'《莊子》. ⑪굳을 개 견고함. '一石'. '六二一于石'《易經》. ⑫묵을 개 유숙함. 머무름. '攸一攸止'《詩經》. ⑬절개 개 절조(節操). 지조(志操). '狷一'. '柳下惠不以三公易其一'《孟子》. ⑭갑옷 개 싸움을 할 때 입는 옷. '一冑'. '一士'. ⑮갑옷입을 개 '太子與五人一'《史記》. ⑯딱지 개 갑각(甲殼). 또, 갑각류의 동물. '一蟲'. '一鱗'. '非常鱗凡一之品彙匹儔也'《韓愈》. ⑰가 개 변두리. '悲江一之遺風'《楚辭》. ⑱상고대 개 나무나 풀에 내려 눈같이 된 서리. 목가(木稼). 수빙(樹氷). '名木氷爲木一'《漢書》. ⑲쓰레기 개 진개(塵芥). 芥(艸部四畫)와 통용. '不以往事爲纖一'《漢書》. ⑳가까이할 개 '不以難一我國也'《穀梁傳》. ㉑착할 개, 좋을 개 '一, 善也'《爾雅》. ㉒낱 개 수요를 세는 단위. 개(個). '若有一一臣'《書經》. ㉓성 개 성(姓)의 하나.

[字源] 甲骨文 篆文 象形. 갑옷 속에 들어가 있는 사람을 본뜬 모양으로, '갑옷, 구획 짓다, 중개하다, 중매 서다'의 뜻을 나타냄.

[介殼 개각] 패각(貝殼). 갑각(甲殼).
[介甲 개갑] ㉠갑옷. ㉡게나 거북의 딱딱한 껍데기. 단단한 등딱지.
[介介 개개] 고립(孤立)하여 이 세상에 맞지 않는 모양. 일설(一說)에는, 마음에 걸려 잊을 수 없는 모양.
[介居 개거] ㉠사이에 끼여 있음. ㉡아무 도움도 받지 못하고 외따로 떨어져 있음.
[介潔 개결] 성질이 단단하고 깨끗함.
[介卿 개경] 경(卿)에 버금가는 지위. 지금의 차관(次官). 차경(次卿).
[介丘 개구] ㉠작은 언덕. ㉡큰 산. 태산(泰山).
[介圭 개규] 큰 홀(笏).
[介獨 개독] 고립무원(孤立無援)함.
[介鱗 개린] 어패(魚貝).
[介立 개립] ㉠홀로 섬. 고립무원(孤立無援). 독립(獨立). ㉡굳게 절개를 지킴.
[介馬 개마] 갑옷을 입은 말. 무장한 말.
[介僻 개벽] 견개(狷介)함. 외고집.
[介輔 개보] 개좌(介佐).
[介福 개복] 큰 복. 개지(介祉).
[介夫 개부] 개사(介士).
[介婦 개부] 첩(妾).
[介儐 개빈] 빈객(賓客)의 응접(應接)을 맡은 사람. 접대계(接待係).
[介士 개사] ㉠갑옷을 입은 무사(武士). ㉡절개가 굳은 사람. 기개(氣概) 있는 사람.
[介使 개사] 부사(副使).
[介駟 개사] 갑옷을 입고 병거(兵車)를 끄는 네 마리의 말.
[介山 개산] ㉠산시 성(山西省) 개휴현(介休縣)에 있는 산. 춘추(春秋) 때, 개지추(介之推)가 그 어머니와 같이 숨은 곳. 면산(緜山). ㉡산시성(山西省) 만천현(萬泉縣)에 있는 산. 한무제(漢武帝)가 이 산에서 후토(后土)에 제사 지냈음. 분산(汾山).
[介石 개석] 돌보다 단단하다는 뜻으로, 절개(節概)를 굳게 지킴을 이름.
[介壽 개수] 장수(長壽)를 돕는다는 뜻으로, 축수(祝壽)할 때 쓰는 말.
[介心 개심] 큰 마음. 대지(大志). 또, 굳은 마음.
[介然 개연] ㉠잠깐 동안. 잠시. ㉡고립(孤立)한 모양. 굳게 지켜 변하지 않는 모양. ㉢께적지근한 모양. 걱정이 되는 모양. ㉣견고한 모양.
[介于石 개우석] 개석(介石).
[介意 개의] 마음에 둠. 걱정이 됨.
[介入 개입] 어떤 일에 끼어듦.
[介者 개자] ㉠개사(介士)[ㄱ]. ㉡발을 잘린 사람.
[介者不拜 개자불배] 갑옷을 입은 자(者)는 배례(拜禮)를 하지 않음. 군중(軍中)에 있어서는 마음을 오로지 군사(軍事)에만 쏟아 다른 일을 돌보지 않음을 이름.
[介子推 개자추] 개지추(介之推).
[介在 개재] 끼여 있음. 중간에 있음. 개거(介居).
[介弟 개제] 남의 아우의 존칭. 대제(大弟). 현제(賢弟).
[介佐 개좌] 보좌(輔佐)함. 또, 그 사람. 개보(介輔).
[介冑 개주] 갑옷과 투구. 갑주(甲冑).
[介冑生蟣蝨 개주생기슬] 갑옷과 투구에 서캐가 끓음. 전쟁이 오래 계속됨을 이름.
[介祉 개지] 개복(介福).
[介之推 개지추] 춘추 시대(春秋時代)의 사람. 개자추(介子推)라고도 함. 진문공(晉文公)을 따라 19년 동안 망명 생활을 하였으나, 문공(文公)이 귀국(歸國)하여 왕이 된 후에 봉록(封祿)을 주지 않았으므로, 그 어머니와 함께 면산(緜山)에 숨었음. 문공(文公)이 뒤에 그를 찾았으나 못 찾고, 산(山)을 불질러 마침내 지추는 불타 죽었음. 그 뒤 면산을 개산(介山)이라고 칭하였음.
[介次 개차] 작은 역참(驛站).
[介蟲 개충] 갑각(甲殼)을 가진 벌레. 딱정벌레 따위. 갑충(甲蟲).
[介特 개특] 고립무원(孤立無援)함. 또, 그 사람. 개독(介獨).
[介懷 개회] 개의(介意).
◉剛介. 狷介. 耿介. 孤介. 科介. 矯介. 勤介.

謹介. 單介. 媒介. 凡介. 保介. 副介. 常鱗凡
介. 織介. 紹介. 魚介. 隱介. 鱗介. 一介. 節
介. 操介. 走介. 仲介. 錙介. 偏介. 抱介. 佪
介. 嶰介.

²⁄₄ [仄] 人名 측 ㈒職 阻力切 zè

仄

字解 ①기울 측 ㉠한쪽으로 기욺. '一斜'. 仄
側傾也'《說文》. ㉡해가 서쪽으로 기울어짐. 昃
(日部 四畫)과 同字. '一日'. '一日乃罷'《後漢
書》. ②치솟을 측 '險道傾一'《漢書》. ③어렴풋
할 측 희미함. '一閒屈原兮, 自湛
汨羅'《賈誼》. ④결 측 側(人部 九畫)과 통용.
'旁一素餐之人'《漢書》. ⑤미천할 측 천함. 또,
좁음. '一, 陋'《廣韻》. ⑥측운 측 운(韻)의 이
대별(二大別)한 하나. 곧, 상(上)·거(去)·입
(入)의 삼성(三聲). 평(平)의 대(對). '平一'.
'上去入爲一聲'《沈約》.

字源 篆文 仄 籀文 仄 會意. '亻(人)+厂'.
'厂'은 '벼랑'의 뜻. '사람이 위험한
벼랑에서 몸을 비스듬히 기대다, 기울이다'의
뜻. 籀文은 厂+夨〔音〕의 形聲. '夨'은 또 머리
를 기울인 사람을 본뜬 모양으로, 역시 '기울
어짐'의 뜻경.

[仄徑 측경] 가파른 비탈의 오솔길.
[仄起 측기] 한시(漢詩)에서 기구(起句)의 둘째
글자가 측자(仄字)임을 이름. 평기(平起)의 대
(對).
[仄陋 측루] 낮은 신분(身分). 측루(側陋).
[仄目 측목] 눈을 돌림. 정면으로 보지 않음. 측
목(側目).
[仄聞 측문] 어렴풋이 들음. 남의 전(傳)하는 말
을 들음.
[仄微 측미] ㉠신분이 낮고 미천함. 낮고 미천한
신분. ㉡쇠(衰)함.
[仄斜 측사] 기욺. 경사(傾斜).
[仄聲 측성] 한자(漢字)의 상(上)·거(去)·입(入)
의 삼성(三聲)을 합한 76운(韻).
[仄室 측실] ㉠경대부(卿大夫)의 서자(庶子). ㉡
첩(妾). 측실(側室).
[仄韻 측운] 사성(四聲) 중에서 상성(上聲)·거성
(去聲)·입성(入聲)에 속하는 운(韻). 평운(平
韻)의 대(對).
[仄日 측일] 지는 해. 석양(夕陽).
[仄入 측입] 시(詩)의 변격(變格)으로서 율시(律
詩) 여덟 구의 첫째 글자를 측운(仄韻)으로 쓰
는 일.
[仄字 측자] 측운(仄韻)의 글자.
[仄慝 측특] 음력 초하루에 달이 동쪽에 보이는
[仄行 측행] 모로 걸음. 측행(側行).
　●傾仄. 敧仄. 反仄. 旁仄. 湢仄. 福仄. 幽仄.
平仄.

²⁄₄ [什] 人名 ㈑緝 是執切 shí

십
집(십㈜)

什

筆順 ノ 亻 仁 什

字解 ■①열사람 십, 열집 십 십 명. 또, 십가(十
家). '一佰'. '遊弩往來, 一伍俱備'《漢書》. ②
열 십 十(部首)과 통용. '一二'. '逐一一之利'
《史記》. ③성 십 성(姓)의 하나. ■①시편 십
시경(詩經)에서 아(雅)와 송(頌)은 대개 열 편
(篇)을 한 권(卷)으로 하였으므로, 시(詩)는,

는 시편(詩編)을 이르게 되었음. '篇一'. '詩
一'. '珠玉傳新一'《白居易》. ②세간 집 식기(食
器) 따위의 일용 기구(器具). '一器'. '一物謂
常用者, 其數非一, 故曰一'《史記 註》.

字源 篆文 什 形聲. 亻(人)+十〔音〕. 십인(十人) 일
조(一組)의 뜻을 나타냄.

[什六 십륙] 10분의 6. 곧, 과반수.
[什吏 십리] 군사 10인의 장(長). 십장.
[什麼 십마] '무엇' 또는 '어떻게'의 뜻의 속어(俗
語).
[什麼生 십마생] 십마(什麼).
[什百 십백] 열 명 내지 백 명의 군사(軍士)의 일
조(一組)를 이룬 대오(隊伍).
[什佰 십백] ㉠열 배 혹은 백 배. ㉡십백(什百).
[什佰之器 십백지기] 보통 사람의 열 배 백 배나
될 만큼의 기량(器量).
[什襲 십습] 열 겹의 뜻으로, 여러 겹으로 싸서 소
중히 보관하여 둠을 이름. 진장(珍藏).
[什襲藏之 십습장지] 귀중(貴重)한 물건을 잘 간
직하여 둠.
[什伍 십오] 열 명 또는 다섯 명의 군사(軍士) 한
조(組).
[什二 십이] 10분의 2. 전(轉)하여, 장사의 이익을
이름.
[什二三 십이삼] 10분의 2, 또는 10분의 3.
[什一 십일] 10분의 1.
[什長 십장] ㉠군사(軍士) 열 사람의 두목. ㉡열
집 한 조의 장(長).
[什八九 십팔구] 열 가운데 여덟이나 아홉. 십중
팔구(十中八九).
[什具 집구] 집물(什物).
[什器 집기] 집물(什物).
[什物 집물] 세간살이에 쓰이는 온갖 기구(器
具). 가구(家具).
[什寶 집보] 가보(家寶)로서 비장(祕藏)한 보물.
　●家什. 近什. 小什. 詩什. 新什. 章什. 篇什.

²⁄₄ [仁] 中人 인 ㈜眞 如隣切 rén

仁

筆順 ノ 亻 仁 仁

字解 ①어질 인, 어짊 인 ㉠애정. 동정. 친애(親
愛). '一愛'. '樊遲問一, 子曰愛人'《論語》. ㉡
특히 유교(儒敎)에서는 인도(人道)의 극치(極
致), 또는 도덕의 지선(至善)을 이름. '一義'.
'一人之安宅也'《孟子》. ㉢어진 풍속. 인정이
두터운 풍속. '一厚'. ㉣어진이의 인
유덕(有德)한 사람. '愛衆而親一'《論語》. ③자
네 인 친애하는 사람의 호칭(呼稱). '今說, 一諦
聽'《無量壽經》. ④사람 인 人(部首)과 同字.
'井有一焉'《論語》. ⑤사람마음 인 마음의 본체
(本體). 본성(本性). '一, 人心'《孟子》. ⑥참
을 인, 忍也. 好生惡殺'《釋名》. ⑦씨 인 핵
과(核果)의 씨. '桃一'. '單服杏一'《顏氏家
訓》. ⑧사랑할 인 친애(親愛)함. '此者也'《荀
子》. ⑨불쌍히여길 인 가련하게 여겨 동정함.
'將大其聲, 疾呼而望其一之也'《韓愈》. ⑩성 인
성(姓)의 하나.

字源 甲骨文 仁 篆文 仁 古文 仁 古文 尼 形聲. '亻(人)+二
〔音〕. '二'는 '尼
니'와 통하여, 친근하게 구는 애정의 뜻을 나타
냄. 또, 전(轉)하여 과실(果實)의 씨 속에 있어

싹이 되는 보드라운 부분의 뜻으로도 쓰임.

[仁簡 인간] 인자(仁慈)하고 까다롭지 아니함.
[仁公 인공] 남을 부르는 존칭(尊稱). 명공(明公).
[仁敎 인교] 어진 가르침. 인덕(仁德) 있는 가르침.
[仁君 인군] 어진 임금.
[仁矜 인긍] 인정이 많음.
[仁德 인덕] 어진 덕(德). 인자하여 동정심이 많은 덕.
[仁篤 인독] 인정이 있고 친절함.
[仁里 인리] 풍속이 아름다운 시골.
[仁免 인면] 불쌍히 여겨 죄(罪)를 용서함.
[仁聞 인문] 어질다는 소문.
[仁祠 인사] 절(寺)의 이칭(異稱).
[仁山智水 인산지수] 산과 물. 산수(山水). 「줌.
[仁恕 인서] 인자하여 남의 딱한 사정을 잘 알아
[仁瑞 인서] 성인(聖人)이 세상을 다스릴 때 나타난다는 상서로운 조짐.
[仁善 인선] 어질고 착함. 인휘(仁徽).
[仁聖 인성] 재덕(才德)이 아주 뛰어난 사람.
[仁壽 인수] 인덕이 있고 수명이 긺.
[仁獸 인수] 기린(麒麟)❶의 별칭.
[仁順 인순] 어질고 순(順)함.
[仁術 인술] ㉠인덕(仁德)을 베푸는 방법. ㉡의술(醫術).
[仁信智勇嚴 인신지용엄] 대장(大將)되는 자가 마땅히 갖추어야 할 인(仁)·신(信)·지(智)·용(勇)·엄(嚴)의 다섯 가지 덕(德).
[仁心 인심] 인자(仁慈)한 마음. 어진 마음.
[仁愛 인애] 자애(慈愛).
[仁弱 인약] 어질고 약함. 너무 순함.
[仁王 인왕] ㉠백성을 사랑하는 어진 임금. ㉡《佛敎》'이왕(二王)'과 같음.
[仁勇 인용] 인자하고 용감함.
[仁威 인위] ㉠진(陳)나라·수(隋)나라 무렵에 둔 군단(軍團)의 이름. 또, 그 장군의 칭호. ㉡은애(恩愛)와 위신(威信).
[仁柔 인유] 인자하고 유순함.
[仁育 인육] 사랑하여 기름.
[仁恩 인은] 자애(慈愛)와 은혜.
[仁義 인의] 인(仁)과 의(義). 박애(博愛)와 정의(正義).
[仁誼 인의] 인의(仁義).
[仁義禮智 인의예지] 사람의 마음에 선천적으로 갖춘 인(仁)과 의(義)와 예(禮)와 지(智)의 사덕(四德).
[仁義禮智信 인의예지신] 사람의 마음에 선천적으로 갖춘 인(仁)과 의(義)와 예(禮)와 지(智)와 신(信)의 오상(五常).
[仁人 인인] 인자(仁者).
[仁人之安宅也 인인지안택야] 인(仁)은 사람의 더없이 편안한 주택(住宅)이라는 뜻으로, 사람의 마음이 어질면 마음이 지극히 편안함을 이른 말.
[仁人之言其利博 인인지언기리박] 인자(仁者)가 말하는 바는, 그 이익(利益)되는 바가 넓고 큼.
[仁者 인자] ㉠어진 사람. 인자로서의 도(道)를 완전히 갖춘 사람. 인인(仁人).
[仁慈 인자] 인후(仁厚)하고 자애(慈愛)로움.
[仁者無敵 인자무적] 어진 사람은 모든 사람이 그를 따르므로 천하에 적이 없음.
[仁者不憂 인자불우] 어진 사람은 안빈낙도(安貧樂道)하므로 마음에 걱정이 없음.

[仁者樂山 인자요산] 어진 사람은 모든 일을 도의(道義)에 따라서 하여, 행동이 신중하기가 태산(泰山) 같으므로 산을 좋아함.
[仁者之勇 인자지용] 의(義)를 위하여 죽음을 두려워하지 않는 용기.
[仁漸義摩 인점의마] 백성을 다스리는 데 인혜(仁惠)로 젖어들게 하고, 정의(正義)로써 갈고 닦게 한다는 뜻으로, 백성을 점차 인의(仁義)의 길에 들게 함을 이름.
[仁政 인정] 어진 정사(政事).
[仁悌 인제] 인자하고 공손함.
[仁鳥 인조] 봉황(鳳凰)의 별칭.
[仁智 인지] ㉠인자스럽고 슬기가 있음. 또, 인자한 마음과 슬기. ㉡산과 물, 곧 산수(山水)를 이름. └름.
[仁親 인친] 인애(仁愛).
[仁澤 인택] 은택(恩澤).
[仁風 인풍] ㉠인덕(仁德)의 교화(敎化). ㉡부채〔扇〕의 아칭(雅稱).
[仁賢 인현] ㉠인자(仁慈)하고 현명함. ㉡인자(仁者)와 현자(賢者).
[仁俠 인협] 인정이 많고 협기(俠氣)가 있음.
[仁兄 인형] 친구(親舊)의 존칭(尊稱).
[仁惠 인혜] 어질고 은혜로움.
[仁化 인화] 인덕(仁德)의 감화.
[仁孝 인효] 동정심이 많고 부모에게 효도가 지극함.
[仁厚 인후] 어질고 후덕(厚德)함.
[仁徽 인휘] 인선(仁善).
[仁恤 인휼] 인애(仁愛)로써 구휼(救恤)함.
[仁洽 인흡] 어진 자애로움이 널리 미침.
●姦仁. 曲惠小仁. 觀過知仁. 寬仁. 能仁. 同仁. 輔仁. 婦人仁. 不仁. 殺身成仁. 三仁. 上仁. 宋襄之仁. 磽仁. 柔仁. 以友輔仁. 里仁. 一視同仁. 慈仁. 至仁. 杏仁.

2
④ [仆] 부 ㉠遇 芳遇切 fù
㉡宥 敷救切 pū
字解 ①넘어질 부 ㉠쓰러짐. '一伏'. '黍稷一於中田'《陸雲》. ㉡쓰러져 죽음. '一斃'. '應弦而一'《唐書》. ②엎어질 부 전복함. '與一植僵'《唐書》. ③넘어뜨릴 부 '引弓射一之, 乃朽木也'《唐書》.
字源 形聲. 亻(人)＋卜〔音〕. '卜복'은 의성어(擬聲語). '사람이 픽 쓰러지다'의 뜻을 나타냄.

[仆僵 부강] 넘어짐. 쓰러짐.
[仆倒 부도] 넘어짐.
[仆頓 부돈] 넘어짐. 부도(仆倒).
[仆伏 부복] 넘어짐. 엎드러짐.
[仆死 부사] 쓰러져 죽음. 또, 그 사해(死骸).
[仆偃 부언] 넘어뜨림. 쓰러뜨림. 또, 넘어짐. 쓰러짐.
[仆臥 부와] 쓰러져 누움.
[仆顚 부전] 넘어짐. 엎드러짐.
[仆斃 부폐] 쓰러져 죽음. 폐사(斃死).
●僵仆. 頓仆. 偃仆. 殕仆. 曳仆. 躓仆. 顚仆. 推仆. 醉仆.

2
④ [仂] 륵 ㉠職 ①盧則切 lè
②林直切 lì
字解 ①나머지 륵 셈한 나머지. 일설(一說)에는, 10분의 1. 또, 3분의 1. '祭用數之一'《禮

記》. ②힘쓸 륵 근면하게 일함.
字源 形聲. 亻(人)+力〔音〕

2/④ [仇] 人名 구 ㉠尤 巨鳩切 chóu ㉠虞 恭于切

仇

字解 ①짝 구 좋은 짝. '一匹'《禮記》. ②원수 구 원한이 되는 사람. '一讎'一敵'. '與子同一'《詩經》. ③적으로여길 구 원수로 여김. 원망함. 미워함. '一, 惡也'《廣雅》. '萬姓一予'《書經》. ④해칠 구 해를 (加)함. '葛伯一餉'《孟子》. ⑤거만할 구 오만한 모양. '執我一一'《詩經》. ⑥성 구 성(姓)의 하나. ⑦잔질할 구 잔에 술을 따름. '實載手一'《詩經》.
字源 篆文 形聲. 亻(人)+九〔音〕. '九구'는 '述구'와 통하여 구하여 찾는 상대의 뜻. '상대방·짝'의 뜻을 나타냄.

[仇家 구가] 원한이 있는 집. 또, 원수(怨讎).
[仇校 구교] 두 종류 이상의 이본(異本)을 대조(對照)하여 틀린 데를 고침. 교수(校讎).
[仇仇 구구] 오만한 모양. 오연(傲然).
[仇隙 구극] 사이가 나쁨. 불화.
[仇厲 구려] 의기가 충천하여 격렬함.
[仇方 구방] 원수(怨讎)의 나라.
[仇讎 구수] 원수(怨讎). 구적(仇敵). 「視」.
[仇視 구시] 적(敵)으로 봄. 적대시함. 적시(敵視).
[仇英 구영] 명(明)나라 중기(中期)의 화가(畫家). 자(字)는 실부(實父), 호(號)는 십주(十洲). 장쑤(江蘇) 태창(太倉) 사람. 화풍(畫風)이 세밀 염려(細密艶麗)하여 송대(宋代) 이후 제1인자로 일컬어짐. 당송(唐宋) 고화(古畫)의 모사(模寫)와 금벽 산수(金碧山水) 및 누각(樓閣)을 잘 그렸음.
[仇惡 구오] 원수로 여겨 미워함.
[仇偶 구우] 짝. 배우(配偶).
[仇怨 구원] 원한(怨恨).
[仇人 구인] 원수(怨讎). 구가(仇家).
[仇敵 구적] 원수(怨讎). 구가(仇家).
[仇剽 구표] 원수(怨讎)로 여겨 표략(剽掠)함.
[仇匹 구필] 짝. 동배(同輩).
[仇恨 구한] 원한(怨恨). 구원(仇怨).
● 強仇. 同業相仇. 報仇. 雪仇. 世仇. 讎仇. 惡女仇. 怨仇. 好仇.

2/④ [仍] 人名 잉 ㉠蒸 如乘切 réng

仍

字解 ①인할 잉 그대로 따름. 인순(因循)함. '一舊貫如之何'《論語》. ②기댈 잉 몸을 의지함. '凶事一几'《周禮》. ③오히려 잉 여전히. '太史公一父子相續'《史記》. ④자주 잉 누차. '晉一無道'《國語》. ⑤거푸 잉 연거푸. '饑饉一臻'《漢書》. ⑥이에 잉 乃(丿部 一畫)와 뜻이 같음. '一父子再位亡'《史記》. ⑦칠대손 잉 현손(玄孫)의 증손(曾孫). '昆孫之子爲一孫'《釋名》. ⑧성 잉 성(姓)의 하나.
字源 篆文 形聲. 亻(人)+乃〔音〕. '乃내'는 태아(胎兒)를 본뜬 모양. 성인(成人)과 태아와 세대(世代)가 겹치는 모양에서, '거듭하다, 겹치다, 인하다'의 뜻을 나타냄.

[仍舊 잉구] 그전에 의함. 전처럼. 의연(依然)히.
[仍舊貫 잉구관] 전례(前例)에 의지하여 고치지

아니함.
[仍多 잉다] 그 위에 더 많음.
[仍世 잉세] 대대(代代). 누대(累代).
[仍孫 잉손] 곤손(昆孫)의 아들. 곧, 칠대손(七代孫).
[仍襲 잉습] 그대로 따름.
[仍然 잉연] 역시. 원래대로. 변함없이.
[仍用 잉용] 이전 것을 그대로 씀.
[仍任 잉임] 임기(任期)가 찬 관원(官員)을 계속하여 임명함.
[仍仍 잉잉] 실의(失意)한 모양.
[仍存 잉존] 예전 그대로 둠.
● 累仍. 連仍. 雲仍. 因仍. 荐仍. 重仍.

2/④ [仉] 장 ㉠養 止兩切 zhǎng

字解 성 장 성(姓)의 하나. '一, 見姓苑, 周孟子母一姓'《萬姓統譜》.

2/④ [仃] 정 ㉠青 當經切 dīng

字解 외로이걸을 정 行(彳部 二畫)과 同字.

2/④ [仏] 〔불·필〕
佛(人部 五畫〈p.120〉)의 古字.

2/④ [仅]
■ 付〔부〕(人部 三畫〈p.102〉)와 同字
■■ 奴〔노〕(女部 二畫〈p.513〉)와 同字
■■■ 僅〔근〕(人部 十一畫〈p.173〉)의 簡體字

[化] 〔화〕
匕部 二畫(p.289)을 보라.

2/④ [伞] 〔산〕
傘(人部 十畫〈p.164〉)의 略字

3/⑤ [仚] 선 ㉠先 許延切 xiān

仚

字解 날듯할 선 몸이 가벼워 날 듯한 모양. '鳥一魚躍'《鮑照》.
字源 篆文 會意. 亻(人)+山. 사람이 산(山) 위에 있는 모양. '높이 오르다'의 뜻을 나타냄.

3/⑤ [令] 中人 령 ①-④㉠庚 呂貞切 líng / ⑤-⑫㉡敬 力政切 lìng

令

筆順 丿 人 今 令 令

字解 ①하여금 령 시킴. …로 하여금 …하게 함. '一人知之'. '臣能一君勝'《史記》. ②부릴 령 사역(使役)함. '使一於前'《孟子》. 또, 그 사람. 하인. '寺人之一'《詩經》. ③가령 령 이를테면. 가사(假使). '假一一事成歸王'《史記》. ④방울소리를 령 개의 목에 단 방울의 소리. '盧一一'《詩經》. ⑤법률 령 법률. '律一''犯邦一'《周禮》. ⑥영 령 ㉠명령. '從父一'《孝經》. ㉡교훈. 경계. '謹聞一'《戰國策》. ㉢포고(布告). '發號施一'《書經》. ㉣지휘. 호령. '軍中聞將軍一, 不聞天子之詔'《史記》. ⑦영내릴 령 전향의 동사. '一之日, 汝知而心與左右手背乎'《史記》. '其所一反其所好而民不從'《大學》. ⑧피할 령 '一, 避也'《廣雅》. ⑨장관 령 관아(官衙)의 장(長). '中書一''卜皮爲縣一'《韓非子》. ⑩

착할 령, 아름다울 령 선량함. 또, 좋음. '―德'. '―聞―望'《詩經》. 전(轉)하여, 남의 친족에 대한 경칭(敬稱)으로 쓰임. '―郎'. '―兄'. '峨峨―妹, 應期誕生'《左思》. ⑪철 령 시절(時節). '月―'. ⑫성 령 성(姓)의 하나.

字源 甲骨文 金文 篆文 令 會意. 亼＋卪(卩). '亼'은 '모으다'의 뜻이라고도 하고, 머리 위에 쓰는 관(冠)을 본뜬 형태라고도 함. '卪'은 사람이 무릎을 꿇은 형상. 사람이 무릎을 꿇고 신의(神意)를 듣는 모양을 나타내며, '명(命)하다'의 뜻을 나타냄.

[令監 영감] ㉠《韓》정삼품(正三品)·종이품(從二品) 관원을 일컫던 말. ㉡좀 나이 많은 남편이나 남자 늙은이를 일컫는 말.
[令甲 영갑] 법령(法令)의 제1장.
[令价 영개] 남의 집 하인의 경칭(敬稱).
[令格 영격] 규칙(規則).
[令公 영공] 중서령(中書令)의 존칭(尊稱).
[令嬌 영교] 남의 딸의 존칭(尊稱). 영애(令愛).
[令君 영군] 한말(漢末) 이후, 상서령(尙書令)의 이칭(異稱).
[令眷 영권] 영정(令正).
[令閨 영규] 남의 부인의 경칭(敬稱). 영부인(令夫人).
[令器 영기] 훌륭한 그릇. 뛰어난 인재(人材).
[令女之節 영녀지절] 영녀(令女)는 조문숙(曹文叔)의 아내의 이름. 남편이 죽은 후 집에서 딴데 재가(再嫁)시키려고 하자, 스스로 귀와 코를 끊고서 이에 좇지 않아 마침내 그 정절(貞節)을 온전히 지킨 고사(故事).
[令堂 영당] 남의 어머니의 존칭.
[令德 영덕] 훌륭한 덕(德). 미덕(美德).
[令圖 영도] 좋은 계책. 영유(令猷).
[令娘 영랑] 영애(令愛).
[令郎 영랑] 남의 아들의 존칭. 영윤(令胤). 영식(令息).
[令令 영령] 개의 목에 단 방울 소리.
[令望 영망] 좋은 명망(名望).
[令妹 영매] 남의 누이동생의 존칭.
[令名 영명] 좋은 명예(名譽). 좋은 명성(名聲). 영문(令聞). 영예(令譽).
[令母 영모] 남의 어머니의 존칭(尊稱).
[令謨 영모] 영유(令猷).
[令聞 영문] 훌륭한 평판. 영명(令名).
[令伯 영백] 남의 큰아버지·큰어머니의 존칭.
[令僕 영복] 상서령(尙書令)과 복야(僕射).
[令夫人 영부인] 남의 아내의 존칭.
[令士 영사] 훌륭한 선비. 선사(善士).
[令史 영사] ㉠장관(長官)과 속관(屬官). ㉡문서(文書)를 관장(管掌)하는 하급 관리.
[令嗣 영사] 후사(後嗣)의 경칭(敬稱).　　「빛.
[令色 영색] 남의 비위를 맞추려고 아첨하는 얼굴
[令書 영서] ㉠황족(皇族)이 보내는 서장(書狀). ㉡《韓》왕세자(王世子)가 왕을 대신하여 정사를 다스릴 때 내리던 영지(令旨).
[令壻 영서] 남의 사위의 존칭.
[令緒 영서] ㉠영사(令嗣). ㉡훌륭한 공업(功業).
[令孫 영손] 남의 손자의 존칭.
[令叔 영숙] 남의 숙부(叔父)·숙모(叔母)의 존칭.
[令淑 영숙] 착함. 훌륭함.
[令諡 영시] 시호(諡號).
[令息 영식] 남의 아들의 존칭.

[令辰 영신] 좋은 때. 좋은 날.
[令室 영실] 영부인(令夫人).
[令愛 영애] 남의 딸의 존칭.
[令孃 영양] 남의 딸의 존칭. 영애(令愛). 영원(令媛). 영랑(令娘).
[令嚴 영엄] ㉠명령의 엄함. ㉡남의 아버지의 경칭(敬稱). 존부(尊父). 존대인(尊大人).
[令譽 영예] 좋은 명예(名譽).
[令媛 영원] 영애(令愛).
[令月 영월] 음력 2월의 별칭.
[令猷 영유] 좋은 계책. 영모(令謨).
[令尹 영윤] ㉠주대(周代)의 초(楚)나라의 관명(官名). 상경(上卿). ㉡지방 장관의 별칭(別稱). 진(秦)·한(漢) 이래 현지사(縣知事)를 현령(縣令)이라 하고, 원대(元代)에는 현윤(縣尹)이라 하였으므로, 영(令)과 윤(尹)을 합쳐 부른 것임.
[令胤 영윤] 남의 아들의 존칭.
[令潤 영윤] 충분히 적심. 비가 충분히 오는 일.
[令尹子文 영윤자문] 춘추 시대(春秋時代)의 초(楚)나라 사람. 본 성명은 투곡어도(鬪穀於菟). 세 번이나 영윤(令尹)의 직(職)에 임명(任命)되고 세 번 파직(罷職)당했으되 조금도 희온(喜慍)하는 빛을 보이지 않았다고 하며, 공자(孔子)가 이를 칭탄(稱歎)해 마지않았음.
[令儀 영의] 올바른 예의. 예절에 맞은 언행(言行).
[令人 영인] 훌륭한 사람. 좋은 사람.
[令日 영일] 길일(吉日). 가신(佳辰).
[令子 영자] ㉠훌륭한 아들. ㉡남의 아들의 경칭. 영식(令息). 영랑(令郎).
[令姉 영자] 남의 손위 누이의 경칭.
[令姿 영자] 아름다운 자태.
[令慈 영자] ㉠남의 어머니의 경칭. ㉡훌륭한 자애(慈愛). 깊은 애정.
[令狀 영장] 관청(官廳)에서 내보내는 출두(出頭) 명령서(命令書).
[令箭 영전] 군령(軍令)을 전(傳)하는 화살.
[令節 영절] 좋은 시절(時節). 좋은 철. 가절(佳節). 영신(令辰).
[令正 영정] 영부인(令夫人).
[令政 영정] 영정(令正).
[令弟 영제] 훌륭한 아우. 원래는 자기 아우의 경칭이었으나, 후세에 남의 아우의 경칭으로 되었음.
[令族 영족] 훌륭한 평판과 인망(人望)이 있는 일족(一族).
[令尊 영존] 남의 아버지의 존칭.
[令準 영준] 훌륭한 모범.
[令旨 영지] ㉠황태후(皇太后)의 명령. ㉡《韓》왕세자의 명령서.
[令姪 영질] 남의 조카의 존칭(尊稱).
[令妻 영처] ㉠훌륭한 아내. 양처(良妻). ㉡영부인(令夫人). 영정(令正).
[令寵 영총] 남의 첩(妾)의 존칭.
[令飭 영칙] 명령(命令)을 내려 신칙(申飭)함.
[令稱 영칭] 영명(令名).
[令抱 영포] 남의 손자의 존칭.
[令閤 영합] 영실(令室).
[令兄 영형] 남의 형(兄)의 존칭.
[令慧 영혜] 슬기로움. 총명함.
[令狐德棻 영호덕분] 당초(唐初)의 문관(文官). 화원(華原) 사람. 널리 문사(文史)에 통하여, 항상 고조(高祖)의 측근에서 문치(文治) 행정(行政)에 참획(參畫)하고, 또 무덕(武德)·정관(貞

觀) 2대(代)에 걸치는 양(梁)·진(陳)·주(周)·제(齊)·수(隋)의 〈오대사(五代史)〉의 관찬(官撰) 사업을 추진(推進)시켰음.

[令狐絢 영호도] 당(唐)나라 중기(中期)의 재상(宰相). 자(字)는 자직(子直). 화원(華原) 사람. 재상(宰相) 영호초(令狐楚)의 아들. 문학(文學)으로 널리 알려지고 벼슬이 홍문관 교서랑(弘文館校書郞)·호주 자사(湖州刺史) 등을 거쳐 병부시랑 동 중서문하 평장사(兵部侍郞同中書門下平章事)에 이르렀음.

[令狐楚 영호초] 당(唐)나라 중기(中期)의 재상(宰相). 자(字)는 각(殼). 화원(華原) 사람. 젊어서부터 문장(文章)에 능하여 특히 전주(牋奏)·제령(制令)을 잘 지었음. 내외(內外)의 요직(要職)을 역임(歷任), 팽양군개국공(彭陽郡開國公)에 봉(封)함을 받았음.

● 苛令. 家令. 假令. 格令. 戒令. 功令. 教令. 口令. 軍令. 禁令. 急急如律令. 德令. 命令. 發令. 法令. 司令. 使令. 辭令. 三令. 設令. 笑令. 手令. 守令. 時令. 暗令. 嚴令. 月令. 威令. 違令. 遺令. 律令. 頤令. 一令. 傳令. 政令. 條令. 詔令. 縱令. 指令. 徵令. 勅令. 布令. 憲令. 縣令. 懸令. 號令. 訓令.

³⑤ [令] 令(前條)의 俗字

³⑤ [仨] 사 sā
[字解] 셋 사 3개. 북쪽 지역의 방언(方言)임. '一, 北方語音, 數詞, 三個也'《辭海》.

³⑤ [仝] 〔동〕同(口部 三畫〈p.345〉)의 古字

³⑤ [今] 〔금〕今(人部 二畫〈p.93〉)의 俗字

³⑤ [丛] 〔총〕叢(又部 十六畫〈p.333〉)의 簡體字

³⑤ [以] 〔中人〕이 ㉧紙 羊已切 yǐ
[筆順] ㇉ ㇉ ㇉ ㇉ 以
[字解] ①써 이 ㉠ …으로써. …을 써서. '一羊易之'《孟子》. ㉡ …에 의하여. …때문에. '習習谷風一陰一雨'《詩經》. ㉢ …고. '城高一厚'(성은 높고 두꺼움)《史記》. ㉣ …에도 불구하고. …면서도. '可一人而不如鳥乎'《大學》. ㉤위의 구(句)를 받는 말. '作奇技淫巧一悅婦人'《書經》. ㉥어조(語調)를 돕기 위하는 말. '可一託六尺之孤一寄百里之命'《論語》. ②써할 이 …으로써 함. 사용함. '殺人一梃與刃'《孟子》. ③쓸 이 사용함. 임용함. '不使大臣怨乎不一'《論語》. ④할 이 행위를 함. '觀其所一'《論語》. ⑤말 이 그칠. 已(已已)의 뜻과 같음. '無一則王乎'《孟子》. ⑥거느릴 이 인솔함. '一其族行'《左傳》. ⑦생각할 이 생각건대. '伏一, 佛者夷狄之一法耳'《韓愈》. ⑧함께 이 …와. 함께 함. '子之歸, 不我一'《詩經》. ⑨닮을 이 비슷함. '箕子一'《詩經》. ⑩까닭 이 원인. 이유. '必有一也'《易經》. ⑪부터 이 …로부터. '一長沙往'《史記》. ⑫심히 이 대단히. '不一急乎'《孟子》. ⑬이미 이 벌써. '此心一馳于彼'《王右軍》. ⑭성 이 성(姓)의 하나.

[字源] 甲骨文 ㇠ 金文 ㇠ 篆文 ㇎　象形. 甲骨文에서 알 수 있듯이, 쟁기를 본뜬 모양으로, '쟁기로 갈다'의 뜻에서, 전(轉)하여 '쓰다〔用〕'의 뜻을 나타냄. '目'는 '以'의 古字. '以'는 形聲으로 亻(人)+㇎(目의 변형).

[以降 이강] 이후(以後).

[以羈而御馬驊突 이기이어한돌] 고삐 하나만으로 사나운 말을 다룸. 경한 방법으로 타락(墮落)한 시세(時世) 또는 영악(獰惡)한 사람을 제어(制御)함의 비유.

[以南 이남] 여기서 남(南)쪽. 거기서 남(南)쪽.

[以內 이내] 일정한 범위(範圍) 안.

[以德報怨 이덕보원] 원한(怨恨)이 있는 자에게 보복하지 않고 도리어 은덕(恩德)을 베풂.

[以毒制毒 이독제독] 독을 없애는 데 다른 독을 씀. 악인(惡人)을 물리치는 데 다른 악인을 이용함의 비유.

[以東 이동] 여기서 동(東)쪽. 거기서 동(東)쪽.

[以頭濡墨 이두유묵] 초서(草書)의 명인(名人)인 장욱(張旭)이 대취(大醉)하여 머리에 먹을 묻혀 글씨를 쓴 고사(故事).

[以頭搶地 이두창지] ㉠머리를 땅에 부딪치며 대로(大怒)함. ㉡땅에 엎드려 애걸(哀乞)함.

[以卵投石 이란투석] 극히 무른 물건을 극히 단단한 것에 던진다는 뜻으로, 아무리 하여도 소용 없음의 비유.

[以蠟代薪 이랍대신] 땔나무 대신 초를 씀. 곧, 사치(奢侈)가 매우 심함을 이름. 진(晉)나라 석숭(石崇)의 고사(故事).

[以來 이래] 어느 일정한 때부터 그 후.

[以蠡測海 이려측해] 표주박으로 바다를 잼. 곧, 엷은 식견(識見)으로 심대(深大)한 사리(事理)를 추측(推測)한다는 뜻.

[以毛相馬 이모상마] 털빛으로 말의 좋고 나쁨을 판단함. 겉만 보고 사물을 판단하는 것은 잘못임을 이름.

[以貌取人 이모취인] 용모(容貌)로써 사람을 채용(採用)하고, 재덕(才德)은 묻지 아니함.

[以目示目 이목시목] 두려워하여 말을 하지 못하고 눈짓으로 알림.

[以聞 이문] 신하가 천자에게 아룀. 상주(上奏)함. 상문(上聞).

[以文會友 이문회우] 학문을 연구하기 위하여 벗을 모음.

[以微知明 이미지명] ㉠작은 일을 모두 궁구(窮究)하여 큰 일을 미루어 환히 앎. ㉡사소한 일을 통하여 위대한 진리(眞理)를 터득함. ㉢시작을 보고서 결과까지 추측(推測)하여 앎.

[以辯飾知 이변식지] 말재주로써 모자라는 지식(知識)을 은폐(隱蔽)함.

[以北 이북] 여기서 북(北)쪽. 거기서 북(北)쪽.

[以上 이상] 어느 일정한 한도의 위.

[以色交 이색교] 아름다운 용모(容貌)로써 사귐.

[以西 이서] 여기서 서(西)쪽. 거기서 서(西)쪽.

[以西御者不盡馬之情 이서어자부진마지정] 무슨 일이나 실지로 연구하지 않으면 쓸모가 없음을 이름.

[以石投水 이석투수] ㉠흔적(痕迹)이 반드시 남음을 이름. ㉡간(諫)하는 말을 잘 받아들임을

[他志 타지] 딴마음. 이심(異心).
[他處 타처] 다른 곳. 딴 곳.
[他薦 타천] 후보자로 남이 추천함.
[他出 타출] 밖에 나감. 외출(外出).
[他他 타타] 많이 쌓인 모양.
[他行 타행] 밖에 나감. 집에 없음.
[他鄕 타향] 고향(故鄕)이 아닌 곳.
[他鄕遇故知 타향우고지] 타향에 가서 옛 지기(知己)를 만남. 인생(人生)의 기쁜 일의 한 가지.
　●覺他. 顧左右言他. 排他. 負他. 愛他. 由他. 利他. 自他. 從他.

3
⑤
[仗] 人名 장 ㉿漾 直亮切 zhàng
　　　㉥養 直兩切

字解 ①병장기 장 검극(劍戟) 같은 무기(武器). ‘兵一’. ‘開一’. ‘被甲持一’《晉書》. ②호위 장 궁성 또는 임금의 호위(護衛). ‘朝罷放一’《唐書》. ③기댈 장 의지함. ‘一策謂天子’《魏徵》. ④지팡이 장 杖(木部 三畫)과 통용.
字源 形聲. 亻(人)＋丈〔音〕. 음(音)을 나타내는 ‘丈장’은 지팡이를 손에 쥔 모양을 본뜸. 지팡이 같은 무기(武器)를 가진 사람의 뜻을 나타냄.

[仗劍 장검] 칼을 지팡이 삼아 짚는다는 뜻으로, 경계 호위함을 이름. 장검(杖劍).
[仗氣 장기] 혈기만 믿고 무모하게 덤빔.
[仗隊 장대] 의장(儀仗)의 대열(隊列). 의식(儀式)에 참가하여 호위하는 군사의 대열.
[仗馬 장마] 의장(儀仗)의 말. 의식(儀式)에 쓰이는 말.
[仗身 장신] 호위의 군사.
[仗義 장의] 의(義)에 의(依)함. 의리(義理)를 행동의 기본으로 삼음. 정도(正道)를 행(行)함. 의의(義誼).
[仗策 장책] 말채찍을 지팡이 삼아 짚음.
　●開仗. 鎧仗. 據仗. 器仗. 兵仗. 憑仗. 信仗. 委仗. 倚仗. 儀仗. 停仗. 玄仗.

3
⑤
[付] 高人 부 ㉿遇 方遇切 fù

筆順 丿 亻 仁 付 付

字解 ①줄 부 남에게 넘겨줌. ‘交一’. ‘一與’. ‘分一諸客’《漢書》. ②부탁할 부 당부하여 맡김. ‘一託’. ‘一囑’. ‘以首領相一矣’《後漢書》. ③붙을 부 附(阜部 五畫)와 통용. ④성 부 성(姓)의 하나.
字源 金文 篆文 會意. 亻(人)＋寸. ‘寸촌’은 ‘손’의 뜻. ‘손으로 무엇을 주다, 부탁하다, 붙이다’의 뜻을 나타냄.

[付度 부도] 넘겨줌.
[付渡 부도] 부도(付度).
[付命 부명] 천명(天命)을 부여함. 부명(孚命). 부명(附命).
[付壁 부벽] 벽(壁)에 붙이는 글씨 또는 그림.
[付壁書 부벽서] 벽에 붙이는 글씨.
[付丙 부병] 불에 살라 버린다는 뜻으로, 비밀의 편지 끝에 쓰이는 말.
[付書 부서] 편지를 부침.
[付送 부송] 물건을 부쳐서 보냄.
[付授 부수] 수여함. 줌.

[付予 부여] 부여(付與).
[付與 부여] 줌.
[付議 부의] 의논(議論)에 부침. 심의(審議)에 부「침.
[付梓 부재] 책을 출판함.
[付種 부종] 씨를 뿌림. 파종(播種).
[付屬 부속] 부촉(付囑).
[付囑 부촉] ㉠의뢰함. ㉡맡김.
[付託 부탁] 의뢰(依賴)함. 당부함.
[付火 부화] ㉠불을 지펴 태워 버림. 소각(燒却). ㉡불을 놓음. 방화(放火).
　●交付. 給付. 寄付. 納付. 配付. 分付. 送付. 手付. 阿付. 委付. 依付. 責付. 天付. 添付. 貼付. 囑付. 託付. 下付. 還付.

3
⑤
[仙] 中人 선 ㉤先 相然切 xiān

筆順 丿 亻 仁 仙 仙

字解 ①신선 선 ㉠장생불사(長生不死)하는 사람. ‘一女’. ‘美往世之登一’《楚辭》. ㉡속세(俗世)를 초월한 사람. ‘飮中八一’. ‘自稱臣是酒中一’《杜甫》. ②신선될 선 죽은 사람을 애석히 여겨 신선이 되어 갔다는 뜻으로 씀. ‘一化’. ‘一逝’. ③선교 선 신선(神仙)이 되고자 하여 닦는 도(道). 황제(黃帝)·노자(老子)를 조(祖)로 하며, 불로장생(不老長生)의 술(術)을 배움. 후세에는 도교(道敎)와 혼합되어 그 별칭(別稱)이 됨. ‘釋一論一卷’《宋史》. ④날듯할 선 몸이 가벼워 날 듯한 모양. ‘行遲更覺一’《杜甫》. ⑤뛰어날 선 ㉠비범함. 아름다움. ‘自是君身有一骨’《杜甫》. ㉡시가(詩歌)·서화(書畫) 따위에 뛰어난 사람. ‘詩一’. ⑥(現) 센트 선 미국의 화폐 단위 센트의 약기(略記). 1불(弗)은 100선(仙). ⑦성 선 성(姓)의 하나.
字源 會意. 亻(人)＋山. 두 자(字)를 합하여, 산(山)에 사는 사람, 곧 신선의 뜻을 나타냄. 僊(人部 十一畫)의 略字.

[仙家 선가] ㉠선교(仙敎)를 체득(體得)한 사람. ㉡선교(仙敎)를 닦는 사람. ㉢신선(神仙)이 사는 집.
[仙駕 선가] 신선 또는 천자(天子)가 타는 수레.
[仙客 선객] ㉠신선(神仙). ㉡학(鶴)의 이칭(異稱). 선금(仙禽). ㉢두견(杜鵑)의 이칭(異稱).
[仙境 선경] ㉠신선(神仙)이 사는 곳. ㉡속계(俗界)를 떠난 경치가 좋은 곳.
[仙界 선계] 선경(仙境).
[仙桂 선계] 월계수(月桂樹). 이것을 얻는 것을 과거에 급제하는 일의 비유로 씀.
[仙骨 선골] 신선(神仙)의 골격(骨格).
[仙官 선관] 선경(仙境)의 관원(官員).
[仙敎 선교] 신선(神仙)이 되고자 하여 닦는 도(道). 황제(黃帝)·노자(老子)를 조(祖)로 하며, 불로장생(不老長生)의 술(術)을 배움. 후세에는 도교(道敎)와 혼합되어 그 별칭(別稱)이 됨.
[仙窟 선굴] 신선이 산다는 곳. 또, 속세를 떠난 데 지은 집.
[仙宮 선궁] 신선(神仙)의 궁전(宮殿).
[仙禽 선금] 학(鶴)의 이칭(異稱).
[仙女 선녀] 여자 신선. 선경(仙境)에 있는 여자.
[仙丹 선단] 신선(神仙)이 만든 장생불사(長生不死)한다고 하는 환약(丸藥). 금단(金丹).
[仙桃 선도] 선경(仙境)에 있는 복숭아.

[仙洞 선동] 신선이 산다는 산골.
[仙童 선동] 선경(仙境)에 있는 아이.
[仙佛 선불] 선교(仙敎)와 불교(佛敎).
[仙山 선산] 신선이 산다는 산.
[仙鼠 선서] 박쥐, 곧 편복(蝙蝠)의 별칭.
[仙聖 선성] 도통(道通)한 신선.
[仙手 선수] 절묘한 수완(手腕).
[仙娥 선아] 선녀(仙女).
[仙樂 선악] ㉠신선(神仙)의 풍악(風樂). ㉡아름
　다워 듣기 좋은 음악을 칭찬(稱讚)하는 말.
[仙掖 선액] 대궐의 뜰. 궁액(宮掖).
[仙藥 선약] 항상 복용하면 신선이 된다는 영약
　(靈藥). 불로불사(不老不死)의 약.　　「御」
[仙馭 선어] 천자(天子)가 세상을 떠나. 붕어(崩
[仙輿 선여] 신선이 타는 수레. 전(轉)하여, 천자
　(天子)가 타는 수레.
[仙緣 선연] 신선과의 인연(因緣).
[仙翁 선옹] 늙은 신선(神仙).
[仙人 선인] ㉠인간계(人間界)를 떠나 산중(山中)
　에 살며 장생불사(長生不死)·신변 자재(神變
　自在)의 술법(術法)을 얻었다고 하는 사람. 신
　선(神仙). ㉡《韓》고구려(高句麗) 때의 벼슬 이
　름. 선인(先人).
[仙人飯 선인반] 백합과(百合科)에 속하는 다년
　초(多年草). 둥굴레.
[仙人杖 선인장] 가짓과(科)에 속하는 낙엽 관목
　(落葉灌木). 구기자나무.
[仙人掌 선인장] 선인장과(仙人掌科)에 속하는 다
　년초. 줄기는 넓적하고 두꺼우며 바늘처럼 변
　태한 잎이 많고 꽃은 황색·백색·적색 등임. 사
　막(沙漠)에 많이 남. 사보텐.
[仙姿 선자] 속기(俗氣)가 없는 모습.
[仙姿玉質 선자옥질] 신선 같은 모습과 옥 같은
　바탕이라는 뜻으로, 고상한 미인(美人)을 형용
　하는 말.
[仙莊 선장] 신선(神仙)이 사는 곳.
[仙才 선재] ㉠신선이 될 천품(天稟). ㉡뛰어난 재
　주.
[仙籍 선적] 신선의 명적(名籍).
[仙寢 선침] 능(陵).
[仙風道骨 선풍도골] 신선(神仙)의 풍채(風采)와
　도인(道人)의 골격(骨格)이라는 뜻으로, 고상
　한 풍채를 형용하는 말.
[仙筆 선필] 청일(淸逸)한 시문(詩文)의 비유.
[仙蹕 선필] 신선(神仙)이 다닐 때의 벽제(辟除).
　전(轉)하여, 천자(天子)의 거동. 행행(行幸).
[仙鶴 선학] 학(鶴). 두루미.
[仙鄕 선향] 선경(仙境).　　　　　　　　「름.
[仙化 선화] 노인(老人)이 병(病) 없이 죽음을 이
[仙寰 선환] 선경(仙境).
　●金仙. 大仙. 登仙. 鳳仙. 飛仙. 飛行仙. 上仙.
　水仙. 睡仙. 昇仙. 詩仙. 飮中仙. 謫仙. 酒
　仙. 酒中仙. 地行仙. 草本威靈仙. 胎仙. 筆
　仙. 花仙. 花中神仙. 希仙.

3
⑤ [仞] 인 ㊤震 而振切 rèn　　　　仞

字解 ①길 인 8척(尺). '九─'. '千─'《築臺
─有三尺》《禮記》. ②잴 인 높이나 깊이를 잼.
'─溝洫'《左傳》. ③깊을 인, 높을 인. '峭─嶜巍
巍'《鄭谷》. ④찰 인, 채울 인 가득 참. 가득 채
움. 牣(牛部 三畫)과 통용. '充─其中'《司馬相
如》. ⑤알 인 인정함. 認(言部 七畫)과 통용. '天

地萬物不相離, 一而有之者惑也'《列子》.
字源 篆文 仞　形聲. 亻(人)＋刃〔音〕. '刃인'은 '칼
날'의 뜻. 높이를 잴 때 오른손을 위
로, 왼손을 아래로 뻗어, 마치 칼날을 세운 것
같은 모양이 되는 데서, 높이·깊이를 재는 단위
의 이름을 나타냄.

　●九仞. 肯仞. 萬仞. 育仞. 千仞. 峭仞.

3
⑤ [仭] 仞(前條)의 俗字

3
⑤ [仟] 人名 천 ㊤先 蒼先切 qiān　　仟

筆順 ノ　イ　仁　仟　仟

字解 ①천사람어른 천 천 명의 우두머리. '俛
仰─佰之中'《史記》. ②일천 천 千(十部 一畫)과
통용. '有─佰之利'《漢書》. ③밭두둑 천 阡(阜
部 三畫)과 통용. '開─伯'《漢書》. ④무성할 천
초목이 무성한 모양. '遠樹暖─'《謝朓》.
字源 形聲. 亻(人)＋千〔音〕. 음(音)을 나타내는
'千천'은 수(數)의 '천'의 뜻. 천 명의 집단
(集團)의 통솔자의 뜻을 나타냄.
參考 千(十部 一畫)의 갖은자.

[仟眠 천면] 광원(廣遠)한 모양. 또, 어슴푸레한
　모양.
[仟伯 천백] ㉠천전(千錢)과 백전(百錢). 천백
　(千百). ㉡밭 사이의 길. 밭두둑. 남북(南北)을
　'仟', 동서(東西)를 '伯'이라 함.
[仟佰 천백] 천 명의 우두머리와 백 명의 우두머
　리.　　　　　　　　　　　　　　　　　「芊).
[仟仟 천천] 초목(草木)이 우거진 모양. 천천(芊

3
⑤ [仡] ㊀ 흘 ㊈物 許訖切, 魚迄切 yì
　　　　 ㊁ 올 ㊈月 五忽切 wù　　　　仡

字解 ㊀①날랠 흘 용감하고 씩씩한 모양. 용장
(勇壯)의 모양. '──勇夫'《書經》. ②높을 흘 높
고대(高大)한 모양. '崇墉─'《詩經》. ③머리
들 흘 '─以怡儴兮'《史記》. ㊁흔들릴 올 동요하
여 위태로운 모양. '巨舟軒昂─'還環《柳宗
元》.
字源 篆文 仡　形聲. 亻(人)＋乞(기)〔音〕. '气기·걸'
은 '활기(活氣)'의 뜻. 사람이 '씩씩
하고 용감하다'의 뜻을 나타냄.

[仡仡 올올] 흔들려 불안한 모양.
[仡然 흘연] 용감한 모양.
[仡仡 흘흘] 용감한 모양. 끝맺한 모양. 또, 높고
　큰 모양.

3
⑤ [勺] ㊀ 작 ㊈藥 市若切 zhuó
　　　　 ㊁ 박 ㊈覺 弼角切 bó　　　　勺

字解 ㊀ 외나무다리 작 한 개의 나무쪽이나 통
나무로 놓은 다리. ㊁ 불별 박 별똥별. 礿(礻部
三畫)과 同字.
字源 篆文 勺　形聲. 亻(人)＋勺〔音〕. '勺작'은 '국
자'. 사람이 국자를 가진 것 같은 모
양을 한 '별똥별'의 뜻을 나타냄.

3
⑤ [代] 中人 대 ㊤隊 徒耐切 dài　　　代

[筆順] ノ イ 亻 代 代

[字解] ①대신할 대 ㉠남이 할 일을 함. '一理'. '巨伯曰, 友人有疾, 不忍委之, 寧以我身一友人命'《世說》. ㉡남의 지위에 섬. '彼可取而一也'《史記》. ②바꿀 대 변경함. '歲一處'《漢書》. ③번갈아들 대 교체함. '迭一'. '及瓜而一'《左傳》. ④번갈아 대 교체하여. '如日月之一明'《中庸》. ⑤대 대 ㉠세상. 시세(時世). '古一'. '現一'. '亂臣賊子, 何一無之'《十八史略》. ㉡한 왕조(王朝)의 계속하는 동안. '唐一'. '明一'. '古之王者易一改號, 取法五行'《孔子家語》. ㉢한 사람이 생존하는 동안. '一一'. '百一'. ⑥대대로 대 여러 대를 계속하여. '家一隆盛'《隋書》. ⑦성 대 성(姓)의 하나. ⑧《韓》 값 대 대가(代價). '一金'.

[字源] 篆文 形聲. 亻(人)+弋〔音〕. '弋익'은 두 개의 나무를 교차(交叉)시켜 만든 말뚝 형태를 본뜬 모양. 사람이 갈마들게 되다, 바뀌다의 뜻을 나타냄.

[參考] 수량(數量)의 범위를 가리키는 '대'는 연령·연수(年數)에 관해서는 '代', 금액·시간·건수(件數) 따위에 대해서는 '臺'를 씀. '二十代', '壹萬원臺', '三十分臺'.

[代講 대강] 대신 강론함.
[代哭 대곡] 대신하여 곡함.
[代金 대금] 물건 값.
[代代 대대] 거듭된 세대(世代). 여러 대. 또, 여러 대를 계속하여.
[代讀 대독] 축사(祝辭)·식사(式辭) 같은 것을 대신 읽음.
[代勞 대로] 남을 대신하는 수고.
[代理 대리] 남을 대신(代身)하여 일을 처리함.
[代理官 대리관] 다른 관리를 대신하여 그 맡은 직무를 처리하는 관리.
[代理權 대리권] 대리인에게 부여된 권리.
[代理人 대리인] 남을 대리하는 사람. 「일.
[代立 대립] 공역(公役)에 사람을 대신 보내는
[代命 대명] ㉠남을 대신하여 죽음. ㉡대살(代殺).
[代番 대번] 남을 대신하여 번(番)을 듦. 「理).
[代辨 대변] 남을 대신하여 일을 처리함. 대리(代
[代捧 대봉] 꾸어 준 금전(金錢)·물품(物品) 대신에 다른 것을 받음.
[代不乏人 대불핍인] 어느 시대나 인재(人材)가 없지 아니함. 「함.
[代謝 대사] 새것이 와서 묵은 것을 대신함. 변천
[代謝機能 대사기능] 세포 안의 원형질이 노폐물(老廢物)을 내보내고 다시 자양분을 섭취하여 그 부족을 채우는 작용. 신진대사(新陳代謝).
[代殺 대살] 살인(殺人)한 사람을 사형(死刑)에 처함.
[代償 대상] ㉠다른 물건으로 대신 물어 줌. ㉡남을 대신하여 갚아 줌.
[代書 대서] 남을 대신하여 글씨를 씀. 또, 그 글씨. 대필(代筆).
[代署 대서] 남을 대신하여 서명(署名)함.
[代訴 대소] 남을 대신하여 송사(訟事)를 일으킴.
[代贖 대속] 남의 죄(罪)를 대신하여 자기가 당
[代送 대송] 대신 보냄. └함.
[代囚 대수] 죄인이 병이나 사고가 있어서 구금(拘禁)·복역(服役)을 할 수 없거나, 또는 진범인(眞犯人)을 잡을 때까지 그 관계자(關係者) 또는 근친자(近親者)를 대신 가두어 둠.
[代數 대수] 숫자만을 쓰지 않고 숫자를 대표(代表)하는 문자(文字)를 써서 수 및 계산에 관한 법칙(法則)을 구하는 수학.
[代身 대신] 남을 대리(代理)함.
[代語 대어] 《佛敎》 스승의 말에 대한 응답이 없을 때, 스승이 대신하여 답하는 말. 또, 공안(公案)에 대해서 스승이 대신 해석(解釋)하는 것.
[代言 대언] 다른 사람을 대신(代身)하여 말함.
[代用 대용] 대신(代身)으로 씀. 또, 쓰임.
[代遠 대원] 세대(世代) 수가 멂.
[代議 대의] 의원(議員)이 국민(國民)을 대표하여 입법(立法)에 참여함.
[代人 대인] 다른 사람을 대신함.
[代印 대인] 남을 대신(代身)하여 도장을 찍음.
[代赭石 대자석] 적철광(赤鐵鑛)의 하나. 붉은 물감으로 쓰임.
[代作 대작] ㉠번갈아 나옴. ㉡대신(代身)하여 글을 지음.
[代田 대전] 해마다 장소를 바꾸어 경작하는 토지(土地).
[代錢 대전] ㉠물건 대신으로 주는 돈. ㉡대금(代金).
[代聽 대청] 《韓》 왕세자(王世子)가 왕(王)을 대신하여 정치(政治)를 행함.
[代替 대체] 다른 것으로 바꿈.
[代促 대촉] 세대(世代)의 햇수가 짧음.
[代充 대충] 딴것을 대신 채움.
[代土 대토] ㉠땅을 팔고 대신 사는 땅. ㉡소작권을 옮기고 대신 주는 땅.
[代播 대파] 모를 내지 못한 논에 대신 다른 곡식의 씨를 뿌림.
[代辦 대판] 남을 대신하여 일을 처리함.
[代表 대표] 여러 사람을 대신하여 어떠한 사실(事實)에 책임을 지고 나서는 일. 또, 그 사람. 대표자(代表者).
[代筆 대필] 대서(代書).
[代行 대행] 대신하여 행(行)함.
[代換 대환] 바꿈. 또, 바뀜.
[代興 대흥] 번갈아 흥(興)함.
◉更代. 古代. 冠代. 交代. 近代. 累代. 屢代. 當代. 萬代. 末代. 綿代. 明代. 百代. 三代. 上代. 先代. 聖代. 世代. 韶代. 時代. 歷代. 年代. 永代. 五代. 往代. 一代. 前代. 絕代. 中代. 重代. 迭代. 千代. 遞代. 初代. 濁代. 奕代. 混元代. 換代. 後代. 希代.

3 ⑤ [仚] 〔신〕 信(人部 七畫〈p.144〉)의 古字

3 ⑤ [伏] 대 [去]泰 徒蓋切 dài

[字解] 섬이름 대 섬 이름.
[參考] 伏(人部 四畫〈p.109〉)과는 別字.

4 ⑥ [企] [高人] 기 [去]寘 去智切 qǐ [上]紙 丘弭切

[筆順] ノ 人 个 个 企 企

[字解] ①발돋움할 기 ㉠발돋움하고 섬. '其踵一'《爾雅》. ㉡발돋움하고 바라봄. '日夜一而望歸'《漢書》. ②도모할 기 기도(企圖)함. '一及'. '一

畫'. '可以一之'《唐書》. 또, 도모하는 일. 계획. '希一逸而遠矣'《晉書》. ③둘 기 마음속에 넣고 잊지 아니함. '企一碧霞仙'《賈島》.
[字源] 會意. 亻(人)＋止. '止'는 발을 본뜬 모양. 발돋움하고 발을 곧 뻗어 멀리 바라보다의 뜻을 나타냄. 전(轉)하여, '꾀하다, 기도(企圖)하다'의 뜻을 나타냄.

[企及 기급] 기도(企圖)하여 미침. 할 수 있음.
[企待 기대] 발돋움하여 기다림. 또, 바라고 기다림.
[企圖 기도] 일을 꾸며 내려고 꾀함.
[企望 기망] 발돋움하고 바라봄. 또, 계획하여 되기를 바람.
[企羨 기선] 바라고 그리워함.
[企業 기업] ㉠사업(事業)을 계획(計劃)함. ㉡영리(營利)를 목적으로 하여 생산 요소(生産要素)를 종합하여 계속적으로 경영하는 경제적 사업[企業].
[企踵 기종] 발뒤꿈치를 올리다, 발돋움하다, 크게 대망(待望)하다, 바라다의 뜻.
[企畫 기획] 일을 계획함.
●翹企. 隉企. 發企. 竦企. 仰企. 延企. 鶴企. 鵠企.

4⑥ [会]〔회〕
會(日部 九畫〈p.1011〉)의 俗字

[合]〔합〕
口部 三畫(p.348)을 보라.

4⑥ [众] ▤ 음 ㊥侵 魚琴切 yín
　　　　▤ 중 ㊦送 之仲切 zhòng
[字解] ▤ 여럿이설 음 사람이 많이 섬. ▤ 衆(血部 六畫〈p.2043〉)의 簡體字.

4⑥ [仰]〔㊥人〕앙 ①-④㊤養 魚兩切 yǎng ⑤㊦陽 魚剛切 áng ⑥㊣漾 魚向切 yǎng 仰

[筆順] ノ 亻 亻 仃 仰 仰
[字解] ①우러러볼 앙 ㉠고개를 쳐들고 봄. '一視'. '一以觀于天文'《易經》. ㉡그리워함. 사모(思慕)함. '景一'. '一慕'. '百姓一望'《史記》. ②마실 앙 독약 같은 것을 마심. '一鴆死'《唐書》. ③영 앙 상관이 하관에게 내리는 명령. '一議'. ④성 앙 성(姓)의. ⑤높을 앙 '低'의 대(對). '一一一低'《摯虞》. ⑥의뢰할 앙 부탁함. '衣食一給縣官'《史記》.
[字源] 形聲. 亻(人)＋卬(音). '卬앙'은 '바라다, 구하다'의 뜻. 원자(原字)는 '卬'이었으나 뒤에 '人'을 붙였음.

[仰角 앙각] 높은 데에 있는 물건을 관측할 때, 시선(視線)과 지평선이 이루는 각도.
[仰感愧塊 앙감부괴] 우러러보아 남의 덕이 높은데 감격하고, 굽어보아 자기의 용렬함을 부끄러이 여김.
[仰見 앙견] 우러러봄. 쳐다봄. 앙관(仰觀). 앙시(仰視).
[仰告 앙고] 우러러보고 여쭘.
[仰高 앙고] 높음을 우러름. 학덕(學德)이 높은

사람을 우러러 사모함.
[仰款 앙관] 우러러 바람.
[仰觀 앙관] 앙견(仰見).
[仰觀俯察 앙관부찰] 우러러 하늘을 보고, 굽어 땅을 살핌.
[仰給 앙급] 나라로부터 급여(給與)를 받음.
[仰企 앙기] 우러러봄. 사모하여 따름.
[仰禱 앙도] 우러러보고 빎.
[仰騰 앙등] 물건 값이 많이 오름. 등귀(騰貴).
[仰聯 앙련] 음식(飮食)을 높이 괼 때 두꺼운 종이나 색(色)종이로 접시 둘레와 같이 싸붙여 올리고 그 속에 쌀을 넣은 것.
[仰弄 앙롱] 나이 많은 사람에게 실없이 굶.
[仰秣 앙말] 마초를 먹으면서 고개를 듦. 말이 소리에 귀를 기울이는 일.
[仰望 앙망] 우러러봄. 존경하여 따름.
[仰望不及 앙망불급] 우러러보아도 미치지 못함.
[仰面 앙면] 얼굴을 쳐듦.
[仰眄 앙면] 우러러봄.
[仰慕 앙모] 우러러보고 사모함. 존경하고 따름.
[仰奉 앙봉] 숭배하며 섬김.
[仰仆 앙부] 벌렁 쓰러짐.
[仰釜日晷 앙부일구] 앙부일영(仰釜日影).
[仰釜日影 앙부일영] 해의 그림자로 시각(時刻)을 헤아리는 해시계(時計)의 한 가지. 모양이 가마 같고 안에 이십사절기선(二十四節氣線)을 그리어 선(線) 위에 비치는 해의 그림자의 소장(消長)으로 시각(時刻)을 알게 되었음.
[仰不愧於天 앙불괴어천] 자신에 잘못이 없다면 사람의 마음속을 아는 하느님에 대하여 부끄러울 것이 없음.
[仰射 앙사] 높은 곳을 향하여 발사(發射)함.
[仰事俯育 앙사부육] 위로 부모(父母)를 섬기고, 아래로 처자(妻子)를 보살핌.
[仰羨 앙선] 우러러 선망(羨望)함.
[仰成 앙성] ㉠남의 손안에서 놂. ㉡고개를 쳐들고 성공하기를 간절히 바람.
[仰訴 앙소] 윗사람에게 하소연함.
[仰首 앙수] 고개를 쳐듦.
[仰承 앙승] 우러러 받듦.
[仰視 앙시] 우러러봄.
[仰仰 앙앙] 의기(意氣)가 용감한 모양.
[仰臥 앙와] 배와 가슴을 위로 하고 반듯이 누움.
[仰友 앙우] 재주와 학식(學識)이 자기보다 나은 벗.
[仰願 앙원] 우러러 원함.
[仰議 앙의] 군신(群臣)에게 명(命)하여 의논하게 함.
[仰帳 앙장] 천장이나 상여(喪輿) 위에 치는 장막(帳幕).
[仰障 앙장] 종이 반자. 또는 반자틀의 총칭.
[仰奏 앙주] 천자(天子)에게 아룀.
[仰止 앙지] 우러러봄. 전(轉)하여, 우러러 사모함. 지(止)는 조자(助字).
[仰之彌高 앙지미고] 공자(孔子)의 덕이 높고 커서 도저히 미칠 수 없음을 탄식한 말.
[仰嗟 앙차] 앙탄(仰歎).
[仰天 앙천] 하늘을 쳐다봄. 위로 향함.
[仰天大笑 앙천대소] 하늘을 우러러 크게 웃음.
[仰天而唾 앙천이타] 하늘을 우러러 침 뱉는다는 뜻으로, 남을 해치려다 도리어 자기가 해를 당함의 비유.
[仰天祝手 앙천축수] 하늘을 우러러 빎.
[仰瞻 앙첨] 쳐다봄. 우러러봄.

[仰請 앙청] 우러러 청함.
[仰靑雲 앙청운] 푸른 구름을 우러른다는 뜻으로, 신선(神仙)의 도(道)를 닦으려는 뜻을 품음을 이름.
[仰祝 앙축] 우러러 축하함.
[仰歎 앙탄] 하늘을 우러러 탄식(歎息)함. 앙차(仰嗟).
[仰土 앙토] 서까래 사이에 바르는 흙.
[仰哺 앙포] 부모를 자손이 봉양함.
[仰婚 앙혼] 자기보다 문벌(門閥) 높은 사람과 혼인함. 강혼(降婚)의 대(對).
[仰欽 앙흠] 흠앙(欽仰). 앙모(仰慕).
◉渴仰. 景仰. 敬仰. 高仰. 俛仰. 俯仰. 信仰. 偃仰. 宗仰. 鑽仰. 瞻仰. 鄕仰. 欽仰.

4 ⑥ [伛] 〔구〕傴(人部 十一畫〈p.171〉)의 俗字·簡體字

4 ⑥ [份] 人名 ㊀ 분 現 fèn ㊁ 빈 平眞 府巾切 bīn
字解 ㊀《現》부분 분. ㊁ 彬(彡部 八畫〈p.734〉)과 同字. ※'빈' 음은 인명자로 쓰임.
字源 形聲. 亻(人)+分〔音〕

4 ⑥ [伕] 〔장〕仗(人部 三畫〈p.102〉)의 訛字

4 ⑥ [仏] 〔중〕眾(目部 六畫〈p.1541〉)의 本字

4 ⑥ [仲] 高人 중 去送 直衆切 zhòng

筆順 丿 亻 仃 仲 仲 仲
字解 ①버금 중 형제(兄弟) 중에서 둘째 사람. 차형(次兄). '伯一叔季'. '一兄'. '一氏吹篪'《詩經》. ②가운데 중 中(丨部 三畫)과 통용. '一介'. '一春之月'《禮記》. ③성 중 성(姓)의 하나.
字源 甲骨文 金文 篆文 形聲. 亻(人)+中〔音〕. '中'은 무엇〔口〕의 한가운데를 한 획이 꿰뚫는 모양에서 '가운데'의 뜻을 나타냄. 뒤에, 맏아들〔伯〕과 막내〔季〕와의 사이의 아들의 뜻을 특히 나타내기 위해 '人인'을 덧붙였음.

[仲介 중개] 제삼자(第三者)로서 두 당사자(當事者) 사이에 들어 어떤 일을 주선(周旋)하는 일.
[仲尼之徒 중니지도] 공자(孔子)의 문인(門人)들. 공자(孔子)의 학문을 숭봉(崇奉)하는 사람들. 중니(仲尼)는 공자의 자(字)임.
[仲冬 중동] 음력 11월.
[仲呂 중려] ㉠십이율(十二律)의 하나. 음력 4월에 배당함. ㉡음력 4월의 별칭.
[仲買 중매] 되넘기장사. 중상(中商).
[仲媒 중매] 양가 사이에 들어 혼인(婚姻)을 이루게 하는 일.
[仲父 중부] 아버지의 아우. 숙부(叔父).
[仲朔 중삭] 음력 2월·5월·8월·11월. 중월(仲月).
[仲商 중상] 음력(陰曆) 8월의 별칭. 상(商)은 추(秋).
[仲氏 중씨] 형제 중의 둘째 사람.
[仲陽 중양] 중춘(仲春).
[仲月 중월] 중삭(仲朔).
[仲子 중자] 둘째 아들. 차남(次男).
[仲裁 중재] 다툼질의 사이에 들어 화해(和解)시킴.
[仲秋 중추] 음력(陰曆) 8월. 중상(仲商).
[仲秋節 중추절] 추석(秋夕)을 명절로서 일컫는 말.
[仲春 중춘] 음력(陰曆) 2월.
[仲夏 중하] 음력(陰曆) 5월.
[仲兄 중형] 둘째 형(兄).
◉伯仲. 翁仲.

4 ⑥ [仳] 비 上紙 匹婢切 pǐ 平支 房脂切 pí
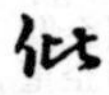
字解 ①떠날 비 이별(離別)함. '有女一離'《詩經》. ②못생긴여자 비 추녀(醜女). '嫫母一倠'《淮南子》.
字源 篆文 形聲. 亻(人)+比〔音〕. '比비'는 사람이 떨어져 서다의 뜻. 일체(一體)이던 것이 '헤어져 떠나다'의 뜻을 나타냄.

[仳離 비리] 헤어져 떠남. 이산(離散).
[仳倠 비휴] 못생긴 여자. 추녀(醜女).

4 ⑥ [仵] 오 ①-③上麌 疑古切 wǔ ④去遇 五故切
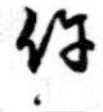
字解 ①짝 오 필적(匹敵)한 사람. 상대. '一, 偶敵'《廣韻》. '一, 偶也'《集韻》. ②검시(檢屍)할 오 '一作'은 검사 담당의 관원. ③성 오 성(姓)의 하나. ④같을 오 동일함. '以觭偶不一之辭相應'《莊子》.
字源 形聲. 亻(人)+午〔音〕

4 ⑥ [件] 高人 건 上銑 其輦切 jiàn
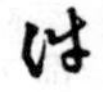
筆順 丿 亻 亻 仁 仵 件
字解 ①구분할 건 구별함. '具一階級數'《北史》. ②것 건 물건·일·사건·조건 등. '一一'. '一名'. ③건 건벌. 가지. '一一'. '二一'.
字源 篆文 會意. 亻(人)+牛. 사람이나 소 따위를 개개(個個)의 것으로서 세는 단위(單位)의 양사(量詞)로 쓰임.
參考 仵(前條)는 別字.

[件件 건건] 이 일 저 일. 모든 일.
[件數 건수] 사물(事物)의 가짓수.
◉物件. 事件. 要件. 用件. 人件. 條件.

4 ⑥ [伈] ㊀ 초 去效 初敎切 chào ㊁ 묘 上篠 弭沼切 miǎo
字解 ㊀ 작을 초 작은 모양. '一, 小皃'《集韻》. ㊁ 작을 묘 ㊀과 뜻이 같음.
字源 形聲. 亻(人)+少〔音〕

4 ⑥ [价] 人名 개 去卦 古拜切 jiè
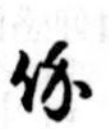
筆順 丿 亻 亻 仒 价 价
字解 ①착할 개, 클 개 마음이 착함. 일설(一說)에는, 큼. '一人維藩'《詩經》. '一, 善也'《廣韻》.

②갑옷입은사람 개 무장 군인. ③중개할 개 '一, 又侶价也'《廣韻》. ④사령 개 심부름하는 사람. '使一'. '走一馳書來詣'《宋史》.

字源 篆文 伋 形聲. 亻(人)+介〔音〕. '介개'는 '갑옷'의 뜻. 갑옷을 입은 사람의 뜻.

[价人 개인] 큰사람.
●使价.

4/6 [任] 임 ①-⑦去沁 汝鴆切 rèn
⑧-⑯平侵 如林切 rén 任

筆順 ノ 亻 仁 仟 任

字解 ①맡길 임 ㉠일을 맡김. '委一'. '一屬'. '陳平智有餘, 然難獨一'《史記》. ㉡관직을 수여함. '一命'. '求人一賢'《史記》. ②마음대로할 임 방종함. '縱一不拘'《晉書》. ③임소 임 임지(任地). '赴一'. '君蒞其一, 視民如傷'《潘岳》. ④일 임 임무. 직책. '仁以爲己一'《論語》. '有司存'《後漢書》. ⑤세율 임 임공 임 공세. '以一百官'《周禮》. ⑥쓸 임 사용함. '此一物亦必悾矣'《呂氏春秋》. ⑦애밸 임 姙(女部 六畫)·妊(女部 四畫)과 통용. '紂剖一者, 觀其胎産'《史記註》. ⑧멜 임 등에 멤. '是一是負'《詩經》. ⑨보따리 임 등에 메는 보따리. '門人治一將歸'《孟子》. ⑩미쁠 임 벗에게 신의(信義)가 있음. '仲氏一只'《詩經》. ⑪견딜 임 감내(堪耐) 함. '病不一行'《史記》. ⑫당할 임 당해 냄. 저항함. '衆怒難一'《左傳》. ⑬간녕할 임 간사하고 아첨을 잘함. '難一人'《書經》. ⑭보증할 임 틀림없음을 책임짐. '不能一其必孝也'《淮南子》. ⑮보증 임 보(保). '以宗家一爲郞'《史記》. ⑯성 임 성(姓)의 하나.

字源 金文 壬 篆文 任 形聲. 亻(人)+壬〔音〕. '壬임'은 장시간에 걸쳐 지속적(持續的)으로 어떤 무게 있는 물건을 지니다의 뜻. 사람이 짊어지다, 지탱 하다의 뜻을 나타냄.

[任幹 임간] 감당하여 해냄.
[任擧 임거] 책임을 지고 천거(薦擧) 함.
[任官 임관] 관직(官職)에 임명함.
[任氣 임기] 사나이다운 협기(俠氣). 또, 용기에 내맡겨 행동함.
[任寄 임기] 맡김. 위임함.
[任期 임기] 임무(任務)를 맡아보고 있는 일정한 기한(期限).
[任能 임능] 재능(才能) 있는 사람을 임용(任用) 함.
[任達 임달] 방일(放逸)하여 예의를 지키지 아니함.
[任大責重 임대책중] 임무(任務)가 크고 책임(責任)이 무거움.
[任滿 임만] 임기(任期)가 참.
[任免 임면] 임관(任官)과 면관(免官). 임용(任用)과 파면(罷免).
[任命 임명] 관직에 명함. 직무(職務)를 맡김.
[任務 임무] 맡은 일. 맡은 사무 또는 업무. 직무(職務).
[任放 임방] ㉠예의에 구애되지 않고 마음대로 행함. ㉡방종함. 내버려둠. 방임함.
[任昉 임방] 남조(南朝) 양(梁)나라 박창(博昌) 사람. 자(字)는 언승(彦昇). 처음에 제(齊)나라에서 벼슬살이를 시작하여 태학 박사(太學博士)가 되고, 왕검(王儉)·심약(沈約) 등의 칭찬

을 들음. 뒤에 양나라에서 벼슬살이를 하여, 의흥(義興)·신안(新安)의 태수(太守)가 되었음. 지은 책으로 〈문장연기(文章緣起)〉, 〈술이기(述異記)〉 등이 있음.

[任辯 임변] 말 잘한다고 허투루 지껄임.
[任負 임부] ㉠등에 짐. 멤. ㉡짐을 실음.
[任使 임사] 책임(責任)을 지워 부림.
[任所 임소] 지방 관원이 근무하는 직소(職所).
[任率 임솔] 성품이 간솔(簡率)하여 조금도 꾸밈이 없음.
[任術 임술] 책략(策略)을 씀. 꾀를 써서 일을 함. 협술(挾術).
[任用 임용] ㉠직무를 맡겨 씀. ㉡관리로 등용(登用)함.
[任員 임원] 단체의 일을 맡아 처리하는 사람.
[任委 임위] 맡김. 위임함.
[任意 임의] 마음대로 함.
[任人 임인] 간사하고 아첨 잘하는 사람.
[任子 임자] 부조(父祖)의 훈공(勳功)에 의하여 관직에 임명된 자손.
[任子之典 임자지전] 부조(父祖)의 훈공(勳功)을 갚기 위하여 그 자손(子孫)에게 벼슬을 내리는 은전(恩典).
[任從 임종] 임타(任他).
[任縱 임종] 방종(放縱)함.
[任重道遠 임중도원] 임무가 무겁고, 또 이를 수행하는 노정도 멂.
[任地 임지] 관원(官員)으로서 임무를 행하는 곳. 봉직(奉職)하는 곳.
[任職 임직] 직무를 맡김.
[任眞 임진] 천연(天然)이나 자연(自然) 그대로 내버려둠.
[任天 임천] 하늘에 맡김.
[任屬 임촉] 맡김. 위촉(委囑)함.
[任囑 임촉] 맡김. 위촉(委囑)함.
[任置 임치] 남에게 금전(金錢)·물품을 맡기어 둠.
[任他 임타] 조금도 개의(介意)하지 아니함. 방임(放任)함.
[任便 임편] 편(便)할 대로 함.
[任賢 임현] 현인(賢人)을 임용함. 어진 사람에게 일을 맡김.
[任賢使能 임현사능] 인재(人材)를 등용(登用)함.
[任俠 임협] 호협한 기개. 협기(俠氣).
●幹任. 兼任. 闒任. 槐鼎任. 歸任. 擔任. 大任. 獨任. 棟梁任. 萬里任. 放任. 背任. 保任. 補任. 復任. 負任. 赴任. 事任. 辭任. 常任. 敍任. 選任. 所任. 信任. 新任. 歷任. 榮任. 外任. 委任. 留任. 離任. 一劍任. 一任. 自任. 杖任. 在任. 適任. 前任. 專任. 轉任. 縱任. 主任. 重任. 職任. 責任. 千里任. 寵任. 就任. 親任. 退任. 解任. 後任.

4/6 [优] 우 平尤 于求切 yóu
字解 ①넓을 우 오곡(五穀)을 정백(精白)하여 노인의 머리처럼 희게 함. '一, 五穀精如人髮白也'《篇海類編》. ②優(人部 十五畫)의 簡體字.

4/6 [仿] 방 ①-③上養 妃兩切 fǎng
④平陽 符方切 páng 仿
字解 ①비슷할 방 상사(相似)함. 닮음. '一佛'. '無物堪比一'《楊基》. ②흐릴 방, 어렴풋할 방 '一佛其若夢'《楊雄》. ③본뜰 방 모방함. 倣(人部 八畫)과 통용. '一宋本'. ④배회할 방 이리

저리 왔다 갔다 하며 방황함. 헤맴. '─, 同彷.
─偟, 猶徘徊'《正字通》.

字源 篆文 彷 籀文 彷 形聲. 亻(人)＋方〔音〕. '方방'
은 '나란히 하다'의 뜻. '남
과 나란히 하려 하다, 본뜨다, 닮다'의 뜻을 나
타냄.

[仿古 방고] ㉠고인(古人)의 작품을 모방함. ㉡예
전 방식을 본뜸.
[仿佛 방불] ㉠어렴풋이 보이는 모양. 또, 아주
비슷함. ㉡흐린 모양. 어렴풋한 모양.
[仿像 방상] 본뜸. 서로 비슷함.
[仿宋本 방송본] 송(宋)나라 때의 간행본(刊行
本)을 모방하여 다시 간행한 서책.
[仿佯 방양] 어슬렁거리며 배회하는 모양.
[仿偟 방황] 배회함. 헤맴.
[仿效 방효] 본뜸.
●比仿.

4 ⑥ [伏] 요 ㉯篠 於兆切 yǎo

字解 약할 요 '─, 尫弱謂之─'《集韻》.

4 ⑥ [优] 담 ㉰感 徒感切 dàn

字解 ①머리늘어질 담 머리가 늘어진 모양. 髧
(影部 四畫)과 同字. ②멈출 담 그침. '─, 止
也'《正字通》.

4 ⑥ [伈] 심 ㉱寢 斯甚切 xǐn ㉲沁 七鴆切

字解 두려워할 심 공구(恐懼)함. '──倪倪, 爲
民吏羞'《韓愈》.
字源 形聲. 亻(人)＋心〔音〕

[伈伈 심심] 두려워하는 모양.

4 ⑥ [伉] 人名 항 ①-⑧㉯漾 苦浪切 kàng ⑨㉰陽 居郞切 gāng

字解 ①짝 항 배우자(配偶者). '不能庇其─儷'
《左傳》. ②겨룰 항 필적함. 맞섬. 대적(對敵)함.
'天下莫之能─'《戰國策》. ③굳셀 항 강건(強健)
함. '─健習騎射者'《漢書》. ④질직할 항 솔직하
고 정직함. '事勝辭則─'《揚子法言》. ⑤교만할
항 오만함. '太子輕而庶子─'《韓非子》. ⑥높을
항 높은 고대(高大)한 모양. '皐門有─'《詩經》. ⑦
올릴 항 올림. 또 궁구함. '正身行, ─隆高'《荀
子》. ⑧성 항 성(姓)의 하나. ⑨정직할 항 굳세
고 곧은 모양. '爲人簡─'《宋史》.
字源 篆文 亢 形聲. 亻(人)＋亢〔音〕. '亢항'은 '나
란히 늘어서다'의 뜻. 사람이 늘어서
다. 또, 같은 부류·짝·배우자의 뜻을 나타냄.

[伉健 항건] 굳세고 건장함. 호건(豪健). 경건(勁
健).
[伉厲 항려] 굳세고 엄함. 의기(意氣)가 충천함.
[伉儷 항려] 짝. 배필(配匹).
[伉禮 항례] 동등(同等)한 예(禮). 또, 그 예로써
서로 대(對)함.
[伉直 항직] 곧아 의(義)를 굽히지 아니함. 강직
(剛直).
[伉行 항행] 교만한 거동.

[伉俠 항협] 권력에 항거하여 굴(屈)하지 않음.
강한 의협심(義俠心). 임협(任俠).
●簡伉. 驕伉. 比伉.

4 ⑥ [伊] 人名 이 ㉳支 於脂切 yī 伊

筆順 丿 亻 亻′ 亻″ 伊 伊

字解 ①저 이 '이'의 대(對). '所謂─人, 在水
一方'《詩經》. ②이 이 '저'의 대(對). '一年暮
春'《揚雄》. ③어조사 이 ㉠발어(發語)의 조사
(助辭). '─余來曁'《詩經》. ㉡어조(語調)를 고
르게 하는 조사. '嘉薦─脯'《儀禮》. ④인(因)
할 이 '維士與女, ─其相謔'《詩經》. ⑤물이름
이 허난 성(河南省) 노씨현(盧氏縣) 웅이산(熊
耳山)에서 발원(發源)하여 동북(東北)으로 흘
러 이양(伊陽)·뤄양(洛陽)을 거쳐 뤄수이(洛
水) 강으로 흘러드는 강. '─水'. '宏農盧氏縣
東有熊耳山, ─水所出'《漢書》. ⑥(韓) 이태리
이 이탈리아의 음역(音譯) 이태리(伊太利)의
약어. ⑦성 이 성(姓)의 하나.
字源 甲骨文 杁 金文 幻 篆文 伊 古文 㐆 形聲. 亻(人)＋尹
〔音〕. '尹윤'은 '다
스리다'의 뜻. 다스리는 사람의 뜻을 나타냈으
나, 가차하여 '저·그·이'의 뜻을 나타냄.

[伊皐 이고] 은(殷)나라의 명상(名相) 이윤(伊
尹)과 당우(唐虞)의 명상(名相) 고요(皐陶).
[伊霍之事 이곽지사] 은(殷)나라의 명상(名相)
이윤(伊尹)이 태갑(太甲)을 동궁(桐宮)으로 내
쫓아 악행을 고치게 하고, 전한(前漢)의 곽광
(霍光)이 창읍왕(昌邑王) 하(賀)를 폐(廢)하고
효선제(孝宣帝)를 영립(迎立)한 고사(故事).
전(轉)하여, 폐립(廢立)하는 일.
[伊管 이관] 은(殷)나라의 명상 이윤(伊尹)과 제
(齊)나라의 현상(賢相) 관중(管仲).
[伊洛 이락] ㉠이수이(伊水) 강과 뤄수이(洛水)
강. ㉡정자(程子)와 주자(朱子) 등이 주장한 유
교(儒敎).
[伊呂 이려] 은(殷)나라의 명상 이윤(伊尹)과 주
(周)나라의 명상 여상(呂商), 곧 태공망(太公
望).
[伊望 이망] 〔望〕.
[伊伐飡 이벌찬] (韓) 신라(新羅) 17관등(官等)
의 첫째 위계(位階) 이름. 각간(角干).
[伊傅 이부] 은(殷)나라의 명상 이윤(伊尹)과 부
열(傅說).
[伊昔 이석] 옛날. 재석(在昔).
[伊昔紅顔美少年 이석홍안미소년] (이렇게 늙었
지만) 그 옛날에는 젊고 아름다운 얼굴의 미청
년(美青年)이었다의 뜻.
[伊水 이수] 자해(字解)❺를 보라.
[伊時 이시] 그때. 기시(其時).
[伊吾 이오] 글 읽는 소리. 또는 시(詩) 같은 것을
읊거나 신음하는 소리.
[伊優 이우] 아첨하는 모양. 일설(一說)에는, 신
음하는 소리.
[伊鬱 이울] ㉠우울한 모양. 가슴이 답답한 모양.
또, 노(怒)한 모양. ㉡무더운 모양.
[伊威 이위] 갑각류(甲殼類)에 속하는 작은 절지
동물(節肢動物)의 하나. 쥐며느리.
[伊人 이인] 저 사람.
[伊周 이주] 은(殷)나라 명상 이윤(伊尹)과 주
(周)나라의 명상 주공(周公).

[伊川先生 이천선생] 만년(晩年)에 용문(龍門) 이수(伊水) 가에서 살았던 송(宋)나라의 학자 정이(程頤)의 일컬음.
[伊太利 이태리] Italia의 음역.
　●皐伊. 木乃伊. 軋伊. 呂伊. 吾伊. 郁伊. 鬱伊.

4/6 [伋] 人名 급 ㊊緝 ①-③居立切 jí ④極入切

字解 ①생각할 급 '孔─'은 공자(孔子)의 손자 자사(子思)의 이름. 이 글자가 생각한다는 뜻이므로 자(字)가 자사(子思)임. ②비쁠 급 급함. '─, 與急同'《字彙》. ③성 급 성(姓)의 하나. ④거짓 급 허위. 허사(虛詐). '朝廷多擧─'《後漢書》.

字源 篆文 形聲. 亻(人)＋及〔音〕. '急급'과 통하며 '바쁘다'의 뜻.

4/6 [伍] 人名 오 ㊤麌 疑古切 wǔ

筆順 ノ 亻 仁 仵 伍 伍

字解 ①다섯사람 오 '大夫五人爲─'《周禮》. ②항오 오 ㉠다섯 사람을 한 조(組)로 한 군대 편제상(軍隊編制上)의 단위. '軍─'. '先偏後─'《左傳》. ㉡대열. 군대. '全─爲上'《孫子》. ③다섯집 오 다섯 집(戶)을 한 반(班)으로 한 지방 행정상(地方行政上)의 단위. '─長'. '五家爲─'《管子》. ④다섯 오 五(二部 二畫)와 통용. ⑤섞일 오, 섞을 오 '與噊等─'《史記》. ⑥성 오 성(姓)의 하나.

字源 篆文 形聲. 亻(人)＋五〔音〕. '五오'는 '다섯'의 뜻. 오인조(五人組)의 뜻을 나타냄.

參考 五(二部 二畫)의 갖은자.

[伍伴 오반] 동아리. 반려(伴侶).
[伍伯 오백] ㉠오장(伍長). ㉡귀인(貴人)의 거마(車馬)를 선도(先導)하고 벽제(辟除)하는 사람.
[伍符 오부] 군오(軍伍)의 부신(符信).
[伍列 오열] 군오(軍伍)의 대열(隊列).
[伍長 오장] ㉠주대(周代)의 제도(制度)로서 군대의 오인(五人) 한 조(組)의 우두머리. ㉡송대(宋代)의 제도(制度)로서 다섯 집 한 반(班)의 우두머리.
[伍籍 오적] 주대(周代)의 제도(制度)로서, 다섯 집 한 조(組)로 된 조합(組合)의 호적(戶籍).
[伍候 오후] 백성에게 조합을 만들게 하여, 그 상황을 살펴 의외의 일이 일어나지 않게 경계하는 것. 조합.
　●軍伍. 群伍. 落伍. 隊伍. 兵伍. 保伍. 部伍. 比伍. 士伍. 什伍. 閭伍. 燕雀伍. 曹伍. 卒伍. 陣伍. 偏伍. 行伍.

4/6 [伎] 人名 기 ①-③㊤紙 渠綺切 jì ④㊥支 巨支切 qí

筆順 ノ 亻 仁 仕 伎 伎

字解 ①재주 기 ㉠기술상의 재능. '人多─巧'《老子》. ㉡재능. '無他─能'《史記》. ②기생 기, 광대 기 妓(女部 四畫)와 同字. '─妾'. '名姝異─'《唐書》. ③함께 기, 동아리 기 '─, 與也'《說文》. '─, 侶也'《廣韻》. ④천천히걸을 기 서

행(徐行)하는 모양. '維足──'《詩經》.

字源 篆文 形聲. 亻(人)＋支〔音〕. '支지'는 나뭇가지를 받쳐 들다의 뜻. 나뭇가지를 들고 연기(演技)하는 광대의 뜻.

[伎工 기공] 가무(歌舞)를 하는 사람.
[伎巧 기교] 교묘한 기술이나 솜씨.
[伎伎 기기] 천천히 걷는 모양.
[伎能 기능] 재능(才能). 수완(手腕).
[伎倆 기량] 기능(伎能).
[伎術 기술] 솜씨. 기술(技術).
[伎癢 기양] 재주를 품고 펼 곳이 없어 안타까운 모양.
[伎藝 기예] 교묘한 솜씨. 기예(技藝).
[伎妾 기첩] ㉠기생 첩. ㉡기생(妓生).
[伎戲 기희] 가무음곡(歌舞音曲) 등의 놀이.
　●工伎. 方伎. 聲伎.

4/6 [伏] 中入 一복 ㉠屋 房六切 fú ㉠職 鼻墨切 二부 ㊥宥 扶富切 fù

筆順 ノ 亻 亻 仆 伏 伏

字解 一①엎드릴 복 부복(俯伏)함. '─拜'. '─謝'. '寢毋─'《禮記》. ②숨을 복 몸을 감춤. '─兵'. '─匿'. '嘉言罔攸─'《書經》. ③숨길 복 감춤. '─匿'. 또, 숨긴 죄(罪). '發奸摘─如神'《漢書》. ④굴복할 복 자백함. 복종함. '─罪'. '旣─其罪矣'《左傳》. ⑤기댈 복 '─檻而頫聽'《張衡》. ⑥지날 복, 거칠 복 '─, 歷也'《廣韻》. ⑦시령(時令) 이름 복 초복·중복·말복의 삼복(三伏). 초복은 하지(夏至) 후 제3의 경(庚)의 날, 중복은 하지 후 제4의 경의 날, 말복은 입추(立秋) 후 제1의 경의 날. 6월의 심한 더위에는 입추(立秋)의 금기(金氣)도 복장(伏藏)한다는 뜻임. '六月三─之節, 始自秦德公, 周時無─'《史記 註》. ⑧길 복 匐(勹部 九畫)과 통용. '膝行蒲─'《史記》. ⑨성 복 성(姓)의 하나. 二 안을 부 날짐승이 알을 품음. '雄雞─子'《漢書》.

字源 金文 篆文 會意. 亻(人)＋犬. 개가 사람을 따라다니다의 뜻. 또, 개같이 배를 땅에 깔고 엎드리다의 뜻을 나타냄.

[伏甲 복갑] 숨어 있는 무장한 군사. 복병(伏兵).
[伏乞 복걸] 엎드려 빎.
[伏劍 복검] 칼 위에 엎드려 죽음. 칼로 자진(自盡)하여 엎드러짐.
[伏寇 복구] 숨어 있는 구적(寇賊).
[伏念 복념] 삼가 엎드려 생각함. 복이(伏以).
[伏匿 복닉] 엎드려 숨음. 또, 숨김.
[伏臘 복랍] 삼복(三伏)과 납일(臘日).
[伏龍 복룡] 숨어 있는 용. 전(轉)하여, 숨은 재사(才士) 호걸.
[伏龍肝 복룡간] 아궁이 속에서 오랫동안 불에 탄 누른 흙. 지혈제(止血劑)·진토제(鎭吐劑)로 쓰임.
[伏流 복류] 땅속으로 스미어 흐르는 물.
[伏鱗 복린] 깊이 숨어 있는 물고기.
[伏魔殿 복마전] ㉠악마(惡魔)가 숨어 있는 곳. 악마(惡魔)의 소굴(巢窟). ㉡나쁜 일을 꾸미는 자(者)들이 모여 있는 곳. 화(禍)의 근원지(根源地).
[伏望 복망] 엎드려 바람. 웃어른의 처분을 바람.
[伏慕 복모] 웃어른을 공손히 사모함.

[伏拜 복배] 엎드려 절함.
[伏白 복백] 엎드려 사뢈. 공손히 사룀.
[伏法 복법] 복주(伏誅).
[伏兵 복병] 적병(敵兵)을 불시(不時)에 치기 위하여 요지(要地)에 군사(軍士)를 숨겨 둠. 또, 그 군사.
[伏士 복사] 잠복하여 두는 군사. 복병(伏兵).
[伏死 복사] 목숨을 버림. 또, 쓰러져 죽음.
[伏射 복사] 엎드려 총을 쏨.
[伏謝 복사] 엎드려 사죄함.
[伏暑 복서] 더위를 먹음. 음서(飮暑).
[伏線 복선] ㉠뒷일에 대비하여 미리 남모르게 베푸는 준비. ㉡소설에서 뒤에 일어날 일을 미리 넌지시 암시(暗示)하여 두는 기교.
[伏侍 복시] 시중듦.
[伏屍 복시] 엎드러진 시체(屍體).
[伏息 복식] 자취를 감추어 없어짐.
[伏軾 복식] 수레 위에서 경례(敬禮)하기 위하여 수레 앞쪽의 가로나무를 어루만지며 기대어 섬.
[伏審 복심] 삼가 살핌.
[伏謁 복알] 부복하여 배알(拜謁)함.
[伏熱 복열] 복염(伏炎).
[伏炎 복염] 삼복(三伏) 동안의 더위. 경염(庚炎).
[伏願 복원] 엎드려 바람. 웃어른에게 공손히 바람.
[伏爲 복위] 《佛敎》영혼이 극락세계로 가도록 그 자손이나 부모가 부르는 소리.
[伏惟 복유] 공손히 엎드려 생각하옵건대.
[伏戎 복융] 군사를 매복(埋伏)함. 또, 그 복병(伏兵).
[伏隱 복은] 엎드려 숨음. 잠복함.
[伏以 복이] 삼가 엎드려 생각하옵건대.
[伏刃 복인] 칼로 자살(自殺)함.
[伏日 복일] 삼복(三伏)의 날. 복날. 전(轉)하여, 혹서(酷暑)의 날.
[伏藏 복장] 복닉(伏匿).
[伏在 복재] 드러나지 않고 숨겨져 있음.
[伏節 복절] ㉠삼복(三伏)이 든 철. ㉡절개(節槪)를 지킴.
[伏罪 복죄] 죄에 대한 형벌을 복종하여 받음. 복죄(服罪).
[伏奏 복주] 천자(天子)의 앞에서 엎드려 사룀.
[伏誅 복주] 형벌(刑罰)에 복종하여 죽음을 받음. 복법(伏法).
[伏中 복중] 초복(初伏)에서 말복(末伏)까지의 사이.
[伏地 복지] 땅 위에 엎드림.
[伏竄 복찬] 잠복함. 자취를 감춤.
[伏處 복처] 순라군이 지키는 요소.
[伏醋 복초] 복날에 술을 삭혀서 만든 초.
[伏祝 복축] 엎드려 축원함. 삼가 축원함.
[伏兔 복토] 수레의 굴대의 좌우 양단(兩端)에 있어서 차체(車體), 곧 차상(車箱)과 굴대를 연결하는 물건. 중앙에 있는 것을 당토(當兔)라고 함.

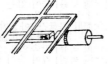

[伏兔]

[伏虎 복호] 웅크려 엎드려 있는 범.
[伏羲 복희] 상고 시대(上古時代)의 제왕(帝王). 삼황(三皇) 중의 한 사람으로서 백성에게 어렵(漁獵)·농경·목축을 가르쳤으며, 처음으로 팔괘(八卦)와 문자(文字)를 만들었다 함.

[伏鷄 부계] 알을 품은 닭.
●嫗伏. 屈伏. 跪伏. 歸伏. 起伏. 踏伏. 埋伏. 拜伏. 俯伏. 覆伏. 三伏. 棲伏. 說伏. 消伏. 首伏. 睡伏. 馴伏. 慴伏. 承伏. 厭伏. 畏伏. 冤伏. 委伏. 淪伏. 隱伏. 倚伏. 雌伏. 潛伏. 藏伏. 折伏. 調伏. 竄伏. 懲伏. 沈伏. 蟄伏. 歉伏. 匍伏. 蒲伏. 降伏.

4⑥ [伏] 벌 〔人〕月 房越切 fá

筆順 ノ 亻 仁 代 伐 伐

字解 ①칠 벌 ㉠죄(罪) 있는 자를 침. '征—'. '奮—荊楚'《詩經》. ㉡적(敵)을 침. '—敵'. '附於晉則楚來—'《史記》. ㉢물건을 두드림. '—鼓淵淵'《詩經》. ㉣힐난함. '黨學相—'《廣川題跋》. ②벨 벌 ㉠나무를 벰. '—木'·'—採'·'勿剪勿—'《詩經》. ㉡베어 죽임. 참살함. '四—五—'《書經》. ③공 벌 공적(功績). '—閱'·'且旌君—'《左傳》. ④자랑할 벌 공적을 자랑함. '孟之反不—'《論語》. ⑤방패 벌 적의 화살 따위를 피하는 무기. '蒙—有苑'《詩經》. ⑥간흙 벌 갈아 일으킨 땅. '一耦之—'《周禮》. ⑦성 벌 성(姓)의 하나.

字源 甲骨文 金文 篆文 會意. 亻(人)·戈. '戈과'는 창(槍)의 뜻. 사람을 창으로 베다, 치다의 뜻을 나타냄.

[伐柯 벌가] 도끼 자루로 쓸 나무를 벤다는 뜻으로, 그 자르는 나무의 길이는 손에 쥔 도끼 자루를 표준으로 하므로 표준이 눈앞에 있음을 이름.
[伐擊 벌격] ㉠공격함. ㉡힐난함. 공박함.
[伐鼓 벌고] 북을 침.
[伐斷 벌단] 쳐 끊음. 베어 끊음.
[伐木 벌목] 나무를 베어 냄.
[伐氷 벌빙] 얼음장을 떠냄.
[伐氷之家 벌빙지가] 주대(周代)에 장사나 제사 때 얼음을 쓸 자격이 있는 경대부(卿大夫) 이상의 집. 전(轉)하여, 고귀한 집. 문벌이 높은 집.
[伐喪 벌상] 남의 땅에 투장(偸葬)하는 사람을 두들겨 몰아냄.
[伐善 벌선] 자기의 선행(善行)이나 장점(長點)을 자랑함.
[伐性之斧 벌성지부] 목숨을 끊는 도끼라는 뜻으로, 여색(女色) 또는 속악(俗樂)을 비유하여 이른 말.
[伐閱 벌열] 공로와 경력. 또, 지체. 가문(家門). 벌열(閥閱).
[伐齊爲名 벌제위명] 연(燕)나라 장수 악의(樂毅)가 제(齊)나라를 쳤을 때 제(齊)나라의 장수 전단(田單)이 반간(反間)을 놓아 '악의가 벌제(伐齊)한 후 제왕(齊王)이 되려 한다.'고 퍼뜨려 연왕(燕王)이 악의를 소환한 고사(故事)에서 나온 말로, 어떤 일을 하는 체하고 속으로는 딴 짓을 함을 이름.
[伐挫 벌좌] 적(敵)을 쳐 그 기세를 꺾음.
[伐採 벌채] 나무를 베고 섶을 깎음.
[伐草 벌초] 산소(山所)의 잡초(雜草)를 베어서 깨끗이 함.
●擊伐. 功伐. 攻伐. 克伐. 剋伐. 矜伐. 濫伐. 盜伐. 放伐. 殺伐. 攘伐. 自伐. 殘伐. 翦伐.

戰伐. 征伐. 誅伐. 斬伐. 采伐. 採伐. 侵伐. 討伐.

4
⑥ [伶] [一] 검 [平]鹽 其淹切 qián
[二] 긍 [平]蒸 居陵切 jīng
[三] 금 [去]沁 渠禁切

[字解] [一] 악공 검 '—侏'는 악공(樂工). '—侏, 古樂人'《集韻》. [二] 자랑할 긍, 삼갈 긍 矜(矛部四畫)과 통용. [三] 오랑캐풍류 금 북쪽 오랑캐의 음악. '—侏兜離, 罔不具集'《後漢書》.

4
⑥ [伂] 패 [去]泰 博蓋切 pèi

[字解] 넘어질 패 '顚—'는 넘어지는 일. 沛(水部四畫)와 통용. '顚—, 仆也'《集韻》.
[字源] 形聲. 亻(人)+市〔音〕

4
⑥ [佽] 〔흠·검〕
欠(部首〈p. 1126〉)과 同字

4
⑥ [休] [中·人] [一] 휴 [平]尤 許尤切 xiū
[二] 후 [去]遇 吁句切 xǔ

[筆順] ノ 亻 仁 什 休 休

[字解] [一] ①쉴 휴 ㉠휴식(休息)함. '—憩'. '汔可小—'《詩經》. ㉡일을 잠시 중단함. '—職'. '是月也, 霜始降, 則百工—'《呂氏春秋》. ㉢한가하게 지냄. '且—計事'《史記》. ㉣잠을 잠. '暮—早起'《王褒》. ㉤벼슬을 그만두고 한가히 지냄. 퇴직함. '退—'. '官因老病—'《杜甫》. ㉥그만둠. 하지 않음. '—言'. '家貧—種汶陽田'《劉滄》. ②그칠 휴 중지함. '店香風起時, 村白雨—時'《溫憲》. ③편안할 휴 '我心則—'《詩經》. ④기뻐할 휴 좋아함. '爲晉—戚'《國語》. ⑤좋을 휴 훌륭함. 선미(善美)함. '—命'. '惟王受命, 無疆惟—'《書經》. ⑥놓을 휴 용서함. '雖—勿—'《書經》. ⑦검소할 휴 검약(儉約)함. '戒之以—'《書經》. ⑧휴가 휴, 말미 휴 휴일. 또, 사가(賜暇). '歸—'. '—所繇來久'《漢書》. ⑨기쁨 휴, 경사 휴 길경(吉慶). '天之—'. '實萬世無疆之—'《書經》. ⑩넓을 휴 넉넉함. 관대(寬大)함. '其心——焉'《書經》. ⑪말 휴 금지하는 말. '—問梁園舊賓客'《李商隱》. ⑫성 휴 성(姓)의 하나. [二] ①따스하게할 후 김을 불어 따뜻하게 함. 咻(口部 六畫)와 同字. '—於氣'《周禮》. ②슬퍼할 후 '民人痛疾, 而或燠—之'《左傳》.

[字源] 甲骨文 金文 篆文 別體 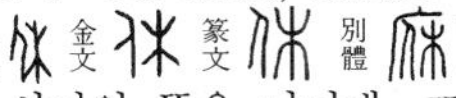 會意. 亻(人)+木. 사람이 나무에 기대어 쉬다의 뜻을 나타냄. 또 파생(派生)하여, 심신(心身)의 안식(安息)의 뜻에서, '행복·보람'의 뜻도 나타냄.

[休暇 휴가] 학업(學業) 또는 근무를 일정한 기간 쉬는 일. 또, 그 겨를.
[休嘉 휴가] 경사스러움. 또, 경사스러운 일. 경사(慶事).
[休刊 휴간] 신문·잡지 등의 정기 간행물의 발행을 한때 쉬는 일.
[休講 휴강] 강의(講義)를 쉼.
[休憩 휴게] 잠깐 쉼. 휴식(休息).
[休慶 휴경] 경사(慶事).
[休告 휴고] 휴목(休沐).
[休光 휴광] 큰 공(功). 뛰어난 공적.
[休校 휴교] 학교의 공부를 한동안 쉼.
[休咎 휴구] 길흉(吉凶). 복(福)과 화(禍).
[休期 휴기] 좋은 때.
[休德 휴덕] 훌륭한 덕(德). 미덕(美德).
[休圖 휴도] 좋은 꾀. 양도(良圖).
[休燈 휴등] 전등(電燈) 사용을 한동안 중지함.
[休名 휴명] 좋은 평판. 미명(美名).
[休命 휴명] 선미(善美)한 명령. 천명(天命) 또는 군명(君命)을 이름.
[休明 휴명] 썩 밝음. 대명(大明).
[休沐 휴목] 관리의 휴가(休暇). 한(漢)나라 때에는 닷새에 하루, 당(唐)나라 때에는 열흘에 하루씩 집에서 쉬며 목욕(沐浴)을 한 일에서 나온 말.
[休美 휴미] 훌륭함. 아름다움.
[休範 휴범] 훌륭한 본보기. 선미(善美)한 모범.
[休兵 휴병] 군사(軍士)를 쉬게 하여 사기(士氣)를 돋움.
[休否 휴부] ㉠운이 나쁠 때 좋은 일을 행함. ㉡운수가 막힘.
[休祥 휴상] 길(吉)한 상서(祥瑞). 길상(吉祥).
[休說 휴설] '말하는 것을 그만두시오.'의 뜻.
[休盛 휴성] 아름답고 성(盛)한 모양.
[休息 휴식] 쉼. 또, 쉬게 함. 휴게(休憩).
[休息痢 휴식리] 더쳤다 그쳤다 하고 여러 해가 되도록 낫지 아니하는 이질(痢疾).
[休神 휴신] 휴심(休心).
[休心 휴심] 안심(安心)함.
[休養 휴양] ㉠심신(心身)을 쉬며 몸을 보양(保養)함. ㉡조세(租稅)를 경감하여 백성의 재력(財力)을 넉넉하게 함.
[休言 휴언] 말을 하지 않음.
[休偃 휴언] 쉼. 휴식함.
[休業 휴업] 업을 한동안 쉼.
[休浴 휴욕] 휴목(休沐).
[休祐 휴우] 휴지(休祉).
[休意 휴의] 휴심(休心).
[休日 휴일] 쉬는 날. 노는 날.
[休典 휴전] 훌륭한 모범. 아름다운 법칙.
[休戰 휴전] 전쟁(戰爭)을 중지함.
[休廷 휴정] 재판 도중에 쉼.
[休停 휴정] 쉼. 또, 쉬게 함.
[休兆 휴조] 상서로운 조짐. 길조(吉兆).
[休蹤 휴종] 큰 공적. 뛰어난 공적.
[休止 휴지] ㉠쉼. 쉬게 함. ㉡끝남. 끝나게 함. 그만둠.
[休祉 휴지] 행복. 경사.
[休職 휴직] 일정한 기간 동안 현직(現職)의 복무를 쉼.
[休診 휴진] 병원에서 한동안 진찰을 하지 아니함.
[休徵 휴징] 휴조(休兆).
[休暢 휴창] 경사스럽게 널리 퍼짐.
[休戚 휴척] 기쁨과 근심 걱정. 희우(喜憂).
[休致 휴치] 벼슬아치가 노쇠(老衰)했다는 이유로 사표(辭表)를 내고 그만둠.
[休惰 휴타] 휴태(休怠).
[休怠 휴태] 쉬면서 게으름을 핌.
[休退 휴퇴] ㉠직(職)에서 물러나와 쉼. 휴가(休暇). ㉡사직(辭職)함. 퇴휴(退休).
[休罷 휴파] 사직(辭職)함. 휴퇴(休退).
[休廢 휴폐] 그침. 또, 그만둠.
[休學 휴학] 학업(學業)을 한동안 쉼.

[休歇 휴헐] 쉼. 휴식함.
[休火山 휴화산] 옛날에 분화(噴火)하였으나, 지금은 분화하지 아니하는 화산(火山).
[休會 휴회] ㉠회의 도중에 쉼. ㉡회의체(會議體)가 자의(自意)로 일정 기간 그 활동을 쉼.
[休勳 휴훈] 선미(善美)한 공훈.
[休休 휴휴] ㉠안한(安閑)한 모양. ㉡선미(善美)한 모양.
◉更休. 告休. 公休. 歸休. 萬事休. 無休. 浮休. 不眠不休. 丕休. 旬休. 偃休. 連休. 燕休. 燠休. 運休. 天休. 退休. 罷休. 行休.

4 ⑥ [佧] ㊥ 격

字解 《韓》 칠 격 침. 擊(手部 十三畫)의 俗字. '僧統和尙出入時, 一大鐘式'《日用集》.

4 ⑥ [伀] 종 ㊤冬 職容切 zhōng

字解 ①허겁지겁할 종 당황함. '瀾沐征一'《揚子方言》. ②공 종 공적(公的)임. 일반 대중. '一, 志及衆也'《說文》. ③두려워할 종 공구함. 겁냄. '卒奉大略一矇狼狽'《周魴》.

字源 篆文  形聲. 亻(人)+公〔音〕. '公공'은 '공변되다'의 뜻.

4 ⑥ [伙] 화 ㊤哿 讀如火 huǒ

字解 세간 화 가구(家具). '傢一'.

字源 形聲. 亻(人)+火〔音〕

4 ⑥ [伃] 〔여〕 好(女部 四畫〈p. 520〉)와 同字

4 ⑥ [伌] 〔개〕 個(人部 八畫〈p. 149〉)의 略字

4 ⑥ [伤] 〔상〕 傷(人部 十一畫〈p. 171〉)의 簡體字

4 ⑥ [仡] 〔흘·올〕 仡(人部 三畫〈p. 103〉)의 本字

4 ⑥ [伇] 〔역〕 役(彳部 四畫〈p. 736〉)의 古字

4 ⑥ [仮] 〔가〕 假(人部 九畫〈p. 157〉)의 俗字

4 ⑥ [伜] 〔쉬〕 倅(人部 八畫〈p. 149〉)의 俗字

4 ⑥ [伝] 〔전〕 傳(人部 十一畫〈p. 169〉)의 俗字

5 ⑦ [余] 中·人 여 ㊤魚 以諸切 yú

筆順 ノ 人 今 今 수 余 余

字解 ①나 여 자기. '一, 我也'《爾雅》. ②사월 여 음력 4월의 일컬음. '一月'. ③나머지 여, 남을 여 餘(食部 七畫)와 同字. '凡其一, 聚以待頒賜'《周禮》. ④성 여 성(姓)의 하나.

字源 甲骨文 金文 篆文  象形. 끝이 날카로운 제초구(除草具)를 나타낸 모양으로, 자유로이 뻗다의 뜻을 나타내는데, 가차(假借)하여 인칭 대명사(人稱代名詞)인 '나'의 뜻으로 쓰임.

[余輩 여배] 우리네.
[余月 여월] 음력 4월의 이칭(異稱).
◉比余. 接余.

5 ⑦ [佥] 〔첨〕 僉(人部 十一畫〈p. 168〉)의 簡體字

[坐] 〔좌〕 土部 四畫(p. 439)을 보라.

[巫] 〔무〕 工部 四畫(p. 663)을 보라.

[夾] 〔협〕 大部 四畫(p. 502)을 보라.

5 ⑦ [伯] 高·人 ㊀ 백 ㊇陌 博陌切 bó, ⑤bǎi / ㊁ 맥 ㊇陌 莫白切 mò / ㊂ 패 ㊍禡 必駕切 bà 

筆順 ノ 亻 亻' 亻' 伯 伯 伯

字解 ㊀ ①맏 백 맏형. '一仲叔季'. '一氏吹壎'《詩經》. ②큰아버지 백 아버지의 형. '一父'. '一旣如此'《南史》. ③백작 백 오등작(五等爵)의 셋째. '公侯一子男'. '小國稱一子男'《公羊傳》. ④남편 백 '一也執殳'《詩經》. ⑤시아주버니 백 남편의 형. '稱夫之弟爲叔, 則夫之兄亦可爲一也'《陔餘叢考》. ⑥우두머리 백 장(長). 수장(首長). '匠一不顧, 遂行不輟'《莊子》. ⑦말의귀신 백 말〔馬〕의 귀신 또는 그 귀신의 제사(祭祀). '旣一旣禱'《詩經》. ⑧성 백 성(姓)의 하나. ㊁ 거리 맥 陌(阜部 六畫)과 통용. '置一格長'《史記》. ㊂ 두목 패 맹주(盟主). 霸(雨部 十三畫)와 同字. '五一之霸也, 勤而撫之'《左傳》. 또, 고석(古昔)의 오관(五官)인 사도(司徒)·사마(司馬)·사공(司空)·사사(司士)·사구(司寇)의 장(長). '五官之長曰一'《禮記》.

字源 甲骨文 金文 篆文 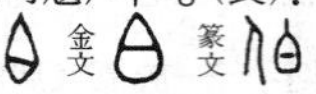 形聲. 亻(人)+白〔音〕. '白백'은 '父부'와 통하여, 일족(一族)의 통솔자의 뜻. 우두머리 되는 사람의 뜻을 나타냄.

[伯强 백강] 악마(惡魔). 악귀(惡鬼). 역병신(疫病神).
[伯舅 백구] ㉠어머니의 오빠. 큰외삼촌. ㉡천자(天子)가 이성(異姓)의 제후(諸侯)를 부르는 존칭.
[伯娘 백낭] 맏딸.
[伯樂 백락] ㉠천마(天馬)를 맡은 별의 이름. ㉡중국 진(秦)나라 때 사람. 본명은 손양(孫陽). 말〔馬〕의 감정(鑑定)을 잘하였으므로, 널리 말에 관한 일에 밝은 사람의 뜻으로 쓰임.
[伯樂一顧 백락일고] 좋은 말이 백락(伯樂)을 만나 세상에 알려져 그 값이 십 배로 올랐다는 고사(故事)에서, 명군(名君)·현상(賢相)에게 지우(知遇)를 받음의 비유로 쓰임.

[伯勞 백로] 참새류(類)에 속하는 새. 때까치. 개
고마리.
[伯母 백모] ㉠부모의 누이. 고모 또는 이모. ㉡
백부의 아내. 큰어머니.
[伯父 백부] ㉠큰아버지. ㉡천자(天子)가 동성
(同姓)의 제후(諸侯)를 부르는 존칭.
[伯叔 백숙] ㉠형과 아우. 형제. ㉡백부와 숙부.
[伯氏 백씨] 맏형.
[伯牙絕絃 백아절현] 자기를 알아주는 참다운 벗
의 죽음을 슬퍼함을 이름. 백아(伯牙)는 거문
고를 잘 타고 종자기(鍾子期)는 이 거문고 소
리를 잘 들었었는데, 종자기(鍾子期)가 죽은
뒤 백아(伯牙)는 절망(絕望)한 나머지 자기의
거문고 소리를 들을 만한 사람이 없다고 거문
고 줄을 모두 끊어 버리고, 다시는 거문고를 타
지 않았다는 고사(故事)에서 나온 말.
[伯牛之疾 백우지질] 훌륭한 사람이 못된 병(病)
에 걸림을 이름.
[伯夷叔齊 백이숙제] 형 백이(伯夷)와 아우 숙제
(叔齊). 모두 은(殷)나라 고죽군(孤竹君)의 아
들. 무왕(武王)이 은(殷)나라를 치자 이를 간
(諫)하였으며, 무왕이 천하를 손안에 넣으매,
백이·숙제 형제는 주(周)나라의 곡식 먹기를
부끄러이 여겨 수양산(首陽山)으로 도망가서
채미(采薇)하고 살다가 마침내 굶어 죽었음.
[伯姉 백자] 맏누이.
[伯爵 백작] 오등작(五等爵)의 하나. 후작(侯爵)
의 다음, 자작(子爵)의 위.
[伯仲 백중] ㉠맏형(兄)과 그 다음. ㉡서로 비슷
하여 우열(優劣)이 없음.
[伯仲叔季 백중숙계] 형제(兄弟)의 순서. 장(長)
을 백(伯), 그 다음을 중(仲), 그 다음을 숙
(叔), 말제(末弟)를 계(季)라 함.
[伯仲之間 백중지간] 서로 어금지금하여 낫고 못
함이 없음.
[伯兄 백형] 맏형(兄). 장형(長兄).
[伯道 패도] 패도(覇道).
[伯主 패주] 제후(諸侯)의 두목. 패자(覇者).
　●都伯. 道伯. 杜伯. 冥伯. 方伯. 詞伯. 水伯.
　詩伯. 伍伯. 匠伯. 長伯. 州伯. 風伯. 河伯.
　火伯. 畫伯. 侯伯.

5
⑦　[㑣] ☰ ㊤卦 莫話切 mài
　　　　☲ 말 ㊦曷 摩葛切 mò
字解 ☰ 오랑캐풍류 매 동이(東夷)의 음악(音
樂). '㑣─兜離, 罔不具集'《班固》. ☲ 오랑캐풍
류 말 ☰과 뜻이 같음.

5
⑦　[估] 고 ㊤麌 公戶切 gū, gǔ　估
字解 ①값 고 물가. '一價'. '高鹽價, 賤帛一'
《唐書》. ②값놓을 고 값을 매김. 값의 평정(評
定)을 함. '先令工人一價'《五代史》. ③팔 고 물
건을 팜. 장사함. '一之哉, 一之哉, 我待賈者
也'《論語》. ④장수 고 상인. '商─交入'《北史》.
字源 形聲. 亻(人)＋古〔音〕. '古고'는 '價가'와 통
하여 '값'의 뜻. 장사하는 사람, 값의 뜻을
나타냄.

[估價 고가] ㉠값. 가격. ㉡값을 매김. 평가(評
價).
[估客 고객] 상인(商人).
[估賣 고매] 물건을 팜.

[估稅 고세] 상품(商品)에 부과(賦課)하는 세금
(稅金). 영업세(營業稅).
[估衒 고현] 스스로 자기의 재주나 기술을 자랑하
여 선전함.
　●價估. 攙估. 帛估. 商估. 市估.

5
⑦　[㒓] 소 ①㊥蕭 市昭切 zhāo
　　　　　 ②㊦篠 市沼切 shào
字解 ①소목(昭穆) 소 종묘·사당의 신주의 서
차(序次)에서 목(穆)의 위. 昭(日部 五畫)와
통용. '廟─榜, 父爲─, 南面, 子爲穆, 北面'《說
文》. ②도울 소, 소개할 소 남을 도와줌. 또, 중
간에 들어 주선함. 紹(糸部 五畫)와 통용. '一
介, 士爲─擯'《禮記》.
字源 金文 卲 篆文 㒓 形聲. 亻(人)＋召〔音〕. 소목(昭
穆)의 '昭소'와 통하여 '밝다'
의 뜻을 나타냄.

5
⑦　[伴] 반 ①-③㊤旱 蒲旱切 bàn　伴
　　　　　④㊤翰　 普半切 pàn
筆順 ノ 亻 亻 亻 伴 伴 伴
字解 ①짝 반 상대. 동반자(同伴者). '一侶'. '燕
似尼姑, 有一方行'《李義山雜纂》. ②모실 반 배
종(陪從)함. '隨一, 一食, 須賓客自一'《北
史》. ③의지할 반 의뢰함. '一弛張之信期'《楚
辭》. ④한가할 반 틈이 있는 모양. '一奐爾游
矣'《詩經》.
字源 篆文 伴 形聲. 亻(人)＋半〔音〕. '半반'은 '절
반'의 뜻. 좋은 반쪽, '짝'의 뜻을 나
타냄.

[伴倘 반당] 《韓》 ㉠옛날 서울의 각 관청에서 부
리던 사환(使喚). ㉡중국에 가는 사신이 자비
(自費)로 데리고 가던 하인.
[伴當 반당] 상가(商家)의 하인 중의 우두머리.
[伴讀 반독] ㉠귀족(貴族)의 자제의 상대(相對)가
되어 책을 같이 읽는 일. ㉡송대(宋代)의 벼슬
이름. 종실(宗室)의 교육을 맡았음.
[伴侶 반려] 짝이 되는 동무.
[伴生 반생] 수반(隨伴)하여 발생함.
[伴送 반송] 다른 물건에 붙여서 함께 보냄.
[伴隨 반수] 따라감. 배종(陪從)함.
[伴食 반식] 주빈(主賓)을 모시고 음식 대접을 받
음. 전(轉)하여, 무능(無能)한 대관(大官)을 비
꼬는 말.
[伴偶 반우] 짝. 배우(配偶).
[伴吟 반음] 따라 읊조림.
[伴接 반접] 손님을 접대함. 접반(接伴).
[伴奏 반주] 기악(器樂)이나 성악(聲樂)의 주주부
(主奏部)에 맞추어 다른 악기로 보조적으로 연
주하는 일.
[伴直 반직] 두 사람이 함께 숙직함.
[伴寢 반침] 한방(房)에서 같이 잠. 동숙(同宿).
[伴行 반행] 길을 같이 감. 동행(同行).
[伴奐 반환] 한가함. 종이 縱弛).
　●夥伴. 待伴. 道伴. 同伴. 相伴. 隨伴. 詩伴.
　侶伴. 臥雲伴. 接伴. 酒伴. 行伴. 火伴.

5
⑦　[佘] 사 ㊥麻 視遮切 shé
字解 ①산이름 사 상하이 시(上海市) 청포현(青
浦縣)의 남동쪽에 있는 산. 난순산(蘭筍山). ②

성사 성(姓)의 하나.
参考 余(人部 五畫)는 別字.

5 [佘] 〔갑〕
⑦ 甲(田部 無畫〈p.1459〉)의 古字

5 [伶] 〔人名〕 령 ㉄靑 郞丁切 líng
筆順 ノ 亻 亻 伶 伶 伶 伶
字解 ①악공 령 음악을 직업으로 하는 사람. '一人'. '一官'. '制新曲教女一'《唐書》. ②하인 령 부리는 사람. '府一喚呼爭先到'《白居易》. ③영리할 령 똑똑함. '一俐'. ④외로울 령 고독함. '形影伶一竹'《魏觀》. ⑤노리개 령 장난감. '瓦一口頰欲謾誰'《馬元來》. ⑥성 령 성(姓)의 하나.
字源 金文 伶 篆文 伶 形聲. 亻(人)+令〔音〕. '令령'은 신의(神意)를 듣다의 뜻. 음악을 연주하여 신의(神意)를 듣는 악공(樂工)의 뜻.

[伶工 영공] 영관(伶官).
[伶官 영관] 음악을 맡은 벼슬아치.
[伶倫 영륜] 황제(黃帝)의 신하(臣下). 해곡(嶰谷)의 대나무로 악률(樂律)을 만들었다 함.
[伶俐 영리] 약고 민첩(敏捷)함. 똑똑하고 재주가 많음. 소재(小才)가 있음.
[伶傳 영빙] ㉠외로운 모양. 방랑하는 모양. ㉡영락(零落)한 모양.
[伶樂 영악] 음악(音樂).

5 [伸] 〔高人〕 신 ㉄眞 失人切 shēn
筆順 ノ 亻 亻 伊 伊 伸 伸
字解 ①펼 신 ㉠넓게 함. 길게 함. 곧게 함. '一縮'. '引一'. '引而一之'《易經》. ㉡마음을 놓음. '一眉'. '愁眉始得一'《釋曇遷》. ㉢일이 펴짐. 성공 발전함. '終當大一'《南史》. ㉣곧지 못한 것을 곧게 다스림. '一寃'. ②펴질 신 넓어짐. 길어짐. '鉤不一'《列子》. ③기지개켤 신 '欠一'. '志倦則欠, 體倦則一也'《儀禮註》. ④(現) 말할 신 사뢰. '追一'. ⑤성 신 성(姓)의 하나.
字源 篆文 伸 形聲. 亻(人)+申〔音〕. '申신'은 '펴지다'의 뜻. '人'을 더하여, '펴지다, 자라다, 늘이다'의 뜻을 나타냄.

[伸頸 신경] 목을 길게 뺌.
[伸眉 신미] 수미(愁眉)를 폄.
[伸雪 신설] 신원설치(伸寃雪恥).
[伸曳 신예] 잡아 늘임. 늘여서 조화시킴.
[伸寃 신원] 가슴에 맺힌 원한을 풀어 버림.
[伸寃雪恥 신원설치] 원한을 풀고 치욕을 씻어 버림.
[伸長 신장] 길게 벋어남.
[伸張 신장] 늘이거나 뻗어 넓힘. 또, 늘거나 뻗어 넓어짐.
[伸展 신전] ㉠늘이어 펼침. ㉡세력이나 사업이 뻗어 커짐. 또, 뻗어 커지게 함.
[伸縮 신축] 펴짐과 오그라짐. 늘어남과 줄어듦. 또, 늘임과 줄임.
[伸欠 신흠] 기지개와 하품.

●屈伸. 目伸. 眉伸. 熊經鳥伸. 引伸. 蹄伸. 欠伸.

5 [伹] ▬ 저 ㉄魚 七余切 qū
⑦ ▭ 조 ㉄麌 千胡切 zǔ
字解 ▬ 서투를 저, 둔할 저 서툶. 둔함. 또, 둔한 사람. '一, 鈍也'《廣雅》. ▭ 얕을 조 깊지 않음. '一, 淺也'《廣韻》.
字源 形聲. 亻(人)+且〔音〕.

5 [伺] 〔人名〕 사 ㉄寘 相吏切 sì, ②cì
⑦ ㉄支 息玆切
字解 ①엿볼 사 ㉠다른 사람이 모르게 가만히 봄. '一窺'. '夜一之'《水經 注》. ㉡몰래 정상(情狀)을 살핌. '使人微一之'《史記》. ㉢몰래 기회를 엿봄. '一侯車駕'《漢書》. ②찾을 사 높은 사람을 방문함. '密一其一'《魏書》. ③살필 사 ㉠살펴 앎. '明一晷度'《魏書》. ㉡추측함. 헤아림. '潜一太子意, 因用解之'《冊府元龜》.
字源 篆文 伺 形聲. 亻(人)+司〔音〕. '司사'는 '맡다, 관장(管掌)하다'의 뜻. 남의 신변(身邊)을 돌보는 사람의 뜻을 나타내며, 또 남의 진의(眞意)를 살펴다의 뜻을 나타냄.

[伺間 사간] 틈을 노림. 사극(伺隙).
[伺窺 사규] 슬며시 정상(情狀)을 엿봄.
[伺隙 사극] 틈을 노림. 틈을 엿봄.
[伺望 사망] 엿봄. 관찰함.
[伺晨鳥 사신조] 새벽에 먼저 우는 새.
[伺應 사응] 뜻을 살펴 응함.
[伺察 사찰] 엿보아 살핌. 규찰(窺察).
[伺候 사후] ㉠동정을 엿봄. ㉡윗사람을 방문함. 윗사람을 찾아가 안부를 물음. 또, 옆에서 받듦.

●窺伺. 闚伺. 睥伺. 奉伺. 掩伺. 狙伺. 偵伺. 諦伺. 候伺.

5 [伻] 팽 ㉄庚 普耕切 bēng
⑦ 字解 ①㉠부릴 팽 사람을 부림. '一, 使人也'《廣韻》. ㉡사자 팽 심부름하는 사람. '一來, 以圖及獻卜'《書經》. ②하여금 팽 …로 하여금 …하게 함. 시킴. '一從王于周'《書經》. ③따를 팽 좇음. '一, 從也'《爾雅》.
字源 形聲. 亻(人)+平〔音〕.

5 [似] 〔高人〕 사 ①紙 詳里切 sì
⑦ ㉄寘 相吏切
筆順 ノ 亻 亻 伀 似 似 似
字解 ①같을 사 ㉠상사(相似)함. '類一'. '酷一'. '東門有人, 其顙一堯'《史記》. ㉡그럴듯함. 그럴듯하게 보임. '壹一重有憂者'《禮記》. ②흉내낼 사 남의 언행을 그대로 옮겨서 함. '吳語我能一'《陸游》. ③이을 사 상속(相續)함. '一績'. '以一以續'《詩經》. ④보일 사 갖다 보임. 보냄. '今日把一君, 誰有不平事'《賈島》. ⑤성 사 성(姓)의 하나.
字源 金文 㕔 金文 㕣 篆文 㕤 形聲. 亻(人)+以(目)〔音〕. 金文은 司+目. '司사'는 '嗣사'와 통하여, 선조(先祖)의 뒤를 잇다의 뜻. 조상의 뒤를 잇는 사람, 흉내 내는

사람의 뜻에서, '닮다'의 뜻을 나타냄.

[似類 사류] 서로 비슷함. 유사(類似)함. 또, 그 것.
[似摹 사모] 본떠 그 모양대로 쓰거나 그림.
[似續 사속] ⊙뒤를 이음. 상속함. ⓒ자손(子孫).
[似而非 사이비] 겉은 비슷하나 속은 같지 않음.
[似而非者 사이비자] 언뜻 보아 같지만, 잘 보면 다른 것. 의심스러운것.
[似虎 사호] ⊙겉은 비슷하지만, 실제는 다른 것의 비유. 얼룩소가 겉은 범과 비슷하지만 아닌 것 따위. ⓒ고양이[貓]의 별칭.
●舉似. 近似. 無似. 辨似. 寫似. 相似. 象似. 類似. 擬似. 肖似. 匹似. 嫌似. 酷似. 渾似.

5/⑦ [伽] 人名 가 ⊕歌 求迦切 qié, ③jiā 伽

[筆順] ノ 亻 仂 伽 伽 伽 伽

[字解] ①절 가 범어(梵語) gha(가)의 음역(音譯). '─藍'은 절. 사찰. ②가지 가 茄(艸部 五畫)와 통용. '盛冬育筍, 舊榮增─'《揚雄》. ③《現》음역자가 '가'음(音)의 음역자(音譯字). '伽利略(갈릴레오)'.
[字源] 形聲. 亻(人)+加[音]. 梵語 '가'의 음(音)을 한자(漢字)로 쓸 때 사용됨. '人인'은 외래어(外來語)의 한역음(漢譯音)에 붙이는 것.

[伽那 가나] 코끼리[象]의 별칭.
[伽羅 가라]《佛教》범어(梵語) kālaaguru의 음역(音譯). ⊙침향(沈香)의 별칭(別稱). ⓒ선가(禪家)에서 쓰는 가사(袈裟)의 한 가지. =가야(伽倻).
[伽藍 가람]《佛教》범어(梵語) samghârâma의 음역(音譯). ⊙범칭(汎稱)別稱). 사찰(寺刹).
[伽耶 가야] ⊙코끼리[象]의 별칭. ⓒ인도(印度) 남부의 도시. 가야(Gaya)의 음역(音譯). 그 남쪽 30리에 불타(佛陀)가 성도(成道)한 땅 불타가야(佛陀伽耶)가 있음. ⓒ=가야(伽倻).
[伽倻 가야] 낙동강(洛東江) 하류 지역인 변한(弁韓)에서, 1세기경에 금관가야(金官伽倻)・대가야(大伽倻)・소가야(小伽倻)・아라가야(阿羅伽倻)・성산가야(星山伽倻)・고령가야(古寧伽倻)의 육 가야(六伽倻)로 통일된 나라. 가라(伽羅). 가락국(駕洛國). 가야(伽耶).
[伽倻琴 가야금] 신라 진흥왕(眞興王) 때 가야국(伽倻國) 가실왕(嘉實王)이 악사(樂師) 우륵(于勒)을 시켜 만든 십이현금(十二絃琴).

[伽倻琴]

[伽子 가자] 가지. 가자(茄子).
[伽陀 가타]《佛教》범어(梵語) gāthā의 음역(音譯). 부처를 찬미(讚美)하는 노래.
●迦陵頻伽. 稜伽. 摩伽. 僧伽. 阿伽. 郁伽. 瑜伽.

5/⑦ [伾] 비 ⊕支 敷悲切 pī / ⓛ紙 部鄙切 伾

[字解] ①힘셀 비 힘이 셈. '以車──'《詩經》. ②많을 비 수효가 많음. 또, 떼 지어 가는 모양. ③성 비 성(姓)의 하나.

[字源] 篆文 伾 形聲. 亻(人)+丕[音]. '丕비'는 붕긋이 부푼 씨방을 본뜬 모양. 또, '크다'의 뜻. 큰 사람의 힘이 억세다의 뜻을 나타냄.

[伾伾 비비] 힘이 센 모양.

5/⑦ [佃] 人名 전 ⊕先 徒年切 tián / ⊕霰 堂練切 ③diàn 佃

[字解] ①밭갈 전 밭을 경작함. '竝─竝守'《晉書》. ②밭 전 개척(開拓)한 밭. '募人耕─'《宋書》. ③소작인 전 소작하는 사람. '一戶'. '訂其主─'《宋史》. ④사냥할 전 수렵(狩獵)함. '以─以漁'《易經》.
[字源] 金文 佃 篆文 佃 形聲. 亻(人)+田[音]. '田전'은 '사냥・경작지(耕作地)'를 본뜬 모양. 사냥・경작지를 관리 경작하는 사람의 뜻이나, 그 관리용의 수레의 뜻을 나타냄.

[佃客 전객] 전호(佃戶).
[佃具 전구] 농구(農具).
[佃器 전기] 농구(農具).
[佃夫 전부] 농부(農夫).
[佃漁 전어] 사냥하고 고기를 잡음. 사냥과 고기 잡이.
[佃作 전작] 경작(耕作)함. 소작 농업에 종사함. 농사(農事).
[佃戶 전호] 소작인(小作人). 전객(佃客).
●耕佃. 竝佃.

5/⑦ [伷] 주 ⊕宥 直祐切 zhòu

[字解] 맏아들 주 장자(長子). '胄, 或作─'《集韻》.

5/⑦ [但] 中人 ⊟단 ⊕旱 徒旱切 dàn / 탄 ⊕翰 徒案切 dàn 但

[筆順] ノ 亻 亻 但 但 但 但

[字解] ⊟①다만 단 단지. ⊙그것만. '─服湯, 二旬而復故'《史記》. ⓒ특히 그것만 일부러. '匈奴匿其壯士肥牛馬, 一見老弱羸畜'《史記》. ⓒ오로지. '爲人君者, 一當退小人之僞朋, 用君子之眞朋'《歐陽修》. ㉑한갓. 헛되이. '─唯笑而已'《通鑑綱目》. ㉑그러나. '一恨無過王右軍'《杜甫》. ㉑무의미의 조사(助辭). '一看古來歌舞地'《劉廷芝》. ②성 단 성(姓)의 하나. ⊟거짓 탄 誕(言部 七畫)과 통용. '媒─者非學謾也'《淮南子》.
[字源] 篆文 但 形聲. 亻(人)+旦[音]. '旦단'은 지평선(地平線) 위에 태양이 나타나는 모양을 본뜸. 사람이 어깨를 드러내다, 윗도리를 벗다의 뜻을 나타냄. 가차(假借)하여, '다만'의 뜻으로 쓰임.

[但書 단서] 본문 다음에 단(但) 자를 붙여 어떤 조건이나 예외의 뜻을 나타내는 말.
[但只 단지] 다만. 겨우. 오직. 한갓.
●非但.

5/⑦ [佇] 人名 저 ⓛ語 直呂切 zhù 佇

[字解] ①우두커니설 저 정지함. 잠시 멈춰 섬.

'一立以泣《詩經》. ②기다릴 저 바라고 기다림. '虛襟以一《陸贄》.

字源 篆文 形聲. 亻(人)+宁〔音〕. '宁저'는 물건을 저장해 두는 기구(器具)를 본뜬 모양으로, '정착(定着)하다, 멈춰 서다'의 뜻. 안정된 꼴로 놓인 '宁'처럼, 사람이 어떤 곳에 움직이지 않고 서 있다, 멈춰 서다의 뜻을 나타냄.

[佇見 저견] 정지하여 봄.
[佇眷 저권] 정지하여 뒤돌아봄.
[佇念 저념] 정지하여 생각함.
[佇立 저립] 우두커니 섬. 정지함.
[佇眄 저면] 정지하여 바라봄.
[佇想 저상] 정지하여 생각함.
●眷佇. 企佇. 夢佇. 延佇. 凝佇. 臨佇. 停佇. 躊佇. 鶴佇. 欽佇.

5 ⑦ [佈] 포 人名 ㊀遇 博故切 bù 佛

字解《現》펼 포 布(巾部 二畫)와 통용. '一告'.
字源 形聲. 亻(人)+布〔音〕. '布포'는 '敷부'와 통하여 '펴다'의 뜻. 사람들 사이에 널리 펴다의 뜻을 나타냄.

[佈告 포고] ㉠일반에게 널리 알림. ㉡정부(政府)가 국민에게 국가의 결의 사항 등을 선포(宣布)하여 널리 알림.
[佈置 포치] ㉠시문(詩文)이나 서화(書畫)의 구상(構想)·구도(構圖)를 정함. ㉡배치함. 준비함. 포치(布置).

5 ⑦ [佌] 차 ㊤紙 雌氏切 cǐ

字解 ①작을 차 조그마함. '一一彼有屋《詩經》. ②나란히일매질 차 줄지어 나란한 모양. 또, 장단(長短)이 고르지 못한 모양. '一, 一一, 猶言差《六書故》.
字源 形聲. 亻(人)+此〔音〕. '此차'는 '작다'의 뜻.

[佌佌 차차] 작은 모양.

5 ⑦ [位] 위 中人 ㊀寘 于媿切 wèi 位

筆順 丿 亻 亻 亻 付 佇 位 位

字解 ①자리 위 ㉠좌립(坐立)의 장소. '一置'摛人必違其一《禮記》. ㉡벼슬자리. 관직의 등급. '官一'. '爵一已極《漢書》. ㉢임금의 자리. '帝一'. '卽一'. '朕在一七十載《唐書》. ㉣고하(高下). 계급. '一次'. '一序'. '同功而異一《易經》. ㉤순서. 차례. '順一'. '以定月一《後漢書》. ㉥방각(方角). '火一在南《論衡》. ②자리잡을 위 ㉠자리를 정함. 위치함. '天地一焉《中庸》. ㉡바른 위치에 있음. 있어야 할 곳에 있음. '一, 正也《廣韻》. ③분 위 인원(人員)의 경칭. '各一'. '諸一'. ④성 위 성(姓)의 하나.
字源 金文 太 篆文 位 會意. 亻(人)+立. '立립'은 '서다'의 뜻. 사람이 어떤 위치에 서다의 뜻을 나타냄. 金文은 象形으로, '立'과 같은 꼴이며, 사람이 어떤 위치에 서는 모양인 본뜸.

[位階 위계] 벼슬의 등급(等級).
[位高金多 위고금다] 지위가 높고 재산이 많음. 부귀를 누림.
[位高望重 위고망중] 지위가 높고 명망이 큼.
[位極人臣 위극인신] 신하(臣下)로서 최고의 지위에 오름.
[位記 위기] 서위(敍位)하는 취지를 쓴 기록.
[位畓 위답]《韓》수확(收穫)을 향사(享祀) 등의 일정한 목적에 사용하기 위하여 설정한 논.
[位望 위망] 지위(地位)와 명망(名望).
[位目 위목]《佛敎》성현이나 혼령의 이름을 종이에 쓴 것.
[位不期驕 위불기교] 귀한 지위에 오르면 자연히 교만한 마음이 생김.
[位卑 위비] 벼슬의 계급이 낮음.
[位卑言高 위비언고] 지위는 낮으나 말은 높다는 뜻으로, 곧 낮은 지위에 있으면서 대신(大臣)의 정치까지도 이렇다 저렇다 비평(批評)함을 이름.
[位序 위서] 지위(地位).
[位勢 위세] 지위와 세력.
[位爵 위작] 위 (位)와 작(爵). 벼슬.
[位田 위전]《韓》수확(收穫)을 향사(享祀) 등의 일정한 목적에 쓰기 위하여 설정한 전지(田地).
[位次 위차] 지위의 고하(高下)에 의한 자리의 차례.
[位置 위치] 놓여 있는 자리.
[位土 위토] 위전(位田)과 위답(位畓).
[位版 위판] 위패(位牌).
[位牌 위패] 죽은 사람의 계명(戒名)·속명(俗名)을 써서 불단(佛壇)에 안치(安置)한 나무패.
[位品 위품] 벼슬의 품계(品階).
[位號 위호] 작위(爵位)와 명호(名號).
●各位. 客位. 高位. 空位. 官位. 九五位. 國位. 闕位. 祿位. 大位. 盜位. 等位. 名位. 班位. 方位. 拜位. 寶位. 復位. 本位. 備位. 賓位. 三九位. 上位. 相位. 敍位. 禪位. 攝位. 星位. 盛位. 勢位. 紹位. 遜位. 殊位. 崇位. 尸位. 神位. 兩位. 讓位. 宴位. 榮位. 靈位. 王位. 優位. 六位. 閏位. 爵位. 潛位. 在位. 儲位. 轉位. 竊位. 正位. 鼎位. 帝位. 諸位. 朝位. 座位. 主位. 衆位. 贈位. 地位. 職位. 次位. 簒位. 踐位. 體位. 寵位. 充位. 貪位. 退位. 廢位. 表位. 品位. 下位. 學位. 虛位. 顯位.

5 ⑦ [低] 저 中人 ㊤齊 都奚切 dī 低

筆順 丿 亻 亻 仟 仟 低 低

字解 ①낮을 저 높지 아니함. '高一'. '一地'. ②숙일 저 수그림. 또, 축 처짐. '一頭'. '一首'. '黍熟頭一, 麥熟頭昻《談藪》. ③머무를 저 자리잡고 머무름. '一, 舍也《廣雅》. '軒鯨旣一《楚辭》.
字源 篆文 低 形聲. 亻(人)+氐〔音〕. '氐저'는, 사물의 가장 아래의 뜻. 사람 중에서 키가 작다의 뜻을 나타냄.

[低價 저가] 싼 값. 헐한 값.
[低減 저감] ㉠등수가 낮아짐. 또, 등수를 낮게

함. ㉡값이 쌈. 또, 값을 싸게 함.
[低空 저공] 낮은 하늘.
[低空飛行 저공비행] 비행기가 낮게 떠서 낢.
[低級 저급] 낮은 등급(等級).
[低氣壓 저기압] ㉠주위의 기압(氣壓)에 비하여 낮은 기압. 온도의 증가 또는 수증기가 많아짐에 따라 생기며, 흔히 바람이 일어남. ㉡사회의 형세에 불온한 변동이 일어나려는 상태.
[低能 저능] 지능(知能)이 보통 사람보다 낮음. 또, 그런 사람.
[低頭 저두] ㉠머리를 숙임. ㉡머리를 숙여 절함. ㉢복종함. 또, 두려워하는 모양.
[低落 저락] 값이 떨어짐.
[低廉 저렴] 값이 쌈.
[低利 저리] 싼 이자(利子).
[低眉 저미] ㉠아래로 처진 눈썹. ㉡눈을 내리깖.
[低迷 저미] ㉠안개 같은 것이 낮게 떠돌아다님. ㉡멍한 모양. 또, 헤매는 모양. ㉢나쁜 상태에서 헤어나지 못한 채 헤매는 일.
[低庳 저비] 낮음.
[低聲 저성] 낮은 목소리.
[低俗 저속] 품격이 낮고 속됨.
[低垂 저수] 늘어짐. 또, 늘어뜨림.
[低濕 저습] 땅이 낮고 축축함.
[低卬 저앙] 저앙(低昂).
[低昂 저앙] 낮았다 높았다 함. 내려갔다 올라갔다 함.
[低語 저어] 낮은 소리로 이야기함.
[低熱 저열] 온도가 낮은 열.
[低溫 저온] 낮은 온도(溫度).
[低窪 저와] 낮고 우묵함.
[低原 저원] 지형이 낮은 벌판.
[低率 저율] 낮은 비율(比率).
[低音 저음] 낮게 내는 소리.
[低潮 저조] 가장 낮은 간조(干潮). 고조(高潮)의 대(對).
[低唱 저창] 낮은 소리로 노래함.
[低態 저태] 머리를 숙인 모양.
[低下 저하] 낮아짐.
[低陷 저함] 낮아서 우묵하게 빠짐.
[低回 저회] ㉠고개를 숙이고 배회함. 저회(低徊) ㉡길 같은 것이 빙 돈 모양.
●高低. 最低. 下低.

5
⑦ [住] 中人 주 ㉤遇 持遇切 zhù
中句切

筆順 ノ 亻 亻' 宀 冇 住 住

字解 ①머무를 주 ㉠머묾. 머물러 삶. '移一'. '權牽船於岸上一'《齊書》. 또, 그곳. 거처. '應戀嵩陽一'《于武陵》. ㉡사는 사람. '君是故鄕人, 同作他鄕一'《高啓》. ㉢정지함. '淸道而行, 擇地而一'《潘岳》. ②그칠 주 중지함. 멈춤. 그만둠. '兩岸猿聲啼不一'《李白》. ③설 주, 세울 주 柱(木部 五畫)와 통용. '一, 立也'《集韻》. '輒停車一節'《後漢書》. ④성 주 성(姓)의 하나.
字源 形聲. 亻(人)＋主(音). '主주'는 '머무르다'의 뜻. 사람이 장기간(長期間) 머물다, 살다의 뜻을 나타냄.

[住家 주가] 주택(住宅).
[住居 주거] 주택(住宅).
[住劫 주겁]《佛敎》사겁(四劫)의 하나. 이 세

이 존재하는 기간. 그동안 이십겁(二十劫)이 경과(經過)한다고 함.
[住民 주민] 그 땅에 사는 백성.
[住房 주방] 주거(住居). 거처(居處).
[住所 주소] 살고 있는 곳.
[住人 주인] 주민(住民).
[住止 주지] 머물러 삶. 거주함.
[住址 주지] 주소(住所).
[住持 주지]《佛敎》한 절을 주관(主管)하는 중.
[住職 주직]《佛敎》주지(住持)의 직무. 전(轉)하여, 주지를 이름.
[住着 주착] 한 곳에 머물러 삶.
[住處 주처] 주소(住所).
[住宅 주택] 사람이 들어 사는 집.
●去住. 居住. 寄住. 勒住. 屯住. 無住. 搬住. 常住. 安住. 庵住. 遏住. 永住. 營住. 留住. 移住. 在住. 轉住. 定住. 停住. 抱住.

5
⑦ [佐] 高 좌 ㉤箇 則箇切 zuǒ
入 ㉥哿 子我切 zuǒ

筆順 ノ 亻 亻 亻 佐 佐 佐

字解 ①도울 좌 보좌함. 보필함. '一命'. '翼一'. '一戴武宣公'《史記》. ②도움 좌 보필(輔弼). 또, 보필하는 사람. '有伯瑕以爲一'《左傳》. ③속료 좌 속관(屬官). 一僚. '功高元帥, 賞卑一下'《晉書》. ④권할 좌 '召之使一食'《國語》. ⑤다스릴 좌 '廉於其事上也, 以一其下'《大戴禮》. ⑥엿볼 좌 '一, 視也'《廣雅》. ⑦성 좌 성(姓)의 하나.
字源 形聲. 亻(人)＋左〔音〕. '左좌'는 '돕다'의 뜻. '左'의 '왼쪽'의 뜻과 구별하기 위해 '人'을 붙여, 사람이 서로 돕다의 뜻을 나타냄.

[佐車 좌거] 전쟁 또는 사냥 때 여벌로 따라가는 수레. 이거(貳車). 부거(副車).
[佐攻 좌공] 도와서 공격함.
[佐僚 좌료] 상관을 보좌하는 벼슬아치. 속관(屬官). 좌리(佐吏).
[佐吏 좌리] 상관(上官)을 돕는 관원. 속관(屬官).
[佐理 좌리] 군주를 도와 나라를 다스림. 좌치(佐治).
[佐命 좌명] 천자(天子)를 도움. 또 천명(天命)을 받아 천자가 될 사람을 도움.
[佐史 좌사] 주(州) 또는 현(縣)의 속관(屬官).
[佐事 좌사] 보좌하여 섬김.
[佐戎 좌융] 대부(大夫). 또, 대부가 되어 군주를 보필함.
[佐貳 좌이] 보좌관(補佐官). 부관(副官).
[佐酒 좌주] 술 상대를 시킴.
[佐疾 좌질] 병의 원인이 되는 것.
[佐治 좌치] 좌리(佐理).
●匡佐. 規佐. 輔佐. 毗佐. 書佐. 屬佐. 良佐. 王佐. 僚佐. 寮佐. 翼佐. 將佐. 折衝佐. 酒佐. 贊佐. 參佐. 弼佐. 賢佐.

5
⑦ [佑] 人名 우 ㉤有 于救切 yòu
㉥有 云九切 yǔ

筆順 ノ 亻 亻 亻 佑 佑 佑

字解 ①도울 우 보좌함. '一啓'. '一助'. '一, 佐也'《廣韻》. '常一之'《漢書》. ②도움 우 '天一'. '靈威神一'《班固》.

字源 形聲. 亻(人)＋右〔音〕. '右우'는 '돕다'의 뜻. '右'가 '오른쪽'의 뜻으로 쓰이게 되자, 구별하기 위해 '人'을 붙이게 됨.

[佑啓 우계] 도와서 계발(啓發)함.
[佑國軍 우국군] 당(唐)나라의 군명(軍名). 군(軍)은 행정 구획(行政區劃)의 이름. 지금의 산시 성(陝西省) 시안 시(西安市).
[佑命 우명] 하늘의 도움을 받음. 천우(天佑).
[佑助 우조] 도와줌. 도움.
●啓佑. 保佑. 孚佑. 神佑. 擁佑. 隣佑. 佐佑. 贊佑. 天佑.

5
⑦ [佒] 앙 ㉿陽 烏郎切 yǎng
於良切 yāng
字解 ①몸거북할 앙 '偃—'은 몸이 불편하여 웅크린 모양. '—, 偃—, 體不伸兒'《集韻》. ②우러를 앙 위를 쳐다봄. '緣循偃—'《莊子》. ③즐길 앙 '—, 樂也'《詳校篇海》.
字源 形聲. 亻(人)＋央〔音〕.

5
⑦ [佊] 피 ①紙 甫委切 bǐ
㉿寘 彼義切
字解 간사할 피 바르지 못함. '—, 坤倉云, —邪也'《廣韻》.

5
⑦ [体] 분 ①阮 蒲本切 bèn
字解 ①옹렬할 분 못생김. '—漢'. ②상여꾼 분 상여를 메는 사람. '—夫'. ③거칠 분 笨(竹部 五畫)과 同字.
字源 形聲. 亻(人)＋本〔音〕
參考 예로부터 통속적으로 體(骨部 十三畫)의 略字로 쓰임.

[体夫 분부] 상여(喪輿)를 메는 사람. 상여꾼.
[体漢 분한] 어리석은 사람. 둔한(鈍漢). 치한(癡漢).

5
⑦ [佢] 거 qú
字解 그 거 제3인칭 대명사로, 그 사람. 월동(粵東) 곧 지금의 광둥 성(廣東省)의 말. '—, 俗字. 粵東稱他爲—'《中華大字典》.

5
⑦ [佁] ■ 지 ㉿寘 支義切 yì
■ 이 ㉿寘 以鼓切
字解 ■ 게으를할 지 '—, 惰也'《說文》. ■ 게을리할 이 ■과 뜻이 같음.
字源 形聲. 亻(人)＋只〔音〕

5
⑦ [佔] ■ 점 ㉿鹽 丁兼切 chān
㉿陷 陟陷切 zhàn
■ 첨 ㉿鹽 處占切 chān
字解 ■ ①엿볼 점 覘(見部 五畫)과 同字. '今之敎者呻其—畢'《禮記》. ②늘어뜨릴 점 帖(巾部 三畫)과 뜻이 같음. '俛首—耳'《韓愈》. ③(現)차지할 점 점령함. 점거(占據)함. ■ 속삭거릴 첨 가는 목소리로 속삭임. '令喋喋而—'《史記》.

字源 形聲. 亻(人)＋占〔音〕. '占점'은 '점치다'의 뜻.

[佔耳 점이] 귀를 늘어뜨림.
[佔畢 점필] 책의 글자만 읽을 뿐이고, 그 깊은 뜻은 통하지 못함. 필(畢)은 간책(簡冊).
[佔佔 첨첨] 속삭거리는 모양. 귓속말을 하는 모양.

5
⑦ [何] 甲人 하 ㉿歌 胡歌切 hé, ⑥hè 何
筆順 ノ 亻 仁 仁 何 何 何
字解 ①어찌 하 ㉠의문사(疑問辭). '且許子—不爲陶冶'《孟子》. ㉡반어사(反語辭). '參不敏, —足知之'《孝經》. ㉢감탄사(感歎辭). '歸遺細君, 亦—仁也'《漢書》. ②무엇 하 ㉠알지 못하는 사물(事物). '禹曰—'《書經》. ㉡부정(不定)의 사물. 또, 부정의 사람. '—事非君, —使非民'(누구를 섬긴들 임금이 아니며, 누구를 부린들 백성이 아니랴.)《孟子》. ③어느 하 ㉠어느 것. '吾一執, 執御乎, 執射乎'《論語》. ㉡어느 곳. '天下如一, 欲一之'《孔叢子》. ㉢어느 누구. '陸遜陸抗, 是君一人也'《吳志》. ④왜냐하면 하 설명하는 말. '—者'·'—則'으로 연용(連用)하기도 함. '—則有其具者易其備'《王褒》. ⑤잠시 하 잠깐. '居無—, 使者果召參'《史記》. ⑥멜 하 등에 짐. 荷(艸部 七畫)와 同字. '—戈與殳'《詩經》. ⑦꾸짖을 하 질책함. 訶(言部 五畫)와 통용. '大譴大—'《漢書》. ⑧성 하 성(姓)의 하나.
字源 甲骨文 金文 何 篆文 何 甲骨文은 象形으로, 사람이 멜대를 어깨에 멘 모양을 본뜸. '荷하'의 원자(原字). 가차(假借)하여, 平聲일 때 '무엇'의 뜻으로 쓰임. 金文부터는 形聲으로, 亻(人)＋可〔音〕.

[何暇 하가] 어느 겨를.
[何幹 하간] 무슨 용무. 무슨 볼일.
[何居 하거] 의심스러워 묻는 말. 무슨 까닭. 어째서.
[何渠 하거] 어찌하여.
[何詎 하거] 어찌하여.
[何遽 하거] 어찌하여. 어째서.
[何景明 하경명] 명대(明代)의 시인(詩人). 자(字)는 중묵(仲默). 벼슬이 섬서제학부사(陝西提學副使)에 이름. 시(詩)·고문(古文)을 잘하여 이몽양(李夢陽)과 함께 복고(復古)의 학(學)을 제창(提唱)하여 크게 유행했음. 저서(著書)에 <대복집(大復集)>이 있음.
[何故 하고] 무슨 까닭.
[何關 하관] 무슨 상관.
[何其 하기] 앞의 글을 받아 일전(一轉)하여 문세(文勢)를 머무르게 하는 경우에 쓰는 말. 어찌하여 그렇게.
[何等 하등] 무엇이.
[何樓 하루] 물건의 조잡(粗雜)함을 이름. 조송(趙宋) 때, 서울에 하루(何樓)라는 가게가 있어, 그곳에서 파는 것은 엉터리 물품이 많았다는 고사에서 나옴.
[何面目 하면목] 무슨 면목(面目).
[何物 하물] 무슨 물건. 어떠한 물건.
[何不食肉糜 하불식육미] 부자(富者)가 가난한 사람에게 왜 고기를 안 먹느냐고 묻는다는 뜻

으로, 남의 사정(事情)에 어두움을 이르는 말.
[何事 하사] 무슨 일. 어떠한 일.
[何所 하소] 어느 곳. 어디.
[何遜 하손] 남조(南朝) 양(梁)나라의 문호(文豪). 자(字)는 중언(仲言). 일찍이 시문(詩文)에 뛰어난 재주가 인정되어 무제(武帝) 때 벼슬이 상서수부랑(尙書水部郞)에 이르렀으나, 뒤에 임금의 뜻을 거슬러 관직을 삭탈당하였음. 저서(著書)에 〈하수부집(何水部集)〉 1권이 있음.
[何誰 하수] 누구냐. 무엇하는 자냐.
[何首烏 하수오] 박주가릿과(科)에 속하는 다년생 만초(蔓草). 뿌리는 강장제(強壯劑)로 쓰임. 새박덩굴. 박주가리.
[何時 하시] 어느 때. 언제.
[何晏 하안] 삼국 시대(三國時代)의 위(魏)나라 사람. 자(字)는 평숙(平叔). 공주(公主)에게 장가들어 벼슬이 시중상서(侍中尙書)에 이름. 어려서부터 용자(容姿)가 아름답고 재능(才能)이 뛰어났으며 청담(淸談)을 즐겼음. 뒤에 조상(曹爽) 등과 반역(叛逆)을 꾀하다가 사마의(司馬懿)에게 복주(伏誅)되었음. 시문(詩文)에 능하며, 저서(著書)에 〈논어집해(論語集解)〉가 있음.
[何也 하야] ㉠무엇 때문이냐. 왜 그러냐. ㉡무엇 때문이냐 하면. 왜 그러냐 하면.
[何若 하약] 하여(何如).
[何如 하여] ㉠어떻게. 어찌. ㉡어떠하냐. 어떤고.
[何如間 하여간] 어찌하였든지. 어쨌든. 하여튼.
[何爲 하위] ㉠어찌하여. 어째서. ㉡무엇을 하는가. 의문의 말. ㉢무엇이 될까. 무슨 도움이 될 수 있으랴. 반어(反語)의 말.
[何爲者 하위자] 무엇하는 자냐. 누구냐.
[何以 하이] ㉠무엇으로써. 무슨 일로써. ㉡어찌하여. 왜.
[何有 하유] 무엇이 있으랴. 아무 어려움도 없다. 아무 지장도 없다.
[何者 하자] 왜냐하면. 그 이유는.
[何罪 하죄] 무슨 죄.
[何則 하즉] 위의 글을 받아 일전(一轉)하여 그 이유를 설명하는 말. 왜냐하면.
[何處 하처] 어디. 어느 곳.
[何秋濤 하추도] 청(淸)나라 중기(中期)의 학자(學者). 복건(福建) 사람. 도광(道光) 때에 진사(進士). 서북(西北)의 지리(地理)에 밝았음. 저서(著書)에 〈삭방비승(朔方備乘)〉·〈우공정씨약례(禹貢鄭氏略例)〉 등이 있음.
[何特 하특] 어찌 특히.
[何必 하필] 어찌 반드시. 무슨 필요가 있어서.
[何許 하허] 어느 곳. 어디.
[何許人 하허인] 어떠한 사람. 그 누구.
[何況 하황] 하물며.
◉幾何. 奈何. 那何. 無幾何. 誰何. 若何. 如何. 云何.

5 ⑦ [佖] 人名 필 ㉧質 毗必切 bì 房密切

筆順 丿 亻 亻 亻丿 亻乂 亻必 佖

字解 ①점잖을 필 위의(威儀)가 있음. 일설(一說)에는, 취(醉)하여 치신사나운 모양. '威儀——'《詩經》. ②가득할 필 '駢衍一路'《揚雄》. ③견줄 필 '一, 叚借爲比'《說文》.

字源 篆文 形聲. 亻(人)+必〔音〕

5 ⑦ [佗] 타 ㊤歌 託何切 tuō, ②tuó ㊦箇 吐臥切 tuò ㊤哿 待可切 tuō

字解 ①다를 타 他(人部 三畫)와 同字. '君子正而不一'《揚子法言》. ②짊어질 타 馱(馬部 三畫)와 통용. '以一馬自一負三十日食'《漢書》. ③성 타 성(姓)의 하나. ④더할 타 보탬. '舍彼有罪, 予之一矣'《詩經》. ⑤풀 타 머리를 풂. '醮洒一髮'《史記》. ⑥끌 타 拕(手部 五畫)와 同字. '拕, 引也. 或作一'《集韻》.

字源 金文 篆文 形聲. 亻(人)+它〔音〕. '它타'는 金文에서도 명백하듯이 뱀의 모양으로, '괴이하다, 괴짜'의 뜻. 낯선 타인(他人)의 뜻을 나타냄. 속(俗)에 '他'로 씀. 또, '駝'·'馱'로 써서, '짊어지다'의 뜻을 나타냄.

[佗境 타경] 객지의 땅. 고향 이외의 땅. 타향(他鄕).
[佗髮 타발] 머리를 풀어 헤침. 산발함.
[佗負 타부] 등에 짊어짐.
[佗人 타인] 다른 사람. 자기 이외의 사람. 타인.
[佗佗 타타] 옹용(雍容)한 모양. 자득(自得)한 모양.
◉不佗. 委佗.

5 ⑦ [佤] ㊀ 과 ㊤麻 苦瓜切 kuā ㊁ 괘 ㊤佳 空媧切

字解 ㊀ 관계끊을 과 '一邪'는 관계를 끊고 헤어지는 모양. '一邪, 離絕之皃'《廣韻》. ㊁ 바르지아니할 괘 '一拉, 猶言不正之婦也'《名義考》.

5 ⑦ [佚] 人名 ㊀ 일 ㉧質 夷質切 yì ㊁ 질(절本) ㉧屑 徒結切 dié

字解 ㊀ ①편할 일 편안함. '一樂'. '安一'. '樂一遊'《論語》. ②숨을 일 은둔(隱遁)함. '一民'. '遺一而不怨'《孟子》. ③허물 일 과실(過失). '惟予一人有一罰'《書經》. ④예쁠 일 자태가 아름다움. '見有娀之一女'《楚辭》. ⑤없어질 일 '散一'. '一書'. ⑥잃을 일 '遏一前人光'《書經》. ⑦달아날 일 도망함. '熊一出圈'《漢書》. ⑧줄춤 일 佾(人部 六畫)과 통용. '其一則接芬錯一'《揚雄》. ⑨성 일 성(姓)의 하나. ㊁ ①흐릴 질 ㉠성품이 흐리터분함. 방탕함. '爲人簡易一蕩'《漢書》. ㉡느슨함. 대범함. '一惕, 緩也'《揚子方言》. ②갈마들 질 번갈아듦. 迭(辵部 五畫)과 同字. '四國一興'《史記》.

字源 篆文 形聲. 亻(人)+失〔音〕. '失실'은 '벗어나다'의 뜻. 진실된 생활에서 벗어난 사람, 또 그러한 생활의 뜻을 나타냄.

[佚居 일거] 별로 하는 일 없이 편안하게 삶.
[佚女 일녀] 미인(美人). 미녀(美女).
[佚道 일도] 백성을 편안케 하는 길.
[佚樂 일락] 편안하게 즐김.
[佚老 일로] 은둔(隱遁)한 노인.
[佚民 일민] ㉠은둔(隱遁)한 백성. ㉡달아나는 백성.
[佚罰 일벌] 허물. 죄.
[佚書 일서] 흩어져 없어진 책. 세상에 전하지 않는 책.

[佚遊 일유] 즐겁게 놂. 일유 (逸遊).
[佚畋 일전] 재미로 사냥을 함.
[佚忽 일홀] 일을 소홀히 함.
[佚蕩 질탕] 대중없이 멋대로 방탕하게 놂. 질탕 (跌宕).
●久佚. 奢佚. 安佚. 遺佚. 淫佚. 沈佚. 豐佚.

5 / ⑦ [佛]
一 불 (人)物 符弗切 fó
二 필 (人)質 薄宓切 bì
三 발 (人)月 薄没切 bó

筆順 丿 亻 亻 仴 佛 佛 佛

字解 一 ①부처 불 ㉠범어 (梵語) Buddha의 음역 (音譯). 불교의 대도를 깨달은 성인 (聖人). 특히, 석가모니 (釋迦牟尼)를 이름. '一陀'. '西方有神, 名曰一'《後漢書》. ㉡불상 (佛像). '一師, 燒臂照一'《南史》. ㉢자비심이 두터운 사람. '宋余崇守九江, 秋不雨, 擧家蔬食爲民禱祈, 而雨遂有秋, 民擧手加額, 呼余爲一'《呂氏加塾記》. ②불교 불 세계 3대 종교의 하나. '一者夷狄之一法耳'《韓愈》. ③어그러질 불 괴려 (乖戾) 함. 拂(手部 五畫)과 同字. '荒乎淫, 一乎正'《揚子法言》. ④비틀 불 바싹 꼬며 틂. '獻鳥者一其首'《禮記》. ⑤성 불 성 (姓)의 하나. 二 도울 필 弼(弓部 九畫)과 同字. '一時仔肩'《詩經》. 三 성할 발 勃(力部 七畫)・渤(水部 七畫)과 통용. '一然平世之俗起焉'《荀子》.

字源篆文 佛 形聲. 亻(人)＋弗〔音〕. '仿佛방불'이라는 숙어 (熟語)로, 그것 같기는 하되 확실히 보이지 않는 모양을 나타내는 의태어 (擬態語)로 쓰임. 또, 범어 (梵語) Buddha의 음역 (音譯)의 생략형으로서, '부처'의 뜻으로 쓰임.

參考 '仏(人部 二畫)'은 송・원대 (宋元代)부터 쓰이고 있는 속자 (俗字)임.

[佛然 발연] 흥기 (興起)하는 모양. 발연 (勃然).
[佛家 불가] ㉠중. 승려. ㉡절. 사원 (寺院).
[佛閣 불각] 절. 사원 (寺院).
[佛龕 불감] 불상 (佛像)을 안치 (安置)하는 장 (欌). 감실 (龕室).
[佛偈 불게] 부처를 찬미한 시가 (詩歌). 대개 4구 (句)로 되었으므로 사구게 (四句偈)라 함.
[佛經 불경] ㉠불교 (佛敎)의 경전 (經典). 불서 (佛書). ㉡불상과 경전.
[佛戒 불계] 불도 (佛道)의 계율 (戒律).
[佛界 불계] 제불 (諸佛)이 사는 세계. 또, 제불 (諸佛)의 경계 (境界).
[佛曲 불곡] 경문 (經文)을 독송 (讀誦)하는 방법. 전 (轉)하여, 경문에 장단을 붙인 것처럼 독송하는 노래.
[佛骨 불골] 부처의 유골 (遺骨). 사리 (舍利).
[佛工 불공] 불사 (佛師).
[佛供 불공] 부처 앞에 올리는 공양 (供養). 향화 (香花)・등명 (燈明)・음식 따위.
[佛果 불과]《佛敎》성불 (成佛)의 증과 (證果).
[佛敎 불교] 기원전 (紀元前) 5세기경 인도 (印度)의 석가모니 (釋迦牟尼)가 세운 종교 (宗敎). 전미개오 (轉迷開悟)와 성불득탈 (成佛得脫)을 교지 (敎旨)로 함. 불도 (佛道). 불법 (佛法). 석교 (釋敎).
[佛具 불구] 불기 (佛器).
[佛國 불국] 부처의 나라. 극락정토 (極樂淨土).

[佛國記 불국기] 책 이름. 1권. 동진 (東晉)의 중 법현 (法顯)이 장안 (長安)에서 천축 (天竺)에 갔다가, 30여 국을 거쳐 돌아와서 이 책을 썼음.
[佛紀 불기] 백 년을 일기 (一紀)로 한 불가 (佛家)에서 쓰는 연기 (年紀).
[佛器 불기] 불사 (佛事)에 쓰는 그릇.
[佛壇 불단] 부처・위패 (位牌) 등을 모신 단 (壇).
[佛堂 불당] 부처를 모신 대청. 불전 (佛殿).
[佛徒 불도] 불교를 믿는 신도 (信徒).
[佛道 불도] 불교 (佛敎).
[佛圖 불도] 불탑 (佛塔).
[佛頭放糞 불두방분] 부처 머리에 똥을 깔긴다는 뜻으로, 무지 (無智)한 소인 (小人)이 유덕 (有德)한 군자 (君子)를 헐뜯어도 군자는 조금도 개의치 않고 그 하는 대로 내버려 둠의 비유.
[佛頭着糞 불두착분] 부처의 이마에 똥칠한다는 뜻으로, 좋은 저서 (著書)에 변변치 않은 서문 (序文)이나 평어 (評語)를 쓰는 것을 비유하여 이름.

[佛郞機 ㉡㉯]

[佛燈 불등] 부처에게 올리는 등.
[佛郞機 불랑기] ㉠프랑크 족 (Frank族). 프랑크 사람. ㉡㉮명 (明)나라 때 중국에 통상하러 온 포르투갈 및 스페인 사람을 일컬은 말. ㉯또 그때 그들이 가지고 온 총 (銃)의 일컬음.
[佛糧 불량] 불공 (佛供)에 쓰는 양곡 (糧穀).
[佛廬 불려] 절. 불사 (佛寺).
[佛力 불력] 부처의 힘. 부처의 공력.
[佛老 불로] 석가 (釋迦)와 노자 (老子).
[佛律 불률] ㉠중이 지켜야 할 계율 (戒律). ㉡번쩍번쩍하며 고운 모양.
[佛滅 불멸] 불타 (佛陀)의 입멸 (入滅).
[佛名 불명] ㉠부처의 이름. ㉡법 (法)을 이름. 부처는 법 (法)에서 태어난다는 데서 이름.
[佛母 불모] 석가여래 (釋迦如來)의 어머니. 곧, 마야 부인 (摩耶夫人). 정반왕 (淨飯王)의 비 (妃).
[佛門 불문] 부처의 길. 석문 (釋門).
[佛米 불미] 부처 앞에 올릴 밥을 짓는 쌀.
[佛鉢 불발] 부처 앞에 밥을 담아 올리는 굽이 달린 그릇.
[佛鉢字 불발우] 불발을 받쳐 들고 다니는 쟁반.
[佛罰 불벌] 부처가 내리는 벌 (罰).
[佛法 불법] ㉠불교 (佛敎). ㉡부처의 교법 (敎法).
[佛法僧 불법승] 여래 (如來)와 교법 (敎法)과 승려 (僧侶)의 삼보 (三寶).
[佛菩薩 불보살] 부처와 보살.
[佛寺 불사] 절. 불우 (佛宇).
[佛事 불사] 불가 (佛家)에서 행하는 모든 일. 법사 (法事).
[佛師 불사] 불상 (佛像) 또는 불구 (佛具)를 만드는 사람. 불공 (佛工).
[佛祠 불사] 절. 사원 (寺院).
[佛舍利 불사리]《佛敎》석가모니의 유골 (遺骨).
[佛像 불상] 부처의 상 (像).
[佛生日 불생일] 석가모니의 탄생일. 곧, 음력 사월 초파일.
[佛生會 불생회] 관불회 (灌佛會).

[佛書 불서] 불경 (佛經).

[佛說 불설] 부처의 가르친 말. 불교의 설 (說).

[佛性 불성]《佛敎》부처의 본성 (本性). 진여 (眞如)의 법성 (法性).

[佛所 불소] ㉠부처가 있는 곳. 곧, 극락세계. ㉡불상을 안치한 곳.

[佛樹 불수] 보리수(菩提樹)의 이명 (異名). 석가모니가 이 나무 밑에서 도를 깨친 데서 이름.

[佛手柑 불수감] 운향과 (芸香科)에 속하는 상록관목(常綠灌木). 열매는 유자(柚子) 비슷함. 불수감나무.

[佛乘 불승] 중생 (衆生)을 성불 (成佛)시키기 위한 길을 가르치는 교법 (敎法).

[佛式 불식] ㉠불교의 의식 (儀式). ㉡불교의 방식 (方式).

[佛身 불신]《佛敎》부처의 몸. 불교의 이상 (理想)을 나타낸 부처의 화신 (化身).

[佛室 불실] ㉠불상 또는 위패(位牌)를 안치한 방. ㉡절. 사원.

[佛心 불심] 부처의 자비 (慈悲)한 마음.

[佛心印 불심인] 부처의 심인. 심인 (心印)은 인가 (印可) 또는 인증 (印證)의 뜻.

[佛眼 불안] 오안 (五眼)의 하나. 제법실상 (諸法實相)을 비추는 눈. 또, 불교를 깨달은 사람의 안목 (眼目)과 식견 (識見).

[佛語 불어] ㉠부처의 말. ㉡불교의 전문어 (專門語). ㉢'프랑스 어'의 한자 이름.

[佛緣 불연] 부처의 인연 (因緣).

[佛宇 불우] 불당 (佛堂).

[佛鬱 불울] 근심스러워 울적한 모양. 우울한 모양.

[佛願 불원] ㉠부처가 중생 (衆生)을 건지고자 하는 소원. ㉡중생이 부처에게 구원받고자 하는 기원 (祈願).

[佛恩 불은] 부처의 은혜.

[佛義 불의] 불법 (佛法)의 의의 (意義).

[佛儀 불의] ㉠불교의 의식 (儀式). 불식 (佛式). ㉡부처님의 모습. 불상 (佛像).

[佛子 불자]《佛敎》㉠불계 (佛戒)를 받은 사람. 불문(佛門)의 제자. ㉡불성 (佛性)을 갖춘 자. 곧, 일체중생 (一切衆生). ㉢불교를 믿는 사람. 불교도 (佛敎徒).

[佛者 불자] 불교에 귀의 (歸依)한 사람. 중. 승려 (僧侶).

[佛葬 불장] 불교식으로 지내는 장사.

[佛藏 불장] 불상(佛像)을 모셔 둔 곳.

[佛齋 불재] 불사 (佛事)할 때 중에게 올리는 식사. 또, 절에서 신도에게 주는 식사.

[佛跡 불적] 석가 (釋迦)의 유적 (遺跡).

[佛典 불전] 불경 (佛經).

[佛前 불전] 부처의 앞. 불단(佛壇)의 앞.

[佛殿 불전] 불당 (佛堂).

[佛錢 불전] 부처 앞에 바치는 돈.

[佛弟子 불제자] ㉠석가모니의 제자. ㉡불교 (佛敎)에 귀의 (歸依)한 사람.

[佛祖 불조] ㉠불교 (佛敎)의 개조 (開祖). 곧, 석가모니. ㉡불교 종파 (宗派)의 시조 (始祖). 조사(祖師). ㉢불타와 조사.

[佛鐘 불종] 절에 있는 종.

[佛座 불좌] ㉠불당 (佛堂) 안의 부처를 모신 자리. 연대 (蓮臺). ㉡좌선 (坐禪)할 때의 앉는 모양. 곧, 결가부좌한 모습.

[佛智 불지]《佛敎》부처의 지혜. 원만 구족(圓滿具足)한 지혜. 최승 무상(最勝無上)의 지혜. 부처의 지혜.

[佛刹 불찰] 절. 불각(佛閣).

[佛處士 불처사] 호인 (好人).

[佛天 불천] 부처. 불타(佛陀).

[佛勅 불칙] 부처의 말씀.

[佛陀 불타] 범어 (梵語) Buddha의 음역으로, 각자(覺者)라 번역함. 부처. 석가 (釋迦). 부도(浮屠).

[佛卓 불탁] 불상 (佛像)을 모신 탁자.

[佛塔 불탑] ㉠절의 탑 (塔). ㉡불당 (佛堂).

[佛土 불토] 부처가 사는 국토 (國土). 정토 (淨土).

[佛學 불학] 불교에 관한 학문.

[佛海 불해] 광대무변 (廣大無邊)한 바다와 같은 불도 (佛道). 법해 (法海).

[佛享 불향] 불공 (佛供).

[佛號 불호] ㉠부처의 이름. ㉡불교에 귀의한 사람의 호 (號). 중의 호.

[佛畫 불화] 불교에 관한 것을 그린 그림.

[佛會 불회] ㉠부처나 보살이 모여 있는 곳. 곧, 정토 (淨土). ㉡법사 (法事).

● 見佛. 見性成佛. 古佛. 灌佛. 金佛. 南無阿彌陀佛. 老佛. 大佛. 銅佛. 得佛. 木佛. 仿佛. 凡夫卽佛. 奉佛. 生佛. 石佛. 成佛. 繡佛. 神佛. 念佛. 佞佛. 禮佛. 浴佛. 儒佛. 溺佛. 丈六佛. 卽身成佛. 卽身是佛. 卽心是佛. 持佛.

5
⑦ [作] 中日人 ■ 작 ㈎藥 則落切 zuò
㈑자㊀ ㈒箇 則箇切 zuò 乍
■ 저 ㈔御 莊助切 zǔ

筆順 丿 亻 亻 亻 仁 作 作 作

字解 ■ ①지을 작 ㉠만듦. 제조함. '一成'. '造一'. '若一酒醴, 爾惟麴蘗《書經》. ㉡농사를 지음. '耕一一人'. '命農勉一《禮記》. ㉢세움. 건축함. '一于楚宮《詩經》. ㉣처음으로 만듦. 창정 (創定)함. '一者之謂聖《禮記》. ㉤시문을 지음. '一詩'. '帝庸一歌《書經》. ②일으킬 작 ㉠행함. 일을 일으킴. '一亂'. ㉡진흥 (振興)함. '一興一新民《大學》. ③일어날 작 ㉠잠에서 깸. '夜寐蚤一《弟子職》. ㉡기립함. '坐一'. '雖少者必一《論語》. ㉢흥기 (興起)함. '聖人一而萬物覩《易經》. ㉣생김. '大夫懼罪而禍一《史記》. ④일할 작 일을 함. '日出而一, 日入而息《帝王世紀》. ⑤움직일 작 ㉠감동함. '一而自問之《王制》. ㉡변동 (變動)함. '顏色變一《戰國策》. ⑥경작 작 농사. '平秩東一《書經》. ⑦공사 작 건축. 토목 공사. '不急之一《鹽鐵論》. ⑧저작 작 저술. '田舍翁火爐頭之一《江南野錄》. ⑨비로소 작 처음으로. '萊夷一牧《書經》. ⑩성 작 성(姓)의 하나. ⑪작용 작 공용 (功用). '人之用一《論衡》. ■ 저주할 저 詛(言部 五畫)와 통용. '侯一侯祝《詩經》.

字源 甲骨文 ﹅ 金文 ﹅ 篆文 爪 形聲. 亻(人) + 乍[音]. 甲骨文의 '乍'. '乍작'은 시경 (詩經)에서 나무를 베어 없애는 뜻의 '柞작'에서 알 수 있듯이, 나무의 작은 가지를 베어 제거하는 모양을 본떠, '만들다'의 뜻을 나타냄. 그것이 사람의 작위 (作爲)에 의한 데서, 뒤에 '人'을 덧붙였음.

[作家 작가] ㉠문예 작품 (文藝作品)의 저작자 (著作者). 사장 (詞章)을 짓는 사람. ㉡집안일을 다스림. 치가 (治家). ㉢《佛敎》선가 (禪家)에서,

대기용자(大機用者)의 일컬음. 곧, 상등근기 (上等根機)의 사람.
[作歌 작가] 노래를 지음. 또, 그 노래.
[作奸 작간] 간사(奸詐)한 짓을 함.
[作客 작객] 타향(他鄕)이나 남의 집에 묵고 있음.
[作梗 작경] 도리에 맞지 않는 행동을 함. 방해함.
[作故 작고] 죽음.
[作曲 작곡] 노래 곡조(曲調)를 지음.
[作窠 작과] 인물(人物)을 등용(登用)하기 위하여 현임자(現任者)를 사면(辭免)시킴.
[作壙 작광] 무덤의 자리를 파 구덩이를 만듦.
[作斤 작근] 한 근(斤)씩 되게 만듦.
[作農 작농] 농사(農事)를 지음.
[作獺 작달] 남의 어장(漁場)을 침범함.
[作畓 작답] 《韓》 토지(土地)를 개간(開墾)하여 논을 만듦.
[作黨 작당] 떼를 지음.
[作隊 작대] 대오(隊伍)를 지음.
[作圖 작도] ㉠그림을 그림. 설계도 등을 그림. ㉡기하학(幾何學)에서 일정한 기구와 방법으로 써 어떤 조건에 알맞은 평면 도형을 그림.
[作頭 작두] 공인(工人)·목수(木手)의 우두머리.
[作亂 작란] 난리(亂離)를 일으킴.
[作略 작략] 계략(計略).
[作力 작력] 일을 힘써 함.
[作例 작례] 시가(詩歌)·문장(文章) 따위를 짓는 본보기.
[作勞 작로] 경작의 수고. 농작(農作)의 노력.
[作路 작로] 미리 갈 길을 정함.
[作僚 작료] 동료가 됨.
[作隣 작린] 이웃이 되어 삶.
[作麼 작마] 어찌하여
[作麼生 작마생] 어떤고.
[作末 작말] 가루를 만듦.
[作名 작명] 이름을 지음.
[作文 작문] 글을 지음. 또, 지은 글.
[作門 작문] 파수병을 두어 출입을 단속하는 군영(軍營)의 문.
[作物 작물] 농작물(農作物).
[作米 작미] 벼를 찧어 쌀을 만듦.
[作伴 작반] 동행(同行)함.
[作坊 작방] 일터. 작업장.
[作配 작배] 짝을 지음. 배필(配匹)을 정함.
[作伐 작벌] 혼인의 중매(中媒)를 함.
[作法 작법] ㉠글 같은 것을 짓는 법. ㉡법칙을 만듦.
[作變 작변] 변란(變亂)을 일으킴.
[作別 작별] 서로 헤어짐.
[作病 작병] 꾀병.
[作福 작복] 남에게 은혜(恩惠)를 베풂.
[作事 작사] 일을 만들어 행함. 또, 그 이룬 일.
[作査 작사] 사돈(査頓)의 관계를 맺음.
[作詞 작사] 가사(歌詞)를 지음.
[作舍道傍 작사도방] 길가에 집을 짓는다는 뜻으로, 의견(意見)이 많아서 결정(決定)을 짓지 못함을 이르는 말.
[作史三長 작사삼장] 사서(史書)를 저작(著作)하는 자에게 필요한 세 가지 장점(長點). 곧, 재지(才智)·학문(學問)·식견(識見).
[作色 작색] 불쾌(不快)한 안색(顔色)을 드러냄.
[作石 작석] 곡식을 한 섬으로 만듦.
[作善 작선] 《佛敎》 선(善)을 위하여 행하는 모든 행위.
[作善降之百祥 작선강지백상] 사람이 한 가지 착

한 일을 하면 하늘은 그에게 많은 복을 내림.
[作成 작성] 만듦. 지음.
[作詩 작시] 시(詩)를 지음.
[作新 작신] 고무하고 격려함. 백성을 분발시켜 도덕적으로 훌륭하게 함.
[作心 작심] 마음을 단단히 먹음.
[作心三日 작심삼일] 한 번 결심(決心)한 것이 오래 가지 못함.
[作業 작업] 일.
[作擾 작요] 야단을 일으킴. 싸움을 시작함.
[作用 작용] ㉠동작되는 힘. ㉡어떠한 물건(物件)이 다른 물건에 미치는 영향(影響).
[作俑 작용] 좋지 못한 전례(前例)를 처음으로 만듦.
[作用言 작용언] 동사(動詞).
[作爲 작위] 지음. 만듦.
[作意 작의] ㉠글 같은 것을 지은 뜻. ㉡무엇을 꾸미려는 마음.
[作人 작인] ㉠농사(農事)짓는 사람. ㉡인재(人材)를 양성함.
[作者 작자] ㉠제도(制度)를 처음으로 제정(制定)하는 사람. ㉡은거(隱居)하는 사람. ㉢사장(詞章)을 짓는 사람. 저술을 하는 사람. ㉣공예품을 만드는 사람.
[作者文 작자문] 기교를 부려 짓는 산문(散文).
[作作 작작] 눈부시게 빛나는 모양.
[作場 작장] 일하는 곳. 일터.
[作田 작전] ㉠밭을 경작함. ㉡경작하는 밭.
[作錢 작전] 물건을 팔아 돈을 장만함.
[作戰 작전] 싸움을 하는 방법과 계략(計略).
[作定 작정] 일을 결정함.
[作罪 작죄] 죄(罪)를 저지름.
[作證 작증] 증거가 되게 함. 증거로 삼음.
[作之不已 작지불이] 끊임없이 있는 힘을 다하여 함.
[作什 작집] 시문(詩文)을 지음. 또, 그 시문.
[作輟 작철] 일을 함과 그만둠.
[作妾 작첩] 첩(妾)을 삼음. 첩(妾)을 얻음.
[作態 작태] 태도(態度)를 부림. 몸맵시를 냄.
[作破 작파] 어떤 계획이나 하던 일을 그만 치워 버림.
[作弊 작폐] 폐단(弊端)을 만듦. 폐를 끼침.
[作品 작품] ㉠제작한 물품. ㉡시(詩)·소설(小說)·회화(繪畫)·조각(彫刻) 등의 창작품(創作品).
[作解 작해] 과실을 용서함.
[作嫌 작혐] 서로 혐의(嫌疑)를 지음.
[作丸 작환] 약(藥) 가루로 환약(丸藥)을 만듦.
[作興 작흥] ㉠떨쳐 일으킴. 진흥(振興). ㉡일어 남. 성(盛)해짐.
[作戱 작희] 남의 일을 방해(妨害)함.

●佳作. 間作. 改作. 傑作. 耕作. 工作. 功作. 近作. 勞作. 農作. 多作. 大作. 代作. 東作. 動作. 末作. 名作. 發作. 輩作. 聖作. 細作. 小作. 所作. 手作. 述作. 習作. 新作. 力作. 役作. 連作. 營作. 備作. 輪作. 僞作. 擬作. 賃作. 自作. 將作. 著作. 佃作. 制作. 製作. 造作. 操作. 拙作. 坐作. 振作. 創作. 處女作. 天作. 築作. 土作. 豐作. 合作. 偕作. 行作. 凶作. 興作. 戱作.

5
⑦ [佣] 용 yòng

字解 ①구전 용 ‘—金’은 구전(口錢). ②傭(人部 十一畫)의 簡體字.

5⑦ [佞]
녕 ㊛徑 乃定切 nìng

佞

字解 ①재주있을 녕 '我不一, 雖不識義亦不可惑'《國語》. ②말재주있을 녕 구변이 있음. '焉用一'《論語》. ③아첨할 녕 마음이 곧지 못하고 말재주가 있어서 남에게 아첨을 잘함. '一辯' '惡夫一者'《論語》. 또, 그 사람. '友便一損矣'《論語》. ④사특할 녕 부정(不正)함. '以邪導人, 謂之一'《鹽鐵論》. ⑤위선(僞善) 녕 '一之見一'《國語》.

字源 篆文 佞 形聲. 女＋仁〔音〕. 여자가 무람없이 가깝게 굴다의 뜻에서, '아첨'의 뜻을 나타냄. 일설에는, 女＋信〈省〉. 여자의 신(信)은 아첨에 가깝다는 뜻에서, '아첨하다'의 뜻.

[佞姦 영간] 겉은 정직하게 보이나 마음이 간사함. 또, 그 사람.
[佞巧 영교] ㉠구변이 좋음. ㉡아첨을 잘하고 약빠름.
[佞口 영구] 영설(佞舌).
[佞給 영급] 교묘한 말로 아첨함.
[佞祿 영록] 군주에게 아첨하여 녹(祿)을 받음. 또, 그 녹.
[佞物 영물] 영인(佞人).
[佞辯 영변] 구변 좋게 아첨함. 또, 그 변설(辯舌). 변녕(辯佞).
[佞史 영사] 아첨하는 언어를 많이 사용하여 쓰는 역사가(歷史家).
[佞士 영사] 영자(佞者). 영신(佞臣).
[佞邪 영사] 아첨을 잘하고 간사함. 또, 그 사람.
[佞舌 영설] 아첨. 영구(佞口).
[佞宋 영송] 송판(宋版)의 서적(書籍)을 지나치게 좋아하여 모음.
[佞臣 영신] 간사하여 아첨 잘하는 신하.
[佞惡 영악] 마음이 간사하고 악함. 또, 그 사람.
[佞哀 영애] 아첨하여 함께 슬퍼한다는 뜻으로, 윗사람의 마음에 들기 위하여 아첨함을 이름. 옛날 신(新)나라의 왕망(王莽)이 남교(南郊)에서 곡(哭)하였을 때 아첨하여 함께 슬퍼한 사람은 모두 낭관(郎官)이 된 고사(故事)에서 나온 말임.
[佞言 영언] 아첨하는 말.
[佞人 영인] 구변이 좋아 아첨 잘하는 사람.
[佞者 영자] 영인(佞人).
[佞才 영재] 구변이 좋아 남에게 아첨하는 재주가 있음. 또, 그 재주가 있는 사람.
[佞枝 영지] 황제(黃帝)의 뜰에 난 풀로, 영인(佞人)이 입조(入朝)하면 그를 가르켰다 함.
[佞諂 영첨] 아첨함.
[佞幸 영행] 아첨하여 임금의 총애를 받음. 또, 그 사람.
[佞倖 영행] 영행(佞幸).
[佞險 영험] 구변은 좋은데 마음이 검음.
[佞慧 영혜] 구변(口辯)이 좋고 잔꾀가 있음.
[佞惑 영혹] 아첨하여 유혹(誘惑)함.
[佞猾 영활] 구변이 좋고 교활함. 또, 그 사람.
●奸佞. 姦佞. 巧佞. 權佞. 辨佞. 不佞. 卑佞. 邪佞. 纖佞. 婉佞. 柔佞. 諛佞. 諂佞. 便佞.

5⑦ [佁]
一 애 ㊤賄 夷在切 ǎi
二 이 ㊤紙 羊已切 yǐ
三 치 ㊤寘 丑吏切 chì
四 시 ㊤紙 象齒切 sì

字解 一 어리석을 애 '一, 癡也'《廣韻》. 二 어리석을 이 曰과 뜻이 같음. 三 밀릴 치 앞으로 나아가지 않는 모양. '一, 固滯貌'《正字通》. 四 ①이를 시 給〈糸部 五畫〉와 통용. '一, 至也'《集韻》. ②생각할 시 깊이 생각하는 모양. '一美, 然後有煇'《管子》.
字源 形聲. 亻(人)＋台〔音〕

5⑦ [佝]
구①㊤宥 呼漏切 gōu(kòu)　㊧㊤虞 恭于切 jū

佝

字解 ①곱사등이 구 꼽추. '一僂承蜩'《列子》. ②어리석을 구 怐(心部 五畫)와 통용. '怐一愁, 愚也'《集韻》. ③약할 구 '一㾯, 羸也'《集韻》. ④잡을 구 拘(手部 五畫)와 통용.
字源 篆文 佝 形聲. 亻(人)＋句〔音〕. '句'는 몹시 굽다의 뜻. 등이 굽은 사람, 곧 '꼽추'의 뜻.

[佝僂 구루] 곱사등이. 구루(偏僂). 구루(痀瘻).
●僂佝.

5⑦ [佉]
거 ㊤魚 丘於切 qū

佉

字解 땅이름 거 '一沙'는 옛날 서역(西域)의 나라 이름. 지금의 카슈가르 지방. 또, 그 땅 이름. 소륵(疏勒).

[佉沙 거사] 옛날 서역(西域)의 나라 이름. 지금의 카슈가르 지방. 또, 그 땅 이름. 소륵(疏勒).

5⑦ [佀]
〔사〕似(人部 五畫〈p.114〉)와 同字

5⑦ [佽]
〔이〕你(次條)의 本字

5⑦ [你]
你(前條)의 俗字

5⑦ [佢]
〔강〕剛(刀部 八畫〈p.260〉)의 古字

5⑦ [但]
〔강〕剛(刀部 八畫〈p.260〉)의 古字

5⑦ [侮]
〔모〕侮(人部 七畫〈p.135〉)의 古字

5⑦ [仿]
〔방〕仿(人部 四畫〈p.107〉)의 籀文

5⑦ [体]
一 体(人部 五畫〈p.118〉)의 俗字
二 體(骨部 十三畫〈p.2618〉)의 俗字

5⑦ [伏]
〔휴〕休(人部 四畫〈p.111〉)의 訛字

5⑦ [你]
〔니〕爾(爻部 十畫〈p.1369〉)의 俗字

字源 形聲. 亻(人)＋尔〔音〕. '尔'는 '爾'의 약체(略體)로, '너'의 뜻. '爾'가 여러 가지 뜻으로 쓰이기 때문에, 구별하여 '人'을 덧붙

여, 인칭(人稱)으로서 쓰임.

5 ⑦ [侂] 〔탁〕
侂(人部 六畫〈p.129〉)의 俗字

5 ⑦ [佂] [人名] 정 [平]庚 諸盈切 zhēng

[字解] 황급할 정 또, 황급히 가는 모양. 怔(心部 五畫)과 同字. '江湘之間, 凡窘猝怖遽, 或謂之一伀'《揚子方言》.
[字源] 形聲. 亻(人)+正〔音〕

[佂伀 정종] ㉠두려워서 허둥지둥함. ㉡황급히 가는 모양.

5 ⑦ [佟] 퉁 [平]冬 徒冬切 tóng

[字解] 성 퉁 성(姓)의 하나. '一豆蘭'은 여진족으로 조선조(朝鮮朝)의 개국 공신인 이지란(李之蘭)을 말함.

[攸] 〔유〕
攴部 三畫(p.923)을 보라.

6 ⑧ [侖] [人名] 륜 [平]眞 力迍切 lún

[筆順] ノ 人 亼 亽 仒 侖 侖 侖

[字解] ①생각할 륜 '一, 思也'《說文》. ②순서세울 륜 조리를 세움. '一, 敍也'《正字通》.
[字源] 篆文 籒文 會意. 亼+冊. '亼집'은 세 직선(直線)이 만나는 모양으로, 모으다의 뜻. '冊'은 문자를 쓰는 대쪽의 뜻. 기록을 적은 대쪽을 차례대로 모으다의 뜻에서, 조리 있게 생각을 정리하다의 뜻을 나타냄.

6 ⑧ [來] [中人] 래 [平]灰 落哀切 lái / [去]隊 洛代切 lài

[筆順] 一 ア ス ス双 双 來 來 來

[字解] ①올 래 ㉠이리로 옴. '一往'. '一賓'. '往而不一, 非禮也'《禮記》. ㉡장차 옴. '一者'. '一日'. ②돌아올 래, 이를 래 갔다 옴. '一歸'. '使者未一'《戰國策》. ③부를 래 불러옴. '一百工'《中庸》. ④미칠 래 '一, 及也'《廣韻》. ⑤미래 래 ㉠전도. 향후(向後). '擧往以明一'《漢書》. ㉡미래. 후세. '無去一今'《圓覺經》. ⑥이래 래 그 이후. '入秋一, 眠食何似'《韓愈》. ⑦어조사 래 어세(語勢)를 강하게 하거나, 권유의 뜻을 나타내기 위하여 어미(語尾)에 붙이는 조사(助辭). '盍歸乎一'《孟子》. '歸去一兮'《陶潛》. ⑧보리 래 맥류(麥類). '貽我一牟'《詩經》. ⑨오대손 래 현손(玄孫)의 아들. ⑩성 래 성(姓)의 하나. ⑪위로할 래 오는 사람을 위로함. '勞一'. '勞之一之'《孟子》.
[字源] 甲骨文 金文 篆文 象形. 호밀 모양을 본뜸. 가차(假借)하여, '오다'의 뜻을 나타냄.
[參考] 来(木部 三畫)는 俗字.

[來駕 내가] 남의 내방(來訪)의 경칭(敬稱).
[來簡 내간] 내서(來書).
[來客 내객] 찾아오는 손. 손님.
[來去 내거] 오고 감. 오감. 내왕.
[來車 내거] 내가(來駕).
[來格 내격] ㉠옴. 이름. ㉡바람이 불어옴.
[來貢 내공] 외국(外國) 또는 속국(屬國)에서 와서 공물(貢物)을 바침.
[來觀 내관] 와서 봄. 보러 옴.
[來寇 내구] 외적(外敵)이 쳐들어와 해침.
[來歸 내귀] ㉠돌아옴. ㉡의뢰하여 옴. ㉢출가한 여자가 이혼당하여 친정으로 돌아옴.
[來覲 내근] 와서 면회함.
[來紀 내기] 내년(來年).
[來來年 내내년] 다음다음 해. 후년(後年).
[來來月 내내월] 다음다음 달.
[來年 내년] 올 다음에 오는 해. 명년(明年). 내자(來玆).
[來談 내담] 와서 이야기함. 또, 그 이야기.
[來到 내도] 와서 닿음.
[來同 내동] 와 모임. 내회(來會).
[來來年 내래년] 내내년(來來年).
[來來月 내래월] 내내월(來來月).
[來歷 내력] ㉠겪어 온 자취. 그 사람의 지금까지의 학업(學業)·직업(職業) 등. 경력(經歷). 열력(閱歷). ㉡겪어 온 경로(經路). 유래(由來). 내유(來由). ㉢전례(前例).
[來龍 내룡] 풍수지리(風水地理)에 쓰는 말로, 종산(宗山)에서 내려온 산줄기.
[來莅 내리] 제사(祭祀) 같은 때에 귀신(鬼神)이 임(臨)함.
[來臨 내림] 찾아오심. 내가(來駕).
[來脈 내맥] ㉠일이 되어 온 경로(經路). ㉡내룡(來龍).
[來命 내명] 남이 와서 말한 일의 경칭.
[來明年 내명년] 다음다음 해. 후년(後年). 내내년(來來年).
[來牟 내모] 밀과 보리. 모맥(牟麥).
[來訪 내방] 찾아옴. 내신(來訊).
[來報 내보] ㉠와서 알림. 또, 그 알린 것. ㉡내세(來世)의 응보(應報).
[來服 내복] 내부(來附).
[來復 내복] 본디로 돌아옴.
[來附 내부] 와 붙좇음. 귀순(歸順).
[來奔 내분] 도망하여 옴.
[來賓 내빈] ㉠와서 머무름. ㉡빈객(賓客)으로서 옴. 또, 그 빈객.
[來聘 내빙] 예물(禮物)을 가지고 찾아옴. 내공(來貢).
[來生 내생] 《佛教》 삼생(三生)의 하나. 죽은 후에 다시 태어난 일생(一生). 후생(後生). 내세(來世).
[來書 내서] 내신(來信).
[來世 내세] ㉠후세(後世). 내엽(內葉). ㉡《佛教》 내생(來生).
[來歲 내세] 이듬해. 내년(來年).
[來蘇 내소] 임금의 은택(恩澤)이 백성에게 널리 미침을 이름.
[來孫 내손] 현손(玄孫)의 아들. 곧, 오대손(五代孫).
[來襲 내습] 뜻밖에 와서 침.
[來信 내신] 남에게서 온 편지(便紙).
[來訊 내신] 내방(來訪).
[來謁 내알] 와서 뵘.
[來陽 내양] 내춘(來春).

[來如 내여] 옴. '如'는 조사(助辭).
[來緣 내연] 내세(來世)의 인연(因緣).
[來葉 내엽] 후세(後世). 후대(後代).
[來迎 내영] ㉠마중 나옴. ㉡《佛敎》불교를 믿는 교도가 죽을 때 불보살(佛菩薩)이 와서 극락정토(極樂淨土)에 인도함.
[來裔 내예] 후세(後世)의 자손. 후손(後孫). 내윤(來胤).
[來銳 내예] 쳐들어오는 적(敵)의 정예(精銳).
[來王 내왕] ㉠오랑캐가 귀순(歸順)함. 화외(化外)의 백성이 와서 붙좇음. ㉡속국(屬國)의 왕이 새로 천자(天子)가 즉위하였을 때 와서 알현(謁見)함.
[來往 내왕] 오고 감. 왕래(往來).
[來援 내원] 와서 도움. 도우러 옴.
[來月 내월] 새 달. 다음 달.
[來由 내유] 유래(由來).
[來遊 내유] 와서 놂. 놀러 옴.
[來諭 내유] 주신 편지의 가르치심. 남의 편지로 전해 온 사연의 경칭(敬稱).
[來胤 내윤] 후세(後世)의 자손(子孫). 내예(來裔).
[來意 내의] 온 뜻.
[來儀 내의] 훌륭한 모습을 하고 옴. 또, 널리 오는 뜻으로도 쓰임.
[來日 내일] ㉠오늘의 다음 날. 명일(明日). ㉡뒤에 오는 날. 후일(後日).
[來者 내자] ㉠장래(將來). 금후(今後). ㉡귀순(歸順)하는 사람. ㉢후진(後進). 후배(後輩).
[來玆 내자] 내년(來年).
[來者可追 내자가추] 이미 지나간 일은 어찌 할수 없으나, 미래(未來)의 일은 조심하여 지금까지와 같은 과실(過失)을 범(犯)하지 않을 수있다는 뜻.
[來者不拒去者不追 내자불거거자불추] 오는 사람이나 가는 사람이나 제각기 자유에 맡겨 거절도 하지 아니하고 쫓아가지도 아니함.
[來籍 내적] 후래(後來)의 서적(書籍). 후세(後世)의 사적(史籍).
[來電 내전] 온 전보(電報).
[來庭 내정] 조정(朝廷)에 와서 천자(天子)를 뵘. 귀순(歸順)함.
[來朝 내조] ㉠제후(諸侯) 또는 속국(屬國)의 임금이나 사신(使臣)이 조정(朝廷)에 와서 천자(天子)를 뵘. ㉡외국 사신이 찾아옴. ㉢여러 강(江)의 물이 모이어 바다로 흘러 나감.
[來俊臣 내준신] 당(唐)나라 측천무후(則天武后) 때의 혹리(酷吏). 섬서(陝西)의 만년(萬年) 사람. 밀고(密告)로써 무후(武后)의 환심을 사서 시어사(侍御史)·어사중승(御史中丞)을 역임하였음. 성질이 포악하여 제 뜻에 거슬리는 자(者)는 무실(無實)의 죄(罪)를 씌워 잔혹(殘酷)한 형(刑)을 가(加)했으므로 세인(世人)이 몹시 두려워했음. 뒤에 반역(反逆)을 꾀하다가 주살(誅殺)되었음.
[來至 내지] 옴. 이름.
[來旨 내지] 편지에 쓰여진 사연. 써 보내 온 취지(趣旨).
[來軫 내진] 뒤에 오는 수레.
[來着 내착] 와서 닿음. 내도(來到).
[來處 내처] 출처(出處).
[來聽 내청] 와서 이야기를 들음.
[來秋 내추] 내년 가을.

[來春 내춘] 내년 봄.
[來侵 내침] 침범(侵犯)해 옴.
[來賀 내하] 와서 하례(賀禮)함.
[來學 내학] ㉠스승한테 와서 배움. ㉡후세(後世)의 학자(學者).
[來翰 내한] 내서(來書).
[來降 내항] 와서 항복(降服)함.
[來航 내항] 외국(外國)에서 배로 옴.
[來享 내향] 조공(朝貢)함.
[來現 내현] 와서 나타남.
[來會 내회] 와서 모임. 모여서 옴.
[來後年 내후년] 내년(來年)의 다음다음 해. 후년(後年)의 다음 해.
●去來. 頃來. 古來. 觀往知來. 光來. 舊來. 捲土重來. 近來. 勞來. 到來. 渡來. 登來. 晚來. 未來. 舶來. 別來. 復來. 本來. 賁來. 飛來. 山歸來. 生來. 送往迎來. 襲來. 神來. 夜來. 如來. 往來. 外來. 元來. 原來. 遠來. 由來. 以來. 爾來. 子來. 自來. 將來. 在來. 傳來. 朝來. 從來. 卽來. 直來. 嗟來. 千客萬來. 天來. 招來. 推來. 出來. 惠來. 後來.

6 ⑧ **佩** 人名 패 ㊤隊 蒲昧切 pèi

筆順 ノ イ 仴 仴 仴 佩 佩

字解 ①노리개 패 띠에 차는 장식용(裝飾用) 옥(玉). 옛날에 조복(朝服)에 이것을 찼는데, 천자(天子)는 백옥(白玉), 공후(公侯)는 현옥(玄玉), 대부(大夫)는 창옥(蒼玉) 등 계급(階級)에 따라 옥(玉)의 종류도 달랐음. '玉一'. '雜—以贈之'《詩經》. ②찰 패 ㉠끈을 달아 몸에 참. '一刀'. '古之君子必一玉'《禮記》. ㉡몸에 지님. '農夫一耒耟, 工匠一斧'《白虎通》. ③마음먹을 패 마음속에 간직함. '一服'. '一感'. ④두를 패 위요함. '北一謙澤'《水經注》. ⑤성 패 성(姓)의 하나.

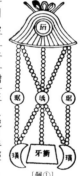

[佩①]

字源 金文 ⅍ 篆文 ⅍ 會意. 亻(人)+凡+巾. '凡범'은 '꼭 차다', '巾건'은 장식으로 늘어뜨리는 천. 사람이 띠에 늘어뜨려 차는 장식용 천의 뜻을 나타내며, 전(轉)하여, 그 노리개, 또 '차다'의 뜻을 나타냄.

[佩珂 패가] 패옥(佩玉).
[佩巾 패건] 허리에 차는 수건.
[佩劍 패검] 칼을 허리에 참. 또, 그 칼.
[佩玖 패구] 의복(衣服)의 장식으로 다는 보석(寶石).
[佩刀 패도] 허리에 차는 칼.
[佩犢 패독] 칼을 차는 대신 송아지를 기름. 곧, 무사(武事)를 그만두고 식산(殖産)에 종사(從事)함.
[佩文韻府 패문운부] 책명(冊名). 청(淸)나라 성조(聖祖)의 칙명(勅命)에 의하여 장옥서(張玉書) 등 76인이 편찬. 정집(正集)·습유(拾遺) 각 444권. 〈운부군옥(韻府羣玉)〉·〈오거운서(五車韻瑞)〉의 두 책을 크게 증보(增補)하고, 성어(成語)를 106운(韻)의 순서로 배열하여 그 출

전 (出典)을 밝혔음. 고전 (古典)과 시문(詩文) 어휘 (語彙)의 사전 (辭典). 패문 (佩文)은 청제 (淸帝)의 서재 (書齋) 이름.

[佩文齋書畫譜 패문재서화보] 청초 (淸初)에 강희제 (康熙帝)의 칙명 (勅命)을 받들어 손악반 (孫岳頒) 등이 편찬 (編纂)한 서화 (書畫) 관계 문헌 (文獻)의 일대집성 (一大集成). 100권.

[佩文齋詠物詩選 패문재영물시선] 책 이름. 청 (淸)나라 성조 (聖祖)의 어선 (御選). 모두 486권. 한위 (漢魏)에서 원명 (元明)까지의 영물시 (詠物詩)를 채록 (採錄)했음.

[佩物 패물] 몸에 차는 장식물.

[佩服 패복] 깊이 마음속에 느낌. 깊이 감복 (感服)함.

[佩綬 패수] 인끈을 참. 벼슬아치가 됨.

[佩玉 패옥] 허리에 차는 옥. 특히 조복 (朝服)의 좌우 (左右)에 늘이어 차는 옥 (玉).

[佩用 패용] 몸에 닮. 몸에 차는 데 씀.

[佩韋 패위] 전국 시대 (戰國時代)의 위 (魏)나라의 서문표 (西門豹)가 자기의 성급한 마음을 고치기 위하여 항상 무두질한 부드러운 가죽을 차고 반성한 고사 (故事). '패현 (佩弦)' 참조.

[佩恩 패은] 입은 은혜를 잊지 아니함.

[佩紫 패자] 자색 (紫色) 인수 (印綬)를 찬다는 뜻으로, 높은 지위에 오름을 이름.

[佩鐵 패철] 지관 (地官)이 몸에 지남침 (指南針)을 가짐.

[佩瓢 패표] 쪽박을 찬다는 뜻으로, 가난하여 빌어먹는다는 말.

[佩香 패향] 향 (香)을 넣어 허리에 차는 주머니. 향주머니. 향낭 (香囊).

[佩弦 패현] 춘추 시대 (春秋時代)의 진 (晉)나라의 동안우 (董安于)가 자기의 느린 마음을 고치기 위하여 항상 시위를 팽팽히 맨 활을 몸에 차고 반성한 고사 (故事). '패위 (佩韋)' 참조.

[佩環 패환] 허리에 띠는 옥 (玉)의 고리.

[佩觽 패휴] 송 (宋)나라 곽충서 (郭忠恕)가 지은 자학서 (字學書).

●感佩. 銘佩. 服佩. 玉佩. 韋弦佩.

⁶₈ [佯] 人名 양 ㉠陽 與章切 yáng 俗

[字解] ①속일 양 기만함. '此善爲詐一者也'《淮南子》. ②거짓 양 사실 아닌 것을 사실같이. '一哭狂而爲怒'《史記》. ③노닐 양 혜맴. 徉 (彳部 六畫)과 同字. '仿一. 仿一無倚'《楚辭》.

[字源] 形聲. 亻(人)+羊〔音〕. '羊양'은 '樣양'과 통하여, 어떤 상태의 뜻. 인위적 (人爲的)으로 어떤 모양 비슷하게 만들다. 속이다의 뜻을 나타냄.

[佯哭 양곡] 거짓 곡함. 곡하는 체함.
[佯狂 양광] 미친 체함.
[佯怒 양노] 성난 체함.
[佯名 양명] 이름을 속임. 또, 거짓 이름.
[佯北 양배] 거짓 달아남. 패 (敗)한 체하며 달아남.
[佯病 양병] 아픈 체함. 꾀병을 함. 칭병 (稱病).
[佯死 양사] 죽은 체함.
[佯睡 양수] 자는 체함.
[佯瘂 양아] 벙어리인 체함.
[佯若不知 양약부지] 모르는 체함.
[佯言 양언] 거짓말함. 또, 그 거짓말.
[佯愚 양우] 어리석은 체함.
[佯允 양윤] 거짓 용서함.
[佯醉 양취] 취한 체함.
[佯敗 양패] 진 체함. 지는 체함.

●仿佯. 詐佯. 倘佯. 相佯. 翔佯. 倚佯. 倡佯.

⁶₈ [佰] 人名 ㉠백 ㉠陌 莫白切 bǎi(bó) / ㉠맥 ㉠陌 莫白切 mò 佰

[筆順] 丿 亻 仁 仃 仃 佰 佰 佰

[字解] ㉠①백사람어른 백 백 명의 두목. '俛仰仟一之中'《史記》. ②일백 백 百 (白部 一畫)과 통용. ㉡길 맥, 거리 맥 陌 (阜部 六畫)과 통용. '南以閭一爲界'《漢書》.

[字源] 形聲. 亻(人)+百〔音〕. 백 명, 또 백 명의 장 (長)의 뜻을 나타냄.

[參考] 百 (白部 一畫)의 갖은자.

●仟佰

⁶₈ [佳] 中人 가 ㉭佳 古膎切 jiā 佳

[筆順] 丿 亻 仁 什 件 佳 佳 佳

[字解] ①아름다울 가 '一人'. '一景'. ②좋을 가 '一作'. '一節'. '如汝言亦復一'《世說》. ③좋아할 가 '夫一兵者, 不祥之器也'《老子》. ④성 가 성 (姓)의 하나.

[字源] 形聲. 亻(人)+圭〔音〕. '圭규'는 균형 (均衡)이 잡혀 있다의 뜻. 균형이 잡혀 아름다운 사람의 뜻.

[佳佳 가가] 극히 좋음.
[佳客 가객] ㉠좋은 손님. 반가운 손님. 가객 (嘉客). 가빈 (佳賓). ㉡서향 (瑞香)의 이칭 (異稱).
[佳景 가경] 아름다운 경치. 승경 (勝景).
[佳境 가경] ㉠재미있는 곳. 흥미 있는 부분. ㉡맛이 있는 부분. ㉢경치가 좋은 곳.
[佳公子 가공자] 점잖은 귀공자 (貴公子).
[佳果 가과] 맛 좋은 과실. 가실 (佳實).
[佳句 가구] 아름다운 글귀. 훌륭한 글귀.
[佳妓 가기] 아름다운 기생. 염기 (艶妓).
[佳氣 가기] ㉠산천 (山川)의 곱고 맑은 기운. ㉡경사스러운 구름기.
[佳辰 가신] ㉠좋은 시절 (時節). ㉡미인 (美人) 또는 애인과 만나는 때. ㉢혼인날.
[佳器 가기] ㉠좋은 그릇. ㉡뛰어난 인물 (人物). ㉢훌륭한 자제 (子弟).
[佳對 가대] 가우 (佳偶).
[佳郎 가랑] ㉠양전한 신랑 (新郎). ㉡양전한 소년 (少年).
[佳良 가량] 좋음. 양호 (良好)함.
[佳麗 가려] 용모 (容貌) 또는 경치가 아름다움.
[佳麗地 가려지] 번화한 장소.
[佳例 가례] 좋은 예 (例). 좋은 관례 (慣例).
[佳論 가론] 훌륭한 의론.
[佳名 가명] 좋은 명예. 좋은 평판. 가문 (佳聞). 영명 (令名).
[佳茗 가명] 좋은 차 (茶).
[佳木 가목] 좋은 나무. 가수 (佳樹).
[佳夢 가몽] 좋은 꿈. 상서로운 꿈.
[佳墨 가묵] 좋은 먹.
[佳文 가문] 좋은 글. 잘 지은 문장.

[佳聞 가문] 가명 (佳名).
[佳味 가미] 좋은 맛. 또, 맛 좋은 것.
[佳美 가미] 대단히 아름다움. 썩 훌륭함.
[佳芳 가방] 좋은 향기. 가향 (佳香).
[佳配 가배] 좋은 짝. 좋은 배필.
[佳寶 가보] 특별히 가치 있는 보배.
[佳婦 가부] 재질이 뛰어나고 범절이 얌전한 신부 (新婦).
[佳朋 가붕] 좋은 벗. 양우 (良友).
[佳賓 가빈] 가객 (佳客).
[佳士 가사] 교양이 있고 품행이 단정한 선비.
[佳詞 가사] 잘 지은 시문 (詩文).
[佳壻 가서] 재주와 성품이 뛰어난 사위.
[佳夕 가석] 좋은 저녁. 양소 (良宵).
[佳城 가성] 산소 (山所)의 미칭 (美稱). 무덤의 견고함을 성에 비유하여 이름.
[佳樹 가수] 좋은 나무. 가목 (佳木).
[佳勝 가승] 명성이 높은 사람.
[佳辰 가신] 가일 (佳日). 길일 (吉日).
[佳實 가실] 가과 (佳果).
[佳兒佳婦 가아가부] 훌륭한 아들과 며느리.
[佳夜 가야] 좋은 달밤. 양야 (良夜).
[佳約 가약] 가인 (佳人)과 만날 언약.
[佳釀 가양] 맛 좋은 술. 가주 (佳酒).
[佳言 가언] 좋은 말. 가언 (嘉言).
[佳容 가용] 아름다운 용모 (容貌).
[佳偶 가우] 좋은 짝. 어울리는 부부 (夫婦).
[佳月 가월] 좋은 달.
[佳音 가음] 아름다운 소리. 듣기 좋은 소리. 호음 (好音).
[佳意 가의] 가취 (佳趣).
[佳人 가인] ㉠미인 (美人). 미녀 (美女). ㉡미남 (美男). ㉢사모 (思慕) 하는 사람. ㉣시부 (詩賦) 등에서, 신하가 군주 (君主)를 가리켜서 이름.
[佳人薄命 가인박명] 미인 (美人)은 팔자 (八字)가 대개 기박 (奇薄)함.
[佳日 가일] 좋은 날. 길일 (吉日). 가신 (佳辰).
[佳子弟 가자제] 훌륭한 젊은이.
[佳作 가작] 잘 된 작품 (作品).
[佳適 가적] 쾌적 (快適)함. 기분이 좋음. 또, 좋은 기분.
[佳傳 가전] 훌륭한 언행 (言行)을 쓴 전기 (傳記).
[佳絶 가절] 뛰어나게 좋음. 절가 (絶佳).
[佳節 가절] 좋은 명절 (名節). 좋은 때. 가일 (佳日).
[佳政 가정] 바르고 착한 정치. 선정 (善政).
[佳兆 가조] 좋은 징조 (徵兆).
[佳酒 가주] 맛 좋은 술. 가양 (佳釀).
[佳什 가집] 잘된 시문 (詩文).
[佳饌 가찬] 맛 좋은 음식.
[佳處 가처] 좋은 곳.
[佳趣 가취] 재미있는 흥취 (興趣).
[佳稱 가칭] 좋은 명칭. 또, 좋은 평판.
[佳篇 가편] 훌륭한 시문 (詩文).
[佳品 가품] 좋은 물품.
[佳謔 가학] 남에게 해가 되지 않는 농담.
[佳行 가행] 아름다운 행실. 선행 (善行).
[佳香 가향] 가방 (佳芳).
[佳俠 가협] 아름다움. 고움.
[佳惠 가혜] 남에게서 받은 좋은 선사.
[佳花 가화] 아름다운 꽃.
[佳話 가화] 재미있는 이야기. 좋은 이야기.
[佳會 가회] 즐거운 모임. 풍류스러운 모임. 훌륭

한 연회 (宴會).
[佳肴 가효] 맛 좋은 안주.
[佳興 가흥] 뛰어난 흥취.
●殊佳. 兩佳. 麗佳. 尤佳. 柔佳. 幽佳. 絶佳.

6
⑧ **[倂]** 〔병〕
倂 (人部 八畫〈p. 149〉)의 俗字

6
⑧ **[佴]** ■ 이 ㉠眞 仍吏切 èr
　　내 ㉣隊 奴代切 nài
字解 ■①이을 이 나란히 놓음. '僕又一之蠶室'《司馬遷》. ②버금 이 '一, 貳也'《爾雅》. ■①이을 내 '一, 次也'《集韻》. ②성 내 성 (姓)의 하나.
字源 形聲. 亻(人) + 耳〔音〕 '耳'이는 귀를 본뜬 모양. 양쪽 귀처럼 나란히 있다의 뜻.

6
⑧ **[佶]** 〔人名〕 길 ㉠質 巨乙切 jí, ③jié
筆順 丿 亻 亻 仁 件 佳 佶 佶
字解 ①바를 길 사람의 언행이 바름. ②헌걸찰 길 장건 (壯健)함. '一閑'. '四牡旣一'《詩經》. ③굽을 길 굴곡함. 詰 (言部 六畫)과 통용. '一屈聱牙'.
字源 形聲. 亻(人) + 吉〔音〕 '吉길'은 '충실하여 좋다'의 뜻. '바르다, 건장하다'의 뜻을 나타냄.

[佶屈聱牙 길굴오아] 글이 몹시 어려워서 읽기 힘들듯.
[佶閑 길한] 말이 헌걸차서 부리기 좋음.
●旣佶.

6
⑧ **[活]** 활 ㉠曷 戶括切 huó
　　　古活切
字解 ①이를 활 옴. 당음. '曷其有一'《詩經》. ②만날 활 모임. 또, 만나게 함.
字源 形聲. 亻(人) + 舌 (昏) 〔音〕 '昏괄'은 '會회'와 통하여, '만나다'의 뜻. 사람이 만나다의 뜻을 나타냄.

6
⑧ **[佹]** 궤 ⓑ紙 過委切 guǐ
字解 ①포갤 궤 겹침. '一, 重累也'《集韻》. '連卷欐一'《司馬相如》. ②의지할 궤 '一, 一曰, 依也'《集韻》. ③어그러질 궤 괴려 (乖戾)함. '苗爪不相一'《周禮 註》. ④괴이할 궤 괴상함. 기괴. '爭爲一辯'《淮南子》.
字源 形聲. 亻(人) + 危〔音〕

[佹辯 궤변] '궤변 (詭辯)'과 같음.
●僑佹. 倔佹.

6
⑧ **[俄]** 융 ㉠東 如融切 róng
字解 오랑캐 융 서방 (西方)의 만족. 戎 (戈部 二畫)과 同字. '一人, 身有三角也'《廣韻》.

6
⑧ **[倖]** 강 ㉠江 胡江切 xiáng
字解 뻣뻣할 강 굽히지 않고 뻗댐. '僵一, 不伏也'《字彙》.

6
⑧ [佫] 격 Ⓐ陌 古伯切 gé

字解 ①이를 격 이름. 佫(亻部 六畫)과 同字. '佫, 至也, 或作一'《集韻》. ②성 격 성(姓)의 하나.

6
⑧ [兂] 〔광〕
光(儿部 四畫〈p.194〉)의 古字

6
⑧ [侉] 目 夸(大部 三畫〈p.500〉)와 同字
目 誇(言部 六畫〈p.2124〉)와 同字

6
⑧ [伽] 여 Ⓤ魚 人余切 rú

字解 ①같을 여 차이가 없이 고름. 또, 고르게 함. '一, 均也'《集韻》. ②온순할 여 순종함. '欲安遠方, 當先順一其近'《孔穎達》.
字源 形聲. 亻(人)+如〔音〕

6
⑧ [佺] 人名 전 Ⓤ先 此緣切 quán

筆順 丿 亻 亻 仝 仝 佺 佺 佺

字解 이름 전 '偓一'은 신선(神仙)의 이름. 또, '沈一期'는 당대(唐代)의 시인(詩人)의 이름.
字源 篆文 佺 形聲. 亻(人)+全〔音〕

●偓佺.

6
⑧ [佻] 目 조 Ⓤ蕭 吐彫切 tiāo(tiáo)
目 요 Ⓤ蕭 餘韶切 yáo

字解 目 ①경박할 조 경조부박(輕佻浮薄)함. '一志'. '蹻一反覆謂之智'《韓非子》. ②가볍고빠를 조 '一, 疾'《揚子方言》. ③도둑질할 조 절취(竊取)함. '一天之功, 以爲己力'《國語》. ④고달플 조 길을 가는데 매우 고단한 모양. 일설(一說)에는, 혼자 가는 모양. '一一公子, 行彼周行'《詩經》. ⑤구차할 조 군색스러움. '惡其一巧'《楚辭》. 目 ①늦출 요 연기함. '一其期日'《荀子》. ②걸 요 '一, 懸也'《廣雅》.
字源 篆文 佻 形聲. 亻(人)+兆〔音〕. '兆조'는 '跳도'와 통하여, '뛰어오르다'의 뜻. '침착하지 못한 모양, 경박하다'의 뜻을 나타냄.

[佻巧 조교] 경박하고 약삭빠른 모양. 전(轉)하여, 구차하게 미봉(彌縫)함. 겉치레만 잘하고 경박함.
[佻薄 조박] 인정이 없음. 경박(輕薄)함.
[佻佻 조조] ㉠혼자 가는 모양. 또, 가다가 피로(疲勞)한 모양. ㉡경박(輕薄)한 모양.
[佻志 조지] 경박한 마음.
[佻險 조험] 경박(輕薄)하고 음험함. 부험(浮險).
●輕佻. 不佻. 猜佻. 愚佻. 躁佻.

6
⑧ [佼] 人名 교 ①-6㉨巧 古巧切 jiǎo
㉠7-8㉴肴 古肴切 jiāo

字解 ①예쁠 교 아름다움. 姣(女部 六畫)와 同字. '一童'. '一人僚兮'《詩經》. ②업신여길 교 경시(輕視)함. 뽐냄. '燕雀之一'《淮南子》. ③속일 교 교활함. 狡(犬部 六畫)와 통용. '好一

反而行私請'《管子》. ④나을 교 평범한 사람 중에서 조금 나음. '一, 庸人之敏'《廣韻》. ⑤어지럽힐 교, 어지러울 교 攪(手部 二十畫)와 통용. ⑥성 교 성(姓)의 하나. ⑦사귈 교 또, 사귐. 交(亠部 四畫)와 同字. '群臣皆忘主而趨私一'《管子》. ⑧줄 교 열(列). '宜爲上一'《史記》.
字源 篆文 佼 形聲. 亻(人)+交〔音〕. '交교'는 '姣교'와 통하여, 아름다운 여성의 뜻. '아름답다'의 뜻을 나타냄. 평성(平聲)인 때에는, '사귀다'의 뜻.

[佼佼 교교] 예쁜 모양. 뛰어난 모양.
[佼童 교동] 미소년(美少年).
[佼反 교반] 속여 배반함.
[佼人 교인] 미인(美人). 가인(佳人).
[佼黠 교활] 교활함.
[佼好 교호] 아름다움.
●肥佼. 壯佼.

6
⑧ [伬] 차 Ⓤ眞 七四切 cì

字解 ①잴 차 몸이 가볍고 빠름. '募一飛射士'《漢書》. ②도울 차 보조함. '人無兄弟, 胡不一焉'《詩經》. ③나란할 차 벌여 놓은 것이 가지런함. '決拾旣一'《詩經》. ④번갈아 차 '一, 代也'《廣雅》.
字源 篆文 伬 形聲. 亻(人)+次〔音〕. '次차'는 '齊제'와 통하여, '가지런하다'의 뜻. 사람이 가지런히 모여 있음에서, '나란히 서다, 나란히 서서 힘을 빌려 주다, 돕다'의 뜻을 나타냄.

[伬飛 차비] 몸이 가뿐하여 날램. 몸이 잼.
[伬助 차조] 도움. 도와줌.

6
⑧ [佾] 人名 일 Ⓐ質 夷質切 yì

筆順 丿 亻 亻 仰 价 价 佾 佾

字解 줄춤 일 가로줄, 즉 열(列)과 세로줄. 즉, 행(行)의 인원이 같은 춤. 주제(周制)에서, 천자(天子)는 팔일(八佾), 곧 팔열 팔행(八列八行)의 64인(人), 제후(諸侯)는 육일(六佾)의 36인, 대부(大夫)는 사일(四佾)의 16인, 사(士)는 이일(二佾)의 4인임. 일설에는, 일일(一佾)이 팔인이므로, 육일은 48인, 이하(以下) 이에 준(準)한다고 함. '八一舞於庭'《論語》.
字源 篆文 佾 形聲. 亻(人)+肖〔音〕. '肖'은 8인의 인체(人體)의 뜻. 무악(舞樂)에서 일열(一列)의 인수(人數)가 8인으로 되는 뜻을 나타냄.

●四佾. 六佾. 二佾. 八佾.

6
⑧ [使] 中人 사 ㉠紙 踈士切 shǐ
㉴寘 踈吏切 shì

筆順 丿 亻 仁 仁 仃 伊 使 使

字解 ①부릴 사 일을 시킴. 또, 사용함. '一役'. '一用'. '一民以時'《論語》. ②하여금 사 ㉠⋯로 하여금 ⋯하게 함. 명령의 말. '一一人間疾'《孟子》. ㉡⋯로 하여금 ⋯하게 한다면. 가설(假說)의 말. '一武安侯在者族矣'《史記》. ③사신 사

임금의 명령을 받들어 나가서 일에 당하는 사람. '吳使—問仲尼'《史記》. ④심부름꾼 사 하인. '—令'. '留—女盧瓊在家'《列仙傳》. ⑤사신갈 사 사신으로 나감. '—于四方, 不辱君命'《論語》. ⑥사신보낼 사, 심부름보낼 사 '—使欲與連和俱西'《史記》. ⑦벼슬이름 사 조정(朝廷)에서 파견되어 지방의 사무를 맡아보는 벼슬. '節度—'. '按察—'. '少正—之數'《文獻通考》. ⑧성 사 성(姓)의 하나.

[字源] 甲骨文  金文  篆文  形聲. 亻(人)+吏〔音〕. '吏리'는 甲骨文에서는 '事사'와 동형(同形)으로, 사(事)는 정치적 사명을 띠고 파견되는 자의 뜻을 나타냄. 일반적으로 '쓰다, 부리다, 사신(使臣), 심부름꾼'의 뜻.

[使介 사개] 사자(使者).
[使君 사군] ㉠사신(使臣)의 존칭. 칙사(勅使). ㉡한대(漢代)의 주(州)의 장관(長官), 곧 자사(刺史)의 존칭.
[使鬼錢 사귀전] 귀신을 부리는 돈. 재력(財力)이 극히 큼을 이름.
[使氣 사기] 자기의 기세(氣勢)를 부림. 멋대로 굶. 콧대가 셈.
[使驥捕鼠 사기포서] 천리마(千里馬)로 하여금 쥐를 잡게 한다는 뜻으로, 사람을 쓰는 길을 그르쳐 현인(賢人)을 하찮은 관직(官職)에 앉히는 비유(比喩).
[使徒 사도] 예수가 그 제자 중에서 복음(福音)을 전하게 하였던 열두 사람. 십이제자(十二弟子).
[使途 사도] 용도(用途).
[使令 사령] ㉠부리어 일을 시킴. ㉡심부름을 함. 또, 그 사람. ㉢《韓》각 관아(官衙)에서 심부름하는 사람.
[使料 사료] 사용료(使用料).
[使命 사명] ㉠사자(使者)가 받는 명령(命令). ㉡자기에게 부과(賦課)된 직무(職務). ㉢칙사(勅使).
[使無訟 사무송] 잘 다스리어 송사(訟事) 또는 시비가 없도록 함.
[使符 사부] 사자(使者)가 가지고 가는 부절(符節).
[使聘 사빙] 사자(使者)를 보내어 안부를 물음.
[使相 사상] ㉠당대(唐代)에 훈공(勳功)이 있는 절도사(節度使)로서 중서문하평장사(中書門下平章事) 등 재상(宰相)의 벼슬을 겸한 사람의 일컬음. ㉡송대(宋代)에 훈공(勳功) 있는 노신(老臣), 또는 덕망(德望)이 있는 전직(前職) 재상(宰相)으로서 절도사(節度使)의 벼슬을 겸한 사람의 일컬음.
[使性 사성] 화를 냄.
[使星 사성] 천자(天子)의 사신(使臣)의 일컬음. 한화제(漢和帝) 때 이합(李郃)이 천문(天文)을 보고서 두 사람의 사신(使臣)이 오는 것을 안 고사(故事)에서 나옴. 성사(星使).
[使臣 사신] 임금의 명령(命令)을 받들어 외국(外國) 또는 외지(外地)로 가는 사자(使者). 사절(使節).
[使羊將狼 사양장랑] 양으로 하여금 이리를 거느리게 함. 약자(弱者)를 강자(強者)의 장(長)이 되게 함.
[使役 사역] 부리어 일을 시킴. 또, 남이 시키는 일을 함.
[使譯 사역] 사자(使者)와 통역(通譯). 또, 통역.
[使驛 사역] ㉠사자(使者)와 통역(通譯). 사역(使譯)의 잘못이라고도 함. ㉡역참(驛站)을 중계하여 서신(書信)을 가져오는 사자(使者).
[使用 사용] ㉠물건(物件)을 씀. ㉡사람을 부림.
[使人 사인] 사자(使者).
[使者 사자] ㉠사명(使命)을 띤 사람. ㉡심부름을 하는 사람.
[使節 사절] ㉠사자(使者)가 가지고 다니는 부절(符節). 전(轉)하여, 사자(使者). ㉡임금 또는 정부(政府)의 대표가 되어 외국(外國)에 가 있는 사람.
[使丁 사정] 심부름하는 남자. 사환(使喚).
[使程 사정] 사신(使臣) 가는 또는 심부름 가는 길.
[使主 사주] 절도사(節度使).
[使酒 사주] 술을 먹은 김에 기세를 부림.
[使嗾 사주] 남을 부추기어 시킴. 사촉(唆囑).
[使軺 사초] 사신(使臣)이 타는 수레.
[使幣 사폐] 사신(使臣)이 가지고 가는 예물(禮物).
[使喚 사환] ㉠일을 시킴. 부림. ㉡사인(私人)의 집에서 부리는 사람.
◉假使. 間使. 介使. 客使. 輕使. 公使. 官使. 觀察使. 郊使. 驅使. 國使. 軍使. 權使. 急使. 給使. 器使. 勞使. 大使. 僮使. 髦節使. 目使. 密使. 汎使. 邊使. 報使. 僕使. 奉使. 副使. 膚使. 臂使. 上使. 星使. 小使. 巡使. 巡察使. 信使. 雁使. 按察使. 役使. 譯使. 驛使. 頤使. 人使. 一介使. 任使. 轉運使. 節度使. 正使. 制使. 縱使. 走使. 重使. 指使. 持節使. 天使. 招討使. 樞密使. 馳使. 勅使. 探花使. 特使. 布政使. 行使. 華使. 花鳥使. 皇使.

6 ⑧ [侘] 탁 [入]藥 他各切 tuō 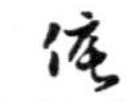

[字解] ①사람이름 탁 '韓—冑'는 송대(宋代)의 사람. ②부탁할 탁, 의탁할 탁 '—, 寄也'《說文》. ③헐 탁 부숨. '—, 毀也'《廣韻》.

[字源] 篆文 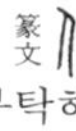 形聲. 亻(人)+厇〔音〕. '厇탁'은 '宅택'의 古字. '託탁'과 같은 뜻으로, '부탁하다, 의탁하다'의 뜻을 나타냄.

6 ⑧ [侃] [人名] 간 ㊤旱 空旱切 kǎn / [去]翰 苦肝切 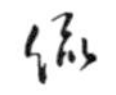

[筆順] 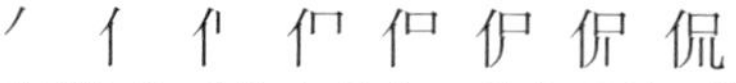

[字解] 강직할 간 마음이 굳세고 곧은 모양. 일설(一說)에는, 화락(和樂)한 모양. '—諤'. '朝與下大夫言, ——如也'《論語》.

[字源] 金文  篆文  會意. 㐰+巛. '㐰'은 '信신'의 古字. '巛천'은 물이 흘러 그침이 없다의 뜻. 믿음이 '왕성하다'의 뜻으로, 언제까지나 굳세고 바르다의 뜻을 나타냄.

[侃侃 간간] 강직(剛直)한 모양. 일설(一說)에는, 화락(和樂)한 모양. 간연(侃然).
[侃諤 간악] 강직(剛直)하여 기탄(忌憚)없이 직언(直言)하는 모양.
[侃然 간연] 간간(侃侃).
[侃直 간직] 굳세고 바름. 강직한 모양.

6 ⑧ [偘] 侃(前條)과 同字

6 ⑧ [侇] 이 [平]支 延知切 yí

[字解] ①무리 이 같은 또래. 또, 같은. '一, 儕也, 等也'《正字通》. ②줄지을 이 죽 늘어놓음. '士擧, 男女奉尸一于堂'《儀禮》. ③옮을 이 '一, 一之言, 移也'《集韻》.
[字源] 形聲. 亻(人)+夷〔音〕. '夷이'는 '尸시'와 통하여, 사체를 늘어놓다의 뜻. '人'을 덧붙여 사람의 시체(屍體)를 죽 늘어놓다의 뜻을 나타냄.

6 ⑧ [侈] [人名] 치 ㊤紙 尺氏切 chǐ

[字解] ①사치할 치 분에 넘치게 호사함. '一奢'. '公患三桓之一'《左傳》. ②오만할 치 거만함. 뽐냄. '一傲'. '於是晉侯一'《左傳》. ③방자할 치 멋대로 굶. 난잡함. 사악(邪惡)함. '放辟邪一'《孟子》. ④클 치 형체가 큼. 또, 넓음. '荞爲人一口'《漢書》. ⑤많을 치 넉넉함. '不陳庶一'《國語》. ⑥벌릴 치 펴서 엶. '哆兮一兮'《詩經》. ⑦호사 치 사치. '奢一'. '崇一恣情'《舊唐書》. ⑧떠날 치 誃(言部 六畫)와 통용. '四方之國, 有一離之德'《荀子》.
[字源] [篆文] 形聲. 亻(人)+多〔音〕. '多다'는 '많다'의 뜻. 재화(財貨)가 많은 사람의 뜻에서, '사치 부리다'의 뜻을 나타냄.

[侈口 치구] 큰 입.
[侈端 치단] 사치(奢侈)의 시작.
[侈大 치대] 광대(廣大)함.
[侈濫 치람] 사치(奢侈)하여 분수(分數)에 넘침.
[侈麗 치려] 넓고 아름다움.
[侈論 치론] 관대(寬大)한 의론(議論).
[侈靡 치미] 분수에 지나친 사치(奢侈).
[侈放 치방] 오만하고 방종함.
[侈費 치비] 쓸데없는 비용. 객쩍은 비용.
[侈奢 치사] 사치(奢侈).
[侈飾 치식] 사치스러운 차림. 호화로운 꾸밈새.
[侈心 치심] 사치를 좋아하는 성미.
[侈傲 치오] 오만함.
[侈侈 치치] 풍부한 모양. 많은 모양.
[侈泰 치태] '사치(奢侈)'와 같음.
[侈風 치풍] 사치스러운 풍속.
◉驕侈. 浮侈. 邪侈. 奢侈. 庶侈. 傲侈. 饒侈. 雄侈. 踰侈. 淫侈. 專侈. 汰侈. 泰侈. 弘侈. 華侈.

6 ⑧ [侁] [人名] 신 [平]眞 所臻切 shēn

[字解] ①갈 신 '一, 行皃'《說文》. ②떼지어갈 신 말들이 떼를 지어 앞을 다투는 모양. 또, 낙역부절(絡繹不絕)한 모양. '一一征夫'《詩經》. ③성 신 성(姓)의 하나.
[字源] [篆文] 形聲. 亻(人)+先〔音〕. '先선'은 '앞서다'의 뜻. 남에 앞서서 가는 모양을 나타냄.

[侁侁 신신] 왕래(往來)가 끊임없는 모양. 중다(衆多)한 모양. 낙역(絡繹).

6 ⑧ [侅] 해 [平]灰 苦哀切 gāi ㊤賄 胡改切 hài

[字解] ①이상할 해 기이함. 비상함. '奇一'. '非常曰一事'《揚子方言》. ②목멜 해 목이 막힘. '一溺於馮氣'《莊子》.
[字源] [篆文] 形聲. 亻(人)+亥〔音〕. '亥해'는 돼지를 본뜬 모양. 돼지 같은 사람, 보통이 아니다의 뜻을 나타냄. 또, '亥'는 목이 메었을 때의 소리를 나타내는 의성어(擬聲語). 목이 메다의 뜻을 나타냄.

[侅事 해사] 기이(奇異)한 일.
◉奇侅.

6 ⑧ [侄] [人名] 질 [入]質 之日切 zhí

[字解] ①어리석을 질 '一, 癡也'《正字通》. ②단단할 질 굳음. '一, 堅也'《廣雅》. ③머무를 질 '一, 一仡, 不前也'《正字通》. ④조카 질 姪(女部 六畫)의 俗字.
[字源] 形聲. 亻(人)+至〔音〕. '至지'는 '鐵철'과 통하여, '단단하다'의 뜻. 머리가 굳은 사람, 어리석은 자(者)의 뜻을 나타냄.

6 ⑧ [侊] [人名] 광 [平]陽 古黃切 guāng [平]庚 古橫切

[筆順] 丿 亻 亻' 亻丷 亻⺌ 亻业 侊 侊

[字解] 성찬 광 '一飯'은 잘 차린 음식. 성찬(盛餐). '一飯不及壺飧'《國語》.
[字源] [篆文] 形聲. 亻(人)+光〔音〕. '光광'은 '크다'의 뜻. 사람이 크고 성(盛)한 모양의 뜻을 나타냄.

[侊飯 광반] 잘 차린 음식. 성찬(盛餐).

6 ⑧ [例] [中人] 례 [去]霽 力制切 lì

[筆順] 丿 亻 亻一 亻歹 亻歹 伢 例 例

[字解] ①법식 례 규정(規定). '一規'. '法一'. '規一'. '凡處事者, 當上合古義下準今一'《晉書》. ②전례 례 이전부터 있던 사례. '古一'. '慣一'. '隨一迎候'《南史》. ③전고 례 고실(故實). '欲依蔡謨一事'《南史》. ④본보기 례 전거(典據)와 표준이 되기에 족한 것. '凡一'. '用一'. '發凡以言一'《杜預》. ⑤인증 례 인용하는 증거. '不以一求經'《眞德秀》. ⑥비류(比類) 례 같은 종류. 비슷한 종류. '臣子一一'《史記》. ⑦대개 례 거의 다. '家有舊書, 一皆殘蠹'《南史》. ⑧성 례 성(姓)의 하나.
[字源] [篆文] 形聲. 亻(人)+列(列)〔音〕. '列열'은 '連련'과 통하여, '나란히 하다'의 뜻. 동렬(同列)에 나란히 세울 수 있는 사람의 뜻에서, 같은 유(類), 선례의 뜻을 나타냄.

[例刻 예각] 항례(恒例)로 되어 있는 시각.
[例格 예격] 전례(前例)로 해 온 격식(格式).
[例規 예규] 예법(例法).
[例年 예년] ㉠매년(每年). ㉡《韓》 여느 해.
[例文 예문] 예로서 드는 글.
[例法 예법] 관례(慣例)의 방법. 항상 일정한 방법.
[例事 예사] 세상에 보통 있는 일.
[例示 예시] 예(例)를 들어서 보임.
[例時 예시] 예각(例刻).
[例式 예식] 정례(定例)에 따른 격식.
[例言 예언] 일러두기. 범례(凡例).
[例外 예외] 규정(規定)이나 정례(定例)에 어긋

나는 일.
[例月 예월] 매월 (每月).
[例祭 예제] 항례 (恒例)로 행하는 제사 (祭祀).
[例題 예제] ㉠정례 (定例)로 내리는 제사 (題辭). ㉡연습 (練習)을 위하여 보기로 내는 문제 (問題).
[例證 예증] 증거 (證據)로 되는 전례 (前例).
[例出 예출] 다른 사람과 같은 예 (例)로 중앙 정부 (中央政府)에서 추방 (追放)되어 지방관 (地方官)으로 좌천됨.
[例解 예해] 예 (例)를 들어 풀이함.
[例話 예화] 예 (例)를 들어서 하는 이야기.
　●家例. 嘉例. 古例. 慣例. 舊例. 吉例. 斷例. 凡例. 法例. 比例. 事例. 赦例. 常例. 先例. 善例. 實例. 惡例. 用例. 流例. 類例. 義例. 引例. 一例. 典例. 前例. 定例. 條例. 準例. 通例. 特例. 判例. 品例.

6 [侍] ^高_人　시 ㊤眞 時吏切 shì

筆順 丿 亻 仁 什 件 侍 侍 侍

字解 ①모실 시 높은 사람의 옆에서 시중듦. '一坐—'. '閔子—側'《論語》. '解官充—'《唐書》. '不置妾—'《唐書》. ②기를 시 양육함. '以養疾—老也'《呂氏春秋》. ③임 (臨)할 시 '大胥—之'《禮記》. ④권할 시 권면함. '以節財儉用'《史記》. ⑤따를 시 '一, 從也'《廣韻》. ⑥부릴 시, 쓸 시 부림. 사용함. '一, 使也'《廣雅》. ⑦다가갈 시 가까이 감. '一, 近也'《廣雅》. ⑧성 시 성 (姓)의 하나.
字源 形聲. 亻(人)＋寺[音]. '寺사'는 '止지'와 통하여, '멈춰 서다'의 뜻. 윗사람 가까이에 머물러 봉사하는 사람의 뜻.

[侍講 시강] 임금 또는 동궁 (東宮) 앞에서 경서 (經書) 등의 강의 (講義)를 하는 일. 또, 그 벼슬아치. 시독 (侍讀).
[侍見 시견] 곁에 가서 뵘.
[侍官 시관] 천자 (天子)를 가까이 모시는 벼슬. 시중 (侍中) · 상시 (常侍) 같은 벼슬.
[侍女 시녀] 시비 (侍婢).
[侍讀 시독] 시강 (侍講).
[侍僮 시동] 옆에서 시중드는 아이.
[侍郎 시랑] ㉠진 (秦) · 한 (漢) 때 궁중 (宮中)의 수호를 맡은 벼슬. ㉡당대 (唐代)의 중서 (中書) · 문하 (門下)의 두 성 (省)의 장관 (長官). ㉢후대 (後代)의 육부 (六部)의 차관 (次官).
[侍立 시립] 좌우에 모시고 섬.
[侍奉 시봉] 부모를 모시고 있음.
[侍奉趨承 시봉추승] 웃어른을 모시고 마음에 들도록 섬기는 일.
[侍婢 시비] 옆에서 시중드는 계집.
[侍士 시사] 시인 (侍人).
[侍史 시사] ㉠좌우 (左右)에 시좌 (侍坐)하는 서기 (書記). ㉡좌우를 모시는 속료 (屬僚). 비서관 (祕書官). ㉢편지 겉봉에 공경하는 뜻으로 받는 이의 이름 아래에 쓰는 말.
[侍生 시생] 웃어른에게 대한 자기의 겸칭.
[侍率 시솔] 어른을 모시고 아랫사람을 거느림.
[侍竪 시수] 시동 (侍僮).
[侍食 시식] 웃어른을 모시고 같이 음식 (飮食)을 먹음. 배식 (陪食)함.

[侍臣 시신] 임금을 가까이 모시는 신하 (臣下).
[侍兒 시아] 시녀 (侍女).
[侍養 시양] 시중들며 봉양함.
[侍御 시어] ㉠천자 (天子)를 모심. 또 그 사람. 시종 (侍從). ㉡청대 (淸代)의 어사 (御史)의 통칭 (通稱).
[侍御史 시어사] 관명 (官名). 주 (周)의 주하사 (柱下史)를 진 (秦)나라 때 고친 이름. 한 (漢)나라 이후에는 치서시어사 (治書侍御史) · 전중 (殿中) 시어사 · 감찰 (監察)시어사로 나뉨. 모두 비법 (非法)을 검찰 (檢察)하던 벼슬아치.
[侍衛 시위] 임금을 모시어 호위 (護衛)함. 또, 그 무관 (武官).
[侍飮 시음] 웃어른을 모시고 같이 술을 마심.
[侍醫 시의] 궁중 (宮中)에서 섬기는 의원 (醫員).
[侍人 시인] 곁에서 모시는 사람. 근시 (近侍).
[侍子 시자] ㉠천자 (天子)한테 입시 (入侍)하는 제후 (諸侯) 또는 속국 (屬國)의 임금의 아들. ㉡시봉 (侍奉)하는 아들.
[侍者 시자] 시비 (侍婢) 귀인 (貴人)의 옆에서 시중드는 사람.
[侍丁 시정] 집에 머물러 있어 부모를 돌보는 젊은 사람. 「치.
[侍從 시종] 임금을 가까이 모심. 또, 그 벼슬아
[侍坐 시좌] 웃어른을 모시고 옆에 앉음.
[侍姝 시주] 옆에서 시중을 드는 미녀 (美女).
[侍中 시중] ㉠진 (秦)나라 때 궁중 (宮中)의 주사 (奏事)를 맡은 벼슬. ㉡위 (魏) · 진 (晉) 이후의 문하성 (門下省)의 장관 (長官).
[侍妾 시첩] 시비 (侍婢)나 첩 (妾).
[侍湯 시탕] 부모 (父母)의 병환 (病患)에 약 (藥) 시중하는 일.
[侍下 시하] 부모 또는 조부모가 생존한 사람.
[侍見 시현] 웃어른에 가까이 모시거나 알현함.
[侍姬 시희] 시녀 (侍女).
　●供侍. 近侍. 禁侍. 內侍. 防侍. 陪侍. 奉侍. 扶侍. 嬪侍. 侚侍. 常侍. 隨侍. 嚴侍. 娛侍. 衛侍. 媵侍. 慈侍. 執筆侍. 妾侍. 趨侍. 偏侍. 俠侍. 宦侍. 環侍. 姬侍.

6 [侏] ^人_名　주 ㊤虞 章俱切 zhū 追輪切

字解 ①난쟁이 주 '一儒'는 왜인 (矮人). '一儒百工'《禮記》. ②광대 주 배우. 난쟁이들이 많이 광대가 되므로 이름. '優俳—儒'《史記》. ③동자기둥 주 쪼구미. '槜櫨一儒'《韓愈》. ④속일 주 거짓말함. 侜 (人部 六畫)와 통용. ⑤거미 주 '蠾蝓者, 一儒謂之轉也'《揚子方言》. ⑥클 주 '一, 大也'《集韻》. ⑦성 주 성 (姓)의 하나.
字源 形聲. 亻(人)＋朱[音]. '朱주'는 '株주'와 통하여, '그루터기'의 뜻. 베어 낸 나무 그루터기처럼 키가 작은 사람, 짧다의 뜻을 나타냄.

[侏離 주리] ㉠뜻이 통하지 않는 만이 (蠻夷)의 소리. ㉡서이 (西夷)의 음악 (音樂).
[侏儒 주유] ㉠난쟁이. 주유 (朱儒). ㉡광대. 배우 (俳優). ㉢동자기둥. 쪼구미. 주유 (株儒).

6 [侐] ^人_名　혁 ㊦職 況逼切 xù

字解 고요 혁. 쓸쓸할 혁 적막. 정숙 (靜肅). '閟宮有一'《詩經》.
字源 形聲. 亻(人)＋血[音]. '血혈'은 몸속을 조용히 흐르는 '피'의 뜻. '人

을 덧붙여, '고요하다'의 뜻을 나타냄.

6 ⑧ [佬] 료 ㉦蕭 力彫切 liáo

字解 클 료 큰 모양. '一, 佬一也, 大皃'《玉篇》.

字源 形聲. 亻(人)+老〔音〕

6 ⑧ [佸] ⓗ 고

字解 《韓》다짐둘 고 다짐함.

字源 形聲. 亻(人)+考〔音〕. '고'는 조사하여 밝히다의 뜻. 죄지은 사람을 신문하여 그 죄상을 밝히고, 다시는 그런 일을 하지 않겠다는 다짐을 받아 두다의 뜻을 나타냄.

6 ⑧ [侑] 人名 유 ㉦宥 于救切 yòu

筆順 ノ 亻 亻 亻 亻 仁 侑 侑 侑

字解 ①도울 유 음식을 들 때에 음악을 연주하여 흥(興)을 도움. '膳夫以樂一食'《周禮》. ②권할 유 권면함. '一酬'《執板奏歌一觴'《齊東野語》. ③배식할 유 시식(侍食)함. '凡一食不盡食'《禮記》. ④갚을 유 보답함. 보수(報酬). '民有報一'《宋史》. ⑤용서할 유 너그러움. 용대(容貸)함. 宥(宀部 六畫)와 통용. '文有三一, 武無一赦'《管子》. ⑥나란히설 유 나란히 경작함. 姷(女部 六畫)와 통함. '一, 耦也'《說文》.

字源 姷의 別體 形聲. 亻(人)+有〔音〕. '有유'는 고기를 집어 들고 권한다의 뜻. 또, '右우'와 통하여, '돕다'의 뜻. '人'을 붙여, '사람의 곁에서 권하다, 돕다'의 뜻을 나타냄.

[侑觴 유상] 술잔을 권함.
[侑酬 유수] 주식(酒食)을 권함.
[侑食 유식] 웃어른을 모시고 식사를 함. ⓛ여흥(餘興) 등을 하여 식사를 즐거이 들게 함.
[侑宴 유연] 향응(饗應)의 주연(酒宴). 향연(饗宴).
[侑飲 유음] 술을 권함.
[侑歡 유환] 기쁜 마음을 도움. 기쁘게 함.
●勸侑. 獨侑. 璧侑. 報侑. 享侑.

6 ⑧ [侔] 모 ㉦尤 莫浮切 móu

字解 ①같을 모 같음. 가지런함. 고름. '一, 齊等也'《說文》. '行山者欲一'《周禮》. ②따를 모 좇음. '畸於人, 而一於天'《莊子》. ③취할 모, 꾀할 모 '靜默以一免'《管子》. ④벌레이름 모 뿌리를 잘라 먹는 거염벌레 따위. ⑤성 모 성(姓)의 하나.

字源 篆文 形聲. 亻(人)+牟〔音〕

[侔莫 모막] 힘씀. 노력(努力).

6 ⑧ [侗] ▤ 통 ㉦東 徒紅切 tóng ▤ 동 ㉦送 徒弄切 dòng

字解 ▤ ①미련할 통 어리석음. '儱一'. '一而不愿'《論語》. '在後之一, 敬迓天威'《書經》. ②클 통 '一, 大貌'《說文》. ③아플 통 恫(心部 六畫)과 통함. '神罔時一'《詩經》.

④성 통 성(姓)의 하나. ▤ 정성 동 성실(誠實). '脩然而往, 一然而來'《莊子》.

字源 形聲. 亻(人)+同〔音〕. '同동'은 '简통'과 통하여, '텅 비고 어리석다'의 뜻. 속이 비고 어리석은 사람의 뜻을 나타냄.

[侗然 동연] 성실(誠實)한 모양.
●倥侗. 儱侗. 儱侗.

6 ⑧ [侘] 차 ㉦禡 丑亞切 chà ㉦麻 敕加切

字解 ①자랑할 차 '卽欲以一鄙縣'《史記》. ②낙망할 차 실망함. 뜻이나 의욕을 잃음. '余一傺兮'《楚辭》.

字源 形聲. 亻(人)+宅〔音〕. '宅택'은 몸을 의지하다. 기대다의 뜻. 자신(自身)을 의지하다, 자랑하다의 뜻을 나타냄. 또, '宅'은 몸을 맡기다의 뜻. 사람이 자기 자신의 의지를 작동시키지 않는 상태. '뜻을 잃다'의 뜻도 나타냄.

[侘傺 차체] 낙망하는 모양.

6 ⑧ [供] 高人 공 ㉦冬 九容切 gōng ㉦宋 居用切 gòng

筆順 ノ 亻 亻 亻 仕 供 供 供

字解 ①이바지할 공 ㉠줌. '一億'. '一給資費'《魏志》. ⓛ올림. 바침. 드림. '一奉'. '凡所資一, 一無所受'《南史》. 또, 주거나 바친 물품. '一日之一, 以錢二萬爲限'《晉書》. ②받들 공 받들어 모심. '一奉'. '一養日夏矣'《詩經 箋》. ③기를 공 '一, 養也'《廣雅》. ④갖추어질 공 구비됨. '王祭不一'《左傳》. ⑤베풀 공 설비함. '帳東都門外'《漢書》. ⑥공초(供招)할 공 죄인이 범죄 사실을 진술함. '一述'. '口一'. ⑦공손할 공 교만하지 않음. '貴而不驕, 富而能一'《孔子家語》. ⑧성 공 성(姓)의 하나.

字源 篆文 形聲. 亻(人)+共〔音〕. '共공'은 '바치다, 이바지하다'의 뜻. '共'에는 '함께하다'의 뜻이 있으므로, '人'을 덧붙여, 주로 '바치다'의 뜻으로 쓰임.

[供貢 공공] 공물(貢物)을 바침.
[供具 공구] ㉠연회(宴會)에 쓰는 기물(器物). 전(轉)하여 음식. ⓛ《佛敎》부처·보살의 공양(供養)을 위해 쓰이는 불구(佛具).
[供饋 공궤] 음식(飲食)을 줌.
[供給 공급] ㉠물건을 바쳐 쓰도록 함. ⓛ수요(需要)에 응하여 물품을 제공(提供)함.
[供單 공단] 공술(供述)한 조서(調書).
[供頓 공돈] ㉠술상을 차려 손님을 잘 대접함. ⓛ길가에 임시로 차린 휴식소(休息所).
[供米 공미] 신불(神佛) 앞에 올리는 쌀.
[供奉 공봉] ㉠물건을 바침. ⓛ천자(天子)를 호종(扈從)함. 또, 그 행렬.
[供事 공사] ㉠일을 함. ⓛ청대(清代)에 서기(書記)·통역 따위의 사무를 관장하던 벼슬.
[供辭 공사] 죄인(罪人)이 범죄(犯罪) 사실을 진술(陳述)하는 말. 공초(供招).
[供膳 공선] 식사(食事). 또, 식사를 올림.
[供贍 공섬] 무엇을 베풀어 부족을 메움. 재물을 베풀어 도움.
[供需 공수] ㉠물화(物貨)의 공급과 수요(需要).

ⓛ절에서 손님에게 무료(無料)로 대접하는 식
사(食事).
[供述 공술] 소송상(訴訟上)의 신문(訊問)에 대
하여 진술(陳述)함.
[供案 공안] 죄인(罪人)의 공사(供辭)를 기록한
서류.
[供養 공양] ㉠부모를 봉양함. ⓛ웃어른에게 음식
물을 드림. ㉢《佛敎》부처 또는 죽은 이의 영전
(靈前)에 음식을 올림.
[供御 공어] 임금에게 물건을 바침.
[供億 공억] 어려운 사람에게 의식(衣食)을 주어
편안하게 생활케 함.
[供帳 공장] 연회를 열기 위하여 물건을 준비하고
막(幕)을 침.
[供濟 공제] 무엇을 주어 구제함.
[供進 공진] 천자(天子)께 식사(食事)를 올림.
[供饌 공찬] 밥상을 바침. 음식을 내놓아 대접함.
[供薦 공천] 신령이나 부처에게 음식물 등을 차려
올림.
[供招 공초] 공사(供辭).
[供出 공출] ㉠자백함. ⓛ국가의 수요(需要)에 의
하여 국민이 곡식이나 기물(器物)을 공정 가격
(公定價格)에 의하여 의무적으로 정부(政府)에
내어 놓는 일.
[供托 공탁] 물건을 제공(提供)하고 그 보관(保
管)을 위탁(委託)함.
[供華 공화] 사자(死者)나 불전(佛前)에 꽃을 바
침. 또, 그 꽃.
●口供. 給供. 茶供. 法供. 上供. 午供. 應供.
異供. 自供. 資供. 齋供. 正供. 提供. 祖供.
珍供. 獻供.

6
8 [俌] 주 ㉺尤 張流切 zhōu　　　　俌

[字解] ①가릴 주 가려서 보이지 않게 함. '誰—
予美'《詩經》. ②속일 주 거짓말을 함. 諝(言部
十四畫)와 同字. '誰—余美'《詩經》.
[字源] 形聲. 亻(人)＋舟〔音〕. '舟주'는 '주
고받다'의 뜻. 말을 주고받는 중에
사물의 본질(本質)로부터 사람의 눈을 덮어 가
리다, 속이다의 뜻을 나타냄.

6
8 [佭] 궁 ㉺送 去仲切 qióng

[字解] ①작을 궁 작은 모양. '—小兒'《集韻》. ②
원망할 궁 '怨高陽之相寓兮, —顒頊而宅幽'《張
衡》. ③추울 궁 '—, 一曰, 寒兒'《集韻》. ④굽힐
궁 몸을 굽힘. 기를 펴지 못함. '—, 一曰, 屈
也'《集韻》.
[字源] 會意. 亻(人)＋曲. '曲곡'은 '굽다'의 뜻. 몸
을 굽혀 '작다'의 뜻을 나타냄.

6
8 [依] ㉠의 ㉺微 於希切 yī　　　　依
　　　　�ⓛ尾 隱豈切 yǐ

[筆順] ノ　亻　亻'　仁　仲　佟　佟　依

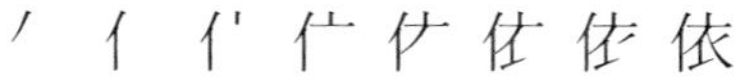

[字解] ①의지할 의 ㉠물건에 기댐. '是旣登乃—'
《詩經》. ⓛ의뢰함. '—附'. '—託'. '知小人之
—'《書經》. 또, 기댈 곳. 의탁할 데. '似無—洋
洋'《班固》. ②좇을 의 따름. '—準'. '—於仁'《論
語》. ③우거질 의 수목이 무성한 모양. '—彼平
林'《詩經》. ④사랑할 의 '有—其士'《詩經》. ⑤
도울 의 '聲—咏, 律和聲'《玉篇》. ⑥그대로 의

이전 그대로. 의연(依然). ⑦성 의 성(姓)의 하
나. ⑧편안할 의, 편안히할 의 '于京斯—'《詩
經》. ⑨비유(比喩)의 '不學博—, 不能安詩'《禮
記》. ⑩머릿병풍 의 扆(戶部 六畫)와 同字. '天
子設斧—于戶牖之間'《儀禮》.
[字源] 形聲. 亻(人)＋衣〔音〕. 甲骨文
은 사람 몸에 휘감긴 의복의 모
양을 본뜸. 달라붙어 가까이하다, 의지하다의
뜻을 나타냄.

[依據 의거] ㉠증거(證據)대로 함. ⓛ근거(根據)
로 삼음. ㉢산이나 물에 의지하여 웅거(雄據)함.
[依舊 의구] 옛날과 다름이 없음. 본래대로 따름.
[依歸 의귀] 의뢰(依賴).
[依戴 의대] 친구로서 의지하고, 윗사람으로서 떠
받듦.
[依例 의례] 전례(前例)에 의(依)함.
[依賴 의뢰] 남에게 의지(依支)함. 남에게 부탁
(付託)함.
[依幕 의막] 임시로 거처(居處)하게 된 곳.
[依倣 의방] 모방함.
[依榜 의방] 서로 가까이함.
[依法 의법] 법(法)에 의지(依支)함.
[依屛 의병] 머릿병풍(屛風).
[依附 의부] 의지하여 붙음.
[依庇 의비] 의탁(依託).
[依憑 의빙] 의의(依倚).
[依事 의사] 일을 핑계댐.
[依訴 의소] 의지하여 호소함.
[依數 의수] 일정한 수대로 함.
[依恃 의시] 믿고 의지함.
[依施 의시] 청원(請願)에 의하여 허가(許可)함.
[依仰 의앙] 의지(依支)하고 앙모(仰慕)함.
[依約 의약] ㉠어딘지 모르게 그렇게 보이는 모양.
의희(依稀). 방불(髣髴). ⓛ붙좇음. 추종함.
[依樣畫胡蘆 의양화호로] 옛날 사람의 그림 양식
(樣式)에 따라 호리병을 그림. 곧, 옛사람을 본
뜨기만 하고 새로운 생각을 창안(創案)해 내지
못함을 이름.
[依然 의연] 전과 다름이 없는 모양.
[依緣 의연] 의뢰함.
[依願 의원] 소원에 의함.
[依韋 의위] 음조(音調)가 조화함.
[依違 의위] ㉠마음이 확정(確定)되지 아니한 모
양. 꾸물거려 망설이는 모양. ⓛ독단하지 않음.
겸허한 태도를 이름.
[依隱 의은] ㉠조정(朝廷)에 벼슬살이를 해도 은
퇴의 의사가 있어 안정되지 않음. ⓛ기댐. 기
대어 의지함.
[依依 의의] ㉠무성(茂盛)한 모양. ⓛ사모(思慕)
하는 모양. 차마 떨어지기 어려워하는 모양. ㉢
확실하지 아니한 모양.
[依倚 의의] 의지(依支)하여 기댐.
[依因 의인] 의뢰함.
[依存 의존] 의지(依支)하고 있음.
[依準 의준] 준거(準據)함.
[依止 의지] 의지(依支)하고 머무름.
[依支 의지] ㉠남을 의뢰(依賴)함. ⓛ몸을 기댐.
[依草附木 의초부목] ㉠요귀(妖鬼)가 초목(草木)
따위의 물건에 붙어 있음. 전(轉)하여, 남의 권
세에 기대어 나쁜 짓을 함의 비유. ⓛ《佛敎》영
혼(靈魂)이 갈 곳을 못 정하고 초목(草木)에 붙
어 있음. 전(轉)하여, 아직 철저(徹底)히 깨닫

지 못함의 비유.
[依就 의취] 몸을 의지함.
[依則 의칙] 본보기로 하여 따름.
[依託 의탁] 의뢰(依賴)함. 부탁함.
[依投 의투] 의탁(依託).
[依怙 의호] 믿고 의지(依支)함. 전(轉)하여, 의
지하는 것. 부모(父母).
[依懷 의회] 의지하여 따름.
[依稀 의희] ㉠헷갈릴 만큼 비슷한 모양. 방불(彷
彿)한 모양. ㉡어렴풋이 보이는 모양.
●歸依. 博依. 輔車相依. 斧依. 憑依. 屬依. 因
依. 遵依. 瞻依.

₆
₈ [侙] 칙 㑹職 恥力切 chì

[字解] ①두려워할 칙, 조심할 칙 忕(心部 六畫)과
同字. '於其心─然'《國語》. ②마음동할 칙 마음
이 움직임. '─, 憤'《廣雅》.
[字源] 形聲. 亻(人)+式[音]

[侙然 칙연] 공구하여 조심하는 모양.

₆
₈ [侎] 미 ㉤紙 母婢切 mǐ

[字解] 어루만질 미 위무(慰撫)함. 敉(攴部 六畫)
와 同字. '掌─裁兵'《周禮》.
[字源] 形聲. 亻(人)+米[音]. '米미'는 '民
민'과 통하여, 많은 백성의 뜻. 백성
을 어루만져 궁휼히 여기다의 뜻을 나타냄.

₆
₈ [佮] ㊀ 갑 㑹合 古沓切 gé
㊁ 탑 㑹合 他合切
㊂ 압 㑹合 烏合切 é

[字解] ㊀ 합칠 갑 합쳐 가짐. '─, 倂─, 聚也'
《廣韻》. ㊁ 합칠 탑 ㊀과 뜻이 같음. ㊂ 성 압 성
(姓)의 하나.
[字源] 形聲. 亻(人)+合[音]

₆
₈ [尩] 왕 ㊀陽 烏光切 wāng

[字解] 절름발이 왕 발을 저는 불구자. '賤之如
─'《荀子》.
[字源] 形聲. 亻(人)+匡[音]. '尪왕'과 통하여, 보
행이 부자유한 사람의 뜻을 나타냄.

₆
₈ [俐] 형 ㊀青 戶經切 xíng

[字解] ①형벌 형 刑(刀部 四畫)과 同字. ②이룰
형 성취함. '─, 成也'《集韻》. ③거푸집 형 型
(土部 六畫)과 同字. ④형상 형 形(彡部 四畫)
과 통용.
[字源] 形聲. 亻(人)+刑[音]

₆
₈ [個] 〔회〕
徊(彳部 六畫〈p.740〉)와 同字
[字源] 形聲. 亻(人)+回[音]. '回'는 '돌다'의 뜻.
사람이 방황하다의 뜻을 나타냄.

₆
₈ [佝] 〔순〕
徇(彳部 六畫〈p.739〉)과 同字

[字源] 形聲. 亻(人)+旬[音]

₆
₈ [佷] 〔한〕
很(彳部 六畫〈p.740〉)과 同字
[字源] 形聲. 亻(人)+艮[音]. '艮'은 제자리에 머
물러, 나아가지 않다, 어기다의 뜻.

₆
₈ [俖] 〔과〕
誇(言部 六畫〈p.2124〉)와 同字
[字源] 形聲. 人+夸[音]. '夸과'는 '誇과'와
동일자로, 자랑하다의 뜻을 나타냄.

₆
₈ [侠] 〔협〕
俠(人部 七畫〈p.144〉)의 俗字

₆
₈ [侮] 〔모〕
侮(人部 七畫〈p.135〉)와 同字

₆
₈ [侫] 〔녕〕
佞(人部 五畫〈p.123〉)의 俗字

₆
₈ [価] 〔가〕
價(人部 十三畫〈p.180〉)의 俗字

₆
₈ [佀] 〔숙〕
夙(夕部 三畫〈p.481〉)의 古字

₆
₈ [狀] 〔우〕
虞(虍部 七畫〈p.1999〉)의 古字

[舍] 〔사〕
舌部 二畫(p.1883)을 보라.

[命] 〔명〕
口部 五畫(p.366)을 보라.

₇
₉ [俞] 〔유〕
兪(入部 七畫〈p.206〉)의 俗字

[食] 〔식〕
部首(p.2567)를 보라.

₇
₉ [俎] 〔人名〕 조 ㊀語 側呂切 zǔ

[字解] ①도마 조 식칼질할 때 받치는 나무 널.
'鼎─'. '如
今人方爲刀
一, 我爲魚
肉'《史記》.
②적대(炙
臺) 조 제향
(祭享) 또는
향연(饗宴)
때 희생이나 음식을 담아 받치는 대(臺). '─
實'. '─載牲之器'《後漢書 註》. ③성 대 성(姓)
의 하나.

[俎②]

[字源] 形聲. 仌+且[音]. '仌'는 희생
을 반으로 쪼개 놓은 모양. '且
조'는 고기를 담아 얹는 받침을 본뜬 모양. 제기
(祭器) 가운데에서 고기를 얹는 받침의 뜻을
나타냄.
[參考] 爼(爻部 五畫)는 俗字.

[俎刀 조도] 도마와 식칼.
[俎豆 조두] ㉠제사 때, 음식을 담는 제기(祭器). ㉡열(列)에 늘어감.
[俎上肉 조상육] 도마 위에 오른 고기라는 뜻으로, 운명(運命)이 다하여 죽음을 면(免)할 수 없는 사람의 비유.
[俎實 조실] 적대(炙臺)에 담은 음식.
[俎尊 조준] 적대(炙臺)와 술 그릇.
●嘉俎. 牢俎. 刀俎. 登俎. 芳俎. 燔俎. 素俎. 越俎. 雜俎. 折俎. 鼎俎. 阻俎. 彫俎. 尊俎. 樽俎.

---

7 [侮] 高人 모 ㊤襃 文甫切 wǔ

[字解] ①업신여길 모 경멸(輕蔑)함. '—辱'. 陵—'. '無一老成人'《書經》. 또, 업신여기는 일. 경멸(輕蔑). '無啓寵納—'《書經》. ②능멸할 모 업신여기어 조롱함. '淮陰少年有—信者'〈신(信)은 한신(韓信)〉《史記》.

[字源] 形聲. 亻(人)＋每[音]. '每매'는 '晦회'와 통하여 '어둡다'의 뜻. 어두워서 시야(視野)에도 들어오지 않는 사람의 뜻에서, '업신여기다, 얕보다'의 뜻을 나타냄.

[侮弄 모롱] 업신여기어 조롱함.
[侮慢 모만] 거만스러운 태도로 남을 업신여기고 제 스스로만 높은 체함.
[侮罵 모매] 업신여기어 꾸짖음.
[侮蔑 모멸] 업신여기고 얕봄.
[侮笑 모소] 업신여기고 비웃음.
[侮狎 모압] 업신여기어 함부로 굶.
[侮言 모언] 업신여기는 말.
[侮翫 모완] 깔보고 농락함.
[侮辱 모욕] 깔보고 욕보임.
[侮易 모이] 얕보아 우습게 봄.
[侮謔 모학] 업신여기어 놀림.
●倨侮. 輕侮. 啓寵納侮. 內侮. 凌侮. 陵侮. 慢侮. 卑侮. 狎侮. 御示侮. 外侮. 抵侮. 賤侮. 侵侮. 戲侮.

---

7 [侯] 高人 후 ㊦尤 戶鉤切 hóu

[筆順] ノ 亻 亻 亻 亻 佇 侯 侯

[字解] ①후작 후 오등작(五等爵)의 둘째. 공(公)의 아래이고, 백(伯)의 위임. '公—伯子男'. '其餘大國稱—'《公羊傳》. ②제후 후 천자(天子)에게 조공(朝貢)하는 작은 나라의 임금. '利建—'《易經》. 후세에는, 단지 경칭(敬稱)으로 쓰이는 수도 있음. '楊去病時—'《韓愈》. ③아름다울 후 '洵直且—'《詩經》. ④오직 후 발어사(發語辭). 惟(心部 八畫)·維(糸部 八畫)와 뜻이 같음. '—誰在矣'《詩經》. ⑤사포(射布) 후 활을 쏘는 표적(標的)으로 거는 베나 과녁. '—鵠'. '乃張—'《儀禮》. ⑥후복(侯服) 후 오복(五服)의 하나.

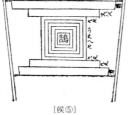

[侯⑤]

왕성(王城) 주위로부터 오백 리에서 천 리 사이의 땅. '五百里—服'《書經》. ⑦어찌 후 의문사. 何(人部 五畫)와 뜻이 같음. '君乎君乎, 一不邁哉'《漢書》. ⑧어조사 후 무의미의 조사(助辭). 兮(八部 二畫)와 뜻이 같음. '高祖過沛詩, 有三一之章'《史記》. ⑨살필 후 엿봄. 候(人部 八畫)와 통함. '將事一禪禱之祝號'《周禮》. ⑩성 후 성(姓)의 하나.

[字源] 象形. 甲骨文·金文은 과녁을 살피고 활시위를 당기는 모양을 본떠, 과녁·문후(問候)의 뜻을 나타냄. 변경(邊境)에 대한 왕실(王室)을 위해 사기(邪氣)의 침입을 살피고 제거(除去)하는 자의 뜻에서, 제후(諸侯)의 뜻이 파생(派生)되었음. 篆文은 '矦'로, 刀(人)＋厂＋矢. 뒤에, '인人'을 덧붙인 '候'가 주로 '살피다, 찾아뵈다·문후하다'의 뜻을 나타내게 됨.

[侯景 후경] 남북조 시대(南北朝時代)의 삭방(朔方) 사람. 자(字)는 만경(萬景). 힘이 장사이고 기사(騎射)를 잘하였음. 후위(後魏) 때 사도행대(司徒行臺)가 되어 하남(河南)에서 전제(專制)하다가 양무제(梁武帝)에 항복하여 하남왕(河南王)이 됨. 이윽고 배반하여 무제를 아사(餓死)케 하고 간문제(簡文帝)를 세웠다가 다시 시해(弑害)하고 자립(自立)하여 한제(漢帝)라 칭하였는데, 얼마 후 왕승변(王僧辯) 등에게 토평(討平)당하였음.
[侯鵠 후곡] 사적(射的)과 정곡(正鵠). 과녁과 과녁의 한가운데의 점.
[侯公 후공] 제후(諸侯). 공후(公侯).
[侯畿 후기] 후복(侯服)에 속하는 사방(四方) 오백 리의 땅.
[侯邏 후라] 순찰하는 병정. 순라군(巡邏軍).
[侯牧 후목] 제후(諸侯)와 주목(主牧). 곧, 지방 장관(地方長官).
[侯伯 후백] ㉠후작(侯爵)과 백작(伯爵). ㉡제후(諸侯).
[侯白侯黑 후백후흑] 민족(閩族)에 후백(侯白)이라는 간지(奸智)에 뛰어난 도적(盜賊)이 있던 바 후흑(侯黑)이란 악부(惡婦)를 만나 감쪽같이 속아 넘어갔다는 고사(故事)에서 '위에는 위가 있다. '기는 놈 위에 나는 놈 있다.'는 뜻으로 쓰임.
[侯服 후복] ㉠오복(五服)의 하나. 상고(上古) 때는 왕기(王畿)의 주위로부터 오백 리에서 천 리 사이의 땅. 전복(甸服)과 수복(綏服)의 사이임. 주대(周代)에서는 왕기(王畿) 주위의 오백 리 안의 땅. ㉡구복(九服)의 하나. 왕기(王畿) 주위의 오백 리 안의 땅.
[侯服玉食 후복옥식] 제후(諸侯)의 의복을 입고 귀하고 맛있는 음식을 먹음. 호화로운 생활을 함.
[侯禳 후양] 행복은 맞이하고 재앙은 물리침. 또, 그 제사.
[侯王 후왕] 한 나라의 군주(君主). 왕후(王侯). 제후(諸侯).
[侯王將寧有種乎 후왕장상영유종호] 왕이나 대장(大將)·재상(宰相)이 되는 데 씨가 따로 있는 것은 아님. 누구나 노력 여하로 그렇게 될 수 있음.
[侯爵 후작] 오등작(五等爵)의 둘째. 공작(公爵)

의 다음이고 백작(伯爵)의 위.
[侯甸 후전] 후복(侯服)과 전복(甸服).
[侯鯖 후청] 대단한 진미(珍味).
[侯鯖錄 후청록] 잡기(雜記). 송(宋)나라 조영치(趙令畤)의 편(編). 모두 8권. 선배(先輩)의 유사(遺事)·시화(詩話)·문평(文評) 등 338조(條)로 됨.
●管城侯. 君侯. 大侯. 萬里侯. 萬戶侯. 孟侯. 藩侯. 辟侯. 封侯. 射侯. 小侯. 素侯. 陽侯. 列侯. 王侯. 熊侯. 諸侯. 卽墨侯. 徹侯. 通侯. 好時侯.

7
⑨ [侲] 진 ㊤震 章刃切 zhèn
　　　 ㊥眞 側鄰切 zhēn

[字解] ①아이 진 동자(童子). '一子萬童'《張衡》. ②착할 진 '一僮逞材'《張衡》. ③말기르는 사람 진 '廝僕一'《後漢書》.
[字源] 篆文 侲 形聲. 亻(人)+辰[音]. '辰진'은 '振진'과 같은 뜻으로, '움직이다'의 뜻. 움직이기 잘하는 '아이'의 뜻을 나타냄.

[侲僮 진동] 사동(使童). 또, 착한 동자(童子).
[侲子 진자] 아이. 동자(童子).

7
⑨ [侵] 침 ①-⑥㊤侵 七林切 qīn
　　　 ⑦④寢 七稔切 qǐn

[筆順] 丿 亻 亻 冖 侌 侌 侵 侵 侵

[字解] ①침노할 침 침략(侵略)함. '一掠'. '齊師一魯'《史記》. ②엄습할 침 불의에 습격함. '負固不服, 則一之'《周禮》. ③침범할 침 ㉠능멸(凌蔑)함. '一侮'. '語一之'《漢書》. ㉡침해함. '加以風雨所一'《北齊書》. ㉢법을 어김. '一臣事小察以折法令'《管子》. ④차츰차츰 침 점진(漸進)함. '天子始巡郡縣, 一尋泰山'《史記》. ⑤흉년 침 흉년의 대(對). '五穀不登, 謂之大一'《穀梁傳》. ⑥성 침 성(姓)의 하나. ⑦모침(貌侵)할 침 키가 작고 못생김. 寢(宀部 十一畫)과 同字. '貌一而體弱'《漢書》.
[字源] 甲骨文 金文 篆文 侵 會意. 亻(人)+又+帚(省). '又우'는 손을 본뜬 모양. '帚추'는 빗자루를 나타냄. 사람이 빗자루를 손에 들고 쓸면서 점점 앞으로 나아가다의 뜻에서, '침범하다'의 뜻을 나타냄.

[侵加 침가] 침범함.
[侵刻 침각] 침해(侵害).
[侵彊 침강] 국경을 침범하여 땅을 빼앗음. 침경(侵境).
[侵據 침거] 침범하여 그곳에 웅거함.
[侵擊 침격] 적지(敵地)에 침입하여 공격(攻擊)함.
[侵境 침경] 국경(國境)을 침범하여 빼앗음. 남의 나라를 침입함.
[侵困 침곤] 침범하여 괴롭힘.
[侵攻 침공] 침입하여 공격함. 쳐서 빼앗음.
[侵寇 침구] 침범하여 도둑질함.
[侵盜 침도] 침범하여 도둑질함.
[侵毒 침독] 침범하여 해(害)침.
[侵瀆 침독] 침범하여 더럽힘.
[侵略 침략] 침범하여 약탈함.
[侵掠 침략] 침략(侵略).
[侵掠如火不動如山 침략여화부동여산] 적지를 침략하는 형세는 열화(烈火)와 같아야 하며, 적

(敵)이 이를 막아 혼란에 빠뜨리려 하여도 산과 같이 부동하여야 함.
[侵擄 침로] 침범하여 약탈함. 침노함. 침략(侵略)함.
[侵陵 침릉] 침모(侵侮).
[侵罔 침망] 대권(大權)을 침범함.
[侵牟 침모] 침탈(侵奪).
[侵冒 침모] 침범(侵犯).
[侵侮 침모] 능모(陵侮)함.
[侵紊 침문] 침범하여 문란케 함.
[侵迫 침박] 침박(逼迫)함.
[侵伐 침벌] 침범하여 침.
[侵犯 침범] 남의 국토나 신체·재산·명예 등에 해를 끼침.
[侵削 침삭] 남의 영토(領土)를 침범하여 삭탈(削奪)함.
[侵齧 침설] 물결이 언덕을 침식(侵蝕)하듯이 파괴함.
[侵損 침손] 침해(侵害).
[侵蝕 침식] 조금씩 조금씩 개먹어 들어감.
[侵尋 침심] 점점 앞으로 나아감.
[侵軋 침알] 서로 세력을 다투어 침핍(侵逼)함.
[侵漁 침어] 어부가 고기를 잡듯, 차례로 남의 것을 빼앗음. 침탈(侵奪).
[侵撓 침요] 침노하여 어지럽힘. 침범하여 굴복시킴.
[侵擾 침요] 침범하여 소요(騷擾)를 일으킴.
[侵辱 침욕] 침범하여 욕보임.
[侵欲 침욕] 침범하여 빼앗으려는 욕망.
[侵冤 침원] 학대(虐待)함.
[侵越 침월] 경계(境界)를 넘어 침입함.
[侵淫 침음] ㉠차차로 쳐들어감. 또, 물에 빠져 젖어 듦. ㉡차차 넘쳐흐름.
[侵易 침이] 침범하고 깔봄.
[侵入 침입] 침범하여 들어감.
[侵恣 침자] 남의 권리(權利)를 침범하여 방자함.
[侵殘 침잔] 침범하여 해침. 남의 권리(權利)를 침해(侵害)함.
[侵雜 침잡] 상하(上下)의 분한(分限)을 침범하여 어지럽힘.
[侵竊 침절] 침도(侵盜).
[侵占 침점] 빼앗아 차지함. 침탈(侵奪)하여 점령(占領)함.
[侵地 침지] 침범하여 빼앗은 땅. 약탈(掠奪) 또는 가로챈 곳.
[侵踐 침천] 침범하여 유린함.
[侵抄 침초] 침략(侵略)함.
[侵奪 침탈] 침범하여 빼앗음. 침어(侵漁).
[侵蔽 침폐] 침범하여 은폐함.
[侵暴 침포] 침학(侵虐).
[侵逼 침핍] 침범하여 핍박(逼迫)함.
[侵虐 침학] 침범하여 포학(暴虐)을 행함. 침포(侵暴).
[侵害 침해] 침범하여 손해를 끼침.
[侵毁 침훼] 침범하여 훼손함.
●輕侵. 欺侵. 來侵. 大侵. 不可侵. 不侵. 襲侵. 貪侵.

7
⑨ [侸] 〓수 ㊤遇 殊遇切 shù
　　　 〓두 ㊥尤 當侯切 dōu

[字解] 〓 설 수 직립(直立)함. 竪(豆部 八畫)와 同字. '一, 立也'《說文》. 〓 늘어질 두, 마를 두 '佔一'는 아래로 축 늘어져 있는 모양. 일설(一

說)에는, 몹시 여윈 모양. '佁─, 下垂也, 一日疲劇'《集韻》.
字源 甲骨文 [그림] 篆文 [그림] 形聲. 亻(人)+豆[音]. '豆두'는 굽 달린 제기(祭器)의 모양을 본뜸. '세우다'의 뜻을 나타냄.

7/⑧ [侶] 人名 려 ①語 力擧切 lǔ [侶]

筆順 丿 亻 仃 仃 侶 侶 侶 侶

字解 ①짝 려, 벗 려 동무. 동류(同類), '一儔'. '伴─'. '相與結─'《王襃》. ②벗할 려 벗으로 삼음. '─魚蝦, 而友麋鹿'《蘇軾》. ③동반할 려 동무 삼아 같이 감. '麟不一行'《陸機》.
字源 篆文 [그림] 形聲. 亻(人)+呂[音]. '呂려'는 척추(脊椎)가 죽 이어져 있는 모양으로, '이어지다'의 뜻. 같은 줄에 나란히 늘어선 사람, 동무의 뜻을 나타냄.

[侶伴 여반] '반려(伴侶)'와 같음.
[侶儔 여주] 동무. 벗.
[侶行 여행] 동무 삼아 같이 감.
◉故侶. 官侶. 挂侶. 宮侶. 斷金侶. 徒侶. 同侶. 伴侶. 方外侶. 法侶. 實侶. 受業侶. 僧侶. 詩侶. 僚侶. 羽化侶. 遊侶. 義侶. 儔侶. 塵縛侶. 醉侶. 緇侶. 親侶. 行侶. 好侶. 花下侶. 會心侶.

7/⑨ [俔] 탈 入曷 他括切 tuō [俔]

字解 ①가벼울 탈 경박함. '劉表以王粲體弱而通─, 不甚重也'《魏志》. ②대범할 탈 성질이 까다롭지 않음. 잘게 굴지 않음. '其行─而順情'《淮南子》. ③옳을 탈 이치에 합당함. 도리에 맞음. '荀卿非數家之書─也'《揚子法言》. ④교활할 탈 '─, 狡也'《集韻》. ⑤추할 탈 못생김. '貌─陋'《唐書》.
字源 形聲. 亻(人)+兌[音]

[俔陋 탈루] 용모(容貌)가 보기 싫음. 얼굴이 못생김.
[俔失 탈실] 깜빡 잊음. 또, 경솔하게 틀림.

7/⑨ [便] 中入 ■ 편 去霰 婢面切 biàn | 先 房連切 pián ■ 변 去霰 婢面切 biàn [便]

筆順 丿 亻 仁 仵 佰 便 便 便 便

字解 ■①편할 편 ㉠편안함. '─安'. '養病而私自─'《漢書》. ㉡편리함. '─宜'. '百姓爲─'《後漢書》. ②편의 편 ㉠유리한 방법. '士莫敢言一朝之─, 皆有終歲之計'《國語》. ㉡유리한 기회. '據五勝之─, 而列六國'《吳越春秋》. ③소식 편 음신. '信─'. '行雨東南, 思假飛山之─'《徐陵》. ④쉴 편 휴식함. '─殿'. '愁─房以偃息'《潘尼》. ⑤익힐 편 익어 곧 숙달함. '一習'. '謹其所─'《大戴禮》. ⑥뚱뚱할 편 비대함. '─腹'. '─腹──'《後漢書》. ⑦말잘할 편 '──言'《論語》. ⑧아첨 편 아유. '友─佞損矣'《論語》. ⑨성 편 성(姓)의 하나. ■①곧 변, 문득 변 즉(卽). '卽─'으로 연용(連用)하기도 함. '─是堯舜氣象'《朱熹》. ②오줌 변 '小─'. ③오줌눌

변 소변을 봄. '郞有醉─殿上者'《漢書》. ④똥변 '大─'. '經月─溺皆蜜'《輟耕錄》.
字源 篆文 [그림] 會意. 亻(人)+更(更). '叓경'은 힘을 가해서 바꾸다의 뜻. 사람에게 편리하도록 바꾸다의 뜻에서, '편리하다'의 뜻을 나타냄. 또, 그것을 보고 나면 시원해지는 대소변의 뜻도 나타냄.

[便器 변기] 대소변을 받아 내는 그릇.
[便秘 변비] 대변(大便)이 잘 나오지 아니하는 병. 비결(祕結).
[便所 변소] 뒷간.
[便是 변시] 다를 것이 없이 바로 곧 이것임.
[便液 변액] 똥물.
[便計 편계] 편리한 계책.
[便官 편관] ㉠그 사람에게 적합한 벼슬. ㉡사무(事務)가 바쁘지 않은 벼슬. 한직(閑職).
[便巧 편교] ㉠교묘하게 남의 비위를 맞춤. ㉡몸이 잼. ㉢편리함.
[便轎 편교] 산(山)에서 타는 가마.
[便口 편구] 말이 술술 나옴. 구변(口辯)이 좋음.
[便佞 편녕] 구변이 좋고 심술이 바르지 않아 아첨을 잘함. 또, 그 사람.
[便道 편도] 지름길. 편리한 길. 첩경(捷徑).
[便覽 편람] 잠깐 보아서 얼른 알도록 만든 책. 열람에 편리한 책.
[便利 편리] ㉠편하고 쉬움. ㉡재빠름. 몸이 잼.
[便蒙 편몽] 초학자(初學者)가 알기 쉬운 책.
[便門 편문] 뒷문.
[便敏 편민] 약음. 민첩함.
[便房 편방] 휴게실(休憩室).
[便法 편법] 간편한 방법.
[便辟 편벽] 남의 비위를 맞춰 알랑거림. 또, 그렇게 하는 사람. '편(便)'은 남의 좋아하는 바에 붙좇음. '벽(辟)'은 남의 싫어하는 바를 피한다는 뜻.
[便服 편복] 평상시에 입는 옷.
[便腹 편복] 뚱뚱한 배.
[便私 편사] 자기 한 사람만의 편의.
[便辭 편사] 교묘하게 남의 비위를 맞추는 언사(言辭).
[便姍 편산] 옷자락이 춤추듯이 올라가는 모양. 편안한 걸음걸이를 이름.
[便船 편선] ㉠편을 이용할 수 있는 배. ㉡경편(輕便)한 배.
[便旋 편선] ㉠배회함. 빙빙 돌며 거닒. ㉡소변(小便)을 함.
[便習 편습] 익숙해짐. 일에 익음.
[便乘 편승] ㉠남을 따라 한자리에 탐. ㉡세태나 남의 세력을 이용하여 자신의 이익(利益)을 거둠.
[便時 편시] 형편이 좋은 때. 편리한 때.
[便室 편실] 쉬는 방. 별실(別室).
[便言 편언] 구변(口辯)이 좋음. 편어(便語).
[便妍 편연] ㉠용자(容姿)의 나긋나긋하고 아리따운 모양. ㉡춤추는 모양. 또, 가볍게 나는 모양. ㉢화려함. 우아함.
[便衣 편의] 편복(便服).
[便宜 편의] ㉠편리하고 마땅함. ㉡형편(形便). 또, 형편을 살핌. ㉢값이 쌈. 염가(廉價).
[便易 편이] 편하고 쉬움.
[便益 편익] 편리하고 유익(有益)함.
[便人 편인] 일에 익은 사람.

[便章 편장] ㉠나누어 분명히 함. ㉡간편한 몸차림. 약복(略服).
[便殿 편전] 임금이 휴식하는 궁전. 임금이 평상시에 거처하는 대궐.
[便戰 편전] 편싸움.
[便程 편정] 일을 알맞게 과(課)함. 일의 분량을 적당히 배당함.
[便坐 편좌] ㉠편히 앉음. ㉡쉬는 방. 편방(便房). 휴게실.
[便地 편지] 편리한 땅. 유리(有利)한 땅.
[便紙 편지] 소식을 알리거나 용건을 전하는 글. 서간(書簡).
[便捷 편첩] 몸이 날램. 편민(便敏).
[便廳 편청] 관청 안의 휴식하는 곳.
[便就 편취] 순식간에 됨.
[便便 편편] ㉠살진 모양. 비대(肥大)한 모양. ㉡유창(流暢)하게 변명(辨明)하는 모양. ㉢한아(閒雅)한 모양.
[便嬖 편폐] 아첨을 잘하여 임금의 총애(寵愛)를 받는 시신(侍臣).
[便風 편풍] 순풍(順風).
[便幸 편행] 좌우의 근시(近侍). 측근.
[便嬛 편현] 편연(便姸).
●簡便. 檢便. 輕便. 巧便. 權便. 近便. 大便. 方便. 不便. 善巧方便. 船便. 小便. 溲便. 勝便. 信便. 安便. 兩便. 隱便. 隱便. 利便. 因利乘便. 人便. 舟楫便. 車便. 快便. 行旅便. 形便.

7 ⑨ [㑷] 〔人名〕오 ㉻遇 五故切 wù　伍

[字解] 맞이할 오 접대함. '其人逢─化言'《史記》.
[字源] 形聲. 亻(人)＋吾〔音〕. '吾오'는 '迎영'과 통하여 '맞이하다'의 뜻.

7 ⑨ [俁] 우 ㉰麌 虞矩切 yǔ　俣

[字解] 클 우 용모(容貌)가 큰 모양. '碩人──' 《詩經》.
[字源] 形聲. 亻(人)＋吳〔音〕.

[俁俁 우우] 용모(容貌)가 큰 모양.

7 ⑨ [係] 〔高入〕계 ㉻霽 古詣切 xì　系 佲

[筆順] 亻 亇 亇 佢 佢 俖 係 係

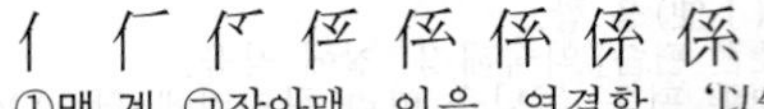

[字解] ①맬 계 ㉠잡아맴. 이음. 연결함. '以朱絲─玉二瓀'《左傳》. ㉡묶음. 결박(結縛)함. '─輿人, 以圍商密'《左傳》. ②매일 계 계속(繫屬)함. '─小子失丈夫'《易經》. ③끌 계 질질 끎. 걸침. '─履而見魏王'《莊子》. ④성 계 성(姓)의 하나. ⑤계 계(韓) 사무 분담의 구분에 있어 가장 아래의 단위(單位). '─長'. '─員'.
[字源] 形聲. 亻(人)＋系〔音〕. '系계'는 '이어지다, 연계(連繫)'의 뜻. 사람과 사람을 잇다, 연계의 뜻을 나타냄.

[係羈 계기] 매어 놓음.
[係戀 계련] 몹시 연연(戀戀)함. 안타깝게 그리워 잊지 못함.
[係虜 계로] 포로(捕虜).

[係累 계루] ㉠얽어맴. 결박함. 또, 얽매임. ㉡처자 권속(妻子眷屬).
[係纍 계루] 계루(係累).
[係嗣 계사] 후사(後嗣).
[係絏 계설] 맴. 잡아맴.
[係瑣 계쇄] 사슬로 매어 놓음.
[係數 계수] 대수(代數)에서, 단항식(單項式)을 수(數)와 문자(文字)의 곱으로 구분할 때의 수(數). 수계수(數係數)라고도 함.
[係仰 계앙] 마음이 끌리어 우러러 사모함.
[係員 계원](韓) 한 계(係)에 속하는 인원(人員).
[係長 계장](韓) 관청이나 회사의 한 계(係)의 책임자.
[係爭物 계쟁물] 당사자간(當事者間)에 분쟁(紛爭)된 목적물(目的物). 곧, 소송(訴訟)의 목적.
[係蹄 계제] 짐승의 발을 옭는 올가미. 물.
[係風捕影 계풍포영] '계풍포영(繫風捕影)'과 같음.
[係獲 계획] 잡힘.
●關係.

7 ⑨ [俙] 〔人名〕희 ㉸微 香衣切 xī / ㉺尾 虛豈切

[字解] ①송사할 희 소송(訴訟)함. '─, 訟面相是也'《說文》. ②아첨할 희 비위를 맞춤. '謂內爭而外順也'《說文》. ③느낄 희 감동(感動)하는 모양. '─然'. '於是天子─然改容'《司馬相如》. ④비슷할 희 방불(彷彿)함. '優─, 仿佛也'《集韻》. ⑤풀 희 '─, 解也'《玉篇》.
[字源] 形聲. 亻(人)＋希〔音〕.

7 ⑨ [促] 〔高入〕촉 ㉹沃 七玉切 cù / 〔入〕착 ㉲覺 測角切 chuò　促

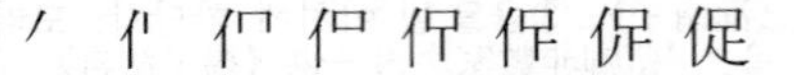

[筆順] 亻 亻 亻 仟 仟 俘 佗 促

[字解] ■①절박할 촉 시기나 기한이 가까이 닥침. '吳國之命斯─矣'《吳越春秋》. ②급할 촉 빠름. '大絃聲遲小絃─'《歐陽修》. ③재촉할 촉 빨리 하도록 죄침. '催─'. '督─'. '催也'《字彙》. ④좁을 촉 협소함. '窘路狹且─'《後漢書》. ⑤이를 촉 '─, 至也'《廣韻》. ⑥짧을 촉 단소함. 또, 줄어듦. '聞冬夜之恒長, 何此夕──'《潘岳》. ⑦바쁠 촉 분주함. '民年急而歲─'《鹽鐵論》. ■악착스러울 착 齪(齒部 七畫)과 통용. '踵常途之──'《韓愈》.
[字源] 形聲. 亻(人)＋足〔音〕. '足족'은 '速속'과 통하여, '빠르다'의 뜻. 사람을 재촉하여 빨리 시키다의 뜻에서, '촉구(促求)'하다'의 뜻을 나타냄.

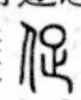

[促促 착착] 소소한 속사(俗事)에 심신(心身)을 기울여 힘쓰는 모양. 악착스럽게 일하는 모양.
[促遽 촉거] 급히 서듦. 허둥지둥함.
[促急 촉급] ㉠가깝게 박두(迫頭)하여 몹시 급함. ㉡재촉함. 독촉함.
[促迫 촉박] 촉급(促急).
[促步 촉보] 총총히 걸음. 또, 총총걸음.
[促數 촉삭] 예의(禮儀)가 번거로움.
[促成 촉성] 재촉하여 빨리 이루어지게 함.
[促壽 촉수] 죽기를 재촉하다시피 하여 목숨이 짧아짐.
[促膝 촉슬] 바싹 다가앉아 무릎이 서로 접근함.
[促訾栗斯 촉자율사] 남의 안색(顔色)을 살펴 기

분을 맞춤.
[促杵 촉저] 쿵쿵 자주 찧는 공이 소리.
[促坐 촉좌] 바싹 다가앉음.
[促織 촉직] 가을밤 집 안에서 우는 곤충의 하나. 귀뚜라미. 길쌈을 재촉하느라고 운다는 뜻에서 이름.
[促進 촉진] 재촉하여 빨리 나아가게 함.
[促徵 촉징] 독촉하여 거둬들임.
●局促. 窘促. 急促. 短促. 督促. 煩促. 歲促. 刺促. 戚促. 戲促. 催促. 追促. 褊促. 偪促. 逼促. 惶促.

7 ⑨ [俌] 人名 보 ⊕麌 方矩切 fǔ
　　　　　　　芳武切
字解 도울 보 보필함. 輔(車部 七畫)와 同字.
字源 篆文 俌 形聲. 亻(人)+甫[音]. '甫보'는 '돕다'의 뜻. '輔보'와 동일어(同一語) 이체자(異體字)로서, '돕다'의 뜻을 나타냄.

7 ⑨ [俄] 人名 아 ⊕歌 五何切 é(⑤è)
字解 ①잠시 아 ⑦잠깐 동안. '一頃'. '一刻'. ⓛ잠시 후에. 얼마 안 되어. '一而季梁之疾自瘳' 《列子》. ②갑자기 아 급작스럽게. '一然'. '一有群女, 持酒'《列仙傳》. ③기울 아 峨(山部 七畫)와 同字. '側弁之一'《詩經》. ④높을 아, 높일 아 '一軒冕雜衣裳'《揚雄》. ⑤아라사 아 아라사(俄羅斯), 곧 러시아의 약칭. '一館'.
字源 篆文 俄 形聲. 亻(人)+我[音].

[俄刻 아각] 갑자기. 아이(俄爾).
[俄頃 아경] 잠깐 동안. 잠시.
[俄館 아관] 《韓》 아라사(俄羅斯)의 공사관(公使館).
[俄國 아국] 아라사(俄羅斯).
[俄羅斯 아라사] 노서아(露西亞)의 구칭(舊稱).
[俄然 아연] 갑자기. 급히.
[俄爾 아이] 아각(俄刻).
●傀俄.

7 ⑨ [俅] 구 ⊕尤 巨鳩切 qiú
字解 공순할 구 '一一'는 공손하고 온순한 모양. 일설(一說)에는, 관(冠)의 장식(裝飾)의 모양. '戴弁一一'《詩經》.
字源 篆文 俅 形聲. 亻(人)+求[音]. '求구'는 동그랗게 공손하게 몸을 굽히다의 뜻을 나타냄.

[俅俅 구구] 자해(字解)를 보라.

7 ⑨ [俊] 高入 준 ⊕震 子峻切 jùn(zùn)
筆順 亻 亻 亻 亻 亻 俨 俨 俊
字解 ①뛰어날 준, 준걸 준 재주와 슬기가 뛰어남. 걸출함. 또, 그 사람. '一士'. '一材'. '贊桀一'《禮記》. ②클 준, 높을 준 峻(山部 七畫)과 통용. '克明一德'《書經》. ③성 준 성(姓)의 하나.
字源 篆文 俊 形聲. 亻(人)+夋[音]. '夋준'은 '出'따위와 통하여, '나다'의 뜻. '뛰어난 사람'의 뜻을 나타냄.

[俊健 준건] 걸출하고 강건함.
[俊傑 준걸] 재주와 슬기가 뛰어난 사람.
[俊骨 준골] 준수(俊秀)하게 생긴 골격(骨格).
[俊器 준기] 뛰어난 기국(器局). 또, 그러한 사람.
[俊達 준달] 성질(性質)이 빼어나 사리(事理)에 통달(通達)함.
[俊德 준덕] 고덕(高德). 준덕(峻德).
[俊童 준동] 뛰어나게 슬기로운 소년.
[俊良 준량] 뛰어나게 어진 사람.
[俊邁 준매] 걸출하고 고매함.
[俊髦 준모] 재덕이 뛰어난 선비. 모(髦)는 장모(長毛).
[俊茂 준무] 재학(才學)이 뛰어남. 또, 그 사람.
[俊物 준물] 준수(俊秀)한 사람.
[俊味 준미] 뛰어난 맛. 또, 그것.
[俊民 준민] 재학이 뛰어난 재야(在野)의 인사.
[俊敏 준민] 재주와 슬기가 뛰어나고 민첩함. 수민(秀敏).
[俊拔 준발] 재주와 슬기가 남보다 뛰어남. 준수(俊秀).
[俊法 준법] 준엄(峻嚴)한 법규(法規). 또, 법률을 엄하게 함.
[俊辯 준변] 뛰어난 변설. 웅변(雄辯).
[俊士 준사] ⑦주대(周代)의 학제(學制)에서 서인(庶人)의 자제(子弟) 중 도덕이 뛰어난 사람으로서 대학(大學) 입학을 허가받은 사람. ⓛ준수(俊秀)한 사람.
[俊爽 준상] 재덕(才德)이 남보다 뛰어남.
[俊選 준선] 선출한 준수한 사람.
[俊聲 준성] 뛰어난 명망(名望).
[俊秀 준수] 재주와 슬기가 뛰어남. 또, 그 사람. 준매(俊邁).
[俊語 준어] 훌륭한 말.
[俊彦 준언] 재주와 슬기가 뛰어난 사람. '언(彦)'은 남자의 미칭(美稱).
[俊穎 준영] 재주와 슬기가 뛰어남. 또, 그러한 사람.
[俊乂 준예] 뛰어난 사람. 현재(賢才).
[俊偉 준위] 뛰어나게 큼. 괴위(魁偉).
[俊游 준유] 뛰어난 벗.
[俊異 준이] 재주가 남보다 특별히 뛰어남. 또, 그 사람. 이재(異才).
[俊逸 준일] 재주가 훌륭함. 또, 그러한 사람.
[俊才 준재] 뛰어난 재주. 또, 그 사람. 영재(英才).
[俊材 준재] 뛰어난 재주를 가진 사람. 준재(俊才).
[俊造 준조] 준사(俊士)와 조사(造士). 전(轉)하여, 뛰어난 사람.
[俊智 준지] 뛰어난 슬기.
[俊彩 준채] 뛰어나게 빛을 발(發)하는 인물.
[俊哲 준철] 준수하고 어짊. 또, 그 사람.
[俊弼 준필] 뛰어난 보좌(輔佐). 또, 그 사람.
[俊賢 준현] 뛰어나고 어짊. 또, 그 사람.
[俊兄 준형] 자기 형(兄)의 존칭(尊稱).
[俊慧 준혜] 뛰어나고 지혜가 있음. 또, 그 사람.
[俊豪 준호] 준걸(俊傑).
●傑俊. 輕俊. 洛中俊. 髦俊. 敏俊. 巖穴俊. 良俊. 英俊. 雄俊. 才俊. 青衿俊. 寒俊. 豪俊.

7 ⑨ [俇] 광 ⊕養 求往切 guàng, kuāng
　　　　　　⊕漾 居況切 guàng
字解 ①허둥지둥할 광 황망(遑忙)한 모양. '魂一一而南征'《楚辭》. ②원행할 광 멀리 감. '一, 遠行也'《說文》.

[字源] [篆文] 形聲. 亻(人)＋狂〔音〕

7 ⑨ [俋] 읍 [入]緝 於十切 yì

[字解] ①날쌜 읍 날래고 씩씩한 모양. ②밭갈 읍 '——'은 전지(田地)를 가는 모양. '——乎耕而不顧'《莊子》.
[字源] 形聲. 亻(人)＋邑〔音〕. '邑읍'은 '마을'의 뜻. 마을 사람의 모양에서, 밭을 가는 모양을 나타냄.

[俋俋 읍읍] 자해(字解)❷를 보라.

7 ⑨ [俍] 량 [平]陽 呂張切 liáng

[字解] 어질 량, 잘할 량 良(艮部 一畫)과 同字. '工乎天, 而—乎人者, 惟全人能之'《莊子》.
[字源] 形聲. 亻(人)＋良〔音〕. '良량'은 '어질다'의 뜻.

7 ⑨ [俜] 빙 [平]青 普丁切 pīng

[字解] ①부릴 빙, 쓸 빙 사용함. '—, 使也'《說文》. ②호협할 빙 '—, 俠也'《廣雅》. ③헤맬 빙 '伶—'은 똑바로 가지 못하고 비실비실함. 竮(立部 九畫)과 통용.
[字源] [篆文] 形聲. 亻(人)＋甹〔音〕

7 ⑨ [俏] [一] 초 [去]嘯 七肖切 qiào, ①xiào [二] 소 [平]蕭 思邀切 xiāo

[字解] [一] ①닮을 초 비슷함. '迷生於—'《列子》. ②예쁠 초 용모가 아름다움. [二] 거문고돌려놓는 소리 소 '孔子—然反琴而絃歌'《莊子》.
[字源] 形聲. 亻(人)＋肖〔音〕. '肖초'는 '닮다'의 뜻.

[俏然 소연] 거문고를 돌려 놓는 소리의 형용.

7 ⑨ [俐] [人名] 리 [去]寘 力至切 lì

[字解] 똑똑할 리 영리(伶俐)함. '今方言謂黠慧曰伶—'《康熙字典》.
[字源] 形聲. 亻(人)＋利〔音〕. '利리'는 '날카롭다'의 뜻. 머리가 예민한 사람의 뜻을 나타냄.

◉伶俐.

7 ⑨ [俑] [人名] 용 [上]腫 余隴切 yǒng

[字解] 목우(木偶) 용 순장(殉葬)하는 사람의 대신으로 쓰는 인형(人形). '始作—者, 其無後乎'《孟子》.
[字源] [篆文] 形聲. 亻(人)＋甬〔音〕. '甬용'은 벽용(擗踊)의 '踊용'과 통하여, 발로 땅을 치며 몹시 슬퍼하다의 뜻. 사람의 죽음을 애도하여 부장(副葬)하는 인형의 뜻.

◉爲俑. 作俑.

7 ⑨ [俔] [人名] [一] 현 [上]銑 胡典切 xiàn [二] 견 [去]霰 苦甸切 qiàn

[字解] [一] ①엿볼 현 몰래 봄. ②염탐꾼 현 간첩. '—, 諜也, 卽今細作也'《字彙》. ③바람개비 현 배〔船〕위의 풍향계(風向計). '辟若—之見風也, 無須臾之間定矣'《淮南子》. ④두려워할 현 공구함. '伭伭——'《韓愈》. [二] 비유할 견 '—天之妹'《詩經》. ※'현' 음은 인명자로 쓰임.
[字源] [篆文] 形聲. 亻(人)＋見〔音〕. '見견'은 '보다'의 뜻. '엿보다'의 뜻을 나타냄.

[俔俔 현현] 두려워하는 모양. 현현(睍睍).

7 ⑨ [俍] 방 [上]講 武項切 mǎng

[字解] 꼬장꼬장할 방 아첨하지 않음. '—傋, 不媚也'《集韻》.

7 ⑨ [俗] [中人] 속 [入]沃 似足切 sú

[筆順] 亻 亻 仒 仒 佟 佲 俗 俗

[字解] ①풍습 속 풍속과 습관. '時—'. '世—'. '入國問—'《禮記》. ②시속 속 당세의 속된 풍습. 또, 속세(俗世). '性不協—'《吳志》. ③범속할 속 평범하고 용속(庸俗)함. '—人'. '—主虧情'《呂氏春秋》. ④속될 속 고상하지 못하고 천하게 보임. '雅'의 대. '—惡'. '—學'. '然多鄙—'《後漢書》. ⑤속인 속 ㉠평범한 사람. '不和於—'《戰國策》. ㉡중이 아닌 보통 사람. '世祖命使還—'《宋書》. ⑥바랄 속 '—, 欲也'《釋名》.
[字源] [金文] [篆文] 形聲. 亻(人)＋谷〔音〕. '谷곡'은 '浴욕'과 통하여, 입 모양의 것에 들어가다의 뜻. 사람이 한정된 틀에 들다, 관습의 뜻을 나타냄.

[俗家 속가] ㉠속인(俗人)의 집. 불교를 믿지 아니하는 사람의 집. ㉡중이 중 되기 전에 태어난 집.
[俗歌 속가] 속(俗)된 노래. 유행가.
[俗間 속간] 속(俗)된 세상. 민간(民間). 속세간(俗世間).
[俗客 속객] ㉠세속 사람. 무식하고 속된 사람. ㉡자두꽃의 별칭(別稱).
[俗格 속격] 보통 세상의 격식.
[俗見 속견] ㉠옷차림이나 예법을 갖추지 않고 만나 봄. ㉡세속(世俗)의 생각. 속인(俗人)의 견식(見識).
[俗境 속경] ㉠속지(俗地). ㉡속인(俗人)의 경지(境地).
[俗界 속계] ㉠속인(俗人)의 세계(世界). 종교계(宗教界)의 대(對). ㉡비천(卑賤)하고 더러운 일이 행해지고 있는 장소. 속경(俗境). ㉢무풍류(無風流)한 장소.
[俗曲 속곡] ㉠일반에서 널리 부르는 가곡(歌曲). ㉡속가(俗歌).
[俗骨 속골] 평범(平凡)한 골격(骨格). 범골(凡骨).
[俗教 속교] 시속의 가르침. 관습.
[俗襟 속금] 세속(世俗)의 먼지가 묻은 옷깃. 전(轉)하여, 속진(俗塵)에 찌든 마음. 속정(俗情).
[俗忌 속기] 세속에서 꺼리는 일.
[俗氣 속기] 세속의 기풍. 속된 기풍.
[俗念 속념] 세속에 얽매인 생각. 속된 생각. 속정(俗情).
[俗談 속담] ㉠세속(世俗) 이야기. ㉡옛적부터 내려오는 민간(民間)의 격언(格言).

[俗慮 속려] 속정(俗情).
[俗例 속례] 세속의 관례(慣例).
[俗禮 속례] 풍속에서 일어난 예절.
[俗論 속론] ㉠세속의 의론. 속인의 의견. ㉡하찮은 의견.
[俗了 속료] 비속(鄙俗)해짐. 속화(俗化)함.
[俗陋 속루] 속(俗)되고 천함.
[俗累 속루] 세상(世上)살이에 얽매인 너저분한 일. 진루(塵累).
[俗流 속류] 아담한 맛이 없는 평범한 무리. 속배(俗輩).
[俗吏 속리] 절개나 식견이 없는 관리. 사리에 통하지 않는 관리. 속된 관리.
[俗名 속명] ㉠중이 되기 전의 이름. 법명(法名)의 대(對). ㉡민간에서 부르는 이름. 통칭(通稱).
[俗目 속목] 속안(俗眼).
[俗務 속무] 세속의 잡무(雜務).
[俗文 속문] ㉠알기 쉬운 통속(通俗)의 글. ㉡하찮은 글.
[俗文學 속문학] 예술적 가치가 적은 속된 문학.
[俗物 속물] ㉠속된 물건. ㉡식견이 없거나 풍류를 모르는 사람. 속된 사람.
[俗輩 속배] 속류(俗流).
[俗煩 속번] 속세(俗世)의 번거로움. 세루(世累). 속루(俗累).
[俗不可醫 속불가의] 속기(俗氣)가 있는 사람은 제도(濟度)할 수 없음.
[俗鄙 속비] 천함. 비속(鄙俗)함.
[俗士 속사] 속된 선비. 식견이나 안목이 낮은 사람. 범용한 선비.
[俗事 속사] 속세(俗世)의 일.
[俗思 속사] 일반 사람의 생각.
[俗師 속사] 학식이 옅은 선생.
[俗殺 속살] 속살(俗煞).
[俗煞 속살] 평범하게 되어 버림. 속되게 되어 버림. '살(煞)'은 조사(助辭). 속료(俗了).
[俗尙 속상] 세속(世俗)의 기호(嗜好).
[俗書 속서] ㉠불경(佛經)이 아닌 책. ㉡속된 책. 보잘것없는 책.
[俗說 속설] 세속 사람의 통설.
[俗姓 속성] ㉠세간(世間)에서 보통 불려지는 성. ㉡중이 되기 전의 성(姓).
[俗性 속성] 속(俗)되고 천한 성질.
[俗世 속세] 일반 사회. 이 세상.
[俗世間 속세간] 속세(俗世).
[俗所謂 속소위] 속담(俗談)에 이른바.
[俗習 속습] 세속의 풍습.
[俗僧 속승] 속태(俗態)를 벗지 못한 중. 불도(佛道)를 잘 모르는 중.
[俗心 속심] 속된 마음. 명예나 이욕에 끌리는 마음.
[俗惡 속악] 속되고 나쁨. 비속(卑俗)하고 열악(劣惡)함.
[俗樂 속악] 속(俗)된 음악. 일반에서 널리 부르는 노래.
[俗眼 속안] 시속(時俗)의 안목(眼目).
[俗語 속어] ㉠품격(品格)이 낮은 말. 천한 말. ㉡일상 쓰이는 말. 아어(雅語)의 대(對).
[俗言 속언] 속어(俗語).
[俗諺 속언] 민간(民間)에 돌아다니는 상말. 이언(俚諺). 비언(鄙諺).
[俗緣 속연] 《佛敎》 속세(俗世)의 인연(因緣). 이승의 인연(因緣).
[俗謠 속요] 유행가. 민요(民謠).
[俗冗 속용] 세상(世上)의 온갖 번잡(繁雜)한 일.
[俗韻 속운] 고상하지 아니한 음조(音調).
[俗儒 속유] 속(俗)된 유생(儒生). 식견이 없는 유학자(儒學者).
[俗音 속음] 세상에서 통속적으로 잘못 쓰는 한자(漢字)의 음(音).
[俗意 속의] 속된 의미(意味). 속된 의견(意見).
[俗議 속의] 속론(俗論).
[俗耳 속이] 속인(俗人)의 귀. 풍류를 이해 못하는 귀. 이이(俚耳).
[俗人 속인] ㉠풍류를 이해(理解)하지 못하는 속(俗)된 사람. ㉡일반 사람. ㉢중이 중 아닌 사람을 가리키는 말.
[俗字 속자] 세상에서 통속적으로 쓰이는, 자획(字畫)이 바르지 않은 한자.
[俗腸 속장] 속정(俗情).
[俗才 속재] 세상살이에 뛰어난 재주.
[俗材 속재] 평범한 인물.
[俗傳 속전] 민간에 전하여 내려옴. 세상에 널리 전함.
[俗情 속정] 세속적인 생각. 명리(名利)에만 급급한 고아하지 아니한 마음.
[俗諦 속제] 《佛敎》 속세의 실상에 따라서 알기 쉽게 설명한 진리. 자타(自他)의 차별이 있는 현실의 세계에 기초를 둔 가르침. 진제(眞諦)의 대(對).
[俗調 속조] 저속(低俗)한 가락.
[俗主 속주] 평범(平凡)한 군주(君主).
[俗智 속지] 평범한 지혜. 세상에 관한 재지(才智).
[俗塵 속진] 속세(俗世)의 티끌. 전(轉)하여 속사(俗事).
[俗唱 속창] 속가(俗歌).
[俗體 속체] ㉠중이 아닌 속인의 태도. ㉡고상(高尙)하지 아니한 속(俗)된 체제(體制).
[俗臭 속취] 세속(世俗)의 냄새.
[俗趣 속취] 세속(世俗)의 취미(趣味).
[俗稱 속칭] ㉠세속(世俗)에서 흔히 부르는 이름. ㉡속명(俗名).
[俗態 속태] 아담스럽지 못한 모양. 세속의 티.
[俗套 속투] 세속(世俗)의 격식(格式). 속습(俗習).
[俗學 속학] 속되고 고상(高尙)하지 아니한 학문.
[俗漢 속한] 언행(言行)이 속된 놈. 보잘것없는 놈.
[俗解 속해] 속인(俗人)에게 알기 쉽게 한 풀이. 언해(諺解).
[俗好 속호] 시속(時俗)의 기호(嗜好). 유행(流行). 시호(時好).
[俗化 속화] ㉠세속(世俗)의 교화(敎化). ㉡속(俗)되게 변(變)함. 나쁜 풍속에 감화되어 감.
[俗畫 속화] 속된 그림.
[俗話 속화] 세속(世俗)의 이야기.
[俗懷 속회] 속정(俗情).
◉改俗. 牽俗. 獷俗. 拘俗. 舊俗. 國俗. 歸俗. 陋俗. 同聲異俗. 蠻俗. 末俗. 亡民俗. 美俗. 民俗. 拔俗. 方俗. 凡俗. 負俗. 卑俗. 世俗. 疏俗. 殊俗. 習俗. 僧俗. 時俗. 雅俗. 厲俗. 汙俗. 謠俗. 庸俗. 元輕白俗. 流俗. 遺俗. 異俗. 俚俗. 離俗. 在俗. 低俗. 絶俗. 塵俗. 賤俗. 超俗. 脫俗. 貪俗. 土俗. 通俗. 風俗. 還俗.

7 ⑨ [俘] 부 [平]虞 芳無切 fú 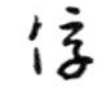

字解 ①사로잡을 부 산 채로 잡음. '一諸江南' 《左傳》. 또, 그 사람. 포로. '一虜' '歸齊' 《春秋》. ②빼앗을 부 탈취함. '胡子盡一楚邑之 近胡者'《左傳》. 또, 전리품(戰利品). '一, 軍所 獲也'《說文》. ③가질 부 취(取)함. '一厥寶玉' 《書經》. ④벌(罰) 부 '一, 罰也'《小爾雅》.

字源 甲骨文 金文 篆文 形聲. 亻(人)+孚〔音〕. '孚부'는 '젖먹이를 껴안 다'의 뜻. 성인(成人)을 푹 싸서 잡다, 포로로 하다의 뜻을 나타내며, 파생(派生)되어, 전리 품(戰利品)의 뜻도 나타냄. 甲骨文은 '亻+孚 〔음〕. '亻척'은 전쟁에 나가다의 뜻. 전쟁에 나 가 잡다, 빼앗다의 뜻을 나타냄.

[俘馘 부괵] ㉠부급(俘級). ㉡적을 잡아 그 귀를
[俘級 부급] 포로와 수급(首級).　　　　└벰.
[俘隷 부례] 생포당하여 노예로 편입됨. 또, 그 사
　람.
[俘虜 부로] 사로잡은 적군(敵軍). 포로(捕虜).
[俘纍 부루] 사로잡아 묶임.
[俘殺 부살] 사로잡아 죽임.
[俘囚 부수] 부로(俘虜).
[俘斬 부참] 사로잡음과 베어 죽임.
[俘醜 부추] 사로잡은 무리. 포로들.
[俘獲 부획] 포로. 부로(浮虜).
　●禽俘. 生俘. 囚俘. 執俘. 獻俘.

7⑨ [俚] 人名 리 ㊤紙 良士切 lǐ　俓

筆順 亻 亻 伸 俏 但 但 俚 俚

字解 ①속될 리 상스러움. 촌스러움. 비속(鄙 俗)함. '一俗'. '一言'. '質而不一'《漢書》. ② 시골 리 '國之下邑曰一'《一切經音義》. ③속요 리 상스러운 노래. 이요(俚謠). '謬承巴一和' 《孟浩然》. ④의뢰 리 의지. '其畫無一之至耳' 《漢書》.

字源 篆文 俚 形聲. 亻(人)+里〔音〕. '里리'는 '시 골'의 뜻. 촌리(村里)의 사람의 뜻에 서, '상스럽다, 촌스럽다'의 뜻을 나타냄. 또, '賴뢰'와 통하여, '의지하다'의 뜻도 나타냄.

[俚歌 이가] 민간(民間)에 유행하는 노래. 속된
　노래. 이요(俚謠).
[俚近 이근] 촌스럽고 속됨. 비근(卑近).
[俚婦 이부] 속된 부인. 시골의 부인.
[俚鄙 이비] 속되고 야비함. 비속함.
[俚辭 이사] 세속(世俗)의 말.
[俚俗 이속] 야비(野卑)하고 속(俗)됨.
[俚室 이실] 시골집.
[俚語 이어] 이언(俚諺).
[俚言 이언] 세속(世俗)의 말.
[俚諺 이언] 항간(巷間)에 퍼져 있는 속담.
[俚謠 이요] 유행가. 속요(俗謠).
[俚儒 이유] 시골 학자. 촌학구(村學究).
[俚醫 이의] 돌팔이 의원(醫員).
[俚耳 이이] 속인(俗人)의 귀. 풍류를 이해하지
　못하는 귀. 속이(俗耳).
[俚淺 이천] 속되고 천박함. 비천(鄙淺).
　●蕉俚. 鄙俚. 哇俚. 庸俚. 淺俚. 巴俚. 下俚.

7⑨ [俾] 〔비〕
俾(人部 八畫〈p. 148〉)의 俗字

7⑨ [佸] 〔곡〕
嚳(口部 十七畫〈p. 413〉)과 同字

7⑨ [㐰] 〔기〕
企(人部 四畫〈p. 104〉)의 古字

7⑨ [㐰] 기 ㊤支 巨支切 qí
字解 가지런하지않을 기 '一, 參差也'《廣韻》.

7⑨ [俛] 一부 二면(면㉨)　㊤麌 匪父切 fǔ 　㊤銑 亡辨切 miǎn　俛

字解 一 숙일 부 고개를 숙임. 구푸림. 俯(人部 八畫)와 同字. '一視'. '在一仰之間耳'《漢書》. 二 힘쓸 면 勉(力部 七畫)과 同字. '一焉日有孶 孶'《禮記》.

字源 篆文 俛 會意. 亻(人)+免. '免면'은 아이를 낳 기 위해 몸을 굽히다의 뜻. 사람이 고 개를 숙이다의 뜻을 나타냄.

[俛勉 면면] 힘씀. 노력함.
[俛仰 면앙] '부앙(俛仰)'과 같은 뜻.
[俛焉 면언] 부지런히 힘쓰는 모양.
[俛詘 부굴] 몸을 굽힘. 전(轉)하여, 뜻을 굽힘.
[俛起 부기] 엎드렸다 일어났다 함. 전하여, 생활
　함.
[俛僂 부루] ㉠등을 굽힘. ㉡꼽추. 곱사등이.
[俛首 부수] 고개를 숙임.
[俛首帖耳 부수첩이] 머리를 숙이고 귓불을 처뜨
　린다는 뜻으로, 아첨(阿諂)하는 꼴.
[俛拾地芥 부습지개] 몸을 굽혀 흙이나 쓰레기를
　주움. 사물의 얻기 쉬움의 비유.
[俛視 부시] 굽어봄. 부시(俯視).
[俛仰 부앙] 굽어봄과 우러러봄.
[俛仰之間 부앙지간] 굽어보았다 우러러보았다
　하는 잠시 동안.
[俛出胯下 부출과하] 한신(韓信)이 굴욕을 참고
　남의 사타구니 밑을 기어 나간 고사(故事).
　●眉俛. 僵俛. 拜俛. 偃俛.

7⑨ [徐] 서 ㊤魚 似魚切 xú,②shū
字解 ①느릴 서 천천함. '一, 緩也'《說文》. ② 고을이름 서 '一州'는 옛 설(薛)나라로, 지금의 산둥 성(山東省) 등현(滕縣). ③성 서 성(姓)의 하나.
字源 形聲. 亻(人)+余〔音〕.

7⑨ [徺] 폐 ㊤齊 傍禮切 bì
字解 팔자걸음걸을 폐 발을 벌리고 걸음. '一 儀, 開脚行也'《廣韻》.

7⑨ [保] 甲 人 보 ㊤皓 博抱切 bǎo　係

筆順 亻 亻 伊 伊 但 伴 保 保

字解 ①보설 보 보증(保證)을 섬. '一人'. '令 五家爲比, 使之相一'《周禮》. ②보전할 보 보호 하여 안전하게 함. '一安'. '一護'. '不一四禮' 《孟子》. ③도울 보 보좌함. '天迪格一'《書經》. ④기를 보 보호하여 양육(養育)함. '若一赤子'

《孟子》. ⑤알 보 인식함. 판단함. '羌不可一也'
《楚辭》. ⑥지킬 보 의지하여 수비함. '走一平原'
《魏志》. ⑦편안할 보 편함. '南土是一'《詩經》.
⑧믿을 보 의지함. '一君父之命'《左傳》. ⑨부릴
보 씀. 사용함. '一, 使也'《廣雅》. ⑩클 보 크게
함. 襃(衣部 十一畫)와 통용. '象曰, 順相一也'
《易經》. ⑪머슴 보 고용인. '爲酒家一'《史記》.
⑫반 보 옛날에 일정한 호수(戶數)로 조직하여
그 조직 안에서 공무(公務)에 관하여 연대 책임
을 지던 조합(組合). '制五家爲一, 有長'《隋
書》. ⑬보증자 보 또. 또한 보증하는 사람. '使原差押
出取一'《未信編》. ⑭보루 보 堡(土部 九畫)와
통용. '四鄙入一'《禮記》. ⑮포대기 보 褓(衣部
九畫)와 통용. '一介之御間'《禮記》. ⑯성 보 성
(姓)의 하나.

字源 甲骨文 金文Ⓐ 金文Ⓑ 篆文 保 古文 保 古文 呆
形聲 象文
은 人+孚〔省〕〔音〕. '孚부'는 또 爫+子로서,
金文Ⓑ를 직접 이어받은 자형(字形)임. 또, 甲
骨文은 人+子의 會意字임. 어른이 젖먹이를
업든가 안든가 하여 '지키다, 보전하다'의 뜻.
'孚'는 뒤에 '呆보'가 됨.

[保家 보가] 한 집안을 보전하여 감.
[保甲 보갑] 지방의 안녕질서를 유지함을 목적으
로 한 의용병(義勇兵). 왕안석(王安石)의 신법
(新法)의 하나.
[保介 보개] 주대(周代)의 권농(勸農)하는 벼슬.
[保據 보거] 보전하여 웅거(雄據)함.
[保健 보건] 건강을 보전(保全)함.
[保界 보계] 경계(境界)를 유지(維持)함.
[保管 보관] 물건을 보호하고 관리함.
[保菌 보균] 병균을 몸에 지니고 있음.
[保寧 보녕] 편안하게 함.
[保輦 보련] 천자(天子)의 수레를 보호하는 사람
이라는 뜻으로, 천자(天子)의 친병(親兵). 금병
(禁兵). '난(輦)'은 '난(鑾)'이라고도 쓰는데,
천자의 수레 위에 다는 방울로서 '난(鑾)'을 상
형(象形)했음.
[保留 보류] 결정을 뒤로 미루어서 머물러 둠.
[保釐 보리] 편안히 다스림.
[保隣 보린] 이웃끼리 서로 도움.
[保馬法 보마법] 신법(新法)의 하나. 송(宋)나라
왕안석(王安石)이 백성들로 하여금 조(組)를
조직(組織)하게 하여 말을 사양(飼養)케 한 법
(法).
[保命 보명] 목숨을 보전(保全)함.
[保母 보모] 보모(保姆).
[保姆 보모] 어린아이를 돌보는 부인(婦人).
[保傅 보부] 어린아이를 돌보는 사람.
[保庇 보비] 비호(庇護)함.
[保社 보사] 서로 보호하는 조합(組合).
[保線 보선] 철도의 선로 등을 보전함.
[保守 보수] ㉠보전하여 지킴. ㉡구습(舊習)을 지
킴. 진보(進步)의 대(對).
[保守黨 보수당] 현상 유지(現狀維持)를 목적으로
하고, 옛 전통(傳統)·역사(歷史)·관습(慣習)·
사회 조직(社會組織) 등을 고수(固守)하는 주
의(主義)를 신봉(信奉)하는 정당(政黨).
[保守主義 보수주의] 옛날의 전통(傳統)을 보수
(保守)하는 주의.
[保息 보식] 편히 쉬게 함.
[保身 보신] 몸을 보전(保全)함.
[保身之策 보신지책] 몸을 보전하는 계책(計策).

[保安 보안] 사회(社會)의 안녕질서(安寧秩序)를
보전(保全)함.
[保眼 보안] 눈을 보호(保護)함.
[保艾 보애] 보예(保乂).
[保養 보양] 몸을 건강하게 보전(保全)하여 기름.
양생(養生).
[保乂 보예] 편안하게 기름.
[保伍 보오] 십오(什伍)의 제도에 의하여 역내
(域內)의 일을 스스로 처리하는 조합.
[保溫 보온] 일정한 온도를 잃지 않도록 간직함.
[保庸 보용] ㉠공로자를 편안하게 함. ㉡고용인
(雇傭人).
[保傭 보용] 고용인(雇傭人).
[保右 보우] 보우(保佑).
[保佑 보우] 보호(保護)하고 도움.
[保衛 보위] 보호하여 지킴.
[保有 보유] 보전(保全)하여 가짐. 가지고 있음.
[保育 보육] 어린아이를 보호하여 기름.
[保人 보인] 보증인(保證人).
[保子 보자] 젖먹이. 갓난아이.
[保障 보장] ㉠성채(城砦). 보루(堡壘). ㉡세금을
경감하여 백성을 보호하는 정치. ㉢보호하여
위해가 없도록 함.
[保全 보전] 보호(保護)하여 안전(安全)하게 함.
[保定 보정] 편안하게 함. 무사 안태(無事安泰)하
게 함.
[保存 보존] 잘 지니어 보전(保全)함.
[保佐 보좌] 도움.
[保重 보중] 몸을 아끼어 잘 보전(保全)함.
[保證 보증] 틀림이 없음을 책임짐.
[保證人 보증인] 보증을 선 사람. 보인(保人).
[保持 보지] 보전(保全)하여 유지함.
[保眞 보진] 천성(天性) 그대로 보존(保存)함. 천
진난만(天眞爛漫)함을 잃지 않음.
[保聚 보취] 지켜 보전하기 위하여 백성을 집합시
[保弼 보필] 보좌(保佐)함.   ┗킴.
[保合 보합] 시세(市勢)에 변동(變動)이 없음.
[保險 보험] ㉠험준한 땅에 웅거(雄據)함. ㉡위험
하지 않도록 지킴. ㉢재산이나 신체에 재난(災
難)을 당하였을 때를 보장하기 위하여 일정한
적립금(積立金)을 마련하고 보상 계약(報償契
約)을 맺는 업.
[保衡 보형] 은대(殷代)의 재상(宰相)의 일컬음.
이 사람에 의하여 천하가 태평해진다는 뜻. 아
형(阿衡).
[保惠 보혜] 편안하게 하고 은혜를 베풂. 은혜를
베풀어 도와줌.
[保護 보호] 돌보아 지킴.
[保護國 보호국] 강대국(强大國)의 보호에 의하
여 그 독립을 유지하는 나라. 그 강대국에 의하
여 내정(內政) 특히 외교(外交)에 제한을 받음.
[保護貿易 보호무역] 국내 산업(國內産業)을 보
호하기 위하여 외국 무역(外國貿易)에 제한(制
限)을 가(加)하는 일.
[保護色 보호색] 적(敵)의 눈에 잘 나타나지 않
는, 주위 환경과 비슷한 동물의 몸빛.
[保護鳥 보호조] 학술의 연구, 품종의 희귀, 산업
상 유익 등의 이유로 법률로써 잡지 못하도록
보호하는 새.
[保恤 보휼] 편안케 하고 구휼(救恤)함.
●康保. 强保. 格保. 擔保. 師保. 城保. 收保.
神保. 牙保. 阿保. 連保. 永保. 靈保. 庸保.
留保. 隣保. 任保. 全保. 定保. 酒保. 天保.

合保. 惠保. 護保. 確保. 懷保.

7 [俟] ⑨

㈠ 사 ⑭紙 牀史切 sì
㈡ 기 ⑮支 渠之切 qí

字解 ㈠①기다릴 사 오는 것을 바람. '一我於城隅'《詩經》. ②떼지어갈 사 떼를 지어 천천히 가는 모양. '儦儦一一'《詩經》. ③클 사 '儦儦一一'《詩經》. ④성 사 성(姓)의 하나. ㈡성 기 성(姓)의 하나. '万一'는 오랑캐의 복성(複姓).

字源 形聲. 亻(人)+矣[音]. '矣'는 '待대'와 통하여, '기다리다'의 뜻.

[俟望 사망] 바라고 기다림. 대망(待望).
[俟命 사명] 천명(天命)을 기다림. 또, 명령을 기다림.
[俟俟 사사] 많은 사람이 떼를 지어 천천히 걷는 모양.
[俟河淸 사하청] 언제나 흐려서 누런 황허(黃河)의 물이 맑기를 기다린다는 뜻으로, 되지 않을 일을 기대함을 이름.

7 [俠] ⑨ 人名

협 ㈧葉 胡頰切 xiá

筆順 亻 亻 亻 俟 俟 俟 俠 俠

字解 ①호협할 협 협기(俠氣)가 있음. 의협심이 많음. '一客'. '義一'. '任一有名'《漢書》. ②가벼울 협 경망함. '喜武非一也'《淮南子》. ③젊을 협 젊은이. '安壯養一'《呂氏春秋》. ④패할 협 '一, 敗也'《廣雅》. ⑤멋대로굴 협 방자함. '人臣肆意陳欲, 日一'《韓非子》. ⑥낄 협 挾(手部七畫)과 통용. '一侍' '殿下郞中一陛'《漢書》.

字源 形聲. 亻(人)+夾[音]. '夾협'은 '겨드랑이에 끼다'의 뜻. 약자(弱者)를 감싸고 포용력이 있는 사람, '협기(俠氣)'의 뜻을 나타냄.

[俠客 협객] 의협심(義俠心)이 있는 남자. 협자(俠者).
[俠骨 협골] 호협(豪俠)한 기상(氣像).
[俠魁 협괴] 협객의 우두머리.
[俠氣 협기] 호협(豪俠)한 기상(氣像). 의협심(義俠心).
[俠烈 협렬] 호협(豪俠)하고 과격한 기상(氣像).
[俠士 협사] 협객(俠客).
[俠侍 협시] 좌우에서 모심.
[俠勇 협용] 호협하고 용감함.
[俠任 협임] 호협하여 남아(男兒)다움.
[俠刺 협자] 좌우에서 찔러 죽임.
[俠者 협자] 협객(俠客).
● 佳俠. 姦俠. 輕俠. 氣俠. 大俠. 鋒俠. 勇俠. 游俠. 義俠. 任俠. 節俠. 豪俠. 凶俠.

7 [信] ⑨ 中人

신 ①-15㉠震 息晉切 xìn
16-17㉡眞 升人切 shēn

筆順 亻 亻 亻 信 信 信 信

字解 ①미쁠 신 믿음성이 있음. 신의(信義)가 있음. '一人'. '一言'. ②믿을 신 신의. '仁義禮智'. '朋友有一'《孟子》. ③믿을 신 의심하지 않음. 신용(信用)함. '一任'. '盡一書, 則不如無書'《孟子》. ④인 신, 신표 신 도장. 부계(符契). '印一'. ⑤밝힐 신 자세히 밝힘. '一罪之有

無'《左傳》. ⑥알 신 '一於異衆也'《淮南子》. ⑦따를 신 '師尊則言一矣'《呂氏春秋》. ⑧공경할 신 '一, 敬也'《廣雅》. ⑨이틀밤잘 신 재숙(再宿)함. '一宿'. '于女一處'《詩經》. ⑩음신(音信) 신 '一書'. '一息'. '多以爲登科之一'《劇談錄》. ⑪행인(行人) 신 사자(使者). '一臣'. '聞一之'《晉書》. ⑫조수 신 조석(潮汐). '其起落大小之一, 亦如之'《名山記》. ⑬맡길 신 하는 대로 내버려 둠. '歸帆但一風'《王維》. ⑭진실로 신 참으로. '東郭雖一多才士'《韓愈》. ⑮성 신 성(姓)의 하나. ⑯펼 신 伸(人部 五畫)과 통용. '屈而不一'《孟子》. ⑰몸 신 身(部首)과 통용. '侯執一圭'《周禮》.

字源 形聲. 亻(人)+口+辛[音]. '辛신'은 바늘의 상형(象形)으로, '형벌(刑罰)'의 뜻. 발언(發言)에 미덥지 못한 데가 있으면 형(刑)을 받을 것임을 맹세하는 모양에서, '진실'의 뜻을 나타냄.

[信脚 신각] 발 닿는 대로 감. 발길이 향하는 대로 감.
[信殼 신각] 신실(信實)하고 성의가 있음.
[信客 신객] 약속을 잘 지켜 신용이 있는 사람.
[信管 신관] 탄환에 장치한 도화관(導火管). 작약(灼藥)에 불이 붙어 폭발하게 되었음.
[信敎 신교] 종교(宗敎)를 믿음.
[信口 신구] 말을 함부로 함.
[信圭 신규] 오서(五瑞)의 하나로, 후작(侯爵)이 갖는 홀.

[信圭]

[信禽 신금] 기러기. 기러기는 추워지면 북쪽에서 왔다가 따뜻해지면 북(北)으로 돌아가 계절의 변화를 알려 주므로 이름.
[信及豚魚 신급돈어] 신의(信義)가 돼지나 물고기까지도 감화시킨다는 뜻으로, 신의의 지극함을 비유하는 말.
[信男 신남] 《佛敎》불교를 믿는 남자. 우바새(優婆塞).
[信納 신납] 믿고 용납함.
[信女 신녀] 《佛敎》불교를 믿는 여자. 우바이(優婆夷).
[信念 신념] ㉠굳게 믿는 마음. ㉡신앙의 마음.
[信徒 신도] 종교(宗敎)를 믿는 사람의 무리.
[信力 신력] 《佛敎》신앙하여 움직이지 않는 힘.
[信賴 신뢰] 믿고 의뢰(依賴)함.
[信陵君 신릉군] 전국 시대 위(魏)나라 소왕(昭王)의 공자(公子). 안리왕(安釐王)의 이모제(異母弟). 이름은 무기(無忌). 신릉군(信陵君)은 그의 봉호(封號). 식객(食客)이 3천 명이나 되었음. 진(秦)나라가 조(趙)나라를 포위하였을 때 그의 자형(姉兄)인 조나라의 평원군(平原君)이 그에게 구원을 청하매 후영(侯嬴)의 계교를 써서 진비(晉鄙)를 죽이고, 조(趙)나라를 구원해 주었으며, 또 진(秦)나라가 위(魏)나라를 침공하매, 오국(五國)의 군사를 거느리고 나가서 크게 격파했음. 그 뒤, 위왕(魏王)이 푸대접하자, 병이라 칭탁(稱託)하고 조정에 나가지 않았음.
[信望 신망] 믿고 바람. 믿음과 덕망.
[信命者亡壽夭 신명자망수요] 천명(天命)을 믿는 자는 생사를 안중에 두지 아니하므로, 장수(長

壽)하거나 요사(夭死)하거나 조금도 괘념치 아
니함.
[信耗 신모] 음신(音信).
[信物 신물] 선물(膳物).
[信服 신복] 믿고 복종(服從)함.
[信奉 신봉] 옳은 줄로 믿고 받듦.
[信孚 신부] 믿음. 신의(信義). ‘부(孚)’는 달걀
　이 부화(孵化)할 때엔 반드시 그 시기를 어기
　지 않고 신용을 지킨다는 뜻.
[信憑 신빙] 믿어서 의거함.
[信士 신사] ㉠신의(信義)가 있는 사람. ㉡《佛敎》
　속인(俗人)으로서 불교(佛敎)를 믿는 남자. 우
　바새(優婆塞).
[信使 신사] 사자(使者).
[信賞必罰 신상필벌] 공(功) 있는 사람은 반드시
　상을 주고, 죄 있는 사람은 반드시 벌줌. 곧, 상
　벌(賞罰)을 엄정하게 함.
[信書 신서] 편지(便紙).
[信誓 신서] 진심으로 하는 맹세. 서약.
[信石 신석] ‘비상(砒霜)’과 같음.
[信手 신수] 손이 움직이는 대로 둠.
[信宿 신숙] 이틀 밤을 묵음.
[信崇 신숭] 신앙하여 존숭(尊崇)함.
[信恃 신시] 믿고 의지함.
[信息 신식] 음신(音信). 소식(消息).
[信臣 신신] ㉠믿는 신하(臣下). ㉡사신(使臣).
[信信 신신] ㉠나흘 묵음. ㉡믿을 만한 것을 믿음.
[信實 신실] 신의가 있고 진실함.
[信心 신심] ㉠신(信)을 믿는 마음. ㉡《佛敎》
　신앙(信仰)하여 변치 않는 마음.
[信心直行 신심직행] 옳다고 믿는 바를 곧장 행함.
[信仰 신앙] 종교상의 교의(敎義)를 신봉(信奉)
　하고 귀의(歸依)하는 일.
[信愛 신애] 믿고 사랑함.
[信約 신약] 믿고 약속(約束)함.
[信言 신언] 믿음성이 있는 말. 진실(眞實)한 말.
[信言不美美言不信 신언불미미언불신] 진실한 말
　은 꾸밀 필요가 없고, 꾸민 말은 믿음성이 없음.
[信用 신용] ㉠믿고 씀. 믿고 의심(疑心)하지 아
　니함. ㉡장래(將來)의 일에 대하여 약속(約束)
　을 지킬 것을 믿음. ㉢인망(人望)이 있음.
[信委 신위] 믿고 위임함.
[信衣 신의] 스승이 제자에게 법맥(法脈)을 전수
　(傳授)한 것을 증빙하기 위해 주는 옷.
[信義 신의] 믿음과 의리(義理).
[信疑 신의] 믿음과 의심.
[信人 신인] 믿음성이 있는 사람. 신의(信義)가 두
　터운 사람.
[信任 신임] ㉠믿고 일을 맡김. ㉡벗에게 신의를
　지킴.
[信任狀 신임장] 국가의 원수(元首)가 특정한 사
　람을 외교 사절로 임명 파견하는 취지를 통고
　하는 공문서.
[信者 신자] 종교를 믿는 사람.
[信章 신장] 도장(圖章).
[信傳 신전] 틀림없이 전함.
[信條 신조] ㉠신앙의 조목(條目). ㉡꼭 믿는 일.
[信潮 신조] 조수(潮水).
[信足 신족] 발 닿는 대로 걸어감.
[信從 신종] 믿고 좇음.
[信地 신지] 목적지(目的地).
[信之無疑 신지무의] 꼭 믿고 의심하지 아니함.
[信次 신차] 사흘 이상의 숙박.

[信處 신처] 이틀의 숙박.
[信天翁 신천옹] 바닷새의 하나. 몸은 거위보다
　큼. 입을 벌리고 물고기가 들어오는 것을 믿어
　기다린다 하여 이름 지은 것임.
[信聽 신청] 곧이들음.
[信託 신탁] 믿어 하는 의탁함.
[信便 신편] 음신(音信).
[信標 신표] 뒷날에 보고 서로 표가 되게 하기 위
　하여 주고받는 물건.
[信解 신해] 《佛敎》믿어 이해함.
[信驗 신험] 신임(信任)의 표시.
[信號 신호] 일정(一定)한 부호(符號)나 손짓으
　로 서로 떨어진 사람끼리 의사(意思)를 통하는
　일. 또, 그 부호.
[信厚 신후] 신의가 있고 인품이 너그러움.
●家信. 輕諾寡信. 輕信. 過信. 寡信. 狂信. 交
　信. 謹信. 來信. 短信. 大詐似信. 篤信. 惇信.
　梅信. 明信. 迷信. 返信. 發信. 芳信. 背信.
　符信. 憑信. 私信. 書信. 瑞信. 誠信. 所信.
　送信. 受信. 純信. 崇信. 雁信. 嚴信. 驛信.
　誤信. 往信. 外信. 委信. 威信. 恩信. 音信.
　倚信. 義信. 移木信. 二信. 印信. 立信. 自信.
　杖信. 電信. 轉信. 節信. 貞信. 至信. 徵信.
　彰信. 秋信. 春信. 忠信. 親信. 通信. 偏信.
　風信. 鄕信. 混信. 花信. 確信. 喜信.

7
⑨ [佐] 좌 ㉾簡 側臥切 zuò
　㊀歌 子㯿切

[字解] ①욕보일 좌 치욕을 당하게 함. ‘君子不入
市, 爲其一廉也’《淮南子》. ②편안할 좌.
[字源] 形聲. 亻(人)＋坐[音]. ‘坐좌’는 ‘앉
다’의 뜻. 사람이 앉아 안정(安定)해
있다의 뜻으로, ‘편안하다’의 뜻을 나타냄.

7
⑨ [侹] 정 ㉾徑 他定切 tǐng
　㊀迥 他鼎切

[字解] ①평평할 정 평탄한 모양. ‘石梁平一一’
《韓愈》. ‘平直曰一’《一切經音義》. ②긴모양 정
‘一, 長兒’《說文》.
[字源] 形聲. 亻(人)＋廷[音]. ‘廷정’은 ‘곧
게 뻗다’의 뜻. 사람이 쭉 뻗어 긴 모
양을 나타냄.

7
⑨ [侁] 혼 ㉾願 胡困切 hùn

[字解] ①완전할 혼 ‘一, 完也’《說文》. ②욕보일
혼 폐를 끼침. ‘朕實不明, 目一伯父’《逸周書》.
[字源] 形聲. 亻(人)＋完[音]. ‘完완’은 ‘완
전하다’의 뜻. 원만 완전한 인품을
이름. 주로 ‘溷혼’의 뜻을 빌려, ‘욕보이다’의
뜻으로 쓰임.

7
⑨ [俓] 경 ［경］
　　　　　徑(彳部 七畫〈p.743〉)과 同字

[筆順] 丿 亻 亻 俓 俓 俓 俓 俓

[字源] 形聲. 亻(人)＋巠[音].

7
⑨ [侷] 〔국〕
　　　　　跼(足部 七畫〈p.2233〉)과 同字

[字源] 形聲. 亻(人)＋局[音]. ‘局국’은 ‘등을 구부
리다’의 뜻. ‘몸을 굽히다, 몸을 오그리다’

의 뜻을 나타냄.

8/10 [倉] 高入 창 ㉠陽 七岡切 cāng ㉥漾 楚亮切 chuàng　倉 초

筆順 人 스 今 今 合 合 倉 倉 倉

字解 ①곳집 창 곡식 같은 것을 저장하는 창고. '一庫'. '一廩實則知禮節'《管子》. ②옥사 창 죄인을 가두는 옥(獄). '營一'. '罪有輕重之分, 則禁有監一之別'《未信編》. ③창자 창 위장(胃腸). '腸胃爲積穀之室, 故謂之一'《倒倉法論》. ④푸를 창 蒼(艸部 十畫)과 통용. '一頭廬兒'《漢書》. ⑤바다 창 滄(水部 十畫)과 통용. '東燭一海'《揚雄》. ⑥갑자기 창 '一卒'. '一皇'. ⑦성 창 성(姓)의 하나. ⑧여월 창, 슬퍼할 창 愴(心部 十畫)과 통용. '一兄塡兮'《詩經》.

字源 金文 倉 篆文 倉 象形. 곡물(穀物)을 쌓아 두기 위한 '곳집'을 본뜬 모양으로, '창고'의 뜻을 나타냄. 또, '一皇'·'一卒'의 숙어(熟語)로, 갑작스러워 허둥대는 모양을 나타내는 의태어로 쓰임.

[倉庚 창경] 꾀꼬리. 황조(黃鳥).
[倉庫 창고] 곳집.
[倉穀 창곡] 창고 속의 곡식.
[倉公 창공] 한(漢)나라의 명의(名醫). 성은 순우(淳于). 이름은 의(意). 태창(太倉)의 장(長)이었으므로 창공(倉公)이라 함. 후세에 명의(名醫)를 말하는 사람은 흔히 창공을 편작(扁鵲)과 병칭(竝稱)함.
[倉廥 창괴] 창균(倉囷).
[倉囷 창균] 쌀 곳간. 미곡(米穀) 창고. '균(囷)'은 둥근 곳간.
[倉頭 창두] 심부름꾼. 옛날에 천(賤)한 사람은 머리에 푸른 수건을 동였으므로 이름. ㉡미창(米倉)을 맡은 사람. 창고지기.
[倉龍 창룡] 키가 여덟 자 이상 되는 말. 창룡(蒼龍).
[倉廩 창름] 곳집. 미곡(米穀) 창고.
[倉廩而囹圄空 창름실이영어공] 쌀광이 차면 옥(獄)이 빈다는 뜻. 곧, 사람이 가난하면 부득이(不得已) 도둑질을 하지만, 의식(衣食)이 걱정 없으면 도둑질을 하지 아니하므로 자연히 옥(獄)이 빈다는 뜻.
[倉廩實則知禮節 창름실즉지예절] 쌀광이 차면 예절(禮節)을 안다는 뜻. 곧, 사람이 의식(衣食)이 걱정 없어야만 비로소 예의범절(禮儀凡節)을 안다는 말.
[倉迫 창박] 성급(性急)함.
[倉粟 창속] 곳집 속의 곡식.
[倉獄 창옥] 창고와 옥사(獄舍).
[倉庾 창유] 쌀 곳간. 미곡(米穀) 창고.
[倉儲 창저] 쌀 창고에 저장하는 식량(食糧).
[倉卒 창졸] ㉠허둥지둥함. ㉡썩 급함. 창황(倉黃).
[倉倉 창창] 음률(音律)의 소리. 악기의 소리.
[倉扁 창편] 창공(倉公)과 편작(扁鵲). 모두 옛날의 명의(名醫)이므로, 전(轉)하여 '명의'의 뜻으로 쓰임.
[倉海 창해] 푸른 바다. 창해(滄海).
[倉悅 창황] 슬퍼하고 근심하는 모양.
[倉皇 창황] 매우 급(急)한 모양.
[倉黃 창황] 창황(倉皇).
[倉頡 창힐] 황제(黃帝)의 사신(史臣)으로서 한

자(漢字)를 처음으로 만들었다는 사람. 창힐(蒼頡).
●監倉. 穀倉. 官倉. 困倉. 禁倉. 米倉. 社倉. 常平倉. 船倉. 神倉. 十指倉. 義倉. 積倉. 太倉. 扁倉.

8/10 [金] 〔금·김〕 金(部首〈p.2371〉)의 古字

8/10 [金] 〔금·김〕 金(部首〈p.2371〉)의 古字

8/10 [戟] 간 ㉥翰 古案切 gàn

字解 ①빛날 간 해가 돋아 빛남. '一, 日始出, 光一一也'《說文》. ②쓸 간 사용(使用)함. '一, 用也'《玉篇》.
字源 象形. 장식을 단 깃대의 모양임.

8/10 [修] 中入 수 ㉠尤 息流切 xiū　修 초

筆順 亻 亻 彳 彳 修 修 修 修 修

字解 ①닦을 수 ㉠깨끗이 함. '郊社不一'《書經》. ㉡배워서 몸을 닦음. '一學'. '一養'. '一其身'《大學》. ②다스릴 수 ㉠사물을 잘 가다듬음. 고침. '一理'. '一繕故宮'《漢書》. ㉡잘 처리함. '内一政事'《詩經》. ㉢책을 편찬함. '一國史'《唐書》. ③다스려질 수 정비(整備)됨. '宮室已一'《禮記》. ④길 수 길이가 깂. '一短'. '一廣'. '陜而一曲曰樓'《爾雅》. ⑤어진이 수 옛날의 현인(賢人). '吾法夫前一兮'《楚辭》. ⑥키가 수 신장(身長). '鄒忌一八尺有餘'《戰國策》. ⑦성 수 성(姓)의 하나.
字源 篆文 修 形聲. 彡+攸[音]. '攸'는 사람의 등 뒤에서 물을 끼얹어 씻다의 뜻. 깨끗이 씻어 꾸미다의 뜻에서 '닦다'의 뜻을 나타냄. 또, '攸'와 통하여, '길다'의 뜻도 나타냄.

[修改 수개] 다스리어 고침. 고치어 다스림.
[修裾 수거] 긴 옷자락.
[修潔 수결] 수양하여 결백함.
[修廣 수광] 길고 넓음.
[修交 수교] 나라와 나라 사이에 교제(交際)를 맺음.
[修構 수구] 손질함.
[修衢 수구] 긴 거리.
[修女 수녀] 천주교(天主教)에서 독신(獨身)으로 수도(修道)하는 여자.
[修多羅 수다라]《佛敎》경전(經典).
[修短 수단] 깂과 짧음. 장단(長短).
[修道 수도] 도(道)를 닦음.
[修得 수득] 닦아 몸에 지님.
[修羅 수라]《佛敎》아수라(阿修羅)의 준말.
[修羅道 수라도]《佛敎》'수라(修羅)'와 같음. 전(轉)하여, 투쟁·전란의 장소.
[修羅場 수라장] ㉠아수라(阿修羅)와 제석(帝釋)이 싸우는 전장(戰場). ㉡여러 사람이 모이어 떠드는 곳. 뒤범벅이 되어 야단이 난 곳.
[修煉 수련] ㉠도가(道家)의 도를 닦아 선술(仙術)을 익힘. ㉡신약(神藥)·선단(仙丹)을 고아 만듦.
[修練 수련] 학문이나 정신을 닦아서 단련(鍛鍊)

[修齡 수령] 장수(長壽).
[修櫓 수로] 높은 망루(望樓).
[修了 수료] 규정의 과업을 다 배움.
[修理 수리] 허름한 데를 고침.
[修廡 수무] 긴 행랑(行廊).
[修眉 수미] 긴 눈썹.
[修敏 수민] 행동이 바르고 민첩함.
[修法 수법] 법을 닦음.
[修補 수보] 고치고 기움.
[修復 수복] 수리(修理).
[修士 수사] ㉠조행(操行)이 순결한 사람. ㉡천주교(天主教)에서 독신(獨身)으로 수도(修道)하는 남자.
[修史 수사] 역사(歷史)를 편수(編修)함.
[修辭 수사] 말을 다듬어서 뜻을 똑똑하고 아름답고 힘있게 함.
[修尙 수상] 몸을 닦고 뜻을 고상하게 함.
[修禪 수선] 《佛教》선정(禪定)을 수행(修行)함.
[修繕 수선] 낡은 물건을 고침.
[修省 수성] 자기의 몸을 반성하여 수양함.
[修袖 수수] 긴 소매.
[修修 수수] ㉠정돈된 모양. ㉡긴 모양.
[修述 수술] 닦아 계술(繼述)함.
[修飾 수식] ㉠치레를 함. 정돈하여 꾸밈. 장식함. ㉡문법에서, 체언·용언에 종속하여 그 뜻을 꾸밈.
[修飾邊幅 수식변폭] 겉을 꾸밈. 외관(外觀)을 꾸밈. '변폭(邊幅)'은 포백(布帛)의 가장자리로서 '외모(外貌)·외관(外觀)'의 뜻.
[修身 수신] 자신의 몸을 닦아 성행(性行)을 바르게 가짐.
[修愼 수신] 닦고 삼감.
[修身齊家 수신제가] 몸을 닦고 집안을 정제(整齊)함.
[修夜 수야] 긴 밤.
[修養 수양] 품성(品性)과 지덕(智德)을 닦음.
[修業 수업] 학업 또는 예술을 닦음.
[修營 수영] 수선하고 건축함.
[修怨 수원] 원한의 앙갚음을 함.
[修遠 수원] 길고 멂.
[修偉 수위] 키가 크고 체격이 좋음.
[修因 수인] 《佛教》선인(善因)을 닦음.
[修人事 수인사] ㉠일상(日常)의 예절(禮節). ㉡인사(人事)를 닦음.
[修粧 수장] 집이나 기구들을 손질하고 단장함.
[修正 수정] ㉠수양하여 바르게 함. 또, 수양이 되어 바름. ㉡바르게 고침.
[修程 수정] 긴 길.
[修整 수정] 고치어 정돈(整頓)함.
[修除 수제] ㉠소제함. ㉡긴 계단.
[修造 수조] 수선하거나 제조함.
[修竹 수죽] 긴 대나무.
[修葺 수즙] 집을 손질하고 지붕을 새로 이음.
[修增 수증] 수리하여 넓힘.
[修撰 수찬] 서책(書冊)을 편집(編輯)하여 찬술(撰述)함. 또, 그 벼슬.
[修築 수축] 방축 같은 것을 고쳐 쌓음.
[修治 수치] 수리함.
[修敕 수칙] 닦고 경계함.
[修飭 수칙] 몸을 닦고 언행을 삼감.
[修學 수학] 학업(學業)을 닦음. 또, 그 학업.
[修項 수항] 긴 목.
[修行 수행] ㉠익혀 닦음. 닦아 행함. ㉡《佛教》

불법(佛法)을 닦음.
[修革 수혁] 다스리어 고침.
[修逈 수형] 길고 멂. 수원(修遠).　　　「함.
[修好 수호] 나라와 나라 사이에 우의를 돈독히
[修和 수화] 다스리어 화락하게 함.
●監修. 改修. 潔修. 謹修. 同修. 補修. 復修. 繕修. 束修. 修葺. 逆修. 靈修. 帷薄修. 聿修. 自修. 前修. 靜修. 彫修. 肇修. 進修. 追修. 退修. 編修.

8 (10) [俯] 〔人名〕 부 ㉲麌 方矩切 fǔ　　俯

字解 ①숙일 부 머리를 숙임. 또, 구부림. '仰'의 대. '—仰'. '仰不愧於天, 一不作於人'《孟子》. '—而納履'《禮記》. ②누울 부 드러누움. '三—三起'《荀子》. ③숨을 부 잠복함. 복장(伏藏)함. '蟄蟲咸一'《呂氏春秋》.
字源 形聲. 亻(人)+府〔音〕. '府부'는 '俛부'와 통하여 '숙임, 굽어보다'의 뜻. 사람이 고개를 수그리다, 구부리다, 엎드리다의 뜻을 나타냄.

[俯瞰 부감] 굽어봄. 아래를 내려다봄.
[俯觀 부관] 아래를 굽어봄.
[俯僂 부구] ㉠몸을 굽힘. ㉡절을 함.
[俯窺 부규] 고개를 숙이고 엿봄.
[俯覽 부람] 굽어봄.
[俯聆 부령] 고개를 숙이고 들음.
[俯拜 부배] 부복하여 절을 함.
[俯步 부보] 몸을 앞으로 숙이고 걸음.
[俯伏 부복] 고개를 숙이고 엎드림.
[俯首 부수] 고개를 숙임. 부수(俛首).
[俯視 부시] 굽어봄.
[俯仰 부앙] ㉠고개를 숙임과 쳐듦. ㉡남이 하는 대로 따라 하여 조금도 거역하지 아니함. ㉢기거동작(起居動作). 좌작진퇴(坐作進退).
[俯仰不愧天地 부앙불괴천지] 양심에 가책을 느끼는 일이 없어 천지에 대하여 조금도 부끄럽지 아니함.
[俯養 부양] 처자(妻子)를 양육함.
[俯察 부찰] 몸을 굽혀 잘 살펴봄.
[俯蹐 부척] 몸을 굽히고 발끝으로 걸음. 곧, 황송하여 조심조심 걸음.
[俯就 부취] ㉠자기를 굽혀 남을 따름. ㉡아랫사람의 의견에 따름.
[俯項 부항] 고개를 숙임.
●拜俯. 卑俯. 畏俯. 陰俯.

8 (10) [俱] 〔高人〕 구 ㉲虞 舉朱切 jū, jù　　俱

筆順 亻 亻 们 但 俱 俱 俱 俱

字解 ①다 구, 함께 구 모두. '父母一存'《孟子》. ②갖출 구 구비함. '兩馬一豎子一'《孔子世家》. ③동반할 구 함께 감. '儀與之一'《戰國策》. ④널리 구 두루 널리 미침. '一, 亦徧之意也'《左傳》. ⑤같을 구 '年往志不一'《顏延之》. ⑥성 구 성(姓)의 하나.
字源 形聲. 亻(人)+具〔音〕. '具구'는 여러 사람이 모두 갖추다의 뜻. '人'을 덧붙여, 주로 '모두·함께'의 뜻을 나타냄.

[俱梨迦羅 구리가라] 범어(梵語)의 kṛkara의 음

역(音譯). 흑룡(黑龍)이 검(劍)을 휘감은 형상을 한 부동명왕(不動明王)의 변화신(變化神).
[俱發 구발] 함께 발생함.
[俱舍宗 구사종]《佛敎》 팔종(八宗)의 하나로 구사론(俱舍論)에 의거하는 소승교(小乘敎). 구사(俱舍)는 범어(梵語) kosá의 음역(音譯)으로, 일체의 지식을 포유(包有)한다는 뜻.
[俱生神 구생신]《佛敎》 사람의 좌우(左右)의 어깨 위에 있어서 행동의 선악(善惡)을 감시하는 남녀(男女)의 신(神). 남신(男神)은 동명(同名)이라 하여 왼쪽에서 선업(善業)을, 여신(女神)은 동생(同生)이라 하여 오른쪽에서 악업(惡業)을 기록한다 함.
[俱存 구존] 부모가 다 살아 계심.

8 ⑩ [俹] 아 [去]禡 衣嫁切 yà

[字解] ①의지할 아, 치우칠 아 '一, 倚也'《玉篇》. ②거만할 아 오만함. '一, 傲也'《集韻》.

8 ⑩ [俳] [人名] 배 ①-④[平]佳 步皆切 pái ⑤[平]灰 蒲枚切 pái

[字解] ①광대 배 배우. '一優侏儒戲於前'《孔子家語》. ②익살 배 골계(滑稽). '爲賦廼一'《漢書》. ③스러질 배 폐지됨. '爲痱一'《素問》. ④성 배 성(姓)의 하나. ⑤노닐 배 徘(彳部 八畫)와 同字. '坐一而歌謠'《淮南子》.
[字源] 篆文 形聲. 亻(人)+非〔音〕. '非비'는 '어그러지다'의 뜻. 상식에 어긋나는 야릇한 행동을 하는 익살맞은 짓의 뜻을 나타냄.

[俳歌 배가] 광대가 춤추면서 부르는 노래.
[俳優 배우] 연극·영화 등에서 극중 인물로 분(扮)하여 연기하는 사람.
[俳唱 배창] 배우(俳優).
[俳體 배체] 유희적(遊戲的) 색채를 띤 시문(詩文).
[俳謔 배학] 농담. 희학(戲謔).
[俳諧 배해] 재미있거나 우스운 문구(文句).
[俳佪 배회] 목적 없이 이리저리 거닒. 배회(徘徊).
[俳詼 배회] 해학(諧謔).
◉優俳. 坐俳. 唱俳. 詼俳.

8 ⑩ [俵] [人名] 표 [去]嘯 方廟切 biào(biǎo)

[字解] ①나누어줄 표 분여(分與)함. '一, 分與也'《集韻》. ②흩을 표 흩음. 또, 흩어짐. '一散也'《玉篇》.
[字源] 形聲. 亻(人)+表〔音〕. '表표'는 '剝박'과 통하여, '벗기다'의 뜻. 어떤 사람에게서 무엇을 박탈하여 다른 사람에게 나누어 주다의 뜻을 나타냄.

[俵分 표분] 이등분(二等分)함. 절반씩 가름.
[俵散法 표산법] 식염(食鹽)을 각호(各戶)에 나누어 주는 법. 오대(五代)의 후당(後唐) 이래 행하여졌는데, 그 폐해가 심하여졌으므로 송(宋)나라 태조(太祖)때 고쳤음.
[俵子 표자] 장례(葬禮)나 금기(禁忌) 따위가 있을 때 중인(衆人)에게 베풀어 주는 상환권(相換券).

8 ⑩ [俴] 천 [上]銑 慈演切 jiàn 卽淺切

[字解] ①얕을 천, 엷을 천 淺(水部 八畫)과 同字. '一駟孔羣'《詩經》. ②맨몸 천 몸에 갑옷을 입지 않음. '一, 謂無甲單衣者'《管子 注》.
[字源] 篆文 形聲. 亻(人)+戔〔音〕. '戔전'은 '얇다, 잘다'의 뜻. '淺천'과 통하여, '얕다'의 뜻을 나타냄.

8 ⑩ [俶] [一] 숙 [入]屋 昌六切 chù [二] 척 [入]錫 他歷切 tì

[字解] [一] ①비로소 숙 처음. 시작함. '一始'. '一獻'. '一擾天紀'《書經》. ②지을 숙 처음 함. '有一其城'《詩經》. ③정돈할 숙 가지런히 하여 바로잡음. '簡元辰而一裝'《張衡》. ④착할 숙 '令終有一'《詩經》. [二] 기재있을 척, 뛰어날 척 倜(人部 八畫)과 통용. '好奇偉一儻之畫策'《史記》. '一, 一儻, 卓異也'《集韻》.
[字源] 金文 篆文 形聲. 亻(人)+叔〔音〕. '叔숙'은 '마음 아파하다, 애도하다'의 뜻. 남의 불행을 마음 아파할 수 있는 사람에서, '착하다, 인정 많다'의 뜻을 나타냄.

[俶裝 숙장] 채비를 차림.
[俶獻 숙헌] 처음으로 드림.
[俶儻 척당] 뜻이 크고 재주가 뛰어남. 발군(拔羣)함.

8 ⑩ [俺] [人名] [一] 암 [去]陷 安敢切 ǎn [二] 엄 [去]豔 於驗切 yàn

[筆順] 亻 仁 仧 仸 佮 侖 俺 俺

[字解] [一] 나 암 자기(自己). [二] ①나 엄 [一]과 뜻이 같음. ②클 엄 '一, 大也'《說文》. ※'엄'음은 인명자로 쓰임.
[字源] 篆文 形聲. 亻(人)+奄〔音〕. '奄엄'은 '크게 뻗다'의 뜻. 사람이 크게 뻗어 커지다의 뜻으로, '크다'의 뜻을 나타냄. 또, 북방(北方)의 속어(俗語)에서, 제1인칭이 '나'의 뜻을 나타냄.

8 ⑩ [俾] 비 ①②[上]紙 幷弭切 bǐ ③[去]寘 毗至切 bì ④[去]霽 匹計切 pì

[字解] ①하여금 비 시킴. …로 하여금 …하게 함. '一晝作夜'《詩經》. ②좇을 비 따름. 복종함. '罔不率一'《書經》. ③가까울 비 比(部首)와 통용. '比, 近也. 或作一'《集韻》. ④흘길 비 노려봄. 睥(目部 八畫)와 통용. '侯生下, 見其客朱亥, 一倪. 故久立'《史記》.
[字源] 金文 篆文 形聲. 亻(人)+卑〔音〕. '卑비'는 '낮다'의 뜻. 신분이 낮은 사람, 비복(婢僕)의 뜻을 나타냄. 가차(假借)하여, 사역(使役)의 조사(助辭)로 쓰임. 또 전(轉)하여, '돕다, 유익하다'의 뜻도 나타냄.

[俾倪 비예] ㉠눈을 흘김. ㉡수레에 세우는 일산(日傘).
[俾益 비익] 보탬이 됨. 도움. 유익함. 비익(裨益).
◉率俾.

8 ⑩ [俿] 채 [平]支 直離切 chí

[字解] 바퀴 채 차륜(車輪). '車鞏其一, 馬攔其蹄, 止貞'《太玄經》.

[倒囷 도균] 곳집의 곡식을 다 내놓음. 전(轉)하여, 가진 물건을 다 내놓음. 경균(傾囷).
[倒流 도류] 거슬러 흐름. 역류(逆流).
[倒死 도사] 넘어져 죽음.
[倒屣 도사] 급히 마중 나가느라고 신을 거꾸로 신는다는 뜻으로, 반가운 손님을 영접함을 이름.
[倒產 도산] ㉠재산을 모두 써 버림. 파산함. ㉡해산(解產)할 때에 아이의 발이 먼저 나오는 일.
[倒生 도생] 거꾸로 사는 것. 곧, 초목.
[倒垂 도수] 거꾸로 드리움.
[倒景 도영] ㉠해나 달이 지평선 아래에서 위로 비쳐 반사함. ㉡거꾸로 비치는 그림자. ㉢저녁 때의 해.
[倒影 도영] 거꾸로 비친 그림자.
[倒曳 도예] 거꾸로 끎.
[倒蘸 도잠] 그림자를 거꾸로 수면에 비춤. '蘸'은 '잠그다'의 뜻으로, 물 위에 그림자를 비추는 일.
[倒葬 도장] 자손을 부조(父祖)의 묘지(墓地)의 윗자리에 장사(葬事) 지냄.
[倒載干戈 도재간과] 간과(干戈)를 뒤쪽으로 향하게 하여 수레에 싣는다는 뜻으로, 전쟁을 그만둠을 이름. 옛날에 무기를 수레에 싣는데 출정(出征)할 때에는 앞으로 향하게 하여 싣고, 개선(凱旋)할 때에는 뒤로 향하게 하여 실었음.
[倒顚 도전] 거꾸로 함. 또, 뒤집음.
[倒躓 도질] 무엇에 걸려 넘어짐.
[倒錯 도착] 상하가 전도(顚倒)하여 뒤섞임.
[倒置 도치] ㉠거꾸로 둠. ㉡본말(本末)을 전도함.
[倒置干戈 도치간과] 무기(武器)를 거꾸로 하여 둔다는 뜻으로, 세상이 태평 무사(太平無事)함을 이름.
[倒橐 도탁] 자루를 거꾸로 듦. 자루를 텖. 곧, 가지고 있는 돈을 다 내놓음.
[倒行逆施 도행역시] 거꾸로 행하고 거슬러 시행함. 곧, 도리(道理)에 순종하지 않고 일을 행함. 상도(常道)를 벗어남. 일을 억지로 함.
[倒懸 도현] ㉠거꾸로 매닮. 또, 거꾸로 매달림. ㉡대단히 괴로워함. 위급한 처지에 처함. 또, 비상한 괴로움.
[倒懸之急 도현지급] 엄청난 곤란. 절박한 고난.
[倒婚 도혼] 형제자매(兄弟姊妹) 중에서 나이 적은 자가 먼저 혼인(婚姻)을 함. 역혼(逆婚).
◉傾倒. 驚倒. 蹶倒. 罵倒. 排倒. 飜倒. 壓倒. 王山倒. 潦倒. 殞倒. 攲倒. 趯倒. 轉倒. 顚倒. 絕倒. 卒倒. 推倒. 醉倒. 七轉八倒. 打倒. 昏倒. 廻狂瀾既倒.

8
⑩ [倔] 굴 ㊇物 衢物切 jué, juè

字解 ①굳셀 굴 마음이 굳셈. 고집이 셈. '一強猶昔'《宋史》. ②일어날 굴 일으킴. '一起什伯之中'《史記》.
字源 形聲. 亻(人)+屈〔音〕. '屈굴'은 '굽히다'의 뜻. 사람이 몸을 굽힌 자세에서 일어나는 모양을 나타내며, 전(轉)하여, '굳세다'의 뜻도 나타냄.

[倔強 굴강] 고집이 세어 남에게 굴하지 아니함.
[倔彊 굴강] 굴강(屈強).

8
⑩ [倖] 人名 행 ㊤梗 胡耿切 xìng

字解 ①다행 행, 요행 행 幸(干部 五畫)과 同字. '一祿'. '識者譏過其一'《後漢書》. ②괼 행 총애함. '素餐私一, 必加榮擢'《後漢書》. 또, 총애를 받는 사람. '政移五一'《後漢書》. ③아첨할 행 또, 그 신하(臣下). 영신(佞臣). '恐同類之內, 皆生一心'《白居易》.
字源 形聲. 亻(人)+幸〔音〕. '幸행'은 '행복'의 뜻. '人'을 붙여, 뜻하지 않은 행복의 뜻을 나타냄. 또, '幸'에는 특별히 사랑하다의 뜻이 있어, '人'을 붙임으로써, 사랑받기 위해 유별나게 굴다, 아첨하다의 뜻을 나타냄.

[倖曲 행곡] 바르지 않고 비뚤어짐.
[倖濫 행람] 요행을 바라고 상도(常道)를 벗어남.
[倖祿 행록] 요행(僥倖).
[倖利 행리] 요행(僥倖).
[倖望 행망] 요행을 바람.
[倖免 행면] 요행하게 면(免)함.
[倖門 행문] 요행의 문.
[倖脫 행탈] 행면(倖免).
[倖嬖 행폐] 임금의 사랑을 받는 여자.
◉姦倖. 薄倖. 私倖. 射倖. 佞倖. 僥倖. 徼倖. 恩倖. 嬖倖.

8
⑩ [偞] 〔엽〕
偞(人部 九畫〈p. 164〉)과 同字

8
⑩ [候] 高人 후 ㊄宥 胡遘切 hòu

筆順 

字解 ①물을 후 방문하여 안부를 물음. '一問'. '上臨一禹'《漢書》. ②기다릴 후 오는 것을 기다림. 영접(迎接)함. '稚子一門'《陶潛》. ③염탐할 후, 망볼 후 동정을 살핌. '伺一'. '武王使人一殷'《呂氏春秋》. ④염탐꾼 후, 망꾼 후 '斥一'. '得賊羅一'《魏志》. ⑤점칠 후 길흉을 점쳐 봄. '占一吉凶'《後漢書》. ⑥볼 후 살핌. 진찰함. '一寒溫'《物理論》. ⑦모양 후 상태. '頃刻異狀一'《韓愈》. ⑧철 후 ㉠1년을 72로 나눈 시기(時期)의 이름. '節一'. '五日一一'《魏書》. ㉡시절(時節) 또는 날씨. '時一'. '氣一'. '節一'. '欲知農桑之一'《宋史》. ⑨조짐 후 전조(前兆). '兆一'. '徵一'. '是風雨之一也'《晉書》. ⑩성 후 성(姓)의 하나.
字源 篆文 形聲. 亻(人)+矦(侯)〔音〕. '矦후'는 '문안하다'의 뜻. '矦'가 과녁, 제후(諸侯)의 뜻으로 쓰이게 되어, '人'을 덧붙여 구별하여, '안부를 묻다, 문안하다'의 뜻을 나타냄.

[候官 후관] ㉠빈객의 송영(送迎)을 맡은 벼슬아치. ㉡척후(斥候)의 일을 맡은 벼슬아치. ㉢점(占)을 맡은 벼슬아치.
[候館 후관] 망루(望樓). 후루(候樓).
[候騎 후기] 척후(斥候) 노릇을 하는 기병(騎兵).
[候邏 후라] 정찰(偵察)하는 군사. 척후병(斥候兵).
[候樓 후루] 망루(望樓).
[候吏 후리] 척후(斥候) 노릇을 하는 관원(官員).
[候問 후문] 방문하여 안부를 물음. 후사(候伺). 후시(候視).
[候補 후보] 어떠한 벼슬·직무(職務)·지위(地位)·

운동선수(運動選手) 등에 결원(缺員)이 있을 때에 그 자리에 나아갈 만한 자격(資格)이 있는 사람.
[候司 후사] 후문(候問).
[候伺 후사] 후문(候問).
[候視 후시] 후문(候問).
[候雁 후안] 기러기.
[候迎 후영] 찾아오는 이와 마중 나오는 이.
[候儀 후의] 천상(天象)을 그린 천문도(天文圖). 혼천의(渾天儀).
[候人 후인] ㉠빈객의 송영(送迎)을 맡은 벼슬아치. 후관(候官). ㉡척후(斥候).
[候者 후자] 적정(敵情)을 염탐하는 사람. 척후.
[候鳥 후조] 계절(季節)에 따라서 오고 가는 새. 제비·기러기 따위. 철새.
[候鐘 후종] 때를 알리는 종. 곧, 시계(時計)를 이름.
[候蟲 후충] 철을 따라 나오는 벌레. 곧, 봄의 나비, 가을의 귀뚜라미 따위.
[候風 후풍] 배가 떠날 때 순풍(順風)을 기다림.
[候詗 후형] 염탐하여 살핌. 또, 군중(軍中)의 척후.
◉間候. 警候. 關候. 闚候. 氣候. 機候. 屯候. 問候. 拜候. 病候. 奉候. 烽候. 伺候. 狀候. 色候. 雪候. 承候. 時候. 視候. 謁候. 迎候. 伍候. 臨候. 刺候. 障候. 狙候. 節候. 占候. 覘候. 偵候. 兆候. 潮候. 存候. 症候. 證候. 祇候. 診候. 徵候. 察候. 參候. 斥候. 天候. 諜候. 測候. 探候. 表候. 風候. 詗候. 火候.

8 ⑩ **[倚]** [人名] [一] 의 [上]紙 於綺切 yǐ / [二] 기 [平]支 居宜切 jī

[筆順] 亻 仁 伕 伕 侉 倚 倚 倚

[字解] [一] ①기댈 의 물체에 의지함. '一子'. '設机而不一'《左傳》. ②믿을 의 믿고 의지함. '一賴'. '一勢陵人'. '容容無所一'《漢書》. ③인할 의 말미암음. 원인이 됨. '一伏', '禍兮福所一, 福兮禍所伏'《老子》. ④기울 의 한쪽으로 기욺. '中立而不一'《中庸》. ⑤맡길 의 마음대로 하게 내버려 둠. '一其所私'《荀子》. ⑥맞출 의 기악(器樂)에 맞추어 노래 부름. '一瑟而歌'《漢書》. ⑦곁 의 옆. '居於一廬'《禮記》. ⑧성 의 성(姓)의 하나. [二] ①기이할 기 奇(大部 五畫)와 통용. '一魁之行'《荀子》. ②병신 기 불구. 畸(田部 八畫)와 통용. '南方有一人焉'《莊子》. ※'의' 음은 인명자로 쓰임.

[字源] [篆文] 形聲. 亻(人)+奇〔音〕. '奇기'는 '寄기'와 통하여, '의지하다'의 뜻. 사람이 몸을 기대다의 뜻을 나타냄.

[倚人 기인] 병신. 불구자.
[倚傾 의경] 경사(傾斜)짐.
[倚几 의궤] 안석(案席).
[倚廬 의려] 중문 밖의 한구석에 세운 여막(廬幕).
[倚閭之望 의려지망] 의문지망(倚門之望).
[倚賴 의뢰] '의뢰(依賴)'와 같음.
[倚馬可待 의마가대] 문재(文才)가 뛰어나 글을 빨리 잘 지음을 이름. '의마칠지(倚馬七紙)'를 보라.
[倚馬之才 의마지재] 글을 빨리 잘 짓는 재주. 썩 뛰어난 문재(文才). 칠보재(七步才).
[倚馬七紙 의마칠지] 원호(袁虎)가 말에 기대어 즉시 일곱 장에 걸친 장문(長文)을 초(草)한 고사(故事). 전(轉)하여, 문재(文才)가 뛰어나 글을 민첩(敏捷)하게 지음을 이름.
[倚門之望 의문지망] 어머니가 자녀(子女)의 돌아오는 것을 문에 의지하여 마음을 졸여 가며 기다리는 지극한 애정을 이름.
[倚伏 의복] ㉠원인으로 하여 발생함. ㉡화복(禍福)의 순환(循環). 화복의 인연(因緣).
[倚附 의부] 붙좇음. 의부(依附).
[倚毗 의비] 의장(倚仗).
[倚勢 의세] 세력을 믿음. 떠세함.
[倚恃 의시] 믿고 의지함. 의시(依恃).
[倚愛 의애] 의뢰하여 사랑함.
[倚子 의자] 앉을 때 몸을 기대는 기구. 교의(交倚).
[倚仗 의장] 의지하고 믿음. 의비(倚毗).
[倚聽 의청] 서서 몰래 들음.
[倚託 의탁] '의탁(依託)'과 같음.
◉傾倚. 眷倚. 磨倚. 攀倚. 傍倚. 毗倚. 邪倚. 徙倚. 隱倚. 依倚. 叢倚. 親倚. 蕩倚. 頹倚. 跛倚. 偏倚.

8 ⑩ **[倛]** 기 [平]支 丘其切 qī

[字解] 방상시탈 기 구나(驅儺)할 때에 방상시(方相氏)가 쓰는 눈이 넷인 가면(假面). '仲尼之狀, 面如蒙一'《荀子》.

[字源] 形聲. 亻(人)+其〔音〕. '其기'는 '欺기'와 통하여, '속이다'의 뜻. '人'을 붙여, '속이다'의 뜻을 나타냄. 또, '䫏기'와 통하여, 보기 흉한 탈의 뜻도 나타냄.

◉蒙倛.

8 ⑩ **[倜]** [人名] 척 [入]錫 他歷切 tì

[字解] ①기개있을 척 뜻이 크고 기개가 있어 남에게 구속을 받지 아니함. '一儻'. '一然無所歸宿'《荀子》. ②높이들 척 높이 들거나 올림. '一然乃擧太公於州人而用之'《荀子》. ③뛰어날 척 빼어남.

[字源] [篆文] 形聲. 亻(人)+周〔音〕. '周주'는 '두루 미치다'의 뜻. 빈틈없이 뛰어난 사람을 뜻함.

[倜儻 척당] 뜻이 크고 기개(氣槪)가 있음.
[倜儻不羈 척당불기] 뜻이 크고 기개(氣槪)가 있어서 남에게 자유의 구속(拘束)을 받지 아니함.
[倜然 척연] ㉠기개가 있어 남에게 구속당하지 아니하는 모양. ㉡번쩍 드는 모양. 높이 올리는 모양.

8 ⑩ **[倞]** [人名] [一] 경 [去]敬 渠敬切 jìng / [二] 량 [去]漾 力讓切 liàng

[筆順] 亻 亻 亻 仃 仩 倞 倞 倞

[字解] [一] 굳셀 경 '秉心無一'《詩經》. [二] 멀 량 가깝지 않음. '一, 遠也'《集韻》. ※'경' 음은 인명자로 쓰임.

[字源] [篆文] 形聲. 亻(人)+京〔音〕. '京경'은 '強강'과 통하여, '굳세다'의 뜻.

◉無倞.

8/10 [値] 〔高人〕 치 ㊀眞 直吏切 zhí

〔筆順〕 亻 亻 亻 佰 佰 値 値 値

〔字解〕 ①만날 치 조우(遭遇)함. '一遇'. '一侯景之亂'《南史》. ②당할 치 일정한 시일을 당함. '適一時來還'《陸機》. ③가질 치 쥐어 가짐. '一其鷺羽'《詩經》. ④값 치 물가. 가치. '翡翠鮫鮹何所一'《唐彦謙》.

〔字源〕形聲. 亻(人)+直〔音〕. '直치'는 '持치'와 통하여, '가지다'의 뜻을 나타냄. 또, '直'는 똑바로 보다의 뜻으로, 사람이 서로 쏘아보다의 뜻에서, '만나다, 당하다'의 뜻을 나타내며, 나아가서 교역(交易)할 때 물건에 맞먹는 '값'의 뜻을 나타냄.

[値遇 치우] ㉠만남. 조우(遭遇)함. ㉡남의 지우(知遇)를 받음.
●價値. 近似値. 數値. 允値. 絶對値. 遭値. 觸値.

8/10 [倣] 〔高人〕 방 ㊤養 分网切 fǎng

〔筆順〕 亻 亻 亻 仿 仿 仿 倣 倣

〔字解〕 본뜰 방 모방(模倣)함. 仿(人部 四畫)과 同字. '一效'. '學者率模一焉'《宣和書譜》.
〔字源〕形聲. 亻(人)+放〔音〕

[倣似 방사] 비슷함.
[倣效 방효] 방효(倣傚).
[倣傚 방효] 모방함.
●模倣. 慕倣. 寫倣. 依倣. 臨倣.

8/10 [俣] 려 ㊤霽 郎計切 lì

〔字解〕①성낼 려 성을 냄. '一, 怒'《集韻》. ②어그러질 려 위배함. 戾(戶部 四畫)와 통용.

8/10 [倢] 첩 ㊇葉 疾葉切 jié

〔字解〕빠를 첩 捷(手部 八畫)과 同字. '一, 疾也'《廣雅》.
〔字源〕篆文 形聲. 亻(人)+疌〔音〕. '疌첩'은 '빠르다'의 뜻. 날랜 사람의 뜻을 나타냄.

[倢伃 첩여] 한(漢)나라 무제(武帝) 때 둔 여관(女官)의 이름.

8/10 [倡] 〔人名〕 창 ①-③㊤陽 尺良切 chāng ④㊞漾 尺亮切 chàng

〔字解〕①여광대 창 가무(歌舞)·잡희(雜戲). 또, 그것을 하는 여자. 여배우. '孝武李夫人, 本以倡一進'《漢書》. ②갈보 창 娼(女部 八畫)과 통용. ③미칠 창 狂(犬部 八畫)과 통용. '一狂妄行'《莊子》. ④부를 창 唱(口部 八畫)과 통용. '壹一而三歎'《禮記》.
〔字源〕篆文 形聲. 亻(人)+昌〔音〕. '昌창'은 '唱창'과 통하여, '노래하다'의 뜻. 노래하는 사람의 뜻을 나타냄. 거성(去聲)일 때에는, 노래하여 이끌다의 뜻을 나타냄.

[倡家 창가] 창부(倡婦)의 집. 기생(妓生)의 집.
[倡狂 창광] 미쳐 날뜀. 대단히 미침.
[倡妓 창기] '창기(娼妓)'와 같음.
[倡道 창도] '창도(唱道)'와 같음.
[倡樓 창루] 기루(妓樓). 유곽(遊廓).
[倡婦 창부] '창녀(娼女)'와 같음.
[倡首 창수] 선창(先唱)하는 사람. 수창자(首唱者).
[倡佯 창양] 배회(徘徊)함.　　　　　　　［者].
[倡優 창우] 광대.
[倡義 창의] 국난(國難)을 당하여 의병(義兵)을 일으킴.
[倡倡 창창] 빛깔이 몹시 강렬한 모양.
[倡和 창화] 한쪽에서 부르고 한쪽에서 화답함.
●歌倡. 名倡. 俳倡. 姸倡. 優倡. 天倡.

8/10 [俗] 〔二〕 구 ㊤有 其九切 jiù 〔二〕 고 ㊤豪 古勞切

〔字解〕〔二〕 헐뜯을 구 헐어 말함. '一, 毁也'《廣韻》. 〔二〕 헐뜯을 고 〔二〕과 뜻이 같음.
〔字源〕形聲. 亻(人)+咎〔音〕

8/10 [借] 〔中人〕 차 ㊀禡 子夜切 jiè ㊇陌 資昔切

〔筆順〕 亻 亻 亻 借 借 借 借

〔字解〕①빌릴 차 ㉠남한테서 빌려 옴. '一用'. '一金'. '一交報仇'《史記》. ㉡빌려 줌. '特以布帆一之'《晉書》. ②가령 차 가설(假設)의 말. 가사(假使). '一日未知'《詩經》.
〔字源〕形聲. 亻(人)+昔〔音〕. '昔석'은 '쌓아 포개다'의 뜻. 자력(自力)에다 타력(他力)을 겹치다의 뜻에서, '빌리다'의 뜻을 나타냄.

[借家 차가] ㉠빌려 든 집. ㉡집을 빌려 삶. 또, 그 집.
[借居 차거] 남의 집을 빌려서 삶.
[借見 차견] 남의 서화(書畫) 또는 서책(書冊)을 빌려 봄.
[借款 차관] ㉠차금(借金). ㉡국제 간(國際間)의 자금(資金)의 대차(貸借).
[借金 차금] 돈을 꾸어 옴. 또, 그 돈.
[借給 차급] 물건을 빌려 줌.
[借盜鑰 차도약] 도둑에게 열쇠를 빌려 준다는 뜻으로, 도둑에게 편리를 제공함을 이름.
[借得 차득] 남의 물건을 빌려 가짐.
[借覽 차람] 차견(借見).
[借來 차래] 빌려 옴. 꾸어 옴.
[借文 차문] 시문(詩文)의 차작(借作)을 받음. 또, 그 글.
[借問 차문] ㉠시험 삼아 물어봄. 감히 물어봄. ㉡물어봄.
[借手 차수] 내가 할 일을 남의 손을 빌려 함.
[借如 차여] 만약. 만일.
[借與 차여] 차급(借給).
[借用 차용] 물건을 빌리거나 돈을 꾸어서 씀.
[借銀 차은] 차금(借金).
[借賃 차임] 빌려 씀. 또, 그 값. 세.
[借作 차작] 시문(詩文) 등을 남의 손을 빌려 지음. 또, 그러한 시문.
[借財 차재] 차금(借金).
[借賊兵 차적병] 적(賊)에게 병장기(兵仗器)를 빌

려 준다는 뜻으로, 적에게 편리를 제공(提供)함을 이름. 자구병(藉寇兵).
[借助 차조] 도움. 원조(援助).
[借地 차지] 남의 땅을 빌려 가짐. 또, 그 땅.
[借債 차채] 차금(借金).
[借廳入室 차청입실] 남에게 의지하였다가 차차 그 권리(權利)를 침범(侵犯)함을 이르는 말.
[借宅 차택] 차가(借家).
[借筆 차필] 남에게 글씨를 대신 쓰임. 또, 그 글씨.
[借銜 차함]《韓》 실제로는 근무(勤務)하지 아니하고 이름만을 빌리는 벼슬.
●假借. 彊借. 乞借. 貸借. 拜借. 不借. 賃借. 前借. 轉借. 租借.

8/10 [倥] 공 ①㊤東 苦紅切 kōng ②㊤董 康董切 kǒng ③㊡送 苦貢切 kòng

[字解] ①미련할 공 어리석음. '一侗'. ②바쁠 공 분망한 모양. '去來何一偬'《劉基》. ③괴로울 공 고생하는 모양. '愁一傯於山陸'《楚辭》.
[字源] 形聲. 亻(人)+空[音]. '空공'은 '헛되다'의 뜻. 사람의 정신 활동이 없다, 어리석다, 바쁘다의 뜻을 나타냄.

[倥偬 공총] ㉠바쁜 모양. 분망한 모양. ㉡고생하는 모양.
[倥侗 공통] 어리석음.

8/10 [倦] 권 ㊡霰 渠卷切 juàn

[字解] ①진력날 권 싫증이 남. '一厭'. ②게으를 권 태만함. '一怠'. '敦行而不一'《禮記》. ③고달플 권 피로함. '一憊'. '致遠復食而不一'《呂氏春秋》. ④걸터앉을 권 걸터앉음. '方一龜殼而食蛤梨'《淮南子》.
[字源] 形聲. 亻(人)+卷[音]. '卷권'은 사람이 무릎을 오그리는 모양을 본뜸. 사람이 피로하여 무릎을 오그리는 모양에서, '고달프다'의 뜻을 나타냄.

[倦憩 권게] 피로하여 쉼.
[倦極 권극] 몹시 노곤함.
[倦勞 권로] 고달픔. 노곤함.
[倦憊 권비] 고달픔. 노곤함.
[倦厭 권염] 싫증이 남.
[倦游 권유] 유학(游學)에 싫증이 남. 또는, 관리 생활에 싫증이 남.
[倦程 권정] 길 가는데 피로함. 걷는데 지침.
[倦怠 권태] 싫증이 나서 게으러짐.
[倦罷 권파] 권비(倦憊).
●口倦. 饑倦. 勞倦. 忘倦. 目倦. 神倦. 耳倦. 怠倦. 疲倦. 懈倦. 休倦.

8/10 [倨] 거 ㊡御 居御切 jù

[字解] ①거만할 거 오만함. 불손함. '一傲'. '驕一'. '遊毋一'《禮記》. ②굽을 거 '一中矩'《禮記》. ③쭈그리고앉을 거 踞(足部 八畫)와 同字. '高祖箕一'《漢書》. ④톱 거 鋸(金部 八畫)와 同字. '一牙'.
[字源] 形聲. 亻(人)+居[音]. '居거'는 '철퍼덕 앉다'의 뜻. '人인'을 더하여,

'거만하다'의 뜻을 나타냄. 또, '踞거'와 통하여 쭈그리다, 책상다리하고 앉다의 뜻을 나타냄.

[倨倨 거거] 누워 사려(思慮)가 없는 모양.
[倨見 거견] 거시(倨視).
[倨固 거고] 거만하고 완고(頑固)함.
[倨曲 거곡] 굽음.
[倨氣 거기] 거만(倨慢)한 기색. 거드름.
[倨慢 거만] 교만(驕慢)함. 잘난 체하여 거드럭거림.
[倨侮 거모] 거만하여 남을 업신여김.
[倨色 거색] 오만불손(傲慢不遜)한 안색(顔色).
[倨視 거시] 거만하여 남을 멸시함.
[倨牙 거아] 톱니 같은 어금니.
[倨傲 거오] 거만(倨慢).
[倨傲鮮腆 거오선전] 거드럭거림. 존대(尊大)하게 굶.
●簡倨. 驕倨. 句倨. 箕倨. 倂倨. 傲倨. 蹲倨.

8/10 [倩] 천 ㊤霰 倉甸切 qiàn / 청 ㊡敬 七政切 qìng

[字解] 一 ①남자의미칭(美稱) 천 한서(漢書)에 위무지(魏無知)란 사람을 '魏一'이라 하였음. '陣平雖賢, 須魏一而後進'《漢書》. ②예쁠 천 ㉠입이 예쁘게 생김. '巧笑一兮'《詩經》. ㉡용모가 아름다움. '一一柳眉梅額一粧新'《吳融》.
二 ①사위 청 여서(女壻). '黃氏諸一'《史記》. ②고용할 청 삯을 주고 남을 부림. '汝一人耶'《魏書》.
[字源篆文] 形聲. 亻(人)+靑[音]. '靑청'은 맑고 시원스럽다의 뜻. 아름답고 시원스러운 사람의 뜻을 나타냄.

[倩粧 천장] 예쁜 화장.
[倩倩 천천] 예쁜 모양.
●眄倩. 盼倩.

8/10 [倪] 예 ㊤齊 五稽切 ní

[字解] ①어린아이 예 소아. '反其旄一'《孟子》. ②끝 예 말단(末端). '端一'. '和之以天一'《莊子》. ③나눌 예 구분함. '一貴賤'《莊子》. ④흘길 예 睨(目部 八畫)와 통용. '俾一'. '馬知介一'《莊子》. ⑤성 예 성(姓)의 하나.
[字源篆文] 形聲. 亻(人)+兒[音]. '兒아'는 '아이'의 뜻. '어린아이'의 뜻을 나타냄.

[倪瓚 예찬] 원대(元代)의 문인 화가(文人畫家). 자(字)는 원진(元鎭). 장쑤(江蘇) 우시(無錫) 사람. 특히 산수화(山水畫)에 신기(神技)를 보였으며, 그 화풍(畫風)이 간소 담박(簡素淡泊), 천진 유아(天眞幽雅)하여 황공망(黃公望)·오진(吳鎭)·왕몽(王蒙)과 함께 원말(元末)의 4대가(大家)로 꼽혔음.
●介倪. 乾倪. 端倪. 旄倪. 僻倪. 俾倪. 危倪. 天倪.

8/10 [倫] 륜 ㊤眞 力迍切 lún

[筆順] 亻 仫 伶 伶 侖 侖 倫 倫

字解 ①인륜 륜 사람으로서 지켜야 할 떳떳한 도리. '理'. '五一'. '彝—攸敍'《書經》. ②무리 륜 동류(同類). '一匹'. '一輩'. '儗人必于其一'《禮記》. ③차례 륜 순차. '序'《中庸》. ④결 륜 살결·나뭇결 따위. '折幹必一'《周禮》. ⑤가릴 륜 선택함. '雍人一膚'《儀禮》.

字源 形聲. 亻(人)+侖〔音〕. '侖륜'은 '차례를 정하다'의 뜻. 질서가 잡힌 인간 관계, 동류의 뜻이나 차례의 뜻을 나타냄.

[倫紀 윤기] 사람이 지켜야 할 길. 인륜(人倫). 인도(人道). 윤상(倫常).
[倫理 윤리] ㉠윤기(倫紀). ㉡인륜(人倫)의 원리(原理). 인간 사회에서 지켜야 할 도리. 도덕(道德)의 모범이 되는 원리.
[倫輩 윤배] 동배(同輩). 제배(儕輩). 윤주(倫儔).
[倫比 윤비] 윤배(倫輩).
[倫常 윤상] 윤기(倫紀).
[倫序 윤서] 차례. 순서.
[倫擬 윤의] 비김. 견주어 봄.
[倫儔 윤주] 윤배(倫輩).
[倫次 윤차] 신분(身分)의 차례.
[倫匹 윤필] 윤배(倫輩).
●冠倫. 亂倫. 大倫. 同倫. 等倫. 明倫. 反倫. 不倫. 比倫. 常倫. 伶倫. 映倫. 五倫. 異倫. 離倫. 彝倫. 人倫. 絶倫. 儕倫. 儔倫. 天倫. 超倫. 悖倫. 匹倫. 彙倫.

8/10 [倬] 人名 탁 入覺 竹角切 zhuō

筆順 亻 亻 亻 亻 亻 亻 亻 亻 倬

字解 ①클 탁 뚜렷하게 큼. 저대(著大)함. '一彼雲漢'《詩經》. ②환할 탁 밝은 모양. '有一其道'《詩經》.

字源 形聲. 亻(人)+卓〔音〕. '卓탁'은 '높다'의 뜻. 두드러지게 크다의 뜻을 나타냄.

8/10 [倧] 人名 종 ㊥冬 祖賨切 zōng

筆順 亻 亻 亻 亻 亻 亻 伫 伫 倧

字解 신인 종 상고(上古)의 신인(神人) 한배검. '神人降于太白山檀木下是爲大一也'《朝鮮古紀》. '一, 上古神人'《廣韻》.

字源 形聲. 亻(人)+宗〔音〕

8/10 [倭] 人名 왜 ①②㊣支 於爲切 wēi ③㊥歌 烏禾切 wō

字解 ①유순할 왜 성질이 부드럽고 공순함. ②삥돌 왜 길이 꾸불꾸불해서 삥삥 도는 모양. '周道一遲'《詩經》. ③나라이름 왜 일본(日本). '一寇'. '樂浪海中有一人, 分爲百餘國'《漢書》.

字源 形聲. 亻(人)+委〔音〕. '委위'는 나긋나긋한 여성의 뜻. '순종하다'의 뜻을 나타내며, '꾸불꾸불 돌아서 멀다'의 뜻도 나타냄.

[倭館 왜관] 조선(朝鮮) 시대에 일본 사람이 우리 나라에 건너와서 통상(通商)하던 곳. 지금의 부산(釜山)에 두었음.

[倭寇 왜구] 옛날에 중국과 우리나라에 항행(航行)하여 무역(貿易)을 핑계하고 약탈을 행하던 일본 사람들.
[倭國 왜국] 일본을 낮게 일컫는 말.
[倭橘 왜귤] 일본(日本)에서 나는 귤.
[倭女 왜녀] 일본 여자.
[倭奴 왜노] 왜이(倭夷).
[倭刀 왜도] 일본에서 만든 칼. 일본도(日本刀).
[倭式 왜식] 일본식(日本式).
[倭夷 왜이] 옛날 중국인(中國人)이 일본을 낮게 일컫던 말. 왜노(倭奴).
[倭人 왜인] 옛날 중국인이 일본인을 일컫던 말.
[倭將 왜장] 일본의 장수(將帥).
[倭敵 왜적] 적국(敵國)인 일본.
[倭政 왜정] 《韓》 일본이 우리나라를 침략(侵略)하여 다스리던 총독(總督) 정치. 1910년(純宗 4年) 경술(庚戌) 8월 29일부터 1945년 을유(乙酉) 8월 14일까지의 35년 동안을 일컬음.
[倭遲 왜지] 빙빙 돌아서 먼 모양.
[倭風 왜풍] ㉠일본의 풍속. ㉡몹시 부는 바람.
●大倭. 北虜南倭.

8/10 [倮] 라 ㊤哿 魯果切 luǒ

字解 발가벗을 라 裸(衣部 八畫)와 同字. '中央土, 其蟲一'《禮記》.

字源 形聲. 亻(人)+果〔音〕. '果과'는 '裸라'와 통하여, '벌거벗다'의 뜻을 나타냄.

[倮國 나국] 국민들이 발가벗고 사는 나라. 나국(裸國).
[倮麥 나맥] '나맥(裸麥)'과 같음.
[倮跣 나선] '나선(裸跣)'과 같음.
[倮體 나체] '나체(裸體)'와 같음.
[倮蟲 나충] '나충(裸蟲)'과 같음.

8/10 [倱] 혼 ㊤阮 胡本切 hùn

字解 어리석을 혼 '一伅'은 우매한 모양. '一伅, 不慧也'《集韻》.

8/10 [倳] 사 ㊤寘 側吏切 zì

字解 꽂을 사 剚(刀部 八畫)와 同字. '不敢一刃於公之腹'《史記》.

字源 形聲. 亻(人)+事〔音〕. '事사'는 '直치'와 통하여, '곧다'의 뜻. 똑바로 세우다, 똑바로 꽂다의 뜻을 나타냄.

8/10 [倠] 휴 ㊤支 許維切 suī

字解 추할 휴 '倠一'는 용모가 못생김. '倠一, 醜面'《說文》.

字源 形聲. 亻(人)+隹〔音〕. '隹추'는 '괴이(怪異)하다'의 뜻을 나타냄. 용모가 못생기다의 뜻.

8/10 [俷] 비 ㊤未 父沸切 fèi

字解 등질 비 서로 어그러짐. 배반함. '無作怨, 無一德'《史記》.

●德俷.

左(왼쪽 칼럼)

8/10 [倓] 〔人名〕 담 ㉤覃 徒甘切 tán

字解 의심하지않을 담 안심하고 믿는 모양. '一然見管仲之能足以託國也'《荀子》.

字源 形聲. 亻(人)+炎〔音〕. '炎담'은 '淡담'과 통하여, '담백하다'의 뜻. 사람의 마음이 깨끗하여 편안하다의 뜻을 나타냄.

8/10 [俹] 내 nǎi

字解 ①너 내 이인칭 대명사. 你(人部 五畫〈p.123〉)의 속칭(俗稱). '俗稱者曰一'《中華大字典》. ②견딜 내 참음. 耐(而部 三畫〈p.1818〉)와 同字.

8/10 [倏] 숙 ㉮屋 式竹切 shū

字解 ①갑자기 숙 빨리. 얼른. '一瞬'. '一忽之間'《吳志》. ②빨리달릴 숙 개가 빨리 달림. '一, 犬走疾也'《說文》.

字源 形聲. 犬+攸〔音〕. '攸유'는 몸을 길게 하여 빨리 가다의 뜻. 개가 빨리 달리는 모양.

參考 倏(次條)은 俗字.

[倏瞬 숙순] 눈 깜짝할 사이. 극히 짧은 시간. 순간(瞬間).
[倏乎 숙호] 빠른 모양.
[倏忽 숙홀] ㉠갑작스러움. 급속함. ㉡숙순(倏瞬).

8/10 [倏] 倏(前條)의 俗字

8/10 [個] 〔숙〕 夙(夕部 三畫〈p.481〉)의 古字

8/10 [倜] 〔형〕 倜(人部 六畫〈p.134〉)의 本字

8/10 [偅] 〔병〕 倣(人部 十畫〈p.164〉)의 略字

8/10 [倒] 〔례〕 例(人部 六畫〈p.130〉)의 本字

8/10 [備] 〔비〕 備(人部 十畫〈p.167〉)의 俗字

8/10 [倈] 〔래〕 徠(彳部 八畫〈p.748〉)와 同字

8/10 [倜] ■徜(彳部 八畫〈p.746〉)과 同字　■儻(人部 二十畫〈p.188〉)과 同字

8/10 [俲] 〔효〕 倣(人部 十畫〈p.167〉)와 同字

8/10 [保] 〔채〕 睬(目部 八畫〈p.1543〉)와 同字

8/10 [倹] 〔검〕 儉(人部 十三畫〈p.182〉)의 俗字

9/11 [偃] 〔人名〕 언 ㉠阮 於幰切 yǎn　㉠銑 於殄切 yàn

字解 ①쓰러질 언 한쪽으로 쏠리어 넘어짐. '一

右(오른쪽 칼럼)

仆. '牆之立, 不若其一也'《淮南子》. ②쏠릴 언 한쪽으로 기욺. '一草'. '草上之風必一'《論語》. ③누울 언 잠. 쉼. '一休'. '或息一在牀'《詩經》. ④눕힐 언 선 것을 가로놓음. '一旌鴈而俟'《儀禮》. ⑤쉴 언 그만둠. '一武修文'. '天下一兵, 百姓安寧'《漢書》. ⑥교만할 언 거만함. '一傲'. '彼皆一蹇'《左傳》. ⑦뒷간 언 변소. '又適其一焉'《莊子》. ⑧방죽 언 堰(土部 九畫)과 통용. '規一豬'《左傳》. ⑨두더지 언 鼴(鼠部 九畫)과 통용. '一鼠飮河, 不過滿腹'《莊子》.

字源 形聲. 亻(人)+匽〔音〕. '匽언'은 구획 지어진 울 안에서 편안히 쉬다의 뜻. 사람이 눕다, 쉬다의 뜻을 나타냄.

[偃却 언각] 교만(驕慢)을 부림. 언건(偃蹇).
[偃甲 언갑] 전쟁을 그만둠. 세상이 태평하여짐. 언무(偃武).
[偃蹇 언건] ㉠교만(驕慢)한 모양. 젠체하고 거드럭거리는 모양. ㉡높이 솟은 모양. ㉢물건이 많고 성(盛)한 모양. ㉣춤추는 모양. ㉤바위가 기괴(奇怪)한 모양.
[偃憩 언게] 언식(偃息).
[偃戈 언과] 전쟁을 그만둠. 세상이 태평하여짐. 언무(偃武).
[偃武 언무] 무기(武器)를 창고에 넣고 쓰지 않는다는 뜻으로, 천하(天下)가 태평해짐을 이름. 또, 태평한 세상.
[偃武修文 언무수문] 무기를 창고에 넣어 두고, 학문을 닦아 나라를 태평하게 함.
[偃兵 언병] 전쟁을 그만둠. 언무(偃武).
[偃仆 언부] 엎드림. 쓰러짐. 또, 가로놓음. 쓰러뜨림.
[偃師 언사] 인형(人形)을 부리는 사람. 꼭두각시 놀음을 하는 사람.
[偃鼠 언서] 두더짓과(科)에 속하는 포유동물. 쥐와 비슷한데 땅속에 굴을 파고 삶. 두더지.
[偃鼠飮河不過滿腹 언서음하불과만복] 두더지가 강에서 물을 아무리 많이 마셔도 배에 가득하게밖에 마시지 못한다는 뜻. 사람은 각기 자기의 타고난 분수에 만족하여야 한다는 비유.
[偃溲 언수] 변소(便所). 뒷간.
[偃息 언식] 언휴(偃休).
[偃伸 언신] 몸을 굽혔다 폈다 함.
[偃仰 언앙] ㉠누웠다 일어났다 함. 전(轉)하여, 기거(起居)를 자기 마음대로 함. 한가하게 지냄. ㉡엎드림과 우러러봄. 전(轉)하여, 세상이나 남이 하는 대로 따라 함.
[偃衍 언연] 혼잡함. 분답(紛沓).
[偃傲 언오] 교만(驕慢)함. 언건(偃蹇).
[偃臥 언와] 엎드리어 잠.
[偃月 언월] ㉠활 모양으로 된 달. 초승달. ㉡골상학(骨相學) 상으로 이마에 나타난 부귀(富貴)의 상(相).
[偃月堂 언월당] 당(唐)나라 재상(宰相) 이임보(李林甫)가 거처한 집. 월당(月堂)이라고도 함. 임보가 이곳에서 조신(朝臣)을 해칠 방법을 궁리하였음.

[偃月刀]

[偃月刀 언월도] 무기의 한 가지. 칼날은 위가 넓고 끝이 빨고 칼등이 뒤로 젖혀져서 초승달 같은 형상으로 된 칼.
[偃豬 언저] 방죽. 저수지.
[偃草 언초] 바람에 쏠려 쓰러진 풀. 백성이 잘 교화(敎化)됨의 비유로 쓰임.

[偃側 언측] 기대어 엎드림.
[偃寢 언침] 엎드려 잠.
[偃柝 언탁] 순라군이 딱따기를 엎어 두고 쓰지 않음. 세상이 잘 다스려져 도둑을 경계할 필요가 없음을 이름.
[偃革 언혁] 병기(兵器)를 거두고 쓰지 않는다는 뜻으로, 세상이 태평(泰平)함을 이름. '혁(革)'은 병혁(兵革). 언무(偃武). 언과(偃戈). 언갑(偃甲).
[偃休 언휴] 누워 잠. 쉼.
　●僵偃. 傾偃. 仆偃. 棲偃. 息偃. 尊偃. 休偃.

9
⑪ [假] 中人

一 가 ⑭馬 擧下切 jiǎ
　⑭禡 古訝切 jià
二 하 ⑭麻 何加切 xiá
三 격 ⑧陌 各額切 gé

佫

筆順 亻 亻 亻 佢 作 伢 偈 假 假

字解 一 ①빌 가 ㉠차용(借用)함. '一借'. '祭器不一'《禮記》. ㉡빌려 줌. 꾸어 줌. '一貸'. '唯名與器不可以一人'《左傳》. ②용서할 가 '容一'. '大臣犯法無所寬一'《北史》. ③잠시 가 ㉠잠깐. '不遑一寐'《詩經》. ㉡일시. 잠정(暫定). '何以一爲'《史記》. ④거짓 가 허위. 허망(虛妄). '一名'. '明眞照一'《江總》. ⑤가령 가 이를테면. 가사(假使). '一令晏子而在, 余雖爲之執鞭, 所忻慕焉'《史記》. ⑥클 가 '一哉天命'《詩經》. ⑦아름다울 가 嘉(口部 十一畫)와 통용. '一樂君子'《詩經》. ⑧복 가 행복. 嘉(口部 十一畫)와 통용. '是謂大一'《禮記》. ⑨성 가 성(姓)의 하나. ⑩틈 가 겨를. 暇(日部 九畫)와 통용. '請一還都'《南史》. 二 멀 하 遐(辵部 九畫)와 통용. '一言周於天地'《揚子法言》. 三 이를 격 格(木部 六畫)과 同字. '王一有廟'《易經》.
字源 篆文 形聲. 亻(人)+叚[音]. '叚'가'는 바윗돌에서 갓 캐낸 거친 옥돌로, '임시(臨時)'의 뜻. 뒤에 '人'을 덧붙여, '임시'의 뜻을 나타냄.
參考 仮(人部 四畫)는 俗字.

[假家 가가] ㉠임시로 지은 집. ㉡가게.
[假建物 가건물] 임시로 지은 건물.
[假繼 가계] 계부모(繼父母).
[假官 가관] 임시로 임명한 관원(官員).
[假橋 가교] 임시로 놓은 다리.
[假求 가구] 빌리거나 구함.
[假貸 가대] ㉠용서함. ㉡빌려 줌.
[假樂 가락] 좋은 즐거움.
[假量 가량] ㉠어림짐작. ㉡쯤.
[假令 가령] 그렇다 치더라도. 설사(設使). 설령(設令).
[假寐 가매] 잠잘 준비를 차리지 않고 옷을 입은 채 잠.
[假面 가면] 나무·흙·종이 따위로 만든 얼굴 형상. 탈.
[假面劇 가면극] 탈을 쓰고 하는 연극(演劇). 가면희(假面戲). 탈놀음.

[假面]

[假名 가명] ㉠남의 이름을 모칭(冒稱)함. 이름을 꾸며 댐. 또, 꾸며 댄 이름. ㉡《佛敎》실체(實體)가 없는 것에 붙인 명칭.
[假母 가모] 계모(繼母). 또, 서모. 아버지의 첩.
[假冒 가모] 남의 이름을 모칭(冒稱)함.
[假泊 가박] 임시의 정박(碇泊).
[假病 가병] 꾸민 병. 허위의 병.
[假本 가본] 옛 책이나 글씨, 그림 따위의 가짜로 꾸민 물건.
[假縫 가봉] 시침바느질.
[假父 가부] 의붓아버지.
[假婦戲 가부희] 여자를 가장한 희극(戲劇).
[假使 가사] 가령(假令).
[假山 가산] 정원(庭園) 같은 데 인공(人工)으로 만든 산. 석가산(石假山).
[假相 가상] 《佛敎》현재의 헛되고 거짓된 양태(樣態).
[假想 가상] 가정적(假定的)으로 생각함.
[假設 가설] ㉠실제(實際)에 없는 것을 있는 것으로 침. ㉡가령(假令).
[假說 가설] 실험(實驗)에 의하여 확정된 사실(事實)을 설명하기 위하여 설정한 가정적(假定的)인 학설.
[假攝 가섭] 임시로 대리(代理)함.
[假聲 가성] 남의 목소리를 흉내 내는 목소리.
[假笑 가소] 거짓 웃음.
[假手 가수] ㉠사람 손을 빌림. 도움을 얻음. ㉡손을 빌림. 도와줌.
[假守 가수] 가짜의 수령(守令).
[假睡 가수] 거짓으로 자는 체함.
[假廝兒 가시아] 남장(男裝)시켜 궁중(宮中)에서 부리는 부인(婦人).
[假植 가식] 임시로 심음.
[假飾 가식] 언어·행동을 거짓 꾸밈.
[假若 가약] 가설(假設).
[假言 가언] ㉠의미심장한 말. ㉡조건(條件)을 가정한 말.
[假如 가여] 가령(假令).
[假玉 가옥] 사람이 만든 옥(玉). 가짜 옥(玉).
[假臥 가와] 가매(假寐).
[假寓 가우] 임시로 우거(寓居)함. 또, 그곳. 임시의 거소(居所).
[假僞 가위] 허위(虛僞).
[假子 가자] ㉠양자(養子). ㉡의붓자식.
[假作 가작] 완전하지 아니한 임시적 제작(製作).
[假裝 가장] 변장(變裝)함.
[假葬 가장] 임시로 장사 지냄.
[假傳 가전] 실재(實在)하지 아니한 사람의 전기(傳記).
[假定 가정] 사실(事實)이 아님을, 또는 사실인지 사실이 아닌지 분명하지 아니한 것을 짐짓 사실인 것처럼 인정함.
[假縱 가종] 용서함.
[假借 가차] ㉠남의 물건이나 힘 같은 것을 빌림. ㉡용서함. 사정을 보아 줌. ㉢육서(六書)의 하나. 어떤 뜻을 지닌 음을 적는 데 적당한 글자가 없을 때, 뜻은 다르나 음이 같은 글자를 빌려 쓰는 법. 예컨대, '영(令)'은 호령의 뜻인데, 빌려서 '현령(縣令)'의 '영(令)'으로 쓰는 따위.

(令)
(長)
[假借㉢]

[假喘 가천] 죽음이 임박한 사람의 끊어질 듯 끊

어질 듯한 숨소리.
[假漆 가칠] 옻나무의 진 이외에 인공(人工)으로 만든 칠(漆).
[假寐 가침] 가매(假寐).
[假稱 가칭] ㉠가정(假定)으로 일컬음. 또, 그 칭호. ㉡거짓으로 일컬음. 또, 그 칭호.
[假託 가탁] 핑계 댐. 다른 사실을 핑계로 삼음.
[假合 가합] ㉠임시로 모임. 또, 임시로 합침. ㉡견강부회(牽強附會).
[假號 가호] 칭호를 속임. 또, 가짜 칭호.
[假花 가화] 사람이 만든 꽃. 조화(造花).
[假髻 가환] 부인(婦人)이 성장(盛裝)할 때 머리 위에 얹은 큰머리. 또, 어여머리.
● 乞假. 告假. 權假. 貸假. 滿假. 番假. 私假. 賜假. 寫假. 容假. 優假. 恩假. 長假. 請假. 虛假.

[倏]〔숙〕
人部 八畫(p.156)을 보라.

[倐]〔숙〕
人部 八畫(p.156)을 보라.

9/11 [佇]
치 ㊤紙 丈里切 zhǐ

字解 ①기다릴 치 준비를 하고 기다림. '甲車戒馬器械儲一'《揚雄》. ②갖출 치 구비(具備)함. '一而畚揥'《國語》.
字源 形聲. 亻(人)＋待〔音〕. '待대'는 '기다리다'의 뜻. 특히, 사람이 사태에 대처할 수 있도록 준비하여 기다리다, 갖추다의 뜻을 나타냄.

9/11 [偈]
〔人名〕 ㊀㊁ 게 ㊤霽 其憩切 qì,②jì
㊁㊂ 걸 ㊦屑 渠列切 jié

字解 ㊀①쉴 게 휴식함. '度三巒兮一棠梨'《揚雄》. ②중의귀글 게 불교의 덕(德)을 찬양하거나 교지(教旨)를 설명하는 귀글. '一頌'. ㊁①힘쓸 걸 진력함. '一一乎揭仁義'《莊子》. ②헌걸찰 걸 무용(武勇)이 있는 모양. '伯兮一'《詩經》. ③빠를 걸 질주(疾走)함. '匪車一兮'《詩經》. ※ '게' 음은 인명자로 쓰임.
字源 形聲. 亻(人)＋曷〔音〕

[偈偈 걸걸] 힘쓰는 모양. 진력하는 모양.
[偈頌 게송] 《佛敎》 부처의 공덕(功德)을 찬양하는 노래. 범패(梵唄).
● 歌偈. 梵偈. 法偈. 寶偈. 佛偈. 遺偈.

9/11 [偒]
탕 ㊤養 他朗切 tǎng,③dàng

字解 ①곧을 탕 '一, 直也'《玉篇》. ②길 탕 기다란 모양. '一, 長兒'《廣韻》. ③방자할 탕 방탕함. '一逸, 蕩(艸部 十二畫)과 통용. '魯仲連一而不敝, 蘭相如敝而不一'《揚子法言》.
字源 形聲. 亻(人)＋易〔音〕

9/11 [偉]
〔中/人〕 위 ㊤尾 于鬼切 wěi

伟 偉

筆順 亻 亻' 亻'' 伄 伟 偉 偉 偉

字解 ①클 위 장대(壯大)함. '一體'. '容貌甚一'《漢書》. ②뛰어날 위 위대(偉大)함. '一人'. '一業'. '足爲一器'《後漢書》. ③기이(奇異)할 위 이상함. '一奇'. '一寶'. '一哉夫造物者'《莊子》. ④성할 위 성대(盛大)함. '一觀'. '儀觀甚一'《韓愈》. ⑤성 위 성(姓)의 하나.
字源 形聲. 亻(人)＋韋〔音〕. '韋위'는 '떠나다'의 뜻. 여느 사람과 동떨어진 사람, 뛰어난 사람의 뜻을 나타냄.

[偉舉 위거] ㉠뛰어난 계획. ㉡위대한 사업(事業).
[偉功 위공] 위대한 공로(功勞).
[偉觀 위관] 훌륭한 구경거리. 장관(壯觀).
[偉軀 위구] 위체(偉體).
[偉奇 위기] 뛰어나고 기특함.
[偉器 위기] 위대한 기국(器局). 또, 그 사람. 대인물. 위재(偉才).
[偉男子 위남자] 위장부(偉丈夫).
[偉大 위대] 국량(局量)이 매우 큼.
[偉德 위덕] 뛰어나게 훌륭한 덕. 훌륭한 인격(人格).
[偉略 위략] 출중(出衆)한 꾀.
[偉麗 위려] 뛰어나고 아름다움.
[偉力 위력] 위대한 힘.
[偉寶 위보] 기이한 보배.
[偉士 위사] 위대한 사람. 위인(偉人).
[偉辭 위사] 훌륭한 문사(文詞).
[偉秀 위수] 장대(壯大)하고 준수(俊秀)함. 수위(秀偉). 탁이(卓異).
[偉岸 위안] 용모(容貌)가 준수하고 체격이 장대(壯大)한 모양. 괴안(魁岸).
[偉彦 위언] 위대한 인물. '彦'은 남자의 미칭(美稱). 준언(俊彦).
[偉業 위업] 위대한 사업. 대업(大業).
[偉烈 위열] 위공(偉功).
[偉藝 위예] 뛰어난 기예(技藝).
[偉人 위인] 위대한 사람. 위사(偉士).
[偉壯 위장] 용모가 준수하고 체격이 장대(壯大)함.
[偉丈夫 위장부] ㉠대장부. 큰 인물. ㉡신체가 장대(丈大)하고 훌륭한 사람. 위남자(偉男子).
[偉才 위재] 뛰어난 재능. 또, 그 사람.
[偉績 위적] 위대한 공적(功績).
[偉蹟 위적] 위대한 사업의 자취.
[偉餞 위전] 떠나는 이에게 주는 훌륭한 선물. 성대한 전별(餞別宴).
[偉體 위체] 장대(壯大)한 체격.
[偉勳 위훈] 위대한 공훈(功勳).
● 怪偉. 瑰偉. 趫偉. 奇偉. 修偉. 秀偉. 雅偉. 英偉. 溫偉. 雄偉. 俊偉. 卓偉. 豐偉. 恢偉.

9/11 [偊]
우 ㊤麌 王矩切 yǔ

俁

字解 ①혼자걸을 우 踽(足部 九畫)와 同字. '一一而步'《列子》. ②삼갈 우 '一一爾, 愼耳目之觀聽'《列子》.
字源 形聲. 亻(人)＋禹〔音〕

[偊旅 우려] 몸을 구부리고 걷는 모양.
[偊偊 우우] 홀로 걷는 모양.

9/11 [偏]
〔高/人〕 편 ㊀先 芳連切 piān

偏

筆順 亻 仁 俨 俨 伊 俑 偏 偏

字解 ①치우칠 편 ㉠한쪽으로 기욺. '一倚'. '不一之謂中'《中庸章句》. ㉡한쪽으로 몰림. '一在'. '貨一則民病'《宋書》. ㉢편벽됨. 불공평함. '一愛'. '無一無陂'《書經》. ②곁 편, 가 편 변측(邊側). '一國'. '居許東一'《左傳》. ③반편 반분. '衣身之一'《左傳》. ④한쪽 편 일방(一方). '一聽生姦, 獨任成亂'《漢書》. ⑤무리 편 당류(黨類). '擧其一不爲黨'《左傳》. ⑥남은겨레 편 유족(遺族). '桓氏雖亡必一'《左傳》. ⑦보좌 편 도움. 또, 돕는 사람. '司馬슈尹之一'《左傳》. ⑧쉰사람 편 50인 한 조(組)의 일컬음. '五十人爲一'《周禮》. ⑨스물다섯대 편 병거(兵車) 25대의 일컬음. '先一後伍'《左傳》. ⑩변 편 한자(漢字)의 왼쪽 획. '旁'의 대(對). '强尋一旁推點畫'《蘇軾》. ⑪외곬으로 편 오로지 그것만. '一守新城存民苦矣'《史記》.

字源 篆文 偏 形聲. 亻(人)+扁〔音〕. '扁편'은 '邊변'과 통하여, '중심에 없다'의 뜻. 중정(中正)하지 않은 사람의 뜻에서, 일반적으로 '치우치다'의 뜻을 나타냄.

[偏角 편각] 지구의 자오선(子午線)과 자침(磁針)의 방향(方向)이 이룬 각도(角度).
[偏慳 편간] 편벽되고 인색함.
[偏介 편개] 성품이 편벽되고 완고함.
[偏格 편격] 변격(變格), 정격(正格)이 아닌 것.
[偏見 편견] 한쪽으로 치우친 생각.
[偏傾 편경] 한쪽으로 치우침. 한쪽으로 기욺.
[偏境 편경] 두메. 편벽(偏僻).
[偏孤 편고] 아버지를 여윈 아이. 편모슬하의 아이.
[偏枯 편고] ㉠반신불수(半身不隨)임. 또, 그런 사람. ㉡은택(恩澤)이 한쪽으로만 치우침.
[偏苦之役 편고지역] 괴로움을 남보다도 더 받으면서 하는 일.
[偏國 편국] 궁벽한 땅. 벽지(僻地).
[偏奇 편기] 편벽되어 바르지 아니함.
[偏嗜 편기] 한쪽으로 치우치게 즐김.
[偏袒 편단] 한쪽 소매를 벗음.
[偏斷 편단] 공평하지 못하게 결단(決斷)함.
[偏黨 편당] 치우침. 한쪽에 쏠림.
[偏頭痛 편두통] 한쪽 머리가 아픈 병. 변두통(邊頭痛).
[偏憐 편련] 몹시 사랑함. 지나치게 사랑함.
[偏謬 편류] 불공평하여 바르지 못함.
[偏輪 편륜] 한쪽의 수레바퀴. 척륜(隻輪).
[偏盲 편맹] 애꾸눈.
[偏母 편모] 아버지는 돌아가고 홀로 있는 어머니.
[偏房 편방] 첩(妾). 측실(側室).
[偏旁 편방] 한자(漢字)의 왼쪽 부분인 변과 바른쪽 부분인 방(旁).
[偏罰 편벌] 부모 중의 한쪽을 여읨.
[偏僻 편벽] ㉠한쪽으로 치우침. ㉡마음이 한쪽으로 치우쳐 바르지 아니함. ㉢도회에서 멀리 떨어져 있는 시골. 두메.
[偏裨 편비] 편장(偏將).
[偏私 편사] 불공평. 편파(偏頗).
[偏産 편산] 태아(胎兒)가 머리부터 나옴.
[偏衫 편삼] 《佛敎》 중의 웃옷의 한 가지.
[偏色 편색] 《韓》 사색(四色), 곧 노론(老論)·소론(少論)·남인(南人)·북인(北人)의 종류. 색목(色目).

[偏袒 편석] 편단(偏袒).
[偏性 편성] 한쪽으로 쏠린 성질. 편벽(偏僻)된 성질.
[偏小 편소] 한쪽으로 치우치고 작음.
[偏侍 편시] 부모 중의 한쪽만 생존(生存)함.
[偏食 편식] 어떠한 음식만을 편벽되게 먹음.
[偏信 편신] 한쪽만을 편벽되게 믿음.
[偏心 편심] 한쪽으로 쏠린 마음.
[偏阿 편아] 공정하지 아니함.
[偏安 편안] 한구석에 있어서 만족하고 안심함.
[偏愛 편애] 편벽(偏僻)된 사랑. 치우친 사랑.
[偏隘 편애] 성질이 편협(偏狹)하고 좁음.
[偏額 편액] 문(門) 위에 가로 다는 현판(懸板).
[偏言 편언] 치우친 말. 또, 한쪽만의 말.
[偏譯 편역] 먼 외국(外國).
[偏伍 편오] 대오(隊伍).
[偏倚 편의] 기욺. 치우침.
[偏長 편장] 당파(黨派)의 두목(頭目).
[偏將 편장] 대장(大將)을 돕는 한 방면(方面)의 장수. 부장(副將). 장좌(將佐). 편비(偏裨).
[偏在 편재] 어느 한곳에만 치우쳐 있음.
[偏提 편제] 술병의 한 가지.
[偏重 편중] ㉠한쪽으로 치우치어 무거움. ㉡치우치게 소중(所重)히 여김.
[偏憎 편증] 편벽되게 유달리 미워함.
[偏執 편집] 편견(偏見)을 고집하여 남의 말은 받아들이지 아니함. 편협(偏狹).
[偏察 편찰] 편견(偏見).
[偏聽 편청] 한쪽의 말만 들음. 한쪽 말만 믿음.
[偏側 편측] ㉠기욺. 경사짐. ㉡치우침.
[偏親 편친] 홀로 있는 어버이.
[偏宕 편탕] 중정(中正)을 잃어 한쪽에 너무 치우침.
[偏土 편토] 궁벽한 땅. 벽지(僻地).
[偏特 편특] 홀몸. 단독.
[偏陂 편파] 편파(偏頗).
[偏跛 편파] 절름거림. 또, 절름발.
[偏頗 편파] 한쪽으로 치우쳐서 공정하지 못함.
[偏翩 편편] 휘날리는 모양.
[偏嬖 편폐] 한쪽으로 편벽되게 총애함.
[偏廢 편폐] 한쪽만을 버림. 또, 한쪽만이 없어짐.
[偏亢 편항] 오랜 가뭄.
[偏狹 편협] 도량(度量)이 좁음.
[偏惑 편혹] 편벽(偏僻)되게 좋아하여 정신을 잃음.
[偏諱 편휘] 두 자의 이름 중에서 그 한쪽만을 휘(諱)함.
●驕偏. 不偏. 幽偏. 頗偏.

9 ⑪ [偓] 악 ㉠覺 於角切 wò 偓

字解 ①악착할 악 齷(齒部 九畫)과 同字. '一促談於廊廟'《楚辭》. ②성 악 성(姓)의 하나.
字源 篆文 偓 形聲. 亻(人)+屋〔音〕

[偓佺 악전] 옛날의 신선(神仙) 이름.
[偓促 악착] '악착(齷齪)'과 같음.

9 ⑪ [偰] 설 ㉠屑 先結切 xiè

字解 ①맑을 설 '偰一, 淨也'《廣韻》. ②이름 설 고신씨(高辛氏)의 아들 이름. 은(殷)나라 조상. '一, 高辛氏之子, 爲堯司徒, 殷之先也'《說

文). ③성 설 성(姓)의 하나. '一伯'.
字源 篆文 傑 形聲. 亻(人)+契[音]

9
⑪ [俊] 수 ⒝有 蘇后切 sǒu

字解 옹(翁) 수 노인(老人)의 경칭(敬稱). 傁
(人部 十畫)와 同字.
字源 篆文 形聲. 亻(人)+叟[音]

9
⑪ [俜] 〔병〕
俜(人部 十一畫〈p.174〉)의 俗字

9
⑪ [偕] 〔人名〕 해 ⒜佳 古諧切 xié(jiē)   偕

筆順 亻 亻 亻 俏 俏 俏 偕 偕

字解 ①함께 해 같이. '一老'. '古之人, 與民一
樂'《孟子》. ②함께갈 해 같이 감. 동행함. '與食
客門下有勇力文武具備者二十人一'《史記》. ③
굳셀 해 강장(强壯)한 모양. '一一士子'《詩經》.
④맞을 해 적합함. 諧(言部 九畫)와 통용. '習
故能一'《管子》.
字源 篆文 偕 形聲. 亻(人)+皆[音]. '皆개'는 '모두'
의 뜻. '人'을 붙여, 사람이 함께 하
다의 뜻을 나타냄.

[偕樂 해락] 여러 사람과 함께 즐김.   「음.
[偕老 해로] 부부(夫婦)가 일생(一生)을 함께 늙
[偕老同穴 해로동혈] ㉠살아서는 같이 늙고 죽어
서는 같은 무덤에 묻힌다는 뜻으로, 부부(夫
婦)의 사랑의 맹세를 이르는 말. ㉡해면동물
(海綿動物)의 하나. 오어니바다수세미.
[偕偶 해우] 배우자. 배필(配匹)
[偕作 해작] 함께 일을 함. 함께 함.
[偕適 해적] 맞음. 적합함.
[偕偕 해해] 강장(强壯)한 모양.
[偕行 해행] ㉠같이 감. ㉡같이 출정(出征)함.
●計偕. 俏偕. 與偕. 麗偕. 志不偕.

9
⑪ [做] 〔人名〕 주 ⒝箇 子賀切 zuò   伮

字解 지을 주 作(人部 五畫)과 뜻이 같음.
字源 會意. 사람이 고의(故意)로 하다의 뜻을 나
타냄.

[做件 주반] 상대를 함.
●看做.

9
⑪ [停] 〔中人〕 정 ⒝青 特丁切 tíng   停

筆順 亻 亻 亻 亻 停 停 停 停

字解 ①머무를 정 ㉠정지함. '一留'. '大軍已
到, 不得久一'《北史》. ㉡쉼. '一務'. '心無別
慮, 筆不暫一'《隋書》. ㉢지체함. '時諸靜訟失
理, 及主者淹一不時'《梁書》. ②멈출 정 머무르
게 함. '一馬'. '婦便捉裾一之'《世說》.
字源 篆文 停 形聲. 亻(人)+亭[音]. '亭정'은 '머무
르다'의 뜻. '亭'이 '정자'의 뜻으
로 쓰이게 되자, 구별하여 '人'을 붙여, '머무
르다'의 뜻을 나타냄.

[停刊 정간] 신문(新聞)·잡지 등의 정기(定期) 간
행물(刊行物)의 발행(發行)을 한때 정지함.
[停車 정거] 수레가 머무름. 수레를 머무르게 함.
[停車場 정거장] 기차(汽車)가 한때 머물렀다가
떠나는 곳.
[停工 정공] 공사(工事)를 중지함.
[停柩 정구] 행상(行喪) 때 상여를 길에 머물러
두고 쉼.
[停年 정년] 연령 제한(年齡制限)에 따라 공직(公
職)에서 당연히 물러나게 되는 나이.
[停當 정당] 사리(事理)에 맞음.
[停頓 정돈] 한때 그침. 침체(沈滯)하여 나아가지
않음.
[停留 정류] 가다가 머무름. 또, 머무르게 함.
[停留場 정류장] 자동차·전차 따위가 정류(停留)
하는 일정한 곳.
[停馬 정마] 가는 말을 멈추어 세움.
[停務 정무] 사무(事務)를 쉼.
[停泊 정박] ㉠머무름. 묵음. 숙박함. ㉡배가 항
구에서 머무름. 정박(碇泊).
[停捧 정봉] 납세를 중지함.
[停思 정사] 유의(留意)하여 생각함.
[停船 정선] 배를 정박(碇泊)시킴.
[停訟 정송] 송사(訟事)를 중지함.
[停息 정식] 머무러 쉼. 머무러 쉬게 함.
[停業 정업] 생업(生業)을 쉼.
[停役 정역] 하던 일을 중지하고 쉼.
[停緩 정완] 일이 밀려 끝이 나지 아니함. 정체(停
滯).
[停雲 정운] ㉠도잠(陶潛)의 시(詩)에 벗을 생각
하는 '정운편(停雲篇)'이 있는 데서, 전(轉)하
여, 친한 벗을 생각하는 우정을 이름. ㉡가는
구름을 머물게 한다는 뜻으로, 노랫소리가 아
름다움을 이름. 알운(遏雲).
[停電 정전] 송전(送電)이 중지됨.
[停戰 정전] 전투 행위를 중지함.
[停停 정정] ㉠초목의 싹이 자라지 않는 모양. ㉡
아직 발동하지 않고 정지 상태에 있는 모양.
[停踪 정종] 발을 멈추고 가지 아니함.
[停住 정주] 머무름.
[停止 정지] ㉠하던 일을 중도(中途)에서 그침.
㉡한때 금하여 막음.
[停職 정직] 관원(官員)에게 무슨 사고가 있을 때
일정한 기간 중 직무를 중지시킴. 또, 그 징계
처분(懲戒處分).
[停滯 정체] ㉠사물이 머물러 쌓임. ㉡일이 밀림.
㉢음식물이 소화되지 않고 위(胃) 속에 몰려 뭉
쳐 있음.
[停矚 정촉] 멈춰 서서 바라봄.   「止.
[停寢 정침] 하던 일을 중도에서 정지함. 정지(停
[停退 정퇴] 기한을 뒤로 물림.
[停鞭 정편] 말에 채찍질하는 것을 멈춤. 말의 진
행(進行)을 멈춤.
[停筆 정필] 글씨를 쓰다가 붓을 멈춤.
[停學 정학] 학교에서 학생에게 등교(登校)함을 정
지(停止)시킴. 또, 그 벌.
[停會 정회] 회의(會議)를 중지함.
●居停. 稽停. 息停. 淹停. 調停. 沈停. 閒停.
休停.

9
⑪ [俖] 배 ⒜隊 蒲昧切 bèi

字解 등질 배, 배반할 배 背(肉部 五畫)와 同字.

'民不一'《禮記》.
[字源] 形聲. 亻(人)+背〔音〕. '背배'는 '등'의 뜻. 사람이 등을 돌려 배반하다의 뜻.

[偝立 배립] 등지고 섬.
◉不偝.

9 ⑪ [偟] 황 [平]陽 胡光切 huáng

[字解] ①노닐 황 徨(彳部 九畫)과 同字. '仿一'. ②겨를 황, 황급할 황 遑(辵部 九畫)과 同字. '忠臣孝子, 一乎不一'《揚子法言》.
[字源] 形聲. 亻(人)+皇〔音〕. '傍偟방황'이라는 익은 말로 어정거리고 다니는 모양을 나타내는 의태어(擬態語)로 사용됨. 또, '遑황'과 통하여 '겨를'의 뜻도 나타냄.

◉仿偟. 偉偟.

9 ⑪ [健] [高人] 건 [去]願 渠建切 jiàn

[筆順] 亻 亻⺊ 亻⺕ 亻⺕ 亻聿 俥 倢 健

[字解] ①굳셀 건 ㉠건장(健壯)함. '一將'. '募一兒百餘人'《南史》. ㉡꿋꿋함. '一戰'. '諸將莫不一鬪'《後漢書》. ㉢꾸준함. '天行一, 君子以自強不息'《易經》. ②튼튼할 건 건강함. '郎一否'《太平廣記》. ③군사 건 병졸. '官一虛費衣糧, 無所事'《唐書》. ④성 건 성(姓)의 하나.
[字源] 形聲. 亻(人)+建〔音〕. '建건'은 힘차게 뻗은 붓의 뜻. 꿋꿋하게 선 사람의 뜻에서, '굳세고 튼튼하다'의 뜻을 나타냄.

[健脚 건각] 튼튼한 다리. 잘 걷는 다리.
[健剛 건강] 의지가 굳세어 굽히지 아니함. 강건(剛健).
[健康 건강] 몸이 병이 없고 튼튼함.
[健強 건강] 몸이 튼튼하고 힘이 셈.
[健勁 건경] 힘차고 씩씩함.
[健啖 건담] 많이 먹음. 대식(大食)함.
[健馬 건마] 건장한 말. 잘 달리는 말.
[健忘 건망] 사물(事物)을 잘 잊어버림. 기억력이 떨어짐. 선망(善忘).
[健武 건무] 씩씩하고 굳셈. 의무(毅武).
[健步 건보] 잘 걷는 걸음. 건각(健脚).
[健夫 건부] 건장한 사나이.
[健婦 건부] 건강한 부인(婦人).
[健士 건사] 건장한 사람.
[健羨 건선] 대단히 부러워함.
[健訟 건송] 승벽(勝癖)이 대단하여 남과 송사(訟事)하기를 즐김.
[健食 건식] 음식을 많이 잘 먹음.
[健實 건실] 건전하고 착실함.
[健兒 건아] ㉠혈기(血氣)가 왕성한 청년. 건장(健壯)한 남아. ㉡시종(侍從)하는 병졸.
[健勇 건용] 건장(健壯)하고 용맹(勇猛)함. 또, 그러한 사람.
[健胃 건위] 위(胃)를 튼튼하게 함.
[健胃劑 건위제] 소화액(消化液)을 많이 분비하여 소화·흡수를 촉진시키어 위를 튼튼하게 하는 약제(藥劑).
[健者 건자] ㉠튼튼한 사람. ㉡씩씩한 사람.
[健壯 건장] 씩씩함. 굳셈. 또, 몸이 크고 셈.
[健將 건장] 씩씩한 장수. 굳센 장수.
[健在 건재] 아무 탈이 없이 잘 있음.
[健全 건전] ㉠몸이 튼튼하고 병이 없음. ㉡사람이 건실(健實)하고 완전함.
[健戰 건전] 씩씩하게 싸움.
[健足 건족] 건각(健脚).
[健卒 건졸] 건장(健壯)한 병졸(兵卒).
[健捷 건첩] 몸이 잼. 민첩함.
[健鬪 건투] 잘 싸움. 씩씩하게 싸움.
[健筆 건필] ㉠글씨를 잘 씀. ㉡시문을 잘 지음.
[健毫 건호] 건필(健筆).
[健黠 건힐] 유순하지 아니하고 교활(狡猾)함.
◉剛健. 康健. 強健. 勁健. 輕健. 官健. 魁健. 佼健. 趫健. 奇健. 緊健. 老健. 武健. 瞥健. 保健. 雅健. 穩健. 頑健. 勇健. 雄健. 壯健. 精健. 遒健. 俊健. 至健. 淸健. 伉健. 豪健. 驍健.

9 ⑪ [偪] 핍 [入]職 彼側切 bī

[字解] ①핍박할 핍 逼(辵部 九畫)과 同字. '君子不僭上, 不一下'《禮記》. ②행전 핍 각반. '一屨著綦'《禮記》. ③성 핍 성(姓)의 하나.
[字源] 形聲. 亻(人)+畐〔音〕. '畐복'은 '逼핍'과 통하여, '닥치다, 핍박하다'의 뜻을 나타냄.

[偪介 핍개] 가까이 닥치는 것을 격리함.
[偪匱 핍궤] 궁핍(窮乏)함.
[偪陽 핍양] 춘추(春秋) 시대의 국명(國名). 현재의 산둥 성(山東省) 내(內).
[偪處 핍처] 가까이 있음.
[偪仄 핍측] 핍측(偪側).
[偪側 핍측] 닥쳐옴. 핍측(逼側).
[偪下 핍하] 윗사람이 아랫사람의 흉내를 냄.
[偪狹 핍협] 한쪽으로 치우쳐 좁음.
◉邪偪. 敀偪.

9 ⑪ [偭] 면 [去]霰 彌箭切 / [上]銑 彌兗切 miǎn

[字解] ①향할 면 마주 대함. '尊壺者一其鼻'《禮記》. ②어길 면 위반함. '一規矩而改錯'《楚辭》.
[字源] 形聲. 亻(人)+面〔音〕. '面면'은 사람의 얼굴의 뜻. 사람의 얼굴을 돌려 향하다의 뜻을 나타냄.

9 ⑪ [偲] [人名] 시 [平]支 息慈切 sī / (②-④채[本]) [平]灰 倉才切 cāi

[字解] ①책선할 시 착한 일을 하도록 서로 권함. '朋友切切一一'《論語》. ②굳셀 시 '一, 彊力也'《說文》. ③똑똑할 시 재능이 있음. '一, 多才能也'《廣韻》. ④수염많을 시 수염이 많이 난 모양. '其人美且一'《詩經》.
[字源] [篆文] 形聲. 亻(人)+思〔音〕. '思사'는 '생각하다'의 뜻. 생각이 깊은 사람의 뜻에서, '굳세다, 똑똑하다'의 뜻을 나타냄.

[偲偲 시시] 벗이나 동지(同志)끼리 서로 격려(激勵)하며 선도(善道)를 권장(勸奬)함.

9 ⑪ [側] [高人] 측 [入]職 阻力切 cè

[筆順] 亻 亻丨 亻冂 佀 伹 俱 側 側

①곁 측 접근한 장소. 근방. '一近'. '閔子侍一'《論語》. ②옆 측 한쪽으로 치우친 곳. '左一'. '立于一階'《書經》. ○기울 측 ㉠한쪽으로 쏠림. '一弁之俄'《詩經》. ○해가 서산에 가까워짐. '日一'《儀禮》. ㉢치우침. 중정(中正)을 잃음. '無反無一'《書經》. ④기울일 측 귀를 기울임. '一聽'. '呂后一耳于東廂聽《史記》. ⑤엎드릴 측 첩복(蟄伏)함. '一谿谷之間'《淮南子》. ⑥배반할 측 반역함. '使反一子自安'《後漢書》. ⑦낮을 측 미천(微賤)함. 한미(寒微)함. '一陋'. '虞舜一微'《書經》. ⑧어렴풋할 측 분명하지 않음. 유미(幽微)함. '幽原分沈泪羅'《史記》. ⑨슬퍼할 측 惻(心部 九畫)과 통용. '隱思君兮悱一'《楚辭》. ⑩성 측 성(姓)의 하나.

字源 金文 篆文 形聲. 亻(人)＋則〔音〕. '則측'은 '규칙'의 뜻. 사람의 생활의 규범으로서 사람의 곁에 있는 것, '옆'의 뜻을 나타냄. 또, '仄측'과 통하여, '기울다, 기울이다'의 뜻도 나타냄.

[側肩蹋足 측견섭족] 어깨를 움츠리고 발을 밟음. 대단히 왕래가 붐비어 비좁은 데를 뚫고 감을 형용한 말.
[側徑 측경] 갈려 나간 소로(小路).
[側傾 측경] 기욺.
[側近 측근] 곁. 옆. 방근(旁近).
[側女 측녀] 첩(妾).
[側闥 측달] 측면의 소문(小門).
[側麗 측려] 경묘(輕妙)하고 아름다움.
[側陋 측루] ㉠신분(身分)이 천함. 또, 그러한 사람. 측미(側微). 미천(微賤). ○궁벽하고 좁음. 또, 그 장소.
[側面 측면] 전면(前面)에 대한 좌우의 면(面).
[側目 측목] ㉠무서워하여 바로 보지 못함. ○곁눈질을 함. ㉢미워하여 봄. 시새워 봄. 시기함.
[側目視之 측목시지] 곁눈질하여 봄.
[側目重足 측목중족] 무섭고 두려워서 움츠림.
[側門 측문] 측면으로 낸 문. 곁문.
[側聞 측문] 어렴풋이 들음. 풍문으로 들음.
[側媚 측미] 마음이 간사하여 아첨을 잘함.
[側微 측미] 미천(微賤)함. 천함.
[側傍 측방] 멀지 않은 바로 옆. 곁.
[側柏 측백] 편백과(扁柏科)에 속하는 상록 침엽교목. 측백(側柏)나무.
[側席 측석] ㉠몸을 비스듬히 하여 앉음. 정좌(正坐)치 않음의 뜻. ○근심하여 좌불안석(坐不安席)함.
[側視 측시] 모로 봄. 옆으로 봄.
[側息 측식] ㉠간신히 쉬는 숨. 대단히 괴로운 호흡. ○똑바로 숨을 쉬지 못하고 모로 숨을 쉼.
[側身 측신] 두려워서 삼가느라고 잠시도 몸이 편안치 못함.
[側室 측실] 남의 집 한 부분을 빌려 사는 방. 곁방. ○서자(庶子). ○첩(妾).
[側壓 측압] 측면(側面)에 가(加)해지는 압력. 액상물(液狀物)이 용기(容器)의 측면(側面)에 미치는 압력.
[側言 측언] 치우친 말. 편벽된 말.
[側艶 측염] 측려(側麗).
[側臥 측와] 모로 누움.
[側耳 측이] 귀를 기울여서 자세히 들음. 기이(敧耳). 경이(傾耳).
[側酌 측작] 혼자 술을 마심. 독작(獨酌).

[側註 측주] 방주(旁註).
[側尊 측준] 특별히 마련한 술통.
[側質 측질] 넘어짐.
[側聽 측청] '경청(傾聽)'과 같음. 「出).
[側出 측출] 첩(妾)의 몸의 소생(所生). 서출(庶出).
[側側 측측] ㉠상심(傷心)하는 모양. 측측(惻惻). ○추위의 몸에 배는 모양.
[側行 측행] 존귀한 사람에게 경의(敬意)를 표하기 위하여 정면(正面)을 피하고 옆으로 비켜서 걸음. 측행(仄行).
●傾側. 攲側. 反側. 旁側. 僻側. 卑側. 兩側. 右側. 轅側. 離側. 左側. 淸君側. 充側. 偏側. 舷側. 脅側.

9
⑪ [偵] 人名 정 ㉥庚 丑貞切 zhēn (zhēng) 偵偵

筆順 亻 亻' 亻' 侦 侦 偵 偵 偵

字解 ①염탐할 정 몰래 탐지함. '一探'. '一察'. '使御者一伺得失'《後漢書》. ②염탐꾼 정 '一候'. '一諜'. '爲郡縣一邏耳目'《後漢書》.
字源 篆文 形聲. 亻(人)＋貞〔音〕. '貞정'은 점을 쳐서 묻다의 뜻. '貞'이 '곧다'의 뜻도 나타나게 되며, 구별하기 위해 '人'을 덧붙여, '묻다, 엿보아 염탐하다'의 뜻을 나타냄.

[偵客 정객] 염탐꾼.
[偵騎 정기] 정탐하는 기병(騎兵). 후기(候騎).
[偵邏 정라] 순행하여 정탐함. 또, 그 사람.
[偵吏 정리] 정탐하는 벼슬아치.
[偵伺 정사] 정탐(偵探).
[偵察 정찰] 적정(敵情)을 몰래 살핌.
[偵察機 정찰기] 적정(敵情)을 정찰(偵察)하는 비행기.
[偵諜 정첩] 정탐하는 사람.
[偵探 정탐] 몰래 형편을 알아봄.
[偵候 정후] 정탐(偵探).
●密偵. 辨偵. 烽偵. 游偵. 探偵.

9
⑪ [偶] 高人 우 ㉦有 五口切 ǒu 偶

筆順 亻 亻ᄀ 侣 侣 侣 偶 偶 偶

字解 ①짝수 우 우수(偶數). '奇一'. '鼎俎奇而邊豆一'《禮記》. ②짝 우 배필. '配一'. '始ేᆯ良一'《北史》. ③무리 우 동류. 제배(儕輩). '曹一'. '寡一少徒'《史記》. ④허수아비 우 인형(人形). '一人'. '一像'. '木一人與土一人相與語'《史記》. ⑤짝지을 우, 짝지울 우 짝을 지어 줌. '聖人因時以合一男女'《孔子家語》. ⑥대할 우 마주 대함. '一語'. '一坐不辭'《禮記》. ⑦만날 우 遇(辵部 九畫)와 同字. '一, 遇也. 二人相對遇也'《釋名》. ⑧마침 우 '一成'. '鄭國之治一耳'《列子》. ⑨성 우 성(姓)의 하나.
字源 篆文 形聲. 亻(人)＋禺〔音〕. '禺우'는 '寓우'와 통하여, '빌리다'의 뜻. 나무를 빌려서 사람의 모양을 본뜬 허수아비의 뜻을 나타냄. 또, 천생연분의 부부, 짝의 뜻도 나타냄. 또, '禺'는 게으름뱅이의 뜻에서, 계획적이 아니고 '어쩌다, 우연히'의 뜻을 나타냄.

[偶對 우대] 마주 대함. 또, 짝. 대(對). 대구(對句).

[偶發 우발] 우연히 발생함. 또, 우연히 발작함.
[偶像 우상] 목석(木石)이나 금속(金屬) 등으로 만든 신불(神佛) 또는 사람의 형상(形像). 또, 숭배(崇拜)의 대상이 되는 인물(人物).
[偶像敎 우상교] 우상(偶像)을 숭배(崇拜)하는 종교.
[偶成 우성] 우연히 이루어짐.
[偶數 우수] 둘로 나누어지는 수(數). 짝수.
[偶視 우시] 서로 마주 봄.
[偶語 우어] 둘이 마주 대하여 이야기함.
[偶然 우연] ㉠뜻밖에 그러함. ㉡기약(期約)하지 않고. 뜻밖에.
[偶咏 우영] 우음(偶吟).
[偶吟 우음] 우연히 지은 시가(詩歌).
[偶爾 우이] 우연(偶然).
[偶人 우인] 인형(人形). 허수아비.
[偶人形 우인형] 우인(偶人).
[偶日 우일] 우수(偶數)의 날.
[偶作 우작] 우성(偶成).
[偶蹄類 우제류] 포유동물(哺乳動物) 중의 발굽이 우수(偶數)인 소·양(羊)·돼지·사슴 등의 유(類). 특징은 사지(四肢)의 셋째·넷째 발굽이 잘 발달되고 다른 발굽은 불완전하거나 결여(缺如)되어 둘 또는 넷임.
[偶坐 우좌] 마주 앉음. 대좌(對坐).
[偶中 우중] 뜻밖에 적중함.
[偶處 우처] 마주 대(對)하고 있음. 부부가 함께 있음. 동서(同棲)함.
[偶合 우합] 우연히 맞음.
◉仇偶. 奇偶. 對偶. 木偶. 伴偶. 配偶. 凡偶. 不偶. 連偶. 曹偶. 土偶. 匹偶. 合偶. 諧偶.

9 ⑪ **[偄]** [一] 난 [去]翰 奴亂切 ruǎn [二] 나 [去]箇 奴臥切 [三] 연 [上]銑 而兖切

[字解] [一] ①연약할 난 약(弱)함. '一, 弱也'《說文》. ②속일 난 기만(欺謾)함. '方言, 楚郢謂欺謾爲眠娗, 一曰一劣'《事物異名錄》. ③공경할 난 공손함. '一, 敬也'《廣韻》. [二] 연약할 나, 속일 나, 공경할 나 [一]과 뜻이 같음. [三] 연약할 연, 속일 연, 공경할 연 [一]과 뜻이 같음.
[字源] 形聲. 亻(人)+耎〔音〕

9 ⑪ **[偁]** 칭 [平]蒸 處陵切 chēng

[字解] ①들 칭 들어 올림. '一, 擧也'《爾雅》. ②稱(禾部 九畫)의 本字.
[字源] 甲骨文 金文 篆文 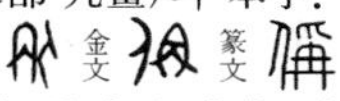 形聲. 亻(人)+爯〔音〕. '爯칭'은 '들다'의 뜻. 사람을 들어 올리다, 칭찬하다의 뜻을 나타냄.

9 ⑪ **[偷]** [人名] 투 [平]尤 託侯切 tōu 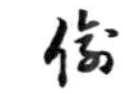

[字解] ①훔칠 투 도둑질함. '一兒'. '一盜'. '一得利而有害'《管子》. ②탐낼 투 눈앞의 안락을 탐함. '一安日日'《史記》. ③가벼울 투 인정이 경박함. '一薄'. '故舊不遺, 民則不一'《論語》. ④구차할 투 고식적(姑息的)으로 일을 함. '一儒'. '安肆日一'《禮記》. ⑤구차히 투 구차하게. '一免'. '一以全吾軀'《楚辭》.
[字源] 形聲. 亻(人)+兪〔音〕. '兪유'는 나무를 파서 만든 '마상이'의 뜻. 속의 것을 슬쩍 빼내는 사람. '훔치다'의 뜻을 나타냄.

[偷暇 투가] 틈을 탐.
[偷刻 투각] 투한(偷閒).
[偷巧 투교] 속여 꾸밈. 허식(虛飾)을 함.
[偷卷 투권] 책을 읽는 체함.
[偷卷度紙 투권도지] 책을 띄엄띄엄 읽음.
[偷嗜 투기] 남몰래 즐김.
[偷懦 투나] 구차하고 나약함.
[偷嫩 투눈] 젊어 보이도록 꾸밈.
[偷盜 투도] 도둑질함. 또, 도둑.
[偷樂 투락] 몰래 틈을 타 즐김.
[偷利 투리] 바르지 않게 얻은 이익(利益). 부정(不正)한 이익.
[偷慢 투만] 등한히 함.
[偷賣 투매] 남의 물건을 도둑질하여 팖.
[偷免 투면] 구차하게 일시 모면함.
[偷眠 투면] 틈을 타서 잠을 잠.
[偷薄 투박] 성실하지 않고 경박함.
[偷生 투생] 생명을 아낌. 죽어 마땅할 때에 죽지 않고 욕되게 살기를 탐냄.
[偷食 투식] ㉠무의미하게 삶. 구차히 삶. ㉡공금(公金)이나 공곡(公穀) 따위를 도둑질하여 먹음.
[偷心 투심] 《佛敎》 도둑질하려는 검은 마음.
[偷兒 투아] 도둑. 도아(盜兒).
[偷安 투안] 눈앞의 안일(安逸)만을 도모함.
[偷弛 투이] 일을 등한히 함.
[偷斫 투작] 산의 나무를 몰래 벰. 도벌(盜伐).
[偷長 투장] 도둑의 우두머리.
[偷葬 투장] 남의 땅에 몰래 매장(埋葬)함. 암장(暗葬).
[偷啼 투제] 남몰래 울.
[偷存 투존] 투생(偷生).
[偷處 투처] 태만(怠慢)함. 게을리 함.
[偷取 투취] 훔치어 가짐. 절취(竊取).
[偷閒 투한] 바쁜 가운데 틈을 탐.
[偷穴 투혈] 벽을 뚫고 방에 들어가 도둑질하는 사람. 좀도둑. 서적(鼠賊).
◉客偷. 巧偷. 苟偷. 狗偷. 寇偷. 猫偷. 小偷. 野偷. 貳偷. 暫偷. 醉偷. 惰偷.

9 ⑪ **[偠]** 요 [上]篠 烏皎切 yǎo 

[字解] 날씬할 요 허리가 호리호리하여 맵시 있어 보임. '一紹便娟'《張衡》.
[字源] 形聲. 亻(人)+要〔音〕

[偠傻 요뇨] 허리가 가는 모양.
[偠紹 요소] 허리가 호리호리하여 맵시 있어 보임.

9 ⑪ **[㑾]** [一] 각 [入]藥 其虐切 jué [二] 극 [入]陌 綺戟切

[字解] [一] ①진력날 각 싫증이 남. '一, 亦倦也'《廣韻》. ②잠깐 각 잠시. '一, 須臾'《廣韻》. [二] ①지칠 극 피로함. '一, 勞也, 極也'《廣雅》. ②웃을 극 크게 웃음. '一, 又大笑'《廣韻》.
[字源] 形聲. 亻(人)+卻〔音〕

9 ⑪ **[偯]** 의 [上]尾 於豈切 yǐ 

字解 훌쩍거릴 의 느끼어 욺. 또, 탄식함. '童子哭不—'《禮記》.

9 ⑪ [傺] 치 ㊤紙 尺矢切 cī

字解 가지런하지않을 치 差(工部 七畫)와 同字. '—池'.

[傺池 치지] '치지(差池)'와 같음.

9 ⑪ [偵] 부 ㊤有 房久切 fù

字解 ①모뜰 부 본뜸. '禮樂—天地之情'《禮記》. ②자부할 부 負(貝部 二畫)와 同字. '自—而辭助'《淮南子》.
字源 形聲. 亻(人)+負〔音〕. '負부'는 '의지하다, 믿다'의 뜻.

9 ⑪ [偎] 외 ㊋灰 烏恢切 wēi

字解 ①가까이할 외 친근히 함. '不—不愛'《列子》. ②사랑할 외 '北海有國名曰朝鮮天毒其人水居—人愛人'《山海經》.
字源 形聲. 亻(人)+畏〔音〕

9 ⑪ [偅] 동 ㊦宋 之用切 tóng

字解 종 동 僮(人部 十二畫)과 同字. '驂白鹿兮, 從仙—'《漢張公 神道碑》.
字源 形聲. 亻(人)+重〔音〕

●仙偅.

9 ⑪ [倻] 人名 야 yē

字解 나라이름 야 '伽—'는 고대 한반도 남부에 있던 나라의 이름. 가라(加羅).
字源 形聲. 亻(人)+耶〔音〕

[倻溪集 야계집] 책 이름. 조선 중종(中宗) 때 송희규(宋希奎)의 시문집. 3권 2책.

9 ⑪ [偍] 제 ㊧齊 杜兮切 tí

字解 느즈러질 제 해이(解弛)함. '難進曰—'《管子》.

9 ⑪ [偞] 엽 ㊅葉 與涉切 yè

字解 ①가벼울 엽. ②아름다울 엽 용모가 아름다움.
字源 形聲. 亻(人)+某〔音〕. '某엽'은 '얇고 납작하다'의 뜻. '가볍다, 경박하다'의 뜻을 나타냄.

9 ⑪ [偤] 〔병〕 偋(人部 八畫〈p.156〉)과 同字

9 ⑪ [侃] 〔간〕 侃(人部 六畫〈p.129〉)과 同字

9 ⑪ [俘] 〔잔〕 僝(人部 十二畫〈p.176〉)의 古字

9 ⑪ [傒] 〔규〕 傒(人部 十畫〈p.167〉)와 同字

9 ⑪ [偻] 〔루〕 僂(人部 十一畫〈p.173〉)의 俗字

9 ⑪ [俕] 〔보〕 保(人部 七畫〈p.142〉)의 古字

9 ⑪ [償] 〔상〕 償(人部 十五畫〈p.184〉)의 簡體字

9 ⑪ [僞] 〔위·와〕 僞(人部 十二畫〈p.176〉)의 略字

9 ⑪ [偋] 〔선·준〕 僎(人部 十二畫〈p.175〉)의 本字

9 ⑪ [偔] 〔참〕 儳(人部 十七畫〈p.187〉)의 略字

9 ⑪ [偄] 〔편〕 便(人部 七畫〈p.137〉)의 本字

9 ⑪ [偬] 〔총〕 傯(人部 十一畫〈p.174〉)과 同字

[脩] 〔수〕 肉部 七畫(p.1851)을 보라.

[條] 〔조〕 木部 七畫(p.1073)을 보라.

10 ⑫ [傘] 人名 산 ㊤旱 蘇旱切 sǎn

筆順 ノ 𠆢 㐅 𠈌 𠈌 𠈌 𠈌 傘

字解 우산 산, 일산 산 繖(糸部 十二畫)과 同字. '乘之馬, 張錦—'《北史》.
字源 象形. 우산을 편 모양을 본뜬 것으로, 우산의 뜻을 나타냄.

[傘下 산하] 우산의 밑이라는 뜻으로, 보호(保護)를 받는 그 세력의 밑.
●陽傘. 雨傘. 油傘. 日傘. 笠傘. 紫羅傘. 兎兒傘. 敝傘.

10 ⑫ [倂] 병 ㊤梗 蒲幸切 bìng

字解 ①아우를 병 並(立部 五畫)과 同字. ②나란히설 병 나열함. '—, 羅列'《廣韻》. ③모두 병.

10 ⑫ [傀] 人名 괴 ①㊤賄 口猥切 kuǐ ②-⑤㊌灰 公回切 guī

字解 ①허수아비 괴 꼭두각시. 인형(人形). '—儡戲'. '周穆王之時, 巧人有偶師者, 爲木人能歌舞, 此一儡之始也'《列子》. ②클 괴 위대함. '—然獨立于天地之間而不畏'《荀子》. ③도깨비 괴 怪(心部 五畫)와 통용. '大一異栽去樂'《周禮》. ④

괴이할 괴 기괴함. ⑤성 괴 성(姓)의 하나.
字源 篆文 傀 形聲. 亻(人)＋鬼[音]. '鬼귀'는 보통
이 아니고 괴이하다의 뜻. 보통과 다
른 사람의 뜻을 나타냄.

[傀儡 괴뢰] ㉠꼭두각시. ㉡망석중이.
[傀儡師 괴뢰사] 꼭두각시를 놀리는 사람. 전(轉)
하여, 흑막(黑幕)의 인물.
[傀儡子 괴뢰자] 괴뢰사(傀儡師).
[傀儡戱 괴뢰희] 꼭두각시놀음.
[傀俄 괴아] 큰 산이 무너져 가는 모양.
[傀然 괴연] 큰 모양. 위대한 모양. 전(轉)하여, 독
립(獨立)한 모양.
●大傀. 倭傀.

10 ⑫ [傁] 수 ㊤有 蘇后切 sǒu
字解 늙은이 수 叟(又部 八畫)와 同字. '趙一在
後, 怒之使下'《左傳》.
字源 形聲. 亻(人)＋叟[音]. '叟수'는 '늙은이'의
뜻.

10 ⑫ [傃] 소 ㊦遇 桑故切 sù
字解 향할 소 어떤 방향으로 대함. '一東山而
歸'《蘇軾》.
字源 形聲. 亻(人)＋素[音]

10 ⑫ [傎] 전 ㊦先 都年切 diān
字解 뒤바꿀 전, 거꾸로할 전 顚(頁部 十畫)과
同字. '晉文公之行事, 爲已一矣'《穀梁傳》.
字源 形聲. 亻(人)＋眞[音]

10 ⑫ [傅] 人名 부 ①-⑨㊦遇 方遇切 fù
　　　　　　　⑩㊤虞 芳無切 fū
筆順 亻 亻 亻 俌 俌 傅 傅
字解 ①스승 부 좌우에서 봉시(奉侍)하여 돌보
는 사람. '立太一少一以養之'《禮記》. 전(轉)하
여, 선생. 스승. '師一'. ②돌볼 부 좌우에서 봉
시(奉侍)하여 돌봄. '三材一'《國語》. ③도울
부 보좌함. '鄭伯一王'《左傳》. ④붙을 부 부착
함. '一著'. '皮之不存, 毛將安一'《左傳》. ⑤가
까이할 부 접근함. '一近', '一則密'《周禮》. ⑥
바를 부 분을 바름. '一脂粉'《史記》. ⑦이를 부
다다름. '鳳凰于飛, 翽翽其羽, 亦一于天'《詩
經》. ⑧수표 부 대차(貸借)의 증서. '一別'. ⑨
성 부 성(姓)의 하나. ⑩베풀 부 敷(攴部 十一
畫)과 同字. '一納以言'《漢書》.
字源 篆文 傅 形聲. 亻(人)＋尃[音]. '尃부'는 '扶'
와 통하여 '도와주다'의 뜻. 돕는 사람,
돌보는 사람의 뜻을 나타냄.

[傅近 부근] 가까이함. 부근(附近).
[傅納 부납] 신하(臣下)로 하여금 자유로이 언론
(言論)을 펴게 하고 이를 받아들임.
[傅母 부모] 집에서 아이를 돌봐 주는 사람. 유모
(乳母). 보모(保母).
[傅別 부별] 수표(手票). 권서(券書).
[傅輔 부보] 도움. 보좌(輔佐).

[傅粉 부분] 분을 바름. 단장(丹粧)함. 시분(施粉).
가분(加粉).
[傅粉郞 부분랑] 분(粉)을 바른 남자(男子)라는
뜻. 위(魏)나라의 하안(何晏)을 이름.
[傅婢 부비] 시녀(侍女).
[傅相 부상] 궁중(宮中)에서 보육(保育)을 맡은 벼
슬아치.
[傅氏巖 부씨암] 은(殷)나라의 현신(賢臣) 부열
(傅說)이 숨어 있었다는 산시 성(山西省) 평륙
현(平陸縣)에 있는 암혈(巖穴).
[傅巖 부암] 부씨암(傅氏巖).
[傅愛 부애] 잘 보육(保育)하며 사랑함.
[傅御 부어] 군주(君主)를 보좌(輔佐)하는 사람.
[傅說 부열] 은(殷)나라 고종(高宗) 때의 현상(賢
相). 고종(高宗)이 어느 날 꿈을 깨고 꿈에 본
인상(人相)을 그리게 하여 이를 찾았던 바 마
침내 부암(傅巖)의 들에서 부열을 찾았다 함.
[傅育 부육] 보살펴 키움.
[傅子 부자] 책 이름. 서진(西晉)의 부현(傅玄) 찬
(撰). 정치(政治)·도덕(道德)·인물(人物)을 논
(論)한 것으로 원래 4부(部) 6록(錄)으로 나누어
120권이었으나, 산일(散佚)되어 송(宋)나라 때
에는 5권만 남았음. 청(淸)나라 엄가균(嚴可均)
이 군서치요(群書治要)·영락대전(永樂大典)·
의림(意林)을 조교(照校)하여 4권(卷)으로 압
축, 전진문(全晉文) 47내지 50권에 수록(收錄)
했음.
[傅佐 부좌] 사람에게 도움이 됨. 또, 그 사람.
[傅着 부착] 붙음. 부착(附着).
[傅彩 부채] 채색(彩色)함.
[傅恒 부항] 청(淸)나라의 무장(武將). 만주(滿洲)
사람. 성(姓)은 부찰씨(富察氏). 호(號)는 춘화
(春和). 건륭(乾隆) 때 금천(金川)의 반란(叛
亂)을 평정하고 이어 미얀마[緬甸]를 토벌(討
伐)하여 그 공(功)으로써 대학사(大學士)에 이
르렀음.
[傅玄 부현] 진(晉)나라의 학자. 자(字)는 휴혁(休
奕). 박학다식(博學多識)하고 글을 잘 쓰며, 벼
슬이 시중(侍中)에 이르렀음. 저서에 〈부자(傅
子)〉가 있음.
[傅會 부회] ㉠억지로 이치에 맞춤. 견강부회(牽
强附會)함. ㉡붙임. 부착시킴. ㉢문장(文章)의
수미(首尾)가 일관(一貫)되게 완성함.
●姆傅. 保傅. 師傅. 良傅. 外傅. 友傅. 中傅.
台傅. 皮傅. 姬傅.

10 ⑫ [傋] 구 ㊤宥 居候切 gòu
字解 무식할 구 무지함. '愚陋一瞀'《荀子》.

[傋瞀 구무] 무식함. 무지함.

10 ⑫ [傍] 高人 방 ㉠陽 步光切 páng
　　　　　　㊦漾 蒲浪切 bàng
　　　　(?)팽 ㊤養 補朗切
　　　　　　㉠庚 蒲庚切 péng
筆順 亻 亻 俨 俨 俥 俥 傍 傍
字解 ①곁 방 접근한 장소. 옆. '近一'. '兩一'.
'河峽崖一'《水經注》. ②방 방 한자(漢字)의 오
른쪽 부분. 우방(右旁). '偏'의 대(對). '强尋偏
一推點畫'《蘇軾》. ③성 방 성(姓)의 하나. ④의
할 방 의거(依據)함. 따름. '便當倚一先代耳'

《晉書》. ⑤곁할 방 가까이함. '雲一馬頭生'《李白》. ⑥모실 방 좌우에서 시중듦. '成王之生, 仁者養之, 孝子強之, 四聖一之'《新書》. ⑦말수없을 방 부득이한 모양. '王事一一'《詩經》.
字源 形聲. 亻(人)+旁〔音〕. '旁방'은 '곁'의 뜻. 뒤에 '人'을 붙임. 또, 거성(去聲)일 때에는 곁으로 가까이 가다, 따르다의 뜻을 나타냄.

[傍刻 방각] 인면(印面)의 인문(印文) 밖에 옆으로 새긴 글자.
[傍系 방계] 직계(直系)에서 갈려서 나온 계통(系統). 지계(支系).
[傍觀 방관] ㉠곁에서 봄. 옆에서 구경함. ㉡관계하지 아니함. 내버려둠.
[傍觀者審 방관자심] 제삼자(第三者)가 더 잘 봄.
[傍近 방근] 근방(近傍).
[傍覽 방람] 곁에서 봄.
[傍門戶飛 방문호비] 남에게 기대어 출세(出世)함.
[傍傍 방방] ㉠힘쓰는 모양. 근로하는 모양. ㉡강성(強盛)한 모양.
[傍輩 방배] 벗. 붕배(朋輩).
[傍生 방생] ㉠곁에서 남. ㉡《佛教》몸이 옆으로 되어 있는 생물. 곧, 벌레·날짐승·물고기 따위.
[傍孫 방손] 방계(傍系)의 자손.
[傍視 방시] 곁을 봄.
[傍臣 방신] 측근(側近)의 신하(臣下).
[傍室 방실] 곁의 방. 건넌방.
[傍若無人 방약무인] 옆에 사람이 없는 것 같다는 뜻으로, 언행(言行)이 기탄(忌憚)없음을 이름.
[傍倚 방의] 의지함. 따름.
[傍人 방인] 곁에 있는 사람. 옆 사람.
[傍點 방점] 보는 사람의 주의를 일으키기 위하여 글귀의 오른편이나 위에 찍는 점(點).
[傍助 방조] 옆에서 도와줌.
[傍祖 방조] 직계(直系)가 아닌 조상.
[傍照 방조] 적용할 만한 법문(法文)이 없을 때 그와 비슷한 법문을 참조함.
[傍證 방증] 간접적인 증거.
[傍參 방참] 옆에 참렬(參列)함.
[傍妻 방처] 첩. 측실(側室).
[傍聽 방청] 옆에서 들음. 전(轉)하여, 회의(會議)·연설(演說)·재판(裁判) 등을 들음.
[傍親 방친] 방계(傍系)의 친척.
[傍統 방통] 본가(本家)에서 갈려 나간 혈통. 지통(支統).
[傍偟 방황] '방황(彷徨)'과 같음.
[傍灰 방회] 매장(埋葬)할 때 관(棺)의 옆을 메우는 회(灰).
● 劇傍. 近傍. 岐傍. 路傍. 道傍. 無傍. 四傍. 水傍. 兩傍. 依傍. 作舍道傍. 偏傍.

10/12 [儻] 당 ㉱陽 徒郎切 táng
字解 ①당돌할 당 불손함. '一傒'. '一傒, 不遜'《篇海》. ②닿을 당 부딪침. 搪(手部 十畫)과 同字.
字源 形聲. 亻(人)+唐〔音〕.

10/12 [傑] 高人 걸 ㉰屑 渠列切 jié 杰傑

筆順 亻 伄 伃 伊 偡 偡 傑 傑
字解 ①준걸 걸 재주와 슬기가 뛰어난 사람. '人一'. '豪一'. '俊一在位'《孟子》. ②뛰어날 걸 출중함. '一出'. '一作'. '有厭其一'《詩經》.
字源 形聲. 亻(人)+桀〔音〕. '桀걸'은 높이 내걸다의 뜻. 뛰어나게 높고 훌륭한 인물의 뜻을 나타냄.

[傑閣 걸각] 굉장히 큰 누각(樓閣).
[傑觀 걸관] 큰 문이 달린 훌륭한 집.
[傑句 걸구] 썩 잘 지은 글귀.
[傑氣 걸기] 호걸(豪傑)스러운 기상(氣象). 뛰어난 기상.
[傑起 걸기] 훌륭하게 일어섬.
[傑立 걸립] 뛰어나게 우뚝 솟음.
[傑邁 걸매] 걸출하고 고매함.
[傑物 걸물] ㉠걸출한 인물. ㉡영물(英物). 뛰어난 물건. 훌륭한 물건.
[傑士 걸사] 걸출한 선비.
[傑語 걸어] 뛰어나게 좋은 말.
[傑然 걸연] 걸출한 모양.
[傑人 걸인] 뛰어난 인물.
[傑作 걸작] ㉠썩 잘 지은 글이나 작품(作品). ㉡썩 잘된 제작.
[傑跡 걸적] 뛰어난 공업(功業)의 자취.
[傑出 걸출] 썩 뛰어남.
[傑特 걸특] 특별히 걸출함.
● 高傑. 怪傑. 魁傑. 瓌傑. 名傑. 文傑. 三傑. 霜下傑. 秀傑. 時傑. 識時務在俊傑. 女傑. 英傑. 羽傑. 雄傑. 人傑. 挺傑. 俊傑. 儁傑. 快傑. 卓傑. 豪傑.

10/12 [傒] 혜 ㉱齊 胡鷄切 ①xì, ②xī 傒
字解 ①가둘 혜 수감(收監)함. '一人之子女'《淮南子》. ②성 혜 성(姓)의 하나.
字源 形聲. 亻(人)+奚〔音〕.

[傒狗 혜구] 남을 욕하는 말. 개새끼.

10/12 [傕] 각 ㉰覺 古岳切 jué 傕
字解 ①사람이름 각 '李一'은 후한(後漢) 때의 사람. ②성 각 성(姓)의 하나.
● 李傕.

10/12 [傔] 겸 ㉲豔 苦念切 qiàn 傔
字解 추종 겸 시중드는 하인. '一卒'. '一從三十餘人'《唐書》.
字源 形聲. 亻(人)+兼〔音〕. '兼겸'은 합치다, 함께 하나가 되다의 뜻. 사람의 곁에 붙어 모시다, 시중드는 사람의 뜻을 나타냄.

[傔人 겸인] 시중드는 하인.
[傔卒 겸졸] 호위병(護衛兵).
[傔從 겸종] 겸인(傔人).

10/12 [傝] ☰탑 ㉱勘 他紺切 tàn
☰탑 ㉯合 吐盍切 tà

[字解] [一] 불안할 탐, 염치없을 탐 '一, 一㒌, 不自安, 一曰, 無恥也'《集韻》. [二] ①나쁠 탑, 경솔할 탑 '一, 惡也, 一曰, 不謹貌'《玉篇》. ②어리석을 탑 우매함. '一, 不肖也'《集韻》.

10 ⑫ [傛] 공 [平]冬 渠容切 qióng

[字解] 욕할 공 욕설을 함. '一傱, 罵也'《揚子方言》.

10 ⑫ [僝] [一] 천 [上]銑 丑展切 chǎn
[二] 치 [平]支 chī

[字解] [一] 키멀쑥할 천 키가 큰 모양. '一, 人形長皃'《集韻》. [二] 키멀쑥할 치 [一]과 뜻이 같음.

10 ⑫ [傖] 창 [平]庚 助庚切 cāng (chéng) 伧

[字解] 천할 창 비루하고 더러움. 또, 그 사람. '一父'. '不足齒之一耳'《晉書》.

[字源] 形聲. 亻(人)+倉〔音〕

[傖父 창부] 비천한 사람. 사람을 천하게 이르는 말. 촌뜨기.
[傖重 창중] 성질이 거칠고 미련함.
◉饑傖. 老傖.

10 ⑫ [傈] 률 [入]質 力質切 lì

[字解] 신주 률 사당(祠堂)에 모시는 신주(神主). 또, 사당 주위에 심는 밤나무. '一, 廟主也'《字彙》.

10 ⑫ [傠] 벌 [入]月 房越切 fá

[字解] ①배반할 벌 의리에 배반함. '勇侏之一, 盜蒙決夬'《太玄經》. ②칠 벌 伐(人部 四畫)과 同字.

[字源] 會意. 亻(人)+討. '討토'는 '치다'의 뜻.

10 ⑫ [備] [中人] 비 [去]寘 平祕切 bèi 备

[筆順] 亻 仁 仩 件 併 偌 備 備

[字解] ①갖출 비 ㉠골고루 가지고 있음. 구유(具有)함. '一品'. '才一文武'《唐書》. ㉡미리 준비함. '財以一器'《國語》. ㉢미리 설치함. '官不必一, 惟其人'《書經》. ㉣부족한 것을 채움. 보족(補足)함. '補一之'《漢書》. ②갖추어질 비 ㉠준비가 됨. '凡樂成則告一'《周禮》. ㉡족함. 모자람이 없음. '易之爲書也, 廣大悉一'《易經》. ③채울 비 수에 넣음. 가입시킴. '文學掌故, 補郡屬一員'《史記》. 또, 채워짐. 가입함. '身一漢相'《漢書》. ④예방할 비 미리 방비함. '守一'. '不一於齊, 齊師侵魯'《史記》. ⑤비품 비 일상 쓰는 물품·기구. '當先具其一'《漢書》. ⑥예비 비 차림. 준비. '有一無患'《書經》. ⑦예방 비 군사상의 방어. '軍一'. '莫如去一'《左傳》. ⑧의장(儀仗) 비 경호(警護). '家一盡往'《左傳》. ⑨모두 비 죄다. '季秋之月, 農事一收'《禮記》. ⑩발톱 비 '獻其皮革齒須一'《周禮》. ⑪긴병장기 비 창(槍) 따위. ⑫성 비 성(姓)의 하나.

[字源] [金文] [篆文] [古文] 形聲. 亻(人)+𤰇〔音〕. '𤰇비'는 화살을 넣는 전동을 갖추다의 뜻. 사람이 전동을 몸에 착용하여 갖추는 데서, 일반적으로 갖추다, 신중하게 준비하다의 뜻을 나타냄.

[備擧 비거] 빠짐없이 갖춤.
[備警 비경] 방비하고 경계함.
[備戒 비계] 비경(備警).
[備考 비고] 부기(附記)하여 본문의 설명을 보충하여 참고로 하게 하는 일. 또, 그 기사.
[備具 비구] 완비(完備)함. 또, 완비하게 함. 구비(具備). 충비(充備).
[備禮 비례] 예절(禮節)을 갖춤.
[備忘 비망] 잊었을 때를 위한 대비.
[備忘錄 비망록] 잊어버리지 않게 적어 두는 기록(記錄).
[備味 비미] 갖추어진 성찬(盛饌).
[備嘗艱苦 비상간고] 고생을 두루 겪음.
[備數 비수] 일정한 수(數)를 채움.
[備悉 비실] 갖춤. 또, 갖추게 함.
[備樂 비악] 잘 갖춘 음악.
[備禦 비어] 미리 준비하여 막음.
[備列 비열] 죽 늘어섬.
[備員 비원] 인원을 채움. 또, 채워 갖춘 인원.
[備位 비위] 벼슬에 참여(參與)함. 벼슬아치 수(數)에 듦.
[備衛 비위] 불우지변(不虞之變)에 대한 대비.
[備有 비유] 부족 없이 갖추어 있음.
[備擬 비의] 대비(對備)하여 둠.
[備藏 비장] 갖추어 간직하여 둠.
[備足 비족] 부족 없이 구비됨.
[備種 비종] 온갖 물건을 다 갖춤.
[備置 비치] 갖추어서 둠.
[備品 비품] 비치하여 두는 물품.
[備該 비해] 구비(具備)함.
[備荒 비황] 흉년(凶年)·재난(災難) 등에 대한 준비.
◉兼備. 警備. 戒備. 攻備. 具備. 軍備. 器備. 對備. 明備. 武備. 文武兼備. 文備. 未備. 防備. 邊備. 兵備. 富備. 不備. 常備. 詳備. 設備. 守備. 審備. 預備. 豫備. 完備. 裝備. 儲備. 戰備. 整備. 周備. 籌備. 準備. 充備. 豐備. 必備. 該備. 後備.

10 ⑫ [傚] 효 [去]效 胡敎切 xiào

[字解] 본받을 효 效(攴部 六畫)와 同字. '我不敢一我友自逸'《詩經》.

[字源] 形聲. 亻(人)+效〔音〕. '效효'는 '배우다, 본받다'의 뜻. 사람이 배워 본받다의 뜻을 나타냄.

[傚慕 효모] 배워 본받음.
◉法傚. 不敢傚. 則傚.

10 ⑫ [傒] 규 [平]支 渠追切 kuí

[字解] 둘러볼 규 좌우를 둘러봄. '一, 傒, 左右兩視'《說文》.

[字源] 形聲. 亻(人)+癸〔音〕

10 ⑫ [傷] [一] 추 [去]宥 鋤祐切 zhòu
[二] 주 [平]虞 莊俱切 zhū

字解 ㊀ ①밸 추 새끼를 뱀. '一, 娠也'《集韻》. ②품팔 추 고용(雇傭)됨. '任身傭作, 曰一'《焦竑》. ㊁ 키작달막할 주 키가 작은 모양. '一, 小人皃'《集韻》.

10 ⑫ [傌] 매 ㊄禡 莫駕切 mà

字解 ①욕할 매 罵(网部 十畫)의 本字. ②성 매 성(姓)의 하나.
字源 形聲. 亻(人)+馬〔音〕. '馬마'는 '幕막'과 통하여, '덮어씌우다'의 뜻. 사람에게 들씌우다, 욕하다의 뜻을 나타냄.

10 ⑫ [傞] 사 ㊥歌 素何切 suō

字解 춤출 사 술에 취하여 비틀거리며 춤을 추는 모양. '屢舞一一'《詩經》.
字源 篆文 形聲. 亻(人)+差〔音〕. '差차'는 '고르지 않다'의 뜻. 사람이 술에 취하여 손발이 맞지 않는 춤을 추는 모양의 뜻을 나타냄.

[傞傞 사사] 술에 취하여 비틀거리며 춤을 추는 모양.

10 ⑫ [傢] 〔가〕
家(宀部 七畫〈p. 582〉)의 俗字
字源 形聲. 亻(人)+家〔音〕

[傢什 가집] 가화(傢伙).
[傢伙 가화] 가구.

10 ⑫ [傛] 人名 용 ㊥冬 餘封切 róng

字解 ①익숙할 용 '一一'은 익숙한 모양. ②여관이름 용 '一華'는 한대(漢代)의 여관(女官) 이름.
字源 篆文 形聲. 亻(人)+容〔音〕

[傛傛 용용] 친숙(親熟)한 모양. 익숙한 모양.
[傛華 용화] 한대(漢代)의 여관(女官) 이름.

10 ⑫ [傜] 〔요〕
徭(彳部 十畫〈p. 751〉)와 同字
字源 形聲. 亻(人)+䍃〔音〕

10 ⑫ [⿰亻剡] 〔담〕
倓(人部 八畫〈p. 156〉)과 同字

10 ⑫ [⿰亻能] 〔태〕
態(心部 十畫〈p. 804〉)와 同字

11 ⑬ [僉] 人名 첨 ㊥鹽 七廉切 qiān

筆順 ノ 𠆢 亼 合 佥 佥 僉 僉

字解 ①여러 첨, 모두 첨 여러 사람. 모든 사람. '一位'. '一議'. '一曰, 於鯀哉'《書經》. ②도리깨 첨 곡식을 두들겨 떠는 농구. ③성 첨 성(姓)의 하나.
字源 金文 篆文 會意. 亼+兄+兄. '亼집'은 '合합'등과 통하여 '합치다'의 뜻. '兄형'은 사람이 입으로 말을 하다의 뜻. 많은 사람이 입을 맞춰 말하다, 여러 사람의 뜻을 나타냄.

[僉君子 첨군자] 여러 점잖은 이.
[僉謀 첨모] 첨의(僉議).
[僉員 첨원] 여러분.
[僉位 첨위] 여러분.
[僉意 첨의] 여러 사람의 의견.
[僉議 첨의] 일동의 평의(評議). 중의(衆議).
[僉尊 첨존] 첨위(僉位)의 존칭(尊稱).

11 ⑬ [催] 高人 최 ㊥灰 倉回切 cuī

筆順 亻 ⺌ 伫 伫 伫 催 催 催

字解 ①재촉할 최 죄어침. '一告'. '一促'. '驛馬一之'《晉書》. ②닥쳐올 최 시일이 닥쳐옴. '一迫'. '流年一我自堪嗟'《羅鄴》. ③일어날 최 생김. '歲時歸思一'《孟浩然》. ④《韓》 베풀 최 모임을 엶. '開一'. '主一'.
字源 篆文 形聲. 亻(人)+崔〔音〕. '崔최'는 '推추'와 통해 '추진하다'의 뜻. 사람을 다음 사태로 밀어 나아가게 하다, 재촉하다의 뜻을 나타냄.

[催告 최고] 재촉하는 뜻의 통지.
[催科 최과] 조세(租稅)의 상납을 독촉함. 최조(催租).
[催督 최독] 재촉하고 감독함. 독촉(督促).
[催淚劑 최루제] 눈의 점막(粘膜)을 자극(刺戟)하여 눈물을 흘리게 하는 가스.
[催淚彈 최루탄] 최루제(催淚劑)를 넣어 만든 탄환.
[催眠 최면] 잠이 오게 함.
[催眠術 최면술] 사람으로 하여금 의식(意識)을 한 곳에 모으게 하여 수면(睡眠) 상태에 빠지게 하는 술법(術法).
[催眠劑 최면제] 수면(睡眠) 상태에 빠지게 하는 데 쓰이는 약제.
[催迫 최박] 닥쳐옴. 핍박(逼迫).
[催產 최산] 해산(解產)할 임부(姙婦)에게 약(藥)을 써서 해산을 쉽고 빠르게 함.
[催租 최조] 조세(租稅)의 납입(納入)을 재촉함.
[催徵 최징] 재촉하여 징수(徵收)함.
[催促 최촉] 재촉함.
[催花雨 최화우] 꽃을 재촉하는 비라는 뜻으로, 봄비를 이름. 춘우(春雨).
[催喚 최환] 재촉하여 부름.
◉開催. 漏催. 歲月催. 年催. 主催.

11 ⑬ [働] ㊐ 동 dòng

字解 《日》 일할 동 노동(勞動)함. '一, 日本字. 吾國人通讀之若動'《中華大字典》.
參考 원래 일본(日本) 글자이나, 한때 중국(中國)에서도 사용되었음.

11 ⑬ [傭] 人名 ㊀ 용 ㊥冬 餘封切 yōng (yóng) 佣
㊁ 총 ㊥冬 丑凶切 chōng

[字解] [一] ①품팔이할 용, 품살 용 고용당함. 또, 고용함. '一工'. '一兵'. '仲山家貧奉親, 變姓名, 一爲新野縣街卒'《世說》. ②품팔이꾼 용 '爲治家一'《後漢書》. ③품삯 용 '厚其錢一, 以餉饑人'《李翶》. [二] ①고를 총 균등함. 공평(公平)함. '昊天不一'《詩經》. ②천할 총 비루함. '近世而不一'《荀子》.
[字源] 篆文 形聲. 亻(人)+庸〔音〕. '庸용'은 '쓰다, 사용하다'의 뜻. '고용된 사람'의 뜻을 나타냄.

[傭客 용객] 용인(傭人).
[傭耕 용경] 고용(雇傭)되어 밭을 갊.
[傭工 용공] 고용(雇傭)된 일꾼.
[傭女 용녀] 고용살이하는 여자.
[傭徒 용도] 용인(傭人).
[傭兵 용병] 고용한 군사(軍士).
[傭保 용보] 고용된 사람. '보(保)'는 보증인을 세우고 고용된다는 뜻.
[傭僕 용복] 고용된 하인.
[傭聘 용빙] 불러 고용함.
[傭寫 용사] 용서(傭書).
[傭書 용서] 필경(筆耕)을 함.
[傭食 용식] 고용되어 생활을 함.
[傭役 용역] 고용하여 부림. 또, 고용되어 일을 함.
[傭人 용인] 삯을 받고 남의 일을 하는 사람. 고용인(雇傭人).
[傭賃 용임] 품삯.
[傭者 용자] 고용된 자.
[傭作 용작] 고용되어 일을 함.
[傭錢 용전] 용임(傭賃).
[傭築 용축] 역군으로 고용됨.
[傭販兒 용판아] 고용된 사람.
[傭筆 용필] 용서(傭書).
◉客傭. 耕傭. 雇傭. 老傭. 保傭. 書傭. 賃傭.

11 ⑬ [傪] 참 [平]覃 倉含切 cān

[字解] 아리따울 참 아름다운 모양. '一, 好皃'《說文》.
[字源] 篆文 形聲. 亻(人)+參〔音〕. '參참'은 머리 꾸미개가 빛나고 반짝이는 모양. 모습 등이 아리땁다, 아름답다의 뜻을 나타냄.

11 ⑬ [傕] [一] 환 [去]諫 胡慣切 huàn [二] 억 [入]職 於力切 yì

[字解] [一] 얽맬 환 가둬 놓은 모양. '一然, 若終身之虜, 而不敢有他志, 是俗儒者也'《荀子》. [二] 편안할 억 일설(一說)에는, 億(人部 十六畫)의 譌字.

11 ⑬ [傲] [高人] 오 [去]號 五到切 ào

[筆順] 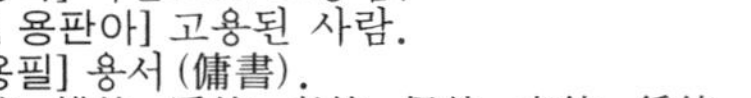

[字解] ①거만할 오 교만함. '一慢'. '倨一'. '不問而告, 謂之一'《荀子》. ②거만 오 교만. '一不可長'《禮記》. ③업신여길 오 오만하여 남을 멸시함. '一視'. ④놀 오 즐거이 놂. '嘯一東軒下'《陶潛》.
[字源] 篆文 形聲. 亻(人)+敖〔音〕. '敖오'는 자유로이 나가서 놀고 즐기다의 뜻을 나타냄. '人'을 덧붙여 거성(去聲)이 되어, '거만하다, 업신여기다, 제멋대로 하다'의 뜻을 나타냄.

[傲骨 오골] ㉠굳은 뼈. ㉡거만한 풍채(風采).
[傲慢 오만] 거드럭거림. 교만함.
[傲不可長 오불가장] 교만한 마음은 억제하여야 「함.
[傲散 오산] 오만하고 방자(放恣)함.
[傲霜 오상] 모진 서리에도 굴(屈)하지 않는다는 뜻.
[傲色 오색] 거만한 기색(氣色). 오만(傲慢)한 빛.
[傲視 오시] 오만하여 남을 깔봄.
[傲岸 오안] 오만하여 남에게 굽히지 아니함.
[傲狎 오압] 오만하여 남을 경시(輕視)함.
[傲睨 오예] 오만하여 남을 업신여김.
[傲兀 오올] 오안(傲岸).
[傲頑 오완] 오만하고 완고(頑固)함.
[傲逸 오일] 오만하고 방일(放逸)함.
[傲縱 오종] 오만하고 방종(放縱)함.
[傲侈 오치] 오만함.
[傲暴 오포] 오만하고 횡포함.
[傲虐 오학] 오만하고 남을 학대함.
[傲很 오한] 오만하고 사나움.
◉倨傲. 驕傲. 放傲. 奢傲. 疎傲. 縱傲. 侈傲. 惰傲. 怠傲. 亢傲.

11 ⑬ [傳] [中人] 전 [平]先 直攣切 chuán [去]霰 直戀切 zhuàn

[筆順] 

[字解] ①전할 전 ㉠옮기어 감. '一乘而歸'(옮겨 타고 돌아감)《左傳》. ㉡옮기어 줌. 수여함. '一授'. '欲一商君'《戰國策》. ㉢물려 내려 줌. '世一'. '父子相一, 漢之約也'《漢書》. ㉣전달함. 발포(發布)함. '一令'. '置郵而一命'《孟子》. ㉤보냄. '一鉅子於田襄子'《呂氏春秋》. ㉥사람을 거쳐 보냄. '一言'. '令寺人一告之'《詩經箋》. ㉦남김. '欲一惡聲于子'《韓非子》. ㉧진술함. '一著于鍾鼎也'《禮記》. ㉨여러 사람의 입을 통해 퍼뜨림. '宣一'. '趙氏連城璧, 由來天下一'《楊烱》. ②전하여질 전 ㉠이어짐. 계속함. '燕齊之後, 與周竝一'《漢書》. ㉡받음. 수여(授與)됨. '一受'. '金烏何日見, 玉杯幾時一'《錢起》. ㉢퍼짐. 두루 미침. '盛一於世'《陳書》. ㉣들림. '風遠鐘一'《劉孝儀》. ㉤남음. '芳風永一'《宋書》. ㉥차례로 이름. 이어 바뀜. '其間五一, 年未爲遠'《陸澄》. ③옮길 전 장소를 바꿈. '父母舅姑之衣衾簟席枕几不一'《禮記》. ④성 전 성(姓)의 하나. ⑤역마을 전 역참(驛站). 또, 역참이 있는 마을. '一馬'. '發人修道里停一'《後漢書》. 또, 역참에 비치한 거마(車馬). '使人馹一追之'《史記》. ⑥주막 전 여인숙. 여사(旅舍). '沛公至高陽一舍'《史記》. ⑦통부(通符) 전 관(關)을 통과하는 부신(符信). '投一而去'《後漢書》. ⑧경서의주해 전 경서를 해석한 것. 시경(詩經)을 해석한 것은 시전(詩傳)이고, 서경(書經)에 주해를 낸 것은 서전(書傳)임. '春秋左氏一'. '發一之體有三'《左傳序》. ⑨전기 전 한 개인의 일평생의 사적(事跡). '一記'. '漢司馬遷作史記, 創爲列一, 以紀一人始終'《文體明辨》. ⑩책 전 고대의 기록. '齊宣王問曰, 湯放桀武王伐紂, 有諸. 孟子對曰, 於一有之'《孟子》.
[字源] 甲骨文 金文 篆文 形聲. 亻(人)+專〔音〕. '專전'은 '두르다'의 뜻. 이 사

람에게서 저 사람에게로 빙글빙글 사물을 돌리다의 뜻을 나타냄.

[参考] 伝(人部 四畫)은 俗字.

[傳家 전가] 대대로 가문(家門)에 전함.
[傳家之寶 전가지보] 조상(祖上) 때부터 대대로 전해 내려오는 보물.
[傳看 전간] 여럿이 돌려 가며 봄.
[傳簡錢 전간전] 편지를 부탁하여 보낼 때에 주는 삯전.
[傳喝 전갈] 사람을 시켜서 안부(安否)를 묻거나 말을 전(傳)하는 일.
[傳車 전거] 역참(驛站)의 수레.
[傳遽之臣 전거지신] 역참(驛站)에서 운송(運送)에 종사하는 바쁜 작은 벼슬아치란 뜻으로, 선비가 자기를 낮추어 일컫는 말.
[傳戒 전계]《佛教》계법(戒法)을 전함.
[傳繼 전계] 전하여 계승케 함. 또, 전한 것을 계승함.
[傳告 전고] 전하여 알림.
[傳過 전과] 관문(關門) 통행의 신표(信標).
[傳教 전교] ㉠가르쳐 전함. ㉡교법(教法)을 가르쳐 전함. ㉢《韓》임금의 명령.
[傳國寶 전국보] 전국새(傳國璽)를 당대(唐代)부터 고쳐 부른 이름.
[傳國璽 전국새] 대대로 전하는 천자(天子)의 어보(御寶). 진시황(秦始皇) 때 옥(玉)으로 만든 것이라 함.
[傳奇 전기] 소설의 문체(文體)의 하나. 기이한 일을 취재한 소설이나 희곡(戲曲).
[傳記 전기] ㉠경서(經書)의 주해(註解)에 관한 기록. ㉡개인의 일생의 사적(事績)을 적은 기록(記錄).

[秦始皇之璽]
[傳國璽]

[傳騎 전기] 호령(號令)을 전하는 기병(騎兵).
[傳納 전납] 전송(傳送)하여 납부함.
[傳單 전단] 선전이나 광고 또는 선동하는 글이 담긴 종이쪽.
[傳達 전달] 전하여 이르게 함.
[傳道 전도] ㉠도(道)를 전하여 가르침. 옛날 성현(聖賢)의 교훈(教訓)을 설명(說明)하여 세상(世上)에 전함. ㉡옛날부터 전하여 내려오는 도(道). ㉢종교, 특히 기독교를 널리 전파(傳播)시킴.
[傳導 전도] 열(熱) 또는 전기가 물체의 한 부분으로부터 점차 다른 부분으로 옮아가는 현상.
[傳道師 전도사] 기독교(基督教)를 전파(傳播)하는 임무를 맡은 사람.
[傳燈 전등]《佛教》법등(法燈)을 받아 전함.
[傳來 전래] 전하여 내려옴.
[傳來之物 전래지물] 예전부터 전하여 내려오는 물건.
[傳來之風 전래지풍] 예전부터 전하여 오는 풍속(風俗).
[傳令 전령] 명령(命令)을 전함. 또, 그 명령.
[傳馬 전마] 역참(驛站)에서 사용하는 말. 역말.
[傳命 전명] 명령을 발포함.
[傳摹 전모] 전사(傳寫).
[傳聞 전문] 전하는 말을 들음. 또, 전하는 소문.

[傳聞不如親見 전문불여친견] 전해 들은 것은 실제로 본 것만 같지 못함.
[傳聞何可盡信 전문하가진신] 전해 들은 것은 모두 믿을 수는 없음.
[傳發 전발] 호령을 전하여 출발하게 함.
[傳鉢 전발]《佛教》의발(衣鉢)을 전하여 줌.
[傳法 전법]《佛教》법계(法系)를 전하여 줌.
[傳奉 전봉] 내신(內臣)의 연고(緣故)에 의하여 임관(任官)됨.
[傳舍 전사] 여관(旅館).
[傳寫 전사] 옮기어 베낌.
[傳書 전서] 편지(便紙)를 전함.
[傳書鳩 전서구] 반드시 제 보금자리로 돌아오는 성질을 이용하여 군사(軍事) 및 통신용(通信用)으로 쓰는 비둘기.
[傳宣 전선] 조칙(詔勅)을 전(傳)하여 일러 줌.
[傳說 전설] 옛날부터 전하여 내려오는 이야기.
[傳世 전세] 대대로 물려서 전하여 감.
[傳貰 전세] 집주인에게 일정한 금액(金額)을 맡기고 그 집을 빌려 들었다가, 내놓고 나갈 때에 그 돈을 이자(利子) 없이 도로 찾는 가옥(家屋) 대차(貸借)의 계약(契約).
[傳疏 전소] 전(傳)과 소(疏). 경서(經書) 등에 자세히 단 주석(注釋).
[傳飧 전손] 간식(間食)을 먹으라는 명령을 내림.
[傳送 전송] 전하여 보냄.
[傳誦 전송] 사람의 입에서 입으로 전(傳)하여 욈.
[傳受 전수] 전(傳)하여 받음.
[傳授 전수] 전(傳)하여 줌.
[傳習 전습] 전수(傳受)하여 익힘.
[傳襲 전습] 전(傳)하여 물려받음. 전하여 내려오는 그대로 따라 함.
[傳習錄 전습록] 명(明)나라 왕양명(王陽明)의 어록(語錄). 3권. 문인(門人) 서애(徐愛)가 수록(收錄)한 것을 설간(薛侃)이 증보(增補)하였음.
[傳承 전승] 계통을 이어받음.
[傳乘 전승] ㉠역참(驛站)의 거마(車馬)를 탐. ㉡옮겨 탐. 다른 거마(車馬)를 탐.
[傳食 전식] 이리저리 옮겨 다니며 먹음. 여기저기 다니며 기식(寄食)함.
[傳信 전신] 소식을 전함. 편지를 전함.
[傳神 전신] 초상(肖像). 또, 초상을 그려 전함.
[傳神寫照 전신사조] 사람의 초상을 그려 그 정신을 전함.
[傳語 전어] 말을 전함. 또, 그 말. 「함.
[傳言 전언] ㉠말을 전함. 또, 그 말. ㉡호령을 전
[傳驛 전역] 역참(驛站).
[傳染 전염] ㉠물들임. 또, 물듦. ㉡병독(病毒) 같은 것이 남에게 옮음.
[傳染病 전염병] 병독(病毒)이 남에게 전염하는 병. 급성(急性)과 만성(慢性)의 구별이 있음.
[傳詠 전영] 사람의 입에서 입으로 전하여 욈.
[傳位 전위] 임금의 자리를 전(傳)함.
[傳胤 전윤] 계통을 전승(傳承)함. 「뜻.
[傳祖 전조] 전하여 법으로 삼음. '祖'는 '法'의
[傳注 전주] 책의 주석(注釋).
[傳奏 전주] 남의 말을 전하여 아룀.
[傳重 전중] 선조의 제사를 후손에게 전하여 받들어 잇게 함.
[傳旨 전지]《韓》상벌(賞罰)에 관한 왕지(王旨)를 받아 전달하는 일.
[傳指 전지] 전하여 가르치는 요지(要旨).
[傳餐 전찬] 아침저녁으로 밥을 나름.

[傳贊 전찬] 남의 전기(傳記)의 뒤에 쓰는 평론(評論).
[傳帖 전첩] 회장(回章).
[傳逮 전체] 명령을 전하여 체포하게 함.
[傳遞 전체] 역참(驛站)에서 차례로 전(傳)하여 보냄. 역참(驛站)에서 역참으로 전하여 보냄. 체송(遞送).
[傳置 전치] 역참(驛站). 역체(驛遞).
[傳稱 전칭] 전하여 칭송(稱頌)함. 전하는 사람마다 칭송함.
[傳統 전통] ㉠계통(系統)을 이어받아 전함. 또, 전하여 내려오는 계통. ㉡후세(後世) 사람들이 답습(踏襲)하여 존중하는 과거(過去)의 풍속·습관·도덕·양식(樣式) 등.
[傳播 전파] 전하여 널리 퍼뜨림. 또, 전하여 널리 퍼짐. 유포(流布).
[傳布 전포] 전파(傳播).
[傳票 전표] 은행·회사 등에서 금전의 출입(出入)을 적는 작은 쪽지.
[傳呼 전호] 전하여 부름. 점호함.
◉家傳. 口傳. 急傳. 記傳. 史傳. 三傳. 相傳. 書傳. 宣傳. 星傳. 小傳. 神傳. 驛傳. 列傳. 外傳. 郵傳. 流傳. 遺傳. 衣鉢傳. 稱傳. 喧傳.

11 ⑬ [傮] [一] 조 [平]豪 作曹切 zāo
[二] 주 [平]尤 字秋切

[字解] [一] 마칠 조 끝남. ‘—, 終也’《說文》. [二] 마칠 주 [一]과 뜻이 같음.
[字源] 篆文 形聲. 亻(人)+曹〔音〕

11 ⑬ [傹] [一] 경 ①[去]漾 其亮切 jìng
②[去]敬 渠映切
[二] 강 [平]陽 居良切 jiāng

[字解] [一] ①굳셀 경 倞(人部 八畫〈p.152〉)과 同字. ②다툴 경 競(立部 十五畫〈p.1652〉)과 同字. [二] 넘어뜨릴 강 쓰러뜨림. ‘可吹而—也’《荀子》.

11 ⑬ [傴] 구 [上]麌 於武切 yǔ 伛

[字解] ①구부릴 구 몸을 굽힘. ‘一命而僂, 再命而—’《左傳》. ②곱사등이 구 ‘—僂’. ‘—者不袒’《禮記》.
[字源] 篆文 形聲. 亻(人)+區〔音〕. ‘區구’는 ‘구부러지다’의 뜻. 등이 구부러지는 병에 걸린 사람, ‘곱사등이’의 뜻을 나타냄.

[傴僂 구루] ㉠몸을 굽힘. ㉡몸을 굽혀 공경(恭敬)하는 모양. ㉢곱사등이. 구루(佝僂).
[傴背 구배] 곱사등이. 구루(痀瘻).
[傴拊 구부] 불쌍히 여겨 애무(愛撫)함.
◉變傴. 俯傴. 伸傴. 尪傴. 寒傴.

11 ⑬ [傫] [一] 래 [去]隊 盧對切 lěi
[二] 루 [平]支 力追切

[字解] [一] ①드리울 래 儽(人部 二十一畫〈p.188〉)와 同字. ②성 래 성(姓)의 하나. [二] 지칠 루 피로해짐.

11 ⑬ [債] [高·人] 채 [去]卦 側賣切 zhài 债

[筆順] 亻 仁 仹 仹 倩 倩 債 債

[字解] ①빚 채 꾸어 쓴 돈. ‘負—’. ‘賣田宅, 鬻子孫, 以償—’《漢書》. 전(轉)하여, 자기가 응당 하여야 할 것을 아직 하지 아니한 것. ‘詩—’. ‘官身常缺讀書—’《陸游》. ②빚돈 채 빚으로 준 돈. ‘宜可令收—’《史記》.
[字源] 篆文 形聲. 亻(人)+責〔音〕. ‘責책’은 ‘나무라다’의 뜻. 빚을 져서 나무람을 받는 사람의 뜻에서, ‘빚’의 뜻을 나타냄.

[債家 채가] 빚 준 사람. 채권자(債權者).
[債券 채권] 국가(國家)·공공 단체(公共團體) 또는 은행(銀行)·회사 등이 자기의 채무(債務)를 증명하여 발행하는 유가 증권(有價證券).
[債權 채권] 빚을 준 자가 빚을 얻은 자에 대하여 가지는 권리. 채무의 청산(清算)을 요구하는 권리.
[債鬼 채귀] 너무 졸라 대는 빚쟁이를 미워하여 일컫는 말.
[債金 채금] 빚진 돈.
[債利 채리] 빚돈의 금리(金利).
[債務 채무] 남에게 빚을 얻어 쓴 사람의 의무. 곧, 갚아야 할 의무.
[債負 채부] 채금(債金).
[債人 채인] 빚을 얻어 쓴 사람. 채무자(債務者).
[債帳 채장] 채금(債金)을 적은 책.
[債錢 채전] 채금(債金).
[債主 채주] 빚을 준 임자. 채권자(債權者).
◉擧債. 公債. 國債. 起債. 負債. 私債. 社債. 書債. 宿債. 市債. 詩債. 外債. 酒債. 徵債. 血債. 畫債.

11 ⑬ [僁] 설 [入]屑 先結切 xiè

[字解] ①소리 설 작은 소리. ‘—, 小聲也’《玉篇》. ②신음할 설 앓는 소리를 함. ‘——, 呻吟也’《玉篇》.
[字源] 篆文 形聲. 亻(人)+悉〔音〕

11 ⑬ [傷] [中·人] 상 [平]陽 式羊切 shāng 伤

[筆順] 亻 𠆧 伯 伯 倡 傷 傷 傷

[字解] ①다칠 상 몸을 상함. ‘—弓之鳥’. ‘後園挑菜, 誤—指大啼’《世說》. 또, 다친 상처. ‘—痍’. ‘負—’. ‘君子不重—’《左傳》. ②해칠 상 남을 해함. ‘中—’. ③근심할 상 ㉠걱정함. ‘維以不永—’《詩經》. ㉡애태움. ‘—心’. ‘未見君子我心—悲’《詩經》. ④불쌍히여길 상 가련하게 여김. ‘咸冤—之’《漢書》. ⑤성 상 성(姓)의 하나.
[字源] 篆文 形聲. 亻(人)+𥏻〈省〉〔音〕. ‘𥏻창’은 ‘刅창’과 통하여, ‘상처를 입다, 화살 맞은 상처’의 뜻. ‘人’을 붙여, ‘상처, 상처를 입다, 다치다’의 뜻을 나타냄.

[傷枯 상고] 다치어 시듦.
[傷弓之鳥 상궁지조] 활에 한 번 다쳐 활만 보면 깜짝 놀라는 새라는 뜻으로, 먼저 한 번 당한 일에 너무 데어 겁을 집어먹는 사람의 비유로 쓰임.
[傷怛 상달] 애달프게 슬퍼함.
[傷悼 상도] 슬퍼함. 「함.
[傷廉 상렴] 염결(廉潔)한 덕(德)을 손상(損傷)

[傷目 상목] ㉠눈을 다침. ㉡눈을 슬프게 함. 보고 가련하게 생각함.
[傷憫 상민] 불쌍하게 여김.
[傷瘢 상반] 상흔(傷痕).
[傷悲 상비] 슬퍼함.
[傷貧 상빈] 가난에 쪼들려 마음이 상(傷)함.
[傷産 상산] 해산(解産)할 임시에 힘든 일을 하여 양수가 일찍 터지어 난산(難産)이 됨.
[傷損 상손] 상하고 파손됨.
[傷神 상신] 상심(傷心).
[傷心 상심] 마음이 상(傷)함. 애태움.
[傷心樹 상심수] 버들, 곧 양류(楊柳)의 이칭(異稱).
[傷泣 상읍] 상심하여 욺. 상체(傷涕).
[傷痍 상이] 부상(負傷). 창이(創痍).
[傷者 상자] 부상자(負傷者).
[傷挫 상좌] 부상하고 절골(折骨)됨.
[傷嗟 상차] 슬퍼하고 차탄(嗟歎)함.
[傷慘 상참] 애태우며 근심함. 우참(憂慘).
[傷創 상창] 부상(負傷). 창이(創痍).
[傷處 상처] 다친 곳. 부상한 곳.
[傷涕 상체] 상읍(傷泣).
[傷悴 상췌] 상심하여 초췌(憔悴)함.
[傷惻 상측] 슬퍼함.
[傷歎 상탄] 슬퍼하고 탄식함.
[傷痛 상통] 마음이 몹시 상함. 매우 슬퍼함.
[傷寒 상한] 전염성의 열병(熱病). 장티푸스 따위.
[傷寒論 상한론] 한(漢)나라 장기(張機)가 지은 의서(醫書). 모두 10권.
[傷害 상해] 남을 다쳐서 해롭게 함.
[傷魂 상혼] 마음을 상함. 상신(傷神).
[傷悔 상회] 마음 아프게 뉘우침.
[傷懷 상회] 상심(傷心).
[傷痕 상흔] 다친 자리의 흔적(痕迹). 흉.
◉感傷. 缺傷. 輕傷. 落傷. 凍傷. 悶傷. 負傷. 悲傷. 死傷. 殺傷. 損傷. 愁傷. 食傷. 哀傷. 裂傷. 流傷. 挫傷. 中傷. 重傷. 擦過傷. 擦傷. 慘傷. 創傷. 悽傷. 銃傷. 致命傷. 打撲傷. 敗傷. 火傷. 毁傷.

11 ⑬ [傺] 제 [去]霽 丑例切 chì

[字解] 낙망할 제 실망하는 모양. 실의(失意)한 모양. '忳鬱邑余侘—兮'《楚辭》.
[字源] 形聲. 亻(人)+祭〔音〕. 초(楚)나라 지방의 방언(方言)으로, '멈춰 서다'의 뜻을 나타냄.

11 ⑬ [傾] [高·人] 경 [平]庚 去營切 qīng 倾

[筆順] 亻 𠂉 化 化 傾 傾 傾 傾

[字解] ①기울 경, 기울어질 경 ㉠한쪽으로 기욺. '—仄'. '重鈞則衡不—'《淮南子》. ㉡비스듬함. '—斜'. '檣—楫摧'《范仲淹》. ㉢바르지 아니함. '守節不—'《漢書》. ㉣위험하여짐. 위태로워짐. 편안하지 아니함. '寶祚夙—'《宋書》. ㉤다 없어짐. '舊穀旣盡, 新穀亦—'《應璩》. ②기울일 경 ㉠한쪽으로 기울임. 기울여 엎음. '—覆'. '—盆'. '—蓋'. '齊一天下而莫能—也'《荀子》. ㉡마음을 기울임. 귀복(歸服)함. '—注'. '—倒'. '—慕'. '一坐盡—'《漢書》. ㉢귀를 기울임. '—聽'. '樵唱時—耳'《陸游》. ㉣형세가 기울어지게 함. '—國'. '哲夫成城, 哲婦—城'《詩經》. ㉤잔을 기울여 술을 마심. '取酒對花—'《姚合》. ㉥다함. 남기지 아니함. '—城遠追送'《孫楚》. ③다툴 경 경쟁함. '彼與草木俱朽, 此與金石相—'《後漢書》. ④다칠 경 상처를 입음. '體有所—'《國語》. ⑤잠깐 경 頃(頁部 二畫)과 통용. '俄—少選時也'《字彙》.
[字源] 篆文 形聲. 亻(人)+頃〔音〕. '頃경'은 '기울다'의 뜻. '頃'이 '즈음'의 뜻으로 빌려 쓰이게 되자, '人'을 덧붙임.

[傾家 경가] ㉠가산(家産)을 온통 기울임. ㉡집안사람을 모두 모음. 집안사람이 모두.
[傾竭 경갈] 기울여 없앰. 탕진함.
[傾僵 경강] 기울여 쓰러뜨림. 또, 기울어져 쓰러짐.
[傾蓋 경개] 길을 가다가 우연히 만나 서로 차개(車蓋)를 기울이고서 이야기한다는 뜻으로, 처음 만나 친해지는 것을 이름.
[傾蓋如故 경개여고] 길을 가다가 만나 서로 잠깐 이야기하는 정도의 교분(交分)이지마는, 서로 마음이 맞아 옛날부터 사귄 사이같이 친함.
[傾巧 경교] 마음이 바르지 못하며 교묘하게 아첨을 잘함. 편교(便巧).
[傾國 경국] ㉠나라의 형세(形勢)를 기울이어 위태(危殆)롭게 함. ㉡경국지색(傾國之色).
[傾國之色 경국지색] 일국(一國)에서 첫째가는 미인(美人). 임금이 가까이하면 홀딱 반하여 나라를 뒤집어엎을 만한 절세(絶世)의 미인이라는 뜻.
[傾葵 경규] 경양규(傾陽葵).
[傾囷 경균] 쌀 곳간에 저장하여 둔 쌀을 모두 꺼냄. 도균(倒囷).
[傾囷倒廩 경균도름] ㉠재산(財産)을 모두 내놓음. ㉡흉중(胸中)의 회포(懷抱)를 모두 드러내어 말함.
[傾囊 경낭] 주머니를 기울임. 주머닛돈을 있는 대로 탈탈 털.
[傾度 경도] 경사(傾斜)의 도수.
[傾倒 경도] ㉠기울어져 넘어짐. 또, 기울이어 넘어뜨림. ㉡안의 물건을 모두 꺼냄. ㉢마음을 기울이어 그리워함. 감복함. ㉣술을 많이 마심.
[傾濤 경도] 밀려 닥치는 사나운 파도.
[傾頭 경두] 고개를 갸웃함. 생각에 잠김.
[傾落 경락] 기울어져 떨어짐. 또, 기울여 떨어뜨림.
[傾亂 경란] 기울이어 어지럽힘. 또, 기울어져 어지러워짐.
[傾弄 경롱] 기울이어 희롱함.
[傾慕 경모] 마음을 기울여 앙모함.
[傾杯 경배] 술잔을 기울임. 술을 마심.
[傾覆 경복] 기울어져 뒤집힘. 또, 기울여 뒤집어엎음.
[傾踣 경부] 기울어져 넘어짐. 또, 기울여 넘어뜨림.
[傾盆 경분] 동이를 기울여 뒤집어엎을 만큼 세차다는 뜻으로, 비가 억수같이 쏟아짐을 이름. 복분(覆盆).
[傾僨 경분] 기울어져 뒤집힘. 경복(傾覆).
[傾邪 경사] 마음이 바르지 아니함.
[傾斜 경사] ㉠기울어짐. ㉡지층면(地層面)과 수평면(水平面)과의 각도.
[傾瀉 경사] 기울여 쏟음. 전(轉)하여, 숨기지 않고 모두 내놓음.
[傾想 경상] 마음을 기울이어 생각함.
[傾城 경성] ㉠성(城)의 수비(守備)를 위태롭게 함. ㉡경성지색(傾城之色).

[傾城之色 경성지색] 경국지색(傾國之色).
[傾膝 경슬] 편안히 앉음.
[傾身 경신] 온몸의 힘을 쏟음.
[傾心 경심] 오로지 그것에만 마음을 기울임. 전심(專心).
[傾陽葵 경양규] 해를 향하는 해바라기. 전(轉)하여, 마음을 기울여 앙모하는 사람.
[傾偃 경언] 기울어져 쓰러짐. 또, 기울이어 쓰러뜨림.
[傾搖 경요] 기울여 움직임.
[傾月 경월] 지는 달. 기우는 달. 낙월(落月).
[傾危 경위] ㉠기울이어 위태롭게 함. 또, 기울어져 위태로움. ㉡바르지 못하여 안심할 수 없음.
[傾危之士 경위지사] 국가를 위태롭게 하는 사람. 궤변(詭辯)을 농(弄)하는 무리를 이름. 일설(一說)에는, 바르지 못하여 안심할 수 없는 사람.
[傾諛 경유] 성질이 음험(陰險)하고 아첨을 잘함.
[傾倚 경의] 경도(傾倒)하여 의지함. 또, 경도하여 의지하게 함. 마음이 쏠리어 의뢰하게 함.
[傾耳 경이] 귀를 기울여 주의하여 들음. 측이(側耳). 경청(傾聽).
[傾顚 경전] 기울어져 넘어짐. 또, 기울여 넘어뜨림.
[傾座 경좌] 온 좌석의 마음을 사로잡음. 만좌(滿座)의 마음을 쏠리게 함.
[傾注 경주] ㉠기울여 부음. ㉡강물이 쏜살같이 바다로 흘러 들어감. ㉢비가 억수같이 옴. ㉣마음을 한곳으로 기울임.
[傾盡 경진] 있는 대로 다 기울임.
[傾跌 경질] 기울어져 넘어짐. 쓰러짐.
[傾千觴 경천상] 천의 술잔을 기울인다는 뜻으로, 술을 대단히 많이 마심을 이름.
[傾聽 경청] 귀를 기울여 주의하여 들음.
[傾墜 경추] 기울어져 떨어짐.
[傾仄 경측] 한쪽으로 기울어짐.
[傾側 경측] ㉠경측(傾仄). ㉡위태로움. 괴로움. ㉢자기 의사를 굽히고 세상이나 남이 하는 대로 따라 함.
[傾奪 경탈] 서로 다투어 빼앗음.
[傾吐 경토] 자기의 의견을 충분히 발표함.
[傾頹 경퇴] 기울어져 무너짐.
[傾敗 경패] 형세가 기울어져 패함. 또, 기울어져 패하게 함. 경퇴(傾頹).
[傾詖 경피] 마음이 비뚤고 간사함.
[傾河 경하] 비스듬히 뻗어 있는 은하(銀河).
[傾陷 경함] 기울이어 빠뜨림. 또, 기울어져 빠짐.
[傾駭 경해] 대단히 놀람. 또는 몹시 놀라게 함.
[傾向 경향] 마음 또는 형세가 한쪽으로 쏠림. 추세(趨勢).
[傾惑 경혹] 기울이어 미혹(迷惑)하게 함. 환혹(幻惑).
[傾花 경화] 꽃을 기울게 함.
[傾虧 경휴] 기울어 이지러짐.
[傾羲 경희] 기우는 해. 저녁 해. 석양(夕陽). 낙일(落日).
◉半傾. 斜傾. 右傾. 倚傾. 攲傾. 左傾. 側傾.

11 ⑬ [僂] 루 [平]尤 落侯切 lóu ㊤麌 力主切 lǚ

[字解] ①굽을 루 등이 굽음. '一僂'. '周公背一'《白虎通》. ②구부릴 루 몸을 굽힘. '一命而一, 再命而傴'《左傳》. ③꼽을 루 손을 꼽음. '未能一指也'《荀子》. ④곱사등이 루 '郤克一'《史記》. ⑤성 루 성(姓)의 하나.

[字源] 篆文 形聲. 亻(人)+婁〔音〕. '婁루'는 의태어(擬態語)로, '구부러지다'의 뜻. 등이 굽은 사람, '곱사등이'의 뜻을 나타냄.

[僂寠 누구] 등이 굽고 초라함.
[僂屈 누굴] 허리를 굽힘.
[僂儸 누라] 수완이 있는 사람. 민완가(敏腕家).
[僂麻質斯 누마질사] 영어 rheumatism의 음역(音譯). 차거나 습(濕)하거나 할 때 관절(關節) 또는 근육(筋肉)이 아프고 굽어지는 병.
[僂背 누배] 곱사등이.
[僂指 누지] 손을 꼽아 셈. 굴지(屈指).
◉痀僂. 傴僂. 背僂. 俛僂.

11 ⑬ [僆] 련 ①㊤銑 力展切 liàn ②[平]先 陸延切 lián

[字解] ①쌍둥이 련 쌍생아(雙生兒). '一子'. '晉楚之閒, 雙生子, 謂一子'《揚子方言》. ②병아리 련 큰 병아리. '未成雞, 一'《爾雅》.

11 ⑬ [偖] 자 [平]麻 之奢切 zhē

[字解] 덕없을 자 키가 크고 건장(健壯)하나 덕(德)이 없음. '一儸, 健而不德也'《玉篇》.

11 ⑬ [僄] 표 [去]嘯 匹妙切 piào [平]蕭 撫招切

[字解] ①가벼울 표 경박함. '怠慢一棄'《荀子》. ②날랠 표 민첩함. '爲人一悍猾賊'《史記》.

[字源] 篆文 形聲. 亻(人)+票〔音〕. '票표'는 불똥이 가볍게 날아오르다의 뜻. 평성(平聲)일 때는 '가볍다'의 뜻. 거성(去聲)일 때는 '경박하다'의 뜻.

[僄狡 표교] 경솔하고 교활함.
[僄棄 표기] 경박하고 데면데면함.
[僄悍 표한] 날쌔고 사나움.

11 ⑬ [僅] [高人] 근 [去]震 渠遴切 jǐn, ③jìn 仅

[筆順] 亻 仁 仕 仕 𠈃 俈 僅 僅

[字解] ①겨우 근 근근이. '一以過冬'《列子》. ②적을 근 과소(寡少). '一少'. ③거의 근 거의 됨. '士卒一萬人'《韓愈》.

[字源] 篆文 形聲. 亻(人)+堇〔音〕. '堇근'은 '斤근'·'巾건'과 통하여, '작다'의 뜻. 재주가 남만 못한 사람의 뜻에서, '겨우, 적다'의 뜻을 나타냄.

[僅僅 근근] 겨우.
[僅僅得生 근근득생] 간신히 살아감.
[僅僅扶持 근근부지] 간신히 견디어 나감.
[僅少 근소] 아주 적음.

11 ⑬ [僇] 륙 [入]屋 力竹切 lù

[字解] ①욕 륙 치욕(恥辱). '爲天下大一'《荀子》. ②죽일 륙 戮(戈部 十一畫)과 통용. '辟則爲天下一'《大學》.

[字源] 篆文 形聲. 亻(人)+翏〔音〕. '翏륙'은 '戮륙'과 통하여, '베다, 죽이다'의 뜻. 사람을 죽이다의 뜻을 나타냄.

[僇辱 육욕] 욕(辱)을 봄. 또, 욕(辱)보임. 또, 욕. 치욕(恥辱).

[僇人 육인] 치욕(恥辱)을 당한 사람. 죄인(罪人).

11
⑬ **[僪]** 적 ㊅陌 陟革切 zhāi

字解 ①어려움없을 적 거리낌 없음. '一, 無憚也'《集韻》. ②모질 적 좋지 못함. '一索, 惡也'《集韻》.

11
⑬ **[偊]** 어 ㊤麌 五矩切 yǔ

字解 ①무례(無禮)할 어 '一一, 勇而無禮貌'《太玄經注》. ②클 어 '一, 大也'《集韻》.

11
⑬ **[僈]** 만 ㊈諫 莫晏切 màn

字解 흘게늦을 만 야무지지 못함. '君子寬而不一'《荀子》.

字源 形聲. 亻(人)+曼〔音〕. '曼만'은 '오래 끌다'의 뜻. 일에 목적이나 의식을 갖지 않아 질질 끌다, 게을리 하다, 가볍게 여기다의 뜻을 나타냄.

◉不僈.

11
⑬ **[僬]** 소 ㊤巧 士絞切 zhào

字解 작을 소 '傭一宇而處焉'《柳宗元》.

字源 形聲. 亻(人)+巢〔音〕

[僬宇 소우] 작은 집.

11
⑬ **[傽]** 장 ㊥陽 諸良切 zhāng

字解 두려워할 장 놀라 무서워하는 모양. 慞(心部 十一畫)과 통용. '遽一偟兮驅林澤'《楚辭》.

字源 形聲. 亻(人)+章〔音〕

[傽偟 장황] 놀라 무서워하는 모양.

11
⑬ **[傻]** 사 ㊤馬 沙瓦切 shǎ

字解 ①약을 사 영리함. ②《現》어리석을 사 우매함. '一子'.

[傻子 사자] 바보. 천치.

11
⑬ **[僊]** 人名 선 ㊥先 相然切 xiān

字解 ①신선 선 仙(人部 三畫)과 同字. '千歲厭世, 去而上一'《十八史略》. ②성 선 성(姓)의 하나.

字源 篆文 形聲. 亻(人)+䙴(䙴)〔音〕. '䙴선'은 '옮기다'의 뜻. 속계(俗界)를 벗어나 산(山)에 옮아가 살고 있는 사람, '신선'의 뜻을 나타냄. '仙'은 이체자(異體字).

[僊僊 선선] ㉠춤을 추는 모양. ㉡가벼이 올라가는 모양.

◉上僊. 神僊. 謫僊.

11
⑬ **[倗]** 붕 ㊥蒸 蒲登切 péng
㊈徑 逋鄧切 bèng

字解 ①벗 붕 친구. 동아리. '練之以散羣一署'《管子》. ②성 붕 성(姓)의 하나. ③아부하여한 패가될 붕 '一, 阿黨也'《集韻》.

11
⑬ **[傿]** 언 ①㊈願 於建切 yàn
②③㊥先 於虔切 yān

字解 ①에누리 언 실제보다 비싸게 부르는 값. '悔不小一'《後漢書》. ②고을이름 언 鄢(邑部 十一畫)과 同字. ③성 언 성(姓)의 하나.

字源 篆文 形聲. 亻(人)+焉〔音〕

◉小傿.

11
⑬ **[傯]** 총 ㊤董 作孔切 zǒng

字解 바쁠 총 틈이 없음. 일이 많음. '倥一'.

參考 偬(人部 九畫)과 同字.

◉倥傯.

11
⑬ **[偋]** 병 ①②㊈敬 防正切 bìng
③㊤梗 必郢切 bǐng

字解 ①궁색한살림 병 천한 생활. '一, 僻窶也'《說文》. ②벽지(僻地) 병 사람이 없는 곳. '一, 隱僻也, 無人處'《廣韻》. ③물리칠 병 적을 물리침. '恭儉者一五兵也'《荀子》.

字源 篆文 形聲. 亻(人)+屛〔音〕. '屛병'은 '덮어 가리다'의 뜻. 덮여 가려져 있는 궁벽한 곳의 초라한 살림집의 뜻을 나타냄.

11
⑬ **[僃]** 〔비〕
備(人部 十畫〈p.167〉)의 本字

11
⑬ **[僧]** 〔승〕
僧(人部 十二畫〈p.177〉)의 俗字

11
⑬ **[龕]** 〔감〕
龕(龍部 六畫〈p.2732〉)의 俗字

[絛] 〔조〕
糸部 七畫(p.1744)을 보라.

12
⑭ **[僰]** 북 ㊅職 蒲北切 bó

字解 오랑캐이름 북 '羌一'은 건위(犍爲), 즉 지금의 윈난(雲南)·쓰촨(四川) 지방의 야만 인종. '羌一東馳'《揚雄》.

字源 篆文 形聲. 亻(人)+棘〔音〕. '棘극'은 가시나무로, '야만(野蠻)'의 뜻. 야만스러운 이민족(異民族)의 뜻임.

◉羌僰.

12
⑭ **[像]** 高人 상 ㊤養 徐兩切 xiàng

筆順 亻 𠊊 伯 俜 像 像 像 像

字解 ①꼴 상 모양. 모습. '形一'. '肖一'. '不夢見一, 無形于目也'《淮南子》. ②상 상 부처·사람·짐승의 형체를 만들거나 그린 것. '佛

一'. '何故不書伏波將軍一'《後漢書》. ③법 상
법식(法式). '見一而勿强'《孔子家語》. ④닮을
상 '歲餘一孫叔敖'《史記》. ⑤모뜰 상 본뜸. '一
上之意'《荀子》.

字源 篆文 像 形聲. 亻(人)+象〔音〕. '象상'은 '相상'
과 통하여, 물건의 모습의 뜻. 사람의
모습, 모양의 뜻을 나타냄.

[像敎 상교] 우상(偶像)을 숭배하는 종교. 불교(佛
敎). 상교(像敎).
[像法 상법]《佛敎》㉠정법(正法)의 후 천 년 동
안에 행하여지는 불법(佛法). 곧, 부처가 설교
한 법은 있으나 신앙이 형식화하여 불상(佛像)
이나 사탑(寺塔) 등의 건축을 주로 하는 불교.
㉡상교(像敎)의 법. 곧, 불법(佛法). 불교. ㉢
불상(佛像)과 경전(經典).
[像本 상본] 그리스도, 성모 마리아, 천사, 성인
들의 화상(畵像)이나 성스러운 문구를 담은 조
그만 카드. 성서나 기도서의 책갈피에 끼움.
[像擬 상의] 모방하여 만듦. 비슷한 것을 만듦.
[像形 상형] 모양을 본뜸. 또, 비슷한 형상. 상형
(象形).
●群像. 圖像. 銅像. 木像. 佛像. 想像. 石像.
聖像. 塑像. 映像. 影像. 偶像. 立像. 殘像.
座像. 彫像. 肖像. 虛像. 現像. 畵像. 胸像.

12 ⑭ [僑] 人名 교 ㉠蕭 巨嬌切 qiáo
　　　　　 ㉡篠 擧夭切 jiǎo

筆順 亻 亻 亻 伝 侨 僑 僑 僑

字解 ①우거할 교 우접(寓接)함. 남의 집에 붙
어서 삶. 타향 혹은 타국에서 임시로 삶. '一
胞, 我初辭家從軍一'《鮑照》. ②성 교 성(姓)
의 하나.

字源 篆文 僑 形聲. 亻(人)+喬〔音〕. '喬교'는 '높다'
의 뜻. 키가 큰 사람의 뜻으로, 널리
높다의 뜻을 나타냄. 또, '䳚교'와 통하여, '우
거(寓居), 여행'의 뜻을 나타내고, 타국으로 높
이 날아 떠나서 사는 사람의 뜻도 나타냄.

[僑居 교거] ㉠남의 집에서 임시로 붙어삶. ㉡타
향(他鄕)에서 임시로 삶. 우거(寓居).
[僑廬 교려] 우거(寓居)하는 오두막집.
[僑士 교사] 교인(僑人).
[僑寓 교우] 교거(僑居).
[僑人 교인] 우거(寓居)하는 사람.
[僑胞 교포] 외국에 교거(僑居)하는 동포(同胞).
●韓僑. 華僑.

12 ⑭ [僎] 〓 선 ㉠銑 士免切 zhuàn
　　　　　 〓 준 ㉡眞 將倫切 zūn

字解 〓①갖출 선 구비함. ②수 선, 헤아릴 선
'一, 數也'《增韻》. ③가지런히할 선 정리(整理)
함. '一, 整也'《增韻》. ④가릴 선 가리어 뽑음.
詮(言部 六畫)과 뜻이 같음. 〓준작(僎爵) 준
향인(鄕人)이 경대부(卿大夫)가 되어 그 시골
에 내려와서 향음주례(鄕飮酒禮)를 보살펴 도
와주는 사람. '古文禮, 一作遵, 謂鄕人爲卿
大夫, 來觀禮者'《禮記注》.

字源 篆文 僎 形聲. 亻(人)+巽(巺)〔音〕. '巺손'은
'가지런해지다'의 뜻. 사람이 가지
런히 모이는 모양에서, '갖추다'의 뜻을 나타
냄.

12 ⑭ [偄] 연 ㉠銑 人善切 rǎn

字解 ①마음약할 연 기(氣)가 약함. '一, 意騰
也'《說文》. ②황겁할 연 무서워함. '一, 一曰意
急而懼, 一曰難也'《集韻》. ③온화할 연 조용함.
'一, 和易無他也'《六書故》. ④놀라는소리 연
'驚聲曰一'《一切經音義》.

字源 篆文 偄 形聲. 亻(人)+然〔音〕. '燃'과 통하여,
'마음이 약하다, 놀라다'의 뜻을 나
타냄.

12 ⑭ [儑] 삽 ㉠緝 師入切 sè

字解 ①미치지않을 삽 '一, 不及'《廣韻》. ②급
할 삽 '一驫'은 빠른 모양. 또, 목소리가 어지럽
게 급함. '紛一驫以流漫'《嵇康》.

12 ⑭ [僕] 복 ㉠沃 蒲沃切 pú　仆溁

字解 ①종 복 잡일이나 천역에 종사하는 하인.
'一隷'. '家一'. '仕于公曰臣, 仕于家曰一'《禮
記》. ②마부 복 어자(御者). '子適衛, 冉有一'
《論語》. ③저 복 자기의 겸칭(謙稱). '自稱爲一,
卑辭也'《漢書》. ④무리 복 당여(黨與). 徒(彳部
七畫)와 뜻이 같음. '聖人一也'《莊子》. ⑤붙을
복 부착함. '君子萬年, 景命有一'《詩經》. ⑥숨
길 복 은닉함. '作一區之法'《左傳》.

字源 甲骨文 金文 篆文 古文 會意. 甲骨文은
會意로 辛+其+
人의 특수형. '辛신'은 노예의 이마에 입묵(入
墨)하기 위한 바늘의 상형(象形). '其기'는 키
의 상형(象形)으로, 이 글자의 경우는 오물(汚
物)을 담아 놓았음. '人인'도 꼬리가 달린 꼴로
되어 있어, 갇힌 사람의 뜻. 죄인 또는 노예가
오물을 버리고 있는 모습에서, 하인의 뜻을 나
타냄. 金文은 甲骨文을 변형시킨 꼴이며, 篆文
은 다시 其+辛의 부분을 '苹복'과 혼동하여
人+美(苹+廾)〔音〕의 形聲字를 이룸. 음형상
(音形上)으로는 말〔馬〕을 채찍질하는 사람의
뜻이라고도 하고, '朴박'과 통하여, 촌스럽고
천한 사람의 뜻이라고도 함.

[僕固懷恩 복고회은] 당(唐)나라 복고부(僕固部)
사람. 세습(世襲)의 번주도독(蕃州都督). 안사
(安史)의 난(亂)에 곽자의(郭子儀)를 따라 적
을 토벌하여 여러 번 수훈(殊勳)을 세워 태령
군왕(太寧郡王)으로 피봉(被封)되었음.
[僕區 복구] 망명자(亡命者)를 숨김.
[僕奴 복노] 노복(奴僕).
[僕僮 복동] 사동(使童).
[僕旅 복려] 수종(隨從)하는 무리.
[僕隷 복례] 종. 노복(奴僕). 「虜」.
[僕虜 복로] 몰수(沒收)하여 종으로 삼은 포로(捕
[僕累 복루] 부착(附着)하여 쌓임. 「稱」.
[僕蠃 복루] 달팽이. 곧, 와우(蝸牛)의 이칭(異
[僕婢 복비] 사내종과 계집종. 노비(奴婢).
[僕使 복사] 하인. 종. 노복(奴僕).
[僕遫 복속] 범용(凡庸)하고 단소(短小)한 모양.
[僕竪 복수] 종. 노복(奴僕).
[僕射 복야] 벼슬 이름. 진(秦)나라 때는 활 쏘는
것을 맡은 벼슬이고, 당(唐)나라 이후에는 상
서성(尙書省)의 장관(長官)임.
[僕御 복어] 말을 어거하는 사람. 어자(御者).

[僕圉 복어] 말구종. 마부.
[僕役 복역] 하인. 종. 노복(奴僕).
[僕緣 복연] 떼 지어 모여드는 모양. 일설 (一說)에는, 붙는 모양. 부착(附着)하는 모양.
[僕爾 복이] 번잡한 모양. 귀찮은 모양.
[僕賃 복임] ㉠일꾼에게 주는 품삯. ㉡일꾼으로 고용(傭)되어 삯을 탐.
[僕從 복종] 복사(僕使).
[僕妾 복첩] 노복(奴僕)과 비첩(卑妾). 하인.
●家僕. 公僕. 奴僕. 老僕. 婢僕. 臣僕. 隷僕. 傭僕. 臧僕. 從僕. 忠僕. 太僕. 下僕.

12 ⑭ [僮] 퇴 ㉠灰 徒回切 tuí
㉡賄 吐猥切 tuǐ
字解 ①우아할 퇴 고상함. '一, 嫺也'《說文》. ②좇을 퇴 순종하는 모양. '於是乎有一然而道盡'《莊子》.
字源 篆文 僮 形聲. 亻(人)+貴〔音〕. '貴귀'는 '존귀하다'의 뜻. 존귀한 사람. 우아하다의 뜻을 나타냄.

12 ⑭ [僚] 高入 료 ①-④㉠蕭 落蕭切 liáo
⑤㉡篠 朗鳥切 liǎo
筆順 亻 亻 亻 伶 伶 僚 僚 僚
字解 ①벼슬아치 료 관리. '一吏'. '官一'. '百一師師'《書經》. ②동관 료 같은 관청에 있는 지위가 같은 관리. 지금은 널리 같은 자리에서 일을 하는 뜻으로 쓰임. '同一'. '同官爲一'《左傳》. ③종 료 천역(賤役)에 종사하는 사람. '隷臣一, 一臣僚'《左傳》. ④성 료 성(姓)의 하나. ⑤예쁠 료 미호(美好)함. '佼人一兮'《詩經》.
字源 篆文 僚 形聲. 亻(人)+寮〔音〕. '寮료'는 '횃불'의 뜻. 빛나도록 잘생긴 사람의 뜻을 나타냄. 또, 평성(平聲)일 때에는 '寮'는 '寮료'와 통하여, 관청의 동료의 뜻을 나타냄.

[僚故 요고] 동료(同僚).
[僚官 요관] 낮은 벼슬아치. 속관(屬官).
[僚黨 요당] 동료(同僚).
[僚侶 요려] 동료(同僚). 또, 동배(同輩).
[僚吏 요리] 벼슬아치. 관리(官吏).
[僚輩 요배] 요우(僚友).
[僚朋 요붕] 벗. 동무. 친구.
[僚壻 요서] 동서(同壻).
[僚屬 요속] 요관(僚官).
[僚友 요우] 동료(同僚).
[僚佐 요좌] 속관(屬官). 요관(僚官).
[僚儔 요주] 요관(僚官).
[僚寀 요채] 동료(同僚)의 관리.
[僚艦 요함] 같은 임무를 띤 다른 군함.
●閣僚. 官僚. 群僚. 同僚. 幕僚. 百僚. 庶僚. 屬僚. 臣僚. 下僚.

12 ⑭ [僙] 광 ㉠陽 姑黃切 guāng
字解 굳셀 광 용맹한 모양. '一, 武也'《集韻》.

12 ⑭ [僛] 계 ㉡薺 康禮切 qǐ
字解 ①옷깃 헤칠 계 옷을 풀어 헤침. '一, 開衣也'《集韻》. ②걸을 계 다리를 벌리고 걸음.

'佳一, 行張足也'《集韻》.

12 ⑭ [俴] 기 ㉠支 去其切 qī
字解 춤출 기 술에 취하여 비틀거리며 춤추는 모양. '屢舞——'《詩經》.
字源 篆文 僛 形聲. 亻(人)+欺〔音〕

[俴俴 기기] 술에 취하여 비틀거리며 춤을 추는 모양.

12 ⑭ [僝] 잔 ㉠刪 士山切 chán
㉡霰 士戀切 zhuàn
字解 ①보일 잔 나타내어 보임. '共工方鳩一功'《書經》. ②갖출 잔 구비함. '一拱木於林衡'《左思》.
字源 篆文 僝 形聲. 篆文은 亻(人)+孱〔音〕. '孱존'은 물건을 가지런히 추리다의 뜻. 꼼꼼히 물건을 추려서 갖추다의 뜻을 나타냄. '孱'은 '屛'과 통하여, 자형(字形)을 '僝'으로도 씀.

[僝功 잔공] 공로(功勞)를 나타냄.

12 ⑭ [僞] 高入 ㉠眞 危睡切 wěi
㉡歌 吾禾切 é
筆順 亻 亻 俨 俨 俨 俨 僞 僞
字解 ① ①거짓 위 ㉠인위(人爲). 부자연. '人之性惡也, 其善者一也'《荀子》. ㉡불성실(不誠實). 허식(虛飾). '一善'. '其行一'《淮南子》. ㉢가짜. '作一主以行'《禮記》. ㉣허위(一言). '防萬民之一'《周禮》. ②속일 위 거짓말을 함. '一造'. '一賣'. ② 사투리 와 訛(言部 四畫)와 同字. '以勸南一'《漢書》.
字源 篆文 僞 形聲. 亻(人)+爲〔音〕. '爲위'는 '인위적으로 만들다'의 뜻. 인위(人爲)의 뜻에서 파생하여, '속이다'의 뜻을 나타냄.

[僞契 위계] 위권(僞券).
[僞計 위계] 속임수의 계략. 궤계(詭計).
[僞哭 위곡] 거짓으로 우는 체함.
[僞君子 위군자] 군자인 체하는 자. 위선자(僞善者).
[僞券 위권] 위조한 문권(文券).
[僞妄 위망] 거짓. 허위(虛僞).
[僞賣 위매] 속이어 팖.
[僞名 위명] ㉠거짓으로 일컫는 이름. 가명(假名). ㉡무근(無根)한 소문.
[僞冒 위모] 거짓. 허위. 기모(欺冒).
[僞朴 위박] 허위가 많고 인정이 없음.
[僞本 위본] 위조(僞造)한 책(冊).
[僞烽 위봉] 적을 현혹하게 하기 위하여 올리는 봉화.
[僞史 위사] 위조(僞朝)의 역사. 정통(正統)이 아닌 역사.
[僞辭 위사] 진실하지 아니한 말. 거짓 언설(言說).
[僞書 위서] ㉠거짓 편지. ㉡위조한 문서. 위본(僞本).
[僞善 위선] 겉으로만 착한 체함.
[僞善者 위선자] 위군자(僞君子).

[僞飾 위식] 거짓 꾸밈.
[僞贗 위안] 가짜.
[僞讓 위양] 겉으로만 사양함.
[僞言 위언] 거짓말. 허언(虛言).
[僞豫 위예] 위조(僞朝)의 유예(劉豫). 예(豫)가 송(宋)나라 고종(高宗) 때 금인(金人)에게서 황제(皇帝)의 칭호를 받고 모반(謀叛)하여 변경(汴京)에서 제제(齊帝)를 참칭(僭稱)한 데 연유(緣由)함.
[僞位 위위] 위조(僞朝)의 제위(帝位).
[僞恩 위은] 애정(愛情)을 가장(假裝)한 은혜.
[僞瘖 위음] 가짜 벙어리.
[僞印 위인] 위조(僞造)한 도장.
[僞作 위작] 위조(僞造).
[僞錢 위전] 위조한 돈. 가짜 돈.
[僞製 위제] 위조(僞造).
[僞造 위조] 진짜처럼 만들어서 사람의 눈을 속임. 거짓으로 만듦.
[僞詔 위조] 거짓 조칙(詔勅).
[僞朝 위조] 정통(正統)이 아닌 조정(朝廷).
[僞證 위증] ㉠거짓의 증거(證據). ㉡증인으로서 선서(宣誓)한 뒤에 허위의 진술을 하는 일.
[僞醉 위취] 취한 체함.
[僞勅 위칙] 거짓의 조칙(詔勅).
[僞稱 위칭] 거짓 일컬음. 또, 거짓 칭호.
[僞態 위태] 거짓 꾸미는 태도. 진실하지 못한 태도.
[僞判 위판] 위인(僞印).
[僞版 위판] 가짜의 판목(版木). 또, 그 인쇄물(印刷物).
[僞筆 위필] 위조한 필적(筆蹟).
[僞學 위학] ㉠진리(眞理)에 어그러지는 학문. ㉡당대(當代)의 관학(官學)에 반대하는 학문.
●姦僞. 矯僞. 大僞. 詐僞. 情僞. 眞僞. 僭僞. 虛僞.

12 (14) [僽] 추 ㉨宥 卽就切 jiù

字解 ①품삯 추 임금. '不償其一費'《史記》. ②세낼 추 임차(賃借)함. '一船'. '一二千餘車'《北齊書》.
字源 形聲. 亻(人)+就〔音〕. '就취'는 '닿다, 이르게 하다'의 뜻. 사람을 일을 하도록 오게 하다. 품삯을 주고 고용하다의 뜻을 나타냄.

[僽居 추거] 셋방살이를 함.
[僽舍 추사] 추거(僽居).
[僽船 추선] 배를 세를 내고 빌려 씀.
●酬僽. 賃僽.

12 (14) [僐] 선 ㉠銑 常演切 shàn ㉡霰 時戰切

字解 모양낼 선 맵시를 냄. '一, 廣雅云, 姿態'《廣韻》.
字源 形聲. 亻(人)+善〔音〕.

12 (14) [僥] 요 ①②㉡篠 吉了切 jiǎo ③㉤蕭 五聊切 yáo

字解 ①요행 요 분외로 얻은 행복. 우연의 복. '優者有不遇, 劣者有一僥'《班固》. ②성 요 성(姓)의 하나. ③난쟁이 요 '僬一'는 신장(身長)

이 3척가량 되는 인종의 이름.
字源 形聲. 亻(人)+堯〔音〕. '徼교'와 통하여, '바라고 구하다'의 뜻을 나타냄.

[僥倖 요행] ㉠뜻밖에 얻은 행복. ㉡늘 이(利)를 구하는 모양.
[僥倖萬一 요행만일] 만(萬)에 하나도 있기 어려운 요행을 바람.

12 (14) [僧] 高人 승 ㉥蒸 蘇增切 sēng

筆順 亻 亻 亻 亻 亻 僧 僧 僧

字解 ①중 승 승려(僧侶). '一堂'. '一刹'. '一弟子, 男曰桑門, 而總曰一'《隋書》. ②성 승 성(姓)의 하나.
字源 形聲. 亻(人)+曾〔音〕. 범어(梵語) samgha의 음역(音譯) '僧伽승가'의 약어. 불문(佛門)에 든 사람의 뜻으로 '人'을 더함.
參考 僧(人部 十一畫)은 俗字.

[僧伽 승가] ㉠승도(僧徒). ㉡사자(獅子)의 별칭(別稱).
[僧巾 승건] 중이 쓰는 건.
[僧敲月下門 승고월하문] 당(唐)나라의 시인 가도(賈島)의 시구(詩句). '퇴고(推敲)'의 예로서 유명함.
[僧官 승관] 중이 하는 벼슬.
[僧館 승관] 절. 사찰(寺刹).
[僧軍 승군] 중으로 조직한 군사.
[僧規 승규] 승려(僧侶)가 지켜야 할 법규.
[僧祇 승기] '아승기야(阿僧祇耶)'의 준말. 대다수. 무수(無數).
[僧尼 승니] 중과 여승. 비구(比丘)와 비구니(比丘尼).
[僧畓 승답] 중의 소유로 되어 있는 논.
[僧堂 승당] 절. 사찰(寺刹). 승방(僧房).
[僧徒 승도] 중의 무리. 중들. 중.
[僧臘 승랍] 중노릇을 한 햇수.
[僧侶 승려] 중들. 승도(僧徒).
[僧廬 승려] 중이 거처하는 암자. 전(轉)하여, 절. 사원(寺院).
[僧錄 승록] 승관(僧官)의 하나. 승려(僧侶)의 사무의 총관(總管).
[僧律 승률] 중이 지켜야 할 계율.
[僧帽筋 승모근] 견갑골(肩胛骨)을 척주(脊柱)에 연결(連結)하는 배근(背筋).
[僧舞 승무] 중의 복색(服色)을 하고 추는 춤.
[僧門 승문] 불도(佛道)를 닦는 사람의 사회. 불문(佛門).
[僧坊 승방] 승방(僧房).
[僧房 승방] 절. 사찰(寺刹).
[僧寶 승보] 불도를 닦고 계율을 지켜 세상에 뛰어나서 뭇사람의 모범이 됨을 이름.
[僧服 승복] 승려의 옷.
[僧跌 승부] 선문(禪門)에서, 오른발을 왼쪽 넓적다리 위에, 왼발을 오른쪽 넓적다리 위에 놓고 앉는 방법. 결가부좌(結跏趺坐).
[僧寺 승사] 절. 사원(寺院). 승우(僧宇).
[僧舍 승사] 절. 사원(寺院).
[僧社 승사] 승방(僧房).
[僧夕 승석] 이른 저녁때.

[僧俗 승속] 승려와 속인(俗人). 중과 중 아닌 일반 사람.
[僧庵 승암] 승려 (僧廬).
[僧宇 승우] 절. 사원. 승방(僧房).
[僧院 승원] 절. 사원(寺院). 승방(僧房).
[僧衣 승의] 중의 옷.
[僧籍 승적] 중의 호적(戶籍). 승려의 신분(身分).
[僧正 승정] 최고위의 승관(僧官).
[僧塵 승주] 중이 쓰는 먼지떨이. 주(塵)는 고라니. 고라니의 꼬리털로 묶어 만들어 파리·모기 등을 쫓거나 먼지를 떪. 불자(拂子).
[僧衆 승중] 중의 무리.
[僧刹 승찰] 절. 사찰. 불찰(佛刹).
[僧雛 승추] 나이 어린 중. 사미 (沙彌).
●高僧. 怪僧. 老僧. 代僧. 度僧. 道僧. 名僧. 凡僧. 梵僧. 佛法僧. 山僧. 禪僧. 小僧. 俗僧. 雲水僧. 有髮僧. 破戒僧. 學僧. 行脚僧.

12 (14) [僨] 분 ㊨問 方問切 fèn

字解 ①넘어질 분 엎드러짐. '一起一一' 《鄭伯之車, 一于濟》《左傳》. ②그르칠 분 일을 그르침. '一言一事' 《大學》. ③움직일 분 동(動) 함. '張脈一興' 《左傳》.

字源篆文 形聲. 亻(人)+賁〔音〕. '賁분'은 '힘차게 달리다'의 뜻. 사람의 피가 힘차게 흘러 움직이다. 움직이다의 뜻을 나타냄. 또, '僨분'과 통하여 '넘어지다'의 뜻을 나타냄.

●傾僨. 孤僨. 旗僨. 一起一僨. 中僨. 疾僨.

12 (14) [僩] 한 ㊤潸 下赧切 xiàn

字解 ①굳셀 한 무용(武勇)이 있는 모양. 일설(一說)에는, 관대한 모양. 너그러운 모양. '瑟兮一兮' 《詩經》. ②노할 한 撊(手部 十二畵)과 同字. '一然以爲天下無人' 《唐書》. ③엿볼 한 瞷 (目部 十二畵)과 통용. '姦人一之' 《論衡》.

字源篆文 形聲. 亻(人)+閒〔音〕. '閒한'은 여유가 있어 '너르다'의 뜻. 사람이 관대하다의 뜻을 나타냄.

[僩然 한연] 성을 내는 모양.
[僩僩 한한] 과단성 (果斷性)이 있는 모양.

12 (14) [僬] 초 ①②㊤蕭 昨焦切 jiāo ③㊤嘯 子肖切 jiào

字解 ①밝게볼 초 명찰(明察)하는 모양. '誰能以己之一一, 受人之掝掝' 《荀子》. ②난쟁이 초 '一僥'는 신장(身長)이 3척가량 되는 인종의 이름. ③달음박질할 초 질주함. '士蹌蹌, 庶人一一' 《禮記》.

字源 形聲. 亻(人)+焦〔音〕

[僬僥 초요] 키가 3척가량 되는 인종(人種)의 이름.
[僬僬 초초] ㋺명찰(明察)하는 모양. ㋹달음박질 하는 모양.

12 (14) [僭] 人名 참 ㊤豔 子念切 jiàn ㊨沁 側禁切 zèn

字解 ①참람할 참 자기 신분에 넘침. 또, 그러한 일을 함. '一上'. '一號'. '季氏亦一於公室' 《史記》. ②어그러질 참 틀림. 상위(相違)함. '一差'. '天命弗一' 《詩經》. ③사치 참 호사. '崇侈尙一' 《僭夫論》. ④참소 참. 거짓 참 譖(言部 十二畵)과 통용. '亂之初生, 一始旣涵' 《詩經》.

字源篆文 形聲. 亻(人)+朁〔音〕. '朁참'은 '숨다'의 뜻에서, 사람이 숨어서 불신실한 짓을 한다는 뜻에서, '불신, 어그러지다'의 뜻. 특히 아랫사람이 윗사람에게만 허용되는 행동을 숨어서 저지르다의 뜻을 나타냄.

[僭亂 참란] 분수에 넘치는 일을 하여 질서를 어지럽힘.
[僭濫 참람] 분수에 넘치어 방자(放恣)스러움.
[僭妄 참망] 분수에 넘치고 망령(妄靈)스러움.
[僭冒 참모] 자기 분수를 넘어 남을 침범함.
[僭詐 참사] 도리를 어기어 기만함.
[僭奢 참사] 분수에 맞지 아니할 정도로 지나치게 사치함.
[僭上 참상] 분수에 넘치게 윗사람을 본뜸.
[僭賞濫刑 참상남형] 함부로 상 주고 함부로 벌줌. 제멋대로 상벌을 줌.
[僭越 참월] 분수에 넘침.
[僭踰 참유] 분수에 넘침.
[僭擬 참의] 분수에 넘치게 윗사람과 견줌.
[僭溢 참일] 분수에 넘침.
[僭恣 참자] 분수에 넘치어 방자함.
[僭竊 참절] 분수에 넘치는 높은 지위에 있음.
[僭主 참주] 참칭(僭稱)하는 임금.
[僭差 참차] 분수에 어그러짐.
[僭稱 참칭] 자기의 신분에 넘치는 칭호를 자칭(自稱)함. 또, 그 칭호.
[僭忒 참특] 분수에 넘어 도리(道理)에 어긋남. 참차(僭差).
[僭號 참호] 참칭(僭稱)하는 칭호.
●姦僭. 驕僭. 凌僭. 奢僭. 踰僭. 華僭.

12 (14) [僣] 僭(前條)의 俗字

12 (14) [僜] ❙ 증 ①㊤徑 諸應切
❙ 등 ②㊤蒸 丑升切 chēng
❙ 등 ③㊤蒸 都騰切 dēng

字解 ❙ ①고달플 증 걷는데 힘이 없음. '倰一, 行無力' 《集韻》. ②병들어갈 증 병들어 가는 모양. '倰一, 病行皃' 《集韻》. ❙ 오를 등 登(癶部 七畵)과 同字.

字源 形聲. 亻(人)+登〔音〕. '登등'은 '오르다'의 뜻.

12 (14) [僒] 군 ㊤軫 渠殞切 jǔn

字解 ①얽매일 군, 곤궁할 군 '一若囚拘' 《賈誼》. ②굽을 군, 곱사등이 군 '一, 偏也' 《集韻》.

字源 形聲. 亻(人)+窘〔音〕. '窘군'은 '속박당하다'의 뜻. 사람이 사로잡히다의 뜻을 나타냄.

12 (14) [僮] 동 ㊤東 徒紅切 tóng

字解 ①아이 동 미성년자. '一子'. '今民賣一者' 《漢書》. ②종 동 하인. 노복(奴僕). '一僕'. '卓王孫家一八百人' 《史記》. ③어리석을 동 무지몽

매함. '一昏'. '一然未有知'《太玄經》. ④조심할 동 조심하고 삼가는 모양. '被之——, 夙夜在 公'《詩經》.

字源 形聲. 亻(人)+童〔音〕. '童동'은 '노 예·어린이'의 뜻. '童'이 '犝'(송아 지)이나 '羬'(새끼 양)의 뜻으로도 쓰이게 됨 에 따라, 사람의 아이의 뜻을 나타내기 위하여 '人'이 덧붙여짐.

[僮僮 동동] 조심하는 모양. 삼가는 모양.
[僮隷 동례] 동복(僮僕).
[僮僕 동복] 하인. 종.
[僮使 동사] 하인. 종.
[僮御 동어] 하인. 종.
[僮然 동연] 무식한 모양. 어리석은 모양.
[僮子 동자] 나이 어린 사내아이.
[僮昏 동혼] 어리석어 도리(道理)에 어두움.
●家僮. 歌僮. 官僮. 狂僮. 狡僮. 僕僮. 山僮.
侍僮. 妖僮. 房僮. 停僮. 宦僮.

12
⑭ [僟] 기 ④微 居依切 jī

字解 ①삼갈 기 조심하여 삼감. '——, 精謹也. 明堂月令, 數將一終'《說文》. ②가까울 기 거의 되려 함. 幾(幺部 九畫〈p.692〉)와 통용. '——, 近也'《字彙》.
字源 形聲. 亻(人)+幾〔音〕

12
⑭ [僤] 탄(단④) ④翰 徒案切 dàn

字解 ①도타울 탄 돈후(敦厚)함. '我生不辰, 逢 天一怒'《詩經》. ②빠를 탄 신속함. '兵欲無一' 《周禮》. ③밝을 탄 '——, 明也'《集韻》.
字源 篆文 形聲. 亻(人)+單〔音〕. '單단'은 '彈' 과 통하여, 튀어 터지다의 뜻. 터지 듯이 빠르다의 뜻을 나타냄. 또, '闡천'과 통하 여 '밝다'의 뜻을 나타냄.

12
⑭ [僑] ━ 귤 ㊇質 其述切 jú
       ━ 결 ㊇屑 古穴切 jué

字解 ━ 미칠 귤 광증(狂症)을 부림. ━ 햇무리 결 해의 곁에 생긴다고 하는 일종의 기(氣). '其日有鬬蝕, 有倍一, 有暈珥'《呂氏春秋》.
字源 形聲. 亻(人)+矞〔音〕. '矞휼'은 '위협하다'의 뜻. 사람을 위압하는 기괴한 것의 모양의 뜻 을 나타냄.

12
⑭ [僔] 人名 준 ①阮 玆損切 zǔn

字解 ①모일 준. ②공경할 준 공손하고 존경함. '恭敬而一'《荀子》. ③쭈그릴 준 쭈그리고 앉음. 蹲(足部 十二畫)과 통용. '——夷, 無禮儀也'《白 虎通》.
字源 篆文 形聲. 亻(人)+尊〔音〕. '噂준'과 통하 여, 모여서 지껄이다의 뜻을 나타내 며, 또, '蹲준'과 통하여, '쭈그리다'의 뜻을 나 타냄.

12
⑭ [僎] 천 ①銑 尺兗切 chuǎn

字解 등질 천 舛(部首)과 同字. '分流一馳'《淮 南子》.

字源 形聲. 亻(人)+舛〔音〕

12
⑭ [僖] 人名 희 ㊀支 許其切 xī

筆順 亻 亻 佇 佇 佶 佶 僖 僖 僖

字解 ①기뻐할 희 '——, 樂也'《說文》. ②성 희 성 (姓)의 하나.
字源 篆文 形聲. 亻(人)+喜〔音〕. '喜희'는 '기쁨' 의 뜻. 사람이 기뻐하고 즐기다의 뜻 을 나타냄.

12
⑭ [雇] 〔고〕 雇(隹部 四畫〈p.2484〉)와 同字

12
⑭ [勞] 〔로〕 勞(力部 十畫〈p.280〉)와 同字

12
⑭ [無] 〔무·호〕 憮(心部 十二畫〈p.818〉)와 同字

12
⑭ [慫] 〔건〕 慫(心部 九畫〈p.797〉)의 俗字

13
⑮ [傤] 옹 ㊀江 烏江切 yāng

字解 뻣뻣할 옹 순종(順從)하지 않음. '——, 一 降, 不伏也'《玉篇》.

13
⑮ [儁] 人名 준 ㊄震 子峻切 jùn

筆順 亻 亻 作 作 售 售 雋 雋 雋

字解 ①뛰어날 준, 준걸 준 雋(隹部 四畫)·俊 (人部 七畫)과 同字. '得一日克'《左傳》. ②성 준 '一蒙'은 복성(複姓)의 하나.
字源 形聲. 亻(人)+雋〔音〕. '雋준'은 '뛰어나다'의 뜻. '뛰어난 사람'의 뜻을 나타냄.

[儁傑 준걸] 영특하고 걸출함. 또, 그러한 사람.
[儁科 준과] 과거(科擧)에서의 뛰어난 성적.
[儁良 준량] 영특하고 선량함. 또, 그러한 사람.
[儁望 준망] 뛰어난 인망(人望).
[儁邁 준매] 영특하고 고매(高邁)함. 또, 그러한 사람.
[儁劭 준소] 영특하고 고매(高邁)함.
[儁異 준이] 영특하고 특이함. 또, 그러한 사람.
[儁逸 준일] 준수(儁出).
[儁才 준재] 보통 사람보다 뛰어난 재주. 또, 그러 한 재주가 있는 사람.
[儁出 준출] 영특하고 걸출함. 또, 그러한 사람.
준일(儁逸).
●僵儁. 輕儁. 瑰儁. 克儁. 奇儁. 爽儁. 疎儁.
時儁.

13
⑮ [僵] 강 ㊀陽 居良切 jiāng

字解 넘어질 강, 넘어뜨릴 강 엎드러짐. 쓰러짐. 또, 쓰러뜨림. '一仆'. '一斃'. '推而一之'《莊 子》.
字源 篆文 形聲. 亻(人)+畺〔音〕. '畺강'은 '硬경' 과 통하여 '굳어지다'의 뜻. 사람이

굳어지다의 뜻에서, '넘어지다, 뻣뻣해지다'의 뜻을 나타냄.

[僵竭 강갈] 다함. 없어짐.
[僵蹶 강궐] 엎드러짐. 넘어짐.
[僵木 강목] 쓰러진 나무.
[僵拔 강발] 나무가 쓰러져 뿌리가 뽑힘.
[僵覆 강복] 넘어져 뒤집힘.
[僵仆 강부] 엎드러짐. 넘어짐. 강부(僵踣).
[僵踣 강부] 강부(僵仆).
[僵屍 강시] 얼어 죽은 시체.
[僵偃 강언] 누움. 누워 잠.
[僵臥 강와] 누움. 잠. 엎드림.
[僵磔 강책] 땅 위에 쓰러뜨려 책형(磔刑)에 처함.
[僵斃 강폐] 쓰러져 죽음.
◉傾僵. 枯僵. 冷僵. 凍僵. 馬僵. 仆僵. 顚僵. 卒僵.

13 ⑮ [價] 中人 가 ㊀禡 古訝切 jià

筆順 亻 仁 佇 侢 価 價 價 價

字解 값 가 ㉠금. 물건 값. '一格'. '物一'. '馬一十倍'《戰國策》. ㉡사물이나 재화의 중요 정도. '一値'. '一登龍門, 則聲一十倍'《李白》.

字源 篆文 形聲. 亻(人)+賈〔音〕. '賈가'는 '장사하다, 장수'의 뜻. 장사할 때의 물건의 값의 뜻을 나타냄.

[價格 가격] 값.
[價估 가고] 값. 가치.
[價額 가액] 값.
[價錢 가전] 값.
[價直 가치] 가치(價値) ㉠㉡.
[價値 가치] ㉠값. 가격. ㉡자격(資格). 품위(品位). ㉢욕망(欲望)에 대한 재화(財貨)의 효용 정도.
◉減價. 估價. 高價. 洛陽紙價. 代價. 同價. 買價. 物價. 聲價. 市價. 時價. 實價. 廉價. 元價. 原價. 糴價. 定價. 糶價. 增價. 地價. 紙價. 眞價. 馱價. 特價. 平價. 評價. 呼價.

13 ⑮ [僻] 人名 ㊀ 벽 ㊀陌 芳辟切 pì / ㊁ 비 ㊀寘 匹智切 pì

字解 ㊀ ①후미질 벽 궁벽함. '一地'. '一村'. '蜀西一之國'《史記》. ②치우칠 벽 편벽(偏僻)함. '一論'. '一性'. '行不一矣'《淮南子》. ③간사할 벽 간교(奸巧)함. '一邪'. '民之多一'《詩經》. ④방자할 벽 방종함. '驕一'. '放一邪侈, 無不爲已'《孟子》. ㊁ 성가퀴 비 埤(土部 八畫)와 同字. '城上一倪也'《左傳註》. ※'벽' 음은 인명자로 쓰임.

字源 篆文 形聲. 亻(人)+辟〔音〕. '辟벽'은 '한쪽으로 기울다'의 뜻. 사람의 성격이 치우치다, 편벽되다의 뜻을 나타냄.

[僻見 벽견] 편벽된 소견. 치우친 의견.
[僻境 벽경] 벽지(僻地).
[僻戾 벽려] 마음이 비뚦. 마음이 비꼬임.
[僻路 벽로] 궁벽한 길.
[僻論 벽론] 치우쳐 도리에 맞지 않는 언론.
[僻陋 벽루] 견문(見聞)이 좁고 성질이 괴벽(乖僻)스러움.
[僻邪 벽사] 간사함.
[僻事 벽사] 바르지 아니한 일.
[僻書 벽서] 흔하지 아니한 기이한 책.
[僻說 벽설] 괴벽한 설(說).
[僻姓 벽성] 썩 드문 성(姓). 흔하지 않은 성.
[僻性 벽성] 편벽된 성질·버릇.
[僻隅 벽우] 궁벽한 모퉁이. 구석져 궁벽한 땅.
[僻遠 벽원] 한쪽으로 치우쳐 멂. 또, 그러한 땅.
[僻幽 벽유] 궁벽한 먼 곳.
[僻儒 벽유] 학식이 적고 마음이 편벽된 학자.
[僻邑 벽읍] 궁벽한 읍(邑).
[僻字 벽자] 괴벽(乖僻)한 글자. 항용(恒用) 쓰이지 않는 글자.
[僻在 벽재] 치우치어 있음.
[僻材 벽재] 흔히 쓰이지 아니하는 드문 약재(藥材).
[僻地 벽지] ㉠치우쳐 있음. ㉡궁벽한 땅.
[僻志 벽지] 비꼬인 마음. 바르지 못한 마음.
[僻處 벽처] 궁벽한 곳.
[僻村 벽촌] 궁벽한 마을.
[僻巷 벽항] 도회지의 궁벽한 골목.
[僻鄕 벽향] 궁벽한 시골.
[僻倪 비예] 성가퀴. 비예(埤倪).
◉介僻. 乖僻. 驕僻. 奇僻. 嗜僻. 陋僻. 邪僻. 疎僻. 幽僻. 謬僻. 靜僻. 側僻. 頗僻. 偏僻. 遐僻. 荒僻.

13 ⑮ [儎] 해 ㊤蟹 擧蟹切 jiě

字解 굳셀 해 뛰어나게 굳센 모양. '獬一, 豪強皃'《集韻》.

13 ⑮ [偛] 삽 ㊅合 私盍切 sà

字解 ①나쁠 삽 악(惡)함. '一僿, 惡也'《集韻》. ②경솔할 삽 삼가지 않는 모양. '傝一, 不謹皃'《玉篇》.

13 ⑮ [㥮] 추 ①㊀宥 鋤祐切 zhòu / ②㊥尤 甾尤切 zhōu

字解 ①욕할 추 몹시 욕함. '僝一, 罵也'《集韻》. ②근심할 추 근심하는 모양. '一, 愁皃'《集韻》.

13 ⑮ [過] 과 ㊥歌 苦禾切 kē

字解 아름다울 과 아름다운 모양. '一, 美皃'《集韻》.

13 ⑮ [僾] 애 ㊀隊 烏代切 ài

字解 ①어렴풋할 애 희미함. '祭之日入室, 一然必有見乎其位'《禮記》. ②흐느낄 애 흑흑 느끼며 욺. '亦孔之一'《詩經》.

字源 篆文 形聲. 亻(人)+愛〔音〕. '愛애'는 '휘감기다'의 뜻. 물건이 휘감겨서 똑똑히 보이지 않다의 뜻을 나타냄.

[僾然 애연] 어렴풋한 모양. 희미하게 보이는 모양.

13 ⑮ [儌] 교 ㊤篠 古了切 jiǎo

字解 ①갈 교 '一, 行也'《玉篇》. ②구할 교 요행

을 바라고 구함. '一倖於封侯富貴'《莊子》. ③속
일 교.
字源 形聲. 亻(人)＋敫〔音〕

13 [儀] 의 ㉺支 魚羈切 yí　仪儀
[筆順] 亻 亻' 伴' 伴 佯 儀 儀 儀

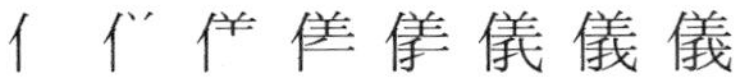

字解 ①거동 의 기거동작. 언행의 범절. '威
一'. '禮一'. '其一不忒'《詩經》. ②법 의 법도
(法度). 법칙. '一品'. '度之於軌一'《國語》. ③
본보기 의 모범. '上者下之一也'《荀子》. ④예
의 예(禮)의 전례(典例). 예법. '一禮'. '一式'.
'設一辨位'《周禮》. ⑤선사 의 예의(禮意)를 표
하는 선물. '賀一'. '席一待賓折席之禮'《類書
纂要》. ⑥짝 의 배우자. 배필. '實維一'《詩
經》. 또, 둘로 한 쌍을 이룬 것. 천지(天地)를
'兩一'라 함. ⑦천문기계 의 천체(天體)의 측도
(測度)에 쓰이는 기계. '渾天一'. '定精微于晷
一'《後漢書》. ⑧본뜰 의 본받음. 모범으로 삼
음. '一表'. '一刑文王'《詩經》. ⑨짝지을 의, 짝
지울 의 배필이 됨. 배필로 삼음. '丹朱馮身以
一之'《國語》. ⑩헤아릴 의 촌탁(忖度)함. '我一
圖之'《詩經》. ⑪마땅할 의 좋음. '無非無一'《詩
經》. ⑫마땅히 의 宜(宀部 五畫)와 통용. '宜一
于殷'《大學》. ⑬비길 의 擬(手部 十四畫)와 통
용. '皆心一霍將軍安'《漢書》. ⑭성 의 성(姓)의
하나.
字源 金文 篆文 儀 形聲. 亻(人)＋義〔音〕. 본디 '義
의'와 '儀의'는 구별이 없었지
만, 뒤에 '義'가 추상적인 뜻을 나타내는 데 대
하여, '人'을 붙여서 '儀'는 주로 구체적인 예
법(禮法)의 뜻을 나타냄.

[儀檢 의검] 예의와 행검(行檢).
[儀觀 의관] 풍모(風貌). 풍채.
[儀矩 의구] 법. 본보기.
[儀軌 의궤] 본보기. 모범.
[儀刀 의도] 의식(儀式)에 차는 칼.
[儀禮 의례] 의식(儀式)과 전례(典禮).
[儀文 의문] ㉠훌륭한 범절(凡節). ㉡공용문(公
用文).
[儀範 의범] 예의범절의 본보기.
[儀法 의법] 의전(儀典).
[儀服 의복] 의식(儀式)에 입는 옷.
[儀象 의상] 혼천의(渾天儀).
[儀式 의식] 예의(禮儀)의 법식(法式).
[儀容 의용] 몸을 가지는 태도.
[儀羽 의우] 모범이 될 만한 훌륭한 태도. 전(轉)
하여, 모범(模範).
[儀衛 의위] 의식 때 천자(天子)를 따르는 호위병
(護衛兵).
[儀旗 의의] 거동이 예의 바른 모양.
[儀仗 의장] 의식(儀式)에 쓰는 무기(武器). 또는
의식에 참가하는 호위(護衛).
[儀狀 의장] 예의범절.
[儀仗旗 의장기] 의장(儀仗)에 쓰는 기.
[儀仗兵 의장병] 병기(兵器)를 가지고 의식(儀式)
에 참렬(參列)하는 군대.
[儀狄 의적] ㉠하(夏)나라 때 처음으로 술을 만든
사람. ㉡술(酒)의 별칭(別稱).
[儀的 의적] 과녁. 또, 표적(標的).

[儀典 의전] 의식(儀式).　　　　　　　　「節).
[儀節 의절] 예의(禮儀)와 절차(節次). 예절(禮
[儀制 의제] 예의의 제도.　　　　　　　　「책.
[儀注 의주] 예법 및 길흉 행사(吉凶行事)를 적은
[儀則 의칙] 사람이 지켜야 할 법칙.
[儀表 의표] 사표(師表). 모범.
[儀品 의품] 법(法). 법식(法式).
[儀刑 의형] 본받음.
[儀形 의형] ㉠의용(儀容). ㉡의형(儀刑).
[儀訓 의훈] 바른 교훈(敎訓).
　●乾儀. 公儀. 晷儀. 國儀. 軍儀. 軌儀. 來儀.
　母儀. 賻儀. 辭儀. 昭儀. 時辰儀. 兩儀. 令儀.
　禮儀. 容儀. 羽儀. 威儀. 律儀. 彝儀. 葬儀.
　典儀. 朝儀. 地球儀. 祝儀. 太儀. 土儀. 標儀.
　風儀. 渾天儀.

13 [儂] 농 ㉺冬 奴冬切 nóng　儂儂
字解 ①나 농 자기. '我'의 속어. '牙眼怖殺一'
《韓愈》. ②저 농 그 사람. '彼'의 속어. '他一'.
'渠一'. '勸一莫上北高峰'《楊維楨》.
字源 形聲. 亻(人)＋農〔音〕.
　●簡儂. 渠儂. 阿儂. 他儂. 懷儂.

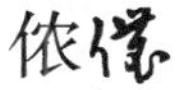

13 [儃] ≡천 ㉺先 市連切 chán　儃
≡단 ㉒旱 儃旱切 tǎn
≡선 ㉳霰 時戰切 shàn
字解 ≡ 머뭇거릴 천 '一個'는 머뭇거리고 잘
나아가지 않는 모양. '一個以于際'《楚辭》. ≡
찬찬할 단 동작이 찬찬하여 느린 모양. '一一然
不趨'《莊子》. ≡ 사양할 선 禪(示部 十二畫)과
통용. '堯一舜之重'《揚子法言》.
字源 篆文 儃 形聲. 亻(人)＋亶〔音〕. '亶천·단'은 느
긋한 모양. 사람이 느긋해서 앞으로
잘 나아가지 않다의 뜻을 나타냄.

[儃儃 단단] 찬찬하고 느린 모양.
[儃佪 천회] 머뭇거리고 잘 나아가지 않는 모양.

13 [億] 억 �入職 於力切 yí　亿億
[筆順] 亻 亻' 伫 伫 億 億 億 億

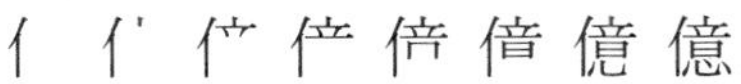

字解 ①억 억 수(數)의 단위. 만의 만 배. 또,
만의 십 배도 이름. '算法一之數有大小二法, 小
數以十爲等, 十萬爲一, 十一爲兆也', 大數以萬
爲等, 萬至萬, 是萬萬爲一也'《禮記 疏》. 전(轉)
하여, 많음을 이름. '一庶'. '一兆一心'. '我庾
維一'《詩經》. ②헤아릴 억 촌탁(忖度)함. '一
測'. '一度'. '一則屢中'《論語》. ③편안할 억 마
음이 편안함. '心一則樂'《左傳》. ④가슴 억 臆
(肉部 十三畫)과 통용. '餘悲憑一'《漢書》. ⑤
건돈 억 도박에 걸어 놓은 돈. ⑥성 억 성(姓)의
하나.
字源 金文 篆文 億 形聲. 亻(人)＋意〔音〕. 篆文의
'意억'은 '생각하다'의 뜻. 사람
이 마음속에 생각하다의 뜻을 나타냄. 가차(假
借)하여, 수사로 쓰임.
參考 億(人部 十六畫)은 本字.

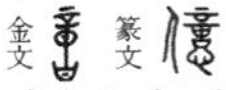

[億劫 억겁]《佛敎》무한(無限)히 긴 시간.

[億萬 억만] 아주 많은 수.
[億庶 억서] 많은 백성. 서민(庶民).
[億丈 억장] 썩 높음.
[億丈之城 억장지성] 썩 높은 성.
[億載 억재] 1억 년. 아주 긴 세월. 억 년(億年).
[億逞 억령] 모두 헤아림.
[億兆 억조] ㉠아주 많은 수(數). ㉡많은 백성.
[億兆蒼生 억조창생] 수많은 백성.
[億中 억중] 추측한 것이 잘 맞음.
[億千萬劫 억천만겁] 무한한 시간. 영원한 세월.
[億測 억측] 자기 혼자 생각으로 추측함.
[億度 억탁] 억측(億測).
●巨億. 供億. 詭億. 幾億. 累億. 萬億. 麗億. 積億. 兆億. 千億. 恦億.

---

13 ⑮ [儆] 〔人名〕경 ⊕梗 居影切 jǐng

筆順 亻 亻'亻''亻'''佇 佰 倌 儆

字解 경계할 경 警(言部 十三畫)과 同字. '一戒無虞'《書經》.
字源篆文 경계하다'의 뜻. 사람을 경계하다의 뜻을 나타냄.

[儆儆 경경] 경계하는 모양.
[儆戒 경계] 잘못되는 일이 없도록 미리 마음을 가다듬어 조심함. 경계(警戒).
[儆備 경비] 만일을 위하여 미리 방비(防備)함. 경비(警備).
●申儆. 恩儆. 自儆. 箴儆.

---

13 ⑮ [儇] 〔人名〕현 ⊕先 許緣切 xuān

字解 ①영리할 현 약음. 꾀바름. '巧一'. '鄕曲之一子'《荀子》. ②빠를 현 민첩함. '撝我謂我一兮'《詩經》.
字源篆文 形聲. 亻(人)+瞏〔音〕. '瞏선'은 '돌다'의 뜻. 머리 돌아가는 것이 빠른 사람의 뜻을 나타냄.

[儇媚 현미] 약빠르게 남에게 아첨함.
[儇子 현자] 약빠른 사람.
[儇儇 현현] 약빠른 모양.
●輕儇. 巧儇. 便儇.

---

13 ⑮ [儈] 쾌 ⊕泰 古外切 kuài

字解 ①장주름 쾌 거간꾼. '牙一'. '世爲商一'《唐書》. ②성 쾌 성(姓)의 하나.
字源篆文 形聲. 亻(人)+會〔音〕. '會회'는 '만나다, 만나게 하다'의 뜻. 파는 사람과 사는 사람을 중간에 서서 만나게 하다, 거간의 뜻을 나타냄.

●賈儈. 牙儈. 駔儈.

---

13 ⑮ [儉] 〔高人〕검 ⊕琰 巨險切 jiǎn

筆順 亻 亻' 亻'' 伶 伶 侒 儉 儉

字解 ①검소할 검 절약(儉約)함. '一朴'. '勤一'. '禮與其奢也寧一'《論語》. ②넉넉지못할

검, 적을 검 '先辨豐一'《南史》. ③흉년들 검 '一糴'. '比歲荒一'《晉書》.
字源篆文 形聲. 亻(人)+僉〔音〕. '僉첨'은 '儉검'과 통하여, 수갑으로 죄다의 뜻. 생활에서 낭비를 덜어 죄다, 검소하게 하다의 뜻을 나타냄.

[儉克 검극] 검소하고 엄격함.
[儉勤 검근] 검소하고 부지런함.
[儉年 검년] 작물(作物)의 결실(結實)이 잘 되지 않는 해.
[儉德 검덕] 검소(儉素)한 덕(德). 「嗇」
[儉吝 검린] ㉠인색함. ㉡검약(儉約)과 인색(吝嗇).
[儉朴 검박] 검소(儉素)하고 질박(質朴)함.
[儉薄 검박] 검소하고 넉넉하지 못함.
[儉嗇 검색] 검린(儉吝).
[儉省 검생] 비용을 줄임. 씀씀이를 덞.
[儉歲 검세] 흉년(凶年). 「함」
[儉素 검소] 검약(儉約)하고 질박(質朴)함. 수수함.
[儉約 검약] 절약하여 낭비하지 아니함.
[儉葬 검장] 검소하게 장사 지냄.
[儉節 검절] 검소하고 절약함.
[儉糴 검조] 흉년에 쌀을 팖.
[儉存奢失 검존사실] 검소하면 오래 보존하고, 사치하면 오래 보존 못함.
●敬儉. 恭儉. 勤儉. 饑儉. 朴儉. 菲儉. 貧儉. 纖儉. 素儉. 淳儉. 約儉. 力儉. 廉儉. 節儉. 淸儉. 豐儉. 旱儉. 荒儉.

---

13 ⑮ [儋] 담 ⊕覃 都甘切 dān

字解 ①멜 담 擔(手部 十三畫)과 同字. '背日負, 肩日一'《國語》. ②독 담 간장 같은 것을 담는 오지그릇이나 질그릇. '漿千一'《史記》. ③두섬 담 한 섬의 배. '守一石之祿'《漢書》. ④성 담 성(姓)의 하나.
字源篆文 形聲. 亻(人)+詹〔音〕. '詹첨'은 '广첨'과 통하여, '차양'의 뜻. 짐을 어깨에 차양처럼 덮어 메다의 뜻을 나타냄.

[儋石 담석] 두 섬과 한 섬. 전(轉)하여, 얼마 안 되는 분량.
[儋石之祿 담석지록] 적은 봉록(俸祿).
[儋石之儲 담석지저] 얼마 안 되는 저축(貯蓄).

---

13 ⑮ [儩] 금 ⊕沁 居蔭切 jìn

字解 ①우러를 금 고개를 쳐듦. '一尋而高縱'《司馬相如》. ②풍류이름 금 북만(北蠻)의 음악의 이름. '一休兜離, 罔不具集'《班固》.
字源 形聲. 亻(人)+禁〔音〕

---

13 ⑮ [儮] 민 ⊕軫 武盡切 mǐn

字解 힘쓸 민 黽(部首)과 통용. '在有無而一勉'《陸機》.
字源 形聲. 亻(人)+黽〔音〕

---

13 ⑮ [儽] 새(사) ⊕實 式吏切 sài

字解 ①잘 새 자질구레함. '星湖一說'. ②무성

의 새 성의가 없음. '救一莫若以忠'《史記》.
[字源] 形聲. 亻(人)+塞〔音〕

13 ⑮ [⿰亻⿱𡨄巳] 〔건〕
⿰亻蹇(人部 十七畫〈p. 187〉)의 俗字

13 ⑮ [⿰亻達] 달 [入]曷 他達切 tà
[字解] ①달아날 달 도피함. '一, 逃也'《集韻》. ②안만날 달 가도 만나지 아니함. '一, 一曰, 行不相遇'《集韻》. ③살찔 달 살찐 모양. '佅一, 肥皃'《廣韻》.

14 ⑯ [儐] 빈 [去]震 必刃切 bìn [平]眞 必隣切 bīn
[字解] ①인도할 빈 주인을 도와 빈객(賓客)을 인도함. 또, 그 사람. '主人三一'《禮記》. ②대접할 빈 예의로써 대접함. '山川所以一鬼神也'《禮記》. ③베풀 빈 진열(陳列)함. 차려 놓음. '一爾籩豆'《詩經》. ④나갈 빈 앞으로 나감. '王命諸侯則一'《周禮》. ⑤물리칠 빈 擯(手部 十四畫)과 통용. '六國從親以一秦'《戰國策》. ⑥찡그릴 빈 顰(頁部 十五畫)과 통용. '一笑連便'《枚乘》.
[字源] 甲骨文 篆文 形聲. 亻(人)+賓〔音〕. '賓빈'은 '손님'의 뜻. 손님을 인도하는 사람의 뜻을 나타냄.

◉介儐. 三儐. 上儐. 紹儐. 承儐.

14 ⑯ [儒] [高人] 유 [平]虞 人朱切 rú
[筆順] 亻 仜 伒 伻 俨 俨 偄 儒
[字解] ①선비 유 유학(儒學)을 신봉하거나 배우는 사람. 또, 학문이 뛰어나 남을 가르치는 사람. 학자. '四曰一, 以道得民'《周禮》. ②유교 유 공맹(孔孟)의 교학. '一學'. ③약할 유 나약함. 연약함. '偸一轉脫'《荀子》. ④난쟁이 유 왜인(矮人). '侏一'. ⑤성 유 성(姓)의 하나.
[字源] 篆文 形聲. 亻(人)+需〔音〕. '需수'는 비를 비는 무당의 뜻. 또, '나긋나긋하다, 부드럽다'의 뜻. 기우제(祈雨祭)에 종사하는 사람, 온화한 사람의 뜻에서 전의(轉意)되어, 학자, 유학자(儒學者)의 뜻을 나타내게 됨.

[儒家 유가] 유학(儒學)을 닦는 사람. 또, 그 학파.
[儒家書 유가서] 유교(儒敎)의 서적(書籍).
[儒巾 유건] 유생(儒生)이 쓰는 건. 과거에 급제하지 않은 선비들이 쓰는 건.

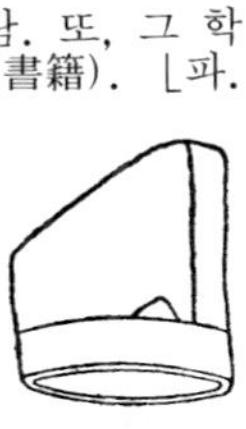
[儒巾]

[儒經 유경] 유서(儒書).
[儒冠 유관] 학자가 쓰는 갓.
[儒敎 유교] 공자(孔子)가 주창한 유학(儒學)을 받드는 교(敎). 사서오경(四書五經)을 경전(經典)으로 함.
[儒道 유도] 유교(儒敎)의 도(道).
[儒林 유림] 유도(儒道)를 닦는 학자들. 사림(士林).
[儒名而墨行 유명이묵행] 이름은 유자(儒者)이나, 그의 행동은 묵가(墨家)의 도(道)를 따름.
[儒服 유복] 학자가 입는 옷.
[儒佛仙 유불선] 유교(儒敎)·불교(佛敎)·선교(仙敎)를 일컬음.
[儒士 유사] 유학(儒學)을 닦는 선비.
[儒生 유생] 유도(儒道)를 닦는 사람. 선비.
[儒書 유서] 유가(儒家)에서 쓰는 책.
[儒釋 유석] 유교(儒敎)와 불교(佛敎).
[儒疏 유소] 유생(儒生)이 연명(聯名)하여 올리는 상소(上疏).
[儒術 유술] 유도(儒道).
[儒臣 유신] 유학(儒學)을 잘하여 벼슬하는 사람.
[儒雅 유아] 유교의 바른 의리(義理).
[儒業 유업] 유가(儒家)의 학업.
[儒緩 유완] 유순함.
[儒儒 유유] 과단성이 없는 모양. 우유부단한 모양.
[儒醫 유의] 유자(儒者)로서, 의술(醫術)을 가진 사람.
[儒者 유자] 유학을 닦는 학자.
[儒宗 유종] 유학자의 영수(領袖). 유학의 종사(宗師).
[儒哲 유철] 유학에 뛰어난 철인(哲人).
[儒學 유학] 유교(儒敎)를 연구하는 학문. 공자의 교(敎)를 닦는 학문.
[儒鄕 유향] 선비가 많이 살고 있는 고을.
[儒玄 유현] 유교(儒敎)와 도교(道敎). 공맹(孔孟)의 학문과 노장(老莊)의 학문.
[儒賢 유현] 유교(儒敎)에 정통하고 행적(行跡)이 바른 사람.
[儒化 유화] 유학(儒學)에 의한 교화(敎化).
[儒會 유회] 선비들의 모임.
[儒訓 유훈] 공맹(孔孟)의 가르침. 유교의 가르침.
◉鉅儒. 舊儒. 君子儒. 耆儒. 老儒. 陋儒. 大儒. 名儒. 文儒. 腐儒. 焚書坑儒. 鄙儒. 貧儒. 散儒. 碩儒. 世儒. 小人儒. 俗儒. 豎儒. 宿儒. 醇儒. 雅儒. 庸儒. 迂儒. 章句儒. 侏儒. 眞儒. 賤儒. 通儒. 鴻儒.

14 ⑯ [⿰亻對] 대 [去]隊 都隊切 duì
[字解] 사고팔 대 거래. 장사. '一, 互市必與人對'《正字通》.
[字源] 形聲. 亻(人)+對〔音〕

14 ⑯ [儔] 주 [平]尤 直由切 chóu
[字解] ①무리 주 동배(同輩). 동무. '一侶'. '一倫'. '命一嘯侶'《梁元帝》. ②누구 주 어느 사람. '一克爾'《揚子法言》.
[字源] 篆文 形聲. 亻(人)+壽〔音〕. '壽수'는 '이어지다'의 뜻. 사람의 연결, 동아리의 뜻을 나타냄.

[儔侶 주려] 동배(同輩). 동무.
[儔類 주류] 주려(儔侶).
[儔倫 주륜] 주려(儔侶).
[儔與 주여] 벗. 동무.
[儔列 주열] 동배(同輩).
[儔擬 주의] 동류(同類)를 늘어놓고 비교함.
[儔匹 주필] 주려(儔侶).
◉故儔. 同儔. 朋儔. 良儔. 侶儔. 匹儔.

14 ⑯ [儕] 제 [平]佳 士皆切 chái
[字解] ①무리 제 동배(同輩). '一等'. '一輩'.

'文王猶用衆, 況吾一乎'《左傳》. ②함께 제 같이. '長幼一居'《列子》.
字源篆文 形聲. 亻(人)+齊[音]. '齊제'는 '가지런히 모이다'의 뜻. 같은 줄에 서는 사람. '동배(同輩)'의 뜻을 나타냄.

[儕居 제거] 한곳에 삶. 같이 삶.
[儕等 제등] 제배(儕輩).
[儕類 제류] 제배(儕輩).
[儕倫 제륜] 벗. 동배(同輩).
[儕輩 제배] 나이·신분(身分)이 서로 비슷한 사람. 동배(同輩).
[儕偶 제우] 제배(儕輩).
●同儕. 等儕. 朋儕. 吾儕. 爾儕. 匹儕.

14/16 [儗] 의 ㊾紙 魚紀切 nǐ
字解 ①참람할 의 윗사람을 흉내 내어 분수에 지나침. '田池射獵之樂, 一於人君'《史記》. ②비길 의 견줌. 비교함. '一人必于其倫'《禮記》. ③의심할 의 믿지 못함. '無所一怨'《荀子》.
字源篆文 形聲. 亻(人)+疑[音]. '疑의'는 '의심하다'의 뜻. 윗사람으로 의심받을 짓을 하다, 신분이나 분수를 넘어서 주제넘은 짓을 하다의 뜻을 나타냄.

[儗儗 의의] 의심하는 모양.
[儗㥏 의작] 의심하고 부끄러워함. '의(儗)'는 의(疑), '작(㥏)'은 작(作).
●比儗. 竊儗.

14/16 [儘] 진 ㊾軫 慈忍切 jǐn
字解 ①다할 진 盡(皿部 九畫)과 同字. ②조금 진 좀. '中間一聯, 一有奇崛'《楊仲弘》. ③억지로 진 무리하게. '援引附會, 一成一家之言'《呻吟語》.
字源 形聲. 亻(人)+盡[音]. '盡진'은 '다하다'의 뜻. 인력(人力)의 최대한도로, 모두, 다의 뜻을 나타냄. 송(宋), 원(元) 이래로 '儘教진교'는 모조리 그렇게 하게 하다의 뜻에서, 될 대로 되라의 뜻을 나타냄.

[儘教 진교] 어떻든지 상관없음. 될 대로 되라. 어쨌든.

14/16 [儛] 무 ㊾麌 文甫切 wǔ
字解 춤출 무 舞(舛部 八畫)와 同字. '鼓歌以一之'《莊子》.
字源 形聲. 亻(人)+舞[音]. '舞무'는 '춤추다'의 뜻.

14/16 [儓] 대 ㊾灰 徒哀切 tái
字解 ①배신(陪臣) 대 가신(家臣). '倍一'. ②하인 대 심부름꾼. '輿一'.

●倍儓. 輿儓.

14/16 [儚] ❶ 맹 ㊾蒸 彌登切 méng ❷ 몽 ㊾東 謨中切
字解 ❶ 어두울 맹 마음이 흐림. '一, 爾雅, 一

一, 惛也. 或作儚'《集韻》. ❷ ①부끄러워할 몽 '一, 一日慙也'《集韻》. ②어두울 몽 마음이 어두워 갈피를 못 잡음. '——, 惛也'《爾雅》.

14/16 [儵] 人名 ❶은 ㊾問 於靳切 yìn ❷은 ㊾阮 鄔本切 wěn
字解 ❶ 기댈 은 머무를 은 남에게 의지함. 덧붙여서 묵음. '一, 依人也'《廣韻》. ❷ 편안할 온 穩(禾部 十四畫)과 통용. '一, 安也'《集韻》. ※ '은' 음은 인명자로 쓰임.

14/16 [儜] 녕 ㊾庚 女耕切 níng
字解 ①번민할 녕 고통하며 쇠약함. '何用苦拘一'《韓愈》. ②약할 녕 연약함. '爲一弱婦人'《宋書》. ③떠들썩할 녕 만인(蠻人)들의 지껄이는 소리. '鼓吹裴回, 其聲儉一'《唐書》.
字源 形聲. 亻(人)+寧[音]

14/16 [儖] 람 ㊾覃 盧甘切 lán
字解 흉상스러울 람 보기 흉한 모양. '一儳'. '一儳, 惡皃'《集韻》.
字源 形聲. 亻(人)+監[音]

15/17 [償] 高人 상 ㊾陽 市羊切 cháng
筆順 亻 亻 亻 俨 償 償 償 償
字解 ①갚을 상 ㉠상환(償還)함. 돌려줌. '一金'. '賠'. '買金一之'《漢書》. ㉡보답함. '西隣責言不可一也'《左傳》. ②배상 상 대가(代價). '是王失於齊, 取一於秦'《戰國策》. ③성 상 성(姓)의 하나.
字源金文儥篆文償 形聲. 亻(人)+賞[音]. '賞상'은 공적에 대해 주어지는 재물의 뜻. 金文에서는 '賞'과 '償'이 같은 자이지만, 뒤에 '賞'이 공로에 대한 하사물의 뜻으로 전용되었기 때문에, '人인'을 더하여 빚·손해 따위를 갚다의 뜻을 나타냄.

[償金 상금] 갚는 돈. 배상금(賠償金).
[償命 상명] 살인한 자를 죽임.
[償復 상복] 갚아 줌. 물어 줌.
[償願 상원] 평소의 소원을 이룸.
[償罪 상죄] 형벌(刑罰)을 면하고자 벌금(罰金)을 냄.
[償責 상책] ㉠빚을 갚음. 채무(債務)를 청산함. ㉡다 못한 책임을 딴 것으로 충당함.
[償還 상환] 갚아 줌. 물어 줌.
●代償. 無償. 賠償. 辨償. 報償. 補償. 酬償. 有償.

15/17 [儡] 人名 뢰 ①②㊾灰 魯回切 léi ③㊾賄 落猥切 léi
字解 ①망칠 뢰 실패함. '不免於一身'《淮南子》. ②야윌 뢰 쇠약함. '容貌一'《潘岳》. ③꼭두각시 뢰 인형(人形). '傀一'.
字源篆文儡 形聲. 亻(人)+畾[音]. '畾뢰'는 '흙을 쌓다'의 뜻, 또 빙그르르 움직이는 모양을 나타내는 의태어(擬態語). 흙을 쌓

아서 머리를 둥글게 만들어 빙그르르 움직이는
인형의 뜻을 나타냄.

[儡儡 뇌뢰] 실패하여 위험한 모양. 누루(纍纍).
[儡身 뇌신] 세상에 쓰이지 않는 몸.
　●傀儡. 對儡. 水儡.

15
⑰ [儦] 표 ⑪蕭 甫嬌切 biāo　　儦

[字解] ①떼지어다닐 표 떼를 지어 다니는 모양.
'行人――'《詩經》. ②많을 표 수효가 많은 모
양. '――俟俟'《詩經》.
[字源] 形聲. 亻(人)+麃[音]. '麃표'는 사슴
이 떼 지어 움직이다의 뜻. 사람이나
짐승이 무리를 지어 경쾌하게 이동하다의 뜻을
나타냄.

[儦儦 표표] ㉠떼 지어 다니는 모양. ㉡수효가 많
은 모양.

15
⑰ [優] 高入 우 ⑪尤 於求切 yōu　　优傻

[筆順] 亻 俨 俨 俨 儇 儇 優 優

[字解] ①넉넉할 우 부요(富饒)함. 충분함. 여유
가 있음. '一裕'. '仕而一則學'《論語》. ②도타
울 우 후(厚)함. '一厚'. '一渥'. '旣一旣渥'《詩
經》. ③뛰어날 우, 나을 우 우수함. '一劣'.
'一勢'. '德一則行'《史記》. ④부드러울 우 유화(柔
和)함. '一游爾休矣'《詩經》. ⑤구차할 우 머뭇
거리고 결단성이 적음. '一柔不斷'. ⑥희롱할
우 실없는 짓을 하며 놂. '少相狎, 長相一'《左
傳》. ⑦희롱 우, 장난 우 '陳氏鮑氏之圉人爲一'
《左傳》. ⑧광대 우 '倡'. '以俳一畜之'《漢書》.
⑨넉넉히 우 넉넉하게. 충분히. '周公一爲之'《禮
記》. ⑩성 우 성(姓)의 하나.
[字源] 形聲. 亻(人)+憂[音]. '憂우'는 큰머
리를 얹고 발을 구르다의 뜻. 탈을
쓰고 춤추는 사람, 광대의 뜻을 나타냄. 전하
여, '부드럽다, 뛰어나다'의 뜻을 나타냄.

[優假 우가] 특히 보아줌. 관대(寬大)한 처분을
함.
[優過 우과] 너무 후함. 지나치게 우대함.
[優眷 우권] 특별한 은고(恩顧).
[優曇華 우담화] 《佛敎》'우담발라화(優曇鉢羅
華)'의 준말. 범어(梵語)로는 Udumbara. 3천
년에 한 번 꽃이 피어 금륜왕(金輪王)이 나온
다는 상상상(想像上)의 나무. 전(轉)하여, 극
히 드문 좋은 일의 비유.
[優答 우답] 우악(優渥)한 대답.
[優待 우대] 특별히 잘 대우함.
[優貸 우대] 우대(優待).
[優待券 우대권] 우대(優待)할 것을 규정한 초대
권(招待券).
[優等 우등] ㉠높은 등급(等級). ㉡성적(成績)이
우수함.
[優良 우량] 뛰어나게 좋음.　　　「美」.
[優麗 우려] 우아(優雅)하고 아름다움. 우미(優
[優憐 우련] 두터운 사랑.　　　　　　　　美)
[優伶 우령] 배우. 광대.
[優禮 우례] 예(禮)를 두터이 함.
[優隆 우륭] 융숭(隆崇)함.

[優孟衣冠 우맹의관] 옛날 초(楚)나라의 이름난
배우 우맹(優孟)이 죽은 손숙오(孫叔敖)의 의
관을 차리고 손숙오의 아들의 곤궁을 구해 냈
다는 고사(故事). 전(轉)하여, 사이비(似而非)
한 것의 비유로 쓰임.
[優免 우면] 특별히 면제함.
[優命 우명] 우악(優渥)한 명령.
[優美 우미] 우아하고 아름다움.
[優敏 우민] 뛰어나게 슬기로움.
[優婆塞 우바새] 《佛敎》㉠속세(俗世)에 있으면
서 불교(佛敎)를 믿는 남자. ㉡불교 남신도(男
信徒)의 총칭.
[優婆夷 우바이] 《佛敎》㉠속세(俗世)에 있으면
서 불교(佛敎)를 믿는 여자. ㉡불교 여신도(女
信徒)의 총칭.
[優俳 우배] 배우. 광대.
[優報 우보] 우답(優答).
[優普 우보] 후하게 널리 미침. 넉넉히 널리 줌.
[優賜 우사] 두터이 내려 줌.
[優賞 우상] 대단히 칭찬함. 후(厚)하게 상(賞)
줌. 우장(優獎).
[優生學 우생학] 유전(遺傳)의 법칙(法則)에 의
하여 어떻게 하면 우량(優良)한 인종(人種)이
되는가를 연구하는 학문.
[優贍 우섬] 섬부(贍富)함.
[優勢 우세] 남보다 나은 형세(形勢).
[優笑 우소] 배우나 기생 등과 같이 좌흥(座興)이
나 주흥(酒興)을 돕는 사람.
[優秀 우수] 여럿 가운데 아주 뛰어남.
[優殊 우수] 특별히 뛰어남.
[優數 우수] 수효가 많음. 많은 수효.
[優勝 우승] ㉠나은 자는 이김. ㉡첫째로 이김.
[優勝劣敗 우승열패] 나은 자는 이기고 못난 자는
짐. 생존 경쟁·자연도태(自然淘汰)의 현상을 이
[優深 우심] 두터이 나고 깊음.　　　　　　름.
[優雅 우아] 점잖고 아담함.
[優渥 우악] 은혜가 두터움.
[優養 우양] 불편 없게 잘 부양(扶養)함.
[優言 우언] 부드러운 말. 인정(人情) 있는 말.
[優然 우연] 침착하고 여유가 있는 모양.
[優劣 우열] 낫고 못함. 우수함과 저열함.
[優容 우용] 인정(人情)이 있어 관대함.
[優遇 우우] 우대(優待).
[優優 우우] ㉠넉넉한 모양. ㉡온화한 모양. 인정
이 있는 모양. ㉢정숙한 모양. 얌전한 모양.
[優諢 우원] 배우의 익살.
[優越 우월] 뛰어남.
[優越感 우월감] 자기가 남보다 뛰어남을 자각(自
覺)하는 느낌.
[優柔 우유] ㉠유순함. ㉡과단성이 없음. ㉢침착
함. 여유가 있음.
[優裕 우유] 침착하고 여유가 있음.
[優遊 우유] ㉠한가로운 모양. ㉡과단성(果斷性)
이 없는 모양. 고식적(姑息的)인 모양.
[優遊度日 우유도일] 하는 일 없이 세월(歲月)을
보냄.
[優柔不斷 우유부단] 어물어물하고 속히 결단(決
斷)하지 아니함.
[優游不斷 우유부단] 우유부단(優柔不斷).
[優游不迫 우유불박] 침착하고 여유가 있음.
[優柔厭飫 우유염어] 조용히 깊이 완미(玩味)함.
천천히 충분히 즐김. 학문(學問) 또는 취미(趣
味) 따위의 경우에 씀.

[優游自適 우유자적] 한가로이 스스로 만족하게 지냄.
[優游涵泳 우유함영] 서두르지 않고 조용히 학문의 깊은 뜻을 완미(玩味)함.
[優恩 우은] 두터운 은혜. 후은(厚恩).
[優毅 우의] 부드럽고도 굳셈. 온화하면서도 굳센 데가 있음.
[優異 우이] 대우를 특별히 함. 남과 다르게 대우함. 특별 대우(特別待遇).
[優逸 우일] 편안함. 안일함.
[優子 우자] 우창(優倡).
[優長 우장] 우수함. 우등(優等).
[優場 우장] 연극을 하는 곳. 무대(舞臺).
[優獎 우장] 우상(優賞).
[優哉游哉 우재유재] 우유불박(優游不迫)하도다.
[優詔 우조] 우악(優渥)한 조서(詔書).
[優旨 우지] 우악(優渥)하신 말씀.
[優秩 우질] 후한 봉록(俸祿).
[優僭 우참] 신분에 넘침. 참람(僭濫)함.
[優倡 우창] 배우. 광대.
[優遷 우천] 영전(榮轉)함.
[優寵 우총] 특별한 은총(恩寵). 두터운 은총.
[優便 우편] 좋고 편리함. 또, 그 자리.
[優閒 우한] 우아(優雅).
[優顯 우현] 뛰어나서 두드러지게 나타남.
[優厚 우후] 두터움. 후함.
[優恤 우휼] 두터운 은혜로써 구휼(救恤)함.
[優洽 우흡] 널리 미침. 두루 미침.
[優戲 우희] 희극(戲劇).
◉男優. 老優. 名優. 俳優. 聲優. 女優. 伶優. 倡優. 褒優.

15 ⑰ [儥] 육 [入]屋 余六切 yù

[字解] 팔 육, 살 육 鬻(鬲部 十二畫)과 同字. '以量度, 成賈而徵—'《周禮》.
[字源] 金文 篆文 形聲. 亻(人)+賣〔音〕. '賣육'은 사람의 눈을 어지럽게 하여 팔다의 뜻. 나쁜 것을 좋다고 속여 팔아넘기다의 뜻을 나타냄.

15 ⑰ [儷] 피 [上]紙 補靡切 bǐ

[字解] ①머무를 피 정지(停止)함. '—, 停—'《廣韻》. ②풀어줄 피 죄를 용서하여 줌. '—, 遣有罪'《集韻》. ③성 피 성(姓)의 하나.

15 ⑰ [儢] 려 [上]語 力擧切 lǚ

[字解] ①힘쓰지아니할 려 '—, 㥌韻, 不勉強皃'《康熙字典》. '——然, 離離然, …是學者之嵬也'《荀子》. ②내키지않을 려 '—拒'는 일을 하고 싶어하지 아니함. '—拒, 心不欲爲也'《廣韻》. ③물리칠 려 '—拒'는 슬며시 물리침. '—拒, 陰却也'《駢雅》.

15 ⑰ [儩] 사 [去]寘 斯義切 sì

[字解] 다할 사 있는 것이 다 없어짐. '若循環而無—'《潘岳》.

15 ⑰ [儤] 포 [平]肴 布佼切 bào

[字解] ①번들 표 관리(官吏)가 계속하여 숙직함. '—宿'. '—直'. '—, 官吏連直也'《正字通》. ②일 포 과외(課外)로 하는 일. 또, 그 사람. '今俗謂程外課作者爲—'《正字通》.

15 ⑰ [㒫] 변 [平]先 蒲眠切 biān

[字解] ①몸삐뚤어질 변 몸이 바르지 못함. ②결 변 옆. ③춤출 변 춤을 추는 모양.

15 ⑰ [儠] 렵 [入]葉 良涉切 liè

[字解] ①길고장할 렵 '—, 長壯——也'《說文》. ②흉괴할 렵 흉한 모양. '—倕, 惡貌'《類篇》.
[字源] 篆文 形聲. 亻(人)+巤〔音〕. '巤렵'은 '긴 털'의 뜻. 키가 크고 원기가 왕성한 사람의 뜻을 나타냄.

16 ⑱ [儬] 〔간〕
亁(人部 八畫〈p. 146〉)의 籀文

16 ⑱ [儲] 저 [平]魚 直魚切 chǔ

[字解] ①쌓을 저 저축함. '—米'. '—蓄'. '家無所—'《魏志》. 또, 저축한 것. '有九年之—'《淮南子》. ②버금 저 부이(副貳). 예비로서 대기하고 있는 것. '兩京皆有—書也'《大學衍義補》. ③동궁 저 황태자. '—位'. '—君副主'《公羊傳註》. ④성 저 성(姓)의 하나.
[字源] 篆文 形聲. 亻(人)+諸〔音〕. '諸제'는 '貯저'와 통하여, '여퉈 두다'의 뜻. '人인'을 더하여, 후계자로서 미리 준비해 두는 사람, '태자'의 뜻을 나타냄.

[儲駕 저가] 황태자의 거가(車駕).
[儲械 저계] 준비하여 놓은 무기.
[儲穀 저곡] 저축한 곡식.
[儲君 저군] 황태자(皇太子).
[儲宮 저궁] 황태자. 저군(儲君).
[儲同人 저동인] 저흔(儲欣).
[儲兩 저량] ㉠버금. 제이(第二)의 것. ㉡후사(後嗣). 부량(副兩).
[儲廩 저름] 미곡(米穀)을 저축하여 두는 곳간. 미곡 창고. 창름(倉廩).
[儲利 저리] 이득(利得).
[儲米 저미] 저축한 쌀.
[儲副 저부] 저군(儲君).
[儲備 저비] 저축의 준비.
[儲嗣 저사] 저군(儲君).
[儲胥 저서] ㉠종. 복비(僕婢). ㉡저축(貯蓄). ㉢군영(軍營)의 울타리.
[儲書 저서] ㉠부본(副本). ㉡장서(藏書). 비본(備本).
[儲與 저여] ㉠거닒. 소요함. ㉡오므라들어 펴지지 않는 모양.
[儲元 저원] 저군(儲君).
[儲位 저위] 황태자(皇太子)의 자리.
[儲貳 저이] 황태자(皇太子).
[儲藏 저장] 저장(貯藏)함.
[儲邸 저저] 곳간. 창고.
[儲積 저적] 저축(貯蓄).
[儲蓄 저축] 저축(貯蓄).
[儲峙 저치] 곡식(穀食) 따위를 비축(備蓄)함.

[儲置 저치] 저축(貯蓄).
[儲后 저후] 저군(儲君).
[儲欣 저흔] 청(淸) 나라 의흥(宜興) 사람. 자(字)는 동인(同人). 널리 경사(經史)에 통(通)하고 문장이 근결명창(謹潔明暢)함. 〈당송십가문(唐宋十家文)〉을 찬(撰)하였고, 또 〈춘추지장(春秋指掌)〉·〈재육초당집(在陸草堂集)〉등의 저술이 있음.
●戒儲. 公儲. 國儲. 東儲. 兵儲. 嬴儲. 帝儲. 倉儲. 皇儲.

16
⑱ [儎] ■ 츤 ㊀震 初覲切 chèn
　　 ■ 친 ㊀眞 雌人切 qīn
字解 ■ 속옷 츤 襯(衣部 十六畫)과 통용. ■ 어버이 친 親(見部 九畫)과 통용.
字源 形聲. 亻(人)+親〔音〕

16
⑱ [儐] 조 ㊀篠 奴鳥切 niǎo
字解 날씬할 조 허리가 호리호리하여 예쁨. '便儐'.
●便儐.

16
⑱ [儌] 해 ㊁卦 胡介切 xiè
字解 ①좁을 해 넓지 않음. '一, 陜也'《集韻》. '何文肆而質'《揚雄》. ②빠를 해 속(速)한 모양. '一, 一曰, 速也'《集韻》.

16
⑱ [儱] ■ 롱 ㊀董 力董切 lǒng
　　 ■ 롱 ㊁宋 良用切 lòng
字解 ■ ①덜될 롱 기량(器量) 따위를 충분히 갖추지 못함. 그런 사람. '一侗, 未成器也'《集韻》. ②흐지부지할 롱 논설(論說) 따위가 아직 분명하지 않음. 몽롱(朦朧)함. '昨見其直說, 正疑其太一侗'《朱熹》. ③불우할 롱 불우한 모양. '一, 一㣙, 不遇兒'《廣韻》. ④바로걷지못할 롱 보행이 바르지 못한 모양. '一㣙, 行不正'《玉篇》. 걷지못할 롱 보행이 불가능한 모양.
字源 形聲. 亻(人)+龍〔音〕

16
⑱ [儢] 〔려〕
儢(人部 十五畫〈p.186〉)의 譌字

16
⑱ [億] 〔억〕
億(人部 十三畫〈p.181〉)의 本字

17
⑲ [儳] 참 ①②㊀咸 士咸切 chán
　　 ③④㊁陷 楚鑒切 chàn
字解 ①어지러울 참 대오(隊伍)가 정렬(整列)하지 못하여 어지러움. '鼓一可也'《적진(敵陣)이 아직 정돈되지 않을 때에 친다는 뜻〉《左傳》. ②빠를 참 속함. '驚馳從一道歸營'('一道'는 지름길)《後漢書》. ③천할 참 비루(鄙陋)함. '其躬一焉, 如不終日'《禮記》. ④섞을 참 잡된 것이 섞임. '毋一言'《禮記》.
字源 形聲. 亻(人)+毚〔音〕. '毚참'은 '어지럽다'의 뜻. 혼란되어 있는 사람의 줄의 뜻에서, 정돈되지 않아 어지럽다의 뜻을 나타냄. 또, 남의 대화 속에 자기의 말을 끼워 넣다의 뜻, '말참견'의 뜻도 나타냄.

[儳道 참도] 지름길.
[儳言 참언] 남의 말이 끝나기도 전에 꺼내는 말.

17
⑲ [儵] 숙 ㊀屋 式竹切 shū
字解 ①잿빛 숙 청흑색(靑黑色). ②갑자기 숙 倏(人部 九畫)과 통용. '一忽'. ③성 숙 성(姓)의 하나.
字源 形聲. 黑+攸〔音〕

[儵爍 숙삭] 빛이 일순간에 번쩍하는 일.
[儵忽 숙홀] 갑자기. 홀연(忽然)

17
⑲ [儜] 건 ㊂銑 九輦切 jiǎn
字解 교만할 건 오만함. '偃一'.
●偃儜.

18
⑳ [儸] 〔참〕
儳(人部 十七畫〈p.187〉)과 同字

19
㉑ [儷] 人名 려 ㊁霽 郎計切 lì
字解 ①나란히할 려 어깨를 나란히 함. '與俗一走'《淮南子》. ②짝 려 ㉠배우자. '伉一'. '一匹'. ㉡서로 짝이 될 만한 것. 서로 견줄 만한 것. '越古今而無一'《晉書》. ㉢한 쌍. '主人酬賓束帛一皮'《儀禮》.
字源 形聲. 亻(人)+麗〔音〕. '麗려'는 '나란히 하다, 붙다'의 뜻. 사람이 나란히 서다, 따라붙다, 짝·동아리의 뜻을 나타냄.
[儷文 여문] 넉 자(字) 혹은 여섯 자(字)의 대구(對句)로 된 한문(漢文)의 한 체(體). 변려문(駢儷文).
[儷皮 여피] 자웅(雌雄) 한 쌍의 사슴의 가죽. 관례(冠禮)의 선물(膳物), 또는 혼례(婚禮)의 폐백(幣帛)으로 씀.
[儷匹 여필] 배우(配偶). 배필(配匹).
[儷偕 여해] 동반(同伴)함.
●駢儷. 嬪儷. 淑儷. 魚儷. 儔儷. 伉儷.

19
㉑ [儺] 人名 나 ㊀歌 諸何切 nuó
　　 ㊁哿 乃可切
字解 ①구나(驅儺) 나 역귀(疫鬼)를 쫓는 의식. '追一'. ②구나할 나 구나의 의식을 행함. '鄕人一, 朝服而立於阼階'《論語》. ③방상시 나 구나의 의식 때 역귀로 분장하는 사람. '我覯之子, 豈異帶面一'《梅堯臣》. ④유순(柔順)할 나 '隰有萇楚, 猗一其枝'《詩經》. ⑤성할 나 무성한 모양. '隰桑有阿, 其葉有一'《詩經》. ⑥점잖이걸을 나 보행하는 데 절도(節度)가 있는 모양. '佩玉之一'《詩經》.
字源 形聲. 亻(人)+難〔音〕. '難난'은 새를 불에 태우다의 뜻에서, '태워 없애다'의 뜻이 되며, 또 '재앙'의 뜻도 있음. 사람의 손으로 재앙을 몰아내다의 뜻을 나타냄.
●驅儺. 猗儺. 贈儺. 追儺. 行儺.

儽儽 나라〕 본디의 모습 그대로 드러냄.

---

19 ㉑ [儸] 라 ㉠歌 魯何切 luó

[字解] 간사성있을 라 '儸一'는 수완이 있음. 또, 그 사람. 일 잘하는 사람.
[字源] 形聲. 亻(人)+羅〔音〕

● 儢儸.

---

19 ㉑ [儹] 〔人名〕 찬 ㊤旱 作管切 zǎn

[字解] ①모을 찬, 모일 찬 '一, 聚也'《廣韻》. ②일꾸밀 찬 모여서 일을 꾀함. '一, 聚而計事也'《集韻》.
[字源] 篆文 儹 形聲. 亻(人)+贊〔音〕. '贊찬'은 '모아서 추리다'의 뜻. '추려 모으다'의 뜻을 나타냄.

---

20 ㉒ [儻] 당 ㊤養 他朗切 tǎng

[字解] ①기개있을 당 뜻이 크고 기개가 있음. 활달(豁達)함. '倜一瑰瑋'《史記》. ②갑자기 당 홀연(忽然)히. '物之一來寄也'《莊子》. ③구차할 당 '時恣縱而不一'《莊子》. ④혹시 당 만일. '一若'. '一所謂天道是邪非邪'《史記》. ⑤흐릴 당 밝지 않은 모양. '一朗'. '一乎若行而失道也'《莊子》. ⑥실의할 당 뜻을 잃은 모양. '魏文侯一然終日不言'《莊子》. ⑦성 당 성(姓)의 하나.
[字源] 篆文 儻 形聲. 亻(人)+黨〔音〕. '黨당'은 '長장'과 통하여 '좋다, 뛰어나다'의 뜻. '뛰어난 사람, 뛰어나다'의 뜻을 나타냄.

[儻儻 당당] 당호(儻乎).
[儻朗 당랑] 흐린 모양. 밝지 못한 모양.
[儻來 당래] 뜻밖에 자기 수중(手中)으로 굴러 옴.
[儻然 당연] 실의(失意)한 모양. '一양'.
[儻蕩 당탕] 마음이 넓은 모양. 활달(豁達)한 모양.
[儻乎 당호] 뜻을 잃은 모양. 또, 밝지 않은 모양. 당당(儻儻).
● 不儻. 俶儻. 倜儻. 淸儻.

---

20 ㉒ [儼] 〔人名〕 엄 ㊤琰 魚掩切 yǎn

[字解] ①공근할 엄 용모가 단정하고 태도가 정중한 모양. '一若思'《禮記》. ②근엄할 엄 점잖고 엄숙한 모양. '一然'. '有美一人, 碩大且一'《詩經》.
[字源] 金文 儼 篆文 儼 形聲. 亻(人)+嚴〔音〕. '嚴엄'은 '엄하다'의 뜻. 사람됨이 엄격하다, 정중하고 근엄하다의 뜻을 나타냄.

[儼恪 엄각] 근엄하고 조신(操身)함.
[儼然 엄연] 근엄한 모양.
● 神容儼. 玉山儼. 車從儼.

---

21 ㉓ [儽] 라 ㊤哿 力果切 luǒ

[字解] 벌거벗을 라 倮(人部 八畫)·躶(身部 八畫)와 同字. '有物于此, 一一兮, 其狀屢化如神'《荀子》.
[字源] 形聲. 亻(人)+蟲〔音〕

---

21 ㉓ [儽] ▤ 래 ㊥隊 盧對切 léi ▤ 루 ㊤支 力追切 ▤ 라 ㊤哿 魯果切 luǒ

[字解] ▤ ①드리울 래 儽(人部 十一畫)와 同字. '一, 羸貌'《說文》. ②고달플 래 병들어 지침. '一, 病困也'《集韻》. ③높은곳에여럿이설 래 '一, 憑高衆立貌'《六書統》. ▤ ①피로할 루 '一一, 疲也'《廣雅》. ②게으를할 루 '一, 嬾懈兒'《廣韻》. ③속일 루 '一一兮若無所歸'《老子》. ▤ 벌거벗을 라 贏(衣部 十三畫)와 同字. '贏, 說文, 袒也. 或从人从羸'《廣韻》.
[字源] 形聲. 亻(人)+纍〔音〕

---

22 ㉔ [儾] 낭 ㊛漾 奴浪切 nàng

[字解] 느슨할 낭, 게으를 낭 '一, 緩也'《廣韻》.

儿 (2획) 部
[어진사람인부]

---

0 ② [儿] 인 ㊤眞 而隣切 rén

[筆順] ノ 儿

[字解] ①사람 인 우뚝 선 사람을 상형한 글자. 일설(一說)에는, 걷는 사람을 상형한 글자라 함. '人象立人, 一象行人'《六書略》. ②어진사람 인 부수(部首)로 쓰일 때의 이름. '一, 仁人也'《集韻》.
[字源] 人의 古文 儿 象形. 사람의 상형(象形)으로, 글자의 아래 부위에 쓰이며, 많은 경우 사람을 나타내는 글자에 쓰임. 문자 정리상 부수(部首)가 됨.
[參考] 儿(部首)·兀(次條)은 別字.

---

1 ③ [兀] 〔人名〕 올 ㊧月 五忽切 wù

[字解] ①우뚝할 올 우뚝 솟아 높은 모양. 또, 위는 평평하고 높은 모양. '一立'. '舉一棲猛虎'《李白》. ②민둥민둥할 올 산에 나무가 없는 모양. '一山'. '蜀山一阿房出'《杜牧》. ③발뒤꿈치벨 올 월형(刖刑)에 처함. '一一. '魯有一者王駘'《莊子》. ④움직이지아니할 올 부동(不動)한 모양. '魂一心亡'《江淹》. ⑤무식할 올 무지한 모양. '一同體於自然'《孫綽》. ⑥위태로울 올 흔들려 불안한 모양. '艇子小且一'《皮日休》.
[字源] 金文 兀 篆文 兀 指事. '人인' 위에 '一일'(평평하다의 뜻)을 그어, 높고 평평하다의 뜻을 나타냄. 다만, 金文에서는 사람이 머리를 불쑥 들어 올린 모양의 상형(象形). '높이 솟다, 높다'의 뜻을 나타냄.

[兀頭 올두] 대머리.
[兀立 올립] 우뚝 솟음.
[兀山 올산] ㊀평지(平地)에 우뚝 솟은 산. 고산(孤山). ㊁민둥민둥한 산.

[兀然 올연] ㉠우뚝 솟은 모양. ㉡불안한 모양. 위태로운 모양. ㉢무지(無知)한 모양.
[兀然獨坐 올연독좌] 혼자 단정(端正)히 앉음.
[兀兀 올올] ㉠움직이지 않는 모양. 또, 힘쓰는 모양. 근면한 모양. ㉡뒤뚱뒤뚱하여 위태로운 모양. 비쓱비쓱하는 모양.
[兀人 올인] 올형(兀刑)을 받은 사람.
[兀者 올자] 발뒤꿈치 자르는 형벌을 받은 사람. 월형(刖刑)을 당한 사람.
[兀坐 올좌] 꼼짝 않고 앉음.
[兀刑 올형] 발뒤꿈치를 자르는 형벌.
●突兀. 傲兀. 搖兀. 崒兀.

2/4 [允] 人名 윤 ⑭軫 余準切 yǔn

允

筆順 ㄙ ㄙ 允 允

字解 ①미쁠 윤 성실하고 신의가 있음. 성신(誠信). ‘一誠’. ‘告汝朕一’《書經》. ②진실로 윤 참으로. ‘一文一武’. ‘一執其中’《論語》. ③승낙할 윤 승인함. 허락함. ‘一兪一’. ‘聖慈特賜一許’《元稹》. ④마땅할 윤 알맞음. ‘案法平一, 務存寬恕’《後漢書》. ⑤성 윤 성(姓)의 하나.
字源 甲骨文 金文 篆文 象形. 甲骨文은 머리가 빼어난 사람의 상형으로, 지적(知的)이고 성실하며 걸출한 사람의 뜻을 나타내며, 전하여 ‘미쁨’의 뜻을 나타냄.

[允可 윤가] 임금이 허가(許可)함.
[允嘉 윤가] 정말 좋음. 진실로 좋음.
[允恭 윤공] 성실하고 공근(恭謹)함.
[允納 윤납] 허락하여 받아들임.
[允當 윤당] 진실로 마땅함.
[允文允武 윤문윤무] 진실로 문(文)이 있고 진실로 무(武)가 있다는 뜻으로, 천자(天子)가 문무(文武)의 덕을 겸비(兼備)하고 있음을 칭송하는 말.
[允塞 윤색] 아주 성실하여 조금도 거짓이 없음.
[允誠 윤성] 정성(精誠). 곤성(悃誠).
[允若 윤약] 심복(心服)하여 따름.
[允兪 윤유] 윤가(允可).
[允臧 윤장] 진실로 좋음.
[允準 윤준] 윤가(允可).
[允下 윤하] 윤가(允可)를 내림.
[允諧 윤해] 성실히 화합(和合)함.
[允許 윤허] 윤가(允可).
[允協 윤협] 윤해(允諧).
●開允. 曲允. 矜允. 明允. 詳允. 哀允. 兪允. 聽允. 忠允. 稱允. 平允. 該允.

2/4 [元] 中人 원 ⑭元 愚袁切 yuán

元

筆順 一 二 亍 元

字解 ①으뜸 원 ㉠첫째. 시초(始初). ‘一子’. ‘一初’. ‘歲之一, 時之一, 月之一’《玉燭寶典》. ㉡일 년의 첫해. ‘月正一日’《書經》. ㉢기년(紀年)·즉위(卽位)·건국(建國)의 첫해. ‘一年者何, 君之始年也’《公羊傳》. ②근원 원 ㉠근본. ‘一本’. ‘統之有宗, 會之有一’《易略例》. ㉡만물의 원기(原氣). ‘大哉乾一’《易經》. ③덕 원 천지의 사덕(四德)의 하나. 곧, 만물 생육(生育)의 덕. 사시(四時)로는 봄에, 도덕으로는 인(仁)

에 배당함. ‘一者善之長也’《易經》. ④하늘 원 ‘霄一’. ‘一執德於心’《淮南子》. ⑤머리 원 두부(頭部). ‘狄人歸其一, 面如生’《左傳》. ⑥임금 원 군주. ‘一首明哉’《書經》. ⑦백성 원 인민. 창생(蒼生). ‘黎一’. ‘統楫羣一’《漢書》. ⑧연호 원 다년호(大年號). ‘建一’. ‘改一’. ⑨원나라 원 몽고(蒙古)의 대한(大汗) 홀필렬(忽必烈)이 송(宋)나라의 뒤를 이어 세운 왕조(王朝). 도읍은 연경(燕京). 십일주(十一士) 98년 만에 명(明)나라에게 멸망당하였음. (1271~1368) ⑩착할 원 선량함. ‘天子之一士’《禮記》. ⑪클 원 ‘一戎’. ‘汝終陟一后’《書經》. ⑫화폐단위 원 ㉠청말(淸末) 이후 중국의 화폐 단위의 하나. ㉡대한 제국(大韓帝國) 때의 화폐 단위의 하나. ⑬성 원 성(姓)의 하나.
字源 甲骨文 金文 篆文 象形. 갓을 쓴 사람의 상형으로, ‘머리’의 뜻을 나타냄.

[元價 원가] 본값. 원가(原價).
[元嘉體 원가체] 남조(南朝) 송대(宋代)의 원가 연간(元嘉年間)에 안연지(顔延之)·포조(鮑照)·사영운(謝靈運) 등이 지은 염려(豔麗)·공정(工整)한 시문(詩文)의 체(體). 원가(元嘉)는 문제(文帝)의 연호(年號).
[元居人 원거인] 그 지방에 오래전부터 사는 사람.
[元結 원결] 당(唐)나라 무창(武昌) 사람. 자(字)는 차산(次山). 천보(天寶) 때에 대과(大科)에 급제하여 벼슬이 용관경략사(容管經略使)에 이르렀음. 시문(詩文)의 대우(對偶)의 기교(技巧)를 피(避)하고 고조(古調)를 모범으로 하였음. 저서(著書)에 〈차산집(次山集)〉·〈협중집(篋中集)〉 등이 있음.
[元輕白俗 원경백속] 당(唐)나라 원화 연간(元和年間)의 시종(詩宗)인 원진(元稹)의 시는 경부(輕浮)하고 백거이(白居易)의 시는 이속(俚俗)함.
[元曲 원곡] 원대(元代)의 희곡(戱曲). 원(元)나라의 대도(大都), 곧 북경(北京)에서 성행(盛行)한 데서 북곡(北曲)이라고도 함.
[元功 원공] 원훈(元勳).
[元九 원구] 당대(唐代)의 시인(詩人) 원진(元稹)을 이름.
[元舅 원구] 천자(天子)의 외숙(外叔).
[元君 원군] 도교(道敎)에서 여신선(女神仙)의 미칭(美稱).
[元宵 원소] 원소(元宵).
[元規之塵 원규지진] 좋지 않은 사람의 행위.
[元極 원극] 우주(宇宙)의 끝. 하늘을 이름.
[元金 원금] 밑천. 본전(本錢).
[元氣 원기] ㉠천상(天上)의 운기(雲氣). ㉡심신(心身)의 정력(精力). ㉢만물의 정기(精氣).
[元基 원기] 기초(基礎). 터전.
[元吉 원길] 대단히 길(吉)함.
[元旦 원단] 정월 초하루의 아침. 설날. 원삭(元朔). 원조(元朝).
[元惡 원악] 악한 사람의 두목.
[元德 원덕] 모든 덕(德)의 근본이 되는 덕. 큰 덕.
[元來 원래] 전부터. 본디.

[元良 원량] 크게 좋음. 비상히 좋음.

[元老 원로] 관위(官位)·덕망(德望)·공로(功勞)가 가장 높은 늙은 신하.

[元僚 원료] 높은 벼슬아치. 대관(大官).

[元龍高臥 원룡고와] 동한(東漢)의 진등(陳登)이 자기는 상상(上牀)에 눕고 그의 벗 허범(許氾)은 하상(下牀)에 눕게 한 고사(故事)에서 나온 말로, 빈객을 업신여김을 이름.

[元利 원리] 본전(本錢)과 이자(利子).

[元面 원면] ㉠본얼굴. ㉡원래의 면.

[元謀 원모] 나쁜 일의 장본인(張本人). 악한 일의 주모자.

[元味 원미] 쌀로 쑨 미음. 쌀미음.

[元配 원배] '원비(元妃)'와 같음.

[元白 원백] 당대(唐代)의 시인(詩人) 원진(元稹)과 백거이(白居易).

[元輔 원보] 《韓》 영의정(領議政)의 별칭.

[元寶 원보] ㉠아주 귀중한 보배. ㉡말굽같이 생긴 중국의 옛 은화(銀貨). 말굽은. 문은(紋銀).

[元服 원복] 남자가 스무 살에 어른의 의관(衣冠)을 입는 의식(儀式).

[元本 원본] ㉠사물의 근본. ㉡본전(本錢). 밑천.

[元符 원부] 대단히 길(吉)한 조짐. 큰 상서(祥瑞).

[元妃 원비] ㉠천자의 정실(正室). 황후(皇后). ㉡첫 번 장가간 아내. 원배(元配).

[元士 원사] ㉠벼슬 이름. 주(周) 대의 상사(上士). 적사(適士)라고도 함. ㉡부사관 중에서 가장 높은 벼슬(상사의 위, 준위의 아래).

[元巳 원사] 음력(陰曆) 3월 3일을 이름. 상사(上巳).

[元史 원사] 원대(元代)를 취급한 기전체(紀傳體)의 역사책. 명(明)나라의 송염(宋濂)·왕위(王褘) 등의 찬(撰). 210권.

[元祀 원사] ㉠원년(元年). 사(祀)는 연(年). 은대(殷代)의 말. ㉡큰 제사.

[元朔 원삭] 원일(元日).

[元三 원삼] ㉠해[年]·달[月]·날[日]의 처음이란 뜻으로, 원일(元日)을 이름. ㉡정월(正月) 원월(元月)부터 사흘간의 일컬음.

[元夕 원석] 원소(元宵).

[元聖 원성] 으뜸가는 성인. 최상의 성인(聖人). 대성(大聖).

[元世祖 원세조] 몽고(蒙古)의 제5대 극한(可汗). 이름은 쿠빌라이(忽必烈). 송(宋)나라를 멸(滅)하여 중국을 통일하고 연경(燕京)에 도읍(都邑)함. 뒤에 멀리 일본(日本)·중앙아시아·유럽에 쳐들어가 사상(史上) 공전(空前)의 대제국(大帝國)을 건설(建設)하였음. 재위(在位) 35년.

[元宵 원소] 정월 보름날 밤.

[元素 원소] 두 가지 이상으로 분석할 수 없는 물질. 곧, 산소·수소·탄소·규소 따위.

[元霄 원소] 하늘. 대공(大空).

[元孫 원손] 《韓》 왕세자(王世子)의 맏아들.

[元帥 원수] 전군(全軍)의 총대장(總大將).

[元首 원수] ㉠천자(天子). ㉡한 나라의 주권자(主權者). ㉢첫. 시초.

[元數 원수] ㉠근본이 되는 수. ㉡본디의 수.

[元帥府 원수부] 원수(元帥)가 군무(軍務)를 보는 본영(本營).

[元始 원시] ㉠처음. ㉡문화가 피어나지 않고 자연 그대로임.

[元是 원시] 본디. 원래.

[元始天尊 원시천존] 도교(道教)에서 제일 높은 신(神).

[元臣 원신] 벼슬이 높은 신하. 대신(大臣).

[元辰 원신] ㉠원단(元旦). ㉡좋은 때. 길신(吉辰).

[元惡 원악] 악한 일의 주모자. 원흉(元兇).

[元惡大憝 원악대대] ㉠반역죄를 범한 사람. ㉡아주 흉악한 사람.

[元額 원액] 본래의 수효.

[元夜 원야] 원석(元夕).

[元祐體 원우체] 송(宋)나라 원우 연간(元祐年間)의 소식(蘇軾)·황정견(黃庭堅) 등의 시체(詩體).

[元元 원원] ㉠근본(根本). ㉡인민. 백성. 창생(蒼生).

[元月 원월] 정월의 별칭.

[元魏 원위] 후위(後魏)의 별칭. 조위(曹魏)의 대(對).

[元遺山 원유산] 원호문(元好問).

[元戎 원융] ㉠큰 병거(兵車). 큰 전차(戰車). 대융(大戎). ㉡뭇 군사. 중병(衆兵). ㉢원수(元帥). 장군.

[元戎㉠]

[元日 원일] 정월 초하룻날.

[元子 원자] 천자(天子)의 적자(嫡子).

[元宰 원재] 수상(首相). 총재(冢宰).

[元嫡 원적] 본처(本妻). 적자(嫡子).

[元祖 원조] ㉠시조(始祖). ㉡어떠한 사물을 처음으로 시작한 사람.

[元朝 원조] 정월 하룻날 아침. 원단(元旦).

[元從功臣 원종공신] 창업(創業) 때부터 따라다니며 큰 공(功)을 세운 신하.

[元悰教 원종교] 《韓》 수운(水雲) 최제우(崔濟愚)를 교조(教祖)로 하는 동학(東學) 계통의 종교의 하나.

[元祉 원지] 큰 복(福).

[元稹 원진] 당대(唐代) 후기(後期)의 재상(宰相)·시인. 하남(河南) 사람. 자(字)는 미지(微之). 부패(腐敗)한 정치(政治)의 개혁(改革)을 꾀하다가 실패하여 누차 좌천(左遷)당하였음. 그의 시(詩)는 평이(平易)하여, 백거이(白居易)와 병칭(並稱)하여 원백(元白)이라 하며, 그 시체(詩體)를 일컬어 원화체(元和體)라 함. 저술에 〈원씨장경집(元氏長慶集)〉이 있음.

[元策 원책] 큰 계책(計策). 대계(大計). 대책(大策).

[元體 원체] 근본의 형체(形體).

[元初 원초] 처음.

[元太祖 원태조] 원(元)나라의 개조(開祖). 이름은 테무친(鐵木眞). 서기 1204년에 내외(內外) 몽고(蒙古)의 부족(部族)을 통일하고, 1206년 제부장(諸部長)을 오논 강변(江邊)에 소집, 제위(帝位)에 올라 칭기즈 칸(成吉思汗)이라 칭했으며, 이어 금(金)나라와 서료(西遼)·서하(西夏)를 차례로 멸(滅)하여 구아(歐亞)에 걸친 대제국(大帝國)을 이룩하였음.

[元統 원통] 큰 근본. 대법(大法).

[元版 원판] 원(元)나라 때 간행된 책판.

[元包 원포] 책 이름. 북주(北周)의 위원숭(衛元

嵩)의 찬(撰). 역리(易理)를 논(論)한 것임.

[元標 원표] 근본이 되는 표(標).

[元稟 원품] 타고난 기품. 천품(天稟).

[元弼 원필] 천자(天子)를 도와 큰 공이 있는 사람.

[元血 원혈] 근원이 되는 혈통(血統).

[元亨利貞 원형이정] 천도(天道)의 네 가지 덕(德). 원(元)은 봄이니 만물의 시초로 인(仁)이 되고, 형(亨)은 여름이니 만물이 자라 예(禮)가 되고, 이(利)는 가을이니 만물이 이루어 의(義)가 되고, 정(貞)은 겨울이니 만물을 거두어 지(智)가 됨.

[元好問 원호문] 금(金)·원(元) 양 대(兩代)에 걸친 학자·시인. 수용(秀容) 사람. 자(字)는 유지(裕之). 호는 유산(遺山). 상서성(尙書省)의 좌사원외랑(左思員外郞)으로 재직 중 금(金)나라가 망하자, 벼슬을 그만두고 화북(華北) 각지를 유람하며 여생을 보냈음. 학문이 깊고 재기(才氣)가 탁월(卓越)하여 금원 시대(金元時代)의 문학자 중 가장 유명함. 특히, 시에 뛰어나 오언시(五言詩)는 풍격(風格)이 높고 장편시(長編詩)에서도 새 분야(分野)를 개척하였음. 저서(著書)로 〈유산집(遺山集)〉 40권이 있음.

[元化 원화] 조화(造化)의 큰 힘. ㉡제왕(帝王)의 덕화(德化).

[元和 원화] ㉠대단히 화락함. ㉡원화체(元和體).

[元和體 원화체] 당(唐)나라 원화 연간(元和年間)에 원진(元稹)·백거이(白居易) 등을 중심으로 하여 천하를 풍미(風靡)한, 비근천속(卑近賤俗)하나 평이하고 유창한 시체(詩體).

[元會 원회] 원단(元旦)에 행하는 조회(朝會).

[元后 원후] ㉠천자. 제왕(帝王). ㉡원비(元妃).

[元勳 원훈] 건국(建國) 또는 큰 사변(事變)에 으뜸가는 공로. 또, 그 사람.

[元兇 원흉] 못된 사람의 두목(頭目). 흉한(兇漢)의 우두머리. 원악(元惡).

●改元. 坤元. 根元. 紀元. 多元. 單元. 復元. 上元. 始元. 黎元. 二元. 一元. 壯元. 中元. 次元.

2
④ [兂] 〔기〕
兂(部首〈p.967〉)의 古字

3
⑤ [兄] 中 ☰ 형 ㉮庚 許榮切 xiōng
人 ☷ 황 ㉮漾 許放切 kuàng

筆順 丨 口 口 尸 兄

字解 ☰ 맏 형, 형 형 동기간에 먼저 난 남자. '一弟'. 《親於弟一》《管子》. 전(轉)하여, 나은 것. 우수한 것. '元方難爲一, 季方難爲弟'《世說》. 또, 친우 간의 경칭으로 쓰임. '仁一'. '辱吾一眷厚'《韓愈》. ☷ ①두려워할 황 悅(心部 五畫)과 同字. '倉一塡兮'《詩經》. ②하물며 황 況(水部 五畫)과 同字. '一與我齊國之政也'《管子》.

字源 [甲骨文] [金文] [篆文] 會意. 口+儿(人). '口'는 '입'의 뜻. '儿인'은 '사람'의 뜻. 위에 서서 입으로 아우나 누이동생을 지도하고 돌보는 사람, '형'의 뜻을 나타냄. 또, 머리가 큰 사람의 상형(象形)으로, '형'의 뜻을 나타낸다는 설도 있음.

[兄公 형공] 아내가 남편의 형을 부르는 경칭(敬稱). 아주버님.

[兄亡弟及 형망제급] 형이 아들이 없이 죽었을 때 아우가 혈통을 잇는 일.

[兄事 형사] 남을 나의 형과 같이 공경함. 형의 예로써 섬김.

[兄嫂 형수] ㉠형과 형의 아내. 형과 형수. ㉡《韓》형의 아내.

[兄氏 형씨] 형. 형님.

[兄友弟恭 형우제공] 형은 아우를 사랑하고, 아우는 형을 공경함.

[兄弟 형제] ㉠형과 아우. ㉡후세(後世)에 특히 아우를 이름. ㉢선배(先輩)와 후배(後輩).

[兄弟爲手足 형제위수족] 형제는 수족과 같아서 한 번 잃으면 두 번 얻을 수 없다는 말.

[兄弟姉妹 형제자매] ㉠형제와 자매. ㉡모든 동포(同胞).

[兄弟之國 형제지국] ㉠조상이 서로 형제가 되는 나라. ㉡군주(君主)끼리 사돈이 되는 나라. 통혼(通婚)한 나라.

[兄弟鬩牆外禦其務 형제혁장외어기모] 형제가 울 안에서는 서로 싸우나, 외모(外侮)에 대하여는 서로 일치(一致)하여 이것을 막아 냄을 이름. 모(務)는 모(侮).

●家兄. 貴兄. 老兄. 大兄. 母兄. 伯兄. 父兄. 舍兄. 詞兄. 阿兄. 雅兄. 女兄. 吾兄. 外兄. 義兄. 仁兄. 長兄. 尊兄. 從兄. 學兄.

3
⑤ [尣] 〔장〕
長(部首〈p.2427〉)의 古字

3
⑤ [充] 充(次條)의 本字

4
⑥ [充] 中 충 ㉮東 昌終切 chōng
人

筆順 亠 亠 云 云 充 充

字解 ①찰 충 가득함. '一滿'. '君之倉廩實, 府庫一'《孟子》. ㉡채울 충 ㉠가득 차게 함. '一府庫'《周禮》. ㉡충당함. '一庖廚而已'《漢書》. ③막을 충, 막힐 충 꽉 채워 막음. 꽉 채워져 막힘. '一塞'. '襄如一耳'《詩經》. ④둘 충 놓음. '射則一椹質'《周禮》. ⑤덮을 충 가림. '服之襲也, 一美也'《禮記》. ⑥살찔 충 비대함. '一壯'. '宗人視牲告一'《儀禮》. ⑦번거로울 충 번잡함. '事一政重'《左傳》. ⑧성 충 성(姓)의 하나.

字源 [篆文] 形聲. 儿+云(育). [音] '儿인'은 '사람'의 뜻. '育육'은 '키우다'의 뜻. 키워져서 어른이 되므로, '차다'의 뜻을 나타냄.

[充公 충공] 관(官)에 몰수(沒收)함.

[充詘 충굴] 너무 기뻐하여 절도(節度)를 잃는 모양.

[充給 충급] ㉠급여(給與). ㉡가득 참. 부족이 없음.

[充納 충납] 부족한 것을 보충하여 바침.

[充當 충당] 모자라는 것을 채움.

[充棟 충동] 쌓은 것이 마룻대에 닿는다는 뜻. 장서(藏書)가 많음을 이름.

[充閭之慶 충려지경] 손님이 문려(門閭)에 가득 참. 곧, 집이 번성하는 경사라는 뜻으로, 사내아이를 낳은 것을 축하하는 말.

[充滿 충만] 가득하게 참. 또, 가득 채움.
[充腹 충복] 고픈 배를 채움.
[充分 충분] 모자람이 없음. 넉넉함.
[充備 충비] ㉠넉넉히 갖추어 있음. 완비함. ㉡참여함. 참가하여 관여함.
[充塞 충색] 잔뜩 차서 막힘. 또, 가득 채워 막음.
[充羨 충선] 가득함. 가득 참.
[充贍 충섬] 넉넉함. 가득함.
[充數 충수] 정한 수효를 채움.
[充實 충실] 가득 참. 또, 가득 채움.
[充額 충액] 정한 액수(額數)를 채움.
[充然有得 충연유득] 마음에 부족이 없음.
[充悅 충열] 만족하여 기뻐함.
[充盈 충영] 가득 참. 충인(充牣).
[充慾 충욕] 욕심을 채움.
[充用 충용] 충당하여 씀.
[充位 충위] 자리만 채울 뿐이고 책임을 다하지 못함.
[充耳 충이] ㉠귀막이. ㉡귀머거리.
[充牣 충인] 가득 참. 그득히 됨.
[充溢 충일] 가득 차서 넘침.
[充壯 충장] 비대하고 씩씩함.
[充積 충적] 가득하게 쌓임. 또, 가득 쌓임.
[充塡 충전] 채움.
[充足 충족] 넉넉하여 모자람이 없음.
[充斥 충척] 그득함. 많아서 자꾸 퍼짐.
[充充 충충] 도(度)를 잃은 모양. 허둥지둥하는 모양.
[充側 충측] 기울어져 원래의 모양을 잃음.
[充澤 충택] 몸이 비대하고 살결이 좋음.
[充虛 충허] 가득 참과 텅 빔.
[充血 충혈] 피가 몸의 어느 한 부분에 몰리어 과도히 많아지는 상태.
●補充. 肥充. 殷充. 塡充. 擴充.

4 ⑥ [兆] 中人 조 ㉠篠 治小切 zhào

筆順 ノ ㇏ ㇒ 兆 兆 兆

字解 ①조 조 수(數)의 단위. 십억 또는 만억. 지금은 보통 만억으로 쓰임. '有億一之數'《戰國策》. 전(轉)하여, 수가 많음을 이름. '一民'·'材一物'《國語》. ②점 조 거북점에서 귀갑(龜甲)을 그슬리어 나타나는 금. 점상(占象). 또, 그 금을 보고 길흉을 판단하는 일. '一占一得大橫'《漢書》. ③조짐 조 징조(徵兆). '吉一'·'此乃吉凶之萌一'《晉書》. ④조짐보일 조 징조가 나타남. '我則泊兮其未一'《老子》. ⑤뫼 조 무덤. '一城'·'卜其宅一, 而安厝之'《孝經》. ⑥형상(形象) 조 '聽無聲, 視無一'《晉書》. ⑦성 조 성(姓)의 하나.
字源 甲骨文 八 古文 川 篆文 川 象形. 甲骨文은 점칠 때 거북 등딱지에 나타나는 금의 상형으로, '조짐'의 뜻을 나타냄.

[兆卦 조괘] 점상(占象). 점(占)에 나타난 형상.
[兆物 조물] 많은 물건. 만물.
[兆民 조민] 많은 백성.
[兆祥 조상] 조짐(兆朕).
[兆庶 조서] 조민(兆民).
[兆億 조억] 조민(兆民).
[兆域 조역] 무덤이 있는 지역.
[兆占 조점] 점(占). 또, 점상(占象). 점에 나타

난 형상. 또, 점을 침.
[兆朕 조짐] 전조(前兆). 징후(徵候).
[兆候 조후] 조짐(兆朕).
●京兆. 卦兆. 吉兆. 萌兆. 夢兆. 祥兆. 瑞兆. 億兆. 豫兆. 前兆. 占兆. 朕兆. 徵兆. 休兆. 凶兆.

4 ⑥ [兇] 人名 흉 ㉠冬 許容切 xiōng ㉡腫 許拱切

字解 ①흉악할 흉 성질이 험상궂고 모짊. 凶(凵部 二畫)과 同字. '一行'·'一險'. 또, 그러한 사람. '元一'·'除一報千古'《唐太宗》. ②두려워할 흉 恟(心部 六畫)과 同字. '一一'·'曹人一懼'《左傳》.
字源 篆文 形聲. 儿+凶〔音〕. '凶흉'은 '흉악하다'의 뜻. 흉악한 사람의 뜻을 나타냄. 또, 나쁜 사람을 두려워하다의 뜻도 나타냄.

[兇懼 흉구] 두려워함.
[兇器 흉기] 사람을 살상(殺傷)하는 데 쓰는 기구(器具). 흉구(兇具).
[兇黨 흉당] 흉도(兇徒).
[兇徒 흉도] 흉포한 무리. 흉당(兇黨).
[兇盜 흉도] 흉적(兇賊).
[兇猛 흉맹] 흉한(兇悍).
[兇犯 흉범] 살인범(殺人犯)과 같은 흉악한 범인.
[兇變 흉변] 살상(殺傷)의 변사(變事).
[兇邪 흉사] 마음이 흉악하고 간사함.
[兇說 흉설] 흉악(兇惡)한 말.
[兇性 흉성] 흉포(兇暴)한 성질.
[兇手 흉수] 흉악한 자의 손. 하수인(下手人).
[兇刃 흉인] 사람을 죽인 칼.
[兇賊 흉적] 흉악한 도적(盜賊).
[兇暴 흉포] 흉악하고 포학(暴虐)함. 또, 그 사람.
[兇悍 흉한] 흉악하고 사나움.
[兇漢 흉한] 흉악한 사나이. 흉도(兇徒).
[兇害 흉해] 흉악한 짓을 하여 사람을 죽임.
[兇行 흉행] 흉악한 행동. 살상(殺傷)하는 행위.
[兇險 흉험] 흉악하고 음험(陰險)함.
[兇酗 흉후] 고약한 주정(酒酊)을 함.
[兇兇 흉흉] 두려워하는 모양. 또는, 두려워하여 떠들어 대는 소리.
[兇黠 흉힐] 흉악하고 간특함.
●姦兇. 群兇. 嘯兇. 元兇. 殘兇. 寒兇.

4 ⑥ [先] 中人 ▇ 선 ㉠先 蘇前切 xiān ㉮霰 蘇佃切
▇ 세(선)본 ㉡銑 蘇典切 xiǎn

筆順 ノ ㇒ 牛 生 先 先

字解 ▇ ①먼저 선 ㉠최초로. 첫째로. '一發'·'一唱'·'欲治其國者, 一齊其家'《大學》. ㉡앞서서. '孔子生鯉, 字伯魚, 一卒'《朱熹》. ㉢우선. '請一嘗沮之'《史記》. ②앞 선 ㉠시간이나 장소에 관하여 뒤[後]의 대(對). '一後'·'一任'·'號眺而後笑'《易經》. ㉡시초. '象帝之一'《老子》. ㉢수위. 첫째. '吳晉爭一'《左傳》. ㉣옛날. 고석(古昔). '一民有作'《詩經》. ㉤위. '以儒敎爲一'《北史》. ㉥안내. 향도(嚮導). '莫爲我一'《史記》. ㉦앞장. '率一'·'爲士卒一'《漢書》. 제일 먼저 할 일. 급한 일. '敎學爲一'《禮記》. ③성 선 성(姓)의 하나. ④앞설 선 ㉠시간적으로 먼저 있음. '一立春三日'《禮記》. ㉡공간적으로

앞에 있음. '疾行—長者'《孟子》. ⓒ먼저 함. '其
聞道也, 固—乎吾'《韓愈》. ⓔ먼저 말함. '楚王
使大夫二人往—焉'《莊子》. ⓜ앞에 서서 인도함.
'二人執矛—焉'《國語》. 〓 전구(前驅) 세 '句
踐親爲大差—馬'《國語》.

會意. 儿+之. '儿인'은 사
람의 상형(象形). '之지'
는 발자국의 상형이 변형한 꼴. 사람의 머리 부
분보다 먼저 내디딘 발자국의 모양에서, 남보
다 앞서다의 뜻을 나타냄.

[先覺 선각] 남보다 먼저 도(道)를 깨달음. 또,
　그 사람. 선각자(先覺者).
[先客 선객] 먼저 온 손.
[先見 선견] 장래를 미리 앎. 앞을 내다봄. 예지(豫
　知).
[先見之明 선견지명] 앞을 내다보는 밝은 지혜.
[先決 선결] 먼저 결정함. 먼저 해결(解決)함.
[先古 선고] ⓐ조상. 선조(先祖). ⓑ옛날 옛적. 상
　고(上古).
[先考 선고] 돌아간 자기 아버지. 고(考)는 망부
　(亡父). 선친(先親).
[先姑 선고] 돌아간 시어머니. 　　　　　　「(人).
[先公 선공] 돌아간 아버지. 선고(先考). 선인(先
[先公後私 선공후사] 공사(公事)를 먼저 하고 사
　사(私事)를 나중에 함.
[先舅 선구] 돌아간 시아버지.
[先驅 선구] 행렬(行列)의 제일 앞에 섬. 앞에 서
　서 인도(引導)함. 전구(前驅).
[先驅者 선구자] ⓐ행렬(行列)의 맨 앞에 나가는
　사람. 앞잡이. ⓑ다른 사람보다 사상적으로 앞
　선 이.
[先君 선군] ⓐ돌아간 아버지. 선고(先考). ⓑ돌
　아간 남의 아버지. 선고장(先考丈). ⓒ조상. 선
　조(先祖). ⓔ역대(歷代)의 천자(天子). 선대
　(先代)의 임금.
[先君子 선군자] 선군(先君) ❶ⓑ.
[先軌 선궤] 조상이 남긴 궤범(軌範).
[先金 선금] 값이나 삯에서 전부 또는 한 부분을
　먼저 치르는 돈.
[先給 선급] 값이나 삯을 미리 치러 줌.
[先期 선기] 약속한 기한보다 앞섬.
[先納 선납] 기한이 되기 전에 돈을 바침.
[先年 선년] 지난해. 왕년(往年). 전년(前年).
[先農 선농] 처음으로 농사(農事)를 가르친 제왕.
　신농씨(神農氏).
[先達 선달] ⓐ선배(先輩). ⓑ《佛敎》고승(高僧).
　ⓒ《韓》문무과(文武科)에 급제(及第)하고 아직
　벼슬하지 아니한 자의 칭호(稱號).
[先代 선대] ⓐ이전의 시대. ⓑ조상(祖上). 선조
　(先祖). ⓒ돌아간 아버지.
[先大夫 선대부] 돌아간 아버지의 경칭(敬稱).
[先德 선덕] ⓐ선인(先人)의 덕(德). ⓑ덕이 많은
　선배(先輩). ⓒ당대(唐代)에 남의 아버지를 이
[先到 선도] 먼저 도착함. 　　　　　　　「름.
[先導 선도] 앞에 서서 인도(引導)함.
[先童 선동] 쌍둥이 중의 먼저 낳은 아이.
[先頭 선두] 첫머리. 맨 먼저.
[先登 선등] ⓐ제일 먼저 적(敵)의 성벽(城壁)에
　올라감. ⓑ제일 먼저 도착함. ⓒ문단(文壇)의
　영도자(領導者).
[先靈 선령] 조상(祖上)의 영혼.
[先例 선례] 앞서부터 있는 일. 전례(前例).

[先論 선론] 앞일을 내다보는 의론(議論). 선견지
　설(先見之說).
[先壟 선롱] 선롱(先壟). 선영(先塋).
[先隴 선롱] 선산(先山).
[先務 선무] 제일 먼저 해야 할 일.
[先民 선민] ⓐ옛 현인(賢人). ⓑ선대의 사람. 옛
　날 사람.
[先發 선발] ⓐ먼저 출발함. ⓑ선창(先唱).
[先發制人 선발제인] 선즉제인(先卽制人).
[先輩 선배] 학덕(學德)이나 관직(官職)이나 나
　이가 자기보다 높은 사람.
[先邊 선변] 빚을 쓸 때에 먼저 주는 변리(邊利).
[先鋒 선봉] 맨 앞에 서는 군대.
[先夫 선부] 이전 남편. 전부(前夫).
[先父 선부] 돌아가신 아버지. 선친(先親).
[先府君 선부군] 선고(先考)의 존칭.
[先父兄 선부형] 돌아가신 부형.
[先富後貧 선부후빈] 전에는 잘 지내다가 나중에
　가난하여짐.
[先墳 선분] 조상(祖上)의 무덤.
[先非 선비] 과거의 잘못. 전비(前非).
[先妣 선비] 돌아가신 어머니.
[先貧後富 선빈후부] 전에는 구차하던 사람이 나
　중에 부자가 됨.
[先祀 선사] 조상(祖上)의 제사.
[先師 선사] ⓐ돌아간 선생. ⓑ선생. ⓒ선대(先
　代)의 현철(賢哲).
[先事慮事 선사여사] 일이 일어나기 전에 미리 그
　일을 생각해 둠.
[先山 선산] 조상의 무덤이 있는 곳.
[先嗇 선색] 선농(先農).
[先生 선생] ⓐ스승. ⓑ자기보다 학식이 많은 사
　람. ⓒ부형(父兄). ⓔ연장자(年長者). ⓜ존대
　하는 호칭(呼稱).
[先緖 선서] 선대(先代)의 유업(遺業).
[先聖 선성] 옛 성인(聖人).
[先聲 선성] 전부터 알려진 명성(名聲).
[先聲奪人 선성탈인] 먼저 아군(我軍)의 성위(聲
　威)를 떨쳐 적의 간담(肝膽)을 서늘하게 함.
[先聲後實 선성후실] 먼저 말로써 놀라게 하고,
　실력(實力)은 뒤에 가서 보여 줌. 성세(聲勢)를
　떨쳐 적(敵)을 놀라게 하고, 나중에 교전(交戰)
　을 실행함.
[先世 선세] 선인(先人).
[先手 선수] ⓐ남보다 먼저 행함. ⓑ기선(機先)을
　제(制)함.
[先勝 선승] 음양가(陰陽家)에서 공사(公事) 등
　에 길(吉)하다는 날.
[先識 선식] 선견(先見).
[先臣 선신] ⓐ죽은 신하. ⓑ군주(君主)에 대하여
　자기의 망부(亡父)를 이름.
[先失其道 선실기도] 어떠한 일을 할 때 먼저 그
　방법을 그르침.
[先約 선약] 먼저 맺은 약속.
[先嚴 선엄] 돌아간 아버지. 선자(先慈)의 대(對).
[先業 선업] 선대(先代)의 사업(事業).
[先烈 선열] ⓐ선대(先代)부터 내려온 공훈(功
　勳). 선대의 여광(餘光). ⓑ절개를 굳게 지켜
　국가를 위하여 싸우다가 돌아간 열사(烈士).
[先塋 선영] 선산(先山).
[先王 선왕] ⓐ선대의 임금. ⓑ예전의 성군(聖君).
[先容 선용] 나중의 일을 위하여 우선 그 사람을
　소개하거나 칭찬을 함.

[先憂後樂 선우후락] 남보다 먼저 근심하고 남보다 나중에 즐거워한다는 뜻으로, 지사(志士)와 인인(仁人)이 국가를 생각하는 마음을 이름.
[先月 선월] 지난달. 전월(前月).
[先游 선유] 선용(先容).
[先儒 선유] ㉠선대(先代)의 유학자(儒學者). ㉡옛 선비.
[先蔭 선음] 조상의 음덕(蔭德).
[先意承志 선의승지] 그 사람이 생각하기도 전에 눈치 빠르게 그의 뜻을 받듦. 비위를 맞춤.
[先人 선인] ㉠조상. 선조(先祖). ㉡돌아간 아버지. 선군(先君). 선고(先考).
[先引 선인] 선도(先導).
[先日 선일] 지나간 날. 전일(前日).
[先任 선임] 먼저 그 임무(任務)를 맡음. 또, 그 사람.
[先入見 선입견] 먼저부터 마음속에 품고 있는 생각.
[先入觀念 선입관념] 먼저부터 마음속에 품고 있는 관념(觀念).
[先入爲主 선입위주] 먼저 들은 바를 믿고, 나중에 들은 바는 여간하여 믿지 아니함.
[先子 선자] ㉠돌아간 아버지. ㉡조상. 선조.
[先貲 선자] 물려받는 재산. 유산(遺產).
[先慈 선자] 돌아간 어머니. 선엄(先嚴)의 대(對).
[先正 선정] 선철(先哲).
[先帝 선제] 돌아간 선대(先代)의 임금.
[先祖 선조] ㉠시조(始祖). ㉡조상(祖上).
[先朝 선조] ㉠선제(先帝) 때의 조정(朝廷). 전조(前朝). ㉡혁명(革命) 이전의 조정(朝廷).
[先主 선주] 먼저의 주인(主人). 또는 먼저의 군주(君主). 특히, 촉한(蜀漢)의 유비(劉備)를 일컬음.
[先疇 선주] 선대(先代)에서 전(傳)해 온 전주(田疇). 유산으로 내려온 농토.
[先卽制人 선즉제인] 남보다 앞서 일을 도모(圖謀)하면 능히 남을 제어(制御)할 수 있음. 선발제인(先發制人).
[先知 선지] ㉠남보다 먼저 도(道)를 깨달음. 또, 그 사람. 선각(先覺). ㉡먼저 앎.
[先知後行 선지후행] 주자학(朱子學)에서 먼저 도덕상의 사리(事理)를 완전히 알아야만 비로소 이를 완전히 실행할 수 있다고 주장하는 일.
[先陣 선진] 앞서서 나가는 군대(軍隊). 선봉(先鋒).
[先秦 선진] 진시황(秦始皇) 이전의 시대. 진시황이 분서(焚書)한 때를 기준으로 하여 구분한 것임.
[先進 선진] ㉠앞서 나아감. ㉡선배(先輩). ㉢선각자(先覺者).
[先進國 선진국] 다른 나라보다 문물(文物)이 앞서 발달(發達)된 나라.
[先秦文學 선진문학] 상고(上古)부터 진(秦)나라 때 이전, 곧 춘추 전국 시대(春秋戰國時代)까지의 문학.
[先着 선착] 남보다 먼저 도착함.
[先斬後啓 선참후계] 군율(軍律)을 범(犯)한 자(者)를 우선 목을 베고 뒤에 상주(上奏)함.
[先唱 선창] 남에 앞서서 외침. 남보다 먼저 말함. 수창(首唱).
[先綵 선채] 신랑(新郞) 집에서 신부 집에 혼인(婚姻) 전날에 보내는 채단.
[先妻 선처] 전처(前妻).
[先天 선천] ㉠사람이 세상에 나기 전. ㉡세상에 나올 때부터 이미 갖춤.
[先天事 선천사] 현실(現實)과는 관계없는 옛날의 일.
[先哲 선철] 옛날의 현철(賢哲). 선현(先賢). 선정(先正).
[先取 선취] 남보다 먼저 가짐.
[先取特權 선취특권] 한 채권자(債權者)가 다른 채권자에 앞서 우선적(優先的)으로 반제(返濟) 받을 수 있는 특별한 권리.
[先親 선친] 돌아간 아버지. 선부(先父).
[先通 선통] 미리 통지(通知)함.
[先鞭 선편] 남보다 먼저 시작함. '착선편(着先鞭)'의 준말.
[先下 선하] 선급(先給).
[先河 선하] 사물의 맨 처음. 효시(嚆矢).
[先行 선행] ㉠앞서 감. 앞섬. ㉡이전의 행동(行動).
[先鄕 선향] 시조(始祖)가 난 땅. 관향(貫鄕).
[先賢 선현] 선철(先哲).
[先花後果 선화후과] 먼저 꽃이 피고 나중에 열매를 맺는다는 뜻으로, 처음에 딸을 낳고 나중에 아들을 낳음을 이름.
[先皇 선황] 선제(先帝).
[先后 선후] ㉠선대(先代)의 군주(君主). 선군(先君). ㉡선제(先帝)의 황후(皇后).
[先後 선후] ㉠전후(前後). ㉡먼저 함과 나중에 함. 또는, 앞섬과 뒤떨어짐. ㉢형제(兄弟)의 처(妻)끼리 서로 부르는 말. 제사(娣姒).
[先後倒錯 선후도착] 먼저 할 것과 나중 할 것이 뒤바뀜.
[先後畫 선후획] 글씨를 쓸 때 왼쪽을 먼저 하고 오른쪽을 나중에 하며, 위를 먼저 하고 아래를 나중에 하는 법(法).
[先馬 세마] 선구(先驅). 세마(洗馬).
◉輕先. 古先. 機先. 帥先. 率先. 于先. 優先. 越先. 祖先. 最先. 行先.

4
⑥ [光] [中人] 광 [平]陽 古黃切 guāng 

[筆順] 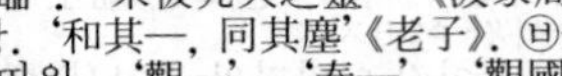

[字解] ①빛 광 ㉠시각(視覺)을 통하여 물상(物象)을 밝게 하는 현상. 곧, 광선·광휘(光輝) 따위. '月一'. '一度'. '月出之一'《詩經》. ㉡윤. 광채(光彩). '一潤'. '一澤'. '珠一出於魚腹'《論衡》. ㉢영예·위세 따위. '榮一'. '威一'. '能莫與之同一者'《淮南子》. ㉣은택. 은총. '榮一'. '一臨'. '未被先天之靈一'《汲冢周書》. ㉤지능. 덕망. '和其一, 同其塵'《老子》. ㉥문화·풍속·경치 따위. '觀一'. '春一'. '觀國之一'《易經》. ②빛날 광 광휘를 발함. '日月一, 星辰靜'《漢書》. ③빛낼 광 빛나게 함. '以一先帝之遺德'《諸葛亮》. ④클 광 크게. '一輔'. '一有天下'《左傳》. ⑤성 광 성(姓)의 하나.

[字源] 甲骨文 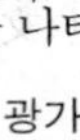 金文 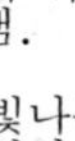 古文 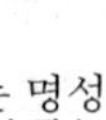 篆文 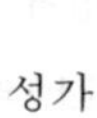 會意. 火+儿. '儿인'은 사람의 상형. 사람의 머리 위에 빛나는 불의 뜻에서, '빛'의 뜻을 나타냄.

[光價 광가] 빛나는 명성. 성가(聲價).
[光駕 광가] 광림(光臨).

[光景 광경] ㉠빛. 광휘(光輝). ㉡경치. 상황(狀況).
[光慶 광경] 경사(慶事).
[光光 광광] 빛나는 모양. 명성(名聲)이 널리 퍼지는 모양.
[光怪 광괴] 괴이(怪異)한 빛.
[光球 광구] 태양을 육안(肉眼)으로 볼 때에 둥글게 광채(光彩)를 내는 부분.
[光晷 광구] 해 그림자. 일영(日影).
[光年 광년] 1초 동안에 30만 킬로미터를 가는 빛이 1년 동안 가는 거리.
[光度 광도] 발광체(發光體)의 강하고 약함을 표하는 양(量).
[光爛 광란] 환함. 밝음.
[光來 광래] 광림(光臨).
[光烈 광렬] 빛나는 공훈(功勳).
[光祿勳 광록훈] 한대(漢代)의 관명(官名). 대궐의 문(門)에 관한 일을 맡음.
[光臨 광림] 남의 내방(來訪)의 경칭(敬稱).
[光芒 광망] 광선(光線). 빛.
[光名 광명] 빛나는 명예. 미명(美名).　「함.
[光明 광명] ㉠빛. ㉡밝고 환함. 또, 밝힘. 환하게
[光命 광명] 빛나는 명령. 전(轉)하여, 천자(天子)의 명령. 대명(大命).
[光明正大 광명정대] 언행(言行)이 떳떳하고 정당(正當)함.
[光明珠 광명주] 환하게 빛을 내는 구슬.
[光背 광배] 《佛敎》부처나 보살(菩薩) 상(像)의 등 뒤의 빛.
[光輔 광보] 크게 도움.
[光復 광복] ㉠빛나게 회복함. ㉡잃었던 나라의 주권(主權)을 되찾음. 흥복(興復).
[光復節 광복절] 우리나라 국경일의 하나. 1945년 8월 15일에 왜정(倭政)으로부터 해방된 것을 기념하며, 아울러 1948년 8월 15일의 대한민국 정부 수립 선포를 기념하는 날임.
[光爍 광삭] 빛남. 광채를 발함.
[光色 광색] 윤. 광택(光澤).
[光線 광선] 빛의 내쏘는 줄기.
[光閃 광섬] 번득이는 빛.
[光昭 광소] 빛남. 또, 빛나게 함.
[光愛 광애] 지극히 사랑함.
[光揚 광양] 빛나고 드러남. 또, 빛내어 드러냄.
[光演 광연] 크게 폄. 환하게 넓힘.
[光焰 광염] 세찬 불꽃. 전(轉)하여, 세찬 기세.
[光豔 광염] 광택(光澤). 윤.
[光焰萬丈 광염만장] 불꽃이 세차게 오름. 전(轉)하여, 시문(詩文)이 대단히 힘 있음의 비유.
[光映 광영] 비침.
[光榮 광영] 영광(榮光). 영예(榮譽).
[光影 광영] 빛.
[光耀 광요] 광휘(光輝).
[光有 광유] 크게 보유(保有)함. '光'은 '大'.
[光潤 광윤] 윤. 광택(光澤).
[光陰 광음] 세월(歲月). 시간.
[光陰如逝水 광음여서수] 세월(歲月) 가는 것이 빠름을 가리키는 말.
[光陰如箭 광음여전] 광음여서수(光陰如逝水).
[光晶 광정] 빛.
[光濟 광제] 크게 이루어짐. 대성(大成)함. 훌륭히 성취(成就)함.
[光霽 광제] '광풍제월(光風霽月)'의 준말.
[光祚 광조] 빛나는 복(福).
[光贊 광찬] 대사업(大事業) 등을 훌륭히 도움.

[光彩 광채] 찬란(燦爛)한 빛.
[光闡 광천] 분명하게 밝힘. 환히 나타냄.
[光體 광체] 빛을 내는 물체(物體).
[光燭 광촉] 환히 비침.
[光寵 광총] 대단히 사랑함.
[光軸 광축] 복굴절(複屈折)하는 결정체(結晶體)에 빛이 입사(入射)할 때 복굴절하지 않는 일정한 방향.
[光宅 광택] 천하(天下)를 밝게 다스림을 이름.
[光澤 광택] 번들번들하는 빛. 윤.
[光波 광파] 광선(光線)의 파동(波動).
[光風 광풍] 비 온 뒤에 해가 뜨고 부는 바람.
[光風霽月 광풍제월] 비가 갠 뒤의 바람과 달이란 뜻으로, 깨끗하고 맑은 마음을 비유한 말.
[光被 광피] 빛이 널리 퍼짐. 덕택(德澤)이 널리 퍼짐.
[光學 광학] 빛에 관하여 연구하는 학문.
[光赫 광혁] 빛남.
[光顯 광현] 덕(德) 같은 것이 밝게 나타남.
[光毫 광호] 《佛敎》삼십이상(三十二相)의 하나. 부처의 미간(眉間)에 있는 흰 광명(光明)을 발하는 털.
[光華 광화] 광휘(光輝).
[光晃 광황] 빛남.
[光勳 광훈] 빛나는 공훈.
[光輝 광휘] 해가 빛남. 또, 그 빛.
[光輝 광휘] 빛.
[光熙 광희] 광휘(光暉).
●脚光. 感光. 炬光. 景光. 觀光. 國光. 嵐光. 道光. 發光. 瑞光. 曙光. 閃光. 神光. 晨光. 眼光. 夜光. 陽光. 餘光. 炎光. 榮光. 圓光. 月光. 威光. 流光. 燐光. 日光. 電光. 朝光. 晝光. 彩光. 淸光. 燭光. 籠光. 春光. 風光. 螢光. 弧光. 火光. 和光. 後光. 輝光. 休光.

4
⑥ [兂] 고 ⊕麌 公戶切 gǔ
字解 가릴 고, 가려질 고 '一, 廱蔽也'《說文》.
字源 會意. 儿+口

4
⑥ [𠑷] 〔기〕
旡(部首⟨p.967⟩)의 本字

4
⑥ [兖] 〔태〕
兌(儿部 五畫⟨p.196⟩)의 俗字

4
⑥ [尭] 〔요〕
堯(土部 九畫⟨p.453⟩)의 簡體字

4
⑥ [兏] 〔장〕
長(部首⟨p.2427⟩)의 古字

5
⑦ [克] 高入 극 ㉯職 苦得切 kè　　克

筆順 一 十 古 古 古 克 克
字解 ①능할 극 ㉠충분히 할 수 있음. '小人弗一'《易經》. ㉡능하게. 능히. '一明峻德'《書經》. ②이길 극 ㉠사리사욕에 끌리는 자기를 이겨 냄. '一己復禮爲仁'《論語》. ㉡적을 이김. '我戰則一'《禮記》. ③멜 극 어깨에 멤. ④승벽 극 지기 싫어하는 성질. '一伐怨欲'《論語》. ⑤《現》미

터법의 무게의 단위. 그램의 간칭(簡稱). 킬로그램(瓩)의 1,000분의 1. ⑥성 극 성(姓)의 하나.

字源 甲骨文 金文 古文 篆文 象形. 무거운 투구를 쓴 사람의 모양을 그려, 무게에 견디다, 이기다의 뜻을 나타냄.

[克己 극기] 자기의 사욕(私慾)을 이성(理性)으로 눌러 이김.
[克己復禮 극기복례] 사욕(私慾)을 누르고 예절(禮節)을 좇게 함.
[克勤 극려] 사욕(私慾)을 누르고 부지런히 힘씀.
[克伐怨欲 극벌원욕] 승벽(勝癖)과 자만(自慢)과 원망(怨望)과 탐욕(貪慾)의 네 가지 악덕(惡德).
[克服 극복] 이기어 굴복(屈服)시킴.
[克復 극복] 원상(原狀)으로 복귀(復歸)함. 또, 원상태로 복귀시킴.
[克讓 극양] 자기의 마음을 눌러 남에게 겸양(謙讓)함.
[克昌 극창] 극히 성(盛)함.
[克捷 극첩] 적(敵)을 이김. 또, 승전(勝戰).
[克治 극치] 사욕(私慾)을 이겨 내고, 사념(邪念)을 다스림.
●剛克. 謙克. 禽克. 忌克. 審克. 柔克. 超克. 推克.

5 ⑦ [兌] 人名 태 ④泰 杜外切 duì   兌 兌

筆順 丿 八 伫 伫 兌 兌

字解 ①기뻐할 태 희열(喜悅)함. '和―吉'《易經》. ②태괘 태 ⑦팔괘(八卦)의 하나. 곧 ☱못〔澤〕을 상징하며, 서방(西方)에 배당함. ⓒ육십사괘(六十四卦)의 하나. 곧, ☱〈태하(兌下)태상(兌上)〉. 지조가 바르고 굳어 사물이 잘 형통(亨通)하는 상(象). ③통(通)할 태 '―利'. '行道一矣'《詩經》. ④모일 태 모여듦. '仁人之兵一, 則若莫邪之利鋒'《荀子》. ⑤곧을 태 똑바름. '松柏斯一'《詩經》. ⑥구멍 태 '塞其一, 閉其門'《老子》. ⑦바꿀 태 교환함. '―換'. '十千一得餘杭酒'《丁芝仙》.

字源 甲骨文 金文 篆文 會意. 八+兄. '八씹'은 '분산(分散)하다'의 뜻. '兄형'은 '기도하다'의 뜻. 기도함으로써 맺힌 기분이 분산되어, 망아(忘我)의 경지에 있다, 기뻐하다의 뜻을 나타냄.

[兌利 태리] 사물이 잘 통달(通達)함.
[兌方 태방] 팔방(八方)의 하나. 곧, 서방(西方).
[兌換 태환] ⑦교환함. ⓒ지폐(紙幣)와 화폐(貨幣)를 교환함.
●發兌. 商兌. 折兌. 和兌.

5 ⑦ [免] 中人 ☲ 면 ④銑 亡辨切 miǎn   ☲ 문 ④問 亡運切 wèn   免

筆順 ᄀ ᄀᄀ ᄼ ᄼ 召 召 免 免

字解 ☲ ①벗어날 면 ⑦피함. '臨難毋苟一'《禮記》. ⓒ떨어져 미치지 아니함. 없게 됨. '人情之所不能一也'《禮記》. ⓒ재화 따위에서 헤어남. '一死'. '民一而無恥'《論語》. ②벗을 면 옷 따위를 벗음. '一冑而聽命'《晉書》. ③놓을 면

놓아줌. 방면함. '一赦'. '若欲一之, 則王會其期'《周禮》. ④면할 면 면제함. '遭蝗之處一租'《齊書》. ⑤허락할 면 들어줌. '一許'. '若從君言而一之'《左傳》. ⑥내칠 면 면직함. '一官'. '一黜'. '不察廉不勝任也, 當一'《漢書》. ⑦성 면 성(姓)의 하나. ☲ ①해산할 문 아이를 낳음. '一身'. '婦人一乳大故'《漢書》. ②관벗을 문 초상 때 관을 벗고 머리를 묶어 맴. '袒一'.

字源 金文 篆文 象形. 그곳으로 아기를 낳은 사람의 사타구니의 상형으로, '아이를 낳다'의 뜻을 나타냄. '娩만'의 원자(原字). 또, 아기가 빠져나오는 모양에서, 어떤 상태를 벗어나다의 뜻을 나타냄.

[免減 면감] 아주 면(免)하거나 가볍게 해 줌.
[免歉 면겸] 면흉(免凶).
[免官 면관] 관직(官職)을 해면(解免)해 줌.
[免冠 면관] 관(冠)을 벗음.
[免窮 면궁] 빈궁(貧窮)을 면(免)함.
[免歸 면귀] 벼슬을 그만두고 집으로 돌아감.
[免急 면급] 위급함을 면함.
[免無識 면무식] 무식(無識)을 면할 정도의 학식(學識)이 있음.
[免白頭 면백두] 늙어서 처음으로 변변치 못한 벼슬을 함. 백두를 면함.
[免不得 면부득] 면(免)할 수 없음.
[免死 면사] 죽음을 면(免)함.
[免赦 면사] 사면(赦免)함. 형벌을 과하지 아니함. 사면(赦免). 유면(宥免).
[免席 면석] 자리를 물러남. 퇴장함.
[免稅 면세] 조세(租稅)를 면제함.
[免訴 면소] 형사(刑事) 피고인에 대하여 법원에서 공소권(公訴權)의 소멸(消滅) 또는 증거 불충분 등의 이유로 그 기소(起訴)를 소멸(消滅)시켜 방면(放免)하는 처분.
[免囚 면수] 형기(刑期)를 마치고 출옥(出獄)한 사람.
[免試 면시] 시험(試驗)을 면제함.
[免役 면역] 병역 또는 부역의 의무를 면제함.
[免疫 면역] 체내(體內)에 병원균(病原菌)에 대한 저항력(抵抗力)을 배양(培養)하여 전염병(傳染病)에 걸리지 않게 함.
[免夭 면요] 50세를 넘기고 죽음을 일컬음.
[免辱 면욕] 치욕(恥辱)을 면(免)함.
[免除 면제] 책임이나 의무를 면함.
[免租 면조] 조세(租稅)를 면제함.
[免罪 면죄] 죄(罪)를 면(免)함.
[免職 면직] 직임을 해면(解免)함.
[免責 면책] 책임(責任)을 면(免)함.
[免黜 면출] 관직(官職)에서 내침. 파면(罷免)함.
[免脫 면탈] 죄(罪)를 벗어남. 또, 탈세(脫稅)함.
[免行錢 면행전] 왕안석(王安石)의 신법(新法)의 하나. 경사(京師)에 거주하는 상인(商人)의 소득에 과하는 세금.
[免許 면허] 관청(官廳)에서 허가하는 행정 처분(行政處分).
[免禍 면화] 재앙(災殃)을 면(免)함.
[免鰥 면환] 홀아비가 다시 아내를 얻는 일.
[免凶 면흉] 흉년(凶年)을 면함.
[免身 문신] 자식을 낳음. 분만(分娩).
[免乳 문유] 애를 낳음. 해산함.
●減免. 蠲免. 寬免. 袒免. 放免. 赦免. 優免. 偉免. 宥免. 依願免. 任免. 除免. 責免. 黜免.

偸兒. 罷兒. 解兒.

5 ⑦ [兕] 시 ④紙 徐姉切 sì

兕

筆順 丨 冂 冂 冂 冂 冈 冈 兕

字解 외뿔소 시 무
소과(科)에 속하
는 들소 비슷한 짐
승. 뿔은 하나이
고 체중이 천 근
(斤)가량임. 가죽
은 단단하여 갑옷,
뿔은 술잔 등을 만
듦. '一虎.' 《爾雅》

[兕]

字源 篆文 古文　象形. 들소 비슷한 외뿔소를 본
뜸. 그 뜻을 나타냄.

[兕甲 시갑] 외뿔소의 가죽으로 만든 갑옷.
[兕觥 시굉] 외뿔소의 뿔로 만든 큰 잔. 벌주(罰
酒)를 따르는 데 쓰였음.
[兕虎 시호] 외뿔소와 범. 전(轉)하여, 사나운 자.

5 ⑦ [镸] 〔장〕
長(部首〈p.2427〉)의 古字

5 ⑦ [児] 〔아〕
兒(儿部 六畫〈p.197〉)의 俗字

5 ⑦ [兎] [人名] 〔토〕
兔(儿部 六畫〈p.197〉)의 俗字

5 ⑦ [鬼] 〔귀〕
鬼(部首〈p.2634〉)의 俗字

[禿] 〔독〕
禾部 二畫(p.1608)을 보라.

[兌] 〔모〕
白部 二畫(p.1510)을 보라.

6 ⑧ [兒] [中] [人]

二 아 ⑦支 汝移切 ér
二 예 ⑦齊 五稽切 ní

儿 兒

筆順 丶 𠂉 𠂉 𠂉 𠂉 臼 臼 兒

字解 ■①아이 아 ㉠어린아이. '一童'. '一齒'.
'發沛中一, 得百二十人'《史記》. ㉡아들이 어버
이에 대하여 말하는 자칭(自稱). '一實無罪
過'《古詩》. ㉢남을 경멸하여 이르는 말. 사람의
천칭(賤稱). '布目備曰, 大耳一最叵信'《後漢
書》. ②어조사 아 동식물·기구 등의 이름의 끝
에 붙이는 조사(助辭). '車一', '打起黃鶯一'
《蓋嘉運》. ③성 아 성(姓)의 하나. ■성 예 성
(姓)의 하나. '一寬'은 전한(前漢)의 무제(武
帝) 때 사람.

字源 甲骨文 金文 篆文　象形. 머리를 두 갈래로 갈
라 머리 위 양쪽에 뿔처럼
동여맨 상형으로, '사내아이'의 뜻을 나타냄.

[兒女 아녀] 사내아이와 계집아이. 또, 아이. 아
이. 또, 단지 계집아이의 뜻으로도 쓰임.
[兒女子 아녀자] 아녀(兒女).
[兒女之債 아녀지채] 자식들에게 드는 교육비(教

育費)나 혼비(婚費) 따위의 여러 비용. '채
(債)'는 모면할 수 없는 부채(負債)라는 뜻.
[兒女態 아녀태] 계집아이 같은 연약한 태도.
[兒童 아동] 아이.
[兒僮 아동] 아동(兒童).
[兒童走卒 아동주졸] 아이와 심부름꾼. 전(轉)하
여, 무지몽매한 사람.
[兒名 아명] 아이 때에 부르던 이름.
[兒輩 아배] ㉠아이들. ㉡사람을 유치(幼稚)하게
여겨 부르는 말.
[兒孫 아손] 자식과 손자. 자손(子孫).
[兒息 아식] 자식(子息).
[兒子 아자] 자식. 또, 아이.
[兒店 아점] 지점(支店).
[兒曹 아조] 아배(兒輩).
[兒枝 아지] 어린 가지. 새순이 자란 가지.
[兒塚 아총] 어린아이의 무덤.
[兒齒 아치] 노인(老人)의 이가 빠지고 다시 난
이. 장수(長壽)의 징조(徵兆)라 함.
[兒孩 아해] 아이.
[兒患 아환] ㉠어린아이의 병. ㉡자기 자식(子息)
의 병.
[兒戱 아희] 아이들의 장난.
[兒寬 예관] 전한(前漢)의 천승(千乘) 사람. 공안
국(孔安國)의 문인(門人). 무제(武帝) 때 장고
(掌故)를 거쳐 좌내사(左內史)로 재직시 민심
을 얻었으나 조세(租稅)의 징수(徵收)가 극히
나빠 파면당하게 되매, 백성들이 앞을 다투어
구실을 바쳐 납세 성적이 가장 우량(優良)하게
되었음. 후에 어사대부(御史大夫)를 지냈음.
●家兒. 健兒. 乞兒. 輕薄兒. 孤兒. 驕兒. 麒麟
兒. 棄兒. 男兒. 大兒. 豚兒. 童兒. 牧兒. 小
兒. 雙生兒. 愛兒. 女兒. 嬰兒. 英雄兒. 寧馨
兒. 園兒. 幼兒. 乳兒. 遺兒. 育兒. 籠兒. 託
兒. 蕩兒. 胎兒. 風雲兒. 孩兒. 幸運兒. 混血
兒. 黃口兒.

6 ⑧ [兒] 兒(前條)의 古字

6 ⑧ [兔] 토 ⑤遇 湯故切 tù

兔

筆順 丶 丿 丿 𠂇 𠂇 勹 兔 兔

字解 ①토끼 토 토낏과(科)에 속하는 설치류(齧
齒類)의 짐승. 귀가 길고 뒷다리가 발달하였음.
'一日明視'《禮記》. ②달 토 달 속에 토끼가 있
다는 전설에서, 달[月]의 별칭(別稱)이 됨. '沈
鉤搖一影'《盧照鄰》. ③성 토 성(姓)의 하나.

字源 甲骨文 篆文　象形. 긴 귀, 뛰는 다리, 짧은
꼬리의 토끼의 상형.

參考 兎(儿部 五畫)는 俗字.

[兔角龜毛 토각귀모] 토끼의 뿔과 거북의 털. 전
(轉)하여, 세상에 없는 사물의 비유로 쓰임.
[兔缺 토결] 언청이. 결순(缺脣).
[兔起鶻落 토기골락] 글씨의 필세(筆勢)가 주경
(遒勁)함을 형용하는 말.
[兔魄 토백] 달의 이칭(異稱).
[兔糞 토분] 토끼 똥.
[兔絲 토사] 일년생(一年生)의 기생 만초(寄生蔓
草). 봄에 실 같은 줄기로 다른 나무에 기어오
르며, 늦여름에 흰 꽃이 핌. 열매는 약재로 씀.

[兔死狗烹 토사구팽] 날쌘 토끼가 죽으니 사냥개는 소용없이 되어 삶아 먹힌다는 뜻으로, 쓸모있는 동안에는 부림을 당하다가 소용이 다하면 버림을 받는다는 말.
[兔絲附女蘿 토사부여라] 새삼덩굴이 여라(女蘿)에 감겼다는 뜻으로, 부부(夫婦)의 인연을 이름.
[兔死狐悲 토사호비] 동류(同類)의 불운(不運)을 슬퍼함을 이름.
[兔脣 토순] 언청이. 토결(兔缺).
[兔影 토영] 달빛. 월영(月影).
[兔烏 토오] 달과 해. 오토(烏兔).
[兔園冊 토원책] 통속적인 책. 비속(卑俗)한 책. 전(轉)하여, 자기 저술(著述)의 비칭(卑稱).
[兔月 토월] '달〔月〕'의 별칭.
[兔罝 토저] 토끼를 잡는 그물.
[兔走鳧擧 토주부거] 대단히 빠른 것을 형용하는 말.
[兔走烏飛 토주오비] 세월이 빨리 흐름을 이름. '토(兔)'는 달, '오(烏)'는 해.
[兔毫 토호] ㉠토끼의 잔털. ㉡붓의 이칭(異稱). 토끼털로 만들므로 일컬음.
◉塞兔. 狡兔. 蟾兔. 烏兔. 玉兔. 月兔. 銀兔. 脫兔. 玄兔.

6 ⑧ [兖] 〔연〕 兗(儿部 七畫⟨p. 198⟩)의 俗字

6 ⑧ [兒] 兕(次條)의 古字

[兕] 〔시〕 儿部 五畫(p. 197)을 보라.

7 ⑨ [兗] 人名 연 ㊤銑 以轉切 yǎn

字解 연주 연 구주(九州)의 하나. 지금의 허베이 성(河北省) 및 산둥 성(山東省)의 일부. '濟河惟一州'《書經》.
字源 形聲. 亢+㕣〔音〕. '㕣연'은 '연(沿)하다'의 뜻. '亢강'은 '언덕'의 뜻. 황하(黃河)에 연한 구릉 지대(丘陵地帶)의 뜻을 나타냄.
參考 兖(儿部 六畫)은 俗字.

7 ⑨ [尭] 〔요〕 堯(土部 九畫⟨p. 453⟩)의 俗字

8 ⑩ [党] 당 ㊤養 底朗切 dǎng

字解 성 당 성(姓)의 하나. '一耐虎'는 진(秦)나라의 장군.
參考 속(俗)에 黨(黑部 八畫)의 略字로 쓰임.

8 ⑩ [兛] 천 現 킬로그램

字解 미터법의 무게의 단위. 킬로그램의 약기(略記). 그램〔克〕의 천 배(倍).

9 ⑪ [兜] 人名 두(도俗) ㊥尤 當侯切 dōu

字解 ①투구 두 예전에 군인이 전시에 쓰던 쇠모자. '得策一鍪'《吳志》. ②건 두 두건(頭巾). '西僧皆戴紅一'《瞿佑詩話》. ③미혹할 두 의혹함. '使勿一'《國語》. ④성 두 성(姓)의 하나.
字源 篆文 會意. 兜+皃〈省〉. '兜고'는 '덮다', '皃'의 생략형인 '白'는 사람의 머리의 뜻. 사람의 머리를 덮는다는 뜻에서, '투구'의 뜻을 나타냄.

[兜率 도솔] 《佛敎》 욕계(欲界) 육천(六天)의 제사천(第四天)으로서 욕계의 정토(淨土). 지상(地上)에서 32만 유순(由旬) 위에 있으며, 미륵보살(彌勒菩薩)이 사는 곳이라 함.
[兜率天 도솔천] 도솔(兜率).
[兜轎 두교] 산에 타고 다니는 가마.
[兜籠 두롱] 가마.
[兜牟 두무] 두무(兜鍪).
[兜鍪 두무] 투구.
[兜侵 두침] 관리(官吏) 등이 공금(公金)을 중간에서 속여 먹음.

10 ⑫ [兟] 신 ㊥眞 所臻切 shēn

字解 ①나아갈 신 앞으로 나감. ②많을 신 중다(衆多)한 모양.
字源 篆文 會意. 두 개의 '先선'을 합쳐, 많은 것이 나란히 나아가다의 뜻을 나타냄.

[兟兟 신신] 많은 모양. 중다(衆多)한 모양.

12 ⑭ [兢] 人名 긍 ㊥蒸 居陵切 jīng

筆順 一 十 古 克 克 克克 兢 兢

字解 ①조심할 긍 소심(小心)한 모양. '戰戰一一', '一一業業, 一日二日萬幾'《書經》. ②떨릴 긍 전율(戰慄)함. '一悸'. '入凌一'《漢書》.
字源 甲骨文 金文 篆文 會意. 克+克. '克극'은 무거운 투구를 쓴 사람의 상형. 그 두 사람이 나란히 다투다의 뜻을 나타냄. 또, 다툴 때의 심리인 두려워하여 조심하다의 뜻도 나타냄.

[兢恪 긍각] 조심하고 공근(恭謹)함.
[兢戒 긍계] 조심하고 경계함.
[兢悸 긍계] 두려워하여 떪.
[兢懼 긍구] 삼가고 두려워함.
[兢兢 긍긍] ㉠굳고 강한 모양. ㉡삼가고 두려워하는 모양.
[兢兢業業 긍긍업업] 긍긍(兢兢).
[兢慄 긍률] 긍계(兢悸).
[兢悚 긍송] 송구(悚懼)함.
[兢畏 긍외] 두려워함.
[兢惕 긍척] 조심하고 두려워함.
[兢惶 긍황] 조심하고 황공해함.
◉凜兢. 凌兢. 自兢. 戰兢. 戰戰兢兢. 慫兢.

入 (2획) 部
〔들입부〕

0 ② [入] 中人 입 ㊅緝 人執切 rù

筆順 ノ 入

字解 ①들 입, 들어갈 입 ㉠'出'의 대(對). '一國'. '一城'. '爭門而一'《史記》. ㉡꿰뚫음. '射甲不一, 卽斬弓人'《晉書》. ㉢조정(朝廷)에서 벼슬함. '一守內職'《韓愈》. ㉣들일 입 ㉠들어오게 함. '爲我呼'《史記》. ㉡납부(納付)함. '一粟拜官'. '貢之不一, 寡人之罪也'《左傳》. ㉢금품을 거두어들임. '收一'. ㉣받아들임. '箴諫以不一'《國語》. ③담글 입 몰입(沒入)함. '三一爲'《周禮》. ④수입 입 수납(收納). 소득. '量一以爲出'《禮記》. ⑤입성 입 사성(四聲)의 하나. 짧고 빨리 거두어들이는 소리. '一聲短促急收藏'《玉鑰匙歌訣》.

字源 [甲骨文] 入 [金] 入 [篆文] 入　象形. 안팎을 구별하는 경계선에서 안으로 들어가는 입구(入口)의 상형으로, '들어가다'의 뜻을 나타냄.

[入閣 입각] 내각(內閣)의 일원(一員)이 됨.
[入鑑 입감] 어른에게 보여 드림.
[入格 입격] 시험(試驗)에 뽑힘.
[入京 입경] 서울로 들어감.
[入境問禁 입경문금] 국경(國境)을 넘어서면 그 나라의 금제(禁制)를 물어야 한다는 말.
[入啓 입계] 주문(奏文)을 올림.
[入庫 입고] 물건을 곳집에 넣음.
[入骨髓 입골수] 골수(骨髓)에 사무침. 원한(怨恨)이 깊어 쌓임을 말함. 철골수(徹骨髓).
[入貢 입공] 조공(朝貢)을 바침.
[入棺 입관] 시체(屍體)를 관(棺) 속에 넣음. 납관(納棺).
[入校 입교] ㉠입학(入學). ㉡군사 학교(軍事學校)에의 입학.
[入口 입구] 드나드는 어귀.
[入寇 입구] 적군(賊軍)이 쳐들어옴.
[入闕 입궐] 대궐(大闕)로 들어감.
[入覲 입근] 대궐에 들어가 임금께 알현(謁見)함.
[入金 입금] ㉠총액(總額) 중의 일부분의 금액(金額)을 납부함. ㉡은행(銀行) 등에 예금(預金) 또는 부채(負債)를 반상(返償)하기 위하여 돈을 들여놓음.
[入其國者從其俗 입기국자종기속] 그 나라에 들어가면 그 땅의 풍속을 따라야 함.
[入納 입납] 편지를 드린다는 뜻으로, 봉투에 쓰는 말.
[入內 입내] 안으로 들어옴.
[入黨 입당] 정당(政黨)에 가입하여 당원(黨員)이 됨.
[入隊 입대] 군대에 들어감.
[入道 입도] ㉠도교(道敎)를 배워 도사(道士)가 됨. ㉡불교(佛敎)를 신앙하여 출가(出家)함.
[入洛 입락] 입경(入京). 상락(上洛).
[入幕之賓 입막지빈] 침실(寢室)에 드리운 장막(帳幕) 안에 있는 손님. 전(轉)하여, 특별히 가까운 손님. 또, 기밀(機密)에 속하는 일을 의논하는 사람.
[入梅 입매] 매우기(梅雨期)에 들어가는 날.
[入滅 입멸] 입적(入寂).
[入木 입목] 필세(筆勢)가 세어 먹이 나무에 깊이 밴다는 뜻으로, 서도(書道)를 이름.
[入無間 입무간] ㉠도(道)의 미묘함을 이름. ㉡논설문(論說文)이 극히 정미(精微)함을 이름.

[入墨 입묵] 살 속에 먹물을 넣어서 글자 또는 그림을 새김.
[入門 입문] ㉠스승의 집에 들어간다는 뜻으로, 문하생(門下生)이 됨을 이름. ㉡초학자(初學者)가 공부하기 편한 책. 입문서(入門書).
[入聞 입문] 윗사람의 귀에 들어감.
[入泮 입반] 입학(入學). 옛날에 제후(諸侯)가 세운 학교를 반궁(泮宮)이라 한 까닭임.
[入番 입번] 입직(入直).
[入寶山空手歸 입보산공수귀] 보물산에 들어가서 빈손으로 돌아온다는 뜻으로, 절호(絶好)의 기회를 만나고서도 그 기회를 헛되이 보냄의 비유.
[入費 입비] 일에 드는 비용.
[入仕 입사] 벼슬을 한 뒤에 처음으로 사진(仕進)함.
[入社 입사] 사원(社員)이 됨.
[入山 입산] 출가(出家)하여 중이 됨.
[入賞 입상] 상을 타게 됨.
[入選 입선] 당선(當選)함.
[入城 입성] 성중(城中)으로 들어감.
[入聲 입성] 한자(漢字)의 사성(四聲)의 하나로, 짧고 빨리 거두어들이는 소리. 곧, 옥(屋)·옥(沃)·각(覺)·질(質)·물(物)·월(月)·갈(曷)·할(黠)·설(屑)·약(藥)·맥(陌)·석(錫)·직(職)·즙(緝)·합(合)·엽(葉)·흡(洽)의 열일곱의 측운(仄韻)으로 구분함.
[入送 입송] 밖에서 안으로 들여보냄.
[入水 입수] 몸을 물에 던짐. 투신(投身).
[入手 입수] 수중에 들어옴.
[入侍 입시] 대궐(大闕) 안에 들어가 임금께 알현(謁見)함.
[入神 입신] 영묘(靈妙)한 지경에 들어감.
[入室 입실] ㉠학문·예술 등의 오의(奧義)를 해득(解得)함. ㉡《佛敎》사승(師僧)에게 오의(奧義)를 전수(傳受)받음. ㉢방이나 교실에 들어감.
[入室操矛 입실조모] 남의 무기로 그 사람을 공격한다는 뜻으로, 남의 도(道)를 배워 도리어 그 사람을 공격함을 이름. 정현(鄭玄)이 하휴(何休)의 경학설(經學說)을 논란(論難)하였을 때 하휴가 '康成入吾室操吾矛以伐我乎'라고 하며 한탄한 고사(故事)에서 나온 말. '강성(康成)'은 정현의 자(字)임.
[入謁 입알] 들어가 알현(謁見)함.
[入御 입어] 천자가 궁중에 들어감.
[入營 입영] 군인(軍人)이 되어 영문(營門)에 들어감.
[入獄 입옥] 옥(獄)에 갇힘.
[入浴 입욕] 목욕(沐浴)을 함.
[入用 입용] 필요함. 소용이 됨.
[入院 입원] 병을 고치기 위하여 병원에 들어가 있으면서 치료를 받음.
[入耳不煩 입이불번] 귀에 들려도 듣기가 번거롭지 아니함. 듣기 싫지 않음. 알랑거리는 말을 가리킴.
[入耳着心 입이착심] 들은 바를 마음에 간직하여 잊지 않음.
[入耳出口 입이출구] 들은 바를 곧 남에게 말함. 남이 하는 말을 듣고서 제 주견인 양 그대로 옮김.
[入丈 입장] 장가듦.
[入葬 입장] 장사(葬事)를 지냄.
[入場 입장] 장내(場內)로 들어감.
[入寂 입적] 중이 죽음. 입멸(入滅).
[入籍 입적] ㉠귀화(歸化)하여 그 국적(國籍)에

편입됨. ㉡출생 또는 가취(嫁娶) 등으로 호적(戶籍)에 올림.
[入定 입정] 《佛敎》선정(禪定)에 들어감.
[入朝 입조] 속국(屬國) 또는 외국의 사신(使臣)들이 와서 군주(君主)에 알현(謁見)함.
[入直 입직] 숙직(宿直).
[入津 입진] 배가 나루에 들어옴.
[入札 입찰] 청부(請負)나 경매(競賣) 따위의 경우에 여러 희망자로 하여금 각자의 예정 가격(豫定價格)을 기록하여 내게 하는 일.
[入蜀記 입촉기] 기행문(紀行文). 송(宋)나라의 육유(陸游)가 지음. 6권. 산음(山陰)에서 기주(夔州)까지의 기행문. 문장이 아담하고 고적(古蹟)의 기술(記述)이 근거가 있어 범성대(范成大)의 〈오선록(吳船錄)〉과 병칭(竝稱)됨.
[入齒 입치] 의치(義齒).
[入湯 입탕] 입욕(入浴).
[入稟 입품] 임금께 품고(稟告)함.
[入學 입학] 학교(學校)에 들어감.
[入港 입항] 배가 항구에 들어옴.
[入會 입회] 어떠한 회에 들어가 회원(會員)이 됨.
●介入. 購入. 記入. 亂入. 納入. 單刀直入. 導入. 突入. 斗入. 沒入. 搬入. 四捨五入. 算入. 挿入. 先入. 歲入. 收入. 輸入. 悟入. 邑入. 移入. 潛入. 轉入. 進入. 出入. 侵入. 浸入. 闖入. 編入. 陷入. 混入. 吸入.

1 ③ **[仄]** 〔망〕 亡(亠部 一畫〈p.83〉)의 本字

2 ④ **[內]** 〔中〕 ⨪ 內 ㊀隊 奴對切 nèi
〔人〕 ⨪ 납 ㊁合 諸答切 nà 内

筆順 丨 冂 冂 內

字解 ■ ①안 내 ㉠밖[外]의 대(對). '城一', '國一之民, 其誰不爲臣'《左傳》. ㉡방(房). '築室家, 有一堂二'《漢書》. ㉢대궐 안. '大一'. '天子宮禁曰一'《韻會》. ㉣나라 안. '貪外虛一, 務欲廣地'《漢書》. ㉤겨레. 친족(親族). '獻一賓于房中'《儀禮》. ㉥집. 집안. '所以助德理一'《漢書》. ㉦처첩(妻妾). '畏一'〈엄처(嚴妻)〉. '好外者士死之, 好一者女死之'《孔子家語》. ◎마음. '敬以直一, 義以方外'《易經》. ㉧오장 육부(五臟六腑). '五一'(오장 육부). '扁鵲治一'《枚乘》. ㉨조정(朝廷). 정부. '以數切諫不得留一, 遷爲東海太守'《史記》. ㉩집안일. 가사(家事). '男不言一, 女不言外'《禮記》. ②몰래 내 비밀히. '一應'. '一謁徑入'《漢書》. ③안으로할 내 중히 여김. 가까이함. '外本一末'《大學》. ④들일 내 ㉠들어오게 함. '孝旣至, 不白名, 長不肯一'《世說》. ㉡집에 데려옴. 집 안에 둠. '一美人, 而虞虢亡'《韓非子》. ⑤성 내 성(姓)의 하나. ■ 들일 납 納(糸部 四畫)과 同字. '若己推而一之溝中'《孟子》.

字源 甲骨文 🐾 金文 🐾 篆文 內 會意. 冂+入. '冂경'은 집의 상형, '入입'은 '들어가다'의 뜻. 집에 들어가다, 들어간 안·속의 뜻을 나타냄.

[內人 나인] 궁궐 안에서 대전(大殿)·내전(內殿)을 가까이 모시는 내명부(內命婦)의 총칭. 궁인(宮人). 궁녀(宮女).
[內家 내가] 내궁(內宮).

[內角 내각] ㉠한 직선(直線)이 각각 다른 점(點)에서 두 직선과 만날 때 두 직선 안쪽으로 생기는 각(角). ㉡다각형(多角形)에서 인접한 두 변(邊)이 안쪽에 만드는 모든 각(角).
[內殼 내각] 속껍질.
[內閣 내각] ㉠안방. 내실(內室). ㉡명대(明代) 및 청초(淸初)의 정무(政務)의 최고 기관. ㉢정부의 각 장관(長官)으로써 조직된 합의체(合議體)의 관청.
[內間 내간] 부녀자가 거처하는 곳. 아낙.
[內簡 내간] 부녀(婦女)의 편지.
[內艱 내간] 어머니의 상사(喪事).
[內感 내감] 내계(內界)에서 일어나는 감각(感覺).
[內監 내감] ㉠환관(宦官). ㉡청조(淸朝)에서, 중죄인(重罪人)을 가두기 위하여 설치한 뇌옥(牢獄)의 별실(別室).
[內降 내강] 천자(天子)가 재상(宰相)에게 상의하지 않고 조서(詔書)를 내림.
[內剛 내강] 겉과는 달라 속마음은 굳고 단단함.
[內客 내객] 안손님.
[內擧 내거] 친척 또는 친분이 있는 사람을 기용함. 외거(外擧)의 대(對).
[內檢 내검] 내밀(內密)히 조사함.
[內界 내계] ㉠마음속의 범위(範圍). ㉡내부(內部)의 범위.
[內見 내견] 몰래 봄. 내람(內覽).
[內庫 내고] 궁중(宮中)에 있는 천자가 쓰는 물품 창고.
[內顧 내고] ㉠뒤돌아봄. ㉡처자(妻子)를 돌봄. ㉢생계(生計)를 돌봄.
[內攻 내공] ㉠병(病)이 체내(體內)에 잠복함. ㉡적(敵)을 내부에서 궤란(潰亂)하게 함.
[內科 내과] 내장(內臟)의 기관에 생기는 병을 다스리는 의술(醫術).
[內踝 내과] 발의 안쪽에 있는 복사뼈.
[內科醫 내과의] 내과에 관한 치료(治療)를 전문으로 하는 의사(醫師).
[內果皮 내과피] 열매 속에 있어서 직접 씨를 싸고 있는 껍질.
[內官 내관] ㉠내시(內侍). 환관(宦官). ㉡여관(女官).
[內棺 내관] 관(棺) 속에 있는 관(棺).
[內敎 내교] ㉠부인(婦人)의 가르침. ㉡《佛敎》딴 교(敎)에 대하여 불교의 일컬음.
[內敎坊 내교방] 궁정(宮廷)에서 여악(女樂)의 일을 맡은 곳.
[內疚 내구] 마음의 병. 마음속의 근심.
[內廐 내구] 궁중(宮中)의 깊숙한 방. 또는 그 속의 비사(祕事).
[內寇 내구] 내부의 도둑. 국내(國內)의 폭동(暴動). 외구(外寇)의 대(對).
[內舅 내구] 외숙(外叔).
[內國 내국] ㉠나라 안. 국내. ㉡아국(我國). 본국(本國).
[內君 내군] 남의 아내에 대한 경칭(敬稱).
[內宮 내궁] 육궁(六宮)의 총칭(總稱).
[內規 내규] 한 기관 안에서만 시행(施行)하는 규칙(規則).
[內訌 내극] 내홍(內訌).
[內近 내근] 부녀가 거처(居處)하는 방과 가까움.
[內勤 내근] 관청·회사·상점 등의 안에서 하는 근무(勤務). 외근(外勤)의 대(對).

[内金 내금] 치를 돈 가운데서 그 얼마를 미리 치르는 돈.

[内諾 내낙] 내락(内諾).

[内難 내난] 국내의 난사(難事).

[内帑 내노] 내탕(内帑).

[内堂 내당] 내실(内室).

[内黨 내당] 내부(内部)의 당원(黨員).

[内臺 내대] ㉠상서성(尙書省)의 이칭(異稱). ㉡어사대(御史臺)의 이칭.

[内德 내덕] ㉠심중(心中)의 덕(德). ㉡황후(皇后)의 덕(德). 곤덕(坤德).

[内道場 내도량] 대궐 안에서 불도(佛道)를 닦는 집.

[内諾 내락] 내밀히 하는 승낙(承諾).

[内亂 내란] 나라 안에서 생긴 난리.

[内覽 내람] 남모르게 봄.

[内廉 내렴] 품행(品行)이 방정(方正)함.

[内錄 내록] 녹상서사(錄尙書事)〈상서(尙書)의 일을 총할하는 벼슬〉를 이름.

[内料 내료] ㉠궁중(宮中)의 씀씀이. ㉡궁중의 급여(給與).

[内陸 내륙] 바다에서 멀리 떨어져 있는 육지.

[内裏 내리] 대궐(大闕).

[内幕 내막] 겉으로 드러나지 아니한 사실. 속내평. 겉속.

[内妹 내매] 처제(妻弟).

[内面 내면] 안쪽. 속 바닥.

[内明 내명] 속셈이 밝음.

[内命 내명] ㉠비밀의 명령. 밀지(密旨). ㉡내제(内制)❶.

[内命婦 내명부] 궁중(宮中)에서 섬기는 삼부인(三夫人) 이하의 여관(女官)의 일컬음. 경대부(卿大夫)의 아내를 외명부(外命婦)라 함의 대(對).

[内侮 내모] 집안 불화(不和). 외모(外侮)의 대(對).

[内務 내무] 나라 안의 정무(政務).

[内密 내밀] 기밀(機密).

[内坊 내방] 태자비(太子妃)의 궁(宮).

[内房 내방] 안방. 내실(内室).

[内變 내변] 나라 안에 일어난 변고.

[内病 내병] 속병. 내질(内疾).

[内報 내보] 내밀히 알리는 보고.

[内輔 내보] 아내가 남편을 도움.

[内服 내복] ㉠약을 먹음. ㉡속옷.

[内福 내복] 남이 모르는 복(福).

[内府 내부] ㉠불시(不時)의 국용(國用)을 맡은 벼슬. ㉡궁내(宮內)의 곳집.

[内附 내부] 들어와 복속(服屬)함. 속국이 됨.

[内部 내부] 안쪽의 부분.

[内傅 내부] 보모(保姆).

[内紛 내분] 내홍(内訌).

[内分泌 내분비] 체내(體內)에서 화성(化成)한 특수한 영양 물질(營養物質). 곧, 호르몬을 내분비선(内分泌腺)에서 혈액(血液) 중으로 보내는 작용.

[内賓 내빈] 안손님.

[内史 내사] ㉠나라의 법전(法典)을 맡은 벼슬. ㉡궁중(宮中)의 기록을 맡은 벼슬. ㉢경사(京師)의 지방 사무를 관장한 벼슬.

[内舍 내사] 부녀자가 사는 곳. 안채.

[内事 내사] ㉠궁중(宮中)의 일. ㉡집안의 일.

[内査 내사] 비밀히 조사함.

[内賜 내사] 임금이 물건을 하사(下賜)함.

[内相 내상] ㉠한림학사(翰林學士)의 미칭(美稱).

[内상] ㉡아내가 살림을 잘함. 또, 그 아내.

[内喪 내상] 부녀자의 초상.

[内傷 내상] 몸이 쇠약하여 몸 안에 생긴 병.

[内禪 내선] ㉠병력(兵力)을 쓰지 않음. 외선(外禪)의 대(對). ㉡천자(天子)가 태자(太子)에게 양위(讓位)는 하였으나, 아직 즉위(卽位)의 예(禮)를 올리지 않음.

[内姓 내성] 조상을 같이하는 사람. 동성(同姓)의 겨레붙이. 동족(同族).

[内城 내성] 외성(外城) 안에 있는 성.

[内省 내성] 자기 마음을 반성함.

[内省不疚 내성불구] 자기 마음을 반성하여 조금도 부끄러울 것이 없음.

[内聖外王 내성외왕] 속은 성인(聖人)이고 겉은 국왕(國王)이란 뜻으로, 학술의 채용 본말(體用本末)이 겸비(兼備)함을 이름.

[内訴 내소] 내밀히 호소함.

[内疎外親 내소외친] 마음속으로는 소원(疎遠)히 하나, 겉으로는 친한 체함.

[内屬 내속] 내부(内附).

[内訟 내송] 마음속으로 자책(自責)함.

[内豎 내수] 궁중(宮中)에서 섬기는 낮은 벼슬아치.

[内示 내시] 내밀히 보임.

[内侍 내시] ㉠궁중(宮中)에서 섬기는 환관(宦官). ㉡궁중에서 섬기는 여관(女官).

[内視 내시] 스스로 봄. 반성함.

[内視反聽 내시반청] 자신을 반성하여 살핌.

[内息 내식] 같은 방에서 동거(同居)함.

[内申 내신] 내밀히 상신함.

[内臣 내신] ㉠국내(國內)의 신하(臣下). ㉡환관(宦官).

[内腎 내신] 신장(腎臟). 콩팥.

[内室 내실] ㉠안방. ㉡처. 아내. 또, 남의 아내의 경칭(敬稱).

[内實 내실] ㉠안에 참. 또, 그것. 속. ㉡처자와 재물. ㉢내막의 사실.

[内心 내심] ㉠속마음. ㉡마음속에 품음.

[内衙 내아] (韓) 지방 관아(地方官衙)의 안채.

[内謁 내알] 비밀히 알현(謁見)함.

[内約 내약] 내밀히 하는 언약.

[内御 내어] 임금의 침석(枕席)에서 섬기는 여관(女官).

[内宴 내연] 집안 잔치. 사연(私宴).

[内醞 내온] 임금이 신하(臣下)에게 하사하는 술.

[内蘊 내온] 속에 쌓아 저장함.

[内外 내외] ㉠안팎. ㉡내국(内國)과 외국(外國). 국내와 국외.

[内外艱 내외간] 부모(父母)의 상(喪).

[内外儲 내외저] 한비자(韓非子)의 내저설(内儲說)과 외저설(外儲說)의 2편(篇). 내저는 술책(術策)을 명군(明君)이 써서 신하를 제어(制御)함이요, 외저란 명군(明君)이 신하의 언행(言行)을 보아 상벌을 내리는 일.

[内外典 내외전] 《佛敎》 내전(内典)과 외전(外典). 불교의 경전(經典)과 불교 이외의 경서(經書).

[内外從 내외종] 내종(内從) 형제 자매(兄弟姉妹)와 외종(外從) 형제 자매.

[内外戚 내외척] 부계(父系)와 모계(母系)의 일가 친척.

[内欲 내욕] 탐내는 마음.

[内用 내용] 안살림의 소용(所用).

[内容 내용] 사물의 속내.

[內憂 내우] 나라 안의 근심. 나라 안의 분쟁. 내란.

[內憂外患 내우외환] 나라 안의 근심과 나라 밖의 근심. 내란과 외구(外寇).

[內苑 내원] 궁중(宮中)의 동산.

[內諭 내유] 가만히 타이름.

[內遊星 내유성] 그 궤도(軌道)가 지구(地球)의 궤도(軌道) 내에 있는 유성(遊星). 화성(火星)·금성(金星) 따위.

[內柔外剛 내유외강] 내심은 유약하나 외모는 강강(剛强)하게 보임.

[內潤外朗 내윤외랑] 옥(玉)이 그 광택(光澤)을 속에 품은 것을 내윤(內潤), 겉으로 발(發)하는 것을 외랑(外朗)이라고 함. 인물(人物)의 재덕(才德)을 형용하는 말.

[內應 내응] ㉠외적(外敵)과 통함. ㉡몰래 도움.

[內衣 내의] 속에 입는 옷. 속옷.

[內意 내의] ㉠속뜻. 마음속의 의사. ㉡비밀의 의향.

[內耳 내이] 귀의 맨 속에 소리를 느끼는 기관이 있는 부분. 속귀.

[內移 내이] 《韓》관찰사(觀察使)·수령(守令) 등이 중앙 관직(官職)으로 전임(轉任)함.

[內人 내인] ㉠나인(內人). ㉡처. 아내. ㉢집안 사람.

[內子 내자] 경대부(卿大夫)의 아내.

[內眥 내자] 눈초리.

[內障 내장] 안구(眼球) 속에서 생기는 흑(黑)내장·백(白)내장·녹(綠)내장의 눈병의 총칭. 안력(眼力)이 나빠지거나 명암(明暗)을 구별하지 못함.

[內藏 내장] ㉠심중(心中)에 감춰 둠. ㉡내고(內庫). ㉢내장(內臟).

[內臟 내장] 척추동물(脊椎動物)의 가슴 속과 배 속에 있는 기관(器官). 호흡기·소화기·비뇨 생식기(泌尿生殖器) 따위.

[內在 내재] 어떤 사물이나 성질이 다른 것 속에 포함되어 있음. 「訌」

[內爭 내쟁] 나라 안의 싸움. 집안싸움. 내홍(內訌).

[內典 내전] 《佛敎》불경(佛經). 유서(儒書)를 외전(外典)이라 함의 대(對).

[內殿 내전] 대궐 안 깊숙이 있는 궁전.

[內轉 내전] 지방관(地方官)에서 중앙 관직(中央官職)으로 전근함.

[內接圓 내접원] 다각형(多角形)의 안에서 원주(圓周)가 각 변(邊)에 닿는 원(圓).

[內廷 내정] 궁정(宮廷)의 내부.

[內定 내정] 속으로 작정함.

[內政 내정] 국내 정치(國內政治).

[內庭 내정] 안뜰.

[內偵 내정] 내탐(內探).

[內情 내정] 속의 형편.

[內制 내제] ㉠외조(外朝)를 거치지 않는 천자(天子)의 제지(制旨). 내명(內命). ㉡한림학사의 별칭(別稱).

[內題 내제] 책 속표지에 쓴 제목.

[內助 내조] 아내가 남편을 도움.

[內朝 내조] 주대(周代)에 내조(內朝)·치조(治朝)·외조(外朝)를 삼조(三朝)라고 하였는데, 치조는 천자(天子)가 매일 정사(政事)를 보는 곳이고, 내조는 연조(燕朝) 또는 노침(路寢)이라고 하여 천자가 퇴청하는 곳이며, 외조는 국가 비상시에 만민(萬民)을 모아 자순(諮詢)하

는 곳이었음. ㉡내전(內殿).

[內從 내종] 내종 사촌(內從四寸).

[內腫 내종] 내장(內臟)에 나는 종기(腫氣).

[內主 내주] ㉠주부(主婦). 부인(夫人). ㉡몰래 적(敵)과 통(通)한 사람. 내응자(內應者).

[內奏 내주] 내밀히 상주(上奏)함.

[內證 내증] 《佛敎》자기 마음속의 증오(證悟)를 깨달음.

[內地 내지] ㉠본국(本國). 나라 안. ㉡바다에서 먼 내부의 땅.

[內旨 내지] 임금이 은밀히 내리는 명령.

[內職 내직] ㉠궁내(宮內)의 여관(女官)의 직무. ㉡조정(朝廷)에서 근무하는 벼슬. ㉢《韓》본직(本職) 밖의 여가(餘暇)로 하는 생업(生業).

[內疾 내질] 속병. 내증(內症).

[內集 내집] 집안끼리의 모임. 친척의 모임.

[內次 내차] 문(門)의 안으로 들어서서 옷을 갈아입게 된 곳. 외차(外次)의 대(對).

[內札 내찰] 내간(內簡).

[內讒 내참] 내부의 참소. 「對」

[內戚 내척] 부계(父系)의 일가. 외척(外戚)의 대

[內遷 내천] 내직(內職)으로 옮김. 조관(朝官)으로 전근함.

[內妾 내첩] 측실(側室).

[內淸外濁 내청외탁] 속은 맑고 겉은 흐림. 난세(亂世)에 명철보신(明哲保身)하는 방법의 하나.

[內寵 내총] ㉠특별한 군은(君恩)을 받는 여자. 내폐(內嬖). ㉡특수한 군은을 받는 폐신(嬖臣).

[內出血 내출혈] 혈액(血液)이 조직(組織) 속 또는 체강(體腔) 내에 나옴. 뇌출혈(腦出血) 따위.

[內廁 내측] 안뒷간.

[內治 내치] 나라 안의 정치(政治).

[內勅 내칙] 내밀(內密)한 조칙(詔勅).

[內則 내칙] 집안의 규칙. 가헌(家憲).

[內親 내친] ㉠아내의 친척. 처족(妻族). ㉡심중(心中)에 친하게 여김.

[內稱 내칭] 내거(內擧).

[內托 내탁] 종기를 짼 뒤에 쇠약한 몸을 보함.

[內探 내탐] 내밀히 탐색함.

[內帑 내탕] 임금의 사사(私事) 재물(財物)을 두는 곳집.

[內通 내통] 내응(內應).

[內嬖 내폐] 내총(內寵) ❼.

[內包 내포] ㉠식용하는 짐승의 내장. ㉡논리학에서 개념이 포함하고 있는 성질. 외연(外延)의 대(對).

[內皮 내피] 속껍질.

[內逼 내핍] ㉠대변이 마려움. ㉡국내(國內)로 닥쳐옴.

[內下 내하] 《韓》임금이 물건을 하사(下賜)함.

[內學 내학] ㉠참위(讖緯)의 학(學)을 이름. ㉡불교(佛敎)의 학(學)을 이름.

[內翰 내한] ㉠송대(宋代)의 한림학사(翰林學士)의 이칭(異稱). ㉡청대(淸代)의 내각중서(內閣中書)의 이칭.

[內海 내해] 사방이 육지(陸地)로 둘러싸이고 한쪽만 좁은 해협(海峽)을 거쳐 외양(外洋)과 통하는 바다. 「行」

[內行 내행] 집에 있을 때의 행위(行爲). 사행(私

[內虛 내허] 속이 빔.

[內兄弟 내형제] ㉠모계(母系)의 사촌. ㉡처남(妻男).

[內慧 내혜] 마음속이 밝고 슬기로움.

[内訌 내홍] 내부에서 저희들끼리 다투는 분쟁 (紛爭). 내분(内紛).

[内宦 내환] 환관(宦官).

[内患 내환] 국내의 환란(患亂).

[内訓 내훈] 부녀(婦女)의 교훈.

[内諱 내휘] ㉠부인(婦人)의 이름을 이름. ㉡국내 (國内)·가내(家内)의 악(惡). 또, 그 악을 말 하기를 꺼리는 일.

[内凶 내흉] 마음이 검고 흉(凶) 함.

●家内. 疆内. 竟内. 境内. 闉内. 管内. 郊内. 校内. 區内. 構内. 國内. 圈内. 闕内. 禁内. 畿内. 期限内. 大内. 對内. 宅内. 度内. 道内. 洞内. 方内. 房内. 封内. 部内. 線内. 省内. 城内. 市内. 室内. 案内. 域内. 年内. 營内. 臥内. 宇内. 院内. 邑内. 以内. 場内. 第内. 參内. 體内. 胎内. 海内.

2④ [从] 량 ㊤養 里養切 liǎng

字解 들어갈 량 나란히 들어감. '一, 二入也'《說文》.

字源 會意. 入＋入

[仐] 〔이〕
小部 二畫(p.614)을 보라.

3⑤ [仝] 全(次條)의 本字

4⑥ [全] ㊥人 전 ㊤先 疾緣切 quán

筆順 ノ 入 八 全 全 全

字解 ①온통 전 ㉠전체. 전부. '一身'. '一文'. ㉡일체. '一擔'. '欲一宥之'《後漢書》. ②온전 할 전 ㉠흠이 없음. '得六材之一'《周禮》. ㉡결 점이 없음. 모두 갖춤. '君子道一, 小人道缺' 《太玄經》. ㉢다치지 아니함. 무사함. '鄕里賴 一者以百數'《後漢書》. ③순전할 전 순수(純粹) 함. 순일함. 잡것이 섞이지 않음. '玉人之事, 天子用一'《周禮》. ④온전히할 전 온전하게 함. '苟一性命於亂世'《諸葛亮》. ⑤성 전 성(姓)의 하나.

字源 篆文 仝 籀文 全 古文 金 會意. 篆文은 入＋工. '工공'은 옥(玉)의 상 형이라고도 하고, 연장의 상형이라고도 함. '入 입'은 '입구'의 뜻. 입구가 있는 곳집에 공구 (工具)를 보관하는 데서 '보전하다, 온전하다' 의 뜻을 나타냄. 籀文은 入＋王(玉). 순수한 옥 의 뜻에서, '온전하다'의 뜻. 또, 교묘하고 완 전하다의 뜻을 나타냄. 金文은 余＋王의 會意로, '王왕'·'余여'는 제초(除草)하는 기구의 상형, '王왕' 은 큰 도끼의 상형으로, 여러 가지 기구가 갖추 진 모양에서, '갖춰지다'의 뜻을 나타낸다고도 생각할 수 있음.

參考 성씨(姓氏)로서는, 속(俗)에 파자(破字) 하여, '인왕(人王)전'이라 이름.

[全家 전가] 온 집안. 한 집안의 전부.

[全蠍 전갈] 전갈과(全蠍科)의 절지(節肢)동물의 하나. 꼬리의 끝에 독침(毒針)이 있음.

[全甲 전갑] ㉠완전 무장한 정병(精兵). ㉡전군

(全軍). ㉢군사 한 명도 잃지 아니함.

[全景 전경] 전체(全體)의 경치.

[全計 전계] 완전(完全)한 계책(計策). 빈틈없는 모계(謀計). 완계(完計).

[全功 전공] 온전한 공훈. 결점 없는 공적.

[全校 전교] 한 학교의 전체.

[全具 전구] 온전하게 갖춤.

[全軀 전구] 전신(全身).

[全局 전국] 전체의 판국(版局).

[全國 전국] 한 나라의 전체.

[全軍 전군] ㉠한 군대의 전체. ㉡전쟁(戰爭)에서 한 명의 군사도 잃지 않음.

[全郡 전군] 한 고을의 전체.

[全躬 전궁] 몸 전체. 전신(全身).

[全卷 전권] ㉠한 권의 책 모두. ㉡여러 권으로 된 책의 모두.

[全權 전권] ㉠모든 권리. ㉡전권 위원(全權委員).

[全權大使 전권대사] 국가·원수를 대표하여 외국 에 주재하는 대사.

[全權委員 전권위원] 전권(全權)을 가진 위원(委員).

[全能 전능] 결점 없는 재능. 모든 일을 해낼 수 있는 능력(能力).

[全擔 전담] 온통 담당(擔當) 함.

[全唐文 전당문] 당(唐) 및 오대(五代)의 산문(散 文)의 총집(總集). 청(淸)나라 가경(嘉慶) 19년 칙찬(勅撰). 전부 1,000권. 수록 작품 28,000여 편. 성씨운편(姓氏韻篇) 2권이 부록(附錄)됨.

[全唐詩 전당시] 당(唐) 및 오대(五代)의 시(詩) 의 총집(總集). 청(淸)나라 강희(康熙) 46년에 칙찬(勅撰). 모두 900권. 2,200여 가(家)의 시 (詩) 48,000여 수(首)를 수록(收錄)했음.

[全唐詩話 전당시화] 시화집(詩話集). 원본(原本) 은 송(宋)나라 우무(尤袤)의 찬(撰)이라고 함. 당(唐)나라 태종(太宗)·고종(高宗)으로부터 권용포(權龍襃)에 이르기까지 324가(家)의 이 름을 들고, 각 조목(條目) 밑에 그 시화(詩話) 를 기술한 것임.

[全隊 전대] 한 대(隊)의 전체.

[全德 전덕] ㉠완전무결한 덕(德). ㉡칭찬하는 사 람도 헐뜯는 사람도 없는 순결(純潔)한 덕.

[全島 전도] 섬 전체. 온 섬.

[全道 전도] 한 도(道)의 전체.

[全圖 전도] 전체를 그린 그림이나 지도(地圖).

[全等 전등] 아주 똑같음.

[全量 전량] 전체의 분량.

[全力 전력] 모든 힘.

[全昧 전매] 아주 우매함.

[全面 전면] 전체의 면(面).

[全滅 전멸] 죄다 없어짐. 죄다 망하여 버림.

[全貌 전모] 전체의 모양. 온 모습.

[全無 전무] 아주 없음.

[全文 전문] 글의 전체. 기록의 전부.

[全物 전물] 흠이 없는 완전한 물건.

[全美 전미] 완전한 미(美).

[全般 전반] 여러 가지 것의 전부. 통틀어 모두.

[全福 전복] ㉠완전한 행복. ㉡행복을 완전히 가 짐.

[全鰒 전복] 바닷조개의 한 가지. 식용 또는 한약 재로 씀. 귀전복.

[全部 전부] 온통.

[全不顧見 전불고견] 전혀 돌보지 아니함.

[全備 전비] 완전히 갖춤. 조금도 모자람이 없음.

[全書 전서] ㉠완전무결한 책. ㉡어떠한 사람의 저작(著作)이나, 또는 어떠한 일에 관한 학설(學說)을 망라(網羅)한 책.
[全世界 전세계] 온 세계.
[全燒 전소] 죄다 타 버림.
[全屬 전속] 모두 한곳에 속함.
[全數 전수] 온통의 수효. 또, 대체의 수.
[全純 전순] 아주 순수함. 조금도 섞인 것이 없음.
[全勝 전승] 한 번도 지지 아니하고 모조리 이김.
[全身 전신] ㉠온몸. ㉡몸을 무사히 보전함.
[全我 전아] 자아(自我)의 전부, 전력적(全力的).
[全額 전액] 전부의 액수(額數).
[全譯 전역] 원문(原文)을 전부 번역함.
[全然 전연] 도무지. 아주. 전혀.
[全用 전용] 완전무결한 효용(效用).
[全員 전원] 전체의 인원(人員).
[全院 전원] 한 원(院)의 전체.
[全委 전위] 모두 맡김.
[全癒 전유] 병이 완전히 나음. 전쾌(全快).
[全音階 전음계] 두 개의 반음(半音)과 다섯 개의 전음(全音)으로 되는 악음(樂音).
[全人 전인] ㉠지덕(智德)이 원만하여 결점이 없는 사람. ㉡신체가 완전한 사람. 불구(不具)의 대(對).
[全長 전장] 전체의 길이.
[全張 전장] 온장.
[全才 전재] 완전한 재능.
[全載 전재] 소설·논문 등의 전부를 한꺼번에 다 실음.
[全丁 전정] 한 성인(成人)으로서의 구실을 할 수 있는 젊은이.
[全精 전정] 정신(精神)을 온전하게 가짐.
[全祖望 전조망] 청(淸)나라의 학자. 은현(鄞縣) 사람. 자(字)는 소의(紹衣). 건륭(乾隆) 때 진사(進士)에 급제(及第). 벼슬을 사퇴하고 고향에서 후진 교육(後進敎育)에 힘썼음. 학문이 해박(該博)하여 황종희(黃宗羲)·황백가(黃百家) 부자(父子)가 미완성(未完成)으로 남긴 송원학안(宋元學案)을 수정 증보(修正增補)하여 완성(完成)시켰음. 그의 시문집(詩文集)으로 〈길기정집(鮚埼亭集)〉이 있음.
[全紙 전지] 온장의 종이.
[全智 전지] 온전한 슬기. 모든 일에 통달한 지혜.
[全知全能 전지전능] 완전무결한 지식(知識)과 능력(能力). 곧, 모두 알고 모두 행할 수 있는 신불(神佛)의 지능.
[全眞 전진] 자기의 천성을 완전히 보전(保全)함.
[全帙 전질] 한 질로 된 책의 전부.
[全集 전집] 한 사람의 저작(著作) 또는 부류(部類) 혹은 같은 시대에 속하는 저작을 모두 모아서 만든 책.
[全體 전체] 온통. 전부.
[全村 전촌] 온 마을.
[全治 전치] 병을 완전히 고침.
[全稱 전칭] 논리(論理)에서 주사(主辭)의 모든 범위에 걸치는 말. '모든 사람은 죽는다.'에서 '모든' 따위.
[全快 전쾌] 병이 완전히 나음.
[全託 전탁] 어떤 일을 전부 남에게 부탁함.
[全通 전통] ㉠길이 모두 통함. ㉡온갖 이치에 모두 통달함.
[全敗 전패] 한 번도 이기지 못하고 모조리 패함.
[全篇 전편] ㉠시문(詩文)의 전부. ㉡책의 전체.

[全廢 전폐] 아주 없애 버림.
[全幅 전폭] ㉠한 폭(幅)의 전부. ㉡전부.
[全豹 전표] 전체. 전체의 모양. 표범의 가죽의 한 반점(斑點)을 보고 표범인 것을 안다는 고사(故事)에서 나온 말로, 속(俗)에 일반(一斑)은 일부분, 전표(全豹)는 전체의 뜻으로 쓰임.
[全形 전형] ㉠전체(全體)의 형상. ㉡완전한 형상.
[全護 전호] 보전하여 지킴.
[全渾 전혼] 완전함. 온전함.
[全活 전활] ㉠몸을 온전히 하여 삶. ㉡살려 목숨을 온전하게 함.
[全休 전휴] 온종일을 쉼.
●大全. 萬全. 保全. 純全. 十全. 雙全. 安全. 兩全. 穩全. 瓦全. 完全. 自全. 周全. 忠孝兩全.

6／8 [兩] 〔中〕〔人〕 량 ㉮養良獎切 liǎng ㉯漾力讓切 liàng 兩

筆順 一 ⊤ 冂 币 币 丙 兩 兩

字解 ①두 량 ㉠둘. 하나의 갑절. '一人', '一分'. '拔劍擊斬蛇, 蛇逐爲一'《史記》. ㉡비견할 만한 것. 동등한 것. '於人臣無一'《史記》. ②짝 량 쌍(雙). '一猶耦也'《周禮 註》. ③필(匹) 량 포백(布帛)의 길이. 필은 2단(端), 단(端)은 1장(丈) 8척(尺), 또는 2장(丈). '重錦三十一'《左傳》. ④양(兩) 량 ㉠중량(重量)의 단위의 하나. 곧, 24수(銖). '斤'. ㉡중국 및 대한 제국(大韓帝國)의 화폐 단위의 하나. 곧, 10전(錢). ⑤스물다섯사람 량 군대의 편제(編制)에서 25인의 일컬음. '五人爲伍, 五伍爲一'《周禮》. ⑥수레 량 수레의 수효. 輛(車部 八畫)과 동자. '百一御之'《詩經》.

字源 金文 㒳 金文 兩 篆文 兩 象形. 저울의 두 개의 추의 상형. '둘'의 뜻을 나타냄. 또, 가차(假借)하여, 무게의 단위로도 씀.

参考 両(一部 五畫)은 俗字.

[兩家 양가] 두 편의 집.
[兩脚 양각] 두 다리.
[兩脚書廚 양각서주] 두 다리의 책장이라는 뜻으로, 책을 많이 읽었으나, 이를 활용할 줄 모르는 사람.
[兩脚野狐 양각야호] 발이 둘인 여우. 간사하고 아첨 잘하는 사람을 욕하는 말.
[兩間 양간] 하늘과 땅 사이. 하늘 밑.
[兩肩 양견] 두 어깨. 쌍견(雙肩).
[兩京 양경] ㉠한(漢)나라의 서경(西京)〈장안(長安)〉과 동경(東京)〈낙양(洛陽)〉. ㉡당(唐)나라의 장안(長安)과 낙양(洛陽). ㉢송(宋)나라의 동경(東京)〈개봉부(開封府)〉과 서경(西京)〈하남부(河南府)〉.
[兩界 양계] ㉠《佛敎》밀교(密敎)의 금강계(金剛界)와 태장계(胎藏界). ㉡고려(高麗) 현종(顯宗) 때 정한 지방 행정 구역. 곧, 지금의 함경 남북도의 동계(東界)와 평안 남북도의 서계(西界).
[兩觀 양관] 대궐 문 좌우에 있는 망루(望樓).
[兩句三年得 양구삼년득] 당(唐)나라의 가도(賈島)가 '獨行潭底影, 數息池邊身'의 두 구(句)를 3년을 걸려 지었다는 고사에서, '시작(詩作)의 어려움'을 이름.

瓔珞戒)・불습가무희락계 (不習歌舞戲樂戒)〈이상은 삼계 (三戒)〉.

[八股 팔고] 팔고문 (八股文).

[八苦 팔고]《佛敎》인생 (人生)의 여덟 가지 괴로움. 곧, 생고 (生苦)・노고 (勞苦)・병고 (病苦)・사고 (死苦)・애별리고 (愛別離苦)・원증회고 (怨憎會苦)・구부득고 (求不得苦)・오음성고 (五陰盛苦).

[八顧 팔고] 후한 (後漢) 영제 (靈帝) 때의 명사 (名士) 여덟 사람. 곧, 곽태 (郭泰)・유유 (劉儒)・윤훈 (尹勳)・파숙 (巴肅)・종자 (宗玆)・채연 (蔡衍)・양척 (羊陟). 고 (顧)는 덕행 (德行)으로써 사람을 애고 (愛顧)・교도 (敎導)한다는 뜻.

[八股文 팔고문] 명 (明)나라 중엽 이후 관리 등용 시험에 쓰던 문체 (文體). 그 결구 (結句)는 대구법 (對句法)에 의하여 여덟로 나뉨.

[八穀 팔곡] 여덟 가지 곡식. 곧, 벼・수수・보리・콩・조・피・기장・깨. 또는, 벼・보리・콩・조・밀・팥・기장・깨.

[八功德水 팔공덕수] 미타여래 (彌陀如來)의 극락정토 (極樂淨土)의 못의 징정 (澄淨)・청랭 (淸冷)・감미 (甘美)・경연 (輕軟)・윤택 (潤澤)・안화 (安和)・제환 (除患)・증익 (增益)의 여덟 가지 공덕을 갖추고 있다는 것.

[八關齋戒 팔관재계]《佛敎》팔계 (八戒).

[八卦 팔괘] 여덟 가지 괘 (卦). 곧, 건 (乾) (☰)・태 (兌) (☱)・이 (離) (☲)・진 (震) (☳)・손 (巽) (☴)・감 (坎) (☵)・간 (艮) (☶)・곤 (坤) (☷). 복희씨 (伏羲氏)가 지었다 함. 그 후 주 (周)나라 문

[八卦]

왕 (文王)이 육십사괘를 지어 각 괘 (卦)를 설명하는 문구 (文句), 곧 괘사 (卦辭)를 달았음.

[八紘 팔굉] 사방 (四方)과 사우 (四隅). 땅의 끝. 팔황 (八荒).

[八區 팔구] 팔방 (八方)의 구역. 또, 천하 (天下).

[八極 팔극] 팔황 (八荒).

[八旗 팔기] 청 (淸)나라의 병제 (兵制)의 일대 조직 (一大組織). 태조 (太祖)가 제정한 것으로 총군 (總軍)을 기 (旗)의 빛깔에 따라 편제 (編制)한 여덟 부대 (部隊). 곧, 정황 (正黃)・정백 (正白)・정홍 (正紅)・정람 (正藍)・양황 (鑲黃)・양백 (鑲白)・양홍 (鑲紅)・양람 (鑲藍).

[八難 팔난] ㉠여덟 가지의 재난 (災難). 곧, 기 (飢)・갈 (渴)・한 (寒)・서 (暑)・수 (水)・화 (火)・도 (刀)・병 (兵). ㉡《佛敎》견불문법 (見佛聞法)에 관한 여덟 가지 장난 (障難). 곧, 지옥 (地獄)・축생 (畜生)・아귀 (餓鬼)・장수천 (長壽天)・북주 (北洲)・농맹음아 (聾盲瘖啞)・세지변총 (世智辯聰)・불전불후 (佛前佛後).

[八年兵火 팔년병화] 패공 (沛公)과 항우 (項羽)의 싸움이 8년 걸린 고사 (故事)에서 나온 말로서, 승패 (勝敗)가 오래 결정되지 아니함을 이름.

[八年風塵 팔년풍진] 패공 (沛公)이 8년을 지낸 뒤에 항우 (項羽)를 멸 (滅)한 고사 (故事)에서 나온 말로, 여러 해 고생을 겪음을 이름.

[八達 팔달] ㉠팔방 (八方)에 통함. ㉡교통 (交通)이 편리함.

[八代 팔대] ㉠후한 (後漢)・위 (魏)・진 (晉)・송 (宋)・제 (齊)・양 (梁)・진 (陳)・수 (隋)의 여덟 나라. ㉡삼황 오제 (三皇五帝)의 팔세 (八世).

[八大家 팔대가] 명 (明)나라의 모곤 (茅坤)이 정한 당 (唐)・송 (宋) 2대 (代)의 여덟 문장가. 곧, 당나라의 한유 (韓愈)・유종원 (柳宗元), 송나라의 구양수 (歐陽修)・소순 (蘇洵)・소식 (蘇軾)・소철 (蘇轍)・증공 (曾鞏)・왕안석 (王安石). 당송 팔대가 (唐宋八大家).

[八代史 팔대사] 진서 (晉書)・송서 (宋書)・제서 (齊書)・양서 (梁書)・진서 (陳書)・주서 (周書)・수서 (隋書)・당서 (唐書)의 여덟 가지 사서 (史書).

[八大龍王 팔대용왕]《佛敎》팔체 (八體)의 용왕 (龍王). 곧, 난타 (難陀)・발난타 (跋難陀)・사가라 (裟伽羅)・화수길 (和修吉)・덕차가 (德叉迦)・아나파달다 (阿那婆達多)・마나사 (摩那斯)・우발라 (優鉢羅).

[八大地獄 팔대지옥]《佛敎》염부제 (閻浮提)의 남쪽 일도 (日道)의 아래에 있는 여덟 큰 지옥 (地獄). 곧, 등활 (等活)・흑승 (黑繩)・중합 (衆合)・규환 (叫喚)・대규환 (大叫喚)・초열 (焦熱)・대초열 (大焦熱)・무간 (无間). 팔열 지옥 (八熱地獄).

[八德 팔덕] ㉠좌 (左)・우 (右)・윤 (倫)・의 (義)・분 (分)・변 (辯)・경 (競)・쟁 (爭)의 여덟 가지를 이름. ㉡여덟 가지의 덕 (德). 곧, 인 (仁)・의 (義)・예 (禮)・지 (智)・충 (忠)・신 (信)・효 (孝)・제 (悌).

[八道 팔도]《韓》대한 제국 시대의 여덟 도. 곧, 경기도 (京畿道)・충청도 (忠淸道)・경상도 (慶尙道)・전라도 (全羅道)・강원도 (江原道)・황해도 (黃海道)・평안도 (平安道)・함경도 (咸鏡道).

[八斗才 팔두재] 시문 (詩文)에 가장 탁월하고 민첩한 천하 무쌍의 재주.

[八屯 팔둔] 한대 (漢代)에 궁문 (宮門)을 지키던 호위병 (護衛兵). 여덟 대 (隊)로 나뉘었으므로 이름.

[八蠻 팔만] 남방 (南方)의 여덟 오랑캐. 곧, 천축 (天竺)・해수 (咳首)・초요 (僬僥)・기종 (跂踵)・천흉 (穿胸)・담이 (儋耳)・구지 (狗軹)・방춘 (旁春).

[八萬大藏經 팔만대장경]《佛敎》대장경 (大藏經)에 8만 4천의 법문 (法門)이 있으므로 일컫는 말.

[八萬四千 팔만사천]《佛敎》번뇌 (煩惱)의 수 (數)가 8만 4천인데, 이를 제거 (除去)하기 위한 법문 (法門)도 역시 8만 4천이 있다고 함.

[八面 팔면] 여덟 방면. 전 (轉)하여, 모든 방면.

[八面玲瓏 팔면영롱] 팔방 어느 쪽에서 보아도 밝고 투명함.

[八面六臂 팔면육비] 여덟 개의 얼굴과 여섯 개의 팔. 전 (轉)하여, 전후좌우 (前後左右)에서 오는

적(敵) 또는 사물에 대해 날쌔게 응(應)할 수 있음을 이름.

[八方 팔방] 사방(四方)과 사우(四隅). 곧, 동·서·남·북·동북·동남·서북·서남. 전(轉)하여, 여러 방위.

[八方美人 팔방미인] ㉠어느 모로 보아도 아름다운 미인(美人). ㉡누구에게나 두루 곱게 보이게 처세(處世)하는 사람. ㉢여러 방면에 능한 사람.

[八方塞 팔방색] 음양가(陰陽家)에서 어느 방향(方向)이나 다 불길(不吉)함을 이름.

[八方天 팔방천]《佛敎》하늘을 여덟 방각(方角)으로 나눈 이름. 곧, 제석천(帝釋天, 東方)·이사나천(伊舍那天, 東北)·염마천(閻魔天, 南方)·화천(火天, 東南)·수천(水天, 西方)·나찰천(羅刹天, 西南)·비사문천(毘沙門天, 北方)·풍천(風天, 西北).

[八法 팔법] ㉠주대(周代)의 관부(官府)를 다스리는 여덟 가지 법제(法制). 곧, 관속(官屬)·관직(官職)·관련(官聯)〈관직의 연락〉·관상(官常)〈각관(各官)의 상식(常識)〉·관성(官成)〈관부의 품식(品式)〉·관법(官法)〈소관(所管)의 법도(法度)〉·관형(官刑)〈소관의 형벌〉·관계(官計)〈관부의 회계〉. ㉡'영자팔법(永字八法)'과 같음.

[八辟 팔벽] 팔의(八議).

[八病 팔병] 작시상(作詩上) 피(避)해야 할 여덟 가지 병폐(病弊). 곧, 평두(平頭)·상미(上尾)·봉요(蜂腰)·학슬(鶴膝)·대운(大韻)·소운(小韻)·정뉴(正紐)·방뉴(旁紐).

[八分 팔분] 서체(書體)의 하나. 예서(隷書)와 전자(篆字)를 절충하여 만들었는데, 예서에서 이분(二分), 전자에서 팔분을 땄기 때문이라고도 하고, 혹은 그 체(體)가 팔 자(八字)를 분산(分散)한 것 같기 때문이라고도 함.

[八邪 팔사] 사람 몸을 해(害)치는 여덟 가지. 곧, 풍(風)·한(寒)·서(暑)·습(濕)·기(飢)·포(飽)·노(勞)·일(逸).

[八思巴 팔사파] 파스파(八思巴).

[八索九丘 팔삭구구] 고서(古書)를 이름.

[八朔童 팔삭동]《韓》㉠여덟 달 만에 낳은 아이. ㉡사물(事物)의 이해력이 부족한 사람. 곧, 똑똑하지 못한 사람을 조롱(嘲弄)하는 말. 여덟달.

[八相 팔상] ㉠《佛敎》석가의 일생의 경력 중의 여덟 가지 상(相). 곧, 주태(住胎)·영해(嬰孩)·애욕(愛欲)·낙고행(樂苦行)·항마(降魔)·성도(成道)·전법륜(轉法輪)·입멸(入滅). 일설(一說)에는 수태(受胎)·강생(降生)·처궁(處宮)·출가(出家)·성불(成佛)·항마(降魔)·설법(說法)·열반(涅槃)이라고도 함. ㉡위(威)·후(厚)·청(淸)·고(古)·고(孤)·박(薄)·악(惡)·속(俗)의 여덟 가지 인상(人相).

[八象 팔상] 팔괘(八卦)의 상(象). 곧, 건(乾)은 천(天)에, 곤(坤)은 지(地)에, 감(坎)은 수(水)에, 이(離)는 화(火), 간(艮)은 산(山)에, 태(兌)는 택(澤)에, 손(巽)은 풍(風)에, 진(震)은 뇌(雷)에 배당함.

[八書 팔서] 사기(史記)의 지류(志類)를 팔 종(八

[八分]

種)으로 분류(分類)한 것. 곧, 예서(禮書)·악서(樂書)·율서(律書)·역서(曆書)·천관서(天官書)·봉선서(封禪書)·하거서(河渠書)·평준서(平準書).

[八仙 팔선] ㉠곤륜 팔선(崑崙八仙). 곧, 종리권(鍾離權)·장과로(張果老)·한상자(韓湘子)·철괴리(鐵拐李)·조국구(曹國舅)·여동빈(呂洞賓)의 여섯 신선과 남채화(藍菜和)·하선고(何仙姑)의 두 여신선(女神仙). ㉡음중 팔선(飮中八仙). 곧, 이백(李白)·하지장(賀知章)·이적지(李適之)·여양왕진(汝陽王璡)·최종지(崔宗之)·소진(蘇晉)·장욱(張旭)·초수(焦遂)의 여덟 문인(文人).

[八識 팔식]《佛敎》오관(五官)과 몸을 통하여 인식할 수 있는 여덟 가지 작용. 곧, 안식(眼識)·이식(耳識)·비식(鼻識)·설식(舌識)·신식(身識)·의식(意識)·분별식(分別識)·장식(藏識).

[八埏 팔연] 팔방(八方)의 끝.

[八熱地獄 팔열지옥] 팔대 지옥(八大地獄).

[八裔 팔예] 팔방(八方)의 아득한 끝.

[八王日 팔왕일]《佛敎》인간의 일을 맡은 제신(諸神)이 교대하는 여덟 날. 곧, 입춘(立春)·춘분(春分)·입하(立夏)·하지(夏至)·입추(立秋)·추분(秋分)·입동(立冬)·동지(冬至)

[八元八愷 팔원팔개] 여덟 사람의 온화(溫和)한 사람과, 여덟 사람의 선량(善良)한 사람이란 뜻으로, 옛적 고양씨(高陽氏)의 팔재자(八才子)와 고신씨(高辛氏)의 팔재자(八才子)의 일컬음. '원(元)'은 선(善), '개(愷)'는 화(和).

[八月 팔월] 일 년 중 여덟 번째 드는 달.

[八喩 팔유]《佛敎》여덟 가지 비유. 곧, 순유(順喩)·역유(逆喩)·현유(現喩)·비유(非喩)·선유(先喩)·후유(後喩)·선후유(先後喩)·편유(偏喩).

[八儒 팔유] 공자(孔子)가 죽은 후 갈라진 여덟 학파(學派). 곧, 자장씨(子張氏)·자사씨(子思氏)·안씨(顏氏)·맹씨(孟氏)·칠조씨(漆雕氏)·중량씨(仲良氏)·손씨(孫氏)·악정씨(樂正氏).

[八垠 팔은] 팔연(八埏).

[八音 팔음] ㉠여덟 가지의 악기(樂器). 곧, 금(金)〈종(鐘)〉·석(石)〈경(磬)〉·사(絲)〈현(絃)〉·죽(竹)〈관(管)〉·포(匏)〈생(笙)〉·토(土)〈훈(壎)〉·혁(革)〈고(鼓)〉·목(木)〈축어(柷敔)〉. ㉡악기(樂器).

[八議 팔의] 평의(評議)하여 죄를 감면하는 여덟 가지 조건. 곧, 의친(議親)〈종실(宗室)〉·의고(議故)〈고구(故舊)〉·의현(議賢)·의능(議能)·의공(議功)·의귀(議貴)·의근(議勤)·의빈(議賓).

[八殥 팔인] 팔연(八埏).

[八人轎 팔인교] 여덟 사람이 메는 교자(轎子).

[八佾 팔일] 주대(周代)에 여덟 사람이 여덟 줄로 늘어서서 춤추던 천자(天子)의 무악(舞樂).

[八字 팔자] ㉠성명가(星命家)에서 사람이 난 연(年)·월(月)·일(日)·시(時)의 네 간지(干支)를 이름. 사주(四柱). ㉡《韓》한평생의 운수.

[八字眉 팔자미] 여덟 팔 자(字) 같은 모양으로 난 눈썹.

[八字青山 팔자청산] 미인(美人)의 고운 눈썹을 이름.

[八字打開 팔자타개] 팔자 모양으로 엶. 곧, 아주 명백하게 해명(解明)함.

[八將神 팔장신] 음양도(陰陽道)에서 길흉(吉凶)의 방위(方位)를 맡은 여덟 신(神). 곧, 태세(太

歲)・대장군(大將軍)・태음(太陰)・세형(歲刑)・세파(歲破)・세살(歲煞)・황번(黃幡)・표미(豹尾).

[八災 팔재] 《佛敎》 선정(禪定)을 방해하는 여덟 가지의 해. 곧, 희(喜)・우(憂)・고(苦)・낙(樂)・심(尋)・사(伺)・출식(出息)・입식(入息).

[八專 팔전] 임자(壬子)에서 계해(癸亥)에 이르는 열이틀 중 축(丑)・진(辰)・오(午)・술(戌)의 나흘을 제외한 8일간의 일컬음. 임(壬)・계(癸)는 다 같이 물을 뜻하므로, 이 기간(期間)에는 비가 많다고 하여 출진(出陣)・혼인(婚姻)을 꺼림.

[八節 팔절] 1년 중 기후가 변하는 여덟 절기. 곧, 춘분(春分)・추분(秋分)・하지(夏至)・동지(冬至)・입춘(立春)・입하(立夏)・입추(立秋)・입동(立冬).

[八正 팔정] 《佛敎》 견정(見正)・정사유(正思惟)・정어(正語)・정업(正業)・정명(正命)・정정진(正精進)・정념(正念)・정정(正定).

[八政 팔정] 나라를 다스리는 데 여덟 가지 정사(政事). 곧, 식(食)・화(貨)〈농상무(農商務)〉・사(祀)〈제사(祭祀)〉・사공(司空)〈토목척식(土木拓殖)〉・사도(司徒)〈교육(敎育)〉・사구(司寇)〈법률 경찰(法律警察)〉・빈(賓)〈외교(外交)〉・사(師)〈군사(軍事)〉.

[八際 팔제] 팔방(八方).

[八座 팔좌] 한대(漢代)에는 육조(六曹)의 상서(尙書)와 일령(一令)・일복(一僕)을, 위대(魏代)에는 오조(五曹)・일령(一令)・이복야(二僕射)를 일컬으며, 수당(隋唐) 이후에는 좌우복야(左右僕射) 및 육상서(六尙書)를 이름.

[八柱 팔주] 대지(大地)를 떠받치고 있다는 여덟 개의 기둥. 곤륜산(崑崙山) 아래에 있다 함.

[八俊 팔준] 후한(後漢)의 뛰어난 여덟 사람. 곧, 이응(李膺)・순욱(荀昱)・두밀(杜密)・왕창(王暢)・유우(劉祐)・위랑(魏朗)・조전(趙典)・주우(朱寓).

[八駿 팔준] 팔준마(八駿馬).

[八駿馬 팔준마] 주(周)나라 목왕(穆王)이 사랑하던 여덟 마리의 준마(駿馬). 곧, 절지(絶地)・번우(翻羽)・분소(奔宵)・초영(超影)・유휘(踰輝)・초광(超光)・등무(騰霧)・협익(挾翼). 또는 적기(赤驥)・도리(盜驪)・백의(白義)・유륜(踰輪)・산자(山子)・거황(渠黃)・화류(華騮)・녹이(綠耳).

[八珍 팔진] ㉠여덟 가지의 진미(珍味). 곧, 순오(淳熬)・순모(淳母)・포돈(炮豚)・포장(炮牂)・도진(擣珍)・지(漬)・오(熬)・간료(肝膋). 또는 용간(龍肝)・봉수(鳳髓)・표태(豹胎)・이미(鯉尾)・악적(鶚炙)・성순(猩脣)・웅장(熊掌)・수락선(酥酪蟬). ㉡맛있는 음식.

[八陣 팔진] 여덟 가지 진(陣). 가장 오랜 것으로는 태고(太古)의 풍후(風后)의 천(天)・지(地)・풍(風)・운(雲)・조(鳥)・호(虎)・조(鳥)・사(蛇)이고, 가장 유명한 것으로는 제갈량(諸葛亮)의 동당(洞當)・중황(中黃)・용등(龍騰)・조상(鳥翔)・연횡(連衡)・악기(握機)・호익(虎翼)・절충(折衝)임.

[八耋 팔질] 여든 살.

[八叉手 팔차수] 여덟 번 깍지 끼고 팔운(八韻)을 지은 온정균(溫庭筠)의 고사(故事). 전(轉)하여, 시문(詩文)을 빨리 짓는 비상한 재주를 이름.

[八尺長身 팔척장신] 팔 척의 큰 키. 장대(壯大)한 사람의 몸.

[八體 팔체] ㉠진(秦)나라 시대에 있었던 여덟 가지의 서체(書體). 곧, 대전(大篆)・소전(小篆)・각부(刻符)・충서(蟲書)・모인(摹印)・서서(署書)・수서(殳書)・예서(隷書). ㉡후세(後世)에 행하여진 여덟 가지의 서체. 곧, 고문(古文)・대전(大篆)・소전(小篆)・예서(隷書)・비백(飛白)・팔분(八分)・행서(行書)・초서(草書).

[八草 팔초] 한방(漢方)에서 쓰이는 창포(菖蒲)・애엽(艾葉)・차전(車前)・하엽(荷葉)・창용(蒼茸)・인동(忍冬)・마편(馬鞭)・번루(蘩蔞)의 여덟 가지 약초(藥草).

[八則 팔칙] 제사(祭祀)・법칙(法則)・폐치(廢置)・녹위(祿位)・부공(賦貢)・예속(禮俗)・형상(刑賞)・전역(田役).

[八八 팔팔] 팔과 팔을 곱한 수(數). 곧, 육십사.

[八表 팔표] 팔방(八方)의 끝. 먼 곳.

[八風 팔풍] ㉠팔방(八方)의 바람. 곧, 염풍(炎風)〈東北〉・조풍(條風)〈東方〉・경풍(景風)〈東南〉・거풍(巨風)〈南方〉・양풍(涼風)〈西南〉・요풍(飂風)〈西方〉・여풍(麗風)〈西北〉・한풍(寒風)〈北方〉. ㉡《佛敎》 인심(人心)을 선동(煽動)하는 여덟 가지의 사정. 곧, 이(利)・쇠(衰)・훼(毀)・예(譽)・칭(稱)・기(譏)・고(苦)・낙(樂).

[八寒地獄 팔한지옥] 《佛敎》 여덟 가지의 몹시 추운 지옥(地獄). 곧, 알부타(頞部陀)・이라부타(尼刺部陀)・알찰타(頞哳陀)・학학파(臛臛婆)・호호파(虎虎婆)・올발라(嗢鉢羅)・발특마(鉢特摩)・마가발특마(摩訶鉢特摩).

[八埏 팔연] 팔방(八方)의 끝. 팔황(八荒).

[八解 팔해] 《佛敎》 팔해탈(八解脫)의 약어(略語). 번뇌(煩惱)에서 해탈하는 여덟 가지 선정(禪定)을 이름.

[八刑 팔형] 주대(周代)의 여덟 가지 형벌(刑罰). 곧, 불효(不孝)・불목(不睦)・불인(不婣)・부제(不弟)・불임(不任)・불휼(不恤)・조언(造言)・난민(亂民)에 대한 형(刑).

[八荒 팔황] 팔방(八方)의 끝. 먼 곳.

● 臘八. 亡八. 望八. 三八. 音八. 二八. 丈八. 鬪八.

2
④ [公] 〔中人〕 공 ㉭東 古紅切 gōng

筆順 丿 八 公 公

字解 ①공변될 공 공평무사함. '─正'. '─明'. '何可以─'《淮南子》. ②한가지 공 공동(共同). '大道之行下爲一'《禮記》. ③공 공 여러 사람에게 관계되는 일. 전(轉)하여, 바른 일. '私'의 대(對). '─安'. '─益'. '以─滅私'《書經》. ④드러낼 공 숨기지 않고 발표함. '─開'. '─表'. '─言之'《史記》. ⑤공작 공 오등작(五等爵)의 첫째. '─侯伯子男'《書經》. ㉡천자(天子)의 보필. '─卿'. '玆惟三─'《書經》. ⑥관무 공 벼슬아치의 직무. '─職'. '夙夜在─'《詩經》. ⑦마을 공 조정. 관청. '退食自─'《詩經》. ⑧임금 공 천자. 군주. '掌─墓之地'《周禮》. ⑨제후 공 열후(列侯). '─行下衆'《國語》. ⑩주인 공 자기가 섬기는 사람. '吾─在壑谷'《左傳》. ⑪어른 공 장자(長者)의 존칭(尊稱). '此六七─皆亡恙'《漢書》. ⑫그대 공 동배(同輩)의 호칭(呼稱). '─等碌碌'《史記》. ⑬아버님 공 부친의 존칭. '家─執帚'《列子》. ⑭시아버님 공 시아버지의 존칭. '與─併倨'《列子》. ⑮공 공

功(力部 三畫)과 통용. '王—伊濯'《詩經》. ⑯성
공 성(姓)의 하나.

字源 甲骨文 金文 篆文 指事. '八팔'은 통로(通路)의 상형. 'ㅁ'는 어떤 특정한 장소를 나타냄. 제사를 지내는 광장의 뜻에서, 공공(公共)의 뜻을 나타냄.

[公家 공가] ㉠조정(朝廷). 또, 왕실(王室). 황족(皇族). ㉡《佛敎》중이 절[寺]을 일컫는 말.
[公暇 공가] 공공(公共)의 휴가(休暇).
[公刊 공간] 책을 간행하여 널리 폄.
[公幹 공간] 관청의 사무. 공사(公事).
[公彊 공강] 공평(公平)하고 굳셈.
[公開 공개] 방청(傍聽)·관람(觀覽) 또는 집회(集會) 등을 일반에게 허용함.
[公開狀 공개장] 본인(本人)에게 직접 통지하지 아니하고 신문·잡지 등을 이용하여 일반 공중에게 알게 하는 글.
[公據 공거] ㉠공공연히 웅거(雄據)함. ㉡공공(公共)의 의거(依據)하는 곳.
[公格 공격] 공직(公職)에 관한 격식.
[公決 공결] 공정하게 결정함.
[公潔 공결] 공정하고 결백함.
[公卿 공경] 삼공(三公)과 구경(九卿). 전(轉)하여, 고위 고관(高位高官).
[公告 공고] 세상 사람에게 널리 알림.
[公共 공공] ㉠사회의 여러 사람과 같이함. ㉡공중(公衆). 일반 사회.
[公共團體 공공단체] 공법상(公法上)의 의무를 담당하는 법인(法人) 단체.
[公共物 공공물] 여러 사람이 다 같이 사용할 수 있는 물건. 「업.
[公共事業 공공사업] 여러 사람을 위하여 하는 사
[公課 공과] 관청의 일. 공무(公務). ㉡관청에서 개인에게 과하는 세금 및 기타의 부담.
[公館 공관] 지방의 관사(官舍).
[公槐 공괴] 삼공(三公)의 지위. 삼괴(三槐) 참조.
[公宮 공궁] 왕후(王侯)의 궁전(宮殿). 또, 천자(天子)의 집안. 「리.
[公權 공권] 공법상(公法上) 국민이 소유하는 권
[公隙 공극] 공무(公務)의 여가(餘暇).
[公金 공금] 정부(政府) 또는 공공단체(公共團體)의 소유로 되어 있는 돈.
[公器 공기] ㉠공공(公共)의 기관. ㉡사회의 공유물(公有物).
[公納 공납] 국고(國庫)로 수입되는 조세(租稅).
[公旦 공단] 주(周)나라 무왕(武王)의 아우 주공(周公) 단(旦)의 약칭(略稱).
[公談 공담] ㉠공무(公務)에 관한 말. ㉡공평한
[公堂 공당] 공무(公務)를 보는 곳. 「말.
[公德 공덕] ㉠사(私)가 없는 덕(德). ㉡공중(公衆)에 대한 도덕.
[公盜 공도] 관공리(官公吏)가 그 지위(地位)를 이용하여 사리(私利)를 취함을 욕하는 말.
[公道 공도] ㉠공평한 도리(道理). 당연한 이치(理致). 바른길. ㉡공중이 통하는 길. 공로(公路).
[公同 공동] 여럿이 같이함. 「路].
[公力 공력] ㉠공역(公役). ㉡개인 또는 단체(團體)를 강제하여 복종시키는 국가 및 사회의 권력(權力).
[公廉 공렴] 공평(公平)하고 염결(廉潔)함.
[公路 공로] 여러 사람이 통행(通行)하는 길.
[公論 공론] ㉠만인(萬人)이 정당하다고 하는 의

견. ㉡공평한 언론(言論).
[公廩 공름] 관(官)의 쌀 창고(倉庫). 정부(政府)의 쌀 곳간.
[公吏 공리] ㉠벼슬아치. 관리. ㉡공공단체의 일을 보는 사람.
[公利 공리] 공공(公共)의 이익.
[公理 공리] ㉠모든 사람이 정당하다고 인정하는 도리(道理). ㉡수학(數學)에서, 증명을 필요로 하지 않고도 자명한 진리.
[公立 공립] 공공단체에서 설립(設立) 또는 유지(維持)함.
[公賣 공매] 입찰(入札). 경매(競賣)하여 팖.
[公明正大 공명정대] 공평하고 올발라 사사로움이 없음.
[公募 공모] 널리 공개하여 모집함.
[公務 공무] 국가 또는 공공단체의 사무.
[公文 공문] ㉠관청(官廳)에서 내는 문서. ㉡공사(公事)에 관한 서류(書類).
[公門 공문] ㉠대궐의 문. ㉡관아(官衙)의 문.
[公文書 공문서] 공무(公務)에 관한 서류(書類).
[公物 공물] 국가 또는 공공단체의 물건.
[公民 공민] 공민권이 있는 주민(住民).
[公民敎育 공민교육] 공민으로서 사회생활에 필요한 교양을 체득하는 교육.
[公民權 공민권] 공민이 가진 권리. 국회 또는 지방의회의 선거권이 있어 정치에 참여하는 지위 혹은 자격.
[公發 공발] 널리 일반에게 발표함.
[公方 공방] 사(私)가 없이 공정(公正)함. 정직 무사(正直無私)함.
[公倍數 공배수] 두 개 이상의 정수(整數)에 공통한 배수(倍數).
[公法 공법] ㉠공공(公共)의 규칙. ㉡권력관계(權力關係) 또는 통치 관계(統治關係)를 규정하여 놓은 법률.
[公報 공보] ㉠일반 국민에게 알리는 관청(官廳)의 보고. ㉡관청(官廳)에서 딴 관청에 내는 통신 보고.
[公輔 공보] 삼공(三公)과 보상(輔相).
[公服 공복] 벼슬아치의 제복(制服).
[公僕 공복] 일반 국민에 대한 봉사자라는 뜻으로, 공무원을 일컫는 말.
[公俸 공봉] 위에서 급여하는 녹봉.
[公府 공부] 관부. 관아(官衙).
[公憤 공분] ㉠정의를 위한 분노. ㉡공중(公衆)의 분노.
[公費 공비] 국가 또는 공공단체의 비용.
[公憑 공빙] 궁궐(宮闕)에서 나오는 어음. 주로 금전 수취(受取)의 증거로 발부함.
[公司 공사] 회사(會社).
[公私 공사] ㉠정부와 민간. ㉡공사(公事)와 사사(私事).
[公事 공사] ㉠세상의 사건. ㉡국가 또는 공공단체의 사무.
[公使 공사] ㉠공사(公事)에 씀. 공공(公共)의 사용. ㉡본국 정부를 대표하여 조약(條約)을 맺은 나라에 주재(駐在)하는 제2등의 외교관(外交官).
[公使館 공사관] 공사(公使)가 주재국(駐在國)에서 사무를 보는 곳.
[公上 공상] 임금. 또는, 관가(官家).
[公相 공상] 삼공(三公)과 재상(宰相)의 뜻으로, 최고(最高)의 벼슬을 이름.

[公生明 공생명] 공평한 마음이 있어야만 비로소 밝은 지혜가 생김.

[公署 공서] 관서(官署). 관아(官衙).

[公席 공석] ㉠공사(公事)로 인하여 모인 좌석(座席). ㉡공무(公務)를 보는 좌석.

[公選 공선] ㉠공평히 뽑음. 널리 뽑음. ㉡뭇 사람과 공동하여 뽑음.

[公設 공설] 국가 또는 공공단체에서 설립함.

[公稅 공세] 국가에 바치는 세금.

[公所 공소] 관아. 관청.

[公訴 공소] 검사(檢事)가 특정(特定)의 범죄인(犯罪人)에 대해서 법원(法院)에 그 재판(裁判)을 요구(要求)하는 일.

[公孫 공손] 왕후(王侯)의 손자. 귀족의 자손.

[公孫樹 공손수] 은행나무의 별칭(別稱).

[公孫龍 공손룡] ㉠중국 전국(戰國) 시대의 변론가(辯論家). 조(趙)나라 사람. 백마론(白馬論)과 견백론(堅白論)의 논리(論理)로 유명함. 저서에 〈공손용자(公孫龍子)〉 6편이 현존함. ㉡춘추(春秋) 시대의 초(楚)나라 사람. 공자(孔子)의 제자(弟子).

[公孫布被 공손포피] 전한(前漢) 때 사람 공손홍(公孫弘)이 검소하여 삼공(三公)의 지위에 있으면서도 베옷을 입은 고사(故事).

[公孫弘 공손홍] 한대(漢代)의 재상(宰相). 산동(山東) 치천(菑川) 사람. 자(字)는 계(季). 무제(武帝) 때 60세에 처음으로 박사(博士)가 되었는데, 법률(法律)·행정(行政)에 밝고 그 운용(運用)에 있어 유교적(儒敎的) 방책(方策)을 썼으며, 성품이 겸허(謙虛)하였기 때문에 무제(武帝)의 신임을 얻어 누진(累進)하여 벼슬이 승상(丞相)에 이르렀으며, 평진후(平津侯)에 봉후(封侯)되었음. 승상(丞相)으로서 봉후(封侯)된 것은 그가 처음임.

[公誦 공송] 공론(公論)을 좇아 사람을 천거(薦擧)함.

[公示 공시] 널리 일반에게 보임.

[公式 공식] ㉠관청의 의식. ㉡관청에서 규정한 형식. ㉢수량 사이의 일반적 관계, 또는 계산의 일반적 법칙을 나타낸 식(式).

[公愼 공신] 공평하고 신중함.

[公室 공실] 공가(公家).

[公實 공실] 공평하고 진실함.

[公心 공심] 공변된 마음.

[公衙 공아] 마을. 관청(官廳).

[公安 공안] 공중(公衆)의 안녕질서.

[公案 공안] ㉠관아(官衙)의 조서(調書). ㉡선종(禪宗)에서 제자에게 내어 추구(推究)하게 하는 문제.

[公眼 공안] 공중의 공평하게 보는 눈.

[公約 공약] ㉠공법상(公法上)의 계약. ㉡사회에 대하여 이행(履行)하는 약속(約束).

[公約數 공약수] 둘 이상의 정수(整數)나 정식(整式)에 공통되는 약수(約數).

[公壤 공양] 관유지(官有地).

[公羊傳 공양전] 책명(冊名). 11권. 제(齊)나라의 공양고(公羊高)가 지은, 〈춘추(春秋)〉의 주해(註解). 〈좌씨전(左氏傳)〉·〈곡량전(穀梁傳)〉과 합하여 춘추(春秋)의 삼전(三傳)이라 함.

[公養之仕 공양지사] 임금의 우대(優待)에 감동하여 어진 사람이 출사(出仕)하는 일.

[公羊學 공양학] 공양전(公羊傳) 및 하휴(何休)가 주석(註釋)한 춘추 삼세(春秋三世)의 설(說)을 진화론(進化論)에 의하여 푼 학설. 또, 그 학파. 청대(淸代)에 일어났음.

[公言 공언] ㉠공개(公開)하여 말함. 숨김없이 말함. 명언(明言). ㉡일반에게 통용되는 말.

[公餘 공여] 공무의 여가. 공극(公隙).

[公役 공역] 부역(賦役).

[公然 공연] 드러내 놓는 모양. 숨기지 않는 모양.

[公演 공연] 음악·극(劇)·무용(舞踊) 따위를 공개하여 연출(演出)함.

[公用 공용] ㉠세상에서 널리 사용함. ㉡공적(公的)의으로 사용함. ㉢관아(官衙)의 비용.

[公園 공원] ㉠관유(官有)의 동산. ㉡여러 사람의 보건·교화(敎化)·휴양(休養)·소요(逍遙)·행락(行樂)을 위하여 만들어 놓은 동산.

[公有 공유] 국가 또는 공공단체(公共團體)의 소유.

[公義 공의] 공평한 바른 도의.

[公議 공의] ㉠공평한 의론(議論). ㉡여론(輿論).

[公移 공이] 관아(官衙) 상호 간에 왕래하는 공문(公文).

[公益 공익] 사회와 공중의 이익.

[公益法人 공익법인] 사회 공공(社會公共)의 이익(利益)을 목적으로 하는 종교(宗敎) 단체. 또는 재단(財團)으로서 영리(營利)를 목적으로 하지 않는 법인(法人).

[公人 공인] 공직(公職)의 사람. 벼슬아치.

[公認 공인] 국가 또는 공공단체(公共團體), 정당 등에서 인허(認許)함.

[公子 공자] 귀족의 자제(子弟).

[公子家 공자가기] 도박꾼들의 숙소.

[公子王孫 공자왕손] 귀족의 자제.

[公爵 공작] 오등작(五等爵)〈공(公)·후(侯)·백(伯)·자(子)·남(男)〉의 첫째.

[公才公望 공재공망] 정승이 될 만한 재덕(才德)과 인망(人望).

[公儲 공저] 공공(公共)의 저축. 국가에서 저축한것.

[公賊 공적] 공금이나 공물을 훔친 도둑. 공도(公盜).

[公敵 공적] 국가(國家)·사회(社會) 전체의 적.

[公田 공전] ㉠국유(國有)의 전답. ㉡정전(井田)에서 사전(私田)에 둘러싸인 중앙에 있는 전답. 공동으로 경작(耕作)하며, 그 수확(收穫)은 조세(租稅)로 함.

[公田 ㉡]

[公典 공전] 공평한 법률.

[公戰 공전] 나라를 위한 싸움.

[公錢 공전] 공금(公金).

[公轉 공전] 유성(遊星)이 태양(太陽)을 중심으로 하고 도는 운동.

[公正 공정] ㉠공평하고 바름. ㉡공인(公認)을 받아 바름.

[公廷 공정] 공판정(公判廷).

[公定 공정] 관청(官廳)에서 정함. 공론(公論)에 의하여 정함.

[公租 공조] 정부(政府)에 바치는 조세(租稅).

[公調 공조] 공물(貢物).

[公族 공족] 왕공(王公)의 동족(同族). 제후(諸侯)의 일족(一族).

[公座 공좌] ㉠다수의 사람이 모인 좌석. ㉡공석

(公席).
[公罪 공죄] 공사(公事)에 관하여 범한 죄.
[公主 공주] ㉠천자(天子)의 딸. ㉡《韓》 왕후(王后)가 낳은 딸.
[公衆 공중] 사회의 여러 사람들.
[公證 공증] ㉠공적인 증거(證據). ㉡관공리(官公吏)가 직무상(職務上) 어떠한 사실을 증명하는 일. 또, 그 증거.
[公知 공지] 널리 알려짐. 주지(周知).
[公直 공직] 공평하고 정직(正直)함.
[公職 공직] 관청이나 공공단체의 직무(職務).
[公札 공찰] 공사(公事)로 하는 편지. 공함(公函).
[公娼 공창] 국가가 공허(公許)한 창기(娼妓). 사창(私娼)의 대(對).
[公債 공채] 국가(國家)나 공공단체가 지고 있는 빚.
[公薦 공천] ㉠공정한 천거(薦擧). ㉡공중의 천거.
[公牒 공첩] 공사(公事)에 관한 편지.
[公廳 공청] 공무(公務)를 처리하는 집. 관아(官衙). 공해(公廨).
[公聽竝觀 공청병관] 공청(公聽)은 공변되게 여러 사람의 말을 받아들인다는 뜻이고, 병관(竝觀)은 쌍방을 아울러 본다는 뜻임. 곧, 공평(公平)한 태도를 이름.
[公忠 공충] 공정(公正)하고 충실(忠實)함.
[公則 공칙] 공공(公共)의 규칙(規則). 일반(一般)의 규정(規定).
[公稱 공칭] ㉠공식 명칭. 공적(公的)인 이름. ㉡공개하여 일컬음.
[公台 공태] 삼공(三公).
[公土 공토] 국가 또는 공공단체의 땅.
[公判 공판] 공중(公衆)의 앞에서 죄(罪)의 유무(有無)·경중(輕重)을 따져 가리는 재판.
[公平 공평] ㉠한편으로 치우치지 아니함. ㉡공정(公正)함.
[公評 공평] 공정한 비평(批評).
[公平無私 공평무사] 공평하여 사사로움이 없음.
[公布 공포] ㉠일반에게 널리 알림. ㉡법률(法律)·칙령(勅令)·명령(命令)·조약(條約)·예산(豫算) 등을 관보(官報)에 게재하여 온 국민(國民)에게 알림.
[公表 공표] 세상에 널리 발표함.
[公翰 공한] 공적인 편지.
[公函 공함] 공사(公事)로 하는 편지.
[公海 공해] 어느 나라의 주권(主權)에도 속하지 않고 각국이 평등하게 자유로이 사용할 수 있는 바다.
[公廨 공해] 공청(公廳).
[公廨田 공해전] 나라에서 백성의 곤궁을 구제하기 위하여 마련하여 둔 전답(田畓).
[公行 공행] ㉠공공연히 행동함. ㉡공공연히 행하여짐.
[公憲 공헌] 나라의 법. 국법(國法).
[公貨 공화] 공금(公金).
[公會 공회] 공사(公事)로 인한 모임.
[公會堂 공회당] 공중이 모이는 집.
[公侯 공후] 공작(公爵)과 후작(侯爵).
[公侯伯子男 공후백자남] 하(夏)·은(殷)·주(周) 시대의 제후(諸侯)의 다섯 계급의 이름. 한(漢)나라 이후에는 공(公) 위에 왕(王)을 두고 백자남(伯子男)은 폐하여 왕공후(王公侯)의 삼등작(三等爵)으로 하였음.
◉家公. 犬公. 郭公. 貴公. 乃公. 迺公. 陶朱公. 亡是公. 明公. 僻公. 奉公. 三公. 先公. 十八公. 王公. 牛公. 愚狙公. 尊公. 主人公. 至公. 天公. 太公. 敗天公. 黃石公. 黑頭公.

2 ④ [仌] [一] 별 [入]屑 筆別切 bié [二] 조 [上]篠 文段切 zhào

[字解] [一] 나눌 별 別(刀部 五畫)의 古字. '一, 玉篇, 古文別'《康熙字典》. [二] 점 조 거북딱지를 구워서 생기는 금. 兆(儿部 四畫)와 同字.
[字源] 會意. 八+八

2 ④ [兮] [高·人] 혜 [平]齊 胡雞切 xī 

[筆順] 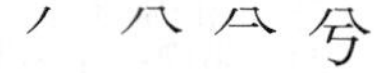

[字解] 어조사 혜 어구(語句)의 사이에 끼우거나 어구의 끝에 붙여, 어기(語氣)가 일단 그쳤다가 음조(音調)가 다시 올라가는 것을 나타내는 조사(助辭). 주로, 시부(詩賦)에 쓰임. '大風起一雲飛揚'《漢高祖》. '風蕭蕭一易水寒'《史記》.
[字源] 甲骨文 金文 篆文 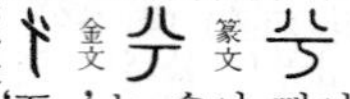 會意. 八+丂. '八팔'은 '분산(分散)하다'의 뜻. '丂고'는 숨이 뻗어 오르려다가 방해를 받는 모양. 숨이 일단 막히고 다시 분산되어 뻗어 오르는 뜻을 나타냄. 파생(派生)하여 말소리를 일단 막았다가 다시 발양(發揚)하는 뜻으로 쓰임. 옛 한어(漢語)의 운문(韻文)에서 어세(語勢)를 고르는 조사(助辭)로 쓰임.

◉簡兮. 樂兮. 爛兮. 菲菲兮. 蕭蕭兮. 晏兮. 嚶嚶兮. 儼兮. 與兮. 猶兮. 綽兮. 振振兮. 瑳兮. 湫兮. 怦怦兮. 渙兮. 悅兮. 薈兮.

2 ④ [兯] 兮(前條)의 俗字

[分] 〔분〕 刀部 二畫(p. 241)을 보라.

2 ④ [六] [中·人] 륙 [入]屋 力竹切 liù 

[筆順] 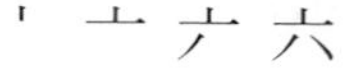

[字解] ①여섯 륙 다섯에 하나를 보탠 수 '一卿'. '一朝'. '天五, 地一'《易經》. ②여섯번 륙 6회. '一黜淸能, 一進否劣'《晉書》. ③성 륙 성(姓)의 하나.
[字源] 甲骨文 金文 篆文 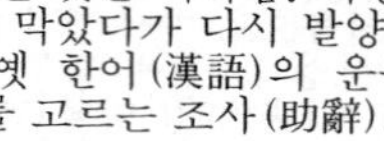 갖은자 陸 象形. 집의 모양을 본뜸. 전하여, '여섯'의 뜻으로 쓰임.
[參考] 금전을 기록할 때에는, 글씨를 고쳐 쓰는 것을 방지하기 위하여, '六' 대신 '陸륙'을 쓰기도 함.

[六家 육가] 음양(陰陽)·유(儒)·묵(墨)·명(名)·법(法)·도(道)의 여섯 학파.
[六角 육각] ㉠여섯 모. 육모. ㉡북·장구·해금·피리와 태평소 한 쌍의 총칭.
[六甲 육갑] ㉠육십갑자(六十甲子)의 준말. ㉡도박의 일종. 쌍륙(雙六) 놀이와 비슷함.
[六卿 육경] ㉠주대(周代)의 여섯 장관. ㉡춘추시대(春秋時代)의 진(晉)나라의 여섯 사람의

구진(句陳)·등사(螣蛇).

[六十甲子 육십갑자] 천간(天干)의 갑(甲)·을(乙)·병(丙)·정(丁)·무(戊)·기(己)·경(庚)·신(辛)·임(壬)·계(癸)와, 지지(地支)의 자(子)·축(丑)·인(寅)·묘(卯)·진(辰)·사(巳)·오(午)·미(未)·신(申)·유(酉)·술(戌)·해(亥)를 차례로 맞춘 것.

[六十四卦 육십사괘] 팔괘(八卦)의 각 괘를 둘씩 겹쳐 만든 64개의 괘.

[六如 육여] 육유(六喩).

[六逆 육역] 도덕에 거슬리는 여섯 가지 행위. 곧, 천방귀(賤妨貴)·소릉장(少陵長)·원간친(遠間親)·신간구(新間舊)·소가대(小加大)·음파의(淫破義).

[六藝 육예] ㉠선비로서 배워야 할 여섯 가지의 일. 곧, 예(禮)·악(樂)·사(射)·어(御)·서(書)·수(數). ㉡육경(六經).

[六王 육왕] 전국(戰國) 시대 육국(六國)의 임금.

[六擾 육요] 육축(六畜).

[六欲 육욕] 《佛教》육근(六根)의 욕정(欲情). 곧, 색욕(色欲)·형모욕(形貌欲)·위의자태욕(威儀姿態欲)·언어음성욕(言語音聲欲)·세활욕(細滑欲)·인상욕(人相欲)의 여섯.

[六欲天 육욕천] 《佛教》욕계(欲界) 이십천(二十天) 가운데의 여섯 하늘. 곧, 사천왕천(四天王天)·야마천(夜摩天)·도리천(忉利天)·도솔천(兜率天)·낙변화천(樂變化天)·타화자재천(他化自在天). 「국.

[六雄 육웅] ㉠여섯 사람의 영웅. ㉡여섯의 강대.

[六位 육위] ㉠점괘(占卦)의 육효(六爻). 전(轉)하여, 음양(陰陽)·강유(剛柔)·인의(仁義). ㉡군(君)·신(臣)·부(父)·자(子)·부(夫)·부(婦)의 여섯 자리.

[六幽 육유] 천지와 사방의 그윽하여 밝지 않은 장소.

[六喩 육유] 제행무상(諸行無常)의 비유로 인용되는 몽(夢)·환(幻)·영(影)·포(泡)·전(電)·노(露). 육여(六如).

[六諭 육유] 청(淸)나라의 순치제(順治帝)가 인륜(人倫)의 대요(大要)를 육 개조(六個條)로 나누어 천하(天下)에 유시(諭示)한 것.

[六諭衍義 육유연의] 책 이름. 청대(淸代)의 회계(會稽) 사람 범횡(范鋐)의 찬(撰). 순치제(順治帝)의 유(諭)를 부연(敷衍) 해설(解說)한 것.

[六六鱗 육육린] 육륙린(六六鱗).

[六義 육의] 시(詩)의 육체(六體). 곧, 풍(風)·부(賦)·비(比)·흥(興)·아(雅)·송(頌).

[六儀 육의] 제사(祭祀)·빈객(賓客)·조정(朝廷)·상기(喪紀)·군려(軍旅)·거마(車馬)의 여섯 가지 일에 관한 예의.

[六耳不同謀 육이부동모] 많은 사람이 모이면 의견(意見)이 구구(區區)하여 아무것도 이룰 수 없음의 비유. '육이(六耳)'는 세 사람을 이름.

[六一居士 육일거사] 송(宋)나라 구양수(歐陽修)의 별호(別號).

[六入 육입] 《佛教》안입색(眼入色)·이입성(耳入聲)·비입향(鼻入香)·설입미(舌入味)·신입촉(身入觸)·의입법(意入法)의 총칭(總稱)으로서, 곧 미망(迷妄)의 근본(根本).

[六字名號 육자명호] 정토종(淨土宗)에서 염불하는 미타(彌陀)의 명호(名號). 곧, 나무아미타불(南無阿彌陀佛).

[六材 육재] 기물을 만드는 여섯 가지 재료. 곧,

토(土)·금(金)·석(石)·목(木)·피(皮)·초(草).

[六齋日 육재일] 《佛教》한 달 중에 재계(齋戒)하여야 할 엿새. 곧, 음력 8일·14일·15일·23일·29일·30일.

[六賊 육적] 육진(六塵).

[六籍 육적] 육경(六經).

[六典 육전] ㉠주대(周代)에 나라를 다스리기 위하여 제정한 여섯 가지 법전(法典). 곧, 치전(治典)·교전(敎典)·예전(禮典)·정전(政典)·형전(刑典)·사전(事典). ㉡《韓》육조(六曹)의 집무 규정. 곧, 이전(吏典)·호전(戶典)·예전(禮典)·병전(兵典)·형전(刑典)·공전(工典)의 총칭.

[六正 육정] 나라에 이로운 여섯 종류의 신하. 곧, 성신(聖臣)·양신(良臣)·충신(忠臣)·지신(智臣)·정신(貞臣)·직신(直臣).

[六情 육정] 희(喜)·노(怒)·애(哀)·낙(樂)·애(愛)·오(惡)의 여섯 가지의 감정(感情).

[六祖 육조] 《佛教》선가(禪家)에서 종파(宗派)가 아직 갈리기 전의 여섯 사람의 조사(祖師). 곧, 달마(達磨)·혜가(慧可)·승찬(僧璨)·도신(道信)·홍인(弘忍)·혜능(慧能).

[六曹 육조] ㉠육부(六部)의 이칭(異稱). ㉡《韓》이조(吏曹)·호조(戶曹)·예조(禮曹)·병조(兵曹)·형조(刑曹)·공조(工曹).

[六詔 육조] 나라 이름. 지금의 윈난(雲南) 및 쓰촨(四川) 서남부(西南部)의 땅. '조(詔)'는 만어(蠻語)로 '임금'을 뜻함.

[六朝 육조] 건업(建業)에 도읍한 여섯 나라. 곧, 오(吳)·동진(東晉)·송(宋)·제(齊)·양(梁)·진(陳). 「書.

[六曹判書 육조판서] 《韓》육조(六曹)의 판서(判)

[六足 육족] 말과 마부(馬夫).

[六宗 육종] 여섯 가지의 존숭(尊崇)하는 대상. 곧, 천지 사방. 혹은 삼소 삼목(三昭三穆). 혹은 하늘의 일월성(日月星)과 땅의 하해대(河海岱).

[六職 육직] 사람의 여섯 가지 천직(天職). 곧, 왕공(王公)·사대부(士大夫)·백공(百工)·상려(商旅)·농부(農夫)·부공(婦功).

[六塵 육진] 《佛教》육식(六識). 곧, 색(色)·성(聲)·향(香)·미(味)·촉(觸)·법(法)에서 일어나는 여섯 가지 욕정(欲情). 육적(六賊).

[六鎭 육진] 조선 세종(世宗) 때 김종서(金宗瑞)를 시켜 설치한 여섯 진(鎭). 곧, 함경 북도의 경원(慶源)·경흥(慶興)·부령(富寧)·온성(穩城)·종성(鐘城)·회령(會寧).

[六采 육채] 청(靑)·백(白)·적(赤)·흑(黑)·현(玄)·황(黃).

[六戚 육척] 부(父)·모(母)·형(兄)·제(弟)·처(妻)·자(子). 육친(六親).

[六尺之孤 육척지고] ㉠14~15세의 고아. 일척(一尺)은 두 살 반에 해당함. ㉡나이 어린 후사(後嗣).

[六天 육천] ㉠하늘의 일컬음. 하늘에 창(蒼)·염(炎)〈적(赤)〉·백(白)·흑(黑)·황(黃)의 오제(五帝)가 있고, 여기에 천제(天帝)를 가하여 육천(六天)이라 함. ㉡《佛教》육욕천(六欲天).

[六體 육체] 육서(六書).

[六畜 육축] 여섯 가지의 가축(家畜). 곧, 소·말·양·닭·개·돼지.

[六出 육출] 눈[雪]의 별칭. 여섯 모의 결정체이므로 이름.

[六趣 육취] 《佛教》육도(六道).

[六親 육친] 부(父)·모(母)·형(兄)·제(弟)·처(妻)·자(子). 육척(六戚).

[六學 육학] ㉠육경(六經) 또는 육예(六藝). ㉡당(唐)나라의 국자감(國子監)에 예속한 국자학(國子學)·대학(大學)·사문학(四門學)·율학(律學)·서학(書學)·산학(算學)의 여섯 학과(學科).

[六合 육합] ㉠천지(天地)와 사방(四方). ㉡천하. 우주. 세계.

[六骸 육해] 머리·몸·두 손·두 다리.

[六行 육행] ㉠효(孝)·우(友)〈형제간의 우애(友愛)〉·목(睦)〈구족(九族) 간에 화목(和睦)함〉·인(婣)〈인척(姻戚)과 정분이 도타움〉·임(任)〈남을 위해 힘을 씀〉·휼(恤)〈없는 자를 구휼(救恤)함〉. 육덕(六德). ㉡《佛敎》 십신행(十信行)·십주행(十住行)·십행행(十行行)·회향행(廻向行)·십지행(十地行)·등각행(等覺行).

[六鄕 육향] 주대(周代)의 제도(制度)에서 왕국(王國) 백 리 안에 있는 대사도(大司徒)가 관장(管掌)하던 곳. 곧, 비(比)〈오가(五家)〉·여(閭)〈오비(五比)〉·족(族)〈사려(四閭)〉·당(黨)〈오족(五族)〉·주(州)〈오당(五黨)〉·향(鄕)〈오주(五州)〉의 일컬음. 육수(六遂) 참조.

[六虛 육허] 천지(天地)와 사방(四方).

[六穴砲 육혈포] 탄알을 재는 구멍이 여섯 있는 권총(拳銃).

[六花 육화] ㉠눈(雪)의 별칭. 여섯 모의 결정체이므로 이름. ㉡당(唐)나라 이정(李靖)이 제갈량(諸葛亮)의 진(陣)에 의해 창의한 진(陣).

[六爻 육효] 육십사괘(六十四卦)의 각 괘(卦)의 여섯 획.
●駕六. 九六. 勝六. 駢四儷六. 雙六. 陽六. 一六. 丈六. 藏六. 初六.

3
⑤ [兰] 〔란〕
蘭(艸部 十七畫〈p.1990〉)의 簡體字

[半] 〔반〕
十部 三畫(p.303)을 보라.

[只] 〔지〕
口部 二畫(p.335)를 보라.

4
⑥ [共] ㊥入 공　㊐宋 渠用切 gòng
　　　　　　　㊤腫 古勇切 gǒng
　　　　　　　㊧冬 九容切 gōng

[筆順] 一 十 廾 共 共 共

[字解] ①함께 공 같이. 한가지로. '一謀'. '天下一立義帝, 北面事之'《史記》. ②함께할 공 같이 함. '與衆一之'《禮記》. ③향(向)할 공 '北辰居其所而衆星一之'《論語》. ④공경할 공 恭(心部 六畫)과 同字. '一承嘉惠'《史記》. ⑤이바지할 공, 베풀 공 供(人部 六畫)과 同字. '一給'. '王祭不一'《左傳》. ⑥성 공 성(姓)의 하나.

[字源] 金文 <상형문자> 篆文 <전서문자> 古文 <고문> 指事. 金文에서는 '口' 가 큰 물건을 나타내며, '甘'이 양손을 나타내어, 양손으로 큰 물건을 바치는 것을 나타냄. 물건을 바치다, 일을 함께 하다의 뜻을 나타냄.

[共儉 공검] 공검(恭儉).

[共工 공공] ㉠상고(上古)에 물을 다스린 벼슬. ㉡제작(製作)의 일을 맡은 벼슬. ㉢공공씨(共工氏).

[共工氏 공공씨] 머리를 부주산(不周山)에 부딪쳤다는 고대 신화(古代神話)에 나오는 신(神).

[共給 공급] '공급(供給)'과 같음.

[共同 공동] 여럿이 같이 함.

[共同宣言 공동선언] 두 나라 또는 두 사람 이상이 공동하여 발표하는 선언.

[共同戰線 공동전선] 공통(共通)의 목적을 위하여 서로 공동하여 이해가 상반(相反)되는 제삼자(第三者)에 대항하는 일.

[共立 공립] ㉠같이 서 있음. ㉡공동하여 설립함.

[共鳴 공명] ㉠같은 음(音)을 내는 두 개의 물체 중 하나를 울리면 딴 것도 따라 울림. ㉡남의 의견이나 주장에 찬성함.

[共謀 공모] 두 사람 이상이 같이 어떠한 일을 꾀함. 통모(通謀).

[共犯 공범] 여럿이 공모하여 죄를 범(犯)함. 또, 그 사람. 공범자(共犯者).

[共産 공산] 재산을 공동으로 함.

[共産主義 공산주의] 계급 제도(階級制度)·재산 사유 제도(財産私有制度) 등을 타파(打破)하고, 생산 수단(生産手段)을 공유하며 개인 평등(個人平等)을 주장하는 주의.

[共生 공생] ㉠공동의 운명 아래 같이 삶. ㉡동물이나 식물이 상호 간에 영양을 보충하는 생활 현상.

[共棲 공서] 함께 삶. 동서(同棲).

[共手 공수] 팔짱을 끼고 아무것도 하지 아니함. 공수(拱手).

[共守 공수] 공동으로 방어함.　　　　　　　[承]

[共承 공승] 공경하여 받듦. 삼가 받듦. 경승(敬承).

[共養 공양] ㉠웃어른을 봉양(奉養)함. ㉡양성(養成)함.

[共榮 공영] 서로 함께 번영함.

[共營 공영] 공동으로 경영함.

[共用 공용] 공동으로 사용함.

[共有 공유] 공동으로 소유함.

[共議 공의] 함께 의논함. 상의함.

[共益 공익] 상호(相互)의 이익. 공동(共同)의 이익(利益).

[共張 공장] 향응(饗應)의 설비. 공장(供張).

[共著 공저] 한 책을 두 사람 이상이 같이 지음.

[共濟 공제] 힘을 합하여 같이 함. 서로서로 도움.

[共擠 공제] 여러 사람이 공동하여 남을 배척함. 합제(合擠).

[共助 공조] 공동으로 도움.

[共存 공존] 함께 살아 나감.

[共存共榮 공존공영] 다 같이 잘 살아감.

[共進會 공진회] 《韓》 박람회(博覽會)의 구칭(舊稱).　　　　　　　　　　　　　　[있음.

[共通 공통] 쌍방 또는 여러 사이에 같은 관계가

[共學 공학] 이성(異性) 혹은 이민족(異民族)끼리 한 학교에서 배움.

[共和 공화] ㉠주(周)나라 여왕(厲王) 출분(出奔) 후 14년 동안 주공(周公)·소공(召公)이 공동으로 행한 정치(政治). ㉡국민(國民)이 대통령(大統領)을 선거하여 정치를 행하는 정체(政體).

[共和國 공화국] 공화 정치(共和政治)를 행하는 나라.
●公共. 滅共. 反共. 防共. 不共. 容共. 靖共. 中共. 親共.

4
⑥ [夭] 〔소〕
笑(竹部 四畫〈p.1655〉)의 古字

4
⑥ [关] 〔관·완〕
關(門部 十一畫〈p.2446〉)의 簡體字

4
⑥ [兴] 〔흥〕
興(臼部 九畫〈p.1880〉)의 俗字

5
⑦ [𠔼] 〔기〕
箕(竹部 八畫〈p.1669〉)의 古字

5
⑦ [兵] 中人 병 ㉠庚 甫明切 bīng

筆順 ノ 厂 斤 斤 丘 乒 兵 兵

字解 ①군사 병 ㉠군인. '一丁'. '一士'. '選士
厲一'《禮記》. ㉡군대. '將軍能用一'《史記》. ②
병장기 병 무기(武器). '一器'. '一甲'. 持一而
鬪'《世說》. ③싸움 병 전투. 전쟁. '一火'. '一
端'. '公不論一, 必大困'《戰國策》. ④칠 병 적
(敵)을 침. '士一之'《左傳》.
字源 [금문·전문·고문·주문 자형] 會意. 廾＋斤.
'廾공'은 양손
의 상형. '斤근'은 도끼의 상형. 양손으로 쥐는
자귀의 뜻에서, 무기를 나타냄.

[兵家 병가] ㉠병학(兵學)을 닦는 사람. 또, 그
학파. 병가자류(兵家者流). ㉡전쟁에 참가하는
사람. 군인(軍人).
[兵家者流 병가자류] 병학
(兵學)을 닦는 사람. 병가
(兵家) ❶.
[兵間 병간] 전쟁하는 사이.
전쟁중.
[兵甲 병갑] ㉠병기(兵器)와
갑주(甲冑). ㉡무기(武器).
㉢전쟁.
[兵車 병거] 전쟁(戰爭)에 쓰
는 수레.

[兵車]

[兵械 병계] 병기(兵器).
[兵庫 병고] 병기(兵器)를 두는 창고. 무기고(武
器庫).
[兵戈 병과] ㉠칼과 창. ㉡무기. ㉢전쟁.
[兵寇 병구] 내란(內亂)과 외구(外寇).
[兵權 병권] 병마(兵馬)를 장악한 권력(權力).
[兵貴神速 병귀신속] 용병(用兵)은 신속하여야
함.
[兵戟 병극] 병과(兵戈).
[兵忌 병기] 병가(兵家)가 싸움에 이롭지 못하다
고 꺼리는 날.
[兵器 병기] 전쟁에 쓰는 기계. 무기(武器).
[兵機 병기] 전쟁의 기회. 전기(戰機).
[兵饑 병기] 병란(兵亂)으로 말미암은 기근(饑
饉).
[兵端 병단] 전쟁의 단서.
[兵團 병단] 군대(軍隊).
[兵隊 병대] 군대(軍隊).
[兵道 병도] ㉠군사(軍事)의 길. 무도(武道). ㉡군
사 도로(軍事道路).
[兵屯 병둔] 군사(軍士)가 주둔(駐屯)해 있는 곳.
군사가 진(陣)을 친 데.
[兵亂 병란] 전쟁으로 인한 세상의 어지러움. 전
란(戰亂).

[兵闌 병란] 무기를 걸어 두는 틀. 병란(兵欄).
[兵略 병략] 병법(兵法)을 운용(運用)하는 꾀. 전
략(戰略). 군략(軍略).
[兵糧 병량] 군량(軍糧).
[兵力 병력] 군대의 힘. 전투력(戰鬪力).
[兵馬 병마] ㉠무기와 군마(軍馬). 전(轉)하여,
군비(軍備). ㉡전쟁.
[兵無常勢 병무상세] 전진(戰陣)은 적의 형세에
따라 변화하므로 일정한 형세가 있는 것이 아
님.
[兵聞拙速 병문졸속] 용병(用兵)함에는 졸렬하여
도 빠른 것이 좋음.
[兵法 병법] 전쟁하는 방법. 전술.
[兵變 병변] 병란(兵亂).
[兵柄 병병] 병마(兵馬)의 권력. 병권(兵權).
[兵鋒 병봉] 군대의 날카로운 기세.
[兵部 병부] 육부(六部)의 하나. 병마(兵馬)의 일
을 관장함.
[兵符 병부] 동병(動兵)하는 데 쓰는 부절(符節).
발병부(發兵符).
[兵不厭詐 병불염사] 병법(兵法)에는 속이는 것
을 꺼리지 아니함.
[兵備 병비] 군사에 관한 설비(設備). 군비(軍
備).
[兵士 병사] 군사(軍士).
[兵舍 병사] 병정이 들어 있는 집. 군대가 들어 거
처하는 집.
[兵事 병사] 군사(軍事).
[兵尙神速 병상신속] 용병(用兵)에는 신속이 중
함.
[兵書 병서] 병법(兵法)에 관한 책.
[兵船 병선] 전쟁에 쓰는 배.
[兵燹 병선] 병화(兵火).
[兵勢 병세] 병마(兵馬)의 세력.
[兵術 병술] 병법(兵法). 전술(戰術).
[兵食 병식] ㉠군량(軍糧). ㉡군사(軍士)와 군량.
[兵厄 병액] 전쟁으로 생기는 재앙.
[兵役 병역] ㉠전쟁 일로 징병당하는 부역(賦役).
㉡국민의 의무로서 군적에 편입되어 군무에 종
사하는 일.
[兵營 병영] 병정이 들어 있는 집.
[兵伍 병오] 군대 편제상에 있어서의 최하급의 대
(隊). 전(轉)하여, 군인의 낮은 지위.
[兵勇 병용] 병졸(兵卒).
[兵員 병원] 군사의 인원. 군사의 수효.
[兵威 병위] 군대의 위세. 군대의 위력.
[兵衛 병위] 호위병(護衛兵).
[兵猶火 병유화] 전쟁은 불과 같이 모든 것을 태
워 버리므로, 함부로 전쟁을 하거나 또는 오래
끌면 화가 도리어 자기 자신에게 미친다는 뜻.
[兵戎 병융] ㉠병기(兵器). ㉡군사(軍士). 군비(軍
備). 전쟁(戰爭).
[兵刃 병인] 무기(武器). 병기(兵器).
[兵者詭道也 병자궤도야] 용병(用兵)하는 데는 기
계(奇計)를 써야 함.
[兵者不祥之器 병자불상지기] 병장기(兵仗器)는
사람을 해(害)치는 데 쓰이므로 불길(不吉)한
연장임.
[兵者凶器 병자흉기] ㉠무기(武器)는 흉한 기구
임. ㉡전쟁은 사람을 해치는 흉악한 일임.
[兵仗 병장] 병기(兵器). 병장기(兵仗器).
[兵匠 병장] 병기(兵器)의 제작(製作). 또, 그 제
작자.
[兵仗器 병장기] 병기(兵器).
[兵爭 병쟁] 전쟁(戰爭). 병전(兵戰).

[兵儲 병저] 군량(軍糧)과 군비(軍備)의 여축.
[兵籍 병적] 군인의 적(籍).
[兵丁 병정] 병역에 복무하는 장정. 병사.
[兵制 병제] 군사상(軍事上)의 제도.
[兵曹 병조] ㉠군사(軍事)를 맡은 벼슬. ㉡《韓》육조(六曹)의 하나. 무선(武選)·군무(軍務)·병갑(兵甲)·기장(器仗)·문호관약(門戶管鑰)·의위(儀衛)·우역(郵驛) 등을 맡아보던 마을.
[兵卒 병졸] 군사(軍士).
[兵主 병주] ㉠주장(主將). ㉡군신(軍神).
[兵塵 병진] 전장(戰場)의 티끌.
[兵徵 병징] 전란(戰亂)의 징조.
[兵站 병참] 전지(戰地)의 후방에서 군수품을 수송 또는 수용하는 곳.
[兵站線 병참선] 전지(戰地)에 있는 군대와 병참부(兵站部)와의 연락선.
[兵學 병학] 병법(兵法)에 관한 학문.
[兵艦 병함] 전쟁에 쓰는 큰 배. 전함(戰艦).
[兵革 병혁] 무기와 갑주(甲胄).
[兵火 병화] 전쟁으로 인하여 일어나는 화재(火災). 병선(兵燹).
●簡兵. 甲兵. 強兵. 皆兵. 客兵. 擧兵. 勁兵. 輕兵. 工兵. 觀兵. 驕兵. 國兵. 軍兵. 禁兵. 奇兵. 起兵. 騎兵. 老兵. 短兵. 大兵. 徒兵. 募兵. 民兵. 防兵. 白兵. 步兵. 步哨兵. 補充兵. 伏兵. 富國強兵. 士兵. 私兵. 散兵. 選兵. 水兵. 勝兵. 僧兵. 新兵. 衞兵. 弱兵. 養兵. 練兵. 閱兵. 豫防兵. 銳兵. 用兵. 勇兵. 備兵. 衞兵. 義兵. 疑兵. 義勇兵. 利兵. 贏兵. 殘兵. 雜兵. 將兵. 賊兵. 敵兵. 精兵. 卒兵. 從兵. 志願兵. 徵兵. 候備兵. 天兵. 撤兵. 尖兵. 哨兵. 出兵. 治兵. 親兵. 派兵. 敗兵. 慶兵. 砲兵. 海兵. 憲兵. 護衞兵. 訓練兵. 訓兵.

5
⑦ [共] 〔공〕
共(八部 四畫〈p.216〉)과 同字

5
⑦ [皀] 〔모〕
皃(白部 二畫〈p.1510〉)의 俗字

6
⑧ [其] 甲人 기 ①㉠支 渠之切 qí ②㉠寘 居吏切 jì

[筆順] 一 十 卄 甘 甘 其 其 其

[字解] ①그 기 ㉠그것의. 지사(指事)의 사(辭). '─旨遠, ─辭文《易經》. ㉡그것. 대명사(代名詞). '融從─遊學《後漢書》. ㉢발어(發語)의 사(辭). '─左高宗《書經》. ②어조사 기 ㉠어세(語勢)를 고르게 하기 위하여 구말(句末)에 첨가하는 조사(助辭). 시부(詩賦)에 쓰임. '夜如何─'《詩經》. ㉡무의미한 조사(助辭). '彼─之子'《詩經》.
[字源] (甲骨文) (金文) (篆文) (籒文) 象形. 곡식을 까불으는 '키'의 상형으로, '키'의 뜻을 나타냄. '箕기'의 원자(原字). 가차(假借)하여, '그'의 뜻의 대명사로 쓰임. 篆文의 '箕'는 形聲. 竹+其(音). '其기'에 '竹죽'을 더하여, 대나무로 만든 '키'의 뜻을 나타냄.

[其間 기간] 그 사이.
[其揆一也 기규일야] 그 도(道)는 같음.
[其時 기시] 그때.

[其餘 기여] 그 나머지.
[其亦 기역] 그것도 또.
[其然豈其然 기연기기연] 그런가. 설마 그럴 리야 있을라고.
[其外 기외] 그 밖.
[其愚不可及也 기우불가급야] 지혜(智慧)를 나타내지 않고 어리석은 체하여 몸을 보전한 일은 남이 미치지 못하는 바임.
[其爭也君子 기쟁야군자] 군자는 다투어도 소인(小人)의 다툼과 달라서 예의를 잊지 않아 군자로서의 낯을 깎이지 아니함.
[其前 기전] 그전.
[其中 기중] 그 속. 그 가운데.
[其次 기차] 그 다음.
[其他 기타] 그 밖. 그것 외(外)에 또 다른 것.
[其後 기후] 그 뒤.
●豈其. 凄其. 何其.

6
⑧ [具] 高人 구 ㉠遇 其遇切 jù

[筆順] 丨 冂 冂 月 月 目 且 具 具

[字解] ①갖출 구 판비함. 구비함. '─足'. '─有'. '─體而微《孟子》. ②갖추어질 구 구비됨. '─全'. '其禮一《禮記》. ③차림 구 준비. '夜灑掃, 早張─《史記》. ④그릇 구 '제구. 器─'. '家─'. '索得釀─《蜀志》. ㉡재능(才能). '抱將相之一《李陵》. ⑤함께 구 俱(人部 八畫)와 同字. '一慶'. '一瞻'. '民─爾瞻'《詩經》. ⑥갖출 구 갖게. 일일이. 자세히. '一載'. '風潮難一論《謝靈運》. ⑦모두 구 다. '百卉一腓《詩經》. ⑧성 구 성(姓)의 하나.
[字源] (金文) (篆文) 形聲. 目(貝)+廾(音). '貝패'는 조개, 또는 솥의 상형. '廾공'은 양손으로 바치다의 뜻. '갖추다'의 뜻을 나타냄.

[具格 구격] 격식(格式)을 갖춤.
[具慶 구경] ㉠함께 경하(慶賀)함. ㉡부모가 다 생존하고 있음.
[具官 구관] ㉠관원(官員)을 갖춤. ㉡명의(名義)만 관리의 일원(一員)으로 수효를 채우고 있을 따름임. ㉢문장(文章)의 초고(草稿) 등에 관직을 생략할 것을 대신하여 쓰는 말.
[具文 구문] 형식만 갖춘 문면(文面).
[具備 구비] 빠짐없이 모두 갖춤. 또, 빠짐없이 모두 갖추어 있음.
[具象 구상] 구체(具體). ㉡.
[具色 구색] 여러 가지 물건을 골고루 갖춤.
[具書 구서] 글자의 획을 빼지 않고 갖추어 씀.
[具述 구술] 상세(詳細)히 진술(陳述)함. 구진(具陳).
[具臣 구신] 단지 수효만 채운 쓸모없는 신하.
[具案 구안] ㉠초안을 작성함. ㉡방안(方案)을 세움.
[具眼 구안] 안식(眼識)이 있음.
[具眼者 구안자] 견식(見識)이 있는 사람.
[具然 구연] 스스로 만족하는 모양. 자득(自得)하는 모양.
[具獄 구옥] 옥안(獄案)이 다 되어 판결문(判決文)이 갖추어짐. 옥안(獄案)은 재판(裁判)의 조서(調書).
[具有 구유] 갖추어 가짐. 「음.
[具載 구재] 빠짐없이 모두 실음. 상세히 적어 실

[具全 구전] 갖추어져 완전함.
[具足 구족] 빠짐없이 갖춤. 구비함.
[具足戒 구족계]《佛教》비구(比丘)·비구니(比丘尼)의 일체(一切)의 계(戒).
[具陳 구진] 자세히 진술(陳述)함.
[具瞻 구첨] 같이 우러러봄.
[具體 구체] ㉠전체를 갖춤. 전부를 가짐. ㉡형상(形象)을 갖추어 감관(感官)에 지각된 것. 구상(具象).
[具稟 구품] 사유를 갖추어 웃어른께 여쭘.
[具現 구현] 구체적으로 나타냄.
　●家具. 建具. 敬具. 輕具. 工具. 供具. 校具. 敎具. 器具. 機具. 農具. 道具. 馬具. 防具. 文具. 文房具. 不具. 佛具. 喪具. 夜具. 漁具. 禮具. 完具. 玩具. 用具. 雨具. 運動具. 戎具. 裝具. 葬具. 裝身具. 祭具. 製具. 諸具. 座具. 什具. 饌具. 治具. 寢具. 表具. 畫具.

6 [具] 具(前條)와 同字
⑧

6 [典] ㄷ┃ 전 ⊕銑 多殄切 diǎn　　典
⑧ 人

[筆順] 丨 冂 冂 由 曲 曲 典 典

[字解] ①법 전 법식(法式). 상경(常經). '一刑'. '一法'. '維淸緝熙, 文王之一'《詩經》②책 전 서적. '一籍'. '經一'. '兼修隋一'《北史》. ③벼슬 전 관직(官職). '探漢晉舊儀, 置六尙六司六一'《隋書》. ④맡을 전 관장(管掌)함. '一掌'. '一統'. '我一主東地'《戰國策》. ⑤바를 전 올음. '一雅'. '辭一文艷'《梁昭明太子》. ⑥전당잡힐 전 전당에 넣음. '一當'. '一鋪'. '一任貼貨賣'《舊唐書》. ⑦성 전 성(姓)의 하나.
[字源] 金文典 篆文典 古文典 會意. 冊+丌. '冊책'은 물건을 얹는 받침의 상형. 귀중한 책의 뜻에서, 파생하여 '법, 모범, 서적' 등의 뜻을 나타냄.

[典客 전객] 빈객(賓客)의 응접을 맡은 사람.
[典據 전거] 고사(故事)의 증거(證據). 출전(出典).
[典經 전경] 경서(經書).
[典戒 전계] 계(戒). 경계(警戒).
[典故 전고] ㉠전례(典禮)와 고사(故事). ㉡전거(典據)가 되는 고사.
[典誥 전고] ㉠서경(書經)의 요전(堯典)·순전(舜典)과 탕고(湯誥)·강고(康誥) 등. 곧, 태고의 제왕의 언행의 기록. ㉡고서(古書). ㉢조칙(詔勅).
[典廐 전구] 천자(天子)의 마구간을 맡은 벼슬.
[典券 전권] 문권(文券)을 전당으로 잡힘.
[典器 전기] 세상을 다스리는 데 쓰이는 것.
[典當 전당] 토지·가옥·물품 등을 담보로 하여 돈을 꾸어 쓰고 꾸어 주는 일. 저당.
[典麗 전려] 바르고 고움.
[典歷 전력] 관장(管掌)함.
[典例 전례] 전고(典故).
[典禮 전례] 일정한 의식(儀式).
[典賣 전매] 저당(抵當)에 넣어 팔아넘김.
[典物 전물] 전당 잡히는 물건. 저당물.
[典範 전범] 본보기. 모범.

[典法 전법] 전칙(典則).
[典墳 전분] ㉠삼황 오제(三皇五帝)의 서(書)인 삼분오전(三墳五典)의 약(略). ㉡고서(古書).
[典司 전사] 관장(管掌)함.
[典祀 전사] ㉠나라에서 정(定)한 제사. ㉡옛날 제사(祭祀)를 맡은 벼슬.
[典常 전상] 항상 지켜야 할 도리.
[典膳 전선] 천자(天子)의 선부(膳部)의 일을 맡은 벼슬.
[典屬國 전속국] 속국의 일을 맡은 벼슬.
[典式 전식] 법식(法式).
[典實 전실] 전고(典故). 고실(故實).
[典雅 전아] 바르고 고상함.
[典謁 전알] 내객(來客)의 접수를 맡은 벼슬. 알(謁)은 명함(名銜).
[典押 전압] 저당에 넣음. 전당 잡힘.
[典午 전오] ㉠사마(司馬)의 벼슬. 전(典)은 사(司), 오(午)는 마(馬). ㉡진대(晉代)의 일컬음. 임금이 사마씨(司馬氏)이므로 이름.
[典獄 전옥] ㉠재판을 맡음. ㉡옥(獄)의 감시자. ㉢《韓》'교도소장(矯導所長)'의 구칭(舊稱).
[典要 전요] 일정한 규칙.
[典律 전율] 법. 규율. 본보기.
[典衣 전의] ㉠의복(衣服)을 전당 잡힘. ㉡의복(衣服)의 일을 맡음.
[典儀 전의] 법식. 의식(儀式).
[典章 전장] ㉠제도(制度)와 문물(文物). ㉡법칙(法則). 규칙(規則).
[典掌 전장] 일을 맡아서 주장함. 또, 그 사람.
[典籍 전적] 책. 서적.
[典制 전제] 전장(典章).
[典重 전중] 언행(言行)이 규구(規矩)에 맞고 점잖음.
[典證 전증] 고사(故事)의 증거.
[典職 전직] 맡음. 관장함.
[典質 전질] 물건을 전당 잡힘.
[典執 전집] 전당(典當)을 잡히거나 잡음.
[典籤 전첨] 문서를 맡은 벼슬아치.
[典貼 전첩] 전당 잡힘.
[典則 전칙] 법. 법칙(法則). 규범(規範).
[典統 전통] 도맡아 다스림.
[典學 전학] ㉠항상 학문에 종사(從事)함. 전(典)은 상(常)의 뜻. ㉡후세(後世)에 천자(天子)의 입학(入學)의 뜻으로 쓰임.
[典憲 전헌] 전범(典範).
[典刑 전형] ㉠예전부터 내려오는 법전(法典). ㉡전통(傳統)의 법식.
[典型 전형] ㉠어떤 부류의 모범이나 본보기가 될 만한 것. ㉡조상이나 스승을 본받은 틀.
[典訓 전훈] 인도(人道)의 가르침. 교훈(敎訓).
　●經典. 古典. 寬典. 敎典. 舊典. 國典. 內典. 大典. 文典. 邦典. 法典. 寶典. 墳典. 佛典. 事典. 盛典. 上典. 常典. 賞典. 書典. 瑞典. 釋典. 盛典. 聖典. 式典. 樂典. 語典. 榮典. 例典. 禮典. 外典. 原典. 六典. 恩典. 儀典. 吏典. 字典. 掌典. 政典. 祭典. 祝典. 出典. 通典. 特典. 香典. 刑典. 訓典.

7 [彖] 수 ⊕寘 徐醉切 suì
⑨

[字解] 따를 수 순응함. '一, 从意也'《說文》.
[字源] 象形. '彑교'는 후벼 내기 위한 날붙이의 상형. '豕시'는 돼지의 상형.

[酋] 〔추〕
酉部 二畫(p.2350)을 보라.

8
⑩ [兼] 高人 겸 ㉤鹽 古甜切 jiān

筆順 八 仝 仐 争 争 争 争 兼

字解 ①겸할 겸 ㉠나누어진 것을 합침. '一倂'. '一三才兩之'《易經》. ㉡두 가지 이상을 아울러 맡음. '一任'. '縣宰缺者, 數年守一'《漢書》. ㉢한결같게 함. 충하 없이 동등히 함. '一愛'. '墨子一愛'《孟子》. ②쌓을 겸 겹쳐 쌓음. 포개어 쌓임. '重金一紫'《後漢書》.

字源 兼 金文 秝 篆文 秝 의 상형. '秝력'은 나란히 심어 놓은 벼의 뜻. 나란히 서 있는 벼를 합쳐서 손에 쥐는 모양에서, '겸하다'의 뜻을 나타냄.

[兼官 겸관] 두 가지 관직을 겸함.
[兼金 겸금] 값이 보통 것의 갑절이나 되는 황금.
[兼務 겸무] 두 가지 이상의 일을 겸함. 또, 그 사무.
[兼倂 겸병] 한데 합쳐 가짐. 하나로 함. 兼무.
[兼備 겸비] 아울러 가짐. 아울러 갖춤.
[兼善 겸선] 나뿐만이 아니라 다른 사람에게도 감화시켜서 착하게 함.
[兼旬 겸순] 열흘 이상이 걸림.
[兼愛 겸애] 친근(親近)·소원(疏遠)의 차별 없이 평등히 사랑함.
[兼用 겸용] 둘 이상의 사물을 함께 씀. 또, 하나로 여러 가지를 겸하여 씀.
[兼容 겸용] 도량이 넓음.
[兼有 겸유] 겸하여 가짐.
[兼任 겸임] 한 사람이 두 사람 이상의 임무를 겸함. 겸장(兼掌).
[兼掌 겸장] 본무(本務) 이외에 다른 일을 겸하여 맡아봄.
[兼全 겸전] 여러 가지를 다 갖추어 완전함.
[兼濟 겸제] 합쳐 도움. 함께 해냄. 또, 쌍방을 완전히 함.
[兼職 겸직] 한 사람이 두 가지 이상의 직무를 겸함. 겸봄.
[兼察 겸찰] 한 사람이 두 가지 이상의 일을 맡아봄.
[兼聽 겸청] 널리 중인(衆人)의 설(說)을 들음.
[兼總 겸총] 합쳐 총괄함.
[兼秋 겸추] 가을의 3개월간.
[兼學 겸학] 여러 학문을 겸하여 배움.
[兼銜 겸함] 일정한 직(職)의 관리가 그의 격(格)을 올리기 위하여 따로 관명(官名)을 붙임.
[兼行 겸행] ㉠이틀 길을 하루에 감. 밤낮으로 서두름. ㉡두 가지 일을 함께 행함.
●幷兼. 攝兼.

9
⑪ [其] 〔기〕
箕(竹部 八畫〈p.1669〉)의 籒文

10
⑫ [無] 兼(前前條)의 俗字

[曾] 〔증〕
曰部 八畫(p.1010)을 보라.

11
⑬ [㸒] 翼(次次條)의 俗字

[與] 〔여〕
臼部 七畫(p.1880)을 보라.

14
⑯ [冀] 人名 기 ㉤寘 几利切 jì

筆順 一 丯 吾 背 背 冀 冀 冀 冀

字解 ①바랄 기 희망함. 하고자 함. '一望'. '希一'. '鄭有備矣, 不可一也'《左傳》. 또, 바라는 일. 희망. '一望成就'《後漢書》. ②바라건대 기 바라노니. '——見而復歸'《東方朔》. ③기주 기 구주(九州)의 하나. 지금의 허베이 성(河北省)·산시 성(山西省)의 대부분과 허난 성(河南省)의 일부. '一州旣載壼口'《書經》.

字源 冀 金文 冀 篆文 形聲. 北+異「音」. '異'이'는 '다르다'의 뜻. 북방의 이민족이 사는 땅, 중국 고대 구주(九州)의 하나의 뜻을 나타냄. 金文에 의하면, 장식이 있는 탈을 머리에 쓴, 춤추는 사람의 象形. 그 신(神)에게 행복을 비는 데서, '바라다'의 뜻이 됨.

[冀望 기망] 희망(希望). 소원.
[冀北 기북] 기주(冀州)의 북방. 말이 많이 남.
[冀願 기원] 기망(冀望).
[冀州 기주] 자해(字解)❸을 보라.
●妄冀. 無冀. 不冀. 非冀. 徼冀. 幸冀. 希冀.

[興] 〔흥〕
臼部 九畫(p.1880)을 보라.

18
⑳ [巔] 〔전〕
顚(頁部 十畫〈p.2554〉)과 同字

18
⑳ [顚] 巔(前條)의 俗字

冂 (2획) 部
〔멀경부〕

0
② [冂] 人名 경 ①㉤靑 古螢切 jiōng ②㉤逈 戶頂切 jiǒng

筆順 丨 冂

字解 ①먼데 경, 멀 경 읍외(邑外)를 교(郊), 교외(郊外)를 야(野), 야외(野外)를 임(林), 임외(林外)를 '一'이라 함. 곧, 나라의 먼 지경(地境)을 이름. ②빌 경 공허함.

字源 冂 金文 冂 篆文 冂 古文 冏 指事. 세로 두 줄에 가로 한 줄을 그어, 멀리 떨어진 막다른 곳, 멀다의 뜻을 나타냄. 金文과 古文에 '口구'를 덧붙이는 자형(字形)은 다른 지경(地境)으로의 입구의 뜻이라고도 하고, 다른 지경으로부터의 못된 귀신을 막기 위한 기도의 뜻이라고도 함.

參考 문자 정리상(文字整理上) 편의적으로 부수(部首)로 세워져 있으나, '冂' 본래의 의미를 포함하는 문자가 있는 것은 아님. 부수(部首)의 이름으로는 '멀경몸'이라 이름.

1 [𠔼] [一] 모 [上]晧 武道切 mǎo
③ [二] 무 [去]宥 莫候切 mǎo

[字解] [一] 덮을 모 이중(二重)으로 덮음. '一, 重覆'《廣韻》. [二] 덮을 무 [一]과 뜻이 같음.
[字源] 指事. 아래의 '一일'로 덮은 위에 '冂경'을 덧붙여, '포개어 덮다'의 뜻을 나타냄.

2 [冃] [一] 모 [去]號 莫報切 mào
④ [二] 무 [去]宥 莫候切

[字解] [一] 건 모 어린이·오랑캐의 두건. '一, 小兒及蠻夷頭衣也'《說文》. [二] 덮을 무 '一, 覆也'《集韻》.
[字源] 象形. 얼굴에 푹 덮어쓰고 눈 부분만 터놓은 두건을 본뜸.

2 [円] 〔원〕
④ 圓(囗部 十畫〈p. 429〉)의 俗字

2 [冄] 〔염〕
④ 冉(冂部 三畫〈p. 221〉)과 同字

2 [内] 〔내〕
④ 內(入部 二畫〈p. 200〉)의 俗字

[丹] 〔단〕
丶部 三畫(p. 49)을 보라.

[內] 〔내〕
入部 二畫(p. 200)을 보라.

2 [冈] 〔강〕
④ 岡(山部 五畫〈p. 637〉)의 簡體字

[參考] 网부의 '罓'은 別字.

3 [冊] [中人] 책 [入]陌 楚革切 cè 
⑤

[筆順] 丨 冂 冂 冊 冊

[字解] ①책 책 서적. '一子'. '一書'. '魯一于是飛華'《晉書》. ②칙서 책 봉록(封祿)·작위(爵位) 등을 수여할 때에 천자(天子)가 내리는 칙명(勅命)을 적은 것. '一立'. '玉一'. '竹一'. ③꾀 책 策(竹部 六畫)과 同字. '全師保勝之一'《漢書》. ④권 책 책을 세는 수사(數詞). '二一'. ⑤성 책 성(姓)의 하나.

[字源] 甲骨文  金文  篆文  象形. 글자를 쓰기 위하여 끈으로 맨 대쪽의 모양을 본떠, '문서, 책'의 뜻을 나타냄.

[參考] 册(次條)과 同字.

[冊價 책가] 책의 값.
[冊匣 책갑] 책을 넣어 두거나 겉으로 싸는 갑(匣).
[冊庫 책고] 책을 쌓아 두는 곳집.
[冊卷 책권] 서책(書冊)의 권질(卷帙).
[冊櫃 책궤] 책을 넣어 두는 궤짝.
[冊禮 책례] 황후(皇后)를 책립하는 예식.
[冊籠 책롱] 책을 넣어 두는 농.
[冊立 책립] 조칙(詔勅)을 내려 황태자 등을 정함.
[冊名 책명] 책의 이름.
[冊命 책명] 책립(冊立)·책봉(冊封)의 명령.
[冊拜 책배] 칙서(勅書)를 내려 관직을 임명함.
[冊褓 책보] 책을 싸는 보자기.
[冊封 책봉] ㉠칙명(勅命)을 내려 식록(食祿)·작위(爵位)를 수여함. ㉡《韓》 왕세자(王世子)·세손(世孫)·비(妃)·빈(嬪)을 봉(封)함.
[冊府元龜 책부원귀] 송(宋)나라의 경덕(景德) 2년 왕흠약(王欽若)·양억(楊億) 등이 칙명(勅命)을 받들어 찬(撰)한 유서(類書). 1천 권. 육경자사(六經子史)로부터 역대(歷代) 군신(君臣)의 사적(史迹)을 수록(收錄)하였음.
[冊妃 책비] 후비(后妃)를 책립함.
[冊絲 책사] 책을 매는 데 쓰는 실.
[冊肆 책사] 책을 파는 가게. 서점.
[冊床 책상] 책을 올려놓거나, 또는 글씨를 쓰는 데 받치는 상 모양의 기구.
[冊書 책서] ㉠문서(文書). 기록. ㉡천자(天子)가 내린 사령서(辭令書). 책서(策書).
[冊葉 책엽] 책의 면수(面數).
[冊衣 책의] ㉠서책의 위아래 겉장. ㉡책가위.
[冊子 책자] 서책(書冊).
[冊張 책장] 책의 낱장.
[冊欌 책장] 책을 넣어 두는 장(欌).
◉簡冊. 丹冊. 大冊. 方冊. 別冊. 分冊. 璽冊. 書冊. 小冊. 手冊. 綸冊. 楮冊. 詔冊. 竹冊. 兔園冊.

3 [册] [中人] 冊(前條)과 同字
⑤

[筆順] 丿 刀 刀 册 册

3 [冋] 〔경〕
⑤ 冂(部首〈p. 220〉)의 古字

3 [囘] 〔회〕
⑤ 回(囗部 三畫〈p. 420〉)의 古字

3 [冉] 염 [上]琰 而琰切 rǎn 
⑤

[字解] ①늘어질 염 아래로 늘어진 모양. '柔條紛一一'《曹植》. ②갈 염 세월 같은 것이 가는 모양. '時亦一一而將至'《楚辭》. ③성 염 성(姓)의 하나.

[字源] 甲骨文  金文  篆文  象形. 수염이 자라 늘어진 모양을 본떠, '수염'의 뜻을 나타냄. 파생하여, 약하다, 세월이 가는 모양을 나타냄.

[冉求 염구] 춘추(春秋) 시대의 노(魯)나라 사람. 자(字)는 자유(子有). 또, 염유(冉有) 또는 유자(有子)라고도 함. 공문 십철(孔門十哲)의 한 사람으로, 재예(才藝)·정사(政事)에 뛰어났음.
[冉伯牛 염백우] 춘추 시대(春秋時代)의 노(魯)나라 사람. 이름은 경(耕). 공문 십철(孔門十哲)의 한 사람으로서, 덕행(德行)으로 이름이 높음.
[冉弱 염약] 약하고 부드러움.
[冉冉 염염] ㉠부드러워 아래로 늘어진 모양. ㉡세월 같은 것이 가는 모양. ㉢향기가 나는 모양.
[冉雍 염옹] 춘추 시대(春秋時代)의 노(魯)나라 사람. 자(字)는 중궁(仲弓). 공문 십철(孔門十哲)의 한 사람으로서, 덕행(德行)으로 이름이 높음.

4 [𠕋] [一] 산 [去]諫 所晏切
⑥ [二] 책 [入]陌 楚革切 cè

[字解] [一] ①울짱 산 목책(木柵). '柵, 編竹木爲落也. 亦省'《集韻》. ②울타리고칠 산 울타리를

수선함. '一, 編竹木補籬, 謂之一'《集韻》. [三] 책 책 冊(冂部 三畫)과 同字.

4
⑥ [再] [中人] 재 [去]隊 作代切 zài 

[筆順] 一 丅 冂 冃 冉 再

[字解] ①두번 재 거듭. '一三'. '一考'. '一不朝則削其地'《孟子》. ②두번할 재 거듭함. 다시 함. '過言不一'《禮記》.

[字源] 甲骨文  金文  篆文  象形. 하나를 들어 올림으로써 좌우 두 개가 동시에 올라가는 모양을 본떠, 어떤 한 일이 일어나서 거기에 겹쳐 또 하나의 일이 일어나다, 다시, 거듭의 뜻을 나타냄.

[再嫁 재가] 과부(寡婦) 또는 이혼한 여자가 다시 다른 곳으로 시집감.
[再刊 재간] 두 번째 간행(刊行)함.
[再改 재개] 다시 고침.
[再開 재개] 다시 엶.
[再擧 재거] 다시 일을 일으킴. 다시 함.
[再建 재건] 무너진 것을 다시 건설함. 고쳐 지음.
[再耕 재경] 두 번 갊.
[再考 재고] 다시 생각함.
[再顧 재고] ㉠두 번 돌아다봄. ㉡미인(美人).
[再校 재교] 두 번째의 교정(校正). 재준(再準).
[再歸熱 재귀열] 전염병의 하나. 스피로헤타가 체내에 침입하여 처음에는 고열(高熱)·오한(惡寒) 등을 일으키나 수일 후에 사라졌다가도 같은 증세를 반복함. 회귀열(回歸熱).
[再起 재기] 두 번째 일어남. 다시 일어남.
[再度 재도] 두 번. 두 번째. 재차.
[再讀 재독] 두 번째 읽음. 다시 읽음.
[再來 재래] ㉠두 번째 옴. ㉡다시 이 세상에 남.
[再鍊 재련] 금속·목재 등을 두 번째 다룸.
[再錄 재록] 다시 수록(收錄)함.
[再明年 재명년] 후년(後年).
[再明日 재명일] 모레.
[再發 재발] ㉠두 번째 생겨남. 다시 발생함. ㉡글발을 다시 또 보냄.
[再拜 재배] ㉠두 번 절함. 거듭 절함. ㉡편지 끝에 써서 경의를 표하는 말.
[再燔 재번] 도자기를 두 번 구움.
[再犯 재범] 두 번 죄를 저지름. 또, 그 사람.
[再變 재변] 다시 변함. 또, 두 번째의 변사(變事).
[再報 재보] 두 번째 알림.
[再逢春 재봉춘] ㉠1년 동안에 입춘(立春)이 두 번 듦. ㉡불우한 처지에 놓였던 사람이 다시 행복을 찾음.
[再思 재사] 다시 생각함.
[再思可 재사가] 사고(思考)도 정도에 지나치면 도리어 의혹이 생기므로 재고(再考)함으로써 족함.
[再三 재삼] 두세 번. 여러 번.
[再三再四 재삼재사] 서너너덧 번. 여러 번.
[再生 재생] ㉠다시 살아남. ㉡버리게 된 것을 다시 쓰게 만듦. 회생(回生).
[再生之恩 재생지은] 죽게 된 목숨을 다시 살게 하여 준 은혜(恩惠).
[再選 재선] ㉠두 번 선거함. ㉡두 번째 뽑힘. ㉢다시 뽑음.
[再說 재설] 하던 이야기를 다시 말함. 다시 설명함.
[再訴 재소] 두 번째 송사(訟事)를 일으킴.
[再送 재송] 두 번째 보냄.
[再宿 재숙] ㉠이틀의 숙박. ㉡이틀째의 숙박. 이숙(二宿). 신숙(信宿).
[再巡 재순] ㉠두 번째 도는 차례. ㉡두 번째 쏘는 활의 차례.
[再試驗 재시험] 시험을 두 번 치름.
[再室 재실] 《韓》 재취(再娶)한 아내.
[再審 재심] 한 번 심리(審理)한 사건을 다시 심리함.
[再演 재연] 《韓》 다시 상연함.
[再燃 재연] ㉠꺼졌던 불이 다시 탐. ㉡그치려 하던 일이 다시 떠들고 일어남.
[再虞 재우] 매장(埋葬)한 뒤 두 번째 지내는 제사(祭祀).
[再議 재의] 두 번 의논(議論)함. 두 번 회의함.
[再任 재임] 같은 임무에 두 번째 나감.
[再昨年 재작년] 그러께.
[再昨日 재작일] 그저께.
[再煎 재전] 두 번째 달임. 재탕(再湯).
[再訂 재정] 다시 정정(訂正)함.
[再製 재제] 다시 만듦.
[再祚 재조] 물러난 임금이 다시 임금 자리에 나아감.
[再造 재조] ㉠재생(再生). ㉡재흥(再興).
[再從 재종] 재종(再從) 형제자매의 총칭. 육촌 형제(六寸兄弟).
[再從孫 재종손] 종형제(從兄弟)의 손자.
[再從祖 재종조] 할아버지의 종형제.
[再準 재준] 재교(再校).
[再次 재차] 두 번째.
[再請 재청] ㉠두 번째 청(請)함. ㉡다른 사람의 동의(動議)에 대하여 찬성하는 뜻으로 거듭 청함.
[再醮 재초] 재가(再嫁).
[再築 재축] 무너진 것을 다시 건축함.
[再出 재출] 두 번 냄. 두 번 나옴.
[再娶 재취] 두 번째 장가를 듦.
[再湯 재탕] 약(藥)을 두 번 달임.
[再版 재판] 두 번째의 출판(出版). 또, 그 책(冊). 중각(重刻).
[再現 재현] ㉠두 번째 나타남. ㉡심리학에서, 한 번 경험한 표상(表象)이 재차 의식(意識) 중에 나타나는 일.
[再婚 재혼] 두 번 혼인(婚姻)함.
[再會 재회] ㉠두 번째 모임. ㉡다시 만남.
[再興 재흥] 다시 일으킴. 또다시 일어남. 부흥(復興).
◉一再. 重再. 歡未再.

4
⑥ [再] 再(前條)의 本字

4
⑥ [冎] 〔과〕
剮(刀部 九畫〈p. 263〉)와 同字

[字源] 篆文  象形. 사람의 살을 발라내고, 머리 부분까지도 갖춘 뼈를 본떠, '살을 바르다'의 뜻을 나타냄.

[同] 〔동〕
口部 三畫(p. 345)을 보라.

[网] 〔망〕
部首(p. 1786)를 보라.

5/⑦ [冏] 人名 경 ⊕靑 古熒切 jiǒng

筆順 丨 冂 冋 冏 冏 冏 冏

字解 빛날 경 빛이 남. 밝음. '一光'. '一一秋月明'《江淹》.

字源 [甲骨文] [金文] [篆文] 象形. 篆文의 冏(冏은 변형)은 창문에 빛이 비쳐 밝은 모양의 상형. 金文에 의하면 태양빛이 빛나는 모양의 상형임.

[冏冏 경경] 빛나는 모양. 밝은 모양.
[冏然 경연] 경경 (冏冏).

6/⑧ [杲] 초 ⊕巧 側狡切 zhǎo 타

字解 ■ 우거질 초 과수(果樹)의 가지가 우거짐. '一, 果木盛生朶也'《玉篇》. ■ 朶(木部 二畫)의 譌字. **參考** 杲(木部 四畫)는 別字.

6/⑧ [冒] 冒(次條)의 俗字

7/⑨ [冒] 高 ■ 모 ⊕號 莫報切 mào / 入 ■ 묵 入職 莫北切 mò

筆順 丨 冂 冂 冃 冃 冒 冒 冒 冒

字解 ■ ①가릴 모 덮어 가림. '一天下之道'《易經》. ②쓰개 모, 건 모 두건 (頭巾). '著黃一'《漢書》. ③시기할 모 媢(女部 九畫)와 同字. '一疾以惡之'《書經》. ④거짓쓸 모 가칭 (假稱)함. '一名'. '一姓爲衞氏'《漢書》. ⑤탐할 모 탐(貪)냄. '一利'. '一貪一於貨賄'《左傳》. ⑥범할 모 법을 범함. 참람(僭濫)한 짓을 함. '凌一'. '抵一'. '僭一'. '有一上而無忠下'《國語》. ⑦무릅쓸 모 ⊙무릅쓰고 나감. 돌진함. '一進'. '一險'. '張空弮一白刃'《漢書》. ⓛ무릅쓰고 나감. 돌격함. '直一漢圍'《漢書》. ⑧쓸 모 머리에 씀. '被甲一冑'《戰國策》. ⑨옥홀 모 瑁(玉部 九畫)와 통용. '天子執一四寸, 以朝諸侯'《周禮》. ⑩성 모 성(姓)의 하나. ■ 선우이름 묵 '一頓'은 한초(漢初)의 흉노의 유명한 선우 (單于).

字源 [篆文] [古文] 形聲. 目＋冃〔音〕. '冃모'는 덮는 물건, 머리쓰개의 뜻을 나타내는 상형(象形) 글자. 눈을 가리다의 뜻. 또, '矛모', '戊무'와 통하여, 무릅쓰고 길을 뚫고 나가다, 범하다의 뜻을 나타냄.

[冒耕 모경] 임자의 승낙(承諾) 없이 남의 땅에 농사를 지음.
[冒年 모년] 나이를 속임.
[冒瀆 모독] 능모(凌冒)하여 욕(辱)되게 함.
[冒頭 모두] 말이나 문장(文章)의 처음에 내놓는 말.
[冒濫 모람] 버릇없이 웃어른에게 덤빔.
[冒廉 모렴] 모몰염치 (冒沒廉恥).
[冒錄 모록] 사실이 아닌 것을 기록함.
[冒萬死 모만사] 온갖 어려움을 무릅쓰고 용기 있게 나아감.
[冒昧 모매] 함부로 나아감. 무턱대고 나아감.
[冒名 모명] 이름을 거짓으로 꾸며 댐. 이름을 속임.

[冒沒廉恥 모몰염치] 염치없는 줄 알면서도 무릅쓰고 함.
[冒白刃 모백인] 시퍼런 칼날을 무릅씀. 칼을 두려워하지 않고 적중(敵中)에 용감히 뛰어듦을 이름.
[冒犯 모범] 일부러 불법(不法)한 언행(言行)을 함.
[冒死 모사] 죽음을 무릅씀. 생명을 걺.
[冒色 모색] 여색(女色)에 빠짐.
[冒絮 모서] 솜을 둔 건(巾). 노인이 씀.
[冒雪 모설] 눈을 무릅씀.
[冒涉 모섭] 풍파를 무릅쓰고 건너감.
[冒襲 모습] 남의 집의 대(代)를 이음.
[冒雨 모우] 비를 무릅씀.
[冒認 모인] 남의 물건을 제 것으로 오인(誤認)함.
[冒占 모점] 남의 물건을 범하여 취득함.
[冒進 모진] 함부로 나감. 막 승진함.
[冒疾 모질] 남의 재주를 시기함.
[冒嫉 모질] 모질 (冒疾).
[冒稱 모칭] 남의 성(姓)을 사칭(詐稱)함.
[冒濁 모탁] 마음이 탐욕으로 가려 결백하지 아니함.
[冒寒 모한] 추위를 무릅씀.
[冒險 모험] 위험을 무릅씀. 위험한 일을 감행함.
[冒頓 묵돌] 한초(漢初)의 흉노(匈奴)의 유명한 선우(單于).

●干冒. 感冒. 欺冒. 陵冒. 帽冒. 覆冒. 僞冒. 抵冒. 觸冒. 侵冒. 貪冒. 布冒.

7/⑨ [冑] 人名 주 ⊕宥 直祐切 zhòu

筆順 冂 冂 由 由 冑 冑 冑

字解 투구 주 예전에 군인이 전시에 쓰던 쇠 모자. '甲一'. '介一'. '被甲冒一'《戰國策》.

字源 [金文] [篆文] 冑 形聲. 篆文은 冃＋由〔音〕. '冃모'는 머리쓰개의 상형. '由유'는 깊은 구멍의 뜻. 눈을 깊숙이 가리는 투구의 뜻을 나타냄. 金文은 눈의 차양이 깊숙한 투구의 象形.

參考 胄(肉部 五畫)는 別字.

[冑]

●甲冑.

8/⑩ [冔] 후 ⊕虞 況于切 xǔ

字解 ①덮을 후 덮어 가림. ②면류관 후 은(殷)나라의 관. '周弁, 殷一, 夏收'《禮記》.

字源 形聲. 冃＋吁〔音〕. '冃모'는 '모자'의 뜻.

8/⑩ [冓] 구 ⊕宥 古候切 gòu

字解 ①재목어긋매껴쌓을 구. ②지밀 구 궁중(宮中)의 제일 그윽한 데 있는 침실. '中一之言, 不可道也'《詩經》.

字源 [甲骨文] [金文] [篆文] 冓 象形. 화톳불을 피울 때에 쓰는 바구니. '篝구'의 원자(原字)로, 아래위가 같은 모양으로 결은 바구니의 꼴을 본뜸.

參考 冓(次條)는 俗字.

◉內冓. 中冓.

8/⑩ [冓] 冓(前條)의 俗字

9/⑪ [冕] 〔人名〕면 ⑭銑 亡辨切 miǎn　　冕

[筆順] 一 冂 曰 屵 屍 昦 昦 冕

[字解] ①면류관 면 대부(大夫) 이상이 쓰는 예관(禮冠). ②성 면 성(姓)의 하나.
[字源] 篆文 [冕] 形聲. 冃+免[音]. '冃모'는 '모자'의 뜻. '免면'은 '벗다'의 뜻. 썼다 벗었다 할 수 있는 운두 높은 관의 뜻을 나타냄.

[冕旒 면류] 면류관 앞뒤에 끈에 꿰어 늘어뜨린 주옥(珠玉). 천자(天子)는 열두 줄, 제후(諸侯)는 아홉 줄, 상대부(上大夫)는 일곱 줄, 하대부(下大夫)는 다섯 줄임.
[冕旒冠 면류관] 면류로 장식한 대부(大夫) 이상이 쓰는 예관(禮冠).
[冕服 면복] 면류관과 그 예복.
◉袞冕. 冠冕. 挂冕. 九端冕. 端冕. 麻冕. 鷩冕. 紱冕. 黻冕. 裨冕. 釋冕. 旒冕. 毳冕. 軒冕. 玄冕. 希冕.

[冕旒冠]

21/㉓ [羅] 리 ⑭支 隣知切 lí
[字解] ①머리쓰개 리 흰 천의 머리쓰개. ②얼굴가리개 리 부인이 외출할 때 얼굴을 가리는 제구. '一, 障面具也. 婦人出, 必擁蔽其面. 男子亦用之'《正字通》.

一 (2획) 部
[민갓머리부]

0/② [一] 멱 ⑧錫 莫狄切 mì　　⌒

[筆順] 丶 一

[字解] 덮을 멱 보자기로 물건을 덮음. 冪(一部 十四畫)과 同字.
[字源] 篆文 冂 象形. 덮개의 모양을 본떠, '덮다'의 뜻을 나타냄.
[參考] 부수의 이름으로서, 갓머리 '宀'와 구별하여 '민갓머리'라 이름. '一'를 의부(意符)로 하여, '덮개, 덮다' 등의 뜻을 포함하는 글자를 이룸.

2/④ [冗] 〔용〕 宂(宀部 二畫〈p.567〉)의 俗字

2/④ [尤] 유 ⑭尤 以周切 yóu　　尤
[字解] 망설일 유 주저함. 머뭇거림. 猶(犬部 九畫)와 同字.

[字源] 篆文 尢 會意. 儿(人)+冂. '冂경'은 멀리 떨어진 경계. 사람이 먼 곳의 경계를 나가는 의 뜻을 나타냄. 사람이 먼 곳의 경계를 가는 모습은 느릿느릿 망설이듯이 보이므로, 전하여 '주저하다, 머뭇거리다'의 뜻을 나타냄. 일설에는, 사람이 베개를 베고 있는 모양을 본뜬 象形이라 함. '枕침'의 원자(原字). 베개를 베고 누워 있는 모습에서, '침체(沈滯)하다, 게을리 하다'의 뜻을 나타낸다고도 함.

[尤豫 유예] 망설임. 주저함.

3/⑤ [写] 〔사〕 寫(宀部 十二畫〈p.598〉)의 略字

3/⑤ [写] 〔사〕 寫(宀部 十二畫〈p.598〉)의 簡體字

4/⑥ [农] 〔농〕 農(辰部 六畫〈p.2285〉)의 簡體字

5/⑦ [冝] 〔의〕 宜(宀部 五畫〈p.576〉)의 俗字

6/⑧ [冞] 미 ⑭支 武移切 mí
[字解] ①두루다닐 미 여러 곳을 두루 다님. '一入其阻'《詩經》. ②깊을 미 深(水部 八畫)과 뜻이 같음.

7/⑨ [叚] 〔가〕 叚(又部 七畫〈p.333〉)의 古字

7/⑨ [冠] 〔高人〕관 ①-③㊦寒 古丸切 guān ④-⑥㊦翰 古玩切 guàn

[筆順] 一 冖 冝 冠 冠 冠 冠 冠

[字解] ①갓 관 머리에 쓰는 물건. '一帶'. 冕'. '裂一毀冕'《左傳》. ②볏 관 닭의 볏. 계관(鷄冠). '一距'. '聖人見鳥獸有一角顧胡, 遂制冠冕纓緌'《後漢書》. ③성 관 성(姓)의 하나. ④갓쓸 관 ㉠갓을 씀. '上或時一'《漢書》. ㉡어른이 되어 관례(冠禮)를 올리고 갓을 씀. '一者'. '昭帝既一'《漢書》. ⑤어른 관 관례를 올린 성인(成人). '一童'. '童一八九人'《張華》. ⑥으뜸 관 제일. 수위(首位). '一絕'. '名一三軍'《史記》.
[字源] 篆文 冠 形聲. 冖+寸+元[音]. '元원'은 관을 쓴 사람의 상형. '덮다'의 뜻의 '冖멱'과 '손에 쥐다'의 뜻의 '寸촌'을 덧붙여서, '관을 쓰다'의 뜻을 똑똑히 하였음.

[冠角 관각] 새의 볏과 짐승의 뿔.
[冠蓋相望 관개상망] 앞의 수레는 뒤의 수레의 덮개를 바라보며 뒤의 수레는 앞의 수레의 덮개를 바라본다는 뜻으로, 수레가 연달아 가는 모양. 전(轉)하여, 사자(使者)의 왕래가 끊이지 아니하는 모양을 이름.
[冠笄 관계] ㉠갓과 비녀. 전(轉)하여, 남자가 스무 살이 되어 갓을 쓰는 관례(冠禮)와 여자가 열다섯 살이 되어 비녀를 꽂는 예(禮). ㉡갓이 벗어지지 않게 꽂는 못 모양의 비녀.
[冠帶 관대] ㉠갓과 띠. ㉡갓을 쓰고 띠를 맴. 예

모(禮貌)를 갖춤. ㉢관대(冠帶)를 하는 신분
(身分). 또, 그 사람. 벼슬아치.
[冠帶之國 관대지국] 예의(禮儀)가 바른 나라.
[冠禮 관례] 사내아이가 스무 살이 되었을 때 처
　음으로 갓을 쓰고 어른이 되는 예식.
[冠履 관리] ㉠갓과 신. 상하(上下)·존비(尊卑)
　등의 비유. ㉡갓은 머리에 쓰고 신은 발에 신으
　므로 두족(頭足)은 본(本), 관리(冠履)는 말
　(末)의 뜻으로 쓰임.
[冠履倒易 관리도역] 관리전도(冠履顚倒).
[冠履顚倒 관리전도] 상하(上下)의 위치(位置)가
　거꾸로 됨.
[冠網 관망] 갓과 망건(網巾).
[冠冕 관면] ㉠갓과 면류관(冕旒冠). ㉡관면을 쓰
　는 벼슬아치. ㉢외모(外貌)의 치레. ㉣우두머
　리, 수위(首位).
[冠弁 관변] 사냥할 때에 쓰는 천자(天子)의 관.
[冠裳 관상] ㉠갓과 옷. 훌륭한 의복(衣服)을 이
　름. ㉡갓을 쓰고 옷을 입
　음.
[冠序 관서] 서문(序文).
[冠首 관수] ㉠첫째. 수위(首
　位). ㉡다른 여러 사람 위
　에 섬.
[冠雖敝必加於首 관수폐필
　가어수] 갓은 암만 해져도
　발에 신어서는 안 되고 반
　드시 머리에 써야 한다는
　뜻으로, 상하(上下)·귀천(貴賤)의 구별을 문란
　하게 하여서는 안 된다는 비유로 쓰임.
[冠纓 관영] 갓 끈.
[冠玉 관옥] ㉠관(冠) 앞을 꾸미는 옥(玉). ㉡외모
　는 아름다우나 재덕(才德)이 없음의 비유.
[冠字 관자] ㉠남자가 관례(冠禮)를 행하고 자
　(字)를 지음. ㉡정년(丁年)이 됨.
[冠者 관자] 관례(冠禮)를 행하여 갓을 쓴 젊은이.
[冠前絕後 관전절후] 고금에 비견할 만한 것이 없
　음.
[冠絕 관절] 가장 뛰어나서 비견(比肩)할 만한 사
　람이 없음. 탁절(卓絕).
[冠族 관족] 지체가 훌륭한 집안. 명문(名門). 갑
　족(甲族).
[冠櫛 관즐] ㉠관(冠)을 쓰고 머리를 빗질함. ㉡
　관(冠)과 빗.
[冠軼 관질] 뛰어남. 빼어남.
[冠婚喪祭 관혼상제] 관례(冠禮)·혼례(婚禮)·상
　례(喪禮)·제례(祭禮)의 네 가지 큰 예(禮).
　●加冠. 笄冠. 鷄冠. 掛冠. 金冠. 戴冠. 冕旒冠.
　沐猴冠. 無冠. 法冠. 寶冠. 鳳冠. 蟬冠. 成冠.
　素冠. 弱冠. 榮冠. 纓冠. 王冠. 優孟衣冠. 月
　桂冠. 儒冠. 衣冠. 李下不整冠. 緇布冠. 卓
　冠. 彈冠. 皮冠. 荊冠. 花冠. 猴冠.

[軍] 〔군〕
車部 二畫(p. 2258)을 보라.

8
(10)
[冡] 몽 ⑭東 莫紅切 méng

[字解] 덮을 몽 蒙(艸部 十畫)과 통용.
[字源] 篆文 冡 會意. 冖+豕. '冖'는 '덮다'의 뜻.
'豕'는 '돼지'. 돼지 따위의 가축에
덮개를 덮어 주다, 어둡게 하다, 어둡다의 뜻을
나타냄.

[冠弁]

[参考] 冢(次條)은 別字.

8
(10)
[冢] 총 ㊤腫 知隴切 zhǒng

[字解] ①무덤 총 뫼. 분묘(墳墓). '一塋'. '古
一'. '還祭黃帝一'《史記》. ②봉토(封土) 총 흙
을 높이 쌓아올린 것. '乃立一土'《詩經》. ③산
꼭대기 총 산정(山頂). '山一崒崩'《詩經》. ④언
덕 총 구릉(丘壟). '卽堆一而流眄'《沈約》. ⑤클
총 大(部首)와 뜻이 같음. '一宰'. '一君'. ⑥
말 총 長(部首)과 뜻이 같음. '一嫡'.
[字源] 金文 豕 篆文 冢 形聲. 篆文은 勹+豕〔音〕. '勹
〔音〕포'는 '덮어 싸다'의 뜻. '豕축'
은 발을 묶은 돼지의 상형. 희생을 갖추어 바치
고 덮는 무덤의 뜻을 나타냄.
[参考] 冡(前條)은 別字.

[冢卿 총경] 최고의 신하. 대신(大臣).
[冢壙 총광] 시체를 묻는 구덩이. 광혈(壙穴).
[冢君 총군] 임금.
[冢墓 총묘] 묘혈(墓穴).
[冢副 총부] 나라의 대(代)를 이을 사람. 태자(太
　子). 저부(儲副).
[冢婦 총부] 적장자(嫡長子)의 아내.
[冢社 총사] 토지(土地)의 신을 제사 지내는 사당.
[冢祀 총사] 조상(祖上)의 제사. 종묘(宗廟)의 제
　　　　　　　　　　　　　　　　　　 └사.
[冢嗣 총사] 총자(冢子)㉠.
[冢塋 총영] 무덤. 분묘(墳墓).
[冢胤 총윤] 후사(後嗣).
[冢人 총인] 공동묘지(共同墓地)를 관리하는 벼
　슬. 또, 그 벼슬아치.
[冢子 총자] ㉠적장자(嫡長子). ㉡태자(太子). 또
　는 세자(世子).
[冢藏 총장] 묘혈(墓穴).
[冢宰 총재] ㉠주(周)나라 때 육관(六官)의 장
　(長). 지금의 국무총리(國務總理)와 같음. ㉡
　후세(後世)에는 이부상서(吏部尙書)의 이칭(異
　稱).
[冢嫡 총적] 총자(冢子)㉠.　　　　　　 └稱).
[冢弟 총제] 천자(天子)의 아우.
[冢中枯骨 총중고골] 무덤 가운데 있는 백골(白
　骨)이라는 뜻으로, 무능(無能)한 사람을 이르
　는 말.
[冢土 총토] ㉠높이 쌓아올린 흙. 봉토(封土). ㉡
　토지(土地)의 신(神). 토신(土神).
[冢弼 총필] 중요한 보좌(輔佐). 대신(大臣)을 이
　름. 태필(台弼).
　●古冢. 枯冢. 丘冢. 舊冢. 汲冢. 發冢. 相冢.
　守冢. 英雄冢. 義冢. 蟻冢. 堆冢. 筆冢. 荒冢.

8
(10)
[冤] 원 ⑭元 於袁切 yuān

[字解] ①원통할 원 억울함. 억울하게 죄를 받음.
'一刑'. '嗟乎一哉, 烹也'《史記》. ②원죄 원 억
울한 죄. '定國爲廷尉, 民自以不一'《史記》. ③
원한 원. 원수 원 '此乃宿世一也'《續韻府》. ④성
원 성(姓)의 하나.
[字源] 甲骨文 篆文 會意. 甲骨文은 网+兔. '网망'
은 그물의 상형. '兔토'는 토끼
의 상형. 그물 속에서 움츠리는 토끼의 모양에
서, 억울한 죄, 원한의 뜻을 나타냄.
[参考] 寃(宀部 八畫)은 俗字. 일설에는, 同字.

[冤家 원가] 원수. 구수(仇讎).

[冤結 원결] 원죄(冤罪)에 걸려 신원(伸冤)하지 못함.
[冤繫 원계] 원죄(冤罪)로 갇힘. 또, 그 사람.
[冤屈 원굴] 원통(冤痛)하게 누명(陋名)을 씀.
[冤鬼 원귀] 원통하게 죽은 사람의 귀신. 원혼(冤魂).
[冤濫 원람] 죄 없는 사람을 죄에 빠뜨림.
[冤伏 원복] 억울한 죄에 걸림. 억울하게 누명을 씀.
[冤憤 원분] 원죄(冤罪)에 걸린 분통. 「씀.
[冤死 원사] 원통한 죄에 죽음.
[冤傷 원상] ㉠억울한 죄(罪)에 걸린 사람을 애달 프게 슬퍼함. ㉡억울하게 죄(罪)를 씌워 사람을 해침.
[冤訴 원소] 원통한 것을 호소함.
[冤抑 원억] 원굴(冤屈).
[冤獄 원옥] ㉠억울한 죄. 원통한 옥사(獄事). ㉡억울하게 옥사(獄事)에 걸림.
[冤枉 원왕] 원죄(冤罪).
[冤罪 원죄] 사실이 없는 원통한 죄.
[冤譖 원참] 원통(冤痛)한 참소. 사실(事實)이 아닌 허무맹랑한 참소.
[冤親 원친] 원한 있는 자와 친한 사람. 사이가 나쁜 사람과 사이가 좋은 사람.
[冤痛 원통] ㉠원죄(冤罪)를 받을 한(恨). ㉡몹시 원망스러움.
[冤恨 원한] 원죄(冤罪)에 걸린 한.
[冤刑 원형] 죄 없이 원통하게 받는 형벌(刑罰). 억울한 형벌.
[冤魂 원혼] 원통하게 죽은 사람의 혼령(魂靈).
●結冤. 名辱身冤. 煩冤. 雪冤. 讐冤. 伸冤. 深冤. 幽冤. 理冤. 至冤. 直冤. 沈冤. 侵冤.

8
⑩ [冥] 高
人 명 ㉗靑 莫經切 míng

筆順 冖 冖 冝 冝 冝 冥 冥 冥

字解 ①어두울 명 ㉠밝지 아니함. '——'. ㉡晦'. '窈兮一兮'《老子》. ㉡무식함. '一昏'. '頑不靈'《韓愈》. ㉢시력(視力)이 약함. '年高目一'《後漢書》. ②그윽할 명 심원(深遠)함. '一數'. '一遠'. '窮一極遠'《揚雄》. ③어릴 명 나이가 어림. 유치함. '一, 幼也'《爾雅》. ④밤 명 어두운 밤. '當寢兮不能安'《蔡琰》. ⑤하늘 명 天(大部 一畫)과 뜻이 같음. '靑一'. '升虛凌一'《劉向》. ⑥바다 명 溟(水部 十畫)과 同字. '北一有魚'《莊子》. ⑦저승 명 황천(黃泉) '一土'. '一府'. '追奉一福'《北史》. ⑧성 명 성(姓)의 하나.

字源 篆文 形聲. 日+六+冖〔音〕. '日일'은 본디 'ㅁ구'로 장소를 나타내며, '六륙'은 본디 '卄공'으로 '양손'의 뜻. '冖멱'은 '덮개'의 뜻. 어떤 장소에 양손으로 덮개를 덮다의 뜻에서, '어둡다'의 뜻을 나타냄.

[冥加 명가] 명명(冥冥)한 가운데에 입는 신불(神佛)의 가호(加護).
[冥感 명감] 명명(冥冥)한 중에 신명(神明)의 마음을 움직임. 성심(誠心)이 신(神)에 감통(感通)함.
[冥見 명견] 신불(神佛)이 명명한 중에 보고 계심.
[冥境 명경] 명계(冥界).
[冥界 명계] 저승. 명부(冥府). 황천(黃泉).
[冥契 명계] ㉠부지중(不知中) 서로 합치함. ㉡죽은 남녀를 혼인시킴. 명혼(冥婚).
[冥官 명관] 명토(冥土)의 벼슬아치.
[冥鬼 명귀] 저승에 있다는 귀신.
[冥途 명도] 명계(冥界).
[冥靈 명령] 거북(龜)의 이칭(異稱). 일설(一說)에는, 나무의 이름이라 함.
[冥利 명리] 명명(冥冥)한 가운데 받는 이익.
[冥茫 명망] 넓고 환하지 않은 모양.
[冥昧 명매] 어두움. 사리(事理)에 어두움.
[冥冥 명명] ㉠어두운 모양. ㉡드러나지 아니하고 은미(隱微)한 모양. ㉢먼 하늘. ㉣마음에 자연히 느끼는 모양. ㉤조용하고 정성스러운 모양.
[冥冥之志 명명지지] 조용하고 정성스러운 뜻.
[冥暮 명모] 어둠.
[冥蒙 명몽] 어두운 모양. 그윽한 모양.
[冥濛 명몽] 어둠침침하여 잘 분간할 수 없는 모양.
[冥伯 명백] 이미 사망(死亡)한 사람. 「양.
[冥煩 명번] 사리에 어두움. 우매(愚昧).
[冥罰 명벌] 명명(冥冥)한 가운데에 신불(神佛)이 내리는 징벌.
[冥福 명복] 죽은 뒤에 저승에서 받는 행복. 내세(來世)의 행복. 추선(追善).
[冥府 명부] 명계(冥界).
[冥司 명사] 저승의 관리.
[冥想 명상] 고요한 가운데 눈을 감고 깊이 사물을 생각함. 침사묵고(沈思默考)함.
[冥搜 명수] ㉠어두운 곳에서 찾음. 무턱대고 찾음. ㉡눈을 감고 깊이 생각함.
[冥數 명수] 인지(人智)로써 알 수 없는 운명.
[冥冥 명명] 어둠. 암흑.
[冥翳 명예] 어두운 모양.
[冥奧 명오] 깊숙하여 어두움.
[冥頑 명완] 사리(事理)에 어둡고 완고(頑固)함. 완명(頑冥).
[冥佑 명우] 명가(冥加).
[冥願 명원] 사후(死後)에 복을 받고 싶은 소원.
[冥應 명응] 신불(神佛)의 가호의 증거. 신불의 감응.
[冥謫 명적] 눈에 보이지 않는 천벌(天罰).
[冥助 명조] 명가(冥加).
[冥土 명토] 명계(冥界).
[冥行 명행] 어둠 속을 감. 사리를 깨닫지 못하고 무턱대고 감.
[冥護 명호] 명명한 가운데에 보호함.
[冥昏 명혼] 어두움. 또 어둠. 명회(冥晦). 「㉡.
[冥婚 명혼] 죽은 남녀를 혼인시킴. 명계(冥契).
[冥鴻 명홍] 하늘 높이 나는 기러기. 속세(俗世)를 떠나 뜻을 고상하게 갖는 사람의 비유.
[冥晦 명회] 명혼(冥昏).
[冥會 명회] 암묵(暗默) 속에 깨달음.
●高冥. 空冥. 杳冥. 北冥. 頑冥. 窈冥. 幽冥. 紫冥. 蒼冥. 靑冥. 玄冥. 昏冥. 混冥. 晦冥.

8
⑩ [冣] 취 ㉗遇 從遇切 jù

筆順 冖 冖 冖 冃 冃 冃 冣 冣 冣

字解 모을 취 취합(聚合)함. 쌓아 모음. '一, 積也'《說文》.
字源 形聲. 冖+取〔音〕.
參考 자형(字形)이 비슷해서, 最(日部 八畫)로 오용(誤用)이 됨.

[凌雲 능운] 구름을 뚫고 하늘로 올라감. 뭇사람 보다 높이 뛰어남. 또, 속세(俗世)를 떠남.
[凌雲之志 능운지지] 높이 세상 밖에 초탈(超脫)하려는 뜻. 속세를 떠나려는 마음.
[凌陰 능음] 능실 (凌室).
[凌人 능인] 얼음 창고를 지키는 사람. 빙고지기.
[凌遲 능지] 사지 (四肢)와 몸을 토막 치는 극형 (極刑).
[凌僭 능참] 분수를 넘어 참람함.
[凌波 능파] 미인 (美人)의 걸음이 가볍고 우아함의 형용 (形容).
[凌逼 능핍] 침범하여 핍박함.
[凌虐 능학] 모질게 학대함. 잔혹 (殘酷).
●侵凌.

8
⑩ [凍] 高人 동 ㊤送 多貢切 dòng
　　　　　　　㊦東 德紅切　　冻冻

筆順 冫 冫 汀 沪 洰 沛 凍 凍
字解 ①얼 동 ㉠얼음이 얾. '孟冬地始一'《禮記》. ㉡추위로 감각을 잃음. '一死'. '父母一餓, 兄弟妻子離散'《孟子》. ②얼음 동 '雹一傷穀'《禮記》.
字源 篆文 凍 形聲. 冫(ㄱ)+東〔音〕. '冫빙'은 얼음의 결의 상형. '東동'은 '重중'과 통하여, '무겁다'의 뜻. 물건이 얼어서 무거워지는 데서, '얼다'의 뜻을 나타냄.

[凍僵 동강] 몸이 얼어 쓰러짐.
[凍飢 동기] 동아 (凍餓).
[凍餒 동뇌] 동아 (凍餓).
[凍裂 동렬] 얼어 갈라짐. 동상 (凍傷).
[凍氷 동빙] 얼음이 얾. 결빙 (結氷).
[凍死 동사] 얼어서 죽음.
[凍傷 동상] 추위에 얼어서 피부가 상함.
[凍屍 동시] 얼어 죽은 시체 (屍體).
[凍餓 동아] 얼고 굶주림.
[凍野 동야] 거의 1년 얼음이 풀리지 않는 북극 (北極) 지방의 평원 (平原). 동원 (凍原). 툰드라.
[凍雨 동우] 겨울비. 한우 (寒雨).
[凍雲 동운] 겨울의 구름.
[凍凝 동응] 얼어서 엉김.
[凍皴 동준] 피부가 얼어 틈.
[凍瘡 동창] 동상 (凍傷).
[凍靑 동청] 사철나무. 동청 (冬靑).
[凍筆 동필] 붓끝이 언 붓.
●呵凍. 噤凍. 饑凍. 冷凍. 凜凍. 氷凍. 凝凍. 殘凍. 寒凍.

8
⑩ [涸] 고 ㊤遇 古暮切 gù
字解 얼 고 얼음이 얾. '一陰沍хан寒'《張衡》.
字源 形聲. 冫(ㄱ)+固〔音〕. '冫빙'은 '얼다'의 뜻. '固고'는 '굳어지다'의 뜻. 얼어서 단단해지다의 뜻을 나타냄.

8
⑩ [淞] 송 ㊤冬 息恭切 sōng
　　　　㊦送 蘇弄切 sòng
字解 상고대 송 서리가 나무에 내려 눈같이 된 것. '月淡千門霧一寒'《曾鞏》.

8
⑩ [洐] 행 ㊤迥 下頂切 xìng

字解 찰 행 '——'은 찬 모양.

8
⑩ [凉] 人名 〔량〕
凉 (水部 八畫〈p.1237〉)의 俗字

8
⑩ [准] 人名 준 ㊤軫 之尹切 zhǔn

筆順 冫 冫 汁 汁 淮 淮 准
字解 ①허가할 준 승인함. '批一'. ②본받을 준 모범으로 삼음. 본뜸. '一據'. ③법도 준 표준. 모범. '孝敬之式, 人倫之師友'《蕭統》. ④수준기 준 수평 (水平)을 재는 기계 (器械). '一繩'. ⑤평평할 준 수평 (水平)함. ⑥과녁 준 표적 (標的). '一的'.
字源 形聲. 冫+隹〔音〕.
參考 ①'准'은 準 (水部 十畫)의 俗字이지만, '批一'. '一將'. '一尉' 등은 흔히 이 자(字)를 씀. ②淮 (水部 八畫)는 別字.

[准士官 준사관] 부사관의 위, 사관 (士官)의 아래인 군 (軍)의 직위.
[准尉 준위] 상사 (上士)의 위, 소위 (少尉)의 아래인 군 (軍)의 계급.
[准將 준장] 소장 (少將)의 아래, 대령 (大領)의 위인 군 (軍)의 계급.
●批准. 認准.

8
⑩ [淨] 정 ㊤庚 楚耕切 jìng
字解 찰 정 차가움. '一, 冷皃'《集韻》.
參考 속 (俗)에, 淨 (水部 八畫)과 통용.

9
⑪ [減] 〔감〕
減 (水部 九畫〈p.1255〉)의 俗字

[滄] 〔손〕
食部 二畫 (p.2569)을 보라.

10
⑫ [滄] 창 ㊤陽 七剛切 cāng
字解 찰 창 한랭 (寒冷)함. '——'. '天地之間有一熱'《逸周書》.
字源 篆文 滄 形聲. 冫(ㄱ)+倉〔音〕. '倉창'은 '파랗다〔蒼〕'의 뜻. 얼어붙는 듯한 추위의 뜻을 나타냄.

[滄滄 창창] 한랭한 모양.

10
⑫ [澲] 의 ㊤微 魚衣切 ái
字解 눈서리쌓일 의 눈·서리 등이 쌓여 흰 모양.
字源 形聲. 冫(ㄱ)+豈〔音〕. '皚애'와 통하여, 눈이나 서리가 흰 모양을 나타냄.

10
⑫ [溟] 명 ㊤迥 母迥切 mǐng
字解 ①얼 명 어는 모양. '一, 凍皃'《集韻》. ②찰 명 추운 모양. '一, 寒貌'《字彙補》.

10
⑫ [濂] 렴 ㊤琰 盧忝切 liǎn

[字解] 살얼음 렴 얇은 얼음.

10 ⑫ [凓] 률 [入]質 力質切 lì
[字解] 찰 률 몹시 추움.
[字源] [篆文] 形聲. 仌(冫)+㮚(栗)〔音〕. '㮚률'은 밤송이가 있는 밤의 상형. 밤송이가 찌르듯이 추위가 심한 모양을 나타냄.

[凓冽 율렬] 몹시 참. 맵게 추움.

10 ⑫ [凖] [人名] 〔준·절〕
準(水部 十畫〈p.1270〉)의 俗字

[凴] 〔빙〕
馬部 二畫(p.2591)을 보라.

11 ⑬ [𣅀] 〔동〕
冬(冫部 三畫〈p.227〉)의 古字

11 ⑬ [滭] 필 [入]質 卑吉切 bì
[字解] 찰 필 바람이 참. '一之日一冹'《詩經》.
[字源] [篆文] 形聲. 仌(冫)+畢〔音〕. 찬바람의 뜻. '畢필'은 그 바람 소리를 나타냄.

[滭冹 필불] 바람이 참.

11 ⑬ [凗] 최 [平]灰 昨回切 cuī
[字解] 눈서리쌓일 최 눈이나 서리가 쌓여 흰 모양. '霜雪兮一溰'《楚辭》.

[凗溰 최의] 눈·서리 등이 쌓여 흰 모양.

11 ⑬ [漻] 류 [平]尤 力求切 liú
[字解] 곱을 류 수족(手足)이 언 모양. '一浗'.

[漻浗 유구] 수족(手足)이 얼어 곱은 모양.

12 ⑭ [凘] 시 [平]支 息移切 sī

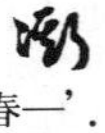

[字解] 석얼음 시 물 위에 떠 있는 얼음. '春一'. '河水流一, 無船不可濟'《後漢書》.
[字源] [篆文] 形聲. 仌(冫)+斯〔音〕. '斯사'는 '잘게 갈라지다'의 뜻. 녹아서 물에 흘러 내려가는 작은 얼음 조각의 뜻을 나타냄.

◉斷凘. 流凘. 凝凘. 春凘.

12 ⑭ [㓗] 〔결〕
潔(水部 十二畫〈p.1292〉)의 俗字

13 ⑮ [凜] [人名] 름 [上]寢 力稔切 lǐn

[筆順]

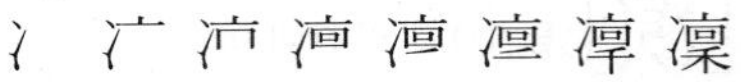

[字解] ①찰 름 몹시 추움. '一冬'. '一寒'. '遺涼淸且一'《陸機》. ②늠름할 름 위풍(威風)이 있는 모양. '一然'. '一嚴'. '一以爭先'《溫子昇》.
[字源] [篆文] 形聲. 篆文은 仌(冫)+㐭〔音〕. '㐭름'은 몸이 오므라드는 모양. 몸이 오므라드는 듯한 추위, 차가움의 뜻을 나타냄.

[凜兢 늠긍] 추위로 덜덜 떪.
[凜冽 늠렬] 추위가 살을 에는 듯함.
[凜慄 늠률] 추워서 오들오들 떪.
[凜凜 늠름] ㉠추위가 살을 에는 듯한 모양. ㉡위풍(威風)이 있는 모양.
[凜嚴 늠엄] 위풍(威風)이 늠름하여 범할 수 없음.
[凜然 늠연] ㉠추위가 살을 에는 듯한 모양. ㉡위풍(威風)이 있어 어엿한 모양. ㉢남보다 아주 뛰어난 모양.
[凜綴 늠철] 위태함과 두려움.
[凜秋 늠추] 가을의 계절.
[凜乎 늠호] 위태로워 두려워하는 모양. 일설(一說)에는, 위풍(威風)이 있어 어엿한 모양.
◉慘凜. 凄凜. 淸凜. 寒凜.

13 ⑮ [凛] [人名] 凜(前條)의 俗字

13 ⑮ [凚] 금 [上]寢 渠飮切 jìn
[字解] 추울 금 몹시 추워 몸이 떨리는 모양. '一瘁'.

[凚瘁 금췌] 몹시 추워 몸이 떨리고 야윈 모양.

13 ⑮ [凙] 탁 [入]藥 徒落切 duó
[字解] ①얼 탁 물이 얾. '水凍兮洛一'《楚辭》. ②고드름 탁 빙주(氷柱). '今呼簷冰爲一'《通俗篇》.

14 ⑯ [凝] [高人] 응 [平]蒸 魚陵切 níng

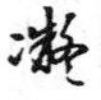

[筆順]

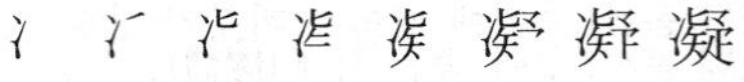

[字解] ①얼 응 얼음이 얾. '一氷'. '一凘'. '履霜堅冰, 陰始一也'《易經》. ②엉길 응 ㉠응결(凝結)함. '一固'. '一縮'. '膚如一脂'《詩經》. ㉡한데 모임. 열중(熱中)함. '相顧思皆一'《鄭谷》. ③굳힐 응 응고시킴. 견고하게 함. '一土以爲器'《周禮》. ④모을 응 눈 또는 마음을 한군데에 집중함. '一視'. '以一思'《陸機》. ⑤정할 응 결정함. '君子以正位一命'《易經》. ⑥이룰 응 성사(成事)함. '庶績其一'《書經》. ⑦막을 응 억지(抑止)함. '一氾濫兮'《楚辭》. ⑧엄할 응 준엄(峻嚴)함. '典一如冬'《淮南子》. ⑨바를 응 단정함. '端一'. '體局貞一'《上官儀》. ⑩찰 응 추움. '其候一肅'《素問》. ⑪끌 응 음조(音調)가 느리고 길게 끎. '一笳翼高蓋'《謝玄暉》.
[字源] 冰의 俗體 形聲. 仌(冫)+疑〔音〕. '仌빙'은 얼음이 얼기 시작할 때의 상형. '疑의'는 의심하여 갈피를 못 잡고 우뚝 서 있다의 뜻. '엉기다, 얼다'의 뜻. 《說文》은 '仌빙'의 속자(俗字)로 보지만, 음이나 뜻이 모두 딴 글자임.

[凝堅 응견] 엉겨 굳음.
[凝結 응결] ㉠엉김. ㉡기체(氣體)가 액체(液體)로 변하는 현상.
[凝固 응고] 엉기어 굳어짐.
[凝曠 응광] 반듯하고 넓음.
[凝湛 응담] ㉠물이 괴어 깊고 맑음. ㉡마음이 맑

고 잔잔함의 비유.
[凝凍 응동] 얼음. 두껍게 언 얼음.
[凝厲 응려] 정직하고 엄숙함.
[凝冽 응렬] 얼어 참.
[凝留 응류] 응체(凝滯).
[凝立 응립] 꼼짝하지 않고 서 있음.
[凝望 응망] 뚫어지게 바라봄.
[凝網 응망] 엄중(嚴重)한 법(法)의 비유.
[凝碧池 응벽지] 못 이름. 허난 성(河南省) 뤄양(洛陽) 금원(禁苑) 중에 있음. 당(唐)나라 안녹산(安祿山)이 여기서 연락(宴樂)하였다 함.
[凝思 응사] 일심으로 생각함. 정신을 집중(集中)함.
[凝想 응상] 일심(一心)으로 생각함. 응사(凝思).
[凝水 응수] 괴어 움직이지 않는 물.
[凝愁 응수] 마음에 맺힌 근심.
[凝澌 응시] 물이 얾. 또는 그 얼음.
[凝視 응시] 뚫어지게 자세히 봄.
[凝然 응연] 꼼짝하지 않고 있는 모양. 일설에는, 응고(凝固)하는 모양.
[凝煙 응연] 모여 엉기는 연기.
[凝雨 응우] '눈〔雪〕'을 이름.
[凝遠 응원] 풍채(風采)·심정(心情) 따위가 엄정(嚴正)하여 천박하지 않음.
[凝意 응의] 전심(專心)함.
[凝佇 응저] 꼼짝하지 않고 머물러 있음.
[凝積 응적] 엉겨 뭉침.
[凝睛 응정] 응시(凝視).
[凝眺 응조] 응시(凝視).
[凝峻 응준] 높음. 또, 험준함. 전(轉)하여, 믿음직함. 고상함.
[凝重 응중] 침착하고 드레짐.
[凝脂 응지] ㉠엉기어 굳은 지방(脂肪). ㉡희고 윤택 있는 살결.
[凝塵 응진] 엉겨 뭉쳐진 먼지.
[凝集 응집] 엉기어 모임.
[凝集力 응집력] 액체(液體) 및 고체(固體)의 분자 간(分子間)에 존재하는 인력(引力)으로, 액체 및 고체에 형체(形體)를 부여(賦與)하는 힘. 응취력(凝聚力).
[凝滯 응체] ㉠걸림. 막힘. ㉡구애함.
[凝縮 응축] 엉기어 줄어짐.
[凝聚 응취] 엉기어 모임.
[凝濁 응탁] 엉겨 흐려짐.
[凝寒 응한] 음기(陰氣)가 엉겨 추위가 심함.
[凝合 응합] 엉겨 붙음. 응고(凝固).
[凝血 응혈] 엉기어 뭉쳐진 피.
[凝冱 응호] 얼어붙음.
[凝灰岩 응회암] 화산(火山)의 재나 분출물(噴出物)이 굳어서 된 암석(巖石). 건축재(建築材)로 쓰임.
◉堅凝. 露華凝. 凍凝. 氷凝. 纖歌凝. 月影凝.

14 ⑯ [凞] [人名] 희 [平]支 曉伊切 xī
[筆順] 冫 冫 冫 冫 冫 冫 凞 凞
[字解] 화할 희 '一, 和也'《字彙補》.
[字源] 形聲. 仌(冫)+熙〔音〕. '熙희'는 '화락하다'의 뜻.

16 ⑱ [凜] 〔름〕
凜(冫部 十三畫〈p. 232〉)의 本字

几 (2획) 部
〔안석궤부〕

0 ② [几] 궤 ㊤紙 居履切 jī, ③jǐ
[筆順] 丿 几
[字解] ①안석 궤 앉을 때에 몸을 기대는 제구. '隱一'. '憑玉一'《書經》. ②책상 궤 机(木部 二畫)와 同字. '一案'. '一硯'. '或肆之筵, 或授之一'《詩經》. ③진중할 궤 점잖고 침착한 모양. '赤舃一一'《詩經》.

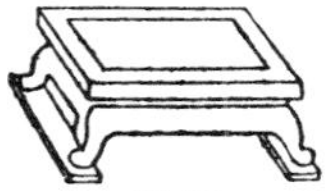
〔几②〕

[字源] 篆文 象形. 다리가 뻗어 있고 안정돼 있는 책상의 상형으로, '책상'의 뜻을 나타냄.
[參考] '几'를 의부(意符)로 하여, 책상의 뜻을 포함하는 글자를 이루지만, 그 예는 적음.

[几几 궤궤] 진중한 모양. 침착한 모양.
[几席 궤석] 안석과 자리.
[几案 궤안] ㉠책상. ㉡공무(公務).
[几硯 궤연] 책상과 벼루.
[几筵 궤연] ㉠궤석(几席). ㉡영궤(靈几)를 설비하여 놓은 곳.
[几杖 궤장] 안석과 지팡이.
[几杖之座 궤장지좌] 노인을 우대하여 특별히 베푼 자리.
◉曲几. 明窓淨几. 凭几. 牀几. 書几. 案几. 玉几. 倚几. 椅几. 淨几. 竹几.

1 ③ [凡] [中人] 범 [平]咸 符咸切 fán
[筆順] 丿 几 凡
[字解] ①대강 범 개요(概要). 대략. '一例'. '請略擧一'《漢書》. ②범상할 범 보통임. 심상(尋常)함. '一人'. '一常'. '才能不過一庸'《史記》. ③범인 범 보통 사람. 또, 속인(俗人). '一聖一如'. '聖人之形, 必異於一'《范縝》. ④속계 범 이 세상. 진세(塵世). '塵一'. '物外尋眞頓離一'《趙抃》. ⑤무릇 범 대컨. 대저. '一爲天下國家有九經'《中庸》. ⑥성 범 성(姓)의 하나.
[字源] 甲骨文 金文 篆文 象形. 甲骨文은 바람을 안은 돛의 상형으로, 바람, 바람을 받는 돛의 뜻 등을 나타냈지만, 바람이 두루 불어치는 데서, '모두, 대체로'의 뜻을 나타냄.

[凡格 범격] 보통의 품격. 상격(常格).
[凡境 범경] 보통의 경지.
[凡骨 범골] ㉠보통 골격(骨格). ㉡평범한 인물.
[凡近 범근] 재식(才識)이 용렬(庸劣)함.
[凡器 범기] 범상(凡常)한 기국(器局). 평범한 국량. 범재(凡才).
[凡短 범단] 평범하여 재주와 슬기가 적음.
[凡慮 범려] 보통의 생각. 범인(凡人)의 생각.

[凡例 범례] 그 책의 요지(要旨)와 편찬의 체재, 또는 주의 사항을 책머리에 따서 적은 글. 일러두기.
[凡流 범류] 평범한 계급. 속류(俗流).
[凡類 범류] 평범한 사람들.
[凡物 범물] 천지간의 모든 물건.
[凡民 범민] 보통 백성. 범용(凡庸)한 사람. 서민(庶民).
[凡輩 범배] 범인(凡人).
[凡百 범백] 여러 가지. 제반(諸般).
[凡凡 범범] 평범(平凡). 보통.
[凡夫 범부] ㉠범인(凡人). ㉡《佛敎》 번뇌(煩惱)에 얽매이어 생사(生死)를 벗어나지 못하는 사람.
[凡鄙 범비] 평범하고 천함. 또, 그 사람.
[凡事 범사] ㉠모든 일. ㉡평범한 일.
[凡常 범상] 평범하여 이상한 것이 없음.
[凡書 범서] 평범한 서적(書籍).
[凡聖 범성] 《佛敎》 범인과 성인.
[凡聖不二 범성불이] 《佛敎》 범성일여(凡聖一如).
[凡聖一如 범성일여] 《佛敎》 중생(衆生)과 성자(聖者)와는 구별이 있으나 그 본성(本性)은 일체 평등함.
[凡世 범세] 사람이 사는 이 세상. 속세(俗世).
[凡小 범소] 평범하여 덕(德)이 없음. 또, 그 사람.
[凡俗 범속] 평범하고 속됨.
[凡手 범수] 보통 솜씨. 또, 그 솜씨를 가진 사람. 범기(凡技).
[凡習 범습] 《佛敎》 평범한 사람이 선을 익히고 악을 익히는 시비(是非)의 행동.
[凡僧 범승] 평범한 중. 보통의 중.
[凡眼 범안] 범상한 사람의 안목과 식견. 속안(俗眼).
[凡弱 범약] 평범하고 약함. 용약(庸弱).
[凡要 범요] 대요(大要).
[凡庸 범용] 평범하고 용렬(庸劣)함. 범상(凡常).
[凡偶 범우] 범인(凡人)의 무리.
[凡人 범인] 평범한 사람. 범부(凡夫).
[凡才 범재] 평범한 재주. 또, 그 사람.
[凡材 범재] 범재(凡才).
[凡宰 범재] 평범한 재상(宰相).
[凡節 범절] ㉠모든 일. ㉡모든 절차.
[凡鳥 범조] 평범한 새. 전(轉)하여, 범인(凡人)의 비유.
[凡衆 범중] 범인(凡人)의 무리.
[凡智 범지] 평범한 지혜(智慧). 보통의 재지(才智).
[凡下 범하] 천한 사람. 미련한 사람.
◉大凡. 不凡. 非凡. 愚凡. 塵凡. 平凡. 超凡.

1 ③ [凢] 凡(前條)의 俗字

2 ④ [凤] 〔봉〕鳳(鳥部 三畫〈p. 2660〉)의 俗字·簡體字

3 ⑤ [処] 〔처〕
處(虍部 五畫〈p. 1996〉)의 俗字
[字源] [篆文]  會意. 几+夂. '夂치'는 아래를 향한 발의 상형(象形). 안석으로 내려오다, 걸터앉다, 있다의 뜻을 나타냄. '處처'와는 별자(別子)이지만, 후세에 '処처'는 '處'의 속자(俗字)로 간주됨.

3 ⑤ [凥] 거 ㊥魚 斤於切 jū
[字解] 있을 거 居(尸部 五畫)의 本字. '一, 處也'《說文》.
[字源] 會意. 尸(尸)+几

4 ⑥ [凨] 〔풍〕
風(部首〈p. 2559〉)의 俗字

[夙] 〔숙〕
夕部 三畫(p. 481)을 보라.

5 ⑦ [凬] 〔풍〕
風(部首〈p. 2559〉)의 古字

6 ⑧ [凭] 빙 ㊥蒸 扶冰切 píng 
[字解] 기댈 빙 의지함. '一欄'. '危檻不堪一'《孟貫》.
[字源] [篆文]  會意. 任+几. '任임'은 '맡기다, 의지하다'의 뜻. '几궤'는 안석. 안석에 기대다, 기대다의 뜻을 나타냄.
[參考] 凴(几部 十二畫)과 同字.

[凭欄 빙란] 난간(欄干)에 기댐.

6 ⑧ [凮] 〔풍〕
風(部首〈p. 2559〉)의 古字

6 ⑧ [㓞] 극 ㊈陌 竭戟切 jù
[字解] 게으를 극 권태를 느낌. '徼一受詘'《漢書》.

[風] 〔풍〕
部首(p. 2559)를 보라.

9 ⑪ [凰] [人名] 황 ㊥陽 胡光切 huáng 
[筆順] 
[字解] 봉새 황 봉황(鳳凰)새의 암컷. '鳳兮鳳兮求其一'《古詩》.
[字源] 形聲. 凡(几)+皇[音]. '皇황'은 '크다'의 뜻. '凡범'은 바람에 펄럭이다의 뜻. '바람을 받아 날갯짓하는 큰 새, '봉황새'의 뜻.

◉鳳凰.

10 ⑫ [凱] [人名] 개 ㊤賄 苦亥切 kǎi
[筆順] 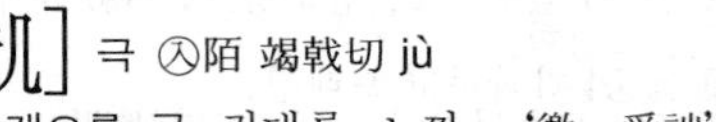
[字解] ①싸움이긴풍류 개 승전(勝戰)했을 때 아뢰는 음악. 전승곡. '一歌'. '一旋'. '振旅一以入于晉'《左傳》. 또, 승전하였을 때 외치는 환호성. '六軍張一聲如雷'《劉克莊》. ②이길 개 승전(勝戰)함. '班師一歸'《梁元帝》. ③착할 개 마음이 착함. 또, 그 사람. '高陽氏有才子八人, 謂之八一'《史記》. ④화할 개 온화함. 화락함. '一弟'. '一風自南'《詩經》. ⑤즐겨할 개 좋아함. '天下旣平, 天子大一'《漢書》.

[出棺 출관] 출상(出喪)하기 위하여 관을 집 밖으로 내감. 출구(出柩).

[出九 출구] 도박.

[出口 출구] ㉠나가는 곳. ㉡수출(輸出).

[出柩 출구] ㉠발인(發靷) 때 집에서 관(棺)을 내감. ㉡이장(移葬) 때 무덤에서 관(棺)을 꺼냄.

[出口入耳 출구입이] 두 사람 사이의 이야기를 딴 사람은 아무도 못 듣.

[出軍 출군] 전쟁(戰爭)하러 나감. 군대(軍隊)를 전지(戰地)에 내보냄. 출병(出兵).

[出群 출군] 출중(出衆)함.

[出宮 출궁] 임금의 거가(車駕)가 대궐(大闕) 밖으로 나감.

[出勤 출근] 근무하는 곳에 나감.

[出金 출금] 돈을 내놓음.

[出給 출급] 물건을 내줌.

[出其不意 출기불의] 일이 뜻밖에 일어남.

[出納 출납] 금전(金錢) 또는 사물(事物)을 내어 줌과 받아들임.

[出動 출동] 나가서 행동함.

[出痘 출두] 천연두(天然痘)가 내돋음.

[出頭 출두] ㉠어떠한 곳에 직접 나감. ㉡두각(頭角)을 나타냄.   「頭).

[出頭地 출두지] 두각(頭角)을 나타냄. 출두(出

[出天 출천] 부(夫), 곧 남편의 은어(隱語). 천자(天字)가 머리를 내밀면 부자(夫字)가 되므로 이름.

[出藍 출람] 청색이 본디 남빛에서 나와서 도리어 남빛보다 푸르다는 뜻으로, 제자(弟子)가 스승보다 낫거나 자식(子息)이 부모보다 나음을 이름.

[出來 출래] 사건이 일어남. 발생함.

[出廬 출려] 초려(草廬)에서 나옴. 곧, 은퇴(隱退)하였던 사람이 세상에 나가 활동함.

[出輦 출련] 천자의 거동. 봉련(鳳輦)을 낸다는 뜻.

[出獵 출렵] 나가서 사냥함. 사냥하러 나감.

[出令 출령] 명령을 내림.

[出路 출로] 빠져나갈 길.

[出牢 출뢰] 출옥(出獄).

[出類拔萃 출류발췌] 평범한 종류보다 훨씬 뛰어남. 출췌(出萃).

[出倫 출륜] 출중(出衆)함.

[出離 출리] 《佛敎》미망(迷妄)의 세계에서 벗어나옴. 속세(俗世)의 잡념(雜念)을 끊음.

[出離生死 출리생사] 《佛敎》이승을 떠나서 안락세계로 감.

[出馬 출마] ㉠말을 타고 감. ㉡자신(自身)이 직접 감. ㉢입후보(立候補)함.

[出幕 출막] 전염병에 걸린 사람을 따로 막을 쳐서 격리시킴.

[出末 출말] 일의 끝이 남.

[出亡 출망] 출분(出奔).

[出梅 출매] 매우기(梅雨期)가 끝날 즈음.

[出母 출모] 아버지와 이혼(離婚)한 생모(生母).

[出沒 출몰] 나타났다 숨었다 함.

[出文 출문] 장부(帳簿)에 기입된 액수에서 내준 돈.

[出門 출문] 문밖으로 나감.

[出班奏 출반주] ㉠반열(班列)에서 나와 아룀. ㉡여러 사람이 모인 곳에서 첫 번으로 말을 냄.

[出發 출발] ㉠길을 떠나감. ㉡경주(競走)할 때에 출발점을 떠나감.

[出帆 출범] 돛을 달고 배가 떠나감.

[出兵 출병] 군사(軍士)를 내보냄.

[出府 출부] 지방에서 서울로 옴. 상경(上京).

[出奔 출분] 달아나 종적을 감춤. 도망질. 출망(出亡).

[出費 출비] 내는 비용(費用).

[出殯 출빈] 장사 지내기 전에 집 밖에 빈소(殯所)를 만들고 시체(屍體)를 모심.

[出仕 출사] 벼슬을 하여 사진(仕進)함.

[出師 출사] 출병(出兵).

[出師表 출사표] 촉한(蜀漢)의 제갈양(諸葛亮)이 위(魏)나라를 치려고 출병(出兵)할 때 후주(後主) 유선(劉禪)에게 올린 글. 전후(前後)의 두 표(表)가 있는데 이밀(李密)의 진정표(陳情表) 및 한유(韓愈)의 제십이랑문(祭十二郎文)과 병칭(並稱)됨.

[出山 출산] 은사(隱士)가 나와서 사환(仕宦)함.

[出産 출산] ㉠세상에 태어남. 출생. ㉡물건이 남. 또, 지방에서 나는 산물(産物).

[出喪 출상] 상가(喪家)에서 상여(喪輿)가 떠나감.

[出色 출색] 출중(出衆)하여 눈에 띔.

[出生 출생] ㉠세상에 태어남. ㉡아이를 낳음.

[出席 출석] 모임 또는 자리에 나아감. 참석(參席)함.

[出城 출성] 성(城) 밖으로 나감.

[出世 출세] ㉠입신(立身)함. 성공함. ㉡세상에 나타남. ㉢《佛敎》출세간(出世間).

[出稅 출세] 세금을 냄.

[出世間 출세간] 《佛敎》㉠속계(俗界)를 벗어나 중이 됨. ㉡속세를 떠나 세상과 교제를 끊음.

[出送 출송] 물건을 내보냄.

[出水 출수] 넘쳐흐름. 범람함. 또, 그 물. 홍수(洪水).

[出狩 출수] 나가서 사냥함. 전(轉)하여, 천자(天子)가 파천(播遷)함을 이름.

[出售 출수] 물건을 팔기 시작함.

[出身 출신] ㉠벼슬을 함. 관직에 등용됨. ㉡그 토지 또는 그 지위에서 출세(出世)함. ㉢그 학교를 졸업한 신분. ㉣몸을 던져 나라를 위해서 힘을 씀.

[出芽 출아] 싹이 남.

[出御 출어] 임금이 대궐(大闕) 밖으로 납심.

[出漁 출어] 물고기를 잡으러 나감.

[出於類拔乎萃 출어류발호췌] 동류(同類) 중에서 출중(出衆)하게 뛰어남. 췌(萃)는 취(聚). 많은 집합(集合)의 뜻.

[出捐 출연] 금품(金品)을 내어 원조(援助)함.

[出演 출연] 연설·강연·음악·연극 등을 나가서 함.   「함.

[出迎 출영] 나가서 맞음.

[出獄 출옥] 옥(獄)에 갇히어 있던 사람이 옥에서 나옴.

[出尤 출우] 출중(出衆)함. 또, 그 사람. 발군(拔群).

[出願 출원] 원서(願書)를 내놓음.

[出遊 출유] 고향을 떠나 다른 곳에 가서 놂.

[出日 출일] 돋는 해. 아침 해. 또, 해가 뜨는 곳.

[出一頭地 출일두지] 남보다 한결 빼어남. 걸출(傑出)함.

[出入 출입] ㉠나감과 들어옴. 드나듦. ㉡내놓음과 들여놓음. ㉢왕래(往來)함. ㉣출납(出納). ㉤시집간 여자와 시집 안 간 여자. ㉥혹은 지방관으로 부임하고 혹은 들어와 조정(朝廷)에서 벼슬함.

[出資 출자] 밑천을 냄. 자본금(資本金)을 냄.
[出張 출장] 직무(職務)를 띠고 나감.
[出場 출장] ㉠그 자리에 나감. ㉡운동 경기회에 참가함.
[出將入相 출장입상] 나가서는 장수(將帥)가 되고 들어와서는 재상(宰相)이 됨. 곧, 문무(文武)를 겸비하여 문무 양도(文武兩道)의 벼슬을 지냄.
[出典 출전] 고사(故事)·성어(成語) 들의 출처(出處)가 되는 서적(書籍).
[出畋 출전] 나가서 사냥함.
[出戰 출전] 싸우러 나감. 또, 나가 싸움.
[出廷 출정] 《韓》출정(出庭).
[出定 출정] 《佛敎》중이 선정(禪定)을 마치고 나옴. 〔↔향함.〕
[出征 출정] 정벌(征伐)하러 나감. 전지(戰地)로
[出庭 출정] 법정(法廷)에 나감.
[出題 출제] 문제(問題)를 냄. 시가(詩歌) 또는 시험(試驗)의 제(題)를 냄.
[出主 출주] 제사 때 신주(神主)를 꺼냄.
[出走 출주] 있던 곳을 떠나서 달아남.
[出駐 출주] 군대가 지방에 가서 주둔(駐屯)함.
[出衆 출중] 여러 사람 속에서 뛰어남.
[出陣 출진] 전지(戰地)에 나가서 진(陣)을 침.
[出塵 출진] 진세(塵世)를 떠남. 속세(俗世)를 벗어나 은둔함. 또, 중이 됨. 둔세(遁世).
[出債 출채] 빚을 냄.
[出妻 출처] ㉠인연(因緣)을 끊은 아내. ㉡아내를 내쫓음.
[出處 출처] ㉠사물(事物)이 어디로부터 나온 곳. ㉡나가 벼슬하는 일과 물러나 집에 있는 일. 진퇴(進退).
[出處語默 출처어묵] 나가 벼슬하는 일과 물러나 집에 있는 일과 의견을 발표하는 일과 침묵을 지키는 일. 곧, 사람이 처세(處世)하는 데 근본이 되는 일.
[出天之孝 출천지효] 천성(天性)으로 타고난 효성(孝誠).
[出超 출초] 수출 초과(輸出超過). 수출품(輸出品)의 총가격(總價格)이 수입품(輸入品)의 총가격보다 많은 일.
[出萃 출췌] 출중(出衆)함. 출류발췌(出類拔萃).
[出贅 출췌] 데릴사위.
[出他 출타] 집에서 밖으로 나감.
[出版 출판] 서적(書籍) 등을 발행함.
[出捕 출포] 죄인을 쫓아가서 잡음.
[出品 출품] 전람회·전시회·공진회 등에 물품을 내놓음.
[出必告 출필곡] 밖에 나갈 때마다 부모에게 가는 곳을 아룀.
[出荷 출하] 하물(荷物)을 내보냄.
[出汗 출한] 땀이 남.
[出港 출항] 배가 항구를 떠나감.
[出向 출향] 출발함. 집을 떠나 목적지로 향함.
[出鄕 출향] 고향을 떠남.
[出現 출현] 나타남.
[出血 출혈] 피가 혈관(血管) 밖으로 나옴. 또, 그 피.
[出乎爾者反乎爾 출호이자반호이] 자기가 행한 일은 다 자기가 갚음을 받음. 선악화복(善惡禍福)은 다 사람이 자초(自招)하는 바임.
[出貨 출화] ㉠뇌물을 씀. ㉡화물(貨物)을 실어 냄.

●釀出. 傑出. 檢出. 揭出. 屆出. 供出. 救出. 露出. 貸出. 導出. 突出. 描出. 搬出. 放出. 倍出. 排出. 輩出. 百出. 奔出. 噴出. 不世出. 頻出. 四出. 査出. 射出. 產出. 算出. 生出. 庶出. 選出. 歲出. 所出. 續出. 送出. 水落石出. 輸出. 新出. 案出. 躍出. 譯出. 演出. 捻出. 外出. 湧出. 遠出. 流出. 移出. 引出. 日出. 逸出. 嫡出. 摘出. 轉出. 挺出. 除出. 提出. 重出. 支出. 進出. 剔出. 賤出. 初出. 抽出. 逐出. 脫出. 退出. 特出. 派出. 表出. 呼出. 橫出.

3
⑤ [凷] 괴 ㉠隊 苦對切 kuài

字解 흙덩이 괴 塊(土部 十畫)와 同字. '九河盈溢, 非一─所能防'《蔡邕》
字源 會意. 土+凵. '凵감'은 네모진 흙덩이의 상형. '土토'를 덧붙여, '흙덩이'의 뜻을 나타냄.

3
⑤ [凹] 人名 요 ㉠看 於交切 āo

筆順 丨 ㅣㅏ 凵 凹 凹

字解 오목할 요 가운데가 오목하게 들어감. '凸'의 대(對). '─凸'. '─面鏡'.
字源 象形. 가운데가 오목한 모양을 본떠, '오목하다'의 뜻을 나타냄.

[凹面 요면] 오목하게 들어간 면(面).
[凹面鏡 요면경] 반사면(反射面)이 오목하게 들어간 거울. 오목 거울.
[凹心硯 요심연] 가운데가 오목하게 들어간 벼루.
[凹處 요처] 가운데가 오목하게 들어간 곳.
[凹凸 요철] 오목하게 들어감과 볼록하게 솟음.
●凸凹.

3
⑤ [凸] 人名 철 ㉠月 陀骨切 tū

筆順 丨 丨 ㅏ 冂 凸

字解 볼록할 철 가운데가 볼록하게 솟음. '凹'의 대(對). '凹─'. '─面鏡'.
字源 象形. 가운데가 볼록 솟은 모양을 본떠 '볼록 내밀다'의 뜻을 나타냄.

[凸面鏡 철면경] 거죽이 볼록하게 나온 거울. 볼록 거울.
[凸凹 철요] 볼록함과 오목함.
[凸形 철형] 가운데가 도도록한 형상.
●窊凸. 凹凸.

3
⑤ [㠯] 사 ㉠支 側詞切 zī

字解 ①장군 사 음료(飲料)를 담는 질그릇. '東楚名缶曰─, 象形也'《說文》. ②바구니 사 '─, 竹器. 象形'《六書正譌》.
字源 象形. 주둥이가 벌어지고 잘록한 질그릇 모양을 본뜸.
參考 㠯(次次條)는 古字.

3
⑤ [舌] 〔왕〕
王(部首〈p.1414〉)의 古字

4
⑥ [凷] 凷(前前條)의 古字

4
⑥ [囟] 〔신〕
囟(囗部 三畫〈p.422〉)의 本字

6
⑧ [函] 人名 함 ①-③㊥覃 胡男切 hán
④-⑥㊥咸 胡讒切 hán

筆順 一 了 了 孑 孑 孒 函 函

字解 ①휩쌀 함 포용(包容)함. '大極—三爲一'《顏師古》. ②넣을 함 용납함. '席閒—丈'《禮記》. ③갑옷 함 예전에 싸움을 할 때 입던 옷. '—工'. '—人惟恐傷人'《孟子》. ④글월 함 편지. '書—'. '貴—'. ⑤상자 함, 갑 함 문서 등을 넣어 두는 조그마한 상자. '—蓋'. '—底'. '竟達空—'《晉書》. ⑥상자에넣을 함 '守緒自經死, —其首送于宋'《十八史略》.

字源 甲骨文 金文 篆文 象形. 화살을 넣는 동개에 화살이 들어 있는 모양을 본떠, '휩싸다, 포함하다, 상자'의 뜻을 나타냄.

[函蓋 함개] 상자와 상자 뚜껑.
[函蓋相應 함개상응] 상자와 상자 뚜껑이 꼭 맞는다는 뜻으로, 서로 잘 어울림을 이름.
[函谷 함곡] 허난 성(河南省) 링바오 현(靈寶縣)의 황허(黃河) 유역에 있는 험준하기로 유명한 골짜기. 상자(箱子) 속처럼 깊고 험한 애로(隘路)라는 데서 불리움.
[函谷雞鳴 함곡계명] 제(齊)나라의 맹상군(孟嘗君)이 밤중에 함곡관(函谷關)에서 종자(從者)에게 닭의 울음소리를 흉내 내게 하여 문지기가 새벽닭 소리인 줄 알고 관문을 열어 진(秦)나라에서 무사히 도망쳤다는 고사(故事).
[函谷關 함곡관] 함곡(函谷)에 있던 험준하기로 유명한 관문(關門). 맹상군(孟嘗君)의 고사(故事)로 유명함.
[函宏 함굉] 마음이 넓고 큼. 관대(寬大).
[函笈 함급] 등에 지는 상자.
[函列 함렬] 방형(方形)의 대오(隊伍).
[函籠 함롱] 함과 농.
[函封 함봉] 상자에 넣어서 봉함.
[函使 함사] 편지 따위 글발을 전(傳)하는 하인. 함(函)을 상자에 넣은 편지.
[函人 함인] 갑주(甲冑) 만드는 장인.
[函丈 함장] 스승의 자리와 자기의 자리 사이에 한 길〔一丈〕의 여지(餘地)를 둔다는 뜻. 전(轉)하여, 스승. 또, 스승이나 어른에게 보내는 편지에 받는 이의 이름 밑에 써서 존경의 뜻을 나타내는 말.
[函底 함저] 상자 바닥. 상자 안.
[函招 함초] 편지로 사람을 초청(招請)함.
[函夏 함하] 해내(海內)를 이름. 하(夏)는 중하(中夏).
[函胡 함호] 큰 음성(音聲)의 형용.
[函和 함화] 온화함. 따뜻함.
[函活 함활] 작물(作物) 같은 것이 생기(生氣) 있게 잘 자람.
◉經函. 空函. 密函. 本函. 書函. 石函. 玉函. 郵便函. 投票函. 投函.

[画] 〔화〕
田部 三畫(p.1463)을 보라.

6
⑧ [齿] 〔치〕
齒(部首〈p.2722〉)의 簡體字

7
⑨ [𠚒] 〔치〕
齒(部首〈p.2722〉)의 古字

7
⑨ [凾] 〔함〕
函(凵部 六畫〈p.239〉)의 俗字

10
⑫ [𠚏] 〔치〕
齒(部首〈p.2722〉)의 俗字

10
⑫ [凿] 〔착〕
鑿(金部 二十畫〈p.2426〉)의 簡體字

10
⑫ [𠚕] 도 ㊥豪 土刀切 tāo

字解 그릇 도 고대(古代)의 그릇.
字源 形聲. 曲+舀〔音〕

11
⑬ [𠚖] 곡 ㊇沃 區玉切 qū

字解 구부러질 곡, 구부릴 곡 뼈가 굽음. 또, 구부림. '—, 骫曲也'《說文》.
字源 象形. 대나무나 갈대 따위를 구부려서 만든 그릇의 모양을 본뜸.

17
⑲ [𠚗] 𠚖(前前條)의 本字

刀(刂)(2획) 部
〔칼도부〕

0
② [刀] 中人 도 ㊥豪 都牢切 dāo

筆順 フ 刀

字解 ①칼 도 도검(刀劍). '—兵'. '短—'. '未能操—而使割也'《左傳》. ②거루 도 거룻배. 칼 모양의 작은 배. '誰謂河廣, 曾不容—'《詩經》. ③돈이름 도 칼 모양의 돈. '—幣'. '黃帝採首山之銅, 始鑄爲—'《初學記》. ④성 도 성(姓)의 하나.

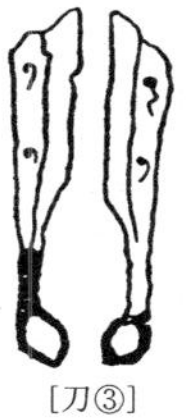
〔刀③〕

字源 甲骨文 篆文 象形. 칼의 모양을 본떠 '칼'의 뜻을 나타냄.

參考 '刀'는 部首로서 '칼도'라 이름. 자형(字形)의 오른쪽에 놓이어 방(旁)으로도 드물게 쓰이나, 방(旁)으로서는 주로 '刂'가 쓰이며, '刀·刂'를 의부(意符)로 하여 '날붙이, 베다'의 뜻을 포함하는 글자를 이룸.

[刀鋸 도거] 칼과 톱. 옛날에 칼은 궁형(宮刑)에 쓰고 톱은 월형(刖刑)에 썼으므로, 전(轉)하여, 형벌(刑罰)의 뜻으로 쓰임.
[刀鋸鼎鑊 도거정확] 도거(刀鋸)와 정확(鼎鑊). 정확은 사람을 삶는 가마솥. 전(轉)하여, 형벌

(刑罰). 도거 (刀鋸) 참조.

[刀鋸之餘 도거지여] 궁형(宮刑)·월형(刖刑) 등의 형벌을 당하여 불구자로서 사는 일. 또, 그 사람. 전과자(前科者).

[刀劍 도검] 칼.

[刀工 도공] 칼을 만드는 장색 (匠色).

[刀圭 도규] ㉠약을 뜨는 숟가락. ㉡의술(醫術).

[刀圭界 도규계] 의사(醫師)의 사회.

[刀圭術 도규술] 의술(醫術)의 별칭.

[刀途 도도] 〔佛敎〕아귀도(餓鬼道).

[刀鋩 도망] 도첨 (刀尖).

[刀銘 도명] 칼에 새긴 명(銘).

[刀墨 도묵] 칼로 이마에 새겨 입묵(入墨)하는 형벌. 경형 (黥刑).

[刀瘢 도반] 칼에 다친 흉. 도흔(刀痕).

[刀背 도배] 칼의 등. 칼등.

[刀兵 도병] ㉠칼. ㉡군사(軍事).

[刀柄 도병] 칼자루.

[刀山劍水 도산검수] 몹시 험준한 지경 (地境)의 비유.

[刀山劍樹 도산검수] 가혹한 형벌 (刑罰)의 비유. 혹형 (酷刑).

[刀傷 도상] 칼에 베인 상처. 칼 상처.

[刀身 도신] 칼의 몸.

[刀室 도실] 칼집. 도초 (刀鞘).

[刀眼 도안] 환도 (環刀)의 몸이 자루에서 빠지지 않게 슴베와 아울러 자루에 비녀장을 박는 구멍.

[刀魚 도어] ㉠웅어. ㉡갈치. 도어 (魛魚).

[刀鋋 도연] 칼과 짧은 창(槍).

[刀刃 도인] 칼날.

[刀子 도자] 창칼. 단도 (短刀).

[刀匠 도장] 칼을 만드는 장인 (匠人).

[刀折矢盡 도절시진] 칼은 부러지고 화살은 다 써서 없어짐. 곧, 싸울 대로 싸워 다시 더 싸워 나갈 도리가 없음.

[刀俎 도조] 칼과 도마. 전 (轉)하여, 생살여탈(生殺與奪)을 마음대로 할 수 있는 지위에 있는 자. 또, 극히 위험한 곳.

[刀擦 도찰] 잘못된 글자를 도필 (刀筆)로 긁어내어 고침.

[刀創 도창] 도흔 (刀痕).

[刀槍 도창] 칼과 창.

[刀尺 도척] ㉠포목을 마르고 잼. ㉡의복의 재봉. ㉢사람을 진퇴 (進退)·임면 (任免)시킴의 비유.

[刀脊 도척] 칼등. 도배 (刀背).

[刀泉 도천] 통화(通貨). 도포 (刀布).

[刀尖 도첨] 칼끝. 칼날의 끝. 또, 그 서슬.

[刀錐 도추] ㉠칼과 송곳. ㉡근소 (僅少)한 이 (利)의 비유.

[刀把 도파] 칼자루.

[刀幣 도폐] 자해 (字解)❸을 보라.

[刀布 도포] 도 (刀)와 포(布)가 모두 돈의 명칭. 전 (轉)하여, 돈. 금전 (金錢).

[刀筆 도필] ㉠대쪽에 글씨를 쓰는 붓과 잘못 쓴 글씨를 깎아 내는 칼. ㉡낮은 관리의 일. 서기의 사무.

[刀筆㉠]

[刀筆吏 도필리] 낮은 벼슬아치. 하급 관리. 종이가 발명되기 전에 죽간 (竹簡)에 새긴 오자 (誤字)를 도필 (刀筆)로 긁어 고치던 고사에서 나

온 말. 그런 일을 하는 벼슬아치라는 뜻임.

[刀環 도환] ㉠칼코등이. ㉡고향 (故鄕)으로 돌아감. 환 (環)과 환 (還)은 음(音)이 같아 그 은어(隱語)로 쓰인 것임.

[刀痕 도흔] 칼에 다친 흉.
●軍刀. 短刀. 帶刀. 名刀. 木刀. 眉尖刀. 拔刀. 寶刀. 霜刀. 笑中刀. 食刀. 雙刀. 兩刀. 偃月刀. 鉛刀. 腰刀. 牛刀. 鉞刀. 銀裝刀. 儀刀. 利刀. 一刀. 長刀. 粧刀. 錢刀. 竹刀. 陣刀. 執刀. 靑龍刀. 剃刀. 快刀. 太刀. 佩刀.

0
②　[刂]　刀(前條) 와 同字

[參考] '刀'가 글자의 방 (旁)에 있을 때의 자형 (字形). '칼도방'. '선칼도'라 이름.

0
②　[刁]　조 ㉠蕭 都聊切 diāo　⟮刁⟯

[字解] ①조두 (刁斗) 조 구리로 만든 솥 같은 기구. 군중 (軍中)에서 낮에는 음식을 만들고, 밤에는 이것을 두드려 경계하는 데 썼음. '不擊一斗自衛'《漢書》. ②성 조 성 (姓)의 하나.

[字源] 指事. '刀도'의 한 획을 변형시켜서, '조'의 음을 나타냄.

[參考] '刁'는 '刀도'의 속된 오자 (誤字)라고도 함.

[刁姦 조간] 교활함.

[刁斗 조두] 자해 (字解)❶을 보라.

[刁騷 조소] 머리가 쑥대강이같이 헝클어진 모양.

[刁刁 조조] 바람이 그칠 무렵 조금 움직이는 모양. 바람이 솔솔 부는 모양.
●斗刁. 鳴刁. 夜刁. 調刁.

0
②　[勹]　〔도〕　刀(部首〈p.239〉)의 篆文

1
③　[刃]　[人名] 인 ㉠震 而振切 rèn　⟮刃⟯

[筆順]　丁刀刃

[字解] ①칼날 인 칼의 날. '刀一'. '白一可踏也'《中庸》. ②칼 인 도검 (刀劍) 및 기타 날이 있는 무기. '兵一'. '挺一交兵'《孔子家語》. ③벨 인 칼로 베거나 찌름. '自一'. '拔刀將手一之'《晉書》.

[字源] [甲骨] ⟮甲骨⟯ [篆文] ⟮篆文⟯ 指事. 칼날에 상당하는 부분에 '丶(丶주)'라는 기호를 덧붙여, '칼날'의 뜻을 나타냄.

[參考] 刄(次條)·刄(次次條)은 俗字.

[刃器 인기] 도끼나 칼처럼 날이 서 있는 기구.

[刃鋩 인망] 칼날. 서슬.

[刃傷 인상] 인창 (刃創).

[刃迎縷解 인영누해] 칼로 실을 끊듯이 이치 (理致)를 분별함.

[刃劘 인절] 칼로 벰.

[刃創 인창] 칼날에 다침. 흉.
●干將刃. 堅刃. 露刃. 踏刃. 刀刃. 芒刃. 冒刃. 白刃. 兵刃. 伏刃. 鋒刃. 氷刃. 霜刃. 手刃. 矢刃. 兩刃. 五刃. 鬱刃. 利刃. 自刃. 智刃. 眞刃. 尺刃. 寸刃. 推刃. 吹毛刃. 合刃. 虐刃. 弦刃. 血刃.

1 ③ [刄] 刃(前條)의 俗字

1 ③ [刅] 刃(前前條)의 俗字

2 ④ [刱] 〔창〕
創(刀部 十畫〈p. 265〉)과 同字

2 ④ [切] [高·人] [一] 체 [去]霽 七計切 qì
[二] 절 [入]屑 千結切 qiè, ①qiē

[筆順] 一 七 切 切

[字解] [一] 온통 체 전부. '一一'. [二] ①벨 절 칼로 벰. 썲. 저밈. '一開'. '一斷'. '一之爲膾'《禮記》. ②절박할 절 매우 가까이 닥침. '一迫'. '州期一促'《後漢書》. ③정성스러울 절 성실(誠實)함. '一慤'. '親一'. '其言之也一'《中庸章句序》. ④중요할 절 주요함. 또, 요점(要點). '客自覽其一'《揚雄》. ⑤진맥할 절 맥을 봄. '不待一脈'《史記》. ⑥문지방 절 문 아래 문설주 사이에 가로놓인 나무. '一皆銅沓冒黃金塗'《漢書》. ⑦반절 절 한자(漢字)의 음(音)을 표시하는 법(法). '反一'. ⑧간절히 절 절실히. '一望'.

[字源] 篆文 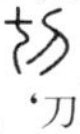 形聲. 刀+七〔音〕. '七칠'은 가로세로로 베다의 뜻. '七'이 일곱을 뜻하게 되어, '刀도'를 덧붙여 구별함.

[切慤 절각] 대단히 정성스러움. 아주 성실함.
[切諫 절간] 간절(懇切)히 간(諫)함.
[切感 절감] 절실하게 느낌.
[切開 절개] 째어서 가름.
[切激 절격] 몹시 격렬(激烈)함. 격절(激切).
[切近 절근] 아주 가까움.
[切禁 절금] 엄중하게 금함.
[切急 절급] 아주 급함.
[切己 절기] 자기에게 필요함. 또는 그 일.
[切緊 절긴] 긴요하고 절실(切實)함.
[切斷 절단] 끊어 냄.
[切當 절당] 꼭 맞음.
[切厲 절려] ㉠비판이 격렬함. ㉡격려(激勵)함.
[切論 절론] 아무 거리낌 없이 의논(議論)함.
[切摩 절마] 잘라 갊. 전(轉)하여, 학문을 닦음. 또는 수양함.
[切磨 절마] ㉠절차탁마(切磋琢磨). ㉡서로 격려함.
[切望 절망] 간절히 바람. 간망(懇望).
[切脈 절맥] 맥을 봄. 진맥을 함.
[切問 절문] 간절히 물음. 또, 적절한 물음.
[切迫 절박] 기한(期限)이 썩 급하여짐. 기한이 닥침.
[切膚 절부] 살갗을 에는 듯이 사무침.
[切忿 절분] 아주 원통하고 분함.
[切實 절실] 실지(實地)에 꼭 맞음. 아주 적절함.
[切愛 절애] 몹시 사랑함. 몹시 아낌.
[切言 절언] 간절한 말. 또, 통절(痛切)한 말.
[切玉 절옥] 절옥도(切玉刀).
[切玉刀 절옥도] 옛적 명도(名刀)의 이름. 예리(銳利)하여 옥(玉)도 절단(切斷)한다는 뜻. 곤오도(昆吾刀).
[切玉如切泥 절옥여절니] 단단한 옥(玉)을 베는데 마치 진흙을 베는 것과 같이 손쉬움. 도검(刀劍)이 예리(銳利)함을 이름.
[切要 절요] 절실하고 긴요(緊要)함.
[切韻 절운] ㉠반절(反切)에 의해서 한자(漢字)의 운(韻)을 아는 일. ㉡운서(韻書). 5권. 수(隋)나라의 육법언(陸法言)의 저(著). 반절(反切)의 발성(發聲)에 따라 음(音)을 분류(分類)하고, 수성(收聲)으로써 운(韻)을 나누었음. 당(唐)나라의 장손눌언(長孫訥言)의 주(註)가 있음.
[切願 절원] 간절히 바람.
[切肉 절육] ㉠얄팍하게 썰어 양념을 하여 익힌 고기. ㉡저민 고기.
[切切 절절] ㉠매우 간절(懇切)한 모양. 매우 정성스러운 모양. ㉡깊이 생각하는 모양. ㉢계속하여 작게 들리는 소리. ㉣근심하는 모양. 슬퍼하는 모양. ㉤생각이 간절한 모양.
[切切偲偲 절절시시] 벗의 사귐에 서로 간절히 선행(善行)을 권면하고 격려(激勵)하는 모양.
[切正 절정] 서로 절차탁마(切磋琢磨)하여 나쁜 점을 고침.
[切釘 절정] 대가리를 자른 쇠못.
[切除 절제] 베어 냄. 베어 없앰.
[切中 절중] 절실하게 이치에 맞음.
[切直 절직] 정성스럽고 바름.
[切磋琢磨 절차탁마] 골각(骨角) 또는 옥석(玉石)을 자르고 갈고 쪼고 닦는다는 뜻으로, 학문과 덕행(德行)을 힘써 닦음의 비유로 쓰임.
[切責 절책] 크게 책망(責望)함.
[切促 절촉] 절박(切迫).
[切齒 절치] 분하여 이를 갊. 몹시 노함.
[切齒腐心 절치부심] 원통하고 분하여서 이를 갈고 속을 썩임.
[切親 절친] 사이가 아주 친근함.
[切痛 절통] 매우 한스럽고 분함.
[切逼 절핍] 아주 핍박함.
◉苛切. 懇切. 剴切. 激切. 勁切. 急切. 摩切. 迫切. 反切. 半切. 酸切. 深切. 哀切. 嚴切. 一切. 適切. 精切. 磋切. 慘切. 悄切. 親切. 痛切.

2 ④ [分] [中·人] 분 [平]文 府文切 fēn
[去]問 扶問切 fèn

[筆順] ノ 八 分 分

[字解] ①나눌 분 ㉠분할함. '一解'. '一斷'. '一軍爲三'《史記》. ㉡달리함. 따로따로 함. '一道而出'《漢書》. ②나누일 분 ㉠떨어짐. 갈라짐. 따로따로 됨. '一散'. '楚所備者多, 力一'《漢書》. ㉡갈래가 짐. '一岐'. '一爲九'《漢書》. ③분명할 분 명확(明確)함. '一明'. '不可不一'《呂氏春秋》. ④분별할 분 변별(辨別)함. '一辨'. '五穀不一'《論語》. ⑤나누어줄 분 분여(分與)함. '一貧振窮'《左傳》. ⑥반쪽 분 전체의 반. '師喪一焉'《公羊傳》. ⑦푼 분 ㉠척도(尺度)의 단위. 일척(一尺)의 백분의 일. '十一爲一寸, 十寸爲一尺'《漢書》. ㉡중량(重量)의 단위. 일량(一兩)의 백분의 일. '一列十釐'《文獻通考》. ㉢화폐(貨幣)의 단위. 일문(一文)의 십분의 일. '一文之下, 亦有一'《算法統宗》. ⑧분 분 ㉠시간(時間)의 단위. 일소시(一小時)의 육십분의 일. '一, 時六十之一'《中華大字典》. ㉡각도(角度)의 단위. 일도(一度)의 육십분의 일. '歲行十二度百十二一度之五'《史記》. ㉢지적(地積)의 단위. 일묘(一畝)의 십분의 일. '一, 二十四步爲一一, 十一爲一畝'《算法統宗》. ㉣소수(小數)의

단위. 십분의 일. 또, 백분의 일. '一, 十釐爲
一'《算經》. ㉤《現》화폐(貨幣)의 단위. 일각(一
角)의 십분의 일. ⑨춘분 분, 추분 분 춘분과 추
분의 총칭. '日過一而未至'《左傳》. ⑩분수 분 분
한(分限). '名一'. '守一'. ⑪직분 분 마땅히 하
여야 할 본분. '男一'《禮記》. ⑫몫 분 배당(配
當). '一日有異僧, 來求齋, 師減己一饌之'《指月
錄》. ⑬성 분 성(姓)의 하나.

🔲 ⺍ 少 ⺍ 會意. 八+刀. '八팔'은
둘로 나누다의 뜻. 칼로
베어 나누다의 뜻을 나타냄.

[分家 분가] 가족(家族)의 일부가 딴 집으로 나가
서 딴살림을 함. 또, 그 집.
[分揀 분간] ㉠시비(是非)·선악(善惡)·대소(大
小)·경중(輕重)을 나누어 가림. ㉡정상(情狀)
을 참작하여 죄(罪)를 용서함.
[分監 분감] 원 감옥(監獄)에서 갈라 따로 세운
감옥.
[分槪 분개] 대강만을 헤아림.
[分居 분거] 여기저기 나뉘어 삶.
[分遣 분견] 임무를 맡겨 보냄. 파견(派遣).
[分境 분경] 서로 나뉜 두 땅의 경계.
[分界 분계] 나누인 경계. 또, 경계를 나눔.
[分功 분공] 여럿이 각각 나누어 일을 완성(完成)
함. 성과(成果)의 공(功)을 나눈다는 뜻. 분업
(分業).
[分科 분과] 학과 또는 업무를 나눔. 또, 나누인
학과 또는 업무.
[分課 분과] 일을 나누어 맡음.   「(館).
[分館 분관] 본관(本館)에서 갈라 따로 세운 관
[分光器 분광기] 빛을 분산(分散)시켜서, 그것에
의해 생기는 스펙트럼을 관측(觀測)하는 기계.
[分校 분교] 한 학교의 일부 학생을 수용하기 위
하여 따로 세운 학교.
[分局 분국] 본국(本局)에서 갈라 따로 세운 국
(局).
[分權 분권] 권력을 나눔.
[分金 분금] 매장(埋葬)할 때에 관(棺)의 위치를
바르게 정함.
[分襟 분금] 서로 옷깃을 나눈다는 뜻으로, 헤어
짐. 작별함. 분몌(分袂).
[分給 분급] 나누어 줌.
[分岐 분기] 나누어져 갈래가 짐. 또, 그 갈래.
[分內 분내] 분수에 맞는 정도의 안.
[分段 분단] ㉠사물의 구분. ㉡문장(文章)을 뜻에
따라 매긴 토막. 대문(大文).
[分團 분단] 한 단체를 작게 나눈 그 부분.
[分段生死 분단생사]《佛敎》수명(壽命)의 장단
(長短).
[分擔 분담] 일을 나누어서 맡음.
[分黨 분당] 패를 가름.
[分隊 분대] ㉠본대(本隊)에서 갈라져 나온 대
(隊). ㉡대(隊)를 가름. 군(軍)에서, 소대(小
隊)를 몇으로 나눈 대(9명으로 편성).
[分度 분도] 일정한 한도(限度).
[分桃 분도] 위(魏)나라의 미자하(彌子瑕)가 복숭
아를 나누어 임금에게 드린 고사(故事). 전(轉)
하여, 남색(男色)의 관계. 또는, 애증(愛憎)의
변화.
[分度器 분도기] 제도(製圖)할 때에 각(角)을 재
는 데 쓰는 기구. 원형(圓形) 또는 반원형(半圓
形) 위에 각도(角度)를 새긴 것.

[分棟 분동] 여러 집채에 나누어 벼름.
[分銅 분동] 저울추(錘). 법마(法馬).
[分頭稅 분두세] 사람 수효에 따라 부과하는 조세
(租稅). 인두세(人頭稅).
[分等 분등] 등급(等級)을 나눔.   「함.
[分掠 분략] 사람을 여러 대(隊)로 나누어 노략질
[分量 분량] ㉠분수(分數). 분한(分限). ㉡부피.
용적(容積). ㉢무게의 정도.
[分列 분렬] 분열(分列).
[分裂 분렬] 분열(分裂).
[分路 분로] ㉠갈림길. ㉡딴 길로 감.
[分賚 분뢰] 나누어 하사(下賜)함. 나누어서 내림.
[分龍雨 분룡우] 5월에 오는 소나기.
[分流 분류] 본류(本流)에서 갈라져 흐름. 또, 그
물줄기.
[分溜 분류] 비등점(沸騰點)이 다른 몇 종류의 액
체 혼합물(液體混合物)을 가열(加熱)하여, 비
등점이 낮은 것으로부터 점차 높은 것을 유출
(溜出)시켜서 분리(分離)시키는 일.
[分類 분류] 종류를 따라 나눔.
[分利 분리] 이익(利益)을 나눔.
[分理 분리] ㉠나무인 맥리(脈理). ㉡변명함. 변
해(辨解)함. 분소(分疏).
[分離 분리] 나누어 떨어지게 함. 또, 나뉘어 떨
어짐.
[分立 분립] 나뉘어서 따로 섬.
[分娩 분만] 아이를 낳음. 해산(解産).
[分明 분명] 똑똑함. 명료함.
[分袂 분몌] 작별(作別)함. 분금(分襟).
[分母 분모] 분수(分數) 또는 분수식의 횡선(橫
線) 아래에 적은 수(數) 또는 식(式). 분자(分
子)의 대(對).
[分門書 분문서] 많은 책 중의 사항(事項)을 분류
하여 편찬해서 검색(檢索)하는 데 편하도록 한
책. 〈사문유취(事文類聚)〉·〈고금도서집성(古今
圖書集成)〉 따위. 유서(類書).
[分半 분반] 반으로 나눔.
[分排 분배] 나누어 도름. 벼름.
[分辨 분변] 가려냄.
[分別 분별] ㉠가름. 또, 가름을 당함. ㉡나눔. 또,
나누임. ㉢구별. 분별. ㉣사리(事理)를 생각하
여 변별(辨別)함.
[分福 분복] 타고난 복(福).
[分封 분봉] ㉠땅을 나누어 제후(諸侯)를 봉함.
또, 나누인 봉토(封土). ㉡벌통의 여왕벌이 산
란하여 새 여왕벌이 생기면 구(舊)여왕벌과 일
벌의 일부가 딴 통으로 갈려 나가 옮기는 일.
[分付 분부] 나누어 줌.   └분봉(分蜂).
[分賦 분부] 세금 등을 나누어 물림.
[分分 분분] '분분(紛紛)'과 같음.
[分崩 분붕] 산산이 붕괴함. 와해(瓦解).
[分泌 분비] ㉠액즙(液汁)이 스며나옴. ㉡선세포
(腺細胞)의 작용에 의하여 특수한 액즙을 만들
어 배출(排出)하는 기능.   「(散).
[分散 분산] 따로따로 나뉘어서 흩어짐. 이산(離
[分析 분석] ㉠쪽쪽이 나누어 가름. 또, 쪽쪽이
나뉘어 갈라짐. ㉡물질을 구성한 모든 원소(元
素)로 분해함. ㉢개념(槪念)을 그 속성(屬性)
으로 분해함.   「림.
[分釋 분석] 분석(分析)하여 풂. 또, 분석되어 풀
[分線 분선] 지선(支線)에서 갈라져 나간 선(線).
[分設 분설] 나누어서 따로 베풂.
[分歲 분세] 섣달그믐에 온 집안 식구가 모여 사

연(私宴)을 베푸는 일.
[分疏 분소] 변명함. 변해함.
[分屬 분속] 나누어 붙임.
[分碎 분쇄] 잘게 부스러뜨림.
[分手 분수] 이별함. 분금(分襟).
[分首 분수] 분메(分袂).
[分銖 분수] 근소한 분량. 얼마 안 되는 이익. 치수(錙銖).
[分數 분수] ㉠나머지 수(數). ㉡어떠한 수효나 분량을 몇 등분(等分)하여 가를 때에 두 수(數)의 관계를 표시하는 수(數). ㉢분한(分限).
[分水界 분수계] 물이 양쪽으로 갈라져 흐르는 그 경계(境界).
[分水嶺 분수령] 분수계(分水界)를 이룬 산맥(山脈).
[分乘 분승] 나누어 탐.
[分食 분식] 나누어 먹음. 나누어 가짐.
[分蝕 분식] 일식(日蝕)·월식(月蝕)에 있어서의 해나 달의 일부분만이 가려지는 현상. 부분식(部分蝕).
[分身 분신] ㉠분만(分娩). ㉡《佛敎》 부처가 중생(衆生)을 제도(濟度)하기 위하여 여러 가지로 나타내는 몸.
[分室 분실] 한 사무실에서 갈라져 나가 따로 사무를 보는 곳.
[分秧 분앙] 모내기. 삽앙(插秧).
[分野 분야] ㉠전국 시대(戰國時代)에 천문가(天文家)가 중국 전토를 하늘의 이십팔수(二十八宿)에 배당(配當)하여 나눈 칭호. ㉡세력(勢力)의 범위.

[分野 ㉠]

[分讓 분양] 큰 덩어리를 갈라서 여럿에 별러 넘겨줌.
[分業 분업] 일을 나누어서 함.
[分與 분여] 나누어 줌.
[分餘光 분여광] 혼자 쓰고 남는 등불의 빛을 남에게 나누어 비추어 준다는 뜻으로, 은혜(恩惠)를 남에게 베풂을 이름.
[分列 분열] 나뉘어 늘어섬. 또, 나누어 늘어 세움.
[分裂 분열] 찢어서 나눔. 또, 찢어져 나누임. 갈라져 찢김.
[分外 분외] 분수(分數)의 밖. 과분(過分).
[分憂 분우] 지방관(地方官)을 이름. 지방관은 천자(天子)와 근심을 나눈다는 뜻임.
[分韻 분운] 시회(詩會) 석상에서 각자가 사용할 운자(韻字)를 정하는 일.
[分陰 분음] 썩 짧은 시각(時刻).
[分義 분의] 분수를 지킨 정당한 도리(道理).
[分異 분이] 따로따로 함. 또, 따로따로 됨.
[分益 분익] 이익을 나눔.
[分子 분자] ㉠지파(支派)의 자손(子孫). 지손(支孫). ㉡한 개 이상의 원자(原子)가 모여 고유한 성질을 유지하고 있는 화학적 물질(化學的物質)의 최소 입자(最小粒子). ㉢분수(分數) 또는 분수식(分數式)의 횡선(橫線) 위에 있는 수(數).
[分子說 분자설] 모든 물질(物質)은 분자(分子)가 모여 된 것이라고 하는 가설(假說).
[分作 분작] 논밭을 나누어 농사지음.
[分掌 분장] 일을 나누어 맡음.
[分贓 분장] 장물(贓物)을 나눔.
[分財 분재] 재산(財産)을 나눔.
[分爭 분쟁] 여러 패로 갈라져서 서로 다툼.
[分傳 분전] 나누어서 각처에 전함.
[分際 분제] 분한(分限).
[分劑 분제] 약(藥)의 조제(調劑). 조약(調藥).
[分至 분지] 춘분(春分)·추분(秋分)·하지(夏至)·동지(冬至).
[分地 분지] 나누어 주는 땅.
[分枝 분지] 갈라져 나간 가지.
[分徵 분징] 두 사람 이상으로 나누어서 징수함.
[分冊 분책] 한 책을 여러 권으로 나누어서 만듦. 또, 그 책(冊).
[分貼 분첩] 약재를 나누어 첩약(貼藥)을 만듦.
[分秒 분초] ㉠각도의 분과 초. 곧, 영여(零餘)의 수도(數度). ㉡일 분과 일 초. 곧, 매우 짧은 시간(時間).
[分寸 분촌] ㉠1분과 1촌. ㉡근소. 약간.
[分出 분출] 나뉘어 나옴. 또, 나누어 나오게 함.
[分置 분치] 여러 군데로 나누어 둠.
[分針 분침] 시계의 분(分)을 가리키는 바늘.
[分統 분통] 나누어 다스림. 갈라서 지배함.
[分派 분파] 나누인 갈래.
[分破 분파] 나누어서 쪼갬.
[分判 분판] ㉠나눔. 또 나누임. ㉡판단함.
[分布 분포] 나뉘어 퍼짐. 또, 나누어 퍼지게 함.
[分捕 분포] 사람을 여러 군데로 보내어 죄인을 수색하여 잡음.
[分限 분한] 상하(上下)·존비(尊卑)의 한계. 분수(分數).
[分割 분할] 쪼개어 나눔. 또, 쪼개져 나누임.
[分轄 분할] 나누어 관할함. 분관(分管).
[分合 분합] 나뉨과 합함. 또, 나눔과 합침.
[分解 분해] ㉠분별하여 풂. ㉡한 가지의 물질(物質)이 분리(分離)하여 두 가지 이상의 물질로 됨. ㉢한 개념(概念)을 분석(分析)하여 그 속성(屬性)을 설명함.
[分戶 분호] 분가(分家).
[分毫 분호] 근소. 약간. 분촌(分寸).
[分化 분화] 생물(生物)의 조직체 안에서 각 기관이 분업화하는 진화 작용(進化作用).
[分會 분회] 한 회의 하부 조직체.
[分劃 분획] 여러 구획으로 나눔.
[分曉 분효] ㉠첫새벽. 새벽녘. ㉡환히 앎.
◉檢分. 瓜分. 過分. 區分. 均分. 氣分. 多分. 當分. 大分. 等分. 名分. 命分. 微分. 半分. 本分. 剖分. 部分. 不可分. 常分. 線分. 成分. 性分. 細分. 銖分. 時分. 身分. 十分. 安分. 按分. 涯分. 養分. 餘分. 鹽分. 應分. 二分. 才分. 積分. 定分. 情分. 中分. 職分. 處分. 戚分. 天分. 秋分. 春分. 充分. 平分.

2
④ [刈] 人名 예 ㊄隊 魚肺切 yì

字解 ①벨 예 ㉠풀 같은 것을 벰. 곡식을 베어 거둠. '一除'. '一穫'. '願竢時乎, 吾將一'《楚辭》. ㉡베어 죽임. '一人如草'. '應敵力戰, 斫一甚多'《金史》. ②낫 예 풀 같은 것을 베는 연

장. '時雨既至, 挾其槍—耨鎛'《國語》. ③성 예성(姓)의 하나.

字源 甲骨文 乂 乂의別體 乿 形聲. 刂(刀)＋乂〔音〕. '乂예'는 풀을 베는 가위의 상형. '刀도'를 덧붙여, 풀 따위를 베다의 뜻을 나타냄.

[刈除 예제] ㉠풀 같은 것을 베어 없앰. ㉡악인(惡人)을 없애 버림.
[刈穫 예확] 곡물을 베어 거두어들임.
●剗刈. 芟刈. 斫刈. 揃刈. 斬刈. 穫刈.

[召] 〔소〕
口部 二畫(p.342)을 보라.

3⑤ [刟] 〔유·요〕
幼(幺部 二畫〈p.690〉)의 俗字

3⑤ [刊] 高人 간 ㊀寒 苦寒切 kān

筆順 一 二 干 刊 刊

字解 ①벨 간 끊어서 자름. '—陽木而火之'《周禮》. ②깎을 간 깎아 냄. '—削'. '—其柄與末'《禮記》. ③새길 간 ㉠팜. 조각함. '—石'. ㉡판목(版木)을 새김. 전(轉)하여, 출판함. '—行'. '刪裁繁蕪, —改漏失'《後漢書》.

字源 篆文 羽 形聲. 刂(刀)＋干〔音〕. '干간'은 '깎다'의 뜻. 날붙이로 깎다의 뜻을 나타냄.

參考 ①刊(次條)은 別字. ②'刊간'은 나무를 파서 책을 출판하다의 뜻. '刋천'은 '깎다'의 뜻으로 필요 없는 것이나 과오를 깎아서 바로잡는 것으로 두 글자를 구별하고 있지만, 결국은 같은 글자이며 필세(筆勢)가 달라진 것으로 보는 것이 타당함.

[刊刻 간각] 문서(文書)를 판목(版木)에 새김.
[刊改 간개] 판목(板木)을 고쳐 새김.
[刊校 간교] 쓸데없는 글자를 깎아 버리고 잘못을 바르게 고침. 간정(刊定).
[刊落 간락] 깎아 버림.
[刊木 간목] 나무를 벰. 벌목(伐木).
[刊剝 간박] 깎여 벗겨짐. 깎아 냄.
[刊削 간삭] ㉠나무를 깎아 냄. ㉡판목(版木)을 깎아 냄. 전(轉)하여, 붓으로 지워 버림.
[刊刪 간산] 깎아 냄.
[刊誤 간오] 잘못된 글자 같은 것을 깎아 바로잡음. 교정함.
[刊誤本 간오본] 잘못을 바로잡은 책.
[刊印 간인] 인쇄(印刷)함.
[刊正 간정] 간교(刊校).
[刊定 간정] 간교(刊校).
[刊竄 간찬] 시(詩)·문(文) 따위를 깎고 고침.
[刊剟 간철] 깎음. 깎아 냄.
[刊薙 간치] 초목(草木)을 베어 버림.
[刊布 간포] 간행하여 널리 폄.
[刊行 간행] 서적 기타 출판물을 판각하거나 인쇄하여 발행함.
[刊行本 간행본] 간행(刊行)한 책.
●改刊. 隔月刊. 季刊. 公刊. 近刊. 既刊. 發刊. 復刊. 不刊. 夕刊. 續刊. 旬刊. 新刊. 年刊. 月刊. 日刊. 再刊. 停刊. 朝刊. 週刊. 創刊. 初刊. 追刊. 廢刊. 休刊.

3⑤ [刋] 천 ㊀霰 七見切 qiàn

字解 끊을 천 단절함. '—, 切也'《玉篇》.
參考 刊(前條)은 別字. '刊'의 '참고(參考)'를 보라.

3⑤ [刌] 촌 ㊀阮 倉本切 cǔn ㊁銑 此演切

字解 ①저밀 촌 잘게 썲. ②끊을 촌 절단함. '—肺三'《儀禮》.
字源 篆文 訬 形聲. 刂(刀)＋寸〔音〕. '寸촌'은 '조금'의 뜻. 잘게 베다의 뜻을 나타냄.

[刌肺 촌폐] 폐를 썲.

3⑤ [刓] 공 ㊀東 古紅切 gōng

字解 낫공 풀 베는 연장. '鉷, 謂之—'《廣雅》.

3⑤ [㓖] 곤 ㊀元 枯昆切 kūn

字解 가지칠 곤 나무의 가지를 침. '—, 斫木枝也'《集韻》.

3⑤ [刉] 〔기〕
刉(刀部 四畫〈p.246〉)의 俗字

4⑥ [刜] ▤ 리 ㊀支 力脂切 lí
▤ 례 ㊀齊 lǐ

字解 ▤ 가를 리 절단함. 분할함. ▤ 가를 례 ▤과 뜻이 같음.
字源 會意. '刀도'를 셋 합쳐서, '가르다'의 뜻을 나타냄.

4⑥ [初] ▤ 갈 ㊇點 恰八切 qià
▤ 계 ㊀齊 qì

字解 ▤ 잘게썰 갈 솜씨 있게 잘게 썲. '—, 巧—也'《說文》. ▤ 맺을 계 契(大部 六畫)와 통용. '—, 約也'《六書正譌》.
字源 形聲. 刀＋㓞〔音〕

4⑥ [刎] 人名 문 ㊂吻 武粉切 wěn

字解 목벨 문 '—頸之交'. '廢其祀, —其人'《禮記》.
字源 篆文 㓞 形聲. 刂(刀)＋勿〔音〕. '勿물'은 '후려치다'의 뜻. 칼을 후려쳐서 목을 베다를 뜻함.

[刎頸之交 문경지교] 설사 목이 달아날지라도 마음이 변치 아니할 만큼 친한 교제. 곧, 생사(生死)를 함께하는 친한 사이.
●自刎.

4⑥ [刑] 中人 형 ㊀青 戶經切 xíng

筆順 一 二 于 开 刑 刑

字解 ①형벌 형 죄인에게 가하는 제재(制裁). '—法'. '—政'. '折獄致—'《易經》. ②형벌할 형 죄를 줌. '利用—人'《易經》. ③법 형 본받아야 할 전래(傳來)하는 예제(禮制)나 도리. '典

一'. '天地之一'《國語》. ④본받을 형 본보기로 하여 따라 함. '儀一'. '一于寡妻'《詩經》. ⑤목 벨 형 목을 자름. 죽임. '一白馬以盟'《戰國策》. ⑥제어할 형 통솔하여 어거함. 바로잡음. '一下如影'《荀子》. ⑦이루어질 형 성취됨. '教之不一'《禮記》. ⑧꼴 형 形(彡部 四畫)과 통용. '一范正'《荀子》. ⑨국그릇 형 鉶(金部 六畫)과 통용. '啜土一'《史記》.

字源 金文 抍 篆文 形 形聲. 刂(刀)＋开(幵)〔音〕. '幵견'은 틀, 거푸집의 상형. 칼이나 수갑, 차꼬를 받다, 형벌의 뜻.

[刑劫 형겁] 신하(臣下)가 형벌(刑罰)의 권력(權力)을 함부로 행사(行使)함.
[刑科 형과] 형법의 조항(條項).
[刑官 형관] 형법(刑法)을 맡아 죄를 다스리는 벼슬아치. 사법관(司法官). 추관(秋官).
[刑教 형교] 형벌(刑罰)과 교육(敎育).
[刑具 형구] 형벌(刑罰)이나 또는 고문을 하는 데 쓰는 기구(器具).
[刑禁 형금] 법률(法律).
[刑期 형기] 형벌(刑罰)을 받는 기간.
[刑期于無刑 형기우무형] 형벌을 가하는 것은 백성이 형벌을 두려워하여 다시는 죄를 범하지 않게 하는 것이 목적이므로, 형벌을 쓸 필요가 없게 되는 것을 이상으로 함.
[刑德 형덕] 형(刑)과 덕(德). 곧, 오행(五行)의 상생상극(相生相剋)을 이름.
[刑徒 형도] 죄수(罪囚). 죄인.
[刑例 형례] 형벌에 관한 규정.
[刑戮 형륙] ㉠형(刑)에 처함. ㉡형벌(刑罰). ㉢사형(死刑). 형벽(刑辟).
[刑律 형률] 형벌의 법률.
[刑網 형망] 법망(法網).
[刑名 형명] ㉠형벌(刑罰)의 명칭. 곧, 사형·징역 등. ㉡전국 시대(戰國時代)에 한비자(韓非子)가 주장한 학설로 관리를 등용하는 데 그 사람의 의론 곧 명(名)과 그의 실제의 성적 곧 형(刑)의 일치·불일치를 살펴 상벌·출척(黜陟)을 하여야 한다는 설(說). 형(刑)은 형(形).
[刑名學 형명학] 형명(刑名) ❶.
[刑罰 형벌] 죄를 저지른 사람에게 주는 제재(制裁)
[刑法 형법] 죄인을 제재하는 규정(規定). 범죄를 처벌하는 법률.
[刑辟 형벽] ㉠형벌(刑罰). ㉡사형(死刑).
[刑柄 형병] 죄인(罪人)에게 형벌(刑罰)을 주는 권력(權力).
[刑部 형부] 육부(六部)의 하나. 율령(律令)·형옥(刑獄) 등을 맡음.
[刑不上大夫 형불상대부] 형벌은 대부의 몸에는 가해지지 않음. 사대부의 면목을 중히 여기고, 또 그 절의(節義)를 장려하기 때문임.
[刑不厭輕 형불염경] 형벌은 중하게 내리는 것보다는 관대(寬大)하게 내리는 편이 좋음.
[刑死 형사] 처형(處刑)되어 죽음.
[刑事 형사] 형벌(刑罰)의 적용(適用)을 받는 사건.
[刑事訴訟法 형사소송법] 형사 소송(刑事訴訟)의 절차(節次)에 관한 법률.
[刑殺 형살] 형벌로 죽임.
[刑賞 형상] 형벌과 상여(賞與).
[刑書 형서] 형법(刑法)의 조문(條文). 형법(刑法)의 책.

[刑訊 형신] 형장(刑杖)으로 때리며 죄를 심문(審問)함.
[刑餘 형여] ㉠형을 받았으나 목숨을 보존한 사람이란 뜻으로, 전과자(前科者)를 이름. ㉡거세(去勢)된 사람. 환관(宦官). ㉢중. 승려(僧侶).
[刑獄 형옥] ㉠형벌(刑罰). ㉡옥(獄). 감옥. 뇌옥(牢獄).
[刑人 형인] 형벌을 받은 사람.
[刑杖 형장] 죄인(罪人)을 신문(訊問)할 때에 쓰는 막대기.
[刑場 형장] 사형을 집행하는 장소.
[刑典 형전] 형옥(刑獄)에 관한 모든 제도.
[刑政 형정] 죄인을 다스리는 정사(政事). 또, 형벌과 정치.
[刑制 형제] 형법(刑法).
[刑措不用 형조불용] 백성이 죄를 저지르지 않기 때문에 형법을 폐하여 쓰지 않는다는 뜻으로서, 나라가 잘 다스려짐을 이름.
[刑罪 형죄] 형벌을 받아야 할 죄. 또, 형벌.
[刑懲 형징] 형벌을 가(加)해 징계함.
[刑憲 형헌] 형벌(刑罰)의 규정(規定). 형법(刑法).
●減刑. 輕刑. 絞首刑. 絞刑. 求刑. 宮刑. 極刑. 徒刑. 無期徒刑. 無期刑. 罰金刑. 附加刑. 斧鑕刑. 腐刑. 死刑. 私刑. 常刑. 賞刑. 贖刑. 實刑. 量刑. 嚴刑. 五刑. 寃刑. 有期徒刑. 流刑. 肉刑. 儀刑. 自由刑. 杖刑. 財產刑. 典刑. 終身刑. 主刑. 峻刑. 重刑. 磔刑. 處刑. 天刑. 體刑. 峭刑. 秋刑. 笞刑. 炮烙刑. 行刑. 酷刑. 火刑.

4/6 [刓] 완 ㉠寒 五丸切 wán

字解 ①깎을 완 모난 데를 깎아 둥글게 하거나 평평하게 함. '一削'. '一琢'. '一方以爲圜兮'《楚辭》. ②닳을 완 마손(磨損)함. '一缺'. '民力一敝'《唐書》.
字源 篆文 刓 形聲. 刂(刀)＋元〔音〕. '元원'은 '丸환'과 통하여, '둥글다'의 뜻. 네모난 물건의 모서리를 둥그렇게 깎다의 뜻을 나타냄.

[刓缺 완결] 새긴 글자 또는 그림이 닳아 없어짐.
[刓困 완곤] 심히 곤핍함.
[刓方爲圓 완방위원] 네모진 것을 깎아서 둥글게 함. 방정한 절조(節操)를 꺾어 세속에 동화함.
[刓削 완삭] 깎아 냄. 네모진 나무를 깎아 둥글게 함.
[刓琢 완탁] 깎아 갊. 연마(研磨).
[刓敝 완폐] 닳아 결딴남. 피폐함.
[刓弊 완폐] 완폐(刓敝).
●神刓. 鑽刓.

4/6 [刖] 월 ㉠月 魚厥切 yuè

字解 발꿈치벨 월 발꿈치를 베는 형벌에 처함. 고대의 형벌의 하나. '一足'. '一刑'. '一罪五百'《漢書》.
字源 篆文 刖 形聲. 刂(刀)＋月〔音〕. '月월'은 '割할'과 통하여, '끊다'의 뜻. '刀도'를 덧붙여, '베다'의 뜻을 분명히 함.

[刖脚 월각] 죄를 저질러 발꿈치를 잘림. 또, 그 사람.

[刖者 월자] 죄를 저질러 발꿈치를 잘린 사람.
[刖足 월족] 월각 (刖脚).
[刖罪 월죄] 월형 (刖刑)을 당하는 죄.
[刖刑 월형] 발꿈치를 베는 형벌.
●雙刖. 搖刖. 殘刖. 挺刖.

4/6 [列] 中人 렬 Ⓐ屑 良薛切 liè

筆順　一 丁 歹 歹 列 列

字解 ①반열 렬 석차. 위차 (位次). '一次'. '序一'. 陳力就一《論語》. ②줄 렬 늘어선 줄. 행렬·항오 (行伍) 따위. '隊一'. '整一'. '不鼓不成一'《左傳》. ③줄지을 렬 줄을 이루어 늘어섬. '一羅'. '皆一坐殿上'《後漢書》. ④매길 렬 순서를 매김. '故事可一也'《禮記》. ⑤벌릴 렬 분리함. '兩腳一, 兩服入廐'《荀子》. ⑥베풀 렬 차림. 진설 (陳設)함. 진열함. '一俎豆'《史記》.

字源 篆文 會意. 刂 (刀) + 歺 (歹). '歺 렬'은 머리털이 있는 머리뼈의 상형. 칼로 목을 베는 모양에서, '나누다'의 뜻을 나타냄. '裂 렬'의 원자 (原字). 또, '連'과 통하여, '줄지어 늘어서다'의 뜻을 나타냄.

[列強 열강] 여러 강한 나라들.
[列擧 열거] 여러 가지를 들어 말함.
[列缺 열결] 하늘이 찢어져 이지러진다는 뜻으로, '번개'의 별칭 (別稱).
[列繫 열계] 나란히 맴.
[列姑射 열고야] 신선 (神仙)이 산다는 산 (山).
[列公 열공] 삼공 (三公)의 반열 (班列)에 드는 사람.
[列國 열국] ㉠여러 나라. ㉡인접한 나라. 이웃 나라.
[列棘 열극] 경대부 (卿大夫)의 지위.
[列記 열기] 죽 벌여 적음. 열록 (列錄).
[列女 열녀] 정조 (貞操)가 곧은 여자. 열녀 (烈女). 열부 (烈婦).
[列女傳 열녀전] 책 이름. 한 (漢)나라 유향 (劉向)의 찬 (撰). 총 7권. 여러 열녀의 전기 (傳記)를 모의 (母儀)·현명 (賢明)·인지 (仁智)·정신 (貞愼)·절의 (節義)·변통 (辨通)·얼폐 (孽嬖)의 일곱 항목에 나누어 수록하였음. 따로 《속열녀전 (續列女傳)》한 권이 있는데 작자는 미상 (未詳).
[列島 열도] 열 (列)을 지은 모양으로 된 섬.
[列羅 열라] 느런히 열을 지음.
[列列 열렬] 늘어선 모양.
[列錄 열록] 죽 벌이어 적음.
[列立 열립] 죽 늘어섬.
[列名 열명] 여러 사람의 이름을 죽 나란히 적음.
[列眉 열미] 좌우 (左右)에 나란히 있는 눈썹.
[列藩 열번] 늘어선 번병 (蕃屛).
[列辟 열벽] 열후 (列侯) ➊.
[列肆 열사] 가게가 죽 잇달아 있는 저자. 줄지어 있는 점포.
[列敍 열서] 나열함. 또, 나열하여 서술함.
[列席 열석] 자리에 죽 벌이어 앉음.
[列仙傳 열선전] 책 이름. 구본 (舊本)은 한 (漢)나라의 유향 (劉向)의 찬 (撰)이라고 제 (題)하였음. 총 2권. 고래 (古來)의 신선 (神仙) 71인의 전기 (傳記)를 수록하였음.
[列星 열성] 하늘에 죽 늘어선 별.
[列聖 열성] 역대 (歷代)의 천자 (天子).
[列聖朝 열성조] 역대 임금의 조정.

[列世 열세] 대대 (代代). 역대 (歷代).
[列氏寒暖計 열씨한란계] 물의 빙점 (水點)을 80도 (度)로 한 한란계 (寒暖計). 프랑스의 레오뮈르 (Réaumur)가 발명했음.
[列禦寇 열어구] 전국 시대 (戰國時代) 정 (鄭)나라 사람. 그의 학문은 황로 (黃老)를 기본으로 하였으며, 〈열자 (列子)〉 여덟 권을 지었음.
[列外 열외] ㉠늘어선 줄의 바깥. ㉡어떠한 몫이나 축에 들지 않는 부분.
[列曜 열요] 죽 늘어서서 빛남.
[列墉 열용] 길게 뻗은 성 (城)의 담.
[列位 열위] 여러분.
[列邑 열읍] 여러 고을.
[列子 열자] 열어구 (列禦寇). 또, 그가 지은 책.
[列傳 열전] 개인별로 쓴 전기 (傳記)를 차례로 수록 (收錄)한 것.
[列傳體 열전체] 열전 (列傳)의 형식을 취한 역사 기술 (記述)의 방법.
[列朝 열조] '열성조 (列聖朝)'의 준말.
[列坐 열좌] 열좌 (列座).
[列座 열좌] 여러 사람이 벌여 앉음.
[列眞 열진] 많은 진인 (眞人). 진인 (眞人)은 도가 (道家)의 말로서 신불 (神佛)을 이름.
[列陣 열진] 군사를 벌이어 진 (陣)을 침.
[列次 열차] 차례 (次例). 순서.
[列峙 열치] 나란히 우뚝 솟음. 병립 (並立)함.
[列戶 열호] 죽 늘어선 집.
[列侯 열후] ㉠여러 제후들. 제후 (諸侯). ㉡고하 (高下)의 순서에 따라 줄지어 선 제후.
●警列. 系列. 官列. 某列. 羅列. 隊列. 堵列. 同列. 等列. 班列. 配列. 排列. 駢列. 竝列. 分列. 森列. 序列. 數列. 順列. 葬列. 前列. 戰列. 整列. 齊列. 直列. 陳列. 參列. 齒列. 砲列. 行列. 環列. 後列.

4/6 [刉] 기 Ⓓ微 居依切 jī

字解 벨 기 끊어서 자름. 절단함. '釁禮之事用牲, 毛者曰一, 羽者曰刉'《周禮 註》.
字源 篆文 形聲. 刂 (刀) + 气〔音〕. '气 기'는 생기 (生氣) 있는 것의 뜻. 죽이지 않고 희생 제물에서 피를 뽑을 목적으로 칼로 베어 상처를 내다의 뜻을 나타냄. 또, '气'는 '祈 기'와 통하여, 행복을 기구하여 희생 제물을 상처 내다의 뜻으로도 생각할 수 있음.
參考 刉 (刀部 三畫)는 俗字.

4/6 [刜] 결 Ⓐ屑 古穴切 jué

字解 후빌 결 긁어냄.
字源 形聲. 刂 (刀) + 夬〔音〕. '抉 결'의 별체 (別體).

●剔刜.

4/6 [划]

■ 화 Ⓓ麻 戶花切 huá
■ 과 Ⓓ箇 古臥切 guò
■ 획 Ⓐ陌 呼麥切 huà

字解 ■ ①삿대질할 화 삿대로 배를 나아가게 함. '一, 撥進船也'《廣韻》. ②작은배 화 '一子'는 작은 배. '呼小船爲一子'《正字通》. ■ 낫과 풀 베는 낫. '一, 鎌也'《廣雅》. ■ 劃 (刀部 十二畫)의 簡體字.

4/6 [剗] 삼 㣺陷 所鑒切 shàn

字解 벨삼 칼로 벰. ‘刀一’.

4/6 [刘] 〔류〕

劉(刀部 十三畫〈p.268〉)의 俗字

5/7 [初] 中入 초 㣺魚 楚居切 chū

筆順 ーゥァネネ初初

字解 ①처음 초 ㉠시초. 기원(起源). ‘最一’. ‘夫禮之一, 始諸飮食’《禮記》. ㉡시작. 단서(端緖). ‘愼厥一, 惟厥終’《書經》. ㉢근본. ‘不忘其一’《史記》. ‘無以反其性情而復其一’《莊子》. ㉣고사(故事). ‘夫魯有一’《禮記》. ㉤어릴 때. ‘我生之一, 尙無爲’《詩經》. ㉥이전. ‘遂爲母子如一’《左傳》. ㉧처음으로. 처음에. ‘民之一生, 固若禽獸然’《韓愈》. ②성 초 성(姓)의 하나.

字源 會意. 刀+衤(衣)의 ‘衤’는 ‘옷’의 뜻, ‘刀도’는 ‘칼’의 뜻. 칼로 옷을 만들기 위해 마르다의 뜻으로, 그것이 옷을 만드는 첫 단계인 데서 ‘처음’을 뜻함.

[初刻 초각] ㉠초판(初版). ㉡한 시간의 맨 처음 각(刻).

[初刊 초간] 맨 처음의 간행. 원간(原刊).

[初見 초견] 처음으로 봄.

[初更 초경] 하룻밤을 오경(五更)으로 나눈 첫째의 경(更). 곧, 오후 7시부터 9시까지.

[初耕 초경] 논과 밭을 애벌로 갊.

[初校 초교] 첫 번의 교정(校正). 초준(初準).

[初九 초구] 괘(卦)의 아래에서 첫 번째의 양효(陽爻).

[初級 초급] 맨 처음의 등급(等級).

[初期 초기] 처음의 시기.

[初吉 초길] 음력 매월 초하루.

[初年 초년] ㉠전 생애의 초기. ㉡처음 시기.

[初念 초념] 처음에 먹는 마음.

[初段 초단] ㉠첫 단(段). ㉡유도(柔道)·검도(劍道)·바둑 등의 맨 처음의 제일 낮은 단(段).

[初唐 초당] 당(唐)나라의 초기(初期). 곧, 시학상(詩學上)으로 태조(太祖)부터 현종(玄宗)의 개원 연간(開元年間)에 이르기까지의 사이.

[初代 초대] 한 계통을 맨 처음으로 세운 사람. 또, 그 사람의 시대.

[初度 초도] ㉠출생(出生)한 때. ㉡생일(生日). ㉢처음. 첫 번.

[初度日 초도일] 생일(生日). 초도(初度).

[初冬 초동] ㉠초겨울. 맹동(孟冬). ㉡음력 10월의 이칭(異稱).

[初頭 초두] 애초. 첫머리.

[初等 초등] 맨 처음의 등급(等級).

[初等學校 초등학교] 학령(學齡) 아동에게 초등 보통 교육을 베푸는 학교.

[初涼 초량] 처음으로 느끼는 서늘한 기운. 초가을의 서늘한 기운. 신량(新涼).

[初鍊 초련] ㉠재목을 베어 처음으로 대강 다듬는 일. 곧, 껍질을 벗기고 옹이를 다듬는 일. ㉡무슨 일을 초벌로 대강만 매만지는 일.

[初老 초로] 40세의 일컬음.

[初面 초면] 처음으로 만남.

[初卯 초묘] 정월의 첫 묘일(卯日).

[初發心 초발심] 《佛敎》 처음으로 불도(佛道)에 들어가려고 하는 마음.

[初配 초배] 먼젓번의 아내. 전배(前配).

[初褙 초배] 도배할 때에 품질이 낮은 종이로 맨 먼저 바르는 도배.

[初犯 초범] 처음으로 죄를 범함. 또, 그 사람.

[初壁 초벽] 새벽하기 전에 초벌로 흙을 바름. 또, 그 벽.

[初步 초보] ㉠첫걸음. ㉡학문·기술 등의 첫걸음. 가장 낮은 정도.

[初伏 초복] 삼복(三伏)의 하나. 소서(小暑)가 지난 뒤의 첫 경일(庚日).

[初服 초복] 초의(初衣).

[初分 초분] 초년(初年)의 운수.

[初氷 초빙] 그해에 처음으로 언 얼음.

[初仕 초사] 처음으로 벼슬을 함.

[初産 초산] 처음으로 아이를 낳음.

[初三 초삼] 음력 매월 초사흘.

[初喪 초상] 사람이 죽어서 장사(葬事) 지낼 때까지의 동안.

[初霜 초상] 그해에 처음으로 내린 서리.

[初生 초생] ㉠처음 생겨남. ㉡초승.

[初雪 초설] 그해에 처음으로 내린 눈. 첫눈.

[初聲 초성] 한 음절에서 처음으로 나는 소리. 첫 소리.

[初世 초세] 나라의 첫 시대.

[初旬 초순] 그 달 초하룻날부터 열흘날까지의 열흘 동안. 상순(上旬).

[初心 초심] 처음의 마음. 본디 먹은 마음.

[初審 초심] 소송 사건(訴訟事件)에 있어서 첫 번의 심리(審理).

[初也 초야] 애초에.

[初夜 초야] ㉠초경(初更). ㉡《佛敎》 초경(初更)의 근행(勤行).

[初陽 초양] 아침 해. 초일(初日).

[初嚴 초엄] 행군(行軍)의 호령(呼令)의 하나. 초엄(初嚴)에 대오(隊伍)를 정돈(整頓)하고, 이엄(二嚴)에 무기(武器)를 갖추고, 삼엄(三嚴)에 행군함.

[初虞 초우] 장사(葬事) 지낸 뒤 첫 번으로 지내는 제사(祭祀).

[初旭 초욱] 아침 해. 초일(初日).　　　　「望」

[初願 초원] 처음의 소원. 최초(最初)의 희망(希

[初月 초월] 초승달. 신월(新月).

[初有 초유] 처음으로 있음.

[初衣 초의] 아직 사환(仕宦)하기 전에 입던 옷. 초복(初服).

[初意 초의] 초지(初志).

[初日 초일] ㉠아침 해. ㉡처음날. 첫날.

[初任 초임] 처음으로 임명됨.

[初入 초입] 처음으로 들어감.　　　　「(章)

[初章 초장] 음악(音樂)·가곡(歌曲)의 첫째 장

[初場 초장] 첫날의 과장(科場).

[初政 초정] 임금의 처음 정사(政事).

[初祖 초조] ㉠시조(始祖). ㉡《佛敎》 선가(禪家)에서 달마(達磨)를 이름.

[初肇 초조] 처음.

[初終 초종] 초상(初喪)이 난 뒤로부터 졸곡(卒哭) 때까지를 일컬음.

[初準 초준] 초교(初校).

[初志 초지] 처음의 뜻. 처음에 먹었던 뜻. 소지(素志).

[初職 초직] 초사(初仕)로 한 첫 벼슬.
[初次 초차] 처음의 차례. 첫 번.
[初創 초창] 사업을 처음으로 시작함.
[初秋 초추] ㉠초가을. 맹추(孟秋). ㉡음력 7월의 이칭(異稱).
[初春 초춘] ㉠초봄. 맹춘(孟春). ㉡음력 정월의 이칭(異稱).
[初出 초출] 처음으로 나옴.
[初娶 초취] 첫 번 장가로 맞아들인 아내. 초실(初室).
[初版 초판] 서적(書籍)의 제일판(第一版). 처음 판. 첫 판.
[初夏 초하] ㉠초여름. 맹하(孟夏). ㉡음력(陰曆) 4월의 이칭(異稱).
[初瘧 초학] 처음으로 앓는 학질.
[初學 초학] ㉠학문을 처음으로 배움. 또, 그 사람. 초학자(初學者). ㉡익숙하지 못한 학문.
[初學記 초학기] 당(唐)나라 서견(徐堅) 등이 칙명(勅命)을 받들어 찬(撰)한 유서(類書). 30권. 경사(經史)와 문장(文章)의 대요(大要)를 26부로 나누어 유찬(類纂)한 것으로서 대단히 정요(精要)함.
[初寒 초한] 겨울의 첫 추위.
[初項 초항] 첫 항목(項目).
[初行 초행] 첫 번으로 감. 또, 그 길.
[初獻 초헌] 제사(祭祀) 때 첫 번으로 잔을 신위(神位)에 드림.
[初弦 초현] 음력 매월 7~8일경에 뜨는 달의 상태. 상현(上弦).
[初昏 초혼] 해가 지고 처음으로 어두워 올 때. 땅거미.
[初婚 초혼] 첫 번의 혼인.
[初回 초회] 첫 번.
[初會 초회] ㉠처음으로 만남. 초대면(初對面). ㉡최초(最初)의 회(會).
[初爻 초효] 괘(卦)의 제일 아래의 효(爻).
●劫初. 古初. 國初. 當初. 本初. 歲初. 始初. 年初. 往初. 虞初. 原初. 週初. 最初. 太初. 泰初.

5 ⑦ [刦] 〔겁〕
刼(刀部 五畫〈p.251〉)과 同字

5 ⑦ [刪] 〔人名〕 산 ㉮刪 所姦切 shān
〔字解〕 깎을 산 삭제함. '一削'. '一改'. '一其僞辭, 取正義, 著於篇'《漢書》.
〔字源〕 會意. 刂(刀)와 册(冊). '冊책'은 글자가 씌어진 대쪽의 모양을 본뜸. 문헌(文獻)을 취사(取捨)하는 모양에서, 씌어진 글씨의 부적당한 것을 칼로 깎다의 뜻을 나타냄.
〔參考〕 删(次條)과 同字.

[刪改 산개] 쓸데없는 글자나 글귀를 깎아 내어 고침. 개산(改刪).
[刪略 산략] 깎아 내어 덞. 산생(刪省).
[刪蔓 산만] '제번(除煩)'의 뜻으로 편지(便紙) 서두(書頭)에 쓰는 말.
[刪補 산보] 쓸데없는 부분은 삭제하고 부족한 부분을 보충함. 산습(刪拾).
[刪削 산삭] 쓸데없는 글자나 글귀를 지워 버림. 산생(刪省).

[刪省 산생] 삭제하여 생략함.
[刪敍 산서] 쓸데없는 글자나 글귀를 삭제하고 필요한 것을 기술함.
[刪修 산수] 쓸데없는 부분을 깎아 내어 정리함.
[刪述 산술] 산정(刪定)하여 기술함. 산습(刪拾).
[刪詩 산시] 시경(詩經)의 개산(改刪). 3천여 수(首) 있던 시(詩)를 공자(孔子)가 삭제하여 305편(篇)으로 한 것을 이름.
[刪潤 산윤] 깎아 내어 고치고 살을 붙여 윤색함. 산개윤색(刪改潤色).
[刪翦 산전] 산제(刪除).
[刪節 산절] 어구(語句)를 깎아 내어 줄임. 산생(刪省).
[刪正 산정] 산수(刪修).
[刪定 산정] 글자나 글귀의 잘못을 깎아 내어 개정(改定)함. 취사(取捨)하여 정함. 산수(刪修).
[刪除 산제] 깎아 버림. 산삭(刪削).
[刪次 산차] 여분(餘分)의 자구(字句)를 깎아 내어 차례를 정함.
[刪撰 산찬] 산서(刪敍).
[刪革 산혁] 산개(刪改).
●加刪. 刊刪. 改刪. 比氏刪. 野人刪. 採刪. 擇刪. 討刪. 筆刪.

5 ⑦ [删]
刪(前條)과 同字

5 ⑦ [判] 〔中人〕 판 ㉮翰 普半切 pàn
〔筆順〕 丶 丷 丷 峾 半 判 判
〔字解〕 ①가를 판 ㉠쪼갬. '剖一'. ㉡나눔. 구분함. '分一'. '區一文體'《齊書》. ㉢시비곡직을 가름. 재결함. 판단함. '一決'. '裁一'. '但第一能否'《唐書》. ②나누일 판 떨어짐. 분리함. '上下旣有一矣'《國語》. ③판정될 판 정하여짐. 결정이 남. '吉凶爲一'《宋書》. ④판단 판, 판결 판 재결(裁決). '南山可移, 一不可搖也'《唐書》. ⑤한쪽 판 두 물건이 서로 합해서 온전한 한 물건이 되는 것. '掌萬民之一'《周禮》. ⑥맡을 판 재상(宰相)이 백성을 다스리는 일을 맡거나 대관(大官)이 딴 관직을 겸섭(兼攝)하는 일. '宰相出典州曰一'《韻會》. '尋以本官攝一東宮'《隋書》.
〔字源〕 形聲. 刂(刀)＋半〔音〕. '半반'은 '둘로 나누다'의 뜻. 칼로 분명하게 가르다의 뜻을 나타냄.

[判決 판결] ㉠시비(是非)·선악(善惡)을 판단하여 결정함. ㉡법원(法院)이 법률을 적용(適用)하여 소송 사건(訴訟事件)을 판단하여 결정함.
[判歉 판겸] 반드시 흉년이 들 것이라고 판단함.
[判官 판관] 당대(唐代)에 절도사(節度使)·관찰사(觀察使) 으로서 행정(行政)을 맡아 분장(分掌)하였던 벼슬아치.
[判斷 판단] 사물의 가부(可否)·진위(眞僞)·시비(是非)·곡직(曲直) 등을 분별하여 정함.
[判讀 판독] 뜻을 판단하면서 읽음.
[判例 판례] 소송 사건(訴訟事件)을 판결(判決)한 선례(先例).
[判明 판명] 사실이 똑똑하게 드러남. 분명(分明)히 알려짐.
[判無 판무] 아주 없음. 확실히 없음.

[判無識 판무식] 글자를 한 자도 모름. 일자무식(一字無識).
[判別 판별] 가름. 구별함.
[判事 판사] ㉠사건의 판정(判定). 소송(訴訟)의 재판. ㉡형벌을 맡은 벼슬아치. 법관(法官).
[判書 판서] ㉠두 사람이 각각 한 쪽씩 가지고 있는 계약서. ㉡《韓》 육조(六曹)의 장관(長官).
[判押 판압] 수결(手決).
[判然 판연] 아주 환하게 판명(判明)된 모양.
[判異 판이] 아주 다름.
[判狀 판장] 죄(罪)를 판결(判決)하는 선고문(宣告文).
[判正 판정] 판별(判別)하여 바로잡음. 단정(斷正).
[判定 판정] 판별(判別)하여 결정함.
[判知 판지] 판단하여 앎.
◉公判. 菊判. 論判. 談判. 名啣判. 剖判. 批判. 詳判. 身言書判. 審判. 連判. 誤判. 印判. 自判. 裁判. 銓判. 通判. 評判. 血判.

5
⑦ [刎] 구 [平]尤 古侯切 gōu

[字解] 낫 구 풀 따위를 베는 연장. 鉤(金部 五畫)와 同字. '一, 鎌也'《說文》.
[字源] 形聲. 刂(刀)＋句〔音〕

5
⑦ [別] [中·人] 별 [入]屑 皮列切 bié 

[筆順] 丨 冂 口 号 另 別 別

[字解] ①다를 별 ㉠같지 아니함. 한 사물이 아님. '一途'. '情懷似一人'《李廓》. ㉡특별함. '一世界'. '詩有一才'《滄浪詩話》. ②나눌 별, 가를 별 ㉠분할함. 분리함. '析一'. '宰庖之切割分一也'《淮南子》. ㉡구별함. '我又欲與若一之'《列子》. ㉢구분함. 구획함. '此天地所以界一區域絶外內也'《漢書》. ㉣분별함. '由一之'《穀梁傳》. ③나누일 별, 갈라질 별 ㉠떨어짐. '小山一大山鮮'《爾雅》. ㉡구별이 됨. '貴賤之義一矣'《禮記》. ㉢갈래가 짐. '東一爲沱'《書經》. ④떠날 별 이별함. '惜一'. '告一莫怱怱'《杜甫》. ⑤구별 별 '成男女之一'《禮記》. ⑥갈래 별 분기(分岐). '繼 一爲宗'《禮記》. ⑦이별 별 생이별·사별(死別) 또는 작별. '黯然銷魂者惟一而已矣'《江淹》. ⑧따로 별 다르게. 별도로. '一有天地非人間'《李白》. ⑨성 별 성(姓)의 하나.
[字源] [篆文]  會意. 冎(另)＋刂(刀). '冎과'는 뼈의 상형. 뼈를 살에서 발라내다의 뜻에서 '나누다'의 뜻을 나타냄.
[參考] 别(次條)은 俗字.

[別駕 별가] 자사(刺史)가 주(州)를 순행할 때 수행(隨行)하는 벼슬. 딴 수레에 타고 가기 때문에 이름.
[別居 별거] 따로 살림을 함.
[別乾坤 별건곤] 별천지(別天地).
[別格 별격] 보통과 다른 특별한 격식(格式), 또는 품등(品等).
[別徑 별경] 딴 작은 길. 지름길.
[別故 별고] 다른 연고(緣故). 뜻밖의 사고(事故).
[別庫 별고] 물건을 특별히 따로 넣어 두는 곳집.
[別棍 별곤] 크게 만든 곤장(棍杖).
[別科 별과] 본과(本科) 외에 따로 설치(設置)한 과(科).
[別館 별관] 본관(本館) 밖에 따로 설치한 집.
[別軍 별군] 별도의 군사. 본대(本隊) 이외의 군대(軍隊).
[別宮 별궁] 《韓》 왕(王)·왕세자(王世子)의 가례(嘉禮) 때에 비빈(妃嬪)을 맞아들이는 궁전(宮殿).
[別岐 별기] 딴 갈래.
[別記 별기] ㉠따로 적음. ㉡본문(本文)에 붙여 따로 적은 기록.
[別納 별납] 따로 바침.
[別堂 별당] ㉠몸채의 옆 또는 뒤에 따로 떨어져 있는 집. ㉡《佛敎》 주지(住持)나 강사(講師) 같은 이가 거처하는 곳.
[別當 별당] 관아(官衙)의 장(長).
[別途 별도] ㉠길을 달리함. 또, 다른 길. ㉡딴 용도(用途).
[別動隊 별동대] 본대(本隊)로부터 따로 떨어져 독립하여 작전(作戰)에 임(臨)하는 부대.
[別路 별로] ㉠길을 달리하여 감. 딴 길을 감. ㉡갈림길.
[別錄 별록] 달리 만든 기록.
[別淚 별루] 이별(離別)의 눈물.
[別離 별리] 이별(離別).
[別名 별명] 본명(本名) 이외에 지어 부르는 이름. 이명(異名).
[別味 별미] 특별히 맛있는 음식(飮食). 또는 그 맛.
[別坊 별방] 딴 방(房).
[別房 별방] ㉠딴 방. 다른 방. 또, 딴채. ㉡소실(小室). 첩(妾).
[別杯 별배] 이별(離別)을 아끼는 술잔. 이배(離杯).
[別陪 별배] 《韓》 관원(官員)의 집에서 사사로이 부리는 하인.
[別白紙 별백지] 품질이 아주 좋은 백지.
[別法 별법] 다른 방법.
[別報 별보] 특별한 기별(奇別).
[別腹 별복] ㉠배다름. 이복(異腹). ㉡서출(庶出).
[別本 별본] ㉠다른 책. 이본(異本). ㉡부본(副本).
[別封 별봉] ㉠따로 싸서 봉(封)함. ㉡따로 봉한 편지.
[別備 별비] 특별한 준비.
[別事 별사] ㉠다른 일. 딴 일. ㉡색다른 일.
[別使 별사] 특별한 사신(使臣).
[別辭 별사] 이별(離別)의 말. 이별사(離別辭).
[別狀 별상] 다른 상태. 딴 모양. 이상(異狀).
[別墅 별서] 별장(別莊).
[別緖 별서] 이별(離別)의 마음.
[別席 별석] 따로 베푼 자리.
[別扇 별선] 보통 것보다 한결 잘 만든 부채.
[別設 별설] 특별히 베풂.
[別世 별세] 세상을 떠남. 곧, 죽음.
[別歲 별세] 그믐날 손을 초대하여 베푸는 잔치. 망년회(忘年會).
[別世界 별세계] ㉠지구(地球) 밖의 세계(世界). ㉡딴 세상. 속세(俗世)와는 다른 세상.
[別所 별소] 다른 곳. 딴 집.
[別送 별송] 특별히 보냄.
[別愁 별수] 이별의 수심(愁心). 이별하는 괴로움. 이수(離愁).
[別數 별수] 특별히 좋은 운수.
[別時 별시] 이별(離別)할 때.
[別食 별식] 늘 먹는 것이 아닌 특별한 음식.
[別室 별실] ㉠딴 방. ㉡소실(小室). 첩(妾). 별

방(別房).
[別樣 별양] 보통과 다른 모양.
[別言 별언] 딴말.
[別業 별업] ㉠별장(別莊). ㉡다른 직업(職業).
[別宴 별연] 송별연(送別宴).
[別筵 별연] 별연(別宴).
[別諭 별유] 특별한 유시(諭示).
[別銀 별은] 황금(黃金)의 별칭.
[別義 별의] 다른 뜻. 딴 뜻.
[別意 별의] ㉠이별의 마음. ㉡다른 의사(意思). 타의(他意).
[別異 별이] 다름.
[別而聽之 별이청지] 따로따로 한 사람 한 사람에게 들어봄.
[別人 별인] 딴 사람. 타인(他人).
[別入侍 별입시] 《韓》신하(臣下)가 임금에게 사사로이 뵈옵는 일.
[別孕 별잉] 물고기. 물고기는 수놈과 떨어져서 새끼를 낳으므로 이름.
[別字 별자] ㉠딴 글자. ㉡잘못되어 딴 글자로 된 것. 와자(譌字). ㉢글자의 형체(形體)를 분석(分析)함. 석자(析字). ㉣별명(別名)함.
[別莊 별장] 본집 밖에 경치 좋은 곳에 따로 장만하여 둔 집.
[別章 별장] 이별(離別)을 읊은 시문(詩文).
[別將 별장] 다른 장수. 별군(別軍)의 장수.
[別才 별재] 특별한 재주.
[別邸 별저] 별장(別莊).
[別楮 별저] 딴 종이.
[別奠 별전] 임시로 지내는 조상(祖上)의 제사.
[別殿 별전] 딴 궁전(宮殿).
[別第 별제] 별장(別莊).
[別製 별제] 별다르게 된 제조(製造).
[別種 별종] ㉠특별한 종류(種類). ㉡특별히 선사하는 물건.
[別座 별좌] ㉠좌석을 달리함. ㉡딴 좌석.
[別酒 별주] ㉠이별(離別)할 때 나누는 술. ㉡특별히 빚은 술.
[別症 별증] 어떠한 병(病)에 딸려 나는 다른 병.
[別紙 별지] ㉠딴 종이. ㉡따로 적어 덧붙인 종이쪽.
[別集 별집] 매인별(每人別)로 된 문집(文集). 한 사람의 문집.
[別饌 별찬] 특별한 반찬.
[別冊 별책] 다른 책. 딴 책.
[別策 별책] 다른 계책(計策). 다른 책략(策略).
[別天地 별천지] 속계(俗界)를 떠난 딴 세계. 사람이 사는 이 세상과 전연 다른 세계. 별건곤(別乾坤).
[別體 별체] 특별한 문체(文體)나 또는 자체(字體).   「體」.
[別趣 별취] 딴 정취(情趣). 특별한 정취.
[別致 별치] 별취(別趣).
[別稱 별칭] 달리 일컫는 이름. 딴 이름.
[別宅 별택] 본집 외에 따로 가진 집. 별제(別第). 별저(別邸). 별장(別莊).
[別擇 별택] 특별히 가려서 뽑음.
[別派 별파] 딴 파. 타파(他派).
[別表 별표] 따로 붙인 표(表).
[別品 별품] 특별히 좋은 물품.
[別風淮雨 별풍회우] 글자를 잘못 씀을 이름. '열풍음우(列風淫雨)'라고 써야 할 것을 잘못 쓴 고사(故事)에서 나옴.   「음.
[別恨 별한] 이별의 한탄. 이별할 때의 섭섭한 마

[別項 별항] 다른 조항(條項)이나 사항.
[別行 별행] 딴 줄.
[別號 별호] ㉠호(號). ㉡딴 이름. 일명(一名).
[別魂 별혼] ㉠몸을 떠난 혼. ㉡이별할 때의 섭섭한 마음.
[別後 별후] 떠난 이후. 떠난 이래.
●各別. 恪別. 鑑別. 個別. 格別. 甄別. 訣別. 界別. 告別. 區別. 袂別. 辨別. 夫婦別. 分別. 死別. 辭別. 生別. 敍別. 惜別. 選別. 性別. 送別. 識別. 兒女別. 哀別. 永別. 遠別. 有別. 留別. 類別. 離別. 人別. 一別. 作別. 餞別. 種別. 峻別. 支別. 差別. 千差萬別. 特別. 派別. 判別. 行別. 環別. 後別. 戶別.

5
⑦ [別] 別(前條)의 俗字

5
⑦ [利] ㊥리 ㊞寘 力至切 lì   和

筆順 一 二 千 禾 禾 利 利

字解 ①날카로울 리 칼 같은 것이 잘 듦. '一鈍'. '銳一'. '子之劍蓋一劍也'《公羊傳》. ②날랠 리 재빠름. 민첩함. '手足便一'《史記》. ③이로울 리 유익함. 유리함. 좋음. 편함. '便一'. '一涉大川'《易經》. ④이롭게할 리 유익하게 함. 유리하게 함. 편하게 함. '一生'. '一用厚生'《書經》. ⑤탐할 리 이를 탐냄. '先財而後禮, 則民一'《禮記》. ⑥이 리 ㉠이익. '私一'. '小人以身殉一'《莊子》. ㉡장사하여 덧붙는 돈. '營一'. '逐什一之一'《史記》. ㉢행복. 복록(福祿). '福一'. '中不容一'《書經》. ㉣공용(功用). '水一'. '天時不如地一'《孟子》. ㉤부(富). '獨擅山東之一'《史記》. ⑦길미 리 변리. 이자. '一殖不納一矣'《唐書》. ⑧힘 리 전승(戰勝). '權一'. '國之一器'《老子》. ⑨승전 리 전승(戰勝). '勝一'. '乘一席卷'《史記》. ⑩성 리 성(姓)의 하나.
字源 甲骨文 金文 篆文 古文 會意. 刂(刀)＋禾. '刀'도'는 날카로운 칼의 상형. '禾禾'는 벼의 상형. 甲骨文은 '又'・'土'가 덧붙여져 있어 벼에 손을 대고 날카로운 쟁기로 흙을 갈아엎는 모양을 나타냄. '날카롭다'의 뜻이나 날카로운 쟁기로 농사일에 유용하게 하다의 뜻을 나타냄.

[利舸 이가] 빨리 닫는 배. 경가(輕舸). 주가(走舸).
[利權 이권] 이익의 독점(獨占).
[利劍 이검] 날카로운 칼. 잘 드는 칼.
[利巧 이교] ㉠예리하고 교묘함. ㉡사리(私利)를 도모하는 데 약빠름.
[利交 이교] 이익을 위하여 사귐.
[利口 이구] 구변(口辯)이 좋음. 말을 잘함.
[利權 이권] ㉠권력. ㉡이익과 권리.
[利根 이근] 《佛敎》영리한 자질(資質).
[利金 이금] 예리(銳利)한 금속(金屬).
[利己 이기] 자기 한 몸의 이익과 쾌락(快樂)만을 꾀함.
[利器 이기] ㉠예리(銳利)한 무기. ㉡편리한 기계(器械). ㉢뛰어난 재능. ㉣권세. 권력. ㉤이용(利用).
[利己心 이기심] 자기의 이익과 쾌락만을 생각하는 마음.

[利己主義 이기주의] 자기의 행복만을 꾀함을 행위의 목적으로 하는 주의.　　　　　　「함.
[利尿 이뇨] 약제(藥劑)를 써서 오줌이 잘 나오게
[利達 이달] 입신출세(立身出世). 영달(榮達).
[利刀 이도] 날카로운 칼. 잘 드는 칼.
[利導 이도] 잘 인도(引導)함. 유리하게 인도함.
[利竇 이두] 재물의 이익이 생길 만한 길. 잇구멍.
[利鈍 이둔] ㉠날카로움과 무딤. ㉡날램과 굼뜸. ㉢이익과 손해.
[利遁 이둔] 세상을 피하여 몸을 보존함.
[利得 이득] 이익의 소득. 이익. 득.
[利祿 이록] 이득과 녹봉(祿俸).
[利倍 이배] 이익이 곱이 됨.
[利兵 이병] 예리한 무기. 이금(利金).　　　「害)
[利病 이병] 이로운 일과 병폐로운 일. 이해(利
[利福 이복] 이익(利益)과 행복(幸福).
[利鋒 이봉] 날카로운 칼날.
[利不從天來 이부종천래] 이(利)는 저절로 하늘에서 떨어져 내려오는 일은 없음.
[利分 이분] ㉠이득(利得). ㉡이자(利子).
[利不可獨食 이불가독식] 이익(利益)을 혼자 차지하지 못함.
[利生 이생]《佛敎》부처가 중생(衆生)에게 이롭게 하여 주는 일.
[利析秋毫 이석추호] 사소한 이해까지 따진다는 뜻으로, 인색함을 이름.
[利舌 이설] 이구(利口).
[利涉 이섭] 항해(航海)함.
[利水 이수] 물이 잘 흐르게 함.
[利藪 이수] 이익이 많은 곳.
[利水道 이수도] 약제(藥劑)를 써서 소변(小便)이 잘 나오게 함.
[利市 이시] 물품을 팔아 이익(利益)을 얻음.
[利息 이식] 변리(邊利). 길미.
[利殖 이식] 이(利)가 이를 낳아 자산(資産)이 불음. 화식(貨殖).
[利眼 이안] ㉠예리(銳利)한 눈. ㉡하늘에 일월(日月)이 있는 것은 사람에게 두 눈이 있는 것과 같다 하여, '일월'을 이름. ㉢임금을 비유(比喩)함.
[利銳 이예] 날카로움. 예리(銳利).
[利往 이왕] 전도(前途)의 행복(幸福)을 이름.
[利欲 이욕] 이익을 탐(貪)내는 욕심.　　　「함.
[利用 이용] 사용을 유리하게 함. 유리하게 사용
[利用厚生 이용후생] 기물의 사용을 편리하게 하고 재물을 풍부히 하여 백성의 생활을 윤택하게 함.
[利運 이운] 좋은 운수. 행운(幸運).
[利源 이원] 이익이 생기는 근원.
[利潤 이윤] ㉠이익(利益). ㉡기업가(企業家)의 순이익(純利益).　　　　　　　　　「율.
[利率 이율] 본전(本錢)에 대한 변리(邊利)의 비
[利益 이익] ㉠이(利). 이득. ㉡유익(有益)함. ㉢《佛敎》부처의 은혜. 부처의 도움.
[利刃 이인] 잘 드는 칼. 이도(利刀).
[利子 이자] 변리(邊利). 길미.
[利趾 이지] 질족(疾足).
[利之利 이지리] 이자(利子)에서 생기는 이자.
[利之所在皆爲賁諸 이지소재개위분제] 이익이 되는 일을 하는 데는 사람들이 모두 옛날의 용사(勇士) 맹분(孟賁)이나 전제(專諸)와 같이 용감하여짐.
[利鏃 이촉] 날카로운 살촉.

[利觜 이취] 날카로운 부리. 또 말 잘하는 입을 이름.
[利他 이타] 자기는 돌보지 않고 남의 이익·행복을 꾀함.
[利他主義 이타주의] 다른 사람의 이익·행복의 증진(增進)을 인생(人生)의 목적으로 하는 주의. 애타주의(愛他主義).
[利澤 이택] 이익(利益)과 은택(恩澤).
[利便 이편] 편익(便益). 편리(便利).
[利弊 이폐] 이익(利益)과 폐해(弊害).
[利害 이해] 이익과 손해(損害).
[利害得失 이해득실] 이익과 손해와 얻음과 잃음.
[利害相半 이해상반] 이익과 손해가 반섞임.
●巨利. 高利. 公利. 功利. 國利. 權利. 奇利. 單利. 末利. 名利. 冥利. 謀利. 薄利. 邊利. 複利. 福利. 佛舍利. 不利. 私利. 舍利. 射利. 奢利. 商利. 厚利. 細利. 小利. 水利. 勝利. 市利. 實利. 漁父之利. 魚鹽之利. 榮利. 穎利. 營利. 銳利. 元利. 有利. 遺利. 一時之利. 財利. 征利. 調利. 舟楫之利. 重利. 地利. 天時不如地利. 抽利. 貪利. 便利. 暴利. 倖利. 毫末之利. 貨利. 厚利.

5 ⑦ [**刜**] 불 ㉠物 符弗切 fú
字解 가를 불 쪼갬. '苑子—林雍, 斷其足'《左傳》.
字源 [甲骨文] [金文] [篆文] 形聲. 刂(刀)＋弗〔音〕. '弗불'은 '떨치다'의 뜻. 칼로 후려 떨치다, 치다, 베다, 제거하다의 뜻을 나타냄.

5 ⑦ [**刣**] 점 ㉯琰 多忝切 diǎn
字解 칼이빠질 점 칼이 이가 빠짐.
字源 [篆文] 形聲. 刂(刀)＋占〔音〕. '占점'은 '點점'과 통하여, '표시, 상처'의 뜻. 칼에 붙은 점의 뜻에서, '이가 빠지다, 빠지게 하다'의 뜻을 나타냄.

5 ⑦ [**刧**] 겁 ㉠葉 訖業切 jié
字解 ①겁탈할 겁 위협하거나 폭력을 써서 빼앗음. '—掠'. '—刜熊羆之室'《左思》. ②으를 겁 위협하여 나쁜 짓을 못하게 함. '—之以師友'《荀子》.
參考 劫(刀部 五畫)·劫(力部 五畫)과 同字.

[刧掠 겁략] 위협하거나 폭력을 써서 빼앗음.

5 ⑦ [**刨**] 포 ㉮看 蒲交切 páo
字解 깎을 포 칼 같은 것으로 얇게 떼어 냄.
字源 形聲. 刂(刀)＋包〔音〕

5 ⑦ [**刡**] 〔할〕
割(刀部 十畫〈p.264〉)의 古字

6 ⑧ [**刱**] 〔창〕
創(刀部 十畫〈p.265〉)의 古字
字源 [金文] [金文] [篆文] 形聲. 井(井)＋刅〔音〕. '井정'은 칼·항쇄(項鎖)

의 상형(象形). '刅창'은 상처를 내다의 뜻을 나타내며, 시작하다의 뜻도 나타냄. 본래 '刅' 이었는데, 뒤에 '井'을 덧붙임. '創'의 古字.

6
⑧ **[刼]** 〔겁〕
劫(刀部 五畫〈p. 251〉)의 俗字

6
⑧ **[刴]** 〔겁〕
刧(刀部 五畫〈p. 248〉)의 俗字

6
⑧ **[券]** [高人] 권 [去]願 去願切 quàn

[筆順] 丿 八 䒑 兰 类 关 券 券

[字解] ①엄쪽 권 어음을 쪼갠 한 쪽. '左一'. '右一'. '合一焚之'《史記》. 전(轉)하여, 계약서. 증서. '證一'. '債一'. ②언약할 권 약속함. '一內者行乎無名'《莊子》.

[字源] 篆文 形聲. 刀+𢍏〔音〕. '𢍏권'은 '말다'의 뜻. 칼로 나무쪽에 칼집을 내어 약속한 것을 둘로 쪼개어, 양편이 각자 끈으로 감아서 뒷날의 증거로 삼는 어음쪽의 뜻을 나타냄.

[參考] 劵(力部 六畫)은 別字.

[券契 권계] 어음. 증서(證書).
[券面 권면] 증권(證券)의 겉면.
[券面額 권면액] 권면에 기입한 금액.
[券書 권서] 증서(證書).
[券約 권약] 약속(約束).
[券帖 권첩] 어음.
◉契券. 銅券. 馬券. 賣券. 文券. 符券. 福券. 商品券. 誓券. 身券. 押券. 旅券. 驛券. 要券. 右券. 楮券. 左券. 株券. 證券. 地券. 債券. 鐵券. 宅券.

6
⑧ **[刮]** [人名] 괄 [入]黠 古頒切 guā

[字解] ①깎을 괄 깎아 냄. 삭제함. '一削'. '茅茨不剪, 采椽不一'《史記》. ②갈 괄, 닦을 괄 갈고 닦고 하여 윤이 나게 함. '一摩'. '一磨'. '一垢磨光'《韓愈》. ③비빌 괄 눈을 비빔. '一目相待'《吳志》.

[字源] 篆文 形聲. 刂(刀)+舌(𠯑)〔音〕. '𠯑괄'은 口+氏로 이루어져, '氏씨'는 도려내기 위한 칼의 상형으로 '도려내다'의 뜻. '刀도'를 더하여, '깎아 내다'의 뜻을 분명히 함.

[刮垢磨光 괄구마광] 훔쳐 때를 없애고 닦아 윤이 나게 함.
[刮摩 괄마] 갈아 윤이 나게 함.
[刮磨 괄마] 괄마(刮摩).
[刮目 괄목] 눈을 비비고 자세히 봄. 남의 학식(學識)·재주 같은 것이 갑자기 는 것을 보고 놀라서 쓰는 말.
[刮削 괄삭] 깎아 냄.
[刮刷 괄쇄] 갈고 닦고 함.
◉磨刮. 蒐刮. 洗刮. 淸刮. 寒刮.

6
⑧ **[到]** [中人] 도 [去]號 都導切 dào

[筆順] 一 ⼯ 𠫔 云 𡈼 至 到 到

[字解] ①이를 도 ㉠닿음. 도달함. '一着'. '一於天'《戰國策》. ㉡미침. '民一于今稱之'《論語》. ㉢옴. 감. '一來'. '靡國不一'《詩經》. ②주밀할 도 헐후한 데가 없고 세밀함. '周一'. '懇一'. ③속일 도 기만함. 일설(一說)에는, 이르게 함. 오게 함. '不如出兵以一之'《史記》.

[字源] 篆文 形聲. 至+刂(刀)〔音〕. '刀도'는 '召소'와 통하여 '초청하다'의 뜻. 초청받아 이르다의 뜻을 나타냄.

[到達 도달] 이름. 다다름.
[到頭 도두] 도저(到底).
[到來 도래] 이름. 옴.
[到泊 도박] 도착하여 정박(碇泊)함. 배가 닿음.
[到配 도배] 귀양 가는 사람이 배소(配所)에 도착함.
[到岸 도안] '피안(彼岸)'을 보라.
[到任 도임] 지방관(地方官)이 임소(任所)에 도착함.
[到任床 도임상] 《韓》 지방관(地方官)이 도임(到任)하였을 때 대접하는 성찬(盛饌)으로 차린 음식상.
[到底 도저] ㉠마침내. 필경. 결국. ㉡끝까지. 아주. 철저(徹底).
[到着 도착] 다다름.
[到處 도처] 가는 곳. 이르는 곳.
◉懇到. 來到. 讀書三到. 迫到. 殺到. 愼到. 深到. 人跡未到. 一到. 精到. 周到. 筆到.

6
⑧ **[刲]** 규 [平]齊 苦圭切 kuī

[字解] ①벨 규 ㉠베어 가름. '一割'. '炮取豚若一之'《禮記》. ㉡베어 가짐. 남의 것을 일부분 빼앗아 가짐. 할취(割取)함. '一魏之東野'《戰國策》. ②찌를 규 날카로운 것으로 찌름. '士一羊无血'《易經》.

[字源] 篆文 形聲. 刂(刀)+圭〔音〕. '圭규'는 '도려내다, 베어 내다'의 뜻. 칼로 동물을 공격하여 쳐 죽이다의 뜻을 나타냄.

[刲宰 규재] 요리(料理)함.
[刲割 규할] 소·양 같은 것을 잡음. 도살(屠殺)함.
◉屠刲.

6
⑧ **[刳]** 고 [平]虞 苦胡切 kū

[字解] ①가를 고 쪼갬. 빠갬. '一腹'. '一剔'. '與巧屠共一剝之'《漢書》. ②팔 고 속을 파냄. '一鑿'. '一船'. '一木爲舟'《易經》.

[字源] 篆文 形聲. 刂(刀)+夸〔音〕. '夸과'는 활 모양의 곡선. 활 모양의 곡선으로 도려내다의 뜻을 나타냄.

[刳剝 고박] 동물을 잡아 살을 바르고 가죽을 벗김.
[刳腹 고복] 배를 가름. 할복(割腹).
[刳船 고선] 통나무로 만든 배. 마상이.
[刳鑿 고착] 파 헤집어 뚫음.
[刳磔 고책] 몸을 베어 가르고 찢어발김.
[刳剔 고척] 갈라 살을 바름.
[刳割 고할] 소·양 따위를 죽여 가름.
◉刲刳.

6
⑧ **[刵]** 이 [去]寘 仍吏切 èr

[字解] 귀벨 이 귀를 벰. 또, 그 형벌. '一刑'.

‘劓一人’《書經》.

字源 篆文 耴 形聲. 刂(刀)+耳〔音〕. ‘耳이’는 ‘귀’의 뜻. 귀를 베는 형벌의 뜻을 나타냄.

[劓刑 이형] 고대 중국에서 귀를 베던 형벌.

6
⑧ [制] 高人 제 ㊂霽 征例切 zhì　屮刂

筆順 ノ ┌ ┌ 与 与 制 制 制

字解 ①마를 제 옷감이나 재목 따위를 치수에 맞추어 베고 자름. ‘裁一’. ‘巧工之一木’《淮南子》. ②지을 제, 만들 제 ‘一造’. ‘可使一梃以撻秦楚之堅甲利兵矣’《孟子》. ③정할 제 법 같은 것을 제정함. ‘一定’. ‘一禮作樂’, ‘非天子不議禮, 不一度’《中庸》. ④금할 제 금지함. ‘一止’. ‘人不能一’《淮南子》. ⑤누를 제 억압함. ‘抑一’. ‘壓一’, ‘一慾’. ⑥부릴 제 어거함. 지배함. ‘御一’, ‘一撫’. ‘王因而一之’《戰國策》. ⑦바로잡을 제 바르게 함. ‘不能匡一其君’《晉書》. ⑧맡을 제 주관함. ‘以一一兵者’《呂氏春秋》. ⑨존절히 할 제 정도에 알맞게 함. ‘一節’, ‘一節謹度’《孝經》. ⑩오로지할 제 천단(擅斷)함. ‘二子之一也’《國語》. ⑪따를 제 좇음. 복종함. ‘聖人作法而萬物一焉’《淮南子》. ⑫분부 제 명령. ‘士死一’《禮記》. ‘終受一矣’《後漢書》. ⑬법 제 법도(法度). 규칙. ‘規一’. ‘新一’. ‘今京不度, 非一也’《左傳》. ⑭구실 제 직분. ‘士大夫莫不敬節死一’《荀子》. ⑮정도 제 알맞은 한도. ‘封賞蹻一’《後漢書》. ⑯등급 제 등차(等差). ‘處國一’《荀子》. ⑰꾀 제 술수(術數). ‘威王好一’《呂氏春秋》. ⑱꼴 제 생김새. 체재(體裁). ‘器機製一’《禮記》. ⑲칙서 제 칙명을 전하는 문서. ‘矯一’. ‘坐書一不深切, 貶端州刺史’《唐書》. ⑳성 제 성(姓)의 하나.

字源 篆文 制 古文 制 會意. 篆文은 刂(刀)+未. ‘未미’는 나뭇가지가 겹쳐진 나무의 상형. 불필요한 군가지를 쳐서 억제하다의 뜻을 나타냄. ‘制제’는 ‘㓞세’의 변형임.

[制可 제가] 천자(天子)의 윤허(允許). 재가(裁可).
[制強 제강] 강자(強者)를 제어(制御)함.
[制擧 제거] 당(唐)나라 때 임시로 이재(異材)를 뽑기 위해서 천자(天子)가 친히 문제를 내어 보이던 과거. 제과(制科).
[制決 제결] 제정(制定).
[制誥 제고] 조서(詔書).
[制科 제과] 제거(制擧).
[制規 제규] 제정하여 놓은 규칙.
[制禁 제금] 제지(制止).
[制度 제도] 국가의 법칙(法則). 법제(法制).
[制毒 제독] 미리 해독(害毒)을 없앰.
[制令 제령] 법. 법도(法度).
[制禮 제례] 예법을 제정함.
[制立 제립] 제정(制定).
[制命 제명] 《韓》임금의 명령.
[制帽 제모] 제정된 모자.
[制撫 제무] 제어(制御)하고 무마(撫摩)함.
[制服 제복] 제정된 복장(服裝).
[制俸 제봉] 녹봉(祿俸)을 정(定)함.
[制使 제사] 칙사(勅使).
[制詞 제사] 조서(詔書).

[制書 제서] 조서(詔書).
[制勝 제승] ㉠승리함. ㉡《韓》세자(世子)가 섭정(攝政)할 때에 군무(軍務)에 관한 문서에 찍는 나무 도장.
[制壓 제압] 위력이나 위엄으로 남을 꽉 눌러서 통제함. 「정.
[制約 제약] 사물의 성립에 필요한 조건이나 규
[制御 제어] 자기 마음대로 부림. 지배함. 어거함.
[制馭 제어] 제어(制御).
[制外 제외] 규제(規制)의 범위 밖.
[制慾 제욕] 욕심을 누름.
[制慾主義 제욕주의] 정욕(情慾)을 제어(制御)하고 이성(理性)을 좇는 주의. 금욕주의(禁慾主義).
[制義 제의] 과거(科擧)에 응(應)하는 문장(文章)으로, 사륙문(四六文) 또는 팔고문(八股文)을 이름. 「式」.
[制作 제작] ㉠생각하여 만듦. ㉡꾸밈새. 형식(形
[制匠 제장] 여러모로 연구하여 만듦.
[制裁 제재] 잘못한 일에 대하여 징계(懲戒)함.
[制錢 제전] 일정한 법제(法制)에 의하여 만든 동전(銅錢). 사전(私錢)의 대(對).
[制節 제절] 절제(節制)함.
[制定 제정] 만들어 정함. 제결(制決).
[制造 제조] 만듦. 제조(製造).
[制詔 제조] 조서(詔書).
[制肘 제주] 팔을 끎. 곧, 간섭(干涉)하여 자유로이 행동을 못하게 함. 인주(引肘).
[制止 제지] 금함. 못하게 함. 금제(禁制).
[制策 제책] 과거(科擧)에서 천자(天子)가 친히 내는 문제.
[制勅 제칙] 조서(詔書).
[制霸 제패] 패권(霸權)을 잡음.
[制限 제한] ㉠일정한 한도. ㉡어느 한도를 넘지 못하게 함.
[制憲 제헌] 헌법(憲法)을 제정함.
●強制. 檢制. 劫制. 格制. 犬牙相制. 牽制. 結制. 拑制. 經制. 控制. 官制. 管制. 匡制. 拘制. 舊制. 軍制. 軌制. 詭制. 規制. 禽制. 禁制. 矜制. 羈制. 內制. 達制. 待制. 法制. 兵制. 服制. 索制. 先制. 細制. 稅制. 囚制. 殊制. 馴制. 時制. 新制. 壓制. 兩制. 樣制. 抑制. 嚴制. 力制. 斂制. 禮制. 外制. 容制. 威制. 維制. 遺制. 應制. 儀制. 擬制. 臨制. 自制. 宰制. 宰制. 裁制. 典制. 專制. 節制. 條制. 操制. 峻制. 職制. 體制. 總制. 統制. 編制. 捕制. 品制. 風制. 學制. 幷制. 限制. 緘制. 虛制. 憲制. 脅制. 刑制. 形制. 豪制. 後爲人所制.

6
⑧ [刷] 高人 쇄 (솰)㊃ ㊆黠 數刮切 shuā　刷

筆順 ┐ ┐ ┌ ┌ ┌ ┌ 刷 刷

字解 ①닦을 쇄, 쓸 쇄 청소함. ‘一掃’. ‘夏頒冰掌事秋一’《周禮》. ②씻을 쇄 ㉠더러운 것을 물에 씻음. ‘一洗’. ‘一瀁澗瀾’《左思》. ㉡제거함. 없애 버림. ‘欲一恥改行’《漢書》. ③문지를 쇄 솔로 판목(版木)을 문지름. ‘印一’. ‘一行’.

字源 篆文 刷 形聲. 刂(刀)+㕞〈省〉〔音〕. ‘㕞쇄’은 ‘훔치다, 닦다’의 뜻. 형겊이나 칼 따위로 더러워진 것을 제거하다, 닦다의 뜻을 나타냄.

[刷膩 쇄니] 손때 묻어 더러워짐.
[刷洗 쇄세] 씻고 닦아 깨끗이 함.
[刷掃 쇄소] 소제함.
[刷新 쇄신] 묵은 것의 좋지 않은 데를 버려 면목
을 새롭게 함.
[刷耻 쇄치] 치욕을 씻음. 설치(雪恥).
[刷逋 쇄포] 범포(犯逋)한 관금(官金)을 보충함.
[刷行 쇄행] 판(版)에 박아 세상에 폄. 인행(印
行).
[刷還 쇄환] 외국에서 방랑(放浪)하는 동포를 데
리고 돌아옴.
● 刮刷. 拘刷. 根刷. 色刷. 掃刷. 漱刷. 牙刷.
印刷. 翦刷. 燥刷. 增刷. 振刷. 箒刷. 縮刷.

6 / 8 [刺] 高人 ▆ 자 ㉤賜 七賜切 cì
▆ 척 ㈧陌 七迹切 cì

[筆順] 一 ㄱ ㄲ 亣 朿 束 剌 刺

[字解] ▆ ①찌를 자 ㉠날카로운 것으로 찌름. 찔
러 죽임. '一殺'. '一之者何殺之'《公羊傳》.
㉡침 같은 뾰족한 것으로 찌름. '蔡莽螫一'《左
思》. '妄一而無益于疾'《鹽鐵論》. ②깎아버릴 자
깎거나 베어 버림. '庶人則曰一草之臣'《儀禮》.
③추릴 자 골라 뽑음. '一六經中作王制'《漢書》.
④바느질할 자 '一繡於裳'《周禮》. ⑤꽂을 자 삽
입함. '揷一頭鬢相誇張'《元稹》. ⑥바늘 자, 가
시 자 바느질하거나 침 놓는 데 등에 쓰이는 길
쭉한 쇠. 또, 식물의 바늘처럼 뾰족하게 돋아난
부분. '若有芒一在背'《漢書》. ⑦봉망(鋒鋩) 자
창 같은 것의 뾰족한 첨단. 봉첨(鋒尖). '修斜
無一'《淮南子》. ⑧헐뜯을 자 비방함. 욕함. '諷
一'. '一譏一我行者, 欲與我交'《淮南子》.
⑨꾸짖을 자 책망함. '天何以一'《詩經》. ⑩물을
자 문의함. '司一, 掌三一'《周禮》. ⑪문신할 자
자자(刺字)함. 입묵함. '一一靑'. '一靑'. '一面
配華州'《五代會要》. ⑫명함 자 이름을 적은 종
이 쪽지. '名一'. '投一'. '一字漫滅'《後漢書》.
⑬명함내놓을 자 명함을 내놓고 성명을 통(通)
함. '每夜一闒'《南史》. ⑭성 자 성(姓)의 하나.
▆ ①찌를 척 칼로 찔러 상처를 입힘. '一人而
殺之'《孟子》. ②정탐할 척 몰래 살핌. '陰一候
朝廷事'《漢書》. ③저을 척 배를 저음. '乃一船
而去'《史記》. ④말많을 척 말을 많이 하는 모양.
수다스러운 모양. '語一一不能休'《韓愈》. '焉
能去一一爲咢咢乎'《管子》.
[字源] [篆文] 粉 形聲. 刂(刀)+朿〔音〕. '朿자'는 '가
시'의 뜻. 칼로 가시처럼 찌르다의
뜻을 나타냄.
[參考] 剌(刀部 七畫)은 別字.

[刺刻 자각] 해침. 가해(加害).
[刺客 자객] 아무도 모르게 사람을 칼로 찔러 죽
이는 사람.
[刺擧 자거] 악(惡)을 꾸짖고 선(善)을 쳐듦. 일
설(一說)에는, 범죄의 실상을 몰래 조사하여
검거함.
[刺劍 자검] 격검(擊劍).
[刺擊 자격] 찌르고 침.
[刺薊 자계] 국화과에 속하는 월년초(越年草). 줄
기와 뿌리는 지혈제·해독제로 씀. 조방가새.
소계(小薊).
[刺股讀書 자고독서] 소진(蘇秦)이 책을 읽을 때
졸음이 오면 송곳으로 허벅다리를 찔러 피가 발

목까지 흘러내렸다는 고사(故事).
[刺戟 자극] ㉠감각 기관에 작용이 미쳐 감각을
일으킴. ㉡흥분하게 함.
[刺譏 자기] 나무람. 기자(譏刺).
[刺桐 자동] 두릅나뭇과에 속하는 낙엽 활엽 교목
(落葉闊葉喬木). 수피(樹皮)는 한약재로 씀. 엄
나무.
[刺絡 자락] 침을 찔러 악혈(惡血)을 빼는 의술.
[刺文 자문] 자자(刺字).
[刺美 자미] 비방함과 칭찬함. 훼예(毁譽).
[刺史 자사] 한(漢)·당(唐) 시대의 주(州)의 장
관. 태수(太守).
[刺殺 자살] 척살(刺殺).
[刺繡 자수] 수를 놓음. 또, 그 수.
[刺謁 자알] 명함을 내어 면회함.
[刺怨 자원] 비방하고 원망함. 방원(謗怨).
[刺議 자의] 비방함. 헐어 말함. 비의(非議).
[刺字 자자] 입묵(入墨). 문신(文身).
[刺斫 자작] 찌르고 찍음.
[刺剟 자철] 찔리고 벗겨짐.
[刺靑 자청] 입묵(入墨). 자자(刺字).
[刺草之臣 자초지신] 풀을 깎는 천한 신하의 뜻.
평민이 임금에게 대하여 자신을 낮추어 일컫는
말.
[刺促 자촉] 바쁨. 다망(多忙)함.
[刺痛 자통] 찌르는 것같이 아픔.
[刺殺 척살] 찔러 죽임.
[刺船 척선] 배를 저음.
[刺刺 척척] 말이 많은 모양. 수다스러운 모양.
[刺候 척후] 엿봄. 정탐함.
● 擧刺. 擊刺. 乖刺. 構刺. 譏刺. 論刺. 芒刺.
面刺. 名刺. 剟刺. 補刺. 縫刺. 負刺. 粉刺.
揷刺. 相刺. 手刺. 殊刺. 繡刺. 襲刺. 諷刺.
怨刺. 肉刺. 斫刺. 持刺. 指刺. 瘡刺. 刺刺.
招刺. 黜刺. 探刺. 撐刺. 通刺. 貶刺. 諷刺.
俠刺. 訶刺. 虎列刺.

6 / 8 [剒] 락 ㈧藥 盧各切 luò

[字解] ①갈아낼 락 베어 냄. '一, 剔也'《廣雅》.
②마디자를 락 나무의 마디를 끊어 냄. '去節
曰一'《一切經音義》.

6 / 8 [剌] 刻(次條)의 俗字

6 / 8 [刻] 高人 각 ㈧職 苦得切 kè

[筆順] ' 亠 亡 亥 亥 亥 刻 刻

[字解] ①새길 각 조
각함. '一字'. '一
印'《史記》. 또, 새
긴 것. 새김. '已而
按其一'《漢書》.
②깎을 각 깎아 냄.
'一削'. '一意尙
行'《莊子》. ③해할
각 해침. '一書'.
'我舊云一子'《書
經》. ④각박할 각
모가 나고 인정이
없음. '一法'. '一
削'. '一峻'. '用

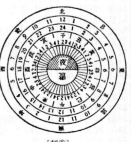

[刻⑤]

法益―《史記》. ⑤시각 각 ㉠물시계의 누전 (漏箭)에 시간을 보기 위하여 새긴 금. 전 (轉)하여, 시간. '晷―'.'―限'.'願賜數―間'《漢書》. 시헌력 (時憲曆)에서는 15분 동안. 그 이전의 달력에서는 14분 24초 동안. ⑥정할 각 시일을 정함. '―期'.'―日決戰'《宋史》.

字源 篆文 🔤 古文 🔤 形聲. 刂(刀)+亥[音]. '亥해'와 '𠀆(근기)'와 통하여, 센 힘이 들어가다의 뜻. 칼에 힘을 주어 새기다의 뜻을 나타냄.

[刻苦 각고] 대단히 애를 씀. 비상히 노력을 함.
[刻鵠不成尙類鶩 각곡불성상류목] 고니와 집오리는 크기는 다르나 생김새는 비슷하므로 고니를 새기다가 그르쳐도 집오리는 닮게 됨. 곧, 근칙 (謹飭)한 선비를 본받으면 그를 따르지는 못할지라도 착한 사람이 될 수 있다는 비유 (比喩).
[刻骨 각골] 마음속에 깊이 새기어짐.
[刻骨難忘 각골난망] 남에게 입은 은혜가 마음속 깊이 새기어져 잊혀지지 아니함.
[刻骨銘心 각골명심] 마음속 깊이 새겨서 잊지 아니함.
[刻工 각공] 각수장이.
[刻急 각급] 박정 (薄情)하고 엄중함.
[刻期 각기] 굳게 기한을 작정함.
[刻刀 각도] 새김칼.
[刻爛 각란] 썩어 문드러짐.
[刻勵 각려] 부지런히 힘씀. 비상히 노력을 함. 각고면려 (刻苦勉勵)의 약 (略).
[刻廉 각렴] 엄격하고 청렴함.
[刻露淸秀 각로청수] 잎이 떨어져 산의 모양이 환히 보이고 공기가 맑아 조망 (眺望)이 깨끗함. 가을의 경치를 형용한 말.
[刻漏 각루] 누각 (漏刻).
[刻鏤 각루] 새김. 조각함.
[刻銘 각명] 금석 (金石)에 새긴 명 (銘).
[刻木 각목] 나무를 깎거나 새김.
[刻珉 각민] 후세 (後世)에 전하기 위하여 옥돌에 새김. 각석 (刻石).
[刻剝 각박] 남을 모질게 학대함.
[刻薄 각박] 잔인 (殘忍)하고 인정 (人情)이 없음.
[刻法 각법] 엄한 법. 준법 (峻法). 엄법 (嚴法).
[刻本 각본] 인본 (印本).
[刻削 각삭] ㉠깎음. ㉡학대함. 침범함. ㉢잔인함. 박정 (薄情) 함.
[刻石 각석] 돌에 새김.
[刻深 각심] 잔혹 (殘酷)함. 참각 (慘刻).
[刻役 각역] 비 (碑) 같은 것을 새기는 역사 (役事).
[刻剡 각염] 새기어 깎음.
[刻于金石 각우금석] 그 사람의 공덕 (功德) 등을 종정비갈 (鐘鼎碑碣)에 새겨서 후세 (後世)에 전함. 늑우금석 (勒于金石).
[刻意 각의] 고심 (苦心)함. 애씀.
[刻印 각인] 도장을 새김.
[刻字 각자] 글자를 새김.
[刻章琢句 각장탁구] 고심하여 조탁 (彫琢)한 장구 (章句).
[刻舟 각주] 각주구검 (刻舟求劍).
[刻舟求劍 각주구검] 옛날에 초 (楚)나라 사람이 배를 타고 나루를 건너다가 잘못하여 칼이 물 속에 빠지자 그 뱃전에 표를 하였다가, 배가 나루에 닿은 뒤에 표를 해 놓은 뱃전 밑의 물 속

에 다시 들어가서 칼을 찾더라는 고사 (故事). 미련해서 옛 사물에 구애되어 시세 (時勢)에 어둡고 변통성이 없음을 비유한 말. 각주 (刻舟).
[刻識 각지] 새겨 적음.
[刻鑿 각착] 새겨 뚫음.
[刻責 각책] 호되게 꾸짖음.
[刻峭 각초] 대단히 엄함.
[刻燭 각촉] 초에 금을 새겨 초가 그 금까지 타는 시간을 한도로 함.
[刻燭爲詩 각촉위시] 초에 눈금을 긋고 그곳까지 탈 동안에 시 (詩)를 지음.
[刻針 각침] 분침 (分針).
[刻板 각판] ㉠판각하는 데 쓰는 글씨·그림을 새기는 널조각. ㉡서화 (書畫)를 널조각에 새김. 판각 (板刻).
[刻暴 각포] 박정 (薄情) 하고 난포함.
[刻下 각하] 지금. 이때. 즉각 (卽刻).
[刻限 각한] 정한 시각. 정각 (定刻).
[刻害 각해] 해침. 가해함.
[刻舷 각현] 각주구검 (刻舟救劍).
●苟刻. 家刻. 刊刻. 頃刻. 景刻. 晷刻. 忌刻. 漏刻. 鏤刻. 銘刻. 模刻. 飜刻. 複刻. 石刻. 纖刻. 時刻. 深刻. 俄刻. 陽刻. 嚴刻. 陰刻. 印刻. 一刻. 篆刻. 定刻. 鎸刻. 彫刻. 峻刻. 慘刻. 卽刻. 遲刻. 初刻. 峭刻. 寸刻. 板刻.

6
⑧ [刻] 刻(前條)과 同字

6
⑧ [刐] 백 bāi
字解 처치할 백, 안배 (安排)할 백 '兄長不必憂心, 小生自有一劃'《水滸全傳》.

6
⑧ [剁] 타 ㉠篦 都唾切 duò
字解 꺾을 타 부러뜨림. '一剉'.

[剁剉 타좌] 꺾음.

6
⑧ [刧] 갈 ㉠點 恪八切 jié
字解 벗길 갈 낯가죽을 벗김. '敗面碎刧―'《韓愈》.

●剝刧.

6
⑧ [刪] 〔산〕 刪(刀部 五畫〈p.248〉)의 古字

6
⑧ [刪] 〔산〕 刪(刀部 五畫〈p.248〉)의 本字

6
⑧ [刐] 〔렬〕 列(刀部 四畫〈p.246〉)의 本字

6
⑧ [刑] 〔형〕 刑(刀部 四畫〈p.244〉)의 本字

6
⑧ [利] 〔찰〕 刹(刀部 七畫〈p.256〉)의 俗字

6
⑧ [剑] 〔회〕 劊(刀部 十三畫〈p.269〉)의 略字

7⑨ [㓪] 랑 [上]養 盧黨切 lǎng

[字解] ①맑을 랑 흐리지 아니함. '一, 明也'《廣韻》. '耳聽滔一奇麗激抮之音'《淮南子》. ②성 랑 성(姓)의 하나.

7⑨ [剃] [人名] 체 [去]霽 他計切 tì

[字解] 깎을 체 머리를 깎음. '一頭'. '一刀'. '一髮披法服'《南史》.
[字源] 形聲. 刂(刀)+弟〔音〕. '弟제'는 '차차 하다'의 뜻. 조금씩 칼로 깎아 밀다의 뜻을 나타냄.

[剃刀 체도] 머리를 깎는 데 쓰는 칼.
[剃度 체도] 머리를 깎고 불도(佛道)에 들어감. 체발득도(剃髮得度)의 뜻.
[剃頭 체두] 체발(剃髮).
[剃髮 체발] 머리를 깎음. 중이 됨을 이름.
◉披剃.

7⑨ [剆] [人名] 라 [上]哿 朗可切 luǒ

[字解] 칠 라 때림. '一, 擊也'《玉篇》.

7⑨ [剎] 찰 [入]黠 初鎋切 chà

[字解] ①기둥 찰 덕(德)이 높은 중이 있음을 알리기 위하여 절 앞에 세우는 깃대 모양의 기둥. 범어(梵語) kṣetra의 음역(音譯). '抱一仰頭'《北史》. ②절 찰 불사(佛寺). '寺一'. '古一'. '西域以柱表一'《白帖》. ③탑 찰 불탑(佛塔). '列一相望'《王屮》.
[字源] 篆文 形聲. 刂(刀)+殺〈省〉〔音〕. 깃발을 세우는 기둥의 뜻. 본디, '殺살'은 범어 kṣatriya(剎帝利)·kṣaṇa(剎那) 등의 kṣa의 음역(音譯)에 쓰이었는데, '殺'과 구별하기 위하여, '殳수' 대신 '刀'를 붙임.
[參考] 刹(刀部 六畫)은 俗字.

[剎竿 찰간] 《佛敎》 덕(德)이 높은 중이 있음을 알리기 위하여 절 앞에 세우는 깃대 모양의 물건. 나무나 쇠로 만듦.
[剎鬼 찰귀] 《佛敎》 귀신. 악마. 악귀나찰(惡鬼羅剎).
[剎那 찰나] 《佛敎》 범어(梵語) kṣaṇa의 음역(音譯). 지극히 짧은 시간. 순간(瞬間).
[剎那主義 찰나주의] 과거나 미래를 생각하지 않고 다만 현재의 순간순간의 쾌락을 추구하는 주의.
[剎利 찰리] '찰제리(剎帝利)'의 준말.
[剎帝利 찰제리] 《佛敎》 범어(梵語) kṣatriya의 음역(音譯). 인도(印度)의 사성(四姓) 중 제이위(第二位)로, 바라문(波羅門)의 다음가는 왕(王) 및 무사(武士)의 종족.
[剎土 찰토] 《佛敎》 범어(梵語) kṣetra의 음역(音譯). 국토(國土).
◉巨剎. 古剎. 羅剎. 名剎. 梵剎. 寶剎. 佛剎. 寺剎. 禪剎. 僧剎. 靈剎. 淨剎.

7⑨ [剄] 경 [上]迥 古挺切 jǐng

[字解] 목벨 경 칼로 목을 자름. '令從者魏敬一之'《史記》.
[字源] 篆文 形聲. 刂(刀)+巠〔音〕. '巠경'은 '頸경'과 통하여, '목'의 뜻. '목 베다'의 뜻을 나타냄.

[剄死 경사] 목을 베어 자살함. 문사(刎死).
◉自剄.

7⑨ [則] [中人] [一] 즉 [二] 칙 (측[本]) [入]職 子德切 zé

[筆順] 丨 冂 月 目 貝 貝 貝 則

[字解] [一] 곧 즉 ㉠위를 받아 아래에 접속하는 말로서, 아래와 같은 뜻에 쓰임. …할 때에는. …한 경우에는. '弟子入一孝, 出一弟'《論語》. '用之一行, 舍之一藏'《論語》. ㉡만일 그렇다면. '過一勿憚改'《論語》. ㉢…에 이르러서는. '仁一吾不知也'《論語》. [二] ①법칙 칙 ㉠국가의 제도. 행위의 준칙. '一度'. '規一'. '明哲實作一'《書經》. ㉡천지(天地)의 정도(定道). 자연의 이치. '天一'. '有物有一'《詩經》. ②본받을 칙 본보기로 삼음. 본뜸. '一效'. '惟堯一之'《論語》. ③성 칙 성(姓)의 하나.
[字源] 金文 篆文 會意. 刂(刀)+貝. '貝패'는 金文에서는 세발솥의 상형. 세발솥에 칼로 중요한 법칙을 새겼던 데서, '법칙'의 뜻을 나타냄.

[則度 칙도] 법도(法度).
[則效 칙효] 본받음. 모범으로 삼음.
◉敎則. 矩則. 軌則. 規則. 內則. 黨則. 模則. 反則. 罰則. 犯則. 法則. 變則. 補則. 附則. 四則. 常則. 聖則. 細則. 原則. 儀則. 典則. 正則. 定則. 帝則. 準則. 天則. 鐵則. 總則. 通則. 表則. 學則. 憲則. 會則.

7⑨ [剉] 좌 [去]箇 麤臥切 cuò

[字解] ①꺾일 좌 挫(手部 七畫)와 통용. '一折'. '銳而不一'《淮南子》. ②저밀 좌 잘게 썲. '去骨一之'《齊民要術》. ③부술 좌 쇄파(碎破)함. '粉一楚山鐵'《王昌齡》. ④깎을 좌 모난 데를 깎아 없앰. '廉則一'《莊子》.
[字源] 篆文 形聲. 刂(刀)+㘸(坐)〔音〕. '㘸좌'는 '무릎을 꺾다'의 뜻. 칼로 짧게 베다, 짧게 꺾다, 썰다의 뜻을 나타냄.

[剉絲 좌사] 실을 끊음. 또, 그 실.
[剉折 좌절] '좌절(挫折)'과 같음.
◉擣剉. 猛剉. 粉剉. 細剉. 摧剉.

7⑨ [削] [高人] [一] 삭 [入]藥 息約切 xiāo, xuē [二] 소 [去]效 所敎切 shào [三] 초 [去]嘯 仙妙切 qiào (소[本])

[筆順] 丨 丿 小 肖 肖 肖 肖 削

[字解] [一] ①깎을 삭 ㉠깎아 냄. '一髮'. '一屢馮馮'《詩經》. ㉡삭제함. 제거함. '筆一'. '筆則筆, 一則一'《史記》. ㉢떼어 냄. 가름. 분할함. '一減'. '齊一地, 而封田嬰'《戰國策》. ②빼앗을 삭 약탈함. '一奪'. '一官'. '王一以地'《禮

記》. ③지근거릴 삭 침범함. '無倚法以一'《書經》. ④깎을 삭 삭감됨. 죰 '不戰而地已一也'《史記》. ⑤약해질 삭 쇠약하여짐. '魯之一也滋甚'《孟子》. ⑥작을 삭 약소(弱小)함. '魏國從此一矣'《呂氏春秋》. ⑦모질 삭 모나고 인정이 없음. '刻一'. ⑧창칼 삭 서도(書刀). '築氏爲一, 長尺博寸'《周禮》. ❏①채지(采地) 소 주대(周代)에 기전(畿甸) 2백 리 안에 있던 대부(大夫)의 채읍(采邑). '家一之賦'《周禮》. ②화락할 소 화평하고 즐거운 모양. '孔子一然反琴而絃歌'《莊子》. ❏칼집 초 도실(刀室). 鞘(革部 七畫)와 통용. '質氏以洒一而鼎食《漢書》.

[字源] 形聲. 刂(刀)＋肖〔音〕. '肖초'는 '작게 하다'의 뜻. 칼로 작게 하다, 깎다의 뜻을 나타냄.

[削減 삭감] 깎아서 줄임. 떼어 내어 줄임. 줄임. 또, 깎이어 줆.
[削去 삭거] 깎아 없애 버림.
[削刀 삭도] 《佛教》중의 머리를 깎는 칼.
[削磨 삭마] 깎아 문지름.
[削抹 삭말] 삭제하고 말소(抹消)함.
[削剝 삭박] 깎고 벗김.
[削髮 삭발] ㉠머리털을 깎음. ㉡중이 됨. 출가(出家)함.
[削髮爲僧 삭발위승] 머리를 깎고 중이 됨.
[削髮披緇 삭발피치] 머리를 깎고 치의(緇衣)를 입는다는 뜻으로 중이 됨을 이름.
[削成 삭성] 깎아지른 듯이 높이 솟음.
[削消 삭소] 차차로 줄어 없어짐.
[削損 삭손] 삭감(削減).
[削弱 삭약] 깎아 약하게 함. 또, 줄어들어 약해짐.
[削跡 삭적] 발자국을 없앰. 종적(蹤跡)을 감춤. 삭적(削迹).
[削正 삭정] 산삭(刪削)하여 교정함. 산정(刪正).
[削除 삭제] 깎아 버림. 지워 버림.
[削地 삭지] 땅을 분할하여 빼앗음.
[削職 삭직] 관직을 삭탈(削奪)함.
[削滌 삭척] 기세를 꺾음. 기세를 죽임.
[削剟 삭철] 깎음.
[削黜 삭출] 관위(官位) 등을 깎아 내림.
[削奪官職 삭탈관직] 삭직(削職).
[削平 삭평] 삭탈하여 평정함.
[削哺 삭포] 곡병(曲屛)·병풍 따위.
●刻削. 刊削. 減削. 開削. 壞削. 掘削. 鐫削. 剞削. 刪削. 纖削. 抑削. 研削. 刓削. 危削. 翦削. 雕削. 瘠削. 穿削. 添削. 侵削. 筆削.

7
⑨[剋] 〔人名〕극 〔入〕職 苦得切 kè

[筆順] 一 十 ナ 古 古 克 克 剋

[字解] ①이길 극 ㉠승전(勝戰)함. 克(儿部 五畫)과 통용. '一勝'. '相生相一'. '何征不一'《後漢書》. ㉡이겨 냄. 능히 함. '至伐大木, 非斧不一'《淮南子》. ②정할 극 굳게 약정(約定)함. '與一期俱至'《後漢書》. ③급할 극 성급(性急)함. 준엄함. '性嚴一'《宋書》. ④새길 극 刻(刀部 六畫)과 뜻이 같음. '一意'. '謹以一心, 非但言紳'《吳志》.

[字源] 形聲. 刂(刀)＋克〔音〕. '克극'은 '이기다'의 뜻. 칼로 이기다의 뜻을 나타냄.

[剋期 극기] 굳게 기일(期日)을 약정함. 각기(刻期).
[剋勵 극려] 극면(剋勉).
[剋勉 극면] 사욕(私慾)을 극복하고 일에 근면함. 극려(克勵).
[剋伐 극벌] ㉠강제로 복종(服從)시킴. 억지로 자기를 따르게 함. ㉡극벌(克伐).
[剋復 극복] 국란(國亂)을 진압하여 원상(原狀)으로 회복함.
[剋殲 극섬] 이겨 섬멸함.
[剋勝 극승] 이김. 승리함.
[剋意 극의] 고심함. 애씀. 각의(刻意).
[剋斷 극단] 끊음. 절단(切斷)함.
[剋定 극정] 싸움에 이겨 난리를 평정함. 감정(勘定).
[剋殄 극진] 적을 멸망시킴.
[剋扞 극한] 적을 이겨 막음.
[剋核 극핵] 엄함. 극핵(剋覈).
[剋覈 극핵] 극핵(剋核).
●儉剋. 忌剋. 相剋. 嚴剋.

7
⑨[剈] ❏연 ㉠先 烏玄切 yuān
❏견 〔霰〕 局縣切

[字解] ❏①도려낼 연 '一挑取也'《說文》. ②시루밑구멍 연, 화분밑구멍 연 '一, 一曰, 窔也'《說文》. ❏굽은칼 견 휘어 굽은 칼. '一, 曲刀'《集韻》.

7
⑨[剌] 〔人名〕❏랄 〔入〕曷 盧達切 là, ④lā
❏라 〔霰〕

[字解] ❏①어그러질 랄 괴려(乖戾)함. '一謬'. '無乖一之心'《漢書》. ②바람부는소리 랄 '去程風——, 別夜漏丁丁'《李商隱》. ③고기뛰는소리 랄 '金鱗跋一跳睛空'《溫庭筠》. ④외국어 '라'의 음역자(音譯字)로 쓰임. '一麻教'. '亞一比亞'. ⑤성 랄 성(姓)의 하나. ❏《韓》 수라(水剌) 라 임금에게 올리는 진지.

[字源] 形聲. 刂(刀)＋束(束)〔音〕. '束란'은 주머니에 물건을 단단히 가둬 넣은 모양을 본뜸. 가둬 묶은 물건에 칼집을 내다, 떨어져 나가다, 어그러지다의 뜻을 나타냄. 篆文은 刂(刀)＋束의 會意. '束속'은 섶나무를 묶은 단의 뜻. 낫으로 섶나무를 베려는데 나뭇가지가 튀다의 뜻에서, '어그러지다'의 뜻을 나타냄.

[參考] 刺(刀部 六畫)는 別字.

[剌麻教 나마교] 인도(印度)에서 들어와 당대(唐代)부터 중국의 서북부 서장(西藏；티베트) 등지에 보급한 불교의 한 파(派). 서장에서 중을 나마(剌麻)라 하므로 이름. 나마교(喇嘛教).
[剌剌 날랄] ㉠바람 부는 소리. ㉡어그러진 모양. 일설(一說)에는, 불평하는 모양.
[剌謬 날류] 어그러져 틀림. 상반(相反)함.
●瘌剌. 牟剌. 跋剌. 潑剌. 撥剌. 操剌. 弧剌. 睢剌. 瀺剌.

7
⑨[剗] 〔자·척〕
剗(刀部 六畫(〈p.254〉)와 同字

7
⑨[刮] 〔괄〕
刮(刀部 六畫(〈p.252〉)의 本字

7
⑨[前] 〔中入〕전 ㉠先 昨先切 qián

筆順 丶 丷 䒑 䒑 丨 冂 月 刖 前

字解 ①앞 전 ㉠장소(場所)에 관한 뒤〔後〕의 대. '庭—'. '堂—'. '瞻—顧後'《楚辭》. ㉡시간(時間)에 관한 뒤〔後〕의 대. '—人'. '—賢'. '—世重之玆甚'《漢書》. ㉢앞으로 나와 대항하는 사람. '力戰無—'《後漢書》. ②인도할 전 앞서 이끎. '祝—主人降'《儀禮》. '先達之士爲之—'《韓愈》. ③나갈 전 앞으로 나감. '及出壁門, 莫敢—'《史記》. ④앞설 전 정한 시간보다 앞섬. '—期十日'《周禮》. ⑤앞서 전 ㉠먼저. '可以—知'《中庸》. ㉡먼저는. 앞서서는. '何—倨而後恭也'《史記》. ⑥성 전 성(姓)의 하나.

字源 甲骨文 金文 篆文 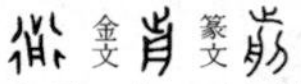 篆文은 𠝣으로, 刀+歬〔音〕. 甲骨文은 行+止+舟의 會意. 수로(水路)를 배로 가는 모양에서, '나아가다, 앞'의 뜻을 나타냄. 金文은 止+舟의 會意로, '나아가다, 앞'의 뜻을 나타냄. 篆文의 '𠝣전'은 이 金文의 歬+刀로, 본디는 칼로 베고 나아가다, 가지런히 자르다의 뜻이며, '剪전'의 원자(原字)였는데, '𠝣'도 '나아가다, 앞'의 뜻을 나타내게 되자, 뒤에 '剪'자를 만들어 구별하게 되었음. 篆文의 '𠝣'은 생략되어, '前'의 글자 모양으로 변함.

[前呵 전가] 벽제(辟除)함.
[前家 전가] 앞집.
[前却 전각] ㉠전진함과 후퇴함. 진퇴(進退). ㉡마음대로 부림.
[前覺 전각] 남보다 먼저 도(道)를 깨달은 사람. 선각(先覺).
[前鑑 전감] 거울로 삼을 만한 이전 일.
[前拒 전거] 전면(前面)의 방어.
[前戒 전계] 이전의 경계. 경계로 삼을 만한 이전 일.
[前古 전고] 옛날. 예전.
[前古未曾有 전고미증유] 자고이래로 있어 본 일이 없음. 옛날부터 일찍이 한 번도 없음.
[前功 전공] 이전의 공로(功勞).
[前功可惜 전공가석] 그 전에 들인 공이 아까움.
[前科 전과] 이전에 치른 형벌.
[前官 전관] 전임(前任)의 벼슬아치.
[前矩 전구] 옛사람이 끼친 모범.
[前軀 전구] 행렬(行列)의 맨 앞에 가는 사람.
[前驅 전구] 말을 타고 행렬의 앞에서 인도함. 또, 그 사람. 선구(先驅).
[前軍 전군] 선봉(先鋒)의 군대.
[前紀 전기] 선대(先代)의 사실(史實).
[前記 전기] 앞에 적은 기록(記錄).
[前期 전기] ㉠먼저의 기간. 앞의 기간. ㉡기한(期限)보다 앞섬.
[前納 전납] 기한 전에 납부함.
[前年 전년] 지난해. 작년.
[前代 전대] 지나간 시대. 예전.
[前隊 전대] 군대의 선두에 서는 대오(隊伍).
[前代未聞 전대미문] 지금까지 들은 적이 없음.
[前徒 전도] 전방(前方)에 있는 보병(步兵).
[前途 전도] ㉠앞으로 갈 길. ㉡장래.
[前道 전도] 앞길.
[前導 전도] 앞길을 인도함. 선도(先導).
[前登 전등] 선봉(先鋒).
[前略 전략] ㉠문장의 처음 부분을 생략(省略)함. ㉡편지에서 인사(人事)를 생략할 때 서두에 쓰는 말.
[前良 전량] 옛 현량(賢良)한 사람. 선현(先賢).
[前涼 전량] 오호 십육국(五胡十六國)의 하나. 한인(漢人) 장궤(張軌)가 간수 성(甘肅省) 난산도(蘭山道) 이서(以西)의 땅에 세운 나라. 9대(代) 만에 전진(前秦)의 부견(苻堅)에게 망하였음. (301~376)
[前慮 전려] 사전(事前)에 고려함.
[前列 전렬] 전열(前列).
[前例 전례] 이전부터 있던 사례(事例).
[前勞 전로] 전일(前日)에 세운 공로. 전공(前功).
[前路 전로] 앞에 있는 통로. 앞길.
[前面 전면] 앞쪽.
[前母 전모] 후취(後娶)의 아들이 아버지의 전취(前娶)를 일컫는 말. 전어머니.
[前茅 전모] 척후(斥候). '모(茅)'는 춘추 시대(春秋時代)의 초(楚)나라의 기(旗)로서 적(敵)이 있으면 이것을 높이 들어 후군(後軍)에게 알리던 것임.
[前無後無 전무후무] 전에도 없었고 나중에도 없음.
[前文 전문] 앞에 쓴 글.
[前門 전문] 앞문.
[前門拒虎後門進狼 전문거호후문진랑] 간신히 화(禍)를 피하였는데, 또 다른 화가 들이닥침을 이름.
[前半 전반] 앞의 절반.
[前跋後疐 전발후치] 늙은 이리〔狼〕가 앞으로 갈 때에는 턱 밑에 늘어진 살을 밟고, 뒤로 물러갈 때에는 꼬리를 밟아 넘어진다는 뜻으로, 진퇴유곡(進退維谷)을 비유하는 말.
[前杯 전배] 술자리에 참여(參與)하여 이미 먹은 술. 전작(前酌).
[前輩 전배] 선진(先進)이 되는 사람. 선배(先輩).
[前番 전번] 지난번.
[前鋒 전봉] 선봉(先鋒).
[前夫 전부] 먼젓번의 남편.
[前部 전부] 앞의 부분.
[前婦 전부] 이전의 처(妻). 전처(前妻).
[前非 전비] 이전(以前)의 잘못.
[前史 전사] 이전의 역사.
[前事 전사] 지나간 일.
[前事之不忘後事之師 전사지불망후사지사] 전날에 행한 일을 유의하여 그 선악 득실(善惡得失)을 기억하여 두면, 뒤에 일을 하는 데 도움이 된다는 뜻.
[前朔 전삭] 지난달.
[前生 전생]《佛敎》이 세상에 나오기 전의 세상. 금생(今生)의 대(對).
[前生緣分 전생연분] 이 세상에 나오기 전에 맺은 연분(緣分).
[前書 전서] ㉠전에 적은 글. ㉡전번의 편지.
[前緖 전서] 선인(先人)이 남긴 사업. 선업(先業). 유업(遺業).
[前夕 전석] 어제저녁.
[前席 전석] 이야기를 듣는 데 열중하여 다가앉음.
[前說 전설] ㉠이전 사람이 남겨 놓은 설(說). ㉡전의 논설.
[前星 전성] '황태자(皇太子)'의 별칭(別稱).
[前聖 전성] 예전의 성인.
[前世 전세] ㉠전대(前代). ㉡전생(前生).
[前世界 전세계] 과거의 세계. 현세계 성립 이전의 세계. 구세계(舊世界).
[前世紀 전세기] 이미 지나간 세기.

[前世上 전세상] 지난날의 세상.

[前宵 전소] 전날 밤. 어젯밤.

[前修 전수] 예전의 사물에 통달한 사람. 옛 군자(君子). 선철(先哲).

[前述 전술] 앞에서 말함.

[前習 전습] 이전의 습관.

[前身 전신] ㉠전세에 태어났던 몸. ㉡변하기 이전의 본체(本體).

[前失 전실] 전의 과실. 이전의 실책(失策).

[前室 전실] 이전의 아내. 전취(前娶).

[前案 전안] 전의 안건(案件).

[前夜 전야] ㉠어젯밤. ㉡전날 밤.

[前約 전약] 전에 맺은 언약.

[前言 전언] ㉠고인(古人)의 말. ㉡이왕에 한 말.

[前緣 전연] 전인(前因).

[前燕 전연] 오호 십육국(五胡十六國)의 하나. 선비족(鮮卑族) 모용외(慕容廆)가 만주(滿洲)에서 창건(創建)한 나라. 4대(代) 만에 전진(前秦)의 부견(苻堅)에게 망하였음. (307~370)

[前列 전열] ㉠앞줄. ㉡군대에서 앞선 대오(隊伍).

[前烈 전열] ㉠전인(前人)의 사업. 선대의 공적. 선열(先烈). ㉡선대의 위인(偉人). 선현(先賢).

[前王 전왕] 이전의 임금. 선대의 임금. 선왕(先王).

[前往 전왕] 앞으로 감.

[前月 전월] 지나간 달. 전달.

[前衛 전위] 앞에서 먼저 나가는 호위(護衛). 후위(後衛)의 대(對).

[前疑 전의] 의(疑)는 벼슬 이름. 옛날 천자(天子)의 전후좌우에 모시고 보좌(輔佐)하던 신하가 네 사람이 있었는데, 의(疑)는 앞에서 모시었으므로 전(前)자를 앞에 붙여 이름.

[前誼 전의] 이전의 교의(交誼). 전에 사귄 정의(情誼).

[前人 전인] 이전 사람. 선인(先人).

[前因 전인]《佛敎》전세(前世)부터의 인연. 전연(前緣). 숙연(宿緣).

[前人之述 전인지술] 이전 사람이 지은 시문(詩文).

[前日 전일] 지난날. 선일(先日).

[前者 전자] 앞의 것.

[前作 전작] 전의 작품.

[前酌 전작] 술자리에서 이미 마신 술.

[前績 전적] 이전의 치적(治績).

[前殿 전전] 정전(正殿) 앞에 있는 궁전(宮殿).

[前定 전정] 이전에 정하여짐. 미리 확정됨.

[前庭 전정] 앞뜰.

[前情 전정] 옛 정(情).

[前程 전정] 앞길. 전도(前途).

[前程萬里 전정만리] 전도가 매우 유망함을 이름. 전도만리(前途萬里).

[前提 전제] ㉠어떠한 사물을 먼저 내세움. ㉡추리(推理)에서 단안(斷案)의 기초가 되는 명제(命題).

[前兆 전조] 조짐(兆朕). 전표(前表).

[前朝 전조] ㉠전의 조정. 선제(先帝)의 치세(治世). ㉡전대의 왕조(王朝).

[前趙 전조] 오호 십육국(五胡十六國)의 하나. 흉노(匈奴)의 유연(劉淵)이 칭제(稱帝)하여 도읍을 평양(平陽)에 정하고 한(漢)이라 칭(稱)하다가 오대(五代) 유요(劉曜)의 대(代)에 이르러 조(趙)라고 고쳤는데, 사가(史家)는 전조(前趙)라 일컬음. 5대(代) 26년 만에 후조(後趙)에게 망하였음. (304~329)

[前蹤 전종] 옛사람의 사적(事蹟). 기왕의 사적.

[前罪 전죄] 이전에 저지른 죄.

[前主 전주] ㉠전의 주인. ㉡전의 임금.

[前志 전지] ㉠선세(先世)의 기록. ㉡평소에 품은 뜻. 소지(素志).

[前知 전지] 사물이 일어나기 전에 앎. 미리 앎. 예지(豫知).

[前職 전직] 이전의 벼슬자리.

[前陣 전진] 여러 진 가운데 앞에 친 진(陣).

[前秦 전진] 오호 십육국(五胡十六國)의 하나. 서진(西晉)의 말엽(末葉)에 저족(氐族)의 부견(苻堅)이 세운 나라. 6대(代) 44년 만에 요씨(姚氏)의 후진(後秦)에게 망하였음. (351~394)

[前進 전진] 앞으로 나아감.

[前次 전차] 지난번.

[前車覆後車戒 전차복후차계] 앞차가 엎어진 것을 보고 뒤차가 경계하여 넘어지지 않도록 한다는 뜻으로, 전인(前人)의 실패를 보고 후인(後人)은 이를 경계로 삼아야 한다는 말.

[前遮後擁 전차후옹] 여러 사람이 앞뒤에서 옹위(擁衛)하고 감.

[前債 전채] 전에 진 빚.

[前妻 전처] 이전의 아내. 전실(前室).

[前哲 전철] 예전의 철인(哲人).

[前轍 전철] 앞에 지나간 수레바퀴의 자국이라는 뜻으로, 이전 사람이 그르친 일의 자취를 이름.

[前瞻後顧 전첨후고] 일을 당하여 용기 있게 결단하지 못하고 앞뒤를 재며 주저함.

[前哨 전초] 전방(前方)에 둔 망보는 군사.

[前娶 전취] 이전의 아내.

[前置詞 전치사] 서양 문법에서 명사나 대명사 앞에 놓아 다른 품사와의 관계를 나타내는 품사.

[前敗 전패] 이전의 실패.

[前篇 전편] 두 편으로 나누인 책의 앞 편. 후편(後篇)의 대(對).

[前弊 전폐] 전부터 내려오는 폐단.

[前幅 전폭] 옷의 앞폭.

[前表 전표] 전조(前兆).

[前驆 전필] 천자(天子)가 거둥할 때 벽제(辟除)하는 일. 또, 그 사람.

[前漢 전한] 유방(劉邦)이 세운 한(漢)나라를 후한(後漢)과 구별하여 부르는 이름. 서한(西漢)이라고도 함. 한(漢)의 자해(字解)❹를 보라. (B.C. 202~B.C. 8)

[前銜 전함] 전직(前職).

[前項 전항] 앞에 적혀 있는 사항. 앞의 항목(項目).

[前行 전행] ㉠앞의 행렬. 앞의 줄. ㉡이전의 행위.

[前鄕貢進士 전향공진사] 당대(唐代)의 제도(制度)에서 이미 급제한 진사(進士)를 일컬음.

[前賢 전현] 예전의 현인. 선현(先賢).

[前嫌 전혐] 전의 혐의(嫌疑).

[前胡 전호] ㉠미나릿과(科)에 속하는 숙근초(宿根草). 잎은 식용, 뿌리는 약용함. 사양채. ㉡바디나물의 뿌리. 해소·거담약(祛痰藥)으로 씀.

[前回 전회] 지난번. 먼젓번.

[前悔 전회] 과거에 한 일에 대한 후회. 과거의 실패.

[前後 전후] ㉠앞뒤. ㉡먼저와 나중. ㉢처음과 끝.

[前勳 전훈] 이전에 세운 공훈. 전공(前功).

[前徽 전휘] 전인(前人)의 미덕(美德).

●階前. 空前. 紀元前. 馬前. 面前. 目前. 門前. 事前. 産前. 牀前. 生前. 承前. 食前. 眼前. 御前. 靈前. 午前. 以前. 戰前. 庭前. 尊前.

從前. 直前. 最前. 風前. 向前.

8
⑩ **[㓤]** 갈 [入]黠 古黠切 guā

[字解] ①깎을 갈 긁어냄. '齘一, 刮也'《說文》. ②줄그을 갈 단단한 것을 긁어서 칼집을 냄. '一曰, 一, 畫堅也'《說文》.
[字源] 形聲. 㓞+夬〔音〕

8
⑩ **[剅]** 뇌 ㊤晧 奴皓切 nǎo

[字解] 머릿골 뇌 두뇌(頭腦). '一, 與腦同'《字彙》. '夫角之本, 蹙於一而休於氣'《周禮》.

8
⑩ **[剏]** 〔창〕
刱(刀部 六畫〈p. 251〉)의 俗字

8
⑩ **[剔]** [人名] [一] 척 [入]錫 他歷切 tī
[二] 체 [去]霽 他計切 tì

[字解] [一] ①뼈바를 척 살을 가르고 뼈를 발라냄. '屠一'. '刳一孕婦'《書經》. ②벨 척, 깎을 척 초목 따위를 벰. '攘之一之'《詩經》. ③버릴 척 제거함. '一除'. '疏巖一藪'《唐書》. ※'척' 음은 인명자로 쓰임. [二] 깎을 체 剃(刀部 七畫)와 同字. '婦人皆翦一, 以著假髻'《北史》.
[字源] 篆文 形聲. 刂(刀)+易〔音〕. '易역'은 '바꾸다', 또 '판판하다'의 뜻. 칼로 원형과 다른 모양으로 바꾸다, 얇고 판판하게 깎다의 뜻을 나타냄.

[剔去 척거] 제거함.
[剔抉 척결] 긁어냄. 후벼 냄. 전(轉)하여, 어진 사람을 구해 내어 등용(登用)함.
[剔翦 척전] 자름. 끊음.
[剔除 척제] 버림. 제거함.
[剔出 척출] 후벼 냄.
◉抉剔. 刳剔. 糾剔. 挑剔. 屠剔. 撥剔. 旁剔. 疏剔. 搜剔. 攘剔. 力剔. 湔剔. 翦剔. 爬剔. 割剔.

8
⑩ **[剕]** 비 [去]未 扶沸切 fèi

[字解] 발벨 비 슬개골(膝蓋骨), 곧 종지뼈를 끊어 냄. 또, 그 형벌. 고대의 오형(五刑)의 하나임. '一辟'. '一罰之屬五百'《書經》.
[字源] 形聲. 刂(刀)+非〔音〕. '非비'는 '열다'의 뜻. 칼로 발을 잘라 발리다의 뜻을 나타냄.

[剕罰 비벌] 종지뼈를 끊어 베는 형벌(刑罰).
[剕辟 비벽] 비벌(剕罰).

8
⑩ **[剖]** [人名] 부 ㊤有 普后切 pōu

[字解] ①가를 부 ㉠쪼갬. 빠갬. '一割'. '一符封功臣'《史記》. ㉡시비를 가름. 판단함. 재결함. '一決'. '裁一精明'《唐書》. ②갈라질 부 ㉠쪼개짐. '比干一'《莊子》. ㉡나뉨. 분할됨. '天地一判以來'《史記》.
[字源] 篆文 形聲. 篆文은 刂(刀)+咅(音)〔音〕. '咅부'는 지금은 '音'로 쓰지만, '北북'과 통하여, 하나의 것이 둘로 갈라지다의 뜻. 칼로 떼다, 가르다의 뜻을 나타냄.

[剖決 부결] 옳고 그름을 갈라 결정함. 판단함.
[剖棺斬屍 부관참시] 죽은 후에 큰 죄가 드러났을 때 관을 쪼개고 목을 베어 극형(極刑)을 추시(追施)하는 일.
[剖斷 부단] 부결(剖決).
[剖腹藏珠 부복장주] 배를 가르고 구슬을 감춤. 곧, 재물(財物)을 지나치게 사랑하여 몸을 해침의 비유.
[剖符 부부] 제후(諸侯)를 봉(封)함. 옛날에 천자(天子)가 제후를 봉할 때 부절(符節)을 양분하여 반쪽은 제후한테 주고 반쪽은 보관(保管)하였다가, 후일(後日)의 신표(信標)로 삼았음.
[剖分 부분] 갈라짐. 나뉨. 또, 나눔. 가름.
[剖析 부석] 쪼개어 나눔. 전(轉)하여, 해결함. 부결(剖決).
[剖晰 부석] 분명히 가려 냄. 명백히 해결함.
[剖釋 부석] 나누어 풂.
[剖心 부심] 마음을 드러내 보임. 진심을 보임.
[剖裂 부열] 쪼갬. 분할(分割)함.
[剖截 부절] 쪼개어 끊음.
[剖破 부파] 쪼개어 부숨. 또, 쪼개져 부서짐.
[剖判 부판] 가름. 나눔. 또, 갈라짐. 나뉨.
[剖割 부할] 가름. 나눔. 또, 갈라짐. 나뉨.
◉瓜剖. 刀剖. 豆剖. 不剖. 良工剖. 裁剖. 坼剖. 啄剖. 評剖. 解剖.

8
⑩ **[剗]** [一] 잔 ㊤濟 初限切 chǎn
(②찬[本]) [去]諫 初諫切 chàn
[二] 전 ㊤銑 側展切 zhàn

[字解] [一] ①깎을 잔 깎아 냄. '一削'. '一而類, 破我家'《戰國策》. ②다스릴 잔 '活計以鋤一'《韓愈》. [二] 벨 전 베어 없앰. 제거함. '一除'. '王師本不戰, 賊壘何足一'《蘇軾》.
[字源] 形聲. 刂(刀)+戔〔音〕. '戔전'은 잘고 얇게 하다의 뜻. 칼로 얇게 하다, 깎다의 뜻을 나타냄.

[剗削 잔삭] 깎아 냄.
[剗地 잔지] 눈앞에. 목전(目前)에.
[剗除 전제] 베어 없앰.
◉大剗. 裁剗. 除剗. 革剗.

8
⑩ **[剚]** 사 [去]寘 側吏切 zì

[字解] 칼꽂을 사 칼 같은 것을 찔러 꽂음. 倳(人部 八畫)와 同字. '敢一刃公之腹中'《史記》.
[字源] 形聲. 刂(刀)+事〔音〕. '事사'는 '세우다'의 뜻. 칼을 땅에 꽂아 세우다의 뜻을 나타냄.

8
⑩ **[剛]** [高人] 강 [平]陽 古郎切 gāng

[筆順] 冂 円 冋 冈 罔 岡 剛 剛

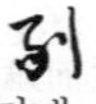

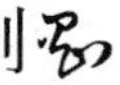

[字解] ①굳셀 강 ㉠지조가 굳음. 주의·절조(節操)를 변하지 아니함. '一直'. '一毅'. '吾未見一者'《論語》. ㉡힘이 셈. 약하지 아니함. '一健'. '及其壯也, 血氣方一'《論語》. ②억셀 강 연하지 아니함. '一柔'. '柔則茹之, 一則吐之'《詩經》. ③강일 강 십간(十干) 중의 갑(甲)·병(丙)·무(戊)·경(庚)·임(壬)에 해당하는 날. 기수(奇數)의 날. 유일(柔日)의 대(對). '外事以一日'《禮記》. ④바야흐로 강 속어(俗語)로서 시(詩)에 쓰이는데, 方(部首)과 같은 뜻임. '一爲

浮名事事乖《皮日休》. ⑤성 강 성 (姓)의 하나.
字源 甲骨文 金文 篆文 形聲. 刂 (刀) ＋岡
[音] ‘岡강’은 ‘強강강’
과 통하여, ‘강하다’의 뜻. ‘강한 칼’의 뜻에
서, ‘굳세다’의 뜻을 나타냄.

[剛強 강강] 셈. 굳셈. 강함.
[剛介 강개] 강직하여 절개를 굳게 지킴.
[剛健 강건] ㉠셈. 굳셈. ㉡격조 (格調)가 웅장 (雄壯)하고 어세 (語勢)가 강함. 기품 (氣品)이 장대 (壯大)하고 필력 (筆力)이 강함.
[剛蹇 강건] 강직하여 남에게 굴복하지 아니함.
[剛謇 강건] 강직하여 꺼리지 아니함.
[剛決 강결] 마음이 굳세고 결단성 (決斷性)이 있음. 강과 (剛果).
[剛耿 강경] 굳세고 큼. 웅경 (雄耿).
[剛梗 강경] 성질이 굳셈.
[剛穀樹 강곡수] 파천극 (巴天戟), 곧 ‘종 (柊)’의 별칭 (別稱).
[剛果 강과] 굳세고 과단성이 있음.
[剛克 강극] 지조가 굳어 사욕을 이지 (理智)로써 눌러 이김.
[剛急 강급] 굳세고 과격함.
[剛氣 강기] 굳센 기상 (氣象).
[剛斷 강단] 과단성 있게 결단함.
[剛膽 강담] 담이 큼. 대담함.
[剛戾 강려] 성품이 고집 세고 비꼬임.
[剛戾自用 강려자용] 성품이 고집 세고 비꼬여 남의 말을 듣지 않고 자기 마음대로 함.
[剛棱 강릉] 성품이 거세어 언행이 모짊.
[剛猛 강맹] 굳세고 사나움.
[剛明 강명] 강직 (剛直)하고 명민 (明敏)함.
[剛卯 강묘] 한대 (漢代)에 사기 (邪氣)를 물리치기 위하여 차던 물건.
[剛武 강무] 굳세고 씩씩함.
[剛敏 강민] 굳세고 민첩함.
[剛卞 강변] 굳세고 성급함.
[剛性 강성] 물질의 단단한 성질.
[剛實 강실] 굳세고 성실함.
[剛嚴 강엄] 굳세고 엄함.
[剛穎 강영] 굳세고 뛰어남.
[剛銳 강예] 굳세고 예민함.
[剛頑 강완] 굳세고 완고함.
[剛勇 강용] 굳세고 용감함.
[剛優 강우] 용기가 많음.
[剛柔 강유] ㉠억셈과 연함. ㉡굳셈과 부드러움.
[剛柔兼全 강유겸전] 강 (剛)과 유 (柔)를 다 갖춤. 성품이 부드러우면서도 단단함.
[剛毅 강의] 강직 (剛直)하여 굴 (屈)하지 아니함.
[剛忍 강인] 억세어 인정이 없음.
[剛者 강자] 강직한 사람.
[剛腸 강장] 강직 (剛直)한 마음의 비유.
[剛正 강정] 강직 (剛直).
[剛躁 강조] 굳세고 성급함.
[剛直 강직] 마음이 굳세고 곧음.
[剛捷 강첩] 굳세고 민첩함.
[剛鏃 강촉] 날카로운 화살촉. 이촉 (利鏃).
[剛愎 강퍅] 성미가 까다롭고 고집 (固執)이 셈. 강려 (剛戾).
[剛褊 강편] 강직하고 편협함.
[剛暴 강포] 굳세고 사나움.
[剛剽 강표] ㉠세고 날램. ㉡굳세고 사나움.
[剛悍 강한] 굳세고 사나움.

[剛灰 강회] 생석회 (生石灰).
●乾剛. 堅剛. 金剛. 內剛. 內柔外剛. 柔能制剛. 貞剛. 至剛. 至大至剛. 太剛.

8 ⑩ [剜] 완 ㉠寒 一丸切 wān 篆文
字解 깎을 완 깎아 냄. ‘有洞若神一’《韓愈》
字源 篆文 形聲. 刂 (刀) ＋宛[音]. ‘宛완’은 꼬부라지다, 우묵하게 패다, 움푹 들어가다의 뜻. 칼로 둥글게 도려내다의 뜻을 나타냄.

[剜肉作瘡 완육작창] 일부러 살을 깎아 부스럼을 만듦. 곧, 도 (道)를 탐구 (探求)하여 도리어 미혹 (迷惑)이 생김의 비유.

8 ⑩ [剝] 박 ㉮覺 北角切 bō, bāo 剝
字解 ①벗길 박 ㉠껍질을 벗김. ‘一陰木’《周禮》. ㉡옷을 벗김. 옷을 빼앗음. ‘裸一士女’《晉書》. ㉢짐승을 죽여 껍질을 벗기고 살을 바름. 육체를 해부함. ‘或一或亨’《詩經》. ㉣드러냄. 노출시킴. ‘喪不一褻也與《禮記》. ②벗겨질 박 ㉠벗김을 당함. ‘苔蘚一落’《李邕》. ㉡떨어짐. 탈락 (脫落)함. ‘風吹紙一’《南史》. ③떨어뜨릴 박 탈락하게 함. ‘一牀以足’《易經》. ④깎을 박 깎아 냄. ‘不一礱砥’《荀子》. ⑤다칠 박 상할 박 ‘一喪元良’《書經》. ⑥찢을 박 잡아당기어 가름. ‘思彿鬱兮肝切一’《王逸》. ⑦두드릴 박 두드려 떨어뜨림. ‘八月一棗’《詩經》. ⑧박괘 박 육십사괘 (六十四卦)의 하나. 곧, ䷖〈곤하 (坤下)〉, 간상 (艮上)〉으로서, 소인 (小人)은 장 (壯)하고 군자 (君子)는 앓는 상 (象). ‘一不利有攸往’《易經》.
字源 篆文 形聲. 刂 (刀) ＋彔[音]. ‘彔박’은 ‘썰다’의 뜻. 칼로 째다, 벗기다의 뜻을 나타냄.

[剝缺 박결] 벗겨지고 이지러짐.
[剝落 박락] 벗겨져 떨어짐.
[剝面皮 박면피] 낯가죽을 벗김. 낯가죽이 두꺼운 자를 욕 (辱)보임.
[剝民 박민] 가렴주구 (苛斂誅求)하여 백성을 괴롭힘.
[剝剝 박박] 찾아온 사람이 문을 두드리는 소리.
[剝放 박방] 벗기어 뗌, 벗겨져 떨어짐.
[剝復 박복] 박괘 (剝卦)와 복괘 (復卦). 전 (轉)하여, 치란 흥쇠 (治亂興衰)의 기운 (機運).
[剝削 박삭] 벗기고 깎음. 또, 벗기어 빼앗음.
[剝喪 박상] 벗겨져 없어짐.
[剝齧 박설] 거죽을 벗기어 먹음.
[剝蝕 박식] 벗겨지고 침식됨.
[剝刺 박자] 옷을 벗기고 몸을 찌름.
[剝製 박제] 새·짐승의 가죽을 벗기고 속에 솜을 메워 표본을 만드는 일. 또, 그 물건.
[剝抄 박초] ㉠나누어 베낌. ㉡벗기어 빼앗음.
[剝啄 박탁] ㉠손이 찾아와서 문을 두드리는 소리. ㉡바둑을 두는 소리.
[剝脫 박탈] ㉠벗김. ㉡벗겨짐.
[剝奪 박탈] 벗겨 빼앗음. 탈취함.
[剝勳 박표] 위협하여 빼앗음.
[剝皮 박피] 껍질을 벗김.
[剝割 박할] ㉠가죽을 벗기고 살을 베어 냄. ㉡백성의 재물 (財物)을 걸태질함.

◉刻剝. 刊剝. 蹇剝. 倮剝. 鉤剝. 落剝. 屯剝. 否剝. 圮剝. 生剝. 切剝. 摧剝. 黜剝. 呑剝. 頹剝. 貶剝. 剽剝. 解剝.

8 ⑩ **[剞]** 기 [上]紙 居綺切 [平]支 居宜切 jī

[字解] 새김칼 기 조각하는 칼. 각도(刻刀). '握一劂而不用兮'《楚辭》.

[字源] 篆文 形聲. 刂(刀)+奇〔音〕. '奇기'는 '구부러지다'의 뜻. 조각할 때 쓰는 구부러진 칼의 뜻을 나타냄.

[剞劂 기궐] 조각하는 칼. 새김칼.
[剞劂氏 기궐씨] 조각하는 사람. 조각사(彫刻師).

8 ⑩ **[剟]** 철 [入]屑 陟劣切 [入]曷 丁括切 duō

[字解] ①깎을 철 깎아 냄. 삭제함. '有敢一定法令者死'《商子》. ②벨 철 끊어서 자름. '一寢戶之簾'《漢書》. ③찌를 철 찔러 상처를 냄. '吏治榜笞數十刺一, 身無可擊者'《史記》.

[字源] 篆文 形聲. 刂(刀)+叕〔音〕. '叕철'은 '絕절'과 통하여, 끊어서 자르다의 뜻. 칼로 끊어 베다의 뜻을 나타냄.

[剟刺 철자] 깎고 찌르고 함. 상처(傷處)를 냄.
[剟定 철정] 쓸데없는 곳을 삭제하여 바르게 정함. 정정(訂正)함.
◉刊剟. 削剟. 刺剟.

8 ⑩ **[剡]** [人名] [一] 염 [上]琰 以冉切 yǎn [二] 섬 [上]琰 時染切 shàn

[字解] [一] ①날카로울 염 예리(銳利)함. 예민함. '一手以衝仇人之胷'《漢書》. ②깎을 염 깎아 냄. '一削'. '刻一'. '一木爲矢'《易經》. ③벨 염 끊어서 자름. '一其脛'《荀子》. ④번적번적할 염 빛이 번적번적하는 모양. '皇一一其揚靈兮'《離騷》. ⑤성 염 성(姓)의 하나. ※'염' 음은 인명자로 쓰임. [二] 땅이름 섬 진한(秦漢) 때 회계군(會稽郡)에 속한 한 현(縣). 지금의 저장 성(浙江省) 승현(嵊縣).

[字源] 篆文 形聲. 刂(刀)+炎〔音〕. '炎염·담'은 '淡담'과 통하여 '희미하다, 연하다'의 뜻. 희미하게 빛나는 칼, 날카롭다의 뜻을 나타냄.

[剡縣 섬현] 자해(字解)[二]를 보라.
[剡削 염삭] 깎아 냄.
[剡手 염수] 민첩한 솜씨.
[剡然 염연] 편안하지 아니한 모양.
[剡剡 염염] ㉠빛나는 모양. 광채를 발하는 모양. ㉡몸을 일으키는 모양. 일어나는 모양.
◉刻剡. 剚剡. 磨剡. 翠剡.

8 ⑩ **[剫]** 비 [平]齊 匹迷切 pī

[字解] 깎을 비 깎아 냄. '一斫'.

[剫斫 비작] 깎음.

8 ⑩ **[剬]** 과 [上]哿 古火切 guǒ

[字解] 쪼갤 과 가름. '劉寬夫有一竹論'《唐文粹》.

8 ⑩ **[剠]** 〔경〕 黥(黑部 八畫〈p.2707〉)과 同字

[字源] 形聲. 刂(刀)+京〔音〕

8 ⑩ **[剒]** 〔착〕 錯(金部 八畫〈p.2402〉)과 同字

8 ⑩ **[剧]** 〔궐〕 劂(刀部 十二畫〈p.266〉)과 同字

[字源] 篆文 形聲. 刂(刀)+屈〔音〕. '屈굴'은 '구부러지다'의 뜻. 세공(細工)에 쓰는 구부러진 칼의 뜻을 나타냄.

8 ⑩ **[剤]** 〔제·자〕 劑(刀部 十四畫〈p.270〉)의 略字

8 ⑩ **[剣]** 〔검〕 劍(刀部 十三畫〈p.270〉)의 略字

8 ⑩ **[剸]** 〔단〕 斷(斤部 十四畫〈p.956〉)의 古字

8 ⑩ **[剧]** 〔극〕 劇(刀部 十三畫〈p.267〉)의 簡體字

9 ⑪ **[剱]** 〔검〕 劒(刀部 十三畫〈p.270〉)의 俗字

9 ⑪ **[剪]** [人名] 전 [上]銑 卽淺切 jiǎn

[字解] ①가위 전 옷감·종이 등을 베는 연장. '一刀'. ②벨 전 ㉠가위로 자름. '勿一勿伐'《詩經》. ㉡베어 버림. '草萊不一'《南史》. ㉢가지런히 자름. '茅茨不一, 采椽不斲'《韓非子》.

[字源] 形聲. 刀+前〔音〕. '前전'은 가지런히 자르다의 뜻. '前'이 앞의 뜻으로 쓰이게 되자, '刀도'를 더하여 '베다'의 뜻을 나타냄.

[剪斷 전단] 베어 끊음. 절단함.
[剪刀 전도] 가위. 전도(翦刀).
[剪屠 전도] 잡아 죽임.
[剪刀草 전도초] 백합과에 속하는 숙근초(宿根草). 마늘쪽 같은 인경(鱗莖)은 고아서 먹음. 무릇.
[剪滅 전멸] 모두 베어 없앰.
[剪伐 전벌] ㉠나무를 자름. ㉡쳐부숨.
[剪闢 전벽] 초목을 베어 개간함.
[剪夷 전이] 쳐 평정함. 토평(討平)함.
[剪裁 전재] ㉠자름. 끊음. 전(轉)하여, 옷감을 마름질함. ㉡꽃이 아름다운 모양.
[剪剪 전전] ㉠마음이 천박(淺薄)한 모양. ㉡바람이 솔솔 부는 모양.
[剪截 전절] 베어 끊음. 절단함.
[剪定 전정] 베어 평정함.
[剪除 전제] 베어 버림.
[剪綵 전채] ㉠채단(綵緞)을 말라 옷을 만듦. ㉡조화(造花).
[剪取 전취] 베어 가짐.
◉開剪. 闢剪. 剋剪. 禽剪. 刪剪. 碎剪. 夷剪. 除剪. 誅剪. 剔剪. 梟剪.

9 ⑪ **[剫]** [一] 탁 [入]藥 徒落切 duó [二] 도 [上]麌 動五切 dù

[字解] [一] ①쪼갤 탁 '一, 判也'《說文》. ②다듬을

탁 나무를 깎아 다듬음. 건목 침. '一, 治木也'《玉篇》. [三] 닫을 도, 덮을 도 斁(攴部 九畫)와 同字.

[字源] 篆文  形聲. 刂(刀)＋度〔音〕. '度탁'은 '길이를 재다'의 뜻. 나무 따위를 재어 잘라 나누다의 뜻을 나타냄.

9 ⑪ **[剭]** 옥 [入]屋 烏谷切 wū 

[字解] 목벨 옥 목을 잘라 죽임. '底一鼎臣'《漢書》.

[字源] 形聲. 刂(刀)＋屋〔音〕. '屋옥'은 '방'의 뜻. 지체 높은 사람을 집 안에 가두어 사형에 처하다의 뜻을 나타냄.

9 ⑪ **[副]** [高人] [一] 부 [去]宥 敷救切 fù [二] 복 [入]職 芳逼切 pì 

[筆順] 一 ㄇ 畐 畐 畐 畐 副 副

[字解] [一] ①버금 부 ㉠다음. 둘째. 예비. 정(正)의 대(對). '正一'. '次一'. '一將'. '誤中一車'《史記》. ㉡보좌. '一貳'. '一職'. '爲將軍一'《漢書》. ②도울 부 보좌함. '參一朝右職'《晉書》. ③맞을 부 적합함. '修短相一'《蔡邕》. '盛名之下, 其實難一'《漢書》. ④머리꾸미개 부 머리를 땋아 만든 부인(婦人)의 수식(首飾). '一笄六珈'《詩經》. ⑤성 부 성(姓)의 하나. [二] 쪼갤 복 빠갬. '爲天子削瓜者一之'《禮記》.

[字源] 篆文  形聲. 刂(刀)＋畐〔音〕. '畐복'은 '北북'과 통하여, 하나가 둘로 갈라지다의 뜻. 칼로 베어 쪼개다의 뜻을 나타냄. 또, 거성(去聲)일 때, 나눈 것을 합치다, 따라붙다, 부차적인 것의 뜻을 나타냄.

[副介 부개] 부관(副官). 보좌역.
[副車 부거] 바꾸어 타기 위하여 여벌로 따라가는 수레.
[副件 부건] 여벌.
[副笄 부계] 옛날 귀부인(貴夫人)의 머리꾸미개.
[副啓 부계] 서간(書簡)의 첨서(添書)의 첫머리에 쓰는 말. 추백(追白).
[副官 부관] 장관(長官) 밑에서 군사상의 서무(庶務)를 맡는 무관(武官).
[副君 부군] 임금의 상속자. 태자(太子).
[副輦 부련] 《韓》 거동(擧動) 때 임금이 타는 연(輦) 앞에 먼저 가는 빈 연(輦). 공련(空輦).
[副馬 부마] 예비로 두는 여벌의 말.
[副墨 부묵] 문자(文字)를 이름.
[副本 부본] 원본(原本)의 버금으로 비치하여 두는 원본과 꼭 같은 서류.
[副使 부사] 정사(正使)를 보좌하는 버금 사신(使臣).
[副詞 부사] 동사·형용사 또는 다른 부사 위에 붙어서 그 뜻을 수식(修飾)하는 품사(品詞).
[副産物 부산물] 주산물(主産物)을 만드는 데 따라서 생기는 물건.
[副賞 부상] 상장(賞狀) 이외에 덧붙여 주는 상품.
[副書 부서] 부본(副本).
[副署 부서] 법령 또는 조약 같은 것을 새로 제정할 때 원수(元首)의 이름을 서명한 다음에 국무 위원이 하는 서명(署名).
[副成分 부성분] 주성분 이외의 성분.
[副乘 부승] 바꾸어 타기 위하여 여벌로 두는 수레, 또는 말.
[副食物 부식물] 주(主)되는 음식(飮食)에 껴서 먹는 음식(飮食). 밥에 대한 반찬 따위.
[副室 부실] 작은집. 첩(妾).
[副業 부업] 본업(本業) 밖에 갖는 직업. 여업(餘業).
[副元帥 부원수] 원수(元帥)의 버금으로 원수를 보좌하는 직(職).
[副貳 부이] 보좌역. 또, 보좌를 함.
[副作用 부작용] 약(藥)이 목적으로 하는 본래의 작용 이외에 부수(副隨)하여 일어나는 작용.
[副將 부장] 주장(主將)을 보좌하는 버금 장수. 비장(裨將).
[副主 부주] 황태자(皇太子).
[副職 부직] 보좌의 관직.
[副車 부차] 부거(副車). 속차(屬車).
[副妾 부첩] 첩. 소실.

◉兼副. 國副. 軍副. 寫副. 盛名之下其實難副. 厭副. 贏副. 儲副. 正副. 次副. 冢副.

9 ⑪ **[㓞]** 결 [入]屑 詰結切 qiè

[字解] 새길 결 조각함. '一而舍之, 朽木不知'《晉書》.

9 ⑪ **[剬]** 단 [平]寒 多官切 duān [上]銑 旨兗切 tuán 

[字解] ①끊을 단 '一, 斷也'《廣雅》. ②가지런히 자를 단 '一, 剸齊也'《集韻》. ③가늘게 썰 단 '一, 同剸, 細割也'《一切經音義》. ④단정할 단 얌전하고 바름. '藺相如一而不傷'《揚子法言》. ⑤마련할 단 제재(制裁)함. '依鬼神以一義'《史記》. ⑥어거할 단 제어함. '人君揄策廟堂一有司'《淮南子》.

[字源] 篆文  形聲. 刂(刀)＋耑〔音〕. '耑단'은 '떨어뜨리다'의 뜻. 칼을 위에서 떨어뜨리듯이 하여 베다의 뜻.

9 ⑪ **[㓵]** 악 [入]藥 五各切 è

[字解] 날 악 도검(刀劍)의 날. '及加之砥礪, 摩其鋒一'《淮南子》.

[字源] 形聲. 刂(刀)＋咢〔音〕

9 ⑪ **[剨]** 괵 [入]陌 呼麥切 huò

[字解] 자끈할 괵 물건이 부서지는 소리.

9 ⑪ **[剮]** 과 [上]馬 古瓦切 guǎ

[字解] 살바를 과 뼈에 붙은 살을 발라냄.

[字源] 形聲. 刂(刀)＋咼〔音〕

9 ⑪ **[剛]** 〔강〕 剛(刀部 八畫〈p.260〉)의 本字

9 ⑪ **[剎]** 〔찰〕 刹(刀部 七畫〈p.256〉)과 同字

9 ⑪ **[剰]** 〔잉〕 剩(刀部 十畫〈p.264〉)의 略字

10 ⑫ **[劵]** 〔권〕 券(刀部 六畫〈p.252〉)의 本字

10 ⑫ [剩] 人名 잉 ㊲徑 實證切 shèng

筆順 二 千 千 千 禾 乖 乘 剩

字解 ①남을 잉, 나머지 잉 어떤 한도 밖에 더 있음. 또, 그것. '一餘'. '一員'. '掠一增釜區'《范成大》. ②길 잉 쓸데없이 김. '一語'. '雨一風殘忽春暮'《楊萬里》. ③더구나 잉 더군다나. 게다가. 그 위에. '尋經一欲翻'《高適》.

字源 形聲. 刂(刀)+乘〔音〕. '乘승'은 '올리다'의 뜻. '刀도'는 '利리'의 뜻이 가미되어 있음. 이익이 오르다, 남다의 뜻을 나타냄.

[剩過 잉과] 일정한 양을 초과함. 너무 많음. 과잉(過剩).
[剩金 잉금] 남은 돈. 잉여금(剩餘金).
[剩利 잉리] 남은 이익. 벌이.
[剩數 잉수] 남은 수(數).
[剩哀 잉애] 일이 지나간 뒤에도 아직 남아 있는 슬픔. 여애(餘哀).
[剩額 잉액] 남은 액수.
[剩語 잉어] 쓸데없는 말. 군소리.
[剩餘 잉여] 나머지. 잔여(殘餘).
[剩員 잉원] 남아도는 인원. 쓸데없는 군인원. 용원(冗員).
[剩錢 잉전] 거스름돈.
◉過剩. 餘剩. 足剩.

10 ⑫ [剫] 二 예 ㊲霽 兪芮切 ruì
三 계 ㊲霽 去例切 jì

字解 二 날카로울 예 銳(金部 七畫〈p. 2392〉)의 籀文. 三 다칠 계 조금 다치게 함. '一, 小傷也'《集韻》.

10 ⑫ [劇] 건 ①②㊲元 居言切 jiān
③㊲先 渠焉切 qián

字解 ①불깔 건 칼로 소의 불알을 도려내어 거세(去勢)함. '一, 以刀去牛勢'《廣韻》. ②엘 건 도려냄. '一, 剔也'《集韻》. ③깎을 건 '一, 削也'《集韻》.

10 ⑫ [割] 高入 할 ㊂曷 古達切 gē

筆順 ' 宀 宀 宀 宇 宔 害 割 割

字解 ①가를 할 ㊀칼로 베어 끊음. 절단함. '一烹'. '一雞焉用牛刀'《論語》. ㊁나눔. 구분함. '分一'. '陰陽一昏曉'《杜甫》. ㊂나누어 줌. 분양(分讓) 함. '必一地以交於王矣'《戰國策》. ②빼앗을 할 성이나 땅을 점령함. '一耕'. '牽一夏邑'《書經》. '王可一地'《戰國策》. ③해칠 할 손해를 끼침. '洪水方一'《書經》. ④재앙 할 재해(災害). '天降一於我家'《書經》. ⑤(日) 할 할 십분의 일. 십등분하여 그 몇을 나타내는 말. '一二'.

字源 金文 剳 篆文 劃 形聲. 刂(刀)+害〔音〕. '害할'은 '끊다'의 뜻. '刀도'를 더하여, '끊다, 가르다'의 뜻을 나타냄.

[割據 할거] 한 지방을 점령하여 웅거(雄據)함.
[割耕 할경] 인접(隣接)한 남의 논밭을 침범(侵犯)하여 경작(耕作)함.
[割雞焉用牛刀 할계언용우도] 닭을 잡는 데 소 잡는 칼을 쓸 것까지는 없음. 작은 일을 처리(處理)하는 데 큰 인물(人物)이 필요치 않다는 비유(比喩).
[割股啖腹 할고담복] 허벅다리의 살을 베어서 배에 먹임. 마침내 자기의 손실(損失)이 된다는 뜻.
[割斷 할단] 베어서 끊음. 절단함.
[割禮 할례] 유대교에서 남자가 난 지 여드레 만에 자지 끝의 피부를 조금 베어 버리는 예식.
[割名 할명] 명예를 훼손함.
[割剝 할박] ㊀가죽을 벗기고 살을 베어 냄. ㊁백성의 재물(財物)을 걸태질함.
[割剝之政 할박지정] 가렴주구(苛斂誅求)하는 나쁜 정사(政事).
[割半 할반] 반을 벰.
[割半之痛 할반지통] 형제자매(兄弟姉妹)가 죽어 느끼는 슬픔.
[割譜 할보] 《韓》족보(族譜)에서 성명을 도려내어 친족의 관계를 끊음.
[割腹 할복] 배를 가름.
[割封 할봉] 《韓》시관(試官)이 과거(科擧) 답안지의 봉미(封彌)를 뜯음.
[割符 할부] 부신(符信)을 갈라 증거로 삼음.
[割席 할석] 자리를 같이하지 아니함. 절교(絶交)함.
[割席分坐 할석분좌] 절교(絶交)하고 같은 자리에 앉지 아니함.
[割授 할수] 나누어 줌.
[割愛 할애] 마음으로는 아깝지만 나누어 줌.
[割讓 할양] 나누어 줌.
[割興 할보] 분할하여 떼어 줌. 나누어 줌.
[割肉去皮 할육거피] 짐승을 잡아 살을 베고 가죽을 벗김.
[割肉充腹 할육충복] 자기 살을 베어 배를 채운다는 뜻으로, 혈족(血族)의 재물을 빼앗아 먹음을 이름.
[割恩斷愛 할은단애] 할은단정(割恩斷情).
[割恩斷情 할은단정] 애틋한 은정(恩情)을 끊음.
[割移 할이] 갈라 옮김.
[割印 할인] 한 개의 도장을 두 장의 서류에 걸쳐서 찍음. 또, 그 도장.
[割截 할절] 끊음. 절단함.
[割取 할취] 남의 소유물의 한 부분을 빼앗아 가짐.
[割烹 할팽] 고기를 베어 삶음. 요리(料理)함. 또, 그 요리.
◉剞割. 斷割. 屠割. 分割. 鉛刀一割. 宰割. 裁割. 切割. 中割. 烹割.

10 ⑫ [剳] 답 ㊆合 德合切 dá, zhá

字解 ①갈고리 답. ②낫 답 풀을 베는 연장.
字源 形聲. 刂(刀)+荅〔音〕.
參考 箚(竹部 八畫)의 俗字로서, '剳記'로 쓰임.

[剳記 답기·차기] 차기(箚記).

10 ⑫ [剴] 개 ㊄灰 古哀切 kǎi

字解 ①낫 개 풀을 베는 큰 낫. ②간절할 개 아주 적절함. '無不一切當帝心者'《唐書》.
字源 篆文 劁 形聲. 刂(刀)+豈〔音〕. '豈개'는 '開개'와 통하여 '열다'의 뜻. 칼로 베어

열다의 뜻을 나타냄.

[剴備 개비] 빠짐없이 갖춤.
[剴切 개절] 아주 적절(適切)함.

10 ⑫ [⿰罡刂] 강 [平]陽 古郎切 gāng

[字解] 굳셀 강 剛(刀部 八畫)과 同字. '—風旋如塊'《錢謙益》.

10 ⑫ [創] [高人] 창 [平]陽 初良切 chuāng [去]漾 初亮切 chuàng

[筆順] 𠆢 亼 今 刍 倉 倉 創 創

[字解] ①다칠 창 칼 따위의 연장에 다침. '漢家箭神, 中—者必有異'《後漢書》. ②상처 창 연장에 다친 데. '—傷'. '—痍未瘳'《漢書》. '身被七十—'《漢書》. ③부스럼 창 瘡(疒部 十畫)과 통용. '頭有—則沐'《禮記》. ④비롯할 창 시작함. 개시함. '—始'. '開—'. '—業垂統'《孟子》. ⑤징계할 창 한번 혼이 나서 조심함. '予—若時'《書經》. ⑥슬퍼할 창 상심함. 가슴 아파함. '人民—艾戰鬪'《漢書》.

[字源] 金文 篆文 別體 金文은 象形으로, 칼이 피부에 꽂힌 모양을 본떠, '다치다'의 뜻을 나타냄. 지금은 '刅창'으로 씀. '創창'은 '刅'의 별체(別體)로, 刂(刀)+倉〔音〕의 形聲임. 음부(音符)인 '倉창'은 '다치다'의 뜻. '創'은 파생되어 '비롯하다'의 뜻도 나타냄.

[創刊 창간] 신문·잡지·교지(校誌) 등의 정기 간행물을 처음으로 간행함. 발간(發刊).
[創開 창개] 처음으로 개설(開設)함.
[創建 창건] 창립(創立).
[創見 창견] ㉠독창(獨創)의 의견. ㉡처음으로 한 발견.
[創口 창구] 연장에 다친 상처의 구멍.
[創毒 창독] 상처를 입혀 해침.
[創立 창립] 처음으로 세움. 처음으로 이룩함. 창건(創建). 창설(創設).
[創傷 창상] 연장에 다친 상처(傷處).
[創設 창설] 처음으로 베풂. 창립(創立). 신설(新設).
[創成 창성] 창립(創立).
[創世 창세] 처음으로 세계를 만듦.
[創世記 창세기] 구약 성서(舊約聖書)의 첫 권. 천지개벽(天地開闢)과 만물을 창조(創造)한 전설의 기록.
[創始 창시] 일을 비롯함.
[創乂 창애] 혼이 나서 경계함.
[創艾 창애] 창애(創乂).
[創業 창업] ㉠나라를 처음으로 세움. ㉡사업을 일으킴.
[創業守文 창업수문] 창업(創業)은 처음으로 국기(國基)를 세움, 수문(守文)은 그 이룩된 것을 지켜 길이 이를 유지(維持)함.
[創業垂統 창업수통] 제왕(帝王)의 기업(基業)을 세워 자손에게 이어 줌.
[創意 창의] 새로 생각해 낸 의견. 새로운 착상(着想).
[創夷 창이] 창이(創痍).
[創痍 창이] 연장에 다친 상처.
[創痍未瘳 창이미추] 상처가 아직 아물지 아니함. 전란의 여독(餘毒)이 아직도 남아 있거나, 받은 타격을 완전히 회복하지 못함을 이름.
[創作 창작] ㉠처음으로 생각해 내어 만듦. ㉡자기의 창의(創意)에 의하여 지은 문예(文藝) 작품.
[創定 창정] 시작하여 정함. 또, 시작되어 정하여 짐.
[創制 창제] ㉠창건(創建)하여 다스림. ㉡제도(制度)를 만듦.
[創製 창제] 창조(創造).
[創造 창조] 처음으로 만듦.
[創草 창초] 사물의 시작. 초창(草創).
[創置 창치] 창설하여 둠.
[創統 창통] 사업의 토대를 이룩함. 창업(創業).
◉金創. 刀創. 獨創. 癥創. 傷創. 始創. 刃創. 重創. 初創. 草創. 銃創.

10 ⑫ [⿰𠁁刂] 〔착〕 斲(斤部 十畫〈p.956〉)과 同字

11 ⑬ [⿰巢刀] 〔초〕 勦(力部 十一畫〈p.282〉)와 同字

[字源] 形聲. 刀+巢〔音〕. '巢소'는 '小소'와 통하여 '작다'의 뜻. 칼로 작게 썰다, 끊다, 죽이다의 뜻을 나타냄.

[參考] 자형(字形)을 또 剿(刀部 十一畫)로도 씀.

11 ⑬ [剺] 리 [平]支 里之切 lí

[字解] 벗길 리, 그을 리 '花門—面請雪恥'《杜甫》.

[字源] 篆文 形聲. 刀+𠩺〔音〕. '𠩺리'는 결을 맞추어 가지런히 거두다의 뜻. 결을 따라 칼로 벗기다의 뜻을 나타냄.

[剺面 이면] 슬픈 나머지 칼로 얼굴을 벰.

11 ⑬ [⿰桼刂] [一] 치 [上]紙 初紀切 chǐ [二] 철 [入]屑 親結切 [三] 칠 [入]質 初栗切

[字解] [一] ①상할 치, 다칠 치 '—, 傷也'《說文》. ②가를 치 칼로 베어 끊음. '—, 劃也'《廣雅》. [二] 상할 철, 다칠 철, 가를 철 [一]과 뜻이 같음. [三] 가를 칠 '—, 博雅, 劃也'《集韻》.

[字源] 形聲. 刂(刀)+桼〔音〕

11 ⑬ [剷] 산(찬[本]) [上]潸 楚簡切 chǎn [去]諫 初諫切

[字解] 깎을 산 깎아 냄. '府兵內—'《杜牧》.

[字源] 形聲. 刂(刀)+產〔音〕

[剷刈 산예] 풀·나무 따위를 벰.
[剷薙 산치] 베어 버림.

11 ⑬ [剸] [一] 단 [平]寒 度官切 tuán [二] 전 [平]先 朱遄切 zhuān

[字解] [一] 끊을 단 절단함. '—剡'. '其刑罪則纖—'《禮記》. [二] 오로지 전 專(寸部 八畫)과 同字. '—行'. '—決'. '—屬任何關中事'《漢書》.

[字源] 篆文 形聲. 刂(刀)+專〔音〕. '專전'은 '斷단'과 통하여 '끊다'의 뜻. 칼로 절단하다의 뜻을 나타냄.

[剸剡 단염] 절단하여 깎음.
[剸決 전결] 자기 마음대로 결단함. 전결(專決). 전단(專斷).
[剸行 전행] 자기 마음대로 행함. 임의(任意)로 처결(處決)함. 전행(專行).
◉斷剸. 纖剸. 裁剸.

11 ⑬ [剽] [人名] 표 ①-③[去]嘯 匹妙切 piào ④[上]篠 俾小切 biǎo

[字解] ①표독할 표 사납고 독살스러움. '一悍'. '一勇'. '已患其一悍'《漢書》. ②겁박할 표 협박함. 겁탈함. '一奪'. '一掠'. '攻一爲群盜'《史記》. ③빠를 표 경첩(輕捷)함. 민첩함. '一疾'. '輕一'. '其爲獸必一'《周禮》. ④끝 표 말단. '無本一者'《莊子》.
[字源] [篆文] 形聲. 刂(刀)+票(㶾)〔音〕. '票표'는 '暴표'와 통하여, '날뛰다, 설치다'의 뜻. 칼을 갖고 날뛰다의 뜻에서, '협박하다'의 뜻을 나타냄.

[剽刦 표겁] 협박함. 공갈함.
[剽劫 표겁] 표겁(剽刦).
[剽輕 표경] 경솔함. 경박함.
[剽攻 표공] 협박하여 침공(侵攻)함.
[剽狡 표교] 표독하고 교활함. 또, 그 사람.
[剽急 표급] 표질(剽疾).
[剽盜 표도] 표략(剽掠).
[剽掠 표략] ㉠협박(脅迫)하여 빼앗음. ㉡벗겨 훔침. 훔침. 표탈(剽奪).
[剽虜 표로] 노략질함. 눈을 속여 빼앗음.
[剽剝 표박] ㉠박해(迫害)함. 비난함. ㉡벗겨 빼앗음. 벗김. ㉢벗겨짐. 탈락(脫落)함. 박락(剝落).
[剽姚 표요] ㉠몸이 가볍고 날램. 민첩함. ㉡한(漢)나라 무관(武官)의 이름. 표요(嫖姚).
[剽勇 표용] 표독하고 용감함.
[剽賊 표적] 표절(剽竊).
[剽竊 표절] 남의 시가(詩歌)·문장(文章) 등을 훔치어 제가 지은 것처럼 발표(發表)함.
[剽疾 표질] 재빠름. 경첩(勁捷)함.
[剽楚 표초] 해치고 괴롭게 함.
[剽奪 표탈] 표략(剽掠).
[剽悍 표한] 표독하고 날램.
◉剛剽. 輕剽. 攻剽. 鹵剽. 剝剽. 浮剽. 殘剽. 推剽.

11 ⑬ [剿] 〔초〕
勦(力部 十一畫〈p. 282〉)와 同字
[參考] 자형(字形)을 剿(刀部 十一畫)로도 씀.

11 ⑬ [𠠚] 창 [上]養 楚兩切 chuǎng

[字解] 생채기날 창 피부에 상처가 남. '一, 皮傷也'《集韻》.

11 ⑬ [剼] [一] 삼 [平]咸 師銜切 shān [二] 초 [平]篠 子了切 jiǎo

[字解] [一] 벨 삼 풀 같은 것을 벰. '一, 刈也'《集韻》. '莽封欽爲一胡子'《漢書》. [二] 끊을 초 절단함. 劋(刀部 十三畫)와 同字.

11 ⑬ [𠞰] 〔각〕
刻(刀部 六畫〈p. 254〉)의 古字

11 ⑬ [𠟗] 〔획〕
畫(田部 七畫〈p. 1470〉)·劃(刀部 十二畫〈p. 266〉)의 古字

12 ⑭ [劂] 궐 [入]月 居月切 jué

[字解] ①새김칼 궐 각도(刻刀). ②새길 궐 조각함. '不劘不一'《張皓》. ③끌 궐 조각하는 데 쓰는 굽은 끌. '般倕棄其剞一兮'《漢書》.
[字源] 形聲. 刂(刀)+厥〔音〕. '厥궐'은 '파다'의 뜻. 조각용의 작은 칼의 뜻을 나타냄.

◉剞劂. 劘劂.

12 ⑭ [劔] 〔검〕
劍(刀部 十三畫〈p. 270〉)의 俗字

12 ⑭ [𠠎] 잠 [上]感 鋤咸切 zàn

[字解] 찌를 잠 뾰족한 것으로 찌름. '一, 剗也, 刺也'《玉篇》.

12 ⑭ [劃] [高人] 획 [入]陌 呼麥切 huà 划

[筆順] ㇕ ⺕ ⺕ 聿 肀 書 畫 劃

[字解] ①쪼갤 획 가름. '有巖類天一'《韓愈》. ②그을 획 구분함. '區一'. '平洲島嶼天所一'《洪希文》. ③환히 획 분명히. '一然'. '一見公子面'《杜甫》.
[字源] [金文] [篆文] 形聲. 刂(刀)+畫〔音〕. '畫획'은 '구분하다'의 뜻. 칼로 구분하다, 쪼개다의 뜻을 나타냄.

[劃給 획급] 갈라 줌. 나누어 줌.
[劃然 획연] ㉠물건을 쪼개는 소리의 형용. ㉡명확히 구별된 모양. 분명히.
[劃一 획일] 모두 한결같이 함. 획일(畫一). 일률(一律).
[劃地 획지] ㉠경계를 지어 땅을 가름. ㉡땅에 금을 침.
◉區劃. 天劃.

12 ⑭ [𠠐] [一] 천 [上]銑 旨善切 zhǎn [二] 잔 [上]潸 仕限切 [三] 츤 [去]震 初覲切 [四] 찬 [去]諫 初諫切 chàn

[字解] [一] ①불깔 천 소를 거세(去勢)함. '一, 以椎去牛勢'《廣韻》. ②끊을 천 '一, 裁也'《集韻》. ③다스릴 천 평정(平定)함. '一, 攻也'《廣雅》. [二] 불깔 잔, 끊을 잔, 다스릴 잔 [一]과 뜻이 같음. [三] 불깔 츤, 끊을 츤, 다스릴 츤 [一]과 뜻이 같음. [四] 깎아평평하게할 찬 '一, 削也. 平治也'《篇海類編》.

12 ⑭ [劀] 괄 [入]黠 古滑切 guā

[字解] 긁은살파낼 괄, 고름짤 괄 악창(惡瘡)이 난 데를 긁어 파냄. 또, 고름을 짜냄. '一殺之齊'《周禮》.
[字源] [篆文] 形聲. 刂(刀)+矞〔音〕. '矞율'은 '뚫다, 꽂다'의 뜻. 나쁜 종기가 난 살을 긁어내다, 고름을 짜내다의 뜻을 나타냄.

[劀殺 괄살] 고름을 짜고 굳은살을 잘라 냄.

12
⑭ [剆] ■ 조 ㉹效 陟教切 zhào
　　■ 도 ㉹號 大到切
　　■ 착 ㊺覺 竹角切
[字解] ■ 클 조 풀이 큼. '一, 大也'《爾雅》. '說文云, 草大也'《釋文》. ■ 클 도 ■과 뜻이 같음. ■ 클 착 ㉠과 뜻이 같음.

12
⑭ [劕] 준 ㉤阮 玆損切 zǔn
[字解] 덜 준, 누를 준, 꺾을 준 撙(手部 十二畫)과 同字.
[字源] 篆文 形聲. 刂(刀)＋尊〔音〕. '撙준'과 같은 글자로, '누르다, 꺾다'의 뜻을 나타냄.

12
⑭ [㮥] 속 ㊺沃 須玉切 sù
[字解] 저밀 속 잘게 썲.

12
⑭ [劙] 잠 ㉤感 祖感切 zàn
[字解] 찌를 잠 뾰족한 것으로 찌름.

12
⑭ [㔻] ㊇名 箚(竹部 八畫〈p. 1670〉)의 俗字

13
⑮ [劈] ㊇名 벽 ㊺錫 普擊切 pī, pǐ
[字解] ①뻐갤 벽 쪼갬. 가름. '一開'. '一碎'. '一波得泉魚'《錢起》. ②천둥 벽 요란한 뇌성(雷聲). '一歷'.
[字源] 篆文 形聲. 刀＋辟〔音〕. '辟벽'은 사람을 찢어 죽이는 형벌의 뜻. '刀도'를 더하여, 칼로 베어 쪼개다의 뜻을 나타냄.

[劈開 벽개] 쪼개어 엶.
[劈頭 벽두] 일의 처음. 맨 처음.
[劈歷 벽력] 요란한 천둥소리. 벽력(霹靂).
[劈碎 벽쇄] 쪼개어 부숨.
[劈破 벽파] 쪼개어 깨뜨림.
●斧劈.

13
⑮ [劇] 高入 극 ㊺陌 奇逆切 jù
[筆順] 广 庐 虍 虏 虏 虏 虏 劇
[字解] ①심할 극 격심함. 대단함. '一甚'. '一寒'. '比得軟脚病, 往往一'《韓愈》. ②어려울 극 '轉運難一'《後漢書》. ③바쁠 극 분망(奔忙)함. 번거로움. '一務'. '一職'. '管繁一之任'《郭璞》. ④번화할 극 사람의 왕래가 많음. 또, 그러한 곳. '一地'. '陳留據水陸一'《唐書》. ⑤많을 극 번다(繁多)함. '材一志大'《荀子》. ⑥빠를 극 신속함. '口吃不能一談'《漢書》. ⑦고생할 극 '同知埋身一'《王粲》. ⑧놀이 극 장난. '好爲蕩舟一'《李白》. ⑨연극 극 희극·비극 따위. '戱一'. '京一'. '演一者飾其面, 謂之扮戱'《正字通》. ⑩성 극 성(姓)의 하나.
[字源] 篆文 形聲. 刂(刀)＋豦〔音〕. '豦거'는 짐승의 격렬한 격투의 뜻. '刀도'를 더하여, '심하다'의 뜻을 나타냄. 전하여, '연극'의 뜻도 나타냄.

[劇界 극계] 연극인들의 사회.
[劇寇 극구] 기세가 대단한 원수. 강포(強暴)한 구도(寇盜).
[劇難 극난] 격렬히 논란(論難)함.
[劇團 극단] 연극(演劇)하는 단체.
[劇壇 극단] ㉠연극의 무대(舞臺). ㉡연극인의 사회. 극계(劇界).
[劇談 극담] ㉠빨리 이야기함. ㉡격렬(激烈)한 담판.
[劇盜 극도] 큰 도둑. 대도(大盜).
[劇道 극도] 연극의 도(道). 연극에 관한 일.
[劇動 극동] 심하게 움직임. 또, 격심한 동작.
[劇烈 극렬] 과격하고 맹렬함.
[劇虜 극로] 강한 오랑캐. 기세가 대단한 오랑캐. 강로(強虜).
[劇論 극론] 격렬(激烈)한 의론.
[劇孟 극맹] 전한(前漢)의 낙양(洛陽) 사람. 임협(任俠)으로 이름남. 오초칠국(吳楚七國)이 침범하였을 때 주아부(周亞夫)가 그를 하남(河南)에서 얻고 크게 기뻐하였음.
[劇務 극무] 매우 바쁜 직무.
[劇問 극문] 급히 물음. 또, 급한 질문.
[劇文學 극문학] 연극 예술을 위한 문학.
[劇旁 극방] 세 군데로 통하는 길.
[劇煩 극번] 대단히 번거로움. 대단히 바쁨.
[劇繁 극번] 대단히 고되고 바쁨.
[劇變 극변] 몹시 변(變)함. 또, 급격한 변화. 격변(激變).
[劇司 극사] 바쁜 벼슬. 또, 세력 있는 벼슬.
[劇暑 극서] 대단한 더위. 혹서(酷暑).
[劇詩 극시] 연극 각본(脚本)으로 꾸며진 장편(長篇)의 시.
[劇辛 극신] 전국 시대(戰國時代) 조(趙)나라 사람. 연(燕)나라 소왕(昭王)이 후한 폐백(幣帛)으로 현자(賢者)를 초빙(招聘)하였을 때 연나라에 가서 국정(國政)을 맡았음.
[劇甚 극심] 극도로 심함. 아주 심함.
[劇藥 극약] 성질이 극렬한 약. 표준 용량(用量)을 지나쳐 복용하면 중독을 일으켜 위험한 약. 산토닌·수면제 따위.
[劇語 극어] 극렬한 말.
[劇役 극역] ㉠아주 바쁜 일. 과도한 일. ㉡심하게 부림을 당함.
[劇熱 극열] 몹시 심한 열.
[劇炎 극염] 극서(劇暑).
[劇雨 극우] 억수같이 쏟아지는 비.
[劇園 극원] 극계(劇界).
[劇月 극월] 바쁜 달.
[劇飮 극음] 술을 너무 많이 마심.
[劇邑 극읍] 사무가 번거로운 읍(邑).
[劇子 극자] 연극을 하는 사람. 광대. 배우(俳優).
[劇作 극작] 희곡(戱曲)이나 각본을 창작하는 일.
[劇場 극장] 연극(演劇)을 하는 곳.
[劇爭 극쟁] 격렬하게 다툼.
[劇賊 극적] 극도(劇盜).
[劇敵 극적] 기세가 대단한 적. 강적(強敵).
[劇戰 극전] 격심(激甚)하게 싸움. 또, 격렬한 싸움. 격전(激戰).
[劇症 극증] 극렬한 증세. 급한 병.
[劇地 극지] 번화한 곳.
[劇職 극직] 바쁜 직책. 극무(劇務).
[劇震 극진] 진동이 심한 지진(地震).
[劇秦美新 극진미신] 왕망(王莽)이 한(漢)나라의 제위(帝位)를 빼앗아 국호를 신(新)이라 일컬

었을 때, 한나라의 신하 양웅(揚雄)이 올린 글의 이름. 신(新)나라의 덕을 찬양하고 횡포한 진(秦)나라의 과실(過失)을 논한 것임.
[劇驂 극참] 일곱 군데로 통하는 길. 칠달(七達)의 도로.
[劇痛 극통] 몹시 심한 아픔.
[劇寒 극한] 대단한 추위. 기한(祁寒).
[劇戲 극희] 광대가 하는 연극(演劇).
◉歌劇. 京劇. 觀劇. 狂劇. 舊劇. 博劇. 繁劇. 紛劇. 悲劇. 史劇. 新劇. 演劇. 要劇. 雄劇. 猿劇. 雜劇. 慘劇. 寸劇. 謔劇. 活劇. 喜劇. 戲劇.

13 ⑮ [劇] 劇(前條)의 俗字

13 ⑮ [劉] [人名] 류 ㊤尤 力求切 liú 刘 

[筆順] 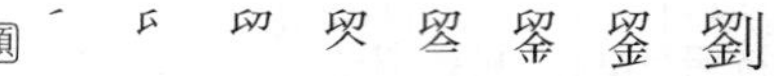

[字解] ①죽일 류 살해함. '重我民無盡一'《書經》. ②도끼 류 무기(武器)로 쓰는 도끼. 월(鉞)의 한 종류. '一人冕執一'《書經》. ③성 류 성(姓)의 하나.

[字源] 篆文  形聲. 金+刂(刀)+卯(丣)〔音〕. '丣류'는 '둘로 째다'의 뜻. 칼로 찢다, 죽이다의 뜻을 나타냄.

[參考] 성씨(姓氏)로서는 속(俗)에 파자(破字)하여, '묘금도(卯金刀)류'로 이름.

[劉季 유계] 한(漢)나라 고조(高祖)인 유방(劉邦). 계(季)는 자(字).
[劉琨 유곤] 동진(東晉)의 충신(忠臣). 자(字)는 월석(越石). 시중태위(侍中太尉)로 있을 때 단필제(段匹磾)의 미움을 사서 피살당하였음.
[劉坤一 유곤일] 청(淸)나라 신녕(新寧) 사람. 양강 총독(兩江總督)·양광 총독(兩廣總督)을 역임. 의화단(義和團)의 난(亂) 때 연합군(聯合軍)이 북경(北京)에 입성(入城)하자, 각국(各國)과 호보장강(互保長江)의 약(約)을 맺어 동남(東南) 각 성(省)이 무사하였음.
[劉寬 유관] 동한(東漢)의 화음(華陰) 사람. 환제(桓帝) 때 남양 태수(南陽太守)가 되고, 영제(靈帝) 때 태위(太尉)가 되었음. 관대(寬大)하고 장자(長者)의 풍도가 있어서 부하 사민(士民) 중 허물이 있을 때라도 가벼운 포편(蒲鞭)을 가(加)할 따름이었음.
[劉瑾 유근] 명(明)나라의 환관(宦官). 무제(武帝)의 총애(寵愛)를 믿고 국정(國政)을 좌우하였으며, 마침내 모반까지 하려다가 주살(誅殺)되었음.
[劉基 유기] 명초(明初)의 정사가(政事家)·학자. 자(字)는 백온(伯溫). 태조(太祖)를 섬겨 공(功)을 세워 벼슬이 어사중승(御史中丞)에 이르고 성의백(誠意伯)에 책봉되었으며, 송렴(宋濂)과 아울러 일대(一代)의 원훈(元勳)이었음. 저서(著書)에 〈성의백집(誠意伯集)〉이 있음.
[劉念臺 유념대] '유종주(劉宗周)'를 보라.
[劉牢之 유뇌지] 동진(東晉)의 명장(名將). 팽성(彭城) 사람. 사현(謝玄)을 섬겨 참군(參軍)이 되어서 백전백승(百戰百勝)하였음.
[劉大櫆 유대괴] 청(淸)나라 동성(桐城) 사람. 자(字)는 경남(耕南), 호(號)는 해봉(海峰). 고문(古文)의 대가(大家)로 동성파(桐城派)의 대표적 문인임.
[劉覽 유람] 두루 봄.
[劉郞 유랑] 오입쟁이 남자. 난봉꾼. 탕아(蕩兒).
[劉伶 유령] 진(晉)나라 사람. 자(字)는 백륜(伯倫). 완적(阮籍)·혜강(嵇康)과 의기(意氣)가 투합(投合)하여 죽림칠현(竹林七賢)의 한 사람이 되었음. 지극히 술을 좋아하여 일찍이 주덕송(酒德頌)을 지었음.
[劉邦 유방] 전한(前漢)의 고조(高祖). 자(字)는 계(季). 장쑤 성(江蘇省) 패현(沛縣) 사람. 초(楚)나라 회왕(懷王)의 명(命)을 받고 항우(項羽)와 길을 나누어 진(秦)나라를 공략(攻略)하여 먼저 관중(關中)에 들어갔음. 그 후 항우(項羽)와 다투기 무릇 5년, 마침내 국내를 통일하고 한조(漢朝)를 세워, 장안(長安)에 도읍하였음.
[劉白 유백] 유우석(劉禹錫)과 백거이(白居易)를 아울러 이르는 말. 둘 다 당대(唐代)의 시인임.
[劉寶南 유보남] 청조(淸朝)의 학자. 자(字)는 초정(楚). 보응(寶應) 사람. 〈논어정의(論語正義)〉, 기타 저서가 있음.
[劉逢祿 유봉록] 청조(淸朝)의 학자. 자(字)는 신수(申受). 〈공양하씨석례(公羊何氏釋例)〉·〈좌씨춘추고증(左氏春秋考證)〉, 기타의 저서가 있음. 공양학자(公羊學者)로서 유명함.
[劉蕡 유분] 당(唐)나라의 남창(南昌) 사람. 문종(文宗) 때, 현량대책(賢良對策)에 응하여 환관(宦官)의 화(禍)를 극론(極論)하였는데, 시관(試官)이 환관(宦官)을 두려워하여 그를 낙제(落第)시켰음.
[劉備 유비] 중국 삼국 시대(三國時代)의 촉한(蜀漢)의 임금. 자(字)는 현덕(玄德). 제갈량(諸葛亮)을 양양(襄陽)에서 만나 그의 천하(天下)를 삼분(三分)하는 계책을 써서 파촉(巴蜀)을 평정한 후 성도(成都)에서 제위(帝位)에 오르고 국호(國號)를 한(漢)이라 하였음. 시호를 소열 황제(昭烈皇帝)라 하며 세상에서 유선주(劉先主)라 일컬음.
[劉師培 유사배] 청말(淸末)·민국(民國)의 학자. 자(字)는 신숙(申叔). 의징(儀徵) 사람. 증조부(曾祖父) 문기(文祺), 조부(祖父) 육숭(毓崧), 아버지 귀증(貴曾) 삼대(三代)의 학(學)을 이어받아, 〈춘추좌씨전략(春秋左氏傳略)〉, 기타의 저서를 남겼음.
[劉先主 유선주] 유비(劉備).
[劉宋 유송] 남조(南朝)의 송(宋)의 별호(別號). 조송(趙宋)과 구별(區別)하기 위하여 일컬음.
[劉秀 유수] 후한(後漢)의 제일세(第一世) 광무황제(光武皇帝). 자(字)는 문숙(文叔). 남양(南陽) 채양(蔡陽) 사람. 왕망(王莽)을 곤양(昆陽)에서 격파하고 제위(帝位)에 올라 후한(後漢)의 기초를 열었음.
[劉崇 유숭] 오대(五代) 때, 북한(北漢)의 임금. 곽위(郭威)가 한(漢)나라를 찬탈(簒奪)하자, 허둥(河東) 땅에서 칭제(稱帝)하였음. 재위(在位) 4년.
[劉晨 유신] 동한(東漢)의 섬계(剡溪) 사람. 완조(阮肇)와 함께 톈타이 산(天台山)에 들어가 약을 캐다가 두 사람의 신선(神仙)을 만나 환대(歡待)를 받고 귀가(歸家)하였다 함.
[劉晏 유안] 당(唐)나라 사람. 자(字)는 사안(士安). 어사중승(御史中丞)·이부상서(吏部尙書)·

동중서문하평장사(同中書門下平章事) 등을 역임. 뛰어난 이재(理財)의 재주를 종횡무진(縱橫無盡)으로 발휘하여 국가에 공헌한 바 컸으나, 양염(楊炎)에게 참소(讒訴)당하여 죽었음.

[劉淵 유연] 오호(五胡) 전한(前漢)의 임금. 흉노종(匈奴種). 진(晉)나라 혜제(惠帝) 때 팔왕(八王)의 난(亂)이 있자, 산시(山西)의 좌국성(左國城)에 이르러 대선우(大單于)가 되어 한왕(漢王)이라 칭(稱)하였고, 뒤에 칭제(稱帝)하고 평양(平陽)에 도읍하였음.

[劉縯 유연] 후한초(後漢初)의 무장(武將). 광무제(光武帝)의 장형(長兄). 자(字)는 백승(伯升). 남양(南陽) 채양(蔡陽) 사람. 항상 왕망(王莽)의 찬탈(纂奪)을 개탄(慨嘆)하여, 아우 유수(劉秀) 등과 함께 거병(擧兵)하여 크게 위명(威名)을 떨쳤음. 중망(衆望)이 있어 제위(帝位)에 앉히려고 하였으나 이를 사양하고, 경시제(更始帝)를 섬겨 대사도(大司徒)가 되었다가 그의 시기하는 바 되어 체포당하여 죽었음.

[劉豫 유예] 송(宋)나라 경주(景州) 사람. 휘종(徽宗) 건염초(建炎初)에 제남부(濟南府)를 다스릴 때 금(金)나라가 남침(南侵)하자 항복한 후 건염(建炎) 4년에 금인(金人)에 의하여 황제(皇帝)로 책립(冊立)되어 참위(僭位)하기 약 8년, 금인(金人)에게 폐위(廢位)되었음.

[劉阮 유완] 한(漢)나라의 유신(劉晨)과 완조(阮肇)를 아울러 이르는 말.

[劉禹錫 유우석] 당(唐)나라 중산(中山) 사람. 자(字)는 몽득(夢得). 문재(文才)가 뛰어남. 벼슬이 집현전학사(集賢殿學士)에 이르고, 이어서 소주자사(蘇州刺史)가 되었으나, 정원말(貞元末) 왕숙문(王叔文) 사건에 연좌(連坐)되어 좌천(左遷)되었음. 저서(著書)에 〈유빈객집(劉賓客集)〉40권이 있음.

[劉裕 유유] 남조(南朝) 송(宋)나라의 무제(武帝). 팽성(彭城) 사람. 처음에 진(晉)나라를 섬기다가, 뒤에 제위(帝位)를 찬탈(纂奪)하였음.

[劉子 유자] 책 이름. 10권. 수·당(隋唐) 시대의 것으로 추정됨. 고적(古籍)이 잡채(雜採)됨.

[劉焯 유작] 수(隋)나라의 유학자(儒學者). 자(字)는 사원(士元). 개황 연간(開皇年間)에 뽑히어 국사(國史) 편찬(編纂)을 맡고, 또 율력(律曆)의 일에도 관여하였음. 저서(著書)는 망일(亡軼)되어 전하지 않음.

[劉楨 유정] 중국 삼국(三國) 시대 위(魏)나라 사람. 자(字)는 공간(公幹). 문재(文才)에 뛰어남. 왕찬(王粲)·공융(孔融)·진림(陳琳)·완우(阮瑀)·응창(應瑒)·서간(徐幹) 등과 함께 건안 칠자(建安七子)로 일컬어짐.

[劉宗周 유종주] 명(明)나라 산음(山陰) 사람. 기절(氣節)과 학문(學問)으로써 유명하여 학자들이 염대선생(念臺先生) 또는 즙산 선생(蕺山先生)이라 일컬음. 숭정(崇禎) 때 좌도 어사(左都御史)를 지냈음. 〈유자전집(劉子全集)〉40권이 있음.

[劉峻 유준] 남조(南朝) 양(梁)나라 사람. 자(字)는 효표(孝標). 학문(學問)을 즐겨 남이 색다른 책을 가지고 있다고 들으면 곧 가서 이를 빌려 읽었으므로, 사람들이 그를 서음(書淫)이라고 불렀음. 〈세설신어(世說新語)〉를 주석(註釋)하였음.

[劉知幾 유지기] 당(唐)나라 팽성(彭城) 사람. 자(字)는 자원(子元). 문사(文辭)를 잘하고 특히 사학(史學)에 뛰어남. 저서에 〈사통(史通)〉20권이 있음.

[劉敞 유창] 북송(北宋)의 학자. 호(號)는 공시(公是). 영종(英宗)의 시독(侍讀). 박람 다식(博覽多識)하며, 저서(著書)에 〈공시집(公是集)〉이 있음.

[劉表 유표] 동한(東漢) 사람. 자(字)는 경승(景升). 헌제(獻帝) 때 형주 자사(荊州刺史)가 되었음. 조조(曹操)가 원소(袁紹)와 싸울 때 중립을 지키며 시변(時變)을 정관(靜觀)하였음.

[劉項 유항] 유방(劉邦)과 항우(項羽)를 아울러 이르는 말.

[劉向 유향] 전한(前漢)의 종실(宗室). 자(字)는 자정(子政). 성충(誠忠) 무이(無二)하며 뛰어난 학자로서 저서(著書)에 〈열녀전(列女傳)〉·〈신서(新序)〉·〈홍범 오행전(洪範五行傳)〉·〈설원(說苑)〉등이 있음.

[劉玄 유현] 후한(後漢) 광무제(光武帝)의 족형(族兄). 자(字)는 성공(聖公). 광무(光武) 및 그 형 백승(伯升)과 함께 군사를 일으켜 왕망(王莽)을 곤양(昆陽)에서 격파하였음. 이윽고 즉위하여 천자(天子)가 되었는데, 세상에서 경시제(更始帝)라 일컬음. 장안(長安)에 도읍을 정한 후 주색(酒色)에 탐닉하여 마침내 피살당하였음.

[劉炫 유현] 수(隋)나라의 학자. 자(字)는 광백(光伯). 저서에 〈춘추공매(春秋攻昧)〉·〈오경정명(五經正名)〉등이 있음.

[劉孝綽 유효작] 남조(南朝) 양(梁)나라 사람. 무제(武帝)를 섬겨 비서감(祕書監)이 되었음. 문재(文才)가 뛰어났으며 문집(文集)이 있음.

●虔劉

**13
⑮ 創** 회 (괴木) ㉘泰 古外切 guì 剑剴

字解 끊을 회 절단함. '以殺人者爲一孑手'《五雜組》.

字源 形聲. 刂(刀)＋會〔音〕. '會회'는 '抉決'과 통하여, '도려내다'의 뜻. 칼로 자르다의 뜻을 나타냄.

[創手 회수] 회자수(創子手).

[創子 회자] 회자수(創子手).

[創子手 회자수] 사형수(死刑囚)의 목을 자르는 사람.

**13
⑮ 剿** 초 ㊤篠 子了切 jiǎo 剝

字解 끊을 초 절단함. '征伐一絕之'《漢書》.

字源 形聲. 刂(刀)＋巢〔音〕. '剿초'의 이체자(異體字)로, '베다, 끊다'의 뜻을 나타냄.

[剿絕 초절] 끊음. 단절함.

**13
⑮ 劌** 귀 ㊤霽 居衛切 guì 剕劌

字解 상처낼 귀 상처를 입힘. 손상함. '廉而不劌, 義也'《孔子家語》.

字源 形聲. 刂(刀)＋歲〔音〕. '歲세'는 또, 步＋戌〔音〕의 形聲으로, '戌월'은 큰 도끼의 상형(象形). 칼이나 큰 도끼로 '상처를

내다, 손상하다'의 뜻을 나타냄.

[劌目鉥心 귀목술심] 눈에 상처를 입히고 심장을 찌른다는 뜻으로서, 사람을 놀라게 함을 이름.

13 ⑮ [劍] [高·人] 검 [去]豔 居欠切 jiàn

[筆順] 𠆢 亼 合 合 侖 僉 僉 劍

[字解] ①칼 검 허리에 차는 칼. '一舞'. '爲一鎧矛戟'《管子》. 또, 칼을 쓰는 법. 검술(劍術). '客一'. '與蓋聶論一'《史記》. ②죽일 검 칼로 찔러 죽임. '手一父讎'《潘岳》.

[劍①]

[字源] 金文 篆文 籀文 形聲. 金文은 金+僉〔音〕. '僉첨'은 일치하여 발언(發言)하다의 뜻. 밑동에서부터 끝까지 고르고 순수하게 단련된 양날의 칼의 뜻을 나타냄. 篆文도 形聲으로, 刃+僉〔音〕.

[參考] 劒(刀部 十四畫)은 本字. 剣(刀部 八畫)은 略字.

[劍閣 검각] 장안(長安)에서 촉(蜀)으로 가는 길에 있는 대검(大劍)·소검(小劍)의 두 산(山)의 요해(要害). 각도(閣道)가 통하므로 이름.
[劍匣 검갑] 칼을 넣는 상자.
[劍客 검객] 검사(劍士).
[劍光 검광] 칼날의 빛. 검영(劍影).
[劍戟 검극] 칼과 창. 전하여, 무기. 검삭(劍槊).
[劍頭 검두] 칼끝. 검수(劍首).
[劍舞 검무] 칼을 들고 추는 춤. 칼춤.
[劍門 검문] 검각(劍閣).
[劍法 검법] 검술(劍術).
[劍鋒 검봉] 칼의 끝. 검망(劍鋩).
[劍士 검사] 검술에 능통한 사람. 칼을 잘 쓰는 사람.
[劍槊 검삭] 검극(劍戟).
[劍璽 검새] 제위(帝位)의 표시로서 천자가 소지한 칼과 어보(御寶).
[劍首 검수] 검두(劍頭).
[劍盾 검순] 칼과 방패. 검순(劍楯).
[劍術 검술] 칼 쓰는 법.
[劍鐔 검심] 칼코등이.
[劍刃 검인] 검(劍)의 날. 칼날.
[劍一人敵 검일인적] 검술(劍術)은 한 사람을 상대하는 데 그치는 기술이므로, 배울 만한 가치가 없음.
[劍棧 검잔] 검각(劍閣)에 가설한 잔교(棧橋).
[劍把 검파] 칼자루.
[劍血 검혈] 칼에 묻은 피.
[劍俠 검협] 검술(劍術)이 능한 협객(俠客).
[劍鋏 검협] 검파(劍把).
[劍花 검화] 칼이 서로 부딪칠 때 나는 불꽃. 검화(劍火).
◉刻舟求劍. 孤劍. 短劍. 帶劍. 刀劍. 名劍. 木劍. 寶劍. 三尺之劍. 手劍. 手裏劍. 御劍. 腰劍. 利劍. 一劍. 長劍. 眞劍. 斬馬劍. 屬鏤之劍. 銃劍. 佩劍. 懷劍.

13 ⑮ [劅] 탁 [入]覺 竹角切 zhuó

[字解] 불깔 탁 불알을 발라냄. 고대의 형벌의 하나. '劓刵一黥'《書經》.

[字源] 形聲. 刂(刀)+蜀〔音〕

13 ⑮ [劒] 劍(前前條)의 籀文

[辦] 〔변〕 辛部 九畫(p.2283)을 보라.

14 ⑯ [劒] [高·人] 〔검〕 劍(刀部 十三畫〈p.270〉)의 本字

[筆順] 𠆢 亼 合 侖 僉 僉 劎 劒 劒

14 ⑯ [劔] 〔검〕 劍(刀部 十三畫〈p.270〉)의 俗字

14 ⑯ [劑] [人名] [一] 자 [平]支 遵爲切 jì [二] 제 [去]霽 在詣切 jì

[字解] [一] ①자를 자 가지런히 절단함. '內若一焉'《唐書》. ②어음 자 '質一'는 계약을 한 표쪽. '以質一結信而止訟'《周禮》. [二] ①약재 제 약의 재료. '調一'. '和諸色一'《王粲》. ②약제 제 조제(調劑)한 약. '強壯一'. '此助陽奇一也'《輟耕錄》. ③한도 제 일정한 분한(分限). '各有限一, 須定等差'《王叡》. ※'제' 음은 인명자로 쓰임.

[字源] 篆文 形聲. 刂(刀)+齊〔音〕. '齊제'는 '가지런히 하다'의 뜻. 칼로 가지런히 자르다, 가지런히 하다의 뜻을 나타냄. 또, 한 장의 패를 양분하여, 뒷날에 맞추어서 증거로 삼는 것, 어음의 뜻을 나타냄.

[參考] 剤(刀部 八畫)는 略字.

[劑刀 자도] 가위.
◉強心劑. 配劑. 洗劑. 睡眠劑. 液劑. 藥劑. 錠劑. 製劑. 調劑. 淸涼劑. 催眠劑. 湯劑. 下劑. 丸劑.

14 ⑯ [劓] 의 [去]寘 魚器切 yì

[字解] 코벨 의 코를 벰. 또, 그 형벌. 고대의 오형(五刑)의 하나. '一罰'. '一罪五百'《周禮》.

[字源] 甲骨文 金文 篆文 別體 形聲. 篆文은 刂(刀)+臬〔音〕. '臬예'는 '코'의 뜻. 칼로 코를 베다의 뜻을 나타냄. '劓'는 '劓'의 별체(別體)로, 刀+鼻의 會意.

[劓馘 의괵] 코와 귀를 베는 형벌. '馘'은 귀를 자르는 형벌.
[劓罰 의벌] 코를 베는 형벌.
[劓辟 의벽] 의벌(劓罰).
[劓罪 의죄] 의벌(劓罰).
[劓割 의할] 가름. 나눔. 분할함.
◉黥劓.

14 ⑯ [劉] 〔착〕 斲(刀部 十畫〈p.265〉)의 俗字

15 ⑰ [劕] 질 [入]質 職日切 zhì

[字解] 어음 질 質(貝部 八畫)과 同字. '一劑'.

[字源] 形聲. 刂(刀)＋質〔音〕

[劗劑 질자] 어음.

17 ⑲ [劖] 참 [平]咸 鋤銜切 chán

[字解] 끊을 참, 뚫을 참 절단함. 또, 개착(開鑿)함. '鑴―'. '彫心覺刃―'《元稹》.

[字源] 篆文 形聲. 刂(刀)＋毚〔音〕. '毚참'은 '斬참'과 통하여, '베다'의 뜻. '칼로 베다'의 뜻을 나타냄.

18 ⑳ [副] 〔부·복〕 副(刀部 九畫〈p. 263〉)의 籀文

19 ㉑ [劗] 전 [上]銑 子淺切 zuān

[字解] 깎을 전, 벨 전 剪(刀部 九畫)과 同字. '―髮文身之民也'《漢書》.

[字源] 形聲. 刂(刀)＋贊〔音〕

[劗髮 전발] 머리를 깎음.

19 ㉑ [劘] 마 [平]歌 莫婆切 mó

[字解] 깎을 마, 벨 마 깎아 냄. 자름. '自下―上'《漢書》.

[字源] 形聲. 刂(刀)＋靡〔音〕. '靡마'는 '갈다'의 뜻. 칼로 깎아 내다의 뜻을 나타냄.

21 ㉓ [劙] 리 [平]支 呂支切 lí

[字解] 가를 리 쪼갬. 분할함.

[字源] 形聲. 刂(刀)＋蠡〔音〕

21 ㉓ [劚] 〔촉〕 斸(斤部 二十一畫〈p. 957〉)과 同字

力 (2획) 部

〔힘력부〕

0 ② [力] [中·人] 력 [入]職 林直切 lì

[筆順] ㇇ 力

[字解] ①힘 력 ㉠근육의 작용. '筋―'. '或勞心, 或勞―'《孟子》. ㉡정신의 작용. '心―'. '精―過絶於人'《漢書》. ㉢기능. 작용. '能―'. '人―'. '信爲造化―'《宋之問》. ㉣물체의 운동을 일으키는 원인. '重―'. '水―'. ㉤권세. 위세(威勢). '權―'. '以―服人者, 非心服也'《孟子》. ㉥공. 공적. '與―而不務德'《國語》. ㉦효험. '效―'. '由神呪―, 銷其愛欲'《楞嚴經》. ㉧부역(賦役). '―政'. '興事任―'《禮記》. ㉨노력. 수고. '勞―'. '積―於田疇'《韓非子》. ㉩기세. '極有筆―'《南史》. ㉪무용(武勇). '秦武王好―'《史記》. '吾寧鬪智不鬪―'《史記》. ㉫도움. 원조. '借―以雪父之恥'《史記》. ㉬은덕. 덕택. '此非臣之功也, 主君之―也'《史記》. 또, 힘들여 한 산물. '咸獻其―'《禮記》. ②힘쓸 력 ㉠일을 함. 업무에 종사함. '農服田―穡'《書經》. ㉡힘을 다함. 애씀. '―作'. '―戰'. '戰方―'《後漢書》. ㉢뜻을 둠. '食事不―珍'《禮記》. ③힘써 력 힘을 다하여. 노력하여. '―行'. '―誦聖德'《漢書》. ④심할 력 병이 대단함. '臣犬馬病―'《漢書》. ⑤힘줄 력 심줄. '絶―致死'《韓非子》. ⑥하인 력 종복(從僕). '遣此―, 助汝薪水之勞'《陶潛》. ⑦일꾼 력 인부. '立宅於吳, 多役公―'《宋書》. ⑧군사 력 병정. 병사. '率見―決戰'《宋書》. ⑨성 력 성(姓)의 하나.

[字源] 金文 篆文 象形. 굳센 팔의 상형(象形)으로, '힘'의 뜻을 나타냄.

[參考] 문자 정리상 부수(部首)로 세워져, '힘력'으로 이름. '力'을 의부(意符)로 하여, 힘이 있다, 힘을 들이다의 뜻을 포함하는 문자를 이룸.

[力稼 역가] 농사에 힘씀. 가(稼)는 곡식을 심는다는 뜻. 역전(力田).
[力諫 역간] 힘써 간함. 고간(苦諫). 극간(極諫).
[力耕 역경] 힘써 갊. 농사에 힘씀. 역전(力田).
[力攻 역공] 죽을힘을 다하여 공격함.
[力求 역구] 힘써 구함.
[力救 역구] 힘써 구원(救援)함.
[力勸 역권] 힘써 권(勸)함.
[力技 역기] 《韓》 쇠붙이나 돌붙이로 된 것을 양쪽에 꿰어 들어 올리어 힘을 단련하는 운동. 역도(力道).
[力農 역농] 농사(農事)에 힘씀.
[力能 역능] 재능. 능력.
[力道 역도] 《韓》 역기(力技).
[力量 역량] 능력(能力)의 정도.
[力勉 역면] 힘써 함. 또, 힘써 하게 함. 권면함. 장려(奬勵). 편달(鞭撻).
[力拔山兮氣蓋世 역발산혜기개세] 산(山)을 뽑고 세상(世上)을 덮을 만한 웅대(雄大)한 기력(氣力)을 형용한 말. 초(楚)나라 항우(項羽)가 한(漢)나라 고조(高祖)와 결전(決戰)하여 해하(垓下)에서 패(敗)하였을 때의 노래의 일절(一節).
[力不及 역불급] 힘이 미치지 못함.
[力士 역사] 힘이 센 사람.
[力索 역색] ㉠애써 찾아 구함. 깊이 생각함. ㉡힘이 다함. 힘이 다 빠짐.
[力說 역설] 힘써 말함. 힘써 설명함.
[力勝貧 역승빈] 힘써 일하면 가난을 면함.
[力食 역식] 힘써 일하여 생계(生計)를 유지함.
[力臣 역신] ㉠임금을 위하여 진력(盡力)하는 신하. ㉡힘이 센 신하.
[力役 역역] 부역(賦役). 역정(力政).
[力役之征 역역지정] 주대(周代)에 부역(賦役)에 나가지 못한 자에 과(課)하던 구실.
[力人 역인] 역사(力士).
[力子 역자] 근면(勤勉)한 사람.
[力作 역작] ㉠힘써 일함. ㉡경작(耕作)에 힘씀. ㉢힘써서 만든 작품.
[力爭 역쟁] ㉠힘껏 다툼. ㉡역간(力諫).
[力著 역저] 힘을 들여서 지은 저서.
[力田 역전] 농사(農事)에 힘씀.

[力戰 역전] 힘을 다하여 싸움.
[力田不若逢年 역전불약봉년] 힘써 농사를 지어도 풍년을 만난 것보다 수확이 못함. 곧, 인력(人力)이 천력(天力)보다 못함.
[力點 역점] 지레로 물체를 움직일 때 힘이 모이는 점.
[力政 역정] ㉠역역(力役). ㉡권력(權力)을 휘둘러 정치를 함. 무단 정치(武斷政治)를 함.
[力制 역제] 권력(權力)으로 제어(制御)함. 위력(威力)으로 누름.
[力盡 역진] 힘이 다함. 힘이 지침.
[力疾 역질] ㉠병을 참고 일함. ㉡매우 빠름.
[力鬪 역투] 힘을 다하여 싸움.
[力學 역학] ㉠학문에 힘씀. ㉡물체의 동정(動靜)·운동의 지속(遲速) 및 힘의 작용 등에 관한 학문.
[力行 역행] 힘써 행함. 궁행(躬行).
◉角力. 脚力. 強力. 苦力. 骨力. 功力. 怪力. 國力. 權力. 極力. 筋力. 金剛力. 氣力. 努力. 勞力. 能力. 多力. 膽力. 大力. 動力. 馬力. 魔力. 魅力. 勉力. 妙力. 武力. 無力. 物力. 微力. 民力. 迫力. 法力. 兵力. 佛力. 不可抗力. 非力. 死力. 勢力. 速力. 水力. 視力. 身力. 神通力. 實力. 心力. 眼力. 壓力. 量力. 餘力. 念力. 腕力. 勇力. 願力. 遠心力. 威力. 有力. 人力. 引力. 入力. 自力. 資力. 磁力. 自制力. 潛在力. 張力. 才力. 財力. 底力. 全力. 戰力. 精力. 帝力. 助力. 主力. 重力. 地力. 智力. 眞力. 盡力. 車力. 聽力. 體力. 出力. 他力. 打力. 惰力. 彈力. 脫力. 通力. 暴力. 風力. 筆力. 學力. 合力. 協力. 火力. 活力. 效力.

2 ④ [办] 〔판〕辦(辛部 九畫〈p. 2283〉)의 俗字·簡體字

2 ④ [劝] 〔권〕勸(力部 十八畫〈p. 285〉)의 俗字·簡體字

3 ⑤ [加] [中·人] 가 [平]麻 古牙切 jiā 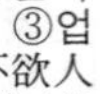

[筆順] ㇆ 力 加 加 加

[字解] ①더할 가 ㉠보탬. 늘림. 많게 함. '倍—'. '旣富矣, 又何—焉'《論語》. ㉡높게 함. 올림. '—階'. '有諸公則辭—席'《儀禮》. ㉢베풂. 줌. '—恩'. '老有—惠'《左傳》. ②더하여질 가 ㉠보태어짐. 늚. 많아짐. '祀—於擧'《國語》. ㉡높아짐. 올라감. '獻子—於人一等矣'《禮記》. ③업신여길 가 모멸함. 능멸(凌蔑)함. '我不欲人之—諸我也'《論語》. ④입을 가, 쓸 가 착용(着用)함. '—冠'. '—朝服'《論語》. ⑤칠 가 공격함. '胥—於鄙'《左傳》. ⑥있을 가 처(處)함. '—齊之卿相'《孟子》. ⑦미칠 가 이름. '刀鋸不—'《韓愈》. ⑧가법 가 수에 수를 보태는 일. 또, 그 산법(算法). '—減乘除'. ⑨더욱 가 한층 더. 오히려 더하게. '—勇'. '今之時, 與孟子之時, 又—遠矣'《韓愈》. ⑩성 가 성(姓)의 하나.

[字源] 金文 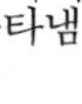 篆文 會意. 力+口. '力력'은 팔의 상형으로 '힘'의 뜻. '口구'는 신(神)에게 올리는 축문(祝文)의 뜻. 힘과 축문을 합쳐서, 종교적·물리적 작용을 가하다의 뜻을 나타냄.

[加減 가감] ㉠더함과 덜함. ㉡조절(調節)함. ㉢가법(加法)과 감법(減法).
[加減不得 가감부득] 더할 수도 없고 덜할 수도 없음.
[加階 가계] 벼슬의 품계(品階)를 올림.
[加工 가공] 자연물이나 미완성품에 인공(人工)을 가함.
[加官 가관] 명예(名譽)를 나타내기 위하여 가수(加授)하는 관직(官職).
[加冠 가관] 관례(冠禮)를 행하고 관(冠)을 씀.
[加級 가급] 가계(加階).
[加給 가급] 일정한 액수(額數) 외에 더 줌.
[加年 가년] ㉠나이를 한 살 더 먹음. ㉡《韓》 나이가 모자라는 사람이 과거(科擧)를 보거나 벼슬 같은 것을 하려 할 때 나이를 속여 올림.
[加擔 가담] 같은 편이 되어 힘을 도움.
[加賭 가도] 도조(賭租)의 액수(額數)를 올려서 매김.
[加等 가등] 등급(等級)을 올림. 「함.
[加勞 가로] 위로한 위에 또 위로함. 대단히 위로
[加律 가률] 가율(加律).
[加痲 가마] 소렴(小殮) 때에 상제가 수질(首絰)을 머리에 씀.
[加盟 가맹] 동맹(同盟)이나 연맹(聯盟)에 가입(加入)함.
[加味 가미] ㉠음식에 다른 식료품을 조금 넣어 맛이 더 나게 함. ㉡원 약방문에 다른 약재(藥材)를 더 넣음.
[加倍 가배] 곱함. 배가(倍加). 「법.
[加法 가법] 몇 개의 수(數)나 식(式)을 합하는
[加補 가보] 보충(補充)함.
[加俸 가봉] ㉠봉급(俸給)을 올림. ㉡정한 봉급 외에 따로 더 주는 봉급.
[加刪 가산] 첨삭(添削)함. 「法).
[加算 가산] ㉠얹어서 계산(計算)함. ㉡가법(加
[加損 가손] 더함과 덜함. 가감(加減).
[加勢 가세] 조력함. 원조함.
[加額 가액] 액수(額數)를 더함. 「미.
[加魚 가어] 물고기의 한 가지. 접어(鰈魚). 가자
[加熱 가열] 열도(熱度)를 더함.
[加勇 가용] 더욱 용감하여짐.
[加律 가율] 형벌을 더함.
[加恩 가은] 은혜를 베풂. 우대함.
[加衣 가의] 책의(冊衣)가 상하지 않도록 덧입히는 물건. 책가위.
[加意 가의] 특별히 주의(注意)함.
[加一倍法 가일배법] 하나에 하나를 보태어 둘이 되고, 둘에 둘을 보태어 넷이 되게 하는 산법(算法).
[加一層 가일층] 더한층.
[加入 가입] 단체(團體)에 참가함.
[加腆 가전] 더욱더 후하게 함.
[加錢 가전] 웃돈.
[加除 가제] 더함과 뺌.
[加重 가중] ㉠더 무거워짐. ㉡더 무겁게 함.
[加增 가증] 늘림. 또, 늚.
[加之 가지] 그 위에. 더욱. 뿐만 아니라.
[加持 가지] 《佛敎》 ㉠부처의 가호(加護)로 중생(衆生)이 불범일체(佛凡一體)의 경지로 들어가는 일. ㉡부처에 기도를 들여 병과 재난을 면하는 일.
[加餐 가찬] ㉠음식(飮食)을 많이 먹음. 식사를 잘함. ㉡몸을 소중히 함. 섭생(攝生)함.

[加添 가첨] 더함. 첨가(添加)함.

[加土 가토] ㉠나무 뿌리 위에 흙을 더 덮음. ㉡봉분(封墳) 위에 다른 흙을 더 얹음.

[加特力敎 가특력교] 가톨릭교(Catholic 敎)의 음역(音譯). 천주교(天主敎).

[加鞭 가편] 채찍질하여 걸음을 재촉함.

[加被 가피]《佛敎》신불(神佛)의 가호(加護).

[加筆 가필] 시문(詩文)에 붓을 대어 고침. 첨삭(添削).

[加害 가해] ㉠남에게 해(害)를 줌. ㉡남을 다치게 하거나 죽임.

[加刑 가형] 형벌(刑罰)을 더함.

[加惠 가혜] 가은(加恩).

[加護 가호] ㉠보호함. ㉡신불(神佛)의 두호(斗護). 명조(冥助).

[加畫 가획] 글자에 획수(畫數)를 더함.

●累加. 冥加. 倍加. 附加. 增加. 參加. 添加. 追加.

3 [功] ⑤ 中人 공 ㉠東 古紅切 gōng

筆順 一 丁 工 功 功

字解 ①공 공 ㉠공적. '一名'. '一勳'. '天下莫汝爭一'《書經》. ㉡힘을 들여 이룬 결과. '相陳以一'《國語》. ㉢이룬 결과가 양호한 일. '辨其一苦'《國語》. 또, 공을 세운 사람. '德報一'《禮記》. ②보람 공 효험. '勞而無一'. '禱請一兼造化一'《羅隱》. ③공치사할 공 자기가 자기 공을 자랑함. '自一'. '公子自驕而一之'《史記》. ④일 공 직무. 사업. '田一'. '載纘武一'《詩經》. '婦容婦一'《周禮》. ⑤상복이름 공 삼베로 만든 상복. '大一'. '小一布十一升'《儀禮 傳》. ⑥성 공 성(姓)의 하나.

字源 篆文 㓛 形聲. 力＋工[音]. '工공'은 '공작(工作)하다'의 뜻. '일, 공적'의 뜻을 나타냄.

[功幹 공간] 재간(才幹).

[功苦 공고] ㉠노고(勞苦). ㉡그릇의 견고(堅固)함과 무름. 일설(一說)에는 잘된 것과 잘 안된 것.

[功過 공과] 공로(功勞)와 죄과(罪過).

[功課 공과] 일의 과정(課程). 일의 성적(成績).

[功狗 공구] 사냥에 공(功)이 있는 개. 전(轉)하여, 남의 지시를 받아 일하여 공을 세운 사람.

[功裘 공구] 주대(周代)에 경대부(卿大夫)가 입던 갖옷.

[功構 공구] 건축(建築).

[功貴 공귀] 값이 비쌈. 고가(高價).

[功勤 공근] 공적과 수고.

[功級 공급] 공적(功績)의 등급.

[功能 공능] ㉠공적(功績)과 재능(才能). ㉡공효(功效). 능효(效能).

[功德 공덕] ㉠공적(功績)과 은덕(恩德). ㉡《佛敎》현재 또는 미래를 유익(有益)하게 하는 선행(善行). 선근(善根). 복리(福利)를 남에게 미치는 일.

[攻略 공략] ㉠공. 공적(功績). ㉡공적과 계략(計略).

[功力 공력] ㉠효험(效驗). 효력. ㉡애쓰는 힘. 힘들여 이루는 공. ㉢《佛敎》불법(佛法)을 수행(修行)하여 얻은 공덕(功德)의 힘.

[功烈 공렬] 큰 공업(功業).

[功令 공령] 학사(學事)에 관한 규정. 학령(學令).

[功勞 공로] 애를 써 이룬 공적(功績).

[功料 공료] 토목비(土木費).

[功利 공리] ㉠공명(功名)과 이욕(利慾). ㉡공적(功績)과 그 공적이 세상에 미치는 이익(利益).

[功利說 공리설] 사회의 대다수인의 최대 행복을 행위(行爲)의 도덕적(道德的) 평가(評價)의 표준으로 삼는 학설. 공리주의(功利主義).

[功名 공명] 공적과 명예(名譽).

[功名心 공명심] 공명(功名)을 구하는 마음.

[功伐 공벌] 공적(功績).

[功閥 공벌] 공벌(功伐). 「服」

[功服 공복] 대공(大功)과 소공(小功)의 상복(喪服).

[功夫 공부] ㉠궁리함. 연구하는 일. 공부(工夫). ㉡방법. 수단.

[功簿 공부] 공훈(功勳)을 적어 두는 장부.

[功緒 공서] 공적(功績). 훈서(勳緒).

[功成名立 공성명립] 공성명수(功成名遂).

[功成名遂 공성명수] 공적을 세워 명예가 올라감.

[功成身退 공성신퇴] 공(功)을 세워서 사업을 성취한 뒤에 그 자리에 머물러 있지 아니하고 물러남.

[功首 공수] 최고의 공(功). 「下」

[功臣 공신] 나라에 공로(功勞)가 있는 신하(臣下).

[功實 공실] 공을 세운 사적(事跡).

[功業 공업] ㉠공로. 공적(功績). ㉡토목 공사(土木工事).

[功役 공역] 토목 공사의 부역(賦役).

[功營 공영] 공명(功名).

[功用 공용] ㉠공적(功績). ㉡공효(功效).

[功庸 공용] 공. 공적(功積).

[功疑惟重 공의유중] 공적의 대소를 확실히 알 수 없을 때에는 큰 편을 따라서 후하게 상을 주어야 함.

[功人 공인] 공이 있는 사람.

[功績 공적] 훈공(勳功). 공로(功勞).

[功田 공전] 유공자(有功者)에게 하사(下賜)하는 전지(田地).

[功戰 공전] 전쟁을 하여 공을 세움.

[功曹 공조] 벼슬 이름. 군(郡)의 속리(屬吏)인 녹사(錄事)를 이름. 「람」

[功宗 공종] 가장 뛰어난 공. 또, 그 공을 세운 사

[功罪 공죄] 공로와 죄과(罪過).

[功最 공최] 첫째의 공.

[功致 공치] 한 일이 잘됨. 성과(成果)가 양호함.

[功牌 공패] 공로가 있는 사람에게 주는 상패(賞牌).

[功布 공포] 발인(發靷)할 때 상여 앞에 세우고 가는 기. 기폭(旗幅)은 길이 석 자 되는 흰 삼베로 만들었으며, 매장(埋葬)할 때에 이것으로 관(棺)을 닦음.

[功效 공효] ㉠공적(功績). ㉡공을 들인 효과. 보람.

[功候 공후] 진보(進步)의 정도.

[功勳 공훈] 공. 훈공(勳功).

[功虧一簣 공휴일궤] 구인(九仞)이 되는 높은 산을 쌓는데 한 삼태기의 흙만 더 올려 가 쌓으면 다 될 것을 그만 둔다는 뜻으로, 거의 성취(成就)한 일을 중지하여 적년(積年)의 수고가 아무 보람 없이 됨을 이름.

[功布]

◉軍功. 奇功. 論功. 農功. 大功. 武功. 邊功. 婦功. 非常之功. 成功. 歲功. 小功. 頌功. 首功. 王功. 元功. 有功. 戰功. 定策功. 奏功. 尺寸之功. 天功. 豐功. 顯功. 螢雪之功. 勳功.

3
⑤[囲] 화 [去]箇 戶臥切 huò
[字解] 배끄는소리 화, 구령소리 화 '一, 牽船聲'《玉篇》.

3
⑤[务] 〔무·모〕
務(力部 九畫〈p.280〉)의 簡體字

[幼] 〔유〕
幺部 二畫(p.690)을 보라.

4
⑥[劦] 협 [入]葉 胡頰切 xié
[字解] ①합할 협 힘을 합함. 협력함. 協(十部 六畫)과 同字. ②바쁠 협 분망(奔忙)함. 급함. '雞號之山, 其風如一'《山海經》. ③성 협 성(姓)의 하나.
[字源] 甲骨文 金文 篆文 篆文은 會意. '力력'을 셋 합쳐서, '협력'의 뜻을 나타냄. 甲骨文·金文은 象形. 세 개의 쟁기로 땅을 파는 모양을 본뜸.

4
⑥[劸] 귀 [去]寘 居僞切 guì
[字解] 느른할 귀 피곤함. '勞一'. '弊一之民'《魏志》.

◉勞劸.

4
⑥[劣] [高人] 렬 [入]屑 力輟切 liè
[筆順] 丨 小 小 少 劣 劣
[字解] ①못할 렬 ㉠재능·기예 등이 남보다 못함. '庸一'. '拙一'. '安某常一于玄'《晉書》. ㉡힘이나 마음이 약함. '弱一'. '哀其贏一'《蔡邕》. ㉢졸렬함. '一惡'. '施之寒一'《晉書》. ②겨우 렬 간신히. '使其中一通車軸'《宋書》.
[字源] 篆文 會意. 力+少. 힘이 적다의 뜻에서 '남보다 못하다'의 뜻을 나타냄.

[劣等 열등] 낮은 등급(等級).
[劣馬 열마] 우둔(愚鈍)한 말.
[劣比 열비] 수학(數學)에서 전항(前項)이 후항(後項)보다 작은 비(比).
[劣相 열상] 못생긴 얼굴.
[劣勢 열세] 세력이 열등(劣等)함. 또, 그 세력.
[劣紳 열신] 부정(不正)한 신사. 병비(兵匪)와 결탁하여 그 지방에서 세력을 떨치는 악질의 지주(地主)·자본가를 이름.
[劣惡 열악] 품질이 나쁨.
[劣弱 열약] 약하고 열등(劣等)함.
[劣才 열재] 열등(劣等)한 재주. 둔재(鈍才).
[劣情 열정] 열등한 정욕(情慾). 비루한 심정.
[劣敗 열패] 열등한 자가 패(敗)함.
[劣品 열품] 품질(品質)이 낮은 물건.
◉怯劣. 寡劣. 駑劣. 陋劣. 微劣. 卑劣. 鄙劣. 弱劣. 庸劣. 愚劣. 優劣. 低劣. 拙劣. 淺劣. 賤劣. 下劣.

4
⑥[劤] [人名] 근 [去]問 居焮切 jìn
[筆順] 丿 厂 斤 斤 斤 劤
[字解] 힘셀 근 힘이 셈.
[字源] 形聲. 力+斤〔音〕

4
⑥[动] 〔동〕
動(力部 九畫〈p.279〉)의 簡體字

5
⑦[助] [中人] 조 [去]御 牀據切 zhù
[筆順] 丨 冂 冂 月 且 盯 助
[字解] ①도울 조 ㉠힘을 빌림. 보좌함. '一力'. '天之所一者順也'《易經》. ㉡어려운 사람을 구제함. '秋省斂而一不給'《孟子》. 또, 돕는 사람. 보좌. '亡貴人左右之一'《漢書》. ②도움 조 조력. 이익. '來以爲客, 則一一也'《史記》. ③구실 조 은(殷)나라 때에 정전(井田)의 중앙의 일구(一區)의 공전(公田)을 주위의 팔구(八區)를 경영하는 여덟 가호가 같이 경작하여 그 수확을 관(官)에 바치던 전조(田租). '殷人七十而一'《孟子》.
[字源] 篆文 形聲. 力+且〔音〕. '且조'는 '겹치다, 포개어 쌓다'의 뜻. 힘을 포개어 합쳐서 사람을 돕다의 뜻을 나타냄.

[助桀爲惡 조걸위악] 악(惡)한 사람을 부추겨서 못된 짓을 하게 함.
[助桀爲虐 조걸위학] 나쁜 무리와 한동아리가 되어 나쁜 일을 도움.
[助敎授 조교수] 대학(大學) 교수의 직제의 하나. 부교수(副敎授)의 아래.
[助動詞 조동사] 《韓》 동사(動詞)의 뜻을 돕는 품사(品詞). 보조 동사(補助動詞).
[助力 조력] 남의 일을 도와줌.
[助理 조리] 임금을 도와 나라를 다스림.
[助命 조명] 생명을 구해 줌.
[助味 조미] 음식(飮食)의 맛을 좋게 함.
[助法 조법] 은대(殷代)의 세법(稅法). 자해(字解) ❸을 보라.
[助詞 조사] ㉠조자(助字). ㉡《韓》 체언(體言)이나 부사(副詞) 밑에 붙어 다른 말과의 관계나 그 말의 뜻을 돕는 품사.
[助辭 조사] 조자(助字).
[助産 조산] 아이를 낳을 때 산모를 돕고 아이를 받는 일. 또, 그 사람. 해산어미. 산파(産婆).
[助成 조성] 도와서 이루게 함.
[助勢 조세] 조력(助力).
[助手 조수] 주장되는 사람의 일을 도와주는 사람.
[助戍 조수] 도와서 지킴.
[助陽 조양] 남자의 양기(陽氣)를 도움.
[助言 조언] 옆에서 말참견하여 도와줌. 또, 그 말.
[助役 조역] 도와서 거들어 줌. 또, 그 사람. 조역꾼.
[助字 조자] 문장(文章)의 의미를 돕기 위하여 첨가(添加)하는 글자. '于·於·乎·矣·焉·哉·也' 등의 글자.

[助長 조장] ㉠도와서 빨리 자라게 함. ㉡속성(速成)하기를 바라 서두르다가 도리어 일을 해침.
[助護 조호] 도와서 보호(保護)함.
[助婚 조혼] 혼사(婚事)에 보조함.
[助興 조흥] 흥취를 도움.
　◉救助. 內助. 冥助. 幫助. 補助. 扶助. 神助. 語助. 佑助. 祐助. 援助. 一助. 自助. 贊助. 天助. 互助.

5 ⑦ [劫] 人名 겁 ㈧葉 居怯切 jié

[字解] ①겁탈할 겁 억지로 빼앗음. '一掠'. '一盜'. '勳一行者'《漢書》. ②으를 겁 위협함. 협박함. '一脅'. '威一'. '一之以衆'《禮記》. ③강도 겁 위협하여 약탈하는 도둑. '寇一强多'《晉書》. ④대궐층계 겁 궁전의 계단. '浩一因王造'《杜甫》. ⑤패 겁 바둑의 패. '有征有一'《碁經》. ⑥겁 범어(梵語) kalpa의 음역(音譯). 가장 긴 시간. 또, 단지 시간의 뜻으로도 쓰임. '未來永一'. '日月歲數謂之時, 成住懷空謂之一'《祖庭事苑》. ⑦부지런할 겁 부지런히 일하는 모양. '人皆一'《韓愈》.
[字源] 形聲. 力+去(盍)〔音〕. '盍합'은 '뚜껑을 덮다'의 뜻. 힘으로 뚜껑을 덮다, 위협하다의 뜻을 나타냄.

[劫姦 겁간] 폭력(暴力)을 써서 간음(姦淫)함. 강간함.
[劫劫 겁겁] ㉠부지런한 모양. 자자(孜孜). ㉡《佛教》대대(代代)로.
[劫年 겁년] 겁운(劫運)이 닥친 해.
[劫盜 겁도] 강도(強盜). 표적(剽賊).
[劫掠 겁략] 협박하여 남의 물건을 빼앗음.
[劫略 겁략] 겁략(劫掠).
[劫剟 겁맹] 위협하며 맹세하게 함.
[劫迫 겁박] 위세(威勢)를 보이며 협박(脅迫)함. 강박(強迫)함.
[劫縛 겁박] 협박하여 포박(捕縛)함.
[劫囚 겁수] 겁옥(劫獄).
[劫餘 겁여] 겁략(劫掠) 당한 뒤. 전(轉)하여, 전후(戰後).
[劫獄 겁옥] 옥중의 죄수를 폭력으로 빼앗아 냄.
[劫運 겁운] 액(厄)을 당할 운수. 액운(厄運).
[劫賊 겁적] 강도(強盜). 겁도(劫盜).
[劫制 겁제] 협박하여 복종시킴.
[劫鈔 겁초] 겁략(劫掠).
[劫濁 겁탁] 《佛教》천재(天災)·질병·전란 등으로 세상이 어지러움을 이름.
[劫奪 겁탈] 폭력으로써 빼앗음. 협탈(脅奪). 겁략(劫略).
[劫害 겁해] 위협하여 해침.
[劫脅 겁협] 협박(脅迫)함.
[劫火 겁화] 《佛教》세계(世界)가 파멸(破滅)될 때에 일어난다는 큰불.
[劫灰 겁회] 《佛教》겁화(劫火)의 재. 세계가 파멸(破滅)될 때에 일어난다는 큰불의 재.
[劫會 겁회] 겁운(劫運).
　◉攻劫. 盜劫. 萬劫. 燔劫. 焚劫. 四劫. 掠劫. 億劫. 永劫. 威劫. 塵劫. 鈔劫. 勳劫. 浩劫.

5 ⑦ [劬] 구 ㈤虞 其俱切 qú

[字解] 힘들일 구 수고함. 애씀. '一勤'. '哀哀父母, 生我一勞'《詩經》.
[字源] 形聲. 力+句〔音〕. '句구'는 '구부러지다'의 뜻. 힘내어 애써서 몸이 구부러지다, 피로해지다의 뜻을 나타냄.

[劬儉 구검] 고생을 하며 절약함.
[劬劬 구구] 힘을 들여 눈코 뜰 새 없이 일하는 모양.
[劬劇 구극] 힘들고 바쁨.
[劬勤 구근] 애쓰며 부지런히 힘씀.
[劬勞 구로] 힘을 들여 일하여 피로함.
[劬勞之恩 구로지은] 자기를 낳아 고생하며 기른 부모의 은혜(恩惠).
[劬錄 구록] 극진히 노력함. 구록(劬祿).

5 ⑦ [勁] 〔경〕
勁(力部 七畫〈p.276〉)의 俗字

5 ⑦ [劭] 소 ㉠嘯 寔照切 shào ㉡蕭 時饒切

[字解] ①권할 소 권면함. '先帝一農'《漢書》. ②아름다울 소 '淸一'. '美一'. '令名患不一'《潘岳》. ③힘쓸 소 근면함. '老而益一者也'《魏志》. ④높을 소 '一令'. '厥功彌一'《晉書》.
[字源] 形聲. 力+召〔音〕. '열심히 힘쓰다'의 뜻을 나타냄.

[劭令 소령] 덕망(德望)이 높고 행실(行實)이 착함.
　◉高劭. 功劭. 光劭. 名劭. 明劭. 美劭. 聲劭. 淵劭. 才劭. 儁劭. 淸劭. 洪勳劭.

5 ⑦ [努] 高入 노 ㈤麌 奴古切 nǔ

[筆順] ㇒ ㇗ 女 奵 奴 奴 努 努

[字解] 힘쓸 노 부지런히 일함. 힘을 들임. '一力崇神德'《李陵》.
[字源] 形聲. 力+奴〔音〕. '奴노'는 힘들여 일하는 노비(奴婢)의 뜻. '力력'을 더하여, '힘쓰다'의 뜻을 나타냄.

[努力 노력] 애씀. 힘을 들임.
[努目 노목] 성내어 눈을 부릅뜸.

5 ⑦ [勞] 〔로〕
勞(力部 十畫〈p.280〉)의 俗字

5 ⑦ [劳] 〔로〕
勞(力部 十畫〈p.280〉)의 俗字

5 ⑦ [励] 〔려〕
勵(力部 十五畫〈p.284〉)의 俗字·簡體字

6 ⑧ [刧] ㊀할 ㈧點 格八切 jié ㊁길 ㈧質 喫吉切

[字解] ㊀①삼갈 할 근신함. '一, 愼也'《說文》. ②단단할 할 '一, 固也'《爾雅》. '汝一毖殷獻臣'《書經》. ③힘쓸 할 '一, 用力也'《廣韻》. ㊁삼갈 길, 단단할 길, 힘쓸 길 ㊀과 뜻이 같음.
[字源] 形聲. 力+吉〔音〕. '吉길'은 '확실히 하다'의 뜻. 힘써 확실히 하다, 삼가다의 뜻을 나타냄.

[劼悋 할비] 삼감. 근신함.

---

6 [劾] ⑧ 人名 핵 ㊧職 胡得切 hé

[字解] 캐물을 핵 죄상을 추궁하여 조사함. 또, 그 죄상을 기록한 문서. '一按'. '一奏'. '尙書責滂所─猥多, 滂知意不行, 投─去'《後漢書》.

[字源] 篆文 形聲. 力+亥〔音〕. '亥'는 '覈극'과 통하여, '채근하여 캐묻다'의 뜻. 사람의 죄를 캐묻다의 뜻을 나타냄.

[劾繫 핵계] 죄를 조사하여 포박(捕縛) 함.
[劾論 핵론] 탄핵(彈劾)하여 논함. 허물을 들어 논박함.
[劾案 핵안] 핵안(劾按).
[劾按 핵안] 고발하여 죄상(罪狀)을 조사함.
[劾狀 핵장] 탄핵(彈劾)하여 임금에게 아뢰는 문서(文書). 죄상을 조사하여 임금에게 고발하는 문서.
[劾詆 핵저] 죄상(罪狀)을 적발하고 이를 비난하여 임금에게 아룀.
[劾情 핵정] 정상을 조사하여 따짐.
[劾奏 핵주] 관원(官員)을 탄핵(彈劾)하여 임금에게 아룀.
[劾彈 핵탄] 죄를 조사하여 들추어냄. 탄핵(彈劾).
●擧劾. 繫劾. 告劾. 鞫劾. 糾劾. 誣劾. 排劾. 繩劾. 按劾. 自劾. 奏劾. 推劾. 彈劾. 驗劾.

---

6 [劻] ⑧ 광 ㊄陽 去王切 kuāng

[字解] 급할 광 썩 급한 모양. '新師不牢, 一勷將遍'《韓愈》.

[字源] 形聲. 力+匡〔音〕

[劻勷 광양] 썩 급한 모양. 급히 닥치는 모양.

---

6 [効] ⑧ 中人 〔효〕
效(攴部 六畫〈p.929〉)의 俗字

[筆順] ' 亠 广 六 亥 交 効 効

---

6 [券] ⑧ 〔권〕
倦(人部 八畫)의 本字

[字源] 篆文 形聲. 力+叒(劵)〔音〕. '叒권'은 '둥그레지다'의 뜻. 힘이 쇠(衰)하여 몸이 구부러지고 축 늘어지다, 피로해지다의 뜻을 나타냄. '券권'과 헷갈리기 쉬워, '倦권'을 사용하게 됨.

[參考] 券(刀部 六畫)은 別字.

---

6 [勢] ⑧ 〔세〕勢(力部 十一畫〈p.283〉)의 俗字·簡體字

---

7 [勁] ⑨ 人名 경 ㊄敬 居正切 jìng

[筆順] 一 ㄱ ㄍ ㄍㄍ ㄍㄍㄍ 巠 勁 勁

[字解] 셀 경, 굳셀 경 ㉠힘이 있음. 강함. '一兵'. '一弓'. '弓先調而後求一'《淮南子》. ㉡의지가 강함. '一正'. '一直'. '行法至堅, 不以私欲亂所聞, 如是則可謂一士矣'《荀子》.

[字源] 篆文 亚力 形聲. 力+巠〔音〕. '巠경'은 힘이 있고 곧다의 뜻. 곧고 센 힘의 뜻을 나타냄.

[勁健 경건] 굳세고 건장(健壯)함.
[勁果 경과] 굳세고 과단성이 있음.
[勁弓 경궁] 센 활.
[勁氣 경기] 굳센 기상(氣象).
[勁騎 경기] 강한 기병(騎兵).
[勁弩 경노] 센 쇠뇌. 강노(强弩).
[勁厲 경려] 강직하고 준엄함.
[勁力 경력] 강한 힘. 강력(强力).
[勁烈 경렬] 강렬(强烈)함.
[勁利 경리] 강하고 예리(銳利)함.
[勁猛 경맹] 굳세고 사나움.
[勁木 경목] 단단하여 잘 부러지지 않는 나무.
[勁妙 경묘] 힘차고 교묘함.
[勁拔 경발] 굳세고 뛰어남.
[勁兵 경병] ㉠용감한 군사. ㉡예리(銳利)한 무기(武器).
[勁士 경사] ㉠경졸(勁卒). ㉡강직한 사람.
[勁松彰於歲寒 경송창어세한] 풍상(風霜)을 만나도 빛을 변하지 않는 굳센 소나무의 절개는 1년 중 가장 추운 겨울에 비로소 나타난다는 말.
[勁矢 경시] 센 화살. 경전(勁箭).
[勁迅 경신] 날카롭고 빠름.
[勁葉 경엽] 억센 잎.
[勁銳 경예] 강하고 예리(銳利)함.
[勁勇 경용] 굳세고 용감함. 또, 그러한 사람.
[勁敵 경적] 강적(强敵).
[勁箭 경전] 센 화살. 경시(勁矢).
[勁切 경절] 세고 매서움.
[勁節 경절] 굳은 절개.
[勁正 경정] 굳세고 바름.
[勁躁 경조] 마음이 굳세고 조급함.
[勁卒 경졸] 강한 군사(軍士).
[勁酒 경주] 독한 술.
[勁駿 경준] ㉠힘이 센 준마(駿馬). ㉡문세(文勢)나 필세(筆勢)가 힘참.
[勁直 경직] 굳세고 곧음. 강직(剛直).
[勁疾 경질] 굳세고 날램. 경첩(勁捷).
[勁捷 경첩] 힘이 세고 민첩함.
[勁草 경초] 바람에 쏠리지 않는 억센 풀. 전하여, 강직하여 불의(不義)에 굴하지 않는 사람의 비유로 쓰임.
[勁秋 경추] 바람이 세차고 서리가 내리는 찬 가을.
[勁風 경풍] 몹시 부는 바람. 센 바람.
[勁悍 경한] 억세고 사나움.
●剛勁. 堅勁. 古勁. 果勁. 奇勁. 猛勁. 肥勁. 雄勁. 貞勁. 精勁. 遒勁. 捷勁. 淸勁. 忠勁. 豪勁. 後勁.

---

7 [勃] ⑨ 人名 발 ㊧月 蒲沒切 bó

[字解] ①우쩍일어날 발 갑자기 흥(興)하는 모양. '一焉'. '其興也一焉'《左傳》. ②갑작스러울 발 급한 모양. '忽然出, 一然動'《莊子》. ③발끈할 발 ㉠갑자기 화를 내는 모양. '王一然變乎色'《孟子》. ㉡갑자기 안색이 변하는 모양. '色一如也'《論語》. ④밀칠 발 떠밀. 배제함. '肆其猾一'《晉書》. ⑤다툴 발 언쟁함. 싸움. '婦姑一谿'《莊子》. ⑥바다이름 발 渤(水部 九畫)과 통용. '一碣之間'《漢書》. ⑦성 발 성(姓)의 하나.

字源 篆文 形聲. 力+孛〔音〕. '孛발'은 갑자기 성해지다의 뜻. 갑자기 기세 좋게 성하게 일어나다의 뜻을 나타냄.

[勃啓 발계] 갑자기 일어남.
[勃姑 발고] '비둘기(鳩)'의 별칭.
[勃起 발기] 졸지에 성(盛)하게 일어남. 갑자기 흥(興)함. 발흥(勃興).
[勃怒 발노] 발끈 노함.
[勃亂 발란] 혼란함.
[勃勃 발발] 왕성한 모양. 갑자기 일어나는 모양.
[勃發 발발] 일이 갑자기 일어남.
[勃屑 발설] 비틀비틀 걷는 모양.
[勃焉 발언] 갑자기 성(盛)하는 모양.
[勃如 발여] 안색(顔色)이 변하는 모양.
[勃然 발연] ㉠급한 모양. 갑작스러운 모양. ㉡갑자기 안색이 변하며 성내는 모양.
[勃然大怒 발연대로] 별안간 성을 대단히 냄.
[勃然變色 발연변색] 별안간 성이 나서 얼굴빛이 변함.
[勃鬱 발울] 가슴이 답답하게 막히는 모양. 울결(鬱結). 울발(鬱勃).
[勃爾 발이] 발언(勃焉).
[勃海 발해] '발해(渤海)'와 같음.
[勃谿 발혜] 서로 다투는 모양. 반목(反目)하는 모양.
[勃興 발흥] 갑자기 흥함. 갑자기 성(盛)하게 일어남.
●狂勃. 馬勃. 蓬勃. 坌勃. 蓊勃. 鬱勃. 咆勃. 暴勃. 苾勃. 凶勃.

7 ⑨ [勀] 극 ㉠職 苦得切 kè

字解 ①힘쓸 극 부지런히 함. '一, 自彊也'《廣韻》. ②이길 극 '一, 勝也'《玉篇》. ③克(儿部 五畫〈p.195〉)과 통용. '一, 與克通'《正字通》.
字源 形聲. 力+克〔音〕

7 ⑨ [勅] 人名 칙 ㉠職 恥力切 chì

筆順 一 厂 戸 币 亩 束 剌 勅

字解 ①신칙할 칙 타이름. 경계함. '戒一'. ②삼갈 칙 조신(操身)함. 조심함. '能一身率下'《後漢書》. ③조서 칙 제왕의 선지(宣旨). 또, 그것을 적은 문서. '詔一'. '一旨'. '使舍人溫子昇草一'《北史》.
字源 會意. 束+攴

參考 ①敕(支部 七畫)과 同字. ②'敕'과 '勅'은 서로 통용하지만, 오늘날 '조서(詔書)'의 뜻으로는 보통 '勅'을 씀. ③勑(力部 八畫)는 본디 別字이지만, 자형(字形)이 유사하여, '勅'으로 오용(誤用)하게 됨.

[勅戒 칙계] 신칙(申飭)함.
[勅告 칙고] 신칙(申飭)하여 알림.
[勅敎 칙교] 칙유(勅諭).
[勅勸 칙권] 신칙하고 권함. 면려(勉勵).
[勅斷 칙단] 칙재(勅裁).
[勅答 칙답] 천자(天子)의 대답.
[勅厲 칙려] 신칙(申飭)하고 장려함.

[勅令 칙령] 칙명(勅命).
[勅命 칙명] 천자의 명령.
[勅問 칙문] 천자의 하문(下問).
[勅使 칙사] 칙명(勅命)을 받은 사신(使臣).
[勅書 칙서] 칙지(勅旨)를 기록한 문서. 조서(詔書).
[勅宣 칙선] 칙서(勅書).
[勅額 칙액] 천자 친필의 현판(縣板).
[勅語 칙어] 천자의 말. 조칙(詔勅).
[勅願 칙원] 천자가 신불(神佛)에게 비는 기원(祈願).
[勅諭 칙유] 천자의 선유(宣諭).
[勅任 칙임] 칙명(勅命)으로 관직(官職)을 임명함. 또, 그 관직.
[勅裁 칙재] 천자의 재결(裁決).
[勅旨 칙지] 칙명의 취지. 칙명(勅命).
[勅撰 칙찬] ㉠천자가 친히 찬술함. ㉡칙명(勅命)을 받들어 찬술함. 또, 그 저서(著書).
[勅牒 칙첩] 칙서(勅書).
[勅筆 칙필] 천자의 친필(親筆).
[勅行 칙행] 칙사(勅使)의 행차.
[勅許 칙허] 천자의 허가.
●檢勅. 警勅. 戒勅. 誡勅. 告勅. 敎勅. 謹勅. 墨勅. 密勅. 手勅. 修勅. 申勅. 約勅. 嚴勅. 僞勅. 制勅. 詔勅.

7 ⑨ [勉] 中入 면 ㉮銑 亡辨切 miǎn

筆順 ノ ケ 名 召 争 免 免 勉

字解 ①힘쓸 면 근면함. 부지런히 함. '一學'. '喪事不敢不一'《論語》. ②권면할 면 힘써 하도록 격려함. '勸一'. '一諸侯'《禮記》.
字源 篆文 形聲. 力+免〔音〕. '免면'은 신생아(新生兒)를 낳는 모양을 본떠, 힘주어 빼내다의 뜻. 힘을 들여 노력하다의 뜻을 나타냄.

[勉強 면강] 힘씀. 힘써 함.
[勉彊 면강] 면강(勉強).
[勉勸 면권] 권유함. 권면(勸勉).
[勉勵 면려] 면려(勉勵).
[勉勵 면려] 힘써 함. 또, 힘쓰게 함. 힘써 하도록 격려함.
[勉礪 면려] 면려(勉勵).
[勉力 면력] 힘씀. 힘써 함. 면강(勉強).
[勉勉 면면] 힘쓰는 모양. 부지런한 모양. 자자(孜孜).
[勉務 면무] 힘써 함.
[勉學 면학] 공부를 힘써 함.
[勉行 면행] 힘써 행함. 역행(力行).
●彊勉. 激勉. 誡勉. 勸勉. 勤勉. 勞勉. 黽勉. 淬勉. 力勉. 慰勉. 忍勉. 弔勉. 策勉.

7 ⑨ [勇] 中入 용 ㉮腫 余隴切 yǒng

筆順 一 ㄱ 丙 甬 甬 甬 勇 勇

字解 ①날랠 용 기운이 있고 동작이 빠름. '一健'. '一而無禮則亂'《論語》. ②용감할 용 용기가 있음. 의지가 강하고 과단성이 있음. '一斷'. '一志之所以敢也'《墨子》. ③용감 용 '賁育之一'《漢書》. '知仁一三者, 天下之達德也'《中庸》. ④용사 용 ㉠용감한 사람. '非一一之所抗'《蔡邕》.

Ⓛ용감한 군사. 군인.〔決勝三河一, 長驅六郡雄〕《李嶠》. ⑤성용 성(姓)의 하나.
^{字源} ^{篆文} 甬 ^{古文} 甬 形聲. 力＋甬〔音〕. '甬'은 무거운 종(鐘)의 상형. 무거운 물건을 들어 올리는 기력(氣力)의 뜻에서, '씩씩하다, 용맹하고 사납다'의 뜻을 나타냄.

[勇敢 용감] 씩씩하고 과단성이 있음.
[勇彊 용강] 씩씩하고 굳셈.
[勇健 용건] 용감하고 건강함.
[勇怯 용겁] 용기와 접냄(怯懦).
[勇決 용결] 용단(勇斷).
[勇果 용과] 용감하고 과단성이 있음.
[勇氣 용기] 씩씩하고 굳센 기운.
[勇斷 용단] 용감하고 결단성이 있음. 또, 용감하게 결단(決斷) 함.
[勇膽 용담] 용감한 담력(膽力).
[勇略 용략] 용감하고 지략(智略)이 있음.
[勇力 용력] 용감과 힘. 또, 큰 힘.
[勇猛 용맹] 날래고 사나움.
[勇猛精進 용맹정진]《佛敎》용맹한 기력(氣力)을 떨쳐 불도(佛道)를 닦음.
[勇名 용명] 용맹(勇猛)한 이름.
[勇募 용모] 용기가 있어 모집에 응한 병사(兵士).
[勇謀 용모] ㉠용감한 모계(謀計). ㉡용기와 모략(謀略).
[勇武 용무] 날래고 굳셈.
[勇兵 용병] 용감(勇敢)한 군사.
[勇夫 용부] 용감한 남자.
[勇憤 용분] 용감히 나서며 분노함. 또, 용감과 분노.
[勇士 용사] ㉠용감한 사람. ㉡용병(勇兵).
[勇士不忘喪其元 용사불망상기원] 용사는 언제나 생명을 아끼지 않고 죽을 각오를 하고 있음. 원(元)은 두(頭).
[勇躍 용약] 용감하게 뜀. 용기(勇氣)가 나서 뜀.
[勇往邁進 용왕매진] 모든 곤란을 물리치고 용감하게 앞으로 자꾸 나아감.
[勇毅 용의] 용감하고 굳셈.
[勇者不懼 용자불구] 참으로 용감한 사람은 도의(道義)를 위해서는 목숨을 아끼지 않으므로, 어떠한 경우를 당하여도 두려워하지 아니함.
[勇壯 용장] 용감하고 씩씩함.
[勇將 용장] 용감한 장수(將帥).
[勇將手下無弱兵 용장수하무약병] 용감한 장수 밑에는 약한 군사가 없음.
[勇戰 용전] 용감하게 싸움.
[勇智 용지] 용기(勇氣)와 지혜(智慧).
[勇鷙 용지] 용감하고 사나움.
[勇進 용진] 용기(勇氣) 있게 나아감.
[勇沈 용침] 용감하고도 침착함.
[勇退 용퇴] 용기(勇氣) 있게 쾌(快)히 물러 감.
[勇鬪 용투] 용전(勇戰).
[勇悍 용한] 용감하고 사나움.
[勇俠 용협] 용감하고 의협심이 많음. 또, 그 사람. 호협(豪俠).
●剛勇. 健勇. 膽勇. 大勇. 蠻勇. 猛勇. 武勇. 小勇. 義勇. 毅勇. 仁勇. 壯勇. 豬勇. 知勇. 忠勇. 忠勇. 暴勇. 剽勇. 匹夫之勇. 悍勇. 血氣之勇. 俠勇. 豪勇. 驍勇.

8
⑩ [勉] 〔면〕 勉(力部 七畫〈p.277〉)과 同字

8
⑩ [勌] 권 ㊼霰 渠卷切 juàn
^{字解} 게으를 권, 싫증날 권 倦(人部 八畫)과 同字. '學道不一'《莊子》.
^{字源} 形聲. 力＋卷〔音〕

[勌滿 권만] 일에 싫증이 나서 가슴이 답답함.
[勌惰 권타] 게으름.
[勌斃 권폐] 피로하여 싫증이 남.
●勞勌. 罷勌.

8
⑩ [勍] 〔人名〕 경 ㊼庚 渠京切 qíng
^{字解} 셀 경 강함. '一敵之人'《左傳》.
^{字源} ^{篆文} 勍 形聲. 力＋京〔音〕. '京경'은 '强강'과 통하여, '세다'의 뜻. '力력'을 더하여, 뜻을 분명히 함.

[勍敵 경적] 강한 적. 강적(强敵).

8
⑩ [勑] ▤ 래 ㊼隊 洛代切 lài
▤ 칙 ㊤職 蓄力切 chì
^{字解} ▤ 위로할 래 倈(彳部 八畫)와 同字. '來皆一之'《詩經》. ▤ 신칙할 칙, 조서 칙 勅(力部 七畫)과 同字. '明罰一法'《易經》. '唐之用一廣矣'《文體明辯》.
^{字源} ^{篆文} 勑 形聲. 力＋來〔音〕. '來래'는 '賚뢰'와 통하여, 하사한 물건의 뜻. 물건을 주어 노력에 대하여 위로하다의 뜻을 나타냄. 또, '敕칙'과 잘못 통용되어, '신칙하다'의 뜻도 나타냄.

●謹勑.

[咢] 〔가〕 口部 七畫(p.374)을 보라.

9
⑪ [勒] 〔人名〕 륵 ㊤職 盧則切 lè, ⑤lēi
^{字解} ①굴레 륵 마소의 목에서 고삐에 걸쳐 얽어매는 줄. '一絆'. '鞍一具'《漢書》. ②새길 륵 조각함. '一石'. '一銘'. '物一工名'《禮記》. ③억누를 륵 억제함. '一抑'. '不能敎一子孫'《後漢書》. ④다스릴 륵 통어(統御)함. '可以少試一兵乎'《史記》. ⑤묶을 륵 결박함. '一死'. '火伴相一縛'《元稹》. ⑥성 륵 성(姓)의 하나.
^{字源} ^{金文} 勒 ^{篆文} 勒 形聲. 革＋力〔音〕. '力력'은 '힘'의 뜻. 힘을 들여 말의 움직임을 억누를 수 있는 가죽, '굴레'의 뜻을 나타냄.

[勒掘 늑굴] 남의 무덤을 강제(强制)로 파게 함.
[勒買 늑매] 억지로 삼.
[勒銘 늑명] 명(銘)을 금석(金石)에 새김. 또, 그 명(銘).
[勒文 늑문] 문장을 돌에 새김.
[勒縛 늑박] 묶음. 결박함.
[勒絆 늑반] 고삐.
[勒兵 늑병] 군대를 통어(統御)함. 군대를 훈련 함.
[勒捧 늑봉] 빚진 사람에게서 돈이나 물건을 억지로 받아 냄.
[勒碑 늑비] 비석에 문장을 새김.

[勒死 늑사] 목을 매어 죽음.
[勒石 늑석] 돌에 새김.
[勒紲 늑설] 고삐.
[勒于金石 늑우금석] 그 사람의 공덕(功德) 등을 종정비갈(鐘鼎碑碣)에 새겨 후세(後世)에 전함. 각우금석(刻于金石).
[勒韻 늑운] 시를 짓는 데 미리 운자(韻字)를 정함. 압운(押韻)을 미리 정하여 놓음.
[勒葬 늑장] 남의 산에 억지로 장사(葬事) 지냄.
[勒定 늑정] 강제로 작정함.
[勒停 늑정] 관직(官職)을 파면(罷免)함.
[勒住 늑주] 억지로 가지 못하게 함.
[勒徵 늑징] 벼슬아치가 까닭 없이 돈이나 물품을 강제로 징수(徵收)함.
[勒奪 늑탈] 위력(威力)이나 폭력(暴力)을 써서 억지로 빼앗음.
[勒婚 늑혼] 억지로 맺는 혼인(婚姻).
[勒痕 늑흔] 목을 매어 죽인 흔적.
◉誡勒. 羈勒. 銘勒. 彌勒. 剖勒. 鐫勒. 整勒. 勅勒. 貝勒. 銜勒.

9 ⑪ [勔] 면 ㊤銑 彌兗切 miǎn

[字解] 힘쓸 면, 권할 면 勉(力部 七畫)과 同字.
[字源] 形聲. 力+面〔音〕

9 ⑪ [動] [中·人] 동 ㊤董 徒揔切 dòng ㊦送 徒弄切 动

[筆順] 亠 亡 台 亘 重 重 動 動

[字解] ①움직일 동 ㉠옮김. 감. '日行月—'《淮南子》. ㉡흔들림. 요동함. 또, 꿈틀거림. '—搖'. '悲秋風之—容兮'《楚辭》. '日光釵焰—, 窓影鏡花搖'《庾信》. ㉢떨림. '心—'. '天休震—'《書經》. ㉣느낌. 감응(感應)함. '感—'. '同氣相—'《淮南子》. ㉤기거동작을 함. '非禮勿—'《論語》. ㉥일을 함. '終歲勤—'《孟子》. ㉦일어남. 시작함. '兵以義—'《魏書》. ㉧벼슬을 함. '—息無兼遂'《謝朓》. ㉨의혹함. '不隨物而—'《淮南子》. ㉩변함. '色—而意變'《戰國策》. ㉪나옴. 나타남. '仲春蟄蟲咸—'《禮記》. ㉫어지러움. '天下蠢—'《後漢書》. ㉬이상(以上)의 타동사. '雷以—之'《易經》. ②움직임 동 전항의 명사. '—靜'. '—合無形, 贍足萬物'《史記》. ③동물 동 움직이는 생물. '羣—咸遂'《梁巘》. ④자칫하면 동 까딱하면. '—輒得咎'. '來往—皆經月'《韓愈》.
[字源] [金文] [篆文] 形聲. 力+重〔音〕. '重중'은 '무겁다'의 뜻. 무거운 물건에 힘을 가하여 움직이다의 뜻을 나타냄.

[動駕 동가] 어가(御駕)가 대궐 밖으로 나감.
[動悸 동계] 심장(心臟)의 고동(鼓動)이 심하여 가슴이 울렁거림.
[動機 동기] ㉠일의 발동(發動)의 계기(契機). 행동의 직접 원인. ㉡행위의 직접 원인이 되는 마음의 상태.
[動亂 동란] 난리(亂離). 세상의 어지러움.
[動力 동력] 물체(物體)를 움직이는 힘. 기계(機械)를 운전하는 힘.
[動類 동류] 동물(動物).
[動脈 동맥] 심장(心臟)의 피를 전신(全身)에 보내는 맥관(脈管). 정맥(靜脈)의 대(對).
[動無違事 동무위사] 행동이 모두 정당하여 틀림이 없음. 행동이 모두 상도(常道)를 벗어나지 않음.
[動物 동물] 자유로이 운동을 하며 생명을 가진 생물.
[動撥 동발] 금전(金錢)을 유용(流用) 지출(支出)함.
[動兵 동병] 군대를 일으킴.
[動詞 동사] 사물의 움직임을 나타내는 품사(品詞).
[動産 동산] 가구(家具)·금전(金錢) 등과 같이 이동할 수 있는 재산. 부동산(不動産)의 대(對).
[動色 동색] 안색을 변함.
[動息 동식] ㉠활동과 휴식. ㉡사관(仕官)과 둔세(遁世).
[動心 동심] 마음이 움직임.
[動陽 동양] 양기(陽氣)가 동(動)함.
[動搖 동요] ㉠흔들리어 움직임. 또, 흔들어 움직이게 함. ㉡마음이 불안하여 흔들림.
[動用 동용] 움직이어 씀. 사용함.
[動容 동용] ㉠동작(動作). ㉡안색이 변함.
[動員 동원] ㉠군대를 평시 편제(平時編制)로부터 전시 편제(戰時編制)로 옮기는 일. ㉡전시(戰時)에 인적·물적 자원(資源)을 정부의 통일적인 관리하에 집중시키는 일.
[動議 동의] 토의(討議)하기 위하여 의제(議題)를 제출함. 또, 그 의제.
[動耳 동이] 감동하여 귀를 움직임.
[動作 동작] 사람의 평상의 행동. 몸가짐. 기거동작(起居動作).
[動靜 동정] ㉠움직임과 정지(靜止)함. ㉡기거동작(起居動作). ㉢인심(人心)·사태(事態)·병세(病勢) 등의 변천하는 상태. ㉣사람의 안부(安否). 소식(消息). ㉤동물(動物)과 식물(植物).
[動靜云爲 동정운위] 기거동작과 언행. 곧, 정신이 밖에 나타난 전체.
[動止 동지] 동작(動作).
[動地 동지] 땅을 움직인다는 뜻으로, 사물의 성대(盛大)함을 형용한 말.
[動體 동체] ㉠움직이는 물체. ㉡기체(氣體)와 액체(液體)의 총칭.
[動塚 동총] 이장(移葬)하려고 무덤을 파냄.
[動蕩 동탕] ㉠마음이 불안하여 흔들림. 동요(動搖). ㉡얼굴이 잘생기고 풍후(豐厚)함.
[動態 동태] 움직이는 상태(狀態).
[動向 동향] 움직이는 방향. 움직임.
[動血 동혈] 희로애락(喜怒哀樂)의 감정이 현저히 나타나는 일.
[動火 동화] 성을 냄.
[動蛔 동회] 배 속에서 회충(蛔蟲)이 움직임.
◉可動. 稼動. 感動. 擧動. 激動. 輕擧妄動. 驚動. 鼓動. 驅動. 群動. 亂動. 雷動. 能動. 妄動. 脈動. 萌動. 鳴動. 微動. 反動. 發動. 變動. 不動. 浮動. 生動. 煽動. 騷動. 竦動. 受動. 躍動. 陽動. 言動. 連動. 蠕動. 搖動. 運動. 雲烟飛動. 流動. 律動. 移動. 一擧一動. 自動. 作動. 寂然不動. 顫動. 蠢動. 地動. 振動. 震動. 策動. 天動. 出動. 衝動. 他動. 胎動. 波動. 暴動. 被動. 行動. 活動.

9 ⑪ [勖] [人名] 욱 ㊂沃 許玉切 xù

[字解] ①힘쓸 욱 힘써 일을 함. '—哉夫子'《書經》. ②권면할 욱 힘써 일하도록 권장함. '以—

寡人'《詩經》.

字源 篆文 形聲. 力+冒〔音〕. '冒모·욱'은 '무릅쓰다, 무모하게 하다'의 뜻. 어려움을 무릅쓰고 노력하다의 뜻을 나타냄.

參考 '勖'은 옛 음이 '모'이며 '욱'은 속된 잘못이라는 설도 있음.

[勖勉 욱면] 힘써 일함. 부지런히 일함. 근면(勤勉).

[勖率 욱솔] 삼가 거느림.

9 ⑪ [勘] 人名 감 去勘 苦紺切 kān / 平覃 枯含切

筆順 一 卄 甘 甘 甚 甚 勘 勘

字解 ①살필 감 잘 생각하거나 조사하여 정함. '一校'. '一定'. '史籍散亡, 無可檢一'《左傳疏》. ②국문할 감 죄상을 신문함. '審一'. '推一不實者'《宋史》.

字源 篆文 形聲. 力+匹+甘〔音〕. '匹필'은 '나란히 늘어놓다'의 뜻. '甘감'은 '끼우다'의 뜻. 여러 책을 늘어놓고 서표(書標)를 끼워서, 잘 조사하고 생각하다의 뜻을 나타냄.

[勘檢 감검] 조사함.

[勘契 감계] ㉠부절(符節). ㉡대궐 문을 여닫는 열쇠.

[勘考 감고] 생각함. 고려(考慮)함.

[勘校 감교] 대조하여 바로잡음. 조사하여 고침. 교정함. 교감(校勘).

[勘當 감당] 죄(罪)를 조사함.

[勘辨 감변] 생각하여 변별(辨別)함. 생각하여 일을 정함.

[勘査 감사] 감검(勘檢).

[勘審 감심] 생각하여 자세히 조사함.

[勘誤 감오] 문장의 잘못을 정정함.

[勘葬 감장] 《韓》 장사(葬事)를 치름. 장사를 끝냄.

[勘定 감정] 생각하여 정(定)함.

[勘罪 감죄] 죄인(罪人)을 취조하여 처분함.

[勘破了也 감파료야] 간파(看破)함.

[勘合 감합] ㉠대조(對照)하여 진부(眞否)를 조사함. ㉡부절(符節). 신표(信標).

◉檢勘. 校勘. 鞫勘. 磨勘. 點勘.

9 ⑪ [勘] 할 入黠 許轄切 xiā

字解 어여차할 할 여럿이 힘을 합할 때에 일제히 내는 소리. '一一'.

[勘勘 할할] 여럿이 힘을 합할 때에 일제히 내는 소리. 어여차.

9 ⑪ [勤] 〔근〕 勤(力部 十一畫〈p.282〉)의 略字

9 ⑪ [務] 中人 ■무 去遇 亡遇切 wù / ■모 上麌 罔甫切 wǔ 务

筆順 ㇇ ㇇ 矛 矛 矜 矜 務 務

字解 ■ ①힘쓸 무 힘써 함. '一勸'. '君子一本'《論語》. ②일 무 ㉠힘써 하는 일. 사업. '事一'. '開物成一'《易經》. ㉡직책. '任一'. '必用此爲一'《史記》. ■ 업신여길 모 侮(人部 七畫)와 통용. '外禦其一'《詩經》.

字源 金文 篆文 形聲. 力+敄〔音〕. '敄무'는 攵(攴)+矛〔音〕으로, 미늘창으로 치고 덤비다의 뜻. 곤란에 맞서 나아가다, 힘쓰다의 뜻을 나타냄. 金文은 攴+矛〔音〕의 形聲.

[務勸 무권] 힘씀.

[務望 무망] 힘써 바람.

◉家務. 激務. 兼務. 公務. 國務. 軍務. 劇務. 勤務. 急務. 機務. 內務. 勞務. 農務. 煩務. 法務. 邊務. 服務. 本務. 事務. 常務. 庶務. 先務. 世務. 俗務. 時務. 實務. 業務. 役務. 外務. 要務. 用務. 義務. 任務. 殘務. 雜務. 財務. 專務. 政務. 主務. 職務. 執務. 債務. 責務. 總務. 特務. 學務. 會務.

9 ⑪ [勗] 〔욱〕 勖(力部 九畫〈p.279〉)의 訛字

10 ⑫ [勛] 〔구〕 舅(臼部 七畫〈p.1880〉)의 俗字

10 ⑫ [勛] 人名 〔훈〕 勳(力部 十四畫〈p.284〉)의 古字

筆順 ㅁ 尸 冃 目 目 員 員 勛

10 ⑫ [勞] 中人 로 平豪 魯刀切 láo / 去號 郎到切 lào 劳

筆順 ⺌ 火 炏 炏 炏 炏 勞 勞

字解 ①수고할 로 힘을 들임. 애씀. '一苦'. '勤一'. '主一而臣逸'《史記》. ②노곤(勞困)할 로 고달픔. '疲一'. '一倦'. '不敢告一'《詩經》. ③괴로워할 로 마음을 괴롭게 함. 근심함. '一心焦思'. '實一我心'《詩經》. ④앓을 로 병듦. '好憎者使人之心一'《淮南子》. ⑤일할 로 힘써 일을 함. '先之一之'《論語》. ⑥수고 로, 피로 로 '一逸'. '民忘其一'《易經》. ⑦일 로 힘써 하는 일. 사업. '先一後祿'《禮記》. ⑧공 로 힘써 한 공. 공적. '功一'. '非無一效'《溫子昇》. ⑨성 로 성(姓)의 하나. ⑩위로할 로 수고한 것을 치사함. '慰一'. '自一'. '一君之則拜'《禮記》.

字源 金文 篆文 古文 會意. 力+熒〈省〉. '熒형'은 홰를 엮어 세운 화톳불의 뜻. 화톳불이 타듯이 힘을 연소시켜서, 피로해지다의 뜻을 나타냄. 또, 거성(去聲)일 때에는 수고를 위로하다의 뜻을 나타냄.

參考 労(力部 五畫)는 생략형인 俗字.

[勞歌 노가] 노동(勞動)을 할 때 부르는 노래.

[勞劍 노검] 무디어진 칼.

[勞遣 노견] 위로하여 보냄.

[勞結 노결] 우울함. 울적함.

[勞謙 노겸] 어려운 일을 맡아 애쓰면서도 겸손함. 공로가 있어도 겸손함.

[勞苦 노고] ㉠고되게 일함. ㉡애쓰고 고생함. ㉢수고한 것을 위로함.

[勞困 노곤] 고단함. 아주 피곤함.

[勞工 노공] 노동자(勞動者).

[勞疚 노구] 피로하여 앓음.

[勞屈 노굴] 피로하여 기운이 꺾임.

[勞倦 노권] 피로(疲勞)함.

[勞勤 노근] 부지런히 일함.
[勞農 노농] 노동자와 농부.
[勞頓 노돈] 대단히 피로함. 피로하여 녹초가 됨.
[勞動 노동] ㉠일함. 힘써 일함. ㉡생산하기 위하여 노동자가 노력을 제공하는 일.
[勞來 노래] 따라오는 사람을 위로함. 또, 위로하여 따라오게 함.
[勞徠 노래] 노래(勞來).
[勞力 노력] ㉠힘을 들여 일함. 힘을 씀. ㉡재화(財貨)의 생산을 목적으로 하는 심력(心力)·체력(體力)의 활동.
[勞勞 노로] 대단히 애쓰는 모양.
[勞勉 노면] 피로하고 격려함.
[勞問 노문] 위문(慰問)함.
[勞費 노비] 노동과 비용.
[勞使 노사] ㉠구사(驅使)함. 막 부려 먹음. ㉡노동자와 사용자. 노동자 대 사용자.
[勞賜 노사] 위로하여 물품을 내려 줌.
[勞辭 노사] 위로하는 말.
[勞生 노생] 괴로운 인생.
[勞損 노손] 노핍(勞乏).
[勞薪 노신] 오랫동안 사용한 낡은 수레를 부수어 땔나무로 한 것.
[勞心 노심] 근심함. 걱정함.
[勞心焦思 노심초사] 걱정함. 속을 태움.
[勞役 노역] 힘든 일. 고역(苦役).
[勞擾 노요] 피로하게 하여 어지럽힘. 또, 지쳐 어지러워짐.
[勞慰 노위] 위로함.
[勞銀 노은] 노동 임금. 품삯. 노임(勞賃).
[勞悒 노읍] 피로하여 우울함.　　　　「勞」.
[勞而無功 노이무공] 애쓴 보람이 없음. 도로(徒
[勞而不怨 노이불원] 효자(孝子)는 부모가 혹사(酷使)하여도 원망하지 아니함.
[勞人 노인] 고역(苦役)에 종사하는 사람.
[勞逸 노일] 애씀과 편안함. 수고와 쾌락. 노일(勞佚).
[勞賃 노임] 품삯. 노동 임금.
[勞資 노자] 노동자와 자본가.
[勞作 노작] ㉠힘써 일함. ㉡힘든 일. ㉢힘써 만든 것.
[勞績 노적] 노력하여 이룬 공적.
[勞症 노증] 노해(勞咳).
[勞慘 노참] 피로하고 상심(傷心)함.
[勞悴 노췌] 노췌(勞瘁).
[勞瘁 노췌] 몸이 고달파서 파리함.
[勞疲 노피] 피로함.
[勞乏 노핍] 피로(疲勞)함.
[勞咳 노해] 폐병. 폐결핵(肺結核).
[勞嬾 노한] 피로하여 게을리 함.
[勞效 노효] 공로(功勞).
[勞恤 노휼] 위로하고 구휼(救恤)함.
[勞恤 노휼] 노휼(勞恤).
●犬馬之勞. 苦勞. 功勞. 過勞. 倦勞. 勤勞. 徒勞. 煩勞. 報勞. 不勞. 酬勞. 薪水之勞. 辛勞. 心勞. 漁勞. 憂勞. 慰勞. 以逸待勞. 就勞. 疲勞. 汗馬之勞. 犒勞.

10
⑫ [勝] ⊕⼈ 승 ㉠徑 詩證切 shèng
　　　　㉡蒸 識蒸切 shēng　　胜徔

筆順 丿 月 尸 肵 朕 脖 勝 勝
字解 ①이길 승 ㉠적과 싸워서 쳐부숨. 상대자

를 지게 함. ‘連―’ ‘天道不爭而善―’《老子》. ㉡억제함. 억누름. ‘人衆者―天’《史記》. ㉢능가함. 능범(凌犯)함. ‘終莫之―’《易經》. ②이김 승 승리. ‘―敗.’ ‘―負兵家常勢’《唐書》. ③나을 승 딴것보다 나음. ‘劣’의 대(對). ‘―景.’ ‘實―善也, 名―恥也’《周子通書》. 또, 뛰어난 것. 뛰어난 사람. 경치가 좋은 곳. ‘名―.’ ‘皆歡其有濟―之具’《南史》. ④머리꾸미개 승 부인의 수식(首飾). ‘人―. 花―.’ ‘―裏金花巧耐寒’《杜甫》. ⑤견딜 승 감당함. 감내함. ‘執圭鞠窮如也, 如不―’《論語》. ⑥모두 승 다. 온통. ‘材木不可―用’《孟子》.
字源 會意. 力+朕. ‘朕’은 위를 향하여 올리다의 뜻. 힘들여 올려서 견디다의 뜻. 거성(去聲)일 때에는, 파생(派生)하여 ‘이기다, 낫다’의 뜻을 나타냄.

[勝槩 승개] 훌륭한 경치.
[勝景 승경] 좋은 경치.
[勝境 승경] 승지(勝地).
[勝果 승과]《佛敎》훌륭한 과보(果報).
[勝區 승구] 승지(勝地).
[勝國 승국] 자기 나라가 이기어 멸망시킨 나라. 예컨대, 은(殷)나라는 하(夏)나라를 ‘――’이라 함. 망국(亡國).
[勝氣 승기] 뛰어난 기상(氣象).
[勝機 승기] 이길 기회(機會). 승리(勝利)의 기회.
[勝劣 승렬] 나음과 못함. 이김과 짐. 우열(優劣). 승부(勝負).
[勝流 승류] 지체가 좋은 사람. 상류 계급의 사람.
[勝利 승리] ㉠겨루어 이김. ㉡《佛敎》뛰어난 일. 뛰어난 이익.
[勝妙 승묘] 뛰어나게 기묘(奇妙)함.
[勝癖 승벽] 남을 꼭 이기고자 하는 성벽.
[勝報 승보] 승리의 소식. 승전하였다는 보고. 첩보(捷報).
[勝負 승부] 이김과 짐. 승패(勝敗).
[勝負兵家常勢 승부병가상세] 이기고 지는 것은 전쟁하는 자가 항상 면(免)할 수 없는 일이므로, 이겨도 교(驕)를 부리지 말고 져도 기를 꺾이지 말라는 말.
[勝算 승산] 이길 만한 좋은 꾀. 또, 이길 가능성.
[勝常 승상] 건강이 평상시보다 나음. 편지 같은 데서 남의 건강을 축복하는 말.
[勝商 승상] 큰 장수. 호상(豪商).
[勝所 승소] 경치(景致)가 좋은 곳. 승지(勝地).
[勝訴 승소] 소송(訴訟)에 이김.
[勝彦 승언] 훌륭한 인물.
[勝友 승우] 훌륭한 벗. 양우(良友).
[勝遊 승유] 명승지(名勝地)를 돌아다니며 구경
[勝引 승인] 승우(勝友).　　　　　　　　└함.
[勝因 승인] ㉠《佛敎》특별히 뛰어난 선인(善因). ㉡승리의 원인. 패인(敗因)의 대(對).
[勝日 승일] 오행설(五行說)에서 목극토(木剋土)·토극수(土剋水)·수극화(水剋火)·화극금(火剋金)·금극목(金剋木)의 오일(五日)을 이름.
[勝者 승자] 이긴 사람. 승리를 거둔 사람.
[勝殘 승잔] 잔포(殘暴)한 사람을 착하게 감화하여 악을 행하지 않게 함.
[勝者所用敗者棊 승자소용패자기] 바둑에 이긴 사람이 둔 바둑돌은 전에 바둑에 진 사람이 두던 바둑돌이라는 뜻으로, 사용하는 인물이나 사물(事物)은 같으나 이를 사용하는 사람 여하에

따라서 그 공과(功果)에 큰 차이가 생김을 이름.
[勝迹 승적] 뛰어난 사적(事迹). 뛰어난 고적(古跡).
[勝蹟 승적] 승적(勝迹).
[勝戰 승전] 싸움에 이김.
[勝餞 승전] 두터운 송별연(送別宴).
[勝戰鼓 승전고] 싸움에 이기고 치는 북.
[勝絕 승절] 썩 뛰어남.
[勝接 승접] 《韓》 자기보다 학식(學識)이 나은 동접(同接).
[勝情 승정] 좋은 경치를 보고 즐기고자 하는 마음.
[勝地 승지] ㉠경치가 좋은 곳. ㉡지세(地勢)가 훌륭한 땅.
[勝地本來無定主 승지본래무정주] 승지(勝地)는 본래(本來)부터 일정한 임자가 없음.
[勝踐 승천] 경치 좋은 곳에 가서 구경함. 또, 구경할 만한 곳.
[勝捷 승첩] 승전(勝戰).
[勝趣 승취] 훌륭한 흥취(興趣).
[勝致 승치] 훌륭한 경치.
[勝敗 승패] 이김과 짐.
[勝愜 승협] 상쾌한 마음.
[勝會 승회] 성대(盛大)한 모임.
◉健勝. 決勝. 景勝. 奇勝. 氣勝. 大勝. 名勝. 百戰百勝. 常勝. 殊勝. 辛勝. 連勝. 連戰連勝. 優勝. 雄勝. 全勝. 戰勝. 絕勝. 快勝. 探勝. 必勝. 形勝.

10 ⑫ [劵] 〔권〕
券(力部 六畫〈p. 276〉)의 本字

11 ⑬ [勠] 륙 [入]屋 力竹切 lù

[字解] 같이힘쓸 륙 협력함. '一力攻秦'《漢書》.
[字源] 篆文 形聲. 力+翏〔音〕. '翏륙'은 양 날개와 꼬리를 이어 붙여 합친 모양. '힘을 합치다'의 뜻을 나타냄.

[勠力 육력] 일치 협동하여 일을 함. 육력(戮力).

11 ⑬ [勤] [中·人] 근 [平]文 巨斤切 qín

[筆順] 一 艹 艹 昔 茔 堇 勤 勤

[字解] ①부지런히할 근, 힘쓸 근 ㉠일을 꾸준히 함. '一勉'. '克一于邦'《書經》. ㉡직책을 다함. 임무를 행함. '一務'. '一大命'《禮記》. ②위로할 근 위안함. '齊方一我'《左傳》. ③괴로워할 근 고생함. '或問民所一'《揚子法言》. ④근심할 근 걱정함. '一天子之難'《呂氏春秋》. ⑤일 근 직책. '以多値爲一'《金史》. ⑥괴로움 근 고통. '民有三一'《揚子法言》. ⑦은근할 근 懃(心部 十三畫)과 同字. '恩斯一斯'《詩經》. '重賜文君侍者, 通殷一'《漢書》. ⑧성 근 성(姓)의 하나.
[字源] 金文 篆文 形聲. 力+堇〔音〕. '堇근'은 찰흙을 이겨 바르다의 뜻. 힘을 들여 찰흙을 이겨 바르는 모양에서, '힘쓰다'의 뜻을 나타냄.

[勤恪 근각] 근면하고 조신(操身)함.
[勤幹 근간] 부지런하고 재간이 있음.
[勤介 근개] 근면하고 강직함.
[勤儉 근검] 부지런하고 알뜰함.
[勤苦 근고] 애를 써 가며 부지런히 일함.
[勤工 근공] 부지런히 공부(工夫)함.
[勤求 근구] 《佛教》 힘써 불교의 진리(眞理)를 탐구함.
[勤劬 근구] 부지런히 힘씀.
[勤謹 근근] 부지런하고 공손함.
[勤勤孜孜 근근자자] 매우 부지런한 모양.
[勤農 근농] 부지런히 농사를 지음.
[勤勵 근려] 부지런히 힘씀. 또, 부지런히 힘쓰도록 권면함.
[勤力 근력] 부지런히 힘씀. 근면(勤勉).
[勤歷 근력] 근속(勤續).
[勤勞 근로] 일에 부지런함. 근고(勤苦).
[勤慢 근만] 부지런함과 게으름. 근태(勤怠).
[勤勉 근면] 부지런히 힘씀.
[勤務 근무] 일에 종사(從事)함. 또, 종사하는 일.
[勤無價寶 근무가보] 부지런히 일하는 것은 복리(福利)가 많이 생기므로 평가할 수 없는 큰 보배라는 뜻.
[勤敏 근민] 근면하고 민첩함.
[勤仕 근사] 벼슬살이를 함. 봉직(奉職)함.
[勤續 근속] 여러 해 계속하여 근무함.
[勤戍 근수] 힘써 지킴.
[勤修 근수] 《佛教》 부지런히 닦음. 힘써 닦음. 수행(修行).
[勤肅 근숙] 근면하고 신중함.
[勤愼 근신] 힘쓰고 삼감. 근면하고 조심함.
[勤實 근실] 부지런하고 성실(誠實)함.
[勤王 근왕] 왕사(王事)에 힘씀. 충성을 다함.
[勤止 근지] 부지런히 힘씀. 지(止)는 조사(助辭).
[勤惰 근타] 부지런함과 게으름. 출근과 결근. 근태(勤怠).
[勤怠 근태] 부지런함과 게으름.
[勤學 근학] 부지런히 공부함.
[勤行 근행] ㉠힘써 행함. 역행(力行)함. ㉡《佛教》 불전(佛前)에서 독경(讀經)·회향(回向)하는 일.
[勤恤 근휼] 부지런히 일하고 어려운 사람을 도움.
◉恪勤. 皆勤. 缺勤. 內勤. 篤勤. 常勤. 夜勤. 外勤. 在勤. 轉勤. 精勤. 出勤. 忠勤. 通勤. 退勤. 特勤.

11 ⑬ [勦] 초 [平]肴 鉏交切 chāo / ㊤篠 子小切 jiǎo

[字解] ①노곤할 초 피곤함. 가쁨. '心一形瘵'《趙岐》. ②괴로워할 초, 괴롭힐 초 피로하여 고통을 느낌. 또, 그렇게 함. '安用速成, 其以一民'《左傳》. ③표절할 초 남의 시문이나 학설을 훔쳐 제 것으로 함. '毋一說'《禮記》. ④날랠 초 경첩(輕捷)함. '稟生肖一剛'《韓愈》. ⑤겁탈할 초 강탈함. '一襲'. ⑥끊을 초 절멸(絕滅)시킴. '天用一絕其命'《書經》.
[字源] 篆文 形聲. 力+巢(巢)〔音〕. '巢소'는 '小소'와 통하여 '작다'의 뜻. 힘이 작아지다, 피로하다의 뜻을 나타냄. 전하여, 상대의 힘을 작게 하다, 피로하게 하다, 끊어지게 하다의 뜻을 나타냄. 또, '巢소'는 새의 보금자리의 뜻. 힘이 약해져서 보금자리에 들다, 피로하다의 뜻을 나타낸다고도 함.

[勦剛 초강] 날렵하고 굳셈.
[勦滅 초멸] 초진(勦殄).
[勦說 초설] 남의 학설(學說)이나 시문(詩文)을

표절(剽竊)하여 자기의 것으로 함.
[勦襲 초습] ㉠남의 물건을 강탈함. ㉡초설(勦說).
[勦絶 초절] 끊음. 절멸(絶滅)시킴. 초진(勦殄).
[勦截 초절] 끊음. 절단함.
[勦殄 초진] 적(敵)을 진멸(殄滅)함.
[勦討 초토] 토벌하여 전멸시킴.

11 ⑬ [勡] 표 [去]嘯 匹妙切 piào

[字解] 으를 표, 겁박할 표 剽(刀部 十一畫)와 同字. '一吏而奪之金'《漢書》.
[字源] [篆文] 形聲. 力+嫖(票)〔音〕. '嫖표'는 불똥이 가볍게 날아오르다의 뜻. 힘으로 쉽게 빼앗다, 겁탈하다의 뜻을 나타냄.

11 ⑬ [勣] [人名] 적 [入]錫 則歷切 jī

[字解] 공 적 績(糸部 十一畫)과 同字.
[字源] 形聲. 力+責〔音〕. '責책'은 '績적'과 통하여 '공로, 공적'의 뜻.

11 ⑬ [勧] 〔권〕
勸(力部 十八畫〈p. 285〉)의 俗字

11 ⑬ [勧] 〔권〕
勸(力部 十八畫〈p. 285〉)의 俗字

11 ⑬ [募] [高·人] 모 [去]遇 莫故切 mù

[筆順] 丶 艹 苩 苷 荁 莫 募 募

[字解] ①뽑을 모 모집함. '一兵'. '一選'. '宣一吏民有氣節勇猛者'《後漢書》. ②부를 모 불러 모음. '招一'. ③뽑음 모, 부름 모 이상(以上)의 명사. '應一使月氏'《漢書》.
[字源] [篆文] 形聲. 力+莫〔音〕. '莫모'는 '구하다'의 뜻. 애써 널리 구하다의 뜻에서, '모집하다'의 뜻을 나타냄.

[募兵 모병] 병정(兵丁)을 모집함. 또, 그 병정.
[募徙 모사] 무리를 뽑아 모아 딴 곳으로 옮김.
[募選 모선] 모집하여 선발(選拔)함.
[募役法 모역법] 송(宋)나라 왕안석(王安石)의 신법(新法)의 하나. 민가(民家)를 빈부(貧富)에 의하여 여러 등급(等級)으로 나누고, 그 등급에 의하여 규정(規定)의 면역전(免役錢)을 상납(上納)시켜, 인부(人夫)를 소모(召募)하여 역사(役事)를 시키는 제도(制度).
[募緣 모연] 《佛教》 모화(募化).
[募緣疏 모연소] 사찰(寺刹)·교량(橋梁) 등의 기부금을 모집하는 글발. 모화(募化)하여 좋은 인연을 맺게 하는 글이라는 뜻임.
[募集 모집] 널리 뽑아서 모음.
[募債 모채] 널리 공채(公債) 또는 사채(社債) 등을 조건을 붙여 모음.
[募化 모화] 《佛教》 중이 보시(布施)를 요구하는 일. 중이 시주(施主)하기를 청하는 일. 화연(化緣).
◉公募. 急募. 賞募. 召募. 應募. 增募. 徵募. 招募.

11 ⑬ [勢] [中·人] 세 [去]霽 舒制切 shì

[筆順] 一 圭 夫 坴 坴 埶 勢 勢

[字解] ①세력 세 ㉠권세(權勢). 위세(威勢). '一權'. '權門一家'. '古之賢王, 好善而忘一'《孟子》. ㉡물리적인 힘. '水一'. '火一'. '各有其自然之一'《淮南子》. ②형세 세 ㉠환경의 상태. '大一'. '情一'. ㉡형편. '其一無所得食'《史記》. ㉢산수(山水)의 상태. '山一'. '地一坤'《易經》. ③기세 세 기운차게 뻗치는 형세. 기염(氣燄). '氣一'. '毋倚一作威'《書經》. ④기회 세 가장 효과적인 시기(時機). '雖有智慧, 不如乘一'《孟子》. ⑤불알 세 고환(睾丸). '去一'. '盜淫者割其一'《晉書》. ⑥성 세 성(姓)의 하나.
[字源] [篆文] 形聲. 力+埶〔音〕. '埶세'는 어떤 물건을 오랜 시간 가까운 곳에 당겨 놓다의 뜻. 남을 가까이 끌어당겨 놓는 힘, 세력의 뜻을 나타냄.

[勢家 세가] 권력이 있는 집안. 권문(權門).
[勢客 세객] 권세(權勢) 있는 사람.
[勢交 세교] 세리지교(勢利之交)의 약어(略語).
[勢窮力盡 세궁역진] 궁경(窮境)에 빠져 힘이 다 없어짐.
[勢權 세권] 권세(權勢).
[勢道 세도] 정치상(政治上)의 권세.
[勢力 세력] ㉠위력(威力). 권세(權勢). ㉡일을 하는 데 필요한 힘. 에너지.
[勢列 세렬] 세열(勢列).
[勢利 세리] 권력과 이익.
[勢利之交 세리지교] 권세(權勢)나 이익(利益)을 목적으로 하는 교제.
[勢望 세망] 권세와 명망.
[勢門 세문] 세가(勢家).
[勢不兩立 세불양립] 세력이 있는 자가 동시에 대립하고 있을 때에는 자연히 그중의 한쪽은 망하고 다른 쪽은 번영하여, 양편이 모두 함께 존속하기란 어려운 법임.
[勢列 세열] 권세가 있는 지위.
[勢焰 세염] 대단한 기세. 대단한 세력. 기염(氣焰).
[勢榮 세영] 외부에서 오는 권세와 번영(繁榮).
[勢要 세요] 현요(顯要)한 지위에 있어 권세가 대단한 사람. 요로(要路)에 있는 세력가.
[勢援 세원] 후원. 성원(聲援).
[勢位 세위] 권세와 지위. 권세가 있는 지위.
[勢威 세위] 권세(權勢)와 위력.
[勢子 세자] 바둑에서, 네 귀와 천원(天元)에 놓은 돌.
[勢族 세족] 세가(勢家).
[勢至菩薩 세지보살] 《佛教》 대세지력(大勢至力)의 슬기가 있어 모든 사물을 환히 비친다고 하는 보살. 관음보살(觀音菩薩)과 함께 아미타여래(阿彌陀如來)의 곁에 서 있는 보살.
◉加勢. 去勢. 決河之勢. 攻勢. 局勢. 國勢. 軍勢. 權勢. 均勢. 氣勢. 騎虎勢. 大勢. 同勢. 無勢. 事勢. 水勢. 守勢. 隨勢. 乘勢. 勝勢. 時勢. 語勢. 餘勢. 劣勢. 優勢. 運勢. 位勢. 威勢. 姿勢. 敵勢. 情勢. 地勢. 總勢. 趨勢. 脫兎之勢. 態勢. 退勢. 頹勢. 破竹之勢. 筆勢. 虛勢. 形勢. 豪勢.

11 ⑬ [勢] 호 [平]豪 胡刀切 háo

字解 굳셀 호 뛰어나게 굳셈. '一, 俊健'《廣韻》.
字源 形聲. 力+敖〔音〕

11
⑬ [勥] 강 ㊤養 其兩切 qiǎng
㊤陽 巨良切
字解 ①핍박할 강 힘으로 강제함. '一, 迫也'《說文》. ②힘쓸 강 '一, 勉力也'《廣韻》.
字源 形聲. 力+強〔音〕

12
⑭ [勩] ▤ 예 ㊤霽 餘制切 yì
▤ 이 ㊤寘 羊至切 yì
字解 ▤ 수고로울 예, 괴로울 예 피로(疲勞)함. 고통스러움. ▤ 수고로울 이, 괴로울 이 '莫知我一'《詩經》.
字源 形聲. 力+貰〔音〕. '貰세'는 '曳예'와 통하여 '잡아 늘이다'의 뜻. 노력을 잡아 늘이어 피로하다의 뜻을 나타냄.

12
⑭ [勧] 〔권〕 勸(力部 十八畫〈p.285〉)의 俗字

12
⑭ [劂] 궐 ㊤月 居月切 jué
字解 굳셀 궐 '一, 強也'《廣雅》.
字源 形聲. 力+厥〔音〕

13
⑮ [勰] 협 ㊤葉 胡頰切 xié
字解 뜻맞을 협 의사가 일치함. 協(十部 六畫)의 古字.
字源 會意. 劦+思. '劦협'은 '힘을 합치다, 맞다'의 뜻. 심사(心思)가 맞아 화합하다의 뜻을 나타냄.

13
⑮ [勱] 매 ㊤卦 莫話切 mài
字解 힘쓸 매 부지런히 일함. 애씀. '其惟吉士, 用一相我國家'《書經》.
字源 形聲. 力+萬〔音〕. '萬만'은 '뻗어 가다'의 뜻. 힘을 지속시켜서 힘쓰다의 뜻을 나타냄.

[勱相 매상] 격려하며 도움. 힘써 다스림.

13
⑮ [勮] 거 ㊤御 其據切 jù
字解 ①부지런할 거 부지런히 일함. '一, 勤務也'《廣韻》. ②클 거 공적이 큼.
字源 形聲. 力+豦〔音〕. '豦거'는 맞붙어 떨어지지 않다의 뜻. '힘쓰다'의 뜻을 나타냄.

13
⑮ [勯] 단 ㊤寒 多寒切 dān
字解 다할 단 힘이 다 없어짐. 힘이 아주 빠짐. '使鳥獲疾引牛尾, 尾絕力一, 而牛不行, 逆也'《呂氏春秋》.

13
⑮ [勛] 勳(次次條)의 俗字

[辨] 〔판〕
辛部 九畫(p.2283)을 보라.

14
⑯ [勳] 훈 ㊤文 許云切 xūn
筆順 ⺉ ⺋ ⺋ 亘 重 熏 熏 勳
字解 ①공 훈 국가 또는 왕사(王事)를 위하여 세운 공적. 훈공. '一臣', '功一', '一乃心力, 其克有一'《書經》. ②성 훈 성(姓)의 하나.
字源 形聲. 力+熏〔音〕. '熏훈'은 '향기 높다'의 뜻. 향기 높은 힘, 공훈의 뜻을 나타냄.

[勳階 훈계] 훈등(勳等).
[勳功 훈공] 왕사(王事)나 국가(國家)를 위하여 세운 공로(功勞).
[勳舊 훈구] 공로가 있는 구신(舊臣).
[勳貴 훈귀] ㉠공훈이 있는 귀족. ㉡공훈을 세운 사람과 귀족. 훈신(勳臣)과 귀족(貴族).
[勳勤 훈근] 훈로(勳勞).
[勳級 훈급] 훈등(勳等).
[勳記 훈기] 훈장과 함께 내리는 표창의 글발.
[勳德 훈덕] 공훈(功勳)과 덕행(德行).
[勳等 훈등] 훈공(勳功)의 등급.
[勳力 훈력] 훈공(勳功).
[勳烈 훈렬] 훈열(勳烈).
[勳勞 훈로] 공로(功勞). 훈공(勳功).
[勳望 훈망] ㉠훈공과 명망. ㉡공훈이 있어 남에게 숭배를 받음.
[勳門 훈문] 훈벌(勳閥).
[勳閥 훈벌] 공훈(功勳)이 있는 문벌(門閥).
[勳賞 훈상] 공훈이 있는 자에게 주는 상여(賞與).
[勳書 훈서] 공훈을 기록한 서류.
[勳緒 훈서] 훈업(勳業).
[勳聖 훈성] 공훈이 있는 성인.
[勳臣 훈신] 공훈이 있는 신하.
[勳業 훈업] 공훈을 세운 사업. 공적(功績).
[勳烈 훈열] 큰 공훈.
[勳位 훈위] 공훈과 위계(位階).
[勳蔭 훈음] 부조(父祖)의 훈공에 의한 특별 대우.
[勳爵 훈작] 공훈이 있는 사람에게 주는 작위(爵位).
[勳章 훈장] 나라에 대한 공훈을 표창하기 위하여 내리는 휘장(徽章).
[勳迹 훈적] 공훈의 자취. 공적(功績).
[勳績 훈적] 공적(功績). 공훈.
[勳戚 훈척] 국가에 공훈이 있는 임금의 친척.
[勳寵 훈총] 공훈(功勳)과 은총(恩寵).
[勳親 훈친] 훈척(勳戚).
[勳華 훈화] 요(堯)임금과 순(舜)임금. 상서(尚書)에 요임금은 방훈(放勳), 순임금은 중화(重華)라 하였음.
[勳效 훈효] 훈공(勳功).
●巨勳. 功勳. 光祿勳. 舊勳. 大勳. 武勳. 茂勳. 賞勳. 敍勳. 碩勳. 盛勳. 聖勳. 首勳. 殊勳. 樹勳. 元勳. 偉勳. 前勳. 策勳. 忠勳. 洪勳.

14
⑯ [勭] 〔초〕 勦(力部 十一畫〈p.282〉)의 本字

15
⑰ [勱] 〔高入〕 려 ㊤霽 力制切 lì

[筆順] 厂 厂 严 厝 厬 厲 厲 勵

[字解] ①힘쓸 려 일을 힘써 함. '一行'. '以自一'《後漢書》. ②권면할 려 힘써 하도록 권장함. '勉一'. '督一'. '奬一吏兵'《後漢書》. ③성 려 성(姓)의 하나.

[字源] 形聲. 力+厲〔音〕. '厲려'는 '갈다'의 뜻. 애써 갈다의 뜻에서 '힘써 하다'의 뜻을 나타냄.

[參考] 励(力部 五畫)는 俗字·簡體字.

[勵相 여상] 격려하여 도움.
[勵聲 여성] 소리를 크게 냄. 대갈(大喝)함.
[勵翼 여익] 힘써 천자(天子)를 도움.
[勵奬 여장] 격려하여 권장함.
[勵精 여정] 정신을 분기(奮起)시켜 행함. 힘써 행함. 정려(精勵).
[勵志 여지] 뜻을 격려함.
[勵行 여행] 힘써 행함.
◉刻勵. 恪勵. 激勵. 警勵. 誡勵. 剋勵. 勤勵. 督勵. 勉勵. 奮勵. 淬勵. 慰勵. 奬勵. 精勵. 砥勵. 振勵. 飭勵.

16 ⑱ [⿱彊力] 〔강〕 勥(力部 十一畫〈p. 284〉)의 古字

17 ⑲ [勷] 양 [平]陽 汝陽切 ráng

[字解] ①달릴 양 달음박질하는 모양. ②바쁠 양, 급할 양 썩 급한 모양. 급히 닥치는 모양. '新師不牢, 劻一將逋'《韓愈》.

[字源] 形聲. 力+襄〔音〕

◉劻勷.

18 ⑳ [勸] [中人] 권 [去]願 去願切 quàn 劝

[筆順] 艹 芇 萨 萑 雚 雚 勸

[字解] ①권할 권 권면함. 장려함. '一業'. '一誘'. '一奬'. '慶賞以一善'《漢書》. ②인도할 권, 가르칠 권 옳은 일을 하도록 지도함. '一之以九歌'《書經》. ③힘쓸 권 힘써 함. '荊王大悅, 許救甚一'《戰國策》. '各一其業'《史記》. ④따를 권 교훈에 복종함. 착한 일을 따라 함. '一服'. '不賞而民一'《呂氏春秋》. ⑤권 권 권고. 권면. '上無設爵之一'《魏志》. ⑥성 권 성(姓)의 하나.

[字源] [篆文] 形聲. 力+雚〔音〕. '雚관'은 '援원'과 통하여, 노력하는 것을 도와주다, 권하다의 뜻을 나타냄.

[參考] 勧(力部 十一畫)은 俗字.

[勸講 권강] 제왕(帝王)의 곁에서 학문을 강의하는 사람. 시강(侍講).
[勸戒 권계] 착한 일은 하라고 권하고, 나쁜 일은 하지 못하도록 타이름.
[勸告 권고] 타일러 말함. 충고함.
[勸課 권과] 백성에게 할당하여 권장(勸奬)함.
[勸農 권농] 농사를 권장(勸奬)함.
[勸導 권도] 타일러 인도(引導)함.
[勸督 권독] 권하고 감독함.
[勸讀 권독] 글 읽기를 권함.
[勸勵 권려] 권하고 격려함.
[勸勉 권면] 권(勸)하여 힘쓰게 함.
[勸服 권복] 심복(心服)함.
[勸分 권분] 나누어 주기를 권함.
[勸善 권선] ㉠착한 일을 하도록 권함. ㉡《佛敎》 선심(善心) 있는 사람에게 중이 시주(施主)하기를 청(請)함.
[勸善懲惡 권선징악] 착한 일을 권장(勸奬)하고, 악한 일을 징계(懲戒)함.
[勸言 권언] 권고하는 말.
[勸業 권업] 업무 또는 산업(產業)을 권장함.
[勸緣 권연] 《佛敎》 보시(布施)하기를 권함. 권화(勸化).
[勸誘 권유] 권하여 하도록 함.
[勸諭 권유] 권하고 타이름.
[勸引 권인] 권하여 이끎.
[勸奬 권장] 권하여 힘쓰게 함. 장려(奬勵)함.
[勸酒 권주] 술을 권함.
[勸止 권지] 권하여 중지시킴.
[勸進 권진] ㉠권함. ㉡《佛敎》 불사(佛寺)의 건립 등에 기부를 하도록 권함. ㉢《佛敎》 선근(善根)의 공덕(功德)을 권장함.
[勸進帳 권진장] 《佛敎》 사찰(寺刹)의 건립 등을 위하여 모금(募金)하는 장부. 권화장(勸化帳).
[勸懲 권징] 권선징악(勸善懲惡).
[勸贊 권찬] 권하여 도움.
[勸請 권청] 《佛敎》 ㉠신불(神佛)의 구주(久住)를 바람. ㉡신불(神佛)의 분령(分靈)을 옮기어 제사 지냄.
[勸學 권학] 학문을 권면함. 장학(奬學).
[勸降使 권항사] 항복(降伏)을 권하기 위하여 적군에 보내는 사신(使臣).
[勸解 권해] 사화(私和)하도록 권함. 타일러 화해시킴.
[勸化 권화] ㉠권유(勸誘)하여 감화(感化)시킴. ㉡《佛敎》 불도(佛道)를 권하여 선(善)으로 나가게 함. ㉢《佛敎》 보시(布施)하기를 권함.
[勸化帳 권화장] 《佛敎》 권진장(勸進帳).
[勸誨 권회] 권장하고 가르침.
◉諫勸. 強勸. 激勸. 競勸. 戒勸. 敎勸. 勤勸. 督勸. 勉勸. 率勸. 聳勸. 誘勸. 諭勸. 奬勸. 懲勸. 勅勸. 褒勸. 風勸. 諷勸.

勹 (2획) 部

〔쌀포부〕

0 ② [勹] 포 [平]肴 布交切 bāo

[筆順] ノ 勹

[字解] 쌀 포 보자기 따위에 물건을 쌈.

[字源] [篆文] 象形. 사람이 팔을 뻗어 껴안은 모양을 본떠 '싸다'의 뜻을 나타냄. 지금은 '包'가 쓰임.

[參考] 단독으로 쓰이는 일이 없고, 부수(部首)로서 '쌀포(包)몸'으로 이름. '안다, 싸다'의 뜻을 포함하는 문자가 이루어지고 있음.

1 ③ [勺] [人名] 작 [入]藥 之若切 sháo, ①④zhúo

[字解] ①잔질할 작 酌(酉部 三畫)과 同字. '一椒漿'《漢書》. ②구기 작 술·국 따위를 뜨는 것. 杓(木部 三畫)과 同字. '梓人爲飲器, 一一升'《周禮》. ③작 작 용량(容量)의 단위. 1홉의 10분의 1. '一一', '二一', '合毫一'《文獻通考》. ④풍류이름 작 주공(周公)이 제정한 음악의 이름. '十三舞一'《漢書》. ⑤성 작 성(姓)의 하나.
[字源] 篆文 象形. 물건을 떠내는 구기의 모양을 본뜸.

[勺②]
[參考] 勺(次條)은 俗字.

[勺藥 작약] ㉠미나리아재빗과에 속하는 다년초(多年草). 모란(牡丹) 비슷한 아름다운 꽃이 핌. 작약(芍藥). ㉡간이 맞음. 맛이 좋음.
[勺飮 작음] 구기로 떠 마심. 떠서 마심.
●圭勺. 罍勺. 鼻勺. 升勺. 觸勺.

¹③ [勺] 勺(前條)의 俗字

²④ [匀] [人] 二균 ㉤眞 規倫切 jūn / 二윤 ㉤眞 羊倫切 yún

[字解] 二一 고를 균 均(土部 四畫)과 同字. '敞一一'《柳宗元》. 二①가지런할 윤 균제(均齊)함. '肌理細膩骨肉一'《杜甫》. ②두루퍼질 윤 빠짐없이 퍼짐. '雨初歇雨香一'《方孝孺》.
[字源] 金文 篆文 象形. 현악기의 조율기(調律器)의 상형으로, '고르게 하다, 가지런하게 하다'의 뜻을 나타냄. ※'균' 음은 인명자로 쓰임.

[匀匀 균균] 고른 모양.

²④ [匀] 匀(前條)의 俗字

²④ [勾] 〔구〕 句(口部 二畫〈p.342〉)의 俗字

²④ [勿] [中人] 二물 ㉠物 文弗切 wù / 二물 ㉠月 莫勃切 mò

[筆順] ノ 勹 勹 勿

[字解] 二①없을 물 부정사(否定辭). '一士行枚'《詩經》. '欲一用'《論語》. ②말 물 금지사(禁止辭). '過則一憚改'《論語》. ③기이름 물 옛날에, 마을에서 일이 일어났을 때에, 백성을 모으기 위하여 내걸던 빨강, 하양 반반의 신호기(信號旗). '一, 州里所建旗'《說文》. ④바쁠 물 창황(蒼黃)한 모양. '一一少暇'《陸運》. 二 털 물 먼지를 떪. '柳一驅塵'《禮記》. ※'물' 음은 인명자로 쓰임.
[字源] 甲骨文 金文 篆文 象形. 활시위를 튕겨서 상서롭지 못한 것을 떨쳐 버리는 모양을 본떠, 假借하여 '금지'의 뜻을 나타내는 어조사로 쓰임.

[勿禁 물금]《韓》관아(官衙)에서 금(禁)한 것을 특별히 허가하여 줌.
[勿吉 물길] 우리나라 상고 시대(上古時代)의 한 종족(種族). 숙신(肅愼)의 후예(後裔)이며 여진(女眞)의 전신(前身)임.
[勿勿 물물] ㉠바쁜 모양. 창황(蒼黃)한 모양. ㉡자애(慈愛)가 넘치는 모양. 일설(一說)에는, 쉬지 않고 힘쓰는 모양.
[勿須 물수] …할 필요가 없음.
[勿謂今日不學有來日 물위금일불학유내일] 오늘 공부하지 않아도 내일(來日)이 있다고 미루어서는 아니 됨.
[勿照之明 물조지명] 비치려고 하여 비치는 것이 아니라 자연히 빛나는 광명.
●蜜勿. 四勿. 蚰勿.

²④ [勼] 구 ㉤尤 居求切 jiū

[字解] 모을 구, 모일 구 '一, 聚也'《說文》.
[字源] 形聲. 勹+九〔音〕

³⑤ [匃] 개 ㉠泰 古太切 gài

[字解] ①빌 개 달람. 구걸함. 丐(一部 三畫)와 同字. '一, 求也'《集韻》. '乞一無所得'《漢書》. ②줄 개 시여(施與)함. '一施'. '我一若馬'《漢書》.
[字源] 甲骨文 金文 篆文 會意. '亾+勹(人)'. '亾망'은 '亡망'의 본자로, 죽은 사람의 상형. 죽은 사람 앞에서 사람이 되살아나기를 바라는 모양에서, '빌다'의 뜻을 나타냄. 일설에는, '亾'은 도망하다, '勹'는 사람으로, 도망자로 해석함. 도망자가 타관 땅에서 먹을 것을 구하다, 전하여 달라고 빌다의 뜻이라고 설명함. 甲骨文은 왼쪽 사람이 손을 내밀어 오른쪽 사람을 붙들고 구걸하는 모양을 나타냄. 뒤에 글자 모양을 '丐개'로 쓰게 됨.

[匃施 개시] 베풂. 줌. 시여함.
●乞匃.

³⑤ [匂] 勾(前條)와 同字

³⑤ [包] [高人] 포 ㉤肴 布交切 bāo

[筆順] ノ 勹 勹 勹 包

[字解] ①쌀 포 ㉠보자기 따위로 물건을 쌈. '一裹'. '一纊'. '倒載干戈, 一之以虎皮'《禮記》. ㉡둘러쌈. '一圍'. '河水分流, 一山而過'《周禮註》. ㉢안에 넣음. 아우름. 겸(兼)함. '一含萬象'《拾遺記》. ㉣깊이 간직함. 숨김. 비밀로 함. '一藏'. '一深懷而告誰'《李翺》. ㉤거두어들임. 자기 것으로 함. '一占'. '席卷天下, 一擧宇內'《賈誼》. ②용납할 포 받아들임. '一容'. ③꾸러미 포 싼 물건. '獻橘數一'《後漢書》. ④애밸 포 胞(肉部 五畫)와 同字. ⑤더부룩이날 포 총생(叢生)함. 苞(艸部 五畫)와 同字. '草木漸一'《書經》. ⑥푸주 포 庖(广部 五畫)와 同字. '一有魚'《易經》. ⑦성 포 성(姓)의 하나.
[字源] 篆文 形聲. 巳+勹〔音〕. '巳사'는 태아(胎兒)를 본뜬 것. '勹포'는 '싸다'의 뜻. 아기를 배는 모양에서, 일반적으로 '싸다'의 뜻을 나타냄.

[比] 〔비〕
部首(p. 1163)를 보라.

2/4 [匕] 보 ⑪晧 博拘切 bǎo
字解 ①늘어설 보, 벌일 보 '一, 相次也'《說文》. ②반 보 옛날 열 집으로 조직한 조합(組合). 保(人部 七畫)와 통용. '一, 十家爲一'《六書總要》.
字源 會意. '匕비'는 '늘어서다, 친하다'의 뜻. '十십'은 수(數)의 열.

2/4 [化] ⑪화 ㊦禡 呼霸切 huà
筆順 ノ 亻 仁 化
字解 ①화할 화 ㉠어떤 상태가 다른 상태로 됨. 변개(變改)됨. '腐臭復一爲神奇'《莊子》. ㉡한 물질이 전혀 다른 물질로 바뀜. 변이(變異)함. '鷹一爲鳩'《禮記》. ㉢잘됨. 개선됨. 교화(教化)됨. '我無爲而民自一'《老子》. ㉣옮겨서 달라짐. 변천함. '禮從俗一'《淮南子》. ㉤생멸(生滅)함. 소장(消長)함. '常生常一'《列子》. ②화하게할화 전향(前項)의 타동사. '一民成俗'《禮記》. ③죽을 화 '且比一者, 無使土親膚'《孟子》. ④변화 화 변전(變轉). 소장(消長). '可與言一'《呂氏春秋》. ⑤덕화 화 인정(仁政). 은택(恩澤). '變道之一'《史記》. ⑥교화 화 교육. 풍교(風敎). '敗俗傷一'《漢書》. ⑦요술 화 환술(幻術). '有一人來'《列子》. ⑧집 화 도사(道士)의 거실(居室). '蜀有文昌二十四一'《玉篇》. ⑨성 화 성(姓)의 하나.
字源 金文 篆文 指事. 좌우의 사람이 접대칭(點對稱)이 되도록 놓이어, 사람의 변화, 곧 사람의 죽음의 모양에서, 일반적으로 '바뀌다'의 뜻을 나타냄.

[化感 화감] 덕교(德敎)로써 감화(感化)시킴.
[化客 화객]《佛敎》시주(施主)를 구하고 다니는 객승(客僧).
[化去 화거] 죽음.
[化居 화거] ㉠축적(蓄積)한 화물(貨物)을 교역(交易)함. 호시(互市). ㉡물품을 교환함과 축적함.
[化工 화공] 조화(造化)의 묘(妙). 천공(天工).
[化女 화녀]《佛敎》술법(術法)으로 화현(化現)한 여자.
[化膿 화농] 종기(腫氣)가 곪아서 고름이 생김. 곪음.
[化度 화도]《佛敎》중생(衆生)을 교화(敎化)하여 제도(濟度)함.
[化導 화도] 덕(德)으로써 사람을 교화하여 인도함. 선도(善導)함.
[化力 화력] 조화(造化)의 힘.
[化理 화리] 덕화(德化)와 치적(治績). 또, 교화(敎化)를 베풀어 세상을 태평하게 다스림. 화치(化治).
[化飯道人 화반도인]《佛敎》탁발(托鉢)하는 거지중.
[化生 화생] ㉠한 몸이 나뉘어 새것이 남. ㉡중국 서역(西域)에서 아들을 낳는다 하여 칠석(七夕)날 인형(人形)을 물에 띄워 노는 부인의 유희. ㉢《佛敎》사생(四生)의 하나. 소탁(所託)

없이 자연히 남. 출현(出現).
[化石 화석] 전세기(前世紀)의 지층(地層) 속에 보존된 동식물(動植物)의 유해(遺骸).
[化成 화성] ㉠좋게 고침. 개선(改善)함. ㉡다른 물질(物質)이나 원소(元素)가 화합(化合)하여 새 물체(物體)를 형성함.
[化城 화성]《佛敎》㉠번뇌(煩惱)를 방지(防止)하는 안식(安息)의 땅. ㉡절. 사찰(寺刹).
[化俗結緣 화속결연]《佛敎》속인(俗人)을 교화하여 불연(佛緣)을 맺게 함.
[化醇 화순] 자연의 생육(生育).
[化身 화신] 삼신(三身)의 하나. 불보살(佛菩薩)이 형체를 바꾸어 나타나는 일. 또, 그 몸.
[化神 화신] ㉠교화가 현저함. ㉡신(神)이 됨. 신으로 화함.
[化外 화외] 왕화(王化)가 미치지 못하는 곳. 미개(未開)한 땅. 이적(夷狄)이 사는 땅.
[化誘 화유] 깨우쳐 이끎.
[化育 화육] 천지 자연이 만물을 만들어 자라게 함.
[化人 화인] 마술사(魔術師).
[化者 화자] 죽은 사람. 사망자.
[化正 화정] 교화하여 바르게 함.
[化主 화주]《佛敎》㉠중생을 교도(敎導)하는 교주(敎主). ㉡시주(施主).
[化治 화치] ㉠교화(敎化)하여 다스림. ㉡만들어 다스림. 만듦.
[化被萬方 화피만방] 교화가 멀리 팔방(八方)에 두루 미침.
[化學 화학] 물질(物質)의 성질 및 변화의 법칙(法則)을 연구하는 학문.
[化合 화합] 각기 다른 둘 이상의 원소(元素)가 서로 결합(結合)하여 새로운 물질을 발생함. 또, 그 현상.
[化向 화향] 덕(德)에 교화됨. 덕 있는 이를 사모하여 따름.
●感化. 強化. 改化. 開化. 激化. 硬化. 敎化. 權化. 歸化. 氣化. 陶化. 同化. 萬化. 慕化. 無爲化. 文化. 物化. 美化. 變化. 孵化. 酸化. 宣化. 善化. 所化. 消化. 俗化. 純化. 馴化. 醇化. 施化. 深化. 惡化. 軟化. 王化. 羽化. 恩化. 理化. 仁化. 電化. 轉化. 政化. 淨化. 造化. 進化. 千變萬化. 遷化. 退化. 風化. 弘化. 洪化. 皇化. 懷化. 薰化.

3/5 [北] ⑪⊟ 북 ⑧職 博墨切 běi / ⊟ 배 ㊦隊 補妹切 bèi
筆順 丨 扌 뷔 北
字解 ⊟ ①북녘 북 북쪽. '南一'. '一方水, 太陰之精, 主冬'《史記》. ②북으로갈 북 '可以南, 可以一'《說苑》. ③성 북 성(姓)의 하나. ⊟ ①저버릴 배 배반함. 배신함. '士無反一之心'《史記》. ②달아날 배 패주함. '敗一'. '三戰三一'《史記》. ③나눌 배 분리함. '分一三苗'《書經》.
字源 甲骨文 金文 篆文 會意. 人+匕. 두 사람이 등을 돌리고 있어 배신하다의 뜻을 나타내며, 전하여 '달아나다'의 뜻을 나타냄. 또, 사람은 밝은 남쪽을 바라보고 앉거나 서기를 즐기는데, 그때 등지는 쪽이 북쪽이므로 '북쪽'의 뜻을 나타냄.

[北家 북가] 마작(麻雀)할 때 북쪽에 있어서 남가

(南家)와 대면하는 사람.

[北京 북경] 허베이 성 (河北省)에 있는 중화 인민 공화국 (中華人民共和國)의 수도 (首都). 요 (遼)·금 (金)·원 (元)·명 (明)·청 (淸)나라의 옛 도읍 (都邑)이었음. 명 (明)나라 성조 (成祖)가 응천 (應天)에서 북평 (北平)으로 천도 (遷都)한 후 응천을 남경 (南京), 북평을 북경이라 하였음.

[北溪字義 북계자의] 책 이름. 송 (宋)나라 진순 (陳淳)의 찬 (撰). 2권. 사서 (四書)의 자의 (字義)에 관하여 이를 26문 (門)으로 나누어 고증 (考證) 설명하였음.

[北郭 북곽] 전국 (戰國) 시대에 종횡가 (縱橫家) 귀곡자 (鬼谷子)가 있던 곳.

[北關 북관] 《韓》함경 남북도 (咸鏡南北道) 지방.

[北國 북국] ㉠북쪽의 나라. ㉡북쪽 땅.

[北闕 북궐] ㉠대궐 (大闕)의 북문 (北門). 상주 (上奏)·알현 (謁見) 등을 하는 자가 출입하는 곳. 전 (轉)하여 대궐. 궁금 (宮禁). ㉡《韓》경복궁 (景福宮)의 별칭.

[北極 북극] ㉠북방 (北方)의 끝. ㉡지축 (地軸)의 북쪽 끝. ㉢지남철이 북쪽을 가리키는 끝. ㉣북극성 (北極星).

[北極星 북극성] 하늘의 북극에서 1도 3분 떨어진 곳에 있는 소웅좌 (小熊座)에서 으뜸가는 별. 천극 (天極).

[北端 북단] 북쪽 끝.

[北堂 북당] ㉠옛날의 사대부 (士大夫) 집안의 동채 집채의 북반부 (北半部). 주부 (主婦)가 이곳에 거처하였음. 전 (轉)하여, 주부 (主婦). ㉡어머니. 모친. 훤당 (萱堂).

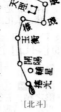

[北堂㉠]

[北道主人 북도주인] ㉠찾아온 손님을 돌보는 주인. ㉡길을 안내하는 사람.

[北斗 북두] 하늘 북극에서 약 30도 떨어진 곳에 있는 추 (樞)·선 (璇)·기 (璣)·권 (權)·옥형 (玉衡)·개양 (開陽)·요광 (搖光)의 일곱 개의 별. 대웅좌 (大熊座) 속에서 육안 (肉眼)으로 가장 뚜렷하게 보임. 북두칠성 (北斗七星).

[北斗]

[北斗以南一人而已 북두이남일인이이] 북두성 (北斗星) 있는 곳의 남쪽에서 단 한 사람의 뛰어난 현인 (賢人)이란 뜻으로, 세상에 드문 현인을 이름.

[北斗七星 북두칠성] 북두 (北斗).

[北路 북로] ㉠북쪽에 있는 길. ㉡《韓》서울에서 함경도 (咸鏡道)로 통하는 길.

[北虜 북로] 북쪽에 있는 오랑캐.

[北虜南倭 북로남왜] 명 (明)나라의 중세 (中世) 이후에 명나라를 괴롭히던 두 가지 대환 (大患). 곧, 북방을 침략하던 몽고 (蒙古)와 남방에서 노략질하던 왜구 (倭寇).

[北里 북리] 창녀들이 사는 곳. 유곽 (遊郭)이 있는 곳. 화류항 (花柳巷). 「말.

[北馬 북마] 《韓》함경북도 (咸鏡北道)에서 나는

[北邙 북망] 뤄양 (洛陽) 〈지금의 허난 성 (河南省) 뤄양 현 (洛陽縣)〉의 북쪽에 있는 망산 (邙山). 한 (漢)나라 이래로 유명한 묘지 (墓地)이므로, 전 (轉)하여, 무덤·묘지의 뜻으로 쓰임.

[北邙塵 북망진] 죽어 무덤에 묻혀 진토 (塵土)가 되는 일. 전 (轉)하여, 사람의 죽음.

[北面 북면] ㉠신하 (臣下)가 앉는 자리. 전 (轉)하여, 신사 (臣事)함. 신하가 됨. ㉡제자 (弟子)가 앉는 자리. 전 (轉)하여, 사사 (師事)함. 제자가 됨.

[北冥 북명] 북명 (北溟).

[北溟 북명] 북쪽의 큰 바다. 북명 (北冥).

[北夢瑣言 북몽쇄언] 책 이름. 송 (宋)나라 손광헌 (孫光憲)의 찬 (撰). 20권. 유문쇄어 (遺文瑣語)를 수록 (收錄)하였음.

[北門鎖鑰 북문쇄약] '북쪽 문의 열쇠'란 뜻으로, 북방의 방비 (防備)를 이름.

[北美 북미] 북 (北)아메리카 주 (洲).

[北半球 북반구] 지구 (地球)의 적도 (赤道) 이북의 부분.

[北方 북방] ㉠북쪽. ㉡북쪽 지방.

[北方之強 북방지강] 북방인 (北方人)의 용강 (勇強)함을 이름. 북방은 예로부터 기풍 (氣風)이 강경 (剛勁)하여 이르는 말. 남방지강 (南方之強)의 대 (對).

[北伐 북벌] 북쪽 나라를 침.

[北邊 북변] 북쪽 가. 북쪽 변방 (邊方).

[北部 북부] ㉠북쪽의 부분. ㉡《韓》서울 안의 구역 (區域)인 오부 (五部)의 하나.

[北氷洋 북빙양] 북극 (北極)의 주위에 있어 얼음으로 덮인 바다.

[北史 북사] 책 이름. 1백 권. 당 (唐)나라 이연수 (李延壽)의 찬 (撰). 북조 (北朝)의 위 (魏)·북제 (北齊)·주 (周)·수 (隋)나라의 4조 (朝) 242년간의 사실 (史實)을 편찬한 책임.

[北司 북사] 환관 (宦官)이 일 보는 관아 (官衙). 전 (轉)하여, 환관 (宦官). 북사 (北寺).

[北寺 북사] 북사 (北司).

[北朔 북삭] 북방의 오랑캐의 땅. 삭북 (朔北).

[北山移文 북산이문] 남제 (南齊)의 공덕장 (孔德璋)의 작 (作). 〈고문진보 (古文眞寶)〉·〈속문장궤범 (續文章軌範)〉 등에 수록되어 있는 명문 (名文)임.

[北山之感 북산지감] 임금을 섬기느라고 어버이를 봉양 못하는 한탄. 시경 (詩經) 소아 (小雅)의 북산편 (北山篇)의 시의 (詩意)에서 전성 (轉成)된 말.

[北上 북상] 북쪽으로 올라감.

[北宋 북송] 남송 (南宋)의 대 (對). 변경 (汴京)에 도읍 (都邑)한 송 (宋)나라의 태조 (太祖)에서 흠종 (欽宗)에 이르기까지의 168년간의 일컬음. (960~1127)

[北水 북수] 《佛敎》뒷물.

[北垂 북수] 북쪽 끝의 궁벽한 곳.

[北寺 북시] 북사 (北司).

[北辰 북신] 북극성 (北極星).

[北岳 북악] 오악 (五岳) 중 북쪽에 있는 항산 (恒山)의 별칭.

[北洋 북양] 랴오닝 (遼寧)·허베이 (河北)·산둥 (山東) 등 연해 (沿海) 각 성 (省)의 일컬음. 남양 (南洋)의 대 (對).

[北魚 북어] 《韓》말린 명태 (明太). 건명태.

[北轅適楚 북원적초] 수레의 멍에를 북쪽으로 돌리고 남쪽에 있는 초 (楚)나라로 간다는 뜻으로,

뜻과 행동(行動)이 상반(相反)함의 비유.

[北緯 북위] 적도(赤道) 북쪽에 있는 위도(緯度).

[北魏 북위] 남북조 시대(南北朝時代) 북조(北朝)의 최초의 나라. 후위(後魏)라고도 함. 진(晉) 때 선비족(鮮卑族)의 탁발규(拓跋珪)가 평성(平城)에 도읍(都邑)하여 세운 나라. 효문제(孝文帝) 때 서울을 뤄양(洛陽)으로 옮겼음. 12주(主) 149년 만에 효무제(孝武帝) 때 동위(東魏) 및 서위(西魏)로 분열되었음. (386~534)

[北人 북인] 《韓》 사색당파(四色黨派)의 하나. 선조(宣祖) 때 동인(東人) 속에서 갈려 나온 당파(黨派)의 하나. 서울 북촌(北村)에 사는 이산해(李山海)를 중심으로 했음. 남인(南人)의 대(對).

[北狄 북적] 북쪽 오랑캐.

[北庭 북정] ㉠한대(漢代)의 북방 흉노(匈奴)의 땅. ㉡서역(西域)의 별칭(別稱). ㉢《韓》 성균관(成均館) 안에 있는 명륜당(明倫堂)의 북쪽 마당. 유생(儒生)들이 이곳에서 승학시(陞學試)를 보았음.

[北齊 북제] 나라 이름. 북조(北朝)의 하나. 시조(始祖)는 고양(高洋). 도읍(都邑)은 업(鄴). 5주(主) 28년 만에 북주(北周)에게 망하였음. (550~577)

[北齊書 북제서] 기전체(紀傳體)의 사서(史書) 50권. 당(唐)나라 이백약(李百藥)의 찬(撰). 본기(本紀) 8권, 열전(列傳) 42권으로 되었음.

[北朝 북조] 남북조 시대(南北朝時代)에 강북(江北)에 있던 여러 나라의 조정(朝廷). 곧, 후위(後魏)가 강북(江北)을 통일하여 강남(江南)의 송(宋)나라와 대립한 이래 서위(西魏)·동위(東魏)·후주(後周)·북제(北齊)를 거쳐 수(隋)나라가 남북을 통일할 때까지의 218년간의 조정. 남조(南朝)의 대(對).

[北宗 북종] ㉠《佛敎》 선종(禪宗)에서 당(唐)나라 사람 신수(神秀)를 종조(宗祖)로 하는 종파(宗派). ㉡당(唐)나라 사람 이사훈(李思訓)을 비조(鼻祖)로 하는 화가(畫家)의 2대 유파(流派)의 하나. 북종화(北宗畫). 남종(南宗)의 대(對).

[北宗畫 북종화] 북종(北宗)㉡. 남종화(南宗畫)의 대(對).

[北周 북주] 북조(北朝)의 하나. 선비족(鮮卑族) 우문각(宇文覺)이 서위(西魏)를 멸하고 세운 나라. 후주(後周)라고도 함. 도읍은 장안(長安). 5주(主) 24년 만에 수(隋)나라에게 망하였음. (557~580)

[北至 북지] '하지(夏至)'의 별칭. '동지(冬至)'를 남지(南至)라 함의 대(對).

[北辰 북진] 북신(北辰).

[北進 북진] 북쪽으로 나아감.

[北窓 북창] 북쪽으로 낸 창.

[北窓 북창] 북창(北窓).

[北窓三友 북창삼우] 거문고·술·시(詩)를 이름.

[北村 북촌] 북쪽에 있는 마을.

[北平 북평] 북경(北京).   〔베.

[北布 북포] 《韓》 함경 북도(咸鏡北道)에서 나는

[北風 북풍] ㉠추운 바람. ㉡북쪽에서 불어오는 바람. 삭풍(朔風).

[北漢 북한] 오대(五代) 때의 십국(十國)의 하나. 후한(後漢)의 은제(隱帝)가 시해(弑害)되자, 유숭(劉崇)이 산시 성(山西省) 진양(晉陽)에서 즉위하여 세운 나라. 4주(主) 29년 만에 송(宋)

나라에게 멸망당하였음. (951~979)

[北海 북해] ㉠북쪽에 있는 바다. ㉡시베리아에 있는 바이칼 호(湖). 패가이호(貝加爾湖). ㉢'발해(渤海)'의 별칭(別稱).

[北行 북행] 북쪽으로 향하여 감.

[北杏 북행] 춘추 시대(春秋時代)에 산둥 성내(山東省內)에 있던 제 제(齊)나라의 땅. 제나라 환공(桓公)이 제후(諸侯)들과 회맹(會盟)한 곳임.

[北向 북향] 북쪽을 향함.

[北胡 북호] 북쪽에 있는 오랑캐. 또, 그 나라.

[北畫 북화] 북종화(北宗畫). 남화(南畫)의 대(對).

●江北. 窮北. 極北. 冀北. 南北. 圖北. 逃北. 東北. 遁北. 漠北. 幕北. 奔北. 分北. 朔北. 西北. 伴北. 硏北. 硯北. 磁北. 眞北. 催北. 逐北. 敗北. 河北. 降北. 華北.

[旨] 〔지〕 日部 二畫(p.970)을 보라.

[此] 〔차〕 止部 二畫(p.1140)을 보라.

[牝] 〔빈〕 牛部 二畫(p.1375)을 보라.

[死] 〔사〕 歹部 二畫(p.1146)을 보라.

[老] 〔로〕 部首(p.1813)를 보라.

[壹] 〔일〕 士部 四畫(p.473)을 보라.

[能] 〔능〕 肉部 六畫(p.1847)을 보라.

[眞] 〔진〕 目部 五畫(p.1537)을 보라.

[凵] 〔창〕 部首(p.2631)를 보라.

[頃] 〔경〕 頁部 二畫(p.2539)을 보라.

7 ⑨ [查] 〔구〕 廏(广部 十一畫〈p.704〉)의 古字

9 ⑪ [陘] 뇌 ㉠晧 乃老切 nǎo
字解 머릿골 뇌 腦(肉部 九畫)와 同字. '一, 頭髓也'《說文》.

9 ⑪ [匙] 人名 시 ㉠支 是支切 chí, shi
字解 ①숟가락 시 '飯一'; '茶一要擊拂有力'《蔡襄》. ②열쇠 시 '鑰一'; '玉一金鑰'《黃庭經》. ③성 시 성(姓)의 하나.
字源 篆文 形聲. 匕+是〔音〕. '匕비'는 숟가락의 상형. '是시'도 숟가락총이 긴 숟가락의 상형. '숟가락'의 뜻을 나타냄.

[匙抄 시초] 숟가락.

◉茶匙. 飯匙. 銷匙. 鑰匙. 玉匙. 銀匙. 停匙.

[疑] 疋部 九畫(p. 1477)을 보라.

匚 (2획) 部
〔터진입구부〕

0 ② [匚] 방 [平]陽 府良切 fāng

[筆順] 一 匚

[字解] 상자 방 네모반듯한 용기(容器).

[字源] 甲骨文 金文 篆文 象形. 네모난 상자 모양을 본뜸.

[參考] ①匸(部首)는 別字. ②부수로서는 '터진입구'라고 이름.

3 ⑤ [匜] 이 [平]支 弋支切 yí
[上]紙 移爾切

[字解] ①손대야 이 손을 씻는 대야. 속이 빈 자루가 달려 그곳으로부터 물이 나오게 하여 손을 씻음. '盥則奉—'《唐書》. ②술그릇 이 주기(酒器). '敦牟巵—'《禮記》.

[匜①]

[字源] 金文 金文 篆文 形聲. 匚+也〔音〕. '也야'는 자루 달린 주전자, 또는 여자 생식기의 상형. 성기를 닮은, 귀때를 겸한 자루가 있는 물이나 술 그릇의 뜻을 나타냄.

3 ⑤ [匝] 잡 [入]合 作答切 zā

[字解] 돌 잡, 둘레 잡 帀(巾部 一畫)과 同字. '圍宛城三—'《史記》.

[字源] 帀(巾部 一畫)의 字源을 보라.

[匝旬 잡순] 만 10일. 만 열흘.
[匝辰 잡진] 열이틀. 12일. 협진(浹辰).
[匝洽 잡흡] 모두 화합함.
◉周匝.

3 ⑤ [区] 〔구〕
柩(木部 五畫〈p. 1051〉)와 同字

4 ⑥ [匠] [人名] 장 [去]漾 疾亮切 jiàng

[筆順] 一 二 厂 戶 斤 匠

[字解] ①장인 장 목공(木工). '—伯'. '梓—輪輿'《孟子》. 전(轉)하여, 널리 장색(匠色)의 뜻으로 쓰며, 또 더 널리 특수한 기술이 있는 사람도 이름. '—氏'. '工—'. '刀—'. '陶—善治埴木'《莊子》. '哲—間出'《歷代名畫記》. ②궁리 장 고안. '—意'. '亭臺花木, 皆出其目營心—'《洛陽名園記》. ③가르침 장 교시(敎示). '念私門之正—兮'《楚辭》. ④성 장 성(姓)의 하나.

[字源] 篆文 會意. 匚+斤. '匚방'은 곱자의 상형. '斤근'은 도끼의 상형. 곱자와 도끼를 사용하는 '기술자'의 뜻을 나타냄.

[匠伯 장백] 목수의 우두머리.
[匠石運斤 장석운근] 장석(匠石)은 옛날의 유명한 장인(匠人)의 이름. 그는 자귀로 물건을 쪼는데 조금도 틀림이 없었다 함. 전(轉)하여, 기예(技藝)가 미묘(微妙)한 경지에 이른 것을 이름.
[匠氏 장씨] 장인(匠人).
[匠意 장의] 궁리. 고안(考案).
[匠人 장인] ㉠목수. ㉡물건을 만드는 것을 업으로 삼는 사람.
[匠宰 장재] 대신(大臣). 재상(宰相).
[匠戶 장호] 목수의 집. 또, 목수.
◉巨匠. 鋸匠. 工匠. 巧匠. 大匠. 都匠. 名匠. 木匠. 師匠. 心匠. 良匠. 意匠. 宰匠. 梓匠. 拙匠. 宗匠. 哲匠. 筆匠. 火匠. 畫匠.

4 ⑥ [匟] 강 [去]漾 口浪切 kàng

[字解] 걸상 강 '—床'은 걸터앉는 걸상. '—床, 坐床也'《篇海》.

4 ⑥ [匡] [人名] 광 [平]陽 去王切 kuāng

[筆順] 一 二 三 干 王 匡

[字解] ①바를 광 방정(方正)함. '旣—旣敕'《詩經》. ②바로잡을 광 바르게 함. '—救'. '—亂世反之於正'《史記》. ③구원할 광 구제함. '胥—以生'《書經》. ④도울 광 보조함. 보좌함. '—弼'. '—朕之不逮'《漢書》. ⑤비뚤 광, 휠 광 굽음. '輪雖敝不—'《周禮》. ⑥두려워할 광 恇(心部 六畫)과 통용. '衆不—懼'《禮記》. ⑦눈자위 광 眶(目部 六畫)과 통용. '涕滿—而橫流'《史記》. ⑧성 광 성(姓)의 하나.

[字源] 金文 篆文 別體 形聲. 篆文은 匚+王(㞷)〔音〕. '匚방'은 버들·대 따위를 구부려서 만든 상자의 상형. '㞷왕·황'은 '廣광'과 통하여 '넓다'의 뜻. 속이 넓은 상자의 뜻. 또 상자를 만들기 위하여 구부리거나 곧게 펴서 모양을 바로잡는다의 뜻에서, 전하여 '바로잡다'의 뜻을 나타냄.

[匡諫 광간] 바로잡아 간(諫)함. 간하여 바르게 함.
[匡矯 광교] 광정(匡正).
[匡救 광구] 바로잡아 구원함. 악한 일을 못하게 하여 구원함.
[匡懼 광구] 두려워함.
[匡廬 광려] 장시 성(江西省) 북부에 있는 '루산(廬山)'의 별칭(別稱). 은주(殷周) 때 광유(匡裕)라는 신선(神仙)이 이 산에서 여막을 짓고 살았으므로 이름. 광산(匡山).
[匡謬正俗 광류정속] 책 이름. 당(唐)나라 안사고(顔師古)의 찬(撰). 제서(諸書)의 자의(字義)·음석(音釋) 등을 고증(考證)하였음.
[匡補 광보] 도와 부족한 것을 보충함.
[匡輔 광보] 군주(君主)를 바르게 도움.
[匡復 광복] 바로잡아 회복시킴.
[匡山 광산] ㉠장시 성(江西省) 북부에 있는 '루산(廬山)'의 별칭(別稱). '광려(匡廬)'를 보라. ㉡쓰

찬 성(四川省)에 있는 산. 대광산(大匡山). ㉡
저장 성(浙江省)에 있는 산.
[匡牀 광상] 침대(寢臺).
[匡肅 광숙] 광칙(匡飭).
[匡言 광언] 간(諫)함.
[匡翼 광익] 광보(匡輔).
[匡正 광정] 바르게 고침. 교정(矯正).
[匡定 광정] 도와서 정함.
[匡制 광제] 바르게 인도하여 제어(制御)함.
[匡濟 광제] 악(惡)을 바르게 하여 선(善)으로 인
도함. 광증(匡拯).
[匡佐 광좌] 군주를 바르게 도움. 규좌(規佐). 광
보(匡輔).　　　　　　　　　　　　　「坐].
[匡坐 광좌] 바르게 앉음. 정좌(正坐). 단좌(端
[匡周 광주] 널리 두루 미침.
[匡拯 광증] 광제(匡濟).
[匡持 광지] 바르게 하여 가짐.
[匡飭 광칙] 바로잡아 정제(整齋)하게 함. 광숙
(匡肅).　　　　　　　　　　　　　　「輔].
[匡弼 광필] 군주(君主)를 바르게 도움. 광보(匡
[匡衡 광형] 전한(前漢) 때의 동해(東海) 사람. 원
제(元帝) 때 태자소부(太子少傅)·승상(丞相)을
역임하고 낙안후(樂安侯)로 봉후(封侯)되었고,
성제(成帝) 때 왕망(王莽)에게 참소(讒訴)당하
여 관직에서 쫓겨났음. 당시 시경(詩經)
(詩經)에 조예가 깊어 당시의 유학자들이 말하
기를 '광설시해인이(匡說詩解人頤)'라고까지 하
였음.
[匡護 광호] 도와 보호함.
　●畏匡. 一匡. 靖匡. 弼匡.

5
⑦ [匣] ㊀名 갑 ㊀洽 胡甲切 xiá
　字解 갑 갑 작은 상자. '鏡一'. '藏在室一中'
《漢書》.
　字源篆文 形聲. 匸+甲[音]. '甲갑'은 '거북딱지'
의 뜻. 넓은 물건을 거북의 등딱지
와 같이 가려서 감추는 작은 상자의 뜻을 나타
냄.

[匣籢 갑렴] 빗을 넣어 두는 상자.
　●劍匣. 鏡匣. 古匣. 寶匣. 玉匣. 妝匣. 漆匣.
虛匣.

5
⑦ [匼] 변 ㊁霰 皮變切 fán
　字解 상자 변 대나무로 만든 상자. '一, 笥也'
《廣韻》.
　字源篆文 形聲. 匸+弁[音]

7
⑨ [夾] 협 ㊀葉 苦協切 qiè
　字解 옷상자 협 篋(竹部 九畫)과 同字.
　字源篆文 形聲. 匸+夾[音].

7
⑨ [匩] 〔광〕
匡(匸部 四畫〈p.292〉)의 本字

8
⑩ [匪] ㊀名 ┌ 비 ㊀尾 ①-⑤府尾切 fěi
　　　　　　㊍微 ⑥芳微切 fēi
　　　　　　└ 분 ㊌文 方文切 fēn

字解 ┌ ①아닐 비 非(部首)와 同字. '一報也,
永以爲好也'《詩經》. ②대상자 비 篚(竹部 十畫)
와 同字. '其君子實玄黃于一'《孟子》. ③담을 비,
넣을 비 상자에 넣음. '一厥玄黃'《孟子》. ④비
적 비 흉한(兇漢)·적도(賊徒)·난민(亂民) 등.
'一徒'. '土一'. ⑤문채 비, 채색 비 '且其一色'
《周禮》. ⑥빛날 비 색이 곱거나 문채(文采)가 있
는 모양. '車馬之美'. '一翼翼'《禮記》. └ 나눌
분 나누어 줌. '一頒之式'《周禮》. ※ '비' 음은
인명자로 쓰임.
　字源篆文 形聲. 匸+非[音]. '非비'는 '둘로 나
뉘다'의 뜻. 뚜껑과 몸체로 나뉘는
직사각형의 대나무 상자의 뜻을 나타냄. 시경
(詩經)부터 흔히 假借하여, 부정사(否定詞)로
쓰이게 됨.

[匪頒 분반] 군신(群臣)에게 나누어 줌.
[匪魁 비괴] 비적(匪賊)의 괴수(魁首).
[匪躬 비궁] 자기의 몸을 돌보지 않음. 일신(一身)
의 이해(利害)를 돌보지 않음.
[匪躬之節 비궁지절] 한 몸의 이해(利害)를 돌아
보지 않는 충성(忠誠).
[匪徒 비도] 도둑의 무리.
[匪匪 비비] 색이 곱거나 문채(文彩)가 있는 모양.
[匪色 비색] 문채(文彩). 채색(彩色).
[匪席 비석] 마음은 돗자리가 아니어서 말지 못한
다는 뜻으로, 심지(心志)가 굳어서 흔들리지
않음을 이르는 말.
[匪石之心 비석지심] 돌과 같이 굳어 움직일 수 없
는 마음.
[匪席之旨 비석지지] 자리와 같이 쉽게 말리는 유
약(柔弱)한 마음.
[匪兕匪虎率彼曠野 비시비호솔피광야] 외뿔소나
범 같은 야수(野獸)도 아닌데 광야(曠野)를 헤
맨다는 뜻으로, 현인(賢人)이 재액(災厄)을 만
나 그 불행을 탄식함을 이름.
[匪擾 비요] 비도(匪徒)의 소요(騷擾).
[匪夷所思 비이소사] 보통 사람의 생각이 미칠 바
가 아님. 보통 사람으로서는 그런 데까지 생각
이 미치지 못함.
[匪賊 비적] 도둑의 떼.
[匪他 비타] 살붙이, 골육(骨肉).
　●共匪. 團匪. 賊匪. 土匪.

9
⑪ [匭] 궤 ㊀紙 居洧切 guǐ
　字解 ①갑 궤 작은 상자. '鑄銅一四'《唐書》. ②
동일 궤 동여맴. '包一菁茅'《書經》.
　字源篆文 形聲. 匸+軌[音]. '軌궤'는 '龜귀'와 통
하여 '거북'의 뜻. 거북 등딱지로 덮
은 것 같은 작은 상자의 뜻을 나타냄.

[匭院 궤원] 민의(民意)를 알기 위하여 상자를 비
치하고 투서(投書)를 접수하는 관아(官衙).
　●銅匭. 法匭. 延恩匭. 招諫匭. 土匭. 包匭.

9
⑪ [匬] 유 ㊀麌 勇主切 yǔ
　字解 되 유 열여섯 말들이의 되. '一, 器受十六
斗'《玉篇》.
　字源篆文 形聲. 匸+兪[音]. '兪유'는 통나무를
파서 만든 배의 뜻. 나무를 도려내어
만든 용기(容器)의 뜻을 나타냄.

11
⑬ [匭] 〔궤〕
字解 簋(竹部 十一畫〈p.1683〉)의 古字

11
⑬ [匯] 人名 회 ㉮賄 胡罪切 huì
㉯隊 胡對切
汇匯

字解 물돌아나갈 회 물이 선회함. '東一澤爲彭蠡'《書經》. 또, 그곳. '山下繫船桃溪一'《楊維楨》.
字源 篆文 匯 形聲. 匚+淮〔音〕. '淮회'는 '圍위'와 통하여 '두르다'의 뜻. '匚방'은 상자의 상형으로 본디 일종의 그릇을 나타내었지만, 假借하여 물이 울 안을 돌아 흐르다의 뜻을 나타냄.

◉鼓潣匯. 淪匯. 迤匯. 停匯. 滄溟匯.

12
⑭ [匱] 궤 ㉠寘 求位切 guì, ②③kuì
匦匮

字解 ①함 궤 櫃(木部 十四畫)와 同字. '一櫃'. '石室金一之書'《史記》. ②삼태기 궤 簣(竹部 十二畫)과 통용. '綱紀咸張, 成在一一'《漢書》. ③다할 궤 다하여 없어짐. 결핍함. '一竭'. '孝子不一'《詩經》.
字源 篆文 匱 形聲. 匚+貴〔音〕. '貴귀'는 값진 재물의 뜻. 값진 물건을 넣어 두는 '상자'의 뜻을 나타냄.

[匱竭 궤갈] 다하여 없어짐.
[匱窮 궤궁] 가난하여 고생함. 빈궁(貧窮).
[匱櫝 궤독] 함(函).
[匱盟 궤맹] 사사로이 맺는 맹약.
[匱殫 궤탄] 궤갈(匱竭).
[匱乏 궤핍] 궁핍함. 모자람.
◉罄匱. 困匱. 空匱. 窘匱. 窮匱. 金匱. 饑匱. 玉石同匱. 乏匱. 偪匱. 虛匱. 篋匱. 孝子不匱. 恤匱.

12
⑭ [匰] 단 ㉬寒 都寒切 dān

字解 주독(主櫝) 단 신주(神主)를 넣는 독(櫝). '祭祀則共一主'《周禮》.
字源 篆文 匰 形聲. 匚+單〔音〕. '單단'은 '한 겹, 얇다'의 뜻. 얇은 신주 독(櫝)의 뜻을 나타냄.

12
⑭ [區] 匲(次條)과 同字. 俗(속)에 奩(大部 十一畫)으로 씀.

13
⑮ [匲] 렴 ㉭鹽 力鹽切 lián
匲

字解 ①경대 렴, 거울상자 렴 거울을 넣는 갑. 펴면 경대가 됨. '鏡一中物'《後漢書》. ②향그릇 렴 향을 담는 그릇. '香一'.
字源 形聲. 匚+僉〔音〕.
參考 匲(前條)은 同字.

[匲幣 염폐] 혼수(婚需).
◉經匲. 鏡匲. 粉匲. 藥匲. 印匲. 粧匲. 香匲.

[匲②]

14
⑯ [匴] 산 ㉱旱 蘇管切 suǎn

관상자 산 관(冠)을 넣는 상자. '爵弁皮弁緇布冠各一一'《儀禮》.
字源 篆文 匴 形聲. 匚+算〔音〕. '算산'은 竹+具의 회의자(會意字)로, 대나무로 만든 그릇의 뜻. 대를 걸어 만든 용기(容器)의 뜻을 나타냄.

[匴]

15
⑰ [匵] 독 人屋 徒谷切 dú
匵

字解 궤 독 櫝(木部 十五畫)과 통용. '有美玉於斯, 韞一而藏諸'《論語》.
字源 篆文 匵 形聲. 匚+賣〔音〕. '賣육'은 넣은 물건을 꺼내다의 뜻. 물건을 넣었다 꺼냈다 하는 '상자'의 뜻을 나타냄.

18
⑳ [匶] 구 ㉲宥 巨救切 jiù

字解 널 구 柩(木部 五畫)와 同字. '及朝御一乃奠'《周禮》.

18
⑳ [匷] ▇ 확 人藥 古爵切 jué
▇ 거 ㉯魚 其余切 jué

字解 ▇ 수레 확 수레붙이. '古之所爲不可更, 則椎車至今無蟬一'《淮南子》. ▇ 수레 거 曰과 뜻이 같음.

24
㉖ [匷] ▇ 감 人感 古禪切 gǎn
▇ 공 人送 古送切 gòng

字解 ▇ ①작은잔 감 '一, 小桮也'《說文》. ②상자 감 '一, 箱類'《廣韻》. ③뚜껑 감 그릇의 덮개. '一, 器蓋'《增韻》. ④곳집 감 창고(倉庫). '一, 倉也'《廣雅》. ▇ ①작은잔 공 ②상자 공. ③뚜껑 공. ④곳집 공.
字源 篆文 匷 形聲. 匚+贛〔音〕.

匸 (2획) 部
[터진에운담부]

0
② [匸] 혜 ㉖薺 胡禮切 xì
筆順 一 匸

字解 감출 혜 덮어 가림.
字源 篆文 ㇕ 篆文 ㇕ 指事. 匚과 一을 합하여, 물건을 넣고(匚) 뚜껑을 덮어 가리다(一)의 뜻을 나타냄. 속에 넣고 덮어 가리는 일.
參考 ①匸(部首)은 別字. ②부수로서는 俗(속)에 '터진에운담'이라 이름.

2
④ [匹] 中 人 ▇ 필 人質 譬吉切 pǐ
▇ 목 mù
匹
筆順 一 丆 兀 匹

字解 ▇ ①필 필 ㉠옷감의 길이의 단위. 이단(二端)의 일컬음. '布帛廣二尺二寸爲幅, 四丈爲一'《漢書》. ㉡말 같은 가축을 세는 수사(數詞).

‘一馬’. ‘馬四一’《書經》. ②짝 필 ㉠배우자. ‘配一’. ‘甚哉妃一之愛’《漢書》. ㉡벗. 붕우. ‘一儕’. ‘率由羣一’《詩經》. ㉢한 쌍의 한쪽. ‘獨無一兮’《楚辭》. ㉣상대. 적수. ‘秦晉一也’《左傳》. ③짝지을 필 짝을 이룸. ‘庶人夫妻相一’《左傳》. ④홀 필 하나. ‘一夫無罪’《左傳》. [二] 집오리 목 鶩(鳥部 九畫)과 통용. ‘庶人之摯, 一’《禮記》.
[字源] 金文  篆文  象形. 말의 꼬리의 象形으로, 말을 세는 단위로서 쓰임. 또, 옷감의 길이를 나타내는 단위로도 쓰임. 또, ‘比비’와 통하여, ‘짝’의 뜻도 나타냄.

[匹練 필련] 한 필의 하얗게 누인 명주. 전(轉)하여, 폭포(瀑布)의 형용으로 쓰임.
[匹馬 필마] 한 필의 말.
[匹馬單騎 필마단기] 혼자 한 필의 말을 탐.
[匹馬單槍 필마단창] 한 필의 말과 한 개의 창. 곧, 아주 간략한 무장(武裝).
[匹馬隻輪無反 필마척륜무반] 출정한 군대가 전멸하고, 한 필의 말과 한 대의 수레도 본국에 돌아오지 아니함.
[匹配 필배] ㉠짝지음. ㉡짝. 배우(配偶). ㉢말. 마필(馬匹).
[匹夫 필부] ㉠한 사람의 남자. ㉡신분이 낮은 남자.
[匹婦 필부] ㉠한 사람의 여자. ㉡신분이 낮은 남자의 아내.
[匹夫無罪懷璧其罪 필부무죄회벽기죄] 원래 죄 없는 사람도 몸에 보옥(寶玉)을 품고 있기 때문에 일신(一身)에 화가 미친다는 말.
[匹夫之勇 필부지용] 소인(小人)의 혈기(血氣)에서 나온 용기(勇氣).
[匹夫匹婦 필부필부] ㉠서민(庶民)의 부부(夫婦). 보통의 남녀. 우부우부(愚夫愚婦). ㉡일부일부(一夫一婦)의 뜻.
[匹似 필사] 필여(匹如).
[匹上不足 필상부족] 필하유여(匹下有餘)에 대해서 쓰이는 말. 위로 짝하려니 모자라고, 아래로 짝하려니 남아서 어느 쪽에도 치우치지 않는 원전활탈(圓轉滑脫)의 묘(妙)를 이름.
[匹庶 필서] 백성.
[匹亞 필아] 동류(同類). 아류(亞類).
[匹如 필여] 비슷함. 이를테면 …과 같음.
[匹如身 필여신] 무일푼. 적수(赤手).
[匹偶 필우] ㉠필우(匹耦). ㉡맞음. 같음.
[匹耦 필우] 짝. 배우(配偶).
[匹敵 필적] ㉠어슷비슷함. 맞섬. ㉡필우(匹耦).
[匹儕 필제] 벗. 제배(儕輩).
[匹鳥 필조] ‘원앙(鴛鴦)’의 별칭.
[匹儔 필주] ㉠짝. ㉡동류(同類). ㉢상대자(相對者).
[匹馳 필치] 말을 나란히 하여 달림.
◉仇匹. 馬匹. 配匹. 妃匹. 乘匹. 亞匹. 良匹. 儷匹. 令匹. 偶匹. 倫匹. 儔匹. 好匹.

2④ [区] 〔구〕
區(匸部 九畫〈p. 296〉)의 略字

[叵] 〔파〕
口部 二畫(p. 337)을 보라.

5⑦ [医] 예 [去]霽 於計切 yì, yī

[字解] 동개 예 활과 화살을 넣어 메는 기구. ‘兵不解一’《國語》.
[字源] 甲骨文  篆文  形聲. 匸+矢〔音〕. ‘矢시’는 화살. ‘匸혜’는 ‘덮다’의 뜻. 화살을 넣는 기구, ‘동개’의 뜻을 나타냄.
[參考] 속(俗)에, 醫(酉部 十一畫)의 略字로 씀.

6⑧ [匼] 암 ㊤感 鄔感切 ǎn

[字解] ①아첨할 암 아부함. ‘盧杞, 對上或諂諛阿一’《唐書》. ②두를 암 싸서 가림. 감음. ‘車頭金一匝’《杜甫》.
[字源] 會意. 匸+合

7⑨ [匽] 언 ①㊤阮 於幰切 yǎn
②[去]願 於建切 yàn

[字解] ①눕힐 언, 쉴 언 偃(人部 九畫)과 同字. ‘興文一武’《漢書》. ②도랑 언 구거(溝渠). ‘爲井一’《周禮》.
[字源] 金文  篆文  形聲. 匸+妟〔音〕. ‘匸혜’는 ‘숨기다’의 뜻. ‘妟안’은 둥근 방석이나 베개를 대고 편안히 쉬는 부인의 모습을 본뜬 글자. 칸막이 안에 숨어서 쉬다의 뜻을 나타냄.

7⑨ [㔭] 〔심〕
甚(甘部 四畫〈p. 1453〉)의 本字

7⑨ [區] 區(次次條)의 俗字

9⑪ [匿] 닉 [入]職 女力切 nì 

[字解] ①숨을 닉 ㉠도피함. ‘逃一’. ‘廼一其家’《史記》. ㉡잠복함. ‘隱一’. ‘時見時一’《淮南子》. ②숨길 닉 ㉠보이지 않는 곳에 감춤. ‘乃一其家, 竊出上書’《史記》. ㉡가림. 덮음. ‘文不可一’《國語》. ㉢나타내지 아니함. ‘一名’. ‘一怨而友其人’《論語》. ③숨은죄 닉 나타나지 아니한 죄악. 음간(陰姦). ‘其爲人反一頗僻’《晉書》.
[字源] 金文  篆文  形聲. 匸+若〔音〕. ‘若약’은 순진하고 얌전하다의 뜻. 개성을 드러내지 않고 감추다의 뜻. 일설에는 會意로, 가려서 뽑은 채소〔若〕를 갈무리하다〔匸〕에서, 전하여 ‘숨기다, 숨다’의 뜻으로 쓰인다고 함.

[匿空 익공] 몸을 감추는 구멍. 암혈(暗穴).
[匿名 익명] 이름을 숨김.
[匿名書 익명서] 이름을 숨기고 쓴 글.
[匿名投票 익명투표] 투표자의 이름을 알리지 않고 하는 투표. 무기명 투표(無記名投票).
[匿伏 익복] 숨어 엎드림. 몰래 숨음. 잠복(潛伏).
[匿跡消聲 익적소성] 은둔(隱遁)하여 세상일을 알려고도 하지 않고 묻지도 않음을 이름.
[匿爪 익조] 맹수(猛獸)나 맹금(猛禽)은 함부로 그 발톱이나 엄니를 드러내 보이지 아니함. 전(轉)하여, 명인(名人)은 그 뛰어난 재능을 감추고 잘 나타내지 아니함을 이름.
[匿竄 익찬] 도망가서 숨음.
[匿諱 익휘] 꺼리어 숨김.
◉逃匿. 亡匿. 辟匿. 伏匿. 服匿. 祕匿. 隱匿. 潛匿. 臧匿. 藏匿. 竄匿. 退匿. 貶匿. 蔽匿.

避匿. 晦匿.

9
⑪ [區] 高 二 구 ㊤虞 豈俱切 qū
　　　　入 二 우 ㊦尤 烏侯切 ou

区 㠯

[筆順] 一丁丆亓亓亓吊品區

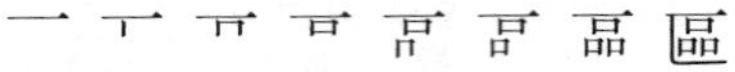

[字解] 一 ①지경 구 갈라놓은 지역. '一域'. '如——中者乃爲一州'《史記》. ②숨긴곳 구 물건을 감추어 두는 곳. '在乎一蓋之間'《荀子》. ③거처 구 주소. '有田一廛, 宅——'《漢書》. ④작은 방 구 소실(小室). '穿北軍壘垣, 以爲賈一'《漢書》. ⑤구별 구 차별. '每絕常一'《梁書》. ⑥방위 구 방소(方所). '洋溢八一'《揚雄》. ⑦곳 구 장소. '殊方別一'《班固》. ⑧나눌 구 분별함. 차별함. '各以言一'《齊書》. ⑨구구할 구 ㉠제각기 다름. '物性旣一'《後漢書》. ㉡잔단 모양. 작은 모양. '——之心'. '秦以——也, 地致萬乘之權'《賈誼》. 전(轉)하여, 자기의 겸칭(謙稱). '——之心竊慕之耳'《李陵》. 二 ①숨길 우 은닉함. '作僕一之法'《左傳》. ②용량의단위 우 열여섯 되. 한 말 엿 되. '豆一釜鍾'《左傳》. ③성 우 성(姓)의 하나. ※'구' 음은 인명자로 쓰임.

[字源] 金 㐭 篆 區 會意. 品＋匚. '品品'은 많은 물건의 뜻. '匚[혜]'는 구획을 지어 갈라놓다의 뜻. 많은 물건을 구분하다의 뜻을 나타냄.

[區間 구간] 일정(一定)한 지구(地區)의 사이.
[區蓋 구개] 숨겨 덮음. 또, 그 장소.
[區區 구구] ㉠작은 모양. 잔단 모양. 전(轉)하여, 자기의 겸칭(謙稱). ㉡득의(得意)한 모양.
[區區不一 구구불일] 각각 다름.
[區區泥泥 구구이니] 구구한 사정에 얽매임. 여러 가지 잔단 일에 얽매임.
[區區之心 구구지심] 자기의 변변치 못한 생각. 미충(微衷).
[區極 구극] 천하(天下) 또는 해내(海內)를 이름.
[區段 구단] 분류(分類).
[區落 구락] 구역을 이룬 부락.
[區別 구별] 분류함. 유별(類別)함.
[區分 구분] 구별하여 나눔.
[區宇 구우] ㉠구획(區畫). 경계. ㉡구현(區縣).
[區甸 구전] 구역(區域). 「處」.
[區處 구처] ㉠구분하여 처리(處理)함. ㉡거처(居處).
[區處無路 구처무로] 처리할 도리가 없음.
[區夏 구하] 천하(天下).
[區縣 구현] 천하(天下). 우내(宇內).
[區寰 구환] ㉠역내(域內). ㉡세상.
[區畫 구획] 경계를 갈라 정함. 구분하여 획정(畫定)함.
[區劃 구획] 구획(區畫).
[區脫 우탈] 북쪽의 오랑캐가 그들의 국경에 만든 척후용(斥候用)의 토실(土室).
●管區. 區區. 建區. 選擧區. 市區. 奧區. 外區. 地區. 學區. 寰區.

9
⑪ [匾] [편] 扁(戶部 五畫〈p. 841〉)과 同字
[字源] 形聲. 匚＋扁[音]. '扁[편]'은 '납작하다'의 뜻.

10
⑫ [匦] 제 ㊤齊 天黎切 tī

[字解] 얇을 제 두껍지 않음. '匾一, 薄也'《玉篇》.

十 (2획) 部
〔열십부〕

0
② [十] 中 십 ㊅緝 是執切 shí
　　　入

𠂇

[筆順] 一十

[字解] ①열 십 아홉에 하나를 보탠 수. '天九地一'《易經》. 충족(充足)된 수라 하여, 전(轉)하여 완전하거나 부족이 없다는 뜻으로 쓰임. '一分'. '一全'. '利不一者, 不易業'《漢書》. 또, 많은 수를 이름. '一目所視, 一手所指'《大學》. ②열번 십 10회. '一戰九勝'. '人一能之'《中庸》. ③열곱할 십 10배(倍)함. '長者不過一之'《史記》.

[字源] 甲骨文 |　金文 ●　篆文 十 象形. 바늘을 본뜸. '針[침]'의 원자(原字). 假借하여 수의 열의 뜻으로 쓰임. 또 '一일'과 대비(對比)하여 다수의 뜻을 나타냄.

[參考] 금전을 기재하는 경우 등에는, 글자가 고쳐지는 것을 피하기 위하여 갖은자 '拾십'을 쓰는 수가 있음.

[十方世界 시방세계]《佛敎》십방 세계(十方世界).
[十王 시왕]《佛敎》십왕(十王).
[十王廳 시왕청]《佛敎》십왕청(十王廳).
[十月 시월] 9월의 다음 달.
[十家牌 십가패] 열 집을 한 반(班)으로 하여 각호(各戶)의 인별(人別)을 명기(明記)한 패. 각호에서 윤번으로 그 집에 걸어 놓게 하고, 이에 의하여 반을 취체하였음.
[十干 십간] 육갑(六甲) 중의 천간(天干). 곧, 갑(甲)·을(乙)·병(丙)·정(丁)·무(戊)·기(己)·경(庚)·신(辛)·임(壬)·계(癸)의 총칭. 고갑자(古甲子) 중의 십간(十干)은 다음 표와 같음.

甲	알봉(閼逢)	乙	전몽(旃蒙)
丙	유조(柔兆)	丁	강어(强圉)
戊	저옹(著雍)	己	도유(屠維)
庚	상장(上章)	辛	중광(重光)
壬	현익(玄黓)	癸	소양(昭陽)

[十經 십경] 유가(儒家)의 열 가지 경서. 곧, 주역(周易)·상서(尙書)·모시(毛詩)·예기(禮記)·주례(周禮)·의례(儀禮)·춘추좌씨전(春秋左氏傳)·공양전(公羊傳)·곡량전(穀梁傳) 및 논어(論語)·효경(孝經). 논어와 효경은 하나.
[十戒 십계]《佛敎》십악(十惡)을 범(犯)하지 말라는 계(戒). 십선계(十善戒). 보살(菩薩)의 십계는 불살생(不殺生)·불투도(不偸盜)·불사음(不邪淫)·불망어(不妄語)·불음주(不飮酒)의 오계(五戒)에 불설과죄(不說過罪)·불자찬훼타(不自讚毁他)·불간(不慳)·불진(不瞋)·불방삼보(不謗三寶)를 가(加)한 것이고, 사미(沙彌)의 십계(十戒)는 오계(五戒)에 불착화만호향도신(不着華鬘好香塗身)·불가무창기역불왕관청(不歌舞娼妓亦不往觀聽)·부득좌고광대 상상(不

得坐高廣大牀上)·부득비시식 (不得非時食)·부득착전금은보물(不得捉錢金銀寶物)을 가(加)한 것임.

[十界 십계]《佛教》육범 사성 (六凡四聖). 곧, 불계 (佛界)·보살계 (菩薩界)·연각계 (緣覺界)·성문계 (聲聞界)·천상계 (天上界)·인간계 (人間界)·수라계 (修羅界)·축생계 (畜生界)·아귀계 (餓鬼界)·지옥계 (地獄界)의 일컬음.

[十誠命 십계명] 기독교에서 하나님이 시내산(山)에서 모세에게 내렸다고 하는 열 가지 계명. 곧, 다른 신(神)을 섬기지 말 것. 우상(偶像)을 섬기지 말 것. 여호와의 이름을 망령되게 하지 말 것. 안식일 (安息日)을 지킬 것. 부모를 공경할 것. 살인하지 말 것. 간음(姦淫)하지 말 것. 도둑질하지 말 것. 거짓말하지 말 것. 탐내지 말 것.

[十國 십국] 오대 (五代) 때 할거 (割據)한 열 나라. 국명 (國名)·개국자 (開國者)·역년 (歷年) 등은 다음 표와 같음.

國名	所據地	開國者	失國者	歷年
吳	淮南	楊行密	楊溥	46
前蜀	四川	王建	王衍	35
南漢	南海	劉隱	劉鋹	67
閩	福建	王潮	王延政	55
吳越	兩浙	錢鏐	錢俶	84
楚	湖南	馬殷	馬希崇	56
南平	荊南	高季興	高繼沖	57
後蜀	四川	孟知祥	孟昶	41
南唐	江南	李昪	李煜	39
北漢	山西	劉旻	劉繼元	29

[十年 십년] 열 해. 전 (轉)하여, 긴 세월. 다년간.

[十年減壽 십년감수] 십 년의 수명이 준다는 뜻으로, 대단한 고통·위험을 당하였을 때에 쓰는 말.

[十年構思 십년구사] 다년간 시문 (詩文)을 수련 (修鍊)함.

[十年磨一劍 십년마일검] 10년 동안을 두고 한 자루의 칼을 간다는 뜻으로, 여러 해를 두고 무예 (武藝)를 연마함을 이름.

[十年一夢揚州夢 십년일각양주몽] 젊었을 때 홍등녹주(紅燈綠酒)의 유흥가 (遊興街)에서 방탕 (放蕩)하였으나, 10년을 지난 오늘 그 꿈도 깨었다는 말. 양저우(揚州)는 강남 (江南)의 번화 (繁華)한 곳.

[十年一得 십년일득] 홍수 (洪水) 혹은 가뭄을 입기 쉬운 논이 간혹 풍년이 듦을 이르는 말.

[十年之計 십년지계] 앞으로 10년간을 목표로 한 장구(長久)한 계략.

[十念 십념]《佛教》아무 잡념 없이 열 번 염불을 함.

[十奴 십노] 창기 (娼妓)의 이칭 (異稱). '妓'를 분석하면 '十'과 '奴'가 되므로 이름.

[十大王 십대왕]《佛教》저승에 있다고 하는 열 위(位)의 왕(王). 곧, 진광대왕 (秦廣大王)·초강대왕 (初江大王)·송제대왕 (宋帝大王)·오관대왕 (伍官大王)·염라대왕 (閻羅大王)·변성대왕 (變成大王)·태산대왕 (泰山大王)·평등대왕 (平等大王)·도시대왕 (都市大王)·오도 전륜대왕 (五道轉輪大王). 십왕 (十王).

[十大弟子 십대제자]《佛教》석가여래 (釋迦如來)의 고제 (高弟) 열 사람. 곧, 마하가섭 (摩訶迦葉)·아난타 (阿難陀)·사리불 (舍利弗)·목건련 (目犍連)·아나율 (阿那律)·수보리 (須菩提)·부루나(富樓那)·가전연 (迦旃延)·우바리 (優婆離)·나후라 (羅睺羅). 십제자 (十弟子).

[十讀不如一寫 십독불여일사] 열 번 읽는 것보다 한 번 쓰는 편이 더 기억이 잘되고, 정밀 (精密)히 알 수 있음.

[十萬億土 십만억토]《佛教》'극락정토 (極樂淨土)'의 이칭 (異稱). 사바세계 (娑婆世界)에서 극락정토까지는 거리가 십만 억 리(里) 된다 하므로 이름.

[十盲一杖 십맹일장] 열 소경에 한 지팡이라는 뜻으로, 어떠한 사물 (事物)이 여러 사람에게 다 같이 긴요(緊要)하게 쓰이는 것을 이르는 말.

[十母 십모] '십간 (十干)'의 별칭.

[十母 십모] ㉠'십간 (十干)'의 별칭. ㉡친모 (親母)·출모 (出母)·가모 (嫁母)·서모 (庶母)·적모 (嫡母)·계모 (繼母)·자모 (慈母)·양모 (養母)·유모 (乳母)·제모 (諸母)의 총칭.

[十目 십목] ㉠열 사람의 눈. ㉡여러 사람의 눈. 많은 사람의 관찰.

[十目所視十手所指 십목소시십수소지] 여러 사람이 보는 바이고 여러 사람이 손가락질하는 바라는 뜻으로, 여러 사람이 잘 아는 바를 이름.

[十半 십반] 열 중의 다섯. 전체의 반.

[十方 십방] 동·서·남·북의 사방과 건 (乾)·곤 (坤)·간 (艮)·손 (巽)의 사우 (四隅)와 상하(上下)의 총칭. 천하(天下). '우주(宇宙)·세계 (世界)'의 뜻으로 쓰임.

[十方世界 십방세계]《佛教》십방(十方)에 존재하는 전 세계.

[十倍 십배] 열 곱. 전 (轉)하여, 여러 곱.

[十法界 십법계]《佛教》십계 (十界).

[十步之內必有芳草 십보지내필유방초] 천하가 태평하다는 뜻.

[十剖百判 십부백판] 사물을 아주 많이 갈라 나눔.

[十分 십분] ㉠한 시간의 6분의 1. ㉡아주 참. 극도에 달함. 충분(充分).

[十朋 십붕] 귀중한 보배.

[十死一生 십사일생] 위험한 지경을 겨우 벗어남. 하마터면 죽을 뻔함. 구사일생 (九死一生).

[十三經 십삼경] 열세 가지의 경서 (經書). 곧, 주역 (周易)·서경 (書經)·시경 (詩經)·주례 (周禮)·의례 (儀禮)·예기 (禮記)·춘추좌씨전 (春秋左氏傳)·춘추공양전 (春秋公羊傳)·춘추곡량전 (春秋穀梁傳)·효경 (孝經)·논어 (論語)·맹자 (孟子)·이아 (爾雅).

[十三經注疏 십삼경주소] 책 이름. 남송 (南宋) 이전까지는 경 (經)과 소 (疏)와는 따로따로 되어 있었으나, 남송 (南宋)의 소희 연간 (紹熙年間)에 삼산 (三山)의 황당(黃唐)이 비로소 이를 합간 (合刊)하여, 그 후 각종의 각본 (刻本)을 보게 되었음. 또, 청 (淸)나라 완원 (阮元)이 교감기 (校勘記)를 지어 매권 (每卷) 뒤에 붙였음.

[十三篇 십삼편] 손자 (孫子)의 병서 (兵書). 열세 편으로 되 있으므로 이름.

[十霜 십상] 십 년 (十年). 십추 (十秋).

[十生九死 십생구사] 위험한 지경을 겨우 벗어남. 구사일생 (九死一生).

[十善 십선]《佛教》십악 (十惡)을 범 (犯)하지 아니하는 일.

[十善 십선] 사람의 착한 벗.

[十善戒 십선계]《佛教》십계 (十戒).

[十善萬乘 십선만승]《佛教》천자 (天子)의 자리.

천위(天位).

[十善之君 십선지군] 《佛教》전세(前世)에서 십선(十善)의 덕(德)을 갖추면 그 과보(果報)에 의하여 현세(現世)에서 군주(君主)가 된다고 하여, 천자(天子)를 이름.

[十手 십수] 열 사람의 손. 여러 사람의 손. 많은 사람의 손.

[十手所指 십수소지] '십목소시십수소지(十目所視十手所指)'를 보라.

[十旬 십순] 백일(百日).

[十襲 십습] 열 겹으로 싼다는 뜻으로, 비장(祕藏)함을 이름.

[十勝之地 십승지지] 우리나라에서 술가(術家)가 일컫는 기근(饑饉)·병화(兵火)의 염려가 없다고 하는 열 군데. 곧, 공주(公州)의 유구(維鳩)와 마곡(麻谷), 무주(茂朱)의 무풍동(茂豊洞), 보은(報恩)의 속리산(俗離山), 부안(扶安)의 변산(邊山), 성주(星州)의 만수동(萬壽洞), 안동(安東)의 춘양면(春陽面), 예천(醴泉)의 금당동(金堂洞), 영월(寧越)의 정동 상류(正東上流), 운봉(雲峰)의 두류산(頭流山), 풍기(豊基)의 금계촌(金鷄村).

[十室九空 십실구공] 큰 전쟁이나 홍수 또는 극심한 전염병 같은 것으로 인하여 많은 사람이 뿔뿔이 흩어지거나 죽어 열 집에 아홉 집은 비어 있음.

[十室之邑 십실지읍] 집이 열 채가량 있는 작은 동네.

[十惡 십악] ㉠은사(恩赦)의 특전을 베풀 수 없는 큰 죄 열 가지. 곧, 모반(謀反)·모대역(謀大逆)·모반(謀叛)·악역(惡逆)·부도(不道)·대불경(大不敬)·불효(不孝)·불목(不睦)·불의(不義)·내란(內亂). ㉡《佛教》악업(惡業) 열 가지. 곧, 살생(殺生)·투도(偸盜)·사음(邪淫)·망어(妄語)·양설(兩舌)·악구(惡口)·기어(綺語)·탐욕(貪欲)·진에(瞋恚)·사견(邪見) 혹은 우치(遇癡).

[十惡大罪 십악대죄] 십악(十惡) ❶.

[十夜 십야] 《佛教》정토종(淨土宗)에서 음력 10월 6일부터 15일까지 열흘 동안 밤낮으로 행하는 염불(念佛)의 법사(法事).

[十羊九牧 십양구목] 열 마리의 양(羊)에 아홉 사람의 목자(牧者). 백성은 적고 벼슬아치는 많음의 비유.

[十如是 십여시] 《佛教》일체의 사물에 갖추어 있는 열 가지 보편성(普遍性). 곧, 상(相)·성(性)·체(體)·역(力)·작(作)·인(因)·연(緣)·과(果)·보(報)·본말구경(本末究竟).

[十五夜 십오야] 음력 8월 보름날 밤.

[十王 십왕] 《佛教》십대왕(十大王).

[十王廳 십왕청] 《佛教》저승. 명부(冥府).

[十雨 십우] 열흘에 한 번 오는 비라는 뜻으로, 때를 맞춘 좋은 비.

[十圍之木 십위지목] 열 아름이나 되는 커다란 나무.

[十六國春秋 십육국춘추] 책 이름. 위(魏)나라 최홍(崔鴻)의 찬(撰). 모두 1백 권. 십육국(十六國)의 사실(史實)을 적음. 지금 전(傳)하는 것은 명대(明代)의 위작(僞作)임.

[十六羅漢 십육나한] 《佛教》세계의 각처에 있어 각기 부처의 나한을 통솔하며 공덕이 무량(無量)한 열여섯의 대아라한(大阿羅漢). 곧, 빈도라발라타사(賓度羅跋囉惰闍)·가락가벌차(迦諾

迦伐蹉)·가락가발리타사(迦諾迦跋釐惰闍)·소빈타(蘇頻陀)·낙구라(諾矩羅)·발타라(跋陀羅)·가리가(迦哩迦)·벌사라불다라(伐闍羅弗多羅)·수박가(戍博迦)·반탁가(半託迦)·나호라(羅怙羅)·나가서나(那伽犀那)·인게타(因揭陀)·벌나바사(伐那婆斯)·아시다(阿氏多)·주다반탁가(注茶半託迦).

[十六夜 십육야] 음력 열엿샛날 밤. 기망(旣望).

[十義 십의] 사람으로서 지켜야 할 열 가지 도리(道理). 곧, 부자(父慈)·자효(子孝)·형량(兄良)·제제(弟弟)〈형을 잘 섬김〉·부의(夫義)·부청(婦聽)·장혜(長惠)·유순(幼順)·군인(君仁)·신충(臣忠). 또는 군령(君令)·신공(臣恭)·부자(父慈)·자효(子孝)·형애(兄愛)·제경(弟敬)·부화(夫和)·처유(妻柔)·고자(姑慈)·부청(婦聽).

[十二客 십이객] 송(宋)나라 장민숙(張敏叔)이 선택한 열두 가지의 꽃. 곧, 모란(牡丹)〈귀객(貴客)〉·매(梅)〈청객(清客)〉·국(菊)〈수객(壽客)〉·서향(瑞香)〈가객(佳客)〉·정향(丁香)〈소객(素客)〉·난(蘭)〈유객(幽客)〉·연(蓮)〈정객(靜客)〉·도미(荼蘼)〈아객(雅客)〉·계(桂)〈선객(仙客)〉·장미(薔薇)〈야객(野客)〉·말리(茉莉)〈원객(遠客)〉·작약(芍藥)〈근객(近客)〉. 명화십이객(名花十二客).

[十二宮 십이궁] ㉠황도(黃道)의 주위(周圍)에 분배(分配)된 십이 성좌(十二星座). 곧, 마갈궁(磨羯宮)·보병궁(寶瓶宮)·쌍어궁(雙魚宮)·백양궁(白羊宮)·금우궁(金牛宮)·쌍녀궁(雙女宮)·거해궁(巨蟹宮)·사자궁(獅子宮)·실녀궁(室女宮)·천칭궁(天秤宮)·천갈궁(天蠍宮)·인마궁(人馬宮). ㉡십이율(十二律)의 이칭(異稱). ㉢사람의 생년·월·일, 시를 성좌(星座)에 배당한 것. 곧, 명궁(命宮)·재백궁(財帛宮)·형제궁(兄弟宮)·전택궁(田宅宮)·남녀궁(男女宮)·노복궁(奴僕宮)·처첩궁(妻妾宮)·질액궁(疾厄宮)·천이궁(遷移宮)·관록궁(官祿宮)·복덕궁(福德宮)·상모궁(相貌宮). 또는 명궁(命宮)·형제궁(兄弟宮)·처첩궁(妻妾宮)·자궁(子宮)·재백궁(財帛宮)·질액궁(疾厄宮)·천이궁(遷移宮)·노복궁(奴僕宮)·관궁(官宮)·전택궁(田宅宮)·복덕궁(福德宮)·부모궁(父母宮).

[十二牧 십이목] 십이주(十二州)의 각 지방 장관.

[十二屬 십이속] 십이수(十二獸).

[十二獸 십이수] 술가(術家)에서 십이지(十二支)에 배당(配當)한 열두 동물. 곧, 쥐[鼠]·소[牛]·범[虎]·토끼[兔]·용[龍]·뱀[蛇]·말[馬]·양[羊]·원숭이[猴]·닭[鷄]·개[犬]·돼지[猪]. 십이속(十二屬). 십이지(十二支) 참조.

[十二升 십이승] 썩 가늘고 고운 피륙.

[十二時 십이시] 하루 곧 일주야(一晝夜)의 시간을 열둘로 나눈 것을 일컬음. 낮의 묘(卯)·진(辰)·사(巳)·오(午)·미(未)·신(申)과 밤의 유(酉)·술(戌)·해(亥)·자(子)·축(丑)·인(寅).

[十二列國 십이열국] 춘추 시대(春秋時代)의 열두 강국(強國). 곧, 노(魯)·위(衛)·진(晉)·정(鄭)·조(曹)·채(蔡)·연(燕)·제(齊)·진(陳)·송(宋)·초(楚)·진(秦).

[十二月 십이월] 한 해의 마지막 달. 섣달.

[十二律 십이율] 십이음(十二音)의 악률(樂律). 곧, 양륙(陽六)의 육률(六律)과 음륙(陰六)의 육려(六呂)의 총칭(總稱). 약(略)하여 율려(律呂)라 함. 육률(六律)은 황종(黃鍾)〈11월〉·태주(太簇)〈정월〉·고선(姑洗)〈3월〉·유빈(蕤賓)

〈5월〉·이칙(夷則)〈7월〉·무역(無射)〈9월〉, 육려
(六呂)는 대려(大呂)〈12월〉·협종(夾鍾)〈2월〉·중
려(仲呂)〈4월〉·임종(林鍾)〈6월〉·남려(南呂)
〈8월〉·응종(應鍾)〈10월〉.

[十二因緣 십이인연]《佛敎》 과거에 지은 업(業)
을 따라 현재의 고(苦)를 받고 현재의 업을 따
라 미래의 고를 초래하여 중생윤회(衆生輪廻)
의 상(相)을 이루는 열두 가지 인연. 곧, 무명
(無明)·행(行)·식(識)·명색(名色)·육근(六
根)·촉(觸)·수(受)·애(愛)·취(取)·유(有)·생
(生)·노사(老死).

[十二入 십이입]《佛敎》 육근 육진(六根六塵).

[十二子 십이자]《佛敎》 육근 육진(六根六塵).

[十二子 십이자] 십이지(十二支).

[十二章 십이장] 고
대의 천자의 의복
에 그리거나 수놓
는 열두 가지의 무
늬. 곧, 일(日)·월
(月)·성신(星辰)·
산(山)·용(龍)·
화충(華蟲)·종이
(宗彛)·조(藻)·
화(火)·분미(粉
米)·보(黼)·불
(黻).

[十二章]

[十二州 십이주] 순(舜)임금 때 중국 전토를 열둘
로 나눈 칭호. 곧, 기(冀)·연(兗)·청(靑)·서
(徐)·형(荆)·양(揚)·예(豫)·양(梁)·옹(雍)·
유(幽)·병(幷)·영(營)의 열두 주(州).

[十二重 십이중] 열두 겹. 전(轉)하여, 여러 겹.
겹겹.

[十二支 십이지] 육갑(六甲) 중의 열두 지지(地
支). 곧, 자(子)·축(丑)·인(寅)·묘(卯)·진
(辰)·사(巳)·오(午)·미(未)·신(申)·유(酉)·
술(戌)·해(亥)의 총칭. 고갑자(古甲子) 중의
십이지(十二支)와 십이지에 배당한 십이수(十
二獸)는 다음 표와 같음.

子	困敦 곤돈	쥐 〔鼠〕	丑	赤奮若 적분약	소 〔牛〕
寅	攝提格 섭제격	범 〔虎〕	卯	單閼 단알	토끼 〔兔〕
辰	執徐 집서	용 〔龍〕	巳	大荒落 대황락	뱀 〔蛇〕
午	敦牂 돈장	말 〔馬〕	未	協洽 협흡	양 〔羊〕
申	涒灘 군탄	원숭이 〔猴〕	酉	作噩 작악	닭 〔雞〕
戌	閹茂 엄무	개 〔犬〕	亥	大淵獻 대연헌	돼지 〔猪〕

[十二指腸 십이지장] 소장(小腸)의 일부로서 위
(胃)의 유문(幽門)에 이어진 부분. 길이가 손
가락 열둘을 늘어놓은 것과 같다고 하여 이름.

[十二辰 십이진] 십이지(十二支).

[十翼 십익] 공자(孔子)의 작(作)이라고 전해지
는 역경(易經) 중의 상단전(上彖傳)·하단전(下
彖傳)·상상전(上象傳)·하상전(下象傳)·상계
사전(上繫辭傳)·하계사전(下繫辭傳)·문언(文
言)·서괘(序卦)·설괘(說卦)·잡괘(雜卦)의 십
전(十傳).

[十一月 십일월] 동짓달.

[十日一水 십일일수] 십일일수오일일석(十日一水

五日一石).

[十日一水五日一石 십일일수오일일석] 열흘 동안
에 내 하나를 그리고 닷새 동안에 돌 하나를 그
린다는 뜻으로, 화가(畫家)가 고심(苦心)하여
그림을 이룸. 또, 화가가 흥(興)이 나면 그리
고, 그렇지 않으면 여간하여 집필을 하지 않으
므로, 그림 하나를 그리는 데 퍽 오래 걸림을
이름.

[十一征 십일정] 수입의 10분의 1의 조세(租稅).

[十字 십자] 열십자. 또, ‘十’자의 모양. 십자형
(十字形).

[十字架 십자가] ㉠재목(材木)을 열십자 모양으
로 짠 것. ㉡서양의 고대(古代) 형구(刑具)의
하나. 죄인(罪人)을 못 박아 죽이는 십자형(十
字形)의 기둥. ㉢기독교(基督敎)의 표지(標
識). 기독(基督)이 이 형(刑)을 당하여 죽었으
므로, 희생·속죄(贖罪)·고난(苦難)의 표상(表
象)으로 쓰임.

[十字街 십자가] 네거리.

[十字街頭掛牌 십자가두괘패] 왕래가 잦은 네거
리에 패를 건다는 뜻으로, 여러 사람에게 보여
알림을 이름.

[十字街頭吹笛 십자가두취적] 왕래가 잦은 네거
리에서 피리를 분다는 뜻으로, 세상에 널리 알
림을 이름.

[十字形 십자형] ‘十’자로 된 형상.

[十長生 십장생] 열 가지의 장생불사(長生不死)
한다는 물건. 곧, 해〔日〕·산(山)·물〔水〕·돌
〔石〕·구름〔雲〕·소나무〔松〕·불로초(不老草)·
거북〔龜〕·학(鶴)·사슴〔鹿〕.

[十全 십전] 조금도 결점이 없음. 완전무결함. 대
전(大全).

[十顚九倒 십전구도] 여러 가지 고생을 겪음.

[十戰九勝 십전구승] 열 번 싸워 아홉 번 이김.

[十弟子 십제자]《佛敎》 십대 제자(十大弟子).

[十洲 십주] 신선(神仙)이 산다는 열의 섬. 곧, 조
주(祖洲)·영주(瀛洲)·현주(玄洲)·염주(炎洲)·
장주(長洲)·원주(元洲)·유주(流洲)·생주(生
洲)·봉린주(鳳麟洲)·취굴주(聚窟洲).

[十中八九 십중팔구] 열 가운데 여덟이나 아홉.
곧, 거의 틀림없이. 십상팔구(十常八九).

[十指 십지] 두 손의 열 손가락. 또는, 두 발의 열
발가락.

[十指不動 십지부동] 열 손가락을 꼼짝하지 않는
다는 뜻으로, 게을러서 아무 일도 하지 않는다
는 말.

[十進法 십진법] 어떤 수(數)를 십 배하여 누진
(累進)하는 법(法).

[十千 십천] ㉠많은 수량. ㉡일만 전(一萬錢). 천
(千)은 천 전(千錢)의 뜻.

[十哲 십철] 공자(孔子) 문하(門下)의 열 사람의
뛰어난 제자. 곧, 안연(顏淵)·민자건(閔子騫)·
염백우(冉伯牛)·중궁(仲弓)·재아(宰我)·자공
(子貢)·염유(冉有)·자로(子路)·자유(子游)·
자하(子夏). 공문십철(孔門十哲).

[十體 십체] 열 가지 서체(書體). 곧, 고문(古
文)·대전(大篆)·소전(小篆)·주문(籀文)·팔분
(八分)·예서(隷書)·장초(章草)·행서(行書)·
비백(飛白)·초서(草書).

[十七八 십칠팔] 열 가운데 일곱이나 여덟. 곧, 반
수(半數)를 넘음. 전체에 가까움. 대다수(大多
數).

[十八公 십팔공] ‘소나무’의 별칭. ‘송(松)’자를

나누면 십팔공(十八公)이 되므로 이름.
[十八九 십팔구] 열 가운데 여덟이나 아홉. 곧, 대부분. 십중팔구(十中八九).
[十八技 십팔기] 십팔반무예(十八般武藝).
[十八般 십팔반] ㉠비기(祕技)의 전체. ㉡십팔반무예(十八般武藝).
[十八般武藝 십팔반무예] 열여덟 가지의 무예(武藝). 곧, 모(矛)·추(槌)·궁(弓)·노(弩)·총(銃)·편(鞭)·간(簡)·검(劍)·연(鏈)·팔(朳)·부(斧)·월(鉞)·과(戈)·극(戟)·패(牌)·봉(棒)·창(槍)·파(鈀). 일설(一說)에는, 궁(弓)·노(弩)·창(槍)·도(刀)·검(劍)·모(矛)·순(盾)·부(斧)·월(鉞)·극(戟)·편(鞭)·간(簡)·과(檛)·수(殳)·차(叉)·파두(把頭)·박승(縛繩)·백타(白打)로, 십팔반(十八般). 십팔기(十八技).
[十八史 십팔사] 열여덟 가지 사서(史書). 곧, 사기(史記)·한서(漢書)·후한서(後漢書)·삼국지(三國志)·진서(晉書)·송서(宋書)·남제서(南齊書)·양서(梁書)·진서(陳書)·후위서(後魏書)·북제서(北齊書)·주서(周書)·수서(隋書)〈이상 13사(史)〉와 남사(南史)·북사(北史)·당서(唐書)·오대사(五代史)〈이상 4사(史)〉 및 송사(宋史).
[十八史略 십팔사략] 원(元)나라의 증선지(曾先之)가 십팔사(十八史)를 간추려 초학자용(初學者用)의 독본(讀本)으로 편찬한 사서(史書). 원간본(原刊本) 2권, 명(明)나라 진은(陳殷)의 음석본(音釋本) 7권.
[十八省 십팔성] 중국 본토(本土)를 열여덟으로 구분한 총칭. 곧, 허베이(河北)〈연(燕)〉·산둥(山東)〈노(魯)〉·산시(山西)〈진(晉)〉·허난(河南)〈예(豫)〉·산시(陝西)〈진(秦)〉·간쑤(甘肅)〈농(隴)〉·장쑤(江蘇)〈오(吳)〉·안후이(安徽)〈환(皖)〉·저장(浙江)〈월(越)〉·푸젠(福建)〈민(閩)〉·장시(江西)〈감(贛)〉·쓰촨(四川)〈촉(蜀)〉·구이저우(貴州)〈검(黔)〉·윈난(雲南)〈전(滇)〉·후베이(湖北)〈악(鄂)〉·후난(湖南)〈상(湘)〉·광둥(廣東)〈월(粤)〉·광시(廣西)〈계(桂)〉.
[十八天 십팔천]《佛敎》삼십삼천(三十三天)의 색계(色界)에 있는 열여덟의 하늘. 곧, 범중천(梵衆天)·범보천(梵輔天)·대범천(大梵天)·소광천(少光天)·무량광천(無量光天)·광음천(光音天)·소정천(少淨天)·무량정천(無量淨天)·편정천(徧淨天)·무운천(無雲天)·복생천(福生天)·광과천(廣果天)·무상천(無想天)·무번천(無煩天)·무열천(無熱天)·선견천(善見天)·선현천(善現天)·색구경천(色究竟天). 여기에 욕계(欲界)의 육천(六天)과 무색계(無色界)의 구천(九天)을 합하여 삼십삼천(三十三天)이 됨.
[十風五雨 십풍오우] 열흘에 한 번씩 바람이 불고, 닷새에 한 번씩 비가 온다는 뜻으로, 우순풍조(雨順風調)함을 이름.
[十寒一曝 십한일폭] 열흘 춥고 하루 햇볕이 쬔다는 뜻으로, 일을 하는 데 근실하지 못하여 자주 중단함을 이름.
[十行俱下 십행구하] 열 줄을 한꺼번에 읽는다는 뜻으로, 책을 대단히 빨리 읽음을 이름.
●得一忘十. 聞一知十. 一當十. 重十. 行百里者半九十.

1 ③ [卄] 〔입〕 卄(十部 二畫〈p.302〉)의 俗字

1 ③ [千] 천 ㉠先 蒼先切 qiān

筆順 ノ 二 千

字解 ①일천 천 열의 백 곱. '予有臣三一'《書經》. 전(轉)하여, 많음을 이름. '羅肆巨一'《左思》. ②천번 천 천 회. '人十能之, 己一之'《中庸》. ③밭두둑 천 阡(阜部 三畫)과 통용. '正一伯'《管子》. ④성 천 성(姓)의 하나.
字源 ﹙갑골문·금문·전문 등﹚ 阡·仟 會意. 人+一. '人인'은 많은 사람의 뜻. '一일'은 '하나'의 뜻. '일천'의 뜻을 나타냄.
參考 금전(金錢)의 기재(記載) 등에는, 문자의 개변(改變)을 막기 위하여, '阡천' 또는 '仟'을 빌려 씀.

[千劫 천겁] 천세(千歲). 영원한 시간.
[千古 천고] ㉠먼 옛날. 태고(太古). ㉡영원. 영구.
[千苦萬難 천고만난] 갖은 고난.
[千古名 천고명] 영원히 전하는 명예.
[千古笑端 천고소단] 영원의 웃음거리. 아주 큰 웃음거리.
[千斛船 천곡선] 곡식 1천 석(石)을 싣는 거선(巨船).
[千官 천관] 다수의 벼슬아치.
[千軍萬馬 천군만마] 다수의 군사와 군마(軍馬).
[千鈞 천균] 대단히 무거운 무게.
[千鈞得船則浮 천균득선즉부] 아무리 무거운 것이라도 배에 실으면 물 위에 뜸. 곧, 좋은 계제(階梯)를 타서 일을 하면 무슨 일이든지 성취(成就)할 수 있다는 뜻.
[千金 천금] ㉠천장(千張)의 황금. ㉡많은 돈. 일금(一金)은 십량(十兩). ㉢비싼 값. ㉣부자. 부호. ㉤남의 딸을 부르는 존칭(尊稱).
[千金不死百金不刑 천금불사백금불형] 천금을 쓰면 사형(死刑)도 모면하고, 백금(百金)을 쓰면 도형(徒刑)을 면한다는 말.
[千金然諾 천금연낙] 천금에 비할 만한 중한 허락.
[千金子 천금자] 부호(富豪)의 아들.
[千金子不死於盜賊 천금자불사어도적] 부호(富豪)의 자식은 몸을 소중히 하므로 도둑과 같은 하찮은 놈의 손에 죽지 않는다는 뜻으로, 대망(大望)이 있는 사람은 보잘것없는 사람에게 죽음을 당하지 않음을 이름.
[千金子坐不垂堂 천금자좌불수당] 부자의 자식은 떨어질까 염려하여 마루 같은 데의 가에 앉지 않는다는 뜻으로, 몸을 대단히 소중히 함을 이름. 수(垂)는 수(陲).
[千金駿馬 천금준마] 값이 천금이나 하는 준마. 값이 대단히 많이 나가는 썩 잘 달리는 말.
[千金之裘非一狐之腋 천금지구비일호지액] 고귀(高貴)한 호백구(狐白裘)를 만드는 데 많은 여우의 겨드랑이 털을 모아야 되는 것과 같이, 나라를 다스리는 데 많은 어진 사람의 힘을 빌려야 한다는 말.
[千金之珠必在九重之淵 천금지주필재구중지연] 귀(貴)한 구슬은 깊은 못 속에 있다는 뜻으로서, 공명(功名)은 위험을 무릅쓰지 않으면 얻기 힘들다는 말.
[千年一淸 천년일청] 황하(黃河) 같은 탁류가 맑아지기를 바란다는 뜻으로, 가능하지 않은 일

을 바람을 이름.

[千代 천대] 많은 대 (代). 전 (轉)하여 영원 (永遠).

[千慮一得 천려일득] 어리석은 사람의 생각도 많은 생각 가운데에는 간혹 좋은 생각이 있음.

[千慮一失 천려일실] 지혜 (智慧)가 있는 사람이라도 많은 생각 가운데에는 잘못 생각하는 것이 있음.

[千里 천리] 백 리 (里)의 십 배. 전 (轉)하여, 먼 거리. 먼 곳.

[千里江陵一日還 천리강릉일일환] 천 리나 떨어진 강릉 (江陵)까지 하루에 도착함. 강 (江)의 흐름이 대단히 빠름을 형용한 말.

[千里鏡 천리경] 망원경 (望遠鏡).

[千里光 천리광] 전복 (全鰒)의 껍데기. 석결명 (石決明)이라 하여 한약재로도 씀.

[千里駒 천리구] ㉠천리마 (千里馬) ❶. ㉡연소 (年少)한 재사 (才士)의 비유.

[千里同風 천리동풍] 먼 곳까지 같은 바람이 분다는 뜻으로, 태평 (太平)한 세상을 이름.

[千里馬 천리마] ㉠하루에 천 리를 닫는 준마 (駿馬). ㉡재지 (才智)가 뛰어난 사람의 비유.

[千里命駕 천리명가] 먼 곳의 친구를 생각하여 방문하려고 거마 (車馬)의 채비를 차리게 함.

[千里不齎糧 천리부재량] 천 리나 되는 여행길에 양식을 지닐 필요가 없다는 뜻으로, 천하 (天下)가 태평하고 풍년이 듦을 이름.

[千里不留行 천리불류행] 천 리나 되는 먼 곳에 가도 가로막는 자가 없다는 뜻으로, 전 (轉)하여 대적 (對敵)할 자가 없음을 이름.

[千里比隣 천리비린] 천 리나 되는 먼 길도 이웃과 같다는 뜻으로서, 교통이 매우 편리함을 이름.

[千里信 천리신] 먼 곳에서 오는 음신 (音信).

[千里眼 천리안] 천 리 밖을 볼 수 있는 안력 (眼力)이라는 뜻으로, 먼 데서 일어난 일을 직각적으로 감지하는 능력.

[千里月 천리월] 어느 곳이나 밝게 비치는 달빛.

[千里猶對面 천리유대면] 먼 곳에서 보낸 편지나 문장 (文章)이 아주 잘 표현되어 실지로 대면하여 말하는 것 같다는 말.

[千里絕迹 천리절적] 천리간 (千里間)에 견줄 만한 이가 없음.

[千里之駒 천리지구] 천리구 (千里駒).

[千里之任 천리지임] 먼 곳에 가서 보는 임무.

[千里行始於足下 천리행시어족하] 천 리의 여행도 발밑에서부터 시작한다는 뜻으로, 작은 것을 쌓아서 큰 것을 이룸을 비유한 말. 천 리 길도 한 걸음부터.

[千萬 천만] ㉠아주 많은 수효. ㉡수없이 여러 번 행 (行)하거나 곱함. ㉢황송스럽게도.

[千萬古 천만고] 천만 년이나 되는 옛적.

[千萬年 천만년] 천만 해나 되는 오랜 세월. 대단히 오랜 세월. 영구. 영원.

[千萬多幸 천만다행] 매우 다행함.

[千萬代 천만대] 천만세 (千萬世).

[千萬不當 천만부당] 조금도 이치에 맞지 아니함. 얼토당토아니함.

[千萬事 천만사] 허다한 일.

[千萬世 천만세] 멀고 먼 세대 (世代).

[千萬歲 천만세] 천만 년.

[千萬億 천만억] 이루 다 셀 수 없이 많은 수.

[千萬人 천만인] 무수 (無數)한 사람.

[千萬層 천만층] 수없이 많은 층등 (層等). 천층만

충 (千層萬層).

[千門萬戶 천문만호] 대궐 안에 궁실 (宮室)이 많거나, 도회지에 집이 빽빽이 들어선 것을 이름.

[千般 천반] 퍽 여러 가지. 각양각색.

[千方百計 천방백계] 갖은 계책 (計策). 온갖 꾀.

[千百 천백] 많은 수.

[千百就盡之卒 천백취진지졸] 천에서 백으로 차차 줄어들어 없어지는 군사. 곧 줄어드는 군사.

[千變 천변] 퍽 여러 번 변함.

[千變萬化 천변만화] 천만 가지로 변함. 변화 (變化)가 한이 없음.

[千兵萬馬 천병만마] 무수한 군사 (軍士)와 군마 (軍馬).

[千思萬考 천사만고] 여러 가지로 생각함. 곰곰 생각함.

[千山萬水 천산만수] 각양각색의 산수 (山水). 무수한 산수.

[千觴 천상] 천의 술잔. 많은 술잔.

[千狀萬態 천상만태] 각양각색의 상태.

[千緖萬端 천서만단] 수없이 많은 일의 갈피. 잡다 (雜多)한 일.

[千石舟 천석주] 천 석의 곡식을 싣는 거선 (巨船).

[千歲 천세] ㉠천 년. ㉡긴 세월 (歲月).

[千歲曆 천세력] 앞으로 백 년 동안의 일월 (日月)·성신 (星辰)·절기 (節氣)를 추산 (推算)하여 엮은 책력 (冊曆).

[千歲一時 천세일시] 천재일우 (千載一遇).

[千歲之信士 천세지신사] 굳게 도의 (道義)를 지키는 선비.

[千愁 천수] 온갖 수심. 갖은 근심. 아주 많은 근심.

[千搜萬索 천수만색] 두루 수색 (搜索)함.

[千乘 천승] 승 (乘)은 병거 (兵車). 주대 (周代)의 제도에 천자 (天子)는 기내 (畿內)의 땅 사방 천 리 (里)를 영유 (領有)하고 전시 (戰時)에 병거 (兵車) 만 승 (乘)을 내놓으며, 큰 제후 (諸侯)는 사방 백 리 (里)를 영유하고 병거 (兵車) 천 승 (乘)을 내놓음. 1승 (乘)에는 갑사 (甲士) 3인, 보병 (步兵) 72인, 거사 (車士) 25인이 딸림.

[千乘之國 천승지국] 큰 제후 (諸侯)의 나라.

[千辛萬苦 천신만고] 온갖 신고 (辛苦). 무한한 애.

[千尋 천심] 8천 척 (尺). 대단히 높거나 대단히 깊음을 이름.

[千巖萬壑 천암만학] 많은 바위와 계곡. 깊은 산골의 기발 (奇拔)한 산수 (山水)를 형용함을 이름.

[千羊之皮不如一狐之腋 천양지피불여일호지액] 천 마리의 양의 가죽은 한 마리의 여우의 겨드랑이 가죽만 못하다는 뜻으로, 바보 천 사람이 총명한 사람 하나만 못함을 이름.

[千億 천억] 극히 많은 수.

[千言萬語 천언만어] 말을 수없이 함. 또, 그 말.

[千言立成 천언입성] 긴 시문 (詩文)이 빨리 됨.

[千憂 천우] 아주 많은 근심.

[千日紅 천일홍] 비름과에 속하는 일년초 (一年草). 꽃 피는 기간이 길므로 이름. 천일초 (千日草).

[千紫萬紅 천자만홍] 울긋불긋한 여러 가지 꽃의 빛깔.

[千丈隄以螻蟻之穴潰 천장제이루의지혈궤] 천 길이나 되는 길고 큰 방죽도 개미구멍으로 인하여 무너짐. 사소한 일이라고 소홀히 하였다가 큰일을 실패함의 비유.

[千載 천재] 천세 (千歲).

[千載一遇 천재일우] 천 년 동안에 겨우 한 번 만난다는 뜻으로, 좀처럼 만나기 어려운 좋은 기

회를 이름.
[千載之會 천재지회] 천재일우(千載一遇).
[千種萬類 천종만류] 온갖 종류. 각양각색의 종류.
[千枝萬葉 천지만엽] ㉠무성한 식물의 가지와 잎. ㉡길이 여러 갈래로 갈려 많이 있음의 비유.
[千差萬別 천차만별] 여러 가지 물건이 각각 차이(差異)와 구별이 있음.
[千斬萬戮 천참만륙] 천만 동강으로 쳐서 죽임.
[千秋 천추] 천 년. 긴 세월.
[千秋萬古 천추만고] 아주 긴 세월. 영원(永遠).
[千秋萬歲 천추만세] 천년만년의 뜻. 장수(長壽)를 축원하는 말. 천만년.
[千秋遺恨 천추유한] 천 년이 지나도 없어지지 아니하는 깊은 원한(怨恨).
[千秋節 천추절] 당(唐)나라 현종(玄宗)의 탄신(誕辰). 8월 5일이 현종의 생신인데, 개원(開元) 17년에 백관(百官)이 표청(表請)하여 이 날을 천추절이라고 하였다가 후에 천장절(天長節)이라고 고쳤음.
[千態萬狀 천태만상] 천상만태(千狀萬態).
[千態萬象 천태만상] 천상만별(千狀萬別)의 형태.
[千篇一律 천편일률] ㉠시문(詩文)의 글귀가 어느 것이든지 단조로워 변화가 적음. ㉡사물(事物)이 어느 것이나 한결같아 변화가 없음. 모두 단조 무미함.
[千品 천품] ㉠아주 많은 품계(品階). ㉡각양각색의 물품. 온갖 물품.
[千戶侯 천호후] 천 호(戶)나 있는 넓은 땅을 영유(領有)하는 제후(諸侯).
[千花 천화] 각양각색의 꽃. 수많은 꽃. 만화(萬花).
[千花萬卉 천화만훼] 수많은 화초(花草).
[千悔 천회] 수많은 후회.
◉巨千. 大千. 萬千. 半千. 百千. 十千. 億千. 一騎當千. 一念三千. 一人當千.

1
③ [卂] 신 [去]震 息晉切 xùn

[字解] ①빨리날 신 매우 빨리 낢. '一, 疾飛也'《說文》. ②빠를 신 迅(辵部 三畫〈p. 2287〉)과 통용.

[字源] 會意. 金文은 乙+十

[干] 〔간〕 部首(p. 684)를 보라.

[支] 〔지〕 部首(p. 920)를 보라.

2
④ [廿] 입 [入]緝 人執切 niàn

[字解] 스물 입 스물. 이십. '有子百一'《顏之推》.

[字源] 甲骨文 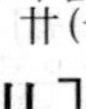 金文 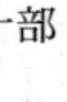 篆文  會意. 十+十. '十십'을 둘 합쳐서, '스물'의 뜻을 나타냄.

[參考] 卄(十部 一畫)은 俗字.

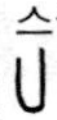

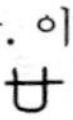

2
④ [卅] 삽 [入]合 蘇合切 sà 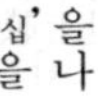

[字解] 서른 삽 삼십. '孔世一八'《韓愈》.

[字源] 金文 篆文 會意. 十+十+十. '十십'을 셋 합쳐서, '서른'의 뜻을 나타냄.

2
④ [升] [人名] 승 [平]蒸 識蒸切 shēng 

[筆順] 一 二 チ 升

[字解] ①되 승 ㉠용량의 단위. 한 홉의 열 배. '合十爲一'《漢書》. ㉡그 용량을 되는 그릇. '爲銅一, 用頒天下'《隋書》. ②새 승 직물의 여든 올. '朝服十五一'《禮記》. ③오를 승 ㉠떠오름. '如日之一'《詩經》. ㉡올라감. '一彼大阜'《詩經》. ④올릴 승 전항(前項)의 타동사. '延一上座'《後漢書》. ⑤바칠 승 드림. '農始一麥'《淮南子》. ⑥이루어질 승 성립됨. '男女無辨則亂一'《禮記》. ⑦성할 승 융성함. '道有一隆'《書經》. ⑧익을 승 곡식이 여묾. '一平'. '新穀既一'《論語》. ⑨승괘 승 육십사괘의 하나. 곧, ䷭〈손하(巽下), 곤상(坤上)〉. 전진 향상의 상(象). ⑩성 승 성(姓)의 하나.

[字源] 金文  篆文  象形. 金文은 구기의 술바닥 속에 물건을 넣은 모양을 본뜸. 구기로 물건을 떠올리는 데서, 되, 용량의 단위, 오르다의 뜻을 나타냄. 篆文은 斗+ノ의 指事라고 함.

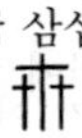

[升鑑 승감] 편지 피봉의 수신인(受信人)의 이름 아래에 써서 존경의 뜻을 나타내는 말.
[升降 승강] 오르고 내림. 또, 올리고 내림.
[升啓 승계] 편지 피봉의 수신인(受信人)의 이름 아래 쓰는 말.
[升斛 승곡] 분량(分量). 또, 분량을 되는 그릇. 되. 말. '두곡(斗斛)'을 참조하라.
[升堂入室 승당입실] 마루에 올라 방으로 들어간다는 뜻으로, 순서를 밟아 차근차근히 학문을 닦으면 결국엔 심오(深奧)한 경지(境地)에 이르게 됨을 비유한 말.
[升斗 승두] 승곡(升斛).
[升騰 승등] 뛰어오름.
[升龍降龍 승룡강룡] 오르는 용과 내려가는 용. 기(旗) 같은 것의 무늬로 쓰임.
[升麻 승마] 성탄꽃과에 속하는 다년초(多年草). 뿌리는 설사·하혈·탈항(脫肛) 등의 약재로 씀. 끼절가리.
[升聞 승문] 제왕(帝王)에게 알려짐.
[升揚 승양] 벼슬이 오름. 승진(升進).
[升踰 승유] 올라가 넘음.
[升引 승인] 끌어올림. 발탁(拔擢)함.
[升進 승진] 벼슬 따위가 올라 높아짐. 승진(昇進). 승진(陞進).
[升天 승천] ㉠하늘로 올라감. ㉡기독교에서 죽음을 이름. 승천(昇天).
[升遷 승천] 승진하여 전임(轉任)함. 또, 승진시켜 전임하게 함.
[升沈 승침] ㉠오름과 가라앉음. ㉡번성함과 쇠(衰)함. 성쇠(盛衰). 부침(浮沈).
[升擢 승탁] 발탁하여 승진시킴.
[升平 승평] ㉠곡식이 잘되어 그 가격이 공평해짐. 승평(昇平). ㉡나라가 잘 다스려져 태평함. 승평(昇平).
[升遐 승하] 제왕(帝王)이 세상을 떠남. 승하(昇遐).
[升恒 승항] 남의 장수(長壽)를 축하하는 말.
◉斗升. 上升. 昭升. 躍升. 陽升. 延升. 盈升.

陰升. 一升. 躋升. 朝升. 陟升. 超升. 黜升.
特升. 褒升. 後升.

2
④ [午] 中人 오 ⊕麌 疑古切 wǔ

筆順 ノ ト 仁 午

字解 ①일곱째지지 오 십이지(十二支) 중의 일곱째. 시간으로는 정오, 방위로는 정남, 띠로는 말, 달로는 음력 오월(五月). '太歲在一, 曰敦牂'《爾雅》②오시 오 오전 열한 시부터 오후 한 시까지의 시간. '一刻'. ③낮 오 주간(晝間). '一睡'. '不作一時眠'《白居易》④가로세로엇걸릴 오 종횡으로 교차함. '交一'. '旁一'. ⑤거슬릴 오 忤(心部 四畫)와 同字. '一其衆, 以伐有道'《禮記》⑥성 오 성(姓)의 하나.

字源 甲骨文 金文 篆文 象形. 두 사람이 번갈아 손에 쥐고 찧는 절굿공이를 본뜸. 번갈아 한다는 뜻에서, 음양(陰陽)이 교차하는 십이지(十二支)의 제7위인 '말'의 뜻을 나타냄.

[午刻 오각] 오시 (午時)❼.
[午供 오공] 중의 점심 공양(供養). 오재(午齋).
[午末 오말] 오시(午時)의 마지막 시각. 곧, 오후 1시경.
[午夢 오몽] 낮잠 자다 꾸는 꿈.
[午飯 오반] 점심. 주식(晝食).
[午方 오방] 이십사방위(二十四方位)의 하나. 정남방(正南方).
[午上 오상] 오전(午前).
[午睡 오수] 낮잠. 주면(晝眠). 오침(午寢).
[午時 오시] ㉠오전 11시부터 오후 1시까지의 시간. ㉡낮.
[午食 오식] 점심.
[午夜 오야] ㉠오밤중. 밤 12시. 자(子)의 시각. 야반(夜半). ㉡오(午)와 오(五)가 통용(通用)하여 오야(五夜)·오경(五更)의 뜻으로 쓰임.
[午午 오오] 혼잡한 모양. 붐비는 모양.
[午溽 오욕] 한낮의 무더위.
[午月 오월] ㉠음력 5월의 별칭. ㉡오야(午夜)의 달.
[午人 오인] 《韓》남인(南人)의 별칭.
[午齋 오재] 오공(午供).
[午前 오전] ㉠정오(正午) 이전. ㉡밤 12시부터 낮 12시까지의 사이.
[午正 오정] 낮 12시. 정오(正午).
[午餐 오찬] 점심. 주식.
[午天 오천] 낮.
[午寢 오침] 낮잠. 오수(午睡).
[午風 오풍] 남쪽에서 불어오는 바람. 마파람.
[午下 오하] 오후(午後).
[午餉 오향] 점심. 주식(晝食).
[午後 오후] ㉠정오(正午) 이후. ㉡오정(午正)부터 밤 12시까지의 사이.
●過午. 交午. 端午. 旁午. 上午. 日午. 子午. 正午. 亭午. 停午. 舛午. 下午.

2
④ [卆] 〔졸〕
卒(十部 六畫〈p.306〉)의 俗字

[古] 〔고〕
口部 二畫(p.340)을 보라.

3
⑤ [卉] 〔훼〕
卉(十部 四畫〈p.304〉)의 俗字

3
⑤ [牛] 中人 반 ㉧翰 博慢切 bàn

筆順 ノ ソ 八 ゾ 半

字解 ①반 반 2분의 1. '一年'. '折一'. '爲可者一, 不可者一'《韓非子》②가운데 반 중간. 중앙. '一途'. '夜一朝旦冬至'《史記》③한창 반 절정. '酒一相顧'《歸田錄》④조각 반 큰 조각. 대편(大片). '二升糯一一氷'《漢書》⑤반쪽낼 반 중분(中分)함. '悉割一爲薪'《世說》.

字源 金文 篆文 會意. 八+牛. '八팔'은 '나누다'의 뜻. '牛우'는 소의 상형. 큰 것을 둘로 나누다의 뜻을 나타냄.

[半價 반가] 반값. 반치(半直).
[半間 반간] 한 간의 절반.
[半減 반감] 절반을 덞. 또, 절반이 줆.
[半個 반개] 한 개의 절반.
[半開 반개] ㉠반쯤 엶. ㉡꽃이 다 피지 못하고 반쯤 핌. ㉢문화가 약간 열림. 개화(開化)가 다 되지 못함.
[半徑 반경] 원(圓) 또는 구(球)의 직경(直徑)의 절반. 반지름.
[半頃 반경] 50묘(畝)의 밭. 곧, 얼마 안 되는 밭.
[半空 반공] 하늘의 한복판. 중천(中天). 반천(半天).
[半官半民 반관반민] 정부와 민간이 반반씩으로 조직·경영하는 일.
[半句 반구] 일구(一句)의 반. 곧, 적은 말. 짧은 말.
[半球 반구] ㉠지구를 동서 또는 남북으로 반분(半分)한 것의 한 부분. ㉡구(球)를 그 중심을 통과하는 평면으로 반분한 것의 한 부분.
[半弓 반궁] 6척(尺) 또는 8척의 반.
[半規 반규] 반원(半圓).
[半期 반기] 1기(期)의 반.
[半年 반년] 1년의 절반. 6개월.
[半農 반농] 생업(生業)의 반이 농업(農業)임.
[半曇 반담] 날씨가 반쯤 흐림.
[半島 반도] 한 면(面)만 육지에 닿고 그 나머지 세 면은 바다에 싸인 땅.
[半途 반도] ㉠어떤 거리의 반쯤 되는 길. ㉡이루지 못한 일의 중간. 중도(中途).
[半途而廢 반도이폐] 일을 하다가 중도(中途)에서 그만둠. 중도이폐. 中道而廢.
[半兩錢 반량전] 진말(秦末)에 주조한 무게가 반냥 되는 돈. 한(漢)나라 여후(呂后) 때 쓰인 팔수전(八銖錢)은 곧 이것임.
[半輪 반륜] ㉠반원(半圓). ㉡반달. 반월(半月).
[半面 반면] ㉠한쪽의 면(面). ㉡얼굴의 왼쪽 또는 오른쪽의 한쪽.
[半面之分 반면지분] 일면지분(一面之分)도 못 되는 교분(交分). 서로 겨우 알기만 하는 사이.
[半面之識 반면지식] 반면지분(半面之分).
[半半 반반] ㉠똑같이 가른 반과 반. ㉡반씩.
[半白 반백] ㉠반이 흼. ㉡머리털이 흰 것과 검은 것이 반씩 섞임. 반백(斑白).
[半百 반백] 백의 반. 곧, 쉰.
[半步 반보] 반걸음.
[半腹 반복] 산의 중턱. 산복(山腹).

[半分 반분] ㉠반. 2분의 1. 절반. ㉡절반으로 나눔.
[半臂 반비] 반소매의 옷.
[半氷 반빙] ㉠얼음이 반쯤 얾. ㉡술이 반쯤 취함.
[半冰 반빙] 반빙(半氷).
[半死 반사] 거의 죽게 됨. 반죽음.
[半死半生 반사반생] ㉠거의 죽게 되어서 죽을지 살지 알 수 없는 지경에 이름. ㉡초목 같은 것이 반은 죽고 반은 삶.
[半朔 반삭] 반달.
[半山 반산] ㉠산의 중턱. ㉡송(宋)나라 왕안석 (王安石)의 호(號).
[半産 반산] 태아(胎兒)가 산기(産期) 전에 죽어서 나옴. 유산(流産).
[半晌 반상] 반시(半時).
[半生 반생] ㉠일생의 절반. ㉡거의 죽게 됨.
[半生半死 반생반사] 반사반생(半死半生).
[半生半熟 반생반숙] 반은 설고 반은 익음. 전(轉)하여, 미숙(未熟)함.
[半醒 반성] 술기운이나 졸음이 반쯤 깸.
[半世 반세] 한세상의 절반.
[半宵 반소] ㉠한밤중. ㉡하룻밤의 절반.
[半霄 반소] 중천(中天).
[半袖 반수] 반소매. 또, 그 옷.
[半數 반수] 전체의 수의 절반.
[半睡半醒 반수반성] 자는 둥 마는 둥 아주 얕은 잠을 잠. 잠이 깊이 들지 아니함.
[半獸主義 반수주의] ㉠인간의 성적 본능을 만족시키려는 주의. ㉡문학에서 사람의 동물적 본능을 꾸밈없이 그려 내려는 문예상의 주의.
[半熟 반숙] 음식이나 과실 같은 것이 반쯤 익음.
[半升鐺內煮乾坤 반승쟁내자건곤] 5홉들이 노구솥에 천지(天地)를 삶는다는 뜻으로, 진여(眞如)는 대소(大小)를 초월함을 이름.
[半時 반시] 한 시간의 절반. 곧, 30분.
[半身 반신] 온몸의 절반.
[半信半疑 반신반의] 반쯤은 믿고 반쯤은 의심함. 믿어야 할지 믿지 말아야 할지 몰라 망설임.
[半身不隨 반신불수] 몸의 어느 한쪽을 잘 쓰지 못함. 또, 그 병.
[半身像 반신상] 상반신(上半身)의 사진·초상(肖像), 또는 소상(塑像).
[半失 반실] 반이나 없어짐.
[半心 반심] 할까 말까 하는 마음.
[半額 반액] ㉠이마의 반. 눈썹이 넓은 것을 이름. ㉡(韓) 전액(全額)의 반. 원래 정해진 값의 절반.
[半夜 반야] ㉠오밤중. 한밤중. 야반(夜半). ㉡하룻밤의 반.
[半役 반역] 반 사람 몫의 일.
[半英雄 반영웅] 영웅의 아류(亞流).
[半圓 반원] 원(圓)의 절반. 반륜(半輪).
[半月 반월] ㉠반월형의 달. 반달. 반륜(半輪). ㉡한 달의 반. 반달.
[半印 반인] 장방형(長方形)의 도장. 한(漢)나라의 제도(制度)에서 승상(丞相)·열후(列侯)로부터 영승(令丞)에 이르기까지 모두 정방형(正方形)의 도장을 쓰고, 오직 색부(嗇夫) 같은 낮은 벼슬아치만이 이 도장을 썼는데, 이 도장은 정방형의 도장을 반으로 쪼갠 것이므로 반인이라 일컬었음. 반통(半通). 반장(半章).
[半日 반일] 하루의 반. 한나절.
[半子 반자] 반 아들이란 뜻으로, 사위를 이름. 여서(女婿).

[半章 반장] 반인(半印).
[半切 반절] ㉠반으로 자름. ㉡당지(唐紙)·화선지(畫仙紙) 등의 전지(全紙)를 세로 반으로 자른 것.
[半折 반절] 똑같이 반으로 꺾음.
[半點 반점] ㉠한 점의 절반. ㉡조금. 약간. ㉢반 시간.
[半丁 반정] 정남(丁男)의 반이라는 뜻으로, 열세 살을 이르는 말.
[半製 반제] 반만 만듦.
[半租 반조] 정해진 액수의 절반의 조세(租稅).
[半照 반조] 반쪽의 거울. 깨진 거울.
[半紙 반지] 얇은 종이의 한 가지. 습자지(習字紙)로 흔히 사용함.
[半之半 반지반] 반의 반.
[半天 반천] 중천(中天).
[半晴 반청] 날이 반쯤 갬.
[半醉 반취] 술이 반쯤 취함.
[半直 반치] 반값. ‘直’는 ‘値’와 같음.
[半通 반통] 반인(半印).
[半幅 반폭] 한 폭의 절반.
[半風子 반풍자] 이〔虱〕의 은어(隱語). ‘虱’은 ‘風’에서 한 획을 뺀 자(字)이므로 이름.
[半夏 반하] ㉠‘반하раста(半夏生)’의 준말. ㉡천남성과에 속하는 다년초. 괴근(塊根)을 약재로 씀. 끼무릇.
[半夏生 반하생] 72후(候)의 하나. 하지(夏至)에서 열하루째 되는 날. 양력으로 7월 2일경.
[半漢 반한] 준마(駿馬)의 날랜 모양.
[半解 반해] ㉠반쯤 이해함. ㉡반으로 나눔. 둘로 나눔.
[半行 반행] 반 줄.
[半凶半吉 반흉반길] 길흉(吉凶)이 상반(相半)함.
●強半. 居半. 過半. 臘半. 大半. 得失半. 上半. 霄半. 夜半. 一半. 前半. 折半. 天半. 太半. 殆半. 下半. 夏半. 斅學半. 後半.

4
⑥ [卉] 〔人名〕 훼 ㉮尾 許偉切 ㉯未 許貴切 huì

〔字解〕①풀 훼 초본(草本). ‘花—’. ‘百—’. ‘聚石移果, 雜以花—’《南史》. ②초목 훼 초본(草本)과 목본(木本). 풀과 나무의 총칭. ‘嘉—. —旣凋’《張衡》.

〔字源〕甲骨文 屮 篆文 艹 會意. 艸＋屮. 풀이 많이 모인 모양에서, ‘많은 풀’의 뜻을 나타냄.

〔參考〕卉(十部 三畫)는 俗字.

[卉犬 훼견] 풀로 만든 개.
[卉木 훼목] 풀과 나무. 초목(草木).
[卉物 훼물] 풀과 나무. 초목(草木).
[卉服 훼복] 풀로 만든 옷. 만이(蠻夷)의 복장.
[卉汩 훼율] 빠른 모양.
[卉衣 훼의] 훼복(卉服).
●嘉卉. 昆卉. 奇卉. 芳卉. 百卉. 生卉. 庶卉. 野卉. 陽卉. 炎卉. 靈卉. 異卉. 仁卉. 池卉. 珍卉. 榛卉. 萉卉. 含芳卉. 寒卉. 禾卉. 花卉.

4
⑥ [古] 〔세〕
世(一部 四畫〈p.39〉)의 古字

4
⑥ [卌] 십 〔入〕緝 先立切 xì

字解 마흔 십 사십.

4
⑥ [协] 〔협〕 協(十部 六畫〈p.305〉)의 簡體字

4
⑥ [卍] 만 音萬 wàn　　　　　卍

字解 만 만 범자(梵字)의 만자(萬字). 본디 부처의 가슴에 있다고 하는 형상(形象)으로서, 길상해운(吉祥海雲)이라 역(譯)함. '一, 音之爲萬, 謂吉祥萬德之所集也'《華嚴經音義》.

字源 象形. 본디, 인도의 크리슈나신(神)의 가슴의 선모(旋毛)의 상형으로, 길상 만덕의 표의 뜻을 나타냄.

參考 일설(一說)에, 자형(字形)이 '卍'은 잘못이고, '卐'이 옳다고도 함.

4
⑥ [华] 〔화〕 華(艸部 八畫〈p.1933〉)의 簡體字

[克] 〔극〕 儿部 五畫(p.195)을 보라.

5
⑦ [丗] 〔세〕 世(一部 四畫〈p.39〉)와 同字

5
⑦ [朱] 〔숙〕 叔(又部 六畫〈p.331〉)의 俗字

[直] 〔직〕 目部 三畫(p.1528)을 보라.

6
⑧ [丧] 〔상〕 喪(口部 九畫〈p.387〉)의 簡體字

6
⑧ [卌] 〔십〕 卌(十部 四畫〈p.304〉)과 同字

6
⑧ [協] 中入 협 入葉 胡頰切 xié　協 協

筆順 一 十 忄 协 忪 协 協 協

字解 ①맞을 협, 합할 협. 화합함. 협력함. '一和'·'一心'·'同寅一恭'《書經》. ②좇을 협. 따름. 복종함. '一從'·'下民祇—'《書經》.

字源 篆文 協 古文 叶 會意. 劦+十. '劦협'은 힘을 합치다의 뜻. '十십'은 '많다'의 뜻. '兼겸'과 통하여, 한 일에 두 사람 이상의 힘을 겹쳐 합친다의 뜻에서, '맞다, 화합하다'의 뜻을 나타냄.

參考 協(心部 六畫)은 同字.

[協契 협계] 합심하여 서로 굳게 약속(約束)함.
[協恭 협공] 서로 공경하고 합심함.
[協氣 협기] 서로 화합(和合)하는 음양(陰陽)의 두 기(氣).
[協紀辨方書 협기변방서] 책 이름. 청(淸)나라 건륭제(乾隆帝)의 칙찬(勅撰). 36권. 시일(時日)의 길흉(吉凶)·음양(陰陽)의 금기(禁忌)를 기재하였음.
[協同 협동] 마음을 같이하고 힘을 합함. 협심(協心).
[協力 협력] 힘을 모아서 같이함. 협동(協同)하여

일함. 육력(戮力).
[協戮 협륙] 협력(協力).
[協律 협률] 규칙에 맞음.
[協隆 협륭] 화합(和合)하여 융성(隆盛)함.
[協睦 협목] 서로 협심하고 화목함.
[協扶 협부] 협찬(協贊).
[協比 협비] 화친(和親)함. 친목함. 비(比)는 친(親).
[協事 협사] 일을 함께 함.
[協商 협상] 협의(協議).
[協成 협성] 힘을 합하여 일을 이룸.
[協心 협심] 여러 사람이 마음을 합함.
[協愛 협애] 합심하며 서로 사랑함.
[協約 협약] 이해관계가 있는 쌍방이 협의하여 약정(約定)함. 또 그 약정.
[協韻 협운] 서로 통하여 쓰는 운(韻). 협운(叶韻).
[協議 협의] 여러 사람이 모여 서로 의논(議論)함.
[協翼 협익] 협찬(協贊).
[協定 협정] 협의하여 결정함.
[協調 협조] 힘을 합하여 서로 조화(調和)함.
[協從 협종] 따름. 좇음.
[協奏 협주] 여러 가지 악기(樂器)를 함께 연주함. 합주(合奏)함.
[協鎭 협진] 청(淸)나라 때 육군(陸軍)의 관명(官名). 소장(少將)에 상당함.
[協贊 협찬] 협력하여 도움. 협부(協扶).
[協判 협판] 서로 상의하여 정함. 협정(協定).
[協辦 협판] ㉠서로 의논함. ㉡청(淸)나라 때의 관명(官名). 궁중 근무·지방 파견 중의 대학사(大學士)의 정무(政務)를 대신하여 보는 고관(高官). 협규(協揆). ㉢조선 말, 각 부(部)와 궁내부(宮內府)의 둘째 벼슬.
[協風 협풍] 온화한 바람. 화풍(和風).
[協合 협합] 화합함.
[協諧 협해] 화합함.
[協和 협화] 협력하여 화합(和合)함. 또 협력하고 화합하게 함.
[協會 협회] 회원이 협동(協同)하여 설립하는 회.
[協洽 협흡] 십이지(十二支) 중 미(未)의 별칭.
●不協. 允協. 妥協. 諧協. 和協. 翕協.

6
⑧ [協] 協(前條)의 俗字

6
⑧ [卑] 高入 비 ①-④㉠支 府移切 bēi　卑
　　　⑤㉡紙 補弭切 bǐ

筆順 ノ 丿 白 白 白 臾 臾 卑

字解 ①낮을 비 ㉠높지 아니함. '一牆'. '天尊地一'《易經》. ㉡지위가 낮음. 신분이 천함. '一賤'·'男尊女一'·'養一者否'《禮記》. ㉢하등(下等)임. '一陋'. '論一氣弱'《宋史》. ㉣융성하지 아니함. '今周室少一'《國語》. ㉤가까움. '一近'. '德薄者流一'《穀梁傳》. 또 낮은 사람. 낮은 데. '登高必自一'《中庸》. ②낮게여길 비 천하게 여김. 경멸함. '何以一我'《國語》. ③낮출 비 겸손함. '一下'·'一辭'·'自一而尊人'《禮記》. ④성 비 성(姓)의 하나. ⑤하여금 비 俾(人部 八畫)와 同字. '一民不迷'《荀子》.

字源 金文 甲 篆文 卑 象形. 손잡이가 있는 둥근 술통에 손을 댄 모양을 본떠, '통'의 뜻을 나타냄. 일상생활에 가지고 다니기에 편

리한 술 그릇인 통이므로, 전하여 제기용(祭器用)의 그릇에 비하여 '천하다'의 뜻을 나타냄.
[卑脚 비각] 짧은 다리.
[卑怯 비겁] 하는 짓이 비루하고 겁이 많음.
[卑見 비견] 자기 의견(意見)의 겸칭(謙稱). 비견(鄙見).
[卑謙 비겸] 자기를 낮춤. 겸손함. 비하(卑下). 비양(卑讓).
[卑官 비관] 낮은 벼슬. 비질(卑秩).
[卑屈 비굴] 비루하고 기개(氣槪)가 없음. 비루하고 무기력함.
[卑劇 비극] 지위가 낮고 사무가 바쁨.
[卑近 비근] ㉠통속적임. 심원(深遠)하지 않음. ㉡흔하고 가까움.
[卑佞 비녕] 자기를 낮추어 남에게 아첨을 잘함.
[卑陋 비루] ㉠낮고 좁음. ㉡마음이 고상하지 못하고 더러움. ㉢신분(身分)이 낮음.
[卑末 비말] 비미(卑微).
[卑門 비문] 자기 가문(家門)의 겸칭(謙稱).
[卑微 비미] 신분이 낮음. 천미(賤微). 비천(卑賤).
[卑薄 비박] 비습(卑濕)하고 척박(瘠薄)한 땅.
[卑卑 비비] ㉠힘쓰는 모양. 부지런한 모양. ㉡대단히 비루한 모양.
[卑鄙 비비] 신분이 낮음. 비천(卑賤).
[卑辭 비사] 자기를 낮추어 하는 말. 겸손한 말.
[卑辭重幣 비사중폐] 말을 정중(鄭重)히 하고, 예물(禮物)을 후(厚)하게 함. 어진 이를 초빙(招聘)하거나, 큰 나라를 섬기는 예(禮)임.
[卑庶 비서] 천한 서민. 백성.
[卑細 비세] ㉠낮음. ㉡작음.
[卑小 비소] 천하고 하찮음.
[卑俗 비속] 낮고 속됨.
[卑屬 비속] 혈연(血緣) 관계에서 낮은 항렬에 있는 사람. 곧, 아들·손자·조카 따위. 비항(卑行).
[卑濕 비습] 땅이 낮고 축축함. 고조(高燥)의 대(對).
[卑弱 비약] 비천하고 연약함.
[卑讓 비양] 비겸(卑謙).
[卑語 비어] 천한 말. 하등 사회(下等社會)의 상스러운 말.
[卑劣 비열] 비굴하고 용렬함.
[卑汚 비오] ㉠천하게 여겨 오욕(汚辱)함. ㉡낮은 지위.
[卑窪 비와] 땅이 낮고 우묵함.
[卑猥 비외] 비루하고 외설(猥褻)함.
[卑溽 비욕] 땅이 낮아 무더움.
[卑幼 비유] 항렬이 낮거나 나이가 어린 사람.
[卑意 비의] 천한 생각. 자기의 의견의 겸칭(謙稱).
[卑人 비인] ㉠비루한 사람. ㉡천한 사람. ㉢자기의 겸칭(謙稱).
[卑牆 비장] 낮은 담.
[卑職 비직] ㉠낮은 관직. 낮은 직책. ㉡자기 직무의 겸칭(謙稱).
[卑秩 비질] 낮은 벼슬. 낮은 지위.
[卑淺 비천] 낮고 얕음. 비속(卑俗)하고 천박함.
[卑賤 비천] 지위(地位)나 신분(身分)이 낮음. 천(賤)함.
[卑側 비측] 비루하고 간사함. '側'은 간사함.
[卑下 비하] ㉠자기를 낮춤. 겸손함. ㉡남을 천대(賤待)함.
[卑行 비항] 낮은 항렬. 비속(卑屬).

●謙卑. 高卑. 恭卑. 男尊女卑. 辭卑. 鮮卑. 升高自卑. 野卑. 禮卑. 穢卑. 自卑. 尊卑. 天尊地卑. 下卑.

6
⑧ [畀] 卑(前條)의 俗字

6
⑧ [卒] 中入 ①-⑥入月 臧沒切 zú
졸 ⑦入月 倉沒切 cù
⑧-⑩入質 子聿切 zú

卒

筆順 ' 亠 亠 亣 亣 亣 卒 卒

字解 ①하인 졸 잡일을 하는 하인. 심부름꾼. '兒童走─'. '廝興之一《漢書》. ②무리 졸 중. 서인(庶人). '人─九州, 穀食之所生'《莊子》. ③군사 졸 병졸. 군대. '一兵'. '一四十萬人'《史記》. ④백사람 졸 백 명을 한 조(組)로 한 칭호. '一伍'. '五人爲伍, 五伍爲兩, 四兩爲一'《周禮》. ⑤마을 졸 3백 호를 한 구역으로 한 칭호. '三十家爲邑, 邑有司, 十邑爲一'《國語》. ⑥나라 졸 30국(國)을 한 구역으로 한 칭호. '一有正'《禮記》. ⑦갑자기 졸 돌연히. '一遇敵人, 亂而失行'《吳子》. 또, 갑자기 일어나는 일. '亡以應─'《漢書》. ⑧마칠 졸 일을 끝마침. '一讀'. '恐未能一業'《司馬相如》. ⑨죽을 졸 ㉠사망함. '一於鳴條'《孟子》. ㉡대부(大夫)로서 죽음. '大夫死曰一'《禮記》. ⑩마침내 졸 드디어. 기어이. '一爲善士'《孟子》.

字源 金文 〔금문〕 篆文 〔전문〕 卒 指事. '衣의'자 밑에 '一일'을 붙여, 대부(大夫)의 죽음이나 천수를 다한 사람이 죽었을 때에 쓰는 의복의 모양에서, '마치다'의 뜻을 나타냄. 또, 이런 표시가 있는 의복은 하인·병사에도 쓰였으므로, '하인·병사'의 뜻도 나타냄. 또, '突돌'과 통하여 '갑자기'의 뜻도 나타냄.

參考 卆(十部 二畫)은 俗字.

[卒僵 졸강] 갑자기 쓰러짐. 졸도(卒倒).
[卒去 졸거] 대부(大夫)의 죽음.
[卒遽 졸거] 갑작스러움. 허둥지둥함.
[卒更 졸경] ㉠경부(更賦)의 하나. 한 달을 치르는 병역(兵役). ㉡《韓》 밤을 경계(警戒)하여 순라(巡邏)함. ㉢밤새도록 괴로워하며 자지 못함.
[卒哭 졸곡] ㉠삼우제(三虞祭)를 지낸 뒤에 지내는 제사(祭祀). ㉡사람이 죽은 지 석 달 되는 초정일(初丁日)이나 해일(亥日)에 지내는 제사.
[卒年 졸년] 죽은 해.
[卒徒 졸도] ㉠부하(部下)의 병졸(兵卒). ㉡자기가 부리는 사람.
[卒倒 졸도] 갑자기 정신을 잃고 쓰러짐.
[卒堵婆 졸도파] 솔도파(窣堵婆).
[卒讀 졸독] 읽기를 끝마침.
[卒迫 졸박] 서둚.
[卒乍 졸사] 별안간. 갑자기.
[卒歲 졸세] 해를 마침. 그해를 지냄.
[卒乘 졸승] ㉠병졸과 거마(車馬). ㉡보병(步兵)과 병거(兵車)에 탄 갑사(甲士). 전(轉)하여, 사졸(士卒). 군사.
[卒愕 졸악] 당황하며 놀람.
[卒業 졸업] ㉠업(業)을 마침. 일을 끝냄. ㉡규정(規定)한 과정(課程)을 마침.
[卒然 졸연] 갑자기. 느닷없이.
[卒伍 졸오] ㉠주(周)나라 때 제도로 인민(人民)

의 조합(組合). 다섯 사람 한 조(組)를 오(伍)라 하고 백 사람 한 조(組)를 졸(卒)이라 함. ㉡평민(平民)의 호적. ㉢군사(軍士)의 최하의 단위의 조(組). ㉣무인(武人)으로서의 미천(微賤)한 지위.
[卒爾 졸이] ㉠경솔한 모양. ㉡졸연(卒然).
[卒章 졸장] 끝의 장구(章句).
[卒卒 졸졸] 서두는 모양. 당황하여 침착하지 못한 모양.
[卒中風 졸중풍] 뇌일혈 등으로 별안간 의식을 잃고 졸도하는 병.
[卒篇 졸편] 시문의 전편(全篇)을 모두 짓거나 욈. 종편(終篇).
[卒暴 졸폭] 갑작스러움. 돌연함.
◉甲卒. 遽卒. 勁卒. 輕卒. 騎卒. 邏卒. 徒卒. 兵卒. 步卒. 士卒. 戍卒. 輸卒. 兒童走卒. 弱卒. 驛卒. 銳卒. 獄卒. 羸卒. 吏卒. 將卒. 從卒. 走卒. 倉卒. 草卒. 悤卒.

6 ⑧ **[卓]** [高人] 탁 ㊅覺 竹角切 zhuō 

[筆順] 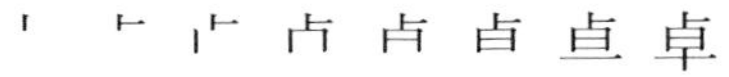

[字解] ①높을 탁 ㉠높이 솟아 있음. 높이 서 있음. '一峙'. '顏苦孔子之一'《揚子法言》. ㉡뛰어남. 우월함. '一越'. '一見'. '爲文章, 一偉精緻'《唐書》. ②멀 탁 시간이나 거리가 멂. '一行'. '世旣一兮'《王逸》. ③탁자 탁 桌(木部 六畫)과 통용. '食一'. '兩一合八尺'《徐積》. ④성 탁 성(姓)의 하나.

[字源] 金文  篆文  古文  會意. 匕+早. '匕비'는 '사람'의 뜻. '早조'는 '새벽녘'의 뜻. 사람이 동틀 녘의 태양보다 높은 모양에서, '높다'의 뜻을 나타냄. 일설에는 '匕'나 '早'나 숟가락의 상형(象形)이며, 큰 숟가락의 뜻에서 파생하여 '높다'의 뜻을 나타낸다고 함.

[卓鑒 탁감] 뛰어난 감식(鑒識).
[卓傑 탁걸] 뛰어난 사람. 걸출(傑出)한 사람.
[卓見 탁견] 뛰어난 식견(識見).
[卓冠 탁관] 높이 뛰어남. 관절(冠絕).
[卓球 탁구] 장방형(長方形)의 대(臺) 위에 네트를 치고 셀룰로이드 공을 라켓으로 마주 치는 경기. 핑퐁.
[卓詭 탁궤] 언행(言行)이 뛰어나 보통 사람과 다른 모양. 탁이(卓異).
[卓犖 탁락] 탁월(卓越).
[卓躒 탁락] 탁락(卓犖).
[卓礫 탁력] 남보다 뛰어난 견고한 마음씨.
[卓論 탁론] 뛰어난 의론(議論). 탁견(卓見). 탁설(卓說).
[卓立 탁립] 우뚝하게 서 있음. 여럿 가운데 높이 뛰어남. 정립(挺立).
[卓文君 탁문군] 한(漢)나라 촉군(蜀郡) 임공(臨邛)의 부호(富豪) 탁왕손(卓王孫)의 딸. 문군(文君)이 과부가 되어 집에 와 있을 때 사마상여(司馬相如)가 문군의 부친 탁왕손의 초청으로 잔치에 왔다가 거문고를 타며 음률(音律)을 좋아하는 문군의 마음을 돋우니, 문군이 거문고 소리에 반하여 밤중에 집을 빠져나와 사마상여의 집으로 가서 아내가 되었음. 후에 사마상여가 무릉(茂陵)의 여자를 첩으로 삼으려는 것을 알고 백두음(白頭吟)을 지어 그 짓을 말렸다 함.
[卓拔 탁발] 탁월(卓越).
[卓上 탁상] 책상 또는 식탁의 위.
[卓說 탁설] 탁월(卓越)한 설(說).
[卓殊 탁수] 탁이(卓異).
[卓識 탁식] 뛰어난 식견(識見).
[卓案 탁안] 책상. 궤안(几案).
[卓然 탁연] 높이 뛰어난 모양.
[卓午 탁오] 정오(正午).
[卓遠 탁원] 아득히 멂.
[卓越 탁월] 월등하게 뛰어남. 아주 걸출하여 이채로움.
[卓偉 탁위] 뛰어나게 위대함.
[卓衣 탁의] 《佛敎》가사(袈裟).
[卓異 탁이] 보통 사람보다 뛰어나게 다름.
[卓爾 탁이] 높이 뛰어난 모양.
[卓逸 탁일] 뛰어남. 또, 그 사람.
[卓子 탁자] 물건을 올려놓는 가구. 책상·식탁(食卓) 따위. 자(子)는 조사(助辭). 궤안(几案).
[卓綽 탁작] 뛰어나고 여유작작함.
[卓才 탁재] 뛰어난 재능(才能). 이재(異才). 고재(高才).
[卓絕 탁절] 남보다 훨씬 뛰어남.
[卓節 탁절] 높은 절조(節操).
[卓出 탁출] 탁월(卓越).
[卓峙 탁치] 높이 솟음.
[卓卓 탁탁] 높은 모양. 뛰어난 모양.
[卓踔 탁탁] 높고 멂. 뛰어나고 높음. 고원(高遠).
[卓行 탁행] ㉠높이 뛰어난 행실(行實). ㉡멀리 감.
[卓效 탁효] 뛰어난 효험.
◉教卓. 奇卓. 食卓. 圓卓. 電卓. 座卓. 峭卓. 超卓. 特卓. 恢卓.

6 ⑧ **[单]** 〔단〕單(口部 九畫〈p. 386〉)의 略字·簡體字

[阜] 〔부〕 部首(p. 2449)를 보라.

7 ⑨ **[南]** [中人] 남 ㉾覃 那含切 nán 

[筆順] 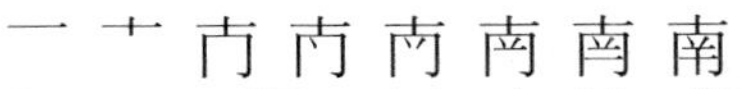

[字解] ①남녘 남 남쪽. 남방. '一北'. '凱風自一'《詩經》. ②남녘으로갈 남 남쪽을 향하여 감. '日一則景短多暑'《周禮》. ③풍류이름 남 남쪽의 미개한 나라의 음악의 이름. '以雅以一'《詩經》. ④임금 남 군주(君主)를 이름. '鄭, 伯一也'《國語》. ⑤성 남 성(姓)의 하나.

[字源] 甲骨文 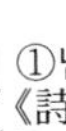 金文 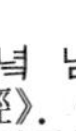 篆文 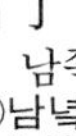 古文 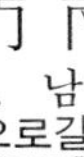 會意. 甲骨文은 屮+入+凡. '屮철'은 풀의 상형. '入입'은 '들어가다'의 뜻. '凡범'은 '바람'의 뜻. 봄이 되어 살그머니 스며들어 초목이 싹트도록 촉구하는 남풍의 뜻에서, '남쪽'의 뜻을 나타냄. 일설에는, '南남'의 윗부분이 '鼓고'의 요소 글자와 공통되는 점이 있음을 근거로 하여, 남방에서 쓰였던 악기의 상형에서, '남쪽'의 뜻을 나타냈다고도 함. 篆文은 形聲. 宋+羊〔音〕.

[南無 나무] 《佛敎》 범어(梵語) namah 또는 namo

의 음역(音譯). 중생이 부처님에게 진심으로 귀의(歸依) 경순(敬順)한다는 말.

[南無三寶 나무삼보] 《佛敎》 불(佛)·법(法)·승(僧)의 삼보에 귀의함.

[南無阿彌陀佛 나무아미타불] 《佛敎》 염불(念佛)하는 소리의 한 가지. 아미타불에 돌아가 의지한다는 뜻.

[南柯夢 남가몽] 당(唐)나라 때 순우분(淳于棼)이 자기(自己) 집 남쪽에 있는 늙은 회화나무 밑에서 술에 취하여 자고 있었는데, 꿈에 대괴안국(大槐安國) 남가군(南柯郡)을 다스리어 20년간이나 부귀(富貴)를 누리다가 깨었다는 고사(故事). 전(轉)하여, 꿈의 뜻으로 쓰이기도 하고, 또 한때의 헛된 부귀(富貴)의 비유로 쓰이기도 함. 남가일몽(南柯一夢).

[南柯一夢 남가일몽] 남가몽(南柯夢).

[南京 남경] ㉠장쑤 성(江蘇省)의 서쪽 양쯔 강(揚子江) 연안에 있는 도시. 삼국(三國)의 오(吳)를 비롯한 여러 나라 및 명(明)나라의 서울이었음. ㉡(韓) 고려(高麗) 때 사경(四京)의 하나. 지금의 서울.

[南曲 남곡] 희곡(戲曲)의 일종. 명대(明代)에 성행(盛行)하였음. '비파기(琵琶記)'는 그 대표작임.

[南瓜 남과] 박과(科)에 속하는 일년생 만초(蔓草). 호박.

[南冠 남관] 남방(南方) 곧 초(楚)나라의 갓. 또, 초나라 사람 종의(鍾儀)가 남관을 쓰고 잡힌 고사(故事)에 의하여, 포로(捕虜) 또는 고국(故國)을 생각하는 정(情)이 두터운 포로의 뜻.

[南交 남교] 중국 남방(南方)의 교지(交趾)의 땅. 지금의 월남(越南)의 북쪽을 이름.

[南歐 남구] 유럽의 남부. 곧, 이탈리아·프랑스 남부·에스파냐 등.

[南國 남국] 남쪽 나라.

[南宮 남궁] 당(唐)나라의 관제(官制)로 예부(禮部)를 이름.

[南橘北枳 남귤북지] 강남(江南)의 귤을 강북(江北)에 심으면 탱자가 된다는 뜻으로, 사람도 경우(境遇)와 환경(環境)에 따라 기질(氣質)이 변하여 선인(善人)도 되고 악인도 됨을 비유한 말.

[南極 남극] ㉠남극성(南極星). ㉡남쪽 끝. ㉢지축(地軸)의 남단(南端).

[南極老人 남극노인] 남극성(南極星)의 이칭(異稱).

[南極星 남극성] 하늘의 남극(南極) 가까이에 있는 별. 사람의 수명을 맡은 별이라 함. 남십자성(南十字星).

[南箕北斗 남기북두] 키는 쌀을 까불고 말은 곡식을 되지만, 남쪽의 기성(箕星)은 쌀을 까불지 못하고 북두성(北斗星)은 쌀을 되지 못한다는 뜻으로, 유명무실(有名無實)한 것을 비유하는 말.

[南內 남내] 제왕(帝王)이 거처하는 곳. 대내(大內).

[南唐 남당] 오대(五代) 때의 십국(十國)의 하나. 이변(李昇)〈후에 서지고(徐知誥)라 고침〉이 오(吳)나라의 선위(禪位)를 받아 금릉(金陵)에 도읍하고 당(唐)이라 칭하였는데, 사가(史家)가 이를 남당(南唐)이라 함. 3세(世) 39년 만에 송(宋)나라에게 망하였음. (937~975)

[南都 남도] ㉠남방의 수도(首都). ㉡지명(地名).

동한(東漢)의 광무제(光武帝)가 생장한 곳. 지금의 허난 성(河南省) 남양현(南陽縣). 장형(張衡)이 지은 〈남도부(南都賦)〉가 있음.

[南道 남도] 《韓》 경기도(京畿道) 이남의 도(道).

[南頓北漸 남돈북점] 《佛敎》 선가(禪家)의 남종(南宗)이 돈오(頓悟)를 숭상하고 북종(北宗)이 점오(漸悟)를 숭상하는 일.

[南斗 남두] 남방에 있는 여섯 별로 구성된 성수(星宿) 이름. 그 모양이 말〔斗〕 비슷하므로 이름.

[南藤 남등] 장미과에 속하는 낙엽(落葉) 교목(喬木). 과실은 약용(藥用)임. 마가목. 정공등(丁公藤).

[南呂 남려] ㉠육려(六呂)의 다섯째로 십이율(十二律)의 열째 음계(音階)의 소리. 절후(節候)로 음력 8월의 별칭. ㉡음력 8월의 딴말.

[南樓之會 남루지회] ㉠진(晉)나라의 유양(庾亮)이 무창(武昌)의 남루(南樓)에 올라가 여러 사람과 가을밤에 담론(談論)하며 시를 읊은 고사(故事). ㉡가을밤 달맞이의 연회(宴會)를 이름.

[南蠻 남만] 남쪽 오랑캐.

[南面 남면] ㉠남방으로 면(面)함. 남쪽으로 향함. ㉡임금이 조정(朝廷)에서 신하(臣下)에 대하여 남쪽으로 향해 앉는 자리. ㉢임금의 지위.

[南面百城 남면백성] 군주(君主)의 지위와 성(城) 백(百)을 영유(領有)하는 넓은 영토.

[南面之尊 남면지존] 군주(君主)의 지위(地位).

[南面稱孤 남면칭고] 군주(君主)가 됨을 이름. 고(孤)는 왕공·(王公)의 겸칭(謙稱).

[南冥 남명] 남명(南溟).

[南溟 남명] 남해(南海).

[南半球 남반구] 지구(地球)의 적도(赤道) 이남의 부분.

[南方 남방] 남쪽의 방위(方位).

[南方之强 남방지강] 인내(忍耐)로써 사람을 이겨 냄. 곧, 군자(君子)의 용기. 북방지강(北方之强)의 대(對).

[南蕃 남번] 남방의 미개(未開)한 나라. 촉중(蜀中)의 땅.

[南邊 남변] 남쪽 가.

[南部 남부] 남쪽의 부분.

[南北 남북] 남쪽과 북쪽.

[南北軍 남북군] 한대(漢代) 금위(禁衛)의 군대. 성내(城內)에 있는 것을 남군(南軍)이라 하여 위위(衛尉)가 이를 거느렸고, 성외(城外)의 것을 북군(北軍)이라 하여 중위(中尉)가 거느렸음.

[南北史 남북사] 〈남사(南史)〉와 〈북사(北史)〉. 당(唐)나라 이연수(李延壽)의 찬(撰). 〈남사(南史)〉는 송(宋)나라부터 진(陳)나라까지 170년간의 역사. 전부 80권. 〈북사(北史)〉는 위(魏)나라에서 수(隋)나라까지 242년간의 역사. 전부 1백 권.

[南北司 남북사] 남사(南司)와 북사(北司)의 총칭. 북사(北司)는 환관(宦官)이 일 보는 관아.

[南北朝 남북조] 남북 양조(兩朝)가 대립한 105년간의 일컬음. 동진(東晉)의 뒤를 계승한 송(宋)·남제(南齊)·양(梁)·진(陳)의 4조(朝)가 건강(建康)에 도읍(都邑)하여 강남(江南)의 땅을 영유(領有)한 것을 남조(南朝)라 하며, 이에 대하여 강북(江北)의 제국(諸國)이 북위(北魏)에 합병되었다가 다시 분열하여 북주(北周)에 이른 것을 북조(北朝)라 함.

南朝	種族	開國者	失國者	國都	歷年
宋	漢	劉裕	劉準	建康	60
南齊	漢	蕭道成	蕭寶融	建康	24
梁	漢	蕭衍	蕭方智	建康	56
陳	漢	陳霸先	陳叔寶	建康	33

北朝	種族	開國者	失國者	國都	歷年
北魏	鮮卑	拓跋珪	東魏元善見 西魏元寶炬	成樂 洛陽	171
北齊	漢	高洋	高恆	鄴	28
北周	鮮卑	宇文覺	宇文闡	長安	24

[南氷洋 남빙양] 오대양(五大洋)의 하나. 남극(南極)에 가까운데 1년 내내 빙결(氷結)함.

[南司 남사] ㉠남조(南朝)에서 어사중승(御史中丞)의 별칭(別稱). ㉡당대(唐代)의 중서(中書)·문하(門下)·상서(尙書) 세 성(省)의 별칭(別稱).

[南史 남사] 이십사사(二十四史)의 하나. 당(唐)나라 이연수(李延壽)의 찬(撰). 남조(南朝)의 송(宋)·제(齊)·양(梁)·진(陳)의 4조(朝) 170년간의 역사책. 본기(本紀) 10권, 열전(列傳) 70권, 총 80권으로 되었음.

[南山 남산] ㉠주(周)나라 도읍(都邑) 풍호(豐鎬)의 남쪽에 있는 종남산(終南山). ㉡남산지수(南山之壽)의 약칭(略稱). ㉢《韓》서울 남쪽에 있는 목멱산(木覓山)의 속칭(俗稱).

[南山之壽 남산지수] 종남산(終南山)이 무궁토록 이 세상에 있듯이 무한한 수명(壽命). 장수(長壽)를 축원(祝願)하는 말. 남산(南山)❶.

[南書房 남서방] 청조(淸朝) 건청궁(乾淸宮)의 오른편에 있는 관아. 한림학사(翰林學士)가 내정공봉(內庭供奉)을 하던 곳.

[南船北馬 남선북마] 중국의 지세(地勢)는 남쪽은 강이 많아서 주로 배를 타고, 북쪽은 평지(平地)가 많아서 주로 말을 탄다는 뜻으로, 항상 여행(旅行)하거나 분주히 사방으로 돌아다님을 이름.

[南宋 남송] 북송(北宋)이 금(金)나라에게 망할 때 그 마지막 황제 흠종(欽宗)의 아우 고종(高宗)이 즉위(卽位)하여 강남(江南)으로 도망가, 임안(臨安)에 도읍(都邑)하여 세운 나라. 9대(代) 153년 만에 원(元)나라에게 멸망되었음.

[南岳 남악] 5악(岳)의 하나. 남쪽에 있는 형산(衡山)의 별칭.

[南陽 남양] ㉠남방(南方). ㉡허난 성(河南省) 난양 현(南陽縣)의 땅. 제갈량(諸葛亮)이 출사(出仕) 전에 살던 곳.

[南陽菊水 남양국수] 마시면 장수(長壽)한다는 허난(河南)의 난양(南陽)에 있는 샘.

[南越 남월] 한고조(漢高祖)가 조타(趙佗)를 봉(封)한 나라. 지금의 광둥(廣東)·광시(廣西) 두 성(省)의 땅을 영유(領有)하였음.

[南粤 남월] 남월(南越).

[南人 남인] ㉠남쪽 나라의 사람. ㉡원대(元代)에 남송(南宋) 사람을 가리켜 이른 말. ㉢《韓》조선(朝鮮) 때의 사색당파(四色黨派)의 하나. 또, 그 당파에 속하는 사람. 서울 남촌(南村)에 사는 유성룡(柳成龍)을 중심으로 한 당파임. 오인(午人). 북인(北人)의 대(對).

[南齋 남재] 남서방(南書房).

[南殿 남전] 남방의 궁전.

[南田北畓 남전북답] 《韓》 소유한 전답이 여러 곳에 흩어져 있는 것을 이르는 말.

[南鄭 남정] 산시 성(陝西省) 내의 현명(縣名). 정(鄭)나라 환공(桓公)이 견융(犬戎)에게 죽자, 정나라 백성들이 남쪽으로 달아나 이곳에 정주(定住)하고, 인(因)하여 남정(南鄭)이라 칭함.

[南齊 남제] ㉠남조(南朝)의 하나. 소도성(蕭道成)이 송(宋)나라를 멸하고 세운 나라. 도읍은 건강(建康). 7대(代) 24년 만에 양(梁)나라에게 망하였음. (479~502) ㉡푸젠 성(福建省) 내의 산의 이름.

[南齊書 남제서] 이십사사(二十四史)의 하나. 양(梁)나라 소자현(蕭子顯)의 찬(撰). 남북조(南北朝) 시대 남조(南朝)의 남제(南齊)의 사서(史書). 본기(本紀) 8권, 지(志) 11권, 열전(列傳) 40권, 총 59권으로 되었음.

[南霽雲 남제운] 당(唐)나라 돈궁(頓宮) 사람. 기사(騎射)에 능했음. 안녹산(安祿山)의 난 때 장순(張巡)을 따라 수양(睢陽)을 수비하다가 성(城)이 함락되자 함께 잡혀 절개를 굽히지 않고 죽었음.

[南朝 남조] 동진(東晉)이 망한 후 강남(江南)에서 한족(漢族)이 세운 송(宋)·남제(南齊)·양(梁)·진(陳)의 4조(朝).

[南宗 남종] ㉠당(唐)나라의 왕유(王維)를 원조(元祖)로 하는 화가(畫家)의 한 파(派). 북종(北宗)의 대(對). ㉡《佛敎》중국 선종(禪宗)의 한 파(派). 당(唐)나라의 혜능 선사(慧能禪師)를 개조(開祖)로 함.

[南宗畫 남종화] 남종(南宗)❶. 북종화(北宗畫)의 대(對).

[南支 남지] 중국 남부의 지방. 남중국. 화남(華南). 남지나(南支那).

[南至 남지] 동지(冬至).

[南昌 남창] 장시 성(江西省)의 성도(省都). 포양 호(鄱陽湖) 남쪽에 있으며, 인근의 물자의 집산지(集散地)임.

[南窓 남창] 남쪽으로 향한 창.

[南天燭 남천촉] 매자나뭇과에 속하는 상록(常綠) 관목(灌木).

[南草 남초] 담배.

[南八男兒 남팔남아] 남팔(南八)은 남씨(南氏)의 팔남(八男)으로 태어난 남제운(南霽雲)의 일컬음. 그가 장순(張巡)과 함께 절개(節槪)를 지켜 죽었으므로, 전(轉)하여, 장한 절개 있는 대장부(大丈夫)를 이름.

[南浦 남포] ㉠후베이 성(湖北省)에 있는 강(江) 이름. ㉡장시 성(江西省)의 남창현(南昌縣) 서남에 있는 지명. 왕발(王勃)의 '등왕각시(滕王閣詩)'에 나옴.

[南風 남풍] ㉠남쪽에서 불어오는 바람. 마파람. ㉡남방의 가요(歌謠).

[南風不競 남풍불경] 남방의 가요(歌謠)의 음조(音調)가 활기(活氣)가 없음. 전(轉)하여, 남방의 세력이 부진(不振)함을 이름.

[南漢 남한] 오대(五代) 때 십국(十國)의 하나. 유은(劉隱)이 세운 나라. 광둥(廣東) 및 광시(廣西) 남부 지방에 할거함. 5왕(王) 63년 만에 송(宋)나라에게 망하였음. (909~971)

[南海 남해] 남쪽에 있는 바다.

[南行北走 남행북주] 남으로 가고 북으로 달린다는 뜻으로, 바삐 돌아다님을 이름. 동분서주(東奔西走).

[南向 남향] 남쪽으로 향함.

[南軒集 남헌집] 북송(北宋)의 장식(張式)의 문집(文集). 주희(朱熹)가 편찬(編纂)함. 전부 44권.

[南華 남화] '남화진경(南華眞經)'의 약칭(略稱).

[南畫 남화] 남종화(南宗畫). 북화(北畫)의 대(對).

[南華之悔 남화지회] 상관(上官)의 미움을 받아 과거(科擧)에 낙제한 일. 온정균(溫庭筠)의 고사(故事)에서 유래함.

[南華眞經 남화진경] 장주(莊周)의 저서 〈장자(莊子)〉의 별칭(別稱).

[南懷仁 남회인] 벨기에 출신의 예수회 선교사(宣教師) 페르비스트(Verbiest)의 중국 이름. 청초(淸初)에 중국에 들어가 포교에 종사하는 한편, 세조(世祖)·성조(聖祖)를 섬겨 역법(曆法)의 개혁, 대포(大砲)의 주조 등을 지휘하고, 〈곤여도설(坤輿圖說)〉등 많은 책을 내었음.

●江南. 極南. 圖南. 東南. 斗南. 幕南. 朔南. 山南. 西南. 城南. 召南. 兩南. 嶺南. 二南. 日南. 終南. 周南. 指南. 河南. 湖南. 華南.

7 ⑨ [単] 〔단〕 單(口部 九畫〈p.386〉)의 俗字

[牽] 〔률〕 玄部 六畫(p.1411)을 보라.

8 ⑩ [單] 〔단〕 單(口部 九畫〈p.386〉)의 略字

10 ⑫ [博] 〔高入〕 박 〔入藥 補各切 bó

筆順 十 十 忄 忄 恃 博 博 博 博

字解 ①너를 박 좁지 아니함. '一遠'. '壤土之一'《史記》. ②넓을 박 학식·견문 등이 많음. '一學'. '一識'. '多聞日一'《荀子》. ③많을 박 '載籍極一'《史記》. ④넓힐 박 넓게 함. '一我以文'《論語》. ⑤넓이 박 넓은 정도. '一四寸'《儀禮》. ⑥쌍륙 박, 노름 박 주사위를 던져 하는 놀이, 전(轉)하여, 도박. '一戱'. '不有一弈者乎'《論語》. ⑦성 박 성(姓)의 하나.

字源 金文 篆文 形聲. 十+尃〔音〕. '十십'은 '사방'의 뜻. '尃부'는 논의 모를 넓게 심다의 뜻. '넓다'의 뜻을 나타냄.

[博古知今 박고지금] 고금(古今)의 일을 모두 널리 잘 앎.

[博觀 박관] 널리 봄.

[博究 박구] 널리 궁구(窮究)함.

[博購 박구] 널리 구하여 사들임.

[博局 박국] 쌍륙(雙六)·바둑 등을 두는 판(板). 바둑판 따위.

[博劇 박극] 노름. 도박.

[博達 박달] 널리 사물에 통달(通達)함. 박통(博通).

[博大 박대] 넓음. 큼.

[博徒 박도] 노름꾼.

[博覽 박람] 널리 보아 앎. 책을 많이 읽어 사물을 잘 앎.

[博覽會 박람회] 산업(産業)을 진흥시키기 위하여 농공업(農工業)에 관한 제품(製品)과 통계표 등을 진열하여 여러 사람에게 관람시키는 회.

[博浪沙 박랑사] 허난 성(河南省) 양무현(陽武縣) 남쪽에 있는 지명(地名). 장량(張良)이 역사(力士)로 하여금 진시황(秦始皇)을 저격(狙擊)케 한 곳.

[博勞 박로] ㉠때까칫과에 속하는 새. 때까치. 개고마리. ㉡옛날에 말의 상(相)을 잘 보던 사람. 백락(伯樂). ㉢말이나 소를 매매하는 장수.

[博望 박망] ㉠안후이 성(安徽省) 당도현(當塗縣)에 있는 산(山) 이름. ㉡한(漢)나라 때 둔 현(縣) 이름. 무제(武帝)가 장건(張騫)을 박망후(博望侯)로 봉하였는데 박망은 곧 이곳임.

[博文 박문] 학문을 널리 닦음.

[博聞 박문] 사물(事物)을 널리 들어 잘 앎.

[博聞強記 박문강기] 견문이 넓고 기억력이 좋음.

[博文約禮 박문약례] 널리 학문을 닦아 사리를 구명(究明)하고 이것을 실행하는 데 예의(禮儀)로써 하여 정도(正道)에 벗어나지 않게 함.

[博物 박물] ㉠박식(博識). ㉡동물(動物)·식물(植物)·광물(鑛物)의 총칭. ㉢온갖 사물(事物)과 그에 관한 참고가 될 만한 물건.

[博物館 박물관] 내외국(內外國) 또는 고금(古今)의 역사적 유물(遺物)과 미술품(美術品)을 모아 진열하고 여러 사람에게 관람(觀覽)·연구를 하게 하는 곳.

[博物君子 박물군자] 모든 사물(事物)에 능통한 사람.

[博辯 박변] 널리 사물에 통하고 변재(辯才)가 있음.

[博譜 박보] 장기(將棋) 두는 법을 적은 책.

[博士 박사] ㉠교학(教學)을 맡은 벼슬. 진(秦)나라 때 비로소 두었음. ㉡일정한 학술(學術)을 전공하여 그 온오(蘊奧)를 다한 사람에게 주는 학위(學位). 전공 부문에 따라 공학(工學)·문학(文學)·농학(農學)·법학(法學) 등의 여러 박사(博士)가 있음. ㉢조선(朝鮮) 때 교서관(校書館)·성균관(成均館)·승문원(承文院)·홍문관(弘文館)의 정칠품(正七品)의 한 벼슬. ㉣조선(朝鮮) 때 성균관의 경의문대(經義問對)에 합격한 사람에게 주던 칭호.

[博射 박사] 재물을 걸고 활을 쏘기.

[博山 박산] 박산로(博山爐).

[博山爐 박산로] 산봉우리 모양의 향로(香爐).

[博顙 박상] 넓은 이마. 활상(闊顙).

[博塞 박새] 노름. 도박.

[博碩 박석] 넓고 큼. 석(碩)은 대(大).

[博贍 박섬] 학문과 지식이 넓고 풍부(豐富)함.

[博涉 박섭] 널리 섭렵(涉獵)함.

[博詢 박순] 여러 사람에게 의견을 널리 물어봄.

[博習 박습] 널리 배워 익힘.

[博施 박시] 널리 은혜를 베풂.

[博識 박식] 보고 들은 것이 많아서 많이 앎. 또, 그러한 사람.

[博雅 박아] 학식이 넓고 성품이 아담(雅淡)함. 또, 그러한 사람.

[博愛 박애] 모든 사람을 평등(平等)하게 사랑함.

[博言學 박언학] 각국 언어(言語)의 기원(起源)·

[博山爐]

발달(發達)·변천(變遷)을 비교하여 연구하는 학문(學問). 언어학(言語學).

[博藝 박예] 널리 기예(技藝)에 달통(達通)함.

[博遠 박원] 넓고 멀리 미침.

[博依 박의] 넓은 비유(比喩). 시(詩)는 널리 사물(事物)에 가탁(假託)하여 비유를 써서 자기의 뜻을 표현하므로 시를 짓는 법을 이른 말.

[博引旁證 박인방증] 사물을 설명하는 데 널리 사례(事例)를 인용하며 여러 가지 전거(典據)를 끌어댐.

[博濟 박제] 널리 건짐. 널리 구제함. 광제(廣濟). 홍제(弘濟).

[博綜 박종] 널리 다스림.

[博通 박통] 널리 사물에 통(通)함.

[博學 박학] 널리 배움. 학문(學問)이 썩 넓음. 또, 그러한 사람.

[博學廣覽 박학광람] 학문과 견식이 모두 넓음.

[博學宏詞 박학굉사] 학문을 널리 알고 시문(詩文)을 잘함. 또, 그러한 사람을 뽑는 과거(科擧)의 과목(科目).

[博學多聞 박학다문] 학식과 문견이 썩 넓음.

[博弈 박혁] 쌍륙(雙六)과 바둑. 전(轉)하여, 도박(賭博)의 뜻으로 쓰임.

[博奕 박혁] 박혁(博弈).

[博洽 박흡] 널리 알아서 사물(事物)에 막힐 것이 없음.

[博戱 박희] ㉠쌍륙(雙六). ㉡도박(賭博). 내기. 노름.

●褐寬博. 寬博. 廣博. 宏博. 賭博. 溥博. 深博. 淵博. 雜博. 精博. 茶博. 豐博. 該博. 浩博. 鴻博. 洽博.

10
⑫ [博] 博(前條)과 同字

11
⑬ [革] 革(部首〈p.2520〉)의 本字

[兢] 〔긍〕
儿部 十二畫(p.198)을 보라.

卜 (2획) 部
〔점복부〕

0
② [卜] 高 ▅ 복 ㊈屋 博木切 bǔ
入 ▆ 짐 ㊚

筆順 | 卜

字解 ▅ ①점 복 거북의 등딱지를 불에 그슬리어 그 갈라진 금으로 길흉화복을 판단하는 일. 거북점. 전(轉)하여, 널리 길흉화복의 판단. '一占'. '一筮'. '龜爲一, 筮爲筮《禮記》. ②점칠 복 길흉화복을 판단함. '一仕'. '成王使周公一居《史記》. ③점쟁이 복 점치는 것을 업으로 하는 사람. '祝史射御醫一, 及百工《禮記》. ④줄 복 하사함. '君曰一爾《詩經》. ⑤상고할 복 생각함. '僕自一《柳宗元》. ⑥성 복 성(姓)의 하나. ▆《韓》짐바리 짐 마소에 실어 나르는 짐.

字源 甲骨文 ㅏ 金文 ㅏ 篆文 ㅏ 古文 ㅏ 象形. 점을 치기 위하여 소뼈나 거북의 등딱지를 태워서 얻어진 갈라진 금의 모양을 본떠, '점치다'의 뜻을 나타냄.

參考 부수(部首)로서, '점'의 뜻을 포함하는 글자를 이룸.

[卜居 복거] 살 만한 곳을 점침. 살 만한 곳을 가려서 정함. 「받음.

[卜吉 복길] 길일(吉日)을 점침. 좋은 날을 가려

[卜隣 복린] 살 만한 곳을 정하기 위하여 이웃의 선악을 점침. 전(轉)하여, 살기 좋은 곳을 가려 이사함.

[卜仕 복사] ㉠점을 쳐서 벼슬함. ㉡처음으로 벼슬함. 서사(筮仕).

[卜師 복사] 점(占)치는 사람.

[卜相 복상] 복서(卜筮)와 관상(觀相).

[卜商 복상] 춘추 시대(春秋時代)의 위(衞)나라 사람. 자(字)는 자하(子夏). 공자(孔子)의 제자로 문학에 뛰어남.

[卜世 복세] 세대(世代)의 존속(存續) 운수를 점   「침.

[卜術 복술] 점을 치는 술법(術法).

[卜以決疑不疑何卜 복이결의불의하복] 복서(卜筮)의 목적은 의심나는 것을 판단하기 위한 것이므로 의심나는 것이 없으면 점을 칠 필요가 없음.

[卜人 복인] 복사(卜師).

[卜日 복일] 좋은 날을 점쳐서 가림.

[卜者 복자] 복사(卜師).

[卜戰 복전] 전쟁의 길흉(吉凶)을 점침.

[卜占 복점] 점(占).

[卜定 복정] 점쳐서 일의 선악(善惡)을 판단함.

[卜地 복지] 살 곳을 고름.

[卜債 복채] 점을 쳐 준 값으로 주는 돈.

[卜築 복축] 토지를 가려 집을 지음.

[卜馱 복태] 말 등에 실은 짐. 짐바리.

●龜卜. 枚卜. 賣卜. 夢卜. 問卜. 筮卜. 占卜. 推卜.

2
④ [卝] ▅ 〔관〕 艸(丨部 四畫〈p.48〉)과 同字
▆ 〔광〕 鑛(金部 十五畫〈p.2423〉)의 古字

2
④ [卞] ㊋ 변 ㊂霰 皮變切 biàn

筆順 丶 亠 亡 卞

字解 ①법 변 법제(法制). 법칙. '率循大一《書經》. ②조급할 변 성급함. '一急而好潔《左傳》. ③성 변 성(姓)의 하나.

字源 象形. 본디 '弁변'으로 써서 고깔의 모양을 본뜬 것의 약체(略體)인 듯. 파생(派生)하여 '법률'의 뜻을 나타냄. 또 '조급하다'의 뜻도 나타냄.

[卞急 변급] 조급함.

[卞隨 변수] 탕왕(湯王)이 천하를 양여(讓與)하려고 하자 그런 더러운 말을 들었다고 분개하여 주수(椆水)에 몸을 던져 죽은 옛날의 고사(高士).

[卞和 변화] ㉠춘추 시대(春秋時代)의 초(楚)나라 사람. 산중(山中)에서 얻은 명옥(名玉)을 초왕(楚王)에게 바쳤음. ㉡화씨지벽(和氏之璧). 전(轉)하여, 보옥(寶玉)을 이름.

●剛卡. 大卡. 疏卜. 蹻卡.

3 [占] ①─⑦㊀鹽 職廉切 zhān
⑤ 점 ⑧㊁豔 章豔切 zhàn

筆順 丨 卜 卜 占 占

字解 ①점칠 점 복술(卜術)을 행함. '─卜'. '─
術'. '大人─之'《詩經》. ②점 점 복서(卜筮).
'卜筮者尙其一'《易經》. ③볼 점 알려고 자세히
살펴봄. '─稷兆'《荀子》. ④상고할 점 생각함.
'各以其物自─'《史記》. ⑤물을 점 문의함. 일설
(一說)에는, 시험함. '發政─古語'《漢書》. ⑥입
으로부를 점 구수(口授). '口─書吏'《漢書》.
⑦성질 성 (姓)의 하나. ⑧차지할 점 점유함. '─
有'. '─領'. '─小善者率以錄'《韓愈》.

字源 甲骨文 화 篆文 화 會意. 卜+口. '卜복'은 점에 나
타난 모양의 상형. '口구'를 더하
여 '점치다'의 뜻을 나타냄. 점은 거북 등딱지
의 특정한 점 (點)을 새겨서 하므로, 특정한 점
을 차지하다의 뜻도 나타냄.

[占墾 점간] 점유하여 개간(開墾)함.
[占據 점거] 차지하여 자리를 잡음.
[占卦 점괘] 점쳐 나타나는 괘 (卦).
[占得 점득] 점거(占據)하여 얻음.
[占領 점령] ㉠점유(占有). ㉡적(敵)의 토지(土
地)·진영(陣營) 등을 무력(武力)으로 빼앗음.
[占募 점모] 스스로 잘 생각하여 모집(募集)에 응
[占卜 점복] 점. 복서(卜筮). 	[함.
[占書 점서] 점에 관한 책.
[占筮 점서] 점. 복서(卜筮).
[占星術 점성술] 천문(天文)을 보고 점치는 방법.
[占守 점수] 점령(占領)하여 지킴.
[占術 점술] 점을 치는 술법(術法).
[占用 점용] 점유(占有)하여 사용함.
[占有 점유] 차지함. 자기의 소유(所有)로 함.
[占兆 점조] 점쳐 나타난 형상.
[占奪 점탈] 빼앗아 점유함.
[占便 점편] 편리한 방법을 가림.
[占驗 점험] 점의 징험(徵驗). 점의 효험. 점괘
(占卦)의 결과(結果).
[占候 점후] 점을 쳐 알아봄.
●雜占. 工占. 寡占. 官占. 口占. 龜占. 獨占.
冒占. 卜占. 私占. 先占. 星占. 易占. 隱占.
兆占. 繇占. 天占. 侵占. 包占.

3 [卟] 계 ㊀齊 古奚切 jī
⑤ ㊁齊 康禮切
字解 ①점칠 계 길흉(吉凶)을 물어 점침. '─,
問卜也'《廣韻》. ②생각할 계 '─, 一曰, 考也'
《集韻》.
字源 會意. 口+卜.

3 [処] 〔처〕
⑤ 處(虍部 五畫〈p.1996〉)의 簡體字

3 [卡] ■ 잡 ㊇合 從納切 qiǎ
⑤ ㊁ 가 㕱 kǎ
字解 ■ 지킬 잡, 관문 잡 수비함. 교통의 요충
지에 베풀어 경비하던 곳. ■(現)음역자(音譯
字)가 ㉠'一片'은 카드. card의 음역. ㉡'一車'
는 트럭. car의 음역. ㉢'一路里'는 칼로리.

calorie의 음역.
字意 會意. 上+下. 사람이 오르내리는 교통의
요처에 베푼 관문(關門)의 뜻을 나타냄.

[歹] 〔알〕
部首(p.1146)를 보라.

[卢] 〔알〕
歹部(p.1146)를 보라.

5 [卣] 유 ㊀尤 以周切 yǒu
⑦ ㊁有 與久切
字解 술통 유 술, 주로 울창주(鬱鬯酒)를 담는
그릇. 큰 것을 '彝', 중간 것을 '一', 작은 것을
'罍'라 함. '秬鬯一─'《詩經》.
字源 金文 ⑥ 象形. 술통을 옆에서 본 모양을 본떠,
'술통'의 뜻을 나타냄.

5 [卤] ■ 西(部首〈p.2082〉)의 籀文
⑦ ■ 鹵(部首〈p.2686〉)·滷(水部 十一
畫〈p.1280〉)의 簡體字

6 [卦] 人名 괘 ㊀卦 古賣切 guà
⑧ 괘
字解 괘 괘, 점괘 괘 복희씨(伏羲氏)가 만들었
다고 하는 일종의 글자. 한 괘에 각각 삼효(三
爻)를 음양(陰陽)으로 나누어서 팔괘(八卦)가
되게 하고, 팔괘가 거듭하여 육십사괘(六十四
卦)가 됨. 이것으로 천지간(天地間)의 변화를
나타내며, 길흉화복을 판단하는 주역(周易)의
골자(骨子)가 되는 것임. 또, 이것으로 점쳐 나
타나는 64종의 괘. '─辭'. '四象生八─'《易
經》. '周易, 其經─皆八, 其別皆六十四'《周禮》.
字源 篆文 卦 形聲. 卜+圭[음]. '卜복'은 '점'의
뜻. '圭규'는 '系계'와 통하여, '걸다,
연결하다'의 뜻. 점칠 때 나타나는 갖가지 연결,
'점괘'의 뜻을 나타냄.

[卦辭 괘사] 괘 (卦)의 점사(占辭).
[卦象 괘상] 괘의 길흉(吉凶)의 상(象).
[卦筮 괘서] 점. 복서(卜筮).
[卦兆 괘조] 점치어 나타난 형상.
[卦爻 괘효] 역괘(易卦)를 이루는 여섯 개의 획.
●吉卦. 內卦. 上卦. 筮卦. 著卦. 神卦. 陽卦.
外卦. 六十四卦. 陰卦. 兆卦. 尊卦. 鷺卦. 八
卦. 下卦.

6 [䃜] 〔려〕
⑧ 麗(鹿部 八畫〈p.2691〉)의 古字

[卓] 〔탁〕
十部 六畫(p.307)을 보라.

[卧] 〔와〕
臣部 二畫(p.1871)을 보라.

7 [卤] ■ 조 ㊀簫 徒聊切 tiáo
⑨ ■ 유 ㊁尤 以周切 yǒu
字解 ■ 늘어질 조 열매가 주렁주렁 달린 모양.
'─, 艸木實垂──然'《說文》. ■ 술통 유 卣(卜
部 五畫〈p.312〉)의 古字.
字源 象形. 접시 위에 놓인 술 그릇으로서의 호리
병의 모양을 본뜸.

8
⑩ [尳] 〔극〕
克(儿部 五畫〈p.195〉)의 古字

9
⑪ [尶] 〔人名〕 ━ 离(内部 七畫〈p.1607〉)과 同字 ■ 契(大部 六畫〈p.506〉)의 同字
[筆順] 一 丁 占 古 卤 卤 卤 尶

[鹵] 〔로〕
部首(p.2686)를 보라.

卩 (㔾) (2획) 部
[병부절부]

0
② [卩] 절 〔入〕屑 子結切 jié
[筆順] 丁 卩

[字解] 병부 절 節(竹部 九畫)의 古字.
[字源] 甲骨文은 사람이 무릎을 꿇은 모양을 본떠, '무릎 관절'의 뜻을 나타냄. '節절'의 원자(原字). 두 다리의 관절이 서로 마주 보듯이, 꼭 들어맞는 표, 부절(符節)의 뜻으로 쓰임.
[參考] 부수(部首)로서, 무릎을 꿇는 일에 관계되는 문자나 신표(信標)의 뜻을 포함하는 문자를 이룸. 글자의 아랫부분, 발이 될 때에는 '㔾'이 됨.

0
② [㔾] 卩 (前條)와 同字

1
③ [卪] 절 〔入〕屑 子結切 jié
[字解] 병부 절 卩 (前前條)과 同字. '一, 瑞信也' 《說文》.
[字源] 象形. 사람이 무릎을 꿇은 모양을 본뜸.

2
④ [卬] 앙 ①-③㊤陽 五剛切 áng ④㊤養 魚兩切 yǎng
[字解] ①나 앙 자기. '一須我友'《詩經》. ②오를 앙 昂(日部 四畫)과 同字. '萬物一貴'《漢書》. ③성 앙 성(姓)의 하나. ④우러러볼 앙 仰(人部 四畫)과 同字. '上正—則下可用也'《荀子》.
[字源] 會意. 匕+卩. '匕비'는 서 있는 사람. '卩절'은 무릎 꿇은 사람의 상형. 무릎을 꿇고, 서 있는 사람을 우러러보다의 뜻을 나타냄. 평성(平聲)은 '吾오'와 통하여 '나'의 뜻도 나타냄.

[卬貴 앙귀] 물가(物價)가 오름.
[卬卬 앙앙] 임금의 덕(德)이 아래에 미치는 모양. 또, 위엄(威嚴)이 많은 모양.
●低卬. 瞻卬.

2
④ [卲] ━ 제 ㊤薺 子禮切 qīng ■ 경 ㊥庚 丘京切 ■ 묘 ㊤巧 莫飽切

━ 조처할 제 일을 적절하게 꾸려서 처리함. '一, 事之制也'《說文》. ■ 벼슬 경 卿(卩部 十畫〈p.318〉)의 本字. ■ 넷째지지 묘 卯(次次條)의 俗字.
[字源] 會意. 卩 + 卪

2
④ [卲] 선 ㊤霰 士戀切 zhuàn
[字解] 갖출 선 병부·신표가 갖춰진 모양. '一, 具也'《廣韻》.
[字源] 會意. 㔾(卩) + 㔾(卩)

3
⑤ [卯] 〔中人〕 묘 ㊤巧 莫飽切 mǎo
[筆順] 一 𠃌 𠃌 卯 卯

[字解] ①넷째지지 묘 십이지(十二支) 중의 넷째. 방위는 동쪽, 시간으로는 오전 6시, 띠로는 토끼, 달로는 음력 2월. '未如—後酒, 神速功力倍'《白居易》. ②성 묘 성(姓)의 하나.
[字源] 象形. 같은 꼴의 것을 좌우 상칭(相稱)으로 놓고, 같은 값의 물건과 교역(交易)하다의 뜻을 나타냄. '貿무'의 원자(原字). 假借하여 십이지의 넷째로 쓰임. 일설에는 좌우로 열린 문(門)의 상형으로, 만물이 겨울의 문에서 튀어나오는 음력 2월의 뜻을 나타낸다고 함.

[卯君 묘군] 묘(卯)의 해에 난 사람.
[卯金刀 묘금도] '劉' 자의 석자(析字). 한성(漢姓)인 유(劉)의 은어로 씀. 약하여 묘금(卯金)이라고도 함.
[卯飯 묘반] 조반(朝飯).
[卯方 묘방] 이십사방위(二十四方位)의 하나. 동쪽.
[卯睡 묘수] 새벽잠. 신면(晨眠).
[卯時 묘시] 오전(午前) 5시부터 7시까지의 사이.
[卯飮 묘음] 묘주(卯酒)를 마심. 해장술을 마심.
[卯正 묘정] 오전 6시.
[卯酒 묘주] 묘시, 곧 아침 6시경에 마시는 술. 곧, 해장술.
[卯畜 묘축] '토끼'의 딴 이름.
●剛卯. 木卯. 犯卯. 子卯. 破卯.

3
⑤ [卭] 〔공〕 邛(邑部 三畫〈p.2329〉)의 訛字

3
⑤ [卮] 치 ㊤支 章移切 zhī
[字解] ①잔치 술잔. 술을 담는 둥근 그릇. '奉玉一爲太上皇壽《漢書》. ②잇꽃 연지(臙脂)의 원료가 되는 풀. 잇꽃. 홍람(紅藍). '巴蜀地饒一薑'《史記》.
[字源] 會意. 尸+卩. '치'는 사람의 상형. '卩절'은 사람이 마실 때 절도를 지켜야 할 그릇, 술잔의 뜻. 또 '卩'은 손잡이를 나타내며, 손잡이가 있는 술잔이라고도 함. 일설에는 '卩'은 사람이 무릎을 꿇은 모양, '尸'는 선 사람. 서로 주고받는 '술잔'의 뜻을 나타낸다고 함.

[卮①]

[卮言 치언] 잔에서 술이 쏟아지듯이 유창하게 나오는 임기응변(臨機應變)의 말. 일설(一說)에는, 지리멸렬(支離滅裂)하여 앞뒤가 맞지 않는 말. 횡설수설(橫說豎說).
[卮酒 치주] 잔에 따른 술. 배주(杯酒).
●漏卮. 玉卮. 瓦卮. 瑤卮. 侑卮. 操卮. 酒卮.

4/6 [印] 中人 인 ㊤震 於刃切 yìn

筆順 ´ ㇒ ㇏ 乍 乍 印 印

字解 ①인 인 도장. '佩六國相一'《史記》. ②찍을 인 ㊀인장을 찍음. '以墨印一之'《舊唐書》. ㊁서적을 간행함. '一板一刷'《夢溪筆談》. ③찍힐 인, 묻을 인 자취가 남음. '一象', '口脂在手, 偶一于花上'《靑瑣高議》. ④《佛敎》인상(印相) 인 손가락을 여러 가지로 끼워 맞추어 여러 형상을 만들어 법덕(法德)의 표지로 하는 것. '結一而造'《佛祖統紀》. ⑤성 인 성(姓)의 하나.
字源 甲骨文 金文 篆文 會意. 爪+卩. '爪조'는 아래를 향한 손의 상형. '卩절'은 '節절'의 생략형으로 '표'의 뜻. 손으로 표를 하는 모양에서 '표'의 뜻을 나타냄.

[印可 인가] '인가(認可)'와 같음.
[印刻 인각] 나무나 그 밖의 물건에 글자나 물형(物形)을 새김.
[印鑑 인감] 관청에 대조용(對照用)으로 제출한 실용(實用)하는 도장의 인영(印影). 도장의 진위(眞僞)를 감정하기 위하여 씀.
[印檢 인검] 도장을 찍고 봉(封)함. 또, 그 봉한 데.
[印契 인계] 《佛敎》인주(印呪).
[印顆 인과] 인영(印影).
[印泥 인니] ㊀中國에서 옛날에 진흙으로 만들어 쓴 인주(印朱). ㊁인주.
[印文 인문] 인발. 인영(印影).
[印譜 인보] 여러 가지 인영(印影)을 모아 실은 책.
[印本 인본] 인쇄(印刷)한 책.
[印封 인봉] ㊀공무(公務)가 끝난 뒤에 관인(官印)을 봉하여 둠. ㊁방간(防奸)하기 위하여 물건을 봉한 곳에 인장(印章)을 찍음.
[印相 인상] 《佛敎》두 손의 손가락을 여러 가지로 끼워 맞춰서 여러 형상을 만들어 불(佛)·보살(菩薩)의 내증(內證)의 덕(德)의 표지(標識)로 하는 것.
[印象 인상] ㊀《佛敎》물건의 표면에 찍힌 형상. [印相]
㊁자극을 받아 감각을 일으켜 마음에 새겨지는 작용.
[印璽 인새] 인(印). 도장(圖章).
[印書 인서] 인쇄한 책.
[印稅 인세] 서적(書籍)의 발행자가 저작자(著作者)에게 보수로 주는 돈.
[印刷 인쇄] 글이나 그림 등을 박아 냄.
[印綬 인수] 인(印)과 인끈. 벼슬아치로 임명되어 임금으로부터 받는 표장(標章).
[印信 인신] ㊀증거. 증인(證印). ㊁인. 인장(印章).

[印影 인영] 찍어 놓은 도장의 형적(形迹). 인발.
[印肉 인육] 인주(印朱).
[印章 인장] ㊀도장. ㊁인영(印影).
[印材 인재] 도장을 만드는 재료. 나무·수정·뿔·금속 등이 있음.
[印朱 인주] 도장에 묻히어 찍는 주홍(朱紅)빛이 나는 물건.
[印呪 인주] 《佛敎》진언종(眞言宗)에서 손에 인상(印相)을 맺고 다라니(陀羅尼)를 외는 일.
[印池 인지] 인주합(印朱盒).
[印紙 인지] ㊀인장(印章)을 찍은 종이. ㊁세금 또는 수수료를 내는 증거로 서류(書類)·장부(帳簿) 등에 붙이는, 정부(政府)에서 발행하는 증표(證票).
[印板 인판] 서적을 인쇄하는 판(版). 판목(版木).
[印行 인행] 출판물을 발행함. 간행함.
[印形 인형] 인영(印影).
●刻印. 改印. 檢印. 契印. 公印. 官印. 極印. 金印. 烙印. 捺印. 銅印. 拇印. 法印. 封印. 寺印. 私印. 社印. 相印. 石印. 消印. 燒印. 信印. 實印. 心印. 押印. 影印. 玉印. 僞印. 銀印. 認印. 調印. 證印. 職印. 佩印.

4/6 [危] 中人 위 ㊤支 魚爲切 wēi

筆順 ´ ㇒ ㇏ 乍 乍 危 危

字解 ①위태할 위 ㊀위험함. '一徑', '高而不一'《孝經》. ㊁보전하기 어려움. 거의 망하게 됨. '一急存亡之秋'《戰國策》. ㊂거의 죽게 됨. 병이 위중함. '一篤', '命其子, 捨一㥍之母'《隋書》. ㊃바르지 아니함. 믿기 어려움. '眞傾一之士哉'《史記》. ②위태롭게할 위 전항의 타동사. '博辯廣大, 一其身'《史記》. ③위구할 위 두려워함. 의구(疑懼)함. 불안해 함. '一怖', '日以相一'《呂氏春秋》. ④높을 위 '一空', '去其一冠'《莊子》. ⑤바를 위 곧음. '一然處其所'《莊子》. ⑥바르게할 위 곧게 함. 일설(一說)에는, 고상하게 함. 또, 일설에는 엄격히 함. '邦有道, 一言一行'《論語》. ⑦마룻대 위 옥동(屋棟). '中屋履一'《禮記》. ⑧별이름 위 이십팔수(二十八宿)의 하나. 북방에 있음. '玄武之宿, 虛一之星'《左傳註》. ⑨거의 위 거반. '東平王勇, 曰, 我一得之'《漢》. ⑩성 위 성(姓)의 하나.
字源 甲骨文 篆文 形聲. 夂+厄[음]. '厄와'는 '무릎을 꿇다'의 뜻. '夂'도 사람이 무릎을 꿇은 모양. 불안정하게 무릎을 꿇는 모양에서, '위태하다'의 뜻을 나타냄.

[危閣 위각] 위루(危樓).
[危徑 위경] 위태(危殆)로운 좁은 길.
[危境 위경] 위태한 경지.
[危計 위계] 위험한 계획.
[危苦 위고] 위태로워 고생함.
[危空 위공] 높은 공중(空中).
[危懼 위구] 위구(危懼).
[危懼 위구] 두려워함. 대단히 불안해 함.
[危局 위국] 위태로운 시국(時局).
[危窘 위군] 위고(危苦).
[危急 위급] 위태하고 급함. 위태로운 재난(災難)이 가까이 닥침.
[危急存亡之秋 위급존망지추] 나라의 존망(存亡)이 달려 있는 가장 중요한 때. 존속하느냐 망하

느냐 하는 대단히 위태로운 때.
[危機 위기] 위급한 기회(機會). 위험(危險)한 때.
[危機一髮 위기일발] 조금이라도 잘못하면 위급한 순간(瞬間). 극히 위급한 경우(境遇).
[危難 위난] 위급한 재난(災難).
[危溺 위닉] 대단히 고생함.
[危道 위도] ㉠위험(危險)한 길. ㉡위험한 방법.
[危篤 위독] 병세(病勢)가 매우 중함.
[危亂 위란] 나라가 위태(危殆)하고 어지러움.
[危欄 위란] 높은 난간.
[危路 위로] 위험한 길. 위도(危道).
[危樓 위루] 높은 다락집. 높은 누각(樓閣). 고루(高樓). 위각(危閣).
[危懍 위름] 대단히 두려워함.
[危亡 위망] 형세가 위급하여 거의 망하게 됨.
[危迫 위박] 위험이 눈앞에 닥침.
[危拔 위발] 형세가 위급하여 거의 함락하게 됨.
[危邦 위방] 위태한 나라. 망하려고 하는 나라.
[危邦不入 위방불입] 위험한 곳에 가지 아니함.
[危峯 위봉] 높은 산봉우리.
[危榭 위사] 높은 정자.
[危削 위삭] 위약(危弱).
[危星 위성] 이십팔수(二十八宿)의 하나. 북방에 있음.
[危悚 위송] 위구(危懼).
[危術 위술] 위험한 방법.
[危身 위신] 몸을 위험한 곳에 두어 위태롭게 함.
[危心 위심] 위태로워 두려워하는 마음.
[危安 위안] 위험함과 편안함.
[危弱 위약] 위태롭고 약함.
[危若朝露 위약조로] 아침 이슬이 해가 뜨면 바로 마르듯이 극히 위급함. 인생(人生)의 무상(無常)함의 비유.
[危言 위언] 말을 고상(高尙)히 하여 시속(時俗)에 좇지 아니함. 자해(字解)❻을 보라.
[危如累卵 위여누란] 달걀을 달걀 위에 쌓아올린 것처럼 위태위태함.
[危然 위연] 홀로 올바른 모양.
[危慄 위율] 위구(危懼).
[危疑 위의] 의심(疑心)이 나서 마음이 불안함. 의구(疑懼)함.
[危檣 위장] 높은 돛대.
[危坐 위좌] 똑바로 앉음. 단정히 앉음. 궤좌(跪坐). 정좌(正坐).
[危重 위중] 병세(病勢)가 대단함.
[危症 위증] 위험한 병세.
[危地 위지] 위험한 땅. 또, 위태로운 경지.
[危惙 위철] ㉠위독(危篤). ㉡위구(危懼).
[危堞 위첩] 높은 성가퀴.
[危墜 위추] ㉠거의 떨어지게 되어 위태로움. ㉡쇠(衰)하여 위태롭게 됨.
[危惴 위췌] 위구(危懼).
[危脆 위취] 위태하고 혜식하는 모양.
[危殆 위태] 위험함. 또, 형세가 매우 어려움.
[危怖 위포] 위구(危懼).
[危害 위해] 위험한 재난(災難). 몸에 상해(傷害)를 입을 만한 큰 액(厄).
[危駭 위해] 위험한 생각이 나서 놀람.
[危害物 위해물] 위험스러운 물건.
[危行 위행] 행동을 고상(高尙)히 하여 시고(時俗)에 좇지 아니함. 자해(字解)❻을 보라.
[危險 위험] ㉠위태하고 험함. ㉡안전하지 못함. ㉢요해처(要害處).

[危慌 위황] 위험하고 황망(慌忙)함.
●居安思危. 傾危. 累卵之危. 安危. 澆危. 欹危. 殆危. 險危. 懷危.

4 ⑥ [卬] 〔선〕
卬(卩部 二畫〈p.313〉)과 同字

5 ⑦ [卲] 〔인〕소 ㉿嘯 寔照切 shào 卲

字解 높을 소, 뛰어날 소 '年高德─'《說文》.
字源 金文 孖 篆文 卲 形聲. 卩(卪)＋召〔音〕. '召소節'은 '분명하다'의 뜻. 부절(符節)이 높이 나타나다의 뜻을 나타냄.
参考 邵(邑部 五畫)·劭(力部 五畫)는 본디 別字나 혼동하여 쓰이는 일이 적지 않음.

5 ⑦ [却] 〔高人〕각 ㉿藥 去約切 què 却

筆順 一 十 土 去 去 去] 却

字解 ①물러날 각 ㉠뒤로 물러남. '退─'. '戰慄而─'《戰國策》. ㉡감. 멀어짐. '似秋隆暑斯─'《梁昭明太子》. ㉢쉼. '今吾心正一矣'《莊子》. ②물리칠 각 ㉠받지 아니함. 퇴함. 되돌려 보냄. '棄─'. '一之爲不恭'《孟子》. ㉡오지 못하게 함. 막음. '一諫者'《說苑》. ㉢좇아 버림. '─退'. '一走馬以糞'《老子》. ③뒤집을 각 안과 겉을 뒤바꿈. '一手'. ④어조사 각 조사(助詞)로서 딴 동사 밑에 첨가하여 씀. 了(亅部 一畫)와 뜻이 같음. '忘─'. '一片花飛減一春'《杜甫》. ⑤도리어 각 반대로. '窮鼠─齧猫'. '若離了事物爲學, 一是著空'《傳習錄》. ⑥틈 각 틈새. 간극(間隙). '其神無一'《列子》.
字源 篆文 卻 形聲. 卩(卪)＋去〔音〕. '去거·각'은 '떠나가다'의 뜻. 무릎걸음으로 뒤로 물러나다의 뜻을 나타냄. 설문(說文)에서는 '卻각'을 정자(正字)로 보고 谷聲이라고 설명하나, 옛적에는 '去'와 '谷곡'의 자체가 비슷했기 때문으로 생각됨.

[却棄 각기] 물리쳐 버림.
[却流 각류] 거슬러 흐름.
[却立 각립] 뒤로 물러나서 섬.
[却粒湌霞 각립찬하] 낟알을 먹지 아니하고 노을을 마심. 곧, 신선(神仙)이 됨을 이름.
[却步 각보] 뒤로 물러나 감. 퇴각함.
[却說 각설] 화제(話題)를 돌리어 딴 말을 꺼낼 때에 쓰는 말.
[却掃 각소] 내객(來客)을 거절함.
[却是 각시] 도리어. 실은.
[却月 각월] ㉠초승달. 허리에 찬 활[弓]의 모양의 비유로 쓰임. ㉡반달 같은 눈썹.
[却坐 각좌] 뒤로 물러나서 앉음.
[却走 각주] 뒤로 물러나 달아남. 후퇴하여 달아남.
[却縮 각축] 물러나 위축함.
[却退 각퇴] 물러남. 또, 물리침.
[却下 각하] 소송(訴訟)·원서(願書) 등을 받지 아니하고 مل理됨.
[却合 각합] 위를 향하게 하여 포갬.
[却行 각행] 뒤로 물러남. 후퇴함.
●減却. 擊却. 困却. 棄却. 冷却. 忘却. 賣却. 滅却. 沒却. 反却. 返却. 排却. 擱却. 償却. 消却. 燒却. 攘却. 遺却. 前却. 阻却. 脫却.

退却. 破却. 敗却. 閑却.

5 [即] 〔즉〕
⑦ 卽(卩部 七畫〈p.317〉)의 俗字

5 [卵] 中人 란 ㊤旱 盧管切 luǎn
⑦

筆順

字解 알 란 ㉠새의 알. '去累—之, 就永安之計'《司馬相如》. ㉡물고기의 알. '濡魚—醬實蓼'《禮記》.

字源 篆文 象形. 알의 상형. 음(陰)과 양(陽), 난자와 정자가 만나서 생기는 '알'의 뜻을 나타냄.

[卵殼 난각] 알의 껍데기.
[卵白 난백] 달걀의 흰자위.
[卵色 난색] 난각(卵殼)의 빛깔.
[卵生 난생] 수정(受精)한 알이 모체(母體)를 떠나 부화(孵化)되어 새끼가 나옴.
[卵巢 난소] 난자(卵子)를 만들어 내는 타원형의 여자의 생식 기관.
[卵圓形 난원형] 달걀처럼 한쪽이 갸름하고 둥근 형상.
[卵育 난육] 양육(養育)함. 난익(卵翼).
[卵翼 난익] 새가 알을 품듯이 품에 안아 기름. 난육(卵育).
[卵子 난자] 난소(卵巢) 안에서 정자(精子)와 합하여 생식 작용(生殖作用)을 하는 개체(個體).
[卵塔 난탑] 난형(卵形)을 이룬 탑. 난탑(蘭塔).
[卵形 난형] 달걀의 형상. 난원형(卵圓形).
[卵黃 난황] 노른자위.
◉鷄卵. 累卵. 排山壓卵. 蜂房不容鵠卵. 孵卵. 產卵. 翼卵. 重卵.

6 [卸] 사 (去)禡 司夜切 xiè
⑧

字解 ①풀 사 ㉠옷 같은 것을 벗음. '塵冠聊以—'《陸龜蒙》. ㉡배에서 짐을 부림. ㉢수레에 맨 말을 풂. 말의 안장을 벗김. ㉣해직(解職)함. '—任'. ②떨어질 사 낙하함. '俟花凋—'《復齋漫錄》.

字源 篆文 形聲. 卩(㔾)+止+午〔音〕. '午오'는 두 사람이 마주 보고 번갈아 내리찧는 방앗공이의 상형. '卩절'은 무릎 꿇은 사람의 상형. '止지'는 발을 본뜬 것으로, '가다'의 뜻. 무릎 꿇은 두 사람이 하나의 방앗공이를 번갈아 내리찧듯이, 옛날에 짐을 역참(驛站)에서 내려서 딴 말에 옮겨 싣는 데서, '풀어 내리다'의 뜻을 나타냄.

[卸任 사임] 해임(解任)함.
◉文字脫卸. 凋卸.

6 [卹] 一 휼 (入)質 辛率切 xù
⑧ 二 솔 (入)月 蘇骨切 sū

字解 一 진휼할 휼 恤(心部 六畫)과 同字. '以—凶荒'《周禮》. 二 먼지떨 솔 먼지를 떪. 일설(一說)에는, 긁음. 문지름. '國中以策彗—勿, 驅'《周禮》.

字源 金文 篆文 形聲. 卩(㔾)+血〔音〕. '血혈'은 '피'의 뜻. '卩절'은 '무릎 꿇다'의 뜻. 희생물을 바치고 무릎을 꿇어 '삼가고 걱정하다'의 뜻을 나타냄.

[卹金 휼금] 전사한 군인의 유족(遺族), 또는 부상한 군인에게 지급하는 돈.
[卹削 휼삭] 의복의 정제(整齊)되어 있는 모양. 술삭(戌削).
[卹賞 휼상] 벼슬아치가 죽었을 때 위에서 그 장제(葬祭)의 비용을 내림.
[卹養 휼양] 동정하여 먹여 살림.
[卹典 휼전] 위에서 내린 부의(賻儀).
◉矜卹. 勞卹. 撫卹. 賦卹. 賜卹. 贍卹. 慰卹. 恩卹. 存卹. 賙卹. 振卹. 賑卹.

6 [㕁] 〔각〕
⑧ 卻(卩部 七畫〈p.318〉)의 俗字

6 [卷] 中人 권 ①-③(去)霰 居倦切 juàn
⑧ ④-⑦㊤銑 居轉切 juǎn
⑧-⑪(平)先 巨員切 quán

筆順

字解 ①두루마리 권 주지(周紙). '獻近所爲復志賦已下十首爲一卷, —有標軸'《韓愈》. ②책 권 고대에는 책을 매지 않고 두루마리로 하였으므로, 전(轉)하여 책의 뜻으로 쓰임. '書—'. '手不輟—'《晉書》. ③권 권 ㉠책을 세는 수사(數詞). '擁書萬—'. '不讀五千—書者, 不得入此室'《北史》. ㉡도서의 편차(編次)의 구별. '鐙下南華—'《賈島》. ④말 권 돌돌 맒. '席—'. '邦無道, 則可—而懷之'《論語》. ⑤말릴 권 전항의 피동사. '早荷向心—'《唐太宗》. ⑥두를 권 ㉠싸서 가림. 포위함. '自雲四—天無河'《韓愈》. ㉡돌림. 감음. '薜蘿可—'《江淹》. ⑦성 권 성(姓)의 하나. ⑧굽을 권 굴곡함. '—髮'. '—曲而不中規矩'《莊子》. ⑨작을 권 조그마함. '——石之多'《中庸》. ⑩아름다울 권 婘(女部 八畫)과 同字. '有美一人, 碩大且—'《詩經》. ⑪정성 권 惓(心部 八畫)과 同字. '敢昧死竭——'《漢書》.

字源 篆文 形聲. 卩(㔾)+𢍏〔音〕. '𢍏권'은 '말다'의 뜻. '卩절'은 무릎을 구부리고 있는 모양을 본뜸. '말다'의 뜻을 나타냄.

[卷甲 권갑] 갑옷을 말아 둠. 무장을 풀고 전쟁을 그만둠.
[卷甲韜旗 권갑도기] 갑옷을 말아 두고 군기(軍旗)를 치운다는 뜻으로, 전쟁을 그만둠. 언갑(偃甲).
[卷經 권경] 경서(經書)를 두루마리로 표장(表裝)하여 간수함.
[卷曲 권곡] 굽음.
[卷卷 권권] 충근(忠勤)한 모양. 정성스러운 모양. 권권(惓惓).
[卷丹 권단] 백합과(科)에 속하는 다년초. 당개나리.
[卷頭 권두] 책 또는 두루마리 같은 것의 첫머리. 권수(卷首).
[卷婁 권루] 과로(過勞)하여 고달픔.
[卷尾 권미] 책 또는 두루마리 같은 것의 제일 뒤.
[卷髮 권발] 고수머리.
[卷柏 권백] 다년생 상록 양치식물(羊齒植物)의 하나. 부처손.
[卷舒 권서] ㉠맒과 폄. ㉡나아감과 물러감. 재덕(才德)을 숨김과 나타냄.

[卷石 권석] 작은 돌. 조약돌.
[卷舌 권설] ㉠혀를 맒. 놀라거나 하도 어이가 없어서 말이 나오지 아니함을 이름. ㉡별의 이름.
[卷首 권수] ㉠책의 첫째 권. ㉡권두(卷頭).
[卷數 권수] 책의 수효.
[卷鬚 권수] 잎이 변하여 덩굴같이 되어 다른 물건에 감겨 줄기를 고정시키는 수염 같은 것. 덩굴손.
[卷然 권연] 미인(美人)의 예쁜 모양. 고운 모양.
[卷煙 권연] 만 담배. 궐련.
[卷耳 권이] 국화과(科)에 속하는 일년초. 열매에 갈고리가 있어 사람 옷에 잘 붙음. 도꼬마리.
[卷子本 권자본] 두루마리로 된 책.
[卷帙 권질] 책의 권수와 부수. 또, 책.
[卷軸 권축] 표장(表裝)하여 말아 놓은 서화(書畫). 또, 그 축(軸).
[卷置 권치] 말아서 둠.
[卷土重來 권토중래] 땅을 말아 일으킬 것 같은 기세로 다시 온다는 뜻으로, 한 번 패전한 자가 세력을 복구하여 다시 쳐들어오거나, 한 번 실패한 자가 다시 전력을 들여 진출함을 이름.
[卷懷 권회] 말아서 주머니에 집어넣음. 곧, 재덕(才德)을 감추고 나타내지 아니함. 도회(韜晦).
●開卷. 經卷. 大卷. 圖卷. 萬卷. 別卷. 符卷. 書卷. 舒卷. 席卷. 首卷. 詩卷. 壓卷. 全卷. 合卷. 黃卷.

6
⑧ [卺] 근 ㉠吻 居隱切 jǐn

字解 합환주잔 근 혼례 때 신랑·신부가 서로 바꾸어 마시는 술잔. '四爵合一'《儀禮》.

字源 會意. 丞+卪. 무릎을 굽혀[卪] 양손을 올려 받들어 받는다[丞]에서, '삼가 받다'의 뜻을 나타냄. [卺]

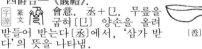

●合卺.

7
⑨ [卽] 中人 즉 ㉠職 子力切 jí

筆順 ′ ㇏ ㇏ 白 白 皀 皀 卽 卽

字解 ①곧 즉 ㉠즉시. 바로. '一今'. '一決'. '盜發一得'《宋史》. ㉡다름이 아니라. '色一是空, 空一是色'《般若心經》. ②가까이할 즉 '子不我一'《詩經》. ③나아갈 즉 자리에 나아감. '一位'. '漢王一皇帝位'《十八史略》. ④만약 즉 만일. '吾一沒, 若必師之'《史記》. ⑤불똥 즉 촛불의 탄 나머지. '左手執燭, 右手執一'《管子》. ⑥성 즉 성(姓)의 하나.

字源 會意. 皀+卪(卩). '皀'는 먹을 것의 상형. '卪절'은 무릎 꿇은 사람의 상형. 사람이 밥 먹는 자리에 나아가다의 뜻에서, 일반적으로 '나아가다'의 뜻을 나타냄.

參考 即(卩部 五畫)·卽(次條)은 俗字.

[卽刻 즉각] 곧 그 시각(時刻). 즉시.
[卽決 즉결] 즉시(卽時) 처결함.
[卽景 즉경] 눈앞에 보이는 경치.
[卽今 즉금] 곧 이제. 지금 당장.
[卽諾 즉낙] 그 자리에서 승낙함.

[卽納 즉납] 그 자리에서 곧 바침.
[卽旦 즉단] 날이 샐 무렵.
[卽斷 즉단] 그 자리에서 곧 단정함.
[卽答 즉답] 그 자리에서 곧 대답함.
[卽得往生 즉득왕생]《佛敎》아미타불의 명호를 부르며 왕생하기를 바라던 사람이 죽은 뒤 곧 극락에 가게 되는 것.
[卽賣 즉매] 상품이 놓인 그 자리에서 곧 팖.
[卽墨 즉묵] 춘추 시대(春秋時代)의 제(齊)나라의 읍명(邑名). 한대(漢代)에는 현(縣)을 두었음. 지금의 산둥 성(山東省) 평도현(平度縣)의 동남(東南).
[卽墨侯 즉묵후] '벼루'의 별칭.
[卽死 즉사] 그 자리에서 곧 죽음.
[卽事 즉사] ㉠그 자리에서 듣고 본, 또는 가슴에 떠오른 일. 또, 그 일을 제목으로 하여 당장에 시가(詩歌)를 지음. 또, 그 시가. ㉡가서 그 일에 관계함.
[卽殺 즉살] 그 자리에서 곧 죽임.
[卽席 즉석] ㉠자리에 앉음. ㉡그 자리. 곧, 그때.
[卽成 즉성] 그 자리에서 이루어짐, 또는 이룸.
[卽世 즉세] 죽어 세상을 떠남. 죽음.
[卽速 즉속] 즉시로. 빨리.
[卽時 즉시] ㉠곧, 그때. ㉡지금. 현재(現在).
[卽時一杯酒 즉시일배주] 지금 당장 눈앞에 있는 한 잔의 술이라는 뜻으로, 나중의 큰 이익보다 현재의 조그마한 이익이 더 좋다는 말.
[卽身成佛 즉신성불]《佛敎》도(道)를 깨달으면 육체(肉體)로 있는 채로 곧 부처가 됨.
[卽心是佛 즉심시불]《佛敎》도(道)를 깨달으면 내 마음이 곧 부처이고, 그 밖에는 부처가 없다는 말.
[卽夜 즉야] 그 밤에 곧. 곧, 그 밤에.
[卽位 즉위] ㉠제왕(帝王)의 자리에 나아감. 제왕이 됨. ㉡자리에 앉음.
[卽應 즉응] 기회(機會)를 따라 곧 응(應)함.
[卽日 즉일] 곧 그날. 당일(當日).
[卽且 즉저] '지네'의 별칭(別稱). 즉저(蝍蛆).
[卽傳 즉전] 곧 전(傳)하여 줌.
[卽錢 즉전] 맞돈.
[卽祚 즉조] 즉위(卽位).
[卽座 즉좌] 즉석(卽席).
[卽卽 즉즉] ㉠충실(充實)한 모양. ㉡봉(鳳)새의 울음소리.
[卽智 즉지] 그 자리에서 바로 나오는 슬기. 기지(機智).
[卽瘥 즉차] 병(病)이 곧 나음.
[卽行 즉행] ㉠곧 감. ㉡일을 곧 치름.
[卽效 즉효] 약(藥) 같은 것이 당장에 효력(效力)이 나타남.
[卽興 즉흥] ㉠즉석에서 일어나는 흥치. ㉡즉석에서 하는 음영(吟詠).
●延卽. 往卽. 六卽. 移卽. 燭卽.

7
⑨ [即] 卽(前條)의 俗字

7
⑨ [硊] 올 ㉠月 五忽切 wù

字解 위태할 올 위태한 모양. '上九, 困于葛藟, 于臲硊一'.

●臲硊.

7 ⑨ [郤] 〔각〕 却(卩部 五畫〈p.315〉)의 本字
[參考] 郤(邑部 七畫)은 別字.

7 ⑨ [卿] 〔경〕 卿(卩部 十畫〈p.318〉)과 同字

9 ⑪ [卿] 卿(次次條)의 俗字

9 ⑪ [卿] 卿(次條)의 俗字

10 ⑫ [卿] [高人] 경 [平]庚 去京切 qīng 

[筆順] 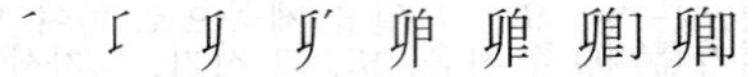

[字解] ①벼슬 경 ㉠고대의 관제에서 각 성(省)의 장관 이상의 벼슬. '三公九—'. '六—分職'《書經》. ㉡제후의 상대부(上大夫). '大國三—, 小國二—'《禮記》. ②경 경 진한(秦漢) 이후에 군주가 신하를 부르던 칭호. '—曹努力'《後漢書》. 전(轉)하여, 수당(隋唐) 이후에는 부부·붕우 간에도 쓰였음. '不忘—厚意'《漢書》. ③선생 경 장로(長老)에 대한 존칭으로, 성 밑에 붙이는 말. '荀—'. '虞—'. '燕人謂之荊—'《史記》. ④아주머니 경 여자의 호칭. '府吏謂新婦, 賀—得高遷云云, —當日勝貴, 我獨向黃泉'《古詩》. ⑤성 경 성(姓)의 하나.
[字源] 甲骨文  金文  篆文  象形. 두 사람이 음식을 사이에 두고 마주 보고 있는 모양을 본떠, 본디 '향하다, 대접하다'의 뜻을 나타냄. 왕실에서의 접대 담당자의 뜻에서, '귀인(貴人)'의 뜻을 나타냄.

[卿卿 경경] ㉠당신. 아내가 남편을 부르는 말. ㉡자네. 친구를 친애하는 뜻으로 부르는 말.
[卿校 경교] 구경(九卿)과 교위(校尉).
[卿大夫 경대부] 경(卿)과 대부(大夫). 곧, 집정자(執政者).
[卿老 경로] 경(卿) 중에서 치사(致仕)한 후에도 경의 대우를 받는 사람.
[卿輩 경배] 경조(卿曹).
[卿輔 경보] 경상(卿相).
[卿士 경사] ㉠경(卿)과 대부(大夫)와 사(士). ㉡대신(大臣). 집정자(執政者).
[卿相 경상] 재상(宰相). 대신(大臣).
[卿雲 경운] 상서(祥瑞)로운 구름. 서운(瑞雲).
[卿尹 경윤] 재상(宰相).
[卿子 경자] 남을 높이어 부르는 말. 공자(公子).
[卿子冠軍 경자관군] 공자대장(公子大將)이라는 뜻으로, 초(楚)나라 회왕(懷王)의 신하 송의(宋義)의 호(號).
[卿宰 경재] 경상(卿相).
[卿曹 경조] 경(卿)들. 경등(卿等).
◉客卿. 公卿. 九卿. 國卿. 三卿. 上卿. 世卿. 亞卿. 列卿. 月卿. 六卿. 冢卿. 下卿.

10 ⑫ [卿] 卿(前條)와 同字

10 ⑫ [卷] 〔권〕 卷(卩部 六畫〈p.316〉)의 本字

11 ⑬ [㽭] 슬 [入]質 息七切 xī
[字解] 무릎 슬 膝(肉部 十一畫)과 同字. '頓首—行'《漢書》.

11 ⑬ [斛] [韓] 산
[字解] 《韓》 땅이름 산 '—洞'은 땅 이름. '—, 地名. —洞萬戶, 見搢紳案'《新字典》.
[字源] '斜사'와 구결(口訣)에 쓰이는 '卩ㄴ·은'을 합하여, '산'의 음(音)을 나타냄.

厂 (2획) 部
〔민엄호부〕

0 ② [厂] 한 [去]翰 呼旰切 / [上]旱 呼旱切 hǎn 
[筆順] 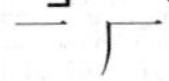
[字解] ①언덕 한 구릉(丘陵). 일설(一說)에는, 낭떠러지. ②석굴 한 암혈(巖穴).
[字源] 金文  篆文  象形. 깎아지른 듯한 낭떠러지를 본뜸. '낭떠러지'의 뜻을 나타냄.
[參考] 부수(部首)로서, '벼랑·돌'의 뜻을 포함하는 문자를 이룸. 속(俗)에 '广엄호밑'에 대하여, 점이 없다 하여 '민엄호밑'이라 이름.

2 ④ [厄] [高人] ㊀ 액 [入]陌 於革切 è / ㊁ 와 [上]哿 五果切 ě 
[筆順] 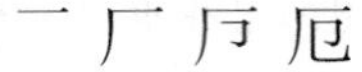
[字解] ㊀ 재앙 액 재액. '—運'. '悼屈子兮遭—'《楚辭》. ㊁ 옹이 와 나무의 옹이. 마디.
[字源] 篆文  會意. 厂+卩. '厂한'은 구부러진 모양을 본뜬 것이고, '卩절'은 사람이 무릎 꿇은 모양을 본뜸. 무릎 꿇을 때의 무릎의 뜻에서, 나무의 옹이 부분의 뜻을 나타냄. 또 '厂한'은 벼랑, '㔾절'은 몸을 구부려 주의를 기울이다의 뜻이므로, 비좁은 벼랑 가, 위태롭다의 뜻을 나타냄. 파생하여 '재앙'의 뜻을 나타냄.

[厄勤 액근] 재난으로 고생함.
[厄難 액난] 액재(厄災).
[厄年 액년] 운수(運數)가 사나운 해.
[厄塞 액새] 액운(厄運).
[厄運 액운] 액(厄)을 당할 운수. 불운(不運).
[厄月 액월] 운수(運數)가 사나운 달.
[厄災 액재] 재액(災厄). 재난(災難).
[厄害 액해] 액재(厄災).
[厄禍 액화] 액(厄)으로 당하는 화(禍).
[厄會 액회] 재앙(災殃)이 닥치는 기회(機會).
◉困厄. 窘厄. 窮厄. 大厄. 災厄. 遭厄.

2 ④ [厅] 〔청〕 廳(广部 二十二畫〈p.711〉)의 簡體字

[仄] 〔측〕 人部 二畫(p.95)을 보라.

[反] 〔반〕
又部 二畫(p. 329)을 보라.

3
⑤ [厉] 〔려〕厲(厂部 十三畫⟨p. 323⟩)의 略字·簡體字

3
⑤ [厈] 국 ㉠沃 居六切 jú

字解 ■ 잡을 국 물건을 왼손으로 잡음. '一, 左手執持也. 一說, 敬事而抱迫不安也'《同文擧要》.
字源 指事. '丮극'의 반대의 꼴.

4
⑥ [厌] 〔암·염·읍〕
厭(厂部 十二畫⟨p. 323⟩)의 簡體字

4
⑥ [压] 〔압·염〕
壓(土部 十四畫⟨p. 470⟩)의 簡體字

[灰] 〔회〕
火部 二畫(p. 1322)을 보라.

5
⑦ [底] 人名 ■ 지 ㉠紙 職雉切 zhǐ ■ 저 ㉠齊 都黎切 dǐ

字解 ■ ①숫돌 지 砥(石部 五畫)와 同字. '爵祿天下之一石'《漢書》.②갈 지 숫돌에 갊. 연마함. '一厲鋒鍔'《漢書》.③바칠 지 드림. '一貢厥棐'《書經》.④정할 지 결정함. '可一行'《書經》.⑤이를 저 至(部首)와 뜻이 같음. '三后協心一于道'《書經》.
字源 篆文 厎 形聲. 厂+氐[音]. '氐저'는 숫돌을 본뜸. '厂한'은 낭떠러지. 벼랑에서 채취한 '숫돌'의 뜻을 나타냄.

[底貢 지공] 공물(貢物)로 바침.
[底厲 지려] ㉠칼 같은 것을 숫돌에 갊. ㉡학문(學問)을 닦음. 또, 지조(志操)를 굳게 함.
[底石 지석] 숫돌.

5
⑦ [屈] ■ 도 ㉠麌 當古切 hù ■ 고 ㉠麌 侯古切 hù

字解 ■ 돌이름 도 아름다운 돌의 이름. '一, 美石也'《說文》. ■ 돌이름 고 ■과 뜻이 같음.
字源 形聲. 厂+古[音]

5
⑦ [厇] ■ 랍 ㉠合 盧合切 lā ■ 립 ㉠緝 入切

字解 ■ 무너지는소리 랍 돌이 무너지는 소리. '一, 說文, 石聲也'《集韻》. ■ 무너지는소리 립 ■과 뜻이 같음.
字源 形聲. 厂+立[音]

[辰] 〔진〕
部首(p. 2285)를 보라.

6
⑧ [崖] 人名 애 ㉠佳 五佳切 yá(ái)

筆順 一 厂 厂 厓 厓 厓 厓 崖

字解 ①언덕 애, 낭떠러지 애 崖(山部 八畫)와 同字. '一峭水狹'《唐書》.②물가 애 수애(水涯). '望一洒而高'《爾雅》.③끝 애 제한(際限). '洞無一兮'《揚雄》.④성 애 성(姓)의 하나.⑤눈흘길 애 睚(目部 八畫)와 同字. '一眥莫不誅傷'《漢書》.
字源 篆文 崖 形聲. 厂+圭[音]. '圭규'는 '傾경'과 통하여 '기울다'의 뜻. 기울어진 '벼랑'의 뜻을 나타냄.

[崖窾 애관] 물가의 구멍.
[崖略 애략] 대강. 대략(大略).
[崖山 애산] 송말(宋末)에 육수부(陸秀夫)가 어린 임금 병(昺)을 업고 바다로 들어가 빠져 죽은 곳. 지금의 광둥 성(廣東省) 신회현(新會縣) 남쪽의 해중(海中)에 있음.
[崖異 애이] 모남. 유달리 표가 남.
[崖眥 애자] 흘겨봄. 애자(睚眦).
●枯崖. 丹崖. 斷崖. 攀木緣崖. 山岨水崖. 霜崖. 陰崖. 絕崖. 珠崖. 峻崖. 層崖. 懸崖.

6
⑧ [屈] 갑 ㉠合 渴合切 kè ㉠葉 乞業切

字解 좌우에낭떠러지있는산 갑 양쪽에 강을 끼고 있는 산. '左右有岸, 一'《爾雅》.

7
⑨ [厖] 방 ㉠江 莫江切 máng

字解 ①두터울 방 순후(純厚)함. '爲下國駿一'《詩經》.②클 방 '一大'. '敦一固'《國語》.③넉넉할 방 풍족함. '民生敦一'《左傳》.④섞일 방 뒤섞임. 난잡함. '一雜' '不和政一'《書經》.⑤성 방 성(姓)의 하나.
字源 篆文 厖 形聲. 厂+尨[音]. '尨방'은 털이 많은 삽살개의 상형으로 '풍성하다'의 뜻. '厂한'은 '돌'의 뜻. 큰 돌의 모양에서, '크다, 넉넉하다'의 뜻을 나타냄.

[厖犬 방견] 털이 북슬북슬한 개. 삽사리. 삽살개.
[厖大 방대] 매우 많고도 큼. 또, 매우 두터움.
[厖眉 방미] 흰 털이 섞인 눈썹. 전(轉)하여, 노인(老人).
[厖然 방연] 방대(厖大)한 모양. 큰 모양.
[厖雜 방잡] 뒤섞임. 난잡함.
[厖洪 방홍] 방홍(厖鴻).
[厖鴻 방홍] 광대(廣大)한 모양. 큰 모양. 방홍(厖洪).
●奇厖. 敦厖. 蒙厖. 紛厖. 駿厖. 豐厖.

7
⑨ [厚] 中入 후 ㉠有 胡口切 hòu

筆順 一 厂 厂 厚 厚 厚 厚 厚

字解 ①두터울 후 ㉠두꺼움. '一繪' '謂地蓋一不敢不蹐'《詩經》.㉡많음. '一祿' '幣一言甘'《史記》.㉢큼. '一利' '道德不一'《戰國策》.깊음. '水之積也, 不一則負大舟也無力'《莊子》.㉣진함. '濃一' '一其液'《周禮》.㉤무거움. '其於敝邑之王甚一'《戰國策》.㉥친밀함. '一誼' '深結一焉'《漢書》.㉦정성스러움. '一意' '破産一葬'《史記》.㉧침착함. 천박하지 않음. '行一而詞深'《柳宗元》.㉨감각이 둔함. 낯가죽이 두툼함. '一顔無恥' '巧言如簧, 顔之一矣'《詩經》.②두터이할 후 전항의 타동사. '一其棟'《國語》. '一往而薄來'《中庸》.③두께 후 두

꺼운 정도. '其一三寸'《禮記》. ④성 후 성(姓)의 하나.

[字源] 金文 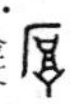 篆文  會意. 厂+㫗. '厂한'은 '벼랑'의 뜻. '㫗후'는 '高고'를 거꾸로 한 꼴로, 망루(望樓)가 있는 성곽의 상형. 높고 두터운 '벼랑'의 뜻에서, 일반적으로 '두텁다'의 뜻을 나타냄.

[厚價 후가] 후한 값. 중가(重價).
[厚眷 후권] 두텁게 돌봐 줌. 두터운 권고(眷顧).
[厚饋 후궤] 후한 음식물의 선사.
[厚給 후급] 후한 급여(給與).
[厚待 후대] 두터운 대우(待遇).
[厚德 후덕] 두터운 덕행(德行). 또, 두터운 은덕(恩德).
[厚德君子 후덕군자] 덕행(德行)이 두텁고 점잖은 사람.
[厚斂 후렴] 조세의 과중한 징수. 가렴(苛斂).
[厚祿 후록] 후한 봉록(俸祿).
[厚賂 후뢰] 많은 뇌물.
[厚料 후료] 후한 급료.
[厚利 후리] ㉠큰 이익. ㉡비싼 이자.
[厚貌深情 후모심정] 외모(外貌)는 후한 체하고 본심(本心)은 깊게 감춘다는 뜻으로, 겉으로는 친절하고 다정한 듯하나 속마음은 알 수 없음을 이름.
[厚問 후문] 애경사(哀慶事)에 부조를 많이 함.
[厚味 후미] 진한 맛. 맛있는 음식.
[厚味寔腊毒 후미식석독] 맛이 좋은 음식은 독이 많다는 뜻으로, 높은 지위에 있는 자는 큰 화(禍)를 당하기 쉬움을 비유한 말.
[厚朴 후박] ㉠인정이 두텁고 거짓이 없음. ㉡녹나뭇과에 속하는 상록(常綠) 교목(喬木). 후박나무.
[厚薄 후박] ㉠후(厚)함과 박(薄)함. ㉡진함과 묽음. ㉢두꺼움과 얇음. ㉣친절함과 냉담함.
[厚報 후보] 후한 보답(報答).
[厚福 후복] 많은 복.
[厚榭 후사] 높은 정자. 위사(危榭).
[厚賜 후사] 물건 같은 것을 후하게 내려 줌. 또, 그 물건.
[厚謝 후사] 정중히 사례(謝禮)함. 또, 정중히 사죄(謝罪)함.
[厚賞 후상] 후한 상급(賞給).
[厚生 후생] ㉠백성의 살림을 넉넉하게 함. ㉡몸을 소중히 함.
[厚性 후성] 인정이 두터운 성품.
[厚酬 후수] 후한 보수.
[厚勝 후승] 대승(大勝)함.
[厚實 후실] ㉠큰 이익. 후리(厚利). ㉡성실하고 경박(輕薄)하지 아니함. 중후(重厚).
[厚顔 후안] 두꺼운 낯가죽. 뻔뻔스러운 얼굴. 철면피(鐵面皮).
[厚顔無恥 후안무치] 낯가죽이 두꺼워 부끄러운 줄 모름.
[厚遇 후우] 두터운 대우. 후대(厚待).
[厚恩 후은] 두터운 은혜(恩惠).
[厚意 후의] 두터운 마음. 정성스러운 마음. 친절한 마음.
[厚誼 후의] 두터운 정의(情誼). 친밀한 정의.
[厚葬 후장] 후하게 장사 지냄.
[厚載 후재] 땅은 두꺼워서 물건을 싣는다는 뜻으로, 땅을 이름.
[厚積 후적] 많은 축적(蓄積).
[厚情 후정] 후의(厚誼).
[厚重 후중] 성품이 온후하고 진중함.
[厚繒 후증] 두꺼운 명주. 거친 명주.
[厚志 후지] 두꺼운 심지(心志). 친절한 마음.
[厚紙 후지] 두꺼운 종이.
[厚秩 후질] 후록(厚祿).
[厚澤 후택] 두터운 은택.
[厚幣 후폐] 두터운 예폐(禮幣). 정중한 예폐.
[厚風 후풍] 순후(醇厚)한 풍속.
[厚豐 후풍] 풍성함.
[厚況 후황] 넉넉하게 받는 녹(祿).
[厚貺 후황] 후사(厚賜).

◉寬厚. 謹厚. 濃厚. 端厚. 篤厚. 敦厚. 樸厚. 富厚. 純厚. 醇厚. 深厚. 渥厚. 顏厚. 溫厚. 仁厚. 重厚. 寵厚. 忠厚. 親厚. 沈厚. 豐厚.

7
⑨ [厘] [人名] [一] 전 [平]先 直連切 chán
[二] 리 [平]支 陵之切 lí 

[字解] [一] 터 전, 전방 전 廛(广部 十二畫)의 俗字. [二] ①이 리, 다스릴 리 釐(里部 十一畫)의 俗字. ②성 리 성(姓)의 하나.
[字源] 形聲. 𠩺〈省〉+里〔音〕. '釐리'의 생략체(省略體).

7
⑨ [⿸厂夾] 협 [入]洽 古狎切 xiá

[字解] 기울 협, 좁을 협 '一, 辟也. (注) 一與陜音同義近'《說文》.
[字源] 形聲. 厂+夾〔音〕

7
⑨ [厙] 사 [去]禡 始夜切 shè

[字解] ①성 사 성(姓)의 하나. ②마을 사 장쑤 성(江蘇省) 지방에서 마을의 뜻으로 지명에 쓰이는 말.

7
⑨ [原] 〔원〕
原(厂部 八畫〈p. 320〉)의 俗字

8
⑩ [厝] [一] 조 [去]遇 倉故切 cuò
[二] 착 [入]藥 倉各切 cuò 

[字解] [一] 둘 조 措(手部 八畫)와 同字. '一之積薪之下'《漢書》. [二] ①섞일 착 錯(金部 八畫)과 同字. '五方雜一'《漢書》. ②숫돌 착 칼을 가는 돌.
[字源] 篆文  形聲. 厂+昔〔音〕. '昔석'은 포개어 쌓다의 뜻. 그 위에 물건을 얹고 가는 '숫돌'의 뜻을 나타냄. 거성(去聲)일 때는 '두다'의 뜻.

◉安厝. 容厝. 雜厝. 遷厝. 投厝.

8
⑩ [厒] [高人] [一] 금 [平]侵 巨金切 qín
[去]沁 巨禁切
[二] 겸 [平]鹽 其淹切

[字解] [一] 굳은땅 금 돌이 많이 섞인 땅. '一, 石地也'《說文》. [二] 굳은땅 겸 [一]과 뜻이 같음.
[字源] 形聲. 厂+金〔音〕

8
⑩ [原] [中人] 원 [平]元 愚袁切 yuán, ⑩yuàn

筆順 一 厂 厂 厂 厈 盾 盾 原 原

字解 ①근원 원 ㉠물의 근원. 원천(源泉). '一泉混混, 不舍晝夜'《孟子》. ㉡근본. '一因'. '達於禮樂之一'《禮記》. ②원은 원 원래. 본래. '一起於錢'《漢書》. ③찾을 원 근본을 캠. 근본을 추구(推究)함. '一始要終'《易經》. ④놓아줄 원 죄를 용서함. '一宥'. '會詔一之'《晉書》. ⑤거듭 원 재차. '一筮, 元永貞'《易經》. ⑥거듭할 원 재차 함. '命膳夫曰, 未有一'《禮記》. ⑦저승 원 황천. '從大夫于九一'《禮記》. ⑧들 원 넓고 평탄한 토지. '田一'. '大野曰平, 廣平曰一'《爾雅》. ⑨문체이름 원 한문의 한 체(體). '自唐韓愈作五一, 而後人因之'《文體明辯》. ⑩삼갈 원, 정성스러울 원 愿(心部 十畫)과 통용. '子曰, 鄕一, 德之賊也'《論語》. ⑪성 원 성(姓)의 하나.

字源 會意 厂+泉. '厂한'은 '벼랑'의 뜻. '泉천'은 '샘'의 뜻. 벼랑 밑에서 솟기 시작한 샘의 뜻에서 '근원'의 뜻을 나타냄. '源원'의 원자(原字). 또 '遵원'과 통하여 높고 평평한 들의 뜻도 나타냄.

[原價 원가] ㉠본값. ㉡생산가(生産價).
[原遣 원견] 죄인을 용서하여 석방함.
[原告 원고] 법원(法院)에 소송을 제기하여 재판(裁判)을 먼저 청구(請求)한 사람. 피고(被告)의 대(對).
[原稿 원고] ㉠초고(草稿). ㉡인쇄(印刷)하기 위하여 쓴 글.
[原貸 원대] 죄과를 용서함.
[原道 원도] ㉠근본의 도(道). 인도(人道)의 근본. ㉡도(道)의 근원을 추구(推究)함. ㉢당(唐)나라 사람 한퇴지(韓退之)의 논저(論著). 유교의 요지(要旨)를 서술하고 불(佛)·노(老) 두 교(教)를 배척하였음.
[原動 원동] 운동·활동을 일으키는 근원(根源).
[原動力 원동력] 운동을 일으키는 근원이 되는 힘. 열(熱)·수력(水力)·동력(動力) 등.
[原頭 원두] 들 가. 들판 언저리.
[原來 원래] 본디. 전부터.
[原料 원료] 물건을 만드는 재료(材料). 감. 거리.
[原流 원류] 사물의 근원.
[原理 원리] 사물(事物)의 근본이 되는 이치.
[原棉 원면] 면사(綿絲) 방직(紡織)의 원료가 되는 면화(棉花).
[原命 원명] 본디의 이름.
[原命 원명] 본디 타고난 목숨.
[原廟 원묘] 원 종묘(宗廟). 으뜸되는 종묘. 또, 본디의 종묘 외(外)에 거듭 지은 종묘.
[原文 원문] ㉠본문. ㉡고친 것의 본디의 글. ㉢번역한 것의 본디의 글. 역문(譯文)의 대(對).
[原犯 원범] 범죄(犯罪)의 주동자. 정범(正犯).
[原本 원본] ㉠근본. 근원. ㉡등본(謄本)·초본(抄本) 등의 근본(根本)이 되는 문서.
[原簿 원부] 본디의 장부.
[原赦 원사] 죄과(罪過)를 용서함.
[原産 원산] 본디 생산됨. 또, 그 물건.
[原産地 원산지] 본디 생산되는 땅.
[原狀 원상] 본래의 형편. 본래의 상태.
[原像 원상] 본디의 형상(形像). 본디의 모습.
[原嘗春陵 원상춘릉] 조(趙)나라의 평원군(平原君), 제(齊)나라의 맹상군(孟嘗君), 초(楚)나

라의 춘신군(春申君), 위(魏)나라의 신릉군(信陵君)의 네 사람. 모두 전국 시대(戰國時代)에 식객(食客)을 길러 호협(豪俠)한 행동을 했음.
[原色 원색] 모든 빛의 근본되는 빛깔. 곧, 적(赤)·황(黃)·청(青)의 세 빛깔. 삼원색(三原色).
[原生林 원생림] 원시림(原始林).
[原怨 원서] 용서(容恕)함.
[原書 원서] 번역(飜譯)한 책에 대하여 원본(原本)이 되는 책.
[原雪 원설] 죄를 용서하여 오명(汚名)을 씻어 줌. 또, 청천백일(青天白日)의 몸이 됨.
[原性 원성] 본디의 성질.
[原隰 원습] 높고 건조한 땅과 낮고 습한 땅. 일설(一說)에는, 낮고 습한 들.
[原始 원시] ㉠처음. 근본. ㉡근본을 캠. 근원을 추구(推究)함.
[原詩 원시] 번역·개작되지 않은 본디의 시(詩).
[原始林 원시림] 저절로 자라 무성한 삼림. 처녀림(處女林).
[原始時代 원시시대] 사람이 처음으로 지구 상에 나타난 시대. 태고의 시대.
[原案 원안] 본디의 의안(議案).
[原野 원야] 들.
[原壤 원양] 춘추 시대(春秋時代)의 노(魯)나라 사람. 공자(孔子)의 친구. 자기의 어머니가 죽었는데도 슬퍼하지 않고 나무에 올라 노래를 불렀다 함.
[原語 원어] ㉠고친 말에 대하여 그 본디의 말. 번역한 말에 대하여 그 본디의 말. 역어(譯語)의 대(對).
[原位 원위] 본디의 지위.
[原委 원위] ㉠본말(本末). 수미(首尾). ㉡원인(原因).
[原由 원유] 원인(原因).
[原油 원유] 아직 정제(精製)하지 아니한 석유(石油).
[原宥 원유] 죄를 용서함. 원사(原赦).
[原音 원음] ㉠글자의 본디의 음(音). ㉡음악상(音樂上)의 표준음(標準音).
[原意 원의] ㉠본디의 의사(意思). ㉡원의(原義).
[原義 원의] 본디의 뜻. 근본의 의의(意義).
[原人 원인] ㉠원시 시대의 인류(人類). 태고(太古)의 몽매(蒙昧)한 인류. ㉡신중한 사람. 성실한 사람. ㉢인생(人生)의 근원(根源)을 추론(推論)함.
[原因 원인] 사실(事實)의 근본이 되는 까닭.
[原任 원임] ㉠전(前)의 벼슬. ㉡전임(前任)의 관원(官員). 전관(前官).
[原子 원자] 어떠한 화학적 방법으로도 더 나눌 수 없다고 생각되는, 물질을 구성하는 궁극의 요소.
[原子彈 원자탄] 원자력(原子力)을 응용하여 만든 폭탄(爆彈). 제2차 세계 대전 때 미국에서 발명함.
[原作 원작] 본디의 제작. 또는 저작.
[原蠶 원잠] 두 번째 치는 누에. 곧, 하잠(夏蠶) 또는 추잠(秋蠶).
[原著 원저] 본디의 저작. 번역 또는 개작(改作)한 것에 대하여 이름.
[原籍 원적] 본적(本籍).
[原點 원점] 운동이 시작되는 점. 기점(起點).
[原種 원종] 원종자. 개량되지 않은 본디의 종자.

원산지에서 난 종자.
[原罪 원죄] ㉠죄를 용서(容恕)하여 형벌(刑罰)을 주지 아니함. ㉡기독교(基督敎)에서, 인류(人類)의 시조(始祖) 아담과 이브가 하나님의 명령을 배반하고 금단(禁斷)의 과실을 따 먹은 결과로 입고 있는 죄.
[原主 원주] 본디의 임자.
[原住 원주] 본디부터 살고 있음.
[原株 원주] 곁가지에 대한 원줄기.
[原註 원주] 본래의 주석이나 주해.
[原紙 원지] ㉠닥나무 껍질을 원료로 하여 만든 두껍고 질긴 종이. 잠란지(蠶卵紙)로 쓰임. ㉡등사판의 원판으로 쓰이는 종이.
[原質 원질] 본래의 성질. 소질(素質).
[原泉 원천] 물이 흘러나오는 근원. 수원(水源)이 되는 샘. 원천(源泉).
[原泉混混不舍晝夜 원천혼혼불사주야] 물이 수원(水源)의 샘에서 힘차게 솟아 나와 주야를 쉬지 않고 흐른다는 뜻으로, 항상 쉬지 않고 부지런히 수양하고 연마(練磨)하여 근본을 쌓고 기음을 비유한 말.
[原則 원칙] ㉠많은 현상(現象)에 공통되는 근본의 법칙(法則). ㉡일반(一般)의 경우에 적용되는 법칙.
[原版 원판] 근본이 되는 인쇄판.
[原圃 원포] 정(鄭)나라의 원유(苑囿). 지금의 허난 성(河南省) 원무현(原武縣)에 있음.
[原品 원품] 본디의 물품.
[原皮 원피] 아직 가공되지 아니한 동물의 가죽.
[原鄕 원향] 그 지방에서 여러 대를 이어 살아 오는 향족(鄕族).
[原憲 원헌] 춘추 시대(春秋時代)의 송(宋)나라 사람. 자(字)는 자사(子思). 공자(孔子)의 제자. 적빈(赤貧)하였으나 의지가 견고하여 이를 감내하며 깊이 도(道)를 닦았음.
[原形 원형] ㉠본디의 형상(形狀). ㉡진화(進化) 없는 본디의 상태.
[原型 원형] 제작물의 근본이 되는 거푸집, 또는 본.
[原活 원활] 죽을죄를 용서하여 살림.
[原毀 원훼] 비방의 원인을 캠.
●高原. 曠原. 九原. 起原. 大原. 病原. 本原. 救原. 鮮原. 雪原. 修原. 濕原. 始原. 語原. 五丈原. 燎原. 一原. 左右逢原. 峻原. 中原. 砥原. 草原. 推原. 平原. 抗原. 鄕原. 洪原. 荒原.

8
⑩ [厜] 수 ㊨支 姝規切 zuī
字解 산꼭대기 수 산정(山頂).
字源 篆文 厜 形聲. 厂+垂(垂)〔音〕. ‘垂수’는 양쪽이 아래로 늘어지다의 뜻. 양쪽이 깎아지른 벼랑, 산꼭대기의 뜻을 나타냄.

8
⑩ [厞] 비 ㊤未 父沸切 fèi
　　㊤微 符非切 féi
字解 ①궁벽한곳 비 후미진 곳. 방(房)의 서북 구석. ‘几在南一, 用席’《儀禮》. ②처마 비 집의 처마. ‘一, 是屋簷也’《禮記疏》.
字源 篆文 厞 形聲. 厂+非〔音〕. ‘厂한’은 ‘지붕’. ‘非비’는 ‘어긋나다’의 뜻. 지붕 밑이 어긋나서 후미진 곳, 방의 서북쪽 구석의 뜻을 나타냄.

8
⑩ [厓] 갑 ㊨合 口荅切 kè
字解 좌우에강(江)을낀산 갑 厈(厂部 六畫〈p.319〉)과 同字.

9
⑪ [厞] 〔라·려〕
厲(厂部 十三畫〈p.323〉)와 同字

9
⑪ [厠] 〔측〕
廁(广部 九畫〈p.702〉)의 俗字

10
⑫ [厥] 高人 궐 ㉠굴㉰ ㊨月 居月切 jué
　　　　　　 ㊨物 九勿切 jué 厥
筆順 厂 厂 厈 厈 厈 厥 厥 厥
字解 ①그 궐 其(八部 六畫)와 뜻이 같음. ‘允執一中’《詩經》. ②숙일 궐 앞으로 기울임. ‘一角稽首’《孟子》. ③팔 궐 발굴함. 撅(手部 十二畫)과 同字. ‘相柳之所抵, 一爲澤溪’《山海經》. 또, 파낸 물건. 발굴물. ‘一和之璧, 井里之一’《荀子》. ④짧을 궐 단소(短小)함. ‘今人呼禿尾狗爲一尾’《中山詩話》. ⑤상기 궐 피가 머리로 몰리는 병. ‘一不作’《韓詩外傳》. ⑥성 궐 성(姓)의 하나. ⑦오랑캐이름 궐 ‘突一’은 서기 6세기 중엽(中葉)에 알타이 산맥 부근에서 일어나, 몽골·중앙아시아에 대제국(大帝國)을 건설한 터키계(系)의 유목민(遊牧民).
字源 篆文 厥 形聲. 厂+欮〔音〕. ‘欮궐’은 사람이 입을 크게 벌리어 기침하다의 뜻. 깎아지른 벼랑에 큰 입을 벌리듯이 돌을 파다의 뜻을 나타냄.

[厥角 궐각] 고개를 숙여 절을 함.
●突厥. 憒厥. 熟厥. 甚厥. 劣厥. 眙厥.

10
⑫ [厤] 력 ㊨錫 郞擊切 lì
字解 ①다스릴 력 ‘一, 治也’《說文》. ②曆(日部 十二畫)의 古字.
字源 篆文 厤 形聲. 厂+秝〔音〕. ‘秝력’은 벼를 사이가 고르게 벌여 놓다의 뜻. 벼랑 밑에 벼를 가지런히 늘어놓다의 뜻에서, 차례대로 가지런히 늘어놓다의 뜻을 나타냄.

10
⑫ [盧] ▤ 갑 ㊨合 苦盍切 ké
　　 ▤ 압 ㊨合 乙盍切
字解 ▤ ①무너질 갑 ‘一, 崩損也’《廣韻》. ②산옆구멍 갑 산 옆구리에 뚫린 구멍. ‘潛一洞出’《張衡》. ▤ 무너질 압, 산옆구멍 압 ▤과 뜻이 같음.

10
⑫ [屖] 〔차〕
嵯(山部 十畫〈p.648〉)의 同字

10
⑫ [厦] 人名 〔하〕
廈(广部 十畫〈p.703〉)의 俗字
筆順 一 厂 厂 厏 厍 厍 厦 厦

10
⑫ [厨] 〔주〕
廚(广部 十二畫〈p.705〉)의 俗字

[雁] 〔안〕
隹部 四畫(p.2483)을 보라.

11
⑬ [厪] 〔근〕
厪(广部 十一畫〈p.704〉)의 俗字

11
⑬ [厩] 〔구〕
廄(广部 十一畫〈p.704〉)의 俗字

11
⑬ [殸] 〔음〕
嚴(厂部 十二畫〈p.323〉)의 本字

11
⑬ [厤] 〔력〕曆(日部 十二畫〈p.1001〉)·歷(止
部 十二畫〈p.1144〉)과 同字

參考 청대(淸代)에 고종(高宗)의 휘(諱)를 피
하여 이 자(字)를 썼음.

12
⑭ [厭]
人名
一 염 囷黤 於豔切 yàn
二 암 㘬感 鄥感切 ǎn
三 엽 入葉 於葉切 yā
四 읍 入緝 乙及切 yì

字解 一 ①싫어할 염 ㉠…하기를 꺼림. '一世'.
'枉金革, 死而不一'《中庸》. ㉡미워함. '一惡'
'天一之'《論語》. ②물릴 염 싫증이 남. '一倦'.
'一飽'《學而不一》《論語》. ③마음에찰 염 만족
함. '一服'. '不一糟糠'《史記》. 또, 마음에 차
게 함. 만족시킴. '克一上帝之心'《漢書》. ④막
을 엽 틀어막음. '一其源'《荀子》. ⑤조용할 염
안정(安靜)한 모양. '一一夜飮'《詩經》. ⑥가릴
염 은폐함. '一目而視者'《荀子》. ⑦따를 염 복
종함. '天下一然'《荀子》. 二 빠질 암 침닉(沈
溺)함. '其一也如緘'《莊子》. 三 ㉠누를 엽 ㉡억
압함. '將一之衆'《左傳》. ㉡들이닥침. 압박함.
'荊一晉軍'《國語》. ㉢눌러 무너뜨림. '地震隴
西, 一四百餘家'《漢書》. ㉣진압함. '折衝一難'
《漢書》. ㉤기도나 주문(呪文)으로 화가 일어나
지 않게 함. '因東游以一之'《史記》. ②맞을 엽
마음에 듦. '克一帝心'《國語》. ③가위눌릴 엽
무서운 꿈을 꾸고 놀람. '一夢'. '使人不一'《山
海經》. 四 젖을 읍 축축하게 젖는 모양. '一浥行
露'《詩經》.

字源
金文 篆文 形聲. 厂+猒〔音〕. '猒염'은 '奄
엄'과 통하여, '가리다'의 뜻. '厂한'은 바위의 뜻. 바위로 가리다, 눌러 무너
뜨리다의 뜻을 나타냄. 또, '猒'과 통하여, '물
리다'의 뜻도 나타냄.

[厭苦 염고] 싫어하고 괴롭게 여김.
[厭膏粱 염고량] 미식(美食)에 물림. 곧, 분(分)
에 넘치는 생활(生活)을 함.
[厭倦 염권] 물리어 싫증이 남.
[厭忌 염기] 싫어하고 꺼림.
[厭棄 염기] 싫증이 나서 버림.
[厭離 염리]《佛教》더럽혀진 이 세상이 싫어져서
떠남.
[厭離穢土 염리예토]《佛教》더럽혀진 이 사바세
계(娑婆世界)를 싫어하여 떠남.
[厭夢 염몽] 악몽(惡夢)에 시달림.
[厭薄 염박] 미워하여 냉대(冷待)함.
[厭服 염복] 만족하여 복종함.
[厭副 염부] 마음에 참. 소원(所願)이 성취됨.
[厭塞 염색] 참. 충만함. 또, 채움. 충족시킴.
[厭世 염세] 세상을 싫어함. 세상이 괴롭고 귀찮
아서 비관함.
[厭世主義 염세주의] 인생(人生)을 고통으로 생
각하여 싫어하는 나머지 현세(現世)를 벗어나

려고 하는 주의.
[厭飫 염어] ㉠흡족함. ㉡싫증이 남.
[厭然 염연] ㉠가리는 모양. 감추는 모양. ㉡복종
하는 모양.
[厭厭 염염] ㉠고요한 모양. ㉡무성(茂盛)한 모양.
[厭惡 염오] 싫어서 미워함. 혐오(嫌惡).
[厭足 염족] 만족(滿足)함.
[厭症 염증] 싫증.
[厭飽 염포] 물림. 싫증이 남.
[厭嫌 염혐] 싫어함.
[厭禳 염양] 기도·주문(呪文) 등으로 재앙 등을
물리침.
[厭夢 염몽] 가위눌리는 악몽(惡夢).
[厭伏 엽복] ㉠눌러 복종함. ㉡재난(災難) 등을
물리침.
[厭勝 엽승] 주문(呪文).
[厭扞 엽한] 눌러 막음. 진압함.
[厭劾 엽핵] 재귀(災鬼)를 쫓는 진언(眞言).
[厭邑 읍읍] 읍읍(厭浥)과 같음.
[厭浥 읍읍] 축축하게 젖는.
●控厭. 禁厭. 屬厭. 抑厭. 鎭厭. 摧厭. 推厭.
彈厭. 頹厭. 疲厭. 嫌厭. 欣厭.

12
⑭ [厱]
一 음 㴠侵 魚金切 yín
二 담 㘬感 吐敢切
三 감 㘬感 口敢切 kǎn
四 암 㘬感 五敢切 ǎn

字解 一 험할 음 낭떠러지가 험하고 높은 모양.
'岺一, 山崖狀也'《廣韻》. 二 험할 담 一과 뜻이
같음. 三 ①험한산옆구멍 감 一, 一嶮, 側穴'
《廣韻》. ②험한강둔덕 감 깎아지른 듯한 강 둔
덕. '一, 陵岸'《集韻》. ③험할 감 '一, 嶮也'《集
韻》. 四 돌모양 암 산의 돌의 모양. '一, 山石
兒'《集韻》.
字源 形聲. 厂+敢(敢)〔音〕.

12
⑭ [厬]
궤 ㊤紙 居洧切 guǐ
字解 ①샘 궤 곁구멍에서 솟아 나오는 샘. '一,
仄出泉也'《說文》. ②마를 궤 물이 마름. '水醮
曰一'《爾雅》. ③메마른땅 궤 물가의 마른땅.
'一, 一曰, 水厓枯土也'《韻會》.
字源 形聲. 厂+晷〔音〕.

12
⑭ [厮] 〔시〕
廝(广部 十二畫〈p.706〉)와 同字

13
⑮ [厲]
一 려 㘦霽 力制切 lì
二 라 㘦泰 落蓋切 lài

字解 一 ①숫돌 려 礪(石部 十五畫)와 同字. '取
一取鍛'《詩經》. ②갈 려 礪(石部 十五畫)와 同
字. '林馬一兵'《左傳》. ③엄할 려 엄정함. 엄격
함. '一肅'. '聽其言也一'《論語》. ④사나울 려
맹렬함. '一風'. '不一而威'《禮記》. ⑤위태로울
려 위험함. '一无咎'《易經》. ⑥빠를 려 신속함.
'蒼隼橫一'《漢書》. ⑦맑을 려 청징(淸澄)함. '激
朗淸一'《馬融》. ⑧몹시굴 려 학대함. '一民而以
自養也'《孟子》. ⑨날릴 려 들날림. '是以威一而
不試'《荀子》. ⑩힘쓸 려, 권장할 려 勵(力部 十
五畫)와 同字. '以一賢才'《漢書》. ⑪떨칠 려
분발함. '兵弱而士不一'《管子》. ⑫미워할 려 증

오함. '以爲不知己者詬─也'《莊子》. ⑬건을 려 물을 건널 때 옷자락을 띠를 맨 데까지 걷음. '深則─, 淺則揭'《詩經》. ⑭건널 려 물을 건너감. '櫂舟航以橫─兮'《楚辭》. ⑮이를 려 도달함. '女夢爲鳥而─乎天'《莊子》. ⑯못생길 려 보기 싫음. 또, 그 사람. '─與西施'《莊子》. ⑰늘어질려 미가 늘어진 모양. '垂帶而─'《詩經》. ⑱문둥병 려 천형병(天刑病). 또, 폐질(廢疾). '─之人, 夜半生子'《莊子》. ⑲역질 려 악성의 전염병. 또, 그 병을 퍼뜨리는 귀신. 여귀(厲鬼). '子産曰, 鬼有所歸, 乃不爲─'《左傳》. ⑳악귀 려 나쁜 귀신. '爾父爲─'《左傳》. ㉑흉악 려 흉악한 사람. '誅萬醜─'《子華子》. 또, 흉악한 사람의 시호(諡號)로 쓰임. '名之曰幽─'《孟子》. ㉒낭떠러지 려 깎아지른 듯한 언덕. '在彼淇─'《詩經》. ㉓성 려 성(姓)의 하나. '문둥병 라, 문둥이 라 癩(广部 十六畫)와 同字. '漆身爲─'《史記》.

字源 〔金文〕 〔篆文〕 〔別體〕 形聲. 篆文은 厂+萬〈省〉〔音〕. '萬채'는 전갈의 상형. 전갈의 독침처럼 날카롭고 강한 자극을 주어, 칼을 가는 돌의 뜻을 나타냄. '礪려'의 원자(原字). 뒤에 '萬'를 '萬만'으로 쓰게 됨. 파생(派生)하여, '힘쓰다, 사납다'의 뜻을 나타냄.

[厲揭 여게] ㉠옷을 걷고 강을 건넘. 여(厲)는 물이 깊어서 옷을 띠를 맨 데까지 걷는 일. 게(揭)는 물이 얕아서 옷을 무릎까지 걷는 일. ㉡임기응변(臨機應變)하여 처세(處世)함.
[厲階 여계] 재앙(災殃)을 가져오는 실마리. 화단(禍端).
[厲鬼 여귀] ㉠못된 돌림병을 퍼뜨리는 귀신. ㉡악귀(惡鬼).
[厲禁 여금] 엄중히 금지함. 또, 그 일.
[厲厲 여려] 법을 범하여 나쁜 짓을 저지르는 모양.
[厲利 여리] 갈아 날카롭게 함.
[厲撫 여무] 격려하고 위무함.
[厲色 여색] 노기(怒氣)를 띰. 핏대를 올림.
[厲石 여석] 거친 숫돌.
[厲聲 여성] 노(怒)하여 목소리를 높임. 성난 목소리로 꾸짖음.
[厲世 여세] 세상 사람을 격려함.
[厲俗 여속] 세상의 좋은 풍속을 권하고 장려함.
[厲肅 여숙] 엄숙함. 여엄(厲嚴).
[厲飾 여식] 군복(軍服)을 입음. 무장(武裝)함.
[厲顎 여악] 청(淸)나라 전당(錢塘) 사람. 자(字)는 태홍(太鴻). 호(號)는 번사(樊榭). 시사(詩詞)에 능(能)했음. 저서에 〈번사산방집(樊榭山房集)〉·〈송시기사(宋詩紀事)〉·〈요사습유(遼史拾遺)〉 및 〈남송원화록(南宋院畫錄)〉 등이 있음.
[厲莊 여장] 엄숙함. 여숙(厲肅).
[厲精 여정] 격려함. 곧, 긴장하여 부지런히 힘씀.
[厲祭 여제] 여귀(厲鬼)에게 지내는 제사.
[厲疾 여질] ㉠맹렬하고 빠름. ㉡문둥병.
[厲風 여풍] ㉠서북풍. ㉡사나운 바람. 거센 바람.
[厲虐 여학] 학대함.
[厲行 여행] ㉠행실을 닦음. ㉡엄중히 시행(施行)함.

●苛厲. 揭厲. 激厲. 頸厲. 狂厲. 矯厲. 驕厲. 矜厲. 敦厲. 勉厲. 愼厲. 奮厲. 揚厲. 嚴厲. 夭厲. 疵厲. 壯厲. 奬厲. 瘴厲. 災厲. 切厲. 整厲. 峻厲. 振厲. 疾厲. 札厲. 暴厲.

---

13 ⑮ [厬] 의 ㉠支 魚爲切 wēi
㉠微 語韋切
字解 산마루 의 산의 꼭대기. '─, 厜─也'《說文》.
字源 〔篆文〕 形聲. 厂+義〔音〕. '義의'는 톱 같은 날붙이로 자른 것처럼 모가 지다의 뜻.

13 ⑮ [厱] 一 감 ㉠咸 苦咸切
二 검 ㉠鹽 丘嚴切 qiān
三 람 ㉠覃 盧甘切 lán
四 엄 ㉠琰 魚檢切
字解 一 굴 감 벼랑이나 강 둔덕 등에 있는 동굴. '─, 山側空處也'《廣韻》. 二 굴 검 一과 뜻이 같음. 三 숫돌 람 옥(玉)을 가는 돌. '─諸, 治玉石也'《說文》. 四 험할 엄 벼랑이나 강 둔덕 등이 험함. '─, 厓岸危也'《集韻》.
字源 形聲. 厂+僉〔音〕

[鴈] 〔안〕 鳥部 四畫(p. 2663)을 보라.

16 ⑱ [麗] 〔방·롱〕 龐(龍部 三畫〈p. 2731〉)의 俗字

厶 (2획) 部
〔마늘모부〕

0 ② [厶] 一 사 ㉠支 息夷切 sī
二 모 ㉠有 莫後切 mǒu
筆順 𠫔 厶
字解 一 사사 사 私(禾部 二畫)의 古字. '古者蒼頡之作書也, 自營者爲─'《韓非子》. 二 아무 모 某(木部 五畫)와 同字. '今人書一以爲俗, 穀梁二年, 蔡侯郱伯會于鄧, 范甯註云, 鄧, 一地'《陸游》.
字源 〔篆文〕 指事. 이 글자 모양이 나타내는 뜻은 자세히 모르지만, 작게 둘러쌈을 나타내며, 사유(私有)하다의 뜻을 나타냄. 대응되는 '公공'은 여기에 개방(開放)하다의 뜻인 '八팔'이 더해진 것으로 생각됨.
參考 부수(部首)로서의 '厶모'에는, 일정한 뜻이 없으며, 주로 자형 분류상 부수로 세워짐. 같은 문자 가운데 '强강'과 '強강', '員원'과 '負원', '句구'와 '勾구'처럼, '口'의 모양이나 '厶'가 되는 일이 있음. 또, '廣광', '仏광', '払불'위는 본래 '廣광', '佛불', '拂불'로, 복잡한 자형의 일부를 생략하기 위하여 '厶'를 쓰고 있음. 글자 모양이 마늘쪽과 같이 세모를 이루고 있으므로, 속(俗)에 '마늘모'로 이름.

[厶地 모지] 아무 땅. 어느 땅. 모지(某地).

1 ③ [去] 돌 ㉠月 他骨切 tū
字解 ①갑자기 튀어나올 돌 순조롭지 않게 갑자기 태어남. '─, 不順忽出也'《說文》. ②아이태

어날 돌 안산(安產)함.
字源 篆文 厽 古文 厽 에서, 指事. '子자'를 거꾸로 한 모양
에서, 아이가 태어나다의 뜻을
나타냄.

[允] 〔윤〕
儿部 二畫(p. 189)을 보라.

2
④ [厽] ⤤ 구 ⤥尤 巨鳩切 qiú
⤤ 유 ⤥有 忍九切 róu

字解 ■ ①세모창 구 세모진 창. '一矛'《詩經》.
②기승부릴 구 목소리를 높여 기를 씀. ■ 발자
국 유 집승의 발자국. '一, 獸足蹂地也'《說文》.
字源 籀文 厽 形聲. 厶＋九〔音〕 '厶모'는 집승 발
자국을 본뜸. '九구'는 구부러지다
가 이윽고 다하다의 뜻. 점점이 구부러져서 이
어지는 집승의 발자국을 나타냄.

[厽矛 구모] 날이 세모진 창.

2
④ [厷] 굉 ⤥蒸 姑弘切 gōng

字解 ①팔 굉 肱(肉部 四畫)과 통용. '一, 臂上
也'《說文》. ②둥글 굉 '曰德元一'《漢書》.
字源 篆文 厷 古文 厷 會意. 又＋厶. '又우'는 '손'의
뜻. '厶모'는 '곡선(曲線)'의
뜻. 활의 곡선과 닮은 위팔의 뜻을 나타냄.

[公] 〔공〕
八部 二畫(p. 209)을 보라.

[云] 〔운〕
二部 二畫(p. 74)을 보라.

[勾] 〔구〕
勹部 二畫(p. 286)을 보라.

[弁] 〔변〕
廾部 二畫(p. 713)을 보라.

[台] 〔태〕
口部 二畫(p. 343)을 보라.

[弘] 〔홍〕
弓部 二畫(p. 719)을 보라.

3
⑤ [去] ⤤人 거 ⤤御 丘倨切 qù
⤥語 羌舉切

筆順 一 十 土 去 去

字解 ①갈 거 ⊙떠나감. '一留'. '上車而一'《史
記》. ⓛ도망감. '默而逃一'《史記》. ⓒ경과함.
지남. '一年'. '朝朝醉中一'《杜牧》. ⓔ소멸함.
'福可必歸, 苟可必一矣'《新書》. ⓜ죽음. '逝
一'. '日以疎'《古詩》. ②떨어질 거 ⊙이별
함. '不能相一'《戰國策》. ⓛ공간적으로 격(隔)
함. '地之相一也, 千有餘里'. ⓒ시간적으로 격
함. '舜禹益相一久遠'《孟子》. ③과거 거 지나간
세월. '過一'. '無起無滅, 一來今'《圓覺經》. ④
거성 거 사성(四聲)의 하나. ⑤둥글 거 성(姓)
의 하나. ⑥버릴 거 ⊙내버림. 방기(放棄)
함. '一勢'. '一夫外誘之私'《中庸章句》. ⓛ내
쫓음. 추방함. '七一'. '不順父母一'《小學》. ⑦

쫓을 거 뒤쫓아 감. '處女相與語, 欲一之'《戰國
策》. ⑧덜 거 제외함. '一喪無所不佩'《論語》.
⑨거두어들일 거 수장(收藏)함. '一草實而食之'
《漢書》.
字源 甲骨文 去 金文 去 篆文 去 會意. 大＋凵. '大대'는 사
람의 상형. '凵거'는 甲骨
文에서는 '口구'로 '기도의 말'의 뜻. 기도하여
사람에 붙은 부정을 '제거하다, 떠나가다'의
뜻을 나타냄.

[去殼 거각] 껍데기를 벗겨 버림.
[去去年 거거년] 그러께. 지지난해.
[去去月 거거월] 전전달. 지지난달.
[去去益甚 거거익심] 갈수록 점점 더 심함.
[去根 거근] ⊙뿌리를 없애 버림. ⓛ근심의 근원
을 없애 버림. 병(病)의 근원(根源)을 없애 버
림.
[去冷 거냉] 조금 데워서 찬 기운을 없앰.
[去年 거년] 지난해. 작년.
[去痰 거담] 담(痰)이 없어지게 함.
[去毒 거독] 독기(毒氣)를 없애 버림.
[去冬 거동] 지난겨울. 작년 겨울.
[去頭截尾 거두절미] ⊙머리와 꼬리를 잘라 버림.
ⓛ일의 원인(原因)과 결과(結果)를 빼고 요점
만 말함.
[去來 거래] ⊙감과 옴. 왕래(往來). ⓛ행동을 재
촉할 때 내는 소리. ⓒ상품·물품을 매매 또는
주고받음.
[去來今 거래금] 《佛敎》 과거와 미래와 현재. 곧,
삼세(三世)의 약(略).
[去冷 거랭] 거냉(去冷).
[去路 거로] 가는 길.
[去留 거류] ⊙떠남과 머뭄. ⓛ죽음과 삶. ⓒ일이
되고 안됨. 성부(成否).
[去脈 거맥] 복령(茯苓) 따위의 겉껍질 속에 있는
누르스름한 줄기를 빼어 버림.
[去目 거목] 약재로 쓰이는 열매의 알맹이를 발라
냄.
[去白 거백] 귤 껍질의 흰 부분을 긁어 버림.
[去番 거번] ⊙지난번. ⓛ저번.
[去事 거사] 지난간 일. 과거지사(過去之事).
[去姓 거성] 《韓》 대역죄(大逆罪)를 범한 사람을
말할 때 성을 빼고 이름만을 일컬음.
[去聲 거성] 사성(四聲)의 하나. 발음의 처음이
높고 끝은 낮아지는 음(音). 송(送)·송(宋)·강
(絳)·치(寘)·미(未)·어(御)·우(遇)·제(霽)·
태(泰)·괘(卦)·대(隊)·진(震)·문(問)·원(願)·
한(翰)·간(諫)·산(霰)·효(效)·호(號)·
개(箇)·마(禡)·양(漾)·경(敬)·경(徑)·유(宥)·
심(沁)·감(勘)·염(豔)·함(陷)의 삼십 운(三十
韻)으로 나뉨. 이에 속하는 글자는 모두 측자
(仄字)임. 현대의 중국 어학에서는 제사성(第
四聲)이라고도 일컬음.
[去歲 거세] 거년(去年).
[去勢 거세] ⊙세력을 제거함. ⓛ불알을 까서 버
림.
[去心 거심] 약초(藥草)의 심(心)을 발라 버림.
[去惡生新 거악생신] 종처(腫處)의 굳은살을 없
애고 새살을 나오게 함.
[去夜 거야] 지난밤.
[去月 거월] 지난달. 객월(客月).
[去油 거유] 약재(藥材)의 기름기를 빼어 버림.
[去日 거일] 지나간 날. 과일(過日).
[去者日疏 거자일소] ⊙죽은 사람을 애석히 여기
는 마음은 날이 감에 따라 차차 사라짐. ⓛ서로

떨어지면 차차 멀어져 마침내 완전히 잊어버림.

[去滓 거재] 찌끼를 버림.

[去週 거주] 지난주.

[去處 거처] 간 곳.

[去秋 거추] 지난가을. 작년 가을.

[去春 거춘] 지난봄. 작년 봄.

[去就 거취] 관도(官途)를 물러남과 관도에 나섬. 전(轉)하여, 일신(一身)의 진퇴(進退).

[去取 거취] 버림과 취함. 취사(取捨).

[去弊 거폐] 폐단을 없앰.

[去弊生弊 거폐생폐] 폐단을 없애려다가 도리어 폐단이 생김.

[去皮 거피] 껍질을 벗겨 버림.

[去夏 거하] 지난여름. 작년 여름.

[去核 거핵] 열매의 씨를 발라 버림.

◉過去. 老去. 逃去. 亡去. 拔去. 放去. 死去. 辭去. 四時之序成功者去. 刪去. 三不去. 逝去. 仙去. 委去. 除去. 剔去. 擲去. 撤去. 七去. 退去. 解去.

3 ⑤ [厺] 去(前條)의 本字

[牟] 〔모〕 牛部 二畫(p. 1376)을 보라.

[矣] 〔의〕 矢部 二畫(p. 1557)을 보라.

[私] 〔사〕 禾部 二畫(p. 1609)을 보라.

6 ⑧ [厽] 〔제·재·자〕 齊(部首〈p. 2720〉)의 古字

6 ⑧ [厼] 〔삼·참〕 參(厶部 九畫〈p. 326〉)의 古字

參考 三(一部 二畫〈p. 14〉)으로 차용(借用)하기도 함.

6 ⑧ [参] 〔삼·참〕 參(厶部 九畫〈p. 326〉)의 俗字·簡體字

6 ⑧ [叀] 전 ㊥先 朱遄切 zhuān

字解 ①삼갈 전 세심하게 마음을 써서 삼감. '一, 小謹也'《說文》. ②걸릴 전 걸려듦. '一旦一礙, 爲幷所輻'《漢書》. ③오로지 전 專(寸部 八畫〈p. 606〉)과 同字.

字源 形聲. 幺〈省〉+田+屮〔音〕

7 ⑨ [厽] 〔참〕 參(厶部 九畫〈p. 326〉)의 古字

7 ⑨ [叀] 〔예〕 軎(車部 三畫〈p. 2259〉)와 同字

[怠] 〔태〕 心部 五畫(p. 766)을 보라.

8 ⑩ [㕕] 〔제·재·자〕 齊(部首〈p. 2720〉)의 本字

[畚] 〔분〕 田部 五畫(p. 1466)을 보라.

[能] 〔능〕 肉部 六畫(p. 1847)을 보라.

9 ⑪ [參] 中人 ━ 참 ㊥覃 倉含切 cān ㊥侵 楚簪切 cēn ═ 삼 ㊥覃 蘇甘切 sān ㊥侵 所今切 shēn 参 

筆順 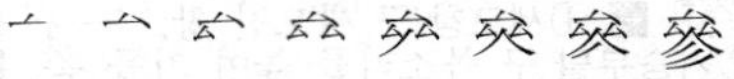

字解 ━ ①섞일 참 뒤섞임. 교착(交錯)함. '一伍'. '毋往一焉'《禮記》. ②나란할 참 셋이 서로 가지런함. 병립(竝立)함. 정립(鼎立)함. '一天貳地'. '三王之德, 一於天地'《禮記》. ③참여할 참 ㉠참가함. 간여함. '一政'. '一謀機密'《庾信》. 또, 참여시킴. '每有選用, 輒一之掾屬'《後漢書》. ㉡《佛教》 법(法)을 듣기 위하여 집회에 참가함. '一禪'. '惰耕村叟罷一僧'《陸游》. ④뵐 참 군주 또는 장상(長上)을 가서 뵘. '一謁'. '日一, 號常一官'《唐書》. ⑤헤아릴 참 대조하여 생각함. 고검(考檢)함. '一考'. '一稽治亂'《荀子》. ⑥무리 참 ㉠같은 동아리. 동렬(同列). '立其監, 設其一'《周禮》. ㉡부하. '親率內一'《北史》. ⑦가지런하지않을 참 '一差荇菜'《詩經》. ═ ①석 삼 三(一部 二畫)과 통용. '一一伍伍'. '一夷之誅'《漢書》. ②빽들어설 삼 빽빽이 들어선 모양. '一一其穡'《束晳》. ③별이름 삼 이십팔수(二十八宿)의 하나. 서쪽에 있으며 세 별로 이룸. '維一與昴'《詩經》. ④인삼 삼 인삼(人參)의 약칭(略稱). '百濟一, 白堅且圓, 名白羊一, 俗名羊角一'《本草》.

字源 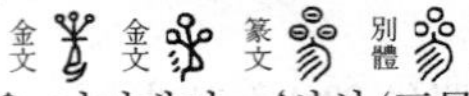

指事. 金文은 머리 위에 반짝이는 세 별을 나타내어, '삼성(三星)'을 나타냄. 일찍부터 金文에 '彡삼'을 덧붙여, '參삼'의 꼴이 되었음. 언뜻 보아 여자의 머리꾸미개의 상형 같기도 하지만, 글자 모양의 윗부분은 '星성'의 金文의 자형과 공통되며, '많다, 많아지다'의 뜻으로, 거기에서 '참가하다'의 뜻도 파생한 것 같음. 篆文은 晶+㐱〔音〕의 形聲. '㐱진'은 밀도(密度)가 높다의 뜻, '晶정'은 머리 위에 빛나는 세 별의 상형.

[參參 삼삼] ㉠빽빽이 들어선 모양. ㉡길게 늘어뜨린 모양.

[參參伍伍 삼삼오오] 여기에 삼사 인, 저기에 오륙 인이 각각 여러 패로 조금씩 떼 지어 흩어져 있는 모양.

[參商 삼상] 삼성(參星)과 상성(商星). 삼성은 서방에, 상성은 동방에 서로 등져 있어 동시에 두 별을 볼 수 없으므로, 친한 사람과 이별하여 만나지 못하는 비유로 쓰임.

[參夷 삼이] 한 사람이 저지른 죄로 삼족(三族)을 멸(滅)하는 일.

[參加 참가] 어떠한 모임이나 단체에 참여함.

[參看 참간] 대조(對照)하여 봄. 참고하여 봄. 참조(參照).

[參勘 참감] 참고(參考). 계감(契勘).

[參檢 참검] 여러 가지 증거를 참조(參照)하여 조사함.

[參見 참견] 《韓》 ㉠남의 일에 간섭함. ㉡참관(參

觀).

[參決 참결] 참여하여 결정함.
[參稽 참계] 참고(參考).
[參考 참고] 대조(對照)하여 생각함.
[參管 참관] 참여하여 맡음. 참장(參掌).
[參觀 참관] 들어가 봄. 참고로 봄.
[參校 참교] 대조하여 잘못을 고침.
[參究 참구] ㉠참조하여 고증하면서 연구함. ㉡
《佛敎》선(禪)에 참여하여 진리를 연구함.
[參量 참량] 참작(參酌).
[參列 참렬] 반열(班列)에 참여함.
[參禮 참례] 예식(禮式)에 참여함.
[參謀 참모] ㉠모의(謀議)에 참여함. ㉡군기(軍
機)에 참여하는 벼슬. ㉢육해군의 무관(武官)
으로 작전(作戰) 계획과 기타 군사상(軍事上)
의 기밀 회의(機密會議)에 참여하는 무관.
[參班 참반] 반열(班列)에 참여함.
[參榜 참방] 《韓》과거(科擧) 방목(榜目)에 성명
(姓名)이 끼어 실림.
[參拜 참배] 신불(神佛)에게 가서 배례(拜禮)함.
[參祀 참사] 제사(祭祀)에 참여함.
[參事 참사] 어떠한 일에 참여함.
[參席 참석] 자리에 참여(參與)함.
[參禪 참선] 《佛敎》좌선(坐禪)을 함. 또, 선도
(禪道)에 들어가 선법(禪法)을 연구함.
[參涉 참섭] 남의 일에 간섭함.
[參乘 참승] 귀인(貴人)을 모시고 수레에 함께
탐. 배승(陪乘).
[參神 참신] 신주(神主)에 참배함.
[參謁 참알] 대궐 안에 들어가 알현(謁見)함.
[參與 참여] 참가(參加)하여 관계함.
[參詣 참예] 감. 왕방(往訪)함.
[參預 참예] 참여(參與).
[參伍 참오] 뒤섞이는 모양. 또, 뒤섞음.
[參議 참의] 조의(朝議)에 참여함.
[參貳 참이] 참여(參與).
[參酌 참작] 참고하여 알맞게 작량(酌量)함.
[參雜 참잡] 섞음. 또, 뒤섞임.
[參掌 참장] 참여하여 맡음.
[參奠 참전] 합사(合祀)함.
[參戰 참전] 전쟁(戰爭)에 참가함.
[參政 참정] 정치(政治)에 참여함. 또, 그 벼슬.
[參政權 참정권] 국민이 그 나라의 정치에 참여할
수 있는 권리.
[參朝 참조] 조정(朝廷)에 나감.
[參照 참조] 참고로 마주 대어 봄.
[參綜 참종] 참여하여 통치(統治)함.
[參佐 참좌] 속관(屬官).
[參證 참증] 참고가 될 증거.
[參知政事 참지정사] 송대(宋代)의 재상(宰相)에
다음가는 벼슬.
[參集 참집] 참가하기 위해 모임.
[參錯 참착] 서로 엇갈리어 섞임.
[參贊 참찬] ㉠참획(參畫). ㉡청말(淸末)에 동삼
성(東三省)의 총독(總督)과 서장(西藏)의 판사
대신(辦事大臣) 밑에 둔 벼슬. ㉢청대(淸代)
에 공사관(公使館)의 공사(公使) 밑에 둔 벼
슬. 조선(朝鮮) 때 의정부(議政府)의 정이품
(正二品) 벼슬. 좌참찬과 우참찬이 있음.
[參篡 참찬] 참고하여 편찬(編纂)함.
[參天 참천] 공중에 높이 뻗어나는 모양.
[參天貳地 참천이지] 덕(德)이 천지(天地)와 나
란함.

[參聽 참청] 참석하여 들음.
[參差 참치] ㉠가지런하지 아니한 모양. ㉡흩어진
모양. ㉢'퉁소(洞簫)'의 이칭(異稱).
[參賀 참하] 조정(朝廷)에 나가 하례(賀禮)함.
[參學 참학] 학문의 길에 들어감. 학구(學究)에
종사함.
[參驗 참험] 참고로 조사(調査)함.
[參互 참호] 섞임. 또, 섞음.
[參和 참화] 휼(恤)·정(正)·직(直)의 세 가지를
갖춤. 곧, 백성을 구휼(救恤)함과 바름과 곧음
의 세 가지를 구비함.
[參會 참회] 참집(參集).
[參畫 참획] 계획에 참여함.
[參侯 참후] 가서 동정(動靜)을 살핌. 또, 가서
안부(安否)를 물음. 사후(伺候).
●古參. 內參. 代參. 不參. 佛參. 新參. 仰參.
月參. 日參. 早參. 朝參. 持參. 遲參. 直參.
差參. 推參. 趨參. 降參.

9
⑪ [畲] 〔도〕
圖(口部 十一畫〈p.429〉)의 俗字

10
⑫ [叅] 參(前前條)의 俗字

13
⑮ [黅] 준 ㉠眞 子峻切 jùn

字解 토끼 준 교활한 토끼의 이름. '東郭─者,
天下之狡兔也'《戰國策》.
字源 篆文 形聲. 兔＋夋〔音〕. '兔토'는 '토끼',
'夋준'은 '날쌔다, 뛰어나다'의 뜻.
교활한 토끼의 뜻을 나타냄.

又 (2획) 部
[또우부]

0
② [又] ㊥入 우 유 ㉠有 于救切 yòu

筆順 フ 又

字解 ①또 우 ㉠거듭하여. 재차. '天下一大
亂'《孟子》. ㉡그 위에. 다시. '一卜澳水之東'
《書經》. ②또할 우 재차 함. '天命不一'《詩經》.
③성 우 성(姓)의 하나. 용서할 유 용대(容
貸)함. 宥(宀部 六畫)와 통용. '王三一, 然後制
刑'《禮記》.
字源 甲骨文 金文 篆文 象形. 오른손의 상형으로,
오른쪽의 뜻을 나타냄. '右
우'의 원자(原字). 甲骨文에서는 '有우', '佑우',
'侑유'의 뜻도 지니고 있었으나, 뒤에 이들 글
자가 생겨서 뜻이 분화되었음. 어떤 사물을 중
복해서 가진다는 데서, '또'의 뜻으로 전용(轉
用)됨.
參考 부수(部首)로서 손의 동작에 관계되는 문
자가 이루어짐.

[又驚又喜 우경우희] 놀란 위에 또 기뻐함. 놀라
기도 하고 기뻐하기도 함.
[又生一秦 우생일진] 이미 진(秦)이란 적(敵)이

있는데, 또다시 적이 하나 늚을 이름.
●多又. 三又. 一又. 將又. 從又. 且又.

1③ [叉] 〔人名〕 차 ㊥麻 初牙切 chā

筆順 フ又叉

字解 ①깍지낄 차 두 손의 손가락을 서로 어긋매끼게 낌. '―手'. '逢人手盡一'《柳宗元》. ②가닥질 차 갈래가 짐. '―竿'. ③가닥 차, 갈래 차 분기(分岐). '不愁歸路有三一'《陸游》. ④작살 차 물고기를 찔러 잡는 어구(漁具). '挺―來往'《潘岳》. ⑤찌를 차 작살로 찌름. '柳塘持燭一魚'《高啓》.
字源 象形. 손가락 사이에 물건을 끼운 꼴을 본떠 '끼우다, 작살'의 뜻을 나타냄.

[叉竿 차간] 끝이 갈래진 죽간(竹竿).
[叉路 차로] 갈라진 길.
[叉手 차수] 깍지를 낌. 전(轉)하여, 아무것도 하지 않음(拱手).
[叉牙 차아] ㉠가운데가 우묵하여 갈라진 이. ㉡갈라져 나옴. ㉢가닥 지어 나옴. 기출(岐出).
●交叉. 戟叉. 矛叉. 木叉. 步叉. 三叉. 丫叉. 夜叉. 野叉. 鏖叉. 音叉. 支叉. 攫叉. 吒叉. 俠叉. 畫叉.

2④ [叉] 조 ㊤巧 側絞切 zhǎo

字解 손톱 조, 발톱 조 爪(部首)의 古字. '一, 古文. 說文曰, 手足甲也'《廣韻》.
字源 指事. 손[又]과 손톱[丶]을 합친 글자.

2④ [双] 〔쌍〕 雙(佳部 十畫〈p.2487〉)의 俗字

2④ [収] 〔수〕 收(支部 二畫〈p.922〉)의 俗字

2④ [収] 〔공〕 廾(部首〈p.713〉)의 本字

2④ [夊] 〔귀〕 夗(宀部 二畫〈p.567〉)의 古字

2④ [及] 〔中人〕 급 ㊤緝 其立切 jí

筆順 ノ 丆 乃 及

字解 ①미칠 급 ㉠뒤쫓아가 따름. '追敵不一'. '追吳師一之'《禮記》. ㉡일정한 곳에 이름. '賓入一庭'《儀禮》. ㉢일정한 시기에 이름. '未一期日'《禮記》. '一壯爲泗上亭長'《十八史略》. ㉣일정한 상태에 이름. '惟酒無量, 不一亂'《論語》. ㉤퍼짐. '波一'. '覃一鬼方'《詩經》. ㉥필적함. '彼不一此'. '蓋尋常尺寸之間耳'《韓愈》. ㉦닿음. '其不一水, 蓋尋常尺寸之間耳'《韓愈》. ㉧족(足)함. '過猶不一'《論語》. ㉨관여함. 참여함. '一門'. '師出與謀曰一'《左傳》. ㉩연좌(連坐)함. '長惡不悛, 從自一也'《左傳》. ②미치게할 급 전항의 타동사. '老吾老以一人之老'《孟子》. ③및 급 접속사(接續詞). '大宛一大夏安息之屬, 皆大國'《史記》.

④더불 급 ㉠더불어. 함께. 같이. 與(臼部 七畫)와 뜻이 같음. '予一女偕亡'《孟子》. ㉡더불어 함. 함께 함. 같이 함. '周王于邁, 六師一之'《詩經》. ⑤성 급 성(姓)의 하나.
字源 會意. 又+人. '又우'는 손의 상형. 사람에 손이 닿을 듯이 따라붙다, 미치다의 뜻을 나타냄.

[及瓜 급과] 임기(任期)가 참. 해가 참. 만기(滿期). 외가 익을 때 부임하여 이듬해에 외가 익을 때 교체(交遞)한다는 뜻에서 나온 말.
[及落 급락] 급제(及弟)와 낙제(落第).
[及累 급루] 남에게 누(累)를 끼침.
[及門 급문] 문하(門下)에 참여한다는 뜻으로, 문인(門人) 곧 제자(弟子)가 됨을 이름.
[及第 급제] 시험에 합격(合格)됨.
[及逮 급체] 쫓아가 잡음.
[及追 급추] 뒤쫓아가 미침.
●企及. 過及. 過不及. 過猶不及. 論及. 普及. 世及. 遡及. 言及. 延及. 連及. 追及. 波及.

2④ [友] 〔中人〕 우 ㊤有 云久切 yǒu

筆順 一 ナ 方 友

字解 ①벗 우 친구. '一人'. '朋一'. '益者三一'《論語》. ②벗할 우 교유함. '諸侯有所不一'《後漢書》. ③우애있을 우 형제간에 의가 좋음. '一弟'. '一孝'. '惟孝, 于于兄弟'《書經》. ④성 우 성(姓)의 하나.
字源 形聲. 又+又(音). '又우'는 오른손의 상형. 손에 손을 잡고 있는 '벗'의 뜻을 나타냄.

[友軍 우군] ㉠우리 군대. 아군(我軍). ㉡우방(友邦)의 군대.
[友道 우도] 친구와 사귀는 도리.
[友樂 우락] 의좋게 사귐.
[友睦 우목] 형제간에 우애가 있어 화목함.
[友穆 우목] 우목(友睦).
[友邦 우방] ㉠이웃 나라. ㉡가까이 사귀는 나라.
[友傅 우부] 임금의 자제(子弟)를 보호하고 보살피는 벼슬.
[友朋 우붕] 벗. 붕우(朋友).
[友生 우생] ㉠벗. ㉡편지에서 자기를 가리키는 말.
[友壻 우서] 동서(同壻).
[友善 우선] 벗과 사이가 좋음. 친함.
[友愛 우애] ㉠형제(兄弟) 사이의 정애(情愛). ㉡벗 사이의 정분(情分).
[友于 우우] 형제간에 우애가 있음.
[友誼 우의] 벗 사이의 정의(情誼).
[友人 우인] 우생(友生). 붕우(朋友).
[友情 우정] 우의(友誼).
[友弟 우제] 형제간에 우애가 있음.
[友悌 우제] 우제(友弟).
[友直 우직] 정직(正直)한 사람을 벗으로 삼음.
[友執 우집] 우인(友人).
[友風子雨 우풍자우] 바람을 벗하고 비를 아들로 삼는다는 뜻으로, 구름을 이름. 순자(荀子)에 바람이 구름과 같이 가니 동무요, 비는 구름에서 생기니 아들이라 한 데서 나온 말.
[友學 우학] 귀한 사람이 배우는 데 곁에서 함께

배움. 또, 그 사람.
[友好 우호] ㉠형제간에 우애가 있음. ㉡벗 사이에 우정이 깊음.
● 嘉友. 故友. 交友. 校友. 敎友. 舊友. 金蘭友. 級友. 老友. 篤友. 同門友. 同友. 莫逆友. 忘年友. 亡友. 盟友. 睦友. 朋友. 士友. 四友. 死友. 師友. 社友. 三益友. 歲寒三友. 損友. 詩友. 詩酒友. 心腹友. 心友. 雅友. 謵謵友. 惡友. 良友. 畏友. 僚友. 益友. 爭友. 戰友. 正友. 政友. 靜友. 悌友. 酒友. 竹馬友. 知友. 執友. 親友. 布衣友. 學友. 鄕友. 賢友. 好友. 豪友. 孝友.

2
④ [反]

■ 반	㊤阮 府遠切 fǎn
■ 번	㊦元 孚袁切 fān
■ 판	㊧願 方願切 fàn

[筆順] 一 厂 厃 反

[字解] ■ ①돌이킬 반 ㉠그전으로 돌아감. 복귀함. '報本—始'《禮記》. ㉡돌이켜 생각함. 반성함. '—省'. ②뒤집을 반 반대로 함. '以齊王, 由一手也'《孟子》. ③엎어질 반 전복함. '車不—覆'《周禮》. ④돌아올 반 '匹馬隻輪無—者'《公羊傳》. ⑤올 반 내도(來到)함. '福祿來—'《詩經》. ⑥뒹굴 반 누워서 이리저리 구름. '輾轉—側'《詩經》. ⑦거스를 반 어김. 거역함. '一拒'. '其所令—其所好, 而民不從'《大學》. ⑧배반할 반 모반함. '—逆'. '豈敢—乎'《史記》. ⑨휠 반 굽어짐. '上一字以蓋戴'《班固》. ⑩듬직할 반 신중함. 진중함. '威儀—一'《詩經》. ⑪도리어 반 반대로. '天與弗取, 一受其咎'《史記》. ⑫반절 반 한 자(字)의 음과 한 자의 운(韻)을 합쳐 한 음을 나타내는 일. ⑬성 반 성(姓)의 하나. ■ 뒤집을 번 ㉠원죄(冤罪)로 옥에 갇힌 사람을 재심하여 무죄로 함. '杜из치之, 獄少一者'《漢書》. ㉡뒤집어엎음. '一水漿'《漢書》. ■ 팔 판 販(貝部 四畫)과 同字. '積一貨而爲商賈'《荀子》.

[字源] [갑골문] [금문] [전문] [고문] 會意. 又+厂. '又'는 손의 상형. '厂한'은 '벼랑'의 상형. 내리덮치는 바위와 같은 중압(重壓)을 손으로 뒤집어엎다의 뜻을 나타냄.

[反間 반간] ㉠거짓 적국(敵國) 사람이 되어 적정을 탐지하여 본국에 알림. 또, 그 사람. ㉡적국의 간첩을 역이용하여 적이 탐지한 책략(策略)의 반대의 책략을 씀. ㉢이간질. 이간책(離間策).
[反感 반감] 거역하고자 하는 마음. 노여운 감정.
[反拒 반거] 반대하여 거역함. 반항함.
[反擊 반격] 쳐들어오는 적군(敵軍)을 도리어 침.
[反景 반경] ㉠저녁놀. ㉡저녁 햇살. 석양(夕陽).
[反經合權 반경합권] 상도(常道)에서 벗어나나 권도(權道)에 맞음.
[反故 반고] 서화(書畫)를 쓰거나 그리다가 못쓰게 된 종이. 휴지.
[反顧 반고] 뒤를 돌아다봄. 전(轉)하여, 가족을 그리워함. 집에 돌아가고 싶어 함.
[反攻 반공] 수세(守勢)를 취하다가 공세로 전하여 침.
[反求 반구] 어떤 일의 원인을 제 자신에게서 찾음. 반성하여 자기를 책망함.

[反裘而負薪 반구이부신] 갖옷을 뒤집어서 입고 땔나무를 짊어짐. 털을 아끼다가 도리어 가죽이 긁혀 찢어짐을 깨닫지 못하는 어리석음을 비웃는 말.
[反錦 반금] 반벽(反璧).
[反旗 반기] ㉠반란(反亂)을 일으킨 자가 드는 기(旗). ㉡반대 의사(意思)를 나타내는 행동이나 표시.
[反黨 반당] 당원이면서 당의 결정을 어기고 독자적으로 행동함.
[反對 반대] ㉠사물(事物)이 아주 상반(相反)됨. ㉡거스름.
[反動 반동] 어떠한 동작(動作)에 대하여 그 반대로 일어나는 동작.
[反亂 반란] 반역(反逆)을 꾀하여 일으키는 난리(亂離).
[反戾 반려] 위반함. 위배(違背)됨.
[反倫 반륜] 인륜(人倫)에 어그러짐.
[反面 반면] ㉠반대의 방면. ㉡어디를 갔다가 돌아와서 부모에게 뵘.
[反命 반명] ㉠사신(使臣)으로 갔다 돌아와서 보고함. 복명(復命). ㉡명령에 복종하지 아니함.
[反目 반목] 서로 눈을 흘김. 전(轉)하여, 서로 미워함. 사이가 좋지 못함.
[反問 반문] 물음에 대하여 대답하지 않고 도리어 되받아 물음.
[反民 반민] 민족에 반역함.
[反駁 반박] 남의 의견을 반대하여 논박(論駁)함.
[反縛 반박] 반접(反接).
[反反 반반] 듬직한 모양. 진중(鎭重)한 모양. 신중한 모양.
[反叛 반반] 배반함. 모반함.
[反撥 반발] 되받아서 퉁김.
[反背 반배] 배반함.
[反璧 반벽] 남이 선사하는 물건을 받지 아니하고 돌려보냄.
[反報 반보] ㉠복명(復命). ㉡갚음. 보답. 또, 앙갚음. ㉢되풀이. 반복.
[反復 반복] 한 일을 되풀이함.
[反覆 반복] ㉠배반함. ㉡되풀이함. ㉢엎어짐. 또, 뒤집어엎음. ㉣본디로 돌아감. ㉤언행을 이랬다저랬다 함.
[反覆無常 반복무상] 언행을 이랬다저랬다 하여 일정한 주장(主張)이 없음.
[反比例 반비례] 어떤 양(量)이 다른 양의 역수(逆數)에 정비례(正比例)되는 관계.
[反射 반사] 이편에 비친 광선(光線)이 저편에 되짚어 비침.
[反辭 반사] 되풀이하는 말.
[反殺 반살] 자기를 죽이려고 하는 자를 죽임.
[反相 반상] 반역을 일으킬 상(相). 역적질할 상(相).
[反常 반상] 상도(常道)에 어긋남. 이치에 어긋남.
[反噬 반서] ㉠동물(動物)이 은혜(恩惠)를 잊고 주인을 묾. ㉡은인(恩人)을 배반하여 해침.
[反舌 반설] ㉠오랑캐의 말. 만이(蠻夷)의 언어. 혀가 안으로 말려 발음이 분명치 못하여 잘 알아들을 수 없다는 뜻. 격설(鴃舌). ㉡지빠귓과에 속하는 새. 다른 새의 울음소리를 잘 흉내냄. 지빠귀. 티티새. 백설조(百舌鳥).
[反省 반성] 자기가 한 일을 스스로 돌이켜 살핌.
[反手 반수] 손바닥을 뒤침. 곧, 일이 매우 쉬움을 이름.

[反首拔舍 반수발사] 난발(亂髮)하고 노숙(露宿)함. 머리를 흐트러뜨리고 들에서 잠.
[反眼 반안] 반목(反目).
[反掖之寇 반액지구] 겨드랑이 아래에서 모반하는 적이라는 뜻으로, 내란(內亂)을 이름. 액(掖)은 액(腋). 소장지화(蕭牆之禍).
[反語 반어] ㉠표면의 뜻과는 반대(反對)되는 뜻으로 쓰이는 말. ㉡비꼬아 하고자 하는 말의 반대의 뜻의 말을 쓰는 어법(語法).
[反逆 반역] 임금을 배반하여 거병(擧兵)함. 모반(謀叛)함. 반역(叛逆).
[反映 반영] 반사(反射)하여 비침.
[反影 반영] 반영(反映)되는 그림자.
[反忤 반오] 배반하여 거스름.
[反宇 반우] 네 귀퉁이가 번쩍 들린 높은 처마. 비첨(飛檐). 비우(飛宇).
[反應 반응] ㉠이편을 배반(背反)하고 저편에 응(應)함. 배반함. 내통함. ㉡물질 사이에 일어나는 화학적(化學的) 변화.
[反張 반장] 뒤틀림. 꼬여서 비틀어짐.
[反掌 반장] 손바닥을 뒤집음. 일이 매우 쉬움의 비유.
[反葬 반장] 객사(客死)한 사람의 시체를 고향으로 옮겨다가 장사 지냄.
[反賊 반적] 모반(謀叛)한 적도(賊徒). 반역자(反逆者). 반적(叛賊).
[反轉 반전] ㉠반대로 돎. ㉡일의 형세가 뒤바뀜.
[反切 반절] 한문(漢文) 글자의 두 자의 음(音)을 반씩 취하여 한 음을 만들어 읽는 법.
[反坫 반점] 잔대. 주대(周代)에 제후(諸侯)의 회견(會見) 때 헌수(獻酬)한 술잔을 엎어 놓는, 흙으로 만든 대(臺).

[反坫]

[反接 반접] 두 손을 뒤로 합쳐 묶음.
[反正 반정] ㉠정도(正道)로 되돌아가게 함. 난세(亂世)를 바로잡아 본디의 태평(太平)한 세상(世上)으로 되게 함. ㉡정도(正道)에 어긋남. 상도(常道)에서 버스러짐. ㉢부정(不正)과 정(正). 반대와 정면(正面). 속과 거죽.
[反正體 반정체] 한시(漢詩)의 한 체(體). 좌서(左書)가 본디의 글자와 똑같은 자로 구성된 시체(詩體). 예컨대, 유월(兪樾)의 '常因合坐共商量, 黨異宗同兩不當' 따위.
[反照 반조] ㉠반영(反映). ㉡반경(反景).
[反坐 반좌] 무고(誣告) 또는 위증(僞證)을 하여 남을 죄에 빠뜨리게 한 자에게 그 무고 또는 위증한 내용의 죄와 동일한 형벌을 과(課)하는 일.
[反證 반증] 반대의 증거(證據).
[反芻 반추] ㉠소·양 같은 짐승이 한 번 삼킨 것을 다시 게워 내어 씹는 일. ㉡같은 사물을 돌이켜 생각함을 이름.
[反側 반측] ㉠누운 자리가 편안하지 못하여 몸을 뒤척거림. ㉡이심(異心)을 품음. 모반함. 배반함.
[反側者 반측자] 배반자(背反者).
[反則 반칙] 법칙이나 규칙에 어그러짐.
[反旆 반패] 기치(旗幟)를 돌림. 곧, 군대를 돌림.
[反哺 반포] 까마귀 새끼가 자란 뒤에 늙은 어미새에게 먹을 것을 물어다 준다는 뜻으로, 사람이 어버이에게 진 은혜를 갚음을 이름. 안갚음.
[反哺之孝 반포지효] 자식이 자란 후에 부모에게 진 은혜를 갚아 자식의 도리를 다하는 효성.
[反汗 반한] 나온 땀을 다시 들어가게 함. 군주(君主)가 일단 발표한 명령을 취소하거나 고치는 일을 이름.
[反抗 반항] 반대하여 저항(抵抗)함.
[反響 반향] ㉠음향(音響)의 반사(反射). 메아리. ㉡어떠한 언동(言動)이 사회에 미치는 영향(影響).
[反魂香 반혼향] 피우면 죽은 사람의 모습이 그 연기 속에 나타난다는 향(香).
[反耕 번경] 논밭을 갈아엎음.
[反庫 번고] ㉠창고 안의 물건을 뒤적거려 조사함. ㉡구역질하여 토함.
[反畓 번답] 밭을 논으로 만듦.
[反水不收 번수불수] 엎지른 물은 다시 담지 못함. 일단 한 일은 어찌할 도리가 없음. 복수난수(覆水難收). 복수불수(覆收不收).
[反脣 번순] 입술을 뾰족하게 내밂. 곧, 불복(不服)하여 입술을 삐죽이 하고 불평을 함.
[反胃 번위] 구역질로 위(胃)에서 음식물이 다시 입으로 올라오는 병증.
[反田 번전] 논을 밭으로 만듦.
[反貨 판화] 팔 물건. 매물(賣物).
◉顧反. 謀反. 背反. 倍反. 相反. 旋反. 往反. 違反. 離反. 造反. 悖反. 回反.

2
④ [𠬝] 복 [入]屋 房六切 fú
[字解] 다스릴 복 '一, 說文, 治也'《廣韻》.
[字源] 會意. 又＋卩

3
⑤ [𠬪] 도 [平]豪 土刀切 tāo
[字解] ①반드러울 도 미끄러움. '一, 滑也'《說文》. ②손꾸미개 도 손을 장식하는 꾸미개. '一, 按, 手飾也'《說文通訓定聲》. ③북꾸미개 도 요고(腰鼓)에 장식으로 단 꾸미개. '一, 一曰, 戎鼓大首, 謂之一'《集韻》.
[字源] 指事. 又＋屮

3
⑤ [反] 〔반·판〕
反(又部 二畫〈p.329〉)의 古字

3
⑤ [叐] 〔발〕
犮(犬部 一畫〈p.1387〉)의 俗字

3
⑤ [发] 〔발〕發(癶部 七畫〈p.1500〉)·髮(髟部 五畫〈p.2625〉)의 簡體字

3
⑤ [収] 〔수〕
收(攴部 二畫〈p.922〉)의 俗字

4
⑥ [叓] 〔사〕
史(口部 二畫〈p.337〉)의 本字

4
⑥ [叒] 약 [入]藥 而灼切 ruò
[字解] ①부상 약 동쪽 바다에 있어, 그것을 올라 해가 돋는다는 신목(神木). 부상(扶桑). '一, 日初出東方湯谷, 所登榑桑, 一木也'《說文》. ②

좇을 약 따름. '一, 順也'《六書精蘊》.
[字源] 象形. 동쪽의 해 돋는 곳에 자라는 신목(神木)을 나타냄.

4 ⑥ [叐] 표 [上]篠 平表切 biào

[字解] 떨어질 표 물건이 낙하(落下)함. '一, 物落皃'《廣韻》.
[字源] 會意. 爪+又

5 ⑦ [叓] 〔사〕
事(亅部 七畫〈p. 70〉)의 古字

6 ⑧ [叕] [一] 철 [入]屑 陟劣切 zhuó
[二] 열 [入]屑 魚列切 jué

[字解] [一] ①이을 철 잇댐. 綴(糸部 八畫)과 同字. '一, 綴聯也'《說文》. ②짧을 철 '愚人之意一'《淮南子》. [二] 빠를 열 '一, 速也'《集韻》.
[字源] 象形. 실을 이어 붙인 모양을 본뜸.

6 ⑧ [叔] [中·人] 숙 [入]屋 式竹切 shū 

[筆順] 丨 ⺊ 上 于 汁 朩 叔 叔

[字解] ①아재비 숙 숙부. 아버지의 아우. '分寶玉于伯一之國'《書經》. ②셋째동포 숙 형제 중의 셋째. '伯仲一季'. '伯某甫, 仲一季, 唯其所當'《儀禮》. ③시동생 숙 남편의 아우. '嫂不撫一, 一不撫嫂'《禮記》. ④어릴 숙 연소함. 또, 연소한 사람. '一, 少也, 幼者之稱也'《釋名》. ⑤끝 숙 멸망에 가까운 때. 말세(末世). '三辟之興, 皆一世也'《左傳》. ⑥주울 숙 손으로 집음. 주로 열매 같은 것을 주움을 이름. '九月一苜'《詩經》. ⑦콩 숙 菽(艸部 八畫)의 古字. '得以一粟當賦'《漢書》.
[字源] 甲骨文  金文  篆文  形聲. 篆文은 又+尗〔音〕. '尗숙'은 가지에 붙어 있는 콩의 상형. 콩을 줍다의 뜻을 나타냄. 또 음부(音符)인 '尗'은 '弔조'와 통하여, '가엾어하다'의 뜻. 가엾어해야 할 어린 사람, 선량한 사람의 뜻도 나타냄. 파생(派生)되어 '아우'의 뜻이나, '숙부'의 뜻도 나타냄.

[叔季 숙계] ㉠끝의 형제. 막내아우. 말제(末弟). ㉡말세(末世).
[叔舅 숙구] 성(姓)이 다른 아저씨. 모계(母系)의 아저씨.
[叔梁紇 숙량흘] 춘추 시대(春秋時代)의 노(魯)나라 사람. 공자(孔子)의 아버지. 신장이 구 척이고 무력(武力)이 절륜(絕倫)하였으며, 벼슬은 추읍 대부(鄒邑大夫)를 지냈음. 전취(前娶)부인 시 씨(施氏)에게서 딸만 아홉을 낳고 아들이 없다가 늦게 어린 안 씨(顔氏)에게 장가를 들어 이구(尼丘)에서 기도를 드려 공자를 낳았음.
[叔妹 숙매] 시누이. 남편의 누이동생.
[叔母 숙모] 숙부(叔父)의 아내.
[叔伯 숙백] 아우와 형. 형제(兄弟).
[叔父 숙부] ㉠아버지의 아우. ㉡천자(天子)가 동성(同姓)의 제후(諸侯)를 일컫는 말.
[叔世 숙세] 말세(末世).
[叔粟 숙속] 콩과 조.
[叔孫通 숙손통] 한(漢)나라의 설(薛) 사람. 고조(高祖) 때 한(漢)나라의 의례(儀禮)를 제정하였고 만년에는 태자태부(太子太傅)가 되었음.
[叔姪 숙질] ㉠조카. ㉡《韓》아저씨와 조카.
[叔行 숙항] 아저씨뻘의 항렬.
◉堂叔. 伯叔. 外叔. 仲叔.

6 ⑧ [取] [中·人] 취 [上]麌 七庾切 qǔ 

[筆順] 一 厂 F F E 耳 耴 取

[字解] ①취할 취 ㉠전쟁에서 적을 죽이고 그 표로서 귀를 자름. '獲者一左耳'《周禮》. ㉡잡음. 포획함. '一黿一鼉'《禮記》. ㉢빼앗음. 탈취함. '奪一'. '一三邑去'《史記》. ㉣도움. 상조(相助)함. '遠近相一'《易經》. ㉤손에 쥠. '如一如攜'《詩經》. ㉥받음. '一予'. '一衣者亦以篋'《禮記》. ㉦거둠. 거두어들임. '歲一十千'《詩經》. ㉧가림. 채용함. '一士'. '以貌一人'《史記》. ㉨다스림. '一天下者, 常以無事'《老子》. ㉩구함. 찾음. 요구함. '爲人排難解紛, 而無一也'《史記》. ㉪함. 행함. '咸其自一'《莊子》. ㉫씀. 사용함. 부림. '典筆之吏, 一筆失旨'《南史》. ㉬침. 죽임. '吾爲公一彼一將'《史記》. ②장가들 취 娶(女部 八畫)와 同字. '一女吉'《易經》. ③어조사 취 ㉠수동의 뜻을 나타내는 조사. '一欺'. '一笑'. '知者以有餘爲疑, 而朴者以不足一信矣'《後漢書》. ㉡무의미한 조사. '好一開簾帖雙燕'《盧照隣》.
[字源] 甲骨文  金文  篆文  會意. 又+耳. 옛날에, 전쟁에서 죽인 적의 왼쪽 귀를 베어 내어 목 대신 모았었던 데서, '붙잡다, 취하다'의 뜻을 나타냄.

[取睽 취규] '활〔弓〕'을 이름.
[取欺 취기] 기만당함.
[取其所長 취기소장] 장처(長處)를 취함.
[取貸 취대] 돈을 꾸어 주기도 하고 꾸어 쓰기도 함.
[取得 취득] 손에 넣음. 자기의 소유로 만듦.
[取露 취로] 증류(蒸溜)시키어 그 김을 받음.
[取利 취리] 돈놀이.
[取名 취명] 명성을 얻음.
[取舍 취사] 씀과 버림. 씀과 쓰지 아니함. 용사(用捨).
[取捨 취사] 취사(取舍).
[取色 취색] 낡은 세간 같은 것을 닦고 손질하여서 윤을 냄.
[取笑 취소] 남의 웃음거리가 됨.
[取息 취식] 이식(移息)을 늘려 받음.
[取食客 취식객] 염치없이 남의 음식을 먹는 사람.
[取食之計 취식지계] 근근이 밥이나 먹고 살아가는 꾀.
[取信 취신] 남에게 신용을 얻음.
[取予 취여] 가짐과 줌. 받음과 줌.
[取與 취여] 취여(取予).
[取人 취인] 인재(人材)를 가려 씀.
[取子車 취자거] 물레.
[取才 취재] 인재(人才)를 가려 씀. 능력이 있는 사람을 기용함.
[取材 취재] 기사(記事)나 회화(繪畫) 등의 재료

를 얻음. 또, 그것.
[取適非取魚 취적비취어] 낚시질을 하는 참뜻이 고기 잡는 데 있지 않고 쾌적(快適)을 취하는 데 있다는 뜻으로, 어떤 행동의 목적이 거기에 있는 것이 아니고 다른 데 있음을 이르는 말.
[取種 취종] 동식물의 씨를 받음.
[取次 취차] 차례차례로.
[取招 취초] 죄인의 진술(陳述)을 받음.
[取擇 취택] 가려 뽑음. 선택함.
[取便 취편] 편리한 것을 취함.
[取品 취품] 좋은 물건을 가려 뽑음.
[取稟 취품] 어른께 여쭈어서 대답을 기다림.
[取筆 취필] 잘 쓰는 글씨를 뽑음. 글씨 잘 쓰는 사람을 뽑음.
[取汗 취한] 병(病)을 고치기 위하여 땀을 발산시킴.
[取禍之本 취화지본] 재앙을 가져오는 근본.
◉簡取. 去取. 攻取. 博取. 詐取. 索取. 先取. 攝取. 略取. 漁取. 逆取. 竊取. 進取. 搾取. 採取. 聽取. 奪取. 捕取. 獲取.

6 ⑧ [受] [中人] 수 ㊤有 殖酉切 shòu 

[筆順] 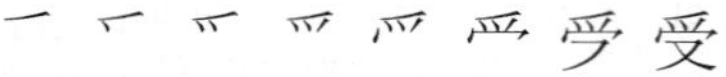

[字解] ①받을 수 ㉠주는 것을 가짐. 얻음. '—賂'. '—祿于天'《中庸》. ㉡자기 몸에 가하여짐. 주어짐. 입음. '至自遠方, 莫不—業焉'《史記》. '—恩尙必報'《說苑》. ㉢이음. 계승함. '殷—夏, 周—殷'《孟子》. ㉣용납함. 받아들임. '君子不可小知而可大—也'《論語》. ㉤실음. 담음. 받음. '以籩—'《儀禮》. ㉥맞이함. '有所—無所歸'《大戴禮》. ②어조사 수 수동의 뜻을 나타내는 조사. '忘—欺於姦諛'《唐書》. ③성 수 성(姓)의 하나.

[字源] 甲骨文 金文 篆文 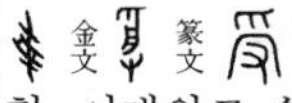 形聲. 甲骨文은 爪+又+舟〔音〕. '舟주'는 나룻배의 상형. 아래위로 손의 상형인 '爪조'와 '又우'를 덧붙여, '주고받다'의 뜻을 나타냄. 篆文은 '舟' 부분이 '冖멱'으로 생략 변형되었음.

[受呵 수가] 꾸지람을 당함.
[受講 수강] 강습(講習)을 받음.
[受檢 수검] 검사나 검열 등을 받음.
[受經 수경] 경서(經書)에 대한 강의(講義)를 듣고 배움.
[受戒 수계] ㉠경계를 받음. 경계당함. ㉡《佛敎》 불문(佛門)에 들어가 계율(戒律)을 받음.
[受諾 수낙] 수락(受諾).
[受難 수난] 재난(災難)을 당함.
[受納 수납] 받아들임. 들어줌.
[受動 수동] 남에게 작용(作用)을 받음. 피동(被動).
[受諾 수락] 들어줌. 승낙(承諾)함.
[受領 수령] 받아들임.
[受賂 수뢰] 뇌물(賂物)을 받음.
[受理 수리] 받아서 처리(處理)함.
[受命 수명] ㉠명령(命令)을 받음. ㉡천명(天命)을 받아 천자(天子)가 됨.
[受命而不辭家 수명이불사가] 왕명(王命)을 받고 출정할 때 집에 가서 이별을 고(告)하지 않고 그냥 떠나는 것이 장수(將帥) 된 사람의 도리라는 말.
[受命者 수명자] 천명(天命)을 받아 천자(天子)가 된 사람.
[受侮 수모] 남에게 모욕(侮辱)을 당함.
[受罰 수벌] 벌(罰)을 받음.
[受粉 수분] 암꽃술의 주두(柱頭)에 수꽃술의 꽃가루가 붙어 열매를 맺게 되는 현상.
[受傷 수상] 상처(傷處)를 입음.
[受賞 수상] 상(賞)을 받음.
[受禪 수선] 선양(禪讓)을 받음. 임금의 자리를 물려받음. 또, 그 일.
[受成 수성] 이루어진 사업을 이어받아 지켜 나감.
[受洗 수세] 기독교인(基督敎人)이 세례(洗禮)를 받음.
[受授 수수] 받음과 줌. 수수(授受).
[受信 수신] 통신(通信)을 받음.
[受室 수실] 아내를 얻음.
[受業 수업] 학업(學業)을 받음. 가르침을 받음.
[受辱 수욕] 남에게 치욕을 당함.
[受用 수용] 받아 씀.
[受容 수용] 받아 넣어 담음.
[受由 수유] 《韓》 말미.
[受恩 수은] 은혜(恩惠)를 입음.
[受益 수익] 이익을 얻음.
[受任 수임] ㉠임무를 받음. ㉡위임(委任)을 받음.
[受精 수정] 암컷의 난자(卵子)가 수컷의 정자(精子)를 받아들여 하나로 합치는 생식(生殖) 현상.
[受持 수지] ㉠받아 지킴. ㉡일을 받아 맡음. 담당함.
[受采 수채] 신랑(新郞) 집에서 보낸 납채(納采)를 신부 집에서 받음.
[受取 수취] 받아 가짐. 받음.
[受託 수탁] 부탁(付託)을 받음.
[受胎 수태] 아이를 뱀. 회임(懷妊).
[受學 수학] 학문을 받음.
[受降 수항] 항복(降伏)을 받음.
[受害 수해] 해(害)를 입음.
[受驗 수험] 시험을 치름. 시험에 응함. 응시(應試).
[受刑 수형] 형벌을 받음.
[受話機 수화기] 전화(電話)를 듣는 기계(機械).
◉甘受. 感受. 口受. 傍受. 拜受. 膚受. 收受. 授受. 順受. 承受. 心受. 容受. 引受. 傳受. 聽受. 超受. 享受. 虛受. 翕受.

7 ⑨ [叙] [高人] 〔서〕 敍(攴部 七畫〈p.929〉)의 俗字

[筆順] 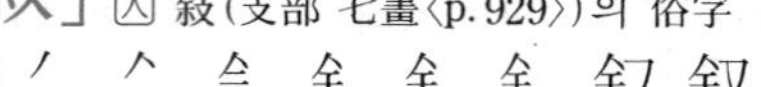

7 ⑨ [叛] [中人] 반 [去]翰 薄半切 pàn 

[筆順] 

[字解] ①배반할 반 ㉠모반함. '—徒'. '入于戚以—'《左傳》. ㉡적의를 품음. '惠卿—安石'《十八史略》. ②배반 반 전항(前項)의 명사. '謀—'. 또, 배반하는 사람. '受詔討—'《晉書》.

[字源] 篆文 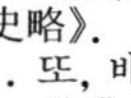 形聲. 反+半〔音〕. '半반'은 '갈라지다'의 뜻. 반항하여 떠나다, 배반하다의 뜻을 나타냄.

[叛軍 반군] 배반(背叛)한 군사.
[叛旗 반기] 반란을 일으킨 표시로 드는 기.

[叛奴 반노] 자기 상전(上典)을 배반(背叛)한 종.
[叛徒 반도] 반란을 일으킨 무리.
[叛亂 반란] 배반하여 일으키는 난리. 또, 모반(謀
[叛戾 반려] 배반(背叛)함.　　　　　　　　　└叛).
[叛服 반복] 배반(背叛)함과 복종(服從)함.
[叛臣 반신] 배반(背叛)한 신하(臣下).
[叛心 반심] 배반하려고 하는 마음. 배심(背心).
[叛逆 반역] 임금을 배반(背叛)하여 군사를 일으
　킴.
[叛將 반장] 반란을 일으킨 장수.
[叛跡 반적] 반역한 흔적.
[叛賊 반적] 반역한 사람. 반역한 사람.
　역적.
[叛渙 반환] 배반(背叛)하여 흩어져 감.
[叛換 반환] ㉠강(強)하여 제멋대로 굶. 발호(跋
　扈). ㉡배반(背叛)함.
●乖叛. 謀叛. 背叛. 倍叛. 逆叛. 擾叛. 離叛.

7
⑨ [叚] 〔가〕
假(人部 九畫〈p. 157〉)의 同字
字源 金文 [叚] 篆文 [叚] 會意. 厂+二+彐. '厂한'은 '바위'의 뜻. '二이'는 가공하
지 않은 옥(玉)의 뜻. '彐'은 '양손'의 상형.
바윗돌 속에서 막 채취한 옥돌의 뜻에서, '임
시'의 뜻을 나타냄. '瑕하'의 원자(原字).

7
⑨ [变] 叟(次條)와 同字
字源 甲骨文 [变] 篆文 [变] 會意. 宀+火+又. 집 안에서 손
에 불을 들고 물건을 찾다의 뜻
을 나타냄. 假借하여 '늙은이'의 뜻을 나타냄.
'叟수'는 이체자(異體字). '搜수'의 원자(原字).

8
⑩ [叟] 수 ①㉠有 蘇后切 sŏu
③㉣尤 疏鳩切 sōu
字解 ①늙은이 수 노인. 또, 장로(長老)에 대한
호칭(呼稱). '一不遠千里而來'《孟子》. ②쌀이
는소리 수 '釋之——'《詩經》.
字源 '变수'의 이체자(異體字). 变(前條)의 자원
(字源)을 보라.

[叟叟 수수] 쌀을 이는 소리.
[叟傖 수창] 시골 노인. 촌 영감.
●國叟. 耆叟. 老叟. 路叟. 白顚叟. 北叟. 山叟.
垂白叟. 野叟. 迂叟. 愚叟. 釣叟. 蒼髯叟. 樵
叟. 出叟. 緇叟.

8
⑩ [叚] 〔가〕
叚(又部 七畫〈p. 333〉)와 同字

[隻] 〔척〕
隹部 二畫(p. 2480)을 보라.

[曼] 〔만〕
曰部 七畫(p. 1008)을 보라.

[最] 〔최〕
曰部 八畫(p. 1009)을 보라.

9
⑪ [叡] 〔감〕
殷(殳部 七畫〈p. 1157〉)·敢(支
部 八畫〈p. 935〉)과 同字

14
⑯ [叡] 人名 예 ㉔霽 以芮切 rui

筆順 [筆順 strokes] 叡

字解 밝을 예. 슬기로울 예 사리에 통하여 깊고
밝음. '明一之姿'《後漢書》. 전(轉)하여, 천자
(天子)에 관한 사물의 관칭(冠稱)으로 쓰임.
'一旨'. '一覽'. '一感通三極'《李嶠》.
字源 古文 [叡] 籀文 [叡] 會意. 奴+目+谷〈省〉.
'奴'은 '도려내다'의 뜻.
'谷곡'은 '골짜기, 구멍'의 뜻. 골짜기를 도려
내듯이 깊이 사물을 보는 눈의 모양에서, '밝다,
슬기롭다'의 뜻을 나타냄.
參考 ①睿(目部 九畫)는 古字. ②叡(次條)는
同字.

[叡感 예감] 임금의 느낌.
[叡覽 예람] 임금이 봄. 상람(上覽).
[叡略 예략] 아주 뛰어난 계략. 영략(英略).
[叡慮 예려] 임금의 생각. 성려(聖慮).
[叡敏 예민] 슬기가 뛰어나고 민첩함.
[叡算 예산] 임금의 수명(壽命).
[叡聖 예성] 지덕(知德)이 뛰어나 사리에 밝음.
천자(天子)의 덕을 칭송하는 말.
[叡聖文武 예성문무] ㉠천자(天子)가 현명하여
문무양도(文武兩道)에 통함. ㉡당(唐)나라 헌
종(憲宗)의 존호(尊號).
[叡才 예재] 뛰어난 재주. 영재(英才).
[叡藻 예조] 임금이 지은 시문(詩文).
[叡旨 예지] 임금의 뜻. 성지(聖旨).
[叡知 예지] 사리에 통하여 깊고 밝은 슬기.
[叡智 예지] ㉠예지(叡知). ㉡우주(宇宙)의 본체
(本體)인 이성(理性).
[叡哲 예철] 사리에 밝아 현철함. 또, 그 사람. 영
철(英哲). 현철(賢哲).
●明叡. 敏叡. 神叡. 英叡. 精叡. 聰叡.

14
⑯ [叡] 叡(前條)와 同字

16
⑱ [叢] 人名 총 ㉤東 徂紅切 cóng

筆順 [筆順 strokes] 叢

字解 ①모일 총 한곳으로 모임. '一集'. '是一
于厥身'《書經》. ②모을 총 한곳으로 모이게 함.
'一珍怪'《漢書》. ③떨기 총 더부룩하게 난 풀이
나 빽빽하게 선 나무. '玉樹——'《庾信》. ④숲
총 초목이 더부룩하게 난 곳. '一薄之中'《淮南
子》. ⑤더부룩할 총 빽빽이 들어섬. '一生'. ⑥
번잡할 총 번거로움. '一煩'. '元首一脞哉'《書
經》. ⑦성충 성(姓)의 하나.
字源 篆文 [叢] 形聲. 丵+取〈音〉. '丵착'은 톱날이 붙
은 공구(工具)의 상형. '取취'는 '聚
취'와 통하여 '모으다'의 뜻. 떼 지어 모이다의
뜻을 나타냄.

[叢輕折軸 총경절축] 가벼운 물건도 자꾸 쌓아올
리면 차축(車軸)을 부러뜨린다는 뜻으로, 작은
것도 많이 모이면 큰 힘이 된다는 말.
[叢棘 총극] 빽빽하게 들어서 우거진 가시나무.
전(轉)하여, 죄수를 잡아 두는 곳.
[叢劇 총극] 사무가 쌓이어 대단히 번거롭고 바
쁨.
[叢談 총담] 여러 곳에서 모은 이야기.

[叢蘭欲秀秋風敗之 총란욕수추풍패지] 난초가 무성하려고 하나 가을바람이 이것을 시들어 죽게 한다는 뜻으로, 임금이 나라를 잘 다스리려고 하는데 간신이 이를 막거나, 악인이 선인(善人)을 해침의 비유로 쓰임.
[叢論 총론] 문장·논의(論議)를 모아 놓은 글.
[叢林 총림] ㉠잡목(雜木)이 우거진 숲. ㉡《佛敎》중이 모여 있는 곳.
[叢莽 총망] 더부룩하게 우거진 풀숲.
[叢薄 총박] 초목이 총생하여 우거진 곳. 숲.
[叢芳 총방] 무더기로 난 향초(香草).
[叢煩 총번] 번거로움.
[叢射 총사] 많은 사람이 일제(一齊)히 사격함.
[叢祠 총사] 숲 속에 있는 사당.
[叢生 총생] 풀이나 나무가 무더기로 더부룩하게 남.
[叢書 총서] ㉠책을 많이 모음. ㉡같은 종류의 서적(書籍)을 모아서 한 질(帙)로 만든 책.
[叢說 총설] 모아 놓은 많은 학설.
[叢樹 총수] 무더기로 들어선 나무.
[叢翳 총예] 한데 모여 덮어 가림.
[叢穢 총예] 잡초가 무성하여 더러움.
[叢雲 총운] 겹겹으로 모여 있는 구름.
[叢積 총적] 모여 쌓임. 많이 모임.
[叢脞 총좌] 번잡(煩雜)하여 통일이 없는 것. 번쇄(煩碎)함.
[叢湊 총주] 떼를 지어 모임.
[叢竹 총죽] 무더기로 난 대. 대숲.
[叢中 총중] 뭇사람이 떼를 지은 속.
[叢至 총지] 떼 지어 이름.
[叢集 총집] 떼를 지어 모임.
[叢攢 총찬] 총집(叢集).
[叢帖 총첩] 고금(古今)의 법첩(法帖)을 모아 판각(版刻)한 것.
[叢叢 총총] 많이 모이는 모양.
[叢萃 총췌] 한데 많이 모임. 또, 한데 많이 모음.
[叢聚 총취] 총집(叢集).
[叢篁 총황] 대숲.
◉談叢. 芳叢. 淵叢. 林叢. 竹叢. 攢叢.

[雙] 〔쌍〕
隹部 十畫(p. 2487)을 보라.

19
㉑ [變] 〔변〕
變(言部 十六畫〈p. 2164〉)의 俗字

口 (3획) 部
〔입구부〕

0
③ [口] [中人] 구 ㊤有 苦后切 kǒu 

[筆順] 丨 冂 口

[字解] ①입 구 ㉠오관(五官)의 하나. '耳目—鼻'. '掩—而對'《禮記》. ㉡말하는 입. '防民之—, 甚於防川'《國語》. ㉢먹는 입. '糊—'. '以餬余—'《左傳》. ②아가리 구 그릇 등속의 물건을 넣고 내고 하는 데. '江出汶山, 其源如甕—'《新序》. ③어귀 구 출입구. 관문. '海—'. '張家—'. ④인구 구 사람의 수효. '戶—'. '八—之家'《孟子》⑤구멍 구 뚫어지거나 파낸 자리. '山有小—'《陶潛》. ⑥자루 구 칼 같은 것을 세는 수사(數詞). '跪獻劍——'《晉書》. ⑦입밖에낼 구 말함. '吾爲子—隱矣'《公羊傳》. ⑧성 구 성(姓)의 하나.

[字源] [篆文]  象形. 입의 모양을 본떠, '입'의 뜻을 나타냄.

[參考] 부수(部首)로 세워져, '口구'를 의부(意符)로 하여, 목소리나 숨을 밖으로 내는 일, 음식 따위, 입의 기능에 관계되는 문자가 이루어짐. 또 '吋촌'이나 '噸돈' 등 외래어의 번역자에도 '입구변'이 쓰임.

[口角 구각] 입아귀.
[口渴 구갈] 목이 마름. 조갈이 남.
[口疳 구감] 입 안이 허는 병(病).
[口腔 구강] 입속.
[口講指畫 구강지화] 입으로는 강술하고 손가락으로는 그림을 그려 보인다는 뜻으로, 친절히 가르침을 이름.
[口蓋 구개] 입천장.
[口訣 구결] ㉠입으로 전(傳)하는 비결(祕訣). ㉡우리나라에서 한문(漢文)의 한 구절 끝에 다는 토.
[口徑 구경] 아가리의 직경(直徑).
[口啓 구계] 임금에게 구두로 아룀.
[口供 구공] 죄(罪)를 공술(公述)함. 또, 그것을 기록한 서류.
[口過 구과] ㉠잘못한 말. 실언(失言). ㉡지나친 말. ㉢구취(口臭).
[口給 구급] 말을 잘함. 말주변이 있음.
[口氣 구기] ㉠말씨. ㉡입으로 쉬는 호흡.
[口訥 구눌] 말을 떠듬떠듬함.
[口達 구달] 구두로 전달함.
[口對 구대] 말로 하는 대답.
[口德 구덕] 말에 덕기(德氣)가 있음.
[口頭 구두] 직접 입으로 하는 말.
[口頭交 구두교] 말만 앞서는 진실하지 아니한 사귐.
[口頭辯論 구두변론] 소송(訴訟) 당사자가 구두로 하는 변론.
[口頭三昧 구두삼매]《佛敎》경문(經文)의 글귀만 외고 참된 선리(禪理)를 닦지 않는 수도(修道).
[口頭禪 구두선] ㉠《佛敎》구두 삼매(口頭三昧). ㉡실행(實行)이 따르지 않는 빈말.
[口頭試驗 구두시험] 묻는 말에 구두(口頭)로 대답하는 시험.
[口鈍 구둔] 말하는 입이 둔함. 입이 굼뜸.
[口糧 구량] 사람 수효대로 내어 주는 양식.
[口令 구령] 단체(團體) 행동에 동작(動作)을 지휘하여 부르는 호령.
[口論 구론] 변론(辯論).
[口文 구문] 흥정을 붙여 주고 받는 돈. 구전.
[口吻 구문] ㉠입술. ㉡말투. 구기(口氣) ㉠.
[口味 구미] 입맛.
[口靡 구미] 입속이 헒.
[口蜜腹劍 구밀복검] 말로는 친절(親切)하나 마음속으로는 해(害)칠 생각을 가지고 있음. 구유밀복유검(口有蜜腹有劍).
[口癖 구벽] 입버릇.
[口辯 구변] 말솜씨. 언변(言辯).

[口報 구보] 구두로 보고함.
[口腹 구복] 입과 배. 전(轉)하여, 음식(飮食).
[口腹累 구복루] 살림 걱정.
[口腹之計 구복지계] 살아가는 방도(方途).
[口賦 구부] 인구별로 부과하는 세금.
[口分 구분] ㉠사람 수에 의하여 할당함. ㉡구량(口糧).
[口碑 구비] 대대로 전하여 내려오는 말.
[口事 구사] 참소하는 말.
[口算 구산] 사람 수 또는 머릿수에 의하여 과(課)하는 세금.
[口尙乳臭 구상유취] 입에 아직 젖내가 난다는 뜻으로, 나이가 어리고 경험이 없어 언행(言行)이 유치(幼稚)함을 비웃어 하는 말.
[口書 구서] ㉠붓을 입에 물고 쓴 글씨. ㉡구두 진술(口頭陳述)을 받아쓴 서류.
[口宣 구선] ㉠구두(口頭)로 선포함. ㉡시비하는 말. 비방(誹謗)하는 말.
[口舌 구설] 말씨. 또, 공론(空論).
[口說 구설] ㉠말. 언어. ㉡구술(口述).
[口舌勞 구설로] 언변이 좋아 세운 공로(功勞).
[口誦 구송] 소리를 내어 욈.
[口受 구수] 구수(口授)를 받음.
[口授 구수] 말로 전(傳)하여 줌.
[口數 구수] 인구수.
[口述 구술] 구두로 진술(陳述)함.
[口習 구습] ㉠입버릇. ㉡말버릇.
[口是禍之門 구시화지문] 화(禍)는 입으로부터 생기므로 말을 삼가야 한다는 말.
[口實 구실] ㉠이야깃거리. ㉡음식. 먹을거리. ㉢생활. 호구(糊口). ㉣녹봉(祿俸).
[口哦 구아] 구음(口吟)❶.
[口案 구안] 구두 진술서(口頭陳述書).
[口眼喎斜 구안와사] 입과 눈이 한쪽으로 쏠리는 병(病).
[口液 구액] 침.
[口約 구약] 구두로 하는 약속.
[口語 구어] ㉠말. 언어. ㉡참소(讒訴). ㉢보통 회화에 쓰는 말.
[口業 구업] 《佛敎》 삼업(三業)의 하나. 말에서 일어나는 업인(業因).
[口演 구연] 구술(口述).
[口熱 구열] 입속의 더운 기운.
[口有蜜腹有劍 구유밀복유검] 겉으로는 친밀한 체하면서 속으로는 몹시 음흉하여 해치려는 생각을 품고 있음을 이름. 구밀복검(口蜜腹劍).
[口吟 구음] ㉠읊조림. ㉡말을 더듬음.
[口吟舌言 구음설언] 말을 더듬어 이야기하는 데 힘이 듦.
[口耳之學 구이지학] 귀로 들어가서 입으로 나오는 천박한 학문. 들은 것을 그대로 남에게 알릴 뿐 조금도 자기에게는 이익이 없는 학문. 도청도설(道聽塗說).
[口者關也 구자관야] 입은 관문(關門)과 같은 것으로 함부로 놀려서는 안 된다는 말.
[口才 구재] 변설(辯舌)의 재능. 말솜씨.
[口笛 구적] 휘파람.
[口跡 구적] 말씨.
[口傳 구전] 입으로 전함. 말로 전함.
[口錢 구전] 구문(口文).
[口傳心授 구전심수] 입으로 전(傳)하고 마음으로 가르침.
[口占 구점] 읊조림. 읊음.

[口中 구중] 입 안.
[口中雌黃 구중자황] 온당치 않은 언론(言論)을 직접 자신이 입으로 취소하거나 고친다는 뜻. 자황(雌黃)은 누른빛의 물감으로서 옛날 책은 누런 종이로 되었으므로 틀린 글자가 있을 때에는 이 자황으로 칠해 지워 버리고 그 위에 고쳐 쓴 데서 나온 말.
[口脂 구지] 연지(臙脂).
[口讒 구참] 참소하는 말. 참언(讒言).
[口瘡 구창] 입 안의 부스럼.
[口薦 구천] 구두(口頭)로 하는 추천.
[口招 구초] 죄인(罪人)의 진술(陳述).
[口臭 구취] 입에서 나는 악취(惡臭).
[口唾 구타] 침.
[口澤 구택] 그릇 같은 것의 입에 항상 닿는 곳에 나는 윤(潤).
[口筆 구필] 입에 붓을 물고 쓰는 글씨.
[口險 구험] 남의 욕(辱)을 잘 함. 입이 험(險)함.
[血未乾 구혈미건] 서로 모여서 피를 마시고 맹세한 지가 얼마 안 됨.
[口惠 구혜] 말로만 베푸는 은혜.
[口號 구호] ㉠읊조림. 읊음. 구음(口吟). ㉡군대(軍隊)에서 쓰는 호령.
[口畫 구획] 계획을 말함.
[口吃 구흘] 말을 더듬음.

●可口. 家口. 開口. 缺口. 箝口. 經口. 鷄口. 卷口. 禁口. 噤口. 錦心繡口. 弄口. 訥口. 多口. 杜口. 忘口. 滅口. 默口. 美口. 發口. 防口. 百口. 辯口. 不容口. 三緘口. 塞口. 守口. 矢口. 飾口. 甚口. 餓狼之口. 良藥苦口. 如出一口. 甕口. 有口. 利口. 異口. 餌口. 人口. 一口. 逸口. 溢口. 入口. 藉口. 赤口. 適口. 絶口. 朱口. 衆口. 讒口. 出口. 閉口. 浦口. 河口. 緘口. 海口. 戸口. 虎口. 糊口. 餬口. 火口. 黃口.

[中] 〔중〕

丨部 三畫(p.43)을 보라.

［只］ 지

中 人 지 ①④支 章移切 zhǐ ②③㊁紙 諸氏切 zhǐ

筆順 丨 冂 口 只 只

字解 ①다만 지 단지. '一管'. '此文一出名世, 一一字未安'《范仲淹》. ②말그칠 지 어조(語調)를 위하여 어미(語尾)에 붙이거나 구(句) 중에 쓰는 말. '母也天一, 不諒人一'《詩經》. '樂一君子'《詩經》. ③성 지 성(姓)의 하나.
字源 指事. '口구'에 '八팔'을 더하여, 어조(語調)에 여운을 나타내며, 구말(句末)의 조사로 쓰임. 또, '다만'이라는 한정의 뜻을 나타내는 말로 쓰임.

[只管 지관] 단지 그것만을. 외곬으로.
[只今 지금] 시방. 이제.
●樂只. 但只.

［另］ 과

㊁馬 古瓦切 guǎ

字解 가를 과 사람의 살과 뼈를 가름.
字源 形聲. 刀＋口(尙) [音] '尙과'는 '가르다'의 뜻. 칼로 살을 뼈에서 발라내다의 뜻을 나타냄.

参考 ①另(次條)은 別字. ②另(次次條)는 別字.

2 ⑤ [另] 령 ㊀徑 郎定切 lìng

字解 ①가를 령, 나눌 령 분리함. ②딴 령 다른. 달리. '一. 別異也. 俗謂他日異日曰一日'《正字通》.

字源 指事. '別별'에서 'リ(刀)도'를 떼 내어, 근세(近世)에, 속어(俗語)로서 쓰이는 '딴'의 뜻을 나타냄.

参考 另(前條)는 別字.

[另日 영일] 다른 날.

2 ⑤ [另] 패 bǎi

字解 나눌 패 '一, 別也'《玉篇》.

参考 另(前條), 另(前前條)는 別字.

2 ⑤ [号] 〔호〕 號(虍部 七畫〈p.1999〉)와 同字

字源 篆文 形聲. 口+丂〔音〕 '丂고'는 구부러진 물건의 상형. 목소리가 바로 뻗어 나오지 못하고, 긴장한 나머지 꺾여 나오는 애처로운 부르짖음의 뜻. 뒤에 '虎호'가 더해져서, '號호'가 쓰이게 됨.

[兄] 〔형〕 儿部 三畫(p.191)을 보라.

2 ⑤ [叨] 도 ㊀豪 土刀切 tāo

字解 ①탐할 도 탐냄. '一貪'. '一慣日欽'《書經》. ②욕되게할 도 ㊀탐내어 함부로 차지함. '橫一天功'《後漢書》. ㊁외람되이 받음. '一不世之殊眄'《隋蕭皇后》. ③외람할 도 외람되이. '一蒙天恩'. '一逢慈獎'《梁簡文帝》.

字源 篆의俗體 形聲. 口+刀〔音〕

[叨沓 도답] 탐함. 탐냄.
[叨冒 도모] 욕심이 많음. 탐욕(貪慾).
[叨忝 도첨] 외람하게도 은혜를 입음.
[叨慣 도치] 탐내어 성을 냄.
[叨貪 도탐] 탐함. 탐냄.
●重叨. 貪叨. 橫叨.

2 ⑤ [叩] 人名 고(구)㊀有 苦后切 kòu ㊁宥 丘候切

筆順 丨 丨丨 丨丨 丨丨丨 叩

字解 ①두드릴 고 툭툭 침. '一門'. '以杖一其脛'《論語》. ②조아릴 고 이마를 조아림. 계상(稽顙)함. '一頭自請'《漢書》. ③물을 고 질문함. '一問'. '獨學少擊一'《梁武帝》. ④끌어당길 고 못 가도록 잡아당김. '一勒'. '一馬而諫'《史記》.

字源 形聲. 卩+口〔音〕 '口구'는 두드릴 때의 소리를 나타내는 의성어(擬聲語). '卩절'은 사람이 무릎을 꿇은 모양을 본뜸. 무릎 꿇고 앉아서 머리를 땅에 톡톡 두드리며 절을 하다의 뜻을 나타냄.

[叩叩 고고] ㉠문(門) 같은 것을 자꾸 두드리는 모양. ㉡간절(懇切)한 모양.
[叩其兩端而竭 고기양단이갈] 두 방면(方面)을 반문(反問) 심구(尋求)하여 남김이 없음. 종시(終始)·본말(本末)·상하(上下)·정조(精粗)를 남김없이 구명(究明)함.
[叩頭 고두] 머리를 조아림. 정성스러운 모양.
[叩勒 고륵] 잡아당겨 제어함.
[叩門 고문] 문을 두드림. 방문함.
[叩問 고문] 질문함.
[叩首 고수] 고두(叩頭).
[叩舷 고현] 뱃전을 두드림.
●擊叩. 三跪九叩. 雙叩. 瞻叩.

2 ⑤ [叮] 정 ㊀青 當經切 dīng

字解 정성스러울 정 되풀이하여 성의를 다함. '一嚀'.

字源 形聲. 口+丁〔音〕

[叮寧 정녕] 일에 정성을 들임. 정녕(叮嚀).
[叮嚀 정녕] 정녕(叮寧).

2 ⑤ [叶] 협 ㊁葉 胡頰切 xié

字解 맞을 협, 화합할 협 協(十部 六畫)의 古字. '一時日正日'《後漢書》.

字源 協의古文 會意. 口+十. '十십'은 '많다'의 뜻. 많은 사람의 말과 말이 조화하다의 뜻을 나타냄.

[叶韻 협운] 어떤 음운(音韻)의 글자가 때로는 다른 음운(音韻)과 통용되는 일. 예컨대, 역경(易經)의 '日昃之離, 不鼓缶而歌'에서 이(離)와 가(歌)는 원래 통운(通韻)이 아니지만, 이(離)의 운(韻)을 가(歌)의 운에 통용(通用)하게 하여 가(歌)와 운을 맞추는데, 이 경우에 이(離)의 운은 협운(叶韻)임.

2 ⑤ [叫] 高人 규 ㊀嘯 古弔切 jiào ㊁宥 古幼切 jiào

筆順 丨 丨丨 丨丨 丨丨丨 叫

字解 ①부르짖을 규 큰 소리를 지름. '一喚'. '一呼'. '或一于宋大廟'《左傳》. ②울 규 큰 소리로 욺. '一吟'. '候扇舉而淸一'《潘岳》.

字源 篆文 形聲. 口+丩〔音〕 '丩규'는 '실이 엉키다'의 뜻. 이야기가 복잡해져서 높은 목소리로 외치다의 뜻을 나타냄.

[叫噱 규갹] 큰 소리로 껄껄 웃음.
[叫苦 규고] 고(苦)라고 부르짖음. 실패(失敗)하였을 경우(境遇)에 내는 소리.
[叫聒 규괄] 시끄러움.
[叫叫 규규] 멀리 들리는 소리의 형용. 소리가 멀리 들리는 모양.
[叫呶 규노] 시끄럽게 소리 지름.
[叫賣 규매] 물건을 사라고 소리 지르며 팖.
[叫然 규연] 부르짖는 모양.
[叫吟 규음] 큰 소리로 욺.
[叫噪 규조] 시끄럽게 떠듦.
[叫呼 규호] 외침. 큰 소리로 부름.

[叫號 규호] 외침. 부르짖음.
[叫喚 규환] 큰 소리로 부르짖음. 외침.
[叫喚地獄 규환지옥] 《佛敎》 팔열 지옥(八熱地獄)의 제사(第四). 옥졸(獄卒)이 몹시 모질게 굴어 그 괴로움을 견디지 못하여 울부짖는 사후(死後)의 세계.
[叫囂 규효] 시끄럽게 외침.
[叫吼 규후] 울부짖음.
[叫讙 규훤] 시끄럽게 외침.
　●酣叫. 蚯蚓叫. 鳳凰叫. 戍卒叫. 餓鴟叫. 哀叫. 絶叫. 齊叫. 呼叫. 號叫. 嘷叫. 喚叫.

2 ⑤ [叫] 叫(前條)와 同字

2 ⑤ [叭] 人名 파 ㊀曷 普活切 pā
　　　　　　　㊀黠 普八切 bā
　字解 ①벌릴 팔 입을 벌림. ②나발 팔 '喇—'은 놋쇠로 만든 관악기(管樂器). 옛날, 군중(軍中)에서 호령을 전할 때 불었음.
　字源 形聲. 口＋八〔音〕
　●喇叭.

2 ⑤ [叱] 人名 질 (즐)㊄質 昌栗切 chì
　字解 꾸짖을 질 큰 소리로 책망함. 또, 그 소리. '手劍而一之'《公羊傳》
　字源 金 文 形聲. 口＋七〔音〕. '七'은 '베다'의 뜻. 입으로 베듯이 '몰아세우다, 꾸짖다'의 뜻을 나타냄.

[叱呵 질가] 꾸짖음.
[叱喝 질갈] 꾸짖음.
[叱咄 질돌] 꾸짖음.
[叱辱 질욕] 꾸짖으며 욕(辱)함.
[叱正 질정] 꾸짖어 고친다는 뜻으로, 자작(自作)의 시문(詩文)을 남에게 고쳐 달라고 부탁할 때의 겸사(謙辭) 말.
[叱叱 질질] ㊀꾸짖는 소리. 혀 차는 소리. ㊁소나 말을 모는 소리.
[叱嗟 질차] 꾸짖음.
[叱責 질책] 꾸짖으며 책망함.
[叱斥 질척] 꾸짖으며 물리침.
[叱咤 질타] 노기를 띠고 큰 소리로 꾸짖음.
[叱嚇 질하] 꾸짖으며 위협함.
　●訶叱. 驅叱. 怒叱. 咄叱. 憤叱. 阿叱. 廷叱. 譙叱. 咤叱. 虎叱. 詬叱.

2 ⑤ [叵] 파 ㊀哿 普火切 pǒ
　字解 ①어려울 파, 불가할 파 부정하는 말. 가자(可字)의 좌서(左書)로서, 불가(不可)의 뜻을 나타냄. '大耳兒最一信'《後漢書》. ②드디어 파 마침내. '一平諸國'《後漢書》.
　字源 篆 文 指事. '可'를 반대로 하여, '불가(不可)'의 뜻을 나타냄.

2 ⑤ [史] 中 人 사 ㊀紙 踈士切 shǐ
　筆順 丨 𠄌 口 史 史

字解 ①사관 사 제왕의 언행을 기록하며, 또 정부의 문서를 맡은 벼슬아치. '動則左一書之, 言則右一書之'《禮記》. ②속관 사 장관(長官) 밑에 딸린 벼슬아치. 육관(六官)의 좌속(佐屬). '旣立之監, 或佐之一'《詩經》. ③사기 사 사승(史乘). '歷' ― '實'. '紬一記石室金匱之書'《史記》. ④화사할 사 장식(裝飾)이 있어 아름다움. '文勝質則一'《論語》. ⑤성 사 성(姓)의 하나.
字源 甲骨文 ᄇ 金文 ᄇ 篆文 ᄇ 會意. 又＋中. '又우'는 '손'의 뜻. '中중'은 신에 대한 축문을 적어 나뭇가지에 붙들어 맨 것의 상형. 제사에 종사하는 사람의 뜻에서, 천자(天子)의 언행을 기록하는 벼슬아치의 뜻이 됨.

[史家 사가] 역사를 연구하는 사람. 역사가(歷史家).
[史可法 사가법] 명(明)나라 말기의 충신. 상부(祥符) 사람. 자(字)는 헌지(憲之). 숭정제(崇禎帝) 때 유적(流賊) 장헌충(張獻忠) 등을 쳐 공을 세워 남경병부상서(南京兵部尙書)가 되고 복왕(福王), 곧 홍광제(弘光帝) 때 무영전대학사(武英殿大學士)에 임명됨. 당시 마사영(馬士英)이 전권(全權)하므로 이를 못마땅히 여겨 양주(揚州)로 물러가 강북(江北)의 군사를 통솔하고 있었는데, 청군(淸軍)이 남하(南下)하여 양주를 포위하매 항전하다가 처절(凄絶)을 극(極)한 시가전 끝에 체포되어 피살됨. 문집에 〈사충정집(史忠靖集)〉 4권이 있음.
[史官 사관] 역사를 편수하는 벼슬.
[史觀 사관] 역사를 보는 관점(觀點). 역사적 현상을 해석하는 관점.
[史劇 사극] 역사상(歷史上)의 사실(史實)로 꾸민 연극(演劇).
[史記 사기] ㊀역사적(歷史的) 사실(史實)을 기록한 책. ㊁책명(冊名). 130권. 한(漢)나라 사마천(司馬遷)의 찬(撰). 황제(黃帝)로부터 한(漢)나라 무제(武帝)에 이르기까지의 3천여 년의 일을 적은 기전체(紀傳體)의 사서(史書). 12본기(本記)·10표(表)·8서(書)·30세가(世家)·70열전(列傳)으로 이루어짐. 대표적 주해서(註解書)로는 송(宋)나라의 배인(裴駰)의 '집해(集解)', 당(唐)나라의 사마정(司馬貞)의 '색은(索隱)', 장수절(張守節)의 '정의(正義)'가 있음.
[史談 사담] ㊀역사에 관한 이야기. ㊁사마천(司馬遷)의 아버지인 태사공(太史公) 사마담(司馬談)의 일컬음.
[史略 사략] 간단히 서술한 사서(史書).
[史錄 사록] 역사에 관한 기록.
[史論 사론] 역사(歷史)에 관한 논설.
[史料 사료] 역사(歷史)의 연구나 편찬에 필요한 재료(材料).
[史白 사백] 사기(史起)와 백공(白公). 모두 진한(秦漢) 때 수리(水利)를 이용한 개간(開墾)에 공이 있던 사람.
[史法 사법] 역사를 직필(直筆)로 쓰는 원칙.
[史書 사서] 역사책(歷史冊).
[史乘 사승] 역사의 기록(記錄). 사서(史書).
[史詩 사시] 사실(史實)을 소재(素材)로 하여 쓴 시.
[史臣 사신] 사초(史草)를 쓰는 신하.
[史實 사실] 역사에 실제로 있는 일.
[史獄 사옥] 사필(史筆)에 관계된 옥사(獄事).

[史有三長 사유삼장] 역사를 쓰는 데는 재 (才)와 학 (學)과 식 (識)의 세 가지 장점을 갖추어야 한다는 뜻.

[史二體 사이체] 편년체 (編年體)와 기전체 (紀傳體).　　　　　　　　　「古蹟」

[史蹟 사적] 역사상 (歷史上)의 유적 (遺蹟). 고적.

[史籍 사적] 역사책. 사기 (史記).

[史傳 사전] 역사와 전기 (傳記).

[史籀 사주] 주 (周)나라 선왕 (宣王) 때의 태사 (太史). 고문 (古文)을 고쳐 대전 (大篆)을 만들었음. 그의 이름을 따 이것을 주문 (籀文)이라고도 함.

[史策 사책] 기록 (記錄).

[史體 사체] 사서 (史書)의 체제 (體制). 편년체 (編年體)와 기전체 (紀傳體)의 두 가지가 있음.

[史草 사초] 사서 (史書)의 초고 (草稿).

[史筆 사필] 역사를 쓰는 필법 (筆法).

[史學 사학] 역사를 연구하는 학문.

[史漢 사한] 사기 (史記)와 한서 (漢書).

[史話 사화] 역사에 관한 이야기.

[史禍 사화] ㉠사필 (史筆)로 인 (因)하여 좌죄 (坐罪)된 화 (禍). ㉡사옥 (史獄).

[史畫 사화] 역사의 인물이나 사건을 묘사한 그림.
●家史. 監察御史. 經史. 古史. 稾史. 瞽史. 舊史. 國史. 內史. 圖史. 都御史. 馬史. 巫史. 文史. 府史. 墳史. 祕史. 社史. 三冬文史. 三史. 書史. 先史. 小史. 修史. 丞史. 侍史. 詩史. 侍御史. 野史. 衷史. 略史. 良史. 御史. 女史. 歷史. 椽史. 閏史. 詠史. 外史. 右史. 元史. 有史. 二史. 麟史. 逸史. 子史. 刺史. 長史. 戰史. 正史. 從史. 左史. 柱下史. 靑史. 太史. 通史. 稗史. 編年史.

[加]〔가〕
力部 三畫 (p. 272)을 보라.

2
⑤ [可] ⊕ㄱ᷀ 가 ㉕㡰 枯我切 kĕ
　　 ⊕ㄱ᷀ 극 ㉔職 苦格切 kè

筆順 一 丁 丌 可 可

字解 一 ①옳을 가 ㉠좋음. '人而無信, 不知其一也《論語》. ㉡아직 썩 좋지는 않으나 그만하면 쓴다는 뜻으로도 쓰임. '子曰, 一也, 簡'《論語》. ②들을 가 들어줌. 동의함. '許一. 晏嬰不一, 公惑之'《史記》. ③가히 가 ㉠긍정하는 말. '一以止則止, 一以久則久'《孟子》. ㉡단정하는 말. '一謂君子' ㉢추측하는 말. '其事一知'. '其或繼周者, 雖百世一知也'《論語》. ㉣명령의 뜻을 나타내는 말. '父母之年, 不一不知也'《論語》. ㉤가능의 말. '子曰民一使由之'《論語》. ④쯤 가 정도. '飮一五六斗'《史記》. '邪西一二千里, 有身毒國'《漢書》. ⑤성 가 성 (姓)의 하나. 二 오랑캐임금이름 극 '一汗'은 흉노 (匈奴)·돌궐 (突厥)·회흘 (回紇) 등의 군주 (君主)의 칭호. '一汗猶單于也, 妻曰一敦'《唐書》.

字源 金文 可 甲文 ㄅ 會意. 口+丁. '口구'는 '입'. 'ㄅ'는 입 안의 상형. 입 안 깊숙한 데서 큰 소리를 내어 꾸짖다의 뜻. '呵가', '訶가'의 원자 (原字). 파생하여 '좋다, 가능 (可能)'의 뜻으로 쓰임.

[可呵 가가] 스스로 우습다는 뜻으로, 흔히 편지 (便紙)에 쓰는 말.

[可嘉 가가] 칭찬할 만함.

[可堪 가감] ㉠맡은 일을 감당 (堪當)할 수 있음. ㉡견딜 수 있음.

[可居之地 가거지지] 살 만한 곳.

[可決 가결] 의안 (議案)을 시인 (是認)하여 결정 (決定)함.

[可考 가고] 참고할 만함.

[可恐 가공] 두려워할 만함.

[可觀 가관] 볼만함.

[可怪 가괴] 괴상하게 여길 만함.

[可敎 가교] 가르칠 만함.

[可欺以其方 가기이기방] 그럴듯한 말로 속일 수 있음.

[可念 가념] 염려됨. 걱정스러움.

[可能 가능] 될 수 있음. 또, 할 수 있음.

[可當 가당] ㉠합당함. ㉡당할 수 있음.

[可東可西 가동가서] 이렇게 할 만도 하고 저렇게 할 만도 함.

[可慮 가려] 걱정스러움.

[可憐 가련] ㉠모양이 어여쁘고 아름다움. 귀여움. ㉡불쌍함.

[可憐生 가련생] ㉠귀여움. ㉡귀여운 놈.

[可望 가망] 가능성이 있는 희망.

[可否 가부] ㉠옳은가 그른가의 여부 (與否). ㉡허가하느냐 허가하지 않느냐의 여부. ㉢회의 (會議)에 있어서 표결 (表決)할 때에 좋은가 나쁜가의 여부.

[可分 가분] 나눌 수 있음.

[可不 가불가] 가 (可)함과 불가 (不可)함.

[可不可一貫 가불가일관] 가 (可)나 불가 (不可)나 크게 볼 때에는 매한가지로서 다를 것이 없음.

[可笑 가소] 웃을 만함.

[可信 가신] 믿을 만함.

[可愛 가애] 사랑할 만함.

[可與樂成 가여락성] 일의 성과 (成果)를 함께 즐길 수 있음. 일이 잘된 뒤에는 같이 즐겨도 좋음.

[可燃性 가연성] 불에 타는 성질.

[可畏 가외] 두려울 만함.

[可溶性 가용성] 액체에 녹는 성질.

[可謂 가위] ㉠가히 이르자면. ㉡과연. 참. ㉢말할 수 있음.

[可疑 가의] 의심 (疑心)스러움.

[可以人而不如鳥乎 가이인이불여조호] 사람으로 태어나서 새만 못하다면 부끄러운 일이라는 뜻.

[可人 가인] 착한 사람. 쓸모 있는 사람.

[可憎 가증] 얄미움.

[可知 가지] 알 만함.

[可取 가취] 취 (取)할 만함.

[可歎 가탄] 탄식 (歎息)할 만함.

[可痛 가통] 통탄 (痛歎)할 만함.

[可票 가표] 찬성을 나타내는 표.

[可合 가합] 합당 (合當)함.

[可汗 극한] 흉노 (匈奴)·돌궐 (突厥)·회흘 (回紇) 등의 군주 (君主)의 칭호.
●開可. 肯可. 無可. 無不可. 無一可. 未可. 不可. 允可. 宜可. 印可. 認可. 自可. 裁可. 再思可. 適可. 制可. 朝聞道夕死可. 奏可. 薦可. 通可. 許可. 獻可.

2
⑤ [司] ⊕支 사 息玆切 sī
　　 ⊕寘 相吏切 sī

筆順 ㄱ ㄲ ㄲ 司 司

字解 ①맡을 사 관리함. 담당하여 함. ‘一命’. ‘欽乃攸一’《書經》. ②벼슬 사 관직. ‘未有職一于王室’《左傳》. ③마을 사 관아. ‘三一’, ‘下攝衆一’《魏志》. ④벼슬아치 사 관리. ‘有一’, ‘庀其一’《左傳》. ⑤엿볼 사 伺(人部 五畫)와 同字. ‘居虎門之左, 一王朝’《周禮》. ⑥성 사 성(姓)의 하나.

字源 甲骨文 𠦝 金文 𠮥 金文 𢆶 篆文 𠮥 會意. 彐+口. ‘彐사’는 사람의 뜻이라고도 하고, 제사의 기(旗)의 뜻이라고도 함. ‘口구’는 기도하는 말의 뜻. 신의 뜻을 말로 여쭈어 아는 제사를 담당하다는 뜻에서, 일반적으로 담당하여 맡다의 뜻을 나타냄. 金文은 엉킨 실을 질서 있게 바로잡다, 다스리다. 그때의 주체(主體)가 되는 사람의 뜻에서 맡다, 맡은 벼슬아치의 뜻을 나타내고 있음. 《說文》에서는 ‘后후’자의 반대꼴인 데서, ‘后’ 곧 임금이 안에 있는 데 대하여, 밖에 있어서 일을 보는 신하, 벼슬아치라고 해석함.

[司諫 사간] ㉠주(周)나라 때 만민(萬民)의 비행(非行)을 규정(糾正)하는 벼슬. ㉡송(宋)나라 때 정치를 잘못하는 것을 간하는 벼슬. ㉢조선(朝鮮) 때 사간원(司諫院)의 정삼품(正三品) 벼슬. 〔스림〕

[司契 사계] 임금이 천도(天道)를 좇아 나라를 다스림.

[司空 사공] ㉠주(周)나라 때 토지(土地)·민사(民事)를 맡은 벼슬. ㉡한(漢)나라의 삼공(三公)의 하나. ㉢옥(獄).

[司教 사교] 천주교의 교직(教職). 대사교(大司教)의 다음임.

[司寇 사구] 주(周)나라 때 형벌·도난(盜難) 등의 일을 맡은 벼슬.

[司農 사농] 한(漢)나라의 구경(九卿)의 하나. 농사(農事)를 맡은 벼슬.

[司徒 사도] ㉠주(周)나라 때 교육을 맡은 벼슬. 육경(六卿)의 하나. ㉡한(漢)나라의 삼공(三公)의 하나.

[司令 사령] 군대 또는 함대(艦隊)의 지휘와 통솔을 맡음. 또, 그 직책.

[司令官 사령관] 군대·함대의 지휘를 맡은 장관(長官).

[司隷校尉 사례교위] 수도(首都)에서 도둑을 잡고 비상(非常)을 경계하는 벼슬.

[司祿 사록] ㉠주(周)나라 때 봉록(俸祿)을 맡은 벼슬. ㉡별의 이름.

[司廩 사름] 당(唐)나라 때 미창(米倉) 일을 맡은 벼슬.

[司馬 사마] ㉠주대(周代)에 주로 군무(軍務)를 맡은 벼슬. ㉡한대(漢代)의 삼공(三公)의 하나.

[司馬光 사마광] 송(宋)나라 명신(名臣). 자(字)는 군실(君實). 태사온국공(太師溫國公)을 증직(贈職) 받았으므로 사마온공(司馬溫公)이라 함. 신종(神宗) 때 왕안석(王安石)의 신법(新法)을 반대하다가 실각(失脚)하였고 철종(哲宗) 때 정승(政丞)이 되어 신법을 모두 폐지하였음. 저서에 〈자치통감(資治通鑑)〉·〈통감고이(通鑑考異)〉·〈독락원집(獨樂園集)〉 등이 있음. 〈자치통감〉은 중국의 편년사(編年史) 중에서 가장 잘된 것임.

[司馬法 사마법] ㉠주대(周代)의 토지의 경리(經理) 및 병부(兵賦)에 관한 규정. ㉡주대의 병진(兵陣)에 관한 법(法).

[司馬相如 사마상여] 전한(前漢)의 문인. 자(字)는 장경(長卿). 무제(武帝) 때 낭(郎)으로서 서남이(西南夷)와의 외교에 공이 컸음. 사부(辭賦)에 능하여 한위 육조(漢魏六朝)의 문인의 모범이 되었음.

[司馬懿 사마의] 삼국 시대(三國時代)의 위(魏)나라 명장(名將). 자(字)는 중달(仲達). 의심이 많고 책략(策略)이 뛰어나 촉한(蜀漢) 제갈량(諸葛亮)의 군사를 잘 막아냈음. 문제(文帝) 때 승상(丞相)에 올라 손자 사마염(司馬炎)이 제위(帝位)를 찬탈(簒奪)할 기초를 닦았음.

[司馬遷 사마천] 전한(前漢)의 사가(史家). 자(字)는 자장(子長). 태사령(太史令) 사마담(司馬談)의 아들. 무제(武帝) 때 흉노(匈奴)에게 항복한 이릉(李陵)의 일족(一族)을 멸살하려는 논의가 있자, 그의 충신(忠信)과 용맹(勇猛)을 변호하다가 무제의 격노를 사서 궁형(宮刑)을 당하고, 그 후에 중서령(中書令)이 되었음. 부친 사마담이 끝내지 못한 수사(修史)의 업(業)을 계승하여 태사령으로 있을 때 궁정에 비장(祕藏)한 도서를 자유로이 읽었고 궁형을 당한 후에는 더욱 발분(發憤)하여 310편이나 되는 거작(巨作) 〈사기(史記)〉를 지었음.

[司命 사명] ㉠사람의 생명을 맡음. ㉡별의 이름.

[司牧 사목] ㉠군주(君主). ㉡지방관(地方官).

[司法 사법] 삼권(三權)의 하나. 법에 의한 재판(裁判) 및 그에 관련되는 국가 작용.

[司法官 사법관] 사법권의 행사에 관여하는 공무원.

[司法權 사법권] 사법의 작용을 맡는 권리.

[司城 사성] 춘추 시대(春秋時代)에 송(宋)나라에 두었던 벼슬. 사공(司空)과 같음. 공(空)은 송무공(宋武公)의 휘(諱)이므로 이를 피하기 위하여 고친 것임.

[司業 사업] 국자감(國子監)의 교수(教授). 수(隋)나라 때 두었음.

[司儲 사저] 당(唐)나라 때 미곡(米穀)의 저장을 맡은 벼슬.

[司祭 사제] 천주교에서 교회의 의식을 맡는 사교(司教)의 아래 교직.

[司直 사직] 공명 정직(公明正直)을 맡았다는 뜻으로서, 재판관을 이름.

[司樴吏 사직리] 주(周)나라 때 목축(牧畜)을 맡은 벼슬아치. 직(樴)은 마소를 매어 두는 말뚝.

[司察 사찰] 불법(不法)을 취조함. 또, 그 임무.

[司天臺 사천대] 천문대(天文臺).

[司敗 사패] 옛날 진(陳)·초(楚)의 두 나라에 두었던 형벌을 맡은 벼슬.

[司會 사회] ㉠천하(天下)의 회계(會計)를 맡은 벼슬. 주(周)나라의 천관(天官)에 속함. ㉡(韓) 집회(集會)의 진행을 맡아봄. 또, 그 사람.

[司勳 사훈] 주(周)나라 때 공상(功賞)의 일을 맡은 벼슬.

●家司. 疆場司. 公司. 官司. 國司. 軍司. 郡司. 群司. 劇司. 南司. 大司. 臺司. 東司. 牧司. 門司. 百司. 北司. 上司. 臣司. 右司. 有司. 尹司. 儀同三司. 里司. 庄司. 宰司. 典司. 殿司. 前司. 鼎司. 諸司. 朝司. 左司. 主司. 職司. 春司. 判司. 憲司.

2⑤ [右] (中·人) 우 ㉴宥 于救切 ㉵有 云久切 yòu

筆順 ノ ナ オ 右 右

（오른쪽 여백: 3획）
（오른쪽 하단: 行書 右）

3획

字解 ①오른 우, 우편 우 오른쪽. '左'의 대. '一不攻于一'《書經》. 또, 방위로는 서쪽. '江一'. ②위 우 상(上). 상위(上位). '漢廷臣無能出其一者'《史記》. ③숭상할 우 중히 여김. '一文', '守成上文, 遭遇一武'《漢書》. ④강할 우 권세가 있음. '一戚', '無令豪一, 得固其利'《後漢書》. ⑤도울 우 佑(人部 五畫)와 同字. '保一命爾'《詩經》. ⑥성 우 성(姓)의 하나.

字源 金文 ⧾ 篆文 ⋻ 形聲. 口+又〔音〕. '口구'는 기도의 말의 뜻. '又우'는 '오른손'의 뜻. '祐'의 원자(原字)로 신이 손을 뻗쳐 사람을 도움의 뜻을 나타냄. 또 '오른쪽'의 뜻도 나타냄.

[右傾 우경] ㉠보수적인 경향(傾向). '우익(右翼)' 참조. ㉡문예상 전통을 존중하는 파. 좌경(左傾)의 대(對).

[右契 우계] 어음 또는 부신(符信)을 두 쪽으로 나눈 것 중의 오른쪽 것. 약속을 받은 사람이 가짐.

[右軍 우군] ㉠우익(右翼)의 군대. ㉡진(晉)나라 왕희지(王羲之)의 일컬음. 그가 우군 장군(右軍將軍)을 지냈으므로 이름.

[右弓 우궁] 시위를 오른손으로 당겨 쏘는 활. 좌궁(左弓)의 대(對).

[右券 우권] 우계(右契).

[右揆 우규] 《韓》'우의정(右議政)'의 별칭.

[右袒 우단] 한쪽 편을 듦.

[右黨 우당] 우익(右翼)의 당(黨). 보수적 노선을 표방하는 정당.

[右文 우문] 글을 숭상함. 문사(文事)를 숭상함.

[右文左武 우문좌무] 문무 두 가지 도(道)로써 천하를 다스림.

[右方 우방] 오른편.

[右邊 우변] ㉠오른편. ㉡오른편 가장자리.

[右符 우부] 우계(右契).

[右扶風 우부풍] ㉠벼슬 이름. 진(秦)나라 때 주작중위(主爵中尉)가 있어 열후(列侯)를 관장(管掌)하였는데, 한(漢)나라 경제(景帝) 때에 도위(都尉)라 고치고, 무제(武帝) 태초 원년(太初元年)에 다시 우부풍(右扶風)으로 고쳐 경조윤(京兆尹)·좌풍익(左馮翊)과 삼보(三輔)가 되었음. ㉡한대(漢代)의 군명(郡名). 우부풍(右扶風)이 관할함. 지금의 산시 성(陝西省) 장안현(長安縣)의 서쪽 땅.

[右司 우사] 당(唐)나라의 제도(制度)에서 병부(兵部)·공부(工部)·형부(刑部)의 일컬음. 좌사(左司)의 대(對).

[右史 우사] 군언(君言)의 기록을 맡은 벼슬. 좌사(左史)의 대(對).

[右師 우사] 춘추 시대(春秋時代)의 송(宋)나라 관명(官名). 송나라는 사향(四鄕)이 있어 좌우로 나뉘었는데, 오른쪽 이향(二鄕)을 우사(右師)가 다스렸음.

[右相 우상] 《韓》'우의정(右議政)'의 별칭(別稱).

[右序 우서] 도와 일의 차례를 정함.

[右旋 우선] 오른편으로 돎.

[右族 우족] 우족(右族).

[右手 우수] 오른손.

[右手畫圓左手畫方 우수화원좌수화방] 오른손으로는 동그라미를 그리고 왼손으로는 네모를 그린다는 뜻으로, 상반(相反)되는 두 가지 일을 한꺼번에 이룰 수 없음을 비유한 말.

[右列 우열] 오른편의 열.

[右往左往 우왕좌왕] 이리저리 왔다 갔다 함.

[右繞 우요] 《佛敎》부처를 중심으로 해서 오른쪽으로 돎.

[右援 우원] 도움. 원조.

[右議政 우의정] 《韓》의정부(議政府)의 정일품 벼슬. 좌의정의 아래.

[右翼 우익] ㉠오른편 날개. ㉡오른편에 있는 군대. ㉢횡대(橫隊)의 우단(右端). ㉣보수파(保守派). 프랑스 국민 의회(國民議會)에서 의석(議席)을 오른편에 자리 잡은 데서 이름.

[右族 우족] 지체가 좋은 겨레. 우성(右姓).

[右職 우직] 높은 벼슬. 높은 직임.

[右戚 우척] ㉠세력이 있는 친척(親戚). ㉡귀족(貴族).

[右側 우측] 오른편의 옆.

[右便 우편] 오른쪽. 오른편.

[右弼 우필] ㉠도움. 보좌(補佐)함. ㉡천자(天子)의 곁에서 보좌하는 벼슬.

[右學 우학] 은대(殷代)의 대학(大學).

[右舷 우현] 오른쪽의 뱃전.

●江右. 權右. 極右. 袒右. 端右. 保右. 卜右. 如右. 擁右. 戎右. 隣右. 折右. 朝右. 左右. 座右. 車右. 推右. 寢右. 豪右.

2⑤ [古] 中人 고 ⊕麌 公戶切 gǔ

筆順 一 十 十 古 古

字解 ①예 고 ㉠예전. '一昔'. '一代'. '曰若稽一'《書經》. ㉡옛일, 또는 옛날의 도서. '好一', '合葬非一'《禮記》. ②선조 고 조상. 또, 선왕(先王). '祀天地山川社稷先一'《禮記》. ③묵을 고 오래됨. '一物', '石室千年一'《陳子昂》. ④예스러움 고 옛 풍취가 있음. '一奇'. '氣淸韻一'《宋史》. ⑤성 고 성(姓)의 하나.

字源 金文 凵 篆文 古 象形. '克극'이나 '胄주'의 金文의 윗부분과 모양이 비슷하여, 단단한 투구의 상형. 오래되고 딱딱해지다의 뜻으로 파생(派生)하여, '예'의 뜻을 나타냄. 일설에는 맹세나 계시(啓示)의 기록을 단단히 가둬 두다의 뜻에서, '오래되다, 전고(典故)'의 뜻이 생겼다고 함.

[古家 고가] 지은 지가 오래된 집.

[古歌 고가] 옛날 노래.

[古格 고격] 옛날의 격식(格式).

[古戒 고계] 옛날 사람이 남긴 경계.

[古公亶父 고공단보] 주무왕(周武王)의 증조부. 기산(岐山) 기슭에서 덕을 닦아 주(周)나라의 기반을 이룬 사람임. 무왕(武王) 때 추존(追尊)하여 태왕(太王)이라 함.

[古怪 고괴] 예스럽고 괴상함.

[古宮 고궁] 궁궐.

[古規 고규] 옛날의 법칙, 또는 규칙.

[古今 고금] 예와 이제.

[古今獨步 고금독보] 고금을 통하여 그와 견줄 만한 사람이 없음.

[古今同然 고금동연] 사물이 변하지 아니하여 예나 이제나 마찬가지임.

[古今無雙 고금무쌍] 고금독보(古今獨步).

[古今不同 고금부동] 사물이 변하여 예와 지금이 같지 아니함.

[古奇 고기] 예스럽고 기이함.

[古記 고기] 옛적 기억 (記憶).

[古氣 고기] 예스러운 운치.

[古基 고기] 옛터.

[古器 고기] 옛날 그릇.

[古談 고담] 옛날이야기.

[古代 고대] 옛날. 옛적.

[古渡 고도] 옛날의 나루터.

[古都 고도] 옛날의 서울.

[古道照顔色 고도조안색] 옛날의 바른 도(道)가 눈 앞에 나타나 자기의 얼굴을 비친다는 뜻으로, 옛날의 정도(正道)에 배반하지 않는다는 뜻.

[古銅爐 고동로] 구리로 만든 옛날 화로(火爐).

[古銅色 고동색] 검누른 빛.

[古來 고래] 옛날부터 지금에 이르기까지. 자고이래(自古以來).

[古例 고례] 옛날부터 내려오는 관례(慣例).

[古禮 고례] 옛날의 예절(禮節).

[古老 고로] ㉠늙은이. 노인. ㉡옛일을 잘 아는 노인. 고실(故實)에 밝은 노인. ㉢부모(父母)를 이름.

[古老相傳 고로상전] 늙은이들의 말로 전하여 옴.

[古里 고리] 고향(故鄕).

[古名 고명] 옛날 이름.

[古貌古心 고모고심] 용모와 마음이 모두 옛날 사람의 풍도(風度)가 있음.

[古木 고목] 오래 묵은 나무.

[古墓 고묘] 오래된 무덤. 옛날 무덤.

[古廟 고묘] 오래된 사당집. 옛 사당.

[古墨 고묵] 오래된 먹. 옛 먹.

[古文 고문] ㉠옛날의 글자. 주로 주대(周代)의 과두(蝌蚪) 문자. ㉡당대(唐代)의 고체(古體)의 산문(散文). 육조(六朝) 이래의 사륙문(四六文)의 대.

[古文辭類纂 고문사유찬] 문집(文集). 청(淸)나라 요내(姚鼐)의 편(編). 75권. 선진(先秦)으로부터 북송(北宋)까지의 제가(諸家)의 고문(古文)으로서 후인(後人)의 모범이 될 만한 것을 추려 논변(論辨)・서발(序跋)・주의(奏議)・서설(書說)・증서(贈序)・조령(詔令)・전장(傳狀)・비지(碑誌)・잡기(雜記)・잠명(箴銘)・송찬(頌贊)・사부(辭賦)・애제(哀祭)의 열세 부류로 나누어 실었음.

[古文辭學 고문사학] 글은 진한(秦漢) 이전, 시는 성당(盛唐) 이전을 본보기로 하여 지어야 한다는 문학 상의 주장. 명(明)나라의 이반룡(李攀龍)・왕세정(王世貞) 등 칠재자(七才子)가 주창(主唱)하였음.

[古文尙書 고문상서] 경서(經書). 46권, 59편. 한대(漢代)에 노(魯)나라의 공왕(恭王)이 공자(孔子)의 집을 헐고 벽 속에서 얻은 서경(書經). 모두 과두 문자(蝌蚪文字)로 썼음. 동진(東晉)에 이르러 비로소 세상에 나왔는데, 청조(淸朝)의 학자 중에는 위서(僞書)라고 주장하는 이가 많음.

[古文眞寶 고문진보] 시문집(詩文集). 송(宋)나라 황견(黃堅)의 편집(編輯)이라고 전함. 전집(前集) 3권, 후집 2권으로 되었는데, 전집은 권학문(勸學文)으로 시작하여 한(漢)・진(晉)・당(唐)・송(宋) 등의 작가의 명시(名詩)를, 후집은 한(漢)나라로부터 송(宋)나라까지의 명문(名文)을 실었음.

[古物 고물] ㉠옛날 물건. ㉡낡은 물건.

[古米 고미] 해를 묵힌 쌀. 묵은쌀.

[古樸 고박] 예스럽고 질박함.

[古撲 고박] 고박(古朴).

[古方 고방] ㉠옛날부터 전하여 오는 약방문(藥方文). ㉡옛적에 행하던 방법.

[古法 고법] 옛날의 법.

[古本 고본] ㉠헌책. ㉡고서(古書).

[古墳 고분] 고대의 무덤.

[古佛 고불] 옛날의 불상(佛像). 오래된 불상.

[古碑 고비] 옛날 비석. 오래된 비석.

[古史 고사] 옛날의 역사(歷史).

[古寺 고사] 오래된 절. 고찰(古刹).

[古事 고사] 옛일.

[古祠 고사] 옛 사당.

[古色 고색] ㉠낡은 빛. ㉡옛날의 풍치(風致).

[古生物 고생물] 지질 시대(地質時代)에 살던 생물.

[古書 고서] 옛날 책. 고본(古本).

[古石 고석] ㉠이끼가 덮인 오래된 돌멩이. ㉡괴석(怪石).

[古昔 고석] 옛날.

[古說 고설] ㉠옛날이야기. ㉡옛적의 학설(學說).

[古城 고성] 옛 성.

[古俗 고속] 옛날의 풍속.

[古松 고송] 오래된 소나무. 노송(老松).

[古時 고시] 옛적. 옛날.

[古詩 고시] ㉠옛날 사람이 지은 시. 고대의 시. ㉡고체(古體)의 시. 구수(句數)・자수(字數)에 제한이 없고 압운(押韻)에도 일정한 법칙이 없음.

[古詩源 고시원] 시집(詩集). 청(淸)나라 심덕잠(沈德潛)의 편. 15권. 태고(太古)로부터 남북조(南北朝)까지의 각 체(體)의 시(詩)는 물론 동요(童謠)・이담(俚諺)까지 실었음.

[古式 고식] 옛날의 식(式).

[古雅 고아] 고색(古色)을 띠어 아담(雅淡)함.

[古樂 고악] 옛날 음악.

[古樂府 고악부] 악부집(樂府集). 원(元)나라 좌극명(左克明)의 편. 10권. 진(陳)・수(隋) 이전의 악부를 팔류(八類)로 나누어 수록하였음. 악부의 근원을 캐어 양유정(楊維楨)이 악부의 고율(古律)을 깨뜨리려는 경향을 바로잡으려 한 것임.

[古語 고어] 고언(古言).

[古言 고언] ㉠옛사람의 말. ㉡옛날 말.

[古諺 고언] 옛날부터 전해 오는 속담.

[古屋 고옥] 지은 지 퍽 오래된 집. 낡은 집.

[古瓦 고와] 옛 기와.

[古往今來 고왕금래] 옛날부터 지금까지.

[古韻 고운] 육경(六經)에 쓰인 문자(文字) 및 한위 시대(韓魏時代)의 문자의 협운(叶韻).

[古猶今 고유금] 고금(古今)을 일관하여 변하지 아니함.

[古意 고의] ㉠고풍(古風)의 취미. ㉡옛날을 추억하는 마음. 회고의 정.

[古義 고의] ㉠옛 의의(意義). ㉡옛 해석(解釋).

[古誼 고의] ㉠옛 해석. 고의(古義). ㉡옛날의 바른 도(道).

[古人 고인] 옛사람.

[古人之糟魄 고인지조박] 박(魄)은 박(粕)과 같아 술지게미란 뜻으로, 지금 세상에 전하는 옛날 성현(聖賢)의 말을 이름. 옛날 성현 그 자신은 이미 죽고 지금은 그들의 말만 남아 있으니, 이는 마치 술 그 자체는 없어지고 그 지게미만 남은 것과 같다는 뜻으로, 참된 도(道)는 언어와 문장으로써는 남김없이 전할 수 없는 것이

므로 현재 전하는 것은 술을 거르고 남은 찌꺼기나 다름없다는 말.
[古字 고자] 옛 체(體)의 글자.
[古迹 고적] 고적(古跡).
[古跡 고적] ㉠남아 있는 옛 물건. ㉡옛날 물건이 있던 자리. 고적(古蹟).
[古蹟 고적] 고적(古跡).
[古典 고전] ㉠옛날의 기록, 또는 서적(書籍). ㉡옛날의 법식(法式), 또는 제도.
[古錢 고전] 옛날에 쓰던 돈.
[古典美 고전미] 고전적인 미(美).
[古戰場 고전장] 옛날의 싸움터.
[古制 고제] 옛날의 제도.
[古製 고제] 옛날 양식으로 한 제작.
[古調 고조] 옛날부터 전해 오는 곡조(曲調).
[古鐘 고종] 옛날의 종.
[古籀 고주] 고문(古文)과 주문(籀文).
[古註 고주] 옛 주석(註釋).
[古刹 고찰] 옛 절. 고사(古寺).
[古處 고처] 옛 도(道)를 본받아 처세(處世)함.
[古哲 고철] 옛 철인.
[古鐵 고철] 헌 쇠.
[古體 고체] ㉠고풍(古風)❶. ㉡고문(古文)의 체(體). ㉢한시(漢詩)에서 절구(絕句)와 율(律) 이외의 것.
[古塚 고총] 자손이 끊어져 묵은 무덤.
[古稱 고칭] 옛날에 부르던 이름.
[古塔 고탑] 오래된 탑.
[古態 고태] 고아하고 질박(質朴)한 태.
[古宅 고택] 옛날에 지은 집.
[古風 고풍] ㉠옛사람의 풍도. 또, 옛날의 모습. ㉡고시(古詩).
[古筆 고필] ㉠옛날 사람의 필적(筆蹟). ㉡오래된 붓.
[古學 고학] 고훈(古訓)을 연구하는 학문.
[古墟 고허] 오래된 폐허.
[古賢 고현] 옛 현인.
[古號 고호] 나라나 땅 등의 옛날의 이름.
[古畫 고화] 옛날의 그림.
[古訓 고훈] ㉠옛날 사람의 교훈(敎訓). ㉡옛날의 훈(訓).
[古稀 고희] 나이 일흔 살의 일컬음.
◉簡古. 講古. 稽古. 考古. 曠古. 近古. 今古. 籠古. 丹心照萬古. 萬古. 放古. 復古. 上古. 尙古. 先古. 邃古. 茹古. 往古. 擬古. 前古. 終古. 中古. 振古. 蒼古. 千古. 最古. 太古. 好古. 懷古.

2⑤ [句] 中入 ①②㊼遇 九遇切 jù 구 ③-⑤㊼宥 古候切 gòu ⑥⑦㊼尤 古候切 gōu 勺

筆順 ノ ク勺句句

字解 ①구절 구 시문 중의 한 토막. '字—'. '章—'. '因字而生—, 積—而爲章'《文心雕龍》. ②굽을 구 굴곡함. '—戟'. '一中鉤'《禮記》. ③맡을 구 임무를 담당함. '江南—當公事回'《宋史》. ④셀 구 셈을 셈. '以後季一前季'《唐書》. ⑤당길 구 활시위를 잡아당김. '敦弓旣—'《詩經》. ⑥구 직각 삼각형의 직각을 낀 두 변 가운데 짧은 변. '—股'. ⑦성 구 성(姓)의 하나.

字源 甲骨文 勹 金文 勹 篆文 𦥑 形聲. 口+勾(省)〔音〕. '勾구'는 구부러진 갈고리

가 걸린 모양을 본뜸. '구부러지다'의 뜻을 나타냄. 또 '勹'는 '區구'와 통하여 '구획 짓다'의 뜻. 말을 끊어 토막을 짓다의 뜻을 나타냄.
参考 勾(勹部 二畫)는 俗字.

[句決 구결] 부인(婦人)의 머리꾸미개.
[句股弦 구고현] 직각 삼각형의 세 변(邊). 직각을 이룬 짧은 변을 구(句), 긴 변을 고(股), 직각의 대변을 현(弦)이라 함. 고(股) 참조.
[句管 구관] 맡아 다스림.
[句戟 구극] 끝이 굽은 창.
[句當 구당] ㉠취급함. 담당함. ㉡담당. 계(係).
[句讀 구두] 글을 읽기 편하게 하기 위하여 구절(句節)이 떨어진 곳에 점(點)이나 딴 부호로 표하는 일.
[句讀點 구두점] 구두법(句讀法)을 따라 찍는 점.
[句闌 구란] 구란(句欄).
[句欄 구란] ㉠궁전(宮殿)·교량(橋梁) 등을 장식(裝飾)하는 굵게 만든 난간. ㉡이상은(李商隱)의 창가시(倡家詩)의 '簾輕幕重金——'에 의하여 후세에는 기생이나 배우들이 거처하는 곳을 이름. ㉢송원(宋元) 시대에는 배우·가수 등이 연예(演藝)를 하는 장소를 이름.
[句留 구류] 구금함. 구류(拘留).
[句履 구리] 구형(矩形)으로 생긴 신.
[句配 구배] 기운 정도. 경사면의 경도(傾度).
[句法 구법] 시문의 구(句)를 짓는 법.
[句嬰 구영] 등이 굽고 키가 작은 사람.
[句引 구인] ㉠잡아당김. ㉡꾀어냄. 유괴(誘拐)함.
[句節 구절] 한 토막의 말이나 글.
[句點 구점] 구절 끝에 찍는 점.
[句踐 구천] 춘추 시대의 월(越)나라의 제2대 왕. 와신상담(臥薪嘗膽) 끝에 부차(夫差)에게 당한 치욕을 씻었음.
◉佳句. 傑句. 檢句. 結句. 警句. 金句. 禁句. 金章句. 奇句. 起句. 難句. 鏤句. 對句. 倒句. 名句. 妙句. 文句. 半句. 發句. 費句. 死句. 上句. 秀句. 巡句. 承句. 詩句. 陽關句. 語句. 麗句. 連句. 聯句. 玉句. 冗句. 月章星句. 類句. 六句. 逸句. 一言半句. 字句. 長句. 章句. 長短句. 摘句. 轉句. 絕句. 隻句. 疊句. 總句. 片詞隻句. 險句. 好句. 豪句. 活句.

2⑤ [召] 高人 ▤ 소 ㊼嘯 ①②直照切 zhào ③④寔照切 shào ▤ 조 韓 𠮷

筆順 フ刀刀召召

字解 ▤ ①부를 소 ㉠윗사람이 말이나 글로 남을 오라고 함. '—致'. '—喚'. '父—無諾, 唯而起'《禮記》. ㉡초래함. '—禍'. '吉凶榮辱, 惟其所—'《程頤》. ②부름 소 전항의 명사. '徵—'. '不應—'《漢書》. ③땅이름 소 소공(召公)의 채읍(采邑). 지금의 산시 성(陝西省) 치산 현(岐山縣)의 서남. ④성 소 성(姓)의 하나. ▤《韓》대추 조 약화제(藥和劑)나 약복지에 대추(棗)의 뜻으로 쓰는 말. '干三二'.
字源 甲骨文 𠙵 金文 𠙵 篆文 𠮋 形聲. 口+刀〔音〕. 甲骨文은 받침 위에 술그릇을 놓고, 그 위에 칼을 두 손으로 들고 있는 글자 모양이므로, 축문을 외면서 신을 부르는 의식을 나타내는 것으로 여겨짐. 일반적으로 '부르다'의 뜻을 나타냄.

[召見 소견] 불러 와서 봄.
[召對 소대] 소명(召命)을 받고 입대(入對)함.
[召命 소명] 신하(臣下)를 부르는 임금의 명령.
[召募 소모] 불러서 모음. 모집함. 또, 그 군사(軍士).
[召發 소발] 병사(兵士)·인부(人夫) 등을 불러 모음.
[召辟 소벽] 임용(任用)하기 위하여 불러 옴.
[召書 소서] 불러 오게 하는 글. 호출하는 문서.
[召按 소안] 불러 취조(取調)함.
[召集 소집] 불러 모음.
[召請 소청] 초대(招待)함.
[召致 소치] 불러 이르게 함.
[召置 소치] 불러 와서 곁에 둠.
[召禍 소화] 화를 초래함.
[召喚 소환] 관청(官廳)에서 사인(私人)에게 일정(一定)한 곳으로 오라고 명령(命令)함.
[召還 소환] 돌아오라고 부름. 불러 돌아오게 함.
●擧召. 擊木召. 檄召. 弓旌之召. 辟召. 聘召. 宣召. 安車召. 燕臺召. 應召. 徵召. 採召. 號召.

2 ⑤ [台] 召(前條)의 俗字

2 ⑤ [台] ⊟ 태 ⑰灰 土來切 tái ⊟ 이 ⑰支 與之切 yí

[筆順] 厶 台 台 台 台

字解 ⊟ 별 태 '三一'는 별 이름으로서, '上一' '中一' '下一'의 셋이 있음. '三六星'《晉書》. 예전에, 이 세 별을 삼공(三公)에 견주었으므로, 삼공 또는 삼공의 지위의 뜻으로 쓰임. '一鼎'. '奕世登一'《晉書》. 또 전(轉)하여, 경의를 표하는 말로 쓰임. ⊟①나 이 자기. '非一不, 敢于稱亂'《書經》. ②기뻐할 이 희열함. '唐堯遜位, 虞舜不一'《史記》. ③성이 성(姓)의 하나.

字源 形聲. 口+厶(目)[音]. 金文은 '目(以)'와 같은 꼴. '目'는 농구인 쟁기의 상형. 대지에 쟁기질하여 흙을 부드럽게 풀다의 뜻에서 파생하여, 마음이 풀어짐, 기뻐하다의 뜻을 나타냄. '怡이'의 원자(原字). 대명사인 '나'의 뜻은 假借임.

參考 본디, 臺(至部 八畫)와는 別字이지만, 현재 '臺'의 俗字로 쓰임.

[台德 이덕] 나의 덕. 짐(朕)의 덕.
[台台 이이] 기뻐하는 모양.
[台階 태계] ①삼공(三公)의 지위. ㉡남의 집의 경칭(敬稱).
[台槐 태괴] 삼태(三台)와 삼괴(三槐). 곧, 삼공(三公).
[台覽 태람] 보심. 봄[覽]의 존칭(尊稱).
[台嶺 태령] 저장 성(浙江省) 톈타이 현(天台縣)의 서쪽에 있어 천태종(天台宗)의 천태 근원지(根源地)인 톈타이 산(天台山)의 별칭(別稱).
[台臨 태림] 고귀(高貴)한 이의 임석(臨席).
[台命 태명] 삼공(三公)의 명령. 전(轉)하여, 황족(皇族)의 명령.
[台背 태배] '鮐背태배'와 같음.
[台傅 태부] 태재(台宰).
[台司 태사] 삼공(三公)을 이름.
[台相 태상] 태재(台宰).

[台安 태안] 몸이 편안하심. 편지에서 수신인의 안부를 물을 때 쓰는 말.
[台位 태위] ①삼공(三公)의 지위. ㉡재상(宰相).
[台宰 태재] 천자(天子)를 돕고 백관(百官)을 거느리는 대신(大臣). 재상(宰相).
[台鼎 태정] 삼공(三公)의 지위.
●輔台. 三台. 上台. 中台. 天台. 下台. 鉉台. 恢台.

2 ⑤ [咎] 구 ⑰尤 巨鳩切 qiú
字解 ①세모창 구 '一矛'는 세모진 창. ②나라 이름 구 '一由'는 국명(國名). '智伯欲伐一由'《戰國策》.
字源 形聲. 口+九[音]

[咎矛 구모] 세모창. 세모진 창.
[咎由 구유] 나라 이름.

2 ⑤ [合] 연 ⑰銑 以轉切 yǎn
字解 ①수렁 연 산속의 진구렁. '一, 山閒陷泥地'《說文》. ②물이름 연 沇(水部 四畫)의 古字.
字源 象形. '口구'는 골짜기의 초입을 본뜬 것. '八팔'은 시냇물에 임(臨)한 깎아지른 듯한 벼랑을 본뜬 것임.

[占] 〔점〕 卜部 三畫(p.312)을 보라.

3 ⑥ [冊] ⊟ 훤 ⑰元 況袁切 xuān ⊟ 선 ⑰先 荀緣切 ⊟ 송 ⑰宋 似用切 sòng
字解 ⊟ 놀라부르짖을 훤 떠들썩함. '一, 驚嘑也'《說文》. ⊟ 부르는소리 선 마구 불러 대는 소리. '一, 呼聲'《集韻》. ⊟ 다툴 송 말다툼함. 訟(言部 四畫)의 古字. '一, 爭言也'《集韻》.
字源 會意. 口+口

3 ⑥ [吴] 화 ⑰禡 胡化切 huà
字解 ①큰소리 화 '一, 大聲也'《說文》. ②큰입 화 '魚之大口者曰一'《字彙》.

3 ⑥ [吊] 〔조〕 弔(弓部 一畫〈p.718〉)의 俗字
參考 '매달다'의 뜻에는 흔히 '弔'를 씀.

[吊橋 조교] 양쪽 언덕에 줄이나 쇠사슬 등을 건너질러 거기에 의지하여 매달아 놓은 다리. 조교(弔橋).

3 ⑥ [吁] 우 ⑰虞 況于切 xū ⑰遇 王遇切 yù
字解 ①탄식할 우 ㉠'아' 탄식하는 소리. '一嗟'. '益曰, 一戒哉'《書經》. ㉡한탄하는 모양. 근심하는 모양. '云何一矣'《詩經》. ②성 우 성(姓)의 하나.
字源 形聲. 口+于(亏)[音]. '亏우'는 목의 안쪽에서 나는 놀람·탄식 등의 목소리의 의성어(擬聲語). 놀라서 큰

소리를 낼 때 숨이 입에서 나와 막히다의 뜻을
나타냄.

[吤咈 우불] '아, 틀렸도다.'하고 불찬성 (不贊成)
을 나타내는 말.
[吤吤 우우] 놀라거나 한탄할 때 '아'하고 내는
소리.
[吤嗟 우차] '아'하고 탄식함. 탄식하여 '아'하
고 소리를 냄.
●長吤. 嗟吤.

3/6 [吪] 吤(前條)의 本字

3/6 [吃] 人名 흘 (글④) 人物 居乞切 chī ①jí

字解 ①어눌할 흘 말을 더듬음. '一音'. '爲人
口一'《漢書》. ②먹을 흘 '一山草'《新書》. ③머
뭇거릴 흘 주저함. 또, 잘 가지 못함. '凍馬四
蹄一'《孟郊》.
字源 篆文 篆文은 口+乞(기)〔音〕. '气걸'
은 '乙'과 통하여, '갈팡질팡하다'
의 뜻. 입이 매끄럽게 움직이지 않아 말을 더듬
다의 뜻을 나타냄. 또 '喫끽'과 통하여, '먹다'
의 뜻으로도 쓰임.

[吃驚 흘경] 깜짝 놀람. 경악함.
[吃舌 흘설] 흘음(吃音).
[吃水 흘수] 배의 아랫부분이 물에 잠기는 정도.
[吃音 흘음] 말을 더듬음.
[吃人 흘인] 말 더듬는 사람.
[吃吃 흘흘] 웃는 소리의 형용.
●乾吃. 蹇吃. 老吃. 呐吃. 鄧艾吃.

3/6 [吋] 一 두 ⑪有 徒口切 dòu / 一 촌 cùn

字解 一 꾸짖을 두 질책함. 一 인치 촌 영미(英
美)의 길이의 단위 '인치 (inch)'의 약기 (略記).
字源 形聲. 口+肘〈省〉〔音〕.

3/6 [吐] 高人 토 ⑪麌 他魯切 tǔ / ㉫遇 湯故切 tù

筆順 丨 冂 口 口 一 吐 吐

字解 ①토할 토 ㉠게움. 뱉음. '一瀉'. '一飯三
一哺'《史記》. 또, 게운 것. '搰一盡瞰之'《魏
書》. ㉡드러내어 보임. '新月一半規'《黃庭堅》.
㉢입 밖에 냄. 말함. 폄. '一露'. '發明詔, 一德
音'《漢書》. ②성 토 성 (姓)의 하나.
字源 篆文 形聲. 口+土〔音〕. '土토'는 흙. 초목
을 토해 내는 대지의 뜻. '口구'를 더
하여, 입에서 토해 내다의 뜻을 나타냄.

[吐剛茹柔 토강여유] 강자 (強者)를 두려워하고
약자 (弱者)를 깔봄.
[吐故納新 토고납신] 묵은 숨을 내쉬고 새로운 숨
을 들이마심. 지금의 소위 심호흡법 (深呼吸法).
[吐谷渾 토곡혼] 토욕혼(吐谷渾).
[吐氣 토기] ㉠위 (胃) 속에 있는 음식물이 도로
입으로 나오려는 기운. 욕지기. ㉡울적한 기분
을 품. 전 (轉)하여, 뿜냄. 의기양양함.
[吐露 토로] 마음에 있는 것을 다 드러내어 말함.

[吐飯成飛蜂 토반성비봉] 입 안의 밥을 토(吐)하
면 날아서 벌이 되었다는 갈선공(葛仙公)의 기
술(奇術).
[吐蕃 토번] 지금의 서장(西藏). 국왕(國王) 기종
롱찬(棄宗弄贊)이 인도(印度)와 통(通)하고,
또 당(唐)나라 태종(太宗)과 우호(友好) 관계
를 맺어 양국(兩國)의 문물(文物)을 채용(採
用)하였으므로 세력이 날로 성하여졌으나, 당
(唐)나라 이후 점점 쇠 (衰)하여져서 청(淸)나
라 세종(世宗) 이래 번속국(蕃屬國)이 되었음.
[吐絲 토사] 누에가 실을 토(吐)함.
[吐瀉 토사] 토하고 설사 (泄瀉)함.
[吐舌 토설] 괴로워서 혀를 빼뭄.
[吐說 토설] 일의 내용을 사실 (事實)대로 말함. 토
실 (吐實).
[吐實 토실] 토설(吐說).
[吐握 토악] 토포악발(吐哺握髮).
[吐藥 토약] 위(胃) 속에 든 물건을 토하게 하는
약(藥).
[吐逆 토역] 게움. 구토 (嘔吐).
[吐谷渾 토욕혼] 선비 (鮮卑)의 지족(支族). 본시
청해 (青海) 부근에서 부락(部落)을 이루어 당
(唐)나라에 예속(隸屬) 되었다가 나중에 토번
(吐蕃)에 병합당하였음.
[吐情 토정] 심정 (心情)을 솔직 (率直) 하게 말함.
[吐精 토정] 남자가 정액(精液)을 쌈.
[吐劑 토제] 먹은 음식을 토하게 하는 약제 (藥劑).
[吐破 토파] 마음속에 품고 있던 생각을 숨김없이
다 털어 내어 말함.
[吐哺 토포] '토포악발(吐哺握髮)'을 보라.
[吐哺握髮 토포악발] 토포착발(吐哺捉髮).
[吐哺捉髮 토포착발] 밥을 먹거나 머리를 감을 때
에 손님이 오면, 먹던 밥은 뱉고 감던 머리는
쥐고 바로 나가 마중함. 주공(周公)이 어진 선
비를 환영·우대한 고사(故事).
[吐下 토하] 토사(吐瀉).
[吐血 토혈] 피를 토(吐)함.
●嘔吐. 談吐. 辭吐. 宜吐. 逆吐. 月吐. 柔不茹
剛不吐. 音吐. 占吐. 吞吐.

3/6 [吒] 타 ㉫禡 陟駕切 zhà

字解 꾸짖을 타, 입맛다실 타 咤(口部 六畫)와
同義. '項王, 喑噁叱一'《資治通鑑》. '毋一食'
《禮記》.
字源 篆文 形聲. 口+乇〔音〕. '乇책'은 혀를 차
는 소리를 나타내는 의성어.

[吒食 타식] 입맛을 쩍쩍 다시며 먹음.
●叱吒.

3/6 [吚] 히 ㉫支 馨夷切 xī

字解 신음할 히 신음함. 屎(尸部 六畫)와 통용.
'唸一, 呻也'《說文》.
字源 篆文 形聲. 口+尸〔音〕. '尸시'는 자
고 있는 사람의 뜻. 자고 있는 사람
이 신음하는 일.

3/6 [吓] 하 xià, hè

字解 ①으를 하 놀라게 함. ②두려워할 하, 놀랄
하. ③嚇(口部 十四畫)의 簡體字.

3 ⑥ [吏] 高入 리 ㉿寘 力置切 lì

筆順 一 ㄱ ㄲ ㅁ 吏 吏

字解 ①벼슬아치 리 관리. '一才'. '一之治, 以斬殺縛束爲務'《史記》. ②벼슬살이할 리 관리 노릇을 함. '我來一端州'《朱治》. ③성 리 성(姓)의 하나. ④《韓》아전 리 주로 지방 관청의 속료의 뜻으로 썼음. '一屬'.

字源 金文 篆文 象形. 관리의 상징인 깃대를 손에 든 모양을 본떠, '벼슬아치'의 뜻을 나타냄. 《說文》에서는 一十史〔音〕의 形聲으로 봄.

[吏幹 이간] 이재 (吏才).
[吏能 이능] 이재 (吏才).
[吏道 이도] ㉠관리의 사무. ㉡관리로서 행할 도리 (道理). ㉢우리나라의 이두 (吏讀).
[吏讀 이두]《韓》삼국 시대부터 한자 (漢字)의 음과 뜻을 빌려서 우리나라 말을 표기하는 데 쓰이던 문자.
[吏務 이무] 관리의 직무.
[吏文 이문]《韓》우리나라에서 중국 (中國)과 주고받는 문서에 쓰던 특수한 문체 (文體)로서 자문 (咨文)·서계 (書契)·관자 (關子)·감결 (甘結)·보장 (報狀)·제사 (題辭) 등에 쓰던 글.
[吏民 이민]《韓》지방 (地方)의 아전 (衙前)과 백성 (百姓).
[吏部 이부] 중앙 관청의 하나. 처음에는 상서성 (尙書省)의 일부였으나, 명청 (明淸) 때에는 독립의 한 부 (部)를 이루어 호 (戶)·예 (禮)·병 (兵)·형 (刑)·공 (工)의 오부 (五部)와 합하여 육부 (六部)라 함. 문관의 임면 (任免)·훈계 (勳階) 등에 관한 사무를 맡음.
[吏士 이사] 벼슬아치. 관리.
[吏事 이사] 관리의 사무.
[吏屬 이속]《韓》아전 (衙前)들.
[吏術 이술] 관리로서 사무를 처리하는 재간.
[吏員 이원] 관리. 또, 관리의 수 (數).
[吏隱 이은] 부득이 벼슬은 하고 있으나, 본마음은 은거 (隱居)하고자 하는 일. 또, 낮은 벼슬아치가 되어 남에게 알려지지 않도록 하는 일.
[吏才 이재] 관리로서의 재능.
[吏卒 이졸] 낮은 벼슬아치. 서리 (胥吏).
[吏職 이직] 관리 (官吏)의 직무. 벼슬아치의 사무.
[吏治 이치] ㉠관리가 취급하는 정치. 정사 (政事). ㉡《韓》수령 (守令)의 치적 (治績).
[吏吐 이토] 이두 (吏讀).
●苛吏. 奸吏. 姦吏. 警吏. 計吏. 公吏. 官公吏. 官吏. 狡吏. 廐吏. 軍吏. 邏吏. 老吏. 能吏. 刀筆吏. 蒙吏. 文吏. 文法吏. 司檔吏. 三吏. 胥吏. 石壤吏. 世吏. 小吏. 俗吏. 屬吏. 循吏. 良吏. 廉吏. 五吏. 汚吏. 獄吏. 委吏. 人吏. 長吏. 職吏. 折腰吏. 佐吏. 朱衣吏. 捕吏. 下吏. 悍吏. 酷吏. 闍吏. 猾吏. 候吏.

[回] 〔회〕
口部 三畫 (p. 420)을 보라.

3 ⑥ [向] 中入 ㅡ 향 ㉿漾 許亮切 xiàng ㅡ 상 ㉿漾 式亮切 xiàng

筆順 ´ ㇗ ㇆ 向 向 向

字解 ㅡ ①북창 향 북향한 창. '塞一墐戶'《詩經》. ②향방 향 향하는 방향. 향하는 곳. '進不知一, 退不知守'《柳宗元》. ③향할 향 ㉠바라봄. 면(面)함. 또, 마주 봄. 대면함. '一人一南'. '春來綽約一人時'《劉賓客》. ㉡향하여 감. '所一無敵'. '我獨一黃泉'《古詩》. ㉢마음을 기울임. '鄕人化之, 皆一學'《元史》. ④접때 향 이전. 옛적. '一者', '一日'. '若一也俯而今也仰'《莊子》. ㅁ ①성 상 성 (姓)의 하나. ②땅이름 상 지명 (地名).

字源 甲骨文 金文 篆文 象形. 집의 북쪽 창 (窓)의 상형으로, 높직한 창의 뜻을 나타냄. '鄕향'과 통하여, '향하다'의 뜻으로 쓰임.

[向南 향남] 남쪽으로 향 (向)함.
[向念 향념] 향의 (向意).
[向東 향동] 동쪽으로 향함.
[向來 향래] 이전부터 현재까지. 여태까지.
[向慕 향모] 마음을 기울이어 사모 (思慕)함.
[向方 향방] 향 (向)하는 곳.
[向背 향배] 좇음과 등짐. 복종 (服從)과 배반 (背叛).
[向北 향북] 북쪽으로 향함.
[向上 향상] 차차 낫게 됨. 점점 진보 (進步)함.
[向西 향서] 서쪽으로 향함.
[向時 향시] 접때. 지난번.
[向陽 향양] 볕을 마주 받음. 남쪽을 향함.
[向陽之地 향양지지] 남쪽으로 향한 땅.
[向隅嘆 향우탄] 만당 (滿堂)이 모두 기뻐하는데 오직 혼자만 상대하는 사람 없이 구석을 향하여 탄식하는 일.
[向意 향의] 마음을 기울임. 생각을 둠.
[向日 향일] 접때. 지난날.
[向日葵 향일규] 해바라기.
[向日花 향일화] 해바라기.
[向者 향자] 접때. 지난번에. 향일 (向日).
[向學 향학] 학문 (學問)에 뜻을 두고 그 길로 나아감.
[向後 향후] 이다음. 이후 (以後). 금후 (今後).
●傾向. 歸向. 內向. 動向. 發向. 方向. 背向. 外向. 意向. 一向. 日向. 轉向. 走向. 志向. 趨向. 趣向. 稱向. 偏向. 風向. 下向. 化向. 回向. 懷向. 希向.

3 ⑥ [同] 中入 동 ㉿東 徒紅切 tóng

筆順 ㅣ ㄇ 冂 冋 同 同

字解 ①한가지 동 같음. '一一'. '德齊力一'. '禮樂之情一'《禮記》. ②같이할 동 ㉠함께 함. '不與一中國'《大學》. ㉡합침. '一心'. '一力度德'《書經》. ㉢균일하게 함. '一律度量衡'《書經》. ③모일 동 회동함. '合一'. '獸之所一'《詩經》. ④화합 동 화합함. '和一'. '是謂大一'《禮記》. ⑤무리 동 동아리. '一一'. '天與火一人'《易經》. ⑥알현 동 주대 (周代)에 제후 (諸侯)가 모여 천자 (天子)에게 알현 (謁見)하는 예 (禮). '會一'. '殷見曰一'《周禮》. ⑦방백리 동 주대 (周代)의 제도에서, 사방 백 리의 땅. '一方百里'《周禮 註》. ⑧성 동 성 (姓)의 하나.

字源 甲骨文 金文 篆文 象形. 몸체와 뚜껑이 잘 맞도록 만들어진 통의 상형으로, 지름이 같은 데서 '같다, 화합하다'

의 뜻을 나타냄. '合합'이 공 모양의 그릇인 데 대하여, '同동'은 원통 모양의 그릇의 상형임.

[同感 동감] 느낌이 같음. 남과 같이 느낌.
[同甲 동갑] 나이가 같음. 같은 나이. 갑자(甲子)를 같이한다는 뜻.
[同甲會 동갑회] 동갑(同甲)끼리의 모임.
[同居 동거] 한집에서 같이 삶.
[同格 동격] 자격(資格)이 같음. 같은 자격.
[同庚 동경] 동갑(同甲).
[同慶 동경] 같이 경사스러워하여 즐거워함.
[同苦同樂 동고동락] 괴로움과 즐거움을 같이함.
[同工異曲 동공이곡] 서로 재주는 같으나 취미가 다름.
[同工異體 동공이체] 동공이곡(同工異曲).
[同功一體 동공일체] 같은 공(功)으로 같은 지위에 있음.
[同官 동관] 같은 관청(官廳)에 다니는, 같은 지위에 있는 관원(官員).
[同軌 동궤] ㉠천하(天下)의 수레의 바퀴와 바퀴 사이의 광협(廣狹)이 같음. 전(轉)하여, 천하가 통일됨을 이름. ㉡중국(中國)의 제후(諸侯). 사이(四夷)의 나라와 구별하여 이름.
[同歸殊塗 동귀수도] 귀착점은 같으나, 경로는 같지 아니함.
[同歸一轍 동귀일철] 결과가 같이 됨.
[同衾 동금] 한 이불 속에서 잠.
[同級 동급] 학급(學級)이 같음.
[同氣 동기] ㉠형제(兄弟)·자매(姉妹)의 총칭(總稱). ㉡동류(同類).
[同期 동기] ㉠같은 시기(時期). ㉡동기 동창(同期同窓).
[同氣相求 동기상구] 동성상응(同聲相應).
[同氣親 동기친] 동기간(同氣間).
[同年 동년] ㉠같은 나이. ㉡같은 해. ㉢동년생(同年生).
[同年生 동년생] 같은 해에 함께 급제(及第)한 사람.
[同道 동도] ㉠길이 같음. 하는 일이나 뜻이 같음. ㉡동행(同行).
[同等 동등] 같은 등급(等級).
[同樂 동락] 여러 사람이 함께 즐김.
[同侶 동려] 벗. 동류(同類)❶.
[同力度德 동력탁덕] 두 사람의 역량(力量)이 같을 때에는, 덕(德)의 우열(優劣)을 헤아려 인물을 평가함.
[同列 동렬] ㉠같은 줄. ㉡같은 반열(班列). 같은 지위. 또, 같은 지위에 있는 사람.
[同牢 동뢰] 부부(夫婦)가 음식(飮食)을 같이 먹음.
[同牢宴 동뢰연] 신랑과 신부가 교배(交拜) 뒤에 술잔을 나누는 잔치.
[同僚 동료] 같은 직장에서 지위가 비슷한 사람.
[同寮 동료] 동료(同僚).
[同流 동류] 동류(同類).
[同類 동류] ㉠같은 무리. ㉡같은 종류.
[同盟 동맹] 개인·단체 또는 국가가 같은 목적이나 이익을 위하여 같이 행동하기로 약속하는 일. 또, 그 사람·단체, 또는 나라.
[同盟國 동맹국] 동맹을 맺은 나라.
[同盟罷工 동맹파공] 자본가에 대하여 고용된 노동자가 요구를 관철하기 위하여 단결하여 종업을 휴지(休止)하는 일. 동맹 파업(同盟罷業).
[同盟罷業 동맹파업] 동맹 파공(同盟罷工).

[同盟休學 동맹휴학] 학생이 단결하여 어떠한 조건을 내걸고 일제히 등교(登校)를 하지 않는 일.
[同名 동명] 같은 이름.
[同母 동모] 동복(同腹).
[同文 동문] ㉠사용하는 글자가 같음. ㉡같은 정령(政令)이 시행됨.
[同門 동문] ㉠같은 선생의 문인(門人). 같은 학교의 출신자(出身者). 동창(同窓). ㉡동서(同壻).
[同文同軌 동문동궤] 문자(文字)가 같고 수레의 제법(製法)이 일정(一定)하다는 뜻으로, 한 천자(天子)가 천하(天下)를 통일함을 이름.
[同文同種 동문동종] 두 나라의 사용하는 문자(文字)와 민족(民族)이 모두 같음.
[同門受學 동문수학] 같은 스승에게 글을 배움.
[同門異戶 동문이호] 같이 한 성인(聖人)의 문하(門下)에서 배웠으나, 지취(旨趣)가 서로 다름. 동문수학하였으나 학설이 다름.
[同伴 동반] 길을 같이 감. 동행(同行).
[同班 동반] ㉠같은 지위(地位). ㉡같은 반(班). 또, 반을 같이함.
[同房 동방] 한방에서 동거함.
[同輩 동배] 나이·신분(身分)이 서로 비슷한 사람.
[同病相憐 동병상련] ㉠같은 병을 가진 사람끼리 서로 동정함. ㉡처지가 같은 사람끼리 서로 동정함.
[同腹 동복] ㉠한 어머니에게서 남. 배가 같음. ㉡합심(合心)함.
[同封 동봉] 두 가지 이상(以上)을 한데 싸서 봉(封)함.
[同夫人 동부인] 아내와 함께 동행(同行)함.
[同分 동분] 성질이 서로 다른 물질이 원소(元素) 및 그 화합(化合)의 비례를 같이함.
[同舍 동사] 숙사(宿舍)를 같이함. 또, 그 사람.
[同事 동사] 같이 장사함.
[同産 동산] 동복형제(同腹兄弟).
[同色 동색] ㉠같은 빛. ㉡같은 당파. 같은 파벌.
[同生 동생] ㉠같은 나이. ㉡아우나 손아래 누이.
[同壻 동서] ㉠(韓)자매(姉妹)의 남편이 서로 일컫는 말. ㉡형제의 아내가 서로 일컫는 말.
[同棲 동서] 부부(夫婦)가 되어 한집에서 같이 삶.
[同席 동석] 자리를 같이함.
[同性 동성] ㉠남녀(男女)·자웅(雌雄)의 성(性)이 같음. ㉡성질이 같음.
[同姓 동성] ㉠같은 성(姓). ㉡일가. 동종(同宗). 동족(同族).
[同姓同本 동성동본] (韓)성(姓)과 관향(貫鄕)이 같음.
[同聲相應 동성상응] 같은 종류의 것은 서로 자연히 모임. 동기상구(同氣相求).
[同性愛 동성애] 성(性)이 같은 사람끼리 서로 사랑하는 일.
[同性戀愛 동성연애] 자기와 성(性)이 같은 사람, 곧 남자(男子)와 남자 또는 여자(女子)와 여자끼리 사랑하는 변태적(變態的) 연애.
[同聲異俗 동성이속] 사람은 이 세상에 태어났을 때 소리가 모두 같으나 자람에 따라 언어·풍속 등이 달라지게 된다는 뜻으로, 사람의 성질은 본래 같으나 교육이나 습관에 의하여 선악 현우(善惡賢愚)의 차가 생김을 비유한 말.
[同歲 동세] 같은 나이. 동년(同年).
[同宿 동숙] ㉠한방(房)에서 같이 잠. ㉡같은 여관이나 하숙집 등에서 함께 묵음.

[同乘 동승] 같이 탐.

[同時 동시] 같은 때.

[同心 동심] ㉠마음이 같음. 마음을 합침. 또, 그 사람. ㉡같은 중심 (中心).

[同心合力 동심합력] 마음과 힘을 한가지로 하여 합침.

[同額 동액] 같은 액수 (額數).

[同樣 동양] 같은 모양.

[同業 동업] ㉠같은 직업. 같은 영업. 또, 같은 영업을 하는 사람. 동업자. ㉡같이 하는 영업. ㉢동학 (同學). 동창 (同窓).

[同業相仇 동업상구] 동업자는 서로 이해관계가 충돌하므로 원수처럼 여김.

[同然 동연] 동양 (同樣).

[同硯席 동연석] 동문 (同門).

[同友 동우] 뜻과 취미가 같은 벗.

[同宇而異體 동우이이체] 만물은 같은 우주 (宇宙)에서 살지만, 그 형체 (形體)는 가지각색임.

[同音 동음] 같은 소리. 같은 성음 (聲音).

[同意 동의] ㉠같은 의견 (意見). 같은 의사. ㉡같은 의미. 동의 (同義). ㉢응락함. 승인함. 찬성함.　　　　　　　　　　　「意」.

[同義 동의] 같은 뜻. 같은 의의 (意義). 동의 (同意).

[同議 동의] 의견이나 주의가 같은 의론 (議論).

[同異 동이] 동일 (同一)과 상이 (相異).

[同而不和 동이불화] 이 (利)에 의하여 합동 (合同)하나 주의 (主義)는 같지 아니함. 이 (利)로써 같이 결합하였기 때문에 서로 화목하지 아니함.

[同人 동인] ㉠뜻이 같은 사람. ㉡같은 사람. 동일인 (同一人). ㉢동문수학 (同門受學)한 사람. ㉣육십사괘 (六十四卦)의 하나. 곧, ☰〈이하 (離下), 건상 (乾上)〉. 동지 (同志)가 서로 모이는 상 (象).

[同仁 동인] 차별 없이 평등하게 사랑함.

[同寅 동인] 일치하여 직무에 힘씀. 전 (轉)하여, 동료 (同僚).

[同一 동일] 같음.

[同日 동일] 같은 날.

[同轍 동일철] 같은 수레바퀴 자국. 전 (轉)하여, 같은 방법. 같은 형식.

[同字 동자] 같은 글자.

[同接 동접] 《韓》 한곳에서 같이 공부함. 또, 그 벗. 동문 (同門).

[同情 동정] ㉠남의 불행을 가엾게 여기어 따뜻한 마음을 씀. ㉡남을 이해하여 같이 느낌.

[同鼎食 동정식] 한솥의 밥을 먹음.

[同濟 동제] 동배 (同輩). 동배 (儕輩).

[同族 동족] ㉠동종 (同宗). ㉡같은 종족 (種族).

[同族愛 동족애] 같은 종족 (種族) 사이의 사랑.

[同宗 동종] 일가. 같은 겨레. 동성 (同姓).

[同種 동종] 같은 종류 (種類).

[同儕 동제] 벗. 동배 (同輩).

[同舟相救 동주상구] 이해관계 (利害關係)와 처지 (處地)가 같은 사람은 위급할 때에 서로 구원함.

[同中書門下平章事 동중서문하평장사] 당송 시대 (唐宋時代)에 재상 (宰相)의 실권을 잡은 벼슬.

[同志 동지] 뜻이 같은 사람.

[同進士出身 동진사출신] 송대 (宋代)의 제도에서 과거 (科擧)에 급제 (及第)한 이를 5등 (等)으로 나누어 제1은 진사 급제 (進士及第), 제2는 진사 출신 (進士出身), 제3·제4는 진사 출신 (進士出身), 제5는 동진사 출신 (同進士出身)이라 하였고, 명청 시대 (明淸時代)에는 3등 (等)으로 나누어 제1은 진사 급제 (進士及第), 제2는 진사 출신 (進士出身), 제3은 동진사 출신 (同進士出身)이라 하였는데, 통칭 (通稱)으로는 모두 진사 (進士)라 함.

[同車 동차] 차 (車)를 같이 탐.

[同窓 동창] 동문 (同門).

[同轍 동철] 같은 수레바퀴 자국. 전 (轉)하여, 같은 길.

[同寢 동침] 잠자리를 같이함.

[同派 동파] ㉠같은 당파. ㉡같은 종파 (宗派).

[同平章事 동평장사] '동중서문하평장사 (同中書門下平章事)'의 준말.

[同胞 동포] ㉠동복 (同腹) 형제. ㉡같은 나라, 또는 같은 민족의 사람.

[同袍 동포] 두루마기 하나를 공동으로 사용함. 전 (轉)하여, 서로 곤궁 (困窮)을 도움.

[同學 동학] 스승이 같거나 배우는 학교가 같은 벗.

[同行 동행] ㉠길을 같이 감. 또, 그 사람. ㉡《佛敎》 같은 도 (道)를 함께 수행 (修行)하는 사람.

[同鄕 동향] 고향 (故鄕).

[同穴 동혈] 부부 (夫婦)가 죽은 뒤에 같은 무덤에 묻힌다는 뜻으로, 부부의 금실이 좋음을 비유하는 말.

[同好 동호] ㉠같은 취미. ㉡취미가 같은 사람. 동호자 (同好者).

[同好者 동호자] 어떤 사물을 같이 좋아하는 사람. 취미·오락이 같은 사람.

[同化 동화] ㉠남을 감화 (感化)시키어 자기와 같게 함. ㉡동식물이 외계 (外界)로부터 영양분을 섭취함.

[同和 동화] 화합 (和合)함. 일치함.

●敬同. 共同. 空同. 苟同. 來同. 雷同. 大同. 帶同. 冥同. 不同. 符同. 附和雷同. 上同. 相同. 闇同. 愛同. 異同. 一同. 將無同. 贊同. 參同. 畢同. 合同. 玄同. 協同. 胡同. 混同. 和同. 會同.

---

3 ⑥ [各] 〈中〉 각 〈入〉 ㉮藥 古落切 gè

筆順 ノ ク ク 久 各 各

字解 각각 각 ㉠제각기. 따로따로. '一自'. '一位'. '人一有能有不能'《韓愈》. 또, 두 자 (字)를 첩용 (疊用)하기도 함. '執手分道去, ——還家門'《古詩》. ㉡각기 다름. 각각임. '出處岐路一'《王禹偁》.

字源 甲骨文 金文 篆文 會意. 久+口. '久치'는 위에서 아래로 향하는 발의 모양을 본뜸. '口'는 '기도'의 뜻. 신령이 내려오기를 비는 모양에서, '이르다'의 뜻을 나타냄. 假借하여 '각각'의 뜻으로도 쓰임.

[各各 각각] 따로따로.

[各個 각개] 낱낱. 하나하나.

[各居 각거] 각각 따로따로 거처함.

[各界 각계] 사회의 각 방면 (方面).

[各國 각국] 여러 나라. 각 나라.

[各郡 각군] 각 고을.

[各其 각기] 각각 (各各). 저마다.

[各其所長 각기소장] 각 사람 저마다의 장기 (長技). 저마다 잘하는 재주.

[各道 각도] 각각의 도 (道).

[各論 각론] 논설문(論說文)이나 책 등의 각 제목에 대한 논설. 총론(總論)의 대(對).
[各離 각리] 각각 흩어짐. 서로 떨어짐.
[各立 각립] 따로따로 갈라섬.
[各面 각면] 각각의 면(面).
[各般 각반] 여러 가지. 제반(諸般).
[各房 각방] 각각의 방(房).
[各方面 각방면] 여러 방면.
[各別 각별] 각각 따로따로.
[各封 각봉] 따로따로 봉(封)함.
[各部 각부] 여러 부(部)로 나눈 각각의 부(部).
[各散 각산] 각각 흩어짐.
[各散盡飛 각산진비] 각각 흩어져 감.
[各色 각색] ㉠여러 가지 빛깔. ㉡여러 가지.
[各設 각설] 따로따로 베풂.
[各姓 각성] ㉠각각의 성씨(姓氏). ㉡성(姓)이 다른 각 사람.
[各所 각소] 각 군데.
[各心 각심] ㉠각 사람의 마음. ㉡각각 달리 먹는 마음.
[各心所爲 각심소위] 각 사람이 각각 다른 마음으로 한 일.
[各樣 각양] 여러 가지 모양. 여러 가지.
[各員 각원] 각각의 인원(人員).
[各位 각위] 앞앞의 여러분.
[各人 각인] 각각의 사람.
[各自 각자] 제각기. 제각각.
[各自圖生 각자도생] 제각기 살아갈 길을 도모함.
[各葬 각장] 부부(夫婦)를 각각 다른 곳에 장사(葬事)지냄.
[各條 각조] 각각의 조목(條目).
[各種 각종] 여러 가지. 각가지.
[各從其類 각종기류] 만물(萬物)은 각기 같은 종류끼리 서로 따름.
[各地 각지] 각 지방(地方).
[各處 각처] 여러 곳. 모든 곳.
[各體 각체] 여러 가지의 자체(字體)·문체(文體)·서체(書體) 등.
[各出 각출] ㉠각각 내놓음. ㉡각각 나옴.
[各層 각층] 여러 층. 각각의 층.
[各派 각파] ㉠각각의 파벌. ㉡한 조상에서 나와서 파가 갈린 친족(親族).
[各項 각항] ㉠각 항목(項目). ㉡각가지.
[各戶 각호] 각 집.
●屠各. 盍各.

3 [合] 匣日 ■ 합 ㉠合 侯閤切 hé
6   入ㅅ □ 홉 轉

筆順 ノ 人 人 人 合 合 合

字解 ■ ①합할 합 ㉠하나로 됨. '一體'. '末復一爲一理'《中庸章句》. ㉡마음이 맞음. 일치함. '落落難一'《後漢書》. ㉢입을 다묾. '蚌而箝其口'《戰國策》. ㉣짝지음. '男女之一'《荀子》. ㉤섞음. '混一'. ②합칠 합 전항의 타동사. '一併'. '不足以一大衆明大分'《荀子》. ③모일 합 '會一'. '苟一矣'《論語》. ④맞을 합 적합함. '一禮'. '一法'. '駕出行狩, 一格有獲'《易林》. '一格'. ⑤만날 합 상봉함. '一離'. '不一于天子'《禮記》. ⑥싸울 합 교전함. '一日數一'《梁書》. ⑦대답할 합 '旣一而來奔'《左傳》. ⑧교합할 합 성교함. '鳩喜一'《坤雅》. ⑨짝 합 배필. '湯禹儼求一兮'《楚辭》. ⑩합 합 盒《皿部 六畫》

과 同字. '其一以竹節爲之'《茶經》. ⑪성 합 성(姓)의 하나. ■《韓》홉 홉 용량의 단위. 일승(一升)의 10분의 1.
字源 甲骨文 合 金文 合 篆文 合 會意. 스+口. '스집'은 뚜껑, 가리개의 상형. '口'는 그릇의 몸체의 상형. 그릇에 뚜껑을 덮다, 합치다, 또 뚜껑이 있는 합의 뜻을 나타냄.

[合江 합강] ㉠쓰촨 성(四川省)의 적수(赤水) 연안에 있는 도시. ㉡만주 동북부의 쑹화 강(松花江) 하류의 러시아와 인접한 성(省). 성도(省都)는 자무쓰(佳木斯).
[合格 합격] ㉠격식 또는 조건에 맞음. ㉡시험에 급제(及第)함.
[合擊 합격] 포위하여 공격함.
[合計 합계] 합하여 계산함. 또, 그 수.
[合契 합계] 서로 정의를 두텁게 하기를 맹세함.
[合拱 합공] 두 손을 합하여 쥠. 또, 그 둘레의 크기.
[合口 합구] ㉠입을 오므림. ㉡입에 맞음.
[合矩 합구] 정규(定規)에 맞음. 규칙에 들어맞음.
[合宮 합궁] ㉠짚으로 인 궁전(宮殿). 풀을 합하여 이므로 이름. ㉡내외끼리의 잠자리.
[合쫄 합근] 신랑(新郞)과 신부(新婦)가 서로 잔을 주고받는 일. 전(轉)하여, 혼례(婚禮).
[合金 합금] 두 가지 이상의 다른 금속이 용해 혼합하여 된 금속.
[合衾 합금] 한 이불 속에서 잠.
[合當 합당] 알맞음.
[合同 합동] 합병(合倂).
[合力 합력] 힘을 합침.
[合禮 합례] 예절에 맞음.
[合流 합류] ㉠물이 합하여 흐름. ㉡단결을 위하여 한데로 모임.
[合理 합리] 이치(理致)에 합당함.
[合離 합리] 만남과 헤어짐. 또, 합침과 떨어뜨림. 이합(離合).
[合名 합명] ㉠이름을 함께 죽 씀. ㉡공동으로 책임을 지기 위하여 이름을 함께 사용함.
[合名會社 합명회사] 두 사람 이상이 각각 출자(出資)하여 경영하는 무한 책임(無限責任)의 회사(會社).
[合木 합목] 나뭇조각을 마주 붙임.
[合邦 합방] 두 나라를 합침.
[合配 합배] 배우(配偶).
[合法 합법] 법령 또는 법식(法式)에 맞음.
[合倂 합병] 합병(合倂).
[合倂 합병] 둘 이상을 합하여 하나로 만듦. 또, 둘 이상이 하나로 합침.
[合本 합본] 여러 권을 함께 매어 제본함. 또, 그 책.
[合氷 합빙] 강물이 얼어붙음.
[合祀 합사] 한 사당(祠堂)에 두 위(位) 이상의 신령(神靈)을 모시어 제사 지냄.
[合絲 합사] 실을 합하여 드림. 또, 그 실.
[合朔 합삭] 해와 지구가 달을 중간에 두고 일직선으로 되어 달이 전연 안 보일 때. 만월(滿月)의 대(對).
[合算 합산] 합계(合計).
[合席 합석] 한자리에 같이 앉음.
[合成 합성] 합하여 이룸.   「말」
[合成語 합성어] 둘 이상의 말이 서로 합하여 된

[合勢 합세] 세력을 한데로 합함.
[合率 합솔] 흩어져 살던 집안 식구나 가까운 일가가 함께 삶.
[合水 합수] 내나 강물 등이 합하여 흐름.
[合宿 합숙] 여러 사람이 한곳에서 같이 숙박함.
[合心 합심] 서로 마음을 합함.
[合緣奇緣 합연기연] ㉠무슨 일이든지 인연 (因緣)의 유무(有無)에 달림. ㉡이상한 인연. 남녀 간이나 친구 간의 정 (情)이 깊은 것을 이름. 애연기연 (愛緣奇緣).
[合意 합의] 서로 의사가 일치함. 또, 서로 의사를 합처 하나로 함.
[合議 합의] 두 사람 이상이 모여 의논함.
[合議制 합의제] 합의에 의하여 일을 처결하는 제도.
[合一 합일] 합하여 하나가 됨. 또, 하나로 합침.
[合資 합자] 두 사람 이상이 자본을 합함.
[合者離之始 합자이지시] 인생 (人生)은 무상(無常)하여 헤어지는 것은 만날 때 이미 예정된 일임.
[合資會社 합자회사] 유한 책임 사원 (有限責任社員)과 무한(無限) 책임 사원으로 조직되는 회사.
[合作 합작] 두 사람 이상이 공동으로 저술하거나 제작함. 또, 그 저술. 또는 제작한 것.
[合掌 합장] ㉠절하려고 두 손바닥을 합함. ㉡《佛教》부처에게 배례할 때 두 손바닥을 합침.
[合葬 합장] 두 사람 이상, 특히 부부의 시체를 한 무덤 속에 장사 지냄. 각장(各葬)의 대 (對).
[合掌拜禮 합장배례] 두 손바닥을 마주 대고 절함.
[合著 합저] 두 손바닥을 힘을 합하여 책을 지음. 또, 그 책. 공저 (共著).
[合戰 합전] 양군이 정면으로 충돌하여 어울려서 싸움. 접전(接戰).
[合從 합종] ㉠전국(戰國) 시대에 조(趙)·위(魏)·한(韓)·연(燕)·제(齊)·초(楚)가 남북의 종(縱)으로 연합하여 진 (秦)나라를 대항하던 공수 동맹(攻守同盟). ㉡큰 세력에 대항하는 공수 동맹을 뜻함. 종(從)은 종(縱).
[合從連衡 합종연횡] ㉠소진 (蘇秦)이 주창한 합종설 (說)과 장의 (張儀)가 주창한 연횡설. ㉡동맹(同盟)의 뜻.
[合奏 합주] 두 가지 이상의 악기 (樂器)로 함께 연주 (演奏)함.
[合竹扇 합죽선] 겉대를 얇게 깎아 맞붙이어 살을 만든 부채.
[合衆國 합중국] 둘 이상의 국가 또는 주(州)가 동일 주권(同一主權) 아래 연합하여 형성한 단일 국가.
[合錯 합착] 서로 교착 (交錯) 함.
[合唱 합창] 두 사람 이상이 소리를 맞추어 노래함.
[合瘡 합창] 종기 (腫氣)·상처 (傷處) 같은 것이 아묾.
[合體 합체] 여럿이 한 덩어리가 됨.
[合聚 합취] 모아 합침. 또, 모여 합침.
[合致 합치] 둘이 서로 일치함.
[合窆 합폄] 합장(合葬).
[合評 합평] 여럿이 한자리에 모여서 하는 비평 (批評).
[合抱 합포] 한아름.
[合歡 합환] ㉠여럿이 기쁨을 함께함. ㉡남녀 또는 부부의 동침 (同寢). 부부의 동서 (同棲). 혼인. ㉢두 갈래. ㉣합환목 (合歡木).

[合歡木 합환목] 자귀나무.
[合歡酒 합환주] 혼인 때 신랑과 신부가 서로 잔을 바꾸어 마시는 술.
◉勘合. 結合. 契合. 果合. 寡合. 交合. 校合. 九合. 苟合. 鳩合. 糾合. 綺合. 談合. 都合. 冥合. 霧合. 吻合. 配合. 百合. 併合. 複合. 縫合. 符合. 膚合. 細合. 小合. 訴合. 暗合. 野合. 連合. 聯合. 烏合. 玉合. 瓦合. 遇合. 雲合. 癒合. 六合. 融合. 意氣投合. 離合. 適合. 鈿合. 接合. 正反合. 整合. 照合. 調合. 綜合. 集合. 總合. 統合. 投合. 嫗合. 好合. 混合. 化合. 和合. 會合. 翁合.

3획
3

$\frac{3}{6}$ [吉] 〈中/人〉 길 〈人〉質 居質切 jí　　吉

筆順 一 十 士 吉 吉 吉

字解 ①길할 길 상서로움. ‘凶’의 대. ‘一日’. ‘黃裳元一’《易經》. ②착할 길 선량함. ‘一士’·‘一人’. ③복 길 길한 일. 행복. ‘一凶’·‘子孫其逢一’《書經》. ④초하루 길 ‘一月’·‘正月之一’《周禮》. ⑤혼인 길 결혼. ‘迨其一兮’《詩經》. ⑥제사 길 제향 (祭享). ‘以一禮事邦國之鬼神示’《周禮》. ⑦땅이름 길 지린 성 (吉林省)의 약칭. ⑧성 길 성(姓)의 하나.
字源 會意. 士+口. ‘士사’는 甲骨文·金文에서는 도끼 등의 날붙이의 상형, ‘口구’는 상서로움을 비는 말의 뜻. 축문 위에 그 내용을 확보하기 위한 날붙이를 주술 (呪術) 삼아 놓는 모양에서, ‘길하다, 상서롭다’의 뜻을 나타냄.
參考 吉(次條)은 俗字.

[吉蠲 길견] 정결한 것. 견 (蠲)은 결 (潔).
[吉慶 길경] 경사스러운 일.
[吉年 길년] 혼인을 하는 데 그 당사자(當事者)의 나이에 대하여 좋은 연운(年運).
[吉旦 길단] 길일 (吉日).
[吉禮 길례] ㉠제사 (祭祀)의 예 (禮). 제사. ㉡관례 (冠禮)나 혼례 (婚禮) 등의 경사스러운 예식.
[吉林 길림] ㉠중국 지린 성의 성도(省都). 쑹화 강 북부에 위치하여 수운 (水運)의 기점 (起點)이며 철도의 교차점임. ㉡중국 만주 지방의 한 성(省). 동남은 러시아 연해주 (沿海州)와 한국에 접한 동부에는 한국인이 많음. 동남부에 간도 (間島)가 있고 쑹화 강·두만강 유역에는 기름진 평야가 많음.
[吉夢 길몽] 상서로운 꿈.
[吉聞 길문] 경사스러운 일이 있는 기별. 좋은 소식. 길보 (吉報).
[吉報 길보] 좋은 기별.
[吉服 길복] 《韓》㉠삼년상(三年喪)을 마친 뒤에 입는 보통 옷. ㉡혼인 때 신랑·신부가 입는 옷.
[吉士 길사] ㉠착한 선비. ㉡미모 (美貌)의 선비.
[吉事 길사] 길한 일. 경사스러운 일.
[吉祥 길상] 상서 (祥瑞). 길서 (吉瑞).
[吉祥善事 길상선사] 경사스러운 일.
[吉祥天女 길상천녀] 《佛教》귀자모신 (鬼子母神)의 딸로서 중생 (衆生)에게 복덕 (福德)을 주는 부처. 그 상 (像)은 용모가 아름다우며 천의 (天衣)를 입고 보관 (寶冠)을 쓰고 왼손에 여의주 (如意珠)를 받들고 있음.
[吉瑞 길서] 길조 (吉兆).

[吉辰 길신] 길한 날. 좋은 날. 길일(吉日).
[吉運 길운] 좋은 운수.
[吉月 길월] ㉠좋은 달. 길한 달. ㉡초하룻날. 길일(吉日).
[吉人 길인] ㉠착한 사람. ㉡복이 많은 사람.
[吉日 길일] ㉠길한 날. 좋은 날. 길신(吉辰). ㉡초하룻날. 삭일(朔日).　　　　　「祀)
[吉祭 길제] 죽은 지 27일 만에 지내는 제사(祭
[吉兆 길조] 상서로운 일이 있을 조짐.
[吉徵 길징] 길조(吉兆).
[吉行 길행] 출전(出戰) 등의 흉사(凶事)로 인한 것이 아닌 즐거운 여행.
[吉亨 길형] 길하여 사물이 잘 형통(亨通)함.
[吉凶 길흉] ㉠길함과 흉함. 선(善)과 악(惡). 행복과 불행. ㉡혼례(婚禮)와 장례(葬禮).
[吉凶同域 길흉동역] 길한 것과 흉한 것이 경계를 같이한다는 뜻으로, 화복(禍福)이 무상(無常)함을 이름.
[吉凶如糾纆 길흉여규묵] 화복(禍福)은 꼰 새끼와 같다는 뜻으로, 길한 일에는 흉한 일이 따라다닌다는 뜻.
●納吉. 大吉. 不吉. 小吉. 涓吉. 寧吉. 元吉. 貞吉. 終吉. 初吉. 擇吉.

3⁶ [吉] 吉(前條)의 俗字

3⁶ [名] 〔中入〕 명 ㉻庚 武幷切 míng

筆順 ノ ク タ タ 名 名

字解 ①이름 명 ㉠사람의 성 아래에 붙이는 개인의 명칭. '姓一'. '公問一于申繻'《左傳》. 널리 성씨(姓氏)를 포함하여 이르기도 함. '人一'. '初試選人皆糊一, 令學士考判'《唐書》. 전(轉)하여, 사람의 수효. '二三一'. '十姓百一'《莊子》. ㉡사물의 칭호. '物一'. '非常一'《老子》. ㉢인륜상의 칭호. 곧, 군신(君臣)·부자(父子) 같은 것. '一分'. '必也正一乎'《論語》. ㉣직책상의 칭호. 곧, 관민(官民)·문무(文武) 같은 것. '刑一'. ㉤작호(爵號). '器與一不可以假人'《左傳》. ㉥명예. '盛一'. '爭一'. '烈士徇一'《史記》. ②이름부를 명 ㉠자기의 이름을 말함. '父前子一'《禮記》. '世子自一'《禮記》. ㉡남의 이름을 부름. '國君不一卿老世父'《禮記》. ㉢지칭(指稱)함. '蕩蕩乎民無能一焉'《論語》. ③이름지을 명 작명(作名)함. '一之日幽厲'《孟子》. ④이름날 명 유명함. '一山大川'. '其間必有一世者'《孟子》. ⑤글자 명 문자(文字). '不及百一, 書于方'《儀禮》. ⑥공 명 공적. '勤百姓以爲己一'《國語》. ⑦성 명 성(姓)의 하나.
字源 甲骨文 〔그림〕 金文 〔그림〕 篆文 〔그림〕 會意. 夕+口. '夕명'은 '明명'의 생략체. '鳴명'과 마찬가지로, 새벽에 수탉이 울다의 뜻. 파생(派生)하여, 이름을 부르다, 이름의 뜻을 나타냄. 《說文》은 '夕석'은 '저녁'의 뜻으로 '冥명'과 통하여, 저녁에 자기의 이름을 말하다의 뜻이라고 해석함. 전하여 사람의 수를 세는 조수사(助數詞)로 쓰임.

[名家 명가] ㉠명문(名門). ㉡입론(立論)의 법식(法式)을 연구하는 학파. 논리학자(論理學者) 공손룡(公孫龍)·혜시(惠施) 등이 이 파에 속함.

[名歌 명가] 유명한 노래.
[名價 명가] 명예와 성가(聲價).
[名劍 명검] 이름난 칼. 명도(名刀).
[名工 명공] 이름난 장색(匠色).
[名公巨卿 명공거경] 존귀(尊貴)한 공경(公卿). 이름이 높은 재상(宰相).
[名過其實 명과기실] 세상의 평판이 실제보다 나음. 실제는 평판만큼 못함.
[名官 명관] 명성(名聲)이 높은 벼슬아치.
[名教 명교] 인륜(人倫)의 명분(名分)을 밝히는 교훈. 명분(名分)에 관한 도덕의 가르침.
[名教內自有樂地 명교내자유낙지] 명교(名敎), 곧 인륜(人倫)의 가르침을 행하면 쾌락이 스스로 온다는 뜻.　　　　　「君).
[名君 명군] 지덕(智德)이 뛰어난 군주. 명군(明
[名弓 명궁] ㉠이름난 활. ㉡활을 잘 쏘는 사람.
[名妓 명기] 이름난 기생(妓生).
[名談 명담] 유명한 말.
[名堂 명당] ㉠임금이 신하(臣下)의 조현(朝見)을 받는 정전(正殿). ㉡무덤 아래에 있는 평지(平地). ㉢썩 좋은 묏자리.
[名刀 명도] 이름난 칼.
[名論 명론] ㉠명예와 여론(輿論). 칭찬과 소문. ㉡유명한 언론(言論)이나 논문(論文).
[名流 명류] 유명한 사람들. 명사들.
[名利 명리] 명예(名譽)와 이익(利益).
[名馬 명마] 이름난 좋은 말.
[名望 명망] 명성(名聲)과 인망(人望). 명성이 높고 인망이 있음.
[名目 명목] 사물의 이름. 명칭(名稱).
[名文 명문] 이름난 글. 잘 지은 글.
[名門 명문] 유명한 가문(家門).
[名聞 명문] 명성(名聲). 평판.
[名門巨族 명문거족] 이름난 집안과 크게 번창(繁昌)한 겨레.
[名聞天下 명문천하] 명성이 천하에 퍼짐.
[名物 명물] ㉠한 지방의 특유(特有)한 사물. ㉡특징이 있어 인기 있는 사람. 또, 좋은 물건.
[名寶 명보] 유명한 보물.
[名卜 명복] 유명한 점쟁이.
[名簿 명부] 성명을 적은 장부(帳簿).
[名不知 명부지] 이름을 모르는 사람.
[名分 명분] 명의(名義)가 정해진 데 따라 반드시 지켜야 할 직분(職分).
[名不虛傳 명불허전] 명예(名譽)는 전(傳)하여질 만한 실상(實狀)이 있어서 전하여짐. 명예는 헛되이 퍼지는 것이 아님.
[名士 명사] 명성(名聲)이 높은 사람. 이름난 인사(人士).
[名師 명사] ㉠이름난 스승. 유명한 선생. ㉡무용(武勇)으로 이름난 군대. ㉢지술(地術)이 유명(有名)한 사람. 유명한 지관(地官).
[名詞 명사] 사물(事物)의 이름을 나타내는 품사(品詞).
[名山 명산] 유명한 산(山).
[名産 명산] 유명한 산물(産物).
[名山大川 명산대천] 이름난 산(山)과 큰 강(江).
[名狀 명상] 상태를 표현함. 형언(形言)함.
[名相 명상] 이름난 재상(宰相).
[名色 명색] 《佛敎》 십이인연(十二因緣)의 하나. 곧, 명예와 색정(色情).
[名聲 명성] 세상에 널리 떨친 이름. 명예(名譽). 명문(名聞). 성명(聲名).

[名世 명세] 한 시대 (時代)에 이름이 높이 남. 세상에서 유명함.
[名所 명소] 경치 좋기로 이름난 곳. 명승 (名勝).
[名手 명수] 뛰어난 솜씨. 또, 그 솜씨를 가진 사람.
[名數 명수] ㉠호적 (戶籍). ㉡사람의 수효 (數爻). ㉢단위 (單位)의 명칭 (名稱)을 붙인 수 (數). 곧, 백리 (百里)·십관 (十貫) 등.
[名勝 명승] ㉠명망이 있는 인사 (人士). 명사 (名士). ㉡경치 또는 고적 (古蹟)으로 유명 (有名)한 곳.
[名僧 명승] 지식 (智識)과 덕행 (德行)이 높은 이름난 중.
[名臣 명신] 지덕 (智德)이 뛰어난 신하 (臣下). 이름난 신하.
[名實 명실] ㉠겉에 나타난 이름과 속에 있는 실상. ㉡명예와 실익 (實益).
[名實相符 명실상부] 이름과 실상 (實狀)이 서로 다르지 아니함.
[名案 명안] 뛰어난 고안 (考案). 좋은 생각.
[名藥 명약] 효험 (效驗)이 있기로 이름난 약 (藥).
[名言 명언] 좋은 말. 또, 이치에 맞게 썩 잘한 말.
[名譽 명예] ㉠세상 (世上)에 들리는 좋은 이름. 자랑스러운 평판. 명성 (名聲). ㉡봉급을 받지 아니하는 면목상 (面目上)의 지위.
[名園 명원] 이름난 동산.
[名位 명위] 명분 (名分)과 지위. 또, 명예와 지위.
[名儒 명유] 학덕 (學德)이 높아 이름난 선비.
[名義 명의] ㉠명칭과 그 명칭에 따르는 도리 (道理). 예컨대, 아들이라는 명칭과 아들이라는 명칭에 따르는 아버지에 대한 의무. ㉡이름. 명성. 명문 (名聞).
[名醫 명의] 의술이 용하여 이름난 의원.
[名人 명인] ㉠기예 (技藝)에 뛰어난 사람. ㉡이름난 사람. 명성 (名聲)이 높은 사람.
[名日 명일] 《韓》1년 동안의 특별히 지키는 날. 곧, 원일 (元日)·한식 (寒食)·단오 (端午)·백중 (百中)·추석 (秋夕)·동지 (冬至) 등. 명절.
[名字 명자] 이름과 자 (字). ㉡작위 (爵位)와 칭호 (稱號). 특히, 천자 (天子)의 칭호.
[名刺 명자] 명함 (名銜).
[名者實之賓 명자실지빈] 명예 (名譽)는 객 (客)이고 실제 (實際)는 주인 (主人)이란 뜻으로, 덕 (德)이 있은 뒤에 비로소 명예 (名譽)가 따른다는 말.
[名作 명작] 뛰어난 작품.
[名爵 명작] 명예와 작위 (爵位).
[名匠 명장] 이름난 장색 (匠色). 명공 (名工).
[名將 명장] 이름난 장수 (將帥).
[名宰相 명재상] 지덕 (智德)이 높은 이름난 재상 (宰相). 명상 (名相).
[名迹 명적] 이름. 평판.
[名籍 명적] 명부 (名簿). 호적 (戶籍).
[名田 명전] 소유한 백성의 이름이 붙은 전지 (田地).
[名詮自性 명전자성] 《佛教》이름은 그 본성 (本性)을 나타냄.
[名節 명절] ㉠명예 (名譽)와 절개 (節槪). ㉡《韓》명일 (名日). 명질.
[名製 명제] 이름난 제작.
[名祖 명조] 이름난 조상 (祖上).
[名族 명족] ㉠이름과 성 (姓). 성명 (姓名). ㉡이름난 집안. 명문 (名門).

[名胄 명주] 명문 (名門)의 자손.
[名唱 명창] 썩 잘 부르는 노래. 또, 노래를 썩 잘 부르는 사람.
[名帖 명첩] 명함 (名銜).
[名牒 명첩] 명함 (名銜).
[名緇 명치] 이름난 중. 고승 (高僧).
[名稱 명칭] ㉠부르는 이름. ㉡명예 (名譽). 명성 (名聲).
[名筆 명필] 썩 잘 쓰는 글씨. 또, 글씨를 썩 잘 쓰는 사람.
[名下無虛士 명하무허사] 명성이 높은 사람은 반드시 그 명성을 받을 만한 실력이 있음.
[名銜 명함] 성명 (姓名)·주소 (住所)·신분 (身分)·전화번호 등을 적은 종이쪽.
[名賢 명현] 이름난 현인 (賢人).
[名號 명호] ㉠이름. ㉡명예. 평판. ㉢지위를 표시하는 명칭.
[名花 명화] 이름난 꽃.
[名華 명화] 명예. 이름난 평판.
[名畫 명화] 유명한 그림.
[名宦 명환] ㉠현귀 (顯貴)하고 요로 (要路)에 있는 벼슬. 고위 (高位). ㉡명성이 높은 벼슬아치. 명관 (名官).
[名諱 명휘] 생전 (生前)의 이름과 사후 (死後)의 이름.

●佳名. 家名. 假名. 嘉名. 干名. 改名. 戒名. 沽名. 高名. 功名. 空名. 光名. 記名. 雷名. 大名. 逃名. 賣名. 滅名. 命名. 務名. 無名. 文名. 物名. 美名. 芳名. 法名. 變名. 併名. 本名. 浮名. 佛名. 署名. 成名. 姓名. 盛名. 聲名. 小名. 俗名. 損名. 身後名. 雅名. 惡名. 仰名. 揚名. 御名. 連名. 令名. 英名. 榮名. 藝名. 汚名. 徽名. 勇名. 威名. 僞名. 幼名. 有名. 異名. 匿名. 一名. 立名. 藏名. 才名. 著名. 傳名. 竊名. 除名. 題名. 釣名. 尊名. 重名. 知名. 指名. 采名. 千古名. 淸名. 醜名. 臭名. 馳名. 稱名. 託名. 通名. 播名. 標名. 筆名. 學名. 虛名. 顯名. 嫌名. 呼名. 華名. 晦名. 梟名. 驍名. 諱名. 休名.

[后] [3획/6] 人名 후
㉠有 胡口切 hòu
㉡宥 胡遘切

[筆順] 一 厂 厂 斤 后 后

[字解] ①임금 후 ㉠천자 (天子). 군주. '從我一, 一來其蘇'《書經》. ㉡제후 (諸侯). '班瑞于羣一'《書經》. ②황후 후 천자의 아내. 은 (殷) 이전에는 비 (妃), 주대 (周代)에는 왕후 (王后)로, 진한 (秦漢) 이후에는 황후 (皇后)라 일컬었음. '一妃'. '天子有一'《禮記》. ③신령 후 신명 후 신 (神)의 존칭 (尊稱). '一祇'. '皇天一土'《書經》. ④뒤 후 後 (彳部 六劃)와 통용. '一宮'. '知止而一有定'《大學》. ⑤성후 성 (姓)의 하나.

[字源] [甲骨文] [金文] [篆文] 會意. 人+口. '人인' 은 앉은 사람의 상형. '口구' 는 명령 내리는 입의 뜻. 명령을 내리는 사람, 임금의 뜻을 나타냄. 또 '後후' 와 통하여 '뒤' 의 뜻으로도 쓰임.

[后宮 후궁] 궁녀 (宮女)가 있는 궁전. 후궁 (後宮).
[后祇 후기] 토지 (土地)의 신 (神). 후토 (后土).
[后辟 후벽] 후왕 (后王).
[后輔 후보] 군주의 보좌 (輔佐). 보상 (輔相).

[后妃 후비] ㉠황후(皇后). ㉡황후(皇后)와 비(妃).

[后王 후왕] 임금. 천자(天子). 군주(君土).

[后帝 후제] ㉠하느님. 천제(天帝). ㉡하늘.

[后稷 후직] ㉠옛적에 농사를 맡은 벼슬. ㉡주(周)나라 선조(先祖) 기(棄)의 별명(別名). 그가 농사를 맡았으므로 이름.

[后土 후토] ㉠토지(土地)를 맡은 신(神). 지기(地祇). ㉡국토(國土).

◉高后. 群后. 納后. 東后. 母后. 聘后. 女后. 王后. 元后. 立后. 儲后. 主后. 天后. 太皇太后. 太后. 皇太后. 皇后.

3⑥ [呂] [려] ①성(姓)의 하나. ②呂(次條)의 簡體字.

4⑦ [呂] 人名 려 ㊤語 力擧切 lǔ

[筆順] 丶 冂 口 呂 呂 呂 呂 呂

[字解] ①등뼈 려 등골의 뼈. 척골(脊骨). '賜姓日姜, 氏日有━, 謂其能爲禹股肱心膂'《國語》. ②풍류 려 음(陰)의 음률(音律). '律━, 六━'. '陰六爲━'《漢書》. ③성 려 성(姓)의 하나.

[字源] 甲骨文 呂 金文 呂 古文 呂 篆文 膂 象形. 사람의 등뼈 모양을 본떠, '등뼈'의 뜻이 이어져서 모인 모양을 본떠, '등뼈'의 뜻을 나타냄.

[呂鉅 여거] 교만한 모양.

[呂公枕 여공침] 여옹침(呂翁枕).

[呂覽 여람] 〈여씨춘추(呂氏春秋)〉의 별칭(別稱).

[呂律 여률] 여율(呂律).

[呂傅 여부] 주(周)나라의 태공망(太公望) 여상(呂尙)과 은(殷)나라의 부열(傅說). 모두 명신(名臣)임.

[呂不韋 여불위] 진(秦)나라 양책(陽翟) 사람. 본시 거상(巨商)으로서 장양왕(莊襄王)이 즉위하기 전에 초(楚)나라에서 질자(質子)로 고생하고 있는 것을 진(秦)나라로 돌아가게 한 공이 있어 장양왕이 즉위하자 승상(丞相)으로 발탁되고 문신후(文信侯)로 봉후(封侯)되었음. 그가 사통(私通)하여 난 진시황(秦始皇)이 즉위한 후 태후(太后)와 간통(姦通)하고 죄를 두려워하여 자살하였음. 〈여씨춘추(呂氏春秋)〉는 그의 찬(撰)이라 하나, 실은 그가 재상(宰相) 때 문객(門客)을 시켜 지은 것임.

[呂尙 여상] '태공망(太公望)'을 이름.

[呂氏春秋 여씨춘추] 책명(冊名). 26권. 일명(一名) 〈여람(呂覽)〉. 진(秦)나라 여불위(呂不韋)의 찬(撰)이라 하나, 실상은 그의 빈객이 수집(收集)한 것임. 12기(紀)·8람(覽)·6론(論)으로 나뉘어 총 160편인데, 기사(記事)는 대개 당시의 유서(儒書)에서 수록하였고, 도가(道家)·묵가(墨家)의 것도 섞여 있음.

[呂翁枕 여옹침] 당(唐)나라 개원(開元) 연간에 노생(盧生)이 한단(邯鄲) 여사(旅舍)에서 도사(道士) 여옹(呂翁)의 베개를 빌려서 베고 잤는데, 메조밥을 짓는 동안에 80년간 영화(榮華)스러운 생활을 한 꿈을 꾸었다는 고사(故事). 전(轉)하여, 부귀영화가 덧없음의 비유로 쓰임. 한단몽(邯鄲夢).

[呂律 여률] 음(陰)의 음률(音律)과 양(陽)의 음률.

[呂伊 여이] 주(周)나라의 현인(賢人) 여상(呂尙), 곧 태공망(太公望)과 은(殷)나라의 현인 이윤(伊尹).

[呂祖謙 여조겸] 송(宋)나라 중기(中期)의 학자. 금화(金華) 사람. 자(字)는 백공(伯恭). 세상에서 동래선생(東萊先生)이라 일컬음. 융흥 연간(隆興年間)에 과거에 급제하여 벼슬이 직비각저작랑(直祕閣著作郞)·국사원편수(國史院編修)에 이르렀으며, 명망이 주희(朱熹)·장식(張栻)과 비등하여 동남 삼현(東南三賢)이라 불리어짐. 〈고주역서설(古周易書說)〉·〈춘추좌씨전설(春秋左氏傳說)〉·〈동래좌씨박의(東萊左氏博議)〉·〈역대제도상설(歷代制度詳說)〉·〈대사기(大事記)〉 등 저서가 많으며, 주희(朱熹)와 공저(共著)한 〈근사록(近思錄)〉은 특히 유명함.

[呂后 여후] 한(漢)나라 고조(高祖)의 황후(皇后). 고조를 도와서 천하(天下)를 평정(平定)하였음.

◉九鼎大呂. 大呂. 六呂. 律呂. 伊呂.

[串] 〔천〕 丨部 六畫(p.48)을 보라.

4⑦ [呈] 人名 정 ㊤庚 直貞切 chéng ㊤梗 丑郢切 chěng

[筆順] 丶 冂 口 吊 呈 呈

[字解] ①나타날 정 드러나 보임. '延頸秀項, 皓質━露'《曹植》. ②나타낼 정 드러냄. '一形', '一示'. '星斗━祥'《晉書》. ③드릴 정 윗사람에게 바침. '━上'. '送━'. ④한정 정 程(禾部 七畫)과 통용. '日夜有━'《史記》. ⑤성 정 성(姓)의 하나. ⑥쾌(快)할 정 逞(辵部 七畫)과 통용. '殺人以━'《左傳》.

[字源] 篆文 呈 形聲. 口+壬[音]. '壬정'은 '내밀다'의 뜻. 입에서 뛰쳐나오다, 나타나다, 나타내다의 뜻을 나타냄.

[參考] 呂(口部 四畫)과는 別字.

[呈納 정납] 물건을 바침.

[呈露 정로] 드러남. 나타남. 또, 나타냄.

[呈上 정상] 정납(呈納).

[呈訴 정소] 소장(訴狀)을 관아(官衙)에 바침.

[呈送 정송] 정납(呈納).

[呈示 정시] 나타내 보임. 내놓음.

[呈狀 정장] 정소(呈訴).

[呈進 정진] 드림. 바침. 진정(進呈).

◉敬呈. 謹呈. 露呈. 拜呈. 奉呈. 咨呈. 提呈. 贈呈. 進呈. 獻呈.

4⑦ [具] 吳(次條)의 俗字

4⑦ [吳] 人名 오 ㊤虞 五乎切 wú

[筆順] 丶 冂 口 무 吕 吴 吳

[字解] ①오나라 오 ㉠춘추 시대(春秋時代)의 십이열국(十二列國)의 하나. 태백(太伯)이 장쑤성(江蘇省)에 세운 나라. 한때 세력을 떨쳐, 판도(版圖)를 저장 성(浙江省) 안까지 넓혔으나, 부차(夫差) 때 개국(開國)한 지 7백여 년 만에 월(越)나라 구천(句踐)에게 멸망당하였음. (?~

치 않은 모양. '—, ——, 言不明也'《集韻》. [二] ①상충할 돈 기(氣)가 상충(相衝)함. '—, 氣相衝也'《廣韻》. ②말분명치않을 돈 [一]과 뜻이 같음. ③噸(口部 十三畫)의 簡體字.

4 ⑦ **[吭]** 항 [平]陽 胡郎切 háng [去]漾 下浪切

[字解] ①목 항 ㉠목구멍. 인후. '仰首伸—'《柳宗元》. ㉡요해처. '搤天下之—'《史記》. ②《現》 목소리낼 항 발언(發言)함.

[字源] 形聲. 口+亢〔音〕. '亢항'은 '결후(結喉)'의 뜻. '口구'를 더하여, '목'의 뜻을 나타냄.

◉啎吭. 斧其吭. 伸吭. 扼吭. 搤吭. 咽吭. 引吭. 絶吭. 喉吭.

4 ⑦ **[吮]** 연 [上]銑 以轉切 shǔn

[字解] 빨 연, 핥을 연 입으로 빨거나 핥음. '—疽'. '—癰'. '卒有病疽者, '起爲—之'《史記》.

[字源] 篆文 形聲. 口+允〔音〕. '允윤' 자의 모양처럼 입을 위로 향하게 하여 빨다의 뜻을 나타냄.

[吮癰 연옹] 종기(腫氣)의 고름을 빪.
[吮癰舐痔 연옹지치] 종기(腫氣)와 치질(痔疾)을 핥는다는 뜻으로, 남에게 대단히 아첨(阿諂)함을 이름.
[吮疽 연저] 종기의 고름을 빪.
[吮疽之仁 연저지인] 옛날 주(周)나라의 오기(吳起)란 장수(將帥)가 자기 부하(部下)로 있는 군사(軍士)의 종기(腫氣)를 빨아서 고쳤다는 고사(故事). 전(轉)하여, 대장(大將)이 사졸(士卒)을 극진(極盡)히 사랑함을 이름.

4 ⑦ **[呐]** [一] 눌 [入]月 奴骨切 nè [二] 납(눌[本]) [入]月 奴骨切 nà

[字解] [一] 말더듬을 눌 訥(言部 四畫)과 同字. '其言—然'《禮記》. [二] 떠들 납 고함을 지름. '—喊'.

[字源] 甲骨文 篆文 形聲. 口+內〔音〕. '內내'는 안으로 들어가 박히다의 뜻. 말이 입 안으로 들어가서 술술 나오지 않다, 더듬다의 뜻을 나타냄.

[呐喊 납함] 적진(敵陣)을 향하여 돌진할 때 군사가 일제히 고함을 지름.
[呐口 눌구] 말을 더듬음.
[呐呐 눌눌] 말을 더듬는 모양.
[呐鈍 눌둔] 말을 더듬어 입이 굼뜸.
[呐然 눌연] 말을 더듬는 모양.
[呐吃 눌흘] ㉠말을 더듬음. ㉡일이 잘 진행되지 아니함.

4 ⑦ **[㕯]** 呐(前條)과 同字

4 ⑦ **[吷]** 혈 [入]屑 許劣切 xuè

[字解] 휙소리 혈 바람 따위가 '휙'하고 나는 작은 소리. '吹劍首者—而已矣'《莊子》.

4 ⑦ **[吸]** [高人] 흡 [入]緝 許及切 xī

[筆順] 丨 冂 口 叨 叨 吸 吸

[字解] ①숨들이쉴 흡 숨을 들이마심. '呼'의 대. '—者叫者'《莊子》. ②마실 흡 단숨에 마심. '飮如長鯨—百川'《杜甫》.

[字源] 篆文 形聲. 口+及〔音〕. '及급'은 숨을 들이쉴 때의 소리의 의성어(擬聲語). '口구'를 더하여 '들이쉬다'의 뜻을 나타냄.

[吸氣 흡기] ㉠빨아들이는 기운. ㉡들이마시는 숨.
[吸力 흡력] 빨아들이는 힘.
[吸墨紙 흡묵지] 압지(壓紙).
[吸上 흡상] 빨아올림.
[吸收 흡수] ㉠빨아들임. ㉡액체·고체가 기체를 빨아들이어 용해(溶解)하는 현상(現象).
[吸煙 흡연] 담배를 피움.
[吸引 흡인] 빨아서 이끎. 앞으로 빨아들임.
[吸引力 흡인력] 빨아들이는 힘.
[吸入 흡입] 빨아들임.
[吸入器 흡입기] 호흡기병(呼吸器病)을 치료(治療)하는 데 쓰는 의료기(醫療器)의 하나.
[吸醋 흡초] 코로 초를 마신다는 뜻으로, '참기 어려운 일을 잘 참아 냄'의 비유.
[吸出 흡출] 빨아냄.
[吸呷 흡합] 숨을 들이마시고 침을 삼킴.
[吸血 흡혈] 피를 빨아들임.
[吸血鬼 흡혈귀] ㉠밤중에 무덤에서 나와 사람의 피를 빨아먹는다는 귀신(鬼神). ㉡사람의 고혈(膏血)을 착취(搾取)하는 인간.
[吸吸 흡흡] 바람이나 구름이 움직이는 모양.
◉鯨吸. 歙吸. 一吸. 噓吸. 呼吸.

4 ⑦ **[吹]** [中人] 취 ①②[平]支 昌垂切 chuī ③④[去]寘 尺僞切 chuì

[筆順] 丨 冂 口 口' 口仁 吵 吹

[字解] ①불 취 ㉠숨기운을 내어 보냄. '—呼'. '—毛而求小疵'《韓非子》. ㉡관악기에 입을 대어 입김으로 소리를 냄. '—奏'. '鼓瑟—笙'《詩經》. ㉢바람이 남. '風其—女'《詩經》. ㉣추켜세움. 칭양(稱揚)함. 칭찬함. 또, 도움. 방조함. '—擧'. '小人司刺擧, 時時實濫—'《庾信》. ②성 취 성(姓)의 하나. ③관악 취 관악기로 연주하는 음악. '入學習—'《禮記》. ④바람 취 '涼—片帆輕'《錢起》.

[字源] 甲骨文 金文 篆文 會意. 欠+口. '欠흠'은 입을 크게 벌린 사람의 상형. '불다'의 뜻을 나타냄.

[吹擧 취거] 취허(吹噓)㉡.
[吹管 취관] 피리 따위의 관악기를 붊.
[吹浪 취랑] 물고기가 숨을 쉬기 위하여 물 위에 떠서 입을 벌렸다 오므렸다 함.
[吹毛 취모] ㉠취모구자(吹毛求疵). ㉡지극히 쉬움을 이름.
[吹毛求疵 취모구자] 상처를 찾으려고 털을 불어 헤침. 억지로 남의 작은 허물을 들추어냄을 이름.
[吹雪 취설] 눈보라.
[吹雲 취운] ㉠'북〔鼓〕'의 별칭(別稱). ㉡구름을 그리는 법(法)의 이름. 그림을 그릴 비단감을 물에 축여 가벼운 가루를 뿌리고 입으로 불어 구름의 모양으로 하는 법.
[吹奏 취주] 저·피리·나팔 따위의 관악기를 입으

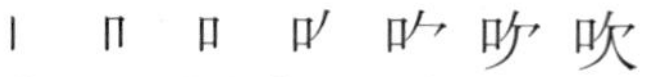

로 불어 연주(演奏)함.
[吹竹 취죽] 피리를 붊.
[吹彈 취탄] 피리를 붊과 거문고를 탐. 전(轉)하여, 음악(音樂).
[吹筒 취통] 불어 불을 일으키는 데 쓰는 대통(筒).
[吹噓 취허] ㉠숨을 후하고 내쉼. ㉡남의 장처(長處)를 치켜세워 추천함.
[吹呴 취후] 숨을 내쉼.
[吹煦 취후] 입김을 불어 따뜻하게 함.
●鼓吹. 鬼吹. 濫吹. 倒吹. 獨吹. 妙吹. 繁吹. 詩腸鼓吹. 兩部鼓吹. 蛙吹. 饒吹. 齊吹.

4 / ⑦ [吻] 人名 문 ㊤吻 武粉切 wěn

字解 입술 문 입가. '鼻喙決一'《周禮》.
字源 篆文 形聲. 口+勿〔音〕. '勿물'은 '門문'과 통하여, '모서리'의 뜻. '입아귀, 입술'의 뜻을 나타냄.

[吻頭菜 문두채] 두릅으로 만든 나물.
[吻士 문사] 의론(議論)을 좋아하는 선비. 남과 따지기를 좋아하는 사람.
[吻合 문합] 위아래의 입술이 맞는 것처럼 꼭 들어맞음.
●枯吻. 口吻. 饑吻. 怒吻. 罵吻. 脣吻. 豺狼吻. 接吻. 燥吻. 血吻. 虎吻. 黃吻.

4 / ⑦ [吼] 人名 후 ㊤有 呼后切 hǒu ㊥宥 呼漏切

字解 울 후 짐승이 성내어 욺. 으르렁거림. '一號'. '其一視恔鳴一'《後漢書》. 전(轉)하여, 요란한 소리를 냄. '夜浦吳潮一'《羅隱》.
字源 形聲. 口+孔〔音〕. '孔공'은 정도가 심하다의 뜻. 큰 소리로 으르렁거리다의 뜻을 나타냄.

[吼怒 후노] 성내어 으르렁거림.
[吼號 후호] 소리를 높여 부르짖음. 또, 대성통곡(大聲痛哭)함.
●鯨吼. 叫吼. 雷吼. 鳴吼. 獅子吼. 河東獅子吼. 哮吼. 虓吼.

4 / ⑦ [吽] ㊀우 ㊤尤 魚侯切 óu ㊁음 ㊤侵 於金切 hǒu ㊂훔 曉東切 hōng

字解 ㊀개짖는소리 우 개가 서로 싸우며 짖는 소리. '一呀聞爭犬'《梅堯臣》. ㊁소울음소리 음 소가 우는 소리. ㊂진언 훔 《佛敎》범어(梵語) hūm의 음역자(音譯字). '阿'가 개구음(開口音)인 데 대하여, '吽'은 입술을 다물고 숨을 막을 때의 음이며, 또 '阿'가 실담 자모(悉曇字母)의 첫째인 데 대하여, '吽'은 마지막 자이므로, 일체의 교의(敎義)가 이 '吽'자에 담긴다고 해석함. '阿'는 만유 발생(萬有發生)의 이체(理體), '吽'은 만유 귀착(萬有歸着)의 지덕(智德)임.
字源 會意. 口+牛. 소가 입으로 소리를 내다, 울다의 뜻을 나타냄.

[吽呀 우하] 개가 서로 물어뜯으며 짖는 소리.
[吽吽 음음] 소가 우는 소리.
●阿吽.

4 / ⑦ [呚] 횡 ㊤庚 戶萌切 hóng

字解 종소리 횡 '鏗一'은 종소리. '鏗鈜, 鐘鼓聲, 或从口'《集韻》.

4 / ⑦ [呀] 人名 하 ㊤麻 許加切 xiā

字解 ①입딱벌릴 하 입을 딱 벌리는 모양. '如口開一一'《韓愈》. ②높이솟을 하 높이 쑥 나온 모양. '牙角何一一'《漢書》. ③휑할 하 굴 같은 것의 안이 텅 빈 모양. '谽一'. '一周池而成淵'《班固》.
字源 篆文 形聲. 口+牙〔音〕. '牙아'는 '이'의 뜻. 입을 벌려 이를 드러내다의 뜻을 나타냄.

[呀喘 하천] 입을 벌리고 가쁜 숨을 쉼.
[呀呀 하하] ㉠입을 딱 벌리는 모양. ㉡높이 솟은 모양. ㉢껄껄 웃는 소리.
[呀喘 하천] (呀喘)
[呀呷 하합] ㉠입을 벌리는 모양. ㉡파도(波濤)가 서로 삼키고 뱉는 모양.
[呀豁 하활] ㉠휑하니 넓은 모양. ㉡공허(空虛)한 모양.
[呀喙 하훼] 입을 딱 벌림.
[呀咻 하휴] 입을 벌리고 시끄럽게 말함.
●開呀. 驚呀. 笑呀. 喘呀. 谽呀. 歡呀.

4 / ⑦ [吪] ㊀공 ㊤東 沽紅切 gōng ㊁종 ㊤冬 職容切 gōng ㊂송 ㊤宋 似用切 sòng

字解 ㊀떠들썩할 공 시끄러움. '一, 衆口也'《廣韻》. ㊁떠들썩할 종 ㊀과 뜻이 같음. ㊂송 사할 송 訟(言部 四畫)의 古字.

4 / ⑦ [呎] 척 chǐ

字解 피트 척 영미(英美)의 길이의 단위 피트의 약기(略記). 1척(呎)은 약 30.48센티미터이고, 12인치〔吋〕.
字源 形聲. 口+尺〔音〕. 영미(英美)의 척도의 역자(譯字). '口'는 외래어임을 나타냄.

4 / ⑦ [吵] ㊀묘 ㊤篠 亡沼切 miǎo ㊁초 ㊤巧 初爪切 chǎo

字解 ㊀울 묘 꿩이 욺. ㊁소리 초.
字源 形聲. 口+少〔音〕

4 / ⑦ [吧] 파 ㊤麻 普巴切 bā

字解 ①입클 파 입이 큰 모양. '一, 大口皃'《集韻》. ②다툴 파 '一呀'는 아이가 화를 내어 투는 모양. '一, 一呀, 小兒忿爭'《廣韻》. ③(現)의성어 파 물건을 때릴 때 나는 소리.

4 / ⑦ [咊] 부 ㊤麌 扶雨切 fǔ

字解 씹을 부 잘 씹어서 소화(消化)시킴. '一咀, 嚼也'《廣韻》.

4 / ⑦ [吱] ㊀지 ㊤支 章移切 zhī, zī ㊁기 ㊤寘 去智切 qì

3
획

字解 ■ 목소리 지 '──'는 목소리의 형용(形容). '──, 聲也'《集韻》. ■ 헐떡일기 걸어서 숨이 찬 모양. '─, 行喘息皃'《廣韻》.

4
⑦ [呝] ■ 악 ㉠陌 於革切 è
　　　 ■ 애 ㉩卦 烏界切 ài

字解 ■ 울음 악 닭이 우는 소리. '呝, 鷄聲也, 亦作一'《玉篇》. ■ 볼멘소리 애 불평스러운 소리. '一, 不平聲'《廣韻》.

字源 形聲. 口＋厄〔音〕

4
⑦ [呬] 잡 ㈜合 子答切 zā

字解 ①마실 잡, 삼킬 잡 '一, 啑也'《集韻》. ②고기물컬 잡 물고기가 물을 마심. '一, 魚食也'《玉篇》.

4
⑦ [呭] 신 ㊀軫 矢忍切 shěn

字解 웃을 신 얼굴에 나타내지 않고 속으로 웃음. '千秋一言致相, 匈奴一之'《晉書》.

4
⑦ [昏] ■ 괄 ㈀曷 古活切 guā
　　　 ■ 활 ■黠 下刮切

字解 ■ 막을 괄 입을 막음. '一, 塞也'《玉篇》. ■막을 활 ■과 뜻이 같음.

字源 會意. 氏＋口

參考 昏(甘部 四畵)은 古字.

4
⑦ [呷] 〔이〕

字源 篆文 형성 形聲. 口＋伊(省)〔音〕. 신음 소리를 나타내는 의성어(擬聲語).

4
⑦ [呩] 〔흉〕
詢(言部 六畵〈p.2123〉)과 同字

4
⑦ [呴] 〔규〕
叫(口部 二畵〈p.336〉)의 俗字

4
⑦ [呕] 〔구·후〕嘔(口部 十一畵〈p.400〉)의 略字·簡體字

4
⑦ [品] 〔품〕
品(口部 六畵〈p.368〉)의 俗字

4
⑦ [君] ㊥군 ㉨文 擧云切 jūn

筆順 フ ヨ ヨ 尹 尹 君 君

字解 ①임금 군 ㉠군주. 천자·제후 등 국가의 주권자. '一主'. '奄有四海, 爲天下一'《書經》. ㉡제후(諸侯). 또, 영지(領地)가 있는 경대부(卿大夫). 또, 봉호(封號). '孟嘗一'春申一', '侯'. '樹后土一公'《書經》. ㉢주재자(主宰者). 두목. 추장(酋長). '西南夷一長, 以什數'《史記》. ②부모 군 부모의 존칭. '先一家人有嚴一焉'《易經》. ③조상 군 선조(先祖)의 존칭. '先一孔子, 生乎周末'《孔安國》. ④남편 군 처첩이 그의 남편을 이르는 말. '已食'《禮記》. ⑤아내 군 처첩의 일컬음. '細一'.

'小一'. ⑥스승 군 재덕이 겸비한 사람. '一子'. ⑦임금 군 남의 존칭. '臣非知一'《史記》. ⑧귀신 군 귀신(鬼神)의 경칭(敬稱). '湘一何神'《史記》.⑨성 군 성(姓)의 하나.

字源 甲骨文 金文 篆文 古文 形聲. 口＋尹〔音〕. '尹윤'은 신사(神事)를 주관하는 족장(族長)의 뜻. 축문의 뜻을 나타내는 '口구'를 더하여, '임금'의 뜻을 나타냄.

[君公 군공] 제후(諸侯).
[君國 군국] ㉠임금과 나라. ㉡군주(君主)가 다스리는 나라.
[君臨 군림] ㉠임금이 되어 나라를 다스림. ㉡절대적 세력을 가진 자가 남을 압도하는 일.
[君命 군명] 임금의 명령(命令). 주명(主命).
[君父 군부] 임금과 아버지.
[君夫人 군부인] 제후(諸侯)의 정실(正室).
[君師父一體 군사부일체] 임금·스승·아버지의 은혜(恩惠)는 같다는 뜻.
[君射則臣決 군사즉신결] 임금이 활쏘기를 좋아하면, 신하는 깍지를 낀다는 뜻으로, 윗사람의 좋아하는 것은 아랫사람이 반드시 본받는다는 뜻. 결(決)은 깍지.
[君上 군상] 천자(天子). 임금.
[君臣 군신] 임금과 신하(臣下).
[君王 군왕] 임금. 군주(君主).
[君辱臣死 군욕신사] 임금이 남에게 치욕을 당하면 신하는 죽음을 무릅쓰고 설욕(雪辱)함. 곧, 임금과 신하는 생사간고(生死艱苦)를 함께한다는 뜻.
[君恩 군은] 임금의 은덕.
[君子 군자] ㉠심성(心性)이 어질고 덕행(德行)이 높은 사람. 남의 사표(師表)가 될 만한 사람. ㉡벼슬아치. 관리. ㉢남편(男便). ㉣'대나무[竹]'의 별칭(別稱). ㉤'연(蓮)'의 별칭.
[君子交絶不出惡聲 군자교절불출악성] 군자(君子)는 사람과 절교(絶交)를 한 뒤에 그 사람의 악평(惡評)을 하지 아니함.
[君子國 군자국] ㉠풍속(風俗)이 선량(善良)하고 예의(禮儀)가 바른 나라. ㉡우리나라, 특히 '신라(新羅)'의 별칭(別稱).
[君子不愧于屋漏 군자불괴우옥루] 군자는 사람이 보지 않는 곳에서도 언행을 삼가서 부끄러운 일을 하지 않는다는 말. 옥루(屋漏)는 방의 서북(西北) 편의 가장 구석지어 침침한 곳.
[君子不器 군자불기] 그릇의 용도는 한 가지이지만 군자(君子)는 일재 일예(一才一藝)에 편중(偏重)하지 않아 무슨 일이고 잘함.
[君子思不出其位 군자사불출기위] 군자의 생각하는 바는 자기 신분에서 벗어나지 아니함.
[君子三樂 군자삼락] 군자의 세 가지 낙(樂). 첫째 부모가 구존(俱存)하고 형제가 무고한 것, 둘째 하늘과 사람에게 부끄러워할 것이 없는 것, 셋째 천하의 영재(英才)를 얻어서 교육하는 것.
[君子盛德容貌若愚 군자성덕용모약우] 군자는 덕을 속으로 닦고 겉으로 나타내지는 않으므로 용모(容貌)가 어리석어 보임.
[君子成人美 군자성인미] 군자는 사람을 인도하여 착한 일을 이루게 함.
[君子儒 군자유] 명리(名利)를 떠나 진실로 도를 배우고 덕을 닦는 것을 목적으로 하는 학자. 소인유(小人儒)의 대(對).

[君子人 군자인] 군자라 일컬을 만한 사람. 덕행(德行)이 있는 사람. 남의 사표(師表)가 될 만한 사람.
[君者舟也庶人者水也 군자주야서인자수야] 물은 배를 띄우지만 때로는 배를 전복시키기도 한다는 뜻으로, 백성은 군주(君主)를 돕기도 하나 때로는 해(害)치기도 한다는 말.
[君子之過也如日月之食 군자지과야여일월지식] 군자의 허물은 일식(日蝕)이나 월식(月蝕)과 같아서 한때 그 빛이 가리어질지라도 그 바탕인 덕(德)이 다시 바로 환하게 나타남.
[君子之交淡若水 군자지교담약수] 군자의 교제(交際)는 그 담박(淡泊)한 것이 물과 같아 영구히 변치 아니함.
[君子之德風 군자지덕풍] 윗자리에 있는 사람의 덕(德)은 바람과 같아서 아랫사람은 다 그의 풍화(風化)를 받음.
[君子之學入耳著心 군자지학입이착심] 군자는 학문을 닦는 데 한 번 들으면 마음속에 새겨 두어 잊지 아니함.
[君子豹變 군자표변] 군자는 개과천선(改過遷善)하는 것이 지극히 현저함을 이름.
[君子鄕 군자향] 착한 사람이 사는 곳.
[君子花 군자화] '연(蓮)'의 별칭.
[君長 군장] ㉠군주(君主). ㉡두목(頭目). ㉢손윗사람. ㉣추장(酋長).
[君主 군주] 국가(國家)의 주권(主權)을 총람(總攬)하는 사람. 임금.
[君主國 군주국] 군주(君主)가 세습적(世襲的)으로 국가의 원수(元首)가 되는 나라.
[君舟臣水 군주신수] 군자주야서인자수야(君者舟也庶人者水也).
[君主政治 군주정치] 군주(君主)가 나라의 정치를 총람(總攬)하는 정치.
[君號 군호] 군(君)을 봉(封)한 이름.
[君侯 군후] 제후(諸侯).
◉家君. 繼體君. 寡君. 寡小君. 國君. 鞠君. 貴君. 郞君. 東君. 亡君. 名君. 明君. 微君. 父君. 夫君. 府君. 聘君. 使君. 師君. 先君. 盛君. 聖君. 細君. 小君. 暗君. 良君. 嚴君. 庸君. 幼君. 人君. 仁君. 儲君. 諸君. 主君. 冢君. 暴君. 賢君.

4 ⑦ [吝] 린 [去]震 良刃切 lìn

[字解] 아낄 린 ㉠소중히 여김. '去者雖多不足—'《唐書》. ㉡인색함. '富而性—'《後漢書》. ㉢주저함. '改過不—'《書經》.
[字源] [甲骨文] [篆文] 會意. 口+文. '文문'은 '꾸미다'의 뜻. 잃은 것을 실제 이상으로 미화(美化)하여 '아끼다'의 뜻을 나타냄.

[吝嗇 인색] 체면(體面)을 돌아보지 않고 재물(財物)을 지나치게 아낌.
[吝惜 인석] 인애(吝愛).
[吝愛 인애] 너무 아낌.
◉慳吝. 儉吝. 慊吝. 吉凶悔吝. 鄙吝. 惜吝. 玭吝. 貪吝. 悔吝.

4 ⑦ [呑] [人名] 탄 [平]元 吐根切 tūn

[筆順] 一 二 于 天 夭 吞 呑

[字解] ①삼킬 탄 ㉠목구멍으로 넘김. '—吐'. '—咽'. '誤—之'《史記》. ㉡제 것으로 만듦. '倂—'. '有—周之意'《戰國策》. ㉢싸서 감춤. '江—天際白吹潮'《吳師道》. ㉣안중에 두지 아니함. 경시함. '卿當以氣—之'《五代史》. ②성 탄 성(姓)의 하나.
[字源] [篆文] 會意. 口+天. '天천'은 목젖의 상형(象形)이 변형한 것. '목구멍'의 뜻을 나타냄. '口구'를 더하여 '목구멍'의 뜻이나, 이로 씹지 않고 단숨에 삼키다의 뜻을 나타냄.

[呑滅 탄멸] 삼켜 없애 버림.
[呑剝 탄박] 빼앗아 삼킴. 약탈함.
[呑噬 탄서] 씹어 삼킴. 전(轉)하여, 다른 나라를 병합(倂合)함.
[呑聲 탄성] ㉠소리를 내려고 하여도 소리가 나오지 아니함. ㉡훌쩍훌쩍 욺.
[呑咽 탄연] 삼켜 버림.
[呑牛之氣 탄우지기] 소를 삼킬 만한 장대(壯大)한 기상(氣象). 웅대한 기백(氣魄).
[呑嚼 탄작] 탄서(呑噬).
[呑舟之魚 탄주지어] ㉠배를 통째로 삼킬 만한 큰 고기. ㉡큰 인물. 또는 대악인(大惡人).
[呑舟之魚不游枝流 탄주지어불유지류] 큰 고기는 세류(細流)에서는 놀지 않는다는 뜻으로, 큰 인물은 고상한 뜻을 갖는다는 비유.
[呑舟之魚失水制於螻蟻 탄주지어실수제어누의] 아무리 큰 고기라도 물을 떠나면 개미 같은 작은 벌레에게도 지배를 받는다는 뜻으로, 영웅(英雄)도 지위를 얻지 못하면 소인(小人)에게도 제압당한다는 비유.
[呑天 탄천] 하늘을 삼킨다는 뜻으로, 기개가 큼의 비유.
[呑吐 탄토] 삼킴과 뱉음. 혹은 삼키고 혹은 뱉음.
[呑吐出沒 탄토출몰] 삼키기도 하고 뱉기도 하고, 또 나타나기도 하고 숨기도 함.
[呑下 탄하] 삼켜 버림.
[呑恨 탄한] 원한(怨恨)을 참고 겉으로 드러내지 아니함.
◉甘呑. 兼呑. 鯨呑. 狼呑. 竝呑. 倂呑. 噬呑. 聲呑. 咀呑. 齕呑.

4 ⑦ [吞] 呑(前條)의 俗字

4 ⑦ [否] [中人] [一] 부 [上]有 方久切 fǒu
[二] 비 [上]紙 符鄙切 pǐ

[筆順] 一 ア 不 不 不 否 否

[字解] [一] 아닐 부 ㉠부동의(不同意)를 나타내는 말. 아님. '萬章曰, 堯以天下與舜, 有諸, 孟子曰, —, 天子不能以天下與人'《孟子》. ㉡의문사. …하지 않았는가? '嘗其旨—'《詩經》. ㉢그렇지 아니함. 그렇게 하지 아니함. '或醉或—'《詩經》. ㉣그러한 일은 없음. '其本亂而末治者—矣'《大學》. ㉤부인함. 듣지 아니함. '予所—者'《論語》. ㉥그렇지 아니하면. '—則威之'《書經》.
[二] ①악할 비 나쁨. 좋지 아니함. 또, 그것. '—臧'. '未知臧—'《詩經》. ②막힐 비 운수가 막힘. '—塞'. '信人事之—泰'《潘岳》. ③비괘 비 육십사괘의 하나. 곧, ䷋〈곤하(坤下), 건상(乾上)〉. 음양(陰陽)이 고르지 못하여 일이 잘되지 않는 상(象).

[字源] 金文 篆文 形聲. 口+不〔音〕. '不부'는 부푼 자방(子房)의 상형. 假借하여, '…하지 않다'의 뜻으로 쓰임. '口구'는 특히 그것이 언어 활동에 속함을 보임.

[否決 부결] 의안(議案)의 불성립을 의결함.
[否認 부인] 인정(認定)하지 아니함.
[否定 부정] 그렇지 않다고 인정(認定)함. 아니라고 함.
[否則 부즉] 그렇지 아니하면. 불연(不然)이면.
[否隔 비격] 막혀 통하지 아니함.
[否極反泰 비극반태] 사물이 막혀 통하지 않는다 하더라도 그 극도에 달하면 천운(天運)이 순환하여 개통하여짐. 전(轉)하여, 불운이 극도에 달하면 행운이 돌아옴. 비(否)·태(泰)가 모두 주역(周易)의 괘(卦)이름으로, 비(否)는 색(塞), 태(泰)는 통(通)임.
[否極泰來 비극태래] 불운(不運)이 절정에 달하면 행운(幸運)이 돌아옴. 비극반태(否極反泰).
[否德 비덕] 부덕(不德). 박덕(薄德).
[否剝 비박] 운(運)이 나쁨. 불행함.
[否婦 비부] 무식(無識)한 부인.
[否塞 비색] 운수(運數)가 좋지 못하여 막힘. 불운(不運)함.
[否運 비운] 비색(否塞)한 운수(運數). 불운(不運).
[否臧 비장] 악과 선. 선악(善惡). 장부(臧否).
[否泰 비태] 막힘과 통함. 불운(不運)과 행운(幸運).
[否閉 비폐] 막힘.
◉可否. 拒否. 傾否. 困否. 諸否. 能否. 當否. 道泰身否. 屯否. 善否. 成否. 安否. 若否. 良否. 研否. 然否. 淪否. 認否. 臧否. 適否. 正否. 存否. 眞否. 贊否. 出否. 黜否. 他否. 通否. 合否. 許否. 獻否. 賢否. 顯否. 休否.

4 ⑦ [含] [高·人] 함 ①-④[平]覃 胡男切 hán ⑤[去]勘 胡紺切 hàn

[筆順] ノ 人 亼 今 今 含 含

[字解] ①머금을 함 입속에 넣음. '一嚼'. '一哺鼓腹'《史記》. ②넣을 함 속에 넣음. 수용(收容)함. 또, 저장함. '一蓄'. '一藏'. '一萬物'《易經》. ③품을 함 ㉠마음속에 넣어 둠. '一怒'. '一情'. '一怒日久'《戰國策》. ㉡마음속에 품고 참음. '一忍'. '國君一垢'《左傳》. ④성 함 성(姓)의 하나. ⑤무궁주 함 옛날 중국에서 죽은 사람의 입속에 넣던 구슬. 반함(飯含)하는 데 쓰는 구슬. '王使榮叔歸一'《左傳》.
[字源] 篆文 形聲. 口+今〔音〕. '今금'은 '函함'과 통하여, 폭 덮어 싸다, 속에 넣어 두다의 뜻. '口구'를 더하여, 입 안에 싸 넣다, 머금다의 뜻을 나타냄.

[含憾 함감] 원한(怨恨)을 품음.
[含垢 함구] 수치를 참음.
[含垢納汚 함구납오] 치욕을 참고 아니꼬운 것을 받아 준다는 뜻으로, 용인(容忍)의 도량(度量)이 없어서는 아니 됨의 비유.
[含氣 함기] 천지간의 기운을 머금은 것이라는 뜻으로, 생물(生物)을 이름.
[含桃 함도] '앵도(櫻桃)'의 별칭(別稱).
[含毒 함독] 독기나 독한 마음을 품음.
[含量 함량] 들어 있는 분량(分量).
[含靈 함령] 영성(靈性)을 함유(含有)한 것. 곧, 인류(人類).
[含淚 함루] 눈물을 머금음.
[含默 함묵] 입을 다물고 잠잠히 있음.
[含味 함미] 입속에 넣어 맛을 봄. 전(轉)하여, 기억하여 두고 잘 생각함.
[含憤 함분] 분노(憤怒)를 품음.
[含憤蓄怨 함분축원] 분노와 원한을 품음.
[含沙蜮 함사역] ㉠중국의 남방에 있다는 괴물(怪物)로 모래를 머금고 사람의 그림자에 쏘면 그 사람이 병이 나서 죽는다고 함. ㉡소인(小人)이 음험한 수단으로 남을 해침을 이름.
[含雪 함설] ㉠눈을 입에 머금음. ㉡산에 쌓인 눈의 빛이 창에 비침의 형용.
[含笑 함소] ㉠웃음을 머금음. 웃는 빛을 띰. ㉡꽃이 피기 시작함.
[含笑入地 함소입지] 웃음을 머금고 땅속으로 들어감. 곧, 안심하고 죽음.
[含羞 함수] 부끄러워함.
[含嗽 함수] 양치질을 함. 또, 양치질.
[含羞草 함수초] 콩과에 속하는 일년초. 남미 원산. 관상용으로 재배함. 손으로 만지면 부끄럼 타듯 잎사귀를 숙이고 소엽(小葉)을 오므리는 습성에서 이름. 미모사.
[含咽 함연] 입에 넣어 삼킴. 전(轉)하여, 알고도 이야기하지 아니함.
[含英咀華 함영저화] 꽃을 머금고 씹는다는 뜻으로, 문장의 묘처(妙處)를 잘 음미(吟味)하여 가슴속에 새겨 둠을 이름.
[含容 함용] 속에 넣어 둠.
[含怨 함원] 원한(怨恨)을 품음.
[含有 함유] 물질이 어떤 성분(成分)을 포함하고 있음.
[含飴弄孫 함이농손] 후한(後漢)의 마황후(馬皇后)가 손자(孫子)들과 벗할 뿐 정사(政事)에는 관여하지 않겠다고 말한 고사(故事). 전(轉)하여, 귀찮은 일에서 일체 손을 떼고 만년(晚年)을 즐겁게 지내고자 함을 이름. 함이(含飴)라 함은 연로(年老)하여 치아(齒牙)가 없기 때문임.
[含忍 함인] 참고 견딤.
[含孕 함잉] 아이를 뱀. 임신함.
[含嚼 함작] 음식을 머금고 씹음.
[含蓄 함축] 깊은 뜻을 품음.
[含吐 함토] 혹은 입속에 넣고 혹은 뱉음. 자유자재로 출입시킴.
[含葩 함파] 꽃봉오리.
[含哺鼓腹 함포고복] 배불리 먹고 배를 두드리며 즐겁게 지냄.
[含含 함함] 보리 등의 이삭이 잘 팬 모양.
[含嫌 함혐] 혐의(嫌疑)를 품음.
[含胡 함호] 함호(含糊).
[含糊 함호] 모호(模糊)한 모양. 분명(分明)하지 않은 모양.
◉內含. 韜含. 阿含. 容含. 通含. 包含. 廻含.

4 ⑦ [吾] [中·人] [一] 오 [平]虞 五乎切 wú [二] 어 [平]魚 牛居切 yú

[筆順] 一 丅 丌 五 五 吾 吾

[字解] [一] ①나 오 ㉠자기의 일컬음. '一人'. '一度足下之智不如一, 勇又不如一'《史記》. ㉡자기의 존재. 자기의 의식. '草庵寂默我忘一'《陸游》. ②우리 오 자기 나라, 자기 집, 자기의 당(黨) 등. '我張一三軍, 而被一甲兵'《左傳》. ③

3 획

글읽는소리 오 '一伊'는 독서하는 소리. '唔咿'로도 씀. '南窓讀書聲一伊'《黃庭堅》. ④성 오 성(姓)의 하나. ❸ 친하지않음을 어 친하지 않은 모양. 친하려고 하지 않는 모양. '暇豫之一一, 不如鳥鳥'《國語》.

字源 形聲. 口+五〔音〕. '口구'는 신교차시킨 모양의 계시를 지키기 위한 기구의 상형. 신의 계시를 부정(不淨)으로부터 지키다의 뜻에서, '막다'의 뜻을 나타냄. 假借하여 '나'의 뜻으로 쓰임.

[吾吾 어어] 친하지 않은 모양. 친하려 하지 않는 모양.
[吾家所立 오가소립] 자기가 도와주어서 입신(立身)을 하게 한 사람.
[吾豈敢 오기감] 내 어찌 감히 그러한 일을 하랴.
[吾黨 오당] 우리 당(黨).
[吾徒 오도] ㉠자기의 제자. ㉡자기들.
[吾道 오도] ㉠자기 행동이 의거(依據)하는 바. ㉡성인(聖人)의 도(道).
[吾道南 오도남] 내가 닦은 도(道)가 남쪽으로 감. 송(宋)나라 정호(程顥)가 제자(弟子) 양시(楊時)가 귀향(歸鄕)할 때 한 말.
[吾道東 오도동] 내가 닦은 도(道)가 동쪽으로 감. 후한(後漢)의 마융(馬融)이 제자 정현(鄭玄)이 귀향한 것을 안타깝게 생각하여 한 말.
[吾等 오등] 우리들.
[吾輩 오배] ㉠우리들. ㉡나.
[吾伊 오이] 글 읽는 소리. 오이(唔咿).
[吾人 오인] ㉠우리. 우리들. ㉡나. 자기.
[吾子 오자] 나의 아들이라는 뜻으로, 동년배(同年輩)의 사람을 친숙한 뜻을 나타내어 부르는 말.
[吾儕 오제] 오배(吾輩).
[吾曹 오조] 우리들.
[吾兄 오형] 내 형이라는 뜻으로, 친한 벗의 경칭(敬稱).
●故吾. 今吾. 金吾. 忘吾. 番吾. 紛吾. 誰知吾. 伊吾. 從吾. 左支右吾. 支吾. 執金吾. 橐吾.

4⑦ [告] 中人
一 고 㐀號 古到切 gào
二 곡 㐂沃 古沃切 gù
三 국 㐃屋 居六切 jū

筆順 ノ 一 牛 生 生 告 告

字解 一①고할 고 ㉠아룀. 여쭘. '一厥成功'《書經》. ㉡보고함. 謀=보고함. '謀=, 楚幕有烏'. ㉢이야기함. '犀首一臣'《戰國策》. ㉣청(請)함. '以一于先生君子, 可也'《儀禮》. ㉤소송을 제기(提起)함. '一訴'. ②찾을 고, 물을 고 방문하여 안부를 물음. '八十, 月一存'《禮記》. ③고시 고 관리의 사령서. 직첩(職牒). '一身'. ㉡말미 고 관리의 휴가. '賜─者數'《史記》. 二①고할 곡 청알(請謁)함. '爲人子者, 出必一, 反必面'《禮記》. ②말미 곡 휴가. 一와 뜻이 같음. '光武絕─寧之典'《後漢書》. 三④성 곡 성(姓)의 하나. 三국문불當 국 鞠(革部 八畫)과 통용함. '其刑罪, 則纖剭, 亦一于甸人'《禮記》.

字源 會意. 口+牛. '牛우'는 甲骨文·金文에서는 붙잡힌 소의 상형. 희생으로 쓰기 위하여 잡힌 소를 바쳐서 신(神)이나 조상의 영(靈)에 고하다의 뜻을 나타냄.

타냄.

[告假 고가] 휴가(休暇).
[告敎 고교] 알려 가르침. 타이름.
[告歸 고귀] 휴가를 얻어 집에 돌아감.
[告急 고급] 급함을 알림.
[告寧 고녕] ㉠난리가 평정된 것을 보고함. ㉡'곡녕(告寧)'을 보라.
[告老 고로] 연로(年老)한 것을 이유로 치사(致仕)하기를 청함.
[告廟 고묘] 나라에 큰일이 있을 때에 종묘(宗廟)에 아룀.
[告密 고밀] 밀고(密告)함.
[告發 고발] 남의 범죄(犯罪) 사실을 제삼자가 관(官)에 아룀.
[告白 고백] 사실(事實)대로 말함.
[告變 고변] 반역(叛逆)을 고발함.
[告別 고별] 작별(作別)을 고(告)함.
[告訃 고부] 사람의 죽음을 통지함.
[告祀 고사]《韓》한 몸이나 집안이 무고(無故)하고 잘되기를 비는 제사.
[告辭 고사] 고시(告示)하는 문사(文辭).
[告朔 고삭] 고삭희양(告朔餼羊).
[告朔餼羊 고삭희양] 옛날 천자가 매년 계동(季冬)에 다음 해 열두 달의 책력을 제후(諸侯)에게 나누어 주었는데, 제후는 이것을 받아 가지고 가 선조(先祖)의 종묘(宗廟)에 간직해 두고 매달 초하루에 양(羊)의 희생을 바치고 종묘에 고한 후 그달의 책력을 꺼내어 나라 안에 펴던 일. 노(魯)나라의 문공(文公)에 이르러 이런 일은 없어지고 다만 양을 바치는 습관만 남았으므로, 전(轉)하여 쓸데없는 비용이나 허례(虛禮)의 뜻으로 쓰임.
[告賽 고새] 신(神)에게 고하고 제사 지냄.
[告成 고성] 일이 이루어짐을 알림.
[告訴 고소] ㉠하소연함. ㉡범죄의 피해자(被害者)가 관아(官衙)에 범죄 사실을 신고하여 소추(訴追)를 구함.
[告示 고시] ㉠고하여 알림. ㉡관청(官廳)에서 모든 인민(人民)에게 알리는 게시(揭示).
[告身 고신] 당대(唐代)의 임관(任官)의 사령장.
[告訐 고알] 남의 나쁜 일을 들추어내어 이를 관(官)에 고발함.
[告往知來 고왕지래] 과거를 말하면 곧 장래까지도 짐작할 수 있음. 이미 말한 말을 듣고서 아직 말하지 않은 일까지도 미루어 앎. 하나를 듣고 둘을 앎. 추찰력(推察力)이 예민(銳敏)함을 이름.
[告由 고유]《韓》나라에서나 사가(私家)에서 큰일이 생겼을 때에 사당(祀堂)이나 신명(神明)에게 고(告)함.
[告諭 고유] 알려 깨우쳐 줌. 타이름.
[告引 고인] 죄를 범하였을 때 갑(甲)은 을(乙)이 범죄하였다고 고하고, 을은 또 병(丙)을 끌어넣어 서로 자기는 면하려고 하는 일.
[告者 고자] 남의 범죄나 비밀을 일러바치는 사람.
[告諸往而知來 고제왕이지래] 이미 말한 것으로 미루어 아직 말하지 않은 것을 앎. 곧, 하나를 듣고 둘을 앎. 고왕지래(告往知來).
[告竣 고준] 일이 완성됨을 알림.
[告知 고지] 알림. 통지(通知)함.
[告天文 고천문] 예식(禮式) 때에 하느님께 아뢰는 글.

[告天子 고천자] '운작(雲雀)'의 별칭.
[告休 고휴] 휴가.
[告寧 곡녕] 말미. 휴가. 길사(吉事)에는 곡(告), 흉사(凶事)에는 영(寧)이라 함.
◉諫告. 擧告. 譴告. 警告. 戒告. 啓告. 公告. 控告. 廣告. 勸告. 謹告. 論告. 大告. 無告. 誣告. 密告. 班告. 辨告. 報告. 普告. 訃告. 敷告. 賜告. 上告. 宣告. 世告. 申告. 謁告. 與告. 豫告. 原告. 諭告. 移告. 長休告. 傳告. 情告. 詔告. 陳告. 忠告. 催告. 就告. 勅告. 親告. 誕告. 通告. 播告. 布告. 風告. 被告. 咸告. 抗告. 饗告. 曉告. 訓告. 休告.

4 ⑦ [告] 告(前條)의 略字

4 ⑦ [吃] 〔흘·글〕 吃(口部 三畫〈p. 344〉)의 本字

4 ⑦ [启] 계 [上]薺 康禮切 qǐ

[字解] 열 계 啓(口部 八畫)와 同字. '明星謂之一明'《爾雅》.

[字源] [甲骨文] [篆文] 會意. 口＋戶. '口구'는 '열다'의 뜻이 있으므로, 문을 열다의 뜻을 나타내며, 일반적으로 '열다'의 뜻을 나타냄. '啓계'의 原字.

4 ⑦ [呅] [一] 매 [平]灰 莫杯切 méi
[二] 문 [上]吻 武粉切 wěn

[字解] [一] 마실것권할 매 '一, 唆一也'《玉篇》. 차·술 등을 어서 들라고 재촉함. [二] 입술 문 '吻, 或作一'《集韻》.

4 ⑦ [呄] [一] 〔화〕化(匕部 二畫〈p. 289〉)의 古字
[二] 〔와〕吪(口部 四畫〈p. 354〉)와 同字

4 ⑦ [㕚] 〔홀〕 㕚(曰部 四畫〈p. 1006〉)의 籀文

[局] 〔국〕 尸部 四畫(p. 620)을 보라.

5 ⑧ [呢] 니 [平]支 女夷切 ní

[字解] ①소곤거릴 니 '一喃'은 작은 소리로 말을 많이 함. 소곤소곤함. ②지저귈 니 '一喃'은 제비가 지저귀는 모양. '見梁上雙燕一喃'《摭言》.

[字源] 形聲. 口＋尼〔音〕

[呢喃 이남] 자해(字解)를 보라.

5 ⑧ [呟] [人名] 현 [上]銑 古泫切 juǎn

[字解] 소리 현 음성. '哮呷一喚'《王褒》.

[字源] 形聲. 口＋玄〔音〕

[呟喚 현환] 큰 소리를 냄.

5 ⑧ [呔] 발 [入]月 房越切 fá

[字解] 방패 발 瞂(目部 九畫〈p. 1547〉)과 同字. '革抉一芮'《戰國策》.

5 ⑧ [呦] 유 [平]尤 於虬切 yōu

[字解] 울 유 사슴이 욺. 또, 그 소리. '一一鹿鳴'《詩經》. 또, 널리 딴 짐승의 우는 소리나 물건이 울리는 소리에도 쓰임. '一嚶鳥獸馴'《張說》. '水聲一咽出花溪'《雍陶》.

[字源] [篆文] 形聲. 口＋幼〔音〕. '幼유'는 사슴의 울음소리를 나타내는 의성어(擬聲語).

[呦嚶 유앵] 짐승은 울고 새는 지저귐.
[呦咽 유열] ㉠울어 목멤. ㉡시냇물이 오열(嗚咽)하는 것같이 흘러가는 소리.
[呦呦 유유] ㉠사슴이 우는 소리. ㉡슬피 우는 소리.

5 ⑧ [呪] [人名] 주 [去]宥 職救切 zhòu

[字解] ①방자 주, 방자할 주 남에게 재앙이 내리기를 비는 짓. '詛一'. '有誦一者'《關尹子》. 또, 그 짓을 함. '忳一曰, 有何枉狀'《後漢書》. ②빌 주 신불(神佛)에게 소원 성취하기를 빎. '一願'. ③다라니 주 《佛敎》 선법(善法)을 지켜 가져, 악법(惡法)을 막아서 일어나지 않게 하는 작용.

[字源] 會意. 口＋口＋儿. '口구'는 '빌다'의 뜻. '儿인'은 사람이 무릎을 꿇은 모양을 본뜸. 입으로 빌다, 저주하다의 뜻을 나타냄.

[呪罵 주매] 저주하고 꾸짖음.
[呪文 주문] ㉠저주하는 글. ㉡술가(術家)가 술법(術法)을 행할 때 외는 글.
[呪術 주술] 신의 힘, 또는 신비력을 빌려 길흉을 점치고 재액을 물리치거나 내려 달라고 비는 술법.
[呪延 주연] 장수하기를 빎.
[呪願 주원] 《佛敎》 주문(呪文)을 외고 시주(施主)의 복록을 비는 일.
[呪詛 주조] 남이 못되기를 빎. 또, 그 짓. 방자. 조주(詛呪).
◉讀呪. 經呪. 禁呪. 巫呪. 密呪. 符呪. 誦呪. 神呪. 隱呪. 印呪. 咀呪. 詛呪.

5 ⑧ [呫] 첩 [入]葉 ①他協切 tiè
②③尺涉切 chè

[字解] ①맛볼 첩 '未嘗有一血之盟'《穀梁傳》. ②소곤거릴 첩 소곤소곤함. '一嚅'. '效女兒一囁耳語'《史記》. ③좀스러울 첩 잔닮. '一一小人'《唐書》.

[字源] 形聲. 口＋占〔音〕

[呫囁 첩섭·첩녑] 소곤거림. 일설(一說)에는 수다스럽게 지껄임.
[呫嚅 첩유] 귀에 대고 소곤거림.
[呫呫 첩첩] 작은 모양. 좀스러운 모양. 또, 소곤거리는 소리.

5 ⑧ [呬] 희 [去]寘 虛器切 xì

[字解] 쉴 희 휴식함. '一河林之蓁蓁'《張衡》.
[字源] 篆文 形聲. 口+四〔音〕. '四사'는 숨을 내뱉다의 뜻. 입으로 숨 쉬다의 뜻을 나타내며, 전하여 '쉬다'의 뜻을 나타냄.

5
⑧ [呱] [人名] 고 [平]虞 古胡切 gū

[字解] 울 고 갓난아이가 욺. 또, 그 소리. '后稷一矣'《詩經》. '啓一一而泣'《書經》.
[字源] 篆文 形聲. 口+瓜〔音〕. 갓난아기의 울음소리를 나타내는 의성어(擬聲語).

[呱呱 고고] 어린아이가 우는 소리.

5
⑧ [呭] 예 [去]霽 餘制切 yì

[字解] 수다할 예 말이 수다한 모양. '無然一一'《詩經》.
[字源] 篆文 形聲. 口+世〔音〕. '世세'는 길게 늘어지다의 뜻. 말이 길어지다, 수다스럽게 지껄이다의 뜻을 나타냄.

[呭呭 예예] 수다스러운 모양.

5
⑧ [味] [中人] 미 [去]未 無沸切 wèi

[筆順] 丨 𠃍 口 口一 口二 吘 味 味

[字解] ①맛 미 ㉠음식의 맛. '五一'. '一得其時'《禮記》. ㉡사물의 맛. '興一'. '潛心道一'《晉書》. ㉢뜻. 의의. '意一'. '其一無窮'《中庸章句》. ㉣맛있는 음식. '爲得一也'《史記》. ②맛볼 미 ㉠맛을 봄. '一無味'《老子》. ㉡의미를 음미함. '含一經籍'《後漢書》.
[字源] 篆文 形聲. 口+未〔音〕. '未미'는 '희미하다'의 뜻. 달다든가 맵다든가 등의 미묘한 맛을 입으로 느끼는 모양에서, '맛보다'의 뜻을 나타냄.

[味覺 미각] 혀의 미신경(味神經)이 달고, 시고, 짜고, 맵고, 쓴 맛을 느껴 아는 감각.
[味感 미감] 미각(味覺).
[味讀 미독] 글의 내용을 충분히 음미(吟味)하면서 읽는 일.
[味神經 미신경] 혓바닥에 분포되어 있는, 미각(味覺)을 맡은 신경.
[味如嚼蠟 미여작랍] 밀을 씹는 것과 같이 아무 맛이 없다는 뜻으로, 재미가 조금도 없음을 비유한 말.
◉加味. 佳味. 家味. 嘉味. 甘味. 兼味. 經味. 古味. 苦味. 高味. 奇味. 氣味. 單味. 澹味. 道味. 妙味. 無味. 美味. 芳味. 俳味. 百味. 法味. 變味. 不知肉味. 備味. 貧味. 酸味. 上味. 想味. 詳味. 賞味. 嘗一臠知一鑊味. 庶味. 禪味. 麥味. 世味. 誦味. 睡味. 醇味. 時味. 食味. 食不知其味. 食不二味. 辛味. 新味. 尋味. 雅味. 渥味. 藥味. 涼味. 餘味. 硏味. 盈味. 五味. 玩味. 甑味. 遠味. 六味. 陸味. 吟味. 意味. 義味. 異味. 一味. 溢味. 滋味. 適味. 絕味. 正味. 情味. 精味. 鼎味. 醍醐味. 調味. 族味. 俊味. 重味. 至味. 地味. 脂味. 珍味. 眞味. 疾味. 嗟味. 天味. 淸味. 諦味. 臭味. 脆味. 趣味. 致味. 耽味. 品味. 風味. 諷味. 含味. 海味. 香味. 鄕味. 好味. 華味. 宦味. 回味. 肴味. 厚味. 欽味. 興味.

5
⑧ [呴] [一] 구(후[本]) [二] 후 [平]虞 呴于切 xǔ [去]有 居候切 gòu [上]有 呼后切 hǒu

[字解] [一] ①숨후내쉴 구 입에서 더운 김을 후 내쉼. '一噓'. '或一或吹'《老子》. ②꾸짖을 구 질책함. '一藉叱咄'《戰國策》. ③기뻐할 구 희열함. '一喩'. ④울 구 雊(隹部 五畫)와 同字. '有飛雉登鼎耳而一'《史記》. [二] 울 후 吼(口部 四畫)와 同字. '溢流雷一而電激'《郭璞》.
[字源] 形聲. 口+句〔音〕. '句구'는 입을 오므려 숨을 내쉬는 소리의 의성어(擬聲語).

[呴呴 구구] ㉠닭이 우는 소리. ㉡말의 순서가 정연(整然)한 모양.
[呴喩 구유] 화락(和樂)한 모양.
[呴諭 구유] 따뜻하게 하며 은혜를 베풂.
[呴藉 구적] 꾸짖음.
[呴噓 구허] 숨을 후 내쉼.
◉吹呴.

5
⑧ [呵] [人名] 가 [平]歌 虎何切 hē

[字解] ①꾸짖을 가 질책함. '一責'. '霸陵尉醉, 一止廣'《史記》. ②헐뜯을 가 흠을 잡아내어 말함. '好公羊春秋而譏一左氏'《蜀志》. ③불 가 더운 김을 내붊. '一凍'. '一噓'. '夜寒手凍無人一'《蘇軾》. ④웃을 가 '不滿一笑一'《范成大》.
[字源] 形聲. 口+可〔音〕. '可가'는 큰 목소리를 내다의 뜻. 큰 소리로 꾸짖다, 웃다의 뜻을 나타냄.

[呵呵 가가] 껄껄 웃는 소리. 또, 껄껄 웃는 모양. 가연(呵然).
[呵呵大笑 가가대소] 대단히 우스워서 크게 웃음.
[呵喝 가갈] 큰 소리로 꾸짖어 못 하게 함. 호령함.
[呵譴 가견] 가책(呵責).
[呵禁 가금] 가지(呵止).
[呵怒 가노] 성내어 꾸짖음.
[呵導 가도] 벽제(辟除)함. 가인(呵引).
[呵凍 가동] 언 붓에 입김을 불어 녹인다는 뜻으로, 추울 때 시문(詩文)을 초(草)함을 이름. 가필(呵筆).
[呵然 가연] 껄껄 웃는 모양.
[呵硯 가연] 가동(呵凍).
[呵引 가인] 가도(呵導).
[呵止 가지] 꾸짖어 못 하게 함. 가금(呵禁).
[呵叱 가질] 큰 소리로 꾸짖음.
[呵責 가책] 꾸짖음. 책망(責望)함.
[呵筆 가필] 가동(呵凍).
[呵噓 가허] 입김을 붊.
[呵護 가호] 밖의 방해되는 자를 꾸짖어 안을 지킴.
◉譴呵. 譏呵. 導呵. 咄呵. 受呵. 笑呵. 前呵. 叱呵. 讒呵. 譙呵. 筆呵. 噓呵. 護呵.

5
⑧ [咂] 잡 [入]合 子答切 zā

[字解] ①마실 잡 빨아 먹음. '一, 入口也'《篇海》. ②맛볼 잡 구설(口舌)로 맛을 봄. '武松提起來一一一, 叫道, 這酒也不好, 快換來, 便饒你'

3
획

《水滸傳》. ③혀찰 잡 남을 칭찬하거나 부끄러워
할 때, 또는 놀랐을 때 내는 소리. '一嘴, 口中
發出表示稱讚, 羨慕, 驚訝等音聲'《中華字海》.

5⁄8 [呶] 노 ㉤看 女交切 náo

[字解] 떠들썩할 노 시끄러움. '一一'. '載號載
一'《詩經》.
[字源] 篆文 會意. 口+奴

[呶呶 노노] 떠드는 모양. 자꾸 지껄이는 모양.
● 酣呶. 叫呶. 紛呶. 號呶. 喧呶.

5⁄8 [呷] 합 ㉠洽 呼甲切 xiā, ①gā

[字解] ①울 합 오리가 우는 소리. '鴨鳴一一'
《埤雅》. ②떠들썩할 합 시끄러운 소리의 형용.
'喤喤一'《李白》. ③마실 합 액체를 먹음. '一
啜. '朝一一口水'《鄭震》.
[字源] 篆文 形聲. 口+甲〔音〕. '甲갑'은 오리가
우는 소리를 나타내는 의성어(擬聲
語). 또 '甲'은 '씌우다'의 뜻. 위에서 덮어씌
우듯이 마시다의 뜻을 나타내며, 전하여 '마시
다, 빨아 먹다'의 뜻을 나타냄.
[參考] 呻(次條)은 別字.

[呷啜 합철] 들이마심.
[呷呷 합합] ㉠오리가 우는 소리. ㉡떠들썩한 소
리.
● 喋呷. 呀呷. 哮呷. 吸呷. 翕呷. 歙呷.

5⁄8 [呻] 신 人名 신 ㉤眞 失人切 shēn

[字解] ①끙끙거릴 신 신음함. '一吟裒氏之地'
《莊子》. ②읊조릴 신 읊음. '一吟'. '一其佔畢'
《禮記》.
[字源] 篆文 形聲. 口+申〔音〕. '申신'은 '늘어지
다'의 뜻. 입에서 목소리를 늘어지게
내다, 신음하다, 읊조리다의 뜻을 나타냄.
[參考] 呷(前條)은 別字.

[呻吟 신음] ㉠괴로워 끙끙거리는 소리를 함. 탄
성(歎聲)을 냄. ㉡괴로워하면서 시(詩) 같은
것을 읊조림.
[呻咿 신이] 신음함. 또, 그 소리.
[呻呼 신호] 큰 소리로 신음함.
● 嚬呻. 孿呻. 顰呻. 酸呻. 哀呻. 吟呻. 寒呻.

5⁄8 [呼] 호 中入 호 ㉤虞 荒烏切 hū

[筆順] 丨 冂 冂 吖 吓 吓 吁 呼

[字解] ①숨내쉴 호 숨을 내쉼. '吸'의 대. '一
嘘'. '吹呴一吸'《莊子》. ②부를 호 ㉠오라고 소
리를 내어 부름. '招一一'. '遮道而一涉'《史記》.
㉡일컬음. 이름 지음. '稱一'. '一爲君子'. '通
一爲弟子'《北齊書》. ③부르짖을 호 큰 소리를
냄. 떠듦. '一號'. '一嚎'. '如颰風而一'《史記》.
④슬프다할 호 탄식하는 소리. '嗚一'. '一役夫'
《左傳》. ⑤성호 성(姓)의 하나.
[字源] 金文 乎 篆文 呼 形聲. 口+乎〔音〕. '乎호'는 '부
르다'의 뜻. '乎'가 조사(助辭)

로서 쓰이게 되자, 뒤에 '口구'를 더함.

[呼價 호가] 값을 부름.
[呼喝 호갈] ㉠큰 소리로 꾸짖음. 호령함. ㉡귀인
(貴人)이 외출할 때 하인이 길 비키라고 외치
는 소리. 벽제(辟除)하는 소리.
[呼氣 호기] 숨을 밖으로 내쉬는 기운.
[呼名 호명] 이름을 부름.
[呼母 호모] 어머니라고 부름.
[呼舞 호무] 소리를 지르면서 춤을 춤.
[呼父 호부] 아버지라고 부름.
[呼不給吸 호불급흡] 숨 쉴 사이가 없음. 곧, 사물
이 극히 빨리 옮을 이름.
[呼訴 호소] 사정을 관부(官府) 또는 남에게 하소
연함.
[呼牛呼馬 호우호마] 자기가 한 일의 시비(是非)
는 남이 평하는 대로 내버려 두고 자기는 관계
하지 아니함.
[呼應 호응] ㉠부르면 대답함. 전(轉)하여, 대답
함. 기맥(氣脈)을 통함. ㉡문맥(文脈)의 전후
가 상통(相通)함.
[呼子鳥 호자조] 뻐꾸기, 곧 '포곡(布穀)'의 별칭
(別稱).
[呼祖 호조] 할아버지라고 부름.
[呼噪 호조] 큰 소리로 떠듦.
[呼叱 호질] 꾸짖음.
[呼嗟 호차] 한탄하는 소리.
[呼唱 호창] 불러 외침. 호갈(呼喝)❷.
[呼戚 호척] 《韓》 서로 척의(戚誼)를 대어 일컬음.
[呼出 호출] 불러냄.
[呼嘘 호허] 숨을 내쉼.
[呼兄 호형] 형이라고 부름.
[呼號 호호] 부르짖음. 외침.
[呼喚 호환] 큰 소리로 부름. 외침.
[呼吸 호흡] ㉠숨을 쉼. 또, 숨. ㉡한숨 쉬는 사
이. 극히 짧은 시간. 순간. ㉢기세. 의기(意氣).
[呼吸器 호흡기] 호흡 작용을 맡는 기관(器官).
● 歌呼. 酣呼. 叫呼. 累呼. 騰呼. 山呼. 嘯呼.
手呼. 順風呼. 嵩呼. 呻呼. 夜呼. 連呼. 鳴呼.
傳呼. 點呼. 指呼. 疾呼. 唱呼. 招呼. 吹呼.
稱呼. 號呼. 喚呼. 歡呼. 謹呼. 喧呼.

5⁄8 [吟] 呼(前條)의 古字

5⁄8 [呿] 거 ㉤魚 丘於切 qù ㉢御 丘倨切 qù

[字解] 벌릴 거 입을 벌림. 또, 입이 벌어짐. '一
唫'. '公孫龍, 口一而不合'《莊子》.
[字源] 形聲. 口+去〔音〕

[呿唫 거금] 혹은 입을 벌리고 혹은 입을 다묾. 전
(轉)하여, 혹은 이야기하고 혹은 침묵함.

5⁄8 [咀] 저 人名 저 ㉠語 慈呂切 jǔ

[字解] ①씹을 저 이로 씹음. 또, 씹어 음식의 맛
을 봄. '一嚼菱藕'《司馬相如》. 전(轉)하여, 사
물의 맛을 터득함. '一嚼文義'《文心雕龍》. ②
방자할 저, 방자할지 一'.
[字源] 篆文 形聲. 口+且〔音〕. '且저'는 제물을
얹어 놓는 대(臺)의 象形. 혀에 음식

을 올려서 맛보다의 뜻을 나타냄.
[參考] 呫(口部 五畫)은 別字.

[咀啖 저담] 씹어 먹음.
[咀嚼 저작] ㉠음식을 입에 넣고 씹음. ㉡글의 뜻을 깊이 파고들어 완미(玩味)함.
[咀呪 저주] 남이 못되기를 빎. 주조(呪詛).
[咀嚼 저초] 저작(咀嚼).
●嚼咀. 涵咀.

5/8 [咄] 돌 ㈧月 當沒切 duō

[字解] ①꾸짖을 돌 질책함. 또, 그 소리. '叱一'. ②괴이쩍어할 돌 괴이하여 놀라는 소리. '——怪事'《後漢書》. ③혀차는소리 돌 기가 막혀 끌끌 혀 차는 소리. '朔笑之曰, 一'《漢書》. ④부를 돌 사람을 만났을 때 반가워하여 '야' 하고 부르는 소리. '一少卿良苦'《漢書》.
[字源] 篆文 形聲. 口+出〔音〕. '出출'은 '내다'의 뜻. 갑자기 목소리를 내다의 뜻으로, 꾸짖다, 꾸짖는 소리, 놀라는 소리 등의 뜻을 나타냄.

[咄呵 돌가] 혀를 참.
[咄咄 돌돌] 괴이쩍어 놀라는 소리. 의외의 일에 놀라 내는 소리.
[咄咄怪事 돌돌괴사] 놀랄 만한 괴이쩍은 일.
[咄咄逼人 돌돌핍인] 기예(技藝) 등을 경탄하여 내는 소리.
[咄叱 돌질] 성내어 한탄하는 소리. 아.
[咄嗟 돌차] ㉠순식간. ㉡꾸짖음.
[咄嗟間 돌차간]《韓》순식간.
●呵咄. 樂嗟苦咄. 叱咄.

5/8 [咆] 人名 포 ㈤肴 薄交切 páo

[字解] ①으르렁거릴 포 짐승이 성내어 욺. '一哮'. '虎豹襲穴而不敢一'《淮南子》. ②성불끈낼 포 불끈 화를 내는 모양. '何猛氣之一勃'《潘岳》.
[字源] 篆文 形聲. 口+包〔音〕. '包포'는 으르렁거리는 소리를 나타내는 의성어. '口구'를 더하여, 짐승이 으르렁거리다의 뜻을 나타냄.

[咆勃 포발] 성을 불끈 내는 모양.
[咆哮 포효] ㉠맹수(猛獸)가 성내어 욺. 으르렁거림. ㉡성내어 외침. 대단한 기세로 외침.
●鳴咆. 哮咆.

5/8 [咥] ䷥일 ㈧質 戈質切 yì · 질 ㈧質 勑栗切 chì

[字解] ䷥①풀먹을 일 소나 양(羊)이 풀을 먹는 모양. '一, 牛羊咀草兒'《玉篇》. ②빠를 일 '蘩一肣以捉根兮'《揚雄》. ䷦목소리 질 '一, 聲也'《集韻》.

5/8 [咈] 불 ㈧物 符弗切 fú

[字解] 어길 불 뜻을 어김. '罔一百姓以從己之欲'《書經》.
[字源] 篆文 形聲. 口+弗〔音〕. '弗불'은 '어그러지다, 배반하다' 등 부정의 뜻. 어기

다, 반항적인 말을 입에 올리다의 뜻을 나타냄.

5/8 [咋] ䷥ 사 ㈤禡 側駕切 zhà · 색 ㈧陌 側革切 zé

[字解] ䷥잠깐 사 잠시. '桓一謂林楚曰'《左傳》. ䷦①씹을 색, 깨물 색 이로 씹음, 또는 깨묾. '孤豚之一虎'《漢書》. ②들렐 색 시끄러움. 떠들썩함. '嘵嘵讙一'《劉峻》. ③큰소리 색 대성(大聲). 또, 큰 소리를 냄. '嗼呱啞一'《太玄經》.
[字源] 形聲. 口+乍〔音〕. '乍작'은 '작위(作爲)'의 뜻. 무리하게 낸 큰 목소리의 뜻을 나타냄. 또 '酢색'과 통하여 '깨물다'의 뜻도 나타냄.

[咋咋 색색] 큰 소리.
[咋舌 색설] 혀를 깨묾. 분하게 여김.
[咋唶 색책] 속가(俗歌). 민요(民謠).
●啑咋. 讙咋. 喧咋. 齚咋.

5/8 [咍] 人名 해 ㈤灰 呼來切 hāi

[字解] ①비웃을 해 조소함. '儵然而一'《左思》. ②즐길 해 환락함. '笑言溢口何歡一'《韓愈》.
[字源] 篆文 形聲. 口+台〔音〕. '台태·이'는 '기뻐하다'의 뜻. '口구'를 더하여 '웃다'의 뜻을 나타냄.

[咍臺 해대] 코 고는 소리의 형용.
[咍笑 해소] 비웃음. 조소함.
[咍咍 해해] 웃으며 즐거워하는 모양. 즐거워 웃는 모양.

5/8 [咁] ䷥ 함 ㈤咸 乎監切 xián · 감 gàn

[字解] ䷥①머금을 함 嗛(口部 十畫)과 同字. '嗛, 說文, 口有所銜也. 或作一'《集韻》. ②젖 함 '一, 乳也'《玉篇》. ䷦이같을 감 이처럼. 광둥(廣東)·후난 성(湖南省)의 방언(方言).

5/8 [咕] 고 ㈤虞 公戶切 gū

[字解] ①수군거릴 고 '一噥'은 수군거림. '悄悄的一噥說'《紅樓夢》. ②투덜거릴 고 작은 소리로 투덜거림.

5/8 [咏] 人名 영 ㈤敬 爲命切 yǒng

[字解] 읊을 영 詠(言部 五畫)과 同字. '以一先王之風'《漢書》.
[字源] 篆文 形聲. 口+永〔音〕. '永영'은 '길다'의 뜻. 목소리를 길게 빼어 읊다의 뜻을 나타냄.

[咏頌 영송] 성덕(盛德)·공적(功績) 등을 시가(詩歌)로 읊어 칭송함.
[咏嘆 영탄] 소리를 길게 뽑아 탄식함.

5/8 [咐] 人名 부 ㈤虞 奉蒲切 fú, fù

[字解] ①분부할 부 아랫사람에게 명령을 내림. '吩一'. ②불 부 숨을 내뿜어 따뜻하게 함. '以相嘔一醞釀, 而成育群生'《淮南子》.
[字源] 形聲. 口+付〔音〕

5 [哓]
⑧ 二 효 ㉠蕭 許嬌切 xiāo
二 호 ㉠號 後到切 háo

字解 二 텅비고클 효 속은 비고 큼. '非不一然大也. (疏)一然, 虛大也'《莊子》. 二 바람소리 호 성낸 소리. 외치는 소리. '萬竅怒一'《莊子》.

字源 形聲. 口＋号〔音〕

5 [呝]
⑧ 액 ㉠陌 於革切 è

字解 울 액 '一喔'은 새 우는 소리. '良遊一喔'《潘岳》.

字源 篆文 呝 形聲. 口＋戹〔音〕. '戹액'은 좁아서 답답하다의 뜻. 닭이 괴로운 듯이 소리 내어 울다의 뜻을 나타냄.

5 [呾]
⑧ 달 ㉠曷 當割切 dá

字解 꾸짖을 달 질책함. '不肖者之一也'《韓愈》.

字源 形聲. 口＋旦〔音〕

5 [咇]
⑧ 필 ㉠質 毗必切 bì

字解 향내날 필 방향(芳香)이 있음. '晻蘙一茀'《司馬相如》.

字源 形聲. 口＋必〔音〕

5 [咃]
⑧ 〔타〕 咤(口部 六畫〈p.369〉)의 俗字

[亟]
〔극〕 二部 六畫(p.82)을 보라.

5 [咊]
⑧ 和(次條)의 古字

5 [和]
⑧ 中入 화 ①-⑪㉠歌 戶戈切 hé
⑫-⑮㉠箇 胡臥切 hè

筆順 一 二 千 禾 禾 和 和 和

字解 ①온화할 화 온순하고 인자함. '一色'. '君子一而不流'《中庸》. ②화목할 화 사이가 좋음. '地利不如人一'. '言惠必及一'《國語》. ③고를 화 조화됨. 순조로움. '陰陽相一'. ④따뜻할 화 온난함. '溫一'. '春風扇微一'《陶潛》. ⑤순할 화 유순함. 조용함. '一風'. '吾馬賴柔一'《史記》. ⑥잘 화 바람이 그침. '風一綠野烟'《杜審言》. ⑦좇을 화 따름. 복종함. '治而不能一下'《淮南子》. ⑧화해 화 사화(私和). '一約'. '割地求一'《戰國策》. ⑨방울 화 수레 앞에 가로 댄 나무, 곧 식(軾)에 다는 방울. '鸞雝一'《詩經》. ⑩나라이름 화 일본(日本)의 별칭. '一寇'. ⑪성 화 성(姓)의 하나. ⑫응할 화 소리에 응함. '鳴鶴在陰, 其子一之'《易經》. ⑬대답할 화 응답함. '王一之'《列子》. ⑭화답할 화 서로 응하여 대답함. '唱一'. ⑭남의 운(韻)을 따서 작시(作詩)함. '一韻'. '詩成遣誰一'《白居易》. ⑮섞을 화, 탈 화 혼합함. '混一'. '五味六一'《禮記》.

字源 金文 咊 篆文 吥 形聲. 口＋禾〔音〕. '禾화'는 '會회'와 통하여 '만나다'의 뜻. 사람의 목소리와 목소리가 조화를 이루다, 화목하다의 뜻을 나타냄. 일설에는 金文이

木＋口이므로, '木목'이 군문(軍門)을 나타내며, 거기서 맹약(盟約)하여 화해하다의 뜻을 나타낸다고 함.

[和歌 화가] 가락에 맞추어 노래함.
[和姦 화간] 남녀(男女)가 서로 눈이 맞아서 관계(關係)함.
[和羹 화갱] ㉠여러 가지 양념을 하고 간을 맞춘 국. ㉡천자(天子)를 보좌하는 재상(宰相)의 직무.
[和羹鹽梅 화갱염매] 훌륭한 신하가 임금을 도와서 덕을 이루게 한다는 뜻.
[和謙 화겸] 온화하고 겸손함.
[和敬 화경] 온순하고 공경함.
[和光同塵 화광동진] 빛을 감추고 속진(俗塵)에 섞임. 곧, 자기의 뛰어난 재덕(才德)을 나타내지 않고 세속(世俗)을 따른다는 뜻.
[和寇 화구] 왜구(倭寇).
[和謹 화근] 온순하고 신중함.
[和氣 화기] ㉠화창(和暢)한 일기. ㉡온화(溫和)한 기색. 화락한 마음.
[和氣靄靄 화기애애] 온화(溫和)한 기색(氣色)이 넘쳐흐르는 모양.
[和吉 화길] 화목하고 길(吉)함.
[和暖 화난] 날씨가 화창하고 따뜻함.
[和南 화남]《佛教》합장(合掌)하여 예배함.
[和談 화담] 화해하자는 상의.
[和答 화답] 시가(詩歌)에 대하여 응답(應答)함.
[和同 화동] 화합(和合).
[和樂 화락] 함께 모여 사이좋게 즐김.
[和鸞 화란] 수레에 장식으로 단 방울.
[和鈴 화령] 방울.
[和理 화리] 화합하여 잘 다스려짐.
[和買 화매] 송(宋)나라의 제도에서 봄에 백성에게 국고금(國庫金)을 빌려 주고, 여름이나 가을에 그 대가로서 명주를 바치게 하던 일.
[和賣 화매] 팔 사람과 살 사람이 아무 이의(異議) 없이 팔고 삼.
[和睦 화목] 서로 뜻이 맞고 정다움.
[和穆 화목] ㉠화목(和睦). ㉡조화(調和)함.
[和門 화문] 군문(軍門).
[和附 화부] 부화뇌동(附和雷同)함.
[和尙 화상] 수행(修行)을 많이 한 중. 도(道)를 가르치는 중. 전(轉)하여, 중의 존칭(尊稱).
[和色 화색] 온화(溫和)한 안색(顏色).
[和聲 화성] ㉠소리에 맞춤. 또, 맞추는 소리. ㉡가락.
[和酬 화수] 남이 보낸 시(詩)에 화운(和韻)하여 보냄.
[和順 화순] ㉠고분고분하여 시키는 대로 잘 좇음. 온순함. ㉡기후(氣候)가 온화(溫和)함.
[和氏之璧 화씨지벽] 변화(卞和)가 초(楚)나라의 여왕(厲王)에게 바친 옥.
[和雅 화아] 온화하고 고상함.
[和樂 화악] 가락이 잘 맞는 음악.
[和顏 화안] 온화한 얼굴.
[和約 화약] ㉠화목하자는 약속. ㉡평화 조약.
[和弱 화약] 순하고 약함. 유약(柔弱)함.
[和懌 화역] 화열(和悅).
[和悅 화열] 마음이 화평(和平)하여 기쁨. 또, 마음을 화평하고 기쁘게 함.
[和韻 화운] 남이 지은 시의 운자(韻字)를 써서 답시(答詩)를 지음.

[和柔 화유] ㉠유순함. ㉡일기가 화창함. 따뜻함.
[和裕 화유] 온화하고 너그러움.
[和誘 화유] 온화한 안색으로 유도(誘導)함.
[和應 화응] 화답(和答)하여 응함.
[和議 화의] 화해(和解)하는 의론. 전쟁을 그만두자는 의론.
[和易 화이] 온화하고 까다롭지 않음.
[和而不同 화이부동] 남과 화목하게 지내기는 하지만, 의(義)를 굽혀서 좇지는 아니함.
[和適 화적] 기분이 상쾌함.
[和集 화집] 화목하게 모임.
[和輯 화집] 화목(和睦).
[和暢 화창] ㉠일기가 따뜻하고 맑음. ㉡마음이 온화(溫和)하고 상쾌함.
[和清 화청]《韓》음식에 꿀을 탐.
[和沖 화충] 화집(和輯).
[和衷 화충] 마음을 합함.
[和衷協同 화충협동] 마음과 힘을 합하여 일을 함.
[和親 화친] ㉠서로 의좋게 지냄. ㉡화해(和解).
[和平 화평] 평화(平和)함.
[和風 화풍] 화창(和暢)한 바람.
[和合 화합] 화목하게 합함. 또, 화목하여 합하게 함.
[和合神 화합신] 신(神)의 이름. 더벅머리에 웃는 얼굴이며 녹의(綠衣)를 입고 왼손에는 북을, 오른손에는 막대를 쥐고 있음. 혼례(婚禮)의 신임.
[和解 화해] 다툼질을 그치고 불화(不和)를 풂.
[和諧 화해] 화목(和睦).
[和協 화협] ㉠화합하여 마음이 맞음. ㉡가락을 맞춤.
[和好 화호] 사이가 좋음. 친함.
[和會 화회] 화해(和解).
[和煦 화후] 화창(和暢)㉠.
◉講和. 謙和. 繼和. 共和. 媾和. 琴瑟相和. 盜和. 蹈和. 敦和. 同而不和. 同和. 撫和. 微和. 卞和. 保和. 附和. 不和. 參和. 舒和. 燮和. 韶和. 屬和. 垂和. 修和. 酬和. 隨和. 純和. 淳和. 安和. 陽和. 煬和. 養和. 姸和. 連和. 燕和. 寧和. 影和. 溫和. 穩和. 雍和. 緩和. 雲和. 元和. 委和. 違和. 柔和. 融和. 應和. 韲和. 以和致和. 人和. 日和. 慈和. 煎和. 貞和. 靜和. 齊和. 調和. 中和. 衆和. 緝和. 地理不如人和. 執中含和. 倡和. 唱和. 淸和. 晴和. 趨和. 沖和. 親和. 沈和. 太和. 通和. 平和. 飽和. 閑和. 函和. 合和. 諧和. 協和. 浹和. 惠和. 混和. 渾和. 歡和. 滑和. 薰篪相和. 喧和. 休和. 洽和. 睎和.

[知] 〔지〕
矢部 三畫(p. 1557)을 보라.

5
⑧ **[咖]** [現] 가 kā

[字解] 커피 가, 카페인 가 '一啡'는 커피의 음역(音譯). '一啡因'은 카페인의 음역.

5
⑧ **[杏]** [一] 투 [去]宥 他侯切 pǒu
[二] 부 [上]有 普后切 pǒu

[字解] [一] ①침뱉을 투 남의 이야기가 마음에 못마땅해 침을 뱉어 부정(否定)함. '一, 相與語, 唾而不受也'《說文》. ②환할 투 透(辵部 七畫〈p. 2298〉)와 同字. [二] 침뱉을 부, 환할 부 [一]과 뜻이 같음.

[字源] 象形. 꽃잎의 본디 부드럽게 부풀어 있는 씨방의 모양을 본뜸.

5
⑧ **[咅]** 杏(前條)와 同字

5
⑧ **[舍]** [日] 〔사〕
舍(舌部 二畫〈p. 1883〉)와 同字

[參考]《日》일본에서 '舍'의 대용(代用)으로 쓰는 신자체(新字體)임.

5
⑧ **[命]** [中人] 명 [去]敬 眉病切 mìng 

[筆順] ノ 人 亼 亽 合 合 合 命

[字解] ①목숨 명 생명. '生一'. '壽一'. ②운수 명 운명. '知一'. '今又遇難於此, 一也'《史記》. ③분부 명 명령. 또, 교령(敎令). '矯一'. '子從父之一'《孝經》. ④말 명 사령(辭令). '於辭一則, 不能'《孟子》. ⑤가르침 명 교훈. 교회(敎誨). '聞一矣'《孝經》. ⑥이름 명 名(口部 三畫)과 同字. '亡一'. ⑦이름지을 명 '一名'. '黃帝能成一百物'《國語》. '因一曰胥山'《史記》. ⑧명할 명 명령을 내림. '乃一羲和'《書經》. ⑨줄 명 수여함. '天一之謂性'《中庸》. ⑩도 명 자연의 이수(理數). '維天之一'《詩經》. ⑪품계 명 주대(周代)의 관계(官階). 구등(九等)이 있음. '一服'. '一一而僂, 再一而傴'《史記》. ⑫성 명 성(姓)의 하나.

[字源] 甲骨文  金文  篆文  會意. 亼+卩+口. '亼집'은 '모으다'의 뜻. '卩절'은 무릎 꿇은 사람의 象形. 민중을 모아 말로 명령하다의 뜻을 나타냄. 특히 하늘이나 신, 군주(君主)가 아랫사람을 대하는 경우에 이름. 甲骨文은 亼+卩로 '令령'과 같은 자형. 또 하늘이 명한 목숨의 뜻도 나타냄.

[命輕於鴻毛 명경어홍모] 목숨이 기러기 털보다도 가볍다는 뜻으로, 임금이나 나라를 위하여는 목숨을 아낌없이 버린다는 뜻.
[命官 명관] 관리에 임명됨.
[命宮 명궁] ㉠사람의 생년월일시(生年月日時)와 방위(方位). ㉡십이궁(十二宮)의 하나. ㉢인상학(人相學)에서 양미간(兩眉間)을 일컫는 말.
[命根 명근] 생명의 근원(根源).
[命途 명도] 운명(運命).
[命令 명령] 윗사람이 아랫사람에게 내리는 분부.
[命脈 명맥] 목숨과 맥(脈). 전(轉)하여 목숨. 생명(生命).
[命脈所關 명맥소관] 병이나 상처가 중하여 목숨에 관계됨.
[命名 명명] 이름을 지음.
[命門 명문] 가슴의 한가운데의 오목하게 들어간 곳. 명치.
[命服 명복] 사(士)에서 상공(上公)에 이르는 일명(一命)으로부터 구명(九命)까지의 각 계급에 따른 일정한 제복(制服).
[命婦 명부] 대부(大夫)의 아내.
[命分 명분] 운명(運命). 운수(運數).
[命世 명세] 세상에서 이름이 있음. 세상에서 뛰어남. 일설(一說)에는 천명(天命)에 의하여 이 세상에 태어난 뜻이라고도 함.
[命世亞聖 명세아성] 일세(一世)에 뛰어난 성인

(聖人)의 다음가는 현인(賢人).
[命世之雄 명세지웅] 일세(一世)에 뛰어난 영웅.
[命世之才 명세지재] 일세(一世)에 뛰어난 인재(人才).
[命數 명수] ㉠운명(運命). ㉡수명(壽命).
[命緣義輕 명연의경] 소중한 목숨도 의(義)를 위하여서는 아끼지 않는다는 뜻.
[命運 명운] 명수(命數).
[命意 명의] 생각. 궁리.
[命長多辱 명장다욕] 오래 살면 욕되는 일이 많음. 수즉다욕(壽則多辱).
[命在頃刻 명재경각] 거의 죽게 되어서 목숨이 넘어갈 지경에 있음.
[命在天 명재천] 수명·운명은 하늘이 이미 정해 놓은 바로서 인력(人力)으로는 어찌할 도리가 없음.
[命題 명제] 판단(判斷)의 결과를 표시(表示)한 언사(言辭).
[命中 명중] 겨냥한 것을 바로 쏘아 맞힘.
●[命招 명초] 임금이 명령하여 신하(臣下)를 부름.

奸命. 看命. 竭命. 乾命. 乞命. 格命. 見危授命. 見危致命. 告命. 誥命. 顧命. 考終命. 官命. 光命. 教命. 矯命. 九命. 救命. 國命. 君命. 眷命. 貴命. 歸命. 寄命. 吉命. 落命. 樂命. 亂命. 內命. 來命. 祿命. 短命. 談命. 大命. 待命. 末命. 亡命. 面命. 微命. 薄命. 反命. 方命. 拜命. 百里命. 辟命. 報命. 寶命. 復命. 符命. 賦命. 奔命. 不辱君命. 丕命. 非命. 娉命. 聘命. 司命. 使命. 社命. 俟命. 辭命. 死生命. 三命. 上命. 生命. 胥命. 誓命. 惜命. 宣命. 性命. 續命. 受命. 殊命. 授命. 壽命. 宿命. 申命. 身命. 失命. 安命. 安心立命. 嚴命. 業命. 餘命. 年命. 延命. 捐命. 靈命. 佑命. 寅命. 優命. 殞命. 運命. 委命. 威命. 遺命. 恩命. 人命. 一命. 任命. 立命. 自命. 長命. 將命. 臧命. 謫命. 全命. 專命. 傳命. 竊命. 正命. 定命. 旌命. 制命. 帝命. 助命. 朝命. 詔命. 存命. 尊命. 終天命. 佐命. 主命. 重義輕命. 知命. 職命. 徵命. 竄命. 策命. 天命. 擅命. 天之明命. 請命. 寵命. 出命. 治命. 致命. 馳命. 勅命. 沈命. 託孤寄命. 誕命. 投命. 特命. 品命. 稟命. 下命. 衡命. 憲命. 革命. 懸命. 休命.

5 [周] ^高^入 주 ㉠尤 職流切 zhōu

[筆順] 丿 冂 刀 冂 用 円 周 周

[字解] ①두루 주 골고루. 널리. '一游'. '一知其名'《周禮》. ②두루미칠 주 빠짐없이 미침. '知一乎萬物'《易經》. ③찬찬할 주 면밀함. 치밀함. '一密'. '人主不可不一'《管子》. ④지극할 주 이위에 없음. '雖有一親, 不如仁人'《書經》. ⑤미쁠 주 신의가 있음. '君子一而不比'《禮記》. '行歸于一'《詩經》. ⑥둘레 주 주위. '一回'. '其一七十一萬四千里'《算經》. ⑦한 바퀴 돌 주 '一軍飯饗'《國語》. ⑧굳힐 주 굳게 함. 견고하게 함. '盟所以一信'《左傳》. ⑨진휼할 주 賙(貝部 八畫)와 同字. '一急'. '罷人不一'《詩經》. ⑩모퉁이 주 구석. '生于道一'《詩經》. ⑪한 나라 주 ㉠삼대(三代)의 하나. 무왕(武王) 발(發)이 은(殷)나라를 멸하고 세운 왕조(王朝). 성(姓)은 희(姬). 처음에 호경(鎬京), 곧 호(鎬)에 도

읍하였다가 후에 뤄양(洛陽)으로 천도(遷都). 건국한 지 38주(主) 867년 만에 진(秦)에게 망하였음.(B.C. 1050~256) ㉡남북조 시대(南北朝時代)의 북조(北朝)의 하나. 우문각(宇文覺)이 서위(西魏)의 뒤를 이어 세운 나라. 건국한 지 5주(主) 24년 만에 수(隋)나라에게 망하였음. 북주(北周)라고도 함.(556~581) ㉢오대(五代)의 하나. 곽위(郭威)가 후한(後漢)의 뒤를 이어 세운 나라. 3주(主) 9년 만에 송(宋)나라 태조(太祖)에게 망(亡)하였음. 후주(後周)라고도 함.(951~960) ⑫성 주 성(姓).

[字源] 甲骨文 金文 篆文 古文 周 [指事] 甲骨文은 네 모난 상자 또는 종(鐘) 따위의 기물(器物)에 조각(彫刻)이 온통 새겨져 있는 모양에서, '두루 미치다'의 뜻을 나타냄. 金文부터는 '口口'가 더해져서, 신경을 충분히 써서 기도하는 모양을 나타냄. 또 假借하여 '둘레'의 뜻도 나타냄. 《說文》은 用＋口의 會意로 봄.

[周甲 주갑] 61세의 일컬음. 환갑(還甲).
[周見 주견] 주람(周覽).
[周誥殷盤 주고은반] 주고(周誥)는 서경(書經)의 대고(大誥)·강고(康誥)·주고(酒誥)·소고(召誥)·낙고(洛誥)이고, 은반(殷盤)은 동서(同書)의 반경(盤庚)의 상(上)·중(中)·하(下) 삼편(三篇). 전(轉)하여, 은주(殷周)의 고전(古典).
[周孔 주공] 주공(周公)과 공자(孔子).
[周郭 주곽] 외곽(外郭).
[周求 주구] 두루 구함.
[周急 주급] 급박(急迫)한 사정(事情)에 빠진 사람을 구제(救濟)함.
[周給 주급] 두루 나누어 줌.
[周忌 주기] 사후(死後) 만 1년의 기일(忌日). 소기(小忌).
[周年 주년] 돌이 돌아온 한 해. 1주년.
[周到 주도] 주의(注意)가 두루 미치어 빈틈이 없음. 찬찬함.
[周道 주도] ㉠주(周)나라의 서울에 통하는 길. ㉡큰길. 대로(大路). ㉢주나라의 정령(政令).
[周敦頤 주돈이] 송대(宋代)의 유학자(儒學者). 도주(道州) 사람. 자(字)는 무숙(茂叔). 영도현(營道縣) 염계(濂溪) 가에서 세거(世居)하였으므로 세상에서 염계 선생(濂溪先生)이라 일컬음. 〈태극도설(太極圖說)〉·〈통서(通書)〉 등을 지어 이기학(理氣學)의 개조(開祖)가 됨. 정호(程顥)·정이(程頤) 형제는 모두 그의 제자임. 시호(諡號)는 원공(元公).
[周覽 주람] 두루 돌아다니며 봄. 주견(周見).
[周郞 주랑] 주유(周瑜).
[周歷 주력] 두루 거침. 두루 돌아다님.
[周禮 주례] 책명(冊名). 42권. '주관(周官)'이라고도 함. 주(周)나라 주공(周公) 단(旦)의 찬(撰)이라 전(傳)함. 천지(天地)와 춘하추동(春夏秋冬)에 상징(象徵)하여 천관(天官)·지관(地官)·춘관(春官)·하관(夏官)·추관(秋官)·동관(冬官)의 육관(六官)으로 나누어, 이에 속하는 직장(職掌)을 자세히 기록하였음. 한(漢)나라의 정현(鄭玄)의 주(註)와 당(唐)나라의 가공언(賈公彦)의 소(疏)가 있음.
[周流 주류] ㉠널리 유포(流布)함. 보급됨. ㉡두루 돌아다님. 주편(周徧).
[周利 주리] 이익을 도모(圖謀)하는 데 용의주도

(用意周到) 함.
[周袤 주무] 둘레. 주위.
[周密 주밀] ㉠무슨 일에든지 빈구석이 없고 자세함. ㉡생각이 찬찬함.
[周邊 주변] 주위 (周圍)의 가장자리.
[周普 주보] 두루 미침. 빠짐없이 미침.
[周備 주비] 두루 갖춤. 또, 두루 갖추어 있음.
[周庠 주상] 주대 (周代)의 학교.
[周書 주서] 중국 정사 (正史)의 하나. 당 (唐)나라 영호덕분 (令狐德棻) 등의 찬 (撰). 모두 50권. 북주 (北周) 시대의 일을 기술하였음. 북주서 (北周書).
[周旋 주선] ㉠빙빙 돎. 왔다 갔다 함. ㉡기거동작 (起居動作). ㉢뒤쫓아감. 서로 쫓고 쫓김. ㉣돌보아 줌.
[周召 주소] 주 (周)나라의 주공 단 (周公旦)과 소공 석 (召公奭). 모두 성왕 (成王)을 도운 사람임. 또, 그 자손 (子孫).
[周悉 주실] 두루 미침.
[周易 주역] 오경 (五經)의 하나. 주대 (周代)에 문왕 (文王)·주공 (周公)·공자 (孔子)에 의하여 대성 (大成)한 역학 (易學). 또, 그 책. 9권. 위 (魏)나라의 왕필 (王弼)의 주 (註), 당 (唐)나라의 이정조 (李鼎祚)의 집해 (集解) 등이 있음. 역경 (易經).
[周緣 주연] 주위의 가장자리.
[周燕 주연] '두견 (杜鵑)'의 별칭.
[周圓 주원] 주위 (周圍).
[周圍 주위] 둘레.
[周遊 주유] 두루 돌아다니며 놂.
[周瑜 주유] 삼국 시대 (三國時代)의 오 (吳)나라의 무장 (武將). 자 (字)는 공근 (公瑾). 손책 (孫策)을 도와 강동 (江東)을 평정하였는데, 오중 (吳中) 사람들이 모두 그를 주랑 (周郞)이라 불렀음. 후에 조조 (曹操)를 적벽 (赤壁)에서 격파하여 편장군 (偏將軍)으로 승진하고 남군 (南郡)의 태수 (太守)가 됨.
[周率 주율] 원주율 (圓周率).
[周衣 주의] 《韓》두루마기.
[周章 주장] ㉠당황함. 또 당황하는 모양. ㉡두루 다니며 놂.
[周全 주전] 빈틈없이 완전함.
[周濟 주제] ㉠널리 달통 (達通)함. ㉡널리 두루 구제함.
[周知 주지] 여러 사람이 두루 앎. 또 여러 사람이 두루 알게 함.
[周紙 주지] 두루마리.
[周遮 주차] 말이 많은 모양.
[周察 주찰] 두루 살핌.
[周尺 주척] 《韓》자의 한 가지. 한 자가 곡척 (曲尺)으로 여섯 치 육 푼이 됨.
[周天 주천] ㉠해·달·별이 궤도 (軌道)를 일주함. ㉡하늘의 둘레.
[周緻 주치] 치밀함.
[周親 주친] 지친 (至親).
[周徧 주편] 두루 돌아다님.
[周行 주행] ㉠두루 다님. ㉡큰길. 대로 (大路). 일설 (一說)에는 주 (周)나라 조정 (朝廷)의 열위 (列位).
[周環 주환] 빙 두름.
[周回 주회] ㉠빙 두름. ㉡둘레. 주위.
●孔周. 匡周. 東周. 北周. 不周. 比周. 四周. 西周. 成周. 廬周. 列周. 外周. 圓周. 宗周.

編周. 回周. 環周. 姬周.

5⑧ [呰] 자 ㉠支 才支切 cī ㉡紙 將此切 zǐ

[字解] ①흠 자 疵 (疒部 五畫)와 통용. ②헐뜯을 자 訾 (言部 五畫)와 同字. '閻尹一, 礙我明德'《漢書》. ③약할 자, 게으를 자 연약함. 일설 (一說)에는 나태함. '地勢饒食, 無飢饉之患, 以故一窳偸生'《史記》.
[字源] [篆文 呰] 形聲. 口+此〔音〕. '此차'는 '어긋나다'의 뜻. 또 '疵자'와 통하여 '상처, 흠'의 뜻. '흠'의 뜻을 나타냄. 또 입으로 사람에게 상처를 주다, 헐뜯다의 뜻을 나타냄.

5⑧ [咎] 人名 ㉠㉠구 ㉡有 其九切 jiù ㉡고 ㉠豪 古勞切 gāo

[字解] ㉠①허물 구 죄과 (罪過). '微我有一'《詩經》. ②재앙 구 재화. '一殃' '天降之一'《書經》. ③미움 구 증오. '蒙怨一, 欺舊交'《戰國策》. ④미워할 구 증오함. '殷始一'《書經》. ⑤나무랄 구 책망함. '旣往不一'《論語》. ⑥성 구 성 (姓)의 하나. ※'구' 음은 인명자로 쓰임. ㉡성 고 성 (姓)의 하나. 皋 (自部 六畫)와 同字. '一繇作士'《漢書》.
[字源] [篆文 㓝] 會意. 人+各. '각각'은 '格격'과 통하여 '이르다'의 뜻. 신에게서 사람에게 이르는 재앙의 뜻을 나타냄.

[咎繇 고요] '고요 (皋陶)'와 같음.
[咎戒 구계] 나무라고 경계 (警戒)함.
[咎戾 구려] 죄과 (罪科).
[咎殃 구앙] 재앙 (災殃). 재화 (災禍).
[咎徵 구징] 천벌 (天罰)의 징조. 임금의 악행에 대한 경계로서 일어나는 천변지이 (天變地異).
[咎應 구응] 재앙. 재화 (災禍).
[咎悔 구회] ㉠남에게 힐책을 당하여 후회함. 또는, 자기 자신을 나무라고 후회함. ㉡재앙 (災殃). 재화.
●譴咎. 歸咎. 棄咎. 旣往不咎. 速咎. 誰咎. 殃咎. 憂咎. 怨咎. 遺咎. 引咎. 呰咎. 災咎. 謫咎. 天咎. 天與不取及受其咎. 招咎. 追咎. 書咎. 患咎. 悔咎. 後咎. 休咎. 凶咎. 釁咎.

6⑨ [品] 中人 ㉠品 ㉡寢 丕飮切 pǐn

[筆順] 丨 冂 口 口 口 吕 吕 品 品

[字解] ①가지 품 종류. '厥貢惟金三一'《書經》. ②뭇 품 온갖. 갖가지. '一物流形'《易經》. ③물건 품 '一種'. '籩豆之實, 水土之一也'《禮記》. ④품수 품 물품의 등급·품격의 고하 등. '上一' '人一' '一不遜'《書經》. ⑤벼슬차례 품 관위 (官位)의 차서. '一秩'. '外官不過九一'《國語》. ⑥법 품 법식. '一程'. '制作儀一'《漢書》. ⑦수 품 정수 (定數). '滿一者'《漢書》. ⑧가지런히할 품 제일 (齊一)하게 함. '其百簿'《國語》. ⑨같을 품 동일함. '百里爲一'《漢書》. ⑩성 품 성 (姓)의 하나.
[字源] [甲骨文 㗊][金文 㗊][篆文 品] 會意. 기물 (器物)을 본뜬 '口구' 셋을 합쳐서, 저마다의 개성을 지닌 물건의 뜻을 나타냄.

[品鑒 품감] 인물 (人物)의 고하를 감별 (鑑別)함.

[品格 품격] 사람된 바탕과 타고난 성질(性質). 품성(品性)과 인격(人格).
[品階 품계] 직품(職品)과 관계(官階).
[品官 품관] 벼슬아치. 관리(官吏). 관위(官位)를 구품(九品)으로 나누었으므로 이름.
[品等 품등] 품질과 등급(等級).
[品劣 품렬] 품성(品性)이 낮음.
[品例 품례] 등급의 제정.
[品類 품류] 물건의 갖가지 종류.
[品命 품명] 등급. 특히 관등(官等).
[品目 품목] ㉠명칭. 제목(題目). ㉡품평(品評). ㉢종목(種目). 품류(品類).
[品物 품물] ㉠만물(萬物). ㉡물품.
[品味 품미] 음식. 찬(饌).
[品詞 품사] 단어를 그 성질·직능에 따라 종류(種類)를 나눈 말.
[品庶 품서] 백성. 서민(庶民).
[品性 품성] 개인(個人)이 가지고 있는 품격(品格)과 성질(性質).
[品式 품식] 법(法). 규칙.
[品位 품위] ㉠품격(品格). ㉡직품(職品)과 지위(地位). 자리.
[品字坐 품자좌] 세 사람이 품자(品字) 모양으로 상대하여 앉음. 정좌(鼎坐).
[品裁 품재] 재량(裁量)하여 구별함.
[品節 품절] 등차(等差)를 세움.
[品程 품정] 법(法). 법칙. 법도(法度).
[品制 품제] 위계(位階). 등급(等級).
[品第 품제] 품평(品評).
[品藻 품조] 품평(品評).
[品族 품족] 문벌(門閥).
[品種 품종] 물품(物品)의 종류.
[品秩 품질] 관계(官階)와 봉급.
[品質 품질] 물품의 성질.
[品評 품평] 물품의 등급을 평정(評定)함.
[品覈 품핵] 구별을 하여 조사함.
[品行 품행] 몸가짐. 행실(行實).
[品彙 품휘] 품류(品類).
◉佳品. 甄品. 景品. 科品. 九品. 區品. 羣品. 極品. 金品. 奇品. 氣品. 納品. 能品. 目品. 妙品. 門品. 物品. 班品. 部品. 備品. 三品. 上品. 商品. 賞品. 生品. 庶品. 性有三品. 性品. 小品. 殊品. 神品. 新品. 藥品. 良品. 量品. 榮品. 靈品. 五品. 腰品. 員品. 遺品. 儀品. 異品. 彝品. 人品. 一品. 逸品. 資品. 作品. 贓品. 在庫品. 戰利品. 銓品. 切品. 絶品. 程品. 精品. 題品. 製品. 粗品. 條品. 中品. 珍品. 眞品. 差品. 千品. 賤品. 淸品. 評品. 廢品. 筆有三品. 下品. 寒品. 現品. 鴻品. 華品.

6 ⑨ [咠] 집(즙[本]) [入]緝 七入切 qì

[字解] ①소곤거릴 집 '一, 聶語也'《說文》. ②참소할 집 남을 헐뜯음. '一一, 譖言也'《廣韻》.
[字源] 篆文 會意. 口+耳. 입을 귀에 대고 말하다의 뜻. '소곤거리다'의 뜻을 나타냄.

6 ⑨ [咢] 악 [入]藥 五各切 è

[字解] ①놀랄 악 愕(心部 九畫)과 同字. '湛露興徒一'《馬祖常》. ②북칠 악 노래는 하지 않고 북만 침. '徒擊鼓, 謂之一'《爾雅》. '或歌或一'《詩經》. ③높을 악 높은 모양. '冠一一其映蓋兮'《張衡》. ④곧은말할 악 諤(言部 九畫)과 同字. '一一黃髮'《漢書》. ⑤칼날 악 鍔(金部 九畫)와 同字.
[字源] 甲骨文 金文 篆文 形聲. 吅+屰〔音〕. 甲骨文은 뽕나무에 기도하는 쪽지를 많이 붙인 모양을 본떠, 시끄럽게 빌어서 놀라게 하다의 뜻을 나타냄. 뒤에 변형되어, 음부(音符)인 '屰역'을 더하여 형성 문자가 됨.

[咢咢 악악] ㉠직언(直言)하여 다투는 모양. ㉡관(冠)이 높고 엄숙한 모양.

6 ⑨ [咀] 〔수〕 雖(隹部 九畫〈p.2487〉)의 俗字

6 ⑨ [咫] [人名] 지 [上]紙 諸氏切 zhǐ

[字解] 여덟치 지 주대(周代)의 척도(尺度)에서, 8촌(寸)의 길이의 일컬음. '一尺'. '其長尺有一'《國語》. 전(轉)하여 짧음. 또 짧은 거리. '一尺之書'. '天威不違顏一尺'《左傳》. 또 작음. 적음. 사소(些少)함. '一尺之地'. '抱一尺之義'《史記》.
[字源] 篆文 形聲. 尺+只〔音〕. '只지'는 '8촌(寸)'의 뜻. '尺척'을 더하여, 길이 여덟 치의 뜻을 나타냄.

[咫步 지보] 얼마 안 되는 걸음. 조금의 행보.
[咫尺 지척] ㉠여덟 치와 한 자. 전(轉)하여, 가까운 거리. ㉡협소(狹小)함. ㉢짧음. ㉣근소(僅少)함.
[咫尺不辨 지척불변] 《韓》 매우 어두워서 가까운 곳도 분변(分辨)하지 못함. 불변지척(不辨咫尺).
[咫尺之書 지척지서] 짧은 서신(書信). 척서(尺書).
[咫尺之義 지척지의] 사소(些少)한 도의(道義).
[咫尺之地 지척지지] ㉠협소한 땅. 아주 작은 땅. ㉡《韓》 매우 가까운 곳.
[咫尺千里 지척천리] 《韓》 서로 가까이 있으면서도 소식(消息)이 막히어 멀리 떨어져 있음과 같다는 말.
[咫尺天顏 지척천안] 천자(天子)를 배알(拜謁)함.

6 ⑨ [咡] 이 [去]寘 仍吏切 èr

[字解] ①입가 이 입의 언저리. '負劍辟一詔之'《禮記》. ②입 이 '循一覆手'《管子》.
[字源] 形聲. 口+耳〔音〕

6 ⑨ [呴] 후 ①[上]有 呼后切 hǒu ②③[去]宥 胡口切 hòu

[字解] ①호통칠 후 몹시 화를 내는 소리. '一, 厚怒聲'《說文》. ②토할 후 구역질이 남. '一, 欲吐也'《廣韻》. ③부끄럼 후 치욕(恥辱). '皇皇唯敬, 口生一'《大戴禮》.
[字源] 形聲. 口+后〔音〕

6 ⑨ [咤] [人名] 타 [去]禡 陟駕切 zhà, ④chà

[字解] ①꾸짖을 타 질책함. 또, 그 소리. '項王喑啞叱─'《史記》. ②입맛다실 타 입맛을 쩍쩍 다시며 먹음. '毋─食'《禮記》. ③슬퍼할 타 비탄함. '怛─糜肝肺'《蔡琰》. ④자랑할 타 詫(言部 六畫)와 同字. '轉相誇─'《後漢書》.
[字源] [篆文] 形聲. 口+宅〔音〕. '宅택'은 혀를 차는 소리를 나타내는 의성어. 吒(口部 三畫)가 本字. '吒'를 보라.

[咤食 타식] 입맛을 쩍쩍 다시며 먹음.
[咤叱 타질] 꾸짖음. 질책함.
◉憤咤. 悲咤. 肆咤. 嘯咤. 啞咤. 叱咤. 歎咤. 恨咤. 赫咤.

6 ⑨ [咥] [一] 희 [去]寘 虛器切 xì
[二] 질 [入]屑 徒結切 dié

[字解] [一] 웃을 희 허허 웃는 모양. '─其笑矣'《詩經》. [二] 깨물 질 물어뜯음. '履虎尾, 不─人, 亨'《易經》.
[字源] [篆文] 形聲. 口+至〔音〕. '至지'는 웃음소리를 나타내는 의성어. '크게 웃다'의 뜻을 나타냄.

[咥咥 희희] 허허 웃는 모양. 또, 허허 웃는 소리.

6 ⑨ [咩] 미 [上]紙 迷爾切 miē

[字解] 양울 미 양(羊)이 울.
[字源] 會意. 口+羊. '양이 울다'의 뜻을 나타냄.

6 ⑨ [咪] 미 [上]紙 迷爾切 ①miē, ②mī

[字解] ①양울 미 咩(前條)와 同字. ②《現》 미터 미 미터의 구역자(舊譯字). 米(部首)와 同字.
[字源] 形聲. 口+米〔音〕

6 ⑨ [咬] [人名] 교 ①[平]肴 於交切 yāo
②[平]肴 古肴切 jiāo
③[上]巧 五巧切 yǎo

[字解] ①음란한소리 교 음탕한 소리. '─哇'. '実者─者'《莊子》. ②지저귈 교 새가 지저귀는 소리. '─弄好音'《古詩》. ③씹을 교 입에 넣어 깨묾. '人能─得菜根, 則百事可做'《小學》.
[字源] 形聲. 口+交〔音〕. '交교'는 새 울음소리의 의성어(擬聲語). 또, '齩교'와 통하여 '씹다'의 뜻도 나타냄.

[咬咬 교교] 새가 지저귀는 소리.
[咬得菜根百事可做 교득채근백사가주] 나물 뿌리를 캐어 먹으면 백 가지 일을 다 할 수 있음. 곧, 조식(粗食)을 달게 여기고 참으면 어떤 일이든 다 성취(成就)한다는 뜻으로, 백성(百姓)들의 안일(安逸)을 경계(警戒)한 말.
[咬裂 교열] 물어뜯어 찢음.
[咬哇 교왜] 음란한 소리. 음란한 음악.
[咬菜 교채] 신고(辛苦)함.

6 ⑨ [咱] [一] 찰 [入]曷 子葛切 zá
[二] 차 [平]麻 茲沙切 zán

[字解] [一] 나 찰 자기 자신. '俗稱自己爲─'《篇海》. [二] 나 차 [一]과 뜻이 같음.
[字源] 會意. 口+自. '自자'는 '자기, 나'의 뜻. '口구'를 더하여, 북방(北方)의 속어(俗語)임을 보임.

6 ⑨ [咮] 주 [去]宥 陟救切 zhòu

[字解] ①부리 주 새의 주둥이. '維鵜在梁, 不濡其─'《詩經》. ②별이름 주 이십팔수(二十八宿)의 하나인 유(柳)의 별칭(別稱). '─, 謂之柳'《爾雅》.
[字源] [篆文] 形聲. 口+朱〔音〕. '朱주'는 '빨간빛'의 뜻. '붉은 부리'의 뜻을 나타냄.

6 ⑨ [咯] [一] 각 [入]藥 剛鶴切 gè, ②kǎ
[二] 락 [入]藥 歷各切 luò

[字解] [一] ①울 각 꿩 우는 소리. ②뱉을 각 토함. '─血'. '咯, 今本艸醫方作─'《正字通》. [二] 말다툼할 락 언쟁함.
[字源] 形聲. 口+各〔音〕. '各각'은 물건을 칵 뱉는 소리를 나타내는 의성어.
[參考] 속(俗)에 喀(口部 九畫)의 略字로 잘못 쓰임.

[咯血 각혈] 피를 토함. 객혈(喀血).

6 ⑨ [咳] [人名] 해 ①[平]灰 戶來切 hái
②[去]隊 苦代切 ké

[字解] ①방긋웃을 해 어린애가 웃음. '不可以告─嬰之兒終日'《史記》. ②기침 해 해소. 欬(欠部 六畫)와 同字. '─嗽'. '不敢噦噫嚏─'《禮記》.
[字源] [篆文] [古文] 形聲. 口+亥〔音〕. 古文은 子+亥〔音〕. '亥해'는 어린애의 웃음소리, 기침 소리의 의성어(擬聲語).

[咳嗽 해수] 기침.
[咳嬰 해영] 겨우 웃을 줄 아는 영아(嬰兒). 유아(幼兒).
[咳喘 해천] 기침.
[咳唾 해타] ㉠기침과 침. ㉡기침과 침이 말할 때 나오므로, 전(轉)하여 어른의 말의 경칭(敬稱). 말씀.
[咳唾成珠 해타성주] ㉠기침과 침이 모두 주옥(珠玉)이 된다는 뜻으로, 권세(權勢) 있는 사람의 말이 잘 통(通)함을 이름. ㉡시문(詩文)의 재주가 있음을 이름.
[咳咳 해해] 어린애가 방긋 웃는 모양.
◉謦咳. 奇咳. 勞咳. 癆咳. 嚏咳.

6 ⑨ [㗊] 령 [平]青 郎丁切 líng

[字解] ①많은새 령 '─, 衆鳥也'《廣韻》. ②많은 소리 령 여러 사람의 소리. '─, 衆聲也'《類篇》.

6 ⑨ [咷] 도 [平]豪 徒刀切 táo

[字解] 울 도 호읍(號泣)함. '先號─而後笑'《易經》.
[字源] [篆文] 形聲. 口+兆〔音〕. '兆조'는 '터져 갈라지다'의 뜻. 입이 갈라질 듯이 아이가 울부짖다의 뜻을 나타냄.

6 ⑨ [咶] [一] 활 [入]黠 下刮切 huài
[二] 지 [上]紙 善指切 shì

[字解] [一] 숨 활 콧숨. '悒殟絶兮, ─復蘇'《楚

辭》. 二 핥을 지 舐(舌部 四畫)와 同字. '十口之家, 十人一鹽'《管子》.

字源 形聲. 口+舌〔音〕. '舌괄'은 생생하게 흘러나오다의 뜻. 입 안을 흐르는 '숨'의 뜻을 나타냄.

6
⑨ [咭] 一 힐 ㊀質 許吉切 xī
二 길 ㊀質 巨吉切 jī
三 갈 ㊀黠 恪八切 qià

字解 一 웃을 힐 웃는 모양. '一, 笑皃'《玉篇》. 二 웃을 길 一과 뜻이 같음. 三 쥐우는소리 갈 '一, 鼠鳴'《廣韻》.

6
⑨ [咾] 로 ㊤晧 魯晧切 lǎo

字解 목소리 로 '一, 聲也'《集韻》.

6
⑨ [咺] 훤 ㊤阮 況晚切 xuǎn 

字解 ①울 훤 어린아이가 계속 욺. '一, 朝鮮謂兒泣不止曰一'《說文》. ②의젓할 훤 위의(威儀)가 드러난 모양. '赫兮一兮'《詩經》.

字源 篆文  形聲. 口+亘〔音〕. '亘환'은 '시끄럽다'의 뜻. 아이가 시끄럽게 계속 울다의 뜻을 나타냄.

◉嘽咺.

6
⑨ [咻] 一 휴 ㊥尤 許尤切 xiū
二 후 ㊦遇 吁句切 xù 

字解 一 ①신음소리 휴. ②지껄일 휴 떠듦. '一齊人傅之, 衆楚人一之'《孟子》. 二 따스히할 후 김을 불어 따뜻하게 함. 呴(口部 五畫)와 통용. '風氣之所一'《蘇軾》.

字源 形聲. 口+休〔音〕. '休휴'는 입을 오므리고 목 안쪽으로부터 휴 하고 내는 소리를 나타내는 의성어(擬聲語). '口구'를 더해, 신음 소리, 입김을 불어 따뜻하게 하다의 뜻을 나타냄.

[咻咻 후후] ㉠김으로 물건을 따뜻하게 하는 모양. ㉡호흡하는 모양.
[咻咻 휴휴] 시끄러운 모양.
◉噢咻. 楚人咻. 咆咻. 呀咻.

6
⑨ [咽] 人名 一 인 ㊥先 烏前切 yān
(①②연㊍) ㊥眞 於巾切 yīn
二 연 ㊦霰 於甸切 yàn
三 열 ㊀屑 烏結切 yè 

字解 一 ①목구멍 인 인후(咽喉). '搤一拊背'. '餐未及下一'《史記》. ②목 인 요해처. '韓, 天下之一喉'《戰國策》. ③북칠 인 북을 빨리 치는 소리. '鼓一一'《詩經》. 二 삼킬 연 꿀떡 삼킴. 嚥(口部 十六畫)과 同字. '一下'. '三一, 然後耳有聞, 目有見'《孟子》. 三 ①막힐 열 ㉠충색(充塞)함. '雲霞充一'《新序》. ㉡숨이 막힘. '見有病一塞者'《後漢書》. ②목멜 열 목이 메어 소리가 막힘. '嗚一'. '哭無聲兮聲將一'《蔡琰》. ※'인·열' 음은 인명자로 쓰임.

字源 篆文  形聲. 口+因〔音〕. '因인'은 '의지하다'의 뜻. 음식이나 호흡이 그 곳을 의지할 곳으로 삼는 입의 부분, '목구멍'의 뜻을 나타냄. 또 입성(入聲)일 때에는, 물건이 목구멍에 걸려 목이 메다의 뜻을 나타냄.

[咽下 연하] 삼킴.
[咽塞 열색] 병(病)으로 인하여 숨이 막힘.
[咽領 인령] 목구멍과 목덜미. 전(轉)하여 목. 급소(急所). 요해처(要害處).
[咽咽 인인] 빨리 치는 북소리.
[咽喉 인후] 목구멍. 전(轉)하여 목. 급소(急所). 요해처(要害處).
[咽喉之地 인후지지] 목. 요해처(要害處).
◉感咽. 乾咽. 哽咽. 嬌咽. 窮咽. 斷咽. 凍咽. 悲咽. 啞咽. 哀咽. 扼襟掩咽. 搤咽. 掩咽. 聯咽. 嗚咽. 嘔咽. 擁咽. 猥咽. 怨咽. 委咽. 呦咽. 幽咽. 嚼咽. 塡咽. 慘咽. 充咽. 呑咽. 下咽. 含咽. 喉咽.

6
⑨ [咿] 이 ㊥支 於脂切 yī 

字解 ①선웃음칠 이 억지로 웃음. '喔一'. '喔一嚅唲, 以事婦人乎'《楚辭》. ②글읽는소리 이 '一唔, 讀書聲也'《類書纂要》.

字源 形聲. 口+伊〔音〕. '伊이'는 말로서 분절(分節)되기 전의 목소리를 나타내는 의성어.

[咿啞 이아] ㉠어린아이가 말을 배우는 소리. ㉡노(櫓)가 삐걱삐걱하는 소리.
[咿喔 이악] ㉠닭 같은 것이 우는 소리. ㉡아첨하여 웃는 소리. ㉢노(櫓)를 젓는 소리.
[咿軋 이알] 수레바퀴가 구를 때 삐걱거리거나 배의 노를 저을 때 삐걱삐걱하는 소리.
[咿嚶 이앵] 이아(咿啞)㉠.
[咿唔 이오] 글 읽는 소리.
[咿嗢 이온] 말이 잘 통하지 않는 모양.
[咿嚘 이우] 탄식함.
[咿呦 이유] ㉠사슴이 우는 소리. ㉡이야기하는 소리.
[咿咿 이이] ㉠벌레가 우는 소리. ㉡닭 같은 것이 우는 소리. ㉢소리를 내는 모양. 소리가 들리는 모양.
◉哢咿. 呻咿. 啞咿. 喔咿. 唔咿. 嗚咿. 嗢咿. 郁咿. 嗟咿.

6
⑨ [哃] 동 ㊥東 徒紅切 tóng

字解 허풍떨 동 '一嗵'은 큰소리침. 허풍. '一嗵, 大言'《廣韻》.

6
⑨ [哂] 신 ㊤軫 式忍切 shěn 

字解 웃을 신 ㉠미소함. 빙그레 웃음. '夫子一之'《論語》. ㉡조소함. 비웃음. '一笑'. '爲後代所一'《晉書》.

字源 形聲. 口+甄〈省〉〔音〕. '甄진'은 오지그릇을 굽는 '가마'의 뜻. 도자기 가마처럼 입을 크게 벌리고 웃다의 뜻을 나타냄.

[哂納 신납] '소납(笑納)'과 같음.
[哂笑 신소] 비웃음. 조소함.
[哂歎 신탄] 웃음과 탄식.
◉微哂. 鼻哂. 笑哂. 嘲哂. 衆哂. 銜哂. 後代哂.

6
⑨ [哄] 人名 홍 ㊦送 胡貢切 hòng 

字解 떠들썩할 홍 여럿이 떠들썩하게 내는 소리. '一笑'.

字源 形聲. 口+共〔音〕. '共공'은 '크다'의 뜻. '口구'를 더하여 '술렁거리다'의 뜻을 나타냄.

[哄堂 홍당] 한자리에 모인 여러 사람이 한꺼번에 떠들썩하게 웃음. 모두 대소(大笑)함.
[哄動 홍동] 여러 사람이 지껄여서 떠들썩함.
[哄笑 홍소] 껄껄 웃음. 떠들썩하게 웃음.
[哄然 홍연] 껄껄 웃는 모양. 떠들썩하게 웃는 모양.
[哄唱 홍창] 떠들썩하게 노래를 부름.
● 嗁哄.

6
⑨ [唪] 〔군〕
君(口部 四畫〈p. 357〉)의 古字

6
⑨ [哆] 〓 차 ⑪馬 昌者切 chǐ
　　　 〓 치 ⑪紙 尺氏切 chǐ
字解 〓 입술처질 차 입술이 아래로 처짐. '口─頰重出'《王愷》. 〓 ①입딱벌릴 치 '食飲噓─'《蔡讓》. ②클 치 '─兮侈兮'《詩經》. ③간사할 치 성질이 간교하고 바르지 못함. '妖艷邪─之言'《孫復》. ④많을 치 중다(衆多)함. '─然外齊侯也'《穀梁傳》.
字源 篆文 哆 形聲. 口+多〔音〕. '多다'는 '많다'의 뜻. 말수가 많다, 멋대로 말하다의 뜻을 나타냄. 또, '多'는 '크게 늘어지다'의 뜻. 입술이 크게 처진 입, 입을 딱 벌리다의 뜻도 나타냄.

[哆然 치연] 많은 모양.
● 喬哆.

6
⑨ [哇] 〓 왜 ⑪佳 於佳切 wā
　　　 〓 화 ⑪佳 獲媧切 huá
　　　 〓 와 ⑪麻 烏瓜切 wā
字解 〓 ①음란한소리 왜 음탕한 소리. 또, 음란한 음곡(音曲). '淫─'. '中正煩雅、多─則鄭'《揚子法言》. ②게울 왜 토함. '出而─之'《孟子》. 〓 막힐 화 목구멍이 막힘. '屈服者其嗌言若─'《莊子》. 〓 ①아이소리 와 소아(小兒)의 떠드는 소리. '小兒─不美'《黃庭堅》. ②웃을 와 웃는 소리. '言唯唯、笑──'《元包經》.
字源 篆文 哇 形聲. 口+圭〔音〕. '圭'는 개구리 울음소리의 의성어. 개구리의 울음소리와 같은 음란한 소리의 뜻을 나타냄.

[哇哇 와와] ㉠어린아이들의 떠들썩한 소리. ㉡웃는 소리.
[哇咬 왜교] 음란한 소리.
[哇俚 왜리] 천덕스러운 말. 상스러운 말.
● 咬哇. 流哇. 淫哇.

6
⑨ [哈] 〔人名〕 합 ⑧合 呼合切 hē
字解 마실 합 입을 대고 마심. '嘗──水, 而甘苦知矣'《淮南子》.
字源 形聲. 口+合〔音〕. '合합'은 '맞추다'의 뜻. 입을 대고 마시다의 뜻을 나타냄.

6
⑨ [恟] 흉 ⑩東 呼公切 xiōng
字解 큰소리 흉 대성(大聲). 또, 큰 소리로 외

치는 모양. '功之難立也, 其必由──耶'《呂氏春秋》.
字源 形聲. 口+匈〔音〕

[恟恟 흉흉] 큰 소리. 대성(大聲). 또, 큰 소리로 외치는 모양.

6
⑨ [哭] 〔소〕
笑(竹部 四畫〈p. 1655〉)의 古字
字源 形聲. 口+芙〔音〕. '芙소'는 '웃다'의 뜻. '芙'가 '笑소'로 변형됨. 뒤에, 다시 '口구'를 더함. '笑소'의 古字.

6
⑨ [咲] 哭(前條)의 俗字

6
⑨ [唥] 〔린〕
吝(口部 四畫〈p. 358〉)의 俗字

6
⑨ [哀] 〔中入〕 애 ⑦灰 烏開切 āi
筆順 一 亠 亠 亠 亐 亐 亐 亐 哀
字解 ①서러울 애 슬픔. '─話'. '鰥寡─哉'《書經》. ②슬퍼할 애 서러워함. '─而不傷'《論語》. ③민망히여길 애 딱하게 여김. '─矜'. '─其窮而運轉之'《韓愈》. ④복 애 상중(喪中). '居─'. '崇喪遂─'《史記》. ⑤슬픔 애 비애. '餘─'. '─樂失時'《左傳》. ⑥성 애 성(姓)의 하나.
字源 金文 哀 篆文 哀 形聲. 口+衣〔音〕. '衣의'는 '걸치다'의 뜻. 동정(同情)의 목소리를 서로 한데 모으는 모양에서, '슬퍼하다, 서러워하다, 민망히 여기다'의 뜻을 나타냄.

[哀歌 애가] 슬픈 노래.
[哀家梨 애가리] 말릉(秣陵)의 애가(哀家)에 있었다고 하는 대단히 맛이 좋은 큰 배. 전(轉)하여 진미(珍味).
[哀乞 애걸] 슬프게 하소연하여 빎.
[哀乞伏乞 애걸복걸] 연방 굽실거리며 애걸함. 절을 하며 애걸(哀乞)함.
[哀慶 애경] 슬픈 일과 경사(慶事)스러운 일.
[哀苦 애고] 슬픔과 괴로움.
[哀曲 애곡] 슬픈 곡조(曲調).
[哀哭 애곡] 슬프게 욺.
[哀眷 애권] 불쌍히 여겨 돌봄.
[哀矜 애긍] 불쌍하게 여김.
[哀悼 애도] 사람의 죽음을 서러워함.
[哀樂 애락] 슬픔과 즐거움.
[哀憐 애련] 애긍(哀矜).
[哀誄 애뢰] 제문(祭文).
[哀慕 애모] 죽은 사람을 슬퍼하며 사모(思慕)함.
[哀愍 애민] 애긍(哀矜).
[哀憫 애민] 애민(哀愍).
[哀史 애사] 슬픈 역사(歷史). 또, 불행한 신상(身上) 이야기.
[哀絲豪竹 애사호죽] 관현(管絃)의 소리가 비장(悲壯)하여 사람을 감동시킴을 이름.
[哀酸 애산] 몹시 슬퍼함.
[哀傷 애상] 죽은 사람을 생각하고 마음이 매우 상(傷)함.
[哀惜 애석] 슬퍼하고 아깝게 여김.

[哀訴 애소] 슬프게 호소(呼訴)함. 탄식하며 하소연함.
[哀愁 애수] 가슴에 스며드는 슬픈 시름.
[哀哀 애애] 슬퍼하는 모양. 상심(傷心)하는 모양.
[哀咽 애열] 슬퍼 목메어 욺.
[哀嗷 애오] 슬퍼 대성통곡함.
[哀韻 애운] 슬픈 여음(餘音).
[哀鬱 애울] 슬퍼 마음이 우울함.
[哀怨 애원] 슬퍼하고 원망(怨望)함.
[哀願 애원] 슬픈 소리로 간절히 원함.
[哀吟 애음] 슬퍼하여 시(詩)를 읊음. 또, 그 시.
[哀音 애음] 슬픈 소리.
[哀泣 애읍] 슬피 욺.
[哀衣 애의] 상복(喪服).
[哀而不傷 애이불상] 심정(心情) 또는 음조(音調)에 슬픔이 있으나, 마음에 해롭도록 정도를 지나치지는 아니함.
[哀子 애자] ㉠부모의 상중(喪中)에 있는 아들. ㉡어머니는 죽고 아버지만 있는 아들.
[哀情 애정] 불쌍하게 여기는 마음.
[哀弔 애조] 슬피 조상함.
[哀戚 애척] 애도(哀悼).
[哀楚 애초] 몹시 서러워 쓰려 함.
[哀痛 애통] 몹시 슬퍼함.
[哀恨 애한] 애원(哀怨).
[哀話 애화] 슬픈 이야기.
[哀毀骨立 애훼골립] 부모의 죽음을 슬퍼하여 몸이 바싹 여윔.
●告哀. 國哀. 矜哀. 莫哀. 悲哀. 餘哀. 凄哀. 秋哀. 七哀. 吐哀.

6
⑨ [咸] 高人 ▤ 함 ㉠咸 胡讒切 xián
         ㉡勘 戶暗切
      ▤ 감 ㉠鹻 古斬切 jiǎn
咸

[筆順] 丿 厂 厂 厈 咸 咸 咸 咸

[字解] ▤ ①다 함 모두. '庶績—熙'《書經》. ②같을 함 마음이 같음. '周公弔二叔之不—'《詩經》. ③두루미칠 함 빠짐없이 미침. '小賜不—'《國語》. ④함괘 함 육십사괘의 하나. 곧, ☰〈간하(艮下), 태상(兌上)〉. 음양이 교감(交感)하는 상(象). '—亨利貞'《易經》. ⑤찰 함 충만함. '窮則不—'《左傳》. ⑥성 함 성(姓)의 하나. ▤ 덜 감 減(水部 九畫)과 통용. '戶口一半'《漢書》.
[字源] 甲骨文 ✝ 金文 ✝ 篆文 咸 會意. 戌+口. '戌월'은 큰 날이 있는 큰 도끼의 상형. 큰 도끼의 위압 앞에 입에서 목소리를 한껏 내지르는 모양에서, '모두, 모조리'의 뜻을 나타냄.

[咸京 함경] 함양(咸陽).
[咸告 함고] 빼지 않고 모두 고함.
[咸氏 함씨] 《韓》남의 조카의 존칭.
[咸陽 함양] 진(秦)나라의 서울. 지금의 산시성(陝西省) 함양현(咸陽縣).
[咸陽宮殿三月紅 함양궁전삼월홍] 함양의 대궐(大闕)을 초(楚)나라의 항우(項羽)가 불을 놓아 3개월 동안이나 불탄 것을 이름.
[咸有一德 함유일덕] 군신(君臣)이 모두 순수(純粹)한 덕이 있음.
[咸宜 함의] 다 마땅함.
[咸池 함지] ㉠서쪽의 바다. 해가 목욕한다고 하

는, 하늘에 있는 못. 천지(天池). ㉡요(堯)임금 때에 쓰던 음악(音樂)의 이름. 일설(一說)에, 황제(黃帝)의 음악의 이름. ㉢하늘의 신(神). 천신(天神).
[咸興差使 함흥차사] 《韓》조선(朝鮮) 때 태조(太祖)가 선위(禪位)하고 함흥에 가서 은퇴하고 있을 때 태종(太宗)이 보낸 사신(使臣)이 태조한테 죽임을 당하거나, 또는 간히었다가 오래간만에 되돌아오던 일에서 나온 말로, 심부름을 가서 소식이 아주 없거나 회답이 더딤을 이름.
●阮咸.

6
⑨ [哶] 과 ㉠馬 苦瓦切 kuǎ

[字解] ①말어그러질 과 말이 맞지 않음. '—, 言戾也'《集韻》. ②사투리 과 말에 사투리가 많음. '說話—得厲害, 對人可挺不錯'《孫犁, 風雲初記》.

6
⑨ [哉] 中人 재 ㉠灰 祖才切 zāi   裁

[筆順] 一 十 士 吉 吉 哉 哉 哉

[字解] ①비롯할 재 시작함. '—生明'. '朕—自毫'《書經》. ②어조사 재 ㉠단정하는 말. '野—由也'《論語》. ㉡탄미(嘆美)하는 말. '君子—, 若人'《論語》. ㉢의문사(疑問辭). '今閑之於艸書有旭之心—'《韓愈》. ㉣반어사(反語辭). '烏能得其心服—'《柳宗元》. ③성 재 성(姓)의 하나.
[字源] 金文 𢦏 篆文 哉 形聲. 口+𢦏〔音〕. '𢦏재'는 의문, 반문(反問), 감탄 등을 나타내는 음부(音符). 구두(口頭)에 관한 조사(助辭)이므로 '口구'를 덧붙임.

[哉生明 재생명] 달의 밝은 부분이 처음 생긴다는 뜻으로, 음력 초사흗날을 일컫는 말.
[哉生魄 재생백] 달의 검은 부분이 처음 생긴다는 뜻으로, 음력 열엿샛날을 일컫는 말.
●善哉. 也與哉. 也哉. 也乎哉. 焉耳乎哉. 矣哉. 嗟哉. 快哉. 乎哉.

6
⑨ [咨] 人名 자 ㉠支 卽夷切 zī   咨

[字解] ①물을자 諮(言部 九畫)와 同字. '—十有二牧'《書經》. ②탄식할 자 차탄(嗟歎)함. '下民其—'《書經》. 또, 그 소리. '帝曰—·汝羲暨和'《書經》.
[字源] 篆文 𦣻 形聲. 口+次〔音〕. '次차'는 한숨을 쉬는 모양의 상형. '口구'를 더하여 탄식하는 소리의 모양을 나타냄.

[咨覯 자구] 만나 물어봄.
[咨文 자문] ㉠중국의 공문(公文)의 한 가지로서 동급 관청 간에 하는 통첩(通牒)을 이름. ㉡《韓》중국(中國)과 왕복(往復)하던 글.
[咨訪 자방] 상의(相議)함.
[咨詢 자순] 자방(咨訪).
[咨咨 자자] 탄식하는 모양.
[咨嗟 자차] 차탄(嗟歎)함.
[咨諏 자추] 자방(咨訪).
[咨歎 자탄] 자차(咨嗟).
●究咨. 謀咨. 訪咨. 詢咨. 悉咨. 仰咨. 怨咨. 齎咨. 嗟咨. 戚咨. 欽咨.

6 ⑨ [咼]

二 와(괘)㉫佳 苦緺切 wāi
二 화 ㉫歌 古禾切 hé, ②guō

字解 二 입비뚤어질 와 喎(口部 九畫)와 同字. 二 ①고를 화 和(口部 五畫)와 통용. '一氏之璧'《淮南子》. ②성 화 성(姓)의 하나.

字源 篆文 咼 形聲. 口+冎〔音〕. '冎과'는 살을 깎아 발라낸 뼈의 상형. 입이 칼로 깎인 것처럼 비뚤어지다의 뜻을 나타냄.

6 ⑨ [哥]

〔가〕
哥(口部 七畫〈p.377〉)의 俗字

6 ⑨ [响]

〔향〕
響(音部 十三畫〈p.2538〉)의 俗字

6 ⑨ [㘂]

㉻ 뿐

字解 《㉻》 뿐 뿐 이두(吏讀)에서, 그것만이고 더 이상 없다는 뜻의 접미사(接尾詞)로 쓰임.

字源 된시옷 'ㅅ'의 표기로 쓰이는 '叱질'에 '分분'을 합쳐서 이룬 글자.

7 ⑩ [哭]

高人 곡 ㉪屋 空谷切 kū

筆順 丨 冂 口 吅 哭 哭

字解 ①울 곡 슬퍼 큰 소리를 내어 욺. '一聲歌於斯, 一於斯'《禮記》. ②곡할 곡 사람의 죽음을 슬퍼하여 우는 예(禮). '一則不歌'《論語》.

字源 篆文 哭 形聲. 犬+口+口〔音〕. '犬견'은 희생의 동물임. 두 '口구'는 '많은 입'의 뜻. 사람이 죽으매, 개를 희생으로 바치고 많은 사람이 입을 벌려 큰 소리로 울다의 뜻을 나타냄. 《說文》은 吅+獄(省)〔音〕의 形聲으로 봄.

[哭岐泣練 곡기읍련] 남북 어느 곳으로도 갈 수 있으므로 기로(岐路)에서 울고, 황혹(黃黑) 어느 것이나 염색될 수 있으므로 흰 실을 보고 운다는 뜻으로, 근본은 같은 것이 갖가지 선악(善惡)으로 갈라짐을 탄식함을 이름.
[哭臨 곡림] 장사(葬事) 때 여러 사람이 슬퍼 욺.
[哭婢 곡비] 장례(葬禮) 때 울면서 행렬(行列)의 앞에 가는 계집종.
[哭聲 곡성] 슬피 우는 소리.
[哭泣 곡읍] 소리를 내어 슬프게 욺. 통곡함.
[哭歎 곡탄] 통곡하며 탄식함.
[哭痛 곡통] 통곡(痛哭)함.
●歌哭. 強哭. 鬼哭. 叫哭. 大哭. 陪哭. 悲哭. 三日哭. 送哭. 哀哭. 野哭. 僞哭. 泣哭. 絕哭. 啼哭. 痛哭. 慟哭. 號哭. 嚎哭.

7 ⑩ [員]

高人 一 원 ㉫先 王權切 yuán
二 운 ㉫文 王分切 yún, ㉫問 王問切 yùn

筆順 丨 ⼝ ⼞ 尸 呂 昌 員 員

字解 一 ①인원 원 사람 수. 물건의 수에도 씀. '一數'. '願君卽以遂備一而行矣'《史記》. ②관원 원 벼슬아치. '太宗嘗踐此官, 故累聖曠不置一'《唐書》. ③둥글 원, 동그라미 원 圓(口部 十畫)과 同字. '一石'. '規矩, 方一之至也'《孟子》. 二 ①더할 운 늘림. '一于爾輻'《詩經》. ②이를 운 云(二部 二畫)과 同字. '聊樂我一'《詩

經》. ③사람이름 운 '伍一'은 전국 시대(戰國時代)의 초(楚)나라 사람. ④성 운 성(姓)의 하나.

字源 金文 篆文 員 會意. 貝+口. '貝패'는 金文에서는 세발솥의 상형. '口구'는 둥근 것의 상형. 둥근 솥의 뜻에서 파생하여, 물건의 수효의 뜻도 나타냄.

[員缺 원결] 관직(官職)에 결원이 생김.
[員丘 원구] 신선(神仙)이 사는 곳.
[員石 원석] 둥근 돌.
[員數 원수] 인원의 수효.
[員外 원외] 정한 인원 이외.
[員外郎 원외랑] ㉠낭관(郎官)의 후보(候補). 후세(後世)에는 낭중(郎中)의 아래 주사(主事)의 위 지위임. ㉡우리나라 고려(高麗) 때의 상서성(尙書省)의 정육품의 벼슬.
[員員 원원] 자주. 여러 번.
[員銀 원은] 일원의 은화(銀貨). 원(員)은 원(圓).
[員次 원차] 직장(職掌)으로 매긴 관원(官員)의 석차(席次).
[員柵 원책] 빙 두른 목책(木柵).
[員品 원품] 사람의 수효. 인원수.
●各員. 減員. 客員. 缺員. 係員. 雇員. 官員. 館員. 敎員. 闕員. 金員. 團員. 黨員. 大員. 隊員. 動員. 滿員. 兵員. 復員. 事務員. 士員. 社員. 散員. 常員. 生員. 船員. 成員. 隨員. 役員. 要員. 冗員. 委員. 議員. 吏員. 人員. 任員. 剩員. 全員. 正員. 定員. 增員. 職員. 總員. 幅員. 閒員. 見員. 現員. 會員.

7 ⑩ [唖]

〔아·액〕
啞(口部 八畫〈p.383〉)의 俗字

7 ⑩ [啓]

〔계〕
啓(口部 八畫〈p.385〉)의 俗字

7 ⑩ [唃]

곡 ㉪屋 古祿切 gǔ

字解 ①새울 곡 새가 우는 소리. 꿩이 우는 소리. '唂, 鳥鳴. 又作一'《廣韻》. '唂, 雉鳴. 或从角'《集韻》. ②오랑캐임금 곡 '一斯羅'는 토번(吐蕃)의 왕의 이름. 천자(天子)라는 말에 상당함.

7 ⑩ [哿]

人名 가 ㉮哿 古我切 gě

字解 ①옳을 가 可(口部 二畫)와 同字. '一矣富人'《詩經》. ②머리꾸미개 가 부인(婦人)의 수식(首飾). '婦人易一'《太玄經》.

字源 篆文 哿 形聲. 可+加〔音〕. '加가'는 '더하다, 늘리다'의 뜻. 또, '嘉가'와 통하여 '좋다'의 뜻. '可가'는 '좋다'의 뜻. 크게 좋다고 하다의 뜻을 나타냄.

7 ⑩ [哶]

로 ㉫豪 魯刀切 láo

字解 말분명치않을 로 '風簾窣窣燕——'《穆修》.

7 ⑩ [哢]

롱 ㉦送 盧貢切 lòng

字解 지저귈 롱 새가 지저귐. 또, 그 소리. '一吭淸渠'《左思》.

形聲. 口+弄[音]. '弄롱'은 '잘 다루다'의 뜻.

[哢咿 농이] 억지로 웃음.
[哢吭 농항] 새가 지저귐.
●低哢. 鳥哢.

7/10 [哤] 방 ㊀江 莫江切 máng

字解 난잡할 방 하는 말이 난잡함. '雜處則其言一'《國語》.

字源篆文 形聲. 口+尨[音]. '尨망·방'은 북슬북슬 털이 많은 모양. 말이 난잡하여 분명하지 않다, 난잡하다의 뜻을 나타냄.

7/10 [哶]
一 먀 ㊀馬 母野切 miē
二 미 ㊀紙 母婢切
三 마 ㊍麻 彌嗟切

字解 一 양울 먀 양이 욺. 또, 그 소리. '一,羊鳴'《集韻》. 二 양울 미 一과 뜻이 같음. 三 ①성마 '茟一'는 윈난(雲南)에 있는 성(城)의 이름. ②성 마 성(姓)의 하나.

7/10 [哦] ㊈名 아 ㊍歌 五何切 é

字解 ①읊조릴 아 시가를 읊음. '日一其間'《韓愈》. ②시 아, 노래 아 시가(詩歌). '聽渠七字一'《陳師道》.

字源篆文 形聲. 口+我[音]. '我아'는 톱날 모양으로 들쭉날쭉하다, 억양(抑揚)이 있다의 뜻. '읊조리다'의 뜻을 나타냄.

●口哦. 微哦. 幽哦. 吟哦. 長哦.

7/10 [哨] ㊈名
一 소 ㊈嘯 所教切 shào
二 초 ㊊效 七肖切 qiào

字解 一 ①입비뚤 소 병(瓶)의 아가리가 비뚤어져서 물건이 들어가기 어려움. '枉矢一壺'《禮記》. ②수다스러울 소 잔말이 많은 모양. '禮儀——'《揚子法言》. 二 ①파수볼 초, 파수병 초 경계하여 지킴. 망봄. 또, 그 군사. '一兵'. '巡一襄樊'《元史》. ②뾰족할 초 가늘고 날카로움. '大匈一'《馬融》.

字源篆文 形聲. 口+肖[音]. '肖소·초'는 '작게 하다'의 뜻. 입을 오므리다의 뜻을 나타냄. 또, 입구를 작게 하여 적의 침입을 망보다의 뜻도 나타냄.

[哨哨 소소] 말이 많은 모양.
[哨兵 초병] 망보는 병정.
[哨堡 초보] 망보는 보루(堡壘).
[哨船 초선] 망보는 배.
[哨艦 초함] 망보는 배. 적함(敵艦)의 정상(情狀)을 살피는 군함.
●步哨. 巡哨. 前哨. 陣哨. 懸哨.

7/10 [書] 견 ㊀銑 去演切 qiǎn

字解 흙덩이 견 작은 흙덩이. '一,小塊'《廣韻》.

7/10 [哩] 리 ㊈寘 力至切 lì, ②lǐ

字解 ①어조사(語助辭) 리 원대(元代)의 사곡(詞曲) 또는 속어(俗語)의 어미(語尾)에 쓰임. '說漢朝大臣來投見一'《元曲 漢宮秋》. ②마일 리 영국의 육지의 거리를 재는 단위인 마일의 약기(略記). 약 1.6킬로미터.

字源 形聲. 口+里[音]. 어조사로 쓰임. 또, 영국의 거리의 단위 마일의 음의역(音意譯)으로도 쓰임.

7/10 [唎] ㊈名 리 ㊂寘 力至切 lì

字解 소리 리 '一, 聲也'《集韻》.

7/10 [哫] 족 ㊆沃 卽玉切 zú

字解 아첨할 족 아유(阿諛)함. '一訾慄斯'《楚辭》.

[哫訾 족자] 아첨함. 아유함.

7/10 [哮] ㊈名 효 ㊍看 許交切 xiāo

字解 으르렁거릴 효 짐승이 성내어 큰 소리로 욺. 전(轉)하여, 큰 소리로 외침. '咆一'. '怒一'. '一咆怒視'《輟耕錄》.

字源篆文 形聲. 口+孝[音]. '孝효'는 동물이 으르렁거리는 소리를 나타내는 의성어.

[哮噬 효서] 으르렁거리며 깨묾. 전(轉)하여, 맹렬히 공격함.
[哮咆 효포] 으르렁거림.
[哮闞 효함] 성내어 욺. 으르렁거림.
[哮吼 효후] 으르렁거림.
●訇哮. 嗷哮. 怒哮. 跳哮. 咆哮. 曉哮.

7/10 [哺] ㊈名 포 ㊂遇 薄故切 bǔ

字解 ①머금을 포, 물 포 음식을 입속에 넣음. '緩帶咽一'《漢書》. 또, 그 음식. '一飯三吐一'《史記》. ②먹일 포 음식을 남의 입속에 넣어 줌. 먹여 기름. '一乳'. '一養'. '慈烏反一以報親'《梁武帝》.

字源篆文 形聲. 口+甫[音]. '甫보'는 '넓게 펴다'의 뜻. 입 안에 음식을 펴다, 머금다, 먹다의 뜻을 나타냄.

[哺養 포양] 먹여 기름. 양육함.
[哺乳 포유] 젖을 먹여 기름.
[哺乳動物 포유동물] 어미의 젖을 먹고 자라는 동물(動物). 사람·짐승 따위의 고등 태생 동물(高等胎生動物).
●拘哺. 反哺. 削哺. 握髮吐哺. 咽哺. 乳哺. 資哺. 朝哺. 吐哺.

7/10 [哽] 경 ㊍梗 古杏切 gěng

字解 목멜 경 음식이 목에 막힘. 전(轉)하여, 널리 막힘.

字源篆文 形聲. 口+更[音]. '更경'은 딱딱하게 굳어져서 막히다의 뜻. 말이 막히다, 말 더듬다, 목에 막히다의 뜻을 나타냄.

[哽結 경결] 슬퍼하여 목메고 가슴이 맺힘.

[哽哽 경경] 목멘 소리의 형용. 또, 숨이 헐떡헐떡
하는 모양.
[哽塞 경색] ㉠목멤. 또, 너무 슬퍼하여 가슴이
맺힘. ㉡길이 막힘.
[哽咽 경열] 목이 멤. 목메어 욺.
　●悲哽. 哀哽. 嗚哽. 壅哽. 摧哽.

7 [唁] 언 ㊆霰 魚變切 yàn

[字解] 위문할 언 조상하러 가서 상제를 위문함.
또는, 재난을 당한 사람을 찾아가서 위문함. '歸
─衛侯'《詩經》.
[字源] 篆文 唁 形聲. 口+言〔音〕. '言언'은 '삼가 말
하다'의 뜻. 남의 불행을 위로하다의
뜻을 나타냄.

[唁電 언전] 조전 (弔電).
　●慶唁. 門唁. 問唁. 慰唁. 弔唁.

7 [唄] 패 ㊆卦 薄邁切 bài

[字解] 인도노래 패 부처의 공덕을 기리는 노래.
'晝夜梵─'《唐書》.
[字源] 形聲. 口+貝〔音〕. '貝패'는 범어 (梵語)
pāthaka의 음역 (音譯). '口구'는 그것이 외
래어임을 나타냄.

[唄多羅 패다라] 옛날 인도 (印度)에서 종이 대신
에 그 잎에다 경문 (經文)을 쓰던 나무.
[唄音 패음] 《佛敎》경 읽는 소리.
[唄讚 패찬] 《佛敎》부처의 공덕을 찬미하는 노래.
범패 (梵唄).
　●歌唄. 端唄. 膜唄. 梵唄. 吟唄. 贊唄. 諷唄.

7 [哈] 함 ㊆覃 火含切 hán

[字解] ①머금을 함 含 (口部 四畫)과 同字. '羹藜
─糗'《漢書》. ②반함옥 (飯含玉) 함 염 (殮)할 때
물리는 옥. '殯─之物, 一皆絶之'《晉書》. ③입
딱벌릴 함 '一一呀'. '一一有聲'《南史》.
[字源] 形聲. 口+含〔音〕. '含함'은 입을 크게 벌렸
다 다무는 모양을 나타냄.

[哈呀 함하] ㉠큰 입을 벌린 모양. ㉡골짜기 같은
것이 앞이 탁 트인 모양.
[哈哈 함함] 자꾸 입을 딱딱 벌리는 모양.
　●嘲哈.

7 [唆] 人名 사 ㊆歌 蘇禾切 suō

[字解] ①꾈 사, 부추길 사 꾀어 시킴. 교사함. '使
─'. '以言弄人, 謂之─哄'《品字箋》. ②성 사
성 (姓)의 하나.
[字源] 形聲. 口+㿟〈省〉〔音〕. '㿟사'는 좌우로 왕
복하는 베틀의 북의 뜻으로, '재촉하다'의
뜻을 나타내는 의태어적 (擬態語的)인 성격을 지
님. 입으로 재촉하다, 부추기다의 뜻을 나타냄.

[唆弄 사롱] 부추기며 조롱함.
　●教唆. 使唆. 示唆.

7 [唈] 읍 ㊇緝 於汲切 yì　압 ㊇合 烏答切 yì

[字解] ⬛ 느껴울 읍 슬퍼 흐느껴 욺. '嗚─'. '增
欷嗚─'《淮南子》. ☰ 느껴올 압 ☰과 뜻이 같음.
[字源] 形聲. 口+邑〔音〕. '邑읍'은 '悒읍'과 통하
여, '근심하다'의 뜻을 나타냄.

[唈僾 읍애] 슬퍼함. 목메어 욺.
　●嗚唈. 歔唈.

7 [嘟] 두 dōu

[字解] ①이놈 두 상대방을 욕하는 소리. '─, 賤
人, 你是顚是狂'《琵琶記》. ②어 두 의심스러움
을 느끼어 내는 소리. '─, 腐儒啼哭什麼'《還魂
記》.

7 [唉] ⬛ 희 ㊀支 虛其切 āi　☰ 애 ㊀灰 烏開切 āi

[字解] ⬛ 한탄할 희 '허허' 하고 한탄하는 소리.
'─, 豎子不足與謀'《史記》. ☰ ①물을 애 놀라
며 물음. '禹立諫鼓於朝, 而備訊─'《管子》. ②
대답할 애 '어' 하고 대답하는 소리. '狂屈曰,
─, 吾知之'《莊子》.
[字源] 篆文 唉 形聲. 口+矣〔音〕. 응답 (應答)의 의
성어.

　●訊唉.

7 [哧] ⬛ 하 ㊆禡 虛訝切 xià　☰ 적 chī

[字解] ⬛ 으를 하 嚇 (口部 十四畫)와 同字. '嚇,
亦省'《集韻》. ☰ 웃음소리 적 '噗─'은 웃음소
리. '─, 噗─, 笑聲'《辭海》.
[字源] 形聲. 口+赤〔音〕

7 [唏] 희 ㊀微 香依切 xī

[字解] 훌쩍훌쩍울 희 欷 (欠部 七畫)와 同字. '紂
爲象箸, 而箕子─'《史記》.
[字源] 篆文 唏 形聲. 口+希〔音〕. '希희'는 '斤근'과
통하여, '잘게 하다'의 뜻. 숨을 짧게
쉬면서 흐느껴 울다의 뜻을 나타냄.

　●噓唏.

7 [唔] 오 ㊆虞 五乎切 wú

[字解] 글읽는소리 오 '一哦'는 독서성 (讀書聲).
吾 (口部 四畫)의 俗字. '哦─, 讀書聲也'《類書
纂要》.

[唔哦 오이] 글 읽는 소리.
　●哦唔.

7 [哪] 나 ㊆歌 囊何切 nuó

[字解] 역귀쫓을 나 '一一'는 추나 (追儺)하는 소
리.
[字源] 形聲. 口+那〔音〕

[哪哪 나나] 나례 (儺禮) 때에 악사·기생·악공 들
이 지르는 소리.

7 ⑩ **[哳]** 찰 [入]黠 陟鎋切 zhā

[字解] 지저귈 찰 '啁—'은 새가 연달아 우는 모양. '鶤雞啁—而悲鳴'《楚辭》.

[字源] 形聲. 口＋折〔音〕

◉啁哳. 嘲哳.

7 ⑩ **[哱]** 발 [入]月 普沒切 pò

[字解] 어지러울 발 혼란함.

7 ⑩ **[啇]** 〔교〕 喬(口部 九畫〈p. 393〉)의 俗字

7 ⑩ **[唊]** 겹 [入]葉 古協切 jiá

[字解] ①망발할 겹 망언(妄言)함. '—, 妄語也'《說文》. ②말많을 겹, 수다떨 겹 '——, 多言也'《廣韻》.

[字源] 篆文  形聲. 口＋夾〔音〕

7 ⑩ **[哴]** 량 [去]漾 力讓切 liàng

[字解] 목쉴 량 너무 울어 울음소리가 나지 않음. '—, 哴—, 啼極無聲也'《集韻》.

7 ⑩ **[哥]** [人名] 가 [平]歌 古俄切 gē 

[字解] ①노래 가 歌(欠部 十畫)의 古字. '—永言'《漢書》. ②형 가 속어에서 형을 이름. '——'. '帝呼寧王爲大—'《酉陽雜俎》. ③《現》 ㉠코페이카 가 러시아의 화폐 코페이카의 약기(略記). ㉡그로스 가 열두 다스를 나타내는 그로스(gross)의 약기(略記).

[字源] 篆文  會意. 可＋可. '可가'는 큰 목소리를 내다의 뜻. '歌'의 원자(原字).

[哥哥 가가] ㉠형(兄). ㉡아들이 부친을 부르는 말. 아버지.
[哥老會 가로회] 청조 시대(淸朝時代)의 비밀 결사(祕密結社)의 하나. 청방(靑幇)·홍방(紅幇)은 이 분신(分身)임.
[哥薩克 가살극] 러시아 국내의 한 민족. 말을 잘 탐. 가살극(可薩克).
◉大哥. 阿哥. 鸚哥. 八哥.

7 ⑩ **[哲]** [高人] 철 [入]屑 陟列切 zhé 

[筆順] 一 扌 扌 扌 扩 折 折 哲

[字解] ①밝을 철 슬기가 있고 사리에 밝음. '明—'. '既明且—, 以保其身'《詩經》. 또, 그러한 사람. '先—'. '賴前—'《左傳》. ②성 철 성(姓)의 하나.

[字源] 金文  篆文  別體  古文  形聲. 口＋折(斲)〔音〕. '斲절'은 서로 얽힌 복잡한 상태를 분리하다의 뜻. 입으로 도리를 밝히다의 뜻을 나타냄. 金文은 會意로, 自＋斤＋心. '自부'는 계단의 상형, '斤근'은 도끼의 상형. 계단처럼 분명하게 사물을 구별할 수 있는 마음의 모양에서, '분명하다, 사리에 밝다'의 뜻을 나타냄.

[參考] 喆(口部 九畫)은 同字.

[哲理 철리] ㉠현묘(玄妙)한 이치. ㉡철학상(哲學上)의 이치(理致).
[哲辟 철벽] 어질고 밝은 임금.
[哲夫 철부] 어질고 밝은 남자. 재덕(才德)이 뛰어난 사람.
[哲婦 철부] 어질고 밝은 여자. 재덕(才德)이 뛰어난 부인.
[哲聖 철성] 재덕(才德)을 겸비한 성인(聖人). 전(轉)하여 천자(天子).
[哲彥 철언] 현명한 준사(俊士).
[哲王 철왕] 현명한 임금.
[哲人 철인] 어질고 밝은 사람.
[哲匠 철장] 도리(道理)에 밝은 재상(宰相). 현명한 재상.
[哲學 철학] 자연(自然)과 인생(人生), 현실(現實) 및 이상(理想)에 관한 근본 원리(根本原理)를 연구하는 학문.
◉耆哲. 來哲. 明哲. 先哲. 宣哲. 聖哲. 淑哲. 宿哲. 十哲. 良哲. 英哲. 穎哲. 睿哲. 叡哲. 往哲. 儒哲. 才哲. 前哲. 俊哲. 雋哲. 濬哲. 聰哲. 賢哲. 後哲.

7 ⑩ **[唇]** [人名] ㊀진 [平]眞 職鄰切 zhēn ㊁순 [平]眞 船倫切 chún (진[本]) 

[字解] ㊀놀랄 진 경악함. ㊁입술 순 脣(肉部 七畫)과 통용함. '—, 卽脣字. 義通. 从口, 从肉, 一也'《六書故》.

[字源] 篆文  形聲. 口＋辰〔音〕. '辰진'은 '입술'의 뜻. 놀라서 떨리는 입술의 뜻에서, '입술'의 뜻을 나타냄.

◉絳唇. 丹唇. 朱唇. 兔唇. 紅唇. 花唇.

7 ⑩ **[唇]** 唇(前條)의 俗字

7 ⑩ **[唐]** [高人] 당 [平]陽 徒郎切 táng 

[筆順] 亠 广 户 庐 庐 庚 庚 唐

[字解] ①황당할 당 황탄무계함. '荒—之言'《莊子》. ②클 당 '初—, —於內'《太玄經》. ③넓을 당 '——'. '浩—之心'《枚乘》. ④빌 당 공허함. '福不—捐'《法華經》. ⑤길 당 뜰 안의 길. '中—有甓'《詩經》. ⑥둑 당 제방. 塘(土部 十畫)과 同字. '—堤'. '陂—汚庳'《國語》. ⑦새삼 당 풀이름. 토사(菟絲). '爰采—矣'《詩經》. ⑧당나라 당 ㉠이연(李淵)이 수(隋)나라의 뒤를 이어 천하를 통일한 나라. 서울은 장안(長安). 건국한 지 20주(主) 290년 만에 후량(後梁)에게 멸망당하였음. (618~907) ㉡오대(五代)의 하나. 이존욱(李存勖)이 후량(後梁)의 뒤를 이어 세운 나라. 서울은 장안(長安). 건국한 지 4주(主) 14년 만에 후진(後晉)에게 멸망당하였음. 후당(後唐)이라고도 함. (923~936) ㉢이변(李昪)이 세운 나라. 건국한 지 3주(主) 39년 만에 송(宋)나라에게 멸망당하였음. 남당(南唐)이라고도 함. (937~975) ㉣제요(帝堯)의 조정(朝廷)을

도당(陶唐)이라 하고, 요순 양조(堯舜兩朝)를 당우(唐虞)라 함. ⑨성 당 성(姓)의 하나.

字源 甲骨文 金文 篆文 會意. 庚+口. '庚'은 절굿공이를 두 손으로 들어 올려 단단히 찧는 모양을 본뜸. '口'는 '장소'의 뜻. '塘당'의 원자(原字)로, 단단히 다진 둑의 뜻을 나타냄. 假借하여, 왕조(王朝)의 이름으로 쓰임. 《說文》은 口+庚[音]의 形聲으로 보며, '큰 소리'의 뜻이라 함. '荒一'이라는 숙어를 만들어, '황당하게 크다'의 뜻을 나타냄.

[唐鑑 당감] 당고조(唐高祖)부터 소선(昭宣)에 이르기까지의 사실(事實)의 대강을 추려 적고 논단(論斷)을 내린 사서(史書). 송(宋)나라 때 사마광(司馬光)이 조칙(詔勅)을 받들어 통감(通鑑)을 편수할 때 범조우(范祖禹)가 편수관(編修官)이 되어 당사(唐史)를 분장(分掌)하였는데, 그때 그가 맡아 쓴 부분을 기초로 하여 이 책을 지은 것임. 원은 12권이던 것을 여조겸(呂祖謙)이 주(注)를 내어 24권이 되었음.

[唐菊花 당국화] 《韓》 국화과에 속하는 일년초. 줄기가 곧고 가지가 많으며 자(紫)·홍(紅)·백색 등의 꽃이 핌. 과꽃.

[唐弓 당궁] 세지도 않고 약하지도 않은 꼭 알맞은 활.

[唐根 당근] 《韓》 미나릿과의 일년초 또는 이년초. 뿌리는 긴 원추형으로 적황색이며 맛이 달콤하고 향기가 있음. 홍당무.

[唐錦 당금] 《韓》 중국에서 나는 비단.

[唐唐 당당] 넓은 모양. 호호(浩浩).

[唐突 당돌] ㉠부딪침. ㉡속임. 기만함. ㉢느닷없이. 뜻밖에. 돌연히.

[唐律疏義 당률소의] 당(唐)나라의 장손무기(長孫無忌) 등이 칙명을 받들어 엮은, 당(唐)나라 법률에 관한 주석서(註釋書). 30권. 법률의 원류(源流)를 상고(詳考)하는 데 이보다 자세한 책이 없음.

[唐麪 당면] 《韓》 녹말가루로 만든 마른국수.

[唐木 당목] 《韓》 되게 드린 무명실로 짠, 바닥이 고운 피륙의 한가지.

[唐文粹 당문수] 당대(唐代)의 시문을 모은 책. 송(宋)나라 요현(姚鉉) 편(編). 100권. 문원영화(文苑英華)를 대본(臺本)으로 하여 산삭(刪削)·증보(增補)한 것으로서 내용은 고부(古賦)·시(詩)·송찬(頌贊)·표(表)·주서소(奏書疏)·문(文)·논(論)·의(議)·고문(古文)·비명(碑銘)·기(記)·잠(箴)·계명(誡銘)·서서(書序)·전기(傳記)·기사(記事)의 열여섯 유(類)로 분류하였는데, 고문(古文)에 중점을 두어 사륙문(四六文)이나 오칠언시(五七言詩)는 수록하지 않았음. 당나라 시문을 수록한 책으로서 가장 잘된 책임. 또, 청(淸)나라 곽인(郭麐)이 엮은 〈당문수보유(唐文粹補遺)〉 26권이 있음.

[唐絲 당사] 중국에서 나는 명주실.

[唐肆 당사] 텅 빈 가게.

[唐三絶 당삼절] 당(唐)나라 때에 예능(藝能)에 뛰어난 세 사람. 곧, 시부(詩賦)에 이백(李白), 검무(劍舞)에 배민(裵旻), 초서(草書)에 장욱(張旭).

[唐書 당서] 《韓》 중국(中國)에서 박아 낸 책(冊). 당책(唐冊).

[唐扇 당선] 《韓》 중국에서 만든 부채.

[唐宋文醇 당송문순] 책 이름. 청(淸)나라의 고종

(高宗)의 칙찬(勅撰). 58권. 당송 팔대가(唐宋八大家) 이외에 이고(李翺)와 손초(孫樵)를 합한 십가(十家)의 글을 추려 엮고 논단(論斷)을 가(加)한 것임.

[唐宋詩醇 당송시순] 책 이름. 청(淸)나라 건륭연간(乾隆年間)의 칙찬(勅撰). 47권. 당송(唐宋)의 시인(詩人) 중 이백(李白)·두보(杜甫)·백거이(白居易)·한유(韓愈)·소식(蘇軾)·육유(陸游) 등 육가(六家)의 시집에서 추려 엮고 통평(通評)을 가(加)한 것임.

[唐宋八大家 당송팔대가] 당(唐)·송(宋) 2대(代)의 8인(人)의 대문장가(大文章家). 곧, 당(唐)나라의 한유(韓愈)·유종원(柳宗元) 두 사람과 송(宋)나라의 구양수(歐陽修)·소순(蘇洵)·소식(蘇軾)·소철(蘇轍)·증공(曾鞏)·왕안석(王安石)의 여섯 사람.

[唐順之 당순지] 명(明)나라 학자. 자(字)는 응덕(應德). 박식(博識)하고 문장에 뛰어남. 저서(著書)에 〈당형천집(唐荊川集)〉이 있음.

[唐詩 당시] 당(唐)나라 때의 시(詩). 연대에 의하여 초당(初唐)·성당(盛唐)·만당(晩唐)으로 구별함.

[唐詩選 당시선] 당(唐)나라 시인 128가(家)의 시 465수(首)를 고시(古詩)·율(律)·배율(排律)·절구(絶句)의 네 가지로 분류(分類)하여 수록(收錄)한 시집(詩集). 7권. 명(明)나라의 이반룡(李攀龍)이 엮었다 하나 확실하지 않음.

[唐硯 당연] 《韓》 중국에서 만든 벼루.

[唐堯 당요] 옛 성황(聖皇). 제곡(帝嚳)의 차자(次子). 처음에 도(陶)에 봉(封)함을 받았다가 후에 당(唐)으로 옮겼으므로 도당씨(陶唐氏)라고도 일컬으며, 호(號)는 요(堯)라 함. 사가(史家)가 당요(唐堯) 또는 방훈(放勳)이라 일컬음. 아들 단주(丹朱)가 불초(不肖)하여 순(舜)임금에게 천위(傳位)하였음. 재위(在位) 98년.

[唐虞之化 당우지화] 《韓》 제요(帝堯) 도당씨(陶唐氏)와 제순(帝舜) 유우씨(有虞氏)의 지치(至治)의 덕화(德化).

[唐韻 당운] 책 이름. 당(唐)나라의 손면(孫愐)이 수(隋)나라의 육법언(陸法言)이 지은 절운(切韻)을 고친 것임. 원은 다섯 권이었으나 지금은 일부밖에 전하지 않음.

[唐寅 당인] 명(明)나라 오현(吳縣) 사람. 자(字)는 백호(伯虎). 호는 육여(六如). 문장과 산수인물화(山水人物畵)에 능하였음.

[唐材 당재] 《韓》 중국(中國)에서 나는 약재(藥材).

[唐紙 당지] 《韓》 중국(中國)에서 나는 종이의 한 가지.

[唐瘡 당창] 《韓》 화류병(花柳病)의 한 가지. 창병(瘡病).

[唐冊 당책] 《韓》 중국(中國)에서 간행(刊行)한 서적(書籍).

[唐靑 당청] 《韓》 중국(中國)에서 나는 푸른 물감의 한 가지.

[唐棣 당체] 산앵두나무.

[唐太宗 당태종] 고조(高祖)의 차자(次子). 이름은 세민(世民). 수(隋)나라 말년(末年)에 고조(高祖)를 도와서 사방을 정복(征服)하고 천하(天下)를 통일(統一)하여 명주(明主)라 일컬어짐. 재위(在位) 23년.

[唐板 당판] 《韓》 중국(中國)에서 새긴 판(板). 또, 그것으로 박아 낸 책(冊).

[唐筆 당필]《韓》중국에서 만든 붓.
[唐學 당학] 당대(唐代)의 학문.
[唐玄宗 당현종] 예종(睿宗)의 셋째 아들. 이름은 융기(隆起). 영무(英武)하고 재략(才略)이 있어 위씨(韋氏)의 난(亂)을 평정한 후 예종을 받들어 즉위(卽位)케 하고 이어 사위(嗣位)하였음. 처음에는 요숭(姚崇)·송경(宋璟) 등을 재상으로 등용하여 선치(善治)를 베풀어 세상에서 개원지치(開元之治)라 일컬었으나, 후에 양국충(楊國忠)·이임보(李林甫) 등을 쓰고 양귀비(楊貴妃)를 총애하여 국정(國政)이 날로 글러져 마침내 안녹산(安祿山)이 배반하게 되어 촉(蜀)으로 파천(播遷)하여 태자(太子)에게 전위(傳位)하고 상황(上皇)이 되었음. 재위(在位) 44년.
[唐鞋 당혜]《韓》울이 깊고 코가 작은 가죽신의 한 가지.
[唐紅 당홍]《韓》중국에서 나는 약간 자줏빛을 띤 붉은 물감.
[唐黃 당황]《韓》성냥.
[唐慌 당황]《韓》놀라서 어찌할 줄 모름.
[唐黃毛 당황모]《韓》중국(中國)에서 나는 족제비의 털. 붓을 매는 데 씀.
◉陶唐. 晚唐. 旁唐. 三唐. 盛唐. 虞唐. 李唐. 中唐. 初唐. 頹唐. 浩唐. 荒唐. 後唐.

7 ⑩ [唐]
唐(前條)의 略字

7 ⑩ [挌]
격 ㊅陌 各額切 gé
字解 ①가시울타리 격 나무를 걸어 적의 침입을 막는 녹채(鹿砦)의 일종. '一, 枝一也. (段注) 枝一者, 遮禦之意'《說文》. ②가로뻗은가지 격 나뭇가지가 옆으로 뻗은 것. 단순히 나뭇가지. '一, 一曰, 木枝橫者'《集韻》.
字源 形聲. 手+各〔音〕.

7 ⑩ [豇]
《韓》밧
字解 《韓》밧 밧 '밧' 음을 표기하는 글자. '一, 地名, 一怔萬戶見摺紳案'《新字典》.
字源 훈(訓)이 '밧'인 '외'와 'ㅅ'을 나타내는 '叱질'을 합쳐서 이룬 글자.

7 ⑩ [秮]
人名 《韓》말
字解 뜻은 없음.
字源 '말' 음을 나타내기 위하여 '末'과 '叱'을 포개어 만듦.

8 ⑪ [啚]
〔비〕
鄙(邑部 十一畫〈p.2344〉)와 同字
字源 象形. '쌀 창고'의 뜻. 곳집에 넣어 내지 않다의 뜻에서, '아끼다, 치사하다'의 뜻이 파생됨. '鄙비'와 同字. 또, '圖도'의 俗字로 '헤아리다'의 뜻으로 쓰이기도 함.
參考 속(俗)에 圖(口部 十一畫)의 略字로 쓰임.

8 ⑪ [畐]
啚(前條)의 古字

8 ⑪ [唪]
봉 ㊤董 蒲蠓切 běng
字解 ①껄껄웃을 봉. ②씨많을 봉 菶(艸部 八畫)과 同字. '瓜瓞一一'《詩經》.
字源 形聲. 口+奉〔音〕.

8 ⑪ [唫]
금 ㊤寢 渠飲切 jìn
음 ㊦侵 魚金切 yín 
字解 ➊①말더듬을 금 말이 자꾸 막힘. ②입다물 금 噤(口部 十三畫)과 同字. '萬物各一'《太玄經》. ➋①읊을 음 吟(口部 四畫)과 同字. '秋風爲我一'《漢書》. ②험준할 음 崟(山部 八畫)과 同字. '巖一之下'《穀梁傳》.
字源 形聲. 口+金〔音〕. '金금'은 '누르다, 머금다'의 뜻. 말이 눌리어 자유롭게 나오지 않다, 말 더듬다의 뜻을 나타냄.

8 ⑪ [唯]
中人
➊유 ㊎支 以追切 wéi
㊀紙 以水切 wěi
➋수 ㊎支 視隹切
筆順 丨 丨 丨 叶 叶' 吽 唯 唯
字解 ➊①오직 유 다만. 惟(心部 八畫)·維(糸部 八畫)와 혼용(混用). '其一聖人乎'《易經》. ②비록 유 雖(佳部 九畫)와 통용. '一天子亦不說也'《史記》. ③대답할 유 '예' 하고 대답함. '諾'보다는 공손한 말. '一一' '父召無諾, 先生召無諾, 一而起'《禮記》. ➋누구 수 誰(言部 八畫)와 同字.
字源 形聲. 口+隹〔音〕. '隹추'는 '예' 하고 즉답(卽答)하는 목소리를 나타내는 의성어. '口구'를 더하여, '예'의 뜻을 나타냄. 또, 평성(平聲)일 때에는, '다만, 오직'의 뜻을 나타냄.

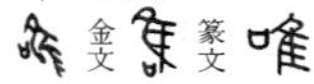

[唯覺論 유각론] 인식(認識)의 기원(起源)은 감각(感覺)에 있다고 하는 학설(學說). 감각론(感覺論).
[唯諾 유낙] ㉠대답. 응답. ㉡남에게 순종(順從)하는 모양.
[唯名論 유명론] 다만 개체(個體)의 실재(實在)만을 인정(認定)하고 보편(普遍)은 실재(實在)하지 않는 명목(名目)에 불과(不過)하다고 하는 학설(學說). 명목론(名目論).
[唯物論 유물론] 물질적 실재(實在)를 만유(萬有)의 근본 원리(原理)로 하는 학설. 곧, 우주의 모든 현상(現象)의 본질(本質)은 물질이고 정신적(精神的) 현상(現象)은 물질적 작용(作用)의 한 것이라고 하는 학설(學說).
[唯物史觀 유물사관] 인류(人類)의 역사(歷史)가 발전(發展)하는 제일(第一) 원인(原因)을 경제적 방면에서 보아 계급투쟁(階級鬪爭)을 역사(歷史)의 발전의 구극적(究極的)인 원동력(原動力)이라고 하는 역사관(歷史觀).
[唯美主義 유미주의] 19세기 말에 일어난 예술 지상주의(藝術至上主義)의 하나. 미(美)는 인생의 지상(至上)의 것으로서 실생활의 공리(功利)와는 아무 관계가 없다고 주장하는 주의. 탐미주의(耽美主義).
[唯美派 유미파] 예술(藝術)은 단지 예술을 위하여 존재하는 것이라고 주장하는 사람들. 탐미파(耽美派).

[唯識 유식] 범어 (梵語) vidyāmātra의 역 (譯). 만유유심 (萬有唯心)이란 뜻으로, 일체의 제법 (諸法)은 오직 자기 내심 (內心)에만 존재한다는 말. 법상종 (法相宗)의 근본 교의 (敎義)임.

[唯識宗 유식종] 《佛敎》 '법상종 (法相宗)'의 별칭 (別稱).

[唯心 유심] 《佛敎》 '삼계유일심 (三界唯一心)'과 같음.

[唯心論 유심론] 정신적 (精神的) 실재 (實在)를 만유 (萬有)의 근본 원리 (原理)로 하는 학설 (學說). 곧, 우주 (宇宙)의 모든 현상 (現象)의 본질 (本質)은 정신 (精神)이라 하는 학설.

[唯心史觀 유심사관] 역사 (歷史)의 원동력 (原動力)을 인간 (人間)의 이성 (異性)·도덕 의식 (道德意識)·개인의 영웅적 (英雄的) 행동 등의 정신 (精神) 작용에 구 (求)하는 역사관 (歷史觀).

[唯阿 유아] 유 (唯)는 윗사람에게 하는 대답. 아 (阿)는 아랫사람에게 하는 대답. 곧, 남에게 대답하는 말.

[唯我獨尊 유아독존] 《佛敎》 이 세상에서 나보다 더 높은 것이 없음.

[唯我論 유아론] 실재 (實在)하는 것은 오직 자아 (自我) 한 몸뿐이고, 외물 (外物)은 모두 자기의 관념 (觀念)이나 의식 내용 (意識內容)에 지나지 않는다고 하는 철학상의 이론. 독재론 (獨在論). 독아론 (獨我論). 주아론 (主我論).

[唯唯 유유] ㉠'네 네' 하고 공손히 대답하는 소리. ㉡남의 뜻을 거스르지 않는 모양. 지당한 말씀이라고 그저 굽실거리는 모양. ㉢물고기가 따라가는 모양.

[唯唯諾諾 유유낙낙] 유낙 (唯諾)●.

[唯一 유일] 오직 하나.

[唯一無二 유일무이] 오직 하나만 있고 둘은 없음.

[唯一神敎 유일신교] 하느님을 유일 (唯一)의 실재 (實在)로 하고 (로 하여) 믿는 종교 (宗敎). 곧, 우주 (宇宙)는 전지전능 (全智全能)한 신 (神)에 의 (依)하여 주재 (主裁)되는 것이라 하고, 이 신 (神)을 섬기는 것을 목적으로 하는 종교 (宗敎). 기독교 (基督敎)·유태교 (猶太敎) 따위.

[唯一心 유일심] 《佛敎》 '삼계유일심 (三界唯一心)'과 같음.

●諾唯. 應唯. 諸唯.

---

8 / 11 [唱] 中人 창 ㉠漾 尺亮切 chàng

筆順 丨 卩 卩冂 卩冂 卩日 唱 唱 唱

字解 ①부를 창 ㉠노래를 부르기 시작함. 먼저 노래를 부름. '一和', '千人一而萬人和'《史記》. ㉡소리를 높여 부름. '俱一萬歲'《北史》. ㉢읊음. 또, 암송함. '口一南無'《洛陽伽藍記》. '效得仙人夜一經'《王建》. ㉣선창함. 먼저 말함. 솔선하여 함. '一義' '夫一婦隨'. '一人一而天下應之者, 積怨在於民也'《淮南子》. ㉤가르쳐 인도함. '君一而和, 敎之隆也'《晏子春秋》. ②노래 창 음송 (吟誦)하는 사장 (詞章). '爲作小海一'《晉書》.

字源 篆文 形聲. 口＋昌[音]. '昌창'은 '훌륭하다, 왕성하다'의 뜻. 훌륭한 발성 (發聲), 부르다의 뜻을 나타냄.

[唱歌 창가] 곡조 (曲調)를 맞추어 노래를 부름.

또, 그 노래.

[唱劇 창극] 배역 (配役)을 나누어 판소리를 연창 (演唱)하는 연극 (演劇).

[唱道 창도] 제일 먼저 제창 (提唱)함. 수창 (首唱).

[唱導 창도] 《佛敎》 교의 (敎義)를 제창하여 사람을 인도 (引導)함.

[唱名 창명] 《佛敎》 염불 (念佛)을 함.

[唱酬 창수] 시문 (詩文)을 지어 서로 주고받고 함.

[唱喏 창야] 남에게 인사할 때 하는 말.

[唱義 창의] 앞장서서 정의 (正義)를 부르짖음. 국난 (國難)을 당하여 의병 (義兵)을 일으킴.

[唱引 창인] 소리를 길게 빼어 노래함.

[唱和 창화] ㉠저 사람이 부르고 이 사람이 답함. 가락을 맞춤. 또, 그 일. ㉡다른 사람의 시에 운 (韻)을 맞추어 시를 지음. 시를 서로 주고받음. 화운 (和韻)함.

●歌唱. 講唱. 賣唱. 高唱. 鼓唱. 謳唱. 舊唱. 棹唱. 道唱. 獨唱. 萬唱. 梵唱. 復唱. 三唱. 先吀後唱. 先唱. 首唱. 酬唱. 暗唱. 愛唱. 漁唱. 演唱. 艷唱. 詠唱. 流唱. 吟唱. 低唱. 絶唱. 提唱. 齊唱. 主唱. 重唱. 淺酌低唱. 淸唱. 樵唱. 推唱. 合唱. 虛唱. 呼唱. 浩唱.

---

8 / 11 [唹] 人名 어 ㉠魚 衣虛切 yū

字解 ①웃을 어 '一, 笑也'《廣韻》. ②웃는모양 어 '一, 笑皃'《玉篇》.

---

8 / 11 [呪] 二 아 ㉭支 汝移切 ér   애 ㉭佳 烏皆切 wā

字解 ▆ 선웃음칠 아 아첨하느라고 억지로 웃음. '喔咿嚅一'《楚辭》. ▆ 응석할 애 '一嗢'는 어린아이가 어리광 부리며 떠듬떠듬 말함. '拊循之, 一嗢'《荀子》.

字源 會意. 口＋兒. 어린아이의 더듬거리는 말의 뜻을 나타냄.

[呪嗢 애후] 어린아이가 응석 부리며 떠듬떠듬 말하는 모양.

●嚅呪.

---

8 / 11 [啦] 現 랍 lā, ①la

字解 《現》 ①어조사 랍 완결 (完結)을 나타내고, 또 감탄의 뜻을 포함하는 경우에 쓰는 문말 (文末)의 어조사. ②와르르 랍 '嘩一'은 와르르 무너지는 소리를 나타내는 의성어 (擬聲語).

---

8 / 11 [唳] 려 ㉭霽 郎計切 lì

字解 울 려 학 또는 기러기가 욺. '華亭鶴一'《晉書》. 또, 그 소리. '風聲鶴一'. '一淸響於丹墀'《鮑照》.

字源 篆文 形聲. 口＋戾[音].

●悽唳. 風聲鶴唳. 鶴唳. 華亭鶴唳.

---

8 / 11 [唵] 人名 암 ㉭感 烏感切 ǎn

字解 움켜먹을 암 손으로 움켜 먹음.

字源 形聲. 口＋奄[音].

8 ⑪ [唶]

❶ 차 ㉿禡 子夜切 jiè
❷ 책 ㈑陌 側伯切 zè, ②jí

字解 ❶탄식할 차 탄성(歎聲)을 냄. '一曰, 氣佳哉'《後漢書》함. 외침. '嘆—宿將'《史記》②새소리 책 새 우는 소리. '行雁——'《爾雅》.

字源 形聲. 口+昔〔音〕

[唶惋 책완] 애석히 여겨 탄식함.
[唶唶 책즉] 여러 사람의 소리. 시끄러운 소리. 또, 시끄러운 모양.
[唶唶 책책] ㉠새 우는 소리. ㉡외치는 모양. 소리쳐 부르는 모양.
●咋唶. 曖唶.

8 ⑪ [唸]

념 ㉿豔 都念切 niàn

字解 신음할 념 앓는 소리를 함. '民之方—吘'《詩經》

字源文 形聲. 口+念〔音〕. '념'은 입을 다물고 목소리만을 내다의 뜻. '신음하다'의 뜻을 나타냄.

[唸吘 염히] 신음함.

8 ⑪ [唰]

❶ 설 ㈑屑 所劣切 shuā
❷ 살 ㈑黠 數滑切

字解 ❶깃다듬을 설 새가 깃을 다듬음. '一, 鳥理毛也'《廣韻》. ❷①조금맛볼 살 '一, 小嘗也'《集韻》. ②빗소리 살 의성어(擬聲語)임. '春雨——地下着'《柳青》.

8 ⑪ [唼]

❶ 삽 ㈑洽 色甲切 shà
❷ 첩 ㈑葉 七接切 qiè

字解 ❶쪼아먹을 삽 오리나 기러기가 쪼아 먹음. 또, 그 소리. '一喋菁藻'《司馬相如》 ❷헐뜯을 첩 참소(譖訴)함. '信椒蘭之一佞兮'《漢書》.

字源 形聲. 口+妾〔音〕. '妾첩'은 혹 마시는 소리를 나타내는 의성어.

[唼喋 삽잡] 쪼아 먹음.
[唼血 삽혈] 피를 훌쩍 들이마심. 맹세함. 맹약(盟約)함.
[唼佞 첩녕] 참소함.

8 ⑪ [唾]

人名 타 ㉿箇 湯臥切 tuò

字解 ①침 타 구액(口液). '一液'. '不敢—洟'《禮記》. ②침뱉을 타 '一棄'. '讓食不一'《禮記》.

字源文 形聲. 口+坐(垂)〔音〕. '坐수'는 '떨어지다'의 뜻. 입에서 흘러 떨어지는 액체, '침'의 뜻을 나타냄.

[唾具 타구]《韓》타호(唾壺).
[唾棄 타기] 아주 다랍게 여겨 침을 뱉듯이 내버려 돌아보지 아니함.
[唾罵 타매] 침을 뱉고 욕(辱)을 함. 「줌.
[唾面 타면] 얼굴에 침을 뱉어 심한 모욕(侮辱)을
[唾面自乾 타면자건] 남이 나의 얼굴에 침을 뱉었을 때 이를 닦으면 그 사람의 뜻을 거스르므로 절로 마를 때까지 기다린다는 뜻으로, 처세(處世)에는 인내(忍耐)가 필요함을 강조한 말.

[唾腺 타선] 구강(口腔)의 침을 분비(分泌)하는 선(腺).

[唾手 타수] ㉠손에 침을 뱉고 일을 착수함. 전(轉)하여, 용감히 일을 착수함. 또, 분기(奮起)함. ㉡손쉽게. 순식간에.

[唾壺]

[唾液 타액] 침.
[唾壺 타호] 가래침을 뱉는 그릇. 타구(唾具).
●乾唾. 口唾. 棄唾. 寶唾. 拾人涕唾. 仰天唾. 零唾. 珠唾. 憎唾. 止唾. 津唾. 涕唾. 咳唾. 欼唾.

8 ⑪ [唲]

애 ㉿佳 五佳切 ái

字解 물어뜯을 애 개가 짖으며 물어뜯음.
字源 形聲. 口+厓〔音〕.

8 ⑪ [啁]

❶ 조 ㉿肴 陟交切 zhāo
❷ 주 ㉿尤 張流切 zhōu

字解 ❶①울 조 ㉠새가 지저귐. 또, 그 소리. '鵁鶄一晰而悲鳴'《楚辭》. ㉡벌레가 욺. 또, 그 소리. '蛩蜩絕一唧'《虞集》. ②비웃을 조 嘲(口部 十二畫)와 통용. '俱在左右誅一而已'《漢書》. ❷새소리 주 '一嘲'는 새가 지저귀는 소리. '小者至于燕雀, 猶有一嘲之頃焉'《禮記》.

字源文 形聲. 口+周〔音〕

[啁唧 조즉] 벌레가 연하여 자꾸 우는 소리.
[啁晰 조찰] 새가 자꾸 지저귀거나 욺. 또, 그 소리.
[啁啾 조추] 새가 욺. 또, 그 소리.
[啁嘲 주초] 새가 지저귀는 소리.
●嘐啁. 嘲啁. 詠啁. 戲啁.

8 ⑪ [啝]

함 ㉿覃 胡南切 hán

字解 ①턱 함 '一, 頤也'《說文》. ②성내는 모양 함 '瞋—唎以紆鬱'《王褒》. ③소리분명치않음 함 '能作人語, 絕不一唎'《張岱》.

8 ⑪ [啄]

人名 ❶ 탁 ㈑覺 竹角切 zhuó (착㉧)
❷ 주 ㉿宥 職救切 zhòu

字解 ❶쫄 탁 부리로 쪼아 먹음. 또, 그 소리. '一一, 一粟'. '率場一粟'《詩經》. 전(轉)하여, 먹는 뜻으로 쓰임. '羣奴紛一'《韓愈》. ❷부리 주 咮(口部 六畫)와 同字. '美羽一句者'《韓詩外傳》.

字源文 形聲. 口+豕〔音〕. '豖축·촉'은 두드릴 때의 소리를 나타내는 의성어. 새가 부리로 쪼아 먹다의 뜻을 나타냄.

[啄木 탁목] 탁목조(啄木鳥).
[啄木鳥 탁목조] 딱따구리.
[啄食 탁식] 쪼아 먹음.
[啄啄 탁탁] ㉠새가 물건을 쪼는 소리. ㉡문을 똑똑 두드리는 소리. 또, 뚜벅뚜벅 걷는 발자국 소리.
●剝啄. 餘啄. 飮啄. 舐啄. 餐啄. 呀啄.

8 ⑪ [啃] ➊ 삽 Ⓐ緝 所戢切 kěn
➋ 간 Ⓔ — kěn

字解 ➊ 입다시는소리 삽 '昌—, 口聲也'《玉篇》. ➋(現) 깨물 간 齦(齒部 六畫〈p. 2724〉)의 略字.

8 ⑪ [啅] 탁 Ⓐ覺 竹角切 zhuó

字解 ①시끄러울 탁 요란함. 또, 그 소리. '—噪', ②쫄 탁 啄(前前條)과 同字. '雀—江頭黃柳花'《杜甫》.

字源 形聲. 口+卓〔音〕. '卓탁'은 '높다'의 뜻. 목소리가 유난히 높다. '시끄럽다'의 뜻을 나타냄.

[啅噪 탁조] 새가 요란하게 지저귐.

8 ⑪ [啍] ➊ 톤 Ⓔ元 徒渾切 tūn
➋ 순 Ⓔ眞 朱倫切 zhūn

字解 ➊ ①거짓말 톤 기만. '無取口—'《荀子》. ②느릿느릿갈 톤 수레가 짐을 많이 싣고 느리게 가는 모양. '大車——'《詩經》. ➋ 거듭이를 순 諄(言部 八畫)과 同字. '悅大——之意'《莊子》.

字源 形聲. 口+享〔音〕. '享호·순'은 '두텁다'의 뜻. 소리나 목소리가 묵직하다의 뜻을 나타냄. 篆文은 口+羣〔音〕

[啍啍 순순] 되풀이하여 가르치는 모양. 정성껏 자세히 지도하는 모양.
[啍啍 톤톤] 느릿느릿 가는 모양. 무거워 더딘 모양.

8 ⑪ [崒] ➊ 쵀 Ⓕ隊 蘇內切 cuì
➋ 줄 Ⓐ質 子聿切 zú

字解 ➊ ①놀랄 쵀 경악(驚愕)함. '怈—'. ②맛볼 쵀 먹음. '衆賓兄弟則皆—之'《禮記》. ➋ 지껄일 줄 여러 사람이 지껄이는 소리. '嘈—'

字源 形聲. 口+卒〔音〕. '卒졸'은 '갑자기'의 뜻. 놀라서 갑자기 소리치다의 뜻을 나타냄.

[崒啄同時 줄탁동시] 닭이 알을 깔 때에 알 속의 병아리가 껍질을 깨뜨리고 나오기 위하여 껍질 안에서 쪼는 것을 줄(崒)이라 하고, 어미 닭이 밖에서 쪼아 깨뜨리는 것을 탁(啄)이라 함. 이 두 가지가 동시에 행하여지므로 사제지간(師弟之間)이 될 연분(緣分)이 서로 무르익음의 비유로 쓰임.
●嘈崒. 咄崒.

8 ⑪ [啑] ➊ 잡 Ⓐ合 子答切 zā
➋ 삽 Ⓐ洽 色甲切 shà

字解 ➊ 삼킬 잡 목구멍으로 넘김. 师(口部 四畫)과 同字. ➋ ①잡아먹을 삽 오리 같은 것이 물고기를 잡아먹음. '—喋'. ②마실 삽 歃(欠部 九畫)과 同字. '與高帝—血盟'《史記》.

[啑喋 삽잡] 오리 같은 것이 물고기를 잡아먹는 모양.

8 ⑪ [啖] 人名 담 ①-③Ⓑ感 徒敢切 dàn
④⑤Ⓐ勘 徒濫切 dàn

字解 ①먹을 담 음식을 먹음. '人相食—'《後漢書》. ②삼킬 담 병탄(倂吞)함. '秦割齊而一晉楚'《史記》. ③성 담 성(姓)의 하나. ④먹일 담 ⓐ먹게 함. '吉婦取棗, 以—吉'《漢書》. ⓑ미끼를 주어 꾐. '其有口舌者, 以利—之'《唐書》. ⑤싱거울 담 맛이 없음. 또, 그 음식. '攻苦食—'《史記》.

字源 形聲. 口+炎〔音〕. '炎염·담'은 활활 타오르는 불길의 뜻. 왕성하게 먹다, 탐하다의 뜻을 나타냄.

[啖啖 담담] 먹으려 하는 모양. 전(轉)하여, 온통 삼키려는 모양. 병탄(倂吞)하려는 모양.
[啖嘗 담상] 맛봄.
[啖咋 담색] 씹어 먹음.
[啖食 담식] 게걸스럽게 먹음. 탐식(貪食)함.
●健啖. 噬啖. 殤啖. 食啖. 咀啖. 快啖. 虎啖. 齕啖.

8 ⑪ [啡] ➊ 배 Ⓑ賄 匹愷切 pèi
➋ 비 Ⓔ — fēi

筆順 丨 口 口 吖 吖 吖 吖 啡 啡

字解 ➊ ①침 배 타액(唾液). '唾謂之一'《集韻》. ②침뱉는소리 배 '—, 出唾聲'《廣韻》. ➋(現) 음역자 비 '咖—'는 커피. '嗎—'는 모르핀.

8 ⑪ [啗] 담 ①-②Ⓑ感 杜敢切 dàn
③Ⓐ勘 徒濫切 dàn

字解 ①먹을 담 啖(前前條)과 同字. '先飯黍而後一桃'《韓非子》. ②마실 담 액체를 먹음. '右手持酒一'《唐書》. ③먹일 담 ⓐ먹게 함. '主孟—我'《國語》. ⓑ이익을 주어 꾐. '—以利'《史記》.

字源 形聲. 口+舀〔音〕. '舀함'은 '啖담'과 통하여, 탐하여 먹다의 뜻을 나타냄. '炎염·담'과 '舀'은 본래 같은 음이 아니었지만, 뒤에 동음시(同音視)되었음.

[啗嚼 담작] ⓐ씹어 먹음. ⓑ서로 공격함.
●剞啗. 膳啗. 飮啗. 酒啗. 吞啗.

8 ⑪ [喅] ➊ 욱 Ⓐ屋 乙六切 yù
➋ 혁 Ⓐ職 忽域切 xù
➌ 획 Ⓐ陌 呼麥切 huò

字解 ➊ 놀래는소리 욱 몸을 숨겼다가 갑자기 나타나 남을 놀라게 하는 소리. '—, 隱身忽出驚人之聲'《漢語大字典》. ➋ 목소리 혁 '—, 聲也'《集韻》. ➌ ①소리 획 '—, 聲也'《集韻》. ②크게웃을 획 크게 웃는 모양. '—, 大笑兒'《廣韻》. ③귀찮게말할 획 '喎, 喎喎, 語煩, 或从—'《集韻》.

8 ⑪ [啜] 철 Ⓐ屑 昌悅切 chuò

字解 ①먹을 철 '—菽飲水'《禮記》. ②마실 철 '欲—汁者衆'《史記》. ③훌쩍훌쩍울 철 '—其泣矣'《詩經》.

字源 形聲. 口+叕〔音〕. '叕철'은 '잇다'의 뜻. 숨을 이어 쉬면서 들이마시다의 뜻을 나타냄.

[啜泣 철읍] 훌쩍훌쩍 욺.
[啜汁 철즙] 단물을 빪. 남의 힘으로 이익을 얻음

의 비유.
◉呷啜. 歠啜. 餔啜.

8 ⑪ [啞] [人名] [一] 아 [上]馬 烏下切 yǎ [平]麻 於加切 yā [去]禡 衣嫁切 yā [二] 액 [入]陌 烏格切 è

[字解] [一] ①벙어리 아 瘂(疒部 八畫)와 同字. '一子'. '漆身爲厲, 呑炭爲一'《史記》. ②까마귀소리 아 까마귀가 우는 소리. '烏之一一'《淮南子》. ③놀라는소리 아 '아' 하고 깜짝 놀라는 소리. '一, 是非君人者之言也'《韓非子》. ※'아' 음은 인명자로 쓰임. [二] 웃을 액 껄껄 웃음. '一一'. '升沈付一一'《林希逸》.

[字源] [篆文] 形聲. 口+亞〔音〕. '亞아'는 '막히다'의 뜻. 또, 말이 되지 않는 목소리의 의성어. '口구'를 더하여, '웃다, 말이 막히다, 벙어리'의 뜻을 나타냄.

[啞嘔 아구] ㉠어린아이의 겨우 한두 마디 지껄이는, 혀가 잘 안 돌아가는 말. ㉡노 젓는 소리.
[啞啞 아아·액액] ㉠어린애가 말 배울 때 떠듬떠듬하는 소리. ㉡까마귀가 우는 소리. ㉢'액액(啞啞)'을 보라.
[啞然 아연] 기가 막혀서 말이 안 나오는 모양. 기가 막혀서 벌린 입이 닫히지 않는 모양.
[啞咽 아열] 흐느껴 욺.
[啞子 아자] 벙어리.
[啞子得夢 아자득몽] 벙어리가 꿈꾼다는 뜻으로, 그 꿈을 혼자만 알 뿐이지, 이것을 남에게 말할 수는 없음. 곧, 자기가 깨달은 바를 자기 혼자만 알 뿐이지 남에게는 말할 수 없음을 비유하는 말.
[啞咤 아타] ㉠떠들썩한 모양. 시끄러운 모양. ㉡혀가 잘 안 돌아가는 귀여운 소리.
[啞啞 액액] 웃는 소리. 웃으며 말하는 소리.
[啞然 액연] 껄껄 웃는 모양.
[啞咿 액이] 웃는 소리.
[啞爾 액이] 껄껄 웃는 모양.
◉嘔啞. 聾啞. 盲啞. 鳴啞. 笑啞. 喑啞. 瘖啞. 咿啞.

8 ⑪ [啌] 강 [平]江 許江切 xiāng, ③qiāng (①②항[本])

[字解] ①꾸짖을 강 또, 화내는 소리. '一, 咄也. 一曰, 嗔語'《集韻》. ②양치질할 강 입 안을 부셔냄. '一, 一曰嗽也'《集韻》. ③목병 강 목이 막히는 병.

8 ⑪ [唭] 기 [去]寘 去吏切 qì

[字解] ①고루할 기 '一嶷'는 보고 들은 것이 적은 모양. '一嶷, 無聞見也'《廣韻》. ②입에서나온말이뜻을나타내지못할 기 '貌不交, 口一嶷, 唫無辭. (注)一嶷, 有聲而無辭也'《太玄經》. ③속일 기 '一, 一曰, 紿也'《集韻》.

8 ⑪ [唔] [一] 혼 [平]元 呼昆切 hūn [二] 문 [上]吻 武粉切 wěn

[字解] [一] 어두울 혼, 아득할 혼 눈에 보이지 않는 곳. '著古昔之一一, 傳千里之忞忞, 莫如書'《揚子法言》. [二] 입가 문 입의 언저리. 吻(口部 四畫)의 古字. '一, 古文吻'《玉篇》.

8 ⑪ [啘] 관 [平]刪 古還切 guān

[字解] 지저귈 관 새가 의좋게 번갈아 울어 댐. '一, 二鳥和鳴'《廣韻》.

8 ⑪ [唬] 효 [平]肴 虛交切 xiāo

[字解] 어흥 효 호랑이가 욺. 일설(一說)에는, 짐승의 울음. '一, 虎聲也'《說文》.

[字源] [篆文] 形聲. 口+虎〔音〕. '虎호'는 '호랑이'의 뜻. 호랑이가 우는 소리의 뜻을 나타냄.

8 ⑪ [啕] 도 [平]豪 徒刀切 táo

[字解] ①수다할 도 말을 많이 함. '一, 多言'《廣韻》. ②얼버무릴 도 말이 분명치 않음. '一, 說文, 往來言也, 一曰, 小兒未能正言也'《集韻》.

8 ⑪ [啛] 강 [去]漾 丘亮切 qiàng

[字解] ①울 강 아이가 울음을 그치지 않음. '一喨, 小兒啼也'《廣韻》. ②목쉴 강 너무 울어 목소리가 나오지 않음. '哭極音絕, 亦謂之一'《揚子方言》.

[字源] 形聲. 口+羌〔音〕

8 ⑪ [崛] [一] 골 [入]月 古忽切 gǔ [二] 홀 [入]月 呼忽切

[筆順] 

[字解] [一] 근심할 골 근심하는 모양. '一, 憂貌'《廣韻》. [二] 근심할 홀 [一]과 뜻이 같음.

8 ⑪ [唫] 군 [上]軫 渠殞切 jùn

[字解] 구역질날 군 구역질이 나는 모양. '一, 欲吐皃'《集韻》.

8 ⑪ [啫] 답 [入]合 達合切 tà

[字解] 수다할 답 말이 많음. '噂一背憎'《詩經》.

8 ⑪ [啳] 야 [去]禡 羊謝切 yè

[字解] 울 야 새가 밤에 욺. '凡鳥朝鳴曰嘲, 夜鳴曰一'《正字通》.

8 ⑪ [啤] 비 [現] pí

[字解] 《現》 맥주 비 '一酒'는 맥주(麥酒).

[啤酒 비주] 맥주(麥酒).

8 ⑪ [啣] 〔함〕 銜(金部 六畫〈p. 2392〉)과 同字

8 ⑪ [兽] 〔수〕 獸(犬部 十五畫〈p. 1407〉)의 簡體字

8 ⑪ [啬] 〔색〕 嗇(口部 十畫〈p. 398〉)의 簡體字

8
⑪ [喜] 〔희〕
喜(口部 九畫〈p. 395〉)의 俗字

[参考] 이 글자를 나란히 벌여 놓은 것(囍)을 쌍희자(雙喜字)라 하여, 이중(二重)의 기쁨, 특히 결혼 축하의 표시로 사용함.

8
⑪ [㖡] 오 㫾遇 五故切 wǔ

[字解] ①만날 오 상봉함. '重華不可─兮'《楚辭》. ②거스를 오 거역함.

[字源] 㖡 形聲. 午+吾〔音〕. '午오'는 절굿공이 모양의 신체(神體)의 상형. '吾오'는 지키어 막다의 뜻. '거스르다'의 뜻을 나타냄.

8
⑪ [商] ㊥ 상 ㊦陽 尸羊切 shāng

[筆順] ` 亠 产 产 产 商 商

[字解] ①헤아릴 상 생각하여 분간함. '一量'. '虞必一軍進退'《漢書》. ②장사 상 상업을 함. '一販'. ③장수 상 상인. '一賈', '一旅不行'《易經》. ④서쪽 상 서방(西方). '秋風發乎西一'《曹植》. ⑤가을 상 추계(秋季). '一風蕭而害生'《東方朔》. ⑥음이름 상 오음(五音)의 하나. 오행설(五行說)에서 가을(秋)에 배당되므로, 비애(悲哀)·적료(寂寥) 등의 뜻을 나타냄. '宮·一·角·徵·羽'. ⑦상나라 상 탕(湯)임금이 하(夏)나라의 걸왕(桀王)을 멸하고 세운 나라. 박(毫)에 도읍하였다가 후에 반경(盤庚)이 은(殷)〈지금의 하남 성 언사현(河南省偃師縣)〉으로서 천도(遷都)하여 고침. 28주(主) 만에 주(周)나라의 무왕(武王)에게 멸망당하였음. (B.C.?~B.C.1233) ⑧별이름 상 동쪽에 있는 별의 이름. '辰爲一星'《左傳》. ⑨상상 제법(除法)을 행하여 얻은 수(數). ⑩성상 성(姓)의 하나.

[字源] 朿(甲骨文) 禿(金文) 喬(篆文) 形聲. 內+章〔省〕〔音〕. '冏★'은 높고 큰 전각(殿閣)의 뜻. '章장'은 '밝다'의 뜻. 멀리서도 분명하게 바라보이는 높은 전각의 뜻에서, 은(殷)나라 서울의 이름으로 쓰임. 뒤에 은나라가 망하자 망민(亡民)이 행상을 업으로 삼았으므로, '장사'의 뜻, '헤아리다'의 뜻을 나타냄.

[商家 상가] 장사하는 집.
[商推 상각] 헤아려 정(定)함. 비교하여 생각함.
[商鑑不遠 상감불원] 국가(國家)가 멸망(滅亡)한 선례(先例)는 멀리 옛날에 구하지 않아도 가깝게 눈앞에 있다는 뜻. 상(商)은 왕조(王朝)의 이름으로 은(殷)이라고도 함. 감(鑑)은 거울. 본보기. 은감불원(殷鑑不遠).
[商客 상객] 도붓장수. 행상(行商).
[商炬 상거] 노래기.
[商界 상계] 상업(商業)의 사회.
[商估 상고] 장수.
[商賈 상고] 장수.
[商工 상공] ㉠장사와 공장(工匠). ㉡상업(商業)과 공업(工業).
[商儈 상괴] 거간. 물건의 매매를 붙이는 사람.
[商權 상권] 상업상의 권리(權利).
[商均 상균] 순(舜)임금의 아들. 이름은 균(均). 상(商)에 봉(封)함을 받았으므로 상균(商均)이라 함. 불초(不肖)하여 제위(帝位)를 이어받지 못하였음.

[商氣 상기] 가을의 기운.
[商略 상략] ㉠꾀. 계략(計略). ㉡장사하는 꾀.
[商量 상량] 헤아려 생각함. 상탁(商度).
[商旅 상려] 도붓장수. 행상(行商).
[商嶺 상령] 전한(前漢)의 사호(四皓)가 숨었던 산.
[商路 상로] 장삿길.
[商陸 상륙] 다년생 풀의 하나. 뿌리는 수종증(水腫症)에 이뇨제(利尿劑)로 씀. 자리공.
[商利 상리] 장사하여 얻은 이익.
[商賣 상매] 장사.
[商暮 상모] 가을날의 저녁때.
[商務 상무] 상업상의 용무(用務).
[商舶 상박] 여객·화물을 운반하는 상용(商用)의 선박.
[商法 상법] ㉠상업에 관한 규칙. ㉡상업상의 사권(私權) 관계를 규정하는 법률.
[商社 상사] ㉠상업상의 결사(結社). ㉡'상사 회사(商事會社)'의 준말.
[商事 상사] ㉠상업에 관한 일. ㉡상법상(商法上)의 일체의 사항(事項)의 총칭.
[商山四皓 상산사호] 진(秦)나라 말년(末年)에 전란(戰亂)을 피하여 산시 성(陝西省) 상산(商山)에 은거한 네 사람의 백발노인. 곧, 동원공(東園公)·하황공(夏黃公)·녹리 선생(甪里先生)·기이계(綺里季). 후에 모두 한(漢)나라 혜제(惠帝)의 스승이 되었음.
[商參 상삼] 서로 엇갈리어 맞지 아니함.
[商船 상선] 상업상의 목적에 쓰이는 배.
[商勢 상세] 상업의 형세.
[商鞅 상앙] 전국 시대(戰國時代)의 정치가. 위(衛)나라 사람. 성(姓)은 공손씨(公孫氏). 형명(刑名)의 학(學)을 좋아하여 진(秦)나라 효공(孝公)을 섬겨 정승이 되자 법령(法令)을 고치고 부강지책(富強之策)을 써서 치적(治績)이 볼만하였으나, 법이 너무 준엄하고 귀척(貴戚)과 대신의 원망을 사서 효공이 죽은 후 차열(車裂)의 형벌을 받았음. 상(商)에 봉(封)함을 받았으므로 호(號)를 상군(商君)이라 함. 저서에 〈상자(商子)〉가 있음.
[商羊 상양] 상상(想像上)의 새. 이 새가 날아다니면 큰비가 내린다는 전설이 있음. 전(轉)하여, 홍수(洪水)·수재(水災)의 예보(豫報)의 뜻으로 쓰임.
[商羊鼓舞 상양고무] 큰비가 오려고 하여 상양(商羊)이 기뻐하여 춤춤. 상양(鸛䳍).
[商業 상업] 장사. 상행위(商行爲)의 영업.
[商用 상용] ㉠상업상의 용무. ㉡장사하는 데 씀.
[商意 상의] 가을의 정취(情趣).
[商議 상의] 상의함. 서로 의논함.
[商人 상인] 장수.
[商子 상자] 책 이름. 5권 26편. '상군서(商君書)'라고도 함. 진(秦)나라 상앙(商鞅)의 저(著)라고 하나, 상앙이 죽은 뒤의 일을 많이 부회(附會)하였음.
[商敵 상적] 자기가 경영하는 상업에 있어서의 경쟁자.
[商店 상점] 가게.
[商定 상정] 헤아려 정함.
[商秋 상추] 가을. 추계(秋季).
[商儈 상쾌] 상괴(商儈).
[商度 상탁] 상량(商量).
[商販 상판] 장사. 장사함.

[商鋪 상포] 상점(商店).
[商標 상표] 상공업자(商工業者)가 자기의 상품(商品)인 것을 표시하기 위하여 쓰는 일정한 표(標).
[商品 상품] 팔고 사는 물건.
[商風 상풍] 가을바람. 금풍(金風).
[商港 상항] 상선(商船)이 드나들고 화물이 집산(集散)하는 항구(港口).
[商戶 상호] 장사하는 집.
[商號 상호] 장사하는 사람이 영업상(營業上) 자기(自己)를 표시(表示)하는 이름.
[商況 상황] 상업상의 형편(形便).
[商會 상회] 상업상의 결사(結社). 전(轉)하여, 상점.
◉街商. 巨商. 季商. 宮商. 隊商. 萬商. 暮商. 卜商. 士農工商. 參商. 素商. 申商. 紳商. 良商. 外商. 殷商. 仲商. 通商. 海商. 行商. 協商. 豪商. 畫商. 會商.

8 ⑪ [啇] 적 ㊀錫 都歷切 dí

字解 ①밑동 적 근본. ②꼭지 적 열매의 꼭지. ③물방울 적 滴(水部 十一畫)과 同字. '三一而眠'《蘇舜欽》.
字源 形聲. 口+帝〈省〉〔音〕. '帝제'는 구심적(求心的)으로 모이다의 뜻. 많은 뿌리가 모이는 나무의 '밑동'의 뜻을 나타냄.

8 ⑪ [問] 中·人 문 ㊄問 亡運切 wèn

筆順 
字解 ①물을 문 질문함. '一答'. '好一則裕'《書經》. ②문초할 문 신문함. '一罪'. '淑一如皐陶'《詩經》. ③찾을 문 ㉠방문함. '帝使泄公持節一之'《漢書》. ㉡병 앓는 사람을 찾아가 위로함. '一病'. '一疾弔喪'《說苑》. ④알릴 문 고함. '或以一孟嘗君'《戰國策》. ⑤선사할 문 증정함. '雜佩以一之'《詩經》. ⑥물음 문 질문. '舜好一'《中庸》. ⑦부름 문 초빙(招聘). '公一不至'《左傳》. ⑧소식 문 음신(音信). '久無家一'《晉書》. ⑨성 문 성(姓)의 하나.
字源 甲骨文 金文 篆文 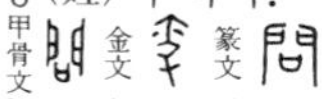 形聲. 口+門〔音〕. '門문'은 '문'의 뜻. 문전에 찾아가서 묻다, 신성한 지역에서 신의 뜻을 묻다의 뜻을 나타냄.

[問遣 문견] 안부(安否)를 묻고 선물(膳物)을 보냄.
[問難 문난] 어려운 것을 물음.
[問寧 문녕] 안부(安否)를 물음. 또, 병문안을 함. 문병(問病)함.
[問答 문답] 물음과 대답(對答). 또, 한쪽에서 묻고 다른 한쪽에서 대답함.
[問對 문대] ㉠문답(問答). ㉡한문(漢文)의 한 체(體). 문답식으로 의견을 진술한 것.
[問東答西 문동답서] 동(東)을 물으면 서(西)를 대답(對答)한다는 뜻으로, 딴소리하는 것을 이르는 말. 동문서답(東問西答).
[問禮 문례] 예절을 물음.
[問柳 문류] 버들을 찾는다는 뜻으로, 봄의 경치를 찾아 구경함을 이름.
[問名 문명] 이름을 물음.
[問目 문목] 죄인(罪人)을 심문(審問)하는 조목(條目).
[問病 문병] 앓는 사람을 찾아보고 위문(慰問)함.
[問卜 문복] 점쟁이에게 길흉(吉凶)을 물음.
[問喪 문상] 사람의 죽음에 대(對)하여 위로(慰勞)함. 조상(弔喪).
[問訊 문신] ㉠신문(訊問)함. 물어 바로잡음. ㉡찾음. 방문함.
[問安 문안] 웃어른에게 안부(安否)를 여쭘.
[問安視膳 문안시선] 웃어른에게 문안(問安)을 올리고, 차려 드릴 음식을 보살핌.
[問業 문업] 스승에게 가르침을 받음.
[問議 문의] 물어보고 의논함.
[問情 문정] 사정(事情)을 물음.
[問鼎輕重 문정경중] 초(楚)나라 장왕(莊王)이 천하(天下)를 빼으려는 야심(野心)을 품고, 주(周)나라 정왕(定王)에게 제위(帝位)의 상징(象徵)이며 전국(傳國)의 보물(寶物)인 구정(九鼎)의 무게를 물었다는 고사(故事). 타인(他人)의 실력(實力) 또는 내막(內幕)을 엿봄.
[問題 문제] ㉠대답(對答)을 얻기 위하여 내는 제목(題目). ㉡의논(議論)의 목적물(目的物)이 되는 일.
[問罪 문죄] 죄(罪)를 신문하여 책망함. 또, 죄지은 자를 성토(聲討)하고 정벌함.
[問罪之師 문죄지사] 역적(逆賊)을 치는 군대.
[問津 문진] ㉠나루가 있는 곳을 물음. ㉡학문의 입문(入門). 학문의 입구(入口)를 알려 주기를 청한다는 뜻.
[問招 문초] 죄(罪)를 지은 사람을 신문(訊問)함.
[問學 문학] 학문(學問).
[問候 문후] 웃어른의 안부(安否)를 물음. 후문(候問).
◉講問. 譴問. 叩問. 考聞. 拷問. 顧問. 究問. 鞫問. 糾問. 記問. 吉問. 難問. 勞問. 名問. 耗問. 聞問. 反問. 訪問. 不問. 聘問. 查問. 書問. 設問. 省問. 詢問. 試問. 訊問. 審問. 尋問. 按問. 案問. 延問. 慰問. 音問. 疑問. 一問. 自問. 咨問. 諮問. 裁問. 摘問. 存問. 切問. 弔問. 存問. 質問. 借問. 察問. 責問. 策問. 請問. 推問. 風問. 下問. 學問. 驗問. 或問. 喚問. 候問. 恤問. 凶問. 詰問.

8 ⑪ [售] 수 ㊄宥 承呪切 shòu

字解 ①팔 수 물품을 팖. '吾一之人取之'《劉基》. ②팔릴 수 ㉠남이 사감. '衒嫁不一'《列女傳》. ㉡행하여짐. 쓰여짐. '于始不一'《張衡》.
字源 篆文 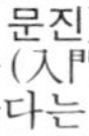 形聲. 口+雔〈省〉〔音〕. '雔수'는 대등한 것이 나란히 있다의 뜻. 서로 목소리를 건네어 상대와 교역(交易)하다, 팔다의 뜻을 나타냄.

◉沽售. 買售. 發售. 寶貨難售. 自售.

8 ⑪ [啓] 高·人 계 ㊤薺 康禮切 qǐ

筆順 
字解 ①열 계 ㉠문 같은 것을 엶. '一閉'. ㉡슬기와 지능을 열어 줌. '一蒙'. '一發'. ㉢시작함. '是一之也'《韓愈》. ②열릴 계 ㉠열어짐. ㉡통(通)함. '鑿河津于孟門, 百川復一'《南史》.

ㄴ일어남. 흥함. '皇運勃一'《徐陵》. ③인도할 계 안내함. 보도 (輔導)함. '夫人將—之'《左傳》. ④여쭐 계 사룀. 아룀. '一佑'. '夫人將—之'《左傳》. '一白'. '時稱山公一事'《晉書》. ⑤책상다리할 계 한 다리를 올리고 한 다리를 그 위에 포개어 편히 앉음. '一居'. '不遑—處'《詩經》. ⑥성 계 성(姓)의 하나.

字源 甲骨文 𣂧 金文 𢻻 篆文 啟 形聲. 口+攴(攵)〔音〕. '攴계'는 손으로 문을 여는 모양을 본뜸. 입을 열어 여쭈다의 뜻을 나타냄.

[啓龕 계감]《佛教》감실(龕室)을 열어 공중(公衆)을 비불(祕佛)에게 배례(拜禮)시킴. 개장(開帳).
[啓居 계거] 책상다리하고 편히 앉음. 무릎을 얹고 앉음. 계처(啓處).
[啓告 계고] 말씀드림. 고함.
[啓達 계달] 계품(啓稟).
[啓導 계도] 계발(啓發)하여 지도함.
[啓櫝 계독] 함(函)을 엶. 상자(箱子)를 엶.
[啓明 계명] 유성(遊星)의 하나. 샛별. 금성(金星). 태백성(太白星).
[啓明星 계명성] 계명(啓明).
[啓蒙 계몽] 어린아이나 몽매(蒙昧)한 사람을 깨우침.
[啓蒙運動 계몽운동] 전통적(傳統的)인 인습(因習)을 깨뜨리고 학술적(學術的)으로 합리적(合理的) 판단(判斷)을 얻게 하는 운동(運動).
[啓門 계문] 제사(祭祀) 지낼 때 유식(侑食) 뒤에 합문(闔門)을 엶.
[啓發 계발] 식견(識見)을 열어 줌. 또, 식견이 열림.
[啓發誘導 계발유도] 몽매를 깨우쳐 알도록 이끌어 줌.
[啓白 계백] 사룀. 말씀드림.
[啓報 계보] 아룀. 여쭘.
[啓事 계사] 임금에게 아룀. 또, 그 문서(文書). 상서(上書).
[啓辭 계사] 논죄(論罪)에 관(關)하여 임금에게 아뢰는 글.
[啓上 계상] 사룀. 말씀드림. 계백(啓白).
[啓示 계시] ㉠열어 보임. 숨김없이 보임. ㉡신(神)의 가르침. 묵시(默示).
[啓沃 계옥] 자기 마음속에 있는 것을 열어 남의 마음속에 부음. 곧, 흉금(胸襟)을 털어놓고 성의껏 인도(引導)함.
[啓佑 계우] 인도(引導)하여 도움.
[啓翼 계익] ㉠군대의 왼편 부대. 좌익(左翼). ㉡인도(引導)하여 도움.
[啓迪 계적] 열어 인도(引導)함. 가르쳐 인도함.
[啓程 계정] 길을 떠남. 발정(發程).
[啓奏 계주] 계품(啓稟). 계품(啓稟).
[啓處 계처] 계거(啓居).
[啓寵 계총] 총애(寵愛)함.
[啓寵納侮 계총납모] 지나치게 총애(寵愛)하면 도리어 경멸(輕蔑)을 받게 된다는 뜻.
[啓蟄 계칩] 이십사절기(二十四節氣)의 하나. 우수(雨水)와 춘분(春分) 사이에 있는데 양력 3월 5일 전후가 됨. 봄철을 맞아 동면(冬眠)하던 벌레가 나와 움직이는 철이라는 뜻. 경칩(驚蟄).
[啓閉 계폐] ㉠열고 닫음. 개폐(開閉). ㉡입춘·입하와 입추·입동.

[啓稟 계품] 임금에게 아룀.
[啓行 계행] ㉠벽제(辟除)함. ㉡출발함.
●謹啓. 密啓. 拜啓. 復啓. 覆啓. 副啓. 上啓. 狀啓. 肅啓. 佑啓. 陳啓. 天啓. 行啓. 還啓.

8 ⑪ [啟] 啓(前條)의 本字

8 ⑪ [啓] 啓(前前條)의 俗字

8 ⑪ [啙] 〔자〕 㿚(口部 五畫〈p. 368〉)와 同字 㿚
字源 篆文 㿚 形聲. 吅+此〔音〕. '此차'는 '어긋나다'의 뜻. 또, '疵자'와 통하여 '상처. 흠'의 뜻. 입이 비뚤어지다, 상처, 흠의 뜻을 나타냄. 또, 입으로 사람에게 상처를 주다, 헐뜯다의 뜻도 나타냄.

9 ⑫ [單] 中入 一 단 ㉠寒 都寒切 dān
㉡旱 黨旱切 dǎn
二 선 ㉠先 市連切 chán
㉡銑 常演切 shàn

筆順 丨 𠮛 𠮛 𭥛 甲 𭥩 𭥩 單 單 單 單 單

字解 一 ①홀 단 ㉠단지. 하나. '一數'. '一身'. '家貧衣一'《晉書》. ㉡한 겹. '一衣'. '歲暮衣裳—'《杜甫》. ㉢외로움. '孤一'. '兩世一身, 形—影隻'《韓愈》. ②다할 단 다 없어짐. '一竭'. '歲旣—矣'《禮記》. ③다 단 모두. '惟爲社事一出里'《禮記》. ④성 단 성(姓)의 하나. ⑤다만 단 단지. '唯—有一聲, 無餘聲相雜者也'《禮記》. 二 ①오랑캐임금 선 '一于'는 흉노(匈奴)의 왕(王). 광대(廣大)의 뜻. '一姓蟬輕氏'《漢書》. ②고을이름 선 '一父'는 춘추 시대(春秋時代)의 노(魯)나라의 읍(邑). 현재의 산동 성(山東省) 선현(單縣). ③성 선 성(姓)의 하나. '成王封蔑於一邑, 故爲一氏'《通志》.

字源 甲骨文 𥃲 金文 𥃳 篆文 單 象形. 본디 끝이 두 갈래 진 사냥 도구인 활의 일종의 象形. 假借하여 '홑'의 뜻으로 쓰임.

[單家 단가] 불운(不運)하여 한미(寒微)한 집.
[單價 단가] 단위(單位)의 가격.
[單間 단간] 단지 한 칸.
[單竭 단갈] 다함. 끝이 남. 바닥이 남.
[單個 단개] 단 한 개.
[單擧 단거] 오직 한 사람을 천거함.
[單件 단건] 단벌.
[單袴 단고] 홑바지. 고의(袴衣).
[單孤 단고] 의지할 데 없는 고아(孤兒).
[單鉤 단구] 집필법(執筆法)의 하나. 가운뎃손가락을 집게손가락과 가지런히 하여 손가락 끝으로 붓대를 쥐고 글씨를 쓰는 일. 쌍구(雙鉤)의 대(對).

[單鉤]

[單軍 단군] 고단(孤單)한 군사. 원병(援兵)이 없는 고립(孤立)한 군대(軍隊). 고군(孤軍).
[單卷 단권] 한 권으로 완결된 책.
[單衾 단금] 홑이불.
[單記 단기] 낱낱이 따로따로 적음.
[單騎 단기] 혼자 말을 타고 감. 또, 그 사람.

[單刀 단도] 한 자루의 칼.
[單刀直入 단도직입] 한 칼로 바로 적진(敵陣)에 쳐들어간다는 뜻으로, 문장·언론 등에서 바로 본론(本論)으로 들어감을 이름.
[單獨 단독] ㉠독신자(獨身者). ㉡단지 한 사람. 혼자, 단지 하나임.
[單獨講和 단독강화] 한 나라가 그 동맹국(同盟國)에서 이탈하여 단독으로 적국(敵國)과 강화하는 일. 또는, 많은 상대국(相對國) 가운데서 한 나라와만 하는 강화.
[單獨一身 단독일신] 단 하나인 홀몸.
[單獨行爲 단독행위] 당사자(當事者) 한쪽만의 의사 표시에 의하여 성립되는 법률 행위.
[單老 단로] 나이는 늙고 처자(妻子)가 없는 사람.
[單露 단로] 모두 노출됨. 방어물(防禦物)이 없음을 이르는 말.
[單利 단리] 원금(元金)에 가입시키지 않는 이자(利子).
[單文 단문] 간단한 문장. 간단한 문구(文句).
[單門 단문] 가난한 집안. 의지(依支)할 곳 없는 일족(一族).
[單文孤證 단문고증] 간단한 문서(文書)와 하나의 증거(證據)라는 뜻으로, 불충분(不充分)한 증거, 박약한 증거를 이름.
[單味 단미] 한 가지 맛. 순수(純粹)한 맛. 또, 그 음식물.
[單方 단방] ㉠여러 가지 약(藥)을 쓰지 않고 단한 가지만을 쓰는 방문(方文). 또, 그 약. 단방약(單方藥). ㉡단출한 방법.
[單方藥 단방약] 단 한 가지만 가지고 병(病)을 다스리는 약.
[單番 단번] 단 한 번. 한 차례.
[單兵 단병] 소수(少數)의 약한 군대(軍隊). 원병(援兵)이 없는 고립된 군대. 고군(孤軍). 단군(單軍).
[單婢 단비] 단 한 사람의 여자 종.
[單辭 단사] 한쪽만의 말.
[單舍利별 단사리별] 백사탕(白砂糖) 6할 5푼을 끓는 증류수(蒸溜水) 3할 5푼에 녹인 액체. 약제(藥劑)의 조미(調味)에 씀.
[單絲不成線 단사불성선] 외가닥 실은 아무 쓸모가 없다는 뜻.
[單衫 단삼] 윗도리에 입는 저고리 모양의 홑옷. 적삼.
[單色 단색] ㉠한 가지 빛. ㉡단일한 빛. 곧, 원색(原色).
[單席 단석] 외겹의 돗자리.
[單線 단선] 외줄.
[單性 단성] 생물(生物)의 기관(器官)이 자성(雌性) 또는 웅성(雄性)의 한쪽만을 가지고 있는 일.
[單少 단소] 적음. 사소(些少)함.
[單純 단순] ㉠어수선하지 않고 홑짐. 복잡하지 않고 순일(純一)함. ㉡조건(條件)이나 제한(制限)이 없음.
[單式 단식] 단순한 방식.
[單身 단신] 혼자의 몸. 홀몸.
[單心 단심] ㉠마음을 다함. 진력함. ‘單’은 ‘殫’과 통합. ㉡참마음. ‘單’은 ‘亶’.
[單閼 단알] 십이지(十二支)의 하나인 ‘묘(卯)’의 별칭(別稱).
[單語 단어] 낱말.
[單元 단원] ㉠단일(單一)한 근원(根元). ㉡단자(單子)❶.
[單元論 단원론] 단일한 원리(原理)에 의하여 우주(宇宙)의 모든 현상(現象)을 설명하는 학설(學說).
[單月 단월] 작은달. 즉, 한 달이 30일인 달.
[單位 단위] ㉠수량(數量)을 헤아리는 데 그 기초가 되는 분량의 표준(標準). ㉡사물을 비교·계산하는 기본.
[單襦 단유] 짧은 홑옷.
[單音 단음] ㉠홀소리. ㉡음악(音樂)에서 단일한 선율(旋律)만을 아뢰는 소리.
[單衣 단의] 홑옷.
[單易折衆難摧 단이절중난최] 고립하면 꺾이기 쉽고, 합하면 잘 꺾이지 아니함.
[單一 단일] 단지 하나.
[單子 단자] ㉠모든 물체(物體) 조성(組成)의 근본이라고 생각되는 개체(個體)로서, 절대로 나눌 수 없는 독립 자유의 존재. ㉡(韓) 남에게 보내는 물목(物目)을 적은 종이.
[單子論 단자론] 만유(萬有)는 무수(無數)한 단자(單子)로 되었고, 그 단자는 제각기 전(全) 우주(宇宙)를 표상(表象)하고 있다고 하는 학설(學說).
[單盞 단잔] 한 잔.
[單傳 단전] 《佛敎》 문자·언어에 의하지 아니하고 이심전심(以心傳心) 함.
[單丁 단정] 형제가 없는 장정(壯丁).
[單調 단조] ㉠음향(音響) 등의 가락이 단일(單一)함. ㉡사물이 변화가 없고 싱거움.
[單稱 단칭] 특히 개개만을 일컬음.
[單寒 단한] ㉠고단(孤單)하고 한미(寒微)함. ㉡의복이 얇아 추움.
[單行 단행] 혼자 감. 단신으로 감.
[單行本 단행본] 총서(叢書)나 전집(全集)에 대하여 그것만으로 단독으로 출판(出版)된 책.
[單獻 단헌] 제사에 삼헌(三獻)할 술잔을 단 한 번만 함.
[單于 선우] 흉노(匈奴)의 왕(王)의 칭호(稱號).
●簡單. 煢單. 輕單. 孤單. 供單. 交單. 名單. 微單. 孀單. 食單. 傳單.

9
⑫ [꿏] 〔악〕
꿉(口部 六畫〈p.369〉)의 本字

9
⑫ [喪] 〔中入〕 상　㉴漾 蘇浪切 sàng
　　　　　　　　㉵陽 息郞切 sāng　　喪 喪

[筆順] 一 十 𠮷 𠮷 𠮷 𠮷 喪 喪 喪

[字解] ①망할 상 멸망함. ‘殷遂一’《書經》. ②잃을 상 ㉠없어지게 함. 상실함. ‘一心’. ‘勇士不忘一其元’《孟子》. ㉡지위를 잃음. ‘二三子何患於一乎’《論語》. ㉢사별(死別)하다. ‘悼一親’《左傳》. ‘偏一曰寡’《詩經 傳》. ③복 상 상복(喪服). ‘父母之一, 無貴賤一也’《中庸》. ④관 상 널. ‘送一不踰境’《禮記》. ⑤복입을 상 상제 노릇을 함. ‘子夏一其子, 而喪其明’《禮記》. ⑥성 상 성(姓)의 하나.

[字源] 會意. 哭+亡. ‘哭곡’은 입을 벌리고 울다의 뜻. ‘亡망’은 사람의 죽음의 뜻. 슬픈 사람의 죽음의 뜻에서, 일반적으로 물건을 잃다의 뜻을 나타냄.

[喪家 상가] ㉠초상(初喪) 난 집. ㉡상제의 집.

[喪家之狗 상가지구] 초상(初喪)집 개란 말이니, 초상(初喪)집은 슬픈 나머지 개에게 먹을 것을 줄 경황이 없어서 개가 파리하므로, 기운이 없어 축 늘어진 사람이나 수척하고 쇠약한 사람의 비유로 쓰임.
[喪具 상구] 장례(葬禮)에 쓰는 제구(諸具).
[喪國 상국] 나라를 잃음.
[喪紀 상기] 상사(喪事)에 관한 일.
[喪氣 상기] 의기(意氣)가 저상(沮喪)함.
[喪期 상기] 거상을 입는 동안.
[喪亂 상란] 상사(喪事)와 화란(禍亂). 많은 사람이 죽는 재앙.
[喪禮 상례] 상중(喪中)에 행하는 예절(禮節).
[喪笠 상립] 방갓.
[喪亡 상망] 상실(喪失).
[喪明 상명] ㉠소경이 됨. 실명(失明). ㉡아들의 죽음을 당함. 자하(子夏)가 아들의 죽음에 너무 상심하여 실명(失明)한 고사(故事)에서 나온 말.
[喪配 상배] 아내가 죽음. 홀아비가 됨. 상처(喪妻).
[喪服 상복] 상중(喪中)에 입는 옷.
[喪夫 상부] 남편(男便)의 죽음을 당함. 과부가 됨.
[喪費 상비] 초상에 드는 비용. 상수(喪需).
[喪事 상사] 사람이 죽는 일.
[喪性 상성] 본디 갖춘 성질을 잃어버림.
[喪需 상수] 초상에 드는 비용(費用). 상비(喪費).
[喪神 상신] 본심(本心)을 잃음.
[喪失 상실] 잃어버림.
[喪心 상심] ㉠본심(本心)을 잃음. 마음이 미혹(迷惑)함. ㉡미침.
[喪輿 상여] 시체를 운반하는 기구.
[喪偶 상우] 상처(喪妻).
[喪人 상인] 상제(喪制).
[喪杖 상장] 상제가 짚는 지팡이. 부상(父喪)에는 대〔竹〕, 모상(母喪)에는 오동(梧桐).
[喪章 상장] 조의(弔意)를 표시(表示)하는 휘장(徽章).
[喪制 상제] 상중의 복제(服制).
[喪祭 상제] 초상과 제사.
[喪主 상주] 주장이 되는 상제.
[喪中 상중] 상제로 있는 동안.
[喪志 상지] 상심(喪心).
[喪債 상채] 상수(喪需)로 인하여 생긴 빚. 초상(初喪) 빚.
[喪妻 상처] 아내가 죽음. 홀아비가 됨.
[喪布 상포] 초상 때에 쓰는 베.
[喪行 상행] 상여(喪輿)의 뒤를 따르는 행렬(行列).
●國喪. 大喪. 悼喪. 得喪. 問喪. 剝喪. 服喪. 稅喪. 送喪. 心喪. 哀喪. 淪喪. 除喪. 沮喪. 阻喪. 弔喪. 凋喪. 札喪. 脫喪. 敗喪. 好喪. 護喪. 婚喪.

9
⑫ [喪] 喪(前條)의 本字

9
⑫ [嘊] 〔경〕
哽(口部 七畫⟨p.375⟩)의 本字

9
⑫ [喝] 〔당〕
唐(口部 七畫⟨p.377⟩)의 古字

9
⑫ [煦] 후 ㉠夒 況羽切 xǔ

字解 ①불 후 숨기운을 내보냄. '一嘘呼吸'《王襃》. ②숨 후 호흡. '衆一漂山'《漢書》. ③선웃음칠 후 아첨하여 웃음. '——趑趄'《柳宗元》. ④따뜻이할 후, 품을 후 煦(火部 九畫)와 同字. '護民之勞, 一之若子'《唐書》.
字源 形聲. 灬(火)+呴[音]. '呴구·후'는 혹 숨을 불다 함. '火旁'을 더하여, 따뜻한 숨을 불어 따뜻이 하다의 뜻을 나타냄.

[煦嘘呼吸 후허호흡] 도가(道家)의 양생법(養生法)으로서, 체내(體內)의 고기(古氣)를 내쉬고 신기(新氣)를 들이쉬는 일. 토납(吐納).
[煦煦 후후] 아첨하여 웃는 모양. 선웃음 치는 모양.

9
⑫ [啼] 人名 제 ㉠齊 杜奚切 tí

字解 울 제 ㉠눈물을 흘리며 소리 내어 욺. '一泣'. '始卒主人一'《禮記》. ㉡새나 짐승이 욺. '月落烏一霜滿天'《張繼》.
字源 形聲. 口+帝[音]. '帝제'는 우는 소리를 나타내는 의성어.

[啼哭 제곡] 큰 소리로 욺. 울부짖음.
[啼眉 제미] 울어 찡그린 눈썹.
[啼泣 제읍] 눈물을 흘리며 소리 내어 욺. 체읍(涕泣).
[啼粧 제장] 우는 얼굴과 같이 보이기 위하여 분을 눈 아래에만 살짝 바르는 화장.
[啼鳥 제조] 우는 새. 지저귀는 새.
[啼珠 제주] 눈물 방울.
[啼血 제혈] 피를 토하며 슬피 욺. 두견이의 애절(哀切)한 소리를 이름.
[啼痕 제흔] 울어서 눈물이 흐른 자국.
●悲啼. 愁啼. 深啼. 偸啼. 含啼. 街啼.

9
⑫ [嚍] 잠 ①㉠感 子感切 zǎn
⑫ ②㉠覃 祖含切 zán

字解 ①맛볼 잠 '——'은 맛을 봄. '——, 味也'《集韻》. ②나 잠 자기(自己)의 속칭. '——, 今北音謂我也'《正字通》.

9
⑫ [喑] 암 ㉠覃 吾含切 án

字解 ①잠꼬대 암 몽예(夢囈). 일설(一說)에는, 코를 고는 소리. '眠中一呻呼'《列子》. ②다물 암 '一默'은 입을 다물고 잠자코 있음. '公卿一默唯唯'《唐書》.
字源 形聲. 口+弇[音]. '弇엄'은 '뚜껑을 덮다'의 뜻.

[喑默 암묵] 입을 다물고 잠자코 있음.
[喑囈 암예] 잠꼬대. 일설(一說)에는 코 고는 소리.

9
⑫ [啾] 추 ㉠尤 卽由切 jiū

字解 ①울 추 새 같은 것이 작은 소리로 욺. '依林白鳥一'《楊載》. ②떠들썩할 추 시끄러움. '一嘈'.

字源 篆文 形聲. 口＋秋〔音〕. '秋추'는 작은 울음소리의 의성어. 새나 벌레 따위가 슬피 울다의 뜻을 나타냄.

[啾嘈 추조] 소리가 시끄러움. 떠들썩함.
[啾唧 추즉] ㉠새 같은 것이 가늘게 우는 소리. ㉡여럿이 떠들썩하게 지껄이는 소리.
[啾啾 추추] ㉠방울 같은 것이 가늘게 울리는 소리. ㉡새, 말, 벌레, 귀신 따위가 구슬프고 처량하게 우는 소리. ㉢음산하게 내리는 빗소리.
[啾號 추호] 울부짖음.
●聊啾. 喝啾. 嘲啾. 號啾. 喧啾.

9
⑫ [啿] 담 ⑮感 徒感切 dàn

字解 많을 담 넉넉한 모양. 풍후(豐厚)한 모양. '羣生——'《漢書》.
字源 形聲. 口＋甚〔音〕

[啿啿 담담] 넉넉한 모양. 풍후(豐厚)한 모양.

9
⑫ [喀] ⼈名 객 ⓐ陌 苦格切 kā

字解 뱉을 객 구토함. '——血'.
字源 形聲. 口＋客〔音〕. '客객'은 입에서 내뱉는 소리의 의성어.

[喀喀 객객] 물건을 계속하여 뱉는 소리.
[喀痰 객담] 가래를 뱉음. 또, 그 가래.
[喀血 객혈] 피를 토함.

9
⑫ [嗻] ▤ 탁 ⓐ藥 徒落切 duó
▣ 도 ⑮遇 都故切 zhà
▦ 타 ⑮麻 陟加切 zhà

筆順 口 口⼧ 口广 口庐 口庶 口庶 嗻 嗻

字解 ▤ 말에절도(節度)없을 탁 '——, 言無度也'《集韻》. ▣ 꾸짖을 도 '——, 呟也'《集韻》. ▦ 꾸짖을 타 呟(口部 三畫〈p. 344〉)·吒(口部 六畫〈p. 369〉)와 同字.

9
⑫ [喁] ▤ 옹 ⑮冬 魚容切 yóng
▣ 우 ⑮有 語口切 yú

字解 ▤ 입벌름거릴 옹 고기가 물 위에 입을 내놓고 벌름거림. '水濁則魚——'《韓詩外傳》. ▣ 화답할 우 한 사람이 '어'하고 부르면 딴 사람이 '오'하고 대답하는 소리. '前者唱于, 而隨者唱——'《莊子》.
字源 篆文 形聲. 口＋禺〔音〕

[喁喁 옹옹] ㉠물고기가 입을 위로 쳐들고 떠서 벌름거리는 모양. 전(轉)하여, 여러 사람이 우러러 사모하는 모양. ㉡부화뇌동(附和雷同)하여 말하는 모양. 또, 쓸데없는 말을 지루하게 하는 모양.
●魚喁. 噞喁. 于喁. 前于隨喁.

9
⑫ [喃] 남 ⑮咸 女咸切 nán

字解 ①재재거릴 남 수다스럽게 재잘거림. '———細語'《北史》. ②글읽는소리 남 독서성(讀書

聲). '樹下讀——'《寒山》.
字源 形聲. 口＋南〔音〕. '南남'은 입을 열었다 다물었다 하는 모양을 나타냄.

●呢喃. 詀喃.

9
⑫ [嗄] 하 ⑮麻 何加切 xiá

字解 목구멍 하 '——, 咽也'《集韻》.

9
⑫ [喇] ⼈名 라(랄)ⓐ ⼊曷 郎達切 lǎ

字解 ①나팔 라 '——叭'은 관악기의 하나. ②나마 라 범어(梵語) '라'의 음역자(音譯字). '——嘛'.
字源 形聲. 口＋剌〔音〕

[喇嘛 나마] 나마교의 중.
[喇嘛敎 나마교] 서장(西藏 ; 티베트)을 중심으로 하여 몽골 및 만주에 퍼진 불교의 한 파. 라마교(lama敎).
[喇叭 나발] 나팔(喇叭).
[喇叭 나팔] 관악기의 하나. 군중에서 호령을 전하는 데 쓰였음.

9
⑫ [喈] 개 ⑮佳 古諧切 jiē

字解 ①새소리 개 듣기 좋은 새소리. '其鳴——'《詩經》. ②종소리 개 듣기 좋은 종소리. '鼓鐘——'《詩經》. ③빠를 개 빠른 모양. '北風其——'《詩經》.
字源 篆文 形聲. 口＋皆〔音〕. '皆개'는 '가지런하다, 조화하다, 모이다'의 뜻. 듣기 좋은 소리의 뜻을 나타냄.

[喈喈 개개] ㉠듣기 좋은 새소리가 멀리 들리는 모양. ㉡종이 울리는 소리. ㉢심복(心服)하는 모양.

9
⑫ [喉] ⼈名 후 ⑮尤 戶鉤切 hóu

筆順 口 口 叩 吟 吟 呼 喉 喉

字解 ①목구멍 후 '——頭'. '揣其——'《左傳》. ②목 후 급소. 요해처. '畫地而守之, 扼其——而不得進'《魏志》.
字源 篆文 形聲. 口＋侯〔音〕. '侯후'는 '엿보다'의 뜻. 밖에서 그 모양을 엿볼 수 있는 입. 숨통, 결후(結喉)의 뜻을 나타냄.

[喉衿 후금] 목구멍과 옷깃. 전(轉)하여, 요해처(要害處), 또는 강요(綱要)의 뜻으로 쓰임.
[喉頭 후두] 기관(氣管)과 설골(舌骨) 사이에 있는 호흡기(呼吸器)의 일부.
[喉吻 후문] ㉠목구멍과 입술. ㉡요소(要所). 목.
[喉門 후문] 목구멍.
[喉舌 후설] 목구멍과 혀. 모두 말을 하는 중요한 기관(器官)이므로 중요한 정무(政務)의 비유로 쓰임. 전(轉)하여, 정무(政務)에 참여하는 재상(宰相).
[喉舌之官 후설지관] 임금의 말을 기록하는 관원(官員).

[喉院 후원]《韓》'승정원(承政院)'의 별칭(別稱).
[喉音 후음] 내쉬는 숨으로 목청을 마찰하여 내는 소리. 'ㅇ·ㅎ' 같은 것. 목구멍소리.
[喉咽 후인] 목구멍. 인후(咽喉).
●歌喉. 乾喉. 結喉. 嬌喉. 衿喉. 襟喉. 心喉. 扼喉. 咽喉.

9/12 [喉] 喉(前條)의 本字

9/12 [畵] 〔도〕 圖(口部 十一畫〈p. 429〉)의 俗字

9/12 [喊] 〔人名〕함 ①⑮叅 呼叅切 hǎn ②⑭咸 居咸切 jiān
字解 ①소리칠 함 ㉠화내어 소리 지름. '跳踉大一'《柳宗元》. ㉡고함지름. '一聲', '衆一莫齊'《蘇軾》. ②다물 함 입을 다물고. 잠자코 있음. '一默'.
字源 形聲. 口+咸〔音〕. '咸함'은 목소리를 한껏 내다의 뜻. '口구'를 더하여 '소리치다'의 뜻을 나타냄.

[喊默 함묵] 입을 다물고 말을 하지 아니함.
[喊聲 함성] 여러 사람이 함께 높이 지르는 소리. 고함지르는 소리.
●高喊. 鼓喊. 吶喊.

9/12 [㕭] 〓 죽 ⒜屋 之六切 zhōu 〓 주 ⑭尤 職流切
字解 〓 닭부르는소리 죽 '一一'은 닭을 부르는 소리. '一, 呼鷄重言'《說文》. 〓 닭부르는 소리 주 〓과 뜻이 같음.
字源 形聲. 吅+州〔音〕

9/12 [㕭] 〓 각 ⒜藥 其虐切 jué 〓 극 ⒜陌 乞逆切
字解 〓 입위의오목한곳 각. 웃을 각 '谷, 說文曰, 口上阿也. 一曰, 笑也. 一膿, 並同上'《集韻》. 〓 웃을 극 크게 웃음. '噱, 說文, 大笑也. 通作一'《集韻》.

9/12 [㗊] 〓 즙 ⒜緝 阻立切 jí 〓 급 ⒜緝 訖立切 jí 〓 뢰 ⑭灰 魯回切 léi
字解 〓 뭇입 즙 여러 사람의 입. 또, 많은 사람이 왁자지껄 말함. 시끄러움. '一, 衆口也, 一曰, 呶'《說文》. 〓 뭇입 급 〓과 뜻이 같음. 〓 雷(雨部 五畫〈p. 2498〉)의 古字.
字源 會意. '口구'를 넷 합쳐서, 뭇사람이 소리쳐 시끄럽다의 뜻을 나타냄.

9/12 [㗊] 〓 녑 ⒜葉 昵輒切 niè 〓 엽 ⒜葉 而涉切 yì
字解 〓 ①수다할 녑 말이 많음. '多言也'《說文》. ②말다툼할 녑 '㗊一'은 다툼. '㗊一, 爭言也'《玉篇》. 〓 수다할 엽 〓❶과 뜻이 같음. '一, 多言'《廣韻》.
字源 指事. 세 개의 입, 곧 많은 입으로 수다를 떤다는 뜻을 나타냄.
參考 山部 九畫의 '㠭'과 자형(字形)이 흡사하나, 口部는 '㗊'으로 쓰고, 山部는 '㠭'으로 하여 구별함.

9/12 [喋] 〓 첩 ⒜葉 丁愜切 dié 〓 잡 ⒜洽 丈甲切 zhá
字解 〓 ①재재거릴 첩 수다스럽게 말을 잘 늘어놓음. '一一利口'《漢書》. ②밟을 첩 蹀(足部 九畫)과 同字. '一血關輿'《史記》. ③흐를 첩 피가 흐르는 모양. '夏楚血常一'《王安石》. 〓 쪼아먹을 잡 새가 모이를 먹음. '一呷', '啑一菁藻'《史記》.
字源 形聲. 口+葉〔音〕. '葉엽'은 '나뭇잎'의 뜻. 나뭇잎의 수처럼 말수가 많다, 잘 지껄이다의 뜻을 나타냄. 또, 음부(音符) '葉'은 '얇고 납작하다'의 뜻. 입술을 납작하게 해서 빨아 마시다의 뜻도 나타냄.

[喋呷 잡합] 오리나 기러기가 모여서 모이를 쪼아먹음. '一一모양'.
[喋喋 첩첩] 수다스럽게 거침없이 말을 썩 잘하는.
[喋喋利口 첩첩이구] 수다스럽게 거침없이 말을 썩 잘하는 입.
[喋血 첩혈] 피를 밟음. 전쟁터에 나감을 이름.
●唼喋. 啑喋. 囁喋.

9/12 [喏] 야 ⑮馬 爾者切 rě, nuò
字解 ①대답할 야 대답하는 소리. '子發曰一, 不問其詞而遣之'《淮南子》. ②인사할 야 '唱一'는 남에게 인사할 때의 말. '左右因唱一'《宋書》.
字源 形聲. 口+若〔音〕. '若약'은 복종하여 응하다의 뜻. '예'하고 대답하는 모양을 나타냄.
●唱喏.

9/12 [喑] 음 ①②⑭侵 於金切 yīn ③㊀沁 於禁切 yìn
字解 ①벙어리 음 말을 못함. 또, 그 병. '一啞', '遂稱風疾一不能言'《後漢書》. ②입다물 음 침묵함. '一啞', '近臣則一, 遠臣則喑'《墨子》. ③소리지를 음 큰 소리로 호령함. '項王一啞叱咤'《史記》.
字源 形聲. 口+音〔音〕. '音음'은 입에 물건을 물어 똑똑히 발음하지 않다의 뜻. '입을 다물다, 벙어리' 등의 뜻을 나타냄.

[喑蟬 음선] 벙어리매미.
[喑啞 음아] ㉠벙어리. ㉡입을 다묾.
[喑啞叱咤 음오질타] 성을 내어 큰 소리로 꾸짖음.
[喑喑 음음] 말은 못하고 단지 소리만 내는 모양.
[喑醷 음의] 기(氣)가 모이는 모양.
●口喑. 聾喑. 坐喑.

9/12 [喓] 요 ⑭蕭 於霄切 yāo
字解 벌레소리 요 '一一草蟲'《詩經》.
字源 形聲. 口+要〔音〕

[喓喓 요요] 벌레 소리.

9/12 [喔] 악 ⒜覺 於角切 wō

[字解]①울 악 새가 욺. 또, 그 소리. '——雞下樹'《白居易》. ②선웃음질 악 억지로 아첨하여 웃음. '—咿嚅唲, 以事婦人乎'《楚辭》.
[篆文] 喔 形聲. 口+屋〔音〕. 닭이 우는 소리의 의성어.

[喔喔 악악] 닭 우는 소리. 또, 새 우는 소리.
[喔嚅 악유] ㉠수다스럽게 지껄임. ㉡시끄럽게 욺.
[喔咿 악이] ㉠선웃음 치는 모양. 억지로 아첨하여 웃는 모양. ㉡닭 우는 소리.
●呃喔. 嗢喔. 嚶喔. 咿喔.

喑 〔9/12〕 [篆] ▤ 주 ㉺尤 直由切 chóu ▤ 수 ㉺有 承呪切 shòu
[字解] ▤ 꿩 주 꿩의 별명(別名). '雊, 南方曰—'《爾雅》. ▤ 수할 수 오래 삶. 壽(士部 十一畫)의 古字.

喘 〔9/12〕 [人名] 천 ㉖銑 昌兗切 chuǎn
[字解] ①숨 천 호흡. 전(轉)하여, 수명(壽命). '—餘'. '假—殘生'《張說》. ②숨찰 천 숨이 차서 헐떡거림. '—息'. '匈—膚汗'《漢書》. ③코골 천 숨을 곪. '鶴瘦龜不—'《蘇軾》. ④속삭일 천 소곤소곤 이야기함. '—而言'《荀子》.
[篆文] 喘 形聲. 口+耑〔音〕. '耑천'은 '遄천'과 통하여 '빠르다'의 뜻. '가쁜 숨, 헐떡이다'의 뜻을 나타냄.

[喘急 천급] 심한 천식(喘息).
[喘氣 천기] 가벼운 천식(喘息).
[喘息 천식] ㉠숨이 차서 헐떡거림. ㉡기관지(氣管支)에 경련(痙攣)이 생기어 숨이 차서 기침이 나고 담(痰)이 성(盛)하는 병.
[喘月 천월] 담이 작아 지레 겁을 냄을 이름. '오우천월(吳牛喘月)' 참조(參照).
[喘喘 천천] 숨이 차서 헐떡거리는 모양.
[喘促 천촉] 숨이 차서 헐떡거리고 힘없는 기침을 하는 병증.
[喘汗 천한] 숨이 차고 땀이 남.
●假喘. 窮喘. 嬾喘. 息喘. 餘喘. 吳牛見月喘. 吳午喘. 臥喘. 殘喘. 呀喘. 咳喘. 號喘. 荒喘.

喙 〔9/12〕 [人名] ▤ 훼 ㉺隊 許穢切 huì ▤ 달 ㉿
[字解] ▤ ①부리 훼 새나 짐승의 주둥이. '鶡喙其肉, 蚌合而箝其—'《戰國策》. 전(轉)하여, 입. '容—'. '婦人之—, 可以死敗'《說苑》. ②숨쉴 훼 부리로 숨을 쉼. '—息'. ③성급할 훼 성미가 급함. '余病—矣'《國語》. ④괴로워할 훼 '維其—矣'《詩經》. ▤ 《韓》 부리 달 닭의 주둥이.
[篆文] 喙 會意. 口+彖. '彖달'은 멧돼지의 象形. 멧돼지의 입의 뜻에서, 육식하는 짐승이나 날짐승의 주둥이의 뜻을 나타냄.

[喙息 훼식] 부리로 숨을 쉬는 동물. 곧, 조류(鳥類).
[喙長 훼장] 부리가 긺. '—유'.
[喙長三尺 훼장삼척] 언론(言論)이 썩 능함의 비유.
[喙呀 훼하] 입을 벌림. 전(轉)하여, 물려는 자세를 취함.
●開喙. 交喙. 萬喙. 豕喙. 銳喙. 烏喙. 容喙. 長頸鳥喙. 長喙. 鳥喙. 衆喙. 虎喙.

喚 〔9/12〕 [人名] 환 ㉖翰 火貫切 huàn
[筆順] 丨 丨 丬 丬 丬 呐 唤 唤 唤
[字解] 부를 환 ㉠큰 소리로 부름. 대호(大呼)함. '叫—'. '連叫大—'《宋書》. ㉡불리움. 소환함. '—問'.
[篆文] 喚 形聲. 口+奐〔音〕. '奐'은 멀리 있는 것을 구하다의 뜻. 멀리 있는 것을 구하기 위하여 부르다, 불러내다의 뜻을 나타냄.

[喚叫 환규] 부르짖음. 소리 질러 부름.
[喚起 환기] ㉠불러일으킴. ㉡날 샐녘에 우는 일종의 새.
[喚問 환문] 관청에서 불러내어 물어봄.
[喚醒 환성] ㉠잠자는 사람을 깨움. ㉡어리석은 사람을 깨우침.
[喚聲 환성] 부르는 소리.
[喚子鳥 환자조] 소쩍새. 호자조(呼子鳥).
[喚集 환집] 불러 모음. 소집(嘯集).
[喚呼 환호] 큰 소리로 부름.
●叫喚. 宣喚. 召喚. 千呼萬喚. 招喚. 追喚. 敕喚. 通喚. 呼喚.

喝 〔9/12〕 [人名] ▤ 갈 ㉣曷 許葛切 hè ▤ 애 ㉖卦 於犗切 yè
[字解] ▤ ①꾸짖을 갈 큰 소리로 나무람. '大—'. '勵聲—之'《晉書》. ②부를 갈 큰 소리로 오라고 함. '蝲蜋一秋'《宋祁》. ③큰소리 갈 대성(大聲). 노성(怒聲). '何能爲當于陣上之一'《五代史》. ▤ 목멜 애 목구멍이 막힘. 또, 목멤. '陰—不得對'《後漢書》.
[篆文] 喝 形聲. 口+曷〔音〕. '曷갈'은 높이 내걸다의 뜻. 목소리를 높여 목이 쉬다의 뜻. 또, 큰 소리로 꾸짖다의 뜻을 나타냄.

[喝道 갈도] ㉠꾸짖음. ㉡귀한 사람이 행차할 때 별배(別陪)가 큰 소리로 길 가는 사람에게 길을 피하게 함. 벽제(辟除).
[喝食 갈식] 《佛敎》선사(禪寺)에서 식사 시간을 알리는 시동(侍童).
[喝采 갈채] 기쁜 소리로 크게 소리 지르며 칭찬(稱讚)함.
[喝破 갈파] ㉠큰 소리로 꾸짖음. ㉡큰 소리로 남의 언론을 설파(說破)함.
●恐喝. 大喝. 恫喝. 棒喝. 流喝. 陰喝. 引喝. 一喝. 殿喝. 嗔喝. 叱喝. 喘喝. 虛喝. 脅喝. 呼喝. 揮喝.

暖 〔9/12〕 [篆] ▤ 환 ㉖翰 火貫切 huàn ▤ 훤 ㉺元 況袁切 huàn ▤ 훤 ㉖阮 火遠切 xuǎn ▥ 원 ㉺元 于元切 yuán ▦ 화 ㉘歌 胡戈切 hé
[字解] ▤①성낼 환 슬퍼하여 분노함. '爰—, 悲也. 秦晉曰—'《揚子方言》. ②근심할 환 '—, 愁也'《廣雅》. ③부를 환 '—, 呼也'《玉篇》. ▤①성낼 훤, 근심할 훤 ▤❶❷와 뜻이 같음. ②두려워할 훤 '—懼'《廣韻》. ③울음그치지않음 원 어린이가 울음을 그치지 않음. '咺, 說文, 朝鮮謂兒泣不止曰咺. 或从爰'《集韻》. ▤ 슬퍼할 원

'一, 哀也'《集韻》. 四 슬퍼할 회 三과 뜻이 같음. 五 슬퍼하여성낼 화 '爰·一, 哀也. 〈注〉一, 哀而悲也'《揚子方言》.

9 ⑫ [喞] 즉 㐱職 子力切 jí

字解 ①벌레소리 즉 벌레가 요란하게 우는 소리. '蟲聲——'《歐陽修》. ②물댈 즉 물을 댐. '以一筩一水其上'《種樹書》.
字源 形聲. 口+卽〔音〕

[喞喞 즉즉] ㉠벌레가 요란하게 우는 소리. ㉡참새가 지저귀는 소리. ㉢베 짜는 소리. ㉣쥐가 찍찍 우는 소리.
[喞筒 즉통] 양수기 (揚水機). 펌프.
●喟喞. 嘈喞. 啾喞. 喧喞.

9 ⑫ [喟] 위 㒾寘 丘愧切 kuì

字解 ①한숨쉴 위 탄식함. '一然大息'. '一然而歎'《論語》. ②한숨 위 탄식. '寢少愁多頻發一'《戴表元》.
字源 篆文 (篆) 別體 (別) 喟 形聲. 口+胃〔音〕. '胃위'는 '困곤'과 통하여 '곤란하다'의 뜻. 곤란하여 어찌할 바를 모르고 입 밖으로 나오다, 탄식하다의 뜻을 나타냄.

[喟然 위연] 탄식 (歎息) 하는 모양.
[喟喟 위위] 연거푸 한숨 쉬는 모양.

9 ⑫ [喤] ■ 황 㗊陽 胡光切 huáng ■ 횡 㯂庚 戶盲切 huáng ■ 횡 㯂庚 虎橫切 huáng

字解 ■ ①울음소리 황 어린아이들의 우는 소리. '其泣——'《詩經》. ②조화할 황 소리가 조화(調和)하는 모양. '鼓鐘——'《詩經》. ③떠들썩할 황 시끄러운 모양. '——厥聲'《詩經》. ■ 떠들썩한소리 횡 '一呷'
字源 篆文 (篆) 喤 形聲. 口+皇〔音〕. '皇황'은 '크다'의 뜻. 크게 지껄이다, 떠들썩하다. 또, 아기가 마구 우는 소리 등의 뜻을 나타냄.

[喤喤 황황] ㉠어린애의 우는 소리. ㉡시끄러운 모양. 떠들썩한 모양. ㉢소리가 조화하는 모양.
[喤呷 횡합] 사람의 소리가 떠들썩함.
●引喤.

9 ⑫ [喧] 훤 㝹元 況袁切 xuān ㉗阮 況遠切 xuǎn

筆順 ﾉ ﾉ ﾉˈ 吖 吟 咟 咟 喧

字解 떠들썩할 훤 시끄러움. '一擾'. '諸侯一譁'《史記》. 또, 어린애가 그치지 않고 자꾸 우는 모양. '悲愁於邑, 一不可止兮'《漢武帝》.
字源 形聲. 口+宣〔音〕. '宣선'은 널리 퍼지도록 말하다의 뜻. '口구'를 더하여 '시끄럽다'의 뜻을 나타냄.

[喧聒 훤괄] 시끄러움. 요란함.
[喧轟 훤굉] 시끄러움. 떠들썩함. 또, 덜거덕덜거덕 또는 쿵쿵 울림.
[喧鬧 훤뇨] 여러 사람이 뒤떠듦.

[喧騰 훤등] ㉠시끄럽게 떠듦. ㉡평판이 높음.
[喧繁 훤번] ㉠시끄럽고 바쁨. ㉡시끄러워 듣기 싫음.
[喧騷 훤소] 요란하게 떠듦.
[喧然 훤연] 시끄러운 모양.
[喧擾 훤요] 떠들썩함. 소란함.
[喧藉 훤자] 여러 사람의 입으로 퍼져서 왁자하게 됨.
[喧爭 훤쟁] 떠들며 다툼.
[喧傳 훤전] 훤자 (喧藉).
[喧噪 훤조] 시끄러움. 떠들썩함.
[喧塵 훤진] 세상의 시끄럽고 귀찮은 일. 속세 (俗世)의 번루 (煩累).
[喧呼 훤호] 떠들며 부름.
[喧譁 훤화] 시끄러움. 떠들썩함.
[喧譁 훤화] 훤화 (喧譁).
[喧豗 훤회] 떠들썩함. 시끄러움.
[喧囂 훤효] 시끄러움. 떠들썩함.
●浮喧. 紛喧. 評喧. 塵喧. 啾喧. 赫喧. 絃喧. 囂喧.

9 ⑫ [喨] 량 㵁漾 力讓切 liàng

字解 멀리들릴 량 소리가 맑아 멀리 들리는 모양. '嘹, 嘹一, 淸徹之聲'《正字通》.
字源 形聲. 口+亮〔音〕

●嘹喨. 嚦喨. 嗟喨.

9 ⑫ [喩] 유 ①-④㒾遇 羊戌切 yù ⑤㗂虞 容朱切 yú

筆順 ﾉ ﾉ 吖 吟 哈 唸 喩 喩

字解 ①깨우칠 유 가르치고 타일러 이해시킴. '曉一'. '且一以所守'《韓愈》. ②깨달을 유 잘못을 앎. 또, 이치를 알아냄. '君子一於義'《論語》. ③비유할 유. 비유 유 '譬一'. '可謂善一矣'《禮記》. ④성 유 성 (姓). ⑤좋아할 유 기뻐함. '嘔一受之'《漢書》.
字源 形聲. 口+兪〔音〕. '兪유'는 '뽑아내다'의 뜻. 불분명한 점을 집어내는 말, 깨우치다의 뜻을 나타냄.

[喩勸 유권] 깨우치고 권함. 타일러 격려함.
[喩喩 유유] 기뻐하는 모양.
●諫喩. 告喩. 敎喩. 喣喩. 明喩. 比喩. 譬喩. 詳喩. 善喩. 暗喩. 慰喩. 諭喩. 隱喩. 陰喩. 引喩. 直喩. 風喩. 解喩. 曉喩. 訓喩.

9 ⑫ [喭] ■ 안 㗂翰 魚旰切 yàn ■ 언 㖋霰 魚變切 yàn

字解 ■ ①거칠 안 성질이 거칢. '由也一'《論語》. ②굳셀 안 '一, 剛猛也'《論語 皇疏》. ■ 조상할 언 애도함. 망국 (亡國)을 가슴 아프게 여겨 찾아가 위로함. 唁 (口部 七畫)과 同字.
字源 形聲. 口+彥〔音〕

[喭喭 안안] 굳세고 바름.
●畔喭.

9 ⑫ [喫] 끽 㗂錫 苦擊切 chī

字解 ①먹을 끽 '一飯'. '梅熟許同朱老一'《杜甫》. ②마실 끽 '一茶'. '對酒不能一'《杜甫》.

字源 篆文 喫 會意. 口+契. '契계·결'은 '새기다'의 뜻. 입 안에서 잘게 쪼개다, 먹다의 뜻을 나타냄.

[喫怯 끽겁] 겁을 집어먹음.
[喫驚 끽경] 깜짝 놀람.
[喫苦 끽고] 고생을 겪음.
[喫緊 끽긴] 매우 긴요(緊要)함.
[喫茶 끽다] ㉠차를 마심. ㉡시집가는 일. 여자의 결혼. 차나무는 이식(移植)하면 죽으므로 재가(再嫁)하지 않는다는 뜻을 우의(寓意)한 것임.
[喫飯 끽반] 밥을 먹음.
[喫煙 끽연] 담배를 피움.
[喫一驚 끽일경] 깜짝 놀람.
[喫着 끽착] 먹음. 전(轉)하여 의식(衣食). 착(着)은 조자(助字).
[喫着不盡 끽착부진] 의식(衣食)이 넉넉함.
[喫菜事魔 끽채사마] 평소에 채식(菜食)하고, 마신(魔神)을 섬기는 일종의 종교(宗敎). 송대(宋代)에 있었음. 일설(一說)에는 마니교(摩尼敎)를 이른 말이라고도 함.
[喫破 끽파] 다 먹어 버림.
[喫虎膽 끽호담] 호랑이의 쓸개를 먹음. 담력(膽力)이 큼을 이름.
[喫虧 끽휴] 손해를 입음.
●滿喫.

9/12 [喫] 喫(前條)의 略字

9/12 [喎] ■ 와 (卦④) ㉠佳 苦緺切 wāi(kuāi)
■ 화 ㉠歌 戶戈切 hé

字解 ■ 입비뚤어질 와 咼(口部 六畫)와 同字. ■ 고를 화 和(口部 五畫)와 통용.

[喎斜症 와사증] 입이 비뚤어지는 병.

9/12 [呦] 유 yōu

字解 ①사슴울을 유 사슴이 우는 소리. '一, 鹿鳴也'《篇海》. ②노랫소리 유 읊는 소리. '巴語相呀一'《韓愈》.

●咿呦.

9/12 [哽] 변 ㉠先 毗連切 pián

字解 ①말잘할 변 교묘하게 꾸며서 말함. '一, 巧言也'《集韻》. ②말할 변 辯(言部 十四畫)과 통용.

9/12 [唬] 호 ㉠虞 洪孤切 hú

字解 ①성냄소리 호 성을 내어 지르는 소리. '唬一, 怒氣'《集韻》. ②목젖 호 목구멍 위에 젖꼭지처럼 난 것. '瞶唬一以紆鬱'《王褒》.

9/12 [喰] 〔손〕 殮(食部 三畫〈p.2570〉)과 同字

字源 會意. 口+食. '口구'와 '食식'을 합쳐서 '먹다'의 뜻을 나타냄.

9/12 [嗢] 〔올〕 嗢(口部 十畫〈p.397〉)의 俗字

9/12 [噱] 〔갹〕 噱(口部 十三畫〈p.408〉)과 同字

9/12 [喆] 人名 〔철〕 哲(口部 七畫〈p.377〉)과 同字

筆順 一 十 士 吉 吉 喆 喆 喆

9/12 [喬] 人名 교 ㉠蕭 巨嬌切 qiáo

筆順 一 二 千 呑 喬 喬 喬 喬

字解 ①높을 교 높이 우뚝 섬. '一木'. '厥木惟一'《書經》. ②창끝 굽을 교 창고리 진 창. '二矛重一'《詩經》. ③교만할 교 驕(馬部 十二畫)와 통용. '一然'. '一而野'《禮記》. ④성 교 성(姓)의 하나.

字源 金文 喬 篆文 喬 象形. 높은 누각(樓閣) 위에 깃발이 세워진 모양을 본떠, '높다'의 뜻을 나타냄.

[喬柯 교가] 높은 데 있는 가지.
[喬幹 교간] 높고 큰 나무의 줄기.
[喬桀 교걸] 뛰어남. 준수(俊秀)함.
[喬林 교림] 교목(喬木)의 숲.
[喬木 교목] ㉠키가 큰 나무. ㉡줄기가 곧고 높이 자라서 가지가 퍼지는 나무. 소나무·전나무 등.
[喬木世家 교목세가] 여러 대(代)를 중요(重要)한 지위(地位)에 있어서 나라와 운명(運命)을 같이하는 집안.
[喬木世臣 교목세신] 여러 대(代)를 중요(重要)한 지위(地位)에 있어서 나라와 운명을 같이하는 신하(臣下).
[喬松 교송] 왕자교(王子喬)와 적송자(赤松子). '교송지수(喬松之壽)' 참조.
[喬竦 교송] 높이 솟음.
[喬松之壽 교송지수] 장수(長壽)를 이름. 교(喬)는 왕자교(王子喬), 송(松)은 적송자(赤松子)로 모두 불로불사(不老不死)의 선인(仙人).
[喬樹 교수] 높은 나무. 키가 큰 나무.
[喬嶽 교악] ㉠태산(泰山). ㉡높은 산. 고산(高山).
[喬然 교연] 교만한 모양.
[喬志 교지] 교만한 마음.
[喬遷 교천] ㉠남의 이사(移徙)를 축하하는 말. 시경(詩經)의 '出自幽谷遷於喬木'에서 나온 말. ㉡벼슬이 올라감. 승진함.
[喬詰 교힐] 마음이 평탄하지 아니함.
●凌喬. 松喬. 昇喬. 遷喬.

9/12 [啻] 시 ㉠眞 施智切 chì

字解 뿐 시 '不一', '何一', '奚一' 등으로 연용(連用)하여, 그뿐만이 아니라는 뜻으로 쓰임. '不一如自其口出'《書經》.

字源 金文 啻 篆文 啻 形聲. 口+帝〔音〕. '帝제'는 죄다, 범위를 좁히다의 뜻. 단 하나로 좁히다의 뜻에서 '다만, 뿐'의 뜻을 나타냄.

●不啻. 弗啻. 何啻. 奚啻.

9/⑫ [善] 〔中/人〕 선 ⊕銑 常演切 shàn

筆順 ` `` 艹 兰 羊 芦 美 羊 善 善

字解 ①착할 선, 좋을 선 '善'의 대. '出其言一, 則千里之外應之'《易經》. 또, 좋은 점. '采儒墨之一'《史記》. 또, 착한 행실. '隱惡而揚一'《中庸》. 또, 착한 사람. '禁姦舉一'《後漢書》. ②친할 선 사이가 좋음. '親一 ·與蔡邕素一'《後漢書》. ③길할 선 행복함. 상서로움. '一祥 · 豈非道之符而聖人所謂吉祥一事與'《戰國策》. ④옳게할 선 바르게 함. '獨一其身'. ⑤옳게여길 선 좋다고 인정함. '王如一之'《孟子》. ⑥잘할 선 '一射' ·一辭令' ⑦잘 선 ㉠자주. '女子一懷'《詩經》. ㉡자칫하면. '忽忽一忘不樂《漢書》. ㉢익숙하고 능란하게. '一戰者服上刑'《孟子》. ㉣친절히. '齊一待之'《史記》. ⑧성 선 성(姓)의 하나.

字源 金文 [圖] 古文 [圖] 篆文 [圖] 은 원고(原告)와 피고의 발언(發言)의 뜻. '羊양'을 신(神)에게 바치는 제물로 하여, 양자가 서로 좋은 결론을 구하는 모양에서, '좋다'의 뜻을 나타냄.

[善價 선가] 좋은 값. 비싼 값. 고가.
[善感 선감] 우두(牛痘) 따위의 감염(感染)이 잘 됨.
[善果 선과]《佛教》좋은 과보(果報). 선행(善行)에 대한 보답.
[善巧 선교] ㉠썩 교묘함. ㉡《佛教》교묘한 방법으로 사람에게 이익을 줌.
[善教 선교] 좋은 교훈.
[善巧方便 선교방편]《佛教》교묘한 방편. 아주 좋은 수단.
[善根 선근]《佛教》좋은 과보(果報)를 가져오게 하는 행위.
[善男善女 선남선녀]《佛教》불문(佛門)에 귀의(歸依)한 남녀.
[善待 선대] 잘 대접(待接)함. 후하게 대접함.
[善待問者如撞鐘 선대문자여당종] 남의 질문을 잘 받는 자는 종을 치는 자의 힘의 대소에 따라 종소리에 대소의 차가 있듯이, 질문하는 자의 실력의 정도에 따라 대답함.
[善德 선덕] 바르고 착한 덕행.
[善道 선도] 바르고 착한 도.
[善導 선도] 잘 인도(引導)함.
[善良 선량] 착하고 어짊. 또, 그 사람.
[善類 선류] 착한 무리.
[善隣 선린] 이웃과의 좋게 지냄.
[善忘 선망] 잘 잊음.
[善謀 선모] 좋은 꾀.
[善文 선문] 문장을 잘 지음. 능문(能文).
[善美 선미] 착하고 아름다움.
[善防 선방] 잘 막아냄.
[善變 선변] 전보다 좋게 변함.
[善不善 선불선] 선(善)과 불선(不善). 착함과 착하지 아니함.
[善士 선사] 선량한 인사(人士).
[善事 선사] 좋은 일. 길사(吉事).
[善射 선사] 활이나 총을 잘 쏨.
[善辭令 선사령] 말을 잘함. 변설이 능함.

[善祥 선상] 길조(吉兆).
[善書 선서] 글씨를 잘 씀.
[善書不擇紙筆 선서불택지필] 글씨를 잘 쓰는 사람은 종이나 붓의 질(質)을 가리지 아니함.
[善善惡惡 선선악악] ㉠선(善)과 악(惡)을 잘 분별함. ㉡선악을 기탄없이 직언하거나 직필함.
[善手 선수] 솜씨가 월등한 사람.
[善始善終 선시선종] 처음부터 끝까지 잘함.
[善心 선심] 착한 마음. 선량한 심지.
[善惡 선악] ㉠착함과 악(惡)함. ㉡선인과 악인.
[善惡邪正 선악사정] 착함과 악함과 간사함과 올바름.
[善語 선어] 말을 잘함.
[善言 선언] 좋은 말. 훈계(訓戒)가 되는 말.
[善言煖於布帛 선언난어포백] 착한 말을 남에게 하여 주는 것은 베나 비단으로 남을 따뜻하게 하여 주는 것보다도 낫다는 말.
[善業 선업]《佛教》선근(善根).
[善用 선용] 적절하게 잘 씀.
[善友 선우] 좋은 친구.
[善遇 선우] 좋은 대우. 후한 대우.
[善柔 선유] 유순한 듯하면서 아첨만 잘하고 성실하지 아니함. 또, 그 사람.
[善游者溺 선유자익] 헤엄을 잘 치는 자가 익사함. 곧, 자기의 능한 바를 믿다가 도리어 위험이나 재난을 초래함을 이름.
[善應 선응] 길한 응험(應驗). 좋은 징조(徵兆).
[善意 선의] 좋은 뜻. 선량한 의사.
[善醫 선의] 병(病)을 잘 고치는 의원(醫員). 양의(良醫).
[善以爲寶 선이위보] 금이나 옥이 보배가 아니고, 선언(善言)·선행(善行)이 세상의 귀한 보배라는 뜻.
[善人 선인] 착한 사람. 좋은 사람.
[善才 선재] ㉠훌륭한 재능이 있는 사람. ㉡당(唐)나라 때의 비파(琵琶)를 잘 뜯던 사람의 이름. 전(轉)하여, 비파의 명수(名手).
[善哉 선재] 참 훌륭하다고 탄미(歎美)하는 말.
[善政 선정] 착한 정치. 잘 다스리는 정치.
[善政碑 선정비] 관원(官員)의 선정(善政)을 표창(表彰)하여 세운 비.
[善知識 선지식]《佛教》덕(德)이 높은 중. 고승(高僧).
[善策 선책] 좋은 책략(策略).
[善處 선처] 잘 처리(處理)함.
[善治 선치] 잘 다스림.
[善行 선행] 착한 행실(行實).
[善行無轍迹 선행무철적] 착한 행실은 자국이 없다는 뜻으로, 선행(善行)은 자연(自然)에 좇기 때문에 사람의 눈에 잘 띄지 않는다는 말.
[善後 선후] 뒷수습을 잘함.
[善後策 선후책] 뒷갈망을 잘하려는 계획.
●嘉善. 改善. 慶善. 勸善. 多多益善. 徒善. 獨善. 不善. 上善. 祥善. 性善. 聖善. 小善. 十善. 完善. 友善. 僞善. 仁善. 慈善. 積善. 至善. 珍善. 次善. 責善. 遷善. 最善. 追善. 忠善. 親善.

9/⑫ [哩] 리 lǐ

字解 양사(量詞) 리 영미(英美)의 무게 단위(單位)인 grain의 구역(舊譯). 지금은 '格令'으로 씀.

9 ⑫ [喜] [中·人] 희 ㊤紙 虛里切 xǐ 

[筆順] 一 十 吉 吉 壴 壴 喜 喜

[字解] ①기쁠 희, 기뻐할 희 '一悅'. '君子禍至不懼, 福至不一'《史記》. ②좋아할 희 애호함. '俗一鬼神'《唐書》. ③기쁨 희 ㉠희열. '一怒'. '先王之所以飾一也'《史記》. ㉡기쁜 일. 경사. '賀慶以贊諸侯之一'《周禮》. ④성 희 성(姓)의 하나.

[字源] 甲骨文  金文  篆文  會意. 壴＋口. '壴주'는 끈으로 매달아 걸어 놓은 타악기의 상형. '口구'는 기도하는 말의 뜻. 악기를 쳐서 신에게 빌고, 신을 기쁘게 하다의 뜻에서 '기뻐하다'의 뜻을 나타냄.

[喜見城 희견성] 희견천(喜見天).
[喜見天 희견천] 《佛教》 삼십삼천(三十三天)의 지거천(地居天) 위에 있는 천궁(天宮). 제석천(帝釋天)이 삶.
[喜慶 희경] 기뻐하여 축하함.
[喜劇 희극] 사람을 웃기는 연극(演劇).
[喜氣 희기] 기쁜 기분(氣分).
[喜動顏色 희동안색] 기쁜 빛이 얼굴에 나타남.
[喜樂 희락] 기뻐하고 즐김.
[喜怒 희로] 기쁨과 노염.
[喜怒不形色 희로불형색] 희로애락의 감정을 안색에 나타내지 아니함.
[喜怒哀樂 희로애락] 기쁨과 노염과 슬픔과 즐거움. 곧, 사람의 온갖 감정.
[喜名者必多怨 희명자필다원] 명예욕이 너무 많은 사람은 남의 원망을 많이 삼.
[喜報 희보] 기쁜 기별. 기쁜 소식.
[喜不自勝 희불자승] 기뻐 어쩔 줄을 모름.
[喜悲 희비] 기쁨과 슬픔.
[喜事 희사] 기쁜 일.
[喜捨 희사] 《佛教》 기꺼이 재물을 버린다는 뜻으로, 남에게 재물(財物)을 시여(施與)하거나 신불(神佛)의 일로 재물을 기부하는 일.
[喜賞怒刑 희상노형] 기쁠 때에는 상을 주고 화날 때에는 형벌을 내린다는 뜻으로, 마음이 내키는 대로 함부로 상벌을 내림을 이름.
[喜色 희색] 기뻐하는 얼굴빛.
[喜色滿面 희색만면] 기쁜 빛이 얼굴에 가득함.
[喜聲 희성] 기뻐하는 소리.
[喜笑 희소] 기뻐하여 웃음.
[喜消息 희소식] 기쁜 소식(消息).
[喜壽 희수] 77세(歲).
[喜信 희신] 기쁜 서신(書信). 좋은 소식.
[喜躍 희약] 기뻐하여 뜀.
[喜懌 희역] 희열(喜悅).
[喜悅 희열] 기뻐함. 또, 기쁨.
[喜慍 희온] 기쁨과 성냄.
[喜雨 희우] 가물철에 오는 반가운 비. 감우(甘雨).
[喜憂 희우] 기쁨과 근심.
[喜子 희자] '지주(蜘蛛)'의 딴 이름. 거미가 내려오면 기다리는 사람이 온다는 데서 나온 말.
[喜鵲 희작] 까치〔鵲〕의 별칭(別稱). 까치가 울면 기쁜 일이 있다는 데서 나온 말.
[喜蛛 희주] 희자(喜子).
[喜出望外 희출망외] 기쁜 일이 뜻밖에 생김.
[喜幸 희행] 기쁘고 다행(多幸)함.
[喜喜樂樂 희희낙락] 매우 기뻐하고 즐거워함.

◉嘉喜. 慶喜. 驚喜. 狂喜. 大喜. 福喜. 悲喜. 善喜. 隨喜. 懌喜. 燕喜. 悅喜. 說喜. 溢喜. 賀喜. 和喜. 歡喜. 欣喜.

9 ⑫ [畧] 략 ㊇藥 離灼切 lüè

[字解] ①날카로울 략 칼날 따위가 날카로움. '一, 利也'《爾雅》. ②칼날 략 칼의 드는 부분.

9 ⑫ [営] 〔영·형〕
營(火部 十三畫〈p. 1358〉)의 略字

10 ⑬ [喿] 소 ㊄號 蘇到切 sào

[字解] ①떠들 소 새가 떼 지어 시끄럽게 욺. '一, 鳥群鳴也'《說文》. ②시끄러울 소 사람·수레 따위의 소리가 요란함. '車徒皆一'《周禮》.

[字源] 金文  篆文  會意. 品＋木. '品품'은 '많은 것'의 뜻. 많은 새가 나무 위에서 울어 시끄럽다의 뜻을 나타냄. 일설(一說)에, 신에 대한 기도의 소리가 시끄럽다의 뜻이라고도 함.

10 ⑬ [喪] 〔상〕
喪(口部 九畫〈p. 387〉)의 本字

10 ⑬ [脾] 패 ㊤紙 甫委切 bēi

[字解] 찢을 패, 째질 패 나눔. 갈라 떨어짐. '一, 別也'《說文》. '一, 裂也'《廣雅》.

[字源] 篆文  形聲. 冎＋卑〔音〕. '卑비'는 의성어. '冎과'는 두개골을 살에서 째어 가르다의 뜻. 파생(派生)하여 '찢어 나누다'의 뜻을 나타냄.

10 ⑬ [嗁] 제 ㊥齊 杜奚切 tí 

[字解] 울 제 啼(口部 九畫)와 同字. '愁眉一妝'《後漢書》.

[字源] 篆文 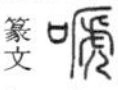 形聲. 口＋虒〔音〕. '虒치'는 차례차례 이어지다의 뜻. 울음소리를 계속하다, 슬피 울다의 뜻을 나타냄.

[嗁妝 제장] 눈 아래의 분을 엷게 닦아 내어 울고 있는 것처럼 보이게 하는 화장.

10 ⑬ [嗃] [人名] [一] 학 ㊇藥 呵各切 hè [二] 효 ㊥肴 許交切 xiāo 

[字解] [一] 엄할 학 준엄함. 엄혹함. '家人一一'《易經》. [二] 피리소리 효 '夫吹筦也, 猶有一也'《莊子》.

[字源] 篆文  形聲. 口＋高〔音〕

[嗃嗃 학학] 준엄한 모양. 엄혹(嚴酷)한 모양.

10 ⑬ [嗝] 격 ㊇陌 古核切 gé

[字解] ①새울음소리 격 '嘩, 嘩嗝, 鳥鳴也. 或作一'《集韻》. ②꿩울음소리 격 '一, 雉鳴'《廣韻》. ③닭울음소리 격 '一, 鷄鳴'《正字通》. ④《現》 딸꾹질 격 '气逆出聲. 如, 打飽一, 打一儿'《漢語大字典》.

10
⑬ [嗄] 사 ㊀禡 所嫁切 shà

[字解] 목쉴 사 '終日號而聲不一'《老子》.
[字源] 形聲. 口+夏〔音〕. '夏하'는 목구멍 속에서
나는 목소리의 의성어. 목이 쉬다의 뜻을 나
타냄.

10
⑬ [嗅] 〔人名〕후 ㊀宥 許救切 xiù

[字解] 맡을 후 냄새를 맡음. '一覺'. '三一而作'
《論語》.
[字源] 形聲. 口+臭〔音〕. '臭후'는 냄새를 맡다의
뜻.

[嗅覺 후각] 냄새를 맡는 감각(感覺).
[嗅感 후감] 후각(嗅覺).
[嗅官 후관] 후각(嗅覺)을 맡은 기관(器官). 곧,
코.
[嗅神經 후신경] 콧구멍 속의 점막(粘膜)에 분포
(分布)되어 후각(嗅覺)을 맡은 신경(神經).

10
⑬ [嗉] 소 ㊀遇 桑故切 sù

[字解] 모이주머니 소 새의 목에 있는, 모이를 받
는 곳. 멀떠구니. '一囊'.
[字源] 形聲. 口+素〔音〕

[嗉囊 소낭] 모이주머니. 멀떠구니.

10
⑬ [嗌] ■ 익 ㊀陌 伊昔切 yì
■ 악 ㊀覺 乙角切 wò
■ 애 ㊀卦 烏懈切 ài

[字解] ■ 목구멍 익 인후. '飮食下一'《史記》. ■
웃을 악 웃는 모양. '疾笑一一, 威儀固陋'《韓詩
外傳》. ■ 목멜 애.
[字源] 形聲. 口+益〔音〕. '益익'은 '넘치다'
의 뜻. 목구멍에서 날숨이 넘치다, 목
이 메다의 뜻을 나타냄.

[嗌喔 악악] 선웃음을 침. 아첨하여 웃음.
[嗌嗌 악악] 웃는 모양.
[嗌嘔 익구] 입에서 뱉음.

10
⑬ [嗋] 협 ㊀葉 虛業切 xié

[字解] ①들이마실 협 숨을 들이마심. 일설(一說)
에는 입을 다묾. '予口張而不能一'《莊子》. ②
으를 협 협박함. '一嚇'.
[字源] 形聲. 口+脅〔音〕. '脅협'은 '劦협'과 통하
여 '힘을 합치다'의 뜻. 입술을 합쳐 대어
들이마시다의 뜻을 나타냄.

[嗋嚇 협하] 협박함. 위협함. 위하(威嚇).
[嗋呷 협합] 숨을 쉼. 호흡함.

10
⑬ [嗑] 합 ㊀合 古盍切 kè

[字解] ①입다물 합 입을 다물어 윗니와 아랫니가
맞닿음. ②말많을 합 수다스러운 모양. '子路
一一'《孔叢子》.
[字源] 形聲. 口+盍〔音〕. '盍합'은 접시에
담은 것에 뚜껑을 덮다의 뜻. 아래위

의 이가 맞물리다의 뜻에서, '지껄이다, 맞다,
마시다' 등의 뜻을 나타냄.

[嗑嗑 합합] ㉠말이 많은 모양. 수다스러운 모양.
㉡웃는 소리.

10
⑬ [嗒] 탑 ㊀合 吐盍切 tà

[字解] 멍할 탑 정신이 나간 것 같은 모양. '一焉
似喪其耦'《莊子》.
[字源] 形聲. 口+苔〔音〕. '苔답'은 '蹋답'과 통하
여 '제자리걸음하다'의 뜻. 같은 동작을
되풀이하여 제정신을 잃는 모양을 나타냄.

[嗒焉 탑언] 탑연(嗒然).
[嗒然 탑연] 멍한 모양.

10
⑬ [嗔] 〔人名〕■ 진 ㊀眞 昌眞切 chēn
■ 전 ㊀先 徒年切 tián

[字解] ■ 성낼 진 瞋(目部)과 통용. '輒一
恚憤激'《吳志》. ■ 성할 전 기력이 왕성한 모양.
[字源] 形聲. 口+眞〔音〕. '眞진'은 '가득 차
다, 충실하다'의 뜻. 목소리나 기력
(氣力)이 왕성하다의 뜻을 나타냄.

[嗔喝 진갈] 성내어 꾸짖음.
[嗔詬 진구] 성내어 욕설을 함.
[嗔怒 진노] 성냄.
[嗔色 진색] 성낸 얼굴빛.
[嗔恚 진에] 성냄.
[嗔怨 진원] 성내며 원망함.
[嗔責 진책] 성내며 책망함.

10
⑬ [嗊] 홍 ㊀董 呼孔切 hǒng

[字解] 노래 홍 가곡(歌曲). '囉一, 歌曲也'《玉
篇》.

10
⑬ [嗈] 옹 ㊀冬 於容切 yōng

[字解] 새울음고울 옹 새 울음이 고운 모양. '歸
林鳳一一'《白居易》.

10
⑬ [嗍] 손 ㊀願 蘇困切 xùn

[字解] 물뿜을 손 솟아나오는 물. '一, 噀水也'
《廣韻》.

10
⑬ [嗂] 요 ㊀蕭 餘昭切 yáo

[字解] ①기꺼워할 요 기뻐함. '一, 喜也'《說文》.
②즐거워할 요 '一, 樂也'《廣韻》.
[字源] 形聲. 口+䍃〔音〕. '䍃요'는 목소리
를 떨게 하다의 뜻. 기뻐서 소리 지
르다의 뜻을 나타내며, 일반적으로 '기뻐하다,
즐거워하다'의 뜻을 나타냄.

10
⑬ [嗚] 〔高人〕오 ㊀虞 哀都切 wū
㊀遇 烏故切 wù

[筆順] 口 口′ 叩′ 吪 吖 嗚 嗚 嗚

[字解] ①오호라 오 탄식하는 소리. '一呼噫嘻,
吾言夸矣'《蘇軾》. ②노랫소리 오 '歌呼一一, 快

耳目者, 眞秦之聲也'《史記》. ③탄식할 오, 애달
파할 오 '噫一流涕'《後漢書》.
字源 形聲. 口+烏〔音〕. '烏오'는 한숨 소리를 나
타내는 의성어.

[嗚軋 오알] 각적(角笛)을 부는 소리.
[嗚啞 오액] 웃는 소리. 웃는 모양.
[嗚咽 오열] 목이 메어 욺.
[嗚嗚 오오] 노래를 부르는 소리.
[嗚唈 오읍] 흐느껴 욺.
[嗚呼 오호] 슬플 때나 탄식할 때 내는 소리.
[嗚呼史 오호사] 구양수(歐陽修)가 지은 〈오대사
(五代史)〉의 별칭. 매편(每篇)의 논찬(論贊) 초
두(初頭)마다 오호(嗚呼)로 시작하므로 이름.
[嗚呼噫嘻 오호희희] 놀라 탄식하는 소리.
●噫嗚.

10 13 [嗛] 一 겸 ㊀鹽 苦兼切 qiān
二 협 ㊀葉 詰叶切 qiè
三 함 ㊀咸 乎監切 xián
字解 一 ①겸손할 겸. 謙(言部 十畫)과 同字.
'溫良一退'《漢書》. ②흉년들 겸. 歉(欠部 十畫)
과 同字. '一穀不升, 謂之一'《穀梁傳》. ③볼 겸
볼 안쪽의 식물(食物)을 저장하는 곳. '寓鼠曰
一'《爾雅》. 二 마음에맞을 협. 慊(心部
十畫)과 同字. '一于羭羹醪醴之味'《莊子》. 三
①머금을 함. 입속에 넣음. 銜(金部 六畫)과 同
字. '烏一肉'《漢書》. ②원한품을 함. '太后由此
一韓嫣'《史記》.
字源 形聲. 口+兼〔音〕. '兼겸'은 '아울러
가지다'의 뜻. 입 안에 머금다의 뜻을
나타냄. 또, '歉'과 통하여 '만족하지 않다'의
뜻을 나타냄. 또, '謙'과 통하여 '겸손하다',
'慊겸'과 통하여 '만족하다'의 뜻도 나타냄.

[嗛嗛 겸겸] ㊀적은 모양. ㊁겸손한 모양.
[嗛退 겸퇴] 사양하여 물러남.
[嗛然 협연] 만족한 모양.
[嗛志 협지] 만족한 마음.
●寡嗛. 饑嗛. 衰嗛.

10 13 [嗜] ㊀名 기 ㊀寘 常利切 shì
筆順 ㅣ ㄈ ㅁ ㅁ 吔 吚 咾 嗜
字解 즐길 기 즐기거나 좋아함. '一好'. '君一
之則臣食之'《說苑》.
字源 篆 形聲. 口+者〔音〕. '者기'는 '旨지'와
통하여, '맛있다'의 뜻. 맛있어 하여
먹다, 즐기다의 뜻을 나타냄.

[嗜眠 기면] 자는 것을 즐김. 자꾸 졸림.
[嗜僻 기벽] 편벽되게 즐기는 버릇.
[嗜愛 기애] 좋아하여 사랑함.
[嗜翫 기완] 좋아하여 완롱(玩弄)함.
[嗜慾 기욕] 기호(嗜好)하고자 하는 욕심(慾心).
[嗜好 기호] 즐기고 좋아함.
●甘嗜. 愛嗜. 情嗜. 耽嗜. 貪嗜. 和嗜.

10 13 [嗟] ㊀名 차 ㊀麻 子邪切 jiē, juē
字解 ①탄식할 차, 감탄할 차 한탄하거나 감복

함. '一嘆'. '萃如, 一如, 无攸利'《易經》. 또,
그 소리. '王日, 一六事之人, 予誓告汝'《書經》.
②탄식할 차, 감탄 차 '大耋之一'《易經》.
字源 形聲. 口+差〔音〕. '差차'는 탄식하는 소리
를 나타내는 의성어.

[嗟悼 차도] 탄식하며 슬퍼함.
[嗟來之食 차래지식] 무례한 태도로 불러서 주는
음식. 업신여기며 주는 음식(飲食).
[嗟服 차복] 감동하여 복종함. 감동하여 따름. 복
감(服感).
[嗟夫 차부] 감탄하여 내는 소리.
[嗟憤 차분] 한탄하며 분개함.
[嗟賞 차상] 차칭(嗟稱).
[嗟吁 차우] 한탄함.
[嗟咨 차자] 한탄함.
[嗟重 차중] 탄상(歎賞)하여 중히 여김.
[嗟嗟 차차] ㊀깊이 감동하여 칭찬하는 소리. ㊁
거듭하여 발(發)하는 탄성(歎聲). 연거푸 탄식
하는 소리. ㊂물건이 울리는 소리.
[嗟贊 차찬] 감탄하여 칭찬함.
[嗟稱 차칭] 감탄하여 칭찬(稱讚)함.
[嗟歎 차탄] ㊀탄식함. ㊁감탄함. ㊂말을 길게 빼
어 감동의 뜻을 나타냄.
[嗟乎 차호] 감탄하여 내는 소리.
[嗟呼 차호] 사물에 느끼어 내는 소리.
●咄嗟. 悲嗟. 傷嗟. 哀嗟. 于嗟. 憂嗟. 吁嗟.
怨嗟. 咨嗟. 長嗟. 稱嗟. 嘆嗟. 呼嗟.

10 13 [嗢] 올 ㊁月 烏沒切 wà
字解 ①목멜 올 목이 막힘. 또, 목멤. '一咽'.
②웃을 올 목이 멜 정도로 대소(大笑)함. '執書
一喺, 不能離乎'《魏文帝》.
字源 篆 形聲. 口+盈〔音〕. '盈온'은 속에 가
득 차다의 뜻. '목메다, 삼키다'의 뜻을
나타냄.

[嗢喺 올약] 웃음을 그치지 아니함. 배를 안고 몸
을 가누지 못할 만큼 웃음.
[嗢咽 올열] 목멤.
[嗢噦 올홰] 목구멍에서 숨을 조절함.

10 13 [嗤] ㊀名 치 ㊀支 赤之切 chī
字解 ①웃을 치 냉소함. '一笑'. '時人一之'《後
漢書》. ②웃음거리 치 조소(嘲笑)거리. '但爲後
世一'《古詩》.
字源 形聲. 口+蚩〔音〕. '蚩치'는 '비웃다'의 뜻.

[嗤罵 치매] 비웃으며 꾸짖음.
[嗤侮 치모] 치이(嗤易).
[嗤笑 치소] 비웃음.
[嗤易 치이] 비웃으며 깔봄. 멸시함.
[嗤詆 치저] 비웃으며 흉봄.
[嗤點 치점] 비웃어 손가락질함.
●巨嗤. 謗嗤. 笑嗤. 嘲嗤.

10 13 [嗎] 마 mǎ
字解 아편 마 양귀비의 진액을 말린 갈색의 덩
어리. 모르핀(morphine)의 음역(音譯).

字源 形聲. 口+馬〔音〕

10 ⑬ [嗓] 상 ㊤養 寫朗切 sǎng

字解 ①목구멍 상 '一, 喉也'《集韻》. ②말코침 흘리는병 상 '一, 馬病, 鼻流涎曰一'《正字通》.
字源 形聲. 口+桑〔音〕

10 ⑬ [嗕] 욕 ㊇沃 而蜀切 rù

字解 ①불쌍히여길 욕 '嚅一, 憐兒'《廣韻》. ②오랑캐이름 욕 강(羌)의 별종(別種). '一, 一日, 羌別種'《集韻》.

10 ⑬ [嗗] 왈 ㊇點 烏八切 wā

字解 ①꿀꺽꿀꺽마실 왈 마시는 소리. '飮聲謂之一'《集韻》. ②잘강잘강씹을 왈 음식을 씹는 소리. '嗷姦何噢一'《韓愈》.
字源 形聲. 口+骨〔音〕

10 ⑬ [嗃] 〔호〕 嘷(口部 十二畫〈p.403〉)의 本字

[號] 〔호〕 虍部 七畫(p.1999)을 보라.

10 ⑬ [嗣] ㊅名 사 ㊤寘 祥吏切 sì

筆順 口 口 月 月 冊 冊 冊 嗣

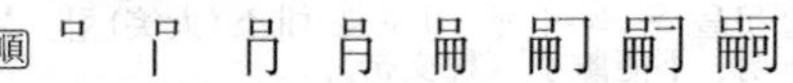

字解 ①이을 사 뒤를 이음. '一子'. '子産若死, 其使誰一'《呂氏春秋》. ②후사 사 대를 잇는 자식. '不禮於衛之一'《左傳》. ③자손 사 '罰弗及一'《書經》. ④익힐 사 연습함. '子寧不一音'《詩經》. ⑤성 사 성(姓)의 하나.
字源 金文 𦥑 篆文 嗣 形聲. 冊(册)+口+司〔音〕. '冊책'은 후사를 세울 때의 조칙(詔勅)의 뜻. '口구'는 그 조칙을 묘당(廟堂)에서 읽다의 뜻. '司사'는 '관장하다'의 뜻. '후사를 세울 때의 의식을 관장하는 모양에서, '후사, 잇다'의 뜻을 나타냄. 金文은 冊+司〔音〕으로, 묘당에서 후사를 세우는 문서를 읽는 의식을 나타냄.

[嗣君 사군] 뒤를 이은 임금.
[嗣奉 사봉] 이어 받듦. 계승함.
[嗣歲 사세] 내년(來年).
[嗣續 사속] 계통(系統)을 이음.
[嗣守 사수] 이어받아 지킴.
[嗣人 사인] 상속자(相續者).
[嗣子 사자] 맏아들.
[嗣適 사적] 태자(太子). 적(適)은 적(嫡).
[嗣纂 사찬] 이어받음. 계승함.
[嗣響 사향] 소리가 서로 응하여 울리듯이 사업(事業)을 잘 이어받는 일.
[嗣興 사흥] 등용(登用)되어 아버지의 사업을 이음.
● 家嗣. 係嗣. 繼嗣. 國嗣. 法嗣. 聖嗣. 守嗣. 令嗣. 遺嗣. 胤嗣. 日嗣. 儲嗣. 嫡嗣. 天嗣.

冢嗣. 追嗣. 統嗣. 血嗣. 後嗣.

10 ⑬ [嗀] 학 ㊇覺 許角切 hù

字解 욕지기할 학 구역질함. 또, 구토함. '臣有疾異於人, 若見之君將一之'《左傳》.
字源 金文 嗀 篆文 嗀 形聲. 口+殸〔音〕. '殸각'은 두드리다, 빈 껍데기의 뜻. 입에서 두드리듯 토하여, 비다의 뜻을 나타냄.

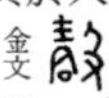

10 ⑬ [嗇] ㊅名 색 ㊇職 所力切 sè

筆順 一 十 六 夾 夾 夳 嗇 嗇

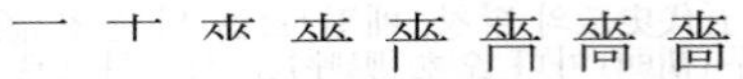

字解 ①탐낼 색 탐함. '一于禍'《左傳》. ②아낄 색 '一於時'《孔子家語》. ③인색할 색 '吝一'. '儉一'. '愈於織一'《史記》. ④아껴쓸 색 비용을 존절히 하여 여유를 남겨 둠. '治人事天莫如一'《老子》. ⑤거둘 색 穡(禾部 十三畫)과 同字. '服田力一'《漢書》. ⑥성 색 성(姓)의 하나.
字源 甲骨文 嗇 金文 來 篆文 嗇 會意. 來+亩. '來래'는 보리의 象形. '亩름'은 전원지대에 있는 곡식 창고의 象形. '수확'의 뜻을 나타냄. '집어넣다'의 뜻에서, '아끼다'의 뜻이 파생됨.

[嗇夫 색부] ㉠낮은 벼슬. 미관말직(微官末職). ㉡농부. 백성. ㉢고대(古代)의 사공(司空)의 속관(屬官). 공물(貢物)을 받아서 천자(天子)에게 올리는 일을 맡았음. ㉣진(秦)나라 때 둔 향관(鄕官). 소송(訴訟)·부세(賦稅)를 맡았음. 한(漢)·진(晉) 및 남조(南朝)의 유송(劉宋)까지 존속하다가 후에 폐지되었음.
● 慳嗇. 儉嗇. 澁嗇. 嬾嗇. 吝嗇. 悋嗇. 節嗇.

11 ⑭ [嗷] 오 ㊦豪 五勞切 áo

字解 시끄러울 오 여럿이 떠들썩하게 지껄임. '哀鳴一一'《詩經》.
字源 篆文 嗷 形聲. 口+敖〔音〕. '敖오'는 멋대로 큰 소리를 내다의 뜻. 말을 멋대로 내뱉다, 슬퍼서 큰 소리를 지르다, 시끄럽다의 뜻을 나타냄.
參考 謷(口部 十一畫)는 同字.

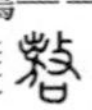

[嗷嗷 오오] ㉠여러 사람이 지껄이어 시끄러운 모양. ㉡여러 사람이 근심하여 서로 이야기하는 모양. ㉢기러기가 우는 소리.
[嗷嘈 오조] 시끄러움. 떠들썩함.
● 哀嗷. 嘈嗷. 謹嗷.

11 ⑭ [嗽] ㊅名 수 ㊤宥 蘇奏切 sòu
삭 ㊇覺 所角切 shuò

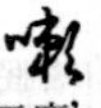

字解 ㊀ ①기침 수 '咳一'. '冬時有一, 上氣疾'《周禮》. ②양치질할 수 입 안을 부셔 냄. 漱(水部 十一畫)와 同字. '日一三升'《史記》. ㊁ 빨 삭 빨아들임. '一吮甘液'《史記》.
字源 形聲. 口+欶〔音〕. '欶수·삭'은 빨아들여 머금다의 뜻. '口구'를 더하여 '기침하다, 빨다, 양치질하다'의 뜻을 나타냄.

[嗽吮 삭연] 입으로 빪.
[嗽藥 수약] 입 안을 가셔 내는 약. 함수제(含嗽

[嗽咳 수해] 기침. 해수(咳嗽).
●含嗽. 咳嗽. 欬嗽.

11(14) [嗺]
- 一 ⒉屑 所劣切 shuì
- 二 ⒉質 劣戌切 lǜ
- 三 술 ⒉質 朔律切 sū
- 四 세 ⒊霽 山芮切 shuì

字解 一 ①마실 설, 조금마실 설 '一, 小飮'《廣韻》. ②맛볼 설 '一, 一曰, 嘗也'《廣韻》. 二 울 률 새가 욺. '啐, 鳴也. 或从率'《集韻》. 三 소리 술 '一, 聲也'《集韻》. 四 핥을 세 '一, 博雅, 嘗也'《集韻》.
字源 形聲. 口＋卒〔音〕.

11(14) [嗾]
- 一 수 ⒉有 蘇后切 sǒu
- 二 주 ⒉宥 倉奏切 sǒu

字解 一 추길 수 선동함. '使一'. '爲人所一'《北史》. 二 추길 주 一과 뜻이 같음.
字源 形聲. 口＋族〔音〕. '族족'은 '促촉'과 통하여 '촉구하다'의 뜻. 입으로 선동하다의 뜻을 나타냄.

●使嗾. 唧嗾. 指嗾.

11(14) [嗿]
탐 ⒉感 他感切 tǎn

字解 많을 탐 '有一其饁'《詩經》.
字源 形聲. 口＋貪〔音〕. '貪탐'은 많이 모아 두다의 뜻에서 '많다'의 뜻. 말이 많아 시끄러운 모양을 나타냄.

11(14) [噭]
규 (교)⒋蕭 堅堯切 jiāo

字解 부르짖을 규 叫(口部 二畫)와 同字. '狂夫一謔'《漢書》.
字源 形聲. 口＋梟(梟)〔音〕. '梟효'는 '叫규'와 통하여 '부르짖다'의 뜻을 나타냄.

[噭嘑 규호] 부르짖음.

11(14) [嘅]
개 ⒊隊 苦愛切 kài

字解 탄식할 개 탄식하는 소리. '一其嘆矣'《詩經》.
字源 形聲. 口＋旣〔音〕. '旣기'는 '목메다'의 뜻. 마음이 막히다, 한탄하다의 뜻을 나타냄.

11(14) [嘆]
탄 ⒋翰 他旦切 tàn
⒋寒 他干切

字解 한숨쉴 탄 탄식함. 歎(欠部 十一畫)과 同字. '一息'.
字源 會意. 口＋難〈省〉. '難난'은 '괴로움'의 뜻. 괴로워서 탄식하다의 뜻을 나타냄.
참고 歎(欠部 十一畫)과 통용함.

[嘆哭 탄곡] 탄식(歎息)하며 욺.
[嘆息 탄식] 한숨을 쉬며 한탄(恨歎)함. 탄식(歎息).
[嘆嗟 탄차] 탄식함. 차탄(嗟歎).
[嘆駭 탄해] 차탄(嗟歎)하며 놀람.

●感嘆. 慨嘆. 驚嘆. 亡羊之嘆. 憤嘆. 憫肉之嘆. 悲嘆. 三嘆. 賞嘆. 愁嘆. 仰嘆. 哀嘆. 永嘆. 詠嘆. 泣嘆. 一唱三嘆. 長嘆. 嗟嘆. 讚嘆. 稱嘆. 痛嘆. 風樹之嘆.

11(14) [嘈]
조 ⒋豪 昨勞切 cáo
⒋號 在到切 cáo

字解 들렐 조 시끄러움. '耳一于無聞'《吳質》.
字源 形聲. 口＋曹〔音〕. '曹조'는 '騷소'와 통하여 '시끄럽다'의 뜻.

[嘈嗷 조오] 조조(嘈嘈).
[嘈雜 조잡] 여러 소리가 나서 시끄러운 모양.
[嘈嘈 조조] 시끄러운 모양. 떠들썩하게 지껄이는 모양. 효효(囂囂).
●嗷嘈. 嘲嘈. 喎嘈. 啾嘈. 豪嘈.

11(14) [嘽]
〔애〕
啀(口部 八畫<p.381>)와 同字

11(14) [嘌]
표 ⒋嘯 匹妙切 piào

字解 빠를 표 수레가 빨리 감. '匪車一兮'《詩經》.
字源 形聲. 口＋票〔音〕. '票표'는 불똥이 날아오르다의 뜻. 또, '暴포'와 통하여 '빠르다, 날뛰다'의 뜻. 부는 바람의 모양을 나타내기 위하여 '口'를 더함.

11(14) [嘍]
루 ⒈有 郎斗切 lǒu

字解 ①뇔 루 뇌고 뇌는 모양. 귀찮음. ②도둑 루 僂(人部 十一畫)와 同字. '一囉'.
字源 形聲. 口＋婁〔音〕. '婁루'는 혀를 놀리는 어린애의 목소리를 나타내는 의성어.

[嘍囉 누라] ㉠혀가 잘 돌아가지 않는 어린애의 말의 형용. ㉡도둑.
[嘍㖾 누려] 새 우는 소리.

11(14) [啯]
괵 ⒉陌 古獲切 guō

字解 번거로울 괵 귀찮음. 잔소리가 많음. '一, 口一一, 煩也'《廣韻》.

11(14) [嘐]
- 一 교 ⒋肴 古肴切 jiāo
- 二 효 ⒋肴 許交切 xiāo

字解 一 닭울 교 닭 우는 소리. '鷄亂響——'《元稹》. 二 뜻클 효 뜻이 큼. '其志——然'《孟子》.
字源 形聲. 口＋翏〔音〕. '翏교'는 떠벌리는 목소리의 의성어.

[嘐嘐 교교] ㉠닭이 시끄럽게 우는 소리. ㉡쥐가 물건을 갉는 소리.
[嘐嘎 교알] 새가 시끄럽게 우는 소리.
[嘐嘐 효효] 뜻이 큰 모양.

11(14) [嘑]
호 ①②⒈虞 荒烏切 hū
③⒊遇 荒故切 hù

字解 ①부르짖을 호 고함지름. 呼(口部 五畫)와 同字. '夜一旦'《周禮》. ②성 호 성(姓)의 하나. ③꾸짖을 호 '一爾而與之'《孟子》.

[字源] 篆文 形聲. 口+虖〔音〕. '虖호'는 '부르다'의 뜻. '口구'를 더하여 '부르짖다'의 뜻을 나타냄.

◉嗥嘑.

11 ⑭ [嘒] [人名] 혜 ㊈霽 呼惠切 huì

[字解] ①작을 혜 미소(微小)함. '一彼小星'《詩經》. ②매미소리 혜 매미 우는 소리. '鳴蜩一一'《詩經》. ③소리듣기좋을 혜 소리가 가락이 맞아 듣기 좋은 모양. '鸞聲一一'《詩經》.

[字源] 篆文 別體 形聲. 口+彗〔音〕. '彗혜'는 '가늘다, 비'의 뜻. 빗자루의 끝처럼 가는 목소리, 작은 목소리의 뜻을 나타냄.

[嘒嘒 혜혜] 자해(字解)❷❸을 보라.

11 ⑭ [嘔] [人名] ■ 구 ①㊤有 烏后切 ǒu ②㊥尤 烏侯切 ōu ■ 후 ㊥虞 匈于切 xū 呕

[字解] ■ ①게울 구 토함. '一吐'. '伏弢一血'《左傳》. ②노래할 구 謳(言部 十一畫)와 同字. '毋歌一道中'《漢書》. ■ 기뻐할 후 '上下相一'《揚雄》.

[字源] 形聲. 口+區〔音〕. '區구'는 많은 것을 구별하다의 뜻. 해로운 것을 몸이 분별하여 게우다의 뜻을 나타냄. 또, '區'는 단락을 짓다의 뜻. 가락을 붙여 노래하다의 뜻도 나타냄.

[嘔嘔 구구·후후] ㉠기뻐하는 모양. ㉡수레바퀴가 구르는 소리. ㉢'후후(嘔嘔)'를 보라.
[嘔心 구심] 심혈(心血)을 토함. 심사숙고(深思熟考)하거나 노심초사(勞心焦思)함을 이름.
[嘔啞 구아] ㉠어린아이의 잘 알아들을 수 없는 말소리. ㉡악기의 가락에 맞지 않는 거친 소리. ㉢수레가 달리는 소리.
[嘔軋 구알] ㉠수레바퀴가 삐걱거리며 구르는 소리. ㉡노(櫓)를 저을 때 삐걱삐걱하는 소리.
[嘔吐 구토] 게움. 또, 그 오물.
[嘔吐泄瀉 구토설사] 토(吐)하고 설사(泄瀉)함.
[嘔喩 후유] 기뻐하는 모양.
[嘔嘔 후후] 상냥한 모양. 친절한 모양.
◉歌嘔. 哯嘔. 啞嘔. 嗌嘔. 噎嘔. 于嘔.

11 ⑭ [嘖] 책 ㊇陌 側革切 zé 啧

[字解] ①들렐 책 칭찬하느라고 또는 말다툼하느라고 떠들썩함. '好評一一'. '一有煩言'《左傳》. ②새울 책 새가 우는 소리. '宵扈一一'《爾雅》. ③처음 책 시초. '聖人有以見天下之一'《易經》.

[字源] 篆文 形聲. 口+責〔音〕. '責책'은 가시로 찌르듯이 아프게 몰아세우다의 뜻. 큰 소리로 부르짖다, 시끄럽다의 뜻을 나타냄.

[嘖嘖 책책] ㉠시끄러운 모양. ㉡말다툼하는 모양. ㉢칭찬하여 마지않는 모양. ㉣새가 우는 소리.
◉怨嘖. 唧嘖. 嚧嘖. 嚄嘖.

11 ⑭ [嘛] 마 má

[字解] 나마교 마 '喇一'는 불교의 한 파. '라마'의 음역(音譯).

[字源] 形聲. 口+麻〔音〕

◉喇嘛.

11 ⑭ [嗺] 최 ㊥灰 素回切 suī

[字解] 권할 최, 재촉할 최 술을 빨리 마시라고 재촉함. '一酒逐歌'《趙𤄃》.

11 ⑭ [嗎] 언 ㊥先 許延切 xiān

[字解] 웃을 언 빙그레 웃음. 또, 그 모양. '靨輔奇牙, 宜笑一只'《楚辭》.

11 ⑭ [嗴] 연 ㊤銑 以淺切 yǎn

[字解] 껄껄웃을 연 크게 웃음. '一, 大笑也'《玉篇》.

11 ⑭ [嘂] 교 ㊈嘯 古弔切 jiào

[字解] ①크게부르짖을 교 '一, 一曰, 大嘑也'《說文》. ②높은소리 교 '一, 高聲'《說文》.

[字源] 篆文 形聲. 㗊+丩〔音〕

[參考] 叫(口部 二畫)의 古字.

11 ⑭ [啖] 담 ㊥覃 徒甘切 tán

[字解] 싱거울 담 맛이 적음. '晻一, 少味'《集韻》.

11 ⑭ [嘎] 알(갈[本]) ㊇黠 古黠切 gā

[字解] ①새소리 알 두루미가 우는 소리. ②《現》 깔깔웃을 알.

[字源] 形聲. 口+戛〔音〕. '戛알'은 새가 우는 소리의 의성어.

[嗚] 〔명〕 鳥部 三畫(p. 2659)을 보라.

[嘘] 〔허〕 口部 十二畫(p. 402)을 보라.

11 ⑭ [嘗] [高人] 상 ㊥陽 市羊切 cháng 尝

[筆順]

[字解] ①맛볼 상 ㉠음식의 맛을 봄. '一膽'. '一其旨否'《詩經》. ㉡먹음. '母痢不能藥, 日一痢以求愈'《元史》. ㉢몸소 겪음. '其一艱難'. '險阻艱難, 備一之矣'《左傳》. ②시험할 상 '一試'. '請一之'《左傳》. ③일찍 상 일찍이. 예전에. '余一西至空峒'《史記》. ④항상 상 언제나. 늘. '奢者心一貧'《譚子化書》. ⑤가을제사 상 가을에 신곡(新穀)을 올려 지내는 제사. '未一不食新'《禮記》. ⑥성 상 성(姓)의 하나.

[字源] 金文 篆文 形聲. 旨+尙〔音〕. '尙상'은 '대다'의 뜻. '旨지'는 '맛있는 것'의 뜻. 맛있는 것에 혀를 대다, 맛보다의 뜻을 나타냄.

[嘗膽 상담] 쓸개를 맛본다는 뜻으로, 복수하려고 모든 간고(艱苦)를 참는 것을 이름. 월왕(越王) 구천(句踐)이 오왕(吳王) 부차(夫差)에게 복수할 생각으로 몸을 괴롭게 하고 노심초사(勞心焦思)하여 늘 쓸개를 맛본 옛일에서 나온 말.

[嘗糞 상분] 똥을 맛본다는 뜻으로, 염치(廉恥)도 없고 체면(體面)도 없이 다만 아첨할 줄만 아는 것을 이름. 당(唐)나라의 시어사(侍御史) 곽홍패(郭弘霸)가 대부(大夫) 위원충(魏元忠)에게 아첨하여 위원충의 병중(病中)에 그의 병의 경중(輕重)을 알려고 똥을 맛본 옛일에서 나온 말.

[嘗糞之徒 상분지도] 의리·염치가 없이 다만 아첨만 할 줄 아는 무리.

[嘗試 상시] 시험(試驗)하여 봄.

[嘗試之說 상시지설] 짐짓 딴 일을 빌려 이야기하여 상대방의 속마음을 떠보는 언설(言說).

[嘗新 상신] 임금이 그 해의 신곡(新穀)을 처음으로 맛봄.

[嘗一臠知一鑊之味 상일련지일확지미] 가마솥 속의 고기 한 점을 맛보면 그 속의 것의 맛 전체를 알 수 있음. 곧, 한 부분으로 미루어 전체를 앎.

[嘗禾 상화] 그 해의 신곡(新穀)으로 신(神)에 제사 지냄. 또, 그 제사(祭祀).

●啖嘗. 奉嘗. 新嘗. 禘嘗. 烝嘗. 享嘗. 歆嘗.

11
⑭ [蔄] 차　㊀麻 敕加切 zhā

字解 ①입술두꺼울 차 입술이 두꺼운 모양. '一, 厚脣兒'《說文》. ②입처질 차 입이 축 처진 모양. '一, 緩口兒'《玉篇》.

字源 金文 <형상> 篆文 蔄 形聲. 尙＋多〔音〕. '尙상'은 '위로 오르다'의 뜻. '多다'는 '넉넉하고 두텁다'의 뜻. 위를 향한 두꺼운 입술을 뜻함.

11
⑭ [嘏] 하　㊀馬 古雅切 jiǎ

字解 ①클 하 '一命'. '凡物壯大, 謂之一'《揚子方言》. ②복 하 행복. '純一爾常矣'《詩經》. ③복받을 하 '伊一文王'《詩經》.

字源 金文 <형상> 篆文 嘏 形聲. 古＋叚〔音〕. '古고'는 '祜호'와 통하여 '행복'의 뜻. '叚가'는 값어치 있는 가공하지 않은 옥돌. 가능성이 넘치는 행복의 뜻을 나타냄.

11
⑭ [嗸] 〔오〕
嗷(口部 十一畫〈p. 398〉)와 同字

11
⑭ [畵] 〔곤〕
壼(士部 十一畫〈p. 475〉)의 本字

11
⑭ [嘉] 가　㊀麻 古牙切 jiā

筆順 <필순 글자들> 嘉

字解 ①아름다울 가 ㉠예쁨. 고움. '一卉'. '物其多矣, 維其一矣'《詩經》. ㉡언행이 훌륭함. '一言'. '爾有一謀一猷'《書經》. ②기릴 가 칭찬함. 가상히 여김. '一獎'. '一乃丕績'《書經》. ③경사스러울 가 기쁨. '一慶'. '以一禮親萬民'《周禮》. 또, 그 일. '神降之一生'《史記》. ④맛

좋을 가 맛이 있음. '一肴'. 또, 그 음식. '飮旨食一'《歐陽修》. ⑤기뻐할 가, 즐길 가 '一樂'. '交獻, 以一魂魄'《禮記》. ⑥성 가 성(姓)의 하나.

字源 金文 <형상> 金文 <형상> 篆文 嘉 形聲. 壴＋加〔音〕. '壴주'는 '香향' 자로, 향기의 뜻이라고도 하고, 타악기의 象形으로, '음악'의 뜻이라고도 함. 신에 대한 제물에 향을 피우거나, 음악을 연주하여 맑고 아름답게 하다의 뜻을 나타냄. 또, '賀하'와 통하여, 선물을 하여 축하하고 기뻐하다의 뜻도 나타냄.

[嘉客 가객] 반가운 손.

[嘉慶 가경] 경사(慶事).

[嘉慶子 가경자] '자두〔李〕'의 별칭.

[嘉穀 가곡] 좋은 곡식. 또, 오곡(五穀).

[嘉納 가납] ㉠간(諫)하거나 권하는 말을 옳게 여기어 들음. ㉡물건 바치는 것을 고맙게 여겨 받아들임.

[嘉道 가도] 훌륭한 도덕.

[嘉遯 가둔] 정도(正道)에 맞는 은퇴. 요(堯)임금이 순(舜)임금에게 섭정(攝政)하게 하고 은퇴한 일.

[嘉樂 가락·가악] ㉠기뻐하고 즐김. ㉡'가악(嘉樂)'을 보라.

[嘉良 가량] 좋음. 경사스러움.

[嘉例 가례] 좋은 전례(前例).

[嘉禮 가례] ㉠길(吉)·흉(凶)·군(軍)·빈(貧)·가(嘉)의 오례(五禮)의 하나로 혼례(婚禮)를 이름. ㉡(韓) 임금의 성혼·즉위, 또는 왕세자·왕세손의 성혼·책봉(冊封) 같은 때의 예식.

[嘉隆七才子 가륭칠재자] 명(明)나라 가정(嘉靖) 및 융경(隆慶) 연간(年間)에 유명하였던 시인(詩人) 일곱 사람. 곧, 이반룡(李攀龍)·왕세정(王世貞)·서중행(徐中行)·종신(宗臣)·사무진(謝茂榛)·오국륜(吳國倫)·양유예(梁有譽).

[嘉謨 가모] 가유(嘉猷).

[嘉苗 가묘] 가화(嘉禾).

[嘉聞 가문] 좋은 평판. 훌륭한 명망(名望). 성예(聲譽). 영문(令聞).

[嘉文席 가문석] 꽃방석.

[嘉味 가미] 좋은 맛, 또는 맛있는 음식.

[嘉賓 가빈] 반가운 손님. 귀한 손님. 가빈(佳賓).

[嘉辭 가사] 좋은 말. 훌륭한 말.

[嘉尙 가상] 귀엽게 여기어 칭찬(稱讚)함.

[嘉祥 가상] 가서(嘉瑞).

[嘉賞 가상] 칭찬함. 기림.

[嘉瑞 가서] 상서(祥瑞). 길조(吉兆).

[嘉歲 가세] 풍년(豊年).

[嘉羞 가수] ㉠좋은 제수(祭需). ㉡맛있는 음식.

[嘉淑 가숙] 좋음. 또, 좋은 물건.

[嘉辰 가신] 경사스러운 날. 또, 좋은 때. 길일(吉日).

[嘉樂 가악] ㉠음률(音律)에 맞는 음악. ㉡경사스러운 음악.

[嘉愛 가애] 가상히 여겨 사랑함.

[嘉釀 가양] 맛있는 술. 가양(佳釀).

[嘉魚 가어] ㉠고운 물고기. ㉡맛있는 물고기. ㉢연어과(鰱魚科)에 딸린 민물고기. 모양은 작은 송어(松魚)와 비슷함.

[嘉言 가언] 유익한 말.

[嘉宴 가연] 경사스러운 잔치.　　〔함.

[嘉悅 가열] 아랫사람의 경사(慶事)를 축하(祝賀)

[嘉友 가우] 좋은 벗.
[嘉祐 가우] 다행(多幸). 행복.
[嘉月 가월] 음력 3월의 이칭(異稱). 도월(桃月). 희월(喜月).
[嘉猷 가유] 나라를 다스리는 좋은 계책(計策).
[嘉儀 가의] 경사스러운 의식(儀式).
[嘉議 가의] 훌륭한 의론.
[嘉日 가일] 좋은 날. 경사스러운 날.
[嘉獎 가장] 칭찬하고 장려함.
[嘉績 가적] 훌륭한 공적(功績).
[嘉節 가절] ㉠좋은 때. 또, 좋은 날. 가신(嘉辰). ㉡음력 9월 9일의 별칭(別稱).
[嘉靖 가정] 잘 다스려 편안하게 함.
[嘉禎 가정] 복(福). 행복.
[嘉兆 가조] 좋은 징조(徵兆). 길조(吉兆).
[嘉祉 가지] 복(福). 행복.
[嘉薦 가천] 좋은 헌물(獻物).
[嘉招 가초] 남에게 초대 받은 일의 경칭(敬稱). 총초(寵招).
[嘉稱 가칭] ㉠가상(嘉賞). ㉡좋은 명예. 영명(令名).
[嘉歎 가탄] 가상히 여겨 감탄함.
[嘉平 가평] 음력(陰曆) 12월의 이칭(異稱). 납월(臘月). 극월(極月).
[嘉好 가호] 정의(情誼). 또, 정의를 두텁게 하기 위한 회합.
[嘉禾 가화] 벼.
[嘉話 가화] 아름다운 이야기. 가화(佳話).
[嘉會 가회] ㉠경사스러운 모임. ㉡풍류(風流)스러운 모임.
[嘉肴 가효] 가효(嘉殽).
[嘉殽 가효] 맛있는 술안주.
[嘉卉 가훼] 좋은 풀.
◉眷嘉. 柔嘉. 靖嘉. 靜嘉. 珍嘉. 淸嘉. 寵嘉. 歎嘉. 褒嘉. 亨嘉. 休嘉. 欣嘉.

12 ⑮ [噐] 〔기〕
器(口部 十三畫〈p. 405〉)의 俗字

12 ⑮ [買] 〔효〕
囂(口部 十八畫〈p. 413〉)와 同字

12 ⑮ [嗇] 〔색〕
嗇(口部 十畫〈p. 398〉)의 本字

12 ⑮ [嘼] 휴 [去]宥 許救切 chù
[字解] 집짐승 휴 가축(家畜). '一, 犍也'《說文》.
[字源] 金文 篆文 象形. 짐승을 잡는 활의 象形으로, 그 활로 잡은 짐승의 뜻을 나타냄. 일설에 짐승의 귀, 머리 및 땅을 밟고 있는 발의 모양을 본뜬 것이라고도 함.

12 ⑮ [嘫] [一] 난 [平]刪 女閑切
[二] 연 [平]先 如延切 rán
[字解] [一] ①그럴 난 응답(應答)하는 소리. 然(火部 八畫)과 통함. '一, 語聲也'《說文》. ②대답할 난 '一, 一日, 應也'《集韻》. [二] 그럴 연, 대답할 연 [一]과 뜻이 같음.
[字源] 形聲. 口+然〔音〕

12 ⑮ [嘘] [人名] 허 [平]魚 朽居切 xū
[去]御 許御切
[字解] ①내불 허 입김을 천천히 내붊. '一吸'. '仰天而一'《莊子》. ②탄식할 허 탄식하는 소리. '一唏'. '噫一嚱危高哉'《李白》.
[字源] 篆文 形聲. 口+虛〔音〕. '虛허'는 숨을 내뱉을 때의 소리를 나타내는 의성어. 숨을 내불다의 뜻을 나타냄.

[嘘呵 허가] 숨을 내쉼.
[嘘嘘 허허] ㉠숨을 내쉬어 그 기운이 나오는 모양. 전(轉)하여, 구름이 끼는 모양. ㉡코 고는 소리.
[嘘吸 허흡] 호흡(呼吸).
[嘘唏 허희] 탄식함. 한탄함.
[嘘嚱 허희] 감탄(感歎)하는 소리.
◉呵嘘. 呴嘘. 氣嘘. 吹嘘. 呼嘘. 煦嘘.

12 ⑮ [嘬] 최 [去]卦 楚夬切 zuō(chuài)
[字解] ①물 최 깨묾. '蠅蚋姑一之'《孟子》. ②한입에넣을 최 한입에 먹어 버림. '無一炙'《禮記》.
[字源] 形聲. 口+最〔音〕. '最최'는 손가락으로 집다의 뜻. 손가락으로 집어먹다의 뜻을 나타냄.

12 ⑮ [嘰] 기 [平]微 居依切 jī 叽
[字解] ①쪽잘거릴 기 조금씩 먹음. '一瓊華'《司馬相如》. ②한숨쉴 기 탄식함. '一而哀'《淮南子》.
[字源] 篆文 形聲. 口+幾〔音〕. '幾기'는 '조금'의 뜻. '조금 먹다'의 뜻을 나타냄.

12 ⑮ [嘺] [韓] 곳
[字解] 《韓》 한국어의 '곳' 음을 표기하기 위하여, '庫'의 음 '고'에, 子音 'ㅅ'을 '叱'로 나타내어 결합한 문자. '其中某字第十七田幾日耕一果…'《儒胥必知》.

12 ⑮ [噘] [現] 궐 juē
[字解] 《現》 입빼물 궐 불만으로 입을 삐죽이 내밂. '一, 俗謂將嘴撬起曰一'《辭海》.

12 ⑮ [嘲] [人名] 조 [平]肴 陟交切 cháo(zhāo)
[字解] ①비웃을 조 경멸함. '一笑'. '弟子私一之'《後漢書》. ②조롱할 조 희롱함. '一戲'. '一哢無方'《蜀志》. ③지저귈 조 새가 욺. '林鳥以朝一'《禽經》.
[字源] 篆文 形聲. 口+朝〔音〕. '朝조'는 침을 튀기며 지껄이는 소리의 의성어. 남의 말을 조롱하다, 새가 시끄럽게 지저귀다의 뜻을 나타냄.

[嘲轟 조굉] 시끄러움. 떠들썩함.
[嘲譏 조기] 비웃으며 모욕함.
[嘲弄 조롱] 비웃적거리며 희롱함.
[嘲詈 조리] 조매(嘲罵).
[嘲罵 조매] 비웃으며 꾸짖음.
[嘲侮 조모] 비웃으며 모욕함.
[嘲薄 조박] 비웃으며 업신여김.
[嘲訕 조산] 조후(嘲詬).

[嘲笑 조소] 비웃음.
[嘲哂 조신] 조소(嘲笑).
[嘲啁 조조] 조희(嘲戲).
[嘲嘲 조조] 새가 연해 우는 모양.
[嘲啾 조추] ㉠책 읽는 소리가 뒤섞여 웅얼웅얼함. ㉡새 우는 소리.
[嘲評 조평] 비웃으며 비평함.
[嘲謔 조학] 조희(嘲戲).
[嘲詼 조회] 조희(嘲戲).
[嘲詬 조후] 꾸짖고 비웃음.
[嘲戲 조희] 조롱하여 놀림.
◉鵲嘲. 狂嘲. 群嘲. 譏嘲. 謗嘲. 善嘲. 笑嘲. 吟嘲. 自嘲. 朝嘲. 解嘲. 好嘲. 詼嘲.

12 ⑮ [嘳] 위(귀[本]) [去]寘 丘愧切 kuì

[字解] 한숨쉴 위 喟(口部 九畫)와 同字. '—然而嘆'《晏子春秋》.
[字源] [篆文] 形聲. 口+貴〔音〕

12 ⑮ [嘴] [人名] 취 [上]紙 祖委切 zuǐ

[字解] 부리 취 새의 부리. 전(轉)하여, 물건의 끝의 뾰족한 데. 觜(角部 五畫)와 同字. '山—'.
[字源] 形聲. 口+觜〔音〕. '觜취'는 '부리'의 뜻. '口구'를 더하여 '입'의 뜻이나, 입처럼 내민 부분의 뜻을 나타냄.

[嘴子 취자] 부리. 귀때.
◉沙嘴. 山嘴. 鳥嘴.

12 ⑮ [嘵] 효 [平]蕭 許幺切 xiāo 哓

[字解] 두려워할 효 '予維音——'《詩經》.
[字源] [篆文] 形聲. 口+堯〔音〕. '堯요'는 두려워하는 목소리의 의성어.

[嘵哮 효효] 두려워하여 욺.
[嘵嘵 효효] 두려워하는 모양.

12 ⑮ [嘶] [人名] 시 [平]齊 先稽切 sī

[字解] ①울 시 말이 욺. 전(轉)하여, 널리 욺. '—馬'. '此日牛馬—'《古詩》. ②목쉴 시 '—喝'. '大聲而—'《漢書》.
[字源] 形聲. 口+斯〔音〕. '斯사'는 쉰 목소리, 말 울음소리를 나타내는 의성어.

[嘶馬 시마] 우는 말.
[嘶喝 시애] 목쉰 소리.
[嘶噪 시조] 시끄럽게 욺.
[嘶譟 시조] 시조(嘶噪).
[嘶醜 시추] 목소리가 나쁨.
[嘶號 시호] 욺.
◉驕嘶. 鳴嘶. 雄嘶. 長嘶.

12 ⑮ [噋] 톤 [平]元 他昆切 tūn

[字解] ①입마구놀릴 톤 말이 많음. ②느릿느릿갈 톤 哼(口部 八畫)과 同字.
[字源] 形聲. 口+敦〔音〕

12 ⑮ [嚄] 획 [入]陌 胡麥切 huò

[字解] ①부르짖을 획 크게 부름. '—嘖怒語'《蔡邕》. ②마음어지러울 획 정신이 산란(散亂)함. '通諸人之——, 莫如言'《揚子法言》.

12 ⑮ [噍] 집 [入]緝 子入切 jí

[字解] ①입우물우물씹을 집 음식을 씹는 모양. '—, 噍也'《說文》. ②들이마실 집 빨아들임. '—, 一曰, 歃也'《集韻》.
[字源] [篆文] 形聲. 口+集〔音〕. '集집'은 '모으다'의 뜻. 입 안에 물건을 모아서 씹다의 뜻을 나타냄.

12 ⑮ [嘺] 위 [平]支 許爲切 huī

[字解] ①거짓말할 위 '—, 口不言正'《廣韻》. ②추할 위 보기에 추악함. '啳睽哆—, 籧篨戚施'《淮南子》. ③입삐뚤 위 '—, 口不正也'《玉篇》.

12 ⑮ [嘺] 교 ①[平]蕭 渠遙切 qiáo ②[去]嘯 丘召切 qiào

[字解] ①모를 교 알지 못함. '—, 不知'《廣韻》. ②입삐뚤어질 교 입이 바르지 못함. '—, 口不正'《集韻》.

12 ⑮ [喑] 암 [平]覃 鄔甘切 ān

[字解] 싱거울 암 맛이 적음. '—啖, 少味'《集韻》.

12 ⑮ [嘪] 매 [上]蟹 莫蟹切 mǎi

[字解] 양의소리 매 양(羊)이 '매' 하고 우는 소리. '—, ——, 羊鳴'《集韻》.

12 ⑮ [嘷] 호 [平]豪 胡刀切 háo

[字解] ①짖을 호, 으르렁거릴 호 짐승이 큰 소리로 욺. '豺狼所—'《左傳》. ②부르짖을 호 외침. 규호(叫號)함. '兒子終日—'《莊子》.
[字源] [篆文] [別體] 形聲. 篆文은 口+皐〔音〕. '皐고'는 짐승의 으르렁거리는 소리를 나타내는 의성어. '口구'를 더하여 '으르렁거리다'의 뜻을 나타냄.

◉群嘷. 猿嘷. 淸嘷. 吠嘷. 風嘷.

12 ⑮ [嘹] 료 [平]蕭 落蕭切 liáo

[字解] ①소리멀리들릴 료 소리가 맑아 멀리 들림. '—喨'. ②새소리 료 새가 우는 소리. '—唳飛空'《李百藥》. ③피리소리 료 피리 부는 소리. '聽—嘈而遠震'《江淹》.
[字源] 形聲. 口+尞〔音〕

[嘹喨 요량] 소리가 맑아 멀리 들리는 모양.
[嘹唳 요려] 새가 우는 소리.
[嘹嘈 요조] 피리 부는 소리.

12 ⑮ [嘸] 무 [上]麌 罔甫切 fǔ 呒

[字解] 분명하지않을 무 대답이 분명하지 않음. '諸將皆—然, 陽應曰, 諾'《漢書》.
[字源] 形聲. 口+無〔音〕. '無무'는 '없다'의 뜻. 꾸물거리고 있어, 분명하지 않은 모양을 나타냄.

[嘸然 무연] 분명하게 대답을 하지 않는 모양.

12 ⑮ [嘻] 희 [平]支 許其切 xī

[字解] ①화락할 희 화평하고 즐거움. '婦子——'《易經》. ②한숨쉴 희 한숨 쉬는 소리. '慶父聞之曰, —'《公羊傳》. ③놀랄 희 놀라서 지르는 소리. '秦王與群臣, 相視而—'《史記》.
[字源] 形聲. 口+喜〔音〕. '喜희'는 '기뻐하다'의 뜻. 기뻐서 웃다의 뜻을 나타냄.

[嘻笑 희소] 억지로 웃음.
[嘻嘻 희희] ㉠화락(和樂)한 모양. ㉡자득(自得)한 모양. ㉢웃으며 이야기하는 모양.
◉嘆嘻. 噫嘻.

12 ⑮ [嘽] [一] 탄 [平]寒 他干切 tān [二] 천 [上]銑 昌善切 chǎn

[字解] [一] ①헐떡거릴 탄 숨이 가쁜 모양. '——駱馬'《詩經》. ②많을 탄 '戎車——'《詩經》. ③기뻐할 탄 '徒御——'《詩經》. ④성할 탄 성대(盛大)한 모양. '王旅——'《詩經》. [二] 느릴 천 완만한 모양. '—以緩'《禮記》.
[字源] 篆文 形聲. 口+單〔音〕. '單단'은 '旦단'과 통하여 '평탄하다'의 뜻. 목소리가 평탄하고 자유롭고 번다의 뜻. 평성(平聲)일 때에는 '殫탄'과 통하여, 힘이 다해 헐떡거리다의 뜻.

[嘽緩 천완] 가락이 화평하고 한가로움.
[嘽咺 탄원] 두려워서 흐느껴 욺.
[嘽嘽 탄탄] ㉠헐떡거리는 모양. 숨 가쁜 모양. ㉡많은 모양. 중다(衆多)한 모양. ㉢즐거워하는 모양. 기뻐하는 모양. ㉣성대(盛大)한 모양.

12 ⑮ [嘾] 담 ①[上]感 徒感切 dàn ②[平]覃 徒南切 tán

[字解] ①머금을 담 입 안 가득히 머금음. '—, 莊子曰, 大甘而—'《廣韻》. ②탐할 담 '—, 貪也'《集韻》.
[字源] 形聲. 口+覃〔音〕

12 ⑮ [嘿] 묵 [入]職 莫北切 mò

[字解] 잠잠할 묵 默(黑部 四畫)과 同字. '輒—而逃去'《史記》.
[字源] 形聲. 口+黑〔音〕. '黑흑'은 아무것도 없다의 뜻. '말이 없다, 잠잠하다'의 뜻을 나타냄.

12 ⑮ [噁] 오 [去]遇 烏路切 wù 恶

[字解] 성낼 오 화를 냄. 또, 화내는 소리. '項王喑—叱咤'《史記》.
[字源] 形聲. 口+惡〔音〕

12 ⑮ [噀] 손 [去]願 蘇困切 xùn

[字解] 물뿜을 손 '飮酒, 西南—之'《神仙傳》.
[字源] 形聲. 口+巽〔音〕

12 ⑮ [噂] 준 [上]阮 玆損切 zǔn

[字解] 이야기할 준 여럿이 모여 이야기함. '—沓背憎, 職競由人'《詩經》.
[字源] 篆文 形聲. 口+尊〔音〕. '尊존·준'은 '屯둔'과 통하여 '모이다'의 뜻. 많은 사람이 모여 이야기하다의 뜻을 나타냄.

[噂沓背憎 준답배증] 만나서는 추어올려 이야기하고, 돌아서서는 욕(辱)함.
[噂噂 준준] 마주 보고 의좋게 이야기하는 모양.
[噂噆 준참] 말이 목구멍에서 잘 나오지 않는 것 같아서 명료하지 아니함.

12 ⑮ [噆] 참 [上]感 七感切 zǎn

[字解] 물 참 깨묾. '蚊虻—膚'《莊子》.
[字源] 篆文 形聲. 口+朁〔音〕. '朁잠'은 '기어 들어가다, 숨다'의 뜻. 입 안에 숨기다, 머금다의 뜻을 나타냄.

[噆膚 참부] 모기나 빈대 같은 것이 피부를 묾.

12 ⑮ [噌] [一] 쟁 [平]庚 楚耕切 chēng [二] 증 [平]蒸 慈陵切 cēng

[字解] [一] 왁자지껄할 쟁 '—吰'은 장꾼의 왁자지껄하는 소리. [二] 시끄러울 증 떠들썩함. '空囂者以泓—爲雅量'《晉書》.
[字源] 形聲. 口+曾〔音〕

[噌吰 쟁횡] 시장 사람들의 왁자지껄하는 소리.
◉吰噌.

12 ⑮ [噍] 초 [去]嘯 才笑切 jiào [平]蕭 卽消切 jiāo

[字解] ①지저귈 초 새가 지저귀는 소리. '——'. '至於燕雀, 猶有啁—之頃焉'《禮記》. ②씹을 초 씹어 먹음. '呥呥而—'《荀子》. ③백성 초 음식을 먹고 사는 사람. 곧, 백성. '—類'. ④애절할 초 소리가 애처롭고 슬픔. '其聲—以殺'《禮記》.
[字源] 篆文 形聲. 口+焦〔音〕. '焦초'는 새를 태워 그을리다의 뜻에서, '가늘어지다, 작다'의 뜻. 입으로 작게 씹다의 뜻을 나타냄. 일설에는, '焦'는 음식을 씹을 때의 소리를 나타내는 의성어.

[噍類 초류] 밥을 먹고 사는 사람들. 곧, 백성. 생민(生民).
[噍殺 초쇄] 음조(音調)가 슬프고 낮음.
[噍食 초식] 씹어 먹음. 저작(咀嚼).
[噍咀 초저] 초식(噍食).
[噍噍 초초] 새가 지저귀는 소리.
◉數噍. 餘噍. 遺噍. 咀噍. 啁噍.

12 ⑮ [噎] 열 [入]屑 烏結切 yē [入]質 益悉切

字解 목멜 열 목구멍에 음식 같은 것이 막힘.
'因─廢食'《淮南子》.
字源 形聲. 口+壹〔音〕. '壹'은 항아리를 꼭 봉하는 모양을 본뜸. 음식이 입을 막다, 목메다의 뜻을 나타냄.

[噎嘔 열구] ㉠목이 메어 토(吐)함. ㉡웃으며 이야기하는 소리.
●澀噎. 塞噎. 噫噎. 鬱噎. 闐噎. 喘噎.

12
⑮ [噏] 흡 ㊤緝 許及切 xī
字解 ①숨들이쉴 흡 吸(口部 四畫)과 同字. '一淸雲之流瑕兮'《漢書》. ②거둘 흡 歙(欠部 十二畫)과 同字. '將欲一之, 必固張之'《老子》.
字源 形聲. 口+翕〔音〕. '翕흡'은 '모이다'의 뜻. '모아 거두다'의 뜻을 나타냄. 또, 바람을 모아서 옷이 가볍게 들려 올라가다의 뜻도 나타냄.

12
⑮ [嘮] ㊀초 ㊤肴 敕交切 chāo
㊁로 ㊤豪 郞刀切 láo
字解 ㊀들렐 초 떠들썩함. 시끄러움. '一呶'. ㊁수다스러울 로 말이 많음. 다변(多辯)함. '一叨'.
字源 篆文 ㊀會意. 口+勞. ㊁形聲. 口+勞〔音〕. '勞로'는 몹시 힘을 내다의 뜻. 심하게 지껄여 대다, 시끄럽다의 뜻을 나타냄.

[嘮叨 노도] 수다스러움. 말이 많음.
[嘮呶 초노] 떠들썩함. 시끄러움.

12
⑮ [噴] 人名 분 ㊤願 普悶切 pēn
㊁問 芳問切 fèn
字解 ①꾸짖을 분 질책함. '疾言一一'《韓詩外傳》. ②뿜을 분 물 같은 것을 뿜음. '一水'. 一則大者如珠'《莊子》. ③재채기할 분 '今人一嚏不止者'《野客叢書》.
字源 篆文 形聲. 口+賁〔音〕. '賁분'은 '막 달리다'의 뜻. 입으로부터 막 뿜어내다의 뜻을 나타냄.

[噴激 분격] 물을 힘차게 내뿜음.
[噴騰 분등] 내뿜어 올라감.
[噴門 분문] 위(胃)와 식도(食道)가 결합된 국부(局部).
[噴飯 분반] 웃음을 참을 수가 없음. 하도 우스워 입에 물었던 밥을 내뿜는다는 뜻.
[噴賁 분분] 꾸짖는 모양.
[噴雪 분설] 눈을 내뿜는다는 뜻으로, 바닷물이 희게 물결침을 이름.
[噴水 분수] 물을 뿜어냄. 또, 그 물.
[噴嚏 분체] 재채기.
[噴火 분화] ㉠불을 내뿜음. ㉡화산(火山)이 터져 불을 내뿜는 현상.
[噴火山 분화산] 불을 내뿜는 산. 화산(火山).
●跳噴. 飯噴. 噫噴. 吼噴.

12
⑮ [噇] 당 ㊀江 宅江切 chuáng
字解 먹을 당 '一酒糟漢'《碧巖集》.

[噇酒糟漢 당주조한]《佛敎》술찌끼를 먹는 사람.

순수한 진리를 깨닫지 못한 사람을 욕하는 말.

12
⑮ [噈] ㊀축 ㊁屋 子六切 cù
㊁잡 ㊁合 作荅切 zā
㊁갑 ㊁合 曷閤切 hé
字解 ㊀입맞출 축 '一, 噈一 口相就也'《廣韻》. ㊁먹을 잡 咂(口部 四畫)과 同字. '咂, 噈也. 或作一'《集韻》. ㊂부드러울 갑 '一, 柔也'《集韻》.

12
⑮ [嘩] 〔화〕
譁(言部 十二畫〈p.2154〉)와 同字

12
⑮ [噉] 〔담〕
啖(口部 八畫〈p.382〉)과 同字
字源 會意. 口+敢. '敢감'은 '굳이 하다'의 뜻. 굳이 입 안에 넣다, 먹다의 뜻을 나타냄.

12
⑮ [嘱] 〔촉〕
囑(口部 二十一畫〈p.414〉)의 俗字

[嘯] 〔소〕
口部 十三畫(p.406)을 보라.

12
⑮ [噐] 器(次條)의 略字

13
⑯ [器] 高入 기 ㊤寘 去冀切 qì
筆順 口 吅 吅 呂 哭 哭 器 器
字解 ①그릇 기 ㉠용기(容器) 또는 기구. '什一', '一械一量'《史記》. ㉡벼슬에 따르는 거복(車服)·훈장 따위. '惟一與名, 不可以假人'《左傳》. ㉢재능. '一局'. '蘇軾之才, 天下之一也'《宋史》. ㉣도량. '一度'. '管仲之一小哉'《論語》. ②그릇으로여길 기 훌륭한 인재(人材)를 중히 여김. '朝廷一之'《後漢書》. ③그릇으로쓸 기 적소에 씀. '一使', 及其使人也, 一之'《論語》. ④성 성(姓)의 하나.
字源 金文 篆文 會意. 畾+犬. '畾즙'은 제기를 벌여 놓은 모양을 본뜸. '犬견'은 희생으로 바친 개의 뜻. 제사에 쓰이는 그릇의 모양에서, 일반적으로 '그릇'의 뜻을 나타냄.

[器幹 기간] 기국(器局). 기량(器量).
[器敬 기경] 재능(才能)이 있다 하여 존경함.
[器械 기계] 연장·연모·그릇·기구(器具) 등의 총칭. 「부분.
[器官 기관] 생물체(生物體)의 생활 작용을 하는
[器觀 기관] 모습. 또, 큰 기량(器量).
[器具 기구] 그릇. 세간.
[器局 기국] 재간과 도량(度量).
[器度 기도] 도량(度量).
[器量 기량] 기국(器局).
[器望 기망] 재지(才智)가 출중(出衆)하다는 평판(評判).
[器皿 기명] 그릇.
[器貌 기모] 재기(才器)와 용모(容貌).
[器木 기목] 기물(器物)을 만드는 나무.
[器物 기물] 기명(器皿).
[器分 기분] 타고난 기량(器量).

[器使 기사] 사람을 적재적소(適材適所)에 씀.
[器世間 기세간]《佛敎》중생(衆生)의 세계.
[器識 기식] 기국(器局)과 식견.
[器愛 기애] 재능(才能)이 있으므로 사랑함.
[器業 기업] 기국(器局)과 학문(學問).
[器玩 기완] 장난감.
[器用 기용] ㉠도구(道具). 제구. ㉡용도(用途). 소용(所用).
[器宇 기우] 타고난 기품(氣品). 재능과 인품(人品).
[器遇 기우] 재능(才能)을 사랑하여 특별히 대접함.
[器異 기이] 재능(才能)이 있으므로 남과 달리 생각함.
[器二不匱 기이불궤] 똑같은 그릇을 두 개 갖추면 하나 있는 것보다 훨씬 낫다는 뜻.
[器任 기임] 재능(才能)이 있어서 직책(職責)을 감당해 냄.
[器仗 기장] 기물(器物)과 무기(武器).
[器財 기재] 기명(器皿).
[器重 기중] 신임(信任)함. 중용(重用)함.
[器直 기직] 곡척(曲尺).
[器質 기질] 타고난 재능(才能)이 있는 바탕.
[器什 기집] 기물(器物). 집기(什器). 집(什)은 다수(多數)의 뜻.
[器彩 기채] 기량(器量).
◉佳器. 稼器. 耕器. 計器. 械器. 公器. 宏器. 國器. 機器. 吉器. 茶器. 大器. 德器. 陶器. 鈍器. 名器. 明器. 茗器. 木器. 武器. 薄器. 凡器. 便器. 兵器. 寶器. 不器. 射器. 祠器. 社稷器. 生器. 石器. 褻器. 小器. 溲器. 數器. 食器. 飾器. 神器. 樂器. 良器. 燕器. 禮器. 溺器. 浴器. 用器. 容器. 庸器. 原器. 偉器. 戎器. 飮器. 應器. 利器. 瓷器. 磁器. 將器. 臟器. 才器. 材器. 田器. 佃器. 正器. 精器. 祭器. 酒器. 雋器. 重器. 紙器. 珍器. 什器. 銃器. 漆器. 土器. 吐器. 虛器. 形器. 瑚璉器. 火器. 花器. 皇器. 凶器.

13
⑯ [噩] 악 [入]藥 五各切 è

[字解] ①놀랄 악 愕(心部 九畫)과 同字. '一夢'. ②엄숙할 악 '一一爾'《揚子法言》.
[字源] 形聲. 吅+吅+玉[音]. '玉옥'은 '屰역'과 통하여, '거스르다'의 뜻. '吅훤'은 많은 입이 목소리를 내어 시끄럽다의 뜻. 예상에 어긋나, 많은 목소리가 튀어나와, '놀라다'의 뜻을 나타냄.

[噩耗 악모] 사망 통지(死亡通知). 부고(訃告).
[噩夢 악몽] 놀라며 꾸는 꿈.
[噩噩 악악] 엄숙한 모양.
[噩電 악전] 사망 전보(死亡電報).

13
⑯ [嘯] [人名] [一] 소 [去]嘯 蘇弔切 xiào 啸
[二] 질 [入]質 尺栗切 chì

[字解] [一] ①휘파람불 소 '其一也歌'《詩經》. ②부르짖을 소 큰 소리를 냄. '虎一而風起'《孔安國》. ③읊조릴 소 음영(吟詠)함. '一詠'. '長一哀鳴'《司馬相如》. [二] 꾸짖을 질 叱(口部 二畫)과 同字. '一咤'. '不一不指'《禮記》.
[字源] 篆文 形聲. 口+肅[音]. '肅숙'은 '縮축'과 통하여, '오므리다'의 뜻. 입을 오므리어 소리를 내다의 뜻을 나타냄.

[嘯歌 소가] 소영(嘯咏).
[嘯咏 소영] 시가(詩歌)를 읊음.
[嘯集 소집] 불러 모아들임.
[嘯聚 소취] 소집(嘯集).
[嘯兇 소흉] 서로 불러 모여든 악(惡)한 무리들.
[嘯咤 질타] ㉠꾸짖음. 질타(叱咤). ㉡격노(激怒)하여 혀를 참.
◉歌嘯. 高嘯. 叫嘯. 朗嘯. 曼嘯. 鳴嘯. 牧嘯. 悲嘯. 舒嘯. 永嘯. 吟嘯. 長嘯. 唱嘯. 淸嘯. 諷嘯. 海嘯. 呼嘯. 虎嘯.

13
⑯ [嘆] [一] 쾌 [去]卦 許介切 xiè
[二] 달 [入]曷 他達切 xiè
[三] 희 [上]紙 許倚切

[字解] [一] ①흥분해서술술지껄일 쾌 '一, 高气多言也'《說文》. ②높은소리 쾌 '一, 高聲皃'《廣韻》. [二] 흥분해서술술지껄일 달 [一]①과 뜻이 같음. [三] 잘지껄일 희 '一, 一曰, 多言'《集韻》.
[字源] 形聲. 口+蠆〈省〉[音]

13
⑯ [噞] 엄 [上]琰 魚檢切 yǎn

[字解] 입뻐끔거릴 엄 고기가 물 위에 입을 내놓고 뻐끔거림. '一喁浮沈'《左思》.
[字源] 篆文 形聲. 口+僉[音]. '僉첨'은 '입을 맞추다'의 뜻.

[噞喁 엄옹] 고기가 물 위에 입을 내놓고 뻐끔거림.

13
⑯ [噡] 첨 [平]鹽 職廉切 zhān

[字解] 말많을 첨 다언(多言)함. '口舌之均, 一唯則節'《荀子》.
[字源] 形聲. 口+詹[音]

13
⑯ [噕] [一] 과 [平]歌 古禾切 guō
[二] 화 [平]歌 戶戈切 guō

[字解] [一] 어린아이서로답할 과 어린아이가 서로 대답하는 소리. '兒麈孺一'《田畫》. [二] 어린아이서로답할 화 [一]과 뜻이 같음.

13
⑯ [噢] [一] 욱 [入]屋 於六切 yù
[二] 우 [去]遇 威遇切 yǔ

[字解] [一] 한숨쉴 욱 탄식하는 소리. 또, 슬퍼하는 모양. '一咿不能自禁'《嵇康》. [二] 가엾이여길 우 불쌍하게 여겨 내는 소리. '民人痛疾而或一咻之'《左傳》.
[字源] 形聲. 口+奧[音]

[噢咻 우휴] 가엾이 여겨 내는 소리.
[噢咿 욱이] 슬퍼하는 모양. 또, 탄식하는 소리.

13
⑯ [噣] [一] 주 [去]宥 陟救切 zhòu
[二] 탁 [入]覺 竹角切 zhuó

[字解] [一] ①부리 주 새의 부리. 咮(口部 六畫)와 同字. '射一鳥于東海'《史記》. ②별이름 주 성명(星名). '三心, 五一'《詩經》. [二] 쫄 탁 쪼아 먹음. 啄(口部 八畫)과 同字. '黃雀因是以俯一白粒'《國語》.

字源 篆文 形聲. 口+蜀〔音〕. '蜀촉'은 '부리'의 뜻. '부리, 쪼다'의 뜻을 나타냄.

---

13 ⑯ [噤] 금 ⊕寢 渠飮切
⊕沁 巨禁切 jìn

字解 입다물 금 唫(口部 八畫)과 同字. '一口不敢復言'《史記》.

字源 篆文 形聲. 口+禁〔音〕. '禁금'은 '금기(禁忌)'의 뜻. 입 밖에 내지 않다, 입을 다물다의 뜻을 나타냄.

[噤齘 금계] 분(憤)하여 입을 다물고 이를 갊.
[噤凍 금동] 하도 추워서 말이 안 나올 지경으로 몸이 얾.
[噤吟 금음] 입을 다물고 신음(呻吟) 함.
[噤戰 금전] 입을 다물고 벌벌 떪.
[噤閉 금폐] 입을 다물다.
●鉗噤. 凍噤. 寒噤.

---

13 ⑯ [噥] 농 ⊕冬 奴冬切 nóng

字解 수군거릴 농 말이 많고 소리는 작음. '群司今——'《楚辭》.

---

13 ⑯ [噦] 얼 ㊇月 於月切 yuè
훼 ⊕泰 呼會切 huì

字解 ➊ 딸꾹질할 얼 '不敢一噦噫咳'《禮記》. ➋ ①방울소리 훼 말에 단 방울 소리. '鸞聲——'《詩經》. ②환해질 훼 날이 환해지는 모양. '一其冥'《詩經》.

字源 篆文 形聲. 口+歲〔音〕. '歲세·설'은 '欬궐'과 통하여 '기침하다'의 뜻. '口구'를 더하여 '딸꾹질'의 뜻을 나타냄.

[噦噦 훼훼] ㉠말에 단 방울 소리. ㉡날이 환해지는 모양.

---

13 ⑯ [噹] 당 dāng

字解 옥소리 당 패옥(佩玉) 등이 서로 부딪쳐 나는 소리. 정당(叮噹). '惟聞遙送叮一'《長生殿》.

---

13 ⑯ [噪] 조 (소⊕) ⊕號 蘇到切 zào

字解 떠들썩할 조 譟(言部 十三畫)와 同字. '遠煙而一'《拾遺記》.

字源 形聲. 口+喿〔音〕. '喿조'는 '떠들다'의 뜻. '口구'를 덧붙임.

[噪聒 조괄] 떠들어 시끄러움.
[噪急 조급] 잔소리가 심하고 성미가 급함.
[噪蟬 조선] 시끄럽게 우는 매미.
[噪音 조음] 진동(振動)이 급격하고 불규칙하여 불쾌한 느낌을 주는 잡음(雜音). 악음(樂音)의 대(對).
●鼓噪. 狂噪. 叫噪. 蟬噪. 蛙噪. 鵲噪. 號噪. 喧噪.

---

13 ⑯ [噫] 人名 ➊ 희 ⊕支 於其切 yī
➋ 애 ⊕卦 烏界切 ài

字解 ➊ 한숨쉴 희 탄식함. 또, 그 소리. '一乎何以禦水'《史記》. ➋ ①트림할 애 먹은 음식이 잘 삭지 않아서 입으로 가스가 나옴. '不敢噦一噫咳'《禮記》. ②하품 애 '大塊一氣'《莊子》.

字源 篆文 形聲. 口+意〔音〕. '意의'는 탄식의 소리를 나타내는 의성어.

[噫氣 애기] ㉠내쉬는 숨. 호기(呼氣). ㉡하품.
[噫嗌 애열] 목이 멤.
[噫瘖 애음] 목소리를 명료(明瞭)하게 내지 못하는 모양.
[噫欠 애흠] 하품.
[噫嗚 희오] 탄식하는 모양.
[噫瘖 희음] 똑똑하게 소리를 내지 못하는 모양. 말을 더듬는 모양.
[噫嘻噦 희허희] 놀라 탄식하는 소리.
[噫乎 희호] 찬미(讚美)하거나 탄식 또는 애통하는 소리.
[噫嘻 희희] 희호(噫乎).
●憂噫. 歎噫.

---

13 ⑯ [雝] 옹 ⊕冬 於容切 yōng

字解 ①화목해질 옹 친하여짐. '——喈喈, 民協服也'《爾雅》. ②말부드러울 옹 오가는 말이 부드러워 의좋은 모양. '關關——, 音聲和也'《爾雅》.

---

13 ⑯ [嗬] 하 ①⊕麻 許下切 hé
②⊕智 虛我切 hé
③⊕禡 呼訝切 xià

字解 ①웃을 하, 웃음 하 '一, 笑也'《玉篇》. ②껄껄을 하 크게 웃음. '歌, 大笑, 或作一'《集韻》. ③노할 하 성냄. '訶一, 責怒'《廣韻》.

---

13 ⑯ [嚈] 연 ⊕霰 烏縣切 yuàn

字解 달콤할 연 매우 단 모양. '不一而香'《呂氏春秋》.

---

13 ⑯ [㘔] ➊ 함 ⊕覃 呼含切 hán
➋ 감 ①⊕感 古禫切 gǎn
②⊕勘 苦濫切 gǎn

字解 ➊ 울 함 짐승이 으르렁거림. '一, 吼也'《集韻》. ➋ ①새소리 감 '鳥聲'《集韻》. ②꾸짖을 감 '喊, 呵也. 亦从感'《集韻》.

---

13 ⑯ [噙] 금 qín

字解 입에물 금 머금음. '一, 口含物也'《辭海》.

---

13 ⑯ [嶰] 해 ⊕蟹 下解切 xiè

字解 꾸짖을 해 譮(言部 十畫)와 同字.

---

13 ⑯ [嗳] 애 ⊕泰 於蓋切 ǎi

字解 숨 애 기식(氣息). 따스한 숨. '一, 暖氣也'《玉篇》.

字源 形聲. 口+愛〔音〕.

---

13 ⑯ [噠] 달 ㊇曷 當割切 dá

筆順 卩 冂 冋 몀 唒 啫 噫 噫

字解 오랑캐이름 달 嚩(口部 十四畫)을 보라.
字源 形聲. 口+達〔音〕

●嚩噠.

13/16 [噠] 서 㱡霽 時制切 shì

字解 ①물 서 깨묾. '一吞'. '後君一齊'《左傳》.
②미칠 서 逮(辵部 八畫)와 뜻이 같음. '一肯適我'《詩經》.
字源篆文 形聲. 口+筮〔音〕

[噠啖 서담] 씹어 먹음. 전(轉)하여, 잔해(殘害)함.
[噠齧 서설] 깨묾.
[噠臍 서제] 배꼽을 물어뜯으려 해도 입이 닿지 아니한다는 뜻으로, 후회하여도 이미 늦음을 비유하는 말. 서제막급(噠臍莫及).
[噠臍莫及 서제막급] 서제(噠臍).
[噠吞 서탄] 씹어 삼킴. 전(轉)하여, 서로 빼앗음.
[噠嗑 서합] 육십사괘(六十四卦)의 하나. 곧, 〈진하(震下), 이상(離上)〉. 서로 물어뜯는다는 뜻으로, 형옥 죄수(刑獄罪囚)의 상(象).
●交噠. 毒噠. 搏噠. 反噠. 齧噠. 吞噠. 攫噠.

13/16 [嗷] 교 㱡嘯 古弔切 jiào, ①qiào / 격 㱡錫 詰歷切 chī

字解 ■ ①입 교 동물의 입. '馬蹄一千'《漢書》. ②부르짖을 교 외침. '毋一應'《禮記》. ③엉엉교 큰 소리로 우는 모양. '一然而哭'《公羊傳》. ■ 격할 격 목소리가 격(激)함. '鳴一之聲興而士奮'《史記》.
字源篆文 形聲. 口+敫〔音〕. '敫교·격'은 부르짖는 소리, 으르렁거리는 소리의 의성어.

[嗷嗷 교교] 슬피 엉엉 우는 소리.
[嗷咷 교도] 소리쳐 욺. 어린애가 그치지 않고 울어 댐.
[嗷然 교연] 큰 소리로 엉엉 우는 모양.
[嗷應 교응] 큰 소리로 대답함.
[嗷誂 교조] 목소리가 맑은 모양.
[嗷譟 교조] 여러 소리가 섞여 시끄러움.
[嗷哮 교효] 외침. 울부짖음.
●叫嗷.

13/16 [噱] 갹 㱡藥 其虐切 jué, xué

字解 ①껄껄웃을 갹 대소(大笑)함. '談笑大一'《漢書》. ②입벌릴 갹 '遙一虖紘中'《漢書》.
字源篆文 形聲. 口+豦〔音〕. 크게 웃는 소리의 의성어.

[噱然 갹연] 껄껄 웃는 모양.
●叫噱. 大噱. 溫噱. 誃噱. 歡噱.

13/16 [噲] 쾌 㱡卦 苦夬切 kuài

字解 ①목구멍 쾌. ②시원할 쾌 快(心部 四畫)와 통용. '一然得臥'《淮南子》. ③야윌 쾌 초췌함. '顏色腫一'《莊子》. ④성 쾌 성(姓)의 하나.

字源篆文 形聲. 口+會〔音〕. '會회'는 '만나다'의 뜻. 숨이나 목소리가 모여서 나오는 부분인 목구멍의 뜻을 나타냄.

[噲伍 쾌오] ㉠범용(凡庸)한 무리. ㉡벗으로서 사귀는 것을 부끄럽게 여김.
[噲噲 쾌쾌] 상쾌한 모양.
●腫噲.

13/16 [噳] 우 㪍麌 虞矩切 yǔ

字解 뭇사슴우물거릴 우 '一一'는 사슴이 많이 모여 입을 가지런히 하는 모양. '麀鹿一一'《詩經》.
字源篆文 形聲. 口+虞〔音〕

[噳噳 우우] 자해(字解)를 보라.

13/16 [噶] 갈 㪍曷 古渴切 gá, gé

字解 ①의성어(擬聲語) 갈 '小火輪上鳴的一聲, 氣管一嘟哪一陣鈴聲'《張春帆·宦海》. ②음역자 갈 '가'음을 나타내는 외래어 음역자(音譯字).

13/16 [噸] 돈 dūn

字解 톤 돈 톤(ton)의 역자(譯字). ㉠중량의 단위. 천(千) 킬로그램. ㉡선박의 용적의 단위. 백(百) 입방 피트가 1톤임.
字源 形聲. 口+頓〔音〕. '頓돈'은 톤(ton)의 음역자(音譯字). 그것이 외래어임을 보이어 '口'를 더함.

13/16 [諞] 〔비〕 諞(口部 十六畫〈p.411〉)와 同字

13/16 [噴] 〔분〕 噴(口部 十二畫〈p.405〉)의 本字

13/16 [敊] 교 㪍嘯 丘召切 qiào

字解 ①높을 교 '一, 高也'《集韻》. ②뒤뚝거릴 교 안전(安全)하지 못함. '我亦平行踽一敊'《韓愈》.

14/17 [嚀] 녕 ㉠青 奴丁切 níng

字解 친절할 녕 寧(宀部 十一畫)과 통용. '叮一'.
字源 形聲. 口+寧〔音〕

●叮嚀.

14/17 [嚂] ■ 람 㪍勘 盧瞰切 làn / ■ 함 㪍感 呼覽切 hǎn

字解 ■ 게검스럽게먹을 람 '以一其口'《淮南子》. ■ 소리칠 함 喊(口部 九畫)과 同字. '横人一口利機'《戰國策》.

14/17 [嚃] 탑 㪍合 他合切 tā

字解 혹들이마실 탑 '毋─羹'《禮記》.

14 ⑰ [嚄] 획 ㊤陌 胡伯切 huò

字解 ①깜짝놀랄 획 깜짝 놀라는 소리. '─, 大姊, 何藏之深也'《史記》. ②외칠 획 대호 (大呼)함. '跳浮─嚄'《柳宗元》.

字源 形聲. 口+蒦〔音〕. '蒦획'은 외치는 소리, 웃음소리의 의성어.

[嚄嘖 획책] 잔소리가 많은 모양. 일설 (一說)에는, 획 (嚄)은 껄껄 웃는 뜻이고, 책 (嘖)은 크게 부르는 뜻.

[嚄嘖 획책] 큰 소리로 외침. 또, 말이 많은 모양. 수다스러운 모양.

14 ⑰ [嚅] 유 ㊥虞 人朱切 rú

字解 ①선웃음칠 유 아첨하느라고 억지로 웃음. '喔咿─呢'《楚辭》. ②말머뭇거릴 유 말하다가 입을 다묾. '口將言而囁─'《韓愈》. ③시끄러울 유 떠들썩함. '暮歸喔─'《易林》.

字源 形聲. 口+需〔音〕.

[嚅呢 유아] 선웃음을 치는 모양. 아첨하느라고 억지로 웃는 모양.

●囁嚅. 喔嚅. 呫嚅.

14 ⑰ [曜] 적 ㊤錫 亭歷切 dí

字解 소리 적 '─, 聲也'《集韻》.

14 ⑰ [嚩] 삽 ㊤緝 色入切 sè

字解 말더듬을 삽 '─, 口不能言也'《集韻》.

14 ⑰ [嶷] ▤ 억 ㊤職 魚力切 yì　▤ 의 ㊥寘 魚記切 yì

字解 ▤ 총명할 억 어린 나이에 재주가 있음. '─, 小兒有知也'《說文》. ▤ 고루할 의 보고 들은 것이 적음. '噂─, 無聞見也'《集韻》.

字源 形聲. 口+疑〔音〕. '疑의'는 어린아이가 걷지 못하고 비실거리고 있는 모양. 비실거리고 있는 어린아이가 말을 하다의 뜻에서, 어린아이가 재주가 있다, 총명하다의 뜻을 나타냄.

14 ⑰ [嚆] 효 ㊥肴 虛交切 hāo

字解 ①외칠 효 부름. ②울릴 효 소리가 진동함. '─矢, 矢之鳴者'《莊子 註》.

字源 形聲. 口+蒿〔音〕. '蒿호'는 외치는 소리, 우는살의 의성어.

[嚆矢 효시] 우는살. 명적 (鳴鏑). 옛날 전쟁을 시작할 때에는 먼저 우는살을 쏘았으므로, 전 (轉)하여 사물의 시초 (始初)의 뜻으로 쓰임. 단서 (端緖). 남상 (濫觴). 권여 (權輿).

14 ⑰ [嚇] ▤ 하 ㊥禡 呼訝切 xià　▤ 혁 ㊤陌 呼格切 hè

字解 ▤ ①껄껄웃을 하 대소 (大笑)하는 소리. '田公笑──'《雪占舌診》. ②으를 하 위협함. '恐─'. ▤ 성낼 혁 화냄. '一怒'. 또, 그 소리. '仰而視之曰, ─'《莊子》.

字源 形聲. 口+赫〔音〕. '赫혁'은 '붉다'의 뜻. 얼굴을 붉히며 성을 내다의 뜻을 나타냄. 거성 (去聲)일 때에는 웃음소리를 나타내는 의성어로 쓰임.

[嚇嚇 하하] 껄껄 웃는 소리.
[嚇怒 혁노] 대로 (大怒)함.

●恐嚇. 腐鼠嚇. 威嚇. 叱嚇. 喘嚇. 鴟嚇. 呀嚇. 脅嚇.

14 ⑰ [嚌] 제 ㊤霽 在詣切 jì

字解 ①맛볼 제 음식을 맛봄. '主人之酢也, 一之'《禮記》. ②제사지낼 제, 제사 제 '太保受同祭─'《書經》.

字源 篆文 形聲. 口+齊〔音〕. '齊제'는 '조화하다, 갖추어지다'의 뜻. 입 안에 음식을 갖추어 놓고 핥아서 맛을 보다의 뜻을 나타냄.

●祭嚌.

14 ⑰ [嚈] 엽 ㊤葉 益涉切 yà

字解 오랑캐이름 엽 '─嚈'은 흉노 (匈奴)의 별종 (別種). 대월지 (大月氏)의 땅을 빼앗고 인도 (印度)를 침략하여 한때 자못 강성하였으나, 마침내 돌궐 (突厥)에게 병탄 (併吞)되었음.

字源 形聲. 口+厭〔音〕.

[嚈噠 엽달] 자해 (字解)를 보라.

14 ⑰ [嚊] 비 ㊥寘 匹備切 pì

字解 헐떡거릴 비 헐떡거리는 소리.
字源 形聲. 口+鼻〔音〕. '鼻비'는 '코'의 뜻.

14 ⑰ [嗌] 〔함〕

衒(金部 六畫〈p. 2392〉)과 同字

14 ⑰ [嚔] 〔체〕

嚏(口部 十五畫〈p. 410〉)의 俗字

15 ⑱ [鮑] 포 ㊤巧 薄巧切 bào

字解 갈포 땅을 갊. '─, 舀地'《廣韻》.

15 ⑱ [嚚] 은 ㊥眞 語巾切 yín

字解 ①어리석을 은 우둔함. '父頑母─'《書經》. ②말다툼할 은 '吽, ─訟, 可乎'《書經》.

字源 甲骨 篆文 形聲. 品+臣〔音〕. '臣신'은 '굳히다'의 뜻. '品훤'은 '시끄럽다'의 뜻. 시끄러움으로 굳히다의 뜻에서, '시끄럽다'의 뜻을 나타냄.

[嚚訟 은송] 어리석은 말다툼.
[嚚瘖 은음] 벙어리라 말을 못함.

15 ⑱ [嚠] 囂(前條)과 同字

15 ⑱ [嚃] [一] 읍 [入]緝 域及切 yì
[二] 급 [入]緝 迄及切 xī

[字解] [一] 시끄러울 읍 啞(口部 九畫)과 同字. '啞啞, 衆聲. 或从嚃'《集韻》. [二] 말소리급할 급 '一嚄'은 여러 사람의 목소리가 급한 모양. '一嚄嘩踕, 跳然復出'《王褒》.

15 ⑱ [嚏] 체 [去]霽 都計切 tì

[字解] 재채기 체, 재채기할 체 '一噴'. '願言則一'《詩經》.
[字源] 篆文 形聲. 口+疐〔音〕. '疐체'는 '곱드러지다'의 뜻. 코로부터의 숨이 곱드러지다의 뜻에서, '재채기'의 뜻을 나타냄.
[參考] 嚔(口部 十四畫)는 俗字.

[嚏噴 체분] 재채기.
◉發嚏. 噴嚏.

15 ⑱ [嚙] 교 [上]巧 五巧切 niè 啮

[字解] 깨물 교 咬(口部 六畫)와 同字.
[字源] 會意. 口+齒. 이로 깨물다의 뜻을 나타냄.

15 ⑱ [嚜] [一] 묵 [入]職 蜜北切 mò
[二] 매 [去]隊 莫佩切 mèi

[字解] [一] 마음에차지않을 묵 불만한 모양. '于嗟一一兮, 生也無故'《史記》. [二] 거짓말할 매 어린아이가 남을 잘 속임. '江湘之間, 小兒多詐而獪, 謂之一屎'《揚子方言》.

[嚜屎 묵치] ㉠간교함. ㉡거짓말을 잘하는 어린아이.
[嚜嚜 묵묵] 마음에 차지 않는 모양. 불만한 모양.

15 ⑱ [嚘] 우 [平]尤 於求切 yōu

[字解] 한숨쉴 우 '咿一'는 탄식하는 소리. '佇立久咿一'《韓愈》.
[字源] 篆文 形聲. 口+憂〔音〕. '憂우'는 근심하여 탄식하다의 뜻. '口구'를 더하여 '한탄하다'의 뜻을 나타냄.

◉咿嚘.

15 ⑱ [嚗] [一] 박 [入]覺 北角切 bó
[二] 팍 [入]覺 孚邈切 bào

[字解] [一] 성낸소리 박 역정을 내는 소리. '一, 怒聲'《集韻》. [二] 지팡이던지는소리 팍 '神農隱几, 擁杖而起, 一然放杖而笑'《莊子》.

15 ⑱ [嚕] 로 [上]麌 籠五切 lū 噜

[字解] ①이야기할 로 말함. '一, 語也'《玉篇》. ②아첨할 로 '一, 諂也'《類篇》. ③아깝게여길 로 '吐一'는 애석하게 여김. '吐一, 猶可惜也'《正字通》.
[字源] 形聲. 口+魯〔音〕

15 ⑱ [嚌] 즐 [入]質 阻瑟切 zhì

[字解] 소리날 즐, 소리요란할 즐 '啾唧一而將吟兮'《王褒》.

15 ⑱ [嚛] 학 [入]藥 黑各切 hù

[字解] ①매울 학 맛이 몹시 매움. '一, 食辛一也'《說文》. ②먹을 학 꿀꺽꿀꺽 많이 먹음. '大啜曰一'《玉篇》.
[字源] 篆文 形聲. 口+樂〔音〕

15 ⑱ [嚝] 〔규〕
嚝(口部 十一畫〈p.399〉)의 本字

15 ⑱ [嚖] 〔혜〕
嘒(口部 十一畫〈p.400〉)와 同字

15 ⑱ [嚠] 〔류〕
瀏(水部 十五畫〈p.1312〉)의 俗字

16 ⑲ [嚥] [人名] 연 [去]霰 於甸切 yàn

[字解] 삼킬 연 꿀떡 삼킴. '一下'. '聞珍羞之名, 則妄有所一'《譚子化書》.
[字源] 形聲. 口+燕〔音〕

[嚥日 연일] 햇빛을 들이마시는 양생법(養生法).
[嚥喋 연잡] 꿀떡 삼킴.
[嚥下 연하] 삼킴. 삼켜 버림.

16 ⑲ [嚧] [人名] 로 [平]虞 落呼切 lǔ

[字解] 멧돼지부르는소리 로 '一, 一一, 呼豬聲'《集韻》.

16 ⑲ [嚦] 력 [入]錫 狼狄切 lì 呖

[字解] 지저귀는소리 력 '一一'은 옥(玉)을 굴리는 듯한 매끄러운 새소리의 형용. '一一鶯聲溜的圓'《桃花扇》.

16 ⑲ [嚪] 담 [上]感 杜覽切
[去]勘 徒濫切 dàn

[字解] 먹을 담, 먹일 담 啗(口部 八畫)과 同字. '令趙一秦以伐齊之利'《史記》.

16 ⑲ [嚬] [人名] 빈 [平]眞 符眞切 pín

[字解] 찡그릴 빈 눈살을 찌푸림. 顰(頁部 十五畫)과 同字. '明主愛一一笑'《韓非子》.
[字源] 形聲. 口+頻〔音〕. '頻빈'은 얼굴을 찡그리다의 뜻.

[嚬伽 빈가] 《佛敎》 '가릉빈가(伽陵頻伽)'와 같음.
[嚬呻 빈신] 얼굴을 찡그리고 신음함.

16 ⑲ [嚨] 롱 [平]東 盧紅切 lóng 咙

[字解] 목구멍 롱 인후. '吏買馬, 君具車, 請爲諸君鼓一胡'《後漢書》.

[字源] 篆文 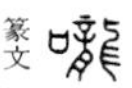 形聲. 口＋龍〔音〕. '龍룡'은 용의 뜻. '용'의 목구멍을 상상케 하는 입에 접하는 부분의 뜻에서, '목구멍'의 뜻을 나타냄.

16 ⑲ **[嚫]** 친 [去]震 初覲切 chèn

[字解] 베풀 친 중에게 재물을 시여함. '弟子一日恭一'《隋煬帝》.

[字源] 形聲. 口＋親〔音〕

16 ⑲ **[嚮]** 향 ①②[去]漾 許亮切 xiàng ③-⑤[上]養 許兩切 

[字解] ①접때 향, 지난번 향 '一者'. '一使宋人不聞君子之語, 則年穀未豐'《說苑》. ②향할 향 바라봄. 대함. 向(口部 三畫)과 同字. '一往'. '不可一邇'《書經》. ③누릴 향 享(亠部 六畫)과 同字. '一其利者'《史記》. ④흠향할 향 享(亠部 六畫)·饗(食部 十三畫)과 同字. '上帝嘉一'《漢書》. ⑤메아리 향 響(音部 十三畫)과 同字. '一應'. '其受命也如一'《易經》.

[字源] 形聲. 鄕＋向〔音〕. '鄕향'은 서로 마주 보다의 뜻. '향하다'의 뜻의 음부(音符) '向향'을 덧붙임.

[嚮道 향도] ㉠향도(嚮導). ㉡행군(行軍)할 때 통로(通路)의 험이(險易)를 정찰하는 사람.
[嚮導 향도] 길을 인도함. 또, 그 사람. 안내(案內).
[嚮利忘義 향리망의] 이익(利益)만을 구하여 올바른 길을 잊음.
[嚮明 향명] 새벽. 해 뜰 녘.
[嚮背 향배] 좇음과 배반함. 복종(服從)과 배반(背反).
[嚮赴 향부] 향하여 다다름.
[嚮往 향왕] 마음이 향하여 간다는 뜻으로, 심복(心服)함을 이름.
[嚮用 향용] 마음에 들어 씀. 한마음으로 임용(任用)함.
[嚮應 향응] '향응(響應)'과 같음.
[嚮邇 향이] 향하여 가까이 감.
[嚮日 향일] ㉠해를 향함. ㉡접때. 지난번. 향일(向日).
[嚮者 향자] 지난번. 접때.
[嚮晦 향회] 해 질 녘.
[嚮晦宴息 향회연식] 저녁이 되어 편히 쉼.

16 ⑲ **[嚭]** 비 [上]紙 匹鄙切 pǐ 

[字解] ①클 비. ②크게기뻐할 비 대희(大喜)함.

[字源] 篆文  形聲. 喜＋否〔音〕. '否비'는 '크다'의 뜻. '喜희'를 더하여 '크다'의 뜻을 나타냄.

16 ⑲ **[嚱]** 〔허〕 歔(欠部 十二畫〈p. 1135〉)와 同字

17 ⑳ **[嚴]** [中][人] 엄 [平]鹽 語驗切 yán 严

[筆順] 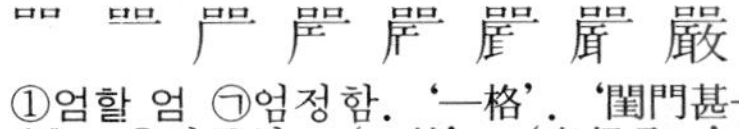

[字解] ①엄할 엄 ㉠엄정함. '一格'. '閨門甚一'《後漢書》. ㉡엄중함. '一禁'. '責督益一'《史記》. ㉢엄숙함. '一莊'. '一若朝典'《世說》. ㉣위엄이 있어 두려움. '一威'. '師一而後道尊'《禮記》. ②굳셀 엄 의연(毅然)함. '霜操日一'《沈約》. ③높을 엄 존엄함. '故宗廟一'《禮記》. ④혹독할 엄 ㉠정도가 심함. '一寒'. '始知殺氣一'《李白》. ㉡행위가 모짊. '一刻'. '法家一而少恩'《史記》. ⑤경계할 엄 ㉠조심함. '申一'. '一憚汲黯'《史記》. ㉡방비함. '戒一'. '何故夜一'《晉書》. ⑥높일 엄 존중함. '一師'. '一重之'《史記》. ⑦삼갈 엄 공경하여 조심함. '日一祗敬六德'《書經》. ⑧경계 엄, 계엄 엄 경비(警備). '撾一鼓爲一一'《唐書》. ⑨차림 엄 장속(裝束). 차비(差備). '一程'. '裝一已訖'《後漢書》. ⑩성 엄 성(姓)의 하나.

[字源] 金文  篆文  古文  形聲. 吅＋厰〔音〕. '吅훤'은 '僉첨'과 통하여, 엄격히 조리가 닿게 하다의 뜻. 본래, '吅'만으로 '엄하다'의 뜻을 나타내었지만, 뒤에 음부(音符)인 '厰음'을 덧붙여서 음을 분명히 함.

[嚴苛 엄가] 엄중하고 가혹(苛酷)함. 지나치게 엄함.
[嚴家 엄가] 가풍(家風)이 엄격한 집.
[嚴家無悍虜 엄가무한로] 엄격한 집에는 사나운 종이 없음.
[嚴刻 엄각] 엄혹(嚴酷).
[嚴恪 엄각] 엄숙하고 신중함.
[嚴勘 엄감] 엄처(嚴處).
[嚴格 엄격] 언행(言行)이 엄숙(嚴肅)하고 정당함.
[嚴譴 엄견] 엄책(嚴責).
[嚴更 엄경] 야경(夜警)을 자주 돌아 엄중히 단속함.
[嚴戒 엄계] 엄중(嚴重)하게 경계(警戒)함.
[嚴棍 엄곤] 엄하게 곤장을 내리침.
[嚴科 엄과] 엄형(嚴刑).
[嚴光 엄광] 후한(後漢) 여요(餘姚) 사람. 자(字)는 자릉(子陵). 어릴 때 광무제(光武帝)와 같이 공부하였는데, 광무제가 즉위하자 변성명하고 숨어 사는 것을 광무제가 찾아 간의대부(諫議大夫)를 제수(除授)하였으나 사양하고 부춘산(富春山)에 은거(隱居)하였음. 후세 사람이 그의 낚시질하던 곳을 일러 엄릉뢰(嚴陵瀨)라 함.
[嚴君 엄군] 아버지의 존칭. 단지, 아버지의 뜻으로도 쓰임. 엄부(嚴父).
[嚴君平 엄군평] 한(漢)나라 사람. 이름은 준(遵). 군평(君平)은 그의 자(字)인데 자로 행세(行世)하였음. 성도(成都)에서 복서(卜筮)로 생계를 이으며 노자(老子)를 연구하여 〈노자지귀(老子指歸)〉를 저술하였음.
[嚴棘 엄극] 옥(獄).
[嚴禁 엄금] 엄중(嚴重)하게 금함. 또, 엄중한 금령(禁令).
[嚴急 엄급] 지나치게 엄함. 엄하고 성급함.
[嚴忌 엄기] 전한(前漢)의 오(吳)나라 사람. 사부(詞賦)를 잘하여 매승(枚乘)과 같이 양(梁)의 효왕(孝王)의 존경을 받았음. 세상에서 엄부자(嚴父子)라 일컬음.
[嚴達 엄달] 엄중히 시달(示達)함.
[嚴談 엄담] 엄격한 담판.
[嚴督 엄독] ㉠엄중하게 감독함. ㉡몹시 독촉함.
[嚴冬 엄동] 몹시 추운 겨울.
[嚴冬雪寒 엄동설한] 눈이 오고 몹시 추운 겨울.
[嚴冷 엄랭] 몹시 추움.
[嚴烈 엄렬] 준엄함. 엄준(嚴峻).
[嚴令 엄령] 엄중한 명령.
[嚴陵瀨 엄릉뢰] 후한(後漢)의 은사(隱士) 엄광

(嚴光)이 낚시질하던 내.
[嚴明 엄명] 엄숙하고 명백함.
[嚴命 엄명] 엄한 명령. 또, 엄한 명령을 내림.
[嚴武 엄무] 당(唐)나라의 화음(華陰) 사람. 자(字)는 계응(季鷹). 중서시랑(中書侍郎) 엄정(嚴挺)의 아들. 숙종(肅宗) 때 검남절도사(劍南節度使)로서 토번(吐蕃)의 7만 대군을 격파하여, 그 공으로 예부상서(禮部尙書)로 승진하고 정국공(鄭國公)으로 봉(封)함을 받았음.
[嚴密 엄밀] 엄중하고 정밀(精密)함. 아주 빈틈이 없음.
[嚴罰 엄벌] 엄중한 형벌.
[嚴法 엄법] 엄중한 법(法).
[嚴父 엄부] ㉠엄격(嚴格)한 아버지. 전(轉)하여, 아버지. ㉡아버지의 경칭(敬稱). ㉢아버지를 존중함.
[嚴父兄 엄부형] 엄격(嚴格)한 부형.
[嚴批 엄비] 상주(上奏)한 글에 대한 임금의 비답(批答).
[嚴查 엄사] 엄중히 조사함.
[嚴師 엄사] ㉠스승을 존경함. ㉡엄격한 스승. 또, 스승의 경칭(敬稱).
[嚴霜 엄상] 된서리.
[嚴色 엄색] 엄숙한 안색.
[嚴選 엄선] 엄중히 가려냄.
[嚴囚 엄수] 엄중하게 잡아 가둠.
[嚴守 엄수] 엄(嚴)하게 지킴.
[嚴肅 엄숙] 장엄(莊嚴)하고 정숙함.
[嚴肅主義 엄숙주의] 모든 정욕(情慾)을 억제하고 이성(理性)을 좇는 것으로써 도덕(道德)의 표준(標準)을 삼는 학설(學說).
[嚴嵩 엄숭] 명(明)나라의 분의(分宜) 사람. 세종(世宗) 때 벼슬이 태자태사(太子太師)에 이르렀는데, 아첨을 잘하여 중용되어 전횡(專橫)이 심하고 아들 세번(世蕃)과 같이 비행이 많아 마침내 어사(御史) 추응룡(雛應龍)에게 탄핵을 입어 세번은 복주(伏誅)하고, 그는 관직을 삭탈당하여 묘막(墓幕)에서 기식(寄食)하다가 죽음. 시와 고문(古文)을 잘하였는데, 시는 당대의 독보(獨步)였음. 저술에 〈검산당집(鈐山堂集)〉이 있음.
[嚴侍下 엄시하]《韓》어머니는 돌아가고 아버지만 생존(生存)한 터.
[嚴然 엄연] 엄숙하여 범(犯)할 수 없는 모양.
[嚴延年 엄연년] 전한(前漢)의 하비(下邳) 사람. 자(字)는 차경(次卿). 소제(昭帝) 말에 시어사(侍御史)로 있을 때 곽광(霍光)이 창읍왕(昌邑王)을 폐하고 선제(宣帝)를 세우매 그는 감역(敢然)히 곽광이 인신(人臣)으로서 함부로 폐립(廢立)을 행한다고 탄핵하여 조정이 숙연(肅然)하였음. 후에 하남 태수(河南太守)를 지냈는데, 억강부약(抑强扶弱)하여 치적(治績)이 볼 만한 바 있었으나, 성질이 너무 엄혹하여 죄인을 참혹하게 다스렸으므로 원망을 사서 마침내 기시(棄市)당하였음.
[嚴威 엄위] 엄하고 위풍(威風)이 있음. 의젓하고 드레짐. 위엄(威嚴).
[嚴毅 엄의] 엄숙(嚴肅)하고 굳셈.
[嚴杖 엄장] 엄중(嚴重)히 장형(杖刑)에 처(處)함.
[嚴莊 엄장] 엄숙하고 훌륭함. 장엄(莊嚴).
[嚴將軍 엄장군] 유장(劉璋)의 부장(部將) 엄안(嚴顔)을 이름. 삼국 시대(三國時代) 촉(蜀)나라의 기절(氣節) 높은 명장(名將)임.

[嚴切 엄절] 엄하여 맺고 끊은 듯함.
[嚴節 엄절] 동절(冬節). 겨울철.
[嚴正 엄정] 엄중(嚴重)하고 정직함.
[嚴程 엄정] ㉠길을 떠날 차비(差備). ㉡기한이 정하여져 있는 여행길.
[嚴制 엄제] 엄형(嚴刑).
[嚴助 엄조] 전한(前漢)의 오(吳)나라 사람. 엄기(嚴忌)의 아들. 중대부(中大夫)·회계 태수(會稽太守)를 지냈음.
[嚴祖 엄조] 엄격(嚴格)한 할아버지.
[嚴朝 엄조] 규율이 엄한 조정(朝廷).
[嚴調 엄조] 엄중히 조사함.
[嚴誅 엄주] 엄하게 주벌(誅罰)에 처함.
[嚴峻 엄준] 매우 엄격함. 준엄(峻嚴).
[嚴重 엄중] ㉠엄격(嚴格)하고 무게가 있음. ㉡존중함. ㉢몹시 엄함.
[嚴旨 엄지] 임금의 엄중한 교지(敎旨).
[嚴振 엄진] 엄숙하게 가다듬음.
[嚴懲 엄징] 엄하게 징벌(懲罰)함.
[嚴責 엄책] 엄하게 꾸짖음.
[嚴處 엄처] 엄하게 처단함.
[嚴治 엄치] 엄중하게 다스림. 엄하게 처벌함.
[嚴飭 엄칙] 엄중히 신칙(申飭)함.
[嚴親 엄친] ㉠엄부(嚴父) ㉠㉡. ㉡《韓》남에게 대하여 자기(自己)의 아버지를 일컫는 말.
[嚴憚 엄탄] 경계하고 꺼림.
[嚴探 엄탐] 엄중히 정탐함.
[嚴寒 엄한] 혹독한 추위. 혹한(酷寒).
[嚴覈 엄핵] 엄중하게 핵실(覈實)함.
[嚴刑 엄형] 엄중한 형벌.
[嚴酷 엄혹] 엄(嚴)하고 혹독함.
[嚴訓 엄훈] 엄(嚴)한 훈계.
●苛嚴. 家嚴. 剛嚴. 警嚴. 戒嚴. 謹嚴. 禁嚴. 矜嚴. 冷嚴. 凜嚴. 端嚴. 森嚴. 崇嚴. 申嚴. 令嚴. 威嚴. 莊嚴. 整嚴. 靜嚴. 齊嚴. 尊嚴. 峻嚴. 淸嚴. 華嚴.

17(20) [嚱] 희 ㉠支 虛宜切 xī
字解 놀랄 희 경탄(驚歎)하는 소리. '噫吁—, 危乎高哉'《李白》.
字源 形聲. 口+戲〔音〕
●噓嚱.

17(20) [嚶] 앵 ㉠庚 烏莖切 yīng
字解 울 앵 새가 서로 정답게 욺. 또, 그 소리. '—其鳴矣, 求其友聲'《詩經》.
字源 形聲. 口+嬰〔音〕. 새가 서로 우는 소리의 의성어.
[嚶鳴 앵명] 새가 서로 정답게 욺.
[嚶喔 앵악] 새 우는 소리.
[嚶嚶 앵앵] ㉠새가 서로 사이좋게 우는 모양. ㉡벗이 서로 뜻이 맞아 학문과 덕행(德行)을 닦는 일.
[嚶呦 앵유] 앵악(嚶喔).
●鳴嚶. 悲嚶. 塞嚶. 嚄嚶. 流嚶. 咿嚶.

17(20) [嚷] 양 răng

[字解] 외칠 양, 소리칠 양 시끄러움. '—大聲也. 北人稱喧閙爲—'《中華大字典》.
[字源] 形聲. 口+襄〔音〕

17 ⑳ **[嚵]** 참 [平]咸 鋤銜切 chán
[字解] 부리 참 새의 주둥이.
[字源] 篆文 形聲. 口+毚〔音〕. '毚참'은 어미 토끼 밑으로 새끼 토끼가 쑤시고 들어가다의 뜻으로, 비집고 들어가다, 꽂아 넣다의 뜻을 나타냄. 물건을 꽂아 넣는 입. 곧, '부리, 빨아 먹다'의 뜻을 나타냄.

17 ⑳ **[嚲]** 타 [上]哿 丁可切 duǒ
[字解] 휘늘어질 타 '柳—鶯嬌花復殷'《岑參》.

17 ⑳ **[嚳]** 곡 [入]沃 苦沃切 kù 喾
[字解] ①고할 곡 급히 고함. ②제왕이름 곡 '帝—'은 오제(五帝)의 한 사람. '帝—高辛氏'. '帝—, 黃帝曾孫'《史記》.
[字源] 篆文 形聲. 告+學〈省〉〔音〕

17 ⑳ **[⿱殸告]** 도 [去]號 大到切 dào
[字解] ①아흔살 도 '年九十曰—'《玉篇》. ②노인 도 늙은이. '博雅, 老也, 七十曰耇, 或作—'《集韻》.

18 ㉑ **[囂]** 효 [平]蕭 許嬌切 xiāo 嚣
[字解] ①들렐 효 떠들썩함. '——'. '湫隘—塵'《左傳》. ②성 효 성(姓)의 하나.
[字源] 金文 篆文 會意. 㗊+頁. '㗊즙'은 단독으로는 쓰이지 않으나, '떠들다'의 뜻. '頁혈'은 무릎 꿇은 사람의 머리의 象形. 머리에서 열기가 오를 정도로 멋대로 떠들다의 뜻을 나타냄.

[囂煩 효번] 시끄럽고 번거로움.
[囂浮 효부] 침착하지 아니함. 부박(浮薄)함.
[囂埃 효애] 시끄럽고 귀찮은 세속(世俗)의 일.
[囂然 효연] 시끄러운 모양.
[囂塵 효진] ㉠번화한 곳이 떠들썩하고 먼지가 많음. ㉡귀찮은 세속(世俗)의 일.
[囂風 효풍] 요란하게 부는 바람.
[囂嘩 효화] 시끄러움. 떠들썩함.
[囂囂 효효] ㉠시끄러운 모양. ㉡자득(自得)하여 욕심이 없는 모양. ㉢빈 모양. 공허한 모양. ㉣세상일을 근심하는 모양.
[囂喧 효훤] 시끄러움. 떠들썩함.
◉叫囂. 煩囂. 浮囂. 紛囂. 塵囂. 鬪囂. 軒囂. 譁囂. 讙囂. 喧囂. 喧喧囂囂.

18 ㉑ **[嚻]** 囂(前條)와 同字

18 ㉑ **[嚼]** [人名] 작 [入]藥 在爵切 jiáo
[字解] ①씹을 작 ㉠저작함. '—殘魚肉置盤上'《李義山雜纂》. ㉡맛봄. '吟—五味足'《蘇軾》. ㉢뜻을 음미(吟味)하여 깨달음. '咀—文義'《文心雕龍》. ②술강권할 작 술을 권하여 억지로 마시게 할 때 하는 말. '—復—者, 京都飮酒相強之辭也'《後漢書》.
[字源] 篆文 形聲. 口+爵〔音〕. '爵작'은 '雀작'과 통하여 '잘다'의 뜻. 음식을 입에 넣고 잘게 씹다의 뜻을 나타냄.

[嚼蠟 작랍] 아무 맛이 없는 밀랍(蜜蠟)을 씹듯이 아무 재미가 없음을 이름.
[嚼味 작미] 씹어 맛을 알아냄.
[嚼復嚼 작부작] 또 한 잔 또 한 잔 하고 술을 억지로 권할 때 하는 말.
◉啗嚼. 吟嚼. 咀嚼. 呑嚼. 含嚼.

18 ㉑ **[嚵]** 〔참〕
嚵(口部 十七畫〈p. 413〉)과 同字

18 ㉑ **[嚾]** [一] 훤 [平]元 許元切 huān
[二] 환 [去]翰 火貫切 huàn
[字解] [一] 들렐 훤 떠들썩함. '——然, 不知其所非也'《荀子》. [二] 부를 환 喚(口部 九畫)과 同字. '咀—者, 九竅而胎生'《大戴禮》.
[字源] 形聲. 口+雚〔音〕. '雚환'은 '喚환'과 통하여, '부르다'의 뜻. '口구'를 더하여 '외치다'의 뜻을 나타냄.

[嚾呼 훤호] 시끄럽게 부름.
[嚾嚾 훤훤] 시끄러운 모양. 떠들썩한 모양.

18 ㉑ **[囀]** 전 [去]霰 知戀切 zhuàn 啭
[字解] ①지저귈 전 새가 욺. '新年鳥聲千種—'《庾信》. ②가락 전 음조(音調). '聽邊笳之嘶—'《顏延之》.
[字源] 形聲. 口+轉〔音〕. '轉전'은 '굴리다'의 뜻. 입 안에서 목소리를 굴리다, 지저귀다의 뜻을 나타냄.

◉嬌囀. 急囀. 妙囀. 百囀. 縱囀. 悽囀. 淸囀. 春鶯囀.

18 ㉑ **[囁]** 섭(녑[本]) [入]葉 而涉切 niè 嗫
[字解] ①말머뭇거릴 섭 겁이 나서 말하기를 주저함. '口將言而—嚅'《韓愈》. ②소곤거릴 섭 사어(私語)함. 속삭임. '乃效女兒呫—耳語'《史記》.
[字源] 形聲. 口+聶〔音〕. '聶섭'은 귀를 가까이 대다의 뜻. 귀를 가까이 대어 소곤거리다의 뜻을 나타냄.

[囁嚅 섭유] ㉠겁이 나서 말을 하려다가 머뭇머뭇하는 모양. ㉡수다스러운 모양.
◉呫囁.

18 ㉑ **[嚿]** 획 [入]陌 胡伯切 huò
[字解] 자랑할 획 자만(自慢)하는 모양. '——, 誇皃'《廣韻》.

19 ㉒ **[囅]** 천 [上]銑 丑展切 chǎn

〔字解〕껄껄웃을 천 대소(大笑)하는 모양. '一然
而笑'《莊子》.
〔字源〕形聲. 單＋展〔音〕

19 ㉒ [嚘] 예 ㊀霽 魚祭切 yì

吃噎

〔字解〕잠꼬대 예 몽예(夢嚘). '一語'. '眠中嚘一
呻呼'《列子》.
〔字源〕形聲. 口＋藝〔音〕

[嚘語 예어] 잠꼬대.
●嚘嚘.

19 ㉒ [嚵] ■찬 ㊀翰 祖贊切 zàn
■찰 ㊁曷 才割切 zá

🄯

〔字解〕■도울 찬 讚(言部 十九畫)과 同字. '問
一而告二, 謂之一'《荀子》. ■지껄일 찰 '嚵一'
은 지껄이는 소리. '務嚵而妖冶'《陸機》.
〔字源〕形聲. 口＋贊〔音〕

●嚵嚵.

19 ㉒ [囉] 라 ㊀歌 魯何切 luó

啰

〔字解〕①노래꺾일 라 노래의 가락을 돕는 소리.
②소리뒤섞일 라. ③잔말할 라.
〔字源〕形聲. 口＋羅〔音〕

19 ㉒ [囊] 낭 ㋊陽 奴當切 náng

〔字解〕①주머니 낭 자루 또는 지갑. '一中無一
物'. '號曰一'《史記》. ②주머니에넣을 낭 '皆
一于法, 以事其主'《管子》. ③성 낭 성(姓)의 하
나.
〔字源〕篆文. 형성 口＋橐〔音〕 '東동'은
주머니의 象形. '橐양·낭'은 속에 물건
을 채워 넣다의 뜻. 물건을 채워 넣는 주머니의
뜻을 나타냄.

[囊空 낭공] 주머니에 돈이 없음.
[囊括 낭괄] 자루에 넣고 주둥이를 동여맴.
[囊刀 낭도] 주머니칼.
[囊沙之計 낭사지계] 한신(韓信)이 용차(龍且)를
유수(濰水)에서 쳤을 때 만여 개의 모래주머니
를 만들어 유수의 상류를 막았다가 적군이 이
강을 건너기를 기다려 막은 물을 터놔서 적군
을 크게 깨뜨린 계교.
[囊癰 낭옹] 불알에 나는 종기(腫氣).
[囊無一物 낭중무일물] 주머니 속에 돈이 한푼
도 없음. 돈 한푼도 가지고 있지 아니함.
[囊中之物 낭중지물] 자기 수중에 있는 물건.
[囊中之錐 낭중지추] 주머니 속의 송곳이 뾰족하
여 밖으로 뚫고 나오듯이, 뛰어난 사람은 많은
사람 가운데 섞여 있을지라도 그 재능이 저절
로 드러난다는 뜻.
[囊中取物 낭중취물] 주머니에서 물건을 꺼내듯
이 아주 손쉽게 얻을 수 있음.
[囊橐 낭탁] 주머니와 전대.
[囊螢讀書 낭형독서] 진(晉)나라의 차윤(車胤)이

여름밤에 비단 주머니에 반딧불이를 넣어서 그
빛으로 책을 읽은 고사(故事).
●傾囊. 括囊. 錦囊. 無底囊. 米囊. 胚囊. 背囊.
浮囊. 氷囊. 水囊. 繡囊. 詩囊. 心囊. 藥囊.
陰囊. 衣囊. 財囊. 知囊. 智囊. 偝囊. 枕囊.
土囊. 行囊. 香囊.

[轡] 〔비〕

車部 十五畫(p. 2280)을 보라.

20 ㉓ [嚴] 암 ㊌咸 五銜切 yán

〔字解〕신음할 암 아프거나 고통스러워 내는 소
리. '一, 呻也'《說文》.
〔字源〕篆文. 形聲. 口＋嚴〔音〕. '嚴엄'은 엄하게
말하다의 뜻. 엄하게 말을 들어, '신
음하다'의 뜻을 나타냄.

20 ㉓ [獻] 잘 ㊁曷 才割切 zá

〔字解〕①소리 잘, 북소리 잘 '奏嚴鼓之嚗一'《張
衡》. ②나라이름 잘 '一嚐'은 남북조 시대 서역
(西域)의 나라 이름. '一嚐國, 大月氏之種類,
在于闐之西'《北周書》.
〔字源〕會意. 口＋獻. '獻헌'은 음악을 연주하여 신
을 제사 지내다의 뜻. 북소리의 의성어.

20 ㉓ [囍] 〔간〕

艱(艮部 十一畫〈p. 1894〉)의 古字

21 ㉔ [囑] 촉 ㊀沃 之欲切 zhǔ

囑嘱

〔字解〕청촉할 촉 '一託'. '更得南湖親一付'《朱
熹》.
〔字源〕形聲. 口＋屬〔音〕. '屬속'은 '따라붙다'의
뜻. 말로 사람을 복종시키다, 분부하다의
뜻을 나타냄.
〔參考〕嘱(口部 十二畫)은 俗字.

[囑目 촉목] 주의하여 봄. 주의함.
[囑付 촉부] 청촉함. 부탁함.
[囑言 촉언] ㉠남을 통하여 전하는 말. 전언(傳
言). ㉡뒷일을 부탁(付託)함. 또, 그 말.
[囑託 촉탁] '촉탁(囑託)'과 같음.
[囑託 촉탁] 일을 부탁하여 맡김.
●懇囑. 咐囑. 委囑. 遺囑. 依囑. 睞囑. 淸囑.

21 ㉔ [囁] 설 ㊁屑 延結切 niè

〔字解〕깨물 설 齧(齒部 六畫)과 同字. '猶昆蟲之
相一'《後漢書》.
〔字源〕形聲. 口＋齧〔音〕. '齧설'은 '깨물다'의 뜻.
입 안에 넣고 깨물다의 뜻을 나타냄.

●嚼囁. 蹄囁.

22 ㉕ [嚷] 낭 náng

〔字解〕중얼거릴 낭 '嚷一'은 중얼거림. '口內嚷
一說'《紅樓夢》.

23 ㉖ [囍] 〔간〕

艱(艮部 十一畫〈p. 1894〉)의 籀文

口 (3획) 部
〔에운담 · 큰입구부〕

0 ③ **[口]** [一] 위 [平]微 雨非切 wéi
[二] 국 [入]職 古或切 guó

[筆順] 丨 冂 口

[字解] [一] 에울 위 圍(口部 九畫)의 古字. [二] 나라 국 國(口部 八畫)의 古字.

[字源] 篆文 指事. 둘레를 에워싼 선에서, '에워싸다, 두르다'의 뜻을 나타냄.

[參考] 부수(部首)로서, 둘러싸다, 둘레, 두르다의 뜻을 포함하는 문자가 이루어짐. 속(俗)에, '口구'보다 크다 하여 '큰입구'로 이름.

2 ⑤ **[囚]** [高·人] 수 [平]尤 似由切 qiú

[筆順] 丨 冂 冈 囚 囚

[字解] ①가둘 수 죄인을 가둠. '一繫'. '陽虎因一桓子'《史記》. ②갇힐 수 전항의 피동사. '斯卒一'《史記》. 전(轉)하여, 사물에 구애됨. '反爲情所一'《陸龜蒙》. '爲章句一'《師嚴》. ③죄수 수 '行部錄一'《漢書》. ④포로 수 '一虜'. '在泮獻一'《詩經》. ⑤옥사(獄詞) 수 재판의 말. '不蔽要一'《書經》.

[字源] 甲骨文 篆文 會意. 人+口. 사람이 울안에 넣어진 모양에서, '가두다, 갇히다'의 뜻을 나타냄.

[囚繫 수계] ㉠죄수(罪囚). ㉡잡아 묶어 옥에 가둠.
[囚禁 수금] 죄인(罪人)을 가둠.
[囚徒 수도] 수인(囚人).
[囚虜 수로] 포로(捕虜).
[囚縛 수박] 잡아 묶어 옥에 가둠. 수계(囚繫).
[囚絆 수반] 수계(囚繫)㉡.
[囚俘 수부] 포로(捕虜).
[囚首喪面 수수상면] 죄수처럼 머리를 빗지 아니하고 상제(喪制)와 같이 세수를 하지 않아 누추한 용모.
[囚役 수역] 죄수에게 시키는 일.
[囚獄 수옥] 옥(獄). 감옥.
[囚人 수인] 옥(獄)에 갇힌 사람. 죄수(罪囚).
[囚制 수제] 붙잡아 가두어 둠. 또, 죄수로 취급함.
[囚桎 수질] 옥(獄)에 가두고 차꼬를 채움.
◉繫囚. 孤囚. 拘囚. 窮囚. 禁囚. 禽囚. 男囚. 虜囚. 纍囚. 徒囚. 俘囚. 死囚. 死刑囚. 女囚. 獄囚. 憂囚. 幽囚. 罪囚. 重囚. 執囚. 楚囚. 脫獄囚. 閉囚.

2 ⑤ **[囜]** [一] 닙 [入]緝 尼立切 niè
[二] 녑 [入]洽 女治切 niè

[字解] [一] ①엎드려거둘 닙 '一, 下取物縮臧之'《說文》. ②사사로이취할 닙 '一一'은 사사로이 취하는 모양. '一一, 私取皃'《廣韻》. [二] 엎드려거둘 녑, 사사로이취할 녑 [一]과 뜻이 같음.

[字源] 會意. 口+又

2 ⑤ **[四]** [中·人] 사 [去]寘 息利切 sì

[筆順] 丨 冂 冂 四 四

[字解] ①넉 사 '三一'. '君子之道一, 丘未能一焉'《中庸》. ②네번 사 4회(回). '嘉慮一回'《陸機》. ③사방 사 네 방위. '一海'. '始用一達'《莊子》. ④성 사 성(姓)의 하나.

[字源] 甲骨文 金文 篆文 古文 籀文 갖은자 肆 指事. 甲骨文·金文은 네 개의 가로선으로 '넷'의 뜻을 나타냄. 篆文은 '呬희'의 원자(原字)인 '四'를 假借함. '四'는 본래 입 안에 이·혀가 보이는 모양을 본떠, '숨'의 뜻을 나타냈었으나, 이를 빌려 '넷'의 뜻으로 쓰게 됨.

[四街 사가] 네거리.
[四可吟 사가음] 송(宋)나라 소옹(邵雍)이 지은 도학(道學)의 노래. 가(可) 자가 넷이 있기 때문임.
[四角 사각] 네모.
[四姦 사간] 농(聾)·매(昧)·완(頑)·은(嚚).
[四箇法要 사개법요] 《佛敎》 성대한 법회(法會) 때 행하여야 할 네 가지 요건. 곧, 범패(梵唄)·산화(散華)·범음(梵音)·석장(錫杖).
[四傑 사걸] ㉠초당(初唐)의 뛰어난 네 문장가. 곧, 왕발(王勃)·양형(楊炯)·노조린(盧照隣)·낙빈왕(駱賓王). ㉡명(明)나라의 뛰어난 네 문장가. 곧, 변공(邊貢)·이몽양(李夢陽)·하경명(何景明)·서정경(徐禎卿).
[四劫 사겁] 《佛敎》 세계의 성립으로부터 멸망에 이르기까지의 네 가지의 큰 시기(時期). 곧, 성겁(成劫)·주겁(住劫)·괴겁(壞劫)·공겁(空劫).
[四更 사경] 하룻밤을 오경(五更)으로 나눈 넷째 번의 시각으로, 오전(午前) 두 시경.
[四京 사경] ㉠당(唐)나라의 네 곳의 서울. 곧, 중경(中京, 京兆)·동경(東京, 河南)·북경(北京, 太原)·서경(西京, 鳳翔). ㉡송(宋)나라의 네 곳의 서울. 곧, 동경(東京, 開封府)·서경(西京, 河南府)·남경(南京, 應天府)·북경(北京, 大名府). ㉢고려 때의 네 곳의 서울. 곧, 한경(漢京, 서울)·동경(東京, 慶州)·중경(中京, 開城)·서경(西京, 平壤).
[四經 사경] ㉠〈시경(詩經)〉·〈서경(書經)〉·〈역경(易經)〉·〈춘추(春秋)〉의 네 경서(經書). ㉡〈좌씨춘추(左氏春秋)〉·〈곡량춘추(穀梁春秋)〉·〈고문상서(古文尙書)〉·〈모시(毛詩)〉의 네 경서(經書).
[四境 사경] 사방(四方)의 경계(境界). 사방의 국경.
[四戒 사계] ㉠네 가지의 경계(警戒). 곧, 오불가장(傲不可長)·욕불가종(欲不可縱)·지불가만(志不可滿)·낙불가극(樂不可極). ㉡《佛敎》 불도상(佛道上)의 네 가지 경계(警戒). 곧, 해탈계(解脫戒)·정공계(定共戒)·도공계(道共戒)·단계(斷戒). ㉢검도(劍道)의 네 가지 경계(警戒). 곧, 경(驚)·포(怖)·의(疑)·혹(惑).
[四季 사계] ㉠음력(陰曆)에서 사시(四時)의 말월(末月). 곧, 계춘(季春)·계하(季夏)·계추(季秋)·계동(季冬). ㉡춘·하·추·동. 사시(四時).
[四計 사계] 사람의 일생(一生)에 있어서의 네 가지 계획. 곧, 일일지계재신(一日之計在晨)·일년지계재춘(一年之計在春)·일생지계재근(一生

之計在勤)·일가지계재신(一家之計在身). 또 일설(一說)에는, 일년지계재춘(一年之計在春)·일일지계재인(一日之計在寅)·일가지계재화(一家之計在和)·일신지계재근(一身之計在勤).

[四季花 사계화] 장미과에 속하는 낙엽 관목(落葉灌木). 월계화(月季花).

[四苦 사고] 《佛敎》사람의 네 가지 괴로움. 곧, 생(生)·노(老)·병(病)·사(死). 이것에 애별리고(愛別離苦)·원증회고(怨憎會苦)·구부득고(求不得苦)·오음성고(五陰盛苦)를 합하여 팔고(八苦)라 함.

[四庫 사고] 당(唐)나라 때 모든 서적을 경(經)·사(史)·자(子)·집(集)으로 분류하여 각각 따로 간직하여 두던 곳간.

[四顧 사고] 사면(四面)으로 돌아봄.

[四顧無親 사고무친] 의지(依支)할 데가 아주 없음.

[四庫全書 사고전서] 청(淸)나라 건륭(乾隆) 37년에 사고전서관(四庫全書館)을 열고 천하(天下)의 서적(書籍) 17만 2천여 권을 모아 각 7부를 베껴 일곱 각(閣)을 짓고 보관하여 둔 총서.

[四庫全書總目 사고전서총목] 청(淸)나라 건륭(乾隆) 37년에 사고전서(四庫全書)를 완성(完成)한 후 관원(館員)에게 명(命)하여 만든 그 서목(書目). 총(總) 2백 권. 경(經)·사(史)·자(子)·집(集) 4부(部)를 강(綱)으로 하고, 다시 유(類)를 따라 나누었음.

[四苦八苦 사고팔고] 대단한 고통(苦痛). 사고(四苦) 참조(參照).

[四骨 사골] 소의 네 다리뼈. 약으로 쓰임.

[四空 사공] 사방(四方)의 하늘. 대공(大空).

[四科 사과] 공문(孔門)의 네 가지의 학과. 곧, 덕행(德行)·언어(言語)·정사(政事)·문학(文學).

[四關 사관] 관격(關格)이 되었을 때 통기(通氣)를 시키기 위하여 사지(四肢)의 관절(關節)에 침(鍼)을 놓는 곳.

[四郊 사교] 도성(都城) 밖 사방(四方)의 교외.

[四敎 사교] ㉠시(詩)·서(書)·예(禮)·악(樂)의 네 가지 가르침. 문(文)·행(行)·충(忠)·신(信)의 네 가지 가르침. ㉡여자(女子)의 네 가지 교훈(敎訓). 곧, 부덕(婦德)·부언(婦言)·부용(婦容)·부공(婦功). ㉢《佛敎》장교(藏敎)·통교(通敎)·별교(別敎)·원교(圓敎).

[四衢 사구] ㉠네거리. ㉡네 가닥.

[四句訣 사구결] 사언교(四言敎).

[四衢八街 사구팔가] 큰길이 많은 대시가(大市街). 사통팔달(四通八達)의 대도시(大都市).

[四國 사국] 사방(四方)의 제후(諸侯)의 나라라는 뜻으로, 국내(國內). 전국(全國).

[四郡 사군] 우리나라 상고 시대(上古時代)에 북쪽 지방에 있던 한인(漢人)의 부락(部落). 곧, 낙랑(樂浪)·임둔(臨屯)·현토(玄菟)·진번(眞蕃).

[四君子 사군자] 기개(氣槪)가 있는 군자(君子)에 비(比)한 네 가지 식물(植物). 곧, 매화(梅花)·난초(蘭草)·국화(菊花)·대나무.

[四窮 사궁] 환과고독(鰥寡孤獨). 곧, 늙은 홀아비·늙은 홀어미·어버이 없는 아이·자식 없는 늙은이.

[四窮民 사궁민] 사궁(四窮).

[四極 사극] 사방(四方)의 끝 닿는 곳.

[四近 사근] 사방의 이웃. 근처.

[四氣 사기] ㉠사시(四時). ㉡온(溫)·열(熱)·냉(冷)·한(寒).

[四起 사기] 사방에서 일어남.

[四畿 사기] 사방의 국경(國境).

[四器 사기] 규(規)·구(矩)·준(準)·승(繩).

[四端 사단] 인(仁)·의(義)·예(禮)·지(智)의 단서(端緒)가 되는 네 가지 마음씨. 곧, 인(仁)의 발로(發露)라고 볼 수 있는 측은지심(惻隱之心), 의(義)의 발로라고 볼 수 있는 수오지심(羞惡之心), 예(禮)의 발로라고 볼 수 있는 사양지심(辭讓之心), 지(智)의 발로라고 볼 수 있는 시비지심(是非之心).

[四達 사달] ㉠사방으로 통(通)함. ㉡구석구석까지 미침.

[四唐 사당] 당대(唐代)를 4기(期)로 나눈 것. 곧, 초당(初唐)〈당초(唐初)부터 현종(玄宗)의 개원(開元)까지 100여 년간〉·성당(盛唐)〈개원(開元)부터 대종(代宗)의 대력 초년(大曆初年)까지 50여 년간〉·중당(中唐)〈대력(大曆)부터 문종(文宗)의 태화(太和)까지 70여 년간〉·만당(晚唐)〈태화(太和) 이후 당말(唐末)까지 80여 년간〉.

[四大 사대] ㉠도가(道家)에서 말하는 도(道)·천(天)·지(地)·왕(王). ㉡《佛敎》세상의 만물을 이루는 근본이 되는 지(地)·수(水)·화(火)·풍(風)의 네 가지. ㉢《佛敎》사람의 몸. 지(地)·수(水)·화(火)·풍(風)의 네 가지로 이루어졌다 하여 이름.

[四代 사대] 우(虞)·하(夏)·은(殷)·주(周)의 네 시대.

[四大奇書 사대기서] 중국 소설 중의 백미(白眉)라고 일컫는 네 소설. 곧, 〈삼국지연의(三國志演義)〉·〈서상기(西廂記)〉·〈비파기(琵琶記)〉·〈수호지(水滸誌)〉. 또는 〈수호지(水滸誌)〉·〈삼국지연의(三國志演義)〉·〈서유기(西遊記)〉·〈금병매(金瓶梅)〉.

[四大門 사대문] 서울에 있는 네 큰 문(門). 곧, 동쪽의 흥인문(興仁門)·서쪽의 돈의문(敦義門)·남쪽의 숭례문(崇禮門)·북쪽의 숙정문(蕭靖門).

[四大部洲 사대부주] 《佛敎》사주(四洲).

[四德 사덕] ㉠천지자연(天地自然)의 네 가지 덕(德). 곧, 원(元)·형(亨)·이(利)·정(貞). ㉡부인(婦人)의 네 가지 덕(德). 곧, 부언(婦言)·부덕(婦德)·부공(婦功)·부용(婦容). 사행(四行).

[四道 사도] 네 길. 네 방면(方面).

[四瀆 사독] 중국에 있는 네 개의 큰 강. 곧, 민산(岷山)에서 흐르는 양쯔 강(揚子江), 곤륜 산(崑崙山)에서 흐르는 황허(黃河), 동백산(桐柏山)에서 흐르는 화이수이(淮水), 왕옥산(王屋山)에서 흐르는 지수이(濟水).

[四梁 사량] 들보 네 개를 세로로 평행하게 얹어서 한 간 반 통으로 집을 짓는 방식.

[四令 사령] 좌(坐)·작(作)·진(進)·퇴(退) 등 네 가지 규율(規律). 교대의 병법 용어(兵法用語)임.

[四靈 사령] 네 가지의 신령한 동물. 곧, 기린·봉황·거북·용.

[四禮 사례] ㉠네 가지 큰 예(禮). 곧, 관(冠)·혼(婚)·상(喪)·제(祭). ㉡군신(君臣)·부자(父子)·형제(兄弟)·붕우(朋友) 간의 예(禮).

[四流 사류] 《佛敎》제일견류(第一見流)〈삼계(三界)의 견혹(見惑)〉·제이욕류(第二欲流)〈욕계(欲

(欲界)의 제혹(諸惑)〉·제삼유류(諸三有流)〈상기(上記)〉 이계(二界)의 모든 혹(惑), 단(但) 견(見)과 무명(無明)은 제외됨. 유(有)란 생사과보(生死果報)의 불망(不亡)의 뜻·제사무명류(第四無明流)〈삼계(三界)의 무명(無名)〉.

[四六 사륙] 사륙문(四六文).

[四六文 사륙문] 육조 시대(六朝時代)에 발달한 문체(文體)로, 네 글자와 여섯 글자의 구(句)로 된 문장(文章). 변려문(騈儷文).

[四六倍版 사륙배판] 사륙판(四六版)의 갑절이 되는 인쇄물의 규격(規格).

[四六版 사륙판] 가로 13cm, 세로 19cm 되는 인쇄물의 규격(規格). 양지(洋紙) 전장(全張)을 32절(折)로 낸 것.

[四輪之國 사륜지국] 사방으로 수레가 왕래할 수 있는 나라.

[四律 사률] 사율(四律).

[四隣 사린] ㉠사방(四方)의 이웃. ㉡사방의 이웃 나라.

[四立 사립] 입춘(立春)·입하(立夏)·입추(立秋)·입동(立冬).

[四末 사말] 두 손과 두 발. 사지(四肢).

[四望 사망] 사방의 조망(眺望).

[四孟 사맹] 사시(四時)의 맹월(孟月). 곧, 맹춘(孟春)·맹하(孟夏)·맹추(孟秋)·맹동(孟冬).

[四孟朔 사맹삭] 춘(春)·하(夏)·추(秋)·동(冬)의 처음 달. 곧, 음력 정월(正月)·사월(四月)·칠월(七月)·시월(十月).

[四面 사면] ㉠사방(四方). 모든 주위. ㉡사방의 면(面). 면(面), 면(面).

[四面受敵 사면수적] 사방에서 적의 공격을 받음.

[四面楚歌 사면초가] 사방(四方)이 모두 적(敵)에게 둘러싸였거나, 또는 고립무원(孤立無援)의 경우.

[四面八方 사면팔방] ㉠사면(四面)과 팔방(八方). ㉡모든 곳.

[四溟 사명] 사해(四海).

[四名山 사명산] 우리나라 백두산(白頭山)에서 내려온 네 명산. 곧, 동(東)의 금강산(金剛山), 서(西)의 구월산(九月山), 남(南)의 지리산(智異山), 북(北)의 묘향산(妙香山).

[四牡 사모] 한 마차(馬車)를 끄는 네 필(匹)의 말.

[四目 사목] ㉠사방의 일을 보아 앎. ㉡네 눈.

[四廟 사묘] 고조(高祖)·증조(曾祖). 조(祖)·부(父)의 네 위(位)를 모신 사당.

[四門 사문] 사방의 문.

[四門博士 사문박사] 사문학(四門學)의 교관(教官).

[四門學 사문학] 당(唐)나라 때 서민(庶民)을 위하여 국자학(國子學), 곧 대학의 사방 문 옆에 세운 학사(學舍). 교관(教官)을 사문박사(四門博士)라 하고 그 학생을 사문 학생(四門學生)이라 함.

[四勿 사물] 공자(孔子)가 안회(顏回)에게 하면 아니 된다고 가르친 네 가지 경계(警戒). 곧, 비례물시(非禮勿視)·비례물청(非禮勿聽)·비례물언(非禮勿言)·비례물동(非禮勿動).

[四美 사미] 양신(良辰)〈좋은 철〉·미경(美景)〈아름다운 경치〉·상심(賞心)〈미경을 보고 즐거워하는 마음〉·낙사(樂事)〈유쾌한 일〉.

[四民 사민] ㉠사(士)·농(農)·공(工)·상(商). ㉡모든 백성.

[四方 사방] 동(東)·서(西)·남(南)·북(北). 전(轉)하여, 일체의 방면.

[四旁 사방] 좌(左)·우(右)·전(前)·후(後). 또, 동(東)·서(西)·남(南)·북(北).

[四榜 사방] 사방(四旁).

[四方之樂 사방지락] 사방(四方)을 경영(經營)하는 즐거움. 또, 사방으로 원유(遠遊)하는 재미.

[四方之樂 사방지악] 사방(四方)의 여러 나라의 음악(音樂). 또, 중국(中國) 이외의 오랑캐의 음악(音樂).

[四方之志 사방지지] ㉠남아(男兒)의 사방으로 원유(遠遊)하려는 뜻. ㉡사방 모든 나라의 기록.

[四配 사배] 공자묘(孔子廟)에 배향한 안자(顏子)·자사(子思)·증자(曾子)·맹자(孟子)의 네 현인(賢人).

[四百四病 사백사병] ㉠404가지의 병. 오장(五臟)에 각각 81가지의 병이 있어서 그 총수가 405인데 그 중에서 죽음〔死〕을 하나 빼면 404종의 병이 됨. ㉡《佛教》사람은 땅·물·불·바람의 4대(大)로 이루어졌으므로, 만약 이 4대가 조화(調和)를 얻지 못하면 4대는 각각 101가지의 병이 생기는데, 바람·물로 인해서 생기는 냉병(冷病) 202종(種)과 땅·불로 인하여 생기는 열병(熱病) 202종을 합하여 404종의 병이 됨.

[四百餘州 사백여주] 중국 전토(全土)의 일컬음.

[四壁 사벽] 주위의 벽(壁).

[四邊 사변] 사방의 가. 주위.

[四輔 사보] 군주(君主)의 전후좌우에서 보좌(輔佐)하는 네 가지 벼슬. 곧, 좌보(左輔)·우필(右弼)·전의(前疑)·후승(後丞).

[四寶 사보] 필(筆)·묵(墨)·지(紙)·연(硯). 곧, 붓·먹·종이·벼루. 사우(四友).

[四府 사부] 후한(後漢)의 태부(太傅). 대위(大尉)·사도(司徒)·사공(司空).

[四部書 사부서] 서적의 네 부문. ㉠갑(甲)·을(乙)·병(丙)·정(丁). 갑은 육예(六藝)와 소학(小學), 을은 제자(諸子)·병서(兵書) 및 술수(術數), 병은 사기(史記)와 기재(記載), 정은 시부(詩賦)와 도찬(圖譜). ㉡경(經)·사(史)·자(子)·집(集).

[四分五裂 사분오열] 여러 갈래로 분열됨.

[四鄙 사비] 사방의 변비(邊鄙). 사방의 시골.

[四史 사사] 사기(史記)·전한서(前漢書)·후한서(後漢書)·삼국지(三國志).

[四事 사사] 음식(飲食)·의복(衣服)·침구(寢具)·탕약(湯藥)의 네 가지 공양(供養).

[四捨五入 사사오입] 넷 이하(以下)는 버리고 다섯 이상(以上)은 열로 하여 윗자리에 끌어 올리어 계산하는 법. 반올림.

[四散 사산] 사방(四方)으로 흩어짐.

[四相 사상] 《佛教》㉠생(生)·노(老)·병(病)·사(死). ㉡만물(萬物)의 변화를 나타내는 네 가지 상(相). 곧, 생상(生相)·주상(住相)·이상(移相)·멸상(滅相). ㉢중생(衆生)이 망령(妄靈)되어 실재(實在)라고 믿는 네 가지 상(相). 곧, 아상(我相)·인상(人相)·중생상(衆生相)·수자상(壽者相). ㉣이 사상(四相)에 미혹(迷惑)하면 중생(衆生), 깨치면 불타(佛陀)임.

[四象 사상] ㉠노양(老陽). 소양(少陽)과 노음(老陰)·소음(少陰). ㉡한방(漢方)의 태양(太陽)·소양(少陽)·태음(太陰)·소음(少陰). ㉢일(日)·월(月)·성(星)·신(辰).

[四塞 사새] 사방의 국경의 요해처 (要害處).

[四色 사색] 《韓》 색목(色目)의 네 갈래. 곧, 노론(老論)·소론(少論)·남인(南人)·북인(北人).

[四塞 사색] 사방이 막힘. 또, 사방을 막음.

[四塞之國 사색지국] 사방(四方)의 국경이 모두 험준(險峻)한 나라.

[四生 사생] 생물의 네 종별 (種別). 곧, 사람과 같은 태생(胎生), 새와 같은 난생(卵生), 개구리와 같은 습생(濕生), 나비와 같은 화생(化生).

[四序 사서] 춘(春)·하(夏)·추(秋)·동(冬)의 네 계절. 사시(四時). 또, 그 순서(順序).

[四書 사서] 대학(大學)·중용(中庸)·논어(論語)·맹자(孟子).

[四善 사선] 관리(官吏)의 네 가지 선행(善行). 곧, 덕의유문(德義有聞)·청신명저(淸愼明著)·공평가칭(公平可稱)·각근불해(恪勤不懈).

[四姓 사성] 인도(印度)의 네 계급. 곧, 승려(僧侶)인 바라문(婆羅門；브라만), 왕족(王族)이나 무인(武人)인 찰제리(刹帝利；크샤트리아), 평민인 비사(毗舍；바이샤), 노예인 수타라(首陀羅；수드라).

[四聖 사성] 석가(釋迦)·공자(孔子)·기독(基督)·소크라테스.

[四聲 사성] 한자(漢字)의 네 가지 음(音). 곧, 평성(平聲)·상성(上聲)·거성(去聲)·입성(入聲).

[四垂 사수] ㉠사방(四方)에 드리움.

[四陲 사수] 사수(四垂). ㉡

[四獸 사수] 사신(四神).

[四始 사시] ㉠정월 초하루. 해·달·날·계절의 처음이라는 뜻. ㉡시경(詩經)의 시(詩)의 네 체(體). 곧, 풍(風)·소아(小雅)·대아(大雅)·송(頌).

[四時 사시] 춘(春)·하(夏)·추(秋)·동(冬)의 네. 또, 아침〔朝〕·낮〔晝〕·저녁〔夕〕·밤〔夜〕.

[四詩 사시] ㉠한대(漢代)의 네 사람의 시경 전공가(詩經專攻家)의 시설(詩說). 곧, 노시(魯詩)·제시(齊詩)·한시(韓詩)·모시(毛詩). ㉡시경(詩經)의 풍(風)·소아(小雅)·대아(大雅)·송(頌).

[四時佳節 사시가절] 사시(四時)의 명절(名節).

[四時長靑 사시장청] 소나무·대나무 등과 같이 사철 푸름.

[四時長春 사시장춘] ㉠늘 봄과 같음. ㉡늘 잘 지냄.

[四時之序成功者去 사시지서성공자거] 춘하추동은 각기 할 일을 다 마치면 가 버린다는 뜻으로, 사람도 성공하면 물러나야 한다는 말.

[四時春 사시춘] ㉠항상 봄날 같음. ㉡항상 명랑함.

[四神 사신] 하늘의 사방(四方)에 있는 신(神). 곧, 청룡(靑龍)〈동(東)〉·주작(朱雀)〈남(南)〉·백호(白虎)〈서(西)〉·현무(玄武)〈북(北)〉.

[四十 사십] 마흔.

[四十九日 사십구일] 《佛敎》 사람이 죽은 지 49일째 되는 날 행하는 법사(法事). 칠칠일(七七日). 정일(正日).

[四阿 사아] 기둥이 넷이고 지붕이 사각추(四角錐) 꼴로 된 집.

[四岳 사악] 사악(四嶽).

[四嶽 사악] ㉠요(堯)임금 때 사방(四方)의 제후(諸侯)를 통솔하던 장관(長官). ㉡중국의 사방에 솟은 큰 산. 곧, 태산(泰山)〈동악(東嶽)〉·화산(華山)〈서악(西嶽)〉·형산(衡山)〈남악(南嶽)〉·항산(恆山)〈북악(北嶽)〉.

[四惡道 사악도] 《佛敎》 사악취 (四惡趣).

[四惡趣 사악취] 지옥(地獄)·아귀(餓鬼)·축생(畜生)·수라(修羅).

[四言敎 사언교] 왕양명 (王陽明)의 네 구(句)로 된 교의 (敎義). 곧, 무선무악심지체(無善無惡心之體)·유선유악의지동(有善有惡意之動)·지선지악위양지(知善知惡是良知)·위선거악시격물(爲善去惡是格物).

[四業 사업] 시(詩)·서(書)·예(禮)·악(樂).

[四易 사역] 역(易)의 네 가지. 곧, 천지자연(天地自然)의 역, 복희(伏義)의 역, 문왕(文王)·주공(周公)의 역, 공자(孔子)의 역.

[四裔 사예] 나라의 사방의 끝. 사황(四荒).

[四藝 사예] 거문고·바둑·글씨·그림의 네 가지 기예. 금(琴)·기(碁)·서(書)·화(畫).

[四友 사우] ㉠눈 속에 피는 네 가지 꽃. 곧, 옥매(玉梅)·납매(臘梅)·수선(水仙)·산다화(山茶花). ㉡네 가지의 문방구(文房具). 곧, 필(筆)·묵(墨)·지(紙)·연(硯).

[四隅 사우] ㉠네 모퉁이. 사방(四方). ㉡사방(四方)의 사이. 곧, 건(乾)·곤(坤)·간(艮)·손(巽)의 방위(方位).

[四運 사운] 사시(四時)의 운행(運行).

[四韻 사운] 네 곳에 운자(韻字)를 가진 시(詩). 즉, 금체(今體)의 오언(五言) 또는, 칠언(七言)의 율시(律詩). 사운지시(四韻之詩).

[四韻之詩 사운지시] 사운(四韻).

[四遠 사원] 사방의 원지(遠地).

[四圍 사위] 둘레. 주위.

[四威儀 사위의] 《佛敎》 행(行)·주(住)·좌(坐)·와(臥)의 네 위의(威儀).

[四乳 사유] 주(周)나라의 성왕(聖王) 문왕(文王)은 태어나면서부터 네 개의 젖을 가졌다는 일.

[四侑 사유] 공자(孔子)의 묘(廟)에 함께 모시고 제사 지내는 사현(四賢). 곧, 안자(顏子)·증자(曾子)·자사(子思)·맹자(孟子). 사배(四配).

[四維 사유] ㉠건(乾)〈서북(西北)〉·곤(坤)〈서남(西南)〉·간(艮)〈동북(東北)〉·손(巽)〈동남(東南)〉. ㉡예(禮)·의(義)·염(廉)·치(恥).

[四律 사율] 율시(律詩)의 하나. 오언(五言)이나 칠언(七言)으로 여덟 짝, 곧 네 구로 된 시.

[四恩 사은] 《佛敎》 사람으로 태어나서 받는 네 가지 은혜. 곧, 부모(父母)·중생(衆生)·국왕(國王)·삼보(三寶)의 은혜. 또는, 국왕(國王)·부모(父母)·사장(師長)·단월(檀越)의 은혜. 또는, 천지(天地)·국왕(國王)·부모(父母)·중생(衆生)의 은혜.

[四音 사음] 후음(喉音)·순음(脣音)·악음(齶音)·설음(舌音) 등 네 가지 음.

[四夷 사이] 사방(四方)에 있는 오랑캐. 곧, 동이(東夷)·서융(西戎)·남만(南蠻)·북적(北狄). 또는, 구이(九夷)·팔적(八狄)·칠융(七戎)·육만(六蠻). 전(轉)하여, 야만인(野蠻人)의 총칭.

[四人轎 사인교] 네 사람이 메는 가마.

[四子 사자] 공자(孔子)·증자(曾子)·자사(子思)·맹자(孟子)의 일컬음.

[四箴 사잠] 시(視)·청(聽)·언(言)·동(動) 네 가지의 경계(警戒).

[四葬 사장] ㉠수장(水葬)·화장(火葬)·토장(土葬)·조장(鳥葬). ㉡《佛敎》 수장·화장·토장·임장(林葬).

[四杖制 사장제] 노인(老人)이 지팡이를 짚는 데

려움. ㉡돈 융통이 막힘.
[困獸猶鬪 곤수유투] 위급한 경우에는 짐승일지라도 적을 향해 싸우려 덤빔. 궁서설묘(窮鼠齧猫).
[困厄 곤액] 곤란(困難)과 재액.
[困戹 곤액] 곤액(困厄).
[困約 곤약] 가난하여 고생함.
[困汙 곤오] 가난하며 낮은 지위에 있음.
[困臥 곤와] 고단하여 누워 쉼.
[困辱 곤욕] 심한 모욕(侮辱).
[困作 곤작] 글을 힘들여 더디 지음.
[困在垓心 곤재해심] 매우 어려운 경우(境遇)를 당(當)함.
[困絕 곤절] 곤갈(困竭).
[困躓 곤지] 곤궁에 허덕여 중도에서 좌절(挫折)함.
[困知勉行 곤지면행] 도(道)를 힘써 배워 알고 힘써 닦아 행함. 생지안행(生知安行)의 대(對).
[困蹙 곤축] 아주 곤경(困境)에 빠짐. 어찌할 도리가 없게 됨.
[困寢 곤침] 곤히 잠이 듦.
[困殆 곤태] 곤란하고 위태로움.
[困弊 곤폐] 곤궁하여 피폐함.
[困乏 곤핍] ㉠가난하여 고생함. ㉡고달파서 기운이 없음.
[困學 곤학] ㉠머리가 좋지 않아 애를 쓰며 공부함. ㉡고학(苦學)함.
[困學紀聞 곤학기문] 송(宋)나라 왕응린(王應麟)이 지은 〈경사자집(經史子集)〉의 고증(考證)을 한 책. 20권. 증거(證據)가 해박(該博)하여 송대(宋代)의 고증 서적 중 가장 정확함.
◉艱困. 苦困. 寠困. 窘困. 窮困. 飢困. 難困. 勞困. 屯困. 病困. 貧困. 衰困. 愁困. 阸困. 阨困. 彫困. 酒困. 春困. 弊困. 疲困. 乏困. 昏困.

4 ⑦ [囤] 돈 ㊤阮 徒損切 dùn
[字解] 곳집 돈 작은 쌀 창고.
[字源] 形聲. 口+屯〔音〕

4 ⑦ [囫] 홀 [入]月 呼骨切 hú
[字解] 덩어리질 홀 '—圇'은 둥글둥글함.
[字源] 形聲. 口+勿〔音〕

[囫圇 홀륜] 둥글둥글함.

4 ⑦ [园] 완 [平]寒 五丸切 wán
[字解] 깎을 완 귀를 깎음. 모난 데를 없앰. 刓(刀部 四畫)과 同字. '—而幾向方矣'《莊子》.
[字源] 形聲. 口+元〔音〕. '元원'은 '둥글다'의 뜻.

4 ⑦ [囦] 〔연〕
淵(水部 九畫〈p. 1254〉)의 古字

4 ⑦ [囘] 〔회〕
回(口部 三畫〈p. 421〉)과 同字

4 ⑦ [囯] 〔국〕
國(口部 八畫〈p. 425〉)의 俗字

4 ⑦ [囲] 〔위〕
圍(口部 九畫〈p. 428〉)의 俗字

4 ⑦ [囬] [一] 回(口部 三畫〈p. 420〉)의 俗字
[二] 面(部首〈p. 2517〉)의 古字

4 ⑦ [図] 〔도〕
圖(口部 十一畫〈p. 429〉)의 俗字

4 ⑦ [囱] [一] 창 [平]江 楚江切 chuāng
[二] 총 [平]東 倉紅切 cōng
[字解] [一] 창 창 지붕에 낸 창문. [二] 굴뚝 총.
[字源] 篆文 象形. 지붕에 낸 창문의 象形.

5 ⑧ [囷] 균 [平]眞 去倫切 qūn
[字解] ①곳집 균 원형의 미창(米倉). '胡取禾三百—兮'《詩經》. ②꼬불꼬불할 균 꼬불꼬불한 모양. '——'. '輪—離奇'《鄒陽》.
[字源] 篆文 會意. 口+禾. 울안에 곡물〔禾〕을 넣어 두다의 뜻으로, '쌀 창고, 곡식 창고'의 뜻을 나타냄.

[囷囷 균균] 꾸불꾸불한 모양. 이리저리 굽은 모양. 일설(一說)에는, 빙빙 도는 모양.
[囷鹿 균록] 쌀 곳간. 녹(鹿)은 방형(方形)의 미창(米倉).
[囷廩 균름] 쌀 곳간. 미창(米倉).
[囷倉 균창] 쌀 곳간. 미창(米倉).
◉空囷. 廩囷. 倒囷. 倒廩傾囷. 盤囷. 石囷. 輪囷. 倉囷. 天囷. 草囷.

5 ⑧ [囹] [人名] 령 [平]青 郎丁切 líng
[字解] 옥 령 감옥. '—圄'. '命有司省—圄'《禮記》.
[字源] 篆文 形聲. 口+令〔音〕. '令령'은 무릎을 꿇고 신의 뜻을 듣는 사람의 象形. 울타리 안에 무릎 꿇은 사람의 모양에서, '감옥'의 뜻을 나타냄.

[囹圄 영어] 옥(獄).
[囹圉 영어] 영어(囹圄).
[囹圄生草 영어생초] 옥(獄)에 풀이 난다는 뜻으로, 세상이 잘 다스려져 옥에 갇혀 있는 죄수가 없음을 이름.
◉空囹. 囹囹. 圜囹. 幽囹.

5 ⑧ [固] [中·人] 고 [去]遇 固暮切 gù
[筆順] 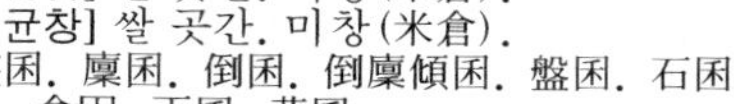
[字解] ①굳을 고 ㉠견고함. '—體'. '冰凍方—'《呂氏春秋》. ㉡변하지 아니함. 변동하지 아니함. '學則不—'《論語》. ㉢움직이지 아니함. 안정(安定)함. '國可以—'《國語》. ㉣수비가 엄함. '兵勁城—'《荀子》. ㉤지세가 험준함. '長岸峻—'《水經注》. 또, 험준한 요해처. '美哉乎, 山河之—, 此魏國之寶也'《史記》. ②굳게할 고 전항의 타동사. '夫—國者, 在親衆而善隣'《國語》. ③우길 고 고집함. '—執'. '毋意, 毋必, 毋—, 毋我'《論語》. ④고루할 고 완고하고 비루함.

'一陋'. '寡人一'《禮記》. ⑤굳이 고 ㉠억지로. '毋一獲'《禮記》. ㉡재삼. 거듭. '一諫'. 禹拜稽首一辭'《書經》. ⑥진실로 고 ㉠말할 것도 없이. 물론. '小一不可以敵大'《孟子》. ㉡본디부터. '一所願'. '天下一畏齊之强也'《孟子》. ⑦항상 고 늘. '若一有之'《孟子》. ⑧고질 고 오랜 질병. 錮(金部 八畫)와 통용. '國多一疾'《禮記》. ⑨성고 성(姓)의 하나.

字源 篆文 古 形聲. 口+古[音]. '口위'는 도성 (都城)을 둘러싼 담. '古고'는 '단단하다'의 뜻. 나라의 도읍의 굳은 방비의 뜻에서, '굳다'의 뜻을 나타냄.

[固諫 고간] 굳이 간(諫)함. 강경히 간함.
[固拒 고거] 단단히 막음.
[固結 고결] 단단히 맺음.
[固嘔 고구] 겉으로만 유순한 모양.
[固窮 고궁] 곤궁한 것을 당연한 것으로 알고 잘 견뎌 냄.
[固牢 고뢰] 견고함.
[固陋 고루] 고집이 있고 성행(性行)이 비루(鄙陋)함. 완고하고 문견(聞見)이 좁음.
[固辭 고사] 굳이 사양(辭讓)함. 한사코 사퇴함.
[固塞 고새] 견고한 요새(要塞).
[固所願 고소원] 본래(本來) 바라던 바임.
[固守 고수] 굳게 지킴.
[固然 고연] 본디부터 그러함.
[固有 고유] ㉠본디부터 있음. 본래 자연히 갖추어 있음. ㉡그 물건에만 있음.
[固有名詞 고유명사] 어느 한 가지 물건에만 한(限)하여 쓰이는 명사. 인명(人名)·지명(地名) 따위.
[固意 고의] ㉠굳은 뜻. ㉡뜻을 굳게 먹음.
[固定 고정] 일정한 곳에 있어 움직이지 아니함. 한곳에 꼭 박혀 있음.
[固精 고정] 환자와 허약한 사람의 정력을 강하게 함.
[固持 고지] 굳게 지님. 굳게 지킴. 고수(固守).
[固疾 고질] 오래 낫지 않는 병. 고질(痼疾). 고질(痼疾).
[固執 고집] 굳게 지님. 굳게 지킴. 자기의 의견(意見)을 굳게 내세움.
[固執不通 고집불통] 고집(固執)이 세어 조금도 변통성(變通性)이 없음.
[固着 고착] 단단히 붙어 떨어지지 아니함.
[固滯 고체] 성질이 편협하여 너그럽지 못함.
[固體 고체] 일정한 체형(體形)과 체질(體質)을 가진 물체. 곧, 나무·쇠붙이 따위.
[固寵 고총] 변하지 않는 총애를 받음. 끝까지 굄을 받음.
[固形 고형] 단단한 형체.
●強固. 堅固. 警固. 鞏固. 膠固. 禁固. 牢固. 敦固. 純固. 醇固. 深固. 安固. 頑固. 凝固. 貞固. 阻固. 滯固. 偏固. 險固. 確固.

5 ⑧ [冝] 〔국〕 國(口部 八畫〈p. 425〉)과 同字

5 ⑧ [圉] 〔국〕 國(口部 八畫〈p. 425〉)의 俗字

5 ⑧ [国] 人名 〔국〕 國(口部 八畫〈p. 425〉)의 俗字

5 ⑧ [图] 〔도〕 圖(口部 十一畫〈p. 429〉)의 簡體字

6 ⑨ [圅] 人名 유 ㉠宥 于救切 yòu 圓

字解 ①동산 유 금수(禽獸)를 방사(放飼)하기 위하여 담을 친 곳. '苑一'. '文王之一'《孟子》. 전(轉)하여, 구역. 장소. '遙集文雅之一'《司馬相如》. ②담 유 한 구역에 쌓은 담. '正月祭韭一'《大戴禮》. ③얽매일 유 구애됨. 구니(拘泥)함. '一其學之相非也'《尸子》.

字源 甲骨文 篆文 籀文 甲骨文·籀文은 象形으로, 밭에 네 그루 나무가 있는 모양을 본뜸. 뒤에 口+有[音]의 形聲 문자가 됨. '有유'는 식사를 권하다의 뜻. 궁중의 식사에 제공하기 위한 동물을 놓아기르는 장소의 뜻을 나타냄.

[圅苑 유원] 새나 짐승을 기르는 동산.
[圅人 유인] ㉠궁중(宮中)의 동물원을 지키는 벼슬아치. ㉡화초나 나무를 심어 키우는 사람.
●廣圅. 文圅. 辯圅. 疏圅. 深圅. 淵圅. 靈圅. 禮圅. 苑圅. 園圅. 場圅. 圃圅. 墟圅.

6 ⑨ [圀] 〔국〕 國(口部 八畫〈p. 425〉)의 古字
參考 측천무후(則天武后)가 만든 문자.

6 ⑨ [圇] 〔도〕 圖(口部 十一畫〈p. 429〉)의 俗字

7 ⑩ [圂] ■ 혼 ㉠願 胡困切 hùn 圓
㉡諫 胡慣切 huàn

字解 ■ ①뒷간 혼 溷(水部 十畫)과 同字. ②성 혼 성(姓)의 하나. ■ 가축 환 豢(豕部 六畫)과 同字. '君子不食一腴'《禮記》.

字源 甲骨文 金文 篆文 會意. 口+豕. 돼지를 키우는 울타리의 뜻을 나타냄.

[圂腴 환유] 돼지·개 따위의 창자.

7 ⑩ [圃] 人名 포 ㉠麌 博古切 pǔ 圃

字解 ①남새밭 포 채마전. '蔬一'. '園一毓草木'《周禮》. 전(轉)하여, 장소. 구역. '翺翔乎書一'《司馬相如》. ②농사 포 농작. '舊喜樊遲知學一'《朱熹》. ③농군 포 농사짓는 사람. '吾不如老一'《論語》. ④성 포 성(姓)의 하나.

字源 甲骨文 金文 篆文 形聲. 口+甫보는 '벗모'의 뜻. 모를 심은 남새밭의 뜻을 나타냄.

[圃疆 포강] 채마밭.
[圃師 포사] 밭농사 짓는 사람.
[圃翁 포옹] 밭농사 짓는 노인.
[圃圅 포유] 채마전(菜麻田). 남새밭. 또, 궁중(宮中)의 동산.
[圃田 포전] 전답(田畓).
[圃畦 포휴] 밭두둑.
●舊圃. 禁圃. 老圃. 農圃. 茗圃. 文圃. 射圃. 書圃. 蔬圃. 藥圃. 苑圃. 園圃. 幽圃. 場圃. 田圃. 庭圃. 玄圃. 縣圃. 花圃. 釁相圃. 後圃.

7 [圄] (10)

人名 어 ㊤語 魚巨切 yǔ　圄

字解 ①옥 어 감옥. '囹—'. ②가둘 어 잡아 가둠. '—伯嬴于轑陽'《左傳》.

字源 篆文 形聲. 口+吾[音]. '吾오'는 '막아 지키다'의 뜻. 죄인을 가두는 감옥의 뜻을 나타냄.

[圄空 어공] 감옥이 텅 빈다는 뜻으로, 나라가 잘 다스려져 죄를 짓는 사람이 없음을 이름.
[圄囹 어령] 옥(獄). 감옥. 영어 (囹圄).
[圄狂 어안] 영어 (囹圄).
●敦圄. 囹圄. 獄圄. 幽圄.

7 [圅] (10)

함 ①②㊤感 戶感切
③㊦覃 胡男切 hán

字解 ①턱 함 아래턱. '口上曰臄, 口下曰一'《集韻》. ②갑옷 함 싸울 때 입는 옷. 函(凵部 六畫)과 同字. ③혀 함 혓바닥. '一, 舌也'《說文》.

8 [圈] (11)

人名 권 ①②㊣霰 逵眷切 juàn
③④㊴先 驅圓切 quān　圈

筆順 冂 冂 冃 冐 𡆥 𡆥 圏 圈

字解 ①우리 권 동물의 우리. '虎—'. '熊佚—出'《漢書》. ②성 권 성(姓)의 하나. ③바리 권 나무로 휘어 만든 그릇. 桊(木部 八畫)과 同字. '杯—不能飲焉'《禮記》. ④동그라미 권 권점. '一點. '牛—四週'《漢書評林》.

字源 篆文 形聲. 口+卷[音]. '卷권'은 '말다'의 뜻. 가축을 기르기 위하여 휘몰아 넣는 '우리'의 뜻을 나타냄.

[圈續 권궤] 권회 (圈繢).
[圈內 권내] 테 안. 범위 (範圍) 안.
[圈豚 권돈] 천천히 걷는 법. 발을 질질 끌며 걷는 일.
[圈牢 권뢰] 우리.
[圈發 권발] 한자 (漢字)의 사성 (四聲)을 표시하기 위하여 글자의 네 모퉁이에 붙이는 반원 (半圓). 평성 (平聲)은 좌하 (左下), 상성 (上聲)은 좌상 (左上), 거성 (去聲)은 우상 (右上), 입성 (入聲)은 우하 (右下).
[圈外 권외] 테의 밖.
[圈點 권점] 시문 (詩文)의 묘소 (妙所) · 요처 (要處) 등의 옆에 찍는 동그라미.
[圈套 권투] ㉠새나 짐승을 잡는 올가미. ㉡세력 범위 (勢力範圍).
[圈檻 권함] 우리. 권뢰 (圈牢).
[圈圓 권환] 동그라미.
[圈繢 권회] 올가미. 함정 (陷穽). 전 (轉)하여, 술책 (術策). 또, 일정한 격식 (格式) 등의 뜻으로 쓰임.
●共産圈. 共榮圈. 氣圈. 南極圈. 當選圈. 大圈. 大氣圈. 文化圈. 北極圈. 商圈. 上位圈. 生活圈. 成層圈. 勢力圈. 驛勢圈. 颱風圈. 下位圈.

8 [圉] (11)

어 ①-⑥㊤語 魚巨切 yǔ
⑦㊣御 魚據切　圉

字解 ①마부어 말을 기르는 사람. 또, 그 벼슬. '—師'. '敎—人'《周禮》. ②마구간 어 '馬—'. '馬有—, 牛有牧'《左傳》. ③변방 어 변경. '邊

一'. '亦聊以固我一也'《左傳》. ④옥 어 감옥. '圄—空虛'《漢書》. ⑤기를 어 말을 기름. '將—馬于成'《左傳》. ⑥성 어 성(姓)의 하나. ⑦막을 어 禦(示部 十一畫)와 同字. '安能一我'《管子》.

字源 甲骨文 篆文 會意. 篆文은 口+㚔. '㚔섭'은 수갑을 본뜸. '감옥'의 뜻을 나타냄.

[圉絆 어반] 옥에 갇힘.
[圉師 어사] 어인(圉人)의 장관.
[圉圉 어어] 괴로워 펴지 못하는 모양.
[圉余 어여] 음력 4월의 별칭(別稱).
[圉人 어인] 말을 기르는 사람. 마부(馬夫). 또, 말을 기르는 것을 맡은 벼슬아치.
●疆圉. 敦圉. 馬圉. 牧圉. 邊圉. 僕圉. 臸圉. 下圉. 豢圉.

8 [圊] (11)

청 ㊦庚 七情切 qīng
㊦青 倉經切　圊

字解 뒷간 청 변소. '作一廁'《法苑珠林》.

字源 篆文 形聲. 口+青[音]. '靑청'은 '맑다'의 뜻. '口위'는 '울타리'의 뜻. 청결하게 해 두어야 할 장소, 곧 '변소'의 뜻을 나타냄.

[圊房 청방] 뒷간.
[圊廁 청치] 뒷간.
[圊溷 청혼] 뒷간.

8 [圇] (11)

륜 ㊦眞 龍春切 lún　圇

字解 온전할 륜 '囫一'은 흠 없는 물건의 뜻.

字源 形聲. 口+侖[音]

●囫圇.

8 [國] (11)

中人 국 人職 古或切 guó　国 圀

筆順 冂 冂 冋 冋 或 或 國 國 國

字解 ①나라 국 ㉠국가. 국토. '一力'. '分一爲九州'《周禮》. ㉡지리상 또는 행정상 구획된 토지. '二百二十一以爲州'《周禮》. ㉢서울. 수도 (首都). '徧一中, 無與立談者'《孟子》. ㉣고향. '去一三世, 爵祿有列於朝'《禮記》. ②나라세울 국 나라를 창립함. '黥布叛逆, 子長一之'《史記》. ③성 국 성(姓)의 하나.

字源 甲骨文 金文 篆文 會意. 甲骨文은 口+戈. '口위'는 마을을 본뜸. '戈과'는 '창'의 뜻. 무장한 마을의 뜻을 나타냄. 金文에서부터 '口'를 덧붙여, 외곽 (外廓)을 지닌 나라의 뜻을 나타냄.

參考 ①国(口部 四畫)·圀(口部 五畫)은 俗字. ②圁(口部 五畫)·圙(口部 六畫)은 古字.

[國家 국가] ㉠나라. ㉡나라와 집. 제후 (諸侯)의 나라와 경대부 (卿大夫)의 집. ㉢천자 (天子). 군주 (君主).
[國歌 국가] 국가 (國家)의 이상 (理想)과 정신 (精神)을 나타내어 의식 (儀式) 때에 부르게 지은 노래.
[國家主義 국가주의] 국가의 이익을 국민의 이익보다 앞세워 국가를 지상 (至上)으로 여기는 주

의 (主義).

[國家學 국가학] 국가(國家)의 기원(起源)·연혁(沿革)·성질(性質)·조직(組織) 등을 연구(研究)하는 학문.

[國家昏亂有忠臣 국가혼란유충신] 평상시에는 누가 충신인지 적확히 알 수 없고, 나라가 어지러워야만 비로소 충신이 뚜렷이 나타남.

[國綱 국강] 나라를 다스리는 벼리. 정치의 대강령 (大綱領).

[國境 국경] 나라의 경계(境界).

[國界 국계] 국경(國境).

[國庫 국고] 국가 소유의 현금을 관리(管理)하는 기관(機關).

[國工 국공] ㉠나라 안에서 유명한 장인(匠人). ㉡나라 안에서 유명한 의원(醫員) 「光」.

[國光 국광] 나라의 영광(榮光). 국가의 위광(威

[國交 국교] 나라와 나라와의 사귐.

[國敎 국교] ㉠나라의 문교(文敎). ㉡온 국민이 믿어야 할 것으로, 국가에서 정(定)한 종교(宗敎).

[國舅 국구] ㉠천자(天子) 또는 제후(諸侯)의 외숙(外叔). ㉡《韓》왕후(王后)의 아버지.

[國君 국군] 임금. 또, 제후(諸侯).

[國軍 국군] 국가의 군대. ㉡자기 나라의 군대.

[國權 국권] 나라의 권력(權力). 곧, 주권(主權)과 통치권(統治權).

[國均 국균] 국균(國鈞).

[國鈞 국균] 국정(國政)의 추기(樞機).

[國禁 국금] 국법(國法)으로 금한 일.

[國忌 국기] 선제(先帝)·모후(母后) 등의 제삿날.

[國紀 국기] 나라의 기율(紀律).

[國記 국기] 그 나라의 기록. 나라의 역사(歷史).

[國基 국기] 나라를 유지하는 기초.

[國棊 국기] 바둑의 국수(國手).

[國旗 국기] 나라를 상징(象徵)하여 정(定)한 기(旗). 우리나라의 태극기(太極旗) 따위.

[國畿 국기] 왕기(王畿). 「람.

[國器 국기] 나라를 다스릴 만한 그릇. 또, 그 사

[國難 국난] 나라의 위난(危難).

[國內 국내] 나라 안.

[國都 국도] 한 나라의 수도.

[國棟 국동] 태자(太子), 세자(世子).

[國亂 국란] 나라 안의 변란(變亂).

[國亂則思良相 국란즉사양상] 나라가 어지러워졌을 때 어진 재상(宰相)을 얻고자 생각함.

[國良 국량] 한 나라 안에서 훌륭한 인물.

[國力 국력] 나라의 힘. 나라의 실력. 곧, 국가의 재력(財力)과 병력(兵力).

[國老 국로] ㉠경대부(卿大夫)로서 치사(致仕)한 후에도 경대부의 대우를 받는 사람. ㉡국가의 원로(元老).

[國祿 국록] 나라에서 주는 녹봉.

[國論 국론] 나라 안의 여론(輿論).

[國利 국리] 국가(國家)의 이익.

[國利民福 국리민복] 국가의 이익과 국민의 행복.

[國立 국립] 나라에서 세움.

[國名 국명] 나라의 이름.

[國命 국명] ㉠나라의 정사(政事). ㉡나라의 사명, 또는 명령.

[國母 국모] ㉠임금의 아내. ㉡임금의 어머니.

[國務 국무] 나라의 정무(政務).

[國文 국문] ㉠그 나라의 고유(固有)한 글. 한 나라의 국어(國語)로 된 문장(文章). ㉡《韓》우리

나라의 글.

[國民 국민] 같은 국적(國籍)을 가지고 있는 백성(百姓).

[國民性 국민성] 그 나라 국민이 공통(共通)으로 가지고 있는 성질.

[國防 국방] 외적(外敵)이 침범(侵犯)하지 못하도록 준비하는 방비.

[國法 국법] 나라의 법률(法律).

[國柄 국병] 국정(國政)을 시행하는 권력(權力).

[國步 국보] 나라의 운명.

[國寶 국보] ㉠나라의 보배. ㉡역사상 또는 예술상 귀중한 것으로서 국가에서 보호하는 건축·기물(器物)·서화(書畫)·전적(典籍) 등.

[國本 국본] 나라의 근본.

[國費 국비] 나라의 비용(費用).

[國賓 국빈] 나라의 손님으로 국가적인 대우를 받는 외국(外國) 사람.

[國士 국사] 나라의 안에서 뛰어난 선비.

[國史 국사] ㉠국내의 일을 기록하는 사관(史官). ㉡자기 나라의 역사(歷史). ㉢한 왕조(王朝)의 역사(歷史).

[國社 국사] 제후(諸侯)가 세운 태사(太社).

[國使 국사] 한 나라를 대표하는 사신(使臣).

[國事 국사] 국정(國政).

[國師 국사] ㉠국가의 사표(師表)가 될 만한 사람. ㉡나라에서 내리는 중의 가장 높은 칭호(稱號). ㉢왕망(王莽) 때의 사보(四輔)의 하나. 지위는 삼공(三公)의 위임. ㉣태사(太師)의 이칭(異稱). ㉤육조 시대(六朝時代)의 국자 좨주(國子祭酒)의 이칭(異稱).

[國嗣 국사] 임금의 후사(後嗣).

[國史館 국사관] 청조(淸朝)와 중화민국(中華民國) 초에 국사(國史)를 편찬(編纂)하던 곳.

[國士無雙 국사무쌍] 나라 안에서 견줄 만한 사람이 없는 인물(人物).

[國事犯 국사범] 정치상의 범죄. 당시의 정부(政府)에 불만을 품어 범한 죄. 또, 그 죄를 범한 사람.

[國士恩 국사은] 국사(國士)로 후하게 대접 받은 은혜.

[國産 국산] 자기 나라의 물산.

[國相 국상] 한 나라의 재상(宰相).

[國常 국상] 국가의 상법(常法).

[國喪 국상] 국민 전체가 복(服)을 입는 상사(喪事). 곧, 태상황(太上皇)·태상황후(太上皇后)·제왕(帝王)·후비(后妃)·황태자(皇太子)·황태자비(皇太子妃)·황태손(皇太孫)·황태손비(皇太孫妃) 등의 상사(喪事).

[國殤 국상] 나라를 위하여 목숨을 바친 사람.

[國璽 국새] 임금의 인장(印章). 어보(御寶).

[國色 국색] ㉠나라 안의 첫째가는 미인(美人). ㉡'모란(牡丹)'의 이칭(異稱).

[國色天香 국색천향] '모란(牡丹)'의 아칭(雅稱).

[國書 국서] 나라의 이름으로 타국(他國)에 보내는 서류(書類).

[國壻 국서] 임금의 사위.

[國仙 국선] 신라(新羅) 때에 있었던 청소년의 민간 수양 단체. 또, 그 단체의 중심 인물. 곧, 화랑(花郞).

[國姓 국성] 임금의 성(姓).

[國稅 국세] 나라에서 경비(經費)로 쓰기 위하여 거두는 세금(稅金).

[國勢 국세] 나라의 형세(形勢).

[國勢調査 국세조사] 전국(全國)의 인구 동태(人口動態) 및 이에 관한 여러 가지 상태를 일제히 하는 조사.

[國俗 국속] 나라의 풍속(風俗).

[國手 국수] ㉠명의(名醫). ㉡재예(才藝)가 나라 안에서 첫째가는 사람.

[國粹 국수] 정신상(精神上) 또는 물질상(物質上)으로 한 나라 또는 한 민족의 고유(固有)한 장처(長處).

[國讎 국수] 나라의 원수(怨讎).

[國粹主義 국수주의] 자기 나라의 국민적 특수성만을 가장 우수한 것으로 믿고 유지·보존하며 남의 나라 것을 배척하는 주의.

[國乘 국승] 국사(國史).

[國是 국시] 한 나라에 있어서 중론(衆論)이 옳다고 인정하는 바. 또, 국정(國政)의 방침(方針).

[國詩 국시] 한 나라 고유의 시(詩).

[國樂 국악] 자기 나라 고유의 음악.

[國哀 국애] 국상(國喪).

[國語 국어] ㉠온 국민이 사용하는 그 나라 고유(固有)의 말. ㉡《韓》우리나라 말. 한국어(韓國語). ㉢책명(冊名). 21권. 좌구명(左丘明)의 저(著)라 함. 〈좌전(左傳)〉은 노(魯)나라의 역사를 주로 기술하였는데, 이 책은 진초(晉楚)를 비롯한 제후(諸侯)의 여덟 나라의 역사를 기록한 것임. 춘추외전(春秋外傳).

[國營 국영] 나라에서 경영(經營)함.

[國王 국왕] 한 나라의 임금.

[國外 국외] 한 나라의 영토 밖의 땅.

[國辱 국욕] 나라의 치욕(恥辱).

[國用 국용] 나라의 씀씀이. 국가의 비용.

[國運 국운] 나라의 운수(運數). 국가의 운명.

[國位 국위] ㉠국가의 원수(元首)의 자리. ㉡국가의 지위.

[國威 국위] 나라의 위력(威力). 국가의 세력.

[國有 국유] 나라의 소유(所有).

[國維 국유] 국가의 기강(紀綱).

[國恩 국은] 나라의 은혜(恩惠).

[國音 국음] 한 나라의 고유한 말소리.

[國儀 국의] 나라의 의식(儀式). 또, 나라의 법도(法度).

[國醫 국의] 국수(國手)인 의원. 명의(名醫).

[國彝 국이] 국법(國法).

[國姻 국인] 제왕의 인척(姻戚).

[國子 국자] 공경대부(公卿大夫)의 자제.

[國字 국자] 한 나라에서 통용하는 문자.

[國子監 국자감] 귀족의 자제 및 나라 안의 준재(俊才)를 교육하기 위하여 천자(天子)가 있는 서울 안에 설립한 학교.

[國子司業 국자사업] 국자학의 교수(教授).

[國子祭酒 국자좨주] 국자학(國子學)의 교장(校長). 좨주(祭酒)란 옛날에 회동(會同)하여 향연(饗宴)을 베풀 때 존장(尊長)이 먼저 술을 땅에 따라 신(神)을 제사 지낸 데서 나온 말로, 장관(長官)의 명칭으로 되었음.

[國子學 국자학] '국자감(國子監)'의 구칭(舊稱).

[國葬 국장] 나라에서 비용을 부담하여 지내는 장사.

[國災 국재] 나라의 재변(災變).

[國財 국재] 나라의 재산(財産).

[國儲 국저] 국사(國嗣).

[國賊 국적] 나라를 망치는 놈.

[國籍 국적] 국민된 신분(身分). 개인이 국가에 부속하는 명적(名籍).

[國典 국전] ㉠나라의 의식(儀式). ㉡나라의 법전(法典). ㉢그 나라 고유의 전적(典籍).

[國定 국정] 나라에서 정함. 또는 제정함.

[國政 국정] 나라의 정사(政事).

[國情 국정] 나라의 정상(情狀).

[國際 국제] 나라와 나라 사이의 교제(交際), 또는 관계(關係).

[國際法 국제법] 공존(共存)·공영(共榮)의 생활을 도모하기 위하여 국가 간의 합의에 의하여 국가 간의 관계를 규율 지은 국제 사회의 법률. 조약(條約)·국제 관습(國際慣習)에 의하여 성립함.

[國際聯盟 국제연맹] 제1차 세계 대전(世界大戰) 후, 강화 회의(講和會議)에서 미국 대통령 윌슨이 제창(提唱)하여 설립한 기관으로서, 국제 평화(國際平和)를 유지하기 위하여 각국(各國)이 공동하여 국제 사건을 처리함을 목적으로 한 열국(列國)의 연합체(聯合體).

[國際聯合 국제연합] 1945년에 미국·영국·중국·소련 등이 중심이 되어 제2차 세계 대전 후의 세계 평화를 유지하기 위하여 조직한 국제 기구. 유엔.

[國祚 국조] 국운(國運).

[國朝 국조] 우리나라. 우리 조정.

[國族 국족] 임금의 일가.

[國主 국주] ㉠천자(天子). ㉡제후(諸侯) 또는 속국(屬國)의 임금.

[國冑 국주] 태자(太子). 세자(世子).

[國中 국중] 국내(國內).

[國志 국지] 한 나라의 역사.

[國鎮 국진] 국가의 중진(重鎮).

[國債 국채] 나라의 빚.

[國策 국책] ㉠나라의 정책. 국시(國是). ㉡책 이름. '전국책(戰國策)'의 준말.

[國戚 국척] 임금의 인척(姻戚).

[國遷 국천] 천도(遷都).

[國體 국체] ㉠나라의 체면(體面). ㉡나라가 이루어진 상태(狀態). ㉢통치권(統治權)의 존재 형태(形態)에 의하여 구별된 국가의 체양(體樣).

[國初 국초] 건국(建國)의 처음.

[國礎 국초] 국기(國基).

[國恥 국치] 나라의 부끄러움. 국가의 수치.

[國帑 국탕] 나라의 화폐·재보(財寶)를 간직하여 두는 곳집. 전(轉)하여, 국가의 재산.

[國泰民安 국태민안] 나라가 태평(太平)하고 인민(人民)이 평안(平安)함.

[國土 국토] ㉠나라의 영토(領土). 나라. ㉡땅. 토지. ㉢고향. 향토. 고국(故國).

[國破山河在 국파산하재] 나라는 이미 망하여 없어졌으나, 산과 강은 예전과 다름없이 존재하여 있음. 두보(杜甫)가 망국(亡國)의 유적(遺蹟)을 보고 읊은 시(詩)의 한 구(句).

[國弊 국폐] 나라의 폐해(弊害).

[國風 국풍] ㉠나라의 풍속(風俗). ㉡그 나라 풍속이 나타나 있는 시가(詩歌)·속요(俗謠). ㉢시경(詩經)의 분류(分類)의 하나. 열다섯 국풍(國風)이 있는데, 주로 여러 나라의 민요(民謠)를 수록하였음.

[國學 국학] ㉠고대(古代)에는 제후(諸侯)의 나라 서울에 설립한 최고 학부. 후세에는 천자(天子)가 있는 서울에 설립한 최고 학부. 우리나라에서는 성균관(成均館)의 별칭(別稱). ㉡그 나라에 고유(固有)한 학문(學問).

[國香 국향] 뛰어난 향기. 전(轉)하여, 난초(蘭草)의 이칭(異稱).
[國憲 국헌] 나라의 근본 법규.
[國號 국호] 나라의 이름.
[國婚 국혼] 《韓》임금·왕세자(王世子)·대군(大君)·공주(公主) 등의 혼인.
[國花 국화] 한 나라의 상징(象徵)으로서 국민이 가장 중(重)하게 여기는 꽃.
[國華 국화] 나라의 꽃. 나라의 빛.
[國會 국회] 전국의 국민(國民)이 선출한 의원(議員)이 모여서 하는 회의.
[國勳 국훈] 나라를 위하여 세운 공훈.
[國恤 국휼] ㉠나라의 근심. ㉡천자(天子)의 상(喪). 국상(國喪). 국애(國哀).
●家國. 強國. 開國. 擧國. 建國. 京國. 經國. 傾國. 古國. 孤國. 故國. 公國. 冠帶之國. 槐安國. 救國. 舊國. 軍國. 郡國. 君子國. 貴國. 歸國. 樂國. 亂國. 內國. 大國. 萬國. 蠻國. 萬乘之國. 亡國. 賣國. 母國. 邦國. 蕃國. 報國. 本國. 富國. 父母國. 四塞之國. 山國. 上國. 相國. 上柱國. 生國. 西國. 城國. 小國. 屬國. 粟散國. 銷國. 殉國. 勝國. 新國. 我國. 安樂國. 愛國. 弱國. 興國. 列國. 王國. 外國. 用武國. 憂國. 雄國. 遠國. 危國. 異國. 隣國. 一國. 入國. 立國. 敵國. 全國. 戰國. 典屬國. 絶國. 靖國. 帝國. 祖國. 宗國. 州國. 中國. 盡忠報國. 千乘之國. 出國. 治國. 他國. 澤國. 通國. 弊國. 廢國. 下國. 海國. 鄕國. 兄弟之國. 虎狼之國. 華胥之國. 皇國. 興國.

9 ⑫ [圍] 高人 위 ㊀微 雨非切 wéi 围 囲

筆順 冂 冂 門 眉 眉 圍 圍 圍

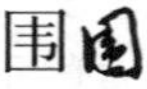

字解 ①에울 위 ㉠둘러쌈. '一繞'. '至精無形, 至大不可一'《莊子》. ㉡적을 둘러싸고 사방에서 침. '楚一蔡'《史記》. ②에워싸일 위 포위당함. '魯酒薄而邯鄲一'《莊子》. ③둘레 위 주위. '範一'. '參分其一'《周禮》. ④포위 위 군사로 에워싸거나 에워싸이는 일. '平城之一, 嫚書之恥'《後漢書》. 또, 그 에워싼 진형(陣形). '乃解其一一角'《漢書》. ⑤아름 위 양팔을 벌려 낀 둘레. 일설(一說)에는, 다섯 寸의 둘레. '見櫟社樹, 其大蔽牛, 絜之百一'《莊子》.
字源 金文 圍 篆文 圍 形聲. 囗+韋〔音〕. '韋'는 '에워싸다'의 뜻. '囗'위는 '두르다'의 뜻. 울을 두르다의 뜻을 나타냄.

[圍徑 위경] 주위(周圍)와 직경(直徑).
[圍棘 위극] 《韓》위리(圍籬).
[圍棊 위기] 바둑. 또, 바둑을 둠.
[圍棋 위기] 위기(圍棊).
[圍碁 위기] 위기(圍棊).
[圍籬 위리] 《韓》배소(配所) 둘레에 가시 울타리를 침.
[圍立 위립] 빙 둘러싸고 섬.
[圍木 위목] 한아름이 되는 큰 나무.
[圍排 위배] 죽 둘러서 벌여 놓음.
[圍擁 위옹] 둘러쌈.
[圍繞 위요] 싸두름. 둘러쌈.
[圍場 위장] 사냥하는 장소.
[圍障 위장] 둘러싼 담. 울타리.
[圍塹 위참] 빙 두른 참호(塹濠).

●攻圍. 範圍. 四圍. 外圍. 障圍. 周圍. 重圍. 包圍. 合圍. 胸圍.

9 ⑫ [圈] 〔권〕 圈(囗部 八畫〈p. 425〉)과 同字

9 ⑫ [圓] 〔원〕 圓(囗部 十畫〈p. 429〉)의 俗字

9 ⑫ [圌] 천 ㊉先 市緣切 chuán

字解 ①둥글 천 둥그런 모양. '一, 圓也'《玉篇》. ②대상자 합 곡식을 담는 둥근 대나무 상자. 篅(竹部 九畫)과 同字.
字源 形聲. 囗+耑〔音〕.

9 ⑫ [圔] 할 ㊀點 乙鎋切 yà

字解 낙타소리 할 낙타가 우는 소리. '載實駝鳴一'《韓愈》.

10 ⑬ [園] 中人 원 ㊉元 雨元切 yuán 园 園

筆順 冂 冂 門 周 周 園 園 園 園

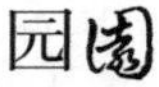

字解 ①동산 원 울을 두른 수목의 재배지. '庭一'. ②구역 원 구획한 지역. 또, 장소. '修容乎禮一'《司馬相如》. ③능 원 능침. 왕릉. '一陵'. '葬于一'《禮記》. ④절 원 사원. '祇一'. ⑤울 원 담. '將仲子兮, 無踰我一'《詩經》. ⑥성 원 성(姓)의 하나.
字源 篆文 園 形聲. 囗+袁〔音〕. '袁원'은 '圜원'과 통하여, '두르다'의 뜻. 담을 둘러친 동산의 뜻을 나타냄.

[園綺 원기] 원(園)은 동원공(東園公), 기(綺)는 기이계(綺里季). 한(漢)나라의 사호(四皓) 중의 두 사람.
[園林 원림] 집터에 딸린 수풀.
[園廟 원묘] 산릉(山陵)에 있는 사당.
[園所 원소] 《韓》왕세자(王世子)·왕세자빈(王世子嬪)·왕(王)의 사친(私親) 등의 산소(山所).
[園蔬 원소] 채마밭에 심은 채소.
[園兒 원아] 《漢》유치원(幼稚園)에 다니는 아이.
[園藝 원예] 채소(菜蔬)·과목(果木)·화초(花草) 등을 심어 기르는 기술.
[園苑 원원] 원포(園圃).
[園囿 원유] 원포(園圃).
[園丁 원정] 정원(庭園)을 맡아 다스리는 사람.
[園亭 원정] 뜰 안에 있는 정자.
[園庭 원정] 동산. 뜰.
[園主 원주] 동산의 주인.
[園池 원지] ㉠동산과 못. ㉡정원 안의 못.
[園寢 원침] 원묘(園廟).
[園圃 원포] 동산. 또, 밭.

●間園. 開園. 孤獨園. 故園. 公園. 果樹園. 果園. 禁園. 祇園. 淇園. 樂園. 農園. 陵園. 桃園. 動物園. 梅園. 名園. 茗園. 祕園. 詞園. 山園. 桑園. 植物園. 藥園. 梁園. 御園. 苑園. 幼稚園. 梨園. 林園. 入園. 莊園. 田園. 庭園. 造園. 竹園. 菜園. 寢園. 閑園. 廢園. 圃園. 學園. 鄕園. 虛園. 花園.

10 ⑬ [圓] 〔中〕원 ㉠先 王權切 yuán 　圆圆

筆順 冂 冂 冃 冃 冒 冒 圓 圓

字解 ①둥글 원 ㉠원형임. '一丘'. '天一而地方'《大戴禮》. ㉡모가 없음. '一滿'. '激岸石成一流'《郭璞》. ㉢막히지 아니함. 통함. '一轉'. '智欲一而行欲方'《淮南子》. ②동그라미 원 원형. '左手畫一, 右手畫方'《韓非子》. ③둘레 원 '周一'. ④알 원 새알. '有鳳一'《山海經》. ⑤원원 화폐의 단위. 일전(一錢)의 백 배. ⑥성 원성(姓)임.

字源 篆文 [圓] 形聲. 口+員(音). '員원'은 둥글다, 아가리가 둥근 세발솥의 뜻. '口위'는 '두르다'의 뜻. '둥글다'의 뜻을 나타냄.

參考 ①円(冂部 二畫)은 略字. ②圎(口部 九畫)은 俗字.

[圓覺 원각]《佛敎》석가여래의 각성(覺性). 부처의 원만한 깨달음.
[圓鏡 원경] 둥근 거울.
[圓孔方木 원공방목] 원조방예(圓鑿方枘).
[圓光 원광]《佛敎》부처의 몸 뒤로부터 내비치는 광명. 후광(後光).
[圓丘 원구] ㉠둥근 언덕. ㉡하늘에 제사 지내는 단(壇).
[圓機活法 원기활법]〈원기시학활법전서(圓機詩學活法全書)〉의 준말. 명(明)나라의 왕세정(王世貞)이 교정(校正), 양종(楊淙)이 참열(參閱)하여 고사(故事)·성어(成語)를 유취(類聚)한 작시자(作詩者)의 참고서(參考書).
[圓頓 원돈]《佛敎》㉠원만하여 빨리 성불(成佛)하는 법(法)이란 뜻. 법화(法華)의 묘법(妙法)을 이름. ㉡법화종(法華宗)의 이칭(異稱).
[圓頭方趾 원두방지] 원로방지(圓顱方趾).
[圓顱 원로] 둥근 머리.
[圓顱方趾 원로방지] 둥근 머리와 모난 발이라는 뜻으로, 사람을 이름. 원두방족(圓頭方趾).
[圓滿 원만] ㉠두루 미쳐 꽉 참. ㉡충족하여 결점이 없음. ㉢모난 데가 없이 둥글둥글하고 복스러움. ㉣티격나지 않고 서로 좋게 지냄.
[圓木警枕 원목경침] 송(宋)나라 사마광(司馬光)이 베던 둥근 목침. 조금 자면 베개가 굴러 깨도록 만들었음. 전(轉)하여, '고학(苦學)'의 뜻으로 쓰임.
[圓方 원방] '천원지방(天圓地方)'의 준말. 천지 음양(天圓陰陽)의 원리(原理)를 이름.
[圓扉 원비] 환토(圜土)〈주대(周代)의 옥(獄)〉의 문(門). 전(轉)하여, 옥(獄). 환비(圜扉).
[圓衫 원삼]《韓》연둣빛 길에 자줏빛 깃을 달고 색동을 달아 지은 부녀(婦女)의 예복(禮服). 홑것·겹것의 두 가지가 있음.
[圓熟 원숙] ㉠아주 숙련(熟練)함. ㉡인격·지식 따위가 오묘(奧妙)한 경지에 이름.
[圓心 원심] 원(圓)의 중심(中心).
[圓悟 원오] 완전한 깨달음.
[圓圓 원원] 둥근 모양.
[圓融 원융]《佛敎》원활하게 융통(融通)함.
[圓寂 원적] 원만 구족(圓滿具足)한 적멸(寂滅)이라는 뜻으로, 중의 죽음을 이름.
[圓轉 원전] ㉠빙빙 돎. 구름. ㉡거침이 없음. 또, 자유자재로 함.
[圓轉滑脫 원전활탈] 말이나 또는 일을 처리하는

데 모나지 않고 원만하게 변화하여 거침이 없음.
[圓頂 원정] ㉠둥근 머리. ㉡중. 승려(僧侶).
[圓鑿方枘 원조방예] 둥근 구멍에 네모진 자루를 박는다는 뜻으로, 서로 맞지 않는 사물을 이름.
[圓坐 원좌] 빙 둘러앉음. 또, 그 자리.
[圓周 원주] 원의 둘레.
[圓柱 원주] 둥근 기둥. 원기둥.
[圓池 원지] 둥근 못.
[圓陣 원진] 둥근 진형(陣形).
[圓卓會議 원탁회의] 여러 사람이 둥근 테이블을 중심(中心)하여 죽 둘러앉아서 하는 회의(會議).
[圓通 원통]《佛敎》두루 통달함. 보살(菩薩)의 묘오(妙悟)의 이름.
[圓通大士 원통대사]《佛敎》관세음보살(觀世音菩薩)의 이칭(異稱).
[圓形 원형] 둥근 형상(形狀).
[圓活 원활] ㉠막히는 데가 없이 자유자재로 함. 일이 거침없이 잘되어 나감. ㉡부드럽고 생기가 있음.
[圓滑 원활] ㉠둥글고 매끈매끈함. ㉡잘 진행되어 거침이 없음.
●高圓. 廣圓. 穹圓. 團圓. 大團圓. 大圓. 同心圓. 半圓. 方圓. 範圓. 素圓. 一圓. 前方後圓. 周圓. 淸圓. 橢圓. 扁圓. 平圓. 渾圓. 洪圓.

11 ⑭ [圖] 〔中〕도 ㉠虞 同都切 tú 　图圖

筆順 冂 冂 冂 冃 冒 昌 圖 圖

字解 ①그림 도 ㉠회화. '繪一'. '畫北風一, 人見之覺涼'《博物志》. ㉡지도. '掌天下之一, 以掌天下之地'《周禮》. ②그릴 도 그림을 그림. '一宣尼像'《南史》. ③꾀할 도 계책을 세움. '一謀'. '君與卿一事'《儀禮》. 또, 꾀하여 얻음. 도모(圖謀)하여 취득함. '天下可一也'《戰國策》. ④헤아릴 도 사고함. '是究是一'《詩經》. ⑤다스릴 도 죄를 다스림. '無使滋蔓, 蔓難一也'《左傳》. ⑥하도 도 복희씨(伏羲氏) 때 황허(黃河)에서 나왔다는 팔괘(八卦)의 그림. '一緯'. '河出一, 洛出書'《易經》. ⑦성 도 성(姓)의 하나.

字源 金文 [圖] 篆文 [圖] 會意. 口+啚. '口위'는 '두르다'의 뜻. '啚비'는 쌀 창고를 본떠, 경작지가 있는 경계 구역을 뜻함. 경계 등을 명확하게 하기 위한 축도(縮圖), 지도의 뜻을 나타냄. 또, '度도'와 통하여 '헤아리다'의 뜻도 나타냄.

參考 図(口部 四畫)는 俗字.

[圖工 도공] 화공(畫工). 「함.
[圖南 도남] 대업(大業) 또는 원정(遠征)을 계획
[圖南鵬翼 도남붕익] 대업(大業) 또는 원정(遠征)을 계획하는 큰 뜻.
[圖得 도득] 도모(圖謀)하여 얻음.
[圖籙 도록] 미래의 길흉(吉凶)을 예언하여 기록한 책. 도참(圖讖).
[圖賴 도뢰] 말썽을 일으키거나 일을 저지르고 그 허물을 남에게 돌려 씌움.
[圖免 도면] 모면하기를 꾀함.
[圖面 도면] 토목(土木)·건축(建築)·임야(林野) 등을 제도기로 그린 그림.
[圖謀 도모] 일을 이루려고 꾀함.

[圖史 도사] 도서 (圖書).
[圖寫 도사] 그려 옮김. 묘사함.
[圖像 도상] 그림에 그린 초상 (肖像). 화상 (畫像).
[圖生 도생] 살기를 꾀함.
[圖書 도서] ㉠'하도낙서 (河圖洛書)'의 준말. ㉡그림과 책. 또, 지도와 책. ㉢책. 서적.
[圖署 도서] 도서 (圖書)에 찍는 인 (印).
[圖書館 도서관] 온갖 도서 (圖書)를 모아 두고 공중 (公衆)에게 열람 (閱覽)시키는 곳.
[圖說 도설] 그림을 넣어 설명함. 또, 그 책.
[圖示 도시] 그림으로 그려 보임.
[圖式 도식] ㉠그림으로 그린 양식. ㉡그림의 형식.
[圖樣 도양] 그림의 양식.
[圖緯 도위] 하도 (河圖)와 위서 (緯書). 모두 미래의 일과 점술 (占術)에 관하여 기술한 책임.
[圖議 도의] 상의함.
[圖章 도장] 인장 (印章). 인 (印).
[圖籍 도적] ㉠지도와 호적 (戶籍). ㉡그림과 책.
[圖讚 도찬] 그림의 여백 (餘白)에 써 넣는 찬사 (讚辭), 또는 시가 (詩歌). 화찬 (畫讚).
[圖讖 도참] 장래의 길흉을 예언한 책. 미래기 (未來記).
[圖遞 도체] 체직 (遞職)하기를 도모함.
[圖抄 도초] 그려 옮김. 묘사함.
[圖囑 도촉] 청촉 (請囑)하려고 꾀함.
[圖避 도피] 몸을 피 (避)하려고 꾀함.
[圖解 도해] ㉠그림의 내용의 설명 (說明). ㉡그림으로 풀어 놓은 설명. ㉢문자 (文字)의 설명 속에 그림을 끼워 그 부족한 것을 보조한 풀이.
[圖形 도형] 그린 형상 (形狀). 또, 형상을 그림.
[圖畫 도화] 그림. 또, 그림을 그림.
[圖繪寶鑑 도회보감] 책 이름. 원 (元)나라의 하문언 (夏文彦)이 엮음. 5권. 상고 (上古)부터 원 (元)나라까지의 화가 1천5백여 인의 화품 (畫品)을 평하였음. 화사 (畫史) 중에서 가장 상세 (詳細)함. 명 (明)나라 한앙 (韓昂)이 찬 (撰)한 〈속도회보감 (續圖繪寶鑑)〉 1권이 있음.
[圖畫 도획] 계획. 또, 계획함.
● 乾圖. 系圖. 計圖. 構圖. 規圖. 企圖. 期圖. 謀圖. 浮圖. 不圖. 佛圖. 設計圖. 深圖. 暗射地圖. 略圖. 良圖. 淵圖. 令圖. 永圖. 英圖. 奧地圖. 籠圖. 雄圖. 遠圖. 意圖. 異圖. 作圖. 壯圖. 帝圖. 製圖. 鳥瞰圖. 地圖. 指圖. 地形圖. 天氣圖. 縮圖. 版圖. 覇圖. 河圖. 海圖. 洪圖. 鴻圖. 畫圖. 皇圖. 繪圖. 橫圖. 後圖. 休圖.

11
⑭ [圖] 圖(前條)의 俗字

11
⑭ [圝] 圖(前前條)의 古字

11
⑭ [團] 〔高入〕단 ㉠寒 度官切 tuán   团圑

筆順 冂 冂 冃 圃 圃 團 團 團

字解 ①둥글 단 '一圓'. '昱奕朝露一'《謝靈運》. ②모일 단 한 곳으로 옴. 또, 엉겨 굳어짐. '澗深冰已一'《盧象》. ③모을 단 한데 합침. '枝枝若手一'《李建勳》. ④모임 단 단체. '軍一'. '財一'. 또, 둥글게 뭉친 것. '一子'. '蒸炊豆作

一'《陸游》. ⑤성 단 성 (姓)의 하나.
字源 金文 [團] 篆文 [團]   形聲. 口+專[音]. '專전'은 실을 실패에 감다의 뜻. 둥글게 하다, 둥글게 굳어지다의 뜻을 나타냄.
参考 団(口部 三畫)은 略字.

[團結 단결] 여러 사람이 서로 결합 (結合)함. 또, 여러 사람을 단체로 결합시킴.
[團團 단단] ㉠둥근 모양. ㉡이슬이 많은 모양.
[團欒 단란] ㉠친밀 (親密)하게 한곳에서 즐김. 또, 그 모임. ㉡둥근 모양. ㉢단자 (團子). 또, 단자를 만듦.
[團飯 단반] 주먹밥.
[團匪 단비] ㉠떼를 지어 다니는 비도 (匪徒). ㉡북청 사변 (北淸事變)을 일으킨 폭도 (暴徒)를 이름.
[團扇 단선] 둥근 형상 (形狀)의 부채.
[團束 단속] 잡도리를 단단히 함.
[團圓 단원] ㉠둥긂. 둥근 모양. ㉡끝. 주로 소설·사건 등의 완결을 이름. ㉢단란 (團欒). ●
[團圓節 단원절] 음력 8월 15. 추석날. 이날 시집간 여자는 친정에 가서 근친 (覲親)하고 그 날로 집으로 돌아옴.
[團月 단월] 둥근 달. 만월 (滿月).
[團子 단자] 곡식 가루를 둥글게 빚어서 고물을 묻힌 떡.
[團長 단장] 단체의 우두머리.
[團坐 단좌] 빙 둘러앉음. 또, 그 자리.
[團體 단체] ㉠공동의 목적 (目的)을 달성하기 위하여 결합 (結合)한 집단. ㉡집단 (集團).
[團聚 단취] 집안의 식구 (食口)나 친한 사람끼리 화목 (和睦)하게 모임.
[團合 단합] 단결 (團結).
[團環 단환] 배목이 달려 있는 둥근 문고리.
[團會 단회] 원만 (圓滿)한 모임.
● 結團. 公團. 敎團. 球團. 軍團. 劇團. 氣團. 兵團. 粉團. 社團. 師團. 船團. 星團. 樂團. 旅團. 獵團. 營團. 肉團. 疑團. 一團. 財團. 集團. 退團. 蒲團. 海兵旅團.

12
⑮ [圖] 〔도〕 圖(口部 十一畫〈p.429〉)의 俗字

13
⑯ [圓] 〔高入〕 환 ㉠刪 戶關切 huán   圓
               〔高入〕 원 ㉡先 王權切 yuán

字解 ㉠두를 환, 에울 환 에워쌈. '一繞'. '天下一視而起'《賈誼》. ㉡둥글 원 圓(口部 十畫)과 同字. '一陣'. '袂一以應規《禮記》.
字源 篆文 [圓]   形聲. 口+睘(買)[音]. '睘선'은 '두르다'의 뜻. '둥글다, 두르다'의 뜻을 나타냄.

[圓冠 원관] 둥근 갓. 곧, 유자 (儒者)의 모자.
[圓丘 원구] 원형의 언덕으로서 천자 (天子)가 동지 (冬至)에 하늘에 제사 지내는 곳.
[圓鑿方枘 원조방예] '원조방예 (圓鑿方枘)'와 같음.
[圓陣 원진] 원형 (圓形)의 진 (陣).
[圓流 환류] 돌아서 흐름.
[圓法 환법] 화폐 (貨幣)의 제도 (制度).
[圓視 환시] 둘러싸고 봄.
[圓繞 환요] 에워쌈. 위요 (圍繞)함.
[圓牆 환장] ㉠옥 (獄). 감옥 (監獄). ㉡천자 (天子)

의 학교.

[圜土 환토] 둥글게 둘러싼 감옥(監獄). 옥(獄).

●刑方爲圜. 輪圜. 從諫如轉圜. 破觚爲圜.

13
⑯ [圛] 역 ㈐陌 羊益切 yì

字解 돌아다닐 역 주행(周行)함. ‘一, 回行也’《說文》.

字源 形聲. 囗+睪[音]. ‘睪역’은 ‘끌다’의 뜻. 둥글게 끌다, 돌아다니다의 뜻을 나타냄.

19
㉒ [圞] 란 ㉠寒 落官切 luán

字解 둥글 란 원형임. ‘意比小團一’《孟郊》.

字源 形聲. 囗+綿[音].

●團圞.

23
㉖ [圛] 圞(前條)의 俗字

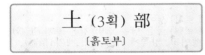

土 (3획) 部
〔흙토부〕

0
③ [土] ㊥⊢ㅌ 토 ㊀襄 他魯切 tǔ
　　　 ㊂⊣ㅌ 두 ㊀襄 徒古切 dù

筆順 一 十 土

字解 ⬛ ①흙 토 ㊀토양. ‘一砂’. ‘冀州厥一惟白壤’《書經》. ㉠오행(五行)의 하나. ‘水·火·木·金·石·匏·絲·竹·革·木’. ②땅 토 ㊀육지. ‘自服一中’《書經》. ㉡나라. ‘晉之啓一’《國語》. ㉢영토. ‘不貪其一’《左傳》. ㉣장소. 곳. ‘有人此有一’《大學》. ㉤고향. ‘小人懷一’《論語》. ③살 토 거주함. ‘自一漆沮’《詩經》. ④잴 토 측량함. ‘以一圭之濩’, ‘測土深, 正日景以求地中’《周禮》. ⑤토성 토 별 이름. ⑥성 토 성(姓)의 하나. ⬛ 뿌리 두 초목의 뿌리. 杜(木部 三畫)와 同字. ‘徹彼桑一’《詩經》.

字源 象形. 토지의 신을 제사 지내기 위하여 기둥꼴로 군힌 흙의 모양을 본떠, ‘흙’의 뜻을 나타냄. ‘社士’의 원자(原字).

參考 부수(部首)로서 흙으로 된 것, 흙의 상태, 흙에 손질을 가하는 일 등에 관계되는 문자를 이룸. ‘흙토변’으로 이름.

[土價 토가] 땅값. 지가(地價).
[土坎 토감] 구덩이.
[土疆 토강] 땅의 경계.
[土芥 토개] 흙과 쓰레기. 전(轉)하여, 하잘것없는 것.
[土梗 토경] ㊀토우(土偶). ㉠가짜.
[土階 토계] 흙으로 만든 계단.
[土階茅茨 토계모자] 흙으로 만든 계단이나, 띠풀로 엮어 만든 엉성한 지붕. 곧, 아주 질소(質

素)한 모양.
[土膏 토고] 땅이 기름짐.
[土鼓藤 토고등] 새모래덩굴과에 속하는 낙엽 활엽 만초(蔓草). 댕댕이덩굴.
[土工 토공] ㊀도공(陶工). 옹기장(甕器匠). ㉠토(土)의 공사(工事).
[土功 토공] 토목 공사(土木工事).
[土瓜 토과] 박과에 속하는 다년생 만초(蔓草). 쥐참외.
[土管 토관] 흙으로 구워 만든 관. 배수로(排水路)에나 굴뚝에 흔히 씀.
[土塊 토괴] 흙덩이.
[土狗 토구] 곤충의 하나. 땅강아지.
[土寇 토구] 시골에서 일어나는 도둑의 떼. 지방(地方)에서 일어나는 난민(亂民).
[土國 토국] 평평한 땅. 산(山)이나 늪이 없는 지역(地域).
[土窟 토굴] 땅속으로 뚫린 큰 굴.
[土簋 토궤] 서직(黍稷)을 담는 토제(土製)의 제기(祭器).
[土圭 토규] 일영(日影) 또는 토지를 재는 데 쓰는 옥(玉).
[土克水 토극수] 오행(五行)에서 흙이 물을 이긴다는 뜻.
[土金 토금] ㊀흙이나 모래 속에 섞여 있는 금(金). ㉠금(金)빛이 나는 흙.
[土氣 토기] 지기(地氣).
[土器 토기] 질그릇.
[土囊 토낭] ㊀토돈(土豚). ㉠땅에 뚫린 큰 구멍.
[土農 토농] 그 곳에서 붙박이로 살며 농사(農事)를 짓는 사람. 토착(土着)의 농민(農民).
[土壇 토단] 흙으로 쌓아서 만든 단.
[土當歸 토당귀] 오가과(五加科)에 속하는 여러해살이풀. 동양 특산. 여름·가을에 흰 꽃이 피고 어린 줄기와 잎은 먹음. 땃두릅나무.
[土臺 토대] ㊀흙으로 쌓아 올린 대(臺). ㉠집의 가장 아랫도리가 되는 밑바탕.
[土豚 토돈] 성(城)·둑을 쌓는 데 필요한, 모래를 넣은 섬.
[土屯 토둔] 작은 언덕.
[土坻 토둔] 토돈(土豚).
[土力 토력] 식물(植物)을 기르는 땅의 힘.
[土龍 토룡] ㊀흙으로 만든 용(龍). 옛날에 기우제(祈雨祭)에 썼음. ㉠두더지. ㉢지렁이.
[土理 토리] ㊀흙의 메마르고 기름진 성질(性質). ㉠흙의 어떠한 식물에 맞고 안 맞는 성질.
[土幕 토막] 움집.
[土饅頭 토만두] 흙을 둥그렇게 쌓아 올린 무덤.
[土脈 토맥] 토지(土地)의 맥리(脈理). 지맥(地脈).
[土毛 토모] 땅에서 자라는 식물.
[土木 토목] ㊀흙과 나무. 전(轉)하여, 자연 그대로 두고 수식(修飾)하지 아니함. 꾸미지 아니함. ㉠가옥(家屋)·교량(橋梁)·제방(堤防) 등의 공사(工事). 토목 공사(土木工事).
[土蚊鳥 토문조] 쪽독샛과(科)에 속하는 새. 밤중에 나와 벌레를 잡아먹음. 바람개비.
[土民 토민] 토착의 백성. 여러 대(代)를 그 땅에서 붙박이로 사는 백성.
[土班 토반]《韓》여러 대(代)를 벼슬을 하지 못하고 한 지방에서 붙박이로 사는 지체가 낮은 양반(兩班). 향족(鄕族).
[土壁 토벽] 흙벽.
[土兵 토병] 그 땅에 붙박이로 사는 사람으로서 뽑

힌 군사(軍士).

[土瓶 토병] 질병.

[土蜂 토봉] 땅벌.

[土崩 토붕] 흙이 무너지듯이 일이 잘 안되어 도저히 손을 댈 여지가 없음.

[土崩瓦解 토붕와해] 흙이 무너지고 기와가 깨지듯이 일이 근본부터 글러 나가 도저히 어찌할 도리가 없음.

[土匪 토비] 토구(土寇).

[土殯 토빈] 장사(葬事)를 지내기 전에 관(棺)을 임시로 묻음.

[土司 토사] 변방(邊方)의 토만(土蠻)을 맡은 벼슬. 그 지방의 추장(酋長)을 이 벼슬에 임명함.

[土沙 토사] 모래.

[土山 토산] 돌이 없고 흙으로만 된 작은 산(山).

[土產 토산] 그 토지의 산물.

[土色 토색] 파랗게 질린 안색.

[土星 토성] 태양계(太陽系)에서 제6위에 있는 유성(遊星). 직경(直徑)이 지구의 약 아홉 곱. 29년 167일에 태양(太陽)을 한 바퀴 돎.

[土城 토성] ㉠흙으로 쌓아 올린 성. ㉡개자리 뒤에 흙을 쌓아 화살을 막는 곳. 무겁.

[土俗 토속] 그 지방(地方)의 특유(特有)한 풍속(風俗).

[土習 토습] 토속(土俗).

[土神 토신] 토지의 신(神).

[土室 토실] 토굴(土窟).

[土壤 토양] ㉠흙. 토지(土地). ㉡국토(國土).

[土語 토어] 그 땅의 토인(土人)이 쓰는 말. 그 지방의 고유(固有)한 언어(言語). 방언(方言).

[土域 토역] 나라 안. 국내. 지역(地域).

[土沃 토옥] 토지(土地)가 기름짐.

[土屋 토옥] 토담집.

[土旺 토왕] 오행(五行)에서 토기(土氣)가 왕성한 절기. 1년에 네 기간이 있어서 한 기간을 18일 동안으로 하는데, 입하(立夏) 전 18일을 봄의 토왕, 입추(立秋) 전 18일을 여름의 토왕, 입동(立冬) 전 18일을 가을의 토왕, 입춘(立春) 전 18일을 겨울의 토왕이라 함.

[土曜 토요] 칠요(七曜)의 하나. 일요일(日曜日)로부터 일곱째 날. 토요일(土曜日).

[土浴 토욕] ㉠닭이 흙을 파서 헤치고 들어앉아서 버르적거림. ㉡말이 땅에 뒹굴어 몸을 비빔.

[土宇 토우] 나라. 국가(國家).

[土雨 토우] 바람에 날려 떨어지는 가벼운 모래흙. 흙비.

[土偶 토우] 흙으로 만든 인형(人形).

[土牛木馬 토우목마] 흙으로 만든 소와 나무로 만든 말이라는 뜻으로, 외관(外觀)만은 좋으나 실속이 없는 것의 비유.

[土垣 토원] 흙으로 쌓아서 만든 담. 토담.

[土音 토음] 그 지방(地方) 사람의 발음(發音). 향음(鄉音).

[土宜 토의] ㉠풍토(風土)에 적합한 식물. 그 토지에 맞는 농작물. ㉡그 땅의 산물.

[土人 토인] ㉠그 지방 사람. 대대(代代)로 그 땅에서 붙박이로 사는 사람. ㉡흙으로 만든 인형(人形). 토우(土偶).

[土苴 토자] 두엄 풀. 또, 쓰레기. 진개(塵芥). 전(轉)하여, 가자.

[土葬 토장] 죽은 사람을 땅속에 묻어 장사 지냄.

[土醬 토장] 된장.

[土鐺 토쟁] 토제(土製)의 노구솥.

[土豬 토저] 오소리.

[土賊 토적] 토구(土寇).

[土積成山 토적성산] '진합태산(塵合泰山)'과 같음.

[土鼎 토정] 질솥.

[土族 토족] 토반(土班)의 족속(族屬).

[土螽 토종] 각시메뚜기.

[土地 토지] 땅. 지면(地面).

[土蜘蛛 토지주] 땅거미.

[土疾 토질] 그 곳의 수토(水土)가 좋지 않아서 생기는 병(病).

[土質 토질] 토지(土地)의 성질(性質).

[土着 토착] 대대로 그 땅에서 살고 있음. 또, 그 백성. 토착민(土着民).

[土着民 토착민] 대대로 그 땅에서 살고 있는 백성.

[土蟲 토충] 지네. 곧, 오공(蜈蚣)의 별칭(別稱).

[土炭 토탄] 석탄의 한 종류. 연대(年代)가 오래지 아니하여 탄화 작용(炭化作用)이 완전히 못된 것.

[土版 토판] 흙으로 만든 책판(冊版).

[土豹 토표] 스라소니.

[土品 토품] 토지(土地)의 품질.

[土風 토풍] 지방의 풍속. 토속(土俗).

[土皮 토피] 식물(植物)로 덮인 땅의 거죽. 지피(地皮).

[土蝦 토하] 생이.

[土鉶 토형] 국을 담는 냄비 같은 토기(土器). 발이 셋이고, 양쪽에 귀가 달린 제기(祭器).

[土豪 토호] 지방(地方)의 호족(豪族).

[土豪劣紳 토호열신] 토지(土地)의 세력자(勢力者)와 부정(不正)한 신사(紳士)란 뜻. 관료(官僚)나 군벌(軍閥)과 손을 잡고 일반 백성들을 부당하게 주구(誅求)하는 지방(地方)의 지주(地主) 및 자산가(資産家).

[土化 토화] 경작(耕作).

[土花 토화] ㉠축축한 기운으로 생기는 곰팡이. ㉡가리맛. 진합(眞蛤).

[土話 토화] 토어(土語). 사투리.

[土梟 토효] 올빼미.

[土堠 토후] 이정(里程)을 표시하기 위하여 흙을 높이 쌓은 것. 돈대.

●疆土. 客土. 境土. 故土. 曠土. 壞土. 丘土. 國土. 吉土. 樂土. 祿土. 累土. 唐土. 陶土. 冥土. 茅土. 方土. 邦土. 邊土. 本土. 封土. 腐植土. 抔土. 腐土. 敷土. 糞土. 肥土. 沙土. 西方淨土. 星土. 率土. 水土. 十萬億土. 埃土. 壤土. 領土. 穢土. 沃土. 王土. 流金焦土. 有土. 泥土. 異土. 一抔土. 瓷土. 寂光土. 赤土. 田土. 全土. 粘土. 淨土. 塵土. 尺土. 拓土. 瘠土. 草土. 焦土. 寸土. 冢土. 出土. 填土. 風土. 下土. 漢土. 鹹土. 鄉土. 圜土. 荒土. 黃土. 朽木糞土. 后土.

[圡]
1획 ④ 土(前條)의 俗字

[圠]
1획 ④ 알 ㈜點 烏點切 yà

字解 펀할 알 편편하고 아득하게 넓음. '圠一'.

字源 形聲. 土+乙(乙)〔音〕

●圠圠.

[去] 〔거〕
厶部 三畫(p.325)을 보라.

2
⑤ [尣] 록 ㉠屋 力谷切 lù

字解 ①버섯 록 '菌一'은 버섯의 딴 이름. '雜字韻寶, 地蕈曰菌一'《字彙補》. ②두꺼비 록 '一黿'은 두꺼비의 딴 이름. '一黿, 詹諸也'《說文》. ③나아가지않을 록 ㉠앞으로 나아가지 않는 모양. 굼뜬 모양. '一黿, 詹諸也, … 其行一一. (注)一一, 擧足不能前之皃'《說文》.

2
⑤ [卟] 박 ㉠覺 匹角切 pú

字解 흙덩이 박 토괴(土塊). 墣(土部 十二畫)과 同字. '土勝水, 非一一塞江'《淮南子》.

字源 篆 墣 形聲. 土+卜〔音〕

2
⑤ [圣] ▤ 골 ㉠月 苦骨切 kū
▤ 성 shèng

字解 ▤ 힘써밭갈 골 부지런히 밭을 갊. '一, 汝潁之間, 謂致力於地曰一'《說文》. ▤ 聖(耳部 七畫)의 俗字·簡體字.

字源 會意. 又+土

2
⑤ [厓] 〔압·염〕
壓(土部 十四畫〈p.470〉)의 略字

3
⑥ [圭] ㉠名 규 ㉮齊 古攜切 guī

筆順 一 十 土 圭 圭 圭

字解 ①홀 규 고대에 제후(諸侯)가 조회(朝會)·회동(會同)할 때 손에 갖는 위가 둥글고 아래가 모진 길쭉한 옥(玉). 천자가 제후를 봉(封)할 때 줌. ②용량단위 규 기장 알 64개의 용량. '一勺'. 전(轉)하여, 소량(少量)의 뜻으로 쓰임. '量多少者, 不失一撮'《漢書》. ③모 규 모서리. '磨淬出角一'《韓愈》. ④성 규 성(姓)의 하나.

字源 金文 圭 篆文 圭 象形. 가로와 세로의 선을 이어 기하학적인 문양을 본떠서, 위가 원뿔꼴, 아래가 모지며, 아래의 모진 부분에 기하학적 무늬를 새긴 '옥'의 뜻을 나타냄. 〔圭①〕

[圭角 규각] ㉠홀의 모진 데. 모서리. ㉡언어(言語)·행동이 모져서 남과 서로 맞지 아니함.
[圭竇 규두] 홀 모양으로 된 문 옆의 출입구.
[圭璧 규벽] 제후(諸侯)가 천자(天子)를 알현(謁見)할 때에 갖는 옥(玉). 규(圭)와 벽(璧). 오서(五瑞) 참조.
[圭復 규복] 남의 편지를 재삼(再三) 되풀이하여 자세히 읽음.
[圭臬 규얼] ㉠해 그림자를 재는 나무표(表). 해시계. ㉡법도(法度). 표준(標準).
[圭勺 규작] 용량(容量)의 단위인 규(圭)와 작(勺). 전(轉)하여, 근소(僅少)한 분량(分量).
[圭璋 규장] ㉠예식(禮式) 때에 장식(裝飾)으로 쓰이는 귀한 옥(玉). ㉡고귀(高貴)한 인품(人品)의 비유(譬喩).
[圭田 규전] ㉠녹(祿) 이외에 별도로 주어 그 수확(收穫)으로 제사(祭祀)를 지내는 밭. ㉡이등변 삼각형(二等邊三角形)으로 된 전답.
[圭瓚 규찬] 종묘(宗廟)에서 쓰는 제기(祭器). 창주(鬯酒)를 담음. 옥찬(玉瓚).

〔圭瓚〕

[圭撮 규촬] 한 규(圭)와 네 규(圭)의 분량. 규(圭)는 기장 알 예순넷의 분량이고 촬(撮)의 네 배(倍). 전(轉)하여, 근소(僅少)한 양.
[圭表 규표] 해의 그림자를 재는 기기(器機).
◉刀圭. 三復白圭. 白圭. 日圭. 簪圭. 土圭. 桓圭.

[寺] 〔사〕
寸部 三畫(p.602)을 보라.

3
⑥ [靑] ▤ 각 ㉠覺 克角切 què
▤ 강 ㉮江 枯江切

字解 ▤ 장막 각 위쪽에 장식을 단 장막(帳幕)의 모양. '一, 幬帳之象'《說文》. ▤ 장막 강 ▤과 뜻이 같음.

字源 象形. 위에 장식을 단 속이 빈 천막 또는 악기(樂器)의 모양을 본뜸.

3
⑥ [圩] ㉠名 우 ㉮虞 雲俱切 yú

字解 우묵들어갈 우 가운데가 움푹 들어감. '孔子生而一頂, 故名丘'《史記》.

字源 形聲. 土+于〔音〕. '于우'는 활 모양으로 굽다의 뜻.

[圩頂 우정] 가운데가 움푹 들어간 정수리.

3
⑥ [圬] 오 ㉮虞 哀都切 wū

字解 흙손 오, 흙질할 오 杇(木部 三畫)와 同字. '一墁. 一人以時塓館宮室'《左傳》.

字源 形聲. 土+亏〔音〕. '亏우'는 '구부려지다'의 뜻. 흙을 바르기 위한 자루가 구부러진 흙손의 뜻을 나타냄.

[圬墁 오만] 미장이.
[圬人 오인] 미장이.

3
⑥ [圮] 비 ㉮紙 符鄙切 pǐ

字解 무너질 비, 무너뜨릴 비 허물어짐. 허물어뜨림. '雉堞一毁'《王禹偁》.

字源 篆 圮 形聲. 土+己〔音〕의 뜻. '己기'는 '무너지다'의 뜻에서, '무너지다, 무너뜨리다'의 뜻을 나타냄.

參考 圯(次條)는 別字.

[圮缺 비결] 깨지고 이지러짐.
[圮裂 비열] 무너지고 갈라짐.
[圮毁 비훼] 무너짐.
◉窮圮. 埋圮. 摧圮. 通圮. 頹圮.

3
⑥ [圯] 이 ㉮支 與之切 yí

[字解] 흙다리 이 흙으로 쌓은 다리. '—橋'. '遊下邳—上'《漢書》.

[字源] 篆文 圯 形聲. 土＋巳〔音〕

[參考] 圮(前條)는 別字.

[圯橋 이교] ㉠흙다리. ㉡장쑤 성(江蘇省)에 있던 다리. 장량(張良)이 황석공(黃石公)에게 태공(太公)의 병법(兵法)을 받은 곳.
[圯橋取履 이교취리] 장량(張良)이 이교(圯橋)에서 황석공(黃石公)이 다리 밑에 떨어뜨린 신을 주워다가 그에게 신게 하고 병서(兵書)를 받은 고사(故事).
[圯上老人 이상노인] 황석공(黃石公)의 일컬음.

3
⑥ [地] 中人 지 ㊀眞 徒四切 dì

[筆順] 一 十 土 圴 圴 地

[字解] ①땅 지 ㉠토양(土壤). '土—'. '一, 積塊耳'《列子》. ㉡국토(國土). '一方千里'《孟子》. ㉢논밭. '井—不均'《孟子》. ㉣장소. '臨死亡之一'《淮南子》. ㉤거소. 입장. '禹·稷·顔子, 易—則皆然'《孟子》. ㉥뭍. 육지. '若闕—及泉'《左傳》. ㉦땅의 신(神). 지기(地祇). '祀天祭—'《禮記》. '醜德齊—'. ③다만 지 但(人部 五畫)과 뜻이 같음. '西曹—忍之'《漢書》. ④어조사 지 무의미한 조사(助辭). '一頭—'. '忽一下階裙帶解'《王建》. ⑤성 지 성(姓)의 하나.

[字源] 篆文 地 籒文 墬 形聲. 土＋也〔音〕. '也야'는 뱀을 본뜬 것으로, 꾸불꾸불 이어진 모양을 나타냄. 꾸불꾸불 이어지는 땅의 뜻을 나타냄. 籒文은 自＋土＋象〔音〕의 形聲. '自부'는 높은 땅, '土토'는 평지, 그 둘을 합쳐서 널리 '땅'을 이름.

[地價 지가] ㉠땅값. ㉡토지(土地)의 법정 가격(法定價格).
[地角 지각] 대지(大地)의 모퉁이. 땅의 끝.
[地殼 지각] 지구(地球)의 거죽 껍데기. 주(主)로 편마암(片麻巖)·결정편마암(結晶片麻巖)·변성암(變成巖)·화강암(花崗巖) 등으로 되었음.
[地芥 지개] 지상(地上)의 쓰레기.
[地境 지경] 땅의 경계(境界).
[地界 지계] 지경(地境).
[地階 지계] ㉠고층 건물(高層建物)의 제일계(第一階). ㉡지하실(地下室).
[地鷄 지계] 곤충의 하나. 쥐며느리.
[地廓 지곽] 위아래의 눈시울.
[地官 지관] ㉠주(周)나라 때의 육관(六官)의 하나. 교육·인사(人事)·토지(土地) 등에 관한 일을 맡았음. 사도(司徒). ㉡지술(地術)을 알아서 집터·묏자리 등을 잡는 사람.
[地紘 지굉] 대지(大地)를 유지(維持)하는 동아줄. 땅을 성립시키고 유지하는 자연의 힘. 천강(天綱)의 대(對).
[地久 지구] 땅이 영원(永遠)히 변하지 아니함.
[地球 지구] 우리가 살고 있는 땅덩어리로 태양계(太陽系)에 속하는 유성(遊星)의 하나. 면적(面積)이 약(約) 5억2천8백만 km².
[地球儀 지구의] 지도(地圖)를 그린 지구(地球)의 모형(模型).

[地券 지권] 땅문서(文書).
[地金 지금] 제품(製品)으로 만들거나 세공하지 않은 황금(黃金).
[地錦 지금] 포도과에 딸린 다년생 덩굴 식물. 담쟁이.
[地祇 지기] 국토(國土)의 신(神).
[地氣 지기] ㉠땅의 눅눅한 기운. ㉡동식물(動植物)의 생육(生育)을 돕는 자연계(自然界)의 기운.
[地段 지단] 땅의 구분(區分)된 조각.
[地代 지대] 땅을 이용(利用)한 값으로 지주(地主)에게 내는 돈, 또는 현물(現物).
[地帶 지대] 자연이나 인위(人爲)로 한정(限定)된 땅의 구역(區域)의 안.
[地大物博 지대물박] 땅이 넓고 산물(産物)이 많음.
[地道 지도] ㉠대지(大地)의 도(道). 천도(天道) 또는 인도(人道)에 대한 말. ㉡적(敵)을 공격하기 위해서 땅속으로 굴을 파서 만든 길. 지하도(地下道)·참호(塹壕) 따위.
[地圖 지도] 지구(地球) 표면(表面)의 일부 또는 전부를 일정한 축척(縮尺)에 의해 평면 상에 나타낸 그림.
[地突 지돌] 지도(地道)●.
[地動 지동] ㉠지진(地震). ㉡지구(地球)의 운동(運動). 곧, 공전(公轉)과 자전(自傳)의 총칭(總稱).
[地動說 지동설] 지구(地球)의 자전(自傳)에 의하여 주야(晝夜)·사시(四時)가 생긴다고 하는 학설.
[地動儀 지동의] 지진계(地震計).
[地頭 지두] ㉠지위(地位). ㉡장소(場所). ㉢위치(位置).
[地臘 지랍] 도가(道家)에서 지내는 5월 5일의 제사 이름.
[地力 지력] 토지의 생산력.
[地雷 지뢰] 적을 살상하거나 건물을 파괴할 목적으로 땅속에 묻는 폭약.
[地籟 지뢰] 지상(地上)에서 나는 모든 소리.
[地雷火 지뢰화] 지뢰(地雷).
[地龍 지룡] 지렁이.
[地利 지리] ㉠요해처(要害處)로 된 지세(地勢). ㉡토지의 생산(生産)으로 얻는 이익(利益).
[地理 지리] ㉠땅의 고저(高低)·광협(廣狹)의 상태. ㉡지구 상(地球上)의 산천(山川)과 해륙(海陸)의 위치 및 형상·기후(氣候)·생물(生物)·인구(人口)·물산(物産) 등에 관한 사항.
[地利不如人和 지리불여인화] 지형 상(地形上) 유리한 산천(山川)의 요해(要害)도 인심(人心)이 일치한 것만 같지 못함.
[地理學 지리학] 지리(地理)에 관하여 연구하는 학문.
[地望 지망] ㉠지위와 명망. ㉡지체와 명망.
[地脈 지맥] 땅의 맥락(脈絡).
[地面 지면] 땅의 거죽. 토지(土地)의 표면.
[地名 지명] 땅의 이름.
[地毛 지모] 토지의 초목(草木).
[地目 지목] 땅을 구별하는 명목(名目). 곧, 논·밭·집터 따위.
[地文 지문] ㉠지구 상의 산악·하해(河海)의 형상. ㉡지문학(地文學).
[地文學 지문학] 지구(地球)와 다른 천체(天體)와의 관계(關係) 및 육계(陸界)·기계(氣界)·수계(水界)의 모든 현상(現象)을 연구하는 학문. 천

문학(天文學)의 대(對).

[地物 지물] 입목(立木)·암석(巖石) 등, 병사(兵士)의 방패(防牌)가 되는 물건.

[地味 지미] 흙의 메마르고 기름진 성질(性質). 토리(土理).

[地盤 지반] ㉠지각(地殼). ㉡근거(根據)가 되는 땅바닥. 근거지. 또는 사물의 근거를 삼는 자리. 토대.

[地方 지방] ㉠어느 한 방면(方面)의 땅. ㉡서울 밖의 땅. 시골.

[地方色 지방색] 그 지방(地方)에 있는 특별(特別)한 정취(情趣).

[地閥 지벌] 지위(地位)와 문벌.

[地變 지변] 지상(地上)에서 일어나는 괴변(怪變). 지이(地異).

[地步 지보] 자기가 세상에 선 지위(地位). 입각지(立脚地).

[地符 지부] 땅 위에 나타나는 상서로운 조짐(兆朕). 지상(地上)의 상서(祥瑞). 천서(天瑞)의 대(對).

[地史 지사] 지층(地層)의 발달 변천의 역사.

[地師 지사] 지관(地官)❶.

[地上 지상] 땅의 위.

[地上權 지상권] 남의 소유지(所有地)를 사용(使用)할 수 있는 권리.

[地上仙 지상선] ㉠사람이 사는 이 세상에 있다는 상상적인 신선. ㉡오복(五福)이 갖추어져 있어서 팔자(八字)가 좋은 사람을 일컫는 말.

[地貰 지세] 땅을 빌려 쓰는 세(貰).

[地稅 지세] 토지(土地)에 대(對)한 조세(租稅).

[地勢 지세] ㉠토지(土地)의 산물(産物)을 산출(産出)하는 힘. ㉡땅의 생긴 형세(形勢).

[地術 지술] 풍수설(風水說)에 의하여 지리(地理)를 살피어 묏자리·집터 등의 좋고 나쁨을 알아내는 술법(術法).

[地神 지신] 땅을 맡은 신령(神靈).

[地心 지심] 지구의 중심, 또는 내부.

[地涯 지애] 토지(土地)의 끝.

[地域 지역] ㉠땅의 경계. ㉡일정(一定)한 구역(區域) 안의 토지(土地).

[地熱 지열] 땅덩이가 가지고 있는 열(熱).

[地獄 지옥] 《佛敎》 생전의 죄에 의하여 사후(死後) 가책(苛責)을 받는 곳.

[地妖 지요] 땅 위에 일어나는 요괴(妖怪)한 일.

[地位 지위] ㉠있는 곳. 거처(居處). ㉡신분(身分). ㉢입장(立場).

[地楡 지유] 짚신나물과에 딸린 다년초(多年草). 연한 잎은 먹으며 지하경은 외치약(外治藥)으로 쓰임. 오이풀.

[地維 지유] 지굉(地紘).

[地垠 지은] 지애(地涯).

[地衣 지의] ㉠땅 위에 까는 자리. ㉡이끼. 선태 「(蘚苔).

[地異 지이] 땅 위에 일어나는 이변(異變). 곧, 지진(地震)·해소(海嘯)·홍수(洪水)·분화(噴火) 등. 지변(地變).

[地子 지자] 토지에 대한 급여(給與), 또는 조세(租稅). 곧, 사용료.

[地蠶 지잠] 굼벵이. 곧, 제조(蠐螬)의 이칭(異稱).

[地藏 지장] ㉠지하(地下)의 고방(庫房). 땅 밑에 만든 광. ㉡만물을 저장(貯藏)하는 대지(大地). ㉢지장보살(地藏菩薩).

[地藏菩薩 지장보살] 《佛敎》 석가(釋迦)가 입멸(入滅)한 뒤에 미륵보살(彌勒菩薩)이 출세(出世)할 때까지 육도 중생(六道衆生)을 제도(濟度)하는 보살(菩薩). 자비(慈悲)를 주(主)로 하여 어린애들의 영혼을 보호한다 함.

[地積 지적] 토지(土地)의 면적.

[地籍 지적] 토지에 대한 온갖 사항(事項)을 적은 기록.

[地籍圖 지적도] 각 지번(地番)의 면적(面積)을 계산하고 경계를 밝히기 위하여 국가(國家)에서 만든 토지(土地)의 평면도.

[地點 지점] 어디라고 지정(指定)한 땅의 한곳.

[地丁 지정] 민들레. 포공영(蒲公英).

[地精 지정] 인삼(人蔘).

[地租 지조] ㉠토지(土地)의 조세(租稅). 지세(地稅). ㉡소작료(小作料). 도조(賭租).

[地主 지주] ㉠제후(諸侯)가 회합하는 땅의 영주(領主). ㉡토지의 소유자. ㉢토지의 신(神). 지기(地祇).

[地中 지중] ㉠땅속. ㉡광중(壙中).

[地支 지지] 육십갑자(六十甲子)의 아래 단위를 이루는 요소. 곧, 자(子)·축(丑)·인(寅)·묘(卯)·진(辰)·사(巳)·오(午)·미(未)·신(申)·유(酉)·술(戌)·해(亥).

[地志 지지] 지지(地誌).

[地誌 지지] 지리(地理)의 기록.

[地震 지진] 지각(地殼)의 겉이 움직이어 흔들리는 현상(現象).

[地質 지질] 토지의 성질. 곧, 지층(地層)의 상태·토리(土理)의 호불호 등.

[地質學 지질학] 지층(地層)의 상태(狀態)·지각(地殼)의 성립 등 토지(土地)에 관한 모든 사항(事項)을 과학적으로 연구하는 학문(學問).

[地着 지착] 토지(土地)의 정주(定住). 토착(土着).

[地軸 지축] ㉠지구(地球)의 중심을 꿰뚫어 남북 양극(兩極)에 이르는 직선. ㉡대지(大地)의 중심에 있다고 상상한 축(軸).

[地嘴 지취] 갑(岬).

[地層 지층] 지면(地面)에서 물·빙설(氷雪)·바람 등의 작용으로 운반·침적(沈積)된 암석·토사(土沙) 등의 켜.

[地平 지평] 지구의 어떠한 곳에서 지구의 직경(直徑)에 직각(直角)이 되는 평면(平面).

[地平面 지평면] 수평면(水平面)에 평행된 넓은 육지(陸地)의 표면.

[地平線 지평선] 지평면(地平面)과 천공(天空)이 서로 맞닿은 것같이 보이는 선(線).

[地皮 지피] 지각(地殼).

[地下 지하] ㉠지면(地面)의 아래. 땅 밑. ㉡구천(九泉). 저승.

[地下莖 지하경] 땅속에 묻혀 있는 식물(植物)의 줄기.

[地下線 지하선] ㉠땅속으로 묻은 전선(戰線). ㉡지하 철도의 선로(線路).

[地下水 지하수] 땅속에 흐르는 물.

[地下室 지하실] 땅속에 만들어 놓은 방(房), 또는 광.

[地下運動 지하운동] 어떠한 목적을 위하여 법망(法網)을 피하여 잠행적(潛行的)으로 비밀(祕密)히 하는 운동.

[地下鐵道 지하철도] 땅 밑을 파고 궤도(軌道)를 만든 철도(鐵道).

[地陷 지함] 땅이 움푹하게 주저앉음.

[地行仙 지행선] 땅 위를 걸어다니는 신선(神仙)

이라는 뜻으로, 남의 장수(長壽)를 축하하는 말.

[地峽 지협] 두 대륙(大陸)을 연결하는 좁은 육지.

[地形 지형] 땅의 생긴 형상(形狀). 토지의 형세.

[地黃 지황] 현삼과(玄蔘科)에 속(屬)하는 숙근초(宿根草). 잎은 두껍고 긴 타원형(楕圓形)이며 솜털이 있고 꽃은 백색(白色)에 자색(紫色)을 띤 순형화(脣形花)의 약초(藥草).

◉歌舞地. 肝腦塗地. 干潟地. 間地. 居留地. 耕地. 境地. 驚天動地. 經天緯地. 傾天駭地. 故地. 空地. 官有地. 九地. 舊地. 國有地. 跼天蹐地. 窮地. 貴地. 隙地. 極地. 根據地. 禁地. 錦地. 寄地. 基地. 落地. 樂地. 內地. 鹵地. 露地. 綠地. 當地. 大地. 幕天席地. 蘘地. 滿地. 蠻地. 明明地. 墓地. 無人地. 門地. 方外地. 方寸地. 白白地. 白地. 繁華地. 僻地. 壁地. 邊地. 別天地. 腹心地. 服地. 福地. 本地. 封地. 盆地. 不毛地. 私有地. 死地. 產地. 散地. 所有地. 素地. 濕地. 勝地. 植民地. 失地. 實地. 心地. 陽地. 壤地. 魚鹽地. 餘地. 輿地. 領地. 五經掃地. 奧地. 外地. 要地. 用錐指地. 苑地. 危地. 陸地. 隱地. 陰地. 意地. 因地. 一頭地. 一牛鳴地. 日月墜地. 壹敗塗地. 任地. 立脚地. 立地. 立錐地. 瘴地. 赤地. 敵地. 寂天寞地. 田地. 戰地. 轉地. 井地. 整地. 租借地. 震源地. 陣地. 震天動地. 參天貳地. 采地. 菜地. 策源地. 尺地. 拓地. 瘠地. 天地. 寸地. 出一頭地. 測地. 彈丸地. 宅地. 澤地. 土地. 特地. 便地. 平地. 被害地. 閑地. 割地. 含笑入地. 現地. 壺中天地. 活潑潑地. 荒地.

3
⑥ [圳] [一] 수 [平]尤 市流切 zhèn
[二] 천 [平]先 昌緣切 chuān

[字解] [一] 도랑 수 논밭에 만드는 도랑. [二] 땅이름 천 '深一'.

[字源] 會意. 土+川. '土토'와 '川천'을 합쳐, 논밭을 낀 내, '도랑'의 뜻을 나타냄.

3
⑥ [圪] [人名] 을 [入]質 魚乙切 gē

[字解] ①울타리높을 을 울타리가 높은 모양. 圪(土部 四畫)의 本字. '一, 牆高貌也'《說文》. ②높을 을 '一, 高皃'《廣韻》. ③높은흙 을 높게 쌓인 흙더미. '一, 高土'《廣韻》.

[字源] 形聲. 篆文은 土+气〔音〕

3
⑥ [在] [中·人] 재 [去]隊 昨代切 zài
[上]賄 昨宰切

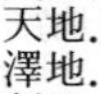

[筆順] 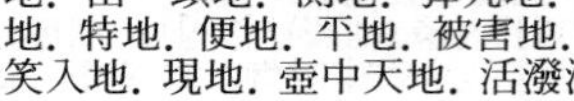

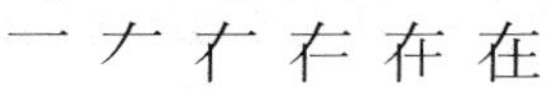

[字解] ①있을 재 ㉠지위·장소 같은 것을 차지함. '一職'. '位一廉頗之右'《史記》. ㉡살아 있음. '一世'. '父一觀其志'《論語》. ㉢단정하는 말. '一明明德'《大學》. ②찾을 재 존문(存問)함. '吾子獨不一寡人'《左傳》. ③살필 재 명찰함. '一璿璣玉衡, 以齊七政'《書經》. ④곳 재 장소. 또, 지경. '行一'. '臨死亡之一'《淮南子》. ⑤성 재 성(姓)의 하나.

[字源] 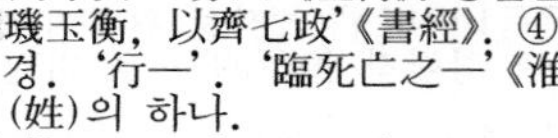

形聲. 金文은 土+才〔音〕. '士사'는 무기인 큰 도끼를 본뜬 것으로, 마귀를 쫓거나 재해로부터 지키는 연모를 나타냄. '才재'는 강의 범람을 막기 위한 보의 象形. 재해를 막아 존재(存在)하게 하는 모양에서, '거기에 있다, 있다'의 뜻을 나타냄. 篆文은 '士'가 '土토'로 바뀜.

[在家 재가] ㉠집에 있음. ㉡《佛教》 집에 있어서 중처럼 도(道)를 닦음. 또, 그 사람. 출가(出家)의 대(對).

[在家無日 재가무일] 분주하게 돌아다녀서 집에 있을 겨를이 없음.

[在家僧 재가승] 대처(帶妻)하고 속인(俗人)과 마찬가지로 살림을 하는 중. 대처승(帶妻僧). 화택승(火宅僧).

[在監 재감] 감옥에 갇혀 있음.

[在京 재경] 서울에 있음.

[在告 재고] 벼슬아치가 말미를 받아 집에 있음.

[在庫品 재고품] 곳간에 쌓여 있는 물품(物品).

[在公 재공] 임금 곁에 봉사(奉仕)함. 또, 조정(朝廷)에 출근(出勤)함.

[在德不在險 재덕부재험] 나라를 다스리는 데는 덕(德)을 베풀어 어진 정사를 하여야 하며, 산천(山川)이 험한 것을 믿어서는 안 된다는 말.

[在來 재래] 그전부터 있어 내려옴.

[在來種 재래종] 전부터 있어 내려온 종자(種子). 개량종(改良種)의 대(對).

[在留 재류] 딴 곳에 가 머물러 있음.

[在三 재삼] 가장 존경하여야 하는 세 가지. 곧, 부(父)·사(師)·군(君).

[在喪 재상] 부모의 상중(喪中)에 있음.

[在昔 재석] 옛날. 옛적.

[在世 재세] 세상에 살아 있음. 또, 그 동안.

[在俗 재속] 《佛教》 재가(在家)한 사람.

[在囚 재수] 옥(獄)에 갇혀 있음.

[在宿 재숙] 외출(外出)하지 아니하고 집에 있음.

[在野 재야] 벼슬을 하지 않고 민간에 있음. 재조(在朝)의 대(對).

[在野黨 재야당] 야당(野黨).

[在外 재외] 외국(外國)에 가 있음.

[在外正貨 재외정화] 국제 대차(國際貸借)를 결제(決濟)하기 위해서 외국(外國)에 둔 자금(資金)으로서의 정화(正貨).

[在位 재위] 임금의 자리에 있음. 또, 그 동안.

[在宥 재유] '자재 관유(自在寬宥)'의 준말. 무위(無爲)로써 천하를 다스림. 자연에 맡기어 간섭하지 않음.

[在在 재재] 이곳저곳. 곳곳. 처처(處處).

[在籍 재적] 호적(戶籍) 또는 학적(學籍)에 적혀 있음.

[在前 재전] 이전. 증왕(曾往).

[在齊太史簡 재제태사간] 제(齊)나라 태사(太史)가 권세(權勢)를 두려워하지 않고 사실(史實)을 사실(史實) 그대로 직필(直筆)한 고사(故事). 태사(太史)는 역사(歷史)를 기록하는 사관(史官). 간(簡)은 옛날 종이가 없었을 때 문자(文字)를 쓰던 댓조각.

[在舟 재주] 우환(憂患)을 같이 나누는 일. '鄧析子曰, 同舟渡海, 中流遇風, 救是如一'에서 나온 말.

[在住 재주] 그곳에 머물러 삶.

[在中 재중] 속에 들어 있음.

[在職 재직] 어느 직장에 직업을 두고 있음.

[在察 재찰] 밝게 살핌. 명찰(明察).

[在下者 재하자] 웃어른을 섬기는 사람.

[在學 재학] 학교에 있어서 공부함.

[在學生 재학생] 현재 학교(學校)에서 공부하고 있는 학생.
[在行 재행]《現》일에 있어서 매우 익숙한 사람. 숙련가(熟練家).
●介在. 健在. 見在. 觀自在. 國破山河在. 近在. 內在. 大天在. 伏在. 不在. 散在. 所在. 實在. 越在. 自由自在. 自在. 潛在. 點在. 祭如在. 存在. 駐在. 滯在. 偏在. 平在. 行在. 現在. 顯在. 好在. 混在.

4/⑦ [圻] 人名 ━ 기 ㊁微 渠希切 qí
　 ━ 은 ㊥文 語斤切 yín

筆順 一 十 土 圹 圻 圻 圻

字解 ━ 서울지경 기 畿(田部 十畫)와 同字. '天子之地一一'《左傳》. ━ 지경 은 垠(土部 六畫)과 통용. '通于無一'《淮南子》.
字源 篆文 坼 形聲. 土＋斤〔音〕

●封圻. 涯圻. 遐圻. 華圻.

4/⑦ [块] 괴塊(土部 十畫〈p.457〉)의 俗字·簡體字

4/⑦ [圾] 급 人緝 逆及切 jí

字解 바드러울 급 위태함. 岌(山部 四畫)과 同字. '殆哉一乎天下'《莊子》.
字源 形聲. 土＋及〔音〕

4/⑦ [址] 人名 지 ㊤紙 諸市切 zhǐ

筆順 一 十 土 圵 圵 圵 址

字解 터 지 阯(阜部 四畫)와 同字. '城一'. '立至化之基一'《後漢書》.
字源 篆文 址 形聲. 土＋止〔音〕. '止지'는 '발'의 뜻. 땅 위의 입각점(立脚點), '터'의 뜻을 나타냄.

●居址. 故址. 舊址. 基址. 丕址. 城址. 餘址. 遺址. 廢址.

4/⑦ [坂] 人名 판 ㊤潸 部版切 bǎn

筆順 一 十 土 圵 圵 坂 坂

字解 ①비탈 판 산이 경사진 곳. '出其一'《左思》. ②고개 판 산이나 언덕을 넘어 다니게 된 비탈진 곳. '一路'. '赤土易熱之一'《漢書》. ③둑 판 제방. '如堤如一'《督書》.
字源 形聲. 土＋反〔音〕. '反반'은 '뒤로 젖혀지다, 휘다'의 뜻. 땅바닥이 휘어진 '비탈'의 뜻을 나타냄. '阪판'의 동일어 이체자(異體字).

[坂路 판로] 고개. 판로(阪路).
●九折坂. 丘坂. 急坂. 芒坂. 絶坂. 峻坂.

4/⑦ [均] 中人 ━ 균 ㊤眞 居勻切 jūn
　 ━ 연 ㊤先 與專切 yán
　 ━ 운 ㊤問 王問切 yùn

筆順 一 十 土 圴 圴 均 均

字解 ━ ①평평할 균 편편함. 고저가 없음. '平一'. 전(轉)하여, 평등. 공평무사. '秉國之一'《詩經》. ②고를 균 ㊀더하고 덜함이 없음. '一齊'. '經界不正, 井地不一'《孟子》. ㊁조화됨. '六轡旣一'《詩經》. ③고르게할 균 과불급(過不及)이 없게 함. 평등하게 함. '天下國家可一也'《中庸》. ④두루 균 모두. '一是惡也'《國語》. ⑤녹로 균 도기(陶器)를 만드는 연장. '泥之在一'《董仲舒》. ⑥악기이름 균 악음(樂音)을 조절하는 현악기. '陳八音聽五一'《後漢書》. ⑦성 균 성(姓)의 하나. ━ 따를 연 沿(水部 五畫)과 同字. '一河海, 通淮泗'《史記》. ━ 운 운(音)韻 韻(音 十畫)의 古字. '音一不恆'《成公綏》.
字源 金文 圴 篆文 圴 形聲. 土＋勻〔音〕. '勻균'은 '가지런히 하다'의 뜻. 흙을 고르다의 뜻을 나타냄.

[均當 균당] 고루 배당함.
[均等 균등] 고르고 가지런하여 차별이 없음.
[均服 균복] 균일한 복장. 곧, 군복(軍服). 융복.
[均分 균분] 고르게 나눔. 똑같게 나눔. 〔戎服〕
[均勢 균세] 균등한 세력.
[均輸 균수] 벼슬 이름. 차조(次條)를 보라.
[均輸法 균수법] 한(漢)나라 무제(武帝)의 재정 정책의 하나. 가격이 싼 지방의 물자를 비싼 지방으로 옮겨 팔고, 값이 쌀 때 물자를 사 두었다가 비쌀 때 팔아 물가를 조절하는 법. 이 일을 맡은 벼슬을 균수(均輸)라 하여 각 군국(郡國)에 두었음.
[均一 균일] 한결같아 고름.
[均田 균전] ㊀고르게 전답을 분여(分與)함. ㊁종횡(縱橫)의 길이가 같은 전답. ㊂우리나라에서 결세(結稅)를 고르게 하던 제도.
[均霑 균점] 모든 사람이 이익을 고르게 얻거나 은혜를 고르게 받음.
[均齊 균제] 고르고 가지런함.
[均調 균조] 고르게 조화시킴. 또, 고르게 조화됨.
[均平 균평] ㊀고루 공평함. ㊁쭉 고르게 평평함.
[均浹 균협] 두루 미침. 고루 돌아감.
[均衡 균형] 어느 편에 치우쳐서 기울어지지 않고 고름.
●國均. 陶均. 成均. 淑均. 齊均. 調均. 天均. 淸均. 平均.

4/⑦ [圴] 均(前條)의 古字

4/⑦ [坊] 人名 방 ㊦陽 府良切 fāng

筆順 一 十 土 圵 圵 均 坊

字解 ①동네 방 도읍·동리의 구획. '教一'. '名曰歸義一'《北史》. ②방 방 거처하는 방. '別一'. ③전방 방 상점. '玉貌當壚坐酒一'《張昱》. ④절 방 중의 거처. '僧一'. '仙輿歷寶一'《宋之問》. ⑤동궁 방 황태자(皇太子)가 거처하는 궁전. 전(轉)하여, 황태자. '春一'. ⑥마을 방 관청. '典國一, 庶子四人, 舍人二十八人'《隋書》. ⑦둑 방 제방. '祭一與水'《禮記》. ⑧막을 방 防(阜部 四畫)과 통용. '以一淫'《禮記》. ⑨성 방 성(姓)의 하나.

字源 篆文 坊 形聲. 土＋方〔音〕. '方방'은 '좌우로 펼쳐지다'의 뜻. 좌우로 펼쳐진 마을, 동네의 뜻을 나타냄.

[坊間 방간] 동네. 시정(市井). 전(轉)하여, 세상. 세간(世間).
[坊閭 방려] 동네의 문. 또, 동네.
[坊坊曲曲 방방곡곡] 여러 곳.
[坊本 방본] 민간의 서점에서 파는 책.
[坊舍 방사] 중이 거처하는 곳.
[坊市 방시] 동네. 시정(市井).
[坊長 방장] 동네의 노인(老人).
[坊場 방장] 시장(市場). 장터.
[坊店 방점] 동네의 가게.
[坊廚 방주] 동네의 음식점. 동네의 여인숙.
●街坊. 客坊. 京坊. 教坊. 宮坊. 內坊. 茶坊. 馬坊. 茗坊. 民坊. 別坊. 本坊. 宿坊. 僧坊. 作坊. 酒坊. 春宮坊. 春坊.

4⑦ [坅]　〓 역 Ⓐ陌 營隻切 yì
　　　　　 두 Ⓐ尤 度侯切
字解 〓 ①가마굴뚝 역 질그릇을 굽는 가마의 굴뚝. '一, 匋竈窗也'《說文》. ②상갓집부뚜막 역 상중(喪中)의 집의 흙으로 쌓은 부뚜막. '一, 喪家塊竈'《廣韻》. 〓 가마굴뚝 두, 상갓집부뚜막 두 〓과 뜻이 같음.
字源 形聲. 土＋役〈省〉〔音〕

4⑦ [坎]　Ⓐ名 감 Ⓑ感 苦感切 kǎn
字解 ①구덩이 감 움푹 팬 곳. '一窞'. '一不盈'《易經》. ②험할 감 험준함. 또, 그곳. '習一重險也'《易經》. ③치는소리 감 힘껏 물건을 치는 소리. '一一伐檀兮'《詩經》. ④감괘 감 팔괘(八卦)의 하나. 곧 ☵. 방위로는 정북(正北), 물질로는 물에 배당함. '一者水也, 正北方之卦也'《易經》. ⑤고생할 감 간난신고함. '抑人之自一, 其命也'《黃滔》. ⑥성 감 성(姓)의 하나.
字源 篆文 坎 形聲. 土＋欠〔音〕. '欠흠'은 '입을 벌리다'의 뜻. 땅바닥에 입을 벌리고 있는 함정의 뜻을 나타냄.

[坎坷 감가] ㉠길이 험(險)하여 가기가 힘듦. ㉡세상에 쓰이지 못함. 불우(不遇)함.
[坎軻 감가] 감가(坎坷).
[坎坎 감감] ㉠힘을 들여 물건을 치는 소리. ㉡북을 치는 소리. ㉢기뻐하는 모양. ㉣힘드는 모양. 괴로운 모양.
[坎卦 감괘] 팔괘(八卦)의 하나. 자해(字解)❹를 보라.
[坎壈 감람] 감가(坎坷).
[坎方 감방] 팔방(八方)의 하나. 북방. 북쪽.
[坎穽 감정] 함정(陷穽).
[坎井之鼃 감정지와] 우물 안의 개구리라는 뜻으로, 견문(見聞)이 좁은 사람의 비유(譬喩). 정저지와(井底之鼃).
[坎中連 감중련] 감괘(坎卦)는 가운데에 있는 괘효(卦爻)가 연하였음을 이르는 말.
[坎侯 감후] 공후(箜篌)의 이칭(異稱).
●科坎. 壈坎. 屯坎. 習坎. 幽坎. 竈坎.

4⑦ [坏]　배 Ⓑ灰 芳杯切 pī

字解 ①겹산 배 겹쳐 있는 산. '上山更有一山, 重累者名一'《爾雅》. ②날기와 배 아직 굽지 않은 기와. '一冶一陶'《後漢書》. ③틈막을 배 흙으로 벽의 갈라진 틈을 막음. '一城郭'《禮記》. ④뒷담 배 집 뒤의 담. '或鑿一而遁'《揚雄》.
字源 金文 坏 金文 坏 篆文 坏 形聲. 土＋不〔音〕. '不불ㅂ'는 '붕긋이 크다'의 뜻. 언덕처럼 붕긋하게 흙을 돋은 보루의 뜻. 金文에는 망루가 있는 성곽의 象形이 붙어 있는 것도 있음. 또, 붕긋한, 아직 굽지 않은 질그릇의 뜻을 나타냄.

●堪坏. 陶坏.

4⑦ [坑]　Ⓐ名 갱 Ⓑ庚 客庚切 kēng
筆順 一 十 土 圵 圵 圢 坑
字解 ①구덩이 갱 '一塹'. '襄民盛多作長一, 溫火以取煖'《唐書》. ②구덩이에묻을 갱 '一殺'. '詐一秦降卒三十萬'《史記》.
字源 形聲. 土＋亢〔音〕. '亢항'은 '구덩이'의 뜻. 땅에 판 구덩이의 뜻을 나타냄.

[坑谷 갱곡] 골짜기.
[坑口 갱구] 갱도(坑道)의 입구.
[坑內 갱내] 광산의 구덩이의 안.
[坑道 갱도] 광산의 갱내(坑內)에 통한 길.
[坑夫 갱부] 광산에서 채굴 작업에 종사하는 사람.
[坑殺 갱살] 구덩이에 파묻어 죽임.
[坑儒 갱유] 진시황(秦始皇)이 수많은 유생(儒生)을 구덩이에 묻어 죽인 일.
[坑塹 갱참] 구덩이와 해자(垓字).
[坑壑 갱학] 구덩이. 구령.
[坑陷 갱함] 땅이 꺼져서 생긴 구렁.
●鋼坑. 鑛坑. 金坑. 銅坑. 焚坑. 斜坑. 溫坑. 銀坑. 炭坑. 廢坑.

4⑦ [岭]　금 Ⓑ寢 丘甚切 qín
字解 구덩이 금 움푹 팬 곳. '匋人築一坎'《儀禮》.
字源 形聲. 土＋今〔音〕

4⑦ [坍]　단 Ⓑ覃 他酣切 tān
字解 ①물이언덕을칠 단 물이 언덕을 쳐서 무너뜨림. 坍(土部 五畫)은 古字. '坍, 水衝岸壞'《廣韻》. ②무너진언덕 단 '一, 一曰, 崩一'《篇海》.

4⑦ [坃]　〓 용 Ⓑ董 乳勇切 rǒng
　　　　　 경 Ⓑ庚 丘庚切 kēng
字解 〓 땅이름 용 '一, 地名'《集韻》. 〓 구덩이 갱 坑(土部 四畫)과 同字. '死日將至兮, 與麋鹿同一'《楚辭》.

4⑦ [坙]　〔기〕基(土部 八畫〈p. 451〉)의 古字

4⑦ [坛]　〓 壇(土部 十三畫〈p. 467〉)의 簡體字
　　　　　 〓 罈(缶部 十六畫〈p. 1786〉)의 簡體字

[坦蕩 탄탕] 마음이 넓은 모양. 잔달지 않은 모양.
[坦平 탄평] 높낮이가 없이 편편함.
[坦懷 탄회] 아무 거리낌이 없는 마음. 진솔(眞率)한 마음.
◉佘坦. 夷坦. 平坦.

5 ⑧ [坩] 감 [平]覃 苦甘切 gān

[字解] ①도가니 감 '一堝'는 쇠붙이를 녹이는 데 쓰는 그릇. ②단지 감 토제(土製)의 단지. '以一一鮓遺母'《晉書》.
[字源] 形聲. 土+甘〔音〕. '甘감'은 '입에 끼우다'의 뜻. 물건을 안에 지니도록 만들어진 토제(土製)의 단지의 뜻을 나타냄.

[坩堝 감과] 도가니.

5 ⑧ [坍] 〔단〕 坍(土部 四畫〈p. 438〉)의 古字

5 ⑧ [坪] [人名] 평 [平]庚 符兵切 píng

[筆順] 一 十 土 圢 圷 坏 坪 坪

[字解] ①벌 평, 들 평 평탄한 땅. '有夷坦道, 曰芙蓉一'《吳船錄》. ②《韓》평 평 6척(尺) 사방의 토지 면적 단위.
[字源] 金文 篆文 形聲. 土+平〔音〕. '平평'은 '평평하다'의 뜻. '평평한 땅'의 뜻을 나타냄.

◉建坪.

5 ⑧ [坫] 점 [去]豔 都念切 diàn

[字解] ①잔대 점 '反一'은 주대(周代)에 제후(諸侯)의 회견(會見) 때 헌수(獻酬)의 예(禮)가 끝난 술잔을 엎어 놓는 흙으로 만든 대(臺). '邦君爲兩君之好, 有反一'《論語》. ②경계 점 구역. '設于無垓一之宇'《淮南子》.

[坫①]

[字源] 篆文 形聲. 土+占〔音〕. '占점'은 일정한 장소를 차지하다의 뜻. 흙을 굳혀서 만든 대(臺)로, 방의 구석에 놓는 것의 뜻을 나타냄.

◉反坫. 盤坫. 爵坫. 垓坫.

5 ⑧ [坰] [人名] 경 [平]青 古螢切 jiōng

[筆順] 一 十 土 圠 圳 坰 坰 坰

[字解] 들 경 성 밖의 들. 교외. '出郊一'《杜甫》.
[字源] 篆文 形聲. 土+冋〔音〕. '冋경'은 멀리 떨어진 땅의 뜻.

[坰場 경장] 야외(野外)의 장소. 전(轉)하여, 눈으로 보이는 한(限)의 장소.
◉郊坰. 近坰. 四坰. 濕坰. 野坰. 林坰.

5 ⑧ [坱] 앙 [上]養 烏朗切 yǎng

[字解] ①편할 앙 펀펀하고 아득하게 넓은 모양. '氣一然太虛'《正蒙》. ②먼지 앙 진애. '高步謝塵一'《柳宗元》.
[字源] 篆文 形聲. 土+央〔音〕. '央앙'은 '가운데'의 뜻. 움푹 팬 곳의 한가운데에 쌓인 흙먼지나 티끌의 뜻을 나타냄.

[坱然 앙연] 한없이 넓은 모양.

◉氛坱. 塵坱.

5 ⑧ [坳] 요 [平]肴 於交切 ào

[字解] 우묵할 요 凹(凵部 三畫)와 同字. '一泓'. '覆杯水于一堂之上'《莊子》.
[字源] 篆文 形聲. 土+幼〔音〕. '幼유'는 깊숙하게 패다의 뜻. 빛이 미치지 않게 패어 있다의 뜻을 나타냄.

[坳堂 요당] 당(堂) 가운데의 우묵 들어간 곳.
[坳塘 요당] 작은 연못.
[坳窪 요와] 움푹 들어감.
[坳垤 요질] 평탄치 않은 언덕. 질(垤)은 구(丘).
[坳泓 요홍] 움푹 패어 물이 괸 곳.

5 ⑧ [坷] 가 [上]哿 枯我切 kě / [去]箇 口箇切

[字解] ①험할 가 길이 험하여 다니기 힘듦. '坎一'. '豈覺山徑一'《蘇轍》. ②고생할 가 신고(辛苦)함. '空室自困一'《蘇軾》.
[字源] 篆文 形聲. 土+可〔音〕. '可가'는 갈고리처럼 구부러지다의 뜻. 평평치 않은 땅을 뜻함.

◉坎坷. 埳坷. 困坷.

5 ⑧ [坻] [一] 지 [平]支 直尼切 chí / [二] 저 [上]薺 都禮切 dǐ

[字解] [一] ①모래톱 지 사주(沙洲). '宛在水中一'《詩經》. ②섬 지 수중(水中)의 고지(高地). '有肉如一'《左傳》. ③물가 지 수애(水涯). '薄暮未安一'《王粲》. [二] 비탈 저, 고개 저 坂(土部 四畫)과 뜻이 같음. '下磧歷之一'《司馬相如》.
[字源] 篆文 形聲. 土+氐〔音〕. '氐저'는 겹쳐져 있는 낮은 산 따위의 낮은 곳으로, '낮다'의 뜻. 낮은 땅, 흙이 강의 낮은 곳에 쌓여서 이루어진 강섬, 물가의 뜻을 나타냄.

◉丘坻. 涯坻. 坂坻.

5 ⑧ [坼] [人名] 탁(책[本]) [入]陌 恥格切 chè

[字解] ①터질 탁, 갈라질 탁 拆(手部 五畫)과 통용. '一裂'. '日南地一, 長百餘里'《後漢書》. ②싹틀 탁 '百果草木皆甲一'《易經》. ③금 탁 태운 귀갑(龜甲)의 갈라진 금. '卜人占一'《周禮》.
[字源] 篆文 形聲. 土+㡿(斥)〔音〕. '㡿척'은 '물리치다'의 뜻. 흙을 물리치다, 터지게 하다의 뜻을 나타냄.

[坼甲 탁갑] 씨의 껍질이 갈라져 싹이 나옴.
[坼裂 탁렬] 터져 갈라짐. 파열함.
[坼名 탁명] 《韓》과거(科擧) 급제자(及第者)의 봉

미(封彌)를 뜯음.
[坼榜 탁방]《韓》㉠과거(科擧)에 급제(及第)한 사람의 이름을 게시(揭示)함. ㉡일의 결말(結末)이 남.
[坼封 탁봉] 봉(封)한 것을 뜯음.
[坼剖 탁부] 갈라짐. 난산(難產)을 이름.
[坼副 탁부] 탁부(拆剖).
[坼岸 탁안] 갈라져 무너진 물가의 언덕.
●開坼. 龜坼. 發坼. 離坼. 地坼. 焦坼.

5
⑧ [垃] 랄 ㋐緝 力入切 lā
字解 쓰레기 랄 '一圾'은 쓰레기.

5
⑧ [坺] 발 ㋐曷 蒲撥切 bá
字解 갈 발 흙을 파 뒤집음. 또, 그 흙. '王耕一一'《國語》.
篆文 형성. 土+犮〔音〕. '犮발'은 '팍팍 뒤다'의 뜻. 흙을 갈아 일구다. 또, 갈아엎은 흙의 뜻을 나타냄.

5
⑧ [坭] 니 ㉮紙 乃里切 nǐ
字解 진흙 니 泥(水部 五畫)와 통용. '一匠'.
字 형성. 土+尼〔音〕

[坭匠 이장] 미장이.

5
⑧ [㙌] 〔니〕
泥(水部 五畫〈p.1210〉)와 同字

5
⑧ [埖] 국 ㋐屋 居六切 jú
字解 물가언덕 국 '阢, 曲岸水外曰阢, 一, 同阢'《廣韻》.

5
⑧ [埗] 불 ㋐物 符弗切 fó
字解 티끌일 불 진애(塵埃)가 많이 일어남. '飄風蓬龍, 埃一一兮'《楚辭》.

5
⑧ [坨] ■ 이 ㋐支 余支切 yí
■ 타 ㋐歌 徒河切 tuó
字解 ■ 땅이름 이 허베이 성(河北省) 방산현(房山縣)의 서북쪽의 지명. ■ ①비탈질 타 陀(阜部 五畫)의 俗字. ②소금쌓아둘 타 소금을 노천(露天)에 쌓아 둠. '場鹽露積, 名曰一'《辭海》.
字 형성. 土+它〔音〕

5
⑧ [坧] 人名 척 ㋐陌 之石切 zhí
筆順 一 十 土 圡 圲 坧 坧 坧
字解 터 척 토대(土臺). 墌(土部 十一畫)과 同字. '一, 基址也'《集韻》.

5
⑧ [坿] 〔부〕
附(阜部 五畫〈p.2454〉)의 古字
字 형성. 土+付〔音〕. '付부'는 '붙이다'의 뜻.

5
⑧ [坏] 〔배〕
坏(土部 四畫〈p.438〉)의 俗字

5
⑧ [坴] 〔구〕
丘(一部 四畫〈p.41〉)와 同字

5
⑧ [坴] 〔구〕
丘(一部 四畫〈p.41〉)의 古字

5
⑧ [坣] 〔당〕
堂(土部 八畫〈p.451〉)의 古字

5
⑧ [坵] 人名 〔구〕
丘(一部 四畫〈p.41〉)의 俗字
筆順 一 十 土 圵 圲 坵 坵 坵

5
⑧ [垂] 高人 수 ㋐支 是爲切 chuí
筆順 一 二 二 チ 缶 垂 垂 垂
字解 ①늘어질 수 축 늘어짐. '下一'. '嘉穀重穎'《陸機》. ②드리울 수 ㉠늘임. 아래로 처지게 함. '一簾'. '一帶而厲'《詩經》. ㉡교훈을 함. '一示'. '一敎'. ㉢후세에 전함. '一功名於竹帛'《後漢書》. ③가 수 ㉠변두리. 가장자리. '江一得淸景'《謝脁》. ㉡당(堂) 위의 섬돌에 가까운 가장자리. 또, 그 곳에 있음. '坐不一堂'《史記》. ④변방 수 변경. '虔劉我邊一'《左傳》. ⑤거의 수 거의 됨. '一老'. '一死病中驚坐起'《元稹》.
金文 金 篆文 형성. 土+𡴀〔音〕. '𡴀수'는 초목의 꽃이나 잎이 늘어진 모양을 본뜸. 대지(大地)의 끝의 멀리 처진 변두리 땅의 뜻을 나타냄.

[垂橐 수고] 활집을 늘어뜨린다는 뜻으로, 적의(敵意)가 없음을 표시하는 일.
[垂顧 수고] 은혜를 베풂.
[垂拱 수공] ㉠옷을 드리우고 손을 마주 잡는 경례(敬禮). ㉡팔장을 끼고 아무것도 하지 아니함.
[垂拱之化 수공지화] 위정자(爲政者)의 덕(德)에 의하여 백성이 착해져서 정사(政事)가 자연히 잘됨.
[垂敎 수교] 가르쳐 줌. 좋은 교훈을 후세에 남김.
[垂救 수구] 온정을 베풀어 구원해 줌.
[垂眷 수권] 자애를 베풂. 권애(眷愛)함.
[垂及 수급] 거의 미치려고 함. 금방 붙잡을 듯함.
[垂年 수년] 노년(老年)에 가까운 나이.
[垂頭喪氣 수두상기] 근심 걱정으로 고개가 숙고 맥이 풀림.
[垂頭塞耳 수두색이] 머리를 숙여 아첨(阿諂)을 하며, 귀를 막고 세상(世上)의 비난을 들으려 하지 않음. 지나치게 아첨하는 꼴.
[垂頭失氣 수두실기] 수두상기(垂頭喪氣).
[垂簾 수렴] ㉠발을 드리움. 또, 드리운 발. ㉡수렴청정(垂簾聽政).
[垂簾之政 수렴지정] 수렴(垂簾)하고 하는 정치. 곧, 황태후 등이 천자를 대신하여 하는 정치. '수렴청정(垂簾聽政)'을 보라.
[垂簾聽政 수렴청정] 신하(臣下)와 직면(直面)하는 것을 꺼리어 발을 드리우고 정사(政事)를 들음. 곧, 황태후(皇太后) 등이 어린 임금을 대

신하여 정사를 봄.
[垂老 수로] 거의 노인이 됨. 일설(一說)에는, 70세에 가까운 노인.
[垂露 수로] ㉠뚝뚝 떨어지는 이슬. ㉡서법(書法)에서 세로로 내리긋는 획의 끝을 삐치지 않고 붓을 눌러 멈추는 법.
[垂淚 수루] 눈물을 흘림.
[垂柳 수루] 수양(垂楊).
[垂綸 수륜] 낚싯줄을 늘어뜨림. 낚시질을 함.
[垂名竹帛 수명죽백] 이름이 역사책에 실려 후세에 길이 전하여짐.
[垂範 수범] 본보기가 됨.
[垂氷 수빙] 고드름.
[垂死 수사] 방금 죽으려 함. 거의 죽게 됨.
[垂絲柳 수사류] 능수버들.
[垂線 수선] 어느 직선 또는 평면에 수직(垂直)으로 마주치는 선.
[垂垂 수수] ㉠드리운 모양. 축 처진 모양. ㉡바로 하려 하는 모양.
[垂手過膝 수수과슬] 무릎 아래까지 닿을 정도로 팔이 길음을 이름.
[垂示 수시] 수교(垂敎).
[垂楊 수양] 버드나무의 일종. 가지가 아래로 길게 늘어짐. 수양버들.
[垂涎 수연] 먹고 싶어서 침을 흘림. 전(轉)하여, 대단히 탐냄을 이름.
[垂泣 수읍] 눈물을 흘리며 욺.
[垂頤 수이] 턱을 늘어뜨린다는 뜻으로, 먹고 싶어 하여 입을 떡 벌린 형용.
[垂仁 수인] 은혜를 베풂.
[垂迹 수적] 부처가 중생(衆生)을 제도(濟度)하기 위하여 본지(本地)에서 내려와 화신(化身)으로 출현(出現)하는 일. 수적(垂跡).
[垂釣 수조] 수륜(垂綸).
[垂條 수조] 늘어진 가지.
[垂直 수직] 직선(直線)과 직선(直線)이 닿아 직각(直角)을 이룬 상태.
[垂天 수천] 온 하늘을 내려 덮음.
[垂髫 수초] 어린아이의 늘어뜨린 머리. 전(轉)하여, 어린아이.
[垂髫戴白 수초대백] 어린이와 노인.
[垂橐 수탁] 비어 있는 낭탁(囊橐)을 축 늘어뜨린다는 뜻으로, 아무것도 휴대(携帶)하지 않음을 이름.
[垂統 수통] 훌륭한 사업을 여러 대에 걸쳐서 전함.
[垂和 수화] 《佛敎》 권화(權化).
[垂訓 수훈] 후세(後世)에 전(傳)하는 교훈(敎訓).
◉南垂. 倒垂. 邊垂. 北垂. 四垂. 西垂. 岸垂. 低垂. 直垂. 蟲垂. 下垂. 懸垂. 顯垂.

5 ⑧ [坌] 분 [去]問 方問切 fèn

[字解] 쓸어버릴 분 제거(除去)함. '一, 埽除也'《說文》.
[字源] [篆文]  形聲. 土＋弁〔音〕

5 ⑧ [坮] 〔대〕
臺(至部 八畫〈p. 1877〉)의 古字

5 ⑧ [坴] 륙 [入]屋 力竹切 lù

[字解] ①흙덩이클 륙 흙덩이가 큰 모양. '一, 土塊一一也'《說文》. '一, 大塊'《廣韻》. ②성 륙 성(姓)의 하나.

5 ⑧ [垈] [人名] [韓] 대

[筆順] ノ イ 亻 代 代 代 垈 垈

[字解] 《韓》 터 대 집터. '一地'. '家一'.

[垈地 대지] 집터로서의 땅.
◉家垈.

5 ⑧ [坐] 〔좌〕
坐(土部 四畫〈p. 439〉)의 俗字

6 ⑨ [垍] 계(기[本]) [去]寘 其冀切 jì

[字解] ①석비레 계 굳은 흙. '一, 堅土也'《說文》. ②질그릇 계 도기(陶器). '今人以一爲陶器'《六書故》.
[字源] 形聲. 土＋自〔音〕

6 ⑨ [垓] [人名] 해(개[本]) [平]灰 古哀切 gāi
[平]佳 居諧切

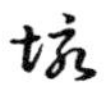

[字解] ①땅가장자리 해 땅의 끝. 극지(極地). '一埏'. '天子之田九一'《國語》. ②지경 해 경계. '設于無一坫之宇'《淮南子》. ③수비 해 방어. '重限累一, 以防暴卒'《揚雄》. ④일해 해 수의 단위. 경(京)의 십배. '十兆曰京, 十京曰一'《風俗通》. ⑤층계 해 陔(阜部 六畫)와 同字. '太乙壇三一'《史記》.
[字源] [篆文]  形聲. 土＋亥〔音〕. '亥해'는 샅샅이 미치어 극에 달하다의 뜻. 대지의 끝, 경계(境界)의 뜻을 나타냄.

[垓埏 해연] 땅의 끝. 극지(極地).
[垓坫 해점] 경계(境界).
[垓下 해하] 지명(地名). 지금의 안후이 성(安徽省) 내. 영단현(靈壇縣)의 동남(東南). 항우(項羽)가 한고조(漢高祖)에게 포위당하여 패한 곳. 해하(陔下).
◉九垓. 壇垓. 崇垓. 八垓.

6 ⑨ [垚] 요 [平]蕭 五聊切 yáo

[字解] 흙높을 요 흙이 높은 모양. '一, 土高皃'《說文》.
[字源] 會意. 土＋土＋土

6 ⑨ [垛] 타 [上]哿 徒果切 duǒ

[字解] ①문옆방 타 문 옆에 있는 방(房). ②살받이 타 활쏘기를 연습할 때 흙을 두둑히 쌓아올려 과녁을 세우는 곳. '武擧制, 長一馬埒'《唐六典》. ③장벽 타 시석(矢石)을 막은 장벽(牆壁). '常見城一'《紀效新書》.
[參考] 垛(次條)와 同字.

◉射垛.

6 ⑨ [垜] 垛(前條)와 同字

[字源] [篆文] 形聲. 土+朵〔音〕. '朵타'는 '늘어지다'의 뜻. 문 옆에 나뭇가지가 늘어지듯 뻗은 방(房)의 뜻을 나타내며, 파생(派生)하여, '쌓아올리다, 흙벽'의 뜻도 나타냄.

6 ⑨ [垝] 궤 [上]紙 過委切 guǐ

[字解] 무너질 궤 허물어짐. '乘彼—垣'《詩經》.
[字源] [篆文] 形聲. 土+危〔音〕. '危위'는 '불안정하다'의 뜻. 불안정한 땅, 무너지는 땅바닥, 흙담의 뜻을 나타냄.

6 ⑨ [垠] [人名] 은 [平]眞 語巾切 yín / [平]文 語斤切

[筆順] 一 十 土 垠

[字解] ①땅가장자리 은 땅의 끝. 변계(邊界). '—際'. '浩浩乎平沙無—'《李華》. ②지경 은 경계. '—界'. '欲芒芒而無—際'《晉書》.
[字源] [篆文] 形聲. 土+㫗(艮)〔音〕. '㫗흔·안'은 '限한'과 통하여, '끝'의 뜻. '땅끝, 경계'의 뜻을 나타냄.

[垠界 은계] 지경. 경계.
[垠際 은제] 가장자리. 끝.
◉高垠. 九垠. 絕垠. 地垠. 天垠. 八垠.

6 ⑨ [垢] [人名] 구 [上]有 古厚切 gòu

[字解] ①때 구 ㉠몸 또는 물건에 묻은 더러운 것. '—面'. '要之去—'《史記》. ㉡더러움. 오예(汚穢). '彷徨乎塵—之外'《莊子》. ㉢사념(邪念). 부덕(不德). '大招離—之賓'《王僧孺》. ②때묻을 구 때가 부착함. '冠帶—, 和灰請漱'《禮記》. ③수치 구 부끄러운 일. 치욕. '忍—'. '國君含—'《左傳》.
[字源] [篆文] 形聲. 土+后〔音〕. '后후'는 '厚후'와 통하여, '두껍다'의 뜻. 두껍게 낀 흙먼지의 뜻을 나타냄.

[垢故 구고] 때가 묻어 고서(古書)가 됨.
[垢膩 구니] 때. 또, 때가 끼어 더러움.
[垢離 구리] 《佛敎》 부처에게 발원(發願)할 때 물을 머리로부터 끼얹어 몸과 마음을 깨끗이 하는 일.
[垢面 구면] 때가 묻은 얼굴.
[垢秕 구비] 때와 쭉정이라는 뜻으로, '쓸모없는 물건'을 이르는 말.
[垢穢 구예] 때. 때가 묻어 더러움.
[垢汚 구오] 때. 더러움.
[垢衣弊帶 구의폐대] 때 묻은 옷과 해진 띠. 남루한 옷차림을 이름.
[垢滓 구재] 때와 찌끼. 더러움.
[垢脂 구지] 구니(垢膩).
[垢塵 구진] 때와 먼지. 더러움.
[垢濁 구탁] 더러운 것으로 흐림.
[垢弊 구폐] 때가 묻고 떨어짐. 또, 그 물건.
◉面垢. 無垢. 浮垢. 氛垢. 紛垢. 纖垢. 身垢. 汚垢. 匿瑕含垢. 塵垢. 淸淨無垢. 敝垢. 汗垢.

6 ⑨ [垣] [人名] 원 [平]元 雨元切 yuán

[筆順] 一 十 土 垣

[字解] ①담 원 낮은 담. '—牆'. '壞其館之—'《左傳》. 전(轉)하여, 담으로 두른 건축물. '宮—'. 또, 원조하여 보호하는 것. '大師維—'《詩經》. ②별이름 원 성군(星群)의 이름. 상·중·하의 삼군(三群)이 있음. '太微宮—十星'《史記註》. ③성 원 성(姓)의 하나.
[字源] [篆文] [籒文] 形聲. 土+亘〔音〕. '亘환·선'은 주위에 담을 두른 모양을 본떠, '두르다'의 뜻. 성(城)에 두른 담의 뜻을 나타냄. 籒文은 𩫖+亘〔音〕. '𩫖곽'은 망루가 있는, 흙을 돋우어 쌓은 성(城)의 뜻.

[垣幹 원간] 울타리.
[垣溝單淺 원구단천] 담은 한 겹이고 도랑은 얕음.
[垣屛 원병] 담.
[垣屋 원옥] 울타리와 지붕.
[垣有耳 원유이] 담에 귀가 있다는 뜻으로, 비밀히 한 이야기가 새어 나가기 쉬움을 이름.
[垣衣 원의] 이끼.
[垣牆 원장] 담.
◉埒垣. 壘垣. 門垣. 複垣. 三垣. 星垣. 城垣. 掖垣. 女垣. 繚垣. 耳屬垣. 籬垣. 牆垣. 透垣. 荒垣. 毁垣.

6 ⑨ [垤] 질 [入]質 地一切 dié

[字解] ①개밋둑 질 의총(蟻冢). '鸛鳴于—'《詩經》. ②언덕 질 구릉. '泰山之於丘—, 河海之於行潦, 類也'《孟子》.
[字源] [篆文] 形聲. 土+至〔音〕. '至'는 '秩질'과 통하여, 질서 있게 쌓다의 뜻. 개미가 구멍의 주위에 쌓아올린 흙, 개밋둑의 뜻을 나타냄.

◉丘垤. 封垤. 不躓山躓垤. 阜垤. 坳垤. 螘垤. 蟻垤.

6 ⑨ [垗] 조 [上]篠 治小切 zhào

[字解] ①묏자리 조 장지(葬地). 兆(儿部 四畫)와 통용. '卜其宅—而安厝之'《孝經》. ②제사지낼 조 兆(儿部 四畫)와 통용. '—五帝于四郊'《周禮》.
[字源] [篆文] 形聲. 土+兆〔音〕. '兆조'는 '나누다'의 뜻. 경작지를 나누고 있는 밭두렁의 뜻을 나타냄. 또, 그 밭두렁처럼 주위에 둑을 두른 제단(祭壇)의 뜻을 나타냄.

6 ⑨ [垘] 복 [入]屋 房六切 fú

[字解] ①보막을 복 보를 막음. '川塞谿—'《史記》. ②허무러질 복 무너짐. 붕괴함. '—, 崩也'《史記 注》. ③흐를 복 물이 흘러내려감. '—, 流也'《史記 注》.
[字源] 形聲. 土+伏〔音〕. '伏복'은 '엎드리다'의 뜻. 흙이 무너져 내리다의 뜻을 나타냄.

6 ⑨ [垙] 광 [平]陽 姑黃切 guāng

[字解] 길 광 갈림길. '—, 陌也'《集韻》.
[字源] 形聲. 土+光〔音〕

6 (9) [垟] 양 ㊀陽 余章切 yáng

字解 흙속괴물 양 '一, 土精也'《玉篇》.
字源 形聲. 土＋羊〔音〕

6 (9) [垞] 人名 택(차㊄) ㊀麻 直加切 chá

筆順 一 十 土 土' 圵 圫 垞 垞

字解 ①성이름 택 성(城)의 이름. 지금의 장쑤성(江蘇省) 동산현(銅山縣)의 북쪽. '泗水逕留縣而南, 逕一城東'《水經 注》. ②언덕 택 구릉(丘陵).
字源 形聲. 土＋宅〔音〕

6 (9) [垌] 人名 동 ㊤董 拖孔切 tǒng

筆順 一 十 土 圠 圬 圳 垌 垌

字解 ①항아리 동 단지. ②《韓》동막이 동, 동막이할 동 둑을 막아 쌓음.
字源 形聲. 土＋同〔音〕

6 (9) [埛] 〔경〕

坰(土部 五畫〈p. 441〉)의 俗字

6 (9) [城] 〔성〕

城(土部 七畫〈p. 446〉)과 同字

6 (9) [垈] 벌 人月 房越切 fá

字解 갈 벌 파 뒤집어엎음. 또, 그 땅. '予期拜恩後, 謝病老耕一'《韓愈》.
字源 形聲. 土＋伐〔音〕

●耕垈.

6 (9) [型] 人名 형 ㊀青 戶經切 xíng

筆順 二 于 开 开 刑 刑 型 型

字解 ①거푸집 형 부어서 만드는 물건의 모형. '明鏡之始下一'《淮南子》. ②본보기 형 의범(儀範). 모범. '晚來相對靜儀一'《朱熹》.
字源 篆文 刑彡 形聲. 土＋刑(荆)〔音〕. '荆형'은 '틀'의 뜻. '土토'를 더하여, '거푸집'의 뜻을 나타냄.

[型模 형모] 거푸집. 모형(模型).
●母型. 模型. 木型. 文型. 原型. 類型. 儀型. 典型. 定型. 鑄型. 紙型. 體型. 判型.

6 (9) [亜] 〔성〕 聖(耳部 七畫〈p.1824〉)의 俗字
聖(土部 八畫〈p. 453〉)의 簡體字

6 (9) [垔] 〓인 ㊀眞 於眞切 yīn 〓수 ㊅遇 時注切 〓두 ㊄宥 徒候切

字解 〓 막을 인 흙으로 막음. '一, 塞也'《廣

韻》. 〓 막을 수 〓과 뜻이 같음. 〓 막을 두 〓과 뜻이 같음.
字源 形聲. 土＋西〔音〕

6 (9) [垕] 人名 〔후〕
厚(厂部 七畫〈p. 319〉)의 古字

筆順 一 厂 厂 后 后 后 垕 垕

6 (9) [垦] 〓 垠(土部 六畫〈p.444〉)과 同字
〓 墾(土部 十三畫〈p.468〉)의 簡體字

6 (9) [壘] 루 ㊤紙 力委切 lěi

字解 ①토담쌓을 루 굽지 않은 벽돌을 쌓아 토담을 만듦. '一, 絫墼也'《說文》. ②壘(土部 十五畫)의 簡體字.
字源 形聲. 土＋厽〔音〕

6 (9) [㦮] 〔재〕
栽(木部 六畫〈p. 1063〉)의 訛字

[袁] 〔원〕
衣部 四畫(p. 2056)을 보라.

7 (10) [垺] 부 ①㊀虞 芳無切 fū ②㊀尤 蒲侯切 fóu

字解 ①나성(羅城) 부 외성(外城). 郭(邑部 七畫)와 同字. ②클 부 큼. 성(盛)함. '精, 小之微也, 一, 大之殷也'《莊子》.

7 (10) [埃] 人名 애 ㊀灰 烏開切 āi

字解 티끌 애 먼지. '塵一'. 전(轉)하여, 더러움. 오예(汚穢). '清宇宙之一塵'《蔡邕》. 또, 세사(世事). 속무(俗務). '蟬蛻囂一之中'《後漢書》.
字源 篆文 圿 形聲. 土＋矣〔音〕. '矣의'는 '疑의' 원쪽 부분의 변종(變種)으로, 멈추어 서서 망설이다의 뜻. 사람을 머뭇거리게 만드는 흙먼지, 티끌의 뜻을 나타냄.

[埃及 애급] 아프리카 동북부에 있는 공화국. 수도(首都)는 카이로. 이집트.
[埃煤 애매] 먼지와 그을음.
[埃滅 애멸] 티끌과 같이 없어짐.
[埃霧 애무] 티끌이 안개와 같이 일어남.
[埃墨 애묵] 그을음.
[埃氛 애분] 먼지가 섞인 공기.
[埃壒 애애] 티끌. 먼지. 「磤」
[埃霼 애애] ㉠자욱이 낀 먼지. ㉡더러움. 오예(汚
[埃塵 애진] ㉠먼지. 티끌. 진애(塵埃). ㉡더러움. 오예(汚穢). ㉢세속(世俗)의 누(累).
●輕埃. 浮埃. 氛埃. 纖埃. 涓埃. 煙埃. 塵埃. 土埃. 黃埃.

7 (10) [埆] 각 ㊅覺 苦角切 què

字解 ①메마를 각 토지가 척박함. '土一無藏蕪之本'《新論》. ②가파를 각 경사가 급함. 몹시 비탈짐. '山石犖一行徑微'《韓愈》. ③딱딱할 각 굳음. '地雖平至爲堅一'《遼史》. ④귀할 각, 모

자랄 각 넉넉하지 않음. '同年而議豊一'《左思》.
字源 形聲. 土+角〔音〕. '角각'은 울퉁불퉁하고 딱
딱하다의 뜻.

●坑垠. 儉垠. 堅垠. 犖垠. 墝垠. 墫垠. 寒垠.

7/10 [埋] 高人 매 㕣佳 莫皆切 mái

筆順 一 十 圹 圹 坤 坦 坤 埋

字解 ①묻을 매 ㉠파묻음. '一葬'. '一璧于大室
之庭'《左傳》. ㉡박장(薄葬)함. '葬不如禮曰一'
《釋名》. ②묻힐 매 전항(前項)의 피동사. '寒雲
沈屯白日一'《王安石》. ③감출 매 숨음. 숨김.
'一伏'. '深一粉堁路迷'《元稹》.
字源 形聲. 土+貍〔省〕〔音〕. '貍'는 '묻다'의 뜻.
흙 속에 묻다의 뜻을 나타냄.

[埋骨 매골] 뼈를 묻음. 시체를 묻음.
[埋暮 매모] 영락(零落)하고 나이 먹음.
[埋沒 매몰] 파묻음. 또, 파묻힘.
[埋伏 매복] ㉠몰래 숨음. 또, 몰래 숨김. ㉡복병
(伏兵)을 둠.
[埋祕 매비] 묻어 감춤.
[埋瘞 매예] 묻음.
[埋玉 매옥] 옥을 땅에 파묻는다는 뜻으로, 훌륭한
사람이나 미인이 죽어 매장되는 것을 슬퍼하여
이르는 말.
[埋怨 매원] 꾸짖음. 질책함.
[埋湮 매인] 매몰(埋沒).
[埋葬 매장] ㉠시체를 땅속에 묻어 장사(葬事)를
지냄. ㉡못된 사람을 사회(社會)에서 용납(容
納)하지 못하게 함.
[埋藏 매장] 묻어 감춤. 땅속에 묻어 둠.
[埋築 매축] 물 있는 데를 메워서 땅을 만드는 일.
[埋窆 매폄] 하관(下棺)하고 묻음.
[埋香 매향] 미인(美人)의 장사(葬事)를 이름.
[埋魂 매혼] 혼백(魂帛)을 무덤 앞에 묻음.

●暗埋. 痤埋. 幽埋. 推埋. 狐埋.

7/10 [垠] 량 㕣漾 來宕切 làng

字解 ①무덤 량 뫼. '秦晉謂冢曰一'《揚子方言》.
②편할 량 '壙一'은 들이 편편하고 넓어 아득한
모양. '遊無何有之鄕, 以處壙一之野'《莊子》.
字源 形聲. 土+良〔音〕. '良량'은 '浪랑'과 통하여,
'큰 물결'의 뜻. 큰 물결처럼 이어지는 들판
이 끝없는 모양을 나타냄.

●壙垠.

7/10 [城] 中人 성 㕣庚 是征切 chéng

筆順 一 十 圠 圹 圻 城 城 城

字解 ①재 성 성. 내성(內城). '一郭'. '昔者夏
鯀, 作三仞之一'《淮南子》. 또, 주위에 성을 쌓
은 도읍. 성읍(城邑). '乘墉而窺宋一'《公羊傳》.
또, 나라. '哲夫成一'《詩經》. ②성쌓을 성 축성
(築城)함. '王命仲山甫, 一彼東方'《詩經》. ③
성 성 성(姓)의 하나.
字源 金文 篆文 城 籀文 鹹 形聲. 土+成〔音〕. '成
성'은 '안정하다'의 뜻.

金文과 籀文에서의 '土'는 망루의 象形임. 망
루가 있고, 흙을 쌓아 올려 담을 이루며, 사람
을 들여 놓아 살게 하여 안정시키는 '성'의 뜻
을 나타냄.

[城郭 성곽] 성(城). 성(城)은 내성(內城), 곽(郭)
은 외성(外城)의 뜻.
[城闕 성궐] 대궐의 문. 궁성
(宮城)의 문. 일설(一說)
에는 성곽(城郭).
[城內 성내] 성 안. 성중(城
中).
[城旦 성단] 매일 아침 일찍
일어나 성을 쌓는 죄수.
[城旦春 성단용] 아침 일
찍 일어나 절구질하는 죄
수.

[城郭]

[城廊 성랑] 성곽 안의 군데군데 세운 다락집.
[城樓 성루] 성 위의 누각(樓閣).
[城壘 성루] 작은 성. 토성(土城).
[城門 성문] 성의 문(門).
[城壁 성벽] 성(城)의 담벼락. [壘]
[城堡 성보] 작은 성. 토성(土城). 성루(城
[城復于隍 성복우황] 성의 둘레에 해자(垓字)를
파서 그 흙으로 성을 쌓았는데, 그 성이 무너져
서 흙이 해자(垓字)로 도로 돌아간다는 뜻으로,
나라가 잘 다스려진 뒤에는 난리가 일어나고,
복(福)이 극진하면 화(禍)가 오고, 이(利)가 극
진하면 해(害)가 생김을 이름.
[城府 성부] ㉠서울. 도읍(都邑). ㉡남에 대하여
경계하여 마치 성을 쌓듯이 만사에 주의하여 자
기의 속마음을 터놓지 않는 일.
[城上 성상] 성(城) 위.
[城戍 성수] 성보(城堡).
[城守 성수] 성 안에 들어박혀 지킴.
[城市 성시] 성(城)으로 둘러싸인 시가(市街).
[城役 성역] 성을 쌓거나 수축(修築)하는 일.
[城塢 성오] 작은 성. 토성(土城).
[城外 성외] 성문(城門)의 밖.
[城邑 성읍] 성으로 둘러싸인 읍(邑). 도읍(都邑).
[城闉 성인] 성문(城門).
[城主 성주] 성을 지키는 주장(主將).
[城中 성중] 성(城) 안.
[城池 성지] 해자(垓字).
[城址 성지] 성이 있던 빈 터. 성터.
[城趾 성지] 성지(城址).
[城砦 성채] 성(城)과 진(陣)터.
[城柵 성책] 성과 목책(木柵).
[城堞 성첩] 성가퀴.
[城雉 성치] 성(城). 치(雉)도 성(城)이란 뜻.
[城下 성하] ㉠성(城) 아래. ㉡성(城) 부근(附近)
의 땅.
[城下之盟 성하지맹] 성 밑까지 적군이 쳐들어와서
부득이 항복하고 체결하는 맹약(盟約). 대단히
굴욕적인 강화(講和).
[城狐 성호] 성 안에 사는 여우. 임금 곁에 있는
소인(小人)의 비유로 씀.
[城濠 성호] 해자(垓字).
[城隍 성황] ㉠성(城)과 물 없는 해자(垓字). ㉡
해자(垓字). ㉢지방관으로서 공덕(功德)이 있어
죽은 후 지방민의 제사를 받는 신(神). 또, 성
(城)을 지키는 신(神).
[城隍堂 성황당] 성(城)을 지키는 혼신(魂神)

모신 집.
●干城. 開城. 居城. 堅城. 京城. 傾城. 古城. 孤城. 攻城. 宮城. 金城. 禁城. 錦城. 落城. 落日孤城. 籠城. 壘城. 都城. 登城. 萬里長城. 名城. 邊城. 鳳城. 不夜城. 小城. 受降城. 崇城. 牙城. 連城. 五言長城. 王城. 外城. 月城. 危城. 一版孤城. 入城. 子城. 長城. 帝城. 築城. 層城. 彭城. 平城. 化城. 皇城. 荒城.

7/10 [垸] 〈人名〉완 ㊊寒 胡官切 huán

筆順 一 十 土 圵 圹 圹 垸 垸

字解 바를 완 칠(漆)에 재를 섞어 바름.
字源 篆文 垸 形聲. 土＋完〔音〕. '完완'은 '완전히 하다'의 뜻. 이지러진 토담을 고치다의 뜻을 나타냄.

7/10 [埏] ■ 연 ㊊先 以然切 yán
■ 선 ㊊先 式連切 shān

字解 ■ ①땅가장자리 연 땅의 끝. '下沴八一'《司馬相如》. ②묘도 연 무덤의 수도(隧道). '不閉一隧'《後漢書》. ■ 이길 선 흙을 반죽함. '埴以爲器'《荀子》. 또, 이긴 흙. '一, 揉也'《一切經音義》.
字源 篆文 埏 形聲. 土＋延〔音〕. '延연'은 뻗다, 뻗게 하다의 뜻. 땅이 뻗어 나간 끝의 뜻을 나타냄. 또, 무덤으로 뻗은 길의 뜻도 나타냄.

[埏隧 연수] 광중(壙中). 수도(隧道).
[埏埴 선치] 찰흙을 이김.
●九埏. 隧埏. 八埏. 垓埏. 寰埏.

7/10 [垒] 날(렬)㊄屑 力蘖切 liè

字解 ①담 날 낮은 담. '晉王濟有馬一'《世說》. ②둑 날 제방 '丘邊有界一'《爾雅 註》. ③지경 날 한계. 경계. '知八紘九野之形一'《淮南子》. ④같을 날 동등함. '富一王侯'《史記》.
字源 篆文 垒 形聲. 土＋寽〔音〕. '守랄'은 두 손으로 물건을 잡는 모양. 양손으로 흙을 그러모을 정도의 낮은 담의 뜻을 나타냄.

●界垒. 等垒. 馬垒. 放垒. 場垒.

7/10 [垓] 垒(前條)의 訛字

7/10 [坶] 〔목〕 牧(牛部 四畫〈p.1377〉)과 同字

7/10 [埇] 용 ㊊腫 余隴切 yǒng

字解 ①길돋을 용 길 위에 흙을 부어 편평하게 돋움. '一, 一日, 道上加土'《集韻》. ②땅이름 용 '地名, 在淮泗'《集韻》.
字源 形聲. 土＋甬〔音〕.

7/10 [垷] ■ 견 ㊊銑 古典切 xiàn
■ 현 ㊊銑 胡典切 xiàn

字解 ■ ①바를 견 진흙을 발라 붙임. '一, 塗

泥'《廣韻》. ②큰언덕 견 큰 언덕. '一, 又大坂'《廣韻》. ■ 바를 현, 큰언덕 현 ■과 뜻이 같음.
字源 形聲. 土＋見〔音〕

7/10 [埍] ■ 현 ㊊銑 胡畎切 juǎn
■ 견 ㊊銑 姑泫切 juǎn

字解 ■ ①하인청 현 하인들이 거처하는 흙방. '一, 徒隸所居也'《說文》. ②여자가두는옥 현 여죄수의 감옥. '一, 一日女牢'《說文》. ■ 하인청 견, 여자가두는옥 견 ■과 뜻이 같음.
字源 形聲. 土＋肙〔音〕

7/10 [埂] 경 ㊊康 古行切 ㊊梗 古杏切 gěng

字解 ①구덩이 경 구멍. '一, 小坑也'《玉篇》. ②둑 경 제방. '一, 堤封, 吳人云也'《廣韻》. ③두렁 경 논밭의 두렁. '今江東語, 謂畦埂, 爲一'《說文》.
字源 形聲. 土＋更〈㪅〉〔音〕

7/10 [垾] 발 ㊉月 蒲沒切 bó

字解 ①티끌 발 '一, 博雅, 塵也'《集韻》. ②티끌일 발 먼지가 일어나는 모양. '一, 塵起'《廣韻》.

7/10 [埄] 한 ㊉翰 侯旰切 hàn

字解 ①제방 한 작은 제방(堤防). '一, 小堤'《廣韻》. ②언덕 한 岸(山部 五畫)과 뜻이 같음.

7/10 [垠] 패 ①㊉泰 博蓋切 bà ②③㊉禡 必駕切 bà

字解 ①제방 패 둑. '一, 坡也'《集韻》. ②들 패 평야. '一, 蜀人謂平川爲一'《廣韻》. ③봇둑 패.
字源 形聲. 土＋貝〔音〕

7/10 [垶] 〔성〕 墡(土部 十畫〈p.458〉)과 同字

7/10 [埈] 〈人名〉〔준〕 峻(山部 七畫〈p.640〉)과 同字

筆順 一 十 圵 圹 圱 圴 圴 埈

7/10 [坾] 은 ㊉震 魚覲切 yìn ㊉問 吾靳切 yìn

字解 ①앙금 은 침전물(沈澱物). '一, 澱也'《說文》. ②돌 은 소용돌이쳐 돎. 泿(山部 七畫)과 통용.
字源 篆文 坾 形聲. 土＋斤〔音〕

7/10 [埔] 포 bù, pǔ

字解 ①고을이름 포 '大一'는 광둥 성(廣東省)의 현(縣) 이름. '一, 大一, 縣名. 明置, 左漢爲揭陽縣地. 卽今廣東大一縣'《中華大字典》. ②캄보디아 포 '柬一寨'는 인도차이나 반도의 나라 이름. '柬一寨, 在交趾支那之北, 暹羅之南'《中

華大字典》.

7
⑩ **[塊]** 〔괴〕
塊(土部 十畫〈p.457〉)의 俗字

7
⑩ **[墭]** 〔역·두〕
𡍩(土部 四畫〈p.438〉)과 同字

7
⑩ **[垚]** 〔요〕
堯(土部 九畫〈p.453〉)의 古字

7
⑩ **[垂]** 〔수〕
垂(土部 五畫〈p.442〉)의 俗字

8
⑪ **[埶]** 〔人名〕 ■ 예 ㊎霽 魚祭切 yì
㊀ 세 ㊎霽 始制切 shì　　　　　*𓏢*

字解 ■심을 예 藝(艸部 十五畫)와 同字. ㊁권세 세 勢(力部 十一畫)와 同字. '在一者去'《禮記》. ※'예'음은 인명자로 쓰임.

字源 甲骨文 *𦥑* 金文 *𦥑* 篆文 *𦥑* 象形. 金文은 사람이 어린 나무를 든 모양을 본떠, '심다'의 뜻을 나타냄. 篆文은 坴+丮(𡉚)의 會意. '坴륙'은 흙덩이가 큰 모양. '丮극'은 '심다'의 뜻. '藝예'의 원자(原字).

8
⑪ **[執]** 〔中人〕 집 ㊇緝 之入切 zhí　　*执執*

筆順 一 十 ㄦ 坴 幸 𡙡 執 執

字解 ①잡을 집 ㊀손으로 쥠. '一筆'. '一柯以伐柯'《中庸》. ㊁꼭 쥐고 놓지 않음. 지킴. 보존함. '一義'. '允一厥中'《書經》. ㊂체포함. '拘一'. '陽虎一懷'《史記》. ㊃잡아맴. '一騰駒'《禮記》. ㊄권세 따위를 차지함. 주장(主掌)함. 맡음. '一政'. '開臣一國政'《史記》. ②막을 집 틀어막음. '願以間一讒慝之口'《左傳》. ③벗 집 동지. 친구. '父一'. '見父之一'《禮記》. ④두려워할 집 慹(心部 十一畫)과 통용. '豪強一服'《漢書》. ⑤성질 성(姓)의 하나.

字源 甲骨文 *𦥑* 金文 *𦥑* 篆文 *𦥑* 形聲. 丮+幸[音]. '幸섭'은 놀라게 하다의 뜻이라고 하나, 실은, 甲骨文에서 알 수 있듯이, 수갑의 象形임. 甲骨文은 수갑을 차고 무릎을 꿇고 있는 사람의 모양을 본떠, '붙잡다'의 뜻을 나타냄.

[執柯 집가] 중매(仲媒)하는 사람.
[執巾櫛 집건즐] 건(巾)은 손수건, 즐(櫛)은 빗. 곧, 건즐(巾櫛)을 쥐는 것은 하녀(下女)·부인이 하는 일이므로, 전(轉)하여 상대자의 시중을 들겠다고 겸손하게 이르는 말로 쓰임.
[執劫 집겁] 노상강도(路上強盜).
[執鞚夫 집공부] 마부(馬夫).
[執拘 집구] 구속함. 나포(拿捕)함.
[執權 집권] 정사(政事)를 행하는 실권(實權)을 잡음.
[執圭 집규] 초(楚)나라의 작위(爵位) 이름. 지위(地位)가 부용(附庸)의 임금과 비등함.
[執金吾 집금오] 한대(漢代)에 대궐문을 지켜 비상사(非常事)를 막는 것을 맡은 벼슬.
[執覊靮 집기적] 말의 고삐를 잡고 말을 몬다는 뜻으로, 천역(賤役)에 종사(從事)함을 이름.
[執箕帚 집기추] 비를 쥐고 소제한다는 뜻으로,

천한 일을 함을 이름.
[執刀 집도] 칼을 쥠.
[執禮 집례] 지켜 행하여야 할 예(禮). 준행(遵行)하여야 할 예.
[執留 집류] 공금(公金)을 축낸 사람의 재산을 압류(押留)함.
[執務 집무] 사무(事務)를 봄. 일을 함.
[執杯 집배] 술잔을 잡음. 술을 마심.
[執法 집법] 법령을 준수(遵守)함.
[執柄 집병] ㊀기구(器具)의 자루를 잡음. ㊁정치상의 권력(權力)을 잡음.
[執卜 집복] 《韓》벼슬아치가 농사의 흉풍(凶豐)을 현장에서 조사하여 세액(稅額)을 매기는 일.
[執事 집사] ㊀사무를 봄. 또, 그 사람. ㊁귀인(貴人)을 모시고 그 집안 살림을 맡은 사람. ㊂귀인(貴人)을 직접 지칭하기가 황송하여 그의 옆에 모시고 있는 집사에게라는 뜻으로, 편지에서 귀인의 성명 밑에 쓰는 말. ㊃직접 귀인의 대명사(代名詞)로도 쓰임.
[執喪 집상] 부모(父母)의 상사(喪事)에 있어서 예절(禮節)을 지킴.
[執徐 집서] 십이지(十二支)의 하나인 진(辰)의 별칭(別稱).
[執手 집수] 남의 손을 잡음.
[執訊 집신] ㊀음신(音信)을 전하는 벼슬. ㊁신문(訊問)할 만한 죄인을 잡음. 또, 그 벼슬아치.
[執心 집심] 열중함. 또, 그 마음.
[執役 집역] 백성(百姓)이 공역(公役)을 치름.
[執熱不濯 집열불탁] 뜨거운 것을 쥐려는데 손을 물에 적시지 아니함. 작은 수고를 아끼다가 큰 일을 이루지 못함을 이름.
[執銳 집예] 날카로운 칼을 손에 쥠. 전쟁(戰爭)에 나아감.
[執拗 집요] ㊀자기의 의견을 우겨대는 고집(固執)이 매우 셈. ㊁추근추근하게 끈질김.
[執友 집우] ㊀뜻을 같이하는 벗. 친우(親友). ㊁아버지의 벗.
[執牛耳 집우이] 동맹(同盟)의 주도권(主導權)을 잡음. 또는 단체(團體) 따위에서 지배적 위치에 있음. 춘추 전국 시대(春秋戰國時代)에 제후(諸侯)들이 맹약(盟約)을 맺을 때 맹주(盟主)가 소의 귀를 쥐고 베어 그 피를 마시고 서약한 고사(故事)에 의함.
[執意 집의] 의견(意見)을 굳게 잡음.
[執義 집의] 정의(正義)를 꽉 잡아 지킴.
[執一 집일] 사물에 집착하여 변통성이 없음.
[執政 집정] 나라의 정권(政權)을 잡음. 또, 그 사람.
[執奏 집주] 백성(百姓)의 의견·상소(上疏) 등을 중간에서 맡아서 천자(天子)에게 아룀.
[執中 집중] 중용(中庸)의 도(道)를 꼭 잡아 지킴.
[執贄 집지] ㊀예물을 가지고 방문하여 경의를 표함. ㊁폐백을 드리고 문인(門人)이 됨. 위지(委贄). 위지(委質).
[執捉 집착] 죄인을 체포함.
[執着 집착] 《佛教》마음이 한곳에 달라붙어 떨어지지 아니함. 마음이 늘 그리로 쏠리어 잊혀지지 아니함.
[執頉 집탈] 《韓》남의 잘못을 잡아내어 탈을 잡음.
[執鞭 집편] 귀인(貴人)이 외출할 때 채찍을 가지고 그가 타는 거마(車馬)를 어거함.
[執筆 집필] 붓을 쥐고 글 또는 글씨를 씀.

[執行 집행] ㉠실제(實際)로 일을 잡아서 행(行)함. 실행함. ㉡'강제 집행(強制執行)'의 준말.
[執行猶豫 집행유예] 유죄 판결(有罪判決)을 받은 사람에게 일정한 조건(條件)하에서 형(刑)의 집행(執行)을 유예(猶豫)함.
[執刑 집형] 형(刑)을 집행(執行)함.
[執火 집화] 게〔蟹〕의 딴 이름.
◉間執. 固執. 拘執. 禁執. 妄執. 貌執. 迷執. 博執. 秉執. 父執. 朋執. 我執. 友執. 幽執. 宰執. 操執. 偏執. 虎執. 確執.

8 ⑪ [域] [高·人] 역 [入]職 雨逼切 yù

[筆順] 一 十 土 圹 坷 垣 域 域

[字解] ①지경 역 ㉠토지의 경계. '區—'. '土其地, 而制其—'《周禮》. ㉡사물의 경계. 범위. '納諸聖之—'《韓愈》. ②땅가장자리 역 땅의 끝. 극지(極地). '遠使地—'《宋書》. ③나라 역 국가. '西—'. '既臨其—, 諭以威德'《漢書》. ④곳 역 장소. '甘瞑于溷㴔之—'《淮南子》. ⑤경계지을 역 경계를 설정함. '肇—彼四海'《詩經》.
[字源] 或의 別體 形聲. 土+或〔音〕

[域內 역내] 일정한 장소의 안.
[域外 역외] ㉠구역(區域) 밖. ㉡범위(範圍) 밖. ㉢외국(外國).
[域外之議 역외지의] 범속(凡俗)을 벗어난 의견. 탁견(卓見).
[域中 역중] 구역의 안. 세계. 우내(宇內).
◉疆域. 境域. 界域. 廣域. 區域. 國域. 檀域. 墓域. 方域. 邦域. 邊域. 封域. 四域. 西域. 聖域. 聲域. 水域. 殊域. 神域. 塋域. 領域. 靈域. 外域. 禹域. 月域. 流域. 音域. 異域. 日域. 絕域. 淨域. 兆域. 地域. 職域. 畛域. 遐域. 海域. 寰域.

8 ⑪ [埠] [人名] 부(보[本]) [去]遇 薄古切 bù

[字解] 부두 부 배 닿는 곳. 선창. '—頭'. '每船—留一門'《西湖遊覽志》.
[字源] 形聲. 土+阜〔音〕. '阜부'는 층이 진 언덕의 뜻.

[埠頭 부두] 배를 대기 위하여 육지에서 바다로 돌을 쌓아 만든 방죽.
◉商埠. 船埠.

8 ⑪ [堉] [人名] 육 [入]屋 余六切 yù

[筆順] 一 十 土 圹 垃 垴 堉 堉 堉

[字解] 기름진땅 육 비옥한 땅. '—, 地土肥也'《玉篇》.
[字源] 形聲. 土+育〔音〕

8 ⑪ [埤] 비 [平]支 符支切 pí / [上]紙 部弭切 bēi / [去]霽 匹計切 pì

[字解] ①더할 비 증익(增益)함. '—益'. '政事一—益我'《詩經》. ②담 비 낮은 담. '掖垣竹—梧十尋'《杜甫》. ③낮을 비 卑(十部 六畫)와 통용. '其—濕則生藏莨蒹葭'《司馬相如》. ④습지 비 저습(低濕)한 땅. '松柏不生—'《國語》. ⑤성가퀴 비 '—堄'는 성 위에 낮게 쌓은 담. 치첩(雉堞). 여장(女牆). '城烏—堄曉'《王維》.
[字源] 篆文 形聲. 土+卑〔音〕. '卑비'는 '낮다'의 뜻. 낮은 울타리, 성가퀴의 뜻. 또, '俾비'와 통하여, 假借하여 '더하다'의 뜻도 나타냄.

[埤薄 비박] 습기가 많고 메마른 땅.
[埤濕 비습] 땅이 낮고 습기(濕氣)가 많음. 비습(卑濕).
[埤堄 비예] 성가퀴.
[埤汚 비오] 낮은 지위(地位).
[埤益 비익] 도움이 됨. 비익(裨益).

8 ⑪ [埭] 태 [去]隊 徒耐切 dài

[字解] 둑 태 선박의 통행세(通行稅)를 받기 위하여 강(江)에 쌓은 제방. '以牛車牽—, 取其稅'《晉中興書》.
[字源] 形聲. 土+隶〔音〕

◉堰埭. 津埭.

8 ⑪ [埳] 감 [上]感 苦感切 kǎn

[字解] 구덩이 감 움푹 팬 곳. 坎(土部 四畫)과 同字. '—井之蛙'《莊子》.
[字源] 形聲. 土+臽〔音〕. '臽감'은 '함정'의 뜻.

[埳坷 감가] ㉠감가(埳軻). ㉡고개. 비탈길.
[埳軻 감가] ㉠때를 만나지 못함. 불우(不遇). ㉡가는 길이 험하여 힘이 듦. 감가(轗軻).
[埳井之蛙 감정지와] '우물 안의 개구리'라는 뜻으로, 식견(識見)이 좁은 사람의 비유로 쓰임. 정저지와(井底之蛙).

8 ⑪ [埴] [人名] [一] 치 [去]寘 昌志切 zhí / [二] 식 [入]職 常職切 zhí

[筆順] 一 十 土 圹 垆 埴 埴 埴 埴

[字解] [一] 찰흙 치 '埏—以爲器'《老子》. [二] 찰흙 식.
[字源] 篆文 形聲. 土+直〔音〕. '直직'은 '곧추세우다'의 뜻. 초목을 심어서 똑바로 성장시키기에 알맞은 찰흙의 뜻을 나타냄. 일설에는, 차지게 늘어나서 질그릇 따위를 만드는 원료가 되는 '찰흙'의 뜻이라고 함.

[埴土 치토] 찰흙. 점토(粘土).
◉摶埴. 埏埴. 擿埴. 挻埴. 治埴.

8 ⑪ [埵] 타 [上]哿 丁果切 duǒ

[字解] ①단단한흙 타 견토(堅土). '不見—塊'《論衡》. ②제방 타 둑. '—防者便也'《淮南子》.
[字源] 篆文 形聲. 土+垂(坐)〔音〕. '坐수'는 '드리워지다'의 뜻. 나뭇가지가 늘어질 듯이 가로 뻗어 있는 흙을 단단히 다져 굳힌

'제방'의 뜻을 나타냄.

●菩提薩埵. 薩埵.

8 ⑪ [場] 역 Ⓐ陌 羊益切 yì

字解 ①밭두둑 역 밭의 경계. '疆―翼翼《詩經》. ②변방 역 국경. 변경(邊境). '君之疆―'《左傳》.
字源 篆文 場 形聲. 土+易〔音〕. '易역'은 '변하다'의 뜻. 땅의 소속이 거기서부터 바뀌는 곳의 뜻을 나타냄.

●疆場. 竟場. 郊場. 邊場.

8 ⑪ [培] 高 배 Ⓒ灰 薄回切 péi / 入 부 Ⓑ有 蒲口切 pǒu

筆順 一 十 扩 圹 圬 培 培 培

字解 ■ 북돋을 배 ㉠초목의 뿌리를 흙으로 싸서 가꿈. '栽者―之'《中庸》. ㉡봉분(封墳) 함. '墳墓不―'《禮記》. ㉢양성함. '一材'. '新知―養轉深沈'《朱熹》. ■ 언덕 부 작은 언덕. '必墮其壘―'《國語》.
字源 篆文 埼 形聲. 土+㱿〔音〕. '㱿부'는 붕긋이 크다의 뜻. 흙을 붕긋하게 돋우다, 땅을 불려 크게 하다의 뜻을 나타냄. 지금은 '培'로 씀.

[培根 배근] 뿌리를 북돋아 줌.
[培植 배식] ㉠초목(草木)을 북돋우어 심음. ㉡인재(人材)를 양성(養成)함.
[培養 배양] ㉠초목(草木)을 북돋우어 기름. ㉡사물을 발달시킴.
[培壅 배옹] 북돋움. 키움. 배양(培養).
[培風 배풍] 대붕(大鵬)이 천풍(天風)의 힘을 빌려 하늘로 오름.
[培塿 부루] 작은 언덕. 부루(部婁).
[培堆 부퇴] ㉠조금 높은 언덕. ㉡높이 쌓음.
●啓培. 饒培. 耘培. 栽培.

8 ⑪ [埼] 入名 기 Ⓐ支 渠羈切 qí

筆順 一 十 圹 圩 圬 垮 垮 埼

字解 갑 기 안두(岸頭). 崎(山部 八畫)와 同字. '觸穹石, 激―堆'《司馬相如》.
字源 形聲. 土+奇〔音〕. '奇기'는 '휘어지다'의 뜻. 휘어진 물가의 뜻을 나타냄.

8 ⑪ [埝] ■ 점 Ⓖ豔 都念切 niàn / ■ 녑 Ⓐ葉 奴協切

字解 ■ ①낮을 점 땅이 낮음. '―, 下也'《揚子方言》. ②(現) 둑 점 제방(堤防). ■ ①더할 녑 보탬. '―, 益也'《集韻》. ②빠질 녑 '―, 一曰, 陷也'《集韻》.

8 ⑪ [埽] 소 Ⓑ晧 蘇老切 sǎo

字解 쓸 소 掃(手部 八畫)와 同字. '―除'. '掌―門庭'《周禮》.
字源 篆文 埽 形聲. 土+帚〔音〕. '帚추'는 자루가 있는 비를 본뜬 것. 그것으로 흙먼지를 쓸고 털다의 뜻을 나타냄.

[埽星 소성] '혜성(彗星)'의 별칭(別稱).
[埽除 소제] 쓸어 치움.
●卻埽. 箕埽. 拜埽. 灑埽. 汛埽. 如埽. 電埽. 淨埽. 清埽. 披埽.

8 ⑪ [堀] 入名 굴 ①Ⓐ月 苦骨切 kū / ②Ⓐ物 衢物切 jué

字解 ①굴 굴 토굴. 窟(穴部 八畫)과 同字. '―穴'. '伏甲于―室'《左傳》. ②팔 굴 땅을 팜. '―堁揚塵'《楚辭》.
字源 篆文 堀 / 篆文 堀 形聲. 土+屈(屈)〔音〕. '屈굴'은 쭈그리고 앉다의 뜻. 쭈그리고 앉아서 구멍을 파다의 뜻을 나타냄.

[堀室 굴실] 움집. 토막(土幕).
[堀穴 굴혈] 굴.

8 ⑪ [堄] 入名 예 Ⓖ霽 五計切 nì

字解 성가퀴 예 '埤―'는 성 위의 낮은 담. 여장(女牆).
字源 形聲. 土+兒〔音〕. '兒아'는 '어린이'의 뜻. 어린이처럼 작은 성가퀴의 뜻을 나타냄.

●埤堄.

8 ⑪ [堆] 入名 퇴 Ⓐ灰 都回切 duī

筆順 一 十 圹 圹 圩 垆 堆 堆

字解 ①흙무더기 퇴 흙더미. '有土―, 高五丈, 生細竹'《秦州記》. ②쌓을 퇴, 쌓일 퇴 높이 쌓임. 또, 쌓음. '―積'. '爛穀―荊囷'《李商隱》. ③놓을 퇴 하던 것을 그만둠. '鍾期―琴'《戰國策》.
字源 形聲. 土+隹〔音〕. '隹추'는 통통한 새를 본뜬 것. 통통한 모양의 흙무더기의 뜻을 나타냄.

[堆金積玉 퇴금적옥] 금과 옥을 높이 쌓음. 부유(富有)함.
[堆肥 퇴비] 북데기를 쌓아 썩인 거름.
[堆愁 퇴수] 쌓이고 쌓인 우수(憂愁).
[堆積 퇴적] 많이 쌓임.
[堆朱 퇴주] 붉홍(堆紅).
[堆疊 퇴첩] 높이 쌓임. 또, 높이 쌓음.
[堆堆 퇴퇴] 높이 쌓인 모양.
[堆紅 퇴홍] 빨간빛을 먼저 칠하고 그 위에 두껍게 검은 칠을 한 후 붉은빛 있는 데까지 무늬를 새긴 칠기.
●培堆. 雪成堆. 土堆.

8 ⑪ [堋] 붕 ①Ⓖ徑 方隥切 bèng / ②③Ⓐ蒸 步崩切 péng

字解 ①묻을 붕 시체를 파묻고 흙을 덮음. '日中而―'《左傳》. ②보 붕 관개(灌漑)하기 위하여 막은 둑. '―有左右口, 謂之湔―'《水經注》. ③살받이터 붕 흙을 높이 쌓아 과녁을 걸어 놓는 데. '橫弓先望―'《庾信》.
字源 金文 堋 / 篆文 堋 形聲. 土+朋〔音〕

8 ⑪ [堁] 과 Ⓖ箇 苦臥切 kè

石一志之《舊唐書》. ②흙성 후 적정(敵情)을 살피기 위하여 흙으로 쌓은 보루. '玉門罷一'《梁簡文帝》.
字源 形聲. 土＋侯〔音〕. '侯후'는 '살피다, 엿보다'의 뜻.

[堠槐 후괴] 이정(里程)을 표시하기 위하여 흙을 쌓는 대신에 심은 홰나무.
[堠子 후자] 이정(里程)을 알리기 위하여 흙을 산처럼 높이 쌓아 올린 것. 자(子)는 조자(助字).
[堠程 후정] 여행의 노정(路程). 여정(旅程).
●孤堠. 關堠. 兵堠. 封堠. 烽堠. 石堠. 雙堠. 里堠. 亭堠. 土堠. 標堠. 火堠.

9／12 [堤] 高人 제 ㉠齊 都禮切 dī

筆順 士 圵 圵 圵 垾 垾 垾 堤
字解 둑 제 제방. '一塘'. '修一堰'《南史》.
字源 篆 形聲. 土＋是〔音〕. '是시'는 숟가락총이 긴 숟가락의 象形. 길게 내민 '둑'을 뜻함.

[堤塘 제당] 제방(堤防).
[堤防 제방] 홍수(洪水)를 막기 위하여 흙과 돌을 쌓은 것.
●突堤. 防波堤. 堰堤. 長堤.

9／12 [堪] 人名 감 ㉠覃 口含切 kān

筆順 士 圹 卅 圳 埃 埃 堪 堪
字解 ①견딜 감 ㉠감당함. 능히 함. '一能'. '口弗一也'《國語》. ㉡참음. '一忍'. '民力不一'《呂氏春秋》. ②맡을 감 감당함. 맡아 함. '何德以一之'《國語》. ③성 감 성(姓)의 하나.
字源 篆 形聲. 土＋甚〔音〕. '甚심'은 '화덕'의 뜻. 본디, 흙으로 만든 아궁이의 굴뚝의 뜻을 나타냈으나, 假借하여, '戡감' 등과 통하여 '이기다'의 뜻. 약한 마음이나 욕망, 또는 자기에게 가해진 압력에 이겨 내다, 견디다의 뜻을 나타냄.

[堪耐 감내] 참고 견딤.
[堪能 감능] 일을 훌륭히 감당(堪當)해 내는 능력(能力)이 있음. 일에 능란(能爛)함.
[堪當 감당] ㉠산의 형세(形勢)가 기발(奇拔)한 모양. ㉡법에 의해서 벌을 줌. ㉢일을 능히 해냄.
[堪坏 감배] 고대(古代)의 신(神)의 이름. 인면수신(人面獸身)으로서 득도(得道)하여 곤륜산(崑崙山)에 들어가 신(神)이 되었다 함.
[堪輿 감여] ㉠하늘과 땅. 천지(天地). ㉡감여가(堪輿家).
[堪輿家 감여가] 산소 자리를 잡는 것을 전문으로 하는 사람. 풍수가(風水家).
[堪忍 감인] 참고 견딤. 감내(堪耐).
●克堪. 難堪. 不堪. 自堪.

9／12 [堰] 人名 언 ㉠霰 於扇切 yàn

字解 보 언, 방죽 언 '一堤'. '立一漑田千餘頃'《南史》.

形聲. 土＋匽〔音〕. '匽언'은 '막다'의 뜻. 물의 흐름을 막는 '보'의 뜻을 나타냄.

[堰瀦 언저] 저수지(貯水池).
[堰堤 언제] 방죽. 둑. 제방(堤防).
[堰埭 언태] ㉠선박(船舶)의 통행세(通行稅)를 받기 위해 강가에 쌓은 둑. ㉡관개(灌漑)하기 위하여 만든 방죽.
●石堰. 廢堰. 海堰. 畦堰.

9／12 [場] 中入 장 ㉠陽 直良切 chǎng 場

筆順 士 圹 圹 坦 坍 堨 場 場
字解 ①마당 장 ㉠구획한 공지. '闢廣一, 羅兵三萬'《唐書》. ㉡곳. '一所'. '婆娑術藝之一'《班固》. ㉢제사 지내는 터. '築室於一'《孟子》. ㉣타작마당. '十月滌一'《詩經》. ②때 장 시기(時期). '一一春夢'. '紅葉開時醉一一'《王禹偁》. ③구획 장 사물의 일단락. '雜出六題, 分爲三一'《宋史》.
字源 篆文 形聲. 土＋昜〔音〕. '昜양'은 '해가 뜨다'의 뜻. 떠오르는 태양을 제사 지내는 깨끗한 곳, 일반적으로 '장소'의 뜻을 나타냄.

[場埒 장날] 말 타기도 하고 활쏘기도 하는 곳.
[場內 장내] ㉠어떠한 처소의 안. ㉡과장(科場)의 안.
[場裏 장리] 그 장소(場所)의 안. 장내(場內).
[場面 장면] 어떠한 장소의 겉으로 드러난 면(面)이나 광경.
[場師 장사] 정원(庭園)의 일을 맡은 벼슬아치. 전(轉)하여 정원사(庭園師).
[場所 장소] ㉠곳. 처소(處所). ㉡자리.
[場屋 장옥] ㉠과거를 보이는 곳. 과장(科場). ㉡연극하는 장소. 무대. 희장(戲場).
[場外 장외] ㉠어떠한 처소의 바깥. ㉡과장(科場)의 밖.
[場圃 장유] ㉠동산. 밭. ㉡장소. 곳.
[場圃 장포] ㉠뜰. 채마밭. ㉡타작마당. 여름에는 채마밭으로 쓰다가 가을에 마당질하기 위하여 닦은 곳.
●擧場. 缺場. 競技場. 古戰場. 工場. 科場. 官場. 敎場. 毬場. 球場. 劇場. 來場. 農場. 道場. 獨擅場. 登場. 馬場. 滿場. 名場. 牧場. 墨場. 文場. 飛行場. 沙場. 射場. 寫場. 上場. 修羅場. 水泳場. 市場. 式場. 漁場. 靈場. 禮式場. 浴場. 運動場. 議場. 一場. 入場. 立場. 磁場. 齋場. 電場. 戰場. 祭場. 職場. 擅場. 出場. 退場. 罷場. 海水浴場. 現場. 刑場. 會場. 休場. 戲場.

9／12 [堣] 人名 우 ㉠虞 偶俱切 yú

筆順 士 圹 圹 坍 垾 堣 堣 堣
字解 땅이름 우 '一夷, 在冀州暘谷'《說文》.
字源 金文 篆文 形聲. 土＋禺〔音〕.

9／12 [堭] 人名 황 ㉠陽 胡光切 huáng

筆順 土 圡 圤 圩 坮 垍 埠 堭

字解 ①벽없는집 황 사벽(四壁)이 없는 건물. 정자(亭子) 같은 것. 皇(白部 四畫)과 통용. '堂一, 合殿也'《廣韻》. ②해자 황 隍(阜部 九畫)과 同字.

字源 形聲. 土＋皇〔音〕

9/12 [堎] 긍 㴱徑 古鄧切 gèng

字解 길 긍 도로(道路). '唯君命止柩于一'《儀禮》.

9/12 [堫] 돌 㣄月 陀沒切 tū

字解 부엌창 돌 연기(煙氣)가 빠지도록 낸 창. '竈, 謂之竈, 其窗謂之一'《廣雅》.

9/12 [堫] 〓 종 㴱東 子紅切 zōng / 〓 창 㴱江 楚江切 zōng

字解 〓①심을 종 식물을 심음. '一, 種也'《廣韻》. ②들어갈 종 속으로 들어감. '一, 一曰, 內其中'《說文》. 〓 심을 창, 들어갈 창 〓과 뜻이 같음.

字源 形聲. 土＋髮〔音〕

9/12 [堮] 악 㣄藥 五各切 è

字解 비탈 악 낭떠러지. '一, 圻一'《廣韻》.

9/12 [堵] 〔人名〕 도 㳚麞 當古切 dǔ

筆順 土 圡 圤 圵 均 堵 堵 堵

字解 ①담 도 담장. '止如一牆, 動如風雨'《尉繚子》. 전(轉)하여, 담의 안. 거처. 주거. '百姓安一'《蜀志》. ②성 도 성(姓)의 하나.

字源 形聲. 土＋者〔音〕. '者'자는 받침대 위에 섶나무 따위를 쌓아 놓은 것을 본뜬 것. 양쪽 판자 사이에 진흙을 넣고 다져서 굳히는 방법으로 만든 흙벽의 뜻을 나타냄. 일설에는, '者'는 덮어서 가로막다의 뜻으로 담. '土․'를 더하여, 다른 사람의 침입을 막기 위한 토담의 뜻이라고 함.

[堵塞 도색] 막음. 폐색(閉塞).
[堵列 도열] 담같이 죽 늘어선다는 뜻으로, 많은 사람이 죽 늘어섬. 또, 그 열.
[堵牆 도장] 담.
●粉堵. 阿堵. 安堵. 按堵. 案堵. 周堵. 環堵.

9/12 [堶] 타 㴱歌 徒和切 tuó

字解 석전 타 돌팔매질하여 겨루는 승부. '輕浮賭勝各飛一'《梅堯臣》.

9/12 [堨] 알 㣄曷 烏葛切 è

字解 보 알, 방죽 알 '治芍陂屑茹陂阪匕門吳塘諸一, 以漑稻田'《魏志》.

9/12 [堨] 字源 形聲. 土＋曷〔音〕. '曷갈'은 '멈추게 하다'의 뜻. 흙을 쌓아 올려서 물을 막는 보, '둑'의 뜻을 나타냄.

9/12 [城] 감 㳚感 苦感切 jiǎn

字解 ①험할 감 길이 험하여 가기 힘듦. '一, 一坷'《篇海》. ②저수지 감 물을 가두어 두기 위해 만든 못. '若發一決唐'《淮南子》.

9/12 [堝] 과 㴱歌 古禾切 guō

字解 도가니 과 쇠붙이를 녹이는 데 쓰는 그릇. '一, 甘一所以烹煉金銀'《玉篇》.

字源 形聲. 土＋咼〔音〕

●坩堝.

9/12 [堛] 벽 㣄職 筆力切 pì

字解 흙덩이 벽 토괴(土塊). '一, 出也'《說文》.
字源 形聲. 土＋畐〔音〕. '畐복'은 '부풀다'의 뜻. '흙덩이'의 뜻을 나타냄.

9/12 [堘] 복 㣄屋 房六切 fù

字解 토굴 복 復(穴部 十二畫)과 同字.

9/12 [堬] 유 㴱虞 羊朱切 yú

字解 무덤 유 뫼. '秦晉之閒, 冢, 謂之一'《揚子方言》.

9/12 [堳] 미 㴱支 旻悲切 méi

字解 담 미 단(壇)의 주위를 두른 낮은 담.

9/12 [壖] 〔탁〕 坼(土部 五畫〈p.441〉)의 本字

9/12 [堺] 〔계〕 界(田部 四畫〈p.1463〉)와 同字

9/12 [壘] 〔루·뢰·류〕 壘(土部 十五畫〈p.470〉)의 略字

9/12 [堕] 〔타·휴〕墮(土部 十二畫〈p.467〉)와 同字·簡體字

9/12 [塍] 〔승〕疃(田部 九畫〈p.1473〉)과 同字

9/12 [堡] 〔보〕堡(土部 九畫〈p.457〉)와 同字

9/12 [堦] 〔계〕階(阜部 九畫〈p.2471〉)와 同字

9/12 [堽] 〓〔강〕岡(山部 五畫〈p.637〉)과 同字 / 〓〔강〕剛(刀部 八畫〈p.260〉)의 訛字

9/12 [塔] 〔탑〕塔(土部 十畫〈p.457〉)의 俗字

9 [塚] 〔총〕
⑫ 冢(一部 八畫〈p.225〉)의 訛字

9 [聖] 〔즐〕
⑫ 〔二〕 즐 Ⓐ質 資悉切 jí
〔三〕 즉 Ⓐ職 秦力切 jí

字解 〔二〕①불똥 즐 심지의 끝의 타다 남은 것. '左手秉燭, 右手折一'《管子》. ②미워할 즐 증오함. '朕—讒說殄行'《書經》. ③기와 즐 구운 기와. '夏后氏—周'《禮記》. 〔三〕 미워할 즉, 기와 즉 〔二〕과 뜻이 같음.

字源 形聲. 土+卽[音]

9 [堡] 人名 보 ㊤晧 博抱切 bǎo
⑫

筆順 亻 仴 伃 俘 保 保 保 堡

字解 작은성 보 토석(土石)으로 쌓은 작은 성. '一砦'. '連城一'《唐書》.

字源 形聲. 土+保[音]. '保보'는 '보존하다, 지키다'의 뜻. '土토'를 더하여, 외적으로부터 나라를 지키는 작은 성, '보루(堡壘)'의 뜻을 나타냄.

[堡壘 보루] 적군을 막기 위하여 토석(土石)으로 쌓은 작은 성.
[堡壁 보벽] 보루(堡壘).
[堡戍 보수] 성채(城砦). 또는 성채를 지킴.
[堡障 보장] 보루(堡壘).
[堡砦 보채] 보루(堡壘).
[堡聚 보취] 사람을 많이 모아 보루를 지킴.
　●橋頭堡. 屯堡. 望堡. 烽堡. 城堡. 營堡. 戰堡. 哨堡.

9 [堥] 무 ㊤尤 莫浮切 móu
⑫

字解 언덕 무 작은 언덕. '一敦'.

字源 形聲. 土+敄[音]

[堥敦 무돈] 작은 언덕.

9 [埜] 〔야〕
⑫ 野(里部 四畫〈p.2369〉)와 同字

9 [埀] 〔수〕
⑫ 垂(土部 五畫〈p.442〉)의 古字

9 [墾] 〔간〕
⑫ 墾(土部 十三畫〈p.468〉)의 俗字

10 [報] 〔보〕
⑬ 報(土部 九畫〈p.453〉)의 訛字

10 [塊] 高人 괴 ㊣隊 苦對切 kuài
⑬ 　　　 ㊤泰 苦會切

筆順 土 圤 圷 坤 坤 塄 塊 塊

字解 ①흙덩이 괴 덩어리진 흙. 토괴(土塊). '野人與之一'《左傳》. ②덩이 괴 덩어리. '肉一'. '趙氏一一肉'《宋史》. ③나 괴 자기. '一獨守此無澤兮'《楚辭》. ④홀로 괴 고독한 모양. '一孤立而特峙'《陸機》.

字源 形聲. 土+鬼[音]. '鬼귀'는 징그러운 머리를 한 사람을 본뜬 것. '흙덩이'의 뜻을 나타냄. '凷괴'의 속자(俗字).

[塊莖 괴경] 괴상(塊狀)으로 된 지하경(地下莖). 감자 따위.
[塊根 괴근] 덩이로 된 뿌리.
[塊金 괴금] 금덩이.
[塊獨 괴독] 홀로 섬. 고립(孤立). 고독(孤獨).
[塊石 괴석] 돌멩이.
[塊然 괴연] 혼자 있는 모양.
[塊炭 괴탄] 덩이로 된 석탄.
　●金塊. 磊塊. 累塊. 疊塊. 團塊. 大塊. 氷塊. 山塊. 石塊. 肉塊. 凝塊. 土塊. 血塊.

10 [塌] 탑 Ⓐ合 託盍切 tā
⑬

字解 ①애벌갈 탑 초경(初耕)함. '初耕曰—'《王盤農書》. ②떨어질 탑, 떨어뜨릴 탑 '垂頭—翼'《陳琳》.

字源 形聲. 土+弱[音]. '弱탑'은 납작하게 찌부러지는 모양을 나타내는 의성어.

[塌颯 탑삽] 뜻을 얻지 못한 모양.

10 [塏] 人名 개 ㊤賄 苦亥切 kǎi
⑬

字解 높은땅 개 높고 환한 땅. '請更諸爽一者'《左傳》.

字源 形聲. 土+豈[音]. '豈개'는 '명랑하고 환하다'의 뜻. 높고 환한 땅의 뜻을 나타냄.

[塏塏 개개] 언덕 같은 것이 높은 모양.
　●爽塏. 勝塏. 幽塏.

10 [塒] 시 ㊤支 市之切 shí
⑬

字解 홰 시 닭 같은 것이 앉는 곳. '鷄棲于一'《詩經》.

字源 形聲. 土+時[音]. '土토'는 '토담'의 뜻. '時시'는 '止지'와 통하여, 토담에 구멍을 뚫어 닭이 앉아 쉬게 하는 곳, 보금자리의 뜻을 나타냄.

10 [塔] 高人 탑 Ⓐ合 吐盍切 tǎ
⑬

筆順 土 圤 圹 圹 圹 坎 坟 塔

字解 ①탑 탑 불탑. '浮屠梵語塔婆, 此云高顯, 今稱一'《釋氏要覽》. ②절 탑 사찰. 불당(佛堂). '募建宮宇曰一'《魏志》. ③층집 탑 5층 또는 7층의 고각(高閣). '偃王燈一古涂州'《薛能》. ④성 탑 성(姓)의 하나.

字源 形聲. 土+荅[音]. 범어(梵語) stūpa의 음역(音譯). 흙으로 만들어지므로, '土토'를 덧붙임.

[塔頭 탑두]《佛敎》㉠선가(禪家)에서 조사(祖師)의 탑이 있는 곳. ㉡본사(本寺)에 속하여 본사 경내에 있는 작은 절.
[塔碑 탑비] 탑과 비(碑).

[塔影 탑영] 탑의 그림자.
[塔尖 탑첨] 탑 끝의 뾰족한 곳.
[塔婆 탑파]《佛敎》㉠'솔탑파(率塔婆)'의 준말로, 방분(方墳) 또는 묘(廟)라 번역함. 사자(死者)의 사리(舍利)를 묻은 무덤에 세우는 석탑(石塔). ㉡솔탑파와 같이 만든 판자에 범어(梵語) 등을 적어 무덤 주위에 세운 것. 솔도파(率堵婆).
●經塔. 金字塔. 卵塔. 堂塔. 燈塔. 廟塔. 梵塔. 寶塔. 佛塔. 寺塔. 舍利塔. 象牙塔. 石塔. 五輪塔. 五重塔. 尖塔. 層塔.

10 ⑬ [堘] 공 ㊀送 古送切 gòng
字解 땅이름 공.

10 ⑬ [墷] 성 ㊀庚 思營切 xīng
字解 붉은흙 성 빛깔이 붉은 흙. '一, 赤剛土也'《說文》.
字源 篆文 墷 形聲. 土+觲〈省〉〔音〕. 붉고 굳은 흙의 뜻을 나타냄.

10 ⑬ [塓] 멱 ㊀錫 莫狄切 mì
字解 흙바를 멱 벽에 흙을 바름. '圬人以時一館宮室'《左傳》.
字源 篆文 塓 形聲. 土+冥〔音〕. '冥명'은 '어둡다'의 뜻. 흙을 발라 어둡게 하다의 뜻을 나타냄.

10 ⑬ [塕] 옹 ㊀董 烏孔切 wěng
字解 ①티끌 옹 먼지. '馬上風來亂吹一'《柳貫》. ②티끌자옥하게일 옹 '一然'은 바람이 불어 먼지가 자옥하게 일어나는 모양. '庶人之風, 一然起于窮巷之間'《宋玉》.
字源 形聲. 土+翁〔音〕

[塕然 옹연] 자해 (字解)❷를 보라.

10 ⑬ [塘] 人名 당 ㊀陽 徒郎切 táng
筆順 土 圹 圹 圹 圹 圹 坥 塘
字解 ①둑 당 제방. '隄一'. '曹華信立防海一'《錢塘志》. ②못 당 저수지 (貯水池). '一池'. '柳一春水漫'《嚴維》.
字源 篆文 塘 形聲. 土+唐〔音〕. '唐당'은 '크다'의 뜻. 흙으로 쌓은 큰 둑의 뜻을 나타냄.

[塘池 당지] 저수지 (貯水池).
●芳塘. 蓮塘. 林塘. 堤塘. 隄塘. 池塘. 春塘. 陂塘.

10 ⑬ [塥] 혁(격)㊀ ㊀陌 各額切 gé
字解 푸석푸석한흙 혁 마르고 끈기가 없는 푸석푸석한 흙. '圬位之狀, 不一不灰'《管子》.

10 ⑬ [塉] ■ 퇴 ㊀灰 都回切 duī
　　 ■ 최 ㊀灰 倉回切 duī

字解 ■ ①떨어질 퇴 '一, 落也'《集韻》. ②쌓일 퇴 '依沙一爲屯'《三國志》. ■ 꾸짖을 최 책망함. '一, 譴也'《類篇》.

10 ⑬ [塙] 각 ㊀覺 苦角切 què
字解 단단할 각 땅이 단단함.
字源 篆文 塙 形聲. 土+高〔音〕. '高고'는 '確확'과 통하여, '단단하다'의 뜻. 팔 수 없을 정도로 단단한 흙의 뜻을 나타냄.

10 ⑬ [塜] 봉 ㊀東 蒲蒙切 péng
字解 먼지날 봉 먼지가 읾.
參考 塚(土部 十畫)은 別字.

10 ⑬ [塡] ■ 전 ㊀先 徒年切 tián
　　 ㊀眞 陟鄰切 chén
　　 ■ 진 ㊀震 陟刃切 zhèn
　　 ㊀銑 徒典切 tiǎn

筆順 土 圤 圤 圹 圭 埴 填 塡
字解 ■ ①메울 전 넣어 채움. '充一'. '屍一巨港之岸'《李華》. ②박아넣을 전 감입 (嵌入)함. '一金'. '金一文字'《嘉話錄》. ③채울 전 충당함. '多取好女以一後宮'《漢書》. ④따를 전 순종함. 따라감. '一流泉而爲沼'《班固》. ⑤북소리 전 '一然鼓之'《孟子》. ■ ①오랠 진 塵(土部 十一畫)과 同字. '孔一不寧'《詩經》. ②누를 진 鎭(金部 十畫)과 同字. '一撫'. '一國家'《漢書》. ③다할 진 궁진 (窮盡)함. 殄(歹部 五畫)과 同字. '哀我一寡'《詩經》.
字源 篆文 塡 形聲. 土+眞〔音〕. '眞진'은 '메우다, 채우다'의 뜻. 흙을 채워서 구멍을 막다의 뜻을 나타냄.

[塡溝壑 전구학] 구렁에 빠져 죽음. 행려병사 (行旅病死)함. 목숨을 잃는 것을 겸손하여 이르는 말.
[塡補 전보] 메워 기움. 부족한 것을 메워 채움.
[塡詞 전사] 시 (詩)의 한 체 (體). 그 성운 (聲韻)의 평측 (平仄)에 적당한 자구 (字句)를 채워서 짓는 시 (詩). 시여 (詩餘). 사여 (詞餘).
[塡塞 전색] 메움. 막음. 또, 메워짐. 막힘.
[塡詩 전시] 전사 (塡詞).
[塡然 전연] 북소리의 형용.
[塡委 전위] ㉠가득 차 쌓임. ㉡사무가 밀림.
[塡塡 전전] ㉠침착한 모양. 중후 (重厚)한 모양. ㉡만족한 모양. ㉢엄정하고 성 (盛)한 모양. 정제 (整齊)한 모양. ㉣거마 (車馬)가 많이 죽 늘어선 모양. ㉤천둥이 요란하게 나는 소리. ㉥계속하여 울리는 북소리.
[塡足 전족] 메워 채움. 부족한 것을 채움.
[塡湊 전주] 메도록 많이 모여 들어 혼잡함.
[塡充 전충] 메워 채움.
[塡撫 진무] 민심 (民心)을 진정시키어 안도 (安堵)하게 함.
[塡星 진성] 오성 (五星)의 하나. 곧, 토성 (土星). 진성 (鎭星).
●配塡. 補塡. 委塡. 裝塡. 充塡.

10 ⑬ [塢] 人名 오 ㊀麌 安古切 wǔ

[字解] ①마을 오 촌락. '谿行盡日無村—'《杜甫》. ②보루 오 작은 성. 성채. '—壁'. '築—于郿'《後漢書》. ③둑 오 작은 제방. '花—麥畦'《樹萱錄》.
[字源] 形聲. 土+烏〔音〕. '烏오'는 '歍오'와 통하여, 구역질이 나다의 뜻. 더러운 물을 가둔 마을의 작은 둑의 뜻을 나타냄.

[塢壁 오벽] 작은 성. 보루(堡壘).
◉村塢. 築塢.

10 ⑬ [塉] 척 [入]陌 秦昔切 jí 

[字解] 메마른땅 척 척박한 땅. '—埆'. '處—則勞'《抱朴子》.
[字源] 形聲. 土+脊〔音〕. '脊척'은 '등뼈'의 뜻. 등뼈처럼 바위가 드러나 있는 메마른 땅의 뜻을 나타냄.

[塉埆 척각] 척박한 땅. 메마른 땅.
[塉薄 척박] 척각(塉埆).

10 ⑬ [塯] 류 [去]宥 力救切 liù

[字解] 밥뚝배기 류 뚝배기. '飯土—, 啜土形'《史記》.

10 ⑬ [塤] [人名] 〔훈〕 壎(土部 十四畫〈p.469〉)과 同字

[筆順] 

[字源] 形聲. 土+員〔音〕. '員원'은 '둥글다'의 뜻. 원통형의 토제(土製)의 피리.

10 ⑬ [堽] 〔강〕 岡(山部 五畫〈p.637〉)과 同字

10 ⑬ [⿰⿱罒木土] 〔괴〕 壞(土部 十六畫〈p.471〉)의 古字

10 ⑬ [塐] 〔소〕 塑(土部 十畫〈p.459〉)와 同字

10 ⑬ [⿰土屖] 〔지〕 墀(土部 十二畫〈p.464〉)와 同字

10 ⑬ [塩] 〔염〕 鹽(鹵部 十三畫〈p.2688〉)의 俗字

10 ⑬ [塚] 〔총〕 冢(冖部 八畫〈p.225〉)의 俗字

10 ⑬ [塋] [人名] 영 [平]庚 余傾切 yíng 茔 

[字解] 무덤 영 뫼. '—域'. '修冢—'《後漢書》.
[字源] [篆文]  形聲. 土+營〈省〉〔音〕. '營영'은 빙 둘러친 야영(夜營)의 뜻. 빙 둘러 지경을 막고 화톳불을 피우는 큰 무덤의 뜻을 나타냄.

[塋墓 영묘] 무덤. 분묘(墳墓).
[塋樹 영수] 묘지(墓地)에 심은 나무.
[塋域 영역] 묘지(墓地). 또, 묘지의 구역.
[塋田 영전] 묘지(墓地).
[塋地 영지] 묘지(墓地).
◉孤塋. 故塋. 丘塋. 舊塋. 墳塋. 先塋. 廬塋. 冢塋.

10 ⑬ [塑] [人名] 소 [去]遇 桑故切 sù 

[字解] ①토우(土偶) 소 흙으로 만든 우상(偶像). '開元寺—像'《五代史》. ②흙이겨만들 소 흙으로 물형(物形)을 만듦. '彫—'.
[字源] 形聲. 土+朔〔音〕. '朔소'는 거슬러 올라가다의 뜻. 진흙 덩이를 깎아 점차 사람의 모습에 다다르는 공정(工程)을 거치는 '토우(土偶)'의 뜻을 나타냄.
[參考] 塐(土部 十畫)는 同字.

[塑像 소상] 진흙으로 만든 우상(偶像).
◉泥塑. 彫塑. 繪塑.

10 ⑬ [塞] [高] [人] [一] 새 [去]隊 先代切 sài 
[二] 색 [入]職 蘇則切 sāi

[筆順] 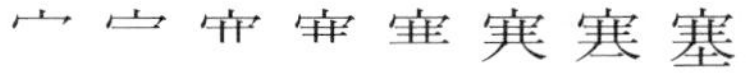

[字解] [一] ①변방 새 변경. '邊—'. '秦敢絕—而伐韓者, 信於周也'《戰國策》. ②요새 새 적의 침입을 방어할 만한 험준한 요해처. '要—'. '險—'. '楚地北有汾陘之—'《戰國策》. ③보루 새 본성(本城)에서 떨어져 있는 작은 성. '—上敍軍功'《黃允文雜纂》. ④굿 새 賽(貝部 十畫)와 同字. '冬—禱祠'《漢書》. ⑤주사위 새 투자(骰子). '博—以遊'《莊子》. [二] ①막을 색 ㉠사이를 가림. '蔽—'. '樹—門'《論語》. ㉡틀어막음. '充—'. '塡—耳'《儀禮》. ㉢통하지 못하게 함. 차단함. '遏—'. '啓—從時'《左傳》. ㉣이루어 채움. 다함. '無以報德—責'《漢書》. ②막힐 색 ㉠막음을 당함. '語—'《史記》. ㉡운이 막힘. 불운함. '知通—'《易經》. ③성 색 성(姓)의 하나.
[字源] [篆文]  形聲. 土+𡨄〔音〕. '𡨄색·새'는 '막다'의 뜻. 흙으로 막다의 뜻을 나타냄. 또 파생(派生)하여 거성(去聲)일 때에는, 외적의 침입을 가로막는 '요새'의 뜻을 나타냄.

[塞翁得失 새옹득실] 이(利)가 해(害)가 되고, 실(失)이 득(得)이 되는 수도 있음. 새옹마(塞翁馬).
[塞翁馬 새옹마] 인생의 길흉화복(吉凶禍福)이 무상(無常)하여 예측할 수 없음을 이름.
[塞外 새외] ㉠성채의 밖. ㉡장성(長城)의 밖.
[塞徼 새요] 변방에 있는 보루(堡壘). 새위(塞圍).
[塞圍 새위] 새요(塞徼).
[塞嚶 색앵] 목메어 욺.
[塞淵 색연] 생각이 깊고 성실함. 색(塞)은 실(實), 연(淵)은 심(深).
[塞噎 색열] 목멤.
[塞壅 색옹] 막음. 또 막힘.
[塞責 색책] 책임을 다함.
[塞賢 색현] 현자(賢者)를 쓰지 않음.
◉疆塞. 距塞. 隔塞. 堅塞. 梗塞. 硬塞. 固塞. 孤塞. 關塞. 窮塞. 杜塞. 博塞. 防塞. 壁塞. 邊塞. 堡塞. 報塞. 否塞. 四塞. 沙塞. 城塞. 雁塞. 遏塞. 厄塞. 扼塞. 抑塞. 掩塞. 淵塞. 盈塞. 翳塞. 壅塞. 要塞. 優婆塞. 淪塞. 疑塞. 障塞. 賊塞. 塡塞. 絕塞. 滯塞. 出塞. 充塞.

通塞. 閉塞. 蔽塞. 廢塞. 逼塞. 悍塞. 險塞.

●客塗. 孤塗. 廣塗. 曠塗. 國塗. 岐塗. 當塗.
道塗. 晚塗. 名塗. 半塗. 複塗. 常塗. 首塗.
勝塗. 堊塗. 榮塗. 泥塗. 長塗. 政塗. 情塗.
中塗. 塵塗. 淸塗. 漆塗. 霸塗. 巷塗. 糊塗.

10
⑬ [葬] 〔장〕
葬(艸部 九畫〈p.1946〉)의 俗字

10
⑬ [壾] 〔인·두〕
壾(土部 六畫〈p.445〉)의 古字

10
⑬ [塗] 高人 도 ㉓虞 同都切 tú

筆順 氵 氵 氵 氵 涂 涂 涂 塗

字解 ①진흙 도 이토(泥土). '厥土惟一泥'《書經》. ②길 도 途(辵部 七畫)와 同字. '一不拾遺'《臨淄之一》《戰國策》. ③매흙질할 도 흙을 바름. '牆一而不畫'《揚雄》. ④도료(塗料) 같은 것을 바름. '臺榭不一'《穀梁傳》. ⓛ칠하여 지움. '一抹'. '遽取筆一籍'《舊唐書》. ⑤지울 도 지워 고침. 개찬(改竄)함. '一竄'. '一改淸廟生民詩'《李商隱》. ⑥더럽힐 도 더럽게 함. '以一吾身'《莊子》. ⑦괴로울 도 고통. '陷一藉穢兮'《柳宗元》.

字解 篆 塗 形聲. 土+氵(水)+余[音]. '余여'는 흙손을 본뜬 것. 진흙을 흙손으로 바르다의 뜻을 나타냄. 또 '途도'와 통하여, '길'의 뜻도 나타냄.

[塗歌里抃 도가이변] 길 가는 사람이나 마을 사람들이 민요(民謠)를 부르고 손뼉을 침.
[塗改 도개] 지워 고침. 개찬(改竄)함.
[塗工 도공] 미장이.
[塗泥 도니] 진흙.
[塗塗 도도] 두꺼운 모양. 많은 모양. 진한 모양.
[塗路 도로] 도로(道路).
[塗料 도료] 물건의 거죽에 바르는 재료.
[塗抹 도말] ㉠바름. 칠함. ㉡칠하여 지움.
[塗墨 도묵] 먹을 칠함.
[塗褙 도배] 벽·천장·창·장지·장판 등을 종이로 바름.
[塗壁 도벽] 벽에 흙을 바름.
[塗粉 도분] 분(粉)을 바름.
[塗不拾遺 도불습유] 길에 떨어진 물건을 줍지 아니함. 곧, 백성이 부정한 일을 하지 아니함.
[塗說 도설] 길에서 사람에게 말하여 들려줌. 얻어들은 것을 이야기함.
[塗鴉 도아] ㉠지면(紙面)에 먹을 칠하여 새까맣게 됨. ㉡글씨가 서투름.
[塗油 도유] 끓여서 걸쭉하게 만든 들기름. 데우.
[塗乙 도을] 문장 중의 틀린 글자를 지우고 빠진 글자를 채우는 일.
[塗裝 도장] 칠 따위를 발라서 치장함.
[塗地 도지] 피 같은 것을 땅에 발라 더럽힘. 전(轉)하여, 패멸(敗滅)함.
[塗竄 도찬] 글의 자구(字句)를 지워 고쳐 씀. 개찬(改竄)함.
[塗察 도찰] 바르고 문지름.
[塗擦劑 도찰제] 피부에 도찰(塗擦)하는 약제. 수은 연고(水銀軟膏)·유황 연고(硫黃軟膏) 따위.
[塗炭 도탄] ㉠진흙과 숯불. 전(轉)하여, 몹시 곤란한 경우. ㉡진흙과 숯. 전(轉)하여, 더러운 것. 「함.
[塗澤 도택] 분 같은 것을 발라 얼굴에 윤이 나게
[塗巷 도항] 길. 거리.

10
⑬ [塍] 人名 승 ㉓蒸 倉陵切 chéng

字解 밭두둑 승 塍(田部 九畫)과 同字.
字解 金 塍 篆 塍 形聲. 土+朕(躾)[音]. '躾등·이음매의 뜻. 흙을 모아 합쳐서 위로 돋워 올린 '두둑'의 뜻을 나타냄.

11
⑭ [塵] 人名 인 ㉓眞 翼眞切 yín

字解 마당 인 '一, 場也'《集韻》

11
⑭ [塼] 人名 전 ㉓先 朱遄切 zhuān

字解 벽돌 전 甎(瓦部 十一畫)과 同字. '一甓'. '聚一修井'《風俗通》.
字解 形聲. 土+專[音]. '專전'은 '둥글게 하다'의 뜻. 진흙을 이겨서 둥글게 한 기와의 뜻을 나타냄.

[塼甓 전벽] 벽돌.
●紡塼.

11
⑭ [墇] 장 ㉓陽 諸良切 zhàng

字解 막을 장 물을 둘러막음. '一, 壅也'《廣韻》
字解 篆 墇 形聲. 土+章[音]. '章장'은 '障장'과 통하여, '막다'의 뜻. 흙을 모아서 물을 둘러막다의 뜻을 나타냄.

11
⑭ [塿] 루 ㉔有 郎斗切 lǒu

字解 언덕 루 조그마한 언덕. '不意培一而松柏爲林也'《唐書》.
字解 篆 塿 形聲. 土+婁[音]. '婁루'는 '樓루'와 통하여, '다락집'의 뜻. 흙으로 만들어진 다락집, 언덕의 뜻을 나타냄.

●培塿.

11
⑭ [塽] 人名 상 ㉔養 疎兩切 shuǎng

筆順 土 圹 圹 坪 圹 塚 塽 塽

字解 높은땅 상 높고 밝은 토지(土地). '一, 地高明處'《字彙》.

11
⑭ [墁] 만 ㉕翰 莫半切 màn

字解 바를 만, 칠할 만 담이나 벽에 흙을 바름. 또, 그 담이나 벽. '毀瓦畫一'《孟子》.
字解 形聲. 土+曼[音]. '曼만'은 '늘이다'의 뜻. 흙을 발라 늘이어 펴는 흙손의 뜻을 나타냄.

11
⑭ [境] 高人 경 ㉖梗 居影切 jìng

筆順 土 圵 圹 圹 圹 培 境 境

[字解] 지경 경 ㉠경계. '國―'. '死生―'. '外臣之言不越―'《國語》. ㉡곳. '勝―'. '雖跡混教途, 而心標逸―'《陶弘景》. ㉢경우. '逆―'. '年涉危―, 而家貧養薄'《魏書》.
[字源] 篆文 形聲. 土+竟〔音〕. '竟경'은 '구획'의 뜻. 구획하는 땅, '경계'의 뜻을 나타냄.

[境界 경계] ㉠일이나 물건이 어떤 표준 밑에 서로 맞닿은 자리. ㉡《佛教》 육식(六識)의 대상(對象)이 되는 육경(六境).
[境內 경내] 지경(地境) 안.
[境涯 경애] ㉠경계(境界). ㉡경우(境遇).
[境域 경역] 경계 안의 지역. 경계 안의 땅.
[境外 경외] 지경 밖.
[境遇 경우] 처한 형편이나 사정.
◉佳境. 苦境. 國境. 窮境. 老境. 魔境. 蠻境. 夢境. 夢幻境. 妙境. 凡境. 邊境. 祕境. 悲境. 四境. 死境. 死生境. 仙境. 聖境. 俗境. 殊境. 順境. 勝境. 詩境. 心境. 雅境. 逆境. 靈境. 遠境. 越境. 幽境. 異境. 人境. 隣境. 蕉境. 絕境. 淨境. 靜境. 地境. 眞境. 進境. 塵境. 出境. 現境. 畫境. 幻境. 環境.

11 ⑭ [墋] 참 ㊤寢 初朕切 chěn
[字解] ①흙 참 '―, 土也'《集韻》. ②모래흙 참 사토(沙土). '―, 沙土也'《正韻》. ③모래섞일 참 식물(食物)에 모래가 섞임. '沙土入食中, 曰―'《一切經音義》. ④흐릴 참 탁(濁)하여 맑지 못한 모양. '茫茫宇宙, 上―下黷'《陸機》.

11 ⑭ [墄] 척 [入]職 七則切 qī
[字解] 층대 척 층층대. '左―右平'《三輔黃圖》.

11 ⑭ [墈] 감 [去]勘 苦紺切 kàn
[字解] ①낭떠러지 감 험한 언덕. '―, 險岸也'《集韻》. ②지경 감 경계(境界). '今俗謂壤界土突起立者爲―'《正字通》.
[字源] 形聲. 土+勘〔音〕

11 ⑭ [墆] [一] 체 [去]霽 特計切 dì [二] 절 [入]屑 徒結切 dié
[字解] [一] ①가릴 체 덮음. '擧霓旌之―翳兮'《楚辭》. ②높을 체 '―霓'. [二] 쌓을 절 저축함. '富商賈―財役貧'《漢書》.
[字源] 形聲. 土+帶〔音〕

[墆霓 체예] 대단히 높은 모양.
[墆翳 체예] 가림. 덮음.

11 ⑭ [塻] 막 [入]藥 末各切 mò
[字解] 먼지 막 티끌. '―, 塵也'《集韻》.

11 ⑭ [墉] [人名] 용 [平]冬 餘封切 yōng
[筆順] 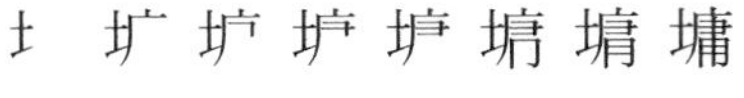
[字解] ①담 용 높은 담. '君南向于北―之下'《禮記》. ②보루 용 작은 성. 성채. '列―分戍'《唐順之》.
[字源] 篆文 形聲. 土+庸〔音〕. '庸용'은 '鏞용'과 통하여, 매단 종(鐘)의 뜻. 큰 종처럼 도시의 주변에 원기둥 모양으로 둘린 성벽의 뜻을 나타냄.

◉崇墉. 如墉. 長墉. 周墉. 頹墉.

11 ⑭ [墌] 척 ①[入]藥 職略切 zhuó ②[入]陌 之石切 zhí
[字解] ①터닦을 척 흙을 쌓아 토대(土臺)를 만듦. '―, 築土爲基'《集韻》. ②터 척 토대(土臺). '―, 基址也'《集韻》.
[字源] 形聲. 土+庶〔音〕

11 ⑭ [墐] [人名] 근 [去]震 渠遴切 jǐn
[筆順] 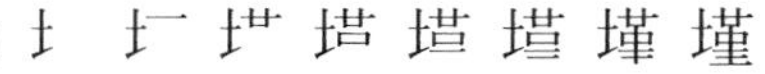
[字解] ①매흙질할 근 진흙을 바름. '塞向―戶'《詩經》. ②묻을 근 파묻음. 殣(歹部 十一畫)과 同字. '行有死人, 尙或―之'《詩經》. ③도랑옆길 근 도랑 가의 길. '陸阜陵―'《國語》.
[字源] 篆文 形聲. 土+堇〔音〕. '堇근'은 발라 메우다의 뜻으로, '墐근'의 원자(原字). 뒤에 '土토'를 더하여, 그 뜻을 분명히 함.

[墐戶 근호] 찬 기운을 막기 위하여 문틈을 바름.
◉陵墐.

11 ⑭ [墘] 종 [平]冬 咨容切 zōng
[字解] 버섯이름 종 '―, 土菌也, 高脚繖頭, 俗謂之雞―, 出滇南'《正字通》.

[赬] 〔정〕 赤部 七畫(p. 2211)을 보라.

11 ⑭ [墟] 〔로〕 鹵(部首〈p. 2686〉)와 同字

11 ⑭ [墫] 〔하〕 罅(缶部 十一畫〈p. 1785〉)와 同字
[字源] 篆文 形聲. 土+虖〔音〕

11 ⑭ [墟] 〔허〕 墟(土部 十二畫〈p. 464〉)의 俗字

11 ⑭ [墎] 〔곽〕 郭(邑部 八畫〈p. 2338〉)의 俗字

11 ⑭ [增] 〔증〕 增(土部 十二畫〈p. 463〉)의 略字

11 ⑭ [塲] 〔장〕 場(土部 九畫〈p. 455〉)의 訛字

11 ⑭ [墓] 〔근〕 堇(土部 八畫〈p. 453〉)의 本字

11
⑭ [墨] 〔묵〕
墨(土部 十二畫⟨p.466⟩)의 略字

11
⑭ [塵] 人名 진 㴲眞 直珍切 chén　尘 荖

筆順 广 广 产 产 庐 庐 鹿 塵

字解 ①티끌 진 ㉠먼지. '一芥'. '粟焉如屑一厲'《管子》. ㉡이 세상. 속세(俗世). '出一之想'《孔稚珪》. ②때 진 옷이나 몸에 낀 더러운 것. '一汚'. ③더럽힐 진 더럽게 함. '祗自一兮'《詩經》. ④묵을 진 오래 묵음. '允一邈而難虧'《後漢書》. ⑤유업 진 끼친 업(業). '二方承則, 八慈繼一'《後漢書》. ⑥소수이름 진 소수(小數)의 명목(名目). '纖十沙, 沙十一'《算經》. ⑦때 진 시간. '一一刹刹不相侵'《朱熹》. ⑧성 진 성(姓)의 하나.

字源 篆文은 '𪊨'으로, 會意. 麤+土. '麤추'는 '거칠다'의 뜻. 거친 흙의 뜻에서, '티끌'의 뜻을 나타냄. '塵진'은 생략체.

[塵芥 진개] 먼지와 쓰레기.
[塵劫 진겁]《佛敎》물건과 때. 전(轉)하여, 영원한 연대(年代).
[塵境 진경] 속계(俗界). 진세(塵世).
[塵界 진계] 진세(塵世).
[塵垢 진구] 먼지와 때.
[塵襟 진금] 속된 생각.
[塵勞 진로] ㉠속무(俗務)의 시달림. ㉡《佛敎》번뇌(煩惱).
[塵露 진로] 티끌과 이슬. 곧, 덧없는 것.
[塵累 진루] 세상살이에 얽매인 너더분한 일. 속루(俗累).
[塵網 진망] 더러운 이 세상. 속세(俗世).
[塵務 진무] 세속의 일. 속무(俗務).
[塵凡 진범] 진세(塵世).
[塵氣 진분] 더러운 기(氣).
[塵事 진사] 세속의 일.
[塵想 진상] 속된 생각.
[塵世 진세] 티끌이 있는 세상. 속계. 곧, 이 세상.
[塵俗 진속] 지저분한 속된 세상.
[塵心 진심] 세속(世俗)의 마음.
[塵鞅 진앙] 속세(俗世)의 속박(束縛). 속루(俗累).
[塵埃 진애] ㉠티끌. 먼지. ㉡속세(俗世).
[塵涓 진연] ㉠먼지와 물방울. 전(轉)하여, 지극히 작은 것. ㉡자기가 하는 일의 겸칭(謙稱). 미력(微力).
[塵煙 진연] 연기처럼 일어나는 먼지. 사진(沙塵).
[塵緣 진연] 이 세상의 인연(因緣). 속세의 인연.
[塵穢 진예] 진오(塵汚).
[塵汚 진오] 더러움. 오예(汚穢). 또, 더러운 것.
[塵外 진외] 세속(世俗) 밖.
[塵外孤標 진외고표] 속세를 벗어난 곳에서 홀로 빼어남.
[塵雜 진잡] 세속(世俗)의 귀찮고 너저분한 일.
[塵塵刹刹 진진찰찰] 시시각각(時時刻刻).
[塵土 진토] 먼지와 흙.
[塵抱 진포] 세속(世俗)의 생각. 속된 생각.
[塵表 진표] 진외(塵外).
[塵合泰山 진합태산] 작은 물건도 많이 모이면 나중에 크게 이루어짐의 비유. 티끌 모아 태산.
[塵寰 진환] 진계(塵界).
●芥塵. 輕塵. 垢塵. 陌上塵. 蒙塵. 微塵. 拜塵. 北邙塵. 粉塵. 拂塵. 沙塵. 三斗塵. 世塵. 俗塵. 承塵. 埃塵. 梁塵. 餘塵. 涓塵. 煙塵. 五塵. 玉塵. 元規塵. 游塵. 遺塵. 六塵. 戰塵. 絶塵. 車塵. 出塵. 風塵. 香塵. 胡塵. 紅塵. 和光同塵. 幻塵. 黃塵. 灰塵. 囂塵. 後塵. 喧塵.

11
⑭ [塹] 人名 참 㴲豔 七豔切 qiàn　塹 埑

字解 ①해자 참 성을 두른 못. '一濠'. '使高壘深一勿與戰'《史記》. ②팔 참 해자·구덩이를 팜. '一山埋谷'《史記》.
字源 形聲. 土+斬〔音〕. '斬참'은 '베다'의 뜻. 흙을 파낸 구덩이인 '해자'의 뜻을 나타냄.

[塹壘 참루] 해자(垓字)와 보루(堡壘).
[塹刺 참척] 입묵(入墨).
[塹壕 참호] ㉠해자(垓字). ㉡야전(野戰)에서 포탄을 피하기 위하여 구덩이를 파서 그 흙으로 앞을 막아 가린 방어 설비.
[塹壕 참호] 참호(塹壕).
●坑塹. 高壘深塹. 高塹. 複塹. 外塹. 圍塹. 長塹. 濬塹. 天塹. 隍塹.

11
⑭ [塺] 二 매 㴲灰 莫杯切 méi
二 마 㴲簡 摸臥切 méi

字解 一 티끌 매 '浮雲鬱兮晝昏, 塵土忽兮一一'《楚辭》. 二 티끌 마 一과 뜻이 같음.
字源 篆文 形聲. 土+麻〔音〕. '麻마'는 '비비다'의 뜻. 흙을 비벼서 생기는 '티끌'의 뜻을 나타냄.

11
⑭ [塾] 人名 숙 㴲屋 殊六切 shú　塾

筆順 广 音 亨 享 享 勃 執 塾

字解 ①문옆방 숙 문의 좌우에 있는 방. '先輅在左一前'《書經》. ②글방 숙 서당. '鄕一'. '一生', '古之敎者, 家有一, 黨有庠'《禮記》.
字源 篆文 形聲. 土+孰〔音〕. '孰숙'은 '잘 익히다'의 뜻. 어린이에게 사물의 이치를 익히 알도록 하기 위하여, 문의 양옆의 방 등에 베푼 사설(私設) 글방의 뜻을 나타냄.

[塾堂 숙당] 숙사(塾舍).
[塾頭 숙두] 숙생(塾生)의 장(長). 숙장(塾長).
[塾舍 숙사] 교실과 숙사(宿舍)를 겸한 사설(私設) 서당.
[塾生 숙생] 글방의 생도.
[塾長 숙장] 숙두(塾頭).
●家塾. 門塾. 私塾. 義塾. 里塾. 入塾. 村塾. 鄕塾. 橫塾.

11
⑭ [墅] 人名 서 㴲語 承與切 shù　墅

字解 ①농막 서 농사짓기에 편하도록 논밭 근처에 간단하게 지은 집. '寄身於草一'《曹植》. ②별업 서 별장. '圍碁賭別一'《晉書》.
字源 形聲. 土+野〔音〕

●家墅. 郊墅. 舊墅. 賭墅. 別墅. 山墅. 幽墅. 田墅. 草墅. 村墅. 荒墅.

11 ⑭ [墊] 점 ㊀䐉 都念切 diàn

墊 墊

字解 ①낮을 점 땅이 낮음. 또, 낮은 땅. '下民 昏一'《書經》. ②빠질 점 ㉠물에 빠짐. '人馬一 溺'《吳志》. ㉡가라앉음. 함입 (陷入) 함. '武功 中, 水鄕民三舍, 一爲池'《漢書》. ③괴로워할 점 '民愁則一隘'《左傳》. ④팔 점 구멍이나 구덩이 를 만듦. '側足而一之'《莊子》. ⑤꺾일 점 빳빳한 것이 접혀 축 늘어짐. '行遇雨, 巾一角一'《後漢 書》.

字源篆文 墊 形聲. 土＋執〔音〕. '執집'은 '濕습'과 통하여, '낮고 눅눅하다'의 뜻.

[墊溺 점닉] 빠짐.
[墊沒 점몰] 내려 가라앉음. 침체 (沈滯) 함.
[墊隘 점애] 피로하여 괴로워함.
●黷墊. 愁墊. 濕墊. 頹墊. 昏墊.

11 ⑭ [墍] 기 ㊀寘 其冀切 jì

墍

字解 ①맥질할 기 벽을 바름. '惟其塗一茨'《書經》. ②취할 기 손에 가짐. '傾筐一之'《詩經》. ③쉴 기 휴식함. '民之攸一'《詩經》.

字源篆文 墍 形聲. 土＋既〔音〕. '既기'는 '다하다' 의 뜻. 흙을 온통 다 바르다의 뜻을 나타냄.

●塗墍.

11 ⑭ [墍] 墍(前條) 와 同字

11 ⑭ [墓] 高人 묘 ㊀遇 莫故切 mù

墓

筆順 一 十 艹 苩 莒 莫 募 墓

字解 무덤 묘 뫼. '墳一'. '古不修一'《禮記》.

字源篆文 墓 形聲. 土＋莫(莫)〔音〕. '莫막·모'는 '덮어 숨기다'의 뜻. 죽은 사람을 흙 으로 덮어 감춘 '무덤'의 뜻을 나타냄.

[墓碣 묘갈] 산소(山所) 앞에 세우는 둥근 비(碑).
[墓界 묘계] 묘지 (墓地)의 구역 (區域).
[墓丘盜賊 묘구도적] ㉠무덤 속의 물건을 파내어 훔쳐 가는 절도. ㉡시체를 파내어 감추고 금품 을 요구하는 강도.
[墓奴 묘노] 묘지기.
[墓幕 묘막] 산소(山所) 근처에 지은 작은 집.
[墓木 묘목] 무덤 가에 있는 나무. 구목 (丘木).
[墓木已拱 묘목이공] 장사 지낼 때 무덤 옆에 심 은 나무의 둘레가 한 아름이 되도록 컸다는 뜻 으로, 죽은 지 오래됨을 이름.
[墓門 묘문] 산소(山所)의 경내로 들어가는 문.
[墓碑 묘비] 산소(山所) 앞에 세우는 비석. 망인 (亡人)의 품계 (品階)·관직 (官職)·성명 (姓名)· 행적 (行蹟)·자손 (子孫)·생사 연월일 등을 새김.
[墓所 묘소] 무덤이 있는 곳. 묘지 (墓地).
[墓隧 묘수] 무덤의 수도 (隧道).
[墓位畓 묘위답]《韓》그 땅의 추수 (秋收)로 묘제 (墓祭)의 비용을 쓰는 논.
[墓位田 묘위전]《韓》그 땅의 추수 (秋收)로 묘제 (墓祭)의 비용을 쓰는 밭.
[墓位土 묘위토]《韓》묘위답 (墓位畓)과 묘위전

(墓位田)의 총칭 (總稱).
[墓賊 묘적] 묘구도적 (墓丘盜賊).
[墓田 묘전] 묘지 (墓地).
[墓祭 묘제] 산소에서 지내는 제사.
[墓地 묘지] 무덤이 있는 땅의 구역.
[墓誌 묘지] 망인(亡人)의 사적 (事蹟)·덕행 (德 行), 자손 (子孫)의 이름, 묘지 (墓地)의 지명 (地 名), 생사 (生死) 연월일 (年月日), 매장 (埋葬) 연월일 등을 기록 (記錄)한 글. 도판 (陶板) 또 는 석판 (石板)에 새기어 무덤에 묻음.
[墓誌銘 묘지명] 묘지 (墓誌)의 끝에 쓰는 명 (銘).
[墓村 묘촌] 조상의 산소가 있는 마을.
[墓表 묘표] 무덤 앞에 세우는 푯돌. 죽은 사람의 경력 등을 씀. 또, 그 문체 (文體)의 이름.
[墓標 묘표] 무덤 앞에 세우는 표지 (標識).
[墓下 묘하] 조상 (祖上)의 산소 (山所)가 있는 땅.
●古墓. 丘墓. 陵墓. 封墓. 墳墓. 先人墓. 省墓. 掃墓. 野墓. 廬墓. 塋墓. 展墓. 墟墓.

12 ⑮ [墝] 요(교)㊇看 口交切 qiāo

墝

字解 메마른땅 요 척박한 땅. '爭處一墝'《淮南 子》.

字源篆文 墝 形聲. 土＋堯〔音〕. '堯요'는 '높다'의 뜻. 고지 (高地)의 메마른 땅의 뜻을 나타냄.

[墝埆 요각] 메마르고 돌이 많은 땅. 자갈밭.
[墝肥 요비] 메마른 땅과 비옥(肥沃)한 땅.
[墝埼 요척] 요각 (墝埆).

12 ⑮ [增] 中人 ▄ 증 ㊇蒸 作滕切 zēng ▄ 층 ㊀徑 祖棱切 céng

增 增

筆順 土 圵 圵 圵 圵 圵 圵 增

字解 ▄ ①불을 증, 늘 증 증가함. '一減'. '如 川之方至, 以莫不一'《詩經》. ②늘릴 증, 더할 증 증가시킴. '一兵'. '茫然一愧赧'《韓愈》. ③더 욱 증 더욱더. 한층 더. '喜極一悲'《柳宗元》. ▄ 겹칠 층 層 (尸部 十二畫)과 통용. '一宮參 差'《揚雄》.

字源金文 ᛒ 篆文 增 形聲. 土＋曾〔音〕. '曾증'은 포 개어 쌓다의 뜻. 풍부하게 늘다 의 뜻을 나타냄.

參考 增(土部 十一畫)은 略字.

[增加 증가] 증익 (增益).
[增刊 증간] 정기 (定期) 이외에 더 늘려서 간행. 또, 그 간행물.
[增減 증감] 보탬과 빼냄. 늘림과 줄임. 또, 늘과
[增強 증강] 더 늘려 세게 함.
[增改 증개] 증보하여 개정함.
[增口 증구] 인구가 증가함.
[增給 증급] 봉급 (俸給)을 더 올려 줌.
[增大 증대] 더하여 크게 함. 또, 더하여 커짐.
[增量 증량] 수량 (數量)을 늘림.
[增募 증모] 사람을 더 모집 (募集) 함.
[增發 증발] 정 (定)한 수효 (數爻)보다 더 내보냄.
[增兵 증병] 군사 (軍士)를 더 늘림.
[增補 증보] 모자람을 깁기 위하여 더 채움.
[增俸 증봉] 봉급 (俸給)을 올림.
[增捧 증봉] 액수 (額數)을 더 늘리어 받음.
[增刪 증산] 시문 (詩文) 같은 것을 다듬느라고 더 보태거나 깎아 냄.

[增產 증산] 생산량을 늘림.
[增上慢 증상만] 《佛敎》아직 증과(證果)에 이르지 못하였는데 이미 이르렀다고 오인(誤認)하여 자만심(自慢心)이 생기는 일.
[增設 증설] 더 베품.
[增稅 증세] 세금(稅金)의 액수(額數)를 늘림.
[增速 증속] 속도를 늘림.
[增損 증손] 증감(增減).
[增水 증수] 물이 불음. 또, 불은 물.
[增收 증수] 거두어들이는 것이 늚.
[增修 증수] ㉠책(冊) 같은 것을 더 늘려서 수정(修正)함. ㉡늘려서 수축(修築)함.
[增殖 증식] 불림. 늘림. 또, 불음. 늚.
[增額 증액] 액수(額數)를 늘림.
[增演 증연] 지식을 더 넓힘. 「(韻字).
[增韻 증운] 운서(韻書)에 더 보태서 넣은 글자
[增員 증원] 인원(人員)을 늘림.
[增援 증원] ㉠인원을 늘려서 도움. ㉡원조액을 늘림.
[增益 증익] 더하여 보탬. 늘림. 또, 늚.
[增資 증자] 자본(資本)을 늘림.
[增訂 증정] 저서(著書) 같은 데 모자라는 것을 더하고 잘못된 것을 고침.
[增註 증주] 주해(註解)를 더함. 또, 그 주해(註解). 보주(補註). 증주(增註).
[增增 증증] 많은 모양.
[增進 증진] 더하여 나아가게 함. 또, 더하여 나아감.
[增秩 증질] 봉급(俸給)을 올림.
[增徵 증징] 더 징수함.
[增築 증축] 집을 더 늘리어 지음.
[增戶 증호] 더 늘어난 호수(戶數).
●加增. 激增. 急增. 累增. 微增. 倍增. 純增. 漸增. 重增. 遞增. 添增. 割增.

12
⑮ [壇] 예 ①㊄霽 於計切 yì
②㊄眞 乙冀切
字解 ①토연(土煙)일 예 하늘이 흐리도록 흙먼지가 일어남. ‘一, 天陰塵也’《廣韻》. ②음산할 예 날씨가 흐림. 壇(日部 十二畫)와 同字.
字源 ⫶𡈑 形聲. 土＋壹[音]. ‘壹일’은 가득 차서 막히다의 뜻. 가득 차서 막혀 흙먼지가 일다의 뜻을 나타냄.

12
⑮ [壚] 人名 허 (거㊄) ㊄魚 去魚切 xū 墟㟅
筆順 土 圹 圹 圹 圹 塘 塘 壚
字解 ①터 허 구지(舊址). 고적. ‘故一’. ‘殷一’. ‘魯縣東南有桃一, 世謂之陶一, 相傳舜所陶處’《左傳 註》. ②언덕 허 언덕. ‘丘一’. ‘一墓之間, 未施敬於民而民哀’《禮記》. ③구렁 허 움푹 들어간 땅. 전(轉)하여, 바다. ‘北濔天一’《木華》. ④저자 허 장. ‘端州以南, 三日一市, 謂之趁一’《南部新書》.
字源 形聲. 土＋虛[音]. ‘虛허’는 ‘큰 언덕’의 뜻, 또 ‘공허하다’의 뜻. ‘土토’를 더하여, ‘언덕’의 뜻이나 공허해진 땅, 황폐해진 옛터의 뜻을 나타냄.

[墟落 허락] 황폐된 마을. 허리(墟里).
[墟里 허리] 황폐된 마을. 허락(墟落).
[墟墓 허묘] 풀에 파묻혀 제사 지내는 사람이 없는 무덤. 무주총(無主塚).
[墟墳 허분] 허묘(墟墓).
[墟域 허역] 성터·도읍 터 등의 경내(境內).
[墟囿 허유] 퇴폐한 옛날의 동산.
●孤墟. 故墟. 郊墟. 丘墟. 舊墟. 社稷爲墟. 山墟. 靈墟. 幽墟. 天墟. 村墟. 廢墟. 寒墟. 荒墟.

12
⑮ [墠] 선 ①銑 常演切 shàn
字解 제사터 선 제사 올리는 곳. ‘一場’. ‘王立七廟, 一壇一一’《禮記》.
字源 𡎜 形聲. 土＋單[音]. ‘單단’은 ‘제거하다’의 뜻. ‘土토’를 더하여, 단(壇)과 함께 야외에 베푼 제사 터의 뜻을 나타냄. ‘墠선’은 풀을 없애고 평평하게 고른 제사 터로, 단 앞에 만들며, 단은 ‘墠’의 뒤쪽에 흙을 쌓아 만드는 제단임.

[墠場 선장] 신(神)에 제사 지내는 곳. 제사 터.

12
⑮ [墦] 번 ㊄元 附袁切 fán
字解 무덤 번 뫼. ‘東郭一間之祭者’《孟子》.
字源 形聲. 土＋番[音]. ‘番번’은 방사상(放射狀)으로 펼쳐지다의 뜻. 둥그렇게 흙을 돋운 ‘무덤’의 뜻을 나타냄.

12
⑮ [墩] 人名 돈 ㊄元 都昆切 dūn
筆順 土 圹 圹 嫴 墫 墫 墩 墩
字解 ①돈대 돈 약간 높직하고 평평한 땅. ‘一臺’. ‘治城訪遺, 跡猶有謝公一’《李白》. ②걸상 돈 술통을 엎어 놓은 것 같은 의자. ‘賜一侍班’《宋史》.
字源 形聲. 土＋敦[音]

[墩臺 돈대] 약간 높직하고 평평한 땅.

12
⑮ [墫] 료 ㊄嘯 力照切 liáo
 ㊄蕭 落蕭切
字解 에워싼담 료 ‘一以周垣’《左思》.
字源 ⫶墤 形聲. 土＋寮[音]. ‘寮료’는 화톳불이 계속 타다의 뜻에서, ‘계속되다’의 뜻. 주위에 둘러친 토담의 뜻을 나타냄.

12
⑮ [墱] 등 ㊄徑 丁鄧切 dèng
字解 ①자드락길 등 비탈진 길. ‘一道邐倚以正東’《張衡》. ②잔도 등 각도(閣道).
字源 形聲. 土＋登[音]. ‘登등’은 ‘오르다’의 뜻. 올라가기 위한 단(段), 흙으로 만든 층층대의 뜻을 나타냄.

[墱道 등도] 자드락길.
[墱流 등류] 지류(支流).

12
⑮ [墀] 지 ㊄支 直尼切 chí
字解 지대뜰 지 지대(址臺) 위의 땅. ‘陛赤一之途’《漢書》.

[字源] 篆文 形聲. 土+犀〔音〕

◉丹墀. 彤墀. 玉墀. 赤墀.

12 ⑮ **[墫]** 준 [平]元 租昆切 zūn

[字解] 술그릇 준 樽(木部 十二畫)·罇(缶部 十二畫)과 同字.

12 ⑮ **[墳]** [高人] 분 [平]文 符分切 fén
[上]吻 房吻切 fèn
[上]阮 部本切

坟 

[筆順] 墳

[字解] ①무덤 분 높게 봉분한 무덤. '一墓'. '古也墓而不一'《禮記》. ②언덕 분 구릉. '登大一以遠望兮'《楚辭》. ③둑 분 제방. '從彼汝一'《詩經》. ④책 분 삼황(三皇)의 서적. 전(轉)하여, 고서(古書). 옛날 서적. '篤好一史'《隋書》. ⑤클 분 '共一燭'《周禮》. ⑥나눌 분 가름. '何以一之'《楚辭》. ⑦걸찰 분 비옥함. '厥土黑一'《書經》. ⑧흙부풀어오를 분 토지가 솟아오름. '公祭地, 地一'《國語》.

[字源] 篆文 形聲. 土+賁〔音〕. '賁분'은 '噴분'과 통하여, '뿜어내다'의 뜻. 흙이 뿜어낸 것처럼 봉긋하게 솟은 '무덤'의 뜻을 나타냄.

[參考] 墳(土部 十三畫)은 本字.

[墳起 분기] 흙이 부풀어 올라옴. 토지가 솟아오름.
[墳墓 분묘] 무덤. 구묘(丘墓).
[墳墓之地 분묘지지] 조상 대대의 무덤이 있는 땅. 태어난 고향.
[墳史 분사] 고서(古書)와 사서(史書).
[墳寺 분사] 선조(先祖)의 무덤이 있는 절〔寺〕.
[墳索 분삭] 삼분(三墳)과 팔삭(八索). 전(轉)하여, 옛날의 책. 고서(古書).
[墳山 분산] 무덤이 있는 산(山).
[墳上 분상] 무덤의 봉긋한 부분.
[墳素 분소] 분삭(墳索).
[墳衍 분연] 물가와 평지(平地).
[墳塋 분영] 무덤.
[墳籍 분적] 고대의 전적(典籍). 옛날의 책. 분전(墳典).
[墳典 분전] 삼분(三墳)과 오전(五典). 곧, 삼황오제(三皇五帝)의 전적(典籍). 전(轉)하여, 고대(古代)의 전적.
[墳燭 분촉] 크고 밝은 불.
◉古墳. 孤墳. 丘墳. 舊墳. 方墳. 三墳. 先墳. 壤墳. 前方後圓墳. 典墳. 皇墳. 荒墳.

12 ⑮ **[墡]** [人名] 선 [上]銑 常演切 shàn

[筆順] 墡

[字解] 백토(白土) 선 '一, 白埴土也'《六書故》.

[字源] 形聲. 土+善〔音〕

12 ⑮ **[墲]** 무 [平]虞 微夫切 mú

[字解] 묏자리 무 무덤을 쓸 만한 곳. '所以墓謂之一'《揚子方言》.

[字源] 形聲. 土+無〔音〕

12 ⑮ **[墣]** [一] 복 [入]屋 普木切 pú
[二] 박 [入]覺 匹角切 pú

[字解] [一] 흙덩이 복. [二] 흙덩이 박 圤(土部 二畫)과 뜻이 같음.

[字源] 篆文 形聲. 土+菐〔音〕. '菐복'은 탁 깨기만 하고 가공하지 않은 것의 뜻. 울퉁불퉁한 흙덩이의 뜻을 나타냄.

12 ⑮ **[墹]** 〔류〕 塯(土部 十畫〈p.459〉)의 本字

12 ⑮ **[墰]** 〔담〕 壜(土部 十六畫〈p.471〉)과 同字

12 ⑮ **[墐]** 〔근〕 堇(土部 八畫〈p.453〉)의 古字

12 ⑮ **[墮]** 〔타〕 埵(土部 八畫〈p.449〉)의 本字

12 ⑮ **[墯]** 〔타〕 墮(土部 十二畫〈p.467〉)와 同字

12 ⑮ **[墢]** 〔발〕 坺(土部 五畫〈p.442〉)과 同字

12 ⑮ **[墜]** [人名] 추 [去]寘 直類切 zhuì

[字解] ①떨어질 추 낙하함. '一落'. '賁星一而勃海決'《淮南子》. 전(轉)하여, 퇴폐(頹廢)함. 쇠퇴함. '一廢'. '補千年之一典'《舊唐書》. ②떨어뜨릴 추 ㉠전항(前項)의 타동사. '乃其一命'《書經》. ㉡잃음. 망실함. '未一於地'《論語》. ③무너질 추 퇴락함. '山一'《荀子》. '天地崩一'《列子》.

[字源] 甲骨文 金文 篆文 形聲. 土+隊〔音〕. '隊대·추'는 '떨어지다'의 뜻. '隊'에 '무리, 대오'의 뜻이 생겼으므로, '土토'를 더하여, 구별하여 '떨어지다'의 뜻을 나타냄. 甲骨文은 會意로 自+人이 거꾸로 된 모양. '人인'은 거꾸로 떨어지는 사람을 본뜬 것.

[墜落 추락] 떨어짐. 낙하함. 또, 떨어뜨림.
[墜露 추로] 떨어지는 이슬.
[墜緖 추서] 퇴폐(頹廢)한 사업(事業). 부진(不振)한 사업.
[墜岸 추안] 깎아지른 듯한 언덕. 낭떠러지. 단안(斷岸).
[墜雨 추우] 떨어져 내리는 비.
[墜典 추전] 퇴폐(頹廢)한 제도나 의식.
[墜地 추지] ㉠땅바닥에 떨어짐. ㉡사물이 퇴폐함. 쇠퇴함.
[墜體 추체] 공중에서 땅 위로 똑바로 떨어지는 물체(物體).
[墜廢 추폐] 퇴폐함.
[墜下 추하] 추락(墜落).
[墜陷 추함] 물이나 허방 같은 데 빠짐. 또, 빠뜨림.
◉傾墜. 排墜. 覆墜. 崩墜. 失墜. 零墜. 隕墜. 淪墜. 弛墜. 轉墜. 顚墜. 凋墜. 跌墜. 墮墜. 頹墜. 飄墜. 荒墜. 毁墜.

12 ⑮ 墨 ㊥ㅅ 묵 Ⓐ職 莫北切 mò

墨

筆順 口甲甲里黑黑墨墨

字解 ①먹 묵 ㉠글씨를 쓰는 먹. '紙筆一'. '高麗歲貢松烟一'《西京雜記》. 또, 먹물. '或以頭濡一而書'《唐書》. ㉡눈썹을 그리는 먹. '衣綺縞, 傅粉一'《後漢書》. ②그을음 묵 유연(油烟). '一煤', '有埃一, 墮甑中'《孔子家語》. ③먹줄 묵 목수의 직선을 긋는 줄. '離朱督一, 匠石奮斤'《嵇康》. 전(轉)하여, 법도, 규범. '擧綱引一'《孟子》. ④다섯자 묵 5척(尺). '不過一丈尋常之間'《國語》. ⑤자자 묵 오형(五刑)의 하나. 입묵(入墨)하는 형벌. '一刑'. '臣下不匡, 其刑一'《書經》. ⑥검을 묵 ㉠흑색임. '一綬', '面深一'《孟子》. ㉡속이 검음. 욕심이 많음. '一吏'. ⑦어두울 묵 캄캄함. '一以爲明'《荀子》. ⑧묵흔 묵 필적(筆跡). '皆大宗手一'《唐書》. ⑨잠잠할 묵 默(黑部 四畫)과 통용. '殷紂一一以亡'《史記》. ⑩성 묵 성(姓)의 하나. ⑪멕시코 묵 멕시코, 곧 묵서가(墨西哥)의 약기(略記).

字源篆文 墨 會意. 土+黑. '黑흑'은 '검댕'의 뜻. 검댕과 흙으로 만든 '먹'의 뜻을 나타냄.

[墨家 묵가] 묵자(墨子)의 학설을 신봉하는 학파.
[墨客 묵객] 글씨 또는 그림에 능(能)한 사람. 서예가(書藝家). 화가.
[墨客揮犀 묵객휘서] 송(宋)나라 팽승(彭乘)이 지은 책. 10권. 송대(宋代)의 '유문일사(遺聞軼事)' 및 '시화문평(詩話文評)'을 실었음.
[墨牽夷 묵견이] '작약(芍藥)'의 이칭(異稱).
[墨黥 묵경] 입묵(入墨). 묵열(墨涅).
[墨光 묵광] ㉠먹의 윤기. ㉡글씨나 그림의 먹 빛깔.
[墨卷 묵권] 과거(科擧)에 제출하는 문장(文章). 먹으로 쓴 것을 묵권, 주사(硃砂)로 쓴 것은 주권(朱卷)이라 함.
[墨涅 묵널] 문신(文身). 자청(刺靑).
[墨帶 묵대] 먹물을 들인 베 띠.
[墨突不得黔 묵돌부득검] 묵적(墨翟)이 도(道)를 전하기에 바빠 언제나 천하를 두루 돌아다니느라고 집에 있을 때가 드물어서 그의 집의 굴뚝이 검게 될 겨를이 없었다는 고사(故事)로서, 대단히 바빠 동분서주함을 이름.
[墨斗 묵두] 먹통.
[墨吏 묵리] 탐욕(貪慾)이 있는 관원.
[墨林 묵림] 서화계(書畫界)를 이름.
[墨笠 묵립] 먹물을 칠한 갓.
[墨煤 묵매] 그을음.
[墨名儒行 묵명유행] 겉으로는 묵적(墨翟)의 학자(學者)이지만, 속으로는 공자(孔子)의 유교(儒敎)를 신봉(信奉)하는 일.
[墨墨 묵묵] ㉠어두운 모양. 캄캄한 모양. ㉡묵묵히 아무 말이 없는 모양.
[墨罰 묵벌] 주대(周代)의 오형(五刑)의 하나. 이마에 자자(刺字)하는 형벌. 묵형(墨刑). 묵죄(墨罪).
[墨辟 묵벽] 묵벌(墨罰).
[墨削 묵삭] 먹으로 글씨를 지워 버림.
[墨選 묵선] 명(明)·청(淸) 때 향시(鄕試)·회시(會試)에서 채용(採用)된 묵권(墨卷) 중 모범(模範)이 될 만한 것을 선간(選刊)한 것.

[墨水 묵수] 먹물. 묵즙(墨汁) ❶.
[墨守 묵수] 송(宋)나라 묵적(墨翟)이 초(楚)나라 군사(軍師) 공수반(公輸般)의 끈덕진 공격에 대해서 성(城)을 굳게 잘 지켜 굴하지 아니한 고사(故事). 전(轉)하여, 자기의 의견을 굳게 지킴을 이름. 묵적지수(墨翟之守).
[墨綬 묵수] 검은 인수(印綬).
[墨水紙 묵수지] 압지(壓紙). 흡묵지(吸墨紙).
[墨瀋 묵심] 묵즙(墨汁). 심(瀋)은 즙(汁).
[墨魚 묵어] 오징어.
[墨義 묵의] 경의(經義)의 시험의 필답(筆答). 구의(口義)의 대(對).
[墨子 묵자] 책명(冊名). 송(宋)나라 묵적(墨翟)의 저(著). 63편, 15권. 겸애(兼愛)·숭검(崇儉) 등을 주장하였음.
[墨者 묵자] ㉠묵가(墨家). ㉡묵형(墨刑)을 받은 사람.
[墨丈 묵장] 다섯 자서부터 열 자까지의 길이. 얼마 안 되는 길이.
[墨莊 묵장] 장서(藏書)가 많은 것을 이름.
[墨粧 묵장] 분대(粉黛)를 쓰지 않음. 곧, 화장(化粧)을 하지 않음.
[墨場 묵장] '한묵장(翰墨場)'과 같음.
[墨豬 묵저] 글씨에 살이 많고 뼈가 적음.
[墨迹 묵적] 묵적(墨跡).
[墨跡 묵적] 묵흔(墨痕).
[墨翟 묵적] 전국(戰國) 시대 송(宋)나라의 사상가. 묵가(墨家)의 시조. 겸애(兼愛)·숭검(崇儉)·비공(非攻) 등의 설(說)을 주창(主唱)함. 당시 유가(儒家)와 함께 병칭되어 유묵(儒墨)이라 하였음. 저서에 〈묵자(墨子)〉가 있음.
[墨翟之守 묵적지수] 묵수(墨守).
[墨詔 묵조] 천자(天子)가 몸소 쓴 조서(詔書). 친필(親筆)의 조서.
[墨蹤 묵종] 묵흔(墨痕).
[墨罪 묵죄] 이마에 칼로 새겨 입묵(入墨)당하는 죄. 묵벽(墨辟).
[墨竹 묵죽] ㉠묵화(墨畫)의 대나무. ㉡대나무의 일종.
[墨汁 묵즙] ㉠먹물. ㉡검은 물. ㉢잉크의 번역.
[墨池 묵지] ㉠먹물을 담는 그릇. ㉡벼루의 물을 담는 오목한 부분. ㉢필연(筆硯)을 씻는 못.
[墨紙 묵지] 복사(複寫)에 쓰는 탄산지(炭酸紙).
[墨車 묵차] 주대(周代)에 대부(大夫)가 타던 검은 칠을 한 수레.
[墨甜 묵첨] 낮잠. 오수(午睡).
[墨帖 묵첩] 명필을 탑본한 습자첩. 법첩(法帖).
[墨衰 묵최] 검은 상복(喪服). 우리나라에서는 아버지가 살아 있는 동안 돌아간 어머니의 담제(禫祭) 뒤와, 생가(生家) 부모의 소상(小祥) 뒤에 심제인(心制人)이 다듬은 베 직령(直領)에 묵립(墨笠)과 묵대(墨帶)를 갖추어 입는 옷.
[墨敕 묵칙] 궁중(宮中)에서 직접 발포(發布)하는 칙서(勅書). 찍은 옥새(玉璽)의 빛이 검으므로 이름.
[墨漆 묵칠] 검은 칠(漆).
[墨海 묵해] '벼루[硯]'의 별칭(別稱).
[墨行 묵행] 묵적(墨翟)의 행위(行爲).
[墨刑 묵형] 묵벌(墨罰).
[墨花 묵화] 벼루에 스며 있는 먹의 빛깔.
[墨畫 묵화] 먹으로만 그린 그림.
[墨暈 묵훈] 먹물이 번진 흔적.
[墨痕 묵흔] 붓의 자국. 곧, 필적(筆跡). 묵적(墨

迹). 묵적 (墨跡). 묵적 (墨蹟).

[墨戲 묵희] 붓장난. 낙서 (落書).

●佳墨. 古墨. 淚墨. 淡墨. 唐墨. 黛墨. 名墨.
文墨. 潑墨. 芳墨. 白墨. 副墨. 粉墨. 石墨.
掃墨. 水墨. 繩墨. 深墨. 烟墨. 涅墨. 零墨.
儒墨. 遺墨. 詔墨. 朱墨. 卽墨. 醉墨. 緇墨.
親墨. 貪墨. 筆墨. 翰墨. 香墨.

12 ⑮ [墮]
一 타 ⑤哿 徒果切 duò
二 휴 ⑯支 許規切 huī

[筆順] ⻖ ⻖ ⻖ ⻖ 陌 陏 陏 墮

[字解] 一 ①떨어질 타 ㉠낙하함. '一落'. '淚一
不能止'《曹植》. ㉡빠짐. 함입 (陷入)함. '後一
谿壑'《淮南子》. ②떨어뜨릴 타 ㉠낙하시킴. '因
推一兒'《史記》. ㉡망실 (亡失)함. '一先人所言'
《史記》. ④빠질 타 탈락함. '士卒指一者十二三'
《史記》. ④게으를 타 惰(心部 九畫)와 통용. '侈
而一者貧'《韓非子》. 二 무너뜨릴 휴 무너지게
함. 또, 무너짐. '一名城'《過秦論》.

[字源] 古 [𨸏] 篆 [墮] 形聲. 古文은 阝(𨸏)+𡐦[音].
'𡐦타'는 무너져 내리다의 뜻.
무너져 내린 성벽의 뜻에서, '무너져 내리다'
의 뜻을 나타냄. 篆文은 土+隋[音].

[參考] 墮(土部 十二畫)와 同字.

[墮落 타락] ㉠무너져 떨어짐. 전 (轉)하여, 실패
함. ㉡빠져 떨어짐. ㉢시들어 떨어짐. ㉣높은
곳에서 떨어짐. 또, 빠짐. ㉤《佛敎》도심 (道心)
을 잃고 속취 (俗趣)에 빠짐.

[墮淚 타루] 눈물을 흘림.

[墮淚碑 타루비] 진 (晉)나라 때 양양 태수(襄陽太
守)를 지낸 양호 (羊祜)의 선정 (善政)을 베푼
덕 (德)을 사모하여 그 지방민이 현산 (峴山)에
세운 비. 이 비를 바라보는 사람은 모두 눈물을
떨어뜨렸다고 하여 두예 (杜預)가 지은 이름임.

[墮弱 타약] 기력 (氣力)이 없어져 약함.

[墮胎 타태] 약 (藥) 또는 기타의 방법 (方法)으로
배 속에 든 아이를 떨어뜨림. 인공적으로 유산
시킴.

[墮懈 타해] 게으름. 나태함.

[墮壞 휴괴] 무너뜨림. 또, 무너짐.

[墮替 휴체] 무너져 대신함.

[墮墜 휴추] 무너져 바뀜.

●善騎者墮. 寂墮. 殘墮. 謫墮. 顚墮. 怠墮. 頹
墮. 飄墮. 解墮. 懈墮.

12 ⑮ [頍]
규 ⑪齊 苦圭切 kuī

[字解] 방패손잡이 규 '一, 盾握也'《說文》.
[字源] 形聲. 盾+圭[音]

12 ⑮ [墜]
〔지〕
地(土部 三畫〈p.434〉)의 籒文

12 ⑮ [埜]
〔야〕
野(里部 四畫〈p.2369〉)의 古字

12 ⑮ [墻]
〔도〕
牆(土部 十四畫〈p.469〉)의 本字

12 ⑮ [墪]
〔돈〕
墩(土部 十二畫〈p.464〉)과 同字

12 ⑮ [憜]
〔타〕
墮(土部 十二畫〈p.467〉)와 同字

13 ⑯ [墺]
一 오 ⑧號 烏到切 ào
二 욱 ⑧屋 於六切 yù

[字解] 一 ①물가 오 육지로 파고든 물가. 수애 (水
涯). ②땅이름 오 오스트리아의 음역. 오태리 (墺
太利)·오지리 (墺地利)의 약기 (略記). 二 물가
욱. ※ '오' 음은 인명자로 쓰임.

[字源] 篆 [墺] 形聲. 土+奧[音]. '奧오'는 깊숙이 파
고들다의 뜻.

[墺地利 오지리] 오스트리아 (Austria)의 음역. 오
태리 (墺太利).

[墺太利 오태리] 오지리 (墺地利).

13 ⑯ [嶧]
一 역 ⑧陌 夷益切 yì
二 도 ⑯虞 同都切 tú

[字解] 一 길 역 도로 (道路). '一, 道也'《廣雅》.
二 길 도 途(辵部 七畫)와 同字. '途或作一'《集
韻》.

13 ⑯ [堀]
굴 ⑧月 苦骨切 kū

[字解] ①토끼굴 굴 '一, 兔堀也'《說文》. ②堀(土
部 八畫〈p.450〉)의 本字.

13 ⑯ [壇]
단 ⑪寒 徒干切 tán

[筆順] ⼟ ⼟ ⼟ 坦 坦 坦 壇 壇

[字解] 단 단 ㉠흙을 높이 쌓아 위를 평평하게 만
든 특수한 행사를 하는 장소. 전 (轉)하여, 좀
높게 베풀어 놓은 자리. '祭一'. '演一'. '設一
場, 拜韓信爲大將軍'《漢書》. ㉡장소. 범위. '誰
登李杜一'《杜牧》. ㉢특수 사회. '文一'. '詩
一'.

[字源] 篆 [壇] 形聲. 土+亶[音]. '亶단'은 '坦탄'과
통하여, '평지'의 뜻. 태양신을 제사
지내기 위해 한층 높게 만든 평지의 뜻을 나타
냄.

[壇曼 단만] 넉넉하고 넓은 모양. 또, 편편하고
넓은 모양.

[壇宇 단우] ㉠단과 궁실 (宮室). ㉡범위·법칙·규
칙 따위를 이르는 말.

[壇位 단위] 흙을 쌓아 올려 만든 단.

[壇場 단장] ㉠제사 지내기 위하여 흙을 한 계단
높이 쌓아 올린 곳. 제단 (祭壇). ㉡대장 (大將)
을 배 (拜)하기 위하여 흙을 쌓아 올린 곳. ㉢특
수한 행사를 하는 곳.

[壇兆 단조] 제사 지내기 위하여 흙을 한 계단 높
이 쌓은 곳. 제단 (祭壇).

●歌壇. 降壇. 講壇. 戒壇. 敎壇. 劇壇. 論壇.
道壇. 登壇. 文壇. 佛壇. 祠壇. 詞壇. 石壇.
聖壇. 騷壇. 須彌壇. 柴壇. 詩壇. 樂壇. 演壇.
靈壇. 瑤壇. 齋壇. 祭壇. 天壇. 杏壇. 花壇.
畫壇. 荒壇.

13 ⑯ [壈]
환 ⑪刪 胡關切 huán

[字解] 담 환 '一堵'는 사면 (四面) 각 1장(丈)씩
되는 담. 또, 주거 (住居). '一堵, 謂面一堵牆

也’《集韻》.

13
⑯ [壈] 람 ⓑ感 盧感切 lǎn

字解 불우할 람 ‘一坎’은 뜻을 얻지 못한 모양.
불우한 모양. ‘一坎難歸來’《劉長卿》.

[壈坎 남감] 뜻을 얻지 못한 모양. 불우한 모양.
●坎壈.

13
⑯ [墩] 교 ㉠肴 苦幺切 qiāo

字解 ①메마를 교 척박하고 돌이 많음. ②버릴
교.
篆文 形聲. 土＋敫〔音〕. ‘磽교’와 통하여,
돌이 많은 척박한 땅의 뜻을 나타냄.

13
⑯ [墼] 〔야〕
墼(土部 十二畫〈p.467〉)의 譌字

13
⑯ [墳] 〔분〕
墳(土部 十二畫〈p.465〉)의 本字

13
⑯ [臺] 〔당〕
堂(土部 八畫〈p.451〉)의 籒文

13
⑯ [墻] 〔장〕
牆(爿部 十三畫〈p.1370〉)의 俗字

筆順 土 圤 圤 圤 墻 墻 墻 墻

13
⑯ [墣] 〔비〕
埤(土部 八畫〈p.449〉)와 同字

13
⑯ [壅] 〔옹〕
雍(土部 十三畫〈p.469〉)과 同字

13
⑯ [壽] 〔수〕
隧(阜部 十三畫〈p.2475〉)와 同字

13
⑯ [壥] 〔감〕
轗(車部 十三畫〈p.2278〉)과 同字

13
⑯ [壃] 〔강〕
疆(田部 十四畫〈p.1474〉)과 同字

13
⑯ [壞] 〔괴〕
壞(土部 十六畫〈p.471〉)의 略字

13
⑯ [壤] 〔양〕
壤(土部 十七畫〈p.471〉)의 略字

13
⑯ [墾] 人名 간 ⓑ阮 康很切 kěn

筆順 ⺍ 乛 豸 豸ㅋ 豭 豭 豤 墾

字解 ①따비이룰 간 개간함. ‘一田’. ‘土不
備一’《國語》. ②깨질 간, 부서질 간 ‘凡陶旅之
事, 𡪡一薜暴不入市’《周禮》.
篆文 形聲. 土＋豤〔音〕. ‘豤곤’은 ‘開개’와
통하여, ‘열다’의 뜻. 땅을 열다, 갈
다의 뜻을 나타냄.

[墾耕 간경] 개간하여 경작함.

[墾發 간발] 개간하여 넓힘. 개척함.
[墾闢 간벽] 간발(墾發).
[墾植 간식] 개간하여 작물을 심음.
[墾藝 간예] 땅을 개간해서 작물(作物)을 심음.
간식(墾植).
[墾田 간전] 전지(田地)를 개간함. 또, 개간한 전
지. 따비밭.
[墾鑿 간착] 땅을 개척함.
[墾荒 간황] 황무지를 개간함.
●開墾. 耕墾. 勤墾. 未墾. 闢墾. 新墾. 再墾.

13
⑯ [墼] 격 ㉮錫 古歷切 jī

字解 ①기와 격 사원(寺院) 같은 데서 바닥에
까는 기와장. ‘一, 瓴適也’《說文》. ②벽돌 격 굽
지 않은 벽돌. ‘一, 一日未燒者’《說文》.
篆文 形聲. 土＋毄〔音〕.

13
⑯ [壁] 高人 벽 ㉮錫 北激切 bì

筆順 尸 尺 𡰪 尹 辟 辟 壁 壁 壁

字解 ①벽 벽 바람벽. ‘土一’. ‘蟋蟀在一’《禮
記》. ②진 벽 군루(軍壘). ‘金城鐵一’. ‘帝晨馳
入韓信張耳一’《漢書》. ③나성 벽 성루(城壘)의
외곽(外郭). ‘堅一而守’《漢書》. ④낭떠러지 벽
깎아지른 듯한 비탈. 절벽. ‘一岸’. ‘其山絶一
千尋, 由來乏水’《隋書》. ⑤별이름 벽 이십팔수
(二十八宿)의 하나. 현무 칠수(玄武七宿)의 끝
성수(星宿). 별 둘로 구성되었음. ⑥성 벽 성
(姓)의 하나.
篆文 形聲. 土＋辟〔音〕. ‘辟벽’은 옆으로
비키다의 뜻. 방의 옆에 흙으로 만든
벽의 뜻을 나타냄.

[壁經 벽경] 상서(尙書). ‘고문상서(古文尙書)’
가 공자(孔子)의 집의 벽 속에서 나왔으므로 이
름.
[壁光 벽광] 한(漢)나라의 광형(匡衡)이 집이 가
난하기 때문에 벽에다 구멍을 뚫고 이웃집에서
새어 나오는 불빛으로 책을 읽은 고사(故事).
전(轉)하여 고학(苦學).
[壁壘 벽루] 벽오(壁隖).
[壁立 벽립] ㉠집 안에 벽만 서 있을 뿐이지 아무
것도 없음. ㉡절벽 같은 것이 벽 모양으로 서
있음.
[壁門 벽문] 진영(陣營)의 출입구. 영문(營門).
군문(軍門).
[壁報 벽보] 벽에 쓰거나 붙여 여러 사람에게 알
리는 것.
[壁書 벽서] 벽(壁)에 붙이거나 쓰는 글.
[壁星 벽성] 벽수(壁宿).
[壁宿 벽수] 이십팔수(二十八宿)의 하나. 현무 칠
수(玄武七宿)의 끝 성수(星宿). 별 둘로 구성
되었음.
[壁蝨 벽슬] 개·말·소 같은 것에 기생하는 벌레.
진드기.
[壁岸 벽안] 낭떠러지.
[壁魚 벽어] 빈대좀. 의어(衣魚).
[壁隖 벽오] 작은 성. 성채(城砦).
[壁有耳 벽유이] 벽에 귀가 있다는 뜻으로, 비밀
이 새기 쉬움을 경계한 말.

[壁藏 벽장] ㉠물건을 벽 속에 넣고 발라 감춤. ㉡진 (秦)나라 시황 (始皇)이 분서 (焚書)할 때 복생 (伏生)이 상서 (尙書)를 벽 속에 감추어 둔 고사 (故事)에 의하여 고문서 (古文書)를 이름.

[壁檻 벽장] 벽 (壁)에 만들어 물건 (物件)을 넣는 곳.

[壁中書 벽중서] 전한 (前漢) 무제 (武帝) 말년에 노 (魯)나라의 공왕 (恭王)이 공자 (孔子)의 집 벽 속에서 발견하였다고 하는 고문 (古文)으로 된 책. 곧, 〈고문상서 (古文尙書)〉·〈고문효경 (古文孝經)〉 등. 벽장서 (壁藏書).

[壁紙 벽지] 벽을 도배하는 종이.

[壁土 벽토] 벽 (壁)에 바른 흙.

[壁虎 벽호] 도마뱀붙이. 수궁 (守宮).

[壁畫 벽화] 벽 (壁)에 그린 그림.

●隔壁. 古壁. 高壁. 金城鐵壁. 壘壁. 丹壁. 斷壁. 東壁. 面壁. 防壁. 白壁. 堡壁. 複壁. 粉壁. 氷壁. 四壁. 石壁. 城壁. 堊壁. 岸壁. 巖壁. 崖壁. 堝壁. 外壁. 胃壁. 籬壁. 障壁. 牆壁. 赤壁. 絶壁. 周壁. 塵壁. 鐵壁. 峭壁. 側壁. 土壁. 破壁. 敗壁. 糊壁. 胸壁.

13⑯ [壒] 호 ㊤晧 胡老切 hào
字解 ①질솥 호. ②질탕관 호 '一, 土釜也'《玉篇》.

13⑯ [雍] 人名 옹 ㊦宋 於容切 yōng
筆順 亠 歹 歹 歹 雍 雍 雍 雍
字解 ①막을 옹 통하지 못하게 함. '一蔽'. '河決不可復一'《史記》. ②막힐 옹 통하지 아니함. '一滯'. '川一爲澤'《左傳》. ③북돋울 옹 배토 (培土)함. '培一'.
字源 形聲. 土＋雍〔音〕. '雍옹'은 '부드럽게 안다'의 뜻. 외부로부터의 침입에 대비하여 '흙으로 싸다, 막다, 북돋다'의 뜻을 나타냄.

[雍劫 옹겁] 막아 누름. 임금과 신하의 정을 멀게 함.
[雍隔 옹격] 막혀 격리됨.
[雍塞 옹색] 막음. 또, 막힘.
[雍堨 옹알] 보. 둑.
[雍阻 옹조] 막혀 격리됨. 또, 막아 격리시킴.
[雍滯 옹체] 막히어 걸림.
[雍蔽 옹폐] 막아 가림. 전 (轉)하여, 임금의 총명을 가림.
●梗雍. 群議雍. 滿雍. 培雍. 塞雍. 翳雍. 五雍. 沈雍. 蔽雍.

13⑯ [壂] 전 ㊦霰 堂練切 diàn
字解 ①앙금 전 침전물 (沈澱物). '一, 滓埿也'《六書統》. ②집 전 관리 (官吏)가 일 맡아보는 집. '堂埌一也'《廣雅》.
字源 形聲. 土＋殿〔音〕.

14⑰ [壎] 人名 훈 ㊤文 許云切 xūn
筆順 土 圵 圹 圻 圻 埵 垂 壎

질나발 훈 토제 (土製)의 취주 악기. 속이 빈 난형 (卵形)에 여섯 또는 여덟 개의 구멍이 있음. 塤 (土部 十畫)과 同字. '一篪'. '伯氏吹一, 仲氏吹篪'《詩經》.

[壎]

字解 形聲. 土＋熏〔音〕. '塤훈'의 이체자 (異體字)로, 둥근 모양을 한 질나발의 뜻을 나타냄.

[壎篪 훈지] 질나발과 저. 전 (轉)하여, 형제의 사이. '훈지상화 (壎篪相和)'를 보라.
[壎篪相和 훈지상화] 형 (兄)은 질나발을 불고 아우는 이에 화답하여 저를 분다는 뜻으로, 형제가 서로 화목함을 이름.
●弄壎.

14⑰ [壏] 함 ㊤鹽 胡黤切 xiàn
字解 굳은흙 함 단단한 흙. 礛(石部 十四畫)과 同字.

14⑰ [壒] 애 ㊦泰 於蓋切 ài
字解 티끌 애 먼지. '埃一之混濁'《班固》.
字源 形聲. 土＋蓋〔音〕. '蓋개'는 '덮다'의 뜻. 주변을 덮은 흙먼지의 뜻을 나타냄.
●輕壒. 浮壒. 紛壒. 纖壒. 埃壒. 烟壒. 涓壒. 塵壒. 昏壒.

14⑰ [壍] 〔근〕
壍(土部 十一畫〈p.461〉)의 本字

14⑰ [壔] 도 ㊤晧 都晧切 dǎo
字解 ①보루 도 성채 (城砦). ②기둥 도 수학 (數學)에서 기둥 모양의 입체 (立體)의 일컬음. '圓一'. '角一'.
字源 形聲. 土＋喬〔音〕
●角壔. 圓壔.

14⑰ [壕] 人名 호 ㊦豪 胡刀切 háo
筆順 土 圵 圹 圹 圹 壕 壕 壕
字解 해자 호 성 둘레에 판 도랑. '雁鳴寒雨下空一'《柳宗元》.
字源 形聲. 土＋豪〔音〕. '豪호'는 '皐고'와 통하여 '늪'의 뜻. '土토'를 더하여 인공적인 '해자'를 뜻함.
●空壕. 待避壕. 防空壕. 邊壕. 塹壕.

14⑰ [壙] 궤 ㊦寘 求位切 kuì
字解 삼태기 궤 籄(竹部 十二畫)와 同字. '爲山而不終, 蹟乎一一'《後漢書》.

14
⑰ **[壖]** 〔연〕
壖(土部 九畫⟨p.454⟩)과 同字
字源 形聲. 土＋需〔音〕

14
⑰ **[壑]** 人名 학 ㉠藥 呵各切 hè(huò)
字解 구렁 학 두 산 사이의 오목한 곳. 골. '溝
一'. '窈窕以尋一'⟨陶潛⟩.
字源 篆文 形聲. 土＋叡〔音〕. '叡학'은 '골짜
기'의 뜻.

[壑谷 학곡] ㉠지하실. 토굴(土窟). ㉡구렁. 골짜
기.
●澗壑. 坑壑. 巨壑. 谿壑. 丘壑. 溝壑. 洞壑.
萬壑. 巖壑. 雲壑. 幽壑. 一邱一壑. 絕壑.

14
⑰ **[壓]** 高人 ■ 압 ㉠洽 烏甲切 yā
人 ■ 엽 ㉠豔 於豔切 yā   压 壓
筆順 厂 尸 厈 厈 厭 厭 厭 壓
字解 ■ ①누를 압 ㉠내리누름. '抑一'. '擧
傑一陛'⟨楚辭⟩. ㉡진정(鎭定)함. '鎭一'. '無
以一一州'⟨齊書⟩. ㉢바싹 다가옴. 들이닥침.
'一迫'. '楚晨一晉軍而陣'⟨左傳⟩. ②막을 압 틀
어막음. 충색(充塞)함. '覆一三百餘里'⟨杜牧⟩.
■ 싫어할 염 厭(厂部 十二畫)과 통용. '朕甚一
苦之'⟨漢書⟩.
字源 篆文 形聲. 土＋厭〔音〕. '厭염'은 눌러 찌
부러뜨리다의 뜻. 흙으로 누르다의
뜻을 나타냄.
參考 压(土部 二畫)은 略字.

[壓覺 압각] 밖의 물건에 눌리어 피부에 일어나는
감각(感覺).
[壓驚 압경] 놀란 마음을 진정시키기 위하여 술을
마시는 일.
[壓卷 압권] 그 책 가운데에서 가장 잘 지은 부분.
또는, 여러 책 가운데에서 가장 가치 있는 책.
다른 책을 억누를 만큼 훌륭한 책. 옛날 과거
때 장원(壯元)한 사람의 두루마리로 된 답안지
를 모든 답안지 위에 놓았던 데서 생긴 말.
[壓氣 압기] ㉠기세에 눌림. ㉡기세를 누름.
[壓度 압도] 누르는 도수(度數).
[壓倒 압도] 눌러서 거꾸러뜨림. 전(轉)하여, 굴
복시킴.
[壓頭 압두] 첫째를 차지함.
[壓良爲賤 압량위천] 양민(良民)을 강제로 종을
삼음.   「힘.
[壓力 압력] 어떠한 물체가 다른 물체를 누르는
[壓顚破脣 압전파순] 남의 무덤의 영역을 범하여
매장함. 무덤 뒤 가까운 곳을 '顚'라 하고, 무
덤 앞 가까운 곳을 '脣'이라 함.
[壓尾 압미] 끝. 종말.
[壓迫 압박] ㉠내리누름. ㉡바싹 다가옴.
[壓伏 압복] 위압하여 복종시킴.
[壓服 압복] 강제로 복종(服從)시킴. 압복(壓伏).
[壓死 압사] 물건에 눌리어서 죽음.
[壓殺 압살] 눌러서 죽임.
[壓視 압시] 멸시함.   「는 감각.
[壓神 압신] 외계의 작용이 피부에 닿아서 일으키
[壓點 압점] 피부의 표면에 분포하여 압각(壓覺)
또는 촉각(觸覺)을 맡은 신경의 말초점(末梢

點).   「박(束縛)함.
[壓制 압제] 압박하고 억제함. 백성의 자유를 속
[壓條 압조] 휘묻이. 취목(取木).
[壓紙 압지] 잉크나 먹물 따위를 마르기 전에 빨
아들이는 종이.
[壓搾 압착] 눌러서 짜냄.
[壓軸 압축] 하나의 시축(詩軸)에 실린 여러 시
가운데 가장 잘 지은 시.
[壓縮 압축] 눌러서 오그라뜨림.
●降壓. 檢壓. 傾壓. 高壓. 光壓. 氣壓. 等壓.
覆壓. 水壓. 眼壓. 抑壓. 威壓. 低氣壓. 電壓.
制壓. 重壓. 指壓. 鎭壓. 推壓. 沈壓. 彈壓.
筆壓. 血壓.

14
⑰ **[壍]** 참 ㉠豔 七艷切 qiàn
字解 해자 참 塹(土部 十一畫)과 同字. '深一而
守'⟨史記⟩.

14
⑰ **[璽]** 〔새〕
璽(玉部 十四畫⟨p.1442⟩)와 同字
字源 篆文 形聲. 土＋爾〔音〕. '爾'이는 아름답고
성하다의 뜻. 왕토(王土)를 지배하는
자의 빛나는 인장의 뜻을 나타냄.
參考 壐(玉部 十四畫)는 籀文.

14
⑰ **[壗]** ■ 활 ㉠黠 胡骨切 kū
■ 골 ㉠月 苦骨切 kū
字解 ■ 탈출할 활 죄수(罪囚)가 탈출함. '一
囚突出也'⟨說文⟩. ■ 뚫고나올 골 '一, 突出也'
⟨集韻⟩.

15
⑱ **[壙]** 人名 광 ㉠漾 苦謗切 kuàng   圹 壙
字解 ①뫼구덩이 광 무덤의 하관(下棺)하는 곳.
'一中'. '弔於葬者, 必執引, 若從柩及一, 皆執
紼'⟨禮記⟩. ②굴 광 땅의 공동(空洞). '猶水之
就下, 獸之走一也'⟨孟子⟩. ③넓을 광 '一埌'은
들이 넓은 모양. '一埌之野'⟨莊子⟩.
字源 篆文 形聲. 土＋廣〔音〕. '廣광'은 '넓다'
의 뜻. 땅속의 넓은 구멍의 뜻을 나
타냄.

[壙壙 광광] 들이 휜히 넓은 모양. 광량(壙埌).
[壙埌 광랑] 들이 넓은 모양.
[壙僚 광료] 벼슬하지 아니함. 또, 지위(地位)가
없음. 광(壙)은 공(空).
[壙中 광중] 무덤의 구덩이 속.
[壙穴 광혈] 무덤 구덩이. 묘혈(墓穴).
●塼壙. 冢壙.

15
⑱ **[壚]** 〔전〕
壥(广部 十二畫⟨p.705⟩)의 俗字

15
⑱ **[壘]** 人名 ■ 루 ㉠紙 力軌切 lěi
■ 뢰 ㉠賄 魯猥切 lěi
■ 률 ㉠質 劣戌切 lù   垒 壘
字解 ■ ①진 루 작은 성. 성보(城堡). '四郊多
一'⟨禮記⟩. ②포갤 루, 겹일 루 '胸中一塊'⟨世
說⟩. ③누루 累(糸部 五畫)와 同字. '不憂其係
一也'⟨荀子⟩. ④성 루 성(姓)의 하나. ■ 끌밋할
뢰 씩씩함. '魁一之士'⟨漢書⟩. ■ 귀신이름 률
'鬱一'은 신(神)의 이름. '守以鬱一'⟨張衡⟩.

※ '루' 음은 인명자로 쓰임.

字源 篆文 🔲 形聲. 土＋畾〔音〕. '畾뢰'는 '포개다'의 뜻. 흙을 포개서 쌓은 진(陣)의 뜻을 나타냄.

[壘空 누공] 작은 구멍. 소공(小孔). 세극(細隙).
[壘塊 누괴] 가슴속에 쌓인 덩어리. 곧, 마음속의 불평.
[壘壘 누루] 무덤 등이 늘비한 모양. 누루(累累).
[壘門 누문] 진영(陣營)의 문.
[壘壁 누벽] 작은 성. 보루(堡壘).
[壘堡 누보] 작은 성. 보루(堡壘).
[壘舍 누사] 보루(堡壘)와 병사(兵舍).
[壘城 누성] 보루(堡壘).
[壘尉 누위] 보루의 일을 맡은 벼슬.
[壘嶂 누장] 겹겹이 우뚝 솟은 산.
[壘砦 누채] 보루(堡壘).
[壘土 누토] 쌓아 겹친 흙. 누토(累土).
●堅壘. 孤壘. 故壘. 高壘. 魁壘. 軍壘. 堂壘. 滿壘. 壁壘. 堡壘. 本壘. 城壘. 深溝高壘. 營壘. 烏壘. 鬱壘. 離壘. 殘壘. 賊壘. 敵壘. 走壘. 進壘. 出壘. 峭壘. 築壘. 險壘.

16
(19)
[壚] 로 ㊥虞 落胡切 lú　坊垆

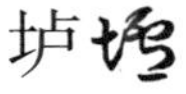

字解 ①검은석비레 로 빛이 검은 강토(剛土). '下土墳一'《漢書》. ②목로 로 술집의 술을 파는 곳. '司馬相如使文君當一'《史記》. ③화로 로 爐(火部 十六畫)와 同字. '茶一烟起知高興'《陸游》.
字源 篆文 🔲 形聲. 土＋盧〔音〕. '盧로'는 '검다'의 뜻. 검고 거친 흙의 뜻을 나타냄.

●茶壚. 賣壚. 文君當壚. 酒壚. 黃壚.

16
(19)
[壜] 담 ㊥覃 徒含切 tán　坛壜

字解 술병 담, 술단지 담 '石一封寄野人家'《陸龜蒙》.

16
(19)
[壝] 유 ㊀支 以追切 wéi ㊁寘 以醉切　塝

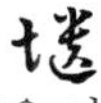

字解 제단의담 유 제단(祭壇)의 주위에 쌓은 낮은 담. '掌設王之社一'《周禮》.
字源 形聲. 土＋遺〔音〕.

●社壝.

16
(19)
[壛] 염 ㊥鹽 余廉切 yán

字解 ①거리 염 가로(街路). '一, 巷也'《玉篇》. ②와상(臥床) 염, 걸상 염 침대(寢臺). 긴 의자(椅子). '一, 榻也'《廣韻》. ③긴섬돌 염 긴 디딤돌. '曲屋步一'《楚辭》.

16
(19)
[壞] ■ 괴 ㊤卦 胡怪切 huài
(회)㊤
■ 회 ㊤賄 胡罪切 huì
坏壊

筆順 土 圹 圹 圬 壞 壞 壞 壞

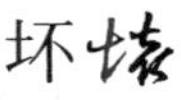

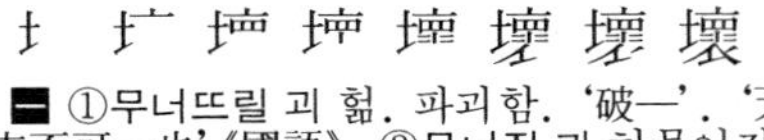

字解 ■①무너뜨릴 괴 헒. 파괴함. '破一'. '天之所支不可一也'《國語》. ②무너질 괴 허물어짐.

파괴됨. '一滅'. '禮必一'《論語》. ■①혹 회 나무의 거죽에 불쑥하게 내민 것. 나무 혹. '譬彼一木'《詩經》. ②앓을 회 병듦.
字源 篆文 🔲 形聲. 土＋襄〔音〕. '襄회'는 '毁훼'와 통하여, '무너지다'의 뜻. 흙을 무너뜨리다의 뜻에서, '헒다'의 뜻을 나타냄.

[壞劫 괴겁] 《佛敎》 성겁(成劫)·주겁(住劫)·공겁(功劫)과 함께 사겁(四劫)의 하나. 세계가 괴멸(壞滅)하는 기간(期間).
[壞決 괴결] 무너뜨림. 또, 무너짐.
[壞苦 괴고] 《佛敎》 삼고(三苦)의 하나. 즐거운 일이 깨어져 받는 고통.
[壞亂 괴란] 무너뜨려 어지럽게 함. 또, 무너져 어지러워짐.
[壞滅 괴멸] ㉠무너뜨려 멸함. ㉡무너져 멸망함.
[壞俗 괴속] 풍속(風俗)을 문란하게 함. 또, 문란(紊亂)해진 풍속.
[壞損 괴손] 무너뜨려 덞.
[壞壓 괴압] 눌러 무너뜨림.
[壞裂 괴열] 허물어지고 갈라짐.
[壞牆 괴장] 허물어진 담. 퇴락한 담. 퇴장(頹牆).
[壞舛 괴천] 떨어져 흩어짐. 무너져 산란함.
[壞頹 괴퇴] 퇴락함.
[壞敗 괴패] 무너짐. 파괴됨.
[壞血病 괴혈병] 비타민 C가 모자라서 몸이 쇠약해지고 잇몸·피부 등에서 피가 나오는 병.
[壞木 회목] 혹이 있는 나무.
[壞死 회사] 몸의 조직이 국부적으로 죽는 일.
[壞疽 회저] 신체(身體)의 조직(組織)의 일부분이 생력력을 잃고 그 기능(機能)이 소멸하는 일.
●決壞. 金剛不壞. 斷壞. 倒壞. 半壞. 不壞. 崩壞. 損壞. 碎壞. 弛壞. 沮壞. 全壞. 震壞. 替壞. 打壞. 墮壞. 泰山頹梁木壞. 破壞. 敗壞. 廢壞. 荒壞. 朽壞. 毁壞.

16
(19)
[壠] 壟(次條)과 同字

16
(19)
[壟] ㊅롱 ㊥腫 力踵切 lǒng　垄壟

字解 ①밭두둑 롱 규반(畦畔). '一畝'. '輟耕之一上'《漢書》. ②무덤 롱 뫼. '一塋'. '適墓不登一'《禮記》. ③언덕 롱 구릉. '丘一'.
字源 篆文 🔲 形聲. 土＋龍〔音〕. '龍룡'은 꿈틀거리는 용의 象形. 용의 등처럼 너울거리는 언덕·밭두둑의 뜻을 나타냄.

[壟斷 농단] ㉠가파른 언덕. ㉡이익을 독점함. 옛날에 어떤 사람이 장 근처의 가파른 언덕에 올라가 좌우를 빙 둘러보고 싼 물건을 사서 비싸게 팔아 이익을 독점하였다는 고사(故事)에서 나온 말.
[壟畝 농묘] 밭. 전(轉)하여, 시골. 촌(村).
[壟畔 농반] 밭의 경계. 밭두둑.
[壟塋 농영] 흙을 높이 쌓아 올린 무덤.
●高壟. 丘壟. 麥壟. 先壟. 一壟. 疇壟. 峻壟. 頹壟. 厚壟.

17
(20)
[壤] ㊅양 ㊤養 如兩切 rǎng　壌

筆順 土 圹 圬 圬 壤 壤 壤

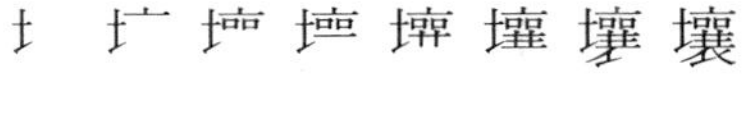

字解 ①고운흙 양 명개흙. ‘厥土惟白一’《書經》. ②땅 양 ㉠대지. ‘不意天一之間, 乃有王郞’《晉書》. ㉡경작지. ‘膏一沃野千里’《史記》. ㉢국토(國土). ‘兩國接一’《漢書》. ㉣곳. 장소. ‘誠神明之奧一’《程昱》. ③상할 양 손상함. ‘吐者外一, 食者內一’《穀梁傳》. ④만억 양 수(數)의 이름. 억(億)의 만 배. ⑤풍년들 양 穰(禾部 十七畫)과 同字. ‘三年大一’《列子》.

字源 篆文 壤 形聲. 土+襄(䴴)〔音〕. ‘䴴양’은 ‘女녀’와 통하여, ‘부드럽다’의 뜻. 부드럽고 기름진 흙의 뜻을 나타냄.

[壤歌 양가] 땅을 두드리며 노래함. 전(轉)하여, 태평성대를 구가(謳歌)함.
[壤界 양계] 경계(境界)가 서로 접함. 「는 모양.
[壤壤 양양] ㉠뒤섞인 모양. 혼잡한 모양. ㉡기르
[壤子 양자] 귀염둥이. 사랑하는 아들.
[壤奠 양전] 땅에서 난 제상(祭床)에 쓰는 물건. 야채(野菜) 따위. 토공(土貢).
[壤地 양지] 땅. 나라. 국토.
[壤土 양토] ㉠땅. ㉡경작에 알맞은 땅. ㉢거소(居所). 장소.
●間壤. 蓋壤. 擊壤. 鼓腹擊壤. 枯壤. 故壤. 橋壤. 膏壤. 煩壤. 僻壤. 邊壤. 糞壤. 肥壤. 沙壤. 霄壤. 息壤. 磽壤. 沃壤. 要壤. 雲壤. 幽壤. 腴壤. 蟻壤. 瘠壤. 天壤. 泰山不讓土壤. 土壤. 豐壤. 鹹壤. 荒壤. 朽壤.

17
⑳ [壤] 린 ㊤眞 力珍切 lín
字解 ①언덕 린 ‘一, 隴也’《玉篇》. ②채소밭 린 ‘荷芰卷生渚, 蕪菁秀出一’《宋穆修》

20
㉓ [壜] 암 ㊤咸 魚銜切 yán
字解 구멍 암 땅에 판 구멍. ‘一, 穴也’《集韻》.

21
㉔ [壩] 파 ㊤禡 必駕切 bà
字解 방죽 파 제방.
字源 形聲. 土+霸〔音〕

21
㉔ [嶢] 교 ㊤嘯 丘召切 qiào
字解 높을 교 ‘一, 高也’《集韻》.

22
㉕ [壤] 낭 ㊤漾 乃浪切 nàng
字解 ①토굴 낭 파낸 땅 구멍. ‘一, 一曰, 土窟’《集韻》. ②티끌 낭 쓰레기. ‘一, 塵也’《集韻》.

士 (3획) 部
[선비사부]

0
③ [士] 申人 사 ㊤紙 鉏里切 shì
筆順 一 十 士

字解 ①선비 사 ㉠천자(天子) 또는 제후(諸侯)에게 벼슬하는 계급의 명칭으로, 대부(大夫)의 아래, 서인(庶人)의 위를 차지함. ‘一大夫’. ‘忠信重祿, 所以勸一也’《中庸》. ㉡상류 사회 지식 계급의 사람. ‘紳一’. ‘一君子’. ㉢뛰어난 인물. 영재. ‘天下一’. ‘國一’. ㉣도의(道義)를 행하고 학예를 닦는 사람. ‘不可以不弘毅’《論語》. ㉤남아(男兒). ‘三晉多權變之一’《史記》. ②무사 사 무인(武人). 무부(武夫). ‘介冑之一不拜’《史記》. ③부사관 사 졸오(卒伍)를 거느리는 군인. ‘以安一卒’《史記》. ④벼슬 사 관직. ‘上一中一下一’《禮記》. ⑤일 사 사(丨部 七畫)와 통용. ‘見一于周’《書經》. ⑥성 사 성(姓)의 하나.

字源 金文 土 篆文 士 象形. 일종의 큰 도끼의 象形으로, 큰 도끼를 가질 만한 남자의 뜻을 나타냄. 일반적으로 미혼의 남성의 뜻을 나타냄.
參考 부수(部首)로서, ‘남자’의 뜻을 포함하는 문자를 이룸.

[士官 사관] ㉠재판관. 법관(法官). ㉡병정을 지휘하는 무관(武官). 위관(尉官)과 영관(領官)의 통칭.
[士君子 사군자] 교양과 인격이 높은 사람.
[士氣 사기] ㉠선비의 기개(氣槪). ㉡군사(軍士)가 용기를 내는 기운.
[士女 사녀] ㉠남자와 여자. 신사와 숙녀. ㉡총각과 처녀(美人)
[士農工商 사농공상] 국민의 네 가지 계급. 곧, 선비·농부·장색·장수.
[士大夫 사대부] ㉠천자(天子) 또는 제후를 섬기는 벼슬아치. 사(士)와 대부(大夫). ㉡부사관과 장교(將校).
[士論 사론] 선비들의 공론(公論).
[士類 사류] 사림(士林).
[士林 사림] 유교를 닦는 선비들.
[士民 사민] ㉠선비와 백성. 인민. ㉡도덕(道德)을 닦고 학예(學藝)를 배우는 사람. 선비.
[士兵 사병] 부사관 이하의 군인의 총칭.
[士夫 사부] ㉠사대부(士大夫). ㉡청소년(靑少年). ㉢남자의 통칭(通稱).
[士夫家 사부가] 문벌이 높은 집.
[士夫鄕 사부향] 선비가 많이 사는 시골.
[士師 사사] 재판관.
[士庶人 사서인] 사대부와 서인. 곧, 관리(官吏)와 농공상인(農工商人).
[士習 사습] 선비의 풍습.
[士伍 사오] ㉠병사(兵士)의 대오(隊伍). ㉡낮은 지위(地位).
[士爲知己者死 사위지기자사] 선비는 자기의 인격을 알고 존중하여 주는 사람을 위해서 목숨을 버려 그 지우(知遇)에 보답함. 진(晉)나라 예양(豫讓)의 말.
[士人 사인] ㉠학문에 종사하는 사람. 선비. ㉡벼슬아치. 관리(官吏).
[士子 사자] ㉠사인(士人). ㉡글을 배우는 사람. 학생. 학자(學子).
[士節 사절] 선비의 절개.
[士操 사조] 선비의 절개. 선비의 지조.
[士族 사족] 양반(兩班)에 속하는 겨레. 양반(兩班).
[士卒 사졸] 하사(下士)와 병졸.

[士衆 사중] 뭇사람. 백성.　「紀).
[士風 사풍] 선비의 기풍(氣風). 또는, 풍기(風
[士行 사행] 사대부(士大夫)로서의 고상(高尙)한 덕행(德行).
[士禍 사화] 사림(士林)의 참화. 옳은 말을 하는 선비들이 간악(奸惡)한 무리에게 받는 참혹한 화(禍).
◉佳士. 居士. 健士. 傑士. 劍士. 卿士. 計理士. 高士. 曲士. 骨骾之士. 魁士. 軍士. 弓馬之士. 窮士. 金剛力士. 奇士. 棋士. 騎士. 吉士. 能士. 多士. 端士. 達士. 大士. 大學士. 桃士. 道士. 都人士. 猛士. 名士. 武士. 無上之士. 文士. 博士. 方士. 辨理士. 辯士. 辯護士. 兵士. 伏士. 貧士. 死士. 山林之士. 上士. 善士. 選士. 俗士. 秀士. 信士. 紳士. 雅士. 樂士. 巖穴之士. 良士. 彥士. 女士. 力士. 列士. 烈士. 廉士. 英士. 銳士. 五經博士. 勇士. 韻士. 熊羆之士. 元士. 偉士. 衞士. 有道之士. 遊士. 儒士. 遺士. 隱士. 義士. 人士. 一言居士. 壯士. 戰士. 貞士. 濟濟多士. 造士. 朝士. 俊士. 中士. 志士. 智士. 進士. 徵士. 策士. 處士. 天下之士. 淸士. 靑雲之士. 通士. 鬪士. 布衣之士. 風流士. 下士. 學士. 寒士. 賢士. 顯士. 俠士. 豪士. 湖海之士. 橫行介士.

1 ④ [壬] [中·人] 임 ㊥侵 如林切 rén 

[筆順] 一 二 千 壬

[字解] ①아홉째천간 임 천간(天干)의 제 9 위. 오행(五行)으로는 물〔水〕에 속하고, 방위로는 북방임. ②간사할 임 '一佞'. '巧言令色孔一'《書經》. ③클 임 '有一有林'《詩經》. ④성 임 성(姓)의 하나.
[字源] 甲骨文 金文 篆文  象形. 베 짜는 실을 감은 모양을 본떠, 베 짜는 실의 뜻을 나타냄. '紝임'의 원자(原字). 假借하여, '아홉째천간'의 뜻으로 쓰임.
[參考] 형성 문자의 음부(音符)가 될 때에는, 지속적으로 견디다의 뜻을 가짐.

[壬公 임공] 물〔水〕의 별칭. 임부(壬夫).
[壬佞 임녕] 간사함.
[壬方 임방] 이십사방위의 하나. 정북(正北)에서 서쪽으로 15도(度)째의 방위를 중심으로 한 15도의 각도 안.
[壬夫 임부] 임공(壬公).
[壬人 임인] 간사한 사람. 아첨을 잘하는 사람.
[壬日 임일] 일진(日辰)이 임(壬)인 날.
[壬坐丙向 임좌병향] 임방(壬方)에서 병방(丙方)으로 향함.
◉大六壬. 憸壬.

3 ⑥ [壮] 〔장〕
壯(士部 四畫〈p. 473〉)의 略字

[吉] 〔길〕
口部 三畫(p. 349)을 보라.

4 ⑦ [声] 〔성〕
聲(耳部 十一畫〈p. 1828〉)의 俗字

4 ⑦ [壱] 〔일〕
壹(士部 九畫〈p. 474〉)의 俗字

4 ⑦ [売] 〔매〕
賣(貝部 八畫〈p. 2203〉)의 略字

4 ⑦ [壳] 〔각〕
殼(殳部 八畫〈p. 1157〉)의 簡體字

[志] 〔지〕
心部 三畫(p. 758)을 보라.

4 ⑦ [壯] [中·人] 장 ㊋漾 側亮切 zhuàng ㊥陽 資良切 zhuāng 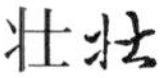

[筆順] 

[字解] ①씩씩할 장 용감함. '勇一'. '拔劍割肉, 壹何一'《漢書》. ②왕성할 장 혈기가 왕성함. 기력이 좋음. '一年'. '老當益一'《後漢書》. 또, 그 사람. '男女老一'《後漢書》. ③장할 장 훌륭함. 웅대함. 웅장함. '一志'. '高十餘丈, 旗幟加其上, 甚一'《史記》. ④굳을 장 견고함. 단단함. '仲冬之月, 冰始一'《禮記》. ⑤한방뜸 장 뜸질 한 번 하기. '醫用艾一灼, 謂之一一者, 以壯人爲法'《夢溪筆談》. ⑥팔월 장 음력 8월의 별칭. '一月'. '八月爲一'《爾雅》. ⑦성 장 성(姓)의 하나.
[字源] 篆文 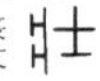 形聲. 士＋爿〔音〕. '士사'는 '남자'의 뜻. '爿장'은 '길다'의 뜻. 키가 큰 남자의 뜻에서 파생하여, '씩씩하고 장하다'의 뜻을 나타냄.
[參考] 壮(士部 三畫)은 略字.

[壯擧 장거] 장한 거사(擧事).
[壯健 장건] 튼튼함. 기운이 있고 병이 없음.
[壯骨 장골] 기운 좋고 크게 생긴 골격(骨格).
[壯觀 장관] 굉장하고 볼만한 광경.
[壯佼 장교] 나이가 젊고 장건(壯健)함.
[壯妓 장기] 나이 지긋한 기생.
[壯騎 장기] 강(強)한 기병(騎兵). 경기(勁騎).
[壯年 장년] 혈기가 왕성한 삼사십 세경의 나이. 장치(壯齒). 장령(壯齡). 또, 그 사람.
[壯談 장담] 확신을 가지고 자신 있게 하는 말.
[壯膽 장담] 용장(勇壯)한 담력.
[壯大 장대] 장건(壯健)하고 큼.
[壯途 장도] 중대한 사명을 띠고 떠나는 길. 용감히 떠나는 장한 길.
[壯圖 장도] 웅장한 꾀. 장한 계획.
[壯麗 장려] 장대(壯大)하고 화려함.
[壯力 장력] 강장(強壯)한 근력.
[壯烈 장렬] 씩씩하고도 열렬함.
[壯齡 장령] 혈기가 왕성한 삼사십 세경의 나이. 장치(壯齒). 장년(壯年).
[壯美 장미] ㉠장엄하고 아름다움. 장대(壯大)하고 미려(美麗)함. ㉡미(美)의 한 가지로서, 숭경(崇敬)의 염(念)을 일으키는 것. 웅장하고 숭고(崇高)한 미(美).　「자.
[壯夫 장부] ㉠장년(壯年)의 남자. ㉡씩씩한 남
[壯士 장사] ㉠기개(氣槪)가 있고 용감한 사람. ㉡역사(力士).
[壯山 장산] 굉장히 큰 산(山). 웅장한 산.
[壯雪 장설] 많이 오는 눈. 대설.
[壯盛 장성] 씩씩하고 왕성함.
[壯心 장심] 장지(壯志).
[壯語 장어] 호언장담(豪言壯談).
[壯熱 장열] 병으로 인한 매우 높은 신열(身熱).

[壯藝 장예] 뛰어난 기예 (技藝).
[壯勇 장용] 혈기가 왕성하고 용감함.
[壯元 장원] (韓) ㉠과거 (科擧)에서 갑과 (甲科)에 첫째로 급제 (及第)함. 또, 그 사람. ㉡성적 (成績)이 첫째임. 또, 그 사람.
[壯月 장월] 음력 (陰曆) 8월의 별칭 (別稱).
[壯遊 장유] ㉠장지 (壯志)를 품고 먼 곳으로 떠나는 일. ㉡성대한 놀이. 성유 (盛遊).
[壯意 장의] 장한 뜻.
[壯者 장자] 혈기가 왕성한 젊은이.
[壯哉 장재] 장하도다 하고 탄상 (歎賞)하는 말.
[壯丁 장정] 장년 (壯年)의 남자. 젊은이.
[壯志 장지] 웅대한 뜻. 장한 뜻. 장심 (壯心). 대지 (大志). 웅심 (雄心).
[壯紙 장지] 두껍고 질긴 종이.
[壯齒 장치] 장령 (壯齡).　　　　　　　〔子〕.
[壯漢 장한] 허우대가 크고 힘이 세찬 남자(男子).
[壯懷 장회] 장한 생각.
●剛壯. 強壯. 彊壯. 健壯. 高壯. 廣壯. 宏壯. 老益壯. 老壯. 美壯. 悲壯. 盛壯. 少壯. 勇壯. 雄壯. 丁壯. 貞壯. 豪壯.

6
⑨ [壴] 주 ㉠襄 腫庚切 zhù
　　　　㉤遇 中句切
字解 ①늘어놓은악기머리보일 주 '一, 陳樂立而上見也'(說文). ②세울 주 서게 함. 竪(豆部 八畫〈p. 2171〉)와 통용. '一, 借作豎立之豎'(韻會). ③성 주 성(姓)의 하나.
字源 形聲. 屮+豆〔音〕.

7
⑩ [尵] 결 ㉠屑 ①②吉屑切 jié
　　　　　　③苦結切 qiè
字解 ①머리기울 결 또, 머리가 기울어진 모양. '一, 頭傾也'(說文). ②높을 결 '一, 屹屹也'(玉篇). ③마디많을 결 '尵一'은 마디가 많음. '尵一, 多節目也'(廣韻).
字源 形聲. 矢+吉〔音〕.

7
⑩ [壺] 壺(次次條)의 簡體字

8
⑪ [壷] 壺(次條)와 同字

9
⑫ [壺] 호 ㉠虞 戶吳切 hú
筆順 一 十 古 古 声 壺 壺 壺 壺
字解 ①병 호 배가 불룩한 병. 주로 술 또는 물을 담음. '一漿'. '八一設于西序'(儀禮). ②투호 호 병에 화살을 던져 넣는 유희. '投一'. '拚射一博'(左思). ③박 호 瓠(瓜部 六畫)와 同字. '八月斷一'(詩經). ④성 호 성(姓)의 하나.
字源 甲骨文 金文 篆文 象形. 뚜껑 달린 병의 象形. '병, 항아리'의 뜻을 나타냄.
參考 ①壷(前條)와 同字. ②壺(士部 十畫)은 別字.

[壺口 호구] 산 (山) 이름. 셋이 있는데 모두 산시 성 (山西省) 안에 있음. 길현 (吉縣) 서남 (西南)

에 있는 산은 우공 (禹貢)에, 임분현 (臨汾縣) 서남 (西南)에 있는 산은 수경주 (水經注)에 보이며, 또 하나는 장치현 (長治縣) 동남 (東南)에 있음.
[壺觴 호상] 술병과 술잔.
[壺飧 호손] 병에 넣은 밥.
[壺罌 호앵] 술 같은 것을 넣는 양병 (洋瓶).
[壺漿 호장] 병에 넣은 음료 (飮料). 소량의 음료
[壺中物 호중물] 술.　　　　　　　　　　〔수.
[壺中天 호중천] 신선 호공 (壺公)의 고사 (故事)에 의하여 별천지 (別天地)·별세계 (別世界)·선경 (仙境) 등의 뜻으로 씀. 호천 (壺天). 호중천지 (壺中天地).
[壺中天地 호중천지] 호중천 (壺中天).
[壺天 호천] 호중천 (壺中天).
●金壺. 漏壺. 茶壺. 銅壺. 茗壺. 方壺. 蓬壺. 水壺. 贏壺. 玉壺. 殘壺. 箭壺. 唾壺. 投壺. 瓠壺.

9
⑫ [壹] 人名 일 ㉠質 於悉切 yī
筆順 一 士 吉 吉 壹 壹 壹 壹
字解 ①한 일 ㉠하나. 一(部首)과 同字. ㉡한 번. '一揖一讓'(儀禮). ㉢한가지로. 모두. '一諸侯之相也'(孔子家語). ㉡전일할 일 마음을 오로지 한 곳으로 씀. '專一'. '志一則動氣'(孟子). ③통일할 일 통합함. '外一群臣'(漢書). ④순박할 일 순후함. '醇一'. '民以寧一'(史記). ⑤성 일 성(姓)의 하나.
字源 篆文 形聲. 壺+吉〔音〕. '壺호'는 '병'의 뜻. '吉길'은 경사를 확보해 두다의 뜻. 병을 밀폐하여 술을 발효시키는 모양에서, 일이 성취되도록 힘을 확보하여 응집시키다, 오로지 하나의 뜻을 나타냄. 또 전하여, '하나'의 뜻도 나타냄.
參考 ①갖은자로서, 주로 증서·계약 등에 씀. ②壱(士部 四畫)은 俗字.

[壹大 일대] 심 (甚)히. 매우. 크게.
[壹發五犯 일발오파] 화살을 한 번 쏘아 산돼지 다섯 마리를 잡는다는 뜻으로, 사냥하여 잡은 것이 많음을 이름.
[壹是 일시] 모두. 한결같이. 일체 (一切).
[壹鬱 일울] ㉠기 (氣)가 폐색 (閉塞)함. ㉡근심 걱정 하는 모양.
[壹意 일의] 한 가지 일에 마음을 오로지 기울임. 일심 (一心). 일의 (一意).
[壹倡三歎 일창삼탄] ㉠한 사람이 먼저 노래 부르면 겨우 세 사람이 찬미 (讚美)하여 화창 (和唱)할 뿐임. ㉡뛰어난 시문 (詩文)을 격찬 (激讚)하여 이르는 말. 일창삼탄 (一倡三歎).
●均壹. 拜壹. 誠壹. 蕭壹. 醇壹. 寧壹. 專壹. 齊壹. 混壹. 和壹.

[喜] 〔희〕
口部 九畫(p. 395)을 보라.

9
⑫ [壻] 人名 서 ㉠霽 蘇計切 xù
筆順 土 圹 圹 坪 坪 壻 壻 壻
字解 ①사위 서 딸의 남편. '女一'. '一執雁入

《禮記》. ②남편 서 '夫一'. '婦人卿一'《世說》.
③벗 서 친우. '友一'. '僚一'. ④사내 서 남자.
'陛下勿以常一畜之'《晉書》.
[字源] [篆文] 壻 會意. 士+胥. '士사'는 '남자'의 뜻.
'胥서'는 '동거하다'의 뜻. 자기의
딸과 동거하는 남자, '사위'의 뜻을 나타냄.
[參考] 婿(女部 九畫)는 俗字.

[壻甥 서생] 사위.
●佳壻. 姑壻. 國壻. 妹壻. 夫壻. 新壻. 姬壻.
良壻. 兩壻. 女壻. 令壻. 僚壻. 友壻. 姉壻.
帝壻. 贅壻. 賢壻.

10 ⑬ [壼] 곤 ⑭阮 苦本切 kǔn

[字解] 대궐안길 곤 궁중(宮中)의 왕래하는 길.
'宮一'. '室家之一'《詩經》.
[字源] [篆文] 象形. ⑭는 주위가 담으로 에워싸인
길의 모양. 위쪽의 ⊥는 궁문(宮門)
위의 장식의 모양. 곧, 대궐 안의 작은 길의 뜻
을 나타냄.
[參考] 壺(士部 九畫)는 別字.

[壼奧 곤오] ⑦궐내(闕內)의 가장 깊숙한 곳. ⓛ
사물(事物)의 심오(深奧)한 데.
[壼闈 곤위] ⑦궐내(闕內)의 작은 문. ⓛ궐내. 궁
중(宮中).
[壼政 곤정] 궐내(闕內)의 정사(政事). 대궐 안을
다스리는 일.
[壼訓 곤훈] 부녀자(婦女子)의 교훈. 숙훈(淑訓).
●宮壼. 奧壼. 中壼.

10 ⑬ [壽] 壽(次條)의 俗字

11 ⑭ [壽] 中人 수 ㉠有 承呪切 shòu
　　　　　　　 ㉡有 殖酉切

[筆順] 一 丰 主 圭 耂 壽 壽 壽

[字解] ①수 수 ㉠나이. 목숨. '天一'. '萬一無
疆'. ⓛ장수. '一夭'. '體有喬松之一'《漢書》.
②수할 수 장수함. 오래 삶. 명이 긺. '一則多
辱'《莊子》. ③헌수할 수 ㉠장수를 축하하여 술
을 드림. '上一'. '莊入爲一'《漢書》. ⓛ장수를
축하하여 선물을 보냄. '爲呂政母一'《史記》.
④성 수 성(姓)의 하나.
[字源] [金文] [金文] [篆文] 形聲. 篆文은 耂(老)+畴
〔音〕. '畴수'는 '길게 이
어지다'의 뜻. 늙을 때까지 목숨이 길게 이어지
다, 장수하다의 뜻을 나타냄.

[壽康 수강] 건강하고 장수(長壽)함.
[壽豈 수개] 장수하고 화락함. 개(豈)는 개(愷).
[壽客 수객] '국화(菊花)'의 이칭(異稱).
[壽考 수고] 장수(長壽).
[壽骨 수골] 오래 살 골격(骨格).
[壽耈 수구] 노인(老人).
[壽宮 수궁] ㉠신(神)을 모셔 놓은 궁(宮). 신에
게 장수(長壽)를 빎으로 이름. ⓛ침실(寢室).
[壽期 수기] 생일(生日).
[壽器 수기] 널. 관(棺).
[壽齡 수령] 장수(長壽).
[壽禮 수례] 생일을 축하하는 선물.

[壽命 수명] 타고난 목숨. 생명. 수.
[壽母 수모] 수하는 모친이라는 뜻으로, 남의 모
친의 경칭(敬稱).
[壽福 수복] 수(壽)와 복(福).
[壽福康寧 수복강녕] 장수(長壽)하고 복을 누리
며 몸이 튼튼하고 편안함.
[壽比南山 수비남산] 수(壽)가 남산(南山)과 같
이 긺. 생일 축하의 말.
[壽序 수서] 사람의 장수를 축하하는 글.
[壽星 수성] ㉠남극성(南極星). 노인성(老人星).
ⓛ음력 8월의 별칭(別稱).
[壽辰 수신] 생일(生日). 생신(生辰).
[壽域 수역] ㉠수총(壽冢). ⓛ인수(仁壽)의 경역
(境域)이란 뜻으로, 태평한 세상을 이름. 성세
(盛世).
[壽宴 수연] 장수(長壽)를 축하(祝賀)하는 잔치.
[壽筵 수연] 수연(壽宴).
[壽夭 수요] 장수와 단명(短命).
[壽衣 수의] 염습할 때 시체(屍體)에 입히는 옷.
[壽藏 수장] 수총(壽冢).
[壽酒 수주] 축수(祝壽)의 술.
[壽祉 수지] 장수하고 복이 많음.
[壽昌 수창] 장수(長壽)하며 창성(昌盛)함.
[壽冢 수총] 생전(生前)에 만들어 놓은 무덤.
[壽誕 수탄] 수신(壽辰).
[壽限 수한] 타고난 수명(壽命)의 한정.
[壽穴 수혈] 수총(壽冢).
●康壽. 高壽. 喬松之壽. 龜龍壽. 耈壽. 南山之
壽. 老壽. 萬壽. 無疆之壽. 無量壽. 米壽. 眉
壽. 福祿壽. 福壽. 上壽. 聖壽. 延壽. 年壽.
靈壽. 夭壽. 人壽. 仁壽. 仁者之壽. 長壽. 天
壽. 椿壽. 彭祖之壽. 賀壽. 鶴壽. 享壽. 喜壽.

[嘉] 〔가〕
口部 十一畫(p.401)을 보라.

[臺] 〔대〕
至部 八畫(p.1877)을 보라.

12 ⑮ [墫] 준 ㉮眞 七倫切 cūn

[字解] ①춤출 준 선비가 춤을 추는 모양. '一, 士
舞也'《說文》. ②기뻐할 준 '坎坎, 一一, 喜也'
《爾雅》.
[字源] [篆文] 墫 形聲. 士+尊(罇)〔音〕. 선비가 장하
게 춤추는 모양의 뜻을 나타냄.

夊 (3획) 部
〔뒤져올치부〕

0 ③ [夊] 치 ⑭紙 豬几切 zhǐ

[筆順] ノ 夂 夊

[字解] 뒤져올 치 뒤떨어져 옴.
[字源] [甲骨文] [篆文] 象形. 아래를 향한 발의 象形으
로, '내려가다'의 뜻을 나타냄.
夂(部首)와 동일어(同一語) 이체자(異體字)임.
[參考] 부수(部首)로서, 대체로 자형(字形)의 머

리 부분에 옴.

[冬]〔동〕
冫部 三畫(p.227)을 보라.

[処]〔처〕
几部 三畫(p.234)을 보라.

3
⑥ [夅]〔항·강〕
降(阜部 六畫〈p.2455〉)의 古字

3
⑥ [夅]〔학〕
學(子部 十三畫〈p.565〉)과 同字

[各]〔각〕
口部 三畫(p.347)을 보라.

3
⑥ [夆]夆(次條)과 同字

4
⑦ [夆]봉 ㊀冬 符容切 féng

字解 ①거스를 봉 반대함. '一, 牾也'《說文》.
②끌어당길 봉 나쁜 데로 꾐. '甹一, 掣曳也'《爾雅》. ③만날 봉 서로 만남. '一, 與逢通, 遇也'《正字通》.

字源 形聲. 夂+丰〔音〕. '夂치'는 아래로 향한 발자국의 모양을 본뜸. '丰봉'은 '付부'와 통하여, '만나다'의 뜻. 사람이 걸어가서 만나다의 뜻을 나타냄. '逢봉'의 원자(原字).

4
⑦ [夆]■ 해 ㊉泰 胡蓋切 hài
    ■ 결 ㊈屑 古列切

字解 ■ 막을 해 가로막음. '一, 相遮要害也'《說文》. ■ 막을 결 ⼖과 뜻이 같음.

字源 形聲. 夂+丯〔音〕.

參考 夆(前條)은 別字.

4
⑦ [麦]〔맥〕
麥(部首〈p.2693〉)의 俗字

6
⑨ [变]〔변〕
變(言部 十六畫〈p.2164〉)의 俗字

6
⑨ [复]〔복〕
復(彳部 九畫〈p.749〉)·複(衣部 九畫〈p.2069〉)·覆(襾部 十二畫〈p.2085〉)의 簡體字

7
⑩ [夐]〔각〕
覺(見部 十三畫〈p.2093〉)과 同字

夂 (3획) 部
〔천천히걸을쇠부〕

0
③ [夂]쇠 ㊀支 息遺切 suī

筆順 ㇒ ㇇ 夂

字解 천천히걸을 쇠 서행(徐行)함.

字源 甲骨文 A 篆文 夂 象形. 아래를 향한 발자국의 모양으로, 가파른 언덕을 머뭇머뭇 내려가다의 뜻을 나타냄.

參考 부수로서, 대체로 자형(字形)의 발 부분에 옴.

5
⑧ [夌]릉 ㊀蒸 力膺切 líng

字解 언덕 릉 陵(阜部 八畫)과 同字.

字源 篆文 夌 會意. 㚒+夂. '㚒륙'은 '높다'의 뜻. '夂쇠'는 아래를 향한 발의 象形. '넘다'의 뜻을 나타냄.

5
⑧ [夎]■ 먼 ㊀琰 明忝切 miǎn
    ■ 맘 ㊈感 莫坎切 mǎn

字解 ■ 두개골 먼 '一, 腦蓋也'《廣韻》. ■ 목걸이 맘 '一, 首飾'《集韻》.

字源 會意. 爪+人+夂

6
⑨ [夒]종 ㊀東 子紅切 zōng
    ㊈送 作弄切

字解 ①발움츠릴 종 새가 날 때 발을 움츠림. '一, 斂足也, 鵻, 鴯鴯, 其飛也一'《說文》. ②모을 종 함께 합함. '一, 聚也'《廣雅》.

字源 金文 夒 篆文 夒 會意. 兇+夂. '兇흉'은 '두려워하다'의 뜻. '夂쇠'는 아래를 향한 발의 象形. 새 따위가 소리에 놀라 발을 움츠리고 날다의 뜻을 나타냄.

7
⑩ [夎]좌 ㊉箇 則臥切 cuò

字解 무릎아니꿇고절할 좌 '無一拜'《禮記》.

字源 形聲. 夂+坐〔音〕. '夂쇠'는 '다리를 끌다', '坐좌'는 '앉다'의 뜻. 무릎을 꿇어 발이 불안정한 예배(禮拜)의 뜻을 나타냄.

7
⑩ [夏]〔中/人〕하
①㊉禡 胡駕切 xià
②-⑥㊉馬 胡雅切 xià

筆順 一 厂 厅 百 百 頁 夏 夏 夏

字解 ①여름 하 ㉠사철의 하나. '春一秋冬'. ㉡여름의 더위. '號爲銷一灣'《皮日休》. ②중국 하 중국 본부. '中一'. '用肇造我區一'《書經》. ③하나라 하 우왕(禹王)이 세운 고대 왕조. 17주(主) 439년 동안 존속하였다 함. 걸(桀)에 이르러, 상(商)나라의 탕왕(湯王)에게 망함. '一殷周'. ④클 하 '一屋'. '一海之窮'《呂氏春秋》. ⑤회초리 하 榎(木部 十畫)와 통용. '一楚二物, 收其威也'《禮記》. ⑥성 하 성(姓)의 하나.

字源 金文 夏 篆文 夏 會意. 頁+臼+夂. '頁혈'은 관(冠)이나 탈을 쓴 사람의 머리를 본뜬 것. '臼구'는 양손. '夂쇠'는 양발의 象形. 관을 쓰고 우아하게 춤추는 여름 제사의 춤의 모양에서, '여름'의 뜻을 나타냄. 전하여, '크다'의 뜻, 큰 나라, 중국의 뜻도 나타냄.

[夏間 하간] 여름 동안.
[夏桀 하걸] 하(夏)나라 말세(末世)의 폭군(暴君). 이름은 계(癸). 상(商)나라 탕왕(湯王)에게 멸망당하였음.
[夏季 하계] 여름의 계절. 여름철.
[夏官 하관] 주(周)나라 때 육관(六官)의 하나.

대사마(大司馬)가 그 장(長)이며 군정 병마(軍政兵馬)를 맡음.
[夏期 하기] 여름의 시기(時期).
[夏臺 하대] ㉠하(夏)나라 때 옥(獄)의 이름. ㉡옥(獄).
[夏臘 하랍] 《佛敎》 중이 된 햇수.
[夏曆 하력] 하(夏)나라 시대의 역법(曆法). 전(轉)하여, 널리 역법(曆法)의 뜻으로 씀. 하정(夏正).
[夏令 하령] 여름철.
[夏爐冬扇 하로동선] 여름의 화로(火爐)와 겨울의 부채. 곧, 쓸데없는 사물(事物)을 비유하여 이르는 말.
[夏半 하반] 음력(陰曆) 4월의 별칭(別稱).
[夏服 하복] 여름에 입는 옷. 여름살이.
[夏書 하서] 서경(書經) 중에서 하후씨(夏后氏)를 기록한 부분. 우공(禹貢)으로부터 윤정(胤征)까지의 4편(編).
[夏稅秋糧 하세추량] 명대(明代)의 징세법(徵稅法). 하세(夏稅)는 상반기의 조세를 그해 8월까지 납입하게 하고, 추량(秋糧)은 하반기의 조세를 그 이듬해 2월까지 납입하게 하였음.
[夏安居 하안거] 《佛敎》 중이 여름 장마 때 한방에 모여 수도(修道)하는 일.
[夏五郭公 하오곽공] 춘추(春秋)에 '환공(桓公) 십삼 년(十三年) 하오(夏五)'라 쓰고 월(月)자가 빠지고, '장공(莊公) 이십사 년(二十四年)에 곽공(郭公)이' 하고 밑에 기사(記事)가 없다는 데서 글자의 빠짐을 이름.
[夏屋 하옥] 큰 집. 대하(大廈).
[夏禹 하우] 하(夏)나라를 개국(開國)한 임금. 순(舜)임금의 선위(禪位)로 천자가 됨. 성(姓)은 사씨(姒氏).
[夏雲多奇峯 하운다기봉] 여름에 흔히 볼 수 있는 봉만상(峯巒狀)의 구름을 이름.
[夏衣 하의] 하복(夏服).
[夏日 하일] ㉠여름날. ㉡두려운 인물. 가공(可恐)할 인물.
[夏翟 하적] 오색(五色)의 깃을 가진 꿩.
[夏節 하절] 여름 절기(節氣). 여름철.
[夏正 하정] 하(夏)나라 때에 쓰던 역법(曆法). 하력(夏曆).
[夏至 하지] 이십사절기(二十四節氣)의 열째. 망종(芒種)과 소서(小暑) 사이에 있는 1년 중 낮이 가장 긴 날. 양력(陽曆) 6월 21~22일경(頃).
[夏至線 하지선] 적도(赤道)의 북쪽 23도 27분의 위도(緯度)의 선(線). 춘분(春分)날에 적도에 있는 해가 점점 북으로 향하여 하지(夏至)날에 이 선에 이르렀다가 그 이튿날부터 다시 남으로 돌아감.
[夏天 하천] 여름 하늘. 여름날.
[夏楚 하초] ㉠학교에서 게으른 생도를 때리는 회추리. 회초리. ㉡회초리로 때려 교훈함.
[夏蟲不可以語於氷 하충불가이어어빙] 하충의빙(夏蟲疑氷).
[夏蟲疑氷 하충의빙] 여름에만 사는 벌레는 얼음이 어는 것을 의심한다는 뜻으로, 견문(見聞)이 좁은 사람이 공연스레 의심함을 비유하는 말.
[夏臭 하취] 고린내.
[夏海 하해] 큰 바다. 대해(大海).
[夏后氏 하후씨] 우(禹)임금의 별칭(別稱). 후(后)는 선양(禪讓)으로써 임금이 되었으므로 일컫는 미칭(美稱).
[夏畦 하휴] ㉠여름의 염천(炎天)에 밭을 갊. ㉡신고(辛苦)·노동(勞動) 등의 뜻으로 쓰임.

◉結夏. 季夏. 九夏. 冷夏. 大夏. 晩夏. 麥夏. 孟夏. 猛夏. 半夏. 三夏. 常夏. 盛夏. 銷夏. 首夏. 陽夏. 炎夏. 有夏. 立夏. 殘夏. 長夏. 諸夏. 朱夏. 中夏. 仲夏. 初夏. 秋夏. 春夏. 華夏.

11 ⑭ [**敻**] 형 ㊋敬 休正切 xiòng

字解 ①멀 형 逈(辵部 五畫)과 同字. '浩浩乎平沙無垠, 一不見人'《李華》. ②성 형 성(姓)의 하나.

字源 篆文 會意. 𠂊+目+攴. '𠂊'은 여자의 샅의 象形. '攴복'은 강제적으로 동작을 하다의 뜻. 깊숙한 여자의 샅을 강제로 보는 모양에서, '멀다'의 뜻을 나타냄.

[敻然 형연] 퍽 먼 모양. 아득한 모양.
[敻絶 형절] 서로 멀리 떨어짐.

15 ⑱ [**夒**] 夔(次次條)와 同字

16 ⑲ [**夓**] 노 ㉾豪 奴刀切 náo

字解 큰원숭이 노 낯이나 손발이 사람과 비슷한 원숭이. '一, 貪獸也. 一曰, 母猴'《說文》.

字源 象形. 머리가 크고 양손을 벌리고 선 동물의 모양을 본뜸.

17 ⑳ [**夔**] 人名 기 ㉾支 渠追切 kuí

字解 ①짐승이름 기, 도깨비 기 용같이 생긴 한 발 달린 짐승. '一, 如龍, 一足'《說文》. 일설(一說)에는, 도깨비라 함. '木石之怪曰一罔蜽'《國語》. ②조심할 기 조심하고 두려워하는 모양. '一一齊慄'《書經》. ③성 기 성(姓)의 하나.

字源 篆文 象形. 사람의 얼굴을 하고, 뿔이 있고, 큰 귀를 가지며, 한 발 달린 짐승의 모양을 본뜬 것.

參考 夔(次條)와 同字.

[夔鼓 기고] 기(夔)의 가죽으로 만들었다는 북. 소리가 5백 리 밖까지도 들렸다 함.
[夔夔 기기] 조심하고 두려워하는 모양.
[夔州 기주] 쓰촨 성(四川省)의 동북부(東北部), 봉절현(奉節縣)에 있는 도시(都市). 시(市)의 동쪽에 유비(劉備)가 쌓은 백제성지(白帝城址), 북쪽에 와룡산(臥龍山)의 명승(名勝)이 있음.

20 ㉓ [**夔**] 夔(前條)와 同字

參考 뿔의 상형(象形)을 '卝'로 보아 만든 문자.

夕 (3획) 部

〔저녁석부〕

0 ③ [**夕**] 中人 석 ㊀陌 祥易切 xī

[筆順] ノ ク タ

[字解] ①저녁 석 해 질 녘. '朝一'. '子曰, 朝聞道, 一死可矣'《論語》. 또, 해의 마지막, 달의 마지막을 이름. '臘爲歲一, 晦爲月一'《尙書大傳》. ②밤 석 ㉠야간. '竟一不眠'《後漢書》. ㉡밤일. 밤의 잠자리. '妻不在, 妾御莫敢當一'《禮記》. ③저녁에뵐 석 저녁때 알현(謁見)함. '叔向聞之一'《國語》. ④쏠릴 석 기욺. '正坐于一室'《呂氏春秋》. ⑤성 석 성(姓)의 하나.

[字源] 象形. 달이 반쯤 보이는 모양을 본떠, '저녁'의 뜻을 나타냄. 甲骨文은 '月월'의 자형(字形)과 같아, '밤'의 뜻을 나타냈음.

[參考] 부수(部首)로서, '밤'에 관한 문자를 이룸.

[夕刊 석간] 저녁에 도르는 신문.
[夕景 석경] ㉠저녁 경치. ㉡저녁때.
[夕暮 석모] 해 질 무렵.
[夕霧 석무] 저녁에 끼는 안개.
[夕飯 석반] 저녁밥.
[夕霏 석비] 석무(夕霧).
[夕市 석시] 저녁나절에 서는 장.
[夕室 석실] 쏠려 기울어진 방.
[夕嵐 석애] 이내. 남기(嵐氣).
[夕陽 석양] ㉠저녁나절의 해. 사양(斜陽). ㉡산의 서쪽. ㉢노년(老年)의 비유.
[夕陽天 석양천] 저녁때의 하늘.
[夕月 석월] ㉠저녁 뜨는 달. ㉡옛날에 천자(天子)가 달에 절하던 예(禮).
[夕陰 석음] ㉠땅거미. 박모(薄暮). ㉡저녁나절. 해 질 무렵.
[夕日 석일] 석양(夕陽).
[夕照 석조] 저녁때에 비치는 햇빛. 또, 저녁놀.
[夕餐 석찬] 저녁밥. 만찬(晩餐).
[夕惕 석척] 저녁때까지 삼감. 곧, 하루 종일 조심함.
[夕霞 석하] ㉠저녁놀. ㉡저녁 안개.
[夕餉 석향] 저녁밥. 석반(夕飯).
[夕曛 석훈] 석휘(夕暉).
[夕暉 석휘] 저녁나절의 햇빛.
● 今夕. 旦夕. 歲夕. 宿夕. 元夕. 月夕. 一夕. 日夕. 一朝一夕. 除夕. 朝不謀夕. 終夕. 晝夕. 七夕. 通夕. 花朝月夕. 曉夕.

2 ⑤ [外] 〔中人〕 외 〔泰〕 五會切 wài

[筆順] ノ ク タ 列 外

[字解] ①밖 외 ㉠안[內]의 대(對). '內一'. ㉡가운데의 대(對). '中一'. ㉢곁. '六合之一, 聖人存而不論'《莊子》. ㉣남. 타인. '一擧不辟仇'《禮記》. ㉤마음에 대하여, 언행 또는 용모. '君子敬以直內, 義以方一'《易經》. '內柔而一剛'《易經》. ㉥본국에 대하여, 외국. '暴內陵一'《周禮》. ㉦자기 집에 대하여, 딴 곳. '一泊'. '不留于一'《禮記》. ㉧안일에 대하여 바깥일. 사사(私事)에 대하여, 공사. '男不言內, 女不言一'《禮記》. ㉨조정에 대하여, 민간. '中一服從'《後漢書》. ㉩궁중(宮中)에 대하여, 국정. '好一士死之'《國語》. ㉪모친 및 처의 겨레붙이를. '一孫'. '妻之父爲一舅'《爾雅》. ㉫사랑. 바깥채. '男子居一'《禮記》. ②외댈 외 ㉠멀리함. '內君子而一小人'《易經》. ㉡제외함. '除一'. '一此, 其餘無足利矣'《淮南子》. ㉢잊음. 망각함. '參日而後, 能一天下'《莊子》.

[字源] 形聲. 卜+夕(月). [音]. '夕석'은 '月월'이 변형한 것. '月'은 '削삭'과 통하여, '긁어내다'의 뜻. 점을 치기 위하여 거북 등딱지에서 살을 긁어내는 모양에서, '제외하다, 밖'의 뜻을 나타냄.

[外家 외가] ㉠어머니의 친정(親庭). ㉡황후(皇后)의 친정. 외척(外戚)의 집안. ㉢외과(外科) 의사.
[外家書 외가서] 경사(經史) 이외(以外)의 서적.
[外殼 외각] 겉껍질.
[外艱 외간] 아버지의 상사(喪事).
[外感 외감] ㉠감기(感氣). ㉡기후(氣候)가 고르지 못하기 때문에 생기는 병(病)의 총칭.
[外剛內柔 외강내유] 겉은 굳세어 뵈나 속은 무름.
[外強中乾 외강중건] 외양(外樣)은 훌륭하나 재주는 실상 없음.
[外擧 외거] 일가친척이 아닌 타인(他人)을 천거(薦擧)함. 내거(內擧)의 대(對).
[外見 외견] ㉠바깥으로 나타나 보임. ㉡남에게 보임. 또는, 남이 봄. 타견(他見). ㉢외관(外觀).
[外界 외계] ㉠한 사물(事物)의 주위(周圍). ㉡의식(意識)에 대한 일체(一切)의 현상.
[外姑 외고] 아내의 친(親)어머니. 장모(丈母).
[外貢 외공] 외국으로부터의 공물(貢物).
[外科 외과] 신체의 외부(外部)의 치료에 관한 의술.
[外郭 외곽] 성(城) 밖으로 다시 둘러쌓은 성.
[外官 외관] 지방관(地方官). 외직(外職).
[外觀 외관] ㉠겉으로의 볼품. 바깥 모양. ㉡송(宋)나라 때 지방(地方)의 도교(道敎)의 절.
[外交 외교] ㉠외국(外國)과의 교제(交際), 또는 교섭(交涉). ㉡한 개인으로서 외국인과의 교제. ㉢세상 사람들과의 교제.
[外敎 외교] 《佛敎》 불교 이외의 교(敎).
[外僑 외교] 외국의 거류민(居留民).
[外寇 외구] 외적(外敵).
[外舅 외구] 아내의 친(親)아버지. 장인(丈人).
[外懼 외구] 국민(國民)으로 하여금 항상 외환(外患)을 경계하게 하기 위하여 일부러 적국(敵國)을 멸(滅)하지 않는 일.
[外國 외국] 자기 나라 이외(以外)의 나라.
[外勤 외근] 경찰(警察)·은행(銀行)·회사(會社) 등에서 그 외부에서 하는 근무(勤務). 내근(內勤)의 대(對).
[外技 외기] 노름 기타(其他) 좋지 못한 재주. 잡기(雜技).
[外記 외기] 본문(本文) 이외(以外)의 기사.
[外氣 외기] 밖의 공기(空氣).
[外難 외난] 외환(外患).
[外待 외대] 푸대접.
[外道 외도] 《佛敎》 불법(不法) 이외의 교법(敎法). 전(轉)하여, 이단 사설(異端邪說).
[外來 외래] ㉠다른 나라에서 옴. ㉡다른 곳에서 옴. ㉢밖에서 옴.
[外來思想 외래사상] 외국(外國)에서 전(傳)해 들어온 사상.
[外面 외면] ㉠거죽. 외양. ㉡보기를 꺼려 얼굴을

돌려 버림.

[外面如菩薩內心如夜叉 외면여보살내심여야차] 외양은 자비스러운 보살 같으나, 내심(內心)은 흉악한 야차 같음. 용모는 온화하나 마음은 흉악함.

[外侮 외모] 외국(外國) 또는 남한테 받는 모욕.

[外貌 외모] 겉모습.

[外蒙古 외몽고] 몽골의 고비 사막 이북(以北)의 지역. 일반적으로 몽골(Mongol) 공화국을 이름. 지리적으로는 그 외에 소련의 부르야트 몽골(Burjat Mongol) 자치 공화국 및 투바(Tuva) 자치주(自治州)가 차지하는 지역까지 포함함. 남부의 내몽고(內蒙古)와 더불어 고래로 유목 민족(遊牧民族)이 흥망하였음.

[外務 외무] ㉠속세(俗世)의 번거로운 일. ㉡외교(外交)에 관한 사무(事務).

[外聞 외문] 바깥소문.

[外物 외물] 자기 이외의 사물로서 물욕(物慾)·부귀(富貴)·명리(名利) 등을 이름.

[外泊 외박] 밖에서 머무름. 밖에서 숙박(宿泊)함.

[外方 외방] 외부. 외면(外面).

[外藩 외번] 지방에 있는 제후(諸侯). 또, 그 나라.

[外法 외법] 《佛敎》㉠바르지 아니한 방술(方術). 마술(魔術). 요술. ㉡불교 이외의 교법(敎法). 불법(佛法) 이외의 가르침.

[外府 외부] ㉠나라의 비용의 출납을 맡은 벼슬. ㉡나라의 금곡(金穀)이나 재물(財物)을 저장하는 창고(倉庫). ㉢나라 밖에 있는 창고. ㉣지방(地方)의 관부(官府).

[外部 외부] 바깥. 거죽.

[外婦 외부] 첩(妾). 외첩(外妾).

[外傅 외부] 학교 교사와 같이, 가정 밖에서 가르치는 선생.

[外備 외비] 외환(外患)에 대한 방비(防備).

[外賓 외빈] 외국(外國)에서 오는 손님.

[外貧內富 외빈내부] 외양(外樣)은 가난한 것 같으나 실상(實狀)은 부자임.

[外史 외사] ㉠관부(官府) 이외의 사실을 기록하는 관리. ㉡사관(史官)이 아니면서 사사로이 사료(史料)를 기록하는 사람. 또, 그 저술.

[外使 외사] 외국(外國)의 사신.

[外事 외사] ㉠바깥일. ㉡외국(外國)에 관한 일. 또, 부외(部外)의 일. ㉢딴 일. 타사(他事).

[外師 외사] 향리(鄕里)에서 떨어진 먼 곳에 있는 스승.

[外四寸 외사촌] 《韓》외종(外從).

[外三寸 외삼촌] 《韓》외숙(外叔).

[外傷 외상] 겉으로 받은 상처.

[外甥 외생] ㉠처(妻)의 형제. ㉡《韓》편지를 쓸 때에 장인에게 대하여 사위가 자기를 일컫는 말.

[外姓 외성] ㉠ 외가(外家) 쪽의 성(姓). ㉡왕실(王室)의 계통이 아닌 사람.

[外城 외성] 성밖에 겹으로 쌓은 성.

[外勢 외세] ㉠바깥의 형세(形勢). ㉡외국의 세력.

[外屬 외속] 어머니 또는 아내의 겨레붙이.

[外孫 외손] 딸이 낳은 자식.

[外數 외수] 속임수.

[外叔 외숙] 어머니의 친오라버니.

[外宿 외숙] 자기(自己) 집 이외(以外)의 다른 곳에서 잠.

[外飾 외식] 겉치레.

[外臣 외신] ㉠타국(他國)의 신하. ㉡타국(他國)의 군주(君主)에 대한 자칭(自稱).

[外信 외신] 외국으로부터의 소식. 외국으로부터의 보도.

[外室 외실] 남자(男子)가 거처(居處)하는 곳. 사랑.

[外心 외심] ㉠이심(異心). ㉡삼각형의 외접원(外接圓)의 중심(中心).

[外壓 외압] 밖에서 누름. 외부(外部)로부터의 압력(壓力). 또는, 외국(外國)으로부터의 압박(壓迫).

[外洋 외양] ㉠육지(陸地)에서 멀리 떨어져 있는 바다. ㉡세계 만국 공용의 바다.

[外樣 외양] 겉모양. 겉치레.

[外禦 외어] 밖으로부터의 능멸(凌蔑)을 막음.

[外言不入於梱 외언불입어곤] 남자는 문밖의 일을 집 안에서 이야기하지 아니함.

[外役 외역] ㉠밖에 나가서 노동(勞動)하는 일. ㉡외국(外國)으로 출병(出兵)하는 일.

[外王母 외왕모] 외조모(外祖母).

[外王父 외왕부] 외조부(外祖父).

[外外家 외외가] 《韓》어머니의 외가.

[外容 외용] 거죽의 모양.

[外憂 외우] ㉠외환(外患). ㉡외간(外艱).

[外援 외원] 외국의 원조. 외구(外救).

[外游 외유] 외물(外物)에 마음이 쏠려 이를 향락함. 내관(內觀)의 대(對).

[外遊 외유] 외국(外國)에 가서 유람(遊覽)함.

[外誘 외유] 외계(外界)의 유혹(誘惑).

[外遊星 외유성] 지구(地球)보다 큰 궤도(軌道)를 가진 유성(遊星). 곧, 목성(木星)·화성(火星)·토성(土星)·천왕성(天王星)·해왕성(海王星).

[外柔中剛 외유중강] 겉으로 보기에는 유순한 듯하나 내심(內心)은 강직함.

[外應 외응] 밖에 있는 사람과 몰래 통(通)함.

[外衣 외의] 겉옷.

[外議 외의] 세상의 평판.

[外夷 외이] 외국의 오랑캐. 외국 사람.

[外人 외인] ㉠한집안·한 단체 또는 한 나라 밖의 사람. ㉡어떠한 일에 관계없는 사람.

[外姻 외인] 사위 또는 며느리의 가족. 족인(族姻).

[外任 외임] 외직(外職).

[外資 외자] 외국(外國) 사람의 자본.

[外姉妹 외자매] 외자매(外姉妹) 아내의 자매(姉妹).

[外庄 외장] 외방(外方)에 있는 자기의 전장(田庄).

[外障眼 외장안] 눈에 백태가 끼어 잘 안 뵈는 병.

[外敵 외적] 외국의 적병(敵兵).

[外典 외전] 《佛敎》 불경(佛經) 이외의 서적. 불전(佛典)을 내전(內典)이라고 하는 것의 대(對).

[外電 외전] 외국(外國)에서 온 전보.

[外傳 외전] ㉠본문(本文) 외에 추가한 기록. 〈한시외전(韓詩外傳)〉 같은 것. ㉡정사(正史)에 없는 사적의 기록. 〈비연외전(飛燕外傳)〉 같은 것.

[外征 외정] 외국(外國)에 출정(出征)함. 외역(外役).

[外弟 외제] 고종 사촌(姑從四寸) 아우.

[外祖 외조] 외할아버지. 외조부(外祖父).

[外曹 외조] 주부(主簿) 등 문서(文書)를 맡은 벼슬아치를 이름.

[外朝 외조] ㉠외국의 조정(朝廷). ㉡군왕(君王)이 국정(國政)을 듣는 궁전(宮殿). 치조(治朝). 내조(內朝)의 대(對).

[外祖母 외조모] 어머니의 어머니. 외할머니.

[外族 외족] 어머니 편의 일가.
[外從 외종] 외숙(外叔)의 자녀(子女).
[外周 외주] 바깥을 두름. 또, 바깥 둘레.
[外地 외지] ㉠남의 나라의 땅. ㉡식민지. 내지(內地)의 대(對).
[外職 외직] 지방의 관직.
[外塹 외참] 외호(外濠).
[外債 외채] 외국(外國)에 진 빚.
[外戚 외척] 본종(本宗) 이외(以外)의 친척(親戚). 모계(母系)의 겨레붙이.
[外妾 외첩] 첩(妾). 소실. 외부(外婦).
[外出 외출] 집 밖으로 나감.
[外治 외치] ㉠나라의 정사(政事). 궁중(宮中)의 정사와 구별하여 쓰는 말. ㉡외국에 대한 정책. ㉢외과적(外科的) 치료.
[外親 외친] 외척(外戚).
[外親內疎 외친내소] 겉으로는 가까운 체하고 속으로는 멀리함.
[外託 외탁] 용모(容貌)·성질(性質)이 외가(外家) 쪽을 닮음.
[外套 외투] 방한(防寒) 또는 먼지를 피하기 위하여 입는 겉옷.
[外嬖 외폐] 폐신(嬖臣). 내총(內寵)의 대(對).
[外風 외풍] ㉠밖에서 들어오는 바람. ㉡외국(外國)의 풍속(風俗).
[外皮 외피] 겉껍질.
[外學 외학] 경서(經書)의 연구를 이름. 한대(漢代)에 참위(讖緯)를 내학(內學)이라고 한 것의 대(對).
[外艦 외함] 외국의 군함.
[外港 외항] 선박(船舶)이 내항(內港)에 들어오기 전에 일시 정박(碇泊)하는 항구.
[外海 외해] 외양(外洋).
[外現 외현] 밖에 나타남.
[外形 외형] 거죽에 나타난 형상. 바깥 모양.
[外兄弟 외형제] ㉠고모(姑母)의 아들. ㉡동모이부(同母異父)의 형제.
[外濠 외호] 바깥 해자(垓字). 「(貨幣).
[外貨 외화] 외국의 물화(物貨). ㉡외국의 화폐
[外華 외화] 외표(外表)의 화려한 차림새.
[外患 외환] ㉠외적(外敵)의 침입(侵入)에 대한 근심. ㉡사기(邪氣)가 범하여 일어나는 병. 몸밖에서 감염(感染)하는 병. 전염병.
●閣外. 格外. 聞外. 管外. 關外. 郊外. 口外. 局外. 國外. 圈外. 欄外. 內外. 論外. 度外. 望外. 物外. 方外. 排外. 番外. 範圍外. 法外. 分外. 塞外. 涉外. 世外. 疎外. 身外. 室外. 心外. 野外. 言外. 域外. 例外. 屋外. 徵外. 員外. 院外. 意外. 以外. 人外. 場外. 在外. 除外. 中外. 塵外. 天外. 學外. 限外. 海外. 號外. 化外. 荒外.

2
⑤ [外] 外(前條)의 古字

2
⑤ [夗] ▤ 원 ㉠阮 於阮切 yuàn
　　▤ 완 ㉠銑 烏勉切 wǎn
字解 ▤ ①누워뒹굴 원 ‘一, 轉臥也’《說文》. ②駕(鳥部 五畫〈p. 2665〉)의 略字. ▤ 주사위 완 ‘一棊·一專’은 쌍륙(雙六)의 주사위. ‘簙謂之蔽, 或謂之菌. …或謂之一專’《揚子方言》.
字源 會意. 夕＋卩.

2
⑤ [夘] 夗(前條)과 同字

3
⑥ [多] ㊥人 다 ㉭歌 得何切 duō
筆順 ノ クタ 夕 多 多
字解 ①많을 다 ‘一數’. ‘謀夫孔—’《詩經》. ②많게할 다 전항의 타동사. ‘一事好亂’《魏志》. ③나을 다 뛰어남. ‘孰與仲—’《史記》. ④아름답게여길 다 칭찬함. ‘帝以此一之’《後漢書》. ⑤전공 다 싸움에 이긴 공로. ‘戰功日—’《周禮》. ⑥마침 다 때마침. 우연히. ‘一見其不知量也’《論語》. ⑦성 다 성(姓)의 하나.
字源 甲骨文 㝬 金文 㝬 篆文 多 古文 〵〵 會意. 夕＋夕. ‘夕’은 본디, ‘저녁’의 뜻인 ‘석’의 모양이 아니고, 고기의 象形이라 함. 살이 많이 겹치다의 뜻에서, ‘많다’의 뜻을 나타냄.

[多角 다각] 많은 모. 여러 방면.
[多角形 다각형] 많은 직선(直線)이 둘리어 그 선(線)과 동수(同數)의 각이 있는 평면형(平面形).
[多間 다간] 사이가 나쁨. 간(間)은 극(隙).
[多感 다감] 잘 감동(感動)됨.
[多故 다고] 변고(變故)가 많음.
[多寡 다과] 수효(數爻)의 많음과 적음. 또, 수량(數量). 다소(多少).
[多口 다구] 말이 많음. 수다스러움.
[多岐 다기] 갈래가 많음.
[多岐亡羊 다기망양] 달아난 양(羊)을 찾으려다가 길이 여러 갈래로 나서 찾지 못하였다는 뜻으로, 학문(學問)도 너무 다방면에 걸치면 도리어 진리(眞理)를 얻기 어렵다는 말.
[多難 다난] 어려운 일이 많음.
[多男子則多懼 다남자즉다구] 아들이 많으면 여러 가지 걱정이 많음.
[多年 다년] 여러 해. 오랜 세월.
[多年生 다년생] 여러 해 동안 생존(生存)함. 또, 그러한 식물(植物).
[多能 다능] 재능(才能)이 많음.
[多少 다소] 대단히 많은 모양.
[多多益善 다다익선] 많으면 많을수록 더욱 좋음.
[多多益辦 다다익판] 많으면 많을수록 이를 처리하기가 쉬움.
[多端 다단] ㉠할 일이 많음. 바쁨. 다방면에 걸침. ㉡일이 갈래나 가닥이 많음.
[多大 다대] 많음. 적지 아니함.
[多大數 다대수] 다반(多半).
[多讀 다독] 많이 읽음.
[多量 다량] 많은 분량(分量).
[多忙 다망] 바쁨. 분망함.
[多望 다망] 가망(可望)이 큼.
[多聞 다문] 사물(事物)을 많이 들어 앎. 문견(聞見)이 넓음. 박문(博聞).
[多聞天 다문천] 〔佛敎〕 사천왕(四天王)의 한 사람으로 북방의 수호신(守護神). 비사문천(毘沙門天).
[多半 다반] 과반(過半). 다대수(多大數).
[多方 다방] ㉠사방(四方)의 나라. 여러 나라. 만국(萬國). ㉡여러 방법.
[多方面 다방면] 여러 방면(方面).

[多辟 다벽] 많은 제후(諸侯).
[多辯 다변] 말이 많음. 잘 떠듦.
[多病 다병] 병이 많음.
[多福 다복] 복(福)이 많음.
[多分 다분] 많은 분량(分量).
[多士 다사] 다수(多數)의 인재(人材).
[多事 다사] ㉠일이 많음. 바쁨. 또, 일을 많게 함. 일을 많이 벌임. ㉡변고가 많음. 세상이 시끄러움. ㉢가외의 일. 쓸데없는 일.
[多謝 다사] 후(厚)하게 사례함. 진심으로 고맙다고 인사함.
[多事多端 다사다단] 일이 많은데 또한 까닭이 많음.
[多士濟濟 다사제제] 재능이 뛰어난 인물이 많음.
[多事之秋 다사지추] 가장 바쁜 때.
[多産 다산] 부녀(婦女)가 아이를 많이 낳음.
[多少 다소] ㉠수량의 많음과 적음. 또, 수량. 수효. ㉡많음.
[多少不計 다소불계]《韓》많고 적음을 헤아리지 아니함.
[多愁 다수] 수심이 많음. 근심이 많음.
[多數 다수] 수(數)가 많음.
[多數決 다수결] 회의(會議)에서 다수(多數)의 의견(意見)을 따라 가부(可否)를 결정하는 방법.
[多時 다시] 시간이 많이 경과함.
[多食 다식] 음식(飮食)을 많이 먹음.
[多識 다식] 사물을 많이 앎. 박식(博識).
[多神敎 다신교] 많은 신(神)이 있음을 믿고 숭배하는 종교(宗敎).
[多心 다심] 지나친 생각.
[多額 다액] 많은 액수(額數).
[多樣 다양] 모양이 여러 가지임. 가지가지.
[多言 다언] 말수가 많음. 잘 떠듦. 수다스러움. 또, 많은 말.
[多藝 다예] 많은 예능(藝能). 또, 많은 예능에 통한 사람.
[多欲 다욕] 욕심(慾心)이 많음.
[多用 다용] 일이 많음. 바쁨. 다사(多事).
[多元論 다원론] 우주(宇宙)의 여러 현상(現象)은 각기 독립(獨立)한 다수의 실재(實在)에 의해서 성립(成立)되어 있다고 주장하는 우주설(宇宙說). 일원론(一元論)·이원론(二元論)의 대(對).
[多易 다이] 너무 데면데면함.
[多日 다일] 여러 날.
[多作 다작] 많이 만듦.
[多才 다재] 재주가 많음.
[多才多藝 다재다예] 재예가 많음.
[多錢善賈 다전선고] 밑천이 많으면 마음대로 장사를 잘할 수 있음.
[多情 다정] ㉠따뜻한 인정이 많음. ㉡교분(交分)이 두터움.
[多情多恨 다정다한] 애틋한 정(情)도 많고 한(恨)스러운 일도 많음.
[多情佛心 다정불심] 다정다감(多情多感)하고 착한 마음.
[多罪 다죄] ㉠죄가 많음. ㉡실례가 많다고 사과하는 말.
[多疾 다질] 병이 잦음.
[多次 다차] 자주. 여러 번.
[多妻 다처] 한 사람의 남자가 동시에 둘 이상의 아내를 거느림.
[多恨 다한] ㉠원한이 많음. ㉡섭섭하여 잊혀지지 못하는 마음이 많음.

[多幸 다행] ㉠다복(多福). ㉡《韓》운수가 좋음. 일이 뜻밖에 잘됨.
[多血質 다혈질] 활발하고 쾌활하나 성질이 급하여 경조(輕躁)하고 인내력(忍耐力)이 박약(薄弱)한 기질(氣質).
[多血漢 다혈한] ㉠격앙(激昂)하기 쉬운 남자. ㉡의협심(義俠心)이 많은 남자.
[多穫 다확] 많은 곡식을 거두어들임.
　●過多. 夥多. 波羅蜜多. 煩多. 繁多. 三多. 數多. 言少意多. 饒多. 雜多. 衆多. 許多. 歡樂極兮哀情多.

3
⑥ [夛] 多(前條)의 古字

3
⑥ [夤] 多(前前條)의 俗字

[名] 〔명〕
口部 三畫(p.350)을 보라.

3
⑥ [夙] 人名 숙 ㉠屋 息逐切 sù

字解 ①일찍 숙 ㉠아침 일찍. '一興夜寐'《詩經》. ㉡일찍부터. 예전부터. '一心'《償其一志》《歐陽修》. ②빠를 숙 '祈年孔一'《詩經》. ③삼갈 숙 조신(操身)함. '載震載一'《詩經》. ④성숙 성(姓)의 하나.

字源 甲骨文 · 金文 · 篆文 會意. 金文은 月+丮. '月월'은 또는 '夕석'으로도 씀. '丮극'은 손으로 잡다의 뜻. 밤이 아직 새기 전부터 일에 손을 대는 모양에서, 이른 아침부터 조심스럽게 일하다의 뜻이나, 아침 일찍의 뜻을 나타냄.

[夙起 숙기] 숙흥(夙興).
[夙莫 숙모] 아침저녁. 조석(朝夕). 모(莫)는 모(暮).
[夙敏 숙민] 어려서부터 민첩함.
[夙昔 숙석] ㉠옛날. 이전. ㉡이전부터. 숙석(宿昔).
[夙成 숙성] 나이는 어리지마는 일찍이 지각(知覺)이 트이거나 학업 등이 성취됨. 조숙(早熟)함. 만성(晩成)의 대(對).
[夙世 숙세] 전세(前世).
[夙心 숙심] 일찍부터 품은 뜻. 숙지(夙志).
[夙夜 숙야] 이른 아침과 깊은 밤.
[夙夜夢寐 숙야몽매] 자나 깨나. 몽매간에도.
[夙悟 숙오] 일찍부터 속이 트임. 나이는 어리나 슬기로움. 숙혜(夙慧).
[夙怨 숙원] 오래 쌓인 원한(怨恨). 숙원(宿怨).
[夙儒 숙유] 대학자(大學者). 노련(老鍊)한 학자. 숙유(宿儒).
[夙意 숙의] 숙지(夙志).
[夙志 숙지] 일찍부터 품은 뜻. 숙지(宿志).
[夙就 숙취] 숙성(夙成).
[夙慧 숙혜] 어려서부터 지혜가 있음.
[夙興 숙흥] 아침 일찍 일어남.
[夙興夜寐 숙흥야매] 새벽에 일어나고 밤에는 늦게 잔다는 뜻으로, 부지런히 일을 하거나 학문을 닦음을 이름.

5
⑧ [夜] 中人 야 ㉠禡 羊謝切 yè

筆順 ` 亠 广 疒 疒 夜 夜 夜

字解 ①밤 야 ㉠'晝'의 대(對). '晝一'. '以星分一'《周禮》. ㉡깊은 밤. '夙興一寐'《詩經》. ②새벽 야 날이 밝을 녘. '雞人一嚖旦'《周禮》. ③침실 야 밤에 자는 방. '侍一勸勤'《禮記 註》. ④성 야 성(姓)의 하나.

字源 金文 / 篆文 形聲. 夕+亦(省)〔音〕. '夕석'은 '밤'의 뜻. '亦역'은 '겨드랑이의 밑'의 뜻. 달이 겨드랑이의 밑보다도 낮게 떨어진 밤의 뜻을 나타냄.

[夜間 야간] 밤 사이. 밤 동안.
[夜客 야객] 밤도둑.
[夜更 야경] 밤이 이슥함. 야심(夜深).
[夜景 야경] 밤의 경치. 야색(夜色).
[夜警 야경] 야간(夜間)의 경계.
[夜攻 야공] 밤중을 이용하여 적(敵)을 침.
[夜光 야광] ㉠개똥벌레의 이칭(異稱). ㉡밤에 빛을 냄. ㉢야광주(夜光珠). 또는, 야광벽(夜光璧). ㉣달의 이칭(異稱).
[夜光璧 야광벽] 밤에 빛이 나는 옥(玉).
[夜光珠 야광주] 밤에 빛이 나는 구슬.
[夜具 야구] 이부자리.
[夜勤 야근] 밤에 근무(勤務)함.
[夜氣 야기] ㉠밤의 깨끗하고 조용한 마음. ㉡야간(夜間)의 대기(大氣). 밤 기분.
[夜尿症 야뇨증] 밤에 자다가 오줌을 자주 누는 병(病).
[夜臺 야대] 묘혈(墓穴). 광혈(壙穴).
[夜盜 야도] 밤도둑.
[夜讀 야독] 밤에 책을 읽음.
[夜邏 야라] 밤중의 순라(巡邏).
[夜郎自大 야랑자대] 한대(漢代)에 서남이(西南夷) 중에서 야랑국(夜郎國)이 가장 세력이 강하여 오만하였으므로, 범용(凡庸)하거나 우매한 무리 중에서 세력이 있어 잘난 체하고 뽐냄을 비유하여 이름.
[夜來 야래] 지난밤부터. 간밤부터. 작야 이래(昨夜以來).
[夜涼 야량] 밤의 선선한 기운.
[夜漏 야루] 밤의 시각(時刻).
[夜寐 야매] 밤늦게 잠.
[夜猫 야묘] 올빼밋과에 딸린 새. 수리부엉이. 수알치새.
[夜半 야반] 밤중.
[夜梵 야범] 중의 밤의 독경(讀經).
[夜分 야분] ㉠밤중. ㉡밤. 야간.
[夜事 야사] 남녀(男女)가 교합(交合)하는 일. 방사(房事).
[夜思 야사] 밤의 사색(思索).
[夜肆 야사] 야시(夜市).
[夜色 야색] 야경(夜景).
[夜船 야선] 밤에 다니는 배.
[夜誦 야송] 밤중에 책을 읽음.
[夜嗽 야수] 밤에 하는 기침.
[夜巡 야순] 야간(夜間)을 경계(警戒)하기 위하여 순행(巡行)함.
[夜襲 야습] 밤중에 습격(襲擊)함.
[夜市 야시] 밤에 벌이는 저자.
[夜食 야식] 밤에 음식(飲食)을 먹음.
[夜深 야심] 밤이 깊음.
[夜鴨 야압] 물오리.

[夜夜 야야] 밤마다. 매야(每夜).
[夜業 야업] 야간에 하는 일. 밤일.
[夜役 야역] 밤에 하는 역사(役事).
[夜宴 야연] 밤에 하는 잔치.
[夜營 야영] 밤중에 진영(陣營)을 침. 또, 그 진영(陣營).
[夜臥 야와] 밤이 이슥하여 잠자리에 듦.
[夜遊 야유] 밤에 놂. 밤놀이.
[夜陰 야음] 밤의 어두운 때.
[夜飲 야음] 밤에 술을 마심.
[夜以繼日 야이계일] 주야(晝夜)를 쉬지 아니하고 함.
[夜作 야작] 야업(夜業).
[夜笛 야적] 밤에 부는 피리.
[夜前 야전] 전날 밤. 간밤. 작야(昨夜).
[夜戰 야전] 밤중에 싸움.
[夜坐 야좌] 밤늦게까지 자지 않고 앉아 있음.
[夜叉 야차] 《佛教》범어(梵語) yaksa의 음역(音譯). 사람을 해치는 사나운 귀신. 두억시니.
[夜站 야참] 밤참.
[夜柝 야탁] 딱따기.
[夜學 야학] 밤에 글을 배움.
[夜合 야합] 자귀나무. 합환목(合歡木).
[夜行 야행] ㉠밤에 길을 감. 밤길. ㉡야경(夜警).
[夜行被繡 야행피수] 밤에 수놓은 비단옷을 입고 간다는 뜻으로, 공명(功名)을 이루고서도 그 이름이 고향 또는 세상에 알려지지 않음의 비유로 쓰임. 금의야행(錦衣夜行).
[夜話 야화] 밤에 하는 이야기.
[夜會 야회] ㉠밤에 하는 모임. ㉡밤에 여는 연회.
●客夜. 今夜. 禁夜. 累夜. 短夜. 當夜. 獨夜. 冬夜. 莫夜. 暮夜. 戊夜. 薄夜. 半夜. 白夜. 丙夜. 三五夜. 星夜. 聖夜. 夙夜. 宿夜. 時夜. 晨夜. 深夜. 十五夜. 暗夜. 良夜. 涼夜. 連夜. 永夜. 午夜. 月夜. 乙夜. 日夜. 子夜. 昨夜. 長夜. 前夜. 丁夜. 除夜. 早夜. 終夜. 晝夜. 中夜. 徹夜. 淸夜. 逮夜. 初夜. 秋夜. 春夜. 七夜. 漆夜. 夏夜. 寒夜. 昏夜. 後夜. 黑夜.

8 ⑪ [够] 구 ㉤尤 居候切 gòu

字解 많을 구 '繁富夥一'《左思》.

8 ⑪ [夠] 够(前條)와 同字

8 ⑪ [梦] 〔몽〕 夢(夕部 十一畫〈p.483〉)의 俗字

10 ⑬ [夢] 〔몽〕 夢(夕部 十一畫〈p.483〉)의 略字

11 ⑭ [夤] 인 ㉤眞 翼眞切 yín 夤

字解 ①조심할 인 삼가고 두려워함. '夕惕若一'《易經》. ②반연할 인 의뢰함. 연줄을 탐. '一緣'. ③연줄 인 인하여 맺어지는 길. 의뢰하여 출세하는 길. '陰排密有一'《宋穆修》. ④멀 인 대단히 멂. 또, 그곳. '九州之外, 仍有八一'《淮南子》.

字源 金文 / 篆文 形聲. 夕+寅〔音〕. '寅인'은 '愼신'과 통하여, '삼가다'의 뜻.

'夕석'은 고기, 살의 象形의 변형. 희생의 고기를 바쳐서, 삼가 조심하다의 뜻을 나타냄.

[夤緣 인연] ㉠칭칭 감음. ㉡매달려 올라감. ㉢뇌물을 주거나 연줄을 타 출세(出世)하려 함.
●八夤.

11(14) [夥] 과(화㊇) ㊤꽈 胡果切 huǒ

[字解] 많을 과 '一多'. '晉地狹而人一'《唐書》.
[字源] 篆文 猓 形聲. 多+果[音]. '果과'는 나무 열매의 뜻. '多다'는 '많다'의 뜻. 나무 열매처럼 많다의 뜻을 나타냄.

[夥計 과계] ㉠동업(同業). ㉡상가(商家)의 회계 주임.
[夥多 과다] 퍽 많음.
[夥伴 과반] 동지(同志). 한패.
●幾夥. 同夥. 蓄夥. 繁夥. 稠夥. 豐夥.

11(14) [猓] 夥(前條)의 本字

11(14) [夢]高人 몽 ㊤送 莫鳳切 mèng ㊤東 莫中切 méng

[筆順] 丷 艹 芇 芇 夢 夢 夢

[字解] ①꿈 몽 ㉠수면 중에 보는 환상(幻像). '一想'. '以日月星辰, 占六一之吉凶'《周禮》. ㉡덧없음. '八年身世一'《元稹》. ②꿈꿀 몽 꿈을 꿈. '其寢不一'《列子》. ③흐리멍덩할 몽 혼미함. '視天——'《詩經》. ④성 몽 성(姓)의 하나.
[字源] 篆文 寢의 形聲. 宀+爿+夢[音]. '宀면' '宀'은 '지붕'의 뜻. '爿'은 침대의 象形. '夢몽'은 '어둡다'의 뜻. 사람이 집 안의 침대에 자면서 어두운 가운데 보는 것, '꿈'의 뜻을 나타냄. 본디, '꿈'은 '寢', '어둡다'는 '夢'으로 별개의 글자였으나, 뒤에 '寢'이 없어지고, '夢'을 '꿈'의 뜻으로 쓰게 됨. '夢'은 形聲으로, 夕+㬅〈省〉[音]. '夕석'은 '밤'의 뜻, '㬅몽'은 '㬅'의 생략형으로, '눈이 어둡다'의 뜻. '어둡다'의 뜻을 나타냄.

[夢覺 몽각] 꿈꿈과 꿈에서 깸.
[夢境 몽경] 꿈. 꿈속.
[夢溪筆談 몽계필담] 책 이름. 송(宋)나라 심괄(沈括)이 찬(撰). 26권. 보필담(補筆談) 2권. 속필담(續筆談) 1권. 고사(故事)·변증(辨證)·악률(樂律) 등 17문(門)으로 분류(分類)하고 유문(遺聞)·구전(舊典)·문장 기예(文章技藝)로부터 자연 과학(自然科學) 기타 널리 여항(閭巷)의 이야기에 이르기까지 광범위하게 수록(收錄)하였음.
[夢歸 몽귀] '꿈'이란 돌아가 안정할 곳. 잠만이 즐거움임.
[夢裡 몽리] 몽중(夢中). 꿈결.
[夢寐 몽매] 잠을 자며 꿈을 꿈. 또, 그 동안.
[夢夢 몽몽] 분명하지 아니한 모양. 흐리멍덩한 모양.
[夢卜 몽복] ㉠꿈과 점. ㉡꿈으로 점을 침. 또, 그 점.
[夢死 몽사] 아무 일도 하지 않고 헛되이 죽음. 무의미(無意味)한 일생(一生)을 보냄.
[夢事 몽사] 꿈에 나타난 일.

[夢想 몽상] ㉠꿈속에도 생각함. 늘 잊지 않고 생각함. ㉡꿈속에 생각함. ㉢꿈속 같은 헛된 생각. 공상(空想).
[夢想不到 몽상부도] 꿈에도 생각할 수 없음.
[夢泄 몽설] 여자를 가까이하지 않고 꿈에 통정(通情)하여 정액을 쌈.
[夢魘 몽엽] 자다가 가위눌림.
[夢囈 몽예] 잠꼬대.
[夢外 몽외] 뜻밖. 꿈에도 생각지 않은 터.
[夢遊 몽유] 꿈에 놂. 꿈을 꿈.
[夢遺 몽유] 자면서 모르는 가운데 정액(精液)이 남.
[夢遊病 몽유병] 자다가 별안간 일어나서 깨었을 때와 같은 동작(動作)을 하다가 도로 자는 변태적(變態的) 심리 작용(心理作用)의 병(病).
[夢一場 몽일장] 한바탕의 꿈이라는 뜻으로, 인생의 영고성쇠(榮枯盛衰)의 덧없음의 비유.
[夢佇 몽저] 꿈에나마 보고자 간절히 바람. 저(佇)는 간절히 바람.
[夢占 몽점] 꿈의 길흉(吉凶)을 점침. 또 그 점.
[夢兆 몽조] 꿈자리.
[夢中 몽중] 꿈속.
[夢中夢 몽중몽] 이 세상(世上)의 덧없음의 비유.
[夢徵 몽징] 꿈자리. 몽조(夢兆).
[夢魂 몽혼] 꿈속의 넋. 전(轉)하여 꿈.
[夢幻 몽환] ㉠현실이 아닌 꿈과 환상(幻想). ㉡덧없는 사물.
[夢幻泡影 몽환포영] 꿈과 환상(幻像)과 거품과 그림자. 곧, 포착할 수 없는 덧없는 사물(事物)의 비유.
●佳夢. 客夢. 槐安夢. 綺夢. 吉夢. 南柯夢. 盧生夢. 巫山夢. 浮生若夢. 三刀夢. 瑞夢. 聖人不夢. 惡夢. 揚州夢. 役夫夢. 厭夢. 靈夢. 雲夢. 異夢. 一場春夢. 莊周夢. 春夢. 痴人說夢. 邯鄲夢. 鄉夢. 胡蝶夢. 昏夢. 華胥夢. 黃粱一炊夢. 凶夢.

11(14) [夣] 夢(前條)의 俗字

大 (3획) 部
〔큰대부〕

0(3) [大]中人 ㊀대 ㊤泰 徒蓋切 dà, dài ㊁태 ㊤箇 他蓋切 tài

[筆順] 一 ナ 大

[字解] ㊀①클 대 ㉠부피나 길이가 많은 공간을 차지함. '一弓'. '骨何者最一'《史記》. ㉡넓음. '一陸'. '一哉乾元'《易經》. ㉢많음. '一軍'. ㉣거셈. 심함. '一風'. ㉤훌륭함. '一人物'. '一哉問'《論語》. ㉥중함. 비상함. '重一'. '今欲擧之'《史記》. ㉦존귀함. '一官'. '說一人爵之'《孟子》. ㉧왕성함. 세력이 있음. '一族'. '族一寵多'《左傳》. ㉨과장(誇張) 됨. '一言'. ㉩나이 먹음. '老一'. '年一自疎隔'《沈千年》. ㉪존경·찬미하는 말. '一著'. '一韓'. '一唐受命有天下'《韓愈》. ②거칠 대 성김. '衣一布而補之'《莊子》. ③지날 대 한도를 넘음. '今漢有天下一

牛'《漢書》. ④나을 대 남보다 뛰어남. '無一大王'《戰國策》. ⑤크게여길 대 중히 여김. '一齊信焉, 而輕貨財'《荀子》. ⑥크게할 대 ⑦떠벌림. 자랑함. '不自一其事'《禮記》. ⓛ성 (盛)하게 함. '不一聲以色'《詩經》. ⑦크기 대 큰 정도. '取金印如斗一繫肘'《晉書》. ⑧대강 대 개략. '一略'. '一要'. ⑨크게 대 성 (盛)하게. '一奏廣樂'《穆天子傳》. ⑩성 대 성 (姓)의 하나. ■ 클 태 太(大部 一畫)와 同字.

字源 甲骨文 ∧ 金文 大 古文 大 籒文 𣳳 象形. 두 팔, 두 다리를 편안히 한 사람의 모양을 본떠, '크다'의 뜻을 나타냄. 參考 ①'大'와 '太태'는 종종 통용(通用)함. ②부수(部首)로서, 사람의 모습이나 크다의 뜻을 나타내는 문자를 이룸.

[大家 대가] ㉠큰 집. ㉡부잣집. ㉢경대부 (卿大夫)와 같은 신분이 높은 사람. 또, 지체 좋은 집. ㉣학예 (學藝)가 뛰어난 사람. ㉤근시자 (近侍者)가 천자 (天子)를 일컫는 말. ㉥며느리가 시어머니를 일컫는 말. 전 (轉)하여, 여자의 존칭 (尊稱).
[大哥 대가] 형 (兄)의 존칭 (尊稱). 대형 (大兄).
[大駕 대가] 임금이 타는 수레. 전 (轉)하여, '임금'의 뜻으로 쓰임.
[大家婢爲夫人 대가비위부인] 대가 (大家)의 계집종이 부인이 된다는 뜻으로, 겉보기에는 그럴듯하나 바탕은 이와 딴판임을 이름.
[大覺 대각] 《佛敎》 크게 깨달음.
[大角干 대각간] 《韓》 신라 때의 높은 벼슬의 이름.
[大奸 대간] 아주 간악 (奸惡)한 사람.
[大姦似忠 대간사충] 아주 간사한 사람은 겉을 교묘하게 꾸미므로 도리어 충신 (忠臣)같이 보임.
[大喝 대갈] 큰 소리로 꾸짖음.
[大監 대감] 《韓》 정이품 (正二品) 이상의 관원 (官員)의 존칭 (尊稱).
[大江 대강] 큰 강 (江).
[大綱 대강] 대강령 (大綱領).
[大綱領 대강령] 일의 중요 (重要)한 것만 따낸 부분 (部分). 「旋).
[大凱 대개] 크게 싸움에 이기고 돌아옴. 개선 (凱
[大槪 대개] ㉠대체의 경개 (梗槪). ㉡세밀하지 아니한 정도로.
[大去 대거] 한번 가고 다시 돌아오지 아니함.
[大擧 대거] ㉠많은 사람을 움직여 거사 (擧事)함. ㉡크게 서둘러 일을 함.
[大怯 대겁] 몹시 무서워함.
[大歉 대겸] 흉년 (凶年)이 크게 듦.
[大經 대경] ㉠큰 도리 (道理). 사람이 지켜 행하여야 할 큰 길. 대도 (大道). ㉡〈예기 (禮記)·춘추좌씨전 (春秋左氏傳)〉의 일컬음.
[大慶 대경] 큰 경사 (慶事).
[大驚 대경] 몹시 놀람.
[大經大法 대경대법] 공명정대 (公明正大)한 원리 (原理)와 법칙 (法則).
[大驚失色 대경실색] 몹시 놀라서 얼굴빛을 잃음.
[大計 대계] ㉠총계 (總計). ㉡빠짐없이 전체를 계교 (計較)함. ㉢큰 계획.
[大姑 대고] 남편의 누님. 시누이.
[大故 대고] ㉠부모 (父母)의 상사 (喪事). ㉡큰 사고 (事故). ㉢아주 못된 짓. 대악 (大惡). 악역
[大賈 대고] 큰 장수. 「 (惡逆).

[大姑母 대고모] 할아버지의 누이. 「工).
[大工 대공] 솜씨가 훌륭한 장색 (匠色). 양공 (良
[大公 대공] ㉠군주 (君主)의 일가 (一家)의 남자. ㉡소국 (小國)의 군주.
[大功 대공] ㉠나라에 대한 큰 공로 (功勞). ㉡오복 (五服)의 하나. 굵은 베로 지어 아홉 달 입는 복. 「 빔.
[大空 대공] ㉠하늘. ㉡전혀 아무것도 없음. 텅
[大公至平 대공지평] 아주 공평함. 지극히 공평함.
[大功親 대공친] 종형제 자매 (從兄弟姉妹)·중자부 (衆子婦)·중손 (衆孫)·중손녀 (衆孫女)·질부 (姪婦) 및 남편 (男便)의 조부모 (祖父母)·백숙부모 (伯叔父母)·질부 (姪婦) 등의 친족 (親族).
[大過 대과] ㉠육십사괘 (六十四卦)의 하나. 곧, ䷛〈손하 (巽下), 태상 (兌上)〉. 너무 성대 (盛大)한 상 (象). ㉡큰 과실 (過失).
[大官 대관] 높은 관직 (官職). 또, 높은 관직에 있는 사람.
[大館 대관] 큰 저택.
[大觀 대관] ㉠널리 보여 알리는 것. ㉡사물 (事物)의 전체 (全體)를 관찰 (觀察)함. 대국적 (大局的)으로 관찰함. 달관 (達觀). ㉢대체 (大體)의 조망 (眺望). ㉣위대한 광경 (光景). 위관 (偉觀).
[大塊 대괴] ㉠큰 흙덩이. ㉡대지 (大地). 지구 (地球). 또, 천지 (天地). ㉢조화 (造化). 조물주 (造物主).
[大郊 대교] 왕자 (王子)가 남교 (南郊)에서 하늘에 지내는 제사.
[大較 대교] 대략 (大略). 대강.
[大巧若拙 대교약졸] 아주 교묘 (巧妙)한 재주를 가진 사람은 그 재주를 자랑하지 아니하므로, 언뜻 보기에는 서투른 것 같음.
[大口 대구] 대구과 (科)에 속하는 바닷물고기. 대구어 (大口魚).
[大局 대국] 바둑판에서의 전체의 판국. 전 (轉)하여, 일의 대체의 형세. 천하 (天下)의 대세 (大
[大國 대국] 큰 나라. 「勢).
[大君 대군] ㉠천자 (天子). 군주 (君主). ㉡《韓》왕비 (王妃)의 아들.
[大軍 대군] 많은 군사 (軍士). 다수의 군대.
[大圈 대권] ㉠큰 원 (圓). ㉡수학에서 구 (球)의 중심을 중심으로 한 원 (圓).
[大權 대권] 제왕 또는 국가의 원수가 국토 (國土)·국민 (國民)을 통치하는 권력 (權力).
[大闕 대궐] 임금이 있는 곳. 궁궐 (宮闕).
[大歸 대귀] 귀부인 (貴婦人)이 이혼당하여 친정으로 감.
[大逵 대규] 큰길. 한길. 대도 (大道).
[大規模 대규모] 매우 큰 규모 (規模).
[大叫喚 대규환] 크게 울부짖음.
[大叫喚地獄 대규환지옥] 《佛敎》 팔대 지옥 (八大地獄)의 다섯째. 규환지옥 (叫喚地獄) 중에서 고통 (苦痛)이 가장 심한 지옥.
[大鈞 대균] 조화 (造化).
[大戟 대극] 다년생 풀의 하나. 버들옷.
[大極 대극] 임금의 지위 (地位).
[大金 대금] 큰돈. 많은 돈.
[大笒 대금] 저의 한 가지.
[大禁 대금] 중대한 금제 (禁制). 나라 안 전부가 금제하는 일.
[大忌 대기] 매우 꺼림.
[大氣 대기] 지구 (地球)를 싸고 있는 공기 (空氣).

[大基 대기] ㉠대본(大本). ㉡큰 사업(事業).
[大期 대기] 산월(産月).
[大碁 대기] 대상(大祥).
[大器 대기] ㉠큰 그릇. ㉡뛰어난 인재(人材). ㉢정권(政權). 권력(權力). ㉣국가(國家). 국토(國土).
[大機 대기] 천하(天下)의 정사(政事).
[大器晩成 대기만성] 큰 그릇은 만드는 데 오래 걸림. 전(轉)하여, 크게 될 사람은 늦게 이루어짐.
[大器小用 대기소용] 대재(大才) 있는 사람을 낮은 지위에 머물러 두고 부림을 이름.
[大吉 대길] 크게 길함.
[大難 대난] 큰 환난(患難).
[大内 대내] ㉠임금이 거처(居處)하는 곳. ㉡임금의 부고(府庫).
[大怒 대노] 대로(大怒).
[大農 대농] ㉠대규모의 농업. 소농(小農)의 대(對). ㉡요부(饒富)한 농부. 호농(豪農).
[大腦 대뇌] 두개골(頭蓋骨) 속의 대부분(大部分)을 차지하고 있는 뇌수(腦髓)의 한 부분으로, 정신 작용(精神作用)을 맡은 중요한 기관(器官).
[大團圓 대단원] 끝. 최후의 장면(場面).
[大談 대담] 큰소리. 큰 장담(壯談).
[大膽 대담] 겁이 없이 결단(決斷)하는 담력(膽力).
[大唐西域記 대당서역기] 당대(唐代)의 중 현장(玄奘)의 인도(印度) 및 중앙아시아의 여행에 관한 견문록(見聞錄). 12권. 서역기(西域記) 또는 서역전(西域傳)이라고도 함.
[大隊 대대] ㉠군대(軍隊)를 편성(編成)하는 한 단위(單位). 연대(聯隊)의 아래, 중대의 위. ㉡군사 쉰 사람의 한 떼.
[大憝 대대] 대악인(大惡人).
[大戴禮 대대례] 전한(前漢)의 대덕(戴德)이 2백여 편(篇)의 〈예기(禮記)〉를 줄여서 85편으로 한 것. 〈예기(禮記)〉와 구별하여 이름. 지금은 산일(散佚)하여 40편만 남았음. '대대기(大戴記)'라고도 함.
[大德 대덕] ㉠큰 덕행(德行). 덕이 높음. 또, 그 사람. ㉡넓고 큰 은덕(恩德). ㉢천지 조화(天地造化)의 작용. ㉣《佛敎》불조(佛祖) 또는 고승(高僧)의 존칭. 전(轉)하여, 널리 중의 존칭.
[大德滅小怨 대덕멸소원] 은덕(恩德)이 광대하면 조그마한 원한은 저절로 사라져 없어짐.
[大度 대도] 큰 도량(度量).
[大都 대도] ㉠큰 도회(都會). ㉡대개(大槪). 대략(大略).
[大盜 대도] 큰 도적(盜賊).
[大道 대도] ㉠큰길. 대로(大路). ㉡큰 도(道). 대의(大義).
[大纛 대도] ㉠당(唐)나라 때 군중(軍中)에서 쓰던 큰 기(旗). 절도사(節度使)가 왼편에 세우고 가는 기임. ㉡친정군(親征軍). '도(纛)'를 보라.
[大刀頭 대도두] 칼코등이, 곧 도두(刀頭)의 환(環)은 환(還)과 음(音)이 통(通)하므로, 고향(故鄕)으로 돌아가는 뜻으로 쓰임.
[大道廢有仁義 대도폐유인의] 상고 시대에는 대도(大道)가 행하여져서 모든 사람이 순박하였으나 후세에 이르러 대

도가 점차로 소멸하매, 인의(仁義)라고 불리어지는 것이 나왔다는 말로서, 이는 노자(老子)가 유교의 인의의 교(敎)는 천지 자연(天地自然)의 도(道)가 아니라고 비방한 말임.
[大都會 대도회] 큰 도회(都會).
[大同 대동] ㉠대체(大體)로 같음. ㉡차별(差別)을 두지 아니함. ㉢모두 합동(合同)함. ㉣인심이 화평(和平)하여 잘 다스려짐.
[大東 대동] 우리나라의 별칭.
[大同團結 대동단결] 여러 당파(黨派)가 어떤 목적을 위하여 소이(小異)를 버리고 합동(合同)함.
[大動脈 대동맥] 머리·사지 등에 있는 동맥(動脈)의 중요(重要)한 줄기.
[大同小異 대동소이] 거의 같고 조금 다름.
[大同之論 대동지론] 여러 사람의 공론(公論).
[大同之患 대동지환] 여러 사람이 같이 당하는 환난(患難).
[大斗 대두] 열 되들이 큰 말.
[大豆 대두] 콩.
[大頭腦 대두뇌] 일의 가장 중요(重要)한 부분. 가장 주안(主眼)이 되는 요점(要點).
[大頭領 대두령] 여러 두목 중의 우두머리.
[大得 대득] 뜻밖에 좋은 결과(結果)를 얻음.
[大亂 대란] ㉠크게 어지러움. ㉡큰 난리(亂離).
[大略 대략] ㉠큰 계략. 원대(遠大)한 지략(智略). ㉡개략(槪略). 대요(大要).
[大梁 대량] 대 들보.
[大量 대량] ㉠큰 도량(度量). 대도(大度). ㉡많은 분량(分量).
[大呂 대려] 옛날 중국의 큰 종(鐘)의 이름. 구정(九鼎)과 더불어 주실(周室)의 보기(寶器). 전(轉)하여, 귀중한 물건의 뜻.
[大力 대력] ㉠큰 힘. 센 힘. ㉡대자연. 조화(造化).
[大殮 대렴] 소렴(小殮)을 치른 다음 날 다시 시체에 옷을 입히고 묶는 일.
[大禮 대례] ㉠가장 중대한 의식(儀式). ㉡혼례(婚禮).
[大老 대로] 나이 먹은 현인(賢人).
[大怒 대로] 크게 성냄.
[大勞 대로] 큰 수고. 또, 큰 공로(功勞).
[大路 대로] ㉠큰길. ㉡천자(天子)가 타는 수레. 대로(大輅).
[大輅 대로] 천자(天子)가 타는 수레. 연로(輦輅). 대로(大路).

〔大輅〕

[大論 대론] ㉠크게 논(論)함. 또, 격론(激論). ㉡고원(高遠)하고 웅대(雄大)한 의론(議論).
[大牢 대뢰] ㉠소·양·돼지의 세 가지 희생(犧牲)을 갖춘 제수(祭需). ㉡훌륭한 요리.
[大僚 대료] 고관(高官). 대관(大官).
[大陸 대륙] 지구 상(地球上)의 광대(廣大)한 육지(陸地). 큰 뭍.
[大戮 대륙] 사형(死刑). 대벽(大辟).
[大倫 대륜] 인륜의 대도(大道).
[大利 대리] 큰 이익(利益).
[大理 대리] 형옥(刑獄)을 맡은 벼슬. 지금의 사법관(司法官).
[大理石 대리석] 석회석(石灰石)이 높은 온도(溫

〔大纛〕

度)와 강한 압력(壓力)으로 변한 아름다운 돌.
[大麻 대마] 삼.
[大望 대망] ㉠큰 소망(所望). ㉡분에 넘치는 소망. 비망(非望).
[大蟒 대망] 이무기. 큰 구렁이.
[大麥 대맥] 보리.
[大盟 대맹] 천자(天子)가 친림(親臨)한 맹세.
[大名 대명] ㉠큰 명성(名聲). 고명(高名). ㉡큰 칭호(稱號).
[大明 대명] ㉠해. 태양(太陽). ㉡명(明)나라가 자기 나라를 자존(自尊)하여 일컫는 말. ㉢음양가(陰陽家)에서 만사(萬事)에 대길(大吉)하다는 날.
[大命 대명] ㉠하늘이 내리는 명령. 천명(天命). ㉡천자(天子)가 내리는 명령(命令). 칙명(勅命).
[大名日 대명일] 큰 명절(名節)날.
[大名之下難以久居 대명지하난이구거] 명성(名聲)이 높은 지위에는 시의(猜疑)나 모함(謀陷)을 받아 오래 있기 어려움.
[大明天地 대명천지] 아주 밝은 세상(世上).
[大母 대모] ㉠할머니. 조모(祖母). ㉡《韓》할아버지와 항렬(行列)이 같은 유복친(有服親) 밖의 친척의 아내.
[大暮 대모] 영원히 밝지 않는 밤. 곧, 사람의 죽음(生).
[大夢 대몽] 긴 꿈. 전(轉)하여, 덧없는 인생(人生).
[大妙 대묘] 대단히 묘함.
[大廟 대묘] 종묘(宗廟). 고대에는 사당(祠堂)의 뜻으로 널리 쓰였으나, 후세에 이르러 오로지 '종묘'의 뜻으로 쓰임.
[大廡 대무] 큰 집. 대하(大廈)(문).
[大文 대문] 주석(註釋)이 있는 서적(書籍)의 본문.
[大門 대문] 집의 정문(正門).
[大文字 대문자] ㉠웅대(雄大)한 글. ㉡서양 글자의 큰 체로 된 글자.
[大文章 대문장] 웅대(雄大)한 글. 또, 그러한 글을 짓는 사람.
[大米 대미] 쌀.
[大舶 대박] 큰 배.
[大半 대반] 대부분. 반 이상. 과반(過半).
[大盤 대반] 큰 소반.
[大方 대방] ㉠세상의 현인(賢人). 강호(江湖)의 군자(君子). 식자(識者). 대방가(大方家). ㉡개략(槪略). 대강. ㉢땅. 대지(大地).
[大邦 대방] 큰 나라. 대국(大國).
[大方家 대방가] 대방(大方)❶.
[大北 대배] 대패(大敗).
[大白 대백] ㉠흰 기. 순백(純白)의 기(旗). ㉡아주 결백(潔白)함. ㉢큰 술잔. 대배(大杯). ㉣벌작(罰爵)과 같음(侯).
[大藩 대번] 큰 번병(藩屛). 영토가 넓은 제후(諸侯).
[大凡 대범] ㉠대강. 대략(大略). ㉡무릇.
[大法 대법] ㉠중요(重要)한 법. 근본이 되는 법. ㉡《佛敎》대승(大乘)의 법(法).
[大辟 대벽] 사형(死刑). 또, 중형(重刑).
[大卞 대변] 대법(大法).
[大便 대변] 사람의 똥.
[大辯 대변] 아주 훌륭한 변론(辯論).
[大變 대변] 크나큰 사변(事變).
[大辯如訥 대변여눌] 워낙 말을 잘하는 사람은 함부로 지껄이지 않으므로 도리어 말더듬이처럼 보임.
[大別 대별] 크게 분류(分類)함.

[大兵 대병] 대군(大軍).
[大柄 대병] 큰 권력. 정치를 좌우하는 권력. 대권(大權).
[大病 대병] 위험(危險)한 병. 큰 병.
[大寶 대보] ㉠아주 귀중(貴重)한 보배. 지보(至寶). ㉡천자의 지위. ㉢자기의 몸. ㉣임금의 옥새(玉璽).
[大僕 대복] 주대(周代)에 군정(軍政)의 일을 맡은 장관(長官). 후세(後世)의 태복시(太僕寺)에 해당함.
[大福 대복] 큰 복력(福力)(本).
[大本 대본] 크고 종요로운 근본. 제일의 기본(基本).
[大本山 대본산]《佛敎》같은 종지(宗旨)의 작은 말사(末寺)를 통할(統轄)하는 큰절.
[大封 대봉] 큰 봉강(封疆). 큰 영토(領土). 큰 나라.
[大父 대부] ㉠조부(祖父). ㉡《韓》할아버지와 항렬(行列)되는 유복친(有服親) 밖의 겨레붙이의 남자.
[大夫 대부] ㉠주(周)나라 때의 벼슬 지위. 사(士)의 위이며 경(卿)의 아래임. 벼슬자리에 있는 사람. ㉡소나무(松)의 아칭(雅稱).
[大府 대부] ㉠궁정(宮廷) 및 정부(政府)의 기물(器物)을 맡아 두는 창고. ㉡상고 시대(上古時代)에 재정(財政)을 맡은 벼슬. 태부(太府). ㉢관부(官府).
[大富 대부] 큰 부자(富者).
[大部分 대부분] 반(半)이 훨씬 지나는 수효(數爻), 또는 분량(分量).
[大富由命小富由勤 대부유명소부유근] 대부(大富)는 천명(天命)으로 이루어지고, 소부(小富)는 인력(人力)으로 이루어짐.
[大夫人 대부인] 남의 어머니의 존칭.
[大北 대북]《韓》색목(色目)의 하나. 북인(北人) 속에서 갈라진 당파.
[大佛 대불] 거대한 불상(佛像).
[大不幸 대불행] 큰 불행(不幸).
[大妃 대비] 선왕(先王)의 비(妃).
[大賓 대빈] 높은 손님.
[大士 대사] ㉠덕(德)이 높은 사람. 대인(大人). ㉡벼슬이 높은 사람. ㉢주(周)나라 때 신명(神明)에 관한 일을 맡은 벼슬. ㉣옥송(獄訟)을 맡은 벼슬. ㉤《佛敎》불(佛)·보살(菩薩)의 이칭(異稱).
[大使 대사] ㉠임금의 명을 받들고 일을 행하는 정사(正使). ㉡원수(元首)의 명을 봉행(奉行)하는 정사(正使)로서 한 나라를 대표하여 외국에 가 있어 외교 관계를 맺는 최상급의 외교관.
[大祀 대사] 천자(天子)가 친히 지내는 큰 제사.
[大事 대사] ㉠부모의 상(喪). ㉡큰 사건. 비상한 일. ㉢원대한 사업. ㉣부역(賦役). ㉤전쟁. 병사(兵事).
[大師 대사] ㉠다수(多數)의 군대. ㉡뛰어난 학자. ㉢불(佛)·보살(菩薩)의 경칭(敬稱). ㉣나라에서 높은 선사(禪師)에게 내리는 칭호.
[大赦 대사] 나라에서 큰 경사(慶事)가 있을 때 죄수(罪囚)를 놓아주거나 감형(減刑)하는 은전(恩典).
[大蜡 대사] 주대(周代)에 매해 섣달에 천자(天子)가 행(行)하던 제사(祭祀) 이름.
[大司空 대사공] 삼공(三公)의 하나. 전한말(前漢末)의 관제(官制)에서, 토지(土地)·민사(民事)를 맡은 벼슬. 주대(周代)의 사마(司馬)에

큰 죄악(罪惡). ㉤큰 흉년이 듦. 또, 큰 흉년.
[大昕 대흔] 새벽. 동틀 녘.
[大喜 대희] 큰 기쁨. 크게 기뻐함.
●强大. 彊大. 巨大. 高大. 夸大. 過大. 誇大.
寬大. 光大. 廣大. 宏大. 窮措大. 極大. 矜大.
老大. 老措大. 多大. 膽大. 斗大. 等身大. 莫
大. 博大. 尨大. 肥大. 四大. 事大. 碩大. 細
大. 小大. 甚大. 雄大. 遠大. 偉大. 自大. 壯
大. 長大. 張大. 絶大. 正大. 措大. 尊大. 重
大. 增大. 至大. 最大. 針小棒大. 特大. 膨大.
豐亨豫大. 戶大. 弘大. 洪大. 鴻大. 廓大. 擴大.

[**矢**] ⓪③ 〓 측 ㊀職 阻力切 zè
〓 녈 ㊀屑 練結切

字解 〓 머리기울일 측 ‘一, 傾頭也’《說文》. 〓
왼쪽으로기울일 녈 ‘一, 左一也’《集韻》.
字源 象形. 머리를 기울이는 사람의 모양을 본
뜸.

[**太**] ①④ 〔中人〕 태 ㊁泰 他蓋切 tài

筆順 一 ナ 大 太

字解 ①클 태 용적·면적 등이 큼. 또, 아주 훌
륭함. ‘一〓一上貴德’《禮記》. ②심할 태 격
심함. ‘旱旣一甚’《詩經》. ③심히 태 대단히.
‘昨一草草耳’《五代史》. ④통(通)할 태 ‘命險一
其靡常道’《陸機》. ⑤처음 태 최초. ‘一極’. ‘一
初者記之始也’《列子》. ⑥존칭 태 장상(長上)에
대한 존칭. ‘貴人母封縣一君’《宋史》. ⑦성(姓)
태 성(姓)의 하나. ⑧《韓》콩 태 대두(大豆)
‘豆一’.
字源 形聲. 二+大〔音〕. ‘泰태’의 古文. 차용(借
用)하여, 큰 위에 더 크다, 심히, 매우의 뜻
을 나타냄.
參考 ‘太’와 ‘大’는 종종 통용(通用)됨.

[太康 태강] 태평(太平).
[太剛則折 태강즉절] 너무 강하면 꺾어지기 쉬움.
[太古 태고] 아주 오랜 옛날.
[太高 태고] 썩 높음.
[太鼓 태고] 북.
[太古之民 태고지민] 오랜 옛적의 어질고 순한 백　‘성.
[太公 태공] ㉠아버지의 일컬음. ㉡조부의 일컬
음. ㉢속(俗)에 증조부를 이름.
[太空 태공] 하늘.
[太公望 태공망] 주초(周初)의 현신(賢臣) 여상(呂
尙)을 이름.
[太過 태과] 너무 지나침.
[太君 태군] ㉠벼슬아치의 모친의 봉호(封號). ㉡
남의 모친을 일컬음.
[太鈞 태균] 조물주(造物主).
[太極 태극] 천지(天地)가 아직 열리지 않고 혼돈
(混沌)한 상태(狀態)로 있던 때. 곧, 천지(天
地)와 음양(陰陽)이 나누어지기 이전(以前).
[太極旗 태극기] 태극(太極) 모양에 팔괘(八卦)
중의 네 괘를 그린 우리나라 국기(國旗).
[太極扇 태극선] 태극 모양을 그린 둥근 부채.
[太極殿 태극전] 천자의 대궐의 정전(正殿).
[太急 태급] 썩 급(急)함.
[太寧 태녕] ㉠극히 편안함. ㉡대지(大地).
[太多 태다] 썩 많음.

[太濫 태람] 너무 한도에 지나침.
[太曆十才子 태력십재자] 당(唐)나라 태력 연간
(太曆年間)에 명성(名聲)이 있던 시인(詩人)
열 사람. 곧, 노륜(盧綸)·길중부(吉中孚)·한굉
(韓翃)·전기(錢起)·사공서(司空曙)·묘발(苗
發)·최동(崔峒)·경위(耿湋)·하후심(夏侯審)·
이단(李端).
[太嶺 태령] 험(險)하고 높은 고개.
[太牢 태뢰] 소·양·돼지의 세 가지 희생(犧牲)을
갖춘 제수(祭需), 또는 요리. 전(轉)하여, 대성
찬(大盛饌).
[太母 태모] 조모(祖母).
[太廟 태묘] 태조(太祖)의 종묘(宗廟).
[太半 태반] 절반(折半)이 지남. 반수 이상.
[太白 태백] ㉠은(殷)나라의 기(旗). ㉡당(唐)나
라 시인(詩人) 이백(李白)의 자(字). ㉢태백성
(太白星).
[太白星 태백성] 지구(地球)에서 보아 가장 찬란
(燦爛)하게 비치는 별. 금성(金星).
[太保 태보] 삼공(三公)의 하나. 천자(天子)의 덕
(德)을 보안(保安)한다는 뜻으로 이름 지었음.
[太僕 태복] ㉠주대(周代)의 군정(軍政)의 장관
(長官). ㉡당대(唐代)의 여마(輿馬)를 맡은
벼슬.
[太父 태부] 조부(祖父).
[太傅 태부] 삼공(三公)의 하나. 천자(天子)를 도
와 덕(德)으로 인도한다는 뜻으로 이름 지었음.
[太夫人 태부인] 아버지의 뒤를 이어 아들이 제후
(諸侯)가 되었을 때 그 어머니의 일컬음.
[太不足 태부족] 많이 모자람.
[太妃 태비] 선대(先代)의 정비(正妃).
[太史 태사] 나라의 법규(法規)·기록(記錄)을 맡
은 벼슬.
[太社 태사] ‘사직(社稷)’의 별칭.
[太師 태사] ㉠삼공(三公)의 하나. 문관의 최고위
(最高位). 천자(天子)의 사법(師法)이 될 만한
사람이라는 뜻으로 이름 지었음. ㉡고대(古代)
의 악관(樂官)의 장(長). ㉢《韓》고려 때 벼슬
로 왕세자(王世子)의 스승.
[太史簡 태사간] 춘추(春秋) 때에 제(齊)나라 태
사(太史)가, 최서(崔杼)의 그 임금 장공(莊公)
을 죽인 사실을 죽간(竹簡)에 직필(直筆)하여
꺼리지 않았다는 고사(故事).
[太史公 태사공] 한(漢)나라 사마천(司馬遷)의
아버지 사마담(司馬談)이 태사령(太史令)의 직
(職)에 있었으므로 사마담(司馬談)을 가리켜
일컬음. 또, 사마천(司馬遷)의 일컬음.
[太史氏 태사씨] 역사(歷史)의 기록을 맡은 벼슬
아치.
[太上 태상] ㉠그 위에 서는 것이 없음. 지극히 존
귀함. ㉡천자(天子). 지존(至尊).
[太常 태상] ㉠해와 달을 그린 천자의 기(旗). ㉡
구경(九卿). 종묘(宗廟) 등의 제사를 맡
는 벼슬. 대상(大常).
[太上老君 태상노군] 도교(道敎)에서 노자(老子)
를 높이어 부르는 칭호.
[太常博士 태상박사] 여러 가지의 예(禮)를 맡은
벼슬. 위문제(魏文帝) 때 처음 두었음.
[太上王 태상왕] 왕(王)의 아버지에게 바치는 존
호(尊號).
[太上皇 태상황] 황제의 아버지에게 바치는 존호
(尊號).
[太上皇后 태상황후] 황태후(皇太后).
[太歲 태세] ㉠그해의 간지(干支). ㉡목성(木星)

의 별칭(別稱). ⓒ음양도(陰陽道)에서 팔장신
(八將神)의 하나.
[太素 태소] ㉠물질의 근본. ⓒ대단히 검소함.
[太孫 태손] 황제(皇帝)의 손자. 황손(皇孫).
[太守 태수] 한대(漢代)의 군(郡)의 지방 장관.
군수(郡守).
[太始 태시] ㉠형태(形態)의 시초. ⓒ천지(天地)
가 비롯한 무렵. 곧, 만물이 시작한 때. ⓒ만물
의 근본.
[太息 태식] 한숨. 한숨 쉼.
[太甚 태심] 아주 심함. 극심(極甚).
[太阿 태아] ㉠명검(名劍)의 이름. ⓒ벼슬 이름.
[太洋 태양] 대륙을 둘러싼 큰 바다.
[太陽 태양] ㉠해. ⓒ'여름[夏]'의 별칭.
[太陽系 태양계] 태양을 중심(中心)으로 하여 운
행(運行)하는 천체(天體)의 집단. 태양·혹성
(惑星)·위성(衛星)·혜성(彗星)·유성(流星)으
로 이루어짐.
[太陽年 태양년] 태양(太陽)이 춘분점(春分點)을
통과(通過)하여 다시 춘분점(春分點)에 이르는
동안. 곧, 365.2422의 일수(日數)로 된 양력의
1년.
[太陽曆 태양력] 지구(地球)가 태양(太陽)의 주
위(周圍)를 한 번 도는 동안을 1년으로 하는 달
력. 양력(陽曆).
[太易 태역] 우주의 혼성(混成) 이전을 이름. 또,
기(氣)가 나타나지 않았을 때. 태극(太極).
[太翁 태옹] ㉠증조부(曾祖父). ⓒ뱃사공.
[太緩 태완] 아주 느즈러짐.
[太乙 태을] 태일(太一). ⓔⓒ
[太陰 태음] ㉠음기(陰氣)만 있을 뿐 양기(陽氣)
가 조금도 없는 상태. 또, 그것을 이름. ⓒ달.
ⓒ'겨울'의 별칭. ⓔ북(北)을 이름. ⓕ천신(天
神)의 이름. ⓗ의가(醫家)에서 이르는 맥(脈)의
이름. 수태음(手太陰)·족태음(足太陰)이 있음.
[太陰曆 태음력] 달의 차고 이지러짐을 표준(標
準)으로 한 달력. 음력(陰曆).
[太醫 태의] 의약(醫藥)의 일을 맡은 벼슬.
[太一 태일] ㉠천지의 처음. 만물의 근본. ⓒ유무
(有無)를 합하여 하나로 함. ⓒ가장 귀한 천신
(天神). 천제(天帝). 또, 천제가 있는 곳. ⓔ별
의 이름. 태을(太乙). ⓕ'종남산(終南山)'의 이
칭(異稱). 태을(太乙).
[太子 태자] 천자(天子)를 계승할 아들. 동궁(東
宮). 황태자(皇太子). 주대(周代)에는 제후(諸
侯)의 적자(嫡子)도 태자라 하였음.
[太子宮 태자궁] ㉠황태자(皇太子)의 존칭(尊稱).
ⓒ황태자의 궁전(宮殿).
[太子妃 태자비] 황태자의 아내.
[太子賓客 태자빈객] 관명(官名). 진(晉)나라 혜
제(惠帝) 때 처음 둔 벼슬로서 황태자의 사부
(師傅)와 같은 것.
[太宰 태재] 나라의 정치(政治)를 총찰하여 다스
리는 장관(長官). 총리대신(總理大臣). 총재(冢
宰).
[太弟 태제] 천자(天子)의 아우.
[太祖 태조] 초대(初代)의 임금.
[太蔟 태주] 대주(大蔟). 「金」
[太眞 태진] ㉠태극(太極)의 기(旗). ⓒ황금(黃
[太倉 태창] ㉠큰 곳집. 관부(官府)의 곳집. ⓒ위
(胃)의 별칭.
[太倉稊米 태창제미] 태창(太倉)은 나라의 쌀 창
고. 제(稊)는 피의 일종. 아주 큰 물건 속에 있

는 아주 작은 물건을 이름. 창해일속(滄海一粟)
[太初 태초] 천지(天地)가 개벽(開闢)하여 만물
이 생기는 첫째 근본. 곧, 음양이 아직 나누어
지지 않고 혼돈(混沌)한 상태에 있는 것.
[太初曆 태초력] 한무제(漢武帝)의 태초 원년(太
初元年)에 광등평(閎鄧平)이 만든 역법(曆法).
[太促 태촉] 몹시 재촉함.
[太衝 태충] 음력 9월의 이칭.
[太平 태평] 나라가 잘 다스려져 평안(平安) 함.
[太平歌 태평가] 나라가 태평한 것을 구가(謳歌)
하는 노래.
[太平廣記 태평광기] 책 이름. 송(宋)나라 이방
(李昉) 등이 칙명(勅命)을 받들어 한(漢)나라
에서 오대(五代)에 이르기까지의 전설(傳說)·
기문(奇聞)을 수록(收錄)함. 5백 권.
[太平道 태평도] 후한말(後漢末)에 황건적(黃巾
賊)의 수괴(首魁) 장각(張角)이 창시(唱始)한
사법(邪法).
[太平聖代 태평성대] 어진 임금이 태평(太平)하
게 다스리는 세상(世上).
[太平盛事 태평성사] 태평(太平)한 시대(時代)의
훌륭한 일.
[太平世界 태평세계] 잘 다스려서 평안(平安)한
세상(世上).
[太平御覽 태평어람] 송(宋)나라의 태평흥국(太
平興國) 2년에 이방(李昉) 등이 태종(太宗)의
명(命)을 받들어 찬(撰)한 책. 전부 1천 권. 여
러 가지 사항(事項)을 널리 고적일문(古籍佚文)
이나 유서(類書)에서 뽑아 55부문(部門)으로
나누어 실었음. 약(略)하여 '어람(御覽)'이라
고도 함.
[太平天國 태평천국] 청(淸)나라의 도광 연간(道
光年間)에 장발적(長髮賊) 홍수전(洪秀全)이 쓴
국호(國號).
[太河 태하] 황허(黃河) 강의 별명. 대하(大河).
[太學 태학] ㉠고대로부터 송대(宋代)까지 국도
(國都)에 있던 최고 학부. ⓒ우리나라 성균관
(成均館)의 별칭.
[太學士 태학사] 《韓》홍문관(弘文館) 대제학(大
提學)의 별칭(別稱).
[太虛 태허] ㉠하늘. ⓒ우주(宇宙)의 근원.
[太玄經 태현경] 책 이름. 한(漢)나라 양웅(揚雄)
의 찬(撰). 10권. 역경(易經)을 모방하여 지었
음.
[太皓 태호] ㉠하늘. 허공(虛空). ⓒ우주(宇宙)의
근원(根元).
[太湖 태호] 장쑤(江蘇)·저장(浙江) 두 성에 걸
쳐 있는 큰 호수(湖水). 부근은 관개(灌漑)가
잘되어 농산물이 많이 나며, 우시(無錫)·쑤저
우(蘇州)는 그 집산지(集散地)임.
[太和 태화] ㉠몸과 마음의 정기(精氣). 만물의
원기(元氣). ⓒ음양(陰陽)의 조화된 기(氣). 생생화
육(生生化育)의 덕(德). 만물 생성(生成)의 힘.
ⓒ물아(物我)의 차별을 두지 않고 남과 다투지
아니함.
[太華 태화] 산(山) 이름. 오악(五岳)의 하나. 산
시 성(陝西省) 화음현(華陰縣)의 남쪽에 있으
며, '화산(華山)'이라고도 함.
[太皇帝 태황제] 태상황(太上皇).
[太皇太后 태황태후] 황제의 적조모(嫡祖母).
[太橫 태횡] 몹시 부정(不正)함.
[太后 태후] 황제(皇帝)의 적모(嫡母). 황태후(皇
太后).

1 ④ [夫] 中入 부 平虞 ①-⑤甫無切 fū ⑥-⑪防無切 fú

筆順 一 二 チ 夫

字解 ①지아비 부 남편. '一婦'. '一一婦婦'《易經》. ②사내 부 ⑦성인(成人)이 된 남자. '丈一'. '無求備於一一'《書經》. ⓛ정년(丁年)에 달하여 부역(賦役)에 징발(徵發)되는 인부. '復其一'《後漢書》. ⓒ병사(兵士). '一屯, 晝夜九日'《左傳》. ③도울 부 '一者, 扶也'《白虎通》. ④다스릴 부 敷(支部 十一畫)와 통용. '一, 猶治也'《禮記 注》. ⑤만보 부 한대(漢代)의 지적(地積)의 단위. 만 보(萬步)의 넓이. '六尺爲步, 步百爲畮, 畮百爲一'《漢書》. ⑥대저 부 발어사(發語辭). '一仁者'《論語》. ⑦진저 부 감탄사. '逝者如斯一'《論語》. ⑧저 부 사물을 지시하는 말. '一二三子也'《論語》. ⑨다시 부 復(彳部 九畫)와 同字. '獲我所一, 一何思舊'《張衡》. ⑩많을 부 여럿. '一, 猶凡也. 衆也'《經傳釋詞》. ⑪ 성(姓) 부성(姓)의 하나.

字源 甲骨文 金文 夫 篆文 夫 象形. 성인(成人)을 나타내는 '大'에, 관(冠)의 비녀를 나타내는 가로획(一)을 덧붙여, 성인(成人) 남자의 뜻을 나타냄.

[夫家 부가] ⑦남편의 집. 시집. ⓛ부부(夫婦)가 다 있는 집. ⓒ남녀(男女). 부부(夫婦).
[夫家之征 부가지정] 주대(周代)에 무직업자(無職業者)에게 과한 세금.
[夫課 부과] 부역(夫役).
[夫君 부군] 남편(男便)의 존칭(尊稱). 낭군(郞君).
[夫權 부권] 아내에 대하여 남편이 갖고 있는 신분 및 재산상의 권리.
[夫黨 부당] 남편 쪽의 본종(本宗).
[夫里之布 부리지포] 부포(夫布)와 이포(里布). 이포는 주대(周代)에 상마(桑麻)를 심지 않는 자에게 과한 과료(科料).
[夫馬 부마] 마부와 말.
[夫婦 부부] 남편(男便)과 아내.
[夫婦有別 부부유별] 오륜(五倫)의 하나. 부부(夫婦) 사이에는 인륜상(人倫上) 각기 일정한 직분(職分)이 있어서 서로 침범하지 못할 구별이 있음.
[夫死從子 부사종자] 아내는 남편이 죽으면 자식을 따라야 함.
[夫壻 부서] 남편.
[夫役 부역] 공사(公事)를 위하여 백성에게 과하는 노역(勞役). 부역(賦役).
[夫瓦 부와] 수키와.
[夫人 부인] ⑦남의 어머니의 일컬음. ⓛ자기 어머니의 일컬음. ⓒ천자(天子)의 첩(妾). ⓔ제후(諸侯) 또는 귀인(貴人)의 아내. ⓜ부인(婦人)의 봉호(封號). ⓗ많은 사람. 여러 사람. 중인(衆人).
[夫子 부자] ⑦공자(孔子)의 존칭(尊稱). ⓛ장자(長者)·현인(賢人)의 존칭. ⓒ스승의 존칭. ⓔ대부(大夫)의 지위에 있는 사람의 존칭. ⓜ장사(將士)를 부르는 말. ⓗ아내가 남편을 부르는 말.
[夫子自道 부자자도] 자기 일을 자기가 말함.
[夫差 부차] 춘추 시대(春秋時代)의 오(吳)나라의 왕. 월(越)나라를 쳐 그의 부왕(父王) 합려(闔閭)의 원수를 갚았으나, 후에 월왕(越王)

구천(句踐)에게 패사(敗死)하여 오나라는 멸망하였음.
[夫倡婦隨 부창부수] 남편(男便)이 부르고 아내가 이에 따른다는 뜻으로, 부부(夫婦)의 도리(道理)를 이름. 부창부수(夫唱婦隨).
[夫妻 부처] 부부(夫婦).
[夫妻牉合 부처반합] 부부(夫婦)는 각기 반(半)씩이어서, 둘이 합쳐 하나의 완전체(完全體)가 된다는 뜻.
[夫布 부포] 주대(周代)에 직업 없이 방랑하는 사람에게 과한 과료(科料).
●姦夫. 諫議大夫. 褐夫. 健夫. 卿大夫. 故夫. 工夫. 寡夫. 曠夫. 轎夫. 軍夫. 窮夫. 懦夫. 擔夫. 大夫. 大丈夫. 獨夫. 萬夫. 亡夫. 武夫. 美大夫. 薄夫. 凡夫. 病夫. 鄙夫. 士大夫. 士夫. 嗇夫. 先夫. 膳夫. 消防夫. 小丈夫. 餓夫. 御士大夫. 餘夫. 女丈夫. 役夫. 驛夫. 廉夫. 獵夫. 五殺大夫. 頑夫. 勇夫. 庸夫. 偉丈夫. 人夫. 一夫. 丈夫. 壯夫. 田夫. 丁夫. 征夫. 情夫. 車夫. 讒夫. 賤丈夫. 哲夫. 樵夫. 貪夫. 販夫. 匹夫. 鄕大夫. 火夫.

1 ④ [夬] 人名 쾌 ㉿卦 古邁切 guài 결 ㉿屑 古穴切 jué

筆順 一 二 チ 夬

字解 ■ ①터놓을 쾌 決(水部 四畫)과 뜻이 같음. ②괘이름 쾌 육십사괘의 하나. 곧, ䷪〈건하(乾下), 태상(兌上)〉. 소인은 궁하고 군자는 성(盛)한 상(象). '一, 揚于王庭'《易經》. ■ 깍지 결 玦(弓部 四畫)과 同字.

字源 篆文 夬 象形. 상아(象牙) 따위로 만들어 속을 후벼 낸, 활시위를 당기기 위한 깍지를 손가락에 낀 모양을 본뜸. '깍지'의 뜻을 나타냄.

[夬夬 쾌쾌] 결단성이 있는 모양.

1 ④ [天] 中入 천 ㉿先 他前切 tiān

筆順 一 二 チ 天

字解 ①하늘 천 ⑦땅의 대(對). 천공(天空). '一地'. '鳶飛戾一'《詩經》. ⓛ만물의 주재자. 상제(上帝). 하느님. '一心'. '自一祐之'《易經》. ⓒ자연의 이법(理法). '順一者存, 逆一者亡'《孟子》. ⓔ운명. '成敗一也'《五代史》. ⓜ자연의 부여(賦與). '一一'. '全其一也'《呂氏春秋》. ⓗ무위자연. '不以人易一'《淮南子》. ㉠천문. 일월성신(日月星辰)의 상태. '命南正重以司一'《史記》. ◎기후. 시절. '一候'. '寒一'. ㉣믿고 의지하는 중요한 사물의 비유. '王者以民爲一, 而民以食爲一'《漢書》. ㉤태양. 해. '一, 謂日也'《禮記》. ②임금 천 '一子'. '一之方蹶'《詩經》. ③목숨 천 몸. '全其一'《呂氏春秋》. ④클 천 '一, 大也'《廣雅》. ⑤문신할 천 이마에 먹실을 넣는 형(刑). '其人一且劓'《易經》. ⑥성(姓) 천 성(姓)의 하나.

字源 甲骨文 金文 篆文 天 指事. 사람의 머리 부분을 크게 강조해 보여, '위·꼭대기'의 뜻에서, '하늘'의 뜻을 나타냄.

[天假之年 천가지년] 하늘이 세월을 빌려 줌. 곧,

목숨을 연장함. 수(壽)함.

[天角 천각] ㉠이마의 중앙. ㉡하늘의 모퉁이.

[天干 천간] 십간(十干).

[天蓋 천개] 《佛敎》불상(佛像) 또는 관(棺) 같은 것의 위를 가리는 양산(陽傘)같이 된 것. 닫집.

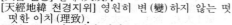

[天蓋]

[天譴 천견] 하느님의 견책. 천벌(天罰).

[天經 천경] 하늘이 정(定)한 도(道)라는 뜻으로, 효도(孝道), 또는 예(禮)를 이름.

[天警 천경] 천계(天戒).

[天經地緯 천경지위] 영원히 변(變)하지 않는 떳떳한 이치(理致).

[天戒 천계] 하느님의 계칙(戒飭).

[天界 천계] ㉠하늘. 속외(俗外). ㉡《佛敎》천상계(天上界).

[天癸 천계] 월경(月經).

[天啓 천계] 하느님의 계시(啓示).

[天繼 천계] 천자의 계승.

[天鼓 천고] ㉠별 이름. ㉡천둥.

[天閽 천곤] 천문(天門)의 문지방. 또, 대궐 문. 전(轉)하여, 궁중(宮中)의 뜻.

[天工 천공] ㉠하느님이 하는 일. 자연의 기교(技巧). ㉡하느님이 백성을 다스리는 기능.

[天公 천공] 하느님. 전(轉)하여, 천자(天子).

[天功 천공] 천지자연의 조화(造化). 자연의 공(功).

[天空 천공] 하늘. 공중(空中).

[天空海闊 천공해활] 하늘이 청창하고 바다가 광활하듯이 기상(氣象)이 상쾌하고 도량이 넓음을 이름.

[天戈 천과] 천자(天子)의 창. 전(轉)하여, 제왕의 군대. 천자가 하는 전쟁.

[天瓜 천과] 하늘타리. 박과에 속하는 다년생 만초(蔓草).

[天廓 천곽] 눈의 흰자위.

[天官 천관] ㉠주대(周代)의 육관(六官)의 하나. 총재(冢宰)가 그 장(長)으로서 천하의 정무(政務)를 총리하며 궁중(宮中)의 사무를 맡았음. ㉡천문(天文). ㉢천자(天子)를 섬기는 벼슬아치. ㉣오관(五官).

[天光 천광] 햇빛. 일광(日光).

[天巧 천교] 자연의 기교(技巧).

[天咎 천구] 천앙(天殃).

[天狗 천구] ㉠유성(流星)의 한 가지. 떨어질 때 소리를 냄. ㉡《佛敎》불계(佛界)와 중생계(衆生界). 또, 금강계(金剛界)와 태장계(胎藏界).

[天衢 천구] ㉠천상(天上)의 통로(通路). ㉡경사(京師)의 땅.

[天球儀 천구의] 천구(天球)의 작은 모형(模型)에 천체(天體)의 분포(分布)를 나타낸 것.

[天國 천국] 하늘의 나라. 천당.

[天菊 천국] 패랭이꽃.

[天君 천군] '마음(心)'의 별칭(別稱).

[天弓 천궁] 무지개.

[天眷 천권] 하느님의 권애(眷愛).

[天均 천균] 옳은 것이나 그른 것이나 통틀어 한 가지로 봄.

[天極 천극] 지축(地軸)을 연장(延長)하여 천구(天球)와 교회(交會)하는 점(點). 천구(天球)

의 남북극(南北極).

[天根 천근] 하늘의 맨 끝.

[天衾 천금] 시체를 관에 넣고 덮는 이불.

[天紀 천기] ㉠천체(天體)의 도수(度數). ㉡상천(上天)의 강기(綱紀).

[天氣 천기] 하늘의 기상(氣象). 날씨.

[天機 천기] ㉠천지조화(天地造化)의 심오(深奧)한 비밀(祕密). 조화(造化)의 작용. ㉡천성(性). 본래의 진성(眞性). ㉢천하(天下)의 정무(政務). 국가의 기무(機務).

[天氣圖 천기도] 천기(天氣)의 상태를 그린 그림.

[天氣豫報 천기예보] 일기 예보(日氣豫報).

[天南星 천남성] 천남성과(科)에 속하는 다년생 초본(草本)의 하나. 두어머조자기.

[天女 천녀] ㉠직녀성(織女星)의 별칭(別稱). ㉡제비[燕]의 별칭. ㉢하늘에 산다는 여자. 전(轉)하여, 미인(美人). ㉣《佛敎》여신(女神).

[天年 천년] 타고난 수명. 천수(天壽). 천명(天命).

[天壇 천단] ㉠하늘에 제사 지내는 단(壇). ㉡산정(山頂)의 평탄한 곳.

[天堂 천당] 《佛敎》하늘 위에 있는 화려(華麗)한 전당(殿堂). 극락정토(極樂淨土).

[天德 천덕] ㉠하느님의 덕. ㉡천도(天道). ㉢자연(自然). ㉣천자(天子)의 덕.

[天桃 천도] 하늘 위에 있다고 하는 복숭아.

[天道 천도] ㉠천체(天體)의 운행. ㉡천지자연의 도리. 천리(天理). ㉢《佛敎》육도(六道)의 하나. 욕계(欲界)·색계(色界)·무색계(無色界)의 총칭.

[天道敎 천도교] 조선(朝鮮) 말엽(末葉) 사람 최제우(崔濟愚)를 교조(敎祖)로 하는 동학(東學) 계통의 종교(宗敎).

[天道無心 천도무심] 하늘이 무정(無情)함.

[天道無親常與善人 천도무친상여선인] 하늘의 도는 지극히 공평하여 누구라고 더 친절히 대하는 일이 없고 다만 항상 착한 사람에게만 친절을 베풂.

[天道是耶非耶 천도시야비야] 선(善)을 행하면 복(福)을 받고 악(惡)을 행하면 화(禍)를 받는 것을 천도(天道)라고 하는데, 세상(世上)의 실상(實狀)은 반드시 그렇지도 않은 것 같다고 의심(疑心)하여 원망하는 말.

[天道虧盈益謙 천도휴영익겸] 해가 일중(日中)한 다음에는 기울어지고, 달이 차면 이지러짐과 같이 천도는 영만(盈滿)한 것을 깎아 내고 항상 겸손한 것을 편듦.

[天動 천동] 천둥.

[天動說 천동설] 지구(地球)는 우주(宇宙)의 중앙(中央)에 있고, 모든 천체(天體)가 그 주위(周圍)를 돌아다닌다고 하는 학설(學說).

[天得 천득] 타고난 성품. 「유.

[天羅地網 천라지망] 불가피한 재액(災厄)의 비

[天落水 천락수] 하늘에서 떨어지는 빗물.

[天覽 천람] 천자(天子)가 봄.

[天朗氣淸 천랑기청] 하늘이 구름 한 점 없이 개고 날씨가 화창하여 공기가 상쾌함.

[天來 천래] ㉠하늘에서 옴. ㉡하늘에서 얻음.

[天癘 천려] ㉠하늘이 내리는 앙화(殃禍). 천재(天災).

[天力 천력] ㉠자연의 작용(作用). ㉡천자(天子)의 은덕(恩德).

[天禮 천례] 하늘에 제사를 올리는 예식.

[天祿 천록] 하늘이 주는 복록.

[天籟 천뢰] 천지자연의 소리. 곧, 나무를 스쳐 지나는 바람 소리 따위.

[天龍 천룡] ㉠성수(星宿)의 이름. 북두(北斗)와 직녀(織女)와의 중간에 있음. ㉡《佛敎》천상계(天上界)에 사는 귀신(鬼神) 및 용(龍). ㉢지네.

[天倫 천륜] 부자 형제(父子兄弟) 사이의 변하지 않는 떳떳한 도리(道理).

[天綸 천륜] 천자(天子)의 말씀. 천어(天語).

[天吏 천리] ㉠하느님의 명을 받들어 백성을 다스리는 사람. 하느님을 대신하여 정사(政事)를 행하는 사람이라는 뜻으로, 유덕(有德)한 천자(天子)를 이름. ㉡춘(春)·하(夏)·추(秋)·동(冬)의 일컬음.

[天理 천리] 천지자연(天地自然)의 이치(理致).

[天馬 천마] ㉠하늘을 달린다는 상제(上帝)의 말. ㉡대원국(大宛國)에서 나는 좋은 말. ㉢비상한 준마(駿馬).

[天麻 천마] 수자해좃. 또, 그 뿌리. 뿌리는 약재(藥材)로 씀.　　　　　　　　　「妖鬼).

[天魔 천마] 사람에게 해를 끼치는 하늘의 요귀

[天幕 천막] 비·이슬·바람·볕을 가리기 위한 서양식 장막(帳幕).

[天罔 천망] 천망(天網).

[天網 천망] 하늘의 악인(惡人)을 잡는 그물.

[天網恢恢疎而不失 천망회회소이불실] 하늘의 그 물은 굉장히 넓어서 눈은 성기지만 선한 자에게 선을 주고 악한 자에게 앙화(殃禍)를 내리는 일은 조금도 빠뜨리지 아니함. 실(失)은 일본(一本)에 누(漏)로 되었음.

[天命 천명] ㉠하느님의 명령. ㉡하느님에게서 받은 운명. 자연의 운수. ㉢하늘에서 타고난 목숨.

[天明 천명] 새벽.

[天名精 천명정] 여우오줌풀. 그 잎은 살충약(殺蟲藥)으로 씀.

[天無私覆 천무사복·천무사부] 천도(天道)는 공평무사(公平無私)함.

[天無三日晴 천무삼일청] 좋은 날씨는 사흘씩 계속되지 않는다는 뜻으로, 이 세상은 풍파가 많고 갈등이 일어나기 쉬워 평화가 오래 계속되지 않음을 이름.

[天無二日 천무이일] 하늘에 해가 둘이 없다는 뜻으로, 나라에는 오직 한 임금이 있을 뿐이라는 말.

[天文 천문] ㉠천체(天體)의 온갖 현상(現象). ㉡천문학(天文學).

[天門 천문] ㉠하늘로 들어간다는 문. ㉡대궐 문(大闕門). ㉢콧구멍. ㉣양미간(兩眉間). ㉤탑(塔)의 꼭대기.　　　　　　　　　　　「곳.

[天文臺 천문대] 천문(天文)을 관측(觀測)하는

[天門冬 천문동] 백합과에 딸린 다년초. 괴근(塊根)은 약용(藥用). 호라지좃.

[天文學 천문학] 천체(天體)에 관한 사항(事項)을 연구(硏究)하는 학문.

[天物 천물] 천산물(天產物).

[天味 천미] 자연의 풍치(風致).

[天民 천민] ㉠하느님의 법칙을 준수하는 백성. ㉡백성. 인민.

[天半 천반] 중천(中天).

[天放 천방] 자연 그대로임. 인위(人爲)를 가하지 아니함.

[天方地方 천방지방] 《韓》천방지축(天方地軸).

[天方地軸 천방지축] 《韓》㉠너무 급하여 두서(頭緒)를 잡지 못하고 허둥지둥함. ㉡어리석은 사람이 종작없이 덤벙임.

[天杯 천배] 천자(天子)가 하사(下賜)한 술잔.

[天翻地覆 천번지복] 하늘과 땅이 뒤집힘. 곧, 천지(天地)에 큰 변동(變動)이 일어나 질서(秩序)가 몹시 어지러움.

[天伐 천벌] 벼락을 침.

[天罰 천벌] 하늘이 주는 벌(罰).

[天邊 천변] 하늘의 가. 하늘의 끝. 곧, 하늘의 가장 높은 곳.

[天變 천변] 하늘에서 생기는 괴상한 변동(變動).

[天變地異 천변지이] 하늘과 땅의 변동과 괴변(怪變).　　　　　　　　　　「군대.

[天兵 천병] 천자(天子)가 통솔하거나 파견하는

[天步 천보] 천운(天運) ❶.

[天保 천보] 하느님이 도와 편안하게 함.

[天報 천보] 자연의 갚음.

[天步艱難 천보간난] 천운(天運)이 열리지 않아 시세(時勢)가 날로 험난하여짐.

[天保九如 천보구여] 축수(祝壽)하는 말. 천보(天保)는 시경(詩經)의 편명(編名)으로서 그 시 중의 장수(長壽)를 축하하는 구(句)에 여(如) 자가 아홉 있는 데서 생긴 말.

[天福 천복] 하늘이 주는 행복(幸福).

[天覆地載 천복지재] 천부지재(天覆地載).

[天府 천부] ㉠주대(周代)에 천자(天子)의 조상의 제사에 올리는 세전(世傳)의 보물을 맡은 벼슬. 춘관(春官)에 속함. ㉡천자(天子)가 쓰는 물품을 두는 곳집. ㉢자연의 곳집이라는 뜻으로, 걸차서 산물이 많이 나는 토지를 이름. ㉣산천이 험준하여 천연의 요새를 이룬 토지. ㉤학문에 조예가 썩 깊음을 이름. ㉥달〔月〕의 서울.

[天符 천부] 하늘에서 내린 상서(祥瑞)로운 징조. 천서(天瑞).

[天賦 천부] 천성(天性).

[天賦人權說 천부인권설] 사람은 남에게 좌우(左右) 당하지 않는 자유(自由)의 권리를 평등하게 갖고 있다는 설(說).

[天覆地載 천부지재] 하늘은 덮고 땅은 실음.

[天府之土 천부지토] 천연(天然)의 요해처(要害處)로 땅이 비옥하고 산물(產物)이 풍족(豐足)한 땅.

[天分 천분] ㉠천성(天性). ㉡분수. 분한(分限).　　　　　　　　　　「정신. 영혼.

[天不生無祿之人 천불생무록지인] 누구나 다 같이 하늘에서 먹을 것을 타고난다는 말.

[天崩地壞 천붕지괴] 하늘이 무너지고 땅이 꺼짐.

[天崩之痛 천붕지통] 제왕(帝王)이 붕어(崩御)하심.

[天妃 천비] ㉠물을 맡은 신(神). ㉡천녀(天女).

[天庇 천비] 하늘의 도움. 또, 군주(君主)의 가호(加護).

[天士 천사] 천도(天道)를 아는 사람.

[天使 천사] ㉠하느님의 사명(使命)을 받들고 인계(人界)에 내려온 신(神). ㉡천자(天子)의 사신(使臣). 칙사(勅使). ㉢해와 달. 일월(日月). ㉣무지개.

[天嗣 천사] 천윤(天胤).

[天賜 천사] 하늘에서 내린 것.

[天產 천산] ㉠자연(自然)의 산출(產出). ㉡천산물(天產物).

[天産物 천산물] 자연(自然)히 생겨난 물건.

[天煞 천살] 길하지 못한 별의 이름.

[天上 천상] ㉠하늘의 위. 하늘. ㉡《佛敎》 하늘 위에 신(神)이 있는 곳.

[天常 천상] 하느님이 정(定)한 인륜(人倫)의 길. 오상(五常)의 도(道).

[天象 천상] 천체(天體)의 현상.

[天上界 천상계]《佛敎》 육도(六道)의 하나. 욕계(欲界)·색계(色界)·무색계(無色界)의 제천(諸天).

[天上天下唯我獨尊 천상천하유아독존] 천지 사이에 나보다 높은 것이 없음. 석가(釋迦)가 한 말임.

[天生 천생] ㉠하늘로부터 타고남. 또, 타고난 성질. ㉡자연히 이루어짐. 저절로 남.

[天眚 천생] 지진(地震)·바람·비 따위 하늘이 주는 재앙(災殃).

[天生配匹 천생배필] 하늘이 맺어 준 배필(配匹).

[天生緣分 천생연분] 하늘이 배필(配匹)을 맺어 준 연분(緣分).

[天序 천서] ㉠천자(天子)의 계통(系統). ㉡천체(天體)의 차서(次序).

[天瑞 천서] 하늘에 나타나는 상서(祥瑞). 천부(天符).

[天鼠 천서] 박쥐.

[天錫 천석] 하늘이 내려 줌. 또, 그것.

[天仙 천선] 하늘에 산다고 하는 신선(神仙).

[天旋地轉 천선지전] 세상만사가 많이 변함.

[天成 천성] 자연히 이루어짐.

[天性 천성] 타고난 성품(性品).

[天聲 천성] 하늘의 소리란 뜻으로, 일반적으로 세평(世評)을 이름.

[天素 천소] 타고난 성질.

[天孫 천손] ㉠직녀성(織女星)의 별칭. ㉡태산(泰山)의 별칭.

[天水 천수] 빗물.

[天守 천수] 천진(天眞)을 지켜 보전함.

[天授 천수] 하늘이 내려 줌. 하늘이 내려 준 바.

[天壽 천수] ㉠천자(天子)의 수(壽). ㉡타고난 목숨. 천명(天命).

[天數 천수] ㉠천명(天命). ㉡천운(天運).

[天水一碧 천수일벽] 하늘과 물이 하나의 푸른빛을 이루어 합침.

[天時 천시] ㉠간지(干支)의 운행(運行)에 따라 혹은 길(吉)하고 혹은 흉(凶)한 때. ㉡때를 따라 돌아가는 인생(人生)과 밀접한 관계가 있는 자연(自然)의 현상(現象). 곧, 주야(晝夜)·계절(季節) 등. ㉢하늘의 도움을 받는 시기.

[天時不如地利 천시불여지리] 하늘의 때는 지세(地勢)의 이로움만 같지 아니함.

[天神 천신] 하늘의 신(神).

[天神地祇 천신지기] 천신과 사직(社稷).

[天心 천심] ㉠하느님의 마음. 천의(天意). ㉡하늘의 한가운데.

[天鵝 천아] 고니. 백조(白鳥).

[天鵝聲 천아성] ㉠변사(變事)가 있을 때에 군사(軍士)를 모으기 위하여 부는 나팔 소리. ㉡임금이 대궐(大闕)을 나섰을 때에 부는 태평소(太平簫)의 소리.

[天眼 천안] 보통의 육안(肉眼)으로 볼 수 없는 사물을 보는 안식(眼識).

[天顏 천안] 천자(天子)의 얼굴.

[天安門 천안문] 중국 북경시(北京市) 중심에 있는 자금성(紫禁城)의 정문(正門). 문 앞에는 큰 광장(廣場)이 있어 각종 집회·행사가 열림.

[天眼通 천안통]《佛敎》 천안(天眼)이 있어 욕계(欲界)·색계(色界)를 자유자재로 볼 수 있는 신통력(神通力).

[天殃 천앙] 하늘에서 벌(罰)로 내리는 앙화(殃禍).

[天涯 천애] ㉠하늘의 끝. ㉡썩 먼 곳.

[天涯如比隣 천애여비린] 썩 먼 곳도 이웃에 있는 것 같음.

[天涯地角 천애지각] 하늘의 끝과 땅의 모퉁이. 곧, 썩 먼 곳.

[天壤 천양] 하늘과 땅. 천지(天地).

[天壤無窮 천양무궁] 천지(天地)와 더불어 끝이 없음. 영구(永久).

[天壤之差 천양지차] 하늘과 땅 사이와 같이 엄청난 차이.

[天語 천어] 천자(天子)의 말.

[天業 천업] 천자(天子)가 천하를 다스리는 일. 제왕의 사업.

[天輿 천여] 하늘이 줌. 하늘의 준 바.　「役)

[天役 천역] 하늘의 사역(使役). 하늘의 노역(勞

[天然 천연] 자연 그대로의 상태. 인공(人工)을 가(加)하지 아니한 상태.

[天淵 천연] ㉠하늘과 못. 전(轉)하여, 위와 아래. ㉡대단히 현격(懸隔)함. 현격한 차이가 짐.

[天然痘 천연두] 오한(惡寒)·발열(發熱)이 앞서 나고 전신에 두창(痘瘡)이 생기는 전염병(傳染病). 마마.

[天然物 천연물] 인공(人工)을 가(加)하지 아니한 그대로의 물건.

[天然美 천연미] 자연미(自然美).

[天然色 천연색] 인공(人工)을 가(加)하지 아니한 그대로의 빛깔.

[天淵之差 천연지차] 하늘과 못과의 차이. 곧, 대단한 차이를 이름. 천양지차(天壤之差).

[天吳 천오] 해신(海神)의 이름.

[天王 천왕] ㉠천자(天子). 제왕. ㉡《佛敎》 욕계(欲界)·색계(色界)의 주(主).

[天王星 천왕성] 태양계(太陽系)의 제 7행성(行星). 위성(衛星) 네 개가 있고, 약 84년에 태양(太陽)을 일주(一周)하는 유성(遊星).

[天外 천외] 아주 먼 곳. 또는 가장 높은 곳.

[天外放浪 천외방랑] 먼 곳에서 방랑함.

[天牛 천우] 갑충류(甲蟲類)에 속하는 곤충. 하늘소.

[天宇 천우] ㉠하늘. ㉡천하(天下). 천자(天子)가 있는 서울.

[天佑 천우] 하느님의 도움.

[天祐 천우] 천우(天佑).

[天佑神助 천우신조] 하느님과 신령의 도움.

[天運 천운] ㉠하늘이 정(定)한 운수. 자연의 운수. ㉡천체(天體)의 운행(運行).

[天元 천원] ㉠자연의 근본. ㉡천자(天子). 제왕.

[天苑 천원] ㉠별의 이름. 필성(畢星)의 남쪽에 있음. ㉡천자(天子)의 정원(庭園).

[天媛 천원] ㉠칠석(七夕)의 직녀(織女). ㉡천녀(天女).

[天圓地方 천원지방] 하늘은 둥글고 땅은 네모짐.

[天位 천위] ㉠천자(天子)의 자리. ㉡천체(天體)의 위치.

[天威 천위] ㉠하느님의 위력(威力). ㉡천자의 위엄(威嚴). ㉢천자의 위력. ㉣자연히 갖추어진

위엄. ㉤하늘이 내리는 형벌 (刑罰).

[天威咫尺 천위지척] 천자 (天子)를 가까이 배알 (拜謁)하여 대단히 황공함.

[天維 천유] 하늘이 떨어지지 않도록 지탱하는 밧줄. 하늘이 이루어지는 근본 (根本).

[天誘其衷 천유기충] 인심 (人心)이 자연히 어느 한 곳으로 쏠림을 이름.

[天胤 천윤] 하느님 또는 천자 (天子)의 계승자 (繼承者).

[天恩 천은] ㉠하느님의 은혜 (恩惠). ㉡천자 (天子)의 은혜 (恩惠).

[天銀 천은] 품질 (品質)이 좋은 은.

[天泣 천읍] 구름 한 점 없는 맑은 날에 오는 비.

[天應 천응] 하느님의 감응 (感應).

[天衣 천의] ㉠천자의 옷. ㉡선인 (仙人)의 옷. ㉢천인 (天人)의 옷. 극히 가벼운 것.

[天意 천의] ㉠하느님의 뜻. 극히 천자 (天子)의 뜻.

[天衣無縫 천의무봉] 하늘에 있다는 직녀 (織女)가 짜 입은 옷은 솔기가 없다는 뜻으로, 시문 (詩文) 등이 너무 자연스러워 조금도 꾸민 티가 없음을 이름.

[天人 천인] ㉠하느님과 사람. ㉡천상 (天象)과 인사 (人事). ㉢유덕 (有德)한 사람. ㉣비상히 뛰어난 사람. 인걸 (人傑). ㉤하늘 위의 사람. 또, 하늘에서 이 세상에 내려온 사람. ㉥(佛教)천상계 (天上界)에 사는 사람. ㉦미인 (美人).

[天姻 천인] 천자 (天子)의 인척 (姻戚).

[天人之道 천인지도] 하느님과 인간 (人間)에게 상통 (相通)하는 우주 간 (宇宙間)의 근본 원리 (根本原理).

[天人之會 천인지회] 하느님의 뜻과 인심 (人心)이 모여 천자 (天子)가 될 운 (運)이 돌아옴.

[天日 천일] 해. 태양 (太陽).

[天日之表 천일지표] 사해 (四海)에 군림 (君臨)할 상 (相). 곧, 천자 (天子)의 인상 (人相).

[天子 천자] ㉠하느님의 아들. 천하를 다스리는 사람. 곧, 황제.

[天姿 천자] 타고난 모습.

[天資 천자] 타고난 자질 (資質). 타고난 바탕. 천품 (天稟).

[天慈 천자] 천자 (天子)의 자애.

[天子無戲言 천자무희언] 천자는 실없는 말이 없음. 곧, 말한 바는 반드시 실행하여야 함.

[天作 천작] 자연히 이루어짐. 저절로 생김.

[天爵 천작] 자연히 세상 사람에게 존경을 받는, 날 때부터 갖추고 나온 덕.

[天蠶 천잠] 참나무산누에나방의 유충 (幼蟲). 모양은 누에와 비슷하나 빛이 푸르며 고치는 녹색 (綠色)임.

[天匠 천장] 천공 (天工) ❶.

[天長節 천장절] 당 (唐)나라 현종 (玄宗)의 생일 이름. '천추절 (千秋節)' 참조 (參照).

[天長地久 천장지구] 하늘과 땅은 영구 (永久)히 변 (變)하지 아니함.

[天藏之祕 천장지비] 파묻혀 세상 (世上)에 드러나지 아니함.

[天才 천재] ㉠타고난 재능. ㉡날 때부터 갖추고 어난 재주. 또, 그 사람.

[天災 천재] 바람·비 등의 자연 (自然)의 재앙 (災殃).

[天宰 천재] 백관 (百官)의 장 (長). 총재 (冢宰).

[天裁 천재] 천자 (天子)의 재결 (裁決).

[天災地妖 천재지요] 천지 (天地)의 재변 요괴 (災變妖怪). 하늘과 땅에 일어나는 재난 (災難)이

나 변사 (變事).

[天占 천점] 하늘에 나타나는 길흉 (吉凶)의 조짐.

[天井 천정] ㉠방(房)·마루 등의 위 되는 곳. 곧, 지붕의 안쪽. 천장 (天障). ㉡땅이 함입 (陷入)하여 물이 솟아 나오는 곳. ㉢수문 (水門).

[天庭 천정] ㉠이마의 한가운데. ㉡별의 이름. ㉢하늘. 천상 (天上).

[天井不知 천정부지] 《韓》물건 값이 자꾸 오르기만 함을 이르는 말.

[天定亦能勝人 천정역능승인] 악인들이 너무 강하여 일시적으로는 득세할지라도 천도 (天道)가 순환하여 반드시 그들에게 화 (禍)를 내림.

[天定緣分 천정연분] 천생연분 (天生緣分).

[天帝 천제] 천지 (天地)를 주재 (主宰)하는 신 (神). 하느님.

[天祭 천제] 하느님께 지내는 제사.

[天際 천제] 하느님의 가. 하늘의 끝. 곧, 하늘의 가장 높은 곳.

[天助 천조] 하늘의 도움.

[天阻 천조] 천험 (天險).

[天祚 천조] ㉠천자 (天子)의 지위. ㉡하느님이 내린 복조 (福祚).

[天造 천조] 하늘의 조화 (造化).

[天朝 천조] 천자의 조정 (朝廷).

[天造草昧 천조초매] 천지 (天地)의 개벽 (開闢).

[天縱 천종] 하늘에서 허여 (許與)함. 하늘에서 준 덕 (德)을 갖춤. 또, 그 성격.

[天縱之聖 천종지성] ㉠공자 (孔子)의 덕화 (德化). ㉡제왕의 성덕 (聖德)을 칭송하는 말.

[天主 천주] ㉠천주교에서 우주 (宇宙)·만물 (萬物)의 창조자 (創造者). 하느님.

[天柱 천주] 하늘을 괴고 있다고 하는 기둥.

[天誅 천주] ㉠하늘이 하는 주벌 (誅伐). ㉡천의 (天意)로써 행하는 주벌 (誅伐).

[天主教 천주교] 기독교 (基督教)의 구교 (舊教)의 일파 (一派). 가톨릭교.

[天柱折地維缺 천주절지유결] 천주 (天柱)가 부러지고, 지유 (地維)가 끊긴다는 뜻으로, 천하의 분란 (紛亂)이 심함을 이름.

[天中佳節 천중가절] 단오 (端午).

[天池 천지] ㉠바다. ㉡별 이름. ㉢높이 가설 (架設)한 홈통.

[天地 천지] ㉠하늘과 땅. ㉡우주 (宇宙). ㉢세상 (世上). ㉣위와 아래. ㉤차이가 대단함의 비유.

[天智 천지] 타고난 지혜 (智慧).

[天地角 천지각] 하나는 위로 하나는 아래로 향한 짐승의 뿔.

[天地間 천지간] 하늘과 땅의 사이.

[天地開闢 천지개벽] 하늘과 땅이 처음으로 열림.

[天之美祿 천지미록] 하늘에서 내려 준 좋은 녹 (祿)의 뜻. 술의 미칭 (美稱).

[天地分格 천지분격] 서로 매우 다름.

[天地壽 천지수] 천지 (天地)와 같이 오래도록 다하지 않는 목숨. 무궁한 수명.

[天地神明 천지신명] 우주 (宇宙)를 주재하는 신령 (神靈).

[天之曆數 천지역수] 제왕 (帝王)이 되는 천운 (天運). 제왕이 되는 자연 (自然)의 순서 (順序).

[天地一大戲場 천지일대희장] 천지간에는 흥망 성쇠로 변화가 잦아 마치 한 큰 연극장 같음.

[天地板 천지판] 관 (棺)의 뚜껑과 바닥의 널.

[天職 천직] ㉠하느님이 맡긴 직무. ㉡하느님의 직무. 하느님이 맡은 바. ㉢천자 (天子)의 직무.

②천도(天道)를 좋아하는 일.　　　「됨.
[天眞 천진] 조금도 꾸밈이 없이 자연 그대로 참
[天眞爛漫 천진난만] 거짓과 꾸밈이 없이 천진(天
眞) 그대로 찬란히 나타남.
[天眞挾詐 천진협사] 어리석게 보이는 가운데 거
짓이 섞임.
[天疾 천질] 날 때부터 타고난 병.
[天質 천질] 타고난 성질(性質).
[天塹 천참] 강하(江河) 따위로 인하여 저절로 이
루어진 요충지(要衝地).
[天窓 천창] 방을 밝게 하기 위하여 천장에 낸 창.
[天聽 천청] 하느님 또는 천자(天子)께서 들음.
[天體 천체] ㉠하늘의 형체(形體). ㉡일월성신
(日月星辰)의 총칭(總稱).　　　「愛.
[天寵 천총] 하느님 또는 천자(天子)의 총애(寵
[天樞 천추] 북두칠성의 첫째 별. 추성(樞星).
[天竺 천축] 중국에서 이르는 인도(印度)의 고칭
(古稱).
[天癡 천치] 날 때부터 정신 작용(精神作用)이 완
전(完全)하지 못한 사람.
[天則 천칙] 우주의 대자연(大自然)의 법칙.
[天秤 천칭] 저울의 한 가지. 천평칭(天平秤).
[天台 천태] ㉠저장 성(浙江省) 톈타이 현(天台
縣)의 서쪽에 있는 천태종의 성지(聖地)인 산.
㉡천태종(天台宗).
[天台宗 천태종] 불교의 한 파(派). 인도의 용수
(龍樹)가 개조(開祖)임.
[天統 천통] ㉠자연의 법칙. ㉡천자(天子)의 혈통
(血統).
[天陛 천폐] 천자(天子)가 사는 궁전의 섬돌.
[天表 천표] ㉠천외(天外). ㉡제왕(帝王)의 의용
(儀容).
[天稟 천품] 타고난 기품(氣稟). 천성(天性).
[天風 천풍] 하늘 높이 부는 센 바람.
[天必厭之 천필염지] 하느님이 반드시 미워하여
벌을 내림.
[天下 천하] ㉠하늘 아래. ㉡온 나라.
[天河 천하] 은하(銀河).
[天下奇才 천하기재] 천하에서 비견할 이가 없을
만한 큰 기재(奇才). 천하에 드문 기재.
[天下大勢 천하대세] 세상(世上)이 돌아가는 추
세(趨勢).　　　　「라.
[天下萬國 천하만국] 지구 상(地球上)의 모든 나
[天下萬事 천하만사] 세상(世上)의 모든 일.
[天下名唱 천하명창] 세상(世上)에 드문 유명(有
名)한 소리꾼.
[天下母 천하모] ㉠만물 생성(生成)의 근원. ㉡황
태후(皇太后).
[天下無棄物 천하무기물] 세상에는 하나도 버릴
것이 없음. 무슨 물건이든 한 가지의 용도는 있
음.
[天下無雙 천하무쌍] 천하에 비길 것이 없음.
[天下非一人之天下天下之天下 천하비일인지천하
천하지천하] 천하는 천자의 사유물이 아니고 천
하 만민의 공유물임.
[天下壯士 천하장사] 세상에 드문 장사(壯士).
[天下之士 천하지사] 천하에서 뛰어난 선비.
[天下之才 천하지재] 천하에서 비견할 이가 없을
만큼 큰 재주를 가진 사람. 천하에 드문 재사
(才士).
[天下太平 천하태평] ㉠온 천하가 극히 잘 다스려
져 있음. ㉡걱정 근심 없이 크게 평안함. 천하
태평(天下泰平).

[天旱 천한] 가물. 가물음.
[天漢 천한] 은하(銀河).
[天幸 천행] 뜻밖의 우연한 행복(幸福). 하늘이
주는 행복.
[天香 천향] 뛰어나게 좋은 향기.
[天香國色 천향국색] ㉠모란(牡丹)의 이칭(異
稱). ㉡세상에서 제일가는 미인. 천하일색(天
下一色).
[天憲 천헌] 조정(朝廷)의 법령(法令). 천자(天
子)의 명령(命令).
[天險 천험] 천연적(天然的)으로 험난(險難)하게
생긴 땅.
[天玄 천현] 하늘의 정기(正氣).
[天顯之親 천현지친] 부자·형제 등의 천륜(天倫)
의 지친(至親).
[天刑 천형] ㉠자연(自然)의 법(法). ㉡천벌(天
罰). ㉢환관(宦官).
[天刑病 천형병] 문둥병.
[天惠 천혜] 하늘의 은혜(恩惠).
[天祜 천호] 하느님이 주는 행복.
[天閽 천혼] ㉠하느님이 계신 곳의 문(門). 하늘
의 문. ㉡제왕(帝王)의 궁문(宮門).
[天火 천화] 저절로 나는 화재(火災).
[天花 천화] ㉠하늘에서 내리는 꽃. ㉡'눈〔雪〕'의
이칭(異稱).
[天和 천화] ㉠천지(天地)의 화기(和氣). ㉡사람
의 원기(元氣).
[天禍 천화] 하느님이 내리는 재화.
[天花粉 천화분] 하눌타리의 뿌리로 만든 가루.
거담(祛痰)·소갈(消渴)·하열제(下熱劑)로 씀.
[天火日 천화일] 천화(天火)가 난다고 하는 자
(子)·오(午)·묘(卯)·유(酉)의 날. 이날에 상
량(上樑)하거나 지붕을 이면 그 집에 불이 난
다고 함.
[天宦 천환] 나면서부터 자지나 불알이 없는 사
람.　　　　「天帝.
[天皇 천황] ㉠천자(天子). 황제(皇帝). ㉡천제
[天潢 천황] ㉠은하(銀河). ㉡천상(天上)의 못
〔池〕. ㉢천황지파(天潢之派).
[天潢之派 천황지파] 황족(皇族).
[天灰 천회] 광중(壙中)에 관(棺)을 내려놓고 관
위를 다지는 석회(石灰).
[天候 천후] 기후(氣候).
[天休 천휴] 하늘의 아름다운 도리(道理).
● 九重天. 九天. 穹天. 鈞天. 金天. 樂天. 露天.
談天. 曇天. 戴盆望天. 滔天. 冬天. 東天. 登
天. 摩天. 滿天. 梅天. 命在天. 暮天. 旻天.
半天. 梵天. 碧天. 普天. 富貴在天. 不俱戴
天. 飛龍在天. 飛天. 四天. 三天. 霜天.
先天. 雪天. 所天. 垂天. 昇天. 仰天. 五天.
午天. 遙天. 雨天. 有頂天. 六天. 以管窺天.
人天. 一念通天. 一飛沖天. 坐井觀天. 中天.
持國天. 至誠感天. 蒼天. 靑天. 晴天. 秋天.
春天. 沖天. 衝天. 翠天. 則天. 旱天. 寒天.
玄天. 壺中天. 昊天. 渾天. 皇天. 荒天. 回天.
曉天. 後天.

1
④ 〔夭〕 人名
　一 = 요 ①②㉡篠 於兆切 yāo
　　 ③-⑥㉣蕭 於喬切
　二 = 오 ㉩晧 烏皓切 ǎo

筆順 ノ 二 チ 夭

字解 一 ①일찍죽을 요 '一死'. '人之情, 欲壽

而惡—'《呂氏春秋》. ②굽을 요 굽어 뻗거나 펴지지 않는 모양. '—, 屈也'《說文》. ③무성할 요 풀이 무성함. '厥草惟—'《書經》. ④어릴 요, 예쁠 요 나이가 젊고 용모가 아름다움. '桃之——'《詩經》. '—之沃沃'《詩經》. ⑤얼굴빛화평할 요 '子之燕居, 申申如也, ——如也'《論語》. ⑥재앙 요 재화. '天—是椓'《詩經》. [二] ①어린 애 오 유아. '不殺胎, 不殀—'《禮記》. ②새끼 오 갓 태어난 조수(鳥獸)의 새끼. '毋殺孩蟲胎—'《禮記》.

[字源] 甲骨文 金文 篆文 象形. 젊은 무녀(巫女)가 나긋나긋 몸을 움직이며 신(神)을 부르는 춤을 추는 모양을 본떠, '젊다'의 뜻을 나타냄.

[夭姣 요교] 젊고 예쁨. 또, 그 사람.
[夭矯 요교] 뛰어오르는 모양.
[夭蟜 요교] ㉠용(龍)이 뛰어오르는 모양. ㉡끊임 없이 뻗어 나가는 모양. ㉢나뭇가지가 꼬부라진 모양.
[夭那 요나] 요나(夭娜).
[夭娜 요나] 예쁘고 날씬함.
[夭桃 요도] ㉠꽃이 아름답게 핀 복숭아나무. ㉡젊고 예쁜 여자의 얼굴. ㉢시집갈 나이.
[夭厲 요려] 유행병(流行病).
[夭斜 요사] 바르지 아니함. 부정(不正).
[夭死 요사] 일찍 죽음. 나이가 젊어서 죽음.
[夭傷 요상] 요사(夭死).
[夭殤 요상] 요사(夭死). 상(殤)은 스무 살도 못 되어 죽는 일.
[夭逝 요서] 요사(夭死).
[夭遏 요알] 요알(夭閼).
[夭閼 요알] 요사(夭死).
[夭枉 요왕] 요절(夭折).
[夭夭 요요] ㉠나이가 젊고 예쁜 모양. ㉡안색(顏色)이 온화한 모양. 얼굴에 화색이 도는 모양. ㉢무성하게 잘 자라는 모양.
[夭折 요절] 요사(夭死).
[夭札 요찰] 요사(夭死).
[夭昏 요혼] 태어나서 아직 이름도 짓기 전에 죽음.
◉桃夭. 壽夭. 靜壽躁夭. 早夭. 蚤夭. 胎夭. 橫夭.

[犬]
〔견〕 部首(p. 1386)를 보라.

2 ⑤ [夲]
[一] 토 [平]豪 土刀切 tāo
[二] 본 [上]阮 補衮切 běn

[字解] [一] ①나아갈 토 전진함. '—, 進趣也'《說文》. ②볼 토 왕래하며 보는 모양. '—, 往來見貌'《正字通》. [二] 근본 본 本(木部 一畫)의 俗字.
[字源] 篆文 會意. 大+十. '大대'는 '사람'의 뜻. 열 사람의 능력을 아우른 힘으로 빨리 나아가다의 뜻을 나타냄.

2 ⑤ [夯]
항 [上]養 呼朗切 hāng

[字解] ①멜 항 힘을 들여 물건을 어깨에 멤. '及他人擔—'《禪林寶訓》. ②달구질 항 나무로 땅을 두드려 다짐. '務要剗平—硪堅實'《福惠全書》.
[字源] 會意. 大+力. 크게 힘을 써서 메다의 뜻을 나타냄. 또, 큰 힘을 들여 땅을 다지는 뜻을 나타냄.

[夯夫 항부] 달구질하여 흙을 다지는 인부(人夫).
[夯硪 항아] 달구질하여 땅을 다짐.

2 ⑤ [夳]
[一] 태 [去]泰 他蓋切 tài
[二] 달 [入]曷 他達切

[字解] [一] ①미끄러울 태 미끄러짐. '—, 說文, 滑也'《集韻》. ②클 태, 통할 태 '—, 一曰, 大也. 通也'《集韻》. ③泰(水部 五畫)의 古字. [二] 미끄러울 달 얼음이 미끄러움. 澾(水部 十三畫)은 俗字.

2 ⑤ [夰]
[一] 호 [上]晧 下老切 gǎo
[二] 고 [上]晧 古老切

[字解] [一] ①놓을 호 방축(放逐)함. '—, 放也'《說文》. ②기 호 원기(元氣). '—, 元包經, 泰—入于困. 傳曰, —入于困, 天氣降也'《正字通》. [二] 놓을 고, 기 고 [一]과 뜻이 같음.
[字源] 會意. 大+八

2 ⑤ [头]
[一] 〔관〕貫(貝部 四畫〈p. 2189〉)의 俗字
[二] 〔두〕頭(頁部 七畫〈p. 2546〉)의 簡體字

2 ⑤ [央] [高人]
[一] 앙 [平]陽 於良切 yāng
[二] 영 [平]庚 於驚切 yīng

[筆順] 丨 冂 口 央 央

[字解] [一] ①가운데 앙 ㉠한가운데. 중앙. '宛在水中—'《詩經》. ㉡중간. 반분. '夜未—'《詩經》. ②다할 앙 없어짐. '樂無—兮'《霍去病》. ③오랠 앙, 멀 앙 시간이 김. '未—絕滅'《素問》. ④넓을 앙 광대한 모양. '覽曲臺之——'《司馬相如》. [二] ①선명할 영 '—, 鮮明皃'《集韻》. ②소리부드러울 영 '和鈴——'《詩經》.
[字源] 金文 篆文 象形. 목에 칼을 씌운 사람의 형상(形象). 사람의 목이 채운 칼 속에 있는 데서, 한가운데의 뜻을 나타내게 된 것으로 보임.

[央求 앙구] 부탁함. 원(願)함. 요구함.
[央屬 앙속] 부탁함.
[央央 영영] ㉠넓은 모양. ㉡선명한 모양. ㉢방울 소리가 조화(調和)되어 듣기 좋은 모양. ㉣깃발이 날리는 모양.
◉樂未央. 未央. 夜未央. 中央.

2 ⑤ [失] [中人]
[一] 실 [入]質 式質切 shī
[二] 일 [入]質 弋質切 yì

[筆順] ノ 𠂉 二 牛 失

[字解] [一] ①잃을 실 ㉠빠뜨림. '紛—'. '罔然若有—也'《後漢書》. ㉡놓침. '—農'. '時哉, 不可—'《書經》. ㉢남의 손으로 넘어감. 빼앗김. '旣得之, 患—之'《論語》. ㉣찾지 못함. '迷—道'《史記》. ㉤그르침. 잘못함. '—禮'. '不—其序'《國語》. ②허물 실 과실. 실수. '過—'. '猶有此—'《諸葛亮》. [二] ①놓을 일 마음대로 함. '—, 放也'《集韻》. ②놓칠 일, 달아날 일 逸(辵部 八畫)과 뜻이 같음. '其馬將—'《荀子》.

字源 篆文 夨 指事. 手+乙. '乙'은 손에서 벗어난 물건을 보이며, 손에서 물건을 놓치다, 잃다의 뜻을 나타냄.

[失脚 실각] ㉠발을 헛디딤. ㉡실패 (失敗)함. 그 자리에서 물러남.
[失格 실격] ㉠자격을 잃음. ㉡격식에 맞지 않음.
[失敬 실경] 실례 (失禮).
[失計 실계] 실책 (失策).
[失口 실구] 실언 (失言).
[失權 실권] ㉠권세 (權勢)를 잃음. ㉡권리 (權利)를 잃음.
[失禁 실금] 대소변을 참지 못하고 쌈.
[失氣 실기] ㉠용기를 잃음. 의기저상 (意氣沮喪)함. ㉡까무러침. 기절 (氣絕)함.
[失期 실기] 일정 (一定)한 시기 (時期)를 어김.
[失機 실기] 기회 (機會)를 잃음.
[失念 실념] 잊음. 생각에서 사라짐.
[失農 실농] 농사 (農事)의 시기를 잃음. 농사에 때를 놓침.
[失當 실당] 부당 (不當)함.
[失德 실덕] 덕망 (德望)을 잃음. 또, 그러한 행실.
[失道 실도] 길을 잃음.
[失偶 실려] 실우 (失偶).
[失禮 실례] 예의 (禮儀)에 벗어남.
[失路 실로] ㉠길을 잃음. ㉡출세의 길을 잃음. 뜻을 펴지 못함. ㉢처리를 잘못함.
[失利 실리] 손해 (損害)를 봄.
[失望 실망] 바라는 바대로 되지 않아 낙심함.
[失寐 실매] 잠이 오지 아니함.
[失名 실명] ㉠이름을 잃어버림. ㉡이름이 전하지 아니하여 알려지지 아니함. 이름을 알지 못함.
[失命 실명] 목숨을 잃어버림. 죽음.
[失明 실명] 시력 (視力)을 잃음. 장님이 됨.
[失物 실물] 물건을 잃어버림. 또, 잃어버린 물건.
[失辭 실사] 실언 (失言).
[失色 실색] 놀라서 얼굴빛이 변함.
[失攝 실섭] 몸의 조섭을 잘못함.
[失性 실성] 정신 (精神)에 이상 (異常)이 생김.
[失聲 실성] 소리를 내지 못함.
[失勢 실세] 세력 (勢力)을 잃음.
[失笑 실소] 참으려 하여도 참을 수 없이 웃음이 툭 터져 나옴.
[失損 실손] 잃음.
[失手 실수] 잘못.
[失恃 실시] 어머니의 죽음을 이름.
[失時 실시] 때를 놓침.
[失身 실신] 실절 (失節).
[失信 실신] 신용 (信用)을 잃음.
[失神 실신] 본정신 (本精神)을 잃음.
[失心 실심] 본심 (本心)을 잃음. 근심 같은 것으로 마음이 산란 (散亂)하고 맥이 풀림.
[失馭 실어] ㉠말 모는 방법을 잘못함. ㉡국가를 통어 (統御)하는 방법을 잘못함.
[失語 실어] ㉠뜻하지 않게 잘못 말함. 실언 (失言). ㉡말을 하는 기능을 잃음.
[失言 실언] 잘못한 말. 또, 말을 잘못함. 실구 (失口). 실사 (失辭).
[失業 실업] 직업 (職業)을 잃음. 실직 (失職).
[失戀 실연] 실패한 연애. 이루지 못한 사랑.
[失誤 실오] 과실. 실수.
[失偶 실우] 짝을 잃음.
[失隕 실운] 떨어뜨려 잃음. 잘못하여 그르침. 실추 (失墜).

[失位 실위] 지위를 잃음.
[失音 실음] 목소리가 섬.
[失意 실의] ㉠기분이 좋지 아니함. ㉡뜻을 잃음. 뜻을 펴지 못함.
[失人心 실인심] 여러 사람에게 인심 (人心)을 잃음.
[失跡 실적] 자취를 감춤. 행방불명 (行方不明)이 됨. 실종 (失踪).
[失節 실절] 절개 (節槪)를 굽힘.
[失政 실정] 잘못된 정치 (政治). 또, 정치를 잘못함. 비정 (秕政). 악정 (惡政).
[失貞 실정] 실절 (失節).
[失措 실조] 조치 (措置)를 그르침. 처리를 잘못함.
[失足 실족] 발을 헛디딤.
[失踪 실종] 달아나 자취를 감춤. 간 곳을 모름.
[失蹤 실종] 실종 (失踪).
[失地 실지] 잃은 영토.
[失職 실직] ㉠직업 (職業)을 잃음. ㉡관직 (官職)에서 떨어짐.
[失眞 실진] 실성 (失性).
[失錯 실착] 실수 (失手).
[失策 실책] 잘못된 계책 (計策). 또, 계책을 잘못씀.
[失體 실체] ㉠사태 (事態)를 분별 못함. ㉡체재 (體裁)를 가리지 못함. ㉢체면을 손상함. 면목을 잃음. 실태 (失態).
[失寵 실총] 총애 (寵愛)를 잃음.
[失墜 실추] ㉠떨어뜨려 잃음. ㉡실패 (失敗).
[失寢 실침] 잠이 오지 아니함.
[失態 실태] 체면을 손상함. 면목 (面目)을 잃음. 실체 (失體).
[失敗 실패] 잘못하여 헛일이 됨.
[失捕 실포] 잡은 죄인 (罪人)을 놓침.
[失陷 실함] ㉠잘못함. 또, 잘못. ㉡없어짐. 잃음.
[失合 실합] 실우 (失偶).
[失行 실행] 좋지 못한 행동 (行動). 도덕에서 벗어난 행위.
[失血 실혈] 출혈이 그치지 아니함. 탈혈 (脫血).
[失怙 실호] 아버지의 죽음을 이름. 호(怙)는 자식이 의지하는 아버지의 뜻.
[失魂 실혼] 정신 (精神)을 잃음.
[失火 실화] 잘못하여 불을 냄.
[失和 실화] 사이가 좋지 않게 됨.
[失效 실효] 효력 (效力)을 잃음.
[失候 실후] ㉠때를 잃음. 기회를 잃음. ㉡오랫동안 소식을 전하지 못함.
[失喜 실희] 너무 기뻐서 자제 (自制)할 수 없음.
●過失. 闕失. 漏失. 得失. 亡失. 忘失. 滅失. 紛失. 喪失. 消失. 燒失. 銷失. 時難得易失. 時不可失. 違失. 遺失. 一得一失. 自失. 智者一失. 千慮一失. 廢失. 虧失.

3
⑥ [夨] 〔비〕 比(部首⟨p. 1163⟩)의 古字

3
⑥ [夺] 〔탈〕 奪(大部 十一畫⟨p. 510⟩)의 簡體字

3
⑥ [买] 〔매〕 買(貝部 五畫⟨p. 2193⟩)의 簡體字

3
⑥ [夸] 과 ㉿麻 苦瓜切 kuā 夸

字解 ①풍칠 과 큰소리를 함. 과장함. '一言'.

'齊一詐多變, 反覆之國'《漢書》. ②자랑할 과 자만함. '一鄉里'《漢書》. ③아첨할 과 몸을 굽실거리며 아유함. '無爲一毗'《詩經》. ④아름다울 과 華(艸部 八畫)와 뜻이 같음. '一容乃理'《傅毅》. ⑤클 과 '邑屋隆一'《左思》. ⑥겨를 과 '帶劍者, 一殺人'《漢書》. ⑦약할 과 연약함. 유약(柔弱)함. '一毗, 體柔也'《爾雅》. ⑧헛될 과 '非一以爲名也'《呂氏春秋》. ⑨걸칠 과 跨(足部 六畫)와 同字. '一州兼郡'《漢書》. ⑩성 과 성(姓)의 하나.
[字源] 金文  篆文  形聲. 大+亐〔音〕. '亐우'는 트집 간 활을 바로잡는 도지개를 본뜬 모양. 사람의 활같이 굽은 부분, 가랑이를 크게 벌리는 뜻을 나타냄.

[夸矜 과긍] 자랑함.
[夸大 과대] 크게 떠벌림. 풍을 침.
[夸論 과론] 과언(夸言).
[夸謾 과만] 자랑하여 교만함.
[夸父追日影 과부추일영] 과부(夸父)는 상고(上古) 사람의 이름. 자기의 역량도 모르고 함부로 큰일을 계획하였다가 중도에서 쓰러짐의 비유로 쓰임.
[夸毗 과비] 몸을 굽실거리며 남에게 아첨함.
[夸詐 과사] 큰소리를 하여 속임. 풍을 쳐 기만함.
[夸言 과언] 과장하는 말. 큰소리.
[夸者 과자] 권세를 믿고 잘난 체하는 사람.
[夸誕 과탄] 과장하여 믿을 수가 없음.
[夸衒 과현] 자랑해 과시함.
◉矜夸. 盜夸. 騁夸. 恣夸. 恢夸.

3 ⑥ [夷] [高人] 이 [平]支 以脂切 yí 

[筆順] 

[字解] ①오랑캐 이 중국 동방 미개인. '東一'. '一蠻戎狄'《禮記》. 전(轉)하여, 야만 미개한 민족·국가. '一狄'. '守在四一'《左傳》. ②평평할 이 평탄함. '一坦'. '大道甚一'《老子》. 또, 평탄하게 함. '一竈堙井'《國語》. ③온화할 이 온순하고 인자함. '厥民一'《書經》. ④안온할 이 평온 무사함. '一謐'. '亂生不一'《國語》. ⑤기뻐할 이 희열(喜悅)함. '一愉'. '莫不一悅'《孔子家語》. ⑥클 이 성대함. '降福孔一'《詩經》. ⑦평정할 이, 멸할 이 ㉠멸망시킴. '一滅'. '三族皆一'《荀子》. ㉡죽임. '禽獸殄一'《後漢書》. ⑧무리 이 동등한 자. '在醜一不爭'《禮記》. ⑨상할 이 다침. 또, 상처. 痍(疒部 六畫)와 同字. '察一傷'《左傳》. ⑩깎을 이 풀을 벰. '夏日至而一之'《周禮》. ⑪잘못 이 과오. 실책. '救其一者也'《禮記》. ⑫떳떳할 이 彝(彐部 十五畫)와 同字. '民之秉一'《孟子》. ⑬쉬울 이 '一, 易也'《爾雅》. ⑭명백할 이 '一, 明也'《玉篇》. ⑮웅크릴 이 쭈그림. 또, 책상다리를 하고 앉음. '原壤一俟'《論語》. ⑯성 이 성(姓)의 하나.
[字源] 甲骨文 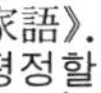 金文 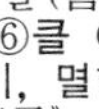 篆文 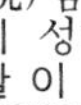 象形. 본래는 줄이 휘감긴 화살을 본뜬 모양. '주살'의 뜻이나, 주살로 상처를 입혀 평정함의 뜻을 보임. 또, 동방(東方)의 오랑캐의 뜻을 나타낸 '尸시'와 통하여, '오랑캐'의 뜻도 나타냄.

[夷簡 이간] 간솔(簡率)함. 까다롭지 아니함. 평담 질박(平淡質朴).
[夷踞 이거] 책상다리하고 앉음.
[夷堅志 이견지] 책 이름. 송(宋)나라 홍매(洪邁)의 찬(撰). 신선(神仙)과 귀신(鬼神)의 이야기를 잡록(雜錄)한 것. 원래 420권이었으나, 지금은 산일(散佚)되어 50권뿐임.
[夷界 이계] 오랑캐의 땅.
[夷考 이고] 공평하게 생각함. 공정히 논함.
[夷曠 이광] 평평하고 넓음.
[夷道 이도] 평탄한 길.
[夷戮 이륙] 주멸(誅滅)함. 또, 주멸당함.
[夷隆 이륭] ㉠평탄함과 높음. ㉡성쇠(盛衰).
[夷蠻戎狄 이만융적] 사방(四方)의 모든 오랑캐.
[夷滅 이멸] ㉠멸(滅)함. 또, 멸망당함. ㉡메워 평탄하게 함. 또, 메워져 평탄히 됨.
[夷謐 이밀] 편안하고 조용함. 평온함. 안정(安靜).
[夷博 이박] 땅이 편평하고 넓음.
[夷俘 이부] 포로(捕虜).
[夷俟 이사] 책상다리를 하고 앉음.
[夷三族 이삼족] 삼족(三族)을 멸(滅)함.
[夷傷 이상] 상처.
[夷俗 이속] 오랑캐의 풍속. 만풍(蠻風).
[夷懌 이역] 기뻐함. 이열(夷悅).
[夷然 이연] 평편한 모양. 편안한 모양.
[夷悅 이열] 기쁨. 기뻐함. 이열(夷說).
[夷隕 이운] 평정해 멸(滅)함.
[夷由 이유] 이유(夷猶).
[夷愉 이유] 이열(夷悅).
[夷猶 이유] 망설이는 모양. 주저하는 모양.
[夷儀 이의] 일정(一定)한 의칙(儀則).
[夷易 이이] ㉠평탄함. ㉡평온함. ㉢쉬움.
[夷狄 이적] 미개(未開)한 외국 민족. 오랑캐.
[夷賊 이적] 도적을 평정함.
[夷翟 이적] 오랑캐. 이적(夷狄).
[夷剪 이전] 삼족(三族)을 멸하여 평정함.
[夷齊 이제] 백이(伯夷)와 숙제(叔齊).
[夷族 이족] 일족(一族)을 멸(滅)함.
[夷敞 이창] 평탄하고 앞이 탁 트임.
[夷跖 이척] 백이(伯夷)와 도척(盜跖). 선인(善人)과 악인(惡人)의 뜻.
[夷則 이칙] ㉠음악에서 십이율(十二律)의 하나. ㉡음력(陰曆) 7월의 별칭(別稱).
[夷坦 이탄] 평탄함.
[夷蕩 이탕] 평온함.
[夷平 이평] 평편함. 또, 평편하게 함.
[夷夏 이하] 이적(夷狄)과 중국. 전(轉)하여, 국내외(國內外).
[夷艦 이함] 오랑캐의 군함. 외국의 군함.
◉曠夷. 九夷. 陵夷. 島夷. 東夷. 等夷. 明夷. 蕃夷. 邊夷. 馮夷. 四夷. 芟夷. 參夷. 傷夷. 燒夷. 鱗夷. 視險若夷. 辛夷. 攘夷. 裔夷. 倭夷. 外夷. 優婆夷. 戎夷. 剪夷. 征夷. 誅夷. 創夷. 醜夷. 鴟夷. 坦夷. 盪夷. 平夷. 遐夷. 蝦夷. 險夷. 紅夷. 荒夷.

3 ⑥ [夻] [韓] 화
[字解] 《韓》 대구 화 바닷물고기인 대구(大口).

3 ⑥ [夸] 夷(前前條)의 古字

3 ⑥ [夹] 夾(次條)의 簡體字

④⑦ [夾] 人名 협 ①-⑤⑧洽 古洽切 jiā
⑥⑦⑧葉 古協切 jiá

夹奀

筆順 一ｱヽ ヌ ｽｽ 夾夾

字解 ①낄 협 ㉠挾(手部 七畫)과 同字. '一牽之'《儀禮》. ㉡끼워 넣음. '膠加鉗一'《柳宗元》. ②가까울 협 '懷爲一'《書經》. ③부축할 협 전후 또는 좌우에서 부축함. 좌우에서 도움. '一輔成王'《左傳》. ④다가올 협. 다가갈 협 '近也'《書經》. ⑤겸(兼)할 협 '一日以飛'《呂溫》. ⑥좁을 협 狹(犬部 七畫)과 통용. '其地東西一, 南北長'《後漢書》. ⑦성 협 성(姓)의 하나.

字源 金文 🔆 🔆 篆文 夾 象形. 팔을 벌리고 선 사람의 양쪽 겨드랑이를 좌우에서 손으로 끼는 모양을 본떠, '끼다'의 뜻을 나타냄.

[夾介 협개] 좌우에서 도움. 「이침.
[夾擊 협격] 전후 또는 좌우 양(兩)쪽으로 끼고 들
[夾鏡 협경] 좌우 두 개의 거울. 준마(駿馬)의 눈이 날카로움의 형용.
[夾谷 협곡] 옛 지명(地名). 지금의 산둥 성(山東省) 내무현(萊蕪縣)에 있음. 공자(孔子)가 노(魯)나라 정공(定公)을 도와 제(齊)나라의 경공(景公)과 회합(會合)한 곳임.
[夾攻 협공] 협격(夾擊).
[夾袋 협대] 호주머니.
[夾路 협로] 큰길에서 갈린 좁은 길.
[夾門 협문] 대문 옆에 있는 작은 문.
[夾房 협방] 곁방.
[夾榜 협방] 문빗장 양쪽에 거는 패.
[夾輔 협보] 좌우에서 도움. 곁에서 도움.
[夾扶 협부] 좌우에서 부축함. 좌우에서 모심.
[夾書 협서] 글줄 옆에 끼어서 적은 글.
[夾城 협성] 성곽의 바깥 둘레에 다시 쌓은 성벽.
[夾侍 협시] ㉠좌우에서 모심. 또, 그 사람. ㉡《佛教》불상의 좌우에 모시고 있는 자. 석가에는 문수(文殊)·보현(普賢), 미타(彌陀)에는 관음(觀音)·세지(勢至) 따위.
[夾室 협실] 정당(正堂)의 좌우에 있는 방. 곁방.
[夾擁 협옹] 좌우에서 옹호함.
[夾繞 협요] 좌우에서 둘러쌈.
[夾子 협자] ㉠게의 집게발. ㉡무엇을 끼우는 데 쓰이는 기구(器具).
[夾雜物 협잡물] 섞인 물건. 순수하지 않은 물건.
[夾牆 협장] 겹으로 된 담.
[夾鍾 협종] ㉠십이율(十二律)의 하나. ㉡음력 2월의 별칭(別稱). 「桃).
[夾竹桃 협죽도] 상록 관목의 하나. 유엽도(柳葉
[夾持 협지] 좌우에서 도움.
[夾紙 협지] 편지 속에 따로 적어 넣은 쪽지.
[夾廁 협치] 끼어 섞임.
●鉗夾. 梵夾. 扶夾.

④⑦ [夽] 人名 운 ㊤吻 魚吻切 yǔn
字解 클 운 '一, 大也'《說文》.
字源 形聲. 大+云〔音〕

④⑦ [夻] 개 ㊦卦 古拜切 jiè
字解 클 개 '一, 大也. 東齊海岱之間, 曰一'《揚子方言》.

字源 形聲. 大+介〔音〕

④⑦ [奀] 망 ēn
字解 파리할 망 몸이 야윔.

⑤⑧ [奄] 人名 ①-⑤⑪琰 衣儉切 yǎn
⑥⑦㊥鹽 衣炎切 yān
⑧㊤豔 於贍切 yān

筆順 一ナ大 ㅊ 夲 夺 奄 奄

字解 ①가릴 엄 掩(手部 八畫)과 同字. '一有龜蒙'《詩經》. ②문득 엄 갑자기. '一忽如神'《漢書》. ③어루만질 엄, 길들일 엄 '一受北國'《詩經》. ④클 엄 크게. '一有四方'《詩經》. ⑤같을 엄 같이. 함께. '一, 一日, 同也'《集韻》. ⑥오랠 엄 淹(水部 八畫)과 同字. '神一留'《漢書》. ⑦성 엄 성(姓)의 하나. ⑧고자 엄 閹(門部 八畫)과 통용. '一尹'. '一十人'《周禮》.

字源 金文 🔆 篆文 奄 會意. 大+申. '申신'은 번개의 형상을 본뜬 모양. 뇌운(雷雲)이 사람의 머리 위를 덮다의 뜻에서, '가리다, 갑자기'의 뜻을 나타냄. 또, 장시간(長時間)을 덮어 가리다, 오랫동안의 뜻으로도 쓰임.

[奄官 엄관] 환관(宦官).
[奄棄 엄기] 갑자기 세상을 뜸. 천자(天子)의 죽음을 이름.
[奄留 엄류] 오래 머묾.
[奄藹 엄애] 구름이나 안개 따위의 가로 길게 뻗쳐 피어오르는 모양.
[奄奄 엄엄] 숨이 장차 끊어지려고 하는 모양.
[奄然 엄연] 갑작스러운 모양.
[奄冉 엄염] ㉠빨리 지나가는 모양. ㉡순하고 부드러운 모양.
[奄虞 엄우] 오래 머물러 즐김.
[奄有 엄유] 덮어 가짐. 전부 점유함.
[奄尹 엄윤] 환관(宦官)의 우두머리. 엄윤(閹尹).
[奄人 엄인] 환관(宦官). 엄인(閹人).
[奄遲 엄지] 머물러 움직이지 아니함.
[奄忽 엄홀] 별안간. 갑자기.

⑤⑧ [奇] 高 人 기 ㊥支 ①-⑧渠羈切 qí
⑨-⑫居宜切 jī

筆順 一ナ大 オ 夲 夲 夸 奇

字解 ①기이할 기 ㉠괴이(怪異)함. 괴상함. '一怪'. '一服怪民'《周禮》. ㉡진귀(珍貴)함. '一聞'. '好此一服兮'《楚辭》. ㉢진부(陳腐)하지 아니함. 새로움. '一論'. '臭腐化爲神一'《莊子》. ㉣뛰어남. 범상(凡常)하지 아니함. '一骨'. '上未之一也'《漢書》. ㉤알 수 없음. 불가해함. '一蹟'. '宇宙乃爾一'《朱熹》. 또, 기이한 일. 기이한 것. '窮一極妙'《王延壽》. ②가만할 기 비밀함. '平凡六出一計'《史記》. ③때못만날 기 불우함. '一薄'. '李廣老數一'《史記》. ④속임수 기 궤사(詭詐). 궤계(詭計). 속임. '以一用兵'《老子》. ⑤사특할 기 바르지 않음. '國君不乘一車'《禮記》. ⑥달리할 기 특별히 다름. '因欲一兩女'《史記》. ⑦심히 기 대단히. '一愛'. '綿定一溫'《世說》. ⑧성(姓) 기 성(姓)의 하나. ⑨하나 기, 한쪽 기 '一, 一日不耦'《說文》. ⑩기수 기 둘로

나뉘지 않는 수. 우수(偶數)의 대. '陽卦一'《易經》. ⑪짝 기 쌍을 이룬 한쪽. '一算爲一'《禮記》. ⑫여수 기 남은 수. '一零'. '歸—於扐, 以象閏'《易經》.

字源 篆文 **奇** 形聲. 大+可〔音〕. '대'는 두 팔다리를 벌리고 선 사람의 형상. '可가'는 갈고리 모양으로 구부러지다의 뜻. 구부리고 선 사람의 뜻. '踦기'의 원자(原字).

[奇車 기거] 한쪽으로 기운 수레.
[奇傑 기걸] 기이(奇異)한 호걸.
[奇警 기경] 기특하고 총명함.
[奇計 기계] 기묘(奇妙)한 꾀.
[奇計縱橫 기계종횡] 교묘한 꾀를 마음대로 부림.
[奇古 기고] 기이하고 고아(古雅)함.
[奇骨 기골] 보통과 다른 골격(骨格). 뛰어난 기풍(氣風).
[奇功 기공] 기이(奇異)한 공로.
[奇觀 기관] 기이(奇異)한 광경.
[奇怪 기괴] 기이(奇異)하고 괴상함.
[奇瑰 기괴] 기이하고 진기함. 또, 그것.
[奇怪罔測 기괴망측] 기괴(奇怪)하여 헤아릴 수 없음.
[奇巧 기교] 기이하고 교묘함.
[奇矯 기교] ㉠뛰어나고 강함. ㉡보통 사람과 다른 기이한 언행을 함. 언행이 중용(中庸)을 얻지 못함.
[奇構 기구] 기이한 구조.
[奇覯 기구] 기우(奇遇).
[奇崛 기굴] 용모가 기이하고 웅장함.
[奇窮 기궁] 몹시 곤궁(困窮)함.
[奇詭 기궤] 기괴(奇怪)함.
[奇技 기기] 기묘한 솜씨. 뛰어난 세공(細工).
[奇氣 기기] 기이한 기운.
[奇奇怪怪 기기괴괴] 매우 기괴함.
[奇妙妙 기기묘묘] 매우 기묘함.
[奇男子 기남자] 재주가 뛰어난 남자.
[奇麗 기려] 뛰어나게 아름다움.
[奇零 기령] 수(數)의 단위 이하.
[奇論 기론] ㉠기괴한 언론. ㉡신기한 언론.
[奇巒 기만] 이상야릇한 산봉우리.
[奇謀 기모] 기묘한 꾀. 남이 생각지도 못한 꾀.
[奇妙 기묘] 기이(奇異)하고 묘함.
[奇文 기문] 기이하고 묘한 글.
[奇聞 기문] 진기한 이야기.
[奇文僻書 기문벽서] 기이(奇異)한 글과 괴벽(怪僻)한 책(冊).
[奇物 기물] 기이한 물건.
[奇璞 기박] 진기한 옥돌. 또, 뛰어난 인물의 뜻으로도 쓰임.
[奇薄 기박] 운수(運數)가 불길(不吉)함. 불운함. 팔자(八字)가 사나움.
[奇拔 기발] 특별(特別)히 뛰어남.　　　「術」.
[奇方 기방] 기이한 방법. 신비(神祕)한 방술(方術).
[奇癖 기벽] 괴팍한 버릇.
[奇變 기변] ㉠뜻밖의 변고(變故). ㉡기이하게 변함.
[奇兵 기병] 기습하는 군대.
[奇服 기복] 괴상한 옷.
[奇福 기복] 뜻밖의 복.

[奇峯 기봉] 생김새가 기이한 봉우리.
[奇芬 기분] 기이하고 좋은 향기(香氣).
[奇士 기사] ㉠기이(奇異)한 언행(言行)이 있는 사람. ㉡빼어난 사람.
[奇邪 기사] 바르지 못함. 부정(不正).
[奇事 기사] 기이한 일.
[奇思 기사] 기이한 생각.
[奇狀 기상] 기이한 형상.
[奇相 기상] 기이한 상(相). 이상한 상모(相貌).
[奇想 기상] 남이 상상도 못 할 기발한 생각.
[奇想天外 기상천외] 상식을 벗어난 아주 엉뚱한 생각.
[奇書 기서] 기이한 내용의 책.
[奇瑞 기서] 이상한 상서(祥瑞).
[奇聲 기성] 기묘한 소리. 익숙하지 못한 이상한 소리.　　　　　　「는 수.
[奇數 기수] ㉠기술(奇術). ㉡둘로 나누어지지 않
[奇獸 기수] 진기한 짐승.
[奇術 기술] 기묘(奇妙)한 술법.
[奇習 기습] 기이한 풍습.
[奇襲 기습] 기묘한 꾀를 써서 갑자기 습격함.
[奇勝 기승] ㉠기묘(奇妙)한 경치. 또, 그 장소. ㉡기묘한 꾀를 써서 이김.
[奇巖怪石 기암괴석] 기이(奇異)한 바위와 괴이(怪異)한 돌.
[奇愛 기애] 대단히 사랑함.
[奇語 기어] 기묘한 말. 기언(奇言).
[奇言 기언] 기이한 말.
[奇緣 기연] 기이(奇異)한 인연.
[奇穎 기영] 뛰어나게 영리함.
[奇贏 기영] ㉠여분의 돈으로 사 모은 진기(珍奇)한 것. ㉡나머지. 잔여(殘餘).
[奇玩 기완] 진기한 장난감.
[奇偶 기우] 기수(奇數)와 우수(偶數).
[奇遇 기우] 이상(異常)하게 만남. 뜻밖의 상봉(相逢).
[奇偉 기위] 체격 또는 성격이 기이하고 큼.
[奇瑋 기위] 진기(珍奇)하고 아름다움.
[奇意 기의] 기상(奇想).
[奇異 기이] 이상(異常)함.
[奇人 기인] ㉠미성년자. ㉡기이한 사람. 언행(言行)이 상규(常規)를 벗어난 사람.
[奇日 기일] 짝이 맞지 않는 수의 날.
[奇逸 기일] 기발(奇拔)하고 뛰어남.
[奇字 기자] 자체(字體)가 이상한 글자.
[奇才 기재] 세상(世上)에 드문 재주. 또, 그 사람.　　　　　　　　　　　　「物」.
[奇材 기재] 기이한 인재(人材). 뛰어난 인물(人
[奇績 기적] 기공(奇功).
[奇蹟 기적] 사람의 생각과 힘으로는 할 수 없는 기이(奇異)한 일.
[奇籍 기적] 기이한 책.
[奇絕 기절] 비할 데 없이 기묘함.
[奇節 기절] 뛰어난 절개(節槪).
[奇正 기정] ㉠권도(權道)와 정도(正道). ㉡기습과 정면 공격.
[奇蹄類 기제류] 발 하나에 굽을 하나씩 가진 포유동물(哺乳動物). 말 따위. 우제류(偶蹄類)의 대(對).
[奇峻 기준] 산이 기이하고 높음.
[奇儁 기준] 뛰어남. 또, 뛰어난 사람.
[奇地 기지] 신기한 땅.
[奇智 기지] 기묘한 지혜.

[奇珍 기진] 기이하고 진귀함.
[奇疾 기질] 이상한 병.
[奇策 기책] 기묘한 계책.
[奇策縱橫 기책종횡] 기묘한 계책을 자유자재로 씀.
[奇捷 기첩] 뜻하지 않은 승리.
[奇草 기초] 기이한 풀.
[奇峭 기초] 산이 기이하고 가파름.
[奇臭 기취] 이상한 냄새. 이취(異臭).
[奇趣 기취] 진기한 풍취(風趣). 묘취(妙趣).
[奇致 기치] 기이한 풍치(風致).
[奇快 기쾌] 썩 재미있음. 대단히 상쾌함.
[奇卓 기탁] 특히 뛰어남.
[奇態 기태] 기이한 형태.
[奇特 기특] 특이(特異)함.
[奇葩 기파] 진기하고 뛰어난 꽃.
[奇品 기품] 진기한 물품.
[奇筆 기필] 기발한 능서(能書). 또, 그 필적.
[奇行 기행] 기이한 행동.
[奇驗 기험] 기이한 징험(徵驗).
[奇花 기화] 신기한 꽃.
[奇貨 기화] ㉠진귀(珍貴)한 보배. ㉡절호(絕好)의 기회.
[奇畫 기화·기획] ㉠진기한 그림. ㉡'기획(奇畫)'을 보라.
[奇禍 기화] 뜻밖의 재난(災難).
[奇貨可居 기화가거] 진기한 물건을 사 두었다가 때를 기다리면 큰 이익을 볼 수 있다는 말. 전(轉)하여, 좋은 기회의 뜻으로 쓰임.
[奇花異草 기화이초] 기이(奇異)한 꽃과 풀.
[奇幻 기환] ㉠기괴한 환술(幻術). ㉡이상한 허깨비.
[奇懷 기회] 이상한 회포(懷抱).
[奇畫 기획] 기묘한 꾀. 기계(奇計).
[奇效 기효] 신기한 효험(效驗).
[奇勳 기훈] 기공(奇功).
[奇譎 기휼] 거짓. 허위.
[奇戲 기희] 기이한 장난.
◉高奇. 曠奇. 怪怪奇奇. 怪奇. 瑰奇. 魁奇. 瓌奇. 權奇. 數奇. 神奇. 新奇. 獵奇. 雄奇. 偉奇. 傳奇. 絕奇. 珍奇. 晴好雨奇. 好奇.

5 [奈] [高人] [一] 나 [去]箇 奴箇切 nài
⑧ [二] 내 [去]泰 奴帶切 nài 

[筆順] 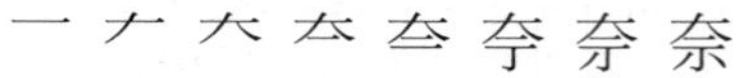

[字解] [一] ①어찌 나 '如何'와 뜻이 같음. '一何'. '唯無形者無可一也'《淮南子》. ②성(姓) 나 성(姓)의 하나. [二] 어찌 내 [一]❶과 뜻이 같음.
[字源] 會意. 본디, 木+示. '示시'는 신사(神事)에 관한 말에 쓰임. 신사(神事)에 쓰이는 과수(果樹)의 일종의 뜻을 나타냄. 뒤에, 잘못 변형(變形)되어 '大+示'로 되었음. 차용(借用)하여, '어찌'의 뜻인 의문(疑問)의 조사(助辭)로 쓰임.

[奈端 나단] 뉴턴(Newton)의 음역(音譯).
[奈落 나락] 《佛教》 지옥. 범어(梵語) Naraka의 음역(音譯).
[奈邊 나변] 어디쯤. 어디. '奈'는 의문의 뜻.
[奈何 내하] ㉠어떤가. ㉡어찌하여.
◉何奈.

5 [夯] 반 [上]旱 蒲旱切 bàn
⑧

[字解] ①나란히갈 반 '一, 竝行也'《說文》. ②짝 반 벗. '一, 侶也'《六書本義》.
[字源] 會意. 夫+夫

5 [卖] 〔매〕
⑧ 賣(貝部 八畫〈p. 2203〉)의 簡體字

5 [奔] [人名] 〔분〕
⑧ 奔(大部 六畫〈p. 507〉)의 俗字

5 [奅] 〔포〕
⑧ 礮(石部 十六畫〈p. 1588〉)와 同字

[字源] 篆文  篆文  形聲. 大+丣(卯)〔音〕

5 [㚘] 〔병·방〕
⑧ 竝(立部 五畫〈p. 1647〉)과 同字

5 [畚] [一] 강 [上]養 古朗切 kǎng
⑧ [二] 분 [去]問 方問切 fèn

[字解] [一] 소금나는못 강 '一, 鹽澤也'《篇海類編》. [二] 떨칠 분 奮(大部 十三畫)의 簡體字.

5 [㚒] [一] 고 [平]虞 古胡切 gū
⑧ [二] 와 [平]麻 烏瓜切

[字解] [一] 클 고 '一, 大皃'《廣韻》. [二] 클 와 [一]과 뜻이 같음.
[字源] 形聲. 大+瓜〔音〕

5 [臭] [一] 고 [上]晧 古老切 gǎo
⑧ [二] 석 [入]陌 昌石切 gǎo
[三] 택 [入]陌 直格切 zé

[字解] [一] 윤 고 희고 반들반들 반짝이는 광택. [二] 윤 석 [一]과 뜻이 같음. [三] 윤 택 澤(水部 十三畫)의 古字. '一, 大白也. 古文目爲澤字'《說文》.
[字源] 會意. 大+白

5 [㚔] [一] 녑 [入]葉 尼輒切 niè
⑧ [二] 엽 [入]葉 日涉切
[三] 입 [入]緝 日執切
[四] 행 [上]梗 胡耿切 xìng

[字解] [一] ①놀랠 녑 사람을 놀라게 함. '一, 所目驚人也'《說文》. ②큰소리 녑 큰 목소리. '一, 一日, 大聲也'《說文》. ③도둑질그치지아니할 녑 '一, 一日, 俗語目盜不止爲一'《說文》. [二] 도둑질그치지아니할 엽 [一]❸과 뜻이 같음. [三] 도둑질그치지아니할 입 [一]❸과 뜻이 같음. [四] 다행 행 幸(干部 五畫)의 古字.
[字源] 會意. 大+羊

5 [奰] [一] 필 [入]質 薄必切 fú
⑧ [二] 불 [入]物 分物切 fú

[筆順] 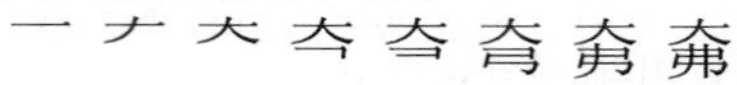

[字解] [一] 클 필 '一, 大也'《說文》. [二] 클 불 [一]과 뜻이 같음.
[字源] 形聲. 大+弗〔音〕

5 ⑧ [奉] 中人 봉 ①-⑧上腫 扶隴切 fèng
⑨去宋　房用切

筆順 一 二 三 丰 夫 表 奉 奉

字解 ①받들 봉 ㉠두 손으로 공경하여 듦. '兩手一長者之手'《禮記》. ㉡공경하여 이어받음. 계승함. '後天而一天時'《易經》. ㉢하명(下命)을 받음. '一命於危難之間'《諸葛亮》. ㉣윗사람을 섬김. '以一其上焉'《詩經》. ㉤웃어른을 위하여 일을 하거나 웃어른과 말할 때 등에 공경하는 뜻을 나타내는 말. '一讀'. '一答天命'《潘勗》. ②바칠 봉 드림. '遣使一獻'《後漢書》. 또, 드리는 물건. 공물(貢物) 따위. '貢一不絶'《後漢書》. ③씀씀이 봉 용도(用度). '百姓之費, 公家之一'《孫子》. ④기를 봉 '一之以仁'《左傳》. ⑤도울 봉 '風雨一之'《淮南子》. ⑥편들 봉 '天一我也'《左傳》. ⑦보낼 봉 '若還寶則一之'《周禮》. ⑧성 봉 성(姓)의 하나. ⑨녹봉 봉 봉급. '一祿'. '小吏勤事而一薄'《漢書》.

字源 金文 丯 篆文 表 形聲. 金文은 ++丰〔音〕. 篆文은 手+++丰〔音〕. '++共'은 '양손'의 뜻. '丰丯'은 '다가붙이다'의 뜻. 양손을 모아 물건을 바치다의 뜻을 나타냄.

[奉加 봉가] ㉠《佛敎》공물(供物)을 바침. ㉡갹금(醵金).
[奉檄之喜 봉격지희] 부모가 있는 사람이 고을의 원이 되는 기쁨.
[奉見 봉견] 받들어 봄.
[奉告 봉고] 받들어 아룀.
[奉公 봉공] ㉠나라를 위하여 진력함. ㉡구실을 바침.
[奉敎 봉교] 가르침을 받듦.
[奉答 봉답] 웃어른에게 삼가 대답함.
[奉戴 봉대] 공경하여 떠받듦.
[奉讀 봉독] 웃어른의 글을 삼가 읽음.
[奉老 봉로] 늙은 부모를 모심.
[奉祿 봉록] 녹봉(祿奉). 녹(祿).
[奉命 봉명] 임금의 명령(命令)을 받듦.
[奉盤 봉반] 소반을 받듦.
[奉陪 봉배] 모심. 시종함.
[奉別 봉별] 웃어른과 이별을 함.
[奉仕 봉사] 군주(君主)를 섬김.
[奉事 봉사] 웃어른을 받들어 섬김.
[奉祀 봉사] 조상(祖上)의 제사(祭祀)를 받듦.
[奉使 봉사] 사신(使臣)이 되어 감.
[奉祠 봉사] ㉠제사 지냄. ㉡송대(宋代)에 공신(功臣)과 학자를 우대하기 위하여 각지의 도교(道敎)의 사원(寺院)의 제사를 맡게 하고 녹(祿)을 주던 벼슬.
[奉祀孫 봉사손] 조상의 제사(祭祀)를 받드는 자손.
[奉朔 봉삭] 천자(天子)가 반포(頒布)한 정삭(正朔)을 받든다는 뜻으로, 천자의 정령(政令)에 복종함을 이름.
[奉嘗 봉상] 제사 지냄. 또, 제사.
[奉粟 봉속] 봉록(俸祿)으로 받는 쌀.
[奉送 봉송] 귀인(貴人)을 전송함.
[奉守 봉수] 받들어 지킴.
[奉受 봉수] 삼가 받음.
[奉承 봉승] 웃어른의 뜻을 받듦.
[奉侍 봉시] 가까이 모시어 섬김.
[奉審 봉심] 받들어 살핌.
[奉安 봉안] 신주(神主)나 화상(畵像)을 모심.

[奉養 봉양] 부모(父母)·조부모(祖父母)를 받들어 모심.
[奉迎 봉영] 귀인(貴人)을 영접함.
[奉邑 봉읍] 식읍(食邑).
[奉引 봉인] 손윗사람을 인도함.
[奉將 봉장] 하느님의 명(命)을 받들어 일을 행함. 봉행(奉行).
[奉呈 봉정] 받들어 올림. 헌상(獻上)함.
[奉祭祀 봉제사] 제사를 받들어 모심.
[奉朝賀 봉조하] 《韓》종이품(從二品) 이상의 벼슬아치가 치사(致仕)한 뒤에 임명(任命)되는 벼슬. 죽을 때까지 녹을 받고 의식(儀式) 때에만 출사(出仕)함.
[奉旨 봉지] 임금의 뜻을 받듦.
[奉持 봉지] 받들어 가짐. 또, 보지(保持)함.
[奉職 봉직] 공무(公務)에 종사함.
[奉體 봉체] 상(上意)을 받들어 행함.
[奉祝 봉축] 공경(恭敬)하는 마음으로 축하(祝賀)함.
[奉勅 봉칙] 칙령(勅令)을 받듦.
[奉親 봉친] 부모(父母)를 받들어 모심.
[奉行 봉행] 웃어른의 뜻을 받들어 일을 행(行)함.
[奉獻 봉헌] 바침. 헌상(獻上)함.
[奉還 봉환] 웃어른에게 도로 돌려 드림.
[奉候 봉후] 귀인(貴人)의 안부(安否)를 물음.
●虔奉. 供奉. 貢奉. 嗣奉. 修奉. 蕭奉. 順奉. 信奉. 營奉. 資奉. 傳奉. 尊奉. 遵奉. 祗奉. 進奉. 瞻奉. 推奉. 統奉.

5 ⑧ [奊] 入屑 혈 胡結切 xǐ, ②xié
字解 ①분개(分槪) 없을 혈 '一詁'는 식견이 없음. 또, 지조(志操)가 없음. '一詁亡節'《漢書》. ②머리비뚤어질 혈 '一, 頭衺骫一態也'《說文》.
字源 篆文 奊 形聲. 矢+圭〔音〕. '矢혈'은 머리를 비스듬히 기울인 모양. '圭규'는 같이 뾰족함의 뜻을 나타냄. 비스듬히 기운 몽골스러운 머리를 이름.

[奊詬 혈후] 식견(識見)이 없음.

5 ⑧ [点] 〔점〕
點(黑部 五畫〈p.2705〉)의 俗字

[尧] 〔주〕
走部 一畫(p.2213)을 보라.

6 ⑨ [奎] 人名 규 ①②④齊 苦圭切 kuí
③上紙　苦委切 kuǐ

筆順 一 ナ 大 夻 夲 奎 奎 奎

字解 ①별이름 규 이십팔수(二十八宿)의 하나. 백호 칠수(白虎七宿)의 첫째 성수(星宿)로서, 열여섯 별로 구성되어 있며, 문운(文運)을 맡았다고 함. 안드로메다자리에 해당함. 규수(奎宿). '一文', '一曰封豕, 爲溝瀆'《史記》. ②가랑이 규 살. '一, 兩髀之間'《說文》. ③두발벌리고걸을 규 살. '一踽盤桓'《張衡》.
字源 篆文 奎 形聲. 大+圭〔音〕. '圭규'는 위가 삼각형으로 뾰족하다의 뜻. 사람이 가랑이를 벌리고 삼각 모양을 이루다의 뜻으로, 일반적으로 '가랑이, 살'의 뜻을 나타냄. 또, '圭'는 '옥(玉)'의 뜻. 하늘 위의 큰 옥, 안드로메다자리의 뜻을 나타냄. 전(轉)하여, 천자

의 문장·문사(文事)의 경칭(敬稱)으로 쓰임.

[奎文 규문] 문물(文物). 또는, 문장(文章).
[奎璧 규벽] 제후(諸侯)가 천자(天子)를 뵐 때에 가지던 옥(玉).
[奎星 규성] 규수(奎宿).
[奎宿 규수] 자해(字解)❶을 보라.
[奎蹄 규미] 다리를 벌리고 가는 모양.
[奎運 규운] 문예의 발달. 문운(文運).
[奎章 규장] 규한(奎翰).
[奎章閣 규장각]《韓》역대(歷代) 임금의 저술(著述)·필적(筆蹟)·유교(遺敎)·선보(璿譜)·보감(寶鑑) 및 정조(正祖)의 진영(眞影)을 보관한 관아.   「(詔勅)
[奎翰 규한] 천자(天子)의 시문(詩文), 또는 조칙
[奎畫 규획] 천자(天子)의 어필(御筆). 신한(宸翰).

6 ⑨ [牽] 〔견〕
牽(牛部 七畫〈p.1382〉)의 簡體字

6 ⑨ [奏] 高入 주 ㊀宥 則候切 zòu

[筆順] 一 二 三 丰 夫 表 奏 奏 奏

[字解] ①아뢸 주 ㉠군주(君主)에게 여쭘. '一對'. '使人可其一'《史記》. ㉡음악을 함. '一樂'. '一其樂'《中庸》. ②상소 주 군주에게 올리는 글. '尙書令讀一'《漢書》. ③곡조 주 음악의 곡조. '九一乃終'《周禮》. ④모일 주 湊(水部 九畫)와 통용. '一汾陰'《漢書》. ⑤달릴 주 향하여 감. 走(部首)와 뜻이 같음. '予曰有奔一'《詩經》.
[字源] 篆 (表) 古文 (屛) 古文 (岑) 會意. 屮+夲+収. 屮+夲은 확실치 않으나, 일설(一說)에 의하면, 갈라놓은 짐승의 뜻. '収공'은 들어 올린 양손의 象形, 어떤 물건을 양손으로 받쳐 권하는 모양에서, '권하다, 바치다, 드리다'의 뜻을 나타냄.

[奏決 주결] 천자(天子)에게 아뢰어 결정함.
[奏曲 주곡] 악곡(樂曲)을 연주함. 또, 그 악곡(樂曲).
[奏功 주공] ㉠일의 성공을 임금에게 아룀. ㉡일이 성취됨. ㉢효험이 나타남. 주효(奏效).
[奏達 주달] 천자(天子)께 아룀. 주문(奏聞).
[奏對 주대] 천자(天子)에게 상주(上奏)하거나 하문(下問)에 대답함.
[奏牘 주독] 천자에게 올리는 서찰(書札).
[奏覽 주람] 천자가 보게 바치어 올림.
[奏聞 주문] 천자(天子)에게 아룀.
[奏事 주사] 어떤 일을 천자(天子)에게 아룀. 또, 천자에게 아뢰는 사항.
[奏上 주상] 천자(天子)에게 아룀. 상주(上奏).
[奏書 주서] 천자(天子)에게 상주(上奏)하는 문서(文書).
[奏宣 주선] 주진(奏陳).
[奏疏 주소] ㉠상소문(上疏文). ㉡문체(文體)의 이름.
[奏申 주신] 주상(奏上).
[奏樂 주악] 풍류(風流)를 아룀. 음악을 연주함.
[奏按 주안] 천자(天子)에게 아뢰고 죄과(罪科)를 조사함.
[奏案 주안] ㉠천자(天子)에게 올리는 글을 올려 놓는 책상. ㉡천자(天子)에게 올리는 글의 초고(草稿).
[奏御 주어] 주문(奏聞).
[奏議 주의] 천자(天子)에게 상주(上奏)하는 의견서(意見書).   「疏」
[奏章 주장] 천자(天子)에게 올리는 글. 상소(上奏)
[奏裁 주재] 상주(上奏)하여 천자(天子)의 결재를 청함.
[奏陳 주진] 천자에게 아룀. 주선(奏宣).
[奏薦 주천] 상주(上奏)하여 천거(薦擧)함.
[奏請 주청] 상주(上奏)하여 청원(請願)함.
[奏彈 주탄] 상주(上奏)하여 탄핵(彈劾)함.
[奏稟 주품] 천자(天子)에게 아뢰는 일과 천자의 명령을 받는 일.
[奏劾 주핵] 죄과를 들어 탄핵하여 상주(上奏)함.
[奏效 주효] 효력을 나타냄.
●擧奏. 建奏. 糾奏. 錄奏. 獨奏. 伴奏. 伏奏. 面奏. 封奏. 敷奏. 上奏. 宣奏. 疏奏. 述奏. 申奏. 演奏. 議奏. 二重奏. 章奏. 傳奏. 賤奏. 條奏. 陳奏. 進奏. 執奏. 讒奏. 薦奏. 吹奏. 彈奏. 稟奏. 合奏. 劾奏.

6 ⑨ [奐] 人名 환 ㊀翰 呼貫切 huàn

[筆順] ノ ハ 个 个 伯 伯 免 奐

[字解] ①빛날 환 광휘를 발하는 모양. '美哉焉'《禮記》. ②성대할 환 아주 성(盛)함. '惟懿惟一'《漢書》. ③맞바꿀 환 교환(交換)함. '一, 取一也'《說文》. ④클 환 '一, 一日大也'《說文》. ⑤많을 환 '一, 言衆多'《禮記 注》. ⑥흩어질 환 渙(水部 九畫)과 뜻이 같음. '叢集累積, 一衍於其側'《梁谿》.
[字源] 篆 (免) 象形. 산모(産母) 가랑이에 두 손을 갖다 댄 형상을 본떠, 어느 때는 남아(男兒)를, 또 어떤 때는 여아(女兒)라는 식으로 아기를 끄집어내는 모양에서, 바꾸다, 성(盛)하다, 변화 많은 꾸밈의 아름다움 따위의 뜻을 나타냄.

●美奐. 伯奐. 輪奐. 雕奐.

6 ⑨ [契]
一 계 ㊀霽 苦計切 qì
高入
二 결 ㊁屑 苦結切 qiè
三 글 ㊆物 去訖切 qì
四 설 ㊆屑 私列切 xiè

[筆順] 一 二 三 丰 丰丁 韧 韧 契

[字解] 一 ①서약 계, 계약 계 약속. '獨知之一也'《戰國策》. ②계약서 계 계약한 문서. '文一', '掌官一以治藏'《周禮》. ③정의 계 두터운 정. '金蘭之一'. '定金蘭之密一'《晉書》. ④연분 계 부부 등의 인연. '少有道一'《司空圖》. ⑤계약할 계 약속함. '一文', '約一盟誓'《韓詩外傳》. ⑥맺을 계 우정(友情) 또는 부부의 인연 등을 맺음. '未足心先一'《陸游》. ⑦맞을 계 합치함. '一合'. '少與道一, 終與俗違'《詩品》. ⑧끊을 계 割(刀部 十畫)과 뜻이 같음. '一, 絶也'《爾雅》. ⑨새길 계 볜. 쎌. '一, 刻也. 刻識其數也'《釋名》. ⑩없을 계 결(缺)함. '一國威器'《漢書》. ⑪성 계 성(姓)의 하나. ⑫《韓》계 계 옛날부터 내려오는 우리나라의 독특한 협동 단체. '一員'. 二 ①근고할 결 신고하여 일함. '死生一闊'

《詩經》. ②소원(疏遠)할 결 성기어 멂. '非陳—闊之所'《後漢書》. ③끊을 결 단절함. '—三神之歡'《司馬相如》. ④새길 결 조각함. '一舟求劍'《呂氏春秋》. 三 부족이름 글 '—丹'은 4세기(世紀) 이래 몽고의 시라무렌 강 유역(流域)에 유목(遊牧)하고 있었던 부족(部族). 10세기 초에 추장(酋長) 야율아보기(耶律阿保機)가 요(遼)나라를 세웠는데, 후에 금(金)나라에 멸망당하였음. 四 사람이름 설 은(殷)나라 왕조의 시조. '一汝作司徒'《書經》.

字源 篆文 [契] 形聲. 大+㓞〔音〕. '㓞계'는 날붙이로 새(刻)긴다의 뜻. '大데'는 사람의 형상. 맹세나, 죄(罪)·더러워짐을 씻기 위해 사람의 피부나 뼈에 무엇을 새겨 넣는 모양에서, '새기다, 맹세하다, 인연을 맺다'의 뜻을 나타내는 말이 됨. 三일 때에는 의태어.

[契契 결결] 근심하고 괴로워하는 모양.
[契闊 결활] ㉠근고(勤苦)함. ㉡오랫동안 만나지 못함. 소원(疏遠)함.
[契經 계경]《佛敎》석가(釋迦)가 설(說)한 가르침을 기술(記述)한 경전(經典).
[契券 계권] 계약서(契約書).
[契龜 계귀] 거북의 등딱지를 불에 구워 점을 침. 일설(一說)에는, 계(契)는 거북의 등딱지를 굽는 도구를 이름.
[契機 계기] 어떠한 일을 일으키는 기회(機會)나 근거(根據).
[契刀 계도] 한(漢)나라의 왕망(王莽)이 만든 돈의 이름. 칼 모양의 것의 끝에 고리를 단 것으로 길이가 두 치쯤 됨.

[契刀]

[契盟 계맹] 약속을 맺음. 체맹(締盟).
[契文 계문] 계약 문서.
[契父 계부] 양부(養父). 또는 의부(義父).
[契分 계분] 친분(親分). 벗 사이의 두터운 정분.
[契約 계약] ㉠약속. ㉡사법상(私法上)의 효과를 목적으로 하여 두 사람 이상의 사이에 성립되는 의사 표시의 합치.
[契約金 계약금] 계약(契約) 이행(履行)의 담보(擔保)로 주고받는 보증금(保證金).
[契約書 계약서] 계약한 서류(書類).
[契約說 계약설] 국가 또는 사회의 기원(起源) 내지 근거를 국민 또는 사회의 성원(成員)의 계약에 의하여 설명하는 학설(學說). 민약설(民約說).
[契員 계원]《韓》계에 든 사람.
[契印 계인] 두 장의 지면(紙面)에 걸친 날인(捺印).
[契狀 계장] 계약(契約)의 증문(證文). (印)
[契弟 계제] 형제(兄弟)의 의(義)를 맺은 아우. 의제(義弟).
[契照 계조] 계권(契券).
[契票 계표] 계권(契券).
[契合 계합] 꼭 들어맞음. 부합(符合).
[契兄 계형] 형제(兄弟)의 의(義)를 맺은 형. 의형(義兄).
[契會 계회] 결합함. 정의(情誼)를 두터이 함.
[契丹 글안] 자해(字解)三을 보라.
●勘契. 官契. 交契. 膠漆之契. 舊契. 券契. 金蘭之契. 金石之契. 蘭契. 斷金之契. 道契. 同契. 盟契. 冥契. 默契. 文契. 符契. 書契. 宿契. 神契. 心契. 深契. 約契. 魚水之契. 要契.

友契. 右契. 鴛鴦之契. 印契. 情契. 左契. 清契. 親睦契. 合契. 賢契.

6
⑨ [契] 契(前條)의 略字

6
⑨ [參] 一 차 ㉮麻 陟加切 zhà
　　　　㉯禡 陟駕切 zhà
　　　 二 사 ㉮麻 詩車切 shē
字解 一 ①펼 차 펴 넓힘. '一, 張也'《廣韻》. ②자랑할 차 과장함. '紛瑰麗以一靡'《張衡》. ③열 차 문을 열어젖힘. '日中一戶而入'《莊子》. 二 사치할 사 奢(大部 九畫)의 籒文.
字源 奢의 籒文 [參] 形聲. 大+多〔音〕. 모양으로는 크고, 양(量)으로는 많은 모양, 사치하다의 뜻을 나타냄.

6
⑨ [奔] 高人 분 ㉮元 博昆切 bēn

筆順 一 ナ 大 木 本 李 奔 奔

字解 ①달릴 분 ㉠빨리 감. '一走' '鹿斯之一'《詩經》. ㉡빨리 가게 함. 쫓음. '是以一父也'《穀梁傳》. ②달아날 분 도망함. '一竄' '旣合而來一'《左傳》. ③패주할 분 전쟁에 패하여 달아남. 또, 그 군사. '追一逐北'《李陵》. ④빠를 분 '一, 猶疾也'《周禮 注》. ⑤오를 분 '後一蛇'《淮南子》. ⑥예를갖추지않고혼인할 분 '仲春之月, 令會男女, 一者不禁'《周禮》. ⑦성 분 성(姓)의 하나.
字源 金文 䢔文 [奔] 會意. 金文은 大+卉(훼). '大대'는 사람이 달리는 모양을 본뜸. '卉삼'은 많은 발자국의 형상. '맹렬히 달리다'의 뜻.

[奔車之上無仲尼 분거지상무중니] 달리는 수레 위에는 공자(孔子)가 없음. 곧, 군자(君子)는 위태로운 것에 가까이 하지 않음의 비유.
[奔激 분격] 강물의 흐름이 매우 세참.
[奔擊 분격] 돌진(突進)하여 적을 침.
[奔競 분경] ㉠경쟁함. 다툼. ㉡다투어 헛된 이름이나 이익을 추구함.
[奔告 분고] 빨리 가서 알림.
[奔潰 분궤] 패(敗)하여 달아남. 궤주(潰走).
[奔女 분녀] 정식(正式)의 예(禮)를 거치지 않고 남자를 좇아 달아나는 여자라는 뜻으로, 바람난 여자를 이름. 음분녀(淫奔女).
[奔衄 분뉵] 싸움에 패(敗)하여 달아남. 뉵(衄)은 패(敗). 패배(敗北).
[奔湍 분단] 여울. 비단(飛湍).
[奔突 분돌] 달려가 충돌함.
[奔騰 분등] ㉠뛰어오름. ㉡물건 값이 갑자기 올라감.
[奔浪 분랑] 분파(奔波). ●
[奔雷 분뢰] 격렬한 천둥. 강물 따위가 세차게 흐르는 소리의 형용으로도 씀.
[奔流 분류] 세차게 빨리 흐름. 또, 그 물.
[奔馬 분마] 닫는 말.
[奔亡 분망] 달아남. 도망감.
[奔忙 분망] 매우 부산하고 바쁨.
[奔命 분명] 명령에 의하여 분주히 돌아다님.
[奔放 분방] ㉠기세 좋게 달림. 또, 세차게 흐름. ㉡절제 없이 제멋대로 함. 아무 구속을 받지 아니함.

[奔放肆大 분방사대] 강물 따위가 세차게 거침없이 흘러 몹시 큰 모양.
[奔赴 분부] ㉠부고(訃告)를 받고 달려감. 부(赴)는 부(訃)와 통용. ㉡급히 달려감.
[奔駛 분사] ㉠말이 빨리 달림. ㉡물이 쏜살같이 흐름.
[奔散 분산] 뿔뿔이 흩어져 달아남.
[奔喪 분상] 먼 곳에서 친상(親喪)을 당하여 급(急)히 집으로 돌아감.
[奔星 분성] 유성(流星). 별똥별.
[奔慰 분위] 달려가서 위문함.
[奔佚 분일] 분일(奔逸).
[奔逸 분일] ㉠뛰어 도망감. ㉡매우 빨리 달림.
[奔軼 분일] 빨리 달려 앞의 사람을 앞지름. 분일(奔佚).
[奔霆 분정] 빠른 번개.
[奔潮 분조] 세찬 조수.　　　　　　　　　「함.
[奔走 분주] ㉠바삐 달림. ㉡애씀. 진력함. 운동
[奔湊 분주] 달리어 모임.
[奔竄 분찬] 달아나 숨음.
[奔馳 분치] 빨리 달림.
[奔波 분파] ㉠달리는 파도. 빠른 물결. ㉡파도가 닥쳐오듯이 앞을 다투어 감.　　　　「流).
[奔渾 분혼] 세차게 흐름. 또, 빠른 흐름. 분류(奔
●驚奔. 狂奔. 來奔. 逃奔. 跳奔. 淫奔. 追奔. 出奔.

6
⑨ [奕] 人名 혁 ㈜陌 羊益切 yì

筆順 ' 亠 亣 亣 亦 亦 弈 奕

字解 ①클 혁. '――梁山'《詩經》. ②아름다울 혁. 미려함. '士女悠――'《何承天》. ③근심할 혁. 걱정함. '憂心――'《詩經》. ④겹칠 혁. 중첩함. 또, 이어짐. '一世載德'《國語》. '一葉, 累世也'《康熙字典》. ⑤차례 혁. 차서(次序). '萬舞有一'《詩經》. ⑥바둑 혁. 弈(廾部 六畫)과 통용. '一某'. '通國之善一者也'《孟子》. ⑦익숙해질 혁. 배움. '萬舞有一'《詩經》. ⑧갈 혁. 又行也'《廣韻》. ⑨성(盛)할 혁. '一, 盛也'《廣韻》.
字源 篆文 奕 形聲. 大+亦〔音〕. '亦역'은 사람의 양 겨드랑이를 나타내며, 같은 것이 하나 더 있음의 뜻. 차례로 크게 한참 계속됨의 뜻을 보이며, 일반적으로 '커지다, 크다'의 뜻을 나타냄. 또, '大대'를 양손(廾)으로 보아, 손으로 차례차례 돌을 늘어놓는 '바둑'의 뜻을 나타냄.

[奕棊 혁기] 바둑.
[奕代 혁대] 혁세(奕世).
[奕禩 혁사] 매년(每年). 누년(累年).
[奕世 혁세] 여러 대(代). 누대(累代). 누세(累世).
[奕葉 혁엽] 혁세(奕世).　　　　　　　　「世).
[奕者 혁자] 바둑을 두는 사람.
[奕秋 혁추] 옛날 바둑의 명인(名人)이었던 추(秋)라는 사람.
[奕楸 혁추] 바둑판.
[奕奕 혁혁] ㉠큰 모양. ㉡아름다운 모양. ㉢근심하는 모양. ㉣빛나는 모양. ㉤춤추는 모양. ㉥날씬한 모양.
●博奕. 英奕. 婉奕. 昱奕. 遊奕. 赫奕.

[美] 〔미〕
羊部 三畫(p. 1795)을 보라.

[奐] 〔이〕
而部 三畫(p. 1817)을 보라.

7
⑩ [套] 人名 투(토㋥) ㉠晧 他浩切 tǎo ㉣號 叨號切 tào

字解 ①클 투. 길고 큼. '一, 長大也'《集韻》. ②겹칠 투. 중첩됨. '今之沓杯曰一杯'《康熙字典》. ③모퉁이 투. 구부러지거나 꺾이어 들어간 자리. '戰于胡盧一'《康熙字典》. ④덮개 투. 물건의 위를 싸 가리는 것. '封一'. '外一'. ⑤한벌 투. '一一六箇'《西湖志餘》. ⑥우리 투. 짐승을 가두어 두는 곳. ⑦낡을 투. 진부함. '常一'. '舊一'.
字源 會意. 大+長. '크고 길다'의 뜻을 나타냄. 또, 전(轉)하여, 그때까지 있던 사물에 다시 어떤 사물로 겹치다의 뜻이나 어떤 사물이 중첩되어 진부하다의 뜻을 나타냄.

[套頭 투두] 올가미. 덫.
[套書 투서] 인(印). 도장(圖章).
[套袖 투수] 토시.
[套習 투습] 본을 떠서 함.
[套語 투어] 진부(陳腐)한 말. 상투어(常套語).
●舊套. 封套. 常套. 書套. 俗套. 外套. 陳套. 河套.

7
⑩ [畚] 〔분〕
畚(田部 五畫〈p. 1466〉)의 本字

7
⑩ [奘] 人名 장 ㉠養 徂朗切 zhuǎng ㉣漾 徂浪切 zàng

筆順 丨 爿 爿 爿 壯 壯 奘 奘

字解 ①클 장. 몸집이 큼. '秦晉之間, 凡人之大, 謂之一'《揚子方言》. ②성(盛)할 장. '一, 盛也'《玉篇》. ③튼튼할 장. 건강함. '一, 健也'《集韻》.
字源 篆文 奘 形聲. 大+壯〔音〕. '壯장'은 '큰 남자'의 뜻. '굉장히 크다'의 뜻을 나타냄.
參考 奘(廾部 七畫)은 俗字.

7
⑩ [奚] 高人 ☰ 해 (혜㋤) ㉔齊 胡雞切 xī ☰ 혜

筆順 ― 爫 爫 爫 奚 奚 奚 奚

字解 ☰ ①종 해. ㉠노복. '一奴'. '酒人一三百人'《周禮》. ㉡여자 종. 媛(女部 十畫)와 뜻이 같음. ②어찌 해. ㉠의문사. '子一不爲政'《論語》. ㉡반어(反語). '어찌 …하랴. '復一疑'《陶潛》. ③종족이름 해. 중국 랴오허(遼河) 강 상류에 있던 선비족(鮮卑族). ④성 해. 성(姓)의 하나. ☰ 어느곳 혜. 하처(何處). '彼且一適也'《莊子》.
字源 甲骨 金文 奚 篆文 奚 形聲. 大+絲(省)〔音〕. '大대'는 '사람', '絲계'는 '끈을 매다'의 뜻. 끈을 매어 부리는 사람, 곧 '종'의 뜻을 나타냄. 일설(一說)에는, '大+爪+糸'의 會意字라고 함. '何하'와 통하여, '어찌'의 뜻으로 쓰임.

[奚距 해거] 어찌하여.
[奚琴 해금] 속 빈 둥근 나무에 짐승의 가죽을 메우고 긴 나무를 꽂아 줄을 활 모양으로 건 악기(樂器). 깡깡이.

[奚囊 해낭] 당(唐)나라의 이하(李賀)가 명승지를 구경하며 얻은 시(詩)를 해노(奚奴)가 가지고 다니는 주머니에 넣은 고사(故事). 전(轉)하여, 시초(詩草)를 넣어 두는 주머니.
[奚奴 해노] 종.
[奚童 해동] 아이 종.
[奚隸 해례] 남녀의 종. 노비(奴婢).
[奚兒 해아] 오랑캐를 이름.
[奚若 해약] '여하(如何)'와 같음.
[奚自 혜자] 어디에서. 어느 곳에서 왔는가.
●莵奚. 薄奚. 小奚. 羊奚. 驒奚. 嬰奚.

8/⑪ [奝] 조 ㊄蕭 都聊切 diāo

[字解] 클 조, 많을 조 '彫, 大也, 多也. 一, 上同'《廣韻》.
[字源] 形聲. 大＋周〔音〕

8/⑪ [奜] 비 ㊀尾 敷尾切 fěi ㊅未 父沸切

[字解] 클 비 작지 않음. '一, 大也'《廣韻》.

[爽] 〔상〕
爻部 七畫(p.1368)을 보라.

9/⑫ [奢] 人名 사 ㊄麻 式車切 shē

[筆順] 一ナ大夻夳夳夳奢奢

[字解] ①사치할 사 호사함. '一佚'. '視民不一'《漢書》. ②과분할 사 분수에 지나침. '其所持者狹, 而所欲者一'《史記》. ③오만할 사 거만함. '一傲'. '廣博易良而不一'《禮記》. ④넉넉할 사 풍요(豊饒)함. '貲財亦豊一'《張華》. ⑤나을 사 보다 나음. '一, 勝也'《爾雅》. ⑥사치 사 호사(豪奢). '去一卽儉'《後漢書》. ⑦성 사 성(姓)의 하나.
[字源] 金文 ★ 篆文 奢 籒文 奓 形聲. 大＋者〔音〕. '者자'는 많은 것을 모으다의 뜻. 너무 많다의 뜻에서, '사치하다'의 뜻을 나타냄.

[奢麗 사려] 사치하여 화려하게 꾸밈.
[奢靡 사미] 분수에 지나친 사치(奢侈).
[奢肆 사사] 사자(奢恣).
[奢傲 사오] 오만함. 교사(驕奢).
[奢慾 사욕] 사치하고자 하는 욕심.
[奢佚 사일] 사치하고 즐거움.
[奢恣 사자] 사치하고 방자함.
[奢僭 사참] 분에 넘치는 사치를 함.
[奢侈 사치] 지나치게 치레함.
[奢忕 사태] 사치(奢侈).
[奢泰 사태] 사치를 함.
[奢華 사화] 사치하여 화려함.
●夸奢. 嬌奢. 驕奢. 蘭奢. 繁奢. 紛奢. 肆奢. 縱奢. 潛奢. 侈奢. 豐奢. 豪奢.

9/⑫ [報] 〔보·부〕
報(土部 九畫〈p.453〉)의 本字

9/⑫ [奡] 오 ㊅號 五到切 ào

[字解] ①오만할 오 傲(人部 十一畫)와 同字. ②헌걸찰 오 기운이 매우 장함. '一貼力排一'《韓愈》. ③사람이름 오 하(夏)나라 때의 장사(壯士) 이름. '一盪舟'《論語》. ④성 오 성(姓)의 하나.
[字源] 篆文 奡 象形. 얼굴 큰 사람의 모양을 본떠, '깔보다'의 뜻을 나타냄.
●叫奡. 排奡.

9/⑫ [奠] 人名 전 ㊆霰 堂練切 diàn

[筆順] 八台台酋酋酋奠奠

[字解] ①정할 전 결정함. '一都'. '辨其物而一其錄'《周禮》. ②둘 전 지상(地上)에 안치(安置)함. '一之而後取之'《禮記》. ③전올릴 전 제물(祭物)을 올림. '一菜'. '春夏釋一於先師'《禮記》. ④제수 전 제물. '其時羞之一'《韓愈》.
[字源] 甲骨文 酉 金文 奠 篆文 奠 會意. 甲骨文은 酉＋一로획 '一'은 제상(祭床)을 나타냄. 신(神)에게 술을 올려 제사하다의 뜻. '定正'과 통하여, '정하다'의 뜻으로도 쓰임. 金文은 酉＋丌. 篆文은 酋＋丌.

[奠居 전거] 살 곳을 정(定)함.
[奠都 전도] 도읍(都邑)을 정(定)함.
[奠物 전물] 제물(祭物). 제수(祭需).
[奠雁 전안] 혼인(婚姻) 날 신랑(新郞)이 신부(新婦) 집에 기러기를 가지고 가서 상(床) 위에 놓고 하느님께 재배(再拜)하는 예(禮).
[奠儀 전의] 부의(賻儀).
[奠接 전접] 머물러 있을 곳을 정함.
[奠榮 전영] 제사에 청과(靑果)를 올림. 또, 그 청과. 사채(舍菜).
●乞巧奠. 饋奠. 薄奠. 夕奠. 釋奠. 疏奠. 時羞之奠. 遺奠. 祭奠. 助奠. 進奠.

9/⑫ [奲] 복 ㊇屋 蒲木切 pú

[字解] 번거로울 복 '一, 瀆一也'《說文》.
[字源] 會意. 芊＋廾

9/⑫ [奥] 〔오〕
奧(大部 十畫〈p.509〉)의 俗字

9/⑫ [欸] 〔결〕
缺(缶部 四畫〈p.1783〉)과 同字

10/⑬ [窯] 효 ㊄蕭 許幺切 xiāo

[字解] ①길고클 효 장대(長大)한 모양. '一, 長大兒'《集韻》. ②클 효 '一, 博雅, 大也'《集韻》. ③살찔 효 살이 쪄서 뚱뚱함. '一, 肥也'《集韻》.

10/⑬ [奧] 人名 ■ 오 ㊅號 烏到切 ào ■ 욱 ㊇屋 乙六切 yù

[筆順] 丶冂冋甪奧奧奧奧

[字解] ■①아랫목 오 방의 서남우(西南隅). 중국의 가옥에서 가장 깊숙한 곳. 여기에서 제사

지냄. '奠菜席於廟一'《儀禮》. '與其媚於一, 寧媚於竈'《論語》. 전(轉)하여, 깊숙한 가장 구석진 곳. '保太白山之東北阻一'《唐書》. ②그윽할 오 ㉠깊숙함. '地勢險一'《晉書》. ㉡뜻·이치 등이 깊음. 심원함. '一旨', '言精理一'《南史》. ③쌓을 오 축적함. '野無一草'《國語》. ④성 오 성(姓)의 하나. ⊟ ①따뜻할 욱, 더울 욱 煖(火部 十三畫)과 통용. '日月方一'《詩經》. ②후미 욱, 굽이 욱 '瞻彼淇一'《詩經》.

[字源] 篆文 [㲻] 會意. 審(省)+廾. '審심'은 '소상(昭詳)히 하다'의 뜻. '廾공'은 양손의 형상. 눈이 미치지 않아, 두 손으로밖에는 자세히 살필 수 없는, 구석진 곳의 뜻을 나타냄.

[參考] 奧(大部 九畫)는 俗字.

[奧境 오경] 깊고 먼 곳. 심오한 뜻. 오의(奧義).
[奧區 오구] ㉠모퉁이. 구석. ㉡나라의 중심이 되는 곳.
[奧妙 오묘] 심오(深奧)하고 미묘(微妙)함.
[奧如 오여] 깊숙한 모양.
[奧域 오역] 깊숙한 땅. 전(轉)하여, 무덤을 이름.
[奧衍 오연] 심오함. 뜻이 심원(深遠)함.
[奧窔 오요] 방의 깊숙한 구석. 오(奧)는 방의 서남쪽 모퉁이. 요(窔)는 방의 동남쪽 모퉁이.
[奧義 오의] 깊은 이치(理致). 심오(深奧)한 뜻.
[奧藏 오장] 깊숙하여 잘 보이지 않는 곳.
[奧主 오주] ㉠생각이 깊은 군주. ㉡국내(國內)의 군주.
[奧旨 오지] 깊은 뜻. 심오한 뜻.
●閫奧. 禁奧. 潭奧. 堂奧. 祕奧. 深奧. 淵奧. 蘊奧. 窔奧. 隈奧. 幽奧. 精奧. 樞奧. 遐奧. 險奧. 玄奧. 壺奧. 弘奧.

10 ⑬ [奬] 〔장〕 奬(大部 十一畫〈p.510〉)의 略字

11 ⑭ [奪] 高人 탈 ㈡曷 徒活切 duó ㉺隊 徒外切 duì 夺奪

[筆順] 一 ナ 衣 夲 夲 奞 奪 奪

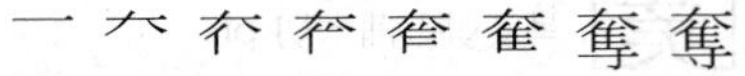

[字解] ①빼앗을 탈 ㉠억지로 빼앗음. '母爲勢家所一'《史記》. ㉡침략하여 빼앗음. 쳐 빼앗음. '襲一齊王軍'《史記》. ㉢봉토(封土) 또는 관록(官祿)을 박탈함. '一伯氏駢邑三百'《論語》. ㉣잃게 함. 놓치게 함. '自一其便'《史記》. '勿一其時'《孟子》. ②빼앗길 탈 전항(前項)의 피동사. '身折勢一, 而以憂死'《史記》. ③떠날 탈 사라짐. '精氣一則虛也'《素問》. ④바꿀 탈 바꿈. 고침. '一, 易也'《玉篇》. ⑤어지럽힐 탈 '給一慈仁'《禮記》. ⑥그르칠 탈 잘못함. '一, 誤也'《廣雅》. ⑦성 탈 성(姓)의 하나. ⑧좁은길 탈 소로(小路). '襲莒十一'《禮記》.

[字源] 金文 [奞] 篆文 [奪] 會意. 金文은 衣+崔+寸. 옷 속에 들어 있는 작은 새를 손으로 꺼내는 모양에서, '빼앗다'의 뜻을 나타냄. 篆文은 又+崔. '崔신'은 '날개 치다'의 뜻. 퍼덕이는 새를 손으로 잡다, 빼앗다의 뜻을 보임.

[奪去 탈거] 빼앗아 감.
[奪氣 탈기] ㉠놀라거나 겁(怯)이 나서 기운이 쑥 빠짐. ㉡몹시 지쳐서 맥이 빠짐.
[奪略 탈략] 약탈(掠奪)함.

[奪掠 탈략] 탈략(奪略).
[奪色 탈색] 같은 종류의 물건 가운데서 특히 뛰어나서 딴것을 압도함.
[奪席 탈석] 좌석의 방석을 빼앗는다의 뜻으로, 그 지위를 빼앗는 일.
[奪扇 탈선] 사람의 칭찬을 빼앗음. 곧, 시문(詩文)의 재주가 뛰어남을 이름.
[奪衣婆 탈의파] (佛敎) 죽어 지옥으로 가는 도중 삼도천(三途川) 가에 이르면 입고 있는 옷을 빼앗는다는 귀파(鬼婆).
[奪嫡 탈적] 지손(支孫)이 종손(宗孫)의 행세(行勢)를 함.
[奪情 탈정] 계속하여 거상(居喪)을 입으려고 생각하는 인정(人情)을 관부(官府)에서 빼앗는다는 뜻으로, 상복(喪服)을 벗고 벼슬에 나가도록 명하는 일. 기복출사(起復出仕)케 하는 일.
[奪宗 탈종] 탈적(奪嫡).
[奪志 탈지] 수절(守節)하는 과부(寡婦)를 개가(改嫁)시킴.
[奪取 탈취] 빼앗아 가짐.
[奪胎 탈태] 고인(古人)의 시문(詩文)의 취의(趣意)를 따서 형식만 바꾸어 시문을 지음.
[奪還 탈환] 도로 빼앗음.
●強奪. 劫奪. 譖奪. 攻奪. 矯奪. 詭奪. 氣消膽奪. 剝奪. 削奪. 生殺與奪. 略奪. 掠奪. 撰奪. 漁奪. 抑奪. 與奪. 枉奪. 擾奪. 褫奪. 爭奪. 竊奪. 篡奪. 鈔奪. 侵奪. 剽奪. 逼奪. 脅奪.

11 ⑭ [盦] 〔렴〕 匲(匚部 十三畫〈p.294〉)의 俗字

[齎] 〔윤〕 大部 十二畫(p.511)을 보라.

11 ⑭ [獎] 高人 장 ㉺養 卽兩切 jiǎng 奖奬

[筆順] 丨 丬 爿 爿 牊 牊 將 獎 獎

[字解] ①도울 장 조성(助成)함. '一王室'《左傳》. ②권장할 장 ㉠권장함. '一勸'. '尊尚師儒, 發揚勸一, 海內知嚮'《唐書》. ㉡개를 부추김. '一, 嗾犬厲之也'《說文》. ㉢알선함. 추천함. '眺好一人才'《南史》. ③표창할 장 상 줌. '恩一'. '賚一優華'《唐書》.

[字源] 篆文 [獎] 形聲. 犬+將〔音〕. '將장'은 고기를 들어 권하는 모양. 개를 부추겨 고기를 먹이는 모양에서, '권면하고 격려하다'의 뜻을 나타냄.

[參考] 《說文》에서는 犬部에 속하여, '獎'으로 쓰는 것이 옳다 하지만, 예로부터 '獎'이 사용되었음. 《廣韻》에서는 '獘'으로 보임.

[獎勸 장권] 권면함. 권장함.
[獎導 장도] 권장하여 인도함.
[獎勵 장려] 권하여 힘쓰게 함.
[獎拔 장발] 권장(勸奬)하고 발탁(拔擢)함.
[獎率 장솔] 권장하고 인도함.
[獎順 장순] ㉠권장하여 순종하게 함. ㉡순종함.
[獎諭 장유] 권하여 타이름.
[獎挹 장읍] 권함.
[獎進 장진] 권장하여 끌어올림.
[獎就 장취] 권면하여 성취시킴.
[獎擢 장탁] 장발(獎拔).

[奬學 장학] 학문을 장려함.
[奬學金 장학금] ㉠가난한 학생(學生)을 위한 학자 보조금(學資補助金). ㉡학문(學問)의 연구(硏究)를 조성(助成)하기 위한 장려금.
[奬詡 장후] 권장하고 치켜세움.
[奬訓 장훈] 권장하여 가르침.
◉開奬. 勸奬. 報奬. 殊奬. 崇奬. 愛奬. 優奬. 恩奬. 慈奬. 提奬. 尊奬. 超奬. 寵奬. 抽奬. 推奬. 褒奬. 訓奬.

12 ⑮ [奫] [人名] 윤 [平]眞 於倫切 yūn

[筆順]

[字解] ①물충충할 윤 물이 깊고 넓은 모양. '一一'. '泓澄一潫'《左思》. ②샘물 윤 솟아 나오는 물. '一, 泉水'《廣韻》.
[字源] 形聲. 大+淵〔音〕

[奫淪 윤륜] 물이 소용돌이치는 곳. 또, 그 모양.
[奫奫 윤윤] 물이 깊고 넓은 모양.

12 ⑮ [奭] [人名] [一] 석 [入]陌 施隻切 shì [二] 혁 [入]陌 郝格切 xì

[筆順]

[字解] [一] ①클 석. ②성낼 석 결냄. '有如兩宮一將軍'《漢書》. [二] 붉을 혁 빨간 모양. '路車有一'《詩經》.
[字源] 甲骨文 篆文 古文 會意. 大+皕. '大대'는, 사람을 본뜬 모양. '皕벽'은 사람의 양측에서 활활 타는 불의 형상으로, '성(盛)하다'의 뜻. 또, '赫혁'과 같은 자(字)였던 모양으로, '붉다'의 뜻을 나타냄.

[樊] 〔번〕
木部 十一畫(p. 1098)을 보라.

13 ⑯ [奮] [高人] 분 [去]問 方問切 fèn 奋

[筆順]

[字解] ①떨칠 분 ㉠세게 흔듦. '一躍'. '不能一飛'《詩經》. ㉡진동(震動)함. '雷出地一'《易經》. ㉢분발함. 분발시킴. '一志氣'. '能一庸'《書經》. ㉣결냄. 분격(憤激)함. '一怒'. '怨秦破項梁軍一'《史記》. ㉤들날림. '一揚'. '一至德之光'《禮記》. ②휘두를 분 손에 잡고 휘휘 돌림. '手一長刀'《宋書》. ③성 분 성(姓)의 하나.
[字源] 金文 篆文 會意. 金文은 衣+隹+田. '田전'은 '전야(田野)'의 뜻으로도, 대바구니의 모양을 본뜬 것으로도 생각됨. 바구니나 옷 속의 새가 필사적으로 퍼덕이는 모양에서, '떨치다'의 뜻을 나타냄. 篆文은 奞+田. '奞신'은 '퍼덕이다'의 뜻. 밭에서 날개를 퍼덕이다의 뜻을 보임.

[奮激 분격] 분발시켜 일으킴. 또, 분발하여 일어남.
[奮擊 분격] 분발하여 적을 냅다 침.
[奮勁 분경] 용기를 내어 강함.
[奮起 분기] 분발하여 일어남.
[奮怒 분노] 성냄.
[奮勵 분려] 분발(奮發)하여 힘씀. 또, 분발하여 힘쓰게 함.
[奮力 분력] 힘을 뽐내어 일으킴.
[奮發 분발] 마음과 힘을 돋우어 일으킴.
[奮飛 분비] 세차게 낢.
[奮臂 분비] 뽐내며 팔을 휘두름. 용기를 냄.
[奮辭 분사] 호언장담함.
[奮迅 분신] 분발하여 일어나 기세가 대단함.
[奮躍 분약] ㉠세차게 뜀. ㉡떨쳐 일어남. 분발하여 일어남.
[奮揚 분양] 발양(發揚)함. 휘날림.
[奮恚 분에] 노(怒)함. 분격(憤激)함.
[奮然 분연] 분발하여 일어나는 모양.
[奮戰 분전] 힘을 다하여 싸움.
[奮進 분진] 분발하여 나아감.
[奮討 분토] 힘을 다하여 토벌함.
[奮鬪 분투] 힘을 다하여 싸움.
[奮效 분효] 분기하여 힘씀.
◉感奮. 發奮. 飛奮. 昂奮. 自奮. 振奮. 亢奮. 興奮.

14 ⑰ [奭] 〔석·혁〕
奭(大部 十二畫〈p. 511〉)의 古字

15 ⑱ [奰] 비 [去]寘 平祕切 bèi

[字解] ①성낼 비 결냄. '內一于中國'《詩經》. ②장할 비 장대(壯大)함. '寒氣贔一頑無風'《韓愈》. ③핍박할 비 바싹 죄어 괴롭게 굶. '姦回內一'《沈不害》.
[字源] 篆文 會意. 《說文》에는 三大+三目. 장대(壯大)함의 뜻을 나타냄. 또, '三罘'의 會意로서, '罘'는 '눈이 큰 사람'의 뜻. '눈을 부라리다'의 뜻을 나타낸다는 설(說)도 있음.

[奰逆 비역] 성내어 반역(叛逆)함.
◉內奰. 怨奰.

19 ㉒ [奱] 련 [平]先 閭員切 luán

[字解] 끌 련, 기어오를 련 '一, 樊也'《說文》.
[字源] 形聲. 𠦬+䜌〔音〕

21 ㉔ [奲] [人名] [一] 차 [上]馬 昌者切 chě [二] 타 [上]哿 典可切 duǒ

[字解] [一] 너그러울 차 관대함. '一, 寬大也'《廣韻》. [二] 풍부할 타, 무거워늘어질 타 '一, 富一一皃'《說文》. '一, 鍇曰, 謂重而垂也'《繫傳》.
[字源] 篆文 形聲. [一]은 單+奢〔音〕. [二]는 奢+單〔音〕.

女 (3획) 部
〔계집녀부〕

0 ③ [女] [中人] [一] 녀 ①-④[上]語 尼呂切 nǚ ⑤[去]御 尼據切 nǜ [二] 여 [上]語 忍與切 rǔ

筆順 ㇆ 女 女

字解 ■ ①계집 녀 여자. '一人'. '坤道成一'《易經》. ②딸 녀 여식(女息). 또, 처녀. '長一'. '釐降二一于嬀汭'《書經》. ③별이름 녀 이십팔수(二十八宿)의 하나. 현무 칠수(玄武七宿)의 셋째 성수(星宿)로서, 별 셋으로 구성됨. ④여수 녀(宿). ④성 녀 성(姓)의 하나. ⑤시집보낼 녀 '一于時《書經》. '一, 以女妻人也'《廣韻》. ■ 너 여 汝(水部 三畫)와 同字. '一知之乎'《孝經》.

字源 (甲骨文·金文·篆文) 象形. 두 손을 얌전히 포개고 무릎을 꿇는 여성을 본뜬 모양. '여자'의 뜻.

參考 '女'를 의부(意符)로 하여, 여러 가지 여자의 심리를 나타내는 문자나, 여성적인 성격·행위, 남녀 관계 등에 관한 글자를 이룸.

[女監 여감] 여자를 수용하는 감방(監房).
[女傑 여걸] 여자 호걸(豪傑).
[女莖 여경] '국화(菊花)'의 별칭.
[女警 여경] 여자 경찰관.
[女系 여계] 부인의 계통. 여자의 혈통.
[女戒 여계] ㉠여색(女色)을 삼가라는 경계. ㉡부녀자 경계.
[女工 여공] ㉠여자의 하는 일. 여공(女功). ㉡여자 직공(職工).「누이.
[女公 여공] 남편의 누님의 경칭(敬稱). 손위 시
[女功 여공] 여자의 일. 주로 길쌈·바느질을 이름.
[女紅 여공] 여공(女功).
[女官 여관] 나인. 궁녀(宮女).
[女校書 여교서] '기녀(妓女)'의 아칭(雅稱).
[女國 여국] ㉠여자들이 산다는 부상국(扶桑國) 동쪽의 전설의 나라. 여인국(女人國). ㉡여자만이 사는 곳. 또는, 여자만이 모여 있는 곳.
[女麴 여국] 찐 찰수수를 반죽하여 쑥으로 얇게 덮은 뒤 누른 옷을 입혀 볕에 말린 누룩.
[女君 여군] ㉠황후(皇后)의 일컬음. ㉡첩(妾)의 큰마누라에 대한 호칭.
[女軍 여군] ㉠여자로써 조직된 군대. 낭자군(娘子軍). ㉡여자 군인.
[女宮 여궁] 형(刑)을 받고 궁중(宮中)에서 종살이하는 여자.
[女權 여권] 여자의 사회상·정치상·법률상의 권「리.
[女妓 여기] 기생. 기녀(妓女).
[女難 여난] 남자가 여자와의 관계로 인하여 당하는 재난(災難).
[女娘 여낭] 색시.
[女德 여덕] 온순·정숙 등 여자가 행하여야 할 도덕. 또, 그 도덕에 맞는 행위.
[女徒 여도] 여수(女囚).
[女蘿 여라] 이끼의 한 가지. 송라(松蘿).
[女郞 여랑] 남자에 못지않은 기개(氣槪)나 재주를 가진 여자.
[女郞花 여랑화] ㉠'목련(木蓮)'의 별칭. ㉡'백목련(白木蓮)'의 별칭.
[女伶 여령] 기녀(妓女).
[女禮 여례] 여자의 예법.
[女流 여류] 여자의 무리.
[女妹 여매] 남편의 여동생. 손아래 시누이.
[女巫 여무] 여자 무당.
[女舞 여무] 여자가 추는 춤.
[女房 여방] 여자가 거처하는 방. 도장방.
[女犯 여범] 《佛敎》 중이 사음계(邪淫戒)를 범하

는 일. 또, 그 죄.
[女卜 여복] 여자 점쟁이.
[女服 여복] 여자의 옷.
[女士 여사] 여자로서 군자(君子)의 행실이 있는 사람. 숙원(淑媛).
[女史 여사] ㉠후궁(後宮)에 출사(出仕)하여 기록·문서 등을 맡은 여관(女官). ㉡학문이 있는 부녀(婦女)의 이름 밑에 붙여서 높이는 말.
[女牀 여상] 별 이름.
[女相 여상] 여자의 상(相). 여자같이 생긴 얼굴.
[女喪 여상] 여자의 상사(喪事).
[女色 여색] ㉠부녀의 얼굴빛. 여자의 고운 태도. ㉡여자와의 육체적 관계.
[女壻 여서] 사위.
[女性 여성] ㉠여자. ㉡여자의 성질.
[女星 여성] 여수(女宿).
[女聲 여성] 여자의 음성.
[女孫 여손] 손녀(孫女).
[女囚 여수] 여자 죄수.
[女宿 여수] 자해(字解)㈂을 보라.
[女僧 여승] 여자 중. 비구니(比丘尼).
[女息 여식] 딸.
[女神 여신] 여성의 신(神).
[女兒 여아] 여자 아이.
[女樂 여악] 여자가 연주하는 음악. 또, 그 여자. 기녀(妓女). 가희(歌姬).
[女謁 여알] ㉠여자가 임금의 사랑을 믿고 권세를 부려 나라의 정치를 어지럽히는 일. ㉡후궁(後宮)에 아첨하여 임금에 가까이하는 일.
[女御 여어] 천자(天子)의 침소(寢所)에서, 그를 섬기는 고귀한 여관(女官).
[女孽 여얼] 여자로서 죄(罪)를 지은 자.
[女王 여왕] ㉠여자 임금. ㉡벌·개미의 암컷.
[女媧氏 여왜씨] 상고(上古)의 제왕(帝王)의 이름. 복희씨(伏羲氏)의 동모매(同母妹). 처음으로 생황(笙簧)을 만들었고, 가취(嫁娶)의 예(禮)를 제정하여 동족의 결혼을 금하였다고 함.
[女優 여우] 여배우.
[女垣 여원] 성가퀴.
[女菀 여원] 국화과에 속하는 여러해살이 풀. 옹굿나물.
[女陰 여음] 여자의 음부(陰部). 여자의 생식기(生殖器).
[女醫 여의] 여자 의사(醫師).
[女夷 여이] 바람의 신(神). 풍신(風神).
[女人 여인] 여편네. 여자. 부녀.
[女人禁制 여인금제] 《佛敎》 부녀자는 수도(修道)에 장애가 되므로 영장(靈場)의 출입을 금하는 일.
[女子 여자] 여성(女性)인 사람.
[女子與小人難養 여자여소인난양] 부녀와 종은 대개 도리(道理)를 해득하지 못하기 때문에 교양하기 어려움.
[女將 여장] 여자 장군.
[女裝 여장] 여자의 차림.
[女牆 여장] ㉠성 위에 쌓은 낮은 담. 성가퀴. ㉡낮은 담.
[女丈夫 여장부] 사내같이 헌걸찬 여자. 여중 장부(女中丈夫).
[女災 여재] 여자가 겪는 재난(災難). 유산(流産) 따위를 이름.
[女賊 여적] ㉠여자 도둑. ㉡남자의 본디의 착한

마음을 어지럽히는 여색 (女色).
[女節 여절] ‘국화 (菊花)’의 별칭 (別稱). 여화 (女華).
[女貞 여정] 목서과 (木犀科)에 속하는 상록 교목 (常綠喬木). 여정목 (女貞木). 광나무.
[女弟 여제] 누이동생. 손아래 누이.
[女帝 여제] 여황 (女皇).
[女尊男卑 여존남비] 여자를 귀 (貴)히 여기고 남자를 천시 (賤視)함. 남존여비 (男尊女卑)의 대 (對).
[女主 여주] ㉠여자 군주 (君主). ㉡황후 (皇后).
[女竹 여죽] 여자가 쓰는 담뱃대.
[女中 여중] 여자 가운데. 여자 중에서.
[女中君子 여중군자] 숙덕 (淑德)이 높은 부녀.
[女中丈夫 여중장부] 여장부 (女丈夫).
[女中豪傑 여중호걸] 호협 (豪俠)한 기상 (氣像)이 있는 부녀 (婦女).
[女眞 여진] 만주 동북쪽에 살던 퉁구스계 부족 (部族).
[女姪 여질] ㉠형제 자매 (兄弟姉妹)의 딸. ㉡《韓》조카뻘.
[女唱 여창] 남자가 여자의 음조로 부르는 노래.
[女婿 여청] 사위. 여서 (女婿).
[女儈 여쾌] 뚜쟁이.
[女態 여태] 여자의 태도.
[女筆 여필] 여자의 글씨.
[女必從夫 여필종부] 아내는 남편을 반드시 따라야 함.
[女學 여학] 여자가 배워야 할 학문 (學問).
[女楷 여해] 부녀자 (婦女子)의 본보기. 여자의 모범. 여감 (女鑑).
[女兄 여형] 손위 누이.
[女形 여형] 여자같이 보이는 형상.
[女鞋 여혜] 여자의 가죽신.
[女戶 여호] 여자가 호주 (戶主)인 집. 정년 (丁年)의 남자가 없는 집.
[女好 여호] 여자답게 상냥함.
[女婚 여혼] 딸의 혼인.
[女禍 여화] 여색 (女色)으로 인한 재앙.
[女皇 여황] 여자 황제.
[女后 여후] 황후 (皇后).
[女訓 여훈] 여자에 대한 가르침.
[女戲 여희] 여우 (女優)의 희극.
　　●歌女. 嫁女. 季女. 工女. 嬌女. 宮女. 妓女. 機女. 男女. 童男童女. 魔女. 巫女. 美女. 婦女. 貧女. 石女. 善男善女. 仙女. 少女. 淑女. 侍女. 息女. 信女. 神女. 惡女. 養女. 麗女. 烈女. 艶女. 令女. 玉女. 王女. 妖女. 怨女. 幼女. 游女. 逸女. 蠶女. 長女. 才女. 貞女. 靜女. 織女. 次女. 朵女. 處女. 天女. 村女. 醜女. 針女. 妬女. 嬖女. 下女. 海女. 賢女. 好女.

² 高
⑤ [奴] 入 노 ①㊀虞 乃都切 nū
　　　　②㊂遇 奴故切

筆順 ㄑ 乄 女 如 奴

字解 ①종 노 남자 종. ‘一僕’. ‘耕當問一’《宋書》. ②놈 노 남의 천칭 (賤稱). ‘一輩利吾家財’《晉書》. 또, 여자의 겸칭 (謙稱). ‘楊太妃, 垂簾與群臣語, 猶自稱一’《宋史》.
字源 甲骨文 金文 篆文 古文 會意. 女+又. ‘又 우’는 무엇을 잡으

려는 손의 뜻. 잡힌 계집종의 뜻.

[奴家 노가] 여자의 제1인칭 대명사. 자신을 낮추어 하는 말. 천첩 (賤妾).
[奴角 노각] 무소의 뿔. 코뿔소의 뿔.
[奴虜 노로] 사로잡혀 종이 된 자.
[奴輩 노배] 종 같은 녀석들. 놈들.
[奴僕 노복] 사내종.
[奴婢 노비] 남자 종과 여자 종.
[奴産子 노산자] 자기 집에서 부리는 종이 낳은 아들.
[奴屬 노속] 종의 무리.
[奴豎 노수] 종.
[奴視 노시] 종을 대하듯 멸시함. 복시 (僕視).
[奴顏 노안] 하인의 굽실거리는 얼굴.
[奴顏婢膝 노안비슬] 남에게 종처럼 지나치게 굽실거리는 비루한 태도.
[奴役 노역] 종이 하는 일. 또, 종. 노예.
[奴隷 노예] 종.
[奴才 노재] ㉠노복 (奴僕). ㉡청 (淸)나라 때 만주인 (滿洲人)의 관리 (官吏)가 황제 (皇帝)에 대해서 자기를 낮추어 일컫던 말. ㉢열등 (劣等)한 재주. 또, 그 사람. ㉣사람을 꾸짖는 말. 놈.
[奴卒 노졸] 하인. 종.
[奴主 노주] 종과 상전 (上典).
[奴畜 노축] 종과 같이 천하게 양육함.
　　●家奴. 監奴. 官奴. 老奴. 農奴. 賣國奴. 麥奴. 錫奴. 守錢奴. 狎奴. 倭奴. 獠奴. 庸奴. 人奴. 引火奴. 鬻奴. 下奴. 黠奴. 奚奴. 匈奴. 黑奴.

² ⑤ [佽] 奴 (前條)의 古字

² ⑤ [奶] 내 ㉻蟹 你矮切 nǎi

字解 젖 내, 젖어미 내 嬭 (女部 十四畫)의 俗字. ‘嬭, 俗讀乃, 改作一’《正字通》. ‘今人呼乳爲一, 呼乳娘爲一娘’《直語補證》.
字源 形聲. 女+乃〔音〕. ‘乃 내’는 태아 (胎兒)를 본뜬 모양. 태아가 있는 여자, 어미, 젖의 뜻을 나타냄.

² ⑤ [奻] 〔낭〕 娘 (女部 七畫〈p.532〉)의 俗字

³ ⑥ [奸] 人名 간 ①-③㊀寒 古寒切 gān
　　　　　　④㊂刪 居顏切 jiān

字解 ①범할 간 침범함. ‘使神人各處其所而不相一’《漢書》. ②구할 간 요구함. 干 (部首)과 통용. ‘以一直忠’《漢書》. ③어지럽힐 간 ‘一, 亂也’《玉篇》. ④간음할 간, 간악할 간 姦 (女部 六畫)과 통용. ‘一淫’. ‘一賊’. ‘抑一細不謹之徒’《晉書》.
字源 篆文 形聲. 女+干〔音〕. ‘干 간’은 ‘범 (犯)하다’의 뜻. 특히, 남녀간의 도덕을 범하다의 뜻. ‘사특하다, 부정하다’의 뜻도 나타냄.
參考 숙어 (熟語)는 姦 (女部 六畫)을 함께 참고할 것.

[奸計 간계] 간사한 꾀.
[奸曲 간곡] 마음이 간사하고 비뚤어짐. 마음에 흉

계를 품음.
[姦巧 간교] 간사하고 교활함.
[姦狡 간교] 간사함. 교활(狡猾).
[姦宄 간귀] 안팎으로 간악한 무리가 도량(跳梁)하여 나라를 어지럽힘. 간(姦)은 내란(內亂), 귀(宄)는 외부(外部)로부터의 분란(紛亂)·전란(戰亂)을 이름.
[姦佞 간녕] 간사하고 아첨을 잘함. 또, 그러한 사람. 간녕(姦佞).
[姦黨 간당] 간악한 무리.
[姦徒 간도] 간악한 무리.
[姦毒 간독] 간사하고 악독함.
[姦吏 간리] 간사한 관리(官吏).
[姦物 간물] 간사한 인물(人物). 간악한 놈. 간도(姦徒).
[姦婦 간부] 간사한 계집. 악부(惡婦).
[姦邪 간사] 마음이 간교(姦巧)하고 행실이 바르지 못함.
[姦詐 간사] 간사(姦邪)하고 남을 잘 속임.
[姦商 간상] 간사한 수단으로 이(利)를 보는 장사치.
[姦商輩 간상배] 간상(姦商)의 무리.
[姦細 간세] ㉠간사한 소인(小人). ㉡간첩. 세작(細作).
[姦臣 간신] 간사한 신하. 간신(姦臣).
[姦惡 간악] 간사하고 악독함.
[姦穢 간예] 간사하고 더러움.
[姦枉 간왕] 간사함. 부정함. 또, 그 자.
[姦妖 간요] 간사하고 요망스러움.
[姦雄 간웅] 간사한 지혜가 있는 영웅.
[姦僞 간위] 간사하고 거짓이 많음.
[姦淫 간음] 부부가 아닌 남녀가 성적 관계를 맺음. 간음(姦淫).
[姦人 간인] 간사한 사람.
[姦才 간재] 간사한 재주.
[姦賊 간적] 간악한 도둑.
[姦智 간지] 간사한 지혜.
[姦策 간책] 간사한 꾀.
[姦慝 간특] 간교(姦巧)하고 사특(邪慝)함.
[姦黠 간힐] 간사하고 약음. 교활함.
[姦猾 간활] 간특하고 교활(狡猾)함.
[姦譎 간휼] 간사하고 음흉함.
[姦凶 간흉] 간특하고 흉악함.
[姦黠 간힐] 간사하고 꾀바름.
●大姦. 佞姦. 斬姦. 讒姦. 漢姦.

³⁄₆ [奻] 난 ㉠刪 奴還切 nuán
字解 다툴 난 말다툼함. '一, 訟也'《說文》.
字源 會意. 女＋女

³⁄₆ [好] 中 호 ①-⑥㊤晧 呼晧切 hǎo
入 ⑦-⑫㊦號 呼到切 hào

筆順 乀 女 女 奵 好 好
字解 ①아름다울 호 미려함. '一女' '齊國中女子, 一者八十人'《史記》. ②좋을 호 ㉠훌륭함. 또, 마음에 듦. '一士' '緇衣之一兮'《詩經》. ㉡바름. '領惡而全一'《禮記》. ㉢화목함. 사이가 좋음. '妻子一合'《詩經》. ③정의 호 친선(親善)의 정(情). '邦君爲兩君之一'《論語》. ④잘호 ㉠곧잘. 자칫하면. '一蔽美而嫉妬'《楚辭》. ㉡능숙히. '一爲之'《宋史》. ⑤끝날 호 완료함.

'粧一方長歎'《韓偓》. ⑥기뻐할 호 '驕人——, 勞人草草'《詩經》. ⑦심히 호 대단히. 방언(方言)임. '一大'(대단히 큼). '一快'(퍽 상쾌함). ⑧좋아할 호 '一事' '如——色'《大學》. 또, 좋아하는 바. '將吏異一'《論衡》. ⑨사랑할 호 '惟仁者能一人, 能惡人'《論語》. ⑩구멍 호 구슬 또는 돈의 구멍. '璧羡度尺, 一三寸以爲度'《周禮》. ⑪즐겨 호 버릇으로 늘. 자주. '一與諸生語'《漢書》. ⑫성 호 성(姓)의 하나.
字源 甲骨文 䚻 金文 ♀中 篆文 ♀子 會意. 女＋子. 어머니인 여성이 아이를 안고 있는 모양에서, 좋고 아름답다의 뜻을 나타냄. 去聲일 때는 '좋아하다'의 뜻을 나타냄.

[好歌 호가] ㉠좋은 노래. ㉡노래를 잘 부름.
[好感 호감] 좋은 감정.
[好個 호개] 적당함.
[好居 호거] 살림이 넉넉하여 잘삶.
[好件 호건] 좋은 사물(事物).
[好景 호경] 좋은 경치.
[好古 호고] 옛 도(道) 또는 옛것을 좋아함.
[好古癖 호고벽] 옛 기물(器物) 등을 매만지기를 좋아하는 버릇. 고벽(古癖).
[好果 호과] 좋은 결과.
[好官 호관] 좋은 관직(官職). 훌륭한 벼슬.
[好句 호구] 좋은 구(句). 아름다운 글귀.
[好逑 호구] 좋은 짝. 훌륭한 배우자.
[好奇 호기] 신기한 것을 좋아함.
[好期 호기] 좋은 시기.
[好機 호기] 좋은 기회. 「음.
[好奇心 호기심] 새롭고 이상한 것을 좋아하는 마
[好男子 호남자] ㉠미남(美男). ㉡재능이 뛰어난 남자.
[好女 호녀] 아름다운 여자. 양녀(良女).
[好大 호대] 대단히 큼.
[好道理 호도리] 좋은 도리.
[好望 호망] 전도(前途)에 희망이 있음. 가망이 있음.
[好名 호명] 이름나기를 좋아함.
[好文 호문] 문학(文學)을 좋아함. 학문을 좋아함.
[好文木 호문목] 매화나무(梅)의 이칭(異稱).
[好問則裕 호문즉유] 모르는 것을 묻기를 좋아하면 얻는 것이 많아 학식이 넉넉함.
[好物 호물] ㉠좋은 물건. ㉡즐기는 물건.
[好物不堅牢 호물불견뢰] 좋은 물건은 오래 가지 아니함.
[好味 호미] ㉠맛있는 것을 좋아함. ㉡좋은 맛.
[好辯 호변] ㉠변설로 남을 이기기를 좋아함. ㉡《韓》 말솜씨가 좋음.
[好辯客 호변객] 말솜씨가 능란한 사람.
[好否 호부] 좋음과 좋지 않음. 호불호(好不好).
[好不好 호불호] 호부(好否).
[好士 호사] 훌륭한 사람. 문아(文雅)한 선비.
[好事 호사] ㉠좋은 일. ㉡일을 벌여 놓기를 좋아함. 「쉬움.
[好事多魔 호사다마] 좋은 일에는 마(魔)가 들기
[好事不出門惡事行千里 호사불출문악사행천리] 좋은 일은 알려지기 어렵고, 나쁜 일은 빨리 유포(流布)됨.
[好事者 호사자] 일을 벌여 놓기를 좋아하는 사람.
[好尙 호상] 좋아하는 바. 곧, 취미·기호(嗜好) 따위. ㉡유행(流行)
[好喪 호상] 나이가 많고 복(福)이 많은 사람의

녀 타 여성(女性)의 제3인칭.
[字源] 形聲. 女+也〔音〕. 현대 중국어에서, '他타'가 남성(男性) 3인칭임에 대하여, 여성(女性) 3인칭, '그녀'의 뜻을 나타냄.

3 ⑥ [妃] [高人] [一] 비 [平]微 芳非切 fēi
[二] 배 [去]隊 滂佩切 pèi

[筆順] 妃

[字解] [一] 왕비 비 황제의 으뜸가는 첩. '一嬪'. '舜葬於蒼梧之野, 蓋三一未之從也'《禮記》. 또, 왕·황태자·황족의 정실(正室). '皇太子納一'《唐書》. [二] ①짝 배, 배우자될 배 配(酉部 三畫)와 同字. '天子之一曰后'《禮記》. '一, 匹也'《集韻》. ②짝지을 배 배합함. '一以五成'《左傳》.
[字源] 甲骨文 金文 篆文 會意. 女+己. 甲骨文의 '己'는 뱀을 본뜬 형상으로, '비의 신〔雨神〕'을 나타내고 있음. 뱀의 신(神)을 모시고 섬기는 여성(女性)의 뜻에서, '비(妃)'의 뜻을 나타내기에 이름.

[妃耦 배우] 배우자. 배우(配偶).
[妃匹 배필] 배우(配偶). 배필(配匹).
[妃合 배합] 배우(配偶).
[妃嬪 비빈] 여관(女官). 황후(皇后)의 다음이 비(妃)이고, 비의 다음이 빈(嬪)임.
[妃子 비자] 황비(皇妃)를 이름.
[妃嬙 비장] 궁녀(宮女). 여관(女官).
[妃妾 비첩] 첩(妾). 측실(側室).
[妃合 비합] 배필. 배우자.
◉貴妃. 明妃. 嬪妃. 湘妃. 星妃. 王妃. 元妃. 媛妃. 正妃. 太妃. 后妃.

3 ⑥ [妏] 익 [入]職 與職切 yì

[字解] 궁녀 익 여관(女官). 부관(婦官). '六宮三妃三一'《北史》.
[字源] 金文 篆文 形聲. 女+弋〔音〕

3 ⑥ [奼] 타(차[本]) [上]馬 丑下切 chà
[去]禡 陟駕切

[字解] ①소녀 타. ②자랑할 타 자찬(自讚)함. '子虛過一烏有先生'《司馬相如》. ③아리따울 타 아름다움. 미녀(美女). '閑愛老農愚, 歸弄少女一'《韓愈》.
[字源] 篆文 形聲. 女+乇〔音〕. '乇탁'은 풀잎. 또, 풀에 핀 꽃의 모양. 꽃처럼 아름다운 여자, 곧 '처녀'의 뜻을 나타냄. 또, '咤타'와 통하여 '자랑하다'의 뜻을 나타냄.

3 ⑥ [妄] [高人] 망 [去]漾 巫放切 wàng

[筆順] 妄

[字解] ①허망할 망 거짓되고 망령됨. '一言'. '此亦一人也已矣'《孟子》. ②거짓 망 사실 혹은 진실이 아님. '認一爲眞'《圓覺經》. ③무릇 망 대개. '諸一校尉以下'《漢書》. ④잊을 망 忘(心部 三畫)과 뜻이 같음.
[字源] 金文 篆文 形聲. 女+亡〔音〕. '亡망'은 '盲맹'과 통하여 '장님'의 뜻. '도리에 어둡다, 망령되다'의 뜻.

[妄擧 망거] 분별(分別)이 없는 행동(行動). 망령스러운 짓.
[妄計 망계] 망령된 계책(計策).
[妄念 망념] 망상(妄想).
[妄斷 망단] 망령된 단정(斷定).
[妄動 망동] 분수(分數) 없이 함부로 하는 행동. 망거(妄擧). 경거(輕擧).
[妄靈 망령] 노망(老妄)하여 언행(言行)이 상규(常規)에 벗어남.
[妄論 망론] 망령된 언론(言論).
[妄謬 망류] 거짓과 잘못.
[妄物 망물] 도리에 벗어난 망령된 짓을 하는 사람.
[妄發 망발] 망령된 말을 함.
[妄想 망상] 망령된 생각. 허황한 공상(空想).
[妄想之繩 망상지승]《佛敎》몸을 괴롭히는 망상.
[妄說 망설] 허무맹랑한 말. 무근지설(無根之說).
[妄率 망솔] 아무 생각이 없이 아주 경솔(輕率)함.
[妄信 망신] 함부로 믿음. 믿지 못할 것을 믿음.
[妄心 망심]《佛敎》망령(妄靈)된 마음. 무명(無明)의 마음.
[妄語 망어] ㉠망언(妄言). ㉡《佛敎》오계(五戒)의 하나. 허망(虛妄)된 말. 거짓말.
[妄言 망언] 망령된 말. 망발한 말.
[妄妖 망요] 망령되고 요사스러움.
[妄意 망의] 망령된 생각. 허망한 마음.
[妄人 망인] 망령된 사람.
[妄認 망인] 오인(誤認)함.
[妄自尊大 망자존대] 함부로 제가 잘난 체함.
[妄傳 망전] 허황된 전달. 오전(誤傳).
[妄進 망진] 무턱대고 나아감. 함부로 나아감.
[妄執 망집]《佛敎》망상(妄想)에 집착하는 일.
[妄誕 망탄] 터무니없음. 허황함.
[妄悖 망패] 망령되고 도리에 어그러짐.
[妄評 망평] ㉠함부로 하는 비평. ㉡정당(正當)하지 못한 비평. 망비(妄批).
◉狂妄. 怪妄. 詭妄. 無妄. 迷妄. 詐妄. 譫妄. 妖妄. 僞妄. 眞實無妄. 誕妄. 虛妄. 幻妄. 荒妄. 譎妄.

4 ⑦ [妊] [人名] 임 [去]沁 汝鴆切 rèn
[平]侵 如林切

[筆順] 妊

[字解] 애밸 임 姙(女部 六畫)과 同字. '不擊一'《埤雅》.
[字源] 金文 篆文 形聲. 女+壬〔音〕. '壬임'은 어떤 무게의 것을 지속적(持續的)으로 품다의 뜻. 여성이 아기를 태내(胎內)에 품다, 임신하다의 뜻을 나타냄.

[妊婦 임부] 아이 밴 부녀.
[妊娠 임신] 아이를 뱀. 회임(懷妊).
[妊孕 임잉] 아이를 뱀. 회태(懷胎).
◉不妊. 胎妊. 避妊. 懷妊.

4 ⑦ [姸] 〔연〕
姸(女部 六畫〈p. 530〉)의 俗字

4 ⑦ [妢] 분 [平]文 符分切 fén

[字解] 분나라 분 '一胡'는 초(楚)나라 부근에 있었던 나라 이름. '一胡, 胡子之國, 在楚旁'《周

禮 註》.

4 ⑦ [妓] [人名] 기 ①②㊤紙 渠綺切 jì
③㊥支 居宜切 jī

[字解] ①기생 기, 갈보 기 '一女'. '娼一'. '不如銅爵臺上一'《世說》. ②미녀 기 아름다운 여자. '一, 美女也'《華嚴經音義》. ③교태지은모습 기 '一裝, 態皃'《廣韻》.

[字源] 篆文 形聲. 女＋支〔音〕. '支지'는 나뭇가지를 손에 들다의 뜻. 가지를 들고 교묘히 연기(演技)하는 '광대'의 뜻.

[妓家 기가] 기생(妓生)집.
[妓女 기녀] ㉠기생. ㉡갈보. 창기. ㉢'원추리〔萱〕'의 별칭(別稱).
[妓樓 기루] 갈보 집. 창가(娼家). 청루(青樓).
[妓夫 기부] 기둥서방.
[妓生 기생] 잔치나 술자리에서 가무(歌舞)로 흥을 돕는 계집.
[妓樂 기악] 기생(妓生)이 하는 음악(音樂). 기생의 음악.
[妓案 기안] 기생의 이름을 적은 책(冊).
[妓筵 기연] 기생이 나와 있는 자리.
[妓院 기원] 청루(青樓).
◉佳妓. 歌妓. 官妓. 宮妓. 童妓. 名妓. 妙妓. 舞妓. 美妓. 聲妓. 小妓. 愛妓. 女妓. 艷妓. 藝妓. 義妓. 娼妓.

4 ⑦ [妜] [一] 열 ㊇屑 於決切 yuè
[二] 결 ㊇屑 吉巧切 jué

[字解] [一] ①콧날 열 콧날의 표정(表情). '一, 鼻目閒皃'《說文》. ②예쁠 열 아름다움. '一, 娟也'《廣韻》. ③걱정하여시새울 열 '一, 憂妒也'《字彙》. ④성낼 열, 걱정할 열 '一, 一日, 怒也. 憂也'《集韻》. [二] 아름다울 결 예쁜 모양. '一, 美皃'《集韻》.

[字源] 形聲. 女＋夬〔音〕

4 ⑦ [妘] 운 ㊥文 王分切 yún

[字解] ①성 운 성(姓)의 하나. '一, 祝融之後姓也'《說文》. ②여자의자(字) 운 여자의 본이름 외에 붙이는 자(字). '一, 一日, 女字'《集韻》.

[字源] 金文 篆文 形聲. 女＋云〔音〕

4 ⑦ [妖] [人名] [一] 요 ㊥蕭 於喬切 yāo
[二] 교 ㊤巧 吉巧切 jiāo

[字解] [一] ①아리따울 요 요염하도록 아름다움. '一艷'. '貌嫽妙以一蠱兮'《傅毅》. ②괴이할 요 기괴(奇怪)함. '一雲'. '語涉妄一'《唐書》. ③재앙 요 재화. 또는, 재화의 전조. '災一'. '人棄常則一興'《左傳》. ④요귀 요 요사한 귀신. '一精'. '一怪'. '洪範所謂鼓一者也'《漢書》. [二] 아름다울 교 姣(女部 六畫)와 同字.

[字源] 篆文 形聲. 篆文은 女＋芺〔音〕. '芺요'는 머리를 흔들어 흐트러뜨린 무당을 본뜬 형상으로, 아리땁고도 괴이함의 뜻을 나타냄. 여성의 일종의 자태(姿態)인 데서, '女'를 덧붙였음.

[妖蠱 요고] ㉠요염하여 사람을 호림. ㉡요사스러운 방술(方術).
[妖怪 요괴] 도깨비. 요사스러운 귀신.
[妖咎 요구] 재앙(災殃).
[妖鬼 요귀] 요사(妖邪)한 귀신.
[妖氣 요기] 상서(祥瑞)롭지 못한 기운. 요사(妖邪)스러운 기운.
[妖女 요녀] ㉠요염(妖艷)한 여자. ㉡요사(妖邪)스러운 계집.
[妖僮 요동] 예쁘게 생긴 아이종.
[妖麗 요려] 요염하고 화려함.
[妖靈 요령] 요괴(妖怪).
[妖魔 요마] 요사(妖邪)스러운 마귀. 「됨.
[妖妄 요망] 언행(言行)이 기괴(奇怪)하고 망령
[妖魅 요매] 요사스러운 도깨비.
[妖妙 요묘] 요염하도록 아리따움.
[妖霧 요무] 기괴(奇怪)한 안개. 사람을 해치는 나쁜 안개.
[妖物 요물] ㉠요사(妖邪)스러운 물건. ㉡요사스러운 사람.
[妖靡 요미] 요염하고 음미(淫靡)함.
[妖變 요변] 괴이한 변고(變故).
[妖婦 요부] ㉠요염(妖艷)한 미녀(美女). ㉡요사(妖邪)스러운 계집.
[妖氛 요분] 기괴한 기운. 상서롭지 못한 기운.
[妖邪 요사] 요망(妖妄)스럽고 간사(奸邪)함.
[妖眚 요생] 기괴한 재앙(災殃).
[妖書 요서] 인심(人心)을 혹란(惑亂)케 하는 요사(妖邪)스러운 책.
[妖星 요성] 기괴한 별. 길(吉)하지 못한 징조를 나타낸다는 별.
[妖術 요술] 사람의 눈을 어리게 하는 괴상(怪常)한 방술(方術).
[妖僧 요승] 정도(正道)를 어지럽게 하는 요사(妖邪)스러운 중.
[妖神 요신] 요사(妖邪)한 귀신.
[妖惡 요악] 요사(妖邪)하고 간악함.
[妖冶 요야] 요염하도록 아름다움.
[妖言 요언] 인심(人心)을 혼란(混亂)케 하는 요사(妖邪)스러운 말.
[妖孽 요얼] 재앙(災殃). 재앙의 조짐.
[妖姸 요연] 요염하도록 아리따움. 또, 그러한 여자. 「움.
[妖艷 요염] 사람을 홀릴 만큼 탐탁스럽게 아리따
[妖婉 요완] 요야(妖冶).
[妖妖 요요] 요염한 모양.
[妖嬈 요요] 요염하도록 아리따움. 요교(妖嬌).
[妖雲 요운] 기괴한 구름. 불길한 징조를 나타내는 구름, 또는 기운. 「일.
[妖異 요이] ㉠요괴(妖怪). ㉡이상한 일. 괴이한
[妖人 요인] 정도(正道)를 어지럽게 하는 요사(妖邪)한 사람.
[妖賊 요적] 괴이한 나쁜 놈.
[妖精 요정] 요괴(妖怪).
[妖誕 요탄] 괴이하고 허탄(虛誕)한 소리.
[妖態 요태] 요염(妖艷)한 자태. 「자.
[妖嬖 요폐] 임금의 총애를 받고 있는 요염한 여
[妖害 요해] 기괴한 해독(害毒).
[妖彗 요혜] 요성(妖星).
[妖惑 요혹] 호림. 홀림. 미혹함.
[妖花 요화] 기괴한 아름다움을 가진 꽃. 전(轉)하여, 사람을 고혹시킬 만큼 요염한 미녀(美女).
[妖幻 요환] 마법(魔法). 남을 현혹(眩惑)하는 괴

①단정할 정 여자의 자태가 바름. '—, 女容端莊'《正字通》. ②여자의자(字) 정 여자의 본이름 외의 자(字). '—, 女字'《集韻》.
字源 形聲. 女+正〔音〕

5/8 [妗] 人名 령 ㊀青 郞丁切 líng

筆順 乚 乜 女 女 妗 妗 妗 妗

字解 ①여자의자(字) 령 본이름 외에 붙이는 여자의 자(字). ②여자영리할 령 여자가 예쁘고 영리함.
字源 形聲. 女+令〔音〕

5/8 [姍] 二 산 ㊀刪 師姦切 shān
　　　　　 선 ㊀先 蕭前切 xiān

字解 ■ ①헐뜯을 산 비방함. '—哤三代'《漢書》. ②잘생길 산 아름다움. '—, 好也'《廣雅》. ■비트적거릴 선 절룩거리며 걷는 모양. '立而望之, 何——其來遲'《漢書》.
字源 篆文 姍 形聲. 女+冊(刪〈省〉)〔音〕. '冊책'은 끝의 길이가 고르지 못한 대나 나무의 조각의 모양. 여자가 치맛자락을 끌며 나긋나긋하게 걷는 모양을 나타냄. 또 '訕산'과 통하여 '헐뜯다'를 뜻함.

[姍笑 산소] 헐뜯으며 웃음. 조소(嘲笑)함.
[姍姍 선선] 비척거리며 걷는 모양.
●蹣姍. 便姍.

5/8 [姐] 저(자) ①②㊀馬 玆野切 jiě ③㊁御 將豫切 jù

字解 ①누이 저 손위 누이. ②계집아이 저 여자의 통칭(通稱). '大—'. '小—'. ③교만할 저 오만함. '恃愛肆—'《嵆康》.
字源 篆文 姐 形聲. 女+且〔音〕. '且차·저'는 위에 겹쳐 쌓다의 뜻. 여자 형제의 언니를 뜻함.

●大姐. 小姐. 阿姐.

5/8 [姑] 高人 고 ㊀虞 古胡切 gū

筆順 乚 乜 女 女 女 姑 姑 姑

字解 ①시어미 고 ㊀남편의 어머니. '舅—'. '夫之母曰—'《爾雅》. ㊁또, 시누이는 '小—'. ㊂장모는 '外—'. ②고모 고 아버지의 자매. '—壻'. '問我諸—'《詩經》. ③계집 고 여자. 부녀. '紂棄黎老之言, 用—息之謀'《尸子》. ④잠시 고 잠깐 동안. 일시. '子—待之'. '—惟教之'《書經》.
字源 金文 姑 篆文 姑 形聲. 女+古〔音〕. '낡은 여자'의 뜻에서, 남편의 어머니, 시어머니, 장모의 뜻을 나타냄.

[姑公 고공] ㊀고구(姑舅). ㊁대고모부(大姑母夫).
[姑舅 고구] 시어머니와 시아버지. 구고(舅姑).
[姑娘 고랑] ㊀첩(妾). ㊁《現》①고모(姑母). ㊁미혼(未婚)의 처녀.
[姑母 고모] 《韓》아버지의 누이.
[姑母夫 고모부] 《韓》고모(姑母)의 남편. 고부(姑夫). 고서(姑壻).
[姑夫 고부] 고모부(姑母夫).
[姑婦 고부] 시어머니와 며느리.
[姑壻 고서] 고모부(姑母夫).
[姑洗 고선] ㊀십이율(十二律)의 하나. 3월에 배당함. ㊁음력 3월의 별칭.
[姑少 고소] 잠시.
[姑蘇 고소] 춘추 전국 시대(春秋戰國時代)의 오(吳)나라의 서울. 지금의 장쑤 성(江蘇省) 쑤저우 부(蘇州府)에 해당함. 고소성(姑蘇城)은 그 성(城). 고소대(姑蘇臺)는 오왕(吳王) 부차(夫差)가 월(越)나라를 격파하고 얻은 미인(美人) 서시(西施)를 위하여 쌓은 대(臺).
[姑息 고식] ㊀구차하게 우선 당장 평안한 것만을 취함. ㊁부녀자와 어린아이.
[姑媳 고식] 고부(姑婦).
[姑息因循 고식인순] 어름어름하여 일시 미봉(彌縫)을 꾀함.
[姑息之計 고식지계] 당장에 편한 것만을 취하는 계책.
[姑姊 고자] 아버지의 누님. 고모(姑母).
[姑子 고자] ㊀시집가기 전의 처녀. ㊁고종사촌(姑從四寸).
[姑嫜 고장] 시어머니와 시아버지. 구고(舅姑).
[姑妐 고종] 시어머니와 시아버지.
[姑從 고종] 《韓》고종사촌(姑從四寸).
●舅姑. 麻姑. 三姑. 先姑. 小姑. 少姑. 外姑. 慈姑. 皇姑.

5/8 [姩] 〔념〕 姪(女部 四畫〈p.520〉)과 同字

5/8 [姒] 사 ㊀紙 詳里切 sì

字解 ①손위동서 사 남편의 형의 아내. '姊婦謂長婦爲—婦'《爾雅》. ②동서 사 여자 동서끼리 서로 부르는 호칭(呼稱). ③언니 사 여형(女兄). '女子同出, 先生爲—, 後出爲娣'《爾雅》. ④성 사 중국 하(夏)나라의 창시자. 우(禹)임금의 성. '禹爲—姓'《史記》.
字源 形聲. 女+以〔音〕

[姒婦 사부] 손위 동서.
[姒娣 사제] ㊀손위 동서와 손아래 동서. ㊁언니와 동생.
●娣姒. 太姒.

5/8 [姓] 中人 성 ㊀敬 息正切 xìng

筆順 乚 乜 女 女 女 姓 姓 姓

字解 ①성 성 성씨. '—名'. '天子建德, 因生以賜'《左傳》. ②겨레 성 씨족. '振振公—'《詩經》. ③아들 성 낳은 아들. '問其—'《左傳》.
字源 金文 姓 篆文 姓 形聲. 女+生〔音〕. '生생'은 '태어나다'의 뜻. 사람의 태어난 곳의 뜻에서, '겨레'의 뜻을 나타냄. 金文에서는 '生·性'으로 씀.

[姓系 성계] 성씨(姓氏)와 가계(家系).

[姓名 성명] 성(姓)과 이름.
[姓譜 성보] 선조(先祖)로부터의 가계(家系)를 적은 기록(記錄). 족보(族譜).
[姓氏 성씨] 성(姓)과 씨(氏).
[姓字 성자] ㉠성(姓)과 자(字). ㉡성명(姓名).
[姓族 성족] 성이 같은 일가. 명망 있는 대족(大族).
◉改姓. 舊姓. 國姓. 大姓. 同姓. 名姓. 冒姓. 百姓. 本姓. 四姓. 小姓. 右姓. 異姓. 子姓. 族姓. 宗姓.

5 ⑧ [姏] 담 [平]覃 武酣切 mán, qián 
[字解] 할미 담 노파. 또, 노파의 자칭(自稱). '一姆尼僧, 尤爲親暱'《晉書》.
[字源] 會意. 女+甘. 감언으로 남을 기쁘게 하는 여자, 늙은 여자의 뜻을 나타냄.

5 ⑧ [妯] [一] 축 [入]屋 直六切 zhóu(zhú)
[二] 추 [平]尤 丑鳩切 chōu
[字解] [一] 동서 축 '一娌'는 형제의 아내가 서로 부르는 호칭. [二] 두근거릴 추 동계(動悸)함. '憂心且一'《詩經》.
[字源] 篆文 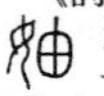 形聲. 女+由〔音〕. '由유'는 '弔조'와 통하여, '마음 아파하다'의 뜻. '女여'는 심리 상태를 나타내는 말에 붙임.

[妯娌 축리] 형제(兄弟)의 아내가 서로 부르는 호칭(呼稱).

5 ⑧ [妮] 니 [平]支 女夷切 nī(ní)
[字解] 종 니 계집종. '今人呼婢曰一'《六書故》.
[字源] 形聲. 女+尼〔音〕. '尼니'는 '가까이 가다'의 뜻. 귀인의 측근(側近)으로서 섬기는 여자의 뜻을 나타냄.

[妮子 이자] 하녀(下女). 계집종.

5 ⑧ [姖] 거 [上]語 臼許切 jù
[字解] ①산이름 거 '吳一'는 산의 이름. '大荒之中有山, 名日月山. 天樞也. 吳一天門, 日月所入'《山海經》. ②사람이름 거 '有金門之山有人, 名曰黃一之尸'《山海經》. ③성 거 성(姓)의 하나.

5 ⑧ [妵] [人名] 주(투[本]) [上]有 天口切 tǒu
[筆順] 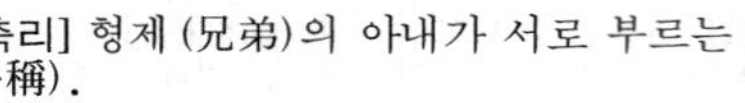
[字解] ①여자이름자(字) 주 '一, 女字也'《說文》. ②예쁠 주.

5 ⑧ [姅] 반 [去]翰 博漫切 bàn
普半切
[字解] 경도 반 월경(月經).
[字源] 篆文  形聲. 女+半〔音〕

5 ⑧ [妿] [一] 아 [平]歌 烏何切 ē
[二] 가 [平]歌 古俄切
[字解] [一] 여스승 아 부도(婦道)를 가르치는 여자. '一, 女師, 以教女子'《廣韻》. [二] 여스승 가 [一]과 뜻이 같음.
[字源] 形聲. 女+加〔音〕

5 ⑧ [婀] [人名] 〔아〕
婐(女部 八畫〈p. 539〉)의 本字
[字源] 篆文 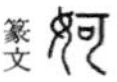 形聲. 女+可〔音〕. 여자가 나긋나긋하고 요염한 모양.

5 ⑧ [妷] 〔질〕
姪(女部 六畫〈p. 528〉)과 同字
[字源] 形聲. 女+失〔音〕

5 ⑧ [㚷] 〔내〕
嬭(女部 十四畫〈p. 551〉)와 同字

5 ⑧ [妳] 〔내〕
嬭(女部 十四畫〈p. 551〉)의 俗字

5 ⑧ [妻] [中·人] 처 ①[平]齊 七稽切 qī
②[去]霽 七計切 qì 
[筆順] 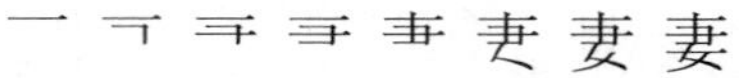
[字解] ①아내 처 '一妾'. '取一不取同姓'《禮記》. ②시집보낼 처 '以其子一之'《論語》.
[字源] 篆文 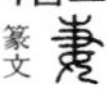 古文  會意. 屮+又+女. '屮철'은 비녀를 본뜬 모양. 비녀에 손을 대고 머리를 매만져 꾸미는 여자의 모양에서, '아내'의 뜻을 나타냄.

[妻家 처가] 아내의 본가(本家).
[妻公 처공] 아내의 아버지. 장인(丈人).
[妻君 처군] 남의 아내를 가리켜 말함. 세군(細君).
[妻男 처남] 《韓》 아내의 오라비. 처남(妻娚).
[妻娚 처남] 처남(妻男).
[妻女 처녀] ㉠아내와 딸. ㉡아내. 여(女)는 조자(助字).
[妻孥 처노] 처노(妻帑).
[妻帑 처노] ㉠아내와 아들. ㉡가족.
[妻黨 처당] 처족(妻族).
[妻德 처덕] ㉠아내의 덕(德). ㉡아내의 덕행(德行).
[妻略 처략] 약탈하여 아내로 삼음.
[妻邊 처변] 처족(妻族).
[妻山 처산] 아내의 무덤.
[妻喪 처상] 아내의 상사(喪事).
[妻城子獄 처성자옥] 아내와 자식이 있는 사람은 집안일에 얽매어 자유로이 활동할 수 없음을 이르는 말.
[妻嫂 처수] ㉠아내와 형수. ㉡처남댁.
[妻室 처실] 아내.
[妻子 처자] 아내와 자식(子息).
[妻子眷屬 처자권속] 처자와 권속. 가족과 일가.
[妻葬 처장] 아내의 장사(葬事).
[妻財 처재] ㉠처가에서 준 재물. ㉡아내와 재물.
[妻弟 처제] 《韓》 아내의 여동생(女同生).
[妻族 처족] 아내의 겨레붙이.
[妻姪 처질] 처(妻)조카.
[妻妾 처첩] 아내와 첩(妾).
[妻娶 처취] 아내를 얻음. 장가듦.
[妻兄 처형] 《韓》 아내의 언니.
◉家貧思妻. 繼妻. 恐妻. 寡妻. 忌妻. 亡妻. 夫妻. 徙宅忘妻. 山妻. 先妻. 小妻. 惡妻. 愛妻. 良妻. 艷妻. 愚妻. 嫡妻. 前妻. 正妻. 糟糠之

妻. 妒妻. 賢妻. 荆妻. 後妻.

5 ⑧ [妾] 高人 첩 入葉 七接切 qiè

[筆順] ` 亠 立 立 立 妾 妾 妾

[字解] ①첩 첩 ㉠작은마누라. 소실(小室). '愛一'. '聘則爲妻, 奔則爲一'《禮記》. ㉡여자의 겸칭(謙稱). '一自有隱居之服'《後漢書》. ②시비 첩 좌우에 두고 부리는 부녀. '一媵'. '共姬之一'《左傳》. ③계집아이 첩 '處一'. '諸一遇之而孕'《漢書》. ④성 첩 성(姓)의 하나.

[字源] 甲骨文 金文 篆文 會意. 辛+女. '辛신'은 바늘을 본뜬 모양으로, '문신(文身)'의 뜻. 귀인 곁에 모시는 문신(文身)을 넣은 여성, 시비(侍婢)의 뜻을 나타내며, 또 '첩'을 뜻함.

[妾宅 첩댁] 첩이 살게 마련한 집.
[妾腹 첩복] 첩이 낳은 아들. 첩 소생.
[妾婦 첩부] 첩. 첩실(妾室).
[妾婦之道 첩부지도] 사물의 시비(是非)를 가리지 않고 그저 남을 따르는 방식. 여자는 오로지 순종(順從)하는 것을 정도(正道)로 삼음에서.
[妾侍 첩시] 첩실. 첩실(妾室). 또, 계집종. 이름.
[妾室 첩실] 첩.
[妾御 첩어] ㉠첩. 첩실(妾室). 측실(側室). ㉡첩이 남편과 잠자리를 같이함.
[妾媵 첩잉] ㉠신부(新婦)를 따라 그의 시가(媤家)에 가서 시비(侍婢)가 되는 여자. ㉡첩. 첩실(妾室).
[妾子 첩자] 서자(庶子).
[妾出 첩출] 첩이 낳은 아들. 첩의 소생.
[妾宅 첩택] 첩과 살림하는 집.
[妾嬖 첩폐] 사랑하는 첩. 애첩.
●宮妾. 伎妾. 箕帚妾. 內妾. 陵園妾. 美妾. 僕妾. 副妾. 妃妾. 婢妾. 鄙妾. 侍妾. 臣妾. 愛妾. 麗妾. 外妾. 媵妾. 竈妾. 妻妾. 處妾. 賤妾. 寵妾. 蓄妾. 嬖妾. 姬妾.

5 ⑧ [委] 高人

①-⑩㊤紙 於詭切 wěi
⑪㊥寘 於僞切 wèi
⑫㊦支 於爲切 wěi

[筆順] 一 二 千 禾 禾 禿 委 委

[字解] ①맡길 위 ㉠위임함. '一託'. '一之常秩'《左傳》. ㉡자유로이 하게 함. 내버려둠. '親一重罪'《國語》. ②쌓을 위 축적함. '一積'. '詔雲一'《唐書》. ③버릴 위 내버림. '一棄'. '一之於壑'《孟子》. '一而去之'《孟子》. ④따를 위 순종함. '一, 一隨也'《說文》. ⑤굽힐 위 구부림. '一質爲臣'《後漢書》. ⑥자세할 위 세밀함. '一曲'. '是一曲屈曲街巷之禮'《禮記》. ⑦끝 위 말단. '或原也, 或一也'《禮記》. ⑧시들 위 萎(艸部 八畫)와 통용. '頹墮一靡'《韓愈》. ⑨굽을 위 꼬불꼬불함. '一巷'. '望舊邦兮路一隨'《楚辭》. ⑩성 위 성(姓)의 하나. ⑪곳집 위 관부(官府)의 창고. '孔子嘗爲一吏'《孟子》. ⑫옹용 위(雍容)할 위 '一蛇'는 마음이 온화하고 조용한 모양. '退食自公, 一蛇一蛇'《詩經》.

[字源] 篆文 會意. 女+禾. '禾화'는 이삭 끝이 보드랍게 처져 숙인 벼의 형상을 본뜸. 나긋나긋한 여성(女性)의 뜻을 나타냄. 파생

(派生)하여, '순종하다, 맡기다' 등의 뜻을 나타냄.

[委去 위거] 버리고 감.
[委曲 위곡] ㉠자세함. 상세함. ㉡따라 굽힘. 불만한 점이 있어도 몸을 굽혀 일의 성취를 바란다는 뜻.
[委咎 위구] 자기의 죄를 남에게 떠넘김. 위죄(委罪).
[委屈 위굴] 몸을 굽혀 남을 따름. 또, 밑에 있어 마음대로 안됨.
[委寄 위기] 맡김. 위임함. 기탁함.
[委棄 위기] ㉠물건을 버림. ㉡일을 버려 두고 돌보지 아니함.
[委頓 위돈] 힘이 빠짐. 녹초가 됨.
[委吏 위리] 미창(米倉)을 맡아보는 관리.
[委靡 위미] 힘이 없음. 쇠약함. 떨치지 못함.
[委伏 위복] 버려 쓰지 않음. 또, 버림을 받아 은둔함.
[委付 위부] ㉠맡김. 위임함. ㉡자기의 소유물 또는 권리를 상대방에게 주어서 자기와 상대방 사이에 있는 법률관계를 소멸시키는 일.
[委分 위분] 분수대로 해 둠.
[委畀 위비] 나라의 큰일을 신하에게 맡김.
[委席 위석] 자리에 누워서 일어나지 못함.
[委細 위세] 상세(詳細)함. 자세함. 위곡(委曲).
[委蛻 위세] 매미나 뱀이 벗는 허물.
[委瑣 위쇄] 잗닮. 좀스러움. 또, 자잘한 일에 구애됨.
[委隨 위수] ㉠점잖고 유순함. ㉡수족을 자유로이 굴신하지 못함. ㉢길이 빙 돎. 길이 꼬불꼬불함.
[委順 위순] ㉠천지자연(天地自然)의 이치(理致)에 따라 부여(賦與)됨. ㉡《佛教》중이 죽음. 인연(因緣)에 맡겨 따른다는 뜻.
[委悉 위실] 자세함. 상세함.
[委捐 위연] 물건을 버림. 위기(委棄).
[委咽 위열] 흐느낌. 목메어 욺.
[委員 위원] 어떠한 일에 대하여 그 처리(處理)를 위임받은 사람.
[委委 위위] ㉠걸어가는 모양. ㉡마음이 여유 있고 침착한 모양.
[委蛇 위이] ㉠마음이 여유가 있고 침착한 모양. ㉡꼬불꼬불하게 가는 모양. ㉢두려워하며 걷는 모양. ㉣물이 비스듬히 흐르는 모양. ㉤'미꾸리'의 별칭(別稱).
[委任 위임] 맡김. 일임(一任)함.
[委任狀 위임장] 위임(委任)하는 뜻을 표시한 증서(證書).
[委統統治 위임통치] 어떠한 나라가 다른 나라 또는 국제 연합의 위임을 받아서 하는 통치(統治).
[委積 위자] 저축(貯蓄).
[委財 위재] 축적(蓄積)한 재산. 축재(蓄財).
[委折 위절] ㉠구불구불 구부러짐. ㉡까닭이 많음.
[委罪 위죄] 죄책(罪責)을 남에게 전가(轉嫁)함. 위구(委咎).
[委注 위주] 마음을 기울이어 열심히 부탁함.
[委遲 위지] ㉠걸어가기 힘들어 더딘 모양. ㉡꾸물거림.
[委質 위지] 처음 벼슬하는 사람이 예물(禮物)을 바쳐 임금 앞에 둠. 전(轉)하여, 처음 사환(仕宦)한다는 뜻으로 쓰임. 위(委)는 치(置). 지(質)는 지(贄). 일설(一說)에는, 지(質)는 지(贄)가 아니고 형체(形體)로서 자기 몸을 임금

에게 맡긴다는 뜻.
[委贄 위지] ㉠방문(訪問)할 때에 예물(禮物)을 가지고 가서 경의(敬意)를 표함. ㉡폐백(幣帛)을 들이어 문인(門人)이 됨. 집지(執贄).
[委質 위질] 위지(委質).
[委囑 위촉] 위탁(委託)함.
[委託 위탁] 부탁하여 맡김. 위촉(委囑).
[委巷 위항] 꼬불꼬불한 좁은 길.
[委形 위형] 하늘로부터 부여된 신체(身體).
[委化 위화] 조화(造化)에 맡김. 운명에 따름.
●端委. 撫委. 繁委. 分委. 紛委. 信委. 原委. 猗委. 任委. 積委. 典委. 塡委. 注委. 親委.

5 ⑧ [娸] 기 ㉤微 居希切 jī
字解 비역 기 계간(雞姦). ‘律有一姦罪條’《楊氏正韻箋》.

6 ⑨ [姦] 간 ㉤刪 古顔切 jiān
筆順 ⺊ ⺉ 女 奵 姦 姦 姦 姦
字解 ①간사할 간 사악함. ‘一點’. ‘一兜’. ‘丞丞又不格一’《書經》. 또, 그 사람. ‘翼一獲封侯’《漢書》. ②간음할 간 간통함. 또, 그 행위. ‘強一·一夫’. ‘夫人姜氏會齊侯于禚, 書一也’《左傳》. ③속일 간 ‘一, 僞也’《廣雅》. ‘一, 詐也’《廣韻》. ④훔칠 간, 제것으로할 간 ‘一, 盜也’《廣雅》. ‘一, 私也’《廣韻》. ⑤어지럽힐 간 범함. ‘各守其職, 不得相一’《淮南子》. ⑥어지러울 간 내란(內亂). 일설(一說)에, 외환(外患). ‘在內曰一, 在外曰宄’《一切經音義》.
字源 金文 ⿰ 篆文 ⿰ 古文 ⿰ 會意. 여자가 북적거리는 모양에서, 음란(淫亂)의 뜻을 나타냄. 음형상(音形上)으론 ‘奸간’과 통하여, 남녀간에 도덕적으로 문란하다의 뜻.

[姦強 간강] 간악하고 강(強)함.
[姦曲 간곡] 간사(姦邪)함. 또, 그러한 사람.
[姦骨 간골] 간흉(姦凶).
[姦計 간계] 간사한 꾀.
[姦巧 간교] 간사하고 교활함.
[姦宄 간귀] 안팎으로 악도(惡徒)가 도량(跳梁)하여 나라가 혼란함. 일설(一說)에는, 악독(惡毒)하고 간사함.
[姦欺 간기] 간사하여 속임.
[姦佞 간녕] 간교하고 아첨을 잘함. 또, 그러한 사람.
[姦盜 간도] 도둑.　　　　　　　　└사람.
[姦慮 간려] 간악한 생각. 간사한 마음.
[姦吏 간리] 간사(奸詐)한 관리.
[姦利 간리] 부정 수단으로 얻은 이익.
[姦夫 간부] 샛서방.
[姦婦 간부] ㉠간사한 부인. ㉡제 남편 아닌 남자와 간통(姦通)한 계집. 서방질한 계집.
[姦富 간부] 부정한 방법으로 얻은 재물로 부자가 됨. 또, 그 부자.
[姦非 간비] 간사(姦邪).
[姦事 간사] 나쁜 일. 부정한 일. 도리에 벗어난 일. 간사(奸事).
[姦邪 간사] 마음이 간교하고 사곡함.
[姦衺 간사] 간사(姦邪).
[姦詐 간사] 간사(姦邪)하고 남을 잘 속임.
[姦憸 간섬] 간험(姦險).
[姦聲亂色 간성난색] 간사한 소리와 음란(淫亂)한 여색(女色).
[姦細 간세] ㉠적(敵)의 간첩(間諜). ㉡교활한 소인.
[姦臣 간신] 간사한 신하.
[姦惡 간악] 간사(奸邪)하고 악독함.
[姦逆 간역] 간악하여 거스름.
[姦訛 간와] 간사하고 바르지 못함.
[姦枉 간왕] 마음이 사곡(邪曲)함. 또, 그러한 사람.
[姦雄 간웅] 간지(姦智)가 있는 영웅.
[姦僞 간위] ㉠간사하고 거짓이 많음. ㉡간사와 거짓.
[姦隱 간은] 숨겨진 못된 것.
[姦淫 간음] 부부(夫婦)가 아닌 남자와 여자 사이에 성적 관계를 맺음.
[姦婬 간음] 간음(姦淫).
[姦淫罪 간음죄] 강간죄(強姦罪)·준강간죄(準強姦罪)·간통죄(姦通罪) 및 혼인 빙자 간음죄(婚姻憑藉姦淫罪)의 총칭.
[姦意 간의] 간특한 마음.
[姦贓 간장] 관유물(官有物)을 횡령함.
[姦賊 간적] 간악(奸惡)한 적(賊).
[姦跡 간적] 간통(姦通)한 흔적.
[姦情 간정] 간통(姦通)한 정상.
[姦罪 간죄] 간음죄(姦淫罪).
[姦智 간지] 간사(奸邪)한 지혜.
[姦僭 간참] 간특하고 도리(道理)에 어그러짐. 또, 그 사람.
[姦策 간책] 간특한 꾀. 간계(姦計).　　└함.
[姦通 간통] 유부녀(有夫女)가 다른 사내와 간음
[姦慝 간특] 간교하고 사특(邪慝)함.
[姦虐 간학] 간악하여 학대함.
[姦黠 간힐] 간사하고 약음. 교활함.
[姦行 간행] 간사(姦邪)한 행위.
[姦倖 간행] 간사한 폐신(嬖臣).
[姦險 간험] 간악하고 음험함.
[姦俠 간협] 불량배. 무뢰배.
[姦昏 간혼] 간악하여 도리에 어두움.
[姦猾 간활] 간사하고 교활함.
[姦回 간회] 간사(姦邪).
[姦繪 간회] 간활(姦猾).
[姦凶 간흉] 간사하고 흉악(凶惡)함. 또, 그러한 사람.
[姦兇 간흉] 간흉(姦凶).
●強姦. 大姦. 防姦. 犯姦. 辨姦. 宿姦. 佞姦. 外姦. 陰姦. 通姦. 豪姦. 和姦.

6 ⑨ [奵] 姦(前條)과 同字

6 ⑨ [姙] 임 ㉤沁 汝鴆切 rèn ㉤侵 如林切
筆順 ⺊ 女 女 如 奵 姙 姙 姙
字解 애밸 임 임신함. 妊(女部 四畫)과 同字.

[姙婦 임부] 잉태(孕胎)한 부녀.
[姙姒之德 임사지덕] 후비(后妃)의 현숙(賢淑)한 덕행(德行).
[姙產 임산] 아이를 배고 낳는 일.
[姙娠 임신] 아이를 뱀.
[姙孕 임잉] 잉태함. 아이를 뱀.

[威名 위명] ㉠대단한 명성. ㉡위세 (威勢)와 명성 (名聲).
[威命 위명] ㉠위엄 (威嚴)이 있는 명령. ㉡위광 (威光)과 명령 (命令).
[威武 위무] ㉠권위 (權威)와 무력 (武力). ㉡위엄 있고 씩씩함.
[威柄 위병] 위권 (威權).
[威服 위복] 두려워 복종함. 또, 위력 (威力)으로 남을 복종 (服從)시킴.
[威福 위복] 위력 (威力)으로써 복종시키고, 또 은혜를 베풀어 심복하게 함.
[威聲 위성] 위광 (威光)과 명성. 위세 (威勢)와 평판 (評判).
[威勢 위세] 위엄 (威嚴)이 있는 기세.
[威信 위신] ㉠위엄 (威嚴)이 있고 신실 (信實)함. ㉡위력 (威力)과 신용.
[威神 위신] 존엄 (尊嚴)함. 또, 거룩함.
[威壓 위압] 위력으로 억누름. 위엄으로 을러댐.
[威約 위약] 두려워 옹송그림. 외축 (畏縮).
[威嚴 위엄] 점잖고 엄숙 (嚴肅)하여 위광 (威光)이 있음. 의젓하고 드레짐.
[威如 위여] 위엄이 있는 모양.
[威容 위용] 위엄 있는 모습.
[威儀 위의] ㉠예 (禮)의 (禮儀)에 맞아 위엄 있는 거동 (擧動). ㉡예 (禮)의 세칙 (細則). ㉢의식 (儀式).
[威而不猛 위이불맹] 위엄이 있으나 사납지 아니함. 「력 (威力).
[威霆 위정] 격심한 천둥. 전 (轉)하여, 대단한 위
[威重 위중] 위엄이 있고 드레짐.
[威燀 위천] 위세가 성 (盛)함.
[威澤 위택] 위엄과 은택 (恩澤).
[威風 위풍] 위엄 (威嚴)이 있는 풍채.
[威風凜凜 위풍늠름] 위풍 (威風)이 당당함.
[威逼 위핍] 위협 (威脅).
[威嚇 위하] 위협 (威脅).
[威虐 위학] 폭위 (暴威)를 떨침.
[威脅 위협] 으름. 협박 (脅迫)함.
[威刑 위형] 위력과 형벌. 또, 단지 '형벌'의 뜻으로도 쓰임.
　●國威. 軍威. 權威. 稜威. 德威. 猛威. 明威. 武威. 暑威. 聲威. 勢威. 示威. 神威. 嚴威. 餘威. 炎威. 靈威. 王威. 恩威. 朝威. 重威. 天威. 最高權威. 暴威. 寒威. 虛威. 脅威. 狐假虎威. 皇威.

6
⑨ [姜] 〔人名〕 강 ㉠陽 居良切 jiāng

筆順　丷　半　兰　羊　姜　姜　姜

字解 ①성 (姓) 강 신농씨 (神農氏) 후손의 성. ②강할 강 彊 (弓部 十三畫)과 뜻이 같음. '一, 強也'《廣雅》.
字源 〔金文〕 芈 〔篆文〕 羨　形聲. 女+羊〔音〕. 태고 (太古) 때에, 산시 성 (陝西省) 지방에서 양 (羊)을 방목 (放牧)한 민족이 양에 연관지어 붙인 성 (姓)일 것으로 추정됨. '彊강'과 통하여, '강하다'의 뜻을 나타냄.
參考 성 (姓)으로서, 속 (俗)에 '제비강'이라 이름.

[姜夔 강기] 남송 (南宋)의 시인 (詩人). 파양 (鄱陽) 사람. 자 (字)는 요장 (堯章), 호 (號)는 백석도인 (白石道人). 당시 간신 (奸臣) 진회 (秦檜)

가 집권 (執權)하였으므로, 은거하여 관도 (官途)에 나서지 않았음. 음률 (音律)에 밝으며, 시풍 (詩風)은 일세 (一世)에 관절 (冠絶)하였음.《백석시집 (白石詩集)》·〈백석도인가곡 (白石道人歌曲)〉·〈독서고 (讀書考)〉·〈대악의 (大樂議)〉 등의 저서 (著書)가 있음.
[姜嫄 강원] 제곡 (帝嚳)의 비 (妃). 후직 (后稷)의 모친. 강원 (姜原).
[姜戎 강융] 춘추 시대 (春秋時代)의 서융 (西戎)의 별종 (別種).
　●姬姜.

6
⑨ [姿] 〔高入〕 자 ①-③㉠支 卽夷切 zī ④㉠寘 資四切 zì

筆順　丶　丷　冫　次　次　姿　姿

字解 ①맵시 자 자태. 모습. '英一'. '體貌魁梧有異一'《後漢書》. ②풍취 자 풍경의 아취 (雅趣). '自然鍾野一'《陸龜蒙》. ③바탕 자 성품. 소질. 천분 (天分). 資 (貝部 六畫)와 통용. '主之一也'《漢書》. ④모양낼 자 자태를 꾸밈. '羲之俗書魁一媚'《韓愈》.
字源 〔篆文〕 祁　形聲. 女+次〔音〕. '次차'는 '긴장을 풀다'의 뜻. 긴장을 풀고 쉴 때의 여성 (女性)의 여러 모습의 뜻에서, '자태·모습'의 뜻을 나타냄.

[姿望 자망] ㉠고아 (高雅)한 모습. ㉡모습. 풍채 (風采).
[姿貌 자모] 용모 (容貌).
[姿媚 자미] 모양을 내어 아양 부림.
[姿狀 자상] 자태. 모양. 모습.
[姿色 자색] 여자의 용모와 안색.
[姿勢 자세] 몸을 가지는 상태.
[姿容 자용] 모습. 모습.
[姿宇 자우] ㉠모습. ㉡인품 (人品). 품격 (品格). 우 (宇)는 기량 (器量)이란 뜻.
[姿儀 자의] 용모. 모습. 자용 (姿容).
[姿采 자채] 자모 (姿貌).
[姿態 자태] 모양과 태도 (態度). 맵시.
　●瓊姿. 高姿. 瑰姿. 奇姿. 芳姿. 丰姿. 仙姿. 聖姿. 殊姿. 神姿. 妍姿. 艷姿. 容姿. 勇姿. 雄姿. 天姿. 淸姿. 風姿.

6
⑨ [娄] 〔旱〕 婁 (女部 八畫〈p. 538〉)의 略字·簡體字

[要] 〔요〕 西部 三畫 (p. 2084)을 보라.

7
⑩ [娉] 〓 빙 ㉠敬 匹正切 pìn 〓 병 ㉠庚 彼耕切 pīng

字解 〓 ①물을 빙, 장가들 빙 여자의 이름을 물음. 전 (轉)하여, 아내로 맞아들임. 聘 (耳部 七畫)과 同字. '一命'. '一江斐與神遊'《左思》. ②상할 빙 해 (害)침. 妨 (女部 四畫)과 뜻이 같음. '害也'《廣雅》. 〓 예쁠 병 예쁜 모양. '不嫁惜一'《杜甫》.
字源 〔篆文〕 娉　形聲. 女+甹〔音〕. '甹병'은 '倂병'과 통하여 '합치다'의 뜻. 여자를 남자에게 시집보내다, 장가들다의 뜻. 전하여, '묻다'의 뜻을 나타냄.

[娉婷 병정] 예쁜 모양. 아름다운 모양.

[娉命 빙명] 결혼(結婚)의 약속(約束).
[娉會 빙회] 약혼(約婚)만 하고 아직 혼례(婚禮)를 올리지 않은 여자. 아내와 같다고 봄.

7/10 [娌]
리 ⑪紙 良士切 lǐ

字解 동서(同壻) 리 형제(兄弟)의 아내끼리 서로 부르는 칭호. '兄弟之妻, 相呼曰娌―'《廣雅》.

字源 形聲. 女+里〔音〕

7/10 [娓]
미 ⑪尾 無匪切 wěi

字解 ①예쁠 미 아름다움. '―, 美也'《廣韻》. ②되풀이할 미 친절히 되풀이하여 가르치는 모양. '――'. ③힘쓸 미 '―, 勉也'《字彙》. ④따를 미 순종함. 온순함. '―, 順也'《說文》.

字源 形聲. 女+尾〔音〕. '尾미'는 뒤에 따르다의 뜻. 여자가 순종하다의 뜻을 나타냄. 또 '媄미'와 통하여 '아름답다'의 뜻을 나타냄.

[娓娓 미미] 친절히 되풀이하여 가르치는 모양.

7/10 [姇]
㊀ 姆(女部 五畫〈p.522〉)의 本字.
㊁ 侮(人部 七畫〈p.135〉)와 同字.

7/10 [娖]
㊀ 착 ㊗覺 測角切 chuò
㊁ 촉 ㊗沃 叉足切 cù

字解 ㊀ ①조심할 착 근신하는 모양. '――廉謹備員而已'《史記》. ②분별할 착 판별함. '―, 辯也'《廣韻》. ③재촉할 착 促(人部 七畫)과 통용. ㊁ 정제할 촉 정돈됨. '廚架整―齊籤牙'《梅堯臣》.

字源 形聲. 女+足〔音〕

[娖娖 착착] 근신하는 모양. 조심하는 모양.

7/10 [娘]
㊀ 낭 ㊗陽 女良切 niáng (냥㊀)
㊁ 랑

筆順 ㄑ ㄑ ㄑ 娘 娘 娘 娘 娘

字解 ㊀ ①계집 낭 ㉠소녀(少女). 아가씨. ―子. ㉡소녀의 이름 밑에 붙여 쓰는 말. '喬之知婢窈―, 美且善歌'《唐書》. ②어미 낭 모(母)의 속어임. '―家'. '兒別爺―夫別妻'《白居易》. ㊁ 계집 랑, 어미 랑 ㊀과 뜻이 같음.

字源 會意. 女+良. '良량'은 '좋다'의 뜻. 좋은 여자, 소녀, 아가씨의 뜻을 나타냄.

[娘家 낭가] 어머니의 친정. 외가(外家).
[娘娘 낭낭] ㉠아들이 어머니를 이름. ㉡천자(天子)가 모후(母后)를 일컬어 말함. ㉢황후, 왕비(王妃) 또는 천녀(天女).
[娘子 낭자] ㉠소녀(少女). 아가씨. ㉡어머니. ㉢아내. ㉣궁녀(宮女).
[娘子軍 낭자군] ㉠여자(女子)로 조직(組織)한 군대(軍隊). 당(唐)나라 고조(高祖)의 딸 평양공주(平陽公主)가 수백 명의 부인(婦人)을 거느리고 고조를 도와 경사(京師)를 평정(平定)

한 군사 이름. ㉡부인(婦人) 또는 소녀의 단체.
[娘行 낭행] 부녀(婦女)를 이름.
●嬌娘. 絡絲娘. 老娘. 夫娘. 雪衣娘. 纖腰娘. 掃晴娘. 新嫁娘. 爺娘. 令娘. 村娘.

7/10 [娗]
태 ㊂泰 他外切 tuì

字解 ①아름다울 태 아리따움. '―, 好也'《說文》. ②느릿느릿할 태 늘쩡거리는 모양. '――舒遟皃'《集韻》. ③기뻐할 태 '―, 一曰, 喜也'《集韻》.

字源 形聲. 女+兌〔音〕. '兌태'는 '悅열'과 같은 뜻으로, '기뻐하다'의 뜻. 여자가 기뻐함의 뜻에서, '아름답다'의 뜻을 나타냄.

[恕]
〔서〕 心部 六畫(p.773)을 보라.

7/10 [娛]
高人 오 ⑭虞 遇俱切 yú
㊂遇 五故切 yú

筆順 ㄑ ㄑ ㄑ 娛 娛 娛 娛 娛

字解 ①즐거워할 오, 즐거움 오 '―樂'. '窮歡極―'《張衡》. ②장난할 오 희롱함. 농담함. '―游往來'《漢書》.

字源 形聲. 女+吳〔音〕. '吳오'는 '즐기다'의 뜻. 뒤에 '吳'가 나라 이름으로 쓰이게 되자, 흔히, 심리(心理) 상태를 나타내는 말에 덧붙는 '女'를 더해 구별했음.

[娛觀 오관] 즐겁게 유람(遊覽)함.
[娛樂 오락] 재미있게 노는 일.
[娛笑 오소] 즐거워하며 웃음.
[娛娛 오오] 즐거워하는 모양.
[娛遊 오유] 즐거이 놂.
[娛適 오적] 즐거워하고 기뻐함.
[娛足 오족] 즐거워하며 만족해함.
[娛嬉 오희] 즐거워하고 기뻐함.
●康娛. 極歡極娛. 晏娛. 宴娛. 婾娛. 遊娛. 歡娛. 嬉娛. 戲娛.

7/10 [娜]
人名 나 ⑪哿 奴可切 nuó

筆順 ㄑ 奻 好 好 姍 姍 娜 娜

字解 ①아리따울 나 '嬝―'는 여자의 모습이 예쁜 모양. '花腰呈嬝―'《李白》. ②휘청거릴 나, 천천히 움직일 나 '萬柳枝――'《梅堯臣》.

字源 形聲. 女+那〔音〕

[娜娜 나나] ㉠흔들려 움직이는 모양. ㉡낭창거리는 모양.
●婀娜. 夭娜. 嫋娜. 嬝娜.

7/10 [姤]
㊀ 비 ⑪紙 方美切 bǐ
㊁ 배 ⑭灰 匹杯切
㊂ 부 ㊂虞 芳無切 pōu

字解 ㊀ 성 비 성(姓)의 하나. ㊁ 어리석을 배 '―, 不肖也'《說文》. ㊂ 어리석을 부 ㊁와 뜻이 같음.

[字源] 形聲. 女＋否〔音〕

7 ⑩ [娩] 〔괴〕
媿(女部 十畫〈p. 543〉)의 俗字

7 ⑩ [婚] 〔활〕
姡(女部 六畫〈p. 529〉)의 本字

7 ⑩ [娗] [一] 정 [上]迥 徒鼎切 tǐng
[二] 전 [上]銑 他典切 tiǎn

[字解] [一] ①여자병 정 여자의 음부(陰部)의 병. '一, 女出病也'《說文》. ②늘씬할 정 날씬하여 예쁜 모양. '一, 長好兒'《廣韻》. [二] ①속일 전, 업신여길 전 '一, 欺慢也'《集韻》. ②못할 전 무엇만 못함. 열등함. '一, 一日, 偄劣'《集韻》.

[字源] 篆文 形聲. 女＋廷〔音〕. '廷정'은 곧게 뻗다의 뜻. 여자의 날씬하고 아름다운 모양을 나타냄.

7 ⑩ [娠] [人名] 신 [平]眞 失人切 shēn

[字解] ①애밸 신 잉태함. '妊一'. '后婚方一'《左傳》. ②움직일 신 踬(足部 七畫)과 뜻이 같음. '一, 動也'《爾雅》.

[字源] 篆文 形聲. 女＋辰〔音〕. '辰진'은 '떨리다'의 뜻. 배 속에서 아이가 움직이다의 뜻에서, '아이를 배다'의 뜻을 나타냄.

◉妊娠.

7 ⑩ [娝] 娠(前條)과 同字

7 ⑩ [娣] 제 [上]薺 徒禮切 dì

[字解] ①손아래누이 제 여제(女弟). '女子同出, 先生爲姒, 後生爲一'《爾雅》. ②손아래동서 제 형제의 아내 중 손위 동서가 손아래 동서를 부르는 말. '一姒婦者, 弟長也'《儀禮》.

[字源] 篆文 形聲. 女＋弟〔音〕. '弟제'는 동생. '손아래 누이'의 뜻을 나타냄.

[娣婦 제부] 손아래 동서.
[娣姒 제사] ㉠손아래 누이와 손위 누이. ㉡손아래 동서와 손위 동서.
[娣姪 제질] 신부(新婦)에 딸려 온 여자. 측실(側室). 질제(姪娣).
[娣妾 제첩] 첩(妾).

7 ⑩ [娍] [人名] 성 ①②[去]敬 時正切 shèng
③[平]庚 時征切 chéng

[筆順] 女 女 奵 奵 妡 娍 娍 娍

[字解] ①헌걸찰 성 늘씬하여 보기 좋음. '一, 長好也'《集韻》. ②아름다울 성 '一, 一日, 美也'《集韻》. ③여자이름 성 '一, 女名'《集韻》.

7 ⑩ [娥] [人名] 아 [平]歌 五何切 é

[筆順] 女 女 女 奸 奸 娥 娥 娥

[字解] ①예쁠 아 아름다움. 또, 미인. '趙妃燕后, 秦一吳娃'《江淹》. ②항아 아 '姮一'는 달〔月〕의 이칭(異稱). '一影'. ③성 아 성(姓)의 하나.

[字源] 甲骨文 篆文 形聲. 女＋我〔音〕. '我아'는 들쭉날쭉한 도끼날을 본뜬 모양. 톱니 모양으로 들쭉날쭉한 머리 장식을 꽂은 예쁜 여성(女性)의 뜻.

[娥姣 아교] 예쁨. 아름다움. 또, 그 여자. 미인(美人).
[娥媌 아모] 아름다움. 예쁨.
[娥娥 아아] 예쁜 모양. 아름다운 모양.
[娥英 아영] 아황(娥皇)·여영(女英)의 두 사람. 모두 요(堯)임금의 딸로서 함께 순(舜)임금의 아내가 되었음. 순(舜)이 죽자, 상강(湘江)에 투신(投身)하여 아황(娥皇)은 상군(湘君)이 되고, 여영(女英)은 상부인(湘夫人)이 되었다고 전(傳)함.
[娥影 아영] 항아(姮娥)의 그림자. 곧, 달 그림자. 월영(月影).
[娥皇 아황] 요(堯)임금의 딸이며 순(舜)임금의 아내. '아영(娥英)'을 보라.
◉宮娥. 嬪娥. 湘娥. 仙娥. 素娥. 帝娥. 姮娥. 嫦娥.

7 ⑩ [娭] 협(①②겹[本]) [入]葉 苦協切 qiè

[字解] ①뜻맞을 협, 쾌할 협 愜(心部 九畫)과 同字. '一, 得志一一也'《說文》. ②숨쉴 협 호흡(呼吸)함. '一, 一日, 一息也'《說文》. ③기침할 협 '一, 一日, 小气'《集韻》.

[字源] 形聲. 女＋夾〔音〕

7 ⑩ [娩] [人名] [一] 만 [上]阮 無遠切 wǎn
(면[本])
[二] 면 [上]銑 亡辨切 miǎn

[字解] [一] 해산할 만 아이를 낳음. '分一'. '一息不眚'《唐書》. [二] ①순할 면 얌전함. 순종함. '婉一聽從'《禮記》. ②교태지을 면 아양부림. '一, 婉一, 媚也'《廣韻》.

[字源] 形聲. 女＋免〔音〕. '免면'은, 신생아(新生兒)가 태어나는 모양을 본뜬 것으로, '娩만'의 原字. '免'이 '모면하다'의 뜻으로 쓰이게 되었기 때문에, '女'를 덧붙여 구별했음.

[娩息 만식] 해산(解産)함.
[娩澤 만택] 얼굴에 윤기가 돎.
[娩痛 만통] 해산할 때의 진통(陣痛).
◉分娩. 嫵娩. 婉娩.

7 ⑩ [娙] [一] 경 [平]青 戶經切 xíng
[二] 형 [平]庚 五莖切 xíng

[字解] [一] ①날씬할 경 크고 맵시 있는 모양. '一, 長好也'《說文》. ②여관(女官) 경 '一娥'는 한대(漢代)의 여관(女官)의 칭호. '至武帝, 制倢伃, 一娥·傛華·充依, 各有爵位, 云云, 一娥, 視中二千石, 比關內侯'《漢書》. ③계집종 경 비녀(婢女). [二] 여관 형 [一]❷와 뜻이 같음.

[字源] 篆文 形聲. 女＋巠〔音〕. '巠경'은 '곧다'의 뜻. 늘씬하여 맵시가 좋다의 뜻.

[娙娥 경아] ㉠아름다움. 예쁨. ㉡한대(漢代)의 여

관(女官)의 이름. ㉢한무제(漢武帝)의 형부인.
[娙何 경하] 한대(漢代)의 여관(女官)의 이름.

7/10 [娛] ⏤ 희 ㉠支 許其切 xī ⏤ 애 ㉠灰 於開切 āi

字解 ⏤ 희롱할 희 '神來燕一'《漢安世》. ⏤ 계
집종 애 '一, 婢也'《廣雅》.
字源 篆文 形聲. 女+矣〔音〕. '嬉'와 동일어(同
一語) 이체자(異體字)로서, '희롱함'
의 뜻.

7/10 [娚] 남 ㉠咸 女咸切 nán

字解 ①재잘거릴 남 喃(口部 九畫)과 同字. ②
《韓》오라비 남 오빠. 속(俗)에, 아내의 형제를
'妻一'이라 함.

7/10 [娍] 〔무〕 嫵(女部 十二畫〈p.547〉)와 同字

7/10 [娫] 人名 연 ㉠先 夷然切 yán

字解 ①여자의자 연(女字)《集韻》. ②예쁜모양 연
(美好貌)《正字通》.

7/10 [娟] 人名 ⏤ 연 ㉠先 於緣切 juān ⏤ 견 ㉠先 規淵切 juān

筆順 女 女 妌 妌 妌 娟 娟 娟

字解 ⏤ ①예쁠 연 용모가 아름다움. 미호(美
好)함. '嬋一'. '幼子一好靜秀'《韓愈》. ②나긋
나긋할 연 춤추는 모양. 편연(便娟). '一, 便
舞皃'《廣韻》. ③눈썹굽을 연 '眉聯一以娥揚兮'
《宋玉》. ⏤ ①예쁜모양 연 '一, 美好貌'《洪武正
韻》. ②아양떨 견 '一, 媚也'《洪武正韻》.
字源 篆文 形聲. 女+肙〔音〕. '肙'은 '잘록하다'
의 뜻. 여자 몸매가 가늘고 잘록하여
아름답다의 뜻을 나타냄.
參考 娟(女部 六畫)은 俗字.

[娟秀 연수] 용모가 뛰어나게 아름다움.
[娟娟 연연] ㉠예쁜 모양. 아름다운 모양. ㉡그윽
한 모양. 깊숙하고 조용한 모양.
●嬋娟. 麗娟. 連娟. 聯娟. 幽娟. 便娟.

7/10 [娋] ⏤ 초 ①㉠效 所教切 shào (소)㉡㉣ ②③㉠看 所交切 shāo ⏤ 작 ㉠藥 七約切

字解 ⏤ ①점점침범할 초 차츰 침해함. '一, 小
小侵也'《說文》. ②누이 초 손위 누이. '一, 孟,
姊也'《揚子方言》. ③차츰훔칠 초 조금씩 훔침.
'一, 小一, 偸也'《廣韻》. ⏤ 점점침범할 작 ⏤①
과 뜻이 같음.
字源 形聲. 女+肖〔音〕.

7/10 [娑] 人名 사 ①㉠歌 素何切 suō ②㉠智 蘇可切 suǒ

筆順 氵 汀 沪 沙 沙 娑 娑 娑

字解 ①춤출 사, 옷너풀거릴 사, 앉을 사 '婆一'.
②궁전이름 사 '駊一'는 한대(漢代) 궁전 이름.
'駊一, 殿名'《廣韻》. '經駓盡而出駊一'《班固》.

字源 篆文 形聲. 女+沙〔音〕. '沙사'는 고운 모
래. 고운 모래가 슬슬 굴러 가듯이 여
자가 옷소매를 펄럭이며 너울너울 춤추는 모양
을 나타냄.

[娑竭羅 사갈라] '사가라(娑伽羅)' 또는 줄여서
'사갈(娑竭)'이라고도 함. 범어 sāgara의 음역
(音譯)으로, 함해(鹹海) 또는 그 바다에 사는
용(龍)을 이름.
[娑羅 사라] 용뇌향과(龍腦香科)에 속하는 상록
교목. 원산지는 인도. 사라수(娑羅樹).
[娑羅雙樹 사라쌍수] 석가(釋迦)가 발제하(跋提
河)가에서 입적(入寂)할 때에 그 주위 사방에
각각 한 쌍씩 서 있던 사라수.
[娑婆 사바] 범어(梵語) sabhā의 음역(音譯). 인
토(忍土)·능인(能忍) 등으로 번역함. 안에 여
러 번뇌(煩惱)가 있고 밖에 한서 풍우(寒暑風
雨)의 고통이 있어 이러한 여러 고통을 견디어
내야 하는 국토라는 뜻. 삼천 대천 국토(三千大
千國土)의 총칭(總稱)으로 곧 이 세상. 현세
(現世).
[娑婆世界 사바세계] 사바(娑婆).
●摩娑. 駊娑. 婆娑.

7/10 [姿] 찬 ㉠翰 蒼案切 càn

字解 아름다울 찬.

8/11 [媰] 추 ①㉠虞 子于切 jū ②㉠有 此苟切

字解 ①별이름 추 '一觜'는 성수(星宿)의 이름.
'一觜之口, 營室東壁也'《爾雅》. ②미녀 추 아름
다운 여자.
字源 形聲. 女+取〔音〕.

[媰隅 추우] 물고기. 서남 만인(西南蠻人)의 말임.
[媰觜 추자] 성수(星宿) 이름.

8/11 [娼] 人名 창 ㉠陽 蚩良切 chāng

字解 노는계집 창 창기(娼妓). 倡(人部 八畫)의
俗字. '一妓'.
字源 形聲. 女+昌〔音〕. '昌창'은 '唱창'과 통하
여, '노래하다'의 뜻. '노는계집'의 뜻을 나
타냄.

[娼家 창가] 창기(娼妓)의 집. 청루(靑樓). 기루
(妓樓).
[娼妓 창기] ㉠손의 잠자리에 모시는 것을 업(業)
으로 삼는 노는계집. 갈보. ㉡기생(妓生).
[娼女 창녀] 창기(娼妓).
[娼樓 창루] 창기의 집. 청루(靑樓).
[娼夫 창부] 아내나 딸을 팔아 생활하는 사내.
[娼婦 창부] 창기(娼妓).
[娼優 창우] 광대. 배우.
●街娼. 公娼. 名娼. 俳娼. 私娼. 硏娼. 優娼.
偶娼. 天娼.

8/11 [婉] 人名 완 (원)㉠阮 於阮切 wǎn

筆順 女 女' 女'' 妌 妌 妌 婉 婉

혼 후엔 남편을 따르며, 남편이 죽으면 아들을 따르는 일.

[婦人之仁 부인지인] ㉠여자의 소견이 좁은 어진 마음. 쓸데없는 여자의 자애심. ㉡하찮은 인정. 대체를 모르는 고식적(姑息的)인 인정. 「말」.

[婦弟 부제] 처남이 매부에 대하여 자기를 일컫는

● 姦婦. 看護婦. 介婦. 去婦. 寡婦. 巧婦. 驕婦. 貴婦. 裸婦. 嬾婦. 毒婦. 命婦. 美婦. 悍婦. 産婦. 桑婦. 孀婦. 石婦. 世婦. 少婦. 新婦. 良婦. 烈婦. 外婦. 妖婦. 愚婦. 淫婦. 嫠婦. 一夫一婦. 姪婦. 孕婦. 子婦. 酌婦. 蠶婦. 長婦. 田婦. 節婦. 接待婦. 貞婦. 情婦. 宗婦. 主婦. 織婦. 饡婦. 倡婦. 哲婦. 妾婦. 村婦. 冢婦. 醜婦. 妬婦. 販婦. 匹夫匹婦. 悍婦. 賢婦.

8⑪ [婠] 완 ①②⊕寒 一丸切 wān ③⊕翰 古玩切 guàn

[筆順] 女 ゛女 ゛女゛ 女゛ 妒 妒 婠 婠

[字解] ①점잖을 완 품성(品性)이 높음. '—, 體德美也'《說文》. ②아기통통할 완 아기가 통통하게 살찐 모양. '巴蠻收—妠'《韓愈》. ③예쁠 완 아름다움. '—, 好兒'《廣韻》.

[字源] 形聲. 女+官〔音〕

8⑪ [婭] 아 ①②⊕禡 衣嫁切 yà ③⊕麻 於加切 yā

[字解] ①동서 아 아내의 자매(姉妹)의 남편. '—壻', '兩壻相謂曰—'《爾雅》. ②인척 아 혼인에 의하여 맺어진 겨레붙이. '乘相楊國忠支—, 所在橫猾'《唐書》. ③아리따울 아 '婭妹'는 여자의 요염한 자태. '—妹, 態也'《集韻》.

[字源] 形聲. 女+亞〔音〕

[婭壻 아서] 아내의 자매의 남편. 동서(同壻).
● 姻婭. 宗婭. 親婭. 婚婭.

8⑪ [焜] ■ 곤 ⊕元 公渾切 kūn ■ 혼 ⊕阮 戶袞切 hùn

[字解] ■ 여자의자 곤 여자의 본이름 외의 자(字). '—, 女字'《集韻》. ■ ①여자의자 혼 '—, 女字'《集韻》. ②덮을 혼 씌움. '人人以荷葉裹飯, —以鴨肉數斛'《資治通鑑》.

8⑪ [婬] 음 ⊕侵 餘針切 yín

[字解] 음탕할 음 淫(水部 八畫)과 통용. '作—聲'《孔子家語》.

[字源] 形聲. 女+坙〔音〕. '坙임'은 탐하여 구(求)하다의 뜻. 여자를 탐(貪)하다·음탕하다의 뜻을 나타냄.

[婬女 음녀] 음탕한 여자.
[婬奔 음분] 부녀(婦女)의 음란한 행동.
[婬俗 음속] 음란한 풍속.
[婬慾 음욕]《佛敎》남녀 간의 사랑.
[婬火 음화] 음욕(婬慾)의 열정. 불길 같은 음욕.

8⑪ [婀] 아 ①②⊕智 烏可切 ě ③⊕歌 烏何切 ē

[字解] ①아리따울 아 '—娜'는 여자가 날씬하고 예쁜 모양. '華容—娜, 令我忘飱'《曹植》. ②성 아 성(姓)의 하나. ②머뭇거릴 아 '婀'는 주저하여 결정을 짓지 못함. '詎肯感激徒婀—'《韓愈》.

[字源] 形聲. 女+阿〔音〕. '阿아'는 '알랑거리다, 아양 떨다'의 뜻. 여자가 알찐거리듯이 나긋나긋한 모양을 나타냄.

[婀嬌 아교] 아리따운 자태(姿態). 또, 그 여자. 미인(美人).
[婀娜 아나] 날씬하고 아리따운 모양.
● 婷婀.

8⑪ [婌] 숙 ⊼屋 殊六切 shú

[字解] ①궁녀벼슬이름 숙 후궁(後宮)의 여관(女官) 이름. '—, 後宮女官'《集韻》. ②淑(水部 八畫)과 同字.

[字源] 形聲. 女+叔〔音〕

8⑪ [婧] 청 ⊕敬 疾政切 jìng ⊕梗 疾郢切 ⊕庚 子盈切

[字解] ①가냘플 청 날씬할 청 허리가 가는 모양. '舒姃—之纖腰兮'《張衡》. ②총명할 청 여자가 총명하고 재치가 있음. '—, 女有才也'《集韻》. ③아리따울 청 '妍—'.

[字源] 形聲. 女+靑〔音〕. '靑청'은 깨끗하고 맑다의 뜻. 여자의 정조가 곧음. 또, 아리땁다의 뜻을 나타냄.

8⑪ [婃] 답 ⊼合 他合切 tà

[字解] ①엎드릴 답 '—, 偁伏也'《說文》. ②복종할 답 '一曰, 服意也'《說文》. ③편안할 답 '—, 安兒'《廣韻》.

[字源] 形聲. 女+沓〔音〕

8⑪ [婗] 예 ①⊕齊 五稽切 ní ②⊕薺 五禮切 nǐ

[字解] ①갓난아이 예 갓 태어난 아기. 또는 그 아이의 울음소리. '人始生曰嬰兒, 或曰嬰—'《釋名》. ②아양부릴 예 교태(嬌態)를 지음. 또, 의심(疑心)하여 정하지 못함. '媞—, 嫵媚. 一曰, 疑不決'《集韻》.

[字源] 形聲. 女+兒〔音〕. '兒아'는 갓난아이. 여자의 갓난아이의 뜻으로, 널리 '갓난아이'의 뜻을 나타냄.

[婗子 예자] 어린 계집애. 유녀(幼女).
● 嬰婗.

8⑪ [婏] ■ 부 ⊕遇 芳遇切 fù ■ 반 ⊕願 芳萬切 fàn

[字解] ■ ①토끼새끼 부 토끼의 어린것. '—, 兔子也'《說文》. ②빠를 부 날램. '—, 一疾也'《說文》. ■ ①토끼새끼 반. ②빠를 반 ■과 뜻이 같음.

[字源] 形聲. 女+兔〔音〕. '兔토'는 토끼. '토끼의 새끼'의 뜻을 나타냄.

8/11 [叕]

一 ㈎찰 ㈎點 丁滑切 zhuó
二 추 ㉠支 陟佳切
三 철 ㉠屑 姝悅切

字解 一 ①빠를 찰, 날래고사나울 찰 '一, 疾悍也'《說文》. ②화낼 찰 '一, 怒也'《集韻》. ③예쁠 찰 '婠一'은 아름다운 모양. '婠一, 好皃'《廣韻》. 二 빠를 추, 날래고사나울 추, 화낼 추, 예쁠 추 一과 뜻이 같음. 三 빠를 철, 날래고사나울 철, 화낼 철, 예쁠 철 一과 뜻이 같음.
字源 形聲. 女+叕〔音〕.

8/11 [婐]

一 와 ㉠哿 烏果切 wǒ
二 과 ㉠麻 古華切 wǒ

字解 一 ①날씬할 와 몸이 가늘고 예쁜 모양. '珠佩一婑戲金闕'《古樂府》. ②과감할 와 果(木部 四畫)와 통용. '一, 一曰, 果敢也'《說文》. 二 모실 과 시비(侍婢)로서 곁에서 모심. '一, 女侍'《廣韻》.
字源 甲骨文 篆文 婐 形聲. 女+果〔音〕. '果과'는 甲骨文에서 명백하듯이, 둥근 나무 열매의 형상으로, '둥글다'의 뜻. 여자의 동긋하고 아름다움의 뜻을 나타냄.

[婐婑 와와] 용모(容貌)가 아름다운 모양.
[婐婐 와타] 음전하고 아름다움. 와타(婑婐).

8/11 [婑]

와 ㉠哿 郞果切 wǒ

字解 날씬할 와 婐(前條)와 同字. '擇稚齒一婑者'《列子》.

[婑婐 와타] 음전하고 예쁨.

8/11 [妖]

〔요〕
妖(女部 四畫〈p.518〉)의 本字

[嫻]

〔인〕
女部 九畫(p.542)를 보라.

8/11 [娶]

人名 취 ㈎遇 七句切 qǔ
㉠麌 此主切 qǔ

字解 장가들 취, 장가 취 '一嫁'. '冠而後一'《孔叢子》.
字源 篆文 娶 形聲. 女+取〔音〕. '取취'는 '취하다'의 뜻. '장가들다'의 뜻.

[娶嫁 취가] 장가들고 시집감. 가취(嫁娶).
[娶得 취득] 아내를 맞이함.
[娶禮 취례] 혼인의 예식. 결혼식. 혼례.
[娶陰麗華 취음여화] 후한(後漢)의 광무제(光武帝)가 미천(微賤)했을 때 남양(南陽)의 미인(美人)인 음여화(陰麗華)를 아내로 삼기를 원했다가 결국 소망(所望)을 이룬 일. 음황후(陰皇后)가 그 사람임.
[娶妻 취처] 아내를 얻음. 장가듦.
●嫁娶. 外娶. 專娶. 婚娶.

8/11 [婁]

人名 루 ①②㉠虞 力朱切 jú
③㉠麌 隴主切 lǔ
④-⑦㉠尤 落侯切 lóu
⑧㉠遇 龍遇切 lǔ

字解 ①끌 루 옷자락을 바닥에 대고 끎. '弗曳

弗一'《詩經》. ②아로새길 루 누각(鏤刻)함. '丹綺離一'《何晏》. ③맬 루 마소를 맴. '牛馬維一'《公羊傳》. ④별이름 루 이십팔수(二十八宿)의 하나. 백호칠수(白虎七宿)의 둘째 성수(星宿)로서, 별 셋으로 구성됨. '一宿'. ⑤속빌 루 속이 텅 빔. '一, 空也'《說文》. ⑥성길 루 촘촘하지 않음. '五穀之狀一一然'《管子》. ⑦성 루 성(姓)의 하나. ⑧자주 루 屢(尸部 十一畫)와 同字. '一擧賢良'《漢書》.
字源 篆文 籀文 古文 象形. 긴 머리를 틀어 올리고 그 위에 다시 장식을 꽂은 여성(女性)의 모양을 본뜸. 전(轉)하여, '자주, 박아 넣다, 아로새기다'의 뜻을 나타냄.

[婁宿 누수] 이십팔수(二十八宿)의 하나. 서쪽에 있음. 자해 (字解)④를 보라.
[婁猪 누저] 암돼지.
●卷婁. 黔婁. 部婁. 挹婁. 離婁. 邾婁.

8/11 [娄]

婁(前條)의 俗字

8/11 [婆]

人名 一 파 ㉠歌 薄波切 pó
二 바

字解 一 할미 파 ㉠노모(老母). '憙卽爲固長育, 恆呼固夫婦爲郞一'《魏書》. ㉡늙은 여자. '老一'. '里人因呼爲春夢一'《侯鯖錄》. 二 범어(梵語) 바《佛敎》범어 bha의 음역자(音譯字).
字源 形聲. 女+波〔音〕.

[婆羅門 바라문] 범어(梵語) Brahmana의 음역(音譯). ㉠인도(印度) 사성(四姓) 가운데에서 가장 높은 지위의 승족(僧族). 바라문교(婆羅門敎)의 교법(敎法)·제전(祭典)·학문(學問)의 일을 맡았으며, 왕후(王侯) 이상의 권력(權力)이 있음. ㉡바라문교(婆羅門敎). 또, 그 승려(僧侶).
[婆羅門敎 바라문교] 인도에 불교가 생기기 전부터 바라문 족이 신봉하던 종교.
[婆羅門行 바라문행] 중의 건방지고 거친 행동.
[婆娑 파사] ㉠너울너울 춤추는 모양. ㉡옷자락이 너울거리는 모양. ㉢흩어져 어지러운 모양. 산란한 모양. ㉣댓잎 같은 것에 바람이 부딪치는 소리. ㉤음조(音調)에 억양이 많은 모양. ㉥비틀거리는 모양. ㉦배회하는 모양. ㉧그림자가 움직이는 모양. ㉨꿈지럭거리는 모양. ㉩편안히 앉은 모양.
[婆娑兒 파사아] 갈매기의 별명(別名).
[婆心 파심] 지나치게 친절한 마음. 노파심(老婆心).
[婆然 파연] 춤추는 모양.
●姑婆. 公婆. 耆婆. 浪婆. 老婆. 媒婆. 孟婆. 蓬婆. 娑婆. 闍婆. 產婆. 窣都婆. 阿婆. 穩婆. 奪衣婆. 塔婆. 湯婆. 太婆.

8/11 [婥]

一 점 ㉠鹽 丑廉切 chān
二 섬 ㉠鹽 失廉切 chān

字解 一 벙글거릴 점 '姈一, 喜笑皃'《集韻》. 二 빙글거릴 섬 一과 뜻이 같음.
字源 篆文 婥 形聲. 女+沾〔音〕. '沾점'은 '축축해지다, 윤택해지다, 충분히 차다'의 뜻. 여자가 만족하여 기뻐서 웃는 모양.

의 뜻을 나타냄.

8
⑪ [婪] 람 ①㊤覃 盧含切 lán
②㊤感 盧感切 lǎn

[字解] ①탐할 람 탐욕이 많음. '性貪一詭賊'《韓愈》. ②삼가지않을 람 '一, 不謹也'《集韻》.

[字源] 篆文 林 形聲. 女+林〔音〕. '林림'은 '립립'과 通하여, 어떤 위치를 독점하여 섬의 뜻. 오직 재물에만 마음이 가 있다, 탐하다의 뜻을 나타냄. '女여'는 심리 상태를 나타내는 말에 덧붙는 요소 문자(要素文字)임.

[婪酣 남감] 탐내어 먹음. 게걸스럽게 먹음.
[婪沓 남답] 욕심이 많아 탐냄.
[婪尾 남미] ㉠옛날에 술잔이 한 순배(巡杯) 돌았을 때 마지막 사람이 석 잔 연거푸 마시던 일. ㉡끝. 종말.
[婪尾酒 남미주] 옛날에 술잔이 한 순배 돌았을 때 맨 끝의 사람이 연거푸 석 잔을 마시던 술.
[婪尾春 남미춘] '작약(芍藥)'의 별칭(別稱).
●菴婪. 貪婪.

8
⑪ [娹] ■ 간 ㊤刪 丘閑切 qiān
■ 긴 ㊤軫 頸忍切 jǐn

[字解] ■ 예쁠 간 '一, 美也'《說文》. ■ 여자의자 긴 '一, 女字'《集韻》.
[字源] 形聲. 女+臤〔音〕.

8
⑪ [婔] 비 ㊤微 芳非切 fēi

[字解] ①오락가락할 비 왔다 갔다 하는 모양. '一一遲遲而周邁'《揚雄》. ②귀신 비 '江一'는 신(神)의 이름. '娙江一與神遊'《左思》. ③추할 비 '一, 一曰醜'《廣韻》.

[字源] 篆文 婔 形聲. 女+非〔音〕. '非비'는 좌우로 갈라져 열림의 뜻. 헤매는 모양을 나타냄.

[婔婔 비비] 사람이 오락가락하는 모양.
●江婔.

8
⑪ [嬰] 人名 〔아〕 婀(女部 八畫〈p.537〉)와 同字

9
⑫ [婷] 人名 정 ㊤青 唐丁切 tíng

[字解] 예쁠 정 아름다움. '一一花下人'《陳師道》.
[字源] 形聲. 女+亭〔音〕

[婷婷 정정] 예쁜 모양. 아름다운 모양. 빙정(娉婷).
●娉婷.

9
⑫ [媁] 위 ㊤微 於非切 wéi

[字解] ①기뻐하지않을 위 좋아하지 않는 모양. '一, 不說貌'《說文》. ②방자할 위 제멋대로 함. 방종하는 모양. '一, 恣也'《說文》. ③아름다울 위 '一, 美也'《廣韻》.

[字源] 篆文 媁 形聲. 女+韋〔音〕. '韋위'는 '등지다'의 뜻. 여자가 기뻐하지 않고 등지다

9
⑫ [媮] ■ 유 ㊤虞 羊朱切 yú
■ 투 ㊤尤 託侯切 tōu

[字解] ■ ①박대할 유 소원(疏遠)히 함. '晉未可一也'《左傳》. ②즐거워할 유 愉(心部 九畫)와 通用. '一娛, 將從俗富貴以一生'《楚辭》. ■ ①간교할 투 교활함. '齊君之語一'《左傳》. ②구차할 투 '一合取容'《史記》. ③훔칠 투 도둑질함. 偸(人部 九畫)와 同字. '一居幸生'《國語》. ④속일 투 그때만 넘기려 함. 한때의 안락을 원함. '民一廿食好衣'《漢書》.

[字源] 篆文 媮 形聲. 女+兪〔音〕. '兪유'는 '빼내다, 빠져나오다'의 뜻. 남의 의표를 찔러 '속이다, 훔치다'의 뜻.

[媮薄 유박] 경박(輕薄)함.
[媮生 유생] 인생(人生)을 즐김.
[媮食 유식] 맛난 음식을 즐겨 먹음.
[媮娛 유오] 즐거워함.
[媮居 투거] 당장의 편안한 것만 취하여 구차하게 그 자리에 앉아 있음.
[媮生 투생] 삶을 도둑질함. 생명을 아껴 구차하게 삶.
[媮食 투식] 당장의 편안한 것만 취하여 구차하게 삶.
[媮惰 투타] 한때의 안락을 탐내어 일을 게을리함.
[媮合 투합] 구차하게 남의 뜻을 맞춤. 영합(迎合)함.

9
⑫ [媌] 모 ㊤看 莫交切 miáo

[字解] ①예쁠 모 아리따움. '一, 好也'《廣雅》. '一, 美好也'《廣韻》. ②눈매예쁠 모 '一, 目裏好也'《說文》.

[字源] 篆文 媌 形聲. 女+苗〔音〕. '苗묘'는 '가냘프다'의 뜻. 여자가 가냘프고 예쁘다의 뜻을 나타냄.

9
⑫ [媆] 눈 ㊤願 奴困切 nùn

[字解] 어릴 눈, 아리따울 눈 嫩(女部 十一畫)과 同字.
[字源] 篆文 媆 形聲. 女+耎〔音〕. '耎연'은 '유약(柔弱)'의 뜻. 여자가 나긋나긋하게 아름다운 모양.

9
⑫ [媒] 高人 매 ①-⑤㊤灰 莫杯切 méi
⑥㊦隊 莫佩切 mèi

[筆順] 女 女 妒 娒 娒 媒 媒 媒

[字解] ①중매 매 혼인을 중신하는 사람. 중매쟁이. '取妻如何, 匪一不得'《詩經》. ②매개 매 어떤 사물을 유치(誘致)하는 원인. '見譽而喜者, 佞之一也'《文中子》. ③중개자 매 양자 사이에 관계를 맺어 주는 사람. '以石生爲一'《韓愈》. ④술밑 매 효모(酵母). ⑤빚을 매 양성(釀成)함. '一蘖其短'《漢書》. ⑥어두울 매 밝지 아니함. '一昧'《莊子》.

[字源] 篆文 媒 形聲. 女+某〔音〕. '某'는 신목(神木)에 빌다, 도모하다의 뜻. 남녀의 혼인을 도모하다, 중개자의 뜻.

[媒介 매개] 중간에서 관계를 맺어 주는 일. 중개 (仲介). 알선 (斡旋).
[媒嫗 매구] 매파 (媒婆).
[媒媒 매매] 어두운 모양.
[媒媒晦晦 매매회회] ㉠어두운 모양. ㉡어리석은 모양.
[媒婦 매부] 중매쟁이 여자. 매파 (媒婆).
[媒辭 매사] 삼단 논법 (三段論法)의 대소 (大小) 두 전제 (前提)에 공통하여 단안 (斷案)의 주개념 (主槪念)과의 결합 (結合)의 매개 (媒介)가 되는 말.
[媒糵 매얼] ㉠술밑과 누룩을 가지고 술을 빚음. 양성 (釀成)함. ㉡죄를 양성하여 모해 (謀害)함. 죄에 빠뜨림.
[媒染料 매염료] 염색 (染色)할 물건과 물감과의 인력 (引力)을 매개 (媒介)하여 물감이 잘 들게 하는 약품.
[媒嫗 매온] 매파 (媒婆).
[媒妁 매작] 혼인 (婚姻)을 중매 (中媒)함. 또, 그 사람. 중매쟁이.
[媒酌 매작] 매작 (媒妁).
[媒鳥 매조] 미끼로 쓰는 새. 새어리. 후림새.
[媒質 매질] 중간에 있어, 작용 (作用)을 전달 (傳達)하는 물체 (物體). 공기는 소리〔音〕의 매질 (媒質), 투명체 (透明體)는 빛의 매질임.
[媒婆 매파] 혼인 (婚姻)을 중매 (仲媒)하는 노파 (老婆).
[媒合 매합] 남녀를 중개하여 서로 만나게 함.
[媒合容止 매합용지] 남자와 여자를 중개하여 자기 집에서 같이 자게 함.
●良媒. 龍媒. 鳥媒. 蟲媒. 風媒. 開媒. 合媒. 行媒.

⁹₍₁₂₎ [嫐] 뇌(노億) ㉠晧 奴皓切 nǎo

[字解] 번뇌할 뇌, 원통할 뇌 고민함. 원망스러움. '一, 有所恨痛也'《說文》.
[字源] 篆文 形聲. 女+惱(省)〔音〕. '惱뇌'는 '고민하다'의 뜻. 여자가 번민하고 원망하다의 뜻을 나타냄.

⁹₍₁₂₎ [媅] 담 ㉠覃 丁含切 dān

[字解] 즐길 담 妛(女部 四畫〈p. 520〉)과 同字. '一, 媅過'《廣韻》.
[字源] 形聲. 女+甚〔音〕

⁹₍₁₂₎ [媚] 人名 미 ㉠寘 明祕切 mèi

[字解] ①아첨할 미 아유함, 영합함. '一語'. '希權門, 以一嫛腠'《劉蛻》. ②아양떨 미 귀염을 받으려고 애교를 부림. '一嫛'. '非獨女以色一, 士宦亦有之'《史記》. ③사랑할 미 귀여워함. '一茲一人'《詩經》. ④아름다울 미 고움. '明一'. '自恨骨體不一'《吳志》. ⑤아첨 미, 아양 미 '行一於內, 而施賂於外'《左傳》.
[字源] 甲骨文 篆文 形聲. 女+眉(眉)〔音〕. '眉미'는 '눈썹'의 뜻. 여성 (女性)이 눈썹을 움직여 교태를 지음의 뜻을 나타냄.

[媚感 미감] 여성의 요염함에 매혹 (魅惑)됨.
[媚嫵 미무] 교태 (嬌態)를 부리며 아양을 떪.

[媚附 미부] 아첨하여 달라붙음.
[媚辭 미사] 아첨하는 말. 또 어리광을 부리는 말.
[媚笑 미소] 아양 부리는 웃음.
[媚承 미승] 아첨하여 뜻을 받듦.
[媚藥 미약] 성욕 (性慾)을 돋우는 약.
[媚語 미어] 아첨하는 말.
[媚奧 미오] 임금에게 아첨함.
[媚趣 미취] 아취 (雅趣).
[媚態 미태] 아양 떠는 태도 (態度).
●曲媚. 綺媚. 明媚. 嫵媚. 邪媚. 鮮媚. 淑媚. 阿媚. 妍媚. 軟媚. 佞媚. 婉媚. 容媚. 柔媚. 諛媚. 姿媚. 側媚. 妒媚. 幸媚. 償媚. 狐媚.

[絮] 〔서〕

糸部 六畫 (p. 1739)을 보라.

⁹₍₁₂₎ [媛] 人名 원 ①-③㉠霰 王眷切 yuàn ④㉡願 于願切 ④㉢元 雨元切 yuán

[筆順] 女 妇 妇 妒 妊 媛 媛 媛
[字解] ①미녀 원 재덕이 뛰어난 미인. '才一'. '邦之一也'《詩經》. ②궁녀 원 궁중의 시녀 (侍女). '嬪一'. '太子內宮良一六人'《唐書》. ③아름다울 원 예쁨. '妙好弱一'《潘岳》. ④끌 원 '嬋一'은 끌어당기는 모양. 일설 (一說)에는 늘어져서 땅 위에 끌리는 모양. 또 일설에는 아름다운 모양. '垂條嬋一'《張衡》.
[字源] 篆文 形聲. 女+爰〔音〕. '爰원'은 '끌다'의 뜻. 마음이 끌리는 아름다운 여성의 뜻을 나타냄.

[媛女 원녀] 아름다운 여자. 미녀.
[媛妃 원비] 아름다운 여자. 미녀.
●歌媛. 宮媛. 班媛. 邦媛. 妃媛. 嬋媛. 淑媛. 良媛. 英媛. 嬙媛. 才媛. 貞媛. 天媛. 賢媛.

⁹₍₁₂₎ [媃] 유 ㉢尤 而由切 róu

[字解] ①예쁜체할 유 여자가 예쁜 체하는 모양. '一, 女媚貌'《正字通》. ②여자이름 유 '一, 女名'《集韻》.

⁹₍₁₂₎ [媟] 설 ㉠屑 私列切 xiè

[字解] ①친압할 설 윗사람에게 버릇없이 가까이 함, 무람없이 굶. '一嫚'. '夫妻不嚴, 玆謂一'《漢書》. ②더럽힐 설 더러워짐. '一, 嬻也'《說文》.
[字源] 篆文 形聲. 女+枼〔音〕. '枼엽·삽'은 '끌다'의 뜻. 멋대로 남을 끎의 뜻에서, '무람없다'의 뜻을 나타냄.

[媟近 설근] ㉠친압 (親狎)하여 가까이함. 또, 그 사람. ㉡친압하여 가까이하게 함.
[媟嬻 설독] ㉠친압함. 웃어른에게 버릇없이 굶. ㉡남녀의 구별이 어지러움.
[媟黷 설독] 설독 (媟嬻)●.
[媟嫚 설만] 친압 (親狎)하여 문란함.
[媟汚 설오] 윗사람에게 버릇없이 굴어 예의 (禮儀)를 잃음.
●酣媟. 交媟. 慢媟. 鄙媟. 宴媟. 淫媟. 戲媟.

9 ⑫ [媠] 타 ㊤智 他果切 tuǒ ㊥簡 徒臥切 duò

字解 ①고울 타 염미(豔美)함. '車馬一遊之具'《漢書》. ②게으를 타 나태함. 惰(心部 九畫)와 同字. '一嫚亡狀'《漢書》. ③게으른여자 타 '一, 嬾婦人也'《廣韻》.

字源 惰의 古文 形聲. 女+肴〔音〕. '肴타'는 잘게 찢어 부드러워진 고기의 뜻. 나긋나긋한 여자의 뜻을 나타냄. 또, '惰타'와 통하여, 게으르다의 뜻을 나타냄.

[媠嫚 타만] 게으르고 거만함.
[媠服 타복] 곱고 아름다운 옷.
[媠遊 타유] 화려하게 차리고 놂.
●輕媠. 燕媠. 娃媠.

9 ⑫ [媓] 황 人名 ㊤陽 胡光切 huáng

筆順 女 女′ 女″ 妒 妒 媓 媓 媓

字解 ①어미 황 모친. '南楚瀑洭之間, 母謂之一'《揚子方言》. ②사람이름 황 '女一'은 요(堯)임금의 비(妃).
字源 形聲. 女+皇〔音〕.

9 ⑫ [媢] 모 ㊤號 莫報切 mào ㊤晧 武道切

字解 강샘할 모, 시새울 모 질투함. 또, 시기함. '妬夫一婦'《論衡》.
字源 篆文 形聲. 女+冒〔音〕. '冒모'는 '무릅쓰다, 밀어젖히다, 눈을 덮어 가리다'의 뜻. 남편이 아내를 덮어 가린 눈으로 보다, 질투하다의 뜻을 나타냄.

[媢忌 모기] 시기하여 꺼림.
[媢怨 모원] 투기하여 원망함.
[媢嫉 모질] 시기하여 미워함.
●忌媢. 排媢.

9 ⑫ [媧] ㊀ 와 (과木) ㊤麻 古華切 wā ㊁ 왜 (괘木) ㊤佳 古蛙切 wā

字解 ㊀ 사람이름 와 '女一'는 중국 고대의 신녀(神女) 이름. '女一煉五色石補天'《史記》. ㊁ 사람이름 왜 ㊀과 뜻이 같음.
字源 篆文 摭 形聲. 女+咼〔音〕. '咼'는 일그러져 완전하지 않다는 뜻. 태고(太古)에, 하늘의 갈라진 곳을 메웠다는 신녀(神女)를 이름.

●女媧.

9 ⑫ [媥] ㊀ 옥 (屋) 烏谷切 wū ㊁ 악 (覺) 乙角切 wò

字解 ㊀ 어여쁠 옥 아름다움. '一, 好也'《集韻》. ㊁ 모양 악 자태 (姿態). '一一, 容也'《集韻》.

9 ⑫ [媄] 人名 미 ㊤紙 無鄙切 měi

字解 빛고울 미 용모가 아름다움. '一, 字樣云, 顏色媄好也'《廣韻》.
字源 形聲. 女+美〔音〕.

9 ⑫ [婻] 암 ㊤覃 烏含切 ān

字解 머뭇거릴 암 '一嫛'는 주저하여 결정을 짓지 못함. '詎肯感激徒一嫛'《韓愈》.
字源 甲骨文 篆文 形聲. 女+弇〔音〕.

[婻嫛 암아] 주저하여 결정을 짓지 못함.
[婻婀 암아] 암아(婻嫛).
[婻婻 암암] ㊀마음이 확실히 정해지지 않은 모양. ㊁여자가 마음에 사모하는 모양.

9 ⑫ [婿] 편 ㊤先 芳連切 piān

字解 ①가벼울 편 발걸음이 가벼운 모양. '一姺徶徶'《司馬相如》. ②펄럭일 편 '一姺徶徶'《司馬相如》.
字源 篆文 形聲. 女+扁〔音〕. '扁편'은 펄럭펄럭 펄럭이며 얇다의 뜻을 나타냄. 여자의 몸놀림이 가벼운 모양.

[婿姺 편선] 가볍게 걸어가는 모양. 발걸음이 가벼운 모양.

9 ⑫ [媤] 착 入藥 丑略切 chuò

字解 ①거스를 착 순종하지 않음. '一, 不順也'《說文》. ②성 착 성(姓)의 하나. '韓袁侯少子一, 後爲氏'《路史》.
字源 金文 篆文 形聲. 女+若〔音〕.

9 ⑫ [媔] 위 ㊤未 于貴切 wèi

字解 손아래누이 위 여제(女弟). '若楚王之妻一'《公羊傳》.
字源 篆文 形聲. 女+胃〔音〕.

9 ⑫ [媢] 우 ㊤遇 牛具切 yù

字解 질투할 우 여자가 남자를 샘함. 강짜함. '女妬男曰一'《集韻》.

9 ⑫ [媤] 人名 韓 시

字解 《韓》시집 시 시부모가 사는 집. '一宅'. '一父母'. '一外家'. '一叔'. '一家'.
參考 강희자전(康熙字典)과 집운(集韻)에 실려 있으나, 위와 같은 자해(字解)는 없음.

9 ⑫ [媔] 면 ①㊤先 彌延切 mián ②㊤銑 彌兗切 miǎn

字解 ①눈매예쁠 면 '青色直眉, 美目一只'《楚辭》. ②질투할 면 투기함. '一, 妬也'《集韻》.

9 ⑫ [媣] ㊀ 염 ㊤琰 而琰切 răn ㊁ 감 ㊤覃 古三切

字解 ㊀①바를 염 도리(道理)에 맞음. '一, 諟也'《說文》. ②아름다울 염 '一, 一曰, 媞也'《集韻》. ㊁ 아름다울 감 ㊁는 ❷와 뜻이 같음.
字源 形聲. 女+染〔音〕.

[媞] 9 ⑫ 人名
　一 시 ㊀紙 承紙切 shì
　二 제 ㊁齊 田黎切 ①②tí
　三 지 ㊂支 待禮切 zhī
　四 태 ㊃卦 杜奚切
　五 타 ㊄禡 陟嫁切

字解 一①살필 시 자세히 조사함. '—, 諦也'《說文》. ②교활할 시 '—, 姸黠也'《說文》. ③어미 시 '—, 江淮呼母也'《廣韻》. 二①편안할 제 '—, 爾雅云, ——, 安也'《廣韻》. ②예쁠 제 '—, 美好兒'《廣韻》. ③아양떨 제 교태를 부림. '—媞, 嫷媞'《集韻》. ⑤살필 제 日❶과 뜻이 같음. ⑤향부자열매 제 향부자(香附子)의 열매. '蕩侯, 莎, 其實, —'《爾雅》. 三복 지 행복. 禔(示部 九畫)와 同字. '禔, 安福也. 或从女'《集韻》. 四업신여길 태 四와 뜻이 업신여기는 말. 㚥—·謕娿·憪他, 皆欺嫚之語'《揚子方言》. 五업신여길 타 四와 뜻이 같음.

字源 形聲. 女＋是〔音〕

[媕] 9 ⑫ 〔인〕
　姻(女部 六畫〈p.529〉)과 同字

[婚] 9 ⑫ 〔혼〕
　婚(女部 八畫〈p.535〉)과 同字

[婷] 9 ⑫ 〔경〕
　悍(心部 九畫〈p.800〉)과 同字

[婦] 9 ⑫ 〔부〕
　婦(女部 八畫〈p.536〉)의 古字

[媭] 9 ⑫ 〔수〕
　嫂(女部 十畫〈p.543〉)와 同字

[媼] 9 ⑫ 〔온〕
　媼(女部 十畫〈p.542〉)의 俗字

[婿] 9 ⑫ 人名 〔서〕
　壻(土部 九畫〈p.474〉)의 俗字

筆順 女 女 女 女 女 婿 婿 婿

字源 會意. 女＋胥. '胥서'는 '동거(同居)하다'의 뜻. 자기의 딸과 동거하는 사람, '사위'의 뜻을 나타냄.

[媀] 9 ⑫
　우 ㊀麌 丘矩切 qǔ

字解 꼽추 우 곱사등이. 또, 뜻을 굽혀 복종함. '嫗—名執. (注) 嫗—, 猶傴僂也'《趙壹》.

[婺] 9 ⑫
　무 ①②㊀遇 亡遇切 wù
　③㊁尤 迷浮切 móu

字解 ①별이름 무 '—女'는 여수(女宿)의 별칭(別稱). 여수는 이십팔수(二十八宿)의 하나. 현무칠수(玄武七宿)의 셋째 성수(星宿)로서, 네 별로 구성되었음. '越地—女之分野'《漢書》. ②따르지않을 무 따라가지 않음. '不繇也'《說文》. ③아름다울 무 여자의 아름다운 모양. '—, 女兒'. '—, 美兒'《集韻》.

字源 形聲. 女＋敄〔音〕. '敄무'는 쌍날창(槍)으로 반대자를 물리침의 뜻으로, 순종치 않다의 뜻. 여자가 싫은 자(者)에게 따르지 않다의 뜻을 나타냄.

〔嫛女 무녀〕 자해(字解)를 보라.

[嫛] 9 ⑫
　一 희 ㊀支 許其切 xī
　二 이 ㊁支 與之切 yī

字解 一①기뻐하여즐길 희 '—, 說樂也'《說文》. ②좋을 희 '—, 善也'《集韻》. ③아내 희 처(妻). '謹于一㜅'《太玄經》. 二 기뻐하여즐길 이 日❶과 뜻이 같음.

字源 形聲. 女＋巸〔音〕

[嫛] 10 ⑬
　嫛(前條)의 俗字

[嫩] 10 ⑬
　추 ①㊀虞 仕于切 chú
　②③㊁尤 甾尤切 zōu
　④㊂遇 仄遇切

字解 ①홀어미 추 과부. '惠于—嫩'《崔瑗》. ②애밸 추 '—, 婦人妊娠也'《說文》. ③예쁠 추 아름다움. '—, 好也'《廣雅》. ④성 추 성(姓)의 하나.

字源 形聲. 女＋芻〔音〕. '芻추'는 풀을 바싹 동여 묶다의 뜻. 여자가 임신하다의 뜻을 나타냄.

[嫩媞 추상] 홀어미. 과부.

[媼] 10 ⑬ 人名
　온 (오)㊀晧 烏晧切 ǎo

筆順 女 女 女 女 女 媼 媼 媼

字解 ①할미 온 ㉠노파. '翁—'. '高祖常從王武負貰酒'《漢書》. ㉡할머니. 조모(祖母). '山西平陽呼祖母曰—'《新方言》. ②어미 온 모(母)의 별칭(別稱). '—之愛燕后, 賢于長安君'《史記》. ③계집 온 부녀(婦女). '與侯妾衛一通'《史記》. ④땅귀신 온 토지의 신(神). 지기(地祇). '—神'. '后土富—'《漢書》.

字源 形聲. 女＋昷〔音〕

[媼媪 온구] 노파(老婆).
[媼神 온신] 토지의 신(神).
●魔媪. 媒媪. 翁媪. 乳媪. 犁媼. 慈媼.

[娘] 10 ⑬
　랑 ㊀陽 盧當切 láng

字解 서고 랑 '—嬛'은 천제(天帝)의 서고(書庫). '玉京—嬛, 天帝藏書處'《字彙補》.

[媿] 10 ⑬
　혜 ①②㊀霽 胡計切 xì
　③㊁齊 胡雞切 xī

字解 ①겁낼 혜 무서워 떪. '—, 怯也'《集韻》. ②강샘하는계집 혜 투기하는 여자. '—, 妬女'《集韻》. ③계집종 혜 여자 종. '—, 女隷也'《說文》.

字源 形聲. 女＋奚〔音〕. '奚해'는 '종'의 뜻. '계집종'의 뜻을 나타냄.

[媳] 10 ⑬
　식 ㊀陌 思積切 xí

字解 며느리 식 자부(子婦). '世祖每稱之, 爲賢德—婦'《元史》.

①사모할 로 그리워하여 잊지 못함. 미련을 남김. '戀一'. '偶往心己一'《陸龜蒙》. ②인색할 로 '一, 悋物'《廣韻》. ③성 로 성(姓)의 하나. ④질투할 로 '一, 妬也'《廣雅》.

字源 形聲. 女+翏〔音〕. '翏료'는 양 날개와 꽁지깃을 한데 죽 이어 놓은 모양. 이성(異性)이나 사물(事物)에 대해서 갖는 끊을 수 없는 마음의 뜻.

●溪禽嬠. 戀嬠. 姻嬠.

11 ⑭ [嬠] 삼 ①㊀感 七感切 cān
②㊀侵 疏簪切 sēn

字解 ①탐할 삼 사물을 욕심냄. '一, 婪也'《說文》. ②음란할 삼 부정(不貞)함. '一, 婬也'《集韻》.

字源 形聲. 女+參〔音〕. '參'은 '어울리다'의 뜻. 여자와 차례로 어울리다의 뜻에서 '탐하다'의 뜻을 나타냄.

11 ⑭ [嬤] 모 ㊀虞 莫胡切 mó

字解 못생길 모 못생겨 보기에 흉함. '一母有所美'《淮南子》.

字源 形聲. 女+莫〔音〕. '蟆마'와 통하여, 두꺼비처럼 못생긴 여자의 뜻을 나타냄.

[嬤母 모모] 황제(黃帝)의 제사비(第四妃)의 이름. 아주 추부(醜婦)이었으므로, 널리 추녀(醜女)의 뜻으로 쓰임.

11 ⑭ [嫮] 호 ㊁遇 胡故切 hù

字解 ①아름다울 호 미호(美好)함. 嫭(次條)와 同字. '西施之徒, 姿容修一'《張衡》. ②소녀 호 처녀. 嫭(次條)와 同字. ③자랑할 호 자만함. '車騎皆帝所賜, 卽以一鄩小縣'《漢書》.

字源 形聲. 女+雩〔音〕. '雩우'는 '華화'와 통하여, '화려하다'의 뜻. 아름다운 모양을 나타냄.

11 ⑭ [嫭] 호 ㊁遇 胡誤切 hù

字解 ①아름다울 호 미호(美好)함. 또, 그 여자. 미녀. '知衆一之嫉妒兮'《漢書》. ②질투할 호 시기함. '一, 妬也'《廣雅》.

字源 形聲. 女+虖〔音〕. '虖'는 내쉬는 한숨의 의성어(擬聲語). 감탄의 소리가 절로 날 아름다운 여인의 뜻을 나타냄.

11 ⑭ [嬑] [人名] 예 ㊁霽 於計切 yì

字解 유순할 예 온순함. '婉一, 柔順兒'《廣韻》. 嫛(次條)와 同字.

11 ⑭ [嫛] 예 ①㊀齊 烏奚切 yī
②㊁霽 壹計切 yì

字解 ①갓난아이 예 '一婗'는 갓난아기. '人始生日嬰兒, 或曰一婗'《釋名》. ②유순할 예 온순함. 순종. '一, 順從也'《集韻》.

字源 金文 籀文 形聲. 女+殹〔音〕

[嫛婗 예예] 갓난아기. 영아(嬰兒).

11 ⑭ [嫢] [人名] 규 ㊀支 均窺切 ①-③guī
의 ㊀紙 求癸切
㊀支 匀規切
주 ㊀支 姊宜切 zuī

字解 ㊀①살필 규 여자가 자세히 살핌. '一日, 婦人審諦兒'《集韻》. ②나긋나긋할 규 '一, 細也. 自關而西, 秦晉之間, 凡細而容, 謂之一'《揚子方言》. ③가는허리 규 '一, 細腰也'《集韻》. ④아리따울 규 '一, 好也'《集韻》. ㊁①풍만할 의 모습이 풍만한 모양. '一, 盈姿'《集韻》. ②가는허리 의 ㊀❸과 뜻이 같음. ③화낼 의 '一盈'은 성냄. '一盈, 怒也'《廣雅》. ㊂①풍만할 주 ㊁❶과 뜻이 같음. ②가는허리 주 ㊀❸과 뜻이 같음.

字源 形聲. 女+規〔音〕

11 ⑭ [嫠] 리 ㊀支 里之切 lí

字解 홀어미 리 과부. '一婦'. '一也何害'《左傳》.

字源 篆文 形聲. 女+釐〔音〕. '釐리'는 '釐리'와 같은 뜻으로, 확연(確然)히 구획(區劃)을 지음의 뜻. 남편과 단락을 지은 여자 곧 '과부'의 뜻을 나타냄.

[嫠獨 이독] 과부와 홀아비.
[嫠婦 이부] 홀어미. 과부.
[嫠不恤緯 이불휼위] 주대(周代)에, 베틀에서 길쌈을 하는 과부(寡婦)가 부족한 씨 걱정은 하지 않고 나라가 망하여 화(禍)가 자신에게까지 미치지나 않을까 두려워했다는 고사(故事). 초야(草野)의 이름 없는 과부도 이러하거늘 하물며 대장부 되어 우국(憂國)하는 마음이 없어서 되겠느냐는 뜻. 또, 자기의 직분을 다하지 않음의 비유.
[嫠媼 이온] 늙은 과부.
[嫠節 이절] 과부의 절개.

●熒嫠. 悍嫠. 鰥嫠.

12 ⑮ [嬔] 무 ㊀麌 文甫切 wǔ

字解 ①아리따울 무 예쁨. 아름다움. '媚一'. '一媚纖弱'《司馬相如》. ②교태지을 무 아양 부림. '一媚'《廣韻》.

字源 篆文 形聲. 女+霖(無)〔音〕. '霖무'는 '찾아 구하다'의 뜻. 여자가 남자의 마음을 끌려고 하다, 교태 부리다의 뜻을 나타냄.

[嬔媚 무미] 예쁨. 아리따움.

●媚嬔.

12 ⑮ [嬙] [人名] 화 ㊁禡 胡化切 huà

筆順 女 女' 女'' 妌 妌' 姅 娃 嬙

字解 탐스러울 화 여자 모습이 아름다움. '一, 女容麗也'《正字通》.

12 ⑮ [嫶] 초 ㊀蕭 慈焦切 qiáo

야월 초 근심하여 야윔. 憔(心部 十二畫)
와 同字. '—妍太息'《漢書》.
字源 形聲. 女＋焦〔音〕

[嫶冥 초명] 초연(嫶妍).
[嫶妍 초연] 야윔. 얼굴이 야윔.

12⑮ [嫻] 한 ㊤刪 戶閒切 xián

字解 ①우아할 한 한아(嫺雅)함. 품위가 있음.
정숙함. '雍容—雅'《司馬相如》. ②익힐 한 익숙
해짐. '—于辭令'《史記》. ③조용할 한 침착함.
'辭言—雅'《後漢書》.
字源 篆文 形聲. 女＋閒〔音〕. '閒'한'은 차분하고
조용함의 뜻. '우아하다'의 뜻을 나
타냄.

[嫻麗 한려] 우아하고 아름다움.
[嫻都 한도] 고상하고 품위가 있음. 한아(嫺雅).
[嫻熟 한숙] 숙달함. 익숙함.
[嫻雅 한아] 우아하고. 정숙함. 한도(嫻都).
●麗嫻. 雍嫻. 妖嫻.

12⑮ [嫺] 嫻(前條)과 同字

12⑮ [嫺] 嫻(前前條)의 俗字

12⑮ [嫽] 료 ①㊤蕭 落蕭切 liáo ②③㊤篠 力小切 liǎo

字解 ①희롱할 료 희학(戲謔)질함. '—戲'. ②
아름다울 료 '——, 好兒'《廣韻》. ③슬퍼할 료
'——, —懷'《廣韻》.
字源 篆文 形聲. 女＋尞(寮)〔音〕. '尞'는 '燎
료'와 동일어(同一語) 이체자(異體
字)로서, 화톳불이 번쩍이듯이 환히 비치어 빛
남의 뜻. 여자의 아름다운 모양을 나타냄. '僚
료'와 통하여 '장난하다, 희롱하다'의 뜻을 나
타냄.

[嫽嬈 요뇨] 희롱함.

12⑮ [嫸] 선 ㊤銑 旨善切 zhǎn

字解 ①남의말어기기좋아할 선 '—, 謂, 不欲人
語而言他, 以枝格之也'《說文 段注》. ②욕보일
선 부끄럽게 함. '—, 一曰, 靳也'《說文》. ③완
고할 선 '—, 偏伎'《廣韻》.
字源 甲骨文 篆文 形聲. 女＋善〔音〕

12⑮ [嫿] 획 ㊣陌 胡麥切 huà

字解 ①안존할 획 얌전하고 조용함. '旣姢—于
幽靜'《宋玉》. ②자랑할 획 자만함. '風俗以蠱悍
爲—'《左思》. ③달릴 획 빨리 감. '徽—霍奕'
《後漢書》. ④아름다울 획 환하게 예쁨. '—, 分
明好兒'《廣韻》.
字源 篆文 形聲. 女＋畫〔音〕. '畫획'은 '그리다'
의 뜻. 여자가 아름답다의 뜻을 나타
냄.

12⑮ [嫭] 고 ㊀虞 古胡切 gū

字解 ①맡길 고 기탁함. '—, 保任也'《說文》.
②구차할 고 임시적으로. 잠시. '—, 且也'《廣
雅》. ③도거리할 고 독점함. '—, 榷也'《廣雅》.
字源 篆文 嫭 形聲. 女＋辜〔音〕. '辜고'는 '독점함'
의 뜻. 여자가 자기를 남자에게 독차
지하게 함의 뜻에서, '맡기다'의 뜻을 나타냄.

12⑮ [嫡] █ 련 ㊤銑 力轉切 luǎn █ 란 ㊦翰 盧玩切 luàn

字解 █ 순할 련 좇음. 孌(女部 十九畫)은 籒
文. '—也'《說文》. █ 번거로울 란 괴롭힘.
敵(支部 十二畫)과 同字. '敵, 說文, 煩也. 或
从女'《集韻》.
字源 形聲. 女＋圖〔音〕

12⑮ [嬀] 규 ㊤支 居爲切 guī

字解 ①성 규 성(姓)의 하나. 순(舜)임금의 후
예(後裔)의 성. ②물이름 규 산시 성(山西省)
융지 현(永濟縣) 남쪽에서 발원(發源)하여 서
쪽으로 흘러 황허(黃河) 강으로 들어가는 강.
'—水'. '釐降二女于—汭'《書經》.
字源 金文 篆文 形聲. 女＋爲〔音〕

[嬀水 규수] 자해(字解)❷를 보라.
[嬀汭 규예] 규수(嬀水)의 굽이.

12⑮ [嬈] █ 뇨 ㊤篠 奴鳥切 ráo, rǎo █ 요 ㊤篠 伊鳥切 yǎo

字解 █ ①번거로울 뇨 까다로움. 또, 까다로운
것. '除苛解—'《漢書》. ②희롱할 뇨 희학질함.
'嫽—'. ③번뇌할 뇨 고뇌함. 괴롭힘. '—, 惱
也'《一切經音義》. ④어지럽힐 뇨, 어지러울 뇨
'—, 一曰, 擾也'《說文》. █ 아리따울 요 예쁨.
'佳人屢出董嬌—'《杜甫》.
字源 篆文 形聲. 女＋堯〔音〕. '堯요'는 '繞요'와
같은 뜻이며, 달라붙어 떨어지지 않
다의 뜻. 여자가 달라붙어 괴롭힘의 뜻을 나타
냄. 또, 여자에게 달라붙어 치근거림의 뜻을 나
타냄.

[嬈惱 요뇌] 번거로워 고뇌(苦惱)함.
[嬈嬈 요뇨] 유약(柔弱)한 모양.
●苛嬈. 嬌嬈. 妖嬈. 嫽嬈. 優嬈. 擾嬈.

12⑮ [嬇] 人名 연 ①㊤銑 式善切 rǎn ②㊤銑 忍善切 rán

字解 ①여자모습 연 여자의 아리따운 자태(姿
態). '—, 女姿態'《廣韻》. ②성 연 성(姓)의 하
나.
字源 篆文 形聲. 女＋然〔音〕

12⑮ [嬛]
█ 념 ㊤琰 乃玷切 niǎn
█ 심 ㊤寢 式荏切
㊦沁 式禁切
█ 담 ㊤覃 徒南切 tán
㊦感 徒感切
四 첨 ㊤琰 他點切 tiǎn

[字解] [一] ①천할 념 완고하고 욕심이 많음. '—, 志下'. ②약할 념 '—, 弱也'《廣韻》. [二] 천할 심, 약할 심 [一]과 뜻이 같음. [三] ①여자의자(字) 담 '—, 女字'《集韻》. ②계집이름 담 '—, 女名'《集韻》. [四] 계집몸호리호리할 첨 '—, 婦人細長皃'《集韻》.
[字源] 形聲. 女＋覃(覃)〔音〕

12 ⑮ [嬉] [人名] 희 [平]支 許其切 xī
[筆順] 女 女ᅳ 女十 女士 女吉 女壴 嬉 嬉
[字解] ①놀 희 장난함. 즐거이 놂. '—樂'. '—, 戲也'《廣雅》. '—, 一曰, 游也'《廣韻》. '—乎玄冥之間'《列仙傳》. ②즐길 희 즐거워함. 기뻐함. '追漁夫同—'《張衡》. ③아름다울 희 예쁨. '—, 美也'《廣韻》.
[字源] 形聲. 女＋喜〔音〕. '기뻐함'의 뜻. '기뻐하다'의 뜻을 나타냄.

[嬉樂 희락] 즐거워함.
[嬉笑 희소] ㉠조소(嘲笑)함. 냉소(冷笑)함. ㉡조롱하며 웃음. 즐거워하며 웃음.
[嬉娛 희오] 즐거워함.
[嬉遊 희유] 즐겁게 놂.
[嬉怡 희이] 즐거워서 기뻐함.
[嬉嬉 희희] 놀며 즐거워하는 모양. 또, 즐거워 웃는 소리.
[嬉戲 희희] 즐겁게 장난을 함.
◉樂嬉. 文恬武嬉. 盤嬉. 兒嬉. 晏嬉. 娛嬉. 遨嬉. 遊嬉. 春嬉. 孩嬉. 諸嬉.

12 ⑮ [嫼] [一] 묵 [入]職 密北切 mò
[二] 흑 [入]職 迄得切
[三] 알 [入]黠 烏黠切
[字解] [一] 화낼 묵 시기하여 성냄. '—, 嫉怒'《廣韻》. [二] 화낼 흑 [一]과 뜻이 같음. [三] 시새워화낼 알 '—, 嫉而怒也'《集韻》.
[字源] 會意. 女＋黑

12 ⑮ [嬎] 반 [去]願 芳萬切 fàn
[字解] ①쌍둥이낳을 반 쌍생아(雙生兒)를 낳음. 娩(女部 七畫)과 뜻이 같음. '—, 生子齊均也'《說文》. ②늘 반 번식함. '—, 一息也'《廣韻》. ③깰 반 알이 부화함. '—, 一曰, 鳥伏乍出'《廣韻》.
[字源] 篆文 會意. 女＋兔＋生. '兔면'은 여자가 아이를 낳는 모양. '生생'을 덧붙여, 쌍둥이가 태어남의 뜻을 나타냄.
[參考] 嬔(女部 十三畫)는 別字.

12 ⑮ [嬋] [人名] 선 [平]先 市連切 chán
[筆順] 女 女ᅵ 女口 女吅 女罒 媢 嬋 嬋
[字解] ①아름다울 선 달·꽃·사람 등의 모습 또는 빛이 아름다움. '庭木誰能近, 射干復—娟'《阮籍》. ②끌 선 끌어당김. 媛(女部 九畫)을 보라. '垂條—媛'《張衡》.
[字源] 篆文 形聲. 女＋單〔音〕. '單선'은 홑겹이어서 '엷다'의 뜻. 여자의 아리따움의 뜻을 나타냄.

[嬋連 선련] 친척. 집안.
[嬋娟 선연] 아름다운 모양.
[嬋姸 선연] 용모나 자태의 아름답고 요염한 모양.
[嬋媛 선원] ㉠끌어당기는 모양. 일설(一說)에는, 늘어져서 땅 위에 끌리는 모양. ㉡겨레붙이. 일가.

12 ⑮ [嬌] [人名] 교 [平]蕭 擧喬切 jiāo
㊤篠 居夭切
[筆順] 女 女ᅩ 女ㅈ 女夭 女乔 嬌 嬌 嬌
[字解] ①아리따울 교 요염하도록 아름다움. 또, 요염한 자태로 아양 부리는 모양. '—態'. '牙牙—女總堪誇'《元好問》. 또, 그 여자. '金屋貯—時'《費昶》. ②계집애 교 아녀자의 통칭. '關中以兒女爲阿—'《輟耕錄》. ③사랑스러울 교 '愛—'. ④사랑할 교, 귀여워할 교 '平生所—兒, 顏色白勝雪'《杜甫》.
[字源] 篆文 形聲. 女＋喬〔音〕. '喬교'는 '높다'의 뜻. 여자의 날씬하고 요염함의 뜻을 나타냄.

[嬌歌 교가] 간장(肝腸)을 녹일 만한 고운 노래.
[嬌客 교객] ㉠사위. ㉡'작약(芍藥)'의 별칭(別稱).
[嬌嬌 교교] 아리따운 모양. 요염한 모양.
[嬌娘 교낭] 아름답고 귀염성 있는 계집애.
[嬌女 교녀] 교태(嬌態)가 있는 계집.
[嬌童 교동] 얼굴이 예쁜 아이. 미소년(美少年).
[嬌面 교면] 요염(妖艶)한 얼굴.
[嬌名 교명] 아름다운 명성. 미인이라고 하는 평판.
[嬌顰 교빈] 아리땁게 눈살을 찌푸림. 미인의 수심에 잠긴 모습을 형용한 말.
[嬌奢 교사] 요염하게 치장함.
[嬌聲 교성] 아양 떠는 소리.
[嬌小 교소] 귀엽고 작음.
[嬌笑 교소] 요염한 웃음
[嬌羞 교수] 아리땁게 부끄러워함. 부끄러워하는 태가 아리따움.
[嬌兒 교아] 귀여운 아이. 미소년(美少年).
[嬌顏 교안] 아리따운 얼굴.
[嬌愛 교애] 요염하고 사랑스러움.
[嬌然 교연] 요염하게 아리따운 모양.
[嬌豔 교염] 교염(嬌艶).
[嬌艶 교염] 요염함. 또, 그런 여인.
[嬌靨 교엽] 귀여운 보조개.
[嬌嬈 교요] 요염(妖艶)함.
[嬌音 교음] 교성(嬌聲).
[嬌逸 교일] 자태가 아름답고 뛰어남.
[嬌姿 교자] 아양스러운 자태(姿態).
[嬌稚 교치] 귀엽고 어림.
[嬌癡 교치] 아직 어려서 정사(情事)를 이해(理解)하지 못함.
[嬌態 교태] 아리따운 모습.
[嬌妬 교투] 얼굴이 아름답고 질투가 많음.
[嬌響 교향] 미인의 목소리를 이름.
[嬌絃 교현] 아름다운 소리가 나는 현악기의 줄.
[嬌花 교화] 아름다운 꽃.
[嬌喉 교후] 아름다운 소리가 나오는 목구멍.
◉阿嬌. 愛嬌. 鶯嬌. 春嬌. 含嬌. 黃嬌.

12 ⑮ [嬃]

수 ㉠虞 相兪切 xū

字解 ①누님 수 손위 누이. '女—之嬋媛兮'《楚辭》. '楚人謂姊爲—'《說文》. ②여자의자(字) 수 여자의 본이름 외에 붙이는 자(字). '—, 女字也'《說文》.

字源 篆文 須 形聲. 女+須〔音〕

12 ⑮ [嫳]

별 ㉠屑 普薎切 piè

字解 ①노하게할 별 성내게 하기 쉬움. '—, 易使怒也'《說文》. ②방정스러울 별 경박한 모양. '—, 輕也'《集韻》.

字源 篆文 嬼 形聲. 女+敝〔音〕

13 ⑯ [嬙]

장 ㉠陽 在良切 qiáng   嬙 嬙

字解 궁녀 장 궁중의 시녀. '妃—'. '妃嬙媵—'《杜牧》.

字源 篆文 嬙 形聲. 女+牆〈省〉〔音〕

[嬙媛 장원] 궁녀(宮女).
●毛嬙. 妃嬙. 嬪嬙. 媵嬙.

13 ⑯ [嬝]

뇨 ㉧篠 奴鳥切 niǎo

字解 간드러질 뇨 嫋(女部 十畫)의 俗字.

[嬝娜 요나] 날씬하고 아름다운 모양.

13 ⑯ [嬒]

회 ㉠泰 烏外切 huì

字解 ①검을 회 여자의 살결이 검음. '—兮蔚兮'《詩經》. ②추할 회 여자가 못생긴 모양. '方言云, —, 可憎也'《廣韻》. ③교활할 회 獪(犬部 十三畫)와 통용.

字源 篆文 嬒 形聲. 女+會〔音〕. '獪회'와 통하여 '교활함'의 뜻.

13 ⑯ [嫩]

교 ㉠嘯 吉弔切 jiào

字解 사람이름 교 '—, 人名. 史記, 齊有太史—'《說文》.

13 ⑯ [嬛]

㊀ 현 ㉠先 許緣切 xuān
㊁ 경 ㉠庚 渠營切 qióng   嬛

字解 ㊀①산뜻할 현 '便—'은 산뜻하고 아름다움. '便—綽約'《司馬相如》. ②단단할 현 치밀(緻密)함. 《說文》에서는 '嬛'으로 보임. '嬛, 材緊也'《說文》. ③낭창낭창할 현 부드러움. 나긋나긋함. '柔橈——'《史記》. ㊁①아름다울 경 '—, 好也'《廣韻》. ②홀몸 경 惸(心部 九畫)과 同字. '—孤'. '——在疚'《詩經》.

字源 篆文 嬛 形聲. 女+瞏(睘)〔音〕. '瞏경'은 '동글'의 뜻. 여자의 나긋나긋하고 아름다움의 뜻을 나타냄.

[嬛嬛 경경] ㉠의지할 데 없는 모양. 외로운 모양. ㉡낭창낭창함. 나긋나긋함.
[嬛孤 경고] 고아(孤兒).

[嬛身 경신] 의지할 데 없는 외로운 몸.
[嬛佞 현녕] 경박하고 교묘히 아첨함.
●便嬛.

13 ⑯ [嬗]

선 ①㉠霰 時戰切 shàn
②㉠先 時連切 chán

字解 ①물려줄 선, 전할 선 禪(示部 十二畫)과 同字. '五年之間, 號令三—'《史記》. ②아름다울 선 嬋(女部 十二畫)과 통용.

字源 篆文 嬗 形聲. 女+亶〔音〕

13 ⑯ [嬔]

부 ㉠遇 芳遇切 fù

字解 토끼새끼 부 娩(女部 八畫)와 통용. '兔子, —'《爾雅》.
參考 嬔(女部 十二畫)과 別字.

13 ⑯ [嬐]

섬 ㉠鹽 思廉切 xiān

字解 빠를 섬 민속(敏速)함. '—侵潯而高縱兮'《司馬相如》.

字源 篆文 嬐 形聲. 女+僉〔音〕

13 ⑯ [嫛]

㊀ 계 ㉠霽 苦計切 qì
㊁ 개 ㉠蟹 苦蟹切

字解 ㊀괴로워할 계 '—, 難也'《廣韻》. ㊁괴로워할 개 ㊀과 뜻이 같음.

字源 形聲. 女+㱿〔音〕

13 ⑯ [孃]

〔양〕
孃(女部 十七畫〈p.553〉)의 略字

13 ⑯ [嬴]

人名 영 ㉠庚 以成切 yíng

字解 ①성 영 진(秦)나라 왕(王)의 성(姓). '賜—姓'《史記》. ②풀 영 얽힌 것을 풀어지게 함. '天地始肅, 不可以—'《禮記》. ③가득할 영 가득히 참. '—縮'. '夏爲長—'《爾雅》. ④뻗을 영 폄. '—絀, 猶言伸屈也'《荀子 注》. ⑤나타날 영 앞으로 나옴. '成功之道, —縮爲寶'《管子》. ⑥남을 영 많이 남음. '—餘'. '緩急—絀'《荀子》. ⑦끝 영 말단. '曾莫我—'《史記》.

字源 金文 嬴 篆文 嬴 形聲. 女+羸〈省〉〔音〕. '羸영'과 통하여 '가득 차다, 남다'의 뜻.
參考 嬴(女部 十四畫)·嬇(次條)은 同字.

[嬴絀 영굴] ㉠남음과 모자람. ㉡늘고 줆. 펴짐과 오그라짐. 신축(伸縮).
[嬴餘 영여] 나머지.
[嬴嬴 영영] 얼굴이 아름다운 모양.
[嬴顚劉蹶 영전유궐] 진(秦)나라와 한(漢)나라가 모두 망함. 영(嬴)은 진나라 천자의 성, 유(劉)는 한나라 천자의 성.
[嬴縮 영축] ㉠참과 이지러짐. 곧, 천체(天體)의 빛이 증감하는 현상. ㉡신축(伸縮).
●更嬴. 黔嬴. 長嬴.

13 ⑯ [嬇]

嬴(前條)과 同字

것만을 아는 제(齊)나라의 공손 추(公孫丑)에게 '자네는 참 제(齊)나라 사람이로군'이라고 말한 고사(故事)로서 견문이 좁아 고루함을 이름.

[子細 자세] ㉠상세함. 또 번거로움. 세밀함. ㉡자세히. 자세(仔細).

[子孫 자손] ㉠아들과 손자. ㉡후예(後裔). 후손(後孫).

[子孫計 자손계] 자손을 위한 계책.

[子孫兟兟 자손신신] 자손(子孫)이 많음.

[子嗽 자수] 태중인 부인이 감기에 걸려서 늘 기침이 나는 병.

[子時 자시] 오후(午後) 11시부터 오전(午前) 1시까지의 시각(時刻).

[子息 자식] 아들. 아들과 딸의 통칭.

[子夜 자야] 밤 12시경. 한밤중.

[子輿 자여] ㉠공자의 제자. 증삼(曾參)의 자. 노(魯)나라 사람. 효행(孝行)으로 유명함. ㉡맹자(孟子)의 자(字).

[子葉 자엽] 식물(植物)의 종자 속에 있는 배(胚)의 일부를 이루는 특수한 잎. 떡잎.

[子午 자오] 자(子)와 오(午). 정북(正北)과 정남(正南).

[子午線 자오선] 지구(地球)의 남북 양극(兩極)을 연결하는 상상상의 권선(圈線).

[子月 자월] 음력(陰曆) 11월의 별칭(別稱).

[子游 자유] 춘추 시대(春秋時代)의 오(吳)나라 사람. 성(姓)은 언(言). 이름은 언(偃). 자유(子游)는 그의 자(字). 공자(孔子)의 문인으로서 문학에 뛰어남.

[子音 자음] 닿소리.

[子子孫孫 자자손손] 자손(子孫)의 여러 대(代).

[子爵 자작] 오등작(五等爵)의 제사 위(第四位). 백작(伯爵)의 아래이며 남작(男爵)의 위임.

[子錢 자전] 이자(利子). 이식(利息)의 돈. 또, 이자가 붙는 돈을 꿈.

[子正 자정] 밤 12시.

[子亭 자정] 정자(亭子).

[子弟 자제] ㉠아들과 아우. 부형(父兄)의 대(對). ㉡젊은이. 부로(父老)의 대(對).

[子腫 자종] 잉태(孕胎)한 지 오륙삭(午六朔)이 되어 전신(全身)이 붓고 배가 불러지는 병.

[子坐午向 자좌오향] 자방(子方)에서 오방(五方)을 향(向)함.

[子枝 자지] 번성(繁盛)한 자손.

[子姪 자질] 아들과 조카.

[子鐵 자철] 신 바닥에 박는 징.

[子初 자초] 자시(子時)의 첫머리. 곧 오후 11시경.

[子夏 자하] 춘추 시대(春秋時代)의 위(衛)나라 사람. 성은 복(卜). 이름은 상(商). 자하(子夏)는 그의 자(字). 공자의 문인으로 자유(子游)와 함께 문학에 뛰어나 위문공(魏文公)의 스승이 되었음. 〈시서(詩序)〉·〈역전(易傳)〉은 그가 지은 것이라 함.

[子瘧 자학] 잉태 중에 앓는 학질.

[子懸 자현] 태중인 여자의 가슴이 치밀고 아픈 병.

[子戶 자호] 분가(分家).

◉茄子. 假子. 擧子. 卿子. 孤子. 告天子. 骨子. 孔子. 公子. 驕子. 毬子. 國子. 君子. 奇男子. 碁子. 亂臣賊子. 男子. 娘子. 浪子. 內子. 老子. 多子. 獨子. 瞳子. 末子. 孟子. 母子. 帽子. 木槵子. 無腸公子. 無患子. 反側子. 百子. 別子. 父子. 夫子. 婢子. 私窠子. 四君子. 士子. 嗣子. 庶子. 先子. 世子. 勢子. 小子. 孫子. 豎子. 雙生子. 兒子. 額子. 椰子. 梁上君子. 養子. 魚子. 漁子. 孽子. 女子. 餘子. 吾子. 王子. 龍子. 元子. 僞君子. 乳子. 猶子. 遊子. 孺子. 隱君子. 倚子. 椅子. 義子. 一子. 日子. 任子. 莊子. 長子. 障子. 赤松子. 赤子. 嫡子. 梯子. 諸子. 族子. 宗子. 從子. 種子. 舟子. 胄子. 支子. 質子. 箚子. 冊子. 妻子. 處子. 千金子. 天子. 帖子. 村夫子. 冢子. 寵子. 稚子. 蕩子. 太子. 骰子. 牌子. 賢子. 虎子. 胡頹子. 花中君子. 皇太子. 孝子. 黑子.

0 ③ [孑] 人名 혈 ㊀屑 居列切 jié

字解 ①고단할 혈 외로움. '一立'. '單一獨立'《孔融》. ②창 혈 날이 없고 갈고리진 창. '凡戟而無刃, 謂之一'《揚子方言》. ③남을 혈, 남길 혈 '一·蓋, 餘也'《揚子方言》. '一, 遺也'《玉篇》. ④나머지 혈 잔여. '靡有一遺'《詩經》. ⑤작을 혈, 짧을 혈 '盾, 狹而短者曰一 盾. 一, 小稱也'《釋名》. ⑥성 혈 성(姓)의 하나.

字源 篆文 指事. 아들의 오른팔이 없는 것을 본뜬 것. '어리고 외로움'의 뜻을 나타냄.

[孑孓 혈궐] ㉠장구벌레. ㉡짧음. 작음.

[孑立 혈립] 고립(孤立)함.

[孑然 혈연] ㉠고독한 모양. ㉡홀로 뛰어난 모양.

[孑遺 혈유] 나머지. 잔여(殘餘).

[孑義 혈의] 작은 의(義).

[孑孑 혈혈] ㉠우뚝하게 솟아 빼어난 모양. 특출(特出)한 모양. ㉡고립(孤立)한 모양.

[孑孑孤蹤 혈혈고종] 객지(客地)에 있는 외로운 나그네의 종적(蹤迹).

[孑孑單身 혈혈단신] 아무에게도 의지(依支)할 곳이 없는 홀몸.

[孑孑無依 혈혈무의] 외로워서 의지할 곳이 없음.

◉句孑. 單孑.

0 ③ [孓] 궐(①공㊍) ㊤腫 居悚切 jué ㊀月 居月切 jué

字解 ①장구벌레 궐 '孑一'은 모기의 유충(幼蟲). '孑一爲蟁'《淮南子》. ②왼팔없을 궐 '一, 無左臂也'《說文》. ③짧을 궐 '孑一, 短也'《廣雅》.

字源 篆文 象形. 아이의 왼쪽팔을 잘라 낸 모양을 본뜸.

◉孑孓.

1 ④ [孔] 高人 공 ㊤董 康董切 kǒng

筆順 ㇇ 了 子 孔

字解 ①구멍 공 '眼一'. '穿其冢旁一'《史記》. ②성 공 성(姓)의 하나. 공자(孔子)의 성. '一丘'. 또, 공자를 이름. '一教提衡'《晉書》. ③매우 공 심히. '一棘'. '德音一昭'《詩經》. ④빌 공 공허함. 헛됨. '一, 又空也'《老子》. ⑤클 공 '一德之容'《老子》. ⑥깊을 공 '一乎莫知其所終極'《淮南子》.

字源 金文 篆文 指事. '孑혈'은 어린애, '乚'은 유방(乳房)을 보여, 젖이 나오는 구멍의 뜻을 나타냄. 깊은 구멍의 뜻에서,

일반적으로 정도가 심함의 뜻을 나타냄.

[孔廣森 공광삼] 청조(淸朝)의 학자(學者). 자(字)는 중중(衆仲), 또는 위약(撝約). 호는 손헌(顨軒). 공자(孔子)의 68대손(代孫)으로, 대진(戴震)의 문인. 〈춘추공양통의(春秋公羊通義)〉·〈대대례기보주(大戴禮記補注)〉·〈의정당변려문(儀鄭堂駢儷文)〉 등의 저서가 있음.

[孔教 공교] 공자(孔子)의 교(教). 유교(儒教).

[孔竅 공규] 구멍. 공혈(空穴).

[孔棘 공극] 대단히 급하다는 뜻으로, 외환(外患)이 닥침을 이름.

[孔劇 공극] 몹시 지독함.

[孔德 공덕] 공허하여 크게 포용(包容)하는 덕. 「(德).

[孔道 공도] ㉠큰길. 대로(大路). ㉡공자가 가르친 도. 유도(儒道).

[孔老 공로] 공자(孔子)와 노자(老子). 또, 유교와 도교(道教).

[孔孟 공맹] 공자와 맹자.

[孔明 공명] ㉠대단히 밝음. ㉡제갈량(諸葛亮)의 자(字).

[孔墨 공묵] 공자와 묵자(墨子).

[孔門 공문] 공자의 문하(門下).

[孔門十哲 공문십철] 공자의 제자 중에서 학문 또는 덕행 등이 뛰어난 열 사람. 곧, 덕행에는 안연(顏淵)·민자건(閔子騫)·염백우(冉伯牛)·중궁(仲弓), 언어에는 재아(宰我)·자공(子貢), 정사(政事)에는 염유(冉有)·계로(季路), 문학에는 자유(子游)·자하(子夏).

[孔方 공방] 공방형(孔方兄). 「(錢).

[孔方兄 공방형] 네모진 구멍이 있는 돈. 엽전(葉).

[孔壁 공벽] 고문상서(古文尙書)가 공자(孔子)의 구택(舊宅)의 벽(壁)에서 나왔다는 고사(故事)에서, 전(轉)하여 장서실(藏書室)·서고(書庫)의 뜻으로 쓰임.

[孔父 공보] 공자(孔子)를 이름. 이보(尼甫).

[孔碩 공석] 대단히 큼.

[孔釋 공석] 공자(孔子)와 석가(釋迦).

[孔席不暇暖 공석불가난] 공자(孔子)가 도(道)를 세상에 행하고자 하여 늘 분주히 각국을 돌아다니느라고 공자의 앉은 자리가 따뜻할 겨를이 없었음.

[孔聖 공성] ㉠공자(孔子)의 존칭. ㉡덕이 가장 높은 성인. 대성(大聖).

[孔昭 공소] 대단히 밝음. 아주 명료(明瞭)함.

[孔安國 공안국] 전한(前漢)의 대유(大儒). 자(字)는 자국(子國). 공자(孔子)의 12대손(代孫). 무제(武帝)를 섬겨 간의대부(諫議大夫)·임회 태수(臨淮太守)를 지냈음. 신공(申公)을 사사(師事)하여 고문상서(古文尙書)를 연구하고, 〈서전(書傳)〉·〈고문효경전(古文孝經傳)〉·〈논어훈해(論語訓解)〉 등을 지었음.

[孔穎達 공영달] 당대(唐代)의 대유(大儒). 자(字)는 중달(仲達). 수(隋)나라 때 과거에 급제하고 당(唐)나라에 들어와서 국자 사업(國子司業)·국자 좨주(國子祭酒) 등을 지냈음. 태종(太宗)의 명(命)을 받들어 〈오경정의(五經正義)〉 곧 지금의 주소본(注疏本)의 오경(五經)의 소(疏)를 찬(撰)하였음.

[孔融 공융] 후한(後漢)의 학자. 자(字)는 문거(文擧). 건안 칠자(建安七子)의 한 사람으로, 헌제(獻帝) 때 북해(北海)의 상(相)이 되어, 학교를 세우고 유학(儒學)을 가르쳤음. 한실(漢室)을 구하고자 했으나 성공 못하고, 누차 조조(曹操)를 간(諫)하다가 미움을 사서 피살되었음. 저서(著書)에 〈공북해집(孔北海集)〉이 있음.

[孔壬 공임] 대단히 간사하여 아첨을 잘함. 또, 그 사람.

[孔子 공자] 유가(儒家)의 교조(教祖)로서 춘추시대(春秋時代)의 노(魯)나라 사람. 이름은 구(丘). 자(字)는 중니(仲尼). 처음에 노(魯)나라에서 사구(司寇) 벼슬을 하다가 사직(辭職)하고 여러 나라를 두루 돌아다니며 도(道)를 행하려 하였으나 쓰이지 않아, 노나라로 돌아와서 〈시(詩)〉·〈서(書)〉·〈예(禮)〉·〈악(樂)〉·〈역(易)〉·〈춘추(春秋)〉 등 육경(六經)을 산술(刪述)하였음.

[孔子家語 공자가어] 공자(孔子)의 언행(言行)·일사(逸事) 및 그의 문인(門人)과의 문답(問答)한 말을 수록한 책. 처음에는 27권이었으나, 산일(散佚)되어 현존하는 것은 10권인데 위(魏)나라의 왕숙(王肅)이 공안국(孔安國)의 이름을 빌려 위작(僞作)한 것이라 함.

[孔雀 공작] 꿩과에 속하는 새. 열대 지방(熱帶地方)의 원산(原産). 수컷은 꼬리를 펴면 큰 부채를 펴 놓은 것같이 퍽 아름다움.

[孔周 공주] 공자(孔子)와 주공(周公). 또, 그 가르침.

[孔慘 공참] 몹시 참혹함.

[孔叢子 공총자] 책 이름. 7권. 21편. 한(漢)나라 공부(孔鮒)의 찬(撰)이라고 전(傳)하나, 후인(後人)의 위찬(僞撰)으로 봄. 공자(孔子) 및 그 일족(一族)에 관하여 기술한 것임.

[孔稚珪 공치규] 남북조(南北朝) 남제(南齊)의 문인(文人). 회계(會稽) 산음(山陰) 사람. 자(字)는 덕장(德璋). 고제(高帝) 때 태자첨사(太子詹事)가 되었음. 풍아(風雅)를 즐겨, 뜰의 잡초(雜草)도 뽑아내지 않았다 하며, 그의 산문(散文)인 '북산이문(北山移文)'은 명문(名文)으로서 뛰어난 기교(技巧)가 높이 평가(評價)되고 있음.

[孔罅 공하] 구멍. 틈.

[孔穴 공혈] ㉠구멍. 틈. 하극(罅隙). ㉡사람의 몸의 혈(穴).

[孔懷 공회] ㉠대단히 사모함. ㉡형제간에 의가 좋음. 또, 형제.

[孔姬 공희] 공자(孔子)와 주공(周公). 희(姬)는 주공의 성(姓).

●隙孔. 洞孔. 毛孔. 方孔. 百孔. 鼻孔. 眼孔. 蟻孔. 八萬四千毛孔. 穴孔.

2
⑤ [秄] 〓〓 保(人部 七畫〈p. 142〉)의 古字
〓〓 孟(子部 五畫〈p. 559〉)의 古字

2
⑤ [孕] [人名] 잉 ㉭徑 以證切 yùn

[字解] 애밸 잉 잉태함. '一婦'. '婦一不育'《易經》.

[字源] [篆文] 形聲. 子＋乃[음]. '乃내·잉'은 음(音)이 '蠅승'에 가깝고, '蠅'은 배가 큰 곤충, 곧 '파리'를 나타냄. '아이를 배다'의 뜻. 또 일설에는, '乃'는 태아(胎兒)의 象形으로, '孕'의 원자(原字). '乃내'가 '곧' 등의 조자(助字)로 쓰이게 되자, 구별하기 위하여, '子'를 덧붙였다 함.

[孕鬻 잉국] 밴 아이를 낳아서 기름.
[孕母 잉모] 잉부(孕婦).
[孕別 잉별] 태아가 커져서 모체(母體)를 떠남.
[孕婦 잉부] 잉태(孕胎)한 부녀.
[孕乳 잉유] 아이를 뱀과 아이를 낳아 기름.
[孕育 잉육] 잉국(孕鬻).
[孕重 잉중] 아이를 뱀.
[孕胎 잉태] 태기(胎氣)가 있음. 임신(姙娠)함.
　아이를 뱀.
　●蕃孕. 遺孕. 姙孕. 字孕. 萃孕. 胎孕. 合孕.
　懷孕.

3
6 [孖] 자 ㊓支 子之切 zī
　　㊜眞 疾置切

字解 ①쌍둥이 자 쌍생자. ②우거질 자 무성함.
滋(水部 十畫)와 통용. '一, 亦作滋. 蕃長也'
《玉篇》.

字源 會意. '子' 둘로, '쌍둥이'의 뜻을 나타냄.
또, 子+子〔音〕의 形聲으로도 볼 수 있음.

3
6 [字] 中入 자 ㊜眞 疾置切 zì

筆順 ' ' 宀 字 宁 字

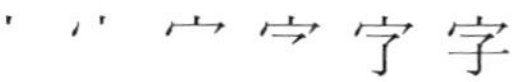

字解 ①글자 자 문자. '一義'. ②자 자 본이름
외에 부르는 이름. '孔子名丘, 一仲尼'《史記》.
또, 자를 지음. '冠而一之'《儀禮》. ③암컷 자 동
물의 암놈. '乘一牝者'《史記》. ④정혼할 자 혼
약을 맺음. '女子許嫁曰一'《正字通》. ⑤낳을 자
새끼를 낳음. '牛羊腓一'《詩經》. ⑥기를 자 사
랑하여 양육함. '使一敬叔'《左傳》. ⑦사랑할 자
'一撫'. '父不能一厥子'《書經》. ⑧성 자 성(姓)
의 하나.

字源 金 篆文  形聲. 宀+子〔音〕. 집 안에서
아이를 낳아 기름의 뜻. 곧,
사랑으로 기르다의 뜻임. 또, 문자(文字)에서,
'文'이 기본임에 대해서 자형(字形)·자음(字
音)이 증가해 온 것이 '字'인바, 이에 문자
(文字)의 뜻이 생김.

[字格 자격] 글자를 쓰는 법칙(法則).
[字句 자구] 문자와 어구(語句).
[字幕 자막] 영화에서 표제·배역·설명 따위를 글
　자로 나타낸 것.
[字面 자면] ㉠시문(詩文) 중에서 특히 중점(重
　點)을 두는 중요로운 글자. 자안(字眼). ㉡문자
　(文字) 그 자체. ㉢숙어(熟語)·성구(成句)가
　이루는 각 글자의 배합된 모양.
[字母 자모] ㉠발음(發音)의 근본(根本)이 되는
　글자. 음(音)을 표시하는 글자. ㉡활자(活字)
　를 만드는 데 쓰는 근본이 되는 자형(字型).
[字牧 자목] 원이 백성을 사랑하여 다스림.
[字撫 자무] 사랑하여 어루만짐.
[字牝 자빈] 암컷.
[字書 자서] ㉠육서(六書)에 의하여 문자를 분석
　하여 해석한 책. 〈설문(說文)〉과 같은 것. ㉡문
　자를 형체에 의하여 분류하고 해석을 가한 책.
　옥편(玉篇)과 같은 것.
[字性 자성] 글씨 쓰는 솜씨. 필재(筆才).
[字小 자소] 작고 연약한 사람을 사랑하여 어루만
　짐.
[字眼 자안] 안목(眼目)이 되는 글자. 시문(詩文)
　가운데에서 가장 중요한 글자.

[字樣 자양] 글자의 모양.
[字源 자원] 문자의 구성(構成)된 근원.
[字乳 자유] 아이를 낳아 젖 먹여 기름.
[字育 자육] 사랑하여 양육함.
[字音 자음] 글자의 음.
[字義 자의] 글자의 뜻.
[字印 자인] 활자(活字).
[字孕 자잉] 아이를 낳아서 기름.
[字典 자전] 한문(漢文) 글자를 수집(蒐集) 배열
　(排列)하여 낱낱이 그 뜻을 해석(解釋)한 책
　[字指 자지] 자의(字義). 　　　　　　 ㄴ(冊).
[字紙 자지] 글씨를 쓴 종이.
[字體 자체] ㉠글자(字)의 모양. ㉡글자의 체(體).
[字票 자표] 화살에 표한 숫자.
[字學 자학] 글자의 근원·구성 원리·체(體)·음
　(音)·의(義) 등을 연구(研究)하는 학문.
[字解 자해] 글자의 풀이. 문자의 해석.
[字挾風霜 자협풍상] 삼엄(森嚴)한 문장(文章)을
　형용하여 이름. 삼엄한 문장을 읽으면 정신이
　긴장하여 풍상(風霜)을 만난 느낌이 있다는 말.
[字型 자형] 활자를 부어 만드는 원형(原型).
[字號 자호] ㉠문자를 써서 부호로 한 것. ㉡활자
　(活字)의 크고 작음을 나타내는 번호. ㉢상점
　(商店)의 간판.
[字畫 자획] 글자를 구성하는 점획(點畫).
[字訓 자훈] 글자의 뜻. 한자(漢字)의 새김.
[字彙 자휘] ㉠자전(字典). ㉡책 이름. 자전(字
　典)의 한 가지. 명(明)나라 매응조(梅膺祚)의
　저(著)함.
[字恤 자휼] 백성을 어루만져 사랑함.
　●缺字. 笄字. 古文字. 古字. 冠字. 國字. 奇字.
　羅馬字. 大字. 名字. 母字. 撫字. 文字. 梵字.
　不立文字. 姓字. 細字. 小字. 俗字. 數字. 蠅
　頭細字. 新字. 雁字. 押字. 陽字. 衍字. 誤字.
　玉字. 謬字. 一字. 一丁字. 篆字. 點字. 丁字.
　正字. 題字. 千金字. 草字. 脫字. 片言隻字.
　漢字. 解字. 活字. 廻文錦字.

3
6 [存] 中入 존 ㊓元 徂尊切 cún

筆順 一 ナ 十 右 存 存

字解 ①있을 존 존재함. '一亡'. '操則一, 舍則
亡'《孟子》. ②보존할 존 보지(保持)함. '一亡定
危'《漢書》. ③존문(存問)할 존 ㉠휼문(恤問)함.
'一潤'. '養幼少, 一諸孤'《禮記》. ㉡위문함.
'一慰'. '無一介之使以一之'《戰國策》. ④살필
존 조사함. '大喪一�'《周禮》. ⑤편안할 존
안태(安泰)함. '一亡之難'《史記》. ⑥성 존 성
(姓)의 하나.

字源 篆文 形聲. 在〈省〉+孫〈省〉〔音〕. '在재'는
'있다'의 뜻. '孫손'은 한 줄기로 매
어 둠의 뜻. 그대로의 상태로 묶어 둠. '보존
함'의 뜻을 나타냄.

[存救 존구] 도와서 구(救)함. 진구(振救)함.
[存念 존념] 늘 생각하여 잊지 아니함.
[存錄 존록] ㉠적어 두어 후일의 기념(記念)으로
　삼고 애도(哀悼)함. ㉡등록(登錄)하여 기념함.
[存立 존립] ㉠생존(生存)함. 존재(存在)함. ㉡도
　와서 생존시킴.
[存亡 존망] 존속(存續)과 멸망. 삶과 죽음. 또,
　안태(安泰)함과 위태로움. 흥폐(興廢).

[存亡禍福皆在己 존망화복개재기] 존망과 화복이 모두 자기의 선악(善惡)에 달려 있음.

[存命 존명] 목숨을 보존(保存)함. 살아 있음.

[存沒 존몰] 삶과 죽음. 존망(存亡).

[存撫 존무] 위안하고 무마(撫摩)함. 불쌍히 여겨 은혜를 베풀고 어루만짐.

[存問 존문] 존후(存候).

[存拔 존발] 어떤 것은 남겨 두고, 어떤 것은 빼어 버림.

[存本取利 존본취리] 돈이나 곡식을 꾸어 주고 밑천은 그대로 둔 채 해마다 그 변리만을 받음.

[存否 존부] 건재(健在)한지 어떤지. 생사(生死) 여부(與否).

[存賜 존사] 위문하여 물건을 내려 줌.

[存想 존상] ㉠깊이 생각함. 숙려(熟慮). ㉡마음을 외부에 흐트러지지 않게 하여 본성(本性)을 보전함.

[存生 존생] 《佛敎》목숨이 붙어 살아 있음. 생존(生存).

[存續 존속] 존재(存在)를 계속함.

[存心 존심] 마음에 두고 잊지 아니함.

[存案 존안] 없애 버리지 않고 보존(保存)하여 두는 안건(案件).

[存養 존양] 본심(本心)을 보존하고 본성(本性)을 기름. 본심을 잃지 않기 위하여 착한 성품을 양성함. 정신(精神)을 수양함.

[存羊之義 존양지의] 구례(舊例) 또는 허례(虛禮)를 짐짓 버리지 아니하고 그대로 두는 일.

[存慰 존위] 찾아가 위로함.

[存潤 존윤] 가긍(可矜)히 여겨 은혜를 베품. 휼문(恤問).

[存肄 존이] 잊지 않기 위하여 소중히 보존하고 익힘. 보존 이습(保存肄習).

[存而不論 존이불론] 그대로 두고 더 논(論)하지 아니함.

[存而不忘亡 존이불망망] 안태(安泰)한 때에도 쇠망(衰亡)의 일을 잊지 않음.

[存在 존재] 있음. 현존(現存)함.

[存儲 존저] 돈을 맡겨 저축(貯蓄)함.

[存底貨 존저화] 잔품(殘品). 재고품(在庫品).

[存摺 존접] 예금 통장(預金通帳).

[存存 존존] ㉠있음. 존재함. ㉡보존함. ㉢자기에게 있는 덕(德)을 잃지 않도록 기름.

[存拯 존증] 살려 구해 줌.

[存置 존치] 현재의 제도나 설비를 없애지 않고 그냥 둠.

[存廢 존폐] 보존과 폐지.

[存項 존항] 예금(預金). 적립금(積立金).

[存貨 존화] ㉠재화(在貨). ㉡상품(商品)을 저장(貯藏)함.

[存活 존활] ㉠생존(生存). ㉡구원하여 죽음을 면하게 함. 또 죽음을 모면함. 생명을 보전함.

[存候 존후] 위문(慰問)함. 찾아가 안부를 물음. 또, 그 사람.

[存恤 존휼] 불쌍히 여겨 구휼(救恤)함.

●共存. 撫存. 保存. 生存. 所存. 實存. 儼存. 溫存. 遺存. 依存. 異存. 一存. 殘存. 適者生存. 齒弊舌存. 見存. 現存.

4
⑦ [孖] 서 ㉤語 象呂切 xù

字解 ①고기이름 서 '堪一'는 물고기의 이름. '一, 山海經, 犲山有堪一之魚. 狀如夸父而彘

尾'《集韻》. ②물고기알 서 '一, 一曰, 魚子'《集韻》.

4
⑦ [孜] 人名 자 ㉤支 子之切 zī

字解 ①부지런할 자, 힘쓸 자 부지런히 힘쓰는 모양. 孳(子部 十畫)와 통용. '予思日——'《書經》. ②사랑할 자 '一, 力篤愛也'《廣韻》.

字源 篆文 (형) 形聲. '支(攵)＋子[음]'. '子자'는 '자꾸자꾸 늘다'의 뜻. 노력을 계속하는 모양을 나타냄.

[孜孜 자자] 부지런한 모양. 쉬지 않고 힘쓰는 모양.

[孜孜營營 자자영영] 쉬지 않고 부지런히 일하는 모양.

4
⑦ [孚] 人名 부 ㉤虞 芳無切 fú, ②fū

筆順 一 ㇇ ㇇ 㱐 㱐 孚 孚

字解 ①미쁠 부 성실함. 성신(誠信). '一信'. '成王之一'《詩經》. ②알깔 부 부화함. '一乳'. '雞伏卵而未一'《揚子方言》. ③기를 부 양육함. '一育中國'《元史》. ④껍질 부 겨껍. 稃(禾部 七畫)와 통용. '一甲'. ⑤쌀 부 덮어 가림. '信, 文之一也'《國語》. ⑥달릴 부, 떠들 부 당황하여 떠듦. '羸豕一蹢躅'《易經》. ⑦성 부 성(姓)의 하나.

字源 金文 篆文 古文 會意. 爪＋子. '爪조'는 손을 본뜬 모양. '子자'는 갓난아이의 형상. 젖먹이를 끌어안다는 뜻. 전(轉)하여, '俘부'의 原字로서, '포로'의 뜻도 나타냄. '付'와 통하여, '미쁘다, 신뢰하다'의 뜻을 나타냄.

[孚甲 부갑] 초목(草木)의 씨의 겉껍질. 종자(種子)의 외피(外皮).

[孚卵 부란] 알을 깜.

[孚信 부신] 성실(誠實). 신의(信義).

[孚佑 부우] 성의(誠意)껏 도움.

[孚乳 부유] 새가 알을 품어 깜.

[孚育 부육] 양육(養育)함.

[孚尹 부윤] 옥(玉)이 빛나는 모양.

[孚化 부화] 새의 알이 깸.

●簡孚. 感孚. 信孚. 中孚. 忠孚.

4
⑦ [孛] ▇ 패 ㉤隊 蒲昧切 bèi
▇ 발 ㉤月 蒲沒切 bó

字解 ▇ ①살별 패 혜성(彗星). '有星一'《春秋》. ②어둘 패 빛이 가려 밝지 않음. '星辰不一, 日月不蝕'《漢書》. ▇ 안색변할 발 욱하고 성냄. 勃(力部 七畫)과 통용. '論語曰, 色一如也'《說文》.

字源 篆文 象形. 열매 꼭지 밑의 씨방이 크게 부푼 모양을 본떠, 초목이 우거진 모양, 빛나 번쩍이는 모양을 나타냄. 또, '艴발·불'과 통하여, 안색을 달리하여 성냄의 뜻도 나타냄.

[孛孛 패패] 빛이 밝지 않은 모양. 어두운 모양.

[孛彗 패혜] 하늘에 나타나면 난조(亂兆)라고 하는 혜성(彗星).

●飛孛. 星孛. 妖孛. 彗孛.

[孩幼 해유] 해자(孩子).
[孩乳 해유] 젖먹이. 또, 젖먹일 적.
[孩孺 해유] 어린아이. 소아(小兒).
[孩子 해자] 젖먹이. 두세 살 된 아이.
[孩提 해제] 웃을 줄 알고 또 손으로 끌고 다닐 수 있는 어린아이. 곧, 두세 살 된 어린아이.
[孩蟲 해충] 갓 나온 벌레. 유충(幼蟲).
[孩稚 해치] 해자(孩子).
[孩抱 해포] 어린아이 적. 겨우 웃을 줄 알고 안길 수 있는 때.
　●孤孩. 童孩. 生孩. 嬰孩. 幼孩. 提孩.

[厚]〔후〕厂部 七畫(p.319)을 보라.

7
⑩ [孫] 中人 손 ㉮元 思渾切 sūn
　　　　　㉯願 蘇困切 xùn　孫 孙

筆順 ' 了 孑 孑 孖 孫 孫 孫

字解 ①손자 손 아들의 아들. '子子一一'. '子之子爲一'《爾雅》. ②자손 손 후예(後裔). '七世一' 전(轉)하여, 갈려 나온 것. '一竹之管'《周禮》. ③성 손 성(姓)의 하나. ④겸손할 손, 달아날 손 遜(辵部 十畫)과 同字. '一辭'. '一而出'《論語》. '夫人一于齊'《春秋》.
字源 甲骨文 金文 篆文　會意. 子+系. '系계'는 甲骨文에서는 '幺요', 金文에서는 '糸멱'으로 나와 있어, 한 줄로 이어지는 실의 뜻. 아들의 아들에게로 면면히 이어지는 '손자'의 뜻을 나타냄.

[孫康 손강] 동진(東晉)의 학자. 경조(京兆) 사람. 벼슬은 어사대부(御史大夫)에 이르렀음. 젊었을 때 가난하여 기름을 못 구하고 겨울밤에 책을 눈(雪)에 비추어 공부하였다고 함.
[孫堅 손견] 후한 말(後漢末)의 부장(部將) 오(吳)나라의 손권(孫權)의 아버지. 자(字)는 문대(文臺). 한말(漢末)에 군사를 일으켜 동탁(董卓)을 치고, 또 형주(荊州)의 유표(劉表)를 치다가 패사(敗死)하였음. 손권(孫權)이 제(帝)를 칭(稱)함에 이르러 무열제(武烈帝)로 추존(追尊)되었음.
[孫過庭 손과정] 당대(唐代)의 서가(書家). 자(字)는 건례(虔禮). 벼슬은 솔부녹사참군(率府錄事參軍)에 이르렀음. 저서에 〈서보(書譜)〉 6편이 있음.
[孫權 손권] 삼국(三國) 시대 오(吳)나라의 초대 황제. 형 손책(孫策)의 뒤를 이어 강동(江東)을 영유(領有)하고 유비(劉備)와 동맹(同盟)하여 조조(曹操)를 적벽(赤壁)에서 격파하였음.
[孫奇逢 손기봉] 청조(淸朝) 초기의 학자. 자(字)는 계태(啓泰). 하봉 선생(夏峰先生)이라 일컬음. 〈이학종전(理學宗傳)〉·〈사서근지(四書近指)〉 등의 저술(著述)이 있음.
[孫謀 손모] 천하의 인심을 순종시켜 세상을 다스리는 계책. 일설에는, 자손을 위한 계책.
[孫謨 손모] 손모(孫謀).
[孫武 손무] 춘추 시대(春秋時代)의 제(齊)나라 사람. 〈손자(孫子)〉13편을 저술(著述)하여 병법가(兵法家)의 비조(鼻祖)로 일컬음.
[孫文 손문] 근대 중국 혁명의 중심인물. 광둥 성(廣東省) 향산현(香山縣) 사람. 자(字)는 일선(逸仙) (뒤에 중산(中山)이라 고침). 삼민주의

(三民主義)·오권헌법(五權憲法)을 제창하고 중국 혁명 동맹회(中國革命同盟會)를 조직하였으며, 1911년의 혁명에 임시 총통(臨時總統)이 되었다가 다음 해에 위안스카이에게 양보하였음.
[孫婦 손부] 손자의 아내. 아들의 며느리.
[孫臏 손빈] 전국 시대(戰國時代) 제(齊)나라의 병법가(兵法家). 방연(龐涓)과 함께 병법을 귀곡자(鬼谷子)에게 배웠는데, 연(涓)이 위장(魏將)이 되자, 빈(臏)이 자보다 나음을 시기하여 꾀어내어 그 발을 잘랐음. 그 뒤 위(魏)나라가 제(齊)나라를 쳐들어왔을 때 빈(臏)은 모계(謀計)로써 연(涓)을 괴롭히니 연(涓)은 백계(百計)가 다하여 자살하였음.
[孫辭 손사] ㉠겸손한 말. 손사(遜辭). ㉡핑계. 둔사(遁辭).
[孫思邈 손사막] 당대(唐代)의 은사(隱士). 화원(華原) 사람. 노장(老莊)의 학(學)을 즐겼으며 아울러 음양(陰陽)·의약(醫藥)·천문(天文)에 밝았음. 의약서(醫藥書)인 〈천금방(千金方)〉 93권을 지었음.
[孫壻 손서] 손녀의 남편. 아들의 사위.
[孫星衍 손성연] 청대(淸代)의 경학자(經學者). 자(字)는 연여(淵如). 벼슬은 산동독량도(山東督糧道)에 이르렀음. 문재(文才)에 뛰어나 널리 해박하고 또한 후배(後輩)를 잘 지도(指導)하였음. 저서(著書)에 〈상서금고문주소(尙書今古文注疏)〉등이 있음.
[孫兒 손아] 손자(孫子). 손주.
[孫炎 손염] 삼국 시대(三國時代) 위(魏)나라의 유학자(儒學者). 자(字)는 숙연(叔然). 정현(鄭玄)의 문인(門人)에게 배워 동주(東州)의 대유(大儒)라 일컬어짐. 〈이아음의(爾雅音義)〉를 지어 처음으로 반절(反切)을 썼음.
[孫吳 손오] ㉠손무(孫武)와 오기(吳起). 모두 춘추 시대(春秋時代)의 병법(兵法)의 대가(大家). ㉡그들의 저서(著書)인 〈손자(孫子)〉와 〈오자(吳子)〉.
[孫悟空 손오공] 괴기 소설(怪奇小說) 〈서유기(西遊記)〉 가운데에서 가장 주요한 역할을 하는 원숭이. 변신술(變身術)을 습득(習得)하여 현장(玄奘) 법사를 따라 갖은 고난을 물리치고 천축(天竺)에 들어가 현장으로 하여금 경문(經文)을 가져오게 하였다 함.
[孫詒讓 손이양] 청조(淸朝)의 학자. 저장 성(浙江省) 서안(瑞安) 사람. 자(字)는 중용(仲容). 유월(兪樾)에게 배웠으며 〈주례정의(周禮正義)〉·〈묵자간고(墨子簡詁)〉 등의 저서(著書)가 있음.
[孫子 손자] ㉠아들의 아들. 자손. ㉡책명(冊名). 1권 13편. 주(周)나라 손무(孫武)의 찬(撰). 병서(兵書) 중에서 가장 유명함.
[孫綽 손작] 진대(晉代)의 문인(文人). 태원(太原) 사람. 자(字)는 흥공(興公). 경안령(景安令)을 거쳐 정위경(廷尉卿)이 되었음. 〈유천태산부(遊天台山賦)〉를 지어, 당시 그 문재(文才)를 날렸음.
[孫曾 손증] 손자와 증손자.
[孫枝 손지] 가지에서 또 벋어난 가지.
[孫策 손책] 후한 말(後漢末)의 무장(武將). 오(吳)나라 손권(孫權)의 형(兄). 그의 아버지 견(堅)의 사후(死後) 여병(餘兵)을 몰아 각처에 전전(轉轉), 백전백승(百戰百勝)을 거두어

마침내 강동(江東)의 땅을 평정하였음.
[孫行 손항] 손자의 항렬(行列).
●昆孫. 公孫. 來孫. 末孫. 順孫. 神孫. 兒孫. 烏孫. 王孫. 外孫. 雲孫. 遠孫. 仍孫. 子孫. 子子孫孫. 嫡孫. 從孫. 曾孫. 姪孫. 天孫. 玄孫. 胡孫. 皇孫. 孝孫.

7
⑩ [挽] 면 ⓑ阮 無遠切 miǎn
   면 ⓑ銑 亡辨切 miǎn
字解 해산할 면 애를 낳음. 娩(女部 七畫)과 同字. '欲視皇后一乳'《資治通鑑》.
字源 形聲. 子+免〔音〕. '免면'은 '벗어나다'의 뜻. 아이가 모체(母體)를 벗어나다의 뜻으로, '해산'의 뜻을 나타냄.

[挽身 면신] 아이를 낳음. 해산함.

7
⑩ [孬] 외 ⓑ卦 呼怪切 nāo
字解 ①좋지아니할 외 '一, 不好也'《字彙》. ②《現》 겁많을 외 용기가 없음.

8
⑪ [孰] 高入 숙 ⓐ屋 殊六切 shú
筆順 亠 亠 亨 亨 享 孰 孰 孰
字解 ①누구 숙 어느 사람. '一謂子產智'《孟子》. ②어느 숙 어느 것. '是可恐也一不可恐也'《論語》. ③익을 숙 熟(火部 十一畫)과 통용. '五穀時一'《禮記》. ④끓여익힐 숙, 끓을 숙 '一, 謂亨煮'《禮記疏》. ⑤도타울 숙 친절하고 정중함. '寧一諫'《禮記》.
字源 會意. 金文은 㐁+女+丮. '㐁 형·팽'은 질냄비에 음식을 담아 사람을 대접함의 뜻. '丮극'은 '손에 잡다'의 뜻. 여성이 질냄비에 손을 가져가 음식을 끓여 익히는 모양에서, 잘 익힘의 뜻을 나타냄. 차용(借用)하여, 의문(疑問)의 조사(助辭)로서 쓰임. 뒤에 羞+丮이 되고, 다시 享+丸으로 변형됨.

[孰能禦之 숙능어지] 누가 능히 막으랴라는 뜻으로, 막을 수 없음을 이름.
[孰慮 숙려] 곰곰이 잘 생각함.
[孰成 숙성] 곡식이 익음. 숙성(熟成).
[孰誰 숙수] 누구. 어떤 사람.
[孰視 숙시] 눈여겨 자세히 봄.
[孰若 숙약] 두 가지 사물이나 두 인물을 이 말의 위와 아래에 들어 어느 쪽이 나으냐고 묻는 말인데, 묻는 사람은 아래쪽이 낫다고 생각하고 하는 말임.
[孰與 숙여] 숙약(孰若).

9
⑫ [孱] 人名 잔 ⓦ先 士連切 chán, càn
   잔 ⓦ刪 士山切 chán
字解 ①잔약(孱弱)할 잔 나약(懦弱)함. 羸. '吾王一王也'《史記》. ②높을 잔, 험할 잔 嶘(山部 十七畫)과 뜻이 같음. '攝衣步一顏'《蘇軾》. ③신음할 잔 '一, 一曰, 呻吟也'《說文》. ④뒤떨어질 잔 딴것만 못함. 어리석음. '一, 不肖也'《廣韻》. ⑤좁을 잔 '一, 窘也'《集韻》.
字源 會意. 尸+孨. 집 밑에 잔약한 어린애들이 올망졸망 있는 모양을 보여, '비좁음'의 뜻.

일설(一說)에는, 尸+孨〔音〕의 形聲.

[孱骨 잔골] 잔약(孱弱)한 골격(骨格).
[孱羸 잔리] 잔약하고 파리함.
[孱微 잔미] 신분이 낮고 재능이 없음.
[孱夫 잔부] 약한 남자. 비겁한 남자.
[孱孫 잔손] 잔약한 손자(孫子).
[孱瑣 잔쇄] 신분이 낮고 재능이 없음.
[孱顏 잔안] 산이 험준(險峻)한 모양.
[孱弱 잔약] 몸이 튼튼하지 않고 약함.
[孱劣 잔열] 잔약하고 용렬함.
[孱王 잔왕] 줏대가 없는 약한 왕.
[孱愚 잔우] 잔약하고 어리석음.
[孱拙 잔졸] 잔약하고 옹졸함.
[孱疲 잔피] 잔약하고 원기가 없음.
[孱劣 잔혈] 잔약하고 의지할 곳이 없음.
●萊孱. 老孱. 病孱. 膚孱. 愚孱. 虛孱.

9
⑫ [孴] 명 ⓦ敬 眉病切 mìng
字解 첫아이밸 명 '一, 初孕也'《字彙》.

10
⑬ [孴] 읍 ⓦ緝 羊入切 yì
字解 ①우물우물할 읍 많은 모양. '一一'. '一, 多皃'《廣韻》. ②모일 읍 '一, 聚皃'《集韻》.
字源 金文 篆文 籒文 會意. 孨+日.

[孴孴 읍읍] 많은 모양. 우물거리는 모양.

10
⑬ [孶] 자 ①-③ⓦ支 子之切 zī
   자 ④ⓦ寘 疾置切 zì
字解 ①부지런할 자 근면함. 孜(子部 四畫)와 통용. '鷄鳴而起, 一一爲善者, 舜之徒也'《孟子》. ②불을 자, 우거질 자 번식(繁殖)함. 또, 무성함. '非能使木壽且一也'《柳宗元》. ③낳을 자 새끼를 낳음. '一, 産也'《玉篇》. ④새끼가질 자 발정함. 교미(交尾)함. '鳥獸一尾'《書經》.
字源 金文 篆文 形聲. 子+茲〔音〕. '茲자'는 '불어남'의 뜻. 새끼가 자꾸 불어 늚의 뜻.

[孶蔓 자만] 우거져 뻗어 나감.
[孶尾 자미] 흘레하여 새끼를 낳음.
[孶息 자식] 불음. 번식함.
[孶育 자육] 동물이 새끼를 낳아서 기름.
[孶孕 자잉] 동물이 새끼를 낳음.
[孶孶 자자] 부지런히 힘쓰는 모양.

10
⑬ [穀] ▄ 누 ⓦ有 乃后切 nòu
   ▄ 구 ⓦ宥 古候切 gòu
字解 ▄ ①기를 누, 품을 누 젖을 먹여 양육함. 보살펴 키움. '左傳曰, 楚人謂乳一'《說文 段注》. ②새끼 누 '一, 子也'《廣雅》. ③어리석을 누 똑똑하지 못함. '一, 謂愚蒙也'《說文 段注》. ▄ ①기를 구 ②새끼 구 ③어리석을 구.
字源 金文 篆文 形聲. 子+㱿〔音〕. '㱿각'은 알의 껍질. 껍질을 쪼아 깨뜨려서 새끼 새를 기른다는 뜻.

11
⑭ [孵] 人名 부 ①ⓦ虞 芳無切 fū
   부 ②ⓦ遇 芳遇切

[字解] ①알깔 부, 알깰 부 부화함. '一卵'. '一, 卵化'《廣韻》. ②자랄 부 孚(子部 四畫)와 同字. '孚, 育也'《集韻》.
[字源] 形聲. 卵+孚〔音〕. '孚부'는 자식을 껴안은 모양을 나타냄. '卵란'을 덧붙여, '알을 까다'의 뜻을 나타냄.

[孵卵 부란] 알을 깜.
[孵化 부화] ㉠알을 깜. ㉡알을 깸. 부화(孚化). 부란(孵卵).

12 ⑮ [學] 學(次次條)의 訛字

12 ⑮ [孺] 〔유〕 孺(子部 十四畫〈p. 566〉)의 俗字

13 ⑯ [學] [中·人] 학 [入]覺 胡覺切 xué 学

[筆順]

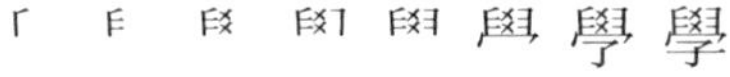

[字解] ①배울 학 ㉠학문을 배움. '一問'. '一而時習之'《論語》. ㉡모방하여 익힘. '豈一春林一餉紅'《蘇舜欽》. ㉢연구함. '吾一周禮'《中庸》. ②학자 학 학문에 뛰어난 사람. 또, 학문을 배우는 사람. '幼一'. '鴻儒碩一'《南史》. ③학문 학 ㉠배워 익히는 바. '修一'. '安其一而親其師'《禮記》. ㉡사물의 이치를 연구하여 얻은 원리. 체계화한 지식. '天文一'. '少好刑名之一'《史記》. ④학교 학 학사(學舍). '大一'. '天子命之教, 然後爲一'《禮記》. ⑤가르칠 학 가르침. '一, 教也'《廣雅》. ⑥성 학 성(姓)의 하나.
[字源] 甲骨文 金文 篆文 形聲. 甲骨文은 臼+冂+爻〔音〕. '臼구'는 양손으로 끌어 올리는 모양, '冂경'은 건물의 모양을 본뜸. '爻효'는 어우러져 사귀다의 뜻. 가르치는 자가 배우는 자를 향상시키는 사귐의 터인 건물, 학교의 뜻을 나타냄. 篆文은 臼+冂+教〈省〉(斈)〔音〕의 形聲文字.
[參考] ①學(前前條)는 訛字. ②斈(子部 四畫)·学(子部 五畫)은 俗字.

[學監 학감] 학교의 사무와 학생을 감독하는 직원(職員).
[學界 학계] 학문의 사회(社會).
[學契 학계] 《韓》 교육 또는 학비 조달을 목적으로 하여 모은 계.
[學階 학계] 《佛教》 승려(僧侶)에게 학식의 고하에 의하여 주는 칭호. 근학(勤學)·강사(講師)·학사(學師)·법사(法師) 따위.
[學古 학고] 옛 법을 배움. 옛것을 배움.
[學科 학과] 학문의 과목(科目).
[學課 학과] 학문의 과정(課程).
[學官 학관] ㉠학교의 건물. 학사(學舍). ㉡교관(教官).
[學館 학관] ㉠사숙(私塾). ㉡학사(學舍).
[學校 학교] 일정한 설비를 갖추고 계속적으로 생도나 학생을 가르치는 기관.
[學究 학구] ㉠당(唐)나라 때 과거(科擧) 과목의 하나인 명경(明經) 중의 학구일경(學究一經)이란 과(科)에 응시한 자. 전(轉)하여, 서생(書生). 학생. ㉡오활(迂闊)한 학자. 얼치기 학자. ㉢학문에 몸을 바친 학자.
[學窮 학궁] ㉠오활(迂闊)한 학자. 부유(腐儒). ㉡배워 구명(究明)함. ㉢곤궁한 학자. 학문만 연구하고 세상에 쓰여지지 않는 학자.
[學規 학규] ㉠학교의 규칙. 교칙(校則). ㉡학과의 규칙.
[學級 학급] 한 교실 안에서 같이 학습(學習)하는 학생의 집단(集團).
[學期 학기] 학교에서 한 학년의 수업 기간을 구분한 시기(時期).
[學年 학년] 학교에서의 1년 동안의 수업기(修業期). 또는 그것에 의하여 구별한 학급.
[學老於年 학노어년] 나이가 젊은 데 비하여서는 학문이 노성(老成)함.
[學堂 학당] ㉠글방. 학교. ㉡죽은 사내아이를 한 곳에 파묻는 묘지(墓地). 여자의 것은 수당(繡堂)이라 함. ㉢인상학(人相學)에서 사람의 얼굴의 일부분을 이름.
[學德 학덕] 학식과 덕행(德行).
[學徒 학도] ㉠학생. 생도. ㉡학문을 닦는 사람.
[學童 학동] 학교나 글방에 다니며 공부하는 아이.
[學等 학등] 학문의 등급.
[學廬 학려] 학사(學舍).
[學力 학력] ㉠학문의 힘. ㉡힘써 배움.
[學歷 학력] 수학한 이력(履歷).
[學齡 학령] 법률상 초등 교육을 받을 의무가 발생하는 연령.
[學流 학류] 학파(學派).
[學理 학리] 학문상(學問上)의 원리(原理)나 이론(理論).
[學林 학림] ㉠학자가 모이는 곳. ㉡《佛教》 중의 학교. ㉢송(宋)나라 왕관국(王觀國)이 찬(撰)한 소학(小學)에 관한 책. 10권. 자체(字體)·자의(字義)의 변별(辨別)을 주로 하였는데, 전인(前人) 미발(未發)의 곳이 많음.
[學名 학명] 학술상 동·식물 등에 붙인 세계에 공통하는 이름.
[學務 학무] 학사(學事) 및 교육에 관한 사무.
[學問 학문] ㉠학예를 배워 익힘. ㉡배워 닦은 학예. ㉢체계(體系)가 선 지식(知識).
[學閥 학벌] ㉠한 학교를 나온 사람들이 단결하여 서로 의지하고 서로 도와 세력을 형성하는 파벌. ㉡출신 학교의 지체.
[學步於邯鄲 학보어한단] 한단(邯鄲)은 조(趙)나라의 서울로 보행(步行)에 능한 습속이 있었는데, 연(燕)나라의 소년이 와서 그 보행법을 배우려다가 배우지 못하고 오히려 자기 고유의 보행법도 잊어버렸다는 고사(故事). 자기의 본분을 버리고 다른 사람의 행위를 본뜨려다가는 도리어 양쪽을 다 잃게 됨을 비유한 말.
[學僕 학복] 스승의 집 또는 사숙(私塾)에서 심부름하며 배우는 사람.
[學府 학부] ㉠학자가 모이는 곳. 학술 사회의 중추부(中樞府). ㉡학문에 지극히 해박(該博)한 사람.
[學費 학비] 학업에 드는 비용(費用).
[學士 학사] ㉠학식 있는 사람. 학자. ㉡관명(官名). 국가의 전례(典禮)·편찬·찬술(撰述) 등을 맡음. ㉢고관(高官)을 우대하여 수여하는 칭호. ㉣대학 본과(本科)의 규정한 학과를 마치고 일정한 절차를 밟은 사람의 칭호.
[學舍 학사] 학교. 교사(校舍).
[學事 학사] 학문에 관한 일.
[學士院 학사원] 한림 학사(翰林學士)가 출사(出仕)하는 관아(官衙).

[學生 학생] ㉠학문을 배우는 사람. 서생(書生). ㉡(韓) 생전(生前)에 벼슬하지 아니한 사람에 대한 존칭.
[學書如泝急流 학서여소급류] 글씨 쓰기를 배우기는 급류(急流)를 거슬러 올라가는 것같이 나아가기 쉽지 않음.
[學說 학설] 학문상(學問上)의 논설. 학술상의 의견.
[學修 학수] 배우고 닦음. 공부함.
[學術 학술] ㉠학문과 예술 또는 기술. ㉡학문(學問).
[學術語 학술어] 학술 연구에 특별(特別)히 쓰이는 말.
[學習 학습] ㉠배워서 익힘. ㉡기독교(基督敎)에서 입교(入敎)한 신자(信者)에게 세례(洗禮) 전에 행하는 의식.
[學僧 학승] ㉠수학(修學) 중인 중. ㉡박학한 중.
[學殖 학식] 닦아 쌓은 학문. 학문의 소양(素養).
[學識 학식] ㉠학문과 식견(識見). ㉡학문상의 식견. 상식(常識)의 대(對).
[學業 학업] ㉠공부하여 학문(學問)을 닦는 일. ㉡습득(習得)한 학문.
[學藝 학예] 학문(學問)·문장(文章)·기예(技藝)의 총칭.
[學友 학우] 같이 공부(工夫)하는 벗. 글동무.
[學苑 학원] 학원(學園).
[學院 학원] ㉠학교(學校). ㉡일정한 자격을 갖추지 못한 학교.
[學園 학원] 학문(學問)을 닦는 곳.
[學位 학위] 어떤 부문(部門)의 학술에 능통한 사람에게 주는 칭호(稱號). 박사(博士)·석사(碩士)·학사(學士) 등.
[學而不思則罔 학이불사즉망] 학문을 닦아도 깊이 사색(思索)을 하지 아니하면 혼매(昏昧)하여 밝지 못함.
[學而知之 학이지지] 배워서 앎.
[學子 학자] 학생(學生).
[學者 학자] ㉠학문(學問)에 통달(通達)한 사람. ㉡학문을 연구하는 사람.
[學資 학자] 학비(學費).
[學者三多 학자삼다] 학자의 세 가지 요건(要件). 곧, 독서를 많이 하여야 할 것, 지론(持論)이 많아야 할 것, 저술(著述)이 많아야 할 것.
[學箴 학잠] 학문을 닦는 사람에 대한 경계(警戒).
[學長 학장] ㉠학교의 장(長). ㉡중국의 구제(舊制) 대학에서 분과(分科) 및 예과(豫科)의 과주임(科主任). 문과 학장·이과 학장 따위. ㉢(韓) 단과 대학(單科大學)의 장.
[學才 학재] 학문상의 재능.
[學籍 학적] 재학생(在學生)의 성명·생년월일·주소 등을 기록한 명부. 또, 그 명부에 등록된 신분.
[學田 학전] 소출로 학교의 경비에 충당하는 전답(田畓).
[學政 학정] 교육 행정(敎育行政).
[學庭 학정] 학교(學校).
[學制 학제] 학교 및 교육에 관한 제도(制度).
[學窓 학창] 학문(學問)을 닦는 곳. 학교·사숙(私塾) 등.
[學窓 학창] 학창(學窓).
[學則 학칙] ㉠학교(學校)의 규칙. 교칙(敎則). ㉡학문의 준칙(準則).
[學派 학파] 학문상(學問上)의 주장을 달리하여 서로 갈라져 나간 갈래.
[學風 학풍] ㉠학문상의 경향(傾向). ㉡학교(學校)의 기풍(氣風). 교풍(校風).
[學海 학해] ㉠학문(學問)의 세계. 그 범위가 넓은 것을 바다에 비유한 말. ㉡학문에 꾸준히 힘써야 함을 밤낮 쉬지 않고 바다로 흘러들어가는 하천(河川)에 비유한 말. ㉢극히 박학(博學)한 사람을 이름.
[學行 학행] 학문(學問)과 덕행(德行). 학문과 실행(實行).
[學兄 학형] 학우(學友)의 경칭(敬稱).
[學會 학회] 학술(學術)의 연구(研究)·장려(奬勵)를 목적으로 조직(組織)된 단체.
●講學. 開學. 經濟學. 經學. 考證學. 古學. 苦學. 曲學. 工學. 科學. 官學. 敎育學. 敎學. 國學. 軍學. 勸學. 金石學. 老莊學. 論理學. 農學. 大學. 道學. 篤學. 獨學. 同學. 晩學. 勉學. 無學. 文學. 問學. 博學. 放學. 燒學. 法學. 不學. 佛學. 史學. 私學. 社會學. 算學. 上學. 商學. 生理學. 生物學. 書學. 碩學. 禪學. 性理學. 小學. 俗學. 修學. 數學. 心理學. 夜學. 陽明學. 洋學. 語學. 力學. 硏學. 優生學. 爲學. 留學. 遊學. 儒學. 倫理學. 醫學. 理學. 耳學. 異學. 入學. 自然科學. 自學. 奬學. 才學. 在學. 程朱學. 精學. 朱子學. 中學. 志學. 天文學. 淺學. 哲學. 初學. 就學. 太學. 廢學. 下學. 漢學. 向學. 鄕學. 玄學. 衒學. 好學. 化學. 後學. 訓詁學.

13 ⑯ [㿲] 〔얼〕
孼(子部 十六畫〈p. 567〉)의 俗字

14 ⑰ [孺] 〔人名〕 유 ㊀遇 而遇切 (rù) ㊁虞 汝朱切 rú   孺

字解 ①젖먹이 유 ㉠영아(嬰兒). '祗見一子'《禮記》. ㉡사람을 업신여겨 이르는 말. '一子可敎'《史記》. ②사모할 유 앙모하여 따름. '一慕'. '和樂且一'《詩經》. ③딸릴 유 종속함. '大夫曰一人'《禮記》. ④흘레할 유, 낳을 유 乳(乙部 七畫)와 통용. 교미함. 'ㅡ, 生也'《廣雅》. '烏鵲一'《莊子》. ⑤성 유 성(姓)의 하나.
字源 篆文 孺 形聲. 子+需[音]. '需수'는 '부드러움'의 뜻. 보드라운 젖먹이의 뜻.
參考 嬬(子部 十二畫)는 俗字.

[孺童 유동] 어린아이.
[孺慕 유모] 어린아이가 부모를 따르듯이 깊이 사모함.
[孺弱 유약] 어린아이.
[孺嬰 유영] 어린아이.
[孺人 유인] 남편에게 딸린 사람이라는 뜻으로, 대부(大夫)의 아내. 전(轉)하여, 널리 아내를 이름.
[孺子 유자] ㉠어린아이. ㉡젊은 사람 또는 미숙한 사람을 천하게 부르는 말. 요 녀석. 요 풋내기. ㉢첩(妾). ㉣대(代)를 잇기로 정한 적자(嫡子).
●童孺. 孫孺. 女孺. 嬰孺. 庸孺. 幼孺. 稚孺. 孩孺.

14 ⑰ [㿲] 〔人名〕 내 ㊀灰 泥台切 nái

筆順 子 孒 孖 㜐 㜐 㝷 㝷 㿲
字解 ①늦둥이 내 늙어서 낳은 아기. '廣東謂老

[安徽 안휘] 장쑤 성 (江蘇省) 서쪽에 있는 성 (省) 이름. 농업이 성왕 (盛旺)하며, 특히 쌀·차 (茶)의 생산지로 이름 있음. 명 (明)나라의 태조 (太祖)·청 (淸)나라의 이홍장 (李鴻章)·송 (宋)나라의 주희 (朱熹) 등은 모두 이곳 태생임.
●間安. 公安. 久安. 苟安. 歸安. 大安. 撫安. 間安. 盤石安. 保安. 奉安. 不安. 綏安. 晏安. 恬安. 乂安. 容膝之安. 慰安. 臨安. 長安. 鎭安. 治安. 妥安. 泰山安. 台安. 偸安. 便安. 偏安. 平安. 懷安.

---

3 [夂]
⑥ 　　一 구 ㉱宥 居祐切 jiù
　　　二 유 ㉱有 與九切

字解 一 고민 구 가난의 걱정. 빈고 (貧苦). 또, 걱정함. '一, 貧病也'《說文》. 二 ①고민 유 一과 뜻이 같음. ②오래있을 유 '一, 久居也'《正字通》.

字源 形聲. 宀+久〔音〕.

---

3 [写] 〔사〕
⑥　　寫 (宀部 十二畫〈p.598〉)의 俗字

[字] 〔자〕
　　子部 三畫 (p.557)을 보라.

---

4 [宋] 入名 송 ㉱宋 蘇統切 sòng
⑦

筆順 ' ' 宀 宀 宇 宋 宋

字解 ①송나라 송 ㉠춘추 십이 열국 (春秋十二列國)의 하나. 미자 (微子)가 세운 나라로 지금의 허난 성 (河南省) 상구현 (商邱縣) 지방. 제 (齊)·위 (魏)·초 (楚) 삼국이 삼국에 망당하였음. ㉡남조 (南朝)의 하나로 유유 (劉裕)가 진 (晉)나라의 선양 (禪讓)을 받아 세운 왕조 (王朝). 도읍은 건강 (建康). 8주 (主) 60년 만에 남제 (南齊)에게 망하였음. 유송 (劉宋)이라고도 함. (420～479) ㉢조광윤 (趙匡胤)이 후주 (後周)의 선위 (禪位)를 받아 세운 왕조. 도읍은 변경 (汴京). 후에 임안 (臨安)으로 천도 (遷都). 16주 (主) 317년 만에 원 (元)나라에 멸망당하였음. 조송 (趙宋)이라고도 함. (960～1279) ②성 송 성 (姓)의 하나.

字源 會意. 宀+木. 옥내 (屋內)에 나무가 있는 모양으로, 나라 이름을 나타내는 데 쓰이며, 그 밖에는 용례 (用例)가 없음.

[宋襄之仁 송양지인] 송양공 (宋襄公)처럼 너무 착하기만 하다가 도리어 남에게 해를 입는 어진 마음을 이름. 춘추 시대 (春秋時代)에 송 (宋)나라 양공 (襄公)이 초 (楚)나라와 싸울 때 송나라의 공자 (公子) 목이 (目夷)가 적이 포진 (布陣)하기 전에 치자고 청하였으나, 양공은 군자 (君子)는 남이 곤경 (困境)에 있을 때 괴롭혀서는 안 된다고 반대하고, 적이 포진하기를 기다리다가 도리어 패전 (敗戰)하여 그 자신도 부상을 입어 남의 웃음거리가 된 고사 (故事)에서 나온 말.

[宋學 송학] 송대 (宋代)의 유학 (儒學). 곧, 성리학 (性理學).
●南宋. 唐宋. 北宋. 劉宋. 趙宋.

---

4 [完] 中入 완 ㉱寒 胡官切 wán
⑦

筆順 ' ' 宀 宀 宁 宇 完

字解 ①완전할 완 부족함이 없음. 흠이 없음. '一全無缺'. '不如伐蜀之一'《戰國策》. ②온전히할 완 본디대로 있게 함. '臣請,一璧歸趙'《史記》. ③끝날 완 일이 완결됨. '一一功'. ④지킬 완 보전함. '一城'. '不如舊'《左傳》. ⑤기울 완 수선함. '繕一'. '大叔一聚'《左傳》. ⑥튼튼할 완 견고함. '一牢'. ⑦성 완 성 (姓)의 하나.

字源 篆文 宛 形聲. 宀+元〔音〕. '元'은 '院원'과 통하여, 빙 둘러싼 담의 뜻. 둘레를 담으로 둘러쳐서 내부 (內部)가 튼튼히 지켜지는 모양에서, '완전함'의 뜻을 나타냄.

[完決 완결] 완전 (完全)히 결정함.
[完結 완결] 완전히 끝을 맺음.
[完計 완계] 완전한 계책.
[完久 완구] 완전하여 오래 견딜 수 있음.
[完具 완구] 완전히 갖춤. 또, 완전히 갖추어짐.
[完納 완납] 죄다 바침.
[完牢 완뢰] 견고함.
[完了 완료] 끝이 남. 마침.
[完璧 완벽] ㉠빌려 왔던 물건을 전부 온전히 돌려보냄. 완벽귀조 (完璧歸趙). ㉡흠이 없는 옥이란 뜻으로, 완전무결 (完全無缺).
[完璧歸趙 완벽귀조] '벽조 (璧趙)'와 같음.
[完補 완보] 부족 (不足)이 없이 완전 (完全)히 보충 (補充)함.
[完本 완본] 전질 (全帙) 중에 빠진 것이 없는 완전한 서책 (書冊).
[完膚 완부] 완전하여 흠이 없는 살가죽. 전 (轉)하여, 흠이 없는 데. 결점이 없는 곳.
[完備 완비] 빠짐없이 구비 (具備)함. 부족이 없음.
[完善 완선] 결점 (缺點)이 없음. 나무랄 데가 없음.
[完成 완성] 완전 (完全)하게 성취 (成就)함. 죄다 이룸.
[完城 완성] 성 (城)을 보전함.
[完遂 완수] 목적을 완전히 이룸.
[完實 완실] ㉠충분히 갖추어짐. ㉡충분히 저장하여 꽉 채움.
[完安 완안] 완전하고 평안함.
[完然 완연] ㉠완전하여 흠이 없는 모양. ㉡뜻을 이루고자 하는 모양. 성취시키고자 하는 모양.
[完完 완완] 완전한 모양.
[完人 완인] ㉠병 (病)이 완전 (完全)히 나은 사람. ㉡아무 결점 (缺點)이 없는 사람.
[完全 완전] ㉠조금도 섞인 것이 없음. 순수함. ㉡부족 (不足)이 없음. 흠 (欠)이 없음.
[完全無缺 완전무결] 부족 (不足)이 없고 조금도 결점 (缺點)이 없음.
[完定 완정] 아주 결정함.
[完整 완정] 빈틈없이 정돈됨. 또, 완전히 정돈됨.
[完濟 완제] 죄다 마침.
[完聚 완취] 성곽 (城廓)의 헌 데를 고치고 백성을 모음.
[完治 완치] 병 (病)을 완전 (完全)히 치료 (治療)함.
[完窆 완폄] 완전 (完全)하게 매장 (埋藏)함.
[完好 완호] 완전하게 갖추어져서 훌륭함.
●大完. 未完. 補完. 繕完. 修完. 葺完.

4
⑦ [宍] 육 ㉠屋 如六切 ròu

字解 고기 육 肉(部首)의 古字. '欲一之心亡於中, 則餓虎可尾'《淮南子》.

4
⑦ [尒] 개 ㉠卦 古拜切 jié

字解 ①홀로 개 여럿이 아님. '一, 獨也'《集韻》. ②외짐승 개 짝이 없는 짐승. '畜無偶曰一'《五音集韻》.

4
⑦ [宊] ▤ 突(穴部 四畫〈p.1635〉)과 同字
　　 ▤ 家(宀部 七畫〈p.582〉)와 同字

4
⑦ [宎] 〔귀〕
　　 尢(宀部 二畫〈p.567〉)의 古字

4
⑦ [実] 요 ㉮篠 伊鳥切 yǎo
　　　 ㉭蕭 伊堯切 yāo

字解 ①구석 요 방(房)의 동남우(東南隅). ②굴속소리 요 깊은 굴속에서 불어 나오는 바람소리. '一者, 咬者'《莊子》. ③깊숙할 요 깊숙이 들어가 있음. 또, 그곳. '鶃生於一'《莊子》.
字源 形聲. 宀+夭〔音〕

參考 窔(宀部 六畫)은 同字.

[実遼 요료] 깊숙한 모양. 심원(深遠)한 모양.

4
⑦ [宏] ㉠名 굉 ㉭庚 戶萌切 hóng

筆順 ' 宀 宀 宁 宁 宇 宏 宏

字解 ①클 굉, 넓을 굉 광대(廣大)함. '一大'. '用一玆賣'《書經》. '一, 增韻, 廣也'《康熙字典》. ②깊을 굉 집이 안으로 깊숙함. '一, 屋突也'《說文》. ③널리 굉 두루 널리 미치는 모양. '丕大德以一覆'《陸機》. ④성 굉 성(姓)의 하나.
字源 形聲. 宀+厷〔音〕'宀'은 '집'의 뜻. '厷굉'은 '넓다'의 뜻. 옥내(屋內)가 깊숙하고도 넓음의 뜻을 나타냄.

[宏傑 굉걸] 굉장(宏壯)하고 웅대(雄大)함.
[宏傑詭麗 굉걸궤려] 굉장하고 웅대하며 미려함.
[宏宏 굉굉] 광대(廣大)한 모양.　　　 「猷).
[宏規 굉규] 큰 계책(計策). 굉모(宏謨). 굉유(宏
[宏器 굉기] 큰 그릇. 전(轉)하여, 큰 기국(器局).　　　　　　　　　　　　　　 「通)함.
[宏達 굉달] 마음이 넓고 사리(事理)에 달통(達
[宏大 굉대] 굉장(宏壯)하게 큼.
[宏圖 굉도] 큰 계책(計策). 원대한 계획.
[宏謨 굉모] 대단히 큰 계책.
[宏博 굉박] 크고 넓음.　　　　　　　　　 「辯).
[宏辯 굉변] 웅대(雄大)한 변설(辯舌). 웅변(雄
[宏富 굉부] 넓고 풍부함.
[宏業 굉업] 굉대(宏大)한 사업(事業). 큰일.
[宏遠 굉원] 넓고 멂. 홍원(弘遠).
[宏猷 굉유] 큰 꾀. 굉모(宏謨).
[宏壯 굉장] 크고 훌륭함.　　　　　　　　 「(雄才).
[宏才 굉재] 뛰어난 큰 재능. 대재(大才). 웅재
[宏材 굉재] 뛰어난 인물.
[宏才卓識 굉재탁식] 큰 재능(才能)과 빼어난 견

식(見識).
[宏敞 굉창] 넓고 시원함.
[宏弘 굉홍] 넓고 큼.
[宏闊 굉활] 크고 넓음.
[宏徽 굉휘] 매우 착한 일. 커다란 선(善).
●快宏. 泓宏. 恢宏.

4
⑦ [宐] 〔의〕
　　 宜(宀部 五畫〈p.576〉)의 本字

4
⑦ [宐] 〔정〕
　　 定(宀部 五畫〈p.575〉)의 俗字

[宐] 牛部 三畫(p.1376)을 보라.

5
⑧ [宓] ▤ 복 ㉠屋 房六切 fú
　　 ▤ 밀 ㉠質 彌畢切 mì

字解 ▤ ①사람이름 복 伏(人部 四畫)과 통용. '帝一羲氏'《漢書》. ②성 복 성(姓)의 하나. ▤ ①편안할 밀 '一穆休于太祖之下'《淮南子》. ②조용할 밀 잠잠함.
字源 形聲. 宀+必〔音〕. '必필'은 '閉폐'와 통하여, '닫다'의 뜻. 집 안에 틀어박혀 쥐 죽은 듯 고요함의 뜻을 나타냄.

[宓妃 복비] 복희씨(伏羲氏)의 딸. 뤄수이(洛水) 강에 익사하여 뤄수이 강의 신(神)이 되었다
[宓羲 복희] '복희(伏羲)'와 같음.　　　 └함.

5
⑧ [宕] 탕 ㉠漾 徒浪切 dàng

字解 ①방탕할 탕, 지나칠 탕 蕩(艸部 十二畫)과 同字. '豪一'. '發辭偏一'《後漢書》. ②돌굴 탕 돌에 뚫린 굴. 석굴(石窟). ③넓을 탕, 클 탕.
字源 形聲. 宀+碭(省)〔音〕. '碭탕'은 '지나침'의 뜻. 멋대로 굶의 뜻을 나타냄.

[宕子 탕자] 방탕한 자. 탕자(蕩子). 탕아(蕩兒).
●佚宕. 跌宕. 豪宕.

5
⑧ [宗] ㉠人 종 ㉭冬 作冬切 zōng

筆順 ' 宀 宀 宁 宇 宇 宗 宗

字解 ①가묘 종, 종묘 종 사당. '一社'. '承我一事'《儀禮》. ②마루 종, 밑 종 밑둥. 근본. '一家'. '禮之一也'《國語》. ③겨레 종 일가. '一門'. '焉能亢一'《左傳》. ④갈래 종 유파(流派). '一派'. '釋氏五一'《正字通》. ⑤높일 종 존숭함. 숭상함. '學者一之'《史記》. 또, 존중하는 사람. 앙모하는 사람. '詩一'. ⑥조회볼 종 여름에 제후가 천자에게 알현함. '春見曰朝, 夏見曰一'《周禮》. ⑦향할 종 향하여 감. '百川朝一于海'《書經》. ⑧많을 종 衆(血部 六畫)과 통용. '一, 衆也'《廣雅》. ⑨모을 종 叢(又部 十六畫)과 통용. '一, 聚也'《廣雅》. ⑩성 종 성(姓)의 하나.
字源 會意. 宀+示. '宀면'은 '가옥(家屋)'의 뜻. '示시'는 '신사(神事)'의 뜻. 신사(神事)가 행하여지는 집, 곧 사당(祠堂)의 뜻을 나타내며, 파생

(派生)하여, '조상'의 뜻이나 조상을 모시는 '족장(族長)'의 뜻을 나타냄.

[宗家 종가] 맏파(派)의 집안. 큰집.
[宗系 종계] 종가(宗家)의 혈통.
[宗敎 종교] 숭고(崇高)하고 위대(偉大)한 대상(對象), 곧 초자연(超自然)의 신(神)을 숭배(崇拜)하고 신앙(信仰)하여 안심입명(安心立命)을 얻으려는 교의(敎義).
[宗敎哲學 종교철학] 종교(宗敎)의 이상, 신(神)의 존재, 종교적 세계관 및 인생관, 종교와 도덕의 관계 등을 밝히는 철학(哲學).
[宗國 종국] 종주국(宗主國).
[宗規 종규] 종법(宗法).
[宗器 종기] ㉠종묘(宗廟)에서 사용하는 예악(禮樂)의 기구(器具). ㉡제기(祭器).
[宗女 종녀] 황실(皇室)의 딸.
[宗畓 종답] 《韓》종중(宗中) 소유(所有)의 논.
[宗徒 종도] 종교·종파(宗派)의 신앙자. 신도(信徒).
[宗老 종로] 문중(門中)의 존장자(尊長者).
[宗論 종론] 각각 다른 종파(宗派)가 서로 그 우열(優劣)·진위(眞僞)를 논하여 다투는 언론(言論).
[宗盟 종맹] 종묘(宗廟) 앞에서 맺는 맹세.
[宗廟 종묘] ㉠역대(歷代)의 신주(神主)를 모신 제왕가(帝王家)의 사당(祠堂). 옛적에는 사서인(士庶人)의 사당도 종묘라고 하다가 후세에 이르러 대부(大夫) 이하의 사당은 가묘(家廟)라 일컫게 되었음. ㉡국가(國家). 천하(天下).
[宗門 종문] ㉠종족(宗族). ㉡종교(宗敎)의 갈래. 종파(宗派).
[宗班 종반] 《韓》왕가(王家)의 겨레.
[宗伯 종백] ㉠벼슬 이름. 옛날의 육경(六卿)의 하나. 예의(禮儀)·신기(神祇)에 관한 일을 맡아 보았음. ㉡예부시랑(禮部侍郞)의 별칭(別稱).
[宗法 종법] ㉠본가(本家)와 분가(分家)의 구별을 밝히는 제도. ㉡한 겨레의 사이에 정(定)한 규약(規約). ㉢《佛敎》종문(宗門)의 법규(法規).
[宗婦 종부] 맏파(派) 자손(子孫)의 아내. 곧, 큰집의 맏며느리.
[宗社 종사] 종묘(宗廟)와 사직(社稷). 전(轉)하여, 왕실(王室)과 국토(國土).
[宗祀 종사] ㉠높이 받들어 제사 지냄. ㉡조상(祖上)을 제사 지냄.
[宗師 종사] ㉠종장(宗匠)으로 받들어 본받음. ㉡존숭(尊崇)할 만한 학자.
[宗社黨 종사당] 청(淸)나라 말기에 황실(皇室)을 옹립하여 제정(帝政)을 회복하고자 하여 일어난 당파(黨派).
[宗山 종산] 한 겨레의 조상(祖上)의 무덤이 있는 산. 곧, 종중(宗中)의 산.
[宗姓 종성] 《韓》종반(宗班).
[宗孫 종손] 종갓집의 맏손자.
[宗臣 종신] ㉠중신(重臣). ㉡종친(宗親)인 신하. 임금과 동족의 신하.
[宗室 종실] ㉠선조(先祖)의 사당(祠堂). ㉡천하(天下)의 총본가(總本家). ㉢겨레. 집안. ㉣제왕(帝王)의 일가. 종친(宗親).
[宗氏 종씨] 《韓》동성동본(同姓同本)으로서 계촌(計寸)을 하지 않는 겨레에 대(對)한 칭호(稱號).
[宗英 종영] 동족(同族) 가운데에서 우수한 자.

[宗邑 종읍] 능(陵)이 있는 곳. 종묘(宗廟)가 있는 곳.
[宗誼 종의] 일가 사람들 사이의 친한 정의(情誼).
[宗人 종인] ㉠동족(同族)의 사람. 일가. ㉡제왕(帝王)의 일가. 종친(宗親). ㉢벼슬 이름. 종친(宗親)의 일을 맡음.
[宗子 종자] 맏아들. 적장자(嫡長子).
[宗匠 종장] 도덕(道德)과 학예(學藝)가 출중(出衆)한 사람.
[宗長 종장] 한 겨레의 어른.
[宗田 종전] 종중(宗中) 소유의 밭.
[宗正寺 종정시] 당(唐)나라 때 황족(皇族)의 족적(族籍)을 맡아보던 관아(官衙).
[宗族 종족] 동성동본(同姓同本)의 일가.
[宗主 종주] ㉠근본(根本). ㉡종자(種子). ㉢제후(諸侯)의 위에 서서 패권(霸權)을 잡은 맹주(盟主). ㉣종묘(宗廟)의 신주(神主).
[宗周 종주] 주(周)나라의 왕도(王都)를 이름.
[宗主國 종주국] 종주권(宗主權)을 가진 나라.
[宗主權 종주권] ㉠종주(宗主)의 제후(諸侯)에 대한 권력. ㉡한 나라가 다른 나라의 내치(內治)·외교(外交)를 관리(管理)하는 특수한 권력.
[宗中 종중] 한 겨레의 문중(門中).
[宗支 종지] 종파(宗派)와 지파(支派).
[宗旨 종지] ㉠주장되는 종요로운 뜻. 주의(主意). 주지(主旨). ㉡종파(宗派)의 교의(敎義).
[宗枝 종지] ㉠종지(宗支). ㉡군주(君主)의 집안. 종실(宗室).
[宗戚 종척] 종족(宗族).
[宗親 종친] ㉠동모(同母)의 형제(兄弟). ㉡동족(同族)의 사람. ㉢《韓》제왕의 일가.
[宗統 종통] 종파(宗派)의 계통.
[宗派 종파] ㉠종족(宗族)의 파(派). ㉡종교(宗敎)의 갈래. 화엄종(華嚴宗)·법화종(法華宗)·교종(敎宗)·선종(禪宗) 따위. ㉢학술(學術)의 유파(流派). ㉣《韓》지파(支派)에 대하여 종가(宗家)의 계통(系統).
[宗會 종회] 종중(宗中)의 회의.
●強宗. 改宗. 醫宗. 功宗. 敎宗. 九宗. 南宗. 談宗. 岱宗. 同宗. 文宗. 法華宗. 北宗. 辭宗. 禪宗. 小宗. 疎宗. 殊宗. 詩宗. 儒宗. 六宗. 律宗. 正宗. 祖宗. 朝宗. 眞言宗. 眞宗. 秩宗. 天台宗. 他宗. 太宗. 八宗. 河宗.

---

⑧ [官] 〔中入〕 관 ㉠寒 古丸切 guān

筆順 ′ ′ 宀 宀 宀 宁 官 官

字解 ①벼슬 관 관직. '高一'. '任一惟賢材'《書經》. ②마을 관 관가. '一廳'. '在一不愧'《禮記》. ③벼슬아치 관 관원. '一海'. '善事上一'《後漢書》. ④기능 관 이목구비(耳目口鼻) 등의 기능. '五一'. '心之一則思'《孟子》. ⑤벼슬줄 관 임관함. '一人益秩'《荀子》. '論定, 然後官之'《禮記》. ⑥벼슬살이할 관 관직에 나아가 봉사함. '一於大夫者'《禮記》. ⑦본받을 관 본보기로 함. '其一於天也'《禮記》. ⑧임금 관 천자(天子). 제후(諸侯). '魏晉六朝稱一'《稱謂錄》. ⑨성 관 성(姓)의 하나.

字源 〔甲骨文〕 〔金文〕 〔篆文〕 會意. 宀+自. '自퇴'는 제사용 고기의 형상으로, 군대를 뜻함. 군대가 오랫동안 머무는 곳의 뜻에서, 관청의 뜻을 나타냄.

[官家 관가] ㉠천자(天子). 또, 황실(皇室). ㉡정부(政府). ㉢《韓》 나랏일을 맡은 마을. 지방(地方)의 한 고을의 행정 사무(行政事務)를 처리하는 마을.

[官権 관각] 정부의 전매 사업(專賣事業).

[官健 관건] 당(唐)나라 때, 정부에서 의복과 식량을 급여하는 주병(州兵).

[官戒 관계] 관리(官吏)가 지켜야 할 계칙(戒飭).

[官契 관계] 관부(官府)의 어음 또는 부신(符信).

[官階 관계] 관직(官職)의 등급(等級). 관등(官等).

[官繫 관계] 관직(官職)에 얽매이어 몸이 자유롭지 못함.

[官軍 관군] 정부(政府)의 군사(軍士). 정부 편의 군사.

[官權 관권] ㉠정부(政府)의 권력(權力). ㉡관청(官廳)의 권력.

[官給 관급] 관청(官廳)의 급여.

[官妓 관기] 궁중(宮中)에서 가무(歌舞)를 하는 기생.　　　　　　　　　　　　「속.

[官紀 관기] 관부(官府)의 규율(規律). 관리의 단

[官女 관녀] 궁녀(宮女).

[官奴 관노] 관아(官衙)의 사내종.

[官能 관능] 생물체(生物體)의 모든 기관(器官)의 기능(機能).

[官途 관도] 관리의 생활. 벼슬살이.

[官等 관등] 벼슬의 등급(等級).

[官力 관력] 관청(官廳)의 힘.

[官令 관령] 관청(官廳)의 명령.

[官隷 관례] 관아(官衙)에서 부리는 하인(下人).

[官祿 관록] ㉠관위(官位)와 봉록(俸祿). ㉡관리의 봉록(俸祿).

[官僚 관료] ㉠관리(官吏). ㉡동관(同官). 동료(同僚).

[官僚政治 관료정치] 관리(官吏)가 권리(權利)를 농단(壟斷)하여 관료 사회의 이익(利益)만 도모(圖謀)하고, 국민 전체의 복리(福利)를 고려하지 아니하는 정치(政治).

[官吏 관리] 벼슬에 있는 사람. 벼슬아치. 공무원.

[官名 관명] 벼슬의 이름.

[官命 관명] 관부(官府)의 명령.

[官沒 관몰] 관아(官衙)에서 물건을 몰수(沒收)함.

[官務 관무] 관청(官廳)의 사무(事務). 관원(官員)의 직무(職務).　　　　　「衙.

[官門 관문] ㉠관아(官衙)의 문(門). ㉡관아(官

[官文書 관문서] 관청의 공문서.

[官物 관물] 관아(官衙)의 물품.

[官民 관민] 관리와 백성(百姓).

[官房 관방] 관원(官員)이 집무(執務)·숙직(宿直)하는 방(房).

[官閥 관벌] 관위(官位)의 등급(等級). 또, 관작(官爵)과 문벌(門閥).

[官兵 관병] 관군(官軍).

[官報 관보] ㉠정부에서 발행하는 일간(日刊) 공보(公報). ㉡관공서에서 발송(發送)하는 공용(公用) 전보.

[官俸 관봉] 관록(官祿). 관리의 봉급.

[官府 관부] ㉠조정(朝廷). ㉡정부(政府) 또는 관아(官衙). ㉢장관(長官).

[官婢 관비] 죄로 관아(官衙)에 적몰(籍沒) 당한 계집종.　　　　　　　　　　　「用.

[官費 관비] 관아(官衙)에서 지출하는 비용(費

[官司 관사] 관아(官衙).

[官寺 관사] ㉠관아(官衙). ㉡정부(政府)에서 세운 절.

[官邪 관사] 관리(官吏)로서 지켜야 할 일을 지키지 않음.

[官社 관사] 조정(朝廷)에서 세운 지기(地祇)를 제사 지내는 곳.

[官舍 관사] 관부(官府)에서 지은 관리(官吏)의 주택(住宅).

[官使 관사] 관리로 등용(登用)하여 부림.

[官事 관사] 관부(官府)의 일. 관공서(官公署).

[官常 관상] 관리(官吏)가 그의 직무(職務)를 지키는 일.

[官書 관서] 관부(官府)의 서류. 관공서(官公署)의 문서.

[官署 관서] 관아(官衙). 관공서(官公署).

[官選 관선] 관청(官廳)에서 뽑음.

[官設 관설] 정부에서 설치함.

[官属 관속] ㉠낮은 관리. 속리(屬吏). ㉡《韓》 군아(郡衙)의 아전(衙前)과 하인(下人).

[官守 관수] 관리의 직책(職責).

[官衙 관아] 관원(官員)이 사무를 처리(處理)하는 곳. 마을. 관청(官廳).

[官様 관양] 관부(官府)의 양식. 정부의 문서 양식.

[官業 관업] 정부에서 경영하는 사업.

[官役 관역] 나라의 역사(役事).

[官営 관영] 정부의 경영(經營).

[官用 관용] 관아(官衙)의 소용.

[官員 관원] 벼슬에 있는 사람. 관직(官職)이 있는 사람. 벼슬아치.

[官媛 관원] 궁녀(宮女).

[官有 관유] 나라의 소유(所有).

[官遊 관유] ㉠벼슬살이를 위하여 향리(鄕里)를 떠남. ㉡관직(官職)을 띠고 원방(遠方)으로 감.

[官人 관인] ㉠벼슬아치. 관리. ㉡사람에게 벼슬을 줌. 사람을 임관함.

[官印 관인] 관용(官用)으로 쓰는 도장(圖章).

[官爵 관작] 관직과 작위(爵位).

[官箴 관잠] ㉠백관(百官)이 제왕(帝王)의 잘못을 간(諫)하기 위한 글. ㉡관리가 지켜야 할 계율(戒律).

[官長 관장] 관리의 장(長). 장관(長官).

[官邸 관저] 관사(官舍).

[官廷 관정] 관아(官衙).

[官庭 관정] 관아(官衙)의 뜰.

[官情 관정] 벼슬을 바라는 마음.

[官制 관제] 관청(官廳)의 조직(組織)·권한(權限) 및 관리(官吏)의 직무(職務) 등을 규정한 법칙.

[官製 관제] 정부(政府)의 경영(經營)으로 만듦.

[官租 관조] 관부(官府)에 납입(納入)하는 조세(租稅).

[官曹 관조] 벼슬아치. 관리.

[官尊民卑 관존민비] 관리는 높이 여기고 백성은 천히 여기는 사상. 또는 그 사회 현상.

[官職 관직] ㉠관리의 직무. ㉡관리의 지위(地位). 관계(官階).

[官秩 관질] ㉠관리의 봉급(俸給). 관록(官祿). ㉡관위(官位).

[官次 관차] ㉠관직(官職)의 고하(高下)의 순서. 관등(官等). ㉡관사(官舍). 관저(官邸).

[官倉 관창] 관(官)의 미곡 창고.

[宣和書譜 선화서보] 송(宋)나라 휘종(徽宗) 때 어부(御府)에 있던 고래(古來)의 묵적(墨蹟)을 모은 것. 찬자 미상(撰者未詳). 20권.
[宣和畫譜 선화화보] 송(宋)나라 휘종(徽宗) 때 어부(御府)에 소장(所藏)된 유명한 그림을 십문(十門)으로 분류(分類)하여 모은 것. 찬자 미상(撰者未詳). 20권.
◉口宣. 究宣. 明宣. 敷宣. 不宣. 昭宣. 述宣. 承宣. 流宣. 翼宣. 傳宣. 節宣. 正宣. 振宣. 弘宣. 曉宣.

6 ⑨ [室] [中人] 실 [入]質 式質切 shì

[筆順] 室

[字解] ①집 실 건물. '一家'. '築一于茲'《詩經》. ②방 실 집의 방. '寢一'. '相在爾一'《詩經》. ③아내 실 처. '三十日壯, 有一'《禮記》. ④가족 실 집안 식구. '宜其一家'《詩經》. ⑤굴 실 물품을 저장하는 굴혈(窟穴). '窟一'. '氷一'. ⑥광 실 시체를 묻는 구덩이. '歸于其一'《詩經》. '是惟子厚之一'《韓愈》. ⑦칼집 실 칼의 집. '刀劍一以珠玉飾之'《史記》. ⑧가재(家財) 실 재산. '施二師而分其一'《國語》. ⑨별이름 실 이십팔수(二十八宿)의 하나. 현무 칠수(玄武七宿)의 여섯째 성수(星宿)로서, 별 둘로 구성되었음. '宿一'. '孟春之月, 日在營一'《禮記》. ⑩성 실 성(姓)의 하나.

[字源] 甲骨文 金文 篆文 形聲. 宀+至〔音〕. '至지'는 '…에 이르다'의 뜻. 사람이 이르러 머무는 방의 뜻을 나타냄.

[室家 실가] ㉠집. 가옥(家屋). ㉡가족(家族). ㉢아내. 처(妻).
[室家之樂 실가지락] 부부간(夫婦間)의 화락(和樂).
[室居 실거] 집 안에 틀어박혀 있음. 또, 그 사람.
[室內 실내] ㉠방 안. ㉡《韓》남의 아내의 일컬음.
[室女 실녀] 처녀. 숫처녀.
[室堂 실당] 집. 저택.
[室廬 실려] 집. 가옥(家屋).
[室老 실로] ㉠가신(家臣)의 장(長). 가로(家老). ㉡치사(致仕)한 경대부(卿大夫). 국로(國老).
[室星 실성] 실수(室宿).
[室宿 실수] 자해(字解)❾를 보라.
[室於怒市於色 실어노시어색] '노어실색어시(怒於室色於市)'의 도구법(倒句法). 실내(室內)에서 성이 나서 그 분풀이를 사람이 많이 모이는 저잣거리에서 함. 곧, 갑(甲)한테 당한 것을 을(乙)한테 화풀이한다는 뜻. 천노(遷怒).
[室如懸磬 실여현경] 집 안이 텅 비어 마치 속이 빈 경쇠를 걸어 놓은 것 같다는 뜻으로, 가난한 살림의 형용. 찰가난.
[室宇 실우] 집. 또, 집 안. 방.
[室人 실인] ㉠집안사람. ㉡아내. ㉢시누이. 소고(小姑).
[室戶 실호] 방의 문. 방의 출입구.
◉家室. 巨室. 居室. 京室. 瓊室. 繼室. 敎室. 麴室. 窟室. 宮室. 記室. 綺室. 煖室. 內室. 路室. 陋室. 茶室. 堂室. 刀室. 斗室. 茅室. 廟室. 密室. 房室. 病室. 蓬室. 富室. 佛室. 氷室. 事務室. 私室. 祠室. 射室. 產室. 相室. 書室. 石室. 先室. 宣室. 禪室. 世室. 深室. 堊室. 暗室. 庵室. 闇室. 廬室. 令室. 營室. 溫室. 臥室. 蝸室. 王室. 浴室. 幽室. 蔭室. 俚室. 翼室. 入室. 蠶室. 丈室. 藏室. 長夜室. 在室. 適室. 箭室. 正室. 靜室. 帝室. 第室. 澡室. 宗室. 芝蘭之室. 地下室. 織室. 淸室. 請室. 冢室. 側室. 寢室. 太室. 土室. 豐室. 皮室. 悍室. 香室. 虛室. 夾室. 荊室. 環堵室. 皇室. 晦室. 釁室.

6 ⑨ [宥] [人名] 유 [去]宥 于救切 yòu

[筆順] 宥

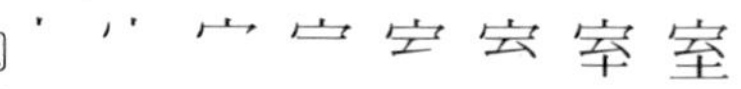

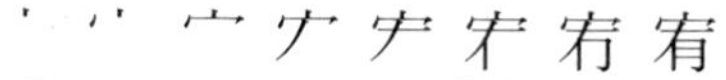

[字解] ①놓을 유, 용서할 유 처벌하거나 힐책하지 아니함. '赦一'. '君子以赦過一罪'《易經》. ②도울 유 보좌함. '一弼'. '王饗醴命之一'《左傳》. ③권할 유 侑(人部 六畫)와 통용. '王大食三一, 皆令奏鐘鼓'《周禮》. ④넓을 유 너그러움. 또, 넓고 깊음. '夙夜基命一密'《詩經》. ⑤성 유 성(姓)의 하나.

[字源] 金文 篆文 形聲. 宀+有〔音〕. '有유'는 '囿유'와 통하여, '동산'의 뜻. 정원(庭園)처럼 넓은 집의 뜻에서, '너그럽게 하다'의 뜻을 나타냄.

[宥貸 유대] 유서(宥恕).
[宥免 유면] 유서(宥恕).
[宥密 유밀] 마음이 넓고 조용함.
[宥赦 유사] 죄과를 용서함. 사면(赦免)함.
[宥恕 유서] 용서(容恕)함. 사면(赦免)함.
[宥坐之器 유좌지기] 곁에 두고 자계(自戒)를 게을리 하지 않는 도구. '宥'는 '右'의 뜻.
[宥弼 유필] 천자(天子)를 곁에서 보좌함. 또, 그 사람. 재보(宰輔).
[宥和政策 유화정책] 달래어서, 상대의 마음을 누그러뜨려 나아가자는 정치의 방침.
◉降宥. 慶宥. 寬宥. 貸宥. 保宥. 赦宥. 三宥. 洗宥. 緩宥. 原宥. 恩宥. 在宥. 全宥. 濟宥. 蕩宥. 特宥. 護宥.

6 ⑨ [宦] [人名] 환 [去]諫 胡慣切 huàn

[字解] ①벼슬살이 환 벼슬함. 사환(仕宦). '入一於吳'《國語》. ②벼슬 환 관직. '才名位一'《南史》. ③벼슬아치 환 관리. '羣一不平'《唐書》. ④내시 환 환관. '一者'. '一寺'. ⑤배울 환 관무(官務)를 배움. '一三年矣'《左傳》. ⑥성 환 성(姓)의 하나.

[字源] 金文 篆文 會意. 宀+臣. '臣신'은 '臥와'와 통하여, 몸을 굽혀 섬기는 '신하'의 뜻. 궁중(宮中)에 벼슬 사는 자의 뜻을 나타냄.

[宦官 환관] 궁형(宮刑)을 당하고 궁중(宮中)에서 일하는 소리(小吏). 지위가 비천(卑賤)하지만 항상 천자(天子) 및 후궁(後宮)에 근접(近接)하여 자못 단결심이 강하고 왕왕 대세력을 부식(扶植)하여 중국 사상(史上)에 중대한 관계가 있는 한 계급임. 환자(宦者). 내시(內侍).
[宦女 환녀] ㉠궁중(宮中)에서 일하는 관비(官婢). ㉡환관(宦官)과 여자.
[宦達 환달] 출세(出世)함. 사관(仕官)하여 영달(榮達)함.

[宦德 환덕] 벼슬에서 생기는 소득.
[宦僮 환동] 관부(官府)의 급사.
[宦路 환로] 벼슬길.
[宦味 환미] 벼슬살이의 재미. 「(福).
[宦福 환복] 벼슬길이 순조(順調)롭게 트인 복
[宦事 환사] 관원(官員)이 됨. 사환(仕宦)함.
[宦數 환수] 벼슬길의 운수(運數). 관운(官運).
[宦寺 환시] 환관(官官).
[宦厄 환액] 벼슬길의 액운(厄運).
[宦業 환업] 벼슬의 사무(事務).
[宦慾 환욕] 벼슬을 하고자 하는 욕심(慾心).
[宦遊 환유] 관리(官吏)가 되어 타향(他鄕)에서 지냄.
[宦人 환인] 환관(官官).
[宦者 환자] 환관(官官).
[宦績 환적] 벼슬할 때의 행적(行績).
[宦情 환정] ㉠벼슬을 하고 싶어 하는 마음. ㉡벼슬아치 근성(根性).
[宦族 환족] 대대(代代)로 벼슬을 하는 집.
[宦學 환학] 사환(仕宦)의 도(道)를 배움과 학문을 배움. 일설(一說)에는, 벼슬한 뒤의 배움과 벼슬하기 전의 배움.
●巧宦. 內宦. 冷宦. 名宦. 末宦. 微宦. 薄宦. 仕宦. 豎宦. 閹宦. 游宦. 戚宦. 通宦.

6/9 [宧] 이 ㉠支 與之切 yí

字解 ①구석 이 방(房)의 동북우(東北隅). 부엌이나 식기, 시렁이 있는 곳. '室之東北隅, 謂之一'《爾雅》. ②석양의햇빛 이 기우는 저녁 햇빛. '一, 日側之明也'《爾雅》. ③기를 이 頤(頁部 六畫)와 통용. '一, 養也'《說文》.
字源 篆文 宧 形聲. 宀+匝(音). '匝'이는 '턱'의 뜻. 집안 식솔의 입을 먹여 기르는 곳, '주방'의 뜻을 나타냄.

6/9 [宋] 〔적〕
寂(宀部 八畫〈p.587〉)의 本字

6/9 [官] 〔관〕
官(宀部 五畫〈p.573〉)의 本字

6/9 [宄] 〔귀〕
宄(宀部 二畫〈p.567〉)의 古字

6/9 [甯] 〔녕〕
寧(宀部 十一畫〈p.597〉)과 同字

6/9 [侂] 〓 宅(宀部 三畫〈p.568〉)의 古字
〓 度(广部 六畫〈p.697〉)의 古字

6/9 [害] 〔해〕
害(宀部 七畫〈p.581〉)와 同字

6/9 [宎] 〔요〕
宎(宀部 四畫〈p.572〉)와 同字
字源 形聲. 宀+交〔音〕

7/10 [宬] 성 ㉠庚 是征切 chéng

字解 서고 성 서고(書庫). 장서실(藏書室). '皇史一'은 명(明)나라 때 열성(列聖)의 어필(御筆)·실록(實錄)·비전(祕典) 등을 수장(收藏)한 곳.

字源 형성 宀+成(音). '成성'은 '담아 넣다'의 뜻. 무엇을 넣어 쌓는 곳, '창고'의 뜻을 나타냄.

7/10 [羣] 군 ㉠文 渠云切 qún

字解 떼지어살 군 여럿이 모여 삶. 群(羊部 七畫)과 통용. '一, 羣居也'《說文》.
字源 篆文 羣 形聲. 宀+君(音). '君군'은 '群군'과 통하여, '떼 지어 모임'의 뜻. 떼 지어 사는〔群居〕 뜻을 나타냄.

7/10 [宮] 〔高入〕 궁 ㉠東 居戎切 gōng

筆順 ﹒ ﹒ 宀 宀 宀 宮 宮 宮

字解 ①집 궁 가옥. 진한(秦漢) 이전에는 널리 가옥의 뜻으로 쓰이었으나, 진한 이후부터 궁궐(宮闕)의 전칭(專稱)으로 되었음. '一宮' '公與三子入於季氏之一'《史記》. ②대궐 궁 궁전. '一闕'. '起明光一'《漢書》. ③종묘 궁 제왕가의 사당. '于以用之, 公侯之一'《詩經》. ④담 궁 장원(牆垣). '一垣'. '儒有一畝之一'《禮記》. ⑤소리이름 궁 오음(五音)의 하나. '一·商·角·徵·羽'. '中央土, 其音一'《禮記》. ⑥궁형 궁 오형(五刑)의 하나. 생식기를 없애는 형벌. '公族無一刑'《禮記》. ⑦둘러쌀 궁 위요함. '君爲廬一之'《禮記》. ⑧관 궁 '奉安梓一'《後漢書》. ⑨마음 궁 '潔其一'《管子》. ⑩성 궁 성(姓)의 하나.
字源 甲骨文 金文 篆文 宮 象形. 건물 안의 방들이 이어져 있는 모양을 본떠, 궁궐(宮闕)의 뜻을 나타냄.

[宮家 궁가] 《韓》대군(大君)·왕자군(王子君)·공주(公主)·옹주(翁主)의 궁전(宮殿).
[宮監 궁감] 궁중(宮中)의 일을 맡은 벼슬아치.
[宮車晏駕 궁거안가] 붕어(崩御).
[宮壼 궁곤] ㉠궁내(宮內)의 왕래(往來)하는 길. ㉡궁내(宮內)의 깊숙한 곳.
[宮觀 궁관] ㉠제왕이 쉬거나 노는 곳. 이궁(離宮)·별관(別館) 따위. ㉡도교(道敎)의 사원(寺院). 도궁(道宮). 도관(道觀).
[宮敎 궁교] 궁중(宮中)의 법도(法度). 대궐 안의 규율(規律).
[宮闕 궁궐] 대궐(大闕)의 문. 전(轉)하여 대궐.
[宮禁 궁금] 대궐. 궁궐(宮闕).
[宮內 궁내] 궁(宮) 안. 「人].
[宮女 궁녀] 궁중(宮中)의 여관(女官). 나인(內
[宮奴 궁노] 궁가(宮家)의 종.
[宮闥 궁달] 왕궁(王宮)의 문. 전(轉)하여 궁중(宮中). 궁위(宮闈).
[宮畓 궁답] 각 궁(宮)이 소유하던 논.
[宮童 궁동] 궁중(宮中)에서 부리는 아이.
[宮廊 궁랑] 궁전의 낭하(廊下).
[宮裏 궁리] 대궐 안. 궁중(宮中). 「(宗廟).
[宮廟 궁묘] 선조(先祖)를 모신 사당(祠堂). 종묘
[宮坊 궁방] ㉠청궁(靑宮)과 춘방(春坊)의 합칭(合稱). ㉡궁중(宮中).
[宮罰 궁벌] 거세(去勢)하는 형. 궁형(宮刑).
[宮辟 궁벽] 거세(去勢)하는 형(刑). 벽(辟)은 형벌의 뜻. 궁형(宮刑).

[宮府 궁부] 조정(朝廷). 궁중(宮中)과 부중(府中).
[宮嬪 궁빈] 궁녀(宮女).
[宮司 궁사] 후궁(後宮)의 일을 맡은 벼슬.
[宮事 궁사] 가사(家事).
[宮詞 궁사] 궁중(宮中)의 사정(事情)을 읊은 시(詩).
[宮商 궁상] 궁(宮)과 상(商)의 소리. 전(轉)하여 음률(音律).
[宮商角徵羽 궁상각치우] 음악의 오음(五音). 군(君)·신(臣)·민(民)·사(事)·물(物)에 배당(配當)함.
[宮省 궁성] ㉠궁중(宮中)의 관서(官署). ㉡궁중(宮中).
[宮城 궁성] 대궐. 궁궐(宮闕).
[宮屬 궁속] 《韓》각 궁(宮)의 원역(員役) 이하의 노복(奴僕).
[宮室 궁실] ㉠원래는 귀천(貴賤)의 구별 없이 일반 사람이 사는 가옥(家屋)의 뜻으로 쓰였으나, 후에 변하여 제왕의 궁전(宮殿)의 뜻으로 쓰임. ㉡안방. 침실(寢室). 전(轉)하여, 후비(后妃) 또는 처첩(妻妾).
[宮娥 궁아] 궁녀(宮女).
[宮掖 궁액] 대궐. 궁궐(宮闕). 액(掖)은 궁문(宮門)의 좌우의 소문(小門).
[宮樣 궁양] 대궐에서 하는 양식(樣式).
[宮醞 궁온] 임금이 내리는 술.
[宮娃 궁와] 궁녀(宮女) 중의 미인. 또, 궁녀.
[宮垣 궁원] 담. 장원(牆垣).
[宮苑 궁원] 궁중(宮中)의 정원(庭園).
[宮嬡 궁원] 궁녀(宮女). 궁빈(宮嬪).
[宮闈 궁위] ㉠왕궁(王宮)의 문(門). ㉡궁중(宮中).
[宮人 궁인] 궁녀(宮女).
[宮牆 궁장] 궁원(宮垣).
[宮殿 궁전] 궁궐(宮闕).
[宮廷 궁정] 대궐. 궁궐(宮闕).
[宮庭 궁정] 대궐(大闕). 궁정(宮廷).
[宮罪 궁죄] 궁형(宮刑).
[宮中 궁중] ㉠대궐 안. 궁궐(宮闕) 안. ㉡집 안. 가내(家內).
[宮體 궁체] ㉠육조(六朝)의 말기 및 양(梁)·당초(唐初)에 유행한 기염(綺艶)한 시체(詩體). ㉡조선(朝鮮) 때 궁녀(宮女)들이 쓰던 한글의 글씨체(體).
[宮合 궁합] 《韓》혼인(婚姻)할 신랑(新郎)·신부(新婦)의 사주(四柱)를 오행(五行)에 맞추어 길흉(吉凶)을 점(占)치는 방술(方術).
[宮闈 궁위] 후궁(後宮)의 소문(小門). 전(轉)하여, 후궁(後宮)의 궁녀(宮女).
[宮刑 궁형] 오형(五刑)의 하나. 보통은 음란한 사녀(士女)에게 과하는 형벌로서 남자(男子)는 거세(去勢)를 하고, 여자(女子)는 음부(陰部)를 유폐(幽閉)하는 형벌(刑罰). 음형(陰刑).
●監宮. 道宮. 東宮. 桐宮. 迷宮. 梵宮. 法宮. 閣宮. 四宮. 三宮. 三雍宮. 守宮. 神宮. 十二宮. 王宮. 墉宮. 龍宮. 月宮. 帷宮. 六宮. 隱宮. 離宮. 琳宮. 紫宮. 梓宮. 齋宮. 儲宮. 淨宮. 帝宮. 中宮. 震宮. 天宮. 春宮. 澤宮. 便宮. 學宮. 鶴宮. 行宮. 黃宮. 後宮.

7
⑩ [宰] 高人 재 ㊀賄 作亥切 zǎi

筆順 ' ' ' 宀 宀 宀 宄 宰 宰

字解 ①재상 재 수상. '一相'. '天子之一通于四方'《穀梁傳》. ②우두머리 재 ㉠장(長). '項王爲天下一不平'《漢書》. ㉡현(縣)·읍(邑) 등의 장관. '縣一'. '爲單父一'《孔子家語》. ㉢가신(家臣)의 장. 가령(家令). '諸一君婦'《詩經》. ③다스릴 재 '一周公者何. 天子之爲政者也'《公羊傳》. ④주관할 재 맡아 다스림. '一相'. '一割天下'《賈誼》. ⑤늘릴 재 불림. '在外不得一吾一邑'《左傳》. ⑥고기저밀 재 칼을 가지고 고기를 저며 요리함. 또, 그 사람. '陳平爲一, 分肉甚均'《史記》. ⑦무덤 재 뫼. '一上之木拱矣'《公羊傳》. ⑧성 재 성(姓)의 하나.

字源 金文 篆文 會意. 宀+辛. '宀면'은 '가옥(家屋)'의 뜻. '辛신'은 조리용 칼을 본뜬 모양. 제사나 연회를 위해 조리하다의 뜻을 나타내며, 파생(派生)하여, '다스림'의 뜻도 나타냄.

[宰列 재렬] 재열(宰列).
[宰老 재로] 국정(國政)을 다스리는 노신(老臣).
[宰木 재목] 무덤 위에 심은 나무.
[宰柄 재병] 승상(丞相)의 권력.
[宰輔 재보] 재상(宰相).
[宰府 재부] 재상(宰相)이 집무(執務)하는 마을.
[宰殺 재살] 짐승을 잡아 죽임.
[宰相 재상] 제왕(帝王)을 도와 정무(政務)를 총리(總理)하는 대신. 승상(丞相). 재보(宰輔).
[宰臣 재신] 재상(宰相).
[宰予 재여] 춘추 시대(春秋時代)의 노(魯)나라 사람. 공자(孔子)의 문인(門人)으로서 십철(十哲)의 한 사람. 통칭(通稱)은 재아(宰我). 언어(言語)에 뛰어남.
[宰列 재렬] 재상의 반열(班列).
[宰牛 재우] 소를 잡음.
[宰人 재인] 백장. 백정(白丁).
[宰匠 재장] 종장(宗匠) 또는 대장(大匠)과 같은 뜻으로서 재상(宰相)을 이름.
[宰制 재제] 재할(宰割).
[宰割 재할] 주장이 되어 일을 처리(處理)함. 재제(宰制).
[宰衡 재형] 주공(周公)은 태재(太宰), 이윤(伊尹)은 아형(阿衡)이 되어 천자(天子)를 도와 정사(政事)를 하였으므로 재상(宰相)의 존칭(尊稱)으로 쓰임.
●家宰. 卿宰. 槐宰. 宮宰. 屠宰. 百里宰. 膳宰. 守宰. 元宰. 邑宰. 里宰. 匠宰. 朝宰. 操宰. 主宰. 州宰. 廚宰. 眞宰. 天宰. 冢宰. 總宰. 太宰. 台宰. 烹宰. 庖宰. 衡宰. 洪宰.

7
⑩ [害] 中入 ㊀해 去泰 胡蓋切 hài
　　　　 ㉠할 入曷 何葛切 hé

筆順 ' ' 宀 宀 宀 宇 宔 害 害

字解 ㊀ ①해칠 해 ㉠해롭게 함. 또, 재앙을 내림. '一心'. '鬼神一盈而福謙'《易經》. ㉡살상(殺傷)함. '齊大夫欲一孔子'《史記》. ②훼방할 해 '妨一'. '三時不一, 而民和年豐也'《左傳》. ③시기할 해 질투함. '心一其能'《史記》. ④거리낄 해 '一, 忌也'《正字通》. ⑤해 해 ㉠해로운 일. 또, 해로운 것. '利一'. ㉡재앙. 재해(災害). '一咎'. '損以遠一'《易經》. ⑥요해처 해 산천의 형세가 수비하기에 좋고 공격하기 불리한 곳. '要一'. '地形利一'《戰國策》. ㉠ ①어느 할 어느 것을,

또는 어느 때에. '一濟一否'《詩經》. ②어찌 할 무슨 연고로. '王一不違卜'《書經》.

[字源] 金文 篆文 形聲. 宀＋口＋丯〔音〕. '丯개'는 '새기다'의 뜻. '宀면'은 '덮어 가리다'의 뜻. '口구'는 '기도의 말'. 기도의 말을 새기어 덮는 모양에서, '재앙·방해'의 뜻을 나타냄.

[害咎 해구] 재앙(災殃).
[害毒 해독] 해(害)와 독(毒).
[害心 해심] 남을 해치려는 나쁜 마음.
[害惡 해악] 남을 해치는 악한 일.
[害蟲 해충] 인류(人類)에게 해(害)가 되는 벌레.
[害虐 해학] 해롭게 하며 학대함.
◉刻害. 劫害. 賈害. 構害. 剋害. 忌害. 惱害. 毒害. 敦害. 蠹害. 無害. 妨害. 殺害. 傷害. 霜害. 水害. 猜害. 隘害. 厄害. 嚴害. 要害. 危害. 隱害. 利害. 一利一害. 自害. 賊害. 擠害. 鷙害. 慘害. 天害. 漂害. 風害. 旱害. 險害. 酷害. 患害. 凶害.

7 ⑩ [宴] [高·人] 연 [去]霰 於甸切 yàn

[筆順] 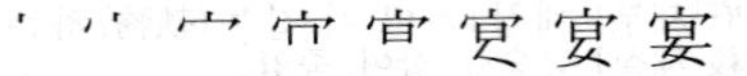

[字解] ①잔치 연 주연(酒宴). '一會'. '一有折俎'《左傳》. ②잔치할 연 잔치를 베풂. '賈充一朝士'《晉書》. ③즐길 연 마음을 즐겁게 가짐. '總角之一, 言笑晏晏'《詩經》. ④편안할 연 편안히 쉼. '一坐'. '君子以嚮晦, 入一息'《易經》.

[字源] 金文 篆文 形聲. 宀＋旻〔音〕. '旻안'은 둥근 방석이나 베개에 기대어 쉬는 여자의 상형으로 '편안함'의 뜻. 집 안에서 쉬다, 편안하다, 전(轉)하여 '잔치'의 뜻을 나타냄.

[宴歌 연가] ㉠연회를 차리고 노래하며 즐거워함. ㉡연회 때에 부르는 노래.
[宴居 연거] 아무것도 하지 않고 있음. 한가하고 일이 없는 때.
[宴樂 연락] ㉠잔치를 베풀고 즐김. ㉡주색(酒色)의 즐거움.
[宴醑 연서] 잔치. 연음(宴飮).
[宴席 연석] 잔치하는 자리.
[宴需 연수] 잔치에 드는 물건과 비용(費用).
[宴息 연식] 편안히 쉼.
[宴安 연안] 아무것도 하지 않고 편안히 지냄.
[宴安酖毒 연안짐독] 아무것도 하지 않고 유흥을 일삼는 것은 짐독(酖毒)〈짐(鴆)이라는 새의 깃을 술에 담갔다가 마시면 죽음〉과 같이 사람을 해치는 것이라는 뜻.
[宴娭 연애] 즐겁게 희롱하며 놂.
[宴筵 연연] 잔치하는 자리. 연회(宴會)의 자리.
[宴娛 연오] 잔치를 차려 놓고 즐겁게 놂.
[宴飮 연음] 잔치.
[宴餞 연전] 잔치를 베풀어 전송(餞送)함.
[宴坐 연좌] 편안히 쉬고 있음.
[宴集 연집] 연회에 모임.
[宴饗 연향] 잔치를 베풀어 손님을 대접함.
[宴見 연현] 군주(君主)가 한가할 때 알현(謁見)함.
[宴犒 연호] 잔치를 베풀어 군사를 위로함. 잔치를 차려 호궤(犒饋)함.
[宴會 연회] 축하(祝賀)·위로(慰勞)·환영(歡迎)·석별(惜別) 등을 위하여 여러 사람이 모여서 주식(酒食)을 차려 놓고 즐겁게 노는 일. 잔치.
[宴會席 연회석] 잔치를 베푸는 자리.
◉嘉宴. 酣宴. 竟宴. 禊宴. 高宴. 曲水宴. 曲宴. 內宴. 密宴. 陪宴. 私宴. 賜宴. 燒尾宴. 宵宴. 送別宴. 侍宴. 息宴. 雅宴. 押宴. 飫宴. 筵宴. 侑宴. 遊宴. 淫宴. 祖宴. 朝宴. 酒宴. 祝宴. 探春宴. 探花宴. 酺宴. 披露宴. 賀宴. 饗宴. 歡宴. 會宴. 休宴.

7 ⑩ [宵] 소 [平]蕭 相邀切 xiāo

[字解] ①밤 소 낮의 대(對). '一晨'. '一中星虛'《書經》. ②작을 소 小(部首)와 통용. '一人'. '一雅肄三'《禮記》. ③어두울 소, 어리석을 소 '一人之離外刑者'《莊子》. ④깁 소 綃(糸部 七畫)와 통용. '一衣'.

[字源] 金文 篆文 形聲. 宀＋月＋小〔音〕. '宀면'은 '창문'의 뜻. 겨우 조금 달빛이 창문에 들이비치다의 뜻에서, '밤'의 뜻을 나타냄.

[宵旰 소간] 소의간식(宵衣旰食).
[宵半 소반] 밤중. 한밤중.
[宵分 소분] 밤중.
[宵小 소소] 도적(盜賊). 도둑.
[宵習 소습] 개똥벌레.
[宵晨 소신] 밤과 새벽. 밤과 아침.
[宵餘 소여] 밤의 한가한 시간.
[宵宴 소연] 밤의 잔치.
[宵月 소월] 초저녁달.
[宵衣 소의] ㉠검은 깁으로 만든, 제사 때 부인(婦人)이 입는 옷. ㉡날이 새기 전에 일어나 옷을 입음.
[宵衣旰食 소의간식] 날이 새기 전에 일어나 옷을 입고, 해가 진 후에 늦게 저녁밥을 먹는다는 뜻으로, 천자(天子)가 정사(政事)에 부지런함을 이름.
[宵人 소인] 간사한 사람. 소인(小人).
[宵滴 소적] 밤이슬.
[宵征 소정] 밤길을 감. 야행(夜行).
[宵燭 소촉] 개똥벌레.
[宵行 소행] ㉠밤중에 다님. 야행(夜行). ㉡개똥벌레.
◉今宵. 累宵. 奔宵. 夙宵. 良宵. 連宵. 元宵. 終宵. 晝宵. 中宵. 徹宵. 淸宵. 春宵. 通宵.

7 ⑩ [家] [中·人] [一] 가 [平]麻 古牙切 jiā
[二] 고 [平]虞 古胡切 gū

[筆順] 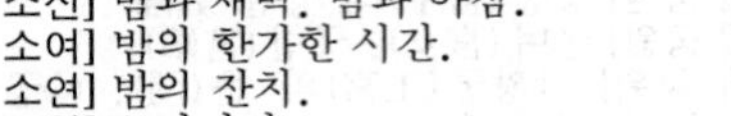

[字解] [一] ①집 가 ㉠건물. '一屋'. '一樓, 臨民一'《史記》. ㉡살림. 주거(住居). '徙一蓮勺'《漢書》. ㉢가족. '盡屠其一'《呂氏春秋》. ㉣문벌. 지체. '良一子'《史記》. ㉤가정. '將成一而致汝'《韓愈》. ㉥재산. 가산(家產). '割財捐一'《漢書》. ②남편 가 서방. '女子生而願爲之有一'《孟子》. ③아내 가 처. '棄其一'《左傳》. ④용한이 가 학문·기예 등에 뛰어난 사람. '百一'. '文學一'. '通諸子百一之書'《史記》. ⑤대부 가 공경(公卿) 아래의 벼슬. 또, 그 사람. 또, 그 채지(采地). '一削'. '大夫皆富, 政將在一'《左傳》.

[宿食 숙사] 전날에 지은 밥.
[宿夕 숙석] 하룻밤. '잠깐 사이'의 뜻으로 쓰임.
[宿昔 숙석] 예전. 이전. 평소.
[宿世 숙세] 《佛敎》 전생(前生)의 세상(世上). 전세(前世).
[宿所 숙소] 숙박(宿泊)하는 곳.
[宿宿 숙숙] ㉠하룻밤을 묵음. ㉡이틀 밤을 묵음. 재숙(再宿).
[宿習 숙습] 오래된 습관.
[宿食 숙식·숙사] ㉠자고 먹음. 또는 그 일. ㉡'숙사(宿食)'를 보라.
[宿心 숙심] 숙지(宿志).
[宿疴 숙아] 숙아(宿痾).
[宿痾 숙아] 오랜 병. 숙환(宿患).
[宿夜 숙야] 온밤. 밤새도록.
[宿約 숙약] 오래된 약조(約條).
[宿業 숙업] 《佛敎》 숙세(宿世)의 업(業). 전세(前世)의 갚음.
[宿緣 숙연] ㉠오래된 인연(因緣). ㉡《佛敎》 숙세(宿世)의 인연.
[宿營 숙영] 진(陣)을 침. 또, 진. 진영(陣營).
[宿雨 숙우] ㉠연일(連日) 오는 비. 장마. ㉡간밤부터 오는 비.
[宿怨 숙원] 오래된 원한. 또, 원한을 풀지 않고 마음속에 품음.
[宿願 숙원] 오래된 희망. 늘 바라던 소망(所望).
[宿衞 숙위] 숙직하며 지킴. 「자.
[宿儒 숙유] 열력(閱歷)이 많고 명망이 높은 유학
[宿恩 숙은] 이전부터의 은혜.
[宿衣 숙의] 잠잘 때 입는 옷. 잠옷.
[宿因 숙인] 전생(前生)부터의 인연. 숙연(宿緣).
[宿粧 숙장] 어제 한 화장. 「수.
[宿將 숙장] 경험이 많은 장수. 노련(老鍊)한 장
[宿敵 숙적] 오래전부터의 원수.
[宿題 숙제] ㉠미리 내주는 문제. ㉡두고 생각할 문제.
[宿罪 숙죄] 《佛敎》 전세(前世)에서 지은 죄.
[宿主 숙주] 기생(寄生)한 동식물에게 양분을 주는 동식물.
[宿志 숙지] 예전부터 품은 뜻.
[宿直 숙직] 관청(官廳)이나 회사 등에서 자고 밤을 지키는 일.
[宿疾 숙질] 오래 묵은 병. 숙환(宿患).
[宿次 숙차] 당직(當直)할 차례.
[宿債 숙채] 묵은 빚.
[宿哲 숙철] 경험이 많은 어진 사람.
[宿滯 숙체] 오래된 체증(滯症).
[宿草 숙초] 겨울에 죽지 않고 해를 넘기는 풀.
[宿醉 숙취] 다음 날까지 깨지 않은 취기(醉氣).
[宿恥 숙치] 오래된 치욕(恥辱).
[宿敗 숙패] 예전부터 당연히 패(敗)할 사정을 갖추고 있음.
[宿弊 숙폐] 오래 묵은 폐단.
[宿飽 숙포] 전날 먹은 것으로 아직 배가 부름.
[宿學 숙학] 경력이 많고 인망(人望)이 있는 학자.
[宿嫌 숙혐] 오래된 혐의(嫌疑).
[宿好 숙호] ㉠예전부터의 기호(嗜好). ㉡예전부터 맺은 정의(情誼).
[宿虎衝鼻 숙호충비] 자는 범의 코를 찌른다는 뜻으로, 자기 스스로 불리(不利)를 자초(自招)함의 비유(譬喩).
[宿火 숙화] 재에 파묻어 놓은 불.
[宿患 숙환] 긴 병. 오래된 병.
[宿猾 숙활] 본디부터 교활한 사람.
◉歸宿. 耆宿. 寄宿. 老宿. 露宿. 累宿. 屯宿. 名宿. 目宿. 蓬宿. 棲宿. 星宿. 信宿. 淹宿. 旅宿. 旅人宿. 溫宿. 寓宿. 留宿. 二十八宿. 再宿. 齋宿. 中宿. 止宿. 直宿. 辰宿. 草宿. 託宿. 投宿. 下宿. 合宿. 豁宿.

8 ⑪ **[宿]** 宿(前條)의 本字

8 ⑪ **[寂]** [高人] 적 [入]錫 前歷切 jì

[筆順] 

[字解] ①고요할 적 적적함. '一漠'. '一兮寥兮'《老子》. ②편안할 적 '一, 安也'《廣韻》. ③《佛敎》 열반 적 ㉠번뇌에서 벗어나 해탈(解脫)의 경지에 듦. '導人入一'《維摩問疾品》. ㉡중의 죽음. '入一'. '歸一'.
[字源] [篆文] 形聲. 篆文은 宀+尗〔音〕. '尗숙'은 '마음 아파하다'의 뜻. 집 안이 쓸쓸하다, 조용하다의 뜻을 나타냄.
[參考] 宗(宀部 六畫)은 本字.

[寂光土 적광토] 《佛敎》 부처가 사는 곳. 중생(衆生)이 해탈(解脫)하여 궁극의 깨달음에 이른 경계(境界). 적광(寂光).
[寂念 적념] 쓸쓸하고 조용한 생각.
[寂慮 적려] 쓸쓸하고 조용한 생각.
[寂歷 적력] 적막(寂漠).
[寂漻 적료] 적막(寂漠).
[寂寞 적막] 적막(寂漠).
[寂漠 적막] 적적하고 쓸쓸함. 고요함.
[寂滅 적멸] ㉠자연히 없어져 버림. ㉡《佛敎》 번뇌(煩惱)의 경지를 벗어나 생사(生死)의 환루(患累)를 끊음. 전(轉)하여, 죽음.
[寂滅爲樂 적멸위락] 적멸(寂滅)한 후에 비로소 참된 즐거움이 있음.
[寂默 적묵] 《佛敎》 ㉠눈을 감고 조용히 생각함. 조용히 명상(瞑想)함. ㉡쥐 죽은 듯 고요함.
[寂焉 적언] 적연(寂然).
[寂然 적연] 적적(寂寂).
[寂然無聞 적연무문] 잠잠하여 아주 소문이 없음.
[寂寥 적요] 적막(寂漠).
[寂人 적인] 조용한 것을 좋아하는 사람.
[寂寂 적적] 쓸쓸하고 고요한 모양.
[寂靜 적정] ㉠속계(俗界)를 떠나 고요함. ㉡《佛敎》 망념 망려(妄念妄慮)가 없음.
[寂天寞地 적천막지] 조금도 활동이 없는 적막한 천지(天地).
[寂乎 적호] 적연(寂然).
◉闃寂. 空寂. 歸寂. 蕭寂. 淳寂. 示寂. 晏寂. 圓寂. 幽寂. 淪寂. 入寂. 湛寂. 靜寂. 沖寂. 沈寂. 閑寂. 虛寂. 玄寂.

8 ⑪ **[寄]** [高人] 기 [去]寘 居義切 jì

[筆順] 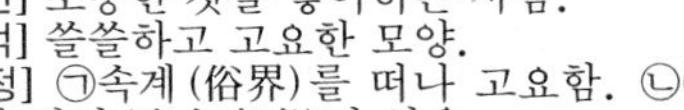

[字解] ①부쳐있을 기 기우(寄寓)함. '一居'. '嘗一人宅'《顏氏家訓》. 또, 부쳐 있게 함. 머무르게 함. '一蜉蝣於天地'《蘇軾》. ②맡길 기 위임

함. 부탁함. '一托'. '可以一百里之命'《論語》.
③부칠 기 보냄. 전함. '一書'. '以一匹錦相一'
《南史》. ④의뢰할 기 의탁함. 의지함. '請一無
所聽'《史記》. 또, 의뢰하는 바. '爲腹心之一'
《魏書》. ⑤일 기 임무(任務). '使主兵官兼郡一'
《宋史》. ⑥나그네 기 길손. '一, 客也'《一切經
音義》.

[字源] 兪 形聲. 宀+奇[음]. '기기'는 몸을 구
부려 서는 사람의 뜻. 평형(平衡)을
잃고 한쪽으로 쏠림의 뜻, 지붕 밑에 몸을 붙이
다의 뜻을 나타냄.

[寄叚 기가] 유부녀와 간통함.
[寄客 기객] 남의 집에 부쳐 얻어먹고 사는 사람.
식객(食客).
[寄居 기거] ㉠타향에서 임시로 삶. 우거(寓居).
㉡남의 집에 몸을 의지함. 식객 노릇을 함.
[寄稿 기고] 원고를 신문사나 잡지사 같은 데에
보냄.
[寄公 기공] 나라를 잃고 몸을 남의 나라에 의탁
한 임금. 우공(寓公).
[寄款 기관] 참마음을 남에게 부침. 성의(誠意)를
베풂.
[寄口 기구] 남의 집에 부쳐 사는 사람.
[寄留 기류] 남의 집 또는 타향(他鄕)에서 일시
몸을 부쳐 삶.
[寄別 기별] 알림. 통지(通知)함.
[寄付 기부] ㉠남에게 물건을 보내 줌. ㉡의뢰함.
부탁함.
[寄附 기부] 공공 단체 또는 절·교회 같은 데에
무상으로 금전이나 물품을 내놓음.
[寄死 기사] 남의 집에 부쳐 있다가 죽음.
[寄似 기사] 보내 줌. 사(似)는 정(呈).
[寄生 기생] ㉠남에게 의지하여 삶. ㉡독립하여
생존(生存)할 수 없는 동식물(動植物)이 다른
동식물의 몸 또는 거죽에 붙어서 영양을 얻어
살아감.
[寄生囊 기생낭] 사람의 몸. 신체.
[寄生木 기생목] 기생 관목(寄生灌木)의 하나. 겨
우살이.
[寄生蟲 기생충] ㉠다른 동물체(動物體)에 기생
하여 생활을 유지하는 벌레. ㉡남의 도움을 받
아서 생활을 유지(維持)하여 가는 사람.
[寄書 기서] ㉠편지(便紙)를 부침. ㉡기고(寄稿).
[寄聲 기성] 음신(音信)을 통함. 남에게 소식을
전함.
[寄送 기송] 물건을 부쳐 보냄.
[寄宿 기숙] 남의 집에 몸을 부쳐 숙식(宿食)함.
[寄食 기식] 남의 집에 부쳐서 먹음. 식객 노릇을
[寄語 기어] 말을 전함.　　　　　└함.
[寄言 기언] ㉠말을 전함. ㉡시어(詩語)로 쓰일
때에는 말 한 마디 보내어 각성(覺醒)시킨다는
뜻으로 쓰임.
[寄與 기여] ㉠부쳐 줌. 보내 줌. ㉡이바지함. 공
헌(貢獻).
[寄傲 기오] 공상(空想)을 마음대로 하여 정회
(情懷)를 폄.
[寄寓 기우] 임시(臨時)로 거처(居處)함. 우거
(寓居)함. 또, 그 집.
[寄人籬下 기인리하] 남의 울타리 밑에 몸을 의탁
한다는 뜻으로, 독창력(獨創力) 없이 남의 흥
내를 냄을 이름.
[寄贈 기증] 물건을 보내 줌. 증정(贈呈).

[寄託 기탁] ㉠의탁함. 의뢰함. ㉡당사자(當事者)
한쪽이 상대자(相對者)한테서 받은 물건을 보
관(保管)하는 계약(契約)을 함.
[寄航 기항] 운항 중의 비행기가 공항에 잠시 들
름.　　　　　　　　　　　　　　　「항구.
[寄港 기항] 항해 중의 배가 항구에 들름. 또, 그
●高寄. 闊寄. 方面寄. 藩寄. 邊寄. 浮寄. 深寄.
委寄. 戎寄. 任寄. 朝寄. 杜寄. 重寄. 請寄.
寵寄. 親寄. 託寄. 投寄.

8
⑪ [寅] 中人 인 ㉺眞 翼眞切 yín

[筆順] 丶宀宀宀宀宀宙寅寅

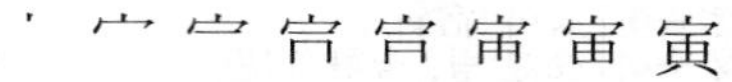

[字解] ①셋째지지 인 십이지(十二支)의 제삼 위.
'太歲在一, 日攝提格'《爾雅》. 시간으로는 오전
3시부터 오전 5시까지의 동안. '一時'. '一晨
咀絳霞'《列仙傳》. 방위(方位)로는 동북간. '一
方'. 띠로는 범. 달로는 음력 정월. ②동관 인
동료. '同一'. ③공경할 인 夤(夕部 十一畫)과
同字. '一賓'. '夙夜惟一'《書經》. ④성 인 성
(姓)의 하나.

[字源] 甲骨文 / 金文 / 篆文 / 古文 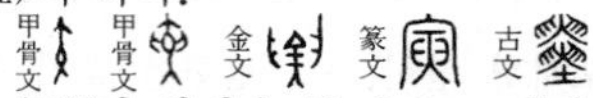 象形. 甲骨
文에는 화살
의 象形과 화살을 두 손으로 당기는 모양을 본
뜬 것이 있는데, 잡아당기다, 잡아 펴다의 뜻을
나타냄. 오늘날의 '寅'은 그 후자의 변형된 것
임. '演연'의 原字. 차용(借用)하여, 십이지(十
二支)의 제삼위(第三位), '범'의 뜻으로 쓰임.

[寅虔 인건] 공경하고 삼감. 공경하고 두려워함.
[寅念 인념] 삼가 생각함.
[寅方 인방] 이십사방위(二十四方位)의 하나. 동
북간의 방위(方位).
[寅賓 인빈] 공경하여 인도함.
[寅時 인시] 오전 3시부터 오전 5시까지의 시각
(時刻).
[寅畏 인외] 공경하고 두려워함.
[寅月 인월] 음력(陰曆) 정월(正月)의 별칭(別
[寅正 인정] 오전 4시 정각.　　　　└稱).
[寅坐申向 인좌신향] 인방(寅方)에서 신방(申方)
을 바라보는 좌향(坐向).
[寅淸 인청] ㉠삼가 몸을 깨끗하게 함. 근경(謹
敬)하고 청렴(淸廉)함. ㉡옛날에 있던 당(堂)
의 이름. 인청당(寅淸堂).
[寅初 인초] 인시(寅時)의 첫 시각(時刻). 곧, 오
전 3시경.
●同寅.

8
⑪ [密] 中人 밀 ㉺質 美筆切 mì

[筆順] 丶宀宀少宓宓宓密密

[字解] ①빽빽할 밀 밀집함. 또, 짙음. '一林'.
'一雲不雨'《易經》. ②꼼꼼할 밀 찬찬하여 빈틈
이 없음. '綿一'. '謹愼周一'《漢書》. ③촘촘할
밀 틈이나 구멍이 썩 뱀. '謹一網, 以羅其罪'
《晉書》. ④고울 밀 결이 거칠지 아니함. '加一
石焉'《國語》. ⑤은밀할 밀 ㉠심오함. 알기 어려
움. '聖人以此洗心. 退藏於一'《易經》. ㉡남에
게 알리지 아니함. 숨김. '祕一'. '幾事不一則
害成'《易經》. ⑥가까울 밀 친근함. '親一'. ㉠
가까이할 밀 근접함. '一接'. '一邇王室'《書

經》. ⑧조용할 밀 고요함. '靜一'. '四海遏一八音《孟子》. ⑨몰래할 밀 '一告'. '一訴諸朝《唐書》. ⑩닫을 밀, 닫칠 밀 閟〔門部 五畫〕과 통용. '陰而不一《禮記》. ⑪자상할 밀, 바를 밀 '傳人則一《周禮》. ⑫힘쓸 밀 '一勿從事, 不敢告勞'《漢書》. ⑬성 밀 성(姓)의 하나.

字源 金文 篆文 形聲. 山+宓〔音〕. '宓밀'은 '조용함'의 뜻. 조용한 산의 모양에서, '가만히, 몰래'의 뜻을 나타냄. 또, '必필'과 통하여 '빽빽하다. 빈틈이 없다'의 뜻, '閟비'와 통하여, '닫다'의 뜻도 나타냄.

[密匣 밀갑]《韓》밀부(密符)를 넣어 두는 나무 상자.
[密計 밀계] 밀책(密策).
[密啓 밀계] 임금에게 비밀히 아룀. 또, 그 글.
[密告 밀고] 남몰래 고(告)함.
[密教 밀교]《佛教》㉠주문(呪文)·진언(眞言) 따위의 해석할 수 없는 경전(經典). ㉡불교의 한 파. 진언종(眞言宗)을 이름.
[密記 밀기] 비밀한 기록(記錄).
[密談 밀담] 다른 사람이 듣지 않게 가만히 이야기함.
[密度 밀도] ㉠빽빽한 정도(程度). 조밀(稠密)한 정도. ㉡물체(物體)의 단위 용적(單位容積) 중에 포함된 질량(質量).
[密獵 밀렵] 금제(禁制)를 범하여 몰래 수렵을 함.
[密林 밀림] 빽빽한 숲.
[密網 밀망] 촘촘한 그물. 세밀하고 엄격한 법령의 비유.
[密賣 밀매] 몰래 팖. 금제(禁制) 또는 규약(規約)을 위반하고 비밀히 팖.
[密賣淫 밀매음] 몰래 매음(賣淫)함.
[密命 밀명] 비밀의 명령.
[密謀 밀모] 비밀히 모의함.
[密勿 밀물] ㉠힘씀. ㉡제왕(帝王)의 곁에 있어 추기(樞機)에 참여함.
[密微 밀미] 자디잚. 미세(微細)함.
[密密 밀밀] ㉠매우 조밀(稠密)한 모양. ㉡아주 비밀히 하는 모양. ㉢매우 친밀한 모양.
[密房 밀방] 남의 눈에 뜨이지 않는 방.
[密報 밀보] 몰래 알림. 또, 그 비밀한 보고.
[密封 밀봉] 단단히 봉함. 꼭 봉함.
[密夫 밀부] 간부(姦夫).
[密符 밀부]《韓》병란(兵亂)에 응할 수 있게 하기 위하여 유수(留守)·감사(監司)·병사(兵使)·수사(水使)·방어사(防禦使)에게 내리는 병부(兵符).
[密使 밀사] 몰래 보내는 사자(使者).
[密事 밀사] 비밀한 일.
[密商 밀상] ㉠남몰래 하는 장사, 또는 장수. ㉡비밀히 상의함.
[密生 밀생] 빈틈없이 빽빽하게 남.
[密書 밀서] 비밀한 문서, 또는 편지.
[密石 밀석] 결이 고운 숫돌.
[密船 밀선] 법을 어기어 몰래 다니는 배.
[密疏 밀소] 비밀히 하는 상소(上疏).
[密訴 밀소] 몰래 호소함.
[密輸 밀수] 금제(禁制)를 범하여 몰래 물품을 수입 또는 수출함.
[密樹 밀수] 빽빽이 들어선 나무.
[密僧 밀승] 진언종(眞言宗)의 중.
[密室 밀실] 남의 출입을 금하는 비밀(祕密)한 방

(房). 꼭 닫아 두고 함부로 출입하지 못하게 하는 방.
[密約 밀약] 비밀(祕密)한 약속.
[密漁 밀어] 금제나 규약을 어기고 몰래 고기를 잡음.
[密語 밀어] 비밀(祕密)한 이야기.
[密用 밀용] 몰래 씀.
[密雨 밀우] 세우(細雨). 부슬부슬 내리는 비.
[密雲 밀운] ㉠짙은 구름. 많이 모여 두껍게 겹친 구름. ㉡거짓 눈물.
[密雲不雨 밀운불우] 짙은 구름만 끼고 비는 오지 않는다는 뜻으로, 어떠한 일의 조짐만 보이고 그 일은 닥치지 아니함을 이름.
[密諭 밀유] ㉠남모르게 타이름. ㉡남모르게 내리는 임금의 명령.
[密意 밀의] 비밀(祕密)한 뜻. 비밀히 품은 생각.
[密議 밀의] 비밀(祕密)한 의논. 남몰래 하는 상의.
[密移 밀이] 비밀의 이문(移文). 몰래 하는 회장(回狀).
[密邇 밀이] 가까이함. 접근(接近)함.
[密印 밀인] 증직(贈職)할 때 내리는 밀〔蠟〕에 새긴 도장. 밀인(蜜印).
[密章 밀장] 비밀히 올리는 상소. ㉡밀인(密印).
[密葬 밀장] 몰래 장사 지냄.
[密藏 밀장] 비밀히 감추어 둠.
[密接 밀접] ㉠꼭 달라붙음. ㉡서로 떨어지기 어려운 깊은 관계가 있음.
[密偵 밀정] 비밀(祕密)히 정탐(偵探)하는 사람.
[密造 밀조] ㉠금제품을 비밀(祕密)히 만듦. ㉡허가(許可)를 요하는 물건을 허가 없이 만듦.
[密詔 밀조] 비밀한 조서(詔書).
[密坐 밀좌] 빈틈없이 빽빽이 앉음.
[密呪 밀주]《佛教》'다라니(陀羅尼)'와 같음.
[密奏 밀주] 몰래 아룀. 비밀히 상주(上奏)함.
[密酒 밀주] 허가 없이 몰래 담근 술.
[密旨 밀지] ㉠비밀(祕密)히 내리는 임금의 명령(命令). ㉡비밀히 내리는 지령(指令).
[密指 밀지] 밀지(密旨).
[密集 밀집] 빽빽이 모임.
[密着 밀착] ㉠빈틈없이 단단히 붙음. ㉡여러 개(個)가 다닥다닥 붙음.
[密察 밀찰] ㉠자세하고 명확함. ㉡자세히 살핌.
[密策 밀책] 비밀(祕密)한 꾀.
[密叢 밀총] 무성함. 빽빽이 들어차서 우거짐.
[密聚 밀취] 빽빽이 모임.
[密時 밀치] 비밀히 제사 지내는 깊숙한 곳.
[密緻 밀치] 치밀함.
[密勅 밀칙] 은밀히 내리는 칙령(勅令). 또, 가만히 조칙(詔勅)을 내림.
[密陀僧 밀타승] 납을 산화(酸化)시켜서 만든 황색(黃色)의 가루. 살충약으로 외과(外科)에 씀.
[密探 밀탐] 몰래 정탐(偵探)함.
[密通 밀통] 남녀가 몰래 정(情)을 통함.
[密閉 밀폐] 꼭 닫음.
[密函 밀함] 비밀의 문서를 넣는 상자. 또, 비밀의 편지(書信).
[密航 밀항] 금제(禁制)를 범하여 몰래 하는 도항(渡航).
[密行 밀행] 몰래 다님.
[密花 밀화] 호박(琥珀)의 일종.
[密會 밀회] 비밀(祕密)히 만남.
●堅密. 過密. 近密. 禁密. 機密. 緊密. 內密.

篤密. 綿密. 縣密. 蒙密. 茂密. 微密. 繁密.
祕密. 三密. 詳密. 纖密. 細密. 疎密. 碎密.
神密. 愼密. 深密. 過密. 嚴密. 麗密. 鬱密.
宥密. 隱密. 陰密. 精密. 稠密. 周密. 綢密.
績密. 樞密. 緻密. 親密. 緘密. 顯密.

8 ⑪ [居] 거 ㊲魚 九魚切 jū

字解 ①집 거 주택. '一, 舍也'《玉篇》. ②팔 거, 모아둘 거 물건을 팖. 또, 물건을 저축함. '眠, 博雅, 賕賺, 賣也, 一日貯也, 或作一'《集韻》.

8 ⑪ [寇] 구 ㊲宥 苦候切 kòu

字解 ①도둑 구 떼를 지어 백성의 재물을 겁탈하는 비도(匪徒). '一, 賊'. '群行攻劫曰一'《辭海》. ②원수 구 '一讎, 藉一兵, 而齎盜糧'《李斯》. ③난리 구 외적(外敵)이 쳐들어온 난리. '兵作於內爲亂, 於外爲一'《左傳》. ④해칠 구 쳐들어올 구, 노략질할 구 해를 입힘. 침입함. 겁략(劫掠)함. '一掠, 匈奴一邊'《十八史略》. ⑤풍성할 구 물건이 많음. '凡物盛多, 謂之一'《方言》. ⑥성 구 성(姓)의 하나.

字源 會意. 宀+元+攴. '宀면'은 '옥내(屋內)'의 뜻. '元원'은 '사람'의 뜻. '攴복'은 '치다'의 뜻. 남의 집에 들어가 사람을 치는 모양에서, 남에게 해(害)를 주다의 뜻을 나타냄.

[寇羯 구갈] 침입해 오는 오랑캐.
[寇警 구경] 구적(寇賊) 또는 외적(外敵)의 침입을 알리는 경보(警報).
[寇難 구난] 외적(外敵)의 난(難).
[寇盜 구도] 타국에 쳐들어가 도둑질함. 또, 그 도둑.
[寇亂 구란] 외구(外寇)와 내란(內亂).
[寇掠 구략] 타국에 쳐들어가 노략질함.
[寇略 구략] 구략(寇掠).
[寇讎 구수] 원수(怨讎).
[寇恂 구순] 후한(後漢) 초의 정치가. 자(字)는 자익(子翼). 광무제(光武帝) 때 하내(河內)·여남(汝南) 태수(太守)를 지내고 향교(鄕校)를 세워 지방 자제를 교육함.
[寇攘 구양] 떼를 지어 노략질하고 다님. 쳐들어가 노략질함.
[寇擾 구요] 외적(外敵)이 쳐들어와 소요를 일으킴.
[寇戎 구융] 국외에서 쳐들어오는 오랑캐.
[寇賊 구적] 떼를 지어 백성을 해치기도 하고 물건을 강탈하기도 하는 도둑.
[寇敵 구적] ㉠외적(外敵). ㉡원수.
[寇賊姦宄 구적간귀] 살해·협박·도둑질 등 갖은 악행으로 남의 백성을 해치는 자. 간귀(姦宄)는 마음이 틀어진 악한(惡漢).
[寇鈔 구초] 구략(寇掠).
[寇偸 구투] 구도(寇盜).
[寇虐 구학] 쳐들어가 잔학한 짓을 함.
[寇害 구해] 쳐들어와 해를 끼침.
[寇患 구환] 외적이 쳐들어오는 근심.

●彊寇. 窮寇. 劇寇. 內寇. 邊寇. 兵寇. 伏寇. 司寇. 倭寇. 外寇. 遺寇. 侵寇. 凶寇.

8 ⑪ [寇] 寇(前條)의 俗字

8 ⑪ [寁] ㊀첩 ㊀葉 疾葉切 jié ㊁잠 ㊀感 子感切 zǎn

字解 ㊀빠를 첩 신속함. '無我惡兮, 不一故也'《詩經》. ㊁빨리있을 잠 '一, 尻之速也'《說文》.

字源 篆文 [篆] 形聲. 宀+建[音]. '建쳡'은 '급히 서두르다'의 뜻. 집 안에서 서두르는 모양에서, 분주하고 어수선함의 뜻을 나타냄.

8 ⑪ [寀] ㊂채 ㊲賄 倉宰切 cǎi ㊲隊 倉代切 cài

筆順 宀宀宀宋宋寀寀

字解 채지 채 采(采部 一畫)와 同字. '一, 謂一地. 主事者必有一地. 一, 采也, 采取賦稅, 以供己有'《爾雅 疏》.

字源 篆文 [篆] 形聲. 宀+采[音]. '采채'와 통하여 '봉토(封土)·채지(采地)'의 뜻을 나타냄.

8 ⑪ [寃] 〔원〕冤(宀一部 八畫〈p. 225〉)과 同字 일설(一說)에는 俗字

8 ⑪ [寍] 〔녕〕寧(宀部 十一畫〈p. 597〉)의 俗字

9 ⑫ [富] ㊥入 부 ㊲宥 方副切 fù

筆順 宀宀宀宫宫富富富

字解 ①넉넉할 부 ㉠재산이 많음. '一裕'. '一而無驕'《論語》. ㉡많이 있음. '一於春秋'(나이가 아직 젊음). '后稷之祀易一'《禮記》. ㉢충실함. '贍一'. '一文辭工書'《唐書》. ②넉넉히할 부 넉넉하도록 함. '一國强兵'. '何神不一'《詩經》. ③부유 부유함. 또, 그 사람. '一潤屋'《大學》. '阿一順貴'《道德指歸論》. ④행복 부 福(示部 九畫)과 통용. '維昔之一, 不如時'《詩經》. ⑤성 부 성(姓)의 하나.

字源 篆文 [篆] 形聲. 宀+畐[音]. '畐복'은 신(神)에게 바칠 술통의 중배가 붕긋한 모양. '宀면'은 '실내(室內)'의 뜻. 사당 따위에서 술을 바쳐, 술통처럼 붕긋한 중배처럼 풍부해질 것을 기원하는 모양에서, '갖춰지다, 넉넉하다'의 뜻을 나타냄.

[富家 부가] 부잣집.
[富强 부강] 나라가 부유하고 강(强)함. 재물이 많고 군사가 강함.
[富骨 부골] 부자(富者)답게 보이는 골격(骨格).
[富驕 부교] 재산이 있어 부리는 교만(驕慢).
[富局 부국] 부자(富者)의 상(相).
[富國 부국] ㉠부요(富饒)한 나라. ㉡나라를 부요(富饒)하게 함.
[富國强兵 부국강병] 나라를 부요(富饒)하게 하고 군사(軍士)를 강(强)하게 함. 곧, 국세(國勢)를 증대시킴.
[富貴 부귀] 재산이 많고 지위가 높음.
[富貴功名 부귀공명] 부귀(富貴)와 공명(功名).
[富貴不能淫 부귀불능음] 부귀로도 마음을 어지럽힐 수 없음.
[富貴在天 부귀재천] 부귀는 하늘이 이미 정해 놓은 것이어서 사람이 바란다고 마음대로 되는 것이 아님.

[寡薄 과박] 적고 박(薄)함.
[寡兵 과병] 병력(兵力)이 적음.
[寡婦 과부] 홀어미.
[寡不敵衆 과부적중] 적은 것은 많은 것을 대적(對敵)할 수 없음.
[寡少 과소] 적음.
[寡小君 과소군] 남의 나라 사람에 대하여 자기가 섬기는 군주(君主)의 부인(夫人)을 일컫는 말.
[寡守 과수] 《韓》 홀어미. 과부(寡婦).
[寡嫂 과수] 과부가 된 형수.
[寡識 과식] 지식이 적음. 식견이 좁음.
[寡額 과액] 적은 액수(額數). 많지 아니한 수효(數爻).
[寡約 과약] 질소(質素)하고 검약(儉約)함.
[寡言 과언] 말이 적음.
[寡慾 과욕] 욕심(慾心)이 적음.
[寡虞 과우] 근심이 적음.
[寡人 과인] ㉠덕(德)이 적은 사람이란 뜻으로, 왕후(王侯)의 자칭 대명사. ㉡제후의 부인(夫人)의 자칭 대명사.
[寡作 과작] 작품 같은 것을 적게 지음.
[寡妻 과처] ㉠과부(寡婦). ㉡덕이 적은 아내란 뜻으로, 자기의 아내를 이름.
[寡處 과처] 과거 홀로 지냄.
[寡特 과특] 고립무원(孤立無援)함. 고특(孤特).
●簡寡. 孤寡. 矜寡. 多寡. 貧寡. 弱寡. 凋寡. 衆寡. 豐寡. 疲寡. 鰥寡.

11
⑭ [寠]　㊀구 ㊀虞 瞿庾切 jù
　　　㊁루 ㊄尤 郎侯切 lóu

字解 ㊀①가난할 구 窶(穴部 十一畫)와 同字. ‘終──且貧’《詩經》. ②작을 구 ‘一數, 猶局縮, 皆小意也’《釋名》. ㊁좁은땅 루 ‘甌──’는 협소한 곳지 (高地). ‘甌──滿篝, 汙邪滿車’《史記》.
字源文 形聲. 宀+婁[音]. ‘婁루’는 비좁고 복잡함의 뜻. ‘초라한 집’의 뜻을 나타냄.

●甌寠. 羈寠. 僂寠. 貧寠. 凋寠. 寒寠.

11
⑭ [寢] 高人　침 ㊀寢 七稔切 qǐn

筆順 宀 宀 宀 宀 宀 宀 宀 宀 寢

字解 ①잘 침 잠을 잠. ‘──食’ ‘宰予晝──’《論語》. ②재울 침 자게 함. ‘載──之牀’《詩經》. ③누울 침 ㉠목을 가로놓음. ‘見──石, 以爲伏虎’《荀子》. ㉡병상에 누움. 앓음. ‘成子高一疾──’《禮記》. ④쉴 침 그침. ‘──息’ ‘兵──刑措’《漢書》. ⑤잠 침 자는 일. ‘客──甚安’《史記》. ⑥능침 침 능묘(陵墓) 옆에 설치하여 제전(祭典)을 행하는 곳. ‘至秦始出──起於墓側’《史記》. ⑦방 침 ㉠거실(居室). ‘庶人祭於──’《禮記》. ㉡침실. ‘飮食不離──’《禮記》. ⑧못생길 침 용모가

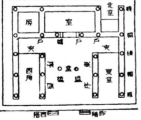
[寢⑦]

못생김. ‘一陋’. ‘武安者貌一’《史記》. ⑨성 침 성(姓)의 하나.
字源 甲骨文金文篆文 形聲. 宀+爿+帚[侵〈省〉][音]. ‘爿장’은 ‘잠자리’의 뜻. ‘侵침’은 깊숙이 들어감의 뜻. 집의 깊숙한 곳에 있는 방의 뜻이나 방에서 자다의 뜻을 나타냄. 甲骨文·金文은 宀+帚의 會意로, 비로 깨끗이 쓸어 낸 사당의 뜻을 나타냄.

[寢具 침구] 이부자리와 베개. 금침(衾枕).
[寢啖 침담] 침식(寢食).
[寢臺 침대] 서양식(西洋式)의 누워 자는 상.
[寢陋 침루] 키가 작고 용모가 보기 싫음. 체격과 용모가 아주 보잘것없음.
[寢廟 침묘] ㉠종묘(宗廟). ㉡능침(陵寢). 자해(字解) ❻을 보라.
[寢門 침문] 사랑(舍廊)으로 드나드는 문.
[寢房 침방] 침실(寢室).
[寢兵 침병] 전쟁을 그침.
[寢牀 침상] 사람이 누워 자는 상. 와상(臥牀).
[寢石 침석] 누워 있는 돌.
[寢席 침석] 침실에 까는 돗자리.
[寢所 침소] 자는 곳.
[寢睡 침수] 수면(睡眠).
[寢食 침식] 잠과 식사. 전(轉)하여, 일상생활.
[寢息 침식] ㉠하던 일을 쉼. ㉡누워 잠.
[寢食不安 침식불안] 근심이 많아서 침식(寢食)이 편하지 못함.
[寢室 침실] 자는 방.
[寢園 침원] 임금의 산소. 능(陵). 능침(陵寢).
[寢衣 침의] 자리옷. 잠옷.
[寢帳 침장] 침실에 두르는 휘장.
[寢殿 침전] 임금이 자는 집.
[寢疾 침질] 병으로 자리에 누움.
[寢處 침처] ㉠자기도 하고 앉기도 함. ㉡자는 곳. 침실(寢室).
[寢被 침피] 자리옷. 잠옷.
[寢興 침흥] 잠과 일어남.
●假寢. 客寢. 孤寢. 裸寢. 內寢. 路寢. 露寢. 陵寢. 廟寢. 悶寢. 別寢. 伏寢. 小寢. 失寢. 安寢. 偃寢. 與寢. 燕寢. 午寢. 臥寢. 蓐寢. 園寢. 六寢. 長寢. 正寢. 晝寢. 草寢. 就寢.

11
⑭ [寤] 人名　오 ㊀遇 五故切 wù

字解 ①깰 오 잠이 깸. ‘一寐’. ‘悁我一嘆’《詩經》. ②깨달을 오 悟(心部 七畫)와 통용. ‘欲一言而一’《淮南子》. ③꿈 오 꿈을 꿈. ‘一夢, 覺時道之而夢’《列子 注》.
字源 籀文篆文 形聲. 寢〈省〉+吾[音]. ‘吾오’는 번갈아 됨의 뜻. ‘寤몽’은 꿈. 꿈에 갈음하여 ‘깨다’의 뜻을 나타냄.

[寤寐 오매] ㉠자나 깨나. ㉡잠을 깨는 일과 자는 일.
[寤寐不忘 오매불망] 자나 깨나 잊지 아니함.
[寤寐思服 오매사복] 자나 깨나 생각함. 항상 생각하고 있음.
[寤夢 오몽] 낮에 본 것을 밤에 꾸는 꿈.
[寤生 오생] 태아(胎兒)가 거꾸로 나옴. 역산(逆産). 일설(一說)에는, 태아가 태어났을 때 이미 눈을 뜨고 있는 일. 또 일설에는, 산부(産婦)가 자는 동안에 태어나서 잠을 깬 후에 비로소 안

다는 뜻으로, 순산(順産)함을 이름.
[寤言 오언] 잠이 깨어 말함. 일설에는, 잠꼬대.
[寤嘆 오탄] 자다가 말고 별안간 일어나 탄식함.
[寤摽 오표] 잠이 깨어 가슴을 치면서 슬퍼함.
◉覺寤. 改寤. 開寤. 悸寤. 愧寤. 發寤. 醒寤. 燎寤. 幽寤. 興寤.

11 ⑭ [寥] 료 [平]蕭 落蕭切 liáo 

[字解] ①쓸쓸할 료 적막함. '——'. '寂—兮收潦而水淸'《楚辭》. ②휑할 료, 클 료 공허함. 휑뎅그렁함. '—廓'. '—, 空也'《廣韻》. '—, 廓也'《廣韻》. ③하늘 료 허공(虛空). '騰駕碧—'《范成大》. ④깊을 료 깊숙함. '—, 深也'《廣雅》. ⑤성 료 성(姓)의 하나.
[字源] 形聲. 宀+翏〔音〕

[寥闃 요격] 쓸쓸하고 고요함.
[寥廓 요곽] 휑뎅그렁한 모양.
[寥落 요락] ㉠드묾. 희소함. ㉡쓸쓸함. 적막함.
[寥亮 요량] 높은 음성이 명랑하게 울리는 모양.
[寥戾 요려] 소리가 맑아 멀리 들림.
[寥寥 요요] ㉠적막한 모양. ㉡텅 비고 넓은 모양.
[寥廓 요확] ㉠텅 비고 끝없이 넓음. 휑함. ㉡하늘. 허공(虛空).
[寥豁 요활] 쓸쓸하게 텅 비어 넓음.
[寥闊 요활] 고요하고 쓸쓸함. 적막함.
◉碧寥. 蕭寥. 寂寥. 凄寥. 廓寥. 豁寥. 荒寥.

11 ⑭ [實] [中人] [一] 실 [入]質 神質切 shí
[二] 지 [去]寘 支義切 zhì 实 

[筆順] 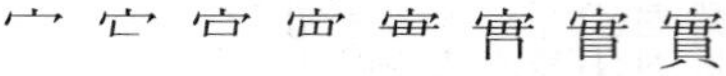

[字解] [一] ①열매 실 '果—'. '草—'. '草木之—'《禮記》. ②씨 실 종자. '—函斯活'《詩經》. ③속 실 내용(內容). 또, 그릇에 담은 물건. '籩—'. '豆—'. '女承筐无—'《易經》. ④재물 실 재화(財貨). '聚斂積—'《左傳》. ⑤기물 실 기구(器具). '蒐軍—'《左傳》. ⑥참 실 허(虛) 또는 명(名)의 대(對). '虛—'. '誠—'. '事—'. '名聲過—'《史記》. '名者—之賓也'《莊子》. ⑦참으로 실 진실로. '—迷塗, 其未遠'《陶潛》. ⑧찰 실 충만함. '充—'. '君之倉庫—'《孟子》. ⑨채울 실 충만하게 함. '—籩豆'《儀禮》. ⑩익을 실 열매가 익음. '秀而不—'《論語》. ⑪맞게할 실 죄과와 형벌이 상당하게 함. '閱—其罪'《書經》. ⑫밝힐 실 살핌. '使各—二千石以下至黃綬'《後漢書》. ⑬이 실 是(日部 五畫)·寔(宀部 九畫)과 뜻이 같음. '—墉—壑'《詩經》. ⑭성 실 성(姓)의 하나. [二] 이를 지 至(部首)와 통용. '某不祿使某—'《禮記》.
[字源] 金文  篆文  會意. 金文은 宀+貝+周. '周'는 '널리 미치다'의 뜻. 집안에 재화(財貨)가 널리 미치다의 뜻에서, '가득 차다'의 뜻을 나타냄.

[實價 실가] ㉠실제의 값. ㉡에누리 없는 값.
[實感 실감] ㉠실제(實際)의 느낌. ㉡실물(實物)에 대한 느낌.
[實檢 실검] 실지로 사물을 검사함.
[實景 실경] 실상(實狀)의 경치 또는 광경.
[實功 실공] 실제의 공효(功效).
[實果 실과] 먹을 수 있는 초목의 열매. 과실(果實).
[實敎 실교] ㉠실익(實益)이 있는 가르침. ㉡《佛敎》 진실의 이치를 가르치는 교법(敎法). 대승(大乘).
[實權 실권] 실제의 권력(權力).
[實記 실기] 실제(實際)의 사실(事實)을 적은 기록(記錄).
[實談 실담] ㉠진실(眞實)한 말. 거짓이 없는 말. ㉡사실로 있던 이야기.
[實力 실력] 실제(實際)의 힘. 실제의 역량(力量).
[實歷 실력] 실제의 경력(經歷).
[實例 실례] 실제(實際)로 있던 예. 사실의 예.
[實錄 실록] ㉠사실(事實)을 그대로 적은 기록(記錄). ㉡사체(史體)의 하나. 한 임금의 재위 연간(在位年間)의 정령(政令) 및 기타 사실을 적은 기록.
[實利 실리] ㉠실제(實際)의 이익(利益). ㉡실제의 효용(效用).
[實利主義 실리주의] 현실의 이익과 실제의 효과로 도덕의 표준(標準)을 삼는 주의(主義).
[實綿 실면] 씨를 빼지 아니한 솜.
[實名 실명] 진짜 이름. 본명(本名).
[實母 실모] 친어머니. 친모(親母).
[實務 실무] 실제(實際)의 사무. 실제로 취급하는 업무(業務).
[實物 실물] 실지로 있는 물건.
[實物敎授 실물교수] 실물(實物)을 보여 감관(感官)을 통하여 이해(理解)·습득(習得)시키는 교육. 「사람.
[實犯 실범] 실지로 죄를 범(犯)하는 일. 또, 그
[實父 실부] 친아버지. 친부(親父).
[實否 실부] 진실 여부(與否).
[實費 실비] 실지로 드는 비용.
[實事 실사] 사실로 있는 일. 실제(實際)의 일.
[實査 실사] 실지에 대하여 조사함.
[實寫 실사] 실물(實物)·실경(實景)을 그리거나 찍음. 또, 그 그림이나 사진.
[實事求是 실사구시] 사실에 의거하여 진리를 탐구함.
[實社會 실사회] 실제(實際)의 사회(社會). 현재 활동(活動)하고 있는 세상(世上).
[實狀 실상] ㉠실제(實際)의 사정(事情). ㉡실제(實際)의 형상(形狀).
[實相 실상] ㉠실제의 상태. 진상(眞相). ㉡《佛敎》 생멸 무상(生滅無常)을 떠난 만유(萬有)의 진상(眞相). 진여(眞如)의 본체(本體).
[實說 실설] ㉠실제로 있는 이야기. 확실한 이야기. ㉡사실대로 이야기함.
[實性 실성] 본성(本性). 「穫).
[實收 실수] 실제의 수입(收入). 실제의 수확(收
[實數 실수] ㉠실제(實際)의 수(數). ㉡피승수(被乘數) 또는 피제수(被除數). ㉢유리수(有理數)와 무리수(無理數)의 통칭.
[實習 실습] 실지로 해 보아 익힘.
[實施 실시] 실지로 시행(施行)함.
[實實 실실] ㉠견고한 모양. ㉡친절한 모양. 일설(一說)에는, 확실한 모양.
[實心 실심] 진실(眞實)한 마음. 참된 마음. 진심(眞心).
[實額 실액] 실제의 금액(金額).
[實業 실업] ㉠농(農)·상(商)·공(工)·광(鑛)·어업(漁業) 등 실용(實用)을 주로 하는 경제적

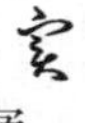

사업 (事業). ㉡《佛敎》진실로 업과 (業果)를 얻는 인업 (因業).

[實業家 실업가] 실업 (實業)을 경영 (經營)하는 사람.

[實演 실연] 실제로 연출 (演出)함.

[實用 실용] 실제로 사용, 또는 응용함.

[實用主義 실용주의] 진리 (眞理)는 실용적 (實用的) 효과 (效果)에 의하여 결정되는 것이므로 인생 (人生)을 유익 (有益)하게 하는 것은 진리이고, 인생을 유익하게 하지 못하는 것은 진리가 아니라고 하는 주의 (主義). 프래그머티즘.

[實意 실의] 참마음. 진실 (眞實)한 마음. ㉡참된 마음. 친절한 마음.

[實益 실익] 실제의 이익 (利益).

[實稔 실임] 곡식의 열매가 익음.

[實子 실자] 자기가 낳은 아들. 친아들. 양자 (養子)의 대 (對).

[實字 실자] 구설 (舊說)에는 명사로 쓰이는 글자. 기타의 품사로 쓰이는 허자 (虛字)의 대 (對). 신설 (新說)에는 의미·내용을 지닌 글자. 조사 (助辭)로 쓰이는 지 (之)·호 (乎)·언 (焉) 등의 허자의 대 (對).

[實才 실재] 진정한 재능.

[實在 실재] ㉠실지로 존재함. 또, 그것. ㉡주관 (主觀)을 떠난 객관적 대상 (對象)의 존재.

[實在論 실재론] 인식 (認識)을 실재 (實在)의 모사 (模寫)라고 하는 학설 (學說).

[實跡 실적] 실제의 형적 (形跡). 실제의 증거.

[實積 실적] 실제 (實際)의 용적 (容積). 또는 면적 (面積). 「績).

[實績 실적] 실제의 업적 (業績). 또는 공적 (功

[實戰 실전] 실제의 전쟁 (戰爭).

[實情 실정] ㉠실제의 사정 (事情). ㉡진실한 마음. 진정 (眞情).

[實弟 실제] 동복 (同腹)의 아우. 친아우.

[實際 실제] ㉠실지 (實地)의 경우 또는 형편. ㉡《佛敎》우주 (宇宙)의 본체 (本體)로서 불변하는 진실한 것. 진여실상 (眞如實相).

[實存 실존] 실재 (實在).

[實竹 실죽] 속이 비지 아니한 대.

[實證 실증] ㉠확실 (確實)한 증거 (證據). 확증 (確證). ㉡실험 (實驗).

[實證論 실증론] 사실 곧 현상 (現象)을 기초 (基礎)로 하여 현실 (現實)을 해석하는 철학 (哲學).

[實地 실지] ㉠실제의 장소. 현장 (現場). ㉡실제 (實際).

[實智 실지] 《佛敎》진제 (眞諦)의 진리를 깊이 깨닫는 참된 지혜.

[實直 실직] 성실하고 정직 (正直)함.

[實質 실질] 실제의 성질. 본바탕. 본질 (本質).

[實踐 실천] 실제로 이행 (履行)함.

[實踐躬行 실천궁행] 자기 몸으로 실제로 이행 (履行)함.

[實踐倫理 실천윤리] 도덕의 실천적 방면을 연구하는 윤리학 (倫理學).

[實踐哲學 실천철학] 의지 (意志) 및 행위 (行爲)와 그 법칙 (法則)을 논 (論)하는 철학 (哲學).

[實體 실체] ㉠실제 (實際)의 형체 (形體). 본체 (本體). ㉡실질 (實質). 형식 (形式)의 대 (對). ㉢변화하는 현상 (現象)의 기초 (基礎)로서 존재하는 영원 (永遠)히 변화 (變化)하지 아니하는 본체 (本體).

[實體論 실체론] ㉠현상 (現象)·작용 (作用)을 떠

나서 그 실체 (實體)가 있다고 논하는 철학 (哲學). ㉡본체론 (本體論)과 같음.

[實測 실측] 실지 (實地)의 측량 (測量). 「丸).

[實彈 실탄] 쏘아서 실효 (實效)가 있는 탄환 (彈

[實吐 실토] 거짓말을 아니하고 바른대로 말함.

[實學 실학] 실제 (實際)로 효과를 나타내는 학문. 실지 (實地)에 소용 (所用)되는 학문.

[實銜 실함] 실제로 근무하는 벼슬.

[實行 실행] 실지로 행함.

[實驗 실험] ㉠실제 (實際)로 경험 (經驗)함. ㉡과학 (科學)의 연구를 위하여 자연의 현상에 인위 (人爲)를 가 (加)하여 변화를 일으켜 관찰하는 일.

[實驗心理學 실험심리학] 물리학 (物理學)·생물학 (生物學) 등의 실험적 방법을 써서 정신 (精神)을 연구하는 심리학 (心理學).

[實現 실현] 실제 (實際)로 나타남. 또, 실제로 나타냄.

[實兄 실형] 동복 (同腹)의 형. 친형 (親兄).

[實惠 실혜] 실제로 받은 은혜.

[實話 실화] 실지로 있던 이야기.

[實況 실황] 실제의 상황 (狀況). 「효력.

[實效 실효] 확실 (確實)한 효험 (效驗). 거짓 없는

●堅實. 結實. 故實. 果實. 口實. 軍實. 權實. 內實. 篤實. 敦實. 名實. 無實. 樸實. 不實. 史實. 事實. 寫實. 先聲後實. 誠實. 野實. 良實. 如實. 有名無實. 股實. 一人傳虛萬人傳實. 資實. 切實. 貞實. 情實. 精實. 種實. 眞實. 質實. 着實. 淸實. 充實. 忠實. 豊實. 核實. 行實. 虛實. 虛虛實實. 現實. 華實. 確實.

11
(14) 【寧】 高 녕 ㉠靑 奴丁切 níng
　　　　 人 　　 ㉥徑 乃定切 nìng 宁宁

[筆順] 宀宀宓宓宓寍寧寧寧

[字解] ①차라리 녕, 오히려 녕 선택하는 뜻을 나타내는 말. '與其殺不辜, 一失不經'《書經》. ②어찌 녕 ㉠반어 (反語). 어찌 …랴. '一可以馬上治之乎'《史記》. ㉡의문의 말. '一有虛妄不'《法華經》. ③일찍이 녕 '先祖匪人, 胡一忍子'《詩經》. ④편안할 녕 ㉠무사함. '一日'. '王道興而百姓一'《說苑》. ㉡무병함. '安一'. '三日, 康一'《書經》. ⑤편안히할녕 편안하게 함. '一王'. '以一東土'《史記》. ⑥근친할 녕 친정 부모를 뵘. '一親'. '歸一父母'《詩經》. ⑦성 녕 성 (姓)의 하나.

[字源] 甲骨文 金文 篆 寧 會意. 甲骨文은 宀+皿+示. '宀면'은 '집'의 뜻. '皿명'은 '물그릇'의 뜻. '示시'는 신사 (神祀)에 관한 일을 뜻함. 옥내 (屋內)에 물그릇을 놓고 신 (神)에게 발원 (發願)하여 마음을 편안하게 함의 뜻을 나타냄. 나중에 '心'을 덧붙였음. 차용 (借用)하여, '오히려, 어찌' 따위의 조사 (助辭)에 쓰임. '甯'도 동일어로 이체자임.

[參考] 寗 (宀部 八畫)·寍 (宀部 十畫)은 俗字.

[寧嘉 영가] 편안히 즐거워함.

[寧可玉碎何能瓦全 영가옥쇄하능와전] 기와와 같이 평범한 사람이 되어 오래 사는 것보다는 옥과 같이 위유 (有爲)한 인재 (人材)가 되어 부수어지는 편이 나음.

[寧康 영강] 안락하게 잘 있음. 편안함. 무사함.

[寧居 영거] 편안히 있음. 편안히 삶.

[寧渠 영거] 어찌하여. 설마.
[寧樂 영락] 편안하여 즐거움. 안락함.
[寧謐 영밀] 편안하고 조용함.
[寧歲 영세] 편안한 해. 무사한 해.
[寧所 영소] 편안한 곳.
[寧肅 영숙] 편안하고 조용함.
[寧順 영순] 편안하고 잘 순종함.
[寧息 영식] 편안히 쉼. 안심하고 쉼.
[寧王 영왕] 천하를 편안하게 다스리는 왕.
[寧宇 영우] 편안한 국토. 또, 편안한 집.
[寧爲鷄口勿爲牛後 영위계구물위우후] 닭은 작아
도 그 입은 먹이를 먹지만, 소는 커도 그 꽁무
니는 똥을 누므로, 강대한 사람의 뒤에 붙어서
심부름만 하느니보다는 작은 단체일지라도 그
두목(頭目)이 되라는 말.
[寧一 영일] 안정 (安定)하여 어지럽지 아니함.
[寧日 영일] 편안한 날. 평화스러운 날.
[寧定 영정] 편안하게 다스려짐.
[寧靖 영정] 편안함. 또, 편안하게 함.
[寧靜 영정] 무사하고 조용함.
[寧濟 영제] 편안하게 함. 조용하게 함.
[寧處 영처] 편안히 있음.
[寧親 영친] 객지에서 부모를 뵈러고 고향으로 돌
아감. 귀성(歸省).
[寧泰 영태] 편안함.
[寧平 영평] 평화롭게 다스려짐.
[寧夏 영하] 자치구(自治區)의 이름. 옛 닝샤 성
(寧夏省). 민국(民國) 17년, 간쑤 성(甘肅省)
동쪽의 땅을 나누고, 서쪽 몽고(蒙古)의 일부
를 보태서 닝샤 성을 두었음. 중화 인민 공화국
성립(成立) 뒤, 닝샤 성을 폐하고, 간쑤 성에
합쳤다가, 현재는 닝샤후이 족 자치구(寧夏回
族自治區)가 되었음. 구도(區都)는 인촨 시(銀
川市)임.
[寧馨 영형] 이와 같음. 진(晉)나라 때의 속어(俗
語). 「이.
[寧馨兒 영형아] ㉠이와 같은 아이. ㉡뛰어난 아
[寧和 영화] 평화(平和)함.
●康寧. 告寧. 歸寧. 無寧. 撫寧. 謐寧. 保寧.
綏寧. 安寧. 晏寧. 予寧. 丁寧. 輯寧. 淸寧.
弼寧. 廓寧.

11
⑭ [寨] 〔人名〕 채 ㉠卦 豺夬切 zhài 寨

字解 나무우리 채 목책(木柵)으로 둘러싼 방위
시설. '要—'. '御—及諸營壘'《遼史》.
字源 形聲. 본디, 木+寁〔音〕.

●木寨. 外寨. 要寨.

11
⑭ [康] 강 ㉠陽 苦岡切 kāng
㉡養 苦朗切
字解 빌 강 횅뎅그렁함. 조용함. '委參差以一
宬'《司馬相如》.
字源 金文 庚 篆文 庚 形聲. 宀+庚〔音〕. '康강'은 '편
안함, 고요함'의 뜻. 집의 쥐
죽은 듯이 조용함의 뜻을 나타냄.

[康宬 강량] 공허(空虛)함.

[搴] 〔건〕
手部 十畫(p.892)을 보라.

[蜜] 〔밀〕
虫部 八畫(p.2019)을 보라.

[賓] 〔빈〕
貝部 七畫(p.2198)을 보라.

12
⑮ [審] 高入 二 심 ㉠寢 式荏切 shěn 审寀
二 반 ㉤寒 薄官切 pán

筆順 宀宀宀宲宲宷審審

字解 二 ①살필 심 상세히 조사함. '一査'. '不
可不一'《淮南子》. ②깨달을 심 깨달아 환히 앎.
'一容膝之易安'《陶潛》. ③자세할 심 상세함. '號
令明, 法制一'《尉繚子》. ④자세히 심 상세하게.
'博學之, 一問之'《中庸》. ⑤묶을 심 한 묶음.
'十羽爲一'《周禮》. ⑥만일 심 가설(假說)의 말.
'一有內亂殺人'《漢書》. ⑦성 심 성(姓)의 하나.
二 돌 반 瀿(水部 十五畫)과 同字. '止水之一爲
淵'《莊子》.
字源 古文 宷 篆文 寀 會意. 본래 宀+釆. '釆변'은
해체하여 구별하다의 뜻. '
면'은 '窔삼'의 생략체(省略體). 깊이 사물(事
物)의 본질에까지 미치어 요소적(要素的)인 것
으로 낱낱이 갈라 구별하다. 소상히 하다의 뜻
을 나타냄. 뒤에 '釆'의 부분이 잘못되어 '番'
으로 되었음.

[審鞫 심국] 죄상(罪狀)을 자세히 물어 밝힘.
[審克 심극] 죄상(罪狀)을 빠짐없이 자세히 조사
국함. 「함.
[審料 심료] 세밀히 헤아림.
[審理 심리] 상세히 조사함. 조사하여 처리함.
[審問 심문] 자세히 물어 조사함.
[審美 심미] 미(美)와 추(醜)를 식별함. 미(美)의
본질을 구명(究明)함.
[審美學 심미학] 미(美)의 본질을 연구하는 학문.
미학(美學).
[審査 심사] 자세히 조사(調査)함.
[審詳 심상] 자세히 앎.
[審識 심식] 잘 조사하여 앎. 잘 식별(識別)함.
[審愼 심신] 언행을 조심하고 삼감.
[審議 심의] 상세히 의논함. 충분히 상의함.
[審正 심정] 자세하고 바름.
[審定 심정] 자세히 조사하여 정함.
[審察 심찰] 자세히 관찰함.
[審處 심처] 자세히 살펴 처리함.
[審諦 심체] 밝힘. 자세함.
[審度 심탁] 세밀히 헤아림.
[審判 심판] ㉠일의 시비곡직을 심리(審理) 판단
함. ㉡경기(競技) 등의 우열(優劣)을 판단함.
또, 그 사람.
[審覈 심핵] 자세히 조사함.
●勘審. 檢審. 結審. 究審. 窮審. 端審. 明審.
覆審. 不審. 三審. 詳審. 省審. 硏審. 豫審.
誤審. 情審. 證審. 初審.

12
⑮ [寫] 高入 사 ㉠馬 悉姐切 xiě 写宒
㉡禡 四夜切 xiè

筆順 宀宀宀宕宛宛寫寫寫

字解 ①베낄 사 베껴 씀. '一錄'. '嘗自一其詩
並書以獻'《唐書》. ②그릴 사 본떠 그림. '一
生'. ③본뜰 사 모방함. '雷霆之音, 可以鐘鼓一

也《淮南子》. ④부어만들 사 주조함. '以良金一
范蠡之狀'《國語》. ⑤쏟을 사 瀉(水部 十五畫)와
同字. '以澮一水'《周禮》. ⑥덜 사 덜어 없앰.
'一憂一我憂'《詩經》. ⑦부릴 사 卸(卩部
六畫)와 同字. '一鞍'《晋書》.

字源 篆文 形聲. 宀+舄(音). '舃석'은 '席석' 따
위와 통하여, '깔다'의 뜻. '宀면'은
'덮다'의 뜻. 실물(實物)을 밑에 깔고, 그 위에
종이 따위를 덧씌워 '베끼다'의 뜻을 나타냄.
또, '卸사'와 통하여, '풀어 헤치다'의 뜻도 나
타냄.

[寫經 사경] 경문(經文)을 베낌. 또, 그 경문.
[寫經換鵝 사경환아] 왕희지(王羲之)가 도덕경(道
德經)을 베껴서 거위〔鵝〕와 바꾼 고사(故事).
[寫本 사본] 문서나 책을 베껴 부본(副本)을 만
듦. 또, 그 문서나 책.
[寫副 사부] 책을 베껴 부본(副本)을 만듦. 또,
그 부본(副本).
[寫象 사상] 지각(知覺) 또는 사고(思考)에 의하
여 과거의 대상(對象)이 의식(意識)에 재현(再
現)되는 현상(現象).
[寫生 사생] 실물(實物)·실경(實景)을 그대로 그
림.
[寫生文 사생문] 사생화(寫生畫)의 수법을 써서
본 그대로 그려 낸 문장.　　　　　　　　　「本)
[寫書 사서] 문서를 베낌. 또, 그 문서. 사본(寫
[寫神 사신] 사람의 풍신(風神)을 그림.
[寫實 사실] 실제로 있는 그대로를 그려 냄.
[寫實主義 사실주의] 객관적(客觀的) 사실이나
상태를 실제 그대로 충실히 그려 내는 예술상
(藝術上)의 주의(主義).
[寫憂 사우] 근심을 없앰.
[寫意 사의] ㉠그림에서 모양을 주로 하지 않고,
그 내용·정신을 그림. ㉡뜻을 베껴 씀.
[寫字 사자] 글씨를 베껴 씀.
[寫照 사조] 초상(肖像)을 그림. 또, 초상. 화상
(畫像).
[寫眞 사진] ㉠실제의 모양을 그대로 그려 냄. ㉡
초상(肖像)을 그림. ㉢사진기(寫眞機)로 찍은
형상(形像).
● 傾寫. 圖寫. 謄寫. 模寫. 描寫. 傍寫. 複寫.
書寫. 繕寫. 手寫. 輸寫. 念寫. 映寫. 影寫.
誤寫. 備寫. 移寫. 臨寫. 展寫. 傳寫. 轉寫.
點寫. 淨寫. 抄寫. 鈔寫. 縮寫. 透寫. 筆寫.

12
⑮ [寫] 寫(前條)의 本字

12
⑮ [寬] 高入 관 ㉠寒 苦官切 kuān　　寛 寛

筆順 宀 宀 宀 宀 宀 宀 寬 寬

字解 ①너그러울 관 관대함. '一嚴'. '一而栗'
《書經》. ②넓을 관 면적·용적 등이 큼. '一敞'
'地窄天水一'《蘇軾》. ③느슨할 관 이완(弛緩)
함. '政一則民漫'《左傳》. ④놓아줄 관 관대히
용서함. '一假'. '不圖將軍之至此也'《史記》.
⑤사랑할 관 '代虐以一'《書經》. ⑥떨어질 관, 멀
어질 관 '以恭給事, 則一於死'《國語》. ⑦성 관
성(姓)의 하나.

字源 篆文 會意. 宀+莧. '宀면'은 '집'의 뜻.
'莧관'은 눈썹과 눈을 강조한 사람,

또는 뿔과 눈을 강조한 염소의 형상같이 생각
되나, 확실치 않음. 일설(一說)에는, 집 안에서
사람이 편히 높는 모양에서, '편히 쉬다'의 뜻
을 나타낸다고 함.

參考 寬(宀部 十畫)은 俗字.

[寬假 관가] 용서함.
[寬簡 관간] 마음이 너그럽고 까다롭지 아니함.
[寬大 관대] 마음이 너그럽고 큼.
[寬待 관대] 두터이 대접함. 우대(優待).
[寬貸 관대] 너그럽게 용서함.
[寬大長者 관대장자] 도량이 넓어 사람의 위에 설
만한 사람.
[寬猛相濟 관맹상제] 백성을 다스리는 데 있어서
너그럽기만 하면 백성의 마음이 해이해지고,
너무 엄하게 하면 민심이 이반(離叛)하므로 관
용과 위엄을 병용(併用)해서, 치우쳐 생기는
폐단을 없앰.
[寬免 관면] ㉠형벌(刑罰)을 용서함. ㉡조세(租
稅)를 관대히 해 줌.
[寬博 관박] 도량(度量)이 넓어 너그러움.
[寬赦 관사] 너그럽게 용서함.
[寬恕 관서] 너그럽고 동정심이 많음.
[寬舒 관서] 마음이 넓고 너그러움. 관완(寬緩).
[寬疏 관소] 넓어 성김. 전하여, 법률이 너그러움.
[寬雅 관아] 마음이 너그럽고 고상함.
[寬抑 관억] 너그럽게 억제함.
[寬嚴 관엄] 관대함과 엄격함. 관용과 위엄(威嚴).
[寬緩 관완] 관서(寬舒).
[寬饒 관요] 넉넉함.
[寬容 관용] ㉠마음이 넓어 남의 말을 잘 들음. ㉡
너그럽게 덮어 줌. 너그럽게 용서(容恕)함.
[寬宥 관유] 관사(寬赦).
[寬柔 관유] 너그럽고 유순함.
[寬裕 관유] 관대(寬大).
[寬易 관이] 너그럽고 온화함.
[寬仁 관인] 마음이 너그럽고 어짊.
[寬忍 관인] 너그러운 마음으로 참음.
[寬仁大度 관인대도] 너그럽고 어질며 도량이 큼.
[寬綽 관작] 관서(寬舒).　　　　　　　　　「刑」
[寬典 관전] 관대한 법률. 관대한 형벌. 관형(寬
[寬政 관정] 관대한 정치. 너그럽고 어진 정치.
[寬窄 관착] 넓음과 좁음. 광활함과 협착함.
[寬敞 관창] 넓고 앞이 탁 트임.
[寬沖 관충] 도량이 넓고 허심탄회함.
[寬平 관평] 관대하고 공평함.
[寬限 관한] 기한을 넉넉히 물림.
[寬閑 관한] 넓고 조용함.
[寬刑 관형] 형벌을 관대히 함. 또, 관대한 형벌.
[寬弘 관홍] 도량이 넓음.
[寬弘磊落 관홍뇌락] 도량이 넓고 마음이 활달(闊
達)하여 작은 일에 구애하지 아니함.
[寬闊 관활] ㉠대단히 넓어 한이 없음. ㉡도량이
넓고 마음이 활달(闊達)함.
[寬厚 관후] ㉠너그럽고 후(厚)함. ㉡넓고 큼.
[寬厚長者 관후장자] 관후(寬厚)하고 점잖아 사
람의 위에 설 만한 사람.
● 優寬. 裕寬. 政寬. 平寬. 絃寬.

12
⑮ [憲] 入名 헌 ㉿霰 穴桂切 huì

筆順 宀 宀 宀 宀 宀 宀 宀 憲 憲

字解 밝힐 혜 '一, 察也'《玉篇》.

12/15 [寮] 人名 료 ㉩蕭 落蕭切 liáo

字解 ①벼슬아치 료 관리. '百一庶尹'《書經》. ②동관 료 같은 지위의 관리. '吾嘗同一'《左傳》. ③창 료 작은 창(窓). '看斜暉之度一'《梁簡帝》. ④집 료 작은 집. ⑤승방 료 학승(學僧)의 숙사(宿舍). '屋窄似僧一'《陸游》. ⑥성 료 성(姓)의 하나.
字源 形聲. 宀+尞(尞)〔音〕

[寮舍 요사] 기숙사(寄宿舍).
[寮屬 요속] 속관(屬官).
[寮佐 요좌] 요속(寮屬).
●同寮. 百寮. 禪寮. 僧寮. 新寮. 草寮. 下寮. 學寮.

12/15 [窿] 〔륭〕
窿(穴部 十二畫〈p. 1644〉)과 同字

12/15 [窾] 〔관〕
窾(穴部 十二畫〈p. 1643〉)과 同字

12/15 [寪] 위 ㉱紙 韋委切 wěi

字解 성 위 성(姓)의 하나. '公館于一氏'《左傳》.
字源 篆文 寪 形聲. 宀+爲〔音〕

13/16 [寰] 환 ㉮刪 戶關切 huán

字解 경기고을 환 서울 부근의 천자(天子) 직할(直轄)의 영지(領地). '千里一內'《後漢書》. 전(轉)하여, 천하 또는 세계의 뜻으로 쓰임. '叡感通一, 孝思浹宙'《唐書》.
字源 篆文 寰 形聲. 宀+睘〔音〕. '睘환'은 '두르다'의 뜻. 지붕으로 뒤덮인 구역(區域)의 뜻에서, 일정한 구역의 뜻을 나타냄.

[寰區 환구] ㉠봉건 시대의 천자 직할 영지(直轄領地). ㉡천하(天下). 천지간(天地間).
[寰球 환구] 지구(地球) 전체.
[寰內 환내] ㉠천자(天子) 직할(直轄)의 영지(領地). 기내(畿內). ㉡천하(天下). 세계(世界).
[寰域 환역] 환구(寰區).
[寰埏 환연] 천지(天地)의 끝. 세계의 끝.
[寰瀛 환영] 신선(神仙)이 사는 땅.
[寰宇 환우] 천하(天下). 세계(世界).
[寰甸 환전] 천자의 직할 영토(直轄領土).
[寰海 환해] 천하(天下). 세계(世界).
●區寰. 仙寰. 瀛寰. 宇寰. 人寰. 塵寰.

[褰] 〔건〕
衣部 十畫(p. 2074)을 보라.

[憲] 〔헌〕
心部 十二畫(p. 815)을 보라.

13/16 [寯] 人名 준 ㉱震 祖峻切 jùn

字解 ①모을 준, 모일 준 '一, 聚也'《廣雅》. ②재주 준 뛰어남. '一, 才雋也'《玉篇》.

14/17 [瘱] 예 ㉸霽 研計切 yì

字解 ①잠꼬대 예 囈(口部 十九畫)와 同字. '不得寢必且一'《莊子》. ②놀랄 예 '一, 驚也'《集韻》.
字源 篆文 瘱 形聲. 㜪〈省〉+臬〔音〕

[謇] 〔건〕
言部 十畫(p. 2150)을 보라.

[蹇] 〔건〕
足部 十畫(p. 2243)을 보라.

[賽] 〔새〕
貝部 十畫(p. 2206)을 보라.

16/19 [寵] 人名 총 ㉠腫 丑隴切 chǒng

筆順 宀 宀 宀 宀 宀 宀 寵 寵

字解 ①괼 총 사랑함. '一愛'. '一綏四方'《書經》. ②괴 총 총애. 은혜. '恩一'. '天一'. '啓一納侮'《書經》. 또 군주에게 괴를 받는 사람. 특히, 후궁(後宮). '齊公好內, 多內一'《左傳》. ③영화 총 영예. '一辱'. '其一大矣'《國語》. ④숭상할 총 '一神其祖'《國語》. ⑤얻을 총 명성 따위를 얻음. '一辱若驚'《老子》. ⑥성 총 성(姓)의 하나.
字源 金文 寵 篆文 寵 會意. 宀+龍. '宀면'은 '집'의 뜻. '龍용'은 상상의 동물. 용신(龍神)을 모신 집, 존귀한 주거(住居)의 뜻에서, '숭상하다, 공경하다'의 뜻을 나타냄.

[寵嘉 총가] 돌보아 귀여워함.
[寵顧 총고] 총권(寵眷). 　　　　　　'寵'.
[寵光 총광] 군주의 총애. 군주의 은덕. 군총(君寵).
[寵眷 총권] 귀여워하여 돌봄.
[寵給 총급] 총애하여 급여함. 귀여워하여 줌.
[寵待 총대] 총애하여 대우함.
[寵靈 총령] ㉠임금의 두터운 은총(恩寵). ㉡덕택. 은혜.
[寵祿 총록] 총애하여 많은 녹(祿)을 내림. 또, 특히 많은 녹.
[寵利 총리] 은총과 이록(利祿). 특별한 총애.
[寵命 총명] 총애하여 내리는 칙명(勅命).
[寵賜 총사] 총애하여 물건을 줌. 또, 그 물건.
[寵賞 총상] 특별히 사랑하여 주는 후한 상.
[寵錫 총석] 총애하여 물건을 줌. 또, 그 물건.
[寵綏 총수] 사랑하여 편안하게 함.
[寵臣 총신] 총애를 받는 신하.
[寵兒 총아] ㉠특별한 괴를 받는 아들. ㉡행운아.
[寵愛 총애] 특별히 귀엽게 여겨 사랑함.
[寵養 총양] 총애하여 기름.
[寵辱 총욕] 영예(榮譽)와 모욕.
[寵用 총용] 총애해서 임용함.
[寵遇 총우] 은총(恩寵)이 두터운 대우.
[寵恩 총은] ㉠총애하는 은혜. ㉡천자(天子)의 은덕(恩德).
[寵異 총이] 특별히 총애함.

[寵任 총임] 총애하고 신임함.
[寵子 총자] 특별히 굄을 받는 아들.
[寵獎 총장] 총애하여 이끌어 도와줌.
[寵秩 총질] 특별히 사랑하여 끌어올려 관직을 줌.
[寵妾 총첩] 총애(寵愛)를 받는 첩. 총희(寵姬).
[寵招 총초] 남의 초대(招待)의 경칭(敬稱).
[寵擢 총탁] 특히 사랑하여 발탁(拔擢)함.
[寵嬖 총폐] 폐신(嬖臣).
[寵幸 총행] 총애(寵愛).
[寵厚 총후] 두터이 대우함. 특별히 총애함.
[寵姬 총희] 총애를 받는 계집. 애첩(愛妾).
● 敬寵. 過寵. 光寵. 權寵. 貴寵. 內寵. 盛寵.
殊寵. 愛寵. 榮寵. 優寵. 隆寵. 恩寵. 慈寵.
尊寵. 天寵. 親寵. 嬖寵.

16
⑲ **竅** 국 ⑧屋 居六切 jū
字解 다할 국 '一, 說文, 窮也'《廣韻》.
字源 形聲. 宀＋竅[音].

16
⑲ **寶** 寶(次條)의 俗字

17
⑳ **寶** 高人 보 ⑪晧 博抱切 bǎo　　宝寶
筆順 宀 宀 宀 宁 宇 寶 寶 寶
字解 ①보배 보. 보물. '一庫'. '一者, 玉物之凡名'《公羊傳》. ㉠소중한 사물. '惟善以爲一'《大學》. ㉡화폐. 돈. '更作金銀龜貝錢布之品, 名曰一貨'《漢書》. ㉢몸. 신체(身體). '輕敵幾喪吾一'《老子》. ㉣자식. 자녀. '今人愛惜其子, 每呼之曰一'《留靑日札》. ②보배로여길 보. 소중히 여김. '所一惟賢'《書經》. ③옥새 보 제왕의 인. 전(轉)하여, 천자(天子)에 관한 사물(事物)의 관칭(冠稱)으로 쓰임. '一算'. '一祚'. ④성보 성(姓)의 하나.
字源 形聲. 宀＋玉＋貝＋缶[音]. 집 안에 보석과 화폐와 배가 부른 독이 있는 모양으로, '缶부'는 독의 뜻을 나타냄과 동시에, 잔뜩 부품의 뜻이나, '保보'와 통하여 '보유(保有)함'의 뜻을 나타냄. 일반적으로, '보배·재보(財寶)'의 뜻을 나타냄.
參考 宝(宀部 五畫)·寶(前條)는 俗字.

[寶駕 보가] 천자가 타는 수레.
[寶鑑 보감] ㉠귀한 거울. 보물의 거울. ㉡모범이 될 만한 사물(事物).
[寶匣 보갑] 보옥(寶玉)으로 꾸민 화려한 상자.
[寶蓋 보개] 귀한 사람이 타는 수레에 비치한 일산(日傘). 곧, 천개(天蓋)의 미칭(美稱).
[寶劍 보검] 보배로운 칼. 귀중한 칼.
[寶鏡 보경] 보물의 거울. 귀한 거울.
[寶戒 보계] ㉠귀중한 경계(警戒). ㉡《佛敎》계율(戒律)의 경칭(敬稱).
[寶庫 보고] ㉠귀중한 재물(財物)을 쌓아 두는 곳집. ㉡물자가 많이 산출되는 땅.
[寶冠 보관] 주옥(珠玉)으로 장식한 관(冠).
[寶器 보기] 보물(寶物).
[寶帶 보대] 보옥(寶玉)으로 장식한 훌륭한 띠.
[寶刀 보도] 귀중한 칼. 보배로운 칼.

[寶齡 보령] 임금의 나이.
[寶命 보명] 하늘의 명령. 상제(上帝)의 명령.
[寶物 보물] 보배로운 물건.
[寶坊 보방] 절. 사찰(寺刹).
[寶算 보산] 천자(天子)의 나이. 성수(聖壽).
[寶璽 보새] 천자(天子)의 도장.
[寶書 보서] ㉠천자의 도장이 찍힌 문서. ㉡귀중한 책. ㉢대대로 전해 오는 경계가 될 만한 책이라는 뜻으로, 역사서(歷史書)를 이름.
[寶石 보석] 귀중한 옥돌.
[寶惜 보석] 보배처럼 아낌. 대단히 소중히 여김.
[寶扇 보선] 훌륭한 부채. 아름다운 부채.
[寶臣 보신] 보배로운 신하. 극히 소중한 신하.
[寶案 보안] 임금의 보물을 올려놓는 받침.
[寶鴨 보압] 좋은 향로(香爐). 옛날 향로는 오리 모양이었음.
[寶愛 보애] 보배로 여겨 사랑함. 소중히 여김.
[寶玉 보옥] 귀중한 옥. 보석(寶石).
[寶用 보용] 보배처럼 소중히 씀.
[寶位 보위] 천자(天子)의 자리. 제위(帝位).
[寶藏 보장] ㉠보배와 같이 소중(所重)하게 보관함. ㉡보고(寶庫).
[寶財 보재] 보화(寶貨).
[寶典 보전] 보배로 삼을 만한 귀중한 책.
[寶祚 보조] 천자의 자리. 제위(帝位).
[寶座 보좌] ㉠천자(天子)의 자리. 제위(帝位). ㉡《佛敎》불좌(佛座).
[寶珠 보주] 귀중한 구슬.
[寶地 보지] ㉠훌륭한 좋은 땅. ㉡《佛敎》절이 있는 땅.
[寶釵 보차] 훌륭한 비녀.
[寶刹 보찰] 절. 사찰(寺刹).
[寶唾 보타] ㉠침(唾)의 미칭(美稱). ㉡가구(佳句) 또는 명언(名言).
[寶鐸 보탁] 《佛敎》당(堂)이나 탑(塔)의 네 귀퉁이에 걸려 있는 큰 방울.
[寶塔 보탑] ㉠불탑(佛塔)의 경칭(敬稱). ㉡예술적 가치가 많은 탑.
[寶榻 보탑] 보좌(寶座).
[寶貝 보패] 보배.
[寶篋 보협] ㉠소중한 상자. 보배를 넣어 두는 상자. ㉡나라를 다스리는 지위.
[寶化 보화] 천자의 교화(敎化). 천자의 은혜. 천은(天恩).
[寶貨 보화] 귀중한 재화(財貨). 보물(寶物).
[寶貨難售 보화난수] 보물은 값이 비싸 잘 팔리지 않는다는 뜻으로, 뛰어난 인물은 잘 쓰여지지 않음을 비유하는 말.
[寶訓 보훈] 보배로 삼을 만한 훈계.
● 佳寶. 家寶. 古寶. 國寶. 大寶. 萬寶. 名寶. 墨寶. 祕寶. 史寶. 三寶. 神寶. 元寶. 遺寶. 異寶. 財寶. 傳國寶. 重寶. 至寶. 珍寶. 尺璧非寶. 天寶. 七寶. 通寶. 貨寶.

18
㉑ **寢** [몽] 夢(夕部 十一畫〈p.483〉)과 同字

19
㉒ **寢** 계 ㊀寘 其季切 jì
字解 잠깊이들 계 숙면(熟眠)함. '一, 執寐也'《說文》.
字源 形聲. 寢〈省〉＋水[音].

寸 (3획) 部
[마디촌부]

0 ③ [寸] 中人 촌 ㊀願 倉困切 cùn

[筆順] 一 十 寸

[字解] ①치 촌 한 치. 1자의 10분의 1. '尺一'. '布指知一'《孔子家語》. 전(轉)하여, 근소·약간 등의 뜻으로 쓰임. '乃惜一陰'《晉書》. ②성 촌 성(姓)의 하나. ③《韓》촌수 촌 혈족(血族)의 세수(世數)를 세는 말. '三一'·'四一'.

[字源] 篆文 指事. 오른손 손목에 엄지손가락을 대어 맥을 짚는 모양에서, '재다'의 뜻을 나타냄. 또, 그 엄지손가락의 길이만큼의 길이, 1척(尺)의 10분의 1의 단위도 나타냄.

[參考] 부수(部首)로서 '마디촌'이라 이르며, 손의 동작을 나타내는 문자를 이룸.

[寸暇 촌가] 얼마 안 되는 겨를.
[寸刻 촌각] 촌음(寸陰).
[寸功 촌공] 작은 공로(功勞).
[寸口 촌구] 손목의 맥(脈)을 보는 곳.
[寸晷 촌구] 촌음(寸陰).
[寸隙 촌극] ㉠조그마한 틈. ㉡얼마 안 되는 겨를.
[寸劇 촌극] 아주 짧은 연극.
[寸內 촌내]《韓》십촌(十寸) 이내(以內)의 일가(一家).
[寸斷 촌단] 짤막짤막하게 여러 토막으로 끊음.
[寸牘 촌독] 촌저(寸楮).
[寸量銖稱 촌량수칭] 한 치의 길이, 한 수(銖)의 무게도 재고 닮. 곧, 작은 일까지 조사함.
[寸祿 촌록] 적은 녹봉(祿俸).
[寸馬豆人 촌마두인] 먼 곳에 있는 인마(人馬)가 작게 보임을 형용하는 말.
[寸白蟲 촌백충] 촌충(寸蟲).
[寸碧 촌벽] 구름 사이로 조금 나타난 푸른 하늘.
[寸步 촌보] 몇 발자국 안 되는 걸음. 또, 조금 걸음.
[寸謝 촌사] 겨우 뜻만 표하는 약소한 사례의 예물(禮物). 박사(薄謝).
[寸絲不挂 촌사불괘] 옷을 하나도 몸에 걸치지 않았다는 뜻으로, 아무 은폐(隱蔽) 없이 본래의 면목(面目)을 노출함을 이름.
[寸善 촌선] 대단찮은 착한 일.
[寸誠 촌성] 얼마 안 되는 성의(誠意). 곧, 자기의 성심(誠心)의 겸칭(謙稱).
[寸數 촌수]《韓》친족(親族) 사이의 멀고 가까운 관계.
[寸心 촌심] 방촌(方寸)의 마음. 마음.
[寸裂 촌열] 갈가리 찢음.
[寸外 촌외]《韓》먼 겨레붙이.
[寸陰 촌음] 썩 짧은 시간(時間).
[寸陰若歲 촌음약세] 아주 짧은 시간도 일 년 같다는 뜻으로, 대단히 초조하게 기다림을 이름. 일각여삼추(一刻如三秋). 일일삼추(一日三秋).
[寸意 촌의] 약소한 뜻. 전(轉)하여, 자기의 뜻의

겸칭(謙稱).
[寸長 촌장] 조그마한 장처(長處).
[寸楮 촌저] 썩 짧은 편지(便紙).
[寸田 촌전] ㉠조그마한 전지(田地). ㉡마음〔心〕의 비유(譬喩).
[寸田尺宅 촌전척택] ㉠미간(眉間)과 안면(顏面). ㉡얼마 안 되는 전토(田土).
[寸情 촌정] 촌지(寸志).
[寸地 촌지] 촌토(寸土).
[寸志 촌지] ㉠촌심(寸心). ㉡약소한 뜻이란 말로, 자기의 증정물(贈呈物)의 겸칭(謙稱).
[寸紙 촌지] 자그마한 종이쪽지. ㉡촌저(寸楮).
[寸進尺退 촌진척퇴] ㉠진보(進步)는 적고 퇴보(退步)는 많음. ㉡얻는 것은 적고 잃은 것은 많음. 「楮」
[寸札 촌찰] ㉠글씨를 쓴 작은 쪽지. ㉡촌저(寸
[寸鐵 촌철] 썩 짧은 칼·창 등의 무기.
[寸鐵殺人 촌철살인] 한 치밖에 안 되는 짤막한 칼로 살인한다는 뜻으로, 짤막한 경구(警句)로 사람의 마음을 찌름을 이름.
[寸寸 촌촌] ㉠한 치씩. ㉡조각조각. ㉡조금씩.
[寸忠 촌충] 작은 충성(忠誠). 또, 자기의 충성의 겸칭.
[寸衷 촌충] ㉠촌성(寸誠). ㉡촌심(寸心).
[寸蟲 촌충] 편형동물(扁形動物)에 속하는 기생충(寄生蟲). 척추동물의 창자에 기생함. 갈고리촌충·왜소조충·민촌충 등이 있음. 촌백충(寸白蟲).
[寸土 촌토] 얼마 안 되는 땅. 척토(尺土).
[寸閑 촌한] 촌가(寸暇).
● 徑寸. 方寸. 膚寸. 分寸. 銖寸. 一寸. 尺寸. 火寸.

2 ⑤ [対] 〔대〕對(寸部 十一畫〈p.609〉)의 俗字·簡體字

3 ⑥ [寺] 中人 ㊀ 사 ㊀實 祥吏切 sì / ㊁ 시 ㊀實 祥吏切 sì

[筆順] 一 十 土 寺 寺 寺

[字解] ㊀ ①마을 사 관아(官衙). '一署'. '城郭官一'《漢書》. ②절 사 중이 있는 곳. '一院'. '幸一捨身'《南史》. ㊁ ①내시 시 환관(宦官). '一人'. '時維婦一'《詩經》. ②모실 시 侍(人部 六畫)와 同字.

[字源] 金文 篆文 形聲. 寸+屮〔音〕. '寸촌'은 '법도(法度)'의 뜻. '屮지'는 '止지'와 통하여, '멈추다'의 뜻. 법에 따라 일을 보기 위하여 벼슬아치가 머물러 있는 곳, '관청'의 뜻. 일설(一說)에는, '寸'은 '손'의 뜻, '屮'는 '가다'의 뜻, 손을 움직여 일하는 곳의 뜻으로 봄.

[寺格 사격] 절의 격식(格式). 절의 본산(本山)·별원(別院)·말사(末寺) 등으로 구별된 지위.
[寺觀 사관] 불사(佛寺)와 도관(道觀). 중이 사는 곳과 도사(道士)가 사는 곳.
[寺門 사문] ㉠절의 문. 산문(山門). ㉡절. 사원(寺院).
[寺署 사서] 마을. 관아(官衙).
[寺院 사원] 절.
[寺田 사전] 절에 딸린 밭.
[寺址 사지] 절터.

[寺剎 사찰] 절.
[寺塔 사탑] 절의 탑.
[寺人 시인] ㉠임금의 곁에서 모시는 소신(小臣). 시인(侍人). ㉡후궁(後宮)의 일을 맡은 사람. 내시(內侍). 환관(宦官).
◉古寺. 官寺. 光祿寺. 大理寺. 大府寺. 末寺. 本寺. 府寺. 北寺. 佛寺. 司農寺. 司僕寺. 社寺. 山寺. 僧寺. 庵寺. 閹寺. 靈寺. 遠寺. 宗正寺. 太僕寺. 太常寺. 廢寺. 閽寺. 鴻臚寺. 宦寺.

3 ⑥ [寻] 〔심〕 尋(寸部 九畫〈p. 608〉)의 簡體字

3 ⑥ [导] 〔도〕 導(寸部 十三畫〈p. 610〉)의 簡體字

4 ⑦ [对] 〔대〕 對(寸部 十一畫〈p. 609〉)의 俗字

4 ⑦ [寿] 〔수〕壽(士部 十一畫〈p. 475〉)의 俗字·簡體字

5 ⑧ [㝵] ㊀ 애 ㊋隊 五漑切 ài
㊁ 득 ㊇職 多則切 dé

字解 ㊀ 막을 애 방해함. '一, 釋典云, 无㝵也'《廣韻》. ㊁ 취할 득 㝵(寸部 七畫)과 同字. '㝵, 說文, 取也. 今作—'《廣韻》.

5 ⑧ [叵] 파 ㊤哿 普火切 pǒ

字解 못할 파 할 수 없음. 叵(口部 二畫)와 同字. '一耐無禮, 戱弄下官'《水滸傳》.

6 ⑨ [尀] 〔내〕 耐(而部 三畫〈p. 1818〉)와 同字

6 ⑨ [封] 高·人 봉 ㊥冬 府容切 fēng 

筆順 一 十 土 圭 丰 圭 封 封

字解 ①봉할 봉 ㉠토지를 주어 제후(諸侯)로 삼음. '以此一若'《史記》. 또, 그 토지. '往卽乃一'《書經》. '益一二千戶'《史記》. ㉡단단히 붙임. '一緘'. '流淚而一之'《漢書》. 또, 붙인 곳에 표시함. '一以御史大夫印'《漢書》. ②흙더미쌓을 봉 하늘에 제사 지내기 위하여 산 위에 흙을 높이 쌓음. '一土'. '爲丘一之度與樹數'《周禮》. ③북돋울 봉 배토(培土)함. 전(轉)하여, 배양(培養)함. '一殖越國'《國語》. ④클 봉 거대함. '一豕長蛇'《左傳》. ⑤지경 봉 강계(疆界). '一界'. '婦人非三年之喪, 不踰一而弔'《禮記》. ⑥봉사(封祀) 봉 흙을 쌓아 올리고 하늘에 지내는 제사. '一禪'. '一十有二山'《書經》. ⑦무덤 봉 뫼. '馬鬣一'. '一, 冢也'《廣雅》. ⑧편지 봉 봉한 편지. '領尙書者先發副一'《漢書》. ⑨부자 봉 요부(饒富)함. '素一'. ⑩성 봉 성(姓)의 하나.

字源 甲骨文  金文  篆文  古文  會意. 㞢＋土＋寸. 甲骨文은 우거진 식물을 본뜬 모양인데, 金文부터는 지상(地上)에 식물을 손으로 심는 모양을 나타내는 자체(字體)로 되었음. 경계(境界)에 식물을 심는 뜻에서, 경계, 경계를 정하여 영토를 주어 제후(諸侯)로 삼음의 뜻을 나타냄.

[封疆 봉강] ㉠제후(諸侯)를 봉(封)한 땅. ㉡국경(國境).
[封建 봉건] 제후(諸侯)를 봉하여 나라를 세우게 하고, 천자(天子)의 명령·감독 밑에서 그 국내를 다스리게 함.
[封建時代 봉건시대] 봉건 제도(封建制度)가 행하여진 시대(時代).
[封建制度 봉건제도] 한 군주(君主) 아래에서 귀족들이 봉강(封疆)을 세습(世襲)으로 받아 제후(諸侯)가 되어 그 관내의 정치를 전제(專制)하는 제도.
[封境 봉경] 흙을 쌓아 올려 표한 국경(國境).
[封界 봉계] 국경(國境).
[封庫罷職 봉고파직] 《韓》 어사(御史) 혹은 감사(監司)가 악정(惡政)을 행하는 수령(守令)을 면직(免職)시키고, 그 관고(官庫)를 봉쇄하는 일.
[封裹 봉과] 물건을 싸서 봉함.
[封君 봉군] 봉토(封土)가 있는 사람. 곧, 제후(諸侯).
[封內 봉내] 영지(領地)의 안.
[封蠟 봉랍] 편지·포장물·병 따위를 봉하여 붙이는 데 쓰는 수지(樹脂).
[封祿 봉록] 봉(封)하여 주는 녹(祿).
[封墓 봉묘] 봉분(封墳)을 함. 또, 봉분을 한 묘(墓).
[封物 봉물] 선사로 봉(封)하여 보내는 물건.
[封彌 봉미] 송(宋)나라 때에 과거(科擧)의 공평(公平)을 기하기 위하여 수험자(受驗者)의 이름을 풀로 봉해서 누구의 것인지 모르게 하여 답안(答案)을 내게 한 일.
[封靡 봉미] 이(利)를 독점하고 사(私)를 행하며 교만 방자함.
[封拜 봉배] 제후(諸侯)를 봉함.
[封墳 봉분] 무덤 위에 흙을 쌓아 높게 만듦. 또, 그 흙더미.
[封妃 봉비] 왕비(王妃)를 봉(封)함.
[封事 봉사] 남에게 누설(漏洩)되지 않도록 밀봉(密封)하여 천자에게 바치는 서장(書狀).
[封祀 봉사] 흙을 쌓아 올리고 하느님에게 제사 지냄.
[封上 봉상] 임금에게 물건을 봉(封)하여 바침.
[封書 봉서] 겉봉을 봉한 편지(便紙).
[封禪 봉선] 봉토(封土)를 쌓아 하느님에게 제사 지내며, 땅을 깨끗이 쓸고 산천(山川)에 제사 지내는 일.
[封送 봉송] 물건을 싸서 보냄.
[封鎖 봉쇄] ㉠봉하여 닫음. 닫고 봉함. ㉡병력(兵力)으로 상대국의 해상 교통(海上交通)을 막음.
[封豕 봉시] 큰 돼지.
[封豕長蛇 봉시장사] 큰 돼지와 긴 뱀. 욕심 많고 강포(強暴)한 자의 비유.
[封植 봉식] 영지(領地)를 주고 제후(諸侯)로 봉함.
[封殖 봉식] 초목을 북돋우어 길러 증식(增殖)함. 전(轉)하여, 국력(國力)을 양성함.
[封神 봉신] 흙을 모아 단(壇)을 쌓고 신을 모심.
[封域 봉역] ㉠봉지(封地)의 경계. ㉡봉지(封地).
[封戎 봉융] 흩어져 어지러운 모양. 산란한 모양.
[封人 봉인] 봉역(封域)을 맡은 벼슬아치. 국경을 지키는 벼슬아치.

[封印 봉인] ㉠봉한 자리에 인장을 찍음. 또, 그 인발. ㉡관아(官衙)에서 일시 휴가로 공사(公事)를 취급하지 않음.
[封爵 봉작] ㉠제후(諸侯)를 봉(封)하고 작위(爵位)를 수여함. ㉡영지(領地)와 관작(官爵). ㉢《韓》의빈(儀賓)·내명부(內命婦)·외명부(外命婦) 등을 봉함.
[封章 봉장] 단단히 봉해 상소(上疏)함. 또, 그 상소(上疏).
[封藏 봉장] 봉해 감춤. 봉해 둠.
[封傳 봉전] 관문(關門) 통행의 부신(符信).
[封奏 봉주] 봉하여 상주(上奏)함. 또, 그 상주문(上奏文).
[封地 봉지] 제후(諸侯)의 영토(領土).
[封紙 봉지] 종이 주머니.
[封畛 봉진] 두둑.
[封垤 봉질] 개밋둑. 봉혈(封穴).
[封窓 봉창] ㉠창문을 봉함. ㉡봉한 창문. ㉢벽에 구멍을 내고 종이로 발라 놓은 창.
[封采 봉채] 《韓》혼인(婚姻) 전날 신랑(新郞) 집에서 신부(新婦) 집에 채단(采緞)과 예장(禮狀)을 보내는 일.
[封築 봉축] 무덤을 만들려고 흙을 쌓아 올림.
[封置 봉치] 봉(封)하여 둠.
[封土 봉토] ㉠봉사(封祀)를 지내기 위하여 산에 흙을 높이 쌓은 것. ㉡봉지(封地).
[封筒 봉통] 봉투(封套).
[封套 봉투] 편지(便紙) 같은 것을 써서 넣고 봉(封)하는 종이 주머니.
[封標 봉표] 봉분(封墳)을 하고 세우는 표.
[封皮 봉피] 물건을 싼 종이.
[封緘 봉함] 봉함. 붙임. 또, 그 자리.
[封合 봉합] 봉하여 붙임.
[封穴 봉혈] 개밋둑. 의총(蟻塚).
[封還 봉환] 사표(辭表) 따위를 수리하지 않고 그대로 돌려보냄.
[封侯 봉후] 제후(諸侯)를 봉(封) 함.
[封堠 봉후] 길에 이수(里數)를 표하기 위하여 쌓아 올린 돈대(墩臺).
●開封. 丘封. 畿封. 同封. 密封. 素封. 襲封. 嚴封. 蟻封. 作封. 爵封. 提封. 追封. 函封. 緘封.

[耐]〔내〕
而部 三畫(p.1818)을 보라.

7/⑩ [射]〔中/入〕

一	㉚禡 神夜切 shè
二	㉚禡 羊謝切 yè
三	㉘陌 食亦切 shí
四	㉘陌 羊益切 yì

筆順 ´ 亻 勺 自 身 身 射 射

字解 ■ ①쏠 사 활·총 같은 것을 쏨. '一擊'. '孔子─於矍相之圃'《禮記》. 또, 쏘는 일. 사술(射術). '一者男子之事也'《禮記》. 전(轉)하여, 쏜살같이 나가는 뜻으로 쓰임. '注─'. '噴─'. '奔泉各激─'《鮑照》. ②성 사 성(姓)의 하나. ■ ①벼슬이름 야 '僕─'는 진(秦)나라 때 처음 둔 벼슬. 본시 활 쏘는 일을 맡았으나, 당(唐)나라 이후에는 상서(尙書)의 다음 벼슬로 되어 실권(實權)을 장악하였으므로 사실상의 재상(宰相)이었음. ②산이름 야 '姑─山'은 신산(神山)의 이름. ■ 맞힐 석 ㉠활을 쏘아 적중(的

中)시킴. '一中漢王'《史記》. ㉡은폐한 것을 알아맞힘. '管仲之─隱不得也'《韓非子》. ㉢명중함. '與人談言口睡一人'《論衡》. 四 ①싫어할 역 염오함. '無─於人斯'《詩經》. ②율이름 역 '無一'은 율명(律名). 십이율(十二律)의 하나.

字源 [甲骨文 金文 古文 篆文] 象形. 甲骨文·金文은 활시위에 화살을 메기는 꼴을 본떠, '쏘다'의 뜻을 나타냄. 篆文은 身+寸의 會意. '身신'은 金文의 활과 화살의 변형. '寸촌'은 '손'의 뜻.

[射角 사각] 탄알을 발사할 때 총신이나 포신이 수평면과 이루는 각.
[射干 사간] ㉠과녁을 쏨. ㉡붓꽃과에 속하는 다년초(多年草). 뿌리는 하제(下劑)로 씀. 범부채. ㉢여우 비슷한, 나무를 잘 타는 짐승.
[射擊 사격] 활·총(銃) 등으로 화살·탄환(彈丸) 등을 발사(發射)함.
[射界 사계] 쏜 탄알이 미치는 범위.
[射工 사공] 날도랫과에 속하는 곤충의 유충(幼蟲). 독기(毒氣)가 있어 모래를 머금었다가 사람을 쏘면 종기(腫氣)가 생긴다고 전해 옴. 물여우. 단호(短狐). 사영(射影).
[射毬 사구] 한 사람이 앞에서 말을 타고 끌고 가는 모구(毛毬)를 여러 사람이 말을 타고 달리면서 쏘아 맞히는 옛날 운동.
[射器 사기] 활과 화살. 궁시(弓矢).
[射獵 사렵] 활로 하는 사냥.
[射利 사리] 요행으로 이곳을 얻으려고 노림.
[射法 사법] 활을 쏘는 법.
[射殺 사살] 쏘아 죽임.
[射石爲虎 사석위호] 이광(李廣)이 돌을 범으로 잘못 보고 쏜 화살이 깊숙이 돌을 뚫고 들어가 박힌 고사(故事).
[射手 사수] ㉠활 또는 총을 쏘는 사람. ㉡성좌(星座) 이름. 십이궁(十二宮)의 하나. 육안(肉眼)으로 볼 수 있는 별이 백오십가량 있음.
[射術 사술] 사법(射法).
[射御 사어] 활쏘기와 말 타기.
[射影 사영] 사공(射工).
[射藝 사예] 활 쏘는 기술(技術).
[射人先射馬 사인선사마] 말 탄 사람을 쏘려면 먼저 그 말을 쏜다는 뜻으로, 적(敵)을 격파하려면 먼저 그 근거지를 빼앗음의 비유.
[射雀屛而中目 사작병이중목] 당(唐)나라의 고조(高祖)가 병풍에 그린 공작(孔雀)의 두 눈을 쏘아 맞히고 아내를 얻은 고사(故事).
[射場 사장] 활쏘기를 연습하는 곳. 활터.
[射的 사적] 과녁.
[射殿 사전] 대궐 안에 있는 활터.
[射亭 사정] 활터에 세운 정자(亭子). 「쏨.
[射精 사정] 성교(性交)에서 정액을 반사적으로
[射鵰手 사조수] 수리를 쏘아 맞힐 수 있는 일류의 명사수(名射手).
[射策 사책] 경서(經書)의 의의(疑義) 또는 시무책(時務策)에 관한 여러 문제를 여러 개의 댓조각에 하나씩 써서 늘어놓고, 응시자(應試者)로 하여금 하나씩 쏘아 맞히게 하고, 그 댓조각에 나온 문제에 대하여 답안을 쓰도록 하는 과거(科擧).
[射出 사출] ㉠쏘아 내보냄. 발사(發射)함. ㉡한 점(點)에서 방사상(放射狀)으로 나감.
[射風 사풍] 《韓》활량들 사이의 풍습(風習).

[射倖 사행] 우연(偶然)한 이익(利益)을 얻고자 함. 요행을 노림.
[射倖心 사행심] 우연(偶然)한 이익(利益)을 얻고자 하는 마음. 요행을 노리는 마음.
[射鄕 사향] 향사(鄕射)와 향음주(鄕飮酒).
[射侯 사후] 화살을 쏘는 과녁. 후(侯)는 사방 열 자〔尺〕인 방형(方形)의 과녁.
[射覆 석복] 덮어 가린 물건을 알아맞히는 유희.
[射覆 석부] 석복(射覆).
[射中 석중] ㉠쏘아 맞힘. ㉡숨긴 것을 알아맞힘.
◉戈射. 騎射. 亂射. 大射. 鳴射. 藐姑射. 無射. 博射. 反射. 發射. 放射. 僕射. 賓射. 掃射. 速射. 暗射. 燕射. 艷射. 獵射. 戰射. 照射. 拙射. 注射. 直射. 逐射. 馳射. 彈射. 投射. 鬪射. 鄕射. 火射. 戲射.

7 ⑩ [尃] [一] 부 [平]虞 芳無切 fū
[二] 포 [去]遇 博故切 bù

[字解] [一] 펼 부 깖. 또, 깔림. 敷(攴部 十一畫)와 同字. '一, 布也'《說文》. '雲一霧散'《史記》. [二] 널리 포 널리 미침. 또, 미치게 함. 佈(人部 五畫)와 同字. '一, 徧也'《玉篇》.
[字源] 金文  篆文  形聲. 寸+甫〔音〕. '甫보'는 논의 볏모의 뜻. 볏모를 나란히 깔듯 심어 놓다의 뜻에서, '널리 펴다, 깔다'의 뜻을 나타냄.

7 ⑩ [㝵] 득 [入]職 多則切 dé

[字解] 취할 득 㝵(寸部 五畫)과 同字. 得(彳部 八畫)의 古字. '一, 取也'《說文》.
[字源] 會意. 見+寸

7 ⑩ [尅] 〔극〕
剋(刀部 七畫〈p. 257〉)과 同字

7 ⑩ [将] 〔장〕
將(寸部 八畫〈p. 605〉)의 俗字

[辱] 〔욕〕
辰部 三畫(p. 2285)을 보라.

7 ⑩ [𡬶] [一] 〔애〕导(寸部 五畫〈p. 603〉)와 同字
[二] 〔득〕得(彳部 八畫〈p. 745〉)의 古字

8 ⑪ [尉] [人名] [一] 위 [去]未 於胃切 wèi
[二] 울 [入]物 紆物切 yù

[筆順] 

[字解] [一] ①편안히할 위 눌러 안정하게 함. 위안함. '以一士大夫心'《漢書》. ②벼슬이름 위 병사(兵事) 또는 형옥(刑獄)을 맡은 벼슬. '廷一'. '大一'. '大縣兩一, 長安四一'《漢官儀》. ③문안드릴 위 '一, 候也'《廣韻》. ④성 위 성(姓)의 하나. [二] ①다리미 울, 다림질할 울 熨(火部 十一畫)의 本字. '火斗曰一'《風俗通》. ②성 울 '一遲'는 복성(複姓)의 하나. 또, '一繚'는 주대(周代)의 병법가(兵法家).
[字源] 篆文  會意. 𡰥+又+火. '𡰥이'는 다리미를 본뜬 모양. 불에 달군 다리미를 손에 든 모양에서, '다리미'의 뜻을 나타냄. 또, 다리미질하여 주름을 펴다, 전하여, 주름처럼 움츠러든 마음을 펴다, 위안하다의 뜻도 나타냄.

[尉斗 울두] 다리미. 인두.
[尉繚 울료] 전국 시대(戰國時代)의 병법가(兵法家). 혹은 위(魏)나라 사람이라 하고, 혹은 제(齊)나라 귀곡자(鬼谷子)의 제자라 함. 〈울료자(尉繚子)〉는 그의 저서라 함.
[尉繚子 울료자] 울료(尉繚)가 지었다고 전하는 병서(兵書). 모두 1권 24편.
[尉官 위관] 육해공군의 대위·중위·소위.
[尉史 위사] 재판을 맡은 벼슬.
[尉氏 위씨] 사법(司法)·경찰(警察)을 관장하는 벼슬.
[尉薦 위천] 위로하여 어떤 지위에 천거(薦擧)함.
[尉佗 위타] 한(漢)나라 남월왕(南越王) 조타(趙佗)를 이름.
◉校尉. 壘尉. 大尉. 都尉. 少尉. 衛尉. 正尉. 廷尉. 准尉. 中尉.

8 ⑪ [將] [中] [人] 장 [去]漾 子亮切 jiàng
[平]陽 卽良切 jiāng
[平]陽 千羊切 qiāng
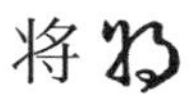

[筆順] 

[字解] ①장수 장 장군. '大一'. '斬一刈旗'《史記》. ②거느릴 장 인솔함. 통솔함. '一御'. '一軍擊趙'《史記》. ③장차 장 차차. 앞으로. '吾一仕矣'《論語》. ④청컨대 장 바라건대. '一子無怒'《詩經》. ⑤문득 장 전환(轉換)하는 말. 抑(手部 四畫)과 같은 뜻. '寧誅鋤草茆以力耕乎, 一遊大人以成名乎'《楚辭》. ⑥또 장 且(一部 四畫)와 같은 뜻. '一安一樂'《詩經》. ⑦기를 장 양육함. 또는 봉양함. '一養'. '不遑一母'《詩經》. ⑧도울 장 원조함. '補過一美'《史記》. ⑨보낼 장 '一迎'. '百兩一之'《詩經》. ⑩받들 장 봉승(奉承)함. '一順'. '湯孫之一'《詩經》. ⑪가질 장 잡아 가짐. 소지함. '一來'. '吏謹一之'《荀子》. ⑫행할 장 실행함. '奉一天罰'《書經》. ⑬나아갈 장 진보함. '日就月一'《詩經》. ⑭따를 장 복종함. '九夷賓一'《漢書》. ⑮갈 장 가 버림. '時幾一矣'《荀子》. ⑯동반할 장 같이 감. '鄭伯一王'《左傳》. ⑰클 장 '亦孔之一'《詩經》. ⑱장성(壯盛)할 장 '鮮我方一'《詩經》. ⑲길 장 '恐余壽不一'《宋玉》. ⑳써 장 以(人部 三畫)와 뜻이 같음. '蘇秦始一連橫說秦惠王'《戰國策》. ㉑이 장 此(止部 二畫)와 뜻이 같음. '一何事也'《左傳》. ㉒가 장 곁. '在渭之一'《詩經》. ㉓성 장 성(姓)의 하나.
[字源] 篆文 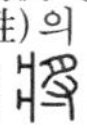 形聲. 寸+肉+爿〔音〕. '爿장'은 긴 조리대(調理臺)를 본뜬 모양. 고기를 조리하여 바침의 뜻. 신(神)에게 고기를 바치는 사람, 통솔자의 뜻도 나타냄.

[將計就計 장계취계] 상대편의 계략을 미리 알아채고 오히려 그것을 역이용(逆利用)하는 계교(計巧).
[將官 장관] 준장(准將) 이상의 무관(武官).
[將校 장교] ㉠군대(軍隊)의 지휘관(指揮官). ㉡육해공군의 소위(少尉) 이상의 무관.
[將軍 장군] ㉠일군(一軍)의 우두머리. ㉡장관(將官) 자리에 있는 사람.
[將軍木 장군목] 궁문(宮門)·성문(城門) 등을 닫고 가로지르는 큰 나무.

[將軍石 장군석] 무덤 앞에 세우는 돌로 만든 사람의 형상. 무석(武石).
[將軍箭 장군전] 쇠로 만든 화살. 쇠뇌에 장치하여 내쏨.
[將近 장근] 때가 가까워짐.
[將棋 장기] 《韓》 상기(象棋)와 비슷한데, 청(靑)·홍(紅) 두 진(陣)으로 구분하고, 각각 장(將)을 비롯하여 차(車)·포(包)·마(馬)·상(象)·사(士)·병(兵) 또는 졸(卒) 등의 말이 있어서 번갈아 말을 움직이어 장(將)을 공격하여 승부(勝負)를 다투는 놀이.
[將器 장기] 장수(將帥)가 될 만한 기국(器局).
[將帶 장대] 거느림. 인솔함.
[將臺 장대] 지휘(指揮)하는 사람이 올라서서 명령(命令)하는 대(臺).
[將來 장래] ㉠장차 돌아올 때. 미래(未來). ㉡가지고 옴.
[將略 장략] 장수(將帥)가 될 만한 지략(智略). 장수의 기국(器局).
[將令 장령] 장수(將帥)의 명령.
[將領 장령] 전군(全軍)을 통솔하는 대장(大將). 장수(將帥).
[將牢 장뢰] 견집(堅執)하여 움직이지 아니함. 고집(固執)함.
[將幕 장막] 장수와 그의 막료(幕僚).
[將命 장명] ㉠중간에 서서 전달함. 또, 그 사람. ㉡장수의 명령.
[將無同 장무동] 양자(兩者)가 결국 같은 것같이 생각됨. 〔안.
[將門 장문] 장수(將帥)의 가문(家門). 장군의 집
[將門必有將 장문필유장] 장군의 집안에는 자손 중에 반드시 장군이 될 인물이 나옴.
[將兵 장병] 장졸(將卒).
[將蜂 장봉] 여왕벌.
[將士 장사] 장졸(將卒).
[將相 장상] 장수(將帥)와 재상(宰相). 문무(文武)의 최고관.
[將相之器 장상지기] 장상(將相)이 될 만한 기국(器局). 장수 또는 재상이 될 만한 그릇.
[將星 장성] ㉠북두칠성(北斗七星)의 둘째 별. 하괴성(河魁星) ㉡장군(將軍)의 별칭(別稱). ㉢대장(大將)의 기상이 있다고 하는 별.
[將聖 장성] 거의 성인(聖人)에 가까움. 일설(一說)에는, 한 대(大)로 대성(大聖)이라 함.
[將星隕 장성운] 명장(名將)이 진중(陣中)에서 죽음. 삼국 시대(三國時代)에 제갈공명(諸葛孔明)이 오장원(五丈原)에서 병이 위중하였을 때 붉은빛의 큰 별이 그 진중(陣中)에 떨어졌는데, 그 후 얼마 안 되어 공명(孔明)이 죽었다는 고사(故事)에서 나온 말.
[將率 장솔] 전군(全軍)을 거느리는 대장(大將). 장수(將帥).
[將帥 장수] 전군(全軍)을 거느리는 사람. 군대의 우두머리.
[將順 장순] 뜻을 받들어 순종함. 승순(承順).
[將息 장식] 양생(養生)함.
[將臣 장신] 도성을 지키던 각 영문의 장수.
[將養 장양] 기름. 양육함.
[將御 장어] 거느려 통어함.
[將迎 장영] 보냄과 맞이함. 송영(送迎).
[將任 장임] 대장(大將)의 직임(職任).
[將作 장작] 진(秦)나라 때 궁전(宮殿)의 공사(工事)를 맡은 벼슬.

[將將 장장] ㉠모이는 모양. 모여드는 모양. ㉡옥(玉)이 울리는 소리. ㉢엄한 모양. 엄정(嚴正)한 모양. ㉣우뚝 솟은 모양. ㉤여러 대장(大將)을 잘 지휘 통솔함.
[將材 장재] 장수(將帥)가 될 만한 재간(材幹).
[將卒 장졸] 장수(將帥)와 병졸.
[將種 장종] 장수(將帥)의 집안의 자손(子孫).
[將佐 장좌] 부하의 장사(將士).
[將指 장지] ㉠가운뎃손가락. ㉡엄지발가락.
[將次 장차] 차차. 앞으로.
[將就 장취] 나날이 진보(進步)함. 일취월장(日就月將).
[將蝦釣鼈 장하조별] 새우로 자라를 낚음. 적은 밑천을 가지고 많은 이득(利得)을 보려고 함의 뜻.
●干將. 客將. 健將. 軍將. 老將. 大將. 代將. 猛將. 名將. 謀將. 武將. 邊將. 別將. 奉將. 部將. 副將. 飛將. 裨將. 上將. 世將. 少將. 宿將. 亞將. 良將. 勇將. 雄將. 熊虎將. 日就月將. 戰將. 主將. 准將. 中郎將. 中將. 智將. 次將. 虎將. 驍將.

8 ⑪ [尉] 〔경〕 京(亠部 六畫〈p. 87〉)과 同字

8 ⑪ [專] 高人 전 ㉠先 職緣切 zhuān 专 专

筆順 一 ㄱ ㅜ 币 叀 車 車 專 專

字解 ①오로지 전 오직 외곬으로. 전혀 또. 단독으로. '一念.' '一用.' '不能一對'《論語》. ②오로지할 전 ㉠독점함. '有喪者一席而坐'《禮記》. ㉡잡념(雜念)을 끊고 외곬으로 함. '不一心致志, 則不得也'《孟子》. ㉢자기 혼자 처리함. '爾一之'《禮記》. ㉢전일할 전 순일(純一)할 전. '其靜也一'《易經》. ④제멋대로할 전 전단(專斷)함. 또, 방자함. '一橫.' '祭仲一, 鄭伯患之'《左傳》. ⑤같을 전 같음. 또, 같게 함. '一, 齊也'《廣雅》. ⑥홑결 전 또, 홀로 할 전. '一, 單也'《廣韻》. ⑦성전 전 성(姓)의 하나.
字源 甲骨文 會意. 更+寸. '更전'은 실패의 象形. '寸촌'은 손을 본뜬 모양. 실을 실패에 감음의 뜻. 전(轉)하여, 하나의 축(軸)에 감아 집중시킴의 뜻에서, '오로지'의 뜻을 나타냄.

[專決 전결] 단독으로 결정함. 전단(專斷).
[專固 전고] 한 가지 일에만 열중하여 그것만을 굳게 지킴.
[專攻 전공] 전문적으로 연구함.
[專管 전관] 단독의 관할(管轄).
[專權 전권] 권력(權力)을 잡아 마음대로 함.
[專念 전념] 오로지 그 일에만 마음을 씀. 몰두(沒頭).
[專斷 전단] 마음대로 결단(決斷)함.
[專擔 전담] 혼자 담당함. 전문적으로 담당함.
[專對 전대] ㉠단독으로 응대함. 독대(獨對). ㉡타국에 사신 가서 군명(君命)을 완수함.
[專對之材 전대지재] 외국에 사신으로 가서 능히 응대할 만한 재간을 지닌 사람.
[專力 전력] 오로지 그 일에만 힘을 씀.
[專賣 전매] ㉠어떠한 물건을 혼자 맡아 놓고 팖. ㉡국고(國庫)의 수입을 목적으로 하는 정부(政

府)의 독점 사업 (獨占事業).

[專賣特許 전매특허] 전매 (專賣)하는 특허권 (特許權).

[專務 전무] 주로 어떤 사무만을 맡아 함.

[專門 전문] ㉠오로지 한 경서 (經書)만을 연구함. ㉡오로지 한 학과(學科) 또는 한 사업을 연구 또는 담당함.

[專房之寵 전방지총] 많은 비빈 (妃嬪) 가운데에서 어떤 한 사람만이 오로지 받는 군주 (君主)의 총애. 「者」

[專使 전사] 특별한 임무를 위해 보내는 사자 (使者).

[專殺 전살] 제 마음대로 죽임.

[專屬 전속] 오직 한 곳에만 속함.

[專修 전수] 오로지 그 일만을 닦음.

[專習 전습] 오로지 그 일만을 익힘.

[專心 전심] 마음을 오로지 한 곳에만 씀. 전념 (專念).

[專心一意 전심일의] 마음을 외곬으로 씀.

[專心致志 전심치지] 오직 한 가지 일에만 마음을 기울여 씀.

[專愛 전애] 오로지 그것만을 사랑함.

[專業 전업] ㉠전문 (專門)의 직업 (職業) 또는 사업. ㉡전문의 학문.

[專用 전용] ㉠혼자 씀. ㉡오로지 그것만을 씀.

[專委 전위] 전임 (專任).

[專爲 전위] 특히 한 가지 일만을 함.

[專有 전유] 혼자 차지함.

[專意 전의] 오로지 한 곳에만 마음을 씀. 전심 (專心).

[專人 전인] 어떤 일을 위하여 특히 사람을 보냄.

[專一 전일] ㉠마음을 외곬으로 씀. ㉡한결같이 변하지 아니함.

[專壹 전일] 전일 (專一).

[專任 전임] 어떠한 일을 오로지 담당 (擔當) 함.

[專恣 전자] 제멋대로 함. 전횡 (專橫).

[專專 전전] 전심 (專心)하는 모양.

[專征 전정] ㉠천자 (天子)로부터 정벌의 대권 (大權)을 위임받아 그것을 행사함. ㉡천자의 명령을 기다리지 않고 멋대로 정벌함.

[專精 전정] ㉠전일 (專一)하여 순수함. ㉡정신을 외곬으로 씀.

[專制 전제] ㉠남의 의사는 묻지 않고 자기의 생각대로만 처리함. ㉡군주 (君主) 등 특정의 주권자 (主權者)가 자기 마음대로 정치를 행함.

[專制政體 전제정체] 한 나라의 통치 (統治)를 특정의 주권자 (主權者) 한 사람의 의사대로 행하는 정체 (政體).

[專制政治 전제정치] 전제 정체 (專制政體)의 정치 (政治).

[專足 전족] 전인 (專人).

[專主 전주] 혼자의 마음대로 일을 주관함.

[專執 전집] 어떤 일을 오로지 주장하여 잡음.

[專擅 전천] 제멋대로 함. 독단으로 행동하여 명령에 따르지 않음.

[專輒 전첩] 상관의 명령을 기다리지 않고 독단적으로 일을 행함.

[專寵 전총] 총애를 혼자 받음. 사랑을 독점함.

[專侈 전치] 방자하고 사치함.

[專託 전탁] 오로지 남에게 부탁함.

[專伻 전팽] 전인 (專人).

[專愎 전퍅] 방자 (放恣) 하고 고집 (固執)이 셈.

[專行 전행] 마음대로 행함.

[專橫 전횡] 제멋대로 함. 전자 (專恣).

●驕專. 獨專. 自專. 貞專. 精專. 靜專.

8
⑪ [尋] 〔심〕
尋(寸部 九畫〈p. 608〉)의 俗字

[尉] 〔위〕
火部 八畫(p. 1341)을 보라.

9
⑫ [尃] 〔수〕
豎(豆部 八畫〈p. 2171〉)와 同字

9
⑫ [尊] 中 人 ■ 존 ㉗元 祖昆切 zūn ■ 준 ㉗元 祖昆切 zūn 尊

筆順 丿 八 亠 酋 酋 酋 尊 尊

字解 ■ ①높을 존 존귀함. '一位'. '天一地卑, 乾坤定矣'《易經》. 또, 높은 지위. 높은 신분. '一卑'. '此降一以就卑也'《禮記》. 또, 높은 사람. 나라에서는 군주, 집에서는 부친 따위. '國無二君, 家無二─'《禮記》. 전 (轉)하여, 경의를 표하는 관칭 (冠稱)으로 쓰임. '一大人'《蜀志》. ②높일 존 ㉠존경함. '一重' '自卑而一人'《禮記》. ㉡지위를 올림. '項羽乃佯一懷王爲義帝'《史記》. ㉢숭상함. '一五美, 屛四惡'《論語》. ③무거울 존 '名一於實'《淮南子》. ④성 존 성(姓)의 하나. ■ 술그릇 준 주기 (酒器). 樽(木部 十二畫)·罇 (缶部 十二畫)과 同字. '一俎'. '掌六彝六一之位'《周禮》.

字源 (甲骨文) (金文) (篆文) (別體) 會意. 篆文은 酋＋廾. '酋'는 술통을 본뜬 모양. '廾'은 두 손의 형상. 따라서 두 손으로 술통을 받들어 존경함의 뜻을 나타냄.

[尊家 존가] 남의 집의 경칭 (敬稱).

[尊客 존객] 존귀 (尊貴)한 손. 지위가 높은 손.

[尊見 존견] 존의 (尊意).

[尊庚 존경] 남의 나이의 경칭.

[尊敬 존경] 존숭 (尊崇) 하고 공경 (恭敬) 함.

[尊高 존고] 존귀하고 높음.

[尊公 존공] ㉠남의 아버지의 존칭 (尊稱). ㉡상대방에 대한 존칭.

[尊君 존군] ㉠임금을 존숭함. ㉡남의 아버지에 대한 경칭 (敬稱). ㉢상대방에 대한 경칭.

[尊貴 존귀] 높고 귀 (貴) 함. 또, 그 사람.

[尊堂 존당] ㉠남의 어머니의 존칭 (尊稱). ㉡남의 집의 경칭.

[尊大 존대] 뽐냄. 잘난 체함.

[尊待 존대] 존경하여 대접 (待接) 함.

[尊大君 존대군] 존대인 (尊大人).

[尊大人 존대인] 남의 아버지의 존칭.

[尊來 존래] 남이 오는 경칭.

[尊慮 존려] 남의 염려의 경칭.

[尊名 존명] ㉠높은 칭호(稱號). ㉡남의 이름의 경칭.

[尊命 존명] ㉠군주 (君主)의 명령을 존중함. ㉡남의 명령의 경칭 (敬稱).

[尊母 존모] 남의 어머니의 경칭.

[尊慕 존모] 존경하고 사모함.

[尊問 존문] 윗사람의 물음.
[尊奉 존봉] 존경 (尊敬) 하여 받듦.
[尊卑 존비] 신분·지위 등의 높음과 낮음.
[尊卑貴賤 존비귀천] 지위·신분의 높고 낮음과 귀 (貴) 하고 천 (賤) 함.
[尊師 존사] ㉠스승에 대한 경칭. ㉡도사 (道士) 에 대한 경칭.
[尊像 존상] ㉠존귀한 사람의 상 (像). ㉡남의 초상 (肖像) 의 경칭.
[尊書 존서] 남의 편지의 경칭.
[尊姓 존성] 남의 성의 존칭 (尊稱).
[尊姓大名 존성대명] 남의 성명 (姓名) 의 존칭 (尊稱).
[尊屬 존속] 부모와 같은 항렬 이상의 혈족.
[尊屬親 존속친] 부모 (父母)·조부모 (祖父母) 또는 백숙 부모 (伯叔父母) 등 항렬이 위인 혈족.
[尊崇 존숭] 존경 (尊敬) 하고 숭배 (崇拜) 함.
[尊勝 존승] 존귀하고 뛰어남. 또, 그 사람.
[尊侍 존시] 존장 (尊長) 과 시생 (侍生). 웃어른과 나이 어린 사람.
[尊信 존신] 존숭하여 믿음.
[尊安 존안] 지위가 존귀하고 확고하여 위태롭지 아니함.
[尊顏 존안] 남의 얼굴의 존칭 (尊稱).
[尊攘 존양] 왕실 (王室) 을 존숭하고 이적 (夷狄) 을 배척함.
[尊嚴 존엄] ㉠존귀 (尊貴) 하고 엄숙 (嚴肅) 함. ㉡풍채가 늠름하여 위엄이 있음.
[尊榮 존영] 지위 (地位) 가 높아 영화 (榮華) 를 누림.
[尊影 존영] 남의 초상 (肖像) 또는 사진 (寫眞) 의 존칭 (尊稱).
[尊翁 존옹] 남의 아버지의 존칭.
[尊王 존왕] 왕자 (王者) 를 존숭함.
[尊飮 존음] 남의 음주 (飮酒) 의 존칭 (尊稱).
[尊意 존의] 남의 의사·의견의 존칭.
[尊異 존이] 존숭하여 특별히 대우함.
[尊者 존자] ㉠웃어른. 존장 (尊長). ㉡《佛敎》 학문과 덕행이 뛰어난 불제자 (佛弟子). 특히 나한 (羅漢).
[尊爵 존작] 높은 벼슬. 높은 지위.
[尊長 존장] ㉠웃어른. 나이가 많은 어른. ㉡부모 (父母).
[尊獎 존장] 존숭하고 도움.
[尊邸 존저] 남의 집의 존칭 (尊稱).
[尊前 존전] ㉠임금의 앞. ㉡대관 (大官) 의 앞.
[尊照 존조] 존영 (尊影).
[尊主庇民 존주비민] 임금을 존숭하고 백성 (百姓) 을 비호 (庇護) 함.
[尊重 존중] 높이고 중하게 여김.
[尊執 존집] 웃어른의 경칭.
[尊札 존찰] 남의 편지의 존칭 (尊稱).
[尊戚 존척] 지위가 높은 친척.
[尊體 존체] ㉠남의 몸의 존칭 (尊稱). ㉡초상 (肖像)·불상 (佛像) 등의 경칭.
[尊寵 존총] 존경.
[尊稱 존칭] 존대 (尊待) 하여 부르는 칭호 (稱號).
[尊宅 존택] 남의 집의 존칭 (尊稱).
[尊筆 존필] 상대자의 필적 (筆蹟) 의 경칭.
[尊翰 존한] 상대자의 편지의 경칭.
[尊函 존함] 존한 (尊翰).
[尊銜 존함] 상대자의 이름의 경칭.
[尊行 존행] 아저씨뻘 이상의 항렬.

[尊賢 존현] 어진 사람을 존경함.
[尊顯 존현] 지위가 높고 이름이 드러남. 또, 높이어 이름이 드러나게 함.
[尊兄 존형] ㉠동배 (同輩) 인 상대자 (相對者) 에 대한 경칭 (敬稱). ㉡자기의 형. ㉢남의 형의 경칭. ㉣연장자 (年長者) 의 통칭 (通稱).
[尊號 존호] 제왕 (帝王) 의 호 (號).
[尊候 존후] 상대자의 체후 (體候) 의 존칭 (尊稱).
[尊俎 준조] ㉠술 그릇과 도마. ㉡잔치. 연회. 주석 (酒席).
[尊俎折衝 준조절충] 적국 (敵國) 의 군신 (君臣) 또는 사신 (使臣) 과 주석 (酒席) 에서 마주 앉아 담소하면서 평화리 (平和裡) 에 그 기세를 꺾어 요구를 물리치고 자국 (自國) 의 주장을 관철함.
●敬尊. 九五尊. 金尊. 南面尊. 達尊. 大尊. 獨尊. 萬乘尊. 本尊. 不動尊. 師嚴道尊. 三達尊. 三尊. 象尊. 釋尊. 世尊. 嚴尊. 威尊. 一尊. 自尊. 酒尊. 至尊. 天上天下唯我獨尊. 天子尊. 天尊. 追尊. 推尊. 犧尊.

9 ⑫ [尋] 高人 심 ⑭侵 徐林切 xún, xín 尋尋

筆順 一 コ ョ ョ ヨ 刋 帚 帚 尋 尋

字解 ①찾을 심 ㉠탐색함. '探─'. '旣窈窕以尋壑'《陶潛》. ㉡방문함. '─訪'. '棹歌搖艇月中一'《李白》. ②물을 심 질문함. '硏精一問'《北齊書》. ③생각할 심 '退─平常時'《謝靈運》. ④얼마아니었을 심 이윽고. '使─至'. '罷行軍參謀─復置'《舊唐書》. ⑤이을 심 계속함. '日─干戈, 以相征討'《左傳》. ⑥갑자기 심 곧. '一, 俄也'《正字通》. ⑦칠 심 쳐 무찌름. '夫三軍之所─'《國語》. ⑧쓸 심 사용함. '將─師焉'《左傳》. ⑨여덟자 심 척도 (尺度) 의 단위. 여덟 자의 길이. '十─'. '枉尺而直一'《孟子》. ⑩자 심 길이를 재는 기구. '一引規矩'《柳宗元》. ⑪길이 심 긴 정도. 장척 (丈尺). '越羅萬丈表長一'《孫光憲》. ⑫보통 심 범상 (凡常). '個中消息也一常'《指月錄》.

字源 형성(形聲). 篆文은 左+右+彡〔音〕. '彡삼' 은, 같은 종류의 것이 차례로 더해 감의 뜻. 두 손을 번갈아 움직여서 곁으로 끌어당기는 동작을 되풀이함의 뜻에서 '묻다, 찾다, 겹쳐 잇다' 따위의 뜻을 나타냄.

參考 尋(寸部 八畫) 은 俗字.

[尋求 심구] 찾아 구함.
[尋究 심구] 찾아 궁리함. 연구 (研究) 함.
[尋矩 심구] 법칙 (法則).
[尋盟 심맹] 맹약 (盟約) 을 거듭하여 따뜻하게 함. 전에 맺은 맹약을 더욱 굳게 지킨다는 뜻. 심 (尋) 은 난 (燖), 한맹 (寒盟) 의 대 (對).
[尋問 심문] 물어 봄. 질문함.
[尋訪 심방] 찾음. 방문 (訪問) 함.
[尋思 심사] 침착하게 생각함.
[尋常 심상] ㉠여덟 자와 여덟여섯 자. 전 (轉) 하여, 약간의 길이. 약간의 땅. ㉡평범 (平凡) 함. 보통 (普通).
[尋常一樣 심상일양] 보통이어서 별다른 것이 없음. 평범함.
[尋繹 심역] 연구함. 사리 (事理) 를 궁구함.
[尋人 심인] 사람을 찾음. 또, 찾을 사람.
[尋引 심인] 길이나 높이를 재는 제구. 자.

[尋章摘句 심장적구] 옛사람의 글귀를 따서 시문 (詩文)을 지음.
[尋討 심토] 깊이 살펴 찾음.
[尋行數墨 심행수묵] 독서(讀書)하는 데 문자(文字)에만 구애하여 문자 밖의 참뜻을 깨닫지 못함을 이름. 행(行)은 글의 줄. 묵(墨)은 문자 (文字).
[尋花 심화] ㉠꽃을 찾음. ㉡(現) 여자에 미침.
●考尋. 究尋. 窮尋. 綠尋. 萬尋. 夢中相尋. 攀尋. 訪尋. 思尋. 躡尋. 熟尋. 深尋. 研尋. 溫尋. 枉尺直尋. 精尋. 千尋. 追尋. 侵尋. 探尋.

9
⑫ [尋] 尋(前條)과 同字

10
⑬ [剄] 劉(刀部 十畫⟨p.265⟩)의 訛字

10
⑬ [䢱] 道(辵部 九畫⟨p.2313⟩)의 古字

11
⑭ [對] ⊞人 대 ㉨隊 都隊切 duì　　对 対

筆順 ‖ ‖ ‖ ‖ ‖ ‖ ‖ 對

字解 ①마주볼 대 서로 정면(正面)으로 봄. 서로 대함. '一面'. '從音二人坐持几相一'《儀禮》. ②대답할 대 응답함. '一答'. '起則一'《禮記》. ③보답할 대 갚음. '以一于天下'《詩經》. ④짝 대 배우자. '擇一不嫁'《後漢書》. ㉠한 쌍. '虎蜼各六一'《金史》. ⑤적수 대 ㉠대응하는 자. '自謂無一'《南史》. ㉡적대자(敵對者). '劉備今在境界. 此疆一也'《吳志》. ⑥마침내 대 드디어. '一揚王休'《詩經》. ⑦문체이름 대 상소(上疏)의 한 체(體). 천자(天子)의 하문(下問)에 대하여 의견을 진술하는 것. '三曰一, 四曰啓'《文體明辯》.

字源 甲骨 金文 篆文 別體 會意. 篆文은 丵+口+又. 丵가 톱니 모양인 '끌'을 본뜬 모양. '又'는 손의 象形. 끌을 손에 쥐고, 널빤지에 문자(文字)를 새기든가 하여, 천자의 명령인 말에 대답하다, 윗사람의 물음에 대답하다의 뜻을 나타냄.

參考 对(寸部 四畫)는 俗字.

[對勘 대감] 대조(對照)하여 보고 조사함.
[對客 대객] 손을 마주 대(對)함.
[對決 대결] 법정에서 원고와 피고를 대질(對質)시켜 심판함.
[對境 대경] ㉠마주 향(向)한 곳. ㉡대상(對象).
[對句 대구] 대(對)를 맞춘 글귀. 글자 수가 같고 의미가 상응(相應)하며 구조(構造)가 같은 두 글귀.
[對局 대국] ㉠바둑이나 장기(將棋)를 둠. ㉡어떠한 국면(局面)을 당함.
[對內 대내] 내부(內部) 또는 국내(國內)에 대함.
[對談 대담] 서로 마주 보고 말함.
[對答 대답] 묻는 말에 응(應)함.
[對當 대당] ㉠서로 걸맞음. 상당(相當)함. ㉡대당 관계(對當關係).
[對當關係 대당관계] 논리학에서 주사(主辭)와 빈사(賓辭)는 서로 같고, 양(量)과 질(質)은 서로 다른 두 명제(命題)의 진위(眞僞)의 관계.

[對頭 대두] 대적(對敵).
[對等 대등] 서로 우열(優劣)·고저(高低)의 차이 (差異)가 없음. 동등함.
[對聯 대련] 대(對)를 이룸.
[對壘 대루] 마주 대하여 진루(陣壘)를 쌓음.
[對立 대립] 서로 대(對)하여 섬. 상대하여 존재함.　　　　　　　　　　　　　　　「나 봄.
[對面 대면] 서로 얼굴을 마주 대(對)함. 서로 만
[對辯 대변] 맞서서 변호함.
[對比 대비] ㉠맞대어 비교함. ㉡대조(對照).
[對備 대비] 어떠한 일에 대응할 준비.
[對象 대상] 정신 또는 의식의 목적이 되는 객관 (客觀)의 사물(事物). 정신 활동이 향하는 목적 물.
[對席 대석] 자리를 마주하고 앉음.　　　　「물.
[對訟 대송] 송사(訟事)에 응(應)함.
[對手 대수] 상대방. 적수(敵手).
[對食 대식] 마주 앉아 먹음.
[對岸 대안] 물의 건너편에 있는 언덕.
[對案 대안] 책상 또는 밥상을 가운데에 두고 마주 앉음.
[對顏 대안] 대면(對面).
[對揚 대양] 군주(君主)의 명령에 대답하여 그 뜻을 널리 백성에게 알림.
[對揚休命 대양휴명] 군명(君命)에 응(應)하여 그 뜻을 일반에게 선양(宣揚)함.
[對言 대언] 면대(面對)하여 말함.
[對譯 대역] 원문(原文)과 대조(對照)하며 하는 번역.
[對外 대외] 외부(外部) 또는 외국(外國)에 대(對)함.
[對偶 대우] ㉠둘이 서로 짝을 지음. 또, 그런 것. ㉡대우(對耦).
[對耦 대우] 부부(夫婦).
[對牛彈琴 대우탄금] 소를 향해서 거문고를 뜯음. 어리석은 자에게 깊은 이치(理致)를 말하여 주어도 아무 소용없음을 이름.
[對飮 대음] 대작(對酌).
[對應 대응] ㉠마주 대함. ㉡걸맞음. 상당(相當) 함. ㉢상대방에 응(應)하여 일을 함.
[對人 대인] 사람을 대함.
[對酌 대작] 서로 마주 대(對)하여 술을 마심.
[對敵 대적] ㉠적병(敵兵)을 대(對)하여 서로 겨룸. ㉡세력이 맞서서 서로 겨룸. 적수를 삼음. 또, 적수. 상대.
[對戰 대전] 서로 대(對)하여 싸움.
[對照 대조] 둘을 서로 마주 대어 봄.
[對座 대좌] 서로 대(對)하여 앉음. 마주 앉음.
[對證之藥 대증지약] 병증(病證)에 따라서 알맞게 방문(方文)을 내어 짓는 약. 처방자(處方者)나 복약자(服藥者)가 다 적중(適中)함의 비유 (比喩).
[對陣 대진] ㉠양 군대가 서로 대하여 진(陣)을 침. ㉡서로 편을 갈라 맞섬.
[對質 대질] 쌍방과 증인들을 맞대어 진술케 하고 신문함. 무릎맞춤.
[對策 대책] ㉠과거(科擧)에서 정치 또는 경의 (經義)에 관한 문제를 내어 답안을 쓰게 하는 일. 또, 그 답안. 한(漢)나라 무제(武帝)가 동중서(董仲舒)를 시험한 데서 시작됨. ㉡어떠한 일에 상대자(相對者)에게 대응(對應)하는 방책 (方策).　　　　　　　　　　　　　　「置).
[對處 대처] 어떠한 일에 대응(對應)하는 처치(處
[對天之闓休 대천지굉휴] 하늘의 덕(德)과 견줄

정도의 큰 행복(幸福). '閔'은 크다는 뜻, '休'
는 길상(吉祥)을 뜻함.

[對峙 대치] 서로 마주 대하여 우뚝 섬.

[對痴人說夢 대치인설몽] 바보에게 꿈 이야기를
함. 가당찮은 어리석은 짓의 비유.

[對稱 대칭] ㉠걸맞음. 상당(相當)함. ㉡제이 인
칭(第二人稱).

[對稱代名詞 대칭대명사] 상대자(相對者)의 이름
을 대신하여 쓰는 대명사(代名詞). 제이 인칭
대명사(第二人稱代名詞). '너·자네' 따위.

[對榻 대탑] 평상을 가운데에 놓고 마주 앉음.

[對抗 대항] 서로 맞서서 겨룸.

[對壕 대호] 적을 대항 또는 공격하기 위하여 만
든 산병호(散兵壕).

[對話 대화] 서로 마주 대하여 하는 이야기.

●問對. 反對. 辨對. 相對. 召對. 屬對. 酒埽應
對. 酬對. 讎對. 晤對. 偶對. 應對. 一對. 敵
對. 專對. 轉對. 絕對. 接對. 正對. 正反對. 條
對. 奏對. 置對.

[奪] 〔탈〕
大部 十一畫(p.510)을 보라.

12
⑮ [導] 導(次條)의 略字

13
⑯ [導] 〔高人〕도 ㉦號 徒到切 dǎo (dào) 导 尊

筆順 丷 乚 首 首 首 道 道 導

字解 ①이끌 도 ㉠인도함. '君使人一之出疆'《孟
子》. ㉡가르침. '敎一'. '一民之路, 在務本'《漢
書》. ㉢다스림. '一千乘之國'《論語》. ㉣소통하
게 함. '疏爲川谷以一其氣'《國語》. ②성 도 성
(姓)의 하나.

字源 篆 [전서] 形聲. 寸+道[音]. '寸촌'은 '손'의
뜻. 손을 끌고 길을 가다, 인도하다의
뜻을 나타냄.

[導達 도달] 윗사람이 모르는 사정(事情)을 아랫
사람이 가끔 넌지시 알려 주는 일.

[導師 도사] 《佛敎》 ㉠불도(佛道)를 설명하여 중
생(衆生)을 바른길로 인도하는 중. ㉡법회(法
會)에서 의식(儀式)을 행하는 주승(主僧). ㉢
장례(葬禮) 때 죽은 사람의 영혼이 정토(淨土)
로 향하도록 이끌어 주는 중.

[導線 도선] 전기를 전도(傳導)하는 쇠붙이의 줄.

[導言 도언] 책의 머리말. 서문(序文).

[導誘 도유] 꾀어서 이끎. 유도(誘導).

[導引 도인] ㉠몸과 수족을 굴신(屈伸)하며 신선
한 공기를 마시는 도가(道家)의 양생법(養生
法). ㉡인도(引導). 안내(案內). ㉢안마(按摩).

[導者 도자] 인도자. 안내하는 사람.

[導從 도종] 행렬(行列)을 따르는 사람. 도(導)는
앞에 서는 사람, 종(從)은 뒤따라가는 사람.

[導火 도화] ㉠화약(火藥)이 터지게 하는 불. ㉡
사건(事件)이 발생하는 동기(動機).

[導火線 도화선] ㉠화약(火藥)이 터지도록 불을
점화(點火)하는 심지. ㉡사건이 발생하는 직접
원인.

[導訓 도훈] 지도(指導)하여 가르침.

●開導. 敎導. 補導. 輔導. 先導. 善導. 誘導. 引
導. 獎導. 前導. 傳導. 指導. 唱導. 嚮導. 化

導. 訓導.

13
⑯ [對] 〔대〕
對(寸部 十一畫〈p.609〉)와 同字

[護] 〔확〕
言部 二十三畫(p.731)을 보라.

小 (3획) 部
〔작을소부〕

0
③ [小] 〔中人〕소 ㉦篠 私兆切 xiǎo 小

筆順 亅 小 小

字解 ①작을 소 ㉠크지 아니함. '一戶'. '管仲
之器一哉'《論語》. ㉡잚. 미세(微細)함. '一
之微也'《說文》. ㉢가늘. '一, 細也'《玉篇》. ㉣
짧음. '一暇'. '一年不及大年'《莊子》. ㉤낮음.
얕음. '泰山卑一'《漢書》. ㉥지위가 낮음. '一
族'. '不卑一官'《孟子》. ㉦젊음. 어림. '我一未
能營養'《晉書》. ㉧힘소함. '一徑'. '自用則一'
《書經》. ②적을 소 많지 아니함. 少(小部 一畫)
와 뜻이 같음. '一經'. '力一而任重'《易經》. ③
적게여길 소 경시함. '必一羅'《左傳》. ④첩 소
비첩(婢妾). '媚于群一'《詩經》. ⑤소인 소 ㉠간
사한 사람. '衆一在位'《漢書》. ㉡신분이 낮은
사람. 천한 사람. '與輿一, 日遊市肆'《畵繼》.
㉢아이. 연소한 사람. '其老一殘疾'《北史》. ⑥
조금 소 적게. '可以一試勒兵乎'《史記》. ⑦작을
소 달을 음력으로 30일이 되는 달. '帝以爲月
當先一'《後漢書》. ⑧성 소 성(姓)의 하나.

字源 甲骨文 金文 篆 [전서] 象形. 작은 점(點)의 象
形으로, '작다'의 뜻.

參考 '小'를 기본으로 하여 '작다, 적다'의 뜻
을 포함하는 글자가 만들어짐. '尙·宋·小'
의 부수(部首)에 포함되어 있으나, 특별히
미상(意味上)의 관계는 없음.

[小家 소가] 가난한 집.

[小暇 소가] 짧은 겨를. 촌가(寸暇).

[小駕 소가] 임금이 타는 작은 수레.

[小閣 소각] 조그마한 집.

[小簡 소간] 좁고 작은 편지 종이.

[小康 소강] ㉠소란(騷亂)하던 세상이 조금 안정
됨. ㉡잠시 무사(無事)함. ㉢조금 편안함. ㉣조
금 자산(資産)이 있어 지내기 곤란하지 않음.

[小劍 소검] 비수(匕首).

[小劫 소겁] 《佛敎》 사람의 수명(壽命)이 8만 세
부터 백 년(百年)마다 한 살씩 줄어져서 열 살
이 되기까지의 동안, 또는 열 살부터 백 년(百
年)마다 한 살씩 늘어서 8만 세에 이르는 동안.
곧, 서로 늘고 줄고 하는 사이를 일컬음.

[小憩 소게] 잠깐 쉼. 잠시의 휴식.

[小徑 소경] 작은 길. 좁은 길.

[小經 소경] 주역(周易)·상서(尙書)·춘추공양전
(春秋公羊傳)·곡량전(穀梁傳)의 일컬음. 소
(小)란 권수(卷數)가 적다는 뜻. 대경(大經)의
대(對).

[小計 소계] 일부분(一部分)의 합계.

[小薊 소계] 조방가새. 또 그 뿌리. 뿌리는 지혈 제·해독제로 씀.

[小姑 소고] 시누이. 자기 남편의 자매(姉妹).

[小故 소고] 작은 일.

[小鼓 소고] 작은북.

[小古風 소고풍] 한시체(漢詩體)의 하나. 과거(科擧)의 시체(詩體)를 본뜨기는 하였으나, 운(韻)을 달지 않은 시. 칠언(七言) 십구(十句)로 됨.

[小曲 소곡] 짤막한 노래 곡조(曲調). 소품곡(小品曲).

[小功 소공] ㉠오복(五服)의 하나. 가는 베로 지어 소공친(小功親)의 상사에 다섯 달 동안 입는 복(服). ㉡작은 공로(功勞).

[小功親 소공친] 종조부모(從祖父母)·재종형제(再從兄弟)·종질(從姪)·종손(從孫)의 총칭.

[小科 소과] 《韓》 생원(生員)과 진사(進士)를 뽑던 과거.

[小過 소과] ㉠작은 과실(過失). ㉡육십사괘(六十四卦)의 하나. 곧, ䷽〈간하(艮下) 진상(震上)〉. 소사(小事)에 가(可)한 상(象).

[小官 소관] ㉠지위가 낮은 관리(官吏). ㉡관리가 스스로를 낮추어 일컫는 말.

[小丘 소구] 작은 언덕. 작은 산.

[小拘 소구] 작은 일에 구애함.

[小舅 소구] 남편의 형제(兄弟).

[小局 소국] ㉠좁은 국량(局量). 좁은 소갈머리. ㉡판국(版局).

[小國 소국] 작은 나라. 주대(周代)에는 자(子)·남(男)의 제후(諸侯)의 나라.

[小君 소군] ㉠제후(諸侯)의 아내. ㉡아내의 통칭(通稱). ㉢고려 때 천첩(賤妾)의 몸에서 낳아서 중이 된 왕자(王子)를 일컫는 말.

[小技 소기] 조그마한 재주. 말기(末技).

[小碁 소기] 소상(小祥).

[小器 소기] ㉠작은 그릇. ㉡작은 국량(局量). 또, 그 사람. 소인물(小人物).

[小女 소녀] 소녀(少女).

[小年 소년] ㉠수명(壽命)이 짧음. ㉡나이가 젊음. ㉢1년 가까움. 거의 1년. ㉣소년(少年). ㉤소년야(小年夜).

[小年夜 소년야] 음력 12월 24일을 이름.

[小腦 소뇌] 뇌수(腦髓)의 한 부분(部分). 대뇌(大腦)의 아래에 있으며 겉은 회백색(灰白色) 속은 흼. 운동(運動)을 조절(調節)함.

[小膽 소담] 담(膽)이 적음. 용기(勇氣)가 없음.

[小隊 소대] 소인수(小人數)의 대(隊).

[小大碁 소대기] 소기(小碁)와 대기(大碁). 소대상(小大祥).

[小大祥 소대상] 소상(小祥)과 대상(大祥).

[小刀 소도] 작은 칼. 창칼.

[小島 소도] 작은 섬.

[小盜 소도] 좀도둑.

[小道 소도] ㉠치국평천하(治國平天下)의 도(道)보다 작은 도. 곧, 농포(農圃)·의복(醫卜) 등의 도. ㉡작은 길. ㉢도사(道士)가 스스로 일컫는 말.

[小頓 소돈] 잠깐 휴식(休息)함.

[小童 소동] ㉠10세 내외의 아이. 또, 심부름하는 아이. ㉡제후(諸侯)의 아내가 자기를 겸손하여 일컫는 말. ㉢상중(喪中)에 있을 때의 왕(王)의 자칭(自稱).

[小斗 소두] 대두(大斗)의 반(半)이 되는 말.

[小豆 소두] 팥.

[小杜 소두] 당(唐)나라의 시인 두목(杜牧)을 이름. 두보(杜甫)를 노두(老杜)라 하는 데 대(對)되는 말.

[小痘 소두] 작은마마.

[小鑼 소라] 꽹과리보다 작은 동라(銅鑼).

[小欄 소란] 문지방이나 소반 같은 데에 나무를 가늘게 오려 돌려 붙이거나 제 바탕을 파서 턱이 지게 만든 것.

[小量 소량] 작은 도량(度量). 좁아 너그럽지 못한 마음.

[小殮 소렴] 시체(屍體)를 옷과 이불로 쌈.

[小路 소로] 작은 길. 좁은 길.

[小祿 소록] 작은 녹(祿). 얼마 안 되는 녹봉(祿俸). 미록(微祿).

[小錄 소록] 요점만 간단히 적은 종이쪽.

[小流 소류] 실개천.

[小吏 소리] 지위가 낮은 벼슬아치. 아전(衙前).

[小利 소리] 작은 이익(利益).

[小粒 소립] 낱낱의 작은 알맹이.

[小滿 소만] 이십사절기(二十四節氣)의 하나. 입하(立夏)와 망종(芒種) 사이에 있는 절기(節氣). 양력 5월 20일경.

[小蠻 소만] ㉠당(唐)나라 백거이(白居易)의 시첩(侍妾)의 이름. ㉡술통의 이름.

[小妹 소매] ㉠어린 누이동생. ㉡여자 자신의 겸칭(謙稱).

[小賣 소매] 물건을 도거리로 사서 조금씩 나누어 팖.

[小麥 소맥] 밀.

[小麥奴 소맥노] 밀깜부기.

[小木匠 소목장] 나무로 짜는 가구(家具)를 만드는 사람.

[小門 소문] 작은 문.

[小米 소미] 좁쌀.

[小民 소민] 미천(微賤)한 백성. 상(常)사람.

[小方 소방] 작은 나라. 소국(小國).

[小便 소변] 오줌.

[小辯 소변] 작은 일을 변설(辯說)함.

[小補 소보] 조금의 도움. 조금 도움이 됨.

[小腹 소복] 배의 아랫부분. 아랫배.

[小福 소복] 조그마한 복력(福力).

[小本 소본] 같은 물건 가운데에서 본새가 작은 물건.

[小婦 소부] ㉠젊은 부녀(婦女). ㉡첩.

[小富 소부] 자그마한 부자.

[小北 소북] 조선(朝鮮) 때 사색(四色)의 하나인 북인(北人) 중에서 갈려진 당파(黨派)의 하나.

[小分 소분] 작게 나눔.

[小史 소사] ㉠간단히 기록한 역사(歷史). ㉡근시(近侍). 또, 시동(侍童). ㉢주(周)나라 때의 벼슬 이름. 춘관(春官)에 속하여 나라의 기록(記錄)·계도(系圖)를 맡았음. 태사(太史)의 아래 벼슬임.

[小使 소사] 심부름꾼.

[小事 소사] 작은 일.

[小師 소사] 《佛敎》 불가(佛家)에서 가르침을 받은 지 10년이 못 되는 스승.

[小辭 소사] 삼단 논법(三段論法)에서 단안(斷案)의 주어(主語).

[小產 소산] 유산(流産).

[小相 소상] 임금을 돕는 낮은 신하. 상(相)은 예(禮)를 도와 행하는 자라는 뜻.

[小祥 소상] 사람이 죽은 지 1년 만에 지내는 제

사(祭祀). 소기(小朞).

[小生 소생] ㉠후배(後輩). ㉡자기(自己)를 낮추어 일컫는 말. ㉢남을 천히 여겨 부르는 말. ㉣조금 덜 익음.

[小序 소서] ㉠짧은 서문(序文). ㉡시경(詩經)의 관저(關雎) 이외의 각 편(篇)의 서문(序文).

[小暑 소서] 이십사절기(二十四節氣)의 하나. 하지(夏至)와 대서(大暑) 사이에 있는 절기(節氣). 양력(陽曆) 7월 7일경.

[小善 소선] 조그마한 착한 일. 작은 선행(善行).

[小鮮 소선] 작은 물고기.

[小雪 소설] 이십사절기(二十四節氣)의 하나. 입동(立冬)과 대설(大雪) 사이에 있는 절기(節氣). 양력(陽曆) 12월 22일경.

[小說 소설] 작자(作者)의 사상(思想)대로 사실(事實)을 구조(構造) 또는 부연(敷衍)하여 인정(人情)·세태(世態)를 묘사(描寫)한 산문체(散文體)의 이야기.

[小成 소성] 작은 성공(成功). 조그마한 성취.

[小姓 소성] 상(常)사람의 딸.

[小星 소성] ㉠작은 별. ㉡시경(詩經)의 소성편(小星篇)은 첩(妾)이 본처(本妻)가 조금도 질투하지 않는 것을 고맙게 여겨 지은 시(詩)이므로, 전(轉)하여 첩(妾)의 뜻으로 쓰임.

[小城 소성] 본성(本城) 곁에 딸리어 있는 작은 성(城).

[小小 소소] ㉠아주 적거나 작은 모양. ㉡연소(年少)함. ㉢기녀(妓女)의 이름으로 쓰임.

[小小曲折 소소곡절] 자질구레한 여러 가지 까닭.

[小水 소수] 오줌.

[小袖 소수] 소매가 좁고 짧은 옷.

[小數 소수] ㉠하찮은 기예(技藝). ㉡적은 수. ㉢하나보다 적은 수. 「子」.

[小竪 소수] 남을 경멸하여 일컫는 말. 수자(竪子). 「子」.

[小竪子 소수자] 소수(小竪).

[小乘 소승] 《佛敎》불교의 두 가지 큰 파(派)의 하나. 대승(大乘)의 고상(高尙)·심원(深遠)한 데 비하면 비근(卑近)하여 이해하기 쉬운 교리.

[小僧 소승] ㉠젊은 중. 어린 중. ㉡중의 자칭 대명사(自稱代名辭). 빈도(貧道).

[小柿 소시] 고욤.

[小食 소식] ㉠조금 먹음. 또, 양이 적은 식사. ㉡식사(食事) 전후에 먹는 음식.

[小息 소식] 잠깐 쉼.

[小臣 소신] ㉠지위가 낮은 신하. ㉡신하가 임금에 대하여 자기를 낮추어 이르는 말.

[小失 소실] 작은 과실(過失). 소과(小過).

[小室 소실] 《韓》첩(妾).

[小心 소심] ㉠조심함. 삼감. ㉡소담(小膽).

[小心謹愼 소심근신] 대단히 조심하여 잔일에도 주의를 게을리 하지 아니함.

[小心文 소심문] 정련(精錬)되고 완곡(婉曲)한 필치로 세밀한 점까지도 용의주도(用意周到)하게 논하는 문체(文體). 방담문(放膽文)의 대(對).

[小心翼翼 소심익익] 대단히 조심하고 삼가는 모양.

[小我 소아] ㉠남과 구별한 나. 곧, 현상계(現象界)의 자아(自我). 작은 자아(自我). ㉡《佛敎》육체의 나. 대아(大我)의 대(對).

[小兒 소아] ㉠어린아이 (보통 출생(出生)부터 14~15세까지의 아이). ㉡하찮은 사람. 소인(小人). ㉢남에게 대하여 자기의 아들을 일컫는 말. ㉣심부름하는 아이. 사동(使童).

[小兒醫 소아의] 어린아이의 병을 치료하는 의원.

[小惡 소악] 작은 나쁜 일.

[小安 소안] 조금 평안(平安)함. 잠시 평안함.

[小弱 소약] ㉠작고 약(弱)함. ㉡가볍고 약함. ㉢어림. 또, 어린아이.

[小洋 소양] 조그마한 은화(銀貨).

[小恙 소양] 앓는 병(病). 대단치 않은 병.

[小業 소업] 작은 업(業). 천한 직업.

[小宴 소연] 소수(小數)의 사람이 하는 연회. 간소하게 차린 잔치.

[小汚 소오] 병(病)과 죽음을 이름.

[小屋 소옥] 작은 집.

[小用 소용] ㉠작은 소용(所用). ㉡작은 일. ㉢오줌.

[小勇 소용] 소소한 일에 내는 용기. 혈기(血氣)에서 나오는 용기. 소인지용(小人之勇).

[小雨 소우] 조금 오는 비.

[小宇宙 소우주] 우주(宇宙)의 한 부분(部分)으로서 우주(宇宙)의 상태와 의의(意義)를 나타내는 것. 곧, 인간계(人間界) 또는 인간.

[小月 소월] 작은달. 음력(陰曆)은 29일의 달. 양력(陽曆)은 30일 이하의 달.

[小遊星 소유성] 화성(火星)과 목성(木星)의 궤도(軌道)에서 태양을 도는 작은 천체(天體). 소혹성(小惑星).

[小戎 소융] 뒤에서 따라가는 작은 병거(兵車). 대융(大戎)의 대(對).

[小隱 소은] 속세(俗世)를 완전히 초탈(超脫)하지 못한 은사(隱士).

[小邑 소읍] 작은 읍(邑).

[小異 소이] 사소한 차이.

[小戎]

[小人 소인] ㉠간사(奸邪)하고 도량(度量)이 좁은 사람. 덕(德)이 없는 사람. ㉡천(賤)한 사람. 신분이 낮은 사람. 평민(平民). ㉢자기를 낮추어 이르는 말. 저. 소자(小子). ㉣키가 작은 사람.

[小引 소인] 짧은 서문(序文). 소서(小序).

[小人窮斯濫矣 소인궁사람의] 소인은 곤궁하면 이를 참고 견디지 못하여 도의에 어긋나는 짓을 함.

[小人儒 소인유] 명리(名利)를 탐(貪)하는 학자.

[小人之勇 소인지용] 혈기(血氣)에서 나오는 작은 용기(勇氣). 필부지용(匹夫之勇).

[小人閑居爲不善 소인한거위불선] 소인은 한가하면 자연히 좋지 못한 일을 함.

[小人革面 소인혁면] 간악한 사람도 밝은 임금이 재위(在位)하면 마음까지는 고치지 못할지언정 외면만이라도 꾸며 나쁜 일을 함부로 못함.

[小一 소일] 아주 작아 나눌 수 없음.

[小子 소자] ㉠아이. 동자(童子). ㉡자기를 겸손하여 일컫는 말. 소생(小生). ㉢제자나 손아랫사람을 사랑스럽게 일컫는 말. ㉣벼슬 이름. 주(周)나라 때 하관(夏官)에 속하여 제사(祭祀)의 작은 일을 맡았음.

[小字 소자] ㉠어렸을 적의 이름. ㉡작은 글자.

[小姊 소자] 연소(年少)한 누이.

[小疵 소자] 조그마한 흠.

[小子後生 소자후생] 나이가 젊고 학문이 미숙한 사람.

[小作 소작] 《韓》남의 땅을 소작료(小作料)를 주

고 농사지음.

[小酌 소작] 간소한 주연 (酒宴).

[小作農 소작농] 《韓》 소작 (小作) 하는 농사. 또, 그 농부 (農夫).

[小作料 소작료] 《韓》 소작인 (小作人) 이 지주 (地主) 에게 내는 사용료.

[小腸 소장] 위 (胃) 와 대장 (大腸) 사이의 소화기. 십이지장 (十二指腸)·공장 (空腸)·회장 (回腸) 으로 구분함.

[小丈夫 소장부] ㉠마음이나 행동이 비루 (鄙陋) 한 사람. ㉡작은 남자.

[小才 소재] 조그마한 재주.

[小姐 소저] 아가씨. 작은아씨.

[小底 소저] ㉠어린 사람. ㉡사정 (使丁). 소사 (小使).

[小敵 소적] 적은 수의 적.

[小傳 소전] 간략하게 쓴 전기 (傳記).

[小篆 소전] 한자 (漢字) 서체 (書體) 의 하나. 진시황 (秦始皇) 때 이사 (李斯) 가 대전 (大篆) 을 간략히 하여 만들었음. 혹은 정막 (程邈) 이 만들었다고도 함.

[小錢 소전] 청 (淸) 나라 때 쓰던 자그마한 황동전 (黃銅錢).

[小節 소절] 조그마한 절개 (節槪). 사소한 의리 (義理). 대절 (大節) 의 대 (對).

[小艇 소정] 작은 배. 거룻배. 소주 (小舟).

[小弟 소제] ㉠어린 아우. ㉡열 살 남짓한 연장자 (年長者) 에게 대 (對) 하여 자기를 일컫는 말. ㉢형에 대하여 자기를 일컫는 말.

[小鳥 소조] 작은 새.

[小照 소조] ㉠자그마한 사진 (寫眞) 또는 화상 (畫像). ㉡자기의 사진 (寫眞) 이나 화상 (畫像) 의 겸칭 (謙稱).

[小朝廷 소조정] ㉠조정 (朝廷) 과 같은 규모의 것. 예컨대, 재사 (才士) 가 많이 모인 번진 (藩鎭) 따위. ㉡굴욕을 감수 (甘受) 하는 약소국 (弱小國) 의 조정.

[小族 소족] 지체가 낮은 집안.

[小宗 소종] 대종 (大宗) 에서 갈린 방계 (傍系).

[小坐 소좌] 궁중의 정침 (正寢) 의 곁에 있는 객실 (客室).

[小舟 소주] 작은 배. 거룻배.

[小註 소주] 대주 (大註) 아래에 잔글씨로 단 부주 (副註). 잔주.

[小至 소지] 동지 (冬至) 의 전날.

[小指 소지] ㉠새끼손가락. ㉡새끼발가락.

[小智 소지] 작은 지혜.

[小盡 소진] 음력으로 29일의 달.

[小集 소집] ㉠소인수 (小人數) 의 모임. ㉡이사 (移徙) 의 축하연.

[小差 소차] 작은 차이 (差異).

[小察 소찰] 잔일까지 살핌. 자질구레한 일까지 조사함.

[小參 소참] 《佛敎》 도 (道) 를 닦는 사람이 스승과 수시로 도에 관하여 문답하는 일.

[小冊 소책] 짧은 편지. 또, 작은 책.

[小冊子 소책자] 작은 책 (冊).

[小妻 소처] 첩 (妾). 소실.

[小天下 소천하] 천하가 좁다고 여김. 안계 (眼界) 가 넓음을 이름.

[小妾 소첩] 여자 (女子) 가 자기를 낮추어 일컫는 말.

[小草 소초] ㉠애기풀 곧 원지 (遠志) 의 별칭 (別稱). ㉡학융 (郝隆) 이 사안 (謝安) 을 이 풀로 조롱 (嘲弄) 한 고사 (故事) 로 인하여, 자기의 겸칭 (謙稱) 으로 쓰임.

[小銃 소총] 작은 총 (銃).

[小秋 소추] 첫가을. 초추 (初秋).

[小醜 소추] 덕이 없는 사람들. 소인 (小人) 들.

[小畜 소축] 육십사괘의 하나. 곧, ䷈〈건하 (乾下)·손상 (巽上)〉. 조금 저축하여 아직 베풀지 않는 상 (象).

[小春 소춘] 음력 10월 (月) 경.

[小蟲 소충] 작은 벌레.

[小寢 소침] 천자 (天子)·제후 (諸侯) 의 거소 (居所) 로서 노침 (路寢) 의 동서 (東西) 에 있는 것. 또, 후 (后)·부인 (夫人) 의 정침 (正寢) 의 곁에 있는 것. 편전 (便殿).

[小秤 소칭] 자그마한 저울.

[小貪大失 소탐대실] 작은 이익 (利益) 을 탐내다가 큰 이익을 잃음.

[小偸 소투] 좀도둑. 소도 (小盜).

[小波 소파] 잔물결.

[小片 소편] 작은 조각.

[小布 소포] 무명 등으로 만든 과녁.

[小圃 소포] 남새 같은 것을 심는 작은 밭.

[小品 소품] 짤막한 글.

[小品文 소품문] 소품 (小品).

[小學 소학] ㉠중국 삼대 (三代) 때 아이들에게 가르친 예의 (禮儀)·문자 (文字) 등의 학문. 또, 그 학교. ㉡문자의 구성 (構成) 에 관한 학문. 자학 (字學). ㉢유서 (儒書) 의 하나. 6편 (編). 송 (宋) 나라의 주희 (朱熹) 의 편 (編) 이라 하나, 실은 그의 문인 (門人) 유자징 (劉子澄) 의 저 (著). 경서 (經書) 나 고금의 전기 (傳記) 중에서 수신 (修身)·도덕에 관한 이야기를 모은 것.

[小閑 소한] 소가 (小暇).

[小閒 소한] 소가 (小暇).

[小寒 소한] 이십사절기 (二十四節氣) 의 하나. 동지 (冬至) 와 대한 (大寒) 사이에 있는 절기 (節氣). 양력 (陽曆) 1월 5일경.

[小巷 소항] 골목.

[小奚 소해] 나이 어린 종.

[小形 소형] 물건의 작은 형체.

[小荊 소형] 싸리나무.

[小慧 소혜] 작은 지혜. 소지 (小智).

[小戶 소호] ㉠작은 집. ㉡가난한 집. ㉢주량이 적은 사람.

[小毫 소호] ㉠작은 터럭. ㉡털끝만 함. 아주 작음.

[小惑星 소혹성] 소유성 (小遊星).

[小火 소화] 자그마한 화재.

[小話 소화] 짤막한 이야기.

[小會 소회] 소인수 (小人數) 의 모임.

[小茴香 소회향] 회향 (茴香) 의 한 가지. 산증 (疝症)·요통 등의 약으로 씀.

[小醺 소훈] 술이 얼근히 취함. 훈훈 (醺醺) 함.

●家小. 巨小. 輕小. 群小. 陋小. 短小. 膽大心小. 大兼小. 大小. 眇小. 微小. 薄小. 凡小. 山高月小. 細小. 少小. 蘇小. 鎖小. 瘦小. 弱小. 矮小. 窄小. 抄小. 最小. 縮小. 偏小. 狹小.

1 ④ [少] 中入 소 ①-⑤止篠 書沼切 shǎo
⑥-⑨去嘯 失照切 shào

筆順 丿 小 小 少

字解 ①적을 소 많지 아니함. 또, 모자람. '羽兵食一'《漢書》. ②좀 소 다소. 약간. '吾子其一安'《左傳》. ③잠시 소 잠깐. '一焉', '一則洋洋焉'《孟子》. ④적어질 소 盂, 적게 함. '墾田減一'《後漢書》. ⑤적게여길 소 비난함. '皆一之'《史記》. ⑥젊을 소 나이가 젊음. 또, 어림. '一年', '一, 幼一也'《廣韻》. '荀一好學'《南史》. ⑦맏을이 소 연소자. 또, 어린아이. '一長', '王氏諸一皆佳'《晉書》. ⑧버금 소 부이(副貳). 또, 관명(官名) 같은 데에 장(長)을 돕는 벼슬의 접두어(接頭語)로 쓰임. '一師', '於是爲置三一'《漢書》. ⑨성 소 성(姓)의 하나.

字源 甲骨文 ... 金文 ... 篆文 ... 篆文 ... 象形. 작은 점(點)의 象形으로, '적다'의 뜻.

[少間 소간] ㉠얼마 안 되어. 잠시 후. ㉡병이 약간 차도가 있음. ㉢틈. 틈새.
[少槩 소개] 개략(槩略). 개요(概要).
[少客 소객] 신분이 낮은 나그네.
[少憩 소게] 잠깐의 휴식.
[少頃 소경] 잠깐 동안. 잠깐 사이에.
[少卿 소경] ㉠경(卿) 중의 연소자. ㉡관명(官名). 부(部)의 차관(次官)에 해당함.
[少君 소군] ㉠제후(諸侯)의 부인(婦人)의 일컬음. 소군(小君). ㉡신선(神仙). ㉢남의 아들의 일컬음.
[少妓 소기] 어린 기생.
[少女 소녀] 어린 계집아이. 또, 젊은 여자.
[少女風 소녀풍] 비가 오기 직전에 솔솔 불어오는 바람.
[少年 소년] 어린 사내아이. 또, 젊은이.
[少年登科 소년등과] 소년(少年)으로서 과거(科擧)에 급제(及第)함.
[少年輩 소년배] 나이가 어린 사람들. 소년(少年).
[少年易老學難成 소년이로학난성] 세월(歲月)은 빠르고 배우기는 어렵다는 뜻으로, 늙기 전(前)에 배우기를 힘쓰라는 말. 주희(朱熹)의 권학시(勸學詩)인 〈우성시(偶成詩)〉의 한 구절임.
[少得 소득] ㉠적은 이득. ㉡조그마한 선덕(善德).
[少來 소래] 젊을 때부터 지금까지.
[少量 소량] ㉠적은 분량(分量). ㉡좁은 도량(度量).
[少牢 소뢰] 양과 돼지의 두 희생(犧牲)을 갖춘 제사. 또, 그 음식. 소뢰(小牢). 태뢰(太牢)의 대(對).
[少留 소류] 잠깐 머묾.
[少陵 소릉] 성당(盛唐)의 시인 두보(杜甫)의 호(號). 소릉(少陵)에 살았던 까닭임.
[少吏 소리] 지위가 낮은 관리.
[少林寺 소림사] 허난 성(河南省)에 있는 절. 달마 대사(達磨大師)의 면벽구년(面壁九年)의 고적(古蹟)으로 이름 높음.
[少半 소반] 반보다 적음.
[少房 소방] 첩(妾)을 이르는 말.
[少輩 소배] 나이가 젊은 사람들.
[少保 소보] 주대(周代)의 관명(官名). 태보(太保)의 보좌역(補佐役). 삼고(三孤)의 하나.
[少府 소부] ㉠천자가 쓰는 물건을 넣어 두는 창

고. 또, 그 창고를 맡은 벼슬. ㉡현위(縣尉)의 별칭(別稱). 현령(縣令)은 명부(明府)라 함.
[少婦 소부] ㉠나이가 젊은 부녀(婦女). ㉡젊은 아내.
[少傅 소부] 주대(周代)의 관명(官名). 태부(太傅)의 부관(副官). 삼고(三孤)의 하나.
[少不動念 소부동념] 조금도 마음을 움직이지 아니함.
[少不介意 소불개의] 조금도 개의하지 아니함.
[少不介懷 소불개회] 소불개의(少不介意).
[少不如意 소불여의] 조금도 뜻대로 되지 아니함.
[少不下 소불하] 적어도.
[少師 소사] 주대(周代)의 관명(官名). 태사(太師)의 부관(副官). 삼고(三孤)의 하나.
[少選 소선] 잠깐. 잠시.
[少小 소소] 나이가 젊음. 또, 그 사람.
[少少 소소] 조금.
[少數 소수] 적은 수효.
[少僧 소승] 젊을 중.
[少時 소시] 젊을 때.
[少艾 소애] 예쁜 소녀.
[少額 소액] 적은 액수.
[少言 소언] 말이 적음. 과묵(寡默)함.
[少焉 소언] 잠시 후에. 얼마 안 되어.
[少容 소용] 젊은 얼굴.
[少日 소일] 며칠 안 되는 날. 수일.
[少子 소자] 막내아들.
[少壯 소장] ㉠젊고 혈기가 왕성함. ㉡젊은이.
[少長 소장] ㉠젊은이와 늙은이. 아이와 어른. ㉡나이의 차례. ㉢나이를 좀 먹음.
[少將 소장] 육해공군의 무관의 관명(官名). 중장의 아래, 준장의 위.
[少壯不努力老大徒傷悲 소장불노력노대도상비] 젊을 때 힘쓰지 않으면 늙어서 한숨 쉬어도 아무 소용이 없음.
[少妾 소첩] 나이가 어린 첩.
[少許 소허] 조금.
[少昊 소호] 태고 시대(太古時代)의 제왕(帝王)의 이름. 황제(黃帝)의 아들. 이름은 효(孝). 호(號)는 금천씨(金天氏)라 함.
● 減少. 輕少. 寡少. 僅少. 老少. 多少. 單少. 童少. 耗少. 些少. 三少. 尠少. 鮮少. 疎少. 惡少. 語多品少. 年少. 幼少. 逸少. 最少. 乏少. 希少.

2 ⑤ [尒] 〔이〕 爾(交部 十畫〈p. 1369〉)와 同字
字源 篆文 象形. 아름답게 빛나는 꽃을 본뜬 것으로, '爾'의 생략체.

2 ⑤ [尓] 尒(前條)와 同字

2 ⑤ [尔] 尒(前前條)와 同字

3 ⑥ [尖] 高入 첨 ㉗鹽 子廉切 jiān

筆順 丿 小 小 少 尖 尖

字解 ①뾰족할 첨 끝이 날카로움. '一銳'. '子觜一如此'《揮塵錄》. 전(轉)하여, 날카로움. 초각(峭刻)함. '詩冷語多一'《姚合》. ②작을 첨 조

그마함. '萬點蜀山一'《杜甫》. ③끝 첨 ㉠뾰족한 끝. '筆一'. '我舌猶能及鼻一'《黃庭堅》. '城郭微茫見塔一'《薩都剌》. ㉡뾰족한 산봉우리. '縹緲浮靑一'《王安石》. ㉢손가락 끝. '酒半醺, 玉一搦管蘸香雲'《楊維楨》.

字源 會意. 小+大. '大'자(字) 위에 '小소' 자를 얹어, 밑이 크고 위로 가서 작아지는 물건을 나타내어, '뾰족함'의 뜻을 나타냄.

[尖端 첨단] ㉠뾰족한 물건의 맨 끝. ㉡시대의 사조(思潮)에 앞장서는 일.
[尖利 첨리] 끝이 뾰족하고 날카로움.
[尖尾 첨미] 뾰족한 물건의 맨 끝.
[尖兵 첨병] 종대(縱隊)의 선두에 서서 적정을 살피며 전진하는 소부대의 군사.
[尖纖 첨섬] 뾰족하고 가늚.
[尖袖 첨수] 좁은 소매.
[尖新 첨신] 유행의 앞장.
[尖銳 첨예] 첨리(尖利).
[尖圓 첨원] 날카롭고 둥긂.
[尖尖 첨첨] 끝이 뾰족한 모양.
[尖塔 첨탑] 끝이 뾰족한 탑.
[尖形 첨형] 끝이 뾰족한 형체.
●眉尖. 蜂尖. 新尖. 十尖. 銳尖. 玉尖. 指尖. 靑尖. 翠尖. 塔尖. 筆尖.

$\frac{3}{⑥}$ [尘] 〔진〕塵(土部 十一畫〈p.462〉)의 古字·簡體字

[当] 〔당〕彐部 三畫(p.730)을 보라.

[光] 〔광〕儿部 四畫(p.194)을 보라.

$\frac{3}{⑥}$ [尗] 숙 囚屋 式竹切 shū(shú)

字解 콩 숙 菽(艸部 八畫)과 同字. '一, 豆也'《說文》.

字源 篆文 尗 象形. 지상(地上)의 두 잎, 지하에 뿌리를 뻗은 콩을 본뜬 모양으로, '콩'을 뜻함.

$\frac{4}{⑦}$ [尖] 〔사〕些(二部 五畫〈p.82〉)와 同字

$\frac{4}{⑦}$ [㞡] 〔당〕當(田部 八畫〈p.1472〉)의 俗字

[肖] 〔초〕肉部 三畫(p.1836)을 보라.

$\frac{5}{⑧}$ [尙] 中入 상 ㊀漾 時亮切 shàng 尚 为

筆順 〳 〳 〵 〵 〵 〵 〵 〵

字解 ①오히려 상 猶(犬部 九畫)와 뜻이 같음. '雖無老成人, 一有典刑'《詩經》. ②바랄 상 원함. 바라건대. '一饗'. '不一息焉'《詩經》. ③숭상할 상 높이 여김. 尊崇氏一黑《禮記》. ④더할 상 보탬. '好仁者, 無以一'《論語》. ⑤자랑할 상 자만함. '君子不自一其功'《禮記》. ⑥주관할 상 맡아 함. '一衣'. '一符節'《史記》. ⑦장

가들 상 공주(公主)에게 장가듦. '娶天子女, 曰一公主'《漢書》. ⑧짝지을 상 부부가 됨. '卓王孫, 喟然而歎, 自以得使女一司馬長卿晚'《史記》. ⑨높일 상 높게 함. 고상하게 가짐. '何謂一志, 曰仁義而已矣'《孟子》. ⑩꾸밀 상 장식함. '一之以瓊華'《詩經》. ⑪오랠 상 오래됨. '樂之所由來者一也'《呂氏春秋》. ⑫받들 상 봉승(奉承)함. '得一君之玉音'《司馬相如》. ⑬예〔古〕상 上(一部 二畫)과 통용. '一友'. '一者, 上也, 言此上代以來書, 故曰一書'《書經序 疏》. ⑭좋아할 상 '其爲人也, 剛而一寵'《國語》. ⑮그리워할 상 '一前良之遺風兮'《後漢書》. ⑯성 상 성(姓)의 하나.

字源 金文 尙 篆文 尙 會意. 八+向. '八팔'은 신기(神氣)가 내리는 모양, '向향'은 집 안에서 비는 모양을 본뜸. '바라다, 숭상하다'의 뜻을 나타냄.

[尙古 상고] 옛적의 문물(文物)을 숭상(崇尙)함.
[尙古主義 상고주의] 옛적 문물(文物)을 숭상(崇尙)하여 이것으로 표준(標準)을 삼고자 하는 주의(主義).
[尙宮 상궁] 조선(朝鮮) 때 여관(女官)의 정오품(正五品) 이상의 벼슬.
[尙鬼 상귀] 죽은 사람의 영혼을 숭상함.
[尙今 상금] 지금까지.
[尙年 상년] '상치(尙齒)'와 같음.
[尙農派 상농파] 경제 정책상 농업(農業)을 주로 하는 학파(學派). 중농파(重農派).
[尙論 상론] 고인(古人)의 언행·인격을 논함.
[尙武 상무] 무용(武勇)을 숭상(崇尙)함.
[尙文 상문] 문필(文筆)을 숭상함.
[尙方 상방] ㉠천자가 쓰는 기물(器物)을 맡은 벼슬. 일설에는 천자가 쓰는 기물(器物)을 만드는 곳. ㉡궁정의 의약(醫藥)을 맡은 벼슬.
[尙父 상보] 주(周)나라의 현신(賢臣)인 태공망(太公望) 여상(呂尙)의 존호(尊號).
[尙商派 상상파] 경제 정책상 상업을 주로 하는 학파(學派). 중상파(重商派).
[尙書 상서] ㉠서경(書經)의 별칭. ㉡상서성(尙書省)의 장관. 진(秦)나라 때에 천자(天子)와 조신(朝臣) 간의 문서(文書)의 수수(授受)를 맡았을 뿐이었으나 군명(君命)의 출납(出納)을 맡은 요직(要職)이기 때문에 대(代)를 내려올수록 지위가 높아져 당(唐)나라 때에 이르러서는 육부(六部)의 장관(長官)의 명칭으로 되었음.
[尙瑞院 상서원] 조선(朝鮮) 때 새보(璽寶)·부첨(符牒)·절(節)·월(鉞) 등을 맡은 관아(官衙).
[尙食 상식] 천자의 식사를 맡은 벼슬. 진(秦)나라 때부터 생겼음.
[尙徉 상양] 어슬렁거려 노닒.
[尙友 상우] 거슬러 올라가 옛날의 어진 사람을 벗으로 삼음.
[尙子 상자] 장자(長子).
[尙章 상장] 십간(十干)의 계(癸)의 별칭(別稱). 소양(昭陽).
[尙早 상조] 시기가 아직 이름. 때가 아직 덜 됨.
[尙主 상주] 천자(天子)의 딸을 아내로 삼음.
[尙志 상지] 뜻을 고상하게 가짐.
[尙齒會 상치회] 노인을 모아 나이 차례로 앉히고, 시가(詩歌)를 지어 즐겁게 놀도록 하는 회.

당(唐)나라의 회창(會昌) 5년에 백거이(白居易)가 처음으로 열었음.
[尚賢 상현] 어진 사람을 존경(尊敬)함.
● 嘉尚. 格尚. 高尚. 誇尚. 驕尚. 邱壑尚. 貴尚. 矜尚. 氣尚. 敦尚. 微尚. 奢尚. 素尚. 修尚. 夙尚. 崇尚. 雅尚. 意尚. 林尚. 宗尚. 志尚. 清尚. 推尚. 趣尚. 風尚. 好尚. 和尚. 欽尚.

5
⑧ [尚] 尙(前條)과 同字

7
⑩ [宾] 극 Ⓐ陌 綺戟切 xì
字解 벽틈 극 벽(壁) 사이의 틈. '一, 壁際孔也'《六書正譌》.
字源 會意. 白+小+小

8
⑪ [窭] 宾(前條)의 本字

[雀] 〔작〕
佳部 三畫(p.2480)을 보라.

[常] 〔상〕
巾部 八畫(p.676)을 보라.

[堂] 〔당〕
土部 八畫(p.451)을 보라.

9
⑫ [寮] 〔료〕
燎(火部 十二畫〈p.1355〉)와 同字

10
⑬ [尟] 선 Ⓑ銑 息淺切 xiǎn
字解 적을 선 鮮(魚部 六畫)과 同字.
字源 尟 會意. 是+少. '是시'는 숟가락을 본뜬 것. 숟가락 하나 정도로 적다의 뜻을 나타냄. '尠'은 別體.

[尟少 선소] 적음.

10
⑬ [尠] 尟(前條)의 俗字
字解 會意. 少+甚. '몹시 적다'의 뜻. '尟'의 別體. 예전에는 '是'와 '甚'의 자형(字形)이 비슷했으므로, 두 글자가 생긴 것 같음.

[賞] 〔상〕
貝部 八畫(p.2201)을 보라.

尢(尣尤)(3획) 部
[절름발이왕부]

0
③ [尢] 왕 Ⓣ陽 烏光切 wāng
筆順 一 ナ 尢
字解 ①절름발이 왕 정강이뼈가 굽어 있음. 또,

그러한 사람. 尣(次次條)과 同字. ②곱사등이 왕 구루(傴僂).
字源 古文 尢 篆文 桂 象形. '大대'가 어른이 서 있는 모양인 데 대하여, 정강이뼈가 구부러진 사람을 본뜬 것. '절름발이'의 뜻을 나타냄. '尪왕'이 통용자(通用字)임.
參考 ①尪(尢部 四畫)과 同字. ②'尢'을 기본으로 발이나 걸음이 정상이 아니라는 뜻의 문자를 이름. '尣·兀'은 모두 '尢'의 이체자(異體字)로, 변으로 쓰일 때에는 이 세 자체(字體)가 있음.

0
③ [兀] 尢(前條)과 同字
參考 兀(儿部 一畫)은 別字.

0
④ [尣] 尢(前前條)과 同字

0
④ [尣] 〔왕〕
尢(部首〈p.616〉)과 同字

1
④ [尤] ⑭Ⓣ우 Ⓣ尤 羽求切 yóu
筆順 一 ナ 尢 尤
字解 ①더욱 우 가장. '一甚'. '一精物理'《晉書》. 또, 가장 뛰어난 것. '拔其一'《韓愈》. ②허물 우 과실. '愆一'. '忍一而攘詢'《楚辭》. ③탓할 우 원망함. '不怨天, 不一人'《論語》. ④나무랄 우 책망함. 비난함. '一而效之'《左傳》. ⑤망설일 우 주저함. '遲疑不決爲一豫'《六書正譌》. ⑥가까이할 우 '野花芳草奈相一'《羅隱》. ⑦성우 성(姓)의 하나.
字源 甲骨文 彡 金文 ₮ 篆文 引 指事. 손끝에 가로획을 그어, 이변(異變)으로서 '나무람'의 뜻을 나타냄.

[尤功 우공] 뛰어난 공적.
[尤詬 우구] 나무라서 부끄럽게 함. 치욕(恥辱).
[尤隙 우극] 말다툼. 불화(不和).
[尤極 우극] 더욱.
[尤妙 우묘] 더욱 묘(妙)함.
[尤物 우물] 가장 훌륭한 사람. 후세(後世)에는 미인(美人)을 이름.
[尤甚 우심] 더욱 심(甚)함.
[尤異 우이] 극히 훌륭함. 대단히 뛰어남.
[尤而效之 우이효지] 남의 과실을 나무라면서 자기도 그 과실을 저지름.
[尤者 우자] 뛰어난 것.
[尤著 우저] 더욱 나타남. 아주 뚜렷함.
[尤最 우최] 가장 훌륭함. 상지상(上之上). 최상(最上).
[尤悔 우회] 허물과 후회.
● 慢尤. 殊尤. 愆尤. 怨尤. 出尤. 瑕尤. 效尤.

4
⑦ [尨] ⑭Ⓣ방 ⑭江 莫江切 máng, ③páng ⑭東 謨蓬切 méng
字解 ①삽살개 방 털이 더부룩한 개. '一狗'. '無使一也吠'《詩經》. ②얼룩얼룩할 방 빛이 얼룩얼룩함. '衣之一服'《左傳》. ③클 방 尨(厂部 七畫)과 통용. '一大'. ④섞일 방 '一, 一日, 雜也'《集韻》. '一眉皓髮'《後漢書》. ⑤산란할 방

어지러이 뒤섞임. '狐裘—茸'《左傳》.
[字源] 甲骨文 篆文 象形. 털북숭이 개의 모양을 본떠, '삽살개'의 뜻.

[尨犬 방견] 삽살개.
[尨狗 방구] 삽살개.
[尨大 방대] 두툼하고 큼.
[尨服 방복] 잡색(雜色)의 옷.
[尨然 방연] 두툼하고 큰 모양.
[尨茸 방용] 털 따위가 흩어진 모양. 산란한 모양.
[尨雜 방잡] 털 따위가 어지럽게 뒤섞임.

4 ⑦ [尬] 개 [去]卦 古拜切 jiè

[字解] 절름발이 개 '尲—, 行不正也'《說文》.
[字源] 篆文 形聲. 尢+介〔音〕. '介개'는 서로 헤어짐의 뜻.

4 ⑦ [⿺尢㞷] 尫(次次條)과 同字

[字源] 篆文 形聲. 尢+㞷〔音〕. '㞷왕'은 '枉'과 통하여, 굽다의 뜻. 절름발이의 뜻을 나타냄.

4 ⑦ [尩] 尫(次條)의 俗字

4 ⑧ [尫] 왕 [平]陽 烏光切 wāng

[字解] ①절름발이 왕. ②곱사등이 왕 '—傴'. ③약할 왕 병약함. '—弱'. '人固有—羸而壽考'《韓愈》.
[字源] 形聲. 尣+王〔音〕. '尣왕'은 절름발이를 본뜬 것. '王왕'은 '枉왕'과 통하여, '굽다'의 뜻. 보행이 부자유한 사람의 뜻을 나타냄.

[尫傴 왕구] 꼽추.
[尫陋 왕루] 약함. 왕약(尫弱).
[尫羸 왕리] 약하고 파리함.
[尫病 왕병] 약하여 잘 앓음.
[尫闇 왕암] 몸이 약하고 재주가 어두움. 나약하고 우매함.
[尫弱 왕약] 약함. 허약(虛弱)함.
[尫弊 왕폐] 약하여 피로함.

8 ⑪ [⿺尢谷] [一] 격 [二] 극 [入]陌 巨逆切 jì

[字解] [一] 싫증날 격, 고달플 격 '—, 倦—也'《玉篇》. [二] 싫증날 극, 고달플 극 [一]과 뜻이 같음.

8 ⑪ [⿺尢委] [一] 퇴 [去]隊 他內切 tuǐ
[二] 위(귀[本]) [上]紙 苦委切 kuì

[字解] [一] 풍질 퇴 '⿺尢貴—'는 지금의 류머티즘. '⿺尢貴—, 風疾'《集韻》. [二] 진력날 위, 절름발이 위 ⿺尢危(尢部 六畫)와 同字. '⿺尢危, 博雅, 倦也. 一曰, 跂也. 或从委'《集韻》.

8 ⑪ [⿺尢奇] [一] 기 ①[平]支 居倚切 jǐ
②[去]寘 卿義切
[二] 의 [上]紙 隱綺切

[字解] [一] ①절름발이 기 한쪽 발의 병신. 踦(足部 八畫)와 同字. '—, 一足. 又作踦'《廣韻》. ②진력날 기, 고달플 기 '—, 倦也'《集韻》. [二] 절름발이 의 [一]❶과 뜻이 같음.

9 ⑫ [尰] 종 [上]腫 時冗切 zhǒng

[字解] ①수종다리 종 발이 붓는 병. '腫足爲—'《詩經傳》. ②부을 종 발이 부음. '旣微且—'《詩經》.

9 ⑫ [就] [中·人] 취 [去]宥 疾僦切 jiù

[筆順] 亠 古 亨 京 京 就 就 就

[字解] ①이룰 취 성사함. '成—'. '日—月將'《詩經》. ②좇을 취 따름. '從—'. '先王之制禮也, 過者使俯而—之'《禮記》. ③나갈 취 ㉠일자리 또는 벼슬자리에 나아감. '—業'. '吾不以一日輟汝—也'《韓愈》. ㉡향하여 감. '猶水之—下'《孟子》. ④마칠 취 끝마침. '—世'(죽는다는 뜻). '每嗟陵早—'《南史》. ⑤능히 취 능(能)하게. '—用命焉'《左傳》. ⑥곧 취 즉시(卽時). '—加詔許之'《晉書》. ⑦가령 취 가정하여. 가사(假使). '—令'으로 연용(連用)하기도 함. '—其能鳴者'《韓愈》. ⑧성 취 성(姓)의 하나.
[字源] 篆文 籀文 會意. 京+尤. '京경'은 높은 건물을 본뜬 모양. '尤우'는 개의 象形. 고귀한 사람의 집에서 기르는 지키는 개의 모양에서, 어떤 자리에 나가다, 앉다의 뜻을 나타냄. 또, 사물(事物)이 목적 점에 이름의 뜻에서, '되다, 이루어지다'의 뜻도 나타냄.

[就眠 취면] 잠을 잠.
[就木 취목] 관에 들어감. 죽음.
[就縛 취박] 잡힘. 잡혀서 묶임.
[就緖 취서] 사업(事業)의 첫발을 내디딤. 성공(成功)의 실마리가 열림. 길이 열림.
[就世 취세] 죽음. 즉세(卽世).
[就囚 취수] 옥(獄)에 갇힘.
[就養 취양] ㉠부모의 곁에서 음식 따위를 돌보아 드림. ㉡관리의 몸으로 부모가 고령(高齡)이기 때문에 사직하고 귀향하여 봉양함.
[就業 취업] 업무를 봄. 업에 종사함.
[就褥 취욕] 잠자리에 듦.
[就任 취임] 임무(任務)에 나아감.
[就將 취장] 학문(學問)이 날로 이루어지고 날로 나아감. 학문이 나날이 진보함. 일취월장(日就月將).
[就籍 취적] 호적(戶籍)에 빠진 사람이 입적(入籍)함.
[就正 취정] ㉠유도(有道)한 사람에게 나아가서 시비(是非)를 질정(質正)함. ㉡시문(詩文)의 첨삭(添削)을 청함.
[就第 취제] 사택(私宅)으로 돌아감. 곧, 관직(官職)을 사퇴(辭退)함. 사직함.
[就中 취중] 그중에서 특별히.
[就職 취직] ㉠직업(職業)을 얻음. ㉡취업(就業).
[就捉 취착] 잡힘.
[就寢 취침] 잠을 잠.
[就學 취학] 학교(學校)에 들어가서 공부를 함. 스승에게 나아가서 학문(學問)을 배움.
[就閑 취한] 한지(閑地)에서 조용히 한적(閑寂)함을 즐김.
[就航 취항] 항해하기 위하여 배가 떠남.
◉去就. 近就. 晩就. 成就. 夙就. 旬日就. 暱就.

從就. 勳業就.

10 ⑬ [尳] [一] 골 ㊅月 古忽切 gǔ
[二] 활 ㊅黠 戶骨切 gǔ

字解 [一] ①무릎병 골 '一, 膝病'《廣韻》. ②뼈 삘 골 탈골(脫骨). '一, 聲類曰, 骨差也'《玉篇》. [二] 발병 활 '一, 足病'《集韻》.
字源 形聲. 尢+骨〔音〕

10 ⑬ [尲] [一] 감 ㊤咸 古咸切 gān
[二] 겸 ㊤鹽 紀炎切 jiān

字解 [一] ①비틀거릴 감 똑바로 나가지 못함. '一尬, 行不正也'《說文》. ②어긋날 감 어그러짐. '今蘇州俗語, 謂事乖剌者, 曰一尬'《說文段注》. [二] 비틀거릴 겸, 어긋날 겸 [一]과 뜻이 같음.
字源 篆文 形聲. 尢+兼〔音〕. '兼겸'은 겹쳐져 뒤엉킴의 뜻. 발이 꼬여 나아가지 못함.

12 ⑮ [尵] 퇴 ㊤灰 杜回切 tuí

字解 말앓을 퇴, 말병 퇴 말〔馬〕에 생기는 병(病). '一, 馬病也'《玉篇》.
字源 形聲. 尢+穨〈省〉〔音〕. '穨퇴'는 '쇠(衰)함'의 뜻.

12 ⑮ [尶] 〔종〕
①尰(尢部 九畫〈p. 617〉)과 同字. ② 瘇(疒部 十二畫〈p. 1494〉)의 籒文.

14 ⑰ [尷] 〔감〕
尲(尢部 十畫〈p. 618〉)과 同字

19 ㉓ [尶] [一] 라 ㊦箇 魯過切 léi
[二] 리 ㊤支 力爲切 léi
[三] 란 ㊤刪 力頑切 luán

字解 [一] 무릎병 라 '一, 膝病'《廣韻》. [二] 무릎병 리 [一]과 뜻이 같음. [三] ①무릎병 란 '一尶'은 무릎의 병. '一尶, 膝病'《集韻》. ②허리무릎아플 란 '一尶'은 허리나 무릎이 아픔. '一尶, 膂膝病也'《廣韻》.
字源 形聲. 尢+羸〔音〕

尸 (3획) 部
〔주검시부〕

0 ③ [尸] 人名 시 ㊤支 式脂切 shī

筆順 ㇕ ㇕ 尸

字解 ①주검 시 시체. '一解'. 또, 죄인의 시체를 여러 사람이 보도록 늘어놓음. '殺三郤而一諸朝'《國語》. ②시동(尸童) 시 제사 때 신(神)을 대신하는 아이. 후세에는 화상(畫像)을 썼음. '弟爲一則誰敬'《孟子》. ③신주 시 위패(位牌). '載一集戰'《楚辭》. ④주장할 시 주관함. '誰其一之'《詩經》. ⑤진칠 시 진(陣)을 침. '荆一'. ⑥성 시 성(姓)의 하나.
字源 金文 篆文 篆文 象形. 죽어서 손발을 뻗은 사람을 본뜬 모양으로, '주검'의 뜻을 나타냄. '屍시'의 原字.
參考 문자로서는 시체를 의미하지만, 문자의 요소로서는 인체(人體)를 나타내고 있는 경우가 많음. 또, 가옥(家屋)이나 신발에 관한 문자로 '尸'가 붙는 것이 있음.

[尸諫 시간] 위(衛)나라 사어(史魚)가 생전(生前)에 그가 섬기던 임금 영공(靈公)에게 소인(小人) 미자하(彌子瑕)를 물리치고 거백옥(蘧伯玉)을 등용하도록 진언(進言)한 충간(忠諫)이 용납(容納)되지 않음을 슬퍼하여, 사후(死後)에 박장(薄葬)하여 달라고 유언(遺言)하여 마침내 임금을 감동(感動)시키어 충간(忠諫)을 받아들이도록 한 고사(故事)에서 나온 말로, 죽은 후에도 임금을 간함을 이름.
[尸官 시관] 시위소찬(尸位素餐)의 관원(官員).
[尸童 시동] 옛날에 제사(祭祀) 때 신위(神位) 대신으로 쓰던 동자(童子).
[尸祿 시록] 시위소찬(尸位素餐).
[尸利 시리] 자기 지위(地位)에 대한 책임(責任)을 다하지 아니하고 자기 이익만 바람.
[尸素 시소] 시위소찬(尸位素餐).
[尸位素餐 시위소찬] 벼슬자리에 있어 그 직책(職責)을 다하지 못하고 녹(祿)만 타 먹는 사람을 이르는 말.
[尸咽 시인] 목젖이 가렵고 아픈 병.
[尸坐齋立 시좌재립] 시동(尸童)처럼 앉고 재계(齋戒)할 때처럼 선다는 뜻으로, 몸가짐이 대단히 단정하고 신중함을 이름.
[尸解 시해] 도가(道家)의 술수(術數)의 이름. 몸만 남기어 놓고 혼백(魂魄)이 빠져 가 버린다는 뜻으로, 신선(神仙)으로 화(化)함을 이름.
◉三尸. 上尸. 中尸. 下尸. 荆尸.

0 ③ [尸] 尸(前條)의 本字

1 ④ [尺] 中人 척 ㊅陌 昌石切 chǐ

筆順 ㇕ ㇕ 尸 尺

字解 ①자 척 ㉠길이의 단위. 열 치. '十寸爲一'《漢書》. ㉡길이를 재는 자. '掘地得古銅一'《晉書》. ㉢근소·약간의 뜻으로 쓰임. '一土'. ②길이 척 긴 정도. '一度'. '布帛幅一'《陳書》. ③편지 척 '一素'. '一牘'. '欲憑書一問寒溫'《韓駒》.
字源 篆文 象形. 엄지와 나머지 네 손가락과의 사이를 벌려 길이를 재는 꼴이라고도 하고, 팔꿈치의 모양이라고 하기도 하는데, 사람을 옆에서 본 모양을 본떠, 두 발 사이의 길이, 보폭(步幅)만큼의 길이의 단위를 나타냄.

[尺簡 척간] 편지. 척독(尺牘).
[尺縑 척겸] 얼마되지 않는 비단.
[尺度 척도] ㉠자. ㉡길이. ㉢계량(計量)의 표준.
[尺牘 척독] 편지(便紙).
[尺童 척동] 10세 내외의 아이.
[尺量 척량] 물건을 자로 잼.

[尺璧 척벽] 직경이 1척(尺) 되는 보옥(寶玉).
[尺兵 척병] 짧은 무기. 척철(尺鐵).
[尺山寸水 척산촌수] '척오촌초(尺吳寸楚)'와 같음.
[尺書 척서] ㉠편지. ㉡간단한 문서.
[尺雪 척설] 많이 쌓인 눈.
[尺素 척소] 척서(尺書). 척독(尺牘). 소(素)는 백(帛).
[尺水 척수] 얼마 안 되는 물. 얕은 물.
[尺吳寸楚 척오촌초] 넓은 지역도 높은 곳에서 멀리 바라보면 심(甚)히 작게 보인다는 말.
[尺有所短寸有所長 척유소단촌유소장] 슬기가 있는 사람도 일에 따라서는 어리석은 사람만 못하고, 어리석은 사람도 때에 따라서는 슬기가 있는 사람보다 나음을 비유(比喩)한 말.
[尺刃 척인] 자그마한 칼.
[尺一 척일] 조칙(詔勅)을 베끼는 목판(木版). 길이 한 치 한 자. 전(轉)하여, '조칙'의 별칭(別稱).
[尺楮 척저] 편지(便紙).
[尺地 척지] 척토(尺土).
[尺鐵 척철] 짧은 무기. 촌철(寸鐵). 척병(尺兵).
[尺寸 척촌] 한 자와 한 치. 전(轉)하여, 수량・거리 등이 얼마 안 됨을 이름.
[尺寸之兵 척촌지병] 짧은 병장기.
[尺寸之效 척촌지효] 조그마한 공적(功績).
[尺土 척토] 얼마 안 되는 땅.
[尺八 척팔] 피리의 일종(一種). 길이 한 치 여덟 자.
[尺翰 척한] 서한(書翰). 척독(尺牘).
[尺蠖 척확] 자벌레.
[尺蠖屈以求信 척확굴이구신] 자벌레가 몸을 구부리는 것은 장차 뻗기 위함이라는 뜻으로, 사람도 후일(後日)에 성공하기 위하여서는 간난신고(艱難辛苦)를 참고 견디어 나가야 함을 이름. 신(信)은 신(伸).
　●竿尺. 矚尺. 曲尺. 詘寸信尺. 卷尺. 刀尺. 法尺. 三尺. 書尺. 繩尺. 咫尺. 指尺. 進寸退尺. 天威咫尺. 縮尺. 布尺. 幅尺. 畫尺.

1/④ [尹] 〔人名〕 윤 ㉮軫 余準切 yǐn

[筆順] フ ㇗ ㅋ 尹

[字解] ①미쁠 윤, 미쁨 윤 신의가 있음. 신의. '孚一旁達, 信也'《禮記》. ②다스릴 윤 다스려 바로잡음. '一, 治也'《說文》. '以一天下'《左傳》. ③벼슬 윤, 벼슬이름 윤 관직. 또, 관리. 관명(官名). 옛날에는 이 자를 붙인 관명이 많았음. 예컨대, '師一', '令一', '詹一', '奄一' 따위. 후세에는 '京兆一', '道一' 등이 있음. '庶一允'《書經》. ④관장할 윤 주장함. '芮一江湖'《漢書》. ⑤나아갈 윤 '一, 進也'《廣韻》. ⑥포(脯) 윤 건육(乾肉). '一祭'. ⑦성씨 성(姓)의 하나.
[字源] 甲骨文 犭 金文 尹 篆文 尹 古文 隸 象形. 신성한 것을 손에 넣는 모양을 본떠, 씨족(氏族)의 장(長)의 뜻에서, '장관(長官)', 또 '다스리다'의 뜻을 나타냄.

[尹司 윤사] 벼슬아치.
[尹祭 윤제] 종묘(宗廟)의 제사에 쓰는 포(脯).
　●卿尹. 官尹. 關尹. 師尹. 庶尹. 奄尹. 閣尹. 令尹. 里尹. 詹尹.

2/⑤ [尻] 〔人名〕 고 ㉭豪 苦刀切 kāo

[字解] 꽁무니 고 ㉠등골뼈의 끝진 곳. 또, 엉덩이. '免去一'《禮記》. ㉡끝. 말단. '其一安在'《楚辭》.
[字源] 篆文 尻 形聲. 尸(尸)+九〔音〕. '九구'는 구부러져 막다른 곳이 됨의 뜻. 인체(人體)의 가장 깊숙한 끝에 있는 구멍, '꽁무니'의 뜻을 나타냄.

[尻驛典 고역전] 신라 때 우역(郵驛)에 관한 일을 맡아보던 관아.
[尻坐 고좌] 궁둥이를 땅에 대고 무릎을 세워 앉음. 웅크리고 앉음.
　●黑尻.

2/⑤ [尼] 〔人名〕 니 ①②㉭支 女夷切 ní ③④㉭質 尼質切 nǐ

[字解] ①신중 니 여승(女僧). '一僧'. '比丘一'《金剛經》. ②성 니 성(姓)의 하나. ③가까울 니 昵(日部 五畫)의 고자(古字). '悅一而來遠'《尸子》. ④정지시킬 니 그치게 함. '行或使之, 止或一之'《孟子》.
[字源] 篆文 尼 尸(尸)+匕. '尸시'도 '匕비'도 모두 사람의 象形으로, 사람과 사람이 가까이함의 뜻을 나타냄. 또, 범어(梵語)를 한역(漢譯)한 비구니(比丘尼)의 약칭(略稱)으로서, '여승'의 뜻도 나타냄.

[尼姑 이고] 이승(尼僧).
[尼房 이방] 여승(女僧)의 방.
[尼法師 이법사] 여자 법사.
[尼父 이보] 공자(孔子)의 존칭.
[尼寺 이사] 이원(尼院).
[尼僧 이승] 여승(女僧).
[尼院 이원] 여승(女僧)이 있는 절.
　●陀羅尼. 摩尼. 牟尼. 比丘尼. 毗尼. 沙彌尼. 宣尼. 僧尼. 惡邪尼. 仲尼. 鬭尼.

2/⑤ [戽] 〓 즉 〔人〕職 兹力切 〓 년 ㉭銑 尼展切 niǎn 〓 연 ㉭銑 而兗切 niǎn

[字解] 〓 다스릴 즉 '一, 理也'《玉篇》. 〓 ①가죽 다룰 년 무두질함. '一, 柔皮也'《說文》. ②약할 년 유약(柔弱)함. '一, 弱也'《廣韻》. 〓 가죽다룰 연, 약할 연 〓와 뜻이 같음.
[字源] 會意. 尸(尸)+又.

2/⑤ [尸] 〓 〔이〕夷(大部 三畫〈p.501〉)의 古字 〓 〔인〕仁(人部 二畫〈p.95〉)의 古字

2/⑤ [卢] 〔로〕 盧(皿部 十一畫〈p.1525〉)의 簡體字

3/⑥ [歹] 〔알〕 歺(夕部 0畫〈p.1146〉)의 古字

3/⑥ [尽] 〔진〕 盡(皿部 九畫〈p.1523〉)의 俗字

4/⑦ [尾] 〔中人〕 미 ㉭尾 無匪切 wěi, yǐ

筆順 ¬ ¬ 尸 尸 尸 尾 尾

字解 ①꼬리 미 '一大不掉'《左傳》. '狐濡其一'《易經》. ②끝 미 '末一'. '帝大署其一'《唐書》. ③뒤 미 뒤쪽. '吾等宜附其一'《北史》. ④바닥 미 샘의 바닥. '漢, 大出一'《爾雅》. ⑤다할 미 '一, 盡也'《揚子方言》. ⑥뒤밟을 미 '一行'. ⑦별이름 미 이십팔수(二十八宿)의 하나. 창룡 칠수(蒼龍七宿)의 여섯째 성수(星宿)로서, 열아홉 별로 구성되었음. 미수(尾宿). '龍一伏辰'《左傳》. ⑧흘레할 미 '交一'. '鳥獸孳一'《書經》. ⑨마리 미 물고기를 세는 수사(數詞). '肥魚斫千一'《李覯》.

字源 篆文 尾 會意. '尸+毛'. '尸시'는 짐승의 엉덩이의 象形의 변형된 것. '毛모'를 붙여, 털이 있는 '꼬리'의 뜻을 나타냄.

[尾擊 미격] 추격(追擊).
[尾騎 미기] 뒤를 쫓아오는 기병(騎兵). 추기(追騎).
[尾大不掉 미대부도] 꼬리가 커서 흔들기가 어렵다는 뜻으로, 신하(臣下)의 세력이 강하여 군주(君主)가 자유로이 제어(制御)할 수 없음을 이름.
[尾閭 미려] ㉠대해(大海) 밑에 있는, 해수(海水)가 쉴 사이 없이 샌다는 곳. ㉡미저골(尾骶骨).
[尾蔘 미삼] 인삼(人蔘)의 잔뿌리.
[尾生之信 미생지신] 옛적에 미생(尾生)이란 사람이 한 여자와 다리 밑에서 만나자는 약속이 있어 그곳에서 기다리는데, 때마침 큰비가 와 물이 불어도 가지 아니하고 기다리다가 마침내 다리의 기둥을 껴안고 익사(溺死)하였다는 고사(故事). 전(轉)하여, 약속을 굳게 지키고 변하지 아니함. 또는, 우직(愚直)함 등의 뜻으로 쓰임.
[尾扇 미선] 부채의 일종. 대를 실같이 가늘게 쪼개어 살로 하여 둥글게 실로 엮은 다음에 안팎을 종이로 바른다.
[尾星 미성] ㉠미수(尾宿). ㉡혜성(彗星).
[尾宿 미수] 자해(字解)❼을 보라.
[尾骶骨 미저골] 꽁무니뼈.
[尾行 미행] 몰래 뒤를 따라감.
●交尾. 鳩尾. 箕尾. 驥尾. 媺尾. 大尾. 掉尾. 魴魚䞓尾. 鼠尾. 燒尾. 瑣尾. 首尾. 修尾. 豕尾. 壓尾. 蔦尾. 燕尾. 龍頭蛇尾. 龍尾. 莘尾. 字首. 字尾. 紙尾. 塵尾. 徹頭徹尾. 追尾. 雉尾. 鴟尾.

4획 [尿] ⑦ 人名 노 㴑嘯 奴弔切 niào 尿

字解 오줌 뇨 소변. '糞一'.
字源 篆文 屎 會意. 篆文은 尾+水. 꽁무니에서 나오는 물, '오줌'의 뜻을 나타냄. '尿'는 그 생략체.

[尿道 요도] 오줌이 나오는 길. 오줌이 방광(膀胱)에서 체외(體外)로 나오게 된 속이 빈 관.
[尿毒症 요독증] 신장염(腎臟炎)으로 오줌이 잘 나오지 못하여 해로운 물질이 피 속에 섞여 중독(中毒)된 병증(病症).
[尿意 요의] 오줌이 마려운 느낌.
[尿精 요정] 오줌에 정수(精水)가 섞여 나오는 병.
[尿閉 요폐] 하초열(下焦熱)로 오줌이 막히는 병(病).
[尿血 요혈] 오줌에 피가 섞여 나오는 병(病).
●檢尿. 排尿. 糞尿. 泌尿. 屎尿. 夜尿. 血尿.

4획 [屁] ⑦ 㴑眞 匹寐切 pì 屁

字解 방귀 비 똥구멍으로 나오는 구린내 나는 가스. '放一'. '一, 氣下洩也'《廣韻》.
字源 形聲. 尸+比〔音〕. '尸시'는 사람의 꽁무니. '比'는 의성어(擬聲語).

[屁眼 비안] 항문(肛門).
●放屁. 撒屁.

4획 [眉] ⑦ 〔간〕 看(目部 四畫〈p. 1534〉)과 同字

4획 [局] ⑦ 高人 국 㴑沃 渠玉切 jú 局

筆順 ¬ ¬ 尸 月 月 局 局

字解 ①방 국 구획한 한 방(房). '宮一總來爲喜樂'《王建》. 전(轉)하여, 구분·구획의 뜻으로 쓰임. '一部'. '不敢越一'《晉書》. ②마을 국 관아. '當一'. '郵遞一'. '分掌二十一事'《通典》. ③직무 국 일. 직책(職責). '匪遑離一'《陳琳》. ④판 국 장기·바둑 등의 판. '對一'. '以帕蓋一'《魏志》. 또, 바둑·장기 등의 승부의 결말. 전(轉)하여, 추세(趨勢). 판국. '結一勢'. '一勢'. ⑤재간 국 재능. 도량. 기우(器宇). '器一'. '一量'. '剛正有一力'《宋書》. ⑥말릴 국 노끈이나 실 등이 감김. '予髮曲一'《詩經》. ⑦굽힐 국 몸을 굽힘. 웅크림. '一天蹐地'. '不敢不一'《詩經》. ⑧구애될 국 융통성이 없음. '節在儉固, 失在拘一'《人物志》. ⑨모임 국 회합(會合). 연회(宴會). '飮一'.
字源 篆文 局 形聲. 尺〔省〕+句〔音〕. '尺척'은 인체(人體)를 본뜬 모양. '句구'는 '굽히다'의 뜻. 등을 구부림의 뜻을 나타냄. 또, '句'는 '區구'와 통하여, '구획 짓다'의 뜻을 나타냄.

[局見 국견] 좁은 소견(所見).
[局局 국국] 대소(大笑)하는 모양.
[局內 국내] 무덤의 경계(境界) 안.
[局度 국도] 국량(局量).
[局量 국량] 재간(才幹)과 도량.
[局力 국력] 재간(才幹).
[局面 국면] ㉠승패를 다투는 바둑·장기·고누 등의 판의 형세. ㉡사건이 변천하여 가는 정형(情形).
[局部 국부] ㉠전체 중의 일부분. ㉡남녀의 생식기(生殖器).
[局詐 국사] 미리 계획을 짜고 남을 속임.
[局署 국서] 관서(官署). 관청(官廳).
[局勢 국세] 판국(版局)의 형세.
[局所 국소] 신체(身體) 중의 일부분. 또, 전체 중의 일부분.
[局識 국식] 좁은 식견(識見).
[局外 국외] ㉠바둑에서 대국자(對局者)가 아닌 방관자(傍觀者). ㉡그 사건에 관계없는 지위.
[局外中立 국외중립] ㉠교전국의 어느 편에도 가담하지 아니함. ㉡대항하는 양자(兩者)의 어느 편에도 원조를 하지 아니함.

5 ⑧ [屄] [一] 복 [入]屋 蒲木切 pú [二] 축 [入]屋 初六切 [三] 국 [入]沃 衢六切

[字解] [一] 허둥지둥갈 복 당황하여 가는 모양. '一, 行促迫也'《集韻》. [二] 허둥지둥갈 축 [一]과 뜻이 같음. [三] 허둥지둥갈 국 [一]과 뜻이 같음.

6 ⑨ [屃] 〔해〕 骸(骨部 六畫〈p. 2615〉)의 俗字

6 ⑨ [屋] [中人] 옥 [入]屋 烏谷切 wū

[筆順] ㇇ 尸 尸 屋 屋 屋 屋 屋

[字解] ①집 옥 주거. 건물. '家一'. '富潤一'《大學》. ②지붕 옥 가옥의 꼭대기의 덮개. '一梁'. '誰謂雀無角, 何以穿我一'《詩經》. ③덮개 옥 ㉠수레 뚜껑. 차개(車蓋). '乘黃一車'《史記》. ㉡방장(房帳). 장막. '一者, 室之覆也'《說文 段注》. ④도마 옥 '夏一, 大俎也'《字彙》.

[字源] 篆文 籒文 古文 會意. 尸(尸)+至. '尸시'는 본래 '广엄'으로서, '집'의 뜻. '至지'는 '이르다'의 뜻. 사람이 이르는 '집'의 뜻을 나타냄.

[屋架 옥가] 가옥(家屋). 집.
[屋角 옥각] 지붕의 모서리.
[屋棟 옥동] 마룻대.
[屋梁 옥량] 지붕.
[屋漏 옥루] ㉠집이 샘. ㉡방(房)의 서북우(西北隅)로 집 안에서 가장 깊숙하여 어두운 곳. ㉢사람이 보지 않는 곳.

[屋漏㉡]

[屋溜 옥류] 옥류(屋霤).
[屋霤 옥류] 낙숫물.
[屋廡 옥무] 지붕.
[屋比 옥비] 집 근처. 근린(近隣).
[屋舍 옥사] 집. 가옥(家屋).
[屋上 옥상] 지붕 위.
[屋上建瓴水 옥상건령수] 지붕 위에서 동이의 물을 쏟는다는 뜻으로, 기세가 대단함의 비유로 쓰임.
[屋椽 옥연] 서까래.
[屋烏之愛 옥오지애] 한 사람을 사랑하면 그가 사는 집 위의 까마귀까지 귀엽다는 뜻으로, 사람을 사랑하는 마음은 그 사람의 주위의 것에까지도 미침을 이름. 우리나라의 속담(俗談)에 '아내가 귀여우면 처갓집 말뚝 보고도 절을 한다.'와 뜻이 같음.
[屋外 옥외] 집 밖. 한데.
[屋宇 옥우] 집. 가옥(家屋).
[屋除 옥제] 집의 입구의 층층대.
[屋誅 옥주] 한 사람의 죄(罪)로 말미암아 그 가족 전부를 죽임.
[屋脊 옥척] 용마루.
[屋下架屋 옥하가옥] 지붕 밑에 또 지붕을 얹는다는 뜻으로, 무슨 일을 부질없이 거듭하여 함의 비유.
[屋下私談 옥하사담] 쓸데없는 개인(個人)의 사사로운 이야기.
◉家屋. 傑屋. 空屋. 金屋. 煖屋. 陋屋. 漏屋. 幔屋. 茅屋. 帽屋. 門屋. 舫屋. 白屋. 富潤屋. 佛屋. 社屋. 祠屋. 書屋. 神屋. 廬屋. 瓦屋. 矮屋. 埸屋. 氈屋. 重屋. 葺屋. 草屋. 椒屋. 破屋. 板屋. 庖屋. 蒲屋. 廈屋. 巷屋. 華屋.

6 ⑨ [屍] [人名] 시 [平]支 式脂切 shī

[字解] 주검 시 송장. '一體'. '封殽一而還'《左傳》.

[字源] 篆文 形聲. 死+尸(尸)〔音〕. '死사'는 '죽다'의 뜻. '尸시'는 주검을 본뜬 모양. '주검, 송장'의 뜻을 나타냄.

[屍諫 시간] '시간(尸諫)'과 같음.
[屍水 시수] 시즙(屍汁).
[屍身 시신] 송장.
[屍汁 시즙] 시체(屍體)가 썩어서 나오는 물. 추깃물.
[屍體 시체] 송장.
[屍臭 시취] 시체(屍體)가 썩는 냄새.
[屍骸 시해] 시체(屍體).
◉檢屍. 裹屍. 伏屍. 死屍. 戮屍. 陳屍. 鞭死屍.

6 ⑨ [屎] [人名] [一] 시 [上]紙 式視切 shǐ [二] 히 [平]支 喜夷切 xī

[字解] [一] 똥 시 대변. '一尿'. '道在一溺'《莊子》. [二] 끙끙거릴 히 신음함. '殿一'.

[字源] 形聲. 米+尸〔音〕. '尸시'는 주검을 본뜬 모양. 쌀의 찌끼, '똥'의 뜻을 나타냄.

[屎尿 시뇨] 똥과 오줌.
[屎溺 시뇨] 시뇨(屎尿).
◉鼠屎. 殿屎.

6 ⑨ [屏] 〔병〕 屛(尸部 八畫〈p. 625〉)의 俗字

6 ⑨ [屓] [一] 기 [去]寘 詰利切 qì [二] 계 [去]霽 詰計切

[字解] [一] ①있을 기 '一, 尻也'《說文》. ②기우듬히앉을 기 '一, 身欹坐'《廣韻》. ③볼기 기 궁둥이. '一, 一曰, 尻'《廣韻》. [二] 있을 계, 기우듬히앉을 계, 볼기 계 [一]과 뜻이 같음.

[字源] 形聲. 尸(尸)+旨〔音〕

6 ⑨ [屌] 초 [上]篠 丁了切 diǎo

[字解] 자지 초 남자의 음부(陰部). '一, 此爲方俗語. 史傳皆曰勢'《正字通》.

[𠵛] 〔지〕 口部 六畫(p. 369)을 보라.

7 ⑩ [屐] 극 [入]陌 奇逆切 jī

[字解] 나막신 극 나무로 만든 신. '一履'. '度門關乃納一'《宋書》.

[字源] 篆文 形聲. 履〈省〉+支〔音〕. '履리'는 신발, '支지·기'는 '나뭇가지, 갈라지다'의 뜻. 밑에 굽이 있는 신, 나막신류(類)의 뜻을 나타냄.

[屐履間 극리간] 걸어 다니는 동안. '갑작스러운 경우'를 이르는 말.

[屐聲 극성] 나막신 소리. 사람의 발소리.
[屐子 극자] 나막신. 자(子)는 무의미한 조자(助字).
[屐齒 극치] 나막신의 굽.
[屐響 극향] 극성(屐聲).
[屐痕 극흔] 나막신 자국. 사람의 간 발자국.
●輕屐. 納屐. 木屐. 帛屐. 靈運屐. 料財蠟屐. 履屐. 草屐.

7/10 [屑] 人名 설 ㉠屑 先結切 xiè

字解 ①가루 설 잔 부스러기. '一塵'. '時造船, 木一及竹頭, 侃悉令學之'《晉書》. ②부술 설, 부서질 설 가루로 만듦. 또, 가루로 됨. '一桂與薑'《禮記》. ③잗달 설 쇄소(瑣小)함. '一一'. '織一促密'《柳宗元》. ④달갑게여길 설 달갑게 생각함. '不一教之'. '不我一以'《詩經》. ⑤업신여길 설 경모(輕侮)함. '一播天命'《書經》. ⑥수고할 설 힘씀. 애씀. '一, 勞也'《廣雅》. '晨夜一一'《漢書》. ⑦편치않을 설 마음이 편치 아니함. '一一不安也'《揚子方言》. ⑧교활할 설 '一, 猾也'《方言》. ⑨부득이할 설 '一, 不獲已也'《集韻》. ⑩돌아볼 설 마음에 둠. '盡心納忠, 不一毁譽'《後漢書》. ⑪지나칠 설 과도함. 멋대로 함. '一, 過也'《小爾雅》. ⑫갑자기 설 '超兮西征, 兮刈虛兮'《漢書》. ⑬모두 설 다 함. '一有辭'《漢書》.
字源 篆文 屑 形聲. 尸(尸)+㕒(骨)〔音〕. '尸시'는 몸. '㕒초'는 살을 갈라 젖다의 뜻. 몸이 가루가 되도록 힘쓰고 수고함의 뜻에서, 전(轉)하여, '자잘하다, 잗다랗다, 잔 부스러기'의 뜻을 나타냄.

[屑屑 설설] ㉠잗단 모양. ㉡힘쓰는 모양. 부지런한 모양. ㉢왕래(往來)하는 모양. ㉣근심하는 모양. 편안하지 아니한 모양.
[屑然 설연] 잡다(雜多)한 모양.
[屑意 설의] 개의(介意)함.
[屑塵 설진] 티끌. 먼지.
●芥屑. 經屑. 寄屑. 羈屑. 勃屑. 不屑. 棲屑. 織屑. 騷屑. 蕭屑. 瑣屑. 掩屑. 玉屑. 猥屑. 竹頭木屑.

7/10 [屔] 니 ①㉻齊 奴低切 ní ②㉻支 女夷切

字解 ①웅덩이진언덕 니 꼭대기의 웅덩이에 빗물이 괴어 수렁이 된 언덕. '一, 受水丘也. 爾雅曰, 水潦所止爲一丘'《廣韻》. ②산이름 니 니산(屔山)과 같음. '屔, 山名. 顏氏禱於屔丘生孔子. 或从丘, 通作尼'《集韻》.
字源 形聲. 丘+泥〈省〉〔音〕

7/10 [屓] 〔희〕 屬(尸部 二十一畫〈p.628〉)와 同字
字源 會意. 尸+鼻〈省〉

7/10 [屉] 〔거〕 居(尸部 五畫〈p.621〉)의 俗字

7/10 [展] 中人 전 ㉠銑 知演切 zhǎn
筆順 一 ㄱ 尸 尸 屄 屄 屄 屄 展 展

字解 ①펼 전 ㉠엶. 벌림. '一開'. '讀罷書仍一'《白居易》. ㉡신장(伸長)함. 늘임. '一性', '侈必一'《國語》. ㉢발달함. '發一', '能不得一'《陸陵》. ㉣진열(陳列)함. 늘어놓음. '一車馬'《左傳》. ㉤의사를 말함. '一敍', '敢一謝其不共'《左傳》. ㉥뜻을 폄. 뜻대로 됨. '但恨微志未一'《吳志 註》. ㉦홍포(弘布)함. '敷一德音'《北史》. ②늘일 전 기한을 연기함. '一期', '冬令一月'《漢書》. ③살필 전 살펴봄. '一墓', '一犧牲'《周禮》. '一而受之'《周禮》. ④두터이할 전 정의 같은 것을 두터이 함. '時庸一親'《書經》. ⑤적을 전 기록함. '一其功緒'《周禮》. ⑥굴 전 뒹굴뒹굴 굶. 또, 몸을 이리 뒤치락 저리 뒤치락 함. '一轉反側'《詩經》. ⑦베풀 전 차림. '必一歡宴'《談苑》. ⑧가지런히할 전 정돈함. '稽器一事'《周禮》. ⑨정성 전 성의. '一也大成'《詩經》. ⑩진실로 전 참으로. '一如之人兮'《詩經》. ⑪성 전 성(姓)의 하나.
字源 篆文 展 形聲. 篆文은 尸(尸)+㠱〈省〉〔音〕. '㠱전'은 衣+㠪라고도, 옛에 '㠪전'을 얹어 폄의 뜻. '㠪'은 주구(呪具)라고도 하고, 벽돌이라고도 함. '尸시'는 뻗은 사람의 시체의 象形. 늘여 펴다의 뜻을 나타냄. 또, 펼쳐 보다의 뜻도 나타냄.

[展開 전개] ㉠펴져 벌어짐. 또, 펴서 벌림. ㉡밀집 부대(密集部隊)가 헤어져 산병(散兵)이 됨.
[展觀 전관] 펼쳐서 봄. 또, 펼쳐서 보임.
[展期 전기] 전한(展限).
[展讀 전독] 펴 읽음. 펴 봄.
[展覽 전람] ㉠펴서 봄. ㉡벌여 놓고 사람들에게 보임.
[展望 전망] 멀리 바라봄.
[展墓 전묘] 성묘(省墓)함.
[展眉 전미] 찌푸렸던 눈살을 폄. 곧, 근심이 사라짐.
[展敍 전서] 뜻을 펴서 말함.
[展性 전성] 금속(金屬)과 같이 두드리거나 누르거나 하여 얇게 펴 늘일 수 있는 성질.
[展省 전성] 성묘(省墓)함.
[展示 전시] 책(冊)·편지(便紙) 등을 펴서 보임.
[展閱 전열] 펼쳐서 봄.
[展轉 전전] 밤에 잠이 안 와서 몸을 엎치락뒤치락함. 전전(輾轉).
[展縮 전축] 신축(伸縮).
[展布 전포] 진술(陳述)함.
[展限 전한] 기간(期間)을 늘림.
[展效 전효] 힘을 다함. 힘씀.
●開展. 個展. 傾展. 發展. 奉展. 敷展. 舒展. 宣展. 施展. 申展. 伸展. 增展. 進展. 親展. 披展.

7/10 [屖] 서 ㉻齊 先稽切 xī

字解 ①굳을 서 견고함. 犀(牛部 八畫)와 통용. '器不一利'《漢書》. ②쉴 서 휴식함. '一, 一遲也. 今作栖'《玉篇》.
字源 甲骨文 屖 金文 屖 篆文 屖 形聲. 尸(尸)+辛〔音〕. '尸시'는 누운 사람의 象形. '辛신'은 '犀서'로서, '편안히 하다'의 뜻을 나타냄. 사람이 몸을 눕혀 편히 쉬는 일.

8/11 [屙] 아 ㉻歌 烏何切 ē

[字解] 뒤보러갈 아 변소(便所)에 감. '一, 上廁也'《玉篇》.
[字源] 形聲. 尸+阿〔音〕

8 ⑪ [屜] 체 [去]霽 他計切 tì

[字解] ①신창 체 신 바닥에 까는 가죽. ②언치 체 안장 밑에 까는 받침. '披藍一'《淸會典》. ③서랍 체 책상 등에 끼웠다 빼었다 하게 만든 제구. '抽一'. '暫設妝奩, 還抽鏡一'《庾信》.
[字源] 形聲. 履〈省〉+世〔音〕. '履리'는 '신'의 뜻. '世세'는 '展전'과 통하여, '늘여 펴다'의 뜻. '신창'의 뜻을 나타냄.

8 ⑪ [屡] 〔돈〕
豚(豕部 四畫〈p. 2174〉)과 同字

8 ⑪ [屝] 비 [去]未 扶弗切 fèi

[字解] 짚신 비 '共其資糧一屨'《左傳》.
[字源] 篆文 形聲. 尸(尸)+非〔音〕. '尸시'는 '나무껍질'의 뜻. '非비'는 '配배'와 통하여, 그것을 늘어놓아 엮는 모양을 나타냄. 삼따위의 껍질로 삼은 '짚신'의 뜻을 나타냄.

[屝屨 비구] 짚신.
[屝履 비리] 짚신.

8 ⑪ [屛] [高人] 병 ①-④[平]靑 薄經切 píng ⑤-⑥㊤梗 必郢切 bǐng ⑦[平]庚 府盈切 bīng

[筆順] ㇕ 尸 尸 尸 屄 屄 屛 屛

[字解] ①울 병 담. '一翰'. '之一之幹'《詩經》. ②병풍(屛風) 병 '一障'. '惟幕衾一'《南史》. ③가릴 병 가려 막음. '一蔽'. '故封建親戚, 以藩一周'《左傳》. 또, 가려 막는 것. '乃命建諸侯樹一'《書經》. ④변방 병 변읍(邊邑). 두메. '其在邊邑, 曰某一之臣某'《禮記》. ⑤물리칠 병 ㉠제거함. 버림. '尊五美, 一四惡'《論語》. ㉡멀리함. 내쫓음. '一之遠方'《禮記》. ⑥물러날 병 ㉠뒤로 물러남. '乃左右一而待'《禮記》. ㉡은퇴함. '一居山田'《漢書》. ⑦두려워할 병 '一營彷徨于山林之中'《國語》.
[字源] 篆文 形聲. 尸(尸)+幷〔音〕. '尸시'는 본디 '广엄'으로서, '집'의 뜻. '幷병'은 '늘어섬'의 뜻. 사람을 늘어세운 듯이 서 있는 건물·가리개의 뜻. 가리개, 담의 뜻에서 파생(派生)하여, '물리치다'의 뜻을 나타냄.
[參考] 屏(尸部 六畫)은 俗字.

[屛去 병거] 물리쳐서 버림.
[屛居 병거] 집에 들어박혀 있음. 또, 세상을 등지고 숨어 삶. 은거(隱居)함.
[屛氣 병기] 병식(屛息).
[屛棄 병기] 물리쳐 버림.
[屛息 병식] 겁이 나서 숨을 죽임. 두려워하여 조심함.
[屛息畏懼 병식외구] 병외(屛畏).
[屛語 병어] 사람을 물리치고 소곤소곤 이야기함. 또, 그 이야기.
[屛盈 병영] 헤맴. 방황. 병영(屛營).
[屛營 병영] ㉠방황하는 모양. ㉡두려워하는 모양.
[屛畏 병외] 숨을 죽이고 두려워함. 병식 외구(屛息畏懼).
[屛幃 병위] 병풍과 휘장. 전(轉)하여, 실내(室內).
[屛衛 병위] 울타리가 되어 지킴. 또, 그 울타리.
[屛障 병장] ㉠방어(防禦). ㉡안팎을 가려 막는 물건. 곧, 담·장지·병풍 같은 것.
[屛黜 병출] 물리쳐 쓰지 아니함.
[屛蔽 병폐] ㉠막아 가림. ㉡담. 장원(牆垣).
[屛風 병풍] 바람을 막기 위하여 방 안에 치는 물건.
[屛扞 병한] 국가의 방어.
[屛翰 병한] ㉠담. ㉡천자(天子)의 번병(藩屛). ㉢국가의 주석(柱石)이 되는 신하.
[屛護 병호] 가리어 지킴. 감쌈.
◉曲屛. 金屛. 蕃屛. 藩屛. 疎屛. 硯屛. 簾屛. 臥屛. 雄屛. 垣屛. 幃屛. 帷屛. 銀屛. 隱屛. 依屛. 牆屛. 窗屛. 徹屛. 翠屛. 枕屛. 退屛. 號屛. 畫屛.

9 ⑫ [屠] [人名] 도 [平]虞 同都切 tú

[字解] ①잡을 도 짐승을 잡음. '一殺'. '凡一者, 斂其皮角筋骨, 入於玉府'《周禮》. ②무찌를 도 쳐들어가 사람을 많이 죽임. '一城'. '今一沛'《漢書》. ③죽일 도 죽여 찢어발김. '一, 刳剝畜牲也'《六書故》. '子一母'《楚辭》. ④백장 도, 도수장 도 짐승을 잡는 것을 업으로 삼는 사람. 또, 짐승을 잡는 곳. '臣有客, 在市一中, 願枉車騎過之'《史記》. ⑤앓을 도 瘏(疒部 九畫)와 통용. '一, 本又作瘏. 病也'《釋文》. ⑥무너질 도 '一, 壞也'《廣雅》. ⑦성 도 성(姓)의 하나.
[字源] 篆文 形聲. 尸(尸)+者〔音〕. '者자'는 '많이 모이다'의 뜻. 시체가 많이 모이다. 동물의 몸을 베어 발기다의 뜻을 나타냄.

[屠家 도가] 백장.
[屠狗 도구] 개를 잡음.
[屠潰 도궤] 죽여 찌부러뜨림. 산산이 파괴함.
[屠耆 도기] 흉노(匈奴)가 현자(賢者)를 일컫는 말.
[屠龍之技 도룡지기] 용(龍)을 잡는 재주라는 뜻으로, 쓸데없는 재주를 이름.
[屠戮 도륙] 무찔러 죽임.
[屠腹 도복] 할복자살(割腹自殺)함.
[屠肆 도사] 푸주.
[屠殺 도살] ㉠도륙(屠戮). ㉡짐승을 죽임.
[屠燒 도소] 사람을 많이 죽이고 집을 많이 태움.
[屠蘇 도소] 옛날에 술을 빚던 납작한 집.
[屠蘇酒 도소주] 설날에 먹으면 사기(邪氣)를 물리친다고 이르는 술. 도라지·방풍(防風)·육계(肉桂) 등을 조합(調合)하여 만든 도소산(屠蘇散)을 넣어서 빚음.
[屠所之羊 도소지양] 도수장(屠獸場)에 끌려가는 양(羊)이란 뜻으로, 죽음이 임박(臨迫)한 자, 또는 무상한 인생(人生)의 비유.
[屠獸場 도수장] 소·돼지·양 등의 짐승을 잡는 곳.
[屠兒 도아] 도자(屠者).
[屠牛 도우] 소를 잡음.
[屠維 도유] 고갑자(古甲子) 천간(天干)의 여섯째. 곧, 기(己).

[屠者 도자] 백장.
[屠宰 도재] 육류(肉類)의 요리.
[屠販 도판] 짐승을 잡아 팖, 백장 노릇을 함.
[屠割 도할] 죽여서 찢음. 도열(屠裂).
[屠陷 도함] 무찔러 함락시킴.
[屠戶 도호] 도살을 업으로 하는 집.
◉狗屠. 禁屠. 浮屠. 市屠. 翦屠. 剿屠. 廢屠. 休屠.

9 ⑫ [屟] [一] 체 [去]霽 他計切 tì
[二] 섭 [入]葉 蘇協切 xiè

[字解] [一] ①신창 체 신 바닥에 까는 가죽. '一, 履中薦'《集韻》. ②서랍 체 屉(尸部 五畫)와 통용. [二] 신창 섭, 서랍 섭 [一]과 뜻이 같음.
[字源] 形聲. 尸(尸)+枼〔音〕

[一] 칩 [入]緝 初戢切 qì
9 ⑫ [屜] [二] 섭 [入]葉 色輒切
[三] 찹 [入]洽 側洽切 zhǎ
[四] 삽 [入]洽 所甲切 zhǎ

[字解] [一] ①이을 칩 뒤를 이음. '一, 一屋, 从後相躡也'《說文》. ②적을 칩 '一, 一曰, 少也'《集韻》. [二] 이을 섭 [一]❶과 뜻이 같음. [三] ①쐐기 찹 얇은 쐐기. '一, 薄楔'《廣韻》. ②이을 찹 [一]❶과 뜻이 같음. [四] 쐐기 삽 [三]❶과 뜻이 같음.
[字源] 形聲. 尸(尸)+臿〔音〕

9 ⑫ [屜] 〔체〕
屜(尸部 八畫〈p.625〉)와 同字

9 ⑫ [屎] 〔뇨〕
尿(尸部 四畫〈p.620〉)의 本字

9 ⑫ [属] 〔속·촉〕
屬(尸部 十八畫〈p.628〉)의 俗字

9 ⑫ [屡] 〔루〕
屢(尸部 十一畫〈p.626〉)의 俗字

[犀] 〔서〕
牛部 八畫(p.1383)을 보라.

[孱] 〔잔〕
子部 九畫(p.564)을 보라.

10 ⑬ [屈] 〔굴〕
屈(尸部 五畫〈p.622〉)의 本字

10 ⑬ [屦] 추 [平]魚 才余切 qú

[字解] 보지 추 여자의 음부. '屄一'.

◉屄屦.

11 ⑭ [屢] [高人] 루 [去]遇 良遇切 lǚ 屡

[筆順] 尸 尸 尸 屃 屃 屢 屢 屢

[字解] ①여러 루 자주. '一次'. '回也其庶乎, 一空'《論語》. ②번거로울 루 번잡(煩雜)함. '相過言壓一'《梅堯臣》. ③빠를 루 '一, 疾也'《爾雅》.
[字源] 篆文 形聲. 尸(尸)+婁〔音〕. '尸시'는 사람, '婁루'는 잇달아 계속함의 뜻. 자주, 번거롭다의 뜻을 나타냄.

[屢年 누년] 여러 해.
[屢屢 누누] 여러 번.
[屢代 누대] 여러 대(代).
[屢代奉祀 누대봉사] 여러 대(代)의 제사(祭祀)를 받듦.
[屢代墳山 누대분산] 여러 대(代)의 묘지(墓地).
[屢度 누도] 여러 번.
[屢報 누보] 여러 번 알림.
[屢朔 누삭] 여러 달.
[屢世 누세] 여러 대(代).
[屢月 누월] 여러 달.
[屢日 누일] 여러 날.
[屢次 누차] 여러 번.
◉厭屢.

11 ⑭ [屣] [一] 사 [上]紙 所綺切 xǐ
[二] 시 [去]寘 所奇切 xǐ

[字解] [一] 신 사 짚신. '一履'. '吾視去妻子如脫一耳'《史記》. [二] 신 시 [一]과 뜻이 같음.
[字源] 形聲. 履〈省〉+徙〔音〕. '履리'는 '신'의 뜻. '徙사'는 '옮다'의 뜻. 사람이 이동할 때에 사용하는 신, '짚신'의 뜻을 나타냄.

[屣履 시리] ㉠신. ㉡허둥지둥 신을 끌면서 마중 나간다는 뜻으로, 대단히 반가워하여 마중 나가는 것을 형용한 말. 도시(倒屣). 도극(倒屐).
◉倒屣. 脫屣. 破屣. 敝屣.

[鳲] 〔시〕
鳥部 三畫(p.2659)을 보라.

11 ⑭ [層] 層(次條)의 略字

12 ⑮ [層] [高人] 층 [平]蒸 昨棱切 céng 层

[筆順] 尸 尸 屏 屏 屛 屛 層 層

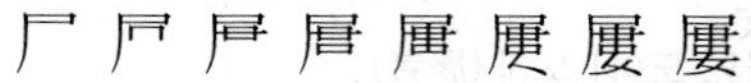

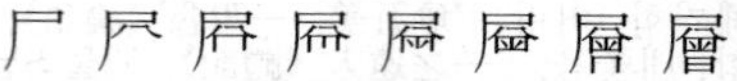

[字解] ①층집 층 2층 이상의 집. '珠殿連雲, 金一輝泉'《劉孝綽》. ②층 층 ㉠층계(層階). '欲崇其高必重其一'《潘岳》. ㉡겹. 중루(重累). '一濤'. '更築三一樓'《梁書》. ③높을 층 '巡一楹而空掩'《江淹》.
[字源] 篆文 形聲. 尸(尸)+曾〔音〕. '尸시'는, '집'의 뜻. '曾증'은 겹쳐 쌓임의 뜻. 지붕이 포개져 쌓인 높은 다락집의 뜻. 파생(派生)하여, 무릇 쌓여 겹쳐짐을 이름.

[層閣 층각] 층루(層樓).
[層階 층계] 여러 층으로 된 계단.
[層觀 층관] 여러 층으로 높게 지은 망루(望樓).
[層構 층구] 2층.
[層臺 층대] 층층대(層層臺).
[層濤 층도] 겹쳐 밀려오는 물결.
[層等 층등] 차등(差等).
[層累 층루] 층중(層重).
[層樓 층루] 2층 이상으로 높게 지은 누각(樓閣).
[層巒 층만] 중첩(重疊)한 산(山).
[層榭 층사] 여러 층으로 된 정자.

[層生疊出 층생첩출] 겹쳐 자꾸 생겨남.
[層石 층석] 층샛돌.
[層深 층심] 겹쳐 깊음.
[層巖絶壁 층암절벽] 여러 층의 험한 바위로 된 낭떠러지.
[層厓 층애] 바위가 겹겹이 쌓인 언덕. 층애(層崖).
[層崖 층애] 층애(層厓).
[層雲 층운] ㉠여러 층(層)으로 겹친 구름. ㉡지평선과 나란히 층을 이루어 지면(地面)에 가까이 나타나는 구름.
[層嶂 층장] 층만(層巒).
[層疊 층첩] 층첩(層疊).
[層疊 층첩] 여러 층(層)으로 겹침.
[層層 층층] 여러 층으로 겹친 모양.
[層層臺 층층대]《韓》층층으로 쌓은 대(臺). 계단(階段).
[層層侍下 층층시하]《韓》부모(父母)·조부모(祖父母)가 다 생존(生存)한 시하(侍下).
[層塔 층탑] 여러 층으로 된 탑.
[層下 층하]《韓》남보다 낮게 대접(待接)함.
●高層. 峻層. 單層. 斷層. 大層. 碧層. 上層. 一層. 重層. 地層. 下層.

---

12 ⑮ [履] 高人 ㉮紙 力几切 lǚ

筆順 尸 尸 尸 尸 屏 屏 履 履

字解 ①신 리 신발. '草─'. '脱─戶外'《列子》. ②신 리 신을 신음. '長跪─之'《史記》. ③밟을 리 ㉠발을 위에 되 딛음. '─虎尾'《易經》. ㉡걸음. '跛能─'《易經》. 또, 족적(足跡)이 미치는 곳, 발로 밟은 땅이라는 뜻으로, 영토를 이름. '賜我先君─'《左傳》. ㉢지위에 이름. 자리에 나아감. '─祚'. '─帝位'《易經》. ㉤행함. 실천함. '─行'. '不其─'《禮記》. 또, 행하는 바. 곧, 조행(操行). '性─純深'《晉書》. ㉤겪음. 경험함. '─歷'. '備─艱難'《徐陵》. ㉥실지로 가 조사함. '親─其地'《元史》. ④복 리 복록(福祿). '福─綏之'《詩經》. ⑤이괘 리 육십사괘(六十四卦)의 하나. 곧, ☱《태하(兌下)》, 건상(乾上)》. 밟아 나가는 상(象).

字源 篆文 履 古文 頭 會意. 尸+彳+夊+舟. '尸시'는 사람을 본뜬 모양. '彳척'은 길의 象形. '夊치'는 밑을 향한 발을 본뜸. '舟주'는 짚신의 象形. 뒤에, 이 '舟' 부분이 변형되었음. 사람이 길을 갈 때 신는 '신발, 신다'의 뜻을 나타냄.

[履屩 이각] 짚신. 또는 짚신을 신음.
[履端 이단] 정월(正月) 초하루.
[履歷 이력] ㉠경력(經歷). ㉡《佛敎》소정(所定)의 경전(經典)의 과목(科目)을 배움.
[履薄氷 이박빙] 살얼음판을 디딤. 위험한 곳에 있음의 비유.
[履氷 이빙] 얇은 얼음을 밟는다는 뜻으로, 극히 위험(危險)함의 비유(比喩).
[履霜堅氷至 이상견빙지] 서리를 밟을 때가 되면 얼음이 얼 때도 곧 닥칠 것이라는 뜻으로, 어떤 일의 징후(徵候)가 보이면 머지않아 큰일이 일어날 것이라는 비유(比喩).
[履霜之戒 이상지계] 서리가 내리는 것은 얼음이 얼 징조이므로, 징조를 보고 미리 화란(禍亂)을 방지하여야 한다는 경계.

[履舃 이석] 신. 석(舃)은 이중(二重) 바닥의 신.
[履聲 이성] 신발 소리.
[履雖新不爲冠 이수신불위관] 귀천(貴賤)·상하(上下)의 별(別)을 어지럽혀서는 안 됨을 비유한 말.
[履新 이신] 신년(新年).
[履長 이장] 동지(冬至).
[履跡 이적] 신 자국. 발자국.
[履祚 이조] 즉위(卽位).
[履蹤 이종] 이적(履跡).
[履踐 이천] 실행(實行)함.
[履行 이행] ㉠실제(實際)로 행(行)함. 실행함. ㉡품행(品行).
[履虎尾 이호미] 범의 꼬리를 밟음. 위험(危險)한 일을 함의 비유.
●經履. 瓜田履. 冠履. 躬履. 達磨隻履. 蹈履. 芒履. 望履. 木履. 眇祝跣履. 跋履. 福履. 菲履. 四履. 絲履. 屣履. 盛履. 素履. 率履. 尋履. 幽履. 游履. 簪履. 操履. 珠履. 踐履. 草履. 佩履. 行履. 革履.

---

12 ⑮ [屧] 섭 ㉭葉 蘇協切 xiè

字解 ①나막신 섭 '多君方閉戶, 顧我能倒─'《皮日休》. ②신창 섭 신 바닥에 까는 가죽 또는 짚. '書日硏一爲業, 夜讀書隨月光'《南史》.
字源 形聲. 履〈省〉+葉〔音〕. '葉엽·섭'은 '얇다'의 뜻. 신에 까는 얇은 신창의 뜻을 나타냄.

[屧廊 섭랑] 복도. 낭하(廊下).
●倒屧. 步屧. 移屧. 研屧.

---

14 ⑰ [屨] 구 ㉭遇 九遇切 jù

字解 ①신 구 가죽신. 일설(一說)에는, 짚신 또는 미투리. '─不上於堂'《禮記》. ②신을 구 신발을 발에 꿰어 신음. '─校滅趾'《易經》. ③밟을 구 ㉠발로 딛음. '─船首帶幰蛇'《揚雄》. ㉡그 위치에 섬. '身─典軍'《史記》. ④자주 구 종종. 屨《尸部 十一畫》와 통함. '臨事而─斷'《禮記》.
字源 篆文 屨 形聲. 履〈省〉+婁〔音〕. '履리'는 신, '婁루'는 가느다란 끈(縷)의 뜻. 삼이나 가죽 따위의 끈을 엮어 만든 신발.

[屧]

[屨賤踊貴 구천용귀] 보통 신의 값은 싸고 용(踊) 〈죄를 지어 발목을 끊은 사람이 신는 신〉의 값은 비싸다는 뜻으로, 죄인(罪人)이 많음의 비유(譬喩).
●葛屨. 慕屨. 繐屨.

---

15 ⑱ [屩] 갹 ㉤藥 居勺切 juē

字解 신 갹 짚신 또는 미투리. '蹻─擔簦'《史記》.
字源 篆文 屩 形聲. 履〈省〉+喬〔音〕. '履리'는 신, '喬교'는 발이 높이 올라가다〔蹻〕의 뜻. 삼 따위로 만든, 원행용(遠行用)의 가벼운 짚신.

---

15 ⑱ [屪] 료 ㉮蕭 力宵切 liáo

[字解] 자지 료 남자의 음경(陰莖). '一, 男陰名'《字彙》.

18 [屬] [高人] [一] 촉 [入]沃 之欲切 zhǔ 属 
㉑ [二] 속 [入]沃 市玉切 shǔ

[筆順] 尸 尸 屌 屌 屌 屬 屬 屬

[字解] [一] ①이을 촉 연속함. '一聯'. '冠蓋相一於魏'《史記》. ②붙을 촉 부착함. '楪一'. '右一櫜鞬'《左傳》. ③맡길 촉 부탁함. 위임함. '一託'. '可一大事當一面'《史記》. ④모을 촉, 모일 촉 한데 모음. 한데 모임. '一其耆老'《孟子》. '不一於王所'《周禮》. ⑤돌볼 촉 구원하여 도와줌. '至于一婦'《書經》. ⑥족할 촉 만족함. 충족함. '一厭'. '願以小人之腹, 爲君子之心, 一饜而已'《左傳》. ⑦따를 촉 부음. '酌玄酒, 三一於尊'《儀禮》. ⑧맺을 촉 원한을 품음. '必一怨焉'《國語》. ⑨가까울 촉 접근함. '一者'. '天下一安定'《漢書》. ⑩권할 촉 권면함. '酒酣智起舞, 一邕'《後漢書》. ⑪조심할 촉 신중하고 공경하는 모양. '一一乎其忠也'《禮記》. [二] ①무리 속 제배(儕輩). '以此一取天下'《史記》. ②아래벼슬아치 속 하료(下僚). '官一'. '各率其一, 以倡九牧'《書經》. ③살붙이 속 혈족. '眷一'. '族一'. '齊諸田疎一也'《史記》. ④좇을 속 ㉠따름. 복종함. '從一'. '諸別將皆一宋義'《史記》. ㉡뒤따름. 수행함. '騎能一者百餘人耳'《史記》. ⑤엮을 속 글을 지음. '一文'. ⑥마침 속 때마침. '下臣不幸, 一當戎行'《左傳》.

[字源] 篆文  形聲. 尾+蜀〔音〕. '蜀촉'은 '계속되다'의 뜻. '尾미(꽁무니)' 뒤에 이어지다의 뜻에서, 연속해 있음의 뜻을 나타냄.

[參考] 属(尸部 九畫)은 俗字.

[屬稿 속고] 초안(草案)을 잡음.
[屬官 속관] 부하의 관리. 하급 관리.
[屬纊 속광] 임종(臨終) 때 솜을 코밑에 대어 숨이 지지 않았나 알아보는 일. 전(轉)하여, 임종. 임종 때.
[屬國 속국] 독립(獨立)할 능력이 없어서 다른 나라에 붙어 있는 나라.
[屬僚 속료] 속관(屬官).
[屬吏 속리] 하급 관리.
[屬文 속문] 글을 지음.
[屬辭 속사] 문사(文辭)를 지음.
[屬邑 속읍] 큰 고을에 소속된 작은 고을.
[屬者 속자] ㉠따르는 사람. 수종(隨從)하는 사람. ㉡촉자(屬者).
[屬籍 속적] 한 문중(門中)에 속하는 호적(戶籍). 또는 국적(國籍).
[屬佐 속좌] 속관(屬官).
[屬地 속지] 부속(附屬)되어 있는 땅. 통치권(統治權)을 행사(行使)할 수 있는 토지.
[屬車 속차] ㉠천자(天子)의 부차(副車). ㉡천자(天子).
[屬土 속토] 속지(屬地).
[屬和 속화] 남을 따라 노래함.
[屬客 촉객] 손님에게 권(勸)함.
[屬聯 촉련] 연속함.
[屬令 촉령] 훈계하여 명함.
[屬鏤 촉루] 옛적의 명검(名劍).
[屬望 촉망] 바라는 마음을 붙임. 희망(希望)을 둠. 촉망(矚望).
[屬目 촉목] 눈여겨봄. 유의하여 봄.
[屬杯 촉배] 술잔을 권함.
[屬心 촉심] 촉망(屬望).
[屬厭 촉염] 배부름. 실컷 먹음.
[屬饜 촉염] 촉염(屬厭).
[屬玉 촉옥] 백로(白鷺)의 일종.
[屬腰領 촉요령] 허리와 목을 이음. 요참(腰斬)과 두참(頭斬)의 형(刑)을 면(免)함을 이름. 촉요령(屬要領).
[屬怨 촉원] 원한을 맺음. 원한을 품음. 원수가 됨.
[屬臾 촉유] 삼감. 근신(謹愼).
[屬意 촉의] 촉망(屬望).
[屬耳 촉이] 귀를 기울여 정성(精誠)스레 들음. 경청(傾聽)함.
[屬耳目 촉이목] 주의(注意)하여 보고 들음.
[屬者 촉자] 요사이. 작금(昨今). 근자(近者).
[屬酒 촉주] 술을 따라 권함.
[屬草 촉초] 초고(草稿)를 잡음.
[屬屬 촉촉] ㉠공경(恭敬)하여 전일(專一)한 모양. ㉡온순한 모양.
[屬託 촉탁] 일을 부탁(付託)함. 촉탁(囑託).
[屬統 촉통] 혈통(血統)을 계승(繼承)함. 승통(承統).

◉家屬. 綴屬. 傾屬. 繫屬. 冠蓋相屬. 官屬. 九屬. 軍屬. 近屬. 羈屬. 徒屬. 幕屬. 廟屬. 無所屬. 樸屬. 服屬. 付屬. 附屬. 部屬. 分屬. 卑屬. 私屬. 三屬. 所屬. 疏屬. 臣屬. 與屬. 役屬. 延屬. 連屬. 椽屬. 領屬. 隷屬. 五屬. 外屬. 寮屬. 任屬. 尊屬. 支屬. 祗屬. 戚屬. 親屬. 懸屬. 婚屬. 欣屬.

21 [屭] 희 [去]寘 虛器切 xì 
㉔

[字解] 힘쓸 희 '贔一'는 힘을 대단히 쓰는 모양. '巨靈贔一'《張衡》.

[字源] 會意. 尸+贔. '尸시'는 인체를 본뜬 것. '贔비'는 재물이 많은 모양을 나타냄. 사람이 많은 재물을 안고 있는 모양에서, 기력(氣力)을 떨쳐 일으키다의 뜻을 나타냄.

[參考] 屓(尸部 七畫)와 同字.

[屭贔 희비] 구름, 연기 따위가 두껍게 덮여 있는 모양.

◉贔屭. 贔屭.

屮 (3획) 部
〔왼손좌부〕

0 [屮] 〔좌〕
③ 左(工部 二畫〈p.661〉)의 本字

[字源] 甲骨文  金文 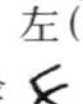 篆文 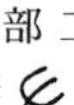 象形. 왼손의 모양을 본떠, '왼쪽'의 뜻을 나타냄.

0 [屮] 철 [入]屑 丑列切 chè 
③

[筆順] 丨 屮

[字解] ①풀 철 초목의 싹. '一茅'. ②싹틀 철 '一, 草木之生也微'《六書故》.

字源 金文 丫 篆文 屮 象形. 풀의 싹이 튼 모양을 본 뜸.
參考 '屮'을 포개어 艸(部首)·屮(艸部 三畫) 와 같은 문자를 이룸. 그러나, '屮'이 그 밖의 문자의 음부(音符)가 되는 일은 없음.

[屮屩 철각] 짚신.
[屮茅 철모] 풀과 띠가 무성한 시골. 전(轉)하여, 민간(民間). 초망(草莽). 초야(草野).

1
④ [屮] 〔지〕
之(丿部 三畫⟨p.54⟩)의 本字

1
④ [屮] 〔지〕
之(丿部 三畫⟨p.54⟩)의 本字

1
④ [屯] 高 ■ 둔 ㊀元 徒渾切 tún
人 ■ 준 ㊀眞 陟綸切 zhūn

筆順 一 𠃍 𠃌 屯

字解 ■ ①진칠 둔 진(陣) 쳐 지킴. '一戍'. '金人一河南'⟪宋史⟫. ②진 둔 진 친 곳. '京師有南北軍之一'⟪漢書⟫. ③언덕 둔 구릉. '生乎陵一'⟪列子⟫. ■ ①어려울 준 고난에 허덕임. '一困'. '一如邅如'⟪易經⟫. ②모일 준 많음. '禮官儒林一朋篤論之士'⟪後漢書⟫. ③찰 준 가득 참. '一滿也'⟪廣雅⟫. ④단단할 준 견고함. '一固比以'⟪左傳⟫. ⑤준괘 준 육십사괘(六十四卦)의 하나. 곧, ䷂⟨진하(震下), 감상(坎上)⟩. 험난하여 전진하는 데 고생하는 상(象).
字源 金文 𡳾 篆文 𡳾 象形. 유아(幼兒)의 머리를 묶어 꾸민 모양을 본떠, 많은 것을 묶어 모으다, 사람이 모이다, 진을 치다의 뜻을 나타냄. 金文에서는 후일의 '純순'의 뜻으로 쓰이는 일이 많고, 순수한 아름다운 장식의 뜻을 나타냄.

[屯墾 둔간] 군대가 진(陣)을 치고 있으면서 황무지를 개간함.
[屯據 둔거] 진을 치고 웅거함.
[屯耕 둔경] 군대가 머물러 수비하면서 농사를 지음.
[屯畓 둔답]⟪韓⟫ 군대가 주둔(駐屯)하여 경작(耕作)하는 논.
[屯防 둔방] 진을 치고 방어함.
[屯兵 둔병] 주둔한 병정(兵丁).
[屯堡 둔보] 보루(堡壘).
[屯所 둔소] 군대가 머물러 지키고 있는 곳. 주둔한 곳.
[屯守 둔수] 군대가 주둔하여 지킴.
[屯戍 둔수] ㉠둔수(屯守). ㉡둔영(屯營).
[屯宿 둔숙] 둔주(屯駐).
[屯禦 둔어] 군대가 주둔하여 방어함. 또, 그 군대.
[屯營 둔영] 진(陣). 진영(陣營).
[屯衛 둔위] 군대가 주둔하여 지킴. 또, 그 수비.
[屯長 둔장] 한 대(隊)의 병사의 우두머리.
[屯田 둔전] 둔경(屯耕).
[屯駐 둔주] 군대가 머무름. 주둔(駐屯).
[屯陣 둔진] 군대가 주둔하여 지킴. 또, 그 진.
[屯土 둔토] 주둔하여 경작하는 땅.
[屯坎 준감] 고생. 고난(苦難).
[屯蹇 준건] 불운(不運). 불리(不利).

[屯困 준곤] 고난(苦難).
[屯難 준난] 준곤(屯困).
[屯剝 준박] 불운(不運).
[屯否 준비] 운수가 비색(否塞)함.
[屯如 준여] 고난에 허덕이는 모양.
[屯運 준운] 불운(不運).
[屯邅 준전] 준전(屯亶).
[屯險 준험] 하는 일이 여의치 않아 세상을 살아 나가는 데 고난이 많음.
●艱屯. 困屯. 軍屯. 邊屯. 兵屯. 蜂屯. 雲屯. 制屯. 駐屯. 沈屯. 險屯. 荒屯.

4
⑦ [坒] 광 ㊀陽 巨王切 huáng

筆順 一 丆 屮 屮 当 坒 坒

字解 무성할 광 '一, 艸木妄生也'⟪說文⟫.
字源 會意. 屮+土.

4
⑦ [肯] 〔각〕
肯(土部 三畫⟨p.433⟩)의 本字

5
⑧ [坒] 坒(前前條)의 古字

7
⑩ [夲] 〔남〕
南(十部 七畫⟨p.307⟩)의 古字

8
⑪ [㸚] 〔강〕
羌(羊部 二畫⟨p.1795⟩)의 古字

8
⑪ [毒] 〔독〕
毒(毋部 四畫⟨p.1162⟩)의 本字

[屮] 〔훼〕
艸部 三畫(p.1897)을 보라.

山 (3획) 部
〔메산부〕

0
③ [山] 中 산 ㊀刪 所閒切 shān
人

筆順 丨 凵 山

字解 ①메 산 산. '一嶽'. '天地定位, 一澤通氣'⟪易經⟫. ②산신 산 산의 신령. '一川其舍諸'⟪論語⟫. ③능 산 능침(陵寢). '非獨爲奉一園也'⟪漢書⟫. ④절 산 사찰(寺刹)의 칭호. '一門'. '歸老於阿育王一廣利寺'⟪蘇軾⟫.
字源 金文 ⛰ 篆文 山 象形. 산(山) 모양을 본떠, '산'의 뜻을 나타냄.
參考 '山'을 의부(意符)로 하여, 여러 가지 종류의 산이나, 산의 모양, 또 산의 이름을 나타내는 글자를 이룸.

[山家 산가] ㉠산속에 있는 집. ㉡⟪佛敎⟫ 송(宋) 나라 때의 천태종(天台宗)의 정통(正統)을 물려받은 한 파.

[山歌 산가] ㉠시골 사람이 부르는 노래. ㉡뱃사람이 부르는 노래. 뱃노래.

[山歌野唱 산가야창] 시골 노래.

[山脚 산각] 산기슭.

[山閣 산각] 산중에 세운 누각(樓閣).

[山間 산간] 산골.

[山龕 산감] 국화과에 속하는 다년초(多年草). 결구(結球)된 뿌리는 백출(白朮)이라 하여 약재로 쓰임. 삽주.

[山客 산객] ㉠산인(山人)❶. ㉡산적(山賊)의 별칭(別稱). ㉢'척촉(躑躅)'의 별칭(別稱).

[山車 산거] 제례(祭禮) 때 위에 산·바위 등의 모양을 만들어 화려하게 꾸며서 끌고 다니는 수레.

[山居 산거] 산속에서 삶. 또, 그 집.

[山筧 산견] 산의 샘물을 끄는 홈통.

[山徑 산경] 산의 소로(小路).

[山景 산경] 산(山)의 경치.

[山系 산계] 산줄기의 계통(系統).

[山薊 산계] 산강(山薑).

[山谿 산계] 시냇물이 있는 산골짜기.

[山鷄 산계] 꿩의 일종.

[山鷄野鶩 산계야목] 자기 마음대로 하고 남의 말을 듣지 아니하는 사람을 이르는 말.

[山高水長 산고수장] 산은 높이 솟고 강이 길게 흐른다는 뜻으로, 군자(君子)의 덕(德)이 한없이 오래 전하여 내려오는 것을 비유한 말.

[山谷 산곡] ㉠산골짜기. ㉡송(宋)나라 시인 황정견(黃庭堅)의 호.

[山谷之士 산곡지사] 산골짜기에서 사는 은사(隱士).

[山骨 산골] ㉠산의 토사(土砂)가 씻겨 내려가서 바위가 드러나 보이는 것. 산의 암석(巖石). ㉡산이 나타내는 기분. 산의 골수(骨髓).

[山果 산과] 산에서 나는 과일.

[山郭 산곽] 산 밑의 성(城)에 둘러싸인 마을.

[山廓 산곽] 눈동자의 윗부분 반쪽. 골상학(骨相學)에서 쓰는 말.

[山怪 산괴] 산에 사는 괴물(怪物).

[山塊 산괴] 산줄기에서 따로 떨어져 나간 산의 덩어리.

[山轎 산교] 산에서 타는 데 쓰는 가마.

[山鳩 산구] 산비둘기.

[山國 산국] 산(山)이 많은 지역.

[山菊 산국] 국화과에 속하는 다년초. 꽃은 약용·식용함. 산국화(山菊花).

[山君 산군] ㉠산신령(山神靈). ㉡'범〔虎〕'의 별칭(別稱).

[山郡 산군] 산읍(山邑).

[山窟 산굴] 산속의 굴.

[山窮水盡 산궁수진] 깊은 산중에 들어가 산은 앞을 막고 물줄기는 끊어져 더 갈 길이 없다는 뜻으로, 막다른 경우에 이름을 비유한 말.

[山歸來 산귀래] 쐐기풀과(科)에 속하는 다년초. 담록색 꽃이 피며 뿌리는 약용으로 함. 며래. 나도물퉁이. 토비해(土萆薢).

[山葵 산규] 십자화과에 속하는 다년초(多年草). 흰 꽃이 피며, 지하경은 향신료(香辛料)로 씀. 고추냉이.

[山根 산근] ㉠콧마루와 두 눈썹의 사이. 골상학(骨相學)에서 쓰는 말. ㉡산기슭.

[山禽 산금] 산새.

[山祇 산기] 산신(山神).

[山氣 산기] 산(山)의 운기(雲氣). 산이 품는 기운.

[山內 산내] ㉠산속. ㉡《佛教》절의 구역 안.

[山農 산농] 산지(山地)에서 짓는 농사(農事).

[山茶 산다] 동백(冬柏)나무.

[山丹 산단] 백합과에 속하는 다년초(多年草). 붉은 꽃이 피며, 인경(鱗莖)은 먹음. 하늘나리.

[山獺 산달] ㉠족제빗과에 속하는 작은 짐승. 담비. ㉡너구리.

[山桃 산도] 소귀나뭇과(科)에 속하는 상록 교목(常綠喬木). 황적색 꽃이 피며, 열매는 먹음. 소귀나무. 속나무. 양매(楊梅).

[山道 산도] 산길.

[山濤 산도] 동진(東晉)의 고사(高士)로서 죽림칠현(竹林七賢)의 한 사람. 자(字)는 거원(巨源). 벼슬은 이부상서(吏部尚書)에 이르렀음. 청렴결백(淸廉潔白)하며 인물(人物)을 관찰(觀察)하는 데 뛰어났음.

[山東 산동] 중국 동부 황해(黃海) 연안의 성(省). 동부는 구릉성(丘陵性) 반도, 중부는 태기(泰沂) 산맥과 접하고, 그 외는 광대한 평야임. 기후는 온화함. 성도(省都)는 제남(濟南). 노성(魯省).

[山童 산동] 산속의 집에 사는 아이.

[山東諸侯 산동제후] 함곡관(函谷關) 이동(以東)의 제후(諸侯). 전국 시대(戰國時代)의 육국(六國). 곧, 제(齊)·초(楚)·연(燕)·한(韓)·위(魏)·조(趙).

[山東出相山西出將 산동출상산서출장] 산동(山東)에서 재상(宰相)이 나고 산서(山西)에서는 장수(將師)가 난다는 뜻으로, 풍속 또는 감화(感化)에 의하여 지방에 따라 특징이 다른 인물이 나옴을 이름.

[山斗 산두] 태산(泰山)과 북두(北斗). 남에게 존경을 받는 사람의 비유.

[山頭 산두] 산꼭대기. 산정(山頂).

[山梁 산량] ㉠산골짜기 사이에 걸친 다리. ㉡'꿩〔雉〕'의 별칭(別稱).

[山厲河帶 산려하대] 맹세할 때에 쓰는 말. 태산(泰山)이 숫돌과 같이 납작하게 닳고, 황허(黃河) 강이 띠와 같이 좁게 되는 한이 있더라도 변함이 없다는 뜻. 여(厲)는 여(礪).

[山靈 산령] 산신령. 산신(山神).

[山路 산로] 산길.

[山麓 산록] 산기슭.

[山籟 산뢰] 산바람이 나뭇가지를 스쳐 울리는 소리.

[山龍子 산룡자] 도마뱀.

[山陵 산릉] ㉠산과 언덕. ㉡능(陵). 제왕(帝王)·후비(后妃)의 무덤. ㉢산릉붕(山陵崩)의 약어(略語).

[山陵崩 산릉붕] 제왕(帝王)이 죽음. 제왕의 죽음을 산이 무너지는 데 비유한 말.

[山梨 산리] 장미과에 속하는 낙엽 소교목(落葉小喬木). 산돌배.

[山裏 산리] 산중.

[山林 산림] ㉠산(山)과 수풀. 또, 산(山)의 수풀. ㉡벼슬을 하지 않고 있는 학덕(學德)이 높은 선비. 산림지사(山林之士). 또, 그 선비가 숨는 곳.

[山林門下 산림문하] 벼슬을 하지 않고 있는 학덕(學德) 높은 선비의 문하.

[山林之士 산림지사] 재덕(才德)을 숨기고 산에서 사는 은사(隱士).

[山林處士 산림처사] 벼슬하지 않고 산속에서 파묻혀 사는 선비.

[山立 산립] 똑바로 섬. 정립(正立).

[山幕 산막] 산속에 쳐 놓은 막. 사냥하거나 약(藥)을 캐는 사람들이 쉬는 곳.

[山魅 산매] 산에 있는 요사(妖邪)스러운 귀신(鬼神).

[山脈 산맥] 산줄기.

[山鳴谷應 산명곡응] 산이 울면 골짜기가 응(應)함. 곧, 소리가 산과 골짜기에 울림.

[山明水麗 산명수려] 산수(山水)의 경치가 아름다움.

[山姥 산모] 산속에 사는 늙은 여자.

[山門 산문] 절에 들어가는 문. 절의 누문(樓門). 또, 절. 사찰(寺刹).

[山味 산미] 산에서 나는 나물이나 과실(果實) 같은 것의 맛.

[山民 산민] ㉠산지(山地)의 주민(住民). ㉡은자(隱者)의 별호(別號).

[山房 산방] 산속에 있는 집. 은서(隱棲)하여 책을 저술하는 사람의 서재 이름으로 많이 쓰임.

[山伐 산벌] 산의 나무를 벰.

[山腹 산복] 산의 중턱.

[山峯 산봉] 산봉우리.

[山阜 산부] 산. 부(阜)는 토산(土山).

[山殯 산빈] 산속에 만들어 놓은 빈소.

[山寺 산사] 산속에 있는 절.

[山師 산사] 주대(周代)의 관명(官名). 하관(夏官)에 속하여 산림(山林)의 명칭(名稱)과 산물(產物)을 맡았음.

[山查肉 산사육] 아가위의 씨를 바른 살. 건위제(健胃劑)로 씀.

[山查子 산사자] 장미과에 속하는 낙엽 활엽의 작은 교목(喬木). 산사나무. 아가위나무.

[山樝子 산사자] 산사자(山査子).

[山蔘 산삼] 깊은 산에 저절로 나는 인삼(人蔘)의 뿌리.

[山上 산상] 산(山) 위.

[山上有山 산상유산] 나간다는 은어(隱語). 날출자. 곧, 출(出)은 산(山) 자가 둘이 겹쳐 있으므로 이름.

[山塞 산새] 산채(山寨).

[山色 산색] 산(山)의 경치.

[山西 산서] 중국 동북부의 성(省). 북쪽이 높고 남쪽이 낮은 황토층(黃土層) 고원 지대로, 산지·고원·분지를 형성하고 있으며, 기후는 대륙성, 우량이 적음. 성도(省都)는 타이위안 시(太原市). 진성(晉省).

[山棲 산서] 산(山)에 삶.

[山墅 산서] 산장(山莊).

[山城 산성] 산 위에 쌓은 성(城).

[山勢 산세] 산(山)의 기복(起伏)·굴절(屈折)한 형세(形勢).

[山所 산소] 무덤이 있는 곳. 또, 무덤.

[山魈 산소] 산중에 산다는 도깨비.

[山訟 산송] 묘지(墓地)에 관한 송사(訟事).

[山水 산수] ㉠산(山)과 물. 산과 내. 산천. ㉡산에서 흐르는 물. ㉢산과 물이 있는 경치를 그린 그림. 산수도(山水圖).

[山叟 산수] 산중에 사는 노인(老人).

[山藪 산수] 산과 늪. 산택(山澤).

[山水圖 산수도] 산수(山水)를 그린 그림.

[山茱萸 산수유] 층층나뭇과에 속하는 낙엽 교목

(落葉喬木). 꽃은 황색(黃色)이고 열매는 적색(赤色)이며 강장제(强壯劑)로 씀. 산수유나무.

[山僧 산승] ㉠산사(山寺)에 있는 중. ㉡주(主)로 선승(禪僧)의 자칭(自稱).

[山神 산신] 산(山)을 맡은 신령(神靈). 산신령(山神靈).

[山阿 산아] 산의 우묵하게 들어간 곳.

[山岳 산악] 산악(山嶽).

[山嶽 산악] 크고 작은 모든 산.

[山靄 산애] 산의 아지랑이.

[山櫻 산앵] ㉠산에서 꽃이 피는 앵두나무. ㉡벚나무.

[山野 산야] ㉠산(山)과 들. ㉡시골. 민간(民間).

[山藥 산약] '서여(薯蕷)'의 별칭(別稱). 마. 또, 마의 괴근(塊根).

[山羊 산양] ㉠염소. ㉡영양(羚羊).

[山陽 산양] 산의 남쪽 편.

[山養 산양] 산(山)에 옮겨 심어 기른 인삼(人蔘).

[山陽笛 산양적] 옛 벗을 생각하는 일. 진(晉)나라의 향수(向秀)가 산양(山陽)의 구거(舊居)에서 피리 소리에 느낀 바 있어 사구부(思舊賦)를 지은 고사(故事)에서 나온 말.

[山役 산역] 무덤을 만드는 역사.

[山影 산영] 산 그림자.

[山窩 산와] 산속에 숨어 살며 낮에는 행상(行商)으로 가장하고 마을을 배회하다가 밤에 강도로 화하는 흉포한 적단(賊團).

[山蝸 산와] 달팽이.

[山王 산왕] 진(晉)나라의 산도(山濤)와 왕융(王戎). 죽림칠현(竹林七賢) 가운데 두 사람임.

[山隈 산외] 산의 모퉁이.

[山腰 산요] 산복(山腹).

[山容 산용] 산(山)의 모양.

[山容水相 산용수상] 산용수태(山容水態).

[山容水態 산용수태] 산수(山水)의 풍경(風景).

[山芋 산우] 산약(山藥).

[山雨 산우] 산에 내리는 비.

[山虞 산우] 주(周)나라 때 산림(山林)을 맡은 벼슬아치. 산림간수.

[山雨欲來風滿樓 산우욕래풍만루] 허혼(許渾)의 함양(咸陽) 성동루(城東樓)의 시(詩)의 한 구로서, 사건(事件)이 생기려면 먼저 반드시 평온하지 않은 조짐이 일어나는 법임을 비유한 말.

[山雲 산운] 산에 끼어 있는 구름.

[山園 산원] 능침(陵寢)이 있는 곳.

[山遊 산유] 산놀이. 유산(遊山).

[山戎 산융] 옛날 중국 동북부에 살던 만족(蠻族)의 이름.

[山陰 산음] 산(山)의 북쪽.

[山邑 산읍] 산골에 있는 고을.

[山人 산인] ㉠속세(俗世)를 버리고 산에서 사는 은사(隱士). ㉡문인(文人) 등의 호(號) 밑에 붙여 쓰는 말.

[山資 산자] 산을 사는 돈이란 뜻으로, 은퇴(隱退)의 준비를 이름.

[山茨菰 산자고] 백합과에 속하는 숙근초(宿根草). 까치무릇.

[山紫水明 산자수명] 산은 자줏빛이고 물은 맑다는 뜻으로, 산수의 경치가 맑고 아름다움을 이름.

[山雀 산작] 산에 사는 참새. 「鳥」

[山鵲 산작] 까마귓과에 속하는 새. 삼광조(三光

[山長 산장] ㉠산중에 은거하여 학문을 가르치는 사람. ㉡서원(書院)·사숙(私塾) 등의 장(長).
[山莊 산장] 산중(山中)의 별장.
[山嶂 산장] 병풍처럼 빙 둘러 연해 있는 산봉우리.
[山瘴 산장] 산중의 독기(毒氣).
[山齋 산재] 산속에 지은 서재(書齋).
[山豬 산저] 산돼지.
[山岨水厓 산저수애] 산의 험한 곳과 강가의 험한 곳. 전(轉)하여, 속세(俗世)에서 멀리 떨어진 장소.
[山賊 산적] 산에서 출몰(出沒)하는 도둑.
[山積 산적] 물건이 산더미처럼 많이 쌓임. 또, 산더미처럼 많이 쌓음.
[山田 산전] 산중에 있는 밭.
[山前 산전] 산의 앞쪽.
[山戰 산전] 산중(山中)에서의 싸움. 산악전(山嶽戰).
[山巓 산전] 산꼭대기.
[山戰水戰 산전수전] 《韓》온갖 경난(經難)의 비유.
[山節藻梲 산절조절] 두공(枓栱)에 산을 새기고, 동자기둥에 마름〔水藻〕을 그림. 곧, 천자(天子)의 종묘(宗廟)의 장식(裝飾). 절(節)은 두공(枓栱), 절(梲)은 동자기둥.
[山店 산점] 산중에 있는 가게.
[山亭 산정] 산중에 있는 정자(亭子).
[山庭 산정] ㉠산에 있는 광장(廣場). ㉡콧마루.
[山頂 산정] 산꼭대기.
[山精 산정] ㉠산의 정령(精靈). ㉡산강(山薑).
[山靜似太古 산정사태고] 산거(山居)의 고요한 것이 흡사(恰似) 태고 시대(太古時代)와 같음.
[山靜日長 산정일장] 산속에서 사는 한정(閑靜)한 정취를 이름.
[山鳥 산조] ㉠산에 사는 새. 산새. ㉡꿩의 일종. 산치(山雉).
[山足 산족] 산록(山麓).
[山峻水急 산준수급] 산(山)은 험(險)하고 물은 빨리 흐름.
[山中 산중] 산속.
[山中無曆日 산중무력일] 산중(山中)에 한가히 있어서 자연(自然)을 즐기느라고 세월(歲月)이 가는 줄을 모름.
[山中宰相 산중재상] 남송(南宋)의 도사(道士) 도홍경(陶弘景)의 고사(故事)에서 나온 말로, 국정(國政)의 자순(諮詢)에 참여하는 재야(在野)의 현사(賢士)를 이름.
[山地 산지] 산이 많은 땅. 산달.
[山趾 산지] 산기슭.
[山紙 산지] 산골에서 만드는 질이 낮은 종이.
[山鎭 산진] 한 지방의 진(鎭)이 되는 명산(名山).
[山盡水廻處 산진수회처] 산(山)과 물이 서로 싸고 돌게 된 곳.
[山珍海味 산진해미] 산과 바다에서 나는 진귀(珍貴)한 음식. 산해(山海)의 진미(珍味).
[山珍海錯 산진해착] 산진해미(山珍海味).
[山窓 산창] 산중에 있는 집의 창(窓).
[山砦 산채] 산채(山寨).
[山茱 산채] 산나물.
[山寨 산채] 산중에 만들어 놓은 보루(堡壘). 산채(山砦).
[山妻 산처] 촌스러운 아내라는 뜻으로, 자기 아내의 겸칭(謙稱).
[山處 산처] 뫼가 있는 곳. 산소(山所).
[山脊 산척] 산등성마루.
[山躑躅 산척촉] 진달래.

[山川 산천] ㉠산(山)과 내. 산과 강. 산하(山河). ㉡산천(山川)의 신령(神靈). 산신(山神)과 천신(川神). ㉢한 구역의 토지. ㉣그 땅의 자연의 경치.
[山川草木 산천초목] 산천(山川)과 초목(草木). 전(轉)하여, 자연(自然).
[山草 산초] 산에 나는 풀.
[山椒 산초] ㉠운향과(芸香科)에 속하는 낙엽 관목(落葉灌木). 열매는 해독(解毒)·살충약(殺蟲藥)으로 씀. 산초나무. ㉡산정(山頂).
[山樵 산초] 나무꾼.
[山村 산촌] 산중에 있는 마을. 두메.
[山陬 산추] 깊은 산속. 두메.
[山啄木 산탁목] 딱따구릿과에 속하는 새. 청딱따구리.
[山澤 산택] 산과 늪.
[山坂 산판] 《韓》산에 있는 말림갓.
[山葡萄 산포도] 머루.
[山風 산풍] ㉠산에서 불어오는 바람. ㉡산꼭대기에서 골짜기로 내리 부는 바람. 곡풍(谷風)의 대(對).
[山皮 산피] 산짐승의 가죽.
[山河 산하] 산(山)과 강(江).
[山河衿帶 산하금대] 산과 강이 둘러싼 자연의 요해(要害).
[山海 산해] 산(山)과 바다.
[山海經 산해경] 작자(作者) 미상의 중국 주진간(周晉間)의 지리책. 산천(山川)·초목(草木)·조수(鳥獸)에 관한 기괴한 이야기를 실었음. 총 18권.
[山海珍味 산해진미] 산(山)과 바다에서 나는 진귀(珍貴)한 음식(飮食).
[山行 산행] 산길을 감.
[山軒 산헌] 산에 있는 집. 산가(山家).
[山峽 산협] 두메.
[山形 산형] 산(山)의 형상(形狀).
[山蹊 산혜] 산속의 소로(小路). 산중의 지름길.
[山戶 산호] 화전(火田)을 갈아먹고 사는 사람의 집.
[山呼 산호] 천자를 위하여 만세를 부름. 한(漢)나라의 무제(武帝)가 친히 숭산(嵩山) 위에서 제사를 지낼 때 신민(臣民)이 만세를 삼창한 데서 나온 말.
[山火 산화] 산에서 나는 불. 산불.
[山花 산화] 산에서 피는 꽃.
[山淮 산회] 산과 강. 산천(山川).
[山肴 산효] 산나물.
[山鵰 산효] 올빼미.
[山後 산후] 산의 뒤쪽.
●假山. 江山. 開山. 景山. 故山. 高山. 孤山. 空山. 關山. 鑛山. 九山. 丘山. 群山. 歸山. 金山. 禁山. 祁山. 南山. 大山. 塗山. 道山. 禿山. 東山. 童山. 銅山. 登山. 名山. 博山. 盆山. 氷山. 三山. 常山. 仙山. 雪山. 水山. 深山. 仰山. 崖山. 魚山. 驪山. 歷山. 連山. 五山. 玉山. 玉海金山. 愚公移山. 雲山. 遠山. 遊山. 肉山. 銀山. 陰山. 入山. 終南山. 中山. 天山. 靑山. 樵水漁山. 築山. 治山. 炭山. 泰山. 土山. 土常山. 寒山. 火山.

2 ⑤ [屵]
알 ⒜曷 五割切 è
얼 ⒜屑 魚列切
언 ⒝阮 語偃切 yǎn

字解 ▤ ①벼랑높을 알 '一, 岸高也'《說文》. ②높을 알 높은 산의 모양. '一, 高山狀'《廣韻》. ▣ 벼랑높을 얼, 높을 얼 日과 뜻이 같음. ▤ ①우러를 언 우러러봄. '一, 仰也'《集韻》. ②입술 클 언 '一䧇'은 입술이 큰 모양. '一, 一䧇, 又大脣兒'《廣韻》.
字源 形聲. 山+厂〔音〕

2 [岉] 기 ④紙 居履切 jǐ
⑤
字解 산이름 기 간쑤 성(甘肅省) 산단현(山丹縣)의 서남쪽에 있는 산. 궁석산(窮石山). '一, 一山也'《說文》.
字源 形聲. 山+几〔音〕

2 [屴] 력 ⑧職 林直切 lì, lè
⑤
字解 치솟을 력, 쭈뼛할 력 '一崱'은 산봉우리가 높이 솟은 모양. '蒼龍渡海成疊嶂, 一崱西來勢何壯'《貢師泰》.
字源 形聲. 山+力〔音〕

[屴崱 역즉] 산봉우리가 높이 솟은 모양.

2 [仚] 〔선〕
⑤ 仙(人部 三畫〈p.102〉)과 同字

3 [屾] ▤ 신 ⑨眞 所臻切 shēn
⑥ ▣ 산 ⑨翰 所晏切
字解 ▤ 같이선산 신 나란히 선 두 산. '二山並立日一'《集韻》. ▣ 같이선산 산 日과 뜻이 같음.
字源 會意. 山+山

3 [屹] 人名 흘 ⑧物 逆乙切 yì
⑥
筆順 丨 丬 屮 屮 屵 屹
字解 쭈뼛할 흘 산 같은 것이 우뚝 솟은 모양. '一立'. '山一岉兮水淪漣'《元結》.
字源 形聲. 山+乞〔音〕. '乞걸'은 산이 높이 솟아오르는 구름의 뜻. 산이 우뚝 솟은 모양을 나타냄.

[屹起 흘기] 산이 우뚝 솟음.
[屹慄 흘률] 두려워하는 모양.
[屹立 흘립] 우뚝 솟음.
[屹然 흘연] ㉠높이 솟은 모양. 우뚝 솟은 모양. ㉡독립(獨立)한 모양. 외따로 선 모양.
[屹然獨立 흘연독립] 우뚝 솟아서 외따로 섬.
[屹屼 흘올] 민둥산이 높이 솟은 모양.
[屹崒 흘줄] 높고 험준한 모양.
[屹出 흘출] 산이 높고도 날카롭게 우뚝 솟음.
[屹乎 흘호] 높게 솟은 모양. 우뚝 솟은 모양.
[屹屹 흘흘] 높이 솟은 모양.

3 [屼] 올 ⑧月 五忽切 wù
⑥
字解 민둥민둥할 올 민둥산의 모양. 일설에는, 산이 높은 모양. '山屹一兮水淪漣'《元結》.

字源 形聲. 山+兀〔音〕. '兀올'은 높고 위가 밋밋한 모양의 뜻. 밋밋한 '민둥산'의 뜻을 나타냄.

[屼嵂 올률] 산이 우뚝 솟은 모양.
●嶢屼. 崒屼. 屹屼.

3 [屺] 기 ④紙 墟里切 qǐ
⑥
字解 민둥산 기 초목이 없는 산. '陟彼一兮, 瞻望母兮'《詩經》.
字源篆文 形聲. 山+己〔音〕

3 [岁] 〔세〕
⑥ 歲(止部 九畫〈p.1143〉)의 簡體字

3 [豈] 〔기·개〕
⑥ 豈(豆部 三畫〈p.2170〉)의 簡體字

3 [出] 〔출〕
⑥ 出(凵部 三畫〈p.236〉)의 俗字

4 [岋] 급 ⑧緝 魚及切 jí
⑦
字解 ①높을 급 산이 높은 모양. '一峩'. '高余冠之一一兮'《楚辭》. ②위태로울 급 '一嶪'. '天下殆哉, 一一乎'《孟子》.
字源篆文 形聲. 山+及〔音〕. '及급'은 '미치어 이름'의 뜻. 산이 하늘에까지 닿도록 높음을 나타냄.

[岋岋 급급] ㉠높은 모양. ㉡위험한 모양.
[岋峩 급아] 높은 모양.
[岋嶪 급업] 위태로운 모양.
●嶷岋. 嶪岋. 嵬岋.

4 [岑] 人名 잠 ①-⑤⑦侵 鋤針切 cén
⑦ ⑥⑭寢 牛錦切
字解 ①봉우리 잠 산봉우리. '可使高於一樓'《孟子》. ②높을 잠 산 같은 것이 높음. '礧嵬一嵓'《嵇康》. ③날카로울 잠 '漂流隕往觸一石兮'《楚辭》. ④험준할 잠 '知鳥擇一蔚安閒'《禮記》. ⑤성 잠 성(姓)의 하나. ⑥언덕 잠, 낭떠러지 잠 애안(崖岸). '未始離於一'《莊子》.
字源篆文 形聲. 山+今〔音〕. '今금'은 '덮어 싸 포함하다'의 뜻. 대지(大地)를 덮어 안은 산의 뜻을 나타냄.

[岑莖 잠경] 콩과에 속하는 다년생 풀. 뿌리는 약재로 씀.
[岑嶺 잠령] 높은 산봉우리.
[岑樓 잠루] 높은 누각(樓閣). 일설(一說)에는, 산정(山頂).
[岑參 잠삼] 당대(唐代)의 시인(詩人). 숙종(肅宗) 때 가주 자사(嘉州刺史)를 지냈으므로, 세상에서 잠가주(岑嘉州)라 일컬음. 두릉산(杜陵山) 속에 퇴거(退居)하다가 촉(蜀) 땅에서 객사(客死)하였음.
[岑峩 잠아] 산봉우리가 높고 뾰족한 모양. 인심(人心)이 음험한 비유로 쓰임.
[岑嵓 잠암] 잠암(岑巖).
[岑巖 잠암] 험준(險峻)한 모양.
[岑翳 잠예] 산이 높고 수목이 빽빽이 들어선 곳.

[岑蔚 잠위] 나무가 빽빽이 들어선 깊은 산.
[岑崟 잠음] 산이 높은 모양. 험준한 모양.
[岑岑 잠잠] 머리가 아픈 모양.
[岑寂 잠적] ㉠적막(寂寞)함. ㉡쓸쓸하게 높이 솟아 있음.
[岑彭 잠팽] 동한(東漢)의 무장(武將). 자(字)는 군연(君然). 광무(光武)를 섬겨 큰 공을 여러 번 세웠음.
[岑壑 잠학] 봉우리와 골짜기
●嶺岑. 遙岑. 巍岑. 異岑同岑. 峻岑. 尖岑.

4 ⑦ [岕]〔개〕
岎(山部 四畫⟨p.634⟩)와 同字

4 ⑦ [屻] 물 ㈑物 文弗切 wù
字解 높을 물 산 같은 것이 높은 모양. '隆崛一乎靑雲'《王延壽》
字源 形聲. 山+勿〔音〕

4 ⑦ [岍]〔견〕
岍(山部 六畫⟨p.638⟩)의 俗字

4 ⑦ [岐] ㈑名 기 ㊤支 巨支切 qí
筆順 丨 屮 山 屵 屿 屿 岐
字解 ①산이름 기 산시 성(陝西省) 치산 현(岐山縣)에 있는 산. 주왕조(周王朝)의 발상지(發祥地). '至于一下'《詩經》. ②높을 기 산 같은 것이 높음. '尾矯矯角一一'《梅堯臣》. ③갈라질 기, 갈림길 기 가닥이 짐. 또, 옆으로 갈려 나간 길. 歧(止部 四畫)와 同字. '一路', '一之中又一'《列子》. ④성 기 성(姓)의 하나.
字源 篆文 岐 形聲. 山+支〔音〕. '支지'는 '나뭇가지'의 뜻. 산의 갈림길의 뜻을 나타냄. 본래는 '郊'의 별체(別體)였으나, '郊'가 폐지됨으로써, '岐'가 쓰이게 되었음.

[岐岐 기기] ㉠재주가 있고 어진 모양. ㉡높은 모양. ㉢날아가는 모양.
[岐念 기념] 잡념(雜念).
[岐塗 기도] ㉠갈림길. 기로(岐路). ㉡불분명한 조리(條理).
[岐路 기로] 갈림길.
[岐傍 기방] 기로(岐路).
[岐山 기산] 산시 성(陝西省) 내의 현(縣) 이름.
[岐嶷 기억] 뛰어나게 영리함. 어릴 때부터 재지(才智)가 특출함.
[岐穎 기영] 재주가 뛰어남.
[岐周 기주] 서주(西周). 처음에 기산(岐山)에 나라를 세웠으므로 이름.
[岐峻 기준] 높고 험함. 험준함.
[岐黃之術 기황지술] 의술(醫術)을 이름. 기백(岐伯)과 황제(黃帝)는 의술의 비조(鼻祖)임.
●多岐. 分岐.

4 ⑦ [岐]〔민〕
岷(山部 五畫⟨p.636⟩)과 同字

4 ⑦ [岕] 개 ㊤卦 居拜切 jiè
字解 ①산이름 개 개산(介山). '一, 山名'《集

韻》. '一, 晉文公以介子推逃隱緜上山中, 特表其山曰介山. 俗作一'《正字通》. ②산과산사이 개 저장 성(浙江省) 장흥현(長興縣)의 산간(山間) 지방에 '一'를 붙인 땅 이름이 많음. '茶名, 宜興羅解兩山之間所産, 故名一茶'《馮可賓》.

4 ⑦ [屼] ㈑名 완 ㊤寒 五丸切 yuán
字解 ①산뽀족할 완 산이 뽀족하여 험준한 모양. '巑一'. '山巒一兮水環合'《江淹》. ②높을 완 '一, 高也'《廣雅》.
字源 形聲. 山+元〔音〕

●巑屼. 屹屼.

4 ⑦ [岎] 분 ㊤文 符分切 fén
字解 높을 분 산이 높은 모양. '一嶬廻叢'《揚雄》.
字源 形聲. 山+分〔音〕

[岎嶬 분음] 산이 높은 모양.

4 ⑦ [岭] 겸 ㊤鹽 其淹切 qián
字解 ①산이름 겸 '一, 山名'《集韻》. ②가지런하지않을 겸 '一峨'는 가지런하지 않은 모양. 높낮이가 있는 모양. '俗一峨而嵾嵯'《東方朔》.

4 ⑦ [岈] 하 ㊤麻 許加切 xiā
字解 ①산골휑할 하 '岮一'는 골짜기가 매우 휑뎅그렁한 모양. 谺(谷部 四畫)와 同字. '岮一, 谷中大空皃'《集韻》. ②깊을 하 '岮一'는 산이 깊은 모양. '一, 與谺同. 岮一, 山深貌'《字彙》.

4 ⑦ [屶] 압 ㈑合 鄂合切 è
字解 움직일 압 요동하는 모양. '天動地一'《揚雄》.

4 ⑦ [岉]〔영〕
嵤(山部 十四畫⟨p.654⟩)과 同字

4 ⑦ [岔] 차 ㊤禡 丑亞切 chà
字解 갈림길 차 세 갈래진 길. 삼차로(三叉路).
字源 會意. 山+分

4 ⑦ [峁] 절 ㈑屑 子結切 jié
字解 ①산굽이 절 산모롱이. '夤緣山嶽之一'《左思》. ②산높을 절 산이 높은 모양. 節(竹部 九畫)과 同字.
字源 篆文 岊 形聲. 山+巴〔音〕. '巴'는 '卩(節)절'로 '마디'의 뜻. '산굽이'를 이름.

[峁嶺 절령] 황해도 자비령(黃海道慈悲嶺)의 이칭(異稱).

5
⑧ [岸] [高·人] 안 [去]翰 五旰切 àn

[筆順]

[字解] ①언덕 안 바다나 강가의 둔덕진 곳. 기슭. '海—'. '淇則有—'《詩經》. ②높을 안, 높은 지위 안 '—, 高也'《小爾雅》. '誕先登于—'《詩經》. ③낭떠러지 안 절벽. '崖—'. '斬—埋谿'《呂氏春秋》. ④소송할 안, 소송 안 '—, 訟也'《詩經 傳》. ⑤층계 안 계단. '襄—夷塗'《張衡》. ⑥뛰어날 안 인물이 뛰어남. 두드러짐. '爲人魁—'《漢書》. ⑦옥 안 역참(驛站)에 있는 옥(獄). '宜—宜獄'《詩經》.

[字源] 篆文 形聲. 屵+干〔音〕. '干간'은 깎아 떼어 냄의 뜻. 물로 인해 깎인 높은 벼랑, '낭떠러지'의 뜻을 나타냄.

[岸傑 안걸] 몸이 건장(健壯)함.
[岸曲 안곡] 후미. 정곡(汀曲).
[岸頭 안두] 안변(岸邊).
[岸畔 안반] 언덕의 가. 물가.
[岸壁 안벽] ㉠벽과 같이 깎아지른 듯한 물가의 언덕. 물가의 낭떠러지. ㉡항구에서 배의 짐을 풀거나 싣거나, 또는 사람이 오르내리는 데 편리하게 하기 위하여 부두(埠頭) 또는 물가를 따라서 쌓은 언덕.
[岸邊 안변] 언덕의 가. 물가.
[岸垂 안수] 언덕의 가. 수(垂)는 수(陲).
[岸獄 안옥] 옥(獄). 감옥.
[岸芷汀蘭 안지정란] 물가에 난 구릿대나 난초와 같은 향초(香草).
[岸幘 안책] 두건(頭巾)을 벗고 이마를 내놓음. 친밀하여 예모(禮貌)를 갖추지 아니함을 이름.
[岸忽 안홀] 오만하여 남을 깔봄.
●瑰岸. 魁岸. 稜岸. 斷岸. 塘岸. 對岸. 畔岸. 壁岸. 峨岸. 崖岸. 涯岸. 沿岸. 傲岸. 偉岸. 渚岸. 絕岸. 汀岸. 坡岸. 風岸. 彼岸. 河岸. 海岸.

5
⑧ [岪] 불 [入]物 符勿切 fú

[字解] ①첩첩할 불 '—鬱'은 산에 첩첩이 둘러싸인 모양. '其山則盤紆—鬱'《司馬相如》. ②산모롱이 불 산의 굽이진 곳. '坱兮軋, 山曲—'《楚辭》. ③산길 불 산속에 있는 길. '—, 山脅道也'《說文》.

[字源] 篆文 形聲. 山+弗〔音〕. '弗불'은 나무 따위를 휘감음의 뜻을 나타냄. 산허리를 꾸불꾸불 휘감은 길을 이름.

[岪岪 불불] 일어나는 모양.
[岪鬱 불울] 자해(字解)❶을 보라.
[岪蔚 불위] 우뚝 치솟은 형용.

5
⑧ [岢] 가 [上]哿 枯我切 kě

[字解] 가람산 가 '—嵐'은 지금의 산시 성(山西省) 가람현(岢嵐縣)의 북쪽에 있는 산 이름.

[字源] 形聲. 山+可〔音〕

5
⑧ [岧] [人名] 초 [平]蕭 徒聊切 tiáo

[字解] 높을 초 산이 높은 모양. '登—嶢之高岑'《曹植》.

[字源] 形聲. 山+召〔音〕

[岧嶢 초요] 산이 높은 모양.
[岧岧 초초] 산이 높은 모양.

5
⑧ [岹] 岧(前條)와 同字

5
⑧ [岦] 립 [入]緝 力入切 lì

[字解] 산 립 산의 우뚝한 모양. '—岌, 山皃'《集韻》.

[字源] 形聲. 山+立〔音〕

5
⑧ [岝] 작 [入]陌 鋤陌切
[入]藥 在各切 zuò

[字解] 높을 작 산이 높은 모양.

[字源] 形聲. 山+乍〔音〕

5
⑧ [岩] [人名] 암 [平]咸 五銜切 yán

[筆順]

[字解] ①巖(山部 二十畫)의 俗字. ②嵒(山部 九畫)의 俗字.

[字源] 會意. 山+石

[參考] 자해(字解)와 숙어는 巖(山部 二十畫)을 보라.

5
⑧ [岣] 구 [上]有 古厚切 gǒu

[字解] 봉우리이름 구 '—嶁'는 후난 성(湖南省)에 있는 형산(衡山) 산의 주봉(主峯).

[字源] 形聲. 山+句〔音〕

[岣嶁 구루] 자해(字解)를 보라.
[岣嶁碑 구루비] 우(禹)임금이 치수(治水)하였을 때 새겼다고 전하여 내려오는 석비(石碑). 형산현(衡山縣) 운밀봉(雲密峯)의 꼭대기에 있음.

5
⑧ [岫] [人名] 수 [去]宥 似祐切 xiù

[字解] ①산굴 수 산에 있는 암혈(巖穴). '—雲'. '雲無心以出—'《陶潛》. ②암굴산 수 암굴이 있는 산(山). '—, 山有穴也'《說文》. ③산봉우리 수 산정(山頂). '窓中列遠—'《謝朓》.

[字源] 篆文 籒文 形聲. 山+由〔音〕. '由유'는 '酉유'와 통하여, '술 그릇'의 뜻. 술독처럼 깊은 산의 동굴의 뜻을 나타냄.

[岫居 수거] 산의 동굴에서 삶.
[岫室 수실] 산의 동굴 속의 방.
[岫雲 수운] 산의 암굴(巖窟)에서 일어나는 구름.
[岫虎 수호] 동굴에 사는 범.
●岬岫. 高岫. 窮岫. 山岫. 巖岫. 龍岫. 雲岫. 幽岫. 層岫.

5 (8) [峀]

岫(前條)와 同字

5 (8) [岬]

[人名] 갑 ⊘洽 古狎切 jiǎ

[字解] ①산허리 갑 산(山) 중턱. '徘徊山—之旁'《淮南子》. ②산사이 갑 산과 산 사이. '傾藪薄倒—岫'《左思》. ③갑 갑 바다로 뾰족하게 내민 땅. 곶.

[字源] 形聲. 山+甲〔音〕. '甲갑'은 '脅협'과 통하여, '옆·허리'의 뜻. 산허리의 뜻을 나타냄. 또, '峽협'과 통하여 '골짜기'의 뜻도 나타냄. 또, 지금은 우리나라를 비롯하여 중국, 일본에서도 '곶'의 뜻으로 쓰임.

[岬角 갑각] 바다쪽으로 좁고 길게 뻗어 있는 육지의 끝 부분. 갑(岬).
[岬岫 갑수] 산과 산의 사이. 또, 산 중턱의 동굴.
●山岬.

5 (8) [峋]

유 ㉠效 於敎切 ào

[字解] 산굽이 유 산이 굽은 모양. '—, 山曲兒'《集韻》.

[字源] 形聲. 山+幼〔音〕

5 (8) [岷]

[人名] 민 ㉡眞 武巾切 mín

[筆順] 丨 丨 山 山厂 山厂 岯 岯 岷

[字解] ①산이름 민 쓰촨 성(四川省) 쑹판 현(松潘縣) 북쪽에 있는 산의 이름. 민산(岷山). 문산(汶山). '—山之陽, 至于衡山'《書經》. ②강이름 민 민산(岷山)에서 발원(發源)하여, 쓰촨 성(四川省)을 남류(南流)해서 성도(成都)의 서쪽을 거쳐, 양쯔 강에 합류하는 강의 이름. 민강(岷江).

[字源] 形聲. 篆文은 山+民〔音〕. '岷민'은 俗字.

[岷嶺 민령] 민산(岷山)의 봉우리.
[岷峯 민봉] 민산(岷山)의 봉우리.
[岷峨 민아] 민산(岷山)과 어메이 산(峨眉山).
[岷精 민정] 민산(岷山)의 요정(妖精).
[岷波 민파] 민강(岷江)의 물결.
●江岷. 梁岷. 蜀岷. 巴岷.

5 (8) [岠]

거 ㉠語 其呂切 jù

[字解] ①큰산 거 대산(大山). ②이를 거 至(部首)와 뜻이 같음. '元龜—冉, 長尺二寸'《漢書》. ③떠날 거, 떨어질 거 '—齊州以南'《爾雅》.

[字源] 形聲. 山+巨〔音〕. '巨거'는 '크다'의 뜻.

5 (8) [岨]

■ 저 ㉡魚 七余切 jū
■ 서 (조)㉠語 壯所切 jǔ

[字解] ■①돌산 저 흙이 덮인 돌산. 砠(石部 五畫)와 同字. '陟彼—矣'《詩經》. ②험할 저 험준함. '—峻'. ■ 울퉁불퉁할 서 산이 울퉁불퉁함. 전(轉)하여, 서어(齟齬)함. '—峿'.

5 (8) [岨]

[字源] 篆文 岨 形聲. 山+且〔音〕. '且저'는 '겹쳐 쌓임'의 뜻. 흙이 덮혀 있는 '돌산'의 뜻.

[岨峿 서어] 서로 맞지 않고 어긋나는 모양. 서어(鉏鋙). 서어(齟齬).
[岨峻 저준] 높고 험함. 험준함.
●危岨. 嶄岨.

5 (8) [岵]

[人名] 호 ㉡麌 侯古切 hù

[字解] 산 호 ㉠초목이 우거진 산. '陟彼—兮'《詩經》. ㉡민둥산. '山無草木曰—'《詩經 傳》.

[字源] 形聲. 山+古〔音〕. '古고'는 '굳다(固)'의 뜻. 바위뿐인 민둥산의 뜻을 나타냄.

5 (8) [岟]

앙 ㉡養 於兩切 yǎng

[字解] ①후미질 앙 산이 깊숙한 모양. '山林幽—'《左思》. ②산기슭 앙 산자락. '—, 山足'《廣韻》. ③산모양 앙 산형(山形). '—, 山形'《集韻》.

[字源] 形聲. 山+央〔音〕

●幽岟.

5 (8) [岥]

파 ㉡歌 滂禾切 pō

[字解] 비탈질 파, 비탈 파 땅이 경사진 모양. 또, 경사진 곳. '裁—岮以隱嶙'《潘岳》.

[岥岮 파타] 땅이 경사진 모양.

5 (8) [岮]

타 ㉡歌 唐何切 tuó

[字解] 비탈질 타, 비탈 타 岥(前條)와 뜻이 같음.

●山岮.

5 (8) [岥]

혈 ㉠屑 呼決切 xué

[字解] 산굴 혈 산에 있는 동굴. '憭兮慄虎豹—'《楚辭》.

[字源] 形聲. 山+穴〔音〕

5 (8) [岭]

령 ㉡靑 郎丁切 líng

[字解] ①산으슥할 령 산이 깊음. '—, 山深也'《集韻》. ②산이름 령 '—中'은 산 이름. '入—而登玉峯'《元結》.

[字源] 形聲. 山+令〔音〕

[岭嶙 영린] 돌 소리의 형용.
[岭嶸 영영] 산(山)의 깊숙한 모양.

5 (8) [岑]

岭(前條)과 同字

5 (8) [岾]

[人名] ■ ㉤ 재
■ ㉤ 점

字解 《韓》━ 고개 재 땅 이름으로 쓰임. '永郎一'. ━ 땅이름 점 '楡一寺'는 강원도(江原道) 고성군(高城郡)에 있는 절.

5 [岡] 人名 강 ㊀陽 古郎切 gāng 冈 岡

筆順 丨 冂 冂 冂 岡 岡 岡 岡

字解 ①산등성이 강 산등성이 마루. '陟彼高一'《詩經》. ②산봉우리 강 산봉(山峯). '覽高一兮 嶢嶢'《楚辭》. ③언덕 강 구릉. '一陵'. '如一如陵'《詩經》.

字源 金文 岡 篆文 岡 形聲. 山+网〔音〕. '网망'은 '亢항'과 통하여, '아치형(形)'의 뜻. 아치 모양의 산(山), 구릉(丘陵)의 뜻을 나타냄.

[岡陵 강릉] 언덕. 구릉(丘陵).
[岡巒 강만] 언덕과 산. 구산(丘山).
[岡阜 강부] 언덕. 작은 산.
●高岡. 崑岡. 巒岡. 三華岡. 天岡. 千仞岡.

5 [岡] 岡(前條)과 同字

5 [岻] 〔구〕 嶇(山部 十一畫〈p.650〉)와 同字

5 [岱] 人名 대 ㊀隊 徒耐切 dài 岱

字解 ①대산 대 '一山'은 오악(五嶽)의 하나. 곧, 태산(泰山)의 별칭(別稱). '玉簡禪一山'《劉義恭》. ②클 대 '竦誠一駕肅'《謝莊》.

字源 篆文 岱 形聲. 山+代〔音〕.

[岱駕 대가] 크고 훌륭한 건물.
[岱畎 대견] 태산(泰山)의 골짜기.
[岱嶺 대령] 태산(泰山)의 딴 이름.
[岱山 대산] 태산(泰山)의 딴 이름.
[岱委 대위] 옥(玉)의 정(精). 푸른 옷을 입은 미녀(美女)의 모습이라고 함.
[岱宗 대종] 태산(泰山). 태산(泰山)은 오악(五嶽)의 장(長)이므로 이름.
[岱華 대화] 태산과 화산(華山).
●東岱. 嵩岱. 齊岱. 海岱. 華岱.

5 [岳] 高人 악 ㊈覺 五角切 yuè 岳

筆順 ˊ ㇗ ㇗ 乒 乒 乒 岳 岳

字解 ①큰산 악 嶽(山部 十四畫)과 同字. '五一'. '五月, 南巡狩, 至于南一'《書經》. ②벼슬 이름 악 한 방면(方面)의 제후(諸侯)를 통솔하는 벼슬. '帝用咨, 四一'《書經》. 전(轉)하여, 큰 제후. 또는 번진(藩鎭). '身居列一, 自御强兵'《徐陵》. ③장인 악 아내의 아버지. '一父'. ④성씨 악 성(姓)의 하나.

字源 甲骨文 古文 岳 會意. 丘+山. '丘子'는 언덕을 본뜬 모양. '山'은 산의 象形. 험한 산의 뜻을 나타냄.

參考 '岳'은 《廣韻》에서는 '嶽'과 同字라 하고, 《集韻》·《康熙字典》 등에서는 '嶽'의 古字로

칭. '嶽'과 '岳'은 자의(字義)도 같아서, 예전부터 둘 다 써 왔으나, 성(姓)에는 '岳'이 쓰임.

[岳頭 악두] 산꼭대기. 산정(山頂).
[岳母 악모] 장모(丈母).
[岳牧 악목] 사악(四岳)과 십이목(十二牧). 후세의 공경(公卿)·제후(諸侯)에 해당함.
[岳武穆 악무목] 악비(岳飛).
[岳父 악부] 장인(丈人). 부옹(婦翁).
[岳飛 악비] 남송(南宋)의 충신(忠臣). 자(字)는 붕거(鵬擧). 금군(金軍)을 격파하여 공을 세워 벼슬이 태위(太尉)에 이르렀음. 당시 조정에 금(金)나라와의 화의(和議)가 일어나 이에 반대하다가 진회(秦檜)의 참소를 당하여 옥중(獄中)에서 살해당했음. 효종(孝宗) 때 악왕(鄂王)에 봉(封)하고 시호(諡號)를 무목(武穆)이라 하였다가 뒤에 충무(忠武)로 고쳤음.
[岳狩 악수] 한 지방을 지켜 악을 제거하고 죄를 침.
[岳陽樓 악양루] '악주부(岳州府)'를 보라.
[岳丈 악장] 악부(岳父). 진(晉)나라 악광(樂廣)은 위개(衛玠)의 장인(丈人)으로, 악장(樂丈)이라고 부르던 것이 와전(訛傳)되어 악장(岳丈)이 되었다고도 하고, 장(丈)은 태산(泰山)의 장인봉(丈人峯)의 장(丈)과 관계를 맺은 글자라고도 함.
[岳州府 악주부] 후난 성(湖南省) 웨양 현(岳陽縣) 둥팅 호(洞庭湖)의 동안(東岸)에 있는 요지(要地). 웨양 루(岳陽樓)는 서문(西門)의 누각으로서 둥팅 호(洞庭湖)를 부감(俯瞰)함. 경치가 가려(佳麗)함.
●四岳. 山岳. 心如山岳. 淵岳. 雲岳. 川岳. 豐岳.

6 [岡] 〔강〕 岡(山部 五畫〈p.637〉)의 本字

6 [峉] 액 人陌 五陌切 è 峉

字解 ①웅장할 액 산이 높고 큰 모양. '山畠兮一一'《楚辭》. ②험준할 액 산이 험준하고 울퉁불퉁한 모양. '玄巇嶵巖, 岸一崛嶔'《嵇康》.

字源 形聲. 山+各〔音〕.

[峉峉 액액] 산이 웅장한 모양.

6 [峛] 리 ㊃紙 力紙切 lǐ 峛

字解 고개 리 재. 산을 오르내리게 된 비탈진 곳. '登降一崺'《揚雄》.

字源 形聲. 山+列〔音〕.

[峛崺 이이] ㉠산이 낮고 길게 뻗은 모양. ㉡재. 고개.

6 [峗] 은 ㊃阮 魚懇切 ěn 峗

字解 ①산모퉁이 은 '一嶭'. ②산이름 은 '一, 山名'《集韻》.

[峗嶭 은악] 산모퉁이.

6 ⑨ [峎] 㟪(前條)과 同字

[炭] 〔탄〕
火部 五畫(p.1328)을 보라.

[耑] 〔단〕
而部 三畫(p.1818)을 보라.

6 ⑨ [峗] [一] 위 [平]支 魚爲切 wéi
[二] 외 [平]灰 五委切 wěi

[字解] [一] ①산이름 위 '三—, 山名, 在鳥鼠西'《集韻》. ②성 위 성(姓)의 하나. [二] 높을 외 산 같은 것이 높음. '—, 高也'《字彙》.
[字源] 形聲. 山+危〔音〕. '危위'는 '높다'의 뜻.

6 ⑨ [峓] 이 [平]支 以脂切 yí

[字解] 산이름 이 夷(大部 三畫)와 통용. '嵎—, 山名, 書作嵎夷'《廣韻》.
[字源] 形聲. 山+夷〔音〕

6 ⑨ [峋] 순 [平]眞 相倫切 xún

[字解] 깊숙할 순 산이 첩첩(疊疊)하여 끝없이 깊숙한 모양. '山自木落重嶙—'《陸游》.
[字源] 篆文  形聲. 山+旬〔音〕. '旬순'은 '빙 둘러싸다'의 뜻. 산이 주위(周圍)를 둘러싸서 깊숙함의 뜻.

◉嶙峋.

6 ⑨ [峒] 동 ①[平]東 徒紅切 tóng
②③[去]送 徒弄切 dòng

[字解] ①산이름 동 '崆—'은 간쑤 성(甘肅省)에 있는 산 이름. ②산굴 동 산(山)의 동굴. '—, 一曰, 山穴'《集韻》. ③오랑캐이름 동 서남 지방의 만족(蠻族). '—丁'.
[字源] 形聲. 山+同〔音〕

[峒猺 동요] 광시 성(廣西省) 평난현(平南縣) 동북 부근에 사는 만족(蠻族)의 이름. 요족(猺族).
[峒丁 동정] ㉠동족(峒族)의 장정(壯丁). ㉡동족의 장정으로서 모병(募兵)에 응하여 군사가 된 자.
◉崆峒.

6 ⑨ [峠] [人名] [日] 상

[字解] 고개 상, 재 상.

6 ⑨ [峐] 해 [平]灰 古哀切 gāi

[字解] 민둥산 해 초목이 없는 헐벗은 산. '—, 爾雅云, 山無草木曰—'《集韻》.

6 ⑨ [峙] [人名] 치 [上]紙 直里切 zhì

[筆順] 丨 ㇄ 山 山一 山十 山土 峙 峙

[字解] ①우뚝솟을 치 흘립(屹立)함. '—立'. '五山始—'《列子》. ②언덕 치 높은 언덕. '散似驚波, 聚似京—'《張衡》. ③쌓을 치 저축함. '—積'. '—乃糗糧'《書經》.
[字源] 形聲. 山+寺〔音〕. '寺사·시'는 '止지'와 통하여, 서 있어 움직이지 않다의 뜻. 부동(不動)의 산, '우뚝 솟다'의 뜻을 나타냄.

[峙立 치립] 우뚝 솟음. 높이 솟아 있음. 용립(聳立).
[峙兵 치병] 병기를 쌓아 둠.
[峙積 치적] 높이 쌓음. 또는 곳간에 쌓아 둠.
◉京峙. 棊峙. 羅峙. 對峙. 磐峙. 霄峙. 竦峙. 列峙. 龍飛鳳峙. 聳峙. 儲峙. 鼎峙. 峻峙. 錯峙. 卓峙. 特峙. 軒峙.

6 ⑨ [峵] 앙 [平]江 五江切 yáng

[字解] 가파를 앙 '崆—'은 산이 험준한 모양. '其山則崆—'《張衡》.

◉崆峵.

6 ⑨ [峆] 합 [入]合 曷閤切 hé

[字解] 산 합 산의 모양. '—嶱, 山皃'《集韻》.
[字源] 形聲. 山+合〔音〕

6 ⑨ [峌] 질(절[本]) [入]屑 徒結切 dié

[字解] 높을 질 산이 높은 모양. '—嵲孤亭'《木華》.

[峌嵲 질얼] 산이 높은 모양.

6 ⑨ [峜] 계 jì

[字解] 셀 계 또, 산법(算法)의 이름. 計(言部 二畫)와 뜻이 같음. '宓戲造六—, 以迎陰陽'《管子》.

6 ⑨ [峝] 동 [去]送 徒弄切 dòng

[字解] 오랑캐이름 동 중국 서남 지방의 묘족(苗族)의 일종. '—, 一人, 苗族'《字彙補》.

6 ⑨ [峍] 률 [入]月 勒沒切 lù

[字解] 산비탈 률 산의 낭떠러지.
[字源] 形聲. 山+聿〔音〕

6 ⑨ [岍] 견 [平]先 苦堅切 qiān

[字解] 산이름 견 산시 성(陝西省) 룽 현(隴縣)에 있는 산. 오악(吳嶽)이라고도 함. '導—及岐'《書經》.

6 ⑨ [峘] [一] 환 [平]寒 胡官切 huán
[二] 항 [平]蒸 胡登切 huán

[字解] [一] 높은작은산 환 큰 산과 나란히 있는데 큰 산보다 높은 작은 산. '小山岌大山, —'《爾

雅》. ⊟ 높은작은산 항 ⊟과 뜻이 같음.

6 ⑨ [峽] 〔협〕
峽(山部 七畫〈p. 640〉)의 俗字

6 ⑨ [峦] 〔만〕
巒(山部 十九畫〈p. 655〉)의 俗字·簡體字

7 ⑩ [峯] 高人 봉 ⊕冬 敷容切 fēng

筆順 ' ' 止 屵 岁 岁 ※ 峯 峯

字解 ①산봉우리 봉 산정 (山頂). '一巒'. '一嶺
上崇峯, 煙雨下微冥'《陳子昂》. ②메 봉 산. '雷
一在錢唐'《一統志》. ③성 봉 성 (姓)의 하나.

字源 ☆ 形聲. 山+夅〔音〕. '夅봉'은 '솟아오름'
半 의 뜻. 산 (山)의 솟아오른 끝, '봉우
리'의 뜻을 나타냄.

參考 峰(山部 七畫)은 俗字.

[峯岠 봉거] 산봉우리가 험해서 가까이 갈 수 없
음. 전 (轉)하여, 사람이 규각 (圭角)이 많아서
친근해질 수 없음의 비유.
[峯頭 봉두] 산꼭대기. 봉정 (峯頂).
[峯巒 봉만] 뾰족뾰족한 산봉우리.
[峯勢 봉세] 봉우리의 형세 (形勢). 봉우리의 모양.
[峯崖 봉애] 산비탈.
[峯雲 봉운] 산봉우리에 낀 구름.
[峯嶂 봉장] 봉만 (峯巒).
[峯頂 봉정] 산꼭대기. 산정 (山頂).
[峯尖 봉첨] 봉우리의 날카로운 꼭대기.
●孤峯. 高峯. 斷峯. 三十六峯. 雲峯. 危峯. 絕
峯. 攢峯. 疊峯. 最高峯. 駝峯.

7 ⑩ [㟥] 유 ⊕尤 夷周切 yóu

字解 짐승이름 유 '一一'는 동물의 이름. '碻
山有獸焉. 其狀如馬而羊目, 四角, 牛尾, 名
曰一一'《山海經》.
字源 形聲. 山+攸〔音〕

[㟥㟥 유유] 짐승의 이름.

7 ⑩ [峷] 신 ⊕眞 疏臻切 shēn

字解 도깨비이름 신 모양은 개 같고 뿔이 있으
며, 몸에 오색의 무늬가 있다 함. '丘有一'《莊
子》.
字源 形聲. 山+辛〔音〕

7 ⑩ [崢] ⊟ 형 ⊕青 乎經切 xíng / ⊟ 경 ⊕庚 口莖切 kēng

字解 ⊟ ①골짜기이름 형 산시 성 (陝西省) 린퉁
현 (臨潼縣)에 있는 골짜기. 진 (秦)나라가 유생
(儒生)들을 생매장했다는 골짜기임. ②골짜기
형, 지레목 형 산줄기가 끊어진 곳. 陘(阜部 七
畫)과 同字. '山一之蹊, 不可勝由矣'《揚子法
言》. ⊟ 골짜기이름 경, 골짜기 경, 지레목 경 ⊟
과 뜻이 같음.
字源 形聲. 山+巠〔音〕

7 ⑩ [㟉] 투 ⊕尤 徒侯切 tóu

字解 가파를 투 산이 험준한 모양.

7 ⑩ [峩]
峨(次次條)와 同字

[豈] 〔기〕
豆部 三畫(p. 2170)을 보라.

7 ⑩ [峨] 人名 아 ⊕歌 五何切 é

筆順 | 山 屵 屸 岈 峨 峨 峨

字解 ①높을 아 산이 험준함. '一一兮若泰山'
《列子》. ②높이할 아 장중하게 보이게 높게 함.
'一大冠拖長紳'《劉基》. ③메 아 높은 산. '興陟
一而善狂'《謝靈運》. ④산이름 아 쓰촨 성 (四川
省)의 어메이 산 (峨眉山)을 이름. '彷徉岷一'
《唐書》.
字源 峨 形聲. 山+我〔音〕. '我아'는 이가 빠
文 져 날이 들쭉날쭉한 도끼의 象形. 날
카롭게 뾰족뾰족한 험준한 산 (山)의 뜻. 숙어
'嵯峨차아'는 상태를 나타내는 첩운어 (疊韻語).
參考 峩 (前前條)와 同字.

[峨冠 아관] 높은 관 (冠).
[峨冠博帶 아관박대] ㉠높은 관과 넓은 띠라는 뜻
으로, 선비의 의관을 이르는 말. ㉡사대부 (士大
夫).
[峨眉 아미] 쓰촨 성 (四川省) 어메이 현 (峨眉縣)
서남쪽에 있는 산 이름. 양쪽 산이 상대 (相對)
하여 여미 (蛾眉) 같으므로 이름.
[峨嵋 아미] 아미 (峨眉).
[峨峨 아아] ㉠험준한 모양. ㉡풍채가 늠름한 모
양. ㉢여자의 예쁜 모양. 아아 (娥娥).
●大峨. 三峨. 小峨. 嵬峨. 巍峨. 岑峨. 中峨.
嵯峨.

7 ⑩ [峪] 入沃 兪玉切 yù

字解 산골짜기 욕 산곡 (山谷). '嘉一關'은 간쑤
성 (甘肅省)에 있는 지명 (地名).
字源 形聲. 山+谷〔音〕. '谷곡'은 '골짜기'의 뜻.

7 ⑩ [峭] 초 ⊕嘯 七肖切 qiào

字解 ①가파를 초 험준함. '一峻'. '岸一者必
陁'《淮南子》. ②가파른비탈 초 '峻阪曰一'《一
切經音義》. ③엄할 초 성품이 준엄함. '一正'.
'錯爲人一直刻深'《漢書》.
字源 形聲. 山+肖〔音〕. '肖초'는 '깎다'의 뜻. 깎
은 것 같은 험한 산의 뜻을 나타냄.

[峭刻 초각] 준엄 (峻嚴)하고 각박 (刻薄)함. 잔인
무자비 (殘忍無慈悲)함.
[峭鯁 초경] 성질이 엄하고 강직함.
[峭急 초급] 성미가 엄하고 급함.
[峭厲 초려] 성품이 엄격하고 사나움. 날카로운
기상 (氣象)이 겉으로 나타남.
[峭麗 초려] 엄숙하며 아름다움.

[峭壘 초루] 험준한 보루.
[峭拔 초발] 힘이 있고 속기(俗氣)가 없음. 흔히 운필(運筆)의 주경(遒勁)함을 이름.
[峭法 초법] 초형(峭刑).
[峭壁 초벽] 낭떠러지.
[峭訐 초알] 용서 없이 준엄하게 적발함. 또, 엄혹(嚴酷)하게 비난(非難)함.
[峭崖 초애] 낭떠러지.
[峭嚴 초엄] 준엄(峭嚴)함.
[峭然 초연] ㉠산이 높고 험준(險峻)한 모양. ㉡초severe모(峭乎).
[峭絶 초절] 험준하여 길이 끊어짐.
[峭正 초정] 엄격하고 공정함. 엄정함.
[峭整 초정] 엄하고 단정함.
[峭峻 초준] 험준(險峻)함.
[峭直 초직] 성품이 준엄(峻嚴)하고 강직(剛直)함.
[峭寒 초한] 살을 에는 듯한 지독한 추위. 혹한 「(酷寒).
[峭覈 초핵] 준엄(峻嚴)함. 초엄(峭嚴)함.
[峭刑 초형] 엄(嚴)한 형벌(刑罰).
[峭乎 초호] 준엄한 모양.
● 苛峭. 刻峭. 鯁峭. 深峭. 嚴峭. 料峭. 阻峭. 峻峭. 巉峭. 嶮峭.

7
⑩ [峴] 人名 현 ㉠銑 胡典切 xiàn 峴

筆順 丨 山 屲 屵 屵 岠 峴 峴

字解 ①산이름 현 후베이 성(湖北省) 양양(襄陽)에 있는 산. '祜與鄒潤甫登一山'《晉書》. ②험한산꼭대기 현 높고 험준한 산정(山頂). '一, 峻嶺'《廣韻》. ③고개 현 재. '迢遞陟陘一'《謝靈運》.
字源 形聲. 山+見〔音〕.

7
⑩ [峻] 人名 준 ㉠震 私閏切 jùn 峻

筆順 丨 山 屲 屵 屵 屵 峻 峻

字解 ①높을 준 산 같은 것이 높음. '一邸'. '垂不一'《左傳》. ②가파를 준 험함. '險一'. '領水之山峭一'《漢書》. ③클 준 크고, 고대(高大)하게 함. '克明一德'《大學》. '一字彫牆'《書經》. ④길 준 장대함. '冀枝葉之一茂'《楚辭》. ⑤엄할 준 엄격함. 또, 엄하게 함. '一嚴'. '吏務爲嚴一'《史記》.
字源 別體 嶮 篆文은 形聲. 山+陵〔音〕. '陵준'은 구릉이 가파르고 높음의 뜻. '峻준'은 '嶐준'의 別體. 形聲으로서, 山+夋〔音〕. '夋준'은 사람이 높이 빼어남의 뜻을 나타냄.

[峻刻 준각] 준혹(峻酷).
[峻閣 준각] 높은 누각(樓閣).
[峻拒 준거] 준엄히 거절(拒絶)함.
[峻潔 준결] 높고 결백함.
[峻科 준과] 엄한 법률. 준법(峻法).
[峻極 준극] ㉠지극히 높음. ㉡더할 나위 없이 고상함.
[峻急 준급] ㉠성질이 엄하여 남의 잘못을 용서하지 않음. ㉡물의 흐름이 대단히 빠름.
[峻湍 준단] 험준한 곳에 있는 여울.

[峻德 준덕] 큰 덕. 준덕(俊德).
[峻厲 준려] 준절(峻切).
[峻嶺 준령] 험준한 산봉우리. 준봉(峻峯).
[峻路 준로] 험준한 길. 험로(險路).
[峻艫 준로] 높고 큰 배.
[峻肅 준숙] 엄숙(嚴肅)하고 날카로운 언론.
[峻網 준망] 준법(峻法).
[峻命 준명] 중한 명령. 천자(天子)의 명령.
[峻茂 준무] 길게 무성함.
[峻文 준문] 준법(峻法).
[峻密 준밀] ㉠준엄(峻嚴)하고 세밀(細密)함. ㉡높고 많음.
[峻法 준법] 엄중한 법(法).
[峻別 준별] 아주 명확한 구별.
[峻峯 준봉] 높고 험(險)한 봉우리.
[峻山 준산] 험하고 높은 산.
[峻竦 준송] 높이 솟음. 고준(高峻).
[峻秀 준수] 높이 솟음. 또, 높이 뛰어남.
[峻嶽 준악] 높고 험준한 큰 산.
[峻厓 준애] 낭떠러지. 절애(絶厓).
[峻隘 준애] ㉠땅이 험준하고 좁음. ㉡성질이 엄격하고 도량이 좁음.
[峻嚴 준엄] 매우 엄(嚴)함. 지엄(至嚴).
[峻烈 준열] 준절(峻切).
[峻宇 준우] 높은 처마. 전(轉)하여, 높고 큰 집.
[峻遠 준원] 인품이나 언사(言辭) 따위가 고상하고 그윽함. 고원(高遠).
[峻爵 준작] 높은 작위(爵位).
[峻岑 준잠] 준봉(峻峯).
[峻邸 준저] 으리으리하고 높은 저택.
[峻詆 준저] 준엄(峻嚴)하게 꾸짖음. 통저(痛詆).
[峻切 준절] 대단히 엄격함.
[峻節 준절] 고상한 절개(節槪). 높은 지조(志操).
[峻挺 준정] 준특(峻特).
[峻整 준정] 엄숙하고 단정함.
[峻制 준제] 준법(峻法).
[峻阻 준조] 험함. 험준함.
[峻秩 준질] 높은 관위(官位).
[峻責 준책] 준엄(峻嚴)하게 꾸짖음.
[峻峭 준초] ㉠산이 험함. ㉡준엄하고 가혹함. ㉢준수하고 고상함.
[峻峙 준치] 높이 솟음. 우뚝 솟음.
[峻擢 준탁] 특별히 발탁(拔擢)함. 또, 파격(破格)의 발탁.
[峻特 준특] 높이 남. 대단히 뛰어남. 준정(峻挺).
[峻坂 준판] 가파른 고개. 초판(峭坂).
[峻峰 준봉] 사람의 마음을 몹시 감동시키는 시문.
[峻險 준험] 산세(山勢)가 높고 험(險)함.
[峻刑 준형] 혹독한 형벌(刑罰).
[峻酷 준혹] 너무 혹독(酷毒)함.
● 刻峻. 高峻. 急峻. 方峻. 崇峻. 嚴峻. 幽峻. 凝峻. 切峻. 絶峻. 整峻. 阻峻. 淸峻. 峭峻. 標峻. 險峻.

7
⑩ [崺] 기 ㉠紙 口已切 qǐ
字解 산우뚝할 기 산의 높은 모양. '一, 山高兒'《集韻》.
字源 形聲. 山+忌〔音〕.

7
⑩ [峽] 人名 협 ㉠洽 侯夾切 xiá 峽

筆順 丨 山 山² 山³ 山⁴ 山⁵ 乢 峽 峽

字解 ①골짜기 협 험한 산곡(山谷). ‘一谷’. ‘仿佯于山一之旁’《淮南子》. ②시내 협 산골짜기를 흐르는 시내. ‘高江急一雷霆鬪’《杜甫》. ③땅이름 협 양쯔 강(揚子江)의 상류에 있는 삼협(三峽)의 약칭(略稱). ‘引兵下一, 戰荊門’《唐書》.

字源 形聲. 山＋夾〔音〕. ‘夾협’은 양쪽에 끼다의 뜻. 두 산(山)이 끼고 있는, 물이 흐르는 길, ‘골짜기’의 뜻을 나타냄.

參考 峽(山部 六畫)은 俗字.

[峽間 협간] 골짜기.
[峽谷 협곡] 험(險)하고 좁은 산골짜기.
[峽農 협농] 두메에서 짓는 농사.
[峽路 협로] 산속의 길. 두멧길.
[峽氓 협맹] 두메에 사는 농민(農民).
[峽岬 협비] 산기슭.
[峽水 협수] 골짜기에 흐르는 물.
[峽哀 협애] 골짜기의 쓸쓸함.
[峽雨 협우] 골짜기에 오는 비.
[峽雲 협운] 골짜기에 낀 구름.
[峽怨 협원] 골짜기의 쓸쓸함. 골짜기에서의 슬픈 감정이나 근심.
[峽邑 협읍] 산읍(山邑).
[峽中 협중] 험한 산 사이. 험한 골짜기.
[峽村 협촌] 두메에 있는 마을.
●澗峽. 急峽. 山峽. 三峽. 地峽. 海峽.

7/10 [峫] 별 入屑 皮列切 bié
字解 산이름 별 ‘大一’은 산 이름. 別(刀部 五畫)과 통용.

7/10 [峿] 어 上語 偶擧切 yǔ
字解 ①울퉁불퉁할 어 산이 울퉁불퉁함. ‘岨一’. ②불안할 어 ‘或岨一而不安’《陸機》.
●岨峿.

7/10 [峰] 高人 〔봉〕 峯(山部 七畫〈p.639〉)의 俗字
筆順 丨 山 山² 山³ 峄 峰 峰 峰

7/10 [島] 中人 도 上晧 都皓切 dǎo 島 島
筆順 ′ 「 门 白 自 鳥 鳥 島
字解 섬 도 도서(島嶼). ‘一國’. ‘入海居一中’《史記》.
字源 篆 形聲. 篆文은 山＋鳥〔音〕. ‘鳥조’는 ‘새’의 뜻. 철새가 의지할 곳으로서 쉬는 바다 가운데의 산(山), 곧 ‘섬’의 뜻을 나타냄.

[島可 도가] 가도(賈島)와 석무가(釋無可). 둘 다 당(唐)나라의 시인(詩人).
[島居 도거] 섬에서 삶.
[島國 도국] 섬나라. 해국(海國).
[島民 도민] 섬에서 사는 백성(百姓). 섬사람.
[島配 도배] 죄인(罪人)을 섬으로 귀양 보냄.

[島嶼 도서] 섬의 총칭. 큰 것을 도(島), 작은 것을 서(嶼)라 함.
[島影 도영] 섬 그림자. 섬의 모습. 섬.
[島夷 도이] ㉠섬나라의 오랑캐. ㉡남북조(南北朝) 시대의 송(宋)·제(齊)·양(梁) 삼조(三朝)를 낮잡아 일컫던 말.
[島中 도중] 섬 가운데.
[島浦 도포] 섬의 후미. 또, 섬의 해변.
[島戶 도호] 섬에 사는 사람.
●孤島. 群島. 大島. 無人島. 半島. 配島. 蓬島. 山島. 珊瑚島. 三島. 仙島. 小島. 列島. 遠島. 離島. 絕島. 諸島. 洲島. 海島.

7/10 [猱] 노 ㊤豪 奴刀切 náo 猱
字解 ①산이름 노 산둥 성(山東省) 쯔보 시(淄博市) 남쪽에 있는 산. ‘遭我乎一之間兮’《詩經》. ②개 노 ‘一, 又犬也’《玉篇》.
字源 篆文 㹳 形聲. 山＋狃〔音〕

7/10 [㟈] 은 ㊤文 魚斤切 yín
字解 소용돌이칠 은 ‘一淪’은 물이 소용돌이치며 흐르는 모양. ‘一淪漎漎, 乍沚乍堆’《郭璞》.

7/10 [峼] 〓 고 ㊤號 居號切 gào 〓 곡 入沃 苦沃切 gào
字解 〓 ①산모양 고 ‘一, 山皃’《說文》. ②산이름 고 ‘一, 一曰, 山名’《說文》. 〓 산모양 곡 〓❶과 뜻이 같음.

7/10 [峮] 〓 균 ㊤眞 去倫切 qūn 〓 군 ㊤文 黿云切 qūn
字解 〓 산연할 균 ‘一嶙’. ‘嶙一’은 산이 이어서 있는 모양. ‘一嶙而纏聯’《張衡》. 〓 산연할 군 〓과 뜻이 같음.

7/10 [峉] 峮(前條)과 同字

8/11 [崇] 中人 숭 ㊤東 鋤弓切 chóng 崇
筆順 ′ 山 屮² 屮³ 岂 岜 崇 崇
字解 ①높을 숭 ㉠산 같은 것이 높음. ‘一山峻嶺’. ‘一於軫四尺’《周禮》. ㉡고귀(高貴)함. ‘一高’. ‘唯女是一’《國語》. 또, 높은 사람. ‘師叔楚之一也’《左傳》. ②높일 숭 ㉠숭상함. ‘一尙’. ㉡신(神). ‘敦厚以一禮’《中庸》. ③높게 함. 존귀하게 함. ‘一德修慝’《論語》. ③모일 숭 한데 모임. ‘福祿來一’《詩經》. ④찰 숭, 채울 숭 가득 참. 또, 가득 차게 함. ‘再拜一酒’《儀禮》. ⑤마칠 숭 종료함. ‘曾不一一’《詩經》. ⑥세울 숭, 이룰 숭 수립함. 성취함. ‘維王其一之’《詩經》. ⑦일킬 숭 ‘遵明德而一業’《張衡》. ⑧성 숭 성(姓)의 하나.
字源 篆 崇 形聲. 山＋宗〔音〕. ‘宗종’은 족장(族長)의 뜻에서, 산(山)속의 족장(族長)의 뜻으로, ‘높다’의 뜻을 나타냄.

[崇扃 숭경] 높은 문(門).
[崇敬 숭경] 숭배하고 존경함.

[崇高 숭고] 존귀(尊貴)하고 고상(高尙)함.
[崇古 숭고] 예전 문물(文物)을 숭상함.
[崇丘 숭구] 높은 산.
[崇劇 숭극] 높은 자리에 있어서 분망(奔忙)함. 비극(卑劇)의 대(對).
[崇期 숭기] 팔방(八方)으로 통하는 길.
[崇大 숭대] 높고 큼. 또, 높고 크게 함.
[崇德廣業 숭덕광업] 높은 덕과 큰 사업. 또, 덕(德)을 높이고, 업(業)을 넓힘.
[崇棟 숭동] 높은 집의 마룻대.
[崇麗 숭려] 높고 화려함.
[崇嶺 숭령] 높은 산봉우리. 고봉(高峯). 준령(峻嶺).
[崇禮門 숭례문] 서울 남(南)쪽에 있는 문(門). 남대문(南大門).
[崇樓 숭루] 높은 다락.
[崇邈 숭막] 높고 멂.
[崇班 숭반] 높은 지위. 높은 벼슬.
[崇拜 숭배] 존경하여 절함. 전(轉)하여, 우러러 공경함. 귀의(歸依)함. 신앙함.
[崇奉 숭봉] 숭배하여 받듦.
[崇佛 숭불] 부처를 숭상함. 불교를 숭상함.
[崇事 숭사] 숭배하여 섬김.
[崇祀 숭사] 숭배하여 제사 지냄.
[崇尙 숭상] 높이어 소중하게 여김.
[崇昔 숭석] 태고(太古).
[崇城 숭성] 천자(天子)의 일컬음.
[崇盛 숭성] 지위(地位)가 높고, 권세(權勢)가 대단함.
[崇崇 숭숭] 높은 모양.
[崇信 숭신] 존숭하여 믿음.
[崇神 숭신] 신을 숭앙함.
[崇牙 숭아] 악기(樂器)의 장식(裝飾). 종(鐘)이나 경(磬)쇠를 거는 곳.
[崇嶽 숭악] 높은 산. 고산(高山).
[崇仰 숭앙] 높여 우러러봄.
[崇嚴 숭엄] 숭고하고 존엄(尊嚴)함.
[崇英 숭영] 높이 뛰어남. 또, 그 인물.
[崇遇 숭우] 존경하여 대우함.
[崇雲 숭운] 높은 구름.
[崇遠 숭원] 높고 멂.
[崇位 숭위] 높은 자리. 고위(高位).
[崇儒 숭유] 유교(儒教)를 숭상함.
[崇恩 숭은] 높은 은혜. 두터운 은혜.
[崇朝 숭조] 새벽부터 조반을 들 때까지의 동안. 아침.
[崇祖尙門 숭조상문] 조상(祖上)을 숭배하고 문중(門中)을 위함.
[崇峻 숭준] 높음. 고준(高峻).
[崇替 숭체] 성쇠(盛衰). 융체(隆替).
[崇椒 숭초] 높은 산봉우리.
[崇則 숭칙] 존숭하는 법칙(法則).
[崇廈 숭하] 높고 큰 집. 대하(大廈).
[崇患 숭환] 중병(重病).
◉降崇. 謙崇. 穹崇. 敦崇. 登崇. 睦崇. 信崇. 蘊崇. 尊崇. 豐崇. 欽崇.

8 ⑪ [崋] 화 [平]麻 戶花切 huà [去]禡 胡化切 huà

[字解] ①화산 화 '一山'은 오악(五嶽)의 하나로서, 산시 성(陝西省) 화음현(華陰縣) 남쪽에 있으며, '西一' 또는 '一嶽'이라고도 함. '西嶽爲一山'《白虎通》. ②성 화 성(姓)의 하나.

[字源] 篆文 形聲. 山＋雩〔音〕

[崋岱 화대] 화산(崋山)과 태산(泰山).
[崋山 화산] 자해(字解)❶을 보라.
[崋嶽 화악] 자해(字解)❶을 보라.

8 ⑪ [崑] [人名] 곤 [平]元 公渾切 kūn

[筆順]

[字解] 산이름 곤 ㉠'一崙'은 시짱(西藏)에 있는 산으로서, 고래로 미옥(美玉)을 산출함. ㉡'一山'은 장쑤 성(江蘇省)에 있는 산.

[字源] 篆文 形聲. 山＋昆〔音〕

[崑岡 곤강] 곤륜산(崑崙山).
[崑腔 곤강] 곤곡(崑曲).
[崑岡浦 곤강포] 고려 때 음죽군(陰竹郡)에 있던 포구(浦口) 이름.
[崑曲 곤곡] 극곡(劇曲)의 이름. 장쑤 성(江蘇省) 곤산(崑山) 사람이 지었음.
[崑丘 곤구] 곤륜산(崑崙山)을 이름.
[崑劇 곤극] 곤곡(崑曲)을 연창(演唱)하는 연극.
[崑閬 곤랑] 곤륜산(崑崙山).
[崑崙 곤륜] ㉠시짱(西藏)에 있는 산. 미옥(美玉)을 산출함. 곤륜산(崑崙山). ㉡중국 남방에 있는 살빛이 검은 만족(蠻族). ㉢살빛이 검은 사람의 별명.
[崑崙瓜 곤륜과] 가지, 곧, 가자(茄子)의 별칭(別稱).
[崑陵 곤릉] 곤륜(崑崙)㉠.
[崑山 곤산] ㉠곤륜(崑崙)㉠. ㉡장쑤 성(江蘇省)에 있는 산.
[崑山之片玉 곤산지편옥] 곤륜산에서 나오는 명옥(名玉) 중의 하나라는 뜻으로, 여러 재사(才士) 또는 문사(文士) 중의 제일인자를 이름.
[崑嶽 곤악] 곤륜산(崑崙山)의 이칭(異稱).
[崑崖 곤애] 곤륜산(崑崙山)의 벼랑. 또, 곤륜산.

8 ⑪ [崒] 줄 [入]質 慈卹切 zú

[字解] ①험할 줄 산이 높고 험준함. '巉乎一乎'《吳融》. ②무너질 줄 '山冢一崩'《詩經》.

[字源] 篆文 形聲. 山＋卒〔音〕. '卒졸'은, 한도(限度)에까지 달하다의 뜻. 산(山)이 산다움의 한도까지 달하다, 험준하다의 뜻을 나타냄.

[崒崩 줄붕] 산 같은 것이 무너짐.
[崒然 줄연] 험준하고 높은 모양.
[崒屼 줄올] 험준한 민둥산의 모양.
[崒崒 줄줄] ㉠험준한 모양. ㉡물건이 마찰하는 소리.
[崒乎 줄호] 높고 험준한 모양.
◉崇崒. 嵂崒. 嵯崒. 嶄崒. 巉崒. 屹崒.

8 ⑪ [崔] [人名] 최 [平]灰 昨回切 cuī 倉回切 cuī

[筆順]

[字解] ①높을 최 높고 큼. '一巍'. '南山一一'

서쪽에 있는 산. 해가 지는 산이라 함. 전(轉)하여, 만년(晩年) 또는 노경(老境)의 비유로 쓰임.

8 ⑪ [崞] 곽 [平]藥 古博切 guō

[字解] ①산이름 곽 산시 성(山西省) 원평현(原平縣)의 서북쪽에 있는 산. '⿰山郭, 說文, 山也. 左雁門. 隷作—'《集韻》. ②고을이름 곽 지금의 산시 성(山西省) 원평현(原平縣). '—, 縣名, 在代州'《廣韻》.
[字源] 形聲. 篆文은 山+𩫏〔音〕

8 ⑪ [⿰山卷] 괴 [去]寘 區位切 kuì

[字解] 당길 괴 심줄이 당기는 모양. '筋節—急'《列子》.

8 ⑪ [崥] 비 [上]紙 并弭切 bǐ

[字解] 산기슭 비 '峽—'는 산록(山麓). '崔嵬不崩, 賴彼峽—'《太玄經》.
[字源] 形聲. 山+卑〔音〕

◉峽崥.

8 ⑪ [崍] [人名] 래 [平]灰 落哀切 lái 崍

[筆順] 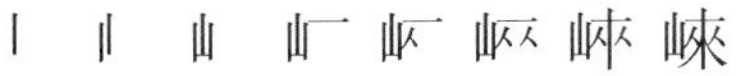

[字解] 산이름 래 '邛—'는 쓰촨 성(四川省) 영경현(滎經縣) 서쪽에 있는 산. '—山'이라고도 함.
[字源] 形聲. 山+來〔音〕

8 ⑪ [崌] 거 [平]魚 九魚切 jū

[字解] 산이름 거 '—山, 江水出焉, 東流注於大江, 其中多怪蛇'《山海經》.
[字源] 形聲. 山+居〔音〕

8 ⑪ [⿰山兒] 얼 [入]屑 倪結切 niè

[字解] 높을 얼 산이 높은 모양. '峌—孤亭'《木華》.

8 ⑪ [崮] 고 [去]遇 公悟切 gù

[字解] 섬 고 도서(島嶼). '出沒島—'《宋史》.
[字源] 形聲. 山+固〔音〕

8 ⑪ [崨] 첩 [入]葉 疾葉切 jié

[字解] ①산모양 첩 嶫(山部 十四畫〈p. 654〉)과 통용. '—, 山皃'《玉篇》. ②높을 첩 산이 높은 모양. '—, 山高貌'《正字通》.
[字源] 形聲. 山+疌〔音〕

8 ⑪ [⿰山戔] 잔 [上]潸 阻限切 zhàn

[字解] 험준할 잔 산이 가파르고 험악한 모양. '—嵼, 山峻皃. 或作⿰木⿱山戔'《集韻》.
[字源] 形聲. 山+戔〔音〕

8 ⑪ [⿰山臽] 감 [上]感 苦感切 kǎn

[字解] 구덩이 감 깊고 캄캄한 산속의 구덩이. '—窞巖⿰山复'《馬融》.

8 ⑪ [⿰山枝] 〔기〕⿰支阝(邑部 四畫〈p. 2331〉)·岐(山部 四畫〈p. 634〉)의 古字

8 ⑪ [崏] 〔민〕 岷(山部 五畫〈p. 636〉)과 同字

8 ⑪ [崐] 〔곤〕 崑(山部 八畫〈p. 642〉)과 同字

8 ⑪ [崕] 〔애〕 崖(山部 八畫〈p. 643〉)와 同字

8 ⑪ [崘] [人名] 〔륜〕 崙(山部 八畫〈p. 643〉)과 同字

8 ⑪ [崈] 〔숭〕 崇(山部 八畫〈p. 641〉)과 同字

9 ⑫ [嵌] [人名] 감 [平]咸 口銜切 qiàn(qiān) [去]陷 口陷切 

[字解] ①산골짜기 감 '山—'은 깊은 산골짜기. '—巖巖其龍鱗'《揚雄》. ②굴 감 땅이나 바위의 깊이 팬 곳. 공동(空洞). '—空'. '竹竿接—竇'《杜甫》. ③새겨넣을 감 상감(象嵌)함. '—入'. ④끼워넣을 감 삽입(插入)함. '漢書舊本, 每於句中—注'《史記評林》.
[字源] 篆文  形聲. 山+歁〈省〉〔音〕. '歁감'은 '坎감'과 통하여, '깊이 패다, 지면에 아가리를 벌리고 있는 함정'의 뜻. 산이 입을 벌린 것처럼 패어 험하다, 구멍의 뜻을 나타내며, 어떤 형태의 물건 속에 끼워 넣다, 박다의 뜻을 나타냄.

[嵌谷 감곡] 깊은 산골짜기.
[嵌工 감공] 상감(象嵌) 세공을 하는 직공.
[嵌空 감공] 굴(窟). 공동(空洞).
[嵌竇 감두] 굴(窟).
[嵌巖 감암] ㉠동굴이 있는 바위. 암굴(巖窟). ㉡깊은 산골짜기.
[嵌然 감연] 산이 개장(開張)한 모양. 산이 열려 넓은 모양.
[嵌入 감입] 장식 같은 것을 박아 넣음.
[嵌巉 감참] 산이나 골짜기가 험준한 모양.
◉空嵌. 穹嵌. 山嵌. 巖嵌. 塡嵌. 嶄嵌.

9 ⑫ [嵔] 외 [上]尾 於鬼切 wěi

[字解] 꾸불꾸불할 외 산이 험준하여 꾸불텅꾸불텅한 모양. '崴磈—瘣'《司馬相如》.
[字源] 形聲. 山+畏〔音〕. '畏외'는 '무섭다'의 뜻.

參考 嵔(山部 九畫)는 同字.

[嵔瘣 외외] 산이 험준하고 울퉁불퉁한 모양.

9 ⑫ [崽] 一 새 (平)佳 山皆切 zǎi
二 재 (上)賄 子亥切 zǎi
三 사 (上)紙 想止切

字解 一 ①자식 새 아이. '—者, 子也. 湘沅之會, 凡言是子者, 謂之—, 若東齊言子矣'《揚子方言》. ②저것 새 사람을 업신여겨 욕하는 말. '—, 方言云, 江湘凡言是子謂之—. 自高而侮人也'《廣韻》. 二 자식 재, 저것 재 一과 뜻이 같음. 三 자식 사, 저것 사 一과 뜻이 같음.

9 ⑫ [崱] 즉 (入)職 士力切 zè

字解 ①잇닿을 즉 산이 연(連)한 모양. '開軒望嶄—'《劉峻》. ②쭈뼛할 즉 '岃—'은 산봉우리가 높이 솟은 모양. '岃—西來勢何壯'《貢師泰》. ③가지런하지않을 즉 참치부제(參差不齊)한 모양. '—繪綾而龍鱗'《王延壽》.
字源 形聲. 山+則〔音〕

◉嶄崱.

9 ⑫ [崶] 봉 (平)冬 府容切 fēng

字解 산이름 봉 지금의 광둥 성(廣東省) 봉천현(封川縣)의 경계에 있는 산 이름. '—, 山名, 一名, 龍門山, 在封州, 大魚上化爲龍, 上不得點額, 血流, 水爲丹色也'《廣韻》.
字源 形聲. 山+封〔音〕

9 ⑫ [崺] 이 (上)紙 移爾切 yǐ

字解 ①낮고길 이 '峛—'는 산이 낮고 길게 옆으로 뻗은 모양. '升東嶽, 而知衆山之峛—也'《揚子法言》. ②구릉(丘陵)이름 이 '峛—, 丘名'《集韻》.

◉峛崺.

9 ⑫ [嵏] 종 (平)東 子紅切 zōng

字解 ①산이름 종 '九—'은 산시 성(陝西省) 예천현(醴泉縣) 동북에 있는 산. 또, 후베이 성(湖北省) 샤오간 현(孝感縣) 동북에 있는 산. '九—山, 一名九宗山, 環阜卅嶂, 林麓深杳, 不減長安之九—'《輿地紀勝》. ②산봉우리 종 높이 무리져 있는 봉우리들. '夷—築堂'《漢書》.
字源 篆文 形聲. 山+㚇〔音〕

9 ⑫ [嵕] 嵏(前條)과 同字

9 ⑫ [嵐] 人名 람 (平)覃 盧含切 lán 岚

字解 ①남기 람 저녁나절에 멀리 보이는 산 같은 데 떠오르는 푸르스름하고 흐릿한 기운. 이내. '—氣'. '夕陽彩翠忽成—'《王維》. ②산바람 람 '夕曛—氣陰'《謝靈運》. ③회오리바람 람 또, 열풍(烈風). '旋—, 梵云, 迅猛風'《正字通》.
字源 篆文 形聲. 山+葻〈省〉〔音〕. '葻람'은 '바람'의 뜻. '산바람'의 뜻을 나타냄.

[嵐光 남광] 남기(嵐氣)가 떠올라 해에 비치는 경치.
[嵐氣 남기] 저녁나절에 멀리 보이는 산 같은 데 떠오르는 푸르스름하고 흐릿한 기운. 이내.
[嵐岫 남수] 산에 이내가 끼어 푸르스름하게 보이는 산봉우리.
[嵐影湖光 남영호광] ㉠산의 그림자와 호수의 빛깔이라는 뜻으로, 산수(山水)의 풍광(風光)을 이름. ㉡재넘이.
[嵐翠 남취] 푸르스름한 남기(嵐氣).
◉溪嵐. 夕嵐. 烟嵐. 紫嵐. 朝嵐. 青嵐. 晴嵐. 翠嵐.

9 ⑫ [崴] 위 ①(平)灰 烏回切 wēi
②(上)蟹 烏買切 wǎi

字解 ①높을 위 '—嵬'는 산 같은 것이 높은 모양. '軫石—嵬'《楚辭》. ②울퉁불퉁할 위 '—磈'는 울퉁불퉁하여 평탄하지 아니한 모양. '—磈嵔瘣'《史記》.
字源 形聲. 山+威〔音〕. '威위'는 '두려워하다'의 뜻.

[崴嵬 위외] 높은 모양.
[崴巍 위외] 산이 가파른 모양.
[崴磈 위외] 평탄하지 아니한 모양.

9 ⑫ [嵂] 人名 률 (入)質 劣戌切 lǜ

字解 가파를 률 '—崒'은 산이 높고 험한 모양. '隆崇—崒'《司馬相如》.
字源 形聲. 山+律〔音〕

[嵂崒 율줄] 산이 높고 험준한 모양.

9 ⑫ [嵓] 〔암〕
嵒(山部 九畫〈p.647〉)과 同字

9 ⑫ [嵋] 人名 미 (平)支 武悲切 méi

字解 산이름 미 '峨—'는 쓰촨 성(四川省)에 있는 산. '峨—爲衆陽之揭'《郭璞》.
字源 形聲. 山+眉〔音〕

◉峨嵋.

9 ⑫ [嵎] 우 (平)虞 偶俱切 yú

字解 ①산모퉁이 우 산기슭의 모퉁이. '虎負—, 莫之敢攖'《孟子》. ②구석 우 모퉁이. 隅(阜部 九畫)와 뜻이 같음. '西極之南—有國焉'《列子》. ③가파를 우 높고 험준함. '—峗錯崔'《後漢書》.
字源 篆文 形聲. 山+禺〔音〕. '禺우'는 멍청히 있음의 뜻. 산지(山地)의 깊숙하고 한가한 곳, '모퉁이'의 뜻.

[嶔嶔 금금] 입을 크게 벌리는 모양. 하품을 하는
모양.
[嶔崎 금기] 산이 험하고 높이 솟아 있는 모양.
[嶔巖 금암] ㉠험 (險)한 바위. ㉡골짜기가 개장
(開張)하여 험한 모양.
[嶔然 금연] 암석 (巖石)이 험 (險)하게 우뚝 솟은
모양.
[嶔崟 금음] 산 (山)이 높이 솟은 모양.
[嶔岑 금잠] 산이 우뚝 솟은 모양.
[嶔蠵 금회] 금기 (嶔崎).
●崛嶔. 盤嶔.

12
15 [嶔] 추 ㊀有 疾僦切 jiù
字解 산이름 추 '一, 山名'《集韻》.

12
15 [嶜] 침 ㊀侵 昨淫切 jīn
字解 ①뾰족할 침 '一崟'은 산봉우리 같은 것이
높고 뾰족한 모양. '玉石一崟'《漢書》. ②가파를
침 '一岑'은 산이 험준한 모양. '幽谷一岑, 夏
含霜雪'《張衡》. ③높을 침 산 (山) 따위가 높고
큰 모양. '一, 山高大皃'《集韻》.

[嶜嵒 침암] 산정 (山頂)이 뾰족한 모양.
[嶜崟 침음] 산봉우리 같은 것이 높고 뾰족한 모
양.
[嶜岑 침잠] 산이 험준한 모양.

12
15 [棧] 잔 ㊀潸 士限切 zhàn
字解 ①뛰어나게높을 잔, 높은산 잔 '太淵蘊蘊
兮, 絶一崁崁'《元結》. ②산험할 잔 산이 험준
(險峻)한 모양. 嶘(山部 八畫)과 同字. '棧峰,
山峻皃. 或作一'《集韻》.
字源 형성. 山+棧〔音〕. '棧잔'은 날카롭게
篆文 베어져 깎임의 뜻.

12
15 [嶢] 〔요〕
嶤(山部 十二畫〈p.652〉)와 同字

12
15 [嶛] 〔료〕
嶚(山部 十二畫〈p.652〉)와 同字

12
15 [嶒] 증 ㊀蒸 疾陵切 céng
字解 험할 증 '崚一'은 산이 높고 험준한 모양.
'懸崖抱奇崛, 絶壁駕嶒雄'《何遜》.

[嶒崟 증굉] 깊게 비어 있는 모양.
[嶒崚 증릉] 높이 솟은 산의 돌출한 모양.
[嶒棱 증릉] 증릉 (嶒崚).
●崚嶒.

12
15 [嶕] 초 ㊀蕭 昨焦切 jiāo
字解 ①높을 초 '一嶢'는 산 같은 것이 높은 모
양. '別風一嶢'《班固》. ②산꼭대기 초 산정 (山
頂). '山顚曰山一'《正字通》.
字源 형성. 山+焦〔音〕.
篆文

[嶕嶢 초요] ㉠산이 높은 모양. ㉡산꼭대기. 산정

(山頂).

12
15 [嶘] 건 ㊀阮 巨偃切 jiǎn
字解 ①산 건 산의 모양. '一嶙, 山皃'《集韻》.
②산굽을 건 산이 굴곡 (屈曲)한 모양. '躡五岏
之一嶙'《左思》.

12
15 [嶙] 린 ①㊀眞 力珍切 lín
       ②㊀軫 良忍切 lǐn
字解 ①깊숙할 린 '一峋'은 산이 첩첩 (疊疊)이
싸여 깊숙한 모양. '岭嶙一峋'《揚雄》. ②가파를
린 '嶒一'은 산이 높고 험한 모양. '裁陂陀以
嶙一'《潘岳》.
字源 형성. 山+粦〔音〕.
篆文

[嶙峋 인순] ㉠산이 첩첩 (疊疊)이 싸여 깊숙한 모
양. ㉡여러 계단을 이루어 위압하듯 위로 치솟
은 모양.

12
15 [嶔] 동 ㊀東 徒東切 tóng
字解 ①산모양 동. ②민둥산 동 초목 (草木)이
없이 헐벗은 산. '一, 山無草木也'《字彙》.

12
15 [嶝] 〔名〕등 ㊀徑 都鄧切 dèng
字解 ①고개 등 치받이 비탈길. '山上絶梯一'
《蘇軾》. ②우러를 등 隥 (阜部 十二畫)과 同字.
'隥, 說文, 仰也. 或從山'《集韻》.
字源 형성. 山+登〔音〕. '登등'은 '오르다'의 뜻.
篆文 산을 오르는 '고갯길'의 뜻을 나타냄.

●梯嶝. 懸嶝. 廻嶝.

12
15 [嶟] 준 ①㊀元 祖昆切 zūn
         ②㊀眞 將倫切
字解 ①가파를 준, 높을 준 산이 높고 험준한 모
양. '撅北極之——'《揚雄》. ②치솟을 준 산이
뾰족하게 솟은 모양. '一一, 竦峭皃'《集韻》.
字源 형성. 山+尊〔音〕
篆文

[嶟嶟 준준] 산이 험준한 모양.

12
15 [嶜] 단 ㊀寒 都寒切 dān
字解 ①외딴산 단 '山孤者曰一'《集韻》. ②산이
름 단 '一孤, 山名'《集韻》.

12
15 [嶠] 〔名〕교 ㊀蕭 巨嬌切 qiáo
         ㊀嘯 渠廟切 jiào
字解 ①뾰족하고높을 교 산 같은 것이 뾰족하게
솟아 있는 모양. 또, 그 산. '山銳而高曰一'《爾
雅》. ②산길 교 산도 (山道). '山祇蹕一
路'《顏延之》. ③산봉우리 교 '開零陵桂陽, 一
道'《後漢書》.
字源 형성. 山+喬〔音〕. '喬교'는 가늘고
篆文 높음의 뜻. 높은 산의 뜻을 나타냄.

[嶠道 교도] 산길.
[嶠路 교로] 산길.

[嶠嶼 교서] 우뚝 솟은 해중(海中)의 작은 섬.
[嶠嶽 교악] 높은 산. 교악(喬岳).

12 ⑮ [嶠] 嶠(前條)와 同字

12 ⑮ [嶢] 人名 요 ㊤蕭 五聊切 yáo 嶢

字解 높을 요 '嶕―'는 산 같은 것이 높은 모양. 높고 험준한 모양. '泰山之高不嶕―'《漢書》.
字源 篆文 形聲. 山+堯〔音〕. '堯요'는 '높다'의 뜻. 산의 높은 모양을 나타냄. 높고 험준함의 뜻.

[嶢闕 요궐] 궁성(宮城)의 높은 문.
[嶢崎 요기] 산이 굴곡이 심하여 험준한 모양. 전(轉)하여, 사물(事物)의 복잡(複雜)하고 곡절(曲折)이 많은 뜻으로 쓰임.
[嶢巖 요암] 높고 험(險)한 모양. 험준한 모양.
[嶢嶷 요억] 산이 높이 솟은 모양.
[嶢屼 요올] 산이 험준한 모양.
[嶢嶢 요요] ㉠위태로운 모양. ㉡산이 높은 모양. ㉢뜻이 높은 모양.
[嶢嶢者易缺 요요자이결] 뛰어난 사람은 비방이나 박해를 받기 쉬움을 비유한 말.
[嶢崢 요쟁] 높고 험한 모양. 험준한 모양.
◉嶚嶢. 岧嶢. 嶕嶢.

12 ⑮ [嶗] 로 ㊤豪 郞刀切 láo 崂

字解 ①산이름 로 '―, 山名'《玉篇》. ②험준할 로 '―嶆'는 산이 험함.

12 ⑮ [嶓] 파 ㊤歌 博禾切 bō

字解 산이름 파 '―冢'은 산시 성(陝西省) 면현(沔縣) 서남에 있는 산. '―山'이라고도 함. '―冢道漾'《書經》.
字源 形聲. 山+番〔音〕

[嶓山 파산] 파총(嶓冢).
[嶓冢 파총] 자해(字解)를 보라.

12 ⑮ [嶡] ㊀ 귀 ㊦霽 姑衛切 guì
㊁ 궐 ㊇月 居月切 jué

字解 ㊀ 치솟을 귀 산이 우뚝 솟음. '―, 山崛起貌'《字彙》. ㊁ 도마 궐 가로 나무를 댄, 다리가 달린 도마. '―, 俎名. 足有橫'《集韻》.

12 ⑮ [嶚] 료 ㊤蕭 落蕭切 liáo

字解 높을 료 '陵絕―嶕, 聿越巉嶮'《左思》.
字源 形聲. 山+尞〔音〕

12 ⑮ [嶞] 타 ㊤哿 徒果切 duò

字解 ①뾰족할 타 산이 뾰족한 모양. '―山喬嶽'《詩經》. ②회오리봉 타 작고 뾰족한 산.
字源 篆文 形聲. 山+隋〈省〉〔音〕. '隋타'는 '橢타'와 통하여, '가늘고 긺'의 뜻. 가늘고 길게 연달아 뻗은 산(山)의 뜻.

[嶞山 타산] 좁고 긴 산.

12 ⑮ [嶕] 〔준〕 峻(山部 七畫〈p. 640〉)과 同字

12 ⑮ [嶀] 〔악〕 崿(山部 九畫〈p. 647〉)과 同字

13 ⑯ [嶪] 人名 업 ㊇葉 魚怯切 yè

筆順 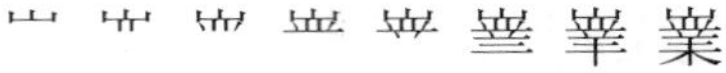

字解 험준할 업 '岌―'은 산이 높고 험한 모양. 산이 가파른 모양. '狀嵬峩以岌―'《張衡》.
字源 形聲. 山+業〔音〕. '業업'은 엄하고 평탄치 않다의 뜻. 높고 험한 산의 모양을 나타냄.

[嶪峩 업아] 산이 높고 큰 모양.
[嶪嶪 업업] 산이 높고 험한 모양.
◉岌嶪.

13 ⑯ [嶭] 알 ㊇曷 五割切 niè

字解 ①가파를 알 '巀―'은 산이 고준(高峻)한 모양. '九嵕巀―, 南山峩峩'《司馬相如》. ②성 알 성(姓)의 하나.
字源 篆文 形聲. 山+辥〔音〕. '辥설'은 '높고 위태롭다'의 뜻.

◉巀嶭.

13 ⑯ [嶧] 역 ㊇陌 羊益切 yì 峄

字解 산이름 역 ㉠장쑤 성(江蘇省) 비현(邳縣)에 있는 산. '―陽孤桐'《書經》. ㉡산둥 성(山東省) 추현(鄒縣)에 있는 산.
字源 篆文 形聲. 山+睪〔音〕. '睪역'은 '잇닿아 연속됨'의 뜻. 잇닿은 산의 뜻을 나타냄.

13 ⑯ [嶦] 괴 ㊦泰 古外切 kuài

字解 완만하게연할 괴 산이 완만하게 이어지는 모양. 또, 산이 으슥하고 평평한 모양. '嶰壑―峗'《馬融》.

13 ⑯ [嶦] 첨 ①㊤鹽 之廉切 zhān
②㊦豔 時豔切 shàn

字解 ①봉우리 첨 '―, 山峯'《集韻》. ②산비탈 첨 '―, 山阪'《集韻》.

13 ⑯ [嶥] 〔굴〕 崛(山部 八畫〈p. 644〉)의 本字

13 ⑯ [嶮] 험 ㊤琰 虛檢切 xiǎn

字解 험할 험 險(阜部 十三畫)과 同字. '壯天地之―介'《郭璞》.
字源 形聲. 山+僉〔音〕. '僉첨'은 '險험'과 통하여, '땅의 형세가 험하다'의 뜻. '험한 산'

의 뜻을 나타냄.

[嶮介 험개] 험준하고 막힘.
[嶮曠 험광] 험준하고 멂.
[嶮難 험난] 험하여 가기 어려움.
[嶮路 험로] 험한 길.
[嶮邪 험사] 마음이 뒤틀리고 사악함.
[嶮塞 험새] 험준한 요새.
[嶮邃 험수] 험하고 깊숙함.
[嶮惡 험악] 험하고 나쁨.
[嶮隘 험애] 험하고 좁음.
[嶮夷 험이] 땅의 험준한 곳과 평탄한 곳.
[嶮阻 험조] 험함. 또, 그곳.
[嶮峻 험준] 험하고 높음. 가파르고 높음.
[嶮峭 험초] 험준(嶮峻).
[嶮巘 험헌] 산이 험준한 모양.
[嶮巇 험희] 위험하고 험함.
◉峻嶮.

13 ⑯ [𡾟] 〔노〕 峱(山部 七畫〈p. 641〉)와 同字

13 ⑯ [𡾣] 굴 [入]月 苦骨切 kū

[字解] 산 굴, 민둥산 굴 '—屼, 山皃, 一曰, 童山'《集韻》.

13 ⑯ [嶰] 해 ㊤蟹 胡買切 xiè

[字解] ①골짜기이름 해 곤륜산(崑崙山) 북쪽에 있는 골짜기. 옛날에 황제(黃帝)가 영륜(伶倫)에게 명하여 이 골짜기의 대나무로 십이율(十二律)의 피리를 만들게 하였다 함. '取竹於—谿之谷'《通鑑綱目》. 전(轉)하여, 널리 골짜기의 뜻으로 쓰임. '—澗閴, 岡岵童'《左思》. ②떨어진산 해 붙어 있지 않은 산. '—, 山不相連也'《玉篇》.

[字源] 形聲. 山+解〔音〕. '解해'는 '뿔뿔이 흩어지다'의 뜻. 산이 따로따로 떨어지게 된 틈, '골짜기'의 뜻을 나타냄.

[嶰谷 해곡] 곤륜산(崑崙山) 북쪽에 있는 골짜기.

13 ⑯ [𡾥] 갈 [入]曷 丘葛切 kě

[字解] 가파를 갈 '—嵑'은 산석(山石)이 고준(高峻)한 모양. '其山則崆㟧—嵑'《張衡》.

[𡾥嵑 갈갈] 산석(山石)이 높고 험한 모양.

13 ⑯ [巇] 의 [平]支 魚羈切 yí

[字解] ①산이름 의 '—, 山名'《玉篇》. ②높고험할 의 '上崎—而重注'《王延壽》.

[字源] 形聲. 山+義〔音〕

13 ⑯ [𡾩] 〔업〕 嶪(山部 十三畫〈p. 652〉)과 同字

13 ⑯ [嶨] 학 [入]覺 胡覺切 xué

[字解] 석산(石山) 학 큰 돌이 많은 산. '吟巴山犖—, 說楚波堆壟'《韓愈》.

[字源] 篆文 形聲. 山+學〈省〉〔音〕

◉犖嶨.

13 ⑯ [𡾪] 〔오〕 澳(水部 十三畫〈p. 1302〉)와 同字

[字源] 形聲. 山+奧〔音〕

14 ⑰ [嶷] [一] 의 [平]支 語其切 yí [二] 억 [入]職 魚力切 nì

[字解] [一] 산이름 의 '九—'는 후난 성(湖南省)에 있는 산으로, 순(舜)임금의 능(陵)이 있었다 함. [二] ①산모양 억 '—, 山貌也'《海篇玉鏡》. ②높을 억 높이 빼어난 모양. '其德——'《史記》. ③숙성할 억 어린아이가 조성(早成)함. 영리함. '岐—'. '克岐克—'《詩經》.

[字源] 篆文 形聲. 山+疑〔音〕. '疑의'는 가만히 머무름의 뜻. 산이 부동(不動)인 채로서 있음의 뜻.

[嶷岌 억급] 높은 모양.
[嶷立 억립] 높이 뛰어나서 선 모양.
[嶷嶷 억억] ㉠덕(德)이 높은 모양. ㉡어린애가 영리한 모양. 숙성한 모양.
[嶷然 억연] 높이 빼어난 모양. 아주 뛰어난 모양.
◉九嶷. 岌嶷. 岐嶷. 端嶷. 明嶷. 英嶷. 嵬嶷. 嶢嶷.

14 ⑰ [嶺] [高人] 령 ㊤梗 良郢切 lǐng 岭

[筆順]

[字解] ①재 령 산정(山頂)의 고개. '秋風—'. '置—白雲間'《沈約》. ②산봉우리 령 산봉(山峯). '—嶂'. '岑—飛騰而反覆'《木華》. ③산길 령 '—, 山道也'《說文》. ④연산 령 연속한 산악. '橫看爲—側成峯'《蘇軾》. ⑤산맥이름 령 후난 성(湖南省)과 광둥(廣東)·광시(廣西) 두 성의 경계에 있는 산맥. '—之南其州七十'《韓愈》.

[字源] 篆文 形聲. 山+領〔音〕. '領령'은 '거느리다'의 뜻. 많은 산들을 묶어 거느리는 산꼭대기를 이름.

[嶺南 영남] ㉠오령(五嶺)의 남쪽. 현대의 월중(粤中)을 이름. ㉡《韓》경상도(慶尙道).
[嶺道 영도] 산봉우리에 있는 길. 또, 산봉우리로 통하는 길.
[嶺東 영동] 《韓》강원도(江原道) 대관령(大關嶺) 동쪽의 땅.
[嶺頭 영두] 산꼭대기.
[嶺上 영상] 고개 위. 산봉우리 위.
[嶺西 영서] 《韓》강원도(江原道) 대관령(大關嶺) 서쪽의 땅.
[嶺樹 영수] 산꼭대기에 있는 나무.
[嶺阨 영애] 산이 험하고 좁은 땅.
[嶺雲 영운] 산봉우리 위에 떠 있는 구름.
[嶺岑 영잠] 산봉우리.
[嶺嶂 영장] 높고 험한 산봉우리.
[嶺頂 영정] 산꼭대기.
[嶺表 영표] 영남(嶺南).

[嶺海 영해] 후난(湖南)·후베이(湖北)의 양성(兩省). 모두 오령(五嶺)의 남쪽에 있어 바다와 가까우므로 이름.
●高嶺. 梅嶺. 複嶺. 分水嶺. 山嶺. 雪嶺. 霄嶺. 五嶺. 危嶺. 峻嶺. 重嶺. 秦嶺. 疊嶺. 葱嶺. 台嶺. 太和嶺.

14/17 [嶽] 〔人名〕 악 ㉿覺 五角切 yuè

筆順 屵 屵 屵 屵 嶝 嶝 嶽 嶽

字解 큰산 악 크고 높은 산. 岳(山部 五畫)과 同字. '五一'. '崧高維一'《詩經》.

字源 形聲. 山+獄〔音〕. '獄옥'은 사람을 위압하다의 뜻. 사람을 위압하는 험준한 산의 뜻. 고대(古代)에는 제사의 대상(對象)이었음.

[嶽降 악강] 산신(山神)이 내려와 사람으로 화신(化身)한다는 뜻으로, 귀인(貴人)이나 위인(偉人)이 태어남을 이름.
[嶽公 악공] 악장(嶽丈).
[嶽祇 악기] 산신(山神). 악신(嶽神).
[嶽蓮 악련] 화산(華山) 위에 있는 연(蓮). 전(轉)하여, 화산을 이름.
[嶽麓書院 악록서원] 학교(學校) 이름. 송(宋)나라 장식(張栻)과 주희(朱熹)가 강학(講學)한 곳. 후난성(湖南省) 안에 있음.
[嶽母 악모] 아내의 어머니. 장모(丈母).
[嶽牧 악목] 사악(四岳)과 십이목(十二牧). 후세의 공경(公卿)·제후(諸侯)와 같음. 악목(岳牧).
[嶽父 악부] 악장(嶽丈).
[嶽雪 악설] 고산(高山)의 눈.
[嶽秀 악수] 고산(高山)이 뛰어남. 전(轉)하여, 인격이 뛰어남의 비유.
[嶽崇海豁 악숭해활] 산처럼 높고 바다같이 넓음.
[嶽神 악신] 산신령. 산신(山神).
[嶽嶽 악악] ㉠나란히 서서 의젓한 모양. 뽐내는 모양. ㉡사슴의 뿔의 형용.
[嶽翁 악옹] 악장(嶽丈).
[嶽丈 악장] 아내의 아버지. 장인(丈人). 악(嶽)은 태산(泰山)인데, 그 꼭대기에 장인봉(丈人峯)이 있는 데서 나온 말.
[嶽峻 악준] 고산(高山)이 험준함. 전(轉)하여, 인격의 고결(高潔)함의 비유.
●巨嶽. 槐嶽. 喬嶽. 累嶽. 四嶽. 山嶽. 令嶽. 五嶽. 鍾嶽. 河嶽. 海嶽. 畢嶽. 華嶽.

14/17 [巀] 〔찰〕
巀(山部 十五畫〈p.654〉)의 俗字

14/17 [誉] 〔人名〕 한 ㉲寒 俄寒切 án

字解 산이높은모양 한 '一, 山形也'《集韻》.

14/17 [嵃] 은 ㉲吻 於謹切 yǐn

字解 산높을 은 산의 우뚝 솟은 모양. '裁岐崛以一嵃'《潘岳》.

14/17 [嶸] 〔人名〕 영 ㉱庚 永兵切 róng

字解 가파를 영 '崢一'은 산이 높고 험한 모양.

'金石崢一'《班固》.

字源 形聲. 山+榮〔音〕. '榮영'은 '營영'과 통하여, 빙 둘러쌈의 뜻. 산이 둘러싸여 험하다의 뜻을 나타냄.

●崢嶸. 嶒嶸.

14/17 [嶟] 대 ㉰隊 徒對切 duì

筆順 屵 屵 屵 屵 嶝 嶟 嶟 嶟

字解 ①산 대 산의 모양. '一, 山皃'《集韻》. ②우뚝솟을 대 높은 모양. '一, 若崇山崱起而崔嵬'《左思》.

14/17 [嚎] 호 ㉮豪 乎刀切 xiáo

字解 산이름 호 '一, 山名, 在弘農'《集韻》.

14/17 [嶼] 〔人名〕 서 ㉖語 象呂切 yǔ(xù)

字解 섬 서 작은 섬. '島一'. '石帆蒙蘢以蓋一'《郭璞》.

字源 形聲. 山+與〔音〕. '與여'는 '같이 동행하다'의 뜻. 바다 가운데에 2~3개의 섬이 모여 있는 것을 이름.

●島嶼. 連嶼. 蔚嶼. 長嶼. 洲嶼.

15/18 [巀] 🔲 찰 ㉿曷 才割切 jié
🔲 절 ㉿屑 昨結切 jié

字解 🔲 가파를 찰 '一崥'은 산이 높고 험준한 모양. '九嶻一崥, 南山峩峩'《司馬相如》. 🔲 가파를 절.

字源 形聲. 山+巀〔音〕. '巀절'은 '巀'本字로서, '절단함'의 뜻. 산(山)이 높고 험준한 모양을 나타냄.

[巀崥 찰알] 산이 높고 가파른 모양.
[巀巘 찰헌] 높고 험준한 모양.

15/18 [巁] 🔲 려 ㉖霽 力制切 lì
🔲 렬 ㉿屑 力蘖切 liè

筆順 屵 屵 屵 屵 嶵 嶵 嶵 巁

字解 🔲 높을 려 '一, 巍也'《廣韻》. 🔲 ①산높을 렬 산이 높은 모양. '一, 山高皃'《集韻》. ②성 렬 성(姓)의 하나.

字源 形聲. 山+蠆〔音〕.

[巂] 〔휴〕
佳部 十畫(p.2488)을 보라.

15/18 [巂] 巂(次條)와 同字

15/18 [㠌] 뢰 ㉴賄 落猥切 lěi

字解 울쑥불쑥할 뢰 '嵬一'는 산에 고하(高下)가 있는 모양. '或嵬一而複陸'《左思》.

字源 形聲. 山+畾〔音〕. '畾뢰'는 '겹치다'의 뜻. 겹쳐지는 산의 험한 모양을 나타냄.

〔參考〕 부수(部首)로서 '개미허리'로 이름. '巛·川'을 의부(意符)로 하여, '내'의 뜻을 포함하는 문자가 이루어짐.

0 ③ [川] 甲入 천 ㉠先 昌緣切 chuān   川

〔筆順〕 丿 川 川

〔字解〕①내 천 하천. '一邊'. '凡天下之地勢, 兩山之間必有一焉《周禮》. ②물귀신 천 하백(河伯). '祭山一'《禮記》. ③굴 천 굴혈(窟穴). '其一在尾上'《山海經》. ④들판 천 평원(平原). '平衍田野謂之一'《夜航詩話》. ⑤성 천 (姓)의 하나.

〔字源〕甲骨文 巛 金文 巛 篆文 川 象形. 흐르는 물, 내를 본뜬 모양으로, '내·강'의 뜻.

[川渠 천거] 물의 근원(根源)이 가까운 곳에 있는 내.
[川谷 천곡] 내와 골짜기.
[川芎 천궁] 미나릿과에 속하는 다년초. 뿌리는 한약재(漢藥材)로 쓰임.
[川獵 천렵] 냇물에서 고기잡이를 함.
[川流 천류] ㉠냇물의 흐름. 하류(河流). ㉡물의 흐름처럼 줄곧 잇달아서 끊임이 없는 일. ㉢냇물의 흐름처럼 조리(條理)가 분명(分明)한 일.
[川邊 천변] 냇가. (州邊)
[川絲 천사] 쓰촨 성(四川省)에서 나는 생사(生絲).
[川三絲 천삼사] 요리(料理) 이름. 햄·닭고기·죽순 등을 가늘게 채 쳐서 만든 수프.
[川上 천상] 냇가.
[川省 천성] '쓰촨 성(四川省)'의 준말.
[川施餓鬼 천시아귀] 《佛敎》 익사자(溺死者)의 명복을 빌기 위하여 냇가에서 공양 독경(供養讀經)하고, 그 공물(供物)을 냇물에 흘려 보내는 일.
[川岳 천악] 내와 산(山). 하천과 산악. 전(轉)하여, 각 지방(地方).
[川原 천원] 하천 가의 물이 말라 사석(沙石)이 드러난 곳.
[川奠 천전] 하천에서 나는 제물(祭物). 곧, 어류(魚類).
[川川 천천] 느린 모양. 더딘 모양.
[川椒 천초] 산초나무. 산초(山椒).
[川澤納汚 천택납오] 하천이나 못은 더러운 물을 받아들인다는 뜻으로, 국군(國君) 또는 대인물(大人物)은 남의 과실을 허용(許容)하며 또한 치욕(恥辱)도 참음을 이름. (名).
[川紅 천홍] 해당화. 곧, 해당(海棠)의 이명(異名).
[川后 천후] 수신(水神). 하백(河伯).
●九川. 口川. 羅川. 大川. 輞川. 名川. 百川. 四川. 山川. 三川. 逝川. 小川. 勝川. 苑川. 流川. 支川. 繫川. 晴川. 河川. 回川.

0 ③ [巛] 〔곤〕   坤(土部 五畫〈p.440〉)의 古字

〔參考〕 巛(部首〈p.656〉)은 別字.

3 ③ [州] 高入 주 ㉠尤 職流切 zhōu   州

〔筆順〕 丿 丿 州 州 州 州

〔字解〕①고을 주 행정 구역의 이름으로서, 고대에 중국 전토를 나누어 '九一' 또는 '十二一'로 하였는데, 후에는 성(省) 같은 것으로 되었음. ②마을 주 읍리(邑里). 주대(周代)에 2천5백 가(家)를 이른 말. '一閭'. '雖一里行乎哉'《論語》. ③나라 주 국토(國土). '一國'. '白狄及君同一'《左傳》. ④섬 주, 모래톱 주 洲(水部 六畫)와 同字. '水中可居曰一'《說文》. ⑤모일 주 '群萃而一處'《國語》. ⑥성 주 성(姓)의 하나.

〔字源〕甲骨文 巛 金文 巛 篆文 巛 古文 巛 象形. 강의 흐름 속에 둘러싸인 땅, 모래톱의 象形으로, 강 가운데의 모래톱, 강섬의 뜻을 나타냄.

[州曲 주곡] 시골. 향촌(鄕村). 곡(曲)은 향곡(鄕曲).
[州功 주공] 주(州)를 다스린 공적(功績).
[州國 주국] 나라. 국토(國土).
[州郡 주군] 주(州)와 군(郡). 전(轉)하여, 지방(地方).
[州閭 주려] 향리(鄕里). 여(閭)는 25가(家).
[州廩 주름] 주창(州倉).
[州里 주리] 향리(鄕里). 마을. 주(州)는 2천5백 가(家)의 부락(部落). 이 리(里)는 25가(家)의 부락.
[州牧 주목] 주(州)의 장관(長官).
[州伯 주백] ㉠주(州)(2천5백 가(家))의 장관(長官). ㉡구주(九州)의 장관(長官). 방백(方伯). 주장(州長).
[州兵 주병] 주의 병사(兵士). 주(州)(2천5백 가(家))의 장관(長官)이 거느리는 병사(兵士).
[州司 주사] 주(州)의 벼슬아치. 주직(州職).
[州社 주사] 주(州)에서 제사 지내는 사당(祠堂).
[州序 주서] 향리(鄕里)의 학교(學校). 주학(州學).
[州俗 주속] 이속(里俗). 토속(土俗).
[州壤 주양] 나라. 토지(土地).
[州長 주장] ㉠경대부(卿大夫)의 다음 지위(地位)로, 주내(州內)의 정치 교령(政治敎令)을 맡은 사람. 주(州)의 장(長). ㉡구주(九州)의 장관(長官). 방백(方伯).
[州宰 주재] 주(州)의 장관(長官). 자사(刺史).
[州倉 주창] 주(州)에 있는 미창(米倉). 주(州)의 쌀 곳간.
[州處 주처] 모여 있음. 주(州)는 취(聚).
[州治 주치] 주(州)의 행정청(行政廳)이 있는 곳. 주역(州域).
[州學 주학] 주(州)의 학교(學校).
[州巷 주항] 마을. 읍리(邑里). 지방(地方). 여항(閭巷).
[州廨 주해] 주(州)의 행정 사무를 다루는 관아(官衙).
[州縣 주현] 주(州)와 현(縣). 전(轉)하여, 지방(地方).
●九州. 羈縻州. 蘆州. 四百餘州. 沙州. 砂州. 神州. 十二州. 六十餘州. 齊州. 中州. 知州. 八州.

3 ⑥ [屮] 重 렬 ㉠屑 良薛切 liè   重 을 ㉠質 魚乙切 liè

〔字解〕 ㊀흐를 렬 물이 흐르는 모양. '一, 水流兒'《廣韻》. ㊁늘어늘 을 ㊀과 뜻이 같음.

〔字源〕 形聲. 篆文은 巛＋列〈省〉〔音〕. 甲骨文은 水＋屮〔音〕.

3
⑥ [巜] 甾(前條)의 俗字

4
⑦ [夵] 〔돌〕
去(厶部 一畫〈p. 324〉)과 同字

4
⑦ [𡉀] 경 ㉠青 古靈切 jīng
㉡迥 古頂切

字解 ①지하수 경 지중(地中)의 물줄기. '一, 水脈也'《說文》. ②곧은물결 경 수직으로 이는 물결. '直波爲一'《廣韻》. ③물모양 경 물의 광대한 형용. 浡(水部 八畫)과 통용. '冥一, 水大兒《說文 段注》.

字源 金文 𡉀 篆文 𡉀 古文 𡉖 象形. 베를 짤 때 날실을 🝁 본뜬 모양으로, '날실'의 뜻. 古文은 그것에다 곧추 뻗음의 뜻의 '壬'을 덧붙여, 곧게 뻗는 날실의 뜻을 나타냄. 篆文은 古文의 '壬'의 부분이 '工공'으로 변형됨.

4
⑦ [巡] 순 ㉠眞 詳遵切 xún 巡巡

筆順 〈 巜 巛 𡿦 𡿩 巡 巡

字解 ①돌 순 ㉠시찰 또는 경계를 하기 위하여 순행함. '一檢'. '王乃時一'《書經》. ㉡여러 곳을 빙 돎. '一廻'. '三一數之'《左傳》. ②어루만질 순 위로함. '一靖黎蒸'《後漢書》.
字源 篆文 巡 形聲. 辵+川〔音〕. '川천'은 '내·강(江)'의 뜻. 강처럼 일정한 길을 가다, 돌다의 뜻을 나타냄.

[巡講 순강] 각처로 순회(巡廻)하며 강연함.
[巡檢 순검] ㉠순검(巡按). ㉡《韓》옛 경무청(警務廳)의 경리(警吏). 지금의 순경(巡警)과 같음.　　　　「님.
[巡更 순경] 밤에 경계(警戒)하기 위하여 돌아다
[巡警 순경] ㉠순회(巡廻)하여 경계(警戒)함. 또, 그 사람. ㉡《韓》경찰관(警察官)의 최하급(最下級).
[巡功 순공] 순수(巡狩).
[巡邏 순라] 도둑·화재 등을 경계하기 위하여 돌아다님. 또, 그 사람.
[巡覽 순람] 각처로 돌아다니며 관람(觀覽)함.
[巡歷 순력] 각처로 돌아다님.
[巡禮 순례] 신앙(信仰)으로 인하여 여러 성지(聖地)를 차례로 돌아다님.
[巡撫 순무] ㉠순회(巡廻)하며 백성을 위무(慰撫)함. ㉡청조(淸朝) 때 총독(總督)의 다음가는 벼슬. 한 성(省)의 민치(民治)·병제(兵制)의 일을 맡음.
[巡杯 순배] 주석(酒席)에서 술잔을 차례로 돌림. 또, 그 술잔.
[巡山 순산] 산림(山林)을 순시(巡視)함.
[巡錫 순석] 《佛敎》중이 각처로 돌아다니며 포교(布敎)함. '錫'은 중이 짚는 지팡이.
[巡省 순성] 순시(巡視).
[巡城 순성] ㉠성(城)을 순회(巡廻)하며 경계(警戒)함. ㉡성(城)의 주위를 돌아다니며 구경함.
[巡守 순수] 순수(巡狩).
[巡狩 순수] 천자(天子)가 제후(諸侯)의 나라를 순회(巡廻)하며 시찰함.
[巡視 순시] 돌아다니며 시찰함. 또, 그 벼슬아치. 순라(巡邏).

[巡按 순안] 각처(各處)로 돌아다니며 민정(民情)을 조사(調査)함.
[巡洋艦 순양함] 군함(軍艦)의 일종(一種). 전투함(戰鬪艦)과 구축함(驅逐艦)의 중간임.
[巡閱 순열] 돌아다니며 검열(檢閱)함.
[巡遊 순유] 각처로 돌아다니며 놂.
[巡察 순찰] 각처(各處)로 돌아다니며 사정(事情)을 살핌.
[巡察使 순찰사] 당대(唐代)에 한 도(道)마다 두어 주현(州縣)의 치적(治績)·민정(民情) 등을 시찰하던 벼슬아치.
[巡哨 순초] 순회(巡廻)하며 적(敵)의 사정(事情)을 탐지(探知)함.
[巡捕 순포] 순검(巡檢). ㉡.
[巡航 순항] 여러 곳으로 항해(航海)하며 돌아다님.
[巡行 순행] 각처(各處)로 돌아다님.
[巡幸 순행] 순수(巡狩).　　　　　　　　　「님.
[巡化 순화] 《佛敎》중이 설교(說敎)하며 돌아다
[巡回 순회] 순회(巡廻).
[巡廻 순회] 각처(各處)로 돌아다님.
●更巡. 警巡. 夜巡. 緝巡. 微巡. 逡巡. 親巡.

5
⑧ [𡉖] 〔경〕
𡉀(巛部 四畫〈p. 658〉)의 古字

[甾] 〔치〕
田部 三畫(p. 1463)을 보라.

[邕] 〔옹〕
邑部 三畫(p. 2328)을 보라.

[甾] 〔순〕
首部 一畫(p. 2587)을 보라.

8
⑪ [巢] 소 ㉠肴 鉏交切 cháo 巢

筆順 〈 〃 𡿨 𢆉 甾 𣎳 單 巢

字解 ①새집 소 새의 보금자리. 둥지. '維鵲有一'《詩經》. 전(轉)하여, 벌레·짐승·비적(匪賊) 등의 집의 뜻으로 널리 쓰임. '一窟'. '蠨蛸之一'《抱朴子》. '明日賊復傾一而至'《元史》. ②깃들일 소 보금자리를 지음. '鵲始一'《禮記》. ③망루 소 망대(望臺). '楚子登一車'《左傳》. ④모일 소, 무리지을 소 '周唯一於林'《呂氏春秋》. ⑤높을 소 '一, 高也'《小爾雅》. ⑥완두 소 완두콩의 새싹. '一菜'. ⑦성 소 성(姓)의 하나.
字源 篆文 巢 象形. 윗부분은 보금자리 속의 새. '臼구'는 둥지·보금자리, '木목'은 나무 모양을 각기 본떠, '보금자리'의 뜻을 나타냄.

[巢車 소거] 적을 살펴보기에 편리하도록 망루(望樓)를 부설(附設)한 수레.
[巢居 소거] 금수(禽獸)의 해를 피하기 위하여 나무 위에 집을 짓고 삶.
[巢居子 소거자] 소보(巢父).
[巢窟 소굴] 도적(盜賊)·비도(匪徒)·악한(惡漢) 등의 근거지(根據地).

[巢車]

[巢林一枝 소림일지] ㉠작은 새가 숲에 새집을 짓는 데는 나뭇가지 하나로 족하다는 뜻. ㉡겨우 몸 하나 들 수 있는 정도의 변변치 않은 집에 만족함을 비유하는 말. 또, 작은 집. 또, 낮은 지위.
[巢幕燕 소막연] 천막(天幕)에 집을 짓는 제비라는 뜻으로, 극히 위태로움의 비유. 막연(幕燕).
[巢父 소보] 요(堯)임금 때의 고사(高士). 산속에 숨어 세리(世利)를 돌아보지 않고, 나무 위에 집을 지어 거기서 잤다는 데서 이름. 요(堯)임금이 천하(天下)를 양여(讓與)하여도 받지 아니하였음.
[巢燧 소수] 나무 위에 집을 만들고 살았다는 유소씨(有巢氏)의 시대(時代)와 부싯돌로 불을 켰다는 수인씨(燧人氏)의 시대(時代)라는 뜻으로, 인지(人智)가 미개(未開)한 태고 시대(太古時代)를 이름.
[巢窩 소와] 무덤. 분묘(墳墓).
[巢由 소유] 소보(巢父)와 허유(許由). 모두 요(堯)임금 때의 고사(高士).
[巢許 소허] 소유(巢由).
[巢穴 소혈] 주거(住居)의 천칭(賤稱). 소굴(巢窟).
◉故巢. 空巢. 窠巢. 鳩居鵲巢. 卵巢. 南巢. 大巢. 幕上巢. 病巢. 蜂巢. 小巢. 燕巢. 營巢. 妖巢. 遼巢. 葦末巢. 危巢. 鵲巢. 賊巢. 鷦鷯巢.

8 ⑪ [巣] 巢(前條)의 略字

[順] 〔순〕 頁部 三畫(p. 2540)을 보라.

[羍] 〔할〕 舛部 七畫(p. 1885)을 보라.

工 (3획) 部
〔장인공부〕

0 ③ [工] [中人] 공 [平]東 古紅切 gōng 

[筆順] 一 丅 工

[字解] ①장인 공 물건을 만드는 사람. '職—'. '—欲善其事, 必先利其器'《論語》. ②공업 공 기물을 만드는 업 '百姓當家力農—'《史記》. ③벼슬아치 공 관리. '嗟嗟臣—'《詩經》. ④악인 공 음악을 연주하는 사람. '—歌文王之三'《左傳》. ⑤일 공 하는 일. '女—'. '天—人其代之'《書經》. ⑥교묘할 공 솜씨가 교묘함. '—拙'. '帝—書善畫'《南史》. ⑦점쟁이 공 '使—占之'《史記》. ⑧성 공 성(姓)의 하나.

[字源] 甲骨文  金文  篆文  古文  象形. 손잡이가 달린 끌을 본뜬 모양이라고도 하고, 대장장이가 무엇을 벼리기 위한 모루의 象形이라고도 함. 공구(工具)를 본뜬 모양에서, '공작(工作)하다'의 뜻을 나타냄.

[工歌 공가] 멋지게 노래함. 노래를 멋있게 부름.
[工賈 공고] 장인(匠人)과 상인(商人). 장색(匠色)과 장수.
[工科 공과] 대학(大學)의 한 분과(分科). 공예(工藝)에 관한 학문(學問)을 연구하는 과정(科程).
[工課 공과] 공부하는 과정(課程).
[工女 공녀] 길쌈을 하는 여자. 또, 여직공(女職工). 공녀(紅女).
[工力 공력] ㉠사려(思慮)와 역량(力量). ㉡공작(工作)의 인부(人夫).
[工率 공률] 기계(機械)가 단위(單位) 시간(時間)마다 하는 일.
[工房 공방] ㉠일터. 작업장. ㉡《韓》 공전(工典)에 관한 사무(事務)를 맡아보던 승정원(承政院)의 육방(六房)의 하나. ㉢《韓》 공전(工典)에 관한 사무(事務)를 맡아보던 지방 관아(地方官衙)의 육방(六房)의 하나.
[工兵 공병] 기술상(技術上)의 작업(作業)에 의하여 작전력(作戰力)을 증가하는 병종(兵種). 또, 그 병사(兵士).
[工夫 공부] ㉠방법(方法)을 생각해 냄. ㉡품성(品性)의 수양(修養). 의지(意志)의 단련(鍛鍊). ㉢학문(學問)·기술(技術)을 배움. ㉣배운 것을 연습(練習)함. ㉤토목 공사에 종사하는 인부.
[工否 공부] 교묘함과 서투름.
[工部 공부] 육부(六部)의 하나. 영선(營繕)·공사(工事) 등의 일을 맡음.
[工費 공비] 공사(工事)의 비용.
[工事 공사] ㉠토목 공사(土木工事). 공역(工役). ㉡건축·제작 등에 관한 일.
[工師 공사] ㉠백관(百官)의 장(長). ㉡공인(工人)의 두목. 또, 공인.
[工手 공수] ㉠공인(工人). ㉡훌륭한 솜씨.
[工業 공업] 원료(原料) 또는 조제품(粗製品)에 인공(人工)을 가하여 쓸 만한 물건을 제조하는 생산업.
[工役 공역] 토목 공사(土木工事).
[工藝 공예] 물건을 만드는 재주. 제작(製作)의 기술(技術).
[工藝品 공예품] 인공(人工)을 가(加)하여 만든 예술품.
[工銀 공은] 품삯. 임금.
[工人 공인] 직공(職工). 또, 목공(木工).
[工作 공작] ㉠토목(土木)의 공사(工事). ㉡목수일. ㉢계획(計畫)하여 경영(經營)함.
[工雀 공작] 초료(鷦鷯)의 별칭(別稱). 집을 교묘하게 잘 짓는 데서 이름. 교부조(巧婦鳥).
[工匠 공장] ㉠공인(工人). ㉡목수(木手).
[工場 공장] ㉠장색(匠色)이 물건을 만드는 곳. ㉡기업적(企業的)으로 노동자(勞動者)가 일하는 곳.
[工錢 공전] 《韓》 장색(匠色)의 품삯.
[工程 공정] ㉠작업(作業)의 과정(過程). 일의 분량(分量). ㉡공률(工率).
[工拙 공졸] 기교(技巧)의 있음과 없음. 교묘함과 서투름.
[工廠 공창] 철공물(鐵工物)을 만드는 공장(工場).
[工學 공학] 공업(工業)에 관한 이론(理論) 및 실지(實地)에 필요한 사항(事項)을 연구하는 학문.
◉加工. 歌工. 劍工. 雇工. 篙工. 共工. 巧工.

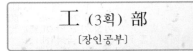

國工. 窮後工. 鬼工. 金工. 伎工. 鍛工. 大工.
圖工. 名工. 木工. 妙工. 舞工. 百工. 射工.
石工. 手工. 臣工. 樂工. 冶工. 良工. 女工.
染工. 六工. 醫工. 人工. 拙工. 舟工. 竹工.
職工. 天工. 賤工. 漆工. 鍼工. 土工. 下工.
化工. 畫工.

1 ④ [王] 〔거〕
巨(工部 二畫〈p. 660〉)의 古字

1 ④ [든] 〔기〕
己(部首〈p. 664〉)의 古字

2 ⑤ [巧] 高人 교
①巧 苦絞切 qiǎo
②效 苦敎切

ঠ

筆順 一 丁 工 工 巧

字解 ①공교할 교 ㉠솜씨가 있음. '一拙'. '與一者剗剗之'《漢書》. ㉡말솜씨가 있음. 겉만 번드르르하게 꾸밈. '一言令色, 鮮矣仁'《論語》. ②예쁠 교 아름다움. 또, 귀염성스러움. '一笑倩兮'《詩經》. ③약을 교 약삭빠름. '一妻常伴拙夫眠'《唐伯虎》. ④재주 교 기능. '工有一'《周禮》. ⑤계교 교 책략. 작은 꾀. '玩一而事末也'《史記》. ⑥공교히 교 교묘하게. '一發奇中'. '誰家一作斷腸聲'《杜甫》.

字源 篆文 ঠ 形聲. 工+丂〔音〕. '工'은 끌을 본뜬 모양. '丂'도 구부러진 조각도(彫刻刀)의 象形. 합쳐서, '기교, 공교하다'의 뜻.

[巧計 교계] 교묘한 계략. 묘계(妙計).
[巧故 교고] 공교로운 거짓. 거짓.
[巧工 교공] 솜씨가 있는 직공(職工).
[巧佞 교녕] 교묘하게 아첨하는 모양.
[巧技 교기] 교묘한 솜씨.
[巧佞 교녕] 교묘하게 아첨함.
[巧妙 교묘] 썩 잘되고 묘(妙)함.
[巧敏 교민] 교묘하고 민첩함.
[巧發奇中 교발기중] 교묘하게 발언(發言)하여 신기하게 들어맞음.
[巧辯 교변] 말솜씨가 있음.
[巧婦 교부] ㉠솜씨가 훌륭한 여자. ㉡교부조(巧婦鳥).
[巧婦鳥 교부조] 뱁새, 곧 초료(鷦鷯)의 이명(異名).
[巧詐 교사] 교묘한 수단으로 남을 속임.
[巧詐不若拙誠 교사불약졸성] 교묘한 사기는 졸렬한 성심(誠心)에 미치지 못함. 교위불여졸성(巧僞不如拙誠).
[巧思力索 교사역색] 고심하며 깊이 사색함. 여러 모로 궁리(窮理)함.
[巧夕 교석] 음력 7월 7일. 칠석(七夕). 이날은 걸교(乞巧)하는 고사(故事)가 있으므로 이름. '걸교전(乞巧奠)' 참조.
[巧舌 교설] 교변(巧辯).
[巧笑 교소] 귀엽게 웃음. 귀염성스러운 웃음.
[巧手 교수] 훌륭한 솜씨. 묘수(妙手).
[巧言 교언] 번드르르하게 겉을 꾸미는 말.
[巧言令色 교언영색] 남의 환심을 사기 위하여 아첨하는 교묘한 말과 보기 좋게 꾸미는 얼굴빛.
[巧月 교월] 음력 7월의 이칭(異稱). 걸교전(乞巧奠)이 든 달이란 뜻.
[巧僞 교위] 교사(巧詐).

[巧意 교의] 공교로운 생각.
[巧醫 교의] 의술(醫術)이 훌륭한 의사.
[巧人 교인] 솜씨가 교묘한 사람. 묘수(妙手). 교자(巧者).
[巧者 교자] 교인(巧人).
[巧匠 교장] 솜씨 좋은 장인(匠人). 양장(良匠).
[巧詆 교저] 교묘하게 비방함.
[巧拙 교졸] 교묘함과 서투름.
[巧智 교지] 교묘한 지혜(智慧).
[巧遲不如拙速 교지불여졸속] 교묘하지만 늦는 것은 서툴러도 빠른 것만 못함.
[巧妻 교처] 슬기가 있는 아내. 약은 아내.
[巧捷 교첩] 교묘하고 민첩함.
[巧奪天工 교탈천공] 자연(自然)에도 뒤떨어지지 않는 인공(人工)의 정교(精巧)함을 이름.
[巧態 교태] 아리따운 태도(態度).
[巧幸 교행] 교묘하게 비위를 잘 맞추어 굄을 받음.
[巧儇 교현] 교묘하고 날쌤.
[巧慧 교혜] 교지(巧智).
[巧宦 교환] 관리(官吏) 노릇 하는 데 교묘한 재주가 있는 사람. 관해 유영술(官海游泳術)을 터득한 사람.
[巧獪 교쾌] 꾀가 많고 간사(幹事)함. 교활(狡猾).

●技巧. 堅巧. 傾巧. 工巧. 伎巧. 技巧. 奇巧. 機巧. 老巧. 名巧. 目巧. 文巧. 辯巧. 浮巧. 邪巧. 詐巧. 善巧. 纖巧. 飾巧. 新巧. 姸巧. 佞巧. 陰巧. 淫巧. 意巧. 利巧. 精巧. 佻巧. 智巧. 珍巧. 讒巧. 天巧. 詔巧. 捷巧. 淸巧. 雕巧. 偸巧. 便巧.

[功] 〔공〕
力部 三畫(p. 273)을 보라.

2 ⑤ [巨] 中人 거
①語 其呂切 jù

곤

筆順 一 厂 厂 巨 巨

字解 ①클 거 거대함. '一物': '爲一室, 則必使工師求大木'《孟子》. ②많을 거 '一多'. '京師之錢累一萬'《史記》. ③거칠 거 조악(粗惡)함. '一屨小屨同賈'《孟子》. ④자 거 곡척(曲尺). '必有一獲'《管子》. ⑤어찌 거 詎(言部 五畫)와 同字. '公一能入乎'《漢書》. ⑥성 거 성(姓)의 하나.

字源 金文 矩 篆文 巨 別體 矩 古文 王 象形. 손잡이가 있는 곱자·자를 본뜬 모양. '矩구'의 原字. 가차(假借)하여, '크다'의 뜻으로 쓰임.

[巨家 거가] 문벌이 높은 집안.
[巨家大族 거가대족] 대대(代代)로 번영(繁榮)한 집안.
[巨姦 거간] 큰 죄악을 범한 사람.
[巨鯨 거경] 큰 고래.
[巨款 거관] 많은 돈. 큰돈. 거액(巨額).
[巨觀 거관] 볼만한 큰 구경거리.
[巨魁 거괴] 거물(巨物)인 괴수(魁首).
[巨觥 거굉] 뿔로 만든 큰 잔. 또, 거배(巨杯).
[巨橋 거교] 은(殷)나라 주왕(紂王)의 창고(倉庫) 이름. 거교(鉅橋).
[巨口麥 거구맥] 구맥(瞿麥)의 별칭.
[巨口細鱗 거구세린] 큰 입과 잔비늘. 전(轉)하여, 농어[鱸]의 아칭(雅稱).

[巨金 거금] 큰돈. 많은 돈.
[巨盜 거도] 큰 도적 (盜賊).
[巨頭 거두] 유력한 우두머리가 되는 인물.
[巨量 거량] 많은 분량.
[巨利 거리] 거액 (巨額)의 이익 (利益).
[巨鱗 거린] 큰 비늘.
[巨萬 거만] 많은 수 (數). 거만 (鉅萬). 만만 (萬「萬).
[巨物 거물] ㉠학문이나 세력 같은 것이 크게 뛰어난 인물 (人物). ㉡거창한 물건.
[巨杯 거배] 큰 술잔.
[巨擘 거벽] ㉠엄지손가락. ㉡뛰어난 사람. 거두 (巨頭).
[巨斧 거부] ㉠큰 도끼. ㉡당랑 (螳螂)의 별칭.
[巨富 거부] 재산 (財産)이 썩 많은 사람. 큰 부자 (富者).
[巨事 거사] 큰 일. 거창한 일.
[巨商 거상] 장사를 크게 하는 사람.
[巨石 거석] 큰 돌.
[巨姓 거성] 족속 (族屬)이 번성 (繁盛)한 성 (姓). 대성 (大姓).
[巨細 거세] ㉠크고 작음. 큼과 작음. ㉡크고 작은 것의 구별 없이 일체 (一切).
[巨帥 거수] 대장 (大將). 두목 (頭目).
[巨室 거실] ㉠큰 방. 세력이 있는 가문 (家門). 거족 (巨族). ㉡천지 (天地)의 이칭 (異稱).
[巨額 거액] 많은 액수 (額數)의 돈.
[巨億 거억] 막대한 수 (數).
[巨役 거역] 큰 역사 (役事). 큰 일.
[巨儒 거유] 큰 학자. 대유 (大儒).
[巨人 거인] ㉠몸이 큰 사람. ㉡위인 (偉人).
[巨作 거작] ㉠규모가 큰 작품. ㉡걸작 (傑作).
[巨匠 거장] 위대한 예술가.
[巨材 거재] ㉠큰 재목 (材木). ㉡훌륭한 재능 (才能). 대재 (大材).
[巨財 거재] 많은 재물 (財物).
[巨族 거족] 거가대족 (巨家大族).
[巨罪 거죄] 큰 죄 (罪).
[巨指 거지] 엄지손가락.
[巨刹 거찰] 큰 절. 이름난 절. 대찰 (大刹).
[巨千 거천] 극히 많은 수 (數).
[巨浸 거침] ㉠큰물. 홍수 (洪水). ㉡큰 늪. 대택 (大澤).
[巨彈 거탄] ㉠큰 폭탄 (爆彈). ㉡중요한 성명 (聲明)이나 선언 (宣言) 등의 비유.
[巨弊 거폐] 큰 폐해 (弊害).
[巨砲 거포] 큰 대포 (大砲).
[巨逋 거포] 관원 (官員)이 공금 (公金)을 많이 범포(犯逋)함.
[巨壑 거학] 바다〔海〕의 이칭 (異稱).
[巨艦 거함] 큰 전함 (戰艦). 큰 군함.
[巨海 거해] 큰 바다.
[巨蟹宮 거해궁] 별 이름. 십이성궁 (十二星宮)의 하나. 6월 22일 하지 (夏至) 때 태양 (太陽)이 이 별을 통과함.
[巨猾 거활] 대단히 교활함. 또, 그 사람.
●食巨. 壯巨. 衆巨. 創巨.

2
⑤ [左] 中人 좌 ①-⑦上智 臧可切 zuǒ ⑧去箇 則箇切　　た

筆順 一 ナ ナ 左 左

字解 ①왼 좌, 왼편 좌 ㉠왼편. 왼쪽. '右'. '一不攻於一'《書經》. ㉡방위로는 동쪽. 곧, 남

향하여 왼쪽. '江一'. '山一' ㉢아래. 하위 (下位). '右賢一戚'《史記》. ②왼쪽으로갈 좌 왼편으로 감. '欲一者一'《史記》. ③왼쪽으로할 좌 ㉠왼쪽에 둠. '仍一提鼓, 右援枹'《國語》. ㉡왼쪽에 위치함. '一江右湖'《枚乘》. ㉢왼손이 안으로 들어가게 입음. '微管仲, 吾其被髮一衽矣'《論語》. ④멀리할 좌 소외 (疎外)함. '是一之也'《國語》. ⑤그를 좌 ㉠옳지 아니함. '執一道以亂政'《禮記》. ㉡일이 잘되지 아니함. '一計'. '身動而事一'《韓愈》. ⑥증거 좌 증명할 수 있는 근거. '證一'. '一驗明白'《史記》. ⑦도울 좌 佐(人部 五畫)와 통용. '周公一右先生, 綏定厥家'《書經》. ⑧성 좌 성 (姓)의 하나.

字源 金文 𢩠 篆文 𠂇 會意. ナ+工. 'ナ좌'는 왼손을 본뜸. 공구 (工具)를 쥔 왼손, 왼쪽의 뜻을 나타냄. 또, 좌우 (左右)의 손이 서로 돕는 데서, '돕다'의 뜻도 나타냄. '돕다'의 뜻으로는, 뒷날 '佐좌'를 쓰게 됨.

[左降 좌강] 좌천 (左遷).
[左拒 좌거] 좌익 (左翼)에 있는 군대.
[左建外易 좌건외역] 건립 (建立)한 바가 도 (道)에 어긋나고 개역 (改易)한 바가 이치에 어그러짐.
[左傾 좌경] 좌익 (左翼)으로 기울어짐.
[左計 좌계] 잘못된 계획. 틀린 계획.
[左契 좌계] 좌권 (左劵).
[左顧 좌고] ㉠왼쪽을 돌아봄. ㉡장자 (長者)가 손아래 사람을 사랑함. 옛적에 장자 (長者)는 오른편에, 소자 (少者)는 왼편에 있었으므로 이름. ㉢높은 사람이 내방 (來訪)함.
[左顧右眄 좌고우면] 이쪽저쪽으로 돌아보며 정신을 씀.
[左官 좌관] 천자 (天子)를 섬기다가 제후 (諸侯)의 나라로 가서 벼슬하는 자.
[左光斗 좌광두] 명 (明)나라 퉁청 (桐城) 사람. 자 (字)는 유직 (遺直). 어사 (御史)에 이름. 광종 (光宗)의 붕어 (崩御) 후 간신 (奸臣)을 탄핵 (彈劾)하였고, 뒤에 위충현 (魏忠賢) 때문에 투옥 (投獄)되어 천계 (天啓) 5년에 흥인 (兌刃)에 죽었음. 복왕 (福王) 때 시호 (諡號)를 충의 (忠毅)라고 내리고, 태자 소보 (太子少保)를 추증 (追贈)하였음.
[左丘明 좌구명] 노 (魯)나라 태사 (太史). 공자 (孔子)의 춘추 (春秋)에 해석을 붙인 〈춘추좌씨전 (春秋左氏傳)〉을 짓고, 또 실명 (失明)한 뒤로 〈국어 (國語)〉를 지었음. 이로 인하여, 그를 맹좌 (盲左)라고도 함.
[左求右告 좌구우고] 각방 (各方)으로 애소 탄원 (哀訴嘆願)함.
[左劵 좌권] 우권 (右劵)에 대한 좌방 (左方). 약속한 사람이 갖는 증신 (證信). 전 (轉)하여, 약속의 증거.
[左記 좌기] 왼쪽의 기록 (記錄).
[左袒 좌단] 편을 듦. 가세 (加勢)함.
[左道 좌도] 옳지 않은 도 (道).
[左纛 좌독] 천자 (天子)가 타는 수레의 채 끝의 왼쪽 위에 세우는, 깃털로 장식한 기 (旗). 도 (纛) 참조.
[左圖右史 좌도우사] 많은 장서 (藏書).
[左纛 좌독] 좌도 (左纛).
[左文右武 좌문우무] 문무 (文武)를 병용 (倂用)함.
[左癖 좌벽] 〈춘추좌씨전 (春秋左氏傳)〉을 좋아하

는 버릇.

[左司 좌사] 상서성 (尙書省)의 이부 (吏部)·호부 (戶部)·예부 (禮部)의 일컬음.

[左思 좌사] 진 (晉)나라의 시인 (詩人). 린쯔 (臨淄) 사람. 자 (字)는 태충 (太冲). 1년 만에 〈제도부 (齊都賦)〉를 짓고, 10년 만에 〈삼도부 (三都賦)〉를 지었는데, 사조 (辭藻)가 장려 (莊麗)하여 전사 (傳寫)하는 사람이 많아 뤄양 (洛陽)의 지가 (紙價)를 올렸음.

[左史右經 좌사우경] 사서 (史書)를 왼쪽에 놓고 경서 (經書)는 오른쪽에 놓는다는 뜻으로, 책을 항상 자리 옆에 놓는 일.

[左思右考 좌사우고] 이리저리 생각함. 여러 가지로 궁리함. 좌사우상 (左思右想).

[左史右史 좌사우사] 옛날, 군주 (君主)의 좌우 (左右)에서 섬기던 사관 (史官). 좌사 (左史)는 군주의 말을 기록하고, 우사 (右史)는 행동 (行動)을 기록하였음.

[左相 좌상] 《韓》좌의정 (左議政)의 별칭 (別稱).

[左書 좌서] ㉠오른쪽과 왼쪽이 바뀌어 된 글자. 곧 뒤집어서 보아야 옳게 보이는 글자. ㉡왼손으로 쓰는 글씨. ㉢에서 (隸書). 전자 (篆字)의 미치지 못하는 점을 돕는다는 뜻.

[左旋 좌선] 왼편으로 돎. 또, 왼편으로 돌림.

[左旋右抽 좌선우추] 수레를 탄 장군 (將軍)의 왼쪽 어자 (御者)는 수레를 굴리고, 오른쪽의 용사 (勇士)는 칼을 빼어 듦.

[左省 좌성] 당대 (唐代) 문하성 (門下省)의 딴 이름. 중서성 (中書省)을 우성 (右省)이라 함의 대 (對).

[左手 좌수] 왼손.

[左授右捧 좌수우봉] 그 자리에서 바로 주고받음.

[左酬右應 좌수우응] 이쪽저쪽으로 부산하게 수응 (酬應)함.

[左氏傳 좌씨전] 좌전 (左傳).

[左眼半斤 좌안반근] 우안 팔량 (右眼八兩)과의 대구 (對句). 좌우 (左右) 양쪽이 모두 한 근 (斤)이 못 됨. 곧, 어느 쪽도 충분 (充分)하지 못함을 이름. 한 근 (斤)은 16냥 (兩)임.

[左言 좌언] ㉠오랑캐의 말. 이적 (夷狄)의 말. ㉡옳지 않은 말. 이치에 어그러진 말.

[左右 좌우] ㉠왼편과 오른편. ㉡곁. 옆. ㉢측근자 (側近者). 근신 (近臣). ㉣사람을 존경하여 직접 그를 지칭 (指稱)하지 않고 측근자를 부르는 말. ㉤도움. 보좌함. ㉥자기 마음대로 함. 자유 (自由)로 함. ㉦쯤. 가량 (假量).

[左右傾側 좌우경측] 좌우 어느 쪽에나 기울어짐. 전 (轉)하여, 때와 경우에 따라 편리한 쪽을 따름.

[左右具宜 좌우구의] 재덕 (才德)이 겸비 (兼備)하여 어느 것이고 못 하는 것이 없음.

[左右逢原 좌우봉원] 자기 신변 (身邊)의 사물 (事物)은 어느 것이든 자기의 학문 수양의 자원 (資源)이 되어 끊이지 아니함.

[左右相稱 좌우상칭] 물체의 가운데를 잘라 그 좌우가 동형 (同形)인 일.

[左先爲之容 좌우선위지용] 좌우의 사람이 자기를 위하여 예비 공작으로 우선 칭찬하여 둠. 선용 (先容).

[左右手 좌우수] 왼손과 오른손. 전 (轉)하여, 가장 신뢰 (信賴)할 만한 보좌 (補佐).

[左右翼 좌우익] 중군 (中軍)의 좌우 (左右)에 있는 군대 (軍隊). 좌익 (左翼)과 우익 (右翼).

[左右請囑 좌우청촉] 수단 (手段)을 다하여 여러 곳에 청 (請)함.

[左右挾攻 좌우협공] 좌우에서 침.

[左宜右有 좌의우유] 재덕 (才德)을 겸비 (兼備)함.

[左議政 좌의정] 《韓》의정부 (議政府)의 정일품 (正一品) 벼슬.

[左翼 좌익] ㉠왼편 날개. ㉡중군 (中軍)의 왼편에 있는 군대 (軍隊). ㉢급진파 (急進派). 혁신파 (革新派).

[左衽 좌임] 옷을 입을 때에 오른쪽 섶을 왼쪽 섶의 위로 여밈. 곧, 오랑캐의 옷을 입는 방식.

[左傳 좌전] 〈춘추좌씨전 (春秋左氏傳)〉의 준말. 춘추 (春秋)의 해석서 (解釋書). 노 (魯)나라 사관 (史官) 좌구명 (左丘明)이 지었다 함. 30권.

[左轉 좌전] 좌천 (左遷).

[左提右挈 좌제우설] 좌제우휴 (左提右攜).

[左提右攜 좌제우휴] 손을 맞잡고 서로 도움.

[左族 좌족] 서족 (庶族).

[左宗棠 좌종당] 청 (淸)나라의 샹인 (湘陰) 사람. 함풍 (咸豊) 초 (初)에 장발적 (長髮賊)을 토벌 (討伐)하고, 또 산시 (陝西)·톈산 남북로 (天山南北路)를 평정 (平定)하여 벼슬이 충독 (總督) 겸 동각 대학사 (東閣大學士)에 올랐음.

[左證 좌증] 상고 (詳考)될 만한 증거 (證據). 증좌 (證左).

[左支右吾 좌지우오] ㉠왼쪽을 버티고 오른쪽을 막음. 갖은 수단을 다 써서 간신히 꾸려 나감. ㉡일이 비꾸러짐.

[左之右之 좌지우지] ㉠마음대로 처리 (處理)함. ㉡남에게 대 (對)하여 이리해라 저리해라 함.

[左遮右攔 좌차우란] 힘껏 이리저리 막음.

[左驂 좌참] 삼두마차 (三頭馬車)의 왼쪽 말.

[左戚 좌척] 천자 (天子)의 외척 (外戚).

[左遷 좌천] 관등 (官等)을 떨어뜨림. 옛날에 우 (右)를 높이 여겼으므로 이름. 좌전 (左轉).

[左請右囑 좌청우촉] 좌우청촉 (左右請囑).

[左衝右突 좌충우돌] 이리저리 마구 치고받고 함.

[左忠毅公 좌충의공] 좌광두 (左光斗).

[左側 좌측] 왼쪽.

[左學 좌학] 은대 (殷代)에 왕궁 (王宮)의 동쪽에 있었던 소학 (小學). 서민 (庶民)의 노인을 봉양 (奉養)하여 경로 (敬老)의 예 (禮)를 자제 (子弟)에게 가르쳤음. 우학 (右學) 참조.

[左閤 좌합] 《韓》좌의정 (左議政)의 별칭 (別稱).

[左驗 좌험] 증거 (證據).

● 江左. 尙左. 如左. 閭左. 遼左. 證左. 虛左. 驗左.

[仝] 〔동〕
人部 三畫 (p.99)을 보라.

3
⑥ [舁] 《韓》격
字解 《韓》사람이름 격 '林一正'.

3
⑥ [巩] 〔공〕
巩 (工部 四畫〈p.663〉)과 同字

3
⑥ [巩] 〔공〕
鞏 (革部 六畫〈p.2524〉)의 簡體字

[邔] 〔기〕
邑部 三畫 (p.2329)을 보라.

[汞] 〔홍〕
水部 三畫(p. 1182)을 보라.

4/7 [玒]
공 ①腫 居竦切 gǒng

字解 안을 공 양손으로 안음. '一, 襄也'《說文》.

字源 形聲. 玒+工〔音〕

4/7 [巫]
〔人名〕 무 ⑭虞 武夫切 wū(wú)

字解 ①무당 무 여자 무당. 남자 무당 곧 박수는 격 (覡)이라 함. '在男曰覡, 在女曰一'《國語》. ②의사 무 '一醫'. ③어지러울 무 중구난방. ④산이름 무 무산(巫山)의 약칭. ⑤성 무 성(姓)의 하나.

字源 甲骨文 金文 篆文 象形. 甲骨文은 신을 제사 지내는 장막 속에서 사람이 양손으로 제구를 받드는 모양을 형상화했으며, 신을 부르는 자, 곧 '무당'의 뜻을 나타냄.

[巫覡 무격] 무당과 박수. 무축(巫祝).
[巫瞽 무고] 무당과 판수.
[巫蠱 무고] 무술(巫術)로 남을 고혹(蠱惑) 함.
[巫嫗 무구] 무당.
[巫女 무녀] 무당.
[巫卜 무복] 무당과 점 (占) 쟁이.
[巫史 무사] 무격 (巫覡).
[巫山 무산] 쓰촨 성(四川省) 쿠이저우 부(夔州府) 우산 현 (巫山縣)의 동 (東)쪽에 있는 산.
[巫山之夢 무산지몽] 초 (楚)나라의 양왕 (襄王)이 일찍이 고당(高唐)에서 놀다가 낮잠을 자는데, 꿈에 한 부인이 와서 '저는 무산의 여자로서 고당(高唐)의 나그네가 되었는바 임금님이 여기 계시다는 소문을 듣고 왔으니, 원컨대 침석(枕席)을 같이해 주십시오' 하므로 임금은 하룻밤을 같이 잔 뒤, 그 이튿날 아침에 부인이 떠나면서 하는 말이 '저는 무산의 양지쪽 높은 언덕에 사는데, 매일 아침이면 구름이 되고, 저녁에는 비가 됩니다.'라고 하였는데, 과연 그 말과 같으므로 사당 (祠堂)을 지어 이름을 조운 (朝雲)이라 하였다는 고사 (故事). 전 (轉)하여, 남녀의 정교(情交)를 이름. 무산 운우(巫山雲雨). 고당 (高唐). 양대 (陽臺).
[巫俗 무속] 무당의 풍속. 무당들의 세계에서만 관용 (慣用)되는 풍속.
[巫術 무술] 무당이 행하는 술법 (術法).
[巫陽 무양] ㉠무협 (巫峽)의 양달. ㉡옛날 점서 (占筮)를 잘하던 사람.
[巫醫 무의] 무당과 의원.
[巫呪 무주] 주문 (呪文).
[巫祝 무축] 무격 (巫覡).
[巫峽 무협] 협곡(峽谷)의 이름. 후베이 성(湖北省) 파둥현 (巴東縣) 서쪽과 쓰촨 성(四川省) 우산 현 (巫山縣)과 접경하여 있음. 서릉협 (西陵峽), 구당협 (瞿塘峽)과 더불어 삼협 (三峽)이라 함.
●黔巫. 覡巫. 偏巫. 靈巫.

[攻] 〔공〕
攴部 三畫(p. 924)을 보라.

[貢] 〔공〕
貝部 三畫(p. 2186)을 보라.

7/10 [差] 〔高人〕

　一 차 ⑭麻 初牙切 chā
　(④-⑦) ⑭佳 楚佳切 chāi
　채㊇ ⑭卦 楚懈切 chài
　一 치 ⑭支 楚宜切 cī
　(②채㊇) ⑭卦 楚懈切 chài

筆順 ⺊ 꼭 꼭 羊 差 羊 差 差

字解 一①어긋날 차 틀림. '一訛', '失之毫釐, 一以千里'《史記》. ②틀릴 차 상위 (相違). 착오. '千里之一, 興自毫端'《後漢書》. ③차 차 ㉠등급. 구별. '等一'. ㉡'其祿以事爲一也'《禮記》. ㉢한 수에서 다른 수를 뺀 나머지의 수. ④가릴 차 선택함. '旣一我馬'《詩經》. ⑤사신갈 차, 사신 보낼 차 사신 (使臣)으로 감. 또, 사신으로 보냄. '一遣', '欽一'. '好一靑鳥使, 封爲百花王'《白居易》. ⑥성 차 성(姓)의 하나. ⑦나을 차 병이 나음. '一劇', '病小一'《魏志》. 二①들쑥날쑥할 치 가지런하지 아니함. '參一'. '燕燕于飛, 一池其羽'《詩經》. ②조금 치 약간. '一緩'. '拔旆投衡上, 使不帆風, 一輕'《左傳注》.

字源 金文 篆文 形聲. 羊(𡗥)+左〔音〕. '𡗥·𡗥'는 金文에서는 '禾𡗥'로서, 이삭이 고르지 않게 팬 벼의 상형. '左𡗥'는 '叉·차'와 통하며, 손가락을 벌리고 그 사이에 물건을 끼운 모양을 나타냄. 고르지 않으며 제각각의 뜻, 사물이 다르다는 뜻을 나타냄. 또, 다른 것과 차별을 지어 가려서 사용하다의 뜻도 나타냄.

[差減 차감] 비교하여 덜어 냄.
[差遣 차견] 사람을 보냄.
[差劇 차극] 병 (病)에 차도가 있음과 심해짐.
[差代 차대] 갈려 간 자리에 후임자 (後任者)를 뽑아 채움.
[差度 차도] 병 (病)이 조금씩 나아가는 정도.
[差等 차등] 차이 나는 등급. 등차 (等差).
[差配 차배] 예속 (隸屬)시키어 사역 (使役) 함.
[差別 차별] 층등 (層等)이 지게 나누어 가름.
[差分 차분] 등급을 두어 나눔.
[差送 차송] 차견 (差遣).
[差數 차수] 등차 (等差).
[差額 차액] 어떤 액수에서 다른 어떤 액수를 감한 나머지의 액수(額數).
[差役 차역] 송 (宋)나라 때의 과역 (課役)의 한 법 (法). 민가 (民家)를 구등 (九等)으로 나누어 위의 사등 (四等)에서 인부 (人夫)를 징발하여 부역 (賦役)을 시키고 아래의 오등 (五等)에게는 이를 면제하던 것.
[差誤 차오] 차와 (差訛).
[差訛 차와] 틀림. 잘못됨. 착오 (錯誤).
[差違 차위] 틀림.
[差異 차이] 서로 같지 않고 다름.
[差人 차인] ㉠관아 (官衙)의 사정 (使丁). ㉡괴상한 사람. 기인 (奇人).
[差定 차정] 사무 (事務)를 맡김.
[差次 차차] ㉠등차 (等差). ㉡등차를 매김.
[差錯 차착] 착오 (錯誤).
[差出 차출] 벼슬아치를 임명 (任命)함.
[差度 차탁] 견주어 헤아림.
[差忒 차특] 가지런하지 못함.

[差品 차품] 등급(等級). 품등(品等).
[差下 차하] 벼슬을 시킴.
[差强人意 치강인의] 조금 마음이 든든함.
[差輕 치경] 조금 가벼움.
[差勝 치승] 조금 나음.
[差緩 치완] 조금 느즈러짐.
[差池 치지] 서로 어긋난 모양. 가지런하지 아니함.
[差參 치참] 장단(長短)·고저(高低)가 가지런하지 않은 모양.
●過差. 官差. 乖差. 交差. 較差. 僅差. 級差. 落差. 段差. 大差. 等差. 倍差. 選差. 歲差. 小差. 霄壤之差. 銖稱差. 時差. 誤差. 雲泥差. 輪差. 擬差. 重差. 參差. 僭差. 千差. 舛差. 勅差. 偏差. 欽差.

9
⑫ [琵] 전 ㊤銑 知演切 zhǎn
字解 살필 전 살펴봄. '一, 極巧視之也'《說文》.
字源 會意. 工+工+工+工

[項] 〔항〕
頁部 三畫(p. 2540)을 보라.

己 (3획) 部
〔몸기부〕

0
③ [己] ㊥㋻ 기 ㊤紙 居理切 jǐ
筆順 フ フ 己
字解 ①몸 기 ㉠자기 몸. 자아. '自一'. '君子貴人而賤一'《禮記》. ㉡사사. 사욕. '克一復禮'《論語》. ②여섯째천간 기 십간(十干)의 제육위(第六位). 방위로는 중앙, 오행으로는 토(土). '戊'. '太歲在一, 日屠維'《爾雅》. ③다스릴 기 紀(糸部 三畫)와 同字. '式夷式一'《詩經》. ④성 기 성(姓)의 하나.
字源 甲骨文 ㄥ 金文 己 篆文 己 象形. 사람이 무릎 꿇는 모양. 비슷한 세 개의 가로 평행선이 있어, 그 양 끝에 실을 감았으며, 가운데 가로선을 꼼점으로 한 실패의 상형임. '紀'의 원자(原字)로서, 실가닥을 가르는 기구의 뜻을 나타냈었으나, 假借하여, 자기 몸, 십간(十干)의 육위(六位)의 뜻을 나타냄.
參考 ①己(次條)·巳(次次條)는 각각 別字. ②'己·已·巳'는 각각 뜻은 다르나, 자형(字形)이 비슷하므로, 일괄해서 부수(部首)로 세워짐.

[己所不欲勿施於人 기소불욕물시어인] 자기(自己)가 싫어하는 것은 다른 사람도 역시 싫어하는 것이니, 이것을 남에게 시키면 안 된다는 말.
[己欲達而達人 기욕달이달인] 인자(仁者)는 자기가 영달하고 싶으면 다른 사람도 마찬가지일 것이라 생각하고, 먼저 타인을 영달시켜 줌.
●潔己. 求己. 屈己. 克己. 克己復禮. 及己. 戊己. 奉己. 舍己. 修(脩)己. 枉己. 爲己. 利己. 一己. 自己. 罪己. 知己. 知彼知己. 彼己.

虛己.

0
③ [已] ㊥㋻ 이 ㊤紙 養里切 yǐ
　　　㊦寘 羊吏切
筆順 フ フ 已
字解 ①말 이, 그칠 이 그만둠. 또, 끝남. '死而後一'. '雞鳴不一'《詩經》. ②이미 이 벌써. '一成'. '王一立在莒'《史記》. ③버릴 이 버려둠. '三一之'《論語》. ④너무 이 대단히. '一甚'. '無一大康'《詩經》. ⑤따름 이 단정하는 말. '而一'. '亦無及一'《漢書》. ⑥조금있다가 이 그 후 얼마 안 되어. '一而有娠'《史記》. ⑦써 이 以(人部 三畫)와 통용. '人之所以爲人者何一也'《荀子》. ⑧나을 이 병이 나음. '疾可一, 身可活也'《史記》.
字源 象形. 농경 도구인 쟁기의 모양을 본떴고, 쟁기의 뜻을 나타냈음. '耜사'의 원자. '그치다, 이미, …뿐' 등의 뜻으로 차용함.
參考 己(前條)·巳(次條)는 別字.

[已降 이강] 이후(已後).
[已決 이결] 이미 결정(決定)되거나 결정함.
[已經 이경] 이업(已業).
[已過之事 이과지사] 이왕지사(已往之事).
[已久 이구] 벌써 오래됨.
[已來 이래] 그 뒤로. 그러한 뒤로. 이래(以來).
[已上 이상] 이 위. 이로부터 앞. 이상(以上).
[已成 이성] 이미 이루어짐. 기성(旣成).
[已甚 이심] 지나치게 심(甚)함. 대단히 심함. 태심(太甚).
[已業 이업] 벌써 이미. 이경(已經).
[已往 이왕] 이전(以前). 과거(過去).
[已往之事 이왕지사] 벌써 지나간 일.
[已而 이이] 그 후 얼마 안 되어.
[已前 이전] 그보다 앞. 이전.
[已知 이지] 벌써 앎. 기지(旣知).
[已下 이하] 이 아래. 이로부터 뒤. 이하(以下).
[已還 이환] 그 뒤로. 이래(以來).
[已後 이후] 이 뒤. 이다음. 이후(以後).
●極已. 旣已. 諾已. 無已. 不得已. 死而後已. 生滅滅已. 業已. 已已. 而已. 斃而後已. 休已.

0
③ [巳] ㊥㋻ 사 ㊤紙 詳里切 sì
筆順 フ フ 巳
字解 ①여섯째지지 사 십이지(十二支)의 제육위(第六位). 달로는 음력 4월. 방위로는 동남. 시각으로는 오전 9시부터 11시까지. 띠로는 뱀. 오행(五行)으로는 화(火). '太歲在一, 日大荒落'《爾雅》. ②자식 사 태아(胎兒).
字源 甲骨文 유 유 金文 유 篆文 유 象形. 신(神)으로서 제사 지내는 뱀의 상형. 일설에는, 태아(胎兒)의 상형. 십이지(十二支)의 제육위(第六位)로 쓰임.
參考 己(前前條)·已(前條)는 別字.

[巳時 사시] 오전(午前) 9시부터 11시까지의 시각(時刻).
[巳進申退 사진신퇴] 벼슬아치가 사시(巳時)에 사진(仕進)하여 신시(申時)에 사퇴(仕退)함.

[巳初 사초] 사시(巳時)의 첫 시각(時刻). 곧, 오전(午前) 9시경.
●己巳. 上巳. 元巳. 除巳. 辰巳. 初巳.

1 ④ [巴] 人名 파 ㊤麻 伯加切 bā

乙

筆順 ⁊ ⁊ ⁊ 巴

字解 ①땅이름 파 쓰촨 성(四川省)의 충칭(重慶) 지방. '一蜀'. '挾一跨蜀'《蜀志》. ②천곡 파 천한 가곡(歌曲). 속된 가곡. '歌能莫雜一'《李商隱》. ③성 파 성(姓)의 하나.

字源 象形. 뱀이 땅바닥에 바짝 엎드린 모양을 형상하며, '뱀·소용돌이'의 뜻을 나타냄.

[巴歌 파가] 파촉(巴蜀) 지방의 노래. 전(轉)하여, 속가(俗歌).
[巴戟 파극] 파극천(巴戟天)의 준말.
[巴戟天 파극천] 산지(山地)에 나는 상록초의 하나. 부조초(不凋草).
[巴豆 파두] 대극과(大戟科)에 속하는 상록 관목(常綠灌木). 씨는 변비(便祕)의 하제(下劑) 등으로 쓰임.
[巴豆霜 파두상] 파두(巴豆)의 껍질을 벗기고 기름을 빼어 버린 가루. 하제(下劑)로 쓰임.
[巴俚 파리] 속된 노래. 이요(俚謠).
[巴猿 파원] 파협(巴峽)에서 우는 원숭이.
[巴人 파인] 파(巴) 지방 사람. 전(轉)하여, 시골 사람. 비속(鄙俗)한 사람.
[巴且 파저] 파저(巴苴).
[巴苴 파저] 파초(芭蕉)의 별칭(別稱).
[巴調 파조] ㉠파인(巴人)이 노래하는 곡조(曲調)란 뜻으로, 속가(俗歌)·속곡(俗曲) 등을 이름. ㉡자기가 지은 시가(詩歌)의 겸칭(謙稱).
[巴蜀 파촉] 쓰촨(四川)의 별칭(別稱). 파(巴)는 지금의 쓰촨 성(四川省) 충칭 지방(重慶地方), 촉(蜀)은 지금의 쓰촨 성 청두 지방(成都地方).
[巴巴 파파] ㉠매우. 심히. ㉡노인(老人).
[巴峽 파협] 창장(長江) 강 상류에 있는 협곡 이름. 후베이 성(湖北省) 파동현(巴東縣) 부근.
●卍巴. 三巴.

2 ⑤ [㠯] 〔이〕
以(人部 三畫〈p.99〉)의 古字

[弖] 〔이〕
廾部 三畫(p.714)을 보라.

[忌] 〔기〕
心部 三畫(p.758)을 보라.

[改] 〔개〕
攵部 三畫(p.923)을 보라.

3 ⑥ [㐌] 〔액〕
厄(厂部 二畫〈p.318〉)과 同字

4 ⑦ [卮] 〔치〕
后(卩部 三畫〈p.313〉)의 俗字

5 ⑧ [㳓] 〔근〕
卺(卩部 六畫〈p.317〉)의 訛字

6 ⑨ [巷] 高人 항 ㊤絳 胡絳切 xiàng

筆順 一 十 卅 共 共 恭 巷 巷

字解 ①거리 항 마을 또는 시가 안의 길. '一陌'. '一無居人'《詩經》. ②복도 항 궁전 또는 저택의 낭하(廊下). '通永一'《唐書》. ③마을 항 읍촌(邑村). '達于州一矣'《禮記》. ④후궁 항 주되는 궁전의 뒤쪽에 있는 궁전. '司宮一伯'《左傳》. ⑤집 항 거택(居宅). '在陋一'《論語》. ⑥성 항 성(姓)의 하나. ⑦갱도 항 (現) '一道'는 광산의 갱도(坑道).

字源 形聲. 篆文은 邑+共〔音〕. '邑 ㉨'은 '마을'의 뜻. '共공'은 '함께 하다'의 뜻. 마을 사람이 공유(共有)하는 마을 가운데의 길의 뜻을 나타냄.

[巷街 항가] 거리.
[巷歌 항가] 거리에서 노래 부름. 또, 그 노래.
[巷間 항간] 서민(庶民)들 사이.
[巷哭 항곡] 거리에서 욺.
[巷談 항담] 거리에 떠도는 소문(所聞). 세상(世上)의 풍설(風說).
[巷陌 항맥] 거리.
[巷伯 항백] 후궁(後宮)에서 일하는 내시(內侍).
[巷說 항설] 항담(巷談).
[巷語 항어] 항담(巷談).
[巷謠 항요] 거리에서 유행하는 노래.
[巷議 항의] ㉠거리에 모여 비방함. ㉡거리에 떠도는 소문. 항담(巷談).
[巷戰 항전] 거리에서 하는 싸움. 시가전(市街戰).
[巷族 항족] 문벌 있는 집안.
[巷處 항처] 벼슬을 내놓고 거리 또는 시골에서 삶.
●街巷. 衢巷. 窮巷. 陋巷. 黨巷. 大巷. 塗巷. 門巷. 貧巷. 斜巷. 小巷. 深巷. 顏巷. 隘巷. 陬巷. 閭巷. 永巷. 委巷. 幽巷. 里巷. 絕巷. 州巷. 村巷. 墟巷. 衡巷.

6 ⑨ [巸] 〓 이 ㊤支 與之切 yí
〓 희 ㊤支 虛其切 xī

筆順 一 𠃌 匝 匝 臣 臣 臣 巸

字解 〓 ①넓은턱 이 '一, 廣頤也'《說文》. ②넓을 이. ③길 이 장하고 큼. '一, 長也. (注) 謂壯大'《揚子方言》. ④아름다울 이 '謹于一孰'《太玄經》. 〓 즐길 희 기뻐하여 즐김. 嬉(女部 九畫〈p.542〉)와 同字. '嬰, 說文, 悅樂也. 或省'《集韻》.

字源 形聲. 臣+巳〔音〕.

6 ⑨ [㠰] 〔손〕
異(己部 九畫〈p.666〉)의 本字

6 ⑨ [卷] 〔권〕
卷(卩部 六畫〈p.316〉)의 俗字

7 ⑩ [亞] 〔불〕
韍(帶部 五畫〈p.2711〉)과 同字

7 ⑩ [㳓] 〔근〕
蓳(豆部 九畫〈p.2172〉)과 同字

8⑪ [异] 기 ⑭紙 巨几切 jǐ

字解 ①책상다리할 기 '—, 長居也'《說文》. ② 무릎꿇을 기 '—, 長跪也'《玉篇》. ③나라이름 기 杞(木部 三畫〈p.1037〉)와 통용.
字源 形聲. 己+其〔音〕.

9⑫ [巽] 人名 손 ㉤願 蘇困切 xùn

筆順 フ フ コ ⴷ ⴷⴷ ⴸⴸ ⴹⴸ ⴹⴹ 巽

字解 ①부드러울 손 성품이 유함. '—與之言'. '能自卑—者, 亦無所不容'《易經疏》. ②사양할 손 遜(辵部 十畫)과 통용. '—朕位'《書經》. ③손괘 손 ㉠팔괘(八卦)의 하나. 곧 ☴. 사물(事物)을 잘 받아들이는 덕(德)을 나타내는 상(象). 방위로는 동남간(東南間). '帝出乎震, 齊乎—'《易經》. ㉡육십사괘(六十四卦)의 하나. 곧, ☴ 〈손하(巽下)·손상(巽上)〉. 유순비하(柔順卑下)의 상(象). ④성 손 성(姓)의 하나.
字源 篆文 ⴹⴹ 古文 ⴸⴸ 籀文 巽 은 '節절'〈부절(符節)〉, 'ⴸ기'는 물건을 괴는 받침. 물건을 가지런히 괴는 뜻을 나타냄. '遜손'과 통하여, '넘겨준다'는 뜻으로도 쓰임. 會意. ⴸⴸ(ⴸⴸ)+ⴸ. 'ⴸ절'

[巽令 손령] 천자(天子)의 명령.
[巽方 손방] 이십사방위(二十四方位)의 하나. 곧, 동남(東南)의 방위(方位).
[巽時 손시] 진말(辰末)에서 사초(巳初)에 이르기까지의 시각(時刻). 곧, 오전(午前) 8시 반부터 9시 반까지.
[巽與之言 손여지언] 유순(柔順)하여 남을 거스르지 않는 말. 완곡(婉曲)한 말. 손(巽)은 유(柔), 여(與)는 화(和).
[巽羽 손우] 닭의 날개. 손괘(巽卦)는 닭.
[巽位 손위] 동남방. 진사(辰巳)의 방위.
[巽二 손이] 바람을 맡은 신(神). 풍신(風神). 풍백(風伯).
[巽坐乾向 손좌건향] 동남간(東南間)에서 서북간방(西北間方)으로 향(向)함.
[巽下絶 손하절] 손괘(巽卦)의 아래. 효(爻)가 끊어진 것을 이름.

巾 (3획) 部
〔수건건부〕

0③ [巾] 人名 건 ㉥眞 居銀切 jīn

筆順 丨 冂 巾

字解 ①헝겊 건 피륙의 조각. '以帛—抹其眼'《北齊書》. ②수건 건 '手—'. '佩—'. '盥卒授—'《禮記》. ③건 건 두건(頭巾). '幅—'. '士冠, 庶人—'《釋名》. ④덮을 건 물건을 덮어 가림. '副之—以綌'《禮記》.
字源 甲骨文 ⴸ 篆文 ⴸ 象形. 헝겊에 끈을 달아 허리띠에 찔러 넣는 형상으로서, '헝겊'

의 뜻을 나타냄.
參考 '巾'을 의부(意符)로 하여, 천으로 만든 것을 나타내는 문자가 이루어짐.

[巾車 건거] 건차(巾車).
[巾幗 건국] 부인(婦人)의 머리꾸미개. 일설(一說)에는, 부인이 상중(喪中)에 쓰는 건(巾). 전(轉)하여, 부인. 부인의 사회.
[巾卷 건권] 양반(兩班). 두건(頭巾)을 쓰고 경서(經書)를 가지고 있는 사람이란 뜻.
[巾帶 건대] 상복(喪服)에 쓰는 건(巾)과 띠.
[巾羃 건멱] 술 항아리를 덮은 베.
[巾帽 건모] 건(巾). 두건(頭巾).
[巾笥 건사] ㉠명주로 바른 상자. ㉡헝겊으로 싸서 상자에 넣음.
[巾箱 건상] 명주로 바른 작은 상자.
[巾箱本 건상본] 소형(小形)의 책. 남제(南齊)의 형양왕(衡陽王)이 잔글씨로 베낀 오경(五經)을 건상(巾箱) 안에 넣어 둔 고사(故事)에서 나온 말.
[巾帨 건세] 허리에 차는 수건.
[巾子 건자] 건(巾)의 꼭대기 뒤쪽의 불쑥 나온 부분.
[巾櫛 건즐] ㉠수건(手巾)과 빗. ㉡머리를 빗고 낯을 씻는 일.
[巾車 건차] ㉠옥금(玉金)·상혁(象革)·포백(布帛) 등으로 장식한 수레. ㉡차관(車官)의 장(長). 건거(巾車).
[巾幘 건책] 두건(頭巾). 머리에 쓰는 물건.
[巾布 건포] 두건(頭巾)을 만든 베.
[巾幅 건폭] 서화(書畫) 등의 지면(紙面)이나 견면(絹面).
◉角巾. 葛巾. 鞫巾. 濫巾. 茶巾. 大巾. 秃巾. 東坡巾. 頭巾. 綿巾. 帛巾. 紗巾. 帨巾. 手巾. 僧巾. 食巾. 飾巾. 領巾. 烏巾. 儒巾. 幅巾. 衣巾. 紫綸巾. 淨巾. 諸葛巾. 佩巾. 布巾. 幅巾. 被巾. 汗巾. 解巾. 縞衣綦巾. 華巾.

1④ [帀] 잡 ㉠合 子荅切 zā

字解 ①두를 잡 빙 두름. 또는, 한 바퀴 돎. '列卒周—'《張衡》. ②두루 잡 두루두루.
字源 甲骨文 ⴸ 篆文 帀 指事 '가다'의 뜻을 나타내는 '之지'의 자형(字形)을 뒤집어 놓아 나아가지 않다의 뜻을 나타냄. '習습'·'襲습' 등과 통하여, 같은 곳이나 때를 되풀이하여 밟다, 돌다의 뜻을 나타냄.
參考 匝(匸部 三畫)은 同字.

[帀旬 잡순] 십일간(十日間). 일순(日旬).
◉周帀.

1④ [市] 불 ㉢物 分勿切 fú

字解 슬갑 불 앞에 늘어뜨려 무릎을 덮는 형겊. 韍(韋部 五畫)과 同字. '天子朱—'《說文》.
字源 金文 市 古文 市 篆文 韍 象形. 고대의 예제(禮制)로서, 천자(天子)·제후(諸侯)들이 착용하는 슬갑의 모양을 본뜸. 篆文은 韋+犮〔音〕.
參考 市(次次條)는 別字.

1④ [市] ■ 印(卩部 四畫〈p.314〉)과 同字
■ 幣(巾部 十二畫〈p.682〉)의 簡體字

2/⑤ [市] 中人 시 ㊤紙 時止切 shì

筆順 一 亠 亣 市 市

字解 ①저자 시 ㊀장. '一井'. '五十里有一'《周禮》. 전(轉)하여, 인가가 많고 상품의 매매가 잘되는 곳. 번화한 곳. 시가. 도시. '城一'. '長安一上酒家眠'《杜甫》. ㊁형장(刑場). 옛날에는 사람이 많이 모이는 곳에서 형벌을 시행했으므로 '國君過一'《周禮》. ②팔 시 '一恩'. '以一於齊'《史記》. ③살 시 '爲君一義'《戰國策》. '沽酒脯不食'《論語》. ④장사 시 매매. 교역. '日中爲一, 致天下之民, 聚天下之貨'《易經》. ⑤값이 가격. '以政令禁物靡而均一'《周禮》. ⑥성 시 성(姓)의 하나. ⑦(韓)구역이름 시 현행 행정 구역 단위인 시. 행정상의 자치체. '一制'.

字源 金文 宀 篆文 宋 形聲. '冂+乀+屮(省)'. '之)지'는 '가다'의 뜻 '冂경'은 시장의 일정 구역을 나타냄. '乀급'은 '及'의 古字. 물품을 매매하기 위해 사람들이 가는 장소인 '장'의 뜻을 나타냄.

參考 市(前前條)은 別字.

[市賈 시가] 시가(市價).
[市街 시가] 인가(人家)가 많고 번화(繁華)한 곳.
[市價 시가] 장의 시세(時勢).
[市賈不貳 시가불이] 에누리가 없음.
[市街戰 시가전] 시가지(市街地)에서 싸우는 전쟁(戰爭).
[市賈 시고] 장사. 또, 장수.
[市魁 시괴] 시장(市長).
[市區 시구] 도시(都市)의 구역(區域).
[市內 시내] 도시(都市)의 안.
[市道之交 시도지교] 상업상의 교제. 다만, 이익을 위하여 맺은 교제.
[市利 시리] 상업상의 이익.
[市立 시립] 시에서 설립하여 유지함.
[市買 시매] 팔고 삼. 매매(賣買).
[市門 시문] 시(市)의 출입하는 문.
[市民 시민] 시내(市內)의 주민(住民).
[市舶 시박] 상선(商船).
[市舶使 시박사] 당대(唐代)의 관명(官名). 해외 제국(海外諸國)의 선박(船舶)·교역(交易)에 관한 일을 맡았음.
[市肆 시사] 시전(市廛).
[市聲 시성] 시가지의 시끄러운 소리.
[市語 시어] 장사치들만이 쓰는 상업상의 암호.
[市易 시역] ㊀시장을 열어 교역(交易)함. ㊁송(宋)나라 왕안석(王安石)이 만든 신법(新法)의 하나. 물가의 평균을 꾀하기 위하여 시장에서 잘 팔리지 않아 값이 쌀 때에는 관(官)에서 사들이고, 값이 비쌀 때에는 그것을 팔아서 값의 고저(高低)를 통제하며 상인에게 자금을 대여하는 법.
[市有 시유] 시의 소유(所有).
[市有虎 시유호] 시호(市虎).
[市尹 시윤] 시장(市長).
[市恩 시은] 은혜를 팖. 곧, 남에게 은혜를 베풀고 자기가 이익을 얻고자 하는 일.
[市隱 시은] 시중(市中)의 은자(隱者). 세상을 피하여 시중에서 숨어 사는 사람. 또, 비록 시중에 살지만 마음은 항상 산림(山林)에 있는 사람.
[市人 시인] ㊀시가에 사는 사람. ㊁저자에 살며

장사하는 사람. 상인.
[市長 시장] 시의 장(長). 시정(市正).
[市場 시장] 여러 가지 물건(物件)을 팔고 사는 일정한 곳.
[市糴 시적] 매매(賣買).
[市廛 시전] 장거리의 가게. 상점(商店).
[市井 시정] ㊀저자. 장. 전(轉)하여, 인가(人家)가 많은 곳. 시가(市街). ㊁시가에 사는 평민(平民). 민가(民家). ㊂세간(世間). 속류(俗流).
[市正 시정] 시장(市長).
[市征 시정] 시조(市租).
[市徒 시도] ㊀시정배(市井輩). ㊁무뢰한(無賴漢). 파락호(破落戶).
[市井輩 시정배] 시정(市井) 아치. 시정에서 장사에 종사하는 천한 무리.
[市井之臣 시정지신] 성하(城下)에 사는 서민. 벼슬하지 않고 국도(國都)에 사는 사람.　「民」
[市井之人 시정지인] 시중(市中)에 사는 서민(庶
[市租 시조] ㊀시민(市民)이 바치는 조세(租稅). ㊁상인(商人)이 내는 조세.
[市朝 시조] 사람이 많이 모이는 곳. 전(轉)하여, 물건이 많이 모이는 곳.
[市値 시치] 시가(市價).
[市儈 시쾌] 장주름. 시장(市場)에서 흥정을 붙이는 사람.
[市虎 시호] 한 사람이 시중(市中)에 범이 있다고 하면 누구든지 믿지 않으나, 두 사람이 말하면 반신반의(半信半疑)하고, 세 사람이 말하면 믿게 된다는 뜻으로, 근거 없는 풍설(風說)이라도 이를 말하는 사람이 많으면 자연히 믿게 됨을 이름. 삼인성시호(三人成市虎).
[市況 시황] 시장의 상황(商況). 시장의 경기(景氣).

●街市. 彊市. 開市. 競市. 賈市. 關市. 交市. 鬼市. 宮市. 棄市. 臘市. 燈市. 貿市. 門市. 門前成市. 坊市. 司市. 夕市. 成市. 城市. 安市. 夜市. 魚市. 闇市. 要市. 日中市. 蠶市. 井市. 朝市. 草市. 廢市. 港市. 海市. 互市. 花市.

2/⑤ [布] 中人 포 ㊤遇 博故切 bù

筆順 丿 ナ 大 右 布 布

字解 ①베 포, 무명 포 면직물. '一帛'. '毋暴一'《禮記》. ②돈 포 전화(錢貨). '掌邦一之出入'《周禮》. ③펼 포 ㊀널리 알림. '一告'. '約束旣一'《史記》. 또, 널리 알리는 서면. 포고문. '潛行捷一《唐書》. ㊁분산함. '皆自朝一路而罷'《左傳》. ㊂진(陣)을 침. '一陣'. '遠一師旅'《宋書》. ④베풀 포 급여함. '一施'. '施于人而不忘, 非天一'《莊子》. ⑤벌일 포 벌여 놓음. '一陣'. 진열함. '一石'. '皆一黃朱'《書經》. ⑥성 포 성(姓)의 하나.

字源 金文 市 篆文 㕧 形聲. 巾+父(ナ)〔音〕. '父부'는 나무망치를 손에 든 형상. 다듬이질로, 윤을 낸 천의 뜻을 나타냄. '敷부'와 통하며, '펴다'의 뜻도 나타냄.

[布施 보시] 《佛敎》 포시(布施) ●.
[布巾 포건] ㊀헝겊 조각. ㊁행주.
[布告 포고] 일반(一般)에게 널리 알림.
[布穀 포곡] 뻐꾸기.

[布袴 포과] 무명으로 만든 바지.
[布棺 포관] 베를 여러 겹으로 배접(褙接)하여 만든 관.
[布教 포교] ㉠종교(宗敎)를 널리 폄. ㉡교육을 보급시킴.
[布裙 포군] ㉠무명 치마. 전(轉)하여, 거친 옷. ㉡신분이 천한 아내.
[布衾 포금] 무명 이불.
[布棊 포기] 포석(布石).
[布袋 포대] ㉠무명으로 만든 자루. ㉡데릴사위. ㉢놀고먹는 무리를 욕하는 말. 주낭(酒囊)·반대(飯袋)와 같은 뜻.
[布袋竹 포대죽] 대의 일종. 키가 작고 마디가 많음.
[布德 포덕] 《韓》 천도교(天道教)에서 전도(傳道)를 일컫는 말.
[布簾 포렴] 술집이나 복덕방 따위의 문 앞에 늘인 광목 조각.
[布令 포령] 명령·법령 등을 일반에게 널리 알림.
[布路 포로] 여러 사람이 도중(途中)에서 헤어져 집으로 향함. 분산(分散)함.
[布木 포목] 베와 무명. 또, 직물.
[布帛 포백] 베와 비단. 면직물과 견직물. 또, 직물.
[布帆 포범] 광목 같은 것으로 만든 돛. 전(轉)하여, 배.
[布帆無恙 포범무양] 뱃길이 무사함. 배를 타고 무사히 감.
[布覆 포복] 포부(布覆).
[布腹心 포복심] 진정(眞情)을 털어놓음. 본심을 숨김없이 말함.
[布覆 포부] 펴서 덮음.
[布薩 포살] 《佛教》 중이 서로 설계(說戒)하고 참회하는 의식.
[布石 포석] ㉠바둑 둘 때 처음에 돌을 벌여 놓음. ㉡《韓》 일의 장래를 위하여 미리 손을 씀.
[布城 포성] 장막을 둘러친 곳.
[布昭 포소] 널리 일반에게 알려 밝힘. 천하(天下)에 명시(明示)함.
[布屬 포속] 베붙이.
[布施 포시] ㉠가난한 사람에게 물건을 베풀어 줌. ㉡《佛教》 탐욕이 없는 깨끗한 마음으로 중에게 금품(金品)을 베풀어 줌. 또, 그 금품. 보시(布施).
[布演 포연] 부연(敷衍)함.
[布諭 포유] 널리 펴서 유고(諭告)함.
[布衣 포의] ㉠베옷. 벼슬하지 않은 사람이 입는 옷. ㉡벼슬하지 않은 사람. 무위무관(無位無官)의 사람. 백의(白衣).
[布衣韋帶之士 포의위대지사] 무명옷을 입고 가죽 띠를 맨 사람이란 뜻으로, 무위빈천(無位貧賤)한 사람.
[布衣之交 포의지교] ㉠벼슬을 하지 않던 빈천할 때부터의 사귐. ㉡귀천(貴賤)을 떠난 사귐. 지위의 고하를 따지지 않고 하는 사귐.
[布衣之極 포의지극] 평민(平民)으로서 출세할 수 있는 최고(最高)의 자리.
[布衣之友 포의지우] 귀천을 떠나서 참된 우정(友情)으로 사귀는 벗.
[布衣之位 포의지위] 무위무관(無位無官)의 신분(身分).
[布衣寒士 포의한사] 벼슬이 없는 가난한 선비.
[布政 포정] 정사를 베풂. 시정(施政).
[布政司 포정사] 명(明)·청(淸) 시대에 각 성(省)의 행정 사무를 감독하던 장관(長官)으로, 총독(總督)·순무(巡撫)에 직속한, 정삼품(正三品) 벼슬.
[布陣 포진] 진(陣)을 침.
[布置 포치] 분배하여 벌여 놓음. 배치(排置).
[布被 포피] 무명 이불.
[布靴 포화] 헝겊신.

◉葛布. 乾布. 絹布. 昆布. 公布. 金布. 碁(棋)布. 羅布. 露布. 大布. 刀布. 塗布. 麻布. 綿布. 毛布. 頒布. 發布. 配布. 白布. 罰布. 夫里之布. 夫布. 敷布. 分布. 散布. 撒布. 森布. 上布. 宣布. 星布. 疏布. 粟布. 濕布. 施布. 練布. 聯布. 韋布. 流布. 綸布. 里布. 鱗布. 賨布. 財布. 苴布. 紵布. 展布. 傳布. 塵布. 錢布. 征布. 調布. 周布. 織布. 陳布. 泉布. 蕉布. 總布. 毳布. 緇布. 榻布. 遍布. 瀑布. 被布. 荆布. 弘布. 花布. 貨布. 畫布. 火澣布. 黑布.

2 ⑤ [帀] [一] 豕(部首〈p.2173〉)의 古字 [二] 亥(亠部 四畫〈p.86〉)의 古字

3 ⑥ [帆] [人名] 범 ①[平]咸 符咸切 fān ②[去]陷 扶泛切 fàn 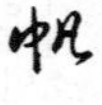

[筆順] 丨 冂 巾 巾丿 帆 帆

[字解] ①돛 범 배의 돛. '一竿'. '張雲一施蜺幬'《馬融》. 전(轉)하여, 돛단배. '出一'. '布一無恙'《晉書》. ②돛달 범 돛을 달고 달리게 함. 출범(出帆)함. '無因一江水'《韓愈》.

[字源] 形聲. 巾+凡〔音〕. '凡범'은 돛의 象形. '凡'이 '모든'의 뜻으로 쓰이게 되자, '巾건'을 붙여서 구별하여, '돛'의 뜻을 나타냄.

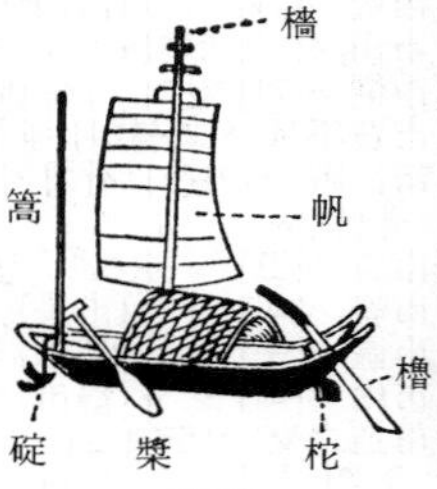

[帆①]

[帆竿 범간] 돛대.
[帆腹飽滿 범복포만] 돛이 충분히 바람을 안는 모양.
[帆席 범석] 돛자리로 만든 돛.
[帆船 범선] 돛단배.
[帆影 범영] 돛의 그림자. 멀리 보이는 배의 모양.
[帆檣 범장] 돛대.
[帆布 범포] 돛을 만드는 두껍고 질긴 무명.

◉客帆. 輕帆. 孤帆. 挂帆. 歸帆. 錦帆. 落帆. 晩帆. 滿帆. 半帆. 白帆. 席帆. 揚帆. 雲帆. 征帆. 眞帆. 出帆. 片帆. 布帆. 風帆. 軒帆.

3 ⑥ [帄] 〔사〕 師(巾部 七畫〈p.673〉)의 俗字

[帋] 〔조〕 口部 三畫(p.343)을 보라.

4 ⑦ [帉] 개 [去]卦 居拜切 jiè

[字解] 머릿수건 개 介(人部 二畫)와 통용. '一, 幘也'《集韻》.

4 ⑦ [帉] 분 [平]文 敷文切 fēn

字解 수건 분, 행주 분 '左佩一帨'《禮記》.
字源 篆文 形聲. 巾+分〔音〕. '分분'은 칼로 가르다의 뜻. 손수건으로 쓰려고 자른 헝겊.

4
⑦ [帊] 파 ①-③㊈禡 普駕切 pà
④㊉麻 披巴切 pā

字解 ①머릿수건 파 머리를 동여매는 헝겊. '常着絳一'《吳志》. ②휘장 파 가리기 위하여 치는 헝겊. 포장. '以月令置于案, 覆以一'《唐書》. ③두폭깁 파 '帛二幅曰一'《說文新附》. ④비단조각 파.
字源 篆文 形聲. 巾+巴〔音〕

4
⑦ [希] 中·人 희 ㊈微 香衣切 xī

筆順 ノ ㄨ 乂 产 㐅 产 希

字解 ①드물 희 희소함. '一有'. '知我者一則我貴'《老子》. ②성길 희 사이가 배지 않고 뜸. '一少'. '鳥獸一革'《書經》. ③바랄 희 희망함. '一冀'. '海內一世之流'《後漢書》. ④성 희 성(姓)의 하나.
字源 會意. 爻+巾. '爻효'는 직물의 발을 상형(象形)함. '巾건'은 '헝겊'의 뜻. 헝겊의 발이 적다, 드물다의 뜻을 나타냄. 또, '祈기'와 통하여, '희구하다'의 뜻도 나타냄.

[希求 희구] 바라고 구(求)함.
[希覯 희구] 드물게 보임. 귀함.
[希企 희기] 바라서 기획함.
[希冀 희기] 바람. 원함.
[希覬 희기] 바람. 주로 자기 분수에 넘치는 일을 바라는 뜻으로 쓰임.
[希代 희대] 세상에 드묾.
[希臘 희랍] 유럽의 동남부 발칸 반도 남단에 있는 공화국. 수도는 아테네. 고대부터 문화가 열리어 유럽 문화의 발판이 되었음. 그리스.
[希臘敎 희랍교] 기독교(基督敎)의 구교(舊敎)의 일파(一派).
[希望 희망] 바람. 소원(所願).
[希冕 희면] 사직(社稷)·오사(五祀)에 제사 지낼 때 천자가 쓰는 관(冠).
[希慕 희모] 유덕(有德)한 사람을 사모하여 자기도 그렇게 되기를 바람.
[希微 희미] ㉠극히 적음. ㉡똑똑하지 못하고 어렴풋함.
[希聖 희성] 성인(聖人)이 되기를 바람.
[希聲 희성] 아주 작은 소리.
[希世 희세] ㉠세상에 드묾. 희세(稀世). ㉡세상에 아부하여 시속(時俗)을 따름.
[希少 희소] 드묾. 또, 성김.
[希言 희언] 작아서 들리지 않는 말. 목소리가 없음.
[希願 희원] 희망(希望).
[希有 희유] 드물게 있음.
[希夷 희이] ㉠심오한 도(道). 깊은 이치. 도(道)의 본체(本體). ㉡영지(靈芝)의 별칭(別稱).
[希旨 희지] 남의 뜻에 영합(迎合)하여 비위를 맞춤.
[希指 희지] 희지(希旨).
[希向 희향] 바라고 지향(志向)함. 바람.
[希革 희혁] 짐승의 털이 성겨지고 새 털이 다시 남. 새와 짐승이 털을 갊.
[希賢 희현] 현자가 되기를 바람.
[希闊 희활] 드묾. 적음.
◉幾希. 鮮希. 知希.

4
⑦ [帋] 〔지〕
紙(糸部 四畫〈p. 1717〉)와 同字

4
⑦ [㡀] 폐 ㊈霽 毗祭切 bì

字解 ①해진옷 폐 敝(攴部 八畫〈p. 934〉)와 同字. '一, 敗衣也'《說文》. ②해질 폐 옷이 해진 모양. '一, 衣壞皃'《玉篇》. ③작을 폐 '一, 小也'《廣雅》.
字源 指事. '巾건'은 바로 천으로, 그 사이에 찢어진 모양을 나타냄.

5
⑧ [帕] 一 말 ㊇黠 莫鎋切 mò
二 파 ㊈禡 普駕切 pà

字解 一 ①머리띠 말 머리를 동이는 헝겊. ②싸맴 말 머리를 싸맴. '以紅一首'《韓愈》. 二 ①배띠 파 배를 감는 헝겊. '一腹, 橫帕其腹也'《釋名》. ②휘장 파 '牀頭翠一羃雙環'《陳旅》. ③보파 보자기. '以秋雲羅一, 裏丹五十粒'《麗情集》.
字源 會意. 巾+白

[帕頭 말두] 머릿수건.
[帕首 말수] 수건으로 머리를 동여 싸맴. 또, 머리 동이.
[帕腹 파복] 배를 감는 헝겊. 배띠.

5
⑧ [帓] 말 ㊇曷 莫曷切 mò
㊇黠 莫鎋切

字解 ①손수건 말 행주. ②머리띠 말. ③띠 말.
字源 形聲. 巾+末〔音〕. '末말'은 '抹말'과 통하여, '비비다, 털다'의 뜻. 살갗을 비비는 손수건의 뜻.

[帓首 말수] 이마에 붙이는 장식.

5
⑧ [帗] 불 ㊇物 分勿切 fú

字解 ①춤수건 불 춤추는 사람이 손에 쥐는 오색(五色)의 헝겊. '凡舞有一舞'《周禮》. ②슬갑 불 바지 위에 입는 무릎까지 닿는 옷. 韍(韋部 五畫)과 통용. ③모직물 불.
字源 篆文 形聲. 巾+犮〔音〕. '犮발'은 '撥발'과 통하여 '튀기다'의 뜻. 무용수가 손으로 튀기는 천의 뜻을 나타냄.

5
⑧ [帔] 피 ㊈寘 披義切 pèi
㊉支 敷羈切

字解 ①치마 피 '帬, 陳魏之間, 謂之一'《揚子方言》. ②배자 피 소매 없는 옷. '冬月着葛一練帬'《南史》.
字源 篆文 形聲. 巾+皮〔音〕. 皮(피)는 '가죽'의 뜻. 가죽처럼 몸통을 덮는 천. '배자'의 뜻을 나타냄.

5
⑧ [帖] 人名 一 첩 ㊇葉 他協切 tiē, tiě, tiè
二 체 韓

[筆順] 丨 冂 巾 巾丨 巾⺊ 巾⺊ 帖 帖

[字解] [一] ①휘장 첩 침소(寢所)의 앞에 치는 휘장. '牀前帷曰—'《釋名》. ②표제 첩 표시하는 제목. '木爲之, 謂之檢, 帛爲之, 則謂之—, 皆謂標題'《說文 段注》. ③패 첩 게시(揭示)하는 종이나 나뭇조각. '百姓那得家家題門—賣宅'《南史》. ④찌 첩 부전(附箋). '—黃'. '裁紙爲—'《文獻通考》. ⑤시첩(試帖) 첩 당대(唐代)의 과거에서 명경(明經)의 방법. '—經'. '明經者, 但記—括'《唐書》. ⑥두루마리 첩 서화의 권축(卷軸). '懷素絹—一軸'《書苑》. ⑦탑본첩 탁본(拓本). 전(轉)하여, 습자책. '碑—'. '法—'. '劉後村評—'《輟耕錄》. ⑧문서 첩 서류. '昨夜府—下'《杜甫》. ⑨장부 첩 부적(簿籍). '—子'. '每歲一作計—'《唐開元志》. ⑩주련 첩 세로로 써 붙이는 연구(聯句). '楹—'. '春—'. ⑪어음 첩 어음. 계권(契券). '券—'. '以陣匡範貸—聞'《資治通鑑》. ⑫명함 첩 성명을 적은 종이쪽. '魯客多呈—'《張籍》. ⑬편지 첩 서한. '凡請—必用封筒'《時用雲箋》. ⑭과녁 첩 사적(射的). '遣人伏地持—'《梁書》. ⑮첩 첩 약(藥) 한 봉지. '寧王每命尙醫, 止進一藥, 戒以不分作三四—'《四朝聞見錄》. ⑯늘어뜨릴 첩 축 처지게 함. '俛首—耳, 搖尾而乞憐者'《韓愈》. ⑰편안할 첩 안심함. 안정함. '妥—'. '將凝—乎萬方'《歐陽修》. ⑱성 첩 성(姓)의 하나. [二]《韓》 체지 체 '—紙'는 관청에서 이례(吏隸)를 고용하는 서면(書面).

[字源] [篆文]  形聲. 巾+占〔音〕. '占점·첩'은 '牒첩'과 통하여, 얇고 납작함의 뜻. 글씨를 쓰기 위한 얇은 천, 쓴 것의 뜻을 나타냄. 또, 침실 앞의 휘장의 뜻도 나타냄.

[帖經 첩경] 당대(唐代)의 과거(科擧)에서 경서(經書)의 시험 방법의 하나. 경서 중의 문제가 되는 문구의 수미(首尾)에 종이를 바르고 응시자에게 그 전문(全文)을 대답하게 하는 일.
[帖括 첩괄] 당대(唐代) 진사(進士)의 과거(科擧)에서 경서(經書) 중의 어떤 자(字)(보통 석 자)를 따서 쓴 종이쪽지의 문제에 대하여, 그 경서의 글을 총괄하여 답안을 만드는 시험. 일설에는, 경서의 글을 군데군데 종이로 바르고 그 글자를 알아맞히게 하여 학력(學力)을 시험하는 방법.
[帖木兒 첩목아] ㉠몽골의 미칭(美稱). ㉡티무르.
[帖伏 첩복] 개 따위가 귀를 늘어뜨리고 순하게 엎드림. 전(轉)하여, 잘 복종함.
[帖服 첩복] 순종함. 복종함.
[帖附 첩부] 첩착(帖着).
[帖試 첩시] 첩괄(帖括).
[帖息 첩식] 마음을 놓음. 안도(安堵)함.
[帖然 첩연] 침착하여 편안한 모양.
[帖耳 첩이] 첩복(帖伏).
[帖子 첩자] 장부(帳簿).
[帖着 첩착] 부착(附着)시킴.
[帖帖 첩첩] ㉠물건이 늘어진 모양. ㉡안정(安定)한 모양. ㉢붙어 떨어지지 않는 모양. ㉣심복(心服)하는 모양.
[帖妥 첩타] 편안함. 조용함.
[帖黃 첩황] 당(唐)나라 때 조칙(詔勅)에 고칠 곳이 있을 경우, 누른 종이의 찌를 붙이던 일.
[帖紙 체지]《韓》 자해(字解)[二]를 보라.
◉揭帖. 計帖. 券帖. 堂帖. 名帖. 墨帖. 文帖. 門帖. 榜帖. 拜帖. 法帖. 府帖. 浮帖. 碑帖. 射帖. 書帖. 手帖. 收帖. 示帖. 試帖. 安帖. 禮帖. 穩帖. 邀帖. 熨帖. 僞帖. 凝帖. 泥金帖. 臨帖. 傳帖. 節帖. 眞帖. 質錢帖. 請帖. 招帖. 妥帖. 標帖. 下帖. 戶帖. 畫帖.

5 ⑧ [⿰巾正] 정 [平]庚 諸盈切 zhēng

[字解] 과녁 정 사적(射的). 正(止部 一畫)과 통용. '—, 射的, 通作正'《集韻》.

5 ⑧ [帙] [人名] 질 [入]質 直一切 zhì 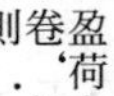

[字解] ①책갑 질 서의(書衣). '飛文染翰, 則卷盈乎緗—'《昭明太子》. ②책 질 서책. '書—'. '荷—從師'《北史》. ③책권차례 질 '部—之間, 仍有殘缺'《南史》. ④성 질 성(姓)의 하나.

[字源] [篆文]  [別體]  形聲. 巾+失〔音〕. '失실'은 '秩질'과 통하여, 질서를 잡아 채워 넣다의 뜻. 책을 질서 있게 채워 넣는 '덮개'의 뜻을 나타냄.

[帙子 질자] 접책.
◉卷帙. 繙帙. 梵帙. 部帙. 緗帙. 書帙. 隱帙. 縹帙.

5 ⑧ [⿰巾宁] 저 [上]語 展呂切 zhǔ

[字解] 관싸개 저 관(棺)을 덮는 넓은 천. '—, 棺衣'《玉篇》.

5 ⑧ [帑] [一] 노 [平]虞 乃都切 nú [二] 탕 [上]養 他朗切 tǎng 

[字解] [一] ①처자 노 孥(子部 五畫)와 同字. '妻—'. '秦人送其—'《左傳》. ②새꽁지 노 새의 꽁지. '以害鳥—'《左傳》. [二] 나라곳집 탕 국가의 금은(金銀) 창고. '內—'. '以爲虛費府—'《漢書》.

[字源] [篆文]  形聲. 巾+奴〔音〕. '巾건'은 '布포'(화폐)의 뜻. '奴노'는 재산(財産)으로서의 노예의 뜻. 재화(財貨), 또, 그것을 갈무리하는 곳의 뜻을 나타냄.

[帑庫 탕고] 화폐(貨幣)를 넣어 두는 곳집.
[帑廥 탕괴] 곳간. 탕(帑)은 돈을 넣어 두는 곳간. 괴(廥)는 여물 곳간.
[帑廩 탕름] 돈을 넣어 두는 곳간과 쌀 곳간.
[帑藏 탕장] 탕고(帑庫).
[帑幣 탕폐] 탕고의 금은(金銀).
◉降帑. 公帑. 國帑. 內帑. 府帑. 財帑. 鳥帑. 妻帑.

5 ⑧ [帘] 렴 [平]鹽 力鹽切 lián 

[字解] 술기 렴 술집의 표지(標識)로 세우는 기(旗). '閃閃酒—招醉客'《李中》.

[字源] 會意. 巾+穴. 구멍처럼 좁은 입구에 거는 천. 술집 간판의 기능을 지닌 깃발의 뜻을 나타냄.

◉酒帘. 靑帘.

5 ⑧ [帒] 대 [去]隊 徒耐切 dài

字解 주머니 대 袋(衣部 五畫)와 同字. '一, 囊也'《說文新附》.
字源 篆文 形聲. 巾+代〔音〕. '代대'는 들어가는 물건이 번갈아들다의 뜻.

5
⑧ [帚] 추 ㊤有 之九切 zhǒu

字解 ①비 추 청소하는 비. 箒(竹部 八畫)의 本字. '凡爲長者糞之禮, 必加一于箕上'《禮記》. ②쓸 추 비로 씖. '猶令二人交一拂其坐處'《南齊書》.
字源 甲骨文 金文 篆文 象形. 甲骨文은 걸쳐 세운 비의 상형(象形)으로, '비'의 뜻을 나타냄. 뒤에, 又+冂+巾의 회의(會意)로 풀이하고, 어떤 경계 안을 천으로 터는 뜻으로부터, '비'의 뜻을 나타낸다고 봄.

[帚拂 추불] 쓸고 텖.
[帚星 추성] 혜성. 살별.
◉交帚. 箕帚. 落帚. 掃愁帚. 掃帚. 椶帚. 敝帚.

5
⑧ [帛] 人名 백 ㊇陌 傍陌切 bó

筆順 ´ ㇒ 白 白 白 帛 帛 帛

字解 ①비단 백, 명주 백 견직물. '布一'. '束一加璧'《儀禮》. ②성 백 성(姓)의 하나.
字源 甲骨文 篆文 形聲. 巾+白〔音〕. '白백'은 '희다'의 뜻. 흰 비단의 뜻을 나타냄.

[帛巾 백건] 비단 헝겊.
[帛袴 백고] 비단 고의.
[帛書 백서] 비단에 쓴 글자. 또, 그 비단.
[帛信 백신] 비단에 쓴 편지.
[帛布 백포] 비단과 무명.
◉絹帛. 金帛. 綾帛. 大帛. 綿帛. 璧帛. 絲帛. 生帛. 束髮封帛. 束帛. 粟帛. 雁帛. 練帛. 裂帛. 玉帛. 財帛. 竹帛. 繒帛. 采帛. 通帛. 幣帛. 布帛.

6
⑨ [帢] 갑(겹㊍) ㊇洽 苦洽切 qià

字解 깁건 갑 위(魏)나라 태조(太祖)가 깁으로 만든 두건(頭巾). '魏太祖, 擬古皮弁, 裁縑帛爲一, 以色別其貴賤'《魏志》.
字源 形聲. 巾+合〔音〕

◉錦帢. 無顏帢. 白帢. 顏帢.

6
⑨ [帨] 황 ㊥陽 呼光切 huāng

字解 ①덮을 황 물건을 덮음. '一, 一曰, 一隔也, 隔之義, 網其上而蓋之'《說文, 段注》. ②염색직공 황 누인 실을 물들이는 장색. '一, 設色之工, 治絲練者'《說文》. ③휘장 황 방과 방 사이에 치는 장막. '一, 帷屬'《正字通》.
字源 篆文 形聲. 巾+㐬(巟)〔音〕. '㐬황'은 물의 흐름의 뜻. 실을 염색하여 흐름에 바래는 사람, '염색공'의 뜻. 일설에는, '㐬'은 널리 덮는 뜻을 나타낸다고 함. 큰 천을 위로부터 덮어씌워서 갈라놓다의 뜻을 나타냄.

6
⑨ [帲] 〔병〕
帲(巾部 八畫〈p.676〉)의 俗字

6
⑨ [幧] 겹 ㊇葉 檄頰切 xié

字解 허리띠 겹 '一, 束帶'《廣韻》.

6
⑨ [帹] 과 ㊤馬 苦瓦切 kuǎ

字解 ①옷깃 과 '一, 衿袍也'《廣韻》. ②속적삼과 속옷의 하나. '小衫曰一'《集韻》.

6
⑨ [带] 〔대〕
帶(巾部 八畫〈p.676〉)의 簡體字

6
⑨ [帯] 〔식〕
拭(手部 六畫〈p.864〉)과 同字

6
⑨ [帞] 〔말〕
帕(巾部 五畫〈p.669〉)의 俗字

6
⑨ [帥] 高人 **一** 수 ㊦寘 所類切 shuài
二 솔 ㊇質 所律切 shuài 帅

筆順 ´ ㇒ 𠂆 户 自 自 𠂤 帥

字解 **一** 장수 수 군대의 주장(主將). '一長'. '二千五百人爲師, 師一皆中大夫'《周禮》. **二** ①거느릴 솔 率(玄部 六畫)과 同字. '堯舜一天下以仁'《大學》. ②좇을 솔 순종함. '命鄕簡不一教者以告'《禮記》. ③본보기 솔 모범. '蕭曹以寬厚淸靜, 爲天下一'《漢書》.
字源 金文 篆文 會意. 巾+自. 金文의 '自' 부분은 양손으로 물건을 끌어 올리고 있는 형상임. 뒤에 변형되어 '自'로 됨. '巾건'은 사람을 이끌 때에 쓰던 천의 상형(象形). '거느리다'의 뜻을 나타냄.
參考 師(巾部 七畫)는 別字.

[帥導 솔도] 이끌어 인도함.
[帥師 솔사] 군대를 통솔함.
[帥先 솔선] 앞장서서 인도함. 솔선(率先).
[帥示 솔시] 거느리어 가르쳐 인도함.
[帥由 솔유] 따름.
[帥乘 수승] 대장과 병졸(兵卒).
[帥臣 수신] 《韓》병사(兵使)와 수사(水使).
[帥長 수장] 군대의 우두머리. 대장(大將).
[帥甸 수전] 교전(郊甸)을 지키는 주장(主將).
◉渠帥. 牽帥. 魁帥. 軍帥. 隊帥. 奉帥. 師帥. 連帥. 元帥. 將帥. 主帥. 總帥. 酋帥. 統帥. 豪帥. 梟帥.

6
⑨ [帤] 녀 ㊥魚 女余切 rú

字解 ①걸레 녀 훔치거나 씻는 걸레. '一, 一曰, 幣巾'《說文》. ②활덧댄나무 녀 활의 몸대를 튼튼하게 덧댄 나무. '厚其一則木堅, 薄其一則需'《周禮》.
字源 篆文 形聲. 巾+如〔音〕. '如여'는 보드랍고 가느다란의 뜻을 나타냄. 큰 폭의 천의 뜻을 나타냄.

6
⑨ [帝] 中人 제 ㊦霽 都計切 dì

[筆順] 一 亠 亠 立 产 产 帝 帝

[字解] ①하느님 제 상천(上天). 조화(造化). '天一'. '王用享于一'《易經》. ②임금 제 천자(天子). '一王'. '曰若稽古一堯'《書經》.

[字源] 甲骨文  篆文  象形. 甲骨文으로 알 수 있듯이, 나무를 짜서 조인 형태의 신(神)을 모시는 대(臺)의 상형. 하늘의 신의 뜻으로부터 천하를 다스리는 임금의 뜻을 나타냄.

[帝綱 제강] 제굉(帝紘).
[帝車 제거] 제차(帝車).
[帝居 제거] ㉠제도(帝都). ㉡상제(上帝)의 거처(居處).
[帝京 제경] 제왕이 계신 서울.
[帝系 제계] 제왕의 혈통.
[帝嚳 제곡] 중국 고대(古代) 제왕(帝王)의 이름. 황제(黃帝)의 증손(曾孫)으로서 호(號)를 고신씨(高辛氏)라 함. 박(亳)에 도읍하였음.
[帝紘 제굉] 천자(天子)가 천하(天下)를 다스리는 강기(綱紀).
[帝國 제국] 황제(皇帝)가 통치(統治)하는 나라.
[帝國主義 제국주의] 자국(自國)의 영토(領土)와 권력(權力)의 확장(擴張)을 목적으로 하는 주의.
[帝弓 제궁] 무지개〔虹〕의 딴 이름. 천궁(天弓).
[帝闕 제궐] 제왕이 거처하는 집. 대궐(大闕).
[帝畿 제기] 제도(帝都)가 있는 지방. 천자의 직할지(直轄地).
[帝德 제덕] 제왕의 덕(德).
[帝都 제도] 황제(皇帝)가 거처(居處)하는 서울.
[帝道 제도] ㉠제왕(帝王)이 나라를 잘 다스리어 백성을 편안하게 하는 도(道). ㉡인덕(仁德)을 주로 하는 최선의 정치.
[帝圖 제도] 제모(帝謨).
[帝旅 제려] 제왕의 군사.
[帝力 제력] 상제(上帝) 또는 제왕(帝王)의 은덕(恩德).
[帝陵 제릉] 제왕(帝王)의 묘(墓).
[帝命 제명] 제왕의 명령(命令).
[帝命溥將 제명부장] 천자의 명령이 널리 퍼져 잘 시행되는 일. 부(溥)는 광(廣). 장(將)은 대(大).
[帝謨 제모] 제왕의 계책(計策). 천자의 도(道).
[帝範 제범] 책 이름. 당태종(唐太宗)의 찬(撰). 12편. 제왕(帝王)의 모범(模範)될 만한 사적(事迹)을 적어서 태자(太子)에게 하사(下賜)한 책. 송(宋)나라 때 이미 그 태반이 산일(散佚)되고 지금은 네 권뿐임.
[帝傅 제부] ㉠천자의 스승. ㉡재상(宰相).
[帝師 제사] ㉠천자의 스승. ㉡원대(元代)의 라마교(喇嘛教)의 중.
[帝壻 제서] 임금의 사위.
[帝緖 제서] 제왕의 사업(事業).
[帝釋 제석] 제석천(帝釋天).
[帝釋天 제석천] 천축(天竺)의 신. 자비스러운 형상을 하고 몸에 영락(瓔珞)을 여러 가지 둘렀음. 수미산(須彌山) 꼭대기의 도리천(忉利天)의 중앙 희견성(喜見城)에 있어 삼십삼천(三十三天)의 주(主)임. 제석(帝釋).

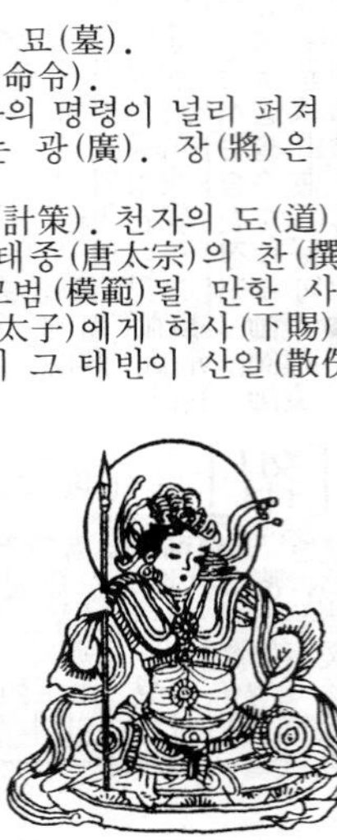
〔帝釋天〕

[帝城 제성] 천자가 계신 궁성. 또는 수도(首都).
[帝所 제소] 천자 또는 천제(天帝)가 있는 곳.
[帝臣 제신] 황제(皇帝)의 신하.
[帝宸 제신] 제왕(帝王)의 궁전(宮殿).
[帝室 제실] 황제(皇帝)의 집안. 황실(皇室).
[帝掖 제액] 제왕이 사는 곳. 대궐. 궁성(宮城).
[帝業 제업] 제왕(帝王)의 사업. 천자가 천하를 다스리는 일. 「자.
[帝王 제왕] 독립 군주국의 원수(元首). 황제. 천
[帝王之兵 제왕지병] 제왕(帝王)이 덕(德)으로써 천하(天下)를 평정(平定)하려고 하는 군대(軍隊).
[帝王學 제왕학] 제왕이 되는 데에 필요한 학문.
[帝祐 제우] 하느님의 도움.
[帝位 제위] 제왕(帝王)의 자리.
[帝威 제위] 천자의 위광(威光).
[帝猷 제유] 제모(帝謨).
[帝胤 제윤] 천자의 자손.
[帝姻 제인] 제왕의 인척(姻戚).
[帝者 제자] 제왕. 천자(天子).
[帝儲 제저] 황태자. 동궁(東宮).
[帝政 제정] 황제(皇帝)의 정치(政治).
[帝制 제제] ㉠천자가 천하를 통치하는 제도. ㉡제칙(帝則).
[帝祚 제조] 제위(帝位).
[帝祖 제조] ㉠제왕(帝王)의 조상(祖上). 황조(皇祖). ㉡제왕의 조부(祖父).
[帝座 제좌] ㉠황제가 앉는 자리. 옥좌(玉座). ㉡천제(天帝)의 거처(居處)라고 하는 별의 이름.
[帝祉 제지] 상제(上帝)가 내리는 복지(福祉).
[帝車 제차] 북두칠성(北斗七星)의 별칭(別稱).
[帝戚 제척] 제인(帝姻).
[帝則 제칙] ㉠천제(天帝)가 보이는 자연의 법칙. ㉡천자가 정한 법칙. 「系).
[帝統 제통] 제왕의 계통. 제왕의 혈통. 제계(帝
[帝學 제학] 송(宋)나라 범조우(范祖禹)가 지은 책. 6권. 고대(古代)로부터 송대(宋代)까지의 제왕(帝王)의 전법(典法)이 될 만한 사적(事迹)을 모았음.
[帝閑 제한] 제왕(帝王)의 마구간.
[帝鄕 제향] ㉠하느님이 있는 곳. 상천(上天). ㉡제왕의 발상지(發祥地). 천자의 고향. ㉢제도(帝都).
[帝號 제호] 제왕(帝王)의 칭호.
[帝閽 제혼] 제왕의 궁성(宮城)의 문.
◉今帝. 累帝. 大帝. 望帝. 白帝. 三皇五帝. 上帝. 先帝. 聖帝. 女帝. 炎帝. 五帝. 玉帝. 雩帝. 災帝. 赤帝. 天帝. 青帝. 廢帝. 皇帝. 后帝.

6 ⑨ **[帠]** 예 [去]霽 力制切 lì

[字解] ①비단자투리 예 재고 난 비단의 조각. '一, 帛餘也'《玉篇》. ②나머지 예 잔여품. '一, 餘也'《廣雅》.

6 ⑨ **[帟]** 역 [入]陌 羊益切 yì 

[字解] 장막 역 위를 가려 먼지를 막는 작은 장

막. '掌帷幕幄—綬之事'《周禮》.
[字源] 篆文 形聲. 巾+亦〔音〕. '亦역'은 양 겨드랑이의 뜻. 원장막 위쪽에 평평하게 치는 작은 장막의 뜻을 나타냄.

◉幕帟. 油帟. 帷帟. 帳帟.

6 ⑨ [帣] 권 ①[去]霰 居倦切 juàn ②[上]銑 古轉切 juǎn
[字解] ①자루 권 크고 긴 주머니. ②걷을 권 소매 같은 것을 걷음. 또, 그 끈. '一韝鞠曆'《史記》.
[字源] 篆文 形聲. 巾+类〔音〕. '类권'은 속에 말아 넣다의 뜻. 흩어지지 않도록 감싸는 주머니의 뜻을 나타냄.

6 ⑨ [帠] 예 [去]霽 研計切 yì
[字解] 법 예 법도(法度). '汝又何—以治天下, 感予之心焉'《莊子》.
[字源] 形聲. 巾+兒〈省〉〔音〕

7 ⑩ [帪] 진 [平]眞 之人切 zhēn [去]震 之刃切
[字解] ①말먹이자루 진 말에 먹이를 담아 주는 자루. '飤馬橐, 燕齊之閒, 謂之—'《揚子方言》. ②말머리씌우개 진 '—, 馬兜也'《玉篇》. ③주머니 진 '—, 囊也'《廣雅》.

7 ⑩ [帨] 세 [去]霽 舒芮切 shuì
[字解] ①수건 세 여자가 허리에 차는 수건. '佩—'. '女子設—于門右'《禮記》. ②손씻을 세.
[字源] 帥의 別體 形聲. 巾+兌〔音〕. '兌태'는 벗겨져 떨어진다는 뜻. 손의 물방울을 닦다, '손수건'의 뜻을 나타냄.

[帨褵 세리] 손수건과 향주머니. 시집가는 여자의 소지품.
◉巾帨. 紛帨. 設帨. 佩帨.

7 ⑩ [師] [一] 첩 [入]葉 陟葉切 zhé [二] 점 [平]鹽 丁兼切 zhé
[字解] [一] 옷깃끝 첩 옷깃의 끝 부분. '—, 領耑也'《說文》. [二] 옷깃끝 점 [一]과 뜻이 같음.
[字源] 篆文 形聲. 巾+耴〔音〕. '耴첩'은 '양 귀'의 뜻. 양쪽 귀처럼 늘어진 깃의 끝의 뜻을 나타냄.

7 ⑩ [帬] 문 [去]問 文運切 wèn
[字解] 굴건 문 상중에 쓰는 건(巾).

7 ⑩ [帰] 〔귀〕
歸(止部 十四畫〈p. 1144〉)의 俗字

7 ⑩ [帹] 〔격〕
綌(糸部 七畫〈p. 1740〉)과 同字

7 ⑩ [帺] 군 [平]文 渠云切 qún
[字解] ①치마 군 치맛자락. ②속옷 군 내복. '中—'. ③조끼 군 배자. '—屐'.

7 ⑩ [帼] 〔군〕帬(巾部 七畫〈p. 675〉)·裙(衣部 七畫〈p. 2063〉)과 同字

7 ⑩ [帮] 〔방〕
幫(巾部 十四畫〈p. 683〉)의 俗字

7 ⑩ [帯] 〔대〕
帶(巾部 八畫〈p. 676〉)의 同字

7 ⑩ [帶] 〔대〕
帶(巾部 八畫〈p. 676〉)와 俗字

7 ⑩ [師] [中人] 사 [平]支 疏夷切 shī 师
[筆順] ′ 亻 户 户 自 自 𠂤 師 師
[字解] ①스승 사 ㉠선생. '教—' '出則有—, —也者教之以事而喩諸德者也'《禮記》. ㉡전문의 기예를 가진 사람. 한 기예에 뛰어난 사람. '醫—'. '閻外傳呼畫—閻立本'《唐書》. ㉢남의 모범이 될 만한 훌륭한 사람. '國有賢相良將, 民之—表也'《史記》. ②스승으로삼을 사 본받음. 모범으로 삼음. '—範'. '百僚——'《書經》. ③벼슬아치 사 관리. '州有十二—'《書經》. ④벼슬 사 관직. '黃帝氏以雲紀, 故爲雲—'《左傳》. ⑤군사 사 ㉠주대(周代)의 군제(軍制)에서 오려(五旅), 곧 2천5백 명의 일컬음. 중화민국의 군제에서는 사단(師團)의 일컬음. '五旅爲—'《周禮》. ㉡군대의 통칭(通稱). '陳—鞠旅'《詩經》. ⑥뭇사람 사 중서(衆庶). 중인(衆人). '殷之未喪—'《大學》. ⑦신령 사 신(神). '雷—告余以未具'《楚辭》. ⑧사자 사 獅(犬部 十畫)와 통용. '烏弋山出—子'《漢書》. ⑨사괘 사 육십사괘(六十四卦)의 하나. 곧, ䷆〈감하(坎下), 곤상(坤上)〉. 출사(出師)의 상(象). ⑩성 사 성(姓)의 하나.
[字源] 甲骨文 金文 篆文 形聲. 金文은 自+辛〈省〉〔音〕. '辛신'은 날붙이의 상형(象形)으로, 벌을 주는 뜻. '自퇴'는 큰 고기 토막의 상형. 적을 처벌할 목적으로 제육(祭肉)을 받들고 출발하는 군대의 뜻을 나타냄. 甲骨文과 조기(早期)의 金文에서는 '自'뿐이며, 아직 음부는 붙어 있지 않았음. 전(轉)하여, 지도자의 뜻도 나타냄. 篆文은 '辛'이 생략되어 '帀잡'이 되고, 會意로서, 自+巾.
[參考] 帥(巾部 六畫)는 別字.

[師家 사가] 스승의 집. 또, 스승.
[師姑 사고]《佛教》여자 중. 이승(尼僧).
[師曠之聰 사광지총] 사광(師曠)은 춘추 시대(春秋時代) 진(晉)나라의 음악가(音樂家)로, 소리를 들으면 잘 분별하여 길흉(吉凶)을 점쳤음. 미묘(微妙)한 소리를 잘 분별함을 이름.
[師矩 사구] 모범(模範). 사범(師範).
[師君 사군] ㉠스승의 존칭(尊稱). ㉡스승과 주인.
[師團 사단] 군대(軍隊) 편성(編成)의 한 단위. 군단의 아래. 여단의 위.
[師壇 사단] 천자(天子)가 장상(將相)을 임명하는 예(禮)를 행하는 단.
[師徒 사도] ㉠군대(軍隊). ㉡스승과 제자.
[師旅 사려] ㉠군대. 5백 명을 여(旅), 5려(旅)를 사(師)라 함. ㉡전쟁. 싸움.

[師命 사명] 스승의 명령(命令).
[師母 사모] 스승의 부인(夫人).
[師門 사문] 스승의 문하(門下).
[師範 사범] ㉠법. 모범. ㉡모범이 될 만한 사람. ㉢학문·기예 등을 가르치는 사람.
[師法 사법] ㉠법. 모범. ㉡스승의 가르침. ㉢출사(出師)의 도(道).
[師保 사보] ㉠천자 또는 태자(太子)를 가르쳐 보좌함. 또, 그 사람. ㉡가르쳐 편안하게 함.
[師父 사부] ㉠스승의 존칭(尊稱). ㉡스승과 아버지.
[師傅 사부] ㉠스승. ㉡태사(太師)와 태부(太傅). 천자의 보필(輔弼). 제왕(帝王)의 스승.
[師事 사사] 스승으로 섬김.
[師師 사사] ㉠스승으로 여겨 본받음. ㉡의법(儀法)이 바른 모양. ㉢뭇사람. 모든 사람.
[師素 사소] 중과 속인(俗人). 승속(僧俗).
[師授 사수] 스승에게 학술(學術)을 배워 받음.
[師叔 사숙] 《佛教》 스님의 형제 되는 중. 숙사(叔師).
[師承 사승] 스승에게서 가르침을 받음. 스승에게서 학문을 이어받음.
[師僧 사승] 《佛教》 스님.
[師心 사심] ㉠자기 마음을 스승으로 삼음. 독창(獨創)을 높이 여기고 모방(模倣)을 배척하는 일. ㉡무슨 일이든 자기 독단(獨斷)으로 하고, 남의 의견을 받아들이지 않는 일.
[師心自是 사심자시] 자기 생각만을 옳다고 함.
[師氏 사씨] ㉠주대(周代)의 관명(官名). 귀족(貴族)의 자제(子弟)에게 덕행(德行)을 가르쳤음. ㉡여교사(女教師).
[師嚴道尊 사엄도존] 스승이 엄격하면 자연히 도(道)가 존엄하여짐.
[師友 사우] ㉠스승과 벗. 선생(先生)과 친구(親舊). ㉡스승으로 우러러볼 만한 벗.
[師尹 사윤] ㉠주대(周代)의 태사(太史)인 윤씨(尹氏). 전(轉)하여, 재상(宰相). ㉡여러 소관(小官)의 장(長). 사(師)는 중(衆). 윤(尹)은 정(正).
[師律 사율] 군법(軍法).
[師恩 사은] 스승의 은혜.
[師子 사자] ㉠《佛教》 스승과 제자 중. ㉡사자(獅子).
[師資 사자] ㉠스승과 학문을 하는 데 도움이 되는 것. 일설(一說)에는, 스승. ㉡스승과 제자. 사제(師弟). 또, 사제의 관계.
[師子舞 사자무] 사자춤.
[師子奮迅 사자분신] 《佛教》 사자가 성낸 듯이 달리는 기세라는 뜻으로, '부처의 맹위(猛威)'를 이르는 말.
[師子身中蟲 사자신중충] 《佛教》 내부에서 생기는 화란(禍亂)을 비유한 말. 사자의 목숨이 끊어지면, 감히 딴 짐승들은 먹으려 하지 않지만, 사자의 몸속에서 생긴 벌레는 그 사체를 먹는다는 말. 불교의 정법(正法)은 밖에서 들어오는 것 때문에 파괴되는 것보다, 법(法) 속의 악비구(惡比丘) 때문에 무너진다는 비유임.
[師子座 사자좌] ㉠《佛教》 인중(人中)의 사자(獅子)〈왕자(王者)〉인 불보살(佛菩薩)이 있는 좌석. ㉡황도 십이궁(黃道十二宮)의 하나. 사자궁(獅子宮).
[師子吼 사자후] ㉠부처의 설법(說法)에 사학(邪學)을 믿는 사람들이 두려워하고 부끄러워하여 귀의(歸依)함의 비유. 사자(獅子)가 울면 모든

짐승이 무서워 떤다는 데서 이름. ㉡웅변(雄辯).
[師匠 사장] ㉠모범이 될 만한 사람. 선생(先生). ㉡학문이나 기예를 가르치는 사람. 스승.
[師長 사장] ㉠스승과 어른. ㉡중관(衆官)의 우두머리.
[師田 사전] 군사의 훈련과 짐승의 사냥. 모두 무예(武藝)를 익히는 방법임.
[師傳 사전] 스승으로부터의 전수(傳授).
[師弟 사제] ㉠스승과 제자(弟子). ㉡동문(同門)의 후배.
[師祭 사제] 무운(武運)이 장구(長久)하기를 비는 제사.
[師祖 사조] ㉠스승으로 섬겨 본받음. 모범으로 삼음. ㉡《佛教》 스승의 스승 되는 사람.
[師宗 사종] ㉠스승으로 받들어 존경함. ㉡스승.
[師表 사표] 남의 모범(模範)이 될 만큼 학덕(學德)이 높은 일. 또, 그 사람. 사범(師範).
[師風 사풍] ㉠스승의 덕(德). ㉡스승의 풍모(風貌).
[師行 사행] 군대의 행진(行進). 행군(行軍).
[師兄 사형] ㉠나이와 학덕이 자기보다 나은 사람. ㉡동문(同門)의 선배. ㉢승려(僧侶)가 서로 부를 때의 경칭(敬稱).
●簡師. 講師. 京師. 經師. 戒師. 篙師. 工師. 傀儡師. 教師. 舊師. 國師. 軍師. 技師. 吉師. 老師. 弩師. 露師. 農師. 雷師. 漏師. 大師. 道師. 導師. 讀師. 牧師. 蒙師. 文陣雄師. 班師. 百世之師. 法師. 本師. 父師. 佛師. 士師. 祉師. 三師. 相師. 常師. 先師. 禪師. 少師. 訟師. 水師. 樂師. 藥師. 良師. 漁師. 偃師. 嚴師. 餘師. 輿師. 鍊師. 獵師. 銳師. 王師. 王者師. 龍師. 雨師. 六師. 律師. 恩師. 陰陽師. 義師. 醫師. 鷹師. 人師. 一字之師. 場師. 靖難之師. 帝者師. 調馬師. 祖師. 宗師. 舟師. 楫師. 車師. 僭師. 天師. 出師. 致師. 橐駝師. 太師. 暴師. 風師. 賢師. 畫師. 繪師.

7/10 [席]〔巾人〕 석 ㈇陌 祥易切 xí

筆順 亠 广 广 庐 庐 庐 席 席

字解 ①자리 석 ㉠까는 자리. '茵一'. '我心匪一, 不可卷也'《詩經》. ㉡요나 방석. '衽一牀第'《周禮》. ㉢서거나 앉는 자리. '坐一'. '羣臣皆就一'《漢書》. ②깔 석 자리를 깖. '相枕一於道路'《漢書》. ③베풀 석. 벌일 석 진열함. '一上之珍'《禮記》. ④자립할 석 의뢰함. '一寵惟舊'《書經》. ⑤성 석 성(姓)의 하나.
字源 甲骨文 席 篆文 席 形聲. 巾＋庶〈省〉〔音〕. '庶서'는 '藉자'와 통하여, 풀을 엮은 '깔개'의 뜻을 나타냄.

[席藁待罪 석고대죄] 거적을 깔고 엎드리어 처벌을 기다림.
[席具 석구] 깔개.
[席卷 석권] 자리를 마는 것과 같이 힘들이지 않고 모조리 빼앗음. 석권(席捲).
[席捲 석권] 석권(席卷).
[席末 석말] ㉠끝자리. 말석(末席). ㉡자기가 앉은 곳의 겸칭(謙稱).
[席面 석면] 연회(宴會) 따위의 자리. 석상(席上).
[席門 석문] 돗자리로 만든 문. 가난한 집을 형용

하는 말.
[席不暇暖 석불가난] 동서로 분주히 돌아다니느라고 한 곳에 편안히 머물러 있지 않기 때문에 그 자리가 따뜻하여질 겨를이 없음.
[席上 석상] 여러 사람이 모인 자리.
[席上之珍 석상지진] 상고(上古)의 아름다운 도(道)를 늘어놓음. 일설(一說)에는, 유학자(儒學者)의 학덕(學德)을 석상(席上)의 진품(珍品)에 비유한 말이라 함.
[席褥 석욕] 깔개.
[席子 석자] 돗자리.
[席題 석제] 시문(詩文) 등을 지을 때 그 모임의 자리에서 제목을 내는 일.
[席次 석차] ㉠자리의 차례. 석순(席順). ㉡성적의 순서.
[席薦 석천] 돗자리.
◉客席. 缺席. 經席. 闔席. 空席. 几席. 寄席. 茶席. 滿席. 末席. 箋席. 毛席. 陪席. 法席. 別席. 上席. 相席. 說經奪席. 首席. 筍席. 試席. 宴席. 筵席. 硏席. 列席. 臥席. 褥席. 熊席. 越席. 議席. 隣席. 茵席. 一席. 衽席. 臨席. 底席. 正席. 坐席. 座席. 主席. 酒席. 卽席. 次席. 着席. 薦席. 出席. 枕席. 寢席. 他席. 台席. 退席. 蒲席. 豹席. 豐席. 會席.

7 ⑩ [帬] 군 [平]文 渠云切 qún

[字解] 치마 군 裙(衣部 七畫)과 同字. '羅—飄飄'《張華》.
[字源] 篆文 別體 形聲. 巾+君〔音〕. '君군'은 '運운'과 통하여 '두르다'의 뜻.
[參考] ⿰巾君(巾部 七畫)과 同字.

◉羅帬.

8 ⑪ [帳] [高人] 장 [去]漾 知亮切 zhàng

[筆順] 冂 巾 … 帳
[字解] ①휘장 장, 장막 장 '帷—'. '卽其—中, 斬宋義頭'《史記》. ②천막 장 유목민(遊牧民)의 옥사(屋舍). '接—連韝'《晉書》. ③장 장 장막 같은 것을 세는 수사(數詞). '帳幕九—'《左傳》. ④장부 장 치부책. '記—'. '計—戶籍之法'《北史》.
[字源] 篆文 形聲. 巾+長〔音〕. '長장'은 '길게 펴다'의 뜻. 천을 길게 둘러친 '휘장'의 뜻을 나타냄.

[帳內 장내] ㉠막(幕)의 한 안. 전(轉)하여, 막료(幕僚). ㉡당대(唐代)의 친왕(親王)의 호위병(護衛兵). ㉢근세조선(近世朝鮮) 때 서울 오부(五部)가 관할하던 구역의 안.
[帳落 장락] 유목자(遊牧者)들의 부락(部落).
[帳裏 장리] 휘장 안. 장중(帳中).
[帳幕 장막] 한데에 베풀어서 볕 또는 비를 가리고 사람이 들어 있게 둘러친 물건.
[帳門 장문] 휘장의 문.
[帳房 장방] 천막(天幕).
[帳簿 장부] 금품(金品)의 수입·지출 또는 기타의 사항을 기록하는 책.
[帳幄 장악] 장막(帳幕).
[帳外 장외] 휘장 밖.
[帳飮 장음] 장막을 쳐 놓고 하는 전별(餞別)의 잔치.
[帳籍 장적] 호적 등기(戶籍登記)의 장부.
[帳前 장전] ㉠임금이 임어(臨御)한 장막(帳幕)의 앞. ㉡장수(將帥)의 앞.
[帳中 장중] 휘장의 안. 장막의 안.
[帳幅 장폭] 휘장.
[帳下 장하] ㉠장막의 아래. 장막의 안. ㉡대장군(大將軍)이 있는 곳. 막하(幕下).
◉葛帳. 絳帳. 開帳. 計帳. 供帳. 過去帳. 穹帳. 几帳. 錦帳. 記帳. 綺帳. 羅帳. 緞帳. 大帳. 臺帳. 幬帳. 斗帳. 蚊帳. 符帳. 簿帳. 牀帳. 手帳. 繡帳. 牙帳. 廬帳. 營帳. 玉帳. 幃帳. 帷帳. 人別帳. 籍帳. 氈帳. 祖帳. 廚帳. 紙帳. 綵帳. 綃帳. 翠帳. 毳帳. 寢帳. 通帳.

8 ⑪ [帴] [一] 전 [上]銑 卽淺切 jiǎn
[二] 천 [平]先 則前切 jiān

[字解] [一] ①포대기 전 강보(襁褓). ②좁을 전 협소함. '若苟自急者, 先裂則是以博爲—也'《周禮》. [二] 언치 천 韉(革部 十七畫)과 同字. '爭割流蘇武帳, 而爲馬—'《晉書》.
[字源] 篆文 形聲. 巾+戔〔音〕. '戔전'은 날붙이로 베어서 좁고 적다의 뜻.

◉馬帴.

8 ⑪ [⿰巾奄] [一] 업 [入]葉 於業切 yé
[二] 암 [平]覃 烏含切 ān

[字解] [一] 머릿수건 업 '自河以北, 趙魏之閒, 幧頭, 或謂之—'《揚子方言》. [二] 주머니 암 '—, 囊也'《廣雅》.

8 ⑪ [帷] 유 [平]支 洧悲切 wéi

[字解] ①휘장 유 사방(四方)을 둘러치는 장막. '下—講誦, 三年不窺園'《漢書》. ②덮을 유, 가릴 유.
[字源] 篆文 形聲. 巾+隹〔音〕. '隹추'는 '圍위'와 통하여, 사방을 둘러침의 뜻. 둘러친 천, 휘장, 덮개의 뜻을 나타냄.

[帷]

[帷蓋 유개] 공자(孔子)가 집에서 기르던 개를 묻을 때에 폐개(弊蓋)를 썼고, 노마(路馬)(임금의 마차를 끄는 말)를 묻을 때엔 폐유(弊帷)를 쓴 데서, 은혜(恩惠)가 사물(事物)에 미침을 이름.
[帷簾 유렴] 휘장과 발.
[帷幕 유막] ㉠휘장과 막. 사방으로 둘러치는 것을 유(帷), 위를 가리는 것을 막이라 함. ㉡유악(帷幄).
[帷幔 유만] 휘장.
[帷薄 유박] 휘장과 발. 전(轉)하여, 규방(閨房). 침실(寢室).
[帷薄不修 유박불수] 규문(閨門)이 문란해지는 일. 박(薄)은 발〔簾〕, 규문(閨門)에는 휘장을 치고 발을 늘어뜨리므로 유박은 규방(閨房)의 뜻.
[帷房 유방] 휘장을 늘어뜨린 방. 곧, 침실. 규방(閨房).
[帷裳 유상] ㉠제사 또는 출사(出仕)할 때에 입는 옷. 아래의 옷은 온폭을 써서 휘장과 같이 만들었기 때문에 이름. ㉡부인의 수레에 치는

휘장.

[帷幄 유악] ㉠유(帷)와 악(幄)이 모두 막(幕)으로서 진영(陣營)에 쓰이는 것. 전(轉)하여, 대장이 작전 계획을 세우는 곳. ㉡모신(謀臣).

[帷帳 유장] ㉠휘장. 장막. ㉡대장(大將)이 작전 계획을 세우는 곳. 유악(帷幄).

[帷牆之制 유장지제] 임금이 근신(近臣)이나 시첩(侍妾) 등에게 자유를 구속당하는 일. 유(帷)는 휘장으로서 비첩(婢妾)이 있는 곳, 장(牆)은 담으로서 근신(近臣)이 있는 곳.

[帷殿 유전] 휘장을 둘러친 궁전.

●講帷. 羅帷. 幔帷. 門帷. 書帷. 幄帷. 簾帷. 帳帷. 襜帷. 絺帷. 下帷.

帢 8(11)

흡(겹)㊊㊂洽 苦洽切 qià

字解 깁건 흡 帢(巾部 六畫)과 뜻이 같음. '漢儀, 立秋日, 獵服緗幘, 哀帝令改用素白一'《晉書》.

帵 8(11)

■ 완 ㊅寒 一丸切 wān
■ 원 ㊅元 於袁切

字解 ■ 자투리 완 마르고 난 헝겊 조각. '一, 今采帛鋪謂剪截之餘曰一子'《正字通》. ■ 자투리 원 ㊅과 뜻이 같음.

字源 形聲. 巾+宛(音)

帡 8(11)

병 ㊤梗 必郢切 píng

字解 장막 병 위를 가리는 막(幕). '知夏屋之爲一幬也'《揚子法言》.

字源 形聲. 巾+幷(音). '幷병'은 '나란히 늘어서다'의 뜻. 천의 덮개를 나란히 늘어놓아 덮다의 뜻을 나타냄.

參考 帡(巾部 六畫)은 俗字.

帴 8(11)

견 ㊅先 古賢切 xián

字解 베 견 한(漢)나라 견현(帴縣)에서 나던 베의 이름. '一, 一布也. 出東萊'《說文》.

字源 形聲. 巾+弦(音).

帺 8(11)

기 ①㊅支 渠之切 qí
②③㊌寘 渠記切 jì

字解 ①연둣빛비단 기. ②맬 기. ③수건 기.

帽 8(11)

〔모〕

帽(巾部 九畫〈p.678〉)의 俗字

帶 8(11)

�㊅ 대 ㊁泰 當蓋切 dài

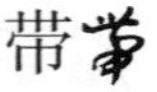

筆順 一 ナ ++ 卅 卅 帯 帯 帶

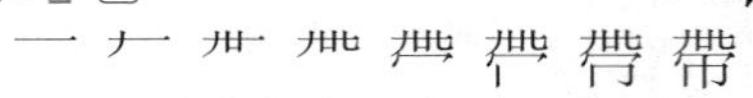

字解 ①띠 대 허리에 띠는 것. '衣'. '凡一必有佩玉'《禮記》. 또, 띠같이 물건의 주위를 두르는 것. '鐘一謂之篆'《周禮》. ②근처 대 길게 뻗은 것의 근방. '門臨溪一一'《元稹》. ③띨 대 ㉠띠를 두름. '驚遽而起, 衣不及一'《世說》. ㉡빛깔을 조금 지님. '顏一憔悴色'《杜甫》. ㉢두를 대 위요(圍繞)함. 빙 두름. '襟以山東之險, 一以河曲之利'《戰國策》. ⑤찰 대 허리에 참. '一

劍'. '一以弓韣'《禮記》. ⑥데릴 대 데리고 다님. '一行'. '一隨人行'《揚子方言註》. ⑦성 대 성(姓)의 하나.

字源 篆文 帶 象形. 띠에 장식 끈이 겹쳐 늘어진 형상을 본떠서, '띠'의 뜻을 나타냄. 일설에는, 卅+重巾의 會意. '卅'는 띠의 象形. '重巾'은 천을 겹친 모양. 천을 포개어 겹쳐 띠로 졸라매는 모양에서, '띠'의 뜻을 나타냄.

[帶甲 대갑] 갑옷을 입은 병사(兵士).

[帶劍 대검] ㉠칼을 참. 또, 그 칼. ㉡소총 끝에 꽂는 칼.

[帶經而鋤 대경이서] 경서(經書)를 지니고 다니면서 밭을 맴.

[帶鉤 대구] 혁대를 잠그는 쇠붙이. 띠고리.

[帶刀 대도] 칼을 참. 또, 그 칼.

[帶同 대동] 함께 데리고 감.

[帶厲之誓 대려지서] 황하(黃河)가 띠와 같이 좁아지고 태산(泰山)이 숫돌과 같이 작게 되어도 국토(國土)는 멸망하지 않는다는 뜻으로, 공신(功臣)의 집은 영구히 단절시키지 않겠다는 맹세. 산려하대(山厲河帶).

[帶累 대루] ㉠연좌(連坐). ㉡계루(係累)가 있음.

[帶兵 대병] ㉠무기를 몸에 지님. ㉡군대를 통솔(統率)하는 일.

[帶率 대솔] 거느림. 영솔(領率).

[帶雨 대우] ㉠비를 지님. ㉡비를 맞음.

[帶圍 대위] 띠의 둘레.

[帶杖 대장] 병기(兵器)를 몸에 지님. 무장(武裝).

[帶箭 대전] ㉠화살이 몸에 맞아 박힘. ㉡화살을 몸에 지님.

[帶下 대하] 부인병(婦人病)의 하나. 부녀(婦女)의 음문(陰門)에서 흰빛 또는 누른빛의 분비액(分泌液)이 나오는 병(病).

[帶下醫 대하의] 여자의 병을 치료하는 의사.

[帶笏 대홀] 대대(大帶)와 홀(笏). 전(轉)하여, 문관(文官)의 예장(禮裝).

●經帶. 控帶. 跨帶. 冠帶. 拐帶. 紘帶. 裙帶. 衿帶. 襟帶. 亘帶. 馬帶. 鏊帶. 璧帶. 寶帶. 腹帶. 付帶. 繃帶. 山厲河帶. 山河衿帶. 聲帶. 世帶. 所帶. 束帶. 綬帶. 濕帶. 紳帶. 眼帶. 連帶. 熱帶. 映帶. 玉帶. 溫帶. 綬帶. 腰帶. 繞帶. 韋帶. 流帶. 靭帶. 一帶. 臍帶. 地帶. 妻帶. 淺帶. 枕帶. 佩帶. 褒衣博帶. 布衣韋帶. 寒帶. 海帶. 屧帶. 携帶. 攜帶.

常 8(11)

㊥㊅ 상 ㊅陽 市羊切 cháng

筆順 ⺌ ⺌ ⺍ 尚 常 常 常 常 常

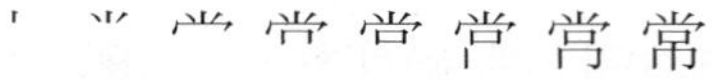

字解 ①떳떳할 상, 항상 상 ㉠항구. 영구. 불변. '是謂獨一'《老子》. ㉡불변의 도(道) 늘 행하여야 할 도. 전법(典法). '五一'. '無忘國一'《國語》. ㉢당연. 정당. '權者反一者也'《後漢書》. ㉣보통의 상태. 상례(常例). '貧者士之一'《說苑》. ㉤확정. 확정. '變化无一'《漢書》. ㉥평상시. '顏色不亂, 陽陽如平一'《韓詩》. ㉦늘 쓰임. 늘 함. '用'. '千里馬一有, 而伯樂不一有'《韓愈》. ②범상 상 범용(凡庸). '一人'. '蓋世必有非一之人'《史記》. ③두길 상 척도(尺度)의 단위. 심(尋)의 두 배. 곧 16척(尺). '尋一尺寸'. '布帛尋一庸人不釋'《史記》. ④산앵두나무 상 장미과에 속하는 낙엽 관목. 산이스랏나무. '一棣'. '維

一之華《詩經》. ⑤일찍 상 嘗(口部 十一畫)과
통용. '高祖─縣咸陽《漢書》. ⑥성 상 성(姓)의
하나.

字源 金文 尚 篆文 常 別體 裳　形聲. 巾+尙〔音〕. '尙
상'은 '長장'과 통하여,
'길다'의 뜻. 긴 천이란 뜻으로부터 바뀌어, 길
이 바뀌지 않다, 항상의 뜻을 나타냄. 또, '嘗
상'과 통하여, '일찍이'의 뜻도 나타냄.

[常客 상객] 늘 오는 손.
[常車 상거] 상차(常車).
[常居 상거] 늘 거처하는 곳.
[常格 상격] 항용(恒用)의 격식(格式).
[常經 상경] 사람이 지켜야 할 떳떳한 도리(道
理). 영구히 변하지 않는 법도(法度).
[常科 상과] ㉠평생(平生)의 규범(規範). ㉡통상
(通常)의 할당(割當), 또는 부과(賦課).
[常軌 상궤] 떳떳하고 바른길.
[常規 상규] ㉠보통의 일반적인 규정 또는 규칙.
㉡늘 변하지 않는 규칙. 상전(常典). 상도(常
度).
[常紀 상기] 항상 변하지 않는 법칙(法則).
[常談 상담] 늘 쓰는 평범한 말.
[常度 상도] ㉠영구히 변하지 않는 바른 법도(法
度). ㉡평상시의 태도.
[常途 상도] 보통의 길. 전(轉)하여, 보통의 일.
[常道 상도] 때와 곳에 따라 변하지 않는 떳떳한
도리. 영구히 변하지 않는 바른길.　　　〔例〕
[常例 상례] 보통(普通)의 사례(事例). 항례(恒
[常禮 상례] 일정한 예의(禮儀). 또, 일상(日常)
의 예절(禮節).
[常綠樹 상록수] 잎이 사시(四時)를 두고 늘 푸른
나무. 소나무·대나무 따위.
[常理 상리] 당연한 이치(理致). 떳떳한 도리(道
[常鱗凡介 상린범개] 흔하게 나오는 물고기와 조
개. 전(轉)하여, 평범한 인물.
[常務 상무] 일상(日常)의 업무.
[常民 상민] 《韓》보통 백성(百姓). 상사람.
[常班 상반] ㉠보통의 지위. 보통의 관등(官等).
㉡《韓》상사람과 양반.
[常法 상법] 일정한 법.
[常辟 상벽] 일정한 법. 또, 일정한 형벌(刑罰).
[常服 상복] ㉠평상시(平常時)에 입는 옷. ㉡일월
(日月)의 휘장(徽章)이 있는 천자(天子)의 융
복(戎服).
[常分 상분] 이미 정하여진 분수(分數).
[常備 상비] 늘 준비(準備)하여 둠. 평상시에 배
풀어 둠.
[常事 상사] ㉠보통(普通)의 일. 늘 하는 일. 일
상의 일. ㉡정하여진 일. 변하지 않는 일.
[常山 상산] 운향과(芸香科)에 속하는 낙엽 관목.
봄에 황록색 꽃이 핌.
[常算 상산] 보통의 꾀.
[常山蛇勢 상산사세] ㉠회계(會稽)의 상산(常山)
에 솔연(率然)이라는 뱀이 있어서 머리를 건드
리면 꼬리가 이르고, 꼬리를 건드리면 머리가
오고, 허리를 찌르면 머리와 꼬리가 함께 이른
다는 손자(孫子)에 나오는 고사(故事)에서 나
온 말로, 이 뱀과 같이 좌우 전후가 상응하여
쳐들어올 기회를 주지 않는 진법(陣法)을 이
름. ㉡문장의 수미(首尾)가 서로 조응(照應)함
을 이름.

[常山舌 상산설] 당(唐)나라 현종(玄宗) 때 안녹
산(安祿山)이 배반하므로 상산(常山)의 태수
(太守) 안고경(安杲卿)이 그를 꾸짖다가 혀를
절단당한 일.
[常設 상설] 늘 설비(設備)하여 둠.
[常性 상성] 일정(一定)하여 변하지 않는 성질.
[常惺惺 상성성] 마음이 항상 흐리지 않고 맑음.
[常稅 상세] 일정한 세금. 항상 받는 구실.
[常羞 상수] 평상시에 늘 먹는 음식. 상식(常食).
[常數 상수] ㉠정하여진 수. 일정한 수. ㉡정하여
진 운명. 자연의 운명. ㉢대수식(代數式) 중에
서 일정불변(一定不變)의 수.
[常習 상습] 늘 하는 버릇.
[常勝 상승] 언제나 이김. 늘 승리함.
[常侍 상시] 항상 좌우에 모시는 사람, 또는 벼
슬.
[常時 상시] 보통 때. 평상시. 평소.
[常式 상식] ㉠일정한 법률(法律). 상법(常法).
㉡일정한 격식(格式).
[常食 상식] 늘 먹는 음식.
[常識 상식] 보통(普通) 사람이 가지고 있는 이해
력과 지식(知識).
[常娥 상아] 달 속에 있다는 선녀(仙女). 전(轉)
하여, 달의 이칭(異稱). 항아(嫦娥).
[常藥 상약] 의서(醫書)에는 없고, 다만 민간(民
間)에서 경험(經驗)으로 쓰는 약(藥).
[常羊 상양] 천천히 이리저리 거닒. 소요(逍遙).
상양(徜徉).
[常業 상업] 일정한 업무.
[常用 상용] 늘 씀. 항상 씀.
[常用漢字 상용한자] 《韓》많고 복잡한 한자(漢
字)의 불편을 피하기 위하여 제한하여 쓰는 한
자.
[常遇春 상우춘] 명(明)나라 회원(懷遠) 사람. 태
조(太祖)를 섬겨 군공(軍功)을 세워 벼슬이 평
장군국중사(平章軍國重事)에 이르렀음.
[常願 상원] 평생의 소원.　　　　　　　〔道〕.
[常義 상의] 사람이 항상 행하여야 하는 상도(常
[常人 상인] ㉠보통(普通) 사람. ㉡《韓》상사람.
[常因 상인] 이미 정하여져서 변하지 않는 인연.
[常任 상임] ㉠일정한 직무를 계속하여 맡음. ㉡
육경(六卿)을 이름.
[常寂光 상적광] 《佛敎》부처의 진신(眞身)이 상
주(常住)하는 곳. 열반(涅槃)의 세계.
[常情 상정] ㉠항상 품고 있는 심정. ㉡사람에게
공통(共通)되는 인정.
[常調 상조] ㉠보통의 율조(律調). 늘 듣는 가락.
㉡관리로 선용(選用)됨.
[常調擧生 상조거생] 상조(常調)는 이미 벼슬아
치로 임명된 사람. 거생(擧生)은 과거(科擧)를
치르어 벼슬아치가 되고자 하는 사람.
[常存 상존] 언제나 존재함. 영구히 있음.
[常主 상주] ㉠일정한 주인(主人). ㉡임금. 천자
(天子).
[常住 상주] ㉠《佛敎》생멸(生滅) 없고 변천(變
遷) 없이 늘 존재함. 영구불변임. ㉡《佛敎》승
려(僧侶)의 집물(什物). ㉢《佛敎》항상 한 곳
에 거주하여 수행하러 돌아다니지 않는 중. ㉣
늘 삶. 항상 거주함.　　　　　　　　〔臥〕.
[常住坐臥 상주좌와] 평상시의 기거좌와(起居坐
[常準 상준] 일정한 법칙(法則). 항상 정하여져 있
는 표준(標準).
[常職 상직] 일정한 직업.

[常秩 상질] 일정한 관직. 상직(常職).
[常車 상차] 위의(威儀)를 갖춘 수레.
[常參 상참] ㉠군주(君主)에게 날마다 알현(謁見)함. ㉡항상 출근(出勤)함.
[常處 상처] 일정한 곳.
[常賤 상천]《韓》상인(常人)과 천인(賤人).
[常棣 상체] ㉠산앵두나무. ㉡시경(詩經) 중의 일편(一篇). 형제(兄弟)가 화목하게 술을 마시며 즐기고 있는 것을 노래한 것. ㉢형제(兄弟). 당체(唐棣).
[常春藤 상춘등] 새모래덩굴과에 속하는 상록 만목(常綠蔓木). 가을에 황록색 꽃이 핌. 댕댕이덩굴. 송악.
[常置 상치] 항상 베풀어 둠.
[常態 상태] 일정한 태(態).
[常套 상투] 항상 하는 투(套).
[常平倉 상평창] 미가(米價)의 조절을 위하여 정부에서 설치한 창고. 한(漢)나라 선제(宣帝) 때 시작되었음.
[常刑 상형] ㉠일정한 법도(法度). ㉡일정한 형벌(刑罰).
[常形 상형] 정해진 모양. 정형(定形).
[常懷 상회] 늘 품고 있어 변하지 않는 마음. 항심(恒心).
◉綱常. 居常. 經常. 故常. 舊常. 國常. 達常. 大常. 目常. 無常. 凡常. 不常. 非常. 貧者士常. 司常. 三綱五常. 三常. 殊常. 習常. 襲常. 尋常. 五常. 庸常. 倫常. 異常. 日常. 典常. 正常. 諸行無常. 眞常. 天常. 通常. 平常. 恒常.

9 ⑫ **[帽]** 人名 모 ㊀號 莫報切 mào

字解 ①건 모 두건. '冠—'. '—自天子, 下及庶人, 通冠之'《隋書》. ②두겁 모 붓두껍. '寫完卽加筆—, 免挫筆鋒'《洞天筆錄》.
字源 形聲. 巾+冒〔音〕. '冒모'는 '쓰다, 모자'의 뜻. '巾건'을 붙이어 모자의 뜻을 나타냄. 원자(原字)는 '冃'이었으나, '目·月' 등과의 구별이 어려워, 이 자형(字形)이 되었음.

[帽帶 모대] 사모(紗帽)와 각대(角帶).
[帽子 모자] ㉠건. 두건(頭巾). 자(子)는 조자(助字). ㉡예의를 갖추거나 또 추위와 더위를 막기 위하여 쓰는 물건의 총칭(總稱).
[帽章 모장] 모자의 기장(記章).
[帽簷 모첨] 모자의 차양.
◉角帽. 冠帽. 落帽. 複帽. 紗帽. 禮帽. 遼帽. 氈帽. 制帽. 着帽. 吹帽. 脫帽. 弊衣破帽. 筆帽. 學帽.

9 ⑫ **[帾]** 도 ㊤㵋 當古切 dǔ

字解 기(旗) 도 '無—絲鬣縷翣其貌'《荀子》.
字源 形聲. 巾+者〔音〕

9 ⑫ **[幀]** 人名 정 ㊀敬 猪孟切 zhèng 帧

筆順 冂 巾 巾' 巾⺊ 帄 帧 幀 幀

字解 ①그림족자 정 비단에 그린 화폭(畫幅). ②그림틀 정, 수틀 정 그림을 그리거나 수를 놓는, 비단을 팽팽히 켕기게 하기 위하여 쓰는 나무로 만든 테. '—撐也, 以木爲框, 撐張絹繒以便作畫也, 今女子以絹帛綳木框而刺繡, 亦謂之—'《品字箋》.
字源 形聲. 巾+貞〔音〕

◉裝幀.

9 ⑫ **[幃]** 위 ㊥微 雨非切 wéi 帏

字解 ①휘장 위 홑겹으로 된 휘장. '一帳'. '垂—痛飮而已'《南唐近事》. ②향낭 위 향을 넣는 주머니. '蘇糞壤以充—兮'《楚辭》.
字源 金文 篆文 形聲. 巾+韋〔音〕. '韋위'는 '圍위'와 통하여, '에워싸다'는 뜻. 에워싸기 위한 천, '휘장'의 뜻을 나타냄.

[幃幕 위막] 휘장과 막.
[幃幔 위만] 휘장(揮帳).
[幃屛 위병] 휘장. 병풍.
[幃室 위실] 휘장을 친 방.
[幃幄 위악] 휘장.
[幃帟 위역] ㉠내실의 휘장. ㉡작전 계획을 짜는 곳.
[幃帳 위장] 휘장.
[幃幌 위황] 휘장.
◉羅幃. 屛幃. 書幃. 紙幃.

9 ⑫ **[幆]** 유 ①㊥虞 容朱切 yú ②㊥尤 餘昭切

字解 ①자투리 유 재단(裁斷)하고 난 토끝. '—, 裁殘帛也'《廣韻》. ②등거리 유 소매가 없는 옷. 褕(衣部 九畫)와 통용. '褕, 襜褕, 短袖襦, 或从巾'《集韻》.
字源 篆文 形聲. 巾+兪〔音〕. '兪유'는 '후벼 내다'의 뜻을 나타냄. 잘라 낸 뒤의 나머지 헝겊을 뜻함.

9 ⑫ **[幄]** 人名 악 ㊇覺 於角切 wò

字解 휘장 악, 장막 악 위와 사방을 둘러치는 막. '帷—'. '幕人掌帷幕—帟綬之事'《周禮》.
字源 形聲. 巾+屋〔音〕. '屋옥'은 '방'의 뜻. 천으로 된 방, 곧 천막의 뜻을 나타냄.

[幄幕 악막] 군영(軍營)에 쓰는 막(幕). 진중(陣中)의 장막.
[幄帷 악유] 휘장. 장막(帳幕).
[幄帳 악장] 휘장. 장막.
[幄殿 악전] 휘장을 둘러친 궁전.
[幄座 악좌] 휘장을 둘러친 자리.
[幄中 악중] 막을 친 안. 대장의 진영 안.
◉絰幄. 裙幄. 閫幄. 宸幄. 油幄. 帷幄. 紫幄. 帳幄. 綵幄.

9 ⑫ **[㡒]**
㊀ 준 ㊥眞 直倫切 zhūn
㊁ 춘 ㊥眞 陟綸切
㊂ 순 ㊥眞 測倫切
㊃ 돈 ㊤阮 徒損切

字解 ㊀ ①쌀자루 준 '—, 載米斴也'《說文》. ②주머니 준 '—, 布貯'《廣韻》. ③깃끝 준. ㊁ 쌀자루 춘, 주머니 춘, 깃끝 춘 ㊀과 뜻이 같음. ㊂ 쌀자루 순, 주머니 순, 깃끝 순 ㊀과 뜻이 같음. ㊃ 쌀자루 돈, 주머니 돈, 깃끝 돈 ㊀과 뜻이 같음.

字源 形聲. 巾+盾[音]

9/⑫ [帿] 후 㰬尤 胡溝切 hóu

字解 과녁 후 侯(人部 七畫)와 同字.

9/⑫ [幅] 폭 ᄒ人 ᄐ폭 / 핍(벽) 入屋 方六切 fú / 入職 彼側切 bī 幅

筆順 冂 巾 巾 巾 幅 幅 幅 幅

字解 ᄐ①폭 폭 ㉠넓이. '一員旣長'《詩經》. ㉡척자 또는 서간(書簡) 등을 세는 수사(數詞). '勉爲新詩章, 月寄三四一'《韓愈》. ②가 폭 좌우의 가장자리. '邊一'. '夫富如布帛之有一焉《左傳》. ③포백 폭 직물. '繡文錦一'《孫樵》. ④족자 폭 서화의 축(軸). '獨一山水'《揮塵錄》. ⑤행전 핍 무릎 아래에 매는 물건. '帶裳一寫《左傳》.

字源篆文 形聲. 巾+畐[音]. '畐복'은 '鄙비'와 통하여, 어떤 넓이를 수반한 물건의 주변부의 뜻. '巾건'은 '천 조각'의 뜻. 천의 가장자리, 폭의 뜻에서, 일반적으로, '가장자리'의 뜻을 나타냄.

[幅巾 폭건] 머리를 뒤로 싸 덮는, 비단으로 만든 두건(頭巾). 은사(隱士) 등이 쓰는 것.
[幅裂 폭렬] 끊어져 째진 분열.
[幅利 폭리] 포목(布木)에 일정한 폭이 있듯이, 이익을 얻는 데도 정도에 알맞게 함.
[幅員 폭원] ㉠폭과 주위. 넓이와 둘레. ㉡토지 (土地)의 넓이. 강역(疆域)을 이름.
[幅隕 폭원] 넓이와 둘레. 폭원(幅員).
[幅尺 폭척] 넓이와 길이.
●巾幅. 大幅. 獨幅. 滿幅. 半幅. 配幅. 襞幅. 邊幅. 邪幅. 書幅. 素幅. 帳幅. 全幅. 終幅. 紙幅. 振幅. 震幅. 充幅. 畫幅. 擴幅. 環幅. 橫幅.

9/⑫ [幃] 〔곤〕 㡓(衣部 九畫〈p.2070〉)과 同字

字源篆文 形聲. 巾+軍[音]. '軍군'은 '두르다'의 뜻. 발에 두르는 천, '잠방이'의 뜻을 나타냄.

9/⑫ [冪] 멱 入錫 莫狄切 mì

字解 덮을 멱 冪(冖部 十四畫)과 同字. '一八尊'《周禮》.

[冪冪 멱멱] 구름 따위가 덮는 모양.
●蓋冪.

9/⑫ [幇] 〔방〕 幫(巾部 十四畫〈p.683〉)과 同字

9/⑫ [帢] 〔갑〕 帕(巾部 六畫〈p.671〉)과 同字

9/⑫ [豚古字] 〔돈〕 豚(豕部 四畫〈p.2174〉)의 古字

10/⑬ [幪] 몽 㱕東 莫紅切 méng / 㱕送 莫弄切

字解 보 몽 물건을 덮거나 싸는 보. '一, 蓋衣也'《說文》.
字源篆文 形聲. 巾+蒙[音]. '蒙몽'은 '덮다'의 뜻. 덮어씌우는 천의 뜻을 나타냄.

10/⑬ [帺] 비 㱕齊 邊兮切 bī

字解 ①수레포장 비 '一, 車一也'《玉篇》. ②포렴 비 휘장. '一, 幨也'《廣雅》.

10/⑬ [幌] 황 入名 㱕養 胡廣切 huǎng 幌

字解 ①휘장 황 장막. '卷一通河色, 開窓引月輝'《梁簡文帝》. ②덮개 황 포장. 휘장처럼 된, 덮어 가리는 형겊. '小爐低一還遮掩'《陸龜蒙》.
字源篆文 形聲. 巾+晃[音]. '晃황'은 '흔들거리다'의 뜻. 수레 따위를 덮고 달릴 때마다 흔들거리는 '포장'의 뜻.

●蚊幌. 書幌. 幃幌. 襦幌. 寢幌. 戶幌.

10/⑬ [帨] 도 㱕豪 他刀切 tāo

字解 ①보 도 '一, 巾帙也'《集韻》. ②끈 도 여러 겹으로 꼰 끈. 絛(糸部 七畫)와 同字.

10/⑬ [幏] 가 㱕禡 古訝切 jià / 㱕麻 古牙切

字解 구실베 가 만이(蠻夷)의 공물(貢物)인 직물(織物). '其民戶出一布八丈二尺'《後漢書》.
字源篆文 形聲. 巾+家[音].

10/⑬ [幦] 멱 入錫 莫狄切 mì 幦

字解 ①덮을 멱, 가릴 멱 덮어 가림. '一目用緇'《儀禮》. ②고르게할 멱 균일하게 하는 모양. '欲其一爾而下迤也'《周禮》.
字源篆文 形聲. 巾+冥[音]. '冥명'은 '덮다'의 뜻. 덮는 천의 뜻을 나타냄.

[幦歷 멱력] 나타났다 사라졌다 하는 모양. 보이다 보이지 않다 하는 모양.
[幦冒 멱모] 멱목(幦目).
[幦帽 멱모] 멱모(幦冒).
[幦目 멱목] 소렴(小斂) 때에 시체(屍體)의 얼굴을 싸는 검은 형겊. 네 귀에 끈을 달았음.

[幦目]

10/⑬ [幬] 구 㱕尤 居侯切 gōu

字解 ①갑옷 구 옛날 싸울 때 입던 옷. '一, 甲衣也'《玉篇》. ②홑옷 구 겹옷이 아닌 옷. 褠(衣部 十畫)와 同字.

10/⑬ [幨] 렴 㱕鹽 力鹽切 lián

字解 휘장 렴 문(門)에 치는 포렴(布簾). '一, 帷也'《說文》.
字源篆文 形聲. 巾+兼[音]. '兼겸'은 가지런히 줄짓다의 뜻. 문밖에 다는 형겊으로 만든 포렴.

10 ⑬ **[幐]** 등 [平]蒸 徒登切 téng

[字解] ①향주머니 등 향낭(香囊). '一, 囊也'《說文》. ②주머니 등 '凡囊皆曰一'《說文 段注》.

[字源] 篆文 形聲. 巾+朕〔音〕

10 ⑬ **[帣]** 〔권〕
帣(巾部 六畫〈p.673〉)의 本字

10 ⑬ **[幋]** 반 [平]寒 薄官切 pán

[字解] ①횃대보 반 옷을 싸 덮는 큰 보. '一覆衣大巾也'《說文》. ②머리꾸미개 반 '一, 或以爲首一'《說文》.

[字源] 篆文 形聲. 巾+般〔音〕. '般반'은 '크다'의 뜻. 큰 보자기를 뜻함.

11 ⑭ **[幏]** 봉 [去]宋 房用切 fèng

[字解] ①수건 봉 '一, 巾也'《玉篇》. ②표제(標題) 봉 '一, 款書也'《集韻》.

11 ⑭ **[幗]** 괵 [入]陌 古獲切 guó

[字解] 머리장식 괵 부인의 머리를 장식하는 데 쓰는 헝겊. '巾一'. '紺一綃一'《晉書》.

[字源] 篆文 形聲. 巾+國〔音〕. '國국'은 둘레로 빙 둘러싸다의 뜻을 나타냄.

◉巾幗. 遺幗.

11 ⑭ **[幖]** 표 [平]蕭 甫遙切 biāo

[字解] ①표지 표, 기(旗) 표 알리기 위하여 하는 표. 또, 그 기(旗). ②펄럭거릴 표 기(旗) 같은 것이 나부끼는 모양. '旌竿一一旗燿燿'《杜牧》. ③주기(酒旗) 표 술집에 내거는 기. '一, 又今酒旗, 俗稱一'《正字通》.

[字源] 篆文 形聲. 巾+票(㶾)〔音〕. '㶾표'는 불티가 날아오른다는 뜻. 불티처럼 높이 올라가서 눈에 띄는 표시의 뜻을 나타냄.

11 ⑭ **[幔]** 만 [去]翰 莫半切 màn

[字解] 장막 만 여러 폭을 이어 댄 휘장. '一幕'. '朱一紅舒, 翠幙蜺連'《張協》.

[字源] 篆文 形聲. 巾+曼〔音〕. '曼만'은 길게 '자라다'의 뜻. 점점 늘어나는 가로막(幕)의 뜻을 나타냄.

[幔幕 만막] 막(幕). 휘장.
[幔城 만성] 장막으로 둘러싼 임시의 성.
[幔室 만실] 비단 휘장을 둘러친 방.
[幔屋 만옥] 막을 둘러친 옥사(屋舍).
[幔帷 만유] 휘장. 장막. 사면으로 늘어지는 것은 만, 한쪽으로 늘어지는 것은 유(帷).
◉羅幔. 油幔. 帷幔. 帳幔. 翠幔. 毳幔. 花幔.

11 ⑭ **[幅]** 구 ①[平]尤 虛侯切 kóu ②[平]虞 權俱切 qú

[字解] ①깍지 구 활 쏠 때 손가락에 끼는 제구. 抉(手部 四畫)과 뜻이 같음. ②신코꾸밈실 구 엄지총 부분을 장식하는 실. 絇(糸部 五畫)와 同字.

11 ⑭ **[幓]** [一] 삼 [平]鹽 師炎切 shān [二] 섬 [平]侵 疏簪切 shēn

[字解] [一] 수레장식드리울 삼 수레에 장식한 것이 드리운 모양. '灕虖一纚'《漢書》. [二] 기폭 섬 기의 바탕 헝겊. '旗正幅爲一'《集韻》.

[字源] 形聲. 巾+參〔音〕

11 ⑭ **[𢅥]** 루 [平]尤 郎侯切 lóu

[字解] 말먹이자루 루 말에게 물을 담아 먹이는 자루. 일설에는, 풀 먹이는 자루. '一, 飤馬橐'《正字通》.

11 ⑭ **[幘]** 책 [入]陌 側革切 zé

[字解] ①머리싸개 책 머리를 싸는 헝겊. '岸一'. '古者有冠無一'《後漢書》. ②볏 책 계관(雞冠). '全如雞一丹'《梅堯臣》.

[字源] 篆文 形聲. 巾+賚(責)〔音〕. '賚책'은 '쌓다'의 뜻. 겹쳐 쌓아서 휩싸는 천의 뜻을 나타냄.

◉介幘. 巾幘. 空頂幘. 卷幘. 鹿幘. 半幘. 岸幘. 平上幘.

11 ⑭ **[幓]** 조 [平]豪 臧曹切 zāo

[字解] ①깔개 조 요, 방석, 자리 따위. '一, 藉也'《玉篇》. ②옷자락 조.

11 ⑭ **[幓]** [一] 세 [入]屑 私列切 xiè [二] 설 [入]屑 相絕切 xuě

[字解] [一] ①자투리 세 재단하고 남은 헝겊. '一, 殘帛也'《說文》. ②나머지 세 잔여(殘餘). '一, 餘也'《廣雅》. [二] 조화(造花) 설 만든 꽃. 가화(假花). '一縷, 桃花, 今製綾花'《廣韻》.

[字源] 篆文 形聲. 巾+祭〔音〕. '祭제'는 손끝으로 집어 올리다〔擦〕의 뜻. 마르고 남은 작은 헝겊 조각.

11 ⑭ **[幙]** [一] 幕(次次條〉)과 同字 [二] 模(木部 十一畫〈p.1103〉)와 同字

11 ⑭ **[幑]** 휘 [平]微 許歸切 huī

[字解] 표기 휘 표지(標識)가 있는 기(旗). 徽(彳部 十四畫)와 同字. '揚一者公徒也'《左傳》.

[字源] 篆文 形聲. 巾+微〈省〉〔音〕. '微미'는 '작다'의 뜻. 안표용(眼票用)으로 붙이는 작은 헝겊의 뜻.

11 ⑭ **[幕]** [高人] 막 [入]藥 慕各切 mù

[筆順] 幕

[字解] ①장막 막 휘장. 천막. '帷一'. '就一而會'《國語》. ②막부 막 장군이 군무(軍務)를 보는 군막(軍幕). 중국에서, 옛날에 장군을 상치(常置)하지 아니하고 유사시(有事時)에 특히

임명하였다가 일이 끝나면 해직 (解職) 하였으므로, 청사 (廳舍) 가 없이 장막을 쳐서 집무소로 삼았던 데서 유래 (由來) 함. '同佐鄭少師宣州一'《攄言》. ③덮을 막 덮어 가림. '井收勿一'《易經》. ④사막 막 漠 (水部 十一畫) 과 통용. '衛靑將六將軍絶一'《漢書》. ⑤성 막 성 (姓) 의 하나.

字源 甲骨文 [圖] 篆文 [圖] 形聲. 巾+莫 (莫) 〔音〕. '莫막'은 해가 풀덤불로 숨는 모양에서, 싸 감추다의 뜻. 싸 감추기 위한 천, '막'의 뜻을 나타냄.

[幕南 막남] 내몽고 (內蒙古) 의 고비 사막 (沙漠) 의 남쪽. 막남 (漠南).
[幕絡 막락] 덮고 두르고 함.
[幕僚 막료] ㉠장군을 보좌하는 참모관 (參謀官). ㉡고문 (顧問).
[幕吏 막리] 막부 (幕府) 의 벼슬아치. 장군 (將軍) 의 부하 (部下).
[幕府 막부] ㉠장군 (將軍) 이 집무 (執務) 하는 곳. 자해 (字解) ❷를 보라. ㉡절도사 (節度使) 등이 집무하는 곳.
[幕北 막북] 막삭 (幕朔). 막북 (漠北).
[幕賓 막빈] 입막지빈 (入幕之賓) 의 뜻으로, 비밀 모의 (謀議) 에 참여하여 막부의 빈객의 예우 (禮遇) 를 받는 사람.
[幕舍 막사] 임시로 되는대로 허름하게 지은 집.
[幕朔 막삭] 사막 (沙漠) 의 북쪽이란 뜻으로, 고비 사막 이북의 몽고지방을 이름.
[幕上燕 막상연] 펄럭거리는 장막의 곁에 집을 짓고 사는 제비. 곧, 극히 위험한 지위에 있는 사람의 비유.
[幕上之燕巢 막상지연소] 장막의 제비 집. 위험한 것의 비유. 막상연 (幕上燕).
[幕臣 막신] 막부 (幕府) 에 직속 (直屬) 하는 신하.
[幕燕 막연] ㉠사막의 제비. 북쪽 제비. ㉡막상연.
[幕營 막영] ㉠임시로 막을 치고 만든 군진. ㉡장군이 있는 진영. 본진 (本陣).
[幕屋 막옥] 휘장을 둘러친 옥사 (屋舍).
[幕友 막우] 막료 (幕僚).
[幕議 막의] 막부의 평의 (評議).
[幕庭 막정] 장막을 친 뜰. 전 (轉) 하여, 장군이 사무를 보는 곳.
[幕天席地 막천석지] 하늘을 장막으로 삼고 땅을 자리로 삼는다는 뜻으로, 지기 (志氣) 가 웅대 (雄大) 한 형용.
[幕下 막하] ㉠대장 (大將) 의 휘하 (麾下). ㉡장군 (將軍) 의 경칭 (敬稱).

●開幕. 見幕. 舊幕. 軍幕. 羅幕. 倒幕. 同幕. 幔幕. 膚幕. 序幕. 帷幕. 暗幕. 帟幕. 煙幕. 簾幕. 帷幕. 留幕. 六幕. 銀幕. 入幕. 字幕. 除幕. 終幕. 佐幕. 天幕. 鐵幕. 閉幕. 黑幕.

12 ⑮ [幝] 천 ㊤銑 昌善切 chǎn

字解 수레휘장해질 천 수레의 장막이 해져 너풀거리는 모양. '檀車——'《詩經》.

字源 篆文 [幝] 形聲. 巾+單〔音〕. '單선'은 '튀기다'의 뜻. 수레의 덮개 천이 찢어져서 펄럭이다의 뜻을 나타냄.

12 ⑮ [幬] 주·도 幬 (巾部 十四畫〈p.683〉) 의 本字

12 ⑮ [幫] 〔방〕 幫 (巾部 十四畫〈p.676〉) 의 俗字

12 ⑮ [幞] 복 ㊤沃 房玉切 fú

字解 건 복 두건 (頭巾). '戴—頭'《詩話總龜》.

字源 篆文 [幞] 形聲. 巾+美〔音〕.

[幞頭 복두] 두건 (頭巾) 의 하나. 후주 (後周) 의 무제 (武帝) 가 처음 만들었음. 전각 복두 (展脚幞頭) 와 교각 복두 (交脚幞頭) 의 두 가지가 있음.

[展脚幞頭]　[交脚幞頭]

12 ⑮ [幠] 획 ㊤陌 忽麥切 huà

字解 비단찢는소리 획 '一, 裂帛聲'《玉篇》.

12 ⑮ [幟] 〔人名〕 치 ㊤寘 昌志切 zhì

字解 표기 치 표지 (標識) 가 있는 기. '旗—' 전 (轉) 하여, 다만 '표지'의 뜻으로도 쓰임. '以采繒縫其裾爲—'《後漢書》.

字源 篆文 [幟] 形聲. 巾+戠〔音〕. '戠식·치'는 '識식·지'와 통하여, 구별하는 표시의 뜻. 표지로 삼는 기 (旗) 의 뜻을 나타냄.

●旗幟. 幡幟. 疑幟. 赤幟. 旌幟. 標幟. 虛幟. 麾幟. 徽幟.

12 ⑮ [幡] 〔人名〕 번 ㊦元 孚袁切 fān

字解 ①표기 번 표지 (標識) 가 있는 기 (旗). '—旗'. ②나부낄 번 기 같은 것이 펄럭거림. 翻 (羽部 十二畫) 과 통용. '——'. '旣而—然改'《孟子》.

字源 篆文 [幡] 形聲. 巾+番〔音〕. '番번'은 방사상 (放射狀) 으로 퍼지다의 뜻. 퍼지는 천 조각, 행주의 뜻을 나타냄. 또, '旛번'과 통하여, '기 (旗)'의 뜻으로도 쓰임.

[幡竿 번간] 깃대.
[幡蓋 번개] 기와 천개 (天蓋).
[幡旗 번기] 표지 (標識) 가 있는 기.
[幡幡 번번] ㉠펄펄 나부끼는 모양. ㉡위의 (威儀) 가 없이 경솔한 모양. ㉢박잎이 움직이는 모양.
[幡纚 번사] 펄펄 나부끼는 모양.
[幡信 번신] 기로 알리는 지시.
[幡然 번연] ㉠나부끼는 모양. ㉡갑자기 마음이 변하는 모양.
[幡紙 번지] 옛날에 글자를 쓰는 데 쓴 비단.
[幡幟 번치] 표지가 있는 기. 표기.

●三幡. 信幡. 翻幡. 風幡.

[幡①]

12 ⑮ [憬] 경 ㊤梗 居永切 jǐng

字解 ①비단 경 '一, 帛也'《玉篇》. ②너울 경 옷 위에 덧씌워 먼지를 막는 쓰개. 景 (日部 八畫) 과 통용. '後齊納后禮, 皇后服大嚴繡衣, 帶綬

佩, 加一. 入昭陽殿, 前至席位, 姆去一'《隋書》.
[字源] 形聲. 巾+景[音]

12 ⑮ [幢] [人名] 당 ㊀江 宅江切 chuáng

[字解] ①기 당 의장(儀仗) 또는 지휘하는 데 쓰는 기. '建一旂, 植羽葆'《漢書》. ②꼼목 당 버팀목. 지주(支柱). '七寶金一, 擎瑠璃地'《觀無量壽經》. ③늘어질 당 새털·포목 등의 늘어진 모양. '樹羽——'《張衡》.
[字源] 篆文 幢 은 통 모양의 물건이 늘어지는 모양. 또, '鐘종'과 통하여, '종'의 뜻. 천을 종 모양으로 만든 '기(旗)'의 뜻을 나타냄.

[幢①]

[幢蓋 당개] 작은 기를 단 창과 붉은 갓·장군·자사(刺史)의 의제.
[幢棨 당계] 창(槍)으로 깃대를 한 기(旗). 기창(旗槍).
[幢戟 당극] 기(旗)가 달린 창(槍).
[幢幢 당당] ㉠화영(火影)이 움직이는 모양. ㉡새털·포목 따위가 늘어진 모양.
[幢幡 당번] ㉠기(旗). ㉡불당(佛堂)을 장식하는 기(旗).
[幢旛 당번] 당번(幢幡).
[幢牙 당아] 대장(大將)이 세우는 기. 대장기(大將旗).
[幢主 당주] 일군(一軍)의 우두머리.
●法幢. 石幢. 牙幢. 羽葆幢. 麾幢.

12 ⑮ [𰨪] 교 ㊀蕭 丘祆切 qiāo

[字解] 끈 교, 바지끈 교 縚(糸部 十二畫)와 同字. '一, 袴一也'《玉篇》

12 ⑮ [幠] 무 ㊀虞 荒烏切 hū

[字解] ①덮을 무 덮어 가림. '一用斂衾'《禮記》. ②업신여길 무 깔봄. '毋一毋敖'《禮記》.
[字源] 篆文 幠 形聲. 巾+無(幠)[音]. '幠무'는 덮어 가려서 보이지 않게 하다의 뜻. 물건을 덮어 가리는 천.

12 ⑮ [𢁉] 산 ㊀旱 蘇旱切 sǎn ㊁翰 先旰切

[字解] 일산(日傘) 산 수레 같은 데에 볕을 가리기 위하여 쓰이는 것. 繖(糸部 十二畫)·傘(人部 十畫)과 同字. '功曹吏一扇騎從'《晉書》.
[字源] 形聲. 巾+散[音]

12 ⑮ [幩] 〔분〕 幩(巾部 十三畫〈p.682〉)의 俗字

12 ⑮ [繻] 수 ㊀虞 相兪切 xū

[字解] 쪽끈 수 부인(婦人)이 쪽을 찔 때 머리카락을 묶는 끈. '婦人成服, 布頭一, 用略細麻布一條爲之. 長八寸, 用以束髮根, 而垂其餘于後'《朱子家禮》.

12 ⑮ [幣] [高入] 폐 ㊁霽 毗祭切 bì

[筆順] 丷 爫 癶 癶 敝 敝 幣 幣

[字解] ①비단 폐 견직물. '皮一'. ②폐백 폐 예물로 보내는 비단. 전(轉)하여, 널리 예물. '一物'. '一美則沒禮'《儀禮》. ③돈 폐 전화(錢貨). '錢一, 改一以約之'《漢書》. ④재물 폐 재화. '以珠玉爲上一'《管子》.
[字源] 篆文 幣 形聲. 巾+敝[音]. '敝폐'는 '拜배'와 통하여, '절하다'의 뜻. 신에게 절하고 바치는 천의 뜻을 나타냄.

[幣貢 폐공] 공물(貢物).
[幣馬 폐마] 선물의 말.
[幣物 폐물] ㉠예물(禮物). ㉡공물(貢物).
[幣帛 폐백] ㉠예물(禮物)로서 보내는 비단. ㉡재화(財貨).
[幣聘 폐빙] 예물을 보내서 사람을 초청함.
[幣制 폐제] 화폐(貨幣)에 관한 제도.
[幣獻 폐헌] 선물.
●官幣. 金幣. 納幣. 寶幣. 奉幣. 聘幣. 使幣. 歲幣. 宿幣. 量幣. 御幣. 財幣. 楮幣. 錢幣. 正幣. 造幣. 重幣. 紙幣. 贄幣. 職幣. 徵幣. 泉幣. 皮幣. 貨幣. 厚幣.

13 ⑯ [幨] 첨 ①②㊀鹽 處占切 chān ③㊁豔 昌描切 chàn

[字解] ①수레휘장 첨 체(車體)를 둘러치는 휘장. '一帷'. '擁蓋垂一, 其榮可喜'《歐陽修》. ②끊을 첨 단절함. '筋之所由一'《周禮》. ③옷깃 첨 '列大夫豹一'《管子》.
[字源] 形聲. 巾+詹[音]. '詹첨'은 '襜첨'과 통하여, '처마'의 뜻. 처마처럼 늘어진 천, 휘장·포장의 뜻을 나타냄.

[幨帷 첨유] ㉠수레의 휘장. ㉡남을 공경하여 일컫는 말.

13 ⑯ [幧] 조 ㊀蕭 七遙切 qiāo

[字解] 머리띠 조 머리에 감는 헝겊. '少年見羅敷, 脫帽着一頭'《古樂府》.
[字源] 篆文 幧 形聲. 巾+喿[音]. '喿소'는 '操조'와 통하여, 요란스러운 물건을 거머쥐다의 뜻. 머리칼을 묶어 감는 헝겊.

13 ⑯ [幧] 교 ①篠 吉了切 jiǎo ③嘯 吉弔切

[字解] 행전 교, 각반 교 '一脛'. '行縢謂之一'《集韻》.

13 ⑯ [幩] 분 ㊀文 符分切 fén

[字解] 말장식 분 말의 재갈 장식. '朱一鑣鑣'《詩經》.
[字源] 篆文 幩 形聲. 巾+賁[音]. '賁분'은 '장식하다'의 뜻.

13 ⑯ [幎] 멱 ㊁錫 莫狄切 mì

[字解] 수레뚜껑 멱 차개(車蓋). '君羔一虎犆'《禮記》.

[字源] 篆文 形聲. 巾+辟〔音〕. 흑자색(黑赭色) 옻칠을 입힌 천. 또, 가죽 천. 우의(雨衣) 또는 수레의 식(軾)의 덮개로 썼음.

13 ⑯ [⿱艹⿱冖巾] 〔멱〕
幭(巾部 十五畫〈p.683〉)과 同字

[冪] 〔멱〕
冖部 十四畫(p.227)을 보라.

14 ⑰ [幪] 몽 ①[平]東 莫紅切 méng ②[上]董 母總切 mĕng

[字解] ①덮을 몽 덮어 가림. 또, 그 물건. '知夏屋之爲帡一也'《揚子法言》. ②무성할 몽 초목이 무성한 모양. '麻麥一一'《詩經》.
[字源] 形聲. 巾+蒙〔音〕. '蒙몽'은 '덮다'의 뜻.

[幪幪 몽몽] 초목이 무성한 모양.

14 ⑰ [⿰巾監] 람 [平]覃 盧甘切 lán

[字解] ①단없는옷 람 '一, 楚謂無緣衣也'《說文》. ②털옷 람 '一輕, 毳也'《揚子方言》.
[字源] 篆文 形聲. 巾+監〔音〕

14 ⑰ [幬] [一] 주 [入]尤 直由切 chóu [二] 도 [去]號 徒到切 dào 帱

[字解] [一] ①휘장 주 장막 '一帳'. '搴余一而請御'《宋玉》. ②바퀴통가죽 주 수레의 바퀴통을 싸는 가죽. '欲其一之廉也'《周禮》. [二] 덮을 도 덮어 가림. '如天之無不持載無不覆一'《中庸》.
[字源] 金文 篆文 形聲. 巾+壽(𠷎)〔音〕. '𠷎주·수'는 한 줄로 늘어놓다의 뜻. 늘어놓은 천, '휘장'의 뜻을 나타냄. 金文은 '𠷎'만으로 나타냈으나, 篆文에서는 '巾건'이 첨가됨.

[幬帳 주장] ㉠휘장. 장막. ㉡모기장.
◉羅幬. 蚊幬. 覆幬.

14 ⑰ [⿰𠂤帚] 〔귀〕
歸(止部 十四畫〈p.1144〉)의 略字

14 ⑰ [⿰巾㥯] 은 [去]問 於靳切 yìn

[字解] ①굽을 은, 틀릴 은. ②쌀 은 안에 넣고 묶어 쌈. '一, 裹也'《廣雅》.

14 ⑰ [幫] 방 [平]陽 博旁切 bāng 帮

[字解] ①도울 방 보좌함. '一助補說'《傳習錄》. ②패거리 방 동아리. '四人一'. ③《現》 단체 방 동향인(同鄕人)·동업자 등의 단체나 비밀 결사(祕密結社).
[字源] 形聲. 帛(巾+白)+封〔音〕
[參考] 幇(巾部 九畫)과 同字.

[幫間 방간] 두 사람 사이에 서서 주선하는 사람. 거간꾼.
[幫助 방조] 도와줌.

15 ⑱ [幭] [一] 멱 [入]錫 莫狄切 [二] 멸 [入]屑 莫結切 miè

[字解] [一] ①덮개 멱 물건을 덮는 천. ②잠옷 멱 '一, 一曰, 襌被也'《說文》. ③수레뚜껑 멱 수레 위에 덮는 덮개. 차개(車蓋). 차복(車覆). '鞹鞃淺一'《詩經》. ④머리띠 멱. [二] 수레뚜껑 멸 [一]과 뜻이 같음.
[字源] 篆文 形聲. 巾+蔑〔音〕. '蔑멸'은 '보이지 않다'의 뜻. 천으로 보이지 않게 하는 '덮개'의 뜻을 나타냄.

15 ⑱ [⿰巾節] 절 [入]屑 子結切 jié

[字解] 걸레질할 절 '一, 拭也'《玉篇》.

15 ⑱ [幮] 주 [平]虞 直誅切 chú

[字解] 휘장 주 네모지게 둘러치는 휘장. 모기장 따위. '蚊一'. '葛一竹簟夜更涼'《陸游》.
[字源] 形聲. 巾+廚〔音〕

16 ⑲ [⿰巾篾] 멱 [入]錫 莫狄切 miè

[字解] 수레덮개 멱 수레의 덮는 뚜껑. 篾(竹部 十二畫)과 同字.

16 ⑲ [幰] 헌 [上]阮 虛偃切 xiăn

[字解] 수레휘장 헌 수레에 치는 휘장. '弗許施一'《隋書》.
[字源] 篆文 形聲. 巾+憲〔音〕. '憲헌'은 위에서 '덮어씌우다'의 뜻.

17 ⑳ [幱] 란 [平]寒 落干切 lán

[字解] 철릭 란 윗옷과 아랫도리옷이 잇대어 된 의복. '一, 衣與裳連也'《正字通》.

17 ⑳ [⿰巾韱] 첨 [平]鹽 ①子廉切 jiān ②七廉切 qiān

[字解] ①걸레질할 첨 '一, 拭也'《說文》. ②표지 첨 알아보도록 표한 것. '一, 標識也'《集韻》.
[字源] 篆文 形聲. 巾+韱〔音〕. '韱첨·섬'은 작은 것까지 다하다의 뜻. 천으로 남김없이 닦다, 훔치다의 뜻.

17 ⑳ [⿰巾登] 쟁 [去]敬 豬孟切 zhèng

[字解] 그림깁붙일 쟁 그림 그린 깁을 틀에 펴서 붙임. '一, 開張畫繪也'《廣韻》.

18 ㉑ [⿰巾雙] 쌍 [平]江 疎江切 shuāng

[字解] 돛 쌍 欆(木部 十八畫)과 同字.

18 ㉑ [⿰巾夒] [一] 논 [平]元 乃昆切 nún [二] 뇌 [平]灰 乃回切 néi [三] 난 [上]旱 乃坦切 [去]翰 奴案切

[字解] [一] ①바를 논 '一, 墀地也. 巨巾摑之'《說文》. ②훔칠 논 걸레로 지댓돌을 훔침. ③붙을 논 '一, 一曰著也'《說文》. [二] 바를 뇌, 훔칠 뇌,

붙을 뇌 冃과 뜻이 같음. 目 바를 난, 훔칠 난, 붙을 난 冃과 뜻이 같음.
字源 形聲. 巾＋夏〔音〕

干 (3획) 部

[방패간부]

0
③ [干] 中人 간 ㉠寒 古寒切 gān   干

筆順 一 三 干

字解 ①방패 간 창을 막는 물건. '一戈'. '寢苦枕一'《禮記》. ②막을 간 방어(防禦)함. '師一之試'《詩經》. ③범할 간 ㉠법률·도덕에 어긋나는 일을 함. '其敢一大禮, 以自取戾'《左傳》. ㉡저촉(抵觸)함. 촉범(觸犯)함. '一犯'. '以一先王之誅'《書經》. ㉢능모(陵侮)함. 모독(冒瀆)함. '上下不一'《國語》. ㉣분한(分限)을 어지럽힘. '趙孟使人以其乘車一行'《國語》. ㉤무례한 짓을 함. '挾弓持矢, 而一闔廬'《穀梁傳》. ④구할 간 요구함. 바람. '一請'. '子張學一祿'《論語》. ⑤간여할 간 참여함. '一涉'. '一豫人事'《晉書》. ⑥개 간 물건을 세는 수사(數詞). 簡(竹部 八畫)와 뜻이 같음. '若一'. ⑦말릴 간 '方將被髮而干'《莊子》. ⑧산골물 간 澗(水部 十二畫)과 통용. '秩秩斯一'《詩經》. ⑨물가 간 수변(水邊). '寘之河之一'《詩經》. ⑩천간 간 십간(十干). '一支'. '一支一配天地之用也'《皇極經世》. ⑪교외 간 성문 밖. 국도(國都) 밖. '出宿于一'《詩經》. ⑫성 간 성(姓)의 하나. ⑬(韓) 새앙 간 약화제(藥和劑)나 약복지에 생강(生薑)의 뜻으로 쓰는 말 '一三召二'.

字源 金文 ¥ 篆文 ¥ 象形. 끝이 쌍갈진 무기의 상형으로, '범하다, 막다'의 뜻을 나타냄.

參考 주로, 자형(字形) 분류를 위해 부수(部首)로 세워짐.

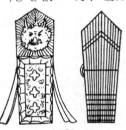
[干①]

[干戈 간과] ㉠방패와 창. 전(轉)하여, 전쟁(戰爭)에 쓰는 병장기(兵仗器)의 총칭(總稱). ㉡전쟁.
[干戈倥傯 간과공총] 전쟁으로 바쁨. 병과공총(兵戈倥傯).
[干求 간구] 구(求)함.
[干黷 간독] 범(犯)하고 더럽힘. 남에게 면회를 청할 때 쓰는 말.
[干連 간련] 남의 범죄(犯罪)에 관계(關係)가 있음.
[干櫓 간로] 방패. 노(櫓)는 큰 방패.
[干祿 간록] ㉠복록(福祿)을 구함. ㉡녹봉(祿俸)

을 구함. 벼슬을 하고자 함.
[干祿字書 간록자서] 자서(字書). 당(唐)나라의 안현손(顔玄孫) 지음. 1권(卷). 문자(文字)의 정자(正字)·통자(通字)·속자(俗字)를 밝혔음. 관록(官祿)을 바라는 사람이 장표(章表)를 지을 때에 참고하도록 한 자서(字書)라는 뜻으로, 책 이름을 이렇게 지었음.
[干滿 간만] 간조(干潮)와 만조(滿潮). 썰물과 밀물.
[干舞 간무] 방패를 써서 추는 무(武)의 춤.
[干犯 간범] 침범함. 죄에 저촉함.
[干涉 간섭] 남의 일에 나서서 참견(參見)함.
[干城 간성] 방패와 성. 전(轉)하여, 국가(國家)를 위하여 방패(防牌)가 되고 성(城)이 되어 외적(外敵)을 막는 군인(軍人).
[干謁 간알] 알현(謁見)을 구함.
[干預 간예] 관계하여 참견(參見)함.
[干羽 간우] 하(夏)나라 우왕(禹王)이 시작한 무악(舞樂)의 이름. 방패를 쥐고 추는 춤과 깃을 쥐고 추는 춤. 간무(干舞). 우무(羽舞).
[干雲蔽日 간운폐일] 구름을 침범하고 해를 가린다는 뜻으로, 나무가 하늘을 찌를 듯이 높이 솟은 것을 형용한 말.
[干恩 간은] 임금의 은택(恩澤)을 간구(干求)함.
[干將莫邪 간장막야] 고대(古代)의 두 자루의 명검(名劍). 간장(干將)은 오(吳)나라의 도장(刀匠)이고, 막야(莫邪)는 그의 아내로서 오왕(吳王) 합려(闔閭)를 위하여 음(陰)(막야)·양(陽)(간장)의 두 칼을 만들었다고 함. 전(轉)하여, 널리 명검(名劍)의 뜻으로 쓰임.
[干潮 간조] 썰물.
[干證 간증] ㉠소송 사건(訴訟事件)의 증인이 되는 일. 또, 그 증인. ㉡지은 죄를 증명하여 자복(自服)하고 믿음을 고백함.
[干支 간지] 십간(十干)과 십이지(十二支)의 총칭(總稱). 육십갑자(六十甲子).
[干拓 간척] 바다 따위를 막고 물을 빼어 육지로 만드는 일.
[干戚 간척] 방패와 도끼. 또, 그것을 가지고 추는 악무(樂舞).
[干囑 간촉] 청촉(請囑)함.
[干捶 간추] 야경(夜警) 도는 사람. 야경꾼.
●欄干. 闌干. 蘭干. 鎮干. 滿干. 射干. 斯干. 水干. 十干. 野干. 若干. 如干. 吳干. 潮干. 支干. 蟲干. 河干.

1
④ [开] 〔견〕
开(干部 三畫⟨p.687⟩)의 俗字

2
⑤ [平] 中人 目目 평 ㉠庚 符兵切 píng   平
편 ㉠先 房連切 pián

筆順 一 ㇒ 六 亐 平

字解 目 ①평평할 평 평탄함. '一地'. '壞險以爲一'《管子》. ②바를 평 올바름. '心一禮正'《禮記》. ③고를 평 균등함. '一均'. '雲行雨施天下一'《易經》. ④편안할 평 태평함. '一安'. '國治而后天下一'《大學》. ⑤쉬울 평 용이함. '一凡'. '一易近民'《史記》. ⑥화친할 평 화해하고 화목하게 지냄. '宋人及楚人一'《春秋》. ⑦평정할 평 적을 진압함. '一賊'. '一夷狄之亂'《淮南子》. ⑧평정될 평 평온하게 진정됨. 잘 다스려짐. '西方既一'《詩經》. ⑨평야 평 들. 광원(廣

原). ⑨'沙篆印廻一'《韓愈》. ⑩평상 평 심상. 보통. 一居'. 一常心是道'《指月錄》. ⑪평성 평 운(韻)의 이대별(二大別)의 하나. 곧 사성(四聲) 중에서 측운(仄韻)이 아닌 것. 一聲分上一下一'《沈約》. ⑫법관 평 법률을 맡은 벼슬. '廷尉天下之一也'《史記》. ⑬성 평 성(姓)의 하나. 😃 고루다스려질편 '王道一一'《書經》.

字源 金文 𥑊 篆文 𥑉 象形. 물의 평면에 뜬 수초(水草)의 상형으로부터 '평평함'의 뜻을 나타냄.

[平章 편장] 평장(平章)❶.
[平平 편편] 고루 잘 다스려진 모양. 편편(便便).
[平價 평가] ㉠보통의 가격. 싸지도 않고 비싸지도 않은 값. ㉡값을 균일하게 함. ㉢국제간의 본위 화폐(本位貨幣)에 함유하는 금의 양(量)을 비교하여 표시한 가격.
[平康 평강] 평안(平安).
[平居 평거] 평상시(平常時). 또, 평생(平生).
[平格 평격] 공평하여 천의(天意)에 통함. 공평무사함.
[平廣 평광] 평탄하고 넓음.
[平曠 평광] 평광(平廣).
[平交 평교] 대등(對等)의 교제. 평등한 사귐.
[平均 평균] ㉠고름. 또 고르게 함. 평등(平等). ㉡과부급(過不及)이 없는 정도. ㉢동종(同種)의 일정량(一定量)의 중간치(中間値)를 갖는 수(數).
[平屐子 평극자] 평나막신.
[平氣 평기] 마음을 침착하게 가짐.
[平起 평기] 절구(絕句)에서 기구(起句)의 두 번째 글자를 평자(平字)로 짓는 일. 측기(仄起)의 대(對).
[平吉 평길] 마음이 평화롭고 선량함.
[平年 평년] ㉠추수(秋收)가 보통으로 되는 해. ㉡윤년(閏年)이 아닌 해.
[平旦 평단] 새벽. 동이 틀 때.
[平旦之氣 평단지기] 새벽의 상쾌한 기분이라는 뜻으로, 청정 결백(淸淨潔白)한 정신을 이름.
[平淡 평담] 평담(平澹).
[平澹 평담] 평이하고 담박(淡泊)함. 마음이 고요하고 이욕(利慾)의 생각이 없음.
[平臺 평대] ㉠한대(漢代) 양(梁)나라 효왕(孝王)의 궁전(宮殿) 이름. 허난 성(河南省) 안에 있었음. ㉡북경 성내(北京城內)의 궁전(宮殿) 이름.
[平頭 평두] ㉠꼭. 틀림없이. ㉡건(巾)의 이름. ㉢시율(詩律)의 상하구(上下句)에 동성(同聲)의 문자(文字)를 쓰는 일. ㉣연(輦)의 이름.
[平等 평등] 차별(差別)이 없음. 동등(同等). 고루 같음.
[平等界 평등계]《佛敎》만물(萬物)이 차별이 없는 세계. 곧, 진여(眞如)의 세계.
[平亂 평란] 난리(亂離)를 평정함.
[平良 평량] ㉠공평(公平)하고 선량(善良)함. ㉡진평(陳平)과 장량(張良).
[平陸 평륙] ㉠평지(平地). ㉡전국 시대(戰國時代) 제(齊)나라의 읍명(邑名). 지금의 산둥 성(山東省) 문산현(汶山縣) 북쪽.
[平脈 평맥] 이상이 없는 보통의 맥박.
[平面 평면] 편편한 겉쪽.
[平明 평명] ㉠해가 뜰 때. 새벽. 평단(平旦). ㉡공평하고 밝음. ㉢간단하여 명확함.

[平蕪 평무] 잡초가 무성한 평평한 들.
[平文 평문] 보통문(普通文). 산문(散文). 대우(對偶)를 쓰지 않는 글. 「民」.
[平民 평민] 양반(兩班) 아닌 보통 사람. 서민(庶民).
[平方 평방] ㉠자승(自乘). ㉡정방형(正方形)의 면적(面積).
[平反 평번] 다시 조사하여 죄를 밝혀 바로잡거나 그 죄를 가볍게 함.
[平凡 평범] 뛰어난 점이 없이 보통임.
[平服 평복]《韓》평상시(平常時)에 입는 의복(衣服).
[平復 평복] 병(病)이 나아 회복됨. 평유(平癒).
[平分 평분] 고르게 나눔. 또, 고르게 나뉨.
[平分年 평분년] 태양이 춘분점을 출발한 뒤 다시 춘분점에 돌아오기까지의 시간. 곧, 365일 5시 48분 46초. 회귀년(回歸年). 태양년(太陽年).
[平沙 평사] 평평한 모래톱. 모래밭.
[平射 평사] ㉠평면(平面)에 투영(投影)하는 일. ㉡포(砲)의 앙각(仰角)을 작게 하여 저신 탄도(低伸彈道)에서 발사(發射)함.
[平牀 평상] 나무로 만든 침상(寢牀)의 한 가지.
[平常 평상] ㉠항상. 늘. 평소(平素). ㉡보통.
[平生 평생] ㉠일생(一生). ㉡늘. 항상. 평소부터. ㉢옛날. 지나간 날. 왕년(往年).
[平生歡 평생환] 평소의 극진한 교분(交分).
[平署 평서] 연서(連署).
[平昔 평석] ㉠평생(平生). 늘. 평소(平素). ㉡예전부터. 이전부터.
[平城 평성] ㉠도로(道路)가 편편한 성하(城下). ㉡지금의 산시 성(山西省) 다퉁 현(大同縣) 동쪽에 있는 지명(地名). 한(漢)나라 고조(高祖)가 흉노(匈奴)한테 포위당하여 크게 고통을 받다가 진평(陳平)의 계책(計策)으로 겨우 위급을 면한 곳.
[平聲 평성] 사성(四聲)(平·上·去·入)의 하나로 낮고 순평(順平)한 소리임. 상평성(上平聲)과 하평성(下平聲)의 둘이 있는데, 상평성은 동(東)·동(冬)·강(江)·지(支)·미(微)·어(魚)·우(虞)·제(齊)·가(佳)·회(灰)·진(眞)·문(文)·원(元)·한(寒)·산(刪)의 15운(韻)이고 하평성은 선(先)·소(蕭)·효(看)·호(豪)·가(歌)·마(麻)·양(陽)·경(庚)·청(靑)·증(蒸)·우(尤)·침(侵)·담(覃)·염(鹽)·함(咸)의 15운(韻)임.
[平世 평세] 태평한 세상. 잘 다스려져 평온한 세상. 「전」.
[平素 평소] ㉠평상시(平常時). ㉡과거(過去). 이
[平水 평수] 강·바다 등의 평상시의 물의 높이. 평수위(平水位).
[平水韻 평수운] 송(宋)나라 순우 연간(淳祐年間) 강북(江北) 평수(平水)의 유연(劉淵)이 예부운략(禮部韻略)을 증수(增修)하여 동용(同用)의 운(韻)을 합쳐서 206운(韻)이던 것을 107운(韻)으로 줄인 것. 현행(現行)의 시운(詩韻)은 이것임.
[平順 평순] 성질(性質)이 온순함.
[平時 평시] ㉠평화스러운 때. ㉡평상시(平常時).
[平信 평신] ㉠급보(急報)·흉보(凶報) 등이 아닌 보통의 음신(音信). ㉡무사(無事)함을 알리는 음신.
[平身低頭 평신저두] 코가 땅에 닿도록 몸을 굽히고, 머리를 숙임. 무서워하는 모양.
[平心 평심] 고요한 마음. 침착한 마음.
[平安 평안] 무사(無事)하여 마음에 걱정이 없음.

[平野 평야] 편편한 들.

[平陽 평양] ㉠요(堯)임금의 도읍지(都邑地). 산시 성내(山西省內). ㉡춘추(春秋) 시대 노(魯)나라의 읍(邑). 산둥 성내(山東省內). ㉢춘추(春秋) 시대 진(秦)나라의 읍(邑). 산시 성내(陝西省內). ㉣춘추(春秋) 시대 위(衛)나라의 읍(邑). 허난 성내(河南省內). ㉤전국(戰國) 시대 조(趙)나라의 땅. 허난 성내(河南省內). ㉥현명(縣名). 저장 성내(浙江省內).

[平衍 평연] 평탄하고 넓음.

[平午 평오] 정오(正午).

[平溫 평온] ㉠평상시(平常時)의 온도(溫度). 평균(平均)의 온도.

[平穩 평온] 고요하고 안온함.

[平韻 평운] 평성(平聲)에 딸린 운(韻).

[平原 평원] 평평한 들.

[平遠 평원] 땅이 평탄하여 시야(視野)가 널리 미침.

[平原君 평원군] 전국 시대(戰國時代)의 조(趙)나라 무령왕(武靈王)의 아들. 이름은 승(勝). 평원(平原)에 봉군(封君)되었으므로 호를 평원군이라 함. 문객(門客)을 좋아하여 문하(門下)에 늘 식객(食客)이 수천 명이 있었음.

[平原督郵 평원독우] 악주(惡酒), 곧 나쁜 술의 일컬음. 진(晉)나라 환온(桓溫)의 속관(屬官) 모(某)가 미주(美酒)를 청주종사(靑州從事), 악주(惡酒)를 평원독우(平原督郵)라고 한 고사(故事)에서 나온 말.

[平愈 평유] 평복(平復).

[平癒 평유] 평복(平復).

[平允 평윤] 차별을 두지 않고 성실함.

[平允之士 평윤지사] 공평 성실하고 가혹하지 않은 사람.

[平夷 평이] ㉠쳐서 멸(滅)함. ㉡평편(平便)함.

[平易 평이] 까다롭지 않고 쉬움.

[平人 평인] 평민(平民).

[平一 평일] 난리를 평정하여 천하를 통일함.

[平日 평일] 평상시(平常時).

[平字 평자] 사성(四聲) 중의 평성(平聲)에 속하는 글자.

[平章 평장] ㉠백성을 공평하고 밝게 잘 다스림. ㉡공평히 구별함. 공평하게 품평(品評)해서 품위를 명확하게 함. ㉢혼인의 중매를 함.

[平章事 평장사] 당태종(唐太宗) 때부터 설치했던 관명(官名)으로 집정(執政)을 일컬음.

[平在 평재] 공평하게 분간하여 살핌.

[平賊 평적] 적을 평정함.

[平糴 평적] 전국 시대(戰國時代)의 위(魏)나라 이회(李悝)가 실시한 법으로, 풍년(豊年)에 곡식을 사들였다가 흉년(凶年)에 내어 팔아, 쌀값을 조절하는 정책.

[平正 평정] 공평하여 치우침이 없음. 공평무사함.

[平定 평정] 난리를 진압하여 평온하게 함. 또, 난리가 진압되어 평온해짐.

[平整 평정] 바닥을 높고 낮은 데가 없게 잘 고름.

[平靜 평정] 평온하고 고요함.

[平政院 평정원] 관서(官署) 이름. 행정 관리(行政官吏)의 비행(非行)을 감찰하는 일을 맡음.

[平糶 평조] 쌀값이 비쌀 때에 관미(官米)를 싼값으로 팔아 시가(市價)를 조절하고 기근(饑饉)을 구제(救濟)하는 법. 평적(平糴) 참고.

[平晝 평주] 오정(午正) 때.

[平疇 평주] 평탄한 경작지.

[平準 평준] ㉠평균(平均). ㉡물가의 균일·공평을 보존하는 법. 또, 그 벼슬. 한(漢)나라 무제(武帝) 때부터 시작하였음. ㉢수준기(水準器)를 써서 수평으로 하는 일. ㉣수준기(水準器).

[平地 평지] 편편한 땅.

[平地起波瀾 평지기파란] 평지에 풍파를 일으킴. 평온한 곳에 파란을 일으킴. 곧, 다투기를 좋아하여 부질없이 분쟁(紛爭)을 일으킴. 평지풍파(平地風波).

[平地落傷 평지낙상] 《韓》평지에서 넘어져 다친다는 뜻으로, 뜻밖에 불행(不幸)한 일을 당함을 비유하는 말.

[平地風波 평지풍파] 평지기파란(平地起波瀾).

[平直 평직] 평편함과 곧음. 평편한 것과 곧은 것.

[平織 평직] ㉠무늬 없이 그냥 짜는 방법. 또, 그렇게 짠 천. 능직(綾織)의 대(對). ㉡한 가지 실로만 짜는 방법. 또, 그렇게 짠 천.

[平津 평진] ㉠한대(漢代)에 지금의 허베이 성(河北省) 염산현(鹽山縣)의 남쪽에 있던 땅 이름. 한무제(漢武帝)가 공손홍(公孫弘)을 평진후(平津侯)로 봉(封)한 곳. ㉡베이핑(北平)과 톈진(天津).

[平秩 평질] 고르게 하여 질서를 세움.

[平出 평출] 문서 중에 천자(天子) 또는 고귀(高貴)한 사람의 칭호(稱號) 등, 공경하여야 할 글자가 나올 때에 행(行)을 옮겨 다음 행 첫머리에 쓰는 서식(書式).

[平仄 평측] 평자(平字)와 측자(仄字). 평운(平韻)과 측운(仄韻). 한시(漢詩)를 지을 때 평측(平仄)의 글자를 규칙에 따라 가려 쓰는데, 그 형식은 다음 면(面)의 표(表)와 같음.

		평기식(平起式)	측기식(仄起式)
절구(絕句)	오언(五言)	(평측 도표)	(평측 도표)
	칠언(七言)	(평측 도표)	(평측 도표)
율시(律詩)	오언(五言)	(평측 도표)	(평측 도표)
	칠언(七言)	(평측 도표)	(평측 도표)

※ 平字─○ 仄字─● 平仄共通─◐

[平治 평치] 나라를 태평(太平)하게 다스림. 또, 나라가 태평하게 다스려짐.

[平坦 평탄] 지면(地面)이 평평함. 또, 그 땅. 평지(平地).

[平蕩 평탕] ㉠평정하여 소탕(掃蕩)함. ㉡평탄하고 넓음.

[平土 평토] 매장(埋葬)한 뒤에 흙을 평평하게 함.

[平土葬 평토장] 남의 묘지(墓地) 또는 금산(禁山) 등에 암장(暗葬)할 때 봉분(封墳)을 만들지 아니하는 매장.

[平板 평판] ㉠씨 뿌릴 때 땅을 고르는 데 쓰는 농구(農具). 고무래. ㉡편편한 널. ㉢시문 등이

억양 변화가 없이 시종(始終) 똑같은 형식으로
되어서 정채(精彩)가 없음. 단조(單調). 천편
일률(千篇一律).
[平便 평편] 평평하여 편안함.
[平平 평평·편편] ㉠평범한 모양. ㉡평편한 모양.
㉢'편편(平平)'을 보라.
[平坦坦 평평탄탄] ㉠지극히 평탄한 모양. ㉡일
이 잘 진척되는 모양.
[平行 평행] ㉠무사히 여행함. 아무 탈 없이 감.
㉡두 직선(直線)이 같은 평면(平面) 위에 있어
서 서로 만나지 아니함.
[平虛 평허] 마음이 안온하여 허심탄회(虛心坦
懷)함.
[平衡 평형] ㉠절하는 법(法)의 한 가지. 몸을 굽
히어 머리와 허리를 저울대처럼 바르게 함. ㉡
바른 저울대.
[平正 평정] ㉠평정(平正)하여 치우침이 없음. ㉡
[平和 평화] ㉠성정(性情)이 평온함. ㉡전쟁이 없
이 세상이 잘 다스려짐.
[平滑 평활] 평평하고 미끄러움.
[平闊 평활] 평편하고 넓음.
● 嘉平. 康平. 開平. 高平. 公平. 寬平. 均平.
南平. 不平. 上平. 詳平. 西平. 水平. 輪平.
升平. 承平. 昇平. 良平. 廉平. 五平. 源平.
陰平. 夷平. 長平. 揃平. 正平. 齊平. 調平.
地平. 砥平. 昌平. 淸平. 治平. 坦平. 太平.
泰平. 扁平. 下平. 和平. 華平.

[刊] 〔간〕
刀部 三畫(p.244)을 보라.

3 [开] 견 ㊞先 苦堅切 jiān
⑥
字解 ①평탄할 견. ②오랑캐이름 견 강(羌)의 별
종. '先零罕一《漢書》. ③성 견 성(姓)의 하나.
字源 开 象形. 두 개의 장대를 나란히 세워 위
가 평평하게 하여, '평탄하다'의 뜻
을 나타냄.
參考 开(干部 一畫)은 俗字.

3 [年] ㊥人 년 ㊞先 奴顚切 nián
⑥
筆順 ノ ㇋ ㇓ 乍 乍 年

字解 ①해 년 ㉠12개월. '一一歲歲'. '正歲一'
《周禮》. ㉡시대. 때. '一世'. '當一不能究其禮'
《司馬相如》. ㉢오곡(五穀)의 성숙(成熟). '大
有一'《左傳》. ㉣곡물. ②나이 년 연령. '一齒'
'豈尙一哉'《左傳》. ③성 년 성(姓)의 하나.
字源 形聲. 甲骨文은 禾+人
람의 뜻. 성숙한 곡물, 여물다의 뜻에서, 전
(轉)하여, 365일, 해의 뜻으로도 쓰임. 篆文은
會意로 禾+千. '千천'은 '많다'의 뜻. 많은 곡
물이 여무는 것을 뜻함.
參考 秊(禾部 三畫)은 本字.

[年家 연가] 같은 해에 과거(科擧)에 급제한 사
람. 동방(同傍). 동년(同年).
[年鑑 연감] 어떤 사항에 관하여 한 해 동안의 경
과·통계 등을 수록하여 한 해에 한 번씩 발간하
는 책.
[年甲 연갑] 나이가 서로 비슷한 사람.
[年契 연계] 두 나라 이상의 역사를 연대(年代)를

따라 대조한 연표(年表).
[年高 연고] 나이가 많음.
[年穀 연곡] 곡식. 오곡(五穀).
[年功 연공] ㉠여러 해 동안 쌓은 공로. ㉡여러 해
동안 쌓은 숙련(熟練).
[年關 연관] 연말(年末). 세밑.
[年光 연광] 세월. 광음(光陰).
[年久 연구] 해가 오래됨.
[年金 연금] 공로에 보답하기 위하여 종신 또는
일정한 기간 동안 매년 정기적으로 급여하는
금액.
[年給 연급] 1년간의 급료.
[年忌 연기] ㉠《佛敎》죽은 날에 해당하는 매년의
날. 기일(忌日). ㉡꺼리는 나이, 곧 7세·16세·
25세·45세·52세·61세.
[年紀 연기] ㉠나이. 연령. ㉡해. 세월.
[年期 연기] 연한(年限).
[年內 연내] 올해 안.
[年年歲歲 연년세세] 매년. 해마다.
[年代 연대] ㉠경과한 햇수나 시대(時代). ㉡일정
한 기간.
[年度 연도] 사무(事務)의 처리상 편의를 따라 구
분한 1개년의 기간.
[年頭 연두] 한 해의 처음. 연시(年始).
[年登 연등] 곡식이 잘 여묾. 풍년이 듦.
[年來 연래] 여러 해 이래(以來).
[年力 연력] 나이와 기력.
[年齡 연령] 나이.
[年例 연례] 연래로 내려오는 전례.
[年老 연로] 나이가 많아서 늙음.
[年勞 연로] 여러 해 동안 쌓은 공로.
[年輪 연륜] 나이테.
[年利 연리] 1년간의 이자.
[年晩 연만] 나이가 많음. 늙바탕에 듦.
[年末 연말] 한 해의 끝. 세밑.
[年命 연명] 수명(壽命).
[年貌 연모] 나이와 용모.
[年物 연물] 새해의 선물.
[年輩 연배] 서로 비슷한 나이. 또, 그 사람. 연갑
(年甲).
[年報 연보] 해마다 한 번씩 내는 보고(報告).
[年譜 연보] 개인의 한평생의 지낸 일을 연대순으
로 적은 기록(記錄).
[年俸 연봉] 1년간의 봉급.
[年賦 연부] 해마다 얼마씩 갚음.
[年事 연사] 농사의 형편(形便). 농형(農形).
[年祀 연사] 해. 세월. 사(祀)는 연(年).
[年上 연상] 자기(自己)보다 나이가 많음. 또, 그
사람.
[年世 연세] 연대(年代). 시대.
[年歲 연세] ㉠해. 세월. ㉡'나이'의 존칭(尊稱).
[年少 연소] ㉠나이가 젊음. 연장(年長)의 대(對).
㉡나이가 젊은 사람. 소년(少年).
[年所 연소] 세월.
[年首 연수] 연시(年始).
[年壽 연수] 나이. 수명(壽命).
[年數 연수] 햇수.
[年始 연시] 한 해의 처음. 세초(歲初).
[年深歲久 연심세구] 세월이 오램.
[年額 연액] 한 해 동안의 금액(金額).
[年魚 연어] ㉠난 그해에 죽는 고기. ㉡은어(銀
魚).
[年運 연운] 그해의 운수(運數).
[年月 연월] 세월(歲月).

[年長 연장] 자기보다 나이가 많음. 또, 그 사람.
[年載 연재] 연세(年歲).
[年前 연전] 두서너 해 전(前).
[年祚 연조] ㉠제왕의 자리에 있는 햇수. ㉡나이. 사람의 수명(壽命).
[年條 연조] 《韓》 ㉠어떠한 일이 어떠한 해에 있었다는 것을 나타내는 조목. ㉡어떤 일이나 경력의 처음부터 경과한 햇수.
[年終 연종] 한 해가 거의 다 지나가고 새해가 가까워 오는 섣달그믐께. 세밑.
[年中 연중] 한 해 동안.
[年次 연차] ㉠나이의 차례. ㉡햇수의 차례. ㉢매년.
[年差 연차] 지구의 태양에 대한 거리의 변화로 인하여 달의 운행(運行)에 일어나는 변화.
[年淺 연천] ㉠나이가 적음. ㉡시작한 지 몇 해 안 됨. 해가 옅음.
[年初 연초] 새해 초승.
[年齒 연치] 나이.
[年表 연표] 역사(歷史)의 사실(事實)을 연대순(年代順)으로 기록(記錄)한 것. 연대표(年代表).
[年豐 연풍] 풍년(豐年)이 듦.
[年下 연하] 자기보다 나이가 적음. 또, 그 사람.
[年賀 연하] ㉠신년의 축하. ㉡노인의 장수(長壽)의 축하.
[年限 연한] 작정된 햇수.
[年號 연호] 조정(朝廷)의 제정(制定)에 의하여 해에 특별히 붙이는 이름. 한무제(漢武帝)의 즉위(卽位)한 해를 건원(建元)이라 일컬은 데서 비롯함. 다년호(大年號).
[年華 연화] 세월. 세화(歲華).
◉降年. 開年. 改年. 客年. 更年. 去年. 隔年. 犬馬之年. 季年. 笄年. 高年. 跨年. 光年. 曠年. 舊年. 構思十年. 窮年. 今年. 祈年. 紀年. 耆年. 期年. 朞年. 來年. 老年. 老少年. 累年. 多年. 斷年. 當年. 同年. 登年. 晚年. 萬年. 忘年. 面壁九年. 明年. 明後年. 暮年. 妙年. 無年. 美少年. 拜年. 比年. 尙年. 桑年. 生年. 先年. 盛年. 世年. 少年. 衰年. 旬年. 新年. 若年. 弱年. 奄過百年. 餘年. 曆年. 歷年. 延年. 季年. 連年. 永年. 迎年. 往年. 越年. 有年. 幼年. 流年. 游年. 翌年. 引年. 一孤裘三十年. 昨年. 殘年. 長年. 積年. 正年. 定年. 停年. 徂年. 凋年. 周年. 中年. 天假之年. 天年. 千萬年. 齠年. 稚年. 他年. 通年. 編年. 平年. 豐年. 遐年. 學年. 行年. 享年. 懸車之年. 華年. 後年. 凶年.

3 ⑥ [并] 人名 〔병〕 幷(干部 五畫〈p. 688〉)의 俗字
筆順 丶 丷 䒑 平 并 并

4 ⑦ [靪] 정 ㊥青 他丁切 tíng
字解 물가 정 汀(水部 二畫)과 同字.

[罕] 〔한〕 网部 三畫(p. 1786)을 보라.

5 ⑧ [幷] 人名 병 ①-④㊥庚 府盈切 bīng ⑤㊤敬 畀政切 bìng
筆順 ノ 亠 二 千 ヂ 幷 幷 幷

字解 ①어우를 병 ㉠합침. '合—'. '天下良辰美景賞心樂事, 四者難—'《謝靈運》. ㉡아울러 가짐. '兼—'. '魏—中山, 必無趙矣'《戰國策》. ②어울릴 병 조화됨. '必與俗—'《嵇康》. ③병주 병 십이주(十二州)의 하나. 산시 성(山西省) 대원부(大原府) 지방. '舜分冀州爲幽州—州'《書經註》. ④물리칠 병 屛(尸部 六畫)과 통용. '至貴國爵—焉'《莊子》. ⑤성 병 성(姓)의 하나.
字源 甲骨文 篆文 象形. 甲骨文으로 알 수 있듯이, 사람을 늘어세워 연결한 모양을 따서, 합치다의 뜻을 나타냄.

[幷兼 병겸] 합하여 겸함. 합하여 하나로 함.
[幷有 병유] 아울러 가짐. 합하여 가짐.
[幷日 병일] 날수를 많이 요하지 아니함. 단시일(短時日)에.
[幷州之情 병주지정] 제2의 고향이라고 할 만한 땅을 연모(戀慕)하는 마음. 당(唐)나라의 가도(賈島)가 병주(幷州)에 오래 살다가 떠날 때 '객사병주이십상(客舍幷州已十霜), 귀심일야억함양(歸心日夜憶咸陽), 무단갱도상건수(無端更渡桑乾水), 각망병주시고향(卻望幷州是故鄕)'에서 나온 말.
[幷呑 병탄] 아울러 삼킴. 남의 물건을 모두 제 것으로 삼음.
[幷合 병합] 아울러 하나로 만듦. 합침. 합병(合倂).
◉兼幷. 駢幷. 肉薄骨幷. 闐幷. 合幷. 混幷.

5 ⑧ [幸] 中人 행 ㊤梗 胡耿切 xìng
筆順 一 十 土 去 圶 幸 幸 幸

字解 ①다행 행, 행복 행 행복. '—運'. '予以馭其—'《周禮》. ②요행 행 우연의 행복. '徼—'. '朝無—位, 民無—生'《荀子》. ③다행할 행 운이 좋음. '—哉, 遺黎免俘虜'《晉書》. ④다행히 행 운이 좋아. '—而至於旦'《禮記》. ⑤행복게할 행 행복을 줌. '願大王以—天下'《漢書》. ⑥바랄 행 원함. '—冀'. '—得召見'《漢書》. ⑦굄 행 제왕의 총애. '寵—'. '得—于武帝'《漢書》. ⑧괼 행 총애함. 또 제왕이 여자를 사랑하여 침석(枕席)에 들게 함. '襄公有賤妾, —之有身'《史記》. ⑨거동 행 천자의 행차. '行—'. '諸宮館希御—者'《漢書》. ⑩성 행 성(姓)의 하나.
字源 甲骨文 篆文 象形. 甲骨文으로도 알 수 있듯이, 쇠고랑의 상형. '執집'이 쇠고랑을 찬 사람의 상형인데 반하여, 다행히도 쇠고랑을 면하여 행복한 뜻을 나타냄.

[幸冀 행기] 만일의 요행(僥倖)을 바람. 바람.
[幸媚 행미] 굄을 받기를 바람.
[幸民 행민] 요행을 바라고 정업(正業)에 힘쓰지 않는 백성.
[幸福 행복] ㉠좋은 운수(運數). ㉡심신(心身)이 만족감을 느끼는 상태.
[幸福主義 행복주의] 행복(幸福)을 지선(至善)으로 여겨 이것을 사람의 도덕적(道德的) 행위(行爲)의 이상(理想)으로 하는 주의(主義).
[幸舍 행사] 현자(賢者)를 총행(寵幸)하기 위하여 설치한 여사(旅舍).
[幸生 행생] 당연히 죽을 사람이 요행히 죽음을 면하여 더 삶.
[幸臣 행신] 총애를 받는 신하. 총신(寵臣).

[幸甚 행심] ㉠매우 다행 (多幸)함. ㉡편지 끝에 쓰는 말.
[幸御 행어] ㉠천자의 행차. 행행 (行幸). ㉡여자를 총애하여 가까이함.
[幸運 행운] 좋은 운수 (運數). 행복한 운명.
[幸運兒 행운아] 좋은 운수 (運數)를 만난 사람.
[幸位 행위] 요행으로 얻은 벼슬자리.
[幸而免 행이면] 요행히 죽음을 면함.
[幸倡 행창] 제왕의 총애를 받는 광대.
[幸學 행학] 임금이 학교에 행행 (行幸)함.
[幸姬 행희] 제왕의 총애를 받는 여자.
●駕幸. 巧幸. 權幸. 貴幸. 近幸. 覬幸. 多幸. 薄幸. 不幸. 索絲幸. 三不幸. 巡幸. 愛幸. 御幸. 佞幸. 妖幸. 徼幸. 僥幸. 游幸. 恩幸. 臨幸. 至幸. 進幸. 天幸. 遷幸. 寵幸. 親幸. 嬖幸. 行幸. 顯幸. 還幸. 希幸.

10 ⑬ [葉] 견 ㊤銑 古典切 jiǎn
字解 ①작은단 견, 작게단지을 견 '一, 小束也'《說文》. ②벼열움큼 견 열 움큼이 되는 분량의 곡식. '一, 禾十把也'《玉篇》.
字源 形聲. 束+幵[音]. '束속'은 묶다. '幵견'은 두 개의 장대의 뜻. 작은 다발.

10 ⑬ [幹] 高人 ■간 ㉠翰 古案切 gàn / ㉠寒 河干切 hán / ■관 ㉤旱 居緩切 guǎn
筆順 一 十 古 肻 卓 幹 幹 幹
字解 ■ ①몸 간 체구 (體軀). '軀一'. '非不偉其體一也'《南史》. ②줄기 간 '枝'의 대. 一枝. '山無峻一'《淮南子》. 전 (轉) 하여, 줄기 같은 역할을 하는 것. '箭一'. ③근본 간 본체 (本體). '貞者事之一也'《易經》. ④재능 간 '才一'. '有文一'《吳志》. ⑤천간 간 십간 (十干). 干 (部首)과 同字. '甲乙爲一'《廣雅》. ⑥등뼈 간 척골 (脊骨). '所以籍一'《左傳》. ⑦견딜 간 감당하여 냄. '一父之蠱'《易經》. ⑧우물난간 간 '吾跳梁乎井一之上'《莊子》. ⑨성 간 성 (姓)의 하나. ■ 주관할 관 管 (竹部 八畫)과 통용. '一尙書'《漢書》.
字源 形聲. 전문 (篆文)은 木+倝[音]. '倝간'은 깃대의 상형. 잘 자란 나무줄기, 기둥의 뜻을 나타냄.

[幹莖 간경] 식물의 줄기.
[幹蠱 간고] 아들이 아버지의 실패한 사업을 회복함. 전 (轉)하여, 일을 잘 처리함.
[幹局 간국] 사물 (事物)을 처리 (處理)하는 국량 (局量).
[幹略 간략] 재간 (才幹)과 모략 (謀略).
[幹了 간료] ㉠일을 끝냄. 일을 성취함. ㉡기력 (氣力)이 세고, 이해력 (理解力)이 있음.
[幹部 간부] 단체 (團體)의 수뇌부 (首腦部). 또, 그 임원 (任員).
[幹事 간사] ㉠일을 맡아서 처리 (處理)함. 또 그 사람. ㉡어떠한 단체 (團體)의 사무 (事務)를 맡아 처리하는 직무 (職務). 또, 그 사람.
[幹線 간선] 철도·전선 등의 중요한 선 (線). 본선 (本線).
[幹才 간재] 일을 처리하는 재능. 재간 (才幹)과 수완 (手腕).

[幹止 간지] 자기가 일하는 곳에서 편안히 있음.
[幹枝 간지] ㉠줄기와 가지. ㉡십간 (十干)과 십이지 (十二支). 간지 (干支).
[幹枝術 간지술] 태어난 연월일 (年月日)의 간지 (干支)에 의해서 그 사람의 운명의 길흉화복 (吉凶禍福)을 점치는 술 (術). 사주 (四柱).
[幹翮 간핵] '중심이 되는 날개'라는 뜻으로, 간부 (幹部)가 되어 일을 함을 이름.
●甲幹. 枯幹. 骨幹. 功幹. 軀幹. 根幹. 基幹. 器幹. 棟幹. 武幹. 文幹. 本幹. 世幹. 身幹. 十幹. 良幹. 語幹. 嚴幹. 勇幹. 意幹. 吏幹. 任幹. 才幹. 材幹. 典幹. 箭幹. 井幹. 貞幹. 主幹. 峻幹. 枝幹. 肢幹. 體幹. 治幹. 形幹.

幺 (3획) 部
〔작을요부〕

0 ③ [幺] 요 ㉠蕭 於堯切 yāo
筆順 ⼁ 幺 幺
字解 ①작을 요 세소 (細小)함. '一麼'. '猶絃一而徹急'《陸機》. ②어릴 요 나이가 어림. '一弱'. '一麼不及數子'《班彪》. ③성 요 성 (姓)의 하나.
字源 象形. 실 끝의 상형으로, '작다'의 뜻을 나타냄.
參考 ①幺 (丿部 二畫)는 俗字. ② '幺' 또는 '糸'를 둘 합친 '丝'의 의부 (意符)로 하여, '작다, 희미하다'의 뜻을 지닌 문자가 이루어짐.

[幺麼 요마] ㉠작음. ㉡어림. ㉢쓸모가 없음. 변변치 못함.
[幺蔑 요멸] 작음. 미소 (微小).
[幺微 요미] 극히 작음.
[幺弱 요약] 나이가 어려 약함. 유약함. 또, 그 사람.
●微幺. 六幺.

0 ③ [乡] 〔향〕 鄕 (邑部 十畫〈p.2342〉)의 簡體字

1 ④ [糸] ■糸 (部首〈p.1709〉)의 古字 / ■玄 (部首〈p.1410〉)의 古字

1 ④ [幻] 人名 환 ㉠諫 胡辨切 huàn
筆順 ⼁ 幺 幺 幻
字解 ①변할 환 변화함. '神五色于變一'《王光蘊》. ②미혹할 환 홀림. '一惑'. '民無或胥譸張爲一'《書經》. ③요술 환 마술. '祕一奇伎'《法苑珠林》. ④허깨비 환 환상. '一影'. '夢一泡影'. '此生如一耳'《蘇軾》.
字源 象形. 金文에 의하면, 염색한 실을 나뭇가지에 건 형상인 듯 여겨짐. 염색에 의해 색깔이 변하는 데서, '변하다'는 뜻을, 여러 가지 염색 상태로부터, '미혹하다, 허깨비'의 뜻을 나타냄.

[幻覺 환각] 감각 기관(感覺器官)을 자극(刺戟)하는 외계(外界)의 사물(事物)이 없는데도 마치 그 사물이 있는 것처럼 일어나는 감각.
[幻境 환경] 환상과 같이 덧없는 곳. 곧, 덧없는 세상.
[幻軀 환구] ㉠덧없는 몸. ㉡병으로 초췌한 몸.
[幻燈 환등] 그림 조각의 그림자를 늘여 막(幕)에 크게 비치게 하는 틀.
[幻弄 환롱] 교묘한 못된 꾀로 농락(弄絡) 함.
[幻沫 환말] 환포(幻泡).
[幻滅 환멸] ㉠허깨비와 같이 덧없이 사라짐. ㉡환상(幻想)에서 깨어져 현실(現實)로 돌아옴. 미화되고 이상화되었던 사실이 헛것에 지나지 않음을 깨달음.
[幻夢 환몽] 허황(虛荒)한 꿈. 터무니없는 꿈.
[幻法 환법] 《佛敎》 요술(妖術).
[幻相 환상] 《佛敎》 허깨비와 같이 실체(實體)가 없는 형상.
[幻想 환상] ㉠실물(實物)이 없는데도 있는 것같이 보이는 허망(虛妄)한 생각. ㉡종잡을 수 없이 일어나는 생각.
[幻像 환상] 환영(幻影).
[幻生 환생] 허깨비와 같이 덧없는 인생으로 태어남. 또, 그 인생.
[幻世 환세] ㉠덧없는 이 세상(世上). 꿈 같은 이 세상. ㉡이 세상. 현세(現世)·인생(人生).
[幻術 환술] 남의 눈을 속이는 기술(奇術). 요술(妖術).
[幻影 환영] ㉠허깨비와 그림자. 덧없는 물건의 비유. ㉡환각(幻覺)에 비치는 현상(現象).
[幻人 환인] 요술쟁이.
[幻塵 환진] 《佛敎》 ㉠허깨비와 티끌. ㉡덧없는 세상.
[幻出 환출] 환상(幻相)과 같이 몽롱하게 나타남.
[幻泡 환포] 허깨비와 물거품. 지극히 덧없는 사물의 비유. 몽환포영(夢幻泡影).
[幻形 환형] 질병 또는 노쇠로 인하여 모습이 아주 달라짐.
[幻惑 환혹] 홀려 어지럽게 함. 현혹하게 함.
[幻化 환화] ㉠허깨비처럼 변화함. ㉡사람의 죽음.
[幻戲 환희] 환술(幻術).
●夢幻. 變幻. 浮幻. 妖幻. 誕幻. 虛幻. 荒幻.

2⑤ [幼] 中人 ㊀ 유 ㋐宥 伊謬切 yòu
　　　　 ㊁ 요 ㋑嘯 一笑切 yào

[筆順] ⼂ 幺 幺 幻 幼

[字解] ㊀ ①어릴 유 나이가 어림. '一年'. '人生十年曰—學'《禮記》. ②어릴때 유 어린 시절. '—被慈母三遷之敎'《趙岐》. ③어린아이 유 유아. '攜—入室'《陶潛》. ④사랑할 유 어린아이를 사랑함. '—吾幼, 以及人之幼'《孟子》. ㊁ 깊을 요 심원(深遠)함. 오묘(奧妙)함. 窈(穴部 五畫)와 同字. '聲—妙'《司馬相如》.
[字源] 甲骨文 篆文 形聲. 力+幺〔音〕. '幺'는 '작다'의 뜻. 힘이 작다, 어리다의 뜻을 나타냄.

[幼妙 요묘] 오묘(奧妙) 함.
[幼眇 요묘] 요묘(幼妙).
[幼君 유군] 나이가 어린 임금.
[幼根 유근] 처음 난 연한 뿌리.

[幼儒 유나] 어리고 잔약함. 유약(幼弱).
[幼男 유남] 어린 사내아이.
[幼女 유녀] 어린 계집아이.
[幼年 유년] ㉠어린 나이. 치치(幼齒). ㉡어린아이.
[幼童 유동] 어린아이.
[幼齡 유령] 어린 나이. 어린 시대.
[幼昧 유매] 어려서 사리(事理)를 모름. 유몽(幼蒙).
[幼名 유명] 어릴 때의 이름. 아명(兒名). 유자(幼字). 소자(小字).
[幼蒙 유몽] ㉠유매(幼昧). ㉡어린아이. 동몽(童蒙).
[幼婦 유부] 어린 부녀(婦女).
[幼色 유색] 나이가 어려서 아름다움. 또, 그런 사람. 아름다워서 군총(君寵)을 얻은 젊은이.
[幼少 유소] 나이가 어림. 또, 어린아이. 아이.
[幼少年 유소년] 유년(幼年)과 소년.
[幼時 유시] 나이 어릴 때.
[幼兒 유아] 어린아이.
[幼艾 유애] 젊고 아름다운 사내아이. 미소년.
[幼弱 유약] 나이가 어림. 어리고 잔약함. 또, 어린이.
[幼孺 유유] 어린아이. 유동(幼童).
[幼子 유자] 어린 아들. 어린 자식.
[幼字 유자] 어릴 때의 이름. 아명(兒名). 유명(幼名).
[幼帝 유제] 어린 천자(天子).
[幼主 유주] ㉠나이 어린 임금. 유군(幼君). ㉡어린 주인(主人).
[幼沖 유충] 나이가 어림.
[幼蟲 유충] 알에서 부화(孵化)하여 아직 성충(成蟲)이 되지 아니한 벌레. 애벌레.
[幼稚 유치] ㉠나이가 어림. ㉡지능·학술·기예 등이 미숙(未熟)함.
[幼齒 유치] 어린 나이. 유년(幼年).
[幼穉 유치] 유치(幼稚).
[幼稚園 유치원] 학령(學齡)이 안 된 어린아이를 보육(保育)하여 심신(心身)의 발달을 꾀하는 교육 시설.
[幼風 유풍] 어린아이처럼 지덕(智德)이 모자람.
[幼學 유학] ㉠나이 어릴 때 배움. ㉡나이 열 살의 일컬음. 그때 처음으로 스승에게서 배우므로 이름. ㉢《韓》 벼슬을 하지 않은 선비.
[幼孩 유해] 젖먹이. 어린아이.
●老幼. 童幼. 蒙幼. 扶幼. 愚幼. 長幼. 稚幼. 孩幼. 攜幼.

[玄] 〔현〕
部首(p.1410)를 보라.

3⑥ [丝] ㊀ 유 ㋐尤 於求切 yōu
　　　　 ㊁ 자

[字解] ㊀ 작을 유 극히 작음. '一, 微小'《廣韻》. ㊁ 玆(玄部 五畫〈p.1411〉)의 古字.
[字源] 形聲. 幺+幺〔音〕.

4⑦ [玅] 요 ㋐蕭 伊堯切 yāo

[字解] ①되돌아갈 요 급히 되돌아감. '一, 說文, 急戾也'《字彙》. ②작을 요 작은 모양. '一, 一尨, 小兒'《集韻》.

5 ⑧ [紗] 紗(前條)와 同字

6 ⑨ [幽] [高·人] 유 ㊂尤 於虯切 yōu 

[筆順] 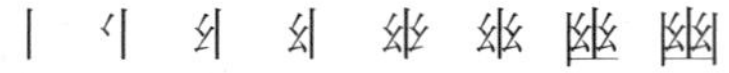

[字解] ①그윽할 유 ㉠미묘함. 심원함. '一深'. '極一而不隱'《史記》. ㉡깊고 조용함. '一宮'. '出自一谷, 遷于喬木'《詩經》. ②숨을 유 세상을 피하여 삶. '一隱'. '一居而不淫'《禮記》. ③어두울 유 밝지 않음. '一室'. '上一而下險'《荀子》. '一則有鬼神'《史記》. ④가둘 유, 갇힐 유 감금함. 감금당함. '一閉'. '身一北闕'《楊惲》. ⑤조용할 유 ㉠고요함. '長夏江村事事一'《杜甫》. ㉡정숙함. '一閒貞靜'《詩經》. ⑥귀신 유 신. 영혼. '至順感一'《北史》. ⑦저승 유 황천(黃泉). '以別一明'《禮記》. ⑧구석 유 모퉁이. '光照六一'《後漢書》. ⑨유주 유 십이주(十二州)의 하나. 허베이 성(河北省) 북경(北京) 일대의 지역. '舜分冀州爲一州幷州'《書經 註》. ⑩검을 유, 검은빛 유 黝(黑部 五畫)와 통용. '赤紱一衡'《禮記》.

[字源] 甲骨文  篆文  形聲. 甲骨文은 火+幺幺〔音〕. '幺幺유'는 '어둡다'의 뜻. 불빛이 희미하게 어두운 뜻을 나타냄. 篆文은 변형되어, 山+幺幺〔音〕의 形聲 문자. 산은 그늘을 만들어 그윽해지기 때문임.

[幽澗 유간] 산속 깊이 있는 시내.
[幽坎 유감] 묘혈(墓穴). 광혈(壙穴).
[幽客 유객] ㉠세상(世上)을 피하여 한가히 사는 사람. ㉡난초(蘭草)의 별칭(別稱). ㉢자두〔李〕의 별칭(別稱).
[幽居 유거] ㉠세상을 피하여 한적하고 궁벽한 곳에 삶. 또, 그 살림. ㉡유서(幽棲). 한거(閑居).
[幽景 유경] 속세(俗世)에서 멀리 떨어져 그윽하고 조용한 경치.
[幽境 유경] 그윽하고 조용한 곳.
[幽界 유계] 지하(地下)의 어두운 세상. 저승.
[幽谷 유곡] 으늑하고 깊은 골짜기.
[幽光 유광] 으늑한 곳에 비치는 희미한 빛. 남에게 알리지 않은 덕(德)의 비유로 쓰임.
[幽柩 유구] 관(棺).
[幽宮 유궁] ㉠깊숙한 곳에 있는 궁전. ㉡신령(神靈)을 모신 궁전.
[幽窮 유궁] 세상에 이름을 나타내지 못하고 고생함.
[幽閨 유규] 부녀자가 거처하는 방.
[幽禽 유금] 조용한 곳에서 사는 새. 유조(幽鳥).
[幽琴 유금] 조용히 들리는 거문고 소리.
[幽襟 유금] 조용한 마음. 깊은 생각.
[幽念 유념] 조용한 생각. 깊은 생각. 유사(幽思).
[幽堂 유당] ㉠조용한 방. 깊숙한 곳에 있는 어두운 방. ㉡무덤.
[幽都 유도] 저승. 황천(黃泉).
[幽獨 유독] 한적하여 외로움.
[幽厲 유려] 유왕(幽王)과 여왕(厲王). 모두 주대(周代)의 폭군(暴君). 전(轉)하여, 망국(亡國)의 군주(君主).
[幽囹 유령] 유어(幽圄).
[幽靈 유령] ㉠죽은 사람의 혼령(魂靈). ㉡이름뿐이고 실제는 없는 것.
[幽淚 유루] 남모르게 흘리는 눈물.
[幽履 유리] 은거(隱居)하는 일.
[幽昧 유매] 어두움.
[幽明 유명] ㉠내세(來世)와 현세(現世). 저승과 이승. ㉡어두운 것과 밝은 것. 어두움과 밝음. ㉢암우(暗愚)와 현명(賢明). ㉣무형(無形)과 유형(有形). ㉤음(陰)과 양(陽). ㉥암컷과 수컷. ㉦숨음과 나타남.
[幽冥 유명] ㉠깊숙하고 어두움. ㉡심오하고 미묘함. ㉢저승.
[幽茂 유무] 빽빽이 들어서서 무성함.
[幽門 유문] 밥통의 오른편 끝 창자에 통(通)하는 곳.
[幽放 유방] 가둬 두고 떠나지 못하게 함.
[幽房 유방] 깊숙한 방.
[幽僻 유벽] 두메. 궁벽한 마을.
[幽碧 유벽] 유취(幽翠).
[幽幷之氣 유병지기] 유병(幽幷)은 옛날 연조(燕趙)의 땅. 그곳 풍속은 기절(氣節)을 숭상하고, 유협(游俠)을 장려하였으므로 시(詩)에 협기(俠氣)가 있는 것을 유병지기라 함.
[幽憤 유분] 마음속에 깊이 간직한 분노.
[幽祕 유비] 깊이 감춤. 또, 깊은 비밀.
[幽思 유사] 깊은 생각. 유념(幽念).
[幽朔 유삭] 북쪽 오랑캐의 땅.
[幽殺 유살] ㉠방에 가두어 놓고 죽임. ㉡그늘에서 말림.
[幽賞 유상] 조용히 감상(鑑賞)함.
[幽棲 유서] 속세를 떠나 조용히 삶. 또, 그 집.
[幽墅 유서] 속세를 멀리 떠난 조용한 별장.
[幽囚 유수] 잡아 가둠. 구금(拘禁).
[幽愁 유수] 깊은 근심. 마음속에 깊이 품은 수심.
[幽邃 유수] ㉠조용하고 깊숙함. ㉡심오(深奧)함.
[幽勝 유승] 조용하고 좋은 경치.
[幽室 유실] ㉠어둠침침한 방. 깊숙하여 조용한 방. ㉡미친 사람 등을 유폐(幽閉)하는 방.
[幽心 유심] ㉠깊은 생각. ㉡조용한 마음.
[幽深 유심] ㉠조용하고 깊숙함. ㉡고상하고 의미가 깊음.
[幽哦 유아] 조용히 노래함.
[幽暗 유암] 깊숙하고 어둠침침함.
[幽闇 유암] 어둠. 또, 어두운 장소.
[幽厄 유액] 유폐(幽閉)의 재난(災難).
[幽夜 유야] 밤.
[幽圄 유어] 어두운 감옥. 옥(獄).
[幽言 유언] 유현(幽玄)하고 오묘(奧妙)한 말. 그윽한 깊이가 있는 말.
[幽然 유연] 속이 깊고 조용한 모양.
[幽咽 유열] 흐느낌. 흐느끼며 욺.
[幽裔 유예] 변경(邊境).
[幽愚 유우] 남이 모르는 어리석은 사람이란 뜻으로, 자기의 겸칭(謙稱).
[幽憂 유우] 남모르게 깊이 간직한 근심.
[幽憂之病 유우지병] 마음이 울적한 병. 울우병(鬱憂病).
[幽鬱 유울] ㉠마음이 울적함. 우울함. ㉡초목이 대단히 무성함.
[幽冤 유원] 해명되지 않는 원왕(冤枉). 밝혀지지 않은 억울한 죄.
[幽圓 유원] 하늘. 천공(天空).
[幽遠 유원] 심오(深奧)함.
[幽蔚 유위] 초목이 빽빽이 들어서서 무성한 모양.
[幽幽 유유] ㉠깊은 모양. 깊숙한 모양. ㉡어두운

모양. ㉢조용한 모양.
[幽隱 유은] ㉠세상을 피하여 깊이 숨음. 또, 그 사람. ㉡어두워 보이지 아니함. 또, 그곳.
[幽意 유의] 깊은 생각. 조용한 마음.
[幽人 유인] 어지러운 세상을 피하여 그윽한 곳에 숨어 사는 사람. 은자(隱者). 「숨음.
[幽潛 유잠] ㉠물이 흐르는 깊숙한 곳. ㉡남몰래
[幽寂 유적] 깊숙하고 조용함.
[幽絕 유절] 세상에서 멀리 떨어진 조용한 곳.
[幽情 유정] ㉠깊은 마음. ㉡고상한 마음. 조용한 마음.
[幽鳥 유조] 유금(幽禽).
[幽州猶自可 유주유자가]《佛敎》‘最苦是江南’과 의 대구(對句)임. 송(宋)나라는 금(金)나라의 침공(侵攻)을 받아 유주(幽州)(지금의 북경(北京) 지방)에서 고난(苦難)을 당하였고, 그 후 다시 도읍(都邑)을 강남(江南)으로 옮겼으나 더한층 피폐(疲弊)하여 마침내 나라가 망한 사실(史實)에 의거하여, 즐겁다고 생각하는 후자(後者)가 도리어 전자(前者)보다도 더 괴롭다는 뜻으로 쓰임.
[幽峻 유준] 깊숙하고 험준함.
[幽眞 유진] 고요하고 자연(自然) 그대로임.
[幽贊 유찬] 남이 알지 못하는 데서 몰래 도와줌.
[幽處 유처] 유거(幽居).
[幽天 유천] 서북(西北) 쪽 하늘.
[幽賤 유천] 세상에 나타나지 않는 천한 사람.
[幽叢 유총] 깊이 우거진 숲.
[幽翠 유취] 초목(草木)이 우거져 검푸른 모양. 유벽(幽碧).
[幽趣 유취] 그윽한 정취.
[幽襯 유친] 관(棺). 널.
[幽探 유탐] 유토(幽討).
[幽討 유토] 조용히 찾는다는 뜻으로, 명승(名勝)을 탐방(探訪)함을 이름.
[幽偏 유편] 유벽(幽僻).
[幽閉 유폐] ㉠가둠. 감금함. ㉡음란한 여자에게 과하는 음부(陰部)의 형벌.
[幽恨 유한] 남모르는 원한.
[幽閑 유한] ㉠정숙함. 얌전함. ㉡고요함. 조용함.
[幽閒 유한] 유한(幽閑).
[幽閑靜貞 유한정정] 부녀(婦女)의 숙덕(淑德)이 높음.
[幽巷 유항] 깊숙이 들어간 통로(通路).
[幽香 유향] 그윽한 향기. 유방(幽芳).
[幽險 유험] ㉠마음이 아주 음흉(陰凶)함. ㉡깊고 험준(險峻)함.
[幽玄 유현] 도리(道理)가 깊어서 알기 어려움.
[幽魂 유혼] ㉠고요한 마음. ㉡죽은 사람의 혼. 넋. 망혼(亡魂).
[幽花 유화] 그윽하고 쓸쓸하게 보이는 꽃.
[幽懷 유회] 가슴속 깊이 품은 생각. 남모르는 깊은 생각. 유금(幽襟). 「(幽趣).
[幽興 유흥] 조용하고 재미있는 흥취(興趣). 유취
●九幽. 明幽. 僻幽. 六幽. 闡幽. 淸幽. 探幽. 顯微闡幽.

8 [㓜] 관 ㉠刪 古還切 guān
⑪ ㉡諫 古患切
字解 꿸 관, 실북에꿸 관 ‘一, 織日糸毋杼也’《說文》.
字源 形聲. 絲〈省〉+丱〔音〕

9 [幾] 中 기 ①-⑩㊤微 居依切 jī
⑫ 人 ⑪-⑫㊥尾 居狶切 jǐ 几 㡬
筆順 ⺀ ⺀⺀ ⺀⺀⺀ ⺀⺀⺀ 丝⺀ 丝⺀ 幾 幾 幾
字解 ①빌미 기 조짐(兆朕). 전조(前兆). ‘一者動之微’《易經》. ②고동 기, 기틀 기 제일 중요한 데. 요령. 機(木部 十二畫)와 통용. ‘一日二日萬一’《書經》. ‘爲政有一’《揚子法言》. ③때 기 시기. 期(月部 八畫)와 同字. ‘如一如式’《詩經》. ④위태할 기 위태로움. ‘一殆’. ‘疾大漸, 惟一’《書經》. ⑤바랄 기 희망함. 覬(見部 十畫)와 同字. ‘庶一’. ‘毋一爲吾’《史記》. ⑥거의 기 하마터면. ‘一至死境’. ‘一敗乃公之事’《史記》. ⑦가까울 기 거의 되려 함. ‘月一望’《易經》. ⑧살필 기 살펴봄. 기찰(譏察)함. 譏(言部 十二畫)와 통용. ‘一出入不物者’《周禮》. ⑨헌걸찰 기 頎(頁部 四畫)와 통용. ‘一而長’《史記》. ⑩성 기 성(姓)의 하나. ⑪얼마 기 몇 수의 다과(多寡) 또는 정도의 고하. ‘一何’. ‘未一’. ‘上間車中一馬’《史記》. ⑫어찌 기 豈(豆部 三畫)와 통용. ‘一爲知計哉’《荀》.
字源 金文 88⺀丘 篆文 88丌 會意. 絲+戍. ‘絲絲’는 자잘한 실의 상형. ‘戍수’는 ‘지키다’의 뜻. 전쟁시에 수비병이 품는 미세한 마음의 상태로부터, ‘희미하다’의 뜻과 ‘위험하다’의 뜻을 나타냄. ‘近근’과 통하여 ‘가깝다’의 뜻을, ‘祈기’와 통하여 ‘바라다’의 뜻을 나타내며, 가차(假借)하여, ‘어느 정도’의 뜻도 나타냄.

[幾諫 기간] 노하지 않게 완곡히 간함. 말을 부드럽게 하여 간함.
[幾箇 기개] 몇 개(箇).
[幾那 기나] 약명(藥名). 키니네. 기나수(幾那樹)의 껍질로 만듦. 규나(規那).
[幾年 기년] 몇 해.
[幾多 기다] ㉠수두룩함. 허다(許多). ㉡얼마나.
[幾度 기도] 몇 번.
[幾萬重 기만중] 몇 만 겹.
[幾望 기망] 망월(望月)에 가깝다는 뜻으로, 음력 14일 밤. 또, 그날 밤의 달.
[幾微 기미] 일의 야릇한 기틀. 낌새.
[幾般 기반] 몇 번. 반(般)은 수를 세는 데 쓰는 말.
[幾番 기번] 몇 번.
[幾事 기사] 겉에 나타나지 않는 일. 기미(幾微)의 일.
[幾事不密則害成 기사불밀즉해성] 중대(重大)한 일은 비밀(祕密)히 하지 않으면 누설(漏泄)되어 성취(成就)할 수 없음.
[幾朔 기삭] 몇 달. 「일.
[幾庶 기서] 성인(聖人)의 지경(地境)에 가까운
[幾歲 기세] 기년(幾年).
[幾億 기억] 몇 억. 대단히 많아 이루 셀 수 없는 수효를 이름.
[幾然 기연] 긴 모양. 키가 큰 모양.
[幾運 기운] 돌아가는 기회와 운수. 기운(機運).
[幾月 기월] 몇 달.
[幾人 기인] 몇 사람.
[幾日 기일] 며칠. 몇 날.
[幾重 기중] 몇 겹.
[幾至死境 기지사경] 거의 죽게 됨.
[幾次 기차] 몇 번. 몇 차례.
[幾殆 기태] 위태함.

[幾何 기하] ㉠얼마. 기허(幾許). ㉡기하학(幾何學)의 준말.
[幾何學 기하학] 물건의 형상(形狀)·대소(大小)·위치(位置)에 관한 원리(原理)를 연구하는 수학(數學)의 한 부문.
[幾許 기허] 얼마.
[幾乎 기호] 거의.
[幾回 기회] 몇 번. 몇 차례.
[幾希 기희] 대단히 드묾. 거의 없다시피 함.
◉萬幾. 無幾. 未幾. 非幾. 庶幾.

11 ⑭ [㡭] 계 [去]霽 古詣切 jì
[字解] 이을 계 繼(糸部 十四畫)와 同字. '得水則爲一'《莊子》.

13 ⑯ [𢇍] 〔절〕 絕(糸部 六畫〈p. 1732〉)의 古字

广 (3획) 部
〔엄호부〕

0 ③ [广] [一] 엄 [上]琰 魚檢切 yǎn
[二] 광 [上]養 古晃切 guǎng
[筆順] ' 亠 广
[字解] [一] ①집 엄 바위에 의지하여 지은 집. '草一突如峙'《袁桷》. ②마룻대 엄 마룻대의 끝. 동두(棟頭). '剖竹走泉源, 開廊架屋一'《韓愈》. [二] 廣(广部 十二畫〈p. 708〉)의 簡體字.
[字源] 篆文 象形. 가옥의 덮개에 상당하는 지붕의 상형. 건축물을 나타내는 문자의 요소 문자가 됨.

2 ⑤ [庀] 비 [上]紙 匹婢切 pǐ
[字解] ①다스릴 비 '子匠使一賦'《左傳》. ②갖출 비 구비함. '官一其司'《左傳》. ③덮을 비 庇(广部 四畫)와 통용. '一其委積'《周禮》.
[字源] 形聲. 广+匕〔音〕. '匕비'는 '比비'와 통하여, '나란하다'의 뜻. 옥내에 가구 등이 나란하게 갖추어져 있다의 뜻을 나타냄.

2 ⑤ [庂] 측 [入]職 阻力切 zè
[字解] 돈이름 측 '赤一'은 한대(漢代)의 전화(錢貨)의 이름. '公卿請, 令京師鑄官, 赤一一當五. 其後二歲, 赤一民不便錢賤, 又廢'《漢書》.

2 ⑤ [広] 〔광〕 廣(广部 十二畫〈p. 708〉)의 俗字

2 ⑤ [庁] 〔청〕 廳(广部 二十二畫〈p. 711〉)의 俗字

3 ⑥ [庄] [高人] [一] 팽 [平]庚 薄萌切 péng
[二] 장 [平]陽 側羊切 zhuāng
[筆順] ' 亠 广 广 庄 庄
[字解] [一] 평평할 팽 평탄함. [二] 전장 장 莊(艸部 七畫)의 俗字.
[字源] 形聲. 广+壯〈省〉〔音〕. '莊장'의 俗字. '庄팽'의 본래의 뜻은 평평함.

[庄家 장가] 농가(農家).

3 ⑥ [⿸广下] 사 [去]禡 所嫁切 shà
[字解] 행각 사 몸채 옆에 내어 지은 집. '一, 旁屋也'《玉篇》.

3 ⑥ [⿸广乇] [一] 도 [去]遇 徒故切 dù
[二] 택 [入]陌 場伯切 zhái
[三] 탁 [入]藥 達各切 duó
[字解] [一] 법도 도 度(广部 六畫〈p. 697〉)와 同字. '度, 說文, 法制也. 或作一'《集韻》. [二] 집 택 宅(宀部 三畫〈p. 568〉)의 古字. [三] 헤아릴 탁 度(广部 六畫〈p. 697〉)의 古字.

3 ⑥ [庆] 〔경·강〕 慶(心部 十一畫〈p. 807〉)의 簡體字

4 ⑦ [庇] [人名] 비 [去]寘 必至切 bì
[筆順] ' 亠 广 广 庀 庀 庇
[字解] ①덮을 비 덮어 가림. 은폐함. '一蔭'. '葛藟猶能一其本根'《左傳》. ②감쌀 비 감싸 보호함. '一護'. '有一民之大德'《禮記》. ③의지할 비 의탁함. '一賴'. '民知所一矣'《呂氏春秋》. ④그늘 비 도움. 의탁. '生民有一'《中說》. ⑤차양 비.
[字源] 篆文 形聲. 广+比〔音〕. '比비'는 친하게 돕다의 뜻. '广엄'은 지붕의 상형. 나란히 친하게 사귀는 지붕, 차양의 뜻에서 바뀌어, '감싸다'의 뜻도 나타냄.

[庇賴 비뢰] 의뢰함.
[庇免 비면] 감싸 면해 줌.
[庇保 비보] 비호(庇護).
[庇陰 비음] 비음(庇蔭).
[庇蔭 비음] 보호함. 도움.
[庇護 비호] 감싸서 보호함.
◉高庇. 曲庇. 賴庇. 保庇. 影庇. 援庇. 廕庇. 蔭庇. 依庇.

4 ⑦ [庉] 돈 ①-④[上]阮 徒損切 dùn
⑤[平]元 徒渾切 tún
[字解] ①담 돈 높은 집의 담. '一, 樓牆也'《說文》. ②집 돈 가옥(家屋). '一, 舍也'《廣雅》. ③둔소(屯所) 돈 사람이 모이는 곳. '一, 屯聚之處'《玉篇》. ④벽장 돈 '一, 一曰, 室中藏也'《集韻》. ⑤불활활붙을 돈 불이 활활 타는 모양. '風與火爲一'《爾雅》.
[字源] 篆文 形聲. 广+屯〔音〕. '广엄'은 높은 곳에 있는 집. '屯둔'은 사람을 모아 지키다의 뜻.

[庉庉 돈돈] ㉠파도 소리. ㉡불이 세게 타는 모양.

4 ⑦ [庋] 기 [上]紙 過委切 guǐ

字解 ①시렁 기 물건을 올려놓는 설비. '—閣'. '傾筐倒—'《世說》. ②올려놓을 기, 둘 기 시렁에 올려놓음. 전 (轉)하여, 놓아둠. 저장하여 둠. '—置'. 前後錫與, 繼—不敢用'《唐書》.
字源 形聲. 广+支〔音〕

[庎閣 기각] 음식을 올려놓는 시렁. 전 (轉)하여, 널리 시렁의 뜻으로 쓰임.
[庎置 기치] 시렁에 올려놓음.

4/⑦ [序] 中人 서 ㊤語 徐呂切 xù

筆順 亠广庁庌庌序

字解 ①담 서 집의 동서(東西)에 있어, 내외를 구별하는 담. '東—'. '—內'. '東西牆謂之—'《爾雅》. ②차례 서 순서. '—次'. '長幼有—'《孟子》. ③차례매길 서 순서를 정함. '—列'. '—爵以賢'《詩經》. ④실마리 서 단서. 발단(發端). '繼—思不忘'《詩經》. ⑤학교 서 은대(殷代)의 초등학교의 명칭. '庠—'. '殷曰—'《孟子》. ⑥서문 서 머리말. 敍(支部 七畫)와 同字. '—跋'. '凡百篇而爲之—, 言其作意'《漢書》. ⑦서술할 서 차례를 따라 진술함. '—其事以風焉'《詩經》. ㉡서문을 씀. '因推其意而—之'《韓愈》. ⑧성 서 성(姓)의 하나.

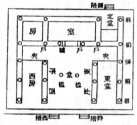

[序①]

字源 篆文 形聲. 广+予〔音〕. '广엄'은 '건물'의 뜻. '予여'는 '뻗다'의 뜻. 집의 동서(東西)로 뻗은 울타리의 뜻을 나타냄. 또, '叙서'와 통하여 '순서'의 뜻으로 씀.

[序曲 서곡] ㉠가극(歌劇) 등의 중요한 부분을 시작하기 전에 연주(演奏)하는 곡. ㉡대규모의 관현악(管絃樂)의 처음 부분.
[序內 서내] 집의 동서(東西)에 있는 담의 안.
[序端 서단] 집의 동서의 담의 끝.
[序論 서론] 본론의 머리말이 되는 논설. 서론(緒論).
[序幕 서막] ㉠연극(演劇) 등에서 처음 여는 막(幕). ㉡일의 시작(始作).
[序文 서문] 책(冊)의 첫머리에 편찬의 유래와 내용 등을 간단히 적은 글. 머리말. 서문(敍文). 서언(序言). 서언(緖言).
[序跋 서발] 서문과 발문(跋文).
[序詞 서사] 머리말. 서문(序文).
[序庠 서상] 향리(鄕里)의 학교(學校). 또, 학교. 상서(庠序).
[序說 서설] 본론의 실마리가 되는 논설. 서론(緒論).
[序詩 서시] ㉠책 첫머리에 서문 대신으로 싣는 시. ㉡긴 시의 머리말 구실을 하는 부분.
[序樂 서악] 서곡(序曲)이 되는 음악.
[序言 서언] 머리말. 서문(序文).
[序列 서열] 차례를 정하여 늘어놓음.
[序傳 서전] 저자(著者)가 책을 쓰게 된 내력과 책의 주지(主旨)를 서술한 것. 서전(敍傳).

[序奏 서주] 악곡(樂曲)의 전주(前奏).
[序次 서차] ㉠순서를 매김. ㉡순서. 차례.
[序讚 서찬] 문체(文體)의 한 가지. 여러 사람이 차례로 짓는 찬(讚).
[序齒 서치] 연령순으로 좌석을 정함.
●甄序. 階序. 繼序. 冠序. 校序. 紀序. 端序. 大序. 代序. 東序. 班序. 四序. 庠序. 常序. 西序. 歲序. 小序. 順序. 語序. 列序. 禮序. 右序. 位序. 倫序. 彝序. 自序. 長幼有序. 節序. 條序. 州序. 秩序. 次序. 天序. 齒序. 花序. 後序.

4/⑦ [庎] 개 ㊥卦 居拜切 jiè
字解 ①살강 개, 시렁 개 물건을 얹었거나 넣어 두는 곳. '—, 所以庋食器者'《集韻》. ②개수대 개 '—, 庋版, 令足流水以受滌濯, 今人設之於廚'《六書故》.
字源 形聲. 广+介〔音〕
參考 庎(广部 四畫)는 別字.

4/⑦ [庈] 금 ㊥侵 巨金切 qín
字解 사람이름 금 '費—父勝之'《左傳》.

4/⑦ [庌] 아 ㊤馬 五下切 yǎ ㊤禡 魚駕切
字解 가릴 아 집 같은 것을 지어 우로(雨露)를 가림. '夏—馬'《周禮》.
字源 篆文 形聲. 广+牙〔音〕. '广엄'은 '지붕', '牙아'는 밖으로 튀어나온 물건의 뜻. '차양'의 뜻을 나타냄.

4/⑦ [庐] 〔려〕 廬(广部 十六畫〈p.710〉)의 俗字

4/⑦ [度] 〔도〕 度(广部 六畫〈p.697〉)의 俗字

4/⑦ [庐] 〔려·로〕 廬(广部 十六畫〈p.710〉)의 簡體字

4/⑦ [庄] 〔장〕 莊(艸部 七畫〈p.1924〉)의 俗字

4/⑦ [底] 〔저〕 底(广部 五畫〈p.694〉)와 同字

4/⑦ [床] 高人 〔상〕 牀(爿部 四畫〈p.1369〉)의 俗字

筆順 亠广庐疒庆床

[応] 〔응〕 心部 三畫(p.758)을 보라.

5/⑧ [底] 高人 저 ㊤薺 都禮切 dǐ
筆順 亠广广庀庇底底
字解 ①밑 저 ㉠밑바닥. '—面'. '眼花落井水—眠'《杜甫》. ㉡세월의 거의 다 된 때. 세밑 따위.

‘歲一’. ‘月一’. ②바닥 저 그릇·신 같은 것의 밑 부분. ‘無一日彙’《詩經 箋》. ③이를 저 도달함. ‘一止’. ‘瞽瞍—豫而天下之爲父母者定’《孟子》. ④이룰 저 되게 함. 致(至部 三畫)와 뜻이 같음. ‘乃一滅亡’《書經》. ⑤그칠 저 정지함. ‘房久將—’《國語》. ⑥어찌 저 의문사. 어찌하여. 또, 어떤. 何(人部 五畫)와 뜻이 같음. 시(詩) 또는 속어에 쓰임. ‘一事’. ‘有一忙時不肯來’《韓愈》. ⑦어조사 저 지시(指示)의 뜻을 나타내는 조사(助辭). 송인(宋人)의 어록(語錄)에 이 자를 많이 썼음. 的(白部 三畫)와 뜻이 같음. ‘是做人一樣子’《朱子語類》. ⑧초고 저 문서의 원고. ‘一本’. ‘公家文書之彙, 中書謂之草, 樞密院謂之一, 三司謂之檢’《春明退朝錄》. ⑨숫돌 저 砥(石部 五畫)와 통용. ‘磨礱—厲’《漢書》. ⑩성 저 성(姓)의 하나.

字源 形聲. 广＋氐[音]. ‘氐저’는 ‘바닥’의 뜻. 가옥의 기저부(基底部)의 뜻에서, 일반적으로, 바닥, 밑, 바닥에 이르다의 뜻을 나타내게 됨.

[底稿 저고] 원고(原稿). 초고(草稿).
[底極 저극] ㉠종극(終極)에 이름. 끝남. ㉡끝. 종극(終極).
[底厲 저려] ㉠숫돌. ㉡갈고 닦음. 전(轉)하여, 학문·품성(品性) 등을 수양(修養)함.
[底裏 저리] ㉠깊이 숨어서 보이지 않는 곳. ㉡안의 정세. 속사정. 내정(內情).
[底面 저면] 밑의 면(面).
[底邊 저변] 밑의 변(邊).
[底本 저본] 초고(草稿).
[底事 저사] 어찌하여. 무슨 이유로. 당시(唐詩)에 흔히 나오는 말임.
[底薀 저온] 깊은 속. 마음속에 깊숙이 감추어 둔 일. 온오(蘊奧).
[底定 저정] ㉠그곳에 정착(定着)함. ㉡난리를 평정함.
[底止 저지] 도달하여 정지함.
[底下 저하] ㉠용렬(庸劣)함. 비열(卑劣)함. ㉡아주 천(賤)함.
[底下人 저하인] 종. 노복(奴僕).
[底貨 저화] 잔품(殘品). 잔하(殘荷).
●筐底. 基底. 到底. 拂底. 船底. 歲底. 小底. 水底. 心底. 眼底. 池底. 艙底. 徹底. 湫底. 河底. 海底. 胸底.

5 [厏] 사 ①㉠馬 側下切 zhǎ ②㉡麻 鋤加切 chá
字解 ①집 사 가옥(家屋). ‘一, 屋也’《集韻》. ②고르지않을 사 가지런하지 않음. ‘一厊, 不齊’《集韻》.

5 [庖] 포 ㉡看 薄交切 páo
字解 ①부엌 포 취사장. ‘一廚’. ‘大一不盈’《詩經》. ②요리인 포 요리하는 사람. ‘伊尹爲一’《史記》. ③음식물 포 요리한 음식. ‘專主一膳’《宋史》. ④복희씨 포 복희씨(伏羲氏)를 이름. ‘一犧’. ‘河圖命一’《漢書》. ⑤성 포 성(姓)의 하나.
字源 形聲. 广＋包[音]. ‘包포’는 ‘싸다’의 뜻. ‘广엄’은 ‘가옥’의 뜻. 고기를 싸 두는 방, 곧 ‘부엌’의 뜻을 나타냄.

[庖廩 포름] 부엌과 곳집. 부엌과 광.

[庖屋 포옥] 부엌. 취사장.
[庖人 포인] ㉠주(周)나라의 벼슬 이름. 식선(食膳)을 맡았음. ㉡요리인(料理人). 포재(庖宰).
[庖宰 포재] 요리하는 사람. 요리인. 「인.
[庖子 포자] 옛날의 유명한 요리인. 전하여, 요리
[庖丁 포정] ㉠옛날의 유명한 요리인의 이름. 그가 쇠고기를 바르는 데 지극히 교묘하였다는 고사(故事)에서, 후세에 기술이 교묘함을 칭찬하여 ‘——解牛’라 하였음. ㉡요리인(料理人). 포인(庖人).
[庖正 포정] 식선(食膳)을 맡은 벼슬.
[庖丁解牛 포정해우] 포정(庖丁)㉠을 보라.
[庖廚 포주] 부엌. 주방. 취사장. 주(廚)는 속(俗)에 주(厨)로 씀.
[庖犧 포희] ‘복희(伏羲)’와 같음. 희생(犧牲)을 길러서 부엌에 대어 주었다는 데서 이름.
●同庖. 良庖. 典庖. 族庖. 廚庖. 珍庖. 寒庖.

5 [店] 中入 점 ㉠豔 都念切 diàn
筆順 ` 亠 广 广 庐 庐 店 店
字解 전방 점 가게. 상점. ‘一鋪’. ‘營新一, 規利’《宋史》.
字源 形聲. 广＋占[音]. ‘占점’은 일정 장소를 차지한다는 뜻. 일정 장소를 차지하고 물품을 벌여 놓고 장사하는 장소, 곧 ‘가게’의 뜻을 나타냄.

[店頭 점두] 가게 앞.
[店幕 점막] (韓) 음식(飮食)을 팔고 나그네를 묵게 하는 집.
[店肆 점사] 점포(店鋪).
[店員 점원] (韓) 가게에서 일을 보는 고용인.
[店店 점점] 가게마다.
[店主 점주] 가게의 주인.
[店鋪 점포] 가게. 상점(商店).
●開店. 孤店. 露店. 賣店. 名店. 坊店. 芳店. 本店. 分店. 商店. 書店. 小店. 夜店. 野店. 旅店. 料理店. 飮食店. 支店. 草店. 閉店. 弊店. 行店. 荒店.

5 [庚] 中入 경 ㉡庚 古行切 gēng
筆順 ` 亠 广 庐 庐 庐 庚 庚
字解 ①일곱째천간 경 십간(十干)의 제칠 위(第七位). 방위로는 서쪽, 오행(五行)으로는 금(金)에 속(屬)함. ‘一午’. ‘太歲在一日上章’《爾雅》. ②고칠 경 更(日部 三畫)과 同字. ‘先一三日, 後一三日’《易經》. ③갚을 경 배상함. ‘請一之’《禮記》. ④단단할 경 씨가 잘 여물어 단단함. 견강(堅强)함. ‘萬物——有實’《說文》. ⑤나이 경 연령. ‘同一者數十’《癸辛雜識》. ⑥길 도로. ‘塞夷—’《左傳》.
字源 象形. 甲骨文으로도 알 수 있듯이, 절굿공이를 두 손으로 들어 올리는 모양을 형상함. 만물이 여무는 가을 등, 십간(十干)의 일곱째의 뜻으로 쓰임.

[庚庚 경경] ㉠드러누운 모양. ㉡잘 여물어 단단한 모양. ㉢새 우는 소리.

[庚癸 경계] 군중(軍中)에서 양식을 구하는 은어(隱語). 경(庚)은 서쪽에 위치해서 곡식을 주관하고, 계(癸)는 북쪽에 있어서 물을 주관하기 때문임.
[庚伏 경복] 삼복(三伏)을 이름. 하지(夏至) 후의 셋째 경일(庚日)에 시작하기 때문임.
●盜庚. 同庚. 商庚. 先庚. 由庚. 夷庚. 長庚. 倉庚. 蒼庚. 後庚.

5 ⑧ [庘] 압 ㊰洽 乙甲切 yā

字解 ①쏠린집 압 다 쓰러져 가는 집. '一, 屋欲壞也'《玉篇》. ②돼지우리 압 '一, 一曰, 家屋也'《集韻》.

5 ⑧ [府] 高入 부 ㊤麌 方矩切 fǔ

筆順 ' 亠 广 庁 庁 庁 府 府

字解 ①곳집 부 문서 또는 재화를 넣어 두는 창고. '一庫'. '在官言官, 在一言一'《禮記》. ②마을 부 재화(財貨)를 맡은 관청. 전(轉)하여, 널리 관청. '泉一 ∼寺'. '文深不可居大一'《漢書》. ③도읍 부 사람이 많이 모이는 곳. '未嘗入城一'《後漢書》. 전(轉)하여, 사물이 모이는 곳. '吾不爲怨一'《左傳》. ④고을 부 행정 구획(區劃)의 하나. 주(州)의 큰 것. 당(唐)나라에서 시작되어, 명(明)·청(淸)에 이르러서는 주현(州縣)을 통합하여 성(省)에 속하다가, 중화민국(中華民國)에 이르러 폐지되었음. '州一三百五十八'《唐書》. ⑤창자 부 腑(肉部 八畫)와 통용. '藏一'. '在人身中, 飲食所聚, 謂之六一'《周禮 疏》. ⑥구부릴 부 俯(人部 八畫)와 통용. '王一而視之'《列子》. ⑦성 부 성(姓)의 하나.

字源 金文 襁 篆文 府 形聲. 广+付〔音〕. '广엄'은 '지붕, 건물'의 뜻. '付부'는 '건네다, 부치다'. 중요 서류를 부쳐서 간수해 두는 '곳집'의 뜻을 나타냄. 金文은 '府+貝패'의 형태인데, '貝'는 '재물'의 뜻이므로, 예로부터 재물을 간수하는 '곳집'의 뜻을 나타냈었음을 알 수 있음.

[府檄 부격] 관청으로부터의 소집장.
[府庫 부고] 궁정(宮廷)의 문서(文書)·재보(財寶)를 넣어 두는 곳집.
[府公 부공] ㉠육조(六朝) 시대에 관청의 장관의 존칭. ㉡당대(唐代)에 절도사·관찰사의 존칭.
[府君 부군] ㉠한대(漢代)에 태수(太守)의 존칭(尊稱). ㉡존장(尊長)의 존칭. ㉢자기의 망부(亡父) 및 조상(祖上)의 존칭. ㉣죽은 사람의 영혼을 다스리는 신(神). '태산부군(泰山府君)'의 준말.
[府吏 부리] 벼슬아치.
[府兵 부병] 수(隋)나라와 당(唐)나라 때 유사시에는 종군(從軍)하고 무사한 때에는 여러 주(州)에 분산하여 경작하며, 그중에서 선발하여 수도(首都)의 위병(衛兵)으로 번(番)들게 하던 군사.
[府史 부사] 장관 밑에서 물건의 보관을 맡은 벼슬아치와 문서(文書) 작성의 일을 맡은 벼슬아치.
[府署 부서] 관아(官衙). 관청(官廳).
[府城 부성] 도읍(都邑).

[府寺 부시] 관아(官衙). 관청.
[府尹 부윤] ㉠부(府)의 장관(長官). 한(漢)나라의 경조윤(京兆尹)에서 시작하였음. ㉡《韓》조선 시대 때 종이품(從二品)의 외관직(外官職).
[府人 부인] 곳집을 맡은 벼슬아치. 창고(倉庫)지기.
[府藏 부장] 궁정(宮廷)의 곳간.
[府庭 부정] 관아(官衙)의 뜰.
[府第 부제] 관아(官衙). 관청(官廳).
[府朝 부조] 삼공(三公)의 관아와 군수(郡守)의 관아.
[府中 부중] 대장군(大將軍)의 막부(幕府). 일설(一說)에는, 재상(宰相)이 집무하는 관아(官衙).
[府帑 부탕] 정부(政府)의 금고(金庫). 국고(國庫). 또, 그 돈. 국고금(國庫金).
●家府. 京府. 公府. 官府. 廣寒府. 九府. 舊府. 國府. 軍府. 記府. 內府. 潭府. 大府. 臺府. 都府. 都護府. 幕府. 萬物一府. 盟府. 明府. 冥府. 藩府. 祕府. 四府. 私府. 上府. 相府. 庶府. 署府. 膳府. 城府. 小府. 水府. 首府. 心府. 樂府. 兩府. 御府. 連府. 靈府. 藝府. 玉府. 外府. 怨府. 六府. 陰府. 林府. 入府. 宰府. 折衝府. 政府. 州府. 知府. 鎭守府. 振府. 天府. 天府. 泉府. 樞府. 霸府. 學府. 禍府. 胸府.

5 ⑧ [庇] 자 ㊱寘 七賜切 cì

字解 쟁깃술 자 보습 옆에 댄 나무. '車人爲末, 一長尺有一寸'《周禮》.
參考 庇(广部 四畫)·疵(疒部 五畫)는 別字.

5 ⑧ [疧] 〔지〕 知(矢部 三畫〈p. 1557〉)의 古字

6 ⑨ [庠] 人名 상 ㊦陽 似羊切 xiáng

筆順 ' 亠 广 广 庁 序 庄 庠

字解 학교 상 ㉠은(殷)·주대(周代)의 학교. '一序'. '夏曰校, 殷曰序, 周曰一'《孟子》. ㉡지방 학교, 향학(鄕學). '邑一. 郡一'. '古之敎者, 家有塾, 黨有一'《禮記》.
字源 篆文 庠 形聲. 广+羊〔音〕. '羊양'은 '養양'과 통하여, 노인을 공경하며, 그 장로(長老)에 의하여 자제(子弟)를 교육하는 은대(殷代)의 학교의 뜻을 나타냄. 또, '養'은 '詳상'과 통하여, 고전(古典)을 자세히 강의하는 주대(周代) 학교의 뜻을 나타냄.

[庠校 상교] 학교(學校).
[庠序 상서] 향리(鄕里)의 학교. 또, 학교.
[庠學 상학] 상서(庠序).
[庠斅 상효] 상서(庠序).
●國庠. 上庠. 序庠. 下庠.

6 ⑨ [庤] 치 ㊤紙 直里切 zhì

字解 쌓을 치 쌓아 둠. 저축함. '一, 儲置屋下也'《說文》.
字源 篆文 庤 形聲. 广+寺〔音〕. '广엄'은 '건물'의 뜻. '寺시'는 '止지'와 통하여 '멈추게 하다'의 뜻. 건물 안에 물건을 저장하여 머무르

게 하다의 뜻을 나타냄.

6 ⑨ [庥] 휴 [平]尤 許尤切 xiū

[字解] ①나무그늘 휴 나무의 그늘. 수음(樹蔭). '今俗呼樹蔭爲—'《爾雅 註》. ②쉴 휴 휴식함. '此邦是—'《韓愈》.

[字源] 休의 別字 形聲. 广+休〔音〕. '休휴'의 별체(別體)로서 '쉬다'의 뜻을 나타냄. 또, '广엄'은 가옥의 덮개, 지붕의 상형으로, 사람이 쉬는 나무 그늘의 뜻을 나타냄.

6 ⑨ [庈] 치 [上]紙 尺氏切 chǐ

[字解] 넓힐 치, 클 치 넓고 큼. '軍—翼掩之'《唐書》.

6 ⑨ [庢] 질 [入]質 陟栗切 zhì

[字解] ①막을 질 막아 그치게 함. 저지(沮止)함. '—, 礙止也'《說文》. ②물굽이 질 물줄기의 굽어진 부분. '山曲曰盩, 水曲曰—'《太平寰宇記》.

[字源] 篆文 形聲. 广+至〔音〕. '至지'는 '塡전'과 통하여, 가득 채워 넣다의 뜻. 옥내에 물건이 차다, 막히다의 뜻을 나타냄.

6 ⑨ [度] [中][人] [一] 도 [去]遇 徒故切 dù [二] 탁 [入]藥 徒落切 duó

[筆順] ' 亠 广 广 庐 庐 庐 庐 度

[字解] [一] ①법도 도 법칙. '制—'. '—不可改'《左傳》. ②자 도 장단을 재는 기구. '尺—'. '同律—量衡'《書經》. ③정도 도 알맞은 한도. '制節謹—'《孝經》. ④국량 도 기량(器量). '—量'. '有大—'《史記》. ⑤풍채 도 모습. '態—'. '此子之風—'《後漢書》. ⑥번 도 횟수. '—數'. '前後六—銜命'《北史》. ⑦건널 도, 건넬 도 渡(水部 九畫)와 同字. '—航'. '—江河'《漢書》. '莫把金針—與人'《元好問》. ⑧중될 도 속인(俗人)이 승적(僧籍)에 들어감. '剃—'. '得—'. '欲請—僧以資福事'《唐書》. ⑨도 도 ㉠일월성신(日月星辰)의 운행을 재기 위하여 천체(天體)의 전주(全周)를 360등분(等分)한 새김. '日月宿—相戾'《後漢書》. ㉡온도(溫度)의 단위. ㉢각도(角度)의 단위. ㉣지구의 표면을 동서 또는 남북으로 각각 360등분한 새김. '經—'. '緯—'. ⑩성 도 성(姓)의 하나. [二] ①잴 탁 ㉠길이를 잼. '寸而—之, 至丈必差'《說苑》. ㉡땅을 잼. 측량함. '—地居民'《禮記》. ②헤아릴 탁 ㉠촌탁함. 추측함. '神之格思, 不可—思'《詩經》. ㉡고려함. '爰究爰—'《詩經》. ③물을 탁 문의함. '周爰咨—'《詩經》. ④셀 탁 계산함. '不—民械'《禮記》. ⑤던질 탁 흙을 널빤지에 던짐. '—之薨薨'《詩經》.

[字源] 篆文 形聲. 又+庶(庚)〈省〉〔音〕. '庚서'는 '尺척'과 통하여, '자'의 뜻. '又우'는 '손'의 뜻. 자를 건너질러서 재다의 뜻을 나타냄.

[度曲 도곡] ㉠가곡(歌曲)에 의하여 노래함. ㉡가곡(歌曲)을 지음.
[度矩 도구] 법(法). 규칙.
[度揆 도규·탁규] ㉠도구(度矩). ㉡'탁규(度揆)'를 보라.
[度量 도량] ㉠길이를 재는 기구(器具)와 용적(容積)을 재는 기구. 자와 되. ㉡길이와 용적. ㉢사물(事物)을 너그럽게 용납(容納)하여 처리(處理)하는 품성.
[度量衡 도량형] ㉠도(度)는 길이를 재고, 양(量)은 분량(分量)을 되고, 형(衡)은 무게를 다는 일. ㉡자·되·저울의 총칭(總稱).
[度世 도세] ㉠속세(俗世)를 초월함. ㉡중생(衆生)을 구제함.
[度數 도수] ㉠얼마의 번수. 횟수. ㉡각도(角度)·광도(光度)·온도(溫度) 등의 도(度)의 수. 눈의 수. ㉢정한 제도(制度).
[度厄 도액] 액막이.
[度外 도외] ㉠법도(法度) 밖. ㉡생각 밖. 문제 밖.
[度外視 도외시] ㉠문제로 삼지 않고 가외의 것으로 보아 넘김. ㉡상대를 하지 아니함.
[度越 도월] 남보다 뛰어남.
[度日 도일] 살아 나감. 생활(生活)함.
[度牒 도첩] 승니(僧尼)가 되어 수계(受戒)하였을 때 정부(政府)가 윤허(允許)하여 주는 증명.
[度脫 도탈] ㉠중생을 제도(濟度)하여 괴로움을 면케 함. '제도 해탈(濟度解脫)'의 준말. ㉡훨씬 뛰어남.
[度航 도항] 배를 타고 물을 건넘. 또, 그 배. 도항(渡航).
[度計 탁계] 헤아림. 요량함.
[度揆 탁규] 탁계(度計).
[度內 탁내] 가슴속을 헤아림.
[度德量力 탁덕양력] 자기의 덕망(德望)과 역량(力量)을 헤아려 일을 행함.
[度料 탁료] 탁계(度計).
[度支 탁지] 천하(天下)의 재정(財政)을 맡은 벼슬. 회계관(會計官).
[度地 탁지] 토지를 측량(測量)함.
[度支部 탁지부] ㉠청(淸)나라 말년에 호부(戶部)를 개칭(改稱)한 것. 민국(民國)에 들어와서는 다시 재정부(財政部)라 고쳤음. ㉡대한제국(大韓帝國) 때 정부의 재무(財務)를 총할(總轄)하던 관아.
[度支衙門 탁지아문] 조선 말(朝鮮末)에 재정(財政)·조세(租稅)·화폐(貨幣) 등에 관한 사무(事務)를 총할하던 관아. 호조(戶曹)의 후신(後身)이고 탁지부(度支部)의 전신임.

◉角度. 感度. 犍度. 經度. 計度. 稽度. 高度. 過度. 曠度. 宏度. 校度. 句度. 究度. 矩度. 局度. 權度. 軌度. 規度. 揆度(규탁). 極度. 襟度. 期度. 器度. 濃度. 大度. 都度. 得度. 滅度. 明度. 民度. 密度. 百度. 法度. 頻度. 思度. 商度. 常度. 象度. 鮮度. 性度. 星度. 速度. 純度. 濕度. 猜度. 識度. 尋度. 雅度. 量度. 億度. 臆度(억탁). 預度. 禮度. 五度. 溫度. 料度. 用度. 原度. 遠度. 越度. 緯度. 踰度. 六度. 隱度. 擬度. 議度. 才度. 適度. 纏度. 節度. 丁度. 貞度. 程度. 制度. 濟度. 糟度. 調度. 準度. 支度. 志度. 進度. 震度. 差度. 察度. 尺度. 剃度. 體度. 初度. 忖度(촌탁). 揣度. 測度. 則度. 態度. 討度. 品度. 風度. 限度. 憲度. 玄度. 懸度. 化度.

6 ⑨ [庞] 선 [上]吻 所近切 shěn

[字解] 집기울 선 집이 쏠림. '一, 屋斜也'《篇韻》.

6 ⑨ [庣] 조 [平]蕭 吐彫切 tiāo

[字解] ①차지않을 조 용기(容器)에 가득 차지 아니함. 또, 그 차지 않는 곳. '旁有一焉'《漢書》. ②지날 조 넘침. '一, 過也'《集韻》.

6 ⑨ [庨] 〔척〕 斥(斤部 一畫〈p.951〉)과 同字

6 ⑨ [庰] 〔병〕 庰(广部 八畫〈p.699〉)의 俗字

7 ⑩ [座] [高人] 좌 [去]箇 徂臥切 zuò

[筆順] 丶 亠 广 广 庂 庂 座 座

[字解] ①자리 좌 ㉠까는 자리. '繡一'. '蒲一夜間猫占臥'《許棐》. ㉡앉는 자리. '掃除設一'《史記》. ㉢여러 사람이 앉아 있는 장소. '談咏竟一'《晉書》. ㉣지위. '八一樞機'《李嶠》. ㉤성수(星宿). '太一之一也'《晉書》. ㉥좌대(座臺). 기구를 앉혀 놓는 대(臺). '立砲一十有二'《元史》. ②좌 좌 안치(安置)하여 놓은 것을 세는 수사(數詞). '佛像一一'.

[字源] 形聲. 广+坐〔音〕. '坐좌'는 '앉다'의 뜻. 가옥 안의 앉는 장소의 뜻을 나타냄.

[座客 좌객] 좌석(座席)에 앉아 있는 손. 동석(同席)한 사람.
[座鼓 좌고] 틀에 달고 채로 치게 된 북.
[座具 좌구] 중이 부처에게 절할 때 까는 자리.
[座談 좌담] 자리 잡고 앉아서 하는 이야기.
[座論 좌론] ㉠석상(席上)에서의 의론(議論). ㉡매화(梅花)의 일종. 좌론매(座論梅).
[座末 좌말] 자리의 끝. 하위(下位)의 좌석.
[座上 좌상] 여러 사람이 모인 자리. 좌중(座中). 석상(席上).
[座席 좌석] 앉는 자리. 앉은 자리.
[座禪 좌선] '좌선(坐禪)'과 같음.
[座右 좌우] ㉠좌석(座席)의 오른편. ㉡좌석(座席)의 곁. 자기가 거처(居處)하는 곳의 곁.
[座右銘 좌우명] 늘 자리 옆에 적어 놓고 경계로 삼는 격언(格言).
[座隱 좌은] 앉아서 은둔(隱遁)한다는 뜻으로, '바둑'을 달리 이르는 말. 좌은(坐隱).
[座長 좌장] 집회 석상(集會席上)에서 회장(會長)으로 추대된 사람. 또, 좌석(座席)의 어른.
[座前 좌전] 편지(便紙)를 받을 사람의 성명(姓名) 아래에 쓰는 존칭(尊稱).
[座主 좌주] 과거 보는 사람이 시관(試官)을 일컫는 말. 당대(唐代)부터 쓴 말임.
[座中 좌중] ㉠여러 사람이 모인 자리. ㉡자리의 가운데.
[座次 좌차] 자리의 차례. 석순(席順).
[座下 좌하] 좌전(座前).
[座興 좌흥] 여러 사람이 모인 자리에서 흥을 돋우는 노래나 유희 따위.
◉講座. 傾座. 瓊座. 計座. 高座. 槐座. 口座. 几杖座. 跪座. 鈞座. 金座. 起座. 露座. 臺座. 滿座. 末座. 默座. 法座. 黼座. 寶座. 獅子座. 四座. 三台座. 上座. 星座. 首座. 視座. 侍座. 神座. 安座. 御座. 蓮座. 列座. 猊座. 玉座. 圓座. 危座. 律座. 辰座. 銀座. 一座. 前座. 正座. 帝座. 中座. 衆座. 中台座. 卽座. 着座. 遷座. 草座. 台座. 八座. 便座. 下座. 虛座. 花座.

7 ⑩ [庫] [高人] 고 [去]遇 苦故切 kù 库

[筆順] 丶 亠 广 户 庐 肩 直 庫

[字解] 곳집 고 무기를 넣어 두는 창고. '一, 兵車藏也'《說文》. 후세에는, 다른 재화도 저장하는 창고로 널리 쓰임. '一藏'. '審五一之量'《禮記》.

[字源] [金文] [篆文] 形聲. 广+車〔音〕. '广엄'은 '가옥'의 뜻. '車거'는 '수레'의 뜻. 수레를 넣는 곳집의 뜻을 나타냄.

[庫樓 고루] ㉠무기를 넣어 두는 창고의 망루(望樓). ㉡성수(星宿)의 이름. 고루(庫婁).
[庫裡 고리] 고리(庫裏).
[庫裏 고리] 《佛敎》 절의 부엌.
[庫門 고문] 치문(雉門) 밖에 있는 왕궁(王宮)의 문(門).
[庫封 고봉] 물건(物件)을 곳집 속에 넣어 잠그고 봉(封)함.
[庫藏 고장] 곳간. 창고(倉庫).
[庫錢 고전] 정부의 창고에 넣어 둔 돈.
[庫平 고평] 청(淸)나라 강희(康熙) 연간에 제정된 무게의 단위의 이름. 평칭(平秤).
◉公庫. 國庫. 金庫. 內庫. 廩庫. 武庫. 文庫. 兵庫. 寶庫. 府庫. 四庫. 書庫. 五庫. 長生庫. 在庫. 齋庫. 艇庫. 車庫. 倉庫. 天庫. 帑庫.

7 ⑩ [庬] [一] 방 [平]江 亡江切 máng
[二] 몽 [上]董 母揔切 měng

[字解] [一] 두터울 방 풍후함. 厖(厂部 七畫)과 同字. '湛恩一洪'《漢書》. [二] 흐릿할 몽 혼돈(混沌)하여 분명하지 않은 모양. '踰一鴻於宕冥兮'《張衡》.

[字源] 形聲. 广+尨〔音〕. '尨방'은 삽살개의 상형으로 풍부하다는 뜻. '广엄'은 '집'의 뜻. '큼, 풍부함'의 뜻을 나타냄.

[庬鴻 몽홍] 사물이 혼돈하여 불분명한 모양.
[庬洪 방홍] 두텁고 큼.
◉奇庬. 敦庬. 紛庬. 豐庬.

7 ⑩ [庭] [中人] 정 [平]青 特丁切 tíng
[去]徑 他定切

[筆順] 丶 亠 广 庄 庄 庄 庭 庭

[字解] ①뜰 정 ㉠집 안의 마당. '一園'. '掌掃門一'《周禮》. ㉡대청. '賓客在一者'《列子》. ㉢백성을 상대하여 정무(政務)·소송을 취급하는 곳. '法一'. '訟於郡一長年'《魏書》. ㉣궁중(宮中). '妖靡盈一, 忠良在朝'《列子》. ㉤집안. 가정. '一訓益峻'《晉書》. ㉥곳. 장소. '宜昇著作之一, 並踐記言之地'《李嶠》. ②조정 정 廷(廴部 四畫)과 同字. '龍輅充一'《張衡》. ③곧을 정 반듯함. '旣一且碩'《詩經》. ④동안뜰 정 사이가 멂. 또, 차이가 큼. '大有逕一'《莊子》. ⑤성 정 성(姓)의 하나.

[字源] 篆文 形聲. 广＋廷〔音〕. '廷정' 은 궁전으로부터 쑥 내민 '뜰' 의 뜻. '广엄' 을 붙여, '뜰' 의 뜻을 나타냄.

[庭柯 정가] 뜰에 있는 나무. 정수(庭樹). 원수(園樹).
[庭決 정결] 사택(私宅)에서 판결(判決)함.
[庭階 정계] 뜰과 계단. 전(轉)하여, 문 안. 집 안.
[庭誥 정고] 정훈(庭訓). 가교(家敎).
[庭壼 정곤] 대궐 안.
[庭敎 정교] 가정교육. 가정교훈. 정훈(庭訓).
[庭球 정구] ㉠장방형(長方形)의 코트 중앙에 네트를 치고 무른 고무공을 라켓으로 쌍방에서 쳐 넘기는 구기(球技). 연식 정구(軟式庭球). ㉡테니스의 종전의 일컬음.
[庭燎 정료] 옛날 나라에 큰 일이 있을 때 밤중에 대궐의 뜰에 피우던 화톳불. 입궐(入闕)하는 신하를 위하여 피웠음.
[庭實 정실] 마당에 가득 늘어놓은 공물(貢物).
[庭午 정오] 해나 달이 중천(中天)에 있는 때. 정오(亭午). 정오(正午).
[庭辱 정욕] 조정(朝庭)에서 욕(辱)을 보임.
[庭園 정원] ㉠집 안의 뜰. ㉡집 안에 만들어 놓은 동산.
[庭闈 정위] 부모가 거처하는 방. 전(轉)하여, 부모. 위(闈)는 내실(內室).
[庭牆 정장] 뜰 가의 담.
[庭爭 정쟁] 조정에서 기탄없이 임금을 간(諫)함.
[庭前 정전] 뜰 앞.
[庭除 정제] 뜰. 마당.
[庭圃 정포] 정원(庭園).
[庭戶 정호] 집의 뜰과 출입구. 전하여, 뜰 안. 집 안.
[庭訓 정훈] 가정교육. 가정교훈. 정교(庭敎). 공자(孔子)의 아들 이(鯉)가 뜰 앞으로 뛰어갈 때 공자가 그를 불러 세우고서 시(詩)·예(禮)를 배워야 함을 가르쳤다는 고사(故事)에 의함.
[庭詰 정힐] 조정(朝廷)에서 힐책(詰責)함.
◉家庭. 間庭. 徑庭. 逕庭. 校庭. 宮庭. 闈庭. 棘庭. 禁庭. 來庭. 彤庭. 洞庭. 幕庭. 門庭. 法庭. 邊庭. 不庭. 府庭. 北庭. 私庭. 山庭. 胥庭. 石庭. 省庭. 訟庭. 殊庭. 掖庭. 王庭. 園庭. 膺庭. 鯉庭. 前庭. 珠庭. 中庭. 踐仁庭. 天庭. 椒庭. 築庭. 遐庭. 學庭. 閑庭. 戶庭. 後庭.

7 ⑩ [庮] 곤 [去]願 苦悶切 kùn

[字解] 곳집 곤 미창(米倉). '一, 倉也'《玉篇》.

7 ⑩ [庮] 유 [上]有 與九切 yǒu [平]尤 以周切

[字解] ①썩은나무 유 고옥(古屋)의 썩은 나무. ②썩은내날 유 썩은 나무의 냄새가 남. '一, 朽木臭也'《周禮 註》.

[字源] 篆文 形聲. 广＋酉〔音〕

7 ⑩ [庩] 도 [平]虞 同都切 tú

[字解] 기울 도 집이 기울어짐. '庯一'.

7 ⑩ [庪] 기 [上]紙 過委切 guǐ

[字解] 산신제 기 '一縣' 은 산신(山神)에 지내는 제사. '祭山曰一縣'《爾雅》.

[字源] 篆文 形聲. 广＋技〔音〕

[唐] 〔당〕 口部 七畫(p. 377)을 보라.

[席] 〔석〕 巾部 七畫(p. 674)을 보라.

8 ⑪ [庰] 병 [上]梗 必郢切 bìng

[字解] ①덮개 병, 덮을 병 '一, 蔽也'《說文》. ②감출 병 저장함. '一, 藏也'《廣雅》. ③후미진집 병 '坐太陰之一室兮'《張衡》.

[字源] 篆文 形聲. 广＋幷〔音〕. '广엄' 은 '지붕', '幷병' 은 '아우르다' 의 뜻. 위에서 몽땅 덮다의 뜻을 나타냄.

[參考] 庰(广部 六畫)은 俗字.

8 ⑪ [庳] 비 ①③[上]紙 便俾切 bì ②[平]支 頻彌切 pí

[字解] ①낮을 비 ㉠집이 낮음. '宮室卑一'《左傳》. ㉡지위가 낮음. '一則儀秦'《揚子法言》. ㉢땅이 낮음. '陂唐汚一'《國語》. ㉣키가 작음. '其民豐肉而一'《周禮》. ②도울 비 毗(田部 四畫)와 통용. '天子是一'《荀子》. ③성 비 성(姓)의 하나.

[字源] 篆文 形聲. 广＋卑〔音〕. '卑비' 는 '낮다' 의 뜻. 집이 낮다는 뜻을 나타냄.

[庳車 비차] 낮은 수레.
◉卑庳. 汚庳. 低庳.

8 ⑪ [庳] 庳(前條)와 同字

8 ⑪ [庵] [人名] 암 [平]覃 烏含切 ān

[筆順] 丶 亠 广 广 庐 庥 庵 庵

[字解] 암자 암 ㉠초막. '草一'. '編草結一'《齊書》. ㉡불상(佛像)을 모신 작은 집.

[字源] 形聲. 广＋奄〔音〕. '奄엄' 은 '덮다' 의 뜻. 둥근 풀잎 지붕에 덮인 '암자' 의 뜻을 나타냄.

[庵廬 암려] 초막. 암자.
[庵裏·庵裡 암리] 암자 안.
[庵室 암실] 중이나 은자(隱者)가 사는 초막.
[庵住 암주] 초막을 짓고 삶. 또, 그 사람.
◉結庵. 茅庵. 蓬庵. 禪庵. 廬庵. 草庵.

8 ⑪ [庹] [一] 타 tuǒ [二] 탁 tuǒ

[字解] [一] 성 타 성(姓)의 하나. [二] 발 탁 양팔을 벌린 길이. '一, 兩腕引長, 謂之一'《字彙補》.

8 ⑪ [庶] 庶(次條)의 俗字

8 ⑪ [庶] [高人] 서 ①-⑨[去]御 商署切 shù ⑩[上]語 賞呂切

[筆順] 丶 亠 广 疒 庈 庐 庐 庶 庶

[字解] ①많을 서 '我事孔一'《詩經》. ②여러 서 여러 가지. 갖가지. '一羞'. '一績咸熙'《書經》. ③무리 서 많은 백성. 서민(庶民). '一無罪悔'《詩經》. ④풍성할 서, 살찔 서 넉넉하고 많음. 또, 살이 쪄 맛이 있음. 비미(肥美)함. '爲豆孔一'《詩經》. ⑤바라건대 서 바라노니. '一幾'. '一竭駑鈍, 攘除姦凶'《諸葛亮》. ⑥가까울 서 거의 되려 함. '一幾'. '回也, 其一乎'《論語》. ⑦서자서 첩의 자식. '一孼', '殺嫡立一'《左傳》. ⑧서족 서 종가(宗家)에서 갈려 나간 겨레. 지족(支族). 지파(支派). '其澤流枝一'《史記》. ⑨제독할 서 고독(蠱毒)을 제거함. '凡一蠱之事'《周禮》. ⑩성 서 성(姓)의 하나.

[字源] 金文 𢉍 篆文 庶 會意. 广+炗. '广염'은 '지붕'의 뜻. '炗'은 그릇 속의 것을 불로 찌거나 끓이는 형상이며, '煮자'의 원자(原字)라고도 하고, 옥내를 그슬러 해충을 제거하는 뜻이라고도 함. 假借하여, '여러'의 뜻으로 사용함.

[庶官 서관] 여러 벼슬아치. 뭇 벼슬아치. 백관(百官).
[庶揆 서규] 서관(庶官). 서료(庶僚).
[庶幾 서기] ㉠가까움. 거의 되려 함. ㉡바람. 희망함. ㉢바라건대. ㉣현인(賢人).
[庶男 서남] 첩의 몸에서 난 아들.
[庶女 서녀] ㉠상(常) 사람의 딸. ㉡첩(妾)의 몸에서 난 딸.
[庶黎 서려] 백성. 서민(庶民).
[庶老 서로] 서사(庶士) 이하 서민 중의 연로(年老)한 사람. 국로(國老)의 대.
[庶僚 서료] 뭇 벼슬아치. 백료(百僚).
[庶類 서류] 서물(庶物).
[庶母 서모] 아버지의 첩(妾).
[庶務 서무] 여러 가지 사무(事務). 일반(一般)의 사무(事務).
[庶物 서물] 여러 가지 물건. 만물(萬物).
[庶民 서민] 평민(平民). 백성(百姓).
[庶方 서방] ㉠여러 방면. 여러 곳. ㉡모든 나라.
[庶士 서사] 뭇 선비. 제사(諸士). '一事'.
[庶事 서사] 여러 가지 일. 백사(百事). 만사(萬事).
[庶常吉事 서상길사] 주대(周代)의 관명(官名). 서무(庶務)를 맡은 선사(善士)라는 뜻임. 명태조(明太祖)는 서길사(庶吉士)라는 벼슬을 두어 문학과 서법(書法)에 뛰어난 진사(進士)를 선발하여 임용하였음.
[庶姓 서성] 천자(天子)와 성(姓)이 다른 제후(諸侯)를 이름.
[庶羞 서수] 여러 가지 맛있는 음식.
[庶孼 서얼] 서자(庶子).
[庶威 서위] 갖가지 위학(威虐)을 행하는 것.
[庶尹 서윤] 서정(庶正).
[庶人 서인] 평민(平民). 서민(庶民).
[庶子 서자] ㉠첩의 몸에서 난 아들. 고대(古代)에는 제후(諸侯)의 세자(世子)를 적자(嫡子)라 하였고, 기타의 아들은 서자라고 하다가, 후세에 이르러 첩의 아들만을 서자라 일컫게 되었음. ㉡주대(周代)에 제후(諸侯)·경대부(卿大夫)의 서자의 교양(敎養)을 맡은 벼슬. 제자(諸子)라고도 함.
[庶長 서장] ㉠서출(庶出)의 장자(長子). ㉡진

(秦)·한(漢) 시대, 무공(武功)을 세운 자에게 준 작위(爵位) 이름. 좌서장(左庶長)·우서장(右庶長) 따위.
[庶績 서적] 여러 가지 공적(功績). 수다한 공적.
[庶正 서정] 여러 관아(官衙)의 장관(長官). 서윤(庶尹).
[庶政 서정] 모든 정치(政治).
[庶族 서족] ㉠상사람의 족속(族屬). ㉡지파(支派)의 족속. 지족(支族). ㉢(韓)서파(庶派)의 족속.
[庶徵 서징] 천후(天候), 곧 청우 한난(晴雨寒暖) 등에 의한 여러 가지 징조(徵兆).
[庶出 서출] 첩(妾)의 소생(所生).
[庶派 서파] (韓)서자(庶子)의 자손.
[庶品 서품] 여러 계급(階級)의 벼슬아치. 군품(群品).
[庶兄 서형] 서모에게서 난 형.
[庶乎 서호] 서기(庶幾). 「성.
[庶彙 서휘] ㉠여러 가지 물건. 서물(庶物). ㉡백 ●黔庶. 萬庶. 民庶. 蕃庶. 繁庶. 凡庶. 富庶. 卑庶. 丞庶. 廝庶. 臣庶. 億庶. 黎庶. 人庶. 長庶. 嫡庶. 兆庶. 衆庶. 蒸庶. 支庶. 殆庶. 品庶. 匹庶.

8/11 **[庻]** 庶(前條)와 同字

8/11 **[康]** [高人] 강 ㉮陽 苦岡切 kāng 庚

[筆順] 丶 广 广 庐 庐 庚 康 康 康

[字解] ①편안할 강 몸 또는 마음이 편안함. '安一'. '四體一且直'《古詩》. ②편안히할 강 편안하게 함. '文王一之'《荀子》. ③즐거울 강, 즐거워할 강 마음이 즐거움. '一樂'. '無已大一'《詩經》. ④풍년들 강 풍년이 듦. '一年'. ⑤빌 강 공허함. '酌彼一爵'《詩經》. ⑥기릴 강 칭송함. '一周公'《禮記》. ⑦오달될 강 오달(五達)하는 한 길. '一逵'. '堯遊於一衢'《列子》. ⑧성 강 성(姓)의 하나.

[字源] 甲骨文 𤽐 籀文別體 康 形聲. 米+庚〔音〕. '庚경'은 절굿공이를 양손으로 들어 올려 탈곡하는 형상임. '米미'는 흘러 떨어지는 벼의 모양을 형상함. 결실이 많아 안락하다의 뜻을 나타냄.

[康健 강건] 몸이 튼튼함.
[康衢 강구] 번화(繁華)한 거리. 강(康)은 오방(五方)으로 통(通)한 길이고, 구(衢)는 사방(四方)으로 통(通)한 길.
[康衢烟月 강구연월] ㉠태평(泰平)한 풍경. ㉡태평한 세월.
[康逵 강규] 큰길. 규(逵)는 아홉 갈래로 통(通)하는 길.
[康寧 강녕] 건강(健康)하고 편안함.
[康樂 강락] ㉠편안히 즐거워함. 또, 편안하고 즐거움. 안락(安樂). ㉡남북조(南北朝)의 송(宋)나라의 사영운(謝靈運)을 이름. 강락후(康樂侯)에 봉하여졌기 때문임.
[康保 강보] 편안케 하여 보전함.
[康阜 강부] 편안하고 가멸짐. 안락 풍후(安樂豐厚).
[康乂 강예] 편안하게 다스림. 또, 잘 다스려서 편

안함. 예 (乂)는 치 (治).

[康爵 강작] 빈 술잔. 또, 큰 술잔.

[康莊 강장] 여러 곳으로 통하는 길. 왕래가 잦은 번화한 거리. 장 (莊)은 육방 (六方)으로 통하는 대로 (大路).

[康哉之歌 강재지가] 천하가 태평함을 구가 (謳歌)한 노래.

[康濟 강제] 백성을 편안하게 하여 구제함.

[康瓠 강호] 와제 (瓦製)의 병. 질병. 일설 (一說)에는, 빈 병. 가치 없는 물건의 비유.

[康侯 강후] 나라를 평안 (平安)하게 다스리는 제후 (諸侯).

[康熙字典 강희자전] 청 (淸)나라 성조 (聖祖) 강희 (康熙) 55년에 장옥서 (張玉書) 등이 칙명 (勅命)을 받들어 찬 (撰)한 한자 (漢字)의 자서 (字書). 매자 (每字) 밑에 그 성음 (聲音)과 훈고 (訓詁)를 상설 (詳說)하였음. 42권, 239부 (部), 자수 (字數) 약 47,000자임. 도광 연간 (道光年間)에 왕인지 (王引之)가 고증 (考證) 30권을 만들었음.

[康熙帝 강희제] 청 (淸)의 제4대 황제. 묘호 (廟號)는 성조 (聖祖). 세조 순치제 (世祖順治帝)의 제3자. 러시아 제국의 남침을 막고, 외몽고·청해 (靑海)·티베트를 정복. 〈강희자전〉·〈연감유함 (淵鑑類函)〉·〈패문운부 (佩文韻府)〉의 편집 사업 (編輯事業)을 함. 재위 61년.

●凱康. 健康. 樂康. 大康. 杜康. 小康. 壽康. 安康. 悅康. 寧康. 艾康. 治康. 太康. 平康. 惠康. 歡康.

8 ⑪ [庸] 高人 용 ㊒冬 餘封切 yōng

筆順 广 广 庐 庐 庐 肩 肩 庸

字解 ①쓸 용 임용함. '疇咨若時登—'《書經》. ②범상할 용 보통임. '—人', '才能不過凡—'《史記》. ③어리석을 용 우매함. '—劣'. '意見—淺'《梁昭明太子》. ④평소 용 평상 (平常)·일행. '一敬在兄'《史記》. ⑤공용 용 공적. '一積'. '無功—者, 不敢居高位'《國語》. 또, 공로가 있는 사람. '五日保—'《周禮》. ⑥수고 용 애씀. 노력. '我生之初, 尙無—'《詩經》. ⑦구실 용 당대 (唐代)의 조세 (租稅)의 한 가지. 정년 (丁年) 이상의 남자로서 공공 (公共)의 부역 (賦役)에 나가지 않는 자에게 그 대상 (代償)으로 포백 (布帛)을 상납 (上納)하게 하는 세 (稅). '租—調'. '用人之力, 歲二十日, 閏加二日, 不役者日爲絹三尺, 謂之—'《文獻通考》. ⑧어찌 용 ㉠믚 (山部 七畫)와 뜻이 같음. '—非貳乎'《左傳》. ㉡何 (人部 五畫)와 뜻이 같음. '—詎'. '一必能用之乎'《管子》. ⑨이에 용 乃 (ノ部 一畫)와 뜻이 같음. '帝一作曰'《書經》. ⑩쇠북 용 鏞 (金部 十一畫)과 통함. '一鼓有斁'《詩經》. ⑪작은성 용 墉 (土部 十一畫)과 통함. '因是謝人, 以作爾—'《詩經》. ⑫고용할 용 傭 (人部 十一畫)과 통함. '—保'. '窮困賣—於齊'《漢書》. ⑬성 용 성 (姓).

字源 篆文 庸 形聲. 庚 + 用〔音〕. '庚경'은 양손에 절굿공이를 든 형상. '用용'은 종 (鐘)의 상형으로, '사용하다'의 뜻. 종이나 절굿공이 등 무거운 물건을 들어 올리다, 집어 들다, 사용하다의 뜻을 나타냄. 또 전 (轉)하여, 일정하게 변치 않다의 뜻을 나타내며, 假借하여, 반어

(反語)인 '어찌'라는 뜻으로도 사용함.

[庸丏 용개] 고용인과 거지. 곧, 지극히 천 (賤)한 사람.

[庸詎 용거] 어찌하여.

[庸工 용공] 솜씨가 서투른 장색 (匠色). 범용 (凡庸)한 장색.

[庸狗 용구] '못난 개'라는 뜻으로, 남을 욕 (辱)하는 말.

[庸君 용군] 평범한 군주.

[庸器 용기] ㉠공로 (功勞)를 명기 (銘記)한 그릇. 일설 (一說)에는, 적에게서 노획한 그릇. ㉡평범한 인물. 용재 (庸才).

[庸懦 용나] 용렬하고 나약 (懦弱)함.

[庸奴 용노] 멍청한 놈. 바보. 남을 욕할 때 쓰는 말.

[庸短 용단] 어리석음.

[庸德 용덕] 평소 행하여야 할 덕 (德).

[庸櫟 용력] 용 (庸)은 범용 (凡庸), 역 (櫟)은 쓸데없는 나무. 용렬 (庸劣)한 재능 (才能)을 이름.

[庸劣 용렬] 못생기어 재주가 남만 못함. 어리석음.

[庸輩 용배] 평범한 사람들.

[庸保 용보] 보증인을 세우고 고용됨. 또, 그 사람.

[庸夫 용부] 용렬 (庸劣)한 남자.

[庸常 용상] 범상 (凡常)함.

[庸說 용설] 평범한 설 (說).

[庸俗 용속] 범상 (凡常)하고 속 (俗)됨.

[庸暗 용암] 어리석음. 지식이 없고, 도리 (道理)에 어두움.

[庸言 용언] ㉠평범한 말. ㉡평소에 쓰는 말.

[庸庸 용용] ㉠평범한 모양. ㉡미소 (微小)한 모양. ㉢수고하는 모양. 애쓰는 모양. ㉣쓸 만한 사람을 쓺. ㉤공로 (功勞)가 있는 사람에게 그 공로를 갚음.

[庸庸碌碌 용용녹록] 극히 평범함.

[庸庸祗祗 용용지지] 쓸 만한 사람을 쓰고, 공경할 만한 사람을 공경함.

[庸愚 용우] 용렬 (庸劣).

[庸儒 용유] 평범한 학자.

[庸音 용음] 평범한 소리. 평범 (平凡)한 시문 (詩文)을 이름.

[庸醫 용의] 범용 (凡庸)한 의사. 의술이 시원치 않은 의원.

[庸人 용인] 평범한 사람. 용렬 (庸劣)한 사람.

[庸資 용자] 평범 (平凡)한 자질 (資質). 평범한 성질.

[庸作 용작] 고용당하여 일함.

[庸才 용재] 평범한 재주. 또, 평범한 사람.

[庸績 용적] 공적 (功績).

[庸情 용정] 보통 사람의 심정 (心情).

[庸租 용조] 부역 (賦役)과 조세 (租稅).

[庸拙 용졸] 용렬 (庸劣)하고 졸렬함.

[庸主 용주] 범용 (凡庸)한 군주 (君主). 용군 (庸君).

[庸中佼佼 용중교교] 범상 (凡常)한 사람 중에서 좀 뛰어난 사람. 철중쟁쟁 (鐵中錚錚).

[庸知 용지] "어찌 알리요."라는 뜻으로, ㉠물을 바가 아님. ㉡생각이 미치지 아니함.

[庸品 용품] ㉠품질 (品質)이 낮은 물건 (物件). ㉡낮은 품계 (品階).

[庸行 용행] ㉠평소의 행위. ㉡평범한 행위. ㉢중용 (中庸)의 행위.

[庸虛 용허] 재능 (才能)도 지략 (智略)도 없음.

[庸回 용회] 어리석고 간사한 자.
●嘉庸. 功庸. 登庸. 凡庸. 保庸. 附庸. 水庸. 輸庸. 流庸. 中庸. 祗庸. 徵庸. 采庸. 學庸. 勳庸.

8 ⑪ [廮] 릉 ㊞蒸 閭升切 lǐng
字解 정자이름 릉 '一亭'은 오(吳)나라의 손권(孫權)이 범을 쏘았다고 하는 정자. '親乘馬, 射虎於一亭'《吳志》.
字源篆文 廮 形聲. 广＋夌〔音〕

8 ⑪ [麻] 래 ㊞灰 落哀切 lái
字解 ①집 래 '一, 舍也'《廣雅》. ②대(臺)이름 래 '長一'는 제(齊)나라의 대(臺)의 이름. '一, 日, 長一, 齊臺名'《集韻》. ③땅이름 래 '一降'은 윈난 성(雲南省) 곡정현(曲靖縣)의 경계에 있는 땅 이름. '一降都督鄧方卒'《蜀志》.

8 ⑪ [庴] 􀀁 적 ㊀陌 資昔切 jí
􀀁 움 ㉿
字解 􀀁 현이름 적 중국의 현(縣) 이름. 􀀁《韓》움집 움 '一幕'.

8 ⑪ [庴] 〔름〕
廩(广部 十三畫〈p.710〉)의 古字

[麻] 〔마〕
部首(p.2696)를 보라.

9 ⑫ [庾] 􀀁 유 ①囊 以主切 yǔ
筆順 广 广 庁 庁 庌 庾 庾 庾
字解 ①곳집 유 미곡 창고. 일설(一說)에는, 들에 있는 지붕이 없는 곳집. '發倉一'《史記》. ②열엿말 유 斞(斗部 九畫)와 통용. '粟五千一'《左傳》. ③성 유 성(姓)의 하나.
字源篆文 庾 形聲. 广＋臾〔音〕. '臾유'는 머리를 묶어 빗어 올리다의 뜻. 머리를 빗어 올린 모양인 원뿔꼴의 쌀 창고의 뜻을 나타냄.

[庾公樓 유공루] 장시 성(江西省) 구강현(九江縣)에 있는 양쯔 강(揚子江)을 등진 누각(樓閣). 진(晉)나라 유량(庾亮)이 정서장군(征西將軍)이 되어 무창(武昌)에 있을 때 세운 건물이라 함. 유루(庾樓)라고도 함.
[庾亮 유량] 동진(東晉)의 정치가(政治家). 언릉(鄢陵) 사람. 자(字)는 원규(元規). 성제(成帝) 때 중서령(中書令)이 되어 정사(政事)를 처결(處決)하였으며, 소준(蘇峻)의 난(亂)을 토평(討平)하였음. 후에 정서장군(征西將軍)이 되어 무창(武昌)에서 중원(中原)을 회복하고자 꾀했으나, 뜻을 못 이루고 죽었음. 유루(庾樓)를 무창(武昌)에 세워 놓고 세웠음.
[庾樓 유루] 유공루(庾公樓).
[庾廩 유름] 쌀 창고(倉庫).
[庾信 유신] 북주(北周)의 문학자(文學者). 자(字)는 자산(子山). 표기대장군(驃騎大將軍). 극히 박학(博學)하고 문장(文章)은 염려(艷麗)하여 서릉(徐陵)과 함께 이름을 들날려 세상에

서 서유체(徐庾體)라 일컬었음. 그의 변려문(駢儷文)은 육조(六朝)의 집대성(集大成)이라 함. 저서(著書)에 〈유개부집(庾開府集)〉이 있음.
[庾積 유적] 한데에 쌓아 둔 곡식. 노적(露積)한 곡식.
●困庾. 廩庾. 釜庾. 積庾. 漕庾. 鍾庾. 倉庾. 輅庾.

9 ⑫ [廋] 수 ①有 蘇后切
㊞尤 所鳩切 sōu
字解 ①숨길 수, 숨을 수 '一, 隱也'《廣雅》. '一, 匿也'《廣雅》. ②산모롱이 수 隈(阜部 九畫)와 뜻이 같음. '步從容於山一'《楚辭》.
字源 形聲. 广＋叟〔音〕. '叟수'는 '손으로 더듬다'의 뜻. '搜수'의 原字. 덮어 가려져서 더듬어야 할 데, '산모롱이'의 뜻이나, 덮인 곳에 두다, 숨기다의 뜻을 나타냄.

9 ⑫ [厠] 측 ①-③㊞寘 初吏切 cè
치㊀ ㊀職 察色切 cè
厕店
字解 ①뒷간 측 변소. '一寶', '沛公起如一'《史記》. ②돼지우리 측 돼지를 기르는 울. '一中豕羣出, 壞大官竈'《漢書》. ③섞을 측 섞어 넣음. '一之賓客之中'《史記》. ④침상가 측 침대(寢臺)의 변두리. 상측(牀側). '上常踞一覘之'《漢書》. ⑤물가 측 수애(水涯). '北臨一'《漢書》.
字源篆文 厕 形聲. 广＋則〔音〕. '則칙'은 '側측'과 통하여, '한쪽 옆'의 뜻. 집의 구석 쪽에 놓이는 '변소'의 뜻을 나타냄.
參考 '厠(厂部 九畫)'은 俗字.

[厠間 측간] 뒷간.
[厠鬼 측귀] 뒷간 귀신.
[厠寶 측두] 더러운 것을 버리는 구덩이. 일설(一說)에는 뒷간.
[厠牀 측상] 뒷간.
[厠鼠 측서] '뒷간의 쥐'라는 뜻으로, 지위(地位)를 얻지 못하는 사람의 비유.
[厠淸 측청] 뒷간.
[厠牏 측투] 가지고 다닐 수 있는 변기(便器). 매화틀.
[厠溷 측혼] 뒷간.
●間厠. 輕厠. 同厠. 陪厠. 屛厠. 抒厠. 雜厠. 錯厠. 圊厠. 層厠. 行厠. 夾厠. 溷厠.

9 ⑫ [廈] 􀀁 투 ㊞尤 徒侯切 tóu
􀀁 유 ①①囊 容朱切 yǔ
②㊞虞 勇主切 yǔ
字解 􀀁 ①매화틀 투 변기(便器). '一, 行圊, 受糞函也'《集韻》. ②구유 투 마소에 먹이를 담아 주는 나무통. '一, 木槽也'《玉篇》. 􀀁 ①매화틀 유 􀀁❶과 뜻이 같음. ②곳집 유 지붕이 없는 곳집. 庾(广部 九畫)와 同字.

9 ⑫ [廍] 랄 ㊀曷 郎達切 là
字解 ①초막 랄 임시로 초목(草木)으로 집을 꾸며 묵는 장막. '一, 庵也'《廣雅》. ②감방(監房) 랄 죄수를 가두어 두는 방. '一, 一日, 獄室'《集韻》.

9 ⑫ [廂] 􀀁 상 ㊞陽 息良切 xiāng
店

字解 곁채 상, 결방 상 몸채의 동서(東西)에 있는 딴채. 또, 사랑방 등의 동서에 있는 방. '一廊'. '呂后側耳於東一聽'《史記》.
字源 形聲. 广+相〔音〕. '相상'은 '따르다'의 뜻. 안채에 따르는 형태로 지어진 '곁채·곁방'의 뜻을 나타냄.

[廂軍 상군] 상병(廂兵).
[廂廊 상랑] 곁방.
[廂兵 상병] 송(宋)나라 태조(太祖)가 주(州)의 정병(精兵)을 선발(選拔)하여 경사(京師)로 불러들여 금군(禁軍)을 조직하고 그 나머지의 군사는 자기가 사는 주(州)의 진병(鎭兵)으로 삼았는데, 이를 상병(廂兵) 또는 상군(廂軍)이라 하였음.
◉兩廂.

9 [庿] 〔묘〕 廟(广部 十二畫〈p.706〉)의 古字

9 [废] 〔폐〕 廢(广部 十二畫〈p.707〉)의 俗字

9 [廊] 〔랑〕 廊(广部 十畫〈p.703〉)의 略字

9 [槩] 〔가〕 架(木部 五畫〈p.1054〉)의 俗字

9 [庿] ▤ 籃(竹部 十四畫〈p.1690〉)의 古字 廉(次次條)의 古字

10 [廈] 人名 하 ㊤馬 胡雅切 shà, xià
筆順 广 广 庁 庁 盾 庐 庐 廈
字解 ①처마 하 지붕의 도리 밖으로 내민 부분. '大一成而燕雀相賀'《淮南子》. ②큰집 하 거대한 집. '大一高樓'. '所欣成大一'《唐太宗》.
字源 形聲. 广+夏〔音〕. '夏하'는 '크다'의 뜻. '큰 집'의 뜻을 나타냄.

[廈屋 하옥] 큰 집.
◉高廈. 廣廈. 大廈. 崇廈. 豐廈.

10 [廉] 高入 렴 ㊤鹽 力鹽切 lián
筆順 广 广 庁 庐 庐 庐 庿 廉
字解 ①청렴할 렴 청렴결백함. '一潔'. '簡而一'《書經》. 또, 그 사람. '興一擧孝'《漢書》. ②검소할 렴 검약함. '一, 儉也'《廣韻》. ③곧을 렴 바름. '殺君以爲一'《國語》. ④날카로울 렴 예리함. '一利'. '其器一而深'《呂氏春秋》. ⑤쌀 렴 값이 쌈. '一價'. '就一直取此馬以代步'《春渚紀聞》. ⑥살필 렴 살펴봄. 또는 검찰(檢察)함. '一探'. '一按'. '袁安使仁恕掾肥, 親往一之'《後漢書》. ⑦모 렴 모서리, 능각(稜角). '一隅'. '設席于堂一東上'《儀禮》. ⑧성 렴 성(姓)의 하나.
字源 形聲. 广+兼〔音〕. '兼겸'은 '겸하다'의 뜻. 직각으로 만나는 방 모서리의 직선, 두 면의 모서리를 겸하고 있는 직선, 모퉁이의 뜻을 나타냄. 이 능선이 단정한 데서,

청렴하다는 뜻을 나타내고, 또 이익에 마음이 흔들리지 않다, 값이 싸다의 뜻 등을 나타냄.

[廉價 염가] 싼값. 염치(廉直).
[廉恪 염각] 염신(廉愼).
[廉介 염개] 염결(廉潔).
[廉客 염객] 몰래 사정(事情)을 염탐(廉探)하는 사람.
[廉儉 염검] 청렴(淸廉)하고 검소(儉素)함.
[廉潔 염결] 청렴하고 결백(潔白)함.
[廉勁 염경] 청렴하고 절개가 굳음. 염의(廉毅).
[廉公 염공] 청렴하고 공평함.
[廉愧 염괴] 염치(廉恥).
[廉謹 염근] 염신(廉愼).
[廉能 염능] ㉠청렴하고 재능이 있음. ㉡결백하여 정령(政令)이 잘 다스려지는 일. 관리의 치적(治績)을 단정(斷定)하는 관부(官府) 육계(六計)의 하나.
[廉吏 염리] 염결(廉潔)한 벼슬아치.
[廉利 염리] 모가 나서 날카로움.
[廉明 염명] 청렴하고 명민(明敏)함.
[廉問 염문] 심문(審問)함.
[廉白 염백] 청렴하고 결백함.
[廉夫 염부] 청렴결백한 선비.
[廉士 염사] 청렴결백한 선비.
[廉纖 염섬] ㉠가랑비의 모양. 이슬비의 모양. ㉡달이 가는 모양.
[廉愼 염신] 청렴하고 신중함.
[廉按 염안] 검찰함. 최조함.
[廉約 염약] 청렴하고 검소함.
[廉讓 염양] 청렴하여 남에게 양보를 잘함.
[廉隅 염우] ㉠물건의 모서리. ㉡행실이 바르고 절조(節操)가 굳은 일.
[廉毅 염의] 염경(廉勁).
[廉而不劌 염이불귀] 모가 나나 부서지지 않는다는 뜻으로, 옥이 모가 있어도 망가지지 않듯이 군자의 덕(德)이 견고(堅固)하여 외부의 사물(事物)로 인하여 더럽혀지지 않음을 이름.
[廉直 염직·염치] ㉠청렴하고 정직함. ㉡'염치(廉直)'를 보라.
[廉察 염찰] 염안(廉按).
[廉淸 염청] 청렴함.
[廉直 염치] 싼값. 염가(廉價). 안치(安直).
[廉恥 염치] 청렴하여 부끄러움을 앎.
[廉稱 염칭] 청렴하다는 칭찬.
[廉探 염탐] 몰래 사정을 조사함.
[廉頗 염파] 전국 시대(戰國時代) 조(趙)나라의 양장(良將). 혜문왕(惠文王)의 상경(上卿). 인상여(藺相如)와 문경지교(刎頸之交)를 맺었음.
[廉平 염평] 청렴하고 공평(公平)함.
[廉悍 염한] 염결하고 강직함.
◉刻廉. 簡廉. 潔廉. 謙廉. 謹廉. 方廉. 蜚廉. 低廉. 貞廉. 精廉. 淸廉. 孝廉.

10 [廊] 高入 랑 ㊤陽 魯當切 láng
筆順 广 广 庐 庐 庐 庐 廊 廊
字解 ①곁채 랑 몸채 옆의 딴채. '賜金陳一廡下'《漢書》. ②행랑 랑 복도(複道). '一下'.
字源 形聲. 广+郎〔音〕. '郎랑'은 '浪랑'과 통하여, '물결'의 뜻. 파도처럼 일렁이며 이어지는 곁채나 복도의 뜻을 나타냄.

[廊廟 낭묘] 나라의 정치를 하는 궁전. 정전(正殿). 묘당(廟堂).
[廊廟具 낭묘구] 낭묘기기(廊廟之器).
[廊廟之器 낭묘지기] 묘당(廟堂)에 앉아 천하의 정무(政務)에 참여할 만한 인물. 재상(宰相) 감.
[廊廟之志 낭묘지지] 재상(宰相)이 되어 국정(國政)에 참여하고자 하는 욕망(欲望).
[廊廡 낭무] 곁채.
[廊屬 낭속] 《韓》 하례배(下隷輩)의 총칭.
[廊腰 낭요] 낭하의 구부러진 곳.
[廊底 낭저] 대문간에 붙어 있는 방(房). 행랑방.
[廊下 낭하] 방과 방 사이, 또는 집과 집 사이의 좁고 긴 통로. 복도(複道).
●高廊. 宮廊. 廟廊. 步廊. 廂廊. 修廊. 巖廊. 長廊. 柱廊. 響屧廊. 軒廊. 畫廊. 回廊. 廻廊.

10 ⑬ [廋] 수 ㊞尤 所鳩切 sōu
　　　 ㊞有 蘇后切
字解 ①숨길 수 은닉함. '一詞'. '人焉廋哉'《論語》. ②찾을 수 수색함. 搜(手部 十畫)와 통용. '一索私屠酤'《漢書》.
字源 形聲. 广+叟〔音〕. '叟수'는 '찾다'의 뜻. 집 안에 들어가서 찾다의 뜻을 나타냄.

[廋伏 수복] 복병(伏兵).
[廋詞 수사] 수수께끼. 은어(隱語). 은사(隱辭).
[廋辭 수사] 수사(廋詞).
[廋索 수색] 구함. 찾음. 수색(搜索)함.
[廋語 수어] 수사(廋詞).

10 ⑬ [廇] 류 ㊞宥 力救切 liù
字解 가운데뜰 류 집의 중앙의 뜰. '刺讒賊於中一兮'《楚辭》.
字源 形聲. 广+畱(留)〔音〕.
參考 廇(广部 十二畫)는 本字.

10 ⑬ [廆] 외(회) ①㊤賄 戶賄切 huì
　　　 ②㊤賄 五賄切 wěi
　　　 ③㊞灰 姑回切 guī
字解 ①벽 외, 담 외 '一, 廆也'《集韻》. ②사람이름 외 '一, 晉有大單于遼東郡公慕容一'《廣韻》. ③산이름 외 '一, 山名. 在中山西'《爾雅》.
字源 形聲. 广+鬼〔音〕.

10 ⑬ [廌] 〔치〕
豸 (部首〈p. 2179〉) 와 同字
字源 象形. 사슴 비슷한 일각수(一角獸)의 모양을 본뜸. '해태'의 뜻을 나타냄.

10 ⑬ [慶] 〔경·강〕
慶(心部 十一畫〈p. 807〉)의 俗字

10 ⑬ [厤] 〔력〕
歷(止部 十二畫〈p. 1144〉)과 同字

11 ⑭ [廄] 구 ㊤宥 居祐切 jiù
字解 ①마구간 구 마사(馬舍). '一舍'. '乘馬在一'《詩經》. ②성 구 성(姓)의 하나.

字源 形聲. 广+段(㲋)〔音〕. '㲋구'는 몸을 '수그리다'의 뜻. 말이 수그리듯이 하고 들어가는 마구간의 뜻을 나타냄.
參考 廏(次條)는 俗字.

[廄吏 구리] 말을 관리하는 벼슬아치.
[廄舍 구사] 마구간.
[廄人 구인] 말을 맡아 기르는 사람.
[廄驟 구추] 구인(廄人).
[廄置 구치] 여행 중 말을 갈아타게 되는 곳. 역참.
[廄閑 구한] 마구간. 구사(廄舍).
●宮廄. 內廄. 馬廄. 御廄. 外廄. 龍廄. 典廄. 華廄.

11 ⑭ [廐] 〔人名〕
廄(前條)의 俗字

11 ⑭ [廑] 근 ㊞文 渠斤切 ①③jǐn, ②qín
字解 ①겨우 근 僅(人部 十一畫)과 통용. '一一'. '一得舍人'《漢書》. ②부지런할 근 勤(力部 十二畫)과 통용. '其一至矣'《漢書》. ③작은집 근 '一, 小劣之尻'《說文》.
字源 形聲. 广+堇〔音〕. '堇근'은 '僅근'과 통하여 '근소함'의 뜻. '근소함, 작은 집'의 뜻을 나타냄.

[廑廑 근근] 겨우. 근근(僅僅).

11 ⑭ [廗] 대 ㊞泰 當蓋切 dài
字解 ①집쏠릴 대 집이 한쪽으로 쏠림. '一, 屋一'《集韻》. ②물이름 대 '一水以南, 南北入百里'《魏書》.

11 ⑭ [廬] 사 ㊞麻 鋤加切 chá
字解 허물어져가는집 사 '一屋之下, 不可坐也'《淮南子》.

11 ⑭ [廓] ■확
　　　 (곽㊤)㊤藥 苦郭切 kuò
　　　 ■곽
筆順 广 广 广 庐 庐 庐 廓 廓

字解 ■①넓을 확, 클 확 광대함. '一大'. '性度恢一'《吳志》. ②헹할 확 아무것도 없이 텅 비어 있음. '一然獨居'《漢書》. ③넓힐 확 확장함. 개장(開張)함. '一大'. '一四方'《淮南子》. ■외성 곽 郭(邑部 八畫)과 통용. '繞一芙蕖拍岸平'《林希》.
字源 形聲. 广+郭〔音〕. '郭곽'은 넓은 도시의 주위를 에워싼 '외곽'의 뜻. '广엄'은 '가옥'의 뜻. '외곽, 넓다'의 뜻을 나타냄.

[廓開 확개] 넓힘. 크게 함. 확장함.
[廓寧 확녕] 난(亂)을 평정(平定)함. 확청(廓淸).
[廓大 확대] ㉠넓고 큼. 광대(廣大)함. ㉡확대(擴大)함.
[廓落 확락] ㉠마음이 넓은 모양. 관대한 모양. 낙(落)은 뇌락(磊落). ㉡실망한 모양. 뜻을 잃은 모양. 낙(落)은 영락(零落). ㉢심심한 모양. 쓸

쓸한 모양.
[廓如 확여] 확연(廓然) ㄱㄴ.
[廓然 확연] ㉠텅 빈 모양. 헝한 모양. ㉡넓은 모양. ㉢마음이 넓고 허심탄회한 모양.
[廓然無聖 확연무성] 《佛敎》 우주(宇宙) 자체의 진리(眞理)는 일체 공(空)으로서 범부(凡夫)·성자(聖者)의 차별이 없음.
[廓淸 확청] 더러운 것을 떨어 버리고 깨끗하게 함. 부정(不正)·악습(惡習)·부패(腐敗) 등을 없애어 깨끗하게 함. 숙청(肅淸).
[廓廓 확확] ㉠넓은 모양. ㉡텅 빈 모양. 공허(空虛)한 모양.
[廓揮乾斷 확휘건단] 과단성(果斷性) 있는 정치(政治)를 행함.
●高廓. 寬廓. 曠廓. 宏廓. 閎廓. 城廓. 式廓. 寥廓. 外廓. 遊廓. 蔭廓. 恢廓. 橫廓.

11
⑭ [廔] 루 ㊤尤 落侯切 lóu
字解 ①창 루 방 안을 밝게 하기 위한 창문. '一, 窗也'《廣韻》. ②용마루 루 '一, 屋脊也'《玉篇》. ③씨뿌리는틀 루 耬(耒部 十一畫)와 통용. '一, 一曰, 所以種也'《說文》.
字源 形聲. 广＋婁〔音〕. '婁루'는 '鏤루'와 통하여, '새기고 뚫다'의 뜻. 집의 벽을 뚫고 빛을 들이는 창의 뜻.

11
⑭ [廕] 음 ㊤沁 於禁切 yìn
字解 그늘 음 蔭(艸部 十一畫)과 同字. '一補'. '席隴畝而一庇'《戰國策》.
字源 形聲. 广＋陰〔音〕. '陰음'은 '구름이 덮다'의 뜻. 지붕으로 덮다의 뜻을 나타냄.

[廕補 음보] 음서(廕敍).
[廕庇 음비] ㉠감싸 보호함. ㉡은혜. 은덕.
[廕生 음생] 부조(父祖)의 공훈으로 말미암아 벼슬하거나 국자감(國子監)에 입학한 사람. 음생(蔭生).
[廕敍 음서] 조상(祖上)의 공로에 의해서 자손에게 벼슬을 주는 일.
[廕除 음제] 음서(廕敍).
[廕調 음조] 음서(廕敍).
●庇廕.

11
⑭ [頢] 경
①㊤庚 窺營切 qīng
㊤梗 犬穎切
②㊤迥 棄挺切 qǐng
㊦敬 傾復切
字解 ①집곁 경 집의 옆. '一, 屋側也'《集韻》. ②작은당(堂) 경 凊(高部 二畫〈p.2623〉)과 同字. '凊, 小堂也. 一, 凊, 或从广, 頃聲'《說文》.

11
⑭ [廖] 료
①②㊤蕭 落蕭切 liáo
③㊤嘯 力弔切 liào
字解 ①공허할료 '座下一落如明星'《韓愈》. ②사람이름 료 주(周)나라 소백(召伯)의 이름. '王使召伯一賜齊侯命'《左傳》. ③성 료 성(姓)의 하나.
字源 形聲. 广＋翏〔音〕.

[廖廓 요곽] 넓고 멂. 요곽(寥廓).

11
⑭ [廒] 오 ㊤豪 五牢切 áo
字解 곳집 오 쌀 곳간.
字源 形聲. 广＋敖〔音〕.

12
⑮ [廚] 주 ㊤虞 直誅切 chú
字解 ①부엌 주 주방. 취사장. '一人'. '君子遠庖一'《孟子》. ②함 주, 상자 주 '衣一'. '愷之嘗以一一畫, 糊題其前, 寄桓玄'《晉書》. ③성 주 성(姓)의 하나.
字源 形聲. 广＋尌〔音〕. '广엄'은 '건물'의 뜻. '尌주'는 김치를 담는 식기를 손에 든 형상. 김치 등의 요리를 하는 부엌의 뜻을 나타냄.

[廚娘 주낭] 식모. 하녀.
[廚奴 주노] 부엌데기 노릇 하는 사내종.
[廚房 주방] 부엌. 취사장.
[廚費 주비] 취사(炊事)의 비용.
[廚室 주실] 부엌. 요리실.
[廚人 주인] 요리인(料理人). 포인(庖人). 주부(廚夫).
[廚子 주자] 요리인(料理人). 「宰」.
[廚宰 주재] 요리인(料理人)의 장(長). 포재(庖宰).
[廚傳 주전] ㉠음식(飲食)과 여관(旅館). ㉡주포(廚庖)와 역전(驛傳).
[廚竈 주조] 부엌의 부뚜막.
[廚庖 주포] ㉠부엌. ㉡요리.
[廚下 주하] 부엌. 주방.
●瓊廚. 軍廚. 馗廚. 樂廚. 坊廚. 百眼廚. 壁廚. 封廚. 佛廚. 書廚. 御廚. 衣廚. 齋廚. 釰廚. 庖廚. 行廚. 香積廚. 香廚.

[腐] 〔부〕 肉部 八畫(p.1852)을 보라.

12
⑮ [廛] 전 ㊤先 直連切 chán
字解 ①터 전 주대(周代)에 시가(市街)의 이묘반(二畝半)의 집터. '一, 民居之區域也'《周禮注》. ②전방 전 상점. '一肆'. ③전방세받을 전 가게의 세를 받음. '市一而不稅'《禮記》.
字源 會意. 广＋里＋八＋土. '广엄'은 집의 상형. '八팔'은 '나누다'의 뜻. 한 가족에게 나누어 준 촌리(村里)의 땅을 뜻함. 뒤에 '店점'과 통하여 '가게'의 뜻도 나타냄.

[廛房 전방] 가게의 방(房).
[廛肆 전사] 가게. 상점.
[廛市 전시] 시내(市內).
[廛布 전포] 상인(商人)이 소유물(所有物)을 관(官)의 저사(邸舍)에 맡겨 두었다가 찾을 때 내는 세(稅).
[廛鋪 전포] 가게. 점포(店鋪). 전사(廛肆).
[廛闤 전한] ㉠시내(市內). ㉡가게.
●郊廛. 肆廛. 市廛. 邑廛.

12
⑮ [廜] 도 ㊤虞 同都切 tú
字解 ①초막 도, 움집 도 초목으로 임시 지은 집. 지붕을 편평하게 지은 집. '一廜, 草菴, 通

俗文曰, 屋平曰—廡《廣雅》. ②술이름 도 원일
(元日)에 마시는 술. '—廡, 酒, 元日飮之可除
瘟氣'《廣韻》.
字源 形聲. 广+屠〔音〕.

12
(15) [厮] 시 ㊍支 息移切 sī

字解 ①종 시 주로 말을 기르거나 땔나무를 하
는 종. '—役'. '—徒十萬'《史記》. ②천할 시
'—, 賤也'《玉篇》. ③나눌 시 가름. 분할함. '乃
—二渠以引其河'《史記》.
字源 形聲. 广+斯〔音〕.

[厮徒 시도] 잡역부(雜役夫). 또는 군졸(軍卒).
[厮舍 시사] 종이 사는 집.
[厮豎 시수] 아이 종. 수(豎)는 동복(童僕).
[厮養 시양] 군중(軍中)에서 나무를 해 오거나 밥
을 짓거나 하는 천한 일.
[厮養卒 시양졸] 군졸(軍卒).
[厮役 시역] 종. 하인. 또, 남의 밑에서 시중드는
일.
[厮隷 시예] 시도(厮徒).
●女厮.

12
(15) [廞] 흠 ①②㊍侵 許金切 xīn
③④㊎寢 許錦切

字解 ①벌여놓을 흠 진열함. '—裘'《周禮》. ②
일으킬 흠 진흥시킴. '—其樂器'《周禮》. ③노할
흠 성을 냄. '虎虓振—'《太玄經》. ④막힐 흠 진
흙이 쌓여 막혀 통하지 아니함. '滄州無棣渠, 久
—塞'《唐書》.
字源 形聲. 广+欽〔音〕. '广엄'은 '뜰'의 뜻.
'欽흠'은 '歆흠'과 통하여, 공물(貢物)을 받다의 뜻. 공물을 뜰에 온통 벌여 놓다
의 뜻을 나타냄.

[廞塞 흠색] 막힘.
[廞飾 흠식] 벌여 놓아 장식함.
[廞淤 흠어] 진흙이 쌓여 막힘.

12
(15) [廟] 高人 묘 ㊎嘯 眉召切 miào

筆順 广 广 庐 庐 庙 庙 廟 廟
字解 ①사당 묘 ㉠조상의 신주를 모신 곳. '宗
—'. '於穆淸—'《詩經》. ㉡신(神)을 제사 지내
는 곳. '作渭陽五帝—'《史記》. ②묘당 묘 나라
의 정무(政務)를 청단(聽斷)하는 궁전. 정전
(正殿). '不下堂—, 而天下治也'《吳志》. 전
(轉)하여, 제왕 또는 조정에 관한 말의 접두어
(接頭語)로 쓰임. '—議' '夫未戰而—算勝者'
《孫子》. ③빈궁 묘 천자(天子)의 옥체를 매장하
기 전에 잠시 관을 안치하는 곳. '從至于—'《大
戴禮》.
字源 會意. 广+朝. '广엄'은 지
붕의 상형. '朝조'는 조
례(朝禮)를 하는 곳의 뜻. 조상을 제사 지내는
'사당'의 뜻을 나타냄. 古文의 '庿묘'는 形聲
으로, '苗'는 '皃모'와 통하여, 사람이 죽어 기억
에 희미한 모습의 뜻을 나타냄.
參考 ①庿(广部 九畫)는 古字. ②庙(广部 五

畫)는 俗字.

[廟啓 묘계] 《韓》정부에서 임금께 상주(上奏)함.
[廟堂 묘당] ㉠사당(祠堂). 종묘(宗廟). ㉡조정
(朝廷). 정부(政府).
[廟堂之量 묘당지량] 조정(朝廷)에서 국정(國政)
에 참여할 만한 국량(局量). 재상(宰相)감.
[廟廊 묘랑] 조정(朝廷). 묘당(廟堂) ❶.
[廟略 묘략] 조정에서 의결한 계책.
[廟貌 묘모] 사당. 종묘(宗廟). 사당에 들어가면
반드시 선조(先祖)의 형모(形貌)를 상상하여
추모(追慕)하기 때문임.
[廟謨 묘모] 묘략(廟略).
[廟社 묘사] 종묘와 사직(社稷). 종사(宗社).
[廟祠 묘사] 사당(祠堂).
[廟算 묘산] 묘략(廟略).
[廟頌 묘송] 종묘·사당 앞에서 아뢰는 조상(祖
上)의 송덕(頌德)의 악가(樂歌).
[廟勝 묘승] 묘산(廟算)으로 이긴다는 뜻으로, 계
략으로 적군(敵軍)을 굴복시킴을 이름.
[廟食 묘식] 죽어서 종묘나 사당에서 제사를 받음.
[廟室 묘실] 사당(祠堂). 묘당(廟堂).
[廟謁 묘알] 임금이 종묘(宗廟)에 나아가 배례함.
[廟宇 묘우] 사당. 묘당(廟堂).
[廟院 묘원] 가묘(家廟). 사당(祠堂).
[廟垣之鼠 묘원지서] 정전(正殿) 주위의 담에 굴
을 파고 사는 쥐. 군측(君側)의 소인(小人)의
비유. 「議」
[廟議 묘의] 조정(朝廷)의 회의(會議). 조의(朝
[廟戰 묘전] 묘승(廟勝).
[廟廷 묘정] 종묘(宗廟). 묘당(廟堂).
[廟庭 묘정] 묘정(廟廷).
[廟兆 묘조] 사당(祠堂). 종묘(宗廟). 조(兆)는 묘
지(墓地).
[廟祧 묘조] 사당. 종묘(宗廟). 조(祧)는 원조(遠
祖).
[廟主 묘주] 사당(祠堂)에 모신 신주(神主).
[廟策 묘책] 묘략(廟略).
[廟寢 묘침] 종묘. 사당. 앞에 있는 것이 묘(廟),
뒤에 있는 것이 침(寢).
[廟塔 묘탑] 불탑(佛塔). 보탑(寶塔).
[廟見 묘현] 여자가 시집가서 처음으로 시집의 사
당에 들어가 배례(拜禮)하는 일.
[廟號 묘호] 임금의 시호(諡號).
[廟畫 묘획] 묘략(廟略).
[廟諱 묘휘] 임금이 돌아간 뒤에 지은 휘(諱).
[廟犧 묘희] 태묘(太廟)의 제사에 쓰이는 희생
(犧牲). 장자(莊子)가 벼슬살이하는 것을 희우
(犧牛)에 비유한 고사(故事)에 의하여, 고귀
(高貴)한 자리에 있으나 몸이 위태로운 자의
비유로 쓰임. 묘생(廟牲).
●家廟. 故廟. 高廟. 宮廟. 廊廟. 堂廟. 大廟.
寺廟. 社廟. 祠廟. 三廟. 僧廟. 靈廟. 禰廟.
五廟. 原廟. 一廟. 祖廟. 祧廟. 宗廟. 七廟.
寢廟. 特廟.

12
(15) [廠] 人名 창 ㊒養 昌兩切 chǎng
㊍漾 尺亮切

筆順 广 广 庐 府 厢 厰 厰 廠
字解 ①헛간 창 벽이 없는 집. '枳籬茅—共桑
麻'《韓偓》. ②공장 창 일하는 곳. '工—'. '被
服—'. '凡鑄造朝鐘, 用響銅於鑄鐘—造'《大明

會典〕.

[字源] 形聲. 广+敝〔音〕

[廠房 창방] 공장(工場).
[廠獄 창옥] 명(明)나라 때 모역(謀逆)·요언(妖言)을 한 사람을 수용하던 옥. 조옥(詔獄).
● 工廠. 茅廠. 兵器廠. 被服廠.

12/15 [廡] 무 ㊀養 文甫切 wǔ ㊁虞 微夫切 wú

[字解] ①곁채 무 몸채 옆의 딴채. '廊─'. '廊下周屋也'《漢書 註》. ②지붕 무, 처마 무 '有白燕一雙, 巢前庭樹, 馴狎欄─, 時至几案'《南史》. ③집 무 옥사(屋舍) '田舍廬─之數'《史記》. ④무성할 무 초목이 무성함. '庶草蕃─'《書經》.

[字源] 篆文 廡 形聲. 广+無(橆)〔音〕. '橆'는 '舞무'와 통하여, 양 소매를 날리는 춤의 뜻. 안채의 소매에 해당하는 '복도·곁채'의 뜻을 나타냄.

[廡下 무하] 처마 밑. 또, 지붕 밑.
[廡舍 무사] 집. 가옥.
● 觀廡. 廣廡. 門廡. 蕃廡. 修廡. 廬廡. 屋廡. 長廡. 軒廡.

12/15 [廙] 익 ㊀職 與職切 yì ㊁이 ㊁寘 羊吏切 yì

[字解] ㊀①천막 익 임시로 친 막사(幕舍). '一, 行屋也'《說文》. ②성 익 성(姓)의 하나. ㊁공경할 이 삼가 받듦. '一, 恭也, 敬也'《廣韻》.

[字源] 金文 🦅 篆文 廙 形聲. 广+異〔音〕. '異'는 '翼익'과 통하여, '날개'의 뜻. 날개 같은 지붕을 가진 행궁(行宮)의 뜻.

12/15 [廢] 폐 高入 ㊁隊 方肺切 fèi

[筆順] 广 广 广 广 广 庝 庝 廀 廢 廢

[字解] ①집쓸릴 폐 집이 한쪽으로 쏠림. 전(轉)하여, 널리 쏠림. 기욺. '四極一'《淮南子》. ②못쓰게될 폐 쓰지 못하게 됨. '一人'. '物利用'. ③폐할 폐 ㊀중지함. '一止'. '半塗而一'《中庸》. ㊁파기함. 깨뜨림. '秦魏之交可一矣'《戰國策》. ㊂내침. '一黜'. '有罪則一退之'《周禮》. ④폐하여질 폐 ㊀행하여지지 아니함. 쓰지 않음. 없어짐. '一國'. '大道一有仁義'《老子》. ㊁쇠퇴함. 해이함. '一滅'. '王道衰, 禮儀一'《詩經》. '敎之所由一也'《禮記》. ⑤떨어질 폐 밑으로 떨어짐. '一於爐炭'《左傳》. ⑥습복할 폐 두려워하여 엎드림. '項王暗噁叱咤, 千人皆一'《史記》. ⑦폐질 폐 癈(广部 十二畫)와 통용. '一人'. '矜寡孤獨一疾者'《禮記》.

[字源] 篆文 廢 形聲. 广+發〔音〕. '發발'은 '敝폐'와 통하여, '망가지다'의 뜻임. 부서진 집의 뜻에서, '못 쓰게 되다'의 뜻을 나타냄.

[廢家 폐가] 호주(戶主)가 죽고 상속인(相續人)이 없어서 절손(絶孫)함. 또, 그 집.
[廢刊 폐간] 신문·잡지 등의 간행을 폐지함.
[廢講 폐강] 강의(講義)를 폐지함.
[廢居 폐거] 상품을 버리거나 저장하여 둔다는 뜻

으로, 시세를 보아 물건을 매매(賣買)하여 이익(利益)을 얻는 일.
[廢擧 폐거] 폐거(廢居).
[廢格沮誹 폐격저비] 천자(天子)가 정한 법(法)을 폐지하여 행하지 않으며, 천자가 하는 일을 막고 비방함.
[廢缺 폐결] 쇠퇴하여 결(缺)함.
[廢錮 폐고] 일생 동안 벼슬을 하지 못하게 하는 처분(處分).
[廢官 폐관] ㊀폐지한 관직(官職). ㊁어떤 관직을 폐지함. ㊂관직을 파면(罷免)당한 사람.
[廢曠 폐광] ㊀쓸모없게 됨. ㊁돌보지 아니함.
[廢壞 폐괴] 허물어짐. 퇴락(頹落)함.
[廢國 폐국] 망한 나라. 망국(亡國).
[廢君 폐군] 폐위(廢位)된 임금.
[廢棄 폐기] 버림. 쓰지 않음.
[廢農 폐농] ㊀농사(農事)를 그만둠. ㊁농사(農事)에 실패(失敗)함.
[廢道 폐도] 세상에서 버림을 받아 백정이 된 사람.
[廢禮 폐례] 행하여지지 않게 된 예식. 폐지된 예식.
[廢倫 폐륜] 남자 또는 여자가 결혼하지 아니함.
[廢立 폐립] ㊀임금을 폐(廢)하고 새로 다른 임금을 세움. ㊁폐치(廢置)ㄴ.
[廢慢 폐만] 게을리 함.
[廢盲 폐맹] 소경이 됨.
[廢滅 폐멸] 쇠퇴하여 절멸(絶滅)함.
[廢目 폐목] 시력(視力)이 불완전한 눈. 안력(眼力)이 부실(不實)한 눈.
[廢務 폐무] ㊀폐조(廢朝)로 말미암아 신하(臣下)가 정사(政事)를 보지 아니함. ㊁사무(事務)를 보지 아니함. 하던 일을 그만둠.
[廢物 폐물] 못 쓰게 된 물건.
[廢放 폐방] 물리쳐 쓰지 아니함. 또, 쓰이지 않고 추방당함.
[廢房 폐방] 방을 쓰지 않고 버려둠. 또, 그 방.
[廢妃 폐비] 왕비(王妃)의 자리를 빼앗아서 그 자격(資格)을 잃게 함. 또, 그 왕비.
[廢寺 폐사] 황폐한 절.
[廢舍 폐사] 폐택(廢宅).
[廢食 폐식] 식사를 그만둠.
[廢失 폐실] 쇠퇴하여 없어짐.
[廢案 폐안] 폐기(廢棄)된 의안(議案).
[廢語 폐어] 사어(死語).
[廢堰 폐언] 허물어진 둑. 퇴락한 둑.
[廢淹 폐엄] 쓰이지 않고 영락된 사람.
[廢業 폐업] ㊀영업(營業) 또는 직업(職業)을 그만둠. ㊁학업을 그만둠. ㊂일 또는 학업을 게을리 함.
[廢營 폐영] 황폐한 진(陣) 터.
[廢屋 폐옥] 퇴락한 가옥. 폐택(廢宅).
[廢苑 폐원] 황폐한 동산.
[廢園 폐원] 폐원(廢苑).
[廢位 폐위] 임금의 자리를 폐(廢)함.
[廢蓼莪篇 폐육아편] 효자(孝子)가 부모를 여읜 뒤 그 부모를 생각하는 나머지 차마 시경(詩經)의 육아(蓼莪)의 시를 읽지 못한 고사(故事).
[廢弛 폐이] 피폐하고 해이함.
[廢人 폐인] ㊀병(病)으로 몸을 버린 사람. 병신. 불구자. ㊁쓸모없는 사람. 이 세상에 쓰이지 않는 사람.
[廢莊 폐장] 버려둔 논밭.
[廢著 폐저] 폐거(廢居).

[廢嫡 폐적] 적장자(嫡長子)의 상속 자격을 폐지하는 처분.
[廢典 폐전] ㉠의식(儀式)을 폐(廢)함. 또, 그 의식. ㉡폐지된 법.
[廢絶 폐절] 폐멸(廢滅).
[廢井 폐정] 쓰지 않고 버려둔 우물.
[廢帝 폐제] 폐위(廢位)된 황제.
[廢朝 폐조] 황실(皇室)의 흉사(凶事) 또는 그 외의 다른 사고(事故)로 인하여 천자가 조정(朝廷)에서 정사를 보는 일을 그만둠. 철조(輟朝).
[廢族 폐족] 중죄(重罪)로 죽어서 그 자손이 벼슬을 할 수 없게 된 족속.
[廢止 폐지] 행하지 않고 그만둠.
[廢址 폐지] 폐허(廢墟).
[廢紙 폐지] 못 쓰는 종이. 휴지.
[廢職 폐직] ㉠직업을 게을리 함. 폐업(廢業). ㉡행하여지지 않게 된 관무(官務).
[廢疾 폐질] 고칠 수 없어 병신이 되는 병. 또, 병신. 불구(不具).
[廢娼 폐창] 창기(娼妓)의 공허(公許)를 폐지함.
[廢撤 폐철] 철거함. 치워 버림.
[廢廳 폐청] 관청을 폐지함. 또, 그 관청.
[廢黜 폐출] 벼슬을 뗌. 파면함.
[廢置 폐치] ㉠무능한 사람을 내치고, 어진 사람을 등용함. ㉡폐지(廢止)함과 설치(設置)함.
[廢蟄 폐칩] 외출을 전폐하고 죽침.
[廢宅 폐택] 퇴락하여 사람이 살지 않는 집. 폐옥(廢屋).
[廢退 폐퇴] 벼슬을 떼고 물리침. 파면함. 폐출(廢黜).
[廢黜 폐퇴] 출퇴(黜退).
[廢頹 폐퇴] 황폐하여 무너짐.
[廢罷 폐파] 그만둠.
[廢學 폐학] 학업 또는 학교를 그만둠.
[廢艦 폐함] 낡은 군함을 함적(艦籍)에서 빼 버림. 또, 그 군함.
[廢合 폐합] 어느 것을 없애거나 또는 딴것에 합함.
[廢墟 폐허] 건물·성곽(城廓) 등이 파괴를 당하여 황폐해진 터. 폐지(廢址).
[廢戶 폐호] 폐가(廢家).
[廢后 폐후] 왕후의 자리를 빼앗아 물러나게 함. 또, 폐위(廢位)된 황후.
[廢興 폐흥] 쇠퇴함과 흥왕(興旺)함.
●改廢. 枯廢. 曠廢. 壞廢. 棄廢. 老廢. 頓廢.
耗廢. 蕪廢. 排廢. 屛廢. 疏廢. 衰廢. 捐廢.
違廢. 幽廢. 弛廢. 堙廢. 自廢. 全廢. 停廢.
彫廢. 存廢. 撤廢. 黜廢. 惰廢. 怠廢. 退廢.
頹廢. 偏廢. 荒廢. 毁廢. 朽廢. 休廢. 隳廢.
興廢.

12/15 [廝] 번 ㉵寒 鋪官切 pān

字解 ①치솟은집 번 높이 돌출한 가옥. '一, 峙屋也'《集韻》. ②쌀을 번 물건을 저장함. '一, 儲物也'《集韻》.

12/15 [廣] 광 [中人] ①養 古晃切 guǎng ㉰漾 古曠切 guàng ⑤kuàng

广廣

筆順 广 广 庐 庐 庐 廣 廣 廣

字解 ①넓을 광 ㉠면적이 광활함. '誰謂河一, 一葦杭之'《詩經》. ㉡범위가 넓음. '帝德一運'

《書經》. ㉢안태(安泰)함. '心一體胖'《大學》. ㉣해이(解弛)함. '一則容姦'《禮記》. ②넓힐 광 넓게 함. '一長楡, 開朔方'《史記》. '乃爲賦以自一'《史記》. ③넓어질 광 넓게 됨. '齊民歲增, 闢土世一'《後漢書》. ④넓이 광 ㉠넓은 정도. '一狹'. '周知九州地域一輪之數'《周禮》. ㉡병거(車) 넓이를 가로 잇댄 넓이. '十五乘爲一'《左傳 註》. ⑤빌 광 曠(日部 十五畫)과 통용. '師出過時, 之謂一'《漢書》. ⑥성 광 성(姓)의 하나.

字源 [金文 篆文] 形聲. 广+黃[音]. '黃황'은 '王왕'과 통하여, '크다'의 뜻. 크고 넓은 지붕의 뜻에서 '넓다'의 뜻을 나타냄.

參考 広(广部 二畫)은 俗字.

[廣居 광거] 넓은 거처(居處). '인(仁)'을 비유하여 이르는 말.
[廣告 광고] ㉠세상(世上)에 널리 알림. ㉡신문·잡지 등에 실려서 여러 사람의 눈에 뜨이게 함.
[廣求 광구] 널리 구함.
[廣衢 광구] 넓은 길. 큰길. 한길.
[廣軌 광궤] 폭(幅)이 1.435m 이상 되는 철도 궤도(鐵道軌道). 협궤(狹軌)의 대(對).
[廣大 광대] 넓고 큼.
[廣塗 광도] 넓은 길. 광도(廣途).
[廣東 광동] ㉠광둥 성(廣東省)의 성도(省都)인 광저우(廣州)의 통칭(通稱). 주장 강(珠江)의 삼각지(三角地)에 있는 항구(港口)로서 중국(中國) 남부의 대도시임. ㉡중국 남부(中國南部)의 성(省) 이름. 면적(面積) 약 22만 제곱킬로미터. 기후는 열대적(熱帶的)이고, 쌀이 많이 남. 목축(牧畜)도 성하며, 성도(省都)는 광저우(廣州).
[廣遼 광료] 넓고 멂.
[廣柳車 광류거] 상여(喪輿). 영구차(靈柩車). 일설(一說)에는, 짐을 싣는 큰 수레.
[廣輪 광륜] 넓이. 광(廣)은 동서(東西)의 길이. 윤(輪)은 남북의 길이. 광무(廣袤).
[廣利 광리] 방대한 이익.
[廣莫 광막] 광막(廣漠).
[廣漠 광막] ㉠아득하게 넓음. ㉡'광막풍(廣漠風)'의 준말.
[廣漠風 광막풍] 북풍(北風).
[廣面 광면] 아는 사람이 많음. 교제(交際)가 넓음.

[廣目天 광목천] 《佛敎》 사천왕(四天王)의 하나. 제석천(帝釋天)의 외신(外臣)으로서 서방(西方)을 수호(守護)하는 부처. 형상(形狀)은 갑주(甲冑)를 입고 눈이 크며 빛은 황색임.

[廣目天]

[廣袤 광무] 넓이. 광(廣)은 동서(東西)의 길이. 무(袤)는 남북(南北)의 길이. 광륜(廣輪).
[廣廡 광무] 넓은 차양(遮陽). 고대(高大)한 집을 이름.
[廣文先生 광문선생] 광문관박사(廣文館博士)를 이름. 당(唐)나라 현종(玄宗) 때 설치한 문관(文官).
[廣博 광박] 넓음.
[廣嗣 광사] 자식(子息)이 많음.

[廣肆 광사] ㉠넓은 점포(店鋪). ㉡방자(放恣)함.

[廣西 광서] 중국 남서부(南西部)에 있는 성(省). 뒤에 광시좡족(廣西壯族) 자치구로 바뀜. 묘족(苗族) 등의 소수 민족이 많이 삶. 시장 강(西江) 유역 중심의 분지(盆地)를 이루고 있으며, 기후는 습열(濕熱) 다우(多雨)함. 성도(省都)는 난닝(南寧).

[廣宵大暮 광소대모] 영영 새지 않는 밤이라는 뜻으로, 죽은 사람의 돌아오지 못함을 비유한 말. 곧, 죽음을 이름.

[廣雅 광아] 위(魏)나라 장읍(張揖)이 지은 자서(字書). 10권. 원이름을 〈박아(博雅)〉라고도 함. 〈이아(爾雅)〉의 구목(舊目)에 의하여 널리 한대 학자(漢代學者)의 주석(註釋) 등을 채록 증보(採錄增補)하였으므로 〈광아(廣雅)〉라 하였음. 청(淸)나라 왕염손(王念孫)은 〈광아소증(廣雅疏證)〉10권을 지었음.

[廣野 광야] 넓은 들.

[廣魚 광어] 가자밋과에 속하는 바닷물고기. 넙치.

[廣言 광언] 큰소리. 호된 장담. 대언(大言). 방언(放言). 호어(豪語).

[廣衍 광연] ㉠넓음. ㉡널리 퍼지게 함.

[廣淵 광연] 넓고 깊음. 광대하고 시원함. 홍연(洪淵).

[廣演 광연] 널리 폄. 널리 퍼지게 함.

[廣饒 광요] 땅이 넓고, 물산(物產)이 넉넉함.

[廣運 광운] ㉠널리 미침. ㉡광무(廣袤).

[廣韻 광운] 수(隋)나라 육법언(陸法言)이 지은 운서(韻書). 5권. 원이름은 〈절운(切韻)〉. 당(唐)나라의 손면(孫愐)이 간정(刊定)하여 〈당운(唐韻)〉이라 개명(改名)하였으며, 송(宋)나라 진종(眞宗) 때 중수(重修)한 후 〈대송중수광운(大宋重修廣韻)〉이라는 이름을 하사(下賜)하였음. 현존(現存)하는 운서(韻書) 중 오래된 것임. 206부(部)로 분류(分類)하였음.

[廣圓 광원] 둘레. 주위(周圍).

[廣遠 광원] 넓고 멂.

[廣囿 광유] 넓은 동산.

[廣義 광의] 넓은 뜻. 범위를 넓게 잡은 뜻.

[廣益 광익] 널리 세상에 유익하게 함.

[廣場 광장] 넓은 마당.

[廣長舌 광장설] 부처의 삼십이상(三十二相)의 하나. '넓고 긴 혀'라는 뜻으로, 극히 교묘한 웅변을 비유하는 말. 장광설(長廣舌).

[廣磧 광적] 넓은 모래벌판.

[廣濟 광제] 널리 세상 사람을 구제함.

[廣兆穹碑 광조궁비] 넓은 묘지(墓地)와 높고 큰 비(碑).

[廣坐 광좌] 많은 사람이 앉은 좌석(坐席).

[廣衆 광중] 많은 사람.

[廣敞 광창] 넓고 앞이 탁 트임.

[廣斥 광척] 넓은 개펄. 넓은 간석지(干潟地). 척(斥)은 개펄.

[廣探 광탐] 널리 찾음.

[廣布 광포] 널리 폄. 세상에 널리 펴서 알림.

[廣輻 광폭] 넓은 폭(幅).

[廣被 광피] 널리 미치게 함. 두루 베풂.

[廣廈 광하] 크고 넓은 집. 대하(大廈).

[廣寒府 광한부] 달의 궁전(宮殿). 달의 서울. 월궁전(月宮殿). 광한궁(廣寒宮).

[廣欬 광해] 큰 기침. 또, 기침을 크게 함.

[廣虛 광허] 넓은 하늘. 허공(虛空).

[廣狹 광협] 넓음과 좁음.

[廣弘 광홍] 넓음. 또, 넓힘.

[廣闊 광활] 훤하게 넓음.

●開廣. 末廣. 敷廣. 少廣. 深廣. 淹廣. 益廣. 增廣. 平廣. 幅廣. 弘廣.

[摩] 〔마〕
手部 十一畫(p.898)을 보라.

[賡] 〔갱〕
貝部 八畫(p.2202)를 보라.

12⑮ [襖] 〔질〕
袟(禾部 五畫〈p.1615〉)의 古字

12⑮ [廏] 〔구〕
廏(广部 十一畫〈p.704〉)의 本字

12⑮ [廇] 〔류〕
霤(广部 十畫〈p.704〉)의 本字

[慶] 〔경〕
心部 十一畫(p.807)을 보라.

[縶] 〔혈〕
糸部 九畫(p.1760)을 보라.

13⑯ [廥] 괴 ㉮泰 古外切 kuài

字解 ①여물광 괴 여물을 저장하는 곳. ②곳집 괴 창고. '倉—'. '頻發官—'《唐書》.
字源 形聲. 广+會[音]. '會(회)'는 '모으다'의 뜻. 여물 따위를 모아 두는 건물의 뜻을 나타냄.

[廥藏 괴장] 창고. 또, 창고 안의 저장품.
[廥聚 괴취] 창고에 저장해 둔 물건.

●官廥. 倉廥.

13⑯ [廨] 해 ㉮卦 古隘切 xiè

字解 공해 해 관아(官衙). '公—'. '羣情欲府君先入—'《世說》.
字源 形聲. 广+解[音].

[廨舍 해사] 관청의 건물.
[廨署 해서] 관아. 관청.
[廨宇 해우] 관청 건물.

●公廨. 官廨.

13⑯ [厰] 유 ㉮虞 羊朱切 yú

字解 희롱할 유 야유함. 놀림. '邪—, 擧手相弄'《廣韻》.

13⑯ [廧] ⬛ 장 ㉮陽 在良切 qiáng
　　 ⬛ 색 ㉡職 所力切 sè

字解 ⬛ 담 장 牆(爿部 十三畫)과 통용. '趙皆以荻藁苫楚—之'《戰國策》. ⬛ 소신 색 지위가 낮은 신하. 嗇(口部 十畫)과 통용. '—夫空'《戰國策》.
字源 形聲. 广+嗇[音]

13 (16) [廦] 벽
Ⓐ錫 北激切 bì
Ⓐ陌 芳辟切 bì

字解 ①담 벽 '一, 牆也'《說文》. ②방 벽 '一, 室屋'《廣韻》.
字源 形聲. 广＋辟〔音〕

13 (16) [廪] 름
人名 름 Ⓗ寢 力稔切 lǐn

字解 ①곳집 름 미곡 창고. 쌀광. '米一'. '亦有高一'《詩經》. ②녹미 름 녹봉(祿俸)으로 받는 쌀. '一料'. '恐人稍受一, 往來煩劇'《後漢書》. ③구호미 름 구호하는 미곡. '一振'. '振三十餘郡'《後漢書》.
字源 篆文 回 別體 廪 會意. 广＋稟. '稟름'은 靣＋禾. '靣'이 '廪'의 원자(原字)로, 곡물을 잰 곳집의 상형. 뒤에, 건물의 뜻인 '广엄'을 붙였음.

[廪庫 늠고] 쌀 곳간. 미곡 창고.
[廪囷 늠균] 쌀 곳간. 균(囷)은 둥근 곳간.
[廪給 늠급] 관(官)에서 미곡의 급여를 받음.
[廪料 늠료] 녹봉(祿俸)으로 주는 쌀. 녹미(祿米).
[廪廪 늠름] ㉠위의(威儀)가 바른 모양. ㉡위태(危殆)로운 모양.
[廪俸 늠봉] 늠료(廪料).
[廪生 늠생] ㉠명조(明朝) 때 관(官)에서 녹미(祿米)를 받던 생원(生員). ㉡청조(淸朝) 때의 생원의 제일등(第一等).
[廪膳 늠선] 일용(日用)의 음식.
[廪粟 늠속] ㉠녹봉(祿俸)으로 주는 쌀. 녹미(祿米). ㉡곳간에 있는 쌀.
[廪食 늠식] 늠료(廪料).
[廪庾 늠유] 쌀 곳간.
[廪人 늠인] 주(周)나라 때 쌀의 출납(出納)을 맡은 벼슬.
[廪入 늠입] 녹미(祿米)로 받는 수입.
[廪振 늠진] 구호미(救護米)를 나누어 주어 가난한 백성을 진휼(賑恤)함.
[廪倉 늠창] 늠고(廪庫).
[廪稍 늠초] 늠료(廪料). '稍'는 조금씩 주는 일.
[廪蓄 늠축] 곳간에 저장한 쌀.
[廪況 늠황] 늠료(廪料).
●公廪. 官廪. 困廪. 牢廪. 米廪. 俸廪. 私廪. 糧廪. 御廪. 月廪. 庾廪. 義廪. 儲廪. 振廪. 倉廪.

13 (16) [廭] 〔근〕
僅(人部 十一畫〈p. 173〉)과 同字

14 (17) [塵] 〔근〕
廛(广部 十一畫〈p. 704〉)의 本字

[廥] 〔응〕
肉部 十三畫(p. 1867)을 보라.

16 (19) [盧] 려
人名 ▤ 려 Ⓗ魚 力居切 lú
▤ 로 Ⓗ虞 龍都切 lú

字解 ▤ ①오두막집 려 조잡한 집. 초암(草庵). '一舍'. '結一在人境'《陶潛》. ②농막 려 농부가 논밭 가운데 간단히 지은 집. '中田有一'《詩經》. ③주막 려 시골의 여인숙. '十里有一, 一有飲食'《周禮》. ④숙직실 려 숙직하는 방. '日磾

小疾臥一'《漢書》. ⑤성 려 성(姓)의 하나. ▤ 창자루 로 모극(矛戟)의 자루. 櫨(木部 十六畫)와 통용. '秦無一'《周禮》.
字源 金文 廬 篆文 盧 形聲. 广＋盧(音). '广엄'은 '집'의 뜻. '盧로'는 '빙 두르다'의 뜻. 둘레를 빙 두르기만 했을 뿐인 집, '초막'의 뜻을 나타냄.

[盧舍那佛 노사나불]《佛敎》대일여래(大日如來). 신광(身光)·지광(智光)이 이사무애(理事無礙)의 법계(法界)를 두루 비추는 원명(圓明)한 부처라는 뜻. 비로자나불(毘盧遮那佛).
[盧落 여락] 민가(民家)의 모임. 촌락(村落). 부락(部落).
[盧幕 여막]《韓》상제가 거처(居處)하는 무덤 근처에 있는 오두막집. 「(墳墓).
[盧墓 여묘] ㉠여막(盧幕). ㉡여막(盧幕)과 분묘
[盧廡 여무] 집. 주거.
[盧寺 여사] 인가(人家)와 사찰.
[盧舍 여사] 오두막집. 초막.
[盧山 여산] 장시 성(江西省)의 북부, 주장 시(九江市)의 남쪽에 있는 명산(名山).
[盧山眞面目 여산진면목] 여산의 실제의 모양. 여산은 보는 장소에 따라 다르게 보이므로 참모습은 알기 어렵다는 뜻으로, '알기 어려운 사물의 진상(眞相)'의 비유로 쓰는 말.
[盧生 여생] 신선(神仙)의 술법으로 진시황(秦始皇)에게 총애를 받은 사람.
[盧兒 여아] 심부름하는 아이. 급사. 사동(使童).
[盧庵 여암] 초막(草幕). 암자.
[盧塋 여영] 여막(盧幕). 여묘(盧墓).
[盧帳 여장] 새외(塞外)의 만이(蠻夷)가 천막(天幕)을 친 집.
[盧井 여정] 옛날, 정전제(井田制)에서 공전(公田) 100묘(畝) 중 20묘를 여덟 집의 여사(盧舍)로 하던 일.
[盧宅 여택] 집.
●蓬盧. 結盧. 空盧. 僑盧. 舊盧. 穹盧. 陋盧. 茅盧. 蓬盧. 佛盧. 飛盧. 僧盧. 庵盧. 野盧. 屋盧. 蝸盧. 倚盧. 田盧. 精盧. 周盧. 直盧. 草盧. 出盧. 敝盧. 弊盧. 蒲盧. 學盧. 閭盧. 蒿盧.

16 (19) [廨] 소
Ⓗ虞 素姑切 sū

字解 ①초막 소 초가. 암자. '廨一, 庵也'《廣雅》. ②술이름 소 원일(元日)에 마시는 술. '廨一, 酒, 元日飮之, 可除瘟氣'《廣韻》.

[龐] 〔방〕
龍部 三畫(p. 2731)을 보라.

17 (20) [廯] 선
Ⓗ銑 息淺切 xiǎn
Ⓗ先 相然切

字解 곳집 선 창고. 일설(一說)에는, 선명(鮮明)함. 또, 적음. '廪, 一也'《爾雅》.

17 (20) [廙] 익
Ⓐ陌 夷益切 yì

字解 집넓을 익 집이 넓음. '一, 屋通也'《篇韻》.

18 (21) [廱] 옹
Ⓗ冬 於容切 yōng

字解 ①벽옹 옹 '辟一'은 고대의 대학교. 또, 천자(天子)의 학교. '於樂辟一'《詩經》. ②화락할 옹 화평하고 즐거움. '一一, 和也'《爾雅》. ③막을 옹, 막힐 옹 壅(土部 十三畫)과 통용. '一鷹'. '梁山崩穀梁傳曰, 一河, 三日不流'《漢書》.
字源 篆文 形聲. 广+雝〔音〕. '广엄'은 지붕의 상형. '雝'은 큰 못을 두르고 낚시와 주연(酒宴)을 베풀 수 있는 정원을 가진 천자(天子)의 학궁(學宮)의 뜻을 나타내며, '廱'의 原字.

[廱偃 옹언] 막음. 세력을 뻗치지 못하게 함. 언(偃)은 알(閼).
[廱廱 옹옹] 화락(和樂)한 모양.
●鷄廱. 辟廱.

19 ㉒ [麐] 려 ㊀齊 郎奚切 lí
字解 깁창 려 비단을 바른 창. '一廛, 綺窗也'《集韻》.

22 ㉕ [廳] 高人 청 ㊀靑 他丁切 tīng　厅廰
筆順 广 厅 斤 厛 廨 廳 廳 廳
字解 ①마을 청 관아. '官一'. '丞一舊有記'《韓愈》. ②대청 청 빈객을 영접하는 데. '凉榭錦一, 其下可坐數百人'《洛陽名園記》.
字源 形聲. 广+聽〔音〕. '聽청'은 '잘 듣다'의 뜻. 정무(政務)를 듣는 집의 뜻에서, '관청'의 뜻을 나타냄.
參考 厅(广部 二畫)은 俗字.

[廳堂 청당] ㉠대궐(大闕) 안의 정사(政事)를 의론하는 곳. 조당(朝堂). 정사당(政事堂). ㉡대청.
[廳舍 청사] 관청. 관아.
[廳事 청사] 관청 안의 사무를 보는 곳. 본래는 청사(聽事)라 썼음.
●客廳. 公廳. 官公廳. 官廳. 郡廳. 道廳. 登廳. 府廳. 簿廳. 氷廳. 船廳. 市廳. 植廳. 驛廳. 邑廳. 正廳. 支廳. 簽廳. 退廳. 便廳. 縣廳.

廴 (3획) 部
[민책받침부]

0 ③ [廴] 인 ㊤軫 余忍切 yǐn ㊤震 羊進切 yìn
筆順 ㇇ ㇈ 廴
字解 길게걸을 인 발을 길게 떼어 놓고 걸음.
字源 篆文 指事. '行행'의 전문(篆文)인 㣇의 왼쪽 절반의 일부를 길게 늘인 형태로, 길게 뻗은 길을 간다는 뜻을 나타냄.
參考 책받침 '辶(辵)'의 위쪽 점이 없다는 데서 민책받침으로 이름. '廴'을 의부(意符)로 하여, '늘여지다'의 뜻을 포함하는 문자를 이룸.

3 ⑥ [巡] 〔순〕 巡(巛部 四畫〈p.658〉)의 訛字

4 ⑦ [延] 高人 연 ㊤先 以然切 yán　迋
筆順 ㇀ 丁 千 正 延 延 延
字解 ①끌 연 ㉠시간을 미룸. '一期'. '晉人謂之遷一之役'《左傳》. ㉡인도(引導)함. '擯者一之'《儀禮》. ㉢끌어들임. 불러들임. '一引'. '開東閣, 以一賢人'《漢書》. ㉣끌릴 연 지체됨. 오래감. '稽一旦夕'《吳志》. ②늘일 연 ㉠길게 함. '一年'. '一眺'. '一頸鶴望'《漢書》. ㉡늘여 말함. 널리 말하여 퍼뜨림. '使張老一君譽於四方'《國語》. ④미칠 연 파급함. '賞一于世'《書經》. ⑤오랠 연, 길 연 장구(長久)함. '歷十二之一祚'《班固》. ⑥길이 연, 넓이 연 가로의 넓이. 동서의 길이. '一袤萬餘里'《史記》. ⑦성 연 성(姓)의 하나.
字源 金文 篆文 會意. 正+廴. '正정'은 '征정'과 통하여, '똑바로 가다'의 뜻. '廴인'은 '길'의 뜻. 길을 똑바로 걸어가는 뜻을 나타냄.

[延閣 연각] 길게 연(連)한 누각(樓閣).
[延見 연견] 맞아들여 만나 봄.
[延頸 연경] 목을 길게 빼고 몹시 기다림. 고대고대(苦待苦待)하는 모양. 인령(引領). 인경(引頸). 교망(翹望). 학수(鶴首). 연기(延企).
[延亘 연긍] 길게 뻗음.
[延企 연기] 목을 길게 빼고 발돋움하여 멀리 바라봄.
[延期 연기] 기한(期限)을 물림.
[延納 연납] 연견(延見).
[延年 연년] 목숨을 늘임. 수명을 연장시킴. 장수(長壽)함.
[延年益壽 연년익수] 연년(延年).
[延登 연등] 처음 벼슬하는 사람을 천자가 맞아들여 전상(殿上)에 오르게 하고 친히 조서(詔書)를 내림.
[延攬 연람] 맞아들여 내 사람을 삼음. 맞아들임.
[延齡 연령] 연명(延命).
[延蔓 연만] 이리저리 뻗어 나감.
[延命 연명] 수명(壽命)을 늘임. 오래 삶. 장수(長壽)함.
[延袤 연무] 길이. 넓이. 연(延)은 횡(橫)으로 동서(東西)의 길이. 무(袤)는 종(縱)으로 남북(南北)의 길이.
[延問 연문] 불러들여 물어봄.
[延逢 연봉] 《韓》 고을 원이 존귀한 사람을 나아가 맞음.
[延聘 연빙] 예(禮)로써 맞음.
[延性 연성] 물질이 파괴되지 않고 가늘고 길게 늘어날 수 있는 성질.
[延燒 연소] 불길이 이웃으로 번져서 탐.
[延續 연속] 길게 계속하여 끊이지 아니함.
[延壽 연수] 연년(延年).
[延髓 연수] 뇌수의 한 부분. 목 뒤에 있어서 뇌와 척수를 잇는 부분.
[延壽堂 연수당] 《佛敎》 ㉠필사(必死)의 병자(病者)를 두는 곳. 열반당(涅槃堂). ㉡화장장(火葬場).
[延諡 연시] 조상(祖上)에게 내린 시호(諡號)를 이어받음.
[延延 연연] 길게 잇닿은 모양.
[延譽 연예] 장점(長點)을 칭찬하여 좋은 평판을

널리 펴뜨림.

[延音 연음] ㉠한 개의 음(音)이 길게 뻗어서 두 개의 음으로 되는 일. 또, 그 음. ㉡한 음을 규정된 박자(拍子) 이상으로 길게 연장하는 일.

[延引 연인] ㉠길게 늘임. 또, 늚. ㉡오래 끎. 또, 오래 걸림. ㉢맞아들임. 방으로 안내함.

[延長 연장] ㉠늘이어 길게 함. 시간·길이 등을 늘임. 또, 늚. ㉡길이.

[延獎 연장] 연예 (延譽).

[延佇 연저] 오래 저립(佇立)함. 오랫동안 섬.

[延接 연접] 불러들여 만나 봄.

[延祚 연조] 긴 복조(福祚)란 뜻으로, 천자(天子)가 오래 재위(在位)함을 이름.

[延眺 연조] 목을 길게 빼어 멀리 바라봄.

[延着 연착] 일정 (一定)한 시각(時刻)보다 늦게 도착함.

[延請 연청] 청 (請)하여 맞음.

[延拖 연타] 일을 끌어서 미루어 나감.

●居延. 經延. 稽延. 那羅延. 蔓延. 綿延. 歲不我延. 垂延. 順延. 淹延. 連延. 聯延. 宛延. 外延. 邀延. 逾延. 接延. 周延. 遲延. 遷延. 薦延. 招延.

4 〔廷〕 ⑦ 高 入 정 ㉠靑 特丁切 tíng ㉣徑 徒徑切

〔筆順〕 一 二 千 壬 ʼ壬 廷 廷

〔字解〕①조정 정 제왕이 정치를 청단(聽斷)하는 곳. '一議', '設九賓于一'《史記》. ②마을 정 관아. 주로 백성이 출두하여 소송하는 일로 이름. '法―', '使給事縣―'《後漢書》. ③공변될 정 공정함. '―尉秦官 (註)―平也, 治獄貴平, 故以爲號'《漢書》.

〔字源〕金文 [廷] 篆文 [廷] 形聲. 廴＋壬[音]. '壬정'은 '튀어나오다'의 뜻. '廴인'은 계단 앞에 튀어나온 뜰의 상형. '뜰'의 뜻을 나타냄.

[廷奇 정기] 청 (淸)나라 때 내각(內閣)을 거치지 않고 군기처(軍機處)에서 직접 병부(兵部)에 교부(交付)하던 조칙 (詔勅).

[廷論 정론] ㉠조정(朝廷)의 의견. ㉡조정에서 의론함. ㉢조정에서 군주(君主)에 대하여 그 언행의 선악을 논함.

[廷理 정리] 옛날, 형옥(刑獄)을 맡던 벼슬.

[廷辯 정변] 조정에서 변론함.

[廷試 정시] 과거(科擧)에서, 조고(朝考)·전시 (殿試)를 이름.

[廷臣 정신] 조정(朝廷)에서 벼슬하는 신하.

[廷安 정안] 벼슬 이름. 원방(遠方)의 제후(諸侯)가 자주 내조(來朝)할 수 없어서 경사(京師)에 두고 조정(朝廷)의 안부를 묻게 하던 벼슬아치.

[廷辱 정욕] 조정에서 공공연히 욕보임.

[廷尉 정위] 진 (秦)·한(漢) 때의 벼슬 이름. 형옥(刑獄)을 맡았음.

[廷儀 정의] 조정의 의식 (儀式).

[廷議 정의] ㉠조정의 의론. 정부의 의견. ㉡조정의 회의.

[廷爭 정쟁] 조정에서 직접 임금의 잘못을 간(諫)하여 다툼. 정쟁 (庭爭).

[廷諍 정쟁] 정쟁 (庭爭).

[廷折 정절] 조정의 여러 사람 앞에서 꼼짝 못하게 욕(辱)보임.

[廷叱 정질] 조정에서 꾸짖음.

[廷推 정추] 명 (明)나라 때, 삼품(三品) 이상 또는 구경(九卿) 등의 관리(官吏)를 전선 (詮選)할 때에 후보자(候補者)를 둘 내지 셋을 미리 상주(上奏)하여 군주(君主)의 결재 (決裁)에 의해서 그 임부(任否)를 정하는 일.

[廷毁 정훼] 조정에서 공공연히 비난함.

●開廷. 公廷. 宮廷. 內廷. 法廷. 殊廷. 外廷. 在廷. 朝廷. 出廷. 退廷. 閉廷. 縣廷. 休廷.

5 ⑧ 〔廻〕 〔회〕
廻(廴部 六畫〈p. 713〉)와 同字

5 ⑧ 〔廹〕 〔박〕
迫(辵部 五畫〈p. 2291〉)의 俗字

5 ⑧ 〔迪〕 〔적〕
迪(辵部 五畫〈p. 2291〉)의 俗字

6 ⑨ 〔建〕 中 入 건 ㉠願 居萬切 jiàn ㉡阮 紀偃切 jiàn

〔筆順〕 フ コ ヨ ヨ 聿 ʼ聿 律 建

〔字解〕①세울 건 ㉠물건을 꼿꼿이 세움. 또, 섬. '九十杖而朝, 見君一杖'《尙書大傳》. ㉡일으킴. 창시 (創始)함. '一置', '一國', '先王以一萬國親諸侯'《易經》. ㉢지음. 이룩함. 수립 (樹立)함. '一立', '一築'. '一功', '可一大功'《戰國策》. ㉣베풂. '一鼓整列'《左傳》. ②열쇠 건 鍵(金部 九畫)과 통용. '一糵'. ③엎지를 건 '猶居高屋之上, 一瓴水也'《史記》. ④성 건 성(姓)의 하나.

〔字源〕金文 [建] 篆文 [建] 會意. 聿＋廴. '聿율'은 '붓'의 뜻. '廴인'은 '延연'과 같아서, '뻗다'의 뜻. 붓이 곧게 뻗는다는 뜻에서, 훤칠하게 서는 뜻을 나타냄.

[建鼓 건고] 북의 한 가지. 꼭대기에 새를 장식한 화개(華蓋)가 있고, 받침대 밑에는 네 사자(獅子)를 조각하였음.

[建橐 건고] 무기를 포대 (布袋)에 넣고 자물쇠를 채움. 전쟁의 준비를 해제함. 언무 (偃武). 건 (建)은 건 (鍵)과 통용.

[建功 건공] 나라를 위하여 공 (功)을 세움.

[建國 건국] 나라를 세움. 제업(帝業)을 창시 (創始)함. 또, 그 일. 조국(肇國).

[建極 건극] 천자(天子)가 나라의 근본 법칙을 세워 천하 (天下)를 다스림.

[建鼓]

[建德 건덕] 장자(莊子)에 나오는 이상향(理想鄕)의 이름.

[建都 건도] 수도 (首都)를 이룩함.

[建瓴 건령] 옥상(屋上)에서 물동이의 물을 쏟는다는 뜻으로, 사세 (事勢)가 아주 용이함의 비유로 쓰임.

[建立 건립] ㉠이룩하여 세움. 세움. ㉡《佛敎》절·탑·불상(佛像) 등을 세움.

[建明 건명] 정사(政事)를 이룩하여 밝힘.

[建木 건목] 나무 이름. 잎은 푸르고, 줄기는 자줏빛이며, 꽃은 검고, 열매는 황색이라 함.

[建白 건백] 제왕에게 의견을 아룀.

[建設 건설] 새로 만들어 세움.

[建牙 건아] ㉠기(旗)를 세움. 무신(武臣)이 파견되어 나가 그 토지를 진정(鎭定)함을 이름. 아(牙)는 군전(軍前)의 큰 기. ㉡청대(淸代)의 충독(總督)·순무(巡撫)의 일컬음.

[建安體 건안체] 한(漢)·위(魏) 시대의 건안 칠자(建安七子) 및 조식(曹植) 부자(父子)의 시체(詩體).

[建安七子 건안칠자] 한말(漢末)의 건안(建安) 연간에 때를 같이하여 문학으로 이름을 떨쳤던 공융(孔融)·진림(陳琳)·왕찬(王粲)·서간(徐幹)·완우(阮瑀)·응창(應瑒)·유정(劉楨)의 일곱 사람. 그들이 모두 업중(鄴中)에 살았기 때문에 업중 칠자(鄴中七子)라고도 함.

[建言 건언] 건백(建白).

[建業 건업] 사업의 기초를 세움. 또, 사업을 함.

[建元 건원] 창업(創業)한 천자(天子)가 연호(年號)를 정함.

[建議 건의] ㉠건백(建白). ㉡국가(國家) 또는 단체(團體)에 대하여 자기의 의견을 개진(開陳)함.

[建除 건제] 음양가(陰陽家)에서 날의 길흉(吉凶)을 정하는 건(建)·제(除)·만(滿)·평(平)·정(定)·집(執)·파(破)·위(危)·성(成)·수(收)·개(開)·폐(閉)의 십이진(十二辰). 제(除)·위(危)·정(定)·집(執)·성(成)·개(開)는 길(吉)하고, 건(建)·파(破)·평(平)·수(收)·만(滿)·폐(閉)는 흉(凶)하다 함. 이들은 종시 순환(終始循環)함. 구력(舊曆)에서, 날 맡에 놓고 중단(中段)이라 부르며, 날의 길흉(吉凶)을 정하여 택일(擇日)하는 데 씀. 건제 십이단(建除十二段)이라고도 함.

[建造 건조] 건축물을 세움.

[建奏 건주] 건백(建白).

[建中 건중] 중정(中正)의 길을 정함.

[建策 건책] 계책(計策)을 세움.

[建築 건축] 토목(土木)·금석(金石)을 써서 집·성(城)·다리 같은 것을 세워 지음. 토목 공사를 함. 「워 둠.

[建置 건치] ㉠군현(郡縣)을 설치(設置)함. ㉡세

[建坪 건평] 《韓》건축물(建築物)이 차지한 자리의 평수(坪數).

●開建. 啓建. 封建. 樹建. 月建. 再建. 肇建. 創建. 土建.

6 ⑨ [廻] 人名 회 ㉠灰 胡隈切 huí

筆順 丨 冂 冂 回 回 ⁷回 廻 廻

字解 ①돌 회, 돌릴 회 빙 돎. 또, 빙 돌게 함. '―轉'. '墨子―車'《史記》. ②피할 회 회피함. '―避'.

字源 形聲. 廴+回〔音〕. '廴인'은 '가다'의 뜻. '回회'는 '돌다'의 뜻. 돌아서 가다의 뜻을 나타냄.

參考 예로부터 回(口部 三畫)와 똑같이 쓰였음.

[廻顧 회고] 돌아다봄. 회고(回顧).

[廻狂瀾於旣倒 회광란어기도] 이미 밀려온 험한 파도들을 도로 밀어 보냄. 기울어진 대세(大勢)를 다시 회복함의 비유.

[廻塗 회도] 빙 도는 길.

[廻鸞 회란] 천자의 수레가 서울로 돌아옴. 천자가 대궐(大闕)로 돌아옴. 환궁(還宮).

[廻廊 회랑] 빙 도는 낭하(廊下).

[廻禮 회례] 돌아다니며 치르는 인사.

[廻文 회문] ㉠내리읽으나 치읽으나 다 말이 되는 한시(漢詩). ㉡여러 사람이 차례로 돌려 보도록 쓴 문장.

[廻文錦字詩 회문금자시] 전진(前秦)의 두도(寶滔)의 아내가 회문(廻文)의 시(詩)를 지어 비단에 짜 넣어서 먼 곳에 있는 남편에게 보낸 고사(故事).

[廻旋 회선] 빙빙 돎. 회전(回轉).

[廻斡 회알] 빙빙 돌림. 또, 빙빙 돎.

[廻縈 회영] 돎. 또, 돌림.

[廻轉 회전] 빙빙 돌아서 구름. 또, 굴림.

[廻汀 회정] 꾸불꾸불한 물가.

[廻天倒日之力 회천도일지력] 하늘을 돌리고 해를 거꾸로 하는 힘이라는 뜻으로, 극히 큰 힘을 이름.

[廻天之力 회천지력] ㉠천자의 마음을 돌리게 하는 힘. ㉡쇠잔한 국세(國勢)를 회복하는 힘. ㉢지극히 큰 힘.

[廻風 회풍] 회오리바람. 선풍(旋風).

[廻避 회피] ㉠피함. ㉡조심함. 어려워함.

[廻向 회향] 《佛敎》불사(佛事)를 닦아 망인(亡人)의 명복을 비는 일. 회향(回向).

●上廻. 巡廻. 下廻.

6 ⑨ [廼] 〔내〕 廼(辵部 六畫〈p.2293〉)의 俗字

7 ⑩ [逥] 廻(前前條)의 俗字

廾 (3획) 部
〔밑스물입부〕

0 ③ [廾] 공 ㉠腫 居悚切 gǒng 卄

筆順 一 十 廾

字解 들 공 두 손을 맞잡아 듦.

字源 象形. 양손을 받드는 모양을 형상하여, '받들다'의 뜻을 나타냄.

參考 이 글자의 모양이 '卄'과 비슷하고, 대개 글자의 밑으로 쓰이므로, '밑스물입'으로 이름.

0 ④ [卄] 廾(前條)의 本字

[廿] 〔입〕 十部 二畫(p.302)을 보라.

1 ④ [卅] 〔등〕 等(竹部 六畫〈p.1661〉)과 同字

2 ⑤ [弁] 人名 ▤ 변 ㉠霰 皮變切 biàn ▤ 반 ㉠寒 薄官切 pán 弁

字解 〓 ①고깔 변 주대(周代)의 통상 예복의 관. '皮一'은 무인(武人)의 관. '周一, 殷冔, 夏收'《儀禮》. ②급할 변, 서둘 변 '一行, 剡剡起履'《禮記》. ③떨 변 전율함. '吏皆股一'《漢書》. ④칠 변 손으로 침. 또, 손으로 서로 쳐 승부(勝負)를 다투는 일. 수박(手搏). '試一爲期門'《漢書》. ⑤성 변 성(姓)의 하나. ※ '변' 음은 인명자로 쓰임. '一彼鷽斯'《詩經》.

字源 ⊛ 別體 ⊛ 象形. 양손으로 고깔을 쓰는 형상을 본떠 '고깔'의 뜻을 나타냄.

參考 辨(辛部 九畫)·辯(辛部 十四畫)의 俗字로 쓰임.

[弁冕 변면] ㉠관(冠). 고깔과 면류관. ㉡괴수(魁首).

[弁髦 변모] 변(弁)은 치포관(緇布冠)으로서 관례(冠禮)를 행하기 전에 잠시 쓰는 갓, 모(髦)는 총각의 더펄머리. 관례가 끝나면 모두 소용없게 되므로 무용지물(無用之物)의 비유로 쓰임.

[弁言 변언] 머리말. 서문(序文).

[弁経 변질] 천자(天子)의 상복(喪服).

[弁韓 변한] 옛날 한국(韓國) 남쪽 경상남도(慶尙南道) 지방에 있던 나라의 이름으로서, 삼한(三韓)〈마한(馬韓)·변한(弁韓)·진한(辰韓)〉의 하나임.

[弁行 변행] 급히 감.

●冠弁. 股弁. 袞弁. 武弁. 戎弁. 雀弁. 將弁. 赤弁. 皮弁.

2
⑤ [弁] 〔계〕 界(田部 四畫〈p. 1463〉)와 同字

3
⑥ [异] 이 ㉇支 與之切 yì ㉖寘 羊吏切 yì

字解 ①말 이, 그칠 이 已(己部)와 同字. '一哉, 試可乃已'《書經》. ②다를 이 異(田部 六畫)와 同字. '何以一哉'《列子》. ③성 이 성(姓)의 하나.

字源 ⊛ 形聲. 卄+巳(㠯) 〔音〕. '㠯'는 '以'의 본자(本字)로, 물건을 가지다의 뜻. 손으로 물건을 들어 올리는 뜻을 나타내며, '已'와 통하여, '그만두다, 물리치다'의 뜻으로도 쓰임.

3
⑥ [甘] 〔기〕 箕(竹部 八畫〈p.1669〉)의 古字

[幷] 〔병〕 干部 三畫(p. 688)을 보라.

4
⑦ [弄] 高人 롱 ㉺送 盧貢切 nòng

筆順 一 二 三 王 王 王 弄 弄

字解 ①희롱할 롱 '調一'. '夷吾弱不好一'《左傳》. ②돌 롱 ㉠손에 가지고 놂. 장난감으로 함. '一具'. '載一之璋'《詩經》. '高祖持御史大夫印一持'《漢書》. ㉡흥에 겨워하며 놂. '方追山壑, 永一林泉'《梁簡文帝》. ③무롱(舞弄)할 롱 멋대로 씀. '一權'. '舞文一法'《史記》. ④업신여길

롱 '侮一'. '愚一其民'《左傳》. ⑤탈 롱 악기를 타며 즐김. '一琴', '一畢便上車去'《晉書》. ⑥곡조 롱 악곡. '改韻易調, 奇一乃發'《嵆康》.

字源 金文 王 篆文 王 會意. 卄+玉. '卄공'은 '양손'의 뜻. 양손으로 구슬을 가지고 놀다의 뜻을 나타냄.

[弄假成眞 농가성진] 실없이 한 것이 참으로 한 것과 같이 됨.

[弄奸 농간] 남을 속이려는 간사(奸邪)한 짓.

[弄過成瞋 농과성진] 농가성진(弄假成眞).

[弄巧 농교] 잔꾀를 씀.

[弄具 농구] 장난감. 완구(玩具).

[弄權 농권] 권력을 마음대로 씀. 권세를 함부로 부림.

[弄談 농담] 실없는 말. 희롱(戱弄)하는 말. 농(弄)지거리하는 말.

[弄物 농물] 장난감. 완롱물(玩弄物).

[弄法 농법] 법을 무롱(舞弄)함. 법률을 마음대로 적용함.

[弄臣 농신] 임금의 심심풀이의 상대가 되는 신하. 노리개로 삼아 사랑하는 신하.

[弄兒 농아] 특별히 귀애하는 아이. 마음에 드는 사동(使童).

[弄瓦 농와] 계집아이를 낳음. 옛날, 딸을 낳으면 장난감으로 와제(瓦製)의 실패를 주던 고사(故事)에 의함.

[弄月 농월] 달을 보며 즐김.

[弄姿 농자] 태(態)를 지어 아첨(阿諂)함. 아양 떨며 아유함.

[弄璋 농장] 사내아이를 낳음.

[弄璋之喜 농장지희] 사내아이를 낳은 기쁨. 옛날, 아들을 낳으면 장난감으로 장(璋)이란 옥(玉)을 준 고사(故事)에 의함.

[弄田 농전] 심심소일로 가꾸기 위하여 장만한 전지(田地).

[弄蕩 농탕] 음탕(淫蕩)하게 놂.

[弄筆 농필] ㉠희롱조로 붓대를 놀림. 글·그림을 함부로 휘갈김. 또, 희롱조로 지은 글. 또는 쓴 글씨. ㉡필묵(筆墨)을 무롱(舞弄)함. 사실을 왜곡(歪曲)하여 씀.

[弄翰 농한] 붓으로써 희롱(戱弄)함. 글·그림을 함부로 휘갈김. 농필(弄筆).

[弄吭 농항] 새가 지저귐.

[弄丸 농환] 구슬을 공중에 던졌다가 내려오는 것을 받는 놀이.

[弄戱 농희] 장난. 희롱.

●傾弄. 曲弄. 狡弄. 嬌弄. 奇弄. 侮弄. 舞弄. 撫弄. 飜弄. 奔弄. 祕弄. 賞弄. 狎弄. 揶弄. 敖弄. 玩弄. 翫弄. 愚弄. 吟弄. 調弄. 嘲弄. 操弄. 瞻弄. 清弄. 嗤弄. 簸弄. 好弄. 戱弄.

4
⑦ [劵] 분 ㉇文 符分切 ㉖吻 房吻切 fèn

字解 붕긋할 분 언덕이 높직한 모양. '登隱一之丘'《莊子》.

4
⑦ [弉] 규 ㉇支 渠追切 kuí

字解 손잡이 규 쇠뇌의 손으로 잡는 부분. '一, 持弩閑枊也'《玉篇》.

字源 會意. 卄+肉

4
⑦ [弅]〔거〕
擧(手部 十四畫〈p. 912〉)의 古字

4
⑦ [弉]〔계〕
戒(戈部 三畫〈p. 832〉)와 同字

4
⑦ [弃]〔기〕
棄(木部 八畫〈p. 1081〉)의 古字

棄의 古文 [䒑] 會意. 厺+廾. '厺돌'은 '어린아이'의 뜻. '廾공'은 양손의 象形. 아이를 버리다의 뜻을 나타냄. '棄기'의 생략체이며 古文임.

5
⑧ [弄] 一육 ㈁屋 余六切 yù
　　　一국 ㈁屋 居六切
字解 一 받들 육 양손으로 물건을 받듦. '一, 兩手捧物'《集韻》. 二 받들 국 一과 뜻이 같음.
字源 形聲. 廾+先〔音〕.

5
⑧ [弆]거 ㈂語 居許切 jǔ
　　　　羌擧切
字解 감출 거 감추어 둠. 또, 저장함. '藏一'.
字源 形聲. 廾+去〔音〕.

6
⑨ [弇] 一엄 ㈂琰 衣檢切 yǎn
　　　一감 ㈠覃 那合切 nán
字解 一 ①덮을 엄 덮어 가림. '一日爲蔽雲'《爾雅》. ②좁은길 엄 협착한 길. '行及一中'《左傳》. ③깊을 엄 '其器宏以一'《呂氏春秋》. ④안으로향할 엄 '棧車欲一'《周禮》. 二 사람이름 감 '耿一'은 동한(東漢) 때 사람.
字源 甲骨文 [𠥎] 篆文 [𠥎] 會意. 合+廾. '合합'은 뚜껑을 맞추다의 뜻. 양손으로 뚜껑을 덮다, 덮다의 뜻을 나타냄.

[弇中 엄중] 좁은 길. 오솔길.

6
⑨ [挈]〔계〕
契(大部 六畫〈p. 506〉)의 訛字

6
⑨ [弈] 혁 ㈁陌 羊益切 yì
字解 바둑 혁 위기(圍碁). 또, 노름. 도박. '博一'. '弈秋通國之善一者也'《孟子》.
字源 篆文 [𢎘] 形聲. 廾+亦〔音〕. '廾공'은 양손을 받드는 형상임. '亦역'은 잇따라 거듭되다의 뜻. 손을 들어서 번갈아 바둑을 두다의 뜻을 나타냄.

[弈棋 혁기] 바둑을 둠. 위기(圍碁).
●博弈. 象弈.

7
⑩ [桊] 권 ㈂霰 古倦切 juàn
字解 주먹밥질 권 밥을 뭉쳐 주먹밥을 만듦. '一, 搏飯也'《說文》.
字源 會意. 釆+廾.

7
⑩ [丼]〔장〕
奬(大部 七畫〈p. 508〉)의 俗字

8
⑪ [算]〔엄〕
弇(廾部 六畫〈p. 715〉)의 古字

11
⑭ [弉]〔장〕
奬(大部 十一畫〈p. 510〉)의 本字

[鼻]〔비〕
部首(p. 2718)를 보라.

12
⑮ [弊] 高入 폐 ㈆霽 毗祭切 bì
弊 弊

筆順 𠆢 𠆢 𢜩 𢜩 𢿛 𢿜 𢿞 弊 弊

字解 ①해질 폐 해져 떨어짐. '一衣'. '黑貂之裘一'《戰國策》. 전(轉)하여, 겸사(謙詞)로 쓰임. '一邦'. '臣竊必之一邑之王'《戰國策》. ②곤할 폐 피곤함. 피로함. '疲一. 兵一於周'《戰國策》. ③곤하게할 폐 피곤하게 함. '以一魏'《戰國策》. ④피곤할 폐 피로. 피폐. '秦韓楚乘吾一'《戰國策》. ⑤폐 폐 해악(害惡). '一害'. '下受其一'《魏志》. ⑥결단할 폐 단정을 내림. 판결함. '一邦治'《周禮》.
字源 甲骨文 [𢼀] 篆文 [𢼀] 別體 [𢿛] 形聲. 본디, 犬+敝〔音〕. '敝폐'는 '해지다'의 뜻. 개처럼 쓰러져 죽다의 뜻을 나타냄. '犬견'의 부분이 '廾공'으로 변형됨.

[弊家 폐가] 자기 집의 겸칭(謙稱).
[弊鎧 폐개] 해진 갑옷.
[弊客 폐객] 남에게 괴로움을 끼치는 사람.
[弊袴 폐고] 해진 바지.
[弊困 폐곤] 피곤(疲困) 함.
[弊局 폐국] 폐가 많아 일이 거의 결딴나게 된 판국.
[弊國 폐국] 폐방(弊邦).
[弊端 폐단] 괴롭고 번거로운 일. 또, 좋지 못하고 해로운 일.
[弊廬 폐려] 자기 집의 겸칭(謙稱).
[弊履 폐리] 해진 신.
[弊瘼 폐막] ㉠없애기 어려운 폐해(弊害). ㉡못된 병통(病痛).
[弊邦 폐방] 자기 나라의 겸칭(謙稱).
[弊撒 폐살] 뒤섞인 모양.
[弊絮 폐서] 해진 솜.
[弊習 폐습] 폐해(弊害)가 많은 풍습(風習). 나쁜 풍습. 폐풍(弊風).
[弊屋 폐옥] ㉠퇴락(頹落)한 집. ㉡자기 집의 겸칭(謙稱).
[弊源 폐원] 폐해(弊害)의 근원.
[弊幽 폐유] 두메. 시골.
[弊邑 폐읍] ㉠피폐한 고을. ㉡자기 고향의 겸칭(謙稱).
[弊衣 폐의] ㉠해어진 옷. 폐의(敝衣). ㉡잠방이.
[弊政 폐정] 못된 정치. 악정(惡政).
[弊札 폐찰] 자기 편지의 겸칭(謙稱).
[弊帚 폐추] 닳아 빠진 비.
[弊宅 폐택] 폐옥(弊屋).
[弊弊 폐폐] 마음과 힘을 기울여 피로함을 돌보지 않고 일에 힘쓰는 모양.
[弊風 폐풍] 폐습(弊習).
[弊害 폐해] 폐단(弊端)과 손해.
●奸弊. 故弊. 困弊. 舊弊. 垢弊. 窮弊. 饑弊. 亂弊. 勞弊. 黨弊. 鈍弊. 廢弊. 靡弊.

煩弊. 踣弊. 衰弊. 宿弊. 時弊. 深弊. 語弊.
餘弊. 惡弊. 頑弊. 疪弊. 擾弊. 流弊. 遺弊.
羸弊. 利弊. 積弊. 彫弊. 陳弊. 穿弊. 通弊.
頹弊. 罷弊. 疲弊. 抗弊. 朽弊.

13 ⑯ [奰] ▆ 익 ㊇陌 夷益切 yì
▆ 택 ㊇陌 直格切 zé
[字解] ▆ 늘일익 길게 잡아 늘임. '一, 引繒也'
《說文》. ▆ 택할 택 擇(手部 十三畫)과 同字.
[字源] 金文 ❋ 篆文 靐 形聲. 廾+奰〔音〕. '가공'은 '양 손'의 뜻. '奰역'은 잇따라 손으로 당기어 붙이는 뜻. 양손으로 주살을 끌어당기다의 뜻.

[彝] 〔이〕
크部 十五畫(p. 731)을 보라.

19 ㉒ [孿] 〔판〕
孿(斗部 十九畫〈p. 951〉)과 同字

弋 (3획) 部
〔주살익부〕

0 ③ [弋] 익 ㊇職 與職切 yì 弋
[筆順] 一 七 弋
[字解] ①주살 익 오늬에 줄을 매어 쏘는 화살. '一, 繳'. 또, 주살로 새를 잡음. '一鳧與鴈'《詩經》. ②홰 익 횃대. '雞棲於一'《爾雅》. ③검을 익 '衣一緇'《漢書》. ④빼앗을 익 탈취함. '敢一殷一'《書經》. ⑤뜰 익 물 위에 뜸. '虞人掠水輕浮一'《李紳》.
[字源] 金文 ⼘ 篆文 兌 象形. 작은 가지에 지주(支柱)를 받친 형태를 본떠, '말뚝'의 뜻을 나타냄. 또, 이 모양과 흡사한 '주살'의 뜻도 나타냄.

[弋繳 익격] 주살.
[弋羅 익라] 주살과 그물.
[弋獵 익렵] 사냥. 수렵 (狩獵).
[弋射 익사] 주살로 새를 쏨.
[弋者 익자] 주살로 새를 잡는 사람. 사냥꾼.
[弋綈 익제] 검은 명주.
[弋釣 익조] 주살로 새를 잡고 낚시로 고기를 낚는 일. 유유자적 (悠悠自適)하는 생활(生活)을 이름.
[弋繒 익증] 주살.
[弋取 익취] 주살로 새를 잡음.
[弋獲 익획] 주살로 새를 잡음.
●羅弋. 浮弋. 游弋. 綈弋. 繒弋. 馳弋. 玄弋.

1 ④ [弌] 〔일〕
一(部首〈p. 1〉)의 古字

2 ⑤ [弍] 〔이〕
二(部首〈p. 71〉)의 古字

3 ⑥ [式] ㊥㊆ 식 ㊇職 賞職切 shì 弎

[筆順] 一 二 千 丁 式 式
[字解] ①법 식 ㉠규칙. 제도. '法一'·'品一備具'《漢書》. ㉡장정 (章程). '律·令·格·一'《北史》. ㉢본보기. 모범. '範一'. '萬邦作一'《書經》. ②꼴 식 일정한 형상. '舊一'. '其不依新一者'《北史》. ③식 식 ㉠의식. '結婚'. '開校一'. ㉡산식 (算式). '代數一'. ④절도 식 적당한 정도. '以九一均節財用'《周禮》. ⑤본뜰 식 본보기로 함. '古訓是一'《詩經》. ⑥삼갈 식 공경 (恭敬)하는 마음을 가짐. '中心必一'《管子》. ⑦쓸 식 사용함. '作爲一轂'《詩經》. ⑧가로지른나무 식 수레 위에 설치한 횡목(橫木). 이 나무에 의지하여 경례함. 軾(車部 六畫)과 同字. '以揉其一'《周禮》. ⑨절할 식 식(軾)에 기대어 경례함. '一車'. '一商容閭'《書經》. ⑩발어사(發語辭) 식 발언(發言)을 나타내는 말. '一微一微'《詩經》. ⑪성 식 성(姓)의 하나.
[字源] 篆文 式 形聲. 工+弋〔音〕. '弋익'은 두 개의 나무를 교차시켜 안정되게 서도록 고안된 '말뚝'의 상형. '工공'은 '공구 (工具)'의 뜻. 공구와 같이 규격에 맞으며 안정된 말뚝의 뜻에서, 본보기로 삼아야 하는 것, '법'의 뜻을 나타냄.

[式敬 식경] 공경함.
[式穀 식곡] 아들을 잘 가르쳐서 선(善)으로 지향 (志向)하도록 함. 식(式)은 용(用), 곡(穀)은 선(善).
[式廓 식곽] 규모(規模). 범위(範圍).
[式年 식년] 《韓》 자년(子年)·묘년(卯年)·오년(午年)·유년(酉年)의 이름. 곧 과거 보이는 시기를 정한 해.
[式怒蛙 식노와] 월왕(越王) 구천(句踐)이 오(吳)나라를 칠 뜻이 있어 사기(士氣)를 진작(振作)하기 위하여, 배를 불룩이 내밀고 성낸 개구리에게도 용기(勇氣)가 있다 하여, 절을 한 고사(故事). 식(式)은 수레 앞에 댄 가로 나무에 손을 짚고 하는 절.
[式例 식례] 이미 있어 온 일정 (一定)한 사례 (事例).
[式微 식미] 왕실 (王室)이 쇠미함.
[式法 식법] 법 (法).
[式辭 식사] 《韓》 식장(式場)에서 그 식에 대하여 인사(人事)로 하는 말.
[式序 식서] 공(功)이 있어 등용함.
[式式 식식] 공경하는 모양.
[式樣 식양] 양식. 형식 (形式).
[式場 식장] 예식 (禮式)을 행하는 곳.
[式車 식차] 차 위의 횡목(橫木)에 의지하여 경례함.
[式則 식칙] 법. 규칙 (規則).
●擧式. 檢式. 格式. 硬式. 古式. 故式. 公式. 觀兵式. 觀艦式. 九式. 具式. 舊式. 金婚式. 矜式. 幾式. 圖式. 等式. 方式. 方程式. 範式. 法式. 本式. 佛式. 非公式. 師式. 常式. 書式. 數式. 新式. 神式. 略式. 樣式. 洋式. 軟式. 例式. 禮式. 要式. 違式. 遺式. 銀婚式. 儀式. 一式. 葬式. 典式. 正式. 程式. 諸式. 株式. 表式. 品式. 韓式. 恒式. 形式. 會式.

3 ⑥ [弎] 〔삼〕
三(一部 二畫〈p. 14〉)의 古字 弎

3
⑥ [弐] 〔이〕
貳(貝部 五畫〈p. 2191〉)의 俗字

[忒] 〔특〕
心部 三畫(p. 758)을 보라.

4
⑦ [牂] 장 ㊞陽 玆郞切 zāng
字解 말뚝 장 배를 매는 큰 말뚝.

[戋] 〔재〕
戈部 四畫(p. 834)을 보라.

[武] 〔무〕
止部 四畫(p. 1141)을 보라.

6
⑨ [馱] 동 ㊄送 徒弄切 dòng
㊞東 徒東切
字解 말뚝 동 선박(船舶)을 잡아매는 말뚝. '舟纜所繫曰一'《集韻》.

[貳] 〔이〕
貝部 五畫(p. 2191)을 보라.

9
⑫ [弑] 弑(次條)의 俗字

10
⑬ [弑] 人名 시 ㊞眞 式吏切 shì
字解 죽일 시 아랫사람이 윗사람을 죽임. '一殺'. '子一父'《歐陽脩》.
字源 形聲. 柔+式〔音〕. '式식'은 '바뀌다'의 뜻. '柔'은 '殺살'의 자형(字形)의 일부. 윗사람을 죽이고 그 대신 들어앉다의 뜻을 나타냄.

▌[弑殺 시살] 부모나 임금을 죽임.
▌[弑逆 시역] 부모나 임금을 죽이는 대역(大逆) 행위.
▌[弑戕 시장] 시역(弑逆).
▌[弑虐 시학] 시역(弑逆).
▌[弑害 시해] 시살(弑殺).

10
⑬ [歌] 가 ㊞歌 居何切 gē
字解 말뚝 가, 배말뚝 가 '一, 杙也, 所以繫舟'《韻會》.

12
⑮ [獸] 〔증〕
矰(矢部 十二畫〈p. 1561〉)과 同字

弓 (3획) 部
[활궁부]

0
③ [弓] 中入 궁 ㊞東 居戎切 gōng 弓
筆順 ᄀ ᄀ 弓

字解 ①활 궁 화살을 쏘는 무기. '一矢'. '僤作一浮游作矢'《荀子》. ②여덟자 궁 토지의 길이의 단위. 지금의 약 5척(尺)으로서, 보(步)와 같음. 곧, 360궁(弓)은 360 보로서 1리(里)임. '二尺爲一肘, 四肘爲一一'《度地論》. ③여섯자 궁 활 쏘는 데서 과녁까지의 거리의 단위. '侯道五十一. (疏)六尺爲步, 一之下制六尺, 與步相應'《儀禮》. ④성 궁 성(姓)의 하나.

字源 象形. 활의 상형으로, '활'의 뜻을 나타냄.

[弓①]

參考 '弓'을 의부(意符)로 하여, 여러 종류의 활, 활에 딸린 것, 또, 활에 관한 동작이나 상태를 나타내는 문자를 이룸.

[弓韃 궁건] 궁의(弓衣).
[弓繳 궁격] 주살.   「구(箕裘).
[弓裘 궁구] 부모로부터 물려받은 가업(家業). 기
[弓弩 궁노] 활과 쇠뇌.
[弓袋 궁대] 활집. 궁의(弓衣).
[弓馬 궁마] 활과 말. 또, 궁술(弓術)과 마술(馬術). 전(轉)하여, 무예(武藝).
[弓馬之家 궁마지가] 궁마(弓馬)를 쓰는 집안. 호반(虎班)의 집안.
[弓馬之間 궁마지간] 활 쏘고 말 달리는 그 사이. 곧, 전쟁터. 전장(戰場).
[弓馬之士 궁마지사] 무사(武士). 무인(武人).
[弓馬之才 궁마지재] 활 쏘고 말 타는 재주.
[弓房 궁방] 활을 만드는 곳.
[弓師 궁사] 활을 만드는 사람. 궁인(弓人)
[弓勢 궁세] 활의 모양. 궁형(弓形).
[弓手 궁수] ㉠활을 쏘는 사람. 궁술(弓術)을 익히는 사람. ㉡활을 쏘아 도둑을 막는 민병(民兵).
[弓術 궁술] 활을 쏘는 기술(技術). 사술(射術).
[弓矢 궁시] 활과 화살. 전(轉)하여, 무기(武器). 또, 전쟁(戰爭).
[弓腰 궁요] 활과 같이 구부러진 허리.
[弓衣 궁의] 활집. 궁건(弓韃).
[弓人 궁인] ㉠활을 만드는 사람. 궁사(弓師). ㉡활을 쏘는 사람. 궁수(弓手).
[弓箭 궁전] 궁시(弓矢).
[弓折矢盡 궁절시진] 활은 부러지고 화살은 다 없어짐. 곧, 세궁역진(勢窮力盡)하여 어찌할 도리가 없음.
[弓折箭盡 궁절전진] 궁절시진(弓折矢盡).
[弓旌 궁정] 활과 기(旗). 모두 임금이 예(禮)를 두터이 하여 어진 사람을 부르는 데 씀.
[弓旌之召 궁정지소] 고관(高官)으로 채용되는 일. 사(士)를 초빙할 때에는 궁(弓), 대부(大夫)에는 정(旌)을 쓴 데서 유래함.
[弓響 궁향] 활시위의 울리는 소리.
[弓弦 궁현] 활시위. 궁현(弓絃).
[弓形 궁형] 활의 형상(形狀). 반월형(半月形).
[弓鞋 궁혜] 중국 부인(婦人)의 전족용(纏足用)의 가죽신.
●強弓. 勁弓. 鼓弓. 國弓. 盧弓. 弩弓. 大弓. 賭弓. 韜弓. 敦弓. 彤弓. 半弓. 步弓. 石弓. 雙弓. 弱弓. 良弓. 洋弓. 楊弓. 窩弓. 戎弓. 天弓. 彈弓. 胡弓.

0
② [弖] 함 ㊄感 胡感切 hán
㊞覃 胡男切

字解 꽃봉오리 함 '一, 嘾也. 艸木之華未發圅然象形'《說文》.
字源 象形. 초목의 꽃이 아직 피지 않고, 줄기 끝에 봉오리가 져 있는 모양.

0 ③ [弓] 〔내·애〕 乃(丿部 一畫〈p.52〉)의 古字

1 ④ [弓] 〔급〕 及(又部 二畫〈p.328〉)의 古字

1 ④ [弓] 〔탄〕 彈(弓部 十二畫〈p.728〉)과 同字

1 ④ [弓] 〔권〕 卷(卩部 六畫〈p.316〉)과 同字

1 ④ [弔] 高人 ■ 조 ㊀嘯 多嘯切 diào ■ 적 ㊀錫 都歷切 dì

筆順 ㄱ ㅋ 弓 弔

字解 ■ ①조상할 조 ㉠남의 상사에 조의(弔意)를 표시함. '一慰'. '知生者一, 知死者傷'《禮記》. ㉡죽은 사람의 영혼을 위로함. '爲賦以一屈原'《史記》. ②위문할 조, 물을 조 재난을 당한 사람을 위로하기 위하여 찾아감. 또, 안부(安否)를 물음. '太公任往一之'《莊子》. ③조상 조, 위문 조 이상(以上)의 명사. '其國有君喪, 不敢受一'《禮記》. ④상심할 조 마음 아픔. '中心一兮'《詩經》. ⑤불쌍히여길 조 연민함. '一恤'. '不一昊天'《詩經》. ⑥매달 조 속(俗)에 吊(口部 三畫)로 씀. '上一'. '一睛白額'《水滸傳》. ■ 이를 적 다다름. '神之一矣'《詩經》.
字源 甲骨文 篆文 會意. 篆文에서는 人+弓. '弓궁'은 甲骨文에서는 뱀의 상형 또는 주살의 상형으로 생각되며, 죽은 사람의 넋을 위로하기 위한 물건의 상형. '조상하다'의 뜻을 나타냄.
參考 吊(口部 三畫)는 俗字.

[弔歌 조가] 조의(弔意)를 표하는 노래. 만가(輓歌).
[弔客 조객] 조상(弔喪)하는 사람.
[弔古 조고] 옛날 일을 생각하고 슬퍼함.
[弔哭 조곡] 조상하여 욺.
[弔橋 조교] 양쪽 언덕에 줄·쇠사슬 등을 건너질러 거기에 의지하여 매달아 놓은 다리. 조교(吊橋).
[弔屈 조굴] 초(楚)나라의 굴원(屈原)을 조상(弔喪)함. 굴원(屈原)이 5월 5일에 멱라수(汨羅水)에 빠져 죽었는데, 후세 사람들이 해마다 이 날이 되면 그를 조상함.
[弔詭 조궤] 지극히 기이(奇異)한 일. 매우 괴이한 일.
[弔旗 조기] ㉠조의를 표하는 뜻을 나타내기 위하여 다는 기. ㉡반기(半旗).
[弔悼 조도] 남의 죽음을 애도함.
[弔禮 조례] 조상하는 인사.
[弔臨 조림] 죽은 사람의 집에 가서 조상함.
[弔勉 조면] 상제를 위로하고 격려함.
[弔文 조문] 조상하는 글. 죽은 사람의 생전 공적을 기리고 영혼의 명복(冥福)을 비는 글.
[弔問 조문] 상가(喪家)에 가서 위문(慰問)함. 조상하러 감.
[弔愍 조민] 조휼(弔恤).
[弔賻 조부] 조상하는 뜻을 나타내어 보내는 부의(賻儀).
[弔死 조사] ㉠남의 죽음을 슬퍼함. 또는 위로함. ㉡목을 매어 죽음. 의사(縊死).
[弔詞 조사] 조상하는 글.
[弔辭 조사] 조사(弔詞).
[弔喪 조상] 남의 상사에 조의(弔意)를 표(表)함.
[弔書 조서] 조의(弔意)를 표(表)하는 서장(書狀).
[弔詩 조시] 조의(弔意)를 표하는 시(詩). 조가(弔歌). 도가(悼歌).
[弔唁 조언] 조상함.
[弔影 조영] '형영상조(形影相弔)'와 같음.
[弔慰 조위] 죽은 이를 조상하고 상제를 위로함.
[弔意 조의] 죽은 이를 애도(哀悼)하는 마음.
[弔者 조자] 조상하는 사람.
[弔者在門賀者在閭 조자재문하자재려] 조문(弔問)하는 사람이 문에 와 있을 때, 축하하는 사람은 마을 어귀에 와 있다는 뜻으로, 길흉화복(吉凶禍福)이 자꾸 갈마듦을 이름. 여(閭)는 이문(里門).
[弔狀 조장] 조상하는 편지(便紙).
[弔電 조전] 조상의 뜻을 표하여 보내는 전보.
[弔祭 조제] 조상하여 제사 지냄.
[弔鐘 조종] 죽은 사람에 대하여 슬퍼하는 뜻으로 치는 종.
[弔賀 조하] 조상함과 하례함. 조상과 축하.
[弔恤 조휼] 불쌍히 여겨 구휼(救恤)함.
◉敬弔. 慶弔. 哀弔. 追弔. 形影相弔. 惠弔. 會弔.

1 ④ [引] 中人 인 ①-⑨㊤軫 余忍切 yǐn ⑩⑪㊀震 羊晉切 yìn

筆順 ㄱ ㅋ 弓 引

字解 ①당길 인 ㉠활을 당김. '畫腹爲的, 自一滿將射之'《資治通鑑》. ㉡끌어당김. '牽一'. '相一牽'《韓愈》. ㉢잡아당겨 뺌. '一楯萬物'《淮南子》. ②끌 인 ㉠이끎. '一導'. '一之表儀'《左傳》. ㉡추천함. '一薦'. '兩人相爲一重'《史記》. ㉢끌어들임. 안으로 들어오게 함. '延一寢室'《資治通鑑》. ㉣땅바닥에 끎. '不使人捽一而刑殺之'《孔子家語》. ㉤끌어냄. 증거로 듦. '一例'. '證一該洽'《北史》. ㉥소리를 길게 빼어 노래 부름. '榜謳齊一, 漁歌互歌'《王勃》. ③늘일 인 신장(伸長)시킴. '一而伸之'《易經》. ④물러갈 인 퇴거함. '一退'. '必一而去君之黨'《禮記》. ⑤바로잡을 인 바르게 함. '一其封疆. (註)一, 正也'《左傳》. ⑥자살할 인 스스로 자기 목숨을 끊음. '自一'. ⑦열길 인 십장(十丈). '縱一橫一三丈'《元史》. ⑧노래곡조 인 가곡(歌曲). '思歸一'. '雅一相和'《柳宗元》. ⑨서 인 문체(文體)의 한 가지. 서문(序文). '宋蘇洵之族譜一, 卽族譜序也, 蓋洵先世有名序者, 故諱序爲一, 後人亦或襲用之'《辭海》. ⑩상엿줄 인 상여를 끄는 바. '弔於葬者, 必執一'《禮記》. ⑪가슴걸이 인 靷(革部 四畫)과 통용. '結一馳外'《荀子》.
字源 篆文 指事. '弓궁'에 '丨곤'을 덧댄 글자. '丨'은 당겨서 켕긴 활을 나타냄. '당기다'의 뜻을 나타냄.

[引喝 인갈] 벽제(辟除).

[引去 인거] 물러감. 퇴거함.

[引据 인거] 인거(引據).

[引據 인거] 인용하여 증거 또는 전거(典據)로 삼음.

[引愆 인건] 허물을 자기가 짐. 건(愆)은 책(責). 인구(引咎).

[引見 인견] 불러들이어 봄.

[引決 인결] 책임을 지고 자살함. 자인(自刃). 자재(自裁).

[引磬 인경] 《佛教》 법회(法會) 때 대중(大衆)의 주의를 끌기 위해서 울리는 경(磬)쇠.

[引繼 인계] 하던 일을 넘겨줌.

[引過自責 인과자책] 자기의 허물을 인정(認定)하고 스스로 책(責)함.

[引咎 인구] 인책(引責).

[引勸 인권] 《佛教》 남에게 시주(施主)하라고 인도하고 권함.

[引汲 인급] 끌어올림.

[引年 인년] ㉠오래 삶. 연년(延年). ㉡늙어서 관직을 물러남. 치사(致仕)함.

[引渡 인도] 넘겨줌.

[引導 인도] ㉠지도(指導)함. ㉡길잡이를 함. 길을 안내함. ㉢《佛教》 중생(衆生)을 이끌어 선도(善道)에 들게 함. ㉣《佛教》 죽은 사람의 영혼을 정토(淨土)로 안내함. ㉤《佛教》 죽은 사람을 정토로 안내하기 위하여 중이 관(棺) 앞에 서서 감.

[引力 인력] 물체(物體)가 서로 당기는 힘.

[引領 인령] 목을 빼어 바라봄. 절망(切望)함.

[引例 인례] 끌어 대는 예(例). 또, 예를 듦.

[引類 인류] 끼리끼리 모임. 유유상종(類類相從).

[引滿 인만] ㉠활시위를 잔뜩 당김. ㉡잔에 술을 찰찰 넘게 부음.

[引枋 인방] 문호(門戶)의 아래위에 가로지른 나무.

[引服 인복] 없는 죄를 있다고 자복(自服)하고 형(刑)을 받음.

[引分 인분] 인결(引決).

[引紼 인불] 구정겹줄을 끌고 감.

[引上 인상] ㉠끌어올림. ㉡물가·요금·봉급 등을 올림.

[引商 인상] ㉠소금 장수. '引'은 소금의 무게 단위. ㉡상조(商調)의 음악을 연주함.

[引商刻羽 인상각우] 고상(高尙)한 음악을 연주함을 이름.

[引攝 인섭] 《佛教》 부처가 중생(衆生)을 거두어 제도(濟度)함.

[引聲 인성] 음조(音調)에 박자를 넣어 미타(彌陀)의 이름·경문(經文) 등을 욈.

[引稅 인세] 염세(鹽稅). '引'은 소금의 무게의 단위.

[引率 인솔] 거느림.

[引水 인수] 물을 끌어댐.

[引受 인수] 물건이나 권리를 넘겨받음.

[引繩批根 인승비근] 먹줄을 당겨 구부러진 곳을 바로잡고, 또 뿌리를 파내 버린다는 뜻으로 남을 배척하여 제거함을 이름. 인승배근(引繩排根).

[引伸 인신] ㉠늘임. 길게 함. 넓게 함. 크게 함. ㉡응용(應用)함.

[引彦 인언] 불러들여 잠자리 시중을 들게 함.

[引業 인업] 《佛教》 과보(果報)를 낳는 업인(業因). 숙세(宿世)의 인연(因緣).

[引用 인용] 끌어 씀.

[引援 인원] 당김. 잡아당김.

[引喻 인유] 끌어대는 비유. 또, 비유를 듦. 인례(引例).

[引而不發 인이불발] 화살을 끼우고 활시위만 잡아당길 뿐 활을 쏘지 않는다는 뜻으로, 사람을 가르치는데 단지 공부하는 방법만 지시하고 그 묘처(妙處)를 말하지 않아 학습자로 하여금 자득(自得)하게 함을 이름. 또, 세력을 축적하여 시기를 기다리는 것을 이르기도 함.

[引接 인접] ㉠인견(引見). ㉡《佛教》 아미타불(阿彌陀佛)이 중생(衆生)을 맞이하여 극락정토로 인도함.

[引肘 인주] 팔을 끎. 간섭(干涉)하여 자유롭지 못하게 함. 철주(掣肘).

[引重 인중] ㉠무거운 물건을 끌어당김. ㉡서로 추천함. 서로 존중함. 추중(推重).

[引證 인증] 인용(引用)하여 증거(證據)로 함.

[引責 인책] 책임(責任)을 스스로 이끌어 짐.

[引薦 인천] 추천(推薦)함.

[引致 인치] ㉠끌어들임. ㉡끌어올림. ㉢강제로 관청에 연행(連行)함.

[引擢 인탁] 등용(登用)함. 발탁(拔擢).

[引退 인퇴] ㉠물러남. 물러감. ㉡벼슬자리에서 물러남.

[引避 인피] ㉠꺼리어 피함. 회피함. ㉡길을 비킴. ㉢인퇴(引退)하여 후진(後進)에게 길을 열어 줌.

[引下 인하] ㉠끌어내림. ㉡가격·요금 등을 떨어뜨림.

[引割 인할] 단념(斷念)함.

[引嫌 인혐] ㉠자기의 허물을 깨달아 뉘우침. ㉡책임을 지고 사퇴함.

[引火 인화] 불이 옮아 붙음.

● 呵引. 強引. 牽引. 告引. 考引. 曲引. 控引.
交引. 搖引. 句引. 拘引. 鉤引. 勸引. 汲引.
道引. 導引. 挽引. 滿引. 蔓引. 誣引. 文引.
旁引. 辟引. 奉引. 膚引. 索引. 先引. 承引.
勝引. 尋引. 雅引. 抑引. 延引. 連引. 鹽引.
迎引. 援引. 誘引. 恩引. 銓引. 錢引. 接引.
挬引. 證引. 徵引. 唱引. 薦引. 遷引. 招引.
鈔引. 推引. 稱引. 探引. 派引. 虛引. 攜引.
吸引.

---

① ④ [弓] 현 ㉺先 胡先切 xián

[字解] 봉오리많을 현 꽃봉오리가 많음. '一, 艸木弓盛也'《說文》

[字源] 會意. 弓+弓. '弓현'은 가지나 줄기 끝에 봉오리가 붙어 있는 모양

---

① ④ [弓] 〔탄〕

彈(弓部 十二畫〈p.728〉)의 古字

---

② ⑤ [弘] 高入 홍 ㉺蒸 胡肱切 hóng   *3L*

[筆順] フ 丁 弓 弘 弘

[字解] ①활소리 홍 궁성(弓聲). ②넓을 홍, 클 홍 광대함. '廣一'. '一大'. '含一光大'《易經》. ③넓힐 홍 넓게 함. '一法'. '人能一道'《論語》.

[字源] 形聲. 弓+厶〔音〕. '厶홍'은 '宏'과 통하여, '넓다'의 뜻. 활을

세게 튕겼을 때 음향이 퍼지듯이 퍼진다는 뜻을 나타냄. 甲骨文은 활의 한 점에 힘을 가하는 것을 나타내는 指事 문자.

[弘簡 홍간] 도량이 크고 까다롭지 아니함.
[弘經 홍경] 《佛敎》 불경(佛經)을 세상에 널리 보급시킴.
[弘曠 홍광] 넓고 큼.
[弘敎 홍교] 넓은 가르침.
[弘基 홍기] 큰 사업의 기초. 홍기(洪基).
[弘大 홍대] 넓고 큼.
[弘道 홍도] 도(道)를 세상에 널리 폄.
[弘量 홍량] ㉠넓은 도량. ㉡술 같은 것의 많은 양. 다량의 술.
[弘麗 홍려] 넓고 고움.
[弘謀 홍모] 큰 꾀. 원대한 계책.
[弘茂 홍무] 홍무(弘懋).
[弘懋 홍무] 대단히 성(盛)함. 무(懋)는 성대(盛大).
[弘文 홍문] 문학을 넓힘. 학문을 넓힘.
[弘文館 홍문관] 조선(朝鮮) 때 경적(經籍)에 관한 일을 맡은 마을.
[弘法 홍법] 《佛敎》 불도를 널리 폄.
[弘璧 홍벽] 큰 옥(玉).
[弘辯 홍변] 유창한 언변. 굉변(宏辯).
[弘敷 홍부] 널리 폄. 널리 보급시킴.
[弘誓 홍서] 《佛敎》 중생을 제도하여 불과(佛果)를 얻게 하려는 불(佛)·보살(菩薩)의 큰 서원(誓願).
[弘誓舟 홍서주] 《佛敎》 부처의 중생을 제도코자 하는 홍대(弘大)한 서원(誓願)을 배가 사람을 태워서 피안(彼岸)으로 건네어 줌에 비유(譬喩)한 말.
[弘宣 홍선] 널리 선포(宣布)함.
[弘深 홍심] 넓고 깊음.
[弘遠 홍원] 넓고 멂.
[弘願 홍원] 《佛敎》 아미타불(阿彌陀佛)의 본원(本願) 중의 근본이 되는 서원(誓願).
[弘潤 홍윤] 마음이 넓고, 인정이 많음.
[弘毅 홍의] 도량이 넓고 의지가 굳음.
[弘益 홍익] ㉠큰 이익. ㉡널리 이롭게 함.
[弘益人間 홍익인간] 널리 인간 세계를 이롭게 함.
[弘著 홍저] 크게 나타남.
[弘正七才子 홍정칠재자] 명(明)나라 효종(孝宗)의 홍치(弘治) 연간(年間)으로부터 무종(武宗)의 정덕(正德) 연간에 걸쳐 명성(名聲)이 높던 일곱 시인(詩人). 전칠자(前七子)라고도 함. 곧, 이몽양(李夢陽)·하경명(何景明)·서정경(徐禎卿)·변공(邊貢)·강해(康海)·왕구사(王九思)·왕정상(王廷相).
[弘濟 홍제] 널리 사람을 구제함.
[弘敞 홍창] 넓고 높음. 넓고 트임.
[弘侈 홍치] ㉠큼. ㉡대단한 사치.
[弘通 홍통] 《佛敎》 불법(佛法)이 널리 퍼짐. 또, 불법을 널리 폄.
[弘播 홍파] 널리 퍼짐.
[弘布 홍포] 일반에 널리 알림.
[弘化 홍화] 널리 덕화(德化)를 폄.
●寬弘. 廣弘. 敷弘. 宣弘. 深弘. 淹弘. 闡弘. 豊弘. 恢弘.

2⑤ [弗] 〔人名〕 불 ㉠物 分勿切 fú

筆順 フ コ 弓 弓 弗 弗

字解 ①아닐 불 不(一部 三畫)보다 뜻이 강함. '續用一成'《書經》. ②떨 불 떨어 버림. '以一無子'《詩經》. ③(現) ㉠달러 불 미국의 화폐 단위 달러의 역칭(譯稱). '一貨'. ㉡원소 불 원소(元素)의 하나인 불소(弗素) fluorine의 약칭.

字源 象形. 얽히는 끈을 두 개의 막대기로 휘둘러 떨어뜨리는 모습에서, '떨다, 제거하다'의 뜻을 나타냄. 假借하여, 부정(否定)의 조자(助字)로 사용함.

[弗弗 불불] ㉠크게 일어나는 모양. 또, 빠른 모양. ㉡찬성하지 않는 모양. 전(轉)하여, 추종(追從)하지 않는 모양.
[弗素 불소] 화학 원소의 하나. 기호 F. 충치 예방에 쓰이기도 함.
[弗詢之謀 불순지모] 여러 사람과 상의하지 않고 독단적으로 정한 모책(謀策).
[弗與共戴天 불여공대천] '불구대천(不俱戴天)'과 같음.
[弗鬱 불울] 우울한 모양.
[弗乎 불호] 아님. 부인(否認)하는 말.
●乙弗. 親弗. 渾弗.

2⑤ [弓] 규 ㉠有 居黝切 jiū

字解 ①끌 규 끈을 꼼. 糾(糸部 二畫)와 同字. ②책권 규 서책을 세는 말. 권(卷). 질(帙). '一, 音樛, 卽說文糾字, 道經借爲卷帙之卷'《轉注古音》.

2⑤ [弖] 〔내〕 乃(丿部 一畫〈p.52〉)의 古字

2⑤ [弘] 〔인〕 引(弓部 一畫〈p.718〉)과 同字

3⑥ [弜] ■ 강 ㉠養 其兩切 ㉡陽 渠良切 jiàng
■ 기 ㉤支 渠羈切

字解 ■ ①강할 강 활이 셈. '一, 弓有力也'《廣韻》. ②오랑캐이름 강 '一頭虎子'는 서남이(西南夷)의 이름. ■ ①강할 기 힘이 셈. '一, 強也'《廣韻》. ②활셀 기 활이 강한 모양. '𣪊, 弓彊兒. 或作一'《集韻》.

字源 會意. 弓+弓. 두 개의 '弓궁'을 합쳐서, '활이 세다'의 뜻을 나타냄.

3⑥ [彐] 〔다〕 多(夕部 三畫〈p.480〉)와 同字

3⑥ [弛] 〔人名〕 ■ 이 ㉠紙 施是切 chí, shǐ (이)㉱
■ 치 ㉠紙 丑豸切

弛

筆順 フ コ 弓 弛 弛 弛

字解 ■ ①활부릴 이 활 시위를 벗김. '不勝者執一弓'《儀禮》. ②느슨할 이 팽팽하지 않음. 전(轉)하여, 엄하지 않음. 무름. '一緩'. ③느슨히 할 이, 늦출 이 완화(緩和)함. '請和約一兵'《書》. ④풀릴 이 해이함. '政刑一紊'《南史》. ⑤폐(廢)하여질 이 행하여지지 않게 됨. '一廢'. '大

事殆乎一'《荀子》. ⑥게으를 이 '無敢一惰'《北史》. ⑦쉴 이 휴식함. '一力'《周禮》. ⑧방종할 이 방탕함. '跅一之士'《漢書》. ⑨부서질 이 파손됨. '延道一兮'《史記》. ⑩부술 이 파괴함. '欲一孟文子之宅'《國語》. [三] 떨어질 치, 떨어뜨릴 치 낙하함. 낙하시킴. '有時而一'《淮南子》.
[字源] [篆文] 形聲. 弓+也〔音〕. '也야'는 '주전자'의 뜻. 주전자에 가득한 물이 흘러내리듯이, 활의 시위가 늘어지다의 뜻을 나타냄.

[弛壞 이괴] 무너짐. 붕괴함.
[弛禁 이금] 금제(禁制)를 늦춤.
[弛期 이기] 기한을 연기함.
[弛紊 이문] 해이(解弛)하여 문란함.
[弛馭 이어] 말 모는 손을 느슨히 한다는 뜻으로, 나라를 무르게 다스리는 비유로 쓰임.
[弛然 이연] 느슨한 모양.
[弛緩 이완] 느슨함. 전(轉)하여, 무름. 엄하지 아니함.
[弛張 이장] 느슨함과 켕김. 이완(弛緩)과 긴장(緊張). 쇠(衰)함과 성(盛)함.
[弛縱 이종] 방종함.
[弛墜 이추] 해이하여 멸망함.
[弛惰 이타] 게으름.
[弛柝 이탁] 순라군의 딱따기 치는 일을 늦춤. 곧, 세상이 잘 다스려져 엄히 하던 경계를 완화(緩和)함을 이름.
[弛廢 이폐] 쇠퇴하여 행하여지지 아니함.
[弛解 이해] 느슨하여져 풀림. 또, 느슨히 하여 풂.
◉傾弛. 澆弛. 一張一弛. 張弛. 彫弛. 縱弛. 跅弛. 漼弛. 偸弛. 廢弛. 逋弛. 懈弛.

3 ⑥ [弙] 오 [平]虞 哀都切 wū
[字解] ①활겨눌 오 활을 당겨 겨눔. '一, 張也'《廣雅》. ②지시할 오 손짓하여 지시함. '一, 指麾也'《玉篇》. ③가질 오 손에 쥠. '一, 持也'《玉篇》.
[字源] [篆文] 形聲. 弓+于(亏)〔音〕. '亏우'는 둥글게 구부러지다의 뜻. 과녁을 겨누어 활을 당기는 뜻을 나타냄.

3 ⑥ [弞] 〔탄〕
彈(弓部 十二畫〈p.728〉)과 同字

4 ⑦ [玦] 결 [入]屑 古穴切 jué
[字解] 깍지 결 활을 쏠 때 엄지손가락에 끼우는 기구. 決(水部 四畫) 참조.

4 ⑦ [弝] 파 [去]禡 必駕切 bà
[字解] ①줌통 파 활의 한가운데의 손으로 잡는 부분. '玉一角弓珠勒馬'《王維》. ②칼자루 파 '劍一縣蘭纓'《李賀》.
[字源] 形聲. 弓+巴〔音〕. '巴파'는 손바닥을 찰싹 붙이다의 뜻. 활의 손잡이, 곧 '줌통'의 뜻을 나타냄.

4 ⑦ [弞] 신 ㊤軫 矢忍切 shěn
[字解] 웃을 신 哂(口部 六畫)과 同字. '孫叔未進, 優孟見一'《宋書》.
[字源] [篆文] 形聲. 欠+引〈省〉〔音〕

4 ⑦ [弟] [中·人] 제 ㊤薺 徒禮切 dì, ②tì
[筆順] 丶 丷 䒑 当 弓 弟 弟
[字解] ①아우 제 ㉠형(兄)의 대(對). '兄一'. '寡人有一, 不能和協'《左傳》. ㉡못한 사람. 나이 어린 사람. '元方難爲兄, 季方難爲一'《世說》. ㉢자기의 겸칭(謙稱). '愚一'. ②순할 제, 공경할 제 온순함. 형을 공경하여 잘 섬김. 悌(心部 七畫)와 同字. '僚友稱其一也'《禮記》. '齊子豈一'《詩經》. ③다만 제 단지. '顧一弗深考'《史記》. ④성 제 성(姓)의 하나.
[字源] [金文] [篆文] 象形. 창〔弋〕에 무두질한 가죽을 차례차례 나선형으로 감은 모양을 본떠, '차례·순서'의 뜻을 나타냄. 또, 출생 순서가 늦은 쪽, '아우'의 뜻을 나타냄.

[弟昆 제곤] 아우와 형. 형제. 제형(弟兄).
[弟婦 제부] 아우의 아내.
[弟氏 제씨] 남의 아우의 존칭(尊稱). 계씨(季氏).
[弟友 제우] 형뻘 되는 사람을 공손하게 섬김.
[弟子 제자] ㉠가르침을 받는 사람. 문인(門人). ㉡나이 어린 사람. 연소자.
[弟兄 제형] ㉠아우와 형. 형제. ㉡남을 친밀하게 이르는 말.
◉介弟. 豈弟. 凱弟. 愷弟. 高弟. 昆弟. 難爲兄難爲弟. 內兄弟. 堂兄弟. 大弟. 徒弟. 同堂兄弟. 同母弟. 末弟. 母弟. 門弟. 不弟. 舍弟. 師弟. 四海兄弟. 三從兄弟. 庶弟. 小弱弟. 小弟. 遜弟. 淑弟. 阿弟. 愛弟. 弱弟. 女弟. 令弟. 外弟. 外兄弟. 友弟. 愚弟. 幼弟. 義弟. 義兄弟. 異母弟. 仁弟. 姻兄弟. 入孝出弟. 子弟. 長弟. 再從兄弟. 諸弟. 族兄弟. 從母弟. 從父弟. 從弟. 從兄弟. 冢弟. 寵弟. 表兄弟. 香火兄弟. 賢弟. 兄弟. 婚兄弟. 孝弟. 紈袴子弟.

5 ⑧ [弢] 도 [平]豪 土刀切 tāo
[字解] ①활집 도 궁의(弓衣). '中項, 伏一'《左傳》. ②정낭(旌囊) 도 기(旗)를 넣어 두는 자루. '內旌於一中'《左傳》. ③두겁 도 붓두겁. '去其管一'《陳后山詩 註》.
[字源] [篆文] 形聲. 弓+㢶〔音〕. '㢶도'는 '韜도'와 통하여, '활집'의 뜻.

5 ⑧ [弣] 부 ㊤麌 芳武切 fǔ
[字解] 줌통 부 활의 가운데의 손으로 잡는 부분. '左手承一'《禮記》.
[字源] 形聲. 弓+付〔音〕

5 ⑧ [弤] 저 ㊤薺 都禮切 dǐ
[字解] 활 저 칠을 한, 무늬 있는 활. '琴朕, 一朕'《孟子》.
[字源] 形聲. 弓+氐〔音〕

5 ⑧ [弦] [人名] 현 [平]先 胡田切 xián

[筆順] ㄱ ㅋ 弓 弓' 弓亠 弓玄 弦 弦

[字解] ①시위 현 활의 줄. '弓一'. '左執弣, 右執一'《儀禮》. ②초승달 현 초승에 뜨는 활같이 보이는 달. '一影'. '晦朔一望'《漢書》. ③줄 현 絃(糸部 五畫)과 통용. '一歌'. '五一之琴'《禮記》. ④성 현 성(姓)의 하나.

[字源] 篆文 形聲. 弓+玄〔音〕. '玄현'은 양 끝이 당겨진 실의 상형. '활시위'의 뜻을 나타냄.

[弦歌 현가] 현악기(絃樂器)를 타면서 노래함. 현가(絃歌).
[弦管 현관] 거문고와 피리. 현악기와 관악기.
[弦琴 현금] 거문고를 탐.
[弦索 현삭] 현악기의 줄.
[弦上箭 현상전] 활시위에 먹인 화살. 신속(迅速)의 비유(譬喩).
[弦誦 현송] ㉠거문고를 탐과 악장(樂章)을 읊음. ㉡교육·학문에 힘씀.
[弦影 현영] 초승달의 그림자.
[弦月 현월] 초승달. 또는 그믐달. 반월(半月).
[弦韋 현위] 활시위와 다룬 가죽. 느슨함과 팽팽함, 느림과 급함, 완급(緩急) 등의 비유(譬喩)로 쓰임.
[弦刃 현인] 활과 칼. 전(轉)하여, 병장기(兵仗器). 무기.
[弦吹 현취] 현악기와 관악기. 관현(管弦).
[弦匏 현포] 금슬(琴瑟)과 생우(笙竽). 전(轉)하여, 음악(音樂).
◉空弦. 控弦. 句股弦. 管弦. 弓弦. 斷弦. 鳴弦. 繁弦. 三弦. 上弦. 聲弦. 續弦. 夜弦. 韋弦. 箭脫弦. 直如弦. 佩韋佩弦. 下弦.

5 ⑧ [弧] [人名] 호 [平]虞 戶吳切 hú

[字解] ①활 호 ㉠목제의 활. '弦木爲一'《易經》. ㉡기(旗)를 단 활. '一弓'. '乘大輅, 載一韣旂'《禮記》. ②호 호 활꼴로 휜 곡선. 원둘레 또는 곡선의 일부. '分周天爲三百八十四, 更以分一爲逐限'《四庫提要》.

[字源] 篆文 形聲. 弓+瓜〔音〕. '瓜과'는 '휘다'의 뜻. 활처럼 휘다의 뜻을 나타냄.

[弧弓 호궁] 호정(弧旌).
[弧剌 호랄] 바르지 못한 활.
[弧矢 호시] 나무로 만든 활과 화살.
[弧矢星 호시성] 남극노인성(南極老人星)의 북(北)쪽에 있어서 화살을 시위에 먹인 형상을 한 아홉 개의 별.
[弧宴 호연] 생일(生日) 잔치.
[弧張 호장] 올가미·그물 따위.
[弧旌 호정] 기를 단, 대로 만든 활.
◉括弧. 短弧. 桃弧. 蝥弧. 桑弧. 設弧. 檿弧. 圓弧. 懸弧.

5 ⑧ [弨] 초 [平]蕭 尺招切 chāo

[字解] 시위느슨할 초 활의 시위가 느슨함. '彤弓一兮'《詩經》.

[字源] 篆文 形聲. 弓+召〔音〕. '召소'는 '느슨해지다'의 뜻.

5 ⑧ [弥] 〔미〕
彌(弓部 十四畫〈p.729〉)와 同字

5 ⑧ [弛] 〔이〕
弛(弓部 三畫〈p.720〉)와 同字

5 ⑧ [弩] 노 [上]麌 奴古切 nǔ

[字解] 쇠뇌 노 여러 개의 화살이나 돌을 잇따라 쏘게 된 큰 활. '萬一夾道而發'《史記》.

[字源] 篆文 形聲. 弓+奴〔音〕. '奴노'는 부드럽고 탄력이 있다는 뜻. 용수철 장치의 '쇠뇌'의 뜻을 나타냄.

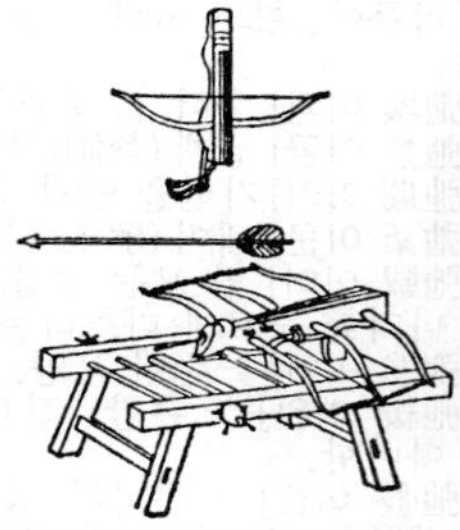
[弩]

[弩樓 노루] 쇠뇌를 장치하여 적에게 시석(矢石)을 쏘는 누(樓).
[弩箙 노복] 쇠뇌를 넣는 물건.
[弩師 노사] ㉠쇠뇌를 쏘는 데 능숙한 사람. ㉡쇠뇌를 쏘는 군대.
[弩手 노수] 쇠뇌를 쏘는 사람.
[弩牙 노아] 쇠뇌의 시위를 거는 곳.
[弩砲 노포] 쇠뇌.
◉強弩. 彊弩. 勁弩. 弓弩. 道弩. 萬弩. 伏弩. 負弩. 千鈞弩.

6 ⑨ [弭] 미 [上]紙 綿婢切 mǐ

[字解] ①활 미 뿔·뼈 등으로 장식한 활. '弓又謂之一, 以骨爲之'《釋名》. ②활고자 미 활의 말단. '象一魚服'《詩經》. ③그칠 미 그만둠. 중지함. '一息'. '兵其少一矣'《左傳》. ④잊을 미 기억에서 사라짐. '不可一忘'《詩經》. ⑤편안히할 미 '治國家, 而一人民者'《史記》. ⑥좇을 미 복종함. '城邑無不望風一從'《後漢書》. ⑦성 미 성(姓)의 하나.

[字源] 金文 篆文 會意. 弓+耳. 활의 귀의 뜻으로, 활의 양 끝의 시위를 거는 부분. 활고자의 뜻을 나타냄. 전(轉)하여, 그만둔다는 뜻을 나타냄.

[弭忘 미망] 잊어버림.
[弭兵 미병] 싸움을 그만둠.
[弭息 미식] 그침. 그만둠.
◉望弭. 消弭. 淸弭.

6 ⑨ [弽] 협 [入]葉 迄葉切 xié

[字解] ①활셀 협 활이 대단히 셈. '一, 弓強'《集韻》. ②깍지 협 韘(弓部 九畫)과 同字.

6 ⑨ [𢐀] [一] 수 [平]尤 時流切 [二] 주 [平]尤 陳留切 chóu

[筆順] ㄱ ㅋ ㅋ ㅋ ㅋ ㅋ ㅋ 𢐀

[字解] [一] 밭 수 경작지(耕作地). [二] 밭 주 疇(田部 九畫)·疇(田部 十四畫)와 同字.

6 [弮] [一] 환 [平]先 丘圓切 quān
9 [二] 권 [去]霰 居倦切 juàn

[字解] [一] 쇠뇌 환 弩(弓部 五畫)와 뜻이 같음. '張空—'《漢書》. [二] 쇠뇌 권 [一]과 뜻이 같음.
[字源] 形聲. 弓+𢍏(豢)〔音〕

6 [弯] 〔만〕 彎(弓部 十九畫〈p. 729〉)의 俗字·簡體字
9

7 [弱] [中人] 약 [入]藥 而灼切 ruò
10

[筆順] ㇕ ㇕ 弓 弓 弓 弓 弱 弱

[字解] ①약할 약 강(強)하지 아니함. '—小'. '強將下無—兵'《蘇軾》. 또, 약한 것. 약한 사람. '馮—犯寡'《周禮》. ②약하게할 약 약하여지게 함. '無—君而彊大夫'《說苑》. ③쇠할 약 쇠약함. '姜族—矣, 而嬀將始昌'《左傳》. ④날씬할 약 허리가 가늚. '體輕腰—'《西京雜記》. ⑤어릴 약, 젊을 약 연소함. '有寵而—'《左傳》. 또, 연소자. '老—'. '扶老攜—'《史記》. ⑥잃을 약 상실함. '又——个焉'《左傳》. ⑦패할 약 전패함. '頡遇王子, —焉'《左傳》. ⑧침노할 약 침범함. '華臣—皐比之室'《左傳》.

[字源] 篆文 會意. 㢴+㢴. '㢴'은 또, 弓+彡. '弓궁'은 휘는 활의 상형. '彡삼'은 부드러운 털의 상형. '약하다, 휘다'의 뜻을 나타냄. 또, 유연성이 풍부한 20세의 뜻을 나타냄.

[弱骨 약골] ㉠몸이 약한 사람. 약질. ㉡약한 골격. 병골(病骨).
[弱冠 약관] ㉠남자가 스무 살에 관례(冠禮)를 행하는 일. 전(轉)하여, 남자 나이 스무 살의 일컬음. ㉡어린 나이. 젊은 나이. 약년(弱年).
[弱口 약구] 젊은 사람.
[弱國 약국] 약한 나라. 세력이 쇠퇴한 나라.
[弱弓 약궁] 느슨한 활.
[弱年 약년] ㉠나이가 어림. 연소함. 어린 나이. 젊은 나이. ㉡스무 살.
[弱能制強 약능제강] 약한 사람이 도리어 강한 사람을 이김.
[弱劣 약렬] 약하고 용렬함. 약함.
[弱齡 약령] 약년(弱年).
[弱縷 약루] 약한 실오리.
[弱輩 약배] ㉠나이가 어린 사람. 젊은 사람. ㉡수양(修養)이 부족한 사람. 미숙한 사람. 풋내기.
[弱兵 약병] 약한 군사. 약졸(弱卒).
[弱喪 약상] 젊을 때부터 타향으로 유랑함.
[弱歲 약세] 약년(弱年).
[弱小 약소] 약(弱)하고 작음.
[弱小民族 약소민족] 제국주의(帝國主義)의 강국(強國)에 의하여 정치상으로나 경제상으로 지배를 받는 식민지(植民地)의 민족.
[弱孫 약손] 어린 손자.
[弱水 약수] ㉠강 이름. 지금의 간쑤 성(甘肅省)의 장예 하(張掖河). ㉡선경(仙境)에 있다는, 홍모(鴻毛)도 가라앉는다고 하는 강(江).
[弱手 약수] 가냘픈 손. 보드라운 손. 여자의 손을 이름.
[弱息 약식] ㉠어린 자식. 어린 아들. ㉡자기 아들의 겸칭(謙稱).
[弱顏 약안] 부끄럼을 잘 탐. 수줍음. 후안(厚顏)·강안(強顏)의 대(對).
[弱肉強食 약육강식] 약(弱)한 것이 강한 것에게 먹힘. 우승열패(優勝劣敗).
[弱子 약자] ㉠어린아이. ㉡어린 아들. ㉢약한 아이.
[弱者 약자] 약한 사람. 무력(無力)한 사람.
[弱敵 약적] 약한 적.
[弱點 약점] ㉠남에게 켕기는 점(點). ㉡결점(缺點).
[弱弟 약제] 나이 어린 아우.
[弱卒 약졸] 약한 군사(軍士). 약병(弱兵).
[弱主 약주] 나이가 어린 군주(君主). 유약(幼弱)한 임금.
[弱志 약지] 약한 의지(意志).
[弱質 약질] 약한 체질. 또, 그러한 사람.
[弱翰 약한] 붓〔筆〕의 별칭.
[弱行 약행] ㉠실행력이 약함. ㉡절뚝발이.
◉脚弱. 強弱. 怯弱. 孤弱. 懦弱. 亂弱. 老弱. 駑弱. 文弱. 薄弱. 繁弱. 凡弱. 卑弱. 貧弱. 削弱. 孅弱. 纖弱. 小弱. 衰弱. 需弱. 闒弱. 抑強扶弱. 軟弱. 尫弱. 幺弱. 庸弱. 危弱. 幼弱. 柔弱. 羸弱. 仁弱. 荏弱. 沖弱. 脆弱. 穉弱. 隳弱. 罷弱. 和弱.

7 [弰] 소 [平]肴 所交切 shāo
10

[字解] 활고자 소 활의 말단.
[字源] 形聲. 弓+肖〔音〕. '肖초'는 '梢초' 등과 통하여 '선단(先端)'의 뜻. 활의 끝 부분, 곧 '활고자'의 뜻을 나타냄.

8 [張] [高人] [一] 장 [平]陽 陟良切 zhāng 张
11 [二] 창 [去]漾 知亮切 zhàng

[筆順] 弓 弓 弜 弡 弡 張 張 張

[字解] [一] ①활시위얹을 장 활에 시위를 맴. '勝者執—弓'《儀禮》. ②당길 장 활시위를 당김. '先—之弧'《易經》. ③베풀 장 차림. '—樂設飮'《戰國策》. ④펼 장 ㉠벌림. 펴 넓힘. '將欲翕之, 必故—之'《老子》. ㉡강하게 함. '臣欲—公室也'《左傳》. ㉢왕성(旺盛)하게 함. '虛—聲勢'. '此妄—賊勢, 爲國生事'《北史》. ㉣크게 함. '—皇六師'《書經》. ⑤자랑할 장 '誇—'. '我—吾三軍'《左傳》. ⑥속일 장 기만함. '譸—'. ⑦어그러질 장 괴려(乖戾)함. '乖—'. ⑧고칠 장 '更—'. ⑨벌 장 궁노(弓弩)·금슬(琴瑟)·유장(帷帳) 등을 세는 수사(數詞). '幄幕九—'《左傳》. ⑩별이름 장 이십팔수(二十八宿)의 하나. 주작 칠수(朱雀七宿)의 다섯째 성수(星宿)로서, 별 여섯으로 구성되었음. '—宿'. ⑪장막 장 帳(巾部 八畫)과 통용. '—飮三日'《史記》. ⑫성 장 성(姓)의 하나. [二] 배부를 창 脹(肉部 八畫)과 통용. '晉侯將食, —, 如廁'《左傳》.
[字源] 篆文 形聲. 弓+長〔音〕. '長장'은 '길다'의 뜻. 활시위를 길게 하다, '당기다'의 뜻을 나타냄.

[張柬之 장간지] 당(唐)나라 양양(襄陽) 사람. 자(字)는 맹장(孟將). 측천무후(則天武后) 때 재상(宰相)이 되어 중종(中宗)의 복위(復位)를 꾀하여 당(唐)나라를 부흥시켰음. 한양 군왕(漢陽郡王)에 봉(封)하여졌음. 시호(諡號)는 문정

(文貞).

[張綱 장강] 후한(後漢) 사람. 자(字)는 문기(文紀). 광릉(廣陵)의 태수(太守)를 지냈으며, 충직(忠直)하기로 유명(有名)하였음.

[張居正 장거정] 명(明)나라 정치가(政治家). 10년 동안 재상(宰相)을 지냈음. 그의 유고(遺稿)를 모은〈장대악집(張大岳集)〉이 있음.

[張騫 장건] 전한(前漢)의 하내(河內) 사람. 자(字)는 자문(子文). 무제(武帝) 때 대월지국(大月氏國)에 사신(使臣)으로 갔다가 흉노(凶奴)한테 포로(捕虜)가 되어 고절 십년(苦節十年), 13년 만에 대월지국을 떠나 귀국하였다. 이로부터 한(漢)나라가 서역(西域) 제국(諸國)에 알려져 교통(交通)이 크게 열려 원삭(元朔) 6년에 그 공(功)으로 박망후(博望侯)로 봉후(封侯)되었음.

[張鼓峯 장고봉] 서부(西部) 만소 국경(滿蘇國境) 부근에 있는 산봉우리의 이름. '정용봉(正勇峯)'이라고도 함.

[張冠李戴 장관이대] 장(張)의 모자를 이(李)가 씀. 곧, 명실(名實)이 일치(一致)하지 않음의 비유(譬喩).

[張九齡 장구령] 당현종(唐玄宗)의 명상(名相). 자(字)는 자수(子壽). 소주(韶州) 곡강(曲江) 사람. 세인(世人)이 곡강공(曲江公)이라 일컬음. 초당(初唐)의 시인(詩人)으로도 유명하며,〈곡강집(曲江集)〉을 남겼음.

[張機 장기] 후한(後漢) 사람. 자(字)는 중경(仲景). 의술(醫術)에 뛰어나,〈상한론(傷寒論)〉 10권과〈금궤옥함요략(金匱玉函要略)〉3권을 지었음.

[張南軒 장남헌] 장식(張式).

[張大 장대] 벌여 크게 함. 확대함. 확장함.

[張道陵 장도릉] 동한(東漢) 사람. 부수금주(符水禁呪)의 술법으로 혹세무민(惑世誣民)하였는데, 제자(弟子)가 되는 사람은 쌀 오두(五斗)를 냈기 때문에 그 술법을 오두미도(五斗米道)라 함.

[張燈 장등] 등불을 켜 놓음.

[張良 장량] 전한(前漢)의 공신(功臣). 소하(蕭何)·한신(韓信)과 함께 한(漢)나라 삼걸(三傑). 자(字)는 자방(子房). 집안은 대대로 한(韓)나라 대신(大臣)이었는데 한(韓)나라가 망하자 그 원수를 갚고자 박랑사(博浪沙)에서 역사(力士)를 시켜 철퇴(鐵槌)로 진시황(秦始皇)을 쳤으나 실패하였음. 후에 하비(下邳)의 이상(圯上)에서 황석공(黃石公)으로부터 태공(太公)의 병서(兵書)를 받고, 한고조(漢高祖) 유방(劉邦)의 모신(謀臣)이 되어 진(秦)나라를 멸망시키고 초(楚)나라를 평정(平定)하여 한업(漢業)을 세우고, 그 공로로 유후(留侯)로 봉후(封侯)되었음.

[張良之椎 장량지추] 장량(張良)이 한(韓)나라의 원수를 갚으려고 역사(力士)를 시켜 박랑사(博浪沙)에서 철추(鐵椎)로 진시황(秦始皇)을 저격(狙擊)한 고사(故事).

[張力 장력] 물질이 서로 끌어당기는 힘.

[張門戶 장문호] 주택(住宅)을 장려(壯麗)하게 꾸며 화사(華奢)를 부림. 전(轉)하여, 세력(勢力)을 폄.

[張伯行 장백행] 청조(淸朝)의 대신(大臣). 정주학(程朱學)에 통하였으며, 저서에〈곤학록(困學錄)〉·〈정의당문집(正誼堂文集)〉등이 있음.

[張本 장본] 문장(文章) 등에서 미리 복선(伏線)을 쳐 놓는 일.

[張本人 장본인] ㉠악인(惡人)의 괴수(魁首). ㉡일의 근본이 되는 사람.

[張飛 장비] 삼국(三國) 시대 촉(蜀)나라 용장(勇將). 자(字)는 익덕(益德). 탁군(涿郡) 사람. 관우(關羽)와 함께 유비(劉備)를 도와 전공(戰功)을 세웠음. 오(吳)나라를 치고자 출병(出兵)했다가 부하(部下)에게 피살되었음.

[張士誠 장사성] 원말(元末)의 타이저우(泰州) 사람. 지정 연간(至正年間)에 군사를 일으켜 진주(秦州)를 함락하고, 고우(高郵)에 근거를 두고서 성왕(誠王)이라 일컫고 국호(國號)를 대주(大周)라 하였음. 후에 명(明)나라 장수 서달(徐達)에게 패하여 자살하였음.

[張三李四 장삼이사] 장씨의 삼남(三男)과 이씨의 사남(四男)이라는 뜻으로, 성명(姓名)이나 신분(身分)이 분명하지 못한 평범한 사람들을 이름.

[張星 장성] 장수(張宿).

[張世傑 장세걸] 남송(南宋)의 충신(忠臣). 범양(范陽) 사람. 원군(元軍)이 남하(南下)했을 때, 임금 병(昺)을 받들고, 야산(厓山) 섬에서 싸웠으나 원장(元將) 장홍범(張弘範)에게 격파당하여 육수부(陸秀夫)는 임금을 업고 바다로 피란하고, 그는 다시 송(宋)나라 후예(後裔)를 찾아 전세(戰勢)를 회복하고자 꾀했으나 배가 뒤집혀 익사하였음.

[張宿 장수] 자해(字解)❿을 보라.

[張巡 장순] 당대(唐代)의 충신(忠臣). 등주(鄧州) 난양(南陽) 사람. 천보 연간(天寶年間)에 안녹산(安祿山)이 반란을 일으키자 그는 진원현령(眞源縣令)으로서 상관의 항복 명령을 받지 않고 의병(義兵)을 일으켜 진을 세웠으나, 덕종(德宗) 2년에 허원(許遠)과 함께 강회(江淮)의 수양성(睢陽城)을 수비(守備)하다가 전사(戰死)하였음.

[張式 장식] 남송(南宋) 때의 도학자(道學者). 자(字)는 경천(敬天). 세상에서 남헌 선생(南軒先生)이라 일컬음. 준(浚)의 아들. 주희(朱熹)의 친우(親友). 저서에〈남헌역설(南軒易說)〉·〈계사논어해(癸巳論語解)〉등이 있음.

[張說 장열] 당(唐)나라의 문학자(文學者). 소정(蘇頲)과 함께 대수필(大手筆)이라 일컬어짐. 벼슬은 중서령(中書令)에 이르고, 연국공(燕國公)에 봉(封)해졌음.

[張玉書 장옥서] 청조(淸朝)의 대신(大臣). 고문(古文)에 능하며 강희자전(康熙字典) 편찬에 중추적 역할을 함. 벼슬은 문화전대학사(文華殿大學士)에 이름.

[張王 장왕] 세력이 왕성함. 왕(王)은 왕(旺).

[張禹 장우] 전한(前漢)의 경학가(經學家). 자(字)는 자문(子文). 성제(成帝) 때 정승(政丞)이 되고 안창후(安昌侯)로 봉후(封侯)되었음.

[張旭 장욱] 당대(唐代)의 서예가(書藝家). 자(字)는 백고(伯高). 쑤저우(蘇州) 사람. 초서(草書)에 가장 능하여 초성(草聖)이라 일컬어짐. 음중 팔선(飮中八仙)의 한 사람.

[張飮 장음] 장막을 둘러치고 잔치를 함. 전(轉)하여, 송별연(送別宴). 장음(帳飮).

[張儀 장의] 전국 시대(戰國時代)의 유세가(遊說家). 위(魏)나라 사람. 제후(諸侯)에게 유세(遊說)하여 소진(蘇秦)의 합종설(合從說)에 반대

하고, 열국(列國)은 진(秦)나라를 섬겨야 한다는 연횡책(連衡策)을 주장했으나, 진(秦)나라 혜왕(惠王)이 죽으매 실현되지 못함.

[張耳 장이] 진말(秦末)·한초(漢初)의 군웅(群雄)의 한 사람. 위(魏)나라 대량(大梁) 사람. 진승(秦勝)·오광(吳廣)이 거병(擧兵)하자 문경지우(吻頸之友)인 진여(陳餘)와 더불어 조(趙)나라로 가서 그 정승(政丞)이 되었는데, 장이(張耳)가 진군(秦軍)에게 포위(包圍)되었을 때 진여(陳餘)가 구원(救援)을 거절하고, 또 진나라가 망한 후 진여가 제(齊)나라 군사를 끌어들여 조나라를 공략(攻略)했으므로, 장이는 한고조(漢高祖)에게 귀속(歸屬)하여 한신(韓信)과 군사를 합하여 정경(井徑)에서 진여를 쳐 베어 죽였음. 그 이듬해 장이는 조왕(趙王)으로 봉(封)해졌음.

[張弛 장이] ㉠팽팽함과 느슨함. 엄함과 너그러움. 관엄(寬嚴). ㉡성(盛)함과 쇠(衰)함. 흥폐(興廢).

[張載 장재] 송대(宋代)의 유학자(儒學者). 자(字)는 자후(子厚). 세상에서 횡거 선생(橫渠先生)이라 불렸음. 허난 성(河南省) 대량(大梁) 사람. 인종(仁宗)의 가우 연간(嘉祐年間)에 과거에 급제하여 운암령(雲巖令)을 지낸 후 신종(神宗)의 희녕초(熙寧初)에 숭정원 교서(崇政院校書)가 되었다가 이윽고 관직을 사퇴하고 남산(南山) 밑에 병거(屛居)하여 제생(諸生)을 모아 강학(講學)하였음. 그의 철학설(哲學說)은 일원설(一元說)로서 기(氣)에서 우주 구성(宇宙構成) 및 기질(氣質)을 변화시키는 수양론(修養論)을 주장하여 주희(朱熹)의 철학설(哲學說)에 큰 영향을 끼쳤음. 저서에 〈정몽(正蒙)〉·〈동명(東銘)〉·〈서명(西銘)〉 등이 있음.

[張籍 장적] 당대(唐代)의 문인(文人). 오강(烏江) 사람. 자(字)는 문창(文昌). 벼슬은 국자사업(國子司業)에 이름. 고시(古詩)·서한행초(書翰行草)에 능하며, 〈장사업시집(張司業詩集)〉이 있음.

[張俊 장준] 남송(南宋)의 명장(名將). 자(字)는 백영(伯英). 금(金)나라의 군사와 싸워 여러 번 큰 전공(戰功)을 세워 한세충(韓世忠)·유기(劉錡)·악비(岳飛) 등과 함께 이름을 드날려 당시 사람들이 장한유악(張韓劉岳)이라 병칭(竝稱)하였음.

[張浚 장준] 남송(南宋) 사람. 자(字)는 덕원(德遠). 자주 금인(金人)의 내침(來侵)을 물리쳐 공을 세웠음.

[張蒼 장창] 전한(前漢)의 학자(學者). 가장 율력(律曆)에 통효하였고, 문제(文帝) 때 승상(丞相)이 되었음.

[張湯 장탕] 한무제(漢武帝) 때의 옥관(獄官). 심혹(深酷)하기로 유명함. 주매신(朱買臣)에게 탄핵당하여 자살하였음.

[張翰 장한] 진(晉)나라 사람. 자(字)는 계응(季鷹). 가을바람이 불면, 고향의 쑹장 강(松江)에서 나는 농어의 맛을 생각하고 일부러 귀향(歸鄕)하였다는 고사(故事)가 있음.

[張衡 장형] 후한(後漢)의 학자. 난양(南陽) 사람. 자(字)는 평자(平子). 문장(文章)에 뛰어나 양경부(兩京賦)를 지었고, 또 천문(天文)·역산(曆算)에 통하여 혼천의(渾天儀)·후풍지동의(候風地動儀) 등을 발명(發明)하였음.

[張弘範 장홍범] 원대(元代)의 장군(將軍). 자(字)는 중주(仲疇). 역주(易州) 정흥(定興) 사람. 세조(世祖)의 지원(至元) 연간에 송(宋)나라를 침공(侵攻)하여 문천상(文天祥)을 생포(生捕)하고 여세(餘勢)를 몰아 마침내 야산(厓山) 섬에서 송(宋)나라를 멸하였음.

[張皇 장황] ㉠세력을 펴 왕성하게 함. 장대(張大). 황(皇)은 대(大). ㉡당황함.

[張橫渠 장횡거] 장재(張載).

● 開張. 更張. 孤張. 高張. 供張. 誇張. 乖張. 蹶張. 箕張. 緊張. 怒張. 拍張. 反張. 班張. 擘張. 舒張. 設張. 蕭張. 蘇張. 伸張. 雄張. 二陸三張. 弛張. 一張. 主張. 惆張. 輔張. 增張. 出張. 鴟張. 膨張. 鋪張. 擴張. 恢張.

8⑪ [強] 中 강 ㉠陽 巨良切 qiáng / ㉡養 巨兩切 qiǎng　強

筆順 弓 弘 弘 弘 弘 弘 弘 強 強

字解 ①강할 강 ㉠기력(氣力)이 강함. '一直'. '雖柔必一'《中庸》. ㉡근력이 강함. '一壯'. '乞身當及一健時'《歐陽修》. ㉢세력이 강함. '一軍'. '天下一國, 無過齊者'《戰國策》. 또, 강한 것. '一弱'. '抑一扶弱'《漢書》. ②강하게할 강 세게 함. '欲一兵者, 務富其民'《戰國策》. ③마흔살 강 사람이 가장 강성한 때의 나이. '四十曰一'《禮記》. ④나머지 강 표기(表記)한 수 외에 우수리가 있음을 나타내는 말. '賞賜百千一'《木蘭詩》. ⑤힘쓸 강 힘써 함. '勉一'. '一爲善而矣'《孟子》. ⑥힘쓰게할 강 힘써 하도록 함. '正其行而一之道藝'《周禮》. ⑦강요할 강 억지로 시킴. '一而後可'《孟子》. ⑧억지로 강 무리하게 함. '一勸'. '一飮一食'《周禮》. ⑨포대기 강 襁(衣部 十一畫)과 통용. '成王少在一葆之中'《史記》. ⑩성 강 성(姓)의 하나.

字源 篆文 彊 形聲. 虫＋彊〈省〉〔音〕. '彊강'은 '강하다, 굳다'의 뜻. 껍질이 굳은 벌레, 곧 바구미의 뜻을 나타냈었으나, 뒤에 '彊'의 뜻으로 쓰임.

参考 强(弓部 九畫)은 俗字.

[強家 강가] 세력이 강성한 집.
[強姦 강간] 강제로 간통(姦通)함.
[強諫 강간] 강하게 간함.
[強剛 강강] 억세어 굴(屈)하지 아니함.
[強強 강강] 서로 따르며 날아가는 모양.
[強健 강건] 체질(體質)이 튼튼하고 건전(健全)함. 건강(健康).
[強勁 강경] 강경(強鯁).
[強硬 강경] 강경(強鯁).
[強梗 강경] 강경(強鯁).
[強骾 강경] 강경(強鯁).
[強鯁 강경] 강하게 버티어 굽히지 않음. 또, 그 사람.
[強固 강고] 굳음. 공고(鞏固).
[強哭 강곡] 강제로 욺.
[強骨 강골] 단단한 기질(氣質).
[強求 강구] 억지로 구(求)함.
[強國 강국] ㉠강한 나라. ㉡나라를 강하게 함.
[強軍 강군] ㉠강한 군대(軍隊). ㉡강한 경기 단체(競技團體).
[強弓 강궁] 센 활.
[強勸 강권] 억지로 권함.

[強急 강급] 성급(性急)함.
[強忌 강기] 억지가 세고 시샘이 많음.
[強記 강기] 잘 기억함. 기억력이 강함. 강식(強識).
[強弩 강노] 센 쇠뇌. 경노(勁弩).
[強弩極矢不能穿魯縞 강노극시불능천노호] 강노지말력불능입노호(強弩之末力不能入魯縞).
[強弩之末力不能入魯縞 강노지말력불능입노호] 센 쇠뇌로 쏜 화살도 먼 데까지 나가서 힘이 다하면 노(魯)나라에서 나는 얇은 깁도 뚫을 수 없다는 뜻으로, 영웅도 세력이 없어지면 아무 일도 하지 못함을 이름.
[強大 강대] 세고 큼.
[強對 강대] 강적(強敵).
[強度 강도] 강한 정도(程度).
[強盜 강도] 폭력·협박 등의 수단을 써서 남의 재물(財物)을 빼앗는 도둑.
[強覽 강람] 책을 많이 읽어 잘 기억함. 책을 많이 봄. 박람(博覽).
[強梁 강량] 힘이 셈. 또, 힘이 세어 제압할 수 없음.
[強旅 강려] 강한 군사(軍士).
[強力 강력] ㉠센 힘. 또, 그 사람. ㉡노력(努力)함.
[強隣 강린] 강성(強盛)한 이웃 나라.
[強勉 강면] ㉠힘써 함. 노력함. ㉡학문을 힘씀. 면학(勉學).
[強迫 강박] ㉠으름. 위협(威脅). 협박(脅迫). ㉡불법(不法) 수단으로 남의 자유의사(自由意思)의 결정을 방해(妨害)함.
[強薄 강박] 강포하고 야박함.
[強迫觀念 강박관념] 생각을 아니하려 하여도 자꾸 마음속에 떠올라 고민하는 관념(觀念).
[強半 강반] 반 이상. 과반(過半).
[強飯 강반] 강식(強食)❶.
[強辨 강변] 잘 변명(辨明)함.
[強辯 강변] ㉠힘 있는 변론(辯論). ㉡억지를 써가며 변명함.
[強兵 강병] ㉠강한 군사(軍士). ㉡군사를 강하게 함.
[強葆 강보] '강보(襁褓)'와 같음.
[強富 강부] 부강(富強)함.
[強仕 강사] 마흔 살에 비로소 벼슬함. 전(轉)하여, 마흔 살을 이름.
[強射 강사] 화살·탄알 등을 자꾸 발사함.
[強殺 강살] 억지로 죽임.
[強盛 강성] 강하고 왕성(旺盛)함.
[強笑 강소] 억지로 웃음.
[強襲 강습] 적의 방비선의 강약을 돌보지 않고 습격을 감행함.
[強食 강식] ㉠억지로 먹음. 힘써 영양을 섭취함. ㉡강한 자의 밥.
[強識 강식] 기억력이 강함. 강기(強記).
[強臣 강신] 권력이 있는 신하.
[強惡 강악] 억세고 악(惡)함. 대단히 악함. 또, 그 사람.
[強顔 강안] 낯가죽이 두꺼움. 곧, 염치를 모름. 뻔뻔스러움. 철면피(鐵面皮). 후안(厚顔).
[強壓 강압] 세게 누름.
[強弱 강약] 강함과 약함. 강한 것과 약한 것.
[強圉 강어] ㉠천간(天干) 정(丁)의 별칭(別稱).

㉡힘이 셈.
[強禦 강어] 억세어 남의 충고(忠告)를 듣지 않는 사람.
[強悟 강오] 기억력이 강함. 강기(強記).
[強頑 강완] 완고함. 또, 그 사람.
[強要 강요] 강제(強制)로 요구함.
[強慾 강욕] 만족할 줄 모르는 욕심. 대욕(大慾).
[強淫 강음] 강간(強姦).
[強毅 강의] 강직하고 씩씩함.
[強忍 강인] 억지로 참음.
[強靭 강인] 억세고 질김.
[強者 강자] ㉠힘이 센 사람. ㉡강(強)한 생물(生物).
[強恣 강자] 힘이 세어 방자(放恣)함.
[強壯 강장] ㉠건강하고 힘이 셈. 기력(氣力)이 강(強)하고 씩씩함. ㉡나이가 젊어 혈기가 왕성함.
[強壯劑 강장제] 몸을 강장(強壯)하게 하는 약제(藥劑).
[強將下無弱兵 강장하무약병] 강한 대장(大將)의 부하(部下)에는 약한 군사(軍士)가 없음.
[強敵 강적] 강(強)한 대적(對敵).
[強制 강제] 위력(威力)으로 남의 자유의사를 억제(抑制)함.
[強調 강조] ㉠힘차게 고조(高調)함. ㉡역설함. 강력히 주장함.
[強卒 강졸] 강한 군사.
[強宗 강종] 세력(勢力)이 있는 종족(宗族).
[強從 강종] 마지못하여 복종함.
[強酒 강주] 술을 많이 마심. 또, 그 사람.
[強志 강지] 기억력이 좋음. 지(志)는 지(誌).
[強直 강직] 마음이 굳세고 곧음. 강직(剛直).
[強僭 강참] 권세가 있고 참람(僭濫)함.
[強請 강청] 무리하게 청(請)함.
[強最 강최] 가장 강함.
[強取 강취] 강탈(強奪).
[強奪 강탈] 억지로 빼앗음.
[強貪 강탐] 대단히 탐함.
[強暴 강포] 세고 포악함. 또, 그 사람.
[強風 강풍] 센바람.
[強學 강학] 힘써 배움.
[強悍 강한] 세고 사나움.
[強項 강항] 센 목이란 뜻으로, 함부로 남에게 머리를 숙이지 않는 일. 곧, 강직하여 위력(威力)에 굽히지 아니함을 이름.
[強項令 강항령] 강직하여 굴(屈)하지 아니하는 사람의 별칭(別稱).
[強行 강행] 억지로 행함. 강제로 시행함.
[強胡 강호] 강한 호족(胡族). 강한 오랑캐.
[強化 강화] 강하게 함. 또, 강해짐.
[強會 강회] 억지로 깨닫는다는 뜻으로, 아는 체함.

●姦強. 剛強. 康強. 健強. 牽強. 堅強. 屈強.
倔強. 勸強. 筋骨強. 南方強. 勉強. 木強.
伯強. 補強. 富強. 北方強. 肥強. 盛強. 弱能
制強. 列強. 頑強. 雄強. 雄強. 柔強.
仁強. 自強. 丁強. 精強. 增強. 鷙強. 治強.
貪強. 暴強. 豪強. 驍強.

8
⑪ [彄] 연 ㉻先 縈玄切 yuān
[字解] 오금 연 활고자와 줌통의 중간의 굽은 데.

'一, 弓上下曲中'《玉篇》.

8 ⑪ [弸] [一] 붕 [平]蒸 悲朋切 pēng
[二] 팽 [平]庚 薄萌切 péng

[字解] [一] ①찰 붕, 채울 붕 가득 참. 또, 가득 차게 함. '以其一中而彪外也'《揚子法言》. ②셀 붕 활이 센 모양. '弓如明月對一'《庾信》. [二] 화살 소리 팽 화살이 나는 소리. '一彋'.
[字源] 篆文 形聲. 弓+朋〔音〕

[弸彋 팽횡] 화살이 세차게 날 때에 나는 소리.

8 ⑪ [弻] 〔별〕
彆(弓部 十二畫〈p. 728〉)과 同字

8 ⑪ [弶] [一] 강 [去]漾 其亮切 jiàng
[二] 양 [上]養 魚兩切

[字解] [一] ①그물칠 강, 창애놓을 강 '一, 張取獸也'《廣韻》. '一, 字林, 施罟於道'《集韻》. ②활로짐승잡을 강 '一, 一曰, 以弓罥鳥獸'《集韻》. [二] 그물칠 양, 창애놓을 양, 활로짐승잡을 양 [一]과 뜻이 같음.

8 ⑪ [弴] 돈 [平]元 都昆切 diāo

[字解] 활 돈 그림을 그린 활. '天子一弓'《廣韻》.
[字源] 篆文 形聲. 篆文은 弓+䇹〔音〕. '䇹순'은 향응·제사(祭祀)의 뜻. 의식(儀式)에 쓰는, 붉은 옻칠을 한 '활'의 뜻을 나타냄.

[弴弓 돈궁] 그림을 그린 활.

8 ⑪ [弥] 〔미〕
弭(弓部 六畫〈p. 722〉)와 同字

9 ⑫ [弼] [人名] 필 [入]質 房密切 bì

[筆順] 弓 弓 弜 弜 弜 弜 弜 弼

[字解] ①도울 필 보좌함. '輔一'. '明于五刑, 以一五敎'《書經》. 또, 보좌하는 사람. '伊周作一, 王室惟康'《傅玄》. ②어그러질 필 괴려(乖戾)함. '君臣故一'《漢書》. ③도지개 필 활을 바로잡는 틀. ④성 필 성(姓)의 하나.
[字源] 金文 篆文 會意. 金文은 弜+因. '弜강'은 두 사람의 상형. '因인'은 깔개의 상형. 깔개를 같이 까는 서로 돕는 두 사람의 모습에서, '돕다'의 뜻을 나타냄. 篆文은 弜+丙. 뒤에, 弜+百으로 변형했음. 일설에, '弜'은 활이 휜 것을 바로잡기 위한 기구, '도지개'의 뜻이라 하고, 전(轉)하여, 바로잡고 도와주는 뜻을 나타낸다고 함.

[弼匡 필광] 도와서 바로잡음.
[弼寧 필녕] 도와서 편안하게 함.
[弼導 필도] 도와서 인도(引導)함. 또, 그 사람.
[弼亮 필량] 도움. 도와서 인도(引導)함. 또, 그 사람.
[弼成 필성] 도와서 이루게 함.
[弼違 필위] 도리에 어긋남을 바로잡음.
[弼佐 필좌] 도움. 또, 그 사람.
[弼諧 필해] 일치(一致)하여 천자(天子)를 도움.
◉匡弼. 規弼. 篤弼. 保弼. 補弼. 輔弼. 承弼. 良弼. 元弼. 俊弼. 冢弼. 台弼.

9 ⑫ [弼] 弼(前條)의 本字

9 ⑫ [弽] [一] 섭 [入]葉 書涉切 shè
[二] 협 [入]葉 呼牒切 xié

[字解] [一] 깍지 섭 韘(韋部 九畫)과 同字. [二] 깍지 협 [一]과 뜻이 같음. 弽(弓部 六畫)과 同字. '一, 射決也'《集韻》.
[字源] 韘의 別體 形聲. 弓+葉〔音〕

9 ⑫ [彄] 편 [平]先 紕延切 piān

[字解] 활뒤젖혀질 편 활이 반대로 튀기어 뒤집혀짐. '一, 弓反張也'《集韻》.

[粥] 〔죽〕
米部 六畫(p. 1700)을 보라.

9 ⑫ [强] 〔강〕
強(弓部 八畫〈p. 725〉)의 俗字

9 ⑫ [弾] 〔탄〕
彈(弓部 十二畫〈p. 728〉)의 略字

10 ⑬ [彀] 구 [去]宥 古候切 gòu

[字解] ①당길 구 활을 당김. '一, 張弩也'《說文》. ②구율(率) 구 화살을 맞히는 표준. 활시위를 당기는 정도. '羿之教人射, 必志於一'《孟子》.
[字源] 篆文 形聲. 弓+㱿〔音〕. '㱿각·구'는 속이 빈 '껍질'의 뜻. 활을 속이 빈 모양으로 당기는 뜻을 나타냄.

[彀擊 구격] 구(彀)는 활을 잡아당김, 격(擊)은 큰 칼로 내리침.
[彀騎 구기] 활을 가진 기병(騎兵). 기사병(騎射兵).
[彀率 구율] 활시위를 당기는 한도(限度). 화살을 맞히는 표준(標準).
[彀中 구중] 화살이 미치는 범위 안이라는 뜻으로, 전(轉)하여 사람을 농락하는 술중(術中)의 뜻으로 쓰임. 장중(掌中).
◉機彀.

11 ⑭ [彃] 필 [入]質 卑吉切 bì

[字解] ①쏠 필 화살을 쏨. '羿焉一日'《楚辭》. ②활시위 필.
[字源] 篆文 形聲. 弓+畢〔音〕. '畢필'은 조수(鳥獸)를 잡는, 자루 달린 그물. 활로 조수를 쏘는 일.

11 ⑭ [彄] 구 [平]尤 恪侯切 kōu

[字解] ①활고자 구 활의 시위를 매게 된 곳. '弓不受一'《蔡邕》. ②고리 구 環(玉部 十三畫)과 뜻이 같음. '戚姬以百鍊金爲一環'《西京雜記》.
[字源] 篆文 形聲. 弓+區〔音〕

[彊環 구환] 고리.

12
⑮ [彈] 高人 탄 ①②㊱翰 徒案切 dàn
③-㋆㉥寒 徒干切 tán

筆順 弓 弝 弜 弨 弨 彈 彈 彈

字解 ①활 탄 탄알을 쏘는 활. '挾一飛鷹杜陵北'《盧照鄰》. ②탄알 탄 탄자. ㋀활로 쏘는 탄알. '作一以守之'《吳越春秋》. ㋁총의 탄알. '砲一, 隆慶二年, 改鑄鐵一'《大明會典》, 전(轉)하여, 탄알같이 작은 것. '此一丸之地'《史記》. ③쏠 탄 활로 탄알을 쏨. '一射', 晉靈公從臺上一人'《左傳》. ④튀길 탄 ㋀반발(反撥)함. '一指應之'《五燈會元》. ㋁튀겨 털. '新沐者必一冠'《楚辭》. ⑤탈 탄 악기 같은 것을 탐. '一琴', '舜一五絃之琴'《史記》. ⑥칠 탄 두드림. '一劍作歌'《十八史略》. ⑦탄핵할 탄 죄를 바로잡음. '糾一', '州司不敢一糾'《後漢書》.

字源 篆 彈 形聲. 弓+單[音]. '單단'은 탄알을 튀겨 쏘는 Y 자형의 활의 상형. '弓궁'을 붙여, '활'의 뜻을 나타냄. 甲骨文은 활에 탄알을 붙인 모양을 본뜸.

參考 弹(弓部 九畫)은 略字.

[彈劍 탄검] 손으로 칼을 침.
[彈冠 탄관] ㋀손가락으로 갓의 먼지를 튀겨 털. ㋁벼슬에 나아갈 준비를 함.
[彈弓 탄궁] ㋀탄알을 쏘는 활. ㋁활시위를 당겨 살을 쏘는 것 같은 소리를 나게 함. ㋂솜을 타는 활. 무명활. 「(糾彈).
[彈糾 탄규] 시비를 밝혀 죄과를 바로잡음. 규탄.
[彈琴 탄금] 거문고를 탐.
[彈碁 탄기] 바둑을 둠.
[彈機 탄기] 용수철.
[彈道 탄도] 발사(發射)된 탄환(彈丸)이 공중에 그리는 포물선(抛物線).
[彈力 탄력] ㋀튀기는 힘. ㋁탄환(彈丸)의 나가는 힘. ㋂탄성체(彈性體)가 그것에 가하여지는 외력(外力)에 대하여 반발하는 힘.
[彈綿 탄면] 솜을 탐.
[彈墨 탄묵] 탄문(彈文).
[彈文 탄문] 탄핵(彈劾)하는 글. 탄묵(彈墨).
[彈拍 탄박] 현악기를 탐.
[彈駁 탄박] 비난함.
[彈發 탄발] 탄사(彈射).
[彈射 탄사] ㋀탄알을 발사(發射)함. ㋁시비(是非)·선악(善惡)을 지적함. 비평함.
[彈詞 탄사] 고사(故事)나 속담(俗談)을 운어(韻語)로 고치고 곡보(曲譜)에 맞추어 탄창(彈唱)하는 일.
[彈絲吹竹 탄사취죽] 거문고를 타고 피리를 붊.
[彈性 탄성] 다른 힘을 받아 형체에 변화(變化)가 생긴 물체가 그 힘이 떠나는 동시에 그전 상태로 회복(回復)하는 성질.
[彈壓 탄압] 남을 억지로 억누름.
[彈藥 탄약] 탄알과 화약(火藥).
[彈雨 탄우] 빗발과 같이 쏟아지는 총탄. 탄환 우주(彈丸雨注)의 준말.
[彈子 탄자] ㋀총포(銃砲)의 탄알. 탄환(彈丸). ㋁유산탄(榴散彈) 또는 산탄(霰彈) 속에 장전(裝塡)하는 작은 탄환(彈丸).
[彈章 탄장] 탄문(彈文).
[彈箏 탄쟁] 쟁(箏)을 탐.

[彈正 탄정] 잘못을 밝혀 바로잡음.
[彈程 탄정] 포구(砲口)로부터 탄환이 떨어진 곳까지의 거리.
[彈坐 탄좌] 남의 죄를 조사함.
[彈奏 탄주] 탄핵(彈劾).
[彈指 탄지] ㋀손가락을 튕김. ㋁손가락을 한 번 튀기는 정도의 극히 짧은 시간.
[彈唱 탄창] 현악기를 타며 노래함.
[彈劾 탄핵] 관리의 죄과를 조사하여 임금에게 아룀. 탄주(彈奏).
[彈絃 탄현] 거문고를 탐. 현악기(絃樂器)를 탐.
[彈鋏 탄협] 맹상군(孟嘗君)의 문객(門客) 풍환(馮驩)이 칼자루를 치며 대우가 나쁜 것을 한탄하는 노래를 부른 고사(故事)로서, 전(轉)하여 자기의 영달(榮達)을 구함을 이름.
[彈火 탄화] 탄환에서 일어나는 불.
[彈花 탄화] 활로 탄 솜.
[彈丸 탄환] ㋀활이나 총 따위로 발사(發射)하는 둥근 물건. 탄알. ㋁탄알은 작으므로 작은 것의 형용으로 쓰임.
[彈丸雨飛 탄환우비] 탄알이 빗발치듯이 날아옴. 탄환우주(彈丸雨注).
[彈丸雨注 탄환우주] 탄환우비(彈丸雨飛).
[彈丸黑子之地 탄환흑자지지] 아주 협소한 땅.
[彈徽 탄휘] 탄주(彈奏)함. 탐.
[彈痕 탄흔] 탄알이 맞은 흔적.
[彈詰 탄힐] 잘못을 꾸짖어 나무람. 탄핵(彈劾).

●街彈. 巨彈. 檢彈. 鬼彈. 糾彈. 譏彈. 沒彈. 防彈. 伯牙彈. 飛彈. 散彈. 實彈. 連彈. 雍門彈. 榴散彈. 流彈. 肉彈. 敵彈. 奏彈. 指彈. 着彈. 銃彈. 推彈. 快彈. 砲彈. 爆裂彈. 爆彈. 劾彈. 和彈. 凶彈.

12
⑮ [彍] 확 ㊀藥 虛郭切 guō
字解 당길 확 쇠뇌를 당김. '勢如一弩'《孫子》.
字源 篆 彍 形聲. 弓+黃[音]. '黃황'은 '擴확'과 통하여, '잡아 넓히다'의 뜻.

12
⑮ [彆] 별 ㊀屑 必結切 biè
字解 활뒤틀릴 별 활의 몸체가 뒤틀려 바르지 못함. '一, 弓末反戾也'《釋文》.
字源 篆 彆 形聲. 弓+敝[音]. '敝폐'는 찢어져 허물어지다의 뜻. 활고자가 부서져, 활이 휘는 일.

13
⑯ [彋] 횡 ㊄庚 戶盲切 hóng
字解 ①휘장펄럭이는소리 횡 휘장이 바람에 나부기는 소리. '彋一, 帷帳起兒'《玉篇》. ②활시위소리 횡 활을 당겨서 나는 소리. '彋一, 弓裳'《集韻》.

13
⑯ [彊] 人〔강〕名 強(弓部 八畫)과 同字
筆順 弓 弝 弜 弜 彈 彊 彊 彊
字源 甲骨文 金文 篆 彊 形聲. 弓+畺[音]. '畺강'은 '硬경'과 통하여, '강하다'의 뜻. 강한 활, 강하다의 뜻을 나타냄.

●公彊. 屈彊. 武彊. 樸彊. 力彊. 雄彊. 自彊.

14 ⑰ [彌]

[人名] 미 ㉮支 武移切 mí
ⓛ紙 母婢切 mǐ

弥 弘

[筆順] 弓 弓 弓ʼ 彌 彌 彌 彌 彌 彌

[字解] ①활부릴 미 弭(弓部 六畫)와 同字. ②퍼질 미 널리 퍼짐. 두루 미침. ʻ─滿ʼ ʻ─山跨谷ʼ《史記》. ③더욱 미 더욱더욱. ʻ─榮ʼ ʻ仰之─高ʼ《論語》. ④걸릴 미 날짜나 시간이 걸림. ʻ曠日─久ʼ《韓非子》. ⑤마칠 미, 지낼 미 경과함. ʻ誕─厥月ʼ《詩經》. ⑥기울 미 수선함. ʻ─縫其闕ʼ《左傳》. ⑦그칠 미 쉼. 그만둠. ʻ─災兵ʼ《周禮》. ⑧성 미 성(姓)의 하나.

[字源] 金文 篆文 會意. 金文은 弓+日+爾. ʻ弓궁ʼ은 활의 상형. ʻ日일ʼ은 태양의 상형. ʻ爾미ʼ는 화사하게 피는 꽃의 상형. 시간적으로나 공간적으로나, 구김없이 충만함을 뜻함. 篆文은 長+爾. 뒤에, 弓+爾가 됨. 파생(派生)하여, ʻ더욱ʼ의 뜻도 나타냄.

[彌久 미구] 오래 끎.
[彌亙 미긍] 걸침. 걸림.
[彌龍 미룡] 수레의 장식.
[彌留 미류] 병이 오래 낫지 않아 위중해짐. 위독함.
[彌綸 미륜] 두루 다스림. 전체를 다스림. 미(彌)는 미봉(彌縫), 윤(綸)은 경륜(經綸).
[彌勒 미륵] 미륵보살(彌勒菩薩).
[彌勒菩薩 미륵보살] 석가모니(釋迦牟尼)의 입멸(入滅) 후 56억 7천만 년이 지나서 이 세상에 나타나 중생(衆生)을 인도한다는 보살(菩薩).
[彌漫 미만] 널리 퍼지어 그득함.
[彌滿 미만] 가득 참.
[彌茫 미망] 넓고 넓은 모양.
[彌望 미망] 멀리 넓게 바라봄. 또, 멀고 넓은 조망(眺望).
[彌彌 미미] 조금씩. 초초(稍稍).
[彌縫 미봉] ㉠기움. ㉡임시변통으로 꾸려 나감.
[彌縫策 미봉책] 임시변통으로 꾸며 맞추는 계책.
[彌撒 미사] 라틴어 missa의 음역(音譯). 로마 가톨릭 교회(敎會)에서, 성만찬식(聖晚餐式) 또, 그 의식(儀式)에서 부르는 성가(聖歌).
[彌甥 미생] 외손자.
[彌旬 미순] 열흘간에 걸침. 열흘 계속함.
[彌榮 미영] 더욱더욱 번영함. 축복(祝福)하는 뜻으로 부르짖는 말.
[彌月 미월] ㉠달을 넘김. 다음 달에 걸침. ㉡날을 거듭함. 여러 날을 거듭하여. ㉢한 달 동안. 만 1개월. ㉣달이 겹침. 곧, 세월.
[彌日 미일] ㉠날을 거듭함. 여러 날을 거듭하여. ㉡하루 종일.
[彌天 미천] 하늘에 가득 참. 만천(滿天). 「語」
[彌陀 미타] 아미타여래(阿彌陀如來)의 약어(略)
[彌陀名號 미타명호] 나무아미타불(南無阿彌陀佛)을 이름. 육자 명호(六字名號).
[彌猴 미후] 원숭이.
●昆彌. 沙彌. 斯彌. 須彌.

15 ⑱ [彍]

확 ㉱藥 虛郭切 guō

獷

[字解] ①당길 확 彉(弓部 十二畫)과 同字. ②달릴 확 빨리 달림. ʻ駕塵─風ʼ《韓愈》.

[字源] 形聲. 弓+廣[音]. ʻ廣광ʼ은 ʻ擴확ʼ과 통하여, ʻ당겨 펴다ʼ의 뜻.

[彍騎 확기] 당대(唐代)의 기마의 숙위병(宿衛兵).

16 ⑲ [彈]

〔돈〕
弴(弓部 八畫〈p.727〉)의 本字

[彊]

〔강〕
田部 十四畫(p.1474)을 보라.

18 ㉑ [彠]

권 ㉮先 巨員切
㉯願 俱願切 quán
ⓛ阮 苦遠切

[字解] 활굽을 권 ʻ─, 弓曲謂之一ʼ《集韻》.
[字源] 形聲. 弓+雚[音].

19 ㉒ [彎]

[人名] 만 ㉮刪 烏關切 wān

弯 𢎺

[字解] ①당길 만 활에 화살을 메겨 당김. ʻ─弓ʼ. ʻ逢門子一烏號ʼ《王襃》. ②굽을 만 활처럼 굽음. ʻ─曲ʼ. ʻ強來爲吏腰少一ʼ《沈遼》.
[字源] 篆文 會意. 弓+䜌. ʻ䜌련ʼ은 ʻ구부러지다 흐트러지다ʼ의 뜻. 활이 휘다, 활을 당기다의 뜻을 나타냄.

[彎曲 만곡] 활처럼 굽음.
[彎屈 만굴] 만곡(彎曲).
[彎弓 만궁] 활에 화살을 메겨 당김.
[彎彎 만만] 활처럼 굽은 모양.
[彎月 만월] 초승달. 현월(弦月).
[彎入 만입] 흘러가는 물이 뭍으로 휘어 들어와서 활을 당긴 모양처럼 생김. 만입(灣入).
[彎形 만형] 활과 같이 굽은 모양.
[彎環 만환] ㉠동그람. 둥긂. ㉡활 모양으로 굽음.
●少彎.

20 ㉓ [彏]

확 ㉱藥 居縛切 jué

[字解] 당길 확 활에 화살을 메겨 급히 당김. ʻ─天狼之威弧ʼ《揚雄》.
[字源] 篆文 形聲. 弓+矍[音].

⺕ (彑·⺕) (3획) 部

〔터진가로왈부〕

0 ③ [⺕]

계 ㉮霽 居例切 jì

⺕

[筆順] ㄱ ㄱ ⺕

[字解] 돼지머리 계 돼지의 머리를 상형(象形)한 글자.
[字源] 篆文 象形. 멧돼지의 象形인 ʻ彖단ʼ의 머리 부분으로, 특히 그 엄니를 강조하여, 멧돼지의 머리의 뜻을 나타냄.
[參考] 자형(字形) 분류상 부수(部首)가 되어, ʻ터진가로왈(彐)ʼ로 이름.

0 ③ [彑]

⺕(前條)의 本字

[尹] 〔윤〕
尸部 一畫(p. 619)을 보라.

3 ⑥ [㑁] 〔당〕
當(田部 八畫〈p. 1472〉)의 俗字

3 ⑥ [当] 〔당〕
當(田部 八畫〈p. 1472〉)의 俗字

[㚉] 〔다〕
夕部 三畫(p. 481)을 보라.

[帚] 〔추〕
巾部 五畫(p. 671)을 보라.

5 ⑧ [彔] [人名] 록 [入]屋 盧谷切 lù

[筆順]

[字解] ①나무새길 록 나무를 깎아 새김. 각목(刻木). ②근본 록 근본(根本). '一, 本也'《廣韻》.

[字源] [甲骨文] [金文] [篆文] 象形. 두레박 우물의 도르레 근처에 물이 넘치는 모양에서 본뜸.

5 ⑧ [彖] [一] 이 [去]寘 羊至切 yì
[二] 제 [去]霽 持計切
[平]齊 田黎切

[字解] [一] ①털긴짐승이름 이, 돼지 이 '一, 脩豪獸. 一曰, 河內名豕也'《說文》. ②너구리새끼 이 '一, 貍子也'《玉篇》. [二] 털긴짐승이름 제, 돼지 제, 너구리새끼 제 [一]과 뜻이 같음.

[字源] 象形. 털이 긴 짐승의 모양을 본뜸.

6 ⑨ [彖] [人名] 단 [去]翰 通貫切 tuàn

[字解] 판단할 단 주역(周易)의 괘(卦)의 뜻을 설명하여 판단을 내림. 또, 그 말. 예컨대, 건괘(乾卦)에서 '乾, 元亨利貞'이라고 하는 것 따위. '序一繫象說卦文言'《史記》.

[字源] [篆文] 象形. 머리가 큰 멧돼지의 상형으로, 멧돼지가 달리는 뜻을 나타냄. '專전'과 통하여, '돌다'의 뜻. 역괘(易卦)의 뜻을 둘러싸고 설명한 말의 뜻을 나타냄.

[彖辭 단사] 주역(周易)의 한 괘(卦)의 뜻을 총론(總論)하여 길흉(吉凶)을 판단한 말. 문왕(文王)이 지었다 함.
[彖傳 단전] 주역(周易)의 십익(十翼)의 하나. 단사(彖辭)의 뜻을 해석한 것으로서 공자(孔子)의 작(作)이라 함.

6 ⑨ [彔] 〔록〕
彔(彐部 五畫〈p. 730〉)의 本字

6 ⑨ [㽶] 〔신〕
申(田部 無畫〈p. 1460〉)의 籀文

8 ⑪ [彗] [人名] 혜(수[本]) [去]寘 徐醉切 huì

[筆順]

[字解] ①비 혜 대로 만든 비. '一掃'. '國中以策一郵勿'《禮記》. ②살별 혜 꼬리별. '一星'. '妖星一日一, 二日孛'《晉書》.

[字源] [篆文] [別體] 象形. 끝이 가지런한 비를 손에 잡은 형상을 본떠, '비'의 뜻을 나타냄.

[彗芒 혜망] 혜성의 꼬리에서 뻗치는 광망(光芒).
[彗星 혜성] 꼬리에 긴 광망(光芒)이 있고 태양(太陽)의 주위(周圍)에 있는 궤도(軌道)를 운행(運行)하는 별. 그 꼬리의 형상이 비와 같음. 살별.
[彗掃 혜소] 비로 깨끗이 청소함.
[彗孛 혜패] 혜성(彗星).
◉掃彗. 王彗. 妖彗. 流彗. 孛彗.

8 ⑪ [彖] 〔이·제〕
彖(彐部 五畫〈p. 730〉)의 籀文

9 ⑫ [彘] 체 [去]霽 直例切 zhì

[字解] 돼지 체 가축의 하나. 豕(部首)와 뜻이 같음. '雞豚狗一之畜, 無失其時, 七十者可以食肉'《孟子》.

[字源] [甲骨文] [篆文] 形聲. 甲骨文에서는 豕+矢〔音〕. '豕시'는 '돼지'의 뜻. '矢시'는 '화살'의 뜻. 화살로 쏘아 죽일 수 있는 멧돼지의 뜻을 나타냄. 篆文은 彑+比+矢〔音〕. '彑계'는 '彖이'의 생략형으로, 털이 긴 짐승의 象形. '比비'는 그 발의 象形이 변형된 것.

[彘肩 체견] 돼지의 어깨 고기.
◉犬彘. 狗彘. 野彘. 人彘. 豪彘. 薰燧負彘.

10 ⑬ [彙] [人名] 휘 [去]未 于貴切 huì

[筆順]

[字解] ①고슴도치 휘 蝟(虫部 九畫)와 뜻이 같음. '一, 卽蝟也, 其毛如鍼'《爾雅 疏》. ②무리 휘 동류(同類). '一集'. '以其一'《易經》. ③모을 휘 같은 종류의 것을 한데 모음. '一報'. '一分'.

[字源] [篆文] [別體] 形聲. 彖〈省〉+胃(胃)〈省〉〔音〕. '彖이'는 털이 긴 짐승의 상형. '胃위'는 '昆곤'과 통하여, '무리 짓다'의 뜻. 털이 밀생한 '고슴도치'의 뜻을 나타냄. '蝟위'는 동일어 이체자(同一語異體字).
[參考] 彚(次條)는 同字.

[彙類 휘류] 동아리. 동류(同類).
[彙報 휘보] 한 계통의 여러 가지 종류를 분류하여 한데 모아 엮어 알리는 기록.
[彙分 휘분] 모아서 나눔. 수집하여 분류(分類)함.
[彙征 휘정] 동류(同類)와 같이 나감.
[彙進 휘진] 모여 나아감. 뜻을 같이하는 사람들끼리 모여 조정에 나아감.
[彙集 휘집] 같은 종류(種類)의 물건을 모음.
[彙纂 휘찬] 분류하여 모아 편찬함. 또, 그 기록.
◉剝彙. 部彙. 辭彙. 庶彙. 語彙. 字彙. 條彙. 品彙.

10 ⑬ [彚] 彙(前條)와 同字

〔크部〕

12
[絫]⁽¹⁵⁾ 〔라·려〕
蠡(虫部 十五畫〈p.2037〉)의 古字

13
[絲]⁽¹⁶⁾ ❶ 시 ㉿眞 息利切 sī
❷ 이 ㉿眞 羊至切

字解 ❶ ①돼지무리 시 돼지의 종류. '一, 絲屬'《說文》. ②돼지소리 시 '一, 豕聲也'《玉篇》. ③쥐이름 시 '一, 鼠名'《廣韻》. ❷ 돼지무리 이, 돼지소리 이, 쥐이름 이 ❶과 뜻이 같음.

字源 會意. 絲+絲. 두 개의 '絲이'를 합쳐서 돼지를 나타냄.

13
[彝]⁽¹⁶⁾ 彝(次條)의 俗字

15
[彝]⁽¹⁸⁾ 人名 이 ㉿支 以脂切 yí

筆順 ` ⌐ ⌐ ⌐ 彔 彔 彝 彝 彝 彝

字解 ①떳떳할 이 항상 변하지 않음. '一倫'. ②법 이 법칙. 항상 변치 않는 도(道). '民之秉一, 好是懿德'《詩經》. ③술그릇 이 술동이보다 약간 작은 주기(酒器). 주로, 제기(祭器)로 쓰였음. 후세에는, 종묘(宗廟)에 상치(常置)하는 종정류(鐘鼎類)도 이(彝)라 함. '一樽'. '以作一器'《左傳》. ④성 이 성(姓)의 하나.

字源 甲骨文 金文 篆文 象形. 甲骨文·金文은 닭을 목 졸라 죽여 피를 흘리게 하고, 그것을 양손으로 받드는 형상임. 닭 피를 따른 제기(祭器)의 뜻이나, 삼가 지켜야 할 법도(法度), 사람이 지켜야 할 도리의 뜻을 나타냄. 뒤에, 糸+廾+米+絲〈省〉의 會意 문자.

[彝器 이기] 종묘(宗廟)에 갖추어 두고 의식(儀式)에 쓰는 그릇.
[彝倫 이륜] 사람으로서 항상 지켜야 할 도리(道理). 일정불변한 인륜(人倫).
[彝性 이성] 선천적으로 타고난 떳떳한 성품.
[彝儀 이의] 법(法). 모범(模範).
[彝鼎 이정] 종묘(宗廟)에서 신주(神酒)를 따라 두는 종정(鐘鼎). 옛날 공로가 있는 신하의 이름을 제기(祭器)에 새겨서 오래도록 전하게 함.
[彝尊 이준] 이준(彝樽).
[彝樽 이준] 술 그릇. 자해(字解)❸을 보라.
[彝則 이칙] 변하지 아니하는 법. 상칙(常則).
[彝品 이품] 사람이 항상 지켜야 할 법. 품(品)은 법식(法式). 이칙(彝則).
[彝憲 이헌] 변하지 않는 법. 사람으로서 항상 지켜야 할 도. 상법(常法).
[彝訓 이훈] 사람이 항상 지켜야 하는 교훈(敎訓).
●國彝. 民彝. 秉彝. 六彝. 典彝. 鼎彝. 尊彝. 皇彝.

23
[護]⁽²⁶⁾ 확 ㉿陌 胡陌切 huò

字解 잴 확, 자 확, 법도 확 자로 잼. 蒦(艸部 十四畫)·矱(矢部 十四畫)과 同字. '挑截本末規摹一

矩'《馬融》.
字源 篆文 형성文 形聲. 尋+蒦〔音〕. '尋심'은 양손을 뻗어 벌린 길이. '蒦확'은 '재다'의 뜻.

彡 (3획) 部
[터럭삼·삐친석삼부]

0
[彡]⁽³⁾ 삼 ㉿咸 所衒切 shān

筆順 ✓ ✓ ✓

字解 ①터럭 삼, 긴머리 삼 길게 자란 아름다운 머리. ②그릴 삼 붓 같은 것으로 채색함.
字源 篆文 彡 象形. 길게 흐르는 숱지고 윤기 나는 머리 형상을 본떠, 긴 머리, 무늬의 뜻을 나타냄. 이 글자는 독립해서 쓰이지는 않음.
參考 '彡'을 의부(意符)로 하여, '무늬·빛깔·머리·꾸미다'의 뜻을 지니는 문자가 이루어짐.

3
[丟]⁽⁶⁾ 〔공〕
工(部首〈p.659〉)의 古字

4
[形]⁽⁷⁾ 中入 형 ㉿青 戶經切 xíng

筆順 一 二 于 开 开 形 形

字解 ①형상 형 꼴. '一體'. '在地成一'《禮記》. ②형모 형 용모. '乃審厥象, 俾以一旁求于天下'《書經》. ③형체 형 몸. 신체. '旣自以心爲一役'《陶潛》. ④형세 형 상태. '秦一勝之威'《史記》. ⑤나타낼 형 드러냄. '喜怒不一色'《蜀志》. ⑥나타날 형 드러남. '此謂誠於中, 一於外'《大學》. ⑦꼴이룰 형 형상을 이룸. '有一形者'《列子》. ⑧그릇 형 토제(土製)의 식기(食器). 鉶(金部 六畫)과 통용. '飯土塯, 啜土一'《史記》.
字源 篆文 形 形聲. 彡+开(幵)〔音〕. '开형'은 '틀·테'의 뜻. '彡삼'은 '무늬'의 뜻. '모양'을 뜻함.

[形殼 형각] 드러나 보이는 형체와 그 겉모양.
[形幹 형간] 몸. 신체(身體).
[形格勢禁 형격세금] 형세가 나빠 마음먹은 대로 안 됨. 행동을 자유롭게 할 수 없게 됨.
[形敎 형교] 형식적인 외면(外面)치레에 관한 가르침.
[形軀 형구] 몸. 신체(身體).
[形局 형국] 얼굴·집터·묏자리 등의 생김새.
[形氣 형기] 형상(形狀)과 기운. 신체와 정신.
[形單影隻 형단영척] 몸도 하나고 그림자도 하나라는 뜻으로, 곧 의지할 곳 없는 외로운 몸을 이름.
[形勞 형로] 몸이 지침. 남을 위해 뼈 빠지게 활동함.
[形名 형명] 이론(理論)과 실제(實際). 신하(臣下)의 의론(議論)〈명(名)〉과 실제의 성적(成績)〈형(形)〉과의 일치(一致)와 불일치(不一致)를 비교하고 대조하여 상벌(賞罰)을 주는 일. 형명(刑名).
[形貌 형모] ㉠얼굴 모양. 용모(容貌). ㉡생긴 모양.

[形魄 형백] 모습. 몸. 육체 (肉體).
[形似 형사] 모양이 닮음. 또, 그 사물.
[形狀 형상] 물체 (物體)의 생긴 모양. 모습. 겉으로 나타나는 모양.
[形相 형상] ㉠형상 (形狀). 질료 (質料)의 대 (對). ㉡모습. 모양. 얼굴 생김새. 상호 (相好). ㉢장식 (裝飾). 준비 (準備). 행장 (行裝).
[形象 형상] ㉠형상 (形狀). 형태 (形態).
[形象文字 형상문자] 사물의 모양을 본떠서 지은 글자. 상형 문자 (象形文字).
[形色 형색] 형상 (形狀)과 빛깔.
[形成 형성] 어떠한 형상을 이룸.
[形性 형성] 모양과 성질 (性質).
[形聲 형성] 육서 (六書)의 하나로 해성 (諧聲)이라고도 함. 두 문자가 결합된 한자 (漢字)에서 반은 뜻을, 반은 음 (音)을 나타내는 것. 곧, '珥'・'漁'・'娶' 같은 것. 상성 (象聲).
[形勢 형세] ㉠지세 (地勢). ㉡정세 (情勢). 형편. ㉢권문세가 (權門勢家).
[形勢之途 형세지도] 권세 있는 사람이 있는 데.
[形壽 형수] 수명 (壽命).
[形勝 형승] 지세 (地勢)가 뛰어남. 또, 그런 곳. 요해처 (要害處).
[形勝之國 형승지국] 지세 (地勢)가 좋아서 승리 (勝利)를 얻기에 편리 (便利)한 위치 (位置)에 있는 나라.
[形式 형식] ㉠일정한 방식. ㉡꼴. 모형 (模型). ㉢겉모습. 외관 (外觀).
[形式主義 형식주의] ㉠내용 (內容)・성질 (性質)보다도 형식 (形式)에 더 치중 (置重)하는 주의 (主義). ㉡일정한 이론 (理論)으로 전부를 결정하려고 하는 주의. ㉢선악 (善惡)은 행위 (行爲)나 의지 (意志)의 경향 (傾向)에 속한 것으로 직접 감지 (感知)할 수 있다는 학설.
[形樣 형양] 형상 (形狀).
[形語 형어] 말을 하지 않고 몸짓으로 의사를 통하는 일. 몸짓으로 하는 말.
[形言 형언] 형용 (形容)하여 말함.
[形役 형역] 마음이 육체적 생활의 노예가 되어 사역당하는 일. 정신상의 안락을 구하는 일이 없이 먹고사는 데 급급 (汲汲)한 일.
[形鹽 형염] 호랑이 모양 따위를 본떠서 굳혀 만든 소금. 제사에 씀.
[形影相同 형영상동] 그림자가 형체의 변화에 따라 변하듯이 마음의 선악 (善惡)은 그 행위 (行爲)에 나타남.
[形影相弔 형영상조] 자기의 몸과 그림자가 서로 불쌍히 여긴다는 뜻으로, 매우 외로워 의지할 곳이 없음을 이름.
[形容 형용] ㉠모양. 형태. 상태. ㉡모습. 용모. ㉢꼴. ㉣사물 (事物)의 어떠함을 설명함.
[形容枯槁 형용고고] 얼굴이 야윔. 모습이 초췌함.
[形容詞 형용사] 사물의 형상 (形狀)・성질 (性質)・상태 (狀態) 등이 어떠함을 설명하는 품사 (品詞).
[形儀 형의] 예의범절과 태도 (態度). 용의 (容儀).
[形而上 형이상] 무형 (無形)의 것. 추상적 (抽象的)인 것. 곧, 도 (道)를 이름.
[形而上學 형이상학] 무형 (無形), 곧 정신계 (精神界)에 관한 학문. 철학 (哲學)・윤리학 (倫理學)・심리학 (心理學)・논리학 (論理學) 따위.
[形而下 형이하] 유형 (有形)의 것. 지각 (知覺)할 수 있는 것. 기물 (器物)을 이름.
[形而下學 형이하학] 유형물 (有形物)을 대상으로 하는 과학 (科學). 동식물학 (動植物學)・이화학 (理化學) 따위.
[形迹 형적] 뒤에 남는 흔적. 모습. 형적 (形跡). 흔적 (痕跡).
[形跡 형적] 형적 (形迹).
[形制 형제] ㉠지형 (地形)을 이용해서 남을 제복 (制服)함. ㉡형제 (形製).
[形製 형제] 형상 (形狀).
[形兆 형조] 모습. 모양. 조짐 (兆朕).
[形質 형질] 형체와 성질 (性質). 생긴 모양과 그 바탕. 또, 몸의 모양.
[形體 형체] 물건 (物件)의 형상 (形狀)과 그 바탕이 되는 몸.
[形態 형태] 상태 (狀態). 형상 (形狀).
[形便 형편] ㉠형승 (形勝)하고 편리함. 지세 (地勢)가 뛰어나 편리함. ㉡《韓》 일이 되어 가는 모양. 경로 (經路) 또는 결과 (結果). ㉢《韓》 지내는 형세 (形勢). ㉣《韓》 정세 (情勢).
[形解 형해] 죽은 후에 해체 (解體)되어 없어진다는 뜻으로, 선인 (仙人) 등이 화거 (化去)함을 이름. 시해 (尸解).
[形骸 형해] ㉠몸. 육체 (肉體). ㉡외형 (外形).
[形骸之內 형해지내] 육체의 내부. 정신 (精神)・마음・도덕 (道德) 등을 이름.
[形骸之外 형해지외] 육체 (肉體)의 외면 (外面).
[形形色色 형형색색] 가지각색. 여러 가지.

● 角形. 固形. 魁形. 球形. 矩形. 詭形. 奇形. 畸形. 裸形. 圖形. 童形. 忘形. 貌形. 無形. 美形. 方形. 變形. 三摩耶形. 常形. 象形. 像形. 纖形. 細形. 僧形. 身形. 神形. 心形. 養形. 鍊形. 外形. 寓形. 偶人形. 圓形. 原形. 委形. 有形. 流形. 義形. 異形. 人形. 積形. 整形. 造形. 主客相形. 衆形. 地形. 踐形. 體形. 楕圓形.

4
⑦ [彤] ⋌名⋋ 동 ㊥冬 徒冬切 tóng 　彤

[字解] ①붉은칠할 동 붉게 칠한 장식. 단식 (丹飾). '一弓'. '貽我一管'《詩經》. ②성 동 성 (姓)의 하나.

[字源] 金文 丹彡 篆文 彤 會意. 丹+彡. '丹단'은 '붉다'의 뜻. '彡삼'은 '색깔'의 뜻. 붉은 색깔의 뜻을 나타냄.

[彤竿 동간] 붉은 장대.
[彤管 동관] 붉은빛의 붓대. 또, 그 붓. 후궁 (後宮)에서 기록을 맡은 궁녀 (宮女)가 썼음. 전 (轉)하여, 부인 (婦人)의 서화 (書畫)의 뜻으로 쓰임.
[彤弓 동궁] 붉게 칠한 활. 옛날에 천자 (天子)가 공 (功)이 있는 제후 (諸侯)에게 하사 (下賜)하였음. 동호 (弓弧).
[彤鏤 동루] 색칠하고 아로새김. 장식을 함. 단루 (丹鏤).

[彤弓]

[彤矢 동시] 붉게 칠한 화살. 옛날에 천자 (天子)가 큰 공이 있는 제후 (諸侯)에게 하사 (下賜)하였음.
[彤雲 동운] 붉은 구름.
[彤闈 동위] 궁전 (宮殿)을 이름.
[彤闈 동위] 붉게 칠한 궁문 (宮門). 전 (轉)하여,

궁중(宮中)을 이름.
[彤庭 동정] 궁전의 섬돌 위의 붉게 칠한 뜰. 전
(轉)하여, 궁전.
[彤霞 동하] 단하(丹霞).
[彤軒 동헌] 붉은 칠을 한 처마.
[彤弧 동호] 동궁(彤弓).
●管彤. 丹彤. 朱彤.

4/⑦ [彤]
彤(前前條)과 同字

5/⑧ [彡]
〔단〕 丹(丶部 三畫〈p.49〉)의 古字

6/⑨ [形]
〔형〕 形(彡部 四畫〈p.731〉)의 本字

6/⑨ [彦]
〔人名〕 언 ㉴霰 魚變切 yàn

筆順 一 亠 ナ 文 文 产 彦 彦 彦

字解 ①선비 언 뛰어난 남자. 또, 남자의 미칭
(美稱). '一士'. '邦之一兮'《詩經》. ②성 언 성
(姓)의 하나.
字源 彦 形聲. 文+彡+厂〔音〕. '厂한'은 '벼
랑'의 뜻. '文문'은 문신(文身)의 상
형. '彡삼'은 '색갈'의 뜻. 벼랑에서 얻은 광물
성 안료의 뜻에서, 전(轉)하여, 그것을 사용할
만한 미청년(美靑年)의 뜻을 나타냄.

[彦士 언사] 훌륭한 선비. 뛰어난 인물. 재덕(才
德)이 뛰어난 남자.
[彦聖 언성] 뛰어나서 사리(事理)에 통달함. 또,
그 사람.
[彦俊 언준] 언사(彦士). 준언(俊彦).
[彦會 언회] 영재(英才)들이 한자리에 모임.
●翹彦. 群彦. 髦彦. 美彦. 邦彦. 伏彦. 秀彦.
勝彦. 時彦. 英彦. 往彦. 偉彦. 才彦. 諸彦.
俊彦. 珍彦. 天下彦. 哲彦. 賢彦. 豪彦. 後彦.

6/⑨ [彦]
彦(前條)의 俗字

7/⑩ [彧]
〔人名〕 욱 ㉴屋 於六切 yù

筆順 一 口 耳 或 或 或 彧 彧

字解 ①문채 욱 아름다운 광채. 또, 무늬. ②빛
날 욱 문채(文彩)가 있는 모양. '紛——其難
分'《何晏》. ③무성할 욱 초목이 무성한 모양.
'黍稷——'《詩經》.
字源 形聲. 彡+或〔音〕. '或혹'은 왕성하게 나타
나는 모양을 나타내는 의태어(擬態語). '彡
삼'은 '무늬'의 뜻. 문채가 빛나는 모양을 나타
냄.

[彧彧 욱욱] ㉠초목이 무성한 모양. ㉡문채가 있
는 모양. 빛나는 모양.

7/⑩ [彩]
彩(次條)의 訛字

8/⑪ [彩]
〔高人〕 채 ㊤賄 倉宰切 cǎi

筆順 一 二 三 平 采 采 彩 彩

字解 ①무늬 채 문채. '龍一雲裳'《鮑照》. ②채
색 채 ㉠고운 빛깔. '光一'. '潛實內結, 豐一外
盈'《傅休奕》. ㉡색을 칠하는 일. '不以傳一爲
巧'《陳傅良》. ③빛 채 광휘. '日華月一'《沈約》.
④노름 채 도박. '亦賭——擲也'《鶴林玉露》.
字源 彩 形聲. 彡+采〔音〕. '彡삼'은 '채색'의
뜻. '采채'는 나무 열매를 따다의 뜻.
많은 색갈 중에서 사람이 한 색갈을 의식적으
로 골라서 집어내다, 채색하다의 뜻을 나타냄.

[彩旗 채기] 빛깔이 아름다운 기(旗).
[彩器 채기] 그림 그릴 때 채색(彩色)을 풀어서
담아 쓰는 그릇.
[彩文 채문] 무늬. 문채.
[彩色 채색] 고운 빛. 또, 고운 빛을 칠함.
[彩靄 채애] 빛이 아름다운 아지랑이.
[彩雲 채운] 빛이 고운 구름.
[彩鷁 채익] 익(鷁)(해오라기 비슷한 일종의 물
새)을 뱃머리에 그리어 수환(水患)을 예방하던
일. 전(轉)하여, 배〔船〕를 이름. 화익(畫鷁).
[彩蝶 채접] 아름다운 빛깔을 지닌 나비.
[彩彩 채채] 아름다운 모양.
[彩翠 채취] 공작(孔雀)의 깃 따위의 아름답게 빛
나는 비췻빛.
[彩票 채표] 중국에서 행하는 복표(福票)의 한 가
지.
[彩筆 채필] 채색(彩色)에 쓰는 붓. 「기(雲氣).
[彩霞 채하] 빛이 아름다운 놀. 빛이 아름다운 운
[彩絢 채현] 무늬. 또, 채색. 모양(模樣).
[彩毫 채호] 화필(畫筆).
[彩虹 채홍] 빛깔이 고운 무지개.
[彩畫 채화] 채색을 하여 그린 그림.
[彩繪 채회] 채색을 하여 그린 그림. 또, 그 그림. 전
(轉)하여, 꾸밈. 장식(裝飾).
●光彩. 奇彩. 器彩. 鏤彩. 多彩. 淡彩. 賭彩.
芒彩. 文彩. 傅彩. 詞彩. 三彩. 色彩. 生彩.
鮮彩. 素彩. 水彩. 神彩. 陽彩. 五彩. 縟彩.
油彩. 輪彩. 異彩. 精彩. 彫彩. 霞彩. 虹彩.
紅彩. 華彩.

8/⑪ [彪]
〔人名〕 표 ㊤尤 甫烋切 biāo

筆順 丨 冖 卢 虍 虍 虎 彪

字解 ①범 표 작은 범. '熊一顧盼'《庚信》. 전
(轉)하여, 두려운 사람. '每戰爲前鋒, 齊軍深
憚之, 謂爲程一'《南史》. ②문채날 표 빛깔이 아
름다움. '一玢玢'《宋史》.
字源 金文 彪 篆文 彪 會意. 虎+彡. '彡삼'은 '채색'
의 뜻. 호랑이 가죽의 무늬의
뜻을 나타냄.

[彪炳 표병] 표환(彪煥).
[彪蔚 표위] 호피(虎皮)의 아름다운 문채.
[彪彪 표표] 문채 나는 모양. 무늬가 여러 가지 있
어 아름다운 모양.
[彪煥 표환] 범의 가죽처럼 무늬가 뚜렷하여 아름
다운 모양.
[彪休 표휴] 대단히 성내는 모양.

8/⑪ [彫]
〔人名〕 조 ㉴蕭 都聊切 diāo

[筆順] 丿 冂 月 用 用 周 周 彫

[字解] ①새길 조 조각함. '一弓'. '朽木不可一也'《論語》. ②꾸밀 조 수식(修飾)함. '任性而行, 不自一勵'《魏志》. ③시들 조 凋(冫部 八畫)와 통용. '歲寒然後知松柏之後一也'《論語》. 전(轉)하여, 상잔(傷殘)함. 쇠잔(衰殘)함. '一盡'. '於時百姓一弊'《魏志》. ④고미 조 줄의 열매. '一胡'. '炊一留上客'《梁簡文帝》.

[字源] 形聲. 彡+周〔音〕. '周주'는 고루 조각(彫刻)이 베풀어지는 뜻. 장식으로서의 조각이 고루 갖추어졌다는 뜻을 나타냄.

[彫刻 조각] ㉠파 새김. ㉡글씨·그림 또는 물건의 형상 등을 돌·나무 따위에 새김. 또, 그 예술(藝術).
[彫困 조곤] 영락(零落)하여 곤궁함. 또, 그 사람.
[彫弓 조궁] 그림을 조각하여 장식한 활.
[彫落 조락] ㉠초목(草木)의 잎이 시들어 떨어짐. ㉡사망(死亡)함.
[彫鏤 조루] 아로새김.
[彫紊 조문] 쇠퇴하여 문란하여짐.
[彫喪 조상] ㉠쇠퇴하여 멸망함. ㉡의기(意氣)가 저상(沮喪)함.
[彫像 조상] 조각한 물상(物像). 또, 물상을 조각함.
[彫塑 조소] ㉠조각(彫刻)과 소상(塑像). 금(金)·석(石)·목(木)에 상(像)을 아로새기는 일과 보드라운 점토(粘土) 따위로 상(像)을 만드는 일. 또, 그 상(像). ㉡조각(彫刻)의 원형(原型)이 되는 점토(粘土)의 상(像)을 만드는 일. 또, 그 원형.
[彫飾 조식] 조각하여 장식함.
[彫琰 조염] 옥을 다듬어 만든 홀(笏).
[彫玉 조옥] 아로새긴 구슬. 또, 구슬을 아로새겨 꾸미는 일.
[彫僞 조위] ㉠가짜 물건을 조각하여 진짜와 같이 보이게 함. ㉡겉을 꾸며 속임.
[彫殘 조잔] ㉠손상(損傷)을 입음. ㉡난리가 난 뒤 민력(民力)이 약해짐. ㉢재난(災難)을 당하여 손상을 입은 물건.
[彫鐫 조전] 조각(彫刻).
[彫題 조제] 이마에 자자(刺字)함. 조제(雕題). 제(題)는 액(額).
[彫盡 조진] 쇠하여 없어짐. 아주 쇠잔(衰殘)함.
[彫斲 조착] 새김. 조각함.
[彫劖 조참] 아로새김.
[彫彩 조채] 조각하고 채색하여 장식함.
[彫蟲小技 조충소기] 조충전각(彫蟲篆刻).
[彫蟲篆刻 조충전각] 작은 벌레를 새기고 이상야릇한 글자를 아로새긴다는 뜻으로, 문장(文章)을 지을 때 지나치게 자구(字句)의 수식(修飾)에만 얽매임을 말함.
[彫琢 조탁] 새기고 쪼. 새기고 갊. 조각 탁마(彫刻琢磨).
[彫敝 조폐] 조폐(彫弊).
[彫弊 조폐] 쇠잔하고 피로함. 조잔(彫殘).
[彫胡 조호] 줄의 열매. 고미(菰米).
◉毛彫. 木彫. 浮彫. 後彫.

8
⑪ [彬] [高·人] [一] 빈 [平]眞 卜巾切 bīn
[二] 반 [平]刪 逋還切 bān

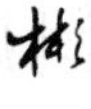

[筆順] 一 十 才 木 林 林 彬 彬

[字解] [一] ①빛날 빈 문채(文彩)와 바탕이 겸비하여 찬란함. '文質一一然後君子'《論語》. ②성 빈 성(姓)의 하나. [二] 밝을 반 문채가 환함. '珊瑚琳碧, 瑪琨璘一'《張衡》.

[字源] 篆文  古文  形聲. 彡+焚〈省〉〔音〕. '焚분'은 '賁분'과 통하여, '장식'의 뜻. 눈에 번쩍 띄는 장식의 뜻을 나타냄.

[彬彬 빈빈] 문채와 바탕이 함께 갖추어져 찬란한 모양.
[彬蔚 빈울] 문채가 찬란(燦爛)한 모양.
◉璘彬. 文質彬彬.

8
⑪ [㣎] [一] 목 [入]屋 莫六切 mù
[二] 무 [平]尤 亡幽切

[字解] [一] 가는문채 목 穆(禾部 十一畫)과 통용. '一, 細文也'《說文》. [二] 가는문채 무 [一]과 뜻이 같음.

[字源] 會意. 彡+㒼〈省〉

[須] 〔수〕
頁部 三畫(p. 2541)을 보라.

9
⑫ [彭] [高·人] [一] 방 [平]陽 蒲光切 páng
[二] 팽 [平]庚 薄庚切 péng

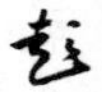

[筆順] 一 士 吉 吉 吉 壴 壴 彭

[字解] [一] ①곁 방 옆. '匪其一, 无咎'《易經》. ②북치는소리 방, 두드리는소리 방 '打麥打麥, 一一魄魄'《張舜民》. ③많을 방 '行人一一'《詩經》. ④강성(強盛)할 방 '駟騵一一'《詩經》. [二] ①띵띵할 팽 부풀어 띵띵함. '豕腹脹一亨'《韓愈》. ②장수 팽 장명(長命). 장수한 사람 팽조(彭祖)에서 나온 말. '齊一殤'《王羲之》. ③땅이름 팽 '一城'은 장쑤 성(江蘇省)에 있는 현(縣). 춘추 시대(春秋時代)의 송(宋)나라의 읍(邑). ④성 팽 성(姓)의 하나. '一祖'.

[字源] 甲骨文 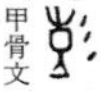 篆文  會意. 彡+壴. '彡삼'은 울리는 소리가 퍼져 나가는 모양의 뜻. '壴주'는 북의 상형. 북소리를 나타냄.

[彭彭 방방] ㉠많은 모양. ㉡성(盛)한 모양. 강성한 모양. ㉢여러 수레의 소리. 일설(一說)에는, 네 말이 가는 모양. ㉣쉬지 못하는 모양. 가는 모양. ㉤북을 치는 소리. 물건을 두드리는 소리.
[彭鏗 팽갱] ㉠팽조(彭祖)를 이름. ㉡소리의 형용.
[彭排 팽배] 방패. 간순(干盾).
[彭湃 팽배] 파도가 출렁거리는 모양. 파도가 서로 쳐서 되돌아가는 모양.
[彭殤 팽상] 장수(長壽)와 단명(短命).
[彭玉麟 팽옥린] 청(淸)나라 말기의 무장(武將). 안후이(安徽) 합비(合肥) 사람. 장발적(長髮賊)의 난(亂)이 일어나자, 창장 강(長江) 각성(各省)으로 전전(轉戰)하여 공(功)을 세워 벼슬이 병부상서(兵部尙書)에 이르렀음.
[彭越 팽월] 전한(前漢) 창업(創業) 초기의 무장(武將). 산둥(山東) 창읍(昌邑) 사람. 처음엔 항우(項羽) 밑에 있었으나, 뒤에 한고조(漢高

祖)를 좇아 초(楚)나라를 멸(滅)하는 데 많은 공을 세웠으므로 양왕(梁王)으로 피봉(被封)되었음. 뒤에 참소를 입어 삼족(三族)과 함께 주살(誅殺)당하였음.
[彭祖 팽조] 신선(神仙)의 이름. 요(堯)임금의 신하(臣下)로서 은(殷)나라 말년(末年)까지 8백세를 살았다고 함. 전(轉)하여, 장수(長壽)를 이름.
[彭亨 팽형] ㉠스스로 건장하다고 교만하는 모양. ㉡불룩하여 띵띵한 모양.

11 ⑭ [彰] [人名] 창 [平]陽 諸良切 zhāng

[筆順] 亠 立 立 产 音 音 章 彰

[字解] ①밝을 창 뚜렷함. 환함. '—明'. '嘉言孔—'《書經》. ②드러날 창 저명(著名)하여짐. '—著'. '堯德未—'《世說》. ③드러낼 창 저명(著名)하게 함. '—德'. '—厥有常'《書經》. ④무늬 창 문채. '織文鳥—'《詩經》. ⑤성 창 성(姓)의 하나.
[字源] 篆文 形聲. 彡+章〔音〕. '章장'은 '무늬·표'의 뜻. '彡삼'을 붙여, '무늬·장식'의 뜻을 나타냄.

[彰德 창덕] 사람의 미덕을 세상에 나타내어 널리 알림.
[彰明 창명] 밝음.
[彰示 창시] 명시(明示)함.
[彰往察來 창왕찰래] 기왕(旣往)의 일을 분명(分明)하게 밝혀서 장래(將來)의 득실(得失)을 살핌.
[彰著 창저] 환히 드러남.
[彰彰 창창] 밝은 모양. 뚜렷한 모양.
[彰顯 창현] 뚜렷하게 나타냄. 또, 환히 나타남.
◉孔彰. 照彰. 織文鳥彰. 粲彰. 表彰. 顯彰. 煥彰.

11 ⑭ [彯] 표 ①②[平]蕭 撫招切 piāo ③[去]嘯 匹妙切 piào

[字解] ①끈치렁거릴 표 끈이 길어 치렁거리는 모양. '——'. ②가벼울 표 嫖(女部 十一畫)와 통용. '—搖武猛'《王融》. ③그릴 표.
[字源] 形聲. 彡+票〔音〕. '彡삼'은 머리털의 상형. '票표'는 가볍게 날아오르다의 뜻. 머리가 바람에 날리는 것처럼 가벼운 모양을 나타냄.

[彯搖 표요] 경첩(輕捷)한 모양.
[彯彯 표표] 끈이 길어 치렁거리는 모양.

12 ⑮ [影] [高·人] 영 [上]梗 於丙切 yǐng

[筆順] 日 旦 昌 몸 景 景 景 影

[字解] ①그림자 영 ㉠광선이 가려서 나타난 검은 형상. '形—'. '人—在地'《蘇軾》. ㉡거울에 비친 형상. '引鏡窺—'《後漢書》. ㉢해의 그림자. 일영(日影). '情有遷延, 日無餘—'《潘岳》. ②빛 영 광화(光華). '燈—照夢寐'《杜甫》. ③모습 영 자태(姿態). '絕—乎大荒之遐阻'《張協》. ④화상 영 초상(肖像). '—像'. '神—亦有酒色'《南史》.
[字源] 形聲. 彡+景〔音〕. '景경'은 '卿경'과 통하여, 둘이 마주 보는 뜻. 물체가 빛을 받았을 때 그 물체와 마주 보듯이 생기는 그림자의 뜻을 나타냄.

[影國 영국] 속국(屬國).
[影單 영단] 혼자. 단신(單身).
[影堂 영당] 초상(肖像)을 안치(安置)하는 곳. 영정(影幀)을 모셔 두는 사당(祀堂).
[影燈 영등] 주마등(走馬燈).
[影本 영본] ㉠금석(金石) 등에 새긴 글씨 위에 유묵(油墨)을 칠하고 그 위에 종이를 깔아 글자가 하얗게 찍히게 한 것. 탑본(搨本). 탁본(拓本). ㉡《韓》영인본(影印本).
[影不與形相依 영불여형상의] 그림자와 형체가 서로 의지하지 아니한다는 뜻으로, 두 사람이 서로 떨어져 있음을 이름.
[影庇 영비] 도움. 덕택(德澤).
[影祀 영사] 영당(影堂)에 모신 신위(神位)에게 지내는 제사.
[影射 영사] 위조(僞造)·모조(模造) 등의 방법으로 속여서 남의 이익(利益)을 빼앗음.
[影寫 영사] 글씨·그림 등을 얇은 종이 밑에 받쳐 놓고 본떠 그림.
[影像 영상] ㉠화상(畫像). ㉡《佛敎》광선에 의하여 비치는 형상(形像).
[影位畓 영위답] 《佛敎》신자가 영정(影幀) 앞에 향불을 피울 목적으로 절에 바친 논.
[影印本 영인본] 원본(原本)을 사진이나 기타의 과학적 방법으로 복제(複製)한 책.
[影子 영자] 그림자.
[影前 영전] 조상(祖上)의 도상(圖像)·위패(位牌) 등의 앞.
[影殿 영전] ㉠임금의 진영(眞影)을 모신 전각(殿閣). ㉡영당(影堂).
[影幀 영정] 초상을 그린 족자(簇子).
[影杜 영주] 해 그림자를 측정하는 푯대.
[影紙 영지] 글씨를 쓸 때 글자의 간격을 고르게 하기 위하여 종이 밑에 받치는, 정간(井間)을 그은 종이.
[影職 영직] 사실(事實)은 근무(勤務)하지 않으면서 이름만을 받는 벼슬. 차함(借銜).
[影讚 영찬] 영상(影像)을 노래한 글귀.
[影駭響震 영해향진] 그림자를 보고 놀라고 울림을 듣고 벌벌 떤다는 뜻으로, 대단히 겁냄을 이름.
[影向 영향] 《佛敎》부처나 보살(菩薩)이 내림(來臨)함.
[影響 영향] ㉠그림자와 울림. ㉡그림자가 형상을 따르고, 울림이 소리에 응하듯이 언동(言動)에 바로 응함. ㉢한 가지 사물(事物)로 인(因)하여 다른 사물(事物)에 미치는 결과(結果).
[影現 영현] 《佛敎》부처나 보살(菩薩)이 몸을 나타냄.
[影護 영호] 《佛敎》그림자가 형상을 따르듯이, 항상 곁에서 호위함.
[影戲 영희] ㉠환등(幻燈)을 비치는 일. ㉡영화(映畫).
◉劍影. 鏡影. 系風捕影. 孤影. 夸父追影. 光影. 嬌影. 近影. 落影. 嵐影. 勞影. 島影. 倒影. 獨立不慚影. 燈影. 夢幻泡影. 反影. 杯中蛇影. 浮影. 不蹋師影. 庇影. 射影. 斜影. 寫影. 曙影. 夕影. 船影. 星影. 素影. 水影. 樹影. 神影. 娥影. 雁行避影. 午影. 玉影. 圓影. 月影. 遺影. 流影. 陰影. 人影. 印影. 尊影. 眞影. 隻影. 淸影. 燭影. 撮影. 秋影. 春影.

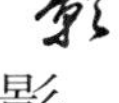

兔影. 投影. 波影. 片影. 泡影. 表影. 風影.
含沙射影. 弦影. 形影. 花影. 幻影.

19
㉒ **[彲]** 리 (치)㊀ ㊥支 丑知切 chī

字解 이무기 리 螭 (虫部 十一畫)와 同字. '非龍
非一'《史記》.
字源 會意. 彡+麗. '彡삼'은 '무늬'의 뜻. '麗려'
는 뿔이 예쁜 사슴의 뜻. 아름다운 무늬가
있는 상상의 동물의 뜻을 나타냄.

彳 (3획) 部
[두인변·중인변부]

0
③ **[彳]** 척 ㊀陌 丑亦切 chì

筆順 ㇒ ㇒ 彳

字解 조금걸을 척 잠시 걸음. 일설 (一說)에는,
좌보 (左步)를 '彳'이라 하고, 우보 (右步)를
'亍'이라 하여, 합하여 행 (行) 자가 된다고 함.
字源 篆文 象形. 길의 뜻인 '行행'의 왼쪽 절반을
추상하여, '길을 가다'의 뜻을 나타냄.
參考 부수 (部首)로서, 두인 (人)변, 중인변 (重
人邊)으로 이름. '彳'을 의부 (意符)로 하여, 가
는 일에 관한 문자가 이루어짐.

[彳亍 척촉] 조금 걷다가 쉼.

2
⑤ **[彳丁]** 정 ㊥靑 當經切 dīng

字解 홀로걸을 정 仃 (人部 二畫)과 통용. '伶
一. 獨行也'《韻會》.

2
⑤ **[彴]** 〔범〕
犯 (犬部 二畫〈p.1387〉)의 古字

3
⑥ **[彴]** ▤ 박 ㊀覺 弼角切 bó
▤ 작 ㊀藥 之若切 zhuó

字解 ▤ 운성 박 별똥. '一彴'. ▤ 외나무다리
작 독목교 (獨木橋). '一橋'. '澗柳橫孤一'《韋
莊》.
字源 形聲. 彳+勻〔音〕.

[彴約 박약] 운성 (隕星). 별똥.
[彴橋 작교] 외나무다리. 독목교 (獨木橋.)
●溪彴. 孤彴. 橋彴. 短彴. 略彴. 橫彴.

3
⑥ **[仛]** 〔도〕
徒 (彳部 七畫〈p.744〉)와 同字

4
⑦ **[彴]** 〔순〕
徇 (彳部 六畫〈p.739〉)과 同字

4
⑦ **[彷]** ㊁名 방 ①㊥陽 步光切 páng
②㊤養 妃兩切 fǎng

筆順 ㇒ ㇒ 彳 彳 彳 彷 彷

字解 ①배회할 방 오르락내리락하며 돌아다님.
'一徉'. '一徨乎, 無爲其側'《莊子》. ②비슷할
방 근사함. 흐릿하여 분별하기 어려운 모양. '一
佛神動'《傅毅》.
字源 形聲. 彳+方〔音〕.

[彷彿 방불] 근사 (近似)함. 비슷함. 또, 흐릿하여
분별하기 어려운 모양.
[彷徉 방양] 방황 (彷徨). 배회 (徘徊).
[彷徨 방황] 일정 (一定)한 방향이나 목적이 없이
이리저리 돌아다님. 배회 (徘徊)함.

4
⑦ **[彴]** ▤ 납 ㊈合 諾盍切 nà
▤ 퇴 ㊥隊 吐內切 tuì

字解 ▤ 갈 납 가는 모양. '蚋, 行皃, 或从彳'
《集韻》. ▤ 退 (辵部 六畫)와 同字.

4
⑦ **[彴]** 송 ㊥冬 職容切 zhōng

字解 두려워할 송 '征一'은 무서워하여 당황하
는 모양. '百姓征一, 無所措其手足'《王襃》.
字源 形聲. 彳+公〔音〕.

●征彴.

4
⑦ **[役]** 高人 역 ㊀陌 營隻切 yì

筆順 ㇒ ㇒ 彳 彳 彳 役 役 役

字解 ①수자리 역 군대로 뽑히어 변방을 지키는
일. '戍一'. '師田行一之事'《周禮》. ②부역 역
부역. 요역. '田一以馭其衆'《周禮》. ③일 역 ㉠
병역·부역 등과 같이 백성을 강제적으로 동원
하는 사건. '報采桑之一'《左傳》. ㉡직무. '祗
一出皇邑'《謝靈運》. ④일꾼 역 남에게 사역 (使
役) 당하는 천한 사람. '廝一'. '無禮無儀, 人之
一也'《孟子》. ⑤부릴 역 사역 (使役)함. '一使
正七體以一心'《國語》. ⑥골몰할 역 노력하는
모양. '終身一一'《莊子》. ⑦줄지을 역, 늘어설
역 벼이삭이 아름답게 줄지어 늘어선 모양. '禾
一穟穟'《詩經》.
字源 篆文 會意. 彳+殳. '彳척'은 '길을 가다'
의 뜻. '殳수'는 무기로써 치는 뜻.
변경을 지키러 가는 뜻을 나타냄. 전 (轉)하여,
'직무'의 뜻을 나타냄.

[役徒 역도] 인부 (人夫). 역부 (役夫).
[役夫 역부] ㉠일꾼. 인부. ㉡남을 천히 여겨 부
르는 말. 놈.
[役夫夢 역부몽] 일꾼이 꿈에 왕후 (王侯)가 된다
는 뜻으로, 부귀 (富貴)의 덧없음을 이름. 주 (周)
나라의 부호 (富豪) 윤씨 (尹氏)가 부리는 한 늙
은 역부 (役夫)가 꿈에 임금이 되어 마음껏 즐
기다가 꿈을 깨니, 다시믄 고된 일을 하여야 했
으니, 어떤 이가 그를 위로 (慰勞)하매, 역부 (役
夫)가 대답하기를, '낮에는 내가 복로 (僕虜)로
서 괴롭기는 하나, 밤에는 임금이 되어 온갖 영
화 (榮華)를 다 누리는데 무엇을 원망 (怨望)하
겠는가.'라고 한 고사 (故事)에서 나온 말.
[役使 역사] 부림. 일을 시킴. 사역 (使役).
[役事 역사] ㉠토목 (土木)·건축 (建築)의 일. ㉡

국가나 민족 또는 공공을 위한 큰일.
[役所 역소] 정부(政府)의 역사(役事) 터.
[役屬 역속] ㉠사역당하여 종속됨. 남의 밑에서 일함. ㉡지배(支配)당함.
[役僧 역승] 《佛敎》 ㉠사찰(寺刹)의 사무(事務)를 맡은 중. ㉡법회(法會) 때 주승(主僧)을 도와 법요(法要)를 맡은 중.
[役役 역역] 심력(心力)을 수고로이 하는 모양. 일에 골몰한 모양.
[役作 역작] ㉠부림. 일을 시킴. ㉡백성에게 부역을 과하는 공사(工事).
[役丁 역정] 일꾼. 인부(人夫).
[役政 역정] 토지(土地)의 관리(管理).
[役刑 역형] 죄수(罪囚)에게 노역(勞役)을 시키는 형벌(刑罰).
● 苛役. 苦役. 雇役. 工役. 公役. 功役. 科役. 課役. 驅役. 軍役. 劇役. 勤役. 碁役. 大役. 徒役. 免役. 募役. 半役. 配役. 邊役. 兵役. 服役. 夫役. 賦役. 使役. 師役. 書役. 戌役. 廝役. 力役. 斂手受役. 豫備役. 隷役. 外役. 徭役. 繇役. 傭役. 于役. 遠役. 義役. 以心爲形役. 人役. 一人二役. 雜役. 適役. 田役. 全役. 戰役. 丁役. 征役. 政役. 助役. 主役. 重役. 職役. 徵役. 懲役. 差役. 天役. 賤役. 聽役. 就役. 退役. 霸役. 行役. 現役. 形役. 後備役.

4 ⑦ [彻]〔철〕
徹(彳部 十二畫〈p.754〉)의 簡體字

4 ⑦ [彶] 급 ㈆緝 居立切 jí

字解 급히갈 급, 분주할 급 '一, 急行也'《說文》. '一, 遽也'《廣韻》.
字源 形聲. 彳＋及〔音〕

5 ⑧ [彼] 〔中入〕 피 ㉧紙 甫委切 bǐ

筆順 ′ ′ ′ 彳 彳 彷 彷 彼 彼
字解 ①저 피 이(此)의 대(對). '一此'. '一月而微, 此日而微'《詩經》. ②그 피 ㉠나(我)의 대. '一我', '知一知己, 百戰不殆'《孫子》. ㉡자기에 대한 제삼자. '爾之愛我也不如一'《禮記》. ㉢남을 천히 여겨 소외(疏外)하는 호칭. '一哉一哉'《論語》. ③저쪽 피 저편. '在一無惡, 在此無射'《詩經》.
字源 金文 彼 篆文 彼 形聲. 彳＋皮〔音〕. '皮피'는 '波피'와 통하여, '물결'의 뜻. 물결처럼 멀리 간 곳, 저쪽의 뜻을 나타냄.

[彼己 피기] ㉠그 사람과 나. ㉡그. 그 사람. 기(己)는 조사(助詞). 「彼輩」
[彼等 피등] ㉠그들. ㉡그놈들. 피조(彼曹). 피배(彼輩)
[彼我 피아] 그와 나. 남과 자기. 저편과 우리 편.
[彼岸 피안] 《佛敎》 대안(對岸)의 뜻. 번뇌(煩惱)를 벗어나지 못하는 생사고해(生死苦海)를 차안(此岸)이라 하는 데 대하여 생사 경계(生死境界)를 초탈(超脫)하여 일체의 번뇌(煩惱)를 벗어나 자성(自性)을 깨친 경지(境地)를 피안(彼岸)이라 함. 열반(涅槃).
[彼人予人 피인여인] 그나 나나 마찬가지로 사람

이라는 뜻으로, 나도 그와 같이 되지 않을 리 없다고 분발(奮發)하는 일.
[彼一時此一時 피일시차일시] 그때 그렇게 한 것도 하나의 경우(境遇)였고, 이때 이렇게 한 것도 또한 하나의 경우여서 그때그때의 경우에 적응(適應)해서 한 것이므로 결코 모순(矛盾)되지 않음. 그때와 지금은 사정이 다르다는 뜻으로 쓰임.
[彼哉彼哉 피재피재] '그 사람이구나, 그 사람이야'의 뜻. 남을 대수롭지 않게 생각하는 태도로 일컫는 말.
[彼此 피차] 저것과 이것. 쌍방(雙方).
[彼蒼 피창] 저 푸른 하늘. 전(轉)하여, 하늘에 호소할 때 쓰는 말.

5 ⑧ [彽] 저 ㈀齊 都黎切 dī 彽

字解 배회할 저 오르락내리락하며 거닒. '一徊'.
字源 形聲. 彳＋氏〔音〕. '氏저'는 '이르다'란 뜻. 가서 닿다의 뜻을 나타냄. 돌아오다의 뜻에 중점을 둔 '徊회'와 어울려, '彽徊'는 갔다 왔다 하다의 뜻을 나타냄.

[彽徊 저회] 배회함.

5 ⑧ [㣠] ㊀ 적 ㈆錫 徒歷切 dí
㊁ 독 ㈀沃 徒沃切
㊂ 주 ㈎宥 直祐切 zhòu

字解 ㊀갈 적 '——'은 가는 모양. 평탄하여 가기 좋은 모양. '一, ——, 行皃'《集韻》. ㊁갈 독 ㊀과 뜻이 같음. ㊂①끝없을 주 때가 끝이 없음. 宙(宀部 五畫)와 同字. '一, 古往今來無極之名也, 與宙同'《玉篇》. ②끝없이갈 주 한없이 가는 모양. '一, 行無極也'《集韻》.
字源 形聲. 彳＋由〔音〕

5 ⑧ [徑]〔경〕
徑(彳部 七畫〈p.743〉)의 略字

5 ⑧ [彿] 〔人名〕 불 ㈆物 敷勿切 fú 彿

字解 비슷할 불 근사함. 또, 흐릿하여 분별하기 어려운 모양. '彷一神動'《傅毅》.
字源 形聲. 彳＋弗〔音〕

● 彷彿.

5 ⑧ [往] 〔中入〕 왕 ①-⑥㊀養 于兩切 wǎng ⑦㉦漾 于放切 wàng 往

筆順 ′ ′ ′ 彳 彳 彳 徉 徉 往 往
字解 ①갈 왕 ㉠어떤 곳을 향하여 움직임. '禮尙一來一而不來非禮也, 來而不一亦非禮也'《禮記》. ㉡가 버림. 떠남. '不保其一也'《論語》. ㉢저승으로 감. 죽음. '送一事居'《左傳》. ②예 왕 과거. '一古', '易彰一而察來'《易經》. ③이따금 왕 '——'은 가끔. '——稱黃帝堯舜'《史記》. ④일찍 왕 이전에. '淸老一與余共學於漣水'《黃庭堅》. ⑤언제나 왕 어떠한 경우에도. '無一非道'《傳習錄》. ⑥보낼 왕 물건을 보내 줌.

'今一僕少小所著辭賦一通'《曹植》. ⑦향할 왕
귀향(歸向)함. '心嚮一之'《史記》.
字源 甲骨文 金文 篆文 往 形聲. 甲骨文은 屮+王
〔音〕. '止지'는 '가다'의
뜻, '王왕'은 '크다'의 뜻. 크게 간다는 뜻을 나
타냄. 篆文은 그것에 '가다'의 뜻인 '彳 척'을
붙였음.

[往鑑 왕감] 귀감(龜鑑)을 삼을 만한 고사(故事).
[往古 왕고] 옛날. 예전.
[往古來今 왕고내금] 과거·현재·미래. 시간의 흐름.
[往年 왕년] 지난해.
[往答 왕답] 이쪽에서 가면 저쪽에서 답례(答禮)
로 옴. 서로 왕래함.
[往代 왕대] 왕세(往世).
[往來 왕래] ㉠감과 옴. 오고 감. ㉡반복하여 서
술(敍述)함.
[往路 왕로] 가는 길.
[往亡日 왕망일] 음양도(陰陽道)에서 외출 또는
출진(出陣) 등을 꺼리는 흉일(凶日).
[往反 왕반] 왕반(往返).
[往返 왕반] 갔다가 돌아옴.
[往訪 왕방] 가서 찾아봄.
[往復 왕복] ㉠감과 돌아옴. 갔다가 돌아옴. ㉡주
고받기. 수수(授受). ㉢순환함.
[往事 왕사] 지나간 일. 예전 일.
[往生 왕생]《佛敎》극락정토(極樂淨土)에서 태
어남. 왕생극락(往生極樂).
[往生極樂 왕생극락]《佛敎》이 세상(世上)을 버
리고 극락세계(極樂世界)에 가서 연화(蓮花)
속에서 태어남.
[往昔 왕석] 옛적. 예전.
[往聖 왕성] 옛날의 성인.
[往世 왕세] 옛날. 옛 세상. 왕대(往代).
[往歲 왕세] 지나간 해. 왕년(往年).
[往時 왕시] 지나간 때.
[往彦 왕언] 전대(前代)의 뛰어난 사람.
[往詣 왕예] ㉠신불(神佛) 앞에 참례(參禮)하는
일. ㉡귀인(貴人) 앞에 나아가는 일.
[往往 왕왕] 가끔. 때때로.
[往而不來者年也 왕이불래자연야] 세월은 가면 다
시 돌아오지 않는다는 뜻으로, 시간을 아끼라
는 말.
[往因 왕인] 옛날의 인연.
[往日 왕일] 지나간 날.
[往者 왕자] ㉠지나간 일. ㉡이전에.
[往者不可諫 왕자불가간] 지나간 일은 간하여 고
칠 수 없다는 뜻으로, 지나간 일은 다시 돌이킬
수 없다는 말.
[往診 왕진] 의사(醫師)가 환자 집에 가서 진찰
(診察)함. 〔哲〕
[往哲 왕철] 전대(前代)의 현인(賢人). 선철(先
[往初 왕초] 옛날. 고초(古初). 이전(以前).
[往弊 왕폐] 전대(前代)부터의 적폐(積弊). 이전
부터의 폐해(弊害).
[往行 왕행] 과거의 행위(行爲).
[往還 왕환] 왕반(往返).
[往悔 왕회] 지난날의 후회(後悔)될 일. 전비(前
非).
[往誨 왕회] 예전의 교훈(敎訓).
⊙敢往. 古往. 孤往. 歸往. 旣往. 乃往. 來往.
邁往. 步往. 適往. 徂往. 之往. 遞往. 追往.
鄕往. 響往.

5 ⑧ [徃] 往(前條)의 俗字

5 ⑧ [征] 中入 정 ㊀庚 諸盈切 zhēng 征

筆順 ' ⒈ ⒊ 彳 彳 彳 彳 征 征

字解 ①갈 정 먼 곳에 여행함. '一夫'. '之子于
一'《詩經》. ②칠 정 군주가 군대를 파견하여 악
당을 정벌함. '一討'. '王用出一'《易經》. ③취
할 정 이익을 얻음. '上下交一利'《孟子》. ④구
실받을 정 징세(徵稅)함. '一稅'. '關市譏而不
一'《孟子》. ⑤구실 정 조세. '簿一'《周禮》. ⑥
축 정 바둑에서 상대방의 돌을 자꾸 단수로 비
스듬히 몰아 잡을 수 있게 된 기세(碁勢). '
一有劫'《碁經》. ⑦성 정 성(姓)의 하나.
字源 金文 篆文 別體 征 形聲. 篆文은 辵+
甲骨文 正과 같은 자형(字形). 똑바로 진격하는 뜻
을 나타냄. '征'은 別體로, 彳+正〔音〕.

[征権 정각] 조세(租稅)의 징수와 전매에 의한 이
익의 독점.
[征客 정객] 여행하는 사람. 나그네.
[征念 정념] 여행(旅行)하려고 하는 마음.
[征途 정도] ㉠출정(出征)하는 길. ㉡여행길.
[征旅 정려] 토벌(討伐)하는 군대.
[征路 정로] 정도(征途).
[征輪 정륜] 멀리 떠나가는 수레.
[征馬 정마] ㉠여행(旅行)할 때 타고 가는 말. ㉡
군마(軍馬).
[征伐 정벌] 군대를 파견하여 죄 있는 자를 침.
[征帆 정범] 멀리 떠나는 배.
[征服 정복] 토벌하여 항복시킴.
[征夫 정부] ㉠원정(遠征)하여 타향에 있는 군사.
㉡여행하는 사람. 나그네.
[征賦 정부] 정세(征稅).
[征商 정상] 상인(商人)에게 세금을 받음.
[征繕 정선] 조세를 거두어들여 군기를 수선함.
전쟁의 준비를 함.
[征稅 정세] 세금(稅金)을 받음.
[征悚 정송] 두려워서 어쩔 줄 모르는 모양.
[征戍 정수] 변경(邊境)을 지킴. 또, 그 군사. 수
자리.
[征雁 정안] 멀리 날아가는 기러기.
[征鞍 정안] 나그네가 타는 말. 또, 출정(出征)의
길에 오른 말.
[征役 정역] 조세(租稅)와 부역.
[征營 정영] 두려워서 불안해하는 모양.
[征衣 정의] ㉠여행(旅行)할 때 가지고 가는 옷.
객의(客衣). 행의(行衣). ㉡진중(陣中)에서 입
는 옷. 융의(戎衣).
[征人 정인] 여행하는 사람. 나그네.
[征戰 정전] 정벌(征伐)하는 싸움. 전쟁(戰爭).
[征鳥 정조] ㉠멀리 날아가는 새. ㉡후조(候鳥).
[征塵 정진] 군병(軍兵)·병마(兵馬)가 달려가며
일으키는 모래 먼지.
[征驂 정참] 멀리 떠나가는 마차(馬車).
[征討 정토] 정벌(征伐). 〔軍旗〕
[征旆 정패] 진격(進擊)할 때, 가지고 가는 군기.
[征布 정포] 시장(市場)에서 구실로 드리는 베.
[征行 정행] ㉠여행(旅行). ㉡출정(出征).
⊙擊征. 孤征. 關征. 東征. 夫家征. 飛征. 星征.

集)을 낸 다음에 원고(原稿)를 더 모아서 내놓은 책.
[後車 후차] ㉠뒤의 수레. 앞차의 뒤에 따라가는 수레. ㉡수행(隨行)하는 수레. 부차(副車).
[後妻 후처] 전처(前妻)와 사별(死別) 또는 이혼한 뒤에 장가간 사람의 아내. 후부(後婦). 후실(後室).
[後天 후천] ㉠하늘에 뒤진다는 뜻으로, 천지자연(天地自然)의 기운(機運)이 나타난 연후에 비로소 그것에 응(應)하여 일을 행함. ㉡생후(生後)에 갖춤. 이 세상에 난 뒤에 앎. ㉢생후에 얻은 지식·습관 등.
[後哲 후철] 후세(後世)의 현인(賢人). 선철(先哲)의 대(對).
[後娶 후취] 후처(後妻)를 맞아들이는 장가. 또, 「그 아내.
[後退 후퇴] 뒤로 물러감.
[後篇 후편] 두 편(篇)으로 나누인 책(冊)이나 영화에서 뒤의 편(篇).
[後弊 후폐] 뒷날의 폐단(弊端).
[後學 후학] ㉠후진(後進)의 학자. 후배(後輩). ㉡학자(學者)의 겸칭.
[後漢 후한] ㉠광무제(光武帝) 유수(劉秀)가 왕망(王莽)을 멸(滅)하고 한실(漢室)을 중흥(中興)한 후 효헌제(孝獻帝)에 이르기까지 14주(主) 195년간의 일컬음. 장안(長安) 동쪽의 뤄양(洛陽)에 도읍하였으므로 동한(東漢)이라고도 함. (25~220) ㉡오대(五代)의 하나. 돌궐사타부(突厥沙陀部)의 유지원(劉知遠)이 후진(後晉)에 갈음하여 자립(自立)해서 세운 나라. 2주(主) 4년 만에 후주(後周)에게 망하였음. (947~950)
[後漢紀 후한기] 진(晉)나라 원굉(袁宏)이 지은 책. 후한(後漢)의 사실(史實)을 기록했음. 모두 30권.
[後漢書 후한서] 남북조 시대(南北朝時代) 송(宋)나라의 범엽(范曄)이 지은 역사책(歷史冊). 후한(後漢) 12제(帝) 196년간의 사적(史蹟)을 기록했음. 본기(本紀) 10권, 열전(列傳) 80권. 뒤에 증보(增補)하여, 지금은 120권임.
[後患 후환] 뒷날의 근심.
[後悔 후회] 이전의 잘못을 뉘우침.
[後會 후회] 후에 만남.
[後悔莫及 후회막급] 일이 잘못된 뒤에 뉘우쳐도 미치지 못함.
[後悔無及 후회무급] 후회막급(後悔莫及).
[後效 후효] 후의 효험(效驗).
◉牽前推後. 昆後. 空前絶後. 軍後. 今後. 落人後. 落後. 乃後. 老後. 短後. 斷後. 讀後. 萬歲後. 沒後. 飯後. 跋前疐後. 背後. 百歲後. 佛前佛後. 別後. 病後. 死後. 事後. 產後. 生後. 書後. 先後. 善後. 術後. 食後. 身後. 押後. 豫後. 午後. 牛後. 留後. 有今罔後. 意前筆後. 已後. 以後. 爾後. 人後. 前後. 戰後. 殿後. 酒後. 直後. 瞻前顧後. 初中後. 最後. 向後. 歇後.

6 ⑨ [徃] ■ 탑 ㊀合 他合切 tà ■ 회 ㊄泰 黃外切 huì

字解 ■ 갈 탑 가는 모양. '一, 行皃'《玉篇》. ■ 會(曰部 九畫)의 古字.

[衍] 〔연〕 行部 三畫(p. 2047)을 보라.

7 ⑩ [徐] 高人 서 ㊤魚 似魚切 xú

筆順 ノ ㇒ 彳 彳 彳 徉 徐 徐

字解 ①천천할 서 느림. '不疾不一'《莊子》. ②천천히 서 느리게. '一行'. '淸風一來, 水波不興'《蘇軾》. ③찬찬할 서 침착함. '其臥一一'《莊子》. ④고을이름 서 구주(九州)의 하나. 지금의 산둥(山東)·장쑤(江蘇)·안후이(安徽) 등 여러 성(省)의 일부에 걸친 땅. ⑤성 서 성(姓)의 하나.

字源 篆文 形聲. 彳+余〔音〕. '余여'는 '안온하다'의 뜻. '彳척'은 '길을 가다'의 뜻. 안온한 마음으로 가다, 천천히 가다의 뜻을 나타냄.

[徐看 서간] 조용히 바라봄.
[徐皆 서개] 송(宋)나라 때의 학자. 현(鉉)의 아우. 명문가(名文家)로 이름이 있었으며, 〈설문계전(說文繫傳)〉 등의 저서가 있음.
[徐軌 서궤] 일을 천천히 진행시킴.
[徐羅伐 서라벌] 신라의 처음 이름.
[徐來 서래] 조용히 옴. 천천히 옴.
[徐陵 서릉] 남조(南朝) 양(梁)·진(陳) 시대의 문인(文人). 처음에 양(梁)나라에서 벼슬하여 상서이부랑(尙書吏部郞)에 이르고, 뒤에 진(陳)나라가 일어나자 중용(重用)되어서 벼슬이 태자소부(太子小傅)에 이름. 문필(文筆)에 능하여, 유신(庾信)과 함께 병칭(竝稱)되었음.
[徐枋 서방] 청(淸)나라 초기(初期)의 문인(文人). 장주(長州) 사람. 서화(書畫)와 시(詩)에 능했음. 저서(著書)에 〈거이당집(居易堂集)〉이 있음.
[徐步 서보] 천천히 걸음.
[徐福 서복] 진(秦)나라 때의 방사(方士). 시황(始皇)의 명(命)을 받들어 동남동녀(童男童女) 3천 명을 데리고 불사약(不死藥)을 구하러 떠난 뒤에 돌아오지 않았음. 서불(徐市).
[徐徐 서서] ㉠거동이 찬찬한 모양. ㉡느린 모양.
[徐緩 서완] 느림. 또, 느리게 함.
[徐行 서행] 천천히 감.
[徐鉉 서현] 송(宋)나라 때의 학자. 처음에 남당(南唐)에서 이부상서(吏部尙書) 등을 역임하였으나 남당 멸망(滅亡) 후, 송조(宋朝)를 섬겨 태종(太宗) 때에 좌산기상시(左散騎常侍)가 되었음. 아우 서개(徐皆)와 함께 이서(二徐)로 불리어 설문학(說文學)에 정통하였으며, 태종의 명을 받들어 허신(許愼)의 〈설문해자(說文解字)〉를 교정(校定), 오늘날 통용(通用)하는 〈설문해자〉 15권의 정본(定本)을 만들었음.
◉微徐. 舒徐. 安徐. 緩徐. 疾徐. 執徐. 虛徐.

7 ⑩ [徑] 高人 경 ㊄徑 古定切 jìng 径

筆順 ノ ㇒ 彳 彳 徑 徑 徑 徑

字解 ①지름길 경 질러가는 길. 또, 소로. '一路'. '行不由一'《論語》. ②길 경 방도(方途). '仕宦之捷一'《唐書》. ③지름 경 직경. '半一'. '圓周率三, 圓一一'《隋書》. ④간사 경 사곡(邪曲). '民好一'《老子》. ⑤빠를 경 신속함. '莫一由禮'《荀子》. ⑥곧을 경 바름. 정직함. '有直情而一行者'《禮記》. ⑦곧 경 바로. '一截輜重'《李

華》. ⑧지날 경 지나감. '夜—澤中'《史記》. ⑨
마침내 경 竟(立部 六畫)과 同字. '不過一斗,
—醉矣'《史記》.

字源篆文 徑 形聲. 彳+巠〔音〕, '巠경'은 '똑바르
다'의 뜻. 곧 가까운 '소로'의 뜻.

[徑到 경도] 곧 이름. 곧 도착함.
[徑道 경도] 경로(徑路).
[徑路 경로] ㉠소로(小路). ㉡지름길.
[徑輪 경륜] 토지의 지름과 주위. 또, 토지의 면
적.
[徑畔 경반] 소로(小路) 가.
[徑先 경선] 경솔하게 앞질러 함.
[徑前 경전] 곧장 앞으로 치달음. 돌전(突前). 직
전(直前).
[徑庭 경정] 경(徑)은 작은 길이라 좁고, 정(庭)
은 뜰이라 넓다는 뜻으로, 현격한 차이를 이름.
경정(逕庭).
[徑畛 경진] 두렁.
[徑草 경초] 길에 난 풀.
[徑寸 경촌] 지름 한 치.
[徑行 경행] ㉠곧장 감. 직행(直行). ㉡곧게 행동
함.
●口徑. 蘿徑. 萬徑. 蕪徑. 門徑. 半徑. 旁徑.
步徑. 邪徑. 斜徑. 山徑. 三徑. 跳躧徑. 石徑.
小徑. 修徑. 野徑. 枉徑. 要徑. 危徑. 圍徑.
幽徑. 棧徑. 絶徑. 阻徑. 周徑. 支徑. 直徑.
津徑. 捷徑. 樵徑. 側徑. 苔徑. 寒徑. 行徑.
行不由徑. 險徑. 狹徑. 蹊徑. 荒徑.

7/10 [徒] 甲人 도 ㊀虞 同都切 tú 徔

筆順 ′ ′ 彡 彳 彳 彳 彳 彳 徒

字解 ①걸어다닐 도 보행함. '一步'. '舍車而
一'《易經》. ②보졸 도 보병(步兵). '公一三萬'
《詩經》. ③무리 도 ㉠동류. '一黨'. '聖人之一
也'《孟子》. ㉡제자. '生一', '非吾一也'《論語》.
④종도 하인. '一隷', '一御不驚'《詩經》. ⑤일
꾼 도 인부. '命諸侯百姓, 興人一'《史記》. ⑥맨
손 도 아무것도 가지지 아니함. '一手', '暴虎,
一博也'《爾雅》. ⑦징역 도 형벌의 하나. '一刑',
'其用刑有五, 其三曰一'《漢書》. ⑧죄수 도 징역
사는 사람. '送一驪山'《史記》. ⑨다만 도 '一勞
無功', '一善不足以爲政'《孟子》. ⑩성도 성(姓)
의 하나.

字源 甲骨文 屮金 徒 篆文 徒 形聲. 篆文은 '辻'로, 辵
+土〔音〕. '土토'는 '흙'
의 뜻. 길을 갈 때 탈것을 타지 않고 땅을 밟고
가다, 도보(徒步)의 뜻을 나타냄. 탈것을 사용
하지 않는 사람의 모양에서, '아랫것·신도(信
徒)·생도(生徒)'의 뜻도 나타내며, 또 탈것이
없는 모양에서, '비다, 허망하다'의 뜻도 나타
냄.

參考 徔(彳部 八畫)는 別字.

[徒歌 도가] 반주(伴奏) 없이 노래를 부름. 또,
그 노래.
[徒杠 도강] 걸어서 건너는 작은 다리.
[徒黨 도당] 무리. 동류(同類).
[徒隷 도례] 종. 노복(奴僕). 노예(奴隷).
[徒勞 도로] 애만 씀. 헛수고.
[徒勞無功 도로무공] 헛되이 애만 쓰고 공을 들인

보람이 없음.
[徒論 도론] 무익(無益)한 의론(議論).
[徒流 도류] 도형(徒刑)과 유형(流刑).
[徒博 도박] 맨손으로 침.
[徒伴 도반] 길동무. 동행(同行).
[徒配 도배] 《韓》도형(徒刑)에 처한 뒤에 귀양을
보냄.
[徒輩 도배] 동아리. [法]
[徒法 도법] 유명무실(有名無實)한 법. 공법(空
[徒兵 도병] 보병(步兵).
[徒步 도보] ㉠걸어감. 보행(步行). ㉡걸어다니는
사람. 곧, 상(常)사람. 필부(匹夫). 또는 보병
(步兵).
[徒費 도비] 헛되게 씀. 허비(虛費).
[徒費脣舌 도비순설] 말은 많이 하나 보람이 없
음.
[徒費心力 도비심력] 애는 많이 쓰나 보람이 없
음. 공연(空然)히 애만 씀.
[徒死 도사] 개죽음. 무익한 죽음.
[徒裼 도석] 벌거벗음.
[徒善 도선] 착하기만 하고 주변성이 없음.
[徒跣 도선] 맨발.
[徒涉 도섭] 걸어서 물을 건넘.
[徒屬 도속] 도당(徒黨).
[徒手 도수] 맨손.
[徒囚 도수] 죄수(罪囚).
[徒食 도식] 아무 일도 하지 않고 삶. 놀고먹음.
[徒御 도어] 수행(隨行)하는 종.
[徒役 도역] ㉠부역(賦役). 또, 부역에 징발된 사
람. ㉡종.
[徒然 도연] ㉠아무 일도 않고 꼼짝 않는 모양. 움
직이지 않는 모양. 거연(居然). ㉡부질없이. 헛
되이. 만연(漫然). ㉢심심한 모양. 적적한 모
양. ㉣헛되이 그러함. 한갓되이 그러함.
[徒隷 도예] 종. 노복(奴僕).
[徒爲 도위] 무익한 행위. 소용없는 일.
[徒維 도유] 십간(十干)의 무(戊)의 이칭(異稱).
[徒爾 도이] ㉠무익함. 헛됨. ㉡헛되이.
[徒弟 도제] 제자(弟子). 문인(門人).
[徒卒 도졸] 도병(徒兵).
[徒從 도종] 도보(徒步)로 수종(隨從)함. 또, 그
사람.
[徒罪 도죄] 도형(徒刑)을 받는 범죄.
[徒踐 도천] 맨발. 도선(徒跣).
[徒取 도취] 힘들이지 않고 취함. 공로 없이 벼슬
을 함.
[徒行 도행] 걸어서 감. 보행(步行).
[徒刑 도형] 오형(五刑)의 하나. 지금의 징역(懲
役).
●鉗徒. 耕徒. 公徒. 門徒. 博徒. 白徒. 朋徒.
匪徒. 司徒. 私徒. 師徒. 山徒. 嘗徒. 生徒.
囚徒. 斯徒. 市井徒. 信徒. 亡徒. 役徒. 逆徒.
備徒. 歙徒. 義徒. 人徒. 釣徒. 卒徒. 酒徒.
悉徒. 證徒. 醜徒. 緇徒. 學徒. 刑徒. 擭徒.

7/10 [徑] ■ 정 ㊀梗 丈井切 chěng
      ■ 정 ㊁迥 他鼎切 zhèng
      ■ 령 ㊀梗 里郢切

字解 ■①작은길갈 정 큰길로 가지 않고 작은
길로 감. '一, 徑行也'《說文》. ②작은길 정 소로
(小路). '一, 徑也'《廣韻》. ③비갠뒤의작은길
정 '一, 雨後徑也'《廣韻》. ■ 작은길갈 령, 작은
길 령, 비갠뒤의작은길 령 ■과 뜻이 같음.

字源 形聲. 彳+呈〔音〕

7
⑩ [徍] 〔왕〕
往(彳部 五畫〈p.737〉)의 本字

7
⑩ [従] 〔종〕
從(彳部 八畫〈p.746〉)의 略字

8
⑪ [得] 中入 ━ 득 ㈜職 多則切 dé, děi, de
　　　 入 ━ 덕 ㈜職 多則切 dé

筆順 ′ ノ 彳 彳′ 彳日 彳月 得 得 得

字解 ━ ①얻을 득 ㉠손에 넣음. '一喪'. '廼公居馬上而━之'《史記》. ㉡마땅함을 얻음. 적의(適宜)함. '百官━序'《荀子》. ㉢앎. 깨달음. '吾聞━之矣'《淮南子》. ㉣이룸. 성취함. '南狩之志乃大━也'《易經》. ㉤잡음. 체포함. '盜發卽━'《宋史》. ㉥신임을 얻음. 서로 뜻이 맞음. 상득(相得)함. '一得'. 의기투합(意氣投合)함. '管仲一君, 如彼其專也'《孟子》. ②능함. '不能勤苦, 焉一行此, 不恬貧窮焉能行此'《韓詩外傳》. ②탐할 득 탐냄. '戒之在一'《論語》. ③만족할 득 득의(得意)함. '意氣揚揚, 甚自━也'《史記》. ④이득 득 벌이. 소득. '一失'. '有阡陌之一'《漢書》. ━ 덕 덕, 덕으로여길 덕 德(彳部 十二畫)과 통용. '尙━推賢'《荀子》. '所識窮乏者━我與'《孟子》.
字源 甲骨文 金文 篆文 形聲. 彳+尋〔音〕. '尋'의 뜻. 甲骨文은 貝+又의 會意 문자로, 이것이 '尋'으로 변형했음. '貝패'는 '조개'의 상형으로, '재물'의 뜻. '又우'는 손의 상형. 재물을 손에 넣다의 뜻을 나타냄. '彳척'은 길을 가다의 뜻. 걸어가서 손에 넣다의 뜻을 나타냄.

[得暇 득가] ㉠틈을 얻음. ㉡말미를 얻음. 득유(得由).
[得匣還珠 득갑환주] 쓸데없는 일에 힘을 기울이고, 정말 긴요(緊要)한 일은 잊음의 비유.
[得計 득계] 득책(得策).
[得功 득공] 공(功)을 이룸. 성공함.
[得君 득군] 임금의 신임(信任)을 얻음. 임금과 의기투합(意氣投合)함.
[得男 득남] 아들을 낳음. 생남(生男).
[得達 득달] 목적을 이룸.
[得談 득담] 《韓》 남에게 말을 들음.
[得度 득도] 《佛敎》 ㉠불교를 믿어 부처의 제도(濟度)를 얻음. ㉡도첩(度牒)을 받아 중이 됨.
[得道 득도] ㉠바른 도(道)를 얻음. ㉡《佛敎》 불도(佛道)를 깨달음. ㉢깊은 뜻을 체득(體得)함.
[得得 득득] ㉠마음먹은 대로 잘되어 만족하는 모양. 득의(得意)한 모양. ㉡특히. 일부러. ㉢가는 모양. 오는 모양.
[得力 득력] 숙달하거나 또는 깊이 깨달아서 확고한 힘을 얻음.
[得隴望蜀 득롱망촉] 한(漢)의 광무제(光武帝)가 농(隴)을 점령한 뒤에 또 촉(蜀)을 공격하려고 한 고사(故事)에서, 사람의 탐욕(貪慾)이란 채우면 채울수록 더하는 것이라는 뜻.
[得利 득리] 이익(利益)을 얻음.
[得理 득리] 사리(事理)를 체득함. 사물의 이치를 깨달음.

[得免 득면] 좋지 않은 일이나 책임을 피하여 면하게 됨.
[得名 득명] 이름이 남. 명성(名聲)이 널리 퍼짐.
[得配 득배] 배필(配匹)을 얻음. 아내를 얻음.
[得病 득병] 병(病)에 걸림.　　「失」
[得喪 득상] 얻음과 잃음. 성공과 실패. 득실(得
[得色 득색] 득의(得意)의 얼굴빛.
[得勢 득세] ㉠세력을 얻음. ㉡형편이 유리하게 됨.
[得訟 득송] 송사(訟事)에 이김.
[得勝 득승] 싸움에 이김.
[得時 득시] 때를 얻음. 좋은 시기를 만남.
[得辛 득신] 정월에 맨 처음의 신일(辛日)을 만나는 일. 일일(一日)이면 일일득신(一日得辛), 십일(十日)이면 십일득신(十日得辛)이라 하여, 이것으로 그해의 풍흉(豐凶)을 점(占)침.
[得失 득실] ㉠얻음과 잃음. 이익과 손해. 이익과 불리. ㉡성공과 실패. ㉢마땅함과 마땅하지 아니함. ㉣장점과 단점.
[得心 득심] 득의(得意)의 마음.
[得魚而忘筌 득어이망전] 고기를 잡고 나면 이미 통발이 필요(必要) 없게 된다는 뜻으로, 학문(學問)이 성취(成就)되면 책(冊)이 무용(無用)하게 됨을 이름. 전(轉)하여, 근본(根本)을 확립(確立)하면 지엽적(枝葉的)인 것은 문제(問題)가 되지 않는다는 뜻.
[得業 득업] 수업(修業)을 끝냄. 학업(學業)을 마침. 또, 그 사람. 졸업자.
[得音 득음] 풍악·노래 등의 곡조가 교묘(巧妙)한 지경에 이름.
[得意 득의] ㉠바라던 일이 성취됨. 뜻대로 되어 만족함. ㉡마음에 듦. 뜻에 맞음. ㉢뜻을 얻은 바가 있음.
[得飴以養老得飴以開閉 득이이양로득이이개폐] 어진 사람은 엿을 얻어 늙은이를 봉양(奉養)하고, 도척(盜跖)은 엿을 얻어 자물쇠를 여는 데 씀. 똑같은 물건이라도 그 사용하는 사람에 따라 다름. 도척(盜跖)은 옛날의 큰 도둑 이름.
[得人 득인] 적당한 사람을 얻음.
[得人心 득인심] 인심을 얻음. 여러 사람의 마음을 얻음.
[得入 득입] 심지(心地)를 개명(開明)하여 불지(佛地)에 듦. 증오(證悟).
[得點 득점] 시험이나 승부사(勝負事)에서 점수(點數)를 얻음. 또, 그 점수.
[得罪 득죄] ㉠죄를 저지름. ㉡남에게 큰 잘못을 저질러 죄를 얻음.
[得中 득중] 꼭 알맞음. 과불급(過不及)이 없음.
[得志 득지] 뜻을 얻음.
[得眞 득진] ㉠참다운 경지에 이름. ㉡진상(眞相)을 알게 됨.
[得策 득책] 득(得)이 되는 좋은 계책(計策).
[得體 득체] 체면을 유지함.
[得寵 득총] 총애를 받음.
[得脫 득탈] ㉠벗어남. 빠져나감. ㉡《佛敎》 불법(佛法)의 참된 이치를 환하게 깨달아 번뇌(煩惱)에서 벗어남.
[得免而忘蹄 득토이망제] 토끼를 잡으면 올무는 필요 없게 됨. 곧, 학문을 성취하면 책이 필요 없게 됨의 비유.
[得票 득표] 투표(投票)에서 표수를 얻음. 또, 그 표수.
[得效 득효] 효력을 봄.

●感得. 購得. 求則得. 記得. 旣得. 納得. 獨得.
無所得. 生得. 說得. 所得. 損得. 收得. 修得.
拾得. 習得. 餘得. 贏得. 贏得. 了得. 利得.
利得. 認得. 一擧兩得. 自得. 自業自得. 知
得. 天得. 千慮一得. 體得. 逐得. 取得. 捕得.
塞得. 會得. 獲得.

8 ⑪ [徘] 人名 배 ㉠灰 薄回切 pái

徘

字解 노닐 배 천천히 이리저리 왔다 갔다 함.
'一徊往來'《漢書》.
字源 形聲. 彳+非〔音〕

[徘徊 배회] 노닒. 천천히 이리저리 왔다 갔다 함.
배회(徘徊).

8 ⑪ [徙] 人名 사 ①紙 斯氏切 xǐ

沈

筆順 ノ ノ ノ 彳 彳 徉 徉 徙

字解 ①옮길 사 ㉠장소를 옮김. '遷一'. '孟母
所以三一也'《潘岳》. ㉡고침. 변함. '化民而俗
一'《沈約》. ②넘길 사 어느 한도를 넘김. '一月
樂'《禮記》. ③귀양보낼 사 유형(流刑)에 처함.
'一逐'. '其免湯爲庶人, 一邊'《漢書》.
字源 甲骨文 徙 篆文 徙 別體 祉 古文 屎 形聲. 辵+止
은 '나아가다'의 뜻. 어떤 지점에서 어떤 지점
까지 가서 멎다의 뜻에서, '옮기다'의 뜻을 나
타냄.
參考 徒(彳部 七畫)는 別字.

[徙居 사거] 집을 옮김. 이사함.
[徙木之信 사목지신] 나무를 옮겨 신용을 얻었다
는 뜻으로, 위정자(爲政者)가 백성을 속이지
아니함을 이름. 진(秦)나라 때 상앙(商鞅)이
법률(法律)을 변경하여 국가의 부강(富强)을
도모(圖謀)하려 하나, 백성이 자기를 믿지 않
을까 염려하여 한 꾀를 써서 세 길 되는 나무를
국도(國都) 남문(南門)에 세우고 이것을 옮기
면 십 금(十金)을 상(賞)으로 준다고 하였는
데, 백성이 괴상(怪常)히 여기고 실행하는 사
람이 없으므로 다시 포고(布告)하기를 오십 금
(五十金)을 상으로 준다고 하니 어떤 사람이
옮기므로 곧 오십 금을 주어 거짓이 아닌 것을
보인 고사(故事)에서 나온 말.
[徙散 사산] 산지사방으로 흩어짐. 또, 산지사방
으로 흩어지게 함.
[徙植 사식] 옮겨 심음. 이식함.
[徙月 사월] 달을 넘김. 한 달이 넘음.   「함.
[徙倚 사의] ㉠배회함. ㉡잠간 들름. ㉢한만(汗漫)
[徙逐 사축] 옮겨 추방함. 귀양 보냄.   「妻」.
[徙宅忘妻 사택망처] 사택이망기처《徙宅而忘其
[徙宅而忘其妻 사택이망기처] 이사(移徙)할 때
아내를 두고 간다는 뜻으로, 제일 중요한 일을
잊음을 비유.
[徙播 사파] 옮김.
●孟母三徙. 募徙. 靡徙. 拔徙. 抵徙. 轉徙. 遷
徙.

8 ⑪ [徜] 상 ㉠陽 市羊切 cháng

徜

字解 노닐 상 배회함. '一徉中庭'《宋玉》.
字源 形聲. 彳+尙〔音〕

[徜徉 상양] 노닒. 배회함.

8 ⑪ [從] 中人 종 ㉠冬 疾容切 cóng ㉡冬 七恭切 cōng ㉢宋 疾用切 zòng

从從

筆順 ノ ノ 彳 彳 從 從 從 從

字解 ①좇을 종 ㉠따름. 복종함. '服一'. '不信
民弗一'《中庸》. ㉡배반하지 아니함. 거역하지
아니함. '卿士一, 庶民一'《書經》. ㉢하는 대로
내버려 둠. 맡김. '姑慈而一'《左傳》. ②좇게할
종 전항(前項)의 타동사. '一八極而朝海內'《鹽
鐵論》. ③좇을 종 좇아감. '晉韓闕一鄭伯'《左
傳》. ④들을 종 남의 말을 들어줌. '聽一'. '后
諫則聖'《書經》. ⑤종사할 종 일삼아함. '一政'.
'電勉一事'《詩經》. ⑥부터 종 自(部首)와 같은
뜻. '施施一外來'《孟子》. ⑦세로 종 縱(糸部 十
一畫)과 통용. '衡一其畝'《詩經》. ⑧자취 종 蹤
(足部 十一畫)과 통용. '重自刑以絶
一'《史記》. ⑨종용할 종 침착함. '一容中道, 聖
人也'《中庸》. ⑩따를 종 수행(隨行)함. '一者'.
'一者, 其由也歟'. 또, 그 사람. 종자
(從者). '其侍御僕一'《書經》. ⑪거느릴 종 인솔
함. '一而伐齊'《史記》. ⑫방종할 종 縱(糸部 十
一畫)과 통용. '欲不可一'《禮記》. ⑬놓을 종 縱
(糸部 十一畫)과 통용. '一之純如也'《論語》.
⑭버금 종 품계(品階)를 두 종류로 나눈
것 중의 낮은 쪽의 일컬음. '後魏以九品分正一,
隋唐以來因之'《文獻通考》. ⑮성 종 성(姓)의
하나.
字源 甲骨文 从 金文 從 篆文 從 籀文 彸 形聲. 辵+从〔音〕. 본디
甲骨文은 '从'으로, 사람
이 사람의 뒤를 따르는 모양에서, 따르다의 뜻
을 나타냄. 뒤에, 간다는 뜻의 '辵착'을 붙여,
'從'이 됨.
參考 從(彳部 七畫)은 略字.

[從駕 종가] 어가(御駕)에 수행함. 임금의 수레를
따름. 가(駕)는 천자(天子)의 수레. 천자를 직
접 가리킴은 꺼리어 가(駕)라 함.
[從諫 종간] 간하는 말을 받아들임.
[從諫若轉圓 종간약전환] 남의 간언(諫言)에 좇
음이 마치 반상(盤上)에 구슬을 굴리는 것과
같아서 조금도 걸리는 것이 없다는 말.
[從諫如流 종간여류] 남의 간언(諫言)에 좇음이
마치 물이 흐르는 것과 같다는 뜻으로, 재빨리
순응함을 이름.
[從渠 종거] 어찌 되었든 간에.
[從輕論 종경론] 두 가지의 죄가 한꺼번에 드러났
을 때 가벼운 죄를 따라 처단(處斷)함.
[從姑 종고] 아버지의 사촌 누이. 당고모(堂姑母).
[從姑母 종고모] 《韓》 종고(從姑).
[從官 종관] ㉠임금을 따라다니는 벼슬아치. ㉡문
학(文學)으로 임금의 곁에서 섬기는 벼슬아치.
시종(侍從).
[從軍 종군] 출진(出陣)함. 군대(軍隊)를 따라 진
지(陣地)에 나감.
[從今 종금] 이제부터. 지금(只今)으로부터.
[從騎 종기] 기마(騎馬)를 탄 종자(從者).

[從女 종녀] 조카딸.

[從多數 종다수] 여러 사람의 의견을 좇음.

[從來 종래] ㉠유래 (由來). ㉡이전부터 지금까지.

[從良 종량]《韓》종 또는 천민 (賤民)이 양민 (良民)이 됨. 기생 등이 천업 (賤業)을 그만두고 남의 처 (妻)가 됨.

[從諫 종간] 종간여류 (從諫如流)의 준말.

[從妹 종매] 사촌 누이동생.

[從母 종모] 어머니의 자매 (姉妹). 이모 (姨母).

[從母兄弟 종모형제] 어머니의 자매 (姉妹)의 아들. 종형 사촌 형제 (姨從四寸兄弟).

[從門入者不是家珍 종문입자불시가진] 자기 주견 (主見)으로 우러난 것이 아니고, 다만 얻은 풍월 (風月)로서의 견문 (見聞)이란 결코 참된 힘이 될 수 없음.

[從犯 종범] 주범 (主犯)을 도운 범죄. 또, 그 사람.

[從兵 종병] 따라다니는 병졸.

[從僕 종복] 종.

[從父 종부] ㉠아버지의 형제. 큰아버지나 작은아버지. 백숙부 (伯叔父). ㉡아버지의 명령을 좇음.

[從父兄弟 종부형제] 종형제 (從兄弟).

[從士 종사] 종병 (從兵).

[從史 종사] 장관 (長官)에 종속하는 벼슬아치. 속료 (屬僚).

[從死 종사] 죽은 사람을 그려서 순사 (殉死)함.

[從祀 종사] 덧붙여 제사 지냄. 공자 묘 (孔子廟)에 후세 (後世)의 유자 (儒者)를 배향 (配享)하는 따위.

[從事 종사] ㉠어떠한 일에 마음과 힘을 다함. 어떠한 일을 일삼아서 함. ㉡모시고 섬김. ㉢자사 (刺史)의 속관 (屬官). 기록을 맡음.

[從善如登 종선여등] 선 (善)을 좇기란 높은 산을 오르는 것같이 매우 어렵다는 뜻.

[從善如流 종선여류] 선 (善)을 좇는 데 서슴지 않음.

[從聲 종성] 오음 (五音) 중의 궁 (宮)·상 (商)·각 (角)의 삼음 (三音). 치 (徵)·우 (羽)의 두 음을 변성 (變聲)이라 함의 대 (對).

[從所願 종소원] 소원 (所願)을 들어줌.

[從俗 종속] 시속 (時俗)을 좇음.

[從屬 종속] 딸려 붙음. 또, 그 사람.

[從孫 종손] 형 (兄)과 아우의 손자.

[從嫂 종수] 종형 (從兄)의 아내.

[從手成 종수성] 손이 움직이는 대로 곧 됨.

[從叔 종숙] 아버지의 사촌 형과 아우. 당숙 (堂叔).

[從順 종순] 순순히 복종함. 순종 (順從).

[從時俗 종시속] 시속 (時俗)을 좇음. 세상의 통속대로 따라감.

[從臣 종신] 늘 시종하는 신하.

[從實 종실] 사실 (事實)대로 좇음.

[從心 종심] 일흔 살의 별칭 (別稱).

[從心年 종심년] 종심 (從心).

[從心所欲 종심소욕] 하고 싶은 대로 함.

[從約 종약] 전국 시대 (戰國時代)의 한 (韓)·위 (魏)·연 (燕)·제 (齊)·초 (楚)·조 (趙) 등 육국 (六國)이 합종 (合從)하여 진 (秦)나라에 대항한 공수 동맹 (攻守同盟). 소진 (蘇秦)이 주창 (主唱)함.

[從業 종업] 업무 (業務)에 종사함.

[從吾所好 종오소호] 자기 (自己)가 좋아하는 대로 좇아서 함.

[從隗始 종외시] '외 (隗)부터 시작하라'의 뜻. 현자 (賢者)를 초치 (招致)하자고 연 (燕)의 소왕 (昭王)이 말을 꺼냈을 때, 곽외 (郭隗)가 '저부터 초빙하십시오.'라고 말한 고사 (故事).

[從容 종용] ㉠조용한 모양. 말이나 또는 하는 짓이 왁자지껄하지 않고 매우 얌전한 모양. ㉡한가한 모양. ㉢권유 (勸誘)함. 종용 (慫慂).

[從遊 종유] ㉠따라가 놂. ㉡학덕 (學德)이 있는 사람과 교유 (交游)함.

[從人 종인] 종자 (從者).

[從子 종자] 조카. 자매 (姉妹)의 아들. 질 (姪)·생 (甥).

[從姉 종자] 손위의 사촌 (四寸) 누이.

[從者 종자] 데리고 다니는 사람. 수종 (隨從)하는 사람.

[從姉妹 종자매] 아버지의 형제 (兄弟)의 딸. 사촌 자매 (四寸姉妹).

[從自以後 종자이후] 이제부터 뒤.

[從前 종전] 이전.

[從弟 종제] 사촌 (四寸) 아우.

[從祖 종조] 종조부 (從祖父).

[從祖姑 종조고] 종고 (從姑).

[從祖母 종조모] ㉠종조부 (從祖父)의 아내. ㉡조부의 자매. 대고모 (大姑母).

[從祖父 종조부] 할아버지의 형 (兄)이나 아우.

[從祖兄弟 종조형제] 아버지의 사촌 형제. 곧, 조부의 형제의 아들.

[從卒 종졸] 종병 (從兵).

[從從 종종] ㉠천자 (天子)의 수레의 방울소리의 형용. ㉡발이 여섯 달린 개. ㉢고대 (高大)한 모양.

[從罪 종죄] 종범 (從犯)에 과하는 죄.

[從衆 종중] 여러 사람의 언행에 따름.

[從重論 종중론] 두 가지의 죄 (罪)가 한꺼번에 드러났을 때 무거운 죄 (罪)를 따라 처단 (處斷)함.

[從姪 종질] 사촌 (四寸) 형제의 아들.

[從此 종차] 종금 (從今).

[從親 종친] 종약 (從約).

[從便 종편] 일을 편 (便)한 대로 좇음.

[從風 종풍] 바람에 따라 나부끼는 풀처럼 복종 (服從)함.

[從風而靡 종풍이미] 쏠리는 힘에 저절로 좇음.

[從享 종향] 종묘 (宗廟)에 공 (功) 있는 신하 (臣下)를 부제 (祔祭)함. 배향 (配享).

[從兄 종형] 사촌 형 (四寸兄).

[從兄弟 종형제] 아버지의 형제 (兄弟)의 아들. 사촌 (四寸) 형제.

[從懷如流 종회여류] 거리낌 없이 제멋대로 함.

[從橫 종횡] ㉠가로와 세로. 또, 남북 (南北)과 동서 (東西). ㉡전국 시대 (戰國時代) 소진 (蘇秦)의 합종설 (合從說)과 장의 (張儀)의 연횡설 (連衡說). ㉢공수 동맹 (攻守同盟)의 계략 (計略). 국제간 (國際間)의 이합 (離合). ㉣자유자재함.

[從橫家 종횡가] ㉠합종 (合從) 또는 연횡 (連衡)을 주장하여 군주에게 유세 (遊說)하는 사람. ㉡양자 (兩者) 사이에서 술책 (術策)을 농 (弄)하는 책사 (策士).

[從橫學 종횡학] ㉠합종 (合從)·연횡 (連衡)의 연구 (研究). ㉡공수 화전 (攻守和戰)의 연구.

●景從. 敬從. 曲從. 苟從. 屈從. 禁從. 騎從. 郞從. 徒從. 導從. 盲從. 面從. 陪從. 法從. 服從. 僕從. 附從. 賓從. 散從. 三從. 率從. 隨從. 順從. 侍從. 衛從. 類從. 翼從. 忍從.

任從. 適從. 專從. 正從. 主從. 聽從. 追從.
風行草從. 合從. 協從. 脅從. 扈從. 後從.

8 ⑪ [徛] 기

①㊦支 丘奇切
②㊤紙 渠綺切 jì
③㊤寘 居義切

[字解] ①건널 기 정강이를 들어 물을 건넘. '—, 舉脛有渡也'《說文》. ②설 기 서 있음. '—, 立也'《廣韻》. ③징검다리 기 돌을 늘어놓은 징검다리. '石杠謂之—'《爾雅》.

[字源] 篆文 徛 形聲. 彳+奇[음]. '奇기'는 '희한하다, 별나다'의 뜻. 정강이를 들어 올리고 내를 건너가는 뜻을 나타내며, 또 그때 건너가는 징검돌의 뜻을 나타냄.

8 ⑪ [徠] 래 [人名]

①㊤灰 落哀切 lái
②㊦隊 洛代切 lái

徠 徠

[字解] ①올 래 來(人部 六畫)와 同字. '天馬—從西極'《漢書》. ②위로할 래 勑(力部 八畫)와 同字. '親自勞—'《隋書》.

[字源] 形聲. 彳+來[음]. '來래'는 '온다'의 뜻. 또, 길을 오게 하여 (불러서) 위로하다의 뜻도 나타냄.

[徠服 내복] 와서 복종함. 내복(來服).
[徠臣 내신] 와서 신하가 됨.

●勞徠. 徂徠. 招徠.

8 ⑪ [御] [高人] ■어

㊦御 牛倨切 yù
㊤禡 魚駕切 yà

淘

[筆順] 彳 彳 彳 彳 彳 徃 御 御

[字解] ■ ①어거할 어 거느림. 통치함. '統一', '振長策而一字內'《賈誼》. ②부릴 어 말 같은 것을 부림. '使造父一'《史記》. ③설 어 마술(馬術) 말을 부리는 법술. '禮樂射一書數'《周禮》. ④마부 어 말을 부리는 사람. '撫其一之手'《說苑》. ⑤모실 어 시종(侍奉)함. '一其母以從'《書經》. ⑥뫼 어 부녀(婦女)를 총애함. '斥西施而弗一'《張衡》. ⑦드릴 어 윗사람에게 올림. '一食于君'《禮記》. 전(轉)하여, 천자(天子)에 관한 일의 경칭(敬稱)으로서 이 자를 붙임. '臨一'. '一製'. '宴見進一之次'《唐書》. 一周人, 出一舍于宮'《左傳》. ⑧주장할 어 맡음. '長曰能一矣, 幼曰未能一也'《禮記》. ⑨시비(侍妃) 어 천자(天子)의 첩. 후궁(後宮). '嬪一. 妾一莫敢當夕'《小學》. ⑩아내 어 처(妻). '農不出一'《呂氏春秋》. ⑪막을 어 禦(示部 十一畫)와 同字. '亦以一冬'《詩經》. ⑫성 어 성(姓)의 하나. ■ 맞을 아 迓(辵部 四畫)와 同字. '百兩一之'《詩經》.

[字源] 甲骨文 金文 篆文 徲 古文 形聲. 辵+卪+午[음]. '午오'는 절굿공이 모양의 신체(神體)의 상형. '卪절'은 무릎을 꿇는 형상. 신 앞에 나아가 무릎을 꿇고 신을 맞다의 뜻을 나타냄. '馭어'와 통하여, 말을 부리다의 뜻도 나타냄.

[御街 어가] 대궐(大闕)로 통(通)한 길. 대궐(大闕) 안의 길.
[御駕 어가] 임금이 타는 수레. 대가(大駕).
[御間 어간] 절의 법당(法堂)이나 큰 방(房) 한복판에 있는 칸(間).
[御袞 어곤] 천자(天子)의 제복(制服). 곤룡포

(袞龍袍).
[御供 어공] 임금에게 물건을 진공(進供)함.
[御溝 어구] 대궐(大闕) 안의 도랑.
[御軍幕 어군막]《韓》대가(大駕)가 잠시 머무는 곳. 막차(幕次).
[御極 어극] ㊀임금의 자리에 있는 동안. 재위(在位). ㊁천자(天子)의 자리에 오름. 등극(登極). 즉위(卽位).
[御氣 어기] ㊀마음으로 기질(氣質)을 다스림. ㊁바람을 타고 낢. 어풍(御風). ㊂어원(御苑)의 서늘한 공기(空氣).
[御道 어도] 거둥길.
[御冬 어동] 겨울 추위를 막음. 어동(禦冬).
[御覽 어람] 임금이 봄.
[御簾 어렴] 궁전에서 치는 발.
[御路 어로] ㊀거둥길. ㊁임금의 수레. 노(路)는 노(輅).
[御廩 어름] 천자 또는 제후(諸侯)가 조상의 제사에 쓰려고 친히 경작하여 거둔 곡식을 넣어 두는 곳간.
[御名 어명] 임금의 이름. 어휘(御諱).
[御命 어명] 임금의 명령(命令).
[御物 어물] 임금이 쓰는 물건.
[御房 어방] 천자(天子)가 쓰는 방.
[御璽 어새] 어새(御璽).
[御本 어본] 천자(天子)의 장서(藏書).
[御府 어부] 임금이 쓰는 물품을 넣어 두는 곳집.
[御批 어비] ㊀임금이 정사(政事)를 처리함. ㊁임금이 문서(文書)를 열람한 후, 붙이는 말.
[御史 어사] ㊀주대(周代)에는 기록을 맡은 벼슬. ㊁진한(秦漢) 이후에는 백관(百官)의 규찰(糾察)을 맡은 벼슬. 후세에 그 장관을 어사대부(御史大夫)라 함. ㊂《韓》지방관(地方官)의 치적(治績) 또는 백성(百姓)의 질고(疾苦)를 살피기 위하여 특파(特派)하는 비밀의 사신(使臣).
[御師 어사] 천자(天子)의 시의(侍醫).
[御史大夫 어사대부] 어사(御史)❶을 보라.
[御史雨 어사우] 당대(唐代)에 오랫동안 가뭄이 들어 백성이 고생하고 있을 때, 안진경(顏眞卿)이 감찰 어사(監察御史)로서 백관(百官)의 죄(罪)를 다스리니, 이내 비가 쏟아졌다는 고사(故事)에서, 전(轉)하여 희우(喜雨)의 뜻으로 쓰임.
[御史出頭 어사출두]《韓》암행어사(暗行御史)가 중요(重要)한 사건을 처리(處理)하기 위하여 지방 관아(地方官衙)에 가서 개좌(開坐)하는 일.
[御賜花 어사화]《韓》문무과(文武科) 급제자(及第者)에게 하사하는 종이로 만든 꽃.
[御璽 어새] 옥새(玉璽).
[御書閣 어서각] 어필각(御筆閣).
[御膳 어선] 임금에게 진공(進供)하는 음식(飮食). 수라(水刺).
[御所 어소] 임금이 있는 곳. 궁중.
[御試 어시] 친시(親試).
[御食 어식] ㊀임금이 내려 주는 음식(飮食). ㊁임금 옆에서 배식(陪食)함.
[御押 어압]《韓》임금의 수결(手決)을 새긴 도장(圖章).
[御愛 어애] 임금이 사랑함.
[御筵 어연] 임금이 있는 자리. 전(轉)하여, 거둥. 또, 거둥하는 장소.

[御營大將 어영대장]《韓》어영청(御營廳)의 우두머리 장수(將帥).
[御廳 어영청]《韓》영문(營門)의 이름.
[御用 어용] 어물(御物).
[御容 어용] 제왕(帝王)의 상(像).
[御宇 어우] ㉠천하(天下)를 다스림. ㉡천자(天子)가 재위(在位)하는 동안.
[御苑 어원] 대궐(大闕) 안에 있는 동산. 어원(御園). 궁원(宮苑). 금원(禁苑).
[御醫 어의] 임금의 시의(侍醫). 「從」
[御者 어자] 말을 부리는 사람. 마부 또 시종(侍者)할 때의 호위병(護衛兵).
[御仗 어장] 천자(天子)의 의장(儀仗). 천자가 거둥할 때의 호위병(護衛兵).
[御在 어재] 시좌(侍坐)함.
[御前 어전] ㉠존귀한 사람을 옆에서 모심. ㉡임금이 있는 자리. 어좌(御座).
[御箋 어전] 임금이 친히 쓴 서면(書面). 어찰(御札).
[御製 어제] 임금이 지은 시문(詩文).
[御題 어제] ㉠천하에 친히 쓴 제자(題字). ㉡임금이 친히 보이는 과거의 글제.
[御座 어좌] ㉠북극성(北極星). ㉡임금이 있는 자리. 옥좌(玉座).
[御酒 어주] 임금이 내리는 술.
[御廚 어주] 임금에게 드리는 음식(飮食)을 만드는 곳. 수라간(水刺間).
[御眞 어진] 임금의 화상(畫像).
[御札 어찰] 임금이 친히 쓴 서면(書面). 전(轉)하여, 조서(詔書).
[御策 어책] 말을 부리는 채찍.
[御天 어천] 승천(昇天)함.
[御寢 어침] 임금의 취침(就寢).
[御榻 어탑] 임금이 있는 자리. 옥좌(玉座).
[御風 어풍] 바람을 타고 공중(空中)을 낢.
[御筆 어필] 임금의 글씨나 그림. 신필(宸筆).
[御筆閣 어필각] 임금의 필적(筆蹟)을 보관하는 전각(殿閣).
[御幸 어행] 행행(行幸).
[御患 어환] 임금의 환후(患候).
[御諱 어휘] 어명(御命).
　●駕御. 檢御. 供御. 貢御. 控御. 能御. 渡御. 督御. 僮御. 登御. 撫御. 防御. 配御. 服御. 僕御. 傅御. 崩御. 孀御. 射御. 善御. 綏御. 侍御. 臣御. 晏子之御. 良御. 女御. 隷御. 移御. 引御. 日御. 臨御. 入御. 朕御. 將御. 制御. 奏御. 緝御. 進御. 鎭御. 驂御. 妾御. 總御. 驪御. 出御. 統御. 襞御. 蹕御. 幸御. 還御. 訓御.

8 ⑪ [裨]〔비〕
俾(人部 八畫〈p.148〉)와 同字

8 ⑪ [待] 치 ㊤紙 直里切 zhì
字解 쌓을치 저축함.

[術]〔술〕
行部 五畫(p.2048)을 보라.

9 ⑫ [徧] 편 ㊤霰 方見切 biàn
字解 ①두루미칠 편 ㉠빠짐없이 미침. '一于羣臣'《書經》. ㉡미치지 않는 곳이 없음. '今大國

之地一天下'《史記》. ②두루다닐 편 빠짐없이 다님. '周一五嶽四瀆'《漢書》. ③두루 편 하나도 빠짐없이. '一歷'. '閉戶一讀家藏書'《陸游》.
字源 形聲. 彳+扁〔音〕. '扁편'은 '넓적하다' 뜻. 넓게 퍼지다의 뜻을 나타냄.

[徧讀 편독] 두루 읽음. 박람(博覽).
[徧歷 편력] ㉠널리 돌아다님. 편력(遍歷). ㉡두루 앎.
[徧報 편보] 두루 보답함. 한결같이 보은(報恩)함.
[徧賜 편사] 모든 사람에게 내려 줌.
[徧搜 편수] 두루 찾음.
[徧循 편순] 두루 추종(追從)함.
[徧身 편신] 전신(全身). 편신(遍身). 만신(滿身).
[徧照 편조] 빠짐없이 비춤.
[徧覜 편조] 천자(天子)가 모든 제후(諸侯)를 두루 인견(引見)하는 일.
[徧周 편주] 전체에 미침. 두루 미침.
[徧體 편체] 온 지면(地面)에. 만지(滿地).
[徧體 편체] 편신(徧身).
　●均徧. 周徧.

9 ⑫ [徨] 황 ㉡陽 胡光切 huáng
字解 배회할 황 노닒. '彷一于無爲其側'《莊子》.
字源 形聲. 彳+皇〔音〕. '皇황'은 '往왕'과 통하여, '크게 가다'의 뜻. 彳척을 붙여 '가다'의 뜻을 나타냄.

[徨徨 황황] 배회하는 모양. 방황(彷徨)하는 모양.
　●彷徨.

9 ⑫ [復] 中入 ■ 부 ㊥宥 扶富切 fù / ■ 복 ㊥屋 房六切 fù
[筆順] 彳 彳 彳 彳 彳 彳 彳 彳
字解 ■ ①다시 부 또. 재차. '天一命武王也'《詩經》. ②덮을 부 覆(西部 十二畫)와 통용. '陶一陶穴'《詩經》. ■ ①회복할 복 '一位'. '興一漢室'《諸葛亮》. ②돌아갈 복 ㉠먼저 있던 곳으로 돌아감. '一歸'. '言歸思一'《詩經》. ㉡원상태로 돌아감. '一古'. '可悉一舊'《宋書》. ③돌려보낼 복 반려(返戾)함. '吾弗則一殯服'《禮記》. ④되풀이할 복 반복함. '反一'. '南容三一白圭'《論語》. ⑤대답할 복 '一答'. '說一于王'《書經》. ⑥사뢸 복 아룀. '願一一也'《禮記》. ⑦복명할 복 명령을 받아 한 것을 상신(上申)함. 반명(反命)함. '諸臣之一'《周禮》. ⑧갚을 복 ㉠보상(補償)함. '除喪則不一昏禮乎'《禮記》. ㉡보은 또는 보복함. '一讐'. '我必一楚國'《左傳》. ⑨덜복 제거함. '消一災眚'《後漢書》. ⑩면할 복 면제함. '一租'. '七大夫以下, 皆一其身及戶, 勿事'《漢書》. ⑪고복 복 초혼(招魂). '招魂曰一, 盡愛之道也'《禮記》. ⑫복괘 복 육십사괘(六十四卦)의 하나. 곧, ䷗〈진하(震下), 곤상(坤上)〉. 기운(機運)이 순환하는 상(象). ⑬겹칠 복 중복함. 複(衣部 九畫)과 통용. '爲一道'《史記》.
字源 形聲. 彳+夏(复)〔音〕. 甲'复'은 통통한 술 항아리의 상형. 뒤집힌 술 항아리를 본대대로 바로 놓다의 뜻. '夊쇠'는 발길

을 돌리는 모양의 상형. 본디의 길을 되돌아오
는 뜻을 나타냄. 전(轉)하여, '다시'의 뜻도 나
타냄. 뒤에, '彳척'을 붙임.

[復古 복고] 옛날 모양대로 돌아감. 또, 옛날 모
양으로 돌아가게 함.
[復校 복교] 정학(停學) 또는 휴학(休學)한 학생
이 다시 등교하게 됨.
[復仇 복구] 복수(復讐).
[復舊 복구] 그전 모양으로 돌아감.
[復九世之讐 복구세지수] 구 대(九代) 전의 조상
의 원수를 갚음. 오래된 옛적 원수를 갚음을 이
름.
[復權 복권] 법률에 의하여 잃은 공권(公權)을 회
복(回復)함.
[復歸 복귀] ㉠먼저 있던 곳으로 되돌아감. ㉡다
시 전 지위(地位)로 돌아감.
[復道 복도] 상하 이중(二重)의 길. 두 층으로 된
낭하(廊下).
[復命 복명] ㉠사명(使命)을 띤 사람이 그 일을
마치고 돌아와서 아룀. ㉡성명(性命)의 근본
(根本)에 돌아감. ㉢소생(蘇生)함.
[復文 복문] 답서(答書).
[復辟 복벽] 퇴위(退位)한 천자(天子)가 다시 즉
위함. 벽(辟)은 군(君).
[復性 복성] 사욕(私慾)을 버리고 본성(本性)으
로 돌아감.
[復姓 복성] 딴 성(姓)을 일컫던 사람이 다시 본
성(本姓)으로 돌아감.
[復性書 복성서] 당(唐)나라 한유(韓愈)의 문인
(門人)이고(李翺)가 사람의 심성(心性)에 관
하여 논(論)한 책. 3편.
[復讐 복수] 원수의 앙갚음.
[復習 복습] 배운 것을 되풀이하여 익힘.
[復飾 복식] 승려(僧侶)의 환속(還俗). 출가(出
家)를 낙식(落飾)이라 함의 대.
[復逆 복역] 천자(天子)에게 상주(上奏)하는 일
과 천자의 명(命)을 받드는 일.
[復元 복원] 원래대로 회복함.
[復圓 복원] 일식(日蝕) 또는 월식(月蝕)이 끝나
고 해 또는 달이 도로 둥글게 됨.
[復位 복위] 폐위(廢位)가 되었던 제왕(帝王)·후
비(后妃)가 다시 그 지위(地位)를 회복함.
[復籍 복적] 혼인(婚姻) 혹은 양자(養子)에 의하
여 제적(除籍)되었던 사람이 제 집의 호적(戶
籍)으로 다시 돌아감.
[復除 복제] 요역(徭役)을 면제(免除)함.
[復租 복조] 조세를 면제함.
[復職 복직] 휴직·퇴직했던 사람이 본디 직(職)
으로 돌아옴.
[復初 복초] 처음의 본성(本性)으로 돌아감.
[復土 복토] 광중(壙中)에 하관(下棺)하고 흙을
덮음. 판 흙을 원장소로 되돌아가게 한다는 뜻.
[復生 부생] 소생(蘇生)함. 부활(復活).
[復用 부용] 다시 사용함. 두 번 씀.
[復土 부토] 복토(復土).
[復興 부흥] ㉠소생(蘇生)함. ㉡재흥(再興)함.
[復興 부흥] 다시 일으킴. 또다시 일어남.
●凱復. 蠲復. 梱復. 匡復. 矯復. 圭復. 克復.
剋復. 給復. 起復. 剝復. 反復. 拜復. 報復.
本復. 賜復. 三復. 雪復. 紹復. 修復. 收復.
酬復. 智復. 往復. 優復. 一陽來復. 振復. 平
復. 回復. 恢復. 興復.

9
⑫ [徥] 一 시 ㊀支 常支切 shì
　　　 二 대 ㊀蟹 徒駭切
　　　 三 치 ㊀紙 池爾切
　　　 四 태 ㊀佳 度皆切

字解 一 ①갈 시 걸어가는 모양. '一, ——, 行
兒也'《說文》. ②법 시 '爾雅曰, —, 則也'《說
文》. 二 ①갈 대 걸어감. 또, 그 모양. '—, 行
兒'《廣韻》. '—, 行也'《集韻》. ②우아할 대 '—,
一曰, 細而有容'《集韻》. 三 갈 치 가는 모양.
'—, 行兒, 朝鮮語也'《廣韻》. 四 ①갈 태 '徥
一'는 비척거리며 가는 모양. '佳, 佳—, 邪行
兒'《集韻》. ②우아할 태 '秦晉之間, 凡細而有容,
謂之魏, 或曰—'《揚子方言》.
字源 形聲. 彳+是〔音〕

9
⑫ [循] �高㊅人 순 ㊀眞 詳遵切 xún

筆順 彳 彳 彳 彳 彳 循 循 循

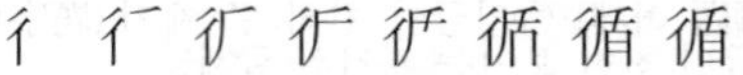

字解 ①좇을 순 ㉠복종함. 순종함. '—俗'. '卿
大夫以—法爲節'《禮記》. ㉡따름. 의(依)함.
'—牆而走'《十八史略》. '—山而南'《左傳》. ㉢
답습함. '必—其故'《呂氏春秋》. ②돌아다닐 순
巡(巛部 四畫)과 同字. '—行國邑'《禮記》. ③
돌 순 순환함. '—轉'. '三王之道, 若一環, 終而
復始'《史記》. ④어루만질 순 ㉠손으로 쓰다듬
음. '自一其刀環'《漢書》. ㉡위무(慰撫)함. '—
一撫', '拊一勉百姓'《漢書》. ⑤미적미적할 순 결
단을 내리지 않고 머무적거리는 모양. '顧客無
因一'《李商隱》. ⑥차례있을 순 정연함. '——然
善誘人'《論語》. ⑦성씨 순 성(姓)의 하나.
字源 形聲. 彳+盾〔音〕. '盾순'은 '馴
순'과 통하여, '따르다'의 뜻.
'따라가다'의 뜻을 나타냄.

[循篤 순독] 온순하고 인정이 있음.
[循良 순량] 법(法)을 잘 지키며, 선량함. 또, 그
사람.
[循吏 순리] 순량(順良)하여 법을 잘 지키는 관리
(官吏).
[循理 순리] 도리(道理)를 따름.
[循法 순법] 법을 좇음.
[循常 순상] 심상(尋常).
[循俗 순속] 풍속(風俗)을 좇음.
[循守 순수] 좇아서 지킴. 준수(遵守).
[循循然 순순연] 순서가 있는 모양. 정연(整然)한
모양.
[循轉 순전] 빙빙 돎.
[循次 순차] 차례를 좇음.
[循行 순행] 여러 곳으로 돌아다님. 순행(巡行).
[循環 순환] ㉠구르는 고리라는 뜻으로, 사물(事
物)의 인과 왕래(因果往來)가 끝이 없음의 비
유. ㉡쉬지 않고 자꾸 돎.
[循環論法 순환논법] 논증(論證)되어야 할 명제
(命題)를 논증의 근거(根據)로 삼는 오류(誤謬)
의 논법(論法). 예(例)를 들면, '거짓말은 죄악
(罪惡)이다. 왜냐하면, 거짓말은 죄악이기 때
문에.' 하는 따위.
[循環之理 순환지리] 영고성쇠(榮枯盛衰) 등의
순환(循環)하는 이치(理致).
●撫循. 拊循. 緣循. 因循. 頂針回循. 逡循. 蹲
循. 持循.

9 ⑫ [徎]

■ 유 ⑭有 忍九切 rǒu
　　目 뉴 ⑭有 女久切 niǔ

字解 ■ 돌아갈 유 '一, 復也'《說文》. 目 ①돌아갈 뉴 □과 뜻이 같음. ②익힐 뉴 익숙하게 함. '一, 習也'《廣韻》.

字源 形聲. 彳＋柔[音].

9 ⑫ [徸]

■ 종 ⑭腫 之隴切 zhǒng
　　目 동 ⑭董 徒孔切 dòng

字解 ■ 뒤미처갈 종 踵(足部 九畫)과 同字. '一, 相迹也'《說文》. 目 動(力部 九畫)의 古字.

字源 形聲. 彳＋重[音].

9 ⑫ [徣]

개 ⑭佳 丘皆切 kāi

字解 거닐 개 '徘一, 行惡'《集韻》.

9 ⑫ [假]

■ 가 ⑭馬 舉下切 jiǎ
　　目 하 ⑭麻 何加切 xiá

字解 ■ 이를 가 목적한 곳에 닿음. '一, 至也'《說文》. 目 멀 하 가깝지 않음. 遐(辵部 九畫)와 통용. '沈沈四塞, 一狄合處'《漢書 註》.

字源 篆文 假 形聲. 彳＋叚[音]. '叚가'는 '各각·格격'과 통하여, '이르다'의 뜻을 나타냄.

10 ⑬ [徭]

요 ⑭蕭 余招切 yáo

字解 ①역사 요 부역(賦役). '一役'. '平一賦'《後漢書》. ②성 요 성(姓)의 하나.

字源 形聲. 彳＋䍃[音]. '䍃요'는 바르게는 '䍃요'로서, 신에게 고기를 바치고 노래 부르는 모양을 나타냄. 공용(公用)을 위해서 가는 사람의 뜻을 나타냄.

[徭稅 요세] 부역(賦役)과 조세(租稅).
[徭戍 요수] 변경(邊境)을 수비(守備)하는 일. 또, 그 병졸(兵卒).
[徭役 요역] 나라에서 구실 대신으로 시키는 노동(勞動). 노역(勞役). 부역(賦役).
●給徭. 賦徭. 戍徭. 雜徭. 丁徭. 租徭.

10 ⑬ [微]

高入 미 ⑭微 無非切 wēi(wéi)

筆順 彳 彳' 彳' 彳'' 彳'' 彳'' 微 微 微

字解 ①작을 미 '一物'. '具體而一'《孟子》. ②정묘할 미 아주 묘함. '一妙'. '未可謂一也'《荀子》. ③천할 미 미천함. '一時'. '子思臣也一也'《孟子》. ④희미할 미 어슴푸레함. '熹一'. '雲月遞一明'《杜甫》. ⑤은밀할 미 비밀임. '人可與一言乎'《列子》. ⑥쇠할 미 쇠잔함. '衰一'. '斯理日一滅'《張九齡》. ⑦숨길 미 은닉함. '其徒一之'《左傳》. ⑧엿볼 미 정찰함. '使人一知賊處'《漢書》. ⑨아닐 미 非(部首)와 뜻이 같음. '一我無酒'《詩經》. ⑩없을 미 無(火部 八畫)와 뜻이 같음. '一管仲, 吾其被髮左衽矣'《論語》. ⑪조금 미, 몰래 미 약간. 또, 비밀히. '一行'. '小我皆一有所知'《北史》. ⑫성 미 성(姓)의 하나.

字源 篆文 微 形聲. 彳＋㣇[音]. '㣇미'는 '微'의 원자(原字)로 攴＋耑의 변형. '耑단'은 '선단(先端)'의 뜻. '彳척'을 붙여서, 사람

눈에 띄지 않게 가다의 뜻을 나타냈으나, 일반적으로 '희미하다'의 뜻을 나타냄.

[微感 미감] 약간의 감동(感動). 마음이 조금 내킴.
[微譴 미견] 작은 죄. 하찮은 견책(譴責).
[微戒 미계] 넌지시 경계함.
[微官 미관] 낮은 관직(官職).
[微煦 미구] 약간의 햇빛.　　　　「칭.
[微軀 미구] 천(賤)한 몸. 전하여, 자기 몸의 겸
[微動 미동] 미약(微弱)하게 움직임.
[微瀾 미란] 잔물결. 세파(細波).
[微冷 미랭] 조금 찬 듯함.
[微涼 미량] 조금 서늘함.
[微力 미력] 작은 힘. 하찮은 수고. 전(轉)하여, 자기의 힘의 겸칭(謙稱).
[微祿 미록] 얼마 안 되는 녹봉(祿俸). 박봉(薄俸).
[微利 미리] 작은 이익.
[微茫 미망] 흐릿한 모양. 모호한 모양.
[微昧 미매] 어슴푸레함. 알기 어려움.
[微滅 미멸] 쇠(衰)하여 없어짐.
[微明 미명] ㉠어슴푸레한 빛. 또, 어슴푸레함. ㉡속이 깊은 지려(智慮).
[微妙 미묘] 정미(精微)하고 현묘(玄妙)함.
[微眇 미묘] 아주 작음.
[微文 미문] 미사(微辭).
[微物 미물] ㉠작은 물건. 변변치 못한 물건. ㉡작고 보잘것없는 것이라는 뜻으로, 동물을 이름.
[微微 미미] ㉠보잘것없이 아주 미약한 모양. ㉡그윽하고 고요한 모양. ㉢작은 모양.
[微薄 미박] ㉠주는 물품(物品)이나 정성(精誠)이 박함. ㉡작은 발(簾).
[微班 미반] 낮은 지위(地位). 계급이 낮음.
[微芳 미방] 간신히 맡을 수 있는 그윽한 방향(芳香). 미향(微香).
[微白 미백] 날 샐 녘.
[微服 미복] 변장(變裝). 또, 변장을 함.
[微辭 미사] 은근히 돌려서 말하는 언어·문자. 완곡(婉曲)한 말.
[微尙 미상] 자기의 호상(好尙)을 겸손하게 이르는 말.
[微傷 미상] 작은 상처(傷處). 경상(輕傷).
[微生物 미생물] 육안으로 볼 수 없는 작은 생물.
[微誠 미성] 조그마한 정성이라는 뜻으로, 남에게 표시하는 '자기의 정성(精誠)'을 겸손하게 이르는 말.
[微細 미세] ㉠미소(微小). ㉡미천(微賤). ㉢꼼꼼함. 빈틈이 없음.
[微小 미소] 썩 작음.
[微笑 미소] 소리 없이 빙긋이 웃음.
[微素 미소] ㉠신분이 비천하여 세상에 드러나지 못함. 미성(微誠).
[微瑣 미쇄] 미세(微細).
[微睡 미수] 잠시 눈을 붙임.
[微時 미시] 이전에 미천(微賤)하였을 때.
[微息 미식] 미약한 숨.
[微臣 미신] 천한 신하. 전(轉)하여, 신하(臣下)가 군주(君主)에 대한 자기의 겸칭(謙稱).
[微哦 미아] 미음(微吟).
[微痾 미아] 미양(微恙).
[微弱 미약] 아무 힘이 없이 잔약함. 극히 무력함.

[微恙 미양] 대단치 아니한 병(病).
[微言 미언] ㉠미묘(微妙)한 말. 함축(含蓄)이 있는 말. ㉡수수께끼. 은어(隱語).
[微與 미여] 남의 하는 짓을 하지 말라고 제지(制止)하는 말.
[微熱 미열] 대단치 아니한 열.
[微溫 미온] 미지근함.
[微溫水 미온수] 미지근한 물.
[微溫湯 미온탕] 미온수(微溫水).
[微婉 미완] 문사(文詞)·언어(言語) 등을 부드럽게 함.
[微雨 미우] 이슬비. 가랑비.
[微吟 미음] 아주 낮은 소리로 읊조림.
[微陰 미음] ㉠음력(陰曆) 5월의 별칭(別稱). ㉡날이 조금 흐림.
[微意 미의] 미지(微志).
[微子 미자] ㉠은(殷)나라 주왕(紂王)의 서형(庶兄). 미(微)는 국명(國名), 자(子)는 작위(爵位)임. 이름은 계(啓). 주(紂)를 여러 차례 간(諫)하였으나 듣지 않으매 마침내 나라를 떠났음. 뒤에 주공(周公)이 주(紂)의 아들 무경(武庚)을 주벌(誅伐)하였을 때 미자를 송국(宋國)에 봉(封)하고 은(殷)나라의 여민(餘民)을 다스리게 하였음. ㉡당(唐)나라 때 시인(詩人) 원진(元稹)의 자(字). ㉢양자(養子)를 일컬음.
[微中 미중] 미풍(微諷).
[微旨 미지] 미묘한 뜻. 유현(幽玄)한 뜻.
[微志 미지] 변변치 못한 뜻. 전(轉)하여, 자기의 뜻의 겸칭(謙稱).
[微知 미지] 엿보아 앎. 탐지함.
[微指 미지] 뚜렷이 밝히지 않은 마음. 어떻다고 나타나지 않은 마음. 천자(天子)의 속마음을 이름.
[微塵 미진] ㉠작은 티끌. ㉡썩 작음. 또, 썩 작은 물건.
[微喘 미천] 가늘게 쉬는 숨. 조금 남은 여생(餘生).
[微賤 미천] 신분(身分)이 낮음.
[微忠 미충] 변변치 못한 충성. 자기의 충성의 겸칭(謙稱).
[微衷 미충] 미지(微志).
[微醉 미취] 약간 취(醉)함.
[微忱 미침] 자그마한 정성(精誠). 자기 정성의 겸칭(謙稱).
[微波 미파] ㉠잔물결. 소파(小波). ㉡남몰래 하는 눈짓.
[微風 미풍] 살살 부는 바람.
[微諷 미풍] 은근히 풍자함.
[微瑕 미하] 사소한 결점. 약간의 흠.
[微恨 미한] 조그마한 원한.
[微寒 미한] 약간 추운 추위.
[微行 미행] ㉠남몰래 다님. ㉡작은 길. 골목길.
[微香 미향] 미방(微芳).
[微顯而闡幽 미현이천유] 아무라도 알 수 있는 일까지도 깊이 캐내어서 오묘(奧妙)한 지경(地境)에까지 도달(到達)하여, 세상(世上)이 모르는 원리(原理)를 구명(究明)해 냄.
[微和 미화] 약간의 온기(溫氣). 조금 따뜻함.
[微醺 미훈] 미취(微醉).
◉輕微. 極微. 幾微. 機微. 單微. 萬微. 密微. 貧微. 三微. 纖微. 細微. 少微. 衰微. 式微. 深微. 淵微. 隱微. 依微. 離微. 湮微. 紫微. 精微. 至微. 賤微. 翠微. 仄微. 側微. 太微. 寒微. 顯微. 忽微. 熹微.

10 ⑬ [㣯] 설 [入]屑 先結切 xiè
[字解] 옷너펄거릴 설 옷자락이 너펄거리는 모양. '媥姺徶—'《司馬相如》.

10 ⑬ [徯] 혜 ①[上]薺 胡禮切 xī ②[平]齊 胡雞切
[字解] ①기다릴 혜 傒(立部 十畫)와 통용. '書曰, 一我后'《孟子》. ②샛길 혜 蹊(足部 十畫)와 통용. '塞—徑'《禮記》.
[字源] 篆文 別體 形聲. 彳+奚〔音〕. '奚혜'는 '끈으로 잇다'의 뜻. 가는 끈을 이은 것 같은 '오솔길'의 뜻을 나타냄.

[徯徑 혜경] 샛길. 소로(小路).

10 ⑬ [徬] 〔방〕 傍(人部 十畫〈p.165〉)·彷(彳部 四畫〈p.736〉)과 同字
[字源] 甲骨文 篆文 形聲. 彳+旁〔音〕. '旁방'은 곁의 뜻. 곁에 따라가다, 따라붙다의 뜻을 나타냄. '彷방'과 통하여, 방황하다의 뜻으로도 쓰임.

10 ⑬ [得] 〔득·덕〕 得(彳部 八畫〈p.745〉)의 本字

11 ⑭ [徳] 〔덕〕 德(彳部 十二畫〈p.753〉)의 略字

11 ⑭ [㣰] 실 [入]質 息七切 xiè
[字解] 흔들릴 실 요동함. '—㣯'.

[㣰㣯 실설] 흔들림. 요동함.

11 ⑭ [徴] 徵(夂次條)의 略字

[幑] 〔휘〕 巾部 十一畫(p.680)을 보라.

12 ⑮ [徵] [高·人] [一] 징 [平]蒸 陟陵切 zhēng, ⑨chéng [二] 치 [上]紙 陟里切 zhǐ 征
[筆順] 彳 㣔 㣔 徨 徨 徨 徨 徵
[字解] [一] ①부를 징 호출함. '—召'. '—至長安'《漢書》. ②구할 징 요구함. '—詩文'. '寡人是—'《左傳》. ③거둘 징 구실 같은 것을 거두어들임. '—斂'. '以時—其賦'《周禮》. ④조짐 징 전조. '—祥'. '是其—也'《左傳》. ⑤효험 징 효과. '—效'. '久則—, —則悠遠'《中庸》. ⑥증거 징 증명. '—據'. '杞不足—也'《論語》. ⑦이룰 징 성취(成就)함. '故聖人見化, 以觀其—也'《淮南子》. ⑧밝힐 징 명백히 함. '以—過也'《左傳》. ⑨징계할 징 懲(心部 十五畫)과 통용. '且—其未也'《荀子》. ⑩성 징 성(姓)의 하나. [二] 음률이름 치 오음(五音)의 하나. 이를 합치고 입술을 열어 내는 격렬한 음. 오행(五行)에서 화(火)에, 사시(四時)로는 여름〔夏〕에 배당함. '宮商角—羽'.
[字源] 篆文 形聲. 彳+壬+攴+山〔音〕. '壬임'은 남보다 뛰어난 사람의 뜻. '山지'는

'登등'과 통하여, '등용하다'의 뜻. 뛰어난 인재를 거두다의 뜻을 나타냄. 또, 내세울 만한 가치가 있는 증거, 표지의 뜻도 나타냄.

[徵歌 징가] 명 (命) 하여 노래를 부르게 함.
[徵擧 징거] 조정 (朝廷)에서 불러 채용 (採用) 함.
[徵據 징거] 증거 (證據).
[徵君 징군] 징사 (徵士)의 존칭 (尊稱).
[徵納 징납] ㉠징소 (徵召). ㉡《韓》 수령 (守令)이 세금 (稅金)을 거두어 나라에 바침.
[徵斂 징렴] 조세를 거둠.
[徵令 징령] 호출하는 명령.
[徵命 징명] 징소 (徵召) 하는 명령.
[徵募 징모] 불러서 모집 (募集) 함.
[徵拔 징발] ㉠조정 (朝廷)에서 부름. ㉡전쟁 (戰爭) 또는 사변 (事變)이 있을 때 사람이나 말을 뽑아 모으거나 군수품 (軍需品)을 거둠.
[徵辟 징벽] 관리 (官吏)로 등용하기 위하여 부름.
[徵兵 징병] 국가 (國家)에서 장정 (壯丁)을 불러 모아 병역 (兵役)에 복무시킴. 또, 그 군사 (軍士).
[徵捧 징봉] 징수 (徵收).
[徵聘 징빙] 조정 (朝廷)에서 예 (禮)를 갖추어 부름.
[徵士 징사] 조정 (朝廷)에서 부른 학덕 (學德)이 높은 선비.
[徵祥 징상] 길조 (吉兆).
[徵稅 징세] 조세 (租稅)의 징수 (徵收).
[徵召 징소] 조정 (朝廷)에서 부름. 호출함.
[徵收 징수] 조세 (租稅)·벌금 (罰金) 등을 거둠.
[徵役 징역] 불러 공공 (公共)의 일을 시킴.
[徵用 징용] ㉠징발 (徵發) 하거나 징수 (徵收) 하여 사용함. 징용 (徵庸). ㉡국가 권력으로 국민을 일정한 업무에 강제적으로 종사시킴.
[徵庸 징용] 징용 (徵用) ❶.
[徵應 징응] 《佛敎》 행위의 선악에 따라 응보 (應報) 함.
[徵兆 징조] 조짐. 전조 (前兆).
[徵集 징집] ㉠물품 (物品)을 거두어 모음. ㉡징모 (徵募).
[徵招 징초] ㉠징빙 (徵聘). ㉡제 (齊)나라 혜공 (惠公)이 지은 음악 (音樂). 초 (招)는 소 (韶).
[徵逐 징축] 부르고 불리고 하여 친 (親)하게 왕래 (往來) 함.
[徵幣 징폐] 결혼의 폐백 (幣帛).
[徵驗 징험] ㉠징효 (徵效). ㉡징거 (徵據).
[徵還 징환] 소환 (召還) 함.
[徵會 징회] 불러서 모음.
[徵效 징효] 보람. 효험 (效驗).
[徵候 징후] 조짐 (徵兆).
●激徵. 景徵. 鼓徵. 答徵. 宮徵. 貴徵. 奇徵. 納徵. 明徵. 夢徵. 美徵. 變徵. 兵徵. 符徵. 聘徵. 三徵. 象徵. 庶徵. 瑞徵. 性徵. 壽徵. 禮徵. 正徵. 重徵. 清徵. 追徵. 特徵. 敗徵. 暴徵. 表徵. 橫徵. 效徵. 休徵.

12
⑮ [德] ㊥ 덕 ㊅職 多則切 dé　　悳

筆順 彳 彳 彳 彳 彳 彳 德 德

字解 ①덕 덕 ㉠도 (道)를 행하여 체득 (體得)한 품성. '一行'. 또, 덕을 갖춘 사람. '一不孤《佑賢輔一《書經》. ㉡도덕. 정의 (正義). '中庸

之爲一也, 其至矣乎《論語》. ㉢공덕. 이익. '下非地一《國語》. ㉣교화 (敎化). '布一和令《禮記》. ㉤은혜. '恩一'. 旣飽以一《詩經》. ②복 덕 행복. '百姓之一也《禮記》. ③덕베풀 덕 은혜를 베풂. '又從而振一之《孟子》. ④덕으로여길 덕 은덕을 느낌. '王日然則一我乎《左傳》. ⑤별이름 덕 목성 (木星). '天其報一星《漢書》. ⑥성 덕 성 (姓)의 하나. ⑦독일 덕 독일 (Deutsch)의 음역 '德意志'의 생략. '一國'.

字源 金文 悳 篆文 德 形聲 본디 彳+德〔音〕. '德덕'은 '똑바른 마음'의 뜻. '彳척'은 '가다'의 뜻. 똑바른 마음으로 인생길을 걷다의 뜻을 나타냄.

[德高望重 덕고망중] 인격 (人格)이 높고 명망 (名望)이 큼.
[德高量宏 덕고양굉] 인격이 높고 도량 (度量)이 큼.〔訓〕.
[德敎 덕교] 착한 길로 인도 (引導)하는 교훈 (敎訓).
[德禽 덕금] 닭 (鷄)의 별칭.
[德氣 덕기] 어진 기색 (氣色).
[德器 덕기] 덕행 (德行)과 기국 (器局). 착한 행실과 뛰어난 재능. 행 (行)의 이룸을 덕 (德)이라 하고, 재 (才)의 이룸을 기 (器)라 함.
[德量 덕량] 너그럽고 어진 도량 (度量). 도덕과 사려 (思慮).
[德令 덕령] 인정이 깊은 명령.
[德望 덕망] 덕행 (德行)이 있는 명망 (名望).
[德無陋 덕무루] 유덕 (有德)한 사람은 어떠한 사람이든 다 교화 (敎化)시킬 수 있으므로, 풍속 (風俗)이 비천 (卑賤)한 고장도 싫어하지 아니하고 안거 (安居) 함.
[德門 덕문] 덕행 (德行)을 쌓은 집안. 적선 (積善)한 집안.
[德配 덕배] 남의 아내의 높임말.
[德法 덕법] 백성을 다스리는 도 (道).
[德分 덕분] 《韓》 좋은 일을 남에게 베풀어 주는 일. 덕택 (德澤).
[德不孤 덕불고] 덕이 있는 사람은 그 덕에 감화되어 따르거나 돕는 자가 많으므로 고립 (孤立)하지 아니함.
[德士 덕사] 도덕이 견고한 선비라는 뜻으로, 승려 (僧侶)를 이름.
[德色 덕색] 스스로 은덕을 베풀었다고 자랑하는 얼굴빛.
[德性 덕성] 몸에 덕을 갖춘 바른 성질. 사람의 지성 (至誠)의 성품.
[德星 덕성] ㉠목성 (木星). ㉡세성 (歲星). 세성 (歲星)이 있는 곳엔 복 (福)이 있다는 데서 이름. ㉢현인 (賢人)의 비유 (譬喩).
[德聲 덕성] 유덕 (有德)하다는 평판.
[德水 덕수] ㉠황허 (黃河)의 별칭 (別稱). ㉡《佛敎》 수미산 (須彌山) 아래 대해중 (大海中)에 있다는 팔공덕수 (八功德水). 감 (甘)·냉 (冷)·연 (軟)·경 (輕)·청정 (淸淨)·불취 (不臭)·마실 때 목을 상하지 않고, 마신 뒤에 배가 아프지 않음의 여덟 가지 공덕이 있다 함.
[德業 덕업] ㉠덕행과 사업 (事業). ㉡은덕을 베푸는 행위.
[德譽 덕예] 유덕 (有德)하다는 명예. 유덕하다는 칭찬. 덕칭 (德稱).
[德友 덕우] 덕 (德)을 사모 (思慕)하여 사귀는 벗.
[德宇 덕우] 너그러운 품성 (品性). 인격 (人格).

인품(人品).

[德輶如毛 덕유여모] 도덕을 실행하는 것은 가벼운 털을 드는 것처럼 용이한 일임.

[德育 덕육] 학문(學問)을 가르쳐서 지식(知識)을 넓히는 동시에 도덕적(道德的) 의식(意識)을 계발(啓發)하여 지조(志操)를 건전하게 하여서 착한 사람이 되도록 하는 교육.

[德潤身 덕윤신] 덕(德)이 있으면 반드시 밖으로 드러남.

[德音 덕음] ㉠착한 말. 선언(善言). ㉡유덕(有德)하다는 평판. 덕성(德聲). ㉢천자(天子)의 말. 윤음(綸音). ㉣도덕(道德)에 맞는 음악(音樂).

[德義 덕의] ㉠사람이 행하여야 할 바른 도리. ㉡도덕상의 의무. ㉢덕행(德行)과 의리(義理). 덕행을 닦고 의리를 실행함.

[德人 덕인] 유덕(有德)한 사람. 덕행이 있는 사람.

[德日 덕일] 음양가(陰陽家)가 말하는 일체의 재물을 내놓아서는 안 된다고 하는 날. 정월·7월의 오(午)의 날, 2월·8월의 축(丑)의 날 따위.

[德政 덕정] 어진 정치(政治). 인정(仁政).

[德操 덕조] 끝까지 지켜서 변하지 않는 절조(節操).

[德車 덕차] 승용차(乘用車). 병차(兵車)·전차(田車)의 대(對).

[德稱 덕칭] 유덕(有德)하다는 칭찬.

[德澤 덕택] 은덕(恩德)이 다른 사람에게 미치는 혜택(惠澤).

[德風 덕풍] ㉠군자(君子)의 덕은 바람과 같고, 백성의 덕은 풀과 같은 것으로, 풀은 그 위로 바람이 불면 반드시 쓰러진다는 뜻. ㉡인덕(仁德)으로 사람을 감화(感化)함을 이름.

[德行 덕행] 어질고 두터운 행실(行實).

[德惠 덕혜] 은덕. 은혜(恩惠).

[德慧 덕혜] 덕행(德行)과 지혜.　　　「킴.

[德化 덕화] 덕행(德行)으로 남을 감화(感化)시

●乾德. 儉德. 謙德. 經德. 高德. 坤德. 孔德. 公德. 功德. 巧言亂德. 舊德. 君德. 耆德. 累德. 達德. 大德. 道德. 邁德. 明德. 武德. 無怨無德. 文德. 美德. 民德. 薄德. 背德. 報德. 報怨以德. 福德. 鳳德. 不德. 婦德. 否德. 菲德. 四德. 三達德. 三德. 爽德. 碩德. 成德. 盛德. 聖德. 腥德. 頌德. 修德. 宿德. 淑德. 順德. 失德. 惡德. 涼德. 陽德. 養德. 女德. 逆德. 令德. 穢德. 五德. 玩人喪德. 偉德. 威德. 有德. 遺德. 六德. 恩德. 隱德. 陰德. 飮德. 蔭德. 懿德. 人德. 仁德. 一德. 逸德. 一飯德. 積德. 帝德. 種德. 俊德. 峻德. 重德. 至德. 慙德. 彰德. 天德. 齒德. 七德. 悖德. 敗德. 表德. 風草德. 學德. 恒德. 玄德. 昏德. 孝德. 厚德. 休德. 凶德.

12
⑮ [德] 德(前條)의 本字

12
⑮ [徹] (高人) 철 (入)屑 直列切 chè　　彻洴

筆順 彳 彳 彳 汖 徉 徟 徟 徹

字解 ①통할 철 ㉠통철함. '透一'. '物一疏明'《莊子》. ㉡전달함. '一命于執事'《左傳》. ②뚫을 철 '穿一'. '射之一七札'《左傳》. ③구실이름 철 주대(周代)의 전조(田租)의 제도로서, 수입

의 십분의 일의 구실. '盍一乎'《論語》. ④벗길 철 박취(剝取)함. '一彼桑土'《詩經》. ⑤다스릴 철 '一田爲糧'《詩經》. ⑥치울 철 거둠. 제거함. '一床'. '軍衞不一'《左傳》. ⑦버릴 철 기증함. '捨一淨財'《隋煬帝》. ⑧부술 철 '一我牆屋'《詩經》. ⑨성 철 성(姓)의 하나.

字源 (甲骨文 篆文) 會意. 甲骨文은 鬲+又. '鬲력'은 솥의 상형. '又우'를 붙여, 식후의 뒤치다꺼리를 하다, 치워 없애다의 뜻을 나타냄. 篆文은 彳+育+攴의 會意 문자. '育'은 '鬲'의 변형, '攴복'은 '又'의 변형. 일반적으로, 일이 마지막 치다꺼리에까지 이르다, 통하다, 이르다의 뜻을 나타내게 되고, '彳'을 붙였음.

[徹旦 철단] 철야(徹夜).

[徹頭徹尾 철두철미] 처음부터 끝까지. 철저히.

[徹白 철백] 꿰뚫어 보일 만큼 흼.

[徹法 철법] 주(周)나라 때의 조세법(租稅法). 백묘(百畝)의 사전(私田)을 받은 사람이 십묘(十畝)의 공전(公田)을 경작하여 그 수확을 관청에 바침. 곧, 십분지일(十分之一)의 납세법(納稅法).　　　「(撤收)함.

[徹兵 철병] 주둔(駐屯)하였던 군대(軍隊)를 철수

[徹床 철상] 음식상을 거두어 치움.

[徹曙 철서] 철야(徹夜).

[徹宵 철소] 철야(徹夜).

[徹夜 철야] 밤을 새움.

[徹悟 철오] 철저(徹底)히 깨달음.

[徹底 철저] ㉠깊이 속까지 이름. ㉡물이 맑아 깊은 속까지 환히 비침. ㉢일을 끝까지 관철(貫徹)하는 태도가 있음.

[徹晝 철주] 온종일.

[徹饌 철찬] 제사 지낸 음식을 거두어 치움.

[徹曉 철효] 철야(徹夜).

[徹侯 철후] 진한(秦漢) 이십 급(二十級)의 작제(爵制)의 최상위(最上位). 천자(天子)에 통(通)한다는 뜻. 그 후 한(漢)나라에서 무제(武帝)의 휘(諱)를 피하여 통후(通侯) 또는 열후(列侯)라 하였음.

●減徹. 感徹. 高徹. 貫徹. 郎徹. 冷徹. 分徹. 拂徹. 捨徹. 聖徹. 疏徹. 秀徹. 映徹. 瑩徹. 甕徹. 一徹. 峻徹. 穿徹. 清徹. 洞徹. 透徹. 廢徹.

12
⑮ [徶] 삽 (入)合 蘇合切 sà

字解 ①갈 삽 가는 모양. '一, 行皃'《說文》. ②여럿이갈 삽 '一, 衆行皃'《廣韻》. ③왔다갔다할 삽 '一, 行不進也'《集韻》. ④빠를 삽, 시끄러울 삽 '紛一翯以流漫'《嵇康》.

字源 形聲. 彳+翜[音]

12
⑮ [徶] 별 (入)屑 蒲結切 bié

字解 옷너펄거릴 별 옷자락이 너울거리는 모양. '一徶, 衣服婆娑皃'《集韻》.

[徶徶 별설] 옷자락이 펄럭임.

13
⑯ [徼] 요 (교本) ①-④깸 古弔切 jiào　　洝
　　　　　　 ⑤-⑦蕭 古堯切 jiào

字解 ①돌 요 순행함. 순찰함. '掌―循京師'《漢書》. ②순라군 요 순찰하는 사람. '少爲縣亭長游―'《後漢書》. ③변방 요 국경 지대. '邊―, 南至牂牁爲―'《史記》. ④샛길 요 질러가는 소로. '―道綺錯'《班固》. ⑤구할 요 희구함. '―翼', '小人行險以―幸'《中庸》. ⑥훔칠 요 표절(剽竊)함. '惡―以爲知者'《論語》. ⑦막을 요 앞을 막음. '―麋鹿之怪獸'《司馬相如》.
字源 篆文 徼 形聲. 彳＋敫〔音〕. '敫교'는 횃빛이 흘러가는 모양. 빛이 흘러가다, 돌다의 뜻을 나타냄. 또, '憿요'와 통하여, '구하다'의 뜻을 나타냄.

[徼徽 요기] 바람. 희망(希望)함.
[徼道 요도] 샛길.
[徼利 요리] 이익을 바람.
[徼妙 요묘] 아주 정미(精微)한 작용, 또는 이치(理致).
[徼巡 요순] 순찰(巡察)함.
[徼循 요순] 요순(徼巡).
[徼外 요외] 나라 밖. 새외(塞外).
[徼幸 요행] 뜻밖에 얻는 행복. 또, 그 행복을 바람.
[徼倖 요행] 요행(徼幸).
●警徼. 關徼. 塞徼. 外徼. 要徼. 游徼. 周徼. 行徼. 幸徼.

14
⑰ [徽] 人名 휘 ㊤微 許歸切 huī　徽 㣲

筆順 彳 彳 徉 徨 徬 徬 徽 徽

字解 ①아름다울 휘 선미(善美)함. 착함. '一言', '君子有―猷'《詩經》. ②아름답게할 휘 선미(善美)하게 함. '愼―五典'《書經》. ③탈 휘 거문고를 탐. '鄒忌―一, 而威王終夕悲感於憂'《淮南子》. ④바 휘 굵은 세 겹노. '―索', '係用―纆'《易經》. ⑤표기 휘 표지(標識)를 한 기(旗). 幑(巾部 十一畫)와 同字. '―幟'. '―車輕武'《揚雄》. 전(轉)하여, 기호(記號)의 뜻으로 쓰임. '―章'. ⑥성 휘 성(姓)의 하나.
字源 篆文 徽 形聲. 彳＋微(省)〔音〕. '微미'는 '작다'의 뜻. 작지만 상징(象徵)이 되는 끈, '표지(標識)'의 뜻을 나타냄.

[徽纆 휘묵] 바. 동아줄.
[徽索 휘삭] 포승(捕繩).
[徽繩 휘승] 휘삭(徽索).
[徽言 휘언] 아름다운 말. 착한 말.
[徽猷 휘유] 좋은 꾀. 훌륭한 계획. 선모(善謀). 양책(良策).
[徽音 휘음] ㉠좋은 평판. 영문(令聞). ㉡맑은 소리. 아름다운 소리.
[徽章 휘장] ㉠기(旗)의 표지(標識). 기장(旗章). 기치(旗幟). ㉡의복(衣服)·모자 등에 붙이는 신분(身分)·지위(地位)를 표시하는 표(標).
[徽車 휘차] ㉠표기(標旗)를 단 수레. ㉡빨리 달리는 수레.
[徽幟 휘치] 기치(旗幟).
[徽號 휘호] ㉠기장(旗章). 기치(旗幟). ㉡제후(帝后)의 존호(尊號) 위에 덧붙이는 포미(襃美)하는 칭호. 예컨대, 청태조(淸太祖)의 휘호는 '覆育列國英明皇帝'이고 세조(世祖)의 황태후의 휘호는 '昭聖慈壽皇太后'임. ㉢((韓)) 후비

(后妃)가 죽은 뒤에 시호(諡號)와 함께 올리는 존호(尊號).
[徽嫿 휘획] 빨리 달리는 모양.
[徽徽 휘휘] 아름다운 모양.
●英徽. 仁徽. 纏徽. 黏徽. 淸徽. 彈徽. 鴻徽.

16
⑲ [儱] 　룡 ㊅宋 良用切 lòng
　　　　룡 ㊤董 魯孔切 lǒng
字解 ⊟ 비틀거릴 룡 바르게 걷지 않음. '一, 行不正'《玉篇》. ⊟ 곧게갈 룡 '一徍'은 똑바로 감. 직행(直行)함.

17
⑳ [儴] 　양 (상)㊤ ㊤陽 息良切 xiāng
字解 거닐 양 '聊逍遙以―徉'《楚辭》.

18
㉑ [戄] 　구 ㊤虞 其俱切 qú
　　　　구 ㊄遇 俱遇切 jù
字解 갈 구 가는 모양. 躣(足部 十八畫)와 同字. '―, 行兒. 楚詞曰, 右蒼龍之躣躣. 一, 上同'《廣韻》.
字源 形聲. 彳＋瞿〔音〕.

[黴] 〔미〕
黑部 十一畫(p. 2709)을 보라.

─────

心(小·忄)(4획) 部
〔마음심부〕

0
④ [心] 中入 심 ㊤侵 息林切 xīn　心

筆順 ′ 心 心 心

字解 ①마음 심 ㉠지정의(知情意)의 본체. 의식. 정신. '―身'. '―者形之君, 而神明之主也'《荀子》. ㉡생각. 마음씨. '―術'. '人―不同, 如其面焉'《左傳》. ㉢뜻. 의미. '有一哉擊磬乎'《論語》. ②염통 심 오장의 하나. '―臟'. '―者五臟之專精也'《素問》. 심장은 오장 중에서 가장 중요한 것이므로, 전(轉)하여 정요(精要)의 뜻으로 쓰임. '般若一經, 系集大般若經六百卷之精要, 故云―經'《辭海》. ③가슴 심 '一腹'. '西施病一'《莊子》. ④가운데 심 중앙. '中一'. '月到天―處'《邵雍》. 또, 물건의 중심에 있는 것. '木一'. '榮不食一'《南史》. ⑤근본 심 근원. 본성(本性). '復其見天地之心乎'《易經》. ⑥별이름 심 이십팔수(二十八宿)의 하나. 창룡 칠수(蒼龍七宿)의 다섯째 성수(星宿)의 하나. 별 셋으로 구성되었음. '一宿'. ⑦성 심 성(姓)의 하나.
字源 金文 ℧ 篆文 ⼼ 象形. 심장의 상형으로, '마음'의 뜻을 나타냄.
參考 '心'을 의부(意符)로 하여, '감정·의지' 등의 마음의 움직임에 관한 문자를 이룸.

[心肝 심간] 심장(心臟)과 간장(肝臟). 전(轉)하여, 충심(衷心). 마음속.
[心怯 심겁] 담력(膽力)이 없어서 대단치 않은 일에 겁(怯)을 잘 냄.

4
획

[心境 심경] 마음의 상태 (狀態).
[心界 심계] 마음의 세계. 마음의 범위 (範圍).
[心計 심계] 심산 (心算).
[心悸 심계] 가슴이 떨.
[心曲 심곡] 마음속. 심중 (心中).　　　　「體).
[心骨 심골] 마음과 뼈. 전 (轉)하여, 몸 전체 (全
[心廣體胖 심광체반] 마음이 너그러우면 몸이 편
안하여 살찜.
[心交 심교] 서로 마음을 터놓고 사귐.
[心琴 심금] 외부의 자극을 받아 울리는 마음을
거문고에 비유하여 이르는 말.
[心氣 심기] 마음으로 느끼는 기분 (氣分).
[心機 심기] 마음의 기능 (機能). 마음의 활동 (活
[心膽 심담] 마음. 정신.　　　　　　　　「動).
[心德 심덕] 《韓》 너그럽고 착한 마음.
[心動 심동] 마음이 움직임.
[心頭 심두] 염두 (念頭).
[心亂 심란] 마음이 산란 (散亂)함.
[心膂 심려] ㉠가슴과 등뼈. 인체 중에서 중요한
부분이므로, 곁에서 보필 (輔弼)하는 가장 중요
한 신하 (臣下)의 비유로 쓰임. 고굉 (股肱). ㉡
전신 (全身)의 힘.
[心慮 심려] 근심. 걱정.
[心力 심력] ㉠마음의 작용. ㉡마음과 힘. 마음과
근육 (筋肉). 정신과 체력 (體力).
[心靈 심령] 마음속의 영혼 (靈魂). 심의 (心意)의
주체 (主體).
[心勞 심로] 걱정. 근심.
[心理 심리] 정신 (精神)의 상태 (狀態). 의식 (意
識)의 현상 (現象).
[心裏 심리] 마음속. 심중 (心中).
[心魔 심마] 《佛敎》 사람을 사도 (邪道)에 빠뜨리
는 마음의 마귀 (魔鬼). 즉, 물욕 (物慾)·애착
(愛着)의 정 (情) 등.
[心滿意足 심만의족] 마음에 만족함.
[心法 심법] ㉠마음을 쓰는 법 (法). ㉡이심전심
(以心傳心)의 도 (道). 사제지간 (師弟之間)에
전수 (傳受)하여 내려오는 정신을 이름.
[心病 심병] ㉠마음의 근심. ㉡고치려 하여도
고쳐지지 않는 나쁜 버릇.
[心服 심복] 충심으로 복종함.
[心腹 심복] ㉠가슴과 배. ㉡가장 중요한 개소 (個
所). ㉢성심 (誠心). 진심. ㉣심복지인 (心腹之
人).
[心腹之人 심복지인] 썩 가까운 사람.
[心腹之疾 심복지질] 심복지환 (心腹之患).
[心腹之患 심복지환] 잘 낫지 않는 병. 전 (轉)하
여, 없애기 어려운 큰 우환.
[心事 심사] 마음속에 생각하는 일.
[心思 심사] 마음. 생각.
[心算 심산] 속셈.
[心狀 심상] 마음의 상태 (狀態).
[心喪 심상] ㉠상복 (喪服)은 입지 않되 상제와 같
은 마음으로 애모 (哀慕)하는 일. ㉡탈상 (脫喪)
한 뒤에도 마음으로 슬퍼하여 상중에 있는 것
같이 근신하는 일.
[心象 심상] 심상 (心像).
[心想 심상] 마음속의 생각.
[心像 심상] ㉠심중 (心中)에 일어나는 온갖 생각.
㉡과거에 경험하였던 외물 (外物)의 형상이 의
식 (意識) 중에 나타난 것.
[心緒 심서] 심회 (心懷).
[心性 심성] ㉠마음. 정신. ㉡천성 (天性).

[心星 심성] 심수 (心宿).
[心聲 심성] 말, 언어. 심화 (心畫)와 같은 예 (例).
[心素 심소] 성심 (誠心).
[心受 심수] 마음으로 받음. 깨달음.
[心宿 심수] 자해 (字解) ❻을 보라.
[心手相應 심수상응] 마음먹은 대로 손이 움직임.
[心術 심술] 마음씨.
[心身 심신] 마음과 몸.
[心神 심신] 마음. 정신 (精神).
[心眼 심안] 사물 (事物)을 살펴 분별하는 마음의
작용. 육안 (肉眼)의 대 (對).
[心弱 심약] 마음이 약함.
[心恙 심양] 미친 병. 광증 (狂症).
[心與口違 심여구위] 마음에 생각하는 바와 입으
로 말하는 바가 다름.
[心如水 심여수] 마음이 깨끗함을 비유하는 말.
[心熱 심열] ㉠마음으로 무엇을 바라는 열망 (熱
望). ㉡심화로 생기는 열.
[心悟神解 심오신해] 깨달음.
[心窩 심와] 명문 (命門). 명치.
[心外 심외] ㉠마음의 밖. ㉡의외 (意外). 뜻밖.
[心外無理心外無事 심외무리심외무사] 마음 외에
이치가 없고, 마음 외에 일이 없음. 곧, 마음은
만유 (萬有)의 근원임.
[心外無別法 심외무별법] 《佛敎》 세계의 만사 만
상 (萬事萬象)은 마음의 소현 (所現)으로서 마음
외에 따로 만사 만상이 없음.
[心欲小志欲大 심욕소지욕대] 마음은 작기를 바
라고 뜻은 크기를 바람. 곧, 마음은 찬찬하여
조금도 소루 (疏漏)하여서 안 되고, 뜻은 원대
하여 소소한 일에 마음이 쏠려서는 안 됨.
[心欲言口不逮 심욕언구불체] 마음먹은 대로 말
이 나오지 아니함.
[心願 심원] 마음으로 바람.
[心肉 심육] 소의 허리 또는 등성마루에 붙은 연
(軟)한 고기. 등심.
[心凝形釋 심응형석] 마음이 그 물건에 끌려 굳어
지고 자기 몸은 풀려 녹아서 자기를 잊음. 곧,
대자연 (大自然)과 융합 (融合)함을 이름.
[心意 심의] 마음.
[心印 심인] ㉠의기 (意氣). 기상 (氣象). ㉡《佛敎》
이심전심 (以心傳心)의 오의 (奧義).
[心匠 심장] 구상 (構想).
[心腸 심장] 감정이 우러나는 곳. 마음속.
[心臟 심장] 염통.
[心臟痲痺 심장마비] 심장 (心臟)이 마비 (痲痺)되
어 맥박 (脈搏)이 정지하는 일.
[心田 심전] 심지 (心地).　　　　　　　　「움.
[心戰 심전] ㉠두려워하여 떪. ㉡지능 (知能)의 싸
[心情 심정] 마음과 정 (情). 생각.
[心中 심중] 마음속.
[心中人 심중인] 마음속에 잊혀지지 않는 사람.
그리운 사람.
[心旨 심지] 생각.
[心地 심지] 마음. 마음자리. 마음의 본바탕.
[心志 심지] 마음과 뜻.
[心塵 심진] 정욕 (情慾).
[心疾 심질] ㉠가슴의 병. ㉡근심 때문에 난 병.
[心祝 심축] 마음속으로 축복함.
[心醉 심취] 마음이 취하여 쏠림. 흠모 (欽慕)하는
마음이 우러남.
[心通 심통] 마음이 통함.
[心痛 심통] ㉠가슴이 아픔. 가슴의 병. ㉡근심함.

[心學 심학] 마음의 본체 (本體)를 인식하고 몸을 수양(修養)하는 것을 공부하는 학문. 육상산 (陸象山)·왕양명 (王陽明) 등이 주창 (主唱)하였음.
[心許 심허] 참마음으로 허락함.
[心險 심험] 마음이 음흉(陰凶)하고 험상궂음.
[心血 심혈] ㉠염통의 피. ㉡온 정신 (精神).
[心魂 심혼] 정신. 혼.
[心火 심화] ㉠마음속에 일어나는 울화 (鬱火). ㉡마음. ㉢심성(心星).
[心畫 심화] 마음을 나타내는 그림이란 뜻으로, 문자(文字)·그림을 이름.
[心懷 심회] 마음속의 회포(懷抱).
[心喉 심후] 마음과 목구멍. 전 (轉)하여, 요처 (要處). 급소(急所).
[心胸 심흉] 가슴속. 마음.

●肝心. 簡心. 甘心. 感心. 改心. 客心. 格心. 隔心. 堅心. 決心. 傾心. 戒心. 故心. 苦心. 功名心. 關心. 求心. 垢心. 群心. 歸心. 閨心. 克己心. 金剛心. 錦心. 琴心. 機心. 羈心. 內. 老婆心. 陋心. 多心. 丹心. 單心. 都心. 悼心. 道心. 同心. 童心. 遁心. 遯心. 慢心. 盲心. 銘心. 木心. 無心. 美心. 發起心. 發心. 放心. 變心. 拜心. 菩提心. 腹心. 本心. 不動之心. 負心. 佛心. 悲心. 鄙心. 死心. 私心. 邪心. 喪心. 色心. 石心. 善心. 聖心. 誠心. 細心. 洗心. 小心. 素心. 屬心. 洒心. 水心. 獸心. 夙心. 宿心. 淑心. 純心. 詩心. 身心. 信心. 神心. 失心. 悉心. 惡心. 安心. 哀心. 愛心. 野心. 佚心. 兩心. 逆心. 外心. 凹心. 愚心. 虞心. 憂心. 圓心. 遠心. 危心. 留心. 緲心. 淫心. 疑心. 義心. 二心. 以心傳心. 異心. 貳心. 人心. 仁心. 一心. 自負心. 潛心. 齊心. 爭心. 赤心. 賊心. 赤子之心. 專心. 傳心. 足心. 存心. 中心. 重心. 衆心. 池心. 眞心. 盡心. 塵心. 執心. 澄心. 天心. 鐵心. 淸心. 焦心. 初心. 寸心. 春心. 快心. 他心. 痛心. 波心. 褊心. 河心. 寒心. 恒心. 降心. 害心. 核心. 虛心. 虛榮心. 協心. 炯心. 好奇心. 虎狼之心. 湖心. 花心. 禍心. 歡心. 驩心. 回心. 灰心. 會心. 喜心.

0
4 [小] 心(前條)과 同字

筆順 ㅣ 小 小 小

0
3 [忄] 心(前前條)이 변에 있을 때의 자체 (字體). 마음심변. 심방변.

筆順 ˊ ㆍ 忄

1
5 [必] ⊕人 필 ㊀質 卑吉切 bì

筆順 ` ㇒ 义 义 必 (㲌 心 忈) 必

字解 ①반드시 필 꼭. '一要'. '一死'. '信賞一罰'《漢書》. ②오로지 필 전일 (專一). '赤石不奪節士之一'《太玄經》. ③기필할 필 반드시 그렇게 될 줄로 믿음. '期一'. '毋意毋一'《論語》. ④성 필 성(姓)의 하나.

字源 金文 ☒ 篆文 ☒ 會意. 八+弋. '弋익'은 '말뚝'의 뜻. '八팔'은 장식이 늘어진

끈의 상형. 장식 끈을 무기에 감아 붙인 자루의 뜻을 나타냄. 假借하여, '반드시'의 뜻을 나타냄. 원래, '心심'과는 뜻이나 형태 모두 관계가 없었으나, 편의상 심부(心部)에 소속시킴.

[必讀 필독] 꼭 읽어야 함.
[必得 필득] 꼭 자기의 물건이 됨.
[必滅 필멸] 《佛敎》 꼭 멸함.
[必方 필방] 불의 신령. 화신 (火神). 필방(畢方).
[必罰 필벌] 반드시 처벌함.
[必死 필사] 죽을 결심을 하고 전력 (全力)을 다함.
[必死乃已 필사내이] 죽고서야 그만둠.
[必衰 필쇠] 《佛敎》 반드시 쇠 (衰) 함.
[必修 필수] 꼭 닦아야 함. 반드시 학습하여야 함.
[必須 필수] 꼭 있어야 함.
[必需 필수] 꼭 씀. 없어서는 안 됨.
[必勝 필승] 반드시 이김.
[必是 필시] 꼭. 틀림없이.
[必也 필야] 틀림없이. 꼭.
[必然 필연] 꼭. 반드시. 또, 꼭 그러함.
[必要 필요] 꼭 소용(所用)이 됨.
[必用 필용] 필요 (必要).
[必有曲折 필유곡절] 반드시 무슨 까닭이 있음.
[必傳 필전] 꼭 후세 (後世)에 전함.
[必定 필정] 꼭. 반드시.
[必至 필지] 반드시 이름. 꼭 옴.
[必携 필휴] 꼭 휴대 (携帶)하여야 함.

●期必. 何必.

1
4 [忆] 〔억〕
憶(心部 十三畫〈p. 821〉)의 簡體字

2
6 [忍] ㊀ 의 ㊀未 魚旣切 yì
㊁ 도 都牢切

字解 ㊀ ①성낼 의 '一, 怒也'《說文》. ②해칠 의 '一, 一日, 害意'《集韻》. ㊁忉 (次條)와 同字.
字源 形聲. 心+刀〔音〕

2
5 [忉] 도 ㊀豪 都牢切 dāo

字解 근심할 도 근심하는 모양. '心焉一一'《詩經》.
字源 形聲. 忄(心) + 刀〔音〕

[忉怛 도달] 근심하고 슬퍼함.
[忉忉 도도] 근심하는 모양.
[忉利天 도리천] 《佛敎》 욕계 육천 (欲界六天)의 둘째 하늘. 수미산 (須彌山)의 꼭대기에 있어 제석천 (帝釋天)이 삶.

●慘忉.

2
6 [忢] 애 ㊀泰 牛蓋切 yì

字解 징계할 애 나무라서 경계함. '懲一戰國'《晉書》.
字源 篆文 ☒ 形聲. 心+乂〔音〕. '乂애·예'는 가위로 베다, 베어 다스리다의 뜻. 마음의 악(惡)을 베고 징계하는 일.

●懲忢.

4
획

3 ⑦ [忎] 〔공〕
恐(心部 六畫〈p.773〉)의 古字

3 ⑦ [㤓] 〔념〕
念(心部 四畫〈p.761〉)과 同字

3 ⑦ [忌] [高人] 기 [去]寘 渠記切 jì

[筆順] ㄱ ㅋ 己 己 忌 忌 忌

[字解] ①미워할 기 증오함. '嫌—'. '不—其不祥乎'《國語》. ②시기할 기 질투함. '猜—'. '夫人無妬—之行'《詩經》. ③꺼릴 기 외탄(畏憚)함. '—避'. '—憚'. '不—于上'《左傳》. ④공경할 기 '非羈何—'《左傳》. ⑤원망할 기 원한을 품음. '小人—而不思'《國語》. ⑥경계할 기 타일러 주의시킴. '敬—而罔有擇言在躬'《書經》. ⑦기일 기 부모 또는 조상이 죽은 날, 또 상중. '—辰'. '君子有終身之喪, —日之謂也'《禮記》. ⑧어조사 기 구조(句調)를 고르게 하기 위한 조사(助辭). '叔善射—, 又良御—'《詩經》. ⑨성 기 성(姓)의 하나.

[字源] [金文] [篆文] 形聲. 心+己〔音〕. '己기'는 실오리를 가다듬는 실패의 상형. 황공해한다는 뜻에서 파생(派生)하여, '꺼리다'의 뜻을 나타냄.

4 획

[忌刻 기각] 남의 재능을 시기(猜忌)하여 각박(刻薄)하게 굶.
[忌克 기극] 타인(他人)의 재능(才能)을 시기하여 그보다 나으려고 다툼.
[忌剋 기극] 기극(忌克).
[忌歲 기세] 불길(不吉)한 해. 일을 하는 데 삼가고 조심하여야 할 해.
[忌辰 기신] 기일(忌日).
[忌月 기월] ㉠어버이가 죽은 달. ㉡일을 하는 데 꺼려 피하여야 할 달. 음력 9월의 일컬음.
[忌日 기일] ㉠사람이 죽은 날. 또, 어버이가 죽은 날. 제삿날. ㉡불길(不吉)한 날.
[忌祭 기제] 죽은 날에 지내는 제사(祭祀).
[忌妻 기처] 투기 잘하는 아내.
[忌憚 기탄] 어렵게 여겨서 꺼림.
[忌妬 기투] 시기함. 질투함.
[忌避 기피] 꺼리어 피(避)함.
[忌諱 기휘] 꺼리어 싫어함.
◉彊忌. 顧忌. 驕忌. 拘忌. 禁忌. 排忌. 辟忌. 兵忌. 小忌. 疏忌. 猜忌. 深忌. 語忌. 年忌. 畏忌. 龍忌. 怨忌. 遠忌. 意忌. 疑忌. 罪忌. 周忌. 憎忌. 疾忌. 娼忌. 妬忌. 褊忌. 悍忌. 嫌忌. 患忌. 還忌. 回忌. 諱忌.

3 ⑦ [忞] [一] 恕(心部 六畫〈p.773〉)의 古字
[二] 怒(心部 五畫〈p.765〉)의 古字

3 ⑦ [応] 〔응〕
應(心部 十三畫〈p.820〉)의 俗字

3 ⑦ [忍] [中人] 인 ㊤軫 而軫切 rěn

[筆順] ㄱ 刀 刃 刃 忍 忍 忍

[字解] ①참을 인 ㉠견딤. '—耐'. '—辱'. '包羞—恥是男兒'《杜牧》. ㉡용서함. '是可—也, 孰不可—也'《論語》. ㉢어려운 것을 참고 힘씀. '—勉'. '魯以相—爲國'《左傳》. ②참음 인 전항(前項)의 명사. '—之一字, 衆妙之門'《呂本中》. ③잔인할 인 잔악(殘惡)함. '殘—'. '人皆有不—人之心'《孟子》. ④차마못할 인 딱하여 참지 못함. '情懷——'《後漢書》. ⑤성 인 성(姓)의 하나.

[字源] [篆文] 形聲. 心+刃〔音〕. '刃인'은 탄력이 있고도 강한 칼날의 뜻. 부드럽고도 굳센 마음의 뜻에서 '참다'의 뜻을 나타냄.

[忍耐 인내] 참고 견딤.
[忍冬 인동] 겨우살이덩굴. 약초(藥草)의 한 가지.
[忍勉 인면] 참고 힘씀.
[忍心 인심] 모진 마음. 잔인(殘忍)한 마음.
[忍辱 인욕] 욕(辱)되는 것을 참음. 「(袈裟).
[忍辱鎧 인욕개] 《佛敎》중의 법의(法依). 가사
[忍辱之依 인욕지의] 《佛敎》인욕개(忍辱鎧).
[忍人 인인] 잔인(殘忍)한 사람.
[忍忍 인인] 차마 볼 수 없는 모양. 딱한 모양.
[忍從 인종] 참고 복종(服從)함.
[忍之爲德 인지위덕] 참는 것이 아름다운 덕이 됨.
[忍之一字衆妙之門 인지일자중묘지문] 인(忍)이란 한 글자는 만사(萬事)에 성공(成功)할 요결(要訣)임.
[忍土 인토] 삼독(三毒)·번뇌(煩惱)를 인수(忍受)하는 세계(世界)라는 뜻으로, 이 세상. 사바세계(娑婆世界).
◉甘忍. 勘忍. 堪忍. 剛忍. 強忍. 堅忍. 耐忍. 不忍. 猜忍. 嚴忍. 容忍. 隱忍. 慈忍. 殘忍. 慘忍. 鷙忍. 貪忍. 含忍.

3 ⑦ [忍] 忍(前條)과 同字

3 ⑦ [忒] 특 [入]職 他德切 tè

[字解] ①틀릴 특 어긋남. '差—'. '昊天不—'《詩經》. ②의심할 특 '其儀不—'《詩經》. ③변할 특 변경(變更)됨. '享祀不—'《左傳》.

[字源] [篆文] 形聲. 心+弋〔音〕. '弋익'은 서로 어긋매껴지다의 뜻. 마음이 변하다의 뜻을 나타냄.

◉忮忒. 爽忒. 謬忒. 縱忒. 差忒. 僭忒. 懈忒. 凶忒.

3 ⑦ [志] [中人] [一] 지 [二] 치 [去]寘 職吏切 zhì

[筆順] 一 十 士 志 志 志 志

[字解] [一] ①뜻 지 ㉠의향(意向). '詩言—, 歌永言'《詩經》. ㉡의사. '意—'. '匹夫不可奪—也'《論語》. ㉢본심. 본의. '謂之宋—'《左傳》. ㉣사의(私意). '義敟—敟'《禮記》. ㉤감정. '以制六—'《左傳》. ㉥희망. '過於其—'《左傳》. ㉦절개. '—操'. '—士不忘在溝壑'《孟子》. ㉧의사의 표시. '孔子之喪, 公西赤爲—焉'《禮記》. ②뜻할 지 할 마음을 먹음. 바람. 기대함. '—望'. '—願'. '—於道'《論語》. ③기억할 지 잊지 아니함. '博聞彊—'《後漢書》. ④적을 지 기록함. '孔子聞之曰, 弟子—之'《孔子家語》. ⑤기록 지 문서. '三國—'. '魏—'. '掌邦國之—'《周禮》. ⑥문

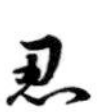

체이름 지 한문의 한 체(體). 사물의 변천·연혁(沿革)을 적는 것. '漢書藝文—'. ⑦살촉 지 화살 끝에 박은 쇠. ⑧성 지 성(姓)의 하나. [二] 기치 치 幟(巾部 十二畫)와 통용. '張旗—'《史記》.
[字源] 篆文 形聲. 心+士(㞢)〔音〕. '㞢(之)지'는 '가다'의 뜻. 마음이 향해 가는 것. '뜻하다'의 뜻을 나타냄. 또, '誌지·識지'와 통하여, '표시'의 뜻도 나타냄.

[志概 지개] 지기(志氣).
[志格 지격] 고상(高尙)한 뜻.
[志氣 지기] 의지와 기개(氣概).
[志氣相合 지기상합] 두 사람의 지기(志氣)가 서로 맞음.
[志大才短 지대재단] 뜻은 크나 재주가 모자람.
[志略 지략] 큰 포부(抱負).
[志慮 지려] 마음. 생각.
[志望 지망] 소원. 희망.
[志不可滿 지불가만] 마음에 바라는 바를 다 채워서는 안 됨. 욕망은 어느 정도 억제하여야 함.
[志不偕 지불해] 일이 뜻과 같이 되지 아니함.
[志士 지사] 절의(節義)가 있는 선비. 국가·민족을 위해 몸을 바치는 사람.
[志士多苦心 지사다고심] 지사는 절개를 굳게 지키기 때문에 고생하는 일이 많음.
[志尙 지상] 뜻. 또는 뜻이 고상(高尙)함.
[志乘 지승] ㉠기록(記錄). ㉡사료(史料)를 기록한 글.
[志願 지원] 원하고 바람. 하고 싶어함. 희망(希望).
[志意 지의] 의지(意志).
[志在千里 지재천리] 품은 뜻이 원대(遠大)함.
[志節 지절] 지조와 절개(節概).
[志操 지조] 지기(志氣)와 조행(操行).
[志趣 지취] 지향(志向).
[志學 지학] ㉠학문에 뜻을 둠. ㉡15세의 일컬음.
[志行 지행] 의지와 행위. 입지(立志)와 실행. 지조(志操)와 덕행(德行).
[志向 지향] 뜻이 쏠리어 향하는 바. 의향(意向).
◉懇志. 彊志. 故志. 孤志. 高志. 果志. 求志. 國志. 箕山之志. 凌霄之志. 凌雲之志. 端志. 大志. 篤志. 同志. 猛志. 明志. 微志. 薄志. 方志. 芳志. 放志. 法志. 本志. 不拔之志. 四方之志. 死志. 私志. 散志. 尙志. 善志. 聖志. 素志. 遜志. 夙志. 宿志. 乘志. 心志. 雅志. 弱志. 養志. 言志. 勵志. 輿志. 銳志. 玩物喪志. 翫志. 愚志. 雄志. 遠志. 幼志. 有志. 遺志. 意志. 利志. 異志. 逸志. 立志. 恣志. 壯志. 前志. 專志. 情志. 地志. 靑雲之志. 初志. 寸志. 忠志. 他志. 鬪志. 遐志. 惑志. 鴻鵠之志. 洪志. 鴻志. 厚志.

3 ⑦ [忘] [中人] 망 [平]陽 武方切 wàng
[去]漾 巫放切 wàng

[筆順] 丶 亠 亡 亡 忘 忘 忘

[字解] ①잊을 망 ㉠기억하지 못함. '—却'. '健—'. '民不—其勞'《易經》. ㉡염두에 두지 아니함. 개의치 아니함. '—死生'. '—其身'《論語》. ㉢소홀히 함. '—恩'. '不愆不—'《詩經》. ②건망증 망 잘 잊는 병. '中年病—'《列子》.
[字源] 金文 篆文 形聲. 心+亡〔音〕. '亡망'은 '없어지다'의 뜻. 마음속으로부터 기억이 없어지다, 잊다의 뜻을 나타냄.

[忘却 망각] 잊어버림.
[忘機 망기] 귀찮은 세사(世事)를 잊음. 기(機)는 마음의 꾸밈.
[忘年 망년] ㉠나이를 잊음. ㉡한 해의 신고(辛苦)를 잊음. ㉢나이의 차이를 따지지 않음.
[忘年交 망년교] 망년지교(忘年之交).
[忘年友 망년우] 망년지우(忘年之友).
[忘年之交 망년지교] 장유(長幼)를 불문하고 단지 재학(才學)으로써 하는 사귐.
[忘年之友 망년지우] 장유(長幼)를 불문하고 단지 재학(才學)으로써 사귀는 벗.
[忘年會 망년회] 연말(年末)에 행하는 친목회(親睦會).
[忘死生 망사생] 죽고 사는 것을 돌아보지 아니함.
[忘失 망실] 잊어버림.
[忘我 망아] 망오(忘吾).
[忘吾 망오] 나를 잊는다는 뜻으로, 깊이 사색에 잠김을 이름.
[忘憂物 망우물] 술〔酒〕의 별칭(別稱).
[忘恩 망은] 은혜를 잊음. 은혜를 모름.
[忘八 망팔] 효제 충신 예의 염치(孝悌忠信禮儀廉恥)를 잊었다는 뜻으로, 유곽(遊廓)에서 노는 방탕아를 욕하는 말. 망팔(亡八).
[忘形 망형] 내 몸이 있는 것을 잊는다는 뜻으로, 물아(物我)의 경(境)에 듦을 이름.
[忘形交 망형교] 자기의 형체(形體)를 잊고 한마음 한뜻이 되는 아주 친밀한 교우(交友).
◉健忘. 闕忘. 弭忘. 不忘. 備忘. 善忘. 捐忘. 遺忘. 坐忘. 廢忘. 昏忘.

3 ⑦ [忐] [一] 담 [上]感 吐敢切 tǎn
[二] 경 [上]梗 口梗切 kěng

[字解] [一] ①마음허할 담 '—忑'은 마음이 허함. '—忑, 心虛也'《五音集韻》. ②두려워할 담 겁을 먹음. '—, 懼也'《正字通》. [二] 마음허할 경, 두려워할 경 [一]과 뜻이 같음.

3 ⑦ [㤀] 忘(前前條)의 本字

3 ⑥ [忓] [一] 간 [平]寒 古寒切 gān
[二] 한 [去]翰 侯旰切 hàn

[字解] [一] ①지극할 간, 범할 간 극(極)에 이름. 침범함. '—, 極也'《說文》. '干, 干·—通. 說文, 干, 犯也, —, 極也'《正字通》. ②흔들 간 어지럽힘. '無—時事'《唐書》. [二] ①착할 한 '—, 善也'《廣雅》. ②좋을 한 아름다움. '—, 好也'《廣雅》.
[字源] 金文 篆文 形聲. 忄(心)+干〔音〕. '干간'은 범하다의 뜻. 아랫사람이 윗사람에 대해 범의(犯意)를 품음.

3 ⑥ [忬] 후 [平]虞 況于切 xū

[字解] 근심할 후 '—, 憂也'《說文》.
[字源] 形聲. 忄(心)+亐(于)〔音〕

3 ⑥ [㤆] 忬(前條)의 本字

3 ⑥ [忏] [一] 천 ①[上]銑 七典切 qiǎn
②[平]先 倉先切 qiān
[二] 참 [去]陷 楚鑒切 chàn

4획

字解 ❶ ①성낼 천 화를 냄. '一, 怒也'《玉篇》. ②아름다울 천 '一, 方言, 自關而西, 秦晉之閒, 呼好爲一'《集韻》. ❷ 懺(心部 十七畫)의 簡體字.

3 ⑥ [忔] 흘 入物 ①許訖切 qì ②魚乞切 yì

字解 ①기뻐할 흘 '棄爲兒時, 一如巨人之志'《史記》. ②싫어할 흘 하고자 하지 아니함. '數一食飮'《史記》.
字源 形聲. 忄(心)＋乞〔音〕

3 ⑦ [忐] ❶ 職 他德切 tè ❷ 晧 端計切 dǎo

字解 ❶ ①마음허할 특 '忐一'은 마음이 허함. '志一, 心虛也'《五音集韻》. ②두려워할 특 겁을 먹음. '一, 懼也'《正字通》. ❷ 마음허할 도, 두려워할 도 ❶과 뜻이 같음.

3 ⑥ [忖] 人名 촌 晧 倉本切 cǔn

字解 ①헤아릴 촌 남의 마음을 미루어서 헤아림. '他人有心, 予一度之'《孟子》. ②성 촌 성(姓)의 하나.
字源 篆文 形聲. 忄(心)＋寸〔音〕. '寸촌'은 맥을 짚는 모양으로, '재다'의 뜻. 맥을 짚어 재듯이 남의 마음을 재는 뜻을 나타냄.

[忖度 촌탁] 남의 마음을 미루어 헤아림.

3 ⑥ [忙] 中人 망 陽 莫郎切 máng

筆順 ` ` 忄 忄 忙 忙

字解 ①바쁠 망 다망함. '悤一'. '自笑平生爲口一'《蘇軾》. ②빠를 망 급속함. '過如霹靂一'《杜牧》. ③애탈 망 초조함. '蠶飢日晩妾心一'《王酉》. ④성 망 성(姓)의 하나.
字源 形聲. 忄(心)＋亡〔音〕. '亡망'은 '없다'의 뜻. 차분한 마음이 없어지다, 바쁘다의 뜻을 나타냄.

[忙劇 망극] 대단히 바쁨.
[忙碌 망록] 다망함.
[忙裏偸閑 망리투한] 바쁜 중에도 잠시의 틈을 타 즐거이 놂.
[忙忙 망망] 대단히 바쁜 모양.
[忙迫 망박] 일에 몰리어 몹시 바쁨.
[忙事 망사] 바쁜 일.
[忙殺 망살] 망살(忙煞).
[忙煞 망살] 대단히 바쁨.
[忙月 망월] 1년 중에 바쁜 달. 입춘(立春) 후부터 110일 내지 120일경까지의 달. 한월(閑月)의 대(對).
[忙中有閑 망중유한] 바쁜 중에도 한가한 짬이 있음.
● 多忙. 煩忙. 繁忙. 奔忙. 倉忙. 忽忙. 春忙. 慌忙. 惶忙.

3 ⑥ [忚] 忙(前條)의 俗字

3 ⑥ [忕] 人名 ❶ 泰 他蓋切 tài ❷ 霽 時制切 shì

字解 ❶ 방자할 태 忲(心部 四畫)와 同字. '侈一無度'《晉書》. ❷ 익을 세 익숙해짐. '一, 狃一, 過度'《集韻》.
字源 篆文 形聲. 忄(心)＋大〔音〕. 마음이 커지다, 방자해지다의 뜻을 나타냄.

● 侈忕.

4 ⑧ [忠] 中人 충 東 陟弓切 zhōng

筆順 丨 冂 口 口 中 忄 忠 忠 忠

字解 ①충성할 충, 충성 충 군국(君國)을 위하여 정성을 다함. '一諫一君'. '爲下克一'《書經》. ②정성스러울 충, 정성 충 성실(誠實)함. '一言一僕'. ③공변될 충, 공평 충 사(私)가 없음. '無私一也'《左傳》. ④성 충 성(姓)의 하나.
字源 篆文 形聲. 心＋中〔音〕. '中충'은 가운데에 있어 치우치지 않다의 뜻. 치우치지 않는 마음, 정성의 뜻을 나타냄.

[忠肝 충간] 충성스러운 마음.
[忠諫 충간] 충성(忠誠)을 다하여 간(諫)함.
[忠懇 충간] 정성. 지성.
[忠肝義膽 충간의담] 충성스러운 심간(心肝)과 의열(義烈)의 담력(膽力).
[忠慨 충개] 충성에서 우러나오는 개탄(慨歎).
[忠蹇 충건] 충성되고 바름.
[忠敬 충경] 성의를 다하여 공경함.
[忠經 충경] 책 이름. 1권. 후한(後漢)의 마융(馬融)이 지었다고 하나, 실상은 후대 사람의 손으로 된 위서(僞書)임. 효경(孝經)을 본떠서 18장으로 나누고, 충군(忠君)의 도리를 서술하였음.
[忠告 충고] 남의 잘못을 숨기거나 꾸밈이 없이 성의껏 타이름.
[忠果 충과] ㉠충성스럽고 과단성이 있음. ㉡'감람(橄欖)'의 별칭(別稱).
[忠君 충군] 임금에게 충성을 다함.
[忠君愛國 충군애국] 임금에게 충성(忠誠)을 다하고 나라를 사랑함.
[忠規 충규] 충실한 계략(計略). 충모(忠謀).
[忠勤 충근] ㉠충성(忠誠)을 다하여 근무(勤務)함. ㉡충성스럽고 근실(勤實)함.
[忠奴 충노] 충복(忠僕).
[忠良 충량] 충성스럽고 선량(善良)함.
[忠亮 충량] 충신(忠信) ●
[忠烈 충렬] 충성(忠誠)을 다하여 절의(節義)를 세움.
[忠謀 충모] 충실(忠實)한 꾀. 충성을 다하여 짜낸 꾀.
[忠謨 충모] 충모(忠謀).
[忠僕 충복] 성심(誠心)으로 주인(主人)을 섬기는 종.
[忠憤 충분] 충의(忠義)로 인하여 일어나는 분(憤).
[忠奮 충분] 충성(忠誠)을 위하여 분기(奮起)함.
[忠婢 충비] 성심으로 주인(主人)을 섬기는 계집종.
[忠死 충사] 충의(忠義)를 위하여 죽음.
[忠邪 충사] ㉠충직(忠直)함과 간사(奸邪)함. ㉡충신(忠臣)과 간신(奸臣). 〔음.
[忠恕 충서] 충직(忠直)하며 동정심(同情心)이 많

[忠善 충선] 성실하고 선량(善良)함.

[忠誠 충성] 충직(忠直)한 정성.

[忠純 충순] 충직(忠直)하고 순실(純實)함.

[忠順 충순] 충직(忠直)하고 순량(順良)함.

[忠臣 충신] 나라를 위하여 충성(忠誠)을 다하는 신하(臣下).

[忠信 충신] ㉠성실하고 거짓이 없음. ㉡충성과 신의.

[忠臣不事二君 충신불사이군] 충신(忠臣)은 두 임금을 섬기지 아니함.

[忠臣出於孝子之門 충신출어효자지문] 충신은 효도하는 집안에서 나옴.

[忠實 충실] 성실(誠實)하고 참됨.

[忠心 충심] 충성(忠誠)스러운 마음.

[忠愛 충애] 지성으로 사랑함.

[忠言 충언] 충고하는 말.

[忠言逆耳 충언역이] 충고하는 말은 귀에 거슬림.

[忠裔 충예] 충신(忠臣)의 자손.

[忠勇 충용] 충성(忠誠)스럽고 용맹(勇猛)함.

[忠友 충우] 성실(誠實)한 벗.

[忠允 충윤] 충실(忠實)함.

[忠義 충의] 군국(君國)에 대하여 충성(忠誠)을 다하는 일.

[忠毅 충의] 충성이 있고 굳셈.　　　　「槪].

[忠節 충절] 충성을 다하여서 변하지 않는 절개(節

[忠貞 충정] 충성스럽고 곧음.

[忠情 충정] 충성스럽고 참된 정(情).

[忠志 충지] 충성(忠誠)스러운 뜻.

[忠直 충직] 성실(誠實)하고 정직함.

[忠魂 충혼] ㉠충의(忠義)를 위하여 죽은 사람의 혼(魂). ㉡충의(忠義)의 정신(精神). 충성(忠誠)된 마음.

[忠孝 충효] 충성과 효행(孝行).　　　　「함.

[忠孝兩全 충효양전] 충(忠)과 효(孝)를 겸(兼)

[忠厚 충후] 성실(誠實)하고 순후(純厚)함.

●敬忠. 孤忠. 大忠. 敦忠. 朴忠. 辨忠. 不忠. 詐忠. 誠忠. 純忠. 旌忠. 盡忠. 惠忠.

4⑧ [念] ㉰㉱ 념 ㉸㉹ 奴店切 niàn　　　　念

筆順 ノ 人 스 今 今 念 念 念

字解 ①생각 념 사려(思慮). '雜一'. '餘一'. '制一以定志'《雲笈七籤》. ②생각할 념 '一願'. '一玆在玆'《書經》. ③욀 념 암송함. '一佛'. '一經'. '口一心禱而求者'《杜牧》. ④스물 념 음(音)이 廿(十部 二畫)의 속음(俗音)과 같은 데서 유래(由來)함. '一日'. '開業碑陰, 多宋人題名, 有元祐辛未陽月一五日題'《金石文字記》. ⑤잠깐 념 불교(佛敎)에서 극히 짧은 시간을 이름. '一一中, 有九十刹那'《仁王經》. ⑥성 념 성(姓)의 하나.

字源 金文 스 篆文 念　會意. 心+今. '今금'은 '含함'과 통하여, '포함하다'의 뜻. 마음속에 지니다의 뜻에서, '늘 생각하다'의 뜻을 나타냄.

[念間 염간] 20일의 전후(前後).

[念念 염념] ㉠항상 생각함. 자꾸 생각함. ㉡시시각각으로 때가 자꾸 가는 모양. ㉢《佛敎》 일찰나 일찰나(一刹那一刹那).

[念念刻刻 염념각각] 시시각각(時時刻刻).

[念念不忘 염념불망] 자꾸 생각하여 잊지 못함.

[念念相續 염념상속]《佛敎》㉠전념(前念)과 후념(後念) 사이에 조금도 여념(餘念)이 섞이지 아니함. 곧, 잡념(雜念)이 없음. ㉡항상 염불을 욈.

[念念生滅 염념생멸]《佛敎》세계의 모든 사물은 시시각각으로 생멸(生滅)하여 조금도 상주(常住)하지 아니함.

[念頭 염두] ㉠생각의 시작. ㉡마음. 생각.

[念慮 염려] ㉠생각함. ㉡걱정함. 마음을 놓지 못함.

[念力 염력]《佛敎》온 정신을 들여 생각하는 힘.

[念佛 염불] 오직 부처를 생각하며 나무아미타불(南無阿彌陀佛)을 부름.　　　　　　「함.

[念佛三昧 염불삼매] 일심(一心)으로 염불(念佛)

[念書 염서] 독서(讀書).

[念誦 염송] 마음속으로 부처를 생각하며 불경을 욈.

[念願 염원] 내심에 생각하고 바라는 바. 소원(所願).

[念前 염전] 20일 전(前).

[念珠 염주] 여러 개의 보리자(菩提子)·금강주(金剛珠) 또는 모감주나무·염주나무 등의 열매를 실에 꿰어서 염불(念佛)할 때에 손으로 돌려 수효(數爻)를 세는 기구. 수주(數珠) 참조.

[念處 염처]《佛敎》관념(觀念)과 그 대경(對境).

[念後 염후] 20일 후(後).

●槪念. 顧念. 觀念. 掛念. 祈念. 紀念. 記念. 丹念. 斷念. 道念. 妄念. 無念. 默念. 服念. 邪念. 思念. 想念. 禪念. 世念. 俗念. 信念. 宸念. 失念. 實念. 心念. 深念. 十念. 思念. 憶念. 餘念. 溫念. 憂念. 怨念. 猷念. 凝念. 疑念. 理念. 寅念. 一念. 逸念. 慈念. 殘念. 雜念. 寂念. 積念. 專念. 征念. 情念. 淨念. 存念. 鍾念. 衆念. 軫念. 塵念. 執念. 諦念. 滯念. 初念. 追念. 蓄念. 他念. 通念. 懸念. 欽念.

4⑧ [忽] ㉯㉰ 홀 ㉸月 呼骨切 hū　　　　忽

筆順 ノ ク ク 勿 勿 忽 忽 忽

字解 ①홀연 홀 돌연(突然). '一焉'. '一地'. '涼風一至'《列子》. ②소홀히할 홀 탐탁히 여기지 아니함. 또, 경모(輕侮)함. '疎一'. '一易'. '公愛班固而一崔駰'《後漢書》. ③잊을 홀 망각함. '顧幸毋一'《漢書》. ④다할 홀, 멸할 홀 절멸(絶滅)함. '是絶是一'《詩經》. ⑤올 홀 누에 입에서 나오는 한 올의 실. 전(轉)하여, 극히 작은 수. 곧, 일사(一絲)의 10분의 1. '無秒一之失'《白居易》. ⑥성 홀 성(姓)의 하나.

字源 篆文 忽　形聲. 心+勿[音]. '勿물'은 '없다'의 뜻. 마음속에 아무것도 없다는 뜻에서, 마음 쓰지 않다, 등한히 하다, 홀연의 뜻을 나타냄.

[忽遽 홀거] 갑작스러움. 또, 갑자기. 급거(急遽).

[忽微 홀미] 대단히 미세(微細)함.

[忽視 홀시] 눈여겨보지 않고 슬쩍 보아 넘김.

[忽焉 홀언] ㉠홀연(忽然). ㉡염두에 두지 아니하는 모양.

[忽然 홀연] 느닷없이. 갑자기.

[忽往忽來 홀왕홀래] 얼씬 하면 가고 얼씬 하면 옴.

[忽易 홀이] 소홀(疏忽)히 함.

4획

[忽諸 홀저] 소멸 (消滅)하는 모양. 저 (諸)는 조사 (助辭).
[忽地 홀지] 홀연 (忽然).
[忽必烈 홀필렬] 원 (元)나라 세조 (世祖)의 이름.
[忽忽 홀홀] ㉠사물 (事物)을 돌아보지 아니하는 모양. ㉡실신 (失神)한 모양. ㉢실의 (失意)한 모양. ㉣미세한 모양. 작은 모양. ㉤갑자기. 홀연 (忽然).
[忽悅 홀황] '황홀 (恍惚)'과 같음.
[忽荒 홀황] 홀황 (忽悅).
●輕忽. 突忽. 眇忽. 絲忽. 閃忽. 疎忽. 倏忽. 奄忽. 淪忽. 粗忽. 超忽. 秒忽. 治忽. 怠忽. 飄忽. 荒忽. 恍忽. 翕忽.

4⁸ [伋] 〔급〕 急 (心部 五畫〈p.766〉)의 本字

4⁷ [伋] 忣 (前條)과 同字

4⁸ [忩] 〔총〕 悤 (心部 七畫〈p.780〉)과 同字

4⁸ [忿] 人名 분 ①吻 敷粉切 ㉮問 匹問切 fèn
字解 ①성낼 분 원망하여 화냄. '一怒'. '激一'. '爾無一疾于頑'《書經》. ②분 분 성. 화. '懲違改一'《楚辭》.
字源 形聲. 心+分〔音〕. '分분'은 '憤분'과 통하여, '성내다'의 뜻을 나타냄.

[忿隙 분극] 원한을 품고 화를 내어 사이가 나쁨.
[忿忮 분기] 화내어 사람을 해침.
[忿怒 분노] 화. 성.
[忿懟 분대] 분원 (忿怨).
[忿戾 분려] 성내어 다툼.
[忿詈 분리] 성내어 꾸짖음.
[忿懣 분만] 화가 나서 속이 답답함.
[忿兵 분병] 성내어 떠드는 군대.
[忿病 분병] 분 (忿)하여 생긴 병 (病).
[忿忿 분분] 성내는 모양.
[忿憤 분분] 성냄. 화냄.
[忿心 분심] 성을 낸 마음.
[忿言 분언] 분해서 하는 말.
[忿恚 분에] 분노 (忿怒).
[忿然 분연] 성이 난 모양. 분해하는 모양.
[忿怨 분원] 성내고 원망함.
[忿爭 분쟁] 성이 나서 다툼.
[忿疾 분질] 화를 내며 미워함.
[忿嫉 분질] 화를 내며 시기함.
[忿懥 분치] 화를 냄.
[忿恨 분한] 분원 (忿怨).
●剛忿. 激忿. 狷忿. 勁忿. 愧忿. 私忿. 小忿. 恚忿. 餘忿. 爭忿. 積忿. 前忿. 躁忿. 懲忿. 褊忿. 嫌忿.

4⁸ [忞] 人名 민 ㉮眞 武巾切 mín
筆順 ᐟ 亠 亠 文 文 忞 忞 忞
字解 힘쓸 민 노력함. '穆一隱閔'《淮南子》.
字源 形聲. 心+文〔音〕. '文문'은 '敉민'과 통하여, '힘쓰다'의 뜻. 마음을 써서

힘쓰다의 뜻을 나타냄.

4⁸ [忩] 개 ㉮卦 許介切 xiè
字解 ①마음놓을 개 마음을 풀어 느긋하게 가짐. '孝子之心, 不若是一'《孟子》. ②언짢을 개 불화 (不和)한 모양. '一, 一日, 不和兒'《集韻》. ③걱정없을 개 아무 근심이 없는 모양. '一, 一日, 無憂貌'《字彙》.
字源 形聲. 心+介〔音〕. '介개'는 얽히어 이어지다 (介在)의 뜻. '마음에 얽히다, 걱정하다'의 뜻을 나타냄.

4⁸ [忟] 一 愛 (心部 九畫〈p.794〉)와 同字
二 忌 (心部 三畫〈p.758〉)·懸 (心部 十一畫〈p.809〉)와 同字

4⁸ [忝] 첨 ①琰 他玷切 tiǎn ②艶 他念切 tiǎn
字解 ①더럽힐 첨 욕되게 함. '無一爾所生'《詩經》. ②황송할 첨 받는 것이 분 (分)에 넘치는 일이라고 겸양 (謙讓)하여 하는 말. '榮一'. '否德一帝位'《書經》.
字源 會意. 心+天. 하늘을 대할 때의 마음의 뜻에서, '황송하다, 더럽히다'의 뜻을 나타냄.

●榮忝. 慚忝. 虛忝.

4⁷ [忡] 충 ㉮東 敕中切 chōng
字解 근심할 충 걱정함. '怔一'. '憂心一一'《詩經》.
字源 形聲. 忄(心)+中〔音〕. '中중'은 '弔조'와 통하여, 마음 아파하고 가엾이 여기다의 뜻. 마음 아프게 근심하다의 뜻을 나타냄.

[忡怛 충달] 근심하고 슬퍼함.
[忡悵 충창] 충달 (忡怛).
[忡忡 충충] 대단히 근심하는 모양.
●怔忡.

4⁷ [忤] 오 ㉮遇 五故切 wǔ
字解 ①거스를 오 거역함. '一色'. '皆以一旨抵罪'《後漢書》. ②미워할 오 증오함. '猜一'. ③섞일 오 착잡 (錯雜)함. '陰陽散一'《春秋》.
字源 形聲. 忄(心)+午〔音〕. '午오'는 '牾오'와 통하여, '거스르다'의 뜻을 나타냄.

[忤物 오물] 남과 화합 (和合)하지 아니함.
[忤色 오색] 마음에 거슬려 불쾌한 빛.
[忤視 오시] 흘겨봄. 거역하는 기색을 하고 봄.
[忤於耳 오어이] 좋은 말은 귀에 거슬리어서 마음에 언짢음.
[忤逆 오역] ㉠위반함. ㉡불효 (不孝)함.
[忤恨 오한] 거슬려 원한을 품음.
●乖忤. 反忤. 猜忤. 違忤. 舛忤. 很忤.

4⁷ [忨] 완 ㉮翰 五丸切 wán
字解 탐할 완, 아낄 완 탐냄. 또, 소중히 여김.

'一愒'. '一歲而愒曰'《左傳》.

字源 篆文 㤛 形聲. 忄(心)+元〔音〕. '元원'은 '圜환'과 통하여, '돌다'의 뜻. 마음이 어떤 한 가지 일만을 두고 사로잡히어 발전이 없다, 탐하다의 뜻을 나타냄.

[㤛愒 완개] 헛되이 삶을 탐냄. 곧, 헛되이 세월을 보냄.
[㤛日 완일] 날짜를 탐냄. 게으름을 피워 헛되이 세월을 보냄.
[㤛㥻 완조] 탐냄. 쓸데없는 욕심을 부림.

4/7 [快] 中人 쾌 ㊱卦 苦夬切 kuài

筆順 丶丶忄忄忄快快

字解 ①쾌할 쾌 ㉠상쾌함. '—樂'. '構怨於諸侯, 然後—於心與'《孟子》. ㉡몸이 건강함. '體有不—'《後漢書》. ②빠를 쾌 신속함. '—馬'. '—走'. '馬雖—, 然力薄不堪苦行'《晉書》. ③방종할 쾌 멋대로 굶. '恭于數而不—'《戰國策》. ④성 쾌 성(姓)의 하나.

字源 篆文 㤭 形聲. 忄(心)+夬〔音〕. '夬쾌·결'은 '活활'과 통하여, '생기 넘치다'의 뜻. 마음이 싱싱하다, 쾌활하다의 뜻을 나타냄.

[快感 쾌감] 시원하고 즐거운 느낌.
[快擧 쾌거] 시원스럽게 하는 행위. 통쾌(痛快)한 거사(擧事).
[快劍 쾌검] 예리한 칼. 날카로운 칼.
[快果 쾌과] '배[梨]'의 별칭(別稱).
[快氣 쾌기] 쾌활(快活)한 기상. 상쾌한 기운.
[快男兒 쾌남아] 쾌남자(快男子).
[快男子 쾌남자] 기상(氣象)이 쾌활(快活)한 남자(男子).
[快談 쾌담] 쾌론(快論).
[快刀 쾌도] 잘 드는 칼.
[快讀 쾌독] 기분 좋게 읽음.
[快樂 쾌락] ㉠즐거움. 유쾌함. ㉡정력(精力)의 증진(增進) 또는 욕망(欲望)의 만족에서 생기는 감정(感情).
[快諾 쾌락] 쾌(快)히 승낙(承諾)함.
[快樂說 쾌락설] 인생(人生)의 목적은 고통을 없애고 쾌락(快樂)을 찾는 데 있다고 하는 윤리설(倫理說).
[快論 쾌론] 거리낌 없이 시원스럽게 하는 이야기.
[快馬 쾌마] 시원스럽게 잘 달리는 말.
[快眠 쾌면] 달게 잠.
[快聞 쾌문] 시원스러운 소문(所聞).
[快味 쾌미] 쾌감(快感).
[快辯 쾌변] 거침없이 잘하는 말.
[快報 쾌보] 듣기에 시원한 기별(奇別). 상쾌한 소식. └급보(急報).
[快復 쾌복] 쾌차(快差).
[快奔 쾌분] 빨리 달아남.
[快壻 쾌서] 마음에 드는 사위. 훌륭한 사위.
[快雪 쾌설] 치욕(恥辱)을 시원스럽게 씻어 버림.
[快心 쾌심] 마음에 상쾌(爽快)함.
[快兒 쾌아] 젓가락.
[快雨 쾌우] 가물 때 오는 비.
[快癒 쾌유] 쾌차(快差).
[快意 쾌의] 마음에 상쾌(爽快)함. 기분이 좋음.
[快人 쾌인] 씩씩한 사람. 인품(人品)이 높은 사람.

[快人快事 쾌인쾌사] 씩씩한 사람의 시원스러운 「행동.
[快哉 쾌재] 상쾌하구나. 상쾌하도다.
[快適 쾌적] 상쾌하고 즐거움.
[快戰 쾌전] 속 시원하게 하는 싸움.
[快剪刀 쾌전도] 잘 드는 가위.
[快走 쾌주] 빨리 달림. 질주(疾走).
[快差 쾌차] 병(病)이 아주 나음.
[快擲 쾌척] 금품(金品)을 쓸 곳에 시원스럽게 내어 줌.
[快晴 쾌청] 하늘이 구름 한 점 없이 상쾌하도록 맑음.
[快快 쾌쾌] ㉠기분이 좋은 모양. ㉡용기(勇氣)가 있고 시원스러운 모양.
[快活 쾌활] 시원스럽고 활발함.
[快闊 쾌활] 마음이 시원스럽고 넓음.
●輕快. 慶快. 曠快. 明快. 不快. 爽快. 愉快. 壯快. 全快. 俊快. 淸快. 痛快. 豪快. 欣快.

4/7 [忭] 변 ㊱霰 皮變切 biàn

字解 좋아할 변 기뻐함. '欣—'. '歡—'. '百官雷—讀如驚'《曹植》.
字源 形聲. 忄(心)+卞〔音〕

[忭躍 변약] 뛰며 기뻐함.
[忭懽 변환] 기뻐함.
●歡忭. 欣忭.

4/7 [㰦] ㊀ 가 ㊀麻 苦加切 qiā / ㊁ 아 ㊁禡 魚駕切 yà

字解 ㊀ 두려울 가 '—, 恐懼'《玉篇》. ㊁ 간사(姦邪)할 아 '作, —作, 多姦也'《集韻》.

4/7 [恂] ㊀ 순 ㊀眞 常倫切 / ㊁ 경 ㊁庚 渠營切 qióng

字解 ㊀ 근심할 순 걱정하여 번민함. ㊁ 근심할 경 惸(心部 九畫)과 同字. '—, 惸惸, 憂也. 或作—'《集韻》.

4/7 [恔] 효 ㊱效 後敎切 xiào

字解 쾌할 효 마음이 상쾌함. 恔(心部 六畫)와 뜻이 같음. '—, 快也'《玉篇》.

4/7 [㤤] 기 ㊱寘 支義切 zhì / 居企切

字解 ①해칠 기 질투하여 해침. '—害'. '鞫人—忒'《詩經》. ②탐할 기 탐냄. '不—不求'《詩經》. ③거스를 기 거역함. '不—於心'《莊子》.
字源 篆文 㤥 形聲. 忄(心)+支〔音〕. '支지'는 '떨어져 갈라지다'의 뜻. 마음이 상대로부터 떨어지다, 거스르다, 해치다, 원망하다의 뜻을 나타냄.

[㤤心 기심] 남을 시기(猜忌)하여 해치고자 하는 「마음.
[㤤忒 기특] 사람을 해쳐 법을 어김.
[㤤害 기해] 해침.
●苟㤤. 强㤤. 懷㤤. 忿㤤. 陰㤤. 險㤤.

4/7 [忱] 침 ㊱侵 氏任切 chén

[字解] 정성 침 성심. '悃—'. '天難—斯'《詩經》.
[字源] 篆文 形聲. 忄(心)+冘〔音〕. '冘음'은 '잠기다, 전념하다'의 뜻. 마음이 딴 데로 쏠리지 않고 한 가지 일에 전심하다의 뜻에서, '정성'의 뜻을 나타냄.

[忱恂 침순] 정성(精誠).
[忱裕 침유] 정성스럽고 넉넉함.

4 ⑦ [忺] 험 [平]鹽 虛嚴切 xiān

[字解] 바랄 험 마음에 뜻이 있어 원함. '散帙揮毫總不—'《林逋》.
[字源] 形聲. 忄(心)+欠〔音〕

4 ⑦ [怖]
[一] 패 [去]泰 普蓋切 pèi
[二] 폐 [去]隊 芳廢切
[三] 벌 [入]月 拂伐切
[四] 발 [入]曷 北末切

[字解] [一] ①원망하여성낼 패 '—, 恚恨也'《集韻》. ②성낼 패 '—, 博雅, 怒也'《集韻》. [二] 성낼 폐 [一]❷와 뜻이 같음. [三] 원망하여성낼 벌 [一]❶과 뜻이 같음. [四] 기뻐하지않을 발 '—, 意不悅也'《集韻》.
[字源] 形聲. 忄(心)+朩〔音〕

4 ⑦ [忲] 태 [去]泰 徒蓋切 tài

[字解] 방자할 태 교사(驕奢)함. '有憑虛公子者, 心奓體—'《張衡》.
[字源] 篆文 形聲. 忄(心)+太〔音〕. 마음이 커지다, 방자해지다의 뜻을 나타냄.
[參考] 忕(心部 三畫)와 同字

4 ⑦ [忸]
[一] 뉵 [入]屋 女六切 niǔ
[二] 뉴 [上]有 女九切 niǔ

[字解] [一] 부끄러워할 뉵 겸연쩍어함. '—, —怩, 慙也'《玉篇》. [二] 친압할 뉴, 익을 뉴 狃(犬部 四畫)와 同字. '—之以慶賞'《荀子》.
[字源] 形聲. 忄(心)+丑〔音〕. '丑추'는 비트는 모양의 상형. 마음이 비틀리다, 부끄러워하다를 뜻함.

[忸怈 유설] 익숙함.
[忸怩 육니] 겸연쩍어함. 부끄러워함.
[忸恨 육한] 부끄러워하고 원망함.

4 ⑦ [怈] 설 [入]屑 食列切 shì

[字解] 익을 설 여러 번 경험하여 익숙함. '—, 習也'《集韻》.

4 ⑦ [忦]
[一] 애 [去]卦 牛戒切
[二] 계 [去]卦 居拜切
[三] 개 [去]泰 居太切
[四] 괴 [去]卦 苦怪切
[五] 알 [入]黠 牛轄切 jiá

[字解] [一] ①근심할 애 '—, 恩也'《說文》. ②삼갈 애 '—, 一曰, 慬也'《集韻》. [二] 근심하여두려워할 계 '—, 憂懼也'《集韻》. [三] 두려워할 개 '—, 懼也'《玉篇》. [四] 한할 괴 원한을 품음. '—, 恨也'《集韻》. [五] ①근심할 알 [一]과 뜻이 같음. ②두려워할 알 [三]과 뜻이 같음. ③한할 알 [四]와 뜻이 같음. ④급할 알 바쁨. '—, 急也'《集韻》.
[字源] 形聲. 忄(心)+介〔音〕

4 ⑦ [忪] 종 [平]冬 職容切 zhōng

[字解] ①놀랄 종 '—, 驚也'《玉篇》. ②설렐 종 마음이 움직임. '—, 心動不定'《玉篇》. ③황급할 종 황망하여 허둥댐. '—, 惶遽也'《玉篇》. ④동요할 종 '惺—'은 마음이 동요(動搖)하여 안정되지 않음.

4 ⑦ [怀]
[一] 부 [去]宥 敷救切 fù
[二] 회

[字解] [一] 성낼 부 '—, 怒也'《字彙補》. [二] 懷(心部 十六畫〈p. 826〉)의 俗字·簡體字.

4 ⑦ [忭] 판 [去]願 芳萬切 fàn

[字解] ①악한마음 판 '—, 惡心也'《玉篇》. ②급한성질 판 '—, 急性也'《玉篇》. ③급할 판 바삐 서두름. '—, 急也'《集韻》. ④뉘우칠 판 '—, 悔也'《集韻》.

4 ⑦ [忻] 흔 [平]文 許斤切 xīn

[字解] ①기뻐할 흔 欣(欠部 四畫)과 同字. '—悅'. '姜原見巨人跡, 心—然說欲踐之'《史記》. ②성 흔 성(姓)의 하나.
[字源] 篆文 形聲. 忄(心)+斤〔音〕. '斤근'은 자잘하게 하다의 뜻. 호흡을 밭게 하며 들뜬 기분으로 기뻐하다의 뜻을 나타냄.

[忻樂 흔락] 기뻐하고 즐거워함.
[忻賴 흔뢰] 기뻐하여 의뢰함.
[忻慕 흔모] 기뻐하여 따름.
[忻然 흔연] 기뻐하는 모양. 흔연(欣然).
[忻懽 흔환] 흔락(忻樂).

4 ⑦ [忯]
[一] 기 [平]支 巨支切 qí
[二] 지 [上]紙 上紙切 shì

[字解] [一] ①공경할 기 '—, 敬也'《玉篇》. ②사랑할 기 '—, 愛也'《玉篇》. [二] 기댈 지 의뢰(依賴)함. 恀(心部 六畫)와 同字. '—, 恃也'《爾雅》.
[字源] 篆文 形聲. 忄(心)+氏〔音〕

4 ⑦ [忼] 강 [上]養 苦朗切 kāng(kǎng)

[字解] 강개할 강 의기가 북받치어 분개함. '悲歌—慨'《史記》.
[字源] 篆文 形聲. 忄(心)+亢〔音〕. '亢항'은 '흥분하다'의 뜻. 마음이 흥분하다의 뜻.

[忼愾 강개] 강개(忼慨).
[忼慨 강개] 의기(義氣)가 북받치어 한탄하고 분해함.

4 ⑦ [忳] 돈 ①[平]元 徒渾切 tún
②[去]願 徒困切 dùn

4 획

字解 ①근심할 돈 걱정하여 번민함. '一鬱邑余佗傺兮'《楚辭》. ②어리석을 돈 우매함. '我愚人之心也哉, ——兮'《老子》.
字源 形聲. 忄(心)＋屯〔音〕

[忳忳 돈돈] ㉠어리석은 모양. ㉡걱정하는 형용.

4
⑦ [忟]〔민〕
忞(心部 四畫〈p.762〉)과 同字

4
⑦ [恼]〔뇌〕
惱(心部 六畫〈p.777〉)와 同字

4
⑦ [怀]〔회〕
懐(心部 八畫〈p.788〉)의 俗字

4
⑧ [态]〔태〕
態(心部 十畫〈p.804〉)의 簡體字

4
⑦ [忔]
忋(心部 三畫〈p.760〉)과 同字
憶(心部 十畫〈p.806〉)와 同字

5
⑨ [怎] ㊤寢 子沈切 zěn

字解 어찌 즘 속어(俗語)에 쓰이는 글자로서, 고문(古文)의 '여하(如何)'와 동의(同意)임. '一麼'. '一生' 등으로 연용(連用)하기도 함. '王孫心眼一安排'《范成大》.
字源 '作意'＋心〔音〕. 속어인 '作心麼'(어찌하여)로부터 만들어진 문자. '作'자는 '作作'의 첫 자음(子音)을 나타내며, '心심'은 '甚麼심마'를 줄인 음을 나타냄.

[怎麼 즘마] 여하(如何).
[怎生 즘생] 여하(如何).

5
⑨ [怒] ㊥入 노 ㊸遇 乃故切 nù

筆順 人 女 女 奴 奴 奴 怒 怒

字解 ①성낼 노 ㉠화냄. '憤一'. '文王一一, 而安天下之民'《孟子》. ㉡분기(奮起)함. '一而飛'《莊子》. ②곤두설 노 꼿꼿이 거꾸로 섬. '一髮上衝冠'《史記》. ③세찰 노 기세가 대단함. '一潮'. '江上秋風捲一濤'《孟貫》. ④살질 노 비대함. '鮮車一馬'《後漢書》. ⑤성 노 화. '發一'. '不遷一, 不貳過'《論語》. ⑥기세 노 위세(威勢). '急繕其一'《禮記》.
字源 形聲. 心＋奴〔音〕. '奴노'는 힘을 다해서 일하는 여자 노예의 뜻. 감정에 힘을 넣다, 성내다의 뜻을 나타냄.

[怒甲移乙 노갑이을] 이편에서 당한 노염을 저편에서 화풀이함.
[怒譴 노견] 성내어 견책(譴責)함.
[怒叫 노규] 성내어 부르짖음.
[怒氣 노기] 성이 난 얼굴빛.
[怒氣沖天 노기충천] 성이 잔뜩 남.
[怒鬧 노뇨] 성내어 큰 소리로 떠듦.
[怒濤 노도] 성난 파도(波濤). 세찬 파도.
[怒浪 노랑] 노도(怒濤).
[怒馬 노마] ㉠살찐 말. ㉡성난 말.

[怒罵 노매] 성내어 꾸짖음.
[怒發大發 노발대발] 몹시 성을 냄.
[怒髮衝冠 노발충관] 곤두선 머리털이 갓을 치켜올린다는 뜻으로, 크게 노(怒)한 용사(勇士)의 모양을 형용한 말.
[怒色 노색] 성낸 빛.
[怒生 노생] 초목(草木)의 싹이 세차게 나와 꼿꼿이 자람.
[怒語 노어] 성내어 말함.
[怒恚 노에] 성냄.
[怒猊 노예] 성난 사자(獅子).
[怒張 노장] ㉠팽팽하게 불룩 나옴. ㉡필력(筆力)이 웅건(雄建)함.
[怒潮 노조] 세차게 몰려오는 조수(潮水).
[怒號 노호] ㉠성내어 큰소리침. ㉡풍파(風波) 등의 거센 소리.
[怒哮 노효] 성내어 부르짖음.
　●呵怒. 激怒. 譴怒. 大怒. 跳怒. 突怒. 勃怒. 發怒. 忿怒. 憤怒. 奮怒. 馮怒. 盛怒. 深怒. 恚怒. 慍怒. 怨怒. 威怒. 躁怒. 嗔怒. 瞋怒. 震怒. 天怒. 暴怒. 嚇怒. 赫怒. 號怒. 詬怒. 喜怒.

5
⑨ [悠]
怒(前條)의 古字

5
⑨ [思] ㊥入 ■ 사 ①②㊤支 息玆切 sī
③④㊣寘 相吏切 (sì)
㊤灰 桑才切 sāi

筆順 丨 冂 冃 田 田 田 思 思

字解 ■ ①생각할 사 ㉠사유(思惟)함. '一考'. '三一而後行'《論語》. ㉡유의함. '不一而得'《中庸》. ㉢따름. 사모함. '爲後人所一'《南史》. ㉣추억함. '閑一往事似前身'《白居易》. ㉤사랑함. '子惠一我'《詩經》. ㉥근심함. '一婦而遙一兮'《楚辭》. ㉦바람. '一皇多士'《詩經》. '一修身, 不可以不事親'《中庸》. ②어조사 사 ㉠발어(發語)의 조사. '一樂泮水'《詩經》. ㉡어말(語末)의 조사. '不可求一'《詩經》. ③생각 사 '妙一'. '春一'. '儲精垂一'《揚雄》. ④성 사 성(姓)의 하나. ■ 수염많을 새 '于一'는 수염이 많이 난 모양. '于一于一, 棄甲復來'《左傳》.
字源 會意. 전문(篆文)은 心＋囟. '囟신'은 소아의 뇌의 상형. 두뇌와 마음으로 생각하는 뜻을 나타냄.

[思考 사고] 생각함. 궁리함.
[思過半 사과반] 생각하여 얻은 바가 많음. 생각하여 깨달은 것이 많음.
[思歸鳥 사귀조] 두견이, 곧 '두견(杜鵑)'의 별칭(別稱).
[思念 사념] 생각함.
[思量 사량] 생각하여 헤아림.
[思慮 사려] 생각. 깊은 생각.
[思戀 사련] 그리워함.
[思料 사료] 생각하여 헤아림.
[思慕 사모] ㉠그리워함. ㉡우러러 받들고 마음으로 따름.
[思無邪 사무사] 마음에 조금도 사(邪)가 없음.
[思無益不如學 사무익불여학] 단지 생각하기만 하면 아무 소득이 없으므로 배워야 함.
[思辨 사변] ㉠도리를 생각하여 시비를 가림. ㉡

4
획

경험은 없이, 논리적 사고(論理的思考)만으로 인식하려는 것.
[思服 사복] 늘 생각하여 잊지 아니함.
[思婦 사부] 근심이 있는 부녀(婦女). 수심에 잠긴 부녀.
[思不出其位 사불출기위] 자기 분수(分數)에 넘는 생각을 하지 아니함.
[思想 사상] ㉠생각. ㉡판단과 추리를 거쳐서 생긴 의식 내용. ㉢통일 있는 판단의 체계. ㉣사회 및 인생에 대한 일정한 견해.
[思想家 사상가] 사회 및 인생에 대하여 깊고 풍부한 사상을 가지고 있는 사람.
[思想界 사상계] ㉠사상이 활동하는 세계. ㉡사상가의 사회.
[思索 사색] 사물의 이치를 파고들어 생각함.
[思憶 사억] 생각함.
[思王 사왕] 진사왕(陳思王) 조식(曹植)을 이름.
[思惟 사유] 생각함.
[思議 사의] 생각함.
[思潮 사조] 그 시대(時代)의 사상(思想)의 흐름.
[思之思之鬼神通之 사지사지귀신통지] 밤낮으로 생각하여 게을리 하지 않으면 활연(豁然) 깨닫는 바가 있음.
[思存 사존] 마음을 붙임. 마음을 둠.
[思親 사친] 어버이를 생각함.
[思度 사탁] 생각. 사려 분별(思慮分別).
[思鄕 사향] 고향을 생각함.
●客思. 近思. 羈思. 多思. 覃思. 妙思. 文思. 別思. 三思. 三秋思. 相思. 俗思. 愁思. 熟思. 詩思. 愼思. 心思. 深思. 雅思. 夜思. 旅思. 幽思. 凝思. 意思. 離思. 潛思. 才思. 靜思. 藻思. 塵思. 千秋思. 諦思. 焦思. 秋思. 追思. 春思. 馳思. 沈思. 耽思. 片思. 懷思.

5 ⑨ [怠] 태 ⊕賄 徒亥切 dài

[筆順] 一 厶 台 台 台 台 怠 怠

[字解] ①게으를 태. 게을리할 태. 태만함. 태만히 함. '一荒'. '汝惟不一'《書經》. ②업신여길 태. 경멸함. '諸公稍自引而一驁'《漢書》. ③게으름 태. 나태(懶怠). '敬勝—則吉'《六韜》. ④새이름 태. '意一'는 동해(東海)의 새 이름.
[字源] 形聲. 心+台〔音〕. '台태'는 '止지'와 통하여, '멎다'의 뜻. 마음이 멎다, 게으름 피우다의 뜻을 나타냄.

[怠倦 태권] 싫증나서 게으름을 피움.
[怠慢 태만] 게으르고 느림. 소홀히 함.
[怠嫚 태만] 태만(怠慢).
[怠業 태업] ㉠노동 쟁의(勞動爭議)의 수단의 하나. 일을 아주 그만두는 것이 아니라, 한동안 쉬거나 능률을 떨어뜨리거나 하여 기업주에게 손해를 끼쳐 분쟁의 해결을 보려는 것. 사보타주. ㉡일을 게을리 함.
[怠傲 태오] ㉠게으르고 오만함. ㉡게으름 피우며 ㄴ놂.
[怠驁 태오] 태오(怠傲).
[怠惰 태타] 게으름.
[怠廢 태폐] 게을러 일을 폐해 버림.
[怠忽 태홀] 게을러 소홀히 함.
[怠荒 태황] 게을러 일을 버려둠.
●過怠. 驕怠. 倦怠. 惓怠. 勤怠. 慢怠. 衰怠. 豫怠. 緩怠. 惰怠. 墮怠. 偸怠. 逋怠. 疲怠.

解怠. 懈怠. 荒怠. 戱怠.

5 ⑨ [急] 中人 급 ㉠緝 居立切 jí

[筆順] 丿 ⺈ ⺈ 刍 刍 刍 急 急

[字解] ①급할 급. ㉠절박함. 위급함. '一難'. '迫'. 또, 절박한 일. 위급한 일. 사변. 재난(災難). '襄王告一于晉'《史記》. ㉡긴급함. 빨리하여야 함. 중요함. '一務'. 또, 급한 일. 중요한 일. 요무(要務). '禮者人之一也'《中論》. ㉢빠름. '一流'. '天風狂一'《後漢書》. ㉡성급함. '猖一'. '西門豹之性一, 故佩韋緩己'《韓非子》. ②켕길 급. 팽팽함. '大絃一則小絃絶矣'《韓詩外傳》. ③서두를 급. 급히 굶. '一遽'. '一於自解而謝'《韓愈》. ④좨칠 급. 재촉함. '一趣丞相御史, 定功行封'《史記》. ⑤성 급. 성(姓)의 하나.
[字源] 形聲. 心+及〔音〕. '及급'은 '따라붙다'의 뜻. 쫓길 때의 절박한 마음의 뜻을 나타냄.

[急刻 급각] 엄(嚴)함.
[急疳 급감] 천연두의 여독(餘毒)으로 잇몸이 헤지는 병(病).
[急降下 급강하] 급속히 내림.
[急遽 급거] ㉠급함. 절박함. ㉡급히 서둚. ㉢급히 서둘러, 갑자기.
[急激 급격] 급하고 격렬함. 급극(急劇).
[急擊 급격] 급(急)히 침.
[急境 급경] 위급한 지경(地境).
[急救 급구] 급(急)히 구제(救濟)함.
[急劇 급극] 급격(急激).
[急急 급급] 몹시 급(急)함.
[急急如律令 급급여율령] 빨리빨리 율령(律令)과 같이 하라는 뜻으로, 본디 한대(漢代)의 공문서(公文書)의 용어(用語)이었으나, 후세(後世)에 도사(道士)가 사귀(邪鬼)를 쫓는 주문(呪文)의 끝에 첨가하여 빨리 달아나라는 뜻으로 쓴 말.
[急難 급난] 위급한 곤란.
[急湍 급단] 여울. 급탄(急灘).
[急艪 급로] 바삐 젓는 노. 노(艪)는 노(櫓).
[急流 급류] 급히 흐르는 물.
[急流勇退 급류용퇴] 급류에 휩쓸리지 않고 용감하게 물러난다는 뜻으로, 다사다난(多事多難)한 관도(官途)를 단연코 물러남의 비유로 쓰임.
[急務 급무] 급한 일.
[急迫 급박] 급히 닥침. 절박함.
[急變 급변] ㉠갑자기 일어난 변고(變故). ㉡별안간 달라짐.
[急病 급병] 급한 병(病).
[急步 급보] 급한 걸음.
[急報 급보] ㉠급히 알림. ㉡급한 보고. ㉢사변(事變)의 보고.
[急死 급사] 별안간 죽음.
[急使 급사] 급한 사자(使者).
[急事 급사] 급한 일.
[急數 급삭] 썩 잦음. 빈삭(頻數).
[急霰 급산] 급작스레 오는 싸락눈.
[急設 급설] 서둘러 베풂.
[急性 급성] 급히 일어나는 병(病)의 성질(性質).
[急速 급속] 빠름.
[急須 급수] 술을 빨리 데우는 얇은 냄비.

[急信 급신] 급한 편지(便紙).
[急要 급요] 지급히 소요됨.
[急用 급용] 급히 쓸 일.
[急雨 급우] 소나기. 소낙비.
[急裝 급장] 급히 차림.
[急傳 급전] ㉠역말을 달려 빨리 전함. ㉡급사(急使).
[急電 급전] 빠른 전보(電報).
[急錢 급전] 급히 쓸 돈.
[急轉直下 급전직하] 별안간 형세(形勢)가 변(變)하여 막 내리 밀림.
[急切 급절] 몹시 급함.
[急燥 급조] 성미가 썩 급함.
[急足 급족] ㉠급사(急使). ㉡빠른 걸음. 전(轉)하여, 빠른 진행.
[急走 급주] 급히 달아남.
[急症 급증] 급작스럽게 일어나는 병.
[急進 급진] ㉠급히 나아감. ㉡일을 빨리 실현하고자 하여 서둚.
[急進黨 급진당] 이상(理想)의 실현을 위하여 돌진하려고 하는 당(黨).
[急進主義 급진주의] 이상(理想)의 실현(實現)을 위하여 급진(急進)하는 주의(主義).
[急就篇 급취편] 한(漢)나라의 사유(史游)가 편찬한 자서(字書). 4권 34장(章). 물명(物名)을 주로 하는 상용(常用) 글자를 수록하였는데, 전편을 통하여 중복자(重複字)가 없으며, 초심자(初心者)의 식자(識字)와 서법(書法)을 위해 만들어졌음. '급취(急就)' 또는 '급취장(急就章)'이라고도 함.
[急風 급풍] 급히 부는 바람. 질풍(疾風).
[急行 급행] 빨리 감.
[急行無善步 급행무선보] 급한 걸음에 좋은 걸음걸이가 없다는 뜻으로, 급히 한 일에는 좋은 결과가 없음의 비유로 쓰임.
[急火 급화] 가까운 곳에 일어난 급한 불. 근화(近火).
◉苛急. 刻急. 艱急. 剛急. 狷急. 警急. 困急. 救急. 窘急. 窮急. 緊急. 短兵急. 猛急. 迫急. 卞急. 不急. 序破急. 性急. 時急. 迅急. 嚴急. 燃眉急. 緩急. 危急. 應急. 早急. 躁急. 周急. 峻急. 至急. 慘急. 轍鮒急. 焦眉急. 促急. 追急. 特急. 偏急. 下急. 火急. 遑急.

5 ⑨ [怨] [中人] 원 ①②[去]願 於願切 yuàn / ③[平]元 於袁切 yùn 

[筆順] ノ ク 夕 夘 夗 夗 怨 怨

[字解] ①원망할 원 ㉠불평을 품고 미워함. 적대시함. '一望'. '父母惡之, 勞而不一'《孟子》. ㉡무정(無情)함을 슬퍼함. '閨一'. '一慕'. '內無一女'《孟子》. ②원한 원 '宿一'. '構一於諸侯'《孟子》. ③원수 원 '一讎'. '母家有仇一'《史記》.

[字源] 篆文  形聲. 心+夗〔音〕. '夗원'은 '몸을 굽히다'의 뜻. 마음이 고부라져서, 원망하다의 뜻을 나타냄.

[怨苦 원고] 원망하고 괴로워함.
[怨曠 원광] ㉠홀어미 또는 홀아비 신세를 슬퍼함. ㉡원녀(怨女)와 광부(曠夫). 홀어미와 홀아비.
[怨咎 원구] 원망(怨望)하여 미워함.
[怨氣 원기] 원망하는 마음.
[怨女 원녀] 남편이 없어 슬퍼하는 여자. 곧, 과부, 과년하여 시집을 못 가는 처녀, 독수공방(獨守空房)하는 여자, 임금의 은총을 잃은 여자 등을 이름.
[怨念 원념] 원한을 품은 생각.
[怨懟 원대] ㉠원한(怨恨). ㉡원한을 품음.
[怨毒 원독] 원망하고 미워함. 큰 원한(怨恨).
[怨讟 원독] 원망하여 비방함.
[怨靈 원령] 원한(怨恨)을 품고 죽은 사람의 혼령(魂靈).
[怨望 원망] 마음에 불평(不平)을 품고 미워함.
[怨慕 원모] 무정(無情)한 것을 원망(怨望)하면서도 오히려 그를 사모(思慕)함.
[怨叛 원반] 원반(怨畔).
[怨畔 원반] 원망하여 배반(背反)함.
[怨謗 원방] 원망하여 비방함.
[怨府 원부] 대중의 원한이 쏠리는 단체나 기관.
[怨婦 원부] 원녀(怨女).
[怨憤 원분] 원망하고 분개함.
[怨誹 원비] 원망하여 비방함.
[怨辭 원사] 원망하는 말.
[怨聲 원성] 원망(怨望)하는 소리.
[怨訴 원소] 원망하여 하소연함.
[怨讎 원수] 자기(自己) 또는 자기 집이나 자기 나라에 참지 못하는 큰 해(害)를 끼친 사람. 구적(仇敵).
[怨心 원심] 원망(怨望)하는 마음.
[怨言 원언] 원망(怨望)하는 말.
[怨惡 원오] 원망하고 미워함.
[怨尤 원우] 원망하여 탓함.
[怨入骨髓 원입골수] 원한이 뼈에 사무침.
[怨刺 원자] 원망하고 비방함.
[怨咨 원자] 원망하여 한탄함.
[怨詛 원저] 원망하여 저주함.
[怨敵 원적] 원한의 적(敵). 원수.
[怨調 원조] 원한을 품은 가락.
[怨罪 원죄] 원한을 품고 나쁜 짓을 함. 또, 원한에서 일어난 악한 짓.
[怨疾 원질] 원망하여 미워함.
[怨嗟 원차] 원망하여 탄식함.
[怨天 원천] 하늘을 원망(怨望)함.
[怨天尤人 원천우인] 하늘을 원망(怨望)하고 사람을 탓함.
[怨慝 원특] 원한(怨恨)을 품고 악(惡)한 일을 함. 또, 원한에서 일어난 악한 짓. 원죄(怨罪).
[怨恨 원한] 원통(冤痛)하고 한(恨)되는 생각.
[怨嫌 원혐] ㉠원망과 혐의(嫌疑). ㉡원망(怨望)하고 미워함.
◉憾怨. 結怨. 仇怨. 舊怨. 閨怨. 謗怨. 憤怨. 私怨. 愁怨. 讎怨. 宿怨. 夙怨. 猜怨. 睚眦之怨. 哀怨. 餘怨. 刺怨. 訾怨. 積怨. 情怨. 疾怨. 淸怨. 罷怨. 含怨. 嫌怨.

5 ⑨ [忒] [一] 특 [入]職 惕得切 tè / [二] 대 [去]隊 他代切

[字解] [一] 틀릴 특 어긋남. '一, 失常也'《說文》. [二] 틀릴 대 [一]과 뜻이 같음.

[字源] 形聲. 心+代〔音〕

5 ⑨ [悤] 총 [平]東 麤叢切 cōng

[字解] 바쁠 총 悤(心部 七畫)과 同字. '一忙'. '多事一卒'《歐陽修》.

4 획

[參考] 匆(勹部 三畫)은 俗字.

[怱遽 총거] 몹시 급하여 허둥지둥함. 대단히 바쁨.
[怱急 총급] 썩 급함.
[怱忙 총망] 바쁨.
[怱擾 총요] 바쁘고 부산함.
[怱卒 총졸] 바쁨.
[怱怱 총총] ㉠바쁜 모양. ㉡환한 모양. 명백한 모양.
[怱怱 총홀] 총졸(怱卒).

5 ⑨ [恔] 교 ①[平]肴 口交切 qiāo ②[去]效 口敎切 qiǎo
[字解] ①감정드러내지않을 교 '一, 一忬, 伏態'《玉篇》. ②거짓 교 巧(工部 二畫)와 同字. '巧, 僞也. 或从心'《集韻》.

5 ⑨ [怤] 부 [平]虞 芳無切 fū
[字解] ①생각할 부. ②기뻐할 부.
[字源] [篆文] 形聲. 心+付〔音〕. '付부'는 '붙여 주다'의 뜻. 마음에 붙여 생각하다의 뜻을 나타냄.

5 ⑧ [怫] 怤(前條)와 同字

5 ⑨ [怷] 출 [入]質 直律切 shù
[字解] 흙고울 출 흙이 덩이지지 않고 고움. '一, 密也'《管子 註》.

5 ⑨ [总] 〔종〕 總(糸部 十一畫〈p. 1767〉)의 簡體字

5 ⑨ [悲] 〔비·불〕 怫(心部 五畫〈p. 771〉)과 同字

5 ⑨ [悬] 〔달〕 怛(心部 五畫〈p. 769〉)과 同字

5 ⑧ [怍] 작 [入]藥 在各切 zuò
[字解] ①부끄러워할 작 '羞一'. '慙一'. '俯不一於人'《孟子》. ②빨개질 작 부끄러워서 안색이 변함. '靦一'. '容毋一'《禮記》.
[字源] [篆文] 形聲. 忄(心)+乍〔音〕. '乍자·작'은 '酢초'와 통하여, 강한 자극이 작용하는 신 '초'의 뜻. 부끄러워하다, 성내다의 뜻을 나타냄.

[怍色 작색] 부끄러운 낯빛.
[怍意 작의] 부끄러워하는 마음. 부끄러운 기분.
◉悚怍. 羞怍. 靦怍. 慙怍.

5 ⑧ [怊] 초 [平]蕭 敕宵切 chāo
[字解] 슬퍼할 초 '一悵'. '一乎若嬰兒之失其母'《莊子》.
[字源] [篆文] 形聲. 忄(心)+召〔音〕

[怊悵 초창] ㉠슬퍼하는 모양. ㉡실망하여 멍하니 있는 모양.
[怊乎 초호] 슬퍼하는 모양.

5 ⑧ [怏] [人名] 앙 [去]漾 於亮切 yàng / [上]養 於兩切
[字解] 원망할 앙 불만을 품고 우울함. '一鬱'. '居常一一'《史記》.
[字源] [篆文] 形聲. 忄(心)+央〔音〕. '央앙'은 목에 칼이 씌워진 사람의 상형. 항쇄(項鎖)가 씌워진 사람의 심리 상태인 원망하다, 즐거워하지 않다의 뜻을 나타냄.

[怏怏 앙앙] 마음에 만족하지 않은 모양. 우울한 모양.
[怏鬱 앙울] 우울함.
[怏悒 앙읍] 불평을 품어 우울한 모양.
◉鬱怏. 悒怏. 悵怏.

5 ⑧ [怐] 구 [去]宥 古候切 kòu
[字解] 어리석을 구 '一愗'는 우매한 모양. '直一愗以自苦'《楚辭》.
[字源] 形聲. 忄(心)+句〔音〕

[怐愗 구무] 어리석은 모양.

5 ⑧ [怞] [一] 줄 [入]質 竹律切 chù / [二] 돌 [入]月 當沒切
[字解] [一] 근심할 줄 '一, 憂心也'《玉篇》. [二] 두려워할 돌 '一, 怖也'《集韻》.

5 ⑧ [怓] 노 [平]肴 女交切 náo
[字解] ①어지러울 노 혼란함. '無縱詭隨, 以謹惛一'《詩經》. ②지껄일 노 함부로 지껄임. '一一'.
[字源] [篆文] 形聲. 忄(心)+奴〔音〕

[怓怓 노노] 함부로 지껄임.
◉惛怓.

5 ⑧ [怋] [一] 혼 [平]元 呼昆切 / [二] 민 [平]眞 彌鄰切 mín / [三] 문 [平]元 莫奔切 mén
[字解] [一] 어지러울 혼 혼란함. 惛(心部 八畫)과 同字. '一, 怓也'《說文》. [二] 어지러울 민 '一, 亂也'《廣韻》. [三] ①어두울 문 '一, 不明也'《玉篇》. ②어지러울 문 [二]과 뜻이 같음. ③번민할 문 '一, 悶也'《玉篇》.
[字源] 形聲. 忄(心)+民〔音〕

5 ⑧ [怔] 정 [平]庚 諸盈切 zhēng
[字解] 황겁할 정 두려워하여 어찌할 줄 모름. '惶怖一營'《晉書》.
[字源] 形聲. 忄(心)+正〔音〕

[怔營 정영] 두려워하여 어찌할 줄 모르는 모양.
[怔忪 정충] 두려워하며 걱정함.

5 ⑧ [怕] 파 ㊀禡 普駕切 pà

字解 ①두려워할 파 무서워함. '畏—'. '懼—'. '—入刑辟'《論衡》. ②아마 파 아마도. 주로, 시(詩)에 쓰임. '江邊—有梅花發'《僧浩溪》. ③성 파 성(姓)의 하나.

字源 篆文 形聲. 忄(心)＋白〔音〕. '白백'은 공백으로서 아무것도 없다는 뜻. 마음속에 아무것도 없다, 고요하다, 평온하다의 뜻을 나타냄. 또, '迫박'과 통하여, 무엇인가가 닥쳐와서 두려워하다의 뜻도 나타냄.

[怕驚 파경] 두렵고 놀라움.
[怕懼 파구] 두려워함.
◉怯怕. 驚怕. 懼怕. 畏怕.

5 ⑧ [怖] 포 ㊀遇 普故切 bù

字解 ①두려워할 포 무서워함. '恐—'. '—畏'. '吾驚—其言'《莊子》. ②떨 포 전율함. '欲躋毛骨—'《沈遘》. ③으를 포 협박함. '詐—愚民'《後漢書》. ④두려움 포 공포. '董卓懷—'《魏志》.

字源 悑의 別體 形聲. 忄(心)＋布〔音〕. '悑포'의 별체(別體). '悑'는 形聲. 忄(心)＋甫〔音〕. '甫보'는 '怕파'와 통하여, '두려워하다'의 뜻을 나타냄.

[怖遽 포거] 두려워하여 어쩔 줄 모름.
[怖悸 포계] 두려워서 가슴이 울렁거림.
[怖懼 포구] 두려워함.
[怖畏 포외] 두려워함.
[怖慄 포율] 두려워서 벌벌 떪.
[怖駭 포해] 두려워하여 놀람.
◉怯怖. 驚怖. 恐怖. 懼怖. 懾怖. 愁怖. 畏怖. 憂怖. 危怖. 疑怖. 戰怖. 振怖. 震怖. 惶怖.

5 ⑧ [怇] 一 거 ㊤語 臼許切 jù 二 광 ㊥陽 去王切 kuāng

字解 一 업신여길 거 모멸함. '—, 慢也'《集韻》. 二 恇(心部 六畫〈p. 777〉)과 同字.

5 ⑧ [怗] 一 첩 ㊇葉 他協切 tiē 二 점 ㊥鹽 處占切 zhān

字解 一 ①고요할 첩 조용함. '妥—'. '一生長——'《元稹》. ②좇을 첩 복종(服從)함. '卒—荆'《公羊傳》. 二 막힐 점 지체함. '無—滯之音'《禮記》.

字源 形聲. 忄(心)＋占〔音〕

[怗滯 첨체] 막힘. 지체됨.
[怗怗 첩첩] 고요한 모양.

5 ⑧ [怙] 호 ㊤麌 侯古切 hù

字解 ①믿을 호 믿어 의지함. '—恃其衆'《左傳》. ②아비 호 시경(詩經)의 '無父何—, 無母何恃'에 의하여 부친을 '—', 모친을 '恃'라 함. 또, 널리 부모의 뜻으로 쓰임. '父母何—'《詩經》.

字源 篆文 形聲. 忄(心)＋古〔音〕. '古고'는 '固고'와 통하여, '굳어지다'의 뜻. 특정한 사람에 대한 기대가 굳어지다, 믿다의 뜻을 나타냄.

[怙氣 호기] 기운을 믿음. 자기의 용기를 믿음.
[怙亂 호란] 남의 나라의 혼란(混亂)함을 고소하게 생각함. 남의 어지러움을 틈타 이(利)를 꾀함.
[怙恃 호시] 믿고 의지함. 전(轉)하여, 부모(父母).
[怙終 호종] 믿는 데가 있어 재차 죄를 범(犯)하는 사람. 일설(一說)에는, 일평생 나쁜 짓을 하는 사람.
◉所怙. 恃怙. 依怙.

5 ⑧ [怑] 반 ㊀翰 薄半切 bàn

字解 거스를 반 '—換'은 순종(順從)하지 않음.

5 ⑧ [怚] 저 ①㊀御 將預切 jù ②㊥虞 聰徂切 cū

字解 ①교만할 저 '恃愛肆—'《晉書》. ②거칠 저 성품이 거칢. '秦王—而不信人'《史記》.

字源 篆文 形聲. 忄(心)＋且〔音〕. '且저'는 '높이 쌓이다'의 뜻. 마음이 교만해지다의 뜻을 나타냄.

◉肆怚.

5 ⑧ [怞] 합 ㊇洽 轄甲切 xiá

字解 ①즐길 합 '—, 樂也'《玉篇》. ②기뻐할 합 '—, 悅也'《集韻》.

5 ⑧ [怛] 달 ㊇曷 當割切 dá

字解 ①놀랄 달 경악함. '—惕'. '—然震悚'《朱熹》. ②애태울 달 노심초사(勞心焦思)하는 모양. '勞心——'《詩經》. ③슬퍼할 달 '—傷'. '惻—'. '中心—兮'《詩經》.

字源 篆文 別體 形聲. 忄(心)＋旦〔音〕. '旦단'은 '嘆탄'과 통하여, '한탄하다'의 뜻. 마음이 상하다의 뜻을 나타냄.

參考 悬(心部 五畫)과 同字

[怛怛 달달] 노심초사(勞心焦思)하는 모양.
[怛悼 달도] 슬퍼함.
[怛傷 달상] 애통(哀痛)함.
[怛然 달연] 놀라는 모양.
[怛惕 달척] 놀람. 두려워함.
◉驚怛. 忉怛. 傷怛. 惋怛. 震怛. 慘怛. 憯怛. 惙怛. 忡怛. 惻怛. 駭怛. 惶怛.

5 ⑧ [怜] 人名 一 령 ㊥青 郎丁切 líng 二 련 ㊥先 落賢切 lián

筆順 丶 丷 忄 忄 忄 怜 怜 怜

字解 一 영리할 령 똑똑하고 민첩(敏捷)함. '始知—悧不如癡'《朱淑眞》. 二 불쌍히여길 련 憐(心部 十二畫)과 同字. '抨竹—粉汚'《韋應物》.

字源 形聲. 忄(心)＋令〔音〕. '令령'은 신비하게 '맑다'의 뜻. 마음이 맑아지다, 영리하다의 뜻을 나타냄. 또, '憐련'과 통하여, '가엾어하다'의 뜻도 나타냄.

[怜悧 영리] 약고 민첩(敏捷)함.

4획

[怡質 영질] 영리한 태생.

5⑧ [怡] 人名 이 ㉿支 與之切 yí

筆順 ` ` ㅏ 忄 忙 怡 怡 怡

字解 ①기뻐할 이 '一悅'. '一然'. '主色不一'《國語》. ②온화할 이 화기(和氣)가 있음. '眄庭柯以一顔'《陶潛》.

字源 篆文 形聲. 忄(心)+台[音]. '台이'는 쟁기로 땅을 부드럽게 하는 뜻에서, 마음의 평안, '기뻐하다'의 뜻을 나타내며, '怡'의 原字. 뒤에 '心'을 붙여, 마음에 관한 말임을 분명히 함.

[怡色 이색] 기뻐하는 빛. 화기(和氣)를 띤 얼굴.
[怡神 이신] 정신을 위로하여 즐겁게 함.
[怡顔 이안] 안색(顔色)을 부드럽게 함. 화안(和顔).
[怡懌 이역] 이열(怡悅).
[怡然 이연] 이이(怡怡).
[怡悅 이열] 기뻐함.
[怡豫 이예] 즐겁게 놂.
[怡愉 이유] 기뻐함.
[怡怡 이이] 기뻐하는 모양. 즐거워하는 모양.
[怡蕩 이탕] 방탕하게 놂.
●不怡. 安怡. 養怡. 遨怡. 自怡. 歡怡. 嬉怡. 熙怡.

5⑧ [怗] 감 ㉿覃 姑三切 gān

字解 좇을 감 복종(服從)함. '一, 心伏也'《集韻》.

5⑧ [怦] 평 ㉿庚 普耕切 pēng

字解 곧을 평 충직(忠直)한 모양. '心一一兮諒直'《楚辭》.
字源 形聲. 忄(心)+平[音]

5⑧ [性] 中人 성 ㉿敬 息正切 xìng

筆順 ` ` ㅏ 忄 忙 忄 性 性

字解 ①성품 성 사람이 타고난 성질(性質). '天一'. '天命之謂一'《中庸》. ②성질 성 만물이 가지고 있는 본바탕. '野一'. '是豈水之一也'《孟子》. ③마음 성 심의(心意). 一情'. '是謂拂人之一'《大學》. ④목숨 성 수명(壽命). '莫保其一'《左傳》. ⑤모습 성 용모. '不待脂粉芳澤, 而一可說者'《淮南子》. ⑥성별 성 남녀의 구별. '男一'. '女一'. ⑦성욕 성 남녀·자웅(雌雄) 사이의 성적 욕망. '一慾'. ⑧성 성 성(姓)의 하나.

字源 篆文 形聲. 忄(心)+生[音]. '生생'은 '태어나다'의 뜻. 타고난 마음인 '천성'이란 뜻을 나타냄.

[性格 성격] 각 사람이 가진 특유한 성질. 품성(品性).
[性交 성교] 남녀가 서로 육체적으로 관계하는 일. 방사(房事).
[性教育 성교육] 남녀 청소년에게 성(性)에 대한

건전(健全)한 지식(知識)을 주기 위한 교육.

[性根 성근] 타고난 성질. 천성(天性).
[性急 성급] 성질이 급(急)함.
[性度 성도] ㉠타고난 성품. 천성(天性). ㉡성품과 도량.
[性來 성래] 천성(天性). 전(轉)하여, 나면서부터. '나면서부터 이제까지. 생래(生來).
[性靈 성령] ㉠마음. 정신. ㉡정기(精氣).
[性理 성리] ㉠천성(天性). 마음. ㉡성명(性命)과 이기(理氣).
[性理大全 성리대전] 명(明)나라의 호광(胡廣) 등이 영락제(永樂帝)의 칙명을 받들어 송(宋)나라의 도학자(道學者)인 주자(周子)·장자(張子)·주자(朱子) 등 백이십가(百二十家)의 성명(性命)·이기(理氣)의 설을 집록(集錄) 편찬한 책. 70권. 영락(永樂) 13년에 완성하였음.
[性理學 성리학] 성명(性命)과 이기(理氣)의 관계를 설명(說明)한 유교 철학(儒教哲學). 송(宋)나라의 주염계(周濂溪)·장횡거(張橫渠)·정명도(程明道)·정이천(程伊川)·주희(朱熹) 등이 주장(主唱)한 학설(學說).
[性命 성명] ㉠천부(天賦)의 성질(性質). ㉡목숨. 생명(生命).
[性味 성미] 《韓》성질과 취미(趣味). 성질과 비위.
[性癖 성벽] 선천적으로 가진 버릇. 나면서부터 지닌 편벽된 성질.
[性別 성별] 남녀(男女)의 구별(區別). 암수의 구별.
[性病 성병] 주로 남녀의 성교(性交)로 말미암아 생기는 전염병.
[性分 성분] 타고난 성질.
[性相近習相遠 성상근습상원] 천부의 성질은 거의 같으나, 교육·습관 등에 의해서 현우(賢愚)의 구별이 생김.
[性善說 성선설] 사람의 본성(本性)은 선천적(先天的)으로 착하나, 물욕(物慾)에 가려서 악(惡)하게 된다고 하는 학설(學說). 맹자(孟子)가 주창함.
[性術 성술] 마음씨.
[性惡說 성악설] 사람에게 이기적(利己的) 정욕(情慾)이 있는 것을 기초(基礎)로 하여 사람의 본성(本性)은 악(惡)한 것이라고 하는 학설(學說). 순자(荀子)가 주장함.
[性業 성업] 성질과 학업(學業).
[性慾 성욕] 남녀 간에 성교(性交)를 행하고자 하는 욕망. 색욕(色慾).
[性慾主義 성욕주의] 도덕(道德)의 구속(拘束)을 벗어나서 감정이 내키는 대로 성욕(性慾)을 만족(滿足)시키는 것이 인생(人生)의 자연(自然)한 것이라고 하는 주의(主義). 금욕주의(禁慾主義)의 대(對).
[性僞 성위] 천연(天然)과 인위(人爲). 본성(本性)과 예의(禮儀).
[性情 성정] ㉠성질과 심정(心情). ㉡타고난 본성(本性).
[性眞 성진] 《佛教》본성(本性).
[性質 성질] 생물이나 무생물이 본디부터 가지고 있는 바탕.
[性體 성체] 마음의 본체(本體).
[性稟 성품] 타고난 본성.
[性行 성행] 성품(性稟)과 행실(行實).
●假性. 感性. 感受性. 個性. 乾性. 見性. 慣性.

6/10 [恁] 人名 임 ㊤寢 如甚切 rèn / ㊤寢 如林切

字解 ①생각할 임 '亦宜勠—旅力'《班固》. ②이러할 임 속어(俗語)로서, '麼'·'地'·'兒'가 모두 여차(如此)와 같은 뜻임.
字源 金文 篆文 形聲. 心+任[音]. '任임'은 사람이 짊어지다의 뜻. 마음속에 짊어지다, 생각하다의 뜻을 나타냄. 假借하여, 당·송(唐宋) 무렵부터 속어(俗語)인 '이러한, 이와 같이'의 뜻을 나타내는 데 쓰임.

[恁麼 임마] 이와 같이.
[恁兒 임아] 이러한. 이와 같음.
[恁樣人 임양인] 이러한 사람. 이와 같은 사람.
[恁地 임지] 이러한. 이와 같은. 이와 같이.

6/10 [㥍] 오 ㊧遇 烏故切 wù

字解 탐할 오 '—, 貪也'《字彙》.

6/10 [恐] 恐(次條)의 俗字

6/10 [恐] 高人 공 ①-③㊤腫 丘隴切 kǒng / ④㊧宋 區用切

筆順 一 丁 工 卫 巩 巩 恐 恐
字解 ①두려워할 공 ㉠무서워함. '—怖'. '齊人將築薛, 吾甚—'《孟子》. ㉡위구함. 염려함. '惡莠—其亂苗也'《孟子》. ㉢공구하여 근신함. '孝子, 祭之日, 顏色必溫, 行必—'《禮記》. ②으를 공 공갈함. '—喝', '—脅'. '今弟光—王'《漢書》. ③두려움 공 공포. '臂在志爲—'《素問》. ④아마 공 아마도. 반신반의하는 말. '一事不成', '秦城—不可得'《史記》.
字源 篆文 篆文은 心+巩[音]. '巩공'은 조심스럽게 끌을 손으로 잡는 모양. 조심스러운 마음, 두려워하다의 뜻을 나타냄.

[恐喝 공갈] 으름. 위협(威脅)함.
[恐悸 공계] 두려워서 마음이 두근거림.
[恐懼 공구] ㉠두려워함. ㉡편지의 끝에 적어 경의(敬意)를 표하는 말.
[恐動 공동] ㉠위험(危險)한 말로 남의 마음을 두렵게 함. ㉡두려워서 동요함.
[恐慄 공률] 두려워하여 떪.
[恐悚 공송] 두려워함. 송구(悚懼)함.
[恐水病 공수병] 미친개에게 물리어 그 병독(病毒)이 감염(感染)한 병(病). 이 병자(病者)는 물을 마시지 못할 뿐 아니라, 보기만 하여도 목구멍에 경련이 일어남. 완치하기 어려움.
[恐愼 공신] 두려워하여 삼감.
[恐諛 공유] 두려워하여 아첨함.
[恐縮 공축] 두려워서 몸을 움츠림.
[恐怖 공포] 무서움. 두려움.
[恐嚇 공하] 으름. 위협함.
[恐駭 공해] 두려워서 놀람.
[恐脅 공협] 으름. 위협함.
[恐惶 공황] 공구(恐懼).
[恐慌 공황] ㉠놀라 허둥지둥함. ㉡경제계(經濟界)가 몹시 침체하여 파산자(破産者)가 많이 생겨 인심이 흉흉하고 질서가 혼란(混亂)한 경제 상태.

●驚恐. 大恐. 迫恐. 誠恐. 誠惶誠恐. 畏恐. 憂恐. 振恐. 震恐. 惴恐. 脅恐. 惶恐.

6/10 [恐] 恐(前條)과 同字

6/10 [恕] 高人 서 ㊧御 商署切 shù

筆順 人 女 女 如 如 如 如 恕 恕
字解 ①어질 서 남의 정상을 잘 살펴 동정(同情)함. 또, 그 마음. 어진 마음. 동정심. '忠—'. '仁—'. '其—乎, 己所不欲勿施於人'《論語》. ②용서할 서 관대히 보아 줌. '容—'. '宥—'. '竊自—'《史記》. ③성 서 성(姓)의 하나.
字源 篆文 形聲. 心+如[音]. '如여'는 본디 古文에서는 '女', 부드러운 여자의 뜻. 부드러운 마음, 어진 마음, 용서하다의 뜻을 나타냄.

[恕宥 서유] 정상을 살펴 용서함.
[恕直 서직] 동정심이 많고 정직함.
●強恕. 寬恕. 矜恕. 篤恕. 宥恕. 諒恕. 溫恕. 了恕. 容恕. 宥恕. 仁恕. 情恕. 忠恕.

6/10 [恙] 양 ㊧漾 餘亮切 yàng

字解 병 양 원래는 사람을 무는 독충(毒蟲)의 이름. 태고에 사람이 벌레의 해독을 많이 입었으므로, 전(轉)하여, 병(病)·근심 등의 뜻으로 쓰이며, 남의 안부를 물을 때에 '無—乎'라 함. '噬蟲能食人心, 古者草居, 終被此毒, 故相問勞曰, 無—'《風俗通》.
字源 篆文 形聲. 心+羊[音]. '羊양'은 '痒양'과 통하여, '앓다'의 뜻. 마음이 아프다, 걱정하다, 재난(災難)의 뜻을 나타냄.

[恙病 양병] 병.
●無恙. 微恙. 心恙. 痼恙. 疹恙. 疾恙. 布帆無恙. 疲恙.

6/10 [㤅] 흡 ㊤緝 迄及切 xí

字解 합할 흡 '陰氣痝而—之'《太玄經》.

6/10 [恚] 에(혜) ㊧眞 於避切 huì / ㊧霽 胡桂切 huì

字解 ①성낼 에 원한을 품고 분노함. '—望'. '怨—'. '欲試寬令—'《後漢書》. ②성 에 화. 분노. '解—之心'《陸龜蒙》.
字源 篆文 形聲. 心+圭[音]. '圭규'는 '擊격'과 통하여, '치다'의 뜻. 적의(敵意)를 품고 치다, 공격적인 마음, 성내다의 뜻을 나타냄.

[恚憾 에감] 에한(恨).
[恚怒 에노] 성냄. 분노함.
[恚亂 에란] 성냄.
[恚望 에망] 성내고 원망함.
[恚忿 에분] 성냄. 분노함.
[恚愼 에분] 성내어 번민함.
[恚汗 에한] 땀을 흘리며 성냄. 또, 성이 나서 나「는 땀.
[恚恨 에한] 성내어 원한을 품음.

4획

●憾恚. 忿恚. 憤恚. 奮恚. 怫恚. 慍恚. 憂恚.
怨恚. 震恚. 瞋恚. 慙恚. 恨恚.

6
10 [恝] 개 㘚卦 居拜切 jiá

[字解] 근심없을 개 조금도 걱정이 없는 모양.
'爲不若是一'《孟子》.

[字源] 形聲. 心+初〔音〕. '初갈·계'는 '새기다'의
뜻. 마음이 칼로 잘게 베어지다, 걱정하다,
근심의 뜻을 나타냄. 또, 외계(外界)로부터의
자극에 대해 마음이 움직이지 않다, 등한히 하
다의 뜻도 나타냄.

6
10 [恣] 高人 자 㘚寘 資四切 zì

[筆順] ﹀ ﹀ ﹀ ﹀ ﹀ 次 恣 恣

[字解] 방자할 자 방종함. '一行'. '一意'. '不得
自一'《史記》.

[字源] 篆文 形聲. 心+次〔音〕. '次차'는 마음을
이완하다의 뜻. 마음을 이완시키다,
마음대로 하다의 뜻을 나타냄.

[恣夸 자과] 방자하고 잘난 체함.
[恣樂 자락] 아무 거리낌 없이 멋대로 즐김.
[恣放 자방] 방자함.
[恣肆 자사] 제멋대로 행동함. 방자함.
[恣逸 자일] 자방(恣放).
[恣縱 자종] 제멋대로 행동함. 방종함.
[恣擅 자천] 마음대로 하는 행동. 방자한 행동.
[恣暴 자포] 방자하고 횡포함.
[恣行 자행] 제멋대로 행함. 또, 그 행동.
[恣睢 자휴] ㉠방자하여 남을 함부로 흘겨봄. ㉡
비방함. 욕을 함. ㉢남의 말을 듣지 않고 제 고
집대로 함.
●強恣. 洸洋自恣. 狂恣. 驕恣. 忌恣. 放恣. 奢
恣. 自恣. 專恣. 蹂恣. 縱恣. 震恣. 瞋恣. 憍
恣. 擅恣. 侵恣. 貪恣. 暴恣. 狠恣. 豪恣. 荒
恣. 凶恣.

6
10 [恧] 人屋 女六切 nǜ
人職 女力切 nǜ

[字解] ①부끄러워할 뉵 '一然'. '莫吾知而不一'
《張衡》. ②겸연쩍을 뉵 무안하여 낯이 뜨뜻함.
'心愧爲一'《詩經》.

[字源] 篆文 形聲. 心+而〔音〕. '而이'는 부드러운
수염의 상형. 부드러운 마음의 뜻에
서, '부끄럽다'의 뜻을 나타냄.

[恧怩 육니] 부끄러워함.
[恧然 육연] 부끄러워하는 모양.
[恧縮 육축] 부끄러워하여 움츠림.

6
10 [恩] 中人 은 㘚元 烏痕切 ēn

[筆順] 丨 冂 冂 冃 田 因 因 恩 恩

[字解] ①은혜 은 혜택. '一典'. '謝一'《後漢書》.
②정 은 인정. '慘礉少一'《史記》. ③사랑할 은
사랑하여 은혜를 베풂. '一斯勤斯'《詩經》. ④
성 은 성(姓)의 하나.

[字源] 篆文 形聲. 心+因〔音〕. '因인'은 '愛애'와
통하여, '애지중지하다'의 뜻. '心실'

을 붙여, '사랑하다'의 뜻을 나타냄.

[恩假 은가] ㉠임금이 주는 휴가(休暇). 은가(恩
暇). ㉡은정을 베풀어 용서함.
[恩顧 은고] 은혜를 베풀어 돌보아 주는 일.
[恩功 은공] 은혜(恩惠)와 공로(功勞).
[恩光 은광] ㉠임금의 은덕(恩德). 임금의 총애.
군은(君恩). 은총(恩寵). ㉡만물을 생장시키는
일광(日光).
[恩仇 은구] 은혜와 원수.
[恩舊 은구] 옛날부터 가까이 지낸 정의(情誼).
[恩眷 은권] ㉠은혜를 베풀어 돌보아 주는 일. ㉡
임금의 특별한 대우.
[恩給 은급] 은상(恩賞)으로서 줌.
[恩紀 은기] 인정(人情)은 있으나 법은 굽히지 않
는 일.
[恩貸 은대] ㉠은혜(恩惠). ㉡특별한 용서.
[恩德 은덕] 은혜(恩惠).
[恩賚 은뢰] 은사(恩賜).
[恩命 은명] 임관(任官)·유죄(宥罪) 등 임금이 내
리는 고마운 명령(命令).
[恩撫 은무] 애무(愛撫)함.
[恩傅 은부] 은사(恩師).
[恩師 은사] 은혜(恩惠)가 깊은 스승.
[恩赦 은사] 죄인을 특사(特赦)함.
[恩賜 은사] 웃어른이 내려 줌. 또, 그 물건.
[恩山德海 은산덕해] 산과 바다같이 높고 넓은 은
덕(恩德).
[恩賞 은상] 공(功)을 칭찬하여 상(賞)을 내림.
또, 그 상(賞).
[恩錫 은석] 은사(恩賜).
[恩讎 은수] 은혜와 원수.
[恩讎分明 은수분명] 은혜와 원수를 분명히 함.
곧, 은혜는 꼭 갚고 원수는 꼭 앙갚음함.
[恩愛 은애] 은혜(恩惠)와 사랑.
[恩榮 은영] 군은(君恩)을 입은 영광(榮光).
[恩遇 은우] 은정(恩情)을 베푸는 대우(待遇). 총
우(寵遇).
[恩怨 은원] 은혜와 원한.
[恩威 은위] 은혜와 위력.
[恩廕 은음] 부조(父祖)가 고위 고관(高位高官)
인 덕택으로 벼슬을 하는 일. 남행(南行).
[恩蔭 은음] 덕택. 혜택.
[恩意 은의] 은혜를 베풀고자 하는 뜻.
[恩義 은의] ㉠은혜(恩惠)와 의리(義理). ㉡두터
운 정의(情誼).
[恩誼 은의] 은의(恩義).
[恩人 은인] 은혜(恩惠)를 베풀어 준 사람.
[恩引 은인] 남이 초대하여 준 데 대하여 경의(敬
意)를 표하여 이르는 말.
[恩典 은전] 은혜가 두터운 처분(處分). 특전(特
典). 전(轉)하여, 은혜.
[恩情 은정] 은혜(恩惠)를 베풀며 사랑하는 마음.
[恩詔 은조] 특별히 은정(恩情)을 베풀어 내리는
조서(詔書).
[恩重泰山 은중태산] 은혜(恩惠)의 무게가 태산
(泰山)과 같음. 곧, 은혜가 썩 큼을 이름.
[恩地 은지] 은혜. 지(地)는 조자(助字).
[恩寵 은총] 은혜와 총애.
[恩澤 은택] 은혜(恩惠).
[恩波 은파] 천자(天子)의 은혜. 군은(君恩).
[恩倖 은행] ㉠은혜. 은애(恩愛). ㉡임금이 특히
총애하는 근신(近臣).

[恩惠 은혜] 베풀어 주는 신세.
[恩好 은호] 정의 (情誼). 후정 (厚情).
[恩化 은화] 은혜 (恩惠)로써 백성을 교화 (敎化)함.
[恩煦 은후] 따뜻한 은혜.
●感恩. 高恩. 舊恩. 國恩. 君恩. 大恩. 忘恩.
芳恩. 背恩. 報恩. 父母恩. 佛恩. 四恩. 私恩.
師恩. 謝恩. 盛恩. 聖恩. 受恩. 殊恩. 酬恩.
渥恩. 愛恩. 雨露恩. 優恩. 隆恩. 仁恩. 一飯
恩. 慈恩. 積恩. 朝恩. 主恩. 重恩. 天恩. 親
恩. 荷恩. 海壑恩. 惠恩. 浩恩. 洪恩. 鴻恩.
皇恩. 厚恩.

6 ⑩ [息] 高人 식 入職 相卽切 xī(xí)

筆順 ´ ´ ´ 自 自 自 自 息 息

字解 ①숨 식 호흡. '鼻一'. 전 (轉)하여, 잠시 (暫時)의 뜻으로 쓰임. '間不容一'《史記》. ②숨쉴 식 호흡함. '太一'. '歎一'. '屏氣, 似不一者'《論語》. ③쉴 식 휴식함. '休一'. '勞者弗一'《孟子》. ④그칠 식 ㉠중지함. 끝남. '一止'. '攻戰未一'《戰國策》. ㉡그만둠. 끊음. '請一交而絕遊'《陶潛》. ⑤살 식 생존함. '棲一'. ⑥자랄 식 생장함. 증가함. '其日夜之所一'《孟子》. ⑦번식할 식 증식함. '畜多一'《史記》. ⑧아들 식 '子一'. '老臣賤一'《戰國策》. ⑨아이 식 소아. '棄黎老之言, 用姑一之語'《尸子》. ⑩변 식 이자. '利一'. '不能與其一'《史記》. ⑪나라이름 식 주대 (周代)의 나라. 초 (楚)나라에 멸망당하였음. '一侯伐鄭'《左傳》. ⑫성 식 성 (姓)의 하나.

字源 篆 息 會意. 心+自. '심심'은 심장, '자자'는 코의 상형. 심장부로부터 코로 빠지는 숨의 뜻을 나타냄. 또, 잔잔한 숨의 뜻에서, '쉬다'는 뜻도 나타냄. 또, 숨을 쉬다, 살다의 뜻과 자기의 분신 (分身)으로서 살아가는 자, 곧 '자식'의 뜻을 나타냄.

[息肩 식견] 짐을 내려 어깨를 쉰다는 뜻으로, 휴양 (休養)함, 또는 책임을 벗어남을 이름.
[息耕 식경]《韓》밭의 하루같이의 6분의 1의 면적.
[息交 식교] 남과 교제를 끊음. 세상과의 교제를 그만둠.
[息男 식남] 아들. 자식 (子息).
[息女 식녀] 딸. 여식 (女息).
[息留 식류] 피로를 풀기 위해 머물러 쉼.
[息利 식리] 이자. 이식 (利息).
[息耗 식모] ㉠이익과 손실. ㉡증식과 손모 (損耗). ㉢길흉 (吉凶). ㉣음신 (音信). 소식.
[息兵 식병] 휴전 (休戰)함.
[息婦 식부] 며느리. 식부 (媳婦).
[息壤 식양] ㉠식양재피 (息壤在彼). ㉡충층으로 융기 (隆起)한 땅. 식토 (息土).
[息壤在彼 식양재피] ㉠'식양 (息壤)은 저기 있습니다. 전에 거기서 한 맹세를 잊으실 수야 있겠습니까?'라는 뜻. 진 (秦)나라 무왕 (武王)이 식양 (息壤)에서 맹세를 한 후 감무 (甘茂)에게 한(韓)나라의 의양 (宜陽)을 토벌하게 하였는데, 다섯 달이 되어도 함락시키지 못하므로 무왕이 근신 (近臣)의 소환 (召還)하는 것이 좋다는 말을 듣고 감무를 불러 싸움을 그만두게 하려 하였을 때 감무가 한 말임. ㉡약속은 어기기 어렵

다는 뜻으로 쓰임.
[息偃 식언] 드러누워 쉼.
[息燕 식연] ㉠농사를 마친 농부를 쉬게 하고 사신 (使臣)을 위로하여 잔치를 베품. ㉡집〔巢〕에서 쉬는 제비. ㉢한가로이 쉼. 연식 (燕息).
[息肉 식육] 혹과 같은 군더더기의 살. 군살. 췌육 (贅肉).
[息銀 식은] 이자 (利子). 이식 (利息).
[息災 식재]《佛敎》㉠부처의 힘으로 재난 (災難)을 없앰. ㉡몸에 병이 없음. 무양 (無恙)함.
[息錢 식전] 이자 (利子).
[息停 식정] 머물러 쉼. 쉼. 휴식함.
[息止 식지] 그침. 멈춤.
[息喘 식천] 숨을 헐떡헐떡 쉼.　　　　「壤).
[息土 식토] 충층으로 융기 (隆起)한 땅. 식양 (息
●慨息. 憩息. 姑息. 歸息. 氣息. 大息. 娩息.
寐息. 弭息. 微息. 蕃息. 屏息. 保息. 不息.
鼻息. 生息. 棲息. 消息. 蘇息. 衰息. 宿息.
瞬息. 兒息. 安息. 案息. 晏息. 偃息. 掩息.
宴息. 燕息. 令息. 寧息. 愚息. 遊息. 利息.
一息. 自強不息. 子息. 孳息. 滋息. 殘息. 長
息. 長太息. 絕息. 停息. 靜息. 調息. 終息.
止息. 窒息. 喘息. 寢息. 嘆息. 歇息. 太息.
胎息. 痛息. 退息. 閉息. 鼾息. 脅息. 脇息.
休息.

6 ⑩ [怓] 호 ㊤晧 許皓切 hào

字解 욕심낼 호 '一, 欲也'《篇海》.

6 ⑩ [恖] 〔사〕 思 (心部 五畫〈p.765〉)의 本字

6 ⑩ [恋] 〔련〕 戀 (心部 十九畫〈p.828〉)의 俗字

6 ⑩ [悬] 〔간〕 懇 (心部 十三畫〈p.819〉)의 俗字

6 ⑩ [恖] 〔사〕 思 (心部 五畫〈p.765〉)의 古字

6 ⑩ [恭] 恭 (次條)의 本字

6 ⑩ [恭] 高人 공 ㊤冬 九容切 gōng

筆順 一 十 廾 共 共 恭 恭 恭

字解 ①공손할 공 공경하고 겸손한 태도가 용모나 동작에 나타남. '一順'. '手容一'《禮記》. ②공손히할 공 삼감. 근신함. '一己'. '夙夜一也'《國語》. ③공손히 공 장상 (長上)에 대한 경어 (敬語)로 쓰임. '一承嘉惠兮'《賈誼》. ④공손 공 이상 (以上)의 명사. '色思溫, 貌思一'《論語》. ⑤받들 공 윗사람의 뜻을 받듦. '今予惟一行天之罰'《書經》. ⑥성 공 성 (姓)의 하나.

字源 篆 恭 形聲. 小 (心)+共〔音〕. '共공'은 '바치다'의 뜻. 신에게 물건을 바칠 때의 심경, '공손하다, 삼가다'의 뜻을 나타냄.

參考 恭 (前條)은 本字.

[恭虔 공건] 공근 (恭謹).
[恭儉 공검] 공순 (恭順)하고 검소함.

[恭謙 공겸] 공순(恭順)하고 겸손(謙遜)함.
[恭敬 공경] 조신(操身)하고 삼감. 공손하고 근신함. 공(恭)은 몸을 삼가는 일, 경(敬)은 마음을 삼가는 일임.
[恭勤 공근] 공손하고 근면함.
[恭謹 공근] 공손하고 근신함.
[恭己 공기] ㉠자기 몸을 삼감. ㉡강력한 신하(臣下)가 권력을 잡고 있기 때문에 임금은 다만 침묵(沈默)함.
[恭待 공대] 《韓》 ㉠공손(恭遜)히 대우(待遇)함. ㉡경어(敬語)를 씀.
[恭默 공묵] 공손하고 말이 적음.
[恭敏 공민] 공손하고 민첩함.
[恭肆 공사] 공손함과 방자함.
[恭遜 공손] 공경(恭敬)하고 겸손(謙遜)함.
[恭肅 공숙] 공경(恭敬).
[恭順 공순] 공손(恭遜)하고 온순(溫順)함.
[恭承 공승] ㉠삼가 받듦. 경승(敬承). ㉡삼가 이어받음. 공손히 계승함.
[恭讓 공양] 공경하고 겸양함.
[恭畏 공외] 공손하고 조심성이 많음.
[恭容 공용] 삼가는 얼굴. 근신하는 용모.
[恭愿 공원] 공손하고 진실함.
[恭祝 공축] 공손(恭遜)한 마음으로 축하(祝賀)함. 삼가 축하함.
[恭退 공퇴] 공양(恭讓).
[恭賀 공하] 공축(恭祝).
[恭行 공행] 명령을 받들어 행함.
[恭顯 공현] 전한(前漢) 때의 환관(宦官) 홍공(弘恭)과 석현(石顯)을 다 중서령(中書令)에 올랐으며, 권세를 전횡(專橫)하였음.
●虔恭. 敬恭. 篤恭. 不恭. 蕭恭. 嚴恭. 溫恭. 允恭. 懿恭. 齊恭. 足恭. 協恭.

6 ⑨ [恂] 人名 ☰ 순 ㉮眞 相倫切 xún
☰ 준 ㉮震 輸潤切 shùn 恂

字解 ☰ ①미쁠 순 신의가 있고 진실함. '忱一, 孔子於鄕黨一一如也'《論語》. ②두려워할 순 '慄慄一懼' '慄慄一懼'《莊子》. ☰ ①갑자기 준 별안간. '一然棄而走'《莊子》. ②끔찍거릴 준 눈을 끔적끔적함. '今汝恂然有一目之志'《列子》. ③엄할 준 '瑟兮僩兮者, 一慄也'《大學》.
字源 篆文 [篆] 形聲. 忄(心)+旬〔音〕. '旬순'은 '均균'과 통하여, '같다'의 뜻. 마음이 변하지 않고 균질(均質)이라는 뜻에서, '진실됨'의 뜻을 나타냄.

[恂懼 순구] 외구(畏懼)함.
[恂目 순목] 눈을 깜작거림. 순목(瞬目).
[恂恂 순순] ㉠신실(信實)한 모양. ㉡두려워하는 모양.
[恂慄 순율] 외구(畏懼).
[恂然 준연] 별안간. 갑자기.
●忱恂.

6 ⑨ [恑] ☰ 궤 ㉮紙 過委切 guǐ
☰ 위 ㉮支 虞爲切 wéi

字解 ☰ ①변할 궤 '一, 變也'《說文》. ②뉘우칠 궤 '一, 悔也'《廣韻》. ③이상하여길 궤 '一, 異也'《玉篇》. ④아름다울 궤 '一, 美也'《廣雅》. ⑤거스를 궤 배반함. '一, 反也'《廣韻》. ☰ 오똑할 위 '一, 獨立皃'《集韻》.
字源 形聲. 忄(心)+危〔音〕.

6 ⑨ [恃] 人名 시 ㉯紙 時止切 shì 恃

筆順 ' ' ' 忄 忄 忭 忭 恃 恃

字解 ①믿을 시 믿어 의뢰함. '一賴'. '萬物之而生'《老子》. ②어미 시 怙(心部 五畫)를 보라. '怙'.
字源 金文 [金] 篆文 [篆] 形聲. 忄(心)+寺〔音〕. '寺시'는 '待대'와 통하여, '기다리다'의 뜻. 무엇을 기대하다, 의뢰하다의 뜻을 나타냄.

[恃德者昌 시덕자창] 모든 일에 도덕(道德)을 근본(根本)으로 삼는 자는 더욱 영달(榮達)함.
[恃賴 시뢰] 믿고 의지함. 의뢰(依賴)함.
[恃憑 시빙] 시뢰(恃賴).
[恃寵 시총] 총애를 믿음.
●介恃. 矜恃. 負恃. 憑恃. 依恃. 倚恃. 怙恃.

6 ⑨ [恞] 이 ㉮支 以脂切 yí

字解 기뻐할 이 夷(大部 三畫)와 통용함. '一, 悅也'《爾雅》.

6 ⑨ [恆] 中人 ☰ 항 ㉮蒸 胡登切 héng
☰ 긍 ㉮徑 居鄧切 gèng

筆順 ' ' ' 忄 忄 忆 忻 恆 恆

字解 ☰ ①항구 항 영구(永久). '人而無一'《論語》. ②항구히 항 영구히. '一不死'《易經》. ③항상 항 언제나. 늘. '財一足矣'《大學》. ④항상할 항 늘 변하지 않고 그렇게 함. '不一其德'《易經》. ⑤항괘 항 육십사괘(六十四卦)의 하나. 곧, ䷟〈손하(巽下), 진상(震上)〉. 항구 불변의 상(象). ⑥성 항 성(姓)의 하나. ☰ ①반달 긍 현월(弦月). '如月之一'《詩經》. ②두루미칠 긍 빠짐없이 미침. '一之和秩'《詩經》. ③뻗칠 긍 걸칠 긍 亙(二部 四畫)과 통용함. '一以年歲'《漢書》.
字源 甲骨文 [甲] 金文 [金] 篆文 [篆] 形聲. 忄(心)+亙〔音〕. '亙긍'은 한쪽에서 다른 쪽으로 항상 건너가다의 뜻. 언제나 변하지 않는 마음의 뜻을 나타냄. 《說文》에서는 會意로, 心+舟+二. 강변과 강변 사이를 배로 건너므로, 마음은 언제까지나 안정되어 변하지 않는다고 설명함. 甲骨文과 金文은 달이 천지 사이를 운행하는 모양을 본떠, 달이 규칙적으로 엄숙하게 건너는 것이 영원불멸하다의 뜻을 나타냄.

[恆久 항구] 변치 아니하고 오래감. 영구(永久).
[恆茶飯 항다반] 늘 있어서 신통할 것이 없는 일.
[恆德 항덕] 변함없이 한결같은 덕.
[恆例 항례] 보통(普通)의 사례(事例). 상례(常例).
[恆士 항사] 범상(凡常)한 선비.
[恆沙 항사] 인도의 항하(恆河)의 모래. 곧, 무량(無量)의 수.
[恆山 항산] 오악(五嶽)의 하나. 산시 성(山西省) 영구현(靈丘縣)의 남쪽에 있는 산. 북악(北嶽). 상산(常山).
[恆産 항산] 살아갈 수 있는 일정(一定)한 재산, 또는 생업(生業).
[恆常 항상] ㉠일정하여 변함이 없는 일. 불변(不

變). ㉡《韓》늘.
[恒星 항성] 한 성군(星群)의 중심(中心)이 되어 그 위치가 변하지 않는 별. 태양(太陽)도 그중의 하나임.
[恒習 항습] 늘 하는 버릇.
[恒時 항시] 늘.
[恒心 항심] 일정불변한 마음. 사람이 늘 지니고 있는 착한 마음.
[恒言 항언] 늘 하는 말. 보통 쓰는 말.
[恒業 항업] 일정한 업무(業務).
[恒用 항용] 늘 씀.
[恒醫 항의] 보통 의원(醫員).
[恒正 항정] 항상 바름. 영구히 바름.　「操).
[恒操 항조] 변하지 않고 늘 지니고 있는 지조(志
[恒準 항준] 일정불변(一定不變)한 표준.
[恒風 항풍] 무역풍(貿易風)같이 항상 일정한 방향으로 부는 바람.
[恒河 항하] 인도(印度)의 갠지스 강.
●安恒. 有恒. 和恒.

⑥⑨［恒］中 人 恒(前條)의 俗字
[筆順] ` ´ ↑ ↑ ↑ 怐 怐 恒 恒

⑥⑨［恇］광 ㊀陽 去王切 kuāng
[字解] 겁낼 광 두려워함. 공구함. '一怯'. '閫境士庶, 莫不一駭'《晉書》.
[字源] 形聲. ↑(心)+匡(匡)〔音〕. '匡광'은 '惶황'과 통하여, '두려워하다'의 뜻을 나타냄.

[恇怯 광겁] 겁(怯)냄. 무서워함.
[恇恇 광광] 두려워하는 모양. 겁내는 모양.
[恇懼 광구] 겁내어 두려워함.
[恇撓 광뇨] 광요(恇擾).
[恇擾 광요] 겁내어 요란함.
[恇駭 광해] 겁내어 두려워함.

⑥⑨［恈］모 ㊀尤 莫浮切 móu
[字解] 탐낼 모 탐함. '一一然惟利之見'《荀子》.
[字源] 形聲. ↑(心)+牟〔音〕

[恈恈然 모모연] 탐내는 모양.

⑥⑨［恌］조 ㊀蕭 吐彫切 tiāo
[字解] 경박할 조 경조부박함. '輕一'. '視民不一'《詩經》.
[字源] 形聲. ↑(心)+兆〔音〕. '佻조'와 통하여, '경박하다'의 뜻을 나타냄.

⑥⑨［恍］人 名 황 ㊀養 虎晃切 huǎng
[字解] ①어슴푸레할 황 분명하지 아니한 모양. '惚兮一兮'《老子》. ②명할 황 자실(自失)한 모양. 정신이 착란한 모양. '一然'. '心懍一而不我與兮'《劉向》.
[字源] 形聲. ↑(心)+光〔音〕. '光광'은 뚜렷하지 않은 상태를 나타내는 의태어(擬態語). 심

리(心理)에 관한 말이므로, '心심'을 붙임.

[恍然 황연] 멍한 모양. 정신이 흐리멍덩한 모양.
[恍遊 황유] 황홀한 기분으로 노는 일.
[恍惚 황홀] ㉠잘 보이지 않는 모양. ㉡미묘하여 알 수 없는 모양. ㉢멍한 모양. 기억이 확실하지 아니한 모양. 정신이 흐리멍덩한 모양.

⑥⑨［恔］교 ㊀效 後教切 xiào
[字解] 쾌할 교 유쾌함. '於人心獨無一乎'《孟子》.
[字源] 形聲. ↑(心)+交〔音〕. '交교'는 '校교'와 통하여, 비교하여 헤아리다의 뜻.

⑥⑨［恟］흉 ㊀冬 許容切 xiōng
[字解] ①두려워할 흉 공구함. '一一'. '謫夢意猶一'《韓愈》. ②떠들썩할 흉 시끄러움. '爭訟一一'《易林》.
[字源] 形聲. ↑(心)+匈〔音〕

[恟懼 흉구] 두려워함. 떨며 무서워함.
[恟駭 흉해] 무서워서 쭈뼛거림.
[恟恟 흉흉] ㉠인심(人心)이 어수선한 모양. ㉡떠들썩한 모양.

⑥⑨［恡］린 ㊀震 良刃切 lìn
[字解] 아낄 린 恪(心部 七畫)·吝(口部 四畫)과 同字. '甚一於財'《孔子家語》.

⑥⑨［恢］人 名 회 ㊀灰 苦回切 huī
[筆順] ` ´ ↑ ↑ ↑ 忄 忆 恢 恢
[字解] ①넓을 회 마음이 넓음. 전(轉)하여, 만 사물에도 이름. '一弘'. '一大'. '天網一一, 疎而不漏'《老子》. ②넓힐 회 확장함. 확대함. '廓而一之'《太玄經》.
[字源] 形聲. ↑(心)+灰〔音〕. '灰회'는 '宏광'과 통하여, '넓고 크다'의 뜻. 마음이 넓고 크다의 뜻을 나타냄.

[恢宏 회굉] 회홍(恢弘).
[恢奇 회기] 크고 기이함.
[恢大 회대] 넓고 큼.
[恢復 회복] ㉠이전의 상태로 돌이킴. ㉡이전의 상태로 돌아감.
[恢然 회연] 마음이 넓은 모양. 도량이 큰 모양.
[恢闡 회천] 크게 열어 넓힘. 확장함.
[恢弘 회홍] ㉠크고 넓음. ㉡넓힘. 회굉(恢宏).
[恢廓 회확] 넓힘. ㉡도량이 큼.
[恢恢 회회] ㉠광대하여 포용(包容)하는 모양. 큰 모양. ㉡여유가 있는 모양.

⑥⑨［恤］人 名 휼 ㊀質 辛律切 xù
[字解] ①근심할 휼 '憂一'. '苟得志焉, 無一其他'《左傳》. ②기민(饑民) 먹일 휼 구휼(救恤)함. '賑一'. '一孤寡'《禮記》. ③사랑할 휼 친애(親愛)함. '字一'. '不一之刑'《周禮》. ④성 휼 성

(姓)의 하나.
[字][源] [篆][文] 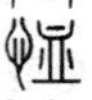 形聲. 忄(心)+血〔音〕. 마음으로부터 피가 흐르다, 근심하다, 불쌍히 여기다의 뜻을 나타냄.
[參考] 卹(卩部 六畫)과 同字.

[恤救 휼구] 구휼함.
[恤問 휼문] 위문하여 동정을 베풂.
[恤米 휼미] 구휼(救恤)하는 쌀.
[恤民 휼민] 빈민(貧民)·이재민(罹災民)을 구제(救濟)함.
[恤兵 휼병] 전쟁(戰爭)에 나간 병사(兵士)에게 금품(金品)을 보내어 위로(慰勞)함.
[恤貧 휼빈] 빈민을 구휼(救恤)함.
[恤然 휼연] 놀라 두려워하는 모양.
[恤緯 휼위] 길쌈하는 여자가 씨가 모자라는 것을 근심한다는 뜻으로, 자기 신상(身上)의 일을 근심함을 이름.
[恤恤 휼휼] 근심하는 모양.
◉顧恤. 救恤. 矜恤. 勞恤. 撫恤. 憫恤. 保恤. 贍恤. 憂恤. 優恤. 慰恤. 恩恤. 隱恤. 弔恤. 存恤. 周恤. 拯恤. 振恤. 賑恤. 惠恤.

6 ⑨ [恗] [一] 호 [平]虞 荒烏切 hū
[二] 과 ①[平]麻 枯瓜切 kuā ②[上]馬 苦瓦切 kuǎ

[字解] [一] ①두려워할 호 '一, 怯也'《廣雅》. ②근심할 호 '一, 一曰, 憂也'《集韻》. [二] ①거만할 과 자만(自慢)함. '一, 心自大也'《集韻》. ②거스를 과 '一, 心悷也'《集韻》.
[字][源] 形聲. 忄(心)+夸〔音〕

6 ⑨ [恨] [中][人] 한 [去]願 胡艮切 hèn 

[筆順] 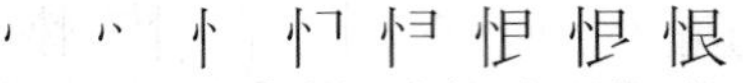

[字解] ①한할 한 ㉠원한을 품음. '一恚'. '知公子一之復返也'《史記》. ㉡유감으로 생각함. '始屈終伸, 公其無一'《歐陽修》. ②뉘우칠 한 애석히 여겨 후회함. '悔一'. '一事'. '廣日, 羌降者八百餘人. 吾詐而盡殺之. 至今大一'《史記》. ③한 한 원한. 유감. 후회. '此一綿綿無絶期'《白居易》.
[字][源] [篆][文] 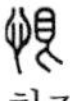 形聲. 忄(心)+艮(𥃩)〔音〕. '𥃩흔·안'은 '멈춰 서다'의 뜻. 언제까지나 마음을 차지하고 있는 악감정, 원한의 뜻을 나타냄.

[恨毒 한독] 한(恨). 원한(怨恨).
[恨憤 한분] 한하고 분해함.
[恨死 한사] ㉠원한을 품고 죽음. ㉡뉘우치며 죽음.
[恨事 한사] 한(恨)이 되는 일. 아주 유감된 일.
[恨詞 한사] 한을 나타낸 말. 한을 서술한 문사(文辭).
[恨恚 한에] 원망하여 성을 냄.
[恨惋 한완] 원한을 품고 탄식함.
[恨紫愁紅 한자수홍] 원한을 품은 보랏빛과 수심에 잠긴 붉은빛이란 뜻. 애처로운 갖가지 꽃을 형용한 말.
[恨歎 한탄] 원통(冤痛)하거나 또는 뉘우치어 탄식함.
[恨恨 한한] 늘 마음속에 원한을 품은 모양.
◉感恨. 客恨. 愧恨. 仇恨. 忌恨. 羈恨. 多恨. 萬恨. 別恨. 忿恨. 悲恨. 私恨. 羞恨. 愁恨. 宿恨. 猜恨. 深恨. 暗恨. 哀恨. 恚恨. 餘恨. 逆恨. 忤恨. 懊恨. 惋恨. 憂恨. 怨恨. 冤恨. 幽恨. 遺恨. 飮恨. 離恨. 殘恨. 長恨. 情恨. 嗔恨. 慙恨. 悵恨. 愴恨. 凄恨. 鎖恨. 秋恨. 追恨. 春恨. 嘆恨. 歎恨. 痛恨. 妒恨. 嫌恨. 悔恨.

6 ⑨ [恪] [人][名] [一] 각 [入]藥 苦各切 kè 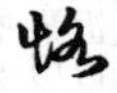
[二] 격

[筆順] 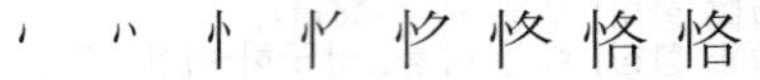

[字解] [一] ①삼갈 각 근신함. 근신. '一謹'. '一肅'. '執事有一'《詩經》. ②성 각 성(姓)의 하나. [二] 삼갈 격 [一]과 뜻이 같음.
[字][源] [篆][文] 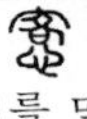 形聲. 篆文은 忄(心)+客〔音〕. '客객'은 외지에서 온 사람의 뜻. 외래자(外來者)를 맞을 때의 심경의 뜻에서, '삼가다'의 뜻을 나타냄. 뒤에, 생략체(省略體)인 '恪'이 쓰이게 됨.

[恪虔 각건] 삼감. 근신함.
[恪勤 각근] 근신하며 힘씀.
[恪謹 각근] 삼감. 근신함.
[恪敏 각민] 조심성이 있고 민첩함.
[恪守 각수] 조심하여 지킴.
[恪肅 각숙] 각건(恪虔).
[恪愼 각신] 삼감. 조심함.
◉虔恪. 勤恪. 懃恪. 謹恪. 嚴恪. 儼恪. 忠恪.

6 ⑨ [恫] 통 [平]東 他紅切 tōng 

[字解] ①상심할 통 대단히 슬퍼함. '一痛'. '神罔時一'《詩經》. ②으를 통 공갈함. '一疑'. '虛聲一喝'《史記》. ③의심할 통 의혹함. '一疑虛喝'《史記》.
[字][源] [篆][文]  形聲. 忄(心)+同〔音〕. '同동'은 '痛통'과 통하여, '상심하다'의 뜻. '마음 아프다'의 뜻을 나타냄.

[恫喝 통갈] 허세를 부리며 을러댐. 공갈함.
[恫恐 통공] 의구(疑懼)함.
[恫瘝 통관] 상심하여 괴로워함.
[恫矜 통긍] 상심함.
[恫怨 통원] 슬퍼하고 원망함.
[恫疑 통의] ㉠의혹함. ㉡허세를 부리며 을러댐.
[恫痛 통통] 몹시 상심함.
◉懷恫. 駭恫.

6 ⑨ [恬] 념 [平]鹽 徒兼切 tián 

[字解] ①편안할 념 마음이 안한(安閑)함. 마음이 조금도 동하지 아니함. '一淡'. '引養引一'《書經》. ②조용할 념 마음이 침착하고 평정(平靜)함. '一虛'. '以一養志'《莊子》.
[字][源] [篆][文]  形聲. 忄(心)+甛〈省〉〔音〕. '甛첨'은 '달다'의 뜻. 사물에 대해 마음속으로 달다고 생각하다, 달가워하다, 안심하다의 뜻을 나타냄.

[恬簡 염간] 조용하고 간솔(簡率)함.
[恬淡 염담] 염담(恬澹).

[恬澹 염담] 명리(名利)를 탐내는 마음이 없어 담박(淡泊)함. 염담(恬淡).
[恬淡虛無 염담허무] 세상의 일체의 명리(名利)를 떠나 마음을 무아(無我)의 경지(境地)에 둠.
[恬瀾 염란] 조용한 파도.
[恬漠 염막] 편안하고 조용함.
[恬謐 염밀] 조용하고 편안함.
[恬泊 염박] 염담(恬澹).
[恬不爲愧 염불위괴] 부정(不正)한 행위(行爲)를 하고도 뻔뻔스럽게 조금도 부끄러워하지 아니함.
[恬性 염성] 조용한 성질.
[恬雅 염아] 이욕(利慾)의 생각이 없어 마음이 화평(和平)하고 단아(端雅)함.
[恬安 염안] 조용함.
[恬然 염연] 마음이 편안한 모양. 마음에 아무런 잡념이 없는 모양.
[恬裕 염유] 마음이 조용하고 너그러움.
[恬而不知怪 염이부지괴] 마음이 태평하여 조금도 이상(異常)히 여기지 않음.
[恬靜 염정] 평온하고 조용함.
[恬泰 염태] 염안(恬安).
[恬虛 염허] 마음이 조용하고 맑음.
[恬豁 염활] 마음이 편안하고 넓음.
[恬熙 염희] 나라가 태평 무사함.
[恬嬉 염희] 평안하고 기뻐함.
◉文恬. 神恬. 安恬. 淸恬. 虛恬.

6 ⑨ [恓] 恬(前條)과 同字

6 ⑨ [恀] [一] 지 ㊤紙 諸氏切
[二] 치 ㊤紙 尺氏切 chǐ

[字解] [一] 믿을 지, 의지할 지 전(轉)하여, 어머니〔母〕. '一, 恃也. (註) 今江東呼母爲一'《爾雅》. [二] 믿을 치, 의지할 치 [一]과 뜻이 같음.
[字源] 形聲. 忄(心)+多〔音〕

6 ⑨ [恰] [人名] 흡 [入]洽 苦洽切 qià

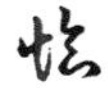

[筆順] 丶 丷 忄 忄 忄 忄 恰 恰

[字解] ①꼭 흡 아주 적당함을 나타내는 말. '一似'. '一好'. '野航一受兩三人'《杜甫》. ②새우는소리 흡 '自在嬌鶯一一啼'《杜甫》.
[字源] 篆文  形聲. 忄(心)+合〔音〕. '合합'은 '맞다'의 뜻. 마음으로 생각했던 바와 들어맞다의 뜻을 나타냄.

[恰可 흡가] 꼭 좋음.
[恰似 흡사] ㉠아주 비슷함. ㉡마치.
[恰好 흡호] 꼭 알맞음. 꼭 좋음.
[恰恰 흡흡] ㉠새 우는 소리. ㉡꼭.

6 ⑨ [恛] 회 [平]灰 胡隈切 huí

[字解] 흐릴 회 '一一'는 마음이 혼란(昏亂)한 모양. '初一疑一一'《太玄經》.

[恛恛 회회] 마음이 혼란한 모양.

6 ⑨ [恜] 칙 [入]職 恥力切 chì

[字解] 조심할 칙 '一一'은 삼가 주의하는 모양. '卜得惡卦, 反令一一'《顏氏家訓》.

[恜恜 칙칙] 조심하는 모양.

6 ⑨ [怴] 휼 [入]質 休必切 xù

[字解] 미칠 휼 미친 사람이 됨. '曷爲以二日卒之, 一也'《公羊傳》.

6 ⑨ [侘] [一] 타 [平]麻 抽加切 chà
[二] 탁 [入]藥 徒落切 duó

[字解] [一] 실의할 타 '一傺'는 실의(失意)한 모양. [二] 헤아릴 탁 '一, 忖也'《集韻》.

[侘傺 타제] 실의(失意)한 모양.

6 ⑨ [恅] 로 ㊤晧 盧晧切 lǎo

[字解] 심란할 로 마음이 산란함. '慅一, 心亂'《廣韻》.

◉慅恅.

6 ⑨ [恊] 협 [入]葉 胡頰切 xié

[字解] ①맞을 협, 합할 협 '一, 同心之龢也'《說文》. ②으를 협 愶(心部 十畫)과 同字.
[字源] 篆文  形聲. 忄(心)+劦〔音〕. '劦협'은 여러 사람이 힘을 합치다의 뜻. 많은 사람이 마음을 서로 합치다의 뜻. '劦협'과 동일어 이체자(同一語異體字).
[參考] 《說文》은 '協'은 많은 사람이 화합하다의 뜻, '恊'은 많은 사람이 마음을 합치다의 뜻이라고 설명하나, 지금은 같은 글자로 쓰임.

6 ⑨ [恠] 〔괴〕
怪(心部 五畫〈p. 771〉)의 俗字

6 ⑨ [恼] 〔뇌·노〕
惱(心部 九畫〈p. 800〉)의 簡體字

6 ⑨ [恈] 〔회〕
悔(心部 七畫〈p. 782〉)의 略字

6 ⑨ [悅] 〔열〕
悅(心部 七畫〈p. 781〉)의 俗字

7 ⑪ [患] [中·人] 환 [去]諫 胡慣切 huàn

[筆順] 丨 口 口 吕 吕 串 患 患

[字解] ①근심 환 ㉠걱정. '一憂'. '吾屬亡一矣'《漢書》. ㉡고통. 고난. '一苦'. '與民同一'《易經》. ②재앙 환 화난. '禍一'. '一禍當何從而來'《世說》. ③병 환 질병. '內一'. '有眼一'《南史》. ④근심할 환 걱정함. '不一無位, 一所以立'《論語》. ⑤앓을 환 '一者'. '導引閉氣, 以攻所一'《神仙傳》. ⑥미워할 환 '一忌'. '上下忿一'《後漢書》.
[字源] 篆文  形聲. 心+串〔音〕. '串관'은 물건에 구멍을 뚫고 이어 꿰는 형상. 마음을 꿰어 찌르는 것이 있어 '근심하다'의 뜻을 나

타냄.

[患苦 환고] 고통.
[患咎 환구] 재앙(災殃). 재난.
[患忌 환기] 미워하여 꺼림.
[患難 환난] 근심과 재난.
[患難相救 환난상구] 환난을 당하였을 때 서로 구(救)하여 줌.
[患毒 환독] 근심함. 걱정함.
[患得患失 환득환실] 얻기 전(前)에는 얻으려고 근심하고, 얻은 다음에는 그것을 잃을까 걱정함.
[患累 환루] 근심. 재난(災難).
[患部 환부] 병 또는 상처가 난 곳. 병처(病處).
[患憂 환우] 걱정. 근심.
[患者 환자] 병(病)을 앓는 사람.
[患害 환해] 재난(災難). 재화(災禍).
[患禍 환화] 환해(患害).
[患悔 환회] 근심하고 후회함.
[患候 환후] 《韓》어른의 병(病)의 존칭(尊稱).
　●艱患. 苦患. 咎患. 寇患. 近患. 急患. 內憂外患. 內患. 大患. 邊患. 蕭牆患. 水患. 新患. 外患. 憂患. 罹患. 重患. 疾患. 風患. 禍患. 後患.

7 ⑪ [悠] 高人 유 ㊤尤 以周切 yōu

[筆順] 亻 亻 仃 仾 攸 攸 悠 悠

[字解] ①멀 유 아득하도록 멂. '一久'. '微則遠, 一遠則博厚'《中庸》. ②근심하는 모양 유 '一我思'《詩經》. ③한가할 유 바쁘지 않은 모양. 침착하여 서두르지 않는 모양. '一然'. '紛焱一以容裔'《張衡》.

[字源] 形聲. 心+攸[音]. '攸유'는 '긴 줄'의 뜻. 마음에 오래 느껴지다, 멀다의 뜻을 나타냄. 또, '弔조'와 통하여, 상심하여 근심하다의 뜻으로도 쓰임.

[悠隔 유격] 멀리 떨어져 있음.
[悠曠 유광] 아득히 멂.
[悠久 유구] 연대(年代)가 오래됨.
[悠邈 유막] 유원(悠遠).
[悠緬 유면] 유원(悠遠).
[悠闇 유암] 멀어 확실히 보이지 않는 모양. 또, 신비(神秘)한 모양.
[悠陽 유양] 해가 지는 모양.
[悠然 유연] 한가한 모양. 침착하여 서둘지 않는 모양.
[悠遠 유원] ㉠아득하게 멂. ㉡대단히 오램.
[悠悠 유유] ㉠근심하는 모양. ㉡아득하게 먼 모양. ㉢한이 없이 크고 먼 모양. 끝이 없는 모양. ㉣때가 오랜 모양. ㉤가는 모양. ㉥흘러가는 모양. ㉦침착하고 여유가 있는 모양. 한가한 모양. ㉧많은 모양.
[悠悠度日 유유도일] 아무 하는 일 없이 세월(歲月)을 보냄.
[悠悠泛泛 유유범범] 일을 다잡아 하지 아니하는 모양.
[悠爾 유이] 근심하는 모양. 일설(一說)에는, 먼 모양.
[悠長 유장] 길고 오램.
[悠忽 유홀] 한가(閑暇)히 세월(歲月)을 보냄.
　●鬱悠. 幽悠. 謬悠.

7 ⑪ [悉] 人名 실 ㊤質 息七切 xī

[筆順] 一 ㄇ 平 平 釆 釆 悉 悉

[字解] ①갖출 실 구비함. '陳餘因一三縣兵'《史記》. ②다알 실 모두 상세히 앎. '對上所問禽獸簿甚一'《史記》. ③다달 실 모두 내놓음. 톡 털어 놓음. '一心以對'《後漢書》. ④다 실 모두. 하나도 빠집없이. '一皆'. '一發以擊楚軍'《漢書》. ⑤성 실 성(姓)의 하나.

[字源] 會意. 心+釆. '釆변'은 짐승의 발톱으로 상형. 짐승이 발톱으로 다른 짐승의 심장을 후벼 내는 모습에서, 남김없이 떼어 내다, 죄다, 다하다의 뜻을 나타냄.

[悉皆 실개] 다. 모두.
[悉達 실달] 석가여래(釋迦如來)의 유명(幼名).
[悉達多 실달다] 실달(悉達).
[悉曇 실담] 범어(梵語) siddham의 음역(音譯)으로서 ㉠성취(成就)·완성(完成)의 뜻. ㉡범어(梵語)의 자모(字母). ㉢범자(梵字). 범어(梵語).
[悉銳 실예] 정예(精銳)한 군사(軍士)를 모두 동원(動員)함.
[悉盡 실진] 모두. 남김없이.
　●究悉. 明悉. 煩悉. 備悉. 詳悉. 纖悉. 昭悉. 酬悉. 熟悉. 識悉. 審悉. 諳悉. 嚴悉. 練悉. 委悉. 精悉. 綜悉. 周悉. 知悉. 陳悉. 該悉.

7 ⑪ [悤] 人名 총 ㊤東 麤叢切 cōng

[字解] 바쁠 총 허둥댐. 몹시 일에 몰리어 급한 모양. '無故——'《晉書》.

[字源] 形聲. 心+囪[音]. '囪총'과 통하여 '마음이 바쁘다'의 뜻을 나타냄. 金文은 指事로, '心심' 위에 작은 점을 더하여, 상기된 심리 상태, 허둥대다의 뜻을 나타냄.

[參考] 忽(心部 五畫)은 同字.

[悤悤 총총] 대단히 급하여 허둥지둥하는 모양.

7 ⑪ [念] 人名 여 ㊦御 羊洳切 yù

[字解] 기뻐할 여 '辛未, 帝不一'《晉書》.

[字源] 形聲. 心+余[音]. '余여'는 '뻗다'의 뜻. 마음이 느긋해져서, 사물을 잊다의 뜻을 나타냄.

7 ⑪ [您] 닌 nín

[字解] 님 닌 당신. 제이 인칭(第二人稱)의 경어(敬語). 곧, 이(你)의 경칭(敬稱). 본디, 你(人部 五畫)의 俗字.

[字源] 形聲. 你[音]+心[音]. 원대(元代)에 이미 쓰이던 속어로, '你니'는 당신의 뜻과 '니'의 음(音)을 나타내고, '心심'은 'ㅁ'의 음을 나타내어, 경어의 뜻을 첨가함. 또, '你們니멘'(너희들)의 뜻으로도 송·원대(宋元代)에는 쓰였음.

7 ⑪ [獷] 광 ㊤漾 居況切 guàng

[字解] ①그르칠 광 잘못을 범함. ②속일 광 '一, 詐也'《玉篇》. ③혹할 광 정신이 빠져 반함. '一, 惑也'《正韻》.
[字源] 篆文 形聲. 心+狂〔音〕. '狂광'은 '미치다'의 뜻. 마음이 미쳐서 그르치다의 뜻을 나타냄.

7 ⑪ [恳] 〔간〕 姦(女部 六畫〈p. 526〉)의 古字

7 ⑪ [悊] [人名] 〔철〕 哲(口部 七畫〈p. 377〉)의 古字
[字源] 篆文 形聲. 心+折〔音〕

7 ⑪ [悠] 〔작〕 怍(心部 五畫〈p. 768〉)과 同字

7 ⑪ [慦] 〔척〕 惕(心部 八畫〈p. 791〉)과 同字
[字源] 形聲. 心+狄〔音〕

7 ⑪ [恿] 〔용〕 勇(力部 七畫〈p. 277〉)의 古字
[字源] 形聲. 心+甬〔音〕

7 ⑪ [悏] 겹 [入]葉 苦協切 qiè
[字解] 생각할 겹 생각하는 모양. '一, 思皃'《說文》.
[字源] 形聲. 心+夾〔音〕

7 ⑪ [恐] 〔공〕 恐(心部 六畫〈p. 773〉)의 本字

7 ⑪ [悪] 〔악〕 惡(心部 八畫〈p. 786〉)의 俗字

7 ⑪ [悬] 〔현〕 懸(心部 十六畫〈p. 825〉)의 簡體字

7 ⑩ [悅] [中·人] 열 [入]屑 弋雪切 yuè

[筆順] 丶 丷 忄 忄 忄 怡 怡 悅

[字解] ①기뻐할 열 ㉠즐거워함. '一樂'. '喜一'. '取之而燕民一'《孟子》. ㉡기뻐하며 복종함. 심복(心服)함. '我心則一'《詩經》. '中心一而誠服'《孟子》. ㉢좋아함. 사랑함. '女爲一已者容'《史記》. ②기쁨 열 희열. '千歡萬一'《易林》. ③성 열 성(姓)의 하나.
[字源] 形聲. 忄(心)+兌〔音〕. '兌태·열'은 맺혀져 있던 것이 빠져 떨어지다의 뜻. 마음속에 맺혀진 것이 빠져 나가 해방되어서 '기뻐하다, 즐겁다'의 뜻을 나타냄.

[悅康 열강] 열락(悅樂).
[悅歡 열권] 기뻐하며 복종함.
[悅樂 열락] 기뻐하고 즐거워함.
[悅慕 열모] 기뻐하며 따름.
[悅服 열복] 기쁜 마음으로 좇음. 심복(心服)함.
[悅愛 열애] 기뻐하고 사랑함.
[悅懌 열역] 기뻐함. 기쁘게 생각함.
[悅豫 열예] 열락(悅樂).
[悅親 열친] 어버이의 마음을 즐겁게 함.
[悅好 열호] 기뻐하고 좋아함.
[悅欣 열흔] 열락(悅樂).
[悅喜 열희] 기뻐함.
◉感悅. 恐悅. 大悅. 滿悅. 法悅. 抃悅. 愛悅. 悟悅. 容悅. 流悅. 愉悅. 諛悅. 夷悅. 親悅. 耽悅. 和悅. 欣悅. 喜悅.

7 ⑩ [悦] 悅(前條)과 同字

7 ⑩ [惱] 〔뇌·노〕 惱(心部 九畫〈p. 800〉)의 俗字

7 ⑩ [悁] 연 [平]先 於緣切 yuān
[字解] ①성낼 연 화냄. '一忿'. '棄忿一之節'《史記》. ②근심할 연 우려함. '中心一一'《詩經》.
[字源] 篆文 形聲. 忄(心)+肙〔音〕. '肙연'은 작은 장구벌레의 상형. 마음이 작아지다, 성내다, 근심하다, 안달하다의 뜻을 나타냄.

[悁急 연급] 성을 잘 내고 성미가 급함.
[悁忿 연분] 성냄.
[悁想 연상] 수심(愁心)에 잠김.
[悁恚 연에] 연분(悁忿).
[悁悁 연연] 근심하는 모양.
[悁憂 연우] 연읍(悁悒)
[悁邑 연읍] 연읍(悁悒).
[悁悒 연읍] 성내고 근심함.
◉結悁. 煩悁. 忿悁.

7 ⑩ [悀] 용 [上]腫 尹竦切 yǒng
[字解] ①성낼 용 '一, 怒也, 忿也'《玉篇》. ②기뻐할 용 '一, 心喜也'《集韻》. ③가득찰 용 충만함. '凡以器盛而滿, 謂之一'《集韻》.

7 ⑩ [悃] 곤 [上]阮 苦本切 kǔn
[字解] 정성 곤 마음이 지성이고 순일(純一)함. '一誠'. '一一款款, 朴以忠乎'《楚辭》.
[字源] 篆文 形聲. 忄(心)+困〔音〕

[悃懇 곤간] 친절(親切). 정성.
[悃悃 곤곤] 정성스러운 모양. 한결같이 생각하는 모양.
[悃款 곤관] 정성스러움.
[悃望 곤망] 한결같이 바람. 간절히 희망함.
[悃誠 곤성] 정성. 지성.
[悃愚 곤우] 고지식함. 우직(愚直)함.
[悃願 곤원] 간절히 바람.
[悃愊 곤픽] 진실함. 참됨.
◉懇悃. 丹悃. 誠悃. 愚悃. 忠悃.

7 ⑩ [悄] 초 ①②[上]篠 親小切 qiǎo, qiāo ③[去]嘯 七肖切 qiào
[字解] ①근심할 초 걱정함. 또, 낙심(落心)하여 근심에 잠긴 모양. '一一'. '勞心一兮'《詩經》.

4획

②고요할 초 조용함. 쓸쓸함. '一然'. '東船西舫一無語'《白居易》. ③엄숙할 초 엄중함. '一乎其言, 若不接其情也'《韓愈》.

字源 篆文 形聲. 忄(心)＋肖〔音〕. '肖초'는 '작아지다'의 뜻. 마음이 작아지다, 근심하다의 뜻을 나타냄.

[悄然 초연] ㉠고요한 모양. 쓸쓸한 모양. ㉡낙심하여 근심하는 모양.
[悄切 초절] 대단히 근심하는 모양.
[悄愴 초창] ㉠상심(傷心)하는 모양. ㉡쓸쓸한 모양. 고요한 모양.
[悄悄 초초] ㉠근심되어 기운이 없는 모양. ㉡조용한 모양.
[悄乎 초호] 태도가 엄한 모양.

7 ⑩ [悾] 〔광〕
狂(犬部 四畫〈p.1388〉)의 古字

7 ⑩ [悋] 린 ㊀震 良刃切 lìn 恪

字解 아낄 린 인색함. 吝(口部 四畫)과 同字. '商甚一於財'《孔子家語》.

字源 篆文 形聲. 忄(心)＋吝〔音〕. '吝린'은 '아끼다'의 뜻. '心심'을 붙여, 심리를 나타내는 말로서 '아끼다'의 뜻을 나타냄.

參考 悋(心部 六畫)은 同字.

[悋想 인상] 인색한 생각.
[悋惜 인석] 아낌.
●慳悋. 纖悋. 愛悋. 遺悋. 貪悋. 褊悋.

7 ⑩ [悌] 〔人名〕 제 ㊀霽 特計切 tì 悌

筆順 丶 忄 忄 忟 忤 悌 悌 悌

字解 ①화락할 제 '愷一'는 화평하고 즐거움. '愷一君子'《左傳》. ②공경할 제 형 또는 존장을 공손히 잘 섬김. '孝一'. '出則一'《孟子》.

字源 篆文 形聲. 忄(心)＋弟〔音〕. '弟제'는 '아우'의 뜻. 형에 대한 아우의 마음, '순종하다'의 뜻을 나타냄.

[悌友 제우] 형제(兄弟) 또는 부부 사이에 우애가 있거나 의가 좋음.
[悌弟 제제] 형에게 순종하는 아우. 제제(弟弟).
●愷悌. 謹悌. 不悌. 友悌. 仁悌. 長悌. 和悌. 孝悌.

7 ⑩ [悍] 〔人名〕 한 ㊀翰 侯旰切 hàn 悍

字解 ①사나울 한 흉포함. '一毒'. '妻一不得畜媵妾'《後漢書》. ②굳셀 한 강함. '精一'. '三晉之兵, 素一勇而輕齊'《史記》. ③성급할 한 조급함. '愚一少慮'《漢書》. ④빠를 한 신속함. '水湍一'《史記》. ⑤부릅뜰 한 보기 사납게 눈을 크게 뜸. '瞋一目以旁睞'《潘岳》.

字源 篆文 形聲. 忄(心)＋旱〔音〕. '旱한'은 '干간'과 통하여, '범(犯)하다'의 뜻. 남을 범하고 나아가는 마음, '사납다'의 뜻을 나타냄.

[悍堅 한견] 굳셈. 강함.

[悍梗 한경] 사나움.
[悍驕 한교] 사납고 교만함.
[悍忌 한기] 독살스럽고 시기심이 강함.
[悍毒 한독] 사납고 독살스러움.
[悍戾 한려] 성질이 사납고 모짊.
[悍馬 한마] 사나운 말.
[悍婦 한부] 사나운 계집.
[悍室 한실] 사나운 아내.
[悍藥 한약] 극약(劇藥).
[悍驁 한오] 사납고 거만함.
[悍勇 한용] 강하고 용맹스러움.
●強悍. 剛悍. 彊悍. 勁悍. 輕悍. 果悍. 獷悍. 摮悍. 猛悍. 銳悍. 警悍. 勇悍. 雄悍. 精悍. 粗悍. 鵰悍. 鷙悍. 妒悍. 暴悍. 慓悍. 剽悍. 慓悍. 驍悍. 凶悍.

7 ⑩ [悔] 〔高入〕 회 ㊀隊 荒內切 ㊁賄 呼罪切 huǐ 悔

筆順 忄 忄 忙 忙 忙 悔 悔 悔

字解 ①뉘우칠 회 ㉠후회함. 후회하여 고침. '一改'. '雖九死其猶未一'《楚辭》. ㉡분하게 생각함. 한(恨)으로 여김. '一恨'. '一不殺湯於夏臺'《淮南子》. ②뉘우침 회 ㉠후회. '言寡尤, 行寡一'《論語》. ㉡한(恨). '此講之一也'《戰國策》. ③회괘 회 역(易)의 외괘(外卦). 예컨대, 태괘(泰卦) 𝌆에 있어서 위의 곤(坤) 𝌀을 회(悔)라 하고 아래의 건(乾) 𝌀을 정(貞)이라 함. '曰貞曰一'《書經》.

字源 篆文 形聲. 忄(心)＋每〔音〕. '每매'는 '어둡다'의 뜻. 마음이 어두워지다, 뉘우치다의 뜻을 나타냄.

[悔改 회개] 잘못을 뉘우치고 고침.
[悔愆 회건] 허물. 과실.
[悔過 회과] 허물을 뉘우침.
[悔過自責 회과자책] 허물을 뉘우치고 스스로를 책망(責望)함.
[悔咎 회구] 회우(悔尤).
[悔戾 회려] 죄. 과실.
[悔吝 회린] ㉠회한(悔恨). ㉡조그마한 과실.
[悔心 회심] 잘못을 뉘우치는 마음.
[悔悟 회오] 이전(以前)의 잘못을 뉘우치어 깨달음.
[悔尤 회우] ㉠허물을 뉘우침. ㉡허물.
[悔罪 회죄] 죄(罪)를 뉘우침.
[悔恨 회한] 뉘우치고 한탄함.
●憾悔. 改悔. 去悔. 愆悔. 困悔. 過悔. 咎悔. 南華悔. 反悔. 悲悔. 傷悔. 羞悔. 餘悔. 悟悔. 往悔. 畏悔. 尤悔. 怨悔. 六悔. 前悔. 憨悔. 懺悔. 悵悔. 千悔. 追悔. 痛悔. 恨悔. 亢龍悔. 亢悔. 患悔. 後悔.

7 ⑩ [惆] 경 ㊀青 涓熒切 jiǒng

字解 ①생각할 경 잊지 않고 생각함. '一, 憶也'《字彙》. ②조금밝을 경 '一, 小明也'《正字通》.

7 ⑩ [悒] 읍 ㊂緝 於汲切 yì 悒

字解 근심할 읍 근심하여 마음이 편하지 아니함. '鬱一'. '武發殺殷, 何所一'《楚辭》.

形聲. 忄(心)+邑〔音〕. '邑읍'은 '모이다'의 뜻. 마음이 한 가지 일에 모여서 근심이 되고, 걱정하다의 뜻을 나타냄.

[悒憤 읍분] 분노가 가슴에 쌓여 답답함.
[悒怏 읍앙] 우울하여 마음이 편치 않은 모양.
[悒鬱 읍울] 근심하여 가슴이 답답함.
[悒悒 읍읍] 근심으로 마음이 답답하여 편치 아니한 모양.
　●勞悒. 愁悒. 快悒. 於悒. 悄悒. 憂悒. 鬱悒.

7 / 10 [悕] 희 ㉲微 香衣切 xī
字解 슬퍼할 희 '在招丘―矣'《公羊傳》.
字源 形聲. 忄(心)+希〔音〕. '希희'는 '바라다, 소망하다'의 뜻.

7 / 10 [悙] ㊀형 ㉲庚 虛庚切 hēng
㊁행 ㉲敬 亨孟切 hèng
字解 ㊀뽐낼 형. ㊁경솔할 행 '―, 佷―, 疏率也'《集韻》.

　●俍悙. 儜悙.

7 / 10 [悖] 人名 ㊀패 ㉲隊 蒲昧切 bèi
㊁발 ㉲月 蒲沒切 bó
字解 ㊀어그러질 패 도리에 거스름. '―逆'. '―亂'. '言―而出者, 亦―而入'《大學》. ㊁①우쩍일어날 발 왕성하게 흥기(興起)하는 모양. 勃(力部 七畫)과 통함. '其興也―焉'《左傳》. ②성 발 성(姓)의 하나.
字源 形聲. 忄(心)+孛〔音〕. '孛발'은 초목이 무성한 모양을 나타냄. 마음이 어지러워지다의 뜻을 나타냄. '背배'와 통하여, '배반하다, 어그러지다'의 뜻도 나타냄.
參考 背(肉部 五畫)로 바꿔 쓰기도 함. '悖德 → 背德'.

[悖焉 발언] 왕성하게 흥기(興起)하는 모양. 우쩍 일어나는 모양.
[悖談 패담] 도리에 어그러지는 말.
[悖德 패덕] 도덕에 어그러진 행위.
[悖亂 패란] 모반(謀叛)을 일으킴. 정의에 어그러지고 정도(正道)를 어지럽힘.
[悖戾 패려] 도리에 어그러짐. 또, 그러한 일.
[悖禮 패례] 예의(禮儀)에 어그러짐. 또, 그 예절.
[悖謬 패류] 어그러져 틀림. 「리.
[悖類 패류] 인륜(人倫)에 어그러진 일을 하는 무
[悖倫 패륜] 인륜(人倫)에 어그러짐.
[悖理 패리] 이치(理致)에 어그러짐.
[悖慢 패만] 됨됨이가 온순하지 못하고 거칢.
[悖叛 패반] 패역(悖逆).
[悖說 패설] 패담(悖談).
[悖習 패습] 인륜(人倫)에 어그러지는 못된 풍습(風習).
[悖惡 패악] ㉠도리에 벗어나 나쁨. ㉡인륜에 어긋나는 일을 하고 흉악함.
[悖言 패언] 도리에 어그러진 말.
[悖逆 패역] 패악(悖惡)하여 불순함. 인륜에 어긋나고 나라에 반역함.
[悖異 패이] 서로 어긋나 틀림.
[悖入悖出 패입패출] 도리에 거슬러 얻은 부정한 재물은 반드시 그와 같이 부정한 일에 쓰임.

[悖子 패자] 패륜(悖倫)한 자식.
[悖出悖入 패출패입] 도리(道理)에 어그러지는 일을 하면 반드시 그와 같은 보응(報應)을 받음.
[悖鄕 패향] 못된 사람들이 살아 풍기(風紀)가 고약한 고장.
　●狂悖. 驕悖. 慢悖. 猖悖. 貪悖. 暴悖. 荒悖. 凶悖.

7 / 10 [悗] 문 ㊀㉲寒 母官切 mán
㊁③㉲阮 母本切 mèn
字解 ①흐릴 문 정신이 흐린 모양. '―, 惑也'《廣韻》. ②잊을 문 '―乎忘其言也'《莊子》. ③정직할 문.
字源 形聲. 忄(心)+免〔音〕

7 / 10 [悚] 人名 송 ㊤腫 息拱切 sŏng
字解 두려워할 송 '―懼'. '惶―'. '心憂魄―'《江淹》.
字源 形聲. 忄(心)+束〔音〕. '束속'은 다발로 묶은 땔나무의 상형으로, 죄어들어 오므라듦의 뜻. 마음이 죄어들어 오므라들다, 두려워하다의 뜻을 나타냄.

[悚懼 송구] 두려워함. 겁을 집어먹음.
[悚慄 송률] 두려워하여 떪.
[悚懍 송름] 무서워서 마음이 떨림.
[悚息 송식] 두려워하여 숨을 죽임.
[悚然 송연] 두려워 웅숭그리는 모양.
[悚作 송작] 두려워하고 부끄러워함.
　●恐悚. 兢悚. 危悚. 戰悚. 罪悚. 震悚. 慚悚. 惶悚.

7 / 10 [悛] 人名 전 ㉲先 此緣切 quān
字解 ①고칠 전 전비(前非)를 뉘우쳐 고침. 회개함. '―改'. '其有―乎'《國語》. ②이을 전 뒤를 이음. 계속함. '外內以―'《左傳》.
字源 形聲. 忄(心)+夋〔音〕. '夋준'은 '俊준'과 통하여, 재지(才智)가 뛰어난 사람의 뜻. 마음이 재지가 있는 상태가 되다, 깨우치다의 뜻을 나타냄.

[悛改 전개] 뉘우쳐 고침.
[悛更 전경] 뉘우쳐 고침. 전개(悛改).
[悛心 전심] 나쁜 마음을 뉘우쳐 고침. 개심(改心).
[悛容 전용] ㉠잘못을 뉘우치는 모습. ㉡모습을 고침.
[悛換 전환] 전개(悛改).
　●改悛.

7 / 10 [悗] 〔현·견〕 倪(人部 七畫〈p.140〉)과 同字

7 / 10 [悝] ㊀리 ㊤紙 良士切 lǐ
㊁회 ㉲灰 苦回切 kuī
字解 ㊀근심할 리 걱정함. '云如何―'《劉基》. ㊁①농할 회 해학함. 詼(言部 六畫)와 同字 '由余以西戎孤臣, 而一秦穆公於宮室'《張衡》. ②사람이름 회 '孔―'는 춘추 시대(春秋時代)

위(衞)나라 사람. '李—'는 전국 시대(戰國時代) 위(魏)나라 사람.
[字源] 篆文 形聲. 忄(心)+里〔音〕

7 ⑩ 悞 오 [去]遇 五故切 wù

[字解] ①그릇할 오 誤(言部 七畫)와 同字. ②속일 오 기만함.
[字源] 形聲. 忄(心)+吳〔音〕

7 ⑩ 悮 悞(前條)의 俗字

7 ⑩ 悟 [中人] 오 [去]遇 五故切 wù

[筆順] 忄 忄一 忄丅 忄五 忄五 忄五 悟 悟

[字解] ①깨달을 오 ㉠이해함. '—道'. '—覺'. '—已往之不諫, 知來者之可追'《陶潛》. ㉡의심이 풀림. 해탈(解脫)함. '賢者雖獨—, 所困在羣愚'《後漢書》. ②깨달음 오 전항(前項)의 명사. '無所覺之謂迷, 有所覺之謂—'《困知記》. ③슬기로울 오 잘 깨달음. 재주가 있음. '—性'. '阿連才—如此'《南史》. ④깨우칠 오 계발함. '唐雎華顚以—秦'《崔駰》.
[字源] 篆文 形聲. 忄(心)+吾〔音〕. '吾오'는 '晤오'와 통하여, 밝아지다의 뜻. 마음이 밝아지다, 깨닫다의 뜻을 나타냄.

[悟覺 오각] 깨달음.
[悟空 오공] 만사 만물(萬事萬物)의 실체(實體)는 공(空)임을 깨달음. 허무(虛無)의 이치를 깨달음.
[悟道 오도] 《佛敎》 ㉠번뇌(煩惱)를 해탈(解脫)하고 불계(佛界)에 들어갈 수 있는 길. ㉡불도(佛道)를 깨달음.
[悟了 오료] 모두 깨달음.
[悟禪 오선] 《佛敎》 불교의 묘리(妙理)를 깨달음.
[悟性 오성] ㉠사물을 잘 깨닫는 성질. 재주. ㉡사물을 이해하는 힘. 이성(理性)과 감성(感性)과의 중간에 위치한 논리적 사유의 능력.
[悟悅 오열] 깨닫고 기뻐함.
[悟入 오입] 이치를 깨달음.
[悟悔 오회] 전비(前非)를 깨닫고 뉘우침.
◉覺悟. 感悟. 彊悟. 改悟. 開悟. 警悟. 啓悟. 機悟. 朗悟. 大悟. 頓悟. 明悟. 妙悟. 敏悟. 爽悟. 省悟. 醒悟. 夙悟. 識悟. 神悟. 英悟. 領悟. 穎悟. 了悟. 圓悟. 精悟. 眞悟. 徹悟. 淸悟. 超悟. 聰悟. 通悟. 諷悟. 解悟. 玄悟. 慧悟. 豁悟. 悔悟. 會悟. 曉悟.

7 ⑩ 悢 량 [去]漾 力讓切 liàng

[字解] ①슬퍼할 량 서러워함. '——不得辭'《李陵》. ②돌볼 량 사랑하여 돌보아 줌. '天之於漢, ——無已'《後漢書》.
[字源] 形聲. 忄(心)+良〔音〕

[悢悢 양량] ㉠슬퍼하는 모양. ㉡사랑하여 돌보아 주는 모양.

7 ⑩ 恾 망 [平]陽 莫郞切 máng

[字解] ①겁낼 망 두려워함. '—然無以應'《列子》. ②바쁠 망 忙(心部 三畫)과 同字.
[字源] 形聲. 忄(心)+芒〔音〕

7 ⑩ 悈 계 [去]卦 古拜切 jiè

[字解] 신칙할 계 단단히 일러서 경계함. '有虞氏—於中國'《司馬法》.
[字源] 篆文 形聲. 忄(心)+戒〔音〕. '戒계'는 '경계하다'의 뜻. 마음속으로 경계하다, 삼가다의 뜻을 나타냄.

7 ⑩ 悧 [人名] 리 [去]寘 力至切 lì

[字解] 영리할 리 약음. '始知怜—不如癡'《朱淑眞》.
[參考] 俐(人部 七畫)와 同字.

◉怜悧.

7 ⑩ 㤡 〔렬〕 劣(力部 四畫〈p.274〉)과 同字

7 ⑩ 悇 도 [平]虞 同都切 tú

[字解] 근심할 도 '——'는 근심하는 모양. 걱정하는 모양. '終—憛而洞疑'《馮衍》.

[悇悇 도도] 근심하는 모양.

7 ⑩ 悏 〔협〕 愜(心部 九畫〈p.802〉)과 同字

8 ⑫ 悶 [人名] 민 [去]願 莫困切 mèn, (문[本]) mēn

[字解] ①번민할 민 근심 걱정으로 마음이 괴롭고 답답함. '—死'. '遯世無—'《易經》. ②번민 민 고민. '解煩釋—'《蘇軾》. ③어두울 민 '——'은 사리(事理)에 어두운 모양. '其政——, 其民醇醇'《老子》.
[字源] 篆文 形聲. 心+門〔音〕. '門문'은 '問문'과 통하여, '묻다'의 뜻. 입에 내지는 않지만 이것저것 자문(自問)하고 번민하다의 뜻을 나타냄.

[悶懣 민만] 번민함.
[悶默 민묵] 아무 말 없이 조용히 있는 모양.
[悶悶 민민] ㉠사리(事理)에 어두운 모양. ㉡번민하는 모양.
[悶死 민사] 몹시 고민하다가 죽음.
[悶癢 민양] 괴롭고 가려움.
[悶絶 민절] 고민 끝에 기절함.
[悶歎 민탄] 번민하며 탄식함.
[悶懷 민회] 번민함. 번민.
◉渴悶. 苦悶. 迷悶. 排悶. 煩悶. 愁悶. 憂悶. 鬱悶. 滯悶. 解悶.

8 ⑫ 悲 [中人] 비 [平]支 府眉切 bēi

[筆順] 丿 ヨ 刲 非 非 悲 悲 悲

[字解] ①슬퍼할 비 ㉠상심함. '―痛'. '女心傷―'《詩經》. ㉡가련하게 여김. '惆悵而自―'《楚辭》. ㉢회상함. 생각함. '游子―故鄕'《漢書》. ②슬플 비 서러움. '嗚呼―哉'. ③슬픔 비 비애. '積―滿懷'《潘岳》. ④《佛》자비 비 인혜(仁惠)를 베풀音은 은덕을 씀. ⑤성 비 성(姓)의 하나.
[字源] 非 形聲. 心＋非〔音〕. '非'는 좌우로 갈라지다의 뜻. 마음이 잡아 찢기어 아파 슬퍼하다의 뜻을 나타냄.

[悲笳 비가] 슬픈 곡조를 띤 호가(胡笳)의 소리.
[悲歌 비가] 비장(悲壯)한 노래. 또, 비장한 노래를 부름.
[悲歌忼慨 비가강개] 비장(悲壯)한 노래를 불러 의기(意氣)가 더욱 헌앙(軒昂)함.
[悲感 비감] 슬픈 느낌. 또 슬프게 느낌.
[悲憾 비감] 슬퍼하고 원망함.
[悲慨 비개] 슬퍼하고 개탄함.
[悲哽 비경] 슬퍼하여 목메어 욺.
[悲境 비경] 슬픈 지경. 가련한 처지.
[悲苦 비고] 슬퍼하고 괴로워함.
[悲曲 비곡] 슬픈 곡조. 애절한 음곡(音曲).
[悲觀 비관] ㉠사물(事物)을 슬프게 생각하여 실망함. ㉡세상을 괴롭고 악한 것으로만 봄.
[悲劇 비극] ㉠비참(悲慘)한 세상일을 묘사한 연극(演劇). ㉡세상에서 일어난 비참한 일.
[悲怒 비노] 슬퍼하고 노함.
[悲悼 비도] 애도(哀悼)함.
[悲涼 비량] 구슬프고 쓸쓸함.
[悲戀 비련] ㉠슬퍼하며 사모함. ㉡결말이 비참한 연애.
[悲練絲 비련사] 검은빛으로나 붉은빛으로나 다 물드는 것이 마치 사람의 성품(性稟)이 선(善)하게도 악(惡)하게도 되는 것과 같은 까닭에 묵적(墨翟)이 연사(練絲)를 보고 슬퍼한 고사(故事).
[悲寥 비료] 슬프고 쓸쓸함.
[悲淚 비루] 슬퍼하여 흘리는 눈물.
[悲鳴 비명] ㉠슬피 욺. ㉡구슬픈 울음소리.
[悲報 비보] 슬픈 소식. 슬픈 기별.
[悲憤 비분] 슬퍼하고 분개함.
[悲絲 비사] 애절한 거문고 소리. 비현(悲絃).
[悲酸 비산] 비참(悲慘).
[悲傷 비상] 슬퍼 마음이 아픔.
[悲愁 비수] 슬퍼하고 근심함.
[悲心 비심] 슬픈 마음.
[悲哀 비애] 슬픔과 설움.
[悲惋 비완] 슬퍼하여 탄식함.
[悲運 비운] 슬픈 운수(運數).
[悲願 비원] ㉠《佛敎》부처나 보살의 중생(衆生)을 제도(濟度)하려는 자비(慈悲)스러운 대원(大願). ㉡뼈저린 소원.
[悲泣 비읍] 슬피 욺.
[悲壯 비장] 슬픔 속에 오히려 씩씩한 기운이 있음.
[悲田 비전] 《佛敎》팔복전(八福田)의 하나. 가난한 사람에게 은혜를 베푸는 일.
[悲啼 비제] 비읍(悲泣).
[悲調 비조] 비곡(悲曲).
[悲嗟 비차] 비탄(悲嘆).
[悲慘 비참] 차마 눈으로 볼 수 없이 슬프고 끔찍함.
[悲悵 비창] 슬퍼하고 원망함.
[悲愴 비창] 몹시 슬퍼함. 또, 몹시 슬픔.

[悲戚 비척] 슬퍼하고 근심함.
[悲秋 비추] ㉠구슬픈 가을. ㉡가을이 되어 비애를 느낌.
[悲歎 비탄] 슬퍼하며 탄식(歎息)함.
[悲痛 비통] 몹시 슬퍼함.
[悲風 비풍] ㉠구슬픈 느낌을 주는 바람. ㉡늦가을 바람.
[悲恨 비한] 슬퍼하고 한탄함.
[悲響 비향] 비곡(悲曲).
[悲泫 비현] 슬퍼하여 눈물을 흘림.
[悲絃 비현] 구슬프게 들리는 거문고 소리.
[悲話 비화] 슬픈 이야기.
[悲歡 비환] 슬픔과 기쁨.
[悲悔 비회] 슬퍼하고 후회함.
[悲懷 비회] 슬픈 심사. 비창(悲愴)한 회포(懷抱).
[悲吼 비후] 사나운 짐승의 슬픈 울부짖음.
[悲喜 비희] 슬픔과 기쁨.
[悲喜交至 비희교지] 슬픔과 기쁨이 동시에 옴. 슬프기도 하고 기쁘기도 함.
[悲喜劇 비희극] ㉠비극과 희극. ㉡비극의 요소와 희극의 요소가 뒤섞인 연극.
●大慈大悲. 傷悲. 慈悲. 積悲. 喜悲.

8
⑫ [怒] 녁 ㉠錫 奴歷切 nì

[字解] 허출할 녁 허기지어 출출함. 일설(一說)에는, 근심하는 모양. '―如調飢'《詩經》.
[字源] 金 / 篆文 形聲. 心＋叔〔音〕. '叔숙'은 마음을 상하다의 뜻. '心심'을 붙이어, '근심하다'의 뜻을 나타냄.

●悲怒.

8
⑫ [㦔] 첨 ㉣鹽 處占切 zhān

[字解] 가락어지러울 첨 '―懘'는 음조(音調)가 막혀 고르지 아니하고 어지러움. '五者不亂, 則無―懘之音'《史記》.
[字源] 篆文 形聲. 心＋沾〔音〕. '沾첨'은 '젖다'의 뜻. 마음이 젖어서 연주하는 음악이 흐트러지다의 뜻을 나타냄.

[㦔懘 첨체] 자해(字解)를 보라.

8
⑫ [惎] 기 ㉣寘 渠記切 jì

[字解] ①해칠 기 해를 끼침. '―間王室'《左傳》. ②가르칠 기 알려 줌. '楚人―之脫扃'《左傳》. ③기(忌)할 기 미워함. '趙襄子由是―智伯'《左傳》.
[字源] 篆文 形聲. 心＋其〔音〕. '其기'는 '정연(整然)하다'의 뜻. 마음을 엄정히 지녀 조심스럽다의 뜻에서, 기(忌)하고 두려워하다의 뜻을 나타냄.

[惎間 기간] 해쳐 사이를 멀게 함.
●啓惎. 讒惎.

8
⑪ [惎] 惎(前條)와 同字

8
⑫ [惑] 〔高人〕 혹 ㉥職 胡國切 huò

[筆順] 一 冂 亘 貳 或 或 惑 惑

[字解] ①미혹할 혹 의심이 나서 정신이 헷갈리고 어지러움. '疑—'. '四十而不—'《論語》. ②미혹게할 혹 전항의 타동사. '—世'. '將徇外以—愚瞖也'《劉基》. ③미혹 혹 의혹. '師者, 所以傳道授業解—也'《韓愈》.

[字源] 惑 形聲. 心＋或[音]. '或혹'은 자주 나타나는 모양을 나타내는 의태어. 여러 가지 생각이 왕성하게 나타나 마음을 어지럽히다의 뜻을 나타냄.

[惑溺 혹닉] ㉠방향을 잃어 물에 빠짐. ㉡미혹(迷惑)하여 나쁜 길에 빠짐.
[惑亂 혹란] 미혹(迷惑)하여 어지러움. 또, 미혹하게 하여 어지럽힘.
[惑星 혹성] 유성(遊星). 행성(行星).
[惑世 혹세] ㉠어지러운 세상. ㉡세상을 현혹(眩惑)하게 함.
[惑世誣民 혹세무민] 세상(世上) 사람을 미혹(迷惑)하게 하여 속임.
[惑術 혹술] 사람을 미혹(迷惑)하게 하는 술(術).
[惑心 혹심] 혹지(惑志).
[惑愛 혹애] 맹목적으로 몹시 사랑함.
[惑志 혹지] 마음을 미혹시킴. 또 미혹한 마음. 혹심(惑心).
[惑疾 혹질] 마음이 미혹하는 병.
[惑惑 혹혹] 미혹하는 모양. 마음이 어두운 모양.
●傾惑. 驚惑. 孤惑. 蠱惑. 困惑. 恐惑. 狂惑. 詿惑. 詭惑. 欺惑. 亂惑. 當惑. 魅惑. 迷惑. 煩惑. 不惑. 三不惑. 三惑. 妖惑. 憂惑. 誘惑. 淫惑. 疑惑. 溺惑. 耽惑. 炫惑. 眩惑. 熒惑. 孤惑. 昏惑. 幻惑. 荒惑. 惶惑. 晦惑.

8/12 [惠] 中 人 혜 ㊀霽 胡桂切 huì 　惠

[筆順] 一 冂 亘 車 車 車 惠 惠

[字解] ①은혜 혜 인애(仁愛). 은덕. '仁—'. '行慶施—'《禮記》. ②베풀 혜 ㉠은혜를 베풂. '則不我—'《詩經》. ㉡금전 같은 것을 줌. '—鮮鰥寡'《書經》. ③순할 혜 유순함. '—然'. '—於父母'《國語》. ④슬기로울 혜 慧(心部 十一畫)와 통용. '知—'. '將不早—乎'《後漢書》. ⑤꾸밀 혜 장식함. '五采之—'《山海經》. ⑥세모창 혜 날이 세모진 창. '二人雀弁執—'《書經》. ⑦성 혜 성(姓)의 하나.

[字源] 惠 會意. 心＋專[省]. '專전'은 실감개의 상형으로, '외곬'의 뜻. 남에게 한결같은 마음을 기울이다, 베풀다의 뜻을 나타냄.

[惠柬 혜간] 혜서(惠書).
[惠康 혜강] 은혜를 베풀어 편안케 함.
[惠顧 혜고] 은혜를 베풀며 돌보아 줌.
[惠肯 혜긍] 호의(好意)를 가지고 내방(來訪)함. 남의 내방의 경칭(敬稱).
[惠念 혜념] 돌보아 주는 생각. 인자스러운 생각.
[惠棟 혜동] 청대(淸代)의 경학자(經學者)로 한학(漢學) 부흥의 선구자. 자(字)는 정우(定宇), 호는 송애(松崖), 소홍두(小紅豆) 선생이라 불리었음. 조부(祖父) 주척(周惕), 부친(父親) 사기(士奇) 2대에 걸친 학(學)을 대성하였으

며, 〈주역술(周易述)〉·〈역한학(易漢學)〉·〈고문상서고(古文尙書考)〉 등의 저술이 있음.
[惠來 혜래] 호의를 가지고 찾아옴. 남의 내방(來訪)의 경칭(敬稱).
[惠連 혜련] ㉠동진(東晉)의 문학자. 성(姓)은 사(謝). 족형(族兄)인 영운(靈運)의 칭찬(稱讚)을 받았음. ㉡우수(優秀)한 아우.
[惠賚 혜뢰] 혜사(惠賜).
[惠臨 혜림] 혜래(惠來).
[惠撫 혜무] 은혜(恩惠)를 베풀어 어루만짐.
[惠賜 혜사] 은혜(恩惠)를 베풀어 금품을 줌. 또, 그 금품.
[惠士奇 혜사기] 청대(淸代)의 학자. 자(字)는 천목(天牧), 홍두(紅豆) 선생이라 불리었음. 강희(康熙) 연간(年間)에 과거에 급제하고 벼슬은 시독학사(侍讀學士)에 이르렀음. 육예(六藝)에 널리 통(通)하였으며, 저술에 〈역설(易說)〉·〈예설(禮說)〉·〈춘추설(春秋說)〉 등이 있음.
[惠書 혜서] 남에게서 온 편지(便紙)의 경칭(敬稱).
[惠施 혜시] ㉠은혜(恩惠)를 베풂. ㉡전국 시대(戰國時代)의 학자. 장자(莊子)의 친구였다고 하는데, 그의 언행(言行)은 〈전국책(戰國策)〉·〈여씨춘추(呂氏春秋)〉 등에 보임.
[惠渥 혜악] 두터운 은혜. 우악(優渥)한 은혜.
[惠愛 혜애] 은혜를 베풀어 사랑함.
[惠與 혜여] 은혜(恩惠)를 베풀어 물건을 줌. 또, 남이 선물을 보내 주는 일. 또는 그 선물의 경칭.
[惠然 혜연] 호의로써 좇는 모양. 따르는 마음이 있는 모양.
[惠枉 혜왕] 혜래(惠來).
[惠雨 혜우] ㉠자혜스러운 비. ㉡임금의 은혜.
[惠育 혜육] 은혜(恩惠)를 베풀어 기름. 사랑하여 기름.
[惠音 혜음] 남이 자기에게 한 편지의 경칭.
[惠仁 혜인] 은혜(恩惠).
[惠弔 혜조] 은혜를 베풀어 조상(弔喪)함. 남의 조상의 경칭.
[惠主 혜주] 어진 주인. 신세를 진 주인.
[惠札 혜찰] 혜서(惠書).
[惠招 혜초] 남의 초대(招待)의 경칭(敬稱).
[惠澤 혜택] 은혜(恩惠)와 덕택(德澤).
[惠投 혜투] 혜여(惠與).
[惠風 혜풍] ㉠화창(和暢)하게 부는 봄바람. ㉡음력(陰曆) 3월의 별칭. ㉢임금의 은혜.
[惠翰 혜한] 혜서(惠書).
[惠函 혜함] 혜서(惠書).
[惠化 혜화] 은혜(恩惠)를 베풀어 사람을 교화(敎化)함. 또, 은덕(恩德)이 두터운 교화(敎化).
[惠和 혜화] 온화함.
[惠訓 혜훈] 자애를 베풀며 교훈함.
[惠恤 혜휼] 은혜를 베풀어 구휼함.
●嘉惠. 寬惠. 德惠. 惇惠. 保惠. 私惠. 渥惠. 愛惠. 溫惠. 威惠. 恩惠. 仁惠. 慈惠. 振惠. 天惠. 寵惠. 互惠. 厚惠.

8/12 [惡] 中 人 ■ 악 ㉠藥 烏各切 è ■ 오 ㊀遇 烏路切 wù ㊁虞 哀都切 wū 　惡 惡

[筆順] 一 T T 盂 亞 亞 亞 亞 惡

[字解] ■ ①모질 악 성품이 악함. '—人'. '形相

雖善, 而心術一, 無害爲小人也《荀子》. 또, 악한 일. 악한 행위. 악한 사람. '罪一' '承天誅一'《新語》. ②나쁠 악 ㉠도의적으로 나쁨. '一政'. ㉡질이 나쁨. '一食'. ㉢불쾌함. '一臭'. '一氣'. ㉣불길함. '一夢'. '此夢甚一'《史記》. ③흉년들 악 오곡이 잘 여물지 아니함. '一歲'. '歲一民流'《漢書》. ④못생길 악 용모 같은 것이 보기 흉함. '一女'. '狀貌甚一'《史記》. ⑤똥 악 대변. '句踐爲吳王嘗一'《吳越春秋》. ⼆ ①미워할 오 증오함. '憎一'. '周鄭交一'《左傳》. ②헐뜯을 오 비방함. '毁一'. '人有一蘇秦於燕王者'《戰國策》. ③부끄러워할 오 수치를 느낌. '羞一之心, 人皆有之'《孟子》. ④어찌 오 반어사(反語辭). 何(人部 五畫)와 뜻이 같음. '居一在'《孟子》. '一乎成名'《論語》. ⑤허 오 탄식사(嘆息辭). '嗚呼'와 뜻이 같음. '一, 是何言也'《孟子》.

字源 篆文 形聲. 心+亞〔音〕. '亞아'는 옛 묘실(墓室)을 본뜬 것. 묘실에 임했을 때의 마음, '흉하다, 나쁘다'의 뜻을 나타냄.

[惡感 악감] 나쁜 감정. 나쁜 느낌.
[惡客 악객] ㉠속악(俗惡)한 손. ㉡술을 마시지 않는 사람. ㉢술을 많이 마시는 사람. 대주객(大酒客).
[惡果 악과]《佛教》악사(惡事)에 대한 갚음. 나쁜 업보(業報).
[惡口 악구] ㉠욕(辱). 욕설. ㉡《佛教》십악(十惡)의 하나. 남에게 악한 말을 하는 짓.
[惡鬼 악귀] 나쁜 귀신(鬼神).
[惡金 악금] ㉠품질이 나쁜 금. ㉡부정한 수단으로 얻은 돈.
[惡氣 악기] 고약한 냄새.
[惡女 악녀] ㉠성질(性質)이 모진 계집. 악독(惡毒)한 여자(女子). ㉡용모가 못생긴 여자.
[惡念 악념] 나쁜 생각.
[惡談 악담] 남을 나쁘게 되라고 저주(咀呪)하는 말.
[惡黨 악당] 악(惡)한 도당(徒黨).
[惡德 악덕] ㉠나쁜 마음. ㉡나쁜 짓. 부정한 행위(行爲).
[惡徒 악도] 악당(惡黨).
[惡道 악도]《佛教》현세에서 악업(惡業)을 저지른 결과 죽은 뒤에 가야 할 고통의 세계. 곧, 지옥도(地獄道)·아귀도(餓鬼道)·축생도(畜生道)·수라도(修羅道) 등. 악취(惡趣).
[惡毒 악독] 마음이 흉악(凶惡)하고 독살스러움.
[惡童 악동] 성품·언행이 나쁜 아이.
[惡辣 악랄] 매섭고 표독함.
[惡戾 악려] 마음이 좋지 못하여 언행이 도리에 어그러짐.
[惡魔 악마] 사람을 괴롭게 하는 마귀(魔鬼). 전(轉)하여, 아주 흉악한 사람.
[惡罵 악매] 욕(辱)하며 꾸짖음.
[惡名 악명] ㉠나쁜 이름. 좋지 못한 이름. ㉡나쁜 평판.
[惡毛 악모] 붓 속에 섞인 몽똑한 털.
[惡夢 악몽] 불길(不吉)한 꿈.
[惡物 악물] ㉠악인(惡人). ㉡독이 있는 물건. 유독물(有毒物).
[惡癖 악벽] 나쁜 버릇. 좋지 못한 버릇.
[惡病 악병] 나쁜 병(病). 못된 병.
[惡報 악보] ㉠불길(不吉)한 소식. ㉡《佛教》악과

[惡果 악과] 악(惡)한 일. 못된 짓.
[惡事 악사] 악(惡)한 일. 못된 짓.
[惡事千里 악사천리] 악사행천리(惡事行千里).
[惡事行千里 악사행천리] 나쁜 일은 곧 세상에 널리 퍼진다는 뜻.
[惡相 악상] 흉악한 얼굴.
[惡喪 악상] 젊어서 복 없이 죽은 사람의 상사(喪事).
[惡說 악설] ㉠조리가 닿지 않는 설(說). ㉡세상에 해를 끼치는 의견.
[惡性 악성] ㉠모진 성질(性質). 악독한 성질(性質). ㉡좋지 못한 병증(病症).
[惡聲 악성] ㉠나쁜 평판. ㉡음란한 음악. ㉢욕(辱). 욕설.
[惡歲 악세] 흉년(凶年).
[惡少 악소] 불량한 젊은이.
[惡俗 악속] 못된 풍속(風俗).
[惡獸 악수] 흉악(凶惡)한 짐승.
[惡習 악습] ㉠나쁜 습관(習慣). 못된 버릇. ㉡나쁜 풍습(風習). 못된 습속.
[惡詩 악시] 졸렬한 시(詩).
[惡食 악식] 거친 음식. 맛없는 음식.
[惡實 악실] 우엉의 씨. 우방자(牛蒡子).
[惡心 악심] 악한 마음. 못된 마음.
[惡顏 악안] 불쾌(不快)한 얼굴.
[惡藥 악약] 독약(毒藥).
[惡語 악어] 악언(惡言).
[惡言 악언] 욕(辱). 욕설.
[惡業 악업] ㉠나쁜 일. ㉡《佛教》고생을 가져오는 원인이 되는 나쁜 행위(行爲).
[惡疫 악역] 악성(惡性)의 유행병(流行病). 악질의 돌림병.
[惡逆 악역] 극악무도(極惡無道)한 행위.
[惡緣 악연]《佛教》좋지 않은 인연.
[惡臥 악와] 볼썽사납게 자는 자세.
[惡用 악용] 잘못 씀. 못되게 씀.
[惡運 악운] ㉠사나운 운수(運數). ㉡악업(惡業)에 대한 보복을 받지 않고 번영하는 운수.
[惡月 악월] 음력(陰曆) 5월의 별칭(別稱). 독월(毒月).
[惡意 악의] 남을 해치려는 나쁜 마음.
[惡衣惡食 악의악식] 거친 옷과 맛없는 음식(飮食).
[惡人 악인] ㉠성질(性質)이 모진 사람. 악독(惡毒)한 사람. ㉡용모가 못생긴 사람.
[惡日 악일] ㉠불길(不吉)한 날. ㉡음력 5월 5일의 별칭(別稱).
[惡戰 악전] 격렬한 싸움. 괴로운 싸움.
[惡錢 악전] ㉠품질이 좋지 못한 돈. ㉡위조한 돈.
[惡政 악정] 나쁜 정치(政治).
[惡阻 악조] 오조(惡阻).
[惡種 악종]《韓》성질(性質)이 흉악(凶惡)한 사람, 또는 동물.
[惡症 악증] 나쁜 증세.
[惡疾 악질] ㉠고치기 어려운 병(病). 못된 병. ㉡문둥병.
[惡質 악질] 좋지 못한 바탕. 못되고 나쁜 성질. 또, 그 사람.
[惡瘡 악창] 악성 종기(腫氣). 고치기 어려운 부스럼.
[惡妻 악처] 악한 아내.
[惡處 악처]《佛教》악도(惡道).
[惡妾 악첩] 악한 첩(妾).

[惡草 악초] ㉠거칢. 조악(粗惡)함. ㉡잡풀. 잡초.
[惡草具 악초구] 야채만으로 만든 거친 음식.
[惡蟲 악충] 이롭지 못한 나쁜 벌레.
[惡臭 악취] 나쁜 냄새. 물건이 썩는 냄새.
[惡趣 악취]《佛教》악도(惡道).
[惡愿 악특] 악함.
[惡評 악평] ㉠나쁜 평판. ㉡남을 나쁘게 말하는 비평.
[惡弊 악폐] 못된 풍습. 악습(惡習). 악풍(惡風).
[惡風 악풍] ㉠폭풍(暴風). ㉡못된 풍속(風俗).
[惡筆 악필] ㉠나쁜 붓. ㉡잘 쓰지 못한 글씨.
[惡漢 악한] 못된 놈. 악(惡)한 일을 하는 사람.
[惡行 악행] 못된 행위(行爲).
[惡血 악혈] ㉠해산(解產)한 뒤에 나오는 피. ㉡종기(腫氣)에서 나오는 고름 섞인 피.
[惡刑 악형] 잔인(殘忍)한 형벌.
[惡化 악화] 나쁘게 변함. 나빠짐.
[惡貨 악화] 실질의 가격이 법정(法定)의 가격에 비하여 대단히 낮은 화폐.
[惡戲 악희] 못된 장난.
[惡心 오심] 욕지기. 토기(吐氣).
[惡阻 오조] 입덧.
[惡醉而強酒 오취이강주] 취(醉)하는 것을 싫어하면서 굳이 술을 마심. 생각과는 반대(反對)로 행위(行爲)를 하는 일.
[惡風症 오풍증] 오한증(惡寒症)처럼 급성은 아니나 오슬오슬 추운 증세.
[惡寒 오한] ㉠추위를 싫어함. ㉡몹시 오슬오슬 춥고 괴로운 증세.
[惡寒症 오한증] 몸에 오한(惡寒)이 나는 증세.
●姦惡. 改惡. 桀惡. 過惡. 獷惡. 舊惡. 勸善懲惡. 極惡. 露惡. 大惡. 猛惡. 邪惡. 善善惡惡. 善惡. 性惡. 俗惡. 首惡. 羞惡. 宿惡. 十惡. 愛惡. 迷惡. 夕惡. 厭惡. 佞惡. 孼惡. 穢惡. 妖惡. 元惡. 怨惡. 陰惡. 積惡. 粗惡. 罪惡. 衆惡. 憎惡. 疾惡. 嫉惡. 懲惡. 賤惡. 最惡. 醜惡. 濁惡. 截惡. 暴惡. 害惡. 險惡. 嫌惡. 好惡. 毫惡. 酷惡. 梟惡. 猾惡. 毀惡. 凶惡.

8 ⑫ [悹] 관 ㉸翰 古玩切 guàn
字解 근심할 관 우려함.
字源 篆文 悹 形聲. 心+官〔音〕. '官관'은 '주장하다, 지배하다'의 뜻. 마음을 차지하고 걱정이 되는 일.

8 ⑫ [愁] 구 ㉮有 其九切 qiú ㉰尤 巨鳩切
字解 원망할 구, 나무랄 구 원망함. 탓함. 또, 원한. '一, 說文, 怨仇也'《集韻》.
字源 形聲. 心+咎〔音〕.

8 ⑫ [悳] 人名 〔덕〕 德(彳部 十二畫〈p.753〉)의 古字
筆順 一 ナ ナ 古 直 直 直 悳
字源 金文 𢛳 篆文 悳 形聲. 心+直〔音〕. '直직'은 '得득'과 통하여, 사람이 마음속에 교양으로서 획득한 것의 뜻을 나타냄. 일설에는, '直'이 '곧다'의 뜻이므로, 곧은 마음의 뜻이라고 봄.

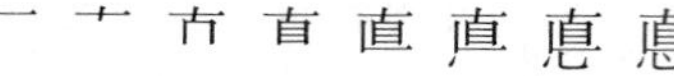

8 ⑫ [惠] 惠(前條)과 同字

8 ⑫ [慮] 惠(前前條)의 古字

8 ⑫ [惣] 〔총〕 惚(心部 九畫〈p.803〉)의 訛字

8 ⑫ [憛] 〔달〕 怛(心部 五畫〈p.769〉)과 同字

8 ⑪ [悻] 행 ㉤迥 下耿切 xìng 悻
字解 성낼 행 '一一'은 발끈 성을 내는 모양. '一一然見於其面'《孟子》.
字源 形聲. 忄(心)+幸〔音〕.

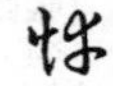

[悻逆 행역] 인륜에 어긋나고 도리에 거스름. 패역(悖逆).
[悻直 행직] 성질(性質)이 너무 강직(剛直)하여 남의 뜻을 잘 거스름.
[悻悻 행행] 발끈 화를 내는 모양.

8 ⑪ [㥶] 붕 ㉧庚 蒲萌切 péng
字解 ①성낼 붕 짜증을 내는 모양. ②탄식할 붕 한탄함.

8 ⑪ [㥽] 비 ㉤尾 敷尾切 fěi 㥽
字解 말나오지아니할 비 마음속으로는 이해하면서도 말로는 발표하지 못함. '一一', '不一不發'《論語》.
字源 篆文 㥽 形聲. 忄(心)+非〔音〕. '非비'는 거역하여 째지다의 뜻. 마음속이 분열하여 안달하다의 뜻을 나타냄.

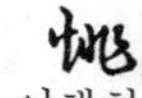

[㥽㥽 비비] 말을 하려 하나 나오지 아니하는 모양.
[㥽憤 비분] 입 밖에 내지 않는 분노. 울분(鬱憤).
●憤㥽.

8 ⑪ [悴] 人名 췌(취)㉰㉸眞 秦醉切 cuì 悴
字解 ①파리할 췌 야윔. '憔一'. '形貌毀一'《後漢書》. ②근심할 췌 우려함. '憂一'. '靜沈思以自一'《陸雲》.
字源 篆文 悴 形聲. 忄(心)+卒〔音〕. '卒졸'은 '끝나다'의 뜻. 마음의 작용이 끝나다, 마음이 다할 때까지 근심하다의 뜻을 나타냄.

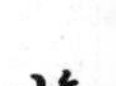

[悴薄 췌박] 파리함.
[悴顏 췌안] 파리한 얼굴.
[悴容 췌용] 파리한 용자(容姿).
[悴賤 췌천] 파리하고 천함.
●槁悴. 困悴. 勞悴. 羸悴. 窮悴. 瘏悴. 耗悴. 愍悴. 貧悴. 傷悴. 愁悴. 零悴. 憂悴. 萎悴. 羸悴. 憔悴. 疲悴. 毀悴.

8 ⑪ [㥾] ☰ 돌 ㉼月 他骨切 ☲ 퇴 ㉰隊 他內切 tuì
字解 ☰ ①방자할 돌 '一, 肆也'《說文》. ②홀연

돌 갑자기. '一, 忽也'《玉篇》. ③잊을 돌 '一, 忘也'《玉篇》. [三] ①느슨할 퇴 '一, 緩也'《廣雅》. ②잊을 퇴 '一, 忘也'《廣雅》. ③방자할 퇴 '一, 肆也'《廣韻》.

8 ⑪ **[悵]** 창 [去]漾 丑亮切 chàng 怅

[字解] 원망할 창, 한탄할 창 뜻과 같이 되지 않아 원망함. 실의(失意)하여 한탄함. '一恨'. '弟子增欷, 洿沫一兮'《漢書》.

[字源] 篆文 形聲. 忄(心)+長〔音〕. '長장'은 '傷상'과 통하여, '아프다'의 뜻. 마음이 아프다의 뜻을 나타냄.

[悵望 창망] ㉠슬퍼하면서 바라봄. ㉡슬퍼하며 불평을 품고 원망함.
[悵怏 창앙] 한탄하며 원망함.
[悵然 창연] 창창(悵悵).
[悵悵 창창] 뜻과 같이 되지 않아 원망하는 모양. 실의(失意)하여 한탄하는 모양.
[悵恨 창한] 원망하고 한을 품음.
[悵悔 창회] 원망하고 후회함.
◉悲悵. 怏悵. 憯悵. 悽悵. 忡悵.

8 ⑪ **[悸]** [人名] 계 [去]寘 其季切 jì

[字解] ①두근거릴 계 놀라거나 병으로 가슴이 두근거림. '肌慄心一'《後漢書》. ②동계 계 가슴이 두근거리는 일. 또, 그 병. '使我至今病一'《漢書》. ③늘어질 계 띠가 늘어진 모양. '垂帶一兮'《詩經》.

[字源] 篆文 形聲. 忄(心)+季〔音〕. '季계'는 '恤휼'과 통하여, '걱정하다'의 뜻. 걱정하고 두려워하여 마음이 움직이다, 가슴이 설레다의 뜻을 나타냄.

[悸悸 계계] 마음이 편안하지 아니하여 가슴이 두근거리는 모양.
[悸病 계병] 가슴이 두근거리는 병.
[悸慄 계율] 두려워하여 떪. 전율함.
◉驚悸. 恐悸. 兢悸. 動悸. 悲悸. 悚悸. 羞悸. 慴悸. 心悸. 戰悸. 震悸. 慙悸. 悽悸. 追悸. 怖悸. 惶悸.

8 ⑪ **[悼]** [人名] 도 [去]號 徒到切 dào

[字解] ①슬퍼할 도 ㉠죽음을 슬퍼함. '哀一'. ㉡불쌍히 여김. '晉王寵一'《徐陵》. ㉢상심함. '中心是一'《詩經》. ②떨 도 전율함. '尙心一不自禁'《蘇洵》. ③어린이 도 소아. '耄與一, 雖有罪不加刑焉'《禮記》.

[字源] 篆文 形聲. 忄(心)+卓〔音〕. '卓탁'은 '높이 뛰어오르다'의 뜻. 마음이 슬픔 때문에 동요하다의 뜻을 나타냄.

[悼歌 도가] ㉠죽은 사람을 애도하는 노래. ㉡상여를 메고 갈 때 부르는 노래. 만가(輓歌).
[悼惜 도석] 죽은 사람을 애석(愛惜)하게 여기어 슬퍼함.
[悼慄 도율] 슬퍼하고 두려워함.
[悼痛 도통] 남의 불행(不幸)이나 죽음을 슬퍼하고 마음 아파함.
◉驚悼. 怛悼. 憫悼. 悲悼. 傷悼. 深悼. 哀悼. 憐悼. 憂悼. 弔悼. 軫悼. 震悼. 嗟悼. 悽悼. 寵悼. 追悼. 歎悼. 痛悼.

8 ⑫ **[悳]** 悼(前條)와 同字

8 ⑪ **[悽]** [人名] 처 [平]齊 七稽切 qī

[筆順] 忄 忄 忄 忄 悽 悽 悽 悽

[字解] ①슬퍼할 처 비통(悲痛)함. '曹操過其墓, 輒一愴致祭奠'《後漢書》. ②야윌 처 기아 또는 질병으로 야윈 모양. '一一碩人'《後漢書》.

[字源] 篆文 形聲. 忄(心)+妻〔音〕. '妻처'는 '凄처'와 통하여, 비구름으로 하늘이 어두워지다의 뜻. 마음이 흐려지다, 슬퍼하고 애도하다의 뜻을 나타냄.

[悽苦 처고] 슬퍼하고 괴로워함.
[悽斷 처단] 너무 슬퍼하여 기절(氣絕)할 것 같음. 몹시 슬픔.
[悽悼 처도] 슬퍼함. 애도(哀悼).
[悽戾 처려] 구슬프게 울.
[悽戀 처련] 슬퍼하며 연모(戀慕)함.
[悽惘 처망] 슬퍼 경황이 없음.
[悽憫 처민] 딱하게 여김. 애처롭게 여김.
[悽傷 처상] 처창(悽愴).
[悽如 처여] 처연(悽然).
[悽然 처연] 슬퍼하는 모양.
[悽惋 처완] 슬퍼하며 탄식함.
[悽絕 처절] 처단(悽斷).
[悽慘 처참] 슬프고 참혹함.
[悽悵 처창] 슬퍼하고 한탄함.
[悽愴 처창] 애통(哀痛)함.
[悽悽 처처] ㉠슬퍼하는 모양. ㉡주리거나 병들어 야윈 모양.
[悽戚 처척] 슬퍼하고 근심함.
[悽惻 처측] 처완(悽惋).
[悽惶 처황] 근심하고 두려워함.
◉愁悽. 慘悽. 憯悽. 惻悽.

8 ⑪ **[惨]** 릉 [平]蒸 力膺切 líng

[字解] 놀랄 릉 경악함. '百禽一遽'《張衡》.

8 ⑪ **[悾]** 공 ①②[平]東 苦紅切 kōng ③[上]董 苦動切 kǒng

[字解] ①정성 공 성의. '不任一款'《任昉》. ②어리석을 공 '一一'은 우매한 모양. '一一而不信'《論語》. ③경황없을 공 '一憁'은 바쁘기만 하고 뜻대로 되지 않아 마음이 상하는 모양. 실의(失意)한 모양. 경황이 없는 모양.

[字源] 形聲. 忄(心)+空〔音〕. '空공'은 '공허하다'의 뜻. 마음속에 아무것도 없다, 사심(邪心)이 없는 정성의 뜻을 나타냄.

[悾悾 공공] 어리석은 모양. 우매한 모양.
[悾款 공관] 정성. 성의.
[悾憁 공총] 자해(字解) ❸을 보라.

8 ⑪ **[情]** [中人] 정 [平]庚 疾盈切 qíng 情

[筆順] 忄 忄 忄 忄 忄 情 情 情

字解 ①뜻 정 사물(事物)에 감촉(感觸)되어 일어나는 마음의 작용. '性'의 대(對). '性一'. '七一'. '何謂人一, 喜·怒·哀·懼·愛·惡·欲, 七者弗學而能'《禮記》. ②정성 정 성심. 성의. '一實'. '一僞'. '上好信, 則民莫敢不用一'《論語》. ③욕 정 욕망. 사리(私利). '無辭而行一, 則民爭'《禮記》. ④인정 정 ㉠사람이 선천적으로 가지고 있는 마음씨. '奪一'. '聖人忘一'《晉書》. ㉡남을 도와주는 갸륵한 마음씨. 자애. '一理'. '一愛甚厚'《宋書》. ⑤사랑 정 남녀 간의 사랑. 연모하는 마음. '一火'. '與君初定一'《曹植》. ⑥심정 정 마음의 정황. '一調'. '老夫一懷惡'《杜甫》. ⑦실상 정 실제. 사실. 진상. '推鞫得一'《唐書》. '聲聞過一, 君子恥之'《孟子》. ⑧사정 정 형편. 상태. '一況'. '一勢'. '盡輸西周之一于東周'《戰國策》. ⑨멋 정 정취. 취미. 재미. '風一景'. '似畫外有一'《歷代名畫記》. ⑩이치 정 조리(條理). '物之不齊, 物之一也'《孟子》. ⑪참으로 정 진실로. 주로, 시(詩)에 많이 쓰임. '一知農粟腐倉'《王符》.

字源 形聲. 忄(心)+靑〔靑〕. '靑'은 순수한 파란색의 뜻. 거짓 없는 마음, '정성'의 뜻을 나타냄. 또, '靑'은 '請청'과 통하여, '구(求)하다'의 뜻. 스스로 욕구하는 마음, 사람의 욕정·감정을 이름.

[情歌 정가] 남녀 간의 애정을 읊은 노래. 연가(戀歌).
[情景 정경] ㉠상태. 상황. 광경(光景). ㉡정취(情趣)와 경치.
[情曲 정곡] 간곡한 정.
[情款 정관] 두터운 정의(情誼).
[情交 정교] ㉠친한 교분. 정애(情愛)가 있는 친밀한 교제. ㉡색정(色情)의 사귐. 남녀 간의 연정.
[情念 정념] 감정에서 일어나는 생각.
[情談 정담] 다정한 이야기.
[情塗 정도] 마음씨. 심정(心情).
[情郎 정랑] 정부(情夫).
[情露力屈 정로역굴] 실정(實情)이 드러나고 힘이 꺾여 계책을 쓸 방도가 없음.
[情累 정루] 인정(人情)에 끌리는 일.
[情理 정리] 인정과 도리(道理).
[情網 정망] 정루(情累).
[情貌 정모] 심정과 용모.
[情文 정문] ㉠심정과 예의(禮儀). ㉡심정과 문장.
[情味 정미] ㉠마음의 정황. 심정. ㉡정취(情趣).
[情報 정보] 실정(實情)의 보고.
[情夫 정부] 유부녀가 몰래 사통하는 남자. 샛서방. 간부(間夫).
[情婦 정부] 몰래 사통하는 여자.
[情分 정분] 사귀어 정이 든 정도. 정의(情誼).
[情史 정사] 인정 또는 연애에 관하여 쓴 문장이나 서적.
[情私 정사] 친족 사이의 사정(私情).
[情事 정사] ㉠남녀 간의 애정에 관한 일. 연애에 관한 일. ㉡참된 마음. 성심(誠心). ㉢사정(事情).
[情思 정사] ㉠생각. 심정(心情). ㉡이성을 그리워하는 마음.
[情狀 정상] ㉠마음의 안에서 움직이는 정(情)과 마음의 밖에 나타난 상태(狀態). ㉡상태. 정세. 정황(情況). ㉢일이 그렇게 된 사정.

[情想 정상] 생각. 감정과 사상(思想).
[情恕 정서] 어려운 형편을 동정하여 용서함.
[情緒 정서] ㉠생각. 마음이 움직이는 실마리. ㉡인식(認識)에 의하여 일어나는 약간 복잡한 감정. 희(喜)·노(怒)·애(哀)·낙(樂)·동정·질투 등.
[情性 정성] ㉠마음. 마음의 작용인 정(情)과 마음의 본체(本體)인 성(性). ㉡인정과 성질.
[情勢 정세] 사정과 형세. 정황(情況).
[情素 정소] 마음의 바탕. 마음속. 본심. 진심(眞心).
[情疏 정소] 정분이 버성김.
[情熟 정숙] 정분이 두터워 친숙함.
[情實 정실] ㉠사정의 실제. 진상. 실정. ㉡참된 마음. 성심(誠心).
[情深 정심] 인정이 많음.
[情愛 정애] ㉠자애(慈愛). 애정. ㉡남녀 간의 사랑. 연애.
[情語 정어] 성의를 다하여 하는 이야기. 숨김없이 탁 터놓고 하는 이야기. 정화(情話).
[情熱 정열] 불 일듯 맹렬하게 일어나는 감정.
[情慾 정욕] ㉠남녀 간의 애정. 색정(色情). ㉡《佛敎》탐내어 집착(執着)하는 마음. 색욕(色慾)·식욕(食慾)·음욕(淫慾)과 합하여 사욕(四慾)이라 함.
[情願 정원] ㉠실정을 숨김없이 이야기하고 하는 소원. ㉡아무쪼록. 부디.
[情僞 정위] ㉠진실과 허위. 참과 거짓. ㉡깊은 사정. 허위. 거짓.
[情育 정육] 감정을 도야(陶冶)하는 교육(敎育).
[情意 정의] 감정과 의지. 마음. 생각.
[情義 정의] 인정과 의리.
[情誼 정의] 서로 사귀어 친하여진 정.
[情人 정인] ㉠우정으로써 사귀는 사람. 벗. ㉡애인(愛人).
[情迹 정적] 정형(情形).
[情田 정전] 인정(人情). 정욕(情慾)이 생기는 것을 전지(田地)에 비유하여 이른 말.
[情調 정조] ㉠감정이 넘쳐흐르는 음악의 가락. ㉡가락. ㉢정취(情趣).
[情操 정조] 변하지 않는 바른 마음씨. 지조(志操).
[情罪 정죄] 사정과 죄상(罪狀).
[情至 정지] 마음이 극진(極盡)한 데까지 이름.
[情地 정지] 정든 땅이라는 뜻으로, 자기가 있는 장소를 이름.
[情志 정지] 마음.
[情塵 정진] 마음의 티끌. 정욕(情慾)을 이름.
[情趣 정취] 멋. 운치(韻致).
[情致 정치] 정취(情趣).
[情癡 정치] 색정(色情)에 빠져 이성을 잃는 일.
[情親 정친] 교정(交情)이 두터워 친숙함. 정분이 썩 가까움.
[情態 정태] 사정. 상태.
[情弊 정폐] 사정(私情)을 두는 데서 일어나는 폐단.
[情表 정표] 물건을 보내어 정(情)을 표함. 또, 그 물건.
[情恨 정한] 원한. 한(恨).
[情見勢屈 정현세굴] 정로 역굴(情露力屈).
[情形 정형] 심정이 드러난 형적.
[情好 정호] 친밀한 우정. 두터운 정의(情誼).
[情火 정화] 불 일듯 일어나는 정욕(情慾)을 불에

비유하여 이른 말.

[情話 정화] ㉠정어 (情語). ㉡남녀 간에 애정을 주고받는 정다운 이야기. ㉢연애·색정 (色情)에 관한 이야기.

[情況 정황] 상황. 정세 (情勢).

[情懷 정회] 마음속에 품은 생각. 심정 (心情).
●感情. 強情. 客情. 激情. 苦情. 高情. 官情. 交情. 舊雨情. 舊情. 國情. 群情. 軍情. 近情. 襟情. 內情. 多情. 同情. 慕情. 無情. 物情. 民情. 薄情. 別情. 非人情. 非情. 鄙情. 私情. 事情. 常情. 色情. 抒情. 敍情. 聲聞過情. 性情. 聖情. 世情. 素情. 俗情. 純情. 勝情. 詩情. 神情. 實情. 心情. 深情. 哀情. 愛情. 抑情. 旅情. 餘情. 戀情. 劣情. 熱情. 烏鳥私情. 溫情. 欲情. 友情. 怨情. 有情. 幽情. 恩情. 人情. 敵情. 賊情. 主情. 中情. 至情. 直情. 眞情. 陳情. 隷鄂情. 聰情. 春情. 衷情. 癡情. 七情. 表情. 風情. 下情. 宦情. 厚情.

8 ⑪ [惇] 人名 돈 ㉿元 都昆切 dūn

[筆順] 忄 忄 忄 忙 忙 怕 惇 惇 惇

[字解] 도타울 돈 인정이 두터움. 순후(淳厚)함. '一惠'. '一德允元'《書經》.

[字源] 篆文 㝐 形聲. 忄 (心) + 享(臺)[音]. '臺돈'은 '두텁다'의 뜻. 마음이 두텁다, 곧, '정성'의 뜻을 나타냄.

[惇謹 돈근] 순후(淳厚)하고 신중(愼重)함.

[惇大 돈대] 두텁고 큼.

[惇德 돈덕] 두터운 덕. 후덕 (厚德).

[惇惇 돈돈] 순후(淳厚)한 모양.

[惇信 돈신] 깊이 믿음.

[惇惠 돈혜] 두터운 은혜.

[惇誨 돈회] 정성을 다하여 가르침.

8 ⑪ [惆] 추 ㉿尤 丑鳩切 chóu

[字解] 실심할 추 실망한 모양. 원한을 품고 슬퍼하는 모양. '一然不嘿'《荀子》.

[字源] 篆文 惆 形聲. 忄 (心) + 周[音]. '周주'는 '弔조'와 통하여, 애도하다의 뜻. 마음 아파하다의 뜻을 나타냄.

[惆然 추연] 실망하여 슬퍼하는 모양. 원한을 품고 탄식하는 모양. 한탄하는 모양.

[惆悵 추창] 슬프게 한탄함.

[惆悵 추창] 실심하여 탄식함. 또, 실망하여 탄식하는 모양.

[惆愴 추창] 실망하여 슬퍼함.
●氐惆.

8 ⑪ [惋] 완 ㉿翰 烏貫切 wǎn

[字解] 한탄할 완 깜짝 놀라며 한탄함. '一怛'. '悵一不已'《晉書》.

[字源] 篆文 惋 形聲. 忄 (心) + 宛[音]. '宛완'은 부드럽게 구부러지다의 뜻. 마음이 꺾이어 구부러지다, 의기가 쇠퇴하다, 한탄하다의 뜻을 나타냄.

[惋怛 완달] 깜짝 놀라며 한탄함.

[惋懣 완만] 슬퍼하여 속이 답답함.

[惋懣 완문] 한탄하며 번민함.

[惋傷 완상] 슬퍼함. 한탄함. 또, 슬픔. 한탄.

[惋惜 완석] 애석히 여겨 슬퍼함.

[惋愕 완악] 깜짝 놀라며 슬퍼함.

[惋悵 완창] 실망하여 탄식함.

[惋愴 완창] 슬퍼함. 한탄함.

[惋歎 완탄] 슬퍼하며 탄식함.

[惋慟 완통] 완탄 (惋歎).

[惋恨 완한] 한탄함.
●驚惋. 憤惋. 悲惋. 哀惋. 嗟惋. 悵惋. 悽惋. 惆惋. 嘆惋. 歎惋. 恨惋. 駭惋.

8 ⑪ [惏] 曰 람 ㉿覃 盧含切 lán 曰 침 ㉿侵 犁針切 lín

[字解] 曰 탐할 람 탐냄. '飽而強, 饑而一'《大戴禮》. 曰 ①찰 림 추움. '憛悽一慄'《宋玉》. ②슬퍼할 림 '令人一悽悽'《宋玉》.

[字源] 篆文 惏 形聲. 忄 (心) + 林[音]. '林림'은 '立립'과 통하여, 어떤 위치를 독점하여 서다의 뜻. 마음이 금품에 대한 것에만 머무르다, 탐하다의 뜻을 나타냄.

[惏悷 임려] 슬퍼하고 애통함.

[惏露雨 임로우] 가을비.

[惏慄 임률] 추워 떪.

8 ⑪ [惓] 권 ㉿先 逵員切 quán

[字解] 삼갈 권, 정성스러울 권 '一一'은 근신하는 모양. 또, 간절한 모양. '一一之義也'《漢書》.

[字源] 形聲. 忄 (心) + 卷[音]

[惓惓 권권] 삼가는 모양. 근신하는 모양. 또, 정성스러운 모양. 간절한 모양.

8 ⑪ [悢] 曰 량 ㉿陽 呂張切 liáng ㉿漾 力讓切 曰 경 ㉿庚 居卿切 jīng

[字解] 曰 슬퍼할 량 '一, 悲也'《集韻》. 曰 驚(馬部 十三畫)의 簡體字.

8 ⑪ [憛] 曰 삼 ㉿勘 蘇紺切 sàn 曰 탐 ㉿勘 他紺切 tàn

[字解] 曰 실심할 삼 '憛一'은 실망(失望)함. 실의 (失意)함. '憛一, 失志'《廣韻》. 曰 생각할 탐, 걱정할 탐, 황급할 탐 憛(心部 十二畫)과 同字.

8 ⑪ [惔] 담 ㉿覃 徒甘切 tán

[字解] 속탈 담 너무 근심하여 속이 탐. '憂心如一'《詩經》.

[字源] 篆文 惔 形聲. 忄 (心) + 炎[音]. '炎염'은 '불길'의 뜻. 불길로 마음이 태워지다, 괴롭게 속을 태우다의 뜻을 나타냄.
●恬惔.

8 ⑪ [惕] 척 ㉿錫 他歷切 tì

[字解] ①두려워할 척, 근심할 척 우구(憂懼)함. '忧一'. '無日不一'《左傳》. ②삼갈 척 공구하여

조심함. '終日乾乾, 夕―若'('若'은 무의미한 조사)《易經》. ③빠를 척 신속함. '―日―'《國語》.

字源 篆文 [惕] 別體 [㥍] 形聲. 忄(心)+易[音]. '易역'은 색깔을 바꾸다의 뜻. 낯빛을 바꾸고 두려워하다, 놀라다의 뜻을 나타냄. 별체(別體)는 心+狄[音].

參考 㥍(心部 七畫)은 同字.

[惕懼 척구] 두려워함.
[惕兢 척긍] 두려워하여 조심함.
[惕念 척념] 두려워하는 마음.
[惕想 척상] 근심하며 생각함.
[惕懼 척섭] 척구(惕懼).
[惕息 척식] 두려워하여 숨이 참.
[惕若 척약] 두려워하여 삼가는 모양.
[惕然 척연] 척약(惕若).
[惕惕 척척] ㉠근심하고 두려워하는 모양. 우구(憂懼)하는 모양. ㉡사랑하는 모양.
[惕喘 척천] 척식(惕息).
[惕墜 척추] 두려워하여 기가 꺾임.
[惕號 척호] 두려워하여 울부짖음.
● 警惕. 驚惕. 愧惕. 兢惕. 懼惕. 怛惕. 夕惕. 悚惕. 愁惕. 畏惕. 憂惕. 慚惕. 忧惕. 憕惕. 惶惕.

8
⑪ [惘] 망 ㊤養 文兩切 wǎng

字解 멍할 망 망연자실(茫然自失)한 모양. '―輟駕而容與'《潘岳》.
字源 形聲. 忄(心)+罔[音]. '罔망'은 그물로 잡다의 뜻. 마음이 그물에 붙잡힌 것처럼 자신을 잊고 멍해지다의 뜻을 나타냄.

[惘惘 망망] ㉠정신을 잃고 멍하니 있는 모양. ㉡뜻대로 되지 않아 당황하는 모양.
[惘然 망연] 기대에 어그러져 맥이 풀린 모양. 망연자실(茫然自失)한 모양.
● 悽惘. 慌惘.

8
⑪ [惙] 철 ㊄屑 陟劣切 chuò

字解 ①근심할 철 우려함. '―怛'. '憂心――'《詩經》. ②고달플 철 피로함. '力惙――'《王獻之》. ③그칠 철 輟(車部 八畫)과 통용. '宋人圍之數匝, 而弦歌不―'《莊子》.
字源 篆文 [惙] 形聲. 忄(心)+叕[音]. '叕철'은 이어 계속되다의 뜻. 끊임없이 마음에 걸리는 것.

[惙怛 철달] 근심하고 슬퍼함.
[惙惙 철철] ㉠근심하여 마음이 산란한 모양. ㉡피로하여 쇠약하여지는 모양.
● 癉惙. 綿惙. 憂惙. 危惙. 羸惙. 仲惙. 患惙.

8
⑪ [惚] 홀 ㊄月 呼骨切 hū

筆順 忄 忄' 忄' 忄勿 忄勿 忄勿 惚 惚

字解 황홀할 홀 ㉠흐릿하여 유무(有無)가 분명하지 아니한 모양. 또, 미묘(微妙)하여 헤아려 알 수 없는 모양. '悅―'. '惟恍惟―'《老子》. ㉡멍하니 있는 모양. 도취(陶醉)된 모양. '神心

―悅'《揚子法言》.
字源 形聲. 忄(心)+忽[音]. '忽홀'은 흐릿한 상태를 나타내는 의태어. 의식이 희미해지다, 아찔해지다의 뜻을 나타냄.

[惚悅 홀황] 멍하니 있는 모양. 도취(陶醉)된 모양. 황홀한 모양. 황홀(怳惚). 황홀(恍惚).
● 茫惚. 悅惚. 恍惚. 慌惚.

8
⑫ [惢] ▣ 솨 ㊤哿 蘇果切 suǒ
▣ 수 ㊤紙 才捶切
▣ 예 ㊤紙 如累切 ruǐ

字解 ▣ 의심할 솨 '―, 心疑也'《廣韻》. ▣ ①의심할 수 '―'과 뜻이 같음. ②착할 수 '―, 善也'《廣雅》. ▣ 꽃술 예 '―, 華―也…俗作蘂·蕊·橤, 並非'《字彙》.
字源 會意. 心+心+心.

8
⑪ [惛] ▣ 혼 ①㊤元 呼昆切 hūn
②㊦願 呼悶切
▣ 민 ㊦願 莫本切 mèn

字解 ▣ ①흐릴 혼 마음이 흐림. 어리석음. '―悅'. '―然若亡而存'《莊子》. ②혼모할 혼 늙어서 정신이 흐리고 잘 잊음. 노모(老耄)함. '―耄'. '五漫漫, 六――, 孰知之哉'《管子》. ▣ 번민할 민 悶(心部 八畫)과 同字. '下爲匹夫而不―'《呂氏春秋》.
字源 篆文 [惛] 形聲. 忄(心)+昏[音]. '昏혼'은 '어둡다'의 뜻. 마음이 어둡다의 뜻을 나타냄.

[惛怓 혼노] 마음이 흐리고 어수선함.
[惛眊 혼모] 눈이 어두움. 「(衰弱)함.
[惛耄 혼모] 늙어서 정신이 흐리고 기억력이 쇠약
[惛懵 혼몽] 마음이 혼미(昏迷)한 모양.
[惛瞀 혼무] 혼몽(惛懵).
[惛懙 혼비] 흐림. 분명하지 아니함.
[惛然 혼연] 마음이 흐린 모양.
[惛惛 혼혼] 혼모(惛耄)한 모양. 정신이 흐려 잘 잊어버리는 모양.
[惛悅 혼황] 흐림. 어리석음.
● 鈍惛.

8
⑪ [惜] ㊥入 석 ㊄陌 思積切 xī

筆順 忄 忄' 忄卄 忄卄 惜 惜 惜 惜

字解 ①아낄 석 ㉠소중히 여김. '―陰'. '大禹聖者, 仍一寸陰'《晉書》. ㉡탐냄. 인색함. '客―'. '諸將貪―財貨'《後漢書》. ②아까워할 석 ㉠애석하게 여김. '痛―'. '爲時―之'《後漢書》. ㉡버리거나 잃기를 싫어함. '棄之則可―'《後漢書》. ③아까울 석 이상(以上)의 형용사. '嗟乎―哉'《史記》. 또, 아깝게도. '―無纖塵來捧椀'《黃庭堅》. ④애처롭게여길 석 가엾이 여김. '寵―'. '樹木猶爲人愛―'《杜甫》.
字源 篆文 [惜] 形聲. 忄(心)+昔[音]. '昔석'은 '楚초'와 통하여, 가시 있는 장미의 뜻. 마음을 찌르다, 아프다의 뜻을 나타냄.

[惜吝 석린] 아낌. 인색함.

[惜閔 석민] 애석히 여겨 슬퍼함.
[惜愍 석민] 석민(惜閔).
[惜別 석별] 이별을 섭섭히 여김.
[惜福 석복] 검소하게 생활하여 복을 길이 누리도
 록 함.
[惜歲 석세] 해가 가는 것을 서운하게 여김.
[惜景 석영] 석음(惜陰).
[惜陰 석음] 광음(光陰)을 아낌. 시간을 소중히
 함.
[惜春御史 석춘어사] 당대(唐代)에 꽃을 보호하
 는 일을 맡은 벼슬.
 ●顧惜. 悼惜. 寶惜. 哀惜. 愛惜. 惋惜. 吝惜.
 恪惜. 珍惜. 追惜. 貪惜. 痛惜.

8 ⑪ [惝] 창 ㊤養 齒兩切 chǎng
[字解] 경황없을 창, 낙심할 창 실망하여 재미가
없는 모양. 또, 기대에 어그러져 낙망하는 모
양. '君一然若有亡也'《莊子》.
[字源] 形聲. 忄(心)＋尙〔音〕

[惝然 창연] 기대에 어그러져 낙망하는 모양. 실
 의(失意)하여 기뻐하지 않는 모양.
[惝怳 창황] 실망하여 재미가 없는 모양. 경황없
 는 모양.

8 ⑪ [惟] 유 ㊤支 以追切 wéi
[筆順] 忄 忄 忄 忄′ 忙 忰 惟 惟
[字解] ①오직 유 단지. 유독. '一一'. '一王不邇
聲色'《書經》. ②이 유 伊(人部 四畫)・是(日部
五畫)와 뜻이 같음. '濟河一兗州'《書經》. '食
哉一時'《書經》. ③생각할 유 사려(思慮)함. '思
一'《書經》. '載謀載一'《史記》. ④생각건대 유 자기의
의견을 말할 때의 겸사(謙辭). '恭一'. '伏一'.
'一信亦爲大王不如也'《史記》. ⑤성 유 성(姓)
의 하나.
[字源] 形聲. 忄(心)＋隹〔音〕. '隹隹'는 '維
유'와 통하여, '잇다'의 뜻. 한 가지
일에 계속 마음을 멈추고 생각하다의 뜻을 나
타냄.

[惟獨 유독] 오직 홀로.
[惟命是聽 유명시청] 무슨 일이나 오직 명령을 좇
 을 따름임.
[惟惟 유유] 응낙하는 모양. 또, 응낙하는 대답.
[惟一 유일] 단지 하나. 오직 하나.
[惟精 유정] 사욕(私慾)을 떨어 버리고 마음을 전
 일(專一)하게 가짐.
[惟酒可以忘憂 유주가이망우] 오직 술만이 근심
 을 잊게 할 수 있음.
[惟肖 유초] 서로 닮음. '惟'는 발어사.
 ●豈惟. 圖惟. 謀惟. 伏惟. 思惟. 永惟.

8 ⑪ [悰] 종 ㊤冬 藏宗切 cóng
[筆順] 忄 忄′ 忰 忰 忰 悰 悰 悰
[字解] 즐길 종 즐거워함. '戚戚苦無一'《謝朓》.
[字源] 形聲. 忄(心)＋宗〔音〕

㊤元 盧昆切
8 ⑪ [惀] 론 ㊤阮 盧本切 lún
㊥願 盧困切 lùn
㊥륜 ㊤軫 縷尹切
[字解] ■①알고싶어할 론 '一, 思求曉知, 謂之
一'《集韻》. ②생각할 론 '一, 思'《玉篇》. ③번
민할 론 '一, 懣也'《集韻》. ■ 알고싶어할 륜 ■
❶과 뜻이 같음.
[字源] 形聲. 忄(心)＋侖〔音〕

8 ⑪ [惵] 전 ㊤銑 他典切 tiǎn
[字解] 부끄러워할 전 부끄럽게 여김. '荊揚靑徐
之間, 謂慙曰一'《揚子方言》.
[字源] 形聲. 忄(心)＋典〔音〕

8 ⑪ [悷] 려 ㊥霽 郞計切 lì
[字解] 서러워할 려 슬퍼하는 모양. '意悽一而增
悲'《應瑒》.
[字源] 形聲. 忄(心)＋戾〔音〕

8 ⑪ [愅] 감 ㊤感 苦感切 kǎn
[字解] ①괴로워할 감 근심하여 괴로워함. '一,
憂困也'《廣韻》. ②한할 감 원망함. '一, 又恨
也'《廣韻》.
[字源] 形聲. 忄(心)＋臽〔音〕

8 ⑪ [惈] 과 ㊤哿 古火切 guǒ
[字解] 과감할 과 '一, 一敢, 勇也'《集韻》.

8 ⑪ [惾] 〔관〕 悹(心部 八畫〈p.788〉)과 同字

8 ⑪ [惿] 〔겁〕 怯(心部 五畫〈p.772〉)의 俗字

8 ⑪ [慘] 〔참〕 慘(心部 十一畫〈p.811〉)의 俗字

8 ⑪ [恆] 〔항〕 恆(心部 六畫〈p.776〉)의 本字

8 ⑪ [憫] 〔민〕 悶(心部 八畫〈p.784〉)과 同字

8 ⑫ [悶] 〔민〕 悶(心部 八畫〈p.784〉)과 同字

8 ⑪ [懼] 〔구〕 懼(心部 十八畫〈p.828〉)의 俗字

8 ⑪ [惞] 〔흔〕 欣(欠部 四畫〈p.1127〉)과 同字
[字源] 形聲. 忄(心)＋欣〔音〕. '欣흔'은 기뻐하다의
뜻.

8 ⑪ [憁] 〔총〕 憁(心部 十一畫〈p.811〉)과 同字

9
⑬ [愛] 中人 애 ㉤隊 烏代切 ài   爱 炁

筆順 一 ㅜ ㅉ ㅉ ㅉ 疭 疭 愛 愛

字解 ①사랑할 애 ㉠귀여함. '一兒'. '慈親之一
其子也'《呂氏春秋》. ㉡친밀하게 대함. '汎一衆
而親仁'《論語》. ㉢이성을 그리워함. '戀一'.
'有與君之夫人相一者'《戰國策》. ㉣위함. 소중
히 여김. '一錢' '明主一其國'《戰國策》. ㉤좋
아함. '一讀'. '衆仙奇一之'《洞冥記》. ㉥은혜
를 베풂. '一日'. '不拊一子其民'《戰國策》. ②
사랑 애 전항의 명사. '老牛舐犢之一'《後漢書》.
③그리워할 애 사모함. '欽一'. '十人一,則
十人之吏也'《鷺子》. ④아낄 애 탐냄. 인색함.
'一惜'. '百姓皆以王爲一也'《孟子》. ⑤성 애 성
(姓)의 하나.
字源 㣺의篆文 㤅 㤅의篆文 㤅 形聲 본디, '㤅'로 썼으며,
炁＋悉〔音〕. '悉애'는 會意
로서, 旡＋心. '旡기'는 머리를 돌리어 돌아다
보는 사람의 상형. 돌아다보는 마음의 모양에
서, '어여삐 여기다'의 뜻. '夊쇠'는 발의 상형
으로, 어여삐 여기는 마음이 향해 가서 미치다
의 뜻을 나타냄.

[愛敬 애경] 사랑하고 공경함. 위하고 존경 (尊敬)
함.
[愛顧 애고] 사랑하여 돌봄.
[愛國 애국] 나라를 사랑함. 자기 나라를 위하여
진력함.
[愛君 애군] 임금을 위하고 공경함.
[愛及屋烏 애급옥오] 사람을 사랑하면 그 사람이
사는 집의 지붕 위에 있는 까마귀까지도 귀엽
게 보임. '아내가 귀여우면 처갓집 말뚝 보고
절을 한다.'와 뜻이 같음.
[愛妓 애기] 사랑하는 기생.
[愛嗜 애기] 기호 (嗜好).
[愛念 애념] ㉠사랑하는 마음. 애심 (愛心). ㉡《佛
敎》남을 사랑하여 생각하는 일. 번뇌 (煩惱)를
이름.
[愛黨 애당] 자기의 당을 사랑함.
[愛戴 애대] 위하여 받듦. 심복하여 존숭함.
[愛讀 애독] 즐겨 읽음. 특별히 좋아하여 읽음.
[愛樂 애락] 좋아하여 즐거워함.
[愛憫 애련] 애민 (愛憫).
[愛戀 애련] 사랑하여 그리워함.
[愛蓮說 애련설] 송유 (宋儒) 주돈이 (周敦頤)가 지
은 문장. 연 (蓮)을 군자 (君子)의 덕 (德)에 비겼
음.
[愛流 애류] 《佛敎》애욕 (愛慾)은 사람의 마음을
빠뜨리게 하므로 애욕을 물의 흐름에 비유하여
이른 말.
[愛吝 애린] 아낌. 인색함. 애린 (愛悋).
[愛悋 애린] 애린 (愛吝).
[愛林 애림] 나무를 소중히 함.
[愛馬 애마] 사랑하는 말.
[愛慕 애모] 사랑하여 그리워함. 심복하여 사모함.
[愛撫 애무] 사랑하여 어루만짐.
[愛民 애민] 백성을 사랑함.
[愛憫 애민] 가엾이 여겨 사랑함.
[愛別離苦 애별리고] 《佛敎》팔고 (八苦)의 하나.
별리 (別離)를 애석하게 여기는 괴로움이라는
뜻으로, 부자 (父子)·형제 (兄弟)·부부 (夫婦)
등과 같이 서로 사랑하는 사람이 헤어지는 괴

로움을 이름.
[愛婢 애비] 사랑하는 계집종.
[愛使 애사] ㉠사랑하며 부림. 특별히 귀애하며
부림. ㉡사랑하는 사신 (使臣).
[愛賞 애상] 좋아하여 칭찬함.
[愛壻 애서] 사랑하는 사위.
[愛惜 애석] ㉠소중히 여김. 아낌. ㉡인색함. 아
낌.
[愛誦 애송] 즐기어 송독 (誦讀)함. 특별히 좋아하
여 읽음. 애독 (愛讀).
[愛視 애시] 사랑하여 눈여겨봄.
[愛新覺羅 애신각라] 청태조 (淸太祖) 누루하치
(奴爾哈赤)를 난 만주족 (滿洲族)의 한 부족 (部
族)의 이름. 후에 청조 (淸朝)의 성 (姓)으로 되
었음.
[愛心 애심] 사랑하는 마음.
[愛兒 애아] 사랑하는 아들. 애자 (愛子).
[愛眼 애안] 《佛敎》부처의 자비스러운 눈.
[愛狎 애압] 사랑하여 가까이함. 사랑하여 허물
없이 지냄.
[愛養 애양] 사랑하여 기름. 소중히 하여 기름.
[愛煙 애연] 담배를 즐김.
[愛緣 애연] 《佛敎》은애 (恩愛)의 인연. 번뇌를
이름.
[愛悅 애열] 사랑하고 기뻐함.
[愛染 애염] 《佛敎》㉠물건을 탐내어 마음이 그것
에 감염 (感染)된다는 뜻으로, 집착심 (執着心)
이 깊음을 이름. ㉡애염명왕 (愛染明王).
[愛焰 애염] 애욕 (愛慾)이 왕성한 것을 불꽃에 비
유하여 이른 말. 욕화 (慾火).
[愛焰 애염] 애염 (愛焰).
[愛染明王 애염명왕] 《佛敎》명왕 (明王)의 하나.
원래 인도 (印度)의 신 (神)으로서 후에 진언밀
교 (眞言密敎)의 신이 됨. 눈이 셋, 팔이 여섯이
고 화낸 상을 하고 있으며, 머리에는 사자관 (獅
子冠)을 쓰고 있음. 미혹 (迷惑)한 자의 애욕
(愛慾)을 진리 (眞理)의 사랑으로 변하게 하는
일을 맡음.
[愛詠 애영] 애음 (愛吟).
[愛玉 애옥] 남의 딸의 경칭 (敬稱). 영애 (令愛).
[愛玩 애완] ㉠좋아하여 완롱 (玩弄)함. ㉡소중히
여겨 깊이 간직함. 비장 (祕藏)함.
[愛翫 애완] 애완 (愛玩).
[愛慾 애욕] 사물 (事物)을 좋아하여 바라는 마음.
또, 애정과 욕심.
[愛友 애우] 형제간에 우애가 있음.
[愛育 애육] 애양 (愛養).
[愛恩 애은] 사랑하고 은혜를 베풂. 또, 사랑과
은혜. 은애 (恩愛).
[愛吟 애음] 시가 (詩歌)를 즐기어 읊음. 또, 즐기
어 읊는 시가.
[愛飮 애음] 술 같은 것을 즐기어 마심.
[愛人 애인] ㉠사람을 사랑함. 남을 사랑함. ㉡사
랑하는 사람. 연인 (戀人).
[愛日 애일] ㉠겨울날. ㉡햇빛을 쬐어 은혜를 베
푸는 해. ㉢세월이 가는 것을 애석히 여긴다는
뜻으로, 효자가 부모를 장구 (長久)히 모시고자
하는 마음을 이름.
[愛子 애자] ㉠사랑하는 아들. ㉡아들을 사랑함.
[愛獎 애장] 사랑하여 칭찬함. 사랑하여 끌어올
림.
[愛錢 애전] 금전을 소중히 여김.
[愛情 애정] ㉠사랑하는 마음. ㉡이성 (異性) 간에

그리워하는 마음. 연모(戀慕)하는 마음. 연정
(戀情).
[愛弟 애제] 사랑하는 아우. 귀애하는 아우.
[愛族 애족] 겨레를 사랑함.
[愛酒 애주] 술을 좋아함.
[愛重 애중] 사랑하고 소중히 여김.
[愛妻 애처] 사랑함과 미워함. 애정과 증오.
[愛之重之 애지중지] 대단히 사랑하고 소중히 여
 김.
[愛執 애집]《佛敎》애착(愛着).
[愛着 애착]《佛敎》사물을 좋아하는 마음이 강하
 여 떨어지기 어려운 일. 명예·이욕·주색과 같
 은 자기가 바라는 것에 집착(執着)하여 마음의
 자유를 잃는 일.
[愛着生死 애착생사]《佛敎》세상의 무상(無常)
 함을 모르고 괴로운 인간계(人間界)에 집착하
 는 일.
[愛着慈悲 애착자비] 인간을 애착생사(愛着生死)
 로부터 구하려는 자비심.
[愛唱 애창] 노래를 즐기어 부름. 또, 그 노래.
[愛妻 애처] 아내를 사랑함. 또, 사랑하는 아내.
[愛妾 애첩] 사랑하는 첩. 행희(幸姬).
[愛寵 애총] 애행(愛幸).
[愛親 애친] 부모를 위하고 공경함.
[愛者不敢惡於人 애친자불감오어인] 어버이를
 사랑하는 사람은 인애심(仁愛心)이 두터운 까
 닭에 결코 남을 미워하지 않음.
[愛他主義 애타주의] 다른 사람의 행복의 증진을
 행위의 기준으로 삼는 주의.
[愛幸 애행] 총애(寵愛)함.
[愛鄕 애향] 고향을 그리워함.
[愛惠 애혜] 애은(愛恩).
[愛好 애호] 사랑하고 좋아함. 대단히 좋아함.
[愛護 애호] 사랑하여 보호함. 소중히 다룸.
[愛火 애화] 대단히 깊은 애정.
[愛恤 애휼] 딱하게 여겨 생활을 도와줌.
[愛姬 애희] 총애하는 여자.
●嘉愛. 渴愛. 兼愛. 敬愛. 過愛. 款愛. 嬌愛.
 求愛. 閨愛. 器愛. 篤愛. 盲愛. 母性愛. 博愛.
 汎愛. 泛愛. 寶愛. 父性愛. 傅愛. 祕愛. 相愛.
 賞愛. 性愛. 純愛. 信愛. 御愛. 戀愛. 悅愛.
 熱愛. 染愛. 令愛. 玩愛. 婉愛. 畏愛. 友愛.
 遺愛. 恩愛. 倚愛. 頤愛. 溺愛. 人間愛.
 仁愛. 子愛. 字愛. 自愛. 慈愛. 專愛. 絶愛.
 情愛. 鍾愛. 珍愛. 最愛. 寵愛. 忠愛. 親愛.
 他愛. 耽愛. 貪愛. 偏愛. 割愛. 惠愛. 酷愛.
 歡愛. 欽愛.

---

⁹₁₃ [感] 中入 감(㋩) ㋠感 古禫切 gǎn
        함(㋥) ㋡勘 胡紺切 hàn

筆順 ノ 厂 厂 反 咸 咸 感 感

字解 ①느낄 감, 깨달을 감 느껴 앎. '一覺'.
'吾生之行休'《陶潛》. ②감동할 감 깊이 느끼
어 마음이 움직임. '一泣'. '人生一意氣'《魏
徵》. ③감동시킬 감 감동하게 함. '使人微一張
儀'《史記》. ④감응할 감 감촉(感觸)되어 통함.
'一通'. '寂然不動, 一而遂通天下之故'《易經》.
⑤감동 감, 감응 감, 느낌 감 이상(以上)의 명사.
'萬一'. '以紆慘惻之一'《陸機》. ⑥움직일 감
흔들 감 撼(手部 十三畫)과 통용. '無一我慘兮'
《詩經》. ⑦한할 감 원함을 품은 憾(心部 十三
畫)과 통용. '唯蔡於一'《左傳》.

字源 篆文 㦸 會意. 心＋咸. '咸함'은 큰 위압(威壓)
 앞에 목청껏 소리를 내다의 뜻. 사람
 의 마음이 큰 자극(刺戟) 앞에 움직이다의 뜻
 을 나타냄.

[感覺 감각] ㉠느껴 깨달음. ㉡느낌. 깨달음. ㉢
 외계(外界)의 자극이 감각 기관에 의하여 신경
 의 중추에 도달하여 일어나는 의식 현상(意識
 現象).
[感慨 감개] ㉠깊이 느끼어 탄식함. ㉡마음속 깊
 이 사무치게 느낌.
[感慨 감개] 감개(感慨).
[感慨無量 감개무량] 감개가 한이 없음. 대단히
 감개함.
[感慨悲歌之士 감개비가지사] 국사(國事)를 근심
 하는 나머지 비분강개(悲憤慷慨)하는 노래를
 지어 읊어 울분을 푸는 선비.
[感激 감격] 감동하여 분발함. 대단히 감동함.
[感哽 감경] 감열(感咽).
[感果 감과]《佛敎》원인에 감응(感應)하여 생긴
 결과.
[感官 감관] 감각 기관(感覺器官).
[感光 감광] 광선의 반응을 받음.
[感愧 감괴] 남의 덕(德)에 감동되어 자기가 미치
 지 못하는 것을 부끄럽게 여김.
[感舊 감구] 옛날을 회상(回想)하여 감동함.
[感舊之懷 감구지회] 지난 일을 회상하여 감동한
 회포(懷抱).
[感念 감념] 마음에 깊이 느끼는 생각.
[感戴 감대] 대단히 고맙게 여기어 떠받듦.
[感動 감동] 깊이 느끼어 마음이 대단히 움직임.
 깊이 느끼어 마음이 흥분(興奮)함.
[感淚 감루] 감격하여 나오는 눈물.
[感銘 감명] 깊이 느끼어 마음속에 새기어 둠. 감
 격하여 명심함.
[感冒 감모] 고뿔. 감기(感氣).
[感慕 감모] 감동하여 사모함.
[感滿 감만] 마음에 느끼어 번민(煩悶)함. 「함.
[感服 감복] 감격하여 심복(心服)함. 탄복(歎服)
[感附 감부] 은덕(恩德)에 감격하여 붙좇음.
[感奮 감분] 감동하여 분발함.
[感奮興起 감분흥기] 감분하여 떨치고 일어남.
[感謝 감사] 고맙게 여김. 또, 고맙게 여겨 사의
 (謝意)를 표함.
[感想 감상] 느끼어 생각함. 또, 느낀 바. 느낀 생
 각. 소감(所感).
[感傷 감상] 마음에 느끼어 슬퍼함. 사물에 느낀
 바 있어 마음 아파함.
[感賞 감상] 감탄하여 칭찬함.
[感性 감성] ㉠인상(印象)을 받아들이는 능력. 오
 성(悟性)의 대(對). ㉡자극(刺戟)에 반응(反
 應)하여 감각을 일으킬 수 있는 성질.
[感受 감수] ㉠느끼어 받음. ㉡외계(外界)의 자극
 (刺戟)을 감각 신경(感覺神經)에 의하여 받아
 들여 느낌.
[感受性 감수성] 외계(外界)의 자극(刺戟)을 느
 낄 수 있는 힘. 곧, 직관(直觀)의 능력.
[感咽 감열] 감동하여 오열(嗚咽)함. 깊이 느낀
 바 있어 목이 메도록 욺.
[感悅 감열] 감격하여 대단히 기뻐함.
[感染 감염] ㉠악습(惡習)에 물듦. ㉡병이 옮음.
[感悟 감오] 느끼어 깨달음. 알아차림.
[感恩 감은] 은혜에 감격함. 받은 은혜를 깊이 감

사함.
[感泣 감읍] 감격하여 욺. 너무 기뻐하여 욺. 감체(感涕).
[感應 감응] ㉠마음이 사물(事物)에 감촉(感觸)되어 그에 따르는 반응이 생김. ㉡두 기(氣)가 서로 느끼어 응함. ㉢신심(信心)의 정성이 신(神)이나 부처에 통함. 감통(感通). ㉣도체(導體)가 자석(磁石)·발전체(發電體) 등에 접근하여 자기(磁氣) 또는 전기를 띠게 되는 현상.
[感電 감전] 전기에 감응(感應)함. 전류(電流)가 전함.
[感篆 감전] 마음에 깊이 새기어 잊지 않음. 전각(篆刻)에서 새긴다는 뜻을 딴 것임. 감명(感銘).
[感情 감정] ㉠사물에 느끼어 일어나는 마음. 심정(心情). 기분(氣分). ㉡고(苦)·낙(樂)·미(美)·추(醜) 등에 따른 쾌(快)·불쾌를 느끼는 마음의 작용.
[感慙 감참] 마음에 느낀 바 있어 부끄럽게 여김.
[感愴 감창] 감모(感慕)하여 비창(悲愴)함.
[感戚 감척] 마음 아파함. 슬퍼함.
[感徹 감철] 자기의 성의가 남에게 통함. 자기의 성의를 남이 알아줌.
[感涕 감체] 감읍(感泣).
[感觸 감촉] 외계(外界)의 자극에 접촉하여 느낌.
[感歎 감탄] ㉠감동하여 찬탄함. ㉡느끼어 탄식함. 깊이 느낌.
[感歎詞 감탄사] 희로애락(喜怒哀樂) 등의 감정을 나타내는 말. 오호(嗚呼)·우(吁) 따위.
[感通 감통] 자기의 마음이 남의 마음에 통함. 자기의 마음을 남이 알아줌. 감응(感應).
[感慟 감통] 마음에 깊이 느낀 바 있어 서러워함. 대단히 서러워하여 탄식함.
[感佩 감패] 깊이 느끼어 늘 잊지 아니함. 대단히 고맙게 여김.
[感荷 감하] 받은 은혜를 깊이 마음에 느낌. 은혜를 감사하여 받음.
[感恨 감한] 골수에 사무치도록 원망함. 마음속 깊이 원한을 품음.
[感化 감화] ㉠남의 마음을 감동시키어 착하게 함. ㉡감동하여 착하여짐. ㉢지금은 나쁘게 되는 뜻으로도 쓰임.
[感患 감환] 감기(感氣).
[感悔 감회] 마음에 느낀 바 있어 후회함.
[感會 감회] 만남. 조우(遭遇)함.
[感懷 감회] 느끼어 생각함. 또, 느끼어 생각한 바. 회포(懷抱).
[感興 감흥] 마음에 느끼어 일어나는 홍취. 흥미.
[感喜 감희] 감열(感悅).
◉共感. 交感. 舊感. 樂感. 多感. 讀後感. 同感. 鈍感. 萬感. 冥感. 妙感. 味感. 美感. 敏感. 反感. 百感. 悲感. 思感. 私感. 想感. 善感. 誠感. 所感. 隨感. 愁感. 實感. 惡感. 哀感. 涼感. 量感. 語感. 劣等感. 靈感. 叡感. 豫感. 五感. 偶感. 優越感. 音感. 應感. 雜感. 情感. 精感. 第六感. 直感. 珍感. 眞感. 觸感. 追感. 快感. 歎感. 通感. 好感. 歡感. 孝感. 欣感. 興感.

9 ⑬ **[愗]** 무 ㊇宥 莫候切 mào

字解 어리석을 무 '怐—'는 어리석은 모양. '直怐—以自苦. (註) '怐—守死忠信以自畢也'《楚辭》.

字源 形聲. 心+敄〔音〕

◉怐愗.

9 ⑬ **[愙]** 〔각〕
恪(心部 六畫〈p. 778〉)과 同字

9 ⑬ **[想]** 中人 상 ㊤養 息兩切 xiǎng

筆順 一 十 才 木 朩 相 相 想 想

字解 ①생각할 상 ㉠바람. 사모함. '一望'. '夢一賢士'《後漢書》. ㉡추측함. '一像'. '悠然遐一'《晉書》. ㉢추억함. '回—'. '追—'. '望風懷—'《李陵》. ②생각 상 생각하는 바. '出塵之—'. '淸風滌煩—'《韋應物》. ③생각건대 상 생각하기를. '—拾遺公, 冠帶就車, 惠然肯來'《韓愈》.

字源 篆文 形聲. 心+相〔音〕. '相상'은 물건의 모습을 본다는 뜻. 마음에 물건의 형상을 본다는 뜻에서, '생각하다'의 뜻을 나타냄.

[想見 상견] 생각하여 봄. 그리워함.
[想起 상기] 지난 일을 생각하여 냄.
[想到 상도] 생각이 미침.
[想望 상망] ㉠바라며 생각함. 그리워함. 사모함. ㉡기대(期待)함.
[想味 상미] 음미(吟味)하여 생각함.
[想不到 상부도] 뜻밖에. 생각하지도 않았는데.
[想夫憐 상부련] 쟁(箏)의 곡(曲)의 이름. 원은 상부련(想夫蓮)이라 씀. 속(俗)에 연(憐)을 연(戀)으로 씀.
[想像 상상] ㉠마음속으로 그리며 미루어 생각함. ㉡기지(既知)의 사실 또는 관념(觀念)에 의거하여 새 사실 또는 관념을 구성하는 마음의 작용.
[想憶 상억] 생각함. 생각.
[想察 상찰] 상상(想像)㉠.
◉假想. 感想. 慨想. 虔想. 空想. 觀想. 狂想. 舊想. 構想. 奇想. 亂想. 妄想. 望想. 緬想. 冥想. 瞑想. 夢想. 妙想. 無念無想. 無想. 默想. 發想. 煩想. 紛想. 思想. 隨想. 詩想. 識想. 尋想. 愛想. 億想. 聯想. 豫想. 意想. 理想. 情想. 主想. 眞想. 塵想. 着想. 悵想. 追想. 遐想. 虛想. 懸想. 幻想. 回想.

9 ⑬ **[惷]** 준 ㊤軫 尺尹切 chǔn

字解 ①어수선할 준 동요하여 어지러운 모양. '王室實一一焉'《左傳》. ②어리석을 준 우매함. 蠢(虫部 十五畫)과 同字. '一愚'. '愍耄儒之一窒兮'《皮日休》.

字源 篆文 形聲. 心+春(萅)〔音〕. '萅춘'은 꿈틀거리다의 뜻. 마음이 꿈틀거리다의 뜻에서, 어수선하여지다의 뜻을 나타냄.

[惷愚 준우] 어리석음. 우매함.
[惷惷 준준] 동요하여 어지러운 모양.
[惷窒 준질] 어리석어 사리(事理)를 분간 못함.

9 ⑬ **[惹]** 人名 야 ㊤馬 人者切 rě

字解 이끌 야 끌어당김. '―起'. '微香暗―遊人步'《羅鄴》.
字源 篆文 形聲. 心+若〔音〕. '若약'은 머리털을 헝클어뜨리고 신이 내린 사람의 상형. 마음이 흐트러지다, 잡아끌다의 뜻을 나타냄.

[惹起 야기] 끌어 일으킴.
[惹起鬧端 야기요단] 시비의 단서를 끌어 일으킴.
[惹鬧 야뇨] 야료(惹鬧).
[惹鬧 야료] ㉠생트집을 하고 함부로 떠들어 댐. ㉡야기요단(惹起鬧端)의 준말.

9
⑬ [愁] 中人 수 ㉠尤 士尤切 chóu

筆順 ノ 二 千 禾 利 秋 愁 愁

字解 ①근심할 수 우려함. '―心'. '悲―垂涕'《列子》. ②근심 수 우려. 수심. '時取醉銷―'《王績》.
字源 篆文 形聲. 心+秋〔音〕. '秋추'는 가냘픈 울음소리의 의성어. 마음이 슬퍼지다, 울고 싶어지다, 근심하다의 뜻을 나타냄.

[愁看 수간] 근심스럽게 봄.
[愁感 수감] 근심하며 느낌. 근심 걱정함.
[愁苦 수고] 근심 걱정으로 고생함.
[愁困 수곤] 근심하며 괴로워함. 간난신고(艱難辛苦)함.
[愁勤 수근] 근심하고 수고함.
[愁襟 수금] 근심하는 마음. 수심(愁心).
[愁毒 수독] 근심하고 괴로워함.
[愁亂 수란] 근심이 많아서 정신이 어지러움. 수요(愁擾).
[愁涙 수루] 근심하여 욺. 또, 근심하여 흘리는 눈물.
[愁霖 수림] 우울한 긴 장마.
[愁眠 수면] 근심하면서 잠. 또, 그 잠.
[愁夢 수몽] 근심한 나머지 꾸는 꿈.
[愁眉 수미] 근심에 잠긴 눈썹. 전(轉)하여, 수심에 잠긴 얼굴.
[愁眉啼妝 수미제장] 수심에 잠겨 우는 것같이 보이게 하는 화장.
[愁悶 수민] 근심으로 고민함.
[愁思 수사] 근심하는 생각.
[愁殺 수살] 대단히 근심하게 함. 살(殺)은 조사(助辭).
[愁傷 수상] 근심하고 가슴 아파함. 비탄(悲嘆)함.
[愁霜 수상] 너무 근심하여 젊어서 희어진 머리털을 서리에 비유하여 한 말.
[愁色 수색] 근심하는 빛.
[愁緖 수서] 수심(愁心).
[愁聲 수성] 슬픈 소리.
[愁訴 수소] 애처롭게 호소함.
[愁心 수심] 근심하는 마음.
[愁顔 수안] 수심에 잠긴 얼굴.
[愁擾 수요] 수란(愁亂).
[愁容 수용] 근심하는 얼굴.
[愁雲 수운] 애수(哀愁)를 느끼게 하는 구름.
[愁怨 수원] 근심하며 원망함.
[愁吟 수음] 근심하여 신음함. 또, 그 소리.
[愁意 수의] 수심(愁心).
[愁人 수인] ㉠근심이 있는 사람. ㉡사물(事物)에 대하여 애수(哀愁)를 느끼는 사람. 시인(詩人).
[愁腸 수장] 근심하는 마음. 수심(愁心).
[愁絕 수절] 대단히 근심함.
[愁慘 수참] 매우 슬픔.
[愁怖 수척] 수포(愁怖).
[愁歎 수탄] 근심하며 한탄(恨歎)함.
[愁痛 수통] 근심하고 가슴 아파함.
[愁怖 수포] 근심하고 두려워함.
[愁恨 수한] 근심하며 원망함.
[愁海 수해] 큰 근심의 비유.
[愁懷 수회] 수심(愁心).
● 客愁. 結愁. 孤愁. 窮愁. 羈愁. 萬斛愁. 暮愁. 煩愁. 邊愁. 別愁. 悲愁. 深愁. 哀愁. 旅愁. 縈愁. 憂愁. 幽愁. 凝愁. 離愁. 長愁. 積愁. 啼愁. 千愁. 春愁. 沈愁. 閒愁. 鄕愁.

9
⑬ [愆] 人名 건 ㉠先 去乾切 qiān

字解 ①허물 건 과실(過失). 죄과(罪過). '―尤'. '―謬'. '侍於君子, 有三―'《論語》. ②어그러질 건 차착(差錯)함. '歸妹―期'《易經》. ③악질(惡疾) 건 나쁜 병. '王―於厥身'《左傳》.
字源 金文 篆文 形聲. 心+衍〔音〕. '衍연'은 자라서 퍼지다의 뜻. 도가 지나쳐 멋대로 거동하는 모양에서, '그르치다'의 뜻을 나타냄.

[愆過 건과] 잘못. 허물. 죄과.
[愆納 건납] 세금을 기한 안에 못 바침.
[愆謬 건류] 잘못.
[愆尤 건우] 잘못. 허물.
[愆義 건의] 정도(正道)를 어김.
[愆滯 건체] 사무에 착오가 생기고 지체됨.
● 蓋愆. 歸愆. 三愆. 三風十愆. 省愆. 悔愆.

9
⑬ [徣] 愆(前條)과 同字

9
⑬ [愈] 高人 유 ㉠麌 以主切 yù, ⑥yú
㉩虞 容朱切

筆順 ノ 人 △ 介 俞 俞 愈 愈

字解 ①나을 유 남보다 우수함. '丹之治水也, ―於禹'《孟子》. ②나을 유 병이 나음. 癒(疒部 十三畫)와 통용. '小―'. '昔者疾, 今日―'《孟子》. ③고칠 유 치유함. 癒(疒部 十三畫)와 통용. '―病析酲'《宋玉》. ④더할 유 자꾸 더해짐. '憂心――'《詩經》. ⑤더욱 유 더욱더욱. '動而―出'《老子》. ⑥즐길 유 愉(心部 九畫)와 통용. '心至―'《荀子》.
字源 形聲. 心+俞〔音〕. '俞유'는 '빠져나가다'의 뜻. 마음이 나쁘다, 빠져나가서 좋다, 우월하다의 뜻과 불쾌한 기분으로부터 빠져나가고 쳐지다의 뜻을 나타냄.

[愈愚 유우] 어리석은 마음을 고침.
[愈愈 유유] 자꾸 더하여지는 모양.
[愈出愈怪 유출유괴] 점점 더 괴상하여짐.
● 病加小愈. 小愈. 瘳愈. 快愈.

9
⑬ [愍] 人名 민 ㉠軫 眉殞切 mǐn

字解 ①근심할 민 우려함. '吾代二子—矣'《左傳》. ②가엾어할 민 가엾게 여김. '矜—'. '其憐—焉'《漢書》.

字源 形聲. 心+敃〔音〕. '敃민'은 '紊문'과 통하여, '어지러워지다'의 뜻. 마음이 어지러워져서 슬퍼하다의 뜻을 나타냄.

[憫焉 민언] 가엾이 여김. 불쌍히 여김.
[憫然 민연] 가엾은 모양. 불쌍한 모양.
[憫悴 민췌] 가엾이 여겨 근심함.
[憫凶 민흉] 부모(父母)를 여읜 불행.
●矜憫. 不憫. 惜憫. 哀憫. 憐憫. 慰憫. 慈憫. 弔憫. 嗟憫.

9/⑬ 意 中入 의 㟿眞 於記切 yì / 희 㟿支 於其切 yī

筆順 一二立立音音意意

字解 ■ ①뜻 의 ㉠마음의 발동(發動). '—志'. '—識'. '欲正其心, 先誠其—'《大學》. ㉡생각. '如—'. '君正制, 臣行令'《國語》. ㉢사심(私心). 사욕. '毋必固我'. '毋—, 毋必'《論語》. ㉣글이나 말의 의의. '—味'. '大—'. '原於道德之—'《史記》. ㉤정취. '筆—幽閒'《圖繪寶鑑》. ②뜻할 의 생각함. '攻其無備, 出其不—'《孫子》. ③의심할 의 의심을 둠. '—妄不疑'《史記》. ④헤아릴 의 상량(商量)함. 추측함. '妄—室中之藏'《莊子》. ⑤생각건대 의 생각해 보건대. '—者'. '吾—不然'《柳宗元》. ⑥나라이름 의 이탈리아(Italy大利)의 약칭. ⑦성의 성(姓)의 하나. 한숨쉴 희 噫(口部 十三畫)와 통용. '—, 治人之過也'《莊子》.

字源 會意. 心+音. '音음'은 사람의 언어가 되지 않는 소리의 뜻. 말이 되기 전의 마음, 생각의 뜻을 나타냄.

[意見 의견] 어떤 대상이나 일에 대한 생각.
[意忌 의기] 의심하고 꺼림.
[意氣 의기] ㉠득의(得意)한 마음. ㉡장(壯)한 마음. ㉢기상(氣象).
[意氣揚揚 의기양양] 득의(得意)한 마음이 얼굴에 나타나는 모양.
[意氣自如 의기자여] 마음이 침착하여 평소와 조금도 다름이 없음.
[意氣衝天 의기충천] 득의(得意)한 마음이 하늘을 찌를 듯함.
[意頭 의두] 생각. 뜻. 두(頭)는 조사(助辭).
[意量 의량] 의사(意思)와 국량(局量).
[意馬心猿 의마심원] 《佛敎》마음이 번뇌(煩惱)와 정욕(情慾) 때문에 억누를 수 없음을, 날뛰는 말을 그치게 할 수 없고 떠드는 원숭이를 진정시킬 수 없는 데 비유한 말.
[意望 의망] 소망(所望).
[意味 의미] 말이나 글의 뜻.
[意味深長 의미심장] 말이나 글의 뜻이 매우 깊음.
[意思 의사] 마음먹은 생각.
[意想 의상] 생각.
[意識 의식] ㉠깨었을 때의 사물을 지각(知覺)하는 상태. 곧, 지(知)·정(情)·의(意) 일체의 정신 작용. ㉡《佛敎》육식(六識) 또는 팔식(八識)의 하나. 사려 분별하는 마음.
[意業 의업] 《佛敎》삼업(三業)의 하나. 뜻에서 일어나는 업인(業因).

[意譯 의역] 개개의 단어·구절에 너무 구애되지 않고, 본문(本文)의 전체의 뜻을 살리는 번역.
[意外 의외] 뜻밖. 생각 밖.
[意慾 의욕] 어떤 것을 갖거나 하고자 하는 마음.
[意義 의의] 뜻. 의미(意味).
[意匠 의장] ㉠생각. 연구. 궁리. ㉡공예품(工藝品) 등의 모양·색채·무늬 등에 대한 고안(考案).
[意錢 의전] 돈을 던져서 승부를 가리는 일종의 유희. 돈치기.
[意中 의중] 마음속.
[意中人 의중인] 마음속에 생각하고 있는 사람. 곧, 사모(思慕)하는 사람.
[意地 의지] 《佛敎》마음.
[意志 의지] ㉠마음. 뜻. ㉡사려·선택·결심 등을 하는 마음의 능동적 작용. 지식·감정과 대립되는 정신 작용.
[意衷 의충] 마음속. 진심(眞心).
[意趣 의취] 의향(意向).
[意表 의표] 뜻밖. 의외(意外).
[意必固我 의필고아] 사의(私意)와 기필(期必)과 고집(固執)과 자아(自我). 성인(聖人)의 마음은 밝고 비어 있어, 이 네 가지가 없음.
[意合 의합] 뜻이 서로 맞음.
[意向 의향] 마음의 향하는 바. 곧, 무엇을 하려는 생각.

●佳意. 刻意. 懇意. 強意. 介意. 客意. 隔意. 決意. 敬意. 古意. 固意. 故意. 高意. 故人意. 關意. 敎意. 貴意. 剋意. 極意. 奇意. 氣意. 諾意. 達意. 當意. 大意. 同意. 得意. 妄意. 命意. 妙意. 文意. 微意. 民意. 密意. 反意. 發意. 配意. 醱意. 法意. 本意. 不得意. 不如意. 不意. 非意. 私意. 詞意. 肆意. 謝意. 辭意. 殺意. 上意. 生意. 書意. 善意. 盛意. 聖意. 誠意. 細意. 素意. 愁意. 隨意. 夙意. 猜意. 新發意. 紳意. 失意. 實意. 心意. 深意. 我意. 雅意. 惡意. 兩意. 語意. 御意. 如意. 餘意. 逆意. 熱意. 靈意. 銳意. 禮意. 奧意. 尿意. 用意. 雨意. 運意. 原意. 遠意. 留意. 遺意. 恩意. 移意. 人意. 一意. 任意. 恣意. 作意. 壯意. 匠意. 適意. 專心一意. 專意. 戰意. 轉意. 正心誠意. 情意. 精意. 題意. 造意. 朝意. 弔意. 尊意. 主意. 注意. 旨意. 志意. 指意. 眞意. 塵意. 着意. 贊意. 創意. 天意. 草意. 寸意. 總意. 秋意. 祝意. 春意. 趣意. 快意. 他意. 託意. 表意. 筆意. 下意. 賀意. 合意. 降意. 懈意. 害意. 好意. 會意. 厚意.

9/⑬ 愚 高人 우 㟿虞 元俱切 yú

筆順 丿口日甲禺禺愚愚

字解 ①어리석을 우 우매함. '—直'. '終日不違如—'《論語》. 또, 어리석음. 어리석은 사람. '以智役—'《宋書》. ②어리석게할 우 지식을 개발하지 아니하고 알리지 아니함. '—民政策'. ③우직할 우 고지식함. '戇—'. '柴也—'《論語》. ④나 우 자기의 겸칭. '—見'. '—猶有惑也'《蘇洵》. 또, 자기의 의견의 겸칭. '略陳—而抒情素'《漢書》. ⑤성 우 성(姓)의 하나.

字源 形聲. 心+禺〔音〕. '禺우'는 원숭이 비슷한 나무늘보의 상형으로, 활발하지

못하고 둔하다의 뜻을 나타냄. 마음의 기능이
둔하다, 어리석다의 뜻을 나타냄.

[愚見 우견] ㉠어리석은 소견. ㉡자기(自己)의 의
　견의 겸칭(謙稱).
[愚計 우계] ㉠어리석은 꾀. ㉡자기(自己)의 꾀의
　겸칭(謙稱).
[愚固 우고] 어리석고 완고함.
[愚瞽 우고] 어리석고 몽매한 사람.
[愚考 우고] 어리석은 생각. 자기의 생각의 겸칭
　(謙稱).
[愚悃 우곤] 어리석지만 진실함.
[愚公移山 우공이산] 우공(愚公)이 오랜 세월을
　두고 열심히 자기 집 앞의 산을 딴 곳으로 옮기
　려고 노력하여 결국 이루었다는 고사(故事)로
　서, 무슨 일이든지 꾸준히 노력하면 성공한다
　는 비유로 쓰임.
[愚狂 우광] 어리석고 미침. 또, 그 사람.
[愚駑 우노] 우둔(愚鈍).
[愚短 우단] 어리석고 짧음. 재능이 없음.
[愚鈍 우둔] 어리석고 둔함.
[愚頓 우둔] 우둔(愚鈍).
[愚濫 우람] 어리석어 분수를 모르고 외람됨.
[愚老 우로] 늙은이가 스스로를 낮추어 일컫는 말.
[愚魯 우로] 어리석음.
[愚論 우론] ㉠어리석은 의론(議論). ㉡자기의 의
　견을 겸손하게 이르는 말.
[愚弄 우롱] 어리석다고 깔보아 놀려 댐.
[愚陋 우루] 어리석고 비루함.
[愚昧 우매] 어리석고 사리에 어두움.
[愚氓 우맹] 어리석은 백성(百姓).
[愚蒙 우몽] 우매(愚昧).
[愚瞢 우몽] 어리석음.
[愚物 우물] 어리석은 사람.
[愚民 우민] ㉠어리석은 백성(百姓). ㉡백성을 어
　리석게 함.
[愚夫 우부] 어리석은 남자(男子).
[愚夫愚婦 우부우부] 어리석은 남녀.
[愚鄙 우비] 어리석고 비루함. 또, 자기의 재능의
　겸칭(謙稱).
[愚說 우설] 어리석은 설(說). 또, 자기의 설의
　겸칭(謙稱).
[愚僧 우승] ㉠어리석은 중. ㉡중 스스로의 겸칭
　(謙稱).
[愚息 우식] 자기의 아들의 겸칭.
[愚惡 우악] 《韓》㉠멍청하게 미련함. ㉡우락부락
　함.
[愚案 우안] 자기(自己)의 안(案)의 겸칭(謙稱).
[愚暗 우암] 어리석어 도리(道理)에 어두움.
[愚騃 우애] 어리석음. 또, 그 사람.
[愚劣 우열] 어리석고 못남.
[愚頑 우완] 어리석고 완명(頑冥)함.
[愚幼 우유] 어리석고 어림. 「됨.
[愚益愚 우익우] 어리석은 사람은 더욱 어리석게
[愚人 우인] 어리석은 사람.
[愚者 우자] 어리석은 사람.
[愚者一得 우자일득] 어리석은 사람도 그의 여러
　가지 생각 중에는 취할 만한 훌륭한 것이 간혹
　있다는 뜻.
[愚弟 우제] ㉠어리석은 아우. ㉡자기의 아우의
　겸칭(謙稱).
[愚拙 우졸] ㉠어리석고 못남. ㉡자기의 겸칭(謙
　稱).

[愚蠢 우준] 어리석고 민첩(敏捷)하지 못함.
[愚智 우지] 어리석음과 슬기로움. 또, 어리석은
　사람과 슬기로운 사람.
[愚直 우직] 고지식함.
[愚妻 우처] ㉠어리석은 아내. ㉡자기의 아내의
　겸칭(謙稱).
[愚淺 우천] 어리석고 천박함.
[愚忠 우충] 자기(自己)의 충성(忠誠)의 겸칭(謙
　稱).
[愚衷 우충] 자기(自己)의 마음속의 겸칭(謙稱).
[愚癡 우치] 어리석고 못남.
[愚蔽 우폐] 우매(愚昧).
[愚惑 우혹] 어리석어 미혹(迷惑)함.
[愚效 우효] 자기의 공(功)의 겸칭(謙稱).
　●陋愚. 戇愚. 大愚. 撲愚. 凡愚. 上愚. 疏愚.
　守愚. 暗愚. 闇愚. 頑愚. 庸愚. 迂愚. 幼愚.
　孱愚. 蠢愚. 衆愚. 癡愚. 下愚. 賢愚. 昏愚.

9/13 [愍] 〔협〕
　悏(心部 九畫〈p.802〉)의 本字

9/13 [矜] 〔긍〕
　矜(矛部 四畫〈p.1555〉)과 同字

9/13 [慈] 〔자〕
　慈(心部 十畫〈p.804〉)의 俗字

9/12 [惸] 유 ①㉠虞 容朱切 yú ②㉡襄 勇主切 yǔ
　字解 ①근심할 유 걱정함. '一, 憂也'《集韻》.
　②두려워할 유 외람히 여김. '一, 懼也'《集韻》.

9/12 [惰] 人名 타 ㉠智 徒果切 duò
　字解 ①게으를 타 ㉠나태함. '一怠'. '一游之
　士'《禮記》. ㉡소홀히 함. '臨祭不一'《禮記》.
　㉢삼가지 아니함. 단정하지 아니함. 버릇이 없
　음. '一容'. '今成子一'《左傳》. ②게으름 타 나
　태. '非關恭一'《法苑珠林》. ③사투리 타 방언.
　'言不一'《禮記》.
　字源 形聲. 忄(心)＋𡐦(隋)
　〔音〕 '隋타'는 긴장이
　빠져서 허물어지다의 뜻. 마음의 긴장이 풀어
　져서 조심성이 없다의 뜻을 나타냄.
　參考 惰(心部 十二畫)는 同字.

[惰氣 타기] 나태한 기분(氣分). 게으른 마음.
[惰氣滿滿 타기만만] 게으른 기분(氣分)이 가득
　함.
[惰農 타농] 게으른 농부.
[惰力 타력] 타성(惰性)의 힘.
[惰慢 타만] 가볍게 여겨 업신여김.
[惰眠 타면] 게을러서 잠을 잠.
[惰民 타민] ㉠게으른 백성. ㉡원(元)나라 때 양
　민(良民)의 아래에 속하는 하층민으로서 잡역
　(雜役)에 종사하던 백성.
[惰貧 타빈] 빌어먹는 사람. 거지.
[惰肆 타사] 게을러빠짐.
[惰性 타성] ㉠오래되어 굳어진 버릇. ㉡관성(慣
　性)과 같음.
[惰弱 타약] 게으르고 의지가 약함.
[惰傲 타오] 게으르고 오만함.
[惰容 타용] 게으른 용모. 단정치 못한 모습.
[惰游 타유] 게으름 피며 놂.

[惰卒 타졸] 게으른 군사.
[惰怠 타태] 게으름.
[惰偸 타투] 게을러 일을 소홀히 함.
[惰廢 타폐] 게을러서 일을 방치함.
　●簡惰. 怯惰. 輕惰. 驕惰. 勌惰. 勤惰. 矜惰.
　懶惰. 嬾惰. 放惰. 肆惰. 燕惰. 恬惰. 敖惰.
　頑惰. 慵惰. 柔惰. 游惰. 遊惰. 弛惰. 怠惰.
　退惰. 頹惰. 偸惰. 媮惰. 廢惰. 解惰. 懈惰.
　闒惰.

9
⑫ 〔惱〕 高 뇌 ④皓 奴皓切 nǎo
　人 (노④)

筆順 ⺖ ⺖ ⺘ ⺖ ⺖ ⺖ ⺖ 惱 惱

[字解] ①괴로워할 뇌 고민함. '苦一'. '高篇空自
一'《蘇軾》. ②괴롭힐 뇌 괴롭게 함. '春一情懷
身覺瘦'《韓偓》. ③괴로움 뇌 고민. '已捨苦境得
無一'《淨佳子》.
[字源] 形聲. ⺖(心)＋𡿺〔音〕. 𡿺는 뇌(腦)의 상형
으로, 머리의 뜻. 마음과 머리에 관한 것,
'걱정'의 뜻을 나타냄.

[惱苦 뇌고] 고뇌(苦惱).
[惱亂 뇌란] 고민하여 어지러움. 또, 고민하게 함.
[惱殺 뇌살·뇌쇄] 심히 고민함. 또, 심히 고민하
게 함. 살(殺)은 조사(助辭).
　●苦惱. 百八煩惱. 煩惱. 御惱. 懊惱. 憂惱. 痛
惱.

9
⑫ 〔㥛〕 극 ④職 紀力切 jí
[字解] ①경망할 극 경솔함. '一, 忢性也'《說文》.
②말더듬을 극 '讓一夌誖'《列子》. ③빠를 극
'一, 說文, 疾也'《集韻》. ④조심스러울 극 신중
한 모양. 차근차근한 모양. '一, 一曰, 謹重皃'
《說文》. ⑤사랑할 극 자애(慈愛)롭게 여겨 사랑
함. '一, 博雅, 愛也'《集韻》.
[字源] 篆文 (㥛) 形聲. ⺖(心)＋亟〔音〕. '亟극'은 '다
그치다'의 뜻. 마음이 조급하다, 분주
하다의 뜻을 나타냄.

9
⑫ 〔惲〕 운 ④吻 於粉切 yùn
[字解] ①혼후할 운 중후(重厚)함. ②꾀할 운 계
획함. ③성 운 성(姓)의 하나.
[字源] 篆文 (惲) 形聲. ⺖(心)＋軍〔音〕. '軍군'은 속에
싸안아 구별이 없다의 뜻. 마음이 두
텁다의 뜻을 나타냄.

9
⑫ 〔愇〕 위 ④尾 于鬼切 wěi
[字解] ①한할 위 원망함. '一, 恨也'《集韻》. ②알
을 위 깊지 않음. '一, 淺也'《廣雅》.
[字源] 籀의
籀文 (愇) 形聲. ⺖(心)＋韋〔音〕

9
⑫ 〔惴〕 췌(취)④ ㊸寘 之睡切 zhuì
[字解] 두려워할 췌 우구(憂懼)함. '一慄'. '一
恐'. '吾不一焉'《孟子》.
[字源] 篆文 (惴) 形聲. ⺖(心)＋耑〔音〕. '耑단·전'은 물
건이 갓 태어났을 때의 뜻. 첫 체험
때에 지니는 마음 설렘의 뜻을 나타냄.

[惴恐 췌공] 두려워함.
[惴㮆 췌연] 달팽이 같은 것이 굼틀굼틀 움직이는
모양.
[惴慄 췌율] 두려워하여 떪.
[惴縮 췌축] 두려워하여 움츠림.
[惴惴 췌췌] 근심하고 두려워하는 모양.
　●慉惴. 憂惴. 危惴. 沮惴.

9
⑫ 〔㥣〕 접 Ⓐ葉 徒協切 dié
[字解] 두려워할 접 위구(危懼)함. '一一'. '宮
房一息'《後漢書》
[字源] 形聲. ⺖(心)＋葉〔音〕

[㥣息 접식] 두려워하여 숨을 죽임.
[㥣㥣 접접] 두려워하는 모양. 위구(危懼)하는 모
양.

9
⑫ 〔惶〕 人 황 ㊸陽 胡光切 huáng
　名
[字解] 두려워할 황 몹시 공구하여 어찌할 줄 모
름. '一恐'. '蕭廣縱暴, 百姓一擾'《後漢書》.
[字源] 篆文 (惶) 形聲. ⺖(心)＋皇〔音〕. '皇황'은 '徨
皇'과 통하여, 침착하지 못하게 걷다
의 뜻. 마음이 동요하는 것, 두려워하다의 뜻을
나타냄.

[惶感 황감] 황송(惶悚)하여 감격함.
[惶怯 황겁] 두렵고 겁(怯)이 남.
[惶悸 황계] 두려워하여 가슴이 두근거림.
[惶恐 황공] 높은 자리에 눌리어 두려움.
[惶愧 황괴] 황송(惶悚)하고 부끄러움.
[惶懼 황구] 황공(惶恐)함.
[惶懍 황름] 황공(惶恐)함.
[惶迫 황박] 두려워하여 움츠림.　　　　「恐).
[惶悚 황송] 높은 자리에 눌리어 두려움. 황공(惶
[惶擾 황요] 두려워하여 들렘.
[惶惕 황척] 두려워하여 근심함.
[惶汗 황한] 대단히 두려워하여 식은땀을 냄.
[惶駭 황해] 두려워하며 놀람.
[惶惑 황혹] 두려워하여 마음의 의혹함.
[惶惶 황황] 심히 두려워하는 모양.
　●驚惶. 恐惶. 兢惶. 憂惶. 戰惶. 震惶. 慙惶.
　蒼惶. 駭惶.

9
⑫ 〔悺〕 〔광〕
　　 悺(心部 六畫〈p.777〉)의 本字

9
⑫ 〔惸〕 경 ㊸庚 渠營切 qióng
[字解] ①독신자 경 홀몸인 사람. 형제가 없는 사
람. '一嫠'. '哀此一獨'《詩經》. ②근심할 경 근
심하는 모양. '憂心一一'《詩經》.
[字源] 形聲. ⺖(心)＋子＋營〔省〕〔音〕. '營몽·경'은
눈이 어두워지다의 뜻. '營'의 아랫부분이
생략 변형하여, '旬순'이 되었다. 자식이 없기
때문에 마음이 어두워지다, 근심하다의 뜻을
나타냄.

[惸惸 경경] 근심하는 모양.
[惸獨 경독] 몸을 의지할 곳이 없는 사람. 홀몸인
사람. 독(獨)은 아들이 없는 사람.

[悇嫠 경리] 의지할 곳 없는 사람. 홀몸인 사람. 이 (嫠)는 과부 (寡婦).
[悇鰥 경환] 의지할 곳 없는 외로운 사람. 환 (鰥) 은 홀아비.

9/12 [悇] 획 ⒜陌 霍虢切 huò

字解 놀랄 획 놀라는 모양. '—, 心驚兒'《集韻》.

9/12 [惺] ⒫名 성 ⒬青 桑經切 xīng

筆順 忄 忄 忄 忄 忄 惺 惺 惺

字解 ①깨달을 성 개오 (開悟) 함. '敬是常——法'《上蔡語錄》. ②조용할 성 정적 (靜寂) 함.
字源 形聲. 忄 (心) + 星〔音〕.

[惺惺 성성] ㉠스스로 경계하여 깨달은 모양. ㉡ 앵무새 따위의 우는 소리.
[惺忪 성종] 움직이어 안정하지 못한 모양.

9/12 [惻] ⒫名 측 ⒜職 初力切 cè

字解 슬퍼할 측 비통함. '—隱'. '爲我心—'《易經》.
字源 形聲. 忄 (心) + 則〔音〕. '則칙'은 '잣대'의 뜻. 사람의 마음을 헤아려 동정하다, 슬퍼하다의 뜻을 나타냄.

[惻怛 측달] 몹시 슬퍼함.
[惻憫 측민] 가엾게 여겨 가슴 아파함.　「之心).
[惻心 측심] 측은 (惻隱) 한 마음. 측은지심 (惻隱
[惻然 측연] 가엾게 여겨 속을 태우는 모양. 측은 (惻隱) 하게 생각하는 모양.
[惻隱 측은] 가엾게 여겨 속을 태움.
[惻隱之心 측은지심] 가엾게 여기는 마음. 동정심
[惻切 측절] 대단히 슬퍼함.　　　└(同情心).
[惻愴 측창] 가엾고 슬픔.
[惻悽 측처] 측달 (惻怛).
[惻楚 측초] 슬퍼하고 괴로워함.
[惻惻 측측] 몹시 슬퍼하는 모양.
[惻痛 측통] 몹시 슬퍼함. 대단히 동정함.
　●懇惻. 款惻. 憫惻. 悲惻. 傷惻. 隱惻. 仁惻. 愴惻. 悽惻.

9/12 [惼] 편 ⒝銑 方典切 biǎn

字解 편협할 편 마음이 좁고 조급함. '有虛船來觸舟, 雖有—心之人不怒'《莊子》.
字源 形聲. 忄 (心) + 扁〔音〕. '扁편'은 한편으로 치우치다의 뜻.

[惼心 편심] 좁은 마음. 편협한 마음. 편심 (褊心).
[惼狹 편협] 마음이 좁음. 편협 (褊狹).

9/12 [愣] ⒣現 릉 lèng

字解 《現》①멍할 릉. ②무턱대고 릉.

9/12 [惛] 혼 ⒬元 呼昆切 hūn

字解 흐릴 혼, 어두울 혼 마음이 혼미함. 惽 (心部 八畫)과 同字. '吾—不能進於是矣'《孟子》.

[惛愚 혼우] 마음이 어두움. 어리석음.

9/12 [愀] 초 ⒝篠 七小切 qiǎo

字解 ①근심할 초 수심 (愁心)에 잠겨 안색이 달라지는 모양. '—然正襟危坐'《蘇軾》. ②발끈할 초 발끈 화를 내어 안색이 변하는 모양. '—然作色'《禮記》. ③삼갈 초 근신하는 모양. '聞其言者, —如也'《揚子法言》.
字源 形聲. 忄 (心) + 秋〔音〕.

[愀如 초여] 삼가는 모양. 근신하는 모양.
[愀然 초연] ㉠수심 (愁心)에 잠겨 안색이 달라지는 모양. ㉡발끈하여 안색이 변하는 모양.

9/12 [惆] ⒫名 우 ⒬虞 元俱切 yú

字解 기뻐할 우 '———憧憧'《說苑》.
字源 形聲. 忄 (心) + 禺〔音〕.

9/12 [愃] ⒫名 ⤷ 훤 ⒝阮 況晚切 xuān
　　　　　　　⤷ 선 ⒬先 須緣切 xuān

筆順 丷 忄 忄 忄 忄 愃 愃 愃

字解 ⤷ 너그러울 훤 마음이 넓은 모양. '赫兮—兮'《詩經》. ⤷ 쾌할 선 '—, 吳人語, 快'《廣韻》.
字源 形聲. 忄 (心) + 宣〔音〕. '宣선'은 '널리 미치다'의 뜻. 마음이 편안해지고 넓다의 뜻.

9/12 [惼] ⒫名 서 ⒬魚 相居切 xū

筆順 丷 忄 忄 忄 忄 惼 惼 惼

字解 지혜 서 '—, 知也'《說文》.

9/12 [square] 격 ⒜陌 各核切 gé

字解 꾸밀 격, 삼갈 격, 변할 격 諽 (言部 九畫)과 同字. '—詭喝㥮'《荀子》.

9/12 [愉] ⒫名 ⤷ 유 ⒬虞 羊朱切 yú
　　　　　　　⤷ 투 ⒬尤 他侯切 tōu

筆順 丷 忄 忄 忄 忄 愉 愉 愉

字解 ⤷ 기뻐할 유 즐거워함. '—悅'. '有和氣者, 必有—色'《禮記》. ⤷ 구차할 투 偸 (人部 九畫)와 同字. '以俗敎安, 則民不—'《周禮》.
字源 形聲. 忄 (心) + 兪〔音〕. '兪유'는 '빼내다'의 뜻. 불쾌한 마음을 빼내어 즐겁다는 뜻을 나타냄.

[愉樂 유락] 기뻐하며 즐거워함.
[愉色 유색] 유쾌 (愉快) 한 얼굴빛.
[愉色婉容 유색완용] 화열 (和悅) 한 얼굴빛.
[愉心 유심] 마음을 기쁘게 함.
[愉悅 유열] 유쾌하고 기쁨.

[愉愉 유유] 즐거워하는 모양. 기뻐하는 모양.
[愉逸 유일] 안락함.
[愉絶快絶 유절쾌절] 더할 나위 없이 유쾌함.
[愉快 유쾌] 마음이 상쾌하고 즐거움.
[愉歡 유환] 유락(愉樂).
◉寬愉. 恂愉. 恬愉. 婉愉. 怡愉. 歡愉. 和愉. 煦愉. 欣愉.

9 ⑫ [愉] 愉(前條)와 同字

9 ⑫ [愊] [一] 픽 [入]職 芳逼切 bì [二] 핍 [入]緝

[字解] [一] 정성 픽 성의. '發憤悃一'《漢書》. [二] 답답할 핍 마음이 울결하여 답답함. '一抑'. '一憶誰訴'《李華》.
[字源] 篆文 形聲. 忄(心)+畐〔音〕. '畐벽'은 '가득 차다'의 뜻.

[愊抑 핍억] 슬픔이 가슴에 울결하여 답답함.
[愊億 핍억] 성낸 모양. 분노한 모양.
[愊憶 핍억] 가슴이 답답함.
[愊愊 핍핍] 가슴이 답답한 모양. 우울한 모양.
◉悃愊. 悃愊.

9 ⑫ [愒] [一] 게 [去]霽 去例切 qì [二] 개 [去]泰 苦蓋切 kài [三] 할 [入]曷 許葛切 hè

[字解] [一] 쉴 게 휴식함. '汔可小一'《詩經》. [二] ①탐낼 개 탐(貪)함. '忨一'. '忨歲而一日'《左傳》. ②서두를 개 급히 굶. '不及時而葬曰一'《公羊傳》. [三] 으를 할 공갈함. '恐一諸侯'《史記》.
[字源] 篆文 形聲. 忄(心)+曷〔音〕. '曷갈'은 '割할'과 통하여, '중단하다'의 뜻. 일을 중단하다, 쉬다의 뜻을 나타냄.

◉恐愒. 忨愒.

9 ⑫ [愓] [一] 탕 [上]養 徒朗切 dàng [二] 상 [入]陽 尸羊切 shāng

[字解] [一] 방자할 탕 방약무인함. '一悍憍暴'《荀子》. [二] 빠를 상 자세를 바르게 하고 빨리 가는 모양. '行容一一'《禮記》.
[字源] 篆文 形聲. 忄(心)+昜〔音〕. '昜양'은 '해가 뜨다'의 뜻. 마음이 들떠서 멋대로 거동하다의 뜻을 나타냄.

[愓悍 탕한] 방자하고 거칢.

9 ⑫ [愎] [人名] 퍅 [入]職 符逼切 bì

[字解] 괙할 퍅 성질이 강퍅함. '一戾'. '一諫違卜'《左傳》.
[字源] 形聲. 忄(心)+复〔音〕. '复'은 '되돌아가다'의 뜻. 남의 말에 따르지 않고 제 꺾질로 되돌아가다, 엇나가다, 고집을 부리다의 뜻을 나타냄.

[愎戾 퍅려] 성질(性質)이 괴팍함. 패려(悖戾).
◉剛愎. 乖愎. 矜愎. 頑愎. 專愎. 貪愎.

9 ⑫ [愔] [人名] 음 [平]侵 挹淫切 yīn

[字解] ①조용할 음 침묵을 지킴. '一一度日'《唐書》. ②화평할 음 안화(安和)함. '祈招之一一, 式昭德音'《左傳》.
[字源] 形聲. 忄(心)+音〔音〕

[愔愔 음음] ㉠화평한 모양. ㉡조용한 모양. 침묵을 지키는 모양.

9 ⑫ [愕] [人名] 악 [入]藥 五各切 è

[字解] 놀랄 악 깜짝 놀람. '驚一'. '群臣皆一'《史記》.
[字源] 形聲. 忄(心)+咢〔音〕. '咢악'은 예상이 어긋나서 놀라다의 뜻. '心심'을 붙여 놀라다를 뜻함.

[愕立 악립] 깜짝 놀라 일어섬.
[愕視 악시] 깜짝 놀라 서로 바라봄.
[愕愕 악악] 기탄(忌憚)없이 바른말을 하는 모양.
[愕然 악연] 몹시 놀라는 모양.
[愕眙 악치] 놀라서 눈을 둥그렇게 뜨고 봄.
◉驚愕. 怪愕. 哀愕. 惋愕. 卒愕. 嗟愕. 錯愕. 駭愕.

9 ⑫ [愖] 심 ①[平]侵 氏任切 chén ②[去]沁 火禁切 xìn

[字解] ①정성 심 忱(心部 四畫)과 뜻이 같음. ②머뭇거릴 심 주저함. '意斟一而不澹'《後漢書》.
[字源] 形聲. 忄(心)+甚〔音〕

9 ⑫ [像] [一] 해 [平]佳 戶佳切 xié [二] 휴 [平]齊 玄圭切

[字解] [一] ①한할 해 원망함. '一, 恨也, 怨也'《玉篇》. ②성낼 해 '一, 恚也'《玉篇》. ③마음편치않을 해 '一, 心不平'《廣韻》. [二] 마음편치않을 휴 [一] ❸과 뜻이 같음.
[字源] 形聲. 忄(心)+象〔音〕

9 ⑫ [愜] 협(겹[本]) [入]葉 苦協切 qiè

[字解] ①쾌할 협 상쾌함. '意殊不一'《宋書》. ②만족할 협 뜻에 참. '一心'. '天下人民, 未有一志'《漢書》. ③맞을 협 마음에 듦. '深一物議'《宋史》.
[字源] 篆文 形聲. 忄(心)+匧〔音〕. '匧협'은 '상자'의 뜻. 정연하게 채워진 상자처럼, 마음속이 충만되어서 기분이 좋다의 뜻을 나타냄.
[參考] 㥦(心部 九畫)은 本字.

[愜當 협당] 맞음. 합당함.
[愜心 협심] 만족함. 뜻에 참.
[愜意 협의] 뜻에 맞음.
[愜志 협지] 만족(滿足)한 생각.
◉甘愜. 勝愜. 遊愜. 快愜. 和愜. 歡愜.

9 ⑫ [愞] [一] 연 [上]銑 而袞切 ruǎn [二] 나 [去]箇 乃臥切 nuò

[字解] [一] 여릴 연 '蘇威怯一'《北史》. [二] 여릴 나.
[字源] 篆文 形聲. 忄(心)+耎〔音〕. '耎'은 '유약하다'의 뜻. 마음이 여리다의 뜻을

字解 ■①앙심먹을 겸 불만을 품고 절치(切齒)함. '一怨'. '吾何一乎哉'《孟子》. ②찐덥지않을 겸 마음에 차지 아니함. '一一道相思'《沈約》. ③마음에맞을 겸 '行有一於心'《孟子》. ④정성 겸 성의. '誠一'. '重陳丹一'《白居易》. ■ 족할 협 만족함. '盡去而後一'《莊子》. ■ 혐의 혐 嫌(女部 十畫)과 同字. '得避一之便'《漢書》.
字源 篆文 𢜺 形聲. 忄(心)+兼〔音〕. '兼겸'은 '겸하다'의 뜻. 마음이 두 가지 일에 걸쳐서, 한 가지 일에 만족하지 않다, 흡족하지 않다의 뜻을 나타냄.

[慊慊 겸겸] ㉠찐덥지 않은 모양. 마음에 차지 않음. ㉡근심하는 모양.
[慊吝 겸린] 아낌.
[慊焉 겸언] 마음에 맞는 모양. 만족한 모양.
[慊如 겸여] 마음에 차지 않는 모양. 찐덥지 않은
[慊然 겸연] 마음에 차지 않는 모양. 　　　[모양.
●丹慊. 誠慊. 自慊.

10
⑬ [慌] 人名 황 ①上養 呼晃切 huǎng
②㊹陽 呼光切 huāng
字解 ①황홀할 황 멍함. 恍(心部 八畫)과 同字. ②허겁지겁할 황 몹시 바빠서 어찌할 바를 모름. '一忙'.
字源 形聲. 忄(心)+荒〔音〕. '荒황'은 '亡망'과 통하여, '없애다'의 뜻. 마음속에 아무것도 없다, 멍하다의 뜻을 나타냄.

[慌忙 황망] 바빠서 허겁지겁하여 어찌할 줄을 모
[慌閔 황망] 어두운 모양. 　　　　　　　　[름.
[慌惘 황망] 어두운 모양. 또는 뜻을 잃은 모양.
[慌悴 황췌] 허겁지겁하며 근심함.
[慌惚 황홀] '황홀(恍惚)'과 같음.
●怳慌.

10
⑬ [慌] 慌(前條)의 本字

10
⑬ [慨] 〔개〕
慨(心部 十一畫〈p.813〉)의 俗字

10
⑬ [愵] 人名 명 ①㊀梗 母井切 mǐng
字解 생각이다함없을 명 마음 쓸쓸이가 심원함. '一然有志於古之作者'《曾國藩·鄧湘皐先生墓表》.

10
⑬ [愶] 골 ㊈月 古忽切 gǔ
字解 심란할 골 마음이 산란함. '心結一兮傷肝'《漢書》.

10
⑬ [憴] 협 ㊈葉 虛業切 xié
字解 으를 협 위협함. '劫一使者'《魏志》.
字源 形聲. 忄(心)+脅〔音〕.
●劫憴.

10
⑬ [愵] 초 ㊀巧 楚絞切 zhòu

10
⑬ [愵] 人名 황 ①㊁漾 胡曠切 huàng
②㊂養 戶廣切 huǎng
字解 ①밝을 황 훤함. ②들뜰 황 마음이 들뜸. '一懹'.
字源 形聲. 忄(心)+晃〔音〕. '晃황'은 '밝다'의 뜻.

[愵懹 황양] 마음이 들뜸.

10
⑬ [愿] 닉 ㊈錫 奴歷切 nì
字解 근심할 닉 우려함. '久一兮怲怲'《元結》.
字源 篆文 𢥞 形聲. 忄(心)+弱〔音〕. '弱약'은 '溺닉'과 통하여, '가라앉다'의 뜻을 나타냄.

10
⑭ [愿] 愵(前條)과 同字

10
⑬ [悃] 〔혼〕
悃(心部 十畫〈p.803〉)과 同字

10
⑬ [恃] 〔태〕
怠(心部 四畫〈p.764〉)와 同字

11
⑮ [慶] 中人 ■ 경 ㊃敬 丘敬切 qìng
강 ㊹陽 墟羊切 qiāng　庆 䢼
筆順 广 广 庐 庐 庐 廎 慶 慶

字解 ■①경사 경 축하할 만한 일. '一弔'. '賀一之禮'《周禮》. ②상 경 상사(賞賜). '一賞'. '行一施惠'《禮記》. ③선행 경 착한 행위. '一人有一'《書經》. ④복 경 행복. '餘一'. '孝孫大有一'《詩經》. ⑤하례할 경 경사를 축하함. '一其喜而弔其憂'《國語》. ⑥성 경 성(姓)의 하나. ■어조사 강 발어사(發語辭). '一一忭而喪榮'《揚雄》.
字源 金文 𢡆 篆文 慶 會意. 廌+心+夊. '廌천'은 소와 비슷한 일각수(一角獸)의 상형으로, 옛날에 피의자에게 만지게 하여 재판의 판결에 이용했음. 그것을 조금 생략한 것임. '心심'은 승소(勝訴)했을 때의 장식의 상형으로, 金文에서는 '文문'으로 쓰일 때도 있음. '夊쇠'는 '가다'의 뜻. 남의 기쁨을 축하하러 가는 모양에서, '기뻐하다'의 뜻을 나타냄.

[慶科 경과] 《韓》 나라에 경사가 있을 때에 행하던 과거.
[慶忌 경기] 수중(水中)의 괴물(怪物).
[慶曆黨議 경력당의] 송(宋)나라 인종(仁宗)의 경력 연간(慶曆年間)에 일어난 조신간(朝臣間)의 붕당(朋黨)의 쟁의(爭議).
[慶禮 경례] 경사의 예식(禮式).
[慶賴 경뢰] 기뻐하여 의뢰함.
[慶抃 경변] 손뼉을 치며 기뻐함.
[慶福 경복] 경사스러운 복.
[慶事 경사] 경축(慶祝)할 만한 일. 즐거운 일. 기쁜 일.
[慶賜 경사] 상사(賞賜). 경상(慶賞).
[慶賞 경상] 상(賞). 상사(賞賜).

[慶瑞 경서] 경사스러운 일의 조짐. 상서(祥瑞). 경조(慶兆).
[慶善 경선] 경희(慶喜).
[慶壽 경수] 생일잔치. 특히, 예순 살, 일흔 살, 여든 살의 생일잔치.
[慶唁 경언] 경조(慶弔).
[慶宴 경연] 경사스러운 잔치.
[慶筵 경연] 경사스러운 잔치를 벌인 자리.
[慶煙 경연] 상서로운 안개.
[慶雲 경운] 상서로운 구름. 일설(一說)에는, 오색(五色)의 운기(雲氣).
[慶宥 경유] 나라에 경사가 있을 때 죄수를 사면함.
[慶日 경일] 경사가 있는 날. 경사스러운 날.
[慶者在堂弔者在閭 경자재당조자재려] 경사스러운 일을 치하(致賀)하는 사람이 집안에 있는데, 그때 이미 슬픈 일을 위문(慰問)하러 오는 사람이 동네 문 앞에 있다는 뜻으로, 행복의 이면에는 재화(災禍)가 따르는 법이므로, 비록 복이 많아 부귀를 누릴지라도 항상 조심하여야 한다는 말.
[慶節 경절] 경축하는 날.
[慶弔 경조] 결혼·출생 등의 경사스러운 일과 장사 등의 불행한 일.
[慶兆 경조] 경사스러운 일의 조짐. 경서(慶瑞).
[慶祚 경조] 경복(慶福).
[慶弔相問 경조상문] 경사를 서로 축하하고 흉사(凶事)를 서로 위문함.
[慶讚 경찬] 《佛敎》 불상(佛像)·사탑(寺塔) 등의 준공(竣功)을 경축하는 불사(佛事).
[慶祝 경축] 경사를 축하함.
[慶賀 경하] 경사를 치하(致賀)함.
[慶幸 경행] 경사스러운 일. 행복. 복.
[慶喜 경희] 경사스러운 일. 기쁜 일.
◉嘉慶. 具慶. 國慶. 吉慶. 大慶. 同慶. 福慶. 祥慶. 瑞慶. 殃慶. 御慶. 餘慶. 恩慶. 積慶. 積善餘慶. 祚慶. 天慶. 祝慶. 表慶. 賀慶. 遐慶. 幸慶. 休慶.

11 ⑮ [憂] 中·人 우 ㊥尤 於求切 yōu 忧 

筆順 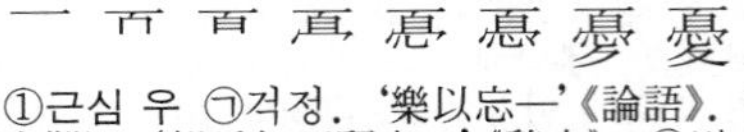

字解 ①근심 우 ㉠걱정. '樂以忘—'《論語》. ㉡환난(患難). '朝廷無西顧之—'《魏志》. ②병 우 질병(疾病). '某有負薪之—'《禮記》. '某有采薪之—'《孟子》. ③친상 우 부모의 상(喪). '丁—'. '王宅—'《書經》. ④근심할 우 걱정함. '仁者不—'《論語》. ⑤앓을 우 병을 앓음. '文王在胎, 母不—'《國語》. ⑥고생할 우 궁하여 괴로워함. '小人道—也'《易經》. ⑦가엾게여길 우 불쌍히 여김. '民有厄喪教相—恤也'《周禮 疏》. ⑧성 우 성(姓)의 하나.

字源 金文 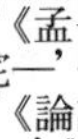 篆文 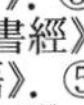 形聲. 夊+㥑〔音〕. '㥑우'는 '걱정하다'의 뜻. '夊쇠'를 붙여도 같은 뜻. 또, '優우'와 통하여, '우아하게 가다'의 뜻을 나타냈으나, '㥑'의 본래의 뜻인 '근심하다'의 뜻을 나타내고, '㥑' 자 대신 쓰이게 됨.

[憂慨 우개] 근심하고 개탄함.
[憂結 우결] 우울(憂鬱).
[憂耿 우경] 근심. 걱정.
[憂悸 우계] 우구(憂懼).
[憂苦 우고] 근심하고 괴로워함.
[憂恐 우공] 우구(憂懼).
[憂愧 우괴] 근심하고 부끄러워함.
[憂咎 우구] 근심. 우환(憂患).
[憂懼 우구] 근심하고 두려워함.
[憂國 우국] 나랏일을 근심함.
[憂憒 우궤] 근심하여 마음이 산란함.
[憂勤 우근] 우고(憂苦).
[憂念 우념] 근심하는 생각.
[憂惱 우뇌] 근심하여 고민함.
[憂端 우단] 근심의 실마리.
[憂道不憂貧 우도불우빈] 덕(德)이 닦아지지 아니함을 근심하고 집안이 가난함을 근심하지 아니함.
[憂樂 우락] 근심과 즐거움.
[憂慮 우려] 걱정함. 근심함.
[憂勞 우로] 근심하며 애씀.
[憂滿 우만] 우만(憂懣).
[憂懣 우만] 근심하여 번민함.
[憂民 우민] 백성의 신상을 근심함.
[憂悶 우민] 근심하여 번민함.
[憂病 우병] 근심함. 또는 병들어 괴로워함.
[憂憤 우분] 근심하며 분하게 여김.
[憂憊 우비] 근심하여 노곤함.
[憂思 우사] 우심(憂心).
[憂傷 우상] 근심하여 마음 아파함.
[憂色 우색] 근심하는 기색(氣色). 걱정하는 빛.
[憂懾 우섭] 우구(憂懼).
[憂世 우세] 세상일을 근심함.
[憂囚 우수] 근심에 쌓인 사람. 수심에 잠긴 사람.
[憂愁 우수] 근심.
[憂愁思慮 우수사려] 근심과 염려.
[憂時 우시] 시세(時世)를 근심함.
[憂心 우심] 근심하는 마음.
[憂顔 우안] 근심하는 얼굴. 수심에 잠긴 얼굴.
[憂恚 우에] 근심하고 성냄.
[憂慍 우온] 근심하며 발끈 화를 냄.
[憂畏 우외] 우구(憂懼).
[憂擾 우요] 근심하여 떠듦.
[憂虞 우우] 근심하여 조심함. 일설(一說)에는, 근심과 즐거움.
[憂鬱 우울] 마음이 상쾌(爽快)하지 않고 답답함.
[憂危 우위] 근심하며 위태롭게 여김.
[憂悒 우읍] 우울(憂鬱).
[憂慘 우참] 우상(憂傷).
[憂惕 우척] 우구(憂懼).
[憂戚 우척] 우척(憂慼).
[憂慼 우척] 근심하고 슬퍼함.
[憂惙 우철] 근심. 또, 근심함.
[憂焦 우초] 근심하여 초조함.
[憂悴 우췌] 근심함. 췌(悴)는 우(憂).
[憂惴 우췌] 우구(憂懼).
[憂憚 우탄] 근심하고 꺼림.
[憂歎 우탄] 근심하여 한탄함.
[憂怖 우포] 근심하고 두려워함.
[憂恨 우한] 근심하고 원망함.
[憂患 우환] ㉠근심. 걱정. ㉡질병(疾病).
[憂惶 우황] 우구(憂懼).
[憂懷 우회] 근심하는 마음. 우심(憂心).
[憂恤 우휼] ㉠조심함. 걱정함. ㉡가엾게 여김. 딱하게 생각함.
[憂喜 우희] 조심과 기쁨.
[憂噫 우희] 우탄(憂歎).

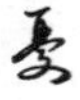

●近憂. 杞憂. 杞人憂. 內憂. 大憂. 同憂. 忘憂.
百憂. 煩憂. 負薪之憂. 先憂. 蕭牆之憂. 深憂.
外憂. 振憂. 殷憂. 一喜一憂. 積憂. 丁
憂. 振憂. 軫憂. 采薪之憂. 後顧憂. 後憂. 喜
憂.

[慝名 특명] 이름을 숨김. 익명(匿名).
[慝邪 특사] 간사(奸邪)함.
[慝惡 특악] 사악(邪惡)함.
●姦慝. 蠱慝. 狡慝. 咎慝. 淑慝. 穢慝. 妖慝.
怨慝. 隱慝. 淫慝. 讒慝. 荒慝. 回慝. 凶慝.

---

11 ⑮ [慙] 高人 참 ㉻覃 昨甘切 cán

[筆順] 一 亘 車 車 斬 斬 斬 慙

[字解] ①부끄러워할 참 양심에 가책을 느껴 남을 대할 면목이 없음. '一愧'. '吾甚一於孟子'《孟子》. ②부끄러움 참 수치. '必知其懷一'《韓愈》.

[字源] 形聲. 心+斬[音]. '斬참'은 '베다'의 뜻. 마음이 베어지는 듯한 느낌. 부끄러워하다의 뜻을 나타냄.

[參考] 慚(心部 十一畫)은 同字.

[慙慨 참개] 부끄러워하며 개탄함.
[慙悸 참계] 참구(慙懼).
[慙愧 참괴] 부끄러워함.
[慙懼 참구] 부끄러워하고 두려워함.
[慙忸 참뉵] 부끄러워함.
[慙德 참덕] 덕이 미치지 못하는 것을 부끄러워함.
[慙伏 참복] 부끄러워하며 머리를 숙임.
[慙服 참복] 자기가 미치지 못함을 부끄러워하며 복종함.
[慙忿 참분] 참분(慙憤).　　　　　　　　　　「忿」.
[慙憤 참분] 부끄러워하며 분하게 여김. 참분(慙忿).
[慙死 참사] ㉠부끄러워한 나머지 죽음. ㉡몹시 부끄러워 죽을 지경임.
[慙謝 참사] 부끄러워하며 사죄함.
[慙色 참색] 부끄러워하는 기색.
[慙悚 참송] 참구(慙懼).
[慙羞 참수] 참괴(慙愧).
[慙恚 참에] 참분(慙憤).
[慙怍 참작] 부끄러워함.
[慙沮 참저] 부끄러워하며 기가 꺾임.
[慙赧 참전] 부끄러워 얼굴을 붉힘. 부끄러워함.
[慙惕 참척] 참구(慙懼).
[慙恥 참치] 부끄러워함. 또, 부끄러움.
[慙痛 참통] 부끄러워하며 몹시 슬퍼함.
[慙恨 참한] 부끄러워하며 원한을 품음.
[慙悔 참회] 부끄러워하며 뉘우침.
●感慙. 愧慙. 就慙. 無慙. 悚慙. 羞慙. 靦慙.

11 ⑮ [慝] 人名 특 ㉿職 他德切 tè

[字解] ①악할 특 불선(不善)함. '凶一'. 또, 악한 일. '崇德脩一'《論語》. 또, 악한 자. 악인. '民無一'《管子》. ②간사할 특 사곡(邪曲)함. '之死矢靡一'《詩經》. ③더러울 특 '穢一'. '禮一而樂淫'《禮記》. ④음(陰)한기운 특 해독이 되는 나쁜 기운. '道地一'《周禮》. ⑤재앙 특 재해. '妖一'. '亦罹咎一'《漢書》. ⑥사투리 특 방언. '掌道方一'《周禮》. ⑦숨길 특, 숨길 특 '一名'. '以大惑'《荀子》.

[字源] 形聲. 心+匿[音]. '匿닉'은 '숨다'의 뜻. 숨어 있는 몹쓸 일의 뜻을 나타냄.

[慝姦 특간] 특사(慝邪).
[慝禮 특례] 나쁜 의례(儀禮).

---

11 ⑮ [愾] 一 애 ㉿隊 烏代切 ài 　　二 기 ㉻未 許旣切 xì

[字解] 一 愒(心部 四畫)의 古字. 二 숨기 쉴 기 호흡. 또, 휴식함. '一, 息也'《廣韻》.

11 ⑮ [慧] 高人 혜 ㉻霽 胡桂切 huì

[筆順] ⼘ 丰 彗 彗 彗 彗 彗 慧

[字解] ①슬기로울 혜 총명함. '聰一質仁'《國語》. ②슬기 혜 '智一'. '周子有兄, 而無一'《左傳》.

[字源] 形聲. 心+彗[音]. '彗혜'는 '儇현'과 통하여, 재지(才智)의 회전이 빠르다의 뜻. '슬기롭다'의 뜻을 나타냄.

[慧劍 혜검] 《佛敎》지혜(智慧)가 모든 번뇌(煩惱)의 굴레를 끊는 것을 날카로운 칼에 비유한 말.
[慧觀五敎 혜관오교] 《佛敎》석가(釋迦) 일대(一代)의 교(敎)의 분류법의 하나. 곧, 유상교(有相敎)·무상교(無相敎)·억양교(抑揚敎)·동귀교(同歸敎)·상주교(常住敎). 혜관(慧觀)은 이 분류법의 창설자(創設者).
[慧竇 혜두] 지혜가 나오는 구멍.
[慧力 혜력] 《佛敎》오대력(五大力)의 하나. 지혜의 힘.
[慧命 혜명] 《佛敎》지혜(智慧).
[慧敏 혜민] 슬기가 있고 민첩함.
[慧性 혜성] 민첩하고 총명(聰明)한 성질(性質).
[慧聖 혜성] 뛰어나게 슬기로움. 또, 그 사람.
[慧眼 혜안] ㉠사물(事物)을 명찰(明察)하는 눈. 예민한 안식(眼識). ㉡《佛敎》오안(五眼)의 하나. 진리(眞理)를 통찰(洞察)하는 안식.
[慧叡 혜예] 슬기가 깊음.
[慧悟 혜오] 혜민(慧敏).
[慧遠 혜원] ㉠진(晉)나라의 고승(高僧). 육경(六經) 및 노장(老莊)의 학(學)에 통달하였으며, 태원(太元) 연간(年間)에 여산(廬山)에 동림사(東林寺)를 세우고, 혜영(慧永)·종병(宗炳) 등과 함께 백련사(白蓮社)를 결사(結社)하였음. 저서에 《광산집(匡山集)》이 있음. ㉡수(隋)나라의 고승(高僧). 속성(俗姓)은 이씨(李氏). 북주(北周)가 불교를 폐(廢)할 때에는 목숨을 걸고 항거하였으며, 수(隋)나라의 통일 후에는 정영사(淨影寺)에서 강연(講演)하였음. 그의 사상은 화엄종(華嚴宗) 성립에 많은 영향을 미쳤으며, 《대승의장(大乘義章)》·〈십지경론의기(十地經論議記)〉등의 저서가 있음.
[慧日 혜일] 불보살(佛菩薩)의 지혜를 이름.
[慧鳥 혜조] 앵무새의 이칭(異稱).
[慧智 혜지] 총명한 슬기.
[慧解 혜해] ㉠총명하여 사리를 잘 해득함. ㉡혜민(慧敏).
[慧黠 혜할] 약음. 교활(狡滑)함.
●警慧. 巧慧. 德慧. 明慧. 敏慧. 辯慧. 不慧. 小慧. 秀慧. 俊慧. 佞慧. 穎慧. 了慧. 俊慧. 智慧. 聰慧. 黠慧.

11 ⑮ [慫] [人名] 종 [上]腫 息拱切 sǒng

[字解] ①놀랄 종 경악함. '怵悼慄而一兢'《張衡》. ②종용할 종 권함. '一慂'.
[字源] 篆文 形聲. 心+從〔音〕. '從종'은 '束속'과 통하여, '켕기다'의 뜻. 마음이 바짝 켕기다, 놀라다의 뜻을 나타냄.

[慫兢 종긍] 놀라 떪. 경악하여 전전긍긍함.
[慫慂 종용] 권함.

11 ⑮ [慮] [高·人] [一] 려 [去]御 良倨切 lǜ
[二] 록 音祿 lù

[筆順] ⺊ 卢 广 庐 虍 虐 慮 慮

[字解] [一] ①생각할 려 사려함. '考一'. '一而后能得'《大學》. ②걱정할 려 근심함. '念一'. '君臣疑一'《後漢書》. ③꾀할 려 모책을 세움. '子爲寡人一之'《戰國策》. ④생각 려 사유(思惟). '遠一'. '困於心, 衡於一'《孟子》. ⑤근심 려 걱정. 우환. '省國家之邊一'《後漢書》. ⑥의심 려 의려(疑慮). 의혹. '決狐疑之一'《晉書》. ⑦꾀 려 모책. '出謀發一'《禮記》. ⑧기 려 '一無'는 척후(斥候)가 들고 다니는 기(旗). '前茅一無'《左傳》. ⑨성 려 성(姓)의 하나. [二] 사실할 록 조사함. 錄(金部 八畫)과 同字. '凡繫囚五日一一'《左傳》.
[字源] 篆文 形聲. 心+盧(虜)〔音〕. '盧로'는 '빙 돌리다'의 뜻. 마음을 돌리다, 깊이 생각하다의 뜻을 나타냄.

[慮無 여무] 군대에서 앞서 가는 척후(斥候)가 신호로 들고 다니는 기. 기마(騎馬)의 적(賊)이 오는 것을 볼 때는 적기(赤旗)를, 도보의 적이 오는 것을 볼 때에는 백기(白旗)를 들었음.
[慮外 여외] 뜻밖. 의외(意外).
◉計慮. 考慮. 苦慮. 顧慮. 貴慮. 短慮. 大慮. 亡慮. 謀慮. 無慮. 防慮. 配慮. 凡慮. 不慮. 思慮. 聖慮. 熟慮. 識慮. 神慮. 宸慮. 心慮. 深慮. 深謀遠慮. 淵慮. 念慮. 叡慮. 憂慮. 遠慮. 尊慮. 衆慮. 志慮. 知慮. 策慮. 千慮. 淺慮. 焦慮. 憔慮. 賢慮. 惠慮.

11 ⑮ [慰] [高·人] 위 [去]未 於胃切 wèi

[筆順] 尸 尸 屖 屋 尉 尉 慰 慰

[字解] ①위로할 위 남의 근심을 풂. '一問'. '有子七人, 莫一母心'《詩經》. ②위안할 위 마음을 즐겁게 함. 자기의 근심을 풂. '以一我心'《詩經》. ③위로 위 '數召見, 加招一'《後漢書》. ④위안 위 마음을 편하게 하고 즐겁게 하는 일. '伊余雖寡一'《謝強》.
[字源] 篆文 形聲. 心+尉(叞)〔音〕. '叞위'는 '다리미'의 뜻. 마음을 따뜻하게 하여 펴다의 뜻에서, '위로하다'의 뜻을 나타냄.

[慰答 위답] 위로하여 보답(報答)함.
[慰勵 위려] 위로하고 격려함.
[慰靈祭 위령제] 죽은 사람의 혼령(魂靈)을 위로하는 제사.
[慰勞 위로] ㉠수고를 치사(致謝)하여 마음을 즐겁게 함. ㉡괴로움이나 슬픔을 잊게 함.
[慰勉 위면] 위려(慰勵).
[慰撫 위무] 위로하고 어루만짐.
[慰問 위문] 위로하기 위하여 방문함. 찾아가서 위로함.
[慰愍 위민] 위로하고 가엾게 여김.
[慰拊 위부] 위무(慰撫).
[慰譬 위비] 위유(慰諭).
[慰釋 위석] 위로하여 근심을 풀어 줌.
[慰安 위안] 위로하여 마음을 편안하게 함.
[慰唁 위언] 조상(弔喪)하러 가서 위로함. 또, 그 말.
[慰悅 위열] 위로하여 기쁘게 함.
[慰喩 위유] 위유(慰諭).
[慰諭 위유] 위로하여 타이르거나 달램.
[慰藉 위자] 위로하여 도와줌. 위로함.
[慰狀 위장] 위문(慰問)하는 편지.
[慰誨 위회] 위로하며 가르침. 친절한 말로 타이름.
[慰懷 위회] 마음을 위로함.
[慰曉 위효] 위로하며 깨우침.
[慰恤 위휼] 위로하고 구휼(救恤)함.
◉勞慰. 撫慰. 悶慰. 訪慰. 賞慰. 綏慰. 安慰. 娛慰. 恩慰. 自慰. 弔慰. 存慰. 鎭慰. 招慰. 褒慰. 曉慰.

11 ⑮ [慸] 채 [去]卦 丑犗切 dì

[字解] 가시 채 '一芥'는 가시. 전(轉)하여, 장애(障礙), 또는 마음에 걸리는 일 등의 비유로 쓰임. '細故一芥'《賈誼》.
[字源] 篆文 形聲. 心+帶〔音〕. '帶대'는 '滯체'와 통하여, 막히어 쭉쭉 뻗지 않다의 뜻. 마음이 피곤하다의 뜻을 나타냄.
[參考] 懘(心部 十一畫)는 同字.

[慸芥 채개] 자해(字解)를 보라.

11 ⑮ [慹] [一] 접 [入]葉 之涉切 zhé
[二] 집 [入]緝 之入切 zhí

[字解] [一] 꼼짝않을 접 움직이지 아니하는 모양. '一然似非人'《莊子》. [二] 두려워할 집 외구(畏懼)함. '豪強一服'《漢書》.
[字源] 篆文 形聲. 心+執〔音〕. '執집'은 잡고 으르다의 뜻. 속으로 두려워하는 것.

[慹然 접연] 꼼짝하지 않는 모양.
[慹服 집복] 두려워하여 복종함.

11 ⑮ [慼] 척 [入]錫 倉歷切 qī

[字解] 근심할 척, 근심 척 걱정함. 걱정. 戚(戈部 七畫)과 통용. '憂一'. '衆一'《書經》.
[字源] 篆文 形聲. 心+戚〔音〕. '戚척'은 '걱정하다'의 뜻. '戚'이 여러 뜻을 나타내게 되었기 때문에, '心심'을 덧붙였음.
[參考] 慽(心部 十一畫)은 同字.

[慼憂 척우] 근심함. 또, 근심.
◉感慼. 鼓盆慼. 愁慼. 哀慼. 憂慼. 懷慼. 休慼.

11 ⑮ [慾] [高·人] 욕 [入]沃 余蜀切 yù

[筆順] 八 父 公 谷 谷 欲 慾 慾

[字解] 탐낼 욕, 욕심 욕 탐함. 또, 그 마음. '嗜—'. '貪—'.
[字源] 形聲. 心+欲〔音〕. '欲욕'은 '바라다'의 뜻. 바라는 마음의 뜻을 나타냄.
[參考] 예로부터 欲(欠部 七畫)과 통하여 쓰이었음.

[慾念 욕념] 탐내는 마음. 욕심(慾心).
[慾望 욕망] 무엇을 하거나 가지고자 함. 또, 그 마음. 부족을 느껴 그것을 채우고자 함. 또, 그 마음.
[慾心 욕심] ㉠탐내는 마음. ㉡애욕(愛慾)의 마음. 색정(色情).
[慾情 욕정] ㉠충동으로 일어나는 욕심. ㉡애욕(愛慾)의 욕심. 색정(色情). 정욕(情慾).
[慾火 욕화] 불 같은 욕심.
◉寡慾. 嗜慾. 多慾. 大慾. 無慾. 色慾. 省慾. 食慾. 淫慾. 情慾. 貪慾. 閉慾.

11 ⑭ [慪] [人名] [一] 우 [平]尤 烏侯切 ōu
[二] 구 [平]尤 口侯切

[字解] [一] ①아낄 우 인색함. '—, 悋也. 惜也'《玉篇》. ②성낼 우 격(激)함. '不是—老哥哥'《兒女英雄傳》. ※'우' 음은 인명자로 쓰임. [二] 아낄 구, 성낼 구 [一]과 뜻이 같음.

11 ⑮ [憃] [一] 창 [平]江 丑江切 chōng
[二] 송 [平]冬 書容切 chōng

[字解] [一] 천치 창 선천적으로 바보임. 또, 그 사람. 바보. '三赦, 曰—愚'《周禮》. [二] 어리석을 송 우매함. '寡人—愚冥頑'《禮記》.
[字源] [金文] [篆文] 形聲. 心+舂〔音〕. '舂용'은 절구에 찧다의 뜻. 절구질은 단조로워 멍청한 일로 보이는 데서, '心심'을 붙여, '어리석다'의 뜻을 나타냄.
[參考] 惷(心部 九畫)은 別字.

[憃愚 송우] 어리석음. 우매함.
[憃愚 창우] 천치. 바보.
◉狂憃. 騃憃.

11 ⑮ [慜] [人名] 민 [上]軫 眉殞切 mǐn

[筆順]

[字解] 민첩할 민 총명(聰明)함.

11 ⑮ [慿] 〔빙〕
憑(心部 十二畫〈p.815〉)의 俗字

11 ⑮ [慤] 〔각〕
愨(心部 十畫〈p.803〉)의 俗字

11 ⑮ [憇] 〔게〕
憩(心部 十二畫〈p.816〉)의 俗字

[憋] 〔별〕
心部 十二畫(p.814)을 보라.

11 ⑮ [慕] [高·人] 모 [去]遇 莫故切 mù

[筆順]

[字解] ①사모할 모 ㉠그리워함. '戀—'. '大孝終身—父母'《孟子》. ㉡우러러 받들고 본받음. '—藺相如之爲人, 更名相如'《史記》. ②성 모 성(姓)의 하나.
[字源] [金文] [篆文] 形聲. 心+莫(茻)〔音〕. '茻막'은 '구하다'의 뜻. 마음속으로 구하다, 그리워하다의 뜻을 나타냄.

[慕念 모념] 사모(思慕)하는 생각.
[慕戀 모련] 그리워하여 늘 생각함. 또는 그러한 생각.
[慕藺 모린] 큰 인물을 사모함을 이름. 사마상여(司馬相如)가 인상여(藺相如)를 경모(敬慕)한 데서 온 말.
[慕倣 모방] 본떠서 함. 본받음.
[慕顰 모빈] 함부로 흉내 냄.
[慕心 모심] 사모하는 마음.
[慕愛 모애] 사모하고 사랑함.
[慕悅 모열] 사모하며 기뻐함.
[慕豔 모염] 사모하고 부러워함. 선모(羨慕).
[慕容 모용] 오호 십육국 시대(五胡十六國時代)에 연(燕)나라를 세운 선비(鮮卑)의 성(姓).
[慕義 모의] 의(義)를 사모함.
[慕化 모화] 사모하여 감화(感化)됨.
[慕效 모효] 사모하여 언행(言行)을 본받음.
◉感慕. 敬慕. 傾慕. 景慕. 企慕. 望慕. 思慕. 羨慕. 仰慕. 哀慕. 愛慕. 戀慕. 外慕. 怨慕. 追慕. 稱慕. 懷慕. 欣慕. 欽慕.

11 ⑭ [慓] [人名] 표 [去]嘯 匹妙切 piào

[字解] ①날랠 표 경첩(輕捷)함. 재빠름. '—疾'. '項羽爲人, —悍禍賊'《漢書》. ②가벼울 표 경박함. 僄(人部 十一畫)와 통용. '汝資誠楚—'《韓駒》.
[字源] [篆文] 形聲. 忄(心)+票(𤐫)〔音〕. '𤐫표'는 '暴포'와 통하여, 날래고 사납다의 뜻.

[慓疾 표질] 빠름. 재빠름.
[慓悍 표한] 성질이 날래고 사나움.

11 ⑭ [憁] [人名] 총 ①[上]董 祖動切 zǒng
②[去]送 千弄切 còng

[字解] ①실심할 총 '悾—'은 득의하지 못한 모양. ②바쁠 총 분망(奔忙)함. '悾—'. '—恫官府之間'《抱朴子》.
[字源] 形聲. 忄(心)+悤〔音〕
[參考] 愡(心部 九畫)은 俗字.

[憁恫 총통] ㉠무지(無知)한 모양. ㉡바삐 돌아다님. 전(轉)하여 경쟁함.
◉悾憁.

11 ⑭ [慘] [高·人] 참 [上]感 七感切 cǎn

[筆順]

[字解] ①아플 참 통증을 느낌. '疾痛—怛'《史記》. ②근심할 참 걱정함. '勞心—兮'《詩經》. ③혹독할 참 가혹함. '—苛'. '雖—酷, 斯稱其位矣'《史記》. ④비통할 참 몹시 슬픔. '—愴'. '酸—之聲'《晉書》. ⑤손상할 참 상하게 함. '不忍楚撻—其肌膚'《顏氏家訓》. ⑥추울 참 몹시

참. '一凜'. '冰霜一烈'《張衡》.

字源 篆文 形聲. 忄(心)+參. '參참'은 '侵침'과 통하여, '침범하다'의 뜻. 마음의 평안을 범하다, 아프다의 뜻을 나타냄.

[慘苛 참가] 참혹(慘酷).
[慘刻 참각] 참혹(慘酷).
[慘景 참경] 참혹한 광경.
[慘苦 참고] 비참한 고통.
[慘憒 참궤] 마음이 산란함. 심란함.
[慘劇 참극] ㉠비참한 사실을 재료로 한 연극(演劇). ㉡참혹한 일. 비참한 사건(事件).
[慘恒 참달] 아프고 슬픔.
[慘淡 참담] 참담(慘澹).
[慘憺 참담] 참담(慘澹) ●㉡을 보라.
[慘澹 참담] ㉠몹시 어둠침침함. ㉡이리저리 궁리하느라고 대단히 고심함. ㉢괴롭고 슬픈 모양.
[慘切 참절] 매우 비통함.
[慘毒 참독] ㉠참혹하게 해독을 끼침. ㉡참혹(慘酷)한 해독(害毒).
[慘烈 참렬] 참름(慘凜).
[慘凜 참름] ㉠추위가 심함. ㉡아주 참혹함.
[慘聞 참문] 비참한 소문. 가엾은 이야기.
[慘死 참사] 참혹하게 죽음.
[慘事 참사] 참혹한 일. 비참한 사건.
[慘殺 참살] 참혹하게 죽임.
[慘狀 참상] 참혹한 상태. 참혹한 정상(情狀).
[慘喪 참상] 《韓》 자손(子孫)이 부모·조부모보다 먼저 죽은 상사(喪事).
[慘惡 참악] 참혹하고 흉악(凶惡)함.
[慘愕 참악] 참혹한 정상에 놀람.
[慘黯 참암] 몹시 어둠침침함. 참담(慘澹).
[慘然 참연] 몹시 슬퍼하는 모양.
[慘咽 참열] 슬퍼하여 목이 메도록 욺.
[慘獄 참옥] 비참한 옥사(獄事).
[慘沮 참저] 슬퍼하여 마음이 울적함.
[慘絶 참절] 참혹하기 짝이 없음.
[慘嗟 참차] 슬퍼하며 탄식함.
[慘慘 참참] ㉠몹시 슬퍼하는 모양. ㉡처참한 모양.
[慘愴 참창] 참측(慘惻).
[慘悽 참척] 슬퍼하고 근심함.
[慘慽 참척] ㉠몹시 근심함. ㉡《韓》 아들딸이 부모보다 또는 손자가 조부모보다 먼저 죽음.
[慘惻 참측] 몹시 슬픔. 몹시 슬퍼함.
[慘敗 참패] 참혹하게 패함.
[慘虐 참학] 참혹하게 학대함.
[慘害 참해] ㉠참혹하게 입은 손해. ㉡남을 비참하고 끔찍하게 해침.
[慘礉 참핵] 법(法)이 가혹하고 엄함.
[慘刑 참형] 참혹한 형벌(刑罰).
[慘酷 참혹] 끔찍하게 불쌍함. 끔찍하게 비참함.
[慘禍 참화] 참혹한 재화(災禍).
[慘況 참황] 참혹한 상황. 참상(慘狀).
[慘凶 참흉] 참혹한 흉년(凶年).
　●苛慘. 無慘. 悲慘. 酸慘. 傷慘. 憂慘. 陰慘. 淒慘. 悽慘. 酷慘.

11
⑭ [憽] ㊀ 종 ㊇冬 藏宗切 cóng
　　　　㊁ 조 ㊇豪 臧曹切 cáo

字解 ㊀생각할 종 깊이 생각함. '一, 慮也'《說文》. ㊁어지러울 조 사물이 어수선함. '一, 亂也'《玉篇》.

字源 篆文 形聲. 忄(心)+曹(聲). '曹조'는 원고(原告)·피고를 재판하는 재판관의 뜻. 마음속으로 시비선악(是非善惡)을 저울질하다의 뜻.

11
⑭ [慟] 人名 통 ㊇送 徒弄切 tòng

字解 서러워할 통 대단히 슬퍼함. 몸을 떨며 큰 소리로 욺. '一哭'. '子哭之一'《論語》.
字源 篆文 形聲. 忄(心)+動(音). '動동'은 '움직이다'의 뜻. 몸을 움직여 떨며, 슬퍼하다의 뜻을 나타냄.

[慟哭 통곡] 큰 소리로 슬피 욺.
[慟泣 통읍] 대단히 슬퍼하여 욺.
　●感慟. 哀慟. 惋慟. 憯慟. 號慟.

11
⑭ [傲] 오 ㊇號 魚到切 ào

字解 오만할 오 傲(人部 十一畫)와 同字. '一慢'. '生而貴者一'《後漢書》.
字源 篆文 形聲. 忄(心)+敖(音). '放오'는 멋대로 하다의 뜻. '心심'을 붙여 '건방지다, 젠체하다'의 뜻을 나타냄.

[傲慢 오만] 거만함.
[傲邁 오매] 오만하여 잘난 체함.
[傲然 오연] 오만을 떠는 모양.
[傲誕 오탄] 오만하고 방자하여 허풍을 잘 떪.

11
⑭ [慔] 모 ㊇遇 莫故切 mù

字解 힘쓸 모 '一, 勉也'《說文》.
字源 篆文 形聲. 忄(心)+莫(音). '莫막'은 '없다'의 뜻. 마음을 없이 하고 사물에 집중하는 것.

11
⑭ [慢] 高人 만 ㊇諫 謨晏切 màn

筆順 丶 忄 忄 忄 惛 惛 慢 慢

字解 ①게으를 만 나태함. '怠一'. '懈一'. ②게을리할 만 소홀히 함. '暴君汚吏, 必一其經界'《孟子》. ③거만할 만 오만함. '驕一'. '傲一'. '王素一無禮'《史記》. ④느릴 만 더딤. '緩一'. '叔馬一忌'《詩經》. ⑤느슨할 만 해이함. 엄하지 아니함. '刑一則懼及君子'《呂氏春秋》. ⑥방자할 만 방종함. '放一'. '暴一之行'《史記》. ⑦업신여길 만 모멸함. '侮一'. '輕一'. '可敬不可一'《禮記》.
字源 篆文 形聲. 忄(心)+曼(音). '曼만'은 '자라다'의 뜻. 마음이 자라 늘어져서, 게을리 하다의 뜻을 나타냄.

[慢舸 만가] 천천히 가는 배.
[慢驚風 만경풍] 위장병으로 인하여 어린애가 구토(嘔吐)·설사를 계속하고 경련을 일으키는 병.
[慢棄 만기] 경홀(輕忽)히 하여 쓰지 아니함.
[慢罵 만매] 업신여기며 꾸짖음.
[慢侮 만모] 업신여겨 욕됨.
[慢舞 만무] 동작이 느리게 춤을 춤. 또, 그 춤.
[慢性 만성] ㉠오래 두고 낫지 아니하는 병(病)의 성질. ㉡어떠한 성질이 버릇이 되어 고치기 어

려운 일.
[慢心 만심] 자신을 지나치게 보고 자랑하며 남을 업신여기는 마음. 자기가 잘난 줄 믿고 거드럭 거리는 마음.
[慢狎 만압] 업신여겨 함부로 굶.
[慢言 만언] ㉠오만한 말. ㉡함부로 하는 말. 터 무니없는 말. 엉터리.
[慢然 만연] ㉠맺힌 데가 없이 헤벌어진 모양. ㉡ 정신을 차리지 않은 모양. ㉢오만한 모양.
[慢遊 만유] 제멋대로 놂. 방종하게 놂.
[慢易 만이] 업신여김.
[慢藏誨盜 만장회도] 곳간의 문단속을 잘하지 않 는 것은 도둑에게 도둑질하라고 가르치는 것과 다름이 없음.
[慢誕 만탄] 방종함. 방자(放恣)함.
●簡慢. 倨慢. 輕慢. 高慢. 驕慢. 欺慢. 陵慢. 瀆慢. 侮慢. 放慢. 奢慢. 舒慢. 褻慢. 疎慢. 我慢. 敖慢. 傲慢. 傲慢. 緩慢. 易慢. 自慢. 增上慢. 惰慢. 誕慢. 貪慢. 怠慢. 偸慢. 悖慢. 廢慢. 暴慢. 懈慢. 忽慢. 荒慢. 戲慢.

11
⑭ [慣] ⟨高入⟩ 관 ㉿諫 古患切 guàn 慣 㥶
[筆順] 忄 忄 忊 㥩 㥩 慣 慣 慣
[字解] 익숙할 관 익숙하여짐. 익숙하게 함. 貫(貝 部 四畫)과 同字. '一用'. '一習'. '平生一寫龍 鳳質'《韓愈》. 또, 익숙하여진 것. 버릇. 관례. '習一'. '舊一'.
[字源] 形聲. 忄(心)＋貫〔音〕. '貫관'은 물건을 꿰 뚫어 통하다의 뜻. 처음부터 끝까지 하나의 방법, 마음의 움직임을 일관하다, 익숙해지다 의 뜻을 나타냄.

[慣例 관례] 습관이 된 전례(前例).
[慣面 관면] 낯이 익은 얼굴.
[慣性 관성] 물체가 외력(外力)의 작용을 받지 아 니하는 한 정지 혹은 운동의 상태를 언제까지 나 지속하려고 하는 성질.
[慣熟 관숙] ㉠익숙함. ㉡친밀(親密)하여짐.
[慣習 관습] ㉠익숙함. ㉡버릇. 습관. ㉢풍습(風 習).
[慣狎 관압] 익숙하여 친함. 친숙함.
[慣用 관용] ㉠늘 씀. 항상 씀. ㉡습관이 되어 사 용함.
[慣用語 관용어] 문법에 맞지는 않으나 다년간 관 용이 되어 널리 쓰는 말.
[慣用音 관용음] 바르지는 않으나 다년간 관용이 되어 널리 쓰는 음(音).
[慣行 관행] 관례가 되어 행함.
●舊慣. 習慣.

11
⑭ [慝] ━ 닉 ㉿職 女力切 nì
━ 닐 ㉿質 尼質切 nì
[字解] ━ 부끄러울 닉 떳떳하지 못하다. '一, 愧 也'《集韻》. ━ 부끄러울 닐 ━과 뜻이 같음.

11
⑭ [慥] 조 ㉿號 七到切 zào(cào)
[字解] 진실할 조 독실함. '君子胡不一一爾'《中 庸》.
[字源] 形聲. 忄(心)＋造〔音〕

[慥慥 조조] 독실한 모양. 성의 있는 모양.

11
⑭ [慨] ⟨高入⟩ 개 ㉿隊 苦愛切 kǎi 慨
[筆順] ⼁ 忄 忦 忨 㥯 㥯 慨 慨
[字解] ①분개할 개 비분하여 개탄함. '一世'. '一然恥在廝役'《後漢書》. ②슬퍼할 개 비탄함. '旣葬, 一然如不及'《禮記》. ③분개 개 '旣漸臧 孫一'《謝靈運》.
[字源] 篆文 𢥤 形聲. 忄(心)＋旣〔音〕. '旣기'는 목이 멘다는 뜻. 마음이 막히다, 한탄하다 의 뜻을 나타냄.

[慨慷 개강] 의롭지 못한 것을 보고 정의심(正義 心)이 북받치어 슬퍼하고 한탄함. 강개(慷慨).
[慨慨 개개] 개연(慨然).
[慨憤 개분] 의분을 느껴 개탄함. 몹시 분하게 여 김. 분개(憤慨).
[慨世 개세] 세상 또는 나라의 되어 가는 형편을 염려하여 개탄함.
[慨息 개식] 분개하여 탄식함.
[慨焉 개언] 개연(慨然).
[慨然 개연] ㉠분개하는 모양. ㉡대단히 슬퍼 하는 모양.
[慨歎 개탄] 개연(慨然)히 탄식함. 분개하여 한숨 쉼.
●感慨. 忼慨. 慷慨. 愧慨. 憤慨. 悲慨. 悲憤慷 慨. 深慨. 憂慨. 軫慨. 懟慨. 忠慨. 恥慨. 欷 慨.

11
⑭ [慨] 慨(前條)와 同字

11
⑭ [慬] 봉 ㉿東 薄紅切 féng
[字解] ①기뻐할 봉 '一, 悅也'《五音集韻》. ②사 랑할 봉 '一, 愛也'《五音集韻》.

11
⑭ [慬] 근 ㉿文 巨斤切 qín 慬
[字解] ①근심할 근 슬퍼하며 걱정함. '一然後得 免'《公羊傳》. ②용맹 근 용기. '無以立一於天 下'《列子》.
[字源] 形聲. 忄(心)＋菫〔音〕

[慬然 근연] 근심하는 모양. 슬퍼하는 모양.

11
⑭ [慳] 간 ㉿刪 苦閑切 qiān 慳 㥺
[字解] 아낄 간 인색함. '一吝'. '一貪'. '漸貴漸 富心漸一'《元稹》.
[字源] 形聲. 忄(心)＋堅〔音〕. '堅견'은 '굳다'의 뜻. 마음을 단단히 하다, 아끼다의 뜻을 나 타냄.

[慳吝 간린] 인색함.
[慳嗇 간색] 인색함.
[慳人 간인] 인색한 사람.
[慳藏 간장] 아껴 감추어 둠.
[慳貪 간탐] 인색하고 욕심이 많음.
●天慳. 偏慳. 寒慳.

11/(14) [愯] 단 ㉺寒 度官切 tuán

[字解] 근심할 단 근심하여 야윔. '勞心——兮' 《詩經》.
[字源] 形聲. 忄(心)＋專〔音〕.

[愯愯 단단] 근심하여 야윈 모양.

11/(14) [慯] 상 ㉺漾 式亮切 shāng

[字解] ①근심할 상 '一, 憂也'《說文》. ②아플 상 '一, 一曰, 痛也'《集韻》.
[字源] 形聲. 忄(心)＋傷〈省〉〔音〕. '傷상'은 '아프다'의 뜻.

11/(14) [慴] 습(접㊤) ㈠葉 之涉切 shè(zhé)

[字解] ①두려워할 습 겁내어 떪. '怖一'. '一府中皆一伏'《史記》. ②두렵게할 습 두려움을 느끼게 함. '威一萬乘'《曹植》.
[字源] 形聲. 忄(心)＋習〔音〕. '習습'은 새가 날개를 포개어 겹치다의 뜻. 새가 웅크리는 모습에서, '무서워하다, 두려워하다'의 뜻을 나타냄.

[慴悸 습계] 두려워하여 떪.
[慴懼 습구] 두려워함.
[慴伏 습복] 두려워서 엎드림.
[慴服 습복] 두려워서 복종함.
[慴惴 습췌] 습계(慴悸).
[慴憚 습탄] 두려워하여 꺼림. 또, 두려워 꺼리게 함.
●憾慴. 威慴. 戰慴. 震慴. 怖慴.

11/(14) [慵] 용 ㉺冬 蜀庸切 yōng (yóng)

[字解] 게으를 용 나태함. 귀찮음. 일을 하기 싫어함. '一惰'. '觀棊向酒一'《杜甫》.
[字源] 形聲. 忄(心)＋庸〔音〕. '庸용'은 일정하여 치우치지 않다의 뜻. 마음에 움직임이 없이 게으르다의 뜻을 나타냄.

[慵起 용기] 아침에 일어나기가 싫음.
[慵惰 용타] 용타(慵惰).
[慵媒 용매] 게으른 원인. 일을 하기 싫어하는 원「인.
[慵惰 용타] 게으름.
●疎慵. 幽慵.

11/(14) [慷] 강 ㈎名 강 ㉺陽 丘岡切 kāng

[筆順] ⺀ 忄 忄 忷 忮 慷 慷 慷

[字解] 강개할 강 비분(悲憤)하여 개탄함. '性剛毅一慨'《後漢書》.
[字源] 形聲. 忄(心)＋康〔音〕. '康강'은 '庚경'과 통하여, '솟아오르다'의 뜻. 마음이 상기되어 오르다, 한탄하다의 뜻을 나타냄.

[慷慨 강개] 의분에 북받치어 슬퍼하고 한탄함.
[慷慨赴死易 강개부사이] 한때의 분개로 인하여 죽기는 쉬움.
[慷慨之士 강개지사] 세상의 문란(紊亂)과 불의 (不義)에 대하여 의분(義憤)을 느껴 개탄하는 선비.
●慨慷.

11/(14) [惓] 권 ㉺霰 居倦切 juàn

[字解] 돌아볼 권 돌이켜 생각함. '一, 回顧也'《篇海》.
[字源] 形聲. 忄(心)＋眷〔音〕. '眷권'은 '돌아보다'의 뜻.

11/(14) [僂] 루 ①②㉺尤 落侯切 lóu ③①㉺麌 力主切

[字解] ①정성스러울 루 '一一'는 간절한 모양. 성실한 모양. '不盡其一一之心哉'《後漢書》. ②공근할 루 '一一'는 공손하고 삼가는 모양. '臣之——, 竊願居安思危'《晉書》. ③성 루 성(姓)의 하나.
[字源] 形聲. 忄(心)＋婁〔音〕. '婁루'는 끊임이 없게 계속하다의 뜻. 정성을 계속하다, 힘쓰다의 뜻을 나타냄.

[僂僂 누루] 자해 (字解)❶❷를 보라.

11/(14) [憀] 료 ㉺蕭 落蕭切 liáo

[字解] ①힘입을 료 의뢰함. '吏氏不相一'《淮南子》. ②쓸쓸할 료 마음이 적적함. 의지할 곳이 없음. '雲晴山晚動情一'《陸龜蒙》. ③맑을 료 음성이 맑은 모양. '新聲一亮'《嵇康》.
[字源] 形聲. 忄(心)＋翏〔音〕. '翏료'는 새가 높이 날다의 뜻. 마음이 청징한 모양을 나타냄.

[憀亮 요량] 음성이 낭랑(朗朗)하고 맑음.
[憀慄 요율] 슬퍼하고 가슴 아파함.

11/(14) [慸] 〔채〕 懘(心部 十一畫〈p.810〉)와 同字

11/(14) [慽] 〔척〕 ㈎名 慼(心部 十一畫〈p.810〉)과 同字

11/(14) [憏] 〔제〕 憌(心部 十二畫〈p.818〉)와 同字

11/(14) [慙] �㈎人 〔참〕 慚(心部 十一畫〈p.809〉)과 同字

[筆順] 忄 忄 恒 恒 恒 恒 慙 慙

12/(16) [憋] 별 ㈠屑 芳滅切 biē

[字解] ①모질 별 악(惡)함. '羌胡一腸狗態'《後漢書》. ②성급할 별 조급함. '嘽咺一憋'《列子》.
[字源] 形聲. 心＋敝〔音〕. '敝폐'는 '째지다'의 뜻. 찢어진 마음, 조급함의 뜻을 나타냄.

[憋憋 별부] 조급함. 성급함.
[憋腸 별장] 나쁜 마음. 악한 마음.

12/(16) [備] ㈎人名 비 ㉺卦 蒲拜切 bèi

①고달플 비 피곤함. '困—'. '知老之—'《列子》. ②앓을 비 병으로 고생함. '貧也, 非—也'《莊子》.

형성. 心+備(葡)〔音〕. '葡비'는 화살통의 상형으로, 몸에 착싹 붙다의 뜻. '心심'을 붙여, 마음에 달라붙는 것, '피로'의 뜻을 나타냄.

[憊懣 비만] 지치고 애탐.
[憊色 비색] 피로(疲勞)한 얼굴빛.
[憊臥 비와] 고달파 드러누움.
[憊喘 비천] 고달파 헐떡거림.
●倦憊. 困憊. 老憊. 頓憊. 衰憊. 憂憊. 罷憊. 疲憊. 昏憊.

12 ⑯ [憑] 人名 빙 ㊤蒸 扶冰切 píng 凭 逐

筆順 冫 冫 冫冫 冱 沍 馮 馮 憑

字解 ①기댈 빙 물건에 의지함. '—軾'. '—玉几'《書經》. ②의지할 빙 의뢰함. 의탁함. '—恃'. '—依'. '上—神明之佑'《唐書》. ③의거할 빙 전거(典據)로 삼음. '—據'. '所引經旨, 足可依—'《舊唐書》. 또, 의거할 데. '丈尺規矩, 皆有準—'《隋書》. ④붙을 빙 귀신이 붙음. '此爲魅所—'《唐書》. ⑤건널 빙 걸어서 강 따위를 건넘. '—河'. '虎可搏, 河難—'《李白》. ⑥클 빙 대단함. '帝—怒'《列子》. ⑦증거 빙 증서 같은 것. '文—'. '公—'. ⑧성 빙 성(姓)의 하나.

字源 형성. 心+馮〔音〕. '馮빙'은 '기대다'의 뜻. 마음이 의지하다의 뜻을 나타냄.

參考 憑(心部 十一畫)은 俗字.

[憑據 빙거] 사실(事實)의 증명(證明)이 될 만한 근거(根據).
[憑考 빙고] 의거하여 상고(詳考)함.
[憑公營私 빙공영사] 공사(公事)를 빙자하여 사리(私利)를 도모함.
[憑怒 빙노] 크게 노함.
[憑陵 빙릉] 세력을 믿고 침범함.
[憑憑 빙빙] 왕성(旺盛)한 모양.
[憑恃 빙시] 믿고 의지함. 의뢰함.
[憑軾 빙식] 수레 앞턱 가로나무[軾]에 기댐.
[憑信 빙신] 빙거(憑據)로 삼아 믿음.
[憑妖 빙요] 빙자(憑藉)하여 요괴한 설(說)을 주장함.
[憑依 빙의] ㉠의지함. ㉡귀신이 붙음.
[憑藉 빙자] ㉠남의 세력(勢力)에 의지함. ㉡핑계.
[憑仗 빙장] 의뢰함. 의지함.
[憑眺 빙조] 높은 곳에서 멀리 바라봄.
[憑照 빙조] 빙거(憑據).
[憑河 빙하] 도보로 강을 건넘. 전(轉)하여, 무모한 용기(勇氣)를 이름.
[憑虛 빙허] 사실이 아님. 거짓임.
●公憑. 歸憑. 文憑. 恃憑. 神憑. 信憑. 依憑. 準憑. 證憑. 追憑. 狐憑.

12 ⑯ [憖] 은 ㊤震 魚覲切 yìn

字解 ①억지로 은 마음은 내키지 않지마는 강잉(强仍)히. '不-遺一老'《詩經》. ②원할 은 바람. '—庶幾犂焉'《國語》. ③부족할 은 모자람. '兩君之士皆未-也'《左傳》. ④어조사 은 발어

사(發語辭). '一使我君聞勝與臧之死也以爲快'《左傳》.

字源 형성. 心+猌〔音〕. '猌은'은 개가 이빨을 드러내고 성을 내는 모양. 마음이 내키지 않는데 억지로 …한다는 뜻을 나타냄. 또, '祈기'와 통하여, '바라건대'의 뜻을 나타내며, '听은'과 통하여, '기뻐하다'의 뜻을 나타냄.

參考 憖(次條)은 俗字.

12 ⑯ [憖] 憖(前條)의 俗字

12 ⑯ [憙] 人名 희 ①②㊤紙 虛里切 xǐ ③㊤寘 許記切 ④㊤支 虛其切

筆順 吉 吉 吉 壴 喜 喜 憙 憙

字解 ①기뻐할 희 희열함. '無不欣—'《史記》. ②좋아할 희 '遇之有禮, 則羣臣自—'《賈誼》. ③허 희 감탄하는 소리. '試潛聽之, 曰, 一'《後漢書》. ④성 희 성(姓)의 하나.

字源 형성. 心+喜〔音〕. '喜희'는 '기뻐하다'의 뜻. 심리(心理)와 관계가 있는 말이어서 '心'을 붙였음.

參考 憘(心部 十二畫)는 同字.

●說憙. 欣憙.

12 ⑯ [懟] 대 ㊦隊 徒對切 duì

字解 ①원망할 대 원한을 품음. '怨—'. '凡民罔弗—'《書經》. ②모진사람 대 악인(惡人). '大一'. '元—授首'《晉書》.

字源 형성. 心+敦(穀)〔音〕. '穀대'는 '두껍다'의 뜻. 마음에 쌓인 두꺼운 노염, 원한의 뜻을 나타냄.

參考 憝(心部 十二畫)는 同字.

●大懟. 元懟. 怨懟.

12 ⑯ [憨] 감 ㊤覃 呼談切 hān

字解 어리석을 감 우매함. '—態'. '狂—以致斃'《文心雕龍》.

字源 형성. 心+敢〔音〕. '敢감'은 '蚶감'과 통하여, '새꼬막'의 뜻. 새꼬막·피조개처럼 흘게 늦게 혀를 내밀고 있는 사람, '어리석음'의 뜻을 나타냄.

[憨笑 감소] 주책없는 웃음. 우습지 않은데 자꾸 웃음. 웃지 못할 경우에 웃는 웃음.
[憨寢 감침] 충분히 잘 잠. 숙수(熟睡).
[憨態 감태] 요염하고 어리석은 태도.
●狂憨.

12 ⑯ [憲] 高人 헌 ㊦願 許建切 xiàn 宪 巤

筆順 宀 宀 害 害 宝 害 憲 憲

字解 ①법 헌 법도. '—法'. '—國'. '愼乃—'《書經》. ②모범 헌 본보기. '模—'. '百辟爲—'《詩經》. ③상관 헌 윗자리의 관리. '—臺'. 臺

一固在分別邪正《金史》. ④본뜰 헌 본받음. ‘一章’. ‘五帝一’《禮記》. ⑤민첩할 헌 ‘發慮一’《禮記》. ⑥고시할 헌 법(法)을 기록하여 보임. ‘一禁于王宮’《周禮》. ⑦성할 헌 흥성함. ‘一一令德’《中庸》. ⑧성 헌 성(姓)의 하나.
字源 金文 篆文 憲 形聲. 金文은 目+害〈省〉〔音〕의 뜻. ‘害’는 날붙이로, ‘해치다’의 뜻. 눈을 깎아 내는 형(刑)의 뜻에서, ‘법’의 뜻을 나타냄. 뒤에 ‘心’이 덧붙어 ‘憲’이 되었음.

[憲綱 헌강] ㉠큰 법(法). 법의 대본(大本). ㉡법률의 조문(條文). ㉢관직(官職)의 질서.
[憲矩 헌구] 행위의 모범(模範). 행위의 준칙.
[憲禁 헌금] 법(法). 법도(法度).
[憲臺 헌대] ㉠한대(漢代)의 어사대(御史臺)의 이칭(異稱). ㉡속리(屬吏)가 상관(上官)을 일컫는 말.
[憲度 헌도] 법. 규칙.
[憲量 헌량] 후한(後漢)의 황헌(黃憲)이란 사람의 도량(度量)이 넓었으므로, 크고 넓은 도량의 뜻으로 쓰임.
[憲令 헌령] 나라의 법. 국법. 법령.
[憲命 헌명] 군주의 명령. 나라의 법.
[憲方 헌방] 법. 규칙.
[憲範 헌범] 법. 모범(模範).
[憲法 헌법] ㉠국법(國法). ㉡국가의 통치권의 주체(主體)·객체(客體) 및 그 기관(機關)의 작용(作用)·권한(權限) 등을 규정한 입헌 정치(立憲政治) 국가의 근본법.
[憲兵 헌병] 각 군의 참모 총장의 지휘 감독하에 군사 경찰(軍事警察)을 맡아보는 병과.
[憲司 헌사] ㉠형옥(刑獄)을 맡아보는 관청. ㉡송(宋)나라 진종(眞宗) 때 처음으로 둔 벼슬. 제로(諸路)에 제점형옥공사(提點刑獄公事)를 두고, 옥송(獄訟) 및 관리(治績)의 치적(治績)을 안찰(按察)하는 외에, 농상(農桑)을 권하며 관리의 불법을 감찰(監察)하는 일을 맡았음.
[憲臣 헌신] 법률을 취급하는 신하. 어사(御史) 등을 이름.
[憲律 헌율] 법. 규칙.
[憲章 헌장] ㉠법(法). 법도(法度). ㉡본받아 밝힘. 일설(一說)에는, 법을 준수(遵守)함.
[憲典 헌전] 나라의 법. 국법(國法).
[憲政 헌정] 헌법에 의하여 행하는 정치. 입헌 정치(立憲政治).
[憲制 헌제] 나라의 제도. 나라의 법. 국법(國法).
[憲則 헌칙] 법. 법칙(法則).
[憲憲 헌헌] ㉠기뻐하는 모양. ㉡흥성(興盛)한 모양. 일설(一說)에는, 환한 모양.
●家憲. 簡憲. 綱憲. 改憲. 古憲. 公憲. 官憲. 國憲. 軍憲. 軌憲. 大憲. 明憲. 模憲. 文憲. 邦憲. 法憲. 常憲. 成憲. 雅憲. 禮憲. 違憲. 遺憲. 彝憲. 立憲. 章憲. 典憲. 前憲. 制憲. 朝憲. 天憲. 體憲. 秋憲. 樞憲. 勅憲. 風憲. 合憲. 恒憲. 刑憲. 護憲.

12획
(16) [憩] 人名 게 ㉰霽 去例切 qì
筆順 二 千 舌 舌 舌 舌 憩 憩
字解 쉴 게 휴식함. ‘休一’. ‘召伯所一’《詩經》.
字源 會意. 活〈省〉+息. ‘活활’은 ‘생기 넘치다’의 뜻. ‘息식’은 ‘쉬다’의 뜻. 활력 회복을 위해 쉬다의 뜻을 나타냄.

參考 憇(心部 十一畫)는 俗字.

[憩泊 게박] 쉬며 머무름.
[憩息 게식] 쉼. 휴식(休息).
[憩止 게지] 쉼. 휴식(休息).
[憩歇 게헐] 쉼. 휴식(休息).
[憩休 게휴] 쉼. 휴게(休憩).
●栖憩. 小憩. 偃憩. 寓憩. 留憩. 流憩. 遊憩. 休憩.

12획
(16) [憇] 憩(前條)와 同字

12획
(15) [憍] 교 ㉰蕭 擧喬切 jiāo
字解 교만할 교 驕(馬部 十二畫)와 同字. ‘戒之一, 一則逃’《周武王》.
字源 形聲. 忄(心)+喬〔音〕. ‘喬교’는 ‘높다’의 뜻. 마음속으로 자기의 재능 따위가 높다고 생각하다, 자만하다의 뜻을 나타냄.

12획
(15) [憎] 高入 증 ㉰蒸 作滕切 zēng
筆順 忄 忄' 忄'' 忄曾 忄曾 忄曾 憎 憎
字解 ①미워할 증 증오함. ‘一惡’. ‘伊誰云一’《詩經》. ②미움받을 증 증오를 당함. ‘屢一於人’《論語》. ③미움 증 증오. ‘愛一’. ‘必生好一之心’《漢書》.
字源 篆文 憎 形聲. 忄(心)+曾〔音〕. ‘曾증’은 겹쳐 쌓이다의 뜻. 쌓이는 마음, ‘미워하다’의 뜻을 나타냄.

[憎忌 증기] 미워하고 꺼림.
[憎毒 증독] 미워하여 해침.
[憎愛 증애] 미움과 사랑.
[憎惡 증오] 미워함.
[憎怨 증원] 미워하고 원망(怨望)함.
[憎疾 증질] 미워함.
[憎嫉 증질] 미워하고 질투함.
[憎唾 증타] 미워하여 침을 뱉음.
[憎嫌 증혐] 미워하고 싫어함.
●面目可憎. 背憎. 私憎. 疎憎. 譚憎. 愛憎. 怨憎. 積憎. 暴憎. 風妒雨憎. 嫌憎. 好憎.

12획
(15) [憢] 효 ㉰蕭 許幺切 xiāo
字解 두려워할 효 ‘一一, 懼也’《爾雅》.

12획
(15) [憐] 高入 련 ㉰先 落賢切 lián
筆順 忄 忄' 忄'' 忄' 忄米 忄米 憐 憐 憐
字解 ①어여삐여길 련 귀애함. ‘大夫亦愛一少子乎’《史記》. ②불쌍히여길 련 가련하게 생각함. ‘一一’. ‘同病相一’《吳越春秋》.
字源 篆文 憐 形聲. 忄(心)+粦(㷠)〔音〕. ‘㷠린’은 ‘隣린’과 통하여, ‘이웃’의 뜻. 이웃사람끼리 품는 마음, ‘동정심’의 뜻을 나타냄.

[憐悼 연도] 죽은 사람을 불쌍히 여김. 가련하게 여겨 슬퍼함.
[憐閔 연민] 연민(憐憫).

[憐愍 연민] 연민 (憐憫).
[憐憫 연민] 불쌍하게 여김. 가련하게 여김.
[憐愛 연애] 불쌍히 여겨 사랑함.
[憐情 연정] 가련하게 여기는 마음.
[憐察 연찰] 불쌍히 여겨 살핌.
[憐恤 연휼] 불쌍히 여겨 구휼함.
●可憐. 矜憐. 同病相憐. 哀憐. 愛憐. 搖尾乞
憐. 優憐. 慈憐. 刑影相憐.

12 ⑮ [憕] 징 (증⊕) ㉲蒸 直陵切 chéng

字解 ①평온할 징, 마음평온할 징 '一, 心平也'
《玉篇》. ②마음고요할 징 마음이 차분히 가라앉
아 조용한 모양. '一, 心靜貌'《玉篇》.
字源 篆文 𢖻 形聲. 忄(心)＋登[音]. '登등'은 '止
지'와 통하여, '멎다'의 뜻. 마음의
움직임이 멎다, 마음이 고요하다의 뜻을 나타
냄.

12 ⑮ [憒] 궤 ㉲隊 古對切 kuì

字解 ①심란할 궤 마음이 산란함. '一亂'. '意
慘一而無聊兮'《晉書》. ②어두울 궤 '一眊, 不
明也'《漢書 注》.
字源 篆文 𢠹 形聲. 忄(心)＋貴[音]. '貴귀'는 '毁
훼'와 통하여, '무너지다'의 뜻. 마음
이 무너지다, 어지러워지다의 뜻을 나타냄.

[憒憒 궤궤] ㉠마음이 산란한 모양. ㉡어지러운
모양. 혼란한 모양. ㉢분명하지 아니한 모양.
애매한 모양.
[憒亂 궤란] 마음이 산란(散亂) 함. 마음이 흐림.
[憒眊 궤모] 마음이 혼모(昏眊) 함.
●亂憒. 聾憒. 儚憒. 煩憒. 愁憒. 憂憒. 慘憒.
眈憒.

12 ⑮ [憓] 혜 人名 ㉲霽 胡桂切 huì

筆順 忄 忄一 忄ᆖ 忄丰 忄聿 憓 憓

字解 순할 혜 유순함. 순종(順從) 함. 惠(心部
八畫)와 同字. '義征不一'《史記》.
字源 形聲. 忄(心)＋惠[音]. '惠혜'는 마음을 기
울여 은혜를 베풀다의 뜻.

12 ⑮ [憔] 초 人名 ㉲蕭 昨焦切 qiáo

字解 ①파리할 초 병이나 고생에 시달려 야윔.
'顏色一悴'《楚辭》. ②시달릴 초 괴로움을 당함.
'民之一悴於虐政'《孟子》. ③탈 초 '一慮'는 괴
로워 마음이 탐. '毁身一慮, 出於百死'《後漢
書》.
字源 形聲. 忄(心)＋焦[音]. '焦초'는 '눋다'의
뜻. 속이 타서 여위다의 뜻을 나타냄.

[憔慮 초려] 괴로워 마음이 탐.
[憔悴 초췌] ㉠고생이나 병으로 파리함. ㉡시달림.

12 ⑮ [憛] ᆖ 담 ㉲覃 徒南切 tán
　　　　 ᆖ 탐 ㉲勘 他紺切 tàn

字解 ᆖ 염려할 담 걱정함. '一, 憂意'《集韻》.
ᆖ ①생각할 탐 '一, 博雅, 思也'《集韻》. ②근심
스러울 탐 걱정스러움. '一, 一日, 一怵, 憂感

也'《集韻》. ③황급할 탐 황급이 하려 함. '一,
一日, 惶遽也'《集韻》. ④화복정해지지않을 탐
화복(禍福)이 미정(未定)임. '一, 一日, 禍福未
定意'《集韻》.

12 ⑮ [憚] 人名 탄 ㉲翰 徒案切 dàn

字解 ①꺼릴 탄 ㉠두려워함. '畏一'. '王公貴
人, 望風一之'《晉書》. ㉡싫어함. 미워함. '心則
不競, 何一於病'《左傳》. ㉢주저함. '過則勿一
改'《論語》. ②고달플 탄, 수고할 탄 피로함. 또는 고생함.
'哀我一人'《詩經》.
字源 篆文 𢠊 形聲. 忄(心)＋單[音]. '單단'은 활의
상형. 곤란에 반발하여 꺼리어 싫어
하다의 뜻을 나타냄.

[憚服 탄복] 두려워하여 복종(服從) 함.
[憚畏 탄외] 두렵게 생각함. 두려워함.
[憚避 탄피] 꺼려 피함.
[憚抹 탄척] 떨쳐 움직임. 진동(震動)시킴.
●敬憚. 驚憚. 忌憚. 忿憚. 惴憚. 讐憚. 慴憚.
猜憚. 嚴憚. 畏憚. 憂憚. 疑憚. 祗憚. 寵憚.
嫌憚. 回憚.

12 ⑮ [憤] 高人 분 ㉯吻 房吻切 fèn

筆順 忄 忄一 忄⺊ 忄卉 忄聿 憤 憤

字解 ①결낼 분 ㉠분노함. '一慨'. '一世疾邪'
《劉基》. ㉡발분함. '不一不啓'《論語》. ②결 분
전항의 명사. '發一忘食'《論語》.
字源 形聲. 忄(心)＋賁[音]. '賁분'은 왕성하게
달리다의 뜻. 무엇인가가 마음속을 뛰돌아
다니다, 화를 내다의 뜻을 나타냄.

[憤愾 분개] 분개 (憤慨).
[憤慨 분개] 격분하여 개탄함. 몹시 분하게 여김.
[憤激 분격] 매우 분하여 격동(激動) 함.
[憤愧 분괴] 분하고 부끄러움.
[憤氣 분기] 분한 마음.
[憤怒 분노] 분하여 성냄.
[憤勵 분려] 분발하여 힘씀. 분려(奮勵).
[憤懣 분만] 분하여 가슴이 답답함.　　「킴.
[憤發 분발] 가라앉았던 마음과 힘을 돋우어 일으
[憤悱 분비] ㉠마음에 맺혀서 풀리지 아니하는 모
양. ㉡분개하는 모양.
[憤然 분연] 분개하는 모양.
[憤恚 분에] 분개하여 성냄.
[憤慍 분온] 성냄. 분개함. 또, 분. 분개.
[憤惋 분완] 분원 (憤怨).
[憤鬱 분울] 분한 마음이 속에 가득하여 가슴이
답답함.
[憤怨 분원] 분개하여 원망함.
[憤歎 분탄] 분개하여 한탄(恨歎) 함.
[憤痛 분통] 몹시 분하여 마음이 쓰리고 아픔.
[憤敗 분패] 이길 수 있는 것을 분하게 짐.
●感憤. 愾憤. 激憤. 遣憤. 狷憤. 孤憤. 公憤.
愧憤. 舊憤. 發憤. 餘憤. 惘憤. 悲憤.
私憤. 雪憤. 宿憤. 恚憤. 除憤. 慍憤. 蘊憤.
勇憤. 憂憤. 鬱憤. 怨憤. 冤憤. 幽憤. 遺憤.
悒憤. 義憤. 沮憤. 積憤. 躁憤. 振憤. 嗟憤.
慙憤. 忠憤. 恥憤. 痛憤. 恨憤. 含憤. 抗憤.

12/15 [㰥]

허 ㊤魚 丘於切 qū

字解 주눅들 허 기가 죽음. '一, 志怯也'《集韻》.

12/15 [憧]

人名 동 ㊤冬 尺容切 chōng

字解 ①뜻정치못할 동 뜻이 정하여지지 아니한 모양. '一一往來'《易經》. ②그리워할 동 동경함. '一憬'. ③어리석을 동 우매함. '愚一而不逮事'《史記》.

字源 篆文 形聲. 忄(心)＋童〔音〕. '童동'은 '動동'과 통하여, '움직이다'의 뜻. 마음이 움직여 정해지지 않다의 뜻을 나타냄.

[憧憬 동경] 그리워 애틋하게 생각함.
[憧憧 동동] 마음이 정하여지지 아니한 모양.
●愚憧.

12/15 [憪]

한 ①㊤刪 戶間切 xián ②③㊦潸 下赧切 xiàn

字解 ①안존할 한 마음이 안온함. '安排祇自一'《柳宗元》. ②불안할 한 마음이 편안치 않은 모양. '一然念外人之有非'《史記》. ③성낼 한 화내는 모양. '一然以爲天下無人'《唐書》.

字源 篆文 形聲. 忄(心)＋閒〔音〕. '閒한'은 '고요'의 뜻. 마음이 안정되어 고요함을 뜻함.

[憪然 한연] ㉠마음이 편하지 않은 모양. ㉡화내는 모양.

12/15 [憪]

憪(前條)의 俗字

12/15 [憫]

高人 민 ㊤軫 眉隕切 mǐn

筆順 忄 忄' 忭 忄門 忄門 憪 憫

字解 ①불쌍히여길 민 가련하게 여김. '憐一'. '仁人一物'《傳習錄》. ②근심할 민 우려함. '憂一'. '阨窮而不一'《孟子》.

字源 形聲. 忄(心)＋閔〔音〕. '閔민'은 '불쌍히 여기다'의 뜻. '心심'을 붙여, '가엾게 여기다, 근심하다'의 뜻을 나타냄.

[憫悼 민도] 가엾게 여겨 슬퍼함.
[憫憫 민망] 딱하여 걱정스러움.
[憫笑 민소] 불쌍한 놈이라고 비웃음.
[憫然 민연] 가엾은 모양.
[憫察 민찰] 가련하게 여겨 살핌.
[憫恤 민휼] 불쌍하게 여겨 구휼(救恤)함.
●矜憫. 不憫. 哀憫. 愛憫. 憐憫. 憂憫. 隱憫. 慘憫. 悽憫. 惻憫.

12/15 [憏]

제 ㊤霽 丑例切 chì

字解 정해지지않을 제 '忾一'는 결정되어 있지 않음. '忾一, 未定也'《集韻》.

12/15 [憬]

人名 경 ㊤梗 俱永切 jǐng

筆順 忄 忄¹ 忄厂 忄甲 忄厚 憬 憬 憬

字解 ①멀 경 요원함. '一彼淮夷'《詩經》. ②깨달을 경 각성함. '一悟'. ③그리워할 경 동경함. '憧一'.

字源 篆文 形聲. 忄(心)＋景〔音〕. '景경'은 '햇빛이 밝다'의 뜻. 마음속이 밝아지다, 깨닫다의 뜻을 나타냄.

[憬悟 경오] 깨달음. 각성함.
●憧憬. 荒憬.

12/15 [憭]

료 ①㊤篠 力小切 liǎo ②③㊦蕭 落蕭切 liáo

字解 ①총명할 료 마음이 밝음. ②쾌할 료 상쾌함. ③떨 료 추위에 떠는 모양. '一慄起寒襟'《朱熹》. ④구슬플 료 처창(悽愴)함. '一慄兮若在遠行'《楚辭》.

字源 篆文 形聲. 忄(心)＋尞〔音〕. '尞료'는 모닥불이 밝다의 뜻. '心심'을 붙여, '총명하다, 밝다'의 뜻을 나타냄. 또 '嫽료'와 통하여, '마음 아프다'의 뜻도 나타냄.

[憭慄 요율] ㉠구슬픔. 처창(悽愴)함. ㉡추위에 떠는 모양.

12/15 [憮]

■ 무 ㊤麌 文甫切 wǔ
🗌 후 ㊤麌 火羽切
🗌 호 ㊤虞 荒胡切

字解 ■ ①어루만질 무 애무함. '遲想歡一'《陸雲》. ②멍할 무 실의(失意)한 모양. '夷子一然'《孟子》. ③놀랄 무 경악한 모양. '夫子一然'《論語》. 🗌 아리따울 후 예쁨. '京兆媚一'《漢書》. ■ ①클 호 거대함. '昊天泰一'《詩經》. ②오만할 호 거만함. '毋一毋傲'《禮記》.

字源 篆文 形聲. 忄(心)＋無〔音〕. '無무'는 없다의 뜻. 마음이 없어지다, 실의(失意)하다의 뜻을 나타냄. 또 '侮모'와 통하여, 업신여기다의 의미도 나타냄. 또 '嫵'는 덮어 가리다의 뜻. 감싸서 사랑하다의 뜻도 나타냄.

[憮然 무연] ㉠멍한 모양. 실의(失意)한 모양. ㉡놀란 모양.
●媚憮. 泰憮. 歡憮.

12/15 [憯]

참 ㊤感 七感切 cǎn

字解 ①비통할 참 몹시 슬퍼함. 慘(心部 十一畫)과 同字. '一痛'. '胡一莫懲'《詩經》. ②일찍 참 이왕에. '一莫懲嗟'《詩經》.

字源 篆文 形聲. 忄(心)＋朁〔音〕. '朁참'은 깊이 잠기다의 뜻. 마음속 깊은 곳에서 애통해하는 뜻을 나타냄.

[憯怛 참달] 몹시 슬퍼함. 비통(悲痛)함.
[憯憯 참참] 매우 근심하는 모양.
[憯悵 참창] 참측(憯惻).
[憯惻 참측] 몹시 슬퍼함.
[憯痛 참통] 참달(憯怛).
[憯酷 참혹] 너무 비참하여 끔찍함.
●刻憯. 煩憯. 嚴憯.

12/15 [憯]

憯(前條)의 俗字

12/15 [懫] 려 ㊤霽 郎計切 lí

字解 ①희롱할 려, 이죽거릴 려 수다 떪. 우롱함. ②업신여길 려 남을 깔봄. '一他, 欺謾語也'《揚子方言》.

12/15 [懛] 획 ㊇陌 呼麥切 huò

字解 완고할 획 완명(頑冥)함. '乃陳文墨, ――無言者須言'《顏氏家訓》.

[懛懛 획획] 완고한 모양.

12/15 [憣] 반 ㊤刪 符山切 fān

字解 변할 반 변동함. '一校四時, 冬起雷, 夏造冰'《列子》.

[憣校 반교] 변함. 또, 변경함.

12/15 [憿] 창 ㊤養 昌兩切 chǎng

字解 ①놀랄 창 '一怳'은 깜짝 놀라는 모양. ②슬퍼할 창 '一悧'은 일이 뜻대로 되지 아니하여서 낙심(落心)하여 슬퍼하는 모양. '魂一悧而無儔'《張衡》.
字源 形聲. 忄(心)＋敞〔音〕

[憿悧 창망] 자해(字解)❷를 보라.
[憿怳 창황] 자해(字解)❶을 보라.

12/15 [憰] 휼(결)㊇屑 古穴切 jué

字解 속일 휼 거짓말함. '一, 權詐也'《說文》.
字源 形聲. 忄(心)＋矞〔音〕. '矞결·휼'은 송곳으로 구멍을 뚫다의 뜻. 꾀를 써서 사람을 함정에 빠뜨리고 속이는 것.

12/15 [憱] 추 ㊤有 初又切 cù

字解 슬퍼할 추 '一, 慼也'《字彙》.

12/15 [憿] 〔대〕 慜(心部 十二畫〈p.815〉)와 同字

12/15 [憘] 人名 〔희〕 意(心部 十二畫〈p.815〉)와 同字

12/15 [憜] 〔타〕 惰(心部 九畫〈p.799〉)와 同字

12/15 [憪] 〔참〕 慘(心部 十二畫〈p.818〉)의 俗字

12/16 [憿] 〔구〕 懼(心部 十八畫〈p.828〉)의 古字

12/15 [憼] 〔참〕 慘(心部 十一畫〈p.811〉)과 同字

12/15 [憼] 〔한〕 憪(心部 十二畫〈p.818〉)과 同字

13/17 [懃] 人名 근 ㊇文 巨斤切 qín

字解 ①은근할 근 정성스러움. 곡진(曲盡)함. '一懇'. '雖不負米, 實勞且一'《蘇軾》. ②성 근 성(姓)의 하나.
字源 形聲. 心＋勤〔音〕. '勤근'은 '힘쓰다'의 뜻.

[懃恪 근각] 은근하고 삼감.
[懃懃 근근] 정성스러움. 친절함.
[懃懇 근간] 은근한 모양. 성의를 다하는 모양.
●奴見婢懃懇. 懃懇.

13/17 [懇] 高人 간 ㊤阮 康很切 kěn

筆順 ⼚ ⼛ 豸 豸 豸 豣 豣 狠 懇

字解 ①정성 간 성심. '一誠'. '忠一內發'《吳志》. ②간절할 간 성의가 두터움. '意氣懇懇一'《司馬法》. ③간절히 간 성의를 다하여. '一請愈堅'《宋史》.
字源 形聲. 篆文은 心＋狠〔音〕. '狠간'은 '멈춰 서다'의 뜻. '狠간'은 '狠'의 동일어 이제자(同一語異體字). 일정한 범위 안에 마음을 멈춰 세워 두다, 간절하게 하다의 뜻을 나타냄.

[懇懇 간간] 매우 간절한 모양. 지성스러운 모양.
[懇悃 간곤] 간성(懇誠).
[懇款 간관] 간성(懇誠).
[懇談 간담] 정(情) 담게 이야기함.
[懇待 간대] 간절한 대접. 남의 대우(待遇)의 경칭(敬稱).
[懇到 간도] 지극히 정성스러움.
[懇篤 간독] 간절하고 정이 두터움.
[懇望 간망] 간절히 바람.
[懇命 간명] 친절한 명령. 남의 명령의 경칭(敬稱).
[懇謝 간사] 간절히 사례(謝禮)함.
[懇誠 간성] 지성(至誠).
[懇遇 간우] 간대(懇待).
[懇願 간원] 간절히 원(願)함.
[懇意 간의] ㉠성의(誠意). ㉡친절.
[懇切 간절] 지성스럽고 절실함.
[懇情 간정] 간절한 마음.
[懇至 간지] 간절한 뜻. 간도(懇到).
[懇請 간청] 간절히 청(請)함.
[懇囑 간촉] 간절히 청촉함.
[懇惻 간측] 진정으로 측은히 여김.
[懇親 간친] 격의(隔意) 없이 친함. 친목(親睦)함.
[懇話 간화] 간담(懇談).
●悃懇. 勤懇. 別懇. 誠懇. 昵懇. 精懇. 忠懇.

13/17 [懇] 懇(前條)의 本字

13/17 [憼] 경 ㊤梗 居影切 jǐng

字解 ①공경할 경 '一, 敬也'《說文》. ②경계할 경 병마(兵馬) 따위를 갖추고 경비함. '無私罪人, 一革貳兵'《荀子》.
字源 形聲. 心＋敬〔音〕. '敬경'은 '삼가다'의 뜻.

13 [應] 中 応 遮
⑰ 응
㊉蒸 於陵切 yīng
㊉徑 於證切 yìng

筆順 广 广 圧 雁 雁 雁 應 應

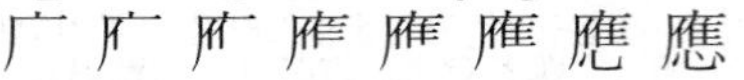

字解 ①응당 응 생각하건대 마땅히. '一須'·'一合'도 같은 뜻임. '罪一誅'《孔子家語》. ②당할 응 닥쳐오는 일을 감당함. '臨機一變'. '使章子將而一之'《戰國策》. ③응할 응 ㉠대답함. '一答'. '坐而言, 不一'《孟子》. ㉡감통(感通)함. '感一'. '同聲相一'《易經》. ㉢따름. 응종(應從)함. '嚮一'. '一化歸風'《李德林》. ㉣승낙함. '阿母謂阿女, 汝可去一之'《古詩》. ④악기 이름 응 ㉠옛 악기의 하나. ㉡작은북. 응고(應鼓). ⑤성 응 성(姓)의 하나. [應④㉠]

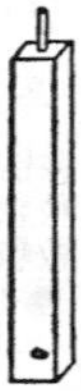

字源 金[圧] 篆[應] 文[檴] 은 매[鷹]의 뜻. 사냥용 매를 가슴팍에 당겨 놓은 모습에서, 가슴으로 당하다, 응하다의 뜻을 나타냄.

[應感 응감] 마음에 응(應)하여 느낌.
[應璩 응거] 삼국 시대(三國時代) 위(魏)나라의 문인(文人). 건안 칠자(建安七子)의 한 사람인 응탕(應瑒)의 아우. 벼슬은 시중(侍中)에 이르렀음.
[應鼓 응고] 옛 악기의 하나. 작은북. 건고(建鼓)의 동쪽에 놓아 삭비(朔鼙)를 친 다음 그에 응(應)하여 치는 것임.
[應供 응공] 《佛敎》 인천(人天)의 공양(供養)을 받을 만한 덕을 갖추었다는 뜻으로, 부처를 이름. 
[應口輒對 응구첩대] 묻는 대로 곧 대답(對答)함.
[應急 응급] 급한 대로 우선 처리함.
[應器 응기] 《佛敎》 중의 밥그릇. 바리때. 응량기(應量器).
[應諾 응낙] ㉠대답함. ㉡승낙함.
[應答 응답] 물음에 대답(對答)함.
[應當 응당] 당연히. 꼭. 으례.
[應接 응접 (應接)❶㉡
[應量器 응량기] 《佛敎》 중의 바리때. 보시(布施)를 받는 그릇.
[應募 응모] 모집(募集)에 응함.
[應門 응문] ㉠왕궁(王宮)의 정문(正門). ㉡문 앞에서 손님을 응대함.
[應門之童 응문지동] 문 앞에서 손님을 응대(應對)하는 아이.
[應變 응변] 변화에 따라서 잘 처리함.
[應報 응보] 선악(善惡)의 인연(因緣)에 응(應)하여 화복(禍福)의 갚음을 받는 일.

[應鼓]
[應門㉠]

[應符之兆 응부지조] 천자(天子)가 될 조짐(兆朕).
[應分 응분] 신분에 맞음.
[應聲 응비] 응고(應鼓)와 같음.
[應聲 응성] 소리에 응함.
[應劭 응소] 후한(後漢) 때의 여남(汝南) 사람.

자(字)는 중원(仲遠). 영제(靈帝) 때에 태산(太山)의 태수(太守)가 되어 황건적(黃巾賊)을 물리치는 데에 공을 세웠고, 헌제(獻帝) 때에 원소(袁紹)의 군모교위(軍謀校尉)로 임명되었음. 고전(古典)에 정통하여 율령(律令)을 산정(刪定)하였고, 〈한관예의고사(漢官禮儀故事)〉·〈풍속통(風俗通)〉등을 저술하였음.
[應訴 응소] 소송(訴訟)에 응함.
[應訟 응송] 응소(應訴).
[應酬 응수] ㉠대답을 함. 또, 대답. ㉡답장을 함. 또, 답장.
[應數 응수] 바둑이나 장기(將棋) 등에서 상대편이 두는 수(數)에 대항하여 둠. 또, 그 수(數).
[應手倒 응수도] 손에 든 무기를 휘두를 때마다 적이 상처 입고 넘어짐.
[應時 응시] ㉠때에 응하여 행함. ㉡즉시(卽時).
[應試 응시] 시험(試驗)에 응(應)함.
[應身 응신] 《佛敎》 여래 삼신(如來三神)의 하나. 부처가 중생(衆生)을 제도(濟度)하기 위하여 때에 따라 여러 가지 형체로 나타나는 색신(色身).
[應我 응아] 남이 자기(自己)를 따름.
[應役 응역] 공역(公役)에 응(應)함.
[應然 응연] 당연히. 마땅히.
[應用 응용] ㉠경우에 따라 활용함. ㉡실제로 활용함.
[應援 응원] ㉠편들어 격려하거나 돕는 일. ㉡운동 경기 등에서 박수나 노래 등으로 자기편 선수의 힘을 북돋우는 일.
[應唯 응유] 대답. 응답(應答).
[應戰 응전] 싸움에 응(應)함.
[應接 응접] ㉠맞이하여 접대함. ㉡대답함. ㉢호응(呼應)하여 취급함.
[應接不暇 응접불가] ㉠일일이 대답할 틈이 없음. 비상히 바쁨. ㉡산수(山水)의 경치(景致)가 뛰어나서 변화가 많은 형용(形容).
[應制 응제] 시(詩)에 화운(和韻)하거나, 또는 칙명(勅命)에 의하여 시문(詩文)을 짓는 일. 그 시체(詩體)를 응체제(應體制)라 함.
[應詔 응조] 조칙(詔勅)에 응함.
[應鍾 응종] 십이율(十二律)의 하나. 음력(陰曆) 10월에 배당(配當)되므로, 10월의 이칭(異稱)으로 쓰임.
[應瑒 응탕] 삼국 시대(三國時代)의 문학자(文學者). 왕찬(王粲)·진림(陳琳) 등과 함께 건안 칠자(建安七子) 또는, 업하(鄴下)의 칠자의 한 사람.
[應砲 응포] 저편에 응하여 대포(大砲)를 쏨.
[應驗 응험] 드러난 조짐이 맞음.
[應現 응현] 《佛敎》 응화(應化).
[應弦而倒 응현이도] 쏜 화살이 보기 좋게 명중(命中)하여 활시위의 소리에 응(應)하듯이 적(敵)이 넘어짐.
[應護 응호] 《佛敎》 부처·보살이 중생의 소원에 응하여 내리는 가호(加護).
[應化 응화] ㉠덕화(德化)를 따름. ㉡《佛敎》 부처가 세상을 구하기 위해서 여러 가지 형체로 변신(變身)하여 나타남.
[應和 응화] 서로 대답(對答)함.

●感應. 敬應. 供應. 光應. 內應. 來應. 答應. 對應. 冥應. 鳴應. 反應. 報應. 福應. 符應. 相應. 祥應. 瑞應. 善應. 昭應. 酬應. 順應. 靈應. 圓應. 因應. 一應. 再應. 適應. 照應.

卽應. 諾應. 嚮應. 響應. 饗應. 呼應. 效應. 休應.

13 ⑰ [懋] [人名] 무 [去]宥 莫候切 mào(mòu)

[筆順] 木 朩 朩 杍 柕 楙 懋 懋

[字解] ①힘쓸 무 노력함. '一力'. '惟時一哉'《書經》. ②성대할 무, 성대히할 무 성(盛)하고 큼. 아주 성함. 또, 성하고 크게 함. '一典'. '一績'. '予一乃德'《書經》.
[字源] 金文 篆文 形聲. 心＋楙〔音〕. '楙무'는 '務무'와 통하여, '힘쓰다'의 뜻. 마음을 다해서 힘쓰다의 뜻을 나타냄.

[懋戒 무계] 힘써 경계(警戒)함.
[懋力 무력] 힘씀.
[懋懋 무무] 힘쓰는 모양.
[懋績 무적] 뛰어난 공적.
[懋典 무전] 성대(盛大)한 의식(儀式). 성전(盛典).
[懋遷 무천] 물화(物貨)의 교역(交易)을 힘써 행함.
◉勸懋. 美懋. 昭懋. 力懋. 弘懋.

13 ⑰ [㦗]
[一] 계 [去]霽 苦計切 qì
[二] 기 [去]寘 磬致切
[三] 개 [去]卦 口賣切 kuài
[四] 격 [入]陌 苦席切
[五] 척 [入]錫 他歷切

[字解] [一] ①고단할 계 피로함. '一, 憊也'《玉篇》. ②심할 계 '一, 劇也'《廣韻》. ③두려워할 계 '一, 怖也'《集韻》. ④근심할 계 '一, 憂也'《集韻》. [二] 고단할 기 [一]❶과 뜻이 같음. [三] 괴로워할 개 㜳(女部 十三畫)와 同字. '㜳, 說文, 難也. 或从心'《集韻》. [四] 두려워할 격 [一]❸과 뜻이 같음. [五] 삼갈 척 '一, 敕也'《廣韻》.
[字源] 形聲. 心＋毄〔音〕

13 ⑯ [憶] [中人] 억 [入]職 於力切 yì 忆

[筆順] 忄 忙 忙 怍 怜 愔 憶 憶

[字解] ①기억할 억 마음속에 간직하여 잊지 아니함. '猶一疇昔'《晉書》. ②생각할 억 잊지 않고 생각함. '一念'. '不一故無情'《晉書》. ③기억 억 '撰次諳一'《南史》. ④생각 억 '何爲忍一含羞'《梁簡文帝》.
[字源] 形聲. 忄(心)＋意〔音〕. '意의'는 '생각하다'의 뜻. 마음속에 생각하고 있으며 잊지 않다의 뜻을 나타냄.

[憶起 억기] 지난 일을 생각하여 냄.
[憶念 억념] 잊지 않고 항상 생각함.
[憶想 억상] 생각함. 헤아림.
◉空憶. 過目皆憶. 舊憶. 記憶. 思憶. 相憶. 想憶. 誦憶. 尋憶. 暗憶. 幽憶. 長憶. 追憶. 惛憶.

13 ⑯ [憸]
[一] 섬 [平]鹽 息廉切 xiān
[二] 험 [上]琰 虛檢切 xiān

[字解] [一] 간사할 섬 간사하여 아첨을 잘함. '姦一'. '爾無昵于一人'《書經》. [二] 간사할 험 [一]과 뜻이 같음.
[字源] 篆文 形聲. 忄(心)＋僉〔音〕. '僉첨'은 '險험'과 통하여, '험하다'의 뜻. 마음이 험악하다, 비뚤어지다의 뜻을 나타냄.

[憸巧 섬교] 간교(奸巧)함.
[憸佞 섬녕] 간사하고 아첨을 잘함.
[憸邪 섬사] 간사(奸邪)함.
[憸細 섬세] 간사하고 잗다람. 또, 그러한 사람.
[憸諛 섬유] 간사하고 아첨함.
[憸人 섬인] 간사하고 아첨을 잘하는 사람.
[憸凶 섬흉] 간사하고 흉악함.
◉姦憸. 凶憸.

13 ⑯ [憹] 뇌 [上]晧 乃老切 náo 忱

[字解] 괴로워할 뇌 惱(心部 九畫)와 同字. '懊一'.
[字源] 形聲. 忄(心)＋農〔音〕

◉懊憹.

13 ⑯ [憺] [人名] 담 [去]勘 徒濫切 dàn

[字解] ①편안할 담 마음이 편안함. '恬一'. '游子一忘歸'《謝靈運》. ②움직일 담 '一一'. '威稜一乎鄰國'《漢書》.
[字源] 篆文 形聲. 忄(心)＋詹〔音〕. '詹담'은 '淡담'과 통하여, '담백(淡白)하다'의 뜻. 마음이 무슨 일에나 담담하고 욕심이 없어 편안하다의 뜻을 나타냄.

[憺憺 담담] 움직이는 모양.
[憺畏 담외] 두려워함. 외구(畏懼).
◉蕭憺. 恬憺. 威憺. 慘憺.

13 ⑯ [憾] [人名]
[一] 감 [去]勘 胡紺切 hàn (함[本])
[二] 담 [上]感 徒感切 dàn

[字解] [一] ①한할 감 원한을 품음. '一怨'. '反爲一恚'《徐陵》. ②섭섭할 감 마음에 부족을 느낌. '遺一'. '天地之大也, 人猶有所一'《中庸》. ③한 감 원한. '私一'. '請君釋一于宋'《左傳》. 또, 원한을 품은 사람. '二一往矣'《左傳》. [二] 근심할 담 우려함. 마음이 불안(不安)함. '志欲一而不憺兮'《楚辭》.
[字源] 形聲. 忄(心)＋感〔音〕. '感감'은 커다란 자극에 마음이 온통 뒤흔들리다의 뜻을 나타냄. 뒤에 거기에 '心'을 덧붙여, 특히 나쁜 경우를 말하며, '원망하다'의 뜻을 나타냄.

[憾恚 감에] 한하여 성을 냄.
[憾怨 감원] 원한을 품음.
[憾悔 감회] 한하고 뉘우침.
◉舊憾. 悲憾. 私憾. 素憾. 宿憾. 恚憾. 逞憾. 遺憾.

13 ⑯ [憷] 초
①[上]語 創擧切 chǔ
②[去]御 創據切 chù

[字解] ①아플 초 '一, 痛也'《集韻》. ②영리할 초 총명함. '一, 心利也'《集韻》.

13
⑯ [懁] 환 ㊞刪 胡關切 xuān

字解 조급할 환 성급함. '─促'. '順─而達'《莊子》.

字源 篆文 形聲. 忄(心)+瞏〔音〕. '瞏환'은 '돌다'의 뜻. 마음이 어지럽게 움직이다의 뜻을 나타냄.

[懁急 환급] 성급함.
[懁促 환촉] 조급함.
●順懁.

13
⑯ [懂] 동 ㊦董 多動切 dǒng

字解 ①심란할 동 마음이 산란함. '憒─'. ②명백할 동 백화문(白話文)에서, '이해(理解)하다'의 뜻으로 씀. '─得'. '我─地'.

字源 形聲. 忄(心)+董〔音〕

[懂得 동득] 이해함.
●憒懂.

13
⑯ [懅] 거 ㊞魚 强魚切 jù

字解 부끄러워할 거 수치를 느낌. '霸慚─而退'《後漢書》.

●慚懅.

13
⑯ [憴] 승 ㊞蒸 食陵切 shéng

字解 경계할 승 조심시킴. '兢兢·──, 戒也'《爾雅》.

13
⑯ [懆] 조 ㊦晧 采老切 cǎo

字解 근심할 조 근심하여 마음이 불안한 모양. '念子──, 視我邁邁'《詩經》.

字源 篆文 形聲. 忄(心)+喿〔音〕. '喿조'는 '소란스럽다'의 뜻. 마음이 설레다, 불안해지다의 뜻을 나타냄.

[懆懆 조조] 근심하여 마음이 불안한 모양.

13
⑯ [懈] 人名 해 ㊦卦 古隘切 xiè

字解 게으를 해, 게으를 해 나태함. 나태. '─怠'. '─弛'. '小心翼翼, 一之不─'《小學》.

字源 篆文 形聲. 忄(心)+解〔音〕. '解해'는 산산이 흐트러지다의 뜻. 마음의 긴장이 풀리다, 게을리 하다의 뜻을 나타냄.

[懈倦 해권] 게으르고 권태를 느낌.
[懈慢 해만] 게으름. 태만함.
[懈弛 해이] 마음이나 규율(規律)이 풀리어서 느즈러짐.
[懈惰 해타] 나태 (懈怠).
[懈怠 해태] 게으름. 해타(懈惰).
●勞懈. 淹懈. 離懈. 替懈. 墮懈. 怠懈.

13
⑯ [懊] 人名 오 ㊦晧 烏晧切 ào

字解 한할 오 원통하게 여겨 고민함. '─歎'. '後時徒悔─'《韓愈》.

字源 形聲. 忄(心)+奧. '奧오'는 '깊숙하다'의 뜻. 마음이 깊숙하게 떨어지다, 괴로워하다의 뜻을 나타냄.

[懊惱 오뇌] 원통하여 번민함.
[懊憹 오뇌] 오뇌(懊惱).
[懊譪 오애] 고기잡이를 하면서 부르는 노래. 어부「가(漁夫歌)」.
[懊歎 오탄] 원통히 여겨 한탄함.
[懊悔 오회] 후회함.
●悔懊.

13
⑯ [懌] 역 ㊞陌 羊益切 yì

字解 ①기뻐할 역 희열함. '悅─'. '予一人以─'《書經》. ②기쁘게할 역 희열하게 함. '用─先王受命'《書經》.

字源 篆文 形聲. 忄(心)+睪〔音〕. '睪역'은 실뭉치처럼 뭉쳐 있던 것을 당기어서 풀다의 뜻. 마음의 매듭이 풀리다, 기뻐하다의 뜻을 나타냄.

[懌懷 역회] 마음을 기쁘게 함.
●權懌. 爽懌. 悅懌. 娛懌. 流懌. 夷懌. 怡懌. 和懌. 欣懌. 喜懌.

13
⑯ [憻] 탄 ㊦旱 儻旱切 tǎn

字解 너그러울 탄, 평탄할 탄 坦(土部 五畫)과 同字.

13
⑯ [懍] █ 름 ㊦寢 力稔切 lǐn
█ 람 ㊦感 盧感切 lǎn

字解 █ ①삼갈 름 두려워하여 근신함. '祇─'. '心──以懷霜'《陸機》. ②두려워할 름 공구함. '百姓──'《書經》. ③위태할 름 위태로운 모양. '一乎若朽索之馭六馬'《書經》. █ ①찰 람 몹시 추움. '一懍'. '悲夫多之爲氣, 亦何懍─以蕭索'《陸機》. ②비통할 람 대단히 슬퍼함. '莫不懍─慘悽, 愀愴傷心'《嵇康》.

字源 形聲. 忄(心)+稟〔音〕. '稟름'은 '凜름'과 통하여, 차고 몸이 죄어들다의 뜻. '心'을 붙여, 마음이 긴장되다의 뜻을 나타냄.

[懍慄 남률] 추워서 떪.
[懍懍 늠름] ㉠두려워하는 모양. ㉡두려워하여 삼가는 모양. ㉢풍채가 당당한 모양.
●坎懍. 危懍. 祇懍. 慘懍.

13
⑯ [憕] 금 ㊞侵 居吟切 jīn

字解 ①마음단단할 금 마음이 꿋꿋한 모양. '一心一兒'《廣韻》. ②일할 금 부지런히 함. '一, 懃也'《集韻》.

13
⑯ [憒] 회 ㊦泰 烏外切 wèi

字解 ①미워할 회 증오함. '此君公私並一'《陸機》. ②번민할 회 고민함. '衆人──, 不爲我言'《岑參》.

字源 形聲. 忄(心)+會〔音〕

[懀懀 회회] 번민하는 모양.

13⑯ [懙] 요(교[本]) [平]蕭 吉堯切 jiǎo

[字解] 요행 요 僥(亻部 十三畫)와 同字. '一, 一幸'《廣韻》.
[字源] 篆文 形聲. 忄(心)+敫〔音〕. '敫교'는 '두들기다'의 뜻에서, 얻기 어려운 것을 억지로 구하다의 뜻.

13⑯ [憽] 송 [平]東 蘇公切 sōng

[字解] 똑똑할 송 또, 똑똑한 사람. '一, 惺一, 了慧人也'《廣韻》. '一, 惺一'《玉篇》.

13⑯ [懪] 업 [入]葉 逆怯切 yè

[字解] ①두려워할 업. ②위태할 업.

13⑯ [憤] 〔분〕
憤(心部 十二畫〈p. 817〉)의 本字

13⑯ [㦟] 〔만〕
慢(心部 十一畫〈p. 812〉)의 俗字

13⑯ [懃] 〔근〕
慬(心部 十一畫〈p. 813〉)과 同字

13⑯ [懷] 〔회〕
懷(心部 十六畫〈p. 826〉)의 俗字

14⑱ [懘] 체 [去]霽 尺制切 chì

[字解] 가락어지러울 체 음조(音調)가 고르지 못하고 어지러움. '五音不亂, 則無怗一之音矣'《禮記》.
[字源] 篆文 形聲. 心+滯〔音〕. '滯체'는 '막히다'의 뜻. 마음이 정체되는 것.

14⑱ [懟] 대 [去]隊 徒對切 duì 怼

[字解] 원망할 대 원한을 품음. '怨一'. '以死誰一'《左傳》.
[字源] 篆文 形聲. 心+對〔音〕. '對대'는 상대인 적(敵)의 뜻. 적대시(敵對視)하여 원망하고 노하다의 뜻을 나타냄. 또, '對'는 '敦대'와 통하여, '두껍다'의 뜻. 두껍게 쌓인 마음의 뜻에서, '원한'의 뜻을 나타냄.

◉困懟. 忿懟. 讎懟. 怨懟.

14⑱ [懣] [一] 문 [去]願 莫困切 mèn 懑
[二] 만 [上]旱 莫旱切 mèn

[字解] [一] ①번민할 문 마음이 번거로워 답답해 함. '志一氣盛'《禮記》. ②번민 문 '發憤吐一'《後漢書》. [二] 번민할 만, 번민 만 [一]과 뜻이 같음.
[字源] 篆文 形聲. 心+滿〔音〕. '滿만'은 '가득 차다'의 뜻. 마음에 가득 차는 번민, 노여움의 뜻을 나타냄.

[懣懣 만만] 번민하여 괴로워하는 모양.
◉感懣. 懼懣. 勸懣. 悶懣. 煩懣. 忿懣. 憤懣. 悲懣. 愁懣. 惋懣. 憂懣. 湊懣. 喘懣.

14⑱ [懖] 괄 [入]曷 古活切 kuò

[字解] ①마음대로할 괄 고집대로 함. ②미련할 괄 무지(無知)한 모양. '一, 愚一, 無知'《廣韻》.
[字源] 形聲. 心+銽〔音〕

14⑱ [懕] 염 [平]鹽 一鹽切 yān

[字解] ①편안할 염 안정(安靜)함. '一一, 安也'《爾雅》. ②앓을 염 앓는 모양.
[字源] 篆文 形聲. 心+厭〔音〕. '厭염'은 '진력이 나다'의 뜻. '충족된 마음, 편안함'의 뜻을 나타냄.

[懕懕 염염] ㉠편안한 모양. 마음이 안정한 모양. ㉡앓는 모양.

14⑱ [懇] 〔여〕
懊(心部 十四畫〈p. 824〉)와 同字

14⑰ [懜] 몽 [平]東 莫紅切 méng

[字解] 어두울 몽, 어리석을 몽 무식한 모양. 우매한 모양. '懞表發昏一'《吳師道》.
[字源] 篆文 形聲. 忄(心)+夢〔音〕. '夢몽'은 '어둡다'의 뜻. 마음이 어둡다, 번민하다, 부끄러워하다의 뜻을 나타냄.
[參考] 懵(心部 十六畫)은 同字.

◉昏懜.

14⑰ [懛] 대 [平]灰 當來切 dāi

[字解] 실의(失意)한모양 대 '一, 一韼, 失志皃'《廣韻》.

14⑰ [懠] 제 [平]齊 徂奚切 qí
[去]霽 在詣切

[字解] 성낼 제 화냄. '一, 怒也'《爾雅》.
[字源] 形聲. 忄(心)+齊〔音〕

14⑰ [懢] 람 [平]覃 盧甘切 lán
[去]勘 盧瞰切

[字解] 즐길 람, 탐할 람 탐하여 좋아함. '貪一, 嗜也'《集韻》.
[字源] 形聲. 忄(心)+監〔音〕

14⑰ [懤] 주 [平]尤 直由切 chóu

[字解] 근심할 주 우수(憂愁)에 잠긴 모양. '懼吾心兮一一'《楚辭》.
[字源] 形聲. 忄(心)+壽〔音〕

[懤懤 주주] 근심하는 모양.

14⑰ [懥] 치(지[本]) [去]寘 陟利切 zhì

字解 성낼 치 분노함. '身有所忿—'《大學》.
字源 形聲. 忄(心)+疐〔音〕

◉忿懥.

14 ⑰ [懦] 人名 ━ 유 ㊥虞 人朱切 nuò
　　　　　 ━ 나 ㊤箇 奴臥切 nuò

字解 ━ ①나약할 유 무기력함. 마음이 약하고 겁이 많음. '—夫'. '—弱'. '善屬文, 然—於武'《漢書》. ②겁쟁이 유 겁이 많은 사람. '激貪立—'《謝朓》. ━ 나약할 나, 겁쟁이 나 ㊀과 뜻이 같음.
字源 篆文 形聲. 忄(心)+需〔音〕. '需유'는 '부드럽다'의 뜻. 마음이 부드럽고 약하다의 뜻을 나타냄.
參考 愞(心部 九畫)·懧(心部 十四畫)는 同字.

[懦怯 나겁] 겁. 비겁.
[懦鈍 나둔] 나약하고 둔함.
[懦薄 나박] 마음이 약하고 덕이 박함.
[懦夫 나부] 겁이 많은 남자. 겁쟁이.
[懦弱 나약] 약함. 기력이 없음.
[懦語 나어] 겁먹은 말.
[懦劣 나열] 나약하고 용렬함.
[懦者 나자] 비겁한 사람. 겁쟁이.
◉怯懦. 老懦. 衰懦. 軟懦. 畏懦. 庸懦. 幼懦. 柔懦. 淺懦. 退懦. 偸懦. 罷懦.

14 ⑰ [懧] 懦(前條)와 同字

14 ⑰ [懡] 마 ㊤哿 亡果切 mǒ

字解 ①적적할 마 쓸쓸함. '人烟—㦬不成村, 溪水微茫劣半分'《楊萬里》. ②부끄러워할 마 '—㦬, 慙也'《集韻》.
字源 形聲. 忄(心)+麼〔音〕

14 ⑰ [懞] 몽 ㊥東 謨蓬切 méng

字解 흐리멍덩할 몽 '—懂'은 속어(俗語)로서, 흐린 모양. '善畫無根樹, 能描—懂山'《畫鑑》.
字源 形聲. 忄(心)+蒙〔音〕. '蒙몽'은 덮이어 어두움의 뜻.

[懞懂 몽동] 자해(字解)를 보라.

14 ⑰ [懝] 애 ㊤隊 五溉切 ài

字解 ①어리석을 애 둔함. '—, 騃也'《說文》. ②두려워할 애 당황함. '—, 一曰, 惶也'《說文》.
字源 篆文 形聲. 忄(心)+疑〔音〕. '疑의'는 머리를 쳐들고 생각의 갈피를 잡지 못하는 모양. 결단을 내리지 못한 어리석음의 뜻을 나타냄.

14 ⑰ [懙] 여 ㊤語 演女切 yǔ

字解 ①공경할 여 공손히 섬김. ②느릴 여 행보(行步)가 느린 모양. '長倩——'《漢書》.
字源 篆文 形聲. 忄(心)+與〔音〕. '與여'는 '부드러워지다'의 뜻. 마음 편하게 달리는 모양.
參考 懊(心部 十四畫)와 同字.

[懙懙 여여] 행보가 느린 모양.

14 ⑰ [憐] 〔련〕
憐(心部 十二畫〈p. 816〉)의 本字

15 ⑲ [懲] 高人 징 ㊥蒸 直陵切 chéng

筆順 彳 徃 徨 徨 徵 徵 徵 懲

字解 ①징계할 징 ㉠기왕지사를 돌아보아 후회하여 장래를 삼감. '民有所—'《禮記》. ㉡장래에 삼가도록 하기 위하여 제재를 가함. '膺—'. '戎狄是膺, 荆舒是—'《孟子》. ②징계 징 '不忍加—'《舊唐書》.
字源 篆文 形聲. 心+徵〔音〕. '徵징'은 '止지'와 통하여, '멎다'의 뜻. 마음의 활동이 멎다, 혼나다의 뜻을 나타냄.

[懲改 징개] 잘못된 행위를 스스로 뉘우쳐 고침.
[懲羹吹齏 징갱취제] 뜨거운 국물에 입을 데어 놀란 나머지 찬 나물도 불면서 먹는다는 뜻으로, 한번 실패(失敗)에 겁이 나서 쓸데없는, 혹은 지나친 조심(操心)을 함을 이름.
[懲警 징경] 징계(懲戒).
[懲戒 징계] ㉠자기 스스로 과거에 당한 일을 돌아보아 뉘우치고 경계함. ㉡남을 장래에 삼가도록 하기 위하여 제재를 가함.
[懲寇 징구] 외적(外敵)을 응징(膺懲)함.
[懲勸 징권] 나쁜 일을 징계하고 착한 일을 권장함.
[懲罰 징벌] 장래를 경계(警戒)하는 뜻으로 벌(罰)을 줌.
[懲忿窒慾 징분질욕] 분노(忿怒)와 사욕(私慾)은 덕을 쌓는 데 해로우므로 이를 참고 억제함.
[懲毖 징비] 스스로 징계하여 삼감.
[懲習 징습] 못된 버릇을 징계함.
[懲惡 징악] 못된 마음이나 행위를 징계함.
[懲艾 징애] 혼이 남. 징계(懲戒)함.
[懲乂 징애] 징애(懲艾).
[懲禦 징어] 외적(外敵)을 응징(膺懲)하여 그 침입을 막음.
[懲役 징역] 죄인을 교도소에 가두어 두고 노동을 시키는 체형(體刑).
[懲乂 징예] 징계(懲戒).
[懲膺 징응] 정벌(征伐)하여 징계함. 응징(膺懲).
[懲止 징지] 징계하여 그치게 함.
[懲窒 징질] 분노와 사욕을 억제함.
[懲創 징창] 징계(懲戒).
[懲治 징치] 징계(懲戒)하여 다스림.
[懲貶 징폄] 징계하여 좌천(左遷)시킴.
◉科懲. 勸懲. 罰懲. 膺懲. 褒懲. 刑懲.

15 ⑲ [懬] 광 ㊤漾 苦謗切 kuàng
　　　　　 ㊤養 丘晃切 kuàng

字解 ①너그러울 광, 클 광 관대(寬大)함. '—彼淮夷'《詩經》. ②빌 광 텅 빔. 曠(日部 十五畫)과 통용. ③사나울 광, 굳셀 광 獷(犬部 十五畫)과 통함.

形聲. 心＋廣〔音〕. '廣광'은 '넓다'의 뜻. 마음이 넓다의 뜻을 나타냄.

타내는 말이므로, 뒷날 '心'을 덧붙였음.

[憤] 치 ㊁眞 脂利切 zhì

字解 성낼 치 懥(心部 十四畫)와 同字. '叨一日
欽'《書經》.
字源 形聲. 忄(心)＋質〔音〕

15
⑱ **[懬]** 〔참〕
懴(心部 十七畫〈p. 827〉)의 俗字

15
⑲ **[鐺]** 〔괄〕
懖(心部 十四畫〈p. 823〉)의 本字

[憂] 우 ㊤有 於柳切 yǒu
　　　　 ㊥尤 於求切 yōu

字解 ①느릴 우 느릿느릿함. '舒一受兮'《詩經》.
②근심할 우 憂(心部 十一畫)와 同字. '傷余心
之一一'《楚辭》.
字源 形聲. 忄(心)＋憂〔音〕. '憂우'는 '근심하다'
의 뜻. '心'을 붙여, 근심하다의 뜻을 나타
냄. 또, '悠유'와 통하여, 유유히 있는 상태를
나타냄.

憂憂 우우] 근심하는 모양.

16
⑳ **[懸]** 현 ㊥先 胡涓切 xuán　　悬 縣

筆順 目 县 県 県 県 県 県 懸 懸

字解 ①달 현 매닮. '一垂'. '以朽索一萬斤石于
心上'《後漢書》. ②달릴 현 매달림. '金鉤翠幔
一'《庾信》. ③걸 현 ㉠손쉽게 벗길 수 있도록
매닮. 게시(揭示)함. '一罄'. '一琴於城門, 以
爲廉隅符'《說苑》. ㉡현상금을 걸고 목적물을
구함. '一購'. '一賞以待功'《鹽鐵論》. ④현격
할 현 서로 동떨어짐. '一絶'. '一隔'. '優劣相
一'《馬融》. ⑤멀리 현 멀리 떨어져서. '一知獨
有子雲才'《王維》. ⑥빚 현 부채. '逋一租賦'《北
史》.
字源 形聲. 心＋縣〔音〕. '縣현'은 '달다'의 뜻.
마음에 두다의 뜻을 나타내었으나, '縣'이
행정 구획의 뜻으로 쓰이게 되매, 다시 '心'을
덧붙여, '매달다'의 뜻을 나타냄.

[懰] 류 ①㊤有 力久切 liǔ
　　　 ②㊥尤 力求切 liú
字解 ①아름다울 류 용모가 아름다움. '佼人一
兮'《詩經》. ②근심할 류 걱정하는 모양. 또, 원
망하는 모양. '一慄不言'《漢書》.
字源 形聲. 忄(心)＋劉〔音〕

懰慄 유율] 근심하는 모양. 또, 원망하는 모양.

[憽] 숭 ㊥東 蘇公切 sōng
字解 총명할 숭 영리함. 또, 그 사람.

[懬] 광 ①㊤養 苦晃切 kuǎng
　　　　 ②㊤梗 古猛切
字解 ①실의할 광 '一悢'은 뜻을 펴지 못한 모
양. '愴悢一悢兮'《楚辭》. ②굳셀 광 사나움.
字源 形聲. 忄(心)＋廣〔音〕

懬悢 광랑] 실의(失意)한 모양. 뜻을 펴지 못한
모양.

[懩] 양 ㊤養 以兩切 yǎng
字解 뜻이루고자할 양 의사(意思)를 성취(成
就)시키고자 함.
字源 形聲. 忄(心)＋養〔音〕

● 怏懩.

[懱] 멸 ㊇屑 莫結切 miè
字解 ①업신여길 멸 경멸(輕蔑)함. '一, 輕易
也'《說文》. ②끝 멸 말단(末端). '一, 一日, 末
也'《集韻》. ③멸망할 멸 박멸함. '一拭, 滅也'
《一切經音義》.
字源 形聲. 忄(心)＋蔑〔音〕. '蔑멸'은 업신
여겨 물리치다의 뜻. 심리 상태를 나

[懸車 현거] 한(漢)나라의 설광덕(薛廣德)이 연
로(年老)하여 치사(致仕)하였을 때 천자(天子)
께서 하사한 안거(安車)를 매달아 놓고 행영
(幸榮)의 기념으로 한 고사(故事). 전(轉)하
여, 연로하여 특히 70세에 치사(致仕)함을 이
름.
[懸隔 현격] 썩 동떨어짐.
[懸磬 현경] 집이 가난해서 보이는 것이라고는 들
보만이 경가(磬架)처럼 보이고 아무것도 없음.
[懸橋 현교] 조교(弔橋).
[懸購 현구] 돈을 걸고 구함. 현상을 걸고 물건을
삼.
[懸軍 현군] 군대를 멀리 내보냄. 또, 그 군대.
[懸軍萬里 현군만리] 만 리나 떨어진 먼 곳에 군
대를 내보냄.
[懸軍長驅 현군장구] 먼 적지(敵地)에 깊이 군대
를 진격시킴.
[懸金 현금] 돈을 걺. 또, 건 돈. 현상으로 내놓은
돈.
[懸旗 현기] 현패(懸旆).
[懸念 현념] 마음에 늘 두고 생각함.
[懸湍 현단] 폭포(瀑布).
[懸斷 현단] 생각하여 결단함.
[懸度 현도] 멀리 떨어진 곳을 건너감.
[懸頭刺股 현두자고] 한(漢)나라 손경(孫敬)이
새끼줄로 상투를 대들보에 걸어 매고, 전국 시
대의 소진(蘇秦)이 송곳으로 무릎을 찔러 가며
졸음을 깨워서 고학(苦學)했다는 고사(故事).
[懸燈 현등] 등불을 높이 매닮.
[懸欄 현란] 소란반자.
[懸鈴 현령] 기둥 등에 달아 사람을 부를 때 끈을
잡아당겨서 소리를 내는 방울.
[懸錄 현록] 장부(帳簿)에 기록함.
[懸瀨 현뢰] 현단(懸湍).
[懸溜 현류] 떨어지는 물방울.
[懸邈 현막] 아주 동떨어짐. 현격한 차이가 있음.

[懸命 현명] ㉠목숨을 좌우당함. ㉡목숨을 겁.
[懸房 현방] 《韓》 푸주.
[懸罰 현벌] 《韓》 궁중(宮中)에서 죄과가 있는 자를 징계(懲戒)하기 위하여 두 손을 묶어 나무에 달던 형벌.
[懸氷 현빙] 고드름.
[懸賞 현상] 상(賞)을 겁.
[懸殊 현수] 현격하게 다름.
[懸鶉 현순] 해진 옷.
[懸鶉百結 현순백결] 해진 옷을 백 군데를 기움.
[懸案 현안] 아직 해결 짓지 못한 안건(案件).
[懸崖 현애] 낭떠러지.
[懸崖撒手 현애살수] 《佛教》 낭떠러지에서 손을 놓아 떨어진다는 뜻으로, 막다른 골목에서 용맹심(勇猛心)을 떨쳐 분진(奮進)함을 이름.
[懸羊頭賣馬肉 현양두매마육] '양두구육(羊頭狗肉)'과 같음.
[懸羊頭賣馬脯 현양두매마포] 현양두 매마육(懸羊頭賣馬肉).
[懸癰 현옹] 현옹수(懸癰垂)의 약어(略語).
[懸癰 현옹] 분문(糞門)과 음부(陰部) 사이에 나는 종기(腫氣).
[懸癰垂 현옹수] 목젖.
[懸腕直筆 현완직필] 붓글씨를 쓸 때 팔목을 바닥에 대지 않고 붓을 곧게 쥐어 쓰는 몸가짐.
[懸疣 현우] 혹. 전(轉)하여, 소용없는 물건.
[懸牛首賣馬肉 현우수매마육] 가게 앞에 소의 대가리를 걸어 쇠고기를 파는 것처럼 차려 놓고서 실제로는 말고기를 팖. 표리부동(表裏不同)함을 이름. 현양두 매마육(懸羊頭賣馬肉).
[懸絶 현절] 현격(懸隔).
[懸旌 현정] 현패(懸旆).
[懸蹄 현제] 우제류(偶蹄類)의 네 발굽 중에서 땅에 닿지 않는 뒤쪽의 두 발굽.
[懸湍 현단] 현단(懸湍).
[懸珠 현주] 매단 아름다운 구슬. 눈동자의 비유.
[懸註 현주] 주해(註解)를 닮.
[懸進 현진] 적지(敵地) 깊이 진군(進軍)함.
[懸泉 현천] 폭포(瀑布). 비천(飛泉).
[懸榻 현탑] 매달아 놓은 걸상이란 뜻으로, 후한(後漢)의 진번(陳蕃)이 아무도 만나지 않다가 서치(徐穉)가 오면 걸상을 내려놓고 후히 대접하고 그가 가면 다시 그 걸상을 매달아 놓았다는 고사에서, ㉠귀한 손님. ㉡손님을 후히 대접함.
[懸板 현판] 글씨·그림을 새겨서 다는 널조각.
[懸旆 현패] 매단 기(旗). 전(轉)하여, 동요하는 마음의 비유로 쓰임.
[懸圃 현포] 곤륜산(崑崙山)의 신선이 산다는 곳.
[懸瀑 현폭] 폭포(瀑布).
[懸風椎 현풍추] 매달려 바람에 불리는 방망이라는 뜻으로, 꾸벅꾸벅 조는 형용으로 쓰임.
[懸河 현하] ㉠강물을 댐. ㉡경사가 급하여 쏜살같이 흐르는 강. ㉢말을 유창하게 잘함의 비유로 쓰임.
[懸河之辯 현하지변] 거침없이 잘하는 말.
[懸解 현해] 거꾸로 매달린 것 같은 큰 고통을 벗어남.
[懸弧 현호] 아들의 출생(出生). 옛날에 아들을 낳으면 호(弧), 곧 뽕나무 활을 문의 왼쪽에 걸어 활을 잘 쏘기를 바란 데서 유래함.
● 罄懸. 窮懸. 倒懸. 殊懸. 憂懸. 危懸. 差懸. 天懸. 浦懸. 下懸.

---

16 ⑳ [貌] 막 ㉠覺 墨角切 miǎo

字解 ①칭찬할 막 찬미(讚美)함. '一, 美也' 《說文》. ②범할 막, 업신여길 막 남을 능모(凌侮)함. 모멸함. '沮先聖之成論兮, 一名賢之高風. (註) 一, 陵也' 《後漢書》.

字源 形聲. 心＋貌〔音〕. '貌모·막'은 '貌모·막'과 같은 자로, 자태로써 경의를 나타내다의 뜻. 마음으로 칭찬하고 기리는 것.

16 ⑳ [懀] 위 ㉠霽 于歲切 wèi

字解 잠꼬대할 위 자면서 지껄임. '一, 寱言不慧也' 《說文》.

字源 形聲. 心＋衞〔音〕

16 ⑳ [懿] 〔의〕 懿(心部 十八畫〈p.827〉)와 同字

16 ⑲ [懶] 人名 ■ 라 ㉠旱 落旱切 lǎn (란㊀) ■ 뢰 ㉠泰 落蓋切 lài

字解 ■ ①게으를 라 나태함. '一惰.' '一婦.' '吾少一學問' 《南史》. ②느른할 라 몸이 고단하여 싫증이 남. '一讀書, 但欲眠' 《後漢書》. ③누울 라 누워 잠. '借得小窓容吾一' 《柳貫》. ■ 미워할 뢰 혐오함. '傍人任嫌一' 《蘇軾》.

字解 形聲. 忄(心)＋賴〔音〕. '賴뢰'는 '贏라'와 통하여, '지치다, 야위다'의 뜻. 마음이 지치다, 게으르다의 뜻을 나타냄.

參考 嬾(女部 十六畫)·懶(次次條)은 俗字.

[懶架 나가] 책을 올려놓고 누워 보는 기구.
[懶慢 나만] 게으름.
[懶眠 나면] 게을러 잠.
[懶婦 나부] 게으른 여자.
[懶不自惜 나부자석] 본성이 게을러서 자기 재주를 세상에 나타내어 이름을 내려고 하지 아니함.
[懶性 나성] 게으른 성질.
[懶意 나의] 게으른 생각.
[懶惰 나타] 느리고 게으름. 난타(嬾惰).
[懶怠 나태] 게으름.
● 困懶. 老懶. 放懶. 廢懶. 嫌懶.

16 ⑳ [�] 〔닌〕 您(心部 七畫〈p.780〉)의 訛字

16 ⑲ [懶] 〔란〕 嬾(女部 十六畫〈p.552〉)·懶(前前條)의 俗字

16 ⑲ [憝] 〔돈〕 惇(心部 八畫〈p.791〉)의 本字

16 ⑲ [憹] 롱 ㉠董 力董切 lǒng

字解 어그러질 롱 패려궂음. '一㦏, 多惡也' 《集韻》.

16 ⑲ [懷] 高人 회 ㉠佳 戶乖切 huái

筆順 忄 广 忄⼁ 忄⼁ 懷 懷 懐 懷 懷

[字解] ①품을 회 ㉠생각을 품음. '一春'. '君子一德'《論語》. ㉡물건을 품음. '一瑾握瑜兮'《楚辭》. ㉢애를 뱀. '一姙'. '一子三月, 出居別宮'《顔氏家訓》. ②따를 회 그리워하여 붙좇음. '一慕'. '少者一之'《論語》. ③올 회 이리로 옴. '曷又一止'《詩經》. ④편안할 회 '一哉一哉'《詩經》. ⑤편안히할 회 어루만져 편안하게 함. '一柔'. '一諸侯也'《中庸》. ⑥쌀 회 둘러쌈. 포위함. '一山襄陵'《書經》. ⑦위로할 회 위안함. '一之好音'《詩經》. ⑧품 회 가슴. '一襟'. '一中'. '然後免於父母之一'《論語》. ⑨마음 회 생각. '從一如流'《國語》. ⑩성 회 성(姓)의 하나.

[字源] 篆文 形聲. 忄(心)＋褱〔音〕. '褱회'는 '그리워하다'의 뜻. '心'을 붙여, 그리워하다의 뜻을 나타냄.

[懷古 회고] 지나간 옛일을 돌이켜 생각함.
[懷舊 회구] 지나간 일을 생각함.
[懷瑾握瑜 회근악유] 근(瑾)과 유(瑜)는 모두 아름다운 옥(玉). 미덕(美德)을 품고 있음의 비유.
[懷襟 회금] 가슴. 품속.
[懷金垂紫 회금수자] 황금(黃金)의 인(印)을 품고 자줏빛 인(印)끈을 늘어뜨린다는 뜻으로, 높은 벼슬자리에 오름을 이름.
[懷緬 회면] 품은 마음. 생각하는 마음.
[懷慕 회모] 깊이 사모(思慕)함.
[懷撫 회무] 달래어 어루만짐.
[懷璧其罪 회벽기죄] '회옥기죄(懷玉其罪)'와 같은 뜻.
[懷保 회보] 따르게 하여 보호함.
[懷鉛提槧 회연제참] 글씨를 쓰는 데 사용하는 연분(鉛粉)과 그 목판(木板)을 항상 몸에 지니고 글씨나 문장(文章)을 쓰는 일에 종사(從事)함.
[懷玉其罪 회옥기죄] 옥을 가지고 있어 오히려 화(禍)를 부름.
[懷柔 회유] 어루만지어 달램.
[懷誘 회유] 달래어 꾐.
[懷柔政策 회유정책] 정부(政府) 또는 자본주(資本主)가 반대당(反對黨) 또는 노동자(勞動者)에게 미끼를 주어 회유(懷柔)하는 정책(政策).
[懷疑 회의] ㉠의심을 품음. ㉡인식(認識)을 부정(否定)하고 진리(眞理)의 존재를 의심함.
[懷疑論 회의론] 인식(認識)을 부정(否定)하고 진리(眞理)의 존재(存在)를 의심하는 학설(學說).
[懷人 회인] 마음에 있는 사람을 생각함.
[懷妊 회임] 회임(懷姙).
[懷衽 회임] 회임(懷袵).
[懷姙 회임] 아이를 뱀.
[懷袵 회임] 가슴. 품.
[懷孕 회잉] 아이를 뱀.
[懷藏 회장] 마음속에 감추어 둠.
[懷中 회중] 품속.
[懷中儂 회중농] 그리워하는 사람. 연인(戀人).
[懷輯 회집] 달래어 모이게 함.
[懷寵尸位 회총시위] 임금의 총애(寵愛)를 믿고 물러가야 할 때에 물러가지 않고, 벼슬자리만 헛되이 차지함.
[懷春 회춘] ㉠혼인을 생각함. 옛날에는 중춘(仲春)에 혼인하였으므로 이름. ㉡청춘 남녀가 이성(異性)을 사모함.
[懷胎 회태] 아이를 뱀.
[懷抱 회포] ㉠품에 안음. ㉡부모의 품. ㉢마음속에 품은 생각.
[懷鄕 회향] 고향(故鄕)을 그리워하여 생각함.
[懷鄕病 회향병] 외국(外國)이나 타향(他鄕)에 있는 사람이 고향을 그리워하는 나머지 생기는 병(病).
◉肝懷. 感懷. 耿懷. 傾懷. 瓊懷. 苦懷. 孤懷. 高懷. 顧懷. 空懷. 款懷. 曠懷. 久懷. 舊懷. 窮鳥入懷. 卷懷. 歸懷. 近懷. 襟懷. 勞懷. 短懷. 晩懷. 望懷. 悶懷. 煩懷. 病懷. 本懷. 悲懷. 鄙懷. 常懷. 傷懷. 書懷. 舒懷. 善懷. 所懷. 素懷. 疎懷. 綏懷. 述懷. 雅懷. 永懷. 詠懷. 榮懷. 寤懷. 寓懷. 愚懷. 憂懷. 幽懷. 恩懷. 依懷. 疑懷. 潛懷. 壯懷. 情懷. 注懷. 中懷. 軫懷. 塵懷. 招懷. 追懷. 秋懷. 衷懷. 坦懷. 肺懷. 包懷. 虛心坦懷. 虛懷. 胸懷.

16 ⑲ **[懫]** 〔궤〕
憒(心部 十二畫〈p. 817〉)의 本字

16 ⑲ **[懻]** 기 [去]寘 几利切 jì
[字解] 사나울 기 포악함. '人民矜一忮'《史記》.

[懻忮 기기] 사나움. 포악함.

16 ⑲ **[懵]** 〔몽〕
懞(心部 十四畫〈p. 823〉)과 同字
[字源] 形聲. 忄(心)＋瞢〔音〕. '瞢몽'은 어둡다의 뜻. 마음이 어둡다, 어리석다의 뜻을 나타냄.

16 ⑲ **[懵]** 〔참〕
憯(心部 十二畫〈p. 818〉)의 俗字

17 ⑳ **[懵]** [人名] 영 [平]庚 余傾切 yíng
[字解] 호위할 영 지킴. '一, 衛也'《篇海》.

17 ⑳ **[懺]** [人名] 참 [去]陷 楚鑒切 chàn 忏 懺
[字解] 뉘우칠 참 전비(前非)를 깨달아 고백하고 고침. '一悔'. '愕然愧一'《晉書》.
[字源] 形聲. 忄(心)＋韱〔音〕. '韱섬·첨'은 가냘픈 산부추의 뜻. 마음을 좁히다, 뉘우치다의 뜻을 나타냄.
[參考] 懴(心部 十五畫)은 俗字.

[懺禮 참례] 《佛敎》 부처에 참회하여 예배하고 복을 빎.
[懺洗 참세] 참회하여 마음을 깨끗이 함.
[懺除 참제] 참세(懺洗).
[懺悔 참회] 《佛敎》 과거의 죄를 뉘우쳐 고백함. 뉘우치고 회개(悔改)함.
[懺悔錄 참회록] 참회하는 내용을 적은 기록.
◉愧懺.

18 ㉒ **[懿]** [人名] 의 [去]寘 乙冀切 yì
[筆順] 士 声 声 吉 壹 壹 懿 懿
[字解] ①아름다울 의 순미(醇美)함. '一旨'. '好是一德'《詩經》. ②허 의 통탄(痛歎)하는 소리.

'—厥哲婦'《詩經》. ③성의 성(姓)의 하나.
[字源] 金文 篆文 形聲. 본디 欠+心+壹〔音〕. '壹일'은 마실 것이 채워진 항아리의 뜻. '欠흠'은 입을 벌린 사람의 상형(象形). 항아리의 마실 것을 입을 벌려 마실 때의 마음, 충족감의 모양에서, '아름답다, 칭찬하다'의 뜻을 나타냄. 金文은 會意 문자로 亞+欠. '亞아'는 항아리의 상형.
[參考] 懿(心部 十六畫)는 同字.

[懿戒 의계] 훌륭한 교훈(敎訓).
[懿軌 의궤] 훌륭한 법칙.
[懿德 의덕] 아름다운 덕(德). 순미(醇美)한 덕.
[懿文 의문] 선미(善美)한 문장(文章).
[懿範 의범] 아름다운 모범(模範).
[懿鑠 의삭] 아름답고 왕성(旺盛)함.
[懿業 의업] 위대한 사업.
[懿懿 의의] 아름답고 착한 모양.
[懿績 의적] 훌륭하고 뛰어난 공적.
[懿旨 의지] ㉠영지(令旨)와 같음. ㉡황후(皇后) 또는 황태후의 명령. ㉢《韓》왕세손(王世孫)의 명령.
[懿戚 의척] ㉠황실(皇室)과 외척(外戚) 간의 매우 다정한 친목. 또, 그러한 외척. ㉡의친(懿親).
[懿親 의친] 친족(親族) 간의 매우 다정한 친목. 또, 그러한 친족.
[懿行 의행] 아름다운 행실(行實).
[懿訓 의훈] 훌륭한 교훈.
◉淑懿. 純懿. 雅懿. 淵懿. 柔懿. 貞懿. 親懿. 恢懿. 休懿.

18 ㉑ [懼] [高·人] 구 ㊀遇 其遇切 jù 惧

[筆順] 忄 忄㽞 忄目目 ... 懼

[字解] ①두려워할 구 ㉠공포를 느낌. 무서워함. '恐—'. '獨立不—'《易經》. ㉡걱정함. '危—'. '羣公盡—'《史記》. ㉢경계함. 삼감. '必也臨事而—, 好謀而成者也'《論語》. ㉣어려워함. '君側之人, 衆所畏—'《唐書》. ②으를 구 위협함. '—士卒'《史記》. ③두려움 구 '多男子則多—'《莊子》.
[字源] 篆文 形聲. 忄(心)+瞿〔音〕. '瞿구'는 새가 무서워서 눈을 요리조리 돌리는 형상. '心'을 붙여, 두려워하다의 뜻을 나타냄.

[懼懣 구만] 두려워하며 고민함.
[懼然 구연] 두려워하는 모양.
[懼震 구진] 두려워하여 떪.
[懼惕 구척] 두려워하여 삼감.
[懼喘 구천] 두려워서 숨가쁘게 헐떡임.
[懼怕 구파] 두려워함.
◉敬懼. 警懼. 驚懼. 戒懼. 恐懼. 愧懼. 兢懼. 悼懼. 悚懼. 竦懼. 恟懼. 猜懼. 畏懼. 聳懼. 勇者不懼. 憂懼. 危懼. 疑懼. 戰懼. 覥懼. 震懼. 嗟懼. 慙懼. 惕懼. 恥懼. 怕懼. 怖懼. 駭懼. 兇懼.

18 ㉑ [懽] 환 ㊥寒 呼官切 huān

[字解] 기뻐할 환 歡(欠部 十八畫)과 同字. '—然'. '得萬國之—心'《孝經》.
[字源] 篆文 形聲. 忄(心)+雚〔音〕. '雚관'은 '喚환'과 통하여, '부르다'의 뜻. 서로 소리를 마주 질러 기뻐하다의 뜻을 나타냄.

[懽心 환심] 기쁘고 즐거워하는 마음.
[懽顏 환안] 기쁘고 즐거워하는 얼굴.
[懽懌 환역] 기뻐함.
[懽然 환연] 기뻐하는 모양. 흔연(欣然).
[懽娛 환오] 기쁘고 즐거워함.
[懽暢 환창] 기뻐하여 마음이 화창함.

18 ㉑ [懾] 섭 ㊅葉 之涉切 shè 失涉切 慑

[字解] ①두려워할 섭 공구함. '—服'. '挫而—'《荀子》. ②으를 섭 두렵게 함. 위협함. '威所以—之也'《呂氏春秋》.
[字源] 篆文 形聲. 忄(心)+聶〔音〕. '聶접·섭'은 귀를 모아 속삭이다의 뜻. 남이 두려워서 소곤소곤 속삭이는 뜻을 나타냄.

[懾服 섭복] 두려워서 복종(服從)함.
[懾畏 섭외] 두려워함.
[懾聳 섭용] 무서워하여 가슴이 서늘함.
[懾處 섭처] 두려워하여 가만히 있음.
[懾憚 섭탄] 두려워하여 꺼림.
[懾怖 섭포] 두려워함.
[懾號 섭호] 두려워하여 외침.
◉怯懾. 驚懾. 憂懾. 沮懾. 挫懾. 震懾. 惕懾. 瘁懾.

18 ㉑ [⿰忄蟲] 충 ㊥東 勅中切 chōng

[字解] 근심할 충 忡(心部 四畫)과 同字. '極勞心兮——'《楚辭》.

[⿰忄蟲⿰忄蟲 충충] 근심하는 모양.

18 ㉑ [⿰忄雙] 쌍 ㊥江 所江切 sǒng

[字解] ①두려워할 쌍 송구(悚懼)스러워함. '—然心神肅'《朱熹》. ②권할 쌍 권장함. '—之以行'《漢書》.

[⿰忄雙然 쌍연] 송구스러워하는 모양.

18 ㉑ [⿰忄巂] 휴 ㊥齊 戶圭切 xié ㊥支 闚規切

[字解] ①배반할 휴 이심(異心)을 품음. 변심(變心)함. '—, 離心也'《廣韻》. ②떨어질 휴 '—, 離也'《廣雅》.
[字源] 形聲. 忄(心)+巂〔音〕

18 ㉒ [⿳宀𠀎衣] 〔색〕
⿳宀𠀎心(心部 十畫〈p. 804〉)과 同字

19 ㉓ [戀] [高·人] 련 ㊀霰 力卷切 liàn 恋

[筆順] 亠 言 言 絬 絲 䜌 戀 戀

[字解] ①그리워할 련 사모(思慕)함. '—愛'. '兄弟相—'《後漢書》. ②그리움 련 그리워하는 마음. 사모하는 정. '犬馬之—, 不堪悲塞'《魏書》. ③

성 련 성(姓)의 하나.
字源 形聲. 본디 心+攣〈省〉〔音〕. '攣련'은 '당기다'의 뜻. 마음이 끌리다, 그리워하다의 뜻을 나타냄.

[戀歌 연가] 사랑하는 사람을 그리워하여 부르는 노래.
[戀結 연결] 이성(異性)을 사모하여 잊을 수 없게 정이 맺어짐.
[戀慕 연모] ㉠사랑하여 그리워함. ㉡공경하여 사모함.
[戀賞 연상] 사모하여 칭찬함.
[戀愛 연애] 남녀의 애틋한 사랑.
[戀戀 연연] 사모(思慕)하여서 잊지 못하는 모양.
[戀泣 연읍] 그리워하여 욺.
[戀情 연정] 이성(異性)을 그리워하며 사모하는 마음.
[戀着 연착] 그리워하는 마음이 깊음. 깊이 사랑하여 떨어지지 아니함.
[戀枕 연침] 베개를 그리워한다는 뜻으로, 게을러 일어나기 싫어함을 이름.
●感戀. 繫戀. 顧戀. 狂戀. 眷戀. 攀戀. 悲戀. 邪戀. 思戀. 失戀. 仰戀. 愛戀. 婉戀. 情戀. 悵戀. 悽戀. 追戀. 耽戀. 貪戀.

19
㉓ [㦴] 난 ㉠潸 奴板切 nǎn
字解 두려워할 난 송구스러워함. '不一不悚' 《詩經》.
字源篆文 形聲. 心+難〔音〕. '難난'은 재난을 만나 기도하는 모양을 본뜸. '心심'을 덧붙여, '두려워하고 삼가다'의 뜻을 나타냄.

19
㉒ [㰥] 라 ㉠哿 來可切 luǒ
字解 ①부끄러워할 라 '㰥一, 慚也'《集韻》. ②적을 라 수가 많지 않은 모양. '人烟㰥一不成村'《楊萬里》.

19
㉒ [㦴] 찰 ㉠曷 子末切 zā
字解 게으를 찰 '㦴一'은 마음이 게을러짐. '㦴一, 心慢怠'《集韻》.

20
㉓ [懭] 확 ㉠藥 許縛切 jué
字解 놀랄 확 눈을 휘둥그렇게 하고 놀라 허둥지둥하는 모양. '晏子一然攝衣冠謝'《史記》.
字源 形聲. 忄(心)+矍〔音〕. '矍확'은 놀라서 쳐다보다의 뜻. '心'을 붙여, '놀라다'의 뜻을 나타냄.

[懭然 확연] 눈을 휘둥그렇게 하고 놀라 허둥지둥하는 모양.

20
㉓ [懃] 〔창〕
愴(心部 八畫〈p. 793〉)과 同字
字源 形聲. 忄(心)+黨〔音〕.

20
㉔ [戀] 〔대〕
憝(心部 十二畫〈p. 815〉)의 古字

21
㉕ [戀] 戀(次條)의 俗字

24
㉘ [戀] 당 (장⊕) ㉠絳 陟降切 zhuàng
字解 어리석을 당 고지식함. 우직함. '一直'. '甚矣, 汲黯之一也'《史記》.
字源篆文 形聲. 心+贛〔音〕
參考 戀(前條)은 俗字.

[戀冥 당명] 어리석고 어두움. 우매함.
[戀朴 당박] 고지식하고 순박함.
[戀窩 당와] 우직한 사람이 사는 별장.
[戀愚 당우] 어리석음.
[戀人 당인] 고지식한 사람.
[戀直 당직] 고지식함. 우직함.

戈 (4획) 部
〔창과부〕

0
④ [戈] 과 ㉠歌 古禾切 gē
筆順 一 弋 戈 戈
字解 ①창 과 무기의 한 가지. 한두 개의 가지가 있는 창. '一矛'. '進者前其鐏後其刃'《禮記》. 전(轉)하여, 전쟁(戰爭)의 뜻으로 쓰임. '干一'. '偃武息一'《後漢書》. ②성 과 성(姓)의 하나.
字源甲骨文篆文 象形. 甲骨文으로 알 수 있듯이, 손잡이가 달린 자루 끝에 날이 달린 창의 상형이며, '창'의 뜻을 나타냄.
參考 戈를 의부(意符)로 하여, 창·무기, 무기를 사용하는 일에 관한 문자가 이루어짐.

[戈棘 과극] 창(槍).
[戈矛 과모] 창(槍). 모(矛)는 가지가 없는 창.
[戈兵 과병] 무기(武器).
[戈鋒 과봉] 창 끝.
[戈船 과선] ㉠창을 실은 배. ㉡악어(鰐魚) 등의 해를 막기 위해서 창을 밑바닥에 댄 배.
[戈殳 과수] ㉠창. ㉡병장기(兵仗器). 무기.
[戈盾 과순] 창과 방패.
[戈鋋 과연] 창과 작은 창.
[戈戚 과척] 창과 도끼.
●干戈. 倒戈. 矛戈. 兵戈. 鋒戈. 霜戈. 盾戈. 偃戈. 義戈. 止戈. 天戈. 枕戈.

1
⑤ [戊] 무 ㉠宥 莫候切 wù
筆順 丿 厂 戊 戊 戊
字解 다섯째천간 무 십간(十干)의 제오위(第五位). 오행설(五行說)에서 토(土)에 속하며, 방위로는 중앙(中央), 시각으로는 오전 3시부터 5시까지임. '一夜'. '太歲在一曰著雍, 月在一曰厲'《爾雅》.
字源甲骨文篆文 象形. 도끼 같은 날이 달린 창〔戈〕의 모양을 본떴음. 假借하여, 십간(十干)의 제5위로 씀.

[戊己校尉 무기교위] 한대(漢代)의 관명(官名).

서역 (西域)에 주둔하는 무관 (武官). 무기 (戊己)는 중앙이므로 중앙에서 사방을 진압 (鎭壓)한다는 뜻을 취 (取) 하였음.
[戊夜 무야] 오야 (五夜)의 하나. 오전 3시부터 5시까지임. 오경 (五更).
●靑戊.

1 ⑤ [戉] 월 㐰月 王伐切 yuè
字解 도끼 월 큰 도끼. '左執律, 右秉—'《周禮》.
字源 甲骨文 金文 篆文 象形. 큰 도끼의 상형으로, '도끼'의 뜻을 나타냄. '鉞월'의 原字.

1 ⑤ [𢦏] 〔잔·전〕
戔 (戈部 四畫〈p. 833〉)의 簡體字

2 ⑥ [戍] 中人 술 㐰質 辛聿切 xū
筆順 丿 厂 厂 戌 戌 戌
字解 ①열한째지지 술 십이지 (十二支)의 하나. 시각으로는 오후 7시부터 9시까지, 달로는 음력 9월, 방위로는 서북방, 띠로는 개임. '太歲在—日閹茂'《爾雅》. ②성 술 성 (姓)의 하나.
字源 甲骨文 金文 篆文 形聲. 戉+—〔音〕. '戉무'는 창의 상형. 한일 (一)자로 창으로 찌르다의 뜻을 나타냄. 假借하여 십이지 (十二支)의 제11위의 뜻으로 씀.
參考 戍 (次條)는 別字.

●屈戌.

2 ⑥ [戍] 人名 수 㐰遇 傷遇切 shù
字解 ①지킬 수 무기를 가지고 변방을 지킴. '—邊'. '不與我—申也'《詩經》. ②수자리 수 ㉠변방을 지키는 일. '我—未定'《詩經》. ㉡변방을 수비하는 군사. '遣—'《史記》. ③둔영 수 수비하는 군사가 주둔하고 있는 군영 (軍營). '築—於帳關'《北史》.
字源 金文 篆文 會意. 人+戈. '戈과'는 창의 상형. 사람이 창을 들고 지키는 뜻을 나타냄. 특히 변경을 지키는 뜻으로 쓰임.
參考 戌 (前條)은 別字.

[戍甲 수갑] 국경·변방을 지키는 병사 (兵士). 수자리.
[戍鼓 수고] 국경을 지키는 군사들이 치는 북.
[戍旗 수기] 국경을 지키는 군사가 내거는 기.
[戍樓 수루] 적군 (敵軍)의 동정 (動靜)을 망보기 위하여 성 (城) 위에 만든 누각 (樓閣). 성의 망루 (望樓).
[戍邊 수변] 변방을 지킴.
[戍死 수사] 국경을 지키다가 전사함.
[戍守 수수] 국경을 지킴. 또, 그 군사.
[戍役 수역] 국경을 지키는 일. 또, 그 병사. 수자리.
[戍徭 수요] 국경을 지키는 요역 (徭役). 수역 (戍役).
[戍衛 수위] 국경을 지킴. 또, 그 병사. 수자리.
[戍人 수인] 수졸 (戍卒).
[戍卒 수졸] 국경 (國境)을 지키는 군사 (軍士). 수병 (戍兵).

●更戍. 屯戍. 邊戍. 烽戍. 城戍. 守戍. 徭戍. 繇戍. 遠戍. 衛戍. 留戍. 適戍. 謫戍. 征戍. 鎭戍. 行戍.

2 ⑥ [戎] 人名 융 ㊀東 如融切 róng
字解 ①병장기 융 군기 (軍器). '—馬'. '以習五—'. (註) 五—, 弓矢殳矛戈戟也《禮記》. ②싸움수레 융 병거 (兵車). '元—十乘'《詩經》. ③군사 융 병정. '—伏于莽'《易經》. ④싸움 융 전쟁. 투쟁. '惟口出好興—'《書經》. ⑤오랑캐 융 주로 서방의 만족. 전 (轉)하여, 널리 만족을 이름. '西—'. '公會—于潛'《春秋》. ⑥클 융 거대함. '念玆—功'《詩經》. ⑦도울 융 보좌함. '烝也無—'《詩經》. ⑧너 융 자네. '—有良翰'《詩經》. ⑨성 융 성 (姓)의 하나.
字源 甲骨文 金文 篆文 會意. 戈+十. '戈과'는 '창'의 뜻. '十십'은 甲骨文에서는 거북의 등딱지의 상형으로, '갑옷'의 뜻. 창과 갑옷의 중장비, 곧 '무기'의 뜻을 나타냄. 篆文도 戈+甲의 會意.

[戎歌 융가] 전쟁에서 부르는 노래. 군가 (軍歌).
[戎羯 융갈] 오랑캐. 갈 (羯)은 산시 성 (山西省)에 살던 흉노 (匈奴)의 일종.
[戎車 융거] 싸움에 쓰는 수레. 병거 (兵車).
[戎戒 융계] 전쟁의 경계 (警戒).
[戎功 융공] 큰 공. 대공 (大功).
[戎校 융교] 장수 (將帥)의 직임 (職任).
[戎寄 융기] 군대를 지휘하는 일의 위임 (委任). 군무의 위임.
[戎器 융기] 무기 (武器). 병기 (兵器).
[戎機 융기] 전쟁의 기략 (機略). 군기 (軍機).
[戎壇 융단] 대장 (大將)의 단.
[戎韜學 융도학] 병법 (兵法)의 학문.
[戎毒 융독] 큰 해독. 큰 폐해 (弊害).
[戎路 융로] ㉠임금이 타는 병거 (兵車). ㉡병거 (兵車). 융거 (戎車).
[戎輅 융로] 병거 (兵車). 융로 (戎路).
[戎馬 융마] ㉠전쟁에 쓰는 말. 군마 (軍馬). ㉡병거 (兵車)와 병마 (兵馬). 전 (轉)하여, 군대 (軍隊). ㉢전쟁 (戰爭). 군사 (軍事).
[戎蠻 융만] ㉠오랑캐. 만 (蠻)은 남쪽 오랑캐. ㉡춘추 시대 (春秋時代)의 소국 (小國)의 이름.
[戎貊 융맥] 오랑캐. 맥 (貊)은 북방의 오랑캐.
[戎兵 융병] ㉠무기 (武器). ㉡군사. 병사 (兵士).
[戎服 융복] 군복 (軍服).
[戎俘 융부] 포로 (捕虜).
[戎備 융비] 전쟁의 준비.
[戎士 융사] 병사 (兵士).
[戎事 융사] 전쟁에 관한 일.
[戎右 융우] 병거 (兵車)의 오른쪽에 무기를 가지고 타는 병사 (兵士). 용맹한 병사를 선발하여 썼음.
[戎越 융월] 서쪽 오랑캐와 남쪽 오랑캐.
[戎戎 융융] 성 (盛)한 모양.
[戎衣 융의] 융복 (戎服).
[戎夷 융이] 오랑캐.
[戎場 융장] 싸움터.
[戎裝 융장] 전쟁의 준비. 무장 (武裝).
[戎狄 융적] 서쪽 오랑캐와 북쪽 오랑캐. 전 (轉)하여, 널리 오랑캐.
[戎陣 융진] 군진 (軍陣).

[戎捷 융첩] 전쟁에 이김. 전승(戰勝). 또, 그 노획물.
[戎醜 융추] 많은 사람. 대중(大衆).
[戎艦 융함] 전쟁용의 배. 전함(戰艦).
[戎行 융행] ㉠군대의 행렬. ㉡진군(進軍)함. 행군함.
[戎軒 융헌] ㉠병거(兵車). ㉡군대. ㉢전쟁.
[戎華 융화] 오랑캐와 문화가 발달한 중화(中華).
[戎麾 융휘] 군기(軍旗). 전(轉)하여, 군대(軍隊).
●犬戎. 軍戎. 禁戎. 大戎. 蒙戎. 蕃戎. 兵戎. 服戎. 西戎. 小戎. 御戎. 女戎. 驪戎. 元戎. 佐戎. 八戎. 獫戎.

2/6 [戏] 〔희〕 戲(戈部 十三畫〈p.837〉)의 簡體字

2/6 [戋] 〔전〕 錢(金部 八畫〈p.2400〉)의 俗字

2/6 [成] 成(次條)의 俗字

3/7 [成] 中人 성 㜽庚 是征切 chéng

筆順 丿 厂 厂 厈 成 成 成

字解 ①이룰 성 성취함. '一功'. '完一'. '一己仁也, 一物知也'《中庸》. ②이루어질 성 ㉠성취됨. '功一名遂'《老子》. ㉡됨. '桑田變一海'《劉希夷》. ㉢성숙함. '果實早一'《禮記》. ㉣생김. '幾事不密, 則害一'《易經》. ③우거질 성 무성해짐. '松柏一'《呂氏春秋》. ④다스릴 성 평정함. '以一宋亂'《左傳》. ⑤살질 성 비대함. '犧牲一'《孟子》. ⑥가지런할 성 정비됨. 정비됨. '儀旣一兮'《禮記》. ⑦고르게할 성 균평하게 함. '一奠賈'《周禮》. ⑧끝날 성 완료함. '簫韶九一'《書經》. ⑨화해할 성 사화함. '以民一之'《周禮》. ⑩화해 성 화목함. '請一於陳'《左傳》. ⑪층 성 층계나 집 따위의 층. '九一之臺'《呂氏春秋》. ⑫십리 성 사방 십리의 땅. '有田一一'《左傳》. ⑬총계 성 종합한 계산. '歲之一'《禮記》. ⑭성 성 성(姓)의 하나.

字源 甲骨文 金文 篆文 形聲. 戊+丁〔音〕. '丁정'하다'의 뜻. '戊무'는 큰 날이 달린 도끼의 뜻. 큰 도끼로 적을 평정하는 뜻에서, 어떤 일이 이루어지다의 뜻을 나타냄.

[成家 성가] ㉠따로 한 집을 이룸. ㉡학문(學問)이나 기술(技術)이 뛰어나 한 과(派)나 한 체계(體系)를 이룸. ㉢결혼함. ㉣부자(富者)가 됨.
[成劫 성겁] 《佛敎》사겁(四劫)의 하나. 세계(世界)가 이루어져 인류가 살게 된 최초의 시대.
[成格 성격] 격식(格式)을 이룸.
[成功 성공] 목적(目的)을 이룸. 뜻을 이룸. 공을 이룸.
[成功之下不可久處 성공지하불가구처] 공업(功業)을 이루어 오래도록 명예스럽고 귀한 지위에 있으면 남에게 원한을 사거나 질투를 당하여 화(禍)를 입기 쉽다는 말.
[成果 성과] 일이 이루어진 결과.
[成冠 성관] 관례(冠禮)를 행함.

[成狂 성광] 미친 사람이 됨.
[成句 성구] ㉠글귀를 이룸. ㉡하나의 뭉뚱그려진 뜻을 나타내는 글귀. ㉢옛사람이 만들어 널리 세상에 알려진 시문의 구(句). 이미 만들어진 구절.
[成局 성국] 체격(體格)·구조(構造) 등이 잘 어울림.
[成規 성규] 성문화(成文化)한 규칙.
[成均 성균] ㉠자제(子弟)를 교육함. ㉡옛날 대학(大學)의 이름.
[成均館 성균관] 《韓》조선(朝鮮) 때 유교(儒敎)의 교회(敎誨)를 맡은 관부.
[成器 성기] ㉠완성한 그릇. 좋은 그릇. ㉡훌륭한 기량(器量). 완성된 인물. ㉢쓸모 있는 그릇이 됨.
[成吉思汗 성길사한] 원(元)나라의 태조(太祖). 유명(幼名)은 철목진(鐵木眞). 내외몽고(內外蒙古)를 통일하여 몽고 제국(蒙古帝國)의 극한(可汗)이 되었으며, 그 후 금(金)나라·서하(西夏) 및 구라파 방면에 원정하여 동서양에 걸치는 대제국(大帝國)을 건설하였음. 칭기즈 칸.
[成鸞鳳 성난봉] 부부(夫婦)가 됨. 원앙(鴛鴦)의 맹세를 함.
[成年 성년] ㉠만 20세가 되는 나이. ㉡성인(成人)●.
[成膿 성농] 종기(腫氣)가 곪음. 화농(化膿).
[成大功者不謀於衆 성대공자불모어중] 큰 사업을 하는 사람은 여러 사람에게 의논하지 아니하고 혼자 정하여 행함.
[成都 성도] 쓰촨 성(四川省)의 성도(省都). 민장 강(岷江江)의 지류(支流)에 연한 정치·교통·경제·문화의 일대 중심지로 촉한(蜀漢) 때의 고도(古都). 당(唐)나라의 현종(玄宗)은 안사(安史)의 난(亂)을 피하여 여기에 왔으며, 제갈공명(諸葛孔明)의 사당인 무후사(武侯祠)와 두보(杜甫)의 초당(草堂) 등 명소(名所)와 고적(古蹟)이 많음.
[成道 성도] ㉠수양하여 덕(德)을 성취함. ㉡수양하여 성취한 덕. 도를 닦아 완전한 경지에 이름. 도통(道通)함. ㉢《佛敎》불도(佛道)를 깨달음. 오도(悟道). ㉣음력 섣달 초여드렛날에 석가여래(釋迦如來)가 큰 도를 이룬 일.
[成童 성동] ㉠8세 이상의 소년. ㉡15세 이상의 소년.
[成禮 성례] 혼인(婚姻) 예식을 지냄.
[成立 성립] ㉠사물(事物)이 이루어짐. ㉡성인(成人)이 됨.
[成文 성문] ㉠문장으로 써서 나타냄. ㉡작성된 문장이나 법문(法文).
[成文法 성문법] 성문율(成文律).
[成文律 성문율] 문자로 표현되고 문서의 형식을 갖추어 성립된 법률.
[成門戶 성문호] 스스로 일가(一家)를 이룸. 일파(一派)를 세움.
[成美 성미] 남을 선도하여 미덕(美德)을 이루게 함.
[成病 성병] 병이 됨.
[成服 성복] 초상(初喪)이 나서 상복(喪服)을 입음.
[成否 성부] 됨과 안 됨.
[成分 성분] 물체를 구성하고 있는 분자(分子).
[成墳 성분] 흙을 올려 덮어서 무덤을 만듦.
[成佛 성불] 《佛敎》㉠번뇌(煩惱)를 벗어나 불과

(佛果)를 이룸. 부처가 됨. ㉢죽음.
[成不成 성불성] 이룸과 못 이룸.
[成事 성사] ㉠일을 이룸. ㉡이미 결정된 일. 결정한 일. ㉢성취한 일. 이룬 일.
[成算 성산] ㉠미리 세운 계책. ㉡성취할 가능성.
[成石 성석] 회(灰) 따위가 굳어져서 돌과 같이 됨. 돌이 됨.
[成俗 성속] 풍속(風俗)으로 되어 버림.
[成數 성수] 일정한 수가 됨.
[成熟 성숙] ㉠초목(草木)의 열매가 익음. ㉡밥 같은 것이 익음. ㉢생물이 완전히 발육함. ㉣물이 충분히 발달하여 적당한 때에 다다름. 전성기(全盛期)에 들어감. ㉤익숙함. 숙달(熟達)함.
[成習 성습] 버릇이 됨. 습관이 됨.
[成市 성시] 저자를 이룸. 사람과 물건이 많이 모임의 비유.
[成實 성실] 열매를 맺음.
[成實宗 성실종]《佛敎》불교의 한 파. 가리발마(訶梨跋摩)의 성실론(誠實論)에 의거하여 종지(宗旨)를 세웠음.
[成案 성안] ㉠안을 꾸며서 이룸. ㉡성립된 고안(考案). 또는 문안(文案).
[成語 성어] ㉠숙어(熟語). ㉡고인(古人)이 만들어 널리 세상에서 쓰여지는 말.
[成業 성업] 학업이나 사업을 성취함.
[成育 성육] ㉠자람. 성장(成長). ㉡길러 냄. 육성(育成).
[成人 성인] ㉠학문·덕행을 구비한 완전한 사람. ㉡정년(丁年)이 된 사람.
[成長 성장] 자람.
[成績 성적] ㉠일이 이루어진 결과(結果). 공적(功績). ㉡학교에서 학생들이 학업을 닦은 결과.
[成丁 성정] 정년(丁年)이 된 남자.
[成腫 성종] 종기(腫氣)가 곪음.
[成周 성주] 3대(代) 때의 주(周)나라의 미칭(美稱). 또, 그 도읍인 낙읍(洛邑)을 이르는 말.
[成竹 성죽] ㉠대나무를 그릴 때 먼저 대나무의 모양을 마음속으로 상상하는 일. ㉡미리 생각한 안(案). 미리 세운 계책. 성산(成算).
[成瘡 성창] 부스럼이 됨.
[成冊 성책] 책이 됨.
[成村 성촌] 마을을 이룸.
[成築 성축] 축대를 쌓아 올림.
[成蟲 성충] 곤충(昆蟲)이 유충(幼蟲)으로부터 변태(變態)하여 생식 능력이 있는 형태로 된 것.
[成娶 성취] 장가듦.
[成就 성취] 이룸. 또, 이루어짐.
[成層 성층] 켜켜로 거듭 쌓임.
[成湯 성탕] 은(殷)나라 제1대의 왕. 이름은 이(履). 하(夏)나라의 걸왕(桀王)을 치고 이를 대신하여 왕위(王位)에 올랐음. 재위(在位) 30년.
[成敗 성패] ㉠성공(成功)과 실패(失敗). ㉡전승(戰勝)과 패전(敗戰).
[成漢 성한] 오호 십육국(五胡十六國)의 하나. 서진(西晉) 때에 저족(氐族)의 이웅(李雄)이 촉(蜀) 땅에 나라를 세워 국호(國號)를 성(成)이라 칭하였다가 뒤에 한(漢)이라 개칭하였으며, 사천(四川)의 성도(成都)에 도읍을 정하였음. 성한(成漢) 또는 후촉(後蜀)이라고도 일컬음. 5주(主) 44년 만에 진(晉)나라에 망하였음. (302~347)

[成蹊 성혜] 복숭아나무나 자두나무 밑에는 사람이 많이 모이기 때문에 자연히 좁은 길이 이루어진다는 뜻으로, 덕이 있는 사람은 침묵을 지키고 있을지라도 자연히 사람들이 심복하여 모여듦의 비유로 쓰임.
[成婚 성혼] 혼인(婚姻)을 함. 결혼(結婚).
[成效 성효] 이룬 보람.
●開成. 結成. 構成. 國成. 旣成. 期成. 落成. 老成. 達成. 大器晚成. 大成. 晚成. 變成. 補成. 不成. 削成. 生成. 歲成. 小成. 速成. 水到渠成. 守成. 夙成. 熟成. 習與性成. 養成. 醸成. 鍊成. 玉成. 完成. 偶成. 育成. 翼成. 一氣呵成. 作成. 長成. 裁成. 財成. 早成. 組成. 助成. 造成. 眞成. 集大成. 集成. 贊成. 天成. 促成. 秋成. 編成. 褒成. 弼成. 合成. 形成. 混成. 化成.

3
⑦ [我] 中人 아 ㉠智 五可切 wǒ   我

筆順 ノ 一 于 チ 我 我 我

字解 ①나 아 자신. '自—'. '父兮生—, 母兮育—'《詩經》. 전(轉)하여, 자국(自國) 또는 이편. 내 편. '彼'의 대. '彼—'. '虜亦不得犯—'《漢書》. ②나의 아 ㉠자기의 소속임을 나타내는 말. '—國'. '—心匪石'《詩經》. ㉡특히 친밀한 뜻을 나타내는 말. '竊比於—老彭'《論語》. ③아집부릴 아 소아(小我)에 집착하여 자기만을 내세움. '毋意毋—'《論語》. ④성 아 성(姓)의 하나.
字源 甲骨文 𦥑 金文 我 篆文 𢦠 象形. 본디, 날 끝이 들쭉날쭉한 창의 모양을 형상화한 것으로, 假借하여 '나'의 뜻을 나타냄.

[我見 아견] ㉠자기의 편협한 견해(見解). ㉡《佛敎》제멋대로의 생각.
[我國 아국] 우리나라.
[我儂 아농] 나. 자기. 남을 거농(渠儂)이라 함의 대(對).
[我慢 아만]《佛敎》㉠칠만(七慢)의 하나. 자기의 재능을 믿고 남을 업신여김. ㉡아집(我執).
[我武維揚 아무유양] 우리 편 또는, 우리나라의 무위(武威)가 들날림.
[我邦 아방] 우리나라.
[我輩 아배] ㉠우리들. ㉡나. 자기.
[我輩人 아배인] 우리 편의 사람.
[我心匪石不可轉 아심비석불가전] 돌 같으면 구를 것이나 단단한 나의 마음은 움직일 수가 없음.
[我心如秤 아심여칭] 내 마음은 저울 같다는 뜻으로, 자기 마음속에 조금도 사(私)가 없음을 이름.
[我田引水 아전인수] 자기 논에 물 댄다는 뜻으로, 자기에게 이(利)로운 대로만 함을 이름.
[我曹 아조] 우리들. 아배(我輩).
[我執 아집]《佛敎》아견(我見)에 집착(執着)함.
●大我. 萬物皆備我. 忘我. 無我. 物我. 沒我. 非我. 小我. 爲我. 人我. 自我. 全我. 主我. 彼我.

3
⑦ [戓] 〔혹·역〕
或(戈部 四畫〈p.833〉)의 俗字

3
⑦ [戒] 高人 계 ㉑卦 古拜切 jiè   戒

[筆順] 一 二 于 开 戒 戒 戒

[字解] ①경계할 계 ㉠주의함. '一終'. '警一無虞'《書經》. ㉡삼감. '一飮'. '血氣未定, 一之在色'《論語》. ㉢타이름. '糾一'. '一勅'. '一之用休'《書經》. ㉣방비함. '一不虞'《易經》. ②경계 계 전항의 명사. '聞一'《孟子》. ③재계할 계 심신을 깨끗이 하여 부정한 일에 가까이하지 아니함. '七日一'《禮記》. ④고할 계 알림. '主人一賓'《儀禮》. ⑤계 계 ㉠한문의 한 체(體). 경계의 뜻을 진술한 글. '一者, 警敕之辭'《文體明辯》. ㉡《佛敎》 중이 지키는 행검(行檢). '五一'. '三學之中, 以一爲首'《觀經疏記》. ⑥지경 계 界(田部 四畫)와 同字. '江河爲南北兩一'《唐書》. ⑦성 계 성(姓)의 하나.

[字源] 金文 篆文 會意. 戈+廾. '戈과'는 창의 상형. '廾공'은 좌우의 손의 상형. 무기를 양손에 들고 경계하다의 뜻을 나타냄.

[戒告 계고] 경계하여 고함. 알려 주의하도록 함.
[戒懼 계구] 경계하고 두려워함.
[戒禁 계금] ㉠경계하여 하지 못하게 함. ㉡경계(警戒). 법도(法度). ㉢《佛敎》 일체의 악(惡)을 경계하여 제지함.
[戒旦 계단] 새벽을 경고함. 새벽의 준비를 하라고 알림.
[戒壇 계단] 《佛敎》 중에게 계(戒)를 닦게 하려고 흙과 돌로 쌓는 단.
[戒刀 계도] 《佛敎》 중의 삼의(三衣), 곧 대의(大衣)·칠조(七條)·오조(五條)의 세 가지 가사(袈裟)를 재봉하고, 또 마장(魔障)을 막기 위하여 가지고 다니는 칼. 다른 물건을 끊는 것을 경계한다는 뜻임.
[戒力 계력] 《佛敎》 계율을 지켜 얻은 공력(功力).
[戒名 계명] 《佛敎》 ㉠중이 계(戒)를 받은 후에 스승한테서 받은 이름. ㉡죽은 사람에게 지어 주는 이름.
[戒法 계법] 《佛敎》 계율(戒律)의 법칙.
[戒備 계비] 경계. 경비(警備).
[戒師 계사] 《佛敎》 수계(授戒)하는 사승(師僧).
[戒色 계색] 여색을 경계함. 계집을 삼감.
[戒勝災 계승재] 항상 경계하고 조심하면 재앙이 일어나지 아니함.
[戒愼 계신] 경계하고 삼감.
[戒心 계심] ㉠마음을 놓지 아니함. ㉡불우(不虞)에 대비하는 마음.
[戒嚴 계엄] ㉠경계(警戒)를 엄중(嚴重)히 함. ㉡전시(戰時) 또는 사변(事變)이 있을 때에 군대로써 어떤 지역을 경계하며, 그 지역의 사법권과 행정권을 군사령관이 관할하는 일.
[戒嚴令 계엄령] 국가의 원수가 계엄 실시를 선포하는 명령.
[戒律 계율] 《佛敎》 계(戒)와 율(律). 곧, 중이 지켜야 할 율법(律法).
[戒飮 계음] 음주를 경계함. 술을 삼감. 계주(戒酒).
[戒杖 계장] 중이 짚는 지팡이. 석장(錫杖).
[戒定慧 계정혜] 《佛敎》 불자(佛者)가 닦는 계율(戒律)·선정(禪定)·지혜(智慧). 곧, 삼학(三學).
[戒終 계종] 끝을 경계함. 일의 끝을 주의함.
[戒酒 계주] 계음(戒飮).
[戒牒 계첩] 중이 계(戒)를 받은 것을 증명하는 증서.
[戒勅 계칙] 계칙(戒飭).
[戒飭 계칙] 경계하여 타이름.
◉鑑戒. 檢戒. 敬戒. 儆戒. 警戒. 古戒. 告戒. 誥戒. 科戒. 敎戒. 君子三戒. 勸戒. 糾戒. 兢戒. 斷機之戒. 大戒. 面戒. 明戒. 法戒. 寶戒. 菩薩戒. 覆車之戒. 佛戒. 備戒. 受戒. 垂戒. 授戒. 肅戒. 愼戒. 十戒. 十善戒. 嚴戒. 女戒. 遺戒. 懿戒. 履霜之戒. 自戒. 齋戒. 典戒. 前戒. 前車覆後車戒. 淨戒. 酒戒. 持戒. 祗戒. 懲戒. 天戒. 哨戒. 勅戒. 破戒. 訓戒.

4
⑧ **[戔]** [一] 잔 [平]寒 昨干切 cán
[二] 전 [平]先 將先切 jiān

[字解] [一] 해칠 잔 '一, 賊也'《說文》. [二] ①쌓일 전 가득 쌓인 모양. '石一一兮水成分'《江淹》. ②적을 전 얼마 안 되는 모양. 근소한 모양. 일설(一說)에는, 분열(分裂)의 모양. '束帛一一'《易經》.

[字源] 甲骨文 篆文 會意. 戈+戈. 창으로 거듭 찍어서 갈가리 찢는 모양에서, '해치다'의 뜻을 나타냄.

[戔戔 전전] 자해(字解) [二]❶❷를 보라.

4
⑧ **[戕]** 장 [平]陽 在良切 qiāng

[字解] ①죽일 장 살해함. '一殺'. '邾人一鄫子于鄫'《春秋》. ②상할 장 손상을 입힘. '一賊杞柳'《孟子》.

[字源] 篆文 形聲. 戈+爿〔音〕. '戈과'는 '창'의 뜻. '爿장'은 '創창'과 통하여, 상처를 입다의 뜻. '상하다'의 뜻을 나타냄.

[戕戮 장륙] 죽임. 살육(殺戮).
[戕殺 장살] 죽임.
[戕賊 장적] 죽임. 살해(殺害).
[戕虐 장학] 잔인하게 학대함.
[戕害 장해] 죽임.
◉摧戕.

4
⑧ **[戡]** 감 [平]覃 口含切 kān

[字解] ①죽일 감 戡(戈部 九畫〈p. 835〉)과 同字. '一, 殺也'《說文》. ②찌를 감 '一, 刺也'《廣韻》. ③견딜 감 堪(土部 九畫〈p. 455〉)의 古字. '王心弗一'《漢書》.

[字源] 形聲. 戈+今〔音〕

4
⑧ **[或]** [中·入] [一] 혹 [入]職 胡國切 huò
[二] 역 [入]職 越逼切 yù

[筆順] 一 ┌ ┌┐ ┌┐ 戸 或 或 或

[字解] [一] ①혹 혹 ㉠혹은. '一出一處'《易經》. '一學而知之, 一困而知之'《中庸》. ㉡혹시. 상상 또는 추측(推測)의 말. '一者'. '恐其一失'《大戴禮》. ②혹이 혹 어떤 사람이. '一問'. '一謂孔子曰'《論語》. ③괴이쩍어할 혹 이상하게 여김. 의혹함. 惑(心部 八畫)과 통용. '無一乎王之不智也'《孟子》. ④있을 혹 존재함. '一治之'《孟子》. [二] 나라 역 域(土部 八畫)과 同字. '一, 邦也'《說文》.

字源 甲骨文 金文 篆文 別體 會意. 戈+口+一. 口국'은 '마을'의 뜻. '戈과'는 창의 상형. '一일'은 경계의 상형. 본디, 무장(武裝)한 지역의 뜻으로서, '域역·國국'의 원자(原字). 假借하여 '혹은'의 뜻으로 사용.

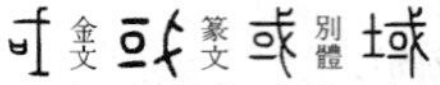

[或問 혹문] ㉠어떤 사람이 묻는다는 뜻으로, 질문자에게 대답하는 체재(體裁)로 자기의 의견을 기술하는 문체(文體). ㉡의문(疑問).
[或說 혹설] 어떤 사람의 말이나 학설(學說).
[或是 혹시] 어떠한 경우(境遇)에.
[或時 혹시] 어떠한 때.
[或是或非 혹시혹비] ㉠어떤 것은 옳고 어떤 것은 그름. ㉡혹은 옳은 것도 같고, 혹은 그른 것도 같아 옳고 그름이 잘 분간되지 못함. ㉢어떤 사람은 옳다 하고, 어떤 사람은 그르다 함.
[或也 혹야] 혹시(或是).
[或曰 혹왈] 혹자(或者)가 말하기를.
[或云 혹운] 혹왈(或曰).
[或者 혹자] ㉠어떠한 사람. ㉡혹시(或是).
[或出或處 혹출혹처] 혹은 벼슬하여 조정(朝廷)에 나가고, 혹은 은퇴하여 집에 있음.

4 ⑧ [戋] 〔재〕 哉(口部 六畫〈p. 373〉)의 俗字

5 ⑨ [战] 〔전〕 戰(戈部 十二畫〈p. 836〉)의 俗字

[哉] 〔재〕 口部 六畫(p. 373)을 보라.

[威] 〔위〕 女部 六畫(p. 530)을 보라.

[咸] 〔함〕 口部 六畫(p. 373)을 보라.

6 ⑩ [戋] 〔기〕 幾(幺部 九畫〈p. 692〉)의 俗字

6 ⑩ [戙] 동 ㊀送 徒弄切 dòng

字解 배널 동 선박에 쓰는 판자.

6 ⑩ [戜] 격 ㊁陌 各額切 gé

字解 ①잡을 격 포획함. '一, 捕也'《集韻》. ②싸울 격 '一, 鬪也'《集韻》.

[栽] 〔재〕 木部 六畫(p. 1063)을 보라.

7 ⑪ [戚] 高人 ❶ 척 ㊁錫 倉歷切 qī ❷ 촉 ㊁沃 趨玉切 cù

筆順 丿 厂 𠂇 𠂇 戚 戚 戚 戚

字解 ❶ ①슬퍼할 척 서러워함. '哀一'. '喪與其易也, 寧一'《論語》. ②근심할 척 우려함. '憂一'. '小人長一一'《論語》. ③성낼 척 분노함. '慍斯一'《禮記》. ④친할 척 친근히 지냄. '一一兄弟'《詩經》. ⑤괴롭힐 척 괴롭게 함. 걱정을 끼침. '未可以一我先王'《書經》. ⑥겨레 척 친척. '姻一'. '有貴一之卿'《孟子》. ⑦도끼 척 무악(舞樂)·의식(儀式) 등에 쓰는 도끼. '干一'. '干戈一揚'《孟子》. ⑧성 척 성(姓)의 하나. ❷ 재촉할 촉 促(人部 七畫)과 同字. '無以爲一速也'《周禮》.

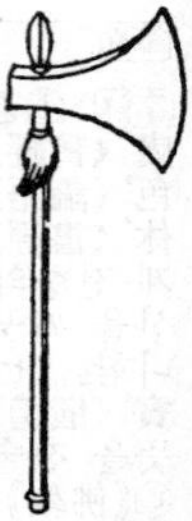

[戚❶⑦]

字源 金文 篆文 形聲. 戉+尗〔音〕. '戉월'은 '큰 도끼'의 뜻. '尗숙'은 콩의 상형. 콩처럼 작은 도끼의 뜻을 나타냄. 또 '尗'은 '弔조'와 통하여, 애통하고 근심하다의 뜻을 나타냄. 또 동정심을 유발하는 존재로서의 '친척'의 뜻도 나타내기에 이름.

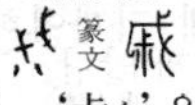

[戚繼光 척계광] 명(明)나라 중기(中期)의 무장(武將). 자(字)는 원경(元敬). 저장(浙江)의 참장(參將)이 되어 왜구(倭寇)의 평정(平定)에 용명을 떨쳤으며, 정병(精兵)을 뽑아 훈련을 엄히 하고 전술(戰術)과 병기의 개량 충실에 힘을 써 척가군(戚家軍)의 이름을 날렸음. 그 경험에 의거하여 병서(兵書) 〈기효신서(紀效新書)〉를 저술하였음.
[戚黨 척당] 외척(外戚)과 처족(妻族).
[戚里 척리] 장안(長安)에 있던 마을 이름. 한(漢)나라 때 천자(天子)의 인척(姻戚)이 여기에서 살았으므로 후에 전(轉)하여, 임금의 외척(外戚)의 뜻으로 쓰임.
[戚夫人 척부인] 한(漢)나라 고조(高祖)의 총희(寵姬). 여태후(呂太后)의 샘을 받아 고조(高祖)가 몰(沒)한 후 이목수족(耳目手足)을 잘리고 뒷간에 버려두어져 인체(人彘)라고 불리었다 함.
[戚屬 척속] 외척(外戚)과 처족(妻族).
[戚施 척시] ㉠꼽추. 구루(佝僂). ㉡추악(醜惡)한 사람. 전(轉)하여, 세상에 낯을 들고 다닐 수 없는 사람. 또, 면목(面目)이 없는 일.
[戚臣 척신] 임금의 외척이 되는 신하.
[戚揚 척양] 크고 작은 도끼. 양(揚)은 도끼.
[戚然 척연] 근심하고 슬퍼하는 모양.
[戚琬 척완] 임금의 외척(外戚). 척리(戚里).
[戚容 척용] 근심하는 얼굴.
[戚誼 척의] 인척 간의 정의(情誼).
[戚姻 척인] 인척(姻戚).
[戚族 척족] 친척(親戚).
[戚戚 척척] ㉠근심하는 모양. ㉡친한 모양. ㉢마음이 움직이는 모양.
[戚勳 척훈] 공훈(功勳)이 있는 친척.
[戚速 촉속] 빨리빨리 하라고 재촉함.
[戚促 촉촉] ㉠급박함. ㉡도량이 좁음.
◉干戚. 舊戚. 國戚. 權戚. 貴戚. 近戚. 內戚. 黨戚. 藩戚. 悲戚. 哀戚. 外戚. 憂戚. 遠戚. 姻戚. 帝戚. 尊戚. 宗戚. 親戚. 豪戚. 婚戚. 休戚. 喜戚.

7 ⑪ [戰] ❶ 한 ㊀翰 侯旰切 gān ❷ 간 ㊂寒 古寒切 gān

字解 ❶ 방패 한 '一, 盾也'《說文》. ❷ 방패 간 干(部首)과 통용. '一, 博雅, 楯一, 盾也. 通作干'《集韻》.

字源 形聲. 戈+旱〔音〕

의 수.
[戶外 호외] 집 밖.
[戶牖 호유] ㉠지게문, 곧 방의 출입구와 들창. ㉡창.
[戶者 호자] 문지기.
[戶長 호장] ㉠마을의 장. 이장(里長). 촌장(村長). ㉡《韓》향리(鄕吏)의 으뜸 구실.
[戶籍 호적] ㉠호수(戶數)·식구(食口)를 기록한 장부. ㉡한 집안의 가족 관계(家族關係) 및 각 가족의 성명·생년월일 등을 기록한 국가(國家)의 공인(公認) 문서.
[戶庭 호정] 뜰.
[戶曹 호조] 육조(六曹)의 하나. 고려(高麗) 말 및 조선 때의 호구(戶口)·공부(貢賦)·전량(田糧)·금화(金貨) 등에 관한 사무를 맡아보던 마을.
[戶主 호주] ㉠한 집안의 주장이 되는 사람. ㉡호주권(戶主權)의 주체가 되는 사람.
[戶樞不蠹 호추부두] 여닫는 문(門)지도리는 좀이 아니 먹는다는 뜻으로, 사람도 늘 활동하면 건강(健康)하다는 비유(譬喩).
[戶版 호판] 호적(戶籍)❶.
[戶限 호한] 문지방.
[戶闔 호합] ㉠문짝. 문선(門扇). ㉡문이 닫혀 있음.
[逐戶 호호] 집집마다. 매호(每戶).

●丏戶. 客戶. 僑戶. 宮戶. 閨戶. 機戶. 漏戶. 蜑戶. 大戶. 屠戶. 門戶. 民戶. 房戶. 逢戶. 扉戶. 貧戶. 上戶. 桑戶. 商戶. 小戶. 疎戶. 邃戶. 繡戶. 柴戶. 新戶. 室戶. 雁戶. 漁戶. 鹽戶. 獵戶. 幽戶. 牖戶. 佃戶. 亭戶. 庭戶. 釣戶. 竈戶. 朱戶. 酒戶. 竹戶. 千門萬戶. 樵戶. 破落戶. 編戶. 蟹戶. 鄕戶. 荆戶.

戹 액 ㉠陌 於革切 è
[字解] ①좁을 액 협착함. '壺口棰—'《漢書》. ②고생할 액 괴롭게 수고함. '兩賢豈相—哉'《史記》. ③액 액 위난(危難) 또는 간난(艱難). '危—'. '困—'. '竟免虎口之—'《潘岳》.
[字源] 象形. 金文은 멍에를 본뜬 것. '軛액'의 원자(原字)였으나, 멍에가 마소의 목에 얹혀 좁아서 답답한 느낌인 데서, '좁다, 고생하다'의 뜻을 나타냄.

●艱戹. 塞戹. 困戹. 窘戹. 屈戹. 饑戹. 屯戹. 兵戹. 三武一宗之戹. 水戹. 危戹. 典籍五戹. 峻戹. 陳蔡之戹. 捶戹. 閉戹. 乏戹. 閻戹. 虎口之戹. 火戹.

戾 ⊟ 대 ㉠泰 他蓋切 ⊟ 제 ㉠霽 他計切 tì
[字解] ⊟ 수레옆문 대 덮개 있는 수레의, 밀어 여는 옆문. '—, 說文曰, 輻車旁推戶也'《玉篇》. ⊟ 수레옆문 제 ⊟과 뜻이 같음.
[字源] 形聲. 戶+大〔音〕.
[參考] 戾(戶部 四畫)는 別字.

启 〔계〕
口部 四畫(p.361)을 보라.

卮 阤(次條)와 同字

阤 사 ㉡紙 鉏里切 shǐ
[字解] ①지도리 사 문지도리. 호추(戶樞). '落時, 謂之—'《爾雅》. ②집모퉁이 사 당우(堂隅). '夾兩階—'《書經》. ③문지방 사 문한(門限). '金—玉階'《張衡》.
[字源] 形聲. 戶+巳〔音〕.

卯 〔묘〕
卯(卩部 三畫〈p.313〉)의 本字

戽 호 ①㊀麌 荒故切 hù ②㊀麌 呼古切 hù
[字解] ①퍼낼 호 떠냄. ②배두레박 호 선저(船底)의 물을 퍼내는 그릇.
[字源] 形聲. 斗+戶〔音〕.

戾 려 ㉡霽 郞計切 lì
[字解] ①어그러질 려 위배(違背)함. '悖—'. '自以行無—也'《列子》. ②사나울 려 흉포함. '猛—'. '虛殷國而天下不稱—焉'《荀子》. ③이를 려 도착함. '鳶飛—天'《詩經》. ④안정할 려 편안히 좌정함. '民之未—'《詩經》. ⑤거셀 려 격렬함. '勁風—而吹帷'《潘岳》. ⑥허물 려 죄. '以自取—'《左傳》. ⑦성 려 성(姓)의 하나.
[字源] 會意. 戶+犬. 문간에 있는 집 지키는 개의 뜻에서, '사납다. 어그러지다'의 뜻을 나타냄. 또, '履리'와 통하여, '이르다'의 뜻도 나타냄.

[戾轉 여전] 비뚤어짐.
[戾止 여지] 이름. 와서 정지함.
[戾蟲 여충] 범〔虎〕의 이칭(異稱). 사나운 동물이란 뜻.

●剛戾. 愆戾. 狷戾. 獷戾. 乖戾. 狡戾. 咎戾. 詭戾. 狼戾. 大戾. 猛戾. 繆戾. 返戾. 叛戾. 蟠戾. 背戾. 僻戾. 否戾. 忿戾. 拂戾. 怫戾. 鄙戾. 惡戾. 逆戾. 怨戾. 違戾. 謬戾. 爭戾. 賊戾. 罪戾. 鷙戾. 差戾. 錯戾. 貪戾. 悖戾. 暴戾. 風戾. 悍戾. 悔戾. 凶戾. 很戾. 狠戾.

房 방 ㉠陽 符方切 fáng
[筆順] 一　二　三　戶　戶　戸　房　房
[字解] ①곁방 방 집의 정실(正室)의 옆에 있는 방. '—室'. '在西—'《書經》. ②집 방 ㉠가옥. '—錢'. '保其土—'《國語》. ㉡벌집 같은 것. '蜂—不容螫手'《淮南子》. ③전동 방 화살 넣는 통. 전실(箭室). '納諸廚子—'《左傳》. ④송이 방 열매·꽃 같은 것의 한 덩이. '綠—合靑實'《陸雲》. ⑤별이름 방 이십팔수(二十八宿)의 하나. 창룡 칠수(蒼龍七宿)의 넷째 성수(星宿)로서, 별 넷으로 구성되었음. '—宿'. ⑥성 방 성(姓)의 하나.
[字源] 形聲. 戶+方〔音〕. '方방'은 옆으로 튀어나오다의 뜻. 집의 정실(正室) 좌우에 있는 '작은 방'의 뜻을 나타냄.

[房內 방내] 방(房) 안. 방중(房中).

[房闥 방달] 방과 문병 (門屛).
[房杜姚宋 방두요송] 당대 (唐代)의 네 사람의 현명 (賢明)한 재상 (宰相). 곧, 방교 (房喬)・두여회 (杜如晦)・요숭 (姚崇)・송경 (宋璟).
[房勞 방로] 방사 (房事)로 인한 피로.
[房櫳 방롱] 창 (窓).
[房事 방사] 남녀 (男女)가 교합 (交合)하는 일.
[房星 방성] 방성 (房星).
[房星 방성] 이십팔수 (二十八宿)의 하나. 창룡 칠수 (蒼龍七宿)의 넷째 성수 (星宿)로서 별 넷으로 구성되었으며, 거마 (車馬)를 맡았다고 함. 방수 (房宿)・방사 (房駟).
[房宿 방수] 방성 (房星).
[房室 방실] 방 (房).
[房外 방외] 방 (房) 밖.
[房牖 방유] 방 (房)의 창.
[房錢 방전] 방세 (房貰).
[房租 방조] 방전 (房錢).
[房中 방중] 방 (房) 안.
[房玄齡 방현령] 당초 (唐初) 태종 (太宗) 창업 (創業)의 공신 (功臣)・명상 (名相). 자 (字)는 교 (喬). 박학 (博學)하며 정사 (政事)를 잘 다스려 두여회 (杜如晦)와 함께 정관 (貞觀)의 방두 (房杜)라고 일컬어졌음.
[房戶 방호] 방의 문. 방문. 또, 방 (房).
●監房. 故房. 工房. 空房. 官房. 宮房. 閨房. 煖房. 蘭房. 暖房. 男房. 冷房. 茶房. 堂房. 獨房. 洞房. 文房. 門房. 別房. 蜂房. 私房. 山房. 書房. 禪房. 崇房. 僧房. 新房. 心房. 阿房. 女房. 連房. 蓮房. 獄房. 溫房. 雲房. 帷房. 乳房. 陰房. 尼房. 子房. 紫房. 專房. 淨房. 廚房. 廠房. 椒房. 寢房. 便房. 寒房. 花房. 後房.

4
⑧ [戻] ▤ 감 ⊕嗛 苦減切 qiǎn
 ▤ 호 ⊕戽 後五切 hù
[字解] ▤ ①창 감 '一, 牖也'《廣韻》. ②작은지게 감 조그만 지게문. '一, 一曰, 小戶也'《廣韻》. ③지게 감, 문설주 감 지게문. 또, 창문의 문설주. ▤ 戶 (部首)의 古字.

[肩] 〔견〕
肉部 四畫 (p.1838)을 보라.

4
⑧ [所] ⊕人 소 ⊕語 疏擧切 suǒ   所
[筆順] ' ∫ ₣ ₣ 戶 戶 所 所 所
[字解] ①바 소 방법 또는 일이라는 뜻을 나타내는 어사 (語辭). '視其一以, 觀其一由'《論語》. ②곳 소 ㉠거처. '及爾斯一'《詩經》. ㉡위치. '得一'《論語》. 경우. '非欲一也'《左傳》. ㉢토지. 고향. '爰得我一'《詩經》. ㉣자리. 지위. '適才適一'. ㉤마을. 관아 (官衙). '立益部課稅一'《元史》. ③쯤 소 얼마쯤. '父去里一, 復還'《漢書》. ④얼마 소 수량의 정도. '幾'와 연용 (連用)함. '問金餘尙有幾一'《漢書》. ⑤어조사 소 무의미의 어조사. '多經年一'《張衡》. ⑥성 소 성 (姓)의 하나.
[字源] 金文 戻 篆文 𠩄 會意. 戶+斤. '戶호'는 문을 본뜬 것. '斤근'은 도끼를 본뜬 것. 金文에서는 지위 높은 사람이 있는 장소의 뜻으로 쓰는 예가 많으며, 도끼 따위 어떤 지위

의 상징이 되는 물건을 둔 입구의 문의 뜻에서, '곳'의 뜻을 나타내게 된 듯함.
[所感 소감] 마음에 느낀 바. 또, 그 생각.
[所見 소견] ㉠눈으로 본 바. ㉡사물을 살피어 가지는 생각.
[所經事 소경사] 겪어 온 일.
[所管 소관] 어떤 사무를 맡아 관리함. 또는 그 사무.
[所關 소관] 관계되는 바.
[所期 소기] 기대 (期待)하는 바.
[所得 소득] ㉠얻은 바. 수입 (收入). ㉡생산의 관계자가 일정한 기간 동안에 받는 보수나 재화 (財貨).
[所得稅 소득세] 1년간의 소득액 (所得額)을 표준 (標準)으로 하여 부과 (賦課)하는 국세 (國稅).
[所領 소령] 영유 (領有)하고 있는 땅. 영지 (領地).
[所論 소론] 논하는 바.
[所料 소료] 요량 (料量)한 바.
[所利 소리] 이익이 된 바. 이익. 날찍.
[所望 소망] 바라는 바. 기대하는 바.
[所聞 소문] 전하여 들리는 말.
[所司 소사] 마을. 관아 (官衙).
[所思 소사] 생각하는 바. 생각.
[所産 소산] 생겨나는 바. 또, 그 물건. 소산물 (所産物).
[所生 소생] ㉠부모. 양친 (兩親). ㉡자기 (自己)가 낳은 자녀.
[所說 소설] 설명 (說明)하는 바.
[所所 소소] 곳곳. 여기저기.
[所屬 소속] 딸려 있음. 붙어 있음. 또, 그것.
[所率 소솔] 자기에게 딸린 식구.
[所食 소식] 먹은 바.
[所信 소신] 믿어 의심하지 않는 바. 자기가 확실하다고 굳게 생각하는 바.
[所業 소업] 업으로 하는 바. 업으로 삼는 일.
[所營事 소영사] 경영 (經營)하는 일.
[所要 소요] 요구되는 바. 필요한 바.
[所欲 소욕] 하고자 하는 바.
[所用 소용] 쓰이는 바. 쓸 데.
[所願 소원] 원 (願)하는 바.
[所爲 소위] 한 일. 소행 (所行).
[所謂 소위] 이른바. 세상 (世上)에서 말하는 바.
[所由 소유] ㉠말미암은 바. ㉡지방 (地方)의 낮은 벼슬아치. 속관 (屬官). ㉢당대 (唐代)의 벼슬 이름. 관물 (官物)의 출납 (出納)을 맡았음. ㉣《韓》사헌부 (司憲府)의 이속 (吏屬).
[所有 소유] 가지고 있음. ㉡한의. 모든.
[所有權 소유권] 목적물을 법률의 범위 내에서 사용・수익 (收益) 및 처분할 수 있는 권리.
[所依 소의] 의지할 곳. 의지하는 데.
[所以 소이] ㉠하는 바. 소행 (所行). ㉡이유. 까닭.
[所以然 소이연] 그렇게 된 까닭.
[所任 소임] 맡은 바 직책.
[所入 소입] 무슨 일에 든 돈이나 물건.
[所子 소자] 양자 (養子).
[所作 소작] 소위 (所爲).
[所長 소장] ㉠자기 능력 가운데 가장 잘하는 장점. ㉡소 (所)의 명칭으로 된 기관의 우두머리.
[所掌 소장] 맡아보는 바.
[所藏 소장] 간직하여 둔 물건.
[所在 소재] ㉠있는 바. 있는 곳. ㉡곳곳. 여기저기. ㉢이르는 곳. 여러 곳. 도처 (到處).

[所詮 소전] 《佛敎》 ㉠경문(經文)의 의리(義理). ㉡귀착(歸著)하는 바. 결국(結局).
[所傳 소전] 뒷세상에 전하는 말·글·유물 따위.
[所從來 소종래] 지내 온 내력.
[所天 소천] 받들어 공경하는 사람. 곧, 신민(臣民)이 임금을, 아내가 남편을, 아들이 어버이를 일컫는 따위.
[所請 소청] 청(請)하는 바.
[所致 소치] 그렇게 된 까닭.
[所親 소친] 친한 사람. 가까운 사람.
[所荷 소하] 책임. 직책.
[所轄 소할] 관할하는 바.
[所行 소행] 행한 바. 행한 일. 소위(所爲).
[所向 소향] 향(向)하여 가는 곳.
[所向無敵 소향무적] 매우 강하여 어디를 가나 대적할 자가 없음.
[所怙 소호] 믿고 의지(依支)하는 바란 뜻으로, 어버이를 이름.
[所化 소화] 《佛敎》 교화(敎化)를 받는 중. 제자(弟子)인 승려(僧侶). 능화(能化)의 대(對).
[所懷 소회] 품고 있는 바의 회포.
[所欽 소흠] 흠모(欽慕)하는 바. 또, 흠모하는 사람.
◉個所. 開所. 居所. 高所. 官所. 灸所. 舊所. 局所. 急所. 能所. 短所. 屯所. 名所. 墓所. 配所. 便所. 本所. 棲所. 宿所. 漁所. 年所. 寧所. 營所. 臥所. 一歲所. 一所. 入所. 長所. 場所. 謫所. 適材適所. 定所. 在所. 帝所. 住所. 酒所. 支所. 出所. 治所. 寢所. 他所. 它所. 何所. 會所.

5 ⑨ **[扁]** [人名] 편 ①-④[上]銑 方典切 biǎn ⑤[平]先 芳連切 piān

[筆順] 一 ⺕ ⺕ 戶 戶 肩 肩 扁

[字解] ①납작할 편 편평하고 얇음. '一平'. '生兒, 欲其頭一, 壓之以石'《後漢書》. ②낮을 편 얕음. '有一斯石'《詩經》. ③현판 편 편액. '一額'. '夢地一亭, 一曰侍康'《宋史》. ④거룻배 편 돛 없는 작은 배. 艑(舟部 九畫)과 통용. '乘一舟, 浮於江湖'《史記》. ⑤성 편 성(姓)의 하나.
[字源] 篆文 會意. 戶+冊. '戶호'는 문짝의 象形. '冊책' 글씨를 적은 나무쪽을 끈으로 엮은 모양을 본뜸. 문에 적어 표시한 패의 뜻에서, '납작하다'의 뜻을 나타냄.

[扁罐 편관] 배가 불룩한 주전자.
[扁桃 편도] 담홍색의 꽃이 피는 낙엽 교목. 복숭아나무와 비슷하며 핵과(核果)가 엶.
[扁桃腺 편도선] 사람의 입속 후두부(喉頭部) 양쪽에 하나씩 있는 편평한 타원형의 림프선(腺).
[扁柏 편백] 노송나무.
[扁額 편액] 그림 또는 글씨를 써서 방 안이나 또는 문 위에 걸어 놓는 널조각.
[扁然 편연] 수가 많은 모양.
[扁鵲 편작] 춘추 시대(春秋時代)의 명의(名醫). 성은 진(秦). 이름은 월인(越人). 장상군(長桑君)에게 금방(禁方)의 구전(口傳)과 의서(醫書)를 물려받아 명의(名醫)가 되었음.
[扁題 편제] 편액(扁額).
[扁舟 편주] 작은 배. 거룻배.
[扁倉 편창] 고대(古代)의 명의(名醫)인 편작(扁鵲)과 창공(倉公)을 아울러 이르는 말.
[扁平 편평] 납작함.
[扁表 편표] 편액(扁額)을 걸어 표창함.
◉鮮扁. 倉扁.

5 ⑨ **[扂]** 점 [上]琰 徒玷切 diàn

[字解] 빗장 점 문빗장. '㭬闑一楔'《韓愈》.
[字源] 形聲. 戶+占〔音〕

[扂楔 점설] 빗장과 문설주.

5 ⑨ **[房]** [一] 거 [去]御 丘倨切 qù [二] 합 [入]合 胡臘切 hé

[字解] [一] 닫을 거 빗장을 걸어 닫음. '一, 閉也'《說文》. [二] ①닫을 합 闔(門部 十畫)과 통용. ②성 합 성(姓)의 하나. '一, 姓也'《集韻》.
[字源] 篆文 形聲. 戶+劫〈省〉〔音〕. '劫겁'은 뒷걸음질 쳐서 안으로 들어가다의 뜻. 문을 닫다의 뜻을 나타냄.

5 ⑨ **[扃]** 경 [平]青 古螢切 jiōng

[字解] ①빗장 경 문빗장. '入戶奉一'《禮記》. ②수레위가로나무 경 병거(兵車) 위의 앞쪽에 무기를 기대어 놓기 위하여 설비한 횡목(橫木). '楚人惎之, 脫一'《左傳》. ③문호 경 출입구. '或假步于山一'《孔稚圭》. ④닫을 경 폐쇄함. '和門晝一'《顏延之》.
[字源] 篆文 形聲. 戶+冋〔音〕. '冋형'은 '掛괘'와 통하여, '걸다'의 뜻. 문에 거는 '빗장'의 뜻을 나타냄.

[扃鍵 경건] 빗장과 열쇠. 전(轉)하여 문단속.
[扃扃 경경] 환히 아는 모양. 일설(一說)에는 근심하는 모양.
[扃關 경관] 문빗장.
[扃扉 경비] 문짝.
[扃鎖 경쇄] 자물쇠. 전(轉)하여, 문단속.
[扃鑰 경약] 문단속.
[扃牖 경유] 지게문과 창.
[扃鐍 경휼] 문호(門戶)의 자물쇠.
◉關扃. 金扃. 禁扃. 蓬扃. 禪扃. 柴扃. 巖扃. 嚴扃. 玉扃. 紫扃.

5 ⑨ **[扄]** 료 liáo

[字解] 땅이름 료 '一城'은 조(趙)나라의 지명. '秦子異人質于趙, 處于一城'《戰國策》.

6 ⑩ **[扅]** 이 [平]支 弋支切 yí

[字解] 빗장 이 문빗장. '烹伏雌炊扊一'《史記》.

◉扊扅.

6 ⑩ **[扇]** [人名] 선 [去]霰 式戰切 shàn

[筆順] 一 ⺕ ⺕ 戶 戶 肩 扇 扇

[字解] ①문짝 선 문비(門扉). '門一'. '乃修闔一'《禮記》. ②부채 선 단선(團扇). '一子'. '學一自蔽'《晉書》. ③부채질할 선 ㉠부채를 부침.

'暑月則—枕'《東觀漢記》. ㉡선동함. 煽(火部
十畫)과 同字. '—惑'. '更相—動, 往往某峙'
《魏志》. ④성 선 성(姓)의 하나.

[字源 篆文] 扅 會意. 戶+羽. 새의 깃처럼 퍼졌다 닫
혔다 하는 문짝의 뜻을 나타내며, 파
생(派生)하여, 펼친 깃처럼 생긴 '부채'의 뜻
도 나타냄.

[扇蓋 선개] 일산(日傘).
[扇動 선동] 부채질함. 남을 꾀어서 부추김.
[扇馬 선마] 거세(去勢)한 말.
[扇箑 선삽] 부채.
[扇揚 선양] 불려 올림. 선양(煽揚).
[扇誘 선유] 선동하여 꾐.
[扇子 선자] 부채. 단선(團煽). 자(子)는 조사(助
辭).
[扇枕溫被 선침온피] 여름에 베개 벤 데를 부채질
하여 시원하게 해 드리고, 겨울에는 이불을 따
뜻하게 해 드린다는 뜻으로, 어버이에게 지극
히 효도를 함을 이름.
[扇風機 선풍기] 작은 전동기(電動機)에 날개가
달리어 전류(電流)의 작용으로 돌아갈 때 공기
를 유동시켜 바람을 일으키는 기계.
[扇形 선형] ㉠부채의 모양. ㉡원호(圓弧)와 그
양 끝을 통하는 두 반지름으로 둘린 형상. 부채
꼴.
[扇惑 선혹] 선동하여 미혹(迷惑)하게 함.
◉絹扇. 鼓扇. 軍扇. 羅扇. 團扇. 舞扇. 文扇.
門扇. 薄扇. 白扇. 寶扇. 涼扇. 颺扇. 羽扇.
輪扇. 一扇. 障扇. 摺扇. 鐵扇. 秋扇. 太極扇.
敝扇. 夏爐冬扇. 戶扇. 納扇. 麾扇.

6
⑩ [扅] 의 ㉠尾 於豈切 yǐ

[字解] 병풍의 '斧—'는 도
끼의 두부(頭部)의 모양
을 수(繡)놓은 병풍으로
서, 천자의 거처에 침.
'天子斧—, 南鄕而立'《禮
記》.

[字源 篆文] 扅 形聲. 戶+衣
〔音〕. '衣의'는
'걸치다'의 뜻. 좌석의 둘
레에 걸치는 문짝의 뜻에
서, '병풍'의 뜻을 나타냄.

[扅座 의좌] 천자(天子)의 자리. 천자가 항상 거
처(居處)하는 곳.
◉丹扅. 黼扅. 斧扅. 宸扅.

7
⑪ [扈] 人名 호 ㉠麌 侯古切 hù

[筆順] 一 ﹁ ﹁ ﹃ 戶 戶 扃 扈 扈

[字解] ①따를 호 군주(君主)의 뒤를 따름. '—
駕'. '—從橫行'《司馬相如》. ②막을 호 못하게
함. '—民無淫者也'《左傳》. ③입을 호 몸에 걸
침. '—江離與辟芷兮'《楚辭》. ④넓을 호 마음이
크고 넓음. '爾毋——爾'《禮記》. ⑤성 호 성
(姓)의 하나.

[字源 篆文] 扈 形聲. 邑+戶〔音〕. '戶호'는 드나드는
것을 제한하는 문. '邑읍'은 '복종하
다'의 뜻. 남에게 눌리어 복종하다의 뜻에서,

뒤를 따르다, 또 '종복(從僕)'의 뜻을 나타냄.

[扈駕 호가] 군주가 탄 수레를 호종(扈從)함. 또,
그 사람.
[扈輦 호련] 임금의 연(輦)을 호종(扈從)함.
[扈養 호양] 종자(從者).
[扈衛 호위] 궁성을 경호(警護)함.
[扈從 호종] 임금의 행차에 뒤따라감.
[扈蹕 호필] 천자의 행차에 뒤따라감. 또, 그 사
람.
[扈扈 호호] ㉠마음이 크고 넓은 모양. ㉡아름다
운 모양.
◉狼扈. 當扈. 跋扈. 陪扈. 桑扈. 修扈.

8
⑫ [扉] 人名 비 ㉠微 甫微切 fēi

[筆順] 一 ﹁ ﹁ ﹃ 戶 戶 扉 扉 扉

[字解] ①문짝 비 문선(門扇). '柴—'. '子尾抽
桷, 擊—三'《左傳》. ②집 비 가옥. 거실(居室).
'欲去公門歸野—'《白居易》.

[字源 篆文] 扉 形聲. 戶+非〔音〕. '非비'는 좌우로 갈
리다의 뜻. 양쪽으로 여는 문, '문짝'
의 뜻을 나타냄.

[扉戶 비호] 문짝과 문.
◉局扉. 瓊扉. 門扉. 山扉. 石扉. 扇扉. 柴扉.
巖扉. 野扉. 瑤扉. 竹扉. 鐵扉. 荊扉. 畫扉.

8
⑫ [扊] 염 ㉠琰 以冉切 yǎn

[字解] 빗장 염 문빗장. '烹伏雌炊一扊'《史記》.

[字源] 形聲. 戶+炎〔音〕.

[扊扅 염이] 빗장.

[雇] 〔고〕
隹部 四畫(p. 2484)을 보라.

手(扌) (4획) 部
〔손수부〕

0
④ [手] 中人 수 ㉠有 書九切 shǒu

[筆順] 一 二 三 手

[字解] ①손 수 ㉠상지(上肢).
'—足'. '艮爲—'《易經》.
㉡손목. '執子之—, 與子偕
老'《詩經》. ㉢손바닥. '有
文在其—'《左傳》. ㉣손가
락. '十—所指'《大學》. ㉤
도움. 돌봐 주는 일. '可假
—'《後漢書》. ㉥기술.
'皆出碩儒之思. 成才士之
—'《抱朴子》. ㉦손잡이. '把—'. ②칠 수 손으
로 잡음. '—弓'. '—劍而進之'《公羊傳》. ③칠
수 손으로 침. '—熊羆'《司馬相如》. ④손수 수

[手①㉠]
腋 臂 掌 指 腕 胈 肘

자기 자신이. '一墨'. '一自作'《南史》.

[字源] 金文  篆文  古文  象形. 다섯 손가락이 있는 손을 본떠, '손'을 뜻함.

[參考] '手수'를 의부(意符)로 하여, 손의 각 부분의 명칭이나, 손의 동작에 관한 문자를 이룸. 변이 될 때에는 '扌'의 꼴을 취함.

[手脚 수각] 손과 발. 손발.
[手簡 수간] 수한(手翰).
[手匣 수갑] 죄인(罪人)의 두 손목에 걸쳐서 채우는 형구(刑具).
[手巾 수건] 무명·베 등을 끊어서 만든, 손도 씻고 몸도 씻는 데 쓰는 물건.
[手格 수격] 손으로 침.
[手決 수결] 도장의 대신으로 자필(自筆)로 자기의 성명(姓名)이나 직함(職銜) 아래에 쓰는 일정한 자형(字形).
[手械 수계] 수갑(手匣).
[手工 수공] 손으로 하는 공예(工藝).
[手巧 수교] 손재주. 솜씨.
[手交 수교] 손수 내어 줌.
[手技 수기] 손으로 만드는 기술(技術). 손재주.
[手記 수기] ㉠손수 적음. ㉡가락지.
[手段 수단] 일을 꾸미거나 처리하기 위하여 묘안(妙案)을 만들어 내는 솜씨와 꾀.
[手談 수담] 바둑.
[手答 수답] 손수 답장(答狀)을 씀. 또, 그 답장.
[手鍊 수련] 솜씨가 익숙함.
[手爐 수로] 손을 쬐는 화로(火爐).
[手榴彈 수류탄] 적진(敵陣)에 가까이 가서 팔매질로 던지는 유탄(榴彈).
[手理 수리] 손금.
[手舞足蹈 수무족도] 몹시 좋아서 뜀.
[手墨 수묵] 손수 쓴 필적(筆跡).
[手文 수문] 손금.
[手紋 수문] 수문(手文).
[手搏 수박] ㉠수격(手格). ㉡손으로 서로 쳐서 승부(勝負)를 내는 경기. 지금의 권투(拳鬪) 같은 것.
[手搒 수방] 수찰(手札).
[手拜 수배] 두 손을 땅에 대고 무릎을 꿇고 머리를 숙여서 하는 절.
[手背 수배] 손등.
[手法 수법] 예술품을 만드는 솜씨.
[手付 수부] 손수 줌. 직접 줌.
[手不釋卷 수불석권] 손에서 책을 놓지 아니함. 곧, 항상 독서함을 이름.
[手臂扞頭目 수비한두목] 손을 들어 머리나 눈을 가려 막는다는 뜻으로, 아랫사람이 윗사람을 호위(護衛)함을 이름.
[手寫 수사] 수초(手抄).
[手箱 수상] 일상 쓰는 물건을 넣어 두는 작은 상자.
[手書 수서] ㉠손수 씀. 또, 그 쓴 것. ㉡수찰(手札).
[手勢 수세] 손매. 손놀림.
[手疏 수소] 손수 조목(條目)별로 써서 상소함. 또, 그 문서.
[手續 수속] 일을 하는 절차(節次).
[手術 수술] 환부(患部)를 절개(切開) 또는 절단하는 외과(外科)의 치료.
[手習 수습] 글씨 공부. 습자(習字).
[手握 수악] 손아귀.
[手握王爵口含天憲 수악왕작구함천헌] 전횡(專橫)한 신하(臣下)가 군주(君主)를 제쳐 놓고 국정(國政)과 관리의 진퇴(進退)를 제 마음대로 함을 이름.
[手語 수어] 손짓으로 의사를 통함.
[手藝 수예] ㉠손으로 하는 기예(技藝). 손재주. ㉡손수 심음.
[手腕 수완] ㉠손회목. ㉡일을 꾸미거나 치러 나가는 재간(才幹).
[手淫 수음] 용두질.
[手刃 수인] 칼을 가지고 손수 찌름.
[手印 수인] 무인(拇印).
[手刺 수자] 명함(名銜).
[手作 수작] 손수 만듦.
[手掌 수장] 손바닥.
[手才 수재] 손재주. 솜씨.
[手迹 수적] 손수 쓴 필적(筆跡).
[手製 수제] 손으로 만듦. 또, 그 물건.
[手爪 수조] 손톱.
[手詔 수조] 제왕(帝王)의 친필(親筆)의 조서(詔書).
[手足 수족] ㉠손과 발. ㉡형제(兄弟)의 비유.
[手足異處 수족이처] 손과 발이 서로 딴 곳에 있음. 곧, 허리를 베어 몸을 두 동강 내는 참형(斬刑)을 이름.
[手足之愛 수족지애] 형제의 우애.
[手足之情 수족지정] 수족지애.
[手中 수중] ㉠손의 안. ㉡자기가 권력을 부릴 수 있는 가능한 범위.
[手指 수지] 손가락.
[手織 수직] ㉠손수 짬. ㉡손으로 짬.
[手札 수찰] 손수 쓴 편지.
[手冊 수책] 수첩(手帖).
[手帖 수첩] 간단한 기록을 적어 몸에 지니고 다니는 조그마한 공책.
[手抄 수초] 손수 베낌. 또, 베낀 것.
[手燭 수촉] 횃불.
[手勅 수칙] 천자가 손수 쓴 칙서.
[手澤 수택] 손때.
[手套 수투] 장갑(掌甲).
[手板 수판] 홀(笏).
[手筆 수필] 수적(手迹).
[手下 수하] 손아래. 부하(部下).
[手翰 수한] 편지. 서한(書翰).
[手荒症 수황증] 《韓》 병적(病的)으로 남의 물건을 훔치는 버릇.

◉佳手. 歌手. 擧手. 高手. 鼓手. 工手. 空手. 拱手. 巧手. 交手. 國手. 弓手. 龜手. 技手. 旗手. 騎手. 落手. 老手. 能手. 徒手. 毒手. 魔手. 名手. 妙手. 拍手. 凡手. 拊手. 射手. 上手. 先手. 選手. 纖手. 素手. 水手. 袖手. 十手. 雙手. 惡手. 握手. 野手. 良手. 兩手. 斂手. 運轉手. 義手. 一手. 入手. 赤手. 笛手. 敵手. 助手. 拙手. 左右手. 叉手. 着手. 隻手. 觸手. 祝手. 舵手. 投手. 捕手. 砲手. 下手. 合手. 好敵手. 畫手. 携手. 凶手.

0 ③ [扌] 手(前條)가 변에 있을 때의 자체(字體). 글자 모양이 '才재' 자 비슷하므로, 속칭(俗稱) '재방변'.

[筆順] 一 十 扌

0 ③ [才] [中][人] 재 [平]灰 昨哉切 cái 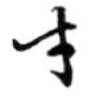

筆順 一 十 才

字解 ①재주 재 재능. '一藝'. '旣竭我一'《論語》. 또, 재능이 있는 사람. '取賢斂一焉'《禮記》. ②바탕 재 성질. '若夫爲不善, 非一之罪也'《孟子》. ③겨우 재 纔(糸部 十七畫)와 통용. '一小富貴, 便像人家事'《晉書》. ④결단할 재 裁(衣部 六畫)와 통용. '惟王一之'《戰國策》. ⑤성 재 성(姓)의 하나.

字源 甲骨文 中 金文 才 篆文 才 象形. 강이 넘치는 것을 막기 위한 봇둑으로 세워진 질 좋은 나무를 본뜸. 본디 갖추어 있는 좋은 바탕의 뜻을 나타냄. 甲骨文에서는 '在재'와 같은 꼴로, '막아 두다'의 뜻에서, '있다'의 뜻을 나타냄. '材재'와 통용되어, 뛰어난 능력의 뜻을 나타냄.

[才幹 재간] 솜씨. 기량(技倆).
[才鑒 재감] 재주가 있어 감식(鑑識)을 잘함.
[才格 재격] 재주와 품격.
[才局 재국] 재주와 국량(局量).
[才氣 재기] 재주가 있는 기질(氣質).
[才器 재기] 재국(才局).
[才女 재녀] 재주가 있는 여자(女子).
[才能 재능] 재주와 능력(能力).
[才談 재담] 재치 있게 하는 재미스러운 말.
[才德 재덕] 재주와 덕행.
[才德兼備 재덕겸비] 재주와 덕(德)을 다 갖춤.
[才度 재도] 재능과 도량(度量).
[才童 재동] 재주가 있는 아이.
[才鈍 재둔] 재주가 무딤.
[才略 재략] 지모(智謀).
[才量 재량] 재국(才局).
[才力 재력] 재주의 작용(作用). 재지(才智)의 능력.
[才望 재망] 재주와 명망(名望).
[才名 재명] 재주가 있다는 평판.
[才貌 재모] 재주와 용모(容貌).
[才物 재물] 재주(才子).
[才辯 재변] 재치 있게 잘하는 말.
[才分 재분] 타고난 재능.
[才士 재사] 재주가 많은 선비.
[才思 재사] 재치 있는 생각.
[才色 재색] 여자(女子)의 뛰어난 재주와 아름다운 용모.
[才數 재수] 지모(智謀).
[才術 재술] 재지(才智)와 학술.
[才勝德 재승덕] 재주가 덕보다 나음.
[才勝德薄 재승덕박] 재주가 있으나 덕(德)이 적음.
[才識 재식] 재주와 식견(識見).
[才穎 재영] 재주가 뛰어남.
[才藝 재예] 재능(才能)과 기예(技藝).
[才蘊 재온] 재간(才幹).
[才雄 재웅] 재주가 발군(拔群)한 사람.
[才媛 재원] 재주가 있는 젊은 여자.
[才人 재인] ㉠재자(才子). ㉡가무(歌舞)로 후궁(後宮)에서 섬기는 여자.
[才子 재자] 재주가 있는 사람.
[才子佳人 재자가인] 재주 있는 남자(男子)와 아름다운 여자(女子).
[才情 재정] 재사(才思).
[才調 재조] 재주.

[才藻 재조] 문장(文章)의 재주. 문재(文才).
[才俊 재준] 재주가 뛰어남. 또, 그 사람.
[才地 재지] 재주와 지체.
[才智 재지] 재주와 슬기.
[才質 재질] 재주와 성질(性質).
[才哲 재철] 재주가 있고 사리(事理)에 밝은 사람.
[才捷 재첩] 재주가 있어 민첩함.
[才筆 재필] 재주 있는 필치(筆致).
[才學 재학] 재주와 학식(學識).
[才學識 재학식] 재능(才能)과 학문(學問)과 식견(識見).
[才慧 재혜] 재주 있고 영악함.
[才華 재화] 빛나는 재주.
● 幹才. 奸才. 高才. 口才. 鬼才. 奇才. 器才. 奴才. 多才. 短才. 大才. 斗筲之才. 鈍才. 頓才. 茂才. 文才. 美才. 微才. 敏才. 百里才. 凡才. 辯才. 別才. 不才. 不羈之才. 非才. 菲才. 三才. 商才. 善才. 小才. 俗才. 秀才. 詩才. 實才. 良才. 佞才. 英才. 叡才. 庸才. 偉才. 倚馬才. 履屐之才. 吏才. 異才. 人才. 逸才. 全才. 俊才. 儁才. 天才. 淺才. 天下才. 七步才. 卓才. 學才. 漢才. 賢才. 好才. 洪才.

① ④ [扎] 찰 ㈥點 側八切 zhā 扎

字解 뺄 찰 뽑음.
字源 會意. 扌(手)+乚.

② ⑤ [扐] 륵 ㈥職 盧則切 lè 扐

字解 낄 륵 시초점(蓍草占)을 칠 때 시초를 세어 약손가락과 새끼손가락 사이에 끼는 일. '冉一而後掛'《易經》.
字源 篆文 扐 形聲. 扌(手)+力[音]. '力력'은 힘의 뜻. 힘을 주어 손가락 사이에 끼다의 뜻을 나타냄.

② ⑤ [扑] 복 ㈥屋 普木切 pū 扑

字解 ①칠 복 때림. '高漸離擊筑一秦皇帝'《史記》. ②종아리채 복 학업을 게을리 하는 제자를 징계(懲戒)하는 채. '一撻'. '一作教刑'《書經》.
字源 形聲. 扌(手)+卜[音]. '卜복'은 퍽 하는 소리를 나타내는 의성어. 퍽 하고 때리다의 뜻을 나타냄.

[扑撻 복달] 종아리를 때림.
● 敲扑. 楚扑. 捶扑. 筵扑. 鞭扑. 革扑.

② ⑤ [扒] 배 ㈦卦 博怪切 bā 扒

字解 뺄 배 뽑음. '拔扝一氏'《元包經》.
字源 形聲. 扌(手)+八[音]. '八팔'은 '拔발'과 통하여, '뽑다'의 뜻을 나타냄.

[扒手 배수]《現》소매치기.

② ⑤ [打] 中人 타 ㊤馬 都假切 dǎ, ④dá 打

筆順 一 十 扌 打 打

字解 ①칠 타 ㉠두드림. '一擊'. '與人相一'《晉

書〕. ㉡공격함. '一賀援景'《南史》. ②및 타 及(又部 二畫)과 뜻이 같음. '赤洪崖一白洪崖'《丁謂》. ③관사 타 동작을 나타내는 관사(冠詞). '一算'. '一聽'. ④《現》타 타 물품 열두 개를 한 묶음으로 하여 세는 말. 영어 다즌(dozen)의 역칭(譯稱). 다스. ⑤성 타 성(姓)의 하나. 字源 形聲. 扌(手)＋丁〔音〕. '丁'은 못을 본뜬 것. 못을 잡고 치다의 뜻에서, 일반적으로 '치다'의 뜻을 나타냄.

[打開 타개] 막힌 일을 잘 처리하여 나갈 길을 엶.
[打擊 타격] ㉠때림. 침. ㉡기운을 꺾을 만한 악영향(惡影響).
[打毬 타구] 공을 차고 노는 유희.
[打倒 타도] 때려 거꾸러뜨림. 때려 부수어 버림.
[打量 타량] 토지 같은 것을 잼. 측량함. 타(打)는 조자(助字).
[打麥 타맥] 보리를 타작(打作)함.
[打綿機 타면기] 솜틀.
[打撲傷 타박상] 부딪히거나 맞아서 생긴 상처.
[打報 타보] 전보(電報)를 침.
[打扮 타분] 분장(扮裝)을 함.
[打碑 타비] 비석(碑石)의 탑본(搨本)을 뜸.
[打算 타산] ㉠셈. 셈을 침. ㉡예정을 세움. 계획을 세움.
[打殺 타살] 때려 죽임.
[打成一片 타성일편] 쳐서 한 덩어리로 만듦. 한데 합침.
[打鴨驚鴛鴦 타압경원앙] 하찮은 물오리를 잡으려다가 아름다운 원앙새를 놀래어 달아나게 함. 한 사람을 그릇 처형(處刑)하여 선량(善良)한 뭇사람을 전전긍긍(戰戰兢兢)하게 함의 비유.
[打夜胡 타야호] 구나(驅儺). ㉡(比喩).
[打魚 타어] 그물을 던져 고기를 잡음.
[打字機 타자기] 손가락으로 건반(鍵盤)을 눌러서 글자를 종이에 찍는 기계(機械). 타이프라이터.
[打作 타작] 곡식(穀食)의 이삭을 떨어서 그 알을 거둠.
[打電 타전] 전보(電報)를 침.
[打點 타점] ㉠붓으로 점(點)을 찍음. ㉡마음속으로 지정(指定)함.
[打鐘 타종] 종을 침.
[打盡 타진] 모조리 잡음. 휘몰아 잡음.
[打診 타진] ㉠의사(醫師)가 손가락 끝으로 가슴이나 등을 두드려서 증세를 살핌. ㉡남의 마음 속을 살펴 봄.
[打擲 타척] 때림. 침.
[打草驚蛇 타초경사] 한쪽을 징벌(懲罰)함으로써 딴 쪽을 각성(覺醒)케 함.
[打破 타파] 깨뜨려 버림.
●強打. 擊打. 輕打. 毆打. 亂打. 撲打. 凡打. 本壘打. 貧打. 散打. 手打. 安打. 連打. 捶打. 快打. 痛打. 投打. 鞭打. 好打. 犧打.

2 ⑤ [扔] 잉 ㉤燕 如乘切 rēng
字源 당길 잉 끌어당김. '攘臂而一之'《老子》. 甲骨文 篆文 形聲. 扌(手)＋乃〔音〕. '乃'하다, 기대다'의 뜻. '仍'과 통하여, '인하다, 기대다'의 뜻. 손으로 만지다, 손으로 끌어당기다의 뜻을 나타냄.

2 ⑤ [払] 〔불〕 拂(手部 五畫〈p. 857〉)의 俗字

2 ⑤ [扚] 〔교〕 巧(工部 二畫〈p. 660〉)의 古字

3 ⑥ [扛] 강 ㉤江 古雙切 káng
字源 ①마주들 강 ㉠두 손으로 마주 듦. '力能一鼎'《史記》. ㉡두 사람이 마주 듦. '令十人一之, 猶不舉'《後漢書》. ②멜 강 두 사람이 같이 들어 등에 멤. '傭了幾箇一夫'《拍案驚奇》. 字源 篆文 形聲. 扌(手)＋工〔音〕. '工공'은 '꿰뚫다'의 뜻. 막대를 꿰뚫어 질러서 메다의 뜻을 나타냄. 일설에는, '工'이 '共공'과 통하여, '바치다'의 뜻. '手수'를 더하여, '들다'의 뜻을 나타냄.

[扛舉 강거] 마주 들어 올림.
[扛夫 강부] 교군(驕軍)꾼.
[扛鼎 강정] ㉠힘이 셈의 비유(比喩). ㉡필력(筆力)이 왕성(旺盛)함의 비유. 거정(擧鼎).

3 ⑥ [托] 탁 ㉧藥 闥各切 tuō
筆順 一 十 才 扌 扞 托
字源 ①떡국 탁 탕병(湯餠). '不一'. ②맡길 탁 위탁함. 託(言部 三畫)과 同字. '囑一'. '一手一銃, 一手放火'《紀效新書》. ③열 탁 拓(手部 五畫)과 同字. '以手掌一石壁'《李山甫》. 字源 篆文 形聲. 扌(手)＋乇〔音〕. '乇탁'은 집안에 몸을 의탁하는 사람을 본뜬 것. 손으로 물건을 한쪽으로 밀어 붙이다의 뜻을 나타냄.

[托故 탁고] 사고를 핑계 삼음.
[托鉢 탁발] ㉠중의 동냥. ㉡절에서 식사 때 중들이 바리때를 들고 식당에 가는 일.
[托生 탁생] 의탁하여 삶.
[托身 탁신] 몸을 맡김. 몸을 의지함.
[托子 탁자] 찻종 따위를 받쳐 드는 작은 받침. 쟁반. 차탁(茶托).

[托子]

[托處 탁처] 몸을 의탁(依託)함.
●假托. 落托. 不托. 茶托. 囑托.

3 ⑥ [扚] 一 조 ㉠篠 都了切 diǎo / 二 적 ㉠錫 都歷切 dí / 三 작 ㉧藥 職略切 / 四 약 ㉧藥 乙却切 yuē
字源 一 빨리칠 조 느닷없이 침. '一, 疾擊也'《說文》. 二 ①칠 적 공격함. '一, 擊也'《集韻》. ②끌 적 잡아당김. '一, 旁擊'《集韻》. 三 옆에서 칠 작 곁에서 침. '一, 旁擊'《集韻》. 四 손가락 마디금 약 '一, 手指節文'《集韻》. 字源 篆文 形聲. 扌(手)＋勺〔音〕. '勺작'은 '約약'의 '勺'처럼 죄어치다의 뜻. 손으로 쳐서 죄어치다, 치다의 뜻을 나타냄.

3 ⑥ [扞] 한 ㉤翰 侯旰切 hàn
字源 ①막을 한 방어함. '一衛'. '手足之一頭目'《漢書》. ②호위할 한 보호하여 지킴. '親帥

一之'《左傳》. ③다닥칠 한 충돌함. '一格而不勝'《禮記》. ④당길 한 활 같은 것을 당김. '一烏號之弓'《淮南子》. ⑤팔찌 한 활을 쏠 때 소매를 걷어 매는 띠. '被金一'《漢書》. ⑥범할 한 침범함. 干(部首)과 통용. '一當世之文罔'《史記》.

字源 篆文 形聲. 扌(手)+干〔音〕. '干간'은 끝이 두 갈래가 진 무기를 본뜬 것. 무기를 손에 들고 막다의 뜻을 나타냄.

[扞拒 한거] 방어(防禦).
[扞格 한격] ㉠다닥침. 충돌함. ㉡어그러짐. 거스름.
[扞關 한관] 방어(防禦)하기 위하여 설치한 관「(關).
[扞禦 한어] 한거(扞拒).
[扞衛 한위] 방위(防衛)함.
[扞制 한제] 막아 제지함.
[扞蔽 한폐] 막아 가림.
◉拒扞. 剋扞. 防扞. 蕃扞. 邊扞. 屛扞. 鋒扞. 扶扞. 禦扞. 戎扞. 障扞. 遮扞. 蔽扞. 亢扞. 險扞.

3 ⑥ [扜] 人名 우 ㊥虞 憶俱切 yū

字解 ①지휘할 우 지시(指示)함. ②가질 우 손에 쥠. '一, 持也'《玉篇》. ③당길 우 잡아당김. '有人方一弓射黃蛇'《山海經》.

字源 甲骨文 篆文 形聲. 扌(手)+于(亐)〔音〕. '亐우'는 '굽히다, 구부러지다'의 뜻. 손을 굽혀 지시하다의 뜻을 나타냄.

3 ⑥ [扝] 扜(前條)의 本字

3 ⑥ [扣] 구 ㊦宥 苦候切 kòu

字解 ①두드릴 구, 칠 구 '一石墾壤'《列子》. ②당길 구 끌어당김. '一制'. '一繆公之駿'《淮南子》. ③덜 구 뺌. '一除'.

字源 篆文 形聲. 扌(手)+口〔音〕. '口구'는 '寇구'와 통하여, 사람을 두드리다의 뜻. '手수'를 더하여, '두드리다'의 뜻을 나타냄. '控공'과 통하여, '당기다'의 뜻도 나타냄.

[扣囊底智 구낭저지] 있는 지혜를 다 짜냄.
[扣問 구문] 의견(意見)을 물음.
[扣制 구제] 견제(牽制)함.
[扣除 구제] 뺌. 덞.
[扣舷 구현] 뱃전을 두드림.

3 ⑥ [扤] 올 ㊇月 五忽切 wù

字解 ①흔들릴 올, 흔들 올 요동함. 요동시킴. '天之一我'《詩經》. ②위태할 올 불안한 모양. '邦之一隉'《書經》. ③성 올 성(姓)의 하나.

字源 篆文 形聲. 扌(手)+兀〔音〕. '兀올'은 '불안정하다'의 뜻. 손으로 흔들어 움직이다의 뜻을 나타냄.

[扤隉 올얼] 위태(危殆)함. 불안함.
◉動扤. 摧扤.

3 ⑥ [扠] 차 ㊥麻 初加切 chā

字解 ①집을 차 물건을 끼워서 듦. '饞一飽活臠'《韓愈》. ②작살 차 물고기를 찔러 잡는 기구. '以一刺泥中搏取之'《周禮 註》.

字源 形聲. 扌(手)+叉〔音〕. '叉차'는 끼워서 집다의 뜻. '手수'를 더하여, 끼워서 집다의 뜻을 나타냄.

3 ⑥ [扢] ㊀ 흘 ㊇物 其訖切 qì ㊁ 골 ㊇月 古忽切 gǔ

字解 ㊀ 기뻐할 흘 뛸 듯이 기뻐하는 모양. '子路一然, 執干而舞'《莊子》. ㊁ 닦을 골 씻어 냄. '濡不給一. (注) 一, 拭也'《淮南子》.

字源 形聲. 扌(手)+乞〔音〕

3 ⑥ [扟] 신 ㊥眞 所臻切 shēn

字解 ①떠낼 신 퍼냄. '一, 从上挹取也'《說文》. ②추릴 신 가리어 취함. '一, 自上擇取物也'《廣韻》. ③감할 신, 뗄 신 덞. 양을 줄임. '損一且勞, 傳曰, 一且勞, 剝之也'《元包經》.

字源 篆文 金文 形聲. 扌(手)+卂〔音〕. '卂신'은 '빠르다'의 뜻. 손으로 재빠르게 떠내다의 뜻을 나타냄.

3 ⑥ [扡] 〔타〕 拕(手部 五畫〈p. 861〉)와 同字

字源 形聲. 扌(手)+也〔音〕

3 ⑥ [扫] 〔소〕 掃(手部 八畫〈p. 877〉)의 簡體字

3 ⑥ [扥] 〔식〕 拭(手部 六畫〈p. 864〉)의 訛字

3 ⑥ [扦] 〔천〕 擀(手部 十一畫〈p. 902〉)의 俗字

4 ⑧ [扨] 〔공〕 廾(部首〈p. 713〉)과 同字

4 ⑧ [承] 中人 ㊀ 승 ㊥蒸 署陵切 chéng ㊁ 증 ㊤迥 zhěng

筆順 ㇇ 了 子 手 手 手 承 承

字解 ㊀ ①받들 승 ㉠봉승(奉承)함. '一奉'. '一寡君之命以請'《左傳》. ㉡밑을 잘 들어 올림. '一捧'. '一筐是將'《詩經》. ②이을 승 계승함. '一統'. '一先人之後者, 在孫惟汝'《韓愈》. ③받을 승 주는 것을 가짐. '是謂一天之祜'《禮記》. ④도울 승 보좌함. 丞(一部 五畫)과 同字. '右抽劍自一'《呂氏春秋》. ⑤장가들 승 성취(成娶)함. '國人一翁主'《漢書》. ⑥후계 승 뒤를 잇는 일. '鄭師爲一'《左傳》. ⑦도움 승 보좌. '使帥師而行, 請一'《左傳》. ⑧차례 승 순차(順次). '子產爭一'《左傳》. ⑨성 승 성(姓)의 하나. ㊁ 건질 증 구제함. 拯(手部 六畫)과 同字. '使弟子竝流而一之'《列子》.

字源 甲骨文 金文 篆文 會意. 手+卩+廾. '卩절'은 몸을 굽히는 사람을 본뜬 것. 몸을 굽힌 사람을 양손으로 들어 올리면서 받다의 뜻을 나타냄.

[承繼 승계] 뒤를 이음. 계승(繼承)함.
[承敎 승교] 가르침을 받음.
[承句 승구] 한시(漢詩)에서 절구(絕句)의 제2구
(句) 또는 율시(律詩)의 제3구 및 제4구.
[承諾 승낙] 청하는 바를 들어줌.
[承露盤 승로반] 한(漢)나라의 무제(武帝)가 감
로(甘露)를 받기 위하여 건장궁(建章宮)에 만
들어 두었던 동반(銅盤).
[承命 승명] 임금이나 어버이의 명령(命令)을 받
듦.
[承聞 승문] 웃어른이나 존경하는 이에 관한 말을
들음.
[承服 승복] 죄를 자복함. 복죄함.
[承奉 승봉] 웃어른의 뜻을 받아 섬김.
[承捧 승봉] 받아 처듦. 받듦.
[承嗣 승사] 승계(承繼).
[承上接下 승상접하] 윗사람을 받들고 아랫사람
을 어거하여 그 사이를 잘 주선함.
[承緖 승서] 선대(先代)의 사업을 이음. 제왕의
업을 이음.
[承召 승소] 임금의 부르시는 명령(命令)을 받듦.
[承順 승순] 윗사람의 명령(命令)을 잘 좇음.
[承襲 승습] 승계(承繼).
[承承 승승] 자자손손(子子孫孫)이 대대로 이어
받는 모양.
[承顏 승안] 남의 안색을 살펴 비위를 맞춤.
[承允 승윤] 임금의 윤허를 받음.
[承意 승의] 상대방의 마음을 살펴서 그 마음에 들
게 함. 비위를 맞춤.
[承引 승인] 들어줌. 승낙(承諾)함.
[承認 승인] 일정한 사실을 인정함.
[承藉 승자] 은혜를 입음.
[承前 승전] 전문(前文)을 이음. 앞의 계속.
[承傳 승전] ㉠차례로 받아 전함. ㉡먼저 사람이
한 대로 함.
[承接 승접] 앞을 받아 뒤에 이음.
[承從 승종] 명령(命令)을 좇음.
[承重 승중] 장손(長孫)으로 아버지가 돌아간 뒤
에 조부모(祖父母)의 상사(喪事)를 당할 때에
아버지를 대신(代身)하여 상제 노릇을 함.
[承旨 승지] ㉠분부를 받자움. ㉡《韓》고려·조선
때의 관직(官職). 왕명(王命)의 출납을 맡았
음.
[承志 승지] ㉠남의 뜻을 이어받음. ㉡남의 뜻을
받아들여 이를 거스르지 않음.
[承知 승지] ㉠들어 앎. ㉡지우(知遇)를 받음.
[承塵 승진] 천장에서 먼지·흙 같은 것이 떨어지
지 않게 하기 위하여 반자처럼 방 위에 판자 등
을 치는 장치.
[承寵 승총] 임금의 총애를 받음.
[承統 승통] 제위(帝位)를 이음.
[承平 승평] 나라가 오래 태평(泰平)함. 태평한
세상이 오래 계속됨.
[承敝 승폐] 승폐(承弊).
[承弊 승폐] 피폐(疲弊)한 나라를 떠맡음. 쇠잔한
세상을 이어받음. 승폐(承敝).
[承稟 승품] 명령을 받음.
[承乏 승핍] 벼슬자리에 임명됨을 겸사(謙辭)하여
이르는 말. 적당한 사람이 없어서 자기가 잠시
그 빈자리를 채운다는 뜻.
[承下塵 승하진] 남 뒤에 있어 앞의 사람의 발의
먼지를 뒤집어쓴다는 뜻으로, 싸울 때 후진(後
陣)에 있음. 또, 하위(下位)에 있음을 이름.

[承閒 승한] ㉠한가(閒暇)한 때를 살핌. ㉡좋은
기회(機會)를 노림.
[承歡 승환] 사람의 기분을 맞추어 기쁘게 함. 기
분을 맞춤.
[承誨 승회] 가르침을 받음.
[承候 승후] 웃어른의 기거와 안부를 물음.
　●敬承. 繼承. 供承. 恭承. 口承. 拜承. 陪承.
　奉承. 不承. 師承. 相承. 攝承. 紹承. 襲承.
　仰承. 諒承. 迎承. 領承. 了承. 傳承. 尊承.
　遵承. 祗承. 纘承. 簒承. 統承. 稟承.

4획 [扴] 갈 ㊄點 古黠切 jiá
字解 ①긁을 갈, 깎을 갈 '—, 揩—物也'《說文》.
②소리 갈 물건의 소리. '室晏絲曉—'《韓愈》.
字源 篆文 형성. 扌(手)+介〔音〕. '介개'는 '끼다'
의 뜻. 양손에 끼고 비비다, 깎다라는
뜻을 나타냄.

4획 [扱] ㊀흡 ㊄緝 迄及切 xī
㊁삽 ㊄洽 楚洽切 chā
㊂급 《韓》
字解 ㊀거두어가질 흡 염취(斂取)함. '以箕自
鄕而—之'《禮記》. ㊁①짚을 삽 손을 땅에 짚고
절함. '婦拜—地'《儀禮》. ②끼울 삽 삽입함. 挿
(手部 九畫)과 통용. '—上衽'《禮記》. ③걷을
삽 옷 같은 것을 걷음. '渡水衣須—'《徐鍇》. ㊂
《韓》①취급할 급 사물을 다룸. '取—'. ②훑을
급 곡식을 훑음. '稻—機'.
字源 篆文 會意. 扌(手)+吸〈省〉〔音〕. '吸흡'은
빨아들이다의 뜻. 손으로 끌어들이
다, 거두어 가지다의 뜻을 나타냄.

4획 [扮] ㊀분 ㊀吻 房吻切 fēn
㊁반 ㊁諫 晡幻切 bàn
字解 ①섞을 분 혼합(混合)함. '以椒薑—之'《史
記註》. ②아우를 분 합병함. '地則虛三以—天之
十八也'《太玄經》. ③꾸밀 분 화장하거나 변장
함. '裝—', '里中雜劇, 輙一作東方朔'《五雜組》.
字源 篆文 형성. 扌(手)+分〔音〕. '分분'은 '賁
분'과 통하여 '꾸미다'의 뜻. '手수'
를 더하여 '꾸미다'의 뜻을 분명히 함. 또 '分'
은 '粉분'과 통하여 가루의 뜻. 분을 손에 가지
고 꾸미다의 뜻을 나타낸다고도 함.

[扮飾 분식] 치장(治裝)함.
[扮裝 분장] 모양을 꾸밈.
[扮戲 분희] 연극(演劇).
[扮戲子 분희자] 배우(俳優).
　●打扮.

4획 [抝] 아 ①㊀麻 牛加切 yá
②㊂禡 魚駕切 yà
字解 ①비뚤 아 바르지 않은 모양. '抝—, 不
正'《集韻》. ②갈 아 맷돌로 갊. 砑(石部 四畫)
와 同字.

4획 [扶] ㊀부 ㊀虞 防無切 fú
㊁포 ㊁虞 蓬逋切 pú
筆順 一 十 扌 扩 拃 抃 扶
字解 ㊀①도울 부 ㉠조력함. '—助'. '蓬生麻
中, 不—自直'《荀子》. ㉡구원함. '—梁伐趙'《戰

國策》. ②붙들 부 넘어지지 않도록 붙듦. 부축함. '一攜'. '一腋'. '策一老以流憩'《陶潛》. ③곁부 옆. '去高木而巢一枝'《淮南子》. ④길 포 匍(勹部 七畫)와 同字. '一服救之'《禮記》.

字源 金文 [字] 篆文 [字] 形聲. 扌(手)+夫[音]. '夫부'는 '사나이'의 뜻. 사나이가 손을 뻗어 돕다의 뜻을 나타냄.

[扶起 부기] 도와 일으킴.
[扶老 부로] ㉠노인의 지팡이. ㉡대나무의 한 가지. 지팡이를 만듦. ㉢노인을 부축함.
[扶老攜幼 부로휴유] 노인은 부축하고 어린아이는 끌고 함께 감.
[扶木 부목] 부상(扶桑)❶.
[扶病 부병] 병을 무릅씀. 또, 병자(病者)를 간호(看護)함.
[扶扶 부부] 어린 모양.
[扶桑 부상] ㉠동(東)쪽 바다의 해 돋는 곳에 있다는 신목(神木). 또, 그 신목이 있는 곳. ㉡일본(日本).
[扶挈 부설] 노인은 부축하고 어린아이는 끌고 감. 부로휴유(扶老攜幼).
[扶疏 부소] ㉠부소(扶疎). ㉡버쓱거리는 모양.
[扶疎 부소] 초목의 지엽(枝葉)이 무성한 모양.
[扶蘇 부소] ㉠어린나무. 잔 나무. ㉡진(秦)나라 시황제(始皇帝)의 장자(長子). 시황(始皇)의 분서갱유(焚書坑儒)를 간(諫)하다가 노여움을 사서 경원(敬遠)되었음. 뒤에 시황(始皇)이 몰(沒)했을 때에 재상(宰相) 이사(李斯)와 환관(宦官) 조고(趙高)의 거짓 조서(詔書)에 의하여, 사사(賜死)되었음.
[扶樹 부수] 도와 세움.
[扶侍 부시] 곁에서 모셔 부축함.
[扶植 부식] ㉠심음. 지반(地盤)을 굳게 함. ㉡도와서 세움.
[扶腋 부액] 곁부축. 부조(扶助).
[扶養 부양] 도와 기름. 자활(自活)할 힘이 없는 사람을 생활(生活)함.
[扶餘 부여] 상고 시대(上古時代) 단군 조선(檀君朝鮮) 이후(以後) 삼국 시대(三國時代) 이전(以前)에 쑹화 강(松花江)을 중심(中心)으로 하여 만주(滿洲)에 있던 나라.
[扶搖 부요] ㉠폭풍(暴風). ㉡부상(扶桑)❶. ㉢힘차게 움직여 일어남.
[扶搖風 부요풍] 부요(扶搖)❶.
[扶翼 부익] 보호하고 도움.
[扶助 부조] ㉠남을 도와줌. 조력함. ㉡남의 애경(哀慶)에 대하여 물건이나 돈을 보냄.
[扶枝 부지] 곁가지.
[扶持 부지] ㉠서로 도움. ㉡어려운 일을 버티어 감.
[扶風 부풍] 폭풍(暴風).
[扶護 부호] 붙들어서 보호(保護)함.
[扶攜 부휴] 부로휴유(扶老攜幼).
[扶伏 부복] '포복(匍匐)'과 같음.
[扶服 포복] '포복(匍匐)'과 같음.
[扶匐 포복] '포복(匍匐)'과 같음.
●家扶. 給扶. 翼扶. 推扶. 夾扶. 協扶. 挾扶. 攜扶.

4 ⑦ [批] 离人 ■비 ①-⑤㉔齊 匹迷切 pī
⑥㉔支 頻脂切 pí
■별 ㉠屑 蒲結切 bié

筆順 一 丁 扌 扌 扐 扰 批

字解 ■①칠 비 손으로 침. '一而殺之'《左傳》. ②밀 비, 굴릴 비 떼밂. 또는 굴러 가게 함. '會一之六沴'《書經》. ③깎을 비 깎아 얇게 함. '竹一雙耳峻'《杜甫》. ④찌붙일 비 부전(附箋)을 달아 의견 또는 가부를 적음. '制敕不便者, 黃紙後一之'《唐書》. ⑤비답 비, 비답할 비 신하의 상주문(上奏文)의 끝에 적는 임금의 대답. 또, 그 대답을 내림. '帝皇詔答, 謂之一者, 今之所上表奏是也'《谷響集》. ⑥비파 비 琵(玉部 八畫)와 통용. '一把, 近世樂家所作'《風俗通》. ⑦칠 별 때림. 떼밀며 침. '一亢搗虛'《史記》.

字源 篆文 [字] 形聲. 扌(手)+比(毘)[音]. '毘비'는 '比비'와 통하여, '비교하다'의 뜻. 기준이 되는 것과 비교하여 검토하다의 뜻을 나타냄.

[批傾 비경] 배척(排斥)함.
[批難 비난] 결점이나 과실을 힐책(詰責)함.
[批答 비답] 신하(臣下)의 상주(上奏)에 대하여 군주(君主)가 결재·허가하는 일. 또, 그 글.
[批議 비의] 비평(批評) 또는 비난(批難)하는 일.
[批點 비점] 시문(詩文)의 잘된 곳에 찍는 둥근 점(點).
[批准 비준] ㉠신하(臣下)의 상주(上奏)에 대하여 군주(君主)가 허가·결재하는 일. ㉡전권 위원(全權委員)이 서명(署名) 조인(調印)한 국제 조약(國際條約)을 국가가 확인하는 절차(節次).
[批旨 비지] 비답(批答)하는 말씀.
[批把 비파] '비파(琵琶)'와 같음.
[批判 비판] ㉠비평(批評)하여 판단함. ㉡신하(臣下)의 상주문(上奏文)에 대한 재상(宰相) 등의 의견(意見).
[批評 비평] 시비(是非)·선악(善惡)·우열(優劣)을 평론(評論)함.
[批亢 비항] 목덜미를 침.
[批亢搗虛 비항도허] 목을 치고 빈 데를 찌른다는 뜻으로, 급소(急所)를 눌러 허(虛)를 찌름을 이름.
[批虛導窾 비허도관] 적(敵)의 방비(防備)가 허술한 데를 치고, 아군(我軍)의 허(虛)를 짐짓 보여서 적을 유인(誘引)함.
●高批. 妄批.

4 ⑦ [抵] 지 ㉮紙 諸氏切 zhǐ 抵

字解 ①칠 지 ㉠손뼉을 침. '一掌而談'《戰國策》. ㉡쳐부숨. '一穰侯而代之'《揚雄》.

字源 篆文 [字] 文 [字] 形聲. 扌(手)+氏[音]. '氏씨'는 찌부러진 눈의 象形으로, '납작하다'의 뜻. 눈이 찌부러질 정도로 옆에서 따귀를 때리다의 뜻을 나타냄.

4 ⑦ [扼] 人名 액 ㉠陌 乙革切 è 扼

字解 ①누를 액 꼭 눌러 꼼짝 못하게 함. 搤(手部 五畫)와 同字. '一殺'. '力一虎'《漢書》. ②멍에 액 軶(車部 四畫)과 同字. '加之以衡一'《莊子》.

字源 篆文 [字] 形聲. 扌(手)+厄[音]. '厄액'은 '좁다'의 뜻. 손으로 눌러서, 목이나 팔 따위를 세게 조르

다의 뜻을 나타냄.

[扼據 액거] 요해지(要害地)를 차지하여 웅거(雄據)함.
[扼殺 액살] 눌러 죽임.
[扼腕 액완] 성이 나거나 분해서 팔을 걷어붙임.
[扼吭 액항] ㉠목을 조름. 전(轉)하여, 요지(要地)를 점령함. ㉡마음에 걸림.
[扼喉 액후] 목을 조름. 급소(急所)를 눌러 사활(死活)을 좌우함.
[扼喉撫背 액후무배] 앞에선 목줄기를 움켜쥐고 뒤에선 등을 밀어 피할 도리가 없게 함.
◉衡扼.

4 ⑦ [扭] 뉴 ㊤有 女久切 niǔ

字解 ①비빌 뉴, 굴릴 뉴 손으로 비빔. 손으로 회전시킴. '—, —手轉皃'《廣韻》. ②누를 뉴 조름. 비틂. '—, 案也'《集韻》. ③묶을 뉴 얽어맴. 구인(拘引)함. '—, 手縛也'《正字通》.
字源 形聲. 扌(手)+丑〔音〕. '丑축'은 '비틀다'의 뜻. '丑축'이 지지(地支)의 둘째로 쓰이게 되매, '手수'를 덧붙임.

4 ⑦ [技] 中人 기 ㊤紙 渠綺切 jì

筆順 一 † 扌 扌 扩 抟 技

字解 ①재주 기 예능(藝能). '—術'. '凡執—以事上者'《禮記》. ②재능 기 능력. '無他—'《書經》.
字源 篆文 形聲. 扌(手)+支〔音〕. '支지'는 나뭇가지를 받쳐 들다의 뜻. 가지를 들고 재주 있게 행동하는 '재주'의 뜻을 나타냄.

[技擊 기격] 격검(擊劍).
[技巧 기교] ㉠교묘한 손재주. ㉡문예·미술 등의 표현이나 제작에 대한 솜씨.
[技能 기능] 기술상(技術上)의 재능.
[技師 기사] 관청(官廳) 또는 회사(會社)에서 전문의 기술(技術)에 관한 일을 맡아보는 사람.
[技手 기수] 관청이나 회사에서 기사(技師)의 아래에 있어서 기술(技術)에 종사하는 사람.
[技術 기술] 공예(工藝)의 재주.
[技癢 기양] 자기의 재주를 발휘할 기회가 없어 안달함.
[技藝 기예] 솜씨. 손재주.
◉格技. 競技. 曲技. 工技. 巧技. 球技. 國技. 奇技. 末技. 妙技. 武技. 美技. 薄技. 百技. 小技. 手技. 試技. 實技. 神技. 心技. 餘技. 演技. 藝技. 雜技. 長技. 才技. 絶技. 賤技. 鬪技. 特技.

4 ⑦ [抂] 광 ㊥陽 渠王切 kuáng

字解 ①어지러울 광 어지러운 모양. '—攘'. ②狂(犬部 四畫)의 訛字.

4 ⑦ [抃] 변 ㊦霰 皮變切 biàn

字解 손뼉칠 변 기뻐하여 손뼉을 침. '—手'. '坤神—舞'《晉書》.
字源 形聲. 扌(手)+卞〔音〕. '卞변'은 손뼉 치는 소리의 의성어.

[抃舞 변무] ㉠손뼉을 치며 춤을 춤. ㉡대단히 좋아하는 모양. 작약(雀躍).
[抃手 변수] 손뼉을 침.
[抃躍 변약] 변용(抃踊).
[抃悅 변열] 손뼉을 치며 좋아함.
[抃踊 변용] 손뼉을 치고 좋아하며 뜀.
◉歌抃. 擊抃. 慶抃. 塗歌里抃. 舞抃. 歡抃. 欣抃.

4 ⑦ [抄] 高人 초 ㊥肴 楚交切 chāo

筆順 一 † 扌 扌 扌 抄 抄

字解 ①노략질할 초 약탈(掠奪)함. '—略'. '匈奴數—郡界'《後漢書》. ②베낄 초, 초할 초 글을 베낌. 또, 중요한 것만 추려 베낌. '—錄'. '手自—寫'《晉書》. '擇其可用者—之'《葉庭珪》. ③뜰 초 ㉠숟가락으로 음식 같은 것을 뜸. '匙—爛飯穩送之'《韓愈》. ㉡종이를 만듦. '—, 紙槽'《天工開物》. ④거를 초 액체를 체 따위로 거름. '—紙槽'. ⑤초 초 등사(謄寫). 발록(拔錄). '樂府歌辭—'《隋書》. ⑥성 초 성(姓)의 하나.
字源 形聲. 扌(手)+少〔音〕. '少소'는 '조금'의 뜻. 조금 손에 가지다, 손으로 뜨다의 뜻을 나타냄.

[抄略 초략] 노략질하여 빼앗음.
[抄掠 초략] 초략(抄略)함.
[抄錄 초록] 소용(所用)되는 것만을 뽑아서 기록(記錄)함.
[抄本 초본] 추려 베낀 문서.
[抄寫 초사] 일부분을 빼내어 베낌.
[抄書 초서] 책의 내용을 빼내어 쓴 책.
[抄譯 초역] 외국어 서적을 필요한 곳만 뽑아서 번역(飜譯)함. 또, 그 번역.
[抄紙槽 초지조] 종이를 뜨는 통.
[抄集 초집] 초록(抄錄)하여 모음. 또, 그 서류(書類).
[抄冊 초책] 초록(抄錄)한 책.
[抄撮 초촬] 한 줌. 근소한 분량.
[抄出 초출] 추려 냄. 또, 추려 내어 베낌.
[抄筆 초필] 잔글씨를 쓰는 작은 붓.
◉文抄. 別抄. 私抄. 手抄. 詩抄. 類抄. 日抄. 雜抄. 集抄.

4 ⑦ [抆] 문 ㊤吻 武粉切 wěn ㊦問 亡運切

字解 닦을 문 씻음. '孤子唫而—淚'《楚辭》.
字源 形聲. 扌(手)+文〔音〕

[抆淚 문루] 눈물을 씻음.

4 ⑦ [找] ▣ 화 ㊥麻 胡瓜切 huá ▣ 조 音瓜 zhǎo

字解 ▣ 삿대질할 화 '划, 舟進竿謂之划. 或从手'《集韻》. ▣ ①채울 조 부족(不足)을 채움. '—, 補不足曰—'《洪武正韻》. ②찾을 조 사람을 찾음. '—, 凡尋覓人物曰—'《中華大字典》.

4 ⑦ [抶] ▣ 자 ㊦寘 側吏切 zhì ▣ 즐 ㊇質 側瑟切 zhì

字解 ▣ 머리빗을 자 빗으로 머리를 손질함. '簡

髮而一, 數米而炊'《莊子》. ◨ 빗 즐 櫛(木部 十五畫)과 同字.

⁴⁄₇ [抉] ^{人名} 결 ④屑 古穴切 jué

字解 ①긁을 결 긁어냄. 후벼 냄. '一剔'. '吾眼, 懸吳東門之上'《史記》. ②들추어낼 결 폭로함. '搆一過失'《唐書》. ③깍지 결 각지(角指). 抉(弓部 四畫)과 同字. '革一, 掌王之用, 弓弩矢籯繒戈一拾'《周禮》.

字源 篆文 形聲. 扌(手)＋夬〔音〕. '夬결'은 도려내다의 뜻. '手수'를 더하여, 뜻을 분명히 함.

[抉③]

[抉拾 결습] 깍지와 팔찌.
[抉摘 결적] 숨은 것을 들추어냄. 정의(精義)를 캐냄.
[抉剔 결척] 살을 긁고 뼈를 발라냄.
[抉出 결출] 긁어냄.
●鉤抉. 搆抉. 挑抉. 搜抉. 摘抉. 剔抉. 撐抉. 拔抉.

⁴⁄₇ [把] ^{高人} 파 ⑭馬 博下切 bǎ

筆順 一 十 扌 扌' 扌' 扣 扣 把

字解 ①잡을 파, 질 파 ⑦손으로 움켜쥠. 꼭 쥠. '一持'. '湯自一鉞'《史記》. ⓛ결점을 집어냄. '皆一其陰重罪, 而縱'《漢書》. ②자루 파, 손잡이 파 그릇·연장 따위의 자루나 손잡이. '刀一'. '戾翳旋一'《潘岳》. ③움큼 파 한 줌에 움켜쥐는 일. 또 그 분량. '烝嘗不過一握'《國語》. ④묶음 파 묶어 놓은 덩이·단·다발 따위. '淸晨送菜一'《杜甫》. ⑤성 파 성(姓)의 하나. ⑥《韓》발 파 두 팔을 펴서 벌린 길이.

字源 篆文 形聲. 扌(手)＋巴〔音〕. '巴파'는 땅바닥에 찰싹 배를 대고 기어가는 뱀을 본뜬 것. 손바닥을 찰싹 대고 쥐다의 뜻을 나타냄.

[把弄 파롱] 손에 가지고 놂.
[把臂 파비] 서로 팔을 잡음. 친애(親愛)하는 모양. 악비(握臂).
[把手 파수] 자루. 손잡이.
[把守 파수] 경계(警戒)하여 지킴.
[把握 파악] 움켜쥠. 또, 움켜쥘 만한 크기. 한 움큼.
[把玩 파완] 파롱(把弄).
[把住 파주] ⑦마음속에 간직함. ⓛ기왕(旣往)에 경험한 사실을 오래 의식(意識) 속에 가지고 있어 때때로 이것을 재현(再現)시킬 수 있는 작용(作用).
[把持 파지] 손에 꼭 쥐고 놓지 않음.
●劍把. 拱把. 刀把. 本把. 批把. 掌把. 銃把. 箒把. 火把.

⁴⁄₇ [抎] 운 ⑭吻 云粉切 yǔn

字解 ①잃을 운 잃어버림. '惟恐矢一之'《戰國策》. ②떨어질 운 隕(阜部 十畫)과 同字. '不戰而一'《史記》.

字源 篆文 形聲. 扌(手)＋云〔音〕. '隕운'과 통하여, 잃다, 손에서 떨어지다의 뜻을 나타냄.

나타냄.

⁴⁄₇ [拖] 돈 ④願 都困切 dèn

字解 ①끌 돈 '一, 引也'《廣雅》. ②움직일 돈 '一, 摩也'《玉篇》. ③갈 돈, 비빌 돈 '一, 一曰摩也'《集韻》.

⁴⁄₇ [拔] 발 ①㊊曷 普活切 pō ②④曷 蒲撥切 bá

字解 ①닦을 발 손으로 훔치거나 씻음. '一, 撌也'《說文》. '游者以足蹶, 以手一'《淮南子》. ②밀 발 밀침. '一, 推也'《集韻》.

字源 篆文 形聲. 篆文은 扌(手)＋宋〔音〕. '拂불'과 통하여, '닦다'의 뜻을 나타냄.

⁴⁄₇ [抑] ^{高人} 억 ④職 於力切 yì

筆順 一 十 扌 扌' 扣 扣 抑

字解 ①누를 억 ⑦힘으로 내리밂. '敬一搔之'《禮記》. ⓛ힘을 못 쓰게 함. '矜善而一惡'《國語》. ⓒ막음. '禹一洪水'《孟子》. ⓔ겸양(謙讓)함. '一讓'. '儉詘以自一'《史記》. ②굽힐 억 숙임. '皆伏一首'《史記》. ③문득 발어사(發語辭). '一此皇文'《詩經》. ④또한 억 전의사(轉意辭). '一磬控忌'《詩經》.

字源 篆文 53 俗體 指事. '印인' 자를 뒤집은 모양. 도장을 찍을 때에는 반드시 아래를 향하게 하므로, '印' 자를 거꾸로 뒤집어서, 도장을 눌러 찍다, 위에서 힘을 가하여 누르다의 뜻으로 쓰임. '抑억'은 '手수'를 더한 俗字.

[抑強扶弱 억강부약] 강자(強者)를 누르고 약자(弱者)를 도와줌.
[抑留 억류] 억지로 머무르게 함.
[抑勒 억륵] 억제(抑制).
[抑買 억매] 남의 물건(物件)을 억지로 사들임.
[抑賣 억매] 제 물건을 억지로 팖.
[抑塞 억색] 눌러 막음.
[抑損 억손] ⑦줄임. 감퇴(減退)시킴. ⓛ만심(慢心)을 누르고 겸양(謙讓)함.
[抑首 억수] 머리를 굽힘. 고개를 숙임.
[抑壓 억압] 억지로 누름. 압제함.
[抑揚 억양] ⑦혹은 누르고 혹은 올림. ⓛ혹은 헐어 말하고 혹은 찬양함. ⓒ음조(音調)의 고저와 강약. ⓔ문세(文勢)의 기복(起伏). ⓜ시세(時勢)에 따라 행동함. 부침(浮沈).
[抑抑 억억] 신밀(愼密)한 모양. 신중한 모양.
[抑畏 억외] 자만심을 누르고 계신(戒愼)함.
[抑鬱 억울] ⑦죄(罪)가 없이 누명(陋名)을 씀. ⓛ억제를 당하여 마음이 답답함.
[抑糴 억적] 쌀의 매점(買占).
[抑制 억제] 내리눌러서 제어함.
[抑奪 억탈] 억지로 빼앗음.
[抑退 억퇴] ⑦눌러 물리침. ⓛ억손(抑損).
[抑貶 억폄] 눌러 폄(貶)함. 폄척(貶斥).
[抑何心腸 억하심장] 대체 무슨 생각인지 그 마음을 알기 어려다는 말.
[抑婚 억혼] 《韓》당자(當者)의 의견을 무시하고 억지로 하는 혼인.
●屈抑. 排抑. 損抑. 按抑. 壓抑. 掩抑. 冤抑.

裁抑. 沮抑. 擠抑. 捽抑. 遮抑. 摧抑. 沈抑.
幅抑.

4/⑦ [抒] 〔人名〕서 ①語 徐呂切 shū

〔筆順〕一 十 扌 扩 抒 抒 抒

〔字解〕①떠낼 서 퍼냄. '一米以出臼也'《詩經疏》. ②쏟을 서 토로함. '略陳愚而一情素'《漢書》. ③덜 서 제거함. '難必一矣'《左傳》. 〔字源〕篆文 抒 形聲. 扌(手)+予[音]. '予'는 '뻗다'의 뜻. 손을 뻗어서 퍼내다의 뜻을 나타냄. 또, '敍서'와 통하여, '토로하다'의 뜻을 나타냄.

[抒情 서정] 자기의 정서를 그려 냄.
[抒情詩 서정시] 자기의 감정과 기분을 읊은 시(詩).

4/⑦ [扲] ■겸 ☐鹽 其淹切 qián / 金 ①⑦侵 渠金切 qín ②㋖沁 巨禁切

〔字解〕■ ①업(業) 겸 기업(基業). '一, 業也.(註) 謂基業也'《揚子方言》. ②업(業) 에힘쓸 겸 자기 직업에 전심 (專心) 함. '一, 博推, 弰一, 專職業'《集韻》. ③적을 겸 기록함. '一, 記也'《玉篇》. ☐ ①움켜질 금 단단히 쥠. 捡(手部 八畫)과 同字. ②붙잡을 금 擒(手部 十三畫)과 同字. '一, 捉也'《集韻》.

4/⑦ [抓] 조 ①巧 側絞切 zhuā / ㋖看 側交切

〔字解〕①긁을 조 손톱 같은 것으로 긁음. '委蛇攫一'《莊子》. ②움킬 조 움켜쥠. '手可攫而一'《枚乘》. 〔字源〕形聲. 扌(手)+爪[音]. '爪조'는 위에서 손으로 아래에 있는 사람을 움켜쥐는 모양을 본뜸. '手수'를 더하여, '움키다, 긁다'의 뜻을 나타냄.

●頻抓. 虎抓. 攫抓.

4/⑦ [抔] 부 ㋖尤 薄侯切 póu

〔字解〕①움켜질 부 '汚尊而一飮'《禮記》. ②움큼 부 움켜진 분량. 줌. '一一之土'. 〔字源〕形聲. 扌(手)+不[音]. '不부'는 붕긋하게 크다의 뜻. 양손을 붕긋하게 합쳐서 물건을 움켜쥐다의 뜻을 나타냄.

[抔飮 부음] 손바닥으로 물을 떠 먹음.
[抔土 부토] 한 줌의 흙. 전(轉)하여, 무덤. 능(陵).
[抔土未乾 부토미건] 선제(先帝)를 장사 지내고 얼마 안 됨을 이름.

4/⑦ [投] 〔中人〕■투 ㋖尤 度侯切 tóu / 두 ㋖宥 大透切 dòu

〔筆順〕一 十 扌 扌 投 投 投

〔字解〕■ ①던질 투 ㋠내던짐. '一擲'. '一石'. ㋡몸을 내던짐. '乃一水而死'《古詩》. ㋢내버림. '一筆戎軒'《魏徵》. ㋣추방함. '一諸四裔'《左

傳》. ②줄 투 증여함. '一我以木瓜'《詩經》. ③의탁할 투 의탁하여 머무름. '一宿'. '望門一止'《後漢書》. ④맞을 투 합치함. '意氣一合'. '氣味相一'. ⑤들일 투 받아들임. '一殷之後於宋'《禮記》. ⑥떨칠 투 세게 흔듦. '一袂而起'《左傳》. ⑦성 투 성(姓)의 하나. ■ ①머무를 두 逗(辵部 七畫)와 同字. '遠一錦江波《杜甫》. ②구두 두 讀(言部 十五畫)와 통용. '察度于句一'《馬融》. 〔字源〕篆文 投 形聲. 扌(手)+殳[音]. '殳수'는 몽둥이를 손에 들고 패다의 뜻. '手수'를 더하여, '던지다'의 뜻을 나타냄.

[投瓊 투경] 주사위를 던짐. 곧, 도박(賭博)을 이름.
[投稿 투고] 신문·잡지 등에 실을 원고(原稿)를 보냄.
[投瓜得瓊 투과득경] 모과(木瓜) 열매를 선사하고 주옥(珠玉)을 반례(返禮)로 받는다는 뜻으로, 적은 물건을 주고 후(厚)한 답례(答禮)를 받음을 이름. 새우로 도미를 낚다와 같은 뜻.
[投球 투구] 공을 던짐.
[投棄 투기] 내던져 버림.
[投機 투기] ㋠기회를 엿보아 큰 이익을 보려는 짓. ㋡시가(市價)의 변동을 예기하고, 그 차익(差益)을 얻기 위하여 행하는 매매 거래.
[投賣 투매] 손해를 무릅쓰고 상품을 내던져 버리듯 마구 싸게 팖.
[投命 투명] 목숨을 버림.
[投袂 투메] 소매를 떨친다는 뜻으로, 팔짓을 하며 세차게 일어남을 형용하는 말.
[投錨 투묘] 배의 닻을 내림. 선박을 정박(碇泊)시킴.
[投報 투보] ㋠선사(善事)의 답례를 함. 전(轉)하여, 서로 연정(戀情)을 통함. ㋡받은 은혜를 갚음.
[投射 투사] ㋠파동(波動)이 한 물질의 안을 통과하여 다른 물질의 경계면(境界面)에 도달함. ㋡감관적 지각(感官的知覺)의 대상을 외계에 있는 것으로 보는 일.
[投梭 투사] 진(晋)나라 때 유곤(劉鯤)이 이웃집에 사는 고씨(高氏)의 아름다운 딸을 꾀니 그 여자가 베 짜던 북을 내던져 거절한 고사(故事)에서, 전(轉)하여, 이성(異性)이 꾀는 것을 거절하는 일.
[投書 투서] ㋠문서를 던짐. ㋡희망·비방·적발 등의 사항을 익명 또는 기명의 문서로 작성하여 당국에 보냄. ㋢투고(投稿).
[投鼠忌器 투서기기] 쥐에게 물건을 던져서 때려잡고 싶으나, 곁에 있는 그릇을 깰까 두려워한다는 뜻으로, 임금 곁의 간신(奸臣)을 제거(除去)하려 하여도 임금에게 누(累)가 미칠까 두려워한다는 말.
[投石 투석] 돌을 던짐.
[投手 투수] 야구(野球)에서, 중앙(中央)의 위치(位置)에서 공을 던지는 사람.
[投宿 투숙] 여관에 듦. 여관에서 잠.
[投身 투신] ㋠강·바다 등에 몸을 던지어 죽음. ㋡(韓) 어떤 일에 몸을 던져 관계함.
[投影 투영] ㋠물체가 비치는 그림자. 사영(射影). ㋡물체를 어떤 정점(定點)에서 본 형상(形狀)의 평면도.
[投獄 투옥] 옥(獄)에 가둠.
[投入 투입] 던져 넣음.

[投刺 투자] ㉠명함을 내밀고 면회를 요청함. 통자(通刺). ㉡명함을 내던진다는 뜻으로, 세상과 교섭(交涉)을 끊음을 이름.

[投資 투자] 이익(利益)을 얻을 목적으로 밑천을 댐. 출자(出資)함.

[投杼 투저] 증삼(曾參)의 어머니가 증삼이 사람을 죽였다는 말을 세 번 듣고, 비로소 의아(疑訝)하여 짜던 베틀의 북을 내던지고 일어났다는 고사(故事). 전(轉)하여, 참언(讒言)을 믿는 일.

[投足 투족] 발을 들여놓음.

[投止 투지] 머무름. 투숙(投宿).

[投槍 투창] 창을 여섯 번 던져서 도착한 거리를 서로 비교하여 승부를 결정하는 운동 경기(運動競技).

[投擲 투척] 던짐.

[投託 투탁] 남의 세력(勢力)을 의뢰(依賴)함.

[投鞭斷流 투편단류] 채찍을 던져서 강류(江流)를 막는다는 뜻으로, 강(江)을 건너는 기병(騎兵)의 수가 많음을 이름.

[投票 투표] 선거(選擧) 또는 채결(採決) 등을 할 때 이에 참가한 여러 사람이 각자의 의사(意思)를 글자 혹은 표지(標識)로 표시하여 이를 일정한 곳에 제출(提出)하는 일.

[投筆 투필] 붓을 던져 버린다는 뜻으로, 문필(文筆)에 종사하던 것을 그만두고 무예(武藝)에 종사함을 이름.

[投下 투하] 아래로 내던짐.

[投翰 투한] 붓을 던짐. 붓을 던져 버림. 곧, 글짓기를 그만둠. 투필(投筆). 포필(拋筆).

[投閑置散 투한치산] 한산(閑散)한 자리에 몸을 둠. 곧, 요직(要職)에 있지 않음을 이름.

[投轄 투할] 손님이 타고 온 수레의 굴대 및 비녀장을 빼어 우물에 던진다는 뜻으로, 손님을 억지로 머무르게 함을 이름.

[投函 투함] 우체통 따위에 편지를 넣음.

[投合 투합] 서로 맞음. 일치함.

[投降 투항] 적에게 가서 항복함.

[投繯 투현] 목을 매어 죽음. 액사(縊死).

[投壺 투호] 화살같이 만든 청홍(青紅)의 긴 막대기를 두 사람이 갈라 가지고 일정한 거리에 놓인 병 속에 던져 넣는 유회.

[投壺]

[投笏 투홀] 홀(笏)을 던진다는 뜻으로, 벼슬에서 물러남을 이름.

[投荒 투황] 변방(邊方)으로 귀양 보내는 일. 원찬(遠竄).

●傾投. 繼投. 亂投. 失投. 惡投. 暗投. 連投. 完投. 依投. 快投. 暴投.

---

4 ⑦ [抖] 高 人 두 ㊤有 當口切 dǒu   抖

[筆順] 떨 두 '一擻'는 손으로 물건을 들어 텖. 전(轉)하여, 없앰. 제거함. '一擻胸中三斗塵'《王炎》.

[字源] 形聲. 扌(手) + 斗〔音〕.

[抖擻 두수] ㉠손으로 물건을 들어 텖. 전(轉)하여, 떨어 버림. 없앰. ㉡분발(奮發)함.

---

4 ⑦ [抗] 高 人 항 ㊣漢 苦浪切 kàng   抗

[筆順] 一 十 扌 扩 扩 扩 抗

[字解] ①들 항 들어 올림. '歌者上如一, 下如墜'《禮記》. ②막을 항 방어함. '未能朝楚而一宋'《國語》. ③겨룰 항 대항함. '一敵' '戎夏不一王師'《李華》. ④높을 항 '一行' '不可以爲一'《淮南子》. ⑤성 항 성(姓)의 하나.

[字源] 形聲. 扌(手) + 亢〔音〕. '亢항'은 '높다'의 뜻. 손을 높이 들다의 뜻을 나타냄.

[抗拒 항거] 대항(對抗)함. 버팀.

[抗告 항고] 관청(官廳)의 결정·명령 또는 처분(處分)에 대하여 그 상급 관청에 번복(飜覆)을 상신(上申)함.

[抗禮 항례] 대등(對等)의 예. 또, 피아(彼我)가 서로 대등한 교제를 함.

[抗論 항론] 항변(抗辯)함.

[抗辯 항변] 대항하여 변론함.

[抗疏 항소] 항표(抗表).

[抗顏 항안] 잘난 척한 얼굴을 함. 또, 잘난 척하는 얼굴.

[抗禦 항어] 대항(對抗)하여 막음.

[抗言 항언] 대항(對抗)하여 말함.

[抗然 항연] 권위(權威)에 굴하지 않고 대항하는 모양.

[抗議 항의] 반대(反對)의 의견을 주장함. 이의(異議)를 제기함.

[抗章 항장] 항표(抗表).

[抗爭 항쟁] 대항하여 다툼.

[抗敵 항적] 겨룸. 대항함. 대적함.

[抗戰 항전] 적과 대항하여 전쟁함.

[抗節 항절] 절개를 지켜 자기의 의견을 굽히지 아니함.

[抗直 항직] 강경(强硬)하고 정직함.

[抗塵走俗 항진주속] 속세(俗世)에서 바삐 돌아다녀 부귀영화를 얻음을 이름.

[抗策 항책] 채찍을 들어 말을 달림.

[抗表 항표] 의견서(意見書)를 임금에게 올림. 상표(上表).

[抗行 항행] 숭고(崇高)한 행위.

[抗俠 항협] 의협심이 있어 권력에 굴하지 아니함.

[抗衡 항형] 서로 대항(對抗)하여 지지 아니함. 서로 버팀.

●拒抗. 高抗. 拮抗. 答抗. 對抗. 反抗. 抵抗. 支抗. 清抗.

---

4 ⑦ [折] 高 人 ■ ㊤ 절 ㊀屑 旨熱切 zhé / ■ ㊁ 제 ㊐齊 杜溪切 tí   折

[筆順] 一 十 扌 扩 扩 折 折

[字解] ■ ①꺾을 절 ㉠부러뜨림. '一枝' '無一我樹杞'《詩經》. ㉡굽힘. '一節下士'《漢書》. ㉢찢음. '一券棄責'《漢書》. ㉣기를 꺾음. '一伏'. '一辱秦事卒'《史記》. ㉤힐난함. '面一不能容人之過'《史記》. ②꺾일 절 ㉠부러짐. '天柱一, 地維缺'《淮南子》. ㉡굽음. '河九一注於海'《淮南子》. ③결단할 절 판결함. 단정함. '片言可以一獄者'《論語》. ④깎을 절 값을 낮춤. '一價'. '良賈不爲一閱不市'《荀子》. ⑤일찍죽을 절 요사함. '夭一'. '凶·短·一'《書經》. ⑥성 절 성(姓)의

[拜誦 배송] 배독(拜讀).
[拜手 배수] 머리를 손 있는 데까지 숙여 절을 함. 배수(拜首).
[拜受 배수] 공경하여 삼가 받음.
[拜授 배수] 벼슬을 줌. 관직을 수여함.
[拜承 배승] 삼가 받자옴.
[拜顔 배안] 삼가 얼굴을 뵘. 만나 뵘.
[拜謁 배알] 절하고 뵘. 높은 어른에게 뵘.
[拜迎 배영] 절하고 맞이함. 삼가 맞이함.
[拜章 배장] 관직(官職)을 임명받았을 때 임금에게 삼가 받는다는 뜻을 아뢰는 글.
[拜呈 배정] 절하고 드림. 삼가 드림.
[拜除 배제] 관직을 제수(除授)함. 임관(任官)함.
[拜芝 배지] 배안(拜顔).
[拜塵 배진] ㉠진(晉)의 석숭(石崇)과 반악(潘岳)이 가밀(賈謐)에게 아첨하여 가밀이 수레를 타고 떠날 때 뒤에서 수레가 일으키는 먼지를 바라보고 절을 한 고사(故事)에서 나온 말로, 권세(權勢) 있는 사람에게 아첨함을 이름. ㉡현인(賢人)을 존경함.
[拜趨 배추] 삼가 추창(趨蹌)함.
[拜春 배춘] 배년(拜年).
[拜披 배피] 삼가 편지를 폄.
[拜賀 배하] 절하고 치하함. 공손(恭遜)히 치하함.
[拜火敎 배화교] 불을 섬기는 교. 조로아스터교 따위.
[拜候 배후] 문안(問安)함.
◉九拜. 跪拜. 謹拜. 起拜. 羅拜. 答拜. 膜拜. 百拜. 伏拜. 俯拜. 三拜. 崇拜. 迎拜. 禮拜. 遙拜. 再拜. 頂拜. 除拜. 重拜. 參拜. 還拜. 趨拜. 向拜.

5 ⁹ [拏] 人名 나 ㉤麻 女加切 ná

[筆順] 人 夕 女 女 奴 奴 � 拏

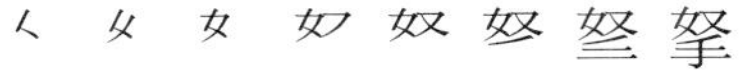

[字解] ①맞당길 나 서로 끌어당김. ‘漢匈奴相紛一’《史記》. ②잡을 나 체포함. ‘一捕’

[字源] 形聲. 手+奴〔音〕. ‘奴노’는 ‘노예’의 뜻. ‘拿나’와 동일어 이체자(同一語異體字)로, 손으로 잡다, 노예처럼 붙잡다의 뜻을 나타냄.

[拏捕 나포] ㉠붙잡아 가둠. 붙잡아 자유를 구속함. ㉡교전국의 군함이 정당한 포획(捕獲)의 이유가 있다고 인정한 적국 또는 중립국의 선박을 바다 위에서 붙들고 자기의 권력 아래에 두는 행위.
[拏攫 나획] 잡음. 붙잡음.
◉交拏. 猛拏. 盤拏. 煩拏. 紛拏. 攫拏. 虎擲龍拏.

5 ⁸ [抨] 평 ㉤庚 普耕切 pēng

[字解] ①탄핵할 평 죄를 조사하여 책망함. ‘一劾’. ‘其意不樂彈一事’《唐書》. ②하여금 평 …로 하여금 …하게 함. ‘一雄鴆以作媒兮’《楚書》.

[字源] 形聲. 扌(手)+平〔音〕. ‘平평’은 ‘평평하다’의 뜻. 또, 밑에서부터 부딪치다의 뜻. 손으로 팽팽하게 튕기다의 뜻을 나타냄.

[抨彈 평탄] 탄핵(彈劾)함.

[抨劾 평핵] 탄핵(彈劾)함.

5 ⁸ [拊] 포 ㉤虞 博狐切 pū

[字解] 퍼질 포 넓게 퍼짐. ‘塵埃一覆’《漢書》
[字源] 形聲. 扌(手)+布〔音〕. ‘布포’는 ‘펴다’의 뜻. 손으로 넓게 펼치다의 뜻을 나타냄.

[拊覆 포부] 넓게 퍼져 덮임.
[拊徧 포편] 널리 폄. 넓게 퍼짐.

5 ⁸ [挓] 人名 진 ㉤軫 止忍切 zhěn

[字解] ①휘어잡을 진 거머잡음. ‘扶搖一抱而上’《淮南子》. ②껴안을 진 끼어 가짐. ‘雖天地覆育, 亦不與之一抱矣’《淮南子》.
[字源] 形聲. 扌(手)+今〔音〕

[挓抱 진포] ㉠휘어잡음. 거머잡음. ㉡끼어 가짐. 껴안음.

5 ⁸ [拡]
一 별 ㉠屑 必結切 bié
二 비 ㉤寘 毗至切 bì
三 필 ㉠質 僻吉切 bì

[字解] 一①비틀 별 잡아 비틂. ‘一, 捩也’《集韻》. ②밀 별 밀어 침. ‘一, 推也, 南楚凡推搏曰一’《揚子方言》. ③쳐넘어뜨릴 별 ‘徒搏之所撞一’《張衡》. 二칠 비 장난삼아 침. ‘戱擊也’《集韻》. 三찌를 필 ‘一, 博雅, 刺也’《集韻》
[字源] 形聲. 扌(手)+必〔音〕

5 ⁸ [披] 人名 피
①-⑥㉤支 敷羈切 pī
⑦㉤紙 匹靡切
⑧㉤寘 彼義切

[字解] ①헤칠 피 속에 있는 것을 드러나게 함. ‘一拂’. ‘一心腹見情素’《漢書》. ②열 피 개척(開拓)함. ‘一山通道’《史記》. ③펼 피 책장 따위를 폄. ‘一讀’. ‘一於百家之編’《韓愈》. ④나눌 피 나누어 줌. ‘又一其邑’《左傳》. ⑤입을 피 옷을 걸침. ‘一服’. ‘一鶴氅行雪中’《世說》. ⑥쓰러질 피 쏠리어 넘어짐. ‘應風一靡, 吐芳揚烈’《司馬相如》. ⑦찢어질 피, 찢을 피 파열함. ‘一麻’. ‘木實繁者, 一其木’《史記》. ⑧성 피 성(姓)의 하나.
[字源] 形聲. 扌(手)+皮〔音〕. ‘皮피’는 짐승의 가죽을 벗겨 내는 모양을 본뜸. ‘手수’를 더하여, 가죽을 펴서 헤치다의 뜻을 나타냄.

[披肝膽 피간담] 진심을 털어놓음. 석간(析肝).
[披見 피견] 책 따위를 펴서 봄.
[披抉 피결] ㉠깊이 헤침. ㉡숨은 것을 끄집어냄. 남의 비밀을 들추어냄.
[披款 피관] 진심을 털어놓음.
[披卷 피권] 책을 펴서 봄.
[披襟 피금] ㉠옷의 깃을 열어젖힘. ㉡흉금(胸襟)을 터놓음.
[披讀 피독] 펼쳐서 읽음. 책을 읽음.
[披覽 피람] 펼쳐서 봄. 책을 펴 봄.
[披瀝 피력] 마음속에 먹은 바를 털어놓고 말함.

[披露 피로] 피력(披瀝).
[披離 피리] 사방으로 흩어지는 모양.
[披麻 피마] 그림의 준법(皴法)의 이름. 삼〔麻〕의 잎을 편 것처럼 돌의 주름을 그리는 일. 또, 그 주름.
[披靡 피미] ㉠바람에 불리어 쓰러져 흔들림. ㉡남의 위력(威力)에 눌리어 굴복(屈服)함.
[披髮 피발] 머리를 풀어 헤침.
[披髮徒跣 피발도선] 부모가 돌아갔을 때, 머리를 풀고 버선을 벗는 일.
[披服 피복] 옷을 입음. 또, 옷. 피복(被服).
[披腹心 피복심] 진정(眞情)을 펴 보임.
[披拂 피불] 초목의 지엽이 바람에 흔들림.
[披攘 피양] 초망(草莽)을 헤쳐 나라를 평정함.
[披演 피연] 터놓고 이야기함.
[披閱 피열] 펴 조사함. 책이나 서류를 펴 봄.
[披緇 피치] 검은 옷을 입음. 중이 됨.
[披針 피침] 피침(披鍼).
[披鍼 피침] 곪은 데를 째는 침. 양쪽 끝에 날이 있음. 바소.
[披鍼形 피침형] 바소와 같은 형상.
[披披 피피] ㉠긴 모양. 피피(被被). ㉡쓰러지는 모양.
[披懷 피회] 가슴을 열어젖힘. 흉금(胸襟)을 터놓음.
◉霧披. 分披. 紛披. 離披. 直披. 昌披. 風披.

5 ⑧ [抱] [中人] 포 ①-④[上]晧 薄浩切 bào ⑤[平]肴 披交切 pāo 

[筆順] 一 十 扌 扌 扚 扚 扚 抱

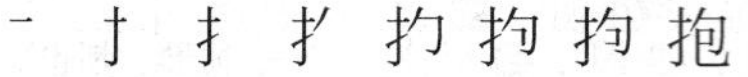

[字解] ①안을 포, 품을 포 ㉠껴안음. '一擁'. '亦旣一子'《詩經》. ㉡지킴. '聖人一一爲天下式'《老子》. ㉢가짐. '是一空質也'《戰國策》. ㉣쥠. '一關擊柝'《孟子》. ㉤둘러쌈. 위요함. '一圍'. '鬱律衆山一'《獨孤及》. ㉥갖춤. 구비함. '奈何君獨一奇才'《韓愈》. ㉦마음속에 가짐. '一志'. '一懷'. ②가슴 포 ㉠흉부. '凡與大人言語, 始視面, 中見一'《儀禮》. ㉡마음. 생각. '區區丹一'《宋書》. ③아름 포 팔을 벌리어 껴안은 둘레. '連一之木'. '長千仞, 大連一'《司馬相如》. ④성 포 성(姓)의 하나. ⑤던질 포 拋(手部 五畫)와 통용. '姜嫄生后稷, 一之山中'《史記》.

[字源] 捊의 別體  形聲. 扌(手)+包〔音〕. '包포'는 '싸다'의 뜻. 손으로 싸다, 안다의 뜻을 나타냄.

[抱關擊柝 포관격탁] 문지기와 야경(夜警)꾼.
[抱病 포병] 병을 지님.
[抱負 포부] ㉠품에 안고 등에 짐. ㉡마음속에 품은 자신감(自信感)이나 계획(計劃).
[抱薪救火 포신구화] 땔나무를 가지고 불을 끈다는 뜻으로, 해(害)를 없앤다는 것이 도리어 더욱 해(害)롭게 함을 이름.
[抱玉哭 포옥곡] 무고(無辜)한 죄로 우는 일. 초(楚)나라의 변화(卞和)가 옥(玉)을 얻어 회왕(懷王)에게 바쳤다가 가짜로 오인(誤認)받아 도리어 형벌을 받은 고사(故事)에서 온 말.
[抱擁 포옹] 품 안에 껴안음.
[抱怨 포원] 원한을 품음.
[抱圍 포위] 둘러쌈. 에워쌈.
[抱一 포일] 하나를 품음. 도(道)를 몸에 지니고 지킴.
[抱殘守缺 포잔수결] 얼마 남지 않은 책. 또는 잔결(殘缺)된 서책을 귀중히 보존함.
[抱才 포재] 재주가 있음. 또 품은 재주.
[抱住 포주] 부둥켜안음.
[抱柱 포주] 신의(信義)를 굳게 지킴의 비유. 미생(尾生)이 다리 밑에서 여자와 만나기로 약속하였는데, 물이 갑자기 불어나 다리 기둥을 꼭 껴안고 죽었다는 고사(故事)에서 온 말.
[抱志 포지] 뜻을 품음.
[抱持 포지] 안아 가짐. 잘 간직함.
[抱炭希涼 포탄희량] 숯불을 안고 시원하기를 바람. 곧, 행하는 바와 바라는 바가 반대됨을 이름.
[抱合 포합] ㉠서로 껴안음. ㉡'화합(化合)'과 같음.
[抱懷 포회] 마음속에 품음. 또 그 생각. 회포(懷抱).
◉襁抱. 拱抱. 襟抱. 掩抱. 連抱. 縈抱. 擁抱. 遠抱. 乳抱. 塵抱. 合抱. 孩抱. 回抱. 懷抱. 携抱.

5 ⑧ [抵] [高人] [一] 저 [上]薺 都禮切 dǐ [二] 지 [上]紙 掌氏切 zhǐ 

[筆順] 一 十 扌 扌 扌 扌 抵 抵

[字解] [一] ①닥뜨릴 저 저촉함. 또, 거역함. '習俗薄惡, 民人一冒'《漢書》. ②겨룰 저 대항함. '一抗'. '角一'. ③다다를 저 이름. '一冬降霜'《漢書》. ④당할 저 해당함. '傷人及盜一罪'《史記》. ⑤던질 저 내던짐. '因毁以一地'《後漢書》. ⑥대저 저 무릇. '大一'. [二] 칠 지 손으로 침. 扺(手部 四畫)와 통용. '一掌'. '奮髯一几'《漢書》.

[字源] 篆文  形聲. 扌(手)+氐〔音〕. '氐저'는 날붙이를 숫돌에 대는 모양을 나타냄. 손을 대다의 뜻을 나타냄.

[抵達 저달] 도착(到着)함.
[抵當 저당] ㉠막음. 방어함. ㉡부동산이나 동산을 담보로 잡히고 돈을 꿈. 또, 그 물건. 담보물(擔保物).
[抵冒 저모] 거역하여 침범함. 죄를 저지름.
[抵排 저배] 저항해서 배척함.
[抵死 저사] 죽기를 작정(作定)하고 저항(抵抗)함.
[抵捂 저오] 저오(抵牾).
[抵牾 저오] 저촉(抵觸).
[抵敵 저적] 대적(對敵)함.
[抵罪 저죄] 죄(罪)의 경중(輕重)에 따라 상당한 형벌(刑罰)을 메움.
[抵擲 저척] 내던짐.
[抵觸 저촉] ㉠서로 닥뜨림. ㉡양자(兩者)가 서로 모순(矛盾)함.
[抵瑕蹈隙 저하도극] 남의 결점(缺點)을 어디까지나 자꾸 들춤.
[抵抗 저항] ㉠대항(對抗)함. 반항함. ㉡견디어 냄. 지탱하여 냄.
[抵掌 지장] 손뼉을 침. 신나서 이야기함의 뜻.
[抵巇 지희] 틈을 노려 친다는 뜻으로, 기회(機會)를 이용함을 이름.
◉角抵. 觳抵. 過抵. 大抵. 馳抵.

5 ⑧ [抶] 질 [入]質 丑栗切 chì

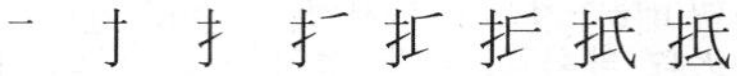

〔字解〕 종아리칠 질 초달(楚撻) 함. '一其僕以徇'《左傳》.
〔字源〕 篆文 형성. 扌(手)＋失〔音〕

5/8 [抹] 〔人名〕 말 〔人名〕曷 莫撥切 mò, mǒ, mā

〔字解〕①바를 말 칠함. '塗一'. '酒入香腮紅一一'《歐陽修》. ②지울 말 형적을 없앰. '一消'. '濃筆一之'《杜陽雜編》. ③문지를 말 비빔. 또, 현악기(絃樂器)의 줄을 살짝 대고 누름. '轉腕攏絃促揮一'《李紳》. ④닦을 말 씻음. '嘉賓入幕金尊一'《梅堯臣》. ⑤쓸 말 쓸어 없앰. '山一微雲'《秦觀》.
〔字源〕 形聲. 扌(手)＋末〔音〕. '末말'은 '잘다, 미세한 끝'의 뜻. 손으로 잘게 만들다, 손으로 비비어 똑똑히 보이지 않게 하다의 뜻을 나타냄.

[抹去 말거] 지워 버림. 지워 없앰.
[抹殺 말살] 지워 없앰. 문질러 없앰. 아주 없애 버림.
[抹摋 말살] 말살(抹殺).
[抹消 말소] 지워 없애 버림.
[抹茶 말차] 절구에 빻아서 가루로 만든 차.
[抹擦 말찰] 문지름.
[抹香 말향] 가루로 한 향(香).
●濃抹. 淡抹. 塗抹. 眉抹. 撚抹. 一抹. 電抹. 朱抹. 紅抹.

5/8 [抦] 병 ⑪梗 補永切 bǐng

〔字解〕 잡을 병 柄(木部 五畫)·秉(禾部 三畫)과 통용.
〔字源〕 形聲. 扌(手)＋丙〔音〕

5/8 [抽] 〔高人〕 추 ⑪尤 丑鳩切 chōu

〔筆順〕 一 十 扌 扣 扣 抽 抽 抽
〔字解〕①뺄 추 뽑음. '一籤'. '言一其棘'《詩經》. ②당길 추 끌어당김. '挈水若一'《莊子》. ③거둘 추 거두어들임. '彙綸一緒'《太玄經》. ④싹틀 추 싹이 나옴. '草以春一'《束晳》.
〔字源〕 摭의別體 抽 形聲. 扌(手)＋由(酋)〔音〕. '酋류'는 깊은 구멍의 뜻. 구멍으로부터 물건을 빼내다의 뜻을 나타냄. '抽추'는 '摭추'의 별체(別體)임.

[抽匣 추갑] 서랍. 추두(抽斗).
[抽讀 추독] 많은 책 중에서 한 책을 뽑아 봄.
[抽斗 추두] 서랍.
[抽拔 추발] 뽑아냄. 가려냄. 발탁(拔擢)함.
[抽象 추상] 낱낱의 다른 구체적(具體的) 관념(觀念) 속에서 공통(共通)되는 부분을 빼내어 이를 종합 통일(綜合統一)하여 다시 한 관념으로 만드는 일. 또, 그 심리 작용(心理作用).
[抽賞 추상] 발탁하여 상 줌.
[抽象名詞 추상명사] 실질 명사 중 추상적 개념을 나타내는 명사. 미(美)·악(惡)·흑(黑)·백(白) 등.
[抽身 추신] 바쁜 중에 몸을 뺌.
[抽裂 추열] 빼내어 찢음.
[抽獎 추장] 발탁하여 칭찬함.

[抽籤 추첨] 제비를 뽑음.
[抽出 추출] 빼냄. 뽑아냄.
[抽擢 추탁] 추발(抽拔).
[抽脅 추협] 늑골(肋骨)을 뽑아내어 죽이는 형벌.
[抽黃對白 추황대백] 황·백 등 갖가지 빛을 늘어놓음. 전(轉)하여, 아름다운 문구(文句)를 늘어놓음.
●芽抽. 左旋右抽. 花抽.

5/8 [抻] 〓 신 ⑪震 試刃切 chēn / 〓 진 ⑪眞 癡隣切 chēn

〔字解〕 〓 펼 신 벌림. 뻗음. 늘임. '一, 展也, 一物長也'《集韻》. 〓 펼 진 〓과 뜻이 같음.
〔字源〕 形聲. 扌(手)＋申〔音〕. '申신'은 '늘이다'의 뜻.

5/8 [押] 〔高人〕 〓 압 ⑪洽 烏甲切 yā / 〓 갑 ⑪洽 古狎切 jiǎ

〔筆順〕 一 十 扌 扌 扚 扣 抻 押
〔字解〕 〓 ①수결 압 도장 대신 쓰는 자형(字形). '花一'. '必先書一而後報行'《宋史》. ②주관할 압 관리함. '一班'. '中書舍人, 以六員分一尙書六曹'《唐書》. ③찍을 압 도장을 찍음. '一捺'. '一署'. ④누를 압 내리누름. '便以石一其頭'《晉書》. ⑤운자찍을 압 운자(韻字)를 맞춤. '一韻'. '平韻可重一'《滄浪詩話》.⑥잡을 압 체포함. '一送'. '拱一天人'《後漢書》. 〓 ①단속할 갑 검속(檢束) 함. '蟲蚸檢一'《漢書》. ②겹칠 갑 중첩(重疊)함. '羽檄重沓而一至'《漢書》.
〔字源〕 形聲. 扌(手)＋甲〔音〕. '甲갑'은 거북딱지를 본뜬 것으로, '덮다'의 뜻. 손으로 덮어 누르다의 뜻을 나타냄.

[押交 압교] 죄인(罪人)을 압송(押送)하여 넘김.
[押捺 압날] 도장을 찍음.
[押班 압반] 조정에서 정렬(整列)하는 백관(百官)의 위차(位次)를 주관함. 또, 그 관명(官名).
[押付 압부] 압교(押交).
[押署 압서] 도장을 찍고 이름을 씀.
[押送 압송] 죄인(罪人)을 잡아 보냄.
[押收 압수] 관리가 직권(職權)으로 인민의 재산을 몰수함.
[押韻 압운] 같은 운자(韻字)를 써서 시(詩)를 지음. 같은 운자를 구각(句脚)에 씀.
[押字 압자] 수결(手決).
[押釘 압정] 종이 등을 떨어지지 못하게 가장자리에 박아 두는 데 쓰는 대가리가 둥글고 얇고 크며 촉이 짧은 쇠못.
●監押. 檢押. 拱押. 管押. 括押. 句押. 金押. 署押. 御押. 典押. 差押. 判押. 花押.

5/8 [批] 〓 자(지)⑤ ⑪紙 將氏切 zǐ / 〓 제 ⑪薺 子禮切 jǐ

〔字解〕 〓 ①꺼두를 자 꼭 잡음. '一, 挬也'《說文》. ②끌 자 잡고 끎. '通俗文, 挈挽曰一'《一切經音義》. ③칠 자, 주먹질할 자 抵(手部 四畫)와 同字. 〓 꺼두를 제 〓❶과 뜻이 같음.
〔字源〕 篆文 形聲. 扌(手)＋此〔音〕.

5/8 [拂] 〔高人〕 〓 불 ⑪物 敷勿切 fú / 〓 필 ⑪質 普密切 bì

筆順 一 十 扌 扩 护 拂 拂

字解 ■ ①털 불 ㉠먼지를 턺. '一塵'. '進几杖
者一之'《禮記》. ㉡사악(邪惡)을 제거함. '一其
邪心'《韓愈》. ②떨칠 불 힘있게 흔듦. '一衣從
之'《國語》. ③닦을 불 씻음. '長袂一面'《楚辭》.
④거스를 불 어김. '一戾'《一人之性》《大學》.
⑤먼지떨이 불 '一塵'. '白旄一二枚'《晉東宮舊
事》. ■ 도울 필 弼(弓部 九畫)과 同字. '法家一
士'《孟子》.
字源 篆文 拂 形聲. 扌(手)+弗〔音〕. '弗불'은 '제거
하다'의 뜻. '弗'이 조자(助字)로 쓰
이게 되자, '手수'를 덧붙임.

[拂去 불거] 털어 버림. 소제함.
[拂旦 불단] 밤이 밝을 무렵. 어둑새벽. 불서(拂
曙). 불효(拂曉).
[拂戾 불려] 거스름. 어그러짐.
[拂曙 불서] 불단(拂旦).
[拂鬚 불수] 남의 수염의 먼지를 털어 준다는 뜻
으로, 상관(上官)이나 윗사람에게 아첨(阿諂)
함을 이름.
[拂拭 불식] ㉠깨끗이 털고 훔침. ㉡임금의 은총
을 받음.
[拂衣 불의] 옷소매를 떨침. 분기(奮起)하는 모
양. 투메(投袂).
[拂子 불자] 중국산
얼룩소의 긴 꼬리
를 묶어 자루를 단
불구(佛具). 원래
먼지를 털거나 파
리를 잡기 위해서
중이 가졌던 물건.

[拂子]

[拂塵 불진] 불자(拂子).
[拂天 불천] 하늘을 턺. 하늘을 찌를 듯이 높음을
형용한 말.
[拂枕席 불침석] ㉠손윗사람과 잠자리를 함께함
을 겸손하여 이르는 말. ㉡밤의 말동무를 함.
[拂曉 불효] 불단(拂旦).
[拂士 필사] 군주(君主)를 보필(輔弼)하는 현사
(賢士).
●擊拂. 摩拂. 磨拂. 扐拂. 排拂. 洗拂. 掃拂.
拭拂. 前拂. 除拂. 支拂. 振拂. 披拂. 揮拂.

5
⑧ [拄] 人名 ■ 주 ㊀㦳 知庾切 zhǔ

字解 ■①버틸 주 물건을 굄. '枝一'. '俛劍一頤'
《戰國策》. ②손가락질할 주 뒷손질함. 비방함.
'連一五鹿君'《漢書》.
字源 形聲. 扌(手)+主〔音〕.

[拄杖 주장] 행각승(行脚僧)이 가지고 다니는 지
팡이.
●支拄. 撐拄.

5
⑧ [挓] ■ 자 (저㊀) ㊀麻 側加切 zhā
■ 차 ①馬 兹野切 zhā

字解 ■ 잡을 자, 건질 자 '一, 挹也'《說文》.
'南楚之間, 凡取物溝泥中, 謂之一'《揚子方言》.
■ 취할 차 취득(取得)함. '一, 取也'《集韻》.
字源 篆文 挓 形聲. 扌(手)+且〔音〕. '擄자'와 통하
여, '잡다, 건지다'의 뜻을 나타냄.

5
⑧ [担] ■ 걸 ㊀屑 丘傑切 jiē
■ 담 ㊀覃 都甘切 dān

字解 ■ 들 걸 들어 올림. '意忿睢以一撟'《楚
辭》. ■ 멜 담 擔(手部 十三畫)의 俗字.
字源 形聲. 扌(手)+旦〔音〕.

[担撟 걸교] 듦. 들림.

5
⑧ [拆] ■ 탁 ㊀陌 恥格切 chāi(chè)

字解 터질 탁 갈라짐. '一裂'. '百果草木皆甲
一'《易經》.
字源 形聲. 扌(手)+斥〔音〕.

參考 坼(土部 五畫)·柝(木部 五畫)은 別字.

[拆開 탁개] 개봉(開封)함.
[拆裂 탁렬] 터짐. 갈라짐.
[拆字 탁자] 한 글자를 변(偏)·방(旁)·관(冠)·각
(脚)으로 나누어 여러 글자로 하는 일. '松'
을 '十·八·公'으로 나누는 따위.
●甲拆.

5
⑧ [拇] 人名 무 ①有 莫厚切 mǔ
①麌 莫補切 mǔ

筆順 一 十 扌 扌 扣 扫 拇 拇

字解 엄지손가락 무 대지(大指). '一指'. '駢一
枝指'《莊子》.
字源 篆文 拇 形聲. 扌(手)+母〔音〕. '母모'는 '어머
니'의 뜻. 손가락 가운데 어머니 격
인 엄지손가락의 뜻을 나타냄.

[拇印 무인] 엄지손가락으로 찍는 지장(指章).
[拇指 무지] 엄지손가락.
●駢拇. 手拇.

5
⑧ [拈] 人名 ■ 념 ㊀鹽 奴兼切 niān
■ 점 ①琰 職琰切 zhǎn

字解 ■ 집을 념 손가락으로 쥠. '一出'. '舍西
柔桑葉可一'《杜甫》. ■ 집을 점 ☐과 뜻이 같
음.
字源 篆文 拈 形聲. 扌(手)+占〔音〕. '占점'은 '點점'
과 통하여, '작은 점'의 뜻. 손가락
끝의 작은 부분을 써서 집다의 뜻을 나타냄.

[拈提 염제] 집어 듦. 전(轉)하여, 게시(揭示)함.
설명하여 들려줌.
[拈出 염출] ㉠집어냄. ㉡계책·시구(詩句) 등을
안출(案出)해 냄.
[拈香 염향] 향을 집어 피움. 분향(焚香).
[拈華微笑 염화미소] 석가(釋迦)가 연화(蓮花)를
따서 제자(弟子)에게 보였는데 아무도 그 뜻을
해득(解得)하는 자(者)가 없고, 다만 가섭(迦
葉)이 미소(微笑)하였으므로 석가가 그에게 불
교(佛敎)의 진리(眞理)를 전수(傳授)하였다는
고사(故事). 전(轉)하여, 이심전심(以心傳心)
의 묘처(妙處)를 이름.

5
⑧ [拉] 人名 랍 ㊀合 盧合切 lā

字解 ①꺾을 랍 부러뜨림. '一殺'. '一脅折齒

《漢書》. ②끌 랍 이끎. '一友而歸'. '于時情好日密, 相一總師'《諸葛亮》.
字源 篆文 拉 形聲. 扌(手)+立〔音〕. '立'은 장소를 독차지해서 서다, 또는 양발을 땅바닥에 대고 서다의 뜻에서, '꼭 누르다'의 뜻. 난폭하게 움켜쥐어서 또는 손으로 눌러서 꺾다의 뜻을 나타냄.

[拉枯 납고] 마른나무를 꺾음. 곧, 매우 쉬움을 이름. 최후(摧杇).
[拉北 납북] 북쪽으로 납치해 감.
[拉殺 납살] 뼈를 부러뜨려 죽임.
[拉致 납치] 강제로 붙들어 감.
●敲拉. 摺拉. 麤拉. 批拉. 衝拉. 摧拉. 擺拉.

5 ⑧ [拊] 부 ㉠麌 芳武切 fǔ
字源 ①어루만질 부 쓰다듬음. 위무함. '一循'. '一而勉之'《左傳》. ②칠 부 가볍게 두드림. '擊石一石'《書經》. ③손잡이 부, 자루 부 기물의 손으로 잡는 데. '屈韔執一'《禮記》. ④악기이름 부 북 비슷한 악기. 목에 걸고 양손으로 침.
부박(拊搏) 또는 박부(搏拊)라고도 함.

[拊④]

字源 篆文 拊 形聲. 扌(手)+付〔音〕. '付부'는 모아 합치다의 뜻. 양손을 합치다, 쓰다듬다, 치다의 뜻을 나타냄.

[拊搏 부박] ㉠악기 따위를 쳐서 울림. ㉡악기 이름. 자해(字解)❹를 보라.
[拊拂 부불] 두드려 턺.
[拊髀 부비] 넓적다리를 두들김. 분기(奮起)하는 모양. 또, 기뻐서 날뛰는 모양. 박비(搏髀).
[拊循 부순] 어루만져 위안함. 위무함.
[拊絃 부현] 거문고 같은 것을 탐.
●搏拊. 慰拊. 捶拊.

5 ⑧ [抛] 人名 포 ㉠看 匹交切 pāo
字源 ①버릴 포 내버림. '一棄'. ②던질 포 내던짐. '一擲'. '同一財産'《後漢書》.
字源 篆文 抛 會意. 扌(手)+尢+力. '尢왕'은 손이 구부러지다의 뜻. 힘을 들여서 구부러지게 던지다의 뜻을 나타냄.
參考 抛(手部 四畫)는 俗字.

[抛車 포거] 옛날 군중(軍中)에서 투석용(投石用)으로 쓰던 수레.
[抛棄 포기] ㉠내버림. ㉡자기의 권리를 버리고 행사하지 아니함.
[抛物線 포물선] 중심을 가지지 않는 원뿔 곡선(曲線). 평면 위의 한 정점(定點)과 한 정직선(定直線)으로부터 같은 거리에 있는 모든 점을 연결하는 곡선. 물건을 비스듬히 던질 때 생기는 곡선.
[抛撒 포살] 던져 흩뜨림.
[抛擲 포척] 던짐. 내던짐.
[抛置 포치] 버려둠.

5 ⑧ [拌] 人名 ㊀반 寒 普官切 pān / ㊁판 翰 普半切 pàn

字源 ㊀①버릴 반 내버림. '楚凡揮棄物謂之一'《揚子方言》. ②섞을 반 '攪一'. ㊁가를 판 判(刀部 五畫)과 통용. '鑴石一蚌'《史記》.
字源 篆文 拌 形聲. 扌(手)+半〔音〕. '半반'은 '나누다'의 뜻. '手수'를 더하여, '가르다'의 뜻이나 양손에 숟가락을 갖고 뒤섞다의 뜻을 나타냄.

●攪拌.

5 ⑧ [拍] 高人 박 ①②入陌 普伯切 pāi, pò / ③入藥 伯各切 bó
筆順 一 十 扌 扌' 扣 拍 拍 拍
字源 ①칠 박 두드림. '一手', '一手獨一, 雖疾無聲'《韓非子》. ②박자 박 음악의 가락을 조절하는 소리. '胡笳十八一'《唐書》. 此霓裳第三疊最初一也'《唐書》. ③어깻죽지 박 膊(肉部 十畫)과 同字. '饋食之豆, 其實豚一'《周禮》.
字源 金文 拍 篆文 㧟 形聲. 篆文은 扌(手)+百〔音〕. '百백'은 손뼉 치는 소리를 나타내는 의성어. 본디 '拍박(手+白〔音〕)'은 俗字.

[拍拍 박박] 날개를 푸두둥푸두둥 치는 모양.
[拍髀 박비] 넓적다리를 두드림. 기뻐서 날뛰는 모양. 부비(拊髀).
[拍手 박수] 손뼉을 침.
[拍手喝采 박수갈채] 손뼉을 치며 칭찬함.
[拍子 박자] 음악(音樂)에 있어서 곡조의 진행의 시간(時間)을 헤아리는 단위(單位).
[拍掌 박장] 손바닥을 침.
[拍掌大笑 박장대소] 손뼉을 치며 크게 웃음.
[拍板 박판] 악기의 하나. 박자(拍子)를 맞추기 위하여 쳐서 울리는 널판.
●歌拍. 舞拍. 撫拍. 節拍. 彈拍. 揮拍.

5 ⑧ [柯] ㊀하 ㉠歌 虎何切 ①②hē / ㉡哿 下可切 ②hè // ㊁가 ㉠麻 女加切 qiā / ㊂나 ㉠麻 丘加切 qiā
字源 ㊀①지휘할 하 '一, 一撝也. 周書曰, 盡執一'《說文》. ②멜 하 '一, 擔一. 俗'《廣韻》. ㊁움켜낼 가 '一, 捼也'《集韻》. ㊂잡을 나 붙잡음. '一, 搦也'《集韻》.
字源 形聲. 扌(手)+可〔音〕.

5 ⑧ [拐] 괴 ㉠蟹 求蟹切 guǎi
字源 ①속일 괴 기만함. '一騙犯姦'《政刑大觀》. ②지팡이 괴 杖(木部 三畫)의 속용(俗用). '鐵一'.
字源 形聲. 扌(手)+另〔音〕. '另과'는 '咼와'의 변형으로 '咼'는 '사악한 말'의 뜻. 사람을 사악한 말로 속이다의 뜻을 나타냄. 일설에는, '另'는 '갈라지다'의 뜻. 사슴의 뿔처럼 가지가 갈라진 것의 뜻. 가지처럼 갈라진 것, 손잡이의 뜻이나, 방심하고 있는 부녀자를 걸어서 속이다, 유괴하다의 뜻을 나타냄.

[拐帶 괴대] 속여서 물건을 빼앗아 가지고 도망감.
[拐兒 괴아] 사기꾼.
[拐騙 괴편] 속임. 기만함.
●誘拐. 鐵拐.

5
⑧ [拑] 겸 [平]鹽 巨淹切 qián

[字解] 재갈먹일 겸, 다물 겸 箝(竹部 八畫)·鉗(金部 五畫)과 同字. '臣畏刑而一口'《漢書》.

[字源] 篆文 形聲. 扌(手)+甘〔音〕. '甘감'은 입에 무엇을 끼운 모양을 나타냄. '手수'를 덧붙여, '물리다, 끼우다, 입을 다물다'의 뜻을 나타냄.

5
⑧ [拒] [高人] [一] 거 [上]語 其呂切 jù
[二] 구 [上]麌 果羽切 jǔ

[筆順] 一 十 扌 扌 扌 扌 扌 拒

[字解] [一] ①막을 거 ㉠거절함. '一否'. '其不可者一之'《論語》. ㉡방어함. '一扞'. '內以固城, 外以一難'《荀子》. ②겨룰 거 저항함. '高談鮮能抗一'《齊書》. ③어길 거 좇지 아니함. '一逆'. '必不違一'《梁武帝》. ④방어 거 막는 일. 또, 그 설비. '攻其前一'《史記》. [二] 방진 구 방형(方形)의 진(陣). '請爲左一'《左傳》.

[字源] 形聲. 扌(手)+巨〔音〕. '巨거'는 '却각' 등과 통하여, '물리치다'의 뜻. 손으로 물리치다, 거절하다의 뜻을 나타냄.

[拒却 거각] 거절(拒絶).
[拒馬槍 거마창] 전쟁 때 성문(城門) 밖이나 요처(要處)에 세워 적(敵)의 기병(騎兵)이 쳐들어옴을 막는 제구. 나무로 얽어 만듦.

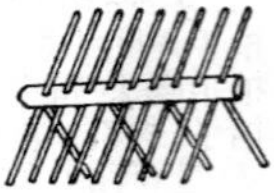
[拒馬槍]

[拒否 거부] 거절.
[拒斧 거부] 사마귀. 버마재비.
[拒守 거수] 막아 지킴.
[拒逆 거역] 명령(命令)을 거스름.
[拒絶 거절] 물리쳐 떼어 버림.
[拒止 거지] 막아 그치게 함.
[拒扞 거한] 막아냄. 막음.
◉謙拒. 固拒. 反拒. 防拒. 辭拒. 逆拒. 外拒. 右拒. 障拒. 前拒. 折拒. 左拒. 扞拒. 抗拒. 後拒.

5
⑧ [拓] [高人] [一] 척 [入]陌 之石切 zhí (①탁[本])
[二] 탁 [入]藥 他各切 tuò, tà

[筆順] 一 十 扌 扌 扌 扌 拓 拓

[字解] [一] ①넓힐 척 개척함. '開一'. '一地太大'《唐書》. ②주울 척 떨어진 것을 주움. '一果樹實'《儀禮註》. ③꺾을 척 부러뜨림. '一若華而躊躇'《張衡》. [二] ①밀칠 탁 손으로 밂. '一一纖痕更不收'《李山甫》. ②박을 탁 비문(碑文) 등을 비석에 종이를 대고 박아 냄. '一本'. ③성 탁 성(姓)의 하나.

[字源] 篆文 形聲. 扌(手)+石〔音〕. '石석'은 '庶서'와 통하여, 많은 것을 모으다의 뜻. '줍다'의 뜻을 나타냄. 지금은 '拆탁'과 통하여, '개척하다'의 뜻으로 쓰임.

[拓落 척락] ㉠불우(不遇). 불행. 영락(零落). ㉡광대(廣大)한 모양.
[拓殖 척식] 척지(拓地)와 식민.
[拓地 척지] 토지를 개척(開拓)함.
[拓土 척토] 토지(土地)를 개척함.
[拓本 탁본] 금석(金石)에 새긴 글씨나 그림을 종이를 대고 박아 냄. 또, 그 박은 종이. 탑본(搨本).
◉干拓. 開拓. 落拓. 摸拓. 手拓. 修拓. 魚拓. 扞拓. 恢拓.

5
⑧ [拔] [高人] [一] 발 [入]黠 蒲八切 bá
[入]曷 蒲撥切 bá
[二] 패 [去]泰 蒲蓋切 bèi

[筆順] 一 十 扌 扌 扌 扌 拔 拔

[字解] [一] ①뺄 발 ㉠뽑음. '一去'. '一茅茹以其彙'《易經》. ㉡공략(攻略)함. 쳐 빼앗음. '攻下邑一之'《史記》. ②가릴 발 가려 뽑음. '一擢'. ③덜어버릴 발 제거함. '猶言拂一'《周禮 註》. ④빼어날 발 특출함. '一群'. '神采英一'《陳書》. ⑤빠를 발 속함. '毋一來'《禮記》. ⑥오늬 발 화살의 시위에 끼우게 된 부분. '舍一則獲'《詩經》. [二] 성할 패 지엽이 무성한 모양. '柞棫斯一'《詩經》.

[字源] 篆文 形聲. 扌(手)+犮〔音〕. '犮발'은 상서롭지 못한 것을 뽑아 버리기 위하여 개를 희생으로 삼는 모양을 본뜸. 손으로 뽑아 버리다의 뜻을 나타냄.

[拔角脫距 발각탈거] 짐승의 뿔을 뽑고 닭의 며느리발톱을 벗긴다는 뜻으로, 적(敵)의 이기(利器)를 탈취(奪取)함의 비유.
[拔去 발거] 빼어 버림. 뽑아 버림.
[拔距 발거] 여러 사람이 연좌(連坐)하여 땅에 꼭 붙어 있는 것을 빼내는 유희(遊戲).
[拔劍 발검] 칼을 빼냄. 칼을 뽑음.
[拔群 발군] 여럿 중에서 훨씬 뛰어남.
[拔根 발근] 뿌리째 뽑음.
[拔刀 발도] 칼을 빼냄. 칼을 뽑음.
[拔來 발래] 빨리 옴.
[拔錨 발묘] 닻줄을 감아 올림. 곧, 배가 떠남.
[拔本 발본] ㉠장사를 하여 밑천을 뽑음. ㉡근본(根本)을 뽑아 버림.
[拔本塞源 발본색원] 폐해(弊害) 같은 것의 근원(根源)을 아주 뽑아서 없애 버림.
[拔貧 발빈] 가난을 벗어남.
[拔山蓋世 발산개세] 힘은 산을 뽑고 기개(氣概)는 세상을 덮을 만큼 절륜(絶倫)의 힘과 용장(勇壯)한 기상(氣象)이 있음을 이름. 역발산 기개세(力拔山氣蓋世).
[拔俗 발속] 보통 사람보다 뛰어남. 범속(凡俗)을 벗어남.
[拔授 발수] 발탁하여 벼슬을 줌.
[拔萃 발췌] ㉠여럿 속에서 훨씬 뛰어남. ㉡여럿 중에서 필요한 것을 추려 냄.
[拔擢 발탁] 사람을 뽑아 올려 씀.
[拔河 발하] 줄다리기.
[拔解 발해] 당대(唐代)의 제도(制度)로서 학생(學生)이 지방(地方)의 시험을 거치지 않고 바로 경사(京師)에 공진(貢進)하는 일.
◉簡拔. 鑒拔. 甄拔. 警拔. 攻拔. 奇拔. 登拔. 不拔. 選拔. 秀拔. 識抜. 英拔. 穎拔. 雄拔. 引拔. 奬拔. 翦拔. 挺拔. 俊拔. 進拔. 徵拔. 薦拔. 超拔. 卓拔. 海拔. 確乎不拔.

5
⑧ [抜] 拔(前條)의 俗字

5 ⑧ [抾] [一] 거 [平]魚 丘於切 qū
[二] 겁 [入]葉 去劫切
[入]洽 乞法切
[三] 기 [平]支 去其切

[字解] [一] ①떠낼 거 액체 같은 것을 퍼냄. '一靈蠵'《漢書》. ②받들 거 '一, 一曰, 捧也'《集韻》. ③가져갈 거 '一摸, 去也. 齊趙之總語也. 一摸, 猶言持去也'《揚子方言》. [二] ①뜰 겁 떠냄. '一, 挹也'《廣雅》. ②가질 겁 '一, 持也'《集韻》. ③으를 겁 劫(力部 五畫)과 통용. '一封豨'《後漢書》. [三] 뜰 기 두 손으로 떠냄. '一, 兩手挹也'《玉篇》.

5 ⑧ [扻] [一] 지 [上]紙 諸氏切 zhǐ
[二] 기 [上]紙 遺爾切
[三] 채 [上]蟹 仄蟹切 zhǎi

[字解] [一] 열 지 '一, 開也'《說文》. [二] 열 기 [一]과 뜻이 같음. [三] 칠 채 두드림. '一, 擊也'《玉篇》.
[字源] 形聲. 扌(手)+只〔音〕

5 ⑧ [抴] [一] 예 [去]霽 餘制切 yì
[二] 열 [入]屑 羊列切 yè
[三] 설 [入]屑 食列切 shé

[字解] [一] 끌 예 견인(牽引)함. '接人則用一'《荀子》. [二] 끌 열 拽(手部 六畫)과 同字. [三] 맥짚을 설 揲(手部 九畫)과 同字.
[字源] 篆文 形聲. 扌(手)+世〔音〕. '世세'는 오래 계속되다의 뜻. '拽예·열'과 통하여, 손으로 길게 끌다의 뜻을 나타냄.

5 ⑧ [拎] 령 [平]青 郎丁切 līng

[字解] 들 령 손에 듦. 매닮. '一, 手懸捻物也'《玉篇》.

5 ⑧ [抭] [一] 요 [上]篠 以紹切 yǎo
[二] 유 [平]尤 以周切 yǎo

[字解] [一] 퍼낼 요 방아 찧은 것을 확〔臼〕에서 퍼 올림. '或舂或一'《詩經》. [二] 퍼낼 유 [一]과 뜻이 같음.
[參考] 扰(手部 四畫)는 訛字.

5 ⑧ [拃] [一] 잔 [上]潸 側板切 zhǎn
[二] 찰 [入]曷 姊末切 zhǎ

[字解] [一] 더듬을 잔 '一, 摸也'《集韻》. [二] 닥칠 찰 拶(手部 六畫)의 俗字.

5 ⑧ [抬] [一] 笞(竹部 五畫〈p. 1657〉)와 同字
[二] 擡(手部 十四畫〈p. 913〉)의 俗字
[字源] 形聲. 扌(手)+台〔音〕

5 ⑧ [抛] 〔거〕
據(手部 十三畫〈p. 912〉)의 俗字

5 ⑧ [捉] 〔액〕
扼(手部 四畫〈p. 848〉)과 同字

5 ⑧ [抿] 〔문〕
撍(手部 九畫〈p. 889〉)의 俗字
[字源] 形聲. 扌(手)+民〔音〕

5 ⑧ [拣] 〔간·련〕
揀(手部 九畫〈p. 886〉)의 簡體字

5 ⑧ [拦] 〔란〕
攔(手部 十七畫〈p. 917〉)의 簡體字

5 ⑧ [拜] 〔배〕
拜(手部 五畫〈p. 854〉)의 俗字

5 ⑧ [拡] 〔확〕
擴(手部 十五畫〈p. 915〉)의 略字

6 ⑩ [挙] 근 [上]軫 古忍切 jǐn

[字解] 삼갈 근 '一, 謹身所承也'《正韻》.

6 ⑩ [拳] [高人] 권 [平]先 巨員切 quán
[上]阮 苦遠切 quān

[筆順]

[字解] ①주먹 권 오그려 쥔 손. '空一'. '奮一以致力'《後漢書》. ②주먹쥘 권 주먹을 쥠. '女兩手皆一'《漢書》. ③권법 권 수박(手搏)과 같은 것으로 권투의 한 가지. '古今一家'《經國雄略》. ④근심할 권 근심하는 모양. 일설(一說)에는, 사랑하는 모양. '違慈母之一一乎'《後漢書》. ⑤충근할 권 충실하고 부지런한 모양. '不勝一一'《漢書》. ⑥정성껏지킬 권 '一一服膺'《中庸》. ⑦힘 권 여력(膂力). '無一無勇'《詩經》. ⑧쇠뇌활 권 絭(弓部 六畫)과 통용. '士張空一, 冒白刃'《漢書》. ⑨성 권 성(姓)의 하나.
[字源] 篆文 形聲. 手+龹〔音〕. '龹권'은 '말다'의 뜻. 손가락을 말아 주먹을 쥐다의 뜻을 나타냄.

[拳曲 권곡] 주먹처럼 굽음. 구부러짐.
[拳跼 권국] 몸을 주먹처럼 굽힘. 또, 뜻을 얻지 못함을 이름.
[拳拳 권권] 자해(字解) ❹❺❻을 보라.
[拳拳服膺 권권복응] 항상 정성껏 지켜 잠시도 잊지 아니하는 모양.
[拳攣 권련] 그리워하는 모양. 사모하는 모양. 권련(眷戀).
[拳法 권법] 수박(手搏)과 같은 것으로 권투의 한 가지.
[拳匪 권비] 청(淸)나라 때 비밀 결사(結社)의 하나. 주먹 또는 막대기를 가지고 사람을 치는 기술을 연습하여 외국인과 이교도(異敎徒)에게 해를 가함을 목적으로 하였던 단체. 의화단(義和團).
[拳參 권삼] 여뀟과에 속하는 다년초(多年草). 범꼬리.
[拳書 권서] 붓을 쓰지 않고 주먹으로 먹을 찍어 글씨를 쓰는 일. 또, 그 글씨.
[拳握 권악] 주먹. '얼마 되지 아니함'의 비유(比喩).
[拳勇 권용] 완력(腕力)과 용기.
[拳踢 권척] 주먹으로 치고 발길로 참.
[拳銃 권총] 외손으로 들고 쏘는 짧고 작은 총(銃). 피스톨.
[拳打 권타] 주먹으로 침.
[拳鬪 권투] 두 사람이 주먹으로 서로 치고 막고 하는 서양식(西洋式)의 운동 경기(運動競技).
◉強拳. 巨拳. 空拳. 拘拳. 蕨拳. 勤拳. 老拳. 瘦拳. 握拳. 連拳. 攣拳. 張拳. 振拳. 鐵拳.

6 ⑩ [挈] [一] 설(결[本]) [入]屑 苦結切 qiè
[二] 계 [去]霽 詰計切 qì

字解 ■ ①끌 설 손으로 끎. 전(轉)하여, 데리고 다님. '提一'. 一其妻子《公羊傳》. ②가지런히할 설 수정(修整)함. '君子一其辯《荀子》. ③절박할 설 급(急)한 모양. '葀鍵一一《司馬光 註》. '一一, 急切貌《太玄經》. ■ ①끊을 계 단절함. '一三神之歡《司馬相如》. ②그슬릴 계 점처럼러고 거북 껍데기를 불에 쬠. '且算祀於一龜《班固》. ③문서 계 契(大部 六畫)와 통용. '臣請領一《戰國策》.

字源 甲骨文 篆文 🐾 甲骨文은 象形으로, 사람이 물건을 늘어뜨려서 손에 든 모양을 본떠, 늘어뜨려 손에 들다, 데리고 다니다의 뜻을 나타냄. 篆文은 形聲으로 手+㓞〔音〕. '㓞계'는 '系계'와 통하여 '걸다'의 뜻. 손에 걸다, 늘어뜨려서 들다의 뜻을 나타냄.

[挈累 설루] 거치적거리고 성가신 것을 데리고 감. 어린애 따위를 동반(同伴)함을 이름.
[挈絣之智 설병지지] 손으로 가지고 다닐 만한 작은 병에 들어가갈 정도의 작은 지혜. 소지(小智).
[挈挈 설설] 절박(切迫)한 모양. 급한 모양.
●扶挈. 提挈. 左提右挈. 摧挈. 割挈.

6/⑩ [拲] 공 ㊤腫 居悚切 gǒng
字解 고랑 공 수갑. '上罪梏一而桎《周禮》.
字源 篆文 菾 別體 萊 形聲. 手+共〔音〕. '共공'은 '함께'의 뜻. 양손을 나무에 붙들어 매는 '고랑'의 뜻을 나타냄.

6/⑩ [挐] 人名〔나〕 拏(手部 五畫〈p.855〉)와 同字
字源 篆文 挐 形聲. 手+如〔音〕

6/⑩ [挙] 공 ㊤腫 居悚切 gǒng
字解 ①안을 공 '一, 抱持《廣韻》. ②들 공 '一, 舉也《廣雅》. ③화법이름 공 손톱과 가는 침(針)으로 밑그림을 그리는 화법(畫法)의 하나.
字源 形聲. 手+巩〔音〕.

6/⑩ [拿] 人名〔나〕 拏(手部 五畫〈p.855〉)의 俗字
字源 會意. 手+合. 손을 물건에 가까이 갖다 대어 모아서, 잡다의 뜻을 나타냄.

6/⑩ [挙] 〔거〕 舉(手部 十四畫〈p.912〉)의 略字

6/⑨ [挴] 흔 ㊤元 戶恩切 hén
字解 ①당길 흔 급히 끌어당김. '引繩排一不附己者《朱子語類》. ②물리칠 흔 배격함. 배제(排擠)함. '一却《爲姦慝一抑》《唐書》.

[挴却 흔각] 물리침. 배격함. 배제함.
[挴抑 흔억] 배격함. 배제함.

6/⑨ [挵] 임 ㊤寢 尼凜切 nǐn
字解 ①잡을 임, 누를 임 포박(捕縛)함. '一, 揯

也《集韻》. ②활잡을 임 활을 바르게 조절함. '一搦, 調弓兒《集韻》. ③흔들 임 동요(動搖)시킴. '一, 一曰, 搖也《字彙》.

6/⑨ [括] 人名 괄 ㊤葛 古活切 guā, kuò
筆順 一 十 扌 扩 护 扦 括 括
字解 ①묶을 괄 ㉠결속(結束)함. '一結'. '一囊《易經》. ㉡머리를 동임. '向也一, 而今也被髮《莊子》. ㉢단속함. 검속(檢束)함. '鑄錢一苗《唐書》. ②묶음 괄 묶는 일. 또, 묶은 것. '周士貴經一一卷《宋史》. ③담을 괄, 쌀 괄 속에 넣고 담음. '包一'. '有席卷天下, 苞擧宇内, 囊一四海之意《賈誼》. ④이를 괄 다다름. '牛羊下一《詩經》. ⑤모일 괄 회합함. '德音來一《詩經》. ⑥궁구할 괄 구명(究明)함. '研一煩省《陶弘景》. ⑦오늬 괄 筈(竹部 六畫)과 통용. '往省一于度《書經》.
字源 篆文 恬 形聲. 扌(手)+舌(昏)〔音〕. '昏괄'은 '會회'와 통하여, '합치다'의 뜻. 손으로 모아 합치다의 뜻을 나타냄.

[括結 괄결] 묶음.
[括囊 괄낭] ㉠주머니의 주둥이를 묶음. 전(轉)하여, 입을 다물고 말하지 아니함. ㉡총괄(總括)함.
[括髮 괄발] 풀었던 머리를 묶어 맴.
[括約 괄약] 벌어진 것을 묶음.
[括約筋 괄약근] 입·눈·요도(尿道)·항문(肛門) 등의 구멍 끝을 벌렸다 오므렸다 하는 고리 형상의 근육(筋肉).
[括地志 괄지지] 당(唐)나라의 소덕언(蕭德言)·고윤(顧胤) 등이 주군(州郡)의 지지(地志)에 대하여 편찬한 지지서(地志書). 550권. 지금은 산일(散佚)되어 전하지 않지만, 청(淸)나라의 손성연(孫星衍)이 여러 책에 인용된 일문(逸文)을 집록(集錄)한 것이 8권 있음.
[括巴天 괄파천] 부조초(不凋草)의 뿌리. 강장약(強壯藥)으로 씀. 파극천(巴戟天).
[括弧 괄호] 숫자 또는 글자의 한 부분(部分)을 다른 것과 분명(分明)하게 가르기 위하여 쓰는 부호. 곧, ( )·〔 〕·【 】·「 」따위.
●槪括. 鈐括. 檢括. 結括. 囊括. 收括. 搜括. 隱括. 一括. 綜括. 總括. 統括. 包括.

6/⑨ [挊] 호 ㊗豪 呼高切 hāo
字解 김맬 호 논밭의 풀을 뽑음. 薅(艸部 十三畫)와 同字.

6/⑨ [拭] 人名 식 ㊤職 賞職切 shì
字解 닦을 식 씻음. '一拂'. '一目傾耳《漢書》.
字源 形聲. 扌(手)+式〔音〕. '式식'은 '織직'과 통하여, 가로세로로 실을 짜다의 뜻. 손을 가로세로로 움직이다, 닦다의 뜻을 나타냄.

[拭目 식목] 눈을 닦음. 눈을 씻고 자세히 봄.
[拭拂 식불] 깨끗이 닦고 씀.
[拭淨 식정] 식청(拭淸).
[拭淸 식청] 닦아 깨끗하게 함.

●磨拭. 拂拭. 洗拭. 掃拭. 收拭. 按拭.

6
9 [拲] ㊀융 ①腫 而融切 rǒng
　　　　㊁잉 ㉭烝 如蒸切 rēng
字解 ㊀도울 융 보좌함. '一, 爾雅, 相也'《集韻》. ㊁인할 잉, 당길 잉 말미암음. 扔(手部 三畫)과 同字.

6
9 [抾] 회 ㉤灰 呼回切 huī
字解 칠 회 마주 치고 때림. 豗(豕部 三畫)와 同字.

6
9 [拮] 人名 ㊀길 ㉯質 居質切 jié
　　　　　㊁결 ㉮屑 古屑切 jié
　　　　　㊂갈 ㊀黠 訖黠切 jiá
字解 ㊀일할 길 '一据'는 힘써 일함. '一据勉勵', '予手一据'《詩經》. ㊁일할 결 ㊀과 뜻이 같음. ㊂핍박할 갈 바싹 쾌쳐어 괴롭게 굶. '句踐終一而殺之'《戰國策》.
字源 篆文 拮 形聲. 扌(手)+吉〔音〕. '吉길'은 '단단히 죄다'의 뜻. 마음을 긴장시켜서 손발을 놀려 일하다의 뜻을 나타냄.

[拮据 길거] 힘써 일함.
[拮抗 길항] 서로 버티고 대항함.

6
9 [拯] 人名 증 ①逈 zhěng
字解 ①건질 증, 도울 증 구조함. 구원함. '一救'. '子路一溺者'《呂氏春秋》. ②들 증 들어 올림. '不一其隨'《易經》.
字源 篆文 㧈 形聲. 扌(手)+丞〔音〕. '丞승·증'은 도와서 올리다의 뜻. 물에 가라앉으려는 사람을 구조하여 올리다의 뜻을 나타냄.

[拯救 증구] 건짐. 구조함. 구원함.
[拯饑 증기] 굶주림을 구조함.
[拯溺 증닉] 물에 빠진 자를 건져 냄.
[拯撫 증무] 구원하여 위무함.
[拯濟 증제] 구제함.
[拯恤 증휼] 구휼(救恤)함.
●匡拯. 哀拯. 援拯. 存拯.

6
9 [挅] 치 ①紙 丑豸切 chǐ
字解 ①가를 치 두 개로 가름. 摛(手部 十畫)와 同字. ②칠 치 때림. '一, 拍也'《字彙》. ③끌 치 당김. '一, 拽也'《字彙》. ④버릴 치 멀리함. '介者一畫. (註) 一而棄之. (疏) 一, 去也'《莊子》.
字源 形聲. 扌(手)+多〔音〕

6
9 [拱] 人名 공 ①腫 居悚切 gǒng
字解 ①두손마주잡을 공 공경하는 뜻을 표하기 위하여 두 손을 마주 잡음. '一揖'. '子路一而立'《論語》. ②팔짱낄 공 두 팔을 굽혀 마주 낌. '一手'. '垂一而天下治'《書經》. ③껴안을 공 두 팔을 벌리어 껴안음. '合一'. ④아름 공 두 손을 벌리어 껴안은 둘레. '一把'. '爾墓之木一矣'《左傳》. ⑤옥 공 큰 벽(大壁). 珙(玉部 六畫)과 통용. '與我其一璧'《左傳》. ⑥성 공

성(姓)의 하나.
字源 篆文 㧬 形聲. 扌(手)+共〔音〕. '共공'은 함께 하다의 뜻. 양손을 마주 잡다의 뜻을 나타냄.

[拱稽 공계] 군대를 사열(査閱)함. 또, 그 일을 맡은 사람.
[拱木 공목] 아름드리나무.
[拱璧 공벽] 큰 옥. 공벽(拱璧).
[拱手 공수] ㉠공경(恭敬)하는 뜻을 표하기 위하여 두 손을 마주 잡음. ㉡팔짱 끼고 아무 일도
[拱樹 공수] 공목(拱木). 　　[아니함.
[拱辰 공신] 뭇별이 북극성(北極星)을 향(向)함의 뜻으로, 사방(四方)의 백성이 천자(天子)의 덕화(德化)에 귀의(歸依)하여 복종함을 이름.
[拱押 공압] 잡아 가둠.
[拱揖 공읍] 두 손을 마주 잡고 읍(揖)함.
[拱把 공파] 한 아름과 한 줌. 또, 한 아름과 한 줌 될 만한 크기.
●端拱. 墓木已拱. 拜拱. 垂拱. 盈拱. 把拱. 合拱.

6
9 [挓] 찰 ㊀曷 姊末切 zā, ②zǎn
字解 ①닥칠 찰 들이닥침. 핍박함. '湔騰相排一, 龍鳳交橫飛'《韓愈》. ②손가락죌 찰 '一指'는 다섯 개의 나무토막을 엮어 손가락 사이에 끼우고 죄는 고문(拷問)의 하나.
字源 會意. 扌(手)+歺(㐭). '㐭렬'은 '列렬'과 통하여, 가르다의 뜻. 나무를 손가락 사이에 갈라 끼워 놓고 죄다의 뜻을 나타냄.

●排挓. 蹩挓.

6
9 [拷] 人名 고 ①晧 苦浩切 kǎo
字解 칠 고 죄상을 자백하게 하기 위하여 매질함. '一問'. '或一不承引'《魏書》.
字源 形聲. 扌(手)+考〔音〕. '考고'는 '攷고'와 통하여, 때려 눕히다의 뜻. 손에 몽둥이를 들고 두드리다의 뜻을 나타냄.

[拷掠 고략] ㉠고문(拷問). ㉡빼앗음. 탈략(奪略).
[拷問 고문] 죄인(罪人)의 몸에 고통(苦痛)을 주어 가며 죄상(罪狀)을 심문(審問)함.
[拷訊 고신] 고문(拷問).
[拷責 고책] 고문(拷問).
[拷打 고타] 고문할 때 죄인을 때림.

6
9 [拽] ㊀예 ㉲霽 以制切 yè
　　　　㊁열 ㊀屑 羊列切 yè
字解 ㊀끌 예 인퇴(引退)함. '便一身退'《朱子語類》. ㊁끌 열 질질 끎. '曳一也, 不得擧足'《禮記 疏》.
字源 形聲. 扌(手)+曳〔音〕. '曳예'는 '끌다'의 뜻.

6
9 [拴] 전 ㉡先 此緣切 shuān
字解 가릴 전 간택(揀擇)함. 詮(言部 六畫)과 통용. '一, 揀也'《集韻》.
字源 形聲. 扌(手)+全〔音〕

6/9 [拾]〔中入〕

一 習 〔A〕緝 是執切 shí
三 십 〔A〕緝 是執切 shí
三 섭 〔A〕葉 實攝切 shè
四 겁 〔A〕葉 極葉切 jiè

筆順 一 十 扌 扩 扴 拾 拾 拾

字解 一 ①주울 습 습득함. '塗不一遺'《史記》. ②팔찌 습 활 쏠 때 왼팔 소매를 걷어 매는 띠. '決—旣伏'《詩經》. ③성 습 성(姓)의 하나. 三 열 십 十(部首)과 통용. 三 오를 섭 상승(上升)함. '一級聚足, 連步以上'《禮記》. 四 번갈아 겁 교체하여. '請—投'《禮記》.

字源 篆文 拾 會意. 扌(手)＋合. 손으로 무엇을 합치다의 뜻에서, 주워 모으다의 뜻을 나타냄.

參考 숫자의 개변(改變)을 막기 위하여, '十십' 대신 차용(借用)하는 수가 있음.

[拾級 섭급] 층계를 오름.
[拾得 습득] 남이 잃은 물건을 주움.
[拾收 습수] 주워 거두어들임. 난잡한 물건을 모아 정돈함.
[拾遺 습유] ㉠남은 것이나 떨어뜨린 것을 주움. ㉡빠진 것을 보충함. ㉢천자(天子)의 알지 못하는 과실을 바로잡는 벼슬.
[拾遺補過 습유보과] 임금을 보좌(補佐)하여 그 결점(缺點)을 바로잡음.
[拾地芥 습지개] 땅 위의 티끌을 줍는다는 뜻으로, 무엇을 얻기가 아주 쉬움의 비유.
[拾集 습집] 주워 모음.
[拾撦 습척] 습수(拾收).
[拾掇 습철] 습수(拾收).
●捃拾. 俛拾. 刪拾. 收拾. 採拾. 掇拾.

6/9 [持]〔中入〕

지 ㊥支 直之切 chí

筆順 一 十 扌 扩 扩 拼 持 持

字解 ①가질 지 ㉠손으로 잡음. '一節間之'《漢書》. ㉡휴대함. '齎—金玉'《史記》. ②지닐 지 ㉠보존함. 고집함. '保—'. '議論—平'《漢書》. ㉡견딤. 견디어 냄. '—續'. '積數十年'《東方朔》. ③버틸 지 ㉠지탱함. '治亂—危'《中庸》. ㉡대항함. '楚漢相—未決'《史記》. ④도울 지 부조(扶助)함. '能—管仲'《荀子》. ⑤믿을 지 마음으로 의지함. '頹薄怒以自—兮'《宋玉》. ⑥빅수 지 승부가 없음. '兩棋相圍, 而皆不死不活曰—'《徐鉉》. ⑦성 지 성(姓)의 하나.

字源 金文 半 篆文 拤 形聲. 扌(手)＋寺[音]. '寺사시'는 '止지'와 통하여, '멈춰 서다'의 뜻. 손안에 머물러 두다, 가지다의 뜻을 나타냄.

[持戒 지계]《佛敎》투도(偸盜)·사음(邪淫)·망어(妄語)·살생(殺生)·음주(飲酒) 등 다섯 가지 계율(戒律)을 지킴.
[持久 지구] 오랫동안 견딤.
[持久戰 지구전] 오랫동안 끌어 가며 하는 싸움.
[持國天 지국천]《佛敎》사천왕(四天王)의 하나. 동방(東方)의 천국(天國)의 수호신(守護神).
[持歸 지귀] 가지고 돌아감.

[持戟 지극] 창을 가짐. 또, 그 군사.
[持難 지난] 일을 과단성 있게 처리하지 못하고 미루기만 함.
[持論 지론] 항상 주장하는 이론. 꽉 잡아 지켜 굽히지 않는 이론.
[持滿 지만] ㉠활을 한껏 당김. ㉡준비를 충분히 함. ㉢충분한 지위(地位)를 보전하여 지탱함.
[持病 지병] 오랫동안 낫지 않아 늘 지니고 있는 병. 고질(痼疾).
[持斧伏闕 지부복궐]《韓》중난(重難)한 일을 왕에게 상소(上疏)할 때 결사의 각오로 도끼를 가지고 궐하(闕下)에 나아가 엎드림.
[持佛 지불]《佛敎》자기가 거처하는 방에 안치(安置)하거나 또는 몸에 지니고 다니며 신앙하는 불상(佛像).
[持佛堂 지불당] 지불(持佛) 또는 조상의 위패(位牌)를 안치하는 당(堂).
[持說 지설] 지론(持論).
[持續 지속] 계속하여 지녀 나감.
[持循 지순] 잊지 않고 좇아 행함.
[持兩端 지양단] 양자(兩者) 중 어느 것으로 정해져 있지 않음. 곧, 두 마음을 품음을 이름.
[持律 지율]《佛敎》항상 몸과 입과 뜻에서 생기는 사념(邪念)을 끊는 수행(修行)을 함.
[持議 지의] 지론(持論).
[持齋 지재]《佛敎》결재(潔齋)를 지냄.
[持節 지절] ㉠지조(志操)를 굳게 지킴. ㉡천자(天子)로부터 받은 부절(符節)을 가짐.
[持節使 지절사] 천자(天子)로부터 부절(符節)을 받고 파견되는 사신(使臣).
[持重 지중] 몸가짐을 신중히 함.
[持贈 지증] 가지고 가서 증여함.
[持之有故 지지유고] 자설(自說)을 주장하기 위하여 고인(故人)의 언론(言論)을 들고 나옴.
[持平 지평] 공평하여 한쪽으로 치우치지 아니함.
[持憲 지헌] 법을 행하는 권리를 가짐.
●加持. 堅持. 鉗持. 固持. 控持. 矜持. 等持. 保持. 寶持. 奉持. 捧持. 扶持. 負持. 所持. 守持. 受持. 植持. 握持. 援持. 維持. 自持. 齋持. 操持. 住持. 支持. 總持. 把持. 夾持. 挾持. 護持. 懷持. 携持.

6/9 [挻]

선 ㊤銑 蘇典切 xiǎn

字解 비틀 선 '挻—'은 손가락으로 잡아 돌림. '挻—, 手捻物'《集韻》.

6/9 [挂]

一 괘 ㊨卦 古賣切 guà
二 계 ㊨齊 涓畦切 guī

字解 一 걸 괘, 걸릴 괘 掛(手部 八畫)와 同字. '—冠'. '—於季指'《儀禮》. 二 나눌 계 갈라 분명히 함. '以一功名'《莊子》.

字源 篆文 挂 形聲. 扌(手)＋圭[音]. '圭규'는 '系계'와 통하여, '걸다'의 뜻. 손으로 무엇을 걸다의 뜻을 나타냄.

[挂鏡 괘경] 기둥·벽(壁) 등에 걸어 두고 보는 거울.
[挂冠 괘관] 의관을 걸어 놓는다는 뜻으로, 사직(辭職)함을 이름.
[挂曆 괘력] 벽(壁)에 걸어 놓고 보는 일력(日曆).
[挂冕 괘면] 괘관(挂冠).

[挹退 읍퇴] 겸손(謙遜)함.
◉降挹. 謙挹. 敬挹. 損挹. 獎挹. 採挹. 推挹. 沖挹.

7 ⑩ [挻] [人名] [一] 연 [平]先 式連切 shān (선[本]) [二] 선 [平]先 式連切 shān

[字解] [一] ①당길 연 끎. '相—爲亂'《唐書》. ②달아날 연 도망함. 일설(一說)에는 찬탈(簒奪)함. '主上有敗, 則因而—之矣'《賈誼》. ③오래 연 장구하게. 오래도록. '—亂江南'《晉書》. [二] 이길 선 흙을 반죽함. 埏(土部 七畫)과 통용. '摶—其土'《淮南子》.
[字源] [篆文] 形聲. 扌(手)+延〔音〕. '延연'은 '늘이다'의 뜻. '手수'를 더하여, 손으로 늘이다의 뜻을 나타냄.

7 ⑩ [挺] [人名] 정 ㊤迥 徒鼎切 tǐng

[筆順] 一 十 扌 扌 扌 扌 挺 挺
[字解] ①뺄 정, 뽑을 정 ㉠빼냄. '—鈹搢鐶'《國語》. ㉡인재를 뽑음. 기용함. '—秀才'. '以—力田議'《漢書》. ②빼날 정 쑥 솟아 나옴. 전(轉)하여, 훨씬 뛰어남. '—出'. '幼而—立'《南史》. ③빼낼 정 자유롭지 못한 몸을 빼냄. 탈신함. '—身逃'《漢書》. ④곧을 정 굽지 아니함. '周道——'《左傳》. ⑤너그러울 정 관대함. 또, 관대히 함. '—囚徒'《禮記》. ⑥달릴 정 빨리 감. '獸—亡羣'《李華》.
[字源] [篆文] 形聲. 扌(手)+廷〔音〕. '廷정'은 '튀어나오다'의 뜻. 손으로 뽑아내다의 뜻을 나타냄.

[挺傑 정걸] 남보다 뛰어남.
[挺立 정립] ㉠남보다 뛰어남. ㉡우뚝 솟음.
[挺拔 정발] 뛰어남. 빼어남.
[挺秀 정수] 정걸(挺傑).
[挺身 정신] ㉠솔선(率先)함. 앞장섬. 앞으로 나감. ㉡빠져나감. 탈출함.
[挺然 정연] 빼어난 모양. 뛰어난 모양.
[挺爭 정쟁] 앞장서서 다툼.
[挺戰 정전] 맨 앞에 나서 싸움.
[挺節 정절] 절개(節槪)를 굳게 지키고 굴(屈)하지 아니함.
[挺挺 정정] 바른 모양. 곧은 모양.
[挺出 정출] ㉠남보다 뛰어남. 걸출(傑出)함. ㉡싹이 나옴.
[挺特 정특] 정걸(挺傑).
◉勁挺. 奇挺. 茂挺. 秀挺. 夙挺. 英挺. 峻挺. 天挺. 超挺. 特挺. 標挺.

7 ⑩ [挼] [一] 뇌 [平]灰 奴回切 ruó [二] 휴 [平]支 翾規切 suī

[字解] [一] 비빌 뇌 손을 대고 문지름. '劉裕—五木, 久之卽成盧矣'《晉書》. [二] 제미 휴 제사에 쓰는 쌀. '祝命—祭'《儀禮》.
[字源] [篆文] 形聲. 扌(手)+妥〔音〕. '妥타'는 위에서 손으로 여자를 누르다의 뜻. 손으로 누르다, 밀어 떨어뜨리다, 비비다의 뜻을 나타냄.

7 ⑩ [挽] [人名] 만 ㊤阮 無遠切 wǎn

[字解] ①당길 만 잡아당김. '—弓'. '他弓莫—'《無門關》. ②말릴 만 끌어당겨 못하게 함. '—留'. ③끌 만 輓(車部 七畫)과 同字. '—歌'. '命—士唱'《唐書》.
[字源] 形聲. 扌(手)+免〔音〕. '免면·문'은 아기를 낳는 모양을 본뜸. 손으로 당겨 꺼내다의 뜻을 나타냄.

[挽歌 만가] ㉠상여를 메고 갈 때 하는 노래. ㉡죽은 사람을 슬퍼하는 가사(歌詞).
[挽弓 만궁] 활을 당김.
[挽留 만류] 붙들고 말림.
[挽詞 만사] 만가(挽歌).
[挽引 만인] 무거운 물건 등을 끌고 감.
[挽回 만회] 바로잡아 돌이킴.
◉木挽. 他弓莫挽.

7 ⑩ [捈] 도 [平]虞 同都切 tú

[字解] ①끌 도 옆으로 끎. '—, 臥引也. (段註)謂橫而引之也'《說文》. ②떠낼 도 퍼냄. '—, 抒也'《廣雅》. ③날카로울 도 '—, 銳也'《廣雅》.
[字源] [篆文] 形聲. 扌(手)+余〔音〕. '余여'는 늘여 펴다의 뜻. 손으로 물건을 늘여 펴다의 뜻으로, 파생하여 '끌다'의 뜻을 나타냄.

7 ⑩ [捹] 〔반〕 拚(手部 五畫〈p.859〉)의 俗字

7 ⑩ [捚] [一] 첩 [入]葉 陟葉切 zhé [二] 접 [入]葉 丁愜切 dié [三] 녑 [入]葉 昵輒切 niè

[字解] [一] ①집을 첩 손가락으로 집음. '—, 拈也'《說文》. ②굳게가질 첩 '—者, 攝之固也'《六書故》. ③칠 첩 '—, 打也'《廣韻》. [二] 집을 접, 굳게가질 접, 칠 접 [一]과 뜻이 같음. [三] 집을 녑, 굳게가질 녑, 칠 녑 [一]과 뜻이 같음.
[字源] 形聲. 扌(手)+耴〔音〕

7 ⑩ [挾] [人名] 협 [入]葉 胡頰切 xié

[筆順] 扌 扌 扌 扌 扌 扌 挾 挾
[字解] ①낄 협 ㉠겨드랑이·손가락 사이 같은 데에 낌. '—持'. '—太山, 以超北海'《孟子》. '兼—乘矢'《儀禮》. ㉡가짐. 소지함. '除—書律'《漢書》. ㉢믿고 뽐냄. 또, 믿고 의지함. '—勢'. '不—長, 不—貴'《孟子》. ㉣좌우에서 끼고 도움. '—輔'. '—天子以令諸侯'《蜀志》. ②돌 협, 두루미칠 협 浹(水部 七畫)과 同字. '方皇周—'《荀子》. '使不—四方'《詩經》. ③젓가락 협 저. 젓갈. '右執—匕'《管子》.
[字源] [篆文] 形聲. 扌(手)+夾〔音〕. '夾협'은 '끼다'의 뜻. 손으로 끼다의 뜻을 나타냄.

[挾憾 협감] 원망(怨望)을 품음. 함감(含憾).
[挾擊 협격] 협공(挾攻).
[挾攻 협공] 앞뒤 또는 좌우 두 쪽에서 들이침.
[挾纊 협광] ㉠솜을 몸에 지님. ㉡은혜(恩惠)에 감복(感服)하여 추위를 잊음.
[挾貴 협귀] 신분(身分)이 고귀(高貴)함을 믿고

교만(驕慢)하게 굶.
[挾輔 협보] 좌우에서 보좌(輔佐)함.
[挾扶 협부] 좌우(左右)에서 부축함. 좌우에서 도움.
[挾私 협사] 사정(私情)을 둠.
[挾詐 협사] 간사한 마음을 품음.
[挾書律 협서율] 진시황(秦始皇)이 서적의 소유를 금지한 법률.
[挾勢 협세] 남의 위세(威勢)를 믿고 뽐냄.
[挾旬 협순] 열흘 동안. 협순(浹旬).
[挾術 협술] 책략(策略)을 마음속에 품음. 꾀를 써서 일을 함. 임술(任術).
[挾日 협일] 협순(挾旬).
[挾雜 협잡] 《韓》 부정한 짓을 하여 남을 속임.
[挾持 협지] ㉠끼어 가짐. ㉡마음에 품음.
◉姦挾. 詭挾. 扶挾. 自挾. 藏挾. 懷挾.

7 ⑩ [挮] 체 ①[上]薺 土禮切 tǐ ②[去]霽 他計切 tí

[字解] ①눈물씻을 체 눈물을 씻음. '一, 去涕也'《集韻》. ②씻을 체 깨끗이 함. '一, 物拭也'《集韻》.

7 ⑩ [捂] 오 [去]遇 五故切 wǔ

[字解] ①거스를 오 거역함. 저촉함. '或有抵一'《漢書》. ②버틸 오 굄. '陬互橫一'《宋玉》. ③향할 오 마주 대함. '一而受之'《儀禮》.
[字源] 形聲. 扌(手)+吾〔音〕. '吾오'는 '牾오'와 통하여, 거스르다의 뜻.

◉劫捂. 技捂. 抵捂. 嫌捂.

7 ⑩ [捁] 교 [上]巧 吉巧切 jiǎo

[字解] 어지러울 교, 어지럽힐 교 攪(手部 二十畫)와 同字. '散毛族, 一羽羣'《馬融》.
[字源] 形聲. 扌(手)+告〔音〕

7 ⑩ [捔] 각 [入]覺 古岳切 jué

[字解] ①뿔잡을 각 짐승의 뿔을 잡아 누름. '一, 掎也'《廣雅》. ②공손할 각 정중히 받드는 모양. '一, 恭也'《廣雅》.
[字源] 形聲. 扌(手)+角〔音〕

7 ⑩ [捃] 군 [去]問 居運切 jùn

[字解] 주울 군 습득함. 주워 모음. 攈(手部 十六畫)과 同字. '一摭春秋之文'《史記》.
[字源] 形聲. 扌(手)+君〔音〕

[捃拾 군습] 주움. 습득함. 주워 모음.
[捃採 군채] 군척(捃摭).
[捃摭 군척] 주워 모음. 여러 책(冊)의 요점을 추려 모음.
◉掊捃.

7 ⑩ [捒] [一] 송 [上]腫 筍勇切 sǒng [二] 수 [去]遇 雙遇切 shù [三] 속 [入]沃 輸玉切 shù

[字解] [一] 공경할 송 竦(立部 七畫)과 同字. [二] 차릴 수 준비함. '一, 裝也'《集韻》. [三] 묶을 속 束(木部 三畫)과 同字.
[字源] 形聲. 扌(手)+束〔音〕
[參考] 拺(手部 六畫)은 別字.

7 ⑩ [⿰扌豆] [一] 단 [上]旱 覩緩切 duǎn [二] 두 [去]有 大透切 dòu

[字解] [一] 짧을 단 短(矢部 七畫)과 同字. '短, 說文, 有所長短, 以矢爲正, 或从手'《集韻》. [二] 양사(量詞) 두 4 움큼이 1 두(⿰扌豆)임. '一, 四匊曰一'《集韻》.

7 ⑩ [捄] 구 ①[平]虞 擧朱切 jū ②[平]尤 巨鳩切 qiú ③[去]宥 居又切 jiù

[字解] ①담을 구 흙을 삼태기 같은 것에 담음. '一之陾陾'《詩經》. ②길 구 가늘고 긴 모양. '有一棘匕'《詩經》. ③구원할 구 救(攴部 七畫)와 同字. '將以一溢扶衰'《漢書》.
[字源] 篆文 形聲. 扌(手)+求〔音〕. '求구'는 가까이 끌어당겨 모으다, 구하다의 뜻. 흙을 그러모아 삼태기에 담다의 뜻을 나타냄.

7 ⑩ [捆] 곤 [上]阮 苦本切 kǔn

[字解] 두드릴 곤 두드려서 견고하고 치밀하게 함. '一屨織席'《孟子》.
[字源] 形聲. 扌(手)+困〔音〕

7 ⑩ [挴] 매 [上]賄 武罪切 měi

[字解] ①탐할 매 '穆王巧一, 夫何周流'《楚辭》. ②부끄러워할 매 수치를 느낌. '一, 愧也'《揚子方言》.

7 ⑩ [捉] [高人] 착 [入]覺 側角切 zhuō

[筆順] 扌 扌 ⿰扌𠃍 ⿰扌口 ⿰扌𠮛 ⿰扌⿱口⺊ ⿰扌⿱口龰 捉
[字解] 잡을 착 ㉠쥠. '一鼻'. '周公躬吐一之勞'《漢書》. ㉡붙잡음. 체포함. '一捕'. '莫一狐與兎'《元稹》.
[字源] 篆文 形聲. 扌(手)+足〔音〕. '足족'은 '束속'과 통하여, 단단히 묶다의 뜻. 손으로 묶다, 붙잡다의 뜻을 나타냄.

[捉去 착거] 잡아감.
[捉搦 착닉] 착포(捉捕).
[捉來 착래] 잡아 옴.
[捉摸 착막] 진상(眞相)을 포착함.
[捉迷藏 착미장] 숨바꼭질.
[捉髮 착발] '악발(握髮)'과 같음.
[捉鼻 착비] 코를 쥠. 싫어하는 태도임.
[捉送 착송] 잡아 보냄.
[捉囚 착수] 죄인(罪人)을 잡아 가둠.
[捉撮 착촬] 쥠.
[捉捕 착포] 붙잡음. 체포함.
[捉戲 착희] 술래잡기.
◉擒捉. 守捉. 追捉. 把捉. 捕捉.

7/⑩ [捋] 랄 ㊅曷 郞括切 luō

[字解] ①뽑을 랄 풀 같은 것을 쑥쑥 뽑음. '薄言一之'《詩經》. ②틀 랄 수염 같은 것을 배배틂. '一須搴不顧'《李商隱》. ③만질 랄 쓰다듬음. '郁一劫搭'《潘岳》.

[字源] 金文 𢩳 篆文 𢯊 形聲. 扌(手)＋寽〔音〕. '寽랄'은 위아래로 손을 가까이하여 잡는 모양을 본뜸. 뒤에 '잡다'의 뜻을 분명히 하기 위하여, '手手'를 더함.

●摩捋. 搙捋. 郁捋. 采捋.

7/⑩ [捌] 人名 팔 ㊅黠 博拔切 bā

[字解] ①깨뜨릴 팔 부숨. '解捽者, 不在於一格'《淮南子》. ②여덟 팔 八(部首)의 갖은자. 주로, 관문서·증서 등에 쓰임. '一, 官文書紀數借爲八字'《康熙字典》.

[字源] 篆文 𢫊 形聲. 扌(手)＋別〔音〕. '別별'은 '나누다'의 뜻. 손으로 나누다, 부수다의 뜻을 나타냄.

[參考] 숫자의 개변(改變)을 막기 위하여, '八팔' 대신 차용(借用)됨.

7/⑩ [捇] 括(手部 六畫〈p.864〉)의 本字

7/⑩ [搜] 〔수〕 搜(手部 十畫〈p.895〉)의 略字

7/⑩ [捍] 한 ㊤翰 侯旰切 hàn

[字解] ①막을 한 扞(手部 三畫)과 同字. '一塞能一大患'《禮記》. ②팔찌 한 활을 쏠 때 왼팔의 소매를 걷어 매는 띠. '右佩玦一'《禮記》. ③사나울 한 悍(心部 七畫)과 통용. '民雕一少慮'《史記》.

[字源] 形聲. 扌(手)＋旱〔音〕. '旱한'은 '干간'과 통하여, '막다'의 뜻. 막아 지키다의 뜻을 나타냄.

[捍撥 한발] 현악기(絃樂器)의 채.
[捍邊 한변] 국경(國境)을 수비함.
[捍攦 한산] 움직임. 요동(搖動)함.
[捍塞 한색] 막음. 방지(防止)함.
[捍衛 한위] 방위(防衛)함.
●勁捍. 對捍. 守捍. 雕捍. 劋捍.

7/⑩ [捎] 소 ①㊤蕭 相邀切 xiāo
②③㊤肴 所交切 shāo

[字解] ①덜 소 제거함. '一其藪'《周禮》. ②벨 소 풀을 벰. '一菟絲'《史記》. ③살짝닿을 소 가볍게 접촉함. '花娑鶯一蝶'《杜甫》.

[字源] 篆文 𢯹 形聲. 扌(手)＋肖〔音〕. '肖초·소'는 작게 갈아 내다의 뜻. 물건의 표면을 살짝 훑어 떼다의 뜻을 나타냄.

7/⑩ [捏] 人名 날 ㊅屑 奴結切 niē

[字解] 이길 날 흙 같은 것을 반죽함. '一造'.

[字源] 會意. 扌(手)＋�(㹰). '㹰열'은 또 臼＋土로, 절구 속에 흙이 있는 모양. 절구로 흙을

이기다의 뜻을 나타냄.

[捏詞 날사] 전연 근거 없는 말.
[捏造 날조] 흙을 이겨 물건을 만듦. 전(轉)하여, 터무니없는 사실을 꾸며 댐.

7/⑩ [捏] 捏(前條)의 訛字

7/⑩ [捐] 人名 연 ㊤先 與專切 juān

[字解] ①버릴 연 ㊀내버림. '一忘'. '細大不一'《韓愈》. ㊁희생함. '一軀赴國難'《古詩》. ㊂냄. 지출함. 또, 기부함. '義一'. '出一數萬斤金'《史記》. ②덜 연 없앰. 제거함. '一不急之官'《史記》. ③기부 연 현납. 부과·징발 등의 뜻으로도 쓰임. '起於紳民好義者一設'《大淸會典》.

[字源] 篆文 𢴪 形聲. 扌(手)＋肙〔音〕. '肙연'은 '작다'의 뜻. 손으로 가늘고 작게 하다, 버려서 덜다의 뜻을 나타냄.

[捐館 연관] 살던 집을 버린다는 뜻으로, 사망(死亡)의 경칭(敬稱).
[捐館舍 연관사] 연관(捐館).
[捐軀 연구] 제 몸을 버림. 일신(一身)을 버리고 국난(國難)을 구(救)함을 이름. 기구(棄軀).
[捐金 연금] 돈을 버림. 돈을 기부함. 또, 기부한 돈.
[捐忘 연망] 버려 잊음.
[捐背 연배] 버리고 배반함.
[捐補 연보] 자기의 재산(財産)을 내어 남의 부족(不足)을 도와줌.
[捐世 연세] 연관(捐館).
[捐助 연조] 연보(捐補).
●棄捐. 委捐. 遺捐. 義捐. 蠲捐. 出捐. 脫捐.

7/⑩ [挪] 나 ㊤歌 諾何切 nuó

[字解] ①비빌 나 두 손으로 비빔. '一, 搓一也'《集韻》. ②유용(流用)할 나 '如此項, 應作某項使用, 而擅自改爲別項之用, 則曰一移'《六部成語》.

[字源] 形聲. 扌(手)＋那〔音〕.

7/⑩ [捊] 발 ㊅月 蒲沒切 bó

[字解] 뽑을 발 '一, 拔也'《廣雅》. '一拔其根'《淮南子》.

7/⑩ [捓] 야 ㊤麻 余遮節 yé

[字解] 농지거리할 야 揶(手部 九畫)와 同字.

[字源] 形聲. 扌(手)＋邪〔音〕.

[捓弄 야롱] 야유(揶揄).
[捓揄 야유] 남을 빈정거려 놀림. 야유(揶揄).

7/⑩ [捅] ▤ 통 ㊤董 他孔切 tǒng
송 ㊤董 攘動切

[字解] ▤ ①나아갈 통 앞으로 나감. '一, 進前也'《集韻》. ②끌어당길 통 '一, 引也'《集韻》.

二 칠 송 때림. '一, 擊也'《集韻》.

⁷₁₀ [捕] 高人 포 ㊂遇 薄故切 bǔ 捕

筆順 一 十 扌 扩 扪 捎 捕 捕

字解 ①잡을 포 사로잡음. 체포함. '一縛', '一鼠不如狸狌'《莊子》. ②성 포 성(姓)의 하나.
字源 篆文 捕 形聲. 扌(手)+甫〔音〕. '甫보'는 '볏모'의 뜻. 모를 손에 쥐다, 꼭 잡다의 뜻을 나타냄.

[捕擊 포격] 붙잡아 침.
[捕鯨 포경] 고래를 잡음.
[捕繫 포계] 포박하여 옥에 가둠.
[捕告 포고] 죄인을 잡음. 죄인이 있다고 신고함.
[捕校 포교] 조선 시대에 '포도부장(捕盜部將)'을 달리 이르던 말.
[捕盜大將 포도대장]《韓》 포도청(捕盜廳)의 주장(主將).
[捕盜廳 포도청]《韓》 조선(朝鮮) 중기 이후 도둑이나 기타 범죄자를 잡는 일을 맡은 관청.
[捕虜 포로] 사로잡은 적의 군사.
[捕吏 포리] 죄인(罪人)을 포박(捕縛)하는 벼슬아치.
[捕亡 포망] 도망한 자를 잡음.
[捕縛 포박] 잡아 묶음.
[捕繩 포승] 죄인(罪人)을 포박(捕縛)하는 노끈.
[捕影 포영] 그림자를 잡는다는 뜻으로, 잡히는 것이 없음을 이름.
[捕捉 포착] 붙잡음.
[捕治 포치] 죄인을 잡아 다스림.
[捕風 포풍] '포풍착영(捕風捉影)'을 보라.
[捕風捉影 포풍착영] 바람과 그림자를 잡는다는 뜻으로, 헛된 일을 이름.
[捕獲 포획] ㉠적병(敵兵)을 사로잡음. ㉡짐승이나 물고기 등을 잡음.
●擊捕. 購捕. 擒捕. 拏捕. 拿捕. 督捕. 分捕. 生捕. 收捕. 掩捕. 捉捕. 逮捕. 追捕. 就捕. 縶捕. 討捕.

⁷₁₀ [梗] 경 ㊤梗 古杏切 gěng

字解 ①어지러울 경, 어지럽힐 경 분란함. 분란하게 함. 攪(手部 九畫)과 同字. ②대강 경 대략(大略). 梗(木部 七畫)과 통용. '一槩'.
字源 形聲. 扌(手)+更〔音〕

⁷₁₀ [捗] 二 보 ㊂遇 蒲故切 bù, pú / 二 척 ㊊職 竹力切 zhì 捗

字解 二 거둘 보 수렴(收斂)함. 二 칠 척 때림.
字源 形聲. 扌(手)+步〔音〕

參考 '進一'은 일어(日語)임.

⁷₁₀ [捘] 준 ㊤願 子寸切 zùn 捘

字解 밀칠 준 떠다밂. 일설(一說)에는, 붙잡음. '一衛侯之手'《左傳》.
字源 篆文 捘 形聲. 扌(手)+夋〔音〕. '夋준'은 슬슬 가다의 뜻. 손을 슬슬 뻗어서 물건을 밀다, 또는 누르다의 뜻을 나타냄.

⁷₁₀ [捀] 봉 ㊥冬 符容切 féng

字解 ①받들 봉 두 손을 높이 올려 받음. '一, 奉也'《說文》. ②갈라셀 봉 두 손에 나누어 수를 셈. '一, 孫仲曰, 兩手分而數'《集韻》.
字源 篆文 捀 別 捀 形聲. 扌(手)+夆〔音〕. '夆봉'은 '만나다'의 뜻. 두 손을 들어 물건을 받다의 뜻을 나타냄. '奉봉'과 동일어(同一語)이며 체자(異體字).

⁷₁₀ [捇] 적 ㊇陌 七迹切 chì

字解 덜 적 제거함. '赤友, 猶言一拔也'《周禮 註》.
字源 篆文 捇 形聲. 扌(手)+赤〔音〕. '赤적'은 '째다'의 뜻. 손으로 찢어 발기다의 뜻을 나타냄.

⁷₁₀ [捊] ①②㊥尤 薄侯切 póu / ③㊥尤 普溝切 pōu / ④㊥虞 芳無切 fū

字解 ①갈무 부 논밭을 갈아 손질함. '謂以手一聚, 卽耕種耘鋤也'《禮記 疏》. ②긁어모을 부 손으로 모음. '一, 說文云, 引取也'《廣韻》. ③움켜질 부 '一, 掬也'《集韻》. ④칠 부 '一, 擊也'《集韻》.
字源 篆文 捊 別 捊 形聲. 扌(手)+孚〔音〕

⁷₁₀ [括] 〔부〕 掊(手部 八畫〈p.878〉)의 譌字

⁷₁₀ [抄] 사 ㊥歌 素何切 suō

字解 만질 사 주무름. '誰復著手更摩一'《韓愈》.
參考 挲(手部 七畫)와 同字.

●摩挲

⁷₁₀ [挵] 〔롱〕 弄(廾部 四畫〈p.714〉)과 同字

字源 形聲. 扌(手)+弄〔音〕. '弄롱'은 손에 무엇을 가지고 놀다의 뜻.

⁷₁₀ [揷] 〔삽〕 插(手部 九畫〈p.887〉)의 略字

⁷₁₀ [捵] 〔선〕 旋(方部 七畫〈p.963〉)의 俗字

⁸₁₂ [掌] 高人 장 ㊤養 諸兩切 zhǎng 掌

筆順 ⺌ ⺌ ⺍ 冞 尚 尚 堂 掌

字解 ①손바닥 장 수장(手掌). '一中'. '其如示諸一'《中庸》. ②맡을 장 주관함. '管一'. '冢宰一邦治'《書經》. ③성 장 성(姓)의 하나.
字源 篆文 掌 形聲. 手+尚〔音〕. '尚상'은 '當당'과 통하여, '당하다, 맞다, 부딪다'의 뜻. 손이 물건과 맞부딪치는 부분, 손바닥의 뜻을 나타내며, 파생하여 사물을 맡다의 뜻을 나타냄.

[掌甲 장갑]《韓》 방한(防寒) 혹은 치레로 손을 가

리기 위하여 끼는 물건.
[掌故 장고] ㉠전례(典例)를 맡은 벼슬아치. ㉡관례(慣例). 고실(故實).
[掌骨 장골] 손바닥을 이루는 5개의 뼈.
[掌內 장내] 자기(自己)가 맡아보는 일의 범위(範圍) 안.
[掌理 장리] 일을 맡아 처리(處理)함.
[掌紋 장문] 손바닥의 무늬.
[掌狀 장상] 손을 벌린 모양.
[掌握 장악] ㉠손에 쥠. 자기 물건으로 함. ㉡한 줌. 한 줌의 양(量). 소량(小量).
[掌財 장재] 금전(金錢)의 출납(出納)을 맡음. 또, 그 사람.
[掌典 장전] 관장(管掌)함.
[掌中 장중] 움켜쥔 손아귀 안. 손 안. 전(轉)하여, 자기의 소유.
[掌中寶玉 장중보옥] 손 안에 있는 보배와 옥. 아주 소중한 것의 비유.
[掌中珠 장중주] 손에 쥔 구슬. 전(轉)하여, 사랑하는 자식.
[掌判 장판] 결혼 중매를 섬.
◉監掌. 兼掌. 高掌. 股掌. 鼓掌. 管掌. 撫掌. 覆掌. 分掌. 仙人掌. 仙掌. 纖掌. 素掌. 手掌. 鞅掌. 運掌. 熊掌. 抵掌. 典掌. 專掌. 指掌. 職掌. 車掌. 參掌. 合掌.

8 ⑫ **[掔]** 견 [平]先 苦堅切 qiān

[字解] 끌 견 牽(牛部 七畫)과 同字. '鄭襄公肉袒—羊以迎'《史記》.
[字源] 甲骨文 篆文 形聲. 手+臤〔音〕. '臤견'은 '堅견' 또는 '緊긴'의 생략체. '단단하다'의 뜻을 나타냄.

8 ⑫ **[掣]** [一] 체 [去]霽 尺制切 chè [二] 철 [入]屑 昌列切 chè

[字解] [一] 끌 체 질질 끎. '見輿曳其牛—'《易經》. [二] 당길 철 끌어당김. '—肘'. '羲之密從後—其筆'《晉書》.
[字源] 形聲. 手+制〔音〕. '制제'는 눌러 멈추게 하다의 뜻. 손으로 말려 자유롭지 못하게 하다의 뜻을 나타냄.

[掣臂 철비] 철주(掣肘).
[掣曳 철예] 끌어당겨 막음. 방해해서 하지 못하게 함.
[掣搖 철요] 끌어당겨 움직임.
[掣電 철전] 번쩍이는 번개. 몹시 짧은 시간(時間)의 비유. 전철(電掣).
[掣肘 철주] 팔뚝을 잡아끈다는 뜻으로, 간섭(干涉)하여 자유(自由)로 못하게 제지(制止)함.
◉牽掣. 輓掣. 電掣. 擺掣.

8 ⑪ **[捥]** 완 [去]翰 烏貫切 wàn

[字解] 팔 완 腕(肉部 八畫)과 同字. '莫不搤—'《史記》.
[字源] 形聲. 扌(手)+宛〔音〕

8 ⑪ **[捧]** [人名] 봉 [上]腫 敷奉切 pěng

[筆順] 一 丨 扌 扌 扌 扌 捧 捧

[字解] 받들 봉 두 손으로 받듦. '—持'. '兩手—長者之手'《禮記》.
[字源] 形聲. 扌(手)+奉〔音〕. '奉봉'은 '받들다'의 뜻.

[捧納 봉납] 물건을 바침.
[捧讀 봉독] 공경(恭敬)하여 두 손으로 받들어 읽음.
[捧腹 봉복] 두 손으로 배를 안는다는 뜻으로, 크게 웃는 모양.
[捧腹絶倒 봉복절도] 몹시 우스워서 배를 안고 몸을 가누지 못할 만큼 웃음.
[捧負 봉부] 안거나 업음. 도움.
[捧持 봉지] 공경하여 두 손으로 받듦.
◉詭捧. 對捧. 拜捧. 手捧. 承捧. 執捧.

8 ⑪ **[掁]** 쟁 [平]庚 直庚切 chéng

[字解] 닿을 쟁 접촉(接觸)함.

8 ⑪ **[捨]** [高人] 사 [上]馬 書冶切 shě 舍

[筆順] 一 丨 扌 扌 扌 扌 捨 捨

[字解] ①버릴 사 ㉠내버림. 또, 사용하지 않고 버려둠. '取—'. '居家不暫—周禮'《文中子》. ㉡잊음. '三世俱—'《傳燈錄》. ②베풀 사 베풀어 줌. 시여(施與)함. '喜—'. '—撤淨財'《隋煬帝》. ③성 사 성(姓)의 하나.
[字源] 篆文 形聲. 扌(手)+舍〔音〕. '舍사'는 '射사'와 통하여, '놓다'의 뜻. 손에서 놓다, 버리다의 뜻을 나타냄.

[捨命不捨財 사명불사재] 재물을 위해서는 목숨도 아끼지 아니함.
[捨身 사신] 《佛教》 보은(報恩) 또는 수행(修行)을 위하여 자기의 생명(生命) 또는 속루(俗累)를 끊고 삼보(三寶)를 섬기는 일.
[捨撤 사철] 시여(施與)함.
◉用捨. 淨捨. 中捨. 趨捨. 取捨. 喜捨.

8 ⑪ **[捩]** [一] 렬 [入]屑 練結切 liè [二] 려 [去]霽 郎計切 lì

[字解] [一] 비틀 렬 바싹 꼬아 틂. '—手覆羹'《韓愈》. [二] 채 려 비파를 타는 제구. '插—擧琵琶'《梁簡文帝》.
[字源] 形聲. 扌(手)+戾〔音〕. '戾려'는 '꼬이다'의 뜻.

[捩柁 열타] 키를 틀어서 배의 방향을 돌림. 전타(轉柁).

8 ⑪ **[捫]** 문 [平]元 莫奔切 mén 扪

[字解] ①잡을 문 ㉠움키어 놓지 아니함. '在外爲人所—摸也'《釋名》. ㉡이를 잡음. '—蝨而言, 旁若無人'《晉書》. ②더듬을 문 더듬어 찾음. '傷胷, 乃—足'《史記》.
[字源] 篆文 形聲. 扌(手)+門〔音〕. '門문'은 '묻다'의 뜻. 손으로 더듬어 찾다, 쓰다듬다의 뜻을 나타냄.

[捫摸 문모] ㉠잡음. ㉡더듬어 찾음.

[捝舌 문설] 혀를 더듬음. 말을 삼감.
[捝盁 문설] ㉠남이 보는 앞에서 이를 잡음. ㉡방약무인 (旁若無人)한 태도(態度)를 이름.

8/11 [捈] 조 ㊤篠 直紹切 zhào

字解 찌를 조 날카로운 것으로 들이밂. '一, 刺也. 詩其鎛斯一'《集韻》.

8/11 [捝] ▤ 답 ㊤合 徒合切 tà / ▤ 탑 ㊤合 託合切 tà

字解 ▤ ①골무 답 바느질할 때 손가락에 끼우는 가죽. '一, 縫指一也'《說文》. ②가죽주머니 답 '一, 一曰, 韜也'《集韻》. ▤ ①덮을 탑 '一, 冒也'《集韻》. ②찾을 탑 더듬어 찾음. '一, 一曰, 摹也'《集韻》.

字源 形聲. 扌(手)+沓〔音〕

8/11 [捭] ▤ 패 ㊤蟹 北買切 bǎi / ▤ 벽 ㊤陌 博厄切 bā

字解 ▤ ①던질 패, 칠 패 투척(投擲)함. 일설 (一說)에는, 두 손으로 침. '莫不岬銳挫鋩, 拉一摧藏'《左思》. ②열 패 開(門部 四畫)와 뜻이 같음. 擺(手部 十五畫)와 통용. '學一閨揣摩'《鬼谷子》. ▤ 뼈갤 벽, 가를 벽 擗(手部 十三畫)과 同字. '燔黍一豚'《禮記》.

字源篆文 形聲. 扌(手)+卑〔音〕. '卑비'는 '납작하다'의 뜻. 손으로 두드려 반반하게 펴다의 뜻을 나타냄.

[捭闔 패합] ㉠'개폐(開閉)'와 같음. ㉡전국 시대 (戰國時代)에 귀곡자(鬼谷子)가 주장한 변론술 (辯論術). 그 변론의 개폐(開閉)·억양(抑揚)·허실(虛實)이 끝없으므로 이름.

8/11 [捵] 특 ㊤職 惕得切 zhé

字解 ①칠 특 쥐어박음. '一, 擊也'《集韻》. ②밀칠 특 '一, 挨也'《集韻》.

8/11 [据] 人名 거 ①㊤魚 九魚切 jū / ②㊤御 居御切 jù

字解 ①일할 거 '拮一'는 힘써 일하는 모양. '予手拮一'《詩經》. ②의거할 거 據(手部 十三畫)와 통용. '趙禹一法守正'《漢書》.

字源篆文 形聲. 扌(手)+居〔音〕. '居거'는 '固고'와 통하여, '굳다'의 뜻. 손이 뻣뻣해지도록 일하다의 뜻을 나타냄.

●考据. 拮据.

8/11 [捥] 알 ㊤曷 烏括切 wò

字解 ①꺼낼 알, 긁어낼 알 '一, 搯一也'《說文》. ②당길 알 끌어당김. '一, 一曰, 援也'《說文》.

字源篆文 形聲. 扌(手)+官〔音〕

8/11 [捲] 人名 권 ㊦先 巨貟切 quán

字解 ①말 권 卷(卩部 六畫)과 同字. '席一常山之險'《史記》. ②주먹 권 拳(手部 六畫)과 同字.

'解雜亂紛糾者, 不控一'《史記》. ③힘쓸 권 힘써 일하는 모양. '一一乎后之爲人'《莊子》.

字源篆文 形聲. 扌(手)+卷〔音〕. '卷권'은 '말다'의 뜻. 뒤에 '手수'를 더하여, 뜻을 더욱 분명히 함.

[捲捲 권권] 힘을 들여 수고하는 모양.
[捲手 권수] 쥔 주먹. 주먹.
[捲握 권악] 쥠. 잡음. 전(轉)하여, 세력 같은 것을 쥠. 장악(掌握).
[捲勇 권용] 힘이 셈.
[捲土重來 권토중래] 땅을 돗자리를 마는 것 같은 기세로 다시 온다는 뜻으로, 한번 쇠약하여진 세력을 회복하여 다시 쳐들어옴을 이름.
●控捲. 席捲.

8/11 [捵] 전 ㊤銑 他典切 tiǎn

字解 펄 전 길게 늘임. '一, 手伸物也'《集韻》.

字源 形聲. 扌(手)+典〔音〕

8/11 [捰] 표 ㊥嘯 彼廟切 biào

字解 나누어줄 표 분배(分配)하여 줌. 俵(人部 八畫)와 同字.

8/11 [捶] 추 ㊤紙 之累切 chuí

字解 ①종아리칠 추, 채찍질할 추 '一打'. '一笞臏脚'《荀子》. ②찧을 추 절구에 빻음. '一而食之'《禮記》. ③종아리채 추, 채찍 추 '一扑'. '撤以馬一'《莊子》.

字源篆文 形聲. 扌(手)+垂(坐)〔音〕. '坐수'는 아래로 늘어지다의 뜻. 지팡이로 내리치다의 뜻을 나타냄.

[捶擊 추격] 종아리를 침.
[捶撻 추달] 추타(捶打).
[捶扑 추복] 종아리채. 또, 종아리를 침.
[捶殺 추살] 때려죽임. 타살(打殺).
[捶楚 추초] 추복(捶扑).
[捶治 추치] 죄인을 볼기를 쳐 다스림.
[捶打 추타] 종아리를 침.
[捶笞 추태] 추타(捶打).
●搊捶. 驅捶. 捞捶. 楚捶. 鞭捶.

8/11 [捷] 人名 첩 ㊤葉 疾葉切 jié

筆順 一 十 扌 扌 拹 拹 拺 捷 捷

字解 ①이길 첩 승전함. '戰一'. '一月三一'《詩經》. ②빠를 첩 민첩함. '輕一, 吳越智之, 可謂一矣'《呂氏春秋》. ③빨리 첩 속히. '事業一成'《荀子》. ④노획물 첩 전리품. '齊侯來獻戎一'《左傳》.

字源篆文 形聲. 扌(手)+疌〔音〕. '疌녑'은 '재빠르다'의 뜻. 손을 재빠르게 놀려서 사냥감을 잡다의 뜻.

[捷擧 첩거] 재빨리 일을 행함.
[捷勁 첩경] 날래고 강함.
[捷徑 첩경] ㉠지름길. ㉡어떠한 일에 이르기 쉬

운 방법.
[捷巧 첩교] 빠르고 교묘함.
[捷口 첩구] 말을 잘함.
[捷給 첩급] 말을 썩 잘하여 막히지 않음.
[捷路 첩로] 지름길.
[捷利 첩리] 열쌔고 날램.
[捷敏 첩민] 첩속(捷速).
[捷步 첩보] ㉠빨리 걷는 걸음. 또, 빨리 걸음. ㉡파발꾼.
[捷報 첩보] 싸움에 이긴 보고(報告).
[捷書 첩서] 싸움에 이긴 것을 보고하는 글.
[捷成 첩성] 속(速)히 이룸.
[捷速 첩속] 민첩(敏捷)함.
[捷足 첩족] 빠른 걸음.
[捷疾 첩질] 빠름.
[捷捷 첩첩] 빠른 모양. 민첩한 모양.
●簡捷. 健捷. 輕捷. 警捷. 巧捷. 狡捷. 趫捷.
　克捷. 大捷. 猛捷. 敏捷. 辯捷. 迅捷. 姸捷.
　雄捷. 戰捷. 便捷.

8 ⑪ [捺] 〔人名〕날 ㉠曷 奴曷切 nà

[筆順] 一 十 扌 扩 扴 捺 捺 捺
[字解] ①누를 날 도장 같은 것을 누름. '一印'. ②삐침 날 서법(書法)의 하나. '大'·'人' 등의 '\'.
[字源] 形聲. 扌(手)＋奈〔音〕

[捺靈 날령] 경상북도 영주(榮州)의 옛 이름.
[捺染 날염] 피륙에 무늬 따위를 찍어 물들임.
[捺印 날인] 도장을 찍음. 인을 침.
[捺章 날장] 날인(捺印).
[捺絃引 날현인] 신라 진평왕(眞平王) 때 중 담수(淡水)가 지었다는 악곡.
[捺糊 날호] 우롱(愚弄)함.

8 ⑪ [捻] 〔人名〕념(녑)㉠葉 奴協切 niē

[字解] 비틀 녑 바싹 꼬며 틂. 집음. '一出'. '十方諸佛, 手一香付彼爐中'《法苑珠林》.
[字源] 篆文 捻 形聲. 扌(手)＋念〔音〕. '念념'은 고정시켜 두다의 뜻. '撚연'과 통하여, 손바닥 안에서 물건을 비틀다의 뜻을 나타냄.

[捻管 념관] 붓을 쥠. 붓을 잡음.
[捻匪 념비] 청조(淸朝) 가경 연간(嘉慶年間)에 산둥(山東)·장쑤(江蘇)·안후이(安徽) 제성(諸省)에 일어난 난민(亂民).
[捻鼻 념비] 코를 쥔다는 뜻으로, '달갑지 않게 여기는 모양'을 이르는 말.
[捻子 념자] 념비(捻匪).

8 ⑪ [捼] 뇌 ㉠灰 乃回切 ruó

[字解] 비빌 뇌 挼(手部 七畫)와 同字. '一莎五木撋枲盧'《元稹》.
[字源] 篆文 捼 形聲. 扌(手)＋委〔音〕. '委위'는 나긋나긋하게 늘어지다의 뜻. 양손으로 비비다의 뜻을 나타냄.

[捼莎 뇌사] 손바닥으로 문지름.

8 ⑪ [㨾] 〔人名〕서 ㉠齊 先稽切 qī

[字解] 깃들일 서, 살 서 棲(木部 八畫)와 同字. '恣此永幽一'《謝靈運》.
●同㨾. 幽㨾.

8 ⑪ [捽] 졸 ㉠月 昨沒切 zuó

[字解] ①잡을 졸 ㉠머리를 휘어잡음. '溺則一其髮而拯'《淮南子》. ㉡붙잡음. 꼭 잡음. '一引'. '一胡投何羅殿下'《漢書》. ②뽑을 졸 '一中把土'《漢書》. ③겨룰 졸 대항함. '戎夏交一'《國語》. ④다툴 졸 싸움. '齊人之井飲者相一也'《莊子》.
[字源] 篆文 捽 形聲. 扌(手)＋卒〔音〕. '卒졸'은 '갑자기, 빠르다'의 뜻. 재빠르게 잡다의 뜻을 나타냄.

[捽搏 졸박] 머리를 휘어잡고 손으로 침.
[捽抑 졸억] 붙잡음. 체포함.
[捽引 졸인] 붙잡아 끎.
●交捽. 擒捽. 撞捽. 手捽.

8 ⑪ [掀] 흔 ㉠元 虛言切 xiān

[字解] 번쩍들 흔 손으로 높이 듦. '乃一公以出於淖'《左傳》.
[字源] 篆文 掀 形聲. 扌(手)＋欣〔音〕. '欣흔'은 '들다'의 뜻. 또, '斤근'과 통하여, 번쩍 치켜드는 도끼의 뜻. 손으로 높이 들어 올리다의 뜻을 나타냄.

[掀舞 흔무] 날개를 치며 올라감.
[掀腫 흔종] 부어 오름.
[掀簸 흔파] 까불려 올라감. 까불려 올라가게 함.
[掀掀 흔흔] 높이 솟은 모양. 높이 드는 모양.

8 ⑪ [揵] 청 ㉠徑 千定切 qìng

[字解] ①잡을 청 붙잡음. '一, 捿也'《廣雅》. ②가질 청 손에 넣음. '一, 博雅, 持也'《集韻》.

8 ⑪ [掃] 〔高人〕소 ㉠晧 蘇老切 sǎo ㉣號 蘇到切

[筆順] 一 十 扌 扌 扫 掃 掃 掃
[字解] ①쓸 소 ㉠소제함. '淸一'. '一灑待之'《後漢書》. ㉡제거함. '一項軍於垓下'《張衡》. ②칠할 소 바름. '淡一娥眉朝至尊'《杜甫》.
[字源] 形聲. 扌(手)＋帚〔音〕. '帚추'는 '비'의 뜻. 비를 손에 들다, 쓸다의 뜻을 나타냄.

[掃去 소거] 쓸어서 없앰.
[掃萬 소만] 모든 일을 제쳐 놓음.
[掃滅 소멸] 쓸어서 없앰.
[掃墓 소묘] 성묘(省墓).
[掃刷 소쇄] 먼지를 턺. 소제함.
[掃灑 소쇄] 먼지를 털고 물을 뿌림.
[掃愁帚 소수추] '술(酒)'의 별칭(別稱).
[掃拭 소식] 쓸고 닦음.
[掃除 소제] 깨끗이 쓸고 닦음.
[掃地 소지] ㉠땅바닥을 쓸어 깨끗이 함. ㉡흔적도 없이 됨.

[掃滌 소척] 소제(掃除).
[掃清 소청] 소제(掃除).
[掃晴娘 소청랑] 오랫동안 장마가 졌을 때 종이나 대 같은 것으로 각시를 만들어 비를 쥐게 하고 처마 밑에 매달아 놓는 것.
[掃帚 소추] 비.
[掃蕩 소탕] 쓸어 없애 버림.
[掃海 소해] 바다 가운데 있는 위험(危險)한 물건을 제거하여 항해(航海)를 안전하게 하는 일.
●淡掃. 代掃. 刷掃. 洒掃. 灑掃. 一掃. 淨掃. 清掃. 吹掃. 風掃. 揮掃.

8/⑪ [掃] 掃(前條)와 同字

8/⑪ [掄] ■ 륜 ㉠眞 力迍切 lún
■ 론 ㉠元 盧昆切 lún   抡掄
字解 ■ 가릴 륜 선택함. '入山林一材'《周禮》.
■ 가릴 론 ㊀과 뜻이 같음.
字源 篆文 𢰺 形聲. 扌(手)+侖〔音〕. '侖륜'은 차례를 매기다의 뜻. 대상을 차례 매겨, 그중에서 좋은 것을 고르다의 뜻을 나타냄.

●選掄.

8/⑪ [掆] 강 ㉠陽 古郎切 gāng   摳
字解 들 강 들어 올림. 扛(手部 三畫)과 同字.
'一鼓金鉦'《唐書》.

8/⑪ [捦] 금 ㉠侵 巨金切 qín
字解 움켜질 금 꼭 쥠. '一, 手捉物也'《一切經音義》.
字源 篆文 𢬏 形聲. 扌(手)+金〔音〕. '攃금'과 통하여, '꼭 쥐다'의 뜻을 나타냄.

8/⑪ [捄] 탁 (착)㉠覺 竹角切 zhuó
字解 ①나무째를 탁 나무에 구멍을 팜. '一, 刺木也'《玉篇》. ②밀 탁 밀침. '一, 推也'《廣韻》. ③칠 탁 두드림.

8/⑪ [掇] 철 ㉠屑 陟劣切 duó   掇
字解 ①주울 철 ㉠습득함. '一拾山中薪'《楊基》. ㉡주워 모음. '一切一拾, 成集古錄'《宋史》. ②노략질할 철 약탈함. '燒一焚杅君之國'《史記》. ③성 철 성(姓)의 하나.
字源 篆文 𢱦 形聲. 扌(手)+叕〔音〕. '叕철'은 꿰매어 잇다의 뜻. 잘게 잘린 물건을 손으로 주워 모으다의 뜻을 나타냄.

[掇拾 철습] ㉠주움. 주워 가짐. ㉡주워 모음.
[掇摭 철척] 잎 같은 것을 땀.
●搖掇. 攬掇. 袤掇. 燒掇. 收掇. 拾掇. 摘掇. 精掇. 采掇. 抄掇. 取掇.

8/⑪ [授] 수 ㊀有 是酉切 shòu   授
筆順 一 十 扌 扌 扩 扩 押 授
字解 ①줄 수 ㉠수여함. '一受'. '還子一子之粲

兮'《詩經》. ㉡수교(手交)함. '男女不親一'《禮記》. ㉢가르침. '一業'. '子夏居西河教一'《史記》. ㉣임명함. '一爵'. '近寵今日謬一之失'《吳志》. ②성 수 성(姓)의 하나.
字源 篆文 𢱟 形聲. 扌(手)+受〔音〕. '受수'는 '받고 주다'의 뜻. '手수'를 덧붙여, 주로 '주다'의 뜻을 나타냄.

[授戒 수계] 《佛教》새로 불문(佛門)에 들어간 사람에게 계율(戒律)을 수여함.
[授產 수산] 일거리를 주어 생활(生活)의 방도(方途)를 세워 줌.
[授受 수수] 주고받음.
[授業 수업] 학문(學問)·기술(技術)을 가르쳐 줌.
[授與 수여] 줌.
[授乳 수유] 어린아이에게 젖꼭지를 물려 젖을 먹임.
[授衣 수의] 옷을 준다는 뜻으로, 옛날에는 9월에 동의(冬衣)를 나누어 주었음. 전(轉)하여, '음력(陰曆) 9월'의 이칭(異稱).
[授爵 수작] 작위(爵位)를 줌.
●簡授. 講授. 教授. 口授. 拜授. 付授. 師授. 宣授. 選授. 禪授. 受授. 習授. 神授. 傳授. 銓授. 除授. 指授. 天授. 囑授. 寵授. 親授. 割授. 誨授. 訓授.

8/⑪ [掉] 人名 도 ㉠嘯 待弔切 diào   捁
字解 ①흔들 도 요동시킴. '一尾'. '一臂而不顧'《史記》. ②흔들릴 도 요동함. '尾大不一'《左傳》. ③바로잡을 도 정돈함. '一鞅而還'《左傳》.
字源 篆文 𢵻 形聲. 扌(手)+卓〔音〕. '卓탁'은 '높다'의 뜻. 손을 높이 치켜들다의 뜻을 나타냄.

[掉尾 도미] ㉠꼬리를 흔듦. ㉡끝판에 더욱 활동(活動)함. ㉢문장(文章)의 결론에 힘이 있음.
[掉舌 도설] 변설(辯舌)을 휘두름. 잘 지껄임.
●尾大不掉. 搖掉. 戰掉. 振掉. 蕩掉. 揮掉.

8/⑪ [掊] 부 ①②㉠尤 薄侯切 póu
③④㉠有 方垢切 pǒu
⑤㉠遇 芳遇切 fù   掊
字解 ①헤칠 부 속에 있는 것을 드러나게 하려고 헤침. '一視得鼎'《漢書》. ②거둘 부 가렴주구함. '曾是一克'《詩經》. ③칠 부 공격함. '自一擊於世俗'《莊子》. ④가를 부 쪼갬(刀部 八畫)과 同字. '一斗折衡'《莊子》. ⑤엎드러질 부, 넘어뜨릴 부 仆(人部 二畫)·踣(足部 八畫)와 同字. '一兵罷去'《史記》.
字源 篆文 𢪙 形聲. 扌(手)+音〔音〕. '音부'는 '둘로 가르다'의 뜻. '剖부'와 통하여, 손을 써서 둘로 가르다의 뜻을 나타냄. 또 '音'는 '떼다'의 뜻에서, 다섯 손가락을 떼어 갈퀴 모양으로 하여 물건을 그러모으다의 뜻을 나타냄. 또 '踣복·부'와 통하여, '넘어지다'의 뜻을 나타냄.

[掊擊 부격] 공격함.
[掊克 부극] 가렴주구(苛斂誅求)함. 또, 그 사람.
[掊斗折衡 부두절형] 말[斗]을 깨부수고 저울을 부러뜨림. 말이나 저울들이 있어서 사람들이 다투므로 이를 부수어 버리면 다툼이 없어짐.

부(掊)는 부(剖).
[掊摘 부적] 모아 가짐. 주워 모음.
◉擊掊. 攻掊. 矜掊. 鋤掊. 手掊. 峻掊.

8
⑪ [掍] 혼 ㊤阮 胡本切 hùn

字解 ①섞을 혼 混(水部 八畫)과 同字. '—建章而連外屬'《班固》. ②합칠 혼 합동(合同)함. '帶以象牙, —其會合'《王褒》.
字源 篆文 形聲. 扌(手)+昆〔音〕. '昆혼'은 솟아 올라 돌다의 뜻. 손으로 휘저어 섞다의 뜻을 나타냄.

8
⑪ [掎] 기 ㊤紙 居綺切 jǐ

字解 ①한다리끌 기 다리 하나를 잡아당김. '譬如捕鹿, 晉人角之, 諸戎—之'《左傳》. ②당길 기 ㉠뒤에서 끌어당김. '—止晏萊焉'《國語》. ㉡옆으로 끌어당김. '伐木—矣'《詩經》. ㉢시위를 당김. '機不虛—'《班固》. ③뽑을 기 뽑아냄. '—拔五嶽'《木華》.
字源 篆文 形聲. 扌(手)+奇〔音〕. '奇기'는 갈고리꼴로 구부러지다의 뜻. 팔을 구부려 한 다리를 잡고 끌다의 뜻을 나타냄.

[掎角 기각] 사슴을 잡을 때 뒤에서는 발을 잡고 앞에서는 뿔을 쥔다는 뜻으로, 앞뒤에서 협격(挾擊)함을 이름.
[掎擊 기격] 등 뒤에서 침.
[掎拔 기발] 뽑음. 뽑아냄.
[掎止 기지] 뒤에서 가지 못하게 끎.
[掎摭 기척] 하나하나 주워 올림. 끌어당겨서 거두어 가짐.
◉角掎. 後掎.

8
⑪ [掏] 도 ㊥豪 徒刀切 tāo

字解 ①가릴 도 선택함. ②더듬을 도 속어(俗語)로서, 물건을 더듬어 찾는 일. 전(轉)하여, 소매치기를 하는 일. '—兒'.
字源 形聲. 扌(手)+匋〔音〕. '匋도'는 도기(陶器)의 뜻. 오지그릇 속에 손을 넣고 찾다, 더듬다의 뜻을 나타냄.

[掏摸 도모] 소매치기를 함. 또, 소매치기.
[掏兒 도아] 소매치기.

8
⑪ [掐] 겹 ㊇洽 苦洽切 qiā

字解 ①딸 겹 적취(摘取)함. '以—摘供廚'《顏氏家訓》. ②할퀼 겹 손톱으로 생채기를 냄. '—鼻灸眉頭'《晉書》.
字源 篆文 形聲. 扌(手)+臽〔音〕. '臽함'은 '옴폭 패다'의 뜻. 손을 오므려서 물건을 집어내다의 뜻을 나타냄.

[掐摘 겹적] 잎 같은 것을 땀.

8
⑪ [排] 高人 배 ①-④㊥佳 步皆切 pái ⑤㊋卦 步拜切 bài

筆順 一 亅 扌 扌 扌 扌 扌 排

字解 ①밀칠 배 밀어젖힘. 밀어 엶. '—門'. '廼—闥直入'《史記》. ②물리칠 배 배척함. '—擠'. '—患釋難'《史記》. ③늘어설 배 차례로 섬. '—立'. '—列'. ④줄 배 늘어선 줄. '二人一—'《紀效新書》. ⑤풀무 배 韛(韋部 十畫)와 통용. '造作水—, 鑄爲農器'《後漢書》.
字源 篆文 形聲. 扌(手)+非〔音〕. '非비'는 좌우로 나누다의 뜻. 손으로 좌우로 밀어 열다, 밀어젖히다의 뜻을 나타냄.

[排却 배각] 물리쳐 버림.
[排擊 배격] ㉠쳐서 물리침. ㉡힐난(詰難)함.
[排遣 배견] ㉠밀어젖힘. ㉡걱정을 없앰. 소견(消遣).
[排球 배구] 코트 중앙에 네트를 치고 양쪽 사람들이 서로 공을 떨어뜨리지 않고, 상대편에 넘겨 승부를 다투는 유희(遊戲). 발리볼.
[排氣 배기] 속에 있는 공기를 뽑아 버림.
[排難解紛 배난해분] 곤란(困難)을 배제(排除)하고 분란(紛亂)을 수습(收拾)함.
[排闥直入 배달직입] 무단히 남의 집에 들어감.
[排倒 배도] 밀어젖혀 넘어뜨림.
[排立 배립] 줄지어 죽 늘어섬.
[排門 배문] 문을 밀어 엶.
[排悶 배민] 마음속의 고민을 떨쳐 버림.
[排佛 배불] 불교(佛敎)를 배척함.
[排拂 배불] 물리치어 떨어 버림.
[排比 배비] ㉠차례로 늘어놓음. ㉡비례에 따라 나누어 몫을 지음.
[排朔 배삭] 한 달에 얼마씩 분배함.
[排山壓卵 배산압란] 산을 밀어붙여 달걀을 누른다는 뜻으로, '아주 하기 쉬움'을 비유하여 이르는 말.
[排泄 배설] ㉠안에서 밖으로 새어 나가게 함. ㉡동물이 먹은 음식물 중의 영양분을 섭취하고 잔여의 노폐물(老廢物)을 몸 밖으로 내보냄.
[排設 배설] 벌여 베풀어 놓음.
[排泄器 배설기] 동물체의 배설(排泄) 작용을 맡은 기관(器官). 신장(腎臟)·요관(尿管) 따위.
[排水 배수] ㉠안에 있는 물을 밖으로 내보냄. ㉡물꼬를 터놓음.
[排斡 배알] 밀어 돌게 함. 알(斡)은 선(旋).
[排抑 배억] 물리쳐 억제함.
[排列 배열] 죽 벌이어 열을 지음. 또, 차례로 늘어놓음.
[排奡 배오] 강성(強盛)함.
[排月 배월] 배삭(排朔).
[排律 배율] 한시(漢詩)의 한 체(體). 오언(五言) 또는 칠언(七言)으로 열두 짝, 곧 여섯 구 이상이 되는 율시.
[排日 배일] ㉠하루에 얼마씩 분배함. ㉡일본 사람 또는 일본의 세력을 배척함.
[排詆 배저] 물리치며 비방함.
[排折 배절] 물리쳐 기세를 꺾음.
[排除 배제] 물리쳐 덜어 버림. 배척하여 제거함.
[排擠 배제] 배함(排陷).
[排斥 배척] 물리치어 내침.
[排出 배출] ㉠밀어 내보냄. ㉡배설(排泄).
[排置 배치] 벌여 놓음.
[排布 배포] 《韓》 마음속으로 일을 이리저리 계획(計劃)함.
[排陷 배함] 배격하여 죄에 빠뜨림.
[排行 배항] ㉠한 겨레 중에서 장유(長幼)·존비(尊卑) 등에 의한 순서. 배항(輩行). ㉡열을 지

어 늘어섬.
[排貨 배화] 어떠한 사람 또는 어떠한 나라의 물화(物貨)를 배척(排斥)하여 매매(賣買) 거래를 아니함.
◉擊排. 譏排. 防排. 旁排. 謗排. 水排. 安排. 按排. 觝排. 擠排. 嘲排. 推排. 衝排. 彭排.

8 ⑪ **[掖]** [人名] 액 [入]陌 羊益切 yè

[字解] ①겨드랑이 액 腋(肉部 八畫)과 同字. '衣逢一之衣'《禮記》. ②낄 액 겨드랑이에 낌. '一以赴外殺之'《左傳》. ③곁부축할 액 곁에서 도와줌. '扶一'. '誘一其君也'《詩經》. ④곁채 액, 곁문 액 주요한 건물 곁에 있는 채, 또는 문. '闌入尙方一門'《漢書》. ⑤후궁 액 뒤쪽에 있는 궁전. '恃宮一聲勢'《後漢書》. ⑥성 액 성(姓)의 하나.
[字源] 篆文 形聲. 扌(手)+夜〔音〕. '夜야·액'은 亦+夕으로, '亦역'과 통하여, '겨드랑이'의 뜻. '手수'를 더하여, 겨드랑이에 끼다의 뜻을 나타냄.

[掖隷 액례] 후궁(後宮)에 딸린 관원이나 하인.
[掖門 액문] 궁전의 양쪽 곁에 있는 작은 문.
[掖省 액성] 궁전 안에 있는 관서.
[掖垣 액원] 궁중의 정전(正殿) 곁에 있는 담.
[掖誘 액유] 도와 인도함.
[掖庭 액정] 궁녀가 있는 궁전. 후궁(後宮). 후정(後庭).
◉宮掖. 闕掖. 禁掖. 蘭掖. 丹掖. 鳳掖. 縫掖. 扶掖. 西掖. 仙掖. 宸掖. 誘掖. 提掖. 振掖. 樞掖.

8 ⑪ **[掘]** [人名] [一] 굴 ①-③[入]物 衢物切 jué ④[入]月 其月切 [二] 궐 [入]月 苦骨切 kū

[字解] [一] ①팔 굴 ㉠우묵하게 팜. '辟若一井'《孟子》. ㉡파냄. 땅속의 매장물을 캐냄. '採一北芒及南山佳石'《北史》. ②우뚝솟을 굴 崛(山部 八畫)과 통용. '洪臺一其獨出兮'《揚雄》. ③다할 굴 다 들임. '一變極物窮情'《太玄經》. ④암굴 굴, 구멍 굴 窟(穴部 八畫)과 통용. '窮巷一門'《戰國策》. [二] 뚫을 궐 구멍을 뚫음. '一地爲臼'《易經》.
[字源] 篆文 形聲. 扌(手)+屈(屈)〔音〕. '屈굴'은 '厥궐'과 통하여, '후벼 내다'의 뜻. 또, '구부리다'의 뜻. 허리를 굽혀서 구멍을 파다의 뜻을 나타냄.

[掘檢 굴검] 시체를 파내어 검증함.
[掘起 굴기] 우뚝 솟음. 굴기(崛起).
[掘門 굴문] 구멍과 같은 가난한 집의 문(門).
[掘變 굴변] ㉠갖은 변화를 함. ㉡무덤을 파내어 생긴 변고.
[掘移 굴이] 무덤을 옮김.
[掘鑿 굴착] 굴천(掘穿).
[掘穿 굴천] 우묵하게 팜.
[掘塚 굴총] 무덤을 파냄.
◉開掘. 亂掘. 濫掘. 露天掘. 盜掘. 發掘. 試掘. 鑿掘. 採掘.

8 ⑪ **[掛]** [高人] 괘 [去]卦 古賣切 guà

[筆順] 一 寸 扌 扌 扌 挂 挂 掛

[字解] 걸 괘 걸쳐 놓음. '一軸'. '一一以象三'《易經》.
[字源] 形聲. 扌(手)+卦〔音〕
[參考] 挂(手部 六畫)는 俗字.

[掛冠 괘관] 벼슬을 내놓음. 사직함.
[掛念 괘념] 마음에 두고 잊지 아니함.
[掛曆 괘력] 벽에 걸어 놓고 보는 일력(日曆)이나 달력.
[掛書 괘서] 익명(匿名)의 게시문(揭示文).
[掛錫 괘석] 《佛敎》 순행(巡行)하던 중이 석장(錫杖)을 걸어 둔다는 뜻으로, 중이 한 곳에 머무름을 이름. 순석(巡錫)의 대(對).
[掛鐘 괘종] 걸어 두고 보는 시계.
[掛軸 괘축] 걸어 놓는 서화축.

8 ⑪ **[掞]** [一] 섬 [去]豔 舒贍切 shàn [二] 염 ①[去]豔 以贍切 yàn ②[上]琰 以冉切 yǎn

[字解] [一] 퍼질 섬, 펼 섬 널리 퍼짐. 널리 퍼지게 함. '擒藻一天庭'《左思》. [二] ①불꽃 염, 탈 염 炎(火部 四畫)과 통용. '長麗前一光耀明'《漢書》. ②날카로울 염 剡(刀部 八畫)과 통용. '剸一度擬'《馬融》.
[字源] 形聲. 扌(手)+炎〔音〕. '炎염'은 타오르는 불길의 뜻. 타오르게 하여 빛나게 하다의 뜻을 나타냄.

[掞張 섬장] 문장(文章)이 화려함.
[掞藻 섬조] 사조(詞藻)가 풍부함. 문장이 아름다움.
◉擊掞. 剸掞.

8 ⑪ **[捆]** 〔곤〕
捆(手部 七畫〈p. 872〉)의 俗字

8 ⑪ **[掾]** 〔록〕
攎(手部 十一畫〈p. 900〉)과 同字

8 ⑪ **[掽]** 〔병·평〕
拼(手部 六畫〈p. 868〉)의 本字

8 ⑪ **[掷]** [一] 치 ①[去]寘 直吏切 zhì ②[上]紙 丈里切 [二] 식 [入]職 常職切 zhí

[字解] [一] ①던질 치 멀리 던짐. '一, 投也'《集韻》. ②가질 치 손에 쥠. '一, 持也'《集韻》. [二] 짚을 식 지팡이를 짚음. '拄杖曰一'《廣韻》.

8 ⑪ **[掠]** [高人] [一] 략 [入]藥 離灼切 lüè [二] 량 [去]漾 力讓切 lüè

[筆順] 一 寸 扌 扌 扩 扩 拧 掠

[字解] [一] ①노략질할 략 탈취함. '一奪'. '一於郊野, 以足軍食'《戰國策》. ②볼기칠 략, 매질할 략 죄인을 매질함. '一笞'. '下獄一治'《漢書》. [二] 노략질할 량, 볼기칠 량, 매질할 량 [一]과 뜻이 같음.
[字源] 篆文 形聲. 扌(手)+京〔音〕. '京경'은 '略략'과 통하여, '노략질하다'의 뜻. '手

수'를 더하여, '탈취하다'의 뜻을 나타냄.

[掠劫 약겁] 노략질하고 위협함.
[掠盜 약도] 노략질함. 강탈함.
[掠抄 약초] 약탈(掠奪).
[掠治 약치] 매질하며 죄인(罪人)을 심문(審問)함.
[掠奪 약탈] 폭력을 써서 억지로 빼앗음.
[掠笞 약태] 죄인을 매질함.
◉劫掠. 考掠. 拷掠. 寇掠. 鹵掠. 虜掠. 擄掠. 盜掠. 剝掠. 搒掠. 肆掠. 殺掠. 掃掠. 殘掠. 採掠. 楚掠. 侵掠. 奪掠. 笞掠. 暴掠. 剽掠.

8 ⑪ [捿] 순 [去]霰 船釧切 shuàn

[字解] 다림볼 순 물건의 수평(水平) 또는 수직(垂直)을 알기 위하여 다림줄을 늘여 보는 일. '一, 望繩取正'《集韻》.

8 ⑪ [採] [中人] 채 [上]賄 倉宰切 cǎi

[筆順] 採

[字解] ①캘 채, 딸 채 채굴하거나 적취(摘取)함. '一鑛'. '一摘'. '秋冬則勸民山一'《史記》. ②가릴 채 골라 씀. '一擇'. '屬文著辭, 有可觀一'《後漢書》. ③나무꾼 채 초부(樵夫). '芻牧薪一'《戰國策》.
[字源] 形聲. 扌(手)+采[音]. '采채'는 과실을 따다의 뜻. 뒤에 '手수'를 덧붙임.

[採決 채결] 가부(可否)를 묻고 채택(採擇)하여 결정(決定)함.
[採工 채공] 광부(鑛夫).
[採光 채광] 실내(室內)에 광선(光線)을 받아들임.
[採鑛 채광] 광물(鑛物)을 캐냄.
[採掘 채굴] 땅속에 있는 물건을 캐냄.
[採根 채근] ㉠식물(植物)의 뿌리를 캐냄. ㉡일의 근원(根源)을 캐냄.
[採金 채금] 금(金)을 캠.
[採納 채납] ㉠의견을 받아들임. ㉡사람을 가려 뽑아서 씀.
[採得 채득] 수탐(搜探)하여 사실(事實)을 찾아냄.
[採問 채문] 더듬어 찾아서 물음. 탐문(探問).
[採訪 채방] 모르는 곳을 물어 가며 찾음.
[採伐 채벌] 나무를 베어 냄.
[採算 채산] 수지(收支)가 맞고 안 맞는 셈.
[採蔘 채삼] 인삼(人蔘)을 채취함.
[採拾 채습] ㉠주움. 주워 모음. ㉡나무를 하고 열매를 줍는다는 뜻으로, 구차한 생활을 함을 이름.
[採薪之憂 채신지우] 자기의 병(病)의 겸칭(謙稱).
[採藥 채약] 약재(藥材)를 채취함.
[採用 채용] 사람을 뽑아 씀.
[採挹 채읍] 물을 퍼냄. 뜸.
[採字 채자] 인쇄소(印刷所)에서 원고(原稿)대로 활자(活字)를 골라 뽑는 일. 문선(文選).
[採摘 채적] 잎 같은 것을 땀.
[採點 채점] 점수(點數)를 매김.
[採種 채종] 씨앗을 골라서 받음.
[採集 채집] 잡거나 따거나 캐거나 하여 모음.
[採摭 채척] 주움. 주워 모음. 채습(採拾).
[採取 채취] ㉠캐어 냄. ㉡풀이나 나뭇가지 같은 것을 베어 냄.
[採炭 채탄] 석탄(石炭)을 캐어 냄.
[採探 채탐] 채방(採訪).
[採擇 채택] 가려 뽑음.
[採擷 채힐] ㉠손으로 잘라 땀. ㉡옷섶을 여며 접어 띠에 끼우고 물건을 그 속에 넣음.
◉捃採. 博採. 訪採. 伐採. 收採. 搜採. 薪採. 綜採.

8 ⑪ [探] [中人] 탐 [平]覃 他含切 tàn

[筆順] 探

[字解] ①더듬을 탐 ㉠찾음. '一索'. '一賾索隱'《易經》. ㉡밝히려고 함. 구명(究明)함. '春秋深一其本'《漢書》. ㉢엿봄. 염탐함. '一偵'. '已一先君之邪志'《穀梁傳》. ②찾을 탐 가 봄. 방문함. '一友'. '在昔一賞猶可數, 深景秀句今得傳'《梅堯臣》.
[字源] [篆文] 形聲. 扌(手)+罙[音]. '罙담'은 본디, 깊은 태(胎) 속에서 아기를 더듬어 꺼내는 모양을 본뜸. '手수'를 덧붙여, '더듬다, 찾다'의 뜻을 나타냄. '探탐'은 '罙' 부분이 변형된 것.

[探看 탐간] 찾아봄.
[探檢 탐검] 탐색(探索)하고 검사함.
[探抉 탐결] 찾아냄.
[探求 탐구] 더듬어서 구(求)함.
[探究 탐구] 더듬어서 연구(研究)함.
[探騎 탐기] 적정(敵情)을 살피는 기병(騎兵).
[探囊中之物 탐낭중지물] 주머니 속의 물건을 찾아 갖는다는 뜻. 일이 매우 쉬움의 비유.
[探卵之患 탐란지환] 어미 새가 나간 사이에 새집의 알을 빼앗길까 염려하는 근심. 전(轉)하여, 자기가 사는 곳을 습격당할까 두려워하는 근심.
[探問 탐문] 더듬어 찾아서 물음.
[探聞 탐문] 더듬어 캐어 들음.
[探訪 탐방] ㉠탐문(探問)하여 찾아봄. ㉡기자 등이 기사 재료를 얻기 위하여 그 목적 인물(目的人物)을 찾아감.
[探報 탐보] 더듬어 찾아 알림.
[探查 탐사] 더듬어 조사(調查)함.
[探賞 탐상] 경치 좋은 곳을 찾아가서 구경함.
[探索 탐색] ㉠실상(實狀)을 더듬어서 찾음. ㉡범죄자의 행방이나 그 죄상을 살펴 캐어 냄.
[探勝 탐승] 경치 좋은 곳을 찾아다님.
[探勝客 탐승객] 경치 좋은 곳을 찾아다니는 사람.
[探尋 탐심] 탐토(探討).
[探龍頷 탐용함] 용의 턱 안의 구슬을 더듬는다는 뜻으로, 큰 이익(利益)을 얻기 위하여 큰 모험(冒險)을 무릅씀을 이름. 탐호혈(探虎穴).
[探友 탐우] 벗을 찾음. 벗의 집을 방문함.
[探禹穴 탐우혈] 하(夏)나라의 우왕(禹王)이 들어갔다는 굴을 찾는다는 뜻으로, 명산대천(名山大川)을 탐방(探訪)함을 이름.
[探韻 탐운] 시를 지을 때 운자(韻字)를 찾음.
[探驪龍 탐이룡] 이룡(驪龍)의 턱 밑을 더듬어 여의주(如意珠)를 얻음. 목숨을 걸고 위험을 무릅써서 영광(榮光)을 얻음의 비유(比喩). 이룡

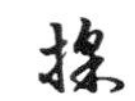

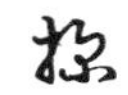

(驪龍)은 검은 용(龍).

[探偵 탐정] ㉠남의 사정을 몰래 염탐함. 또, 그 사람. ㉡죄인을 찾음. 또, 그 사람. 형사(刑事).

[探情 탐정] 남의 의향(意向)을 넌지시 살핌.

[探題 탐제] ㉠시회(詩會)에서 지을 제목을 찾음. ㉡《佛敎》법회(法會)에서 논의의 제목을 내고, 또 그 문답을 판단하는 중.

[探照 탐조] 찾아내기 위하여 광선(光線)을 멀리 비춤.

[探知 탐지] 더듬어 알아냄.

[探春 탐춘] 봄의 경치를 찾아 구경함.

[探湯 탐탕] 열탕(熱湯)에 손을 넣어 본다는 뜻으로, 더위에 괴로워하는 모양, 고생하는 모양, 또는 두려워하여 경계하는 모양 등의 비유로 쓰임.

[探討 탐토] 더듬어 찾음. 탐구(探究).

[探險 탐험] 위험(危險)을 무릅쓰고 찾아다니며 살핌.

[探虎穴 탐호혈] 호랑이 굴을 찾는다는 뜻으로, 매우 위험(危險)한 짓을 함을 이름.

[探花 탐화] ㉠꽃을 찾아 구경함. ㉡탐화랑(探花郎).

[探花郎 탐화랑] 과거(科擧)에 셋째로 급제한 사람. 탐화(探花).

[探花蜂蝶 탐화봉접] 꽃을 찾는 벌과 나비란 뜻으로, 여색에 빠진 사람을 일컫는 말.

[探花宴 탐화연] 당대(唐代)에 새로 급제(及第)한 진사(進士)가 처음으로 모여 하는 잔치.

[探候 탐후] 남의 안부(安否)를 물음.

●窮探. 內探. 密探. 搜探. 試探. 幽探. 偵探. 精探.

8
⑪ [掤] 붕 ㉦蒸 筆陵切 bīng

字解 전동뚜껑 붕 화살을 넣는 통의 뚜껑. '抑釋—忌'《詩經》.

字源 篆文 揚 形聲. 扌(手)+朋〔音〕

8
⑪ [接] 〔中人〕접 ㉠葉 卽葉切 jiē

筆順 一 十 扌 扩 护 护 接 接 接

字解 ①사귈 접 교차함. '交一'. '兵不一刃'《呂氏春秋》. ②모일 접, 모을 접 회합함. 회합하게 함. '偃兵一好'《國語》. ③이을 접 ㉠이어 맞춤. '一合'. '一骨'. ㉡이어받음. 계승함. '漢興, 一秦之弊'《史記》. ㉢연할 잇닿. '一續'. '水光一天'《蘇軾》. ㉣계속함. '一踵'. '堂上一武'《禮記》. ④접할 접 이어서 닿음. 인접(隣接)함. '州一夜郎諸夷'《唐書》. ⑤가까이할 접 가까이 감. '一近'. ⑥대접할 접 대우함. '一待'. '一客'. ⑦접붙일 접 나무에 접을 붙임. '一木'. ⑧성 접 성(姓)의 하나.

字源 篆文 揚 形聲. 扌(手)+妾〔音〕. '妾접'은 귀인을 가까이에서 모시는 시녀. 손과 손을 가까이하다, 사귀다, 잇다, 접하다의 뜻을 나타냄.

[接客 접객] 손을 대접함.
[接居 접거] 잠시 동안 머물러 삶.
[接見 접견] 맞아들여 봄.
[接境 접경] 경계가 서로 닿음. 또, 그곳.

[接界 접계] 접경(接境).

[接骨 접골] 다쳐서 뼈가 어긋났을 때 뼈를 맞추는 것.

[接骨木 접골목] 말오줌나무.

[接口 접구] 음식을 겨우 입에 대었다 뗄 정도로 조금 먹음.

[接近 접근] ㉠가까이 감. ㉡거리가 가까워짐.

[接納 접납] 맞아들여 접견함. 신용하여 그의 말을 들음.

[接談 접담] 접대하며 대담(對談)함.

[接待 접대] ㉠손을 맞아 대접함. ㉡《佛敎》사람에게 음식을 줌.

[接頭語 접두어] 단어 앞에 붙어서 그 뜻을 강(强)하게 하거나, 또는 다른 뜻을 첨가하는 말.

[接鸞鳳翅 접란봉시] 난조(鸞鳥)와 봉황(鳳凰)이 날개를 맞댄다는 뜻으로, 수재(秀才)가 함께 과거(科擧)에 급제(及弟)함의 비유(比喩).

[接隣 접린] 인접(隣接).

[接木 접목] 나무를 접(接)붙임. 또, 그 나무.

[接目 접목] 잠을 자기 위하여 눈을 붙임.

[接武 접무] 전인(前人)의 사업을 계속함. 종무(踵武).

[接吻 접문] 입을 맞춤. 키스.

[接聞 접문] 직접 본인으로부터 들음.

[接物 접물] ㉠외물(外物)과의 교섭(交涉). ㉡타인(他人)과의 교제.

[接尾語 접미어] 단어의 끝에 붙여 그 뜻을 강(强)하게 하거나, 또는 다른 뜻을 첨가하는 말.

[接伴 접반] 빈객(賓客)의 시중을 듦. 또, 그 사람.

[接本 접본] 접목(接木)할 때 그 바탕이 되는 나무.

[接賓 접빈] 손님을 대접(待接)함.

[接席 접석] 자리를 가까이 대어 앉음.

[接續 접속] 연속함. 이음.

[接續詞 접속사] 단어와 단어, 또는 구절과 구절 사이를 잇는 품사.

[接手 접수] 손을 잇댐.

[接收 접수] 받아서 거둠.

[接受 접수] 서류(書類)를 받아들임.

[接樹 접수] 접목(接木).

[接脣 접순] 접구(接口).

[接膝 접슬] 무릎을 가까이 맞대고 앉음.

[接神 접신] 신령(神靈)을 접(接)함.

[接語 접어] 서로 말을 주고받음.

[接輿 접여] 춘추 시대(春秋時代)의 초(楚)나라 사람. 성(姓)은 육(陸). 이름은 통(通). 접여(接輿)는 자(字). 소왕(昭王) 때에 정령(政令)이 무상(無常)하매 머리를 풀고 짐짓 미친 체하여 벼슬에 나아가지 않으므로, 사람들이 초광(楚狂)이라 일컬었음. 공자(孔子)의 문 앞을 지나며 공자를 풍자하여 노래를 읊은 일이 있다 함.

[接遇 접우] 손을 맞아 대접함. 접대(接待).

[接引 접인] 가까이 불러들임.

[接任 접임] 후임(後任).

[接戰 접전] 서로 어울려 싸움.

[接足 접족] 발을 붙임. 발을 들여놓음.

[接踵 접종] ㉠사람이 끊이지 않고 계속하여 왕래함. ㉡사물이나 사건이 잇따라 생김.

[接觸 접촉] ㉠맞붙어서 닿음. ㉡사귐.

[接合 접합] ㉠한데 닿아 붙음. ㉡한데 대어 붙임. ㉢자웅(雌雄)의 구별(區別)이 없는 두 개의 세

포(細胞)가 서로 붙는 현상(現象).
●間接. 款接. 關接. 交接. 近接. 內接. 待接.
面接. 密接. 反接. 實接. 相接. 順接. 實接.
逆接. 延接. 連接. 迎接. 禮接. 容接. 熔接.
外接. 應接. 引接. 隣接. 直接. 親接.

8 ⑪ [控] 人名 ▤ 공 ㊊送 苦貢切 kòng
　　　　 ▤ 강 ㊌江 苦江切 qiāng

筆順 扌 扩 扩 扩 抌 控 控 控

字解 ▤ ①당길 공 ㉠잡아당김. '一弦'. '弦不
再'《班固》. ㉡당겨 못 가게 하거나 못하게
함. 제어함. '一馬'. '一壓'. ②고할 공 아룀.
'一訴'. '一于大邦'《詩經》. ③던질 공 투척함.
'時則不至, 而一於地而已矣'《莊子》. ▤ 칠 강
때림. '一其頤'《莊子》.
字源 篆文 納 形聲. 扌(手)+空〔音〕. '空공'은 빈
곳의 뜻. 활을 당겨서 활시위와의 공
간을 만들다의 뜻에서, '당기다'의 뜻을 나타
냄. 또, 파생하여, 가까운 사람이라 하여 끌어
당기다의 뜻도 나타냄.

[控捲 강권] 주먹으로 침. 권(捲)은 권(拳).
[控搏 공단] 생명을 아끼고 귀중히 여김.
[控勒 공륵] 공어 (控御).
[控馬 공마] 말의 고삐를 당김.
[控彎 공비] 고삐를 당겨서 제어함.
[控訴 공소] 제일심 (第一審)의 판결에 불복하여
상급 법원에 복심 (覆審)을 청구함. '항소(抗
訴)'의 구칭 (舊稱).
[控訴法院 공소법원] 공소 사건을 심리하는 법원.
'항소 법원(抗訴法院)'의 구칭 (舊稱).
[控壓 공압] 제어하여 누름.
[控御 공어] ㉠말을 어거함. ㉡남의 자유를 제어
하여 다스림.
[控駅 공어] 공어 (控御).
[控禦 공어] 당기어 못하게 하고 막음.
[控引 공인] 잡아당김.
[控制 공제] ㉠남의 자유를 제어 (制御) 함. ㉡진정
(鎭定) 함.
[控除 공제] 빼놓음. 빼어 버림.
[控弦 공현] ㉠활의 시위를 잡아당김. ㉡활을 잘
쏘는 병사. 궁수(弓手).
●罄控. 矯控. 歸控. 提控. 鎭控.

8 ⑪ [推] 中人 ▤ 추
　　　　 ▤ 퇴 (추⑯) ㊌支 叉隹切 tuī
　　　　　　　　　 ㊌灰 他回切 tuī

筆順 扌 扩 扦 扩 扩 拝 推 推

字解 ▤ ①옮을 추 천이 (遷移)함. '一移'. '寒
暑相一而歲成焉'《易經》. ②밀 추 ㉠밀어 올림.
나은 사람을 내세움. '一薦'. '一賢讓能'《書
經》. ㉡숭배하여 높이 받듦. 추앙함. '一戴'.
'乃是一國所一'《晉書》. ㉢밀어 올라가 캐어 냄.
연유를 캐어 냄. 궁구함. '一窮'. '有意其一本
之也'《漢書》. ▤ ①밀 퇴 ㉠뒤에서 밂. '一輓'.
'或輓之, 或一之'《左傳》. ㉡옮김. '一赤心置人
腹中'《後漢書》. ㉢밀어낼 공 양여함. '一食食
我'《史記》. ②밀어젖힐 퇴 밀어 엶. 또는, 배제
(排除) 함. '不一人危'《穀梁傳》.
字源 篆文 推 形聲. 扌(手)+隹〔音〕. '隹추'는 '出
出'과 통하여, '나다'의 뜻. 손으로
밀어내다의 뜻을 나타냄.

[推勘 추감] 추문(推問).
[推去 추거] 찾아내어 가져감.
[推擧 추거] 사람을 천거 (薦擧) 함. 추천.
[推古 추고] 옛날을 미루어 생각함.
[推考 추고] ㉠도리 (道理) 또는 사정을 미루어 생
각함. ㉡(韓) 관원 (官員)의 허물을 추문(推問)
하여 고찰(考察) 함.
[推故 추고] 거짓말로 핑계함.
[推敲 추고] 퇴고(推敲).
[推轂 추곡] ㉠수레를 뒤에서 밂. 전 (轉)하여, 추
천(推薦) 함. ㉡도움. 도와서 일을 성취시킴.
[推官 추관] 당(唐)나라 때에 관찰사 (觀察使) 밑
에 속하였던 벼슬 이름. 뒤에는 제주 (諸州)에
두었다가 송대 (宋代) 이후에는 각부 (各府)에
두어 주로 형벌에 관한 일을 관장하였음.
[推校 추교] 추고 (推考)●.
[推究 추구] 근본을 캐어 들어가며 연구함.
[推鞫 추국] 죄상 (罪狀)을 국문 (鞫問) 함.
[推鞫 추국] 추국 (推鞫).
[推窮 추궁] 잘못한 일에 대하여 엄하게 따져서
밝힘.
[推及 추급] 미루어 미침. 또, 미루어 미치게 함.
[推給 추급] 찾아서 내어 줌.
[推納 추납] 찾아서 바침.
[推奴 추노] 도망한 종을 찾아서 데려옴.
[推斷 추단] ㉠추측 (推測)하여 판단 (判斷) 함. ㉡
죄상 (罪狀)을 심문하여 처단 (處斷) 함.
[推談 추담] 핑계로 하는 말.
[推戴 추대] 떠받듦.
[推量 추량] 미루어 헤아림.
[推論 추론] ㉠사리를 미루어 논급 (論及) 함. ㉡기
지 (旣知)의 사실에 의하여 미지의 사실을 논단
(論斷) 함.
[推理 추리] 이치 (理致)를 미루어 생각함.
[推明 추명] 추리 (推理)하여 밝힘.
[推問 추문] 죄인을 심문함.
[推步 추보] 천체 (天體)의 운행 (運行)을 관측 (觀
測)하여 달력을 만드는 일.
[推服 추복] 추앙 (推仰)하여 복종함.
[推本 추본] 근본을 추구 (推究)함.
[推俸 추봉] 자기 급료 (給料)를 남에게 양보함.
[推辭 추사] 남에게 사양하고 자기는 거절함.
[推算 추산] 미루어 셈함. 미루어 헤아림.
[推上 추상] 바벨 (barbell)을 어깨 까지 올린 다음
머리 위로 천천히 들어 올리는 운동.
[推尙 추상] 존중함.
[推想 추상] 미루어 생각함. 또, 그 생각.
[推選 추선] 추천 하여 뽑음.
[推誠 추성] 자기의 참뜻을 남에게 전 (傳)하여 믿
도록 함.
[推頌 추송] 추존 (推尊) 하고 칭송 (稱頌) 함.
[推刷 추쇄] ㉠받을 것을 죄다 거두어들임. ㉡부
역 (賦役)·병역 (兵役)을 기피 (忌避)하거나 달
아난 노비를 색출하여 해당 장소로 보내던 일.
[推數 추수] 장래의 운수 (運數)를 미리 헤아려 앎.
[推食 추식] 음식을 사양 (辭讓)하여 남에게 권함.
[推尋 추심] 찾아내어 가져감.
[推仰 추앙] 높이 받들어 우러러봄.
[推讓 추양] 남을 밀어서 나아가게 하고 자기는
사양 (辭讓)함.
[推衍 추연] 추연 (推演).
[推演 추연] 미루어 넓힘.
[推閱 추열] 죄인을 심문 (訊問)함.

[推譽 추예] 추장(推奬).
[推原 추원] 근원을 추구(推究)함.
[推委 추위] 책임(責任)을 남에게 전가(轉嫁)함.
[推諉 추위] 추위(推委).
[推恩 추은] 은혜를 남에게 미루어 미치게 함.
[推挹 추읍] 추앙(推仰)함. 존중함.
[推移 추이] 변하여 옮김.
[推引 추인] 끌어올려 씀.
[推一事可知 추일사가지] 한 가지 일을 미루어 다른 모든 일을 알 수 있음.
[推奬 추장] 추천(推薦)하여 칭찬함.
[推定 추정] ㉠미루어 생각하여 판정(判定)함. 추측하여 정함. ㉡법률에서 어떠한 사실에 대하여 반대의 증거가 없는 이상 그것이 정당하다고 인정하는 일.
[推尊 추존] 추앙(推仰)하여 존경함.
[推重 추중] 추앙(推仰)하여 존중히 여김.
[推知 추지] 미루어 앎.
[推進 추진] 밀어 나아감.
[推進機 추진기] 원동력(原動力)에 의하여 움직여 선박(船舶)·비행기(飛行機) 등을 추진하는 장치(裝置). 프로펠러.
[推此可知 추차가지] 이 일을 미루어 다른 일을 알 수 있음.
[推捉 추착] 죄인을 찾아서 잡음.
[推察 추찰] 미루어 살핌.
[推薦 추천] 사람을 천거(薦擧)함.
[推築 추축] 옆에서 쿡쿡 찔러 의사를 통하거나 사정을 깨닫게 함.
[推測 추측] 미루어 생각함.
[推治 추치] 죄인을 심문하여 다스림.
[推託 추탁] ㉠다른 일을 핑계로 거절함. ㉡천거하여 일을 맡김.
[推擇 추택] 인재(人才)를 가려 등용(登用)함.
[推劾 추핵] 죄인을 심리(審理)함.
[推敲 퇴고] 시문(詩文)의 자구(字句)를 여러 번 고침. 당(唐)나라 시인 가도(賈島)가 승고월하문(僧敲月下門)이라는 시를 쓸 때에 밀 퇴(推)자를 쓸까 두드릴 고(敲)자를 쓸까 하고 생각에 잠겼다가 마침 지나가던 경조윤(京兆尹) 한퇴지(韓退之)의 행차하는 행렬에 부딪쳐 고(敲)자로 하라는 지도를 받았다는 고사에서 나온 말.
[推倒 퇴도] 밀어 넘어뜨림.
[推輓 퇴만] 수레를 뒤에서 밀고 앞에서 끎. 전(轉)하여, 추천함.
●究推. 輓推. 排推. 邪推. 上授下推. 選推. 類推.

⁸／_⑪ [掩] 人名 엄 ㉠琰 衣儉切 yǎn　*掩*

筆順　扌 扩 扩 扝 拚 挦 掩

字解 ①가릴 엄 안 보이게 하거나 막음. '一蔽'. '諺有一目捕雀'《後漢書》. ②숨길 엄 감춤. '一意打兒女'(본의는 아니면서 자식을 때림)《李義山雜纂》. ③닫을 엄 문을 닫음. '一門'. '席門常一'《南史》. ④엄습할 엄 불의에 침. '一擊'. '大夫不一辈'《禮記》. ⑤비호할 엄 뒤덮어서 보호함. '一護'. '矜憐, 撫一之也'《爾雅》.

字源 [篆文] 掩 形聲. 扌(手)+奄[音]. '奄엄'은 '가리다'의 뜻. 손으로 가리다의 뜻을 나타냄.

[掩蓋 엄개] ㉠가림. ㉡덮개. ㉢적(敵)의 탄환을 막기 위하여 참호(塹壕) 등의 위를 가리는 지붕.
[掩擊 엄격] 불시에 공격함. 적이 뜻하지 않는 사이에 침.
[掩口 엄구] 손으로 입을 가림.
[掩卷 엄권] 책을 덮고 독서(讀書)를 그만둠.
[掩卷輒忘 엄권첩망] 읽던 책을 덮고 나면, 곧 그 내용을 잊어버린다는 뜻으로, 기억력(記憶力)이 부족(不足)함의 비유.
[掩匿 엄닉] 덮어서 숨김.
[掩埋 엄매] 엄토(掩土).
[掩目捕雀 엄목포작] 참새를 잡는데 참새가 보고 날아갈까 두려워 자기의 눈을 가리고 잡는다는 뜻으로, 자기 자신을 기만(欺瞞)함의 비유.
[掩門 엄문] 문을 닫음.
[掩鼻 엄비] 냄새가 싫어서 코를 막음.
[掩伺 엄사] 남몰래 형편을 살핌.
[掩殺 엄살] 엄습하여 죽임.
[掩塞 엄색] 닫아 막아 가림.
[掩襲 엄습] 불시에 습격함. 뜻밖에 침.
[掩身 엄신] 가난하여 허름한 옷으로 겨우 몸만 가림.
[掩掩 엄엄] 향기가 대단히 나는 모양.
[掩苒 엄염] 바람이 초목을 불어 흔드는 모양.
[掩映 엄영] 막아 가림. 그늘지게 함.
[掩翳 엄예] ㉠가림. ㉡그늘.
[掩耀 엄요] 빛을 가림.
[掩泣 엄읍] 얼굴을 가리고 욺.
[掩意打兒女 엄의타아녀] 본의는 아니면서 자식을 때림.
[掩耳盜鈴 엄이도령] '엄이도종(掩耳盜鐘)'을 보라.
[掩耳盜鐘 엄이도종] 귀를 가리고 종을 훔친다는 뜻으로, 나쁜 짓을 하고 남의 비난을 받기 싫어하여도 아무 소용이 없다는 말.
[掩障 엄장] 병풍(屛風).
[掩迹 엄적] 잘못한 형적(形迹)을 가림.
[掩涕 엄체] 우는 얼굴을 가림.
[掩置 엄치] 숨겨 둠. 감추어 둠.
[掩土 엄토] 흙이나 덮어서 겨우 지내는 장사.
[掩討 엄토] 엄격(掩擊).
[掩閉 엄폐] 막아 닫음.
[掩蔽 엄폐] 보이지 않도록 가리어 숨김. 또, 그 물건.
[掩護 엄호] ㉠비호(庇護)함. ㉡적(敵)을 막아 자기편을 가려 보호함.
●干掩. 究掩. 撫掩. 掃掩. 圍掩. 隱掩. 持掩. 遮掩. 追掩. 討掩. 蔽掩.

⁸／_⑪ [措] 人名 ㊀조 ㊵遇 倉故切 cuò ㊁책 ㊼陌 側格切 zé　*措*

筆順　扌 扩 扩 扞 拑 措 措 措

字解 ㊀①놓을 조 ㉠둠. '一置'. '一之于參保介之御間'《禮記》. ㉡하던 것을 놓고 하지 아니함. '學之弗能, 弗一也'《中庸》. ②베풀 조 시행함. '擧而一之天下之民'《易經》. ③쓸 조 사용함. '時一之宜也'《中庸》. ④처리할 조 처치함. 조처함. '一置'. '一大'. ⑤거조 조 행동거지. '周惶失一'《李嶠》. ⑥섞을 조, 섞일 조 착(錯)(金部 八畫)와 통함. '內一齊管'《史記》. ㊁잡을 책 추포(追捕)함. 쫓아가 잡음. '迫一青徐盜賊'

《漢書》.
[字源] 篆文 形聲. 扌(手)＋昔(𥁓)〔音〕. '𥁓석'은 '날을 거듭하다'의 뜻. 다른 물건 위에 겹쳐 놓다의 뜻을 나타냄.

[措大 조대] 서생(書生). 큰일을 조처할 수 있다는 뜻으로, 서생의 미칭(美稱)으로 쓰였으나, 전(轉)하여, 조롱 또는 겸손의 뜻을 나타낼 때에도 씀.
[措辭 조사] 시문(詩文)의 어구(語句)의 배치.
[措手不及 조수불급] 일이 너무 촉급(促急)하여 손을 댈 여가가 없음.
[措止 조지] 조치(措置)㉡.
[措處 조처] 조치(措置)㉡.
[措置 조치] ㉠쌓아 둠. ㉡일을 처리함.
[措畫 조획] 조치(措置)㉡.
◉改措. 擧措. 規措. 注措. 廢措. 刑措.

8 ⑪ **[掫]** 추 [平]尤 子侯切 zōu

[字解] ①야경돌 추 야경(夜警)을 돎. '賓將一, 主人辭'《左傳》. ②성 추 성(姓)의 하나.
[字源] 篆文 形聲. 扌(手)＋取〔音〕. '取취'는 '꼭 가지다'의 뜻. 딱따기를 꼭 쥐고 야경돌다의 뜻을 나타냄.

◉干掫.

8 ⑪ **[揀]** 동 [上]董 覩動切 dǒng

[字解] 칠 동 두드림. '一, 打也'《玉篇》.

8 ⑪ **[掬]** 국 [入]屋 居六切 jū

[字解] ①움킬 국 두 손으로 움켜쥠. '舟中之指可一也'《左傳》. ②손바닥 국 수장(手掌). '受珠玉者以一'《禮記》.
[字源] 形聲. 扌(手)＋匊〔音〕. '匊국'은 '뜨다'의 뜻.
[參考] 匊(勹部 六畫)은 同字.

[掬弄 국롱] 물을 두 손으로 떠서 장난함.
[掬水 국수] 두 손을 오목히 하여 물을 뜸. 또, 그 물.
[掬壤 국양] 한 움큼의 흙.
[掬飮 국음] 물을 손으로 떠 마심.
◉手掬. 挹掬. 一掬. 舟中指可掬.

8 ⑪ **[掮]** 견 qián

[字解] 멜 견 짐을 짊어짐. '一, 俗謂以肩擧物也'《中華大字典》.

8 ⑪ **[掯]** [現] 긍 kèn

[字解] 《現》 ①주저할 긍 꾸물거리고 하려 하지 않음. ②억누를 긍 압복(壓伏)함. ③억지로 긍 무리하게.

8 ⑪ **[掜]** 예 ①[上]薺 研啓切 nǐ ②[去]霽 研計切 yì

[字解] ①비길 예 견줌. ②땅길 예 손의 심줄이 켕김. '兒子終日握, 而手不一'《莊子》.

8 ⑪ **[捱]** 애 [平]佳 宜佳切 ái

[字解] ①막을 애 항거함. ②늘어질 애 길어져 느슨하여짐.
[字源] 形聲. 扌(手)＋厓〔音〕

8 ⑪ **[掙]** 쟁 [平]庚 初耕切 zhèng

[字解] 찌를 쟁 뾰족한 물건을 들이밂.
[字源] 形聲. 扌(手)＋爭〔音〕

8 ⑪ **[掂]** 점 [平]鹽 丁廉切 diān

[字解] 손대중할 점 손으로 물건의 무게를 헤아림. '一, 手量一也'《字彙》.
[字源] 形聲. 扌(手)＋店〔音〕

8 ⑪ **[掝]** [一] 혹 [入]職 獲北切 huò [二] 획 [入]陌 呼麥切 huò

[字解] [一] 흐릴 혹 혼몽함. '以己之潐潐, 受人之一一'《荀子》. [二] 찢을 획, 째질 획 擭(手部 十二畫)과 同字.

8 ⑪ **[掚]** 량 [上]養 里養切 [去]漾 力讓切 liǎng

[字解] 꾸밀 량 장식(裝飾)함. '一, 整飾也. 春秋傳曰, 御下一馬'《集韻》.

8 ⑪ **[揊]** 〔비〕
畀(田部 三畫〈p. 1462〉)와 同字

8 ⑪ **[掹]** 〔증〕
拯(手部 六畫〈p. 865〉)과 同字

8 ⑪ **[掴]** 〔도〕
擣(手部 十四畫〈p. 913〉)와 同字

8 ⑪ **[揔]** 〔총〕
摠(手部 十一畫〈p. 903〉)의 俗字

9 ⑬ **[揅]** 〔연〕
擘(手部 十一畫〈p. 899〉)의 俗字

9 ⑬ **[掔]** 완 [去]翰 烏貫切 wàn

[字解] 팔뚝 완 腕(肉部 八畫)과 同字. '麗于一'《儀禮》.
[字源] 篆文 形聲. 手＋臤〔音〕. '臤완'은 '도려내다'의 뜻. 손으로 도려내듯이 꽉 쥐다의 뜻을 나타내며, 또, 그 '팔·손목'의 뜻을 나타냄.

9 ⑬ **[揫]** 추 [平]尤 即由切 jiū

[字解] 모을 추 모이게 함. '一斂九藪之動物'《馬融》.
[字源] 篆文 形聲. 手＋秋(烁)〔音〕. '烁추'는 농작물을 모아 묶다의 뜻.

9 ⑬ **[掣]** 삭 [入]覺 所角切 xiāo(shuò)

[字解] ①팔날씬할 삭 팔이 가늘고 긴 모양. '一, 長臂皃'《廣韻》. ②빨 삭 끝이 예리하게 뾰족한 모양. '望其輻, 欲其一爾而纖也'《周禮》.
[字源] 篆文 形聲. 手+削〔音〕. '削삭'은 '깎다'의 뜻. 가늘게 깎다의 뜻. 또, 팔이 가늘고 길다의 뜻을 나타냄.

9 ⑬ [搫] 방 [平]陽 博旁切 bāng

[字解] ①막을 방 방위(防衛)함. 지킴. '一, 捍也, 衛也'《集韻》. ②벌여놓을 방 나란히 늘어놓음. '一, 竝也'《集韻》.

9 ⑫ [揝] 잠 ①[上]感 子感切 zǎn ②《現》 zuàn

[字解] ①손떨릴 잠 攢(手部 十二畫)과 同字. '一, 手動也'《集韻》. ②《現》쥘 잠, 잡을 잠

9 ⑫ [掾] 연 [去]霰 以絹切 yuàn

[字解] 아전 연 하급 관리. 속관. '一吏'. '王導辟爲一'《晉書》.
[字源] 篆文 形聲. 扌(手)+彖〔音〕. '彖연'은 가를 돌다의 뜻. 그다지 중요하지 않은 주변적인 일을 다루다의 뜻에서, '돕다, 하급 관리'의 뜻을 나타냄.

[掾吏 연리] 하급 관리. 속관.
[掾史 연사] 연리(掾吏).
◉計掾. 郡掾. 老掾. 三語掾. 書掾. 丞掾. 縣掾.

9 ⑫ [揀] [人名] [一] 간 [上]潸 古限切 jiǎn 拣 [二] 련 [去]霰 郎甸切

[筆順] 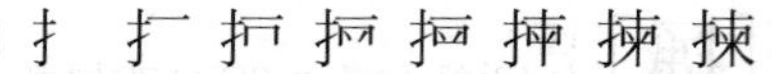

[字解] [一] 가릴 간 ㉠구별함. 분간함. '博愛容衆, 無所一擇'《魏志》. ㉡간발(簡拔)함. 뽑음. '選一召募官健三千人'《舊唐書》. [二] 가릴 련 [一]과 뜻이 같음.
[字源] 形聲. 扌(手)+柬〔音〕. '柬간'은 '가리다'의 뜻. '手수'를 더하여, '뽑다'의 뜻을 나타냄.

[揀選 간선] ㉠사람을 선택(選擇)함. ㉡선발(選拔)한 후에 임명함.
[揀擇 간택] ㉠가림. 구별함. ㉡《韓》왕자(王子)·왕녀(王女)의 배우자(配偶者)를 고름.
◉分揀. 選揀. 閱揀. 料揀. 汰揀.

9 ⑫ [揃] 전 [上]銑 卽淺切 jiǎn

[字解] ①자를 전 분단(分斷)함. 翦(羽部 九畫)과 同字. '一剽'. '公旦自一其爪, 以沈於河'《史記》. ②뽑을 전 뽑아냄. '吾年五十, 拭鏡一白'《唐書》.
[字源] 篆文 形聲. 扌(手)+前(歬)〔音〕. '歬전'은 '剪전'의 原字로, '베다'의 뜻. '手수'를 더하여, 가지런히 베다의 뜻을 분명히 함.

[揃落 전락] 멸망시킴. 망쳐 버림.
[揃刈 전예] 가지런히 자름.
[揃平 전평] 베어 평정(平定)함.
[揃剽 전표] 잘라 가름.

9 ⑫ [揄] [人名] [一] 유 [平]虞 羊朱切 yú [二] 요 [平]蕭 餘招切 yáo

[字解] [一] ①끌 유 질질 끎. '一長袂'《史記》. ②빈정거릴 유 조롱함. '揶一'. '市人皆大笑, 擧手邪一之'《後漢書》. ③퍼낼 유 절구질한 곡식을 퍼냄. '或舂或一'《詩經》. [二] 요적(揄狄) 옷 요 꿩을 수놓은 옛날의 귀부인(貴婦人)의 옷. 褕(衣部 九畫)와 통용. '夫人一狄'《禮記》.
[字源] 篆文 形聲. 扌(手)+兪〔音〕. '兪유'는 뽑아 내다의 뜻. 손으로 뽑아내다, 끌어내다의 뜻을 나타냄.

[揄狄 요적] 꿩을 수놓은 옛날 귀부인의 옷.
[揄袂 유메] 소매가 길게 늘어짐. 또, 그 소매.
[揄揚 유양] ㉠끌어올림. ㉡칭찬함. 박수갈채함.
◉挑揄. 邪揄. 選揄. 揶揄. 樞揄.

9 ⑫ [揗] 순 [上]軫 食尹切 xún [去]震 食閏切

[字解] ①어루만질 순 위로(慰勞)함. '一, 摩也. (段注) 廣雅曰手相安慰也, 今人撫循字, 古蓋作一'《說文》. ②좇을 순 순종함. 循(彳部 九畫)과 통용. '一, 順也'《廣雅》.
[字源] 篆文 形聲. 扌(手)+盾〔音〕. '盾순'은 '循순'과 통하여, '좇다, 순종하다'의 뜻을 나타냄.

9 ⑫ [揆] [人名] 규 [上]紙 求癸切 kuí

[筆順] 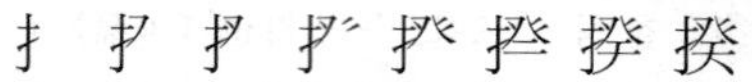

[字解] ①헤아릴 규 상량(商量)함. '一度'. '一之以日'《詩經》. ②법도 규 법칙. 도(道). '一一'. '先聖後聖, 其一一也'《孟子》. ③꾀 규 계략. '一策'. '內參機一'《北史》. ④벼슬 규, 벼슬아치 규 관직. 또는 관리. '百一均任'《魏志》. ⑤재상 규 대신. '桓溫居一'《晉書》.
[字源] 篆文 形聲. 扌(手)+癸〔音〕. '癸규'는 '헤아리다'의 뜻. 뒤에, '手수'를 더하여, '헤아리다'의 뜻을 분명히 함.

[揆敍 규서] 헤아려 차례를 정함.
[揆一 규일] 그 도(道)는 모두 동일함.
[揆地 규지] 재상의 지위(地位).
[揆策 규책] 계책(計策).
[揆度 규탁] 헤아림.
◉機揆. 納揆. 端揆. 道揆. 百揆. 省揆. 首揆. 右揆. 一揆. 左揆. 準揆. 測揆. 度揆.

9 ⑫ [揉] 유 ①-③[平]尤 耳由切 róu ④⑤[上]有 忍九切 róu

[字解] ①주무를 유 손으로 주물러 부드럽게 함. '暖手一雙目'《王建》. ②순하게할 유 유순하게 함. '一此萬邦'《詩經》. ③섞일 유 한데 섞임. 난잡함. '雜一'. '事跡錯一'《史通》. ④휠 유 구부러지게 함. '一木爲耒'《史記》. ⑤바로잡을 유 구부러짐과 곧음을 바로잡음. '一, 直也'《廣雅》.
[字源] 形聲. 扌(手)+柔〔音〕. '柔유'는 '부드럽다'의 뜻. 손으로 부드럽게 하다, 주무르다의 뜻을 나타냄.

◉矯揉. 紛揉. 雜揉. 錯揉.

9 ⑫ [揜] 연 ㊤銑 以轉切 yǎn

[字解] 움직일 연 가만히 있지 않음. 抁(手部 四畫)과 同字.

9 ⑫ [揎] 선 [平]先 須緣切 xuān

[字解] 걷을 선 소매를 걷어 올려 어깨를 드러냄. '玉腕半—雲碧袖'《蘇軾》.
[字源] 形聲. 扌(手)+宣〔音〕

9 ⑫ [搦] 낙 [入]覺 昵角切 nuò

[字解] 잡을 낙 쥠. '—, 手—也'《篇海》.

9 ⑫ [描] [人名] 묘 [平]蕭 武瀌切 miáo

[筆順] 扌 扌 扌 扌 措 措 描 描

[字解] 그릴 묘 묘사함. '—畫'. '嘗以左手—寫'《圖繪寶鑑》.
[字源] 形聲. 扌(手)+苗〔音〕. '苗묘'는 '貌모'와 통하여, 모양, 형태의 뜻. 물건의 모양을 손으로 그리다의 뜻을 나타냄.

[描摸 묘모] 묘사(描寫).
[描摹 묘모] 묘모(描摸).
[描寫 묘사] 사물(事物)을 있는 그대로 그림.
[描畫 묘화] 그림을 그림.
◉白描. 線描. 素描. 點描. 寸描.

9 ⑫ [提] [高人] [一] 제 ①-⑥[平]齊 杜奚切 tí ⑦⑧㊤薺 典禮切 dǐ [二] 시 [平]支 是支切 shí

[筆順] 扌 扣 押 担 捍 捍 提 提

[字解] [一] ①끌 제 손으로 끎. 끌고 감. '長者與之—攜'《禮記》. ②들 제 손에 가짐. '范蠡乃左—鼓'《國語》. ③걸 제 게시(揭示)함. '—名責實'《淮南子》. ④거느릴 제 통솔함. '—督'. ⑤점잖이걸을 제 '好人——'《詩經》. ⑥던질 제 투척함. '太后以冒絮—文帝'《史記》. ⑦끊을 제 단절함. '離而不—心'《禮記》. ⑧성 제 성(姓)의 하나. [二] 떼지어날 시 '歸飛——'《詩經》.
[字源] 篆文 形聲. 扌(手)+是〔音〕. '是시'는 숟가락총이 길게 내밀린 '수저'의 뜻. 팔을 내밀어 들다의 뜻을 나타냄.

[提提 시시] 새가 떼 지어 나는 모양.
[提綱 제강] 제요(提要).
[提擧 제거] ㉠관리(管理)함. ㉡감독관(監督官).
[提擊 제격] 무기를 들고 침.
[提供 제공] 바치어 이바지함.
[提控 제공] 끌어당겨 제어(制御)함. 견제(牽制).
[提琴 제금] ㉠명(明)·청(淸) 때의 현악기의 하나. 호금(胡琴). ㉡바이올린.
[提起 제기] ㉠들어 올림. ㉡말을 꺼냄. ㉢제출(提出).
[提督 제독] ㉠군대를 거느리는 사람. ㉡청(淸)대에 성(省)의 군사(軍事)를 맡은 벼슬. ㉢함대(艦隊)의 사령관(司令官).
[提頭 제두] 문장 중의 천자(天子)에 관한 글자를 다른 줄의 처음에 옮겨 써서 경의(敬意)를 표하는 일.
[提燈 제등] ㉠손에 들고 다니는 등(燈). ㉡《佛敎》 등불을 들고 부처님 앞에서 축원하는 일.

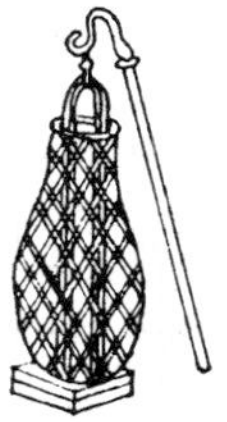
〔提燈㉠〕

[提封 제봉] 봉강(封疆). 영지(領地).
[提挈 제설] ㉠손에 듦. ㉡제시(提示)함. 게시(揭示)함. ㉢손을 끎. 서로 도움.
[提醒 제성] 잊어버린 것을 깨우침.
[提示 제시] 어떠한 의사를 드러내어 보임.
[提撕 제시] ㉠손에 듦. ㉡후진(後進)을 이끎. 가르쳐 인도함. ㉢떨쳐 일으킴.
[提握 제악] 손에 꼭 듦.
[提案 제안] 의안(議案)을 제출(提出)함. 또, 그 의안.
[提掖 제액] 도와 인도(引導)함.
[提要 제요] 요점을 듦. 요령(要領)을 제시함.
[提議 제의] 의론(議論)을 제출함.
[提耳面命 제이면명] 귀를 쥐고 얼굴을 맞대어 명령한다는 뜻으로, 친절히 가르쳐 줌을 이름.
[提提 제제·시시] ㉠점잖이 걷는 모양. ㉡조용한 모양. 침착한 모양. ㉢'시시(提提)'를 보라.
[提唱 제창] ㉠처음으로 주장함. 제시하여 창도(唱道)함. ㉡《佛敎》 종지(宗旨)의 대강(大綱)을 들어서 그 의의를 설명함.
[提出 제출] 의견(意見)이나 안건(案件)을 내어 놓음.
[提刑 제형] 지방에서 형벌·옥사(獄舍)의 일을 맡은 벼슬.
[提衡 제형] 서로 같음. 서로 동등함.
[提携 제휴] ㉠서로 손을 끎. ㉡서로 도와줌. ㉢주의·의견이 같은 사람들이 연합함.
[提攜 제휴] 제휴(提携).
◉煩惱卽菩提. 善提. 奉提. 攝提. 閻浮提. 前提. 左提. 招提. 槌提. 孩提.

9 ⑫ [揞] 암 ㊤感 烏感切 ǎn [去]勘 烏紺切

[字解] ①감출 암 넣어 둠. '—, 藏也'《廣雅》. ②덮을 암 손으로 덮음. '—, 手覆'《廣韻》.

9 ⑫ [插] [人名] 삽 [入]洽 楚洽切 chā

[筆順] 扌 扌 扦 扦 插 插 插 插

[字解] ①꽂을 삽 ㉠꼭 끼워 있게 함. '—入'. '使妃嬪輩爭—艷花'《開元遺事》. ㉡박아 세움. '露檄—羽'《漢書 註》. ②가래 삽 鍤(金部 九畫)과 同字. '立則杖—'《戰國策》.
[字源] 篆文 形聲. 扌(手)+臿〔音〕. '臿삽'은 절구에 절굿공이를 꽂아 넣은 모양의 會意 문자. '手수'를 더하여, '꽂다'의 뜻을 나타냄.
[參考] ①揷(次條)은 俗字. ②插(手部 七畫)은 '揷'의 略字.

[插架 삽가] 서가(書架).
[插匙 삽시] 숟가락을 밥그릇에 꽂음.
[插秧 삽앙] 볏모를 꽂음.
[插羽 삽우] 군대를 소집하는 격문(檄文)에 새의

깃을 꽂는 일. 지급(至急)함을 표시하기 위함임.
[插入 삽입] 끼워 넣음. 꽂아 들여보냄.
[插紙 삽지] 인쇄(印刷)할 때 기계(機械)에 종이를 먹임.
[插筆 삽필] 써 넣음. 기입함. 가필(加筆).
[插花 삽화] 꽃을 꽂음.
[插畫 삽화] 설명(說明)을 똑똑히 하기 위하여 서적·잡지·신문 등에 끼워 넣는 그림.
[插話 삽화] 문장·담화 가운데에 끼워 넣은, 본줄기와는 직접 관련이 없는 이야기. 에피소드.
◉亂插. 斜插. 散插. 秧插. 銀釵插. 雜插. 栽插. 種插. 表插.

9 ⑫ [揷] [人名] 插(前條)의 俗字
[筆順] 扌 扌 扌 扦 扦 扦 揷 揷

9 ⑫ [揕] 침 [去]沁 知鴆切 zhèn
[字解] 찌를 침 뾰족한 것을 들이밂. '手持匕首—之'《史記》.
[字源] 形聲. 扌(手)＋甚〔音〕

9 ⑫ [揬] 돌 [入]月 陀骨切 tú
[字解] ①찌를 돌, 문지를 돌 '—, 衝—也'《玉篇》. '—, 揩也'《一切經音義》. ②닿을 돌 부딪침. '塘—, 觸也'《集韻》.
[字源] 形聲. 扌(手)＋突〔音〕. '突돌'은 '찌르다'의 뜻. 손으로 찌르다의 뜻을 나타냄.

9 ⑫ [揈] [一] 횡 [平]庚 呼宏切 hōng [二] 현 [去]霰 翾縣切 xuàn [三] 국 [入]屋 居六切 jū
[字解] [一] ①칠 횡 또, 치는 소리. '—, 擊也'《集韻》. '—, 擊聲'《廣韻》. ②휘두를 횡 '—, 揮也'《集韻》. ③《現》쫓을 횡 '—走'. [二] 칠 현 '掏, 博雅, 擊也. 或从旬'《集韻》. [三] 움킬 국 두 손으로 움켜쥠. 掬(手部 八畫)과 통용.

9 ⑫ [揖] [人名] [一] 읍 [入]緝 伊入切 yī [二] 집 [入]緝 卽入切 jí
[字解] [一] ①읍할 읍 공수(拱手)하고 절함. '—讓'. '—巫馬斯而進之'《論語》. ②사양할 읍 사퇴함. '—大福之恩'《漢書》. [二] 모일 집 한데 모임. 輯(車部 九畫)과 통용. '螽斯羽, ——兮'《詩經》.
[字源] 篆文 形聲. 扌(手)＋咠〔音〕. '咠집·읍'은 '모으다'의 뜻. 좌우의 손을 가슴에 모았다가 앞으로 내미는 예(禮)의 뜻을 나타냄.

[揖別 읍별] 읍(揖)하고 헤어짐. 인사하고 헤어짐.
[揖遜 읍손] 읍양(揖讓).
[揖讓 읍양] ㉠읍(揖)하여 겸손한 뜻을 표시함. ㉡천자(天子)의 지위를 서로 양여(讓與)하는 일. 선양(禪讓). 방벌(放伐)의 대(對).
[揖揖 집집] 모이는 모양.
◉拱揖. 端揖. 拜揖. 三揖. 肅揖. 聳揖. 長揖. 獻揖.

9 ⑫ [揚] [中人] 양 [平]陽 與章切 yáng 扬
[筆順] 扌 扌 扌 扌 担 担 捍 揚

[字解] ①오를 양 위로 떠오름. '飛—'. '浮—'. ②날 양 ㉠하늘을 낢. '中強則—'《周禮》. ㉡바람에 흩날림. '塵不—'《列子》. ③날릴 양 날게 함. 전(轉)하여, 이름 따위를 들날림. '一名於後世'《孝經》. ④나타날 양 드러남. '滿內而外—'《楚辭》. ⑤나타낼 양 드러냄. '顯—'. '宣—'. ⑥칭찬할 양 찬양함. '稱—'. '褒—'. ⑦도끼 양 '干戈戚—'《詩經》. ⑧땅이름 양 구주(九州)의 하나. 북쪽은 회수(淮水)를 경계로 하고 남쪽은 바다에 이르는 지역. 곧, 지금의 저장(浙江)·장시(江西)·푸젠(福建)의 제성(諸省). '淮海惟—州'《書經》. ⑨성 양 성(姓)의 하나. ⑩《韓》흉배(胸背) 양 관복(官服)의 가슴과 등에 붙이는 수놓은 헝겊 조각. '無—黑團領'은 흉배를 달지 않은 관복.

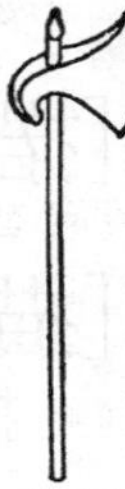
〔揚⑦〕

[字源] 甲骨文 金文 篆文 形聲. 扌(手)＋昜〔音〕. '昜양'은 '해가 뜨다'의 뜻. '手수'를 더하여, '오르다'의 뜻을 나타냄.

[揚歌 양가] 큰 소리로 노래를 부름.
[揚揭 양게] '게양(揭揚)'과 같음.
[揚歷 양력] ㉠발탁하여 그의 재능을 시험하여 봄. ㉡기왕(旣往)의 사실을 널리 알림.
[揚錨 양묘] 닻을 걷어 올림.
[揚眉 양미] ㉠눈썹을 쳐들고 봄. ㉡원기(元氣)가 왕성한 모양.
[揚水 양수] 물을 자아올림.
[揚揚 양양] 뜻을 이루어 만족한 모양. 득의(得意)한 모양.
[揚揚自得 양양자득] 뜻을 이루어 뽐내는 모양.
[揚言 양언] 소리를 높여 말함. 공언(公言)함.
[揚州 양주] 자해(字解) ❽을 보라.
[揚州夢 양주몽] 가장 번화한 양저우(揚州)에서 호화롭게 놀던 옛날의 추억.
[揚州之鶴 양주지학] 모든 낙(樂)을 일신(一身)에 모으려고 함의 비유.
[揚擲 양척] 들어 올려 던짐.
[揚簸 양파] 까부름.
[揚鞭 양편] 채찍을 듦. 씩씩하게 말을 몲을 이름.
◉揭揚. 激揚. 高揚. 光揚. 對揚. 騰揚. 發揚. 浮揚. 奮揚. 飛揚. 賞揚. 宣揚. 扇揚. 煽揚. 升揚. 我武維揚. 昂揚. 抑揚. 搖揚. 悠揚. 鷹揚. 意氣揚揚. 引揚. 旌揚. 止揚. 贊揚. 闡揚. 稱揚. 播揚. 簸揚. 褒揚. 飄揚. 顯揚.

9 ⑫ [揟] 구 [上]麌 果羽切 jǔ
[字解] 성 구 성(姓)의 하나.

9 ⑫ [揆] 규 [平]齊 苦圭切 kuī
[字解] ①걸 규 갈고리에 걸리게 함. 당겨 붙임. '—, 中鉤'《廣韻》. ②찌를 규, 찔 규 刲(刀部 六畫)와 同字. '刲, 說文, 刺也. 或作—'《集韻》.

9 ⑫ [揢] 객 [入]陌 苦格切 kè

字解 ①움켜질 객 가짐. 손에 쥠. '一, 手把著也'《廣韻》. ②잡을 객 체포함. '一, 搊也'《集韻》.

9 ⑫ [捘] 수 ㉤尤 所鳩切 sōu

字解 ①찾을 수 수색함. 搜(手部 十畫)와 同字. '大一上林'《漢書》. ②화살소리 수 화살이 빨리 나는 소리. '束矢其一'《詩經》.
字源 形聲. 扌(手)+夋〔音〕. '夋수'는 손으로 더듬다의 뜻. '搜수'의 原字. '夋'가 假借로서 다른 뜻으로 쓰이게 되매, '手수'를 덧붙임. 뒤에 '搜'로 바뀜.

9 ⑫ [換] 高人 환 ㉦翰 胡玩切 huàn

筆順 扌 扩 扩 捔 捪 換 換 換

字解 ①바꿀 환 교환함. '一易', '以金貂一酒'《晉書》. ②갈 환 교체됨. '一衣', '宜選才幹之士, 往一之'《韓愈》. ③바뀔 환, 갈릴 환 교체됨. 변이(變移)함. '一局', '物一星移幾度秋'《王勃》. ④고칠 환 변경함. '變一'. '損益修一四千四百餘事'《宋史》.
字源 形聲. 扌(手)+奐〔音〕. '奐환'은 전의 것과 바꾸다의 뜻. '手수'를 덧붙여, 동작을 분명히 함.

[換家 환가] 집을 서로 바꾸어 듦.
[換價 환가] 값으로 환산함. 또, 그 값.
[換穀 환곡] 곡식(穀食)을 서로 바꿈.
[換骨奪胎 환골탈태] 고인(古人)의 시문(詩文)의 뜻을 따고 그 어구(語句)만 고치어 자기의 시문으로 하는 일.
[換局 환국] 시국(時局) 또는 판국(版局)이 바뀜.
[換氣 환기] 공기(空氣)를 바꾸어 넣음.
[換名 환명] 물건과 물건을 직접 서로 바꿈.
[換名 환명] 남의 성명(姓名)으로 행세(行世)함.
[換父易祖 환부역조] 문벌(門閥)의 지체를 높이기 위하여 부정(不正)한 수단으로 절손(絶孫)된 양반(兩班)의 집을 이어 자기의 조상을 바꾸는 일.
[換算 환산] 단위(單位)가 다른 수량으로 고치어 계산함.
[換歲 환세] 해가 바뀜. 새해가 됨.
[換心腸 환심장]《韓》 마음이 전보다 나쁘게 아주 달라짐.
[換鵝 환아] 진(晉)나라의 왕희지(王羲之)가 도사(道士)의 부탁을 받아 도덕경(道德經)을 베껴 주고 그 답례로 거위를 얻은 고사(故事). 전(轉)하여, 필적(筆跡)의 뜻으로 쓰임.
[換言 환언] 바꾸어 말함.
[換用 환용] 바꾸어 씀.
[換銀 환은] 환전(換錢).
[換衣 환의] 옷을 갈아입음.
[換腸 환장]《韓》환심장(換心腸).
[換錢 환전] 서로 종류가 다른 화폐와 화폐 또는 화폐와 지금(地金)을 교환하는 일.
[換節 환절] 계절이 바뀜.
[換質 환질] 질을 바꿈.
[換票 환표] ㉠표를 바꿈. 또, 그 표. ㉡선거에 있어서 어떤 후보자를 당선시킬 목적으로 다른 후보자의 표를 줄이고 그 후보자의 표를 늘이기 위하여 표를 바꿔치는 일.

[換品 환품] 물품을 다른 물품과 바꿈.
[換刑 환형] 벌금 또는 과료(科料)를 바치지 못한 사람을 구류(拘留) 처분하는 일.
[換形 환형] 모양이 전과 달라짐.
●改換. 更換. 交換. 變換. 乘換. 易換. 引換. 轉換. 替換. 招換. 抽換. 置換. 兌換. 互換.

9 ⑫ [揗] ㊀유 ㊤紙 愈水切 wěi ㊁타 ㊤哿 吐火切 tuǒ

字解 ㊀①버릴 유 내버림. '一, 棄也'《廣雅》. ②잡을 유 손에 쥠. '捫摸曰一'《一切經音義》. ㊁①떨어뜨릴 타 떨어지게 함. '一, 俗云, 落'《玉篇》. ②헤아릴 타 셈. '一, 揣也'《集韻》. ③잴 타 높이를 잼. '一, 揣也'《集韻》.

9 ⑫ [揗] 문 ㊤吻 武粉切 wěn

字解 닦을 문 씻음. 抆(手部 四畫)과 同字.
字源 形聲. 扌(手)+昏(昏)〔音〕.

9 ⑫ [揠] 알 ㊤點 烏黠切 yà

字解 뽑을 알 박혀 있는 것을 뽑아냄. '宋人有閔其苗之不長而一之者'《孟子》.
字源 形聲. 扌(手)+匽〔音〕. '匽언'은 '누르다'의 뜻. 풀이나 나무 따위를 꼭 눌러 놓고 그 심을 빼다의 뜻을 나타냄.

9 ⑫ [揌] 시 ㉠灰 蘇來切 sāi

字解 ①움직일 시 '一, 動也'《廣雅》. ②가릴 시 선택함. '一, 擇也'《集韻》.

9 ⑫ [揜] 엄 ㊤琰 衣儉切 yǎn

字解 ①가릴 엄 掩(手部 八畫)과 同字. '一蔽浮雲一日'《傳習錄》. ②곤박할 엄 고생함. '篤以不一'《禮記》. ③빠를 엄 빨리 돌아가는 모양. '一乎反鄉'《司馬相如》. ④이을 엄 계승함. '能一迹於文武'《荀子》.
字源 形聲. 扌(手)+弇〔音〕. '弇엄'은 '奄엄'과 통하여, '가리다'의 뜻. 뒤에 '手수'를 덧붙임.

[揜匿 엄닉] 가리어 감춤.
[揜耳偸鈴 엄이투령] '엄이도종(掩耳盜鐘)'과 같음.
[揜取 엄취] 덮어 가리어 잡음.
[揜蔽 엄폐] 가리어 감춤. 가림.
[揜乎 엄호] 빨리 돌아가는 모양.

9 ⑫ [摯] 치 ㊧寘 陟利切 zhì

字解 ①찌를 치 '一, 刺也'《說文》. ②이를 치 도달함. 다다름. '一, 一曰, 刺之財至也'《說文》. ③질 치 손으로 두드림. '一, 一曰, 搏也'《集韻》. ④뺏을 치 재물 같은 것을 약탈함. '一, 又劫財也'《集韻》.
字源 形聲. 扌(手)+致〔音〕. '致치'는 '이르다, 미치다'의 뜻. 손으로 찔러 다다르다의 뜻을 나타냄.

9 ⑫ [握] 人名 악 ㊀覺 於角切 wò

字解 ①쥘 악 ㉠주먹을 쥠. '終日一而手不挽'《莊子》. ㉡손에 쥠. '掌一' '一粟出卜'《詩經》. ㉢잡음. 점유(占有)함. '且一權則爲卿相'《揚雄》. ②줌 악 주먹으로 쥘 만한 분량. 또는, 그 만한 크기. 한 움큼. '宋廟之牛, 角一'《禮記》. ③주먹 악 '汗沾兩一色如茱'《陸游》. ④손아귀 악 수중. '金丹滿一'《李白》. ⑤손잡이 악 쥐는 곳. '箭籌長尺有一'《儀禮》. ⑥장막 악. 휘장 악 幄(巾部 九畫)과 통용. '翟車貝面, 維總有一'《周禮》.

字源 篆文 形聲. 扌(手)+屋〔音〕. '屋옥'은 부드럽게 싸다의 뜻. 손 안에 싸서 넣다, 쥐다의 뜻을 나타냄.

[握乾統坤 악건통곤] 천자(天子)의 자리에 올라 천하를 다스림.
[握力 악력] 물건을 쥐는 힘.
[握沐 악목] 악발(握髮).
[握髮 악발] 인재(人材)를 구하려고 애씀의 비유. 옛날, 주공(周公)이 감던 머리를 쥐고 방문(訪問)한 인사(人士)를 지체하지 않고 만났다는 고사(故事)에서 온 말. 악목(握沐).
[握符之尊 악부지존] 천지(天地)의 부서(符瑞)를 잡은 높은 지위. 곧, 천자(天子)의 자리.
[握手 악수] ㉠두 사람이 서로 손을 마주 잡아 친밀한 정을 표시함. ㉡죽은 사람을 위하여 쓰는 도구(道具)의 이름. ㉢서양식 예법으로서 반가워하거나 또는 사화(私和)하는 뜻을 나타내기 위하여 서로 손을 마주 잡는 일.
[握兩把汗 악양파한] 두 손에 땀을 쥠. 다급할 때 몹시 두려워함. 악한(握汗).
[握月擔風 악월담풍] 달을 손아귀에 넣고 바람을 어깨에 메었다는 뜻으로, 풍월(風月)을 무척 사랑함의 표현.
[握齱 악착] '악착(齷齪)'과 같음.
[握齺 악추] 악착(握齱).
◉兼握. 拳握. 捲握. 秉握. 一握. 掌握. 提握. 吐握. 把握.

9 ⑫ [揣] 췌(취本) ㊤紙 初委切 chuǎi

字解 ①헤아릴 췌 ㉠촌탁함. 추측함. '一度'. '善用天下者, 必一諸侯之情'《鬼谷子》. ㉡잼. 측량함. '不一其本, 而齊其末'《孟子》. ②시험할 췌 뜻을 알아봄. '令褘往一延意指'《蜀志》. ③불릴 췌 금속을 단련함. '一而銳之'《老子》. ④성 췌 성(姓)의 하나.

字源 篆文 形聲. 扌(手)+耑〔音〕. '耑단'은 사물의 시작의 뜻. 시작함에 있어서, 이것저것 헤아리다의 뜻을 나타냄.

[揣摩 췌마] 자기의 마음으로 남의 마음을 헤아림.
[揣時 췌시] 시세를 헤아려 짐작함.
[揣知 췌지] 헤아려 앎.
[揣度 췌탁] 헤아림. 촌탁(忖度).
[揣探 췌탐] 헤아려서 알아냄.
◉究揣. 鉤揣. 譏揣. 磨揣. 不揣. 研揣.

9 ⑫ [揋] 외 ㊥灰 烏回切 wēi

字解 끌 외 잡아끎. '一, 掎也'《集韻》.

9 ⑫ [揥] 체 ㊦霽 他計切 tì, dì

字解 ①빗치개 체 가르마를 타는 제구. '象之一也'《詩經》. ②버릴 체 내버림. '意徘徊而不能一'《陸機》.

字源 形聲. 扌(手)+帝〔音〕. '帝제'는 '摘적'과 통하여, 손끝으로 쥐다의 뜻. 머리털을 손끝으로 쥐듯이 쓸어 올리기 위한 도구, '빗치개'의 뜻을 나타냄.

9 ⑫ [揩] 개 ㊥佳 口皆切 kāi

字解 ①닦을 개 씻음. '歎息無言一病目'《蘇軾》. ②지울 개 말소함. '皆有一字注字處'《韓愈》.

字源 形聲. 扌(手)+皆〔音〕

9 ⑫ [揭] 人名 게(계本) ㊦霽 去例切 qì

筆順 扌 扌 扣 押 捍 捍 揭 揭

字解 ①들 게 높이 듦. 고거(高擧)함. '一揚'. '一竿爲旗'《漢書》. ②걸 게 게시함. '一貼'. '偏牒諸路, 昭一通衢'《癸辛雜識》. ③질 게 등에 짐. '數賜縑帛, 擔一而去'《史記》. ④걷을 게 옷의 아랫도리를 걷음. '淺則一'《詩經》.

字源 篆文 形聲. 扌(手)+曷〔音〕. '曷갈'은 '걸다'의 뜻. '手수'를 더하여 '높이 걸다'의 뜻을 나타냄.

[揭竿 게간] ㉠장대를 세움. ㉡난리를 불러일으키는 뜻으로 쓰임.
[揭開 게개] 봉(封)한 것을 뜯음.
[揭揭 게게] ㉠긴 모양. ㉡높이 솟은 모양. ㉢빨리 달리는 모양. ㉣물건이 빠지려고 하는 모양.
[揭榜 게방] 간판을 내어 걺.
[揭斧入淵 게부입연] 도끼를 들고 산에 들어가야 할 것을 산에는 들어가지 않고 못에 들어간다는 뜻으로, 물건을 적당한 곳에 쓰지 않고 엉뚱한 곳에 씀을 이름.
[揭示 게시] 여러 사람에게 알리기 위하여 써서 붙이거나 내어 걸어 두고 보게 함.
[揭揚 게양] 높이 걺.
[揭載 게재] 글이나 그림을 신문(新聞)·잡지(雜誌)에 실음.
[揭帖 게첩] 게첩(揭貼).
[揭貼 게첩] 걸어 붙임.
[揭傒斯 게혜사] 원(元)나라의 문학자. 원사걸(元四傑)의 한 사람으로, 자(字)는 만석(曼碩). 한림원(翰林院) 시강학사(侍講學士)로 있으면서, 정사(正史) 편찬의 총재관(總裁官)을 명 받고 요사(遼史)에 이어 금사(金史)를 편술하다 과로(過勞)로 인하여 몰(沒)하였음. 〈게문안공전집(揭文安公全集)〉 14권이 있음.
[揭曉 게효] 게시하여 깨우침.
◉高揭. 別揭. 負揭. 上揭. 昭揭. 揚揭. 前揭. 旌揭. 表揭. 標揭. 掀揭.

9 ⑫ [揯] 긍 ㊥蒸 古恒切 gèn

字解 당길 긍 바싹 당김 '一, 引急也'《說文》.

字源 篆文 㥎 形聲. 扌(手)＋恆〔音〕. '恆긍'은 달의 엄숙한 운행(運行)을 이름. 실을 바싹 당겨 둘러치다의 뜻을 나타냄.

之以四, 以象四時《易經》.
字源 篆文 㯍 形聲. 扌(手)＋枼〔音〕. '枼엽'은 '牒첩'과 통하여, '패'의 뜻. 패를 손에 들고 세다의 뜻을 나타냄.

[揲著 설시] 시초점(蓍草占)을 칠 때 시초(蓍草)를 셈.

9/12 [揮] 高기 휘 ⑦微 許歸切 huī   挥揮

筆順 扌 扩 扩 护 护 护 揰 揮

字解 ①휘두를 휘 ㉠휘휘 돌리며 움직임. '一刀紛紜'《韓愈》. ㉡서화를 쓰거나 그림. '一毫·一筆如流星'《李頎》. ②뿌릴 휘 액체를 뿌림. '一汗成雨'《戰國策》. ③지휘할 휘 지시함. '指一·抽戈而一'《梁元帝》. ④대장기 휘 지휘하는 기(旗). '戎士介而揚一'《張衡》.
字源 篆文 揮 形聲. 扌(手)＋軍〔音〕. '軍군'은 '두르다'의 뜻. 손을 돌리다, 휘두르다의 뜻을 나타냄.

[揮却 휘각] 물리치고 돌아보지 않음.
[揮喝 휘갈] 큰 소리로 외치며 지휘(指揮)함.
[揮劍 휘검] 칼을 휘두름.
[揮霍 휘곽] ㉠빠른 모양. ㉡뿌려 버린다는 뜻으로, 돈을 함부로 헤프게 씀을 이름.
[揮刀 휘도] 날붙이를 휘두름.
[揮掉 휘도] 떨쳐 움직임. 분기(奮起)함.
[揮淚 휘루] 눈물을 뿌림.
[揮淚斬馬謖 휘루참마속] 제갈량(諸葛亮)의 장수 마속(馬謖)이 양(亮)의 명령을 거슬러 가정(街亭)의 싸움에 패하였으므로, 양(亮)이 눈물을 머금고 속(謖)을 베어 그 죄를 다스린 고사(故事)에서, 정(情)에 흐르지 않고 법대로 벌할 것은 벌함을 이름.
[揮拍 휘박] 쳐 울림. 쳐서 소리나게 함.
[揮發 휘발] 액체(液體)가 보통의 온도에도 저절로 기체(氣體)로 변하여 공중으로 나는 작용(作用).
[揮發油 휘발유] 평온(平溫)에서 휘발(揮發)하여 기체가 되기 쉬운 기름. 특히, 석유(石油)에서 만든 무색 투명의 경유(輕油).
[揮掃 휘소] 휘둘러 씀. 힘 있게 운필(運筆)하는 형용.
[揮灑 휘쇄] 붓을 휘둘러 먹을 뿌림. 곧, 서화를 쓰거나 그림.
[揮手 휘수] 손을 휘두름.
[揮揚 휘양] 휘둘러 일으킴.
[揮帳 휘장] 둘러치는 장막(帳幕).
[揮帳壯元 휘장장원]《韓》과거(科擧)에 첫째로 급제(及第)하여 그의 글이 과장(科場)에 게시(揭示)되어 찬양을 받는 사람.
[揮斥 휘척] ㉠멋대로 감. 방종(放縱). ㉡빨리 감. ㉢힘차게 떨침.
[揮涕 휘체] 눈물을 뿌림.
[揮筆 휘필] 휘호(揮毫).
[揮汗 휘한] 땀을 뿌림.
[揮毫 휘호] 붓을 휘둘러서 글씨를 쓰거나 그림을 씀.
[揮擭 휘확] 손을 휘두름.
●發揮. 素揮. 手揮. 指揮. 布揮. 毫揮.

9/12 [揲] 설 ⑧屑 食列切 shé   揲

字解 ①맥짚을 설 손의 맥을 짚음. '一荒爪幕'《史記》. ②셀 설 하나하나 집어 셈. '一蓍'.

9/12 [揳] 二 설 ⑧屑 先結切 xiè · 혈 ⑧屑 奚結切 xié · 핥 ⑧黠 訖黠切 jiá   揳

字解 一 ①일비뚤게할 설 바르지 않음. '一, 撅一, 不方正也'《廣韻》. ②막을 설 '一, 塞也'《正韻》. 二 찔 혈 絜(糸部 六畫)과 同字. '不揣長, 不一大'《荀子》. 三 ①탈할 탄주(彈奏)함. '趙女鄭姬設形容一鳴琴'《史記》. ②칠 할 擊(手部 十三畫)과 통함. '乃捶一牽曳於前'《後漢書》.
字源 形聲. 扌(手)＋契〔音〕.

9/12 [揟] 人名 서 ⑦魚 新於切 xū   揟

字解 ①거를 서 물을 걸러 찌끼를 제거(除去)함. '一, 取水沮也'《說文》. ②물뜨는그릇 서 '一, 取水具也'《廣韻》. ③고기잡을 서 '一日, 取魚也'《集韻》. ④고을이름 서 '一次'는 현(縣)의 이름. '武威有一次縣'《說文》.
字源 形聲. 扌(手)＋胥〔音〕.

9/12 [援] 高人 원 ⑦元 雨元切 yuán   援

筆順 扌 扩 扩 护 护 护 援 援

字解 ①당길 원 ㉠끌어당김. 잡아당김. '嫂溺一之以手'《孟子》. ㉡먼 데의 것을 당겨 손에 쥠. '一筆·一琴奏別鶴之曲'《南史》. ㉢가까이 끌어 옴. '擧賢一能'《禮記》. ㉣구원 증거로 삼음. '一例·一引他經'《公羊傳序》. ②매달릴 원 도와 달라고 붙들고 늘어짐. '在下位, 不一上'《中庸》. ③뽑을 원 발취(拔取)함. '不肯者敢一而進之'《荀子》. ④구원할 원 구조함. '一助·子欲手一天下乎'《孟子》. ⑤도움 원 구원. '爲四隣之一, 結諸侯之信'《國語》. ⑥성 원 성(姓)의 하나.
字源 篆文 援 形聲. 扌(手)＋爰〔音〕. '爰원'은 '당기다'의 뜻. '手수'를 더하여, 뜻을 분명히 함.

[援繫 원계] 출세(出世)할 연줄.
[援救 원구] 도와 구해 줌. 구원(救援).
[援軍 원군] 구원하는 군대(軍隊).
[援例 원례] 전례(前例)를 끎.
[援路 원로] 원병(援兵)이 오는 길.
[援兵 원병] 구원(救援)하는 군사.
[援庇 원비] 구하여 비호함.
[援手 원수] 물에 빠진 사람의 손을 잡아당겨 꺼내 준다는 뜻으로, 남을 구제함을 이름.
[援引 원인] ㉠서로 끌어 도움. ㉡증거로 끌어 댐.
[援助 원조] 도와줌. 구하여 줌.
[援筆 원필] 붓을 끌어당김. 붓을 손에 쥠.
[援護 원호] 구원하여 보호(保護)함. 도와주며 보살핌.

●牽援. 孤立無援. 救援. 畔援. 攀援. 赴援. 蚍蜉蟻子之援. 聲援. 勢援. 良援. 攀援. 應援. 引援. 隣援. 資援. 增援. 支援. 戚援. 推援. 後援.

9/12 [捷] 건 ①②⑦先 渠焉切 qián ③-⑤①阮 巨偃切 jiàn

捷

字解 ①멜 건 어깨에 멤. '一弓韣九鞬'《後漢書》. ②들 건 들어 올림. '一鰭掉尾'《司馬相如》. ③막을 건 틀어막음. 통하지 못하게 함. '一石笥'《史記》. ④닫을 건 문 따위를 닫음. '將內一'《莊子》. ⑤둑 건 물을 막는 설비. '下淇園之竹, 以爲一'《漢書》.
字源 形聲. 扌(手)+建〔音〕

9/12 [挪] 人名 야 ⑦麻 余遮切 yé

挪

字解 빈정거릴 야 조롱함. '擧手一揄之'《後漢書》.
字源 形聲. 扌(手)+耶〔音〕

9/12 [揘] 황 ⑦庚 呼橫切 huáng

字解 칠 황 때림. '竿殳之所一礢'《張衡》.

9/12 [搣] 함 ①感 戶感切 hàn

字解 흔들 함, 움직일 함 '一, 搖也'《說文》.
字源 形聲. 扌(手)+咸〔音〕

9/12 [捺] 〔날〕 捺(手部 八畫〈p.877〉)의 俗字

9/12 [摒] 〔병〕 摒(手部 十一畫〈p.903〉)의 俗字

9/12 [揪] 〔추〕 揫(手部 九畫〈p.885〉)과 同字
字源 形聲. 扌(手)+秋〔音〕

9/12 [搄] 〔경〕 揯(手部 七畫〈p.874〉)과 同字

9/12 [揵] 〔단〕 摶(手部 十一畫〈p.901〉)과 同字

9/12 [捴] 〔등〕 橙(木部 九畫〈p.1086〉)과 同字

9/12 [搽] 〔연〕 搴(手部 十二畫〈p.903〉)과 同字
字源 篆文 形聲. 扌(手)+耎〔音〕. '耎연'은 '유약(柔弱)하다'의 뜻. 물에 담가 손으로 부드럽게 하다, 물에 적시다의 뜻을 나타냄.

9/12 [摝] 〔찬〕 撰(手部 十二畫〈p.907〉)의 本字

9/12 [捴] 〔총〕 摠(手部 十一畫〈p.903〉)의 俗字

字源 形聲. 扌(手)+忽〔音〕

9/12 [揑] 〔날〕 捏(手部 七畫〈p.873〉)의 俗字

10/14 [搴] 건 ⑦先 丘虔切 qiān ①銑 九輦切

搴

字解 뺄 건, 뽑을 건 뽑아 가짐. '一出'. '一長茭兮沈美玉'《史記》.
字源 形聲. 手+寒(省)〔音〕. '寒한'은 '춥다'의 뜻. 걸치고 있는 것을 벗어 추운 모양에서, '빼다'의 뜻을 나타냄.

[搴旗 건기] 적(敵)에게 이기고 기(旗)를 빼앗음.
[搴出 건출] 뽑아냄.
[搴擷 건힐] 뽑아 가짐.

10/14 [拳] 〔권〕 拳(手部 六畫〈p.863〉)의 本字

10/14 [掔] ■반 ⑦寒 薄官切 bān ◨파 ⑦歌 薄波切 pó

字解 ■①바르지않을 반 춤사위가 바르지 않음. ②옮길 반 搬(手部 十畫)과 同字. ◨①터닦을 파 '一場拄鬐'《潘岳》. ②헤칠 파 '一, 又披散也'《廣韻》.
字源 篆文 形聲. 手+般〔音〕. '般반'은 '돌다, 퍼지다'의 뜻. 춤사위가 너무 돌아 움직여서 바르지 않다의 뜻을 나타냄.

10/13 [搆] 구 ⑦尤 居侯切 gòu

搆

字解 끌 구 끌어당김.
字源 形聲. 扌(手)+冓〔音〕

10/13 [搉] 각 ①覺 苦角切 què

搉

字解 ①두드릴 각, 칠 각 때림. '支斷戚夫人手足, 一其眼'《漢書》. ②끌 각 끌어 따옴. 인용함. '揚一古今'《漢書》. ③헤아릴 각 상량(商量)함. '商一古今'《北史》. ④도거리할 각 독차지함. 榷(木部 十畫)과 통용. '般輸一巧於斧斤'《班固》.
字源 篆文 形聲. 扌(手)+隺〔音〕. '隺각·학'은 '敲고'와 통하여, '두드리다'의 뜻을 나타냄.

[搉巧 각교] 교묘한 솜씨를 독점함. 아주 교묘함.
[搉揚 각양] 개요(概要). 대략(大略).
[搉場 각장] 매매를 감독(監督)하는 곳.
●商搉. 詳搉. 揚搉. 研搉.

10/13 [損] 高人 손 ①阮 蘇本切 sǔn

損

筆順 扌 扌 扌 扌 扌 扌 捐 捐 損

字解 ①덜 손 감소함. 또는, 삭감함. '有能增一一字者, 予千金'《史記》. ②잃을 손 상실함. 손해를 봄. '一失'. '費日一工'《鹽鐵論》. ③낮출 손 낮게 함. '貶一'. '常自退一'《晉書》. ④상할 손 잔상(殘傷)함. '兆人傷一'《後漢書》. ⑤손괘 손 육십사괘(六十四卦)의 하나. 곧, ☰〈태하

(兌下), 간상(艮上)〉. 아래를 덜고 위를 보태는 상(象). '一有孚吉'《易經》.
[字源] 篆文 會意. 扌(手)+隕〈省〉〔音〕. '隕운'은 '떨어지다'의 뜻. 손으로 떨어뜨리는 모양에서, '덜다, 손상하다'의 뜻을 나타냄.

[損減 손감] 삭감함. 또, 감소함.
[損金 손금] 손해(損害)난 돈.
[損氣 손기] 몹시 자극(刺戟)을 받아서 기운이 상함.
[損年 손년] ㉠나이를 낮추어 적게 말함. ㉡젊은 나이.
[損亡 손망] 손실(損失).
[損耗 손모] 손실(損失).
[損福 손복] 복(福)이 덜림.
[損傷 손상] ㉠떨어지고 상(傷)함. ㉡상처를 입음.
[損上剝下 손상박하] 나라에 손해(損害)를 끼치고 백성의 재물(財物)을 빼앗음.
[損省 손생] 덞. 줄이고 생략함.
[損膳 손선] 천자(天子)가 식선(食膳)의 수를 줄여 검약(儉約)하게 하는 일. 식비(食費)를 덞.
[損失 손실] 덜리어 잃어짐. 축나서 잃어 버림.
[損抑 손억] 만심(慢心)을 억제함. 겸하(謙下)함.
[損友 손우] 이(利)롭지 않은 벗.
[損挹 손읍] 손억(損抑).
[損益 손익] ㉠손해(損害)와 이익(利益). ㉡증감(增減).
[損者三友 손자삼우] 사귀어 불리한 세 종류의 벗. 곧, 편벽(便辟)·선유(善柔)·편녕(便佞)의 벗.
[損瘠 손척] 쇠약하고 수척함.
[損下益上 손하익상] 아랫사람을 해롭게 하고 윗사람을 이롭게 함.
[損害 손해] ㉠이익(利益)을 못 봄. ㉡덜려 해(害)가 됨.
[損害賠償 손해배상] 남에게 손해(損害)를 끼쳤을 때 그에 상당(相當)한 것을 물어 줌.
◉減損. 降損. 鷂損. 缺損. 謙損. 滿招損. 耗損. 費損. 削損. 傷損. 銷損. 衰損. 瘦損. 抑損. 汚損. 挹損. 酌損. 裁損. 增損. 侵損. 破損. 貶損. 毁損. 虧損.

10 ⑬ [搏] 박 [入]藥 補各切 bó

[字解] ①칠 박 ㉠때림. '一殺'. '一牛之蝱'《史記》. ㉡격투함. 싸움. '晉侯夢與楚子一'《左傳》. ㉢날개를 침. '一搖'. '一扶搖羊角而上者九萬里'《莊子》. ㉣손으로 쳐서 울림. '彈箏一髀'《史記》. ②잡을 박 체포함. '務一執'《禮記》. ③질 박 움키어 가짐. '鑠金百鎰, 盜跖不一'《史記》.
[字源] 金文 篆文 形聲. 扌(手)+專〔音〕. '專부'는 '斧부'와 통하여, 도끼나 메로 치다의 뜻. '手수'를 더하여, '치다'의 뜻을 나타냄.

[搏擊 박격] ㉠후려 냅다 갈김. ㉡날개를 침.
[搏景 박경] 사람의 그림자를 침. 일의 이룰 수 없음을 이름. 영(景)은 영(影).
[搏拊 박부] ㉠현악기를 탐. ㉡악기 이름. '부(拊)'를 보라.
[搏殺 박살] 때려죽임.
[搏噬 박서] 치며 깨묾.
[搏搖 박요] 날개를 쳐 훨훨 낢.
[搏牛之蝱不可以破蟣蝨 박우지맹불가이파기슬] 소에 붙은 등에는 손으로 쳐서 죽일 수 있으나, 속에 있는 이는 그렇게 되지 아니함. 외부의 적은 멸하기 쉬워도 내부의 적은 이기기가 힘듦.
[搏戰 박전] 격투(格鬪).
[搏執 박집] 포박(捕搏)함.
[搏鬪 박투] 격투(擊鬪).
[搏獲 박획] 쳐 잡음.
◉擊搏. 徒搏. 脈搏. 鵬搏. 手搏. 龍攘虎搏. 龍虎相搏. 捽搏. 執搏. 虎搏.

10 ⑬ [搩] 혜 ①②[平]佳 戶佳切 xié ③[去]霽 胡計切 xì ④[上]薺 戶禮切

[字解] ①끼울 혜 둘 사이에 끼움. '一, 挾物'《廣韻》. ②도울 혜 도와줌. '一, 扶也'《集韻》. ③바꿀 혜 교환함. '杭越之間, 謂換曰一'《集韻》. ④걸 혜 높이 걺. '一, 揭也'《集韻》.

10 ⑬ [搐] 축 [入]屋 勅六切 chù

[字解] 땅길 축 힘줄이 땅겨 아픔. '一二指一'《漢書》.
[字源] 形聲. 扌(手)+畜〔音〕

10 ⑬ [搒] 방 ①[去]漾 補曠切 bàng ②[平]庚 薄庚切 péng

[字解] ①배저을 방 榜(木部 十畫)과 同字. '一人船人也'《廣韻》. ②매질할 방, 볼기칠 방 '吏一笞數千'《漢書》.
[字源] 篆文 形聲. 扌(手)+旁〔音〕. '旁방'은 '좌우로 퍼지다'의 뜻. 좌우로 펼쳐서 덮어씌우다의 뜻을 나타내며, '榜방'과 통하여, 노를 저어 배를 움직이다의 뜻을 나타냄. 또, '旁방'과 통하여, '매질하다'의 뜻을 나타냄.

[搒具 방구] 죄인(罪人)을 고문(拷問)하는 기구(機具).
[搒掠 방략] 죄인(罪人)을 매질함.
[搒人 방인] 뱃사공.
[搒捶 방추] 매질함.
[搒笞 방태] 방략(搒掠).
◉結搒. 械搒. 敲搒. 笞搒.

10 ⑬ [搓] 차 [平]歌 七何切 cuō

[字解] 비빌 차 손으로 문지름. '柳細一難似, 花新染未乾'《陸游》.
[字源] 形聲. 扌(手)+差〔音〕

◉挼搓.

10 ⑬ [搷] 전 [平]先 徒年切 tián

[字解] ①칠 전 두드림. '一鳴鼓些. (注) 一, 擊也'《楚辭》. ②날릴 전 이름 따위를 들날림. '一, 揚也'《廣雅》. ③당길 전 잡아당김. '一, 引也'《集韻》.

10 ⑬ [搴] [一] 건 [平]元 渠言切 [平]先 丘虔切 qián [二] 간 [平]刪 丘顔切

字解 ▆ ①서로도울 건 '一, 相援也'《說文》. ②멜 건 어깨에 멤. '一, 以肩擧物也'《通雅》. ③서로들추어낼 건 '一, 互訐告也'《通雅》. ▆ 서로들울 간, 멜 간, 서로들추어낼 간 ▆과 뜻이 같음.
字源 形聲. 扌(手)+虔〔音〕.

10 ⑬ [搔] 소 ⑦豪 蘇遭切 sāo

搔

字解 ①긁을 소 손톱 따위로 긁음. '一頭'. '一首踟蹰'《詩經》. ②떠들 소 騷(馬部 十畫)와 통용. '所在一擾'《吳志》.
字源 篆文 形聲. 扌(手)+蚤〔音〕. '蚤소'는 벼룩의 뜻. 벼룩에 물린 곳을 손으로 긁다의 뜻을 나타냄.

[搔頭 소두] ㉠머리를 긁음. ㉡비녀.
[搔首 소수] 머리를 긁음. 걱정이 있는 때의 형용 (形容).
[搔癢 소양] 가려운 곳을 긁음.
[搔擾 소요] 여럿이 들고일어나 떠듦. 소요(騷擾).
●抑搔. 爬搔.

10 ⑬ [探] 차 chá

字解 바를 차, 칠할 차 분이나 약 같은 것을 바름. '一, 俗字. 敷也. 如婦女敷粉曰一粉, 瘡瘍敷藥曰一藥之類'《中華大字典》.
字源 形聲. 扌(手)+茶〔音〕.

10 ⑬ [搖] 高人 요 ⑦蕭 餘昭切 yáo ⑦嘯 弋照切

搖搖

筆順 扌 扌 扌 扌 护 挕 搖

字解 ①흔들릴 요 ㉠요동함. '動一'. '一者不定'《管子》. ㉡인심이 흔들려 떠들썩함. '嶺微驚一'《宋史》. ②흔들 요 요동시킴. '夾而一之'《周禮》. ③움직일 요 이동함. 장소를 옮김. '天星盡一'《漢書》. ④성 요 성(姓)의 하나.
字源 篆文 形聲. 扌(手)+䍃〔音〕. '䍃요'는 억양을 붙여서 읊조리다의 뜻. 손으로 상하 좌우로 움직이다, 흔들다의 뜻을 나타냄.

[搖撼 요감] 흔들림. 또, 흔듦.
[搖車 요거] 어린애를 태우고 흔들어서 잠을 재우는 수레.
[搖動 요동] 흔들림. 또, 흔듦. 동요(動搖).
[搖頭顚目 요두전목] 머리를 흔들고 눈을 굴리면서 몸을 움직임. 곧, 침착성 없이 행동함.
[搖落 요락] 흔들리어 떨어짐.
[搖籃 요람] ㉠젖먹이 어린애를 누이거나 앉히고 흔드는 작은 채롱. ㉡'사물이 발달하기 시작한 처소. 또는 그 시기'를 이르는 말.
[搖鈴 요령] ㉠솔발(率鈸). ㉡불가(佛家)에서 법요(法要)를 행할 때에 흔드는 기구(器具).
[搖尾而乞憐 요미이걸련] 비굴하게 사람들의 연민(憐憫)을 비는 것을 개가 꼬리를 흔드는 것에 비유한 말.
[搖舌 요설] 혀를 놀림. 곧, 웅변(雄辯)함.
[搖脣鼓舌 요순고설] 입술을 움직거리고 혀를 참. 곧, 함부로 남의 좋고 나쁨을 지껄여 비평(批

評)함.
[搖揚 요양] 흔들리어 오름. 또, 흔들어 올림.
[搖漾 요양] ㉠물이 움직이는 모양. ㉡물고기가 헤엄쳐 움직이는 모양.
[搖曳 요예] ㉠흔들흔들 움직임. ㉡이리저리 거닒. 배회함.
[搖搖 요요] ㉠근심이 되어 마음이 안정(安定)하지 아니한 모양. ㉡흔들흔들 흔들리는 모양.
[搖車 요차] 동차(童車). 유모차(乳母車).
[搖蕩 요탕] 요동(搖動).
[搖盪 요탕] 요동(搖動).
[搖會 요회] 계(契). 무진(無盡).
●傾搖. 驚搖. 鼓搖. 亂搖. 獨搖. 動搖. 搏搖. 步搖. 扶搖. 消搖. 須搖. 翅搖. 震搖. 遷搖. 招搖. 超搖. 蕩搖. 漂搖. 飄搖.

10 ⑬ [搡] 상 ①②⑦養 寫朗切 sǎng ③⑦漾 四浪切

字解 ①칠 상 손으로 침. '一, 搳也'《集韻》. ②내던지려할 상 던지려고 하는 기세(氣勢). '一, 投擲之勢'《字彙》. ③누를 상 꼭 눌러 움직이지 못하게 함.

10 ⑬ [搞] 고 ①⑦肴 丘交切 qiāo ②⑦號 口到切 kào ③現 gǎo

字解 ①칠 고 두드림. '敲, 說文, 橫搞也'. 或作一'《集韻》. ②기댈 고 靠(非部 七畫)와 同字. '靠, 說文, 相違也. 或从手'《集韻》. ③《現》할 고, 지을 고 본디 서남(西南) 방언(方言)으로 근자(近者)에 널리 쓰임.

10 ⑬ [搇] 금 ⑦沁 丘禁切 qìn

字解 누를 금 손으로 누름. '一, 按也'《集韻》.

10 ⑬ [搗] 人名 도 ⑦晧 覩老切 dǎo

搗搗

字解 찧을 도 擣(手部 十四畫)와 同字. '和一塗之'《聖濟總錄》.
字源 形聲. 扌(手)+島〔音〕.

[搗衣 도의] 다듬이질함.
[搗精 도정] 현미(玄米)를 찧거나 쓿어서 등겨를 내어 희고 깨끗하게 만듦.
●麻搗.

10 ⑬ [揩] 지 ⑦支 旨而切 zhī

揩

字解 버틸 지, 괼 지 '一捂'. '一頤問樵客'《王維》.
字源 形聲. 扌(手)+耆〔音〕.

[揩捂 지오] 버팀. 굄.

10 ⑬ [搚] 랍 ⑦合 盧合切 lā

搚

字解 꺾을 랍 拉(手部 五畫)과 同字. '一幹而殺之'《公羊傳》.
字源 形聲. 扌(手)+脅〔音〕.

[字解] 칠 참 공격함.
[字源] 篆文 形聲. 手＋斬〔音〕. '斬참'은 '베다'의 뜻. 손으로 베어 내다, 치다의 뜻을 나타냄.

11 ⑮ [摮] 략 [入]藥 力灼切 lüè

[字解] 노략질할 략 약탈함. 掠(手部 八畫)의 俗字.

11 ⑮ [擘] 연 [平]先 五堅切 yán

[字解] 갈 연 연마(硏磨)함. 전(轉)하여, 연구함.
[字源] 篆文 形聲. 手＋硏〔音〕. '硏연'은 '갈다'의 뜻. 손으로 갈다, 문지르다의 뜻.
[參考] 揅(手部 九畫)은 俗字.

11 ⑮ [擊] 〔격〕
擊(手部 十三畫〈p. 908〉)의 略字

11 ⑭ [摋] 살 [入]曷 桑割切 sà

[字解] ①칠 살 손으로 후려침. '宋萬臂—仇牧'《公羊傳》. ②지울 살, 쓸 살 지워 버림. 또, 쓸어 없애 버림. '與世抹—'《韓愈》.
[字源] 形聲. 扌(手)＋殺〔音〕

◉抹摋. 弊摋.

11 ⑭ [摎] 규 [平]尤 居尤切 jiū

[字解] ①졸라맬 규 단단히 동여맴. '殤之経, 不—垂'《儀禮》. ②구할 규 찾음. '—天道'《張衡》. ③묶을 규 한데 묶음. '葉相—結'《漢書》. ④성 규 성(姓)의 하나.
[字源] 篆文 形聲. 扌(手)＋翏〔音〕. '翏료'는 날개를 잇대어 합친 모양으로, 'ㄐ규'와 통하여, 달라붙다, 감기어 붙다의 뜻. 손이 감기게 하다, 졸라매어 죽이다의 뜻을 나타냄.

[摎結 규결] 한데 묶은 것처럼 뭉침.
[摎流 규료] 두루 수색(搜索)함.
[摎流 규류] 빙 돌아서 흐름.

11 ⑭ [摿] 근 [去]問 居焮切 jìn

[字解] ①닦을 근, 씻을 근 '—, 飾也. (段注) 飾, 各本作拭, 今正, 云云, 飾拭, 正俗字'《說文》. ②깨끗이할 근 청결하게 함. '—, 淸也'《玉篇》.
[字源] 篆文 形聲. 扌(手)＋堇〔音〕

11 ⑭ [撐] [一] 당 [平]陽 徒郞切 [二] 정 [平]庚 除庚切 chēng

[字解] [一] 막을 당 '—, 博雅, 距也'《集韻》. [二] 막을 정 [一]과 뜻이 같음.

11 ⑭ [摏] 용(송[本]) [平]冬 書容切 chōng

[字解] 찌를 용, 칠 용 '—其喉, 以戈殺之'《左傳》.
[字源] 形聲. 扌(手)＋舂〔音〕. '舂용'은 '절구질하다'의 뜻.

11 ⑭ [摐] 창 [平]江 楚江切 chuāng

[字解] ①칠 창 두드림. '—金鼓吹鳴籟'《司馬相如》. ②뒤섞일 창, 어지러울 창 뒤섞여 혼란함. 분착(紛錯)함. '聞君遊靜境, 雅具更——'《陸龜蒙》.
[字源] 形聲. 扌(手)＋從〔音〕

[摐摐 창창] ㉠소리가 크면서 명랑한 모양. ㉡뒤얽혀 어지러운 모양.

11 ⑭ [摞] [人名] 라 [平]歌 落戈切 [去]箇 魯過切 luò

[字解] 다스릴 라 '—, 博雅, 理也'《集韻》.

11 ⑭ [摼] [一] 갱 ①[平]庚 口莖切 kēng ②[上]梗 苦杏切 [二] 견 [平]先 輕煙切 qiān

[字解] [一] ①머리칠 갱 머리를 두드림. '—, 擣頭也'《說文》. ②종칠 갱 '—, 擊鐘也'《集韻》. [二] 끌 견 牽(牛部 七畫)과 통용. '牽, 說文, 引前也. 古作—'《集韻》.
[字源] 形聲. 扌(手)＋堅〔音〕

11 ⑭ [摑] 괵(귁[本]) [入]陌 古獲切 guó

[字解] 칠 괵 후려갈김. '—其口'《避暑錄話》.
[字源] 形聲. 扌(手)＋國〔音〕

11 ⑭ [摓] 봉 [平]冬 符容切 féng, pěng

[字解] ①꿰맬 봉 縫(糸部 十一畫)과 同字. ②받들 봉 두 손으로 받듦. '—策定數'《史記》. ③클 봉 逢(辵部 七畫)과 통용. '—衣淺帶'《莊子》.
[字源] 形聲. 扌(手)＋逢〔音〕

11 ⑭ [摤] 창 [上]養 七兩切 qiǎng

[字解] ①닦을 창 돌 같은 것으로 갈아 닦음. '—, 磨滌也'《集韻》. ②찌를 창 '—, 突也'《字彙》.

11 ⑭ [摔] 솔 [入]質 山律切 shuāi

[字解] 버릴 솔 내던짐.
[字源] 形聲. 扌(手)＋率〔音〕

11 ⑭ [摘] [高人] 적 [入]錫 他歷切 zhāi

[筆順] 扌 扌 扩 扩 拵 搞 摘 摘

[字解] ①딸 적 잡아뗌. '—掇'. '——使瓜好, 再—令瓜稀'《唐書》. ②들추어낼 적 지적함. 적발함. '—奸'. '指—經史謬誤'《北史》. ③손가락질할 적 손가락으로 가리킴. '—齊行列'《傅毅》. ④움직일 적 움직여 가게 함. '兼去—船行'《元稹》.
[字源] 篆文 形聲. 扌(手)＋啇(啻)〔音〕. '啻적'은 중심으로 모으다의 뜻. 다섯 손가

락을 모아서 과일 열매 따위를 따다, 들추어내
다의 뜻을 나타냄.

[摘奸 적간] 간악(奸惡)한 일을 적발함.
[摘舷 적결] 적발(摘發).
[摘錄 적록] 요점(要點)을 추려 적은 기록(記錄).
[摘發 적발] 숨은 일을 들추어냄.
[摘擗 적벽] ㉠수족(手足)을 굽힘. 몸을 굽힘. ㉡
예절(禮節)이 아주 바른 모양.
[摘要 적요] 요점(要點)을 추려 적음. 또, 그 문
서(文書).
[摘載 적재] 요점(要點)을 추려 실음. 또, 그 문
서(文書).
[摘齊 적제] 일일이 지적(指摘)하여 가지런히 함.
[摘撥 적철] 손가락으로 집어 땀.
[摘草 적초] 풀잎을 땀.
●刊摘. 抉摘. 譏摘. 招摘. 撩摘. 指摘. 探摘.
探摘. 討摘.

11 ⑭ [揫] ≡ 수 ㉤尤 先侯切 sōu
≡ 송 ㉥董 損動切 sǒng
字解 ≡ 취할 수 가짐. '摟一, 取也'《集韻》. ≡
달릴 송 말이 재갈을 흔들면서 뛰어감. 騦(馬部
七畫)과 同字.

11 ⑭ [摛] ≡ 치 ㉤支 丑知切 chī
≡ 리 ㉤支 隣知切 lí
字解 ≡ 펼치 아름답게 표현함. '一藻', '一翰
振操, 非爲乏人'《齊書》. ≡ 펼 리 ㊀과 뜻이 같
음.
字源 篆文 形聲. 扌(手)+离〔音〕. '离리·치'는
'列렬'과 통하여, '잇대다'의 뜻.
'攡리'와 통하여, 손으로 펴다, 말하다의 뜻을
나타냄.

[摛藻 이조] 미문(美文)을 지음.
[摛翰 이한] 글을 지음.

11 ⑭ [摜] 관 ㉤諫 古患切 guàn
字解 ①(現) 던질 관. ②익힐 관 慣(心部 十一
畫)과 同字.
字源 篆文 形聲. 扌(手)+貫〔音〕. '貫관'은 '익
다'의 뜻. '익다, 익히다'의 뜻을 나
타냄.

11 ⑭ [摝] 록 ㉢屋 盧谷切 lù
字解 흔들 록 진동(振動)시킴. '鼓人皆三鼓, 司
馬一鐸'《周禮》.
字源 形聲. 扌(手)+鹿〔音〕.

11 ⑭ [摀] ≡ 제 ㉤霽 都計切 dì
≡ 철 ㉥屑 徒結切 dì
字解 ≡ ①집을 제 손끝으로 집음. '一, 撮取
也'《說文》. ②가질 제 취(取)함. '一, 取也'《廣
雅》. ③뺄을 제 채어 가짐. '超殊榛一飛鼯, (註)
一, 拘之'《張衡》. ≡ 집을 철, 가질 철, 뺄을
철 ㊀과 뜻이 같음.
字源 篆文 形聲. 扌(手)+帶〔音〕. '帶대'는 몸
에 착용(着用)하다의 뜻. 손끝으로
집다의 뜻을 나타냄.

11 ⑭ [摟] 루 ㉤尤 落侯切 lōu, lǒu
字解 끌 루 ㉠이끎. 이끌어서 모음. '五霸者,
一諸侯以伐諸侯者也'《孟子》. ㉡꾀어 끎. 유인
함. '踰東家牆, 而一其處子'《孟子》.
字源 篆文 形聲. 扌(手)+婁〔音〕. '婁루'는 끊
어지는 일이 없게 계속하다의 뜻. 손
으로 차례차례 끌어당기다의 뜻을 나타냄.

[摟搜 누수] 끌어 모음. 찾아서 모음.

11 ⑭ [摡] 개 ㉥隊 古代切 gài
字解 닦을 개 씻음. '帥女官而濯一'《周禮》.
字源 篆文 形聲. 扌(手)+旣〔音〕. '旣기'는 가
득 차서 넘치다의 뜻. 넘칠 정도의
물을 써서 씻다의 뜻을 나타냄. 또, 그릇에 넘
칠 만큼 물건을 담다의 뜻도 나타냄.

11 ⑭ [摢] 호 ㉥遇 胡故切 hù
字解 속일 호 기만함. '一弄'.

[摢弄 호롱] 속임. 기만(欺瞞) 함.

11 ⑭ [摣] 산 ㊀潸 所簡切 chǎn
字解 ①움직일 산 손으로 움직이게 함. '一, 以
手technology'《廣韻》. ②고를 산 손으로 선택함. '揀
一, 手精擇物也'《集韻》.

11 ⑭ [摣] 자 ㉤麻 莊加切 zhā
字解 잡을 자 움켜잡음. '一狒猻'《張衡》.
字源 形聲. 扌(手)+虘〔音〕.

11 ⑭ [摋] 화 ㉤禡 胡化切 huà
字解 넓을 화 광대함. '大者不一'《左傳》.
字源 篆文 形聲. 扌(手)+瓠〔音〕.

11 ⑭ [摧] ≡ 최 ㉤灰 昨回切 cuī
≡ 좌 ㉥箇 寸臥切 cuò
字解 ≡ ①꺾을 최 ㉠부러뜨림. '寒風一樹木'
《古詩》. ㉡기를 꺾음. '一辱宰相'《漢書》. ②꺾
일 최 전항의 수동사. '已見松柏一爲薪'《劉廷
芝》. ③누를 최 억압함. '能一剛爲柔'《史記》.
④막을 최 저지함. '室人交徧一我'《詩經》. ⑤밀
칠 최 배제함. '擠一'. ⑥멸할 최 멸망함. '先祖
于一'《詩經》. ⑦이를 최 옴. '一, 至也, 楚語也'
《揚子方言》. ≡ 꼴 좌, 꼴벨 좌 마소에 먹이는
풀. 또, 그 풀을 벰. '一之秣之'《詩經》.
字源 篆文 形聲. 扌(手)+崔〔音〕. '崔최'는 '碎
쇄'와 통하여, '깨뜨리다, 부수다'의
뜻. 손으로 부수다의 뜻을 나타냄.

[摧肝膽 최간담] 갖은 고생을 함. 고심참담(苦心
慘憺) 함.
[摧感 최감] 기가 꺾이고 마음이 슬픔.
[摧擊 최격] 쳐 꺾음.
[摧哽 최경] 슬피 울어 목멤.

摧枯 최고] '최고납후(摧枯拉朽)'를 보라. 납고(拉枯).
摧枯拉朽 최고납후] 마른 나무를 꺾고 썩은 나무를 부러뜨림. 일이 대단히 용이함의 비유.
摧枯折腐 최고절부] 최고납후(摧枯拉朽).
摧拉 최랍] 꺾음.
摧北 최배] 기세가 꺾이어 패(敗)하여 달아남.
摧謝 최사] 굴복하여 사죄함.
摧傷 최상] 기가 꺾이고 몸이 상함.
摧碎 최쇄] 부숨. 또, 부서짐.
摧抑 최억] ㉠꺾어 누름. ㉡마음이 슬퍼 눌림.
摧辱 최욕] 기를 꺾어 욕보임.
摧殘 최잔] 꺾어 손상을 입힘. 또, 꺾이어 손상을 입음.
摧沮 최저] 기세(氣勢)가 꺾이어 풀이 죽음.
摧折 최절] 꺾음. 또, 꺾임.
摧剉 최좌] 최절(摧折).
摧挫 최좌] 최절(摧折).
摧破 최파] 깸. 또, 깨짐.
摧朽 최후] '최고납후(摧枯拉朽)'를 보라.
◉擊摧. 單易折衆難摧. 木秀林風摧. 悲摧. 玉折蘭摧. 玉摧. 擠摧. 隳摧.

11 ⑭ [摢] 호 ①[上]麌 後五切 hù ②[去]遇 呼誤切

[字解] ①순조롭지못할 호 원활하지 못함. '抪―, 不順理'《集韻》. ②펼 호 베풀어 폄. '體用相彙, 彌綸布―'《路史》.

11 ⑭ [摷] [一] 초 ①②[平]肴 側交切 jiǎo ③[平]肴 初交切 chāo [二] 료 [平]蕭 落蕭切 [三] 로 [平]豪 郎刀切

[字解] [一] ①칠 초 '―, 拘擊也'《說文》. ②끊을 초, 벨 초 剿(刀部 十三畫〈p. 269〉)와 통용. ③다할 초 다잡음. '―鯤鮞殄水族'《張衡》. [二] ①움직일 료 '―, 動也'《廣雅》. ②칠 료 '―, 擊也'《廣韻》. [三] ①고기잡을 로 '―, 取也'《廣雅》. ②칠 로 '―, 擊也'《廣雅》.
[字源] 形聲. 扌(手)+巢〔音〕

11 ⑭ [摭] 척 [入]陌 之石切 zhí

[字解] 주울 척 습득(拾得)함. 또는 주워 모음. '―拾'. '采經―傳'《漢書》.
[字源] 篆文 形聲. 扌(手)+庶〔音〕. '庶서'는 집 안의 해충을 연기로 몰아내다의 뜻. '手수'를 더하여, '잡다'의 뜻을 나타냄.

摭拾 척습] 주움.
摭採 척채] 척습(摭拾).
◉鉤摭. 捃摭. 攟摭. 窮摭. 掎摭. 收摭. 拾摭. 采摭. 探摭.

11 ⑭ [摲] [一] 삼 [平]咸 師咸切 shàn [二] 참 [去]陷 楚鑑切 chàn

[字解] [一] 벨 삼 풀을 벰. '君子之於禮也, 有―而播也'《禮記》. [二] 벨 참 [一]과 뜻이 같음.

11 ⑭ [攗] 선 [去]霰 隨戀切 xuàn

[字解] ①돋울 선 손으로 높이 올림. '―, 手挑物'《集韻》. ②끌 선 길게 끌어당김. '―, 長引也'《玉篇》.

11 ⑭ [摳] 구 [平]尤 恪侯切 kōu [平]虞 豈俱切 kōu

[字解] ①걷을 구 옷의 아랫도리를 걷어 올림. '―衣趨隅'《禮記》. ②던질 구 투척함. '以瓦―者巧'《列子》. ③더듬을 구 손으로 더듬어 가짐. '以黃金―者惛'《列子》. ④올벼 구 '―揄'는 일찍 익는 벼. '―揄, 旋也. 秦晉, 凡物樹稼早成熟, 謂之旋, 燕齊之閒, 謂之―揄'《揚子方言》.
[字源] 篆文 形聲. 扌(手)+區〔音〕. '區구'는 '홱 움직이다'의 뜻. 옷자락을 홱 걷어 올리다의 뜻을 나타냄.

[摳揄 구유] 다른 것보다 일찍 익는 벼.
[摳衣 구의] 옷의 아랫도리를 걷어 올림.

11 ⑭ [攄] 저 [平]魚 丑居切 shū

[字解] ①노름 저 '―蒱'. '老子入胡爲―蒱'《太平御覽》. ②성 저 성(姓)의 하나.
[字源] 篆文 形聲. 扌(手)+雩〔音〕

[攄蒱 저포] 도박의 한 가지.

11 ⑭ [摬] [一] 영 ①②[去]敬 於慶切 yǐng ③[上]梗 於丙切 yǐng [二] 강 [上]養 巨兩切

[字解] [一] ①맞힐 영 쳐서 맞힘. '―, 中擊也'《說文》. ②다치게할 영 쳐서 다치게 함. '―, 傷擊也'《玉篇》. ③칠 영 '―, 擊也'《廣雅》. [二] 칠 강 [一]❸과 뜻이 같음.
[字源] 形聲. 扌(手)+竟〔音〕

11 ⑭ [摵] 색 [入]陌 山責切 shè

[字解] 우수수떨어질 색 낙엽이 우수수 떨어지는 소리. '楓葉荻花秋――'《白居易》.
[字源] 篆文 形聲. 扌(手)+戚〔音〕. '戚척'은 재빠른 모양을 나타내는 의태어(擬態語).

[摵摵 색색] 나뭇잎이 우수수 떨어지는 소리.
◉蕭摵.

11 ⑭ [㨴] 건 [平]元 居言切 jiān

[字解] 저포짝 건 저포(樗蒱)에 쓰이는 말. '―子, 樗蒱采名'《集韻》.

11 ⑭ [摶] [一] 단 [平]寒 度官切 tuán [二] 전 [平]先 朱遄切 zhuān

[字解] [一] ①칠 단 ㉠손바닥으로 침. '―埴之工二'《周禮》. ㉡날개를 침. '大鵬―扶搖'《莊子》. ②둥글 단 원형임. 團(囗部 十一畫)과 통용. '欲生而―'《周禮》. ③뭉칠 단 손으로 둥글게 뭉침. '毋―飯'《禮記》. ④모을 단 취합(聚合)함. '―國不在敦古'《管子》. ⑤늘어질 단 축 늘어진 모양. '――以應懸兮'《張衡》. ⑥새이름 단 '―黍'는 꾀꼬리. '聲詩辨―黍, 比興思無窮'《孫處》. [二] ①

질 전 장악함. '―三國之兵'《史記》. ②오로지
전 專(寸部 八畫)과 同字. '琴瑟之――'《左傳》.
字源篆文 搏 形聲. 扌(手)＋專〔音〕. '專전'은 실을
실패에 감다의 뜻. 손으로 둥글게 뭉
치다의 뜻을 나타냄.

[搏搏 단단] 늘어진 모양. 축 처진 모양.
[搏飯 단반] 밥을 뭉침. 또, 그 밥. 주먹밥.
[搏沙 단사] 모래를 뭉침. 또, 그 뭉친 것. 단결력
(團結力)이 적은 비유(譬喩)로 쓰임.
[搏埴 단치] ㉠진흙을 침. ㉡도공(陶工).
[搏心 전심] '전심(專心)'과 같음.
[搏一 전일] '전일(專一)'과 같음.

11 ⑭ [摸] 人名 모 ①㈜藥 慕各切 mō 摸
②㈜虞 莫胡切 mó

筆順 扌 扌 扌 扩 护 措 措 摸

字解 ①더듬을 모 손으로 더듬어 찾음. '―索',
'能手―其文讀之'《後漢書》. ②본뜰 모 摹(手部
十一畫)와 同字. '文宗軾, 一詔本'《唐書》.
字源篆文 形聲. 扌(手)＋莫〔音〕. '莫막'은 '더듬어 찾
다'의 뜻. '手수'를 더하여, '쓰다듬다, 더
듬다, 본뜨다'의 뜻을 나타냄.

[摸稜 모릉] 일을 결정하는 데 태도를 명백(明白)
히 하지 아니함.
[摸稜 모릉] 모릉(摸稜)
[摸倣 모방] 흉내를 냄. 본을 뜸.
[摸本 모본] 원본(原本)을 본떠 베낀 책.
[摸寫 모사] 베낌.
[摸索 모색] 더듬어 찾음.
[摸擬 모의] 모방(模倣)
[摸造 모조] 흉내 내어 만듦.
[摸搨 모탑] 비문(碑文) 등의 탑본(搨本)을 만듦.
[摸繪 모회] 본떠 그림.
●拉摸. 撈摸. 陶摸. 描摸. 押摸. 手摸. 收摸.
尋摸.

11 ⑭ [搗] 천 ㈜先 親然切 qiān
字解 꽂을 천 '―, 插也'《集韻》.

11 ⑭ [摺] 人名 ▇접 ㈜葉 之涉切 zhé
(섭㊀)
▇랍 ㈜合 盧合切 lā 折摺

字解 ▇①접을 접 꺾어서 겹침. '―疊'. '衣帶
卷―'《南史》. ②주름 접 접힌 데. '袪衭襞―'《方
鳳》. ▇꺾을 랍 拉(手部 五畫)과 同字. '折脇―
齒'《史記》.
字源篆文 摺 形聲. 扌(手)＋習〔音〕. '習습'은 새
가 깃을 겹쳐 합치다의 뜻. '꺾어서
접다'의 뜻을 나타냄.

[摺拉 납랍] 꺾음.
[摺齒 납치] 이를 부러뜨림.
[摺本 접본] 접은 책.
[摺扇 접선] 접는 부채.
[摺奏 접주] 천자(天子)에게 직달(直達)하는 상
주문(上奏文)
[摺紙 접지] ㉠종이를 접음. 또, 접은 종이. ㉡장
책(粧冊)할 때 책장을 접음.
[摺疊 접첩] 접음.

●卷摺. 手摺. 轉摺. 折摺. 接摺. 奏摺.

11 ⑭ [摻] ▇삼 ㈑琰 所斬切 shǎn
▇섬 ㈑鹽 思廉切 xiān 摻摻
▇참 ㈏勘 七勘切 càn

字解 ▇잡을 삼 쥠. '―執子之袪兮'《詩經》. ▇
섬섬할 섬 가냘프고 고운 모양. '――女手'《詩
經》. ▇칠 참 악곡(樂曲)에 맞추어 세 번 북을
침. '疊鼓誰―漁陽撾'《古詩》.
字源篆文 摻 形聲. 扌(手)＋參〔音〕. '參삼'은 '많
다'의 뜻. 많은 것을 손으로 거두어
잡다의 뜻을 나타냄. '纖섬'과 통하여, '가늘
다, 섬섬하다'의 뜻도 나타냄.
參考 捵(手部 十二畫)은 俗字.

[摻執 삼집] 잡음. 쥠.
[摻摻 섬섬] 흰 손이 가냘프고 고운 모양. 섬섬(纖
纖).

11 ⑭ [摽] 표 ①-③㈜篠 符少切 piǎo
④⑤㈡蕭 撫招切 biāo 摽
⑥㈍肴 披交切 biāo

字解 ①칠 표 '―擊'. 두드림. '長木之斃, 無十
一也'《左傳》. ②가슴칠 표 슬퍼하여 가슴을 두
드리는 모양. '寤辟有―'《詩經》. ③떨어질 표
낙하함. '―有梅'《詩經》. ④손짓할 표 손짓하여
부름. '―使者'《孟子》. ⑤칼끝 표 도말(刀末).
'―末之功'《漢書》. ⑥버릴 표 내던짐. '―劍而
去之'《公羊傳》.
字源篆文 摽 形聲. 扌(手)＋票(奥)〔音〕. '奥표'는
높이 오르다, 날아 흩어지다의 뜻.
손으로 쳐서 튀어 흩어져 떨어뜨리다의 뜻을
나타냄.

[摽擊 표격] 침. 두드림.
[摽末 표말] ㉠칼끝. ㉡근소(僅少).
[摽梅 표매] 난숙(爛熟)하여 떨어진 매실(梅實)이
라는 뜻으로, 혼기(婚期)가 지난 여자를 이름.
[摽榜 표방] 사람의 선행(善行)을 표창하기 위하
여 그 사실을 패에 적어 문 같은 데 거는 일. 표
방(標榜).
[摽擗 표벽] 슬퍼하여 가슴을 두드림.
[摽然 표연] 높이 올라가는 모양.
[摽幟 표치] 안표(眼標). 표지(標識).
●擗摽. 寤摽. 長木斃無不摽.

11 ⑭ [擗] 벽 ㈑職 拍逼切 pì 擗
字解 짤 벽 절개함. 甓(田部 十五畫)과 通用.
'不―痤則寖益'《韓非子》.

[擗痤 벽좌] 곪은 데를 째어 고름을 짜냄.

11 ⑭ [撎] 음 ㈍侵 挹淫切 yīn 撎
字解 조용할 음 愔(心部 九畫)과 同字. '推其
――, 撎其揭揭'《淮南子》.

[撎撎 음음] 깊숙하고 조용한 모양.

11 ⑭ [撌] 규 ㈍支 居隋切 guī 撌
字解 마를 규 옷을 재단함. '―, 裁也, 梁益之

間, 裂帛爲衣, 曰一'《揚子方言》.

11
(14) [捙] 련 ⊕銑 力展切 liǎn

字解 멜련 등에 짐. '以錢丼水, 不受錢者, 一水還之'《南史》.

11
(14) [摒] 병 ⑧敬 界政切 bìng

字解 가든히할 병 정돈함. '一擋不盡'《晉書》.
字源 形聲. 扌(手)+屛〔音〕. '屛병'은 물리쳐 제거하다의 뜻.

[摒擋 병당] 정돈함. 가든히 함.

11
(14) [摠] 〔총〕總(糸部 十一畫〈p. 1767〉)과 同字

字源 形聲. 扌(手)+恩〔音〕

11
(14) [擄] 〔거〕據(手部 十三畫〈p. 912〉)의 俗字

11
(14) [搌] 〔찰〕撮(手部 十二畫〈p. 907〉)과 同字

11
(14) [搇] 〔전〕揃(手部 九畫〈p. 886〉)의 俗字

11
(14) [搗] 〔도〕擣(手部 十四畫〈p. 913〉)와 同字

11
(14) [擄] 〔거〕據(手部 十三畫〈p. 912〉)의 俗字

12
(16) [擎] 돈 ⊕元 dūn

字解 칠 돈 '一, 擊也'《集韻》.

12
(16) [擎] 撤(次條)과 同字

12
(15) [撇] 별 ⑧屑 普蔑切 piē

字解 ①칠 별 때림. '一波而濟水'《王襃》. ②삐침 별 서법(書法)의 한 가지. '人'의 'ノ'따위. '長一須迅其鋒'《書法離鉤》. ③닦을 별 눈물·콧물을 닦음. '一涕抆淚'《王襃》.
字源 篆文 形聲. 扌(手)+敝〔音〕. '敝폐'는 '깨뜨리다'의 뜻. '手수'를 더하여, '닦아 없애다, 털어 없애다'의 뜻을 분명히 함.

●漂撇.

12
(15) [撅] 〓 궐 ⑧月 居月切 juē
〓 게 ⑧霽 姑衞切 guì

字解 〓①칠 궐 공격함. '一高昌, 纓突厥'《唐書》. ②팔 궐 발굴함. '一其城郭'《杜牧》. 〓걷을 게 옷의 아랫자락을 걷어 올림. 揭(手部 九畫)와 同字. '不涉不一'《禮記》.
字源 篆文 形聲. 扌(手)+厥〔音〕. '厥궐'은 '파다'의 뜻. '手수'를 더하여, '뚫다, 파다'의 뜻을 나타냄.

●不涉不撅.

12
(15) [捞] ⑧名 로 ⊕豪 魯刀切 lāo

字解 ①잡을 로 물속에 들어가 채취함. 또는 물속의 물건을 잡음. '一魚.' '山禿逾高探, 水窮益深一'《舒元興》. ②《韓》꽁게 로 씨를 뿌린 뒤에 씨앗이 흙에 덮이게 하는 농구(農具).
字源 形聲. 扌(手)+勞〔音〕.

[捞救 노구] 물에 빠진 것을 건져 구함.
[捞魚 노어] 물고기를 포획함. 어로(漁捞).
[捞採 노채] 물속으로 들어가 채취(採取)함.
[捞取 노취] 노채(捞採).
●牽捞. 漁捞. 拗捞.

12
(15) [摿] 광 ⊕漾 古曠切 guàng

字解 ①찰 광, 채울 광 충족(充足)시킴. '一, 充也'《集韻》. ②풀이름 광 초명(草名). '一, 艸名, 爾雅, 傳, 一目, 一名, 縷艸'《集韻》.

12
(15) [撛] ⑧名 린 ⊕軫 良忍切 lǐn

字解 뺄 린 뽑음. '一白刃以萬舞, 危冬葉之待霜'《潘岳·西征賦》.

12
(15) [撴] ⑨ 돈 dūn

字解 (現)①던질 돈. ②칠 돈 타격(打擊)함. ③흔들릴 돈.

12
(15) [擱] 한 ⊕濟 下報切 xiàn

字解 성낼 한 불끈 화냄. '一然授兵登陴'《左傳》.
字源 形聲. 扌(手)+閒〔音〕.

[擱然 한연] 불끈 성내는 모양.

12
(15) [撋] 연 ⊕先 而緣切 ruán

字解 비빌 연 손으로 문지름. '煩一, 猶捼挱'《阮孝緒》.
字源 形聲. 扌(手)+閏〔音〕.

●煩撋.

12
(15) [擨] 의 ⊕寘 乙冀切 yì

字解 읍할 의 공수(拱手)하고 절함. '九日, 肅拜. (註)但俯而一, 今時一, 是也'《周禮》.
字源 篆文 形聲. 扌(手)+壹〔音〕. '揖읍'과 같은 뜻으로, 무릎을 꿇고 고개는 그대로 두고 손만을 늘어뜨리는 절의 뜻을 나타냄.

12
(15) [撍] 잠 ①②⊕感 子感切 zǎn ③④⊕覃 作合切 zān

字解 ①손떨릴 잠 '一, 手動也'《集韻》. ②잡을 잠 손에 쥠. '一, 又執持'《字彙》. ③다할 잠

'一, 盡也'《廣韻》. ④빠를 잠 날램. '一, 疾也'《集韻》.

12 ⑮ **[撏]** 잠 [平]覃 昨含切 xián

[字解] 딸 잠 달려 있는 것을 뗌. '溫李諸人, 困於一撦'《劉克莊》.
[字源] 形聲. 扌(手)+尋〔音〕. '尋심'은 '찾다'의 뜻. 손으로 더듬어 따다의 뜻을 나타냄.

[撏撦 잠차] 이것저것 여러 가지를 땀.

12 ⑮ **[撐]** 탱 [平]庚 中庚切 chēng

[字解] ①버팀목 탱 지주(支柱). '摧杌饒孤一'《韓愈》. ②버틸 탱 굄. '一拄'. '斷橋無力強支一'《趙元》. ③배저을 탱 배〔船〕를 저음. '一刺'. '破月衝雲取次一'《朱熹》.
[字源] 形聲. 扌(手)+牚〔音〕. '牚탱'은 '버팀목'의 뜻. 버팀목을 버티다의 뜻을 나타냄.
[參考] 撑(次條)은 俗字.

[撐船 탱선] 배를 저음.
[撐刺 탱자] 배를 저음.
[撐腸拄腹 탱장주복] 배가 터지도록 먹음. 실컷 먹음.
[撐拄 탱주] 버팀. 또, 버팀목.
[撐支 탱지] 버팀. 굄.
◉孤撐. 支撐. 枝撐.

12 ⑮ **[撑]** 撐(前條)의 俗字

12 ⑮ **[撒]** [人名] 살 [入]曷 桑葛切 sā

[字解] ①놓을 살 방치(放置)함. '望見巉巘多退步, 有誰一手肯承當'《清珙》. ②흩을 살 흩어지게 함. '一壞'. '北人種麥漫一'《本草》. ③뿌릴 살 물 같은 것을 뿌림. '一水'. ④성 살 성(姓)의 하나.
[字源] 形聲. 扌(手)+散〔音〕. '散산'은 '흩다'의 뜻. '手수'를 더하여, '흩뿌리다'의 뜻을 나타냄.

[撒壞 살괴] 산산이 부숨. 부수어 흩음.
[撒扇 살선] 접는 부채.
[撒水 살수] 물을 뿌림.
[撒手 살수] 손을 놓음. 방치(放置)함.
[撒菽 살숙] 콩을 뿌림.
[撒布 살포] 뿌림.
[撒火 살화] 한자(漢字) '灬'의 일컬음.
◉漫撒.

12 ⑮ **[撤]** [人名] 철 [入]屑 直列切 chè

[筆順] 扌 扌 扩 捁 捁 揗 撤 撤

[字解] 거둘 철, 치울 철 ㉠제거함. '一去'. '不一薑'《論語》. ㉡그만둠. 폐(廢)함. '減膳一樂'《唐書》.
[字源] 形聲. 扌(手)+徹〈省〉〔音〕. '徹철'은 식사 뒤치다꺼리의 뜻. 눈앞의 것을 모두 치워 버리다의 뜻을 나타냄.

[撤去 철거] 거두어 치워 버림.
[撤簾 철렴] 어린 임금이 자란 뒤에 모후(母后)의 수렴(垂簾)의 정치(政治)를 폐(廢)함.
[撤兵 철병] 주둔(駐屯)하였던 군대(軍隊)를 거두어 들임.
[撤床 철상] 음식상을 거두어 치움.
[撤瑟 철슬] 옛날에 병이 중하면 집안 사람들이 현악기를 타지 않았으므로, 전(轉)하여 병의 위독함을 이름.
[撤市 철시] 시장(市場)·가게 등의 문을 닫음.
[撤任 철임] 면직(免職)함.
[撤廛 철전] 철시(撤市).
[撤除 철제] 철거(撤去).
[撤饌 철찬] 제사 지낸 음식을 거두어 치움.
[撤退 철퇴] 거두어 가지고 물러감.
[撤罷 철파] 철폐(撤廢).
[撤廢 철폐] 거두어 치워 그만둠. 마련했던 일을 폐지함.
[撤捕 철포] 체포 명령을 취소함.
[撤回 철회] 내거나 보낸 것을 도로 거두어들임.

12 ⑮ **[擷]** 결 [入]屑 奚結切 xié

[字解] 묶을 결 '一, 束也'《廣雅》.

12 ⑮ **[撓]** [人名] [一] 뇨 [上]巧 奴巧切 náo / [去]效 尼教切 náo; [二] 효 [平]蕭 馨幺切 xiāo

挠

[字解] [一] ①휠 뇨 ㉠구부러짐. '一屈'. '不膚一, 不目逃'《孟子》. ㉡정당하지 아니함. '枉辟邪一之人'《呂氏春秋》. ㉢구부러지게 함. '一折棟梁'《後漢書》. ㉣정당히 하지 아니함. '一法治之'《史記》. ②꺾일 뇨 용기가 꺾임. '師徒一敗'《左傳》. ③어지러울 뇨, 어지럽힐 뇨 혼란함. 또, 혼란하게 함. '一亂我同盟'《左傳》. [二] 돌 효 순환함. '一挑無極'《莊子》.
[字源] [篆文] 形聲. 扌(手)+堯〔音〕. '堯요'는 '弱약'과 통하여, '나긋나긋하다'의 뜻. 손으로 나긋나긋하게 휘다의 뜻을 나타냄. 또, '擾요'와 통하여, '어지럽히다'의 뜻도 나타냄.

[撓改 요개] 휘어서 고침.
[撓屈 요굴] 휘어 굽음. 또, 휘어 굽힘.
[撓撓 요뇨] 흔들리는 모양. 움직이는 모양.
[撓亂 요란] 어지러움. 또, 어지럽힘.
[撓法 요법] 법(法)을 굽힘. 법률을 남용(濫用)함.
[撓擾 요요] 요란(擾亂)함. 또, 요란하게 함.
[撓折 요절] 휘어 꺾음. 부러뜨림.
[撓敗 요패] 용기가 꺾이어 패함.
[撓挑 효조] 순환(循環)하는 모양.
◉鼓撓. 曲撓. 攪撓. 屈撓. 逗撓. 百折不撓. 煩撓. 擾撓. 枉撓. 折撓. 摧撓. 侵撓. 敗撓. 陷撓. 回撓.

12 ⑮ **[擭]** 획 [入]陌 胡麥切 huò

[字解] ①가슴칠 획 슬퍼하여 가슴을 침. '一, 擗也'《集韻》. ②찢을 획, 째질 획 掝(手部 八畫)과 同字.

12 ⑮ **[撕]** 시 [平]齊 先稽切 xī

[字解] 끌 시 손을 잡고 끎. '提一之'《漢書》.

[字源] 形聲. 扌(手)＋斯〔音〕

◉提撕.

12 ⑮ **[撙]** 준 [上]阮 玆損切 zǔn

[字解] ①누를 준 억제함. 또, 겸양함. '恭敬—節'《禮記》. ②꺾을 준 부러뜨림. '伏軾—銜'《戰國策》. ③모일 준 한데 많이 모이는 모양. '齊總總以——'《揚雄》.
[字源] 形聲. 扌(手)＋尊〔音〕

[撙節 준절] 눌러 절제함. 겸양(謙讓)함. 일설에는, 자기 감정을 억제하고 법도(法度)를 따름.
[撙撙 준준] 많이 모이는 모양. 득실득실한 모양.
◉節撙. 薦撙.

12 ⑮ **[撚]** [人名] 년 [上]銑 乃殄切 niǎn

[字解] ①꼴 년 비비어 꼼. '—紙'. ②탈 년 비파 같은 것을 탐. '輕攏慢—撥復挑'《白居易》. ③밟을 년 발로 밟음. '前後不相—'《淮南子》. ④노 년 종이·실 등을 꼰 것. '金—千絲翠萬行'《楊萬里》.
[字源] 篆文 形聲. 扌(手)＋然〔音〕. '然년'은 '타다'의 뜻. 불길이 소용돌이치듯 손으로 비벼 꼬다의 뜻을 나타냄.

[撚斷 연단] 꼬아 끊음.
[撚撥 연발] 비파 같은 것을 탐.
[撚絲 연사] 꼰 실.
[撚紙 연지] 지노.
◉慢撚. 攏撚. 折撚. 紙撚.

12 ⑮ **[擿]** 치 [去]寘 直利切 zhì

[字解] 상당(相當)하게할 치 서로 합당하게 함. '—, 持物使相當也'《集韻》.

12 ⑮ **[撝]** [一] 휘 [平]支 許爲切 huī [二] 위 [平]支 于嬀切 wěi

[字解] [一] ①찢을 휘 쨈. '—介鮮'《馬融》. ②가리킬 휘, 휘두를 휘 지시(指示)함. 지휘함. '—指'. '瞋目而—之'《淮南子》. [二] 도울 위 보좌(保佐)함. '事貌用恭—肅'《太玄經》.
[字源] 篆文 形聲. 扌(手)＋爲〔音〕. '爲위'는 인위(人爲)를 가하다의 뜻. '돕다'의 뜻을 나타냄. 또, '麾휘'와 통하여 '가리키다'의 뜻도 나타냄.

[撝謙 휘겸] 겸양(謙讓)함.
[撝戈 휘과] 창을 휘둘러 지휘함.
[撝損 휘손] 휘겸(撝謙).
[撝挹 휘읍] 휘겸(撝謙).
[撝指 휘지] 지시(指示)함.
◉奮撝. 指撝.

12 ⑮ **[攓]** 건 [上]銑 九件切 qiān

[字解] 뽑아낼 건 '—, 拔取也. 南楚語'《說文》.

[字源] 形聲. 扌(手)＋寒〔音〕

12 ⑮ **[撜]** [一] 증 [去]徑 蒸證切 zhěng [二] 쟁 [平]庚 除庚切 chéng

[字解] [一] 건질 증, 도울 증 拯(手部 六畫)과 同字. '子路—溺而受牛謝'《淮南子》. [二] 닿을 쟁 접촉함. '不爲手所—'《韓愈》.
[字源] 拯·折의 別體 形聲. 扌(手)＋登〔音〕

12 ⑮ **[撞]** [人名] 당 [平]江 宅江切 zhuàng

[字解] ①부딪칠 당 충돌함. '—突'. ②칠 당 두드림. '善待問者, 如—鐘'《禮記》.
[字源] 篆文 形聲. 扌(手)＋童〔音〕. '童동'은 의성어(擬聲語)로, '둥' 하는 소리. 손으로 '둥' 치다의 뜻을 나타냄.

[撞撞 당당] 계속해서 치는 모양.
[撞突 당돌] 부딪침. 충돌(衝突)함.
[撞木 당목] 징을 치는 정자형(丁字形)의 불구(佛具).
[撞入 당입] 돌입(突入)함.
[撞着 당착] ㉠서로 맞부딪침. ㉡앞뒤가 맞지 아니함.
◉擊撞. 突撞. 白撞. 舂撞. 衝撞. 香撞.

12 ⑮ **[撌]** 귀 [去]寘 丘愧切 guì

[字解] 떨 귀 떨어 버림.

12 ⑮ **[撟]** 교 [上]篠 居夭切 jiǎo

[字解] ①들 교 위로 올림. '仰—首以高視兮'《揚雄》. ②굳셀 교 강한 모양. '—然剛折端志'《荀子》. ③칭탁할 교, 바로잡을 교 矯(矢部 十二畫)와 同字. '—制以令天下'《漢書》. '—枉, 過其正'《漢書》.
[字源] 篆文 形聲. 扌(手)＋喬〔音〕. '喬교'는 '높다'의 뜻. 손을 높이 하다, 들다의 뜻을 나타냄.

[撟然 교연] ㉠굳센 모양. 강한 모양. ㉡올라간 모양.
[撟引 교인] 몸을 주무르고 두드리어 피를 잘 돌게 함. 안마(按摩)함.
[撟制 교제] '교제(矯制)'와 같음.
◉夭撟.

12 ⑮ **[撠]** 극 [入]陌 几劇切 jǐ

[字解] ①칠 극 때림. '救鬪者不搏—'《史記》. ②가질 극 소지함. '—膠葛, 騰九閎'《揚雄》.
[字源] 形聲. 扌(手)＋戟〔音〕. '戟극'은 '미늘창'의 뜻. 손에 미늘창을 들고 치다의 뜻을 나타냄.

◉搏撠.

12 ⑮ **[撨]** [一] 초 [平]蕭 蘇彫切 xiāo [二] 수 [平]尤 先侯切 sōu

[字解] [一] ①고를 초 골라 가짐. '—, 擇也'《廣

韻〕. ②취할 초 가짐. ‘一, 取也’《廣韻》. ③닦을 초 씻음. ‘一, 拭也’《集韻》. 三 밀수 밀침. ‘一, 推也’《集韻》.

字源 形聲. 扌(手)＋焦〔音〕.

12
⑮ [撢] 탐 ㉦勘 他紺切 tàn

字解 더듬을 탐 더듬어 찾음. 探(手部 八畫)과 同字. ‘誦王志者, 若一取王之志’《周禮 疏》.

字源 篆文 形聲. 扌(手)＋覃(亶)〔音〕. ‘亶담’은 깊이 내려가다의 뜻. 깊이 내려가서 더듬어 찾다의 뜻을 나타냄.

12
⑮ [撣] 一 탄 ㉤旱 蕩旱切 dǎn
　　　 선 ㉥先 市連切 chán

字解 一 들 탄 손에 가짐. ‘提禍一一’《太玄經》. 二 당길 선 끌어당김. ‘一撍’.

字源 篆文 形聲. 扌(手)＋單〔音〕.

[撣撍 선원] 끌어당김. 견인(牽引) 함.
[撣撣 탄탄] 듦. 손에 가짐.

12
⑮ [撥] 人名 一 발 ㉫曷 北末切 bō
　　　　 벌 ㉫月 房越切 fá

字解 一 ①다스릴 발 治(水部 五畫)와 뜻이 같음. ‘一亂反正’, ‘一亂世反諸正’《公羊傳》. ②덜 발 제거함. ‘秦一去古文’《史記》. ③휠 발 흰 것이 반대쪽으로 됨. ‘弓一矢鉤’《戰國策》. ④퉁길 발 반발(反撥)함. ‘一條’. ⑤벌릴 발 오므라진 것을 펴서 엶. ‘衣毋一’《禮記》. ⑥탈 발 현악기를 튀김. ‘細一紫雲金鳳語’《李羣玉》. ⑦채 발 현악기를 타는 채. ‘曲終收一當心畫’《白居易》. ⑧상영줄 발 상여를 끄는 줄. ‘廢輴而設一’《禮記》. 二 방패 벌 대순(大盾). ‘矛戟劍一’《史記》.

字源 篆文 形聲. 扌(手)＋發〔音〕. ‘發발’은 ‘놓다’의 뜻. 손으로 퉁기다의 뜻을 나타냄. 또, 어지러워진 상태를 퉁겨서 제거하다의 뜻으로, ‘다스리다’의 뜻을 나타냄.

[撥去 발거] 제거(除去)함.
[撥弓 발궁] 휘어져서 바르지 아니한 활.
[撥棄 발기] 떨어 버림.
[撥鐙法 발등법] 운필(運筆)의 법(法). 등불을 걸 듯이 급하지 않게, 또 느리지 않게 한다는 뜻. 등(鐙)은 등화(燈火).
[撥亂 발란] 난리를 평정(平定)함.
[撥亂反正 발란반정] 난리를 평정(平定)하여 질서 있는 세상으로 회복함.
[撥刺 발랄] ㉠활을 당긴 모양. ㉡활발(活潑)하게 약동(躍動)하는 모양.
[撥無 발무] 무시하여 물리침. 고려하지 아니함.
[撥撥 발발] 물고기가 펄쩍펄쩍 뛰는 모양.
[撥條 발조] 용수철.
●啓撥. 亂撥. 挑撥. 反撥. 撩撥. 指撥. 觸撥. 擺撥.

12
⑮ [搜] 수 ㉤尤 所丘切 sōu

字解 바람소리 수 바람이 부는 소리. ‘甄后塘上行云, 邊地多悲風, 樹木何一一’《藝林伐山》.

12
⑮ [搋] 차 ㉡馬 昌者切 chě

字解 찢을 차 열개(裂開)함. ‘一裂’. ‘困于搋一’《劉克莊》.

字源 形聲. 扌(手)＋奢〔音〕.

[搋裂 차열] 손으로 찢음.

12
⑮ [撩] 료 ㉦蕭 落蕭切 liáo

字解 ①다스릴 료 처리함. ‘理亂, 謂之一理’《通俗文》. ②돋울 료 싸움을 돋움. ‘持長矛一戰’《魏志》. ③어지러울 료 산란함. ‘上一之木, 鳥所不集’《太玄經 註》.

字源 形聲. 扌(手)＋尞〔音〕. ‘尞료’는 ‘料료’와 통하여, ‘헤아리다’의 뜻. 난을 잘 헤아려 다스리다의 뜻을 나타냄. 또, ‘繚료’와 통하여, 엉키어 어지러워지다의 뜻도 나타냄.

[撩亂 요란] 어지러움. 산란함.
[撩理 요리] 다스리어 정돈함. 정리(整理)함.
[撩摘 요적] 땀. 잡아뗌.
[撩戰 요전] 싸움을 돋움. 도전(挑戰).

12
⑮ [撫] 人名 무 ㉤麌 芳武切 fǔ

筆順 扌 扩 拌 拌 撫 撫 撫

字解 ①어루만질 무 ㉠쓰다듬음. ‘一孤松而盤桓’《陶潛》. ㉡애무함. ‘嫂常一汝而言曰’《韓愈》. ㉢위로함. 위안함. ‘慰一一四夷’《孟子》. ②좇을 무 따름. ‘一于五辰’《書經》. ③누를 무 손으로 누름. ‘君一僕之手’《禮記》. ④기댈 무 의지함. ‘一式’《禮記》. ⑤칠 무 두드림. ‘坐者一掌擊節’《晉書》. ⑥성 무 성(姓)의 하나.

字源 篆文 形聲. 扌(手)＋無〔音〕. ‘無무’는 ‘덮어 씌우다’의 뜻. 손을 덮어씌워서 쓰다듬다, 위안하다의 뜻을 나타냄.

[撫劍 무검] 칼자루를 쥐고 칼을 빼려 함. 안검(按劍).
[撫結 무결] 친하여 사귐을 맺음.
[撫教 무교] 어루만지며 가르침.
[撫鞠 무국] 무육(撫育).
[撫軍 무군] ㉠고대(古代)에 태자(太子)가 그 아버지인 제후를 따라 출정(出征)할 때의 칭호. ㉡장군(將軍)의 명호(名號). ㉢명청 시대(明淸時代)의 순무(巡撫)의 별칭(別稱).
[撫琴 무금] 거문고를 탐.
[撫勞 무로] 무위(撫慰).
[撫弄 무롱] 현악기(絃樂器)를 타고 놂.
[撫摩 무마] 손으로 어루만짐. 사람의 마음을 잘 타일러 위로(慰勞)함.
[撫綏 무수] 무안(撫安).
[撫循 무순] 어루만져 복종하게 함.
[撫安 무안] 어루만져 편안하게 함.
[撫養 무양] 무육(撫育).
[撫馭 무어] 무어(撫御).
[撫御 무어] 어루만져 통어(統御)함.
[撫慰 무위] 어루만지며 위로함. 위무(慰撫).
[撫有 무유] 어루만져 보유함.

[撫柔 무유] 어루만져 유순하게 함.
[撫育 무육] 어루만져 기름.
[撫字 무자] 어루만지며 사랑함. 사랑하며 기름. 자(字)는 '애육(愛育)'의 뜻.
[撫情 무정] 자기의 감정을 눌러 가라앉힘. 감정을 추스름.
[撫存 무존] 위로하고 휼문(恤問)함.
[撫緝 무즙] 무즙(撫輯).
[撫輯 무즙] 어루만져 화락하게 함.
[撫鎭 무진] 어루만져 진정(鎭定)함.
[撫抱 무포] 어루만져 안아 줌.
[撫恤 무휼] 백성을 어루만져 위로하며 물질로써 은혜를 베풂.
◉監撫. 敎撫. 督撫. 摩撫. 宣撫. 綏撫. 巡撫. 安撫. 愛撫. 慰撫. 柔撫. 恩撫. 制撫. 存撫. 拯撫. 鎭撫. 招撫. 懷撫.

12 ⑮ [播] [高·人] 파 [去]箇 補過切 bō

[筆順] 扌 扌 扌 抨 採 播 播 播

[字解] ①뿌릴 파 씨를 뿌림. '—種'. '其始—百穀'《詩經》. ②펼 파 널리 퍼뜨림. '傳—'. '—其說於士大夫間矣'《十八史略》. ③베풀 파 널리 시행함. 널리 미치게 함. '—敷'. '王—告之'《書經》. ④헤칠 파 흩뜨림. '北—爲九河'《書經》. ⑤버릴 파 내버림. 방기(放棄)함. '—弓矢'《說苑》. ⑥달아날 파 도망함. 또, 방랑함. '—遷'. '—越'. '伐殷逋—臣'《書經》. ⑦까불 파 簸(竹部 十三畫)와 통용. '鼓筴—精'《莊子》. ⑧성 파 성(姓)의 하나.

[字源] 金文 篆文 古文 形聲. 扌(手)+番〔音〕. '番번·파'는 논밭에 씨를 뿌리다의 뜻. 뒤에 '番'이 다른 뜻으로 쓰이게 되자 '手수'를 더함.

[播告 파고] 널리 고함. 포고(布告).
[播棄 파기] 버림. 방기(放棄).
[播弄 파롱] 조롱함. 희롱함.
[播敷 파부] 널리 폄. 널리 베풂.
[播植 파식] 씨를 뿌리고 모종을 함.
[播殖 파식] 파식(播植).
[播越 파월] 방랑(放浪)함.
[播種 파종] 씨앗을 뿌림.
[播州 파주] 주(州)의 이름. 구이저우 성(貴州省)내에 있음.
[播遷 파천] ㉠먼 나라를 유랑(流浪)함. ㉡임금이 도성(都城)을 떠나 난리를 피(避)함.
[播蕩 파탕] 파월(播越).
◉宣播. 揚播. 流播. 傳播. 種播. 逋播. 弘播. 掀播.

12 ⑮ [撮] [人名] 촬 [入]曷 倉括切 cuō

[字解] ①집을 촬 ㉠손가락 끝으로 집음. '鴟鵂夜—蚤察毫末'《莊子》. ㉡요점을 집음. 요점을 추림. '—要'. '—名法之要'《漢書》. ②모을 촬 한데 모음. '其居處足以—徒成黨'《孔子家語》. ③자밤 촬 손가락 끝으로 집을 만한 분량. '一—土'. ④양이름 촬 양(量)의 단위. 규(圭)의 네 배(倍). 규(圭)는 기장 예순네 알의 양. ⑤《韓》찍을 촬 사진을 찍음. '—影'.

[字源] 篆文 形聲. 扌(手)+最〔音〕. '最최'는 '撮촬'의 원자(原字)로, 손끝으로 집다의 뜻을 나타냄. '最'가 '가장'의 뜻으로 전용되자, '手수'를 더하여 구별함.

[撮記 촬기] 요점(要點)을 추려 적음. 또, 그 문서.
[撮壤 촬양] 촬토(撮土).
[撮影 촬영] 사진(寫眞)·영화(映畫)를 찍음.
[撮要 촬요] 요점을 추림. 또, 요점을 추려 적은 문서.
[撮土 촬토] 한 줌의 흙.
◉簡撮. 括撮. 圭撮. 搏撮. 一撮. 捉撮. 抄撮. 把撮. 攫撮. 會撮.

12 ⑮ [撰] [人名] [一] 찬 ㊤潸 雛鯇切 zhuàn
[二] 선 ㊤銑 士免切 xuǎn

[筆順] 扌 扌 扌 把 扌巴 撰 撰 撰

[字解] [一] ①지을 찬 시문 따위를 지음. '—述'. '共—國書'《北史》. ②적을 찬 기록함. '密—事情'《北齊書》. ③가질 찬 '結—至思'《楚辭》. ④일 찬 사항. '以體天地之—'《易經》. ⑤저술 찬 저작. '出於後人僞—'《楊愼外集》. [二] ①가릴 선 選(辵部 十二畫)과 同字. '—良馬者, 非以逐狐狸, 將以射麋鹿'《淮南子》. ②가질 선 쥠. '—杖屨'《禮記》.

[字源] 形聲. 扌(手)+巽〔音〕. '巽손'은 가지런히 정돈하다의 뜻. '手수'를 더하여, '가리다'의 뜻을 나타냄.

[撰錄 찬록] 글을 지어 기록함. 또, 그 기록.
[撰文 찬문] 글을 지음. 또, 그 글.
[撰述 찬술] 책을 지음. 저술(著述).
[撰著 찬저] 찬술(撰述).
[撰定 찬정] 문서를 작성하여 정함.
[撰集 찬집] 사실을 수집(收集)하여 기록함.
[撰次 찬차] 책을 저술하는 데 순서에 따라 씀.
◉改撰. 考撰. 官撰. 論撰. 杜撰. 私撰. 刪撰. 修撰. 新撰. 演撰. 自撰. 著撰. 精撰. 製撰. 纂撰. 抄撰. 勅撰.

12 ⑮ [撱] 타 ㊤哿 吐火切 tuǒ

[字解] 길쭉할 타 橢(木部 十二畫)와 同字. '—圓'.

[撱圓 타원] 길쭉한 원형(圓形). 타원(橢圓).

12 ⑮ [撲] [人名] [一] 박 [入]覺 蒲角切 pū
[二] 복 [入]屋 普木切 pū 扑

[筆順] 扌 扌 扌 扌 扌 撲 撲 撲

[字解] [一] ①칠 박 두드림. '—殺'. '摧—大寇'《後漢書》. ②찌를 박 자극함. '剖之如有煙—口鼻'《劉基》. ③엎드러질 박 넘어짐. '朽杌欋傾—'《韓愈》. [二] ①종아리채 복 扑(手部 二畫)과 同字. '桎梏鞭—, 以加小人'《申鑒》. ②길들이지않을 복 아직 조련(調練)이 되지 아니함. '若馭—馬'《荀子》.

[字源] 金文 篆文 形聲. 扌(手)+菐〔音〕. '菐복'은 쳤을 때에 나는 '팍' 소리의 의성어. '手수'를 더하여, '치다'의 뜻을 나타냄.

[撲落 박락] 때려 떨어뜨림.

[撲滿 박만] 아이들이 돈을 모아 두는 작은 질그릇. 벙어리.
[撲滅 박멸] 짓두들겨서 아주 없애 버림.
[撲罰 박벌] 태형(笞刑).
[撲朔 박삭] ㉠헛디디어 넘어짐. ㉡토끼.
[撲朔迷離 박삭미리] 토끼의 암수 구별이 분명하지 않다는 뜻으로, '남자인지 여자인지 분명하지 않음'을 이름.
[撲殺 박살] 때려죽임.
[撲地 박지] ㉠지상(地上)에 하나 가득됨. ㉡갑자기.
[撲殄 박진] 박멸(撲滅).
[撲打 박타] 두드림. 때림.
[撲破 박파] 때려 부숨.
[撲筆 박필] 붓을 집어 던짐. 척필(擲筆).
[撲馬 복마] 길들지 않은 말.
◉擊撲. 亂撲. 相撲. 殲撲. 翦撲. 剿撲. 勦撲. 打撲.

12 ⑮ [擂] [一] 추 [平]尤 丑鳩切 chōu
[二] 류 [去]宥 力救切 liù

[字解] [一] 당길 추 끌어당김. 抽(手部 五畫)와 同字. [二] 손으로흙고를 류 손으로 흙을 고름. '梂之橐橐 (註) 梂, 謂一土也'《詩經》.

[字源] 篆文  別體  形聲. 扌(手)+畱〔音〕. '畱류'는 깊이 통하는 구멍의 뜻. 구멍에서 손으로 당겨 뽑다의 뜻을 나타냄.

12 ⑮ [撳] [現] 근 qìn

[字解] 《現》 누를 근 손이나 손가락으로 누름. 또, 앞으로 기울어짐.

12 ⑮ [撖] [一] 감 ①②[上]豏 苦減切 qiǎn
①③[平]覃 口含切 qiǎn
[二] 함 [上]豏 胡黤切 hàn

[字解] [一] ①걸 감 '一, 挂也'《玉篇》. ②위태로울 감 '一, 一曰, 危也'《玉篇》. ③성 감 성(姓)의 하나. [二] 성 함 성(姓)의 하나.

12 ⑮ [擇] 〔견〕
牽(牛部 七畫〈p. 1382〉)의 古字

12 ⑮ [搭] 〔탑〕
搭(手部 十畫〈p. 896〉)과 同字

12 ⑮ [搽] [一] 摻(手部 十一畫〈p. 902〉)의 俗字
[二] 操(手部 十三畫〈p. 910〉)의 俗字

12 ⑮ [據] 〔거〕
據(手部 十三畫〈p. 912〉)의 俗字

12 ⑮ [擣] 〔도〕
擣(手部 十四畫〈p. 913〉)의 本字

13 ⑰ [擊] [中·人] 격 [入]錫 古歷切 jī 击

[筆順] 一 亘 亘 車 軎 軎 毄 擊

[字解] ①칠 격 ㉠두드림. '一鼓'. '孔子一磬'《史記》. ㉡공격함. '一退'. '急一勿失'《史記》. ㉢다툼. 싸움. '日夜相一于前'《莊子》. ②부딪칠 격 충돌함. '肩摩轂一'. '車轂一'《戰國策》. ③죽일 격 쳐죽임. '刲羊一豕'《國語》. ④마주칠 격 눈으로 봄. '目一'.

[字源] 篆文  形聲. 手+毄〔音〕. '毄격'은 수레가 서로 부딪치다의 뜻. '手수'를 더하여, '치다'의 뜻을 나타냄.

[擊劍 격검] 장검(長劍)을 쓰는 기술.
[擊磬 격경] 경(磬)쇠를 침.
[擊叩 격고] 문을 두드리어 찾음. 방문(訪問).
[擊鼓 격고] 북을 침.
[擊毬 격구] 장(杖)으로 공을 쳐 우열을 다투는 옛 무술(武術), 또는 유희.
[擊斷 격단] ㉠쳐서 끊음. ㉡함부로 형벌을 줌.
[擊撞 격당] 격부(擊拊).
[擊滅 격멸] 쳐서 멸(滅)함.
[擊蒙 격몽] 몽매(蒙昧)한 아동의 지혜를 계몽하여 주는 일. 전(轉)하여, 교육(教育).
[擊搏 격박] 침.
[擊拊 격부] 악기(樂器) 같은 것을 침.
[擊掊 격부] ㉠쳐부숨. ㉡격부(擊拊).
[擊殺 격살] 쳐죽임.
[擊賞 격상] 손뼉을 치며 칭찬함.
[擊碎 격쇄] 쳐서 분쇄함.
[擊壤 격양] 신 같은 목제구를 땅에 세우고 몇 걸음 떨어진 곳에서 이와 같은 물건을 던져 맞추는 유희. 일설(一說)에는, 땅을 두드리며 박자를 맞춤.
[擊攘 격양] 쳐 물리침.
[擊壤歌 격양가] 풍년이 들어 농부가 태평(太平)한 세월(歲月)을 구가(謳歌)하는 노래.
[擊壤集 격양집] 책 이름. 20권. 송(宋)나라의 소옹(邵雍)의 시집(詩集).
[擊刺 격자] ㉠찔러 죽임. 죽임. ㉡격검(擊劍).
[擊賊笏 격적홀] 당(唐)나라의 단수실(段秀實)이 홀(笏)을 들어 반신(叛臣) 주자(朱泚)의 이마를 친 고사(故事).
[擊節嘆賞 격절탄상] 무릎이나 궁둥이를 치면서 탄복하며 칭찬함.
[擊斬 격참] 쳐 벰.
[擊墜 격추] 비행기를 쏘아 떨어뜨림.
[擊沈 격침] 배를 쳐서 침몰(沈沒)시킴.
[擊柝 격탁] 딱따기를 침. 딱따기를 치며 야경을 돎. 또, 그 사람.
[擊退 격퇴] 적군을 쳐서 물리침.
[擊破 격파] 쳐서 깨뜨림.
◉挌擊. 肩摩轂擊. 敲擊. 攻擊. 撾擊. 毆擊. 急擊. 技擊. 撻擊. 撞擊. 突擊. 目擊. 尾擊. 迫擊. 搏擊. 駁擊. 反擊. 排擊. 掊擊. 奮擊. 射擊. 襲擊. 掩擊. 迎擊. 要擊. 邀擊. 遊擊. 刺擊. 狙擊. 電擊. 霆擊. 提擊. 縱擊. 直擊. 進擊. 遮擊. 銃擊. 摧擊. 追擊. 推擊. 捶擊. 出擊. 衝擊. 打擊. 彈擊. 盪擊. 笞擊. 討擊. 痛擊. 鬪擊. 鞭擊. 砲擊. 爆擊. 合擊. 夾擊. 挾擊. 橫擊.

13 ⑯ [攜] 〔휴〕
攜(手部 十八畫〈p. 918〉)의 俗字

13 ⑰ [擘] [人名] 벽 [入]陌 博厄切 bò 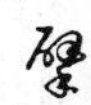

[字解] ①쪼갤 벽 가름. '一裂'. '塗皆乾一之'《禮記》. ②당길 벽 활을 당김. '弓弩手張曰一'《康熙字典》. ③엄지손가락 벽 무지(拇指). '巨一'.

'首大如一'《爾雅》.
字源 篆文 形聲. 手+辟〔音〕. '辟벽'은 '쪼개다, 열다'의 뜻. 손으로 가르다, 쪼개다를 뜻함.

[擘窠 벽과] 전각(篆刻)에 쓰는 서체(書體). 일설(一說)에는, 큰 글자. 대서(大書).
[擘裂 벽렬] 쪼갬. 가름.
[擘柳風 벽류풍] 봄에 부는 질풍(疾風).
[擘指 벽지] 엄지손가락.
[擘畫 벽획] 처리함. 처분함.
◉巨擘. 雲擘.

13 ⑰ [擎] 人名 경 ㉠庚 渠京切 qíng

筆順 敬 擎

字解 들 경 높이 듦. '書從稚子一'《杜甫》.
字源 形聲. 手+敬〔音〕. '敬경'은 '삼가다'의 뜻. 삼가 손을 위로 올리다의 뜻을 나타냄.

[擎劍 경검] 검을 높이 듦.
◉騈擎. 提擎. 攜擎.

13 ⑯ [撻] 人名 달 ㉢曷 他達切 tà

字解 ①매질할 달 매·채찍 따위로 때림. '一罰'. '罰不敬, 一其背'《儀禮》. ②빠를 달 속함. '一彼殷武'《詩經》.
字源 篆文 形聲. 扌(手)+達〔音〕. '達달'은 매질할 때의 소리를 나타내는 의성어. '手수'를 더하여, '매질하다'의 뜻을 나타냄.

[撻脛 달경] 정강이를 내리침.
[撻戮 달륙] 달욕(撻辱).
[撻罰 달벌] 매로 때려 벌을 줌. 또, 그 형벌.
[撻辱 달욕] 매로 때려 욕을 보임.
[撻笞 달태] 매질함.
◉撾撻. 扑撻. 戮撻. 杖撻. 楚撻. 捶撻. 笞撻. 鞭撻.

13 ⑯ [撼] 감 ㉡感 胡感切 hàn

字解 흔들 감, 흔들릴 감 요동시킴. 요동함. '搖一'. '蚍蜉一大樹'《韓愈》.
字源 形聲. 扌(手)+感〔音〕. '感감'은 큰 자극에 대하여 마음이 크게 흔들리다의 뜻. '手수'를 더하여, '흔들다, 움직이다'의 뜻을 나타냄.

[撼頓 감돈] 흔들흔들하다가 넘어짐.
[撼動 감동] 흔듦. 요동시킴.
◉敲撼. 搖撼. 震撼. 擺撼.

13 ⑯ [擓] 괴 ㉠佳 苦淮切 kuǎi

字解 ①문지를 괴 '一, 揩摩'《廣韻》. ②닦을 괴 '一, 摩拭也'《玉篇》. ③《現》긁을 괴, 팔에걸 괴, 뜰 괴.

13 ⑯ [撽] 교 ①㉣嘯 苦弔切 qiào ②㉡篠 吉了切

字解 ①칠 교 옆에서 침. '一以馬捶'《莊子》. ②가질 교 손에 쥠. '一, 持也'《集韻》.

字源 篆文 形聲. 扌(手)+敫〔音〕. '敫격'은 '치다'의 뜻. 손으로 치다, 두드리다의 뜻을 나타냄.

13 ⑰ [擊] 撽(前條)와 同字

13 ⑯ [擧] 〔굴〕 掘(手部 八畫〈p. 880〉)의 本字

13 ⑯ [擬] 〔양·녕〕 攘(手部 十七畫〈p. 917〉)의 俗字

13 ⑯ [擡] 〔대〕 擡(手部 十四畫〈p. 913〉)의 俗字

13 ⑯ [撾] 과 ㉠歌 古禾切 zhuā

字解 ①칠 과 ㉠때림. '一撻'. '一婦翁'《魏志》. ㉡북을 침. '一鼓'. '更鼓畏添一'《蘇軾》. ②북채 과 북을 치는 채. '操一之次'《宣和畫譜》.
字源 會意. 扌(手)+過. '過과'는 '나무라다'의 뜻. 잘못을 책하여 손으로 때리다의 뜻을 나타냄.

[撾鼓 과고] 북을 침.
[撾撻 과달] 때림. 침.
[撾殺 과살] 때려죽임. 박살(撲殺).
◉亂撾. 連撾. 參撾.

13 ⑯ [擿] 번 ㉠元 符袁切 fán

字解 비빌 번 손으로 문지름. '一撋, 挼也'《集韻》.

13 ⑯ [擁] 高人 옹 ㉡腫 於隴切 yōng ㉠冬 於容切 yōng

筆順 扌 擁

字解 ①낄 옹 ㉠겨드랑이에 낌. '一書抱籍'《蔡邕》. ㉡가짐. 소유함. '一天下之樞'《漢書》. ㉢호위함. '一護'. '嬰甲胄, 一衛親族'《後漢書》. ②안을 옹 품에 안음. '一抱'. '走則一之'《禮記》. ③들 옹 손에 가짐. '太公一彗'《漢書》. ④가릴 옹, 막을 옹 '一遏'. '一蔽其面'《禮記》.
字源 篆文 形聲. 扌(手)+雍(雝)〔音〕. '雝옹'은 '에워싸다'의 뜻. 손으로 에워싸다, 안다의 뜻을 나타냄.

[擁衾 옹금] 이불로 몸을 덮음.
[擁戴 옹대] 옹위(擁衛)하여 두목으로 추대(推戴)함.
[擁立 옹립] 옹호(擁護)하여 세움.
[擁書 옹서] 서적을 겨드랑이에 낌. 서적을 가짐.
[擁膝 옹슬] 무릎을 깍지 껴 안음.
[擁身扇 옹신선] 몸을 가리는 큰 부채.
[擁遏 옹알] 막아 통하지 못하게 함.
[擁閼 옹알] 옹알(擁遏).
[擁佑 옹우] 옹호하고 도와줌.
[擁衛 옹위] 부축하여 호위(護衛)함.
[擁節杖旄 옹절장모] 천자(天子)로부터 하사(下賜)받은 절모(節旄)를 지님. 사신(使臣)이 되어 국외(國外)에 가 있음을 이름.

[擁腫 옹종] 부음. 부풀어오름.
[擁蔽 옹폐] 덮거나 막아서 가림.
[擁抱 옹포] 품에 안음. 포옹(抱擁).
[擁護 옹호] 부축하여 보호(保護)함.
◉密擁. 屛擁. 捧擁. 扶擁. 圍擁. 簇擁. 抱擁. 夾擁.

13 ⑯ [擂] 뢰 ①[平]灰 力堆切 léi ②[去]隊 盧對切 lèi

[字解] ①갈 뢰 연마함. ②돌내려굴릴 뢰 礧(石部 十五畫)와 同字. '—石車'《唐書》. ③《韓》고무래 뢰 '—木'은 고무래.
[字源] 形聲. 扌(手)+雷〔音〕. '雷뢰'는 '우레'의 뜻. 우르릉 소리를 내며 갈다의 뜻을 나타냄.

13 ⑯ [擄] [人名] 로 [上]麌 郞古切 lǔ 掳

[字解] ①노략질할 로 약탈함. 鹵(部首)와 同字. ②사로잡을 로 虜(虍部 六畫)와 同字.
[字源] 形聲. 扌(手)+虜〔音〕. '虜로'는 '사로잡다'의 뜻.

13 ⑯ [擅] [人名] 천 [去]霰 時戰切 shàn

[字解] ①천단 천 제멋대로 하는 일. 전횡(專橫). '此所謂—也'《管子》. ②천단할 천 제멋대로 함. '—恣'. '六卿—權'《史記》. ③멋대로 천 제 마음대로. '—將其兵'《史記》.
[字源] 篆文 形聲. 扌(手)+亶〔音〕. '亶단'은 '單단'과 통하여, '하나'의 뜻. 손 안에 일괄하여 쥐다, 멋대로 하다의 뜻을 나타냄.

[擅權 천권] 권리(權利)를 마음대로 함. 전권(專權).
[擅斷 천단] 제가 하고 싶은 대로 결단(決斷)함.
[擅私 천사] 제멋대로 함.
[擅赦 천사] 멋대로 죄수를 놓아줌.
[擅殺 천살] 제 마음대로 죽임.
[擅議 천의] 마음대로 의논하여 결정함.
[擅恣 천자] 전횡(專橫)함.
[擅場 천장] 장중(場中)에 필적(匹敵)할 만한 사람이 없음. 독무대(獨舞臺).
[擅朝 천조] 조정(朝廷)에서 전권(專權)함.
[擅許 천허] 제 마음대로 허가(許可)함.
[擅橫 천횡] 전횡(專橫)함.
◉奸擅. 獨擅. 雄擅. 恣擅. 專擅. 豪擅.

13 ⑯ [擖] 잡 [入]合 ①②私盍切 sà ③才盍切 zá

[字解] ①부서지는소리 잡 '—, 破聲'《集韻》. ②가질 잡 손에 가짐. '—, 一曰, 持也'《集韻》. ③혼잡할 잡 '攋—'은 소란함. 어수선함. '攋—, 和攪也'《集韻》.

13 ⑯ [擇] [高人] 택 [入]陌 場伯切 zé 择

[筆順] 扌 扌 扌 扌 扌 擇 擇 擇

[字解] 가릴 택 ㉠고름. 선택함. '選—'. '—善固執之'《中庸》. ㉡구별함. 차별함. '牛羊何—焉'《孟子》. '與惡劍無—'《呂氏春秋》.
[字源] 金文 篆文 形聲. 扌(手)+睪〔音〕. '睪택·역'은 차례로 나타나는 것 중에서 가려내다의 뜻. 손으로 가리다의 뜻을 나타냄.

[擇交 택교] 벗을 골라서 사귐.
[擇隣 택린] 주택을 정하는 데 우선 이웃의 인심(人心)부터 살핌. 전(轉)하여, 살기 좋은 곳으로 이사(移徙)함. 복린(卜隣).
[擇壻 택서] 사윗감을 고름.
[擇善 택선] 선(善)을 택(擇)함.
[擇言 택언] 도(道)에 맞는 옳은 말.
[擇用 택용] 골라서 씀.
[擇偶 택우] 짝을 고름. 배필(配匹)을 고름.
[擇人 택인] 인재(人材)를 고름.
[擇日 택일] 좋은 날짜를 고름.
[擇定 택정] 선정(善定)함.
[擇地 택지] 좋은 땅을 고름.
[擇處 택처] 살 곳을 고름.
[擇出 택출] 골라냄.
[擇品 택품] 좋은 물품을 고름.
[擇行 택행] 남의 모범이 될 만한 선행(善行).
[擇婚 택혼] 혼처(婚處)를 고름.
◉揀擇. 簡擇. 監擇. 妙擇. 選擇. 收擇. 練擇. 財擇. 銓擇. 精擇. 採擇. 推擇.

13 ⑯ [擉] 착 [入]覺 測角切 chuò

[字解] ①작살 착 물고기를 찔러 잡는 물건. '罔繩—刃, 以除蟲蛇惡物'《韓愈》. ②찌를 착 작살로 찔러 잡음. '—鼈於江'《莊子》.
[字源] 形聲. 扌(手)+蜀〔音〕

13 ⑯ [操] [高人] 조 ①-③[平]豪 七刀切 cāo ④-⑥[去]號 七到切 cāo

[筆順] 扌 扌 扌 扌 扌 操 操 操

[字解] ①잡을 조 쥠. '—几杖以從'《禮記》. ②부릴 조 사역(使役)함. '—縱'. '津人—舟若神'《莊子》. ③성 조 성(姓)의 하나. ④지조 조 절개. '志—'. '熹少有節—'《後漢書》. ⑤풍치 조 운치. '淸整有風—'《南史》. ⑥곡조 조 금곡(琴曲). 또, 금곡의 이름. '龜山—'(孔子 作). '樂詩曲—'《後漢書》.
[字源] 篆文 形聲. 扌(手)+喿〔音〕. '喿소·조'는 '巢소'와 통하여, 둥지를 틀다의 뜻. 새가 둥지를 틀 듯 손을 교묘하게 놀리다, 조종하다의 뜻을 나타냄. 또, 손에 꼭 쥐다의 뜻. 파생하여, '지조'의 뜻을 나타냄.

[操檢 조검] 마음의 단속.
[操觚 조고] 글을 씀. 문필(文筆)에 종사함.
[操練 조련] 군대를 실전(實戰)에 익히기 위한 연습.
[操弄 조롱] 제멋대로 다룸.
[操履 조리] 조행(操行).
[操舍 조사] 취함과 버림. 굳게 지킴과 지키지 않음. 취사(取捨).
[操束 조속] 단속(團束)함.
[操守 조수] ㉠절개(節槪)를 지킴. ㉡절개(節槪).
[操植 조식] 조수(操守).
[操心 조심] 삼가 주의함.
[操業 조업] ㉠절개(節槪)와 업적. ㉡작업을 실시함.
[操韻 조운] 지조와 운치(韻致).

[操作 조작] 일을 함. 또, 일.
[操切 조절] 법령(法令)을 엄하게 지켜 백성을 억누름.
[操井臼 조정구] ㉠우물물을 길고 쌀을 찧음. ㉡하녀에게만 맡기지 않고 직접 밥을 짓고 빨래를 함.
[操縱 조종] 마음대로 다룸. 자유(自由)로 부림.
[操舟 조주] 배를 부림.
[操持 조지] 조수(操守).
[操柁 조타] 키를 잡음.
[操筆 조필] 붓을 듦.
[操行 조행] 몸을 가지는 행실(行實). 품행(品行).
◉高操. 德操. 士操. 常操. 霜操. 俗操. 松柏操. 殊操. 心操. 雅操. 烈操. 節操. 貞操. 情操. 志操. 淸操. 體操. 稟操. 風操. 賢操.

13 ⑯ [擓] 괴 [去]泰 古外切 guài

[字解] 거둘 괴 거두어들임. '一, 收也'《集韻》. '有巢氏一菘秸以爲蓐'《路史》.

13 ⑯ [擋] [現] 당 [去]漾 丁浪切 dàng 挡 

[字解] 《現》가든히할 당 정돈함. '摒一'.
[字源] 形聲. 扌(手)+當〔音〕

◉摒擋.

13 ⑯ [擏] 경 [平]庚 渠京切 qíng

[字解] 도지개 경 檠(木部 十三畫)과 同字.
[字源] 形聲. 扌(手)+敬〔音〕

◉排擏.

13 ⑯ [擐] [一] 관 [平]刪 古還切 guān 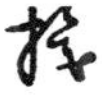
[二] 환 [去]諫 胡慣切 huàn

[字解] [一] 꿸 관 갑옷을 꿰어 입음. '一甲'. '躬一甲冑'《左傳》. [二] 꿸 환 [一]과 뜻이 같음.
[字源] [篆文]  形聲. 扌(手)+睘〔音〕. '睘선'은 '돌다'의 뜻. 갑옷과 투구를 몸에 두르다, 꿰어 입다의 뜻을 나타냄.

[擐甲 환갑] 갑옷을 입음.

13 ⑯ [擆] 숙 [入]屋 所六切 sù

[字解] 칠 숙 치는 소리. '飛罕一箾'《張衡》.

13 ⑯ [擒] [人名] 금 [平]侵 巨金切 qín 

[字解] ①사로잡을 금 생포함 '七縱七一'《漢晉春秋》. ②포로 금 생포한 적(敵). '坐守襄平成一耳'《晉書》.
[字源] 形聲. 扌(手)+禽〔音〕. '禽금'은 '사로잡다'의 뜻. '手수'를 더하여, '사로잡다'의 뜻을 나타냄.

[擒縛 금박] 잡아 묶음.
[擒生 금생] 포로(捕虜).
[擒賊先擒王 금적선금왕] 적도(賊徒)를 사로잡으려면 우선 그 괴수(魁首)부터 사로잡아야 함.
[擒縱 금종] 생금(生擒)함과 석방함.
[擒捉 금착] 사로잡음.
[擒斬 금참] 사로잡음과 베어 죽임. 또, 사로잡아서 베어 죽임.
◉拘擒. 縛擒. 生擒. 就擒. 七縱七擒.

13 ⑯ [擔] [高人] 담 ①②[平]覃 都甘切 dān 担 
③[去]勘 都濫切 dàn

[筆順] 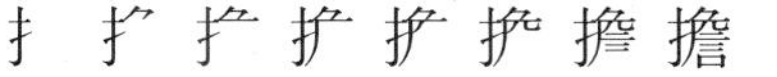

[字解] ①멜 담 짐을 어깨에 멤 '一銃'. '負書一囊'《戰國策》. ②맡을 담 부담함. 인수함. '一任'. '荷一大事'《白居易》. ③짐 담 하물 또는 부담한 일. '棄一號泣'《齊書》.
[字源] 形聲. 扌(手)+詹〔音〕. '詹첨·섬'은 위에 받치어 덮어 가리다의 뜻. 어깨를 덮듯 메다의 뜻을 나타냄.
[參考] 担(手部 五畫)은 俗字.

[擔架 담가] 들것.
[擔鼓 담고] 견우성(牽牛星)의 이칭(異稱).
[擔具 담구] 물건을 메어 나르는 데 쓰는 기구.
[擔軍 담군] 《韓》담부(擔夫).
[擔當 담당] 일을 맡아 함.
[擔頭 담두] 머리에 얹음. 또는 그 물건.
[擔保 담보] ㉠맡아서 보증(保證)함. ㉡채권(債權)을 보전하기 위하여 제공(提供)된 보증.
[擔夫 담부] 물건을 메어서 옮기는 사람.
[擔稅 담세] 납세의 의무를 짐.
[擔任 담임] 책임(責任)을 지고 일을 맡아봄.
[擔着 담착] 담당(擔當).
[擔責 담책] 담임(擔任).
[擔銃 담총] 총(銃)을 어깨에 멤.
[擔板漢 담판한] 널을 메고 가는 사나이. 이 사나이는 한쪽밖에 볼 수 없으므로 사물의 일면(一面)만 아는 사람을 이름.
[擔荷 담하] ㉠물건을 짐. ㉡책임을 짐.
◉加擔. 滿擔. 武擔. 搬擔. 步擔. 負擔. 分擔. 左擔. 重擔. 荷擔.

13 ⑯ [擖] 엽 [入]葉 弋涉切 yè 

[字解] 키바닥 엽 까부는 키의 바닥. '執箕膺一'《禮記》.
[字源] [篆文]  形聲. 扌(手)+葛〔音〕

13 ⑯ [擗] 벽 ①[入]陌 房益切 pì 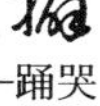
②③[入]錫 匹歷切 pǐ

[字解] ①가슴칠 벽 슬퍼하여 가슴을 침. '一踊哭泣'《孝經》. ②굽힐 벽 손발을 구부림. '擿一爲禮'《莊子》. ③빼갤 벽 쨈. 가름. 擘(手部 十三畫)과 同字.
[字源] 形聲. 扌(手)+辟〔音〕. '辟벽'은 '劈벽'과 통하여, '쨰다'의 뜻. 손으로 빼개어 열다의 뜻을 나타냄.

[擗踊 벽용] 가슴을 치고 뛰며 슬퍼함.
[擗摽 벽표] 벽용(擗踊).

13 ⑯ [擀] 간 [上]旱 古旱切 gǎn

[字解] 펼 간 손으로 물건을 폄. '一, 以手伸物'《集韻》.

13[撦]〔금〕
⑯ 揔(手部 八畫〈p. 878〉)과 同字

13[據]〔高人〕 거 ㊱御 居御切 jù
⑯

据 擄

[筆順] 扌 扩 护 护 捤 捤 據 據

[字解] ①의거할 거 ㉠증거로 삼음. '一實'. '援一徵之'《郭璞》. ㉡의지함. '一於德, 依於仁'《論語》. ㉢의탁함. '亦有兄弟, 不可以一'《詩經》. ②웅거할 거 땅을 차지하고 막아 지킴. '一守'. '先一北山上者勝'《史記》. ③누를 거 억누름. '猛獸不一'《老子》. ④의거 거 의지할 데. '州失郡一'《後漢書》.
[字源][篆文] 擄 形聲. 扌(手)+豦〔音〕. '豦거'는 짐승이 뒤엉켜 있음의 뜻. 손을 서로 얽히게 하다, 의지하다, 기대다의 뜻을 나타냄.
[參考] 拠(手部 五畫)는 俗字.

[據古 거고] 고사에 의거함.
[據德 거덕] 덕(德)을 굳게 지킴.
[據守 거수] 웅거하여 지킴.
[據軾 거식] 수레의 앞쪽에 댄 가로나무에 몸을 기댐. 복식(伏軾).
[據實 거실] 사실(事實)에 의거함.
[據鞍顧眄 거안고면] 말 안장(鞍裝)에 걸터앉아서 전후좌우를 돌아봄. 위세가 어엿한 모양.
[據有 거유] 일정한 지역을 차지하고 있음.
[據依 거의] 의지함. 의거(依據).
[據掌 거장] 왼손으로 오른손을 덮쳐 눌러 어루만짐.
[據點 거점] 의거하여 지키는 곳. 활동의 근거지.
[據虛搏影 거허박영] 허공(虛空)에 의거하여 그 림자를 친다는 뜻으로, 확실한 근거(根據)나 좋은 기회(機會)를 얻지 못함의 비유.
[據火 거화] '개똥벌레(螢)'의 이칭(異稱).
◉考據. 群雄割據. 根據. 盤據. 屯據. 蟠據. 保據. 本據. 憑據. 擁據. 雄據. 原據. 援據. 依據. 引據. 典據. 專據. 竊據. 占據. 準據. 證據. 鎭據. 侵據. 割據. 確據.

13[撨]〔설〕㊱屑 食列切 shé
⑯

[字解] 셀 설 撨(手部 九畫)과 同字. '一之以三策'《漢書》.

13[撿]〔검〕檢(木部 十三畫〈p. 1115〉)
⑯ 과 同字

捡

[字解][篆文] 撿 形聲. 扌(手)+僉〔音〕. '僉첨'은 많은 사람이 이구동성으로 같은 말을 하다의 뜻. '手수'를 더하여, 같은 진실을 말하도록 조사하다의 뜻을 나타냄.

13[撈]〔접〕
⑯ 接(手部 八畫〈p. 882〉)과 同字

13[攜]〔휴〕
⑯ 攜(手部 十八畫〈p. 918〉)의 俗字

[攜]〔휴〕
手部 十三畫〈p. 908〉을 보라.

14[擥]〔人名〕 람 ㊥感 盧敢切 lǎn
⑱

揽

[字解] ①질 람 손에 쥠. '一取'. '飯必捧一'《管子》. ②캘 람 채취함. 'タ 一洲之宿莽'《楚辭》. ③총찰할 람 주관함. '皆親一焉'《蜀志 註》.
[字源][篆文] 擥 形聲. 手+監〔音〕. '監감·람'은 '斂렴'과 통하여, 갖추어 거두다의 뜻. 이것 저것 있는 것을 거두어서 가지다의 뜻을 나타냄.
[參考] 擥(手部 十四畫)·攬(手部 二十一畫)은 同字.

[擥要 남요] 요점을 추림.
[擥取 남취] 손에 쥠.
◉擥擥.

14[擪]〔엽〕㊞葉 於葉切 yè
⑱

擪

[字解] 누를 엽 손가락으로 누름. '彈琴一笛'《張衡》.
[字源][篆文] 擪 形聲. 手+厭〔音〕. '厭염·엽'은 '씌우다'의 뜻. 손으로 누르다의 뜻을 나타냄.

◉擊擪. 埋擪. 藏擪. 偏擪.

14[擧]〔中人〕 거 ㊤語 居許切 jǔ
⑱

举 擧

[筆順] 「 F F 岿 曲 曲 與 與 擧

[字解] ①들 거 ㉠높이 들어 올림. '一手'. '一百鈞'《孟子》. ㉡손에 쥠. '一杯'. '一酒於亭上以屬客'《蘇軾》. ㉢사실이나 예(例)를 듦. '一證'. '一篇之要, 而約言之'《中庸章句》. ②모두 거 온통 침. '一國而與仲子爲讎'《史記》. ③날 거 새가 남. '色斯一矣'《論語》. ③키울 거 애를 키움. '一子'. 또, 자람. 키워짐. '嬰告其母曰, 勿一也'《史記》. ④빼앗을 거 ㉠성을 탈취함. '五旬而一之'《孟子》. ㉡재화를 몰수함. '凡財物犯禁者一之'《周禮》. ㉢주울 거 습득함. 착복함. '財物之遺者, 民莫之一'《呂氏春秋》. ⑥올릴 거 기용(起用)함. '一賢才'《論語》. 또, 기용됨. '有賢才而不一者'《說苑》. ⑦일으킬 거 ㉠사물을 시작함. '一兵'. '一事'. ㉡몸을 일으킴. '一身赴清池'(못에 투신자살함)《古詩》. ㉢흥(興)하게 함. '一廢國'《中庸》. ⑧모두 거 다. '一國'. '事物之理, 一集目前'《司馬光》. ⑨거동 거 행동. '一一動'. '人主無過一'《漢書》. ⑩거사 거 행사(行事). 계획. '美一'. '今日之一, 非本願也'《晉書》. ⑪과거 거 관리 등용의 시험. '孝廉一之一'《漢書》. ⑫성 거 성(姓)의 하나.
[字源][篆文] 擧 形聲. 手+與〔音〕. '與여·거'는 다 함께 손을 합하여 물건을 들어 올림의 뜻. 여기에 '手수'를 붙이어, 힘을 합해서 물건을 들어 올리다의 뜻을 나타냄.
[參考] 挙(手部 六畫)는 略字.

[擧家 거가] 온 집안.
[擧皆 거개] 모두. 거의 다.
[擧擧 거거] 행동거지(行動擧止)가 단정한 모양.
[擧國 거국] 온 나라. 전국(全國).
[擧國一致 거국일치] 전 국민이 마음을 한가지로 함.
[擧動 거동] ㉠행동거지. ㉡임금이 대궐 밖으로

나가는 일.
[擧頭 거두] 머리를 듦. 「함.
[擧論 거론] 말을 꺼냄. 의제(議題)를 제출(提出)
[擧杯 거배] 술잔을 듦. 술을 마심.
[擧白 거백] 술잔을 듦. 또, 술을 권함.
[擧兵 거병] 군사를 일으킴.
[擧事 거사] 큰 일을 일으킴.
[擧散 거산] 모두 흩어짐.
[擧世 거세] 온 세상(世上).
[擧手 거수] 손을 위로 듦.
[擧業 거업] 과거(科擧) 공부.
[擧義 거의] 의병(義兵)을 일으킴.
[擧人 거인] 향시(鄕試)에 급제하고 다시 회시(會試)(중앙 정부의 관리 등용 시험)를 보는 사람. 전(轉)하여, 과거(科擧)를 볼 자격이 있는 사람.
[擧一反三 거일반삼] 한 가지 일을 들어 보이면, 스스로 반성하여 세 가지를 미루어 앎.
[擧子 거자] ㉠거인(擧人). ㉡난 아들을 키움.
[擧場 거장] 과거의 시험장.
[擧措 거조] 행동거지(行動擧止).
[擧朝 거조] 온 조정(朝廷). 조정의 관원 전부.
[擧族 거족] ㉠온 혈족. 일족(一族). ㉡전 민족(全民族).
[擧踵 거종] 발돋움함.
[擧座 거좌] 만좌(滿座).
[擧酒 거주] 술을 듦. 술을 마심.
[擧證 거증] 증거를 듦.
[擧止 거지] 행동거지(行動擧止).
[擧風 거풍] 물건을 바람에 쐼.
[擧劾 거핵] 죄상을 들어 탄핵함.
[擧行 거행] 치름. 집행함.
[擧火 거화] ㉠횃불을 켬. ㉡불을 듦. ㉢불을 땜. ㉣밥을 지음. 곧, 생활함.
[擧孝 거효] 효자(孝子)를 등용함.
◉輕擧. 高擧. 貢擧. 過擧. 糾擧. 濫擧. 內擧. 萬擧. 枚擧. 覓擧. 毛擧. 美擧. 辟擧. 備擧. 選擧. 收擧. 雙擧. 略擧. 列擧. 外擧. 移擧. 一擧. 任擧. 壯擧. 再擧. 持擧. 徵擧. 錯擧. 察擧. 薦擧. 推擧. 吹擧. 稱擧. 廢擧. 包擧. 遐擧. 嚴擧. 鄕擧. 豪擧.

14 ⑰ [擠] 제 [去]霽 子計切 jǐ

[字解] ①밀칠 제 ㉠밀어제침. 밀어 떨어뜨림. '反—之, 又下石焉'《韓愈》. ㉡배척함. '排—'. '—有罪'《荀子》. ②떨어질 제 낙하(落下)함. '知—于溝壑矣'《左傳》.
[字源] [篆文] 形聲. 扌(手)+齊〔音〕. '齊제'는 가지런히 정돈하다의 뜻. 양손을 합쳐 밀치다의 뜻을 나타냄.

[擠排 제배] 배제(排擠)함.
[擠陷 제함] 사람을 모함하여 죄나 고경(苦境)에 빠뜨림.
[擠害 제해] 배제(排擠)하여 해침.
◉傾擠. 排擠. 讒擠.

14 ⑰ [擡] [人名] 대 [平]灰 徒哀切 tái

[筆順] 扌 … 擡
[字解] 들 대 들어 올림. '—擧'. '使人—頭不得'《天寶遺事》.
[字源] 形聲. 扌(手)+臺〔音〕. '臺대'는 흙을 높이 쌓은 전망대의 뜻. 높이 들어 올리다의 뜻을 나타냄.
[參考] 抬(手部 五畫)는 俗字.

[擡擧 대거] ㉠들어 올림. ㉡탁용(擢用)함.
[擡頭 대두] ㉠머리를 듦. 전(轉)하여, 일어남. ㉡문장(文章) 중에서 경의를 표하기 위하여 귀인(貴人)의 성명 위에 한 자 간격을 비워 두는 서식(書式).

14 ⑰ [擢] [人名] 탁 [入]覺 直角切 zhuó

[筆順] 扌 … 擢
[字解] ①뽑을 탁 ㉠뽑아 버림. '—德塞性'《莊子》. ㉡선발함. '拔—'. '—之乎賓客之中'《戰國策》. ②빼낼 탁 솟음. 또, 특출함. '—秀'. '—雙立之金莖'《班固》.
[字源] [篆文] 形聲. 扌(手)+翟〔音〕. '翟적·탁'은 깃이 높이 올라가는 꿩, 높다, 뛰어오르다의 뜻. '手수'를 더하여, 높은 쪽으로 빼어 내다의 뜻을 나타냄.

[擢擧 탁거] 발탁하여 중용(重用)함.
[擢登 탁등] 탁승(擢昇).
[擢拔 탁발] 신발함. 발탁(拔擢).
[擢賞 탁상] 많은 중에서 뽑아내어 칭찬함.
[擢秀 탁수] ㉠뛰어남. 빼남. 또, 그 사람. ㉡초목이 무성하게 자람.
[擢授 탁수] 발탁(拔擢)하여 고관(高官)을 수여(授與)함.
[擢昇 탁승] 발탁(拔擢)하여 승진(昇進)시킴.
[擢用 탁용] 발탁(拔擢)하여 등용함.
[擢第 탁제] 과거에 급제(及第)함. 등제(登第).
◉簡擢. 擧擢. 甄擢. 登擢. 拔擢. 選擢. 優擢. 奬擢. 銓擢. 挺擢. 旌擢. 薦擢. 超擢. 寵擢. 抽擢. 表擢.

14 ⑰ [擣] [一] 도 [上]晧 都晧切 dǎo
[二] 주 [平]尤 陳留切 chóu

[字解] [一] ①찧을 도 절구에 찧음. '我心憂傷, 惄焉如—'《詩經》. ②칠 도 두드리거나 공격함. '批亢—虛'《史記》. [二] 밸 주 빽빽함. 꽉 참. 稠(禾部 八畫)와 同字. '上有—蓍, 下有神龜'《史記》.
[字源] [篆文] 形聲. 扌(手)+壽〔音〕. '壽수'는 길게 계속하다의 뜻. 시간을 들여 절구에 넣고 찧다의 뜻을 나타냄.

[擣衣 도의] 다듬이질함.
[擣剉 도좌] 짓찧음.
[擣虛 도허] 적의 방비(防備)가 허술한 곳을 치거나 적이 방비를 게을리 하고 있을 때를 타서 침. 승허(乘虛).
[擣蓍 주시] 총생(叢生)한 시초(蓍草).

14 ⑰ [㩆] 은 [去]問 於靳切 yìn

[字解] ①가를 은 가지런히 나눔. '—, 劑也'《集韻》. ②달 은, 잴 은 바르게 달거나 잼. '—, 一曰, 平量'《集韻》.

14
⑰ [擦] 人名 찰 入點 初戛切 cā
字解 비빌 찰 되게 문지름. '摩—'.
字源 形聲. 扌(手)＋察〔音〕. '察찰'은 물건을 비빌 때의 소리의 의성어.

[擦過傷 찰과상] 스치거나 문질려서 벗어진 상처.
[擦傷 찰상] 찰과상(擦過傷).
●塗擦. 摩擦.

14
⑰ [揱] 〔치〕
寁(辵部 十一畫〈p. 1478〉)와 同字

14
⑰ [擩] 유 上麌 而主切 rǔ
字解 물들 유 감염(感染)함. '耳—目染, 不學以能'《韓愈》.
字源 篆文 儒 形聲. 扌(手)＋需〔音〕. '需수'는 물에 젖어 부드럽다의 뜻. 물에 담가 부드럽게 하다, 담그다의 뜻을 나타냄.

[擩嚌 유제] 맛봄. 깊이 들어감.

14
⑰ [擬] 人名 의 上紙 魚紀切 nǐ
筆順 扌 扩 扩 挨 挨 挨 擬 擬
字解 ①헤아릴 의 상량(商量)함. '一之而後言'《易經》. ②비길 의 ㉠흉내 냄. 본뜸. '一古', '侈一於君'《漢書》. ㉡견줌. '乃與五經相一'《後漢書》.
字源 篆文 擬 形聲. 扌(手)＋疑〔音〕. '疑의'는 사람이 고개를 들고, 지팡이에 의지한 채 생각에 잠겨 꼼짝 않고 서 있는 모양. 생각을 굴려 헤아리다의 뜻을 나타냄. 또, 두 개의 물건을 의심스러울 정도로 비슷하게 만들다의 뜻에서, '비기다'의 뜻도 나타냄.

[擬經 의경] 경서(經書)를 본떠서 지음. 또, 본떠서 지은 경서.
[擬古 의고] 옛날 시문(詩文)의 체(體)를 본뜸.
[擬律 의율] 법률을 사실에 적용함.
[擬議 의의] 헤아림. 재량(裁量)함.
[擬人 의인] 물건을 사람에 비김. 무정한 물체를 유정한 사람처럼 취급함.
[擬作 의작] 본떠 지음.
[擬制 의제] 견주어 만듦. 견주어 제정함.
[擬造 의조] 의작(擬作).
[擬足投跡 의족투적] 발 디딜 데를 살피면서 걸음. 두려워하여 삼가면서 걷는다는 뜻.
[擬態 의태] 곤충(昆蟲)이 자신의 위험을 방어하기 위하여 그 자신의 모양을 다른 물건과 비슷하게 하는 현상.
●模擬. 妙擬. 配擬. 比擬. 備擬. 倫擬. 銓擬. 注擬. 儔擬. 準擬. 進擬. 僭擬. 度擬.

14
⑰ [擸] 단 上緩 覩管切 duǎn
字解 자새질할 단 '—, 一曰, 轉簍也'《集韻》.

14
⑰ [擭] ■ 화 去禡 胡化切 huò
■ 확 入藥 胡郭切 huò
■ 획 入陌 一虢切 wò
字解 ■ 덫 화 동물을 잡는 기구. '罟—陷阱之中'《中庸》. ■ 덫 확 ■과 뜻이 같음. ■ 잡을 획 쥠. '抄本末—斯獮'《張衡》.
字源 篆文 擭 形聲. 扌(手)＋蒦〔音〕. '蒦획'은 '쥐다'의 뜻. '手수'를 더하여, '쥐다, 잡다'의 뜻을 분명히 나타냄.

●罟擭. 阱擭. 捕擭.

14
⑰ [擯] 빈 去震 必刃切 bìn
字解 ①물리칠 빈 배척함. '一斥'. '寡不勝衆, 遂見—棄'《崔寔》. ②인도할 빈 儐(人部 十四畫)과 同字. '一介'. '凡四方之使者, 大客則—'《周禮》.
字源 儐의 別體 擯 形聲. 扌(手)＋賓〔音〕. '賓빈'은 외래자(外來者)의 뜻. 딴 나라 사람으로서 물리치다의 뜻을 나타냄. 또, '儐빈'과 통하여, 외래자를 인도하는 사람의 뜻도 나타냄.

[擯却 빈각] 빈척(擯斥).
[擯介 빈개] 주객(主客) 사이에 서서 주선(周旋)하는 사람.
[擯棄 빈기] 빈척(擯斥).
[擯相 빈상] 빈객(賓客)의 일을 맡은 벼슬. 나가서 빈객을 마지함을 빈(擯)이라 하고, 들어가서 예(禮)를 돕는 것을 상(相)이라 함.
[擯斥 빈척] 물리쳐 버림.
●排擯. 嘲擯.

14
⑰ [擱] 각 gē
字解 놓을 각 잡은 것을 놓음. '及見此文一筆'《南史》.
字源 形聲. 扌(手)＋閣〔音〕. '閣각'은 문을 닫아 두는 말뚝의 뜻. 움직이지 않게 되다의 뜻을 나타냄.

[擱坐 각좌] 배가 좌초(坐礁)함.
[擱淺 각천] ㉠배가 좌초(坐礁)함. ㉡상점(商店)의 자본이 떨어져 운영을 못함.
[擱筆 각필] 쓰던 글을 멈추고 붓을 놓음. 각필(閣筆).

14
⑰ [擰] 녕 平庚 泥耕切 níng
字解 어지러울 녕 '擰—'은 어지러워짐.
字源 形聲. 扌(手)＋寧〔音〕.

●擰擰.

14
⑰ [擤] 형 上梗 呼梗切 xǐng
字解 코풀 형 코를 풂.
字源 會意. 扌(手)＋鼻. '手수'와 '鼻비'를 합쳐, 손으로 코를 풀다의 뜻을 나타냄.

14
⑰ [擤] 〔배〕
拜(手部 五畫〈p. 854〉)의 古字

14
⑰ [擸] 〔람〕
擥(手部 十四畫〈p. 912〉)과 同字

字源 形聲. 扌(手) + 監〔音〕

14
⑰ [撼] 〔엽〕
擖(手部 十四畫〈p. 912〉)과 同字

14
⑰ [撋] 〔단〕
搏(手部 十一畫〈p. 901〉)과 同字

14
⑰ [撲] 〔박〕
撲(手部 十二畫〈p. 907〉)과 同字

15
⑲ [攀] 人名 반 ⊕刪 普班切 pān

字解 ①더위잡고오를 반 나무를 타거나 산 같은 것을 기어오름. '一登'. '百歲老翁—枯枝'《晉書》. ②당길 반 끌어당김. '一輦卽利而舍'《國語》.
字源 形聲. 手 + 樊〔音〕. '樊번'은 '拔발'과 통하여, '당기다'의 뜻.

[攀桂 반계] 계수나무에 기어 올라간다는 뜻으로, 과거에 급제함을 이름.
[攀登 반등] 더위잡고 오름. 기어 올라감.
[攀戀 반련] 수레에 기어 올라가 사모한다는 뜻으로, 관민(官民)이 어진 장관(長官)이 떠날 때 사모함을 이름.
[攀龍附鳳 반룡부봉] 용의 비늘을 끌어 잡고 봉황의 날개에 붙는다는 뜻으로, 영주(英主)를 섬겨 공명(功名)을 세움을 이름.
[攀慕 반모] 의지하고 그리워함.
[攀附 반부] 반연 (攀緣)❶.
[攀栖鶻之危巢 반서골지위소] 높은 나무 위에 있는 송골매가 깃들인 둥우리에 기어 올라간다는 뜻으로, 고산 절벽(高山絕壁)에 기어오름을 이름.
[攀緣 반연] ㉠기어 올라감. ㉡세력이 있는 사람을 의뢰함. ㉢《佛敎》원인을 도와서 결과를 맺게 하는 작용.
[攀龍鱗 반용린] '반룡부봉(攀龍附鳳)'을 보라.
[攀龍鱗附鳳翼 반용린부봉익] 반룡부봉 (攀龍附鳳).
[攀援 반원] 반연 (攀緣)❶❷.
[攀轅臥轍 반원와철] 수레의 멍에를 끌어당기고 바퀴 아래에서 자며 수레가 가지 못하게 한다는 뜻으로, 지방관(地方官)이 떠나는 것을 섭섭히 여기어 그 유임(留任)을 간청(懇請)하는 정(情)의 간절함을 이름.
●牽攀. 登攀. 仰攀. 連攀. 躋攀. 追攀.

15
⑱ [擲] 人名 척 ⊕陌 直炙切 zhì

字解 던질 척 ㉠내던짐. 투척함. '投—'. '卿試一地, 當作金石聲也'《晉書》. ㉡내버림. 방기함. '棄一邅迤'《杜牧》.
字源 形聲. 扌(手) + 鄭〔音〕. '鄭정'은 '擿척'과 통하여, '내던지다'의 뜻.

[擲去 척거] 내던져 버림.
[擲柶 척사] 윷. 윷놀이.
[擲梭 척사] ㉠베를 짜느라고 북을 이쪽저쪽으로 던짐. ㉡광음(光陰)이 빠름의 비유.
[擲殺 척살] 내던져 죽임.
[擲地作金石聲 척지작금석성] 땅에 던지면 아름

다운 금석(金石) 소리가 난다는 뜻으로, 시문(詩文)이 썩 잘되어 사구(辭句)가 아름답고 운치(韻致)도 훌륭함을 이름.
●乾坤一擲. 挑擲. 跳擲. 放擲. 打擲. 投擲. 抛擲.

15
⑱ [擴] 高入 확 ㉠藥 闊鑊切 kuò　扩擴

筆順 扌 扩 护 护 擴 擴 擴 擴
字解 넓힐 확 확대함. '一張'. '凡有四端於我者, 知皆一而充之矣'《孟子》.
字源 形聲. 扌(手) + 廣〔音〕. '廣광'은 '넓다'의 뜻. '廣'과 구별하여, '넓히다'의 뜻을 나타내기 위하여, '手수'를 덧붙임.
參考 拡(手部 五畫)은 略字.

[擴大 확대] 늘여서 크게 함.
[擴大鏡 확대경] 몇 배나 늘어서 비쳐 보는 거울. 볼록 렌즈·현미경(顯微鏡) 따위.
[擴聲器 확성기] 음성을 크게 하여 먼 곳까지 들리게 하는 기계.
[擴張 확장] 늘여서 넓게 함.
[擴充 확충] 넓히어 충실(充實)하게 함.
●軍擴.

15
⑱ [撚] 련 niǎn　撚

字解 쫓을 련 쫓아냄. '你誠心要—他也好'《紅樓夢》.

15
⑱ [擷] 힐(혈㉠) 入屑 胡結切 xié　擷擷

字解 뽑을 힐 손으로 뽑음. '雨中—園蔬'《蘇軾》.
字源 篆文 形聲. 扌(手) + 頡〔音〕.

[擷芳 힐방] 방초(芳草)를 캠.
●搴擷. 探擷. 掇擷. 探擷.

15
⑱ [擸] ☰ 멸 入屑 莫結切 miè
☰ 미 ㉠霽 莫計切 mì

字解 ☰ ①칠 멸 때림. '一, 擊也'《廣雅》. ②비뚤 멸 모양이 바르지 못하고 뒤틀림. 일이 잘못됨. '一僻, 不方正'《集韻》. ☰ ①마를 미 옷감을 맞추어 자름. '一, 裁也'《廣韻》. ②씻어버릴 미 지워 버림. '一, 拭滅也'《集韻》.

15
⑱ [擸] 랍 入合 盧盍切 là　擸

字解 꺾을 랍 부러뜨림. '拉一'은 나무가 꺾이는 소리.
字源 篆文 形聲. 扌(手) + 巤〔音〕.

●拉擸.

15
⑱ [擺] 人名 파 ⊕蟹 北買切 bǎi　擺擺

字解 ①열 파 밀쳐 엶. '一牲班禽'《馬融》. ②흔들 파 요동시킴. '搖舌—吻歸之仙'《王令》. ③털 파 흔들어 턺. '一落'. ④벌여놓을 파 진열함.

'一列'.

[字源] 形聲. 扌(手)+罷〔音〕. '罷파'는 '發발'과 통하여, '열다'의 뜻.

[擺動 파동] 흔들어 움직임. 또, 흔들려 움직임.
[擺落 파락] 털어 버림. 털어 떨어뜨림.
[擺弄 파롱] 흔들어 완롱(玩弄)함.
[擺撥 파발] ㉠그만둠. 밀어젖힘. ㉡(韓)공문(公文)을 급히 보내기 위하여 설치한 역참(驛站).
[擺列 파열] 벌여 놓음. 진열(陳列).
[擺脫 파탈] ㉠밀어 없앰. 제거함. ㉡달아남. 도망함.
● 搖擺.

15 ⑱ [撤] 수 ㊤有 蘇后切 sǒu

[字解] 털어버릴 수 털어 없앰. '抖一'.
[字源] 形聲. 扌(手)+數〔音〕

15 ⑱ [搖] 라 ㊤哿 郎可切 luǒ

[字解] 흔들릴 라 요동(搖動)함. '一, 挼一, 搖也'《集韻》.

15 ⑱ [㩁] ▆ 략 ㊤藥 離灼切 lüè ▆ 력 ㊤錫 郎擊切 lì

[字解] ▆ 칠 략 때림. '一合其趾'《唐書》. ▆ 문지를 력 비빔. '或摟㩁一捊'《嵆康》.
[字源] 形聲. 扌(手)+樂〔音〕

15 ⑱ [撝] 휘 ㊤微 許歸切 huī

[字解] ①떨칠 휘, 다할 휘 揮(手部 九畫)와 同字. '一散之者也'《太玄經》. ②옮길 휘 이동함. '天渾而一(註) 一, 猶移也'《太玄經》.

15 ⑱ [擾] 〔人名〕 요 ㊤篠 而沼切 rǎo

[字解] ①길들일 요 짐승 같은 것을 길들임. '一柔'. '一畜龍'《左傳》. 전(轉)하여, 가축. '其畜宜六一'《周禮》. ②순할 요 유순함. '一而毅'《書經》. ③어지러울 요, 어지럽힐 요 ㉠난잡함. 난잡하게 함. '德用不一'《左傳》. ㉡소란함. 소란하게 함. '一亂'. '儆一天紀'《書經》. ④편안히할 요 안일(安逸)하게 함. '安一邦國'《周禮》.
[字源] 篆文 [篆] 形聲. 扌(手)+憂(夒)〔音〕. '夒노'는 '怒녀'와 통하여, '마음을 상하다'의 뜻. '夒'을 쓰나 그릇되어 '憂우'로 바뀜. 마음을 상하게 하여 어지럽히다의 뜻을 나타냄.

[擾亂 요란] 소란함. 또, 소란하게 함.
[擾攘 요양] 요란(擾亂).
[擾擾 요요] 어지러운 모양. 소란한 모양.
[擾柔 요유] 길들여 유순하게 함.
[擾奪 요탈] 어지럽게 하여 빼앗음.
● 苟擾. 驚擾. 攪擾. 群擾. 騰擾. 煩擾. 紛擾. 騷擾. 㑃擾. 馴擾. 撓擾. 憂擾. 雲擾. 雜擾. 侵擾. 惶擾. 喧擾.

15 ⑱ [擿] ▆ 척 ㊤陌 直炙切 zhì ▆ 적 ㊤錫 他歷切 tī

[字解] ▆ ①긁을 척 손가락으로 긁음. '指一無痒

癢'《列子》. ②던질 척 투척함. '引匕首, 以一秦王'《史記》. ③비녀다리 척 잠고(簪股). '以瑁瑁爲一'《後漢書》. ▆ 들출 적 적발함. '發姦一伏'《漢書》.
[字源] 篆文 [篆] 形聲. 扌(手)+適〔音〕. '適적'은 어떤 중심이 되는 한 점을 따라 똑바로 향해 가다의 뜻. 목적물을 향해 던지다의 뜻을 나타냄. 또, '摘적'과 통하여, 손끝으로 집어 들다의 뜻을 나타냄.

[擿抉 적결] 적발(摘發).
[擿觖 적결] 적결(摘抉).
[擿發 적발] 비밀(祕密) 또는 좋지 못한 사실(事實)을 들추어냄.
[擿伏 적복] 숨긴 나쁜 일을 들추어냄.
[擿盡 적진] 모두 적발함.
● 檢擿. 鈎擿. 發擿. 指擿.

15 ⑱ [㩅] 박 ㊗覺 蒲角切 bó

[字解] ①칠 박 '一, 擊也'《廣雅》. ②치는소리 박 물건을 두드릴 때 나는 소리. '一, 擊聲'《廣雅》.

15 ⑱ [攄] 〔人名〕 터 ㊤魚 丑居切 shū

[字解] ①펼 터 널리 퍼뜨림. '獨一意乎宇宙之外'《班固》. ②오를 터 높이 뛰어오름. '八乘一而超驤'《後漢書》. ③헤칠 터 헤뜨림. '奮六經以一頌'《漢書》. ④성 터 성(姓)의 하나.
[字源] 會意. 扌(手)+慮. '慮려'는 생각을 이리저리 굴리다의 뜻. 손으로 둘러 펴다의 뜻을 나타냄.

[攄得 터득] 스스로 생각하거나 연구하여 알아냄.
[攄頌 터송] 칭송하는 말을 늘어놓음.
[攄抱 터포] 마음속의 생각을 터놓고 이야기함.

15 ⑱ [擦] 찰 ㊗曷 柔割切 sǎ

[字解] 뿌릴 찰 던져 헤뜨림. '星如一沙出'《韓愈》.

15 ⑱ [攄] ▆ 塵(金部 十一畫〈p.2415〉)와 同字. ▆ 捊(手部 七畫〈p.874〉)의 古字.

15 ⑱ [攃] 〔관〕 擐(手部 十三畫〈p.911〉)의 本字.

15 ⑱ [搨] 〔뢰〕 擂(手部 十三畫〈p.910〉)의 本字.

15 ⑱ [攜] 〔휴〕 攜(手部 十八畫〈p.918〉)의 俗字.

15 ⑱ [攢] 〔찬〕 攢(手部 十九畫〈p.919〉)의 俗字.

16 ⑲ [攈] 군 ㊨問 居運切 jùn

[字解] 주울 군 捃(手部 七畫)과 同字. '一摭法'《漢書》.
[字源] 篆文 [篆] 形聲. 扌(手)+麇〔音〕. '麇군'은 '묶다'의 뜻. 손으로 주워서 묶다의 뜻으로, '집다, 줍다'의 뜻을 나타냄.

[攑摛 군척] 주움. 주워 모음.

16/19 [撏] 헌 ①阮 虛偃切 xiǎn

字解 ①비길 헌 서로 견줌. '一, 博雅, 擬也'《集韻》. ②맬 헌 잡아 묶음. '一, 一曰, 手約物'《集韻》. ③흔들어움직일 헌 진동함. '時尋楚撻, 以相震一'《蜀志》.

16/19 [攉] ㊀확 ㊀藥 虛郭切 huò ㊁각 ㊁覺 訖岳切 què

字解 ㊀손뒤집을 확 '搖手曰揮, 反手曰一'《康熙字典》. ㊁①도거리할 각 이익을 독점함. 榷(手部 十畫)·榷(木部 十畫)과 同字. '令豪吏骨民, 辜而一之'《漢書》. ②헤아릴 각 상량(商量)함. 榷(手部 十畫)·榷(木部 十畫)과 同字. '豈可謂無大揚一乎'《淮南子》.

字源 形聲. 扌(手)＋霍〔音〕.

[攉較 확교] 견줌. 비교함.
[攉麪 확면] 국수를 반죽함.
●商攉. 揚攉. 揮攉.

16/19 [攍] 영 ㊄庚 以成切 yíng

字解 멜 영 등에 짐. '一, 負也'《廣雅》.

16/19 [攌] 환 ①潸 戶版切 huǎn

字解 목책 환 울짱. '一如囚拘'《史記》.

16/19 [攪] 효 ①巧 下巧切 jiǎo

字解 어지러울 효 어지럽힐 효 난잡하게 함. '一, 亂也'《集韻》.

16/19 [撟] 뇨 ①篠 niǎo

字解 딸 뇨 손으로 땀. '一, 摘也'《集韻》.

16/19 [擶] 롱 ①董 力董切 lǒng

字解 ①합칠 롱 하나로 함. '一萬川乎巴梁'《郭璞》. ②어루만질 롱 쓰다듬음. '輕一慢撚撥復挑'《白居易》. ③묶을 롱 숙박함. '且請一船頭'《丁仙芝》.

字源 形聲. 扌(手)＋龍〔音〕.

●牽擶. 撈擶. 抝擶.

16/19 [攘] ㊀랄 ㊇曷 盧達切 là ㊁뢰 ①㊀蟹 洛駭切 lài ②㊁泰 落蓋切

字解 ㊀뒤적거릴 랄 손으로 펼침. '撥一, 手披也'《集韻》. ㊁①버릴 뢰 내버림. '把一, 弃去也'《類篇》. ②찢어버릴 뢰 갈라 찢음. '一, 毀裂'《集韻》.

16/19 [攘] 건 ㊄先 去乾切 qiān

字解 걷을 건 褰(衣部 十畫)과 同字. '可一裳而

越也'《淮南子》.

字源 篆文 形聲. 扌(手)＋褰〔音〕. '褰건'은 아랫도리옷의 뜻. 손으로 옷자락을 걷다의 뜻을 나타냄.

16/19 [攄] 로 ㊄虞 落胡切 lú

字解 ①잡을 로 잡아 가짐. 붙잡음. '一, 拏持也'《說文》. ②당길 로 끌어당김. '一, 引也'《廣雅》. ③베풀 로 벌여 놓음. '一, 張也'《揚子方言》. ④거둘 로 거두어들임. '一, 一曰, 斂也'《集韻》.

字源 篆文 形聲. 扌(手)＋盧〔音〕.

16/19 [擽] 〔락〕
擽(手部 十五畫〈p.916〉)과 同字

17/20 [攔] 란 ㊄寒 落干切 lán

字解 막을 란 차단함. '以足一之'《聞見錄》.

字源 形聲. 扌(手)＋闌〔音〕. '闌란'은 '막아 가두다'의 뜻. '手수'를 더하여, '가로막다'의 뜻을 나타냄.

[攔街 난가] 길을 가로막음. 도로를 차단함.
●拘攔. 排攔. 遮攔.

17/20 [攖] 영 ㊄庚 於盈切 yīng

字解 ①가까이할 영 접근함. '虎負嵎莫之敢一'《孟子》. ②어지러울 영 혼란함. '汝愼無一人心'《莊子》. '一而後成者也'《莊子》. ③걸릴 영 매달림.

字源 形聲. 扌(手)＋嬰〔音〕. '嬰영'은 여자의 목걸이로, '걸리다'의 뜻.

[攖寧 영녕] 마음이 항상 조용하고 편안하여 외물(外物)에 의하여 혼란되지 아니함.

17/20 [攕] ㊀섬 ㊄鹽 師炎切 xiān ㊁삼 ㊄咸 所咸切 xiān

字解 ㊀손고울 섬 손이 가날프고 예쁨. 纖(糸部 十四畫)과 통용. '一, 好手兒, 詩曰, 一一女手'《說文》. ㊁손고울 삼 ㊀과 뜻이 같음.

字源 篆文 形聲. 扌(手)＋韱〔音〕. '纖섬'과 통하여, '가날픈 손'의 뜻을 나타냄.

17/20 [攑] ㊀건 ㊄元 丘言切 qiān ㊁거 ①語 jǔ

字解 ㊀들 건 들어 올림. '一, 舉也'《說文》. ㊁擧(手部 十四畫〈p.912〉)의 俗字.

17/20 [攘] ㊀양 ㊄陽 汝陽切 ráng ㊂양 ㊄漾 人樣切 ㊁녕 ㊄庚 尼庚切 níng

字解 ㊀①물리칠 양 쫓아 버림. 배격함. '一夷, 外一四夷'《詩經 序》. ②덜 양 제거함. '一之剗也'《詩經》. ③걷을 양 소매를 걷어 올림. '一臂, 一袂而正議'《漢書》. ④물러날 양 뒤로 물러섬. '左右一羣'《禮記》. ⑤훔칠 양 도둑질함. '一竊, 其父一羊'《論語》. ⑥겸손할 양 讓(言部 十七畫)과 통용. '堯之克一'《漢書》. ㊁

어지러울 녕, 어지럽힐 녕 분란함. 소란함. 소란하게 함. '搶—'. '傾側擾—楚魏之間'《漢書》.
字源篆文 憐 形聲. 扌(手)＋襄〔音〕. '襄양'은 옷 속에 부적 같은 것을 넣어 요사스러운 기운을 물리치다의 뜻. '手수'를 더하여, '물리치다'의 뜻을 나타냄. 또, 남의 물건을 품 안에 숨겨 훔치다의 뜻도 나타냄.

[攘袂 양메] 소매를 걷어 올리고 벌떡 일어남. 투메 (投袂).
[攘伐 양벌] 쳐서 물리침.
[攘臂 양비] 팔을 걷어 올림. 분기 (奮起)함.
[攘夷 양이] 이적 (夷狄)을 쫓음.
[攘竊 양절] 훔침.
[攘除 양제] 물리쳐 없앰.
[攘斥 양척] 물리쳐 버림.
[攘攘 영녕] 혼란한 모양.
●狂攘. 寇攘. 毆攘. 擾攘. 揖攘. 竊攘. 進攘. 搶攘. 磔攘. 奪攘. 蕩攘. 披攘. 擾攘.

17/⑳ [攟] 〔분〕 坌(土部 五畫〈p.443〉)과 同字

17/⑳ [攓] 건 ㉛先 丘虔切 qiān ㉚銑 九件切 qiān
字解 ①뽑을 건 搴(手部 十畫)과 同字. '一蓬'《列子》. ②업신여길 건 모멸함. '望我而笑, 是也'《淮南子》.
字源 形聲. 扌(手)＋寋〔音〕

17/⑳ [撜] 〔쟁〕 幪(巾部 十七畫〈p.683〉)과 同字

17/⑳ [攙] 참 ㉛咸 士咸切 chān
字解 찌를 참 속으로 들이밂. '長松—天龍起立'《蘇軾》.
字源篆文 攙 形聲. 扌(手)＋毚〔音〕. '毚삼·참'은 끼어들다의 뜻. 끼어들어 뒤섞다, 칼로 찔러 끼어들다, 찌르다의 뜻을 나타냄.

[攙拘 참각] 찔러 꿰.
[攙叉 참차] 날카로운 창이나 작살.
[攙奪 참탈] 옆에서 불쑥 나와 빼앗음.

18/㉑ [攛] 찬 ㉝翰 取亂切 cuān
字解 ①던질 찬 투척함. ②권할 찬 권유함. 종용함. '告老兄且莫相—撧'《朱熹》.
字源 形聲. 扌(手)＋竄〔音〕

[攛掇 찬철] 권함. 종용 (慫慂)함.

18/㉑ [攦] 송 ㉑腫 息拱切 sǒng
字解 ①잡을 송 손에 쥠. '曾奉郊宮爲近侍, 分明——羽林槍'《杜甫》. ②밀 송 밀침. '一, 推也'《集韻》. ③뺄 송 뽑아냄. '一, 挺也'《禮部韻略》. ④솟구칠 송 솟게 함. '一身思狡兔'《杜甫》.

18/㉑ [攜] 〔휴〕 携(手部 十畫〈p.897〉)의 本字

18/㉑ [攃] 〔박〕 攃(手部 十五畫〈p.916〉)의 本字

18/㉑ [攝] 高入■섭 ㉚葉 書涉切 shè 高入■녑 ㉚葉 奴協切 niè 摄 掜
筆順 扌 扩 扩 扩 护 拝 揖 攝

字解 ■①당길 섭 끌어당김. '皆—弓而馳'《史記》. ②질 섭 잡음. '請—飮焉'《左傳》. ③가질 섭 소유함. '故能—固不解'《國語》. ④걷을 섭 걷어 올림. '—齊升堂'《論語》. ⑤도울 섭 보좌함. '朋友攸—'《詩經》. ⑥거느릴 섭 관할 (管轄)함. '總—百揆'《晉書》. ⑦겸할 섭 겸무함. '兼—, 官事不—'《論語》. ⑧성낼 섭 성내어 봄. '目—之'《史記》. ⑨빌릴 섭 남의 물건을 빌려 씀. '—束帛'《禮記》. ⑩추포할 섭 쫓아가 잡음. '—少司馬'《國語》. ⑪대신할 섭 남을 대신함. '—行政事'《史記》. 또, 대리 (代理)함. '王莽居—, 變漢制'《漢書》. ⑫낄 섭 양쪽 사이에 낌. '—乎大國之間'《論語》. ⑬다스릴 섭 양생함. '善—生者'《老子》. ⑭잡맬 섭 고결 (固結)함. '—緘縢'《莊子》. ⑮두려워할 섭 무서워함. '—者弗取'《漢書》. ⑯성 섭 성 (姓)의 하나. ⑰으를 섭 위압함. '—威之'《左傳》. ■ 고요할 녑 조용함. '天下—然'《漢書》.
字源篆文 攝 形聲. 扌(手)＋聶〔音〕. '聶섭·녑'은 귀를 맞추다의 뜻. 손으로 가지런히 추려서 가지다의 뜻을 나타냄.

[攝兼 섭겸] 관직을 겸함. 겸섭 (兼攝).
[攝官 섭관] 벼슬을 겸함. 또, 그 벼슬.
[攝念 섭념] 마음을 가다듬음.
[攝理 섭리] ㉠대리하여 다스림. ㉡신 (神)이 이 세상의 모든 일을 다스리는 일.
[攝生 섭생] 양생 (養生)함.
[攝讋 섭섭] 두려워함.
[攝心 섭심] 《佛敎》마음을 가다듬어 흩어지지 않게 함.
[攝氏寒暖計 섭씨한란계] 스웨덴 사람 셀시우스 (Celsius)가 창안 (創案)한 빙점 (氷點)을 0도 (度)로 하고 비등점 (沸騰點)을 100도(度)로 하는 한란계 (寒暖計).
[攝養 섭양] 섭생 (攝生).
[攝葉 섭엽] 구겨져 펴지지 아니함.
[攝位 섭위] 임시로 지위에 앉음. 어떤 직위 (職位)의 대리를 함.
[攝衣 섭의] 옷매무시를 바르게 함.
[攝政 섭정] 임금을 대리하여 정사 (政事)를 맡아 봄.
[攝提 섭제] 대각성 (大角星) 좌우에 있는, 북두칠성 (北斗七星)의 자루 쪽에 해당하는 세 별의 이름.
[攝提格 섭제격] 고갑자 (古甲子)에서 십이지 (十二支)의 인 (寅)의 일컬음.
[攝衆 섭중] 《佛敎》중생을 두둔하여 보호함.
[攝取 섭취] ㉠양분 (養分)을 빨아들임. ㉡《佛敎》부처의 자비 (慈悲)가 중생 (衆生)을 제도 (濟度)함.
[攝判 섭판] 조관 (朝官)으로서 다른 직책을 겸함.
[攝行 섭행] 대리 (代理)함.
[攝護腺 섭호선] 남성 생식기 (生殖器)의 하나. 방광 (膀胱)의 밑, 요도 (尿道)의 시부 (始部)를 둘러싼 선 (腺).

[攝然 엽연] 조용한 모양. 고요한 모양.
◉假攝. 兼攝. 控攝. 管攝. 權攝. 代攝. 督攝. 董攝. 調攝. 綜攝. 震攝. 鎭攝. 總攝. 統攝. 包攝.

18 ㉑ [擆] 작 [入]藥 卽略切 jué

[字解] ①가릴 작 선택함. '一, 擇也'《廣雅》. ②들 작 들어 올림. '一, 一曰, 擱也'《集韻》. ③제할 작 제거(除去)함. '一, 一曰, 捎也'《集韻》. ④깎을 작 깎아 없앰. '一, 削也'《字彙》.

18 ㉑ [㩴] [一] 국 [入]沃 拘玉切 jú
[二] 구 [平]虞 權俱切 qú

[字解] [一] ①움킬 국 붙잡음. '一, 爪持也'《說文》. ②버릴 국 내버림. '故不一所有. (註)一, 去也'《太玄經》. [二] 잎무성할 구 나뭇가지의 잎이 무성한 모양. '一疎, 枝葉敷布皃'《集韻》.
[字源] 篆文 形聲. 扌(手)+瞿〔音〕. '攫확' 과 같은 뜻으로, '붙잡다' 의 뜻을 나타냄.

18 ㉑ [攙] 〔참〕
攙(手部 十七畫〈p.918〉)과 同字

18 ㉑ [攟] 〔군〕
攟(手部 十九畫〈p.919〉)과 同字

18 ㉑ [擁] 〔옹〕
擁(手部 十三畫〈p.909〉)의 本字

19 ㉓ [攣] [人名] 련 [平]先 呂員切 luán
[去]霰 龍眷切 liàn 挛

[字解] ①걸릴 련 매어져 연(連)함. 견련(牽連)됨. '一拘'. '有孚, 一如'《易經》. ②오그라질 련 병으로 손발 같은 것이 오그라듦. '一踠'. '蹙齃膝一'《史記》. ③그리워할 련 戀(心部 十九畫)과 통용. '一一顧念我'《漢書》.
[字源] 篆文 形聲. 手+䜌〔音〕. '䜌련' 은 '捋랄' 과 통하여, 양손으로 서로 당기다의 뜻. '끌다, 오그라들다, 걸리다' 의 뜻을 나타냄.

[攣拘 연구] 구속당함.
[攣拳 연권] 굽음. 고부라짐.
[攣急 연급] 켕김. 땅김.
[攣攣 연련] 그리워하는 모양. 연련(戀戀).
[攣躄 연벽] 손발이 굽어 펴지지 아니함.
[攣如 연여] 걸려 연(連)한 모양.
[攣踠 연원] 손발이 고부라져 펴지지 않는 병.
[攣子 연자] 쌍둥이. 쌍생아(雙生兒).
◉脚攣. 牽攣. 痙攣. 繫攣. 拘攣. 拳攣. 綿攣. 攀攣.

19 ㉒ [攡] [一] 리 [平]支 呂支切 lí
[二] 치 [平]支 抽知切 chī

[字解] [一] 베풀 리 물건을 차려 놓음. '玄者, 幽一萬類而不見形者也'《太玄經》. [二] 펼 치 널리 폄. 摛(手部 十一畫)와 同字.

19 ㉒ [撻] 〔달〕
撻(手部 十三畫〈p.909〉)의 古字

19 ㉒ [攟] 군 [去]問 俱運切 jùn

[字解] 주울 군 捃(手部 七畫)·攈(手部 十六畫)과 同字. '收一而蒸, 納要也'《國語》.
[字源] 形聲. 扌(手)+麕〔音〕

19 ㉒ [攞] 라 [上]哿 來可切 luǒ

[字解] ①가릴 라 간택(揀擇)함. '一, 揀也'《集韻》. ②찢을 라 쨈. '一, 裂也'《集韻》.
[字源] 形聲. 扌(手)+羅〔音〕

19 ㉒ [攢] [人名] 찬 [平]寒 祖官切 cuán 攒

[字解] ①모일 찬 鑽(金部 十九畫)과 통용. '一生'. '一立叢倚'《司馬相如》. ②모을 찬 한 곳에 모이게 함. '一戾莎'《漢書》. ③뚫을 찬 구멍을 팜. '相梨曰一之'《禮記》.
[字源] 形聲. 扌(手)+贊〔音〕. '贊찬' 은 '全전' 과 통하여, '갖추어지다' 의 뜻. '手수' 를 더하여, '한데 모으다' 의 뜻을 나타냄.
[參考] 攅(手部 十五畫)은 俗字.

[攢擊 찬격] 집중 공격함.
[攢宮 찬궁] 장사 지내기 전에 천자(天子)의 관을 모시어 두는 궁전. 빈전(殯殿).
[攢羅 찬라] 모여서 늘어섬.
[攢立 찬립] 모여 섬.
[攢眉 찬미] 눈살을 찌푸림.
[攢峯 찬봉] 모여 겹쳐 있는 산봉우리.
[攢生 찬생] 무더기로 자람. 총생(叢生).
[攢所 찬소] 찬궁(攢宮).
[攢攢 찬찬] 모여 있는 모양.
[攢叢 찬총] ㉠풀숲. ㉡모임. 또, 모음.
[攢蹙 찬축] 한 군데에 빽빽이 모임.
[攢聚 찬취] 빽빽이 모임.
[攢賀 찬하] 합장(合掌)하고 축하(祝賀)함.

19 ㉒ [擱] 관 [平]刪 姑還切 guān

[字解] 관계할 관 손을 맞잡음. 서로 상관함. '一神明而定摹'《太玄經》.

19 ㉒ [攤] 탄 [平]寒 他干切 tān 摊

[字解] ①펼 탄 책 같은 것을 폄. '一書滿牀'《世說》. ②헤칠 탄 흐트러뜨림. '白晝一錢高浪中'《杜甫》.
[字源] 篆文 形聲. 扌(手)+難〔音〕. '難난' 은 '展전' 과 통하여, '펼치다' 의 뜻. '手수' 를 더하여, '펴다' 의 뜻을 나타냄.

[攤賭 탄도] 도박.
[攤飯 탄반] 식후(食後)의 낮잠.
[攤書 탄서] 책을 폄.
[攤場 탄장] 도박장.
[攤錢 탄전] 돈을 흩음. 전(轉)하여, 돈치기. 또는 도박.
[攤戲 탄희] 도박.

19 ㉒ [攦] 려 [去]霽 郞計切 lì

[字解] 꺾을 려 부러뜨림. '一工倕之指' (공수(工

倕)는 유명한 목수의 이름)《莊子》.
[字源] 形聲. 扌(手)+麗〔音〕

20 ㉓ [攩] 당 ㊤養 底朗切 dǎng

[字解] ①무리 당 黨(黑部 八畫)과 통용. ②칠 당 몽치로 침.
[字源] 篆文 形聲. 扌(手)+黨〔音〕. 서로 손을 잡다, 무리의 뜻을 나타냄.

20 ㉓ [攪] [人名] 교 ㊤巧 古巧切 jiǎo 搅

[字解] 어지러울 교, 어지럽힐 교 분란함. 혼란하게 함. '一亂'. '祗一我心'《詩經》.
[字源] 篆文 形聲. 扌(手)+覺〔音〕. '覺각'은 '交교'와 통해, '뒤섞이다'의 뜻. '手수'를 더하여, 손으로 휘저어 어지럽히다의 뜻을 나타냄.

[攪攪 교교] 뒤섞여 어지러운 모양.
[攪亂 교란] 어지럽게 함.
[攪撓 교요] 교란(攪亂).
◉亂攪. 悲攪. 縈攪. 情攪.

20 ㉓ [攥] 찰 [入]曷 子括切 zuàn

[字解] 잡을 찰 손에 쥠. '一, 把也'《集韻》.

20 ㉓ [攫] [人名] 확 [入]藥 居縛切 jué

[字解] 움킬 확 움켜쥠. '鷙蟲一搏'《禮記》.
[字源] 篆文 形聲. 扌(手)+矍〔音〕. '矍확'은 '움켜쥐다'의 뜻. '手수'를 더하여, 뜻을 더욱 분명히 함.

[攫金者不見人 확금자불견인] 돈에 환장한 자는 돈 외에는 아무것도 보이지 아니함. 물욕(物慾)에 가리우면 의리·염치를 모름.
[攫拏 확나] 움켜쥐고 끌어당김.
[攫裂 확렬] 움켜쥐고 찢음.
[攫搏 확박] 움켜쥐고 후려갈김.
[攫噬 확서] 움켜다가 마구 씹어 먹음.
[攫攘 확양] 주먹을 쥐고 소매를 걷어 올림.
[攫援 확원] 움켜쥐고 끌어당김.
[攫鳥 확조] 딴 동물을 잡아 죽이는 맹금(猛禽). 지조(鷙鳥).
◉拏攫. 擘攫. 蟬攫. 一攫千金. 觸攫.

21 ㉔ [攬] [人名] 람 ㊤感 盧敢切 lǎn 揽

[字解] 잡을 람 쥠. 擥(手部 十四畫)과 同字. '主將之法, 在務一英雄之心'《六韜》.
[字源] 篆文 形聲. 篆文은 扌(手)+監〔音〕. '監감'은 '斂렴'과 통하여, 가지런히 거두다의 뜻. 이것저것 있는 것을 한데 모아 가지다의 뜻을 나타냄. 뒤에, 扌(手)+覽〔音〕의 形聲文字가 됨.

[攬轡澄淸 남비징청] 말의 고삐를 잡고 천하를 깨끗이 한다는 뜻으로, 재상이 되어 어지러운 천하를 바로잡으려고 하는 큰 뜻을 이름.
[攬要 남요] 요점을 추림.
[攬筆 남필] 붓을 잡음. 집필(執筆).
◉搴攬. 收攬. 延攬. 顧攬. 招攬. 總攬.

21 ㉔ [攭] [一] 라 ㊤哿 魯果切 luǒ
[二] 례 [去]霽 力霽切 lì

[字解] [一] 벌거숭이 라 몸에 우모(羽毛)가 없는 모양. '一, 無毛羽貌'《韻會》. '一一兮其狀, 屢化如神'《荀子》. [二] 나눌 례, 나누어질 례 '一, 分判也'《正韻》.

[攭攭 나라] 우모(羽毛)가 없는 모양.
[攭兮 예혜] 나눔. 나누어짐.

21 ㉔ [攨] 〔파〕
欛(木部 二十一畫〈p.1126〉)와 同字

21 ㉔ [攓] 〔건〕
搴(手部 十二畫〈p.905〉)의 本字

22 ㉕ [㩸] 첩 [入]帖 徒協切 dié

[字解] ①거둘 첩 거두어들임. '一, 收也'《玉篇》. ②걸 첩 위에 걸어 놓음. '一, 掛一'《廣韻》. ③배열할 첩 벌여 놓음. '一, 排也'《集韻》.

22 ㉕ [攮] 낭 ㊤養 乃黨切 nǎng

[字解] ①밀 낭 '一, 推一也'《字彙》. ②《現》 찌를 낭 비수(匕首)로 찌름.

支 (4획) 部
〔지탱할지부〕

0 ④ [支] [中人] 지 [平]支 章移切 zhī

[筆順] 一 十 ㇀ 支

[字解] ①가지 지 ㉠초목의 가지. 枝(木部 四畫)와 同字. '芄蘭之一'《詩經》. ㉡종파(宗派)에서 갈린 지파(支派). '本一百世'《詩經》. ②팔다리 지 두 팔과 두 다리. 肢(肉部 四畫)와 同字. '一體'. '發於聲, 見乎四一'《張載》. ③갈릴 지, 가를 지 분리함. 분리시킴. '一離其德'《莊子》. ④헤아릴 지 계산함. '一地計衆'《大戴禮》. ⑤버틸 지 ㉠쓰러지지 않게 가눔. '天之所一, 不可壞也'《左傳》. ㉡의지하게 함. 굄. '暫拳一手一頤臥'《韓愈》. ㉢맞서서 겨룸. '魏不能一'《戰國策》. ㉣배겨 냄. '皆知其資材不足以一長久也'《國語》. ⑥지출 지 지불. '其五曰, 收一'《宋史》. ⑦지급 지 급여. '冬至有特一'《宋史》. ⑧지지 지 십이지(十二支). '干一'. '明帝時, 以反一之日不受章奏'《後漢書》. ⑨성 지 성(姓)의 하나.
[字源] 篆文 古文 象形. 대나무나 나무의 가지를 손에 든 모양을 본떠, 버티다, 가지를 치다, 가르다의 뜻을 나타냄.
[參考] 부수(部首)로서, '지탱할지'로 불려, 주로 몸, 방(傍)으로 쓰이며, 가지로 갈리다의 뜻을 나타냄.

[支干 지간] 십이지(十二支)와 십간(十干). 간지(干支).
[支結 지결] 가슴이 막혀 답답한 열병(熱病).
[支徑 지경] 갈림길. 지로(支路).
[支計 지계] 지출의 계산.
[支供 지공] 음식(飮食)을 이바지함.
[支過 지과] 겨우 지탱하여 살아 나아감.
[支局 지국] 본사(本社)·본국(本局)의 출장소(出張所).
[支券 지권] 어음.
[支給 지급] 지출하여 급여함. 내어 줌.
[支那 지나] 중국(中國). 한토(漢土). 진(秦)의 전와(轉訛)라 함.
[支途 지도] 금전의 용도(用途).
[支郞 지랑] 중. 승려(僧侶).
[支路 지로] 갈림길.
[支流 지류] ㉠물의 원줄기에서 갈려 흐르는 물줄기. ㉡지파(支派).
[支離 지리] ㉠이리저리 흩어짐. 지리멸렬함. ㉡형체가 완전하지 못함. ㉢곱사등이. ㉣옛날의 백정(白丁)의 이름. ㉤진(陣)의 이름.
[支離滅裂 지리멸렬] 여지(餘地)없이 흩어져 갈피를 잡을 수 없음.
[支脈 지맥] 갈라져 나간 산맥(山脈)이나 엽맥(葉脈).
[支撥 지발] 돈을 치러 줌. 값을 내어 줌.
[支放 지방] 지발(支撥).
[支配 지배] ㉠사무(事務)를 구분하여 처리함. ㉡맡아 다스림.
[支配階級 지배계급] 정치적·경제적·사회적으로 지배적 세력을 가진 계급(階級).
[支別 지별] 갈라져 나간 것. 지파(支派)·지류(支流) 등.
[支保 지보] 지탱하여 보존(保存)함.
[支部 지부] 본부(本部)에서 갈라져 나가 그 소재지의 소관 사무를 맡아보는 곳.
[支分 지분] ㉠가름. 분할함. ㉡지해(支解).
[支分節解 지분절해] 지체(肢體)를 가르고 관절(關節)을 분해한다는 뜻으로, 문장 같은 것을 상세히 해석함을 이름.
[支庶 지서] ㉠서자(庶子). 지자(支子). ㉡지족(支族).
[支署 지서] 본서(本署)에서 갈라져 나가 그 소재지의 소관 사무를 맡은 관서(官署).
[支線 지선] 기차 등의 본선(本線)에서 갈라져 나간 선(線).
[支所 지소] 본소(本所)에서 갈라져 나가 그 소재지의 소관 사무를 맡은 곳.
[支屬 지속] 지족(支族).
[支孼 지얼] ㉠움. ㉡첩의 몸에서 난 아들. 서자(庶子).
[支葉碩茂 지엽석무] 가지와 잎이 크고 무성하다는 뜻으로, 지파(支派)가 번성함을 이름.
[支裔 지예] ㉠지파(支派). ㉡원손(遠孫).
[支吾 지오] 버팀. 반항함.
[支用 지용] 배당하여 씀. 나누어서 씀.
[支移 지이] 나누어 옮김. 수송(輸送)함.
[支頤坐 지이좌] 두 손으로 턱을 괴고 앉음.
[支子 지자] ㉠첩의 몸에서 난 아들. 서자(庶子). ㉡맏아들 이외(以外)의 아들.
[支障 지장] 일을 하는 데에 거치적거림. 장애(障礙).
[支節 지절] 뼈마디. 골절(骨節).
[支族 지족] 종가(宗家)에서 갈라져 나온 혈족(血族).
[支存 지존] 지보(支保).
[支柱 지주] 버티는 기둥. 버팀목.
[支胄 지주] 지파(支派)의 자손. 지손(支孫).
[支證 지증] 증거(證據).
[支地 지지] 땅을 잼. 토지를 측량함.
[支持 지지] ㉠지탱함. 버팀. ㉡찬동(贊同)하여 뒷받침함.
[支川 지천] 강(江)·내의 지류(支流).
[支廳 지청] 본청(本廳)의 관할(管轄) 밑에서 본청과 분리하여 소재지의 소관 사무를 맡은 관청(官廳).
[支體 지체] 몸. 지체(肢體).
[支出 지출] ㉠갈려 나옴. ㉡첩의 몸에서 난 아들. ㉢금전·물품의 지불.
[支度 지탁] ㉠헤아림. 짐작함. ㉡벼슬 이름. 출납(出納)의 일을 맡았음.
[支撐 지탱] 버팀. 배겨 남.
[支派 지파] 종파(宗派)에서 갈라져 나간 파(派).
[支婆 지파] 자녀(子女)가 있는 서모(庶母).
[支抗 지항] 항거하여 버팀.
[支解 지해] 수족을 절단하는 형벌(刑罰). 또, 그 형벌을 가함.
[支犒 지호] 금품을 주어 위로함.
◉干支. 幹支. 氣管支. 反支. 本支. 分支. 四支. 收支. 十二支. 約支. 焉支. 燕支. 月支. 離支. 條支. 地支. 指支. 度支. 撐支. 特支.

2
⑥ [攱] 기 [去]寘 去智切 qì

[字解] ①기울 기 한쪽으로 기울어짐. '一, 傾也'《廣韻》. ②우러러볼 기 우러러보는 모양. '一, 顒皃'《玉篇》.
[字源] 形聲. 匕+支〔音〕

5
⑨ [攰] 기 [上]紙 過委切 guǐ

[字解] ①얹을 기 얹어 놓음. '一, 載也'《廣雅》. ②시렁 기 물건을 얹어 놓는 시렁. '庋, 閣藏食物, 或作一'《集韻》. ③걸상 기 의자(椅子). '一, 椅也'《玉篇》. ④베개 기 '一, 枕也'《玉篇》.
[字源] 形聲. 立+支〔音〕

6
⑩ [敊] 시 [去]寘 是義切 shì 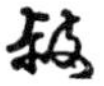

[字解] 메주 시 간장을 담그는 원료. '鹽一千合'《史記》.
[字源] 篆文  俗體  形聲. 尗+支〔音〕. '豉시'와 동일어 이체자(同一語異體字)로, '메주'의 뜻을 나타냄.
[參考] 敊(攴部 六畫)은 別字.

◉鹽敊.

6
⑩ [敍] 지 [平]支 章移切 zhí

[字解] 많을 지 다수(多數)임. '炙炮夥, 淸酤一'《張衡》.

6
⑩ [敁] 〔기〕
攲(支部 八畫〈p.922〉)와 同字

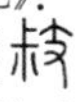

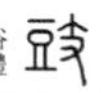

[字源] 篆文 形聲. 危+支〔音〕. '危위'는 '쪼그리다, 기울다'의 뜻. '기울다'의 뜻을 나타냄.

7 ⑪ [𢻱] 기 [平]支 渠羈切 qí

[字解] ①곁가지 기 옆으로 뻗은 나뭇가지. '一, 字林, 橫首枝也'《集韻》. ②움날 기 옆에서 움이 남. 또, 그 움. '一, 一曰, 木別生'《集韻》.

8 ⑫ [攲] 기 [平]支 居宜切 jī

[字解] 기울어질 기 경사짐. 비스듬함. '一一側側海門帆'《吳融》.
[字源] 篆文 形聲. 支+奇〔音〕. '支지'는 갈려 나온 가지. '奇기'는 비스듬히 기울어서 서다의 뜻.
[參考] 𢻲(前前條)는 同字, 𢿍(次次次條)는 俗字.

[攲架 기가] 위의 판때기를 비스듬히 사면(斜面)이 되게 단 책상. 서견대(書見臺) 같은 것.
[攲攲 기기] 기울어진 모양.
[攲器 기기] 물을 알맞게 넣지 않으면 기울어져 엎어진다고 하는, 금속(金屬)으로 만든 그릇. 중용(中庸)을 지키기 위하여 좌우(座右)에 놓고 경계(警戒)로 삼았다 함.

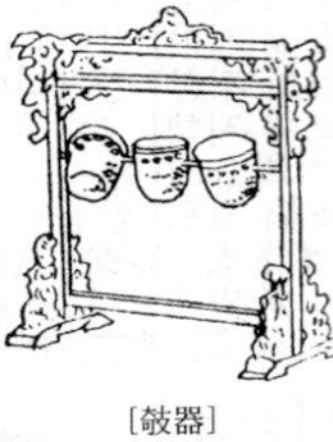

〔攲器〕

[攲案 기안] 기가(攲架).
[攲枕 기침] 자지 않고 베개를 세우고 기대 있음. ◉傾攲. 斜攲.

12 ⑯ [𢿉] 심 [平]侵 徐心切 xún

[字解] 길 심 짧지 아니함. '踔一枝'《後漢書》.

12 ⑯ [𢻲] [人名] 리 [去]寘 力地切 lì

[字解] 바를 리 '一, 正也'《字彙》.

16 ⑳ [𢿍] 〔기〕 攲(支部 八畫〈p. 922〉)의 俗字

攴(攵)(4획)部

〔칠복부(등글월문부)〕

0 ④ [攴] 복 [入]屋 普木切 pū

[筆順] 丨 卜 𠂉 攴
[字解] 칠 복 가볍게 똑똑 두드림.
[字源] 篆文 形聲. 又+卜〔音〕. '卜복'은 폭 소리를 나타내는 의성어. 손으로 폭 소리가 나게 치다, 두드리다의 뜻.
[參考] 단독 문자로는 거의 쓰이지 않고, 부수로서 치다, 강제하다, 특정한 행동을 하게 하다 등의 뜻을 포함하는 문자를 이룸. 속(俗)에 '文문'과의 생김새의 대비에서 '등글월문'이라 이름. 또, 몸, 곧 방(旁)이 될 때에는 생략된 변형 자체인 '攵'이 흔히 쓰임.

0 ④ [攵] 攴(前條)과 同字

[筆順] 丿 𠂉 ケ 攵
[參考] '攴복'의 생략된 변형으로, 몸, 곧 방(旁)이 될 때에 흔히 쓰임.

2 ⑥ [收] [中人] 수 [平]尤 式州切 shōu

[筆順] 丨 丩 丩丿 丩𠂉 收 收
[字解] ①거둘 수 한데 모아들임. '一穫'. '我其一之'《詩經》. ②길을 수 물을 길음. '井一勿幕'《易經》. ③쇠할 수 쇠잔함. '彭澤菊初一'《中宗》. ④가질 수 소지함. '一以奔褒'《國語》. ⑤잡을 수 체포함. '一捕'. '此宜無罪, 女反一之'《詩經》. ⑥쉴 수 그만둠. 그침. '秦可以少割而一害也'《戰國策》. ⑦가든히할 수 정제함. '一斂'. '一其威也'《禮記》. ⑧쓸 수 등용함. '一採'. '陽一其身, 而實疏之'《韓非子》. ⑨뒤턱가로나무 수 수레 뒤의 횡목(橫木). '小戎俴一'《詩經》. ⑩성 수 성(姓)의 하나.
[字源] 篆文 形聲. 攵(攴)+丩〔音〕. '丩규'는 '달라붙다, 휘감기다'의 뜻. 물건을 휘감아 가지다, 거두다의 뜻을 나타냄.

[收家 수가] 빚쟁이의 청구(請求)로 관청에서 빚진 사람의 집을 몰수(沒收)함.
[收監 수감] 체포하여 옥에 가둠. 입뢰(入牢). 하옥(下獄). 투옥(投獄). 입감(入監).
[收檢 수검] 조사하여 정리함.
[收繫 수계] 체포하여 옥에 가둠.
[收管 수관] 죄인을 보관(保管)함.
[收敎 수교] 데려다가 가르침.
[收金 수금] 돈을 거두어들임.
[收納 수납] 거두어들여서 바침.
[收單 수단] 영수증(領收證).
[收得 수득] 거두어들임. 받음.
[收攬 수람] 모아들임. 모아 가짐.
[收纜 수람] 배의 닻줄을 거둠. 곧, 출범(出帆)함.
[收掠 수략] 약탈함.
[收斂 수렴] ㉠곡식 등을 거두어들임. 수확(收穫). ㉡조세(租稅)를 거두어들임. ㉢몸을 단속함. 근신함. 정신을 차림. ㉣한군데로 모임. ㉤수축시킴.
[收斂劑 수렴제] ㉠피부(皮膚)를 수렴(收斂)시켜서 종기(腫氣)의 피막(皮膜)을 형성(形成)시키는 약제(藥劑). ㉡위장(胃腸)을 수렴시켜서 설사(泄瀉)를 그치게 하는 약제.
[收錄 수록] 모아서 기록(記錄)함. 또, 그 문서.
[收買 수매] 물건을 거두어 사들임.
[收沒 수몰] 재산을 관청에서 빼앗아 들임. 몰수(沒收).
[收縛 수박] 체포하여 결박함.
[收復 수복] 회복함.
[收捧 수봉] ㉠남에게 빌려 준 돈을 거두어들임. ㉡세금을 징수(徵收)함.
[收司連坐 수사연좌] 남의 죄에 걸려듦.
[收生嫗 수생구] 해산할미. 산파(産婆).
[收稅 수세] 조세(租稅)를 거두어들임. 징세(徵

税). 정세(征稅).

[收贖 수속] 죄인(罪人)의 속전(贖錢)을 거둠.

[收刷 수쇄] ㉠흩어진 물건을 주워 거둠. 수습(收拾). ㉡남에게 빌려 준 돈을 거두어들임. 수봉(收捧).

[收受 수수] 거두어 받음.

[收熟 수숙] 거두어들일 수 있도록 충분(充分)히 익음.

[收拾 수습] ㉠흩어진 물건을 주워 거둠. ㉡치움. 정리함. 정돈함. ㉢산란한 마음을 가라앉힘.

[收屍 수시] 송장의 얼굴·수족(手足) 등을 바로잡음.

[收視反聽 수시반청] 외욕(外欲)에 마음이 팔리지 아니함. 물욕에 마음이 쏠리지 아니함.

[收按 수안] 체포하여 조사함.

[收養 수양] 남의 자식(子息)을 거두어 기름.

[收養女 수양녀] 남의 자식을 데려다 기른 딸. 수양딸.

[收養子 수양자] 남의 자식을 데려다 기른 아들. 수양아들.

[收瘞 수예] 거두어 장사 지냄. 수장(收葬).

[收用 수용] ㉠거두어들여 씀. ㉡공공(公共)의 이익을 위하여 본인의 의사를 묻지 않고 강제적으로 재산권을 취득(取得)하여 국가나 제삼자의 소유로 옮김.

[收容 수용] ㉠데려다 넣어 둠. ㉡거두어 넣어 둠. ㉢범죄자를 교도소에 가둠. 또, 단체 생활을 할 사람이나 도망갈 염려가 있는 사람을 한데 모아 둠.

[收陰 수음] 직녀성(織女星).

[收益 수익] 이익(利益)을 거두어들임. 또, 그 이익.

[收入 수입] 곡물 또는 금전 등을 거두어들임. 또, 그 물건이나 금액.

[收葬 수장] 거두어 장사 지냄.

[收藏 수장] 거두어서 깊이 간직함.

[收載 수재] 거두어 실음.

[收錢 수전] 돈을 거둠.

[收支 수지] 수입(收入)과 지출(支出)의 총계.

[收之桑楡 수지상유] 전일에 실패한 일을 후일에 회복함의 비유.

[收集 수집] 거두어 모음.

[收採 수채] 채용함. 등용함.

[收撫 수무] 주워 모음.

[收擅 수천] 거두어들여 혼자 차지함.

[收縮 수축] 오그라듦. 또, 오그라들게 함.

[收聚 수취] 거두어 모음.

[收齒 수치] 조관(朝官)으로 등용함.

[收擇 수택] 가려 씀.

[收捕 수포] 체포함.

[收合 수합] 거두어 모음.

[收効 수효] 체포하여 죄상을 조사함.

[收穫 수확] 곡식을 거두어들임. 또, 그 곡식.

[收賄 수회] 뇌물(賂物)을 받음.

[收恤 수휼] 거두어 구휼(救恤)함.

◉減收. 農收. 買收. 沒收. 未收. 薄收. 査收. 善收. 所收. 拾收. 掩收. 年收. 領收. 蒐收. 月收. 日收. 藏收. 田收. 接收. 定收. 增收. 徵收. 撤收. 秋收. 聚收. 還收. 黃收. 回收. 厚收. 吸收.

[攷] ⟨人/名⟩〔고〕 考(老部 二畫⟨p. 1815⟩)의 古字

筆順　一　丂　丂　丂攷　攷

字源　篆文 丂攵　形聲. 攵(攴)＋丂〔音〕. '丂복'은 '치다'의 뜻. '丂교'는 구부러진 조각칼의 뜻. 조각칼이나 끌 따위를 치다의 뜻에서, 파생하여 '생각하다'의 뜻을 나타냄.

3
⑦　[孝]〔학〕
學(子部 十三畫⟨p. 565⟩)의 俗字

3
⑦　[攸]〔人/名〕유　①-⑤⑮尤　以周切 yōu
　　　　　　　　⑥⑤有　以九切

筆順　ノ　丨　亻　亻　攸　攸　攸

字解　①바 유 어조사(語助辭). 所(戶部 四畫)와 뜻이 같음. '四方一同'《詩經》. ②곳 유 장소. '爲韓姞相一'《詩經》. ③달릴 유 질주(疾走)하는 모양. 일설(一說)에는, 헤엄치는 모양. '一然而逝'《孟子》. ④아득할 유 썩 먼 모양. '——外寓'《漢書》. ⑤성 유 성(姓)의 하나. ⑥위태할 유 걸려 있어 위태로운 모양. '澉乎，一乎'《左傳》.

字源　甲骨文 侍　金文 侍　篆文 順　會意. 人＋攵(攴)＋丨(水). '攴복'은 손으로 가볍게 두드리다의 뜻. '丨'는 물의 象形의 생략형. 사람의 등에 물을 끼얹어 손으로 씻는 모양에서, '깨끗이 씻다'의 뜻이나, 길게 줄기를 이루어 흐르는 물의 뜻을 나타냄. '滌척'의 原字. 假借하여, 조자(助字)로 쓰임.

[攸然 유연] ㉠빨리 달리는 모양. 일설(一說)에는, 헤엄치는 모양. ㉡태연한 모양. 침착하고 여유 있는 모양.

[攸攸 유유] 썩 먼 모양. 아득한 모양.

[攸乎 유호] 걸려 있거나 매달려 위태로운 모양.

3
⑦　[改]〔中/人/入〕개　⑭賄　古亥切 gǎi

筆順　フ　コ　己　己文　己文　己文　改

字解　①고칠 개 ㉠바로잡음. '一革'. '過則勿憚一'《論語》. ㉡변경함. '一名'. '歲寒無一色'《李德林》. ②고쳐질 개 전향의 자동사. '前圖未一'《楚辭》. ③성 개 성(姓)의 하나.

字源　篆文 己文　形聲. 攵(攴)＋己〔音〕. '己기'는 황송해서 딱딱해지다의 뜻. 황송해서 딱딱해지도록 만들다, 고쳐지다의 뜻을 나타냄.

[改嫁 개가] 과부(寡婦) 또는 이혼(離婚)한 여자가 다른 남자에게로 시집감. 재초(再醮). 개초(改醮). 재가(再嫁). 재혼(再婚). 재연(再緣).

[改刻 개각] 고쳐 새김.

[改刊 개간] 깎아서 지워 고쳐 씀.

[改過 개과] 잘못을 고침.

[改過自新 개과자신] 허물을 고쳐 스스로 새로워지게 함.

[改過遷善 개과천선] 허물을 고치고 착하게 됨.

[改棺 개관] 이장(移葬)할 때에 관(棺)을 새로 장만함.

[改觀 개관] ㉠면목(面目)을 일신(一新)함. ㉡견해(見解)를 바꿈.

[改構 개구] 구조를 고침. 고쳐 꾸밈.

[改金 개금] 《佛敎》 불상(佛像)에 금칠을 다시 함.

[改年 개년] 새해. 신년(新年).

[改都 개도] 도읍을 옮김. 천도(遷都).

[改頭換面 개두환면] 마음은 고치지 아니하고 겉으로만 달라진 체함. 또, 일을 근본적으로 고치지 아니하고 겉만 다르게 꾸밈. 지엽만 고치고 근본을 그대로 둠.

[改良 개량] 나쁜 점(點)을 고치어 좋게 함. 개선(改善).

[改量 개량] 다시 측량(測量)함.

[改良主義 개량주의] ㉠자본주의 사회(資本主義社會)의 폐해(弊害)의 힘으로 조정(調整)하려는 주의. ㉡자본주의(資本主義) 제도(制度)의 범위(範圍) 안에서 그 폐해(弊害)를 개선(改善)하려는 주의.

[改勵 개려] 마음을 고쳐 힘씀.

[改曆 개력] ㉠역법(曆法)을 고침. ㉡개년(改年).

[改盟 개맹] 맹세를 고침.

[改名 개명] 이름을 고침.

[改命 개명] ㉠지금까지 행한 일을 고침. ㉡개명(改名).

[改備 개비] 갈아 내고 다시 장만함.

[改莎草 개사초] 《韓》 무덤의 떼를 갈아입힘.

[改色 개색] ㉠빛깔을 갈아 칠함. ㉡빛깔이 달라짐.

[改善 개선] 나쁜 것을 고치어 좋게 함. 개량(改良).

[改選 개선] 새로 선거(選擧)함. 고쳐 뽑음.

[改姓 개성] 성(姓)을 고침.

[改歲 개세] 개년(改年).

[改俗 개속] 나쁜 풍속을 고침.

[改修 개수] 고쳐 닦음. 몸을 닦아 나쁜 점을 고침.

[改新 개신] 고치어 새롭게 함.

[改心 개심] 마음을 고침.

[改易 개역] ㉠고침. 변경함. ㉡딴것으로 바꿈.

[改悛 개오] 개전(改悛).

[改寤 개오] 개오(改悟).

[改玉改行 개옥개행] 옥(玉)은 패옥(佩玉). 행(行)은 행보(行步). 패옥은 행보를 조절하는 것이므로 패옥을 갈면 보조(步調)도 고치지 않을 수 없다는 뜻으로, 법(法)을 고치면 사물도 따라서 달라짐을 비유한 말.

[改元 개원] ㉠연호(年號)를 고침. ㉡정치를 고침. ㉢제왕 또는 왕조(王朝)가 바뀜.

[改議 개의] ㉠고치어 의논(議論)함. ㉡회의(會議)에서 다른 사람의 동의(動議)를 고침.

[改異 개이] 특별히 우대함.

[改印 개인] 도장(圖章)을 다시 새김.

[改作 개작] 고치어 다시 지음. 또, 고치어 다시 만듦.

[改葬 개장] 이장(移葬)함. 면례(緬禮)함.

[改悛 개전] 잘못을 뉘우쳐 고침. 마음을 바로 먹음.

[改正 개정] 고치어 바르게 함. 옳게 고침.

[改定 개정] 고치어 다시 정(定)함.

[改訂 개정] 문장(文章) 등의 틀린 곳을 고침. 정정(訂正).

[改題 개제] 제목(題目)을 고침. 또, 그 고친 제목.

[改造 개조] 고치어 다시 만듦.

[改宗 개종] ㉠다른 종교(宗敎)나 종지(宗旨)를 믿음. ㉡주의를 바꿈.

[改鑄 개주] 다시 주조함.

[改進 개진] 고치고 나아감. 구폐(舊弊)를 고치고

새로운 방침을 세워 나아감.

[改着 개착] 옷을 갈아입음.

[改撰 개찬] 고치어 찬술(撰述)함. 다시 지음.

[改竄 개찬] 문장의 자구(字句)를 고침.

[改轍 개철] 수레가 통행하는 길을 고친다는 뜻으로, 이전의 방법을 고침을 이름. 역철(易轍).

[改醮 개초] 개가(改嫁).

[改築 개축] 고치어 건축(建築)함.

[改春 개춘] 개년(改年).

[改置 개치] 바꾸어 둠.

[改漆 개칠] ㉠다시 고치어 칠함. ㉡그은 획(畫)에 다시 붓을 댐.

[改稱 개칭] 고치어 일컬음. 이름이나 호칭을 고침.

[改痛 개통] 염병(染病)·이질(痢疾) 등의 병(病)이 나았다가 다시 더침.

[改版 개판] 판목(板木)을 고치어 새김. 또, 조판(組版)을 고치어 짬.

[改編 개편] ㉠책 따위를 고쳐 다시 엮음. ㉡군대·단체의 조직을 다시 편성함.

[改窆 개폄] 개장(改葬).

[改廢 개폐] 고치거나 폐지(廢止)함. 개정과 폐지.

[改標 개표] 표목(標木)·표지(標識) 따위를 고침.

[改革 개혁] 새롭게 뜯어고침.

[改絃 개현] 거문고의 가락을 고친다는 뜻으로, 법도(法度)를 고침의 비유.

[改號 개호] ㉠호칭 또는 호를 고침. ㉡개원(改元).

[改化 개화] 악(惡)을 고치어 교화(敎化)를 받음.

[改換 개환] 고침. 변경함.

[改悔 개회] 후회하여 고침.

[改畫 개획] 글씨의 획에 군붓질을 함.

●刊改. 更改. 過勿憚改. 塗改. 摩改. 變改. 冊改. 省改. 修改. 釐改. 悛改. 朝令暮改. 朝變夕改. 增改. 懲改. 竄改. 遷改. 回改. 悔改.

---

3 ⑦ [攻] 〔高〕〔人〕 공 ㉮東 古紅切 gōng

筆順 一 丁 工 工 巧 功 攻

字解 ①칠 공 ㉠공격함. '一守'. '造一自鳴條' 《書經》. ㉡책망함. '一駁'. '小子, 鳴鼓而一之, 可也' 《論語》. ㉢괴롭힘. '蚤蝨畢一, 臥不獲安' 《抱朴子》. ②다스릴 공 ㉠정돈함. '左不一有五' 《書經》. ㉡병을 다스림. '一砭'. '瘡瘍以攻毒一之' 《周禮》. ③닦을 공 ㉠학문을 연구함. '專一'. '一乎異端' 《論語》. ㉡문질러 윤기를 냄. 옥 같은 것을 갊. '他山之石, 可以一玉' 《詩經》. ④지을 공 만듦. '庶民一之' 《詩經》. ⑤굳을 공 견고함. '我車旣一' 《詩經》. ⑥불깔 공 세함. '頒馬一特' 《周禮》. ⑦성 공 성(姓)의 하나.

字源 形聲. 攴(攵)+工〔音〕. '攴복' 은 '치다' 의 뜻. '工공' 은 끌 따위 연장의 象形. 끌을 두드려 물건을 만들다의 뜻을 나타내며, 또, 군사상·농업상의 해를 제거하다, 공격하다의 뜻을 나타냄.

[攻擊 공격] ㉠나아가 적을 침. 공벌(攻伐). ㉡엄하게 논박함. 몹시 꾸짖음.

[攻苦 공고] 역경에 처하여 학문(學問)을 열심히 연구(研究)함.

[攻苦食啖 공고식담] 역경(逆境)에 처하여 거친

[誕放 탄방] 방종(放縱)함.
[誕辭 탄사] 탄언(誕言).
[誕生 탄생] 출생함.
[誕辰 탄신] ㉠생일(生日). ㉡《韓》귀인(貴人)의 생일.
[誕言 탄언] 허풍 치는 말.
[誕日 탄일] 탄신(誕辰).
[誕章 탄장] 나라의 중대(重大)한 법전(法典).
[誕譎 탄휼] 속임. 거짓말.
●降誕. 寬誕. 誑誕. 怪誕. 詭誕. 矜誕. 欺誕.
妄誕. 放誕. 背誕. 浮誕. 生誕. 聖誕. 傲誕.
妖誕. 迂誕. 縱誕. 虛誕. 華誕. 荒誕. 恢誕.

7 (14) **[誖]** 패 ㉡隊 蒲昧切 bèi

字解 ①어지러울 패, 어지럽힐 패 마음이 산란하여 의혹이 생김. 또, 그렇게 함. '或—其心'《史記》. ②어그러질 패 悖(心部 七畫)와 통용. '誖罔—大臣節'《漢書》. ③혹할 패 미혹(迷惑)함. '惑學者不達其意而師—'《漢書》. ④어리석을 패 어두움. 礙. '_, 癡也'《廣雅》. '悖也'《集韻》.
字源 篆文 (圖) 別體 (圖) 搨文 (圖) 形聲. 言+孛[音]. '孛패'러지다'의 뜻. 사리(事理)에 어긋나 어지럽게 되는 뜻을 나타냄. 또, '孛패'와 같은 뜻으로, 세찬 기세로 일어나는 모양도 나타냄.

[誖亂 패란] 마음이 산란함. 또, 마음을 산란케 함.
●驕誖. 師誖.

7 (14) **[誘]** 高 人 유 ㉤有 與久切 yòu

筆順 二 三 言 言 訐 訴 誘 誘

字解 ①꾈 유 ㉠유혹함. '以女樂—之'《淮南子》. ㉡유인함. 꾀어냄. '—致'. '—拐'《其將愚而信人, 可詐而—'《吳子》. ㉢불러냄. 데리고 나옴. '有女懷春, 吉士—之'《詩經》. ㉣마음을 움직임. 감동시킴. '好憎成形, 而知—於外'《淮南子》. ㉤이끎. 안내 함. 인도함. '—導'. '天—其衷'《孔子家語》. ②달랠 유, 권할 유 옳은 말로 잘 이끎. '勸—'. '—民孔易'《禮記》. ③가르칠 유 교육하여 지도함. '訓—'. '循循然善—人'《論語》. ④꾈 유 '去夫外—之私'《中庸章句》. ⑤속일 유 '彼—其名'《荀子》.
字源 篆文 (圖) 別體 (圖) 古文 (圖) 形聲. 篆文은 본데 羊+厶+久[音]. '羊양'은 일반의 양의 뜻. '厶사'는 작게 둘러싸다의 뜻. '久구'는 긴 시간이 지나다의 뜻. 양을 장시간에 걸쳐 둘러싸다의 뜻에서, 사람이나 동물을 시간을 들이며 어떤 장소·상태로 유도(誘導)하다의 뜻을 나타냄. 別體인 '誘유'는 會意로 言+秀. '秀수'는 '빼어나다'의 뜻. 사람에게 말을 걸어서 빼어나도록 시키다의 뜻을 나타냄.

[誘拐 유괴] 꾀어냄.
[誘敎 유교] 달래어 가르침.
[誘勸 유권] 권유함. 달램.
[誘騎 유기] 적(敵)을 꾀어내는 기병(騎兵).
[誘道 유도] 유도(誘導).
[誘導 유도] 인도(引導)함.

[誘慕 유모] 다른 사물에 마음이 끌림.
[誘發 유발] 어떤 일이 일어나고, 그것으로 인해 다른 일이 일어남.
[誘兵 유병] 패하여 달아나는 체하며 적을 꾀어내는 군사.
[誘殺 유살] 꾀어내어 죽임.
[誘說 유설·유세] 감언이설(甘言利說)로 꾐.
[誘掖 유액] 유익(誘益).
[誘益 유익] 인도(引導)하여 도와줌.
[誘引 유인] 남을 꾀어냄. 꾀어서 끌어들임.
[誘因 유인] 어떤 일을 일으키는 계기나 원인이 되는 것.
[誘衷 유충] 마음을 인도하여 착한 일을 하도록 가르침.
[誘致 유치] ㉠꾀어냄. ㉡시설이나 행사 따위를 끌어들임.
[誘惑 유혹] 남을 꾀어서 정신(精神)을 현혹(眩惑)하게 함. 남을 그릇된 길로 꾐.
[誘誨 유회] 가르쳐 이끎. 유교(誘敎).
●開誘. 誑誘. 勸誘. 導誘. 善誘. 掖誘. 外誘.
慰誘. 招誘. 化誘. 誨誘.

7 (14) **[誙]** 경 ㉤庚 口莖切 kēng

字解 죽음으로다다를 경 '——然'은 자기도 모르게 죽음으로 다다르는 모양. '——然如將不得已'《莊子》.
字源 形聲. 言+巠[音]

[誙誙然 경경연] 자기도 모르게 죽음으로 다다르는 모양.

7 (14) **[誋]** 녈 ㉦屑 乃結切 niè

字解 ①성낼 녈 성냄. 노함. '_, 博雅, 怒也'《集韻》. ②꾸짖을 녈 꾸짖음. 나무람.

7 (14) **[誋]** 誋(前條)의 訛字

7 (14) **[誚]** 초 ㉠嘯 才笑切 qiào

字解 꾸짖을 초 誰(言部 十二畫)의 古字. '王亦未敢一公'《書經》.
字源 誰의 古文 (圖) 形聲. 言+肖[音]. '肖초'는 '깎다'의 뜻. 몸을 깎는 듯한 말, '꾸짖다'의 뜻을 나타냄.

[誚讓 초양] 꾸짖어 나무람.
[誚責 초책] 꾸짖음. 책망함.
●譏誚. 誋誚. 讓誚. 詆誚. 嘲誚. 責誚.

7 (14) **[語]** 中 人 어 ㉤語 魚巨切 yǔ / ㉥御 牛倨切 yù

筆順 二 三 言 言 訂 語 語 語

字解 ①말할 어 ㉠말함. 이야기함. 설(說)함. '笑—'. '耳—'. '三年之喪, 言而不—'《禮記》. '故君子—大'《禮記》. '樂年反而一功'《戰國策》. ㉡남과 의론을 함. 논쟁함. 논란함. '食不—, 寢不言'《論語》. ㉢의사를 발표함. '或默或—'《易經》. ②말 어 ㉠언어. '飛—'. '欲其子之

齊一也'《孟子》. ㉡어구. 성구(成句). '古一'. '謠一'. '一佳'《陸游》. ㉢속담(俗談). '俚一'. '一日脣亡則齒寒'《穀梁傳》. ③소리 어 새·벌레 등의 우는 소리. '鶯燕一' '關關鶯一花底滑'《白居易》. ④깨달을 어 悟(心部 七畫)와 통용. '甚矣子之難一也'《莊子》. ⑤알릴 어 ㉠고함. '居吾一汝'《論語》. ㉡가르침. '主亦有以一肥也'《國語》.

[字源] [金文] [篆文] 形聲. 言＋吾[音]. '吾오'는 '互호'와 통하여, 번갈아 하다의 뜻. 번갈아 발언(發言)하다, 이야기하다의 뜻을 나타냄.

[語幹 어간] 어미(語尾)가 변화(變化)하는 낱말의 변하지 아니하는 부분.
[語感 어감] 어음(語音)에 대(對)한 느낌과 맛.
[語格 어격] 말하는 법식의 맞고 안 맞음.
[語系 어계] 말의 계통.
[語句 어구] 말의 구절(句節).
[語根 어근] 어간(語幹).
[語氣 어기] ㉠말하는 투. 말씨. ㉡어세(語勢).
[語訥 어눌] 말을 떠듬거림.
[語多品小 어다품소] 말 많은 사람은 품위(品位)가 없음.
[語頭 어두] 말의 최초의 부분.
[語鈍 어둔] 말이 둔함.
[語錄 어록] 명유(名儒) 또는 고승(高僧)의 말을 적어 모은 책.
[語林 어림] 말의 모음. 어구(語句)가 많이 모여 있는 것.
[語脈 어맥] 말과 말의 유기적인 관련.
[語孟 어맹] 논어(論語)와 맹자(孟子).
[語默 어묵] 말하는 일과 침묵하는 일.
[語文 어문] 말과 문자. 말과 문학.
[語尾 어미] ㉠말의 끝. ㉡설명어(說明語)의 어간(語幹)에 붙어 변화(變化)하는 부분.
[語法 어법] 언어의 조직에 관한 법칙. 문법(文法).
[語病 어병] 어폐(語弊)●.
[語不成說 어불성설] 말이 사리(事理)에 맞지 아니함.
[語詞 어사] ㉠말. ㉡술어(述語).
[語辭 어사] 말.
[語澁 어삽] 말이 잘 나오지 아니함.
[語塞 어색] 말이 막힘.
[語序 어서] 말을 늘어놓는 순서. 어순(語順).
[語釋 어석] 언어(言語)의 해석. 말의 뜻풀이.
[語聲 어성] 말하는 소리.
[語勢 어세] 말의 고저와 억양.
[語笑 어소] 서로 이야기하며 웃음.
[語言 어언] 말. 언어.
[語原 어원] 어원(語源).
[語源 어원] 낱말이 생겨난 역사적 근원.
[語音 어음] 말하는 소리.
[語意 어의] 말의 뜻.
[語典 어전] ㉠자전(字典). ㉡사전(辭典).
[語調 어조] 말의 가락.
[語助辭 어조사] 한문(漢文)의 토. 곧, 의(矣)·언(焉)·야(也) 따위.
[語族 어족] 한 계통의 말을 하나로 묶어서 하는 말. 우랄알타이 어족 따위.
[語次 어차] 이야기하던 김. 이야기하던 차.
[語趣 어취] 말의 취지(趣旨).
[語套 어투] 말버릇.

[語弊 어폐] ㉠말의 폐단(弊端). 말의 결점(缺點). ㉡남의 오해(誤解)를 받기 쉬운 말씨.
[語學 어학] ㉠말의 발달(發達)·변화(變化)·성질(性質) 및 용법(用法)을 연구하는 학문. 언어학(言語學). ㉡외국 말을 배우는 일.
[語彙 어휘] ㉠일정한 언어 체계 속에서 쓰이는 말의 총체. 또, 그것을 유별(類別)하여 모은 것. ㉡특정한 개인, 또는 부문에서 사용하는 낱말의 총체. 또, 그것을 모은 것.
●街談巷語. 客語. 結語. 敬語. 季語. 古語. 空語. 款語. 口語. 國語. 禽語. 綺語. 大言壯語. 獨語. 妄語. 面語. 目語. 文語. 密語. 反語. 跋語. 梵語. 佛語. 飛語. 鄙語. 死語. 沙中偶語. 常套語. 成語. 世界語. 笑語. 俗語. 手語. 熟語. 述語. 術語. 詩語. 失語. 雅語. 言語. 譯語. 緣語. 英語. 囈語. 外國語. 外來語. 偶語. 原語. 危語. 流語. 類語. 隱語. 耳語. 俚語. 一轉語. 壯語. 底語. 傳語. 齊東野人語. 鳥語. 造語. 主語. 疊語. 勅語. 土語. 標準語. 標準語. 閒語. 漢語. 巷語. 解語. 好語. 豪語. 歡語.

7
⑭ [誠] [中] [인] 성 ㉠庚 是征切 chéng 诚诚

[筆順] 一 二 亠 言 訂 訂 訪 誠 誠

[字解] ①정성 성 적심(赤心). 진심. '開心見一'《後漢書》. ②참 성 ㉠언어·행위에 거짓이 없음. '以嫗爲不一'《史記》. ㉡공평무사하고 순일(純一)함. '一者天之道也'《中庸》. ③참되게할 성 공평무사하고 순일하게 함. '一之者, 人之道也'《中庸》. ④참으로 성 ㉠진실로. '子一齊人也'《孟子》. ⑤만일 성 과연. '今王一聽之, 彼必以國事楚王'《戰國策》. ⑤상세히 성 자세히. '繩墨一陳'《禮記》.

[字源] [篆文] 形聲. 言＋成[音]. '成성'은 완성되어 안정감(安定感)이 있다의 뜻. 안정감이 있는 말, '진심'의 뜻을 나타냄.

[誠慤 성각] 정성. 성의.
[誠敬 성경] ㉠정성껏 공경함. ㉡주자학(朱子學)에서 존성(存誠)과 거경(居敬).
[誠恐 성공] 참으로 황송함.
[誠款 성관] 정성. 성심.
[誠勤 성근] 성실(誠實)하고 부지런함.
[誠金 성금] 정성(精誠)으로 낸 돈.
[誠道 성도] 참의 도(道).
[誠烈 성렬] 성실하며 절개(節槪)가 곧고 굳음.
[誠服 성복] 진심으로 따름.
[誠素 성소] 성실하고 가식(假飾)이 없음.
[誠信 성신] 정성. 성심.
[誠實 성실] ㉠성의가 있고 착실함. ㉡진실로. 참으로.
[誠心 성심] ㉠참된 마음. 정성(精誠)스러운 마음. ㉡마음을 성실하게 함.
[誠意 성의] 성심(誠心).
[誠意伯文集 성의백문집] 명(明)나라 유기(劉基)의 시문집(詩文集). 모두 20권(卷). 그의 시(詩)는 침착 돈탕(沈着頓宕)하여 고계(高啓)에 버금가며, 문(文)은 송렴(宋濂)에 다음감. 성의백(誠意伯)은 봉호(封號).
[誠壹 성일] 성실하고 순일(純一)함.
[誠齋易傳 성재역전] 송(宋)나라의 양만리(楊萬

里)가 지은 책으로 모두 20권(卷). 정씨(程氏)의 설(說)에 의하여 본전(本傳)을 고증(考證)했음.
[誠齋集 성재집] 송(宋)나라 양만리(楊萬里)의 시문집(詩文集). 모두 133권(卷). 그의 아들 양장유(楊長孺)가 편수한 것으로 역사(歷史) 연구에 귀중한 소재가 풍부함.
[誠切 성절] 성의가 있고 친절함.
[誠情 성정] 참된 마음. 진정(眞情).
[誠中形外 성중형외] 심중에 생각하고 있는 것은, 비록 숨기려고 하여도 겉으로 나타나는 법임.
[誠直 성직] 성실하고 정직함.
[誠忠 성충] 성심에서 우러나오는 충성.
[誠惶誠恐 성황성공] 대단히 황송함. 신하가 천자에게 하는 상서(上書)에 쓰는 말.
●懇誠. 虔誠. 潔誠. 款誠. 巧詐不若拙誠. 丹誠. 篤誠. 純誠. 熱誠. 允誠. 赤誠. 積誠. 精誠. 存誠. 拙誠. 至誠. 眞誠. 寸誠. 忠誠. 衷誠. 表誠.

7
⑭ [誡] 人名 계 ㊀卦 古拜切 jiè　　诫誡

筆順 一 二 三 言 言 訂 訃 誡 誡

字解 ①경계할 계 ㊀조심하고 삼감. '必不一'《左傳》. ㉡조심하도록 훈계함. '訓一' '邑人之一'《易經》. '小懲而大一, 此小人之福也'《易經》. ②경계 계 훈계. '發一布령而敵退'《荀子》. ③명(命)할 계 명령함. '一, 命也'《玉篇》.
字源 형성 言+戒〔音〕. '戒계'는 '경계하다, 훈계하다'의 뜻. 말로 훈계하다의 뜻을 나타냄.

[誡勵 계려] 경계하고 격려함.
[誡勉 계면] 경계하고 격려함.
[誡罰 계벌] 경계하여 처벌함.
[誡嚴 계엄] 적(敵)의 공격에 대비하여, 엄하게 경계함. 계엄(戒嚴).
[誡飭 계칙] 경계하고 계칙(戒飭).
[誡誨 계회] 경계하고 가르침.
●家誡. 教誡. 軍誡. 勸誡. 聖誡. 嚴誡. 女誡. 立誡. 箴誡. 勅誡. 訓誡.

7
⑭ [誣] 무 ㊃虞 武夫切 wū　　诬誣

字解 ①꾸밀 무 ㊀없는 것을 있는 것처럼 말하거나 있는 것을 없는 것처럼 말함. 유무를 전도하여 사실을 왜곡함. '一告' '一善之人'《易經》. 죄 없는 사람을 죄가 있는 것처럼 꾸밈. '其刑矯一'《國語》. ㉡악(惡)을 선(善)으로 가장함. '且夫變氏一晉國也久矣'《國語》. ②속일 무 기만함. '一欺' '是邪說一民'《孟子》. ③더럽힐 무 더럽게 함. '不能不居之一也'《荀子》. ④강제할 무 남의 의사를 누르고 억지로 시킴. '欲他人己從, 一人也'《張載》. ⑤아첨할 무 '一, 諛與也'《揚子方言》.
字源 篆文 형성 言+巫〔音〕. '巫무'는 '莫막'과 통하여, 덮어 가리다의 뜻. 말로 진실(眞實)을 덮어 가리다, 무고(誣告)하다, 조작하다, 강제하다의 뜻을 나타냄.

[誣告 무고] 없는 일을 꾸며 대어 일러바치거나 고소함.

[誣構 무구] 죄 없는 자를 죄가 있는 것처럼 꾸밈.
[誣欺 무기] 속임.
[誣妄 무망] 무망(誣罔).
[誣罔 무망] 속임. 기망(欺罔).
[誣謗 무방] 없는 일을 꾸며 비방함.
[誣報 무보] 거짓의 보고(報告).
[誣服 무복] 강제를 당하여 없는 죄를 있다고 자복(自服)하고 형벌을 받음.
[誣殺 무살] 죄 없는 사람에게 죄를 씌워 죽임.
[誣說 무설] 무근지설. 거짓 풍문.
[誣訴 무소] 없는 일을 고소(告訴)함.
[誣言 무언] 없는 일을 꾸며서 남을 해치는 말.
[誣染 무염] 무오(誣汚).
[誣汚 무오] 속여 더럽힘. 억지로 더럽힘.
[誣枉 무왕] 남을 억지로 죄에 빠뜨림.
[誣淫 무음] 거짓이 많고 음란(淫亂)함.
[誣引 무인] 죄 없는 자를 죄가 있다고 끌어들임.
[誣罪 무죄] 죄 없는 자에게 억지로 죄를 씌움.
[誣陷 무함] 죄 없는 자를 모함함.
●矯誣. 欺誣. 詆誣. 讒誣. 虛誣.

7
⑭ [誤] 中人 오 ㊃遇 五故切 wù　　误誤

筆順 一 二 三 言 言 訳 誤 誤 誤

字解 ①그릇할 오, 잘못할 오 ㊀잘못을 저지름. '過一' '君何言之一《漢書》. '使者聘而一, 主君弗親饗食也'《禮記》. ㉡잘못되게 함. 속임. '是特姦人之一於亂說, 以欺愚者'《荀子》. ②그릇 오, 잘못 오 과오. '一謬' '曲有一'《吳志》. '再尋畏迷一'《王維》. ③의혹할 오, 의혹게할 오 悞(心部 七畫)와 통용. '一天下蒼生者'《十八史略》.
字源 篆文 형성 言+吳〔音〕. '吳오'는 '華화'와 통하여 '화려하다'의 뜻. 말을 화려하게 하여 사람을 미혹(迷惑)시키다의 뜻에서, '잘못하다, 그르치다, 틀리다'의 뜻을 나타냄.

[誤計 오계] 잘못된 계획. 잘못된 꾀.
[誤記 오기] 잘못 씀. 틀리게 씀. 또, 그것.
[誤蹈 오도] 잘못 행함.
[誤錄 오록] 잘못 기록(記錄)함.
[誤謬 오류] 잘못. 틀림. 과오. 착오(錯誤).
[誤聞 오문] 잘못 들음.
[誤犯 오범] 잘못하여 죄를 저지름. 또, 그 죄. 과실범(過失犯).
[誤報 오보] 사실을 잘못 알림. 또, 그릇된 보도(報道).
[誤死 오사] 비명(非命)에 죽음.
[誤寫 오사] 잘못 베낌.
[誤算 오산] 잘못 계산(計算)함.
[誤殺 오살] 잘못하여 사람을 죽임.
[誤書 오서] 잘못 씀.
[誤植 오식] 활판에 활자(活字)를 잘못 꽂음. 또, 식자(植字)의 잘못.
[誤信 오신] 그릇 믿음.
[誤譯 오역] 잘못 번역(飜譯)함.
[誤用 오용] 잘못 씀.
[誤認 오인] 잘못 봄. 잘못 앎.
[誤入 오입] 노는계집과 상종(相從)함.
[誤字 오자] 잘못 쓴 글자.　　「씀.
[誤字落書 오자낙서] 글씨를 잘못 씀과 빠뜨리고
[誤傳 오전] 사실(事實)과 틀리게 잘못 전(轉)함.

오보(誤報). 와전(訛傳).
[誤診 오진] 잘못 진단함.
[誤差 오차] ㉠착오. ㉡일정한 분량을 보이는 참값과 근삿값과의 차이.
[誤錯 오착] 착오(錯誤).
[誤脫 오탈] 글자를 잘못 베끼거나 빠뜨림. 오자낙서(誤字落書)「앞」.
[誤解 오해] ㉠그릇 해석(解釋)함. ㉡뜻을 잘못
[誤惑 오혹] 미혹(迷惑)시킴. 또, 미혹함.
●刊誤. 過誤. 闕誤. 魯魚之誤. 辨誤. 訛誤. 謬誤. 正誤. 錯誤. 舛誤. 脫誤.

7
⑭ [誤] 誤(前條)와 同字

7
⑭ [誤] 誤(前前條)의 俗字

7
⑭ [誥] 人名 고 ㉠號 古到切 gào

①고할 고 위에서 아래에 고시하거나 유시함. '一示'. '后以施命一四方'《易經》. 또, 그말이나 문서. 서경(書經) 중의 '大一'·'康一'등. ②가르침 고, 경계고 훈계. 교령(敎令). '一誓不及五帝'《穀梁傳》. ③직첩고, 고신고 '一命'은 명청(明淸) 시대에 오품관(五品官) 이상을 임명할 때에 수여하는 사령. 직첩(職牒). 고신(告身).
形聲. 言+告〔음〕. '告고'는 '알리다'의 뜻. '言언'을 덧붙여, 위에서 아래에 알리다의 뜻을 나타냄.

[誥誡 고계] 경계하여 고함.
[誥告 고고] 알림.
[誥命 고명] 자해(字解)❸을 보라.
●論誥. 誓誥. 申誥. 雅誥. 遺誥. 典誥. 制誥. 酒誥.

7
⑭ [誦] 高人 송 ㉠宋 似用切 sòng

①읽을 송 글을 읽음. '一經'. '一習之'《史記》. ②읊을 송 ㉠가락을 붙여 읽음. '一明月之詩'《蘇軾》. ㉡가락을 붙여 부름. 노래함. '春一夏絃'《禮記》. 또, 읊는 글. 곧, 시가(詩歌). '家父作一'《詩經》. ③말할 송 이야기함. '進講一志'《王融》. ④월 송 보지 않고 읽음. '背一'. '諸一皆一讀之'《漢書》. ⑤헐뜯을 송, 원망할 송 원망하여 비방함. '國人一之'《左傳》. ⑥송사할 송 고소(告訴)함. 訟(言部 四畫)과 통용. '公言日訟, 告訴日一'《正字通》.
形聲. 言+甬〔음〕. '甬용'은 '踊용'과 통하여 '뛰어오르다'의 뜻. 말이 뛰어오르다, 읽다, 읊다의 뜻.

[誦經 송경] ㉠경서(經書)를 읽음. ㉡불경(佛經)을 읽음. 독경(讀經).
[誦讀 송독] 외어 읽음. 암송(諳誦).
[誦說 송설] 읽음과 설명함.
[誦習 송습] 읽어 익힘.
[誦言 송언] ㉠입 밖에 내어 말함. 또, 공언(公言)함. ㉡선왕(先王)의 바른말을 욈.

[誦詠 송영] 시가(詩歌)를 외며 읊조림.
[誦奏 송주] 상주문(上奏文)을 읽어 올림.
[誦絃 송현] 시를 읊거나 노래를 부르고 거문고를 탄다는 뜻으로, 교육(敎育)의 뜻으로 쓰임.
●口誦. 謳誦. 記誦. 讀誦. 背誦. 覆誦. 暗誦. 諳誦. 念誦. 傳誦. 晝耕夜誦. 諷誦.

7
⑭ [誨] 人名 회 ㉠隊 荒內切 huì

①가르칠 회 ㉠교훈함. '訓一'. '敎一爾子'《詩經》. ㉡알려 줌. '戰父之母, 一孔子之墓'《史記》. ②가르침 회 '昔在貂亂, 便蒙一誘'《顏氏家訓》. '朝夕納一, 以輔台德'《書經》. ③보일 회 가리킴. '一, 示也'《華嚴經音義》.
形聲. 言+每〔음〕. '每매'는 '어둡다'의 뜻. 사리(事理)에 어두운 사람에게 말로 가르치다의 뜻을 나타냄.

[誨盜誨淫 회도회음] 재물(財物)의 간수를 소홀히 하면 도둑을 부르게 되고, 여자의 맵시를 요염(妖艶)하게 꾸미면 음탕(淫蕩)한 짓을 하게 된다는 뜻.
[誨授 회수] 교수(敎授)함.
[誨示 회시] 교시(敎示)함.
[誨言 회언] 가르치는 말. 훈사(訓辭).
[誨誘 회유] 가르쳐 인도함.
[誨諭 회유] 가르쳐 깨우침.
[誨育 회육] 가르쳐 기름. 교육(敎育)함.
●誠誨. 高誨. 敎誨. 勸誨. 規誨. 善誨. 聖誨. 往誨. 慰誨. 誘誨. 仁誨. 慈誨. 提誨. 胎誨. 訓誨.

7
⑭ [誏] 구 ㉠宥 居又切 jiù ㉡尤 渠尤切

①금할 구 금함. 금지함. '一, 禁也'《玉篇》. ②도울 구 도움. 거듦. '一, 助也'《玉篇》.

7
⑭ [誯] 도 ㉠虞 同都切 tú

말분명하지않을 도 말이 분명하지 않음. '一, 謝一, 語不了'《集韻》.

7
⑭ [說] 中人 ❶ 설 ㉠屑 失薿切 shuō ❷ 세 ㉠霽 舒芮切 shuì ❸ 열 ㉠屑 弋雪切 yuè ❹ 탈 ㉠曷 他括切 tuō

❶①말씀 설, 말 설 언론 또는 의견. '異一'. '邪一'. '學百家之一'《史記》. ②말할 설 ㉠밝히어 말함. 해석함. '一明'. '解一'. '博學而詳一之'《孟子》. ㉡서술함. 진술함. '演一'. '通智能一'《漢書》. ㉢알림. 고함. '使人一于子胥'《國語》. ㉣타이름. 깨우침. '一諭'. '女之耽兮, 不可一兮'《詩經》. ㉤이야기함. 담화를 함. '談一'. '口吃不能道一'《史記》. ③문체이름 설 한문의 한 체(體). 사물에 대한 의견을 진술한 것. '師一'. '愛蓮一'. '一之名, 起於一卦'《文體明辯》. ❷①달랠 세 남에게 귀에 솔깃하도록 말하여 자기 의견에 따르게 함. '游一'. '誘一'. '一大人則藐之'《孟子》. ②머무를 세 정지함. '一'

駕'. '召伯所一'《詩經》. 三 ①기뻐할 열 悅(心部 七畫)과 통용. '一喜'. '民莫不一'《中庸》. '不亦一乎'《論語》. '女爲一己者容'《史記》. ②셈 열 동렬(同列)의 수(數). '與子成一'《詩經》. ③성 열 성(姓)의 하나. 四 ①벗을 탈 脫(肉部 七畫)과 통용. '用一桎梏'《易經》. ②놓아줄 탈 사면함. '女覆一之'《詩經》.

字源 篆文 形聲. 言+兌〔音〕. '兌태'는 맺혀져 있던 것이 풀리다의 뜻을 나타냄. 말로 풀다의 뜻을 나타냄.

[說經 설경] ㉠경서(經書)를 설명함. ㉡불경(佛經)을 설명함.
[說卦 설괘] 주역(周易)의 편명(篇名). 십익(十翼)의 하나로서, 팔괘(八卦)의 덕업 변화(德業變化) 및 법상(法象)을 설(說)한 것.
[說敎 설교] 종교(宗敎)의 교의(敎義)를 설명(說明)함.
[說道 설도] ㉠말하는 바로는. 듣는 바로는. ㉡《佛敎》 바른길을 설(說)함.
[說得 설득] 잘 설명하여 납득시킴.
[說鈴 설령] 방울 소리처럼 작은 소리. 대도(大道)에 부합(符合)하지 않는 소리란 뜻으로, 소설(小說)을 이름.
[說論 설론] ㉠설명하여 논(論)함. ㉡전국 시대(戰國時代)에, 제후(諸侯)를 찾아 자기의 학설·의견을 설명하고 다닌 유세객(遊說客)의 학설·의견.
[說明 설명] 해설하여 밝힘. 또, 그 말.
[說明學 설명학] 현상(現象)을 설명하는 학문. 물리학·화학·동식물학 등의 과학 따위. 규범학(規範學)의 대(對).
[說夢 설몽] 꿈 이야기를 함. 전(轉)하여, 언어(言語)가 분명치 않음의 비유.
[說文解字 설문해자] 후한(後漢)의 허신(許愼)이 지은 자해서(字解書). 모두 30권(卷). 소전(小篆) 9,353자와 고문(古文)·주문(籀文) 등 1,163자를 540부(部)로 분류하여 육서(六書)의 의의(意義)를 추구하였음. 뒤에 청(淸)나라의 단옥재(段玉裁)가 주석(註釋)한 〈설문해자주(說文解字注)〉가 유명함. 설문(說文).
[說法 설법] 불법(佛法)을 설명함.
[說伏 설복] 설파(說破)하여 복종시킴.
[說郛 설부] ㉠중설(衆說)을 집성(集成)한 것. ㉡총서(叢書). 명(明)나라 도종의(陶宗儀)의 편찬. 모두 100권. 뒤에 욱문박(郁文博)과 청(淸)나라의 도정(陶珽)이 증보(增補)하였음.
[說書 설서] ㉠책을 강의함. ㉡송대(宋代)의 벼슬 이름. 경서(經書)를 임금에게 진강(進講)함을 맡음. ㉢진강(進講)한 말을 적은 문서.
[說述 설술] 의견 따위를 설명함.
[說往說來 설왕설래] 서로 말갈아 변론함.
[說苑 설원] 한(漢)의 유향(劉向)이 지은 책 이름. 군도(君道)·신술(臣術)을 20편(篇)으로 분류(分類)하여 명인(名人)들의 일화(逸話)를 열거한 책. 모두 20권.
[說諭 설유] 가르쳐 깨우침. 말로 타이름.
[說破 설파] ㉠내용을 밝혀 말함. ㉡상대자의 이론(理論)을 깨뜨림.
[說話 설화] 이야기.
[說駕 세가] 어가(御駕)가 머무름.
[說客 세객] 유세(遊說)하러 다니는 사람.
[說難 세난] 한비자(韓非子)의 편명(篇名). 유세(遊說)는 어려우므로, 먼저 제후(諸侯)의 뜻을 알고서 달램을 비결(祕訣)로 삼아야 한다는 요지를 적은 글. 한비자 중의 명문(名文)에 듦.
[說大人則藐之 세대인즉묘지] 존귀한 사람 앞에서 자기의 의견을 말할 때 그의 권위에 눌리지 아니하기 위하여 그를 경시(輕視)함.
[說樂 열락] 기뻐하고 즐거워함.
[說服 열복] ㉠기꺼이 따름. ㉡설복(說伏).
[說諭 열유] ㉠기뻐하고 즐김. ㉡설유(說諭).
[說懷 열회] 기뻐하여 따름. 열복(悅服)함.
[說喜 열희] 기뻐함.

◉諫說. 講說. 概說. 經說. 古說. 高說. 曲說. 怪說. 口說. 舊說. 論說. 談說. 道說. 道聽塗說. 妄說. 聞說. 辯說. 浮說. 邪說. 社說. 師說. 辭說. 序說. 細說. 小說. 騷說. 俗說. 言說. 力說. 演說. 筵說. 郢書燕說. 遊說. 誘說. 謬說. 異說. 一字不說. 雜說. 長短說. 前說. 傳說. 從橫說. 重說. 衆說. 珍說. 陳說. 讒說. 總說. 叢說. 通說. 評說. 學說. 巷說. 解說. 虛說. 話說. 橫說. 豎說. 訓說.

7 ⑭ [説] 說(前條)과 同字

7 ⑭ [誐] 아 ①②㊥歌 五何切 é ③㊤哿 語可切 ě

字解 ①좋을 아 아름답고 훌륭함. '一以溢我'《詩經》. ②좋은말 아 아름답고 훌륭한 말. '一, 嘉言也'《字彙》. ③흥얼거릴 아 읊조림. 哦(口部 七畫)와 同字. '一, 吟也'《集韻》.

字源 篆文 形聲. 言+我〔音〕

7 ⑭ [諀] 비 ㊥支 篇夷切 pī

字解 그르칠 비 잘못함. 紕(糸部 四畫)와 통용. '一, 誤也'《廣雅》.

7 ⑭ [誧] 보 ㊥虞 博孤切 bū 普胡切

字解 ①클 보 큰소리를 침. '一, 大言也'《玉篇》. ②간(諫)할 보 '一, 諫也'《廣雅》. ③도울 보 서로 도움. 상부상조함. '一, 人相助也'《集韻》. ④꾀할 보 '一, 謀也'《集韻》.

字源 篆文 形聲. 言+甫〔音〕. '甫보'는 '넓어지다, 크다'의 뜻. 과장된 말의 뜻을 나타냄.

7 ⑭ [譊] 노 ㊥豪 奴刀切 náo

字解 ①수수께끼 노 수수께끼. '一, 謎也'《玉篇》. ②기뻐할 노 기뻐함. '一, 喜也'《玉篇》.

7 ⑭ [詐] 一 자 ㊦禡 鋤駕切 zhà 二 작 ㊇藥 疾各切

字解 一 부끄러워말할 자 '一, 慙語也'《說文》. 二 부끄러워말할 작 一과 뜻이 같음.

字源 篆文 形聲. 言+作〔音〕. '作작'은 '作작'과 통하여 '부끄러워하다'의 뜻. 부끄러워하며 이야기하다의 뜻을 나타냄.

7 ⑭ [誎] 독 ㊇屋 他谷切 tū

字解 교사(巧詐)할 독, 속일 독. '訨一'은 교묘하게 남을 속임. 또, 서로 속임. '訨一, 狡猾也, 一曰, 相欺訨'《集韻》.

7
⑭ [誋] 〔흔·간·현〕
誽(言部 六畫〈p.2124〉)의 本字

7
⑭ [誽] 〔의〕
誼(言部 八畫〈p.2133〉)의 本字

7
⑭ [読] 〔독〕
讀(言部 十五畫〈p.2162〉)의 俗字

7
⑭ [詠] 〔혁〕
鬩(鬥部 八畫〈p.2630〉)과 同字

7
⑭ [翔] 〔교〕
敎(攴部 七畫〈p.931〉)의 古字

7
⑭ [誓] 高入 서 ㊀霽 時制切 shì

筆順 扌 扩 打 折 折 誓 誓

字解 ①맹세 서 약속. '一文'. '約信曰一'《禮記》. ②맹세할 서 '信一旦旦'《詩經》. '一天不相負'《古詩》. ③경계 서 훈계. '泰一'. ④경계할 서 ㉠삼가 조심함. '曲藝皆一之'《禮記》. ㉡조심하도록 주의를 줌. '禹乃會羣后, 一于師'《書經》. ⑤알릴 서 고(告)함. '司射西面一之'《儀禮》. ⑥맹세코 서 틀림없이. 반드시. '一不相隔卿'《古詩》.

字源 金文 ⿰ 篆文 ⿰ 形聲. 言+折(斷)〔音〕. '斷절'은 '哲철'과 통하여 '분명함'의 뜻. 신(神)이나 사람에게 분명히 한 말, 언약(言約)의 뜻을 나타냄.

[誓告 서고] 맹세하여 고함.
[誓誥 서고] 서명(誓命). 서경(書經)의 태서(泰誓)·주고(酒誥) 따위.
[誓券 서권] 서약서(誓約書).
[誓盟 서맹] 서약(誓約). 맹서(盟誓).
[誓命 서명] 임금의 신하에게 맹세.
[誓墓 서묘] ㉠부모의 묘 앞에서 맹세하는 일. ㉡벼슬을 그만두고 고향에 은거(隱居)함.
[誓文 서문] 맹세하는 글.
[誓師 서사] 출정(出征)하는 장병들을 모아 놓고 훈계하여 설유(說諭)하는 일.
[誓詞 서사] 맹세하는 말. 서언(誓言).
[誓書 서서] 서약서(誓約書).
[誓約 서약] 맹세함. 약속함.
[誓約書 서약서] 서약하는 글.
[誓言 서언] 맹세함. 또, 그 말.
[誓要 서요] 맹세하여 약속함.
[誓願 서원] 신불(神佛)에게 맹세하고 기원함.
●擧楫之誓. 起誓. 盟誓. 牧誓. 默誓. 宣誓. 信誓. 約誓. 澶淵之誓. 泰誓. 弘誓.

8
⑮ [誰] 中入 수 ㊃支 視隹切 shuí, shéi

筆順 ㄹ 言 訂 訃 詐 誰 誰

字解 ①누구 수 어떤 사람. '吾不知一之子'《老子》. '夫執輿者爲一'《論語》. ②물을 수 '漢帝宜一差天下, 求索賢人'《漢書》. ③예수, 접때 수 이전(以前). 일설(一說)에는, 발어(發語)의 조사(助辭)라 함. 疇(田部 十四畫)와 뜻이 같음. '一昔然矣'《詩經》. ④성 수 성(姓)의 하나.

字源 篆文 雖 形聲. 言+隹〔音〕. '隹추'는 누구냐고 물을 때의 목소리의 뜻. 누구냐고 묻다의 뜻을 나타냄.

[誰某 수모] 아무개.
[誰昔 수석] 옛날. 그 옛날.
[誰哉 수재] 누구냐고 힐문(詰問)하는 말.
[誰知烏之雌雄 수지오지자웅] 까마귀의 자웅(雌雄)은 서로 비슷하여 아무도 알 수 없다는 뜻으로, 시비(是非)·선악(善惡)을 구별할 수 없음을 이름.
[誰差 수차] 물어 택함. 물어 골라 뽑음.
[誰何 수하] ㉠누구. 아무개. ㉡누구냐고 힐문(詰問)하는 말.
●不知誰. 始誰. 阿誰. 何誰.

8
⑮ [課] 中入 과 ㊊箇 苦臥切 kè

筆順 ㄹ 言 訂 訓 訊 課 課 課

字解 ①시험할 과 증험해 봄. '試一'. '何不一而行之'《楚辭》. ②살필 과 조사함. '一校人畜計'《史記》. ③매길 과 ㉠할당함. '一稅'. '房奏考功一吏法'《漢書》. ㉡등수를 정함. '論一殿最'《後漢書》. ④차례 과 성적의 등급. '常綢繆於結一'《孔稚珪》. ⑤몫 과 세금 또는 업무 등의 할당. '徵一'. '學一'. ⑥일 과 일상의 일. '日一'. '纂史殘一'《唐書》. ⑦부서 과 사무 분담의 한 단위. 국(局)의 아래. '初等教育一'.

字源 篆文 課 形聲. 言+果〔音〕. '果과'는 '科과'와 통하여 '구분하다'의 뜻. 계획적으로 일을 구분하고 할당하여, 그 결과를 평가하다의 뜻을 나타냄.

[課工 과공] 일과(日課)로 하는 공부.
[課校 과교] 조사함.
[課斂 과렴] 세를 할당하여 거둠.
[課利 과리] 세금(稅金). 과전(課錢).
[課稅 과세] 세금을 매김. 또, 그 세금.
[課試 과시] 어떤 일을 맡겨 시험해 봄. 또, 시험.
[課業 과업] 맡긴 업무. [킴.
[課役 과역] ㉠세금과 부역. ㉡일을 할당하여 시
[課長 과장] 관청·은행·회사 등의 안에 있는 그 과(課)의 우두머리.
[課績 과적] 할당한 직무(職務)의 성적.
[課錢 과전] 세금. 과은(課銀). 과리(課利).
[課程 과정] ㉠할당하여 재촉함.
[課程 과정] ㉠할당한 일의 분량. ㉡물품에 과한 세금. ㉢학년(學年)의 정도에 딸린 과목(課目).
[課題 과제] 풀거나 해결해야 할 문제나 임무.
[課調 과조] 도조(賭租)의 할당.
●考課. 功課. 局課. 勸課. 論課. 夫課. 賦課. 祕課. 詩課. 日課. 精課. 租課. 學課.

8
⑮ [誳] 屈 入物 굴 曲勿切 qū

字解 ①굽을 굴, 굽힐 굴 屈(尸部 五畫)과 同字. '一寸而伸尺, 聖人爲之'《淮南子》. ②괴이할 굴 괴상함. '一詭之殊事'《左思》.

[字源] 詘의 別體 形聲. 言+屈〔音〕. '屈굴'은 '굽히다'의 뜻.

[詘詭 굴궤] 괴이함.
[詘伸 굴신] 굽힘과 폄. 굴신(屈伸).

8 ⑮ [誼] [人名] 의 [去]寘 宜寄切 yì 谊

[筆順] 二 三 言 言' 訁宀 詝 誼 誼

[字解] ①옳을 의 義(羊部 七畫)와 통용. '仁—'. '—士'. '摩民以—'《漢書》. ②의논할 의 議(言部 十三畫)와 통용. '論—考問'《漢書》. ③의 의 정의(情誼). 정분. '反—'. '交—'.
[字源] 篆文 形聲. 言+宜(宐)〔音〕. '宐의'는 '옳다'의 뜻. 사람에 의하여 옳다고 단언될 수 있는 옳은 길의 뜻.
[參考] 誼(言部 七畫)는 本字.

[誼士 의사] 의사(義士).
[誼主 의주] 예의를 아는 임금.
◉古誼. 高誼. 交誼. 古誼. 舊誼. 大誼. 道誼. 禮誼. 友誼. 恩誼. 仁誼. 正誼. 情誼. 行誼. 厚誼.

8 ⑮ [誶] [一] 수 [去]寘 雖遂切 suì
[二] 쇄 [去]隊 蘇內切 suì
[三] 신 [去]震 須閏切 xùn 谇

[字解] [一] ①꾸짖을 수 힐책함. 욕함. '吳王還自伐齊, —申胥'《國語》. ②간할 수 웃어른이나 임금에게 잘못을 고치도록 충고함. '謇朝—而夕替'《楚辭》. [二] ①고할 쇄 알림. 고지함. ②풍류 끝가락 쇄 노래의 끝에 난(亂) 곧, 졸장(卒章)을 부언(附言)함. 또, 그 말. ③말더듬을 쇄 '—, 訥澀辯給之貌'《釋文》. [三] 물을 신 訊(言部 三畫)과 同字. '虞人逐而—之'《莊子》.
[字源] 篆文 形聲. 言+卒〔音〕. '卒졸'은 '다 되다, 진(盡)하다'의 뜻. 말이 다할 때까지 매도하다의 뜻을 나타냄.

[誶罵 수매] 욕설을 하여 꾸짖음.
[誶語 수어] 꾸짖음.
◉凌誶. 忿誶.

8 ⑮ [諌] 동 [上]董 多東切 dǒng

[字解] 말많을 동 말이 많음. 수다스러움. '—, 多言'《字彙》.
[參考] 諫(言部 九畫〈p.2141〉)은 別字.

8 ⑮ [誷] 망 [上]養 文兩切 wǎng

[字解] 속일 망 罔(网部 三畫)과 同字. '朋黨則誣—'《晉書》.
[字源] 形聲. 言+罔〔音〕. '罔망'은 그물로 잡다의 뜻. 사실을 굽혀서 말로 사람을 잡다, 속이다의 뜻을 나타냄.

◉誣誷.

8 ⑮ [誹] [人名] 비 [上]尾 妃尾切 fěi
[平]微 甫微切 诽

[字解] 헐뜯을 비 헐어 말함. 비방함. 또, 비방. '—謗者族'《史記》.
[字源] 篆文 形聲. 言+非〔音〕. '非비'는 등을 돌리다의 뜻. '사람이 서로 등지다, 헐뜯다'의 뜻을 나타냄.

[誹謗 비방] 헐뜯음. 헐어 말함. 욕함.
[誹謗之木 비방지목] 나무를 다리 위에 세워 놓고 백성에게 정치의 과실(過失)을 적게 하여 반성한 고사(故事).
[誹訕 비산] 비방(誹謗).
[誹笑 비소] 비방하여 웃음. 비웃음.
[誹譽 비예] 헐뜯음과 칭찬함. 비방과 명예. 훼예(毁譽).
[誹怨 비원] 비방하며 원망함.
[誹訾 비자] 헐뜯음.
[誹章 비장] 남을 비방하는 글.
[誹諧 비해] 괘사스럽게 욕을 함.
[誹毁 비훼] 비방(誹謗).
◉腹誹. 怨誹. 沮誹.

8 ⑮ [誻] 답 [入]合 徒合切 tà

[字解] ①수다스러울 답 沓(水部 四畫)과 同字. '愚者之言, ——然而沸'《荀子》. ②헐뜯을 답, 욕설할 답 '—, 言相惡也'《洪武正韻》.
[字源] 篆文 形聲. 言+沓〔音〕. '沓답'은 물 흐르듯이 막힘없이 지껄여 대다의 뜻. 마구 수다 떨다의 뜻을 나타냄.

[誻誻 답답] 망언(妄言)을 늘어놓는 모양. 쓸데없이 나불나불 지껄이는 모양.

8 ⑮ [調] [中人] [一] 조 [平]蕭 徒聊切 tiáo
[去]嘯 徒弔切 diào
[二] 주 [平]尤 張流切 zhōu 调

[筆順] 二 三 言 訂 訂 訶 調 調

[字解] [一] ①고를 조 ㉠잘 어울림. '—和'. '琴瑟不—'《十八史略》. ㉡균형이 잡힘. 적당함. '弓矢既—'《詩經》. '陰陽—而風雨時'《漢書》. ㉢평균함. 고르게 함. '以—盈虛'《漢書》. ②맞을 조 ㉠적합함. '不同味而皆—於口'《淮南子》. ㉡음률의 가락이 맞음. '—竽笙篪簧'《禮記》. ③길들일 조 조수(鳥獸)를 길들게 함. '—馴鳥獸'《史記》. ④조롱할 조, 조소할 조 놀림. 비웃음. '嘲—'. '戲—'. '王丞相每—之'《世說》. ⑤보호할 조 보육(保育)함. '幸卒—護太子'《史記》. ⑥속일 조 기만함. '—, 欺也'《廣雅》. ⑦성 조 성(姓)의 하나. ⑧뽑힐 조, 뽑을 조 관리가 발탁되어 승진함. '十年不得—'《漢書》. ⑨거둘 조 징발(徵發)함. '下—郡縣'《史記》. ⑩살필 조, 헤아릴 조 '—査'. '—立城邑'《漢書》. ⑪구실 조 당대(唐代)의 세법(稅法)으로서 공물(貢物)로 바치는 포백(布帛) 같은 토산물(土産物)의 부과(賦課). '租庸—'. ⑫가락 조 운율(韻律). '曲—'. '音—'. '笛有定—'《晉書》. ⑬운치 조 품위 있는 기상. '神—'. '雅—'. '才—秀出'《晉書》. [二] 아침 주 朝(月部 八畫)와 뜻이 같음. '惄如—飢'《詩經》.
[字源] 篆文 形聲. 言+周〔音〕. '周주'는 빈틈없이 두루 미치다의 뜻. 말에 신경이 두루 미치다, 고르다의 뜻을 나타냄. 또, 去聲일 때에는, 골라 뽑다의 뜻을 나타냄. 또, 平聲 尤韻

일 때에는, '朝조'와 통하여 사용됨.

[調遣 조견] 사람이나 군대를 보냄. 이동시켜 파견함.
[調經 조경] 월경(月經)을 고르게 함.
[調貢 조공] 공물(貢物). 또, 공물을 바침.
[調飢 조기] 아침 식사 전의 공복(空腹).
[調達 조달] 고르고 통(通)함.
[調度 조도] ㉠고르게 처리함. ㉡세금을 걷음. ㉢신변(身邊)에 필요한 것.
[調練 조련] 군사를 훈련함.
[調弄 조롱] ㉠농지거리함. 조롱(嘲弄). ㉡악기(樂器)를 탐.
[調理 조리] ㉠고르게 처리함. ㉡몸을 조섭(調攝)함. ㉢요리(料理)함.
[調馬 조마] ㉠말을 길들임. ㉡말을 징발함.
[調味 조미] 음식 맛을 맞춤.
[調伏 조복] 《佛敎》 삼업(三業)을 조화(調和)하여 모든 악행(惡行)을 없앰. 또, 불력(佛力)으로 악마를 항복시킴.
[調府 조부] 신라(新羅) 때 공부(貢賦)의 일을 맡아보던 관청.
[調査 조사] 실정을 살펴 알아봄.
[調唆 조사] 부추김. 선동함.
[調書 조서] 조사한 사실을 적은 문서.
[調選 조선] 선발함. 또, 선발되어 영전(榮轉)함.
[調攝 조섭] 몸을 양생(養生)함.
[調笑 조소] 조롱함. 또, 조소(嘲笑)함.
[調馴 조순] 금수를 길들임.
[調習 조습] 훈련하여 길들임.
[調息 조식] 양생(養生)하기 위하여 정좌(正坐)하여 숨을 고르게 함.
[調藥 조약] 약을 지음.
[調養 조양] 몸을 양생(養生)함.
[調役 조역] 조세와 부역.
[調音 조음] 음을 고름. 악기(樂器)의 음을 기준음(基準音)에 맞춤.
[調人 조인] ㉠주대(周代)의 관명(官名). 백성의 분쟁(紛爭)을 화해(和解)시켜 주는 일을 맡음. ㉡중재인(仲裁人). 조정인(調停人).
[調印 조인] 약정서(約定書)에 도장(圖章)을 찍음.
[調節 조절] 정돈(整頓)하여 알맞게 함.
[調停 조정] 중간에 서서 화해시킴.
[調劑 조제] 약을 지음.
[調刁 조조] 지엽(枝葉)이 흔들리는 모양.
[調調 조조] 조조(調刁).
[調布 조포] 물납세(物納稅)로서 상납하는 베.
[調諧 조해] 고름. 또, 고르게 함. 조화(調和).
[調護 조호] 둘러싸 보호(保護)함.
[調和 조화] ㉠고르게 하여 알맞게 맞춤. ㉡서로 모순됨이 없이 잘 어울림. ㉢조미(調味).
[調戲 조희] 희롱함. 놀림.
●歌調. 格調. 高調. 曲調. 課調. 口調. 均調. 基調. 單調. 同調. 變調. 不調. 賦調. 悲調. 聲調. 順調. 神調. 郢調. 律調. 異國情調. 長調. 低調. 節調. 情調. 租庸調. 租調. 風調. 諧調. 懸調. 協調. 好調. 和調.

8 ⑮ [誈] 거 ㉲御 居御切 jù
字解 말법도있을 거 말에 법도가 있음. 또는 그 일. '一, 言有則也'《集韻》.

8 ⑮ [誋] 기 ①㉲支 居宜切 jī ②㉲紙 區里切 qǐ
字解 ①농담할 기 농담함. 서로 말장난을 함. '一, 語相戲'《集韻》. ②거짓말 기 거짓말. 망어(妄語) '一, 妄語'《字彙》.

8 ⑮ [諂] 人名 첨 ㉲琰 丑琰切 chǎn 諂谄
字解 ①아첨할 첨 알랑거림. '一諛'. '阿一'. '君子上交不一'《易經》. ②아양떨 첨 교태 지음. '稱其讎不爲一'《左傳》.
字源 篆 讇 別體 諂 形聲. 篆文은 言+閻〔音〕. '諂첨'은 동일어(同一語) 이체자(異體字). 言+䧺〔音〕. '䧺함'은 '떨어지다'의 뜻. 자기 자신을 떨어뜨려 남의 비위를 맞추며 아첨하다의 뜻을 나타냄.
參考 讇(言部 十畫)는 別字.

[諂巧 첨교] 교묘하게 아첨함.
[諂佞 첨녕] 첨유(諂諛).
[諂詐 첨사] 아첨하고 속임.
[諂笑 첨소] 아첨하여 웃음.
[諂譽 첨예] 아첨하여 칭찬함.
[諂諛 첨유] 아첨(阿諂)함.
[諂耳 첨이] 귀에 대고 알랑거림.
●姦諂. 欺諂. 邪諂. 阿諂. 諛諂. 讒諂.

8 ⑮ [諄] 人名 순 ㉲眞 章倫切 zhūn 諄谆
筆順 二 亠 言 言 言 語 諄 諄
字解 ①도울 순 조력함. '以一趙鞅之故'《國語》. ②지성스러울 순 성품이 아주 정성스러운 모양. 또, 지성으로 타이르는 모양. '趙孟年未盈五十, 而一一焉如八九十者'《左傳》. ③도타울 순 惇(心部 八畫)과 통용. ④거짓 순 啍(口部 八畫)과 同字. '無取口一'《荀子》.
字源 篆 諄 形聲. 篆文은 言+臺〔音〕. '臺순'은 '두텁다'의 뜻. 두터운 마음으로 깨우치다의 뜻을 나타냄.

[諄諄 순순] ㉠곡진(曲盡)하게 타이르는 모양. ㉡충성스럽고 근실한 모양.

8 ⑮ [諆] 기 ㉲支 居之切 qī 諆
字解 ①상의할 기 모의함. 또, 모의. '一, 謀也'《廣韻》. ②속일 기 '一, 欺也'《說文》.
字源 金 諆 篆 諆 形聲. 言+其〔音〕. '其기'는 '기대하다'의 뜻. 남에게 기대를 하도록 말하면서, '속이다'의 뜻을 나타냄.

8 ⑮ [談] 中人 담 ㉲覃 徒甘切 tán 談谈
筆順 二 亠 言 言 言 談 談 談
字解 ①이야기 담 담화. 설화. '淸一'. '魯人至今以爲美一'《公羊傳》. ②이야기할 담 '一笑'. '三日不一'《莊子》. ③농할 담 희학질함. '不敢戲一'《詩經》. ④성 담 성(姓)의 하나.
字源 篆 談 形聲. 言+炎〔音〕. '炎염'은 활활 타오르는 불꽃의 뜻. 계속해서 주고받는 말, 이야기의 뜻을 나타냄.

[談客 담객] 이야기 상대. 또, 찾아와서 이야기하는 손.
[談空 담공] 불교의 원리인 공(空)을 이야기함. 전 (轉)하여, 불교에 관하여 서로 담론(談論)함.
[談論 담론] 이야기함. 서로 언론(言論)함.
[談理 담리] 이치, 주로 노장(老莊)의 철리(哲理)를 이야기함.
[談林 담림] 중이 공부하는 곳. 단림(檀林).
[談伴 담반] 이야기 상대.
[談柄 담병] ㉠이야기할 때 손에 쥐는 불자(拂子). ㉡이야깃거리.
[談緖 담서] 이야기의 실마리. 화두(話頭).
[談說 담설] 이야기함. 또, 이야기. 설화(說話).
[談笑 담소] 웃으면서 이야기함.
[談笑自若 담소자약] 걱정 근심이 있을 때라도 평상시(平常時)와 같은 태도(態度)를 가짐.
[談藪 담수] 담론(談論)이 풍부하고 유창하여 그치지 아니함을 숲에 비유하여 이르는 말.
[談語 담어] 이야기함.
[談言 담언] 담어(談語).
[談言微中 담언미중] 완곡히 남의 급소를 찔러 말함.
[談餘 담여] ㉠담차(談次). ㉡이야기한 뒤.
[談筵 담연] 담론하기 위해 마련한 장소.
[談讌 담연] 모여서 서로 이야기함. 또, 술잔치. 주연(酒宴).
[談義 담의] ㉠의리를 이야기함. ㉡《佛敎》설법(說法). 법화(法話).
[談議 담의] 서로 이야기함. 상의함.
[談助 담조] 이야기의 도움. 이야깃거리.
[談次 담차] ㉠이야기하던 김. 이야기하던 결.
[談天雕龍 담천조룡] 천문을 이야기하고 용을 조각하는 것같이 변론이 굉박(宏博)하나 허탄(虛誕)함을 이름.
[談叢 담총] 담수(談藪).
[談吐 담토] 담론. 담론(談論).
[談判 담판] 《韓》 쌍방이 서로 의논하여 판결함.
[談何容易 담하용이] 이야기하기 쉽지 아니함. 전 (轉)하여, 이야기하기는 쉬우나 행하기는 어려움을 이름.
[談合 담합] ㉠서로 이야기함. 서로 의논함. 또, 의논. ㉡입찰자가 상의하여 미리 입찰 가격을 협정하는 일.
[談玄 담현] '玄현'을 이야기함. 노장류(老莊流)의 청담(淸談)을 이름.
[談話 담화] 이야기함.
[談戲 담희] 희학(戲謔)함. 농지거리함.
●街談. 懇談. 講談. 高談. 空談. 怪談. 軍談. 劇談. 奇談. 綺談. 對談. 漫談. 面談. 文談. 美談. 放談. 史談. 私談. 相談. 商談. 鼎談. 示談. 言談. 餘談. 宄談. 雜談. 政談. 罪談. 嘲談. 從談. 座談. 眞談. 珍談. 淸談. 快談. 閑談. 巷談. 虛談. 歡談. 會談.

8 ⑮ [諈] 추 ㊂寘 之瑞切 zhuì

字解 ①번거로울 추, 번거롭힐 추 귀찮음. 귀찮게 함. '一諉, 絫也'《說文》. ②둔할 추, 정체될 추 '眠娗·一諉·勇敢·怯疑，四人相與遊於世'《列子》. ③핑계댈 추 탁탁함. '一, 託也'《玉篇》.
字源 篆文 諈 形聲. 言＋垂(坐)〔音〕.

[諈諉 추위] ㉠열자(列子)의 우화(寓話)에 나오

는 사람 이름. ㉡번거로움. 귀찮음.

8 ⑮ [諉] 위 ㊃寘 女恚切 wěi ㊁支 邑危切

字解 ①번거롭게할 위 귀찮게 함. 폐를 끼침. '執事不一上'《漢書》. ②핑계댈 위 칭탁함. '尙有一者'《漢書》. ③맡길 위 위탁함. 委(女部五畫)와 통용. '一, 猶委也'《洪武正韻 箋》.
字源 篆文 諉 形聲. 言＋委〔音〕. '委위'는 '맡기다'의 뜻. 남에게 핑계를 대다, 귀찮게 하다의 뜻을 나타냄.

●諈諉.

8 ⑮ [請] 청 ㊄梗 七靜切 qǐng

筆順 言 言 言 計 請 請 請 請

字解 ①청할 청 ㉠물건을 구함. '一求'. '一縷繫南粤'《魏徵》. ㉡바람. 원함. '一願'. '上書自一擊吳'《漢書》. ㉢빎. 기원(祈願)함. '余得一於帝'《左傳》. '租稅者所慮而一也'《管子》. ㉣부름. 초대함. '招一'. '一貴客不來，惡客不自來'《李義山雜纂》. '賀聞許藚夫有女，酒置酒一之'《漢書》. ②물음 청 문의함. '一問'. '客一之王子光'《呂氏春秋》. '一業則起，一益則起'《禮記》. ③뵐 청 웃어른을 찾음. '造一諸公'《漢書》. 또, 한대(漢代)의 제도(制度)로서, 제후(諸侯)가 가을에 상경하여 천자(天子)를 알현(謁見)하는 일. 봄의 조회(朝會)는 '朝'라 함. '使人爲秋一'《史記》. ④알릴 청 아룀. 고(告)함. '申一'. '一賓曰'《禮記》. '舞文巧一下戶之猾，以動大豪'《漢書》. ⑤청 청 초청. 청탁. '顧榮在洛陽，嘗應人一'(남의 초대를 받음)《世說》. ⑥청컨대 청 바라건대. 바라노니. '王一勿疑'《孟子》.
字源 篆文 請 形聲. 言＋靑〔音〕. '靑청'은 아주 맑다의 뜻. 맑은 마음으로 말하다, 청하다의 뜻을 나타냄.

[請假 청가] 청가(請暇).
[請暇 청가] 말미를 청(請)함.
[請簡 청간] ㉠청촉(請囑)하는 편지(便紙). ㉡청첩장.
[請客 청객] 손을 청(請)함. 또, 그 손.
[請求 청구] ㉠원(願)하여 청함. ㉡당연한 권리로서 요구함.
[請急 청급] 관리가 말미를 청함. 청가(請暇).
[請寄 청기] 사사로운 일을 부탁함. 청탁(請託).
[請期 청기] ㉠기일을 정해 달라고 청함. ㉡혼인의 날짜를 알림.
[請禱 청도] ㉠신(神)에게 비는 허가를 요청함. ㉡신(神)에게 기원함.
[請來 청래] 사람을 청하여 오게 함.
[請兵 청병] 원병(援兵)을 청(請)함. 출병(出兵)을 청(請)함.
[請負 청부] 토목건축(土木建築)의 공사(工事)를 도급으로 맡아 하는 업무(業務).
[請賓 청빈] 손을 청(請)함.
[請書 청서] 초청(招請)하는 청장(請狀).
[請室 청실] 죄를 달라고 청하고 기다리는 곳. 곧, 감옥을 이름.
[請謁 청알] ㉠뵙기를 청(請)함. ㉡청탁(請託).

[請纓 청영] 전한(前漢)의 종군(終軍)이 긴 관 (冠)의 끈을 청해 받고 이것으로 남월왕(南越 王)을 끌고 왔다는 고사(故事)에서, 전(轉) 하 여, 종군(從軍) 하여 나라에 보답함을 이름.
[請邀 청요] 청(請) 하여 맞음.
[請雨 청우] 가뭄이 계속될 때 신불(神佛)에게 비 를 내려 달라고 빎.
[請援 청원] 구원(救援)을 청(請) 함.
[請願 청원] ㉠무슨 일을 해 달라고 청함. ㉡백성 이 관헌에 희망을 진술함.
[請益 청익] ㉠급여(給與) 따위의 분량(分量)을 더해 주기를 바람. ㉡한층 상세(詳細)히 가르 쳐 주기를 청함.
[請狀 청장] 청(請) 하는 글.
[請助 청조] 도움을 청(請) 함.
[請罪 청죄] ㉠감형(減刑)을 요청함. ㉡죄를 인 정하고 처벌을 기다림. ㉢죄가 면제되도록 요 청함.
[請旨 청지] 칙명(勅命)에 의한 지시를 청함. 조 정(朝廷)의 명령을 요청함.
[請札 청찰] 청(請) 하는 편지.
[請帖 청첩] 청찰(請札).
[請牒 청첩] 청(請) 하는 편지. 청첩장(請牒狀).
[請招 청초] 청(請) 하여 부름.
[請囑 청촉] 일을 부탁함. 일을 청(請) 함.
[請託 청탁] 청촉(請囑).
[請婚 청혼] 혼인(婚姻)을 청(請) 함.
[請訓 청훈] 외국에 주재하는 외교 사절이 본국 정부에 훈령(訓令)을 청함.
●懇請. 强請. 彊請. 勸請. 謹請. 祈請. 禱請. 辟請. 普請. 聘請. 受請. 申請. 要請. 造請. 朝請. 奏請. 陳請. 招請.

8
⑮ [諍] ㉮敬 側迸切 zhèng 人名 쟁
㉰庚 甾莖切 zhēng
浄诤

字解 ①간할 쟁 임금이나 웃어른에게 충고함. '一臣'. '諫—卽見聽'《漢書》. ②간하는말 쟁 '有能盡言於君, 用則可生, 不用則死, 謂之—' 《說苑》. ③멈출 쟁 과실(過失)을 멈춰 막음. '一, 謂止其失'《韻會》. ④송사할 쟁 시비곡직의 판단을 관청에 청함. '平理一訟'《後漢書》. ⑤ 다툴 쟁 爭(爪部 四畫)과 同字. '紛—'. '有 一氣者, 勿與論'《韓詩外傳》.
字源 形聲. 言+爭〔音〕. '爭쟁'은 '다투다' 의 뜻. '말다툼하다'의 뜻을 나타냄.

[諍氣 쟁기] 남과 다투어 이기고자 하는 기질.
[諍論 쟁론] 논쟁(論爭) 함. 또, 언쟁.
[諍訟 쟁송] 소송(訴訟) 함.
[諍臣 쟁신] 임금의 잘못에 대(對) 하여 직언(直 言) 하여 간(諫) 하는 충신. 쟁신(爭臣).
●諫諍. 苦諍. 忿諍. 紛諍. 廷諍.

8
⑮ [諏] ㉮虞 子于切 추 人名
㉰尤 子侯切 zōu
诹诹

字解 물을 추 뭇사람에게 문의하거나 정사(政 事)에 관하여 문의함. 또, 상의함. '諮—'. '一, 聚謀也'《說文》. '周爰咨—'《詩經》.
字源 篆文 形聲. 言+取〔音〕. '取취'는 '聚취'와 통하여 '모이다'의 뜻. 모여서 상의 하다의 뜻.

[諏謀 추모] 일을 물어 의논함.

[諏訪 추방] 자문(諮問) 함.
●咨諏. 諮諏.

8
⑮ [諑] 착 ㉵覺 竹角切 zhuó
诼

字解 ①참소할 착 하리놂. 헐뜯음. '謠—謂余以 善淫'《楚辭》. ②호소할 착 고소(告訴) 함. 소송 (訴訟) 함. '一, 訴也'《廣雅》.
字源 形聲. 言+豕〔音〕. '豕촉'은 두드릴 때의 소 리를 나타내는 의성어(擬聲語). 말로 두드 리다, 호소하다, 참소하다의 뜻을 나타냄.
●巧諑. 謠諑.

8
⑮ [諒] ㉮漾 力讓切 liàng 량 高人
㉰陽 呂張切 liáng
谅谅

筆順 亠亠丶言訁訁訁諒諒諒

字解 ①참 량 신실(信實) 함. '忠—'. '簡—'. '友直友—'《論語》. 전(轉) 하여, 하찮은 의리 (義理)를 묵수(墨守) 하는 일. '豈若匹夫匹婦之 爲—也'《論語》. ②믿을 량 신실하다고 생각하여 의심치 않음. '不—人只'《詩經》. ③살펴알 량 사정을 잘 살펴 앎. '一察'. '諸君一之'. ④도 울 량 亮(ㅗ部 七畫)과 同字. '一彼武王'《詩經》. ⑤참으로 량 진실로. 의심할 것 없이. '一不我 知'《詩經》. ⑥성 량 성(姓)의 하나. ⑦어질 량 良(艮部 一畫)과 통용. '易直子一之心'《禮記》.
字源 篆文 形聲. 言+京〔音〕. '京경'은 '量량'과 통하여, '재다, 헤아리다'의 뜻. 상대 의 마음을 생각해 헤아리다의 뜻.

[諒不足而談有餘 양부족이담유여] 사람이 말만 번드르르하고 믿음성이 적음.
[諒山 양산] 월남(越南)과 국경을 이루는, 광시 성(廣西省) 용주(龍州) 진남관(鎭南關) 밖의 한 지명(地名). 청(淸)나라 때 프랑스와 교전(交 戰) 하여 청나라가 패(敗)한 곳.
[諒恕 양서] 양해하여 용서해 줌.
[諒闇 양암] 임금이 선제(先帝)의 상중(喪中)에 있음.
[諒陰 양음] 양암(諒闇).
[諒知 양지] 살펴서 앎.
[諒直 양직] 참되고 정직함.
[諒察 양찰] 사정을 잘 살펴 알아줌.
[諒燭 양촉] 양찰(諒察).
[諒解 양해] 사정(事情)을 잘 이해(理解) 함.
●簡諒. 直諒. 忠諒.

8
⑮ [說] 二 나 ①㉮麻 女加切 ná
②㉰佳 女佳切
예 ㉰霽 硏計切

字解 二 ①뜨개질할 나 말로 남의 마음을 떠봄. '一, 言相一司也'《說文》. ②말바르지않을 나 '一, 言不正也'《廣韻》. 三 엿볼 예 '一, 伺也' 《集韻》.
字源 形聲. 言+兒〔音〕.

8
⑮ [諓] 전 ①-④㉯銑 慈演切 jiàn
⑤㉰霰 才線切
诖诖

字解 ①말잘할 전 변설이 교묘한 모양. 또, 그 말. '又安知是一一者乎'《國語》. ②착할 전 작

은 착한 일. 좋은 일. '昔秦穆公, 說——之言'
《漢書》. ③아첨할 전 알랑거리는 모양. '㝩——
之辭'《後漢書》. ④알을 전 말이 천박한 모양.
'惟——善諍言'《公羊傳》. ⑤참소할 전 교묘하
게 참소하는 모양. '譖人——'《劉向》.
字源 篆文 諓 形聲. 言+戔〔音〕. '戔전'은 '잘다'의
뜻. 세세하게 말하다, 교묘하게 떠벌
려 대다의 뜻을 나타냄.

[諓諓 전전] ㉠말을 잘하는 모양. 변설이 유창한
모양. ㉡작은 모양. 잔단 모양. ㉢아첨하는 모
양. ㉣천박한 모양. ㉤교묘하게 참소를 하는 모
양.

8
⑮ [諔] 숙 Ⓐ屋 之六切 chù
　　　　적 Ⓐ錫 前歷切 jí　　諔
字解 ❶ 속일 숙 기만함. '一詭幻怪之名'《莊
子》. ❷ ①조용할 적 고요함. 宋(宀部 六畫)과
同字. '一, 無人聲'《集韻》. ②편안할 적 '一, 安
也'《字彙》.
字源 形聲. 言+叔〔音〕

[諔詭 숙궤] 속임. 기만함.

8
⑮ [論] 론 Ⓤ元 盧昆切
　　　　론 Ⓤ願 盧困切 lùn　　论論
　　　　륜 Ⓤ眞 力迍切 lún
筆順 二 言 言 訡 訡 訡 論 論
字解 ❶ ①말할 론 ㉠서술함. 진술함. '立一
請悉一先人所次舊聞'《史記》. ㉡이야기함. 담
화를 함. '珍怪奇偉, 不可稱一'《宋玉》. ②논할
론 ㉠사물의 이치를 말함. '一道經邦'《書經》.
㉡자기의 의견을 말함. '議一, 考一'. ㉢우
열·선악을 비평함. '評一'. '願足下一臣之計
也'《戰國策》. ㉣이러니저러니 말함. 왈가왈부
함. '功名誰復一'《魏徵》. ㉤판결함. '一罪
一', '乃捕一'《史記》. ㉥의결(議決)함.
'一功行賞'. ❷헤아릴 론 ㉠생각함. '於一鐘鼓
《詩經》. ㉡계교(計較)함. 비교함. '凡官民材,
必先一之'《禮記》. ㉢추측함. '此賢主之所一人
也'《呂氏春秋》. ④관장할 론 맡음. 綸(糸部 八
畫)과 통용. '經一天下之大經'《禮記》. ⑤고를
론 가림. '勞於一人'《呂氏春秋》. ⑥견해 론 의
견·학설 등. '公一', '觀覽乎孔老之一'《後漢
書》. ⑦문체이름 론 한문의 한 체(體). 자기의
의견을 주장하여 서술한 것. '爭臣一'《春秋
一'. ❸ 조리 륜 倫(人部 八畫)과 同字. '必卽
天一'《禮記》.
字源 篆文 論 形聲. 言+侖〔音〕. '侖륜'은 조리(條
理)를 세우다의 뜻. 조리 있게 말하
다의 뜻을 나타냄.

[論價 논가] 가격을 논함.
[論客 논객] 변론(辯論)을 잘하는 사람.
[論據 논거] 논설의 근거.
[論決 논결] 의논하여 결정함. 의론하여 결말을
지음.
[論考·論攷 논고] 논하여 고구(考究)함. 또, 그
논문(論文).
[論告 논고] ㉠자기의 의견을 진술함. ㉡형사 공
판의 심리에 있어서, 검사가 피고의 죄에 관하

여 의견을 진술하고 구형함.
[論功 논공] 공의 대소를 조사하여 정함.
[論功行賞 논공행상] 논공하여 상을 줌.
[論求 논구] 논의하여 시비(是非)를 추구함.
[論究 논구] 사물의 이치를 구명하여 논함.
[論救 논구] 변론하여 구해 줌.
[論及 논급] 논하여 미침.
[論壇 논단] ㉠논객(論客)이 모이는 사회. ㉡변
론(辯論)을 하는 곳.
[論斷 논단] 논결(論決).
[論大功者不錄小過 논대공자불록소과] 큰 공(功)
을 포상(褒賞)할 때는 그 공에 관한 조그마한
과실을 묻지 않음.
[論篤 논독] 언론이 독실(篤實)함.
[論難 논란] 여럿이 서로 다른 주장을 내며 다툼.
[論列 논렬] 논열(論列).
[論理 논리] ㉠의논·논증 등의 조리. ㉡논리학.
[論理學 논리학] 사고(思考)의 형식에 관한 법칙
을 연구하는 학문.
[論孟 논맹] 논어(論語)와 맹자(孟子).
[論文 논문] ㉠의견을 논술한 글. ㉡연구 결과를
발표한 글.
[論駁 논박] 논난(論難).
[論法 논법] 의론하는 방법.
[論辨 논변] 논변(論辯).
[論辯 논변] ㉠담론(談論). ㉡말하여 사리를 밝
힘.
[論鋒 논봉] 논난하여 냅다 치는 말의 힘.
[論士 논사] 의론을 하는 인사(人士).
[論死 논사] ㉠사형(死刑)의 판결을 받고 죽음을
당함. ㉡의론하여 사형의 판결을 내림.
[論說 논설] 사물의 이치(理致)를 들어 의견을
설명함. 또, 그 글.
[論述 논술] 의견을 진술함.
[論語 논어] 경서(經書). 사서(四書)의 하나. 20
편(篇). 공자(孔子)와 그의 제자 또는 당시의
사람들과 문답(問答)한 말 및 제자(弟子)들끼
리 주고받은 말들을 공자 사후(死後)에 그의
제자들이 편수했음. 공자의 인(仁)·예(禮)·정
치·교육 등에 관한 것을 주로 기술했음.
[論繹 논역] 서로 의견을 진술함.
[論列 논렬] 시비(是非)를 늘어놓아 논함.
[論外 논외] ㉠논할 만한 가치가 없음. ㉡의론의
범위 밖.
[論議 논의] 서로 의견을 진술함. 의론(議論).
[論裁 논재] 의론하여 결정함.
[論爭 논쟁] 말다툼.
[論著 논저] 이론을 세워 저술함.
[論戰 논전] 말이나 글로 하는 싸움.
[論點 논점] 의론하는 요점, 또는 개소(箇所).
[論定 논정] 논결(論決).
[論題 논제] 의론 또는 논설의 제목.
[論宗 논종] 〔佛敎〕논장(論藏)에 의거해서 세운
종지(宗旨). 곧, 삼론종(三論宗)·법상종(法相
宗)·성실종(成實宗)·구사종(俱舍宗) 따위.
[論罪 논죄] 범죄를 심리하여 형벌을 정함.
[論證 논증] ㉠사리(事理)를 구별하여 증명함.
㉡정확(正確)한 원리(原理)에 의하여 이로(理
路)를 따라 단안(斷案)을 이끌어 냄.
[論旨 논지] 의론의 취지. 의론의 요점(要點).
[論次 논차] 의견을 세워 논하며 차례를 정(定)함.
[論贊 논찬] ㉠공업(功業)을 논하고 칭찬함. ㉡
사전(史傳)의 기술(記述) 끝에 저자가 서술한

논평.

[論纂 논찬] 의론하여 편찬(編纂) 함.
[論責 논책] 논죄(論罪) 함.
[論策 논책] 시사 문제에 관하여 의견을 진술한 「글.
[論叢 논총] 논문(論文)을 모은 것. 논문집(集).
[論破 논파] 남의 설이나 주장을 논하여 꺾음.
[論判 논판] 시비를 논하여 구별함.
[論評 논평] 진술하여 비평함.
[論劾 논핵] 죄를 논(論)하여 탄핵(彈劾) 함.
[論衡 논형] 후한(後漢)의 왕충(王充)이 지은 사상서(思想書). 잡가(雜家)에 속함. 모두 85편(篇). 구래(舊來)의 사상(思想)과 저작(著作)의 내부적 모순을 폭로하고, 특히 당시의 미신적(迷信的) 사상을 배격한 것이 특징임. 그 내용이 때로는 편벽 과격(偏僻過激)한 바가 있으나, 당시의 풍교(風敎)에 적잖은 도움을 주었음.
[論詰 논힐] 죄과(罪過)를 들어 힐난(詰難)함.

●各論. 講論. 槪論. 激論. 經論. 鯁論. 高論. 公論. 空論. 口論. 國論. 机上論. 極論. 劇論. 多元論. 談論. 讜論. 名論. 勿論. 物論. 駁論. 反論. 放論. 放言高論. 汎論. 辯論. 本論. 史論. 私論. 詳論. 序論. 緖論. 世論. 細論. 俗論. 時論. 言論. 餘論. 輿論. 愚論. 謬論. 議論. 異論. 理論. 一元論. 一定之論. 立論. 爭論. 切論. 正論. 定論. 衆論. 持論. 總論. 推論. 卓論. 討論. 通論. 評論. 抗論. 畫論. 確論.

8 ⑮ [諗] 심 ⊕寢 式荏切 shěn

[字解] ①간할 심 임금이나 웃어른에게 충고함. '昔辛伯─周桓公'《左傳》. 일설(一說)에는, 고(告)함. '將母來─'《詩經》. ②숨을 심 몸을 감춤. '魚鮪不─'《孔子家語》. ③생각할 심 '─, 字林, 念也'《集韻》.
[字源] 篆文 形聲. 言+心+今〈音〉. '念념'은 언제나 마음속에 생각하다의 뜻. 깊은 사려(思慮)에서 발언(發言)하다, 간하다의 뜻을 나타냄.

●來諗. 密諗. 神諗.

8 ⑮ [諤] 궁 ⊕送 去仲切 qióng

[字解] ①말많을 궁 말이 많아 시끄러움. '─, 多言'《集韻》. ②물을 궁 '─, '詢問也'《廣韻》.

8 ⑮ [諀] 비 ①⊕紙 匹婢切 pǐ ②⊕支 賓彌切 bēi

[字解] ①헐어말할 비 악담하여 헐뜯음. '─, 惡言也'《廣韻》. ②남의말좋아할 비 즐겨 칭찬했다 헐뜯었다 함. '─訾, 好毁譽也'《集韻》.

8 ⑮ [諕] ㊀호 ⊕豪 乎刀切 háo ㊁하 ⊕禡 虛訝切 xià ㊂획 ⑆陌 虎伯切 huò

[字解] ㊀외칠 호 부르짖음. 譹(言部 十四畫)와 同字. '宮人婦女─謔目當奈何'《漢書》. ㊁속일 하 '─也'《集韻》. ㊂재빠를 획 諕(言部 十畫)과 同字. '諕, 諕然, ─上同'《廣韻》.
[字源] 篆文 形聲. 言+虎〈音〉. '虎호'는 호랑이가 어흥 하고 우는 소리. '외치다'의 뜻을 나타냄.

8 ⑮ [諟] 변 pián

[字解] 변 뜻은 불명(不明).

8 ⑮ [謞] 구 ⊕有 其九切 jiù

[字解] 헐어말할 구 남을 헐뜯음. '─, 毁也'《說文》.

8 ⑮ [誹] 수 ㊀有 承晝切 shòu

[字解] 말전할 수 입으로 말을 전함. 구수(口授). '得其密號─諸軍'《唐書》.

8 ⑮ [諃] 침 ㊀侵 癡林切 chēn

[字解] 착한말할 침 '─, 善言'《集韻》.
[字源] 形聲. 言+綝〈省〉〔音〕.

8 ⑮ [誺] ㊀치 ㊀支 抽知切 chī ㊁래 ㊀隊 洛代切 lài

[字解] ㊀①모를 치 물음을 받고 답을 모름. '─, 不知也, 沅澧之間, 凡相問而不知答曰─'《揚子方言》. ②꾸밀 치 거짓을 사실처럼 꾸며서 말함. '以言相欺曰謾, 以言相誑曰─'《正字通》. ③울림소리 치 메아리. '空谷傳聲曰赤諕白─'《梵書》. ㊁잘못할 래 그르침. '─, 誤也'《廣雅》.

8 ⑮ [諎] ㊀책 ⑆陌 側伯切 zé ㊁차 ①⊕馬 側下切 zhǎ ②⊕禡 子夜切 jiè

[字解] ㊀①큰소리칠 책 큰 소리로 외침. 唶(口部 八畫)과 同字. '─, 大聲也'《說文》. ㊁①꾈 꾈 차 또, 그 말. '─, 誘也'《集韻》. ②울 차, 탄식하는소리 차 唶(口部 八畫)와 同字. '─, 廣雅, 鳴也. 一曰, 歎聲'《集韻》.
[字源] 篆文 別體 嗟 形聲. 言+昔〈替〉〔音〕

8 ⑮ [諴] 현 ㊀先 胡千切 xián

[字解] ①말급할 현 생각해 말할 겨를이 없음. 일이 급박함. '─, 言急'《集韻》. '謀稽乎─'《莊子》. ②굳고바를 현 '─, 一曰, 堅正'《集韻》.

8 ⑮ [諜] 첩 ⑆葉 疾葉切 jié

[字解] 말많을 첩 수다스러움. '─, 多言'《集韻》.

8 ⑮ [諒] 〔첩·섭〕 諜(言部 九畫〈p. 2139〉)과 同字

8 ⑮ [諜] 〔첩·섭〕 諜(言部 九畫〈p. 2139〉)과 同字

8 ⑮ [諤] ㊀오 ①⊕麌 安古切 wù ②㊀遇 烏故切 ㊁악 ⑆藥 遏鄂切 ㊂가 ⊕禡 丘賀切 qià ㊃액 ⑆陌 乙格切 è

[字解] ㊀①서로헐뜯을 오 '─, 相毁也'《說文》.

②두려워할 오 '一, 一曰, 畏一'《說文》. ③부끄
러워할 오, 미워할 오 '惡, 恥也. 憎也. 或作一'
《集韻》. **三** 헐뜯을 악 '譇, 詎也. 或省'《集韻》.
三 말바르지않을 가 '一, 一訝, 言不正'《集韻》.
四 웃을 액 '啞, 說文, 笑也. 或从言'《集韻》.
字源 形聲. 言+亞〔音〕

8/15 [諏] 국 入屋 居六切 jū

字解 국문할 국 국문함. 추궁함. '一窮'. '鞠,
說文, 窮理罪人也, 亦作一'《集韻》.

8/15 [謁] 〔알〕
謁(言部 九畫〈p.2145〉)의 略字

8/15 [碁] 기 ①②去寘 渠記切 jì
③①支 居之切 jī
字解 ①꺼릴 기 싫어함. '一富貴之在其上'《新
論》. ②뜻할 기 마음먹음. '一, 志也'《廣韻》. ③
꾀할 기 '一, 謀也'《廣韻》.
字源 篆文 蒜 形聲. 言+其〔音〕

8/15 [闇] 人名 은 ④眞 語巾切 yín　　闇誾

筆順 丨 丨 冂 冂 門 門 門 闇 闇

字解 ①화기애애할 은 화기애애한 모양. 일설
(一說)에는, 온건하게 시비를 논의하는 모양.
'朝與上大夫言, 一一如也'《論語》. ②이야기할
은 '一, 一曰, 語也'《集韻》. ③향기질을 은 향기
가 진하게 나는 모양. 향기가 강렬한 모양. '芳
酷烈之一一'《司馬相如》. ④치우침없을 은 '一
一'는 중정(中正)한 모양. 一, 공경하고 삼가는
모양. ⑤성 은 성(姓)의 하나.
字源 篆文 闇 形聲. 言+門〔音〕

[闇闇 은은] ㉠화기애애 (和氣靄靄)한 모양. 일설
(一說)에는, 조용히 시비(是非)를 토론하는 모
양. ㉡향기가 몹시 나는 모양.

8/15 [僣] 건 ④先 去乾切 qiān　　僣

字解 허물 건 잘못. 과오(過誤). 愆(心部 九畫)
의 古字. '元首無失道之一'《漢書》.
字源 衍의 籀文 形聲. 言+侃〔音〕

8/15 [譽] 〔감〕
監(皿部 九畫〈p.1523〉)의 古字

8/15 [讀] 〔독·두〕
讀(言部 十五畫〈p.2162〉)의 俗字

8/15 [謚] **二** 謚(言部 十畫〈p.2148〉)과 同字
三 謚(言部 九畫〈p.2140〉)와 同字

8/15 [詡] 〔후〕
詡(言部 六畫〈p.2118〉)의 本字

8/15 [詥] 갑 入合 渴合切 kē

字解 웃으며말할 갑 웃으며 말함. 속삭임. '一,
一謔, 笑話'《集韻》.

8/15 [詥] 도 去豪 徒刀切 tāo
字解 ①말어지러울 도 '一, 謏一, 言不節也'《玉
篇》. ②어린아이의서툰말 도 '一, 一曰, 小兒未
能正言也'《說文》. ③빌 도 기도함. '一, 一曰,
祝也'《說文》.
字源 形聲. 言+匋〔音〕

8/15 [諨] 회 去卦 呼怪切 huà
字解 실수할 회 실수함. 잘못함. '一, 誤也'《字
彙補》.

9/16 [諛] 人名 유 ④虞 羊朱切 yú
去遇 兪戌切　　諛諛
字解 ①아첨할 유 아당(阿黨)함. '阿一'. '先生
何言之一也'《史記》. '惟以貪一事'《逸周書》. ②
아첨 유 아첨의 말. '唯一是信'《漢書》. ③기꺼
이따를 유 기꺼이 순종함. '一然告民有事'《管
子》.
字源 篆文 諛 形聲. 言+臾〔音〕. '臾유'는 '북돋우
다'의 뜻. 교묘한 말로 사람의 마음을
끌어 기뻐 어쩔 줄 모르게 만들다, 아첨 하다의
뜻.

[諛佞 유녕] 남에게 붙어 아첨하는 일.
[諛墓 유묘] 묘비(墓碑)의 지명(誌銘)을 지어,
　죽은 사람을 과분하게 칭찬하는 일.
[諛媚 유미] 아첨함. 알랑거림.
[諛辭 유사] 아첨하는 말.
[諛言 유언] 아첨하는 말. 유사(諛辭).
[諛悅 유열] 아첨하여 기쁘게 함.
[諛諂 유첨] 유미(諛媚).
●姦諛. 傾諛. 恐諛. 巧諛. 善諛. 阿諛. 佞諛.
　從諛. 諂諛.

9/16 [諜] 人名 **二** 첩 入葉 徒協切 dié
三 섭 入葉 悉協切 xiè　　諜諜
字解 **二** ①염탐할 첩 적지(敵地)에 들어가 몰래
사정을 조사함. '一知', '使伯嘉一之'
《左傳》. ②염탐꾼 첩 간첩. 세작(細作). '間一'.
'偵一', '晉人獲秦一'《左傳》. ③편안히할 첩 '大
多政法而一一'《莊子》. ④문서 첩 牒(片部 九畫)
과 통용. '余讀一記, 黃帝以來, 皆有年數'《史
記》. ⑤재재거릴 첩 喋(口部 九畫)과 同字. '一
一利口'《史記》. **三** 말잇달 섭 연달아 말함. '一,
言相次也'《集韻》.
字源 篆文 諜 形聲. 言+枼〔音〕. '枼엽'은 '나뭇
잎'의 뜻. 나무의 잎처럼 말이 많다
의 뜻을 나타냄. 또, '牒첩'과 통하여 '간첩'의
뜻으로도 쓰임.

[諜記 첩기] 계보(系譜)를 적은 기록.
[諜報 첩보] 사정을 염탐하여 알림. 또, 그 보고
　(報告).
[諜人 첩인] 간첩(間諜).
[諜者 첩자] 첩인(諜人).
[諜賊 첩적] 적(敵)의 첩자(諜者). 간첩.
[諜知 첩지] 적국(敵國)의 내정(內情)을 염탐(廉

探)하여 알아냄.
[諜諜 첩첩] 나불나불 지껄이는 모양. 첩첩(喋喋).
[諜候 첩후] 첩인(諜人).
◉間諜. 怪諜. 貴諜. 防諜. 譜諜. 訟諜. 良諜. 偵諜. 解諜.

9 ⑯ [諝] 人名 서 ㊥魚 私呂切 xū ㊤語 相居切 谞

字解 ①슬기로울 서 총명함. 재지(才智). 또, 재지 있는 사람. '謀無遺—'《陸機》. ②속일 서, 거짓 서 허위. 기만. '比周朋黨, 設詐—'《淮南子》.
字源 篆文 形聲. 言+胥〔音〕

◉詐諝.

9 ⑯ [諞] 편 ㊥先 房連切 piǎn ㊤銑 符蹇切 谝

字解 말잘할 편 교묘하게 말을 잘 둘러맞춤. '惟截截善—言'《書經》.
字源 篆文 形聲. 言+扁〔音〕. '扁편'은 '납작하다'의 뜻. 진실미가 없는 얄팍한 말의 뜻을 나타냄.

[諞言 편언] 말을 잘함. 교묘하게 말을 잘 둘러맞춤.

9 ⑯ [諟] 人名 시 ㊤紙 承紙切 shì 谛

字解 ①이 시 是(日部 五畫)와 통용. '顧—天之明命'《書經》. ②바를 시, 바로잡을 시 틀림이 없음. 틀린 것을 고침. 시정함. '—正文字'《陳書》. ③자세히할 시 '—, 說文, 審也'《集韻》.
字源 篆文 形聲. 言+是〔音〕. '是시'는 '바로잡다'의 뜻. 바로잡다, 자세히 하다의 뜻을 나타냄.

[諟正 시정] 시정(是正)함.
◉審諟.

9 ⑯ [諠] 훤 ㊥元 況袁切 xuān 谊

字解 ①잊을 훤 諼(言部 九畫)과 同字. '有斐君子, 終不可—兮'《大學》. ②들렐 훤, 떠들 훤 喧(口部 九畫)과 통용. '—傳'. '諸侯皆—譁, 疾亀錯'《史記》. ③속일 훤 諼(言部 九畫)과 同字. '諼, 說文, 詐也. 亦作—'《集韻》.
字源 形聲. 言+宣〔音〕. '宣선'은 둘리어 퍼지다의 뜻. 말을 돌게 하다, 떠들썩하다의 뜻을 나타냄.

[諠競 훤경] 떠들며 다툼.
[諠己 훤기] 자기 자신을 잊음.
[諠言 훤언] 수다스럽게 지껄임. 다변(多辯).
[諠擾 훤요] 시끄럽게 떠듦. 떠들어 댐.
[諠譊 훤요] 시끄럽게 이야기함. 떠듦.
[諠傳 훤전] 뭇사람의 입으로 퍼져서 왁자하게 됨. 훤전(喧傳).
[諠駭 훤해] 놀라 시끄럽게 떠듦.
[諠呼 훤호] 떠들며 부름. 시끄럽게 소리침.
[諠譁 훤화] ㉠떠들썩함. 시끄러움. 또, 시끄럽게 떠듦. ㉡싸움.

9 ⑯ [諡] 人名 시 ㊦寘 神至切 shì

字解 ①시호 시 생전의 공덕을 칭송하여 추증(追贈)하는 칭호. '美—'. '賜—之制, 實始於周也'《周禮 疏》. ②시호내릴 시 시호를 추증(追贈)함. '詔贈新建侯, —文成'《王文成公年譜節略》.
字源 篆文 篆文 形聲. 言+益〔音〕. '益익'은 '더하다, 보내다, 내리다'의 뜻. 사후(死後)에 그 사람의 행적을 고려하여 내리는 이름, 시호의 뜻을 나타냄.

[諡法 시법] 시호(諡號)를 의정(議定)하는 법.
[諡議 시의] 문체(文體)의 이름.
[諡號 시호] 제왕·공경·유현(儒賢) 등의 공덕(功德)을 기리어 죽은 뒤에 주는 이름.
◉美諡. 賜諡. 善諡. 令諡. 追諡.

9 ⑯ [諫] 랄 ㊇曷 郎達切 là

字解 말소리 랄 말소리. 말하는 소리. '—, 謗—, 語聲'《集韻》.

9 ⑯ [諢] 원 ㊦願 五困切 hùn 诨

字解 ①농 원 농담. 또, 농을 함. '打—'. '科—'. '雜以談笑—語'《明道雜志》. ②별명 원 '—名'은 별명. 작호(綽號). '起他一箇—名'《水滸傳》.
字源 形聲. 言+軍〔音〕. '軍군'은 '混혼'과 통하여 '뒤섞다'의 뜻. 말을 뒤섞어 농담을 말하다의 뜻을 나타냄.

[諢官 원관] 악공(樂工).
[諢名 원명] 자해(字解)❷를 보라.
[諢詞小說 원사소설] 속어체(俗語體)의 소설(小說). 송대(宋代)에 나옴.
[諢語 원어] 농담. 익살.
◉科諢. 優諢. 打諢.

9 ⑯ [諤] 악 ㊇藥 五各切 è 谔

字解 곧은말할 악 기탄없이 바른말을 함. 직언(直言)함. '侃—'. '謇—之節'《後漢書》.
字源 形聲. 言+咢〔音〕. '咢악'은 사람이 놀라도록 시끄럽게 말하다의 뜻. '言언'을 덧붙여, 직언하다의 뜻을 나타냄.

[諤諤 악악] 곧은 말을 하는 모양. 직언(直言)을 하는 모양.
[諤諤之臣 악악지신] 바른말 하는 신하.
◉侃諤. 謇諤. 鯁諤.

9 ⑯ [諦] 人名 ❶체 ㊦霽 丁計切 dì ❷제 ㊥齊 田黎切 tí 谛

筆順 言 言 言 訁 訁 諦 諦 諦

字解 ❶ ①살필 체 자세히 조사함. '審—'. '—毫末者, 不見天地之大'《關尹子》. ②자세히알 체 상실(詳悉)함. '不—於心'《新論》. ③이치 체 불교(佛敎)에서 진실 무망(眞實無妄)한 도리.

또, 오도(悟道). ‘眞一’. ‘俗一’. ‘若見一則驚悟’《法華經科註》. 三 울 제 소리쳐 욺. ‘哭泣一號’《荀子》.

字源 篆文 형성. 言+帝〔音〕. ‘帝제’는 ‘동여매다, 아퀴 짓다’의 뜻. 자세히 하다의 뜻을 나타냄.

[諦觀 체관] ㉠체시(諦視). ㉡단념함.
[諦念 체념] ㉠도리를 깨닫는 마음. ㉡희망을 버리고 생각하지 않음.
[諦料 체료] 곰곰 헤아림.
[諦思 체사] 곰곰 생각함.
[諦視 체시] 주의(注意)하여 똑똑히 봄.
[諦諟 체시] 분명(分明)히 규명함.
[諦聽 체청] 주의(注意)하여 똑똑히 들음.
[諦號 체호] 울부짖음. 체(諦)는 제(啼).
● 明諦. 妙諦. 三諦. 詳諦. 世諦. 俗諦. 審諦. 要諦. 眞諦.

9/⑯ [譇] 一 회 ㉿卦 呼卦切
二 화 ㉿禡 呼霸切 huà
三 과 ㉿佳 公蛙切 guā

字解 一 급히말할 회 ‘一, 疾言也’《說文》. 二 급히말할 화 □과 뜻이 같음. 三 ①게으를 과 ‘一, 惰也’《集韻》. ②약을 과 ‘一, 黠也’《集韻》.
字源 형성. 言+咼〔音〕

9/⑯ [諧] 人名 해 ㉿佳 戶皆切 xié　諧 诺

筆順 言 言 言 計 諧 諧 諧 諧

字解 ①고를 해, 어울릴 해 잘 조화함. ‘調一八音克一’《書經》. ②화동할 해 화합(和合)함. ‘克一以孝’《書經》. ③이룰 해 일이 성취됨. ‘事不一矣’《後漢書》. ④고르게할 해 물건의 값을 싸지도 비싸지도 않게 정함. ‘一價, 然後得去’《後漢書》. ⑤농지거리 해, 농 해 희학. ‘詼一’. ‘好一謔’《晉書》.
字源 篆文 형성. 言+皆〔音〕. ‘皆개’는 사람들이 일제히 말하다의 뜻. 나중에 ‘言’을 덧붙여, ‘조화하다’의 뜻을 나타냄.

[諧比 해비] 화합하여 친밀함.
[諧聲 해성] 육서(六書)의 하나. 두 개의 글자를 합하여 한 자를 이루어 한쪽은 뜻을, 한쪽은 음을 나타내는 일. 형성(形聲).
[諧語 해어] ㉠농. 익살. ㉡환담(歡談)함.
[諧易 해이] 성질이 유순함.
[諧暢 해창] 온화하고 맑음.
[諧謔 해학] 농지거리. 익살.
[諧和 해화] ㉠화합함. 또, 화합하게 하게 함. ㉡음악의 가락이 고름.
[諧嬉 해희] 친하게 놂. 농지거리를 함.
● 嘲諧. 和諧. 歡諧. 詼諧.

9/⑯ [諫] 人名 一 간 ㉿諫 古晏切 jiàn　谏 诛
二 란 ㉿翰 郎旰切 làn

筆順 言 言 言 訐 訐 諫 諫 諫

字解 一 ①간할 간 ㉠임금 또는 웃어른에게 충

고함. ‘諷一’. ‘直一’. ‘三一而不聽, 則逃之’《禮記》. ㉡자기의 전비(前非)를 뉘우쳐 탓함. ‘悟已往之不一, 知來者之可追’《陶潛》. ②간하는말 간 ‘從一若轉圜’《漢書》. 二 헐뜯을 란 서로 비방함. 讕(言部 十七畫)과 同字. ‘讕, 詆讕, 誣言相被也. 或从東’《集韻》.

字源 金文 篆文 형성. 言+束〔音〕. ‘束간’은 사람의 언동(言動)의 좋고 나쁨을 골라 ‘비평하다’의 뜻에서, ‘간(諫)하다’의 뜻을 나타냄.

[諫鼓 간고] 옛날에 임금을 간하거나 또는 호소하고자 하는 자에게 쳐서 그 뜻을 통하게 하기 위하여 궁문(宮門)에 매단 북.
[諫官 간관] 임금을 간하는 벼슬.
[諫勸 간권] 간하여 착한 일을 하도록 권함.
[諫輔 간보] 간하여 도움.
[諫疏 간소] 간하는 상소.
[諫臣 간신] 임금에게 옳은 말로 간하는 신하.
[諫言 간언] 간하는 말.
[諫垣 간원] 간원(諫院).
[諫院 간원] 간관(諫官)의 마을. 간관이 있는 관아(官衙).
[諫議 간의] 간함.
[諫議大夫 간의대부] 임금을 간하는 벼슬 이름.
[諫爭 간쟁] 간하여 다툼.
[諫諍 간쟁] 간쟁(諫爭).
[諫正 간정] 간하여 바로잡음.
[諫止 간지] 간하여 못하게 함.
[諫職 간직] 임금을 간하는 벼슬. 간관(諫官).
● 強諫. 固諫. 苦諫. 匡諫. 規諫. 極諫. 幾諫. 密諫. 尸諫. 身後之諫. 力諫. 泣諫. 箴諫. 切諫. 正諫. 至諫. 直諫. 忠諫. 諷諫. 顯諫. 諡諫.

9/⑯ [諭] 人名 一 유 ㉿遇 羊戍切 yù　谕 谕
二 투 ㉿有 他口切 tǒu

字解 一 ①깨우칠 유 깨닫도록 일러 줌. ‘一示’. ‘說一’. ‘曉一’. ‘修敎明’《穀梁傳》. ②깨달을 유 말을 듣고 깨달아 앎. ‘其言多當矣, 而未一也’《荀子》. ③깨우침 유 깨우치는 말. 가르침. ‘持節宣一’《北史》. ‘未敢聞子之高一’《束皙》. ④간할 유 ‘一, 諫也’《廣韻》. ⑤비유할 유, 비유 유 喩(口部 九畫)와 同字. ‘誼追傷之, 因以自一’《漢書》. ‘一亢一失義’《諸葛亮》. ⑥비유하여간할 유 풍간(諷諫)함. ‘一, 譬諫也’《一切經音義》. ⑦행하여질 유 널리 미침. ‘而威已一矣’《呂氏春秋》. ⑧성 유 성(姓)의 하나. 二 꾈 투 ‘一, 誘也’《玉篇》.

字源 篆文 형성. 言+俞〔音〕. ‘俞유’는 ‘뽑아내다’의 뜻. 불분명한 점(點)을 빼내는 말의 뜻에서, ‘깨우치다’의 뜻을 나타냄.

[諭告 유고] 윗사람이 아랫사람을 타이름. 또, 그 글.
[諭教 유교] 효유(曉諭)하여 가르침.
[諭達 유달] 유시(諭示).
[諭德 유덕] ㉠도덕(道德)을 가르쳐 깨우침. ㉡벼슬 이름. 당대(唐代)의 태자(太子)의 시종(侍從).
[諭示 유시] ㉠취지(趣旨)를 말해 들려줌. ㉡윗사람이 아랫사람에게 또는 관(官)에서 백성에게 타일러 가르침. 또, 그 글. 유고(諭告).

[諭旨 유지] 임금이 자기의 뜻을 신하에게 알림. 또, 그 글.
[諭旨免官 유지면관] 임금의 유지로 관직을 면함.
[諭蜀 유촉] 장관(長官)이 백성에게 고유(告諭)하는 문고(文告).
[諭曉 유효] 가르쳐 깨우침.
● 諫諭. 懇諭. 開諭. 告諭. 高諭. 敎諭. 面諭. 譬諭. 上諭. 宜諭. 說諭. 聖諭. 申諭. 審諭. 慰諭. 陰諭. 獎諭. 詔諭. 譙諭. 勅諭. 褒諭. 諷諭. 誨諭. 曉諭. 訓諭.

9 ⑯ [諮] 〔人名〕 자 ⊕支 卽夷切 zī

字解 물을 자, 상의할 자 높은 이가 낮은 이에게 문의함. 咨(口部 六畫)와 同字. '一詢'. '一問'. '一臣以當世之事'《諸葛亮》.
字源 形聲. 言+咨〔音〕. '咨자'는 심신을 편안히 가지다, 격의 없이 말하는 뜻에서, '자유로이 상의하다'의 뜻을 나타냄.

[諮決 자결] 자문하여 결정함.
[諮謀 자모] 물어봄. 상의함.
[諮問 자문] 윗사람이 아랫사람과 상의함. 의견을 물음.
[諮詢 자순] 문의함. 의견을 물음. 자문(諮問).
[諮議 자의] ㉠아랫사람에게 상의함. ㉡정부(政府)의 자문에 응하여 그 일을 평의(評議)함.
[諮議局 자의국] 청말(淸末)에 각 성(省)에 설치한 의회(議會). 백성이 선출(選出)한 의원(議員)으로써 조직함.
[諮諏 자추] 아랫사람에게 물음. 자문(諮問).
[諮稟 자품] 상의한 결과 그 의견을 아룀. 또, 일을 물어 명(命)을 받음.

9 ⑯ [諰] 시 ⊕紙 胥里切 xǐ

字解 ①두려워할 시 공구(恐懼)함. '則甚有其一也'《荀子》. '——然常恐天下之一合而軋己也'《荀子》. ②생각할 시 얘기하면서 생각함. '一, 言且思之也'《廣韻》. ③직언할 시 곧은 말을 함. '一, 一曰 直言'《廣韻》.
字源 形聲. 言+思〔音〕. '思사'는 '생각하다'의 뜻. 얘기를 하면서 생각하다의 뜻을 나타냄.

[諰諰 시시] 두려워하는 모양.

9 ⑯ [諱] 〔人名〕 휘 ⊕未 許貴切 huì

字解 ①꺼릴 휘 ㉠말하기를 싫어함. '一言'. ㉡싫어함. '其所一者不足不貝'《晉書》. ㉢두려워함. '一忌'. '繫斷無一'《史記》. ㉣피함. 회피함. '罰不一強大'《戰國策》. ②숨길 휘 은폐함. '隱一'. '大惡一, 小惡書'《公羊傳》. ③휘할 휘 높은 이의 이름을 부르기를 피함. '漢一武帝名徹爲通'《韓愈》. ④휘 휘 ㉠죽은 이의 이름. '以一事神'《左傳》. ㉡높은 이의 이름. '一辭'《韓愈》.
字源 形聲. 言+韋〔音〕. '韋위'는 '떨어지다'의 뜻. 입으로 말하는 것을 꺼리어 떨어지다의 뜻을 나타냄.

[諱忌 휘기] ㉠나타냄. 꺼리어 싫어함. 피함. 기휘(忌諱). ㉡음양도 따위에서, 꺼려 피하는 일.

[諱談 휘담] 세상(世上)을 꺼리어 공언(公言)할 수 없는 말.
[諱名 휘명] 이름을 휘함. 이름을 부르지 아니함.
[諱祕 휘비] 휘지비지(諱之祕之).
[諱言 휘언] ㉠꺼리어 피해야 할 말. 욕. 또, 말하기를 꺼리어 피함. ㉡남의 말을 꺼리어 싫어함. 간(諫)하는 말을 거부함.
[諱隱 휘은] 꺼리어 감춤.
[諱音 휘음] 부음(訃音).
[諱日 휘일] 조상(祖上)의 제일(祭日).
[諱字 휘자] 제왕(帝王) 또는 부조(父祖)의 이름에 쓴 글자.
[諱之祕之 휘지비지] ㉠결과를 분명치 않게 맺음. ㉡남을 꺼리어 우물쭈물함.
[諱避 휘피] 꺼리어 피함.
● 拒諱. 忌諱. 大諱. 犯諱. 不諱. 隱諱. 疑諱. 藏諱. 尊諱. 觸諱. 偏諱. 避諱.

9 ⑯ [諳] 암 ⊕覃 烏含切 ān

字解 ①알 암 익숙히 앎. '一練舊事'《晉書》. ②기억할 암 잊지 아니함. '一記'. '皆一其數'《後漢書》. ③욀 암 암송함. '一誦'. '一識內典'《陳書》. ④큰소리 암 '一, 大聲也'《玉篇》.
字源 形聲. 言+音〔音〕. '音음'은 '暗암'과 통하여 '어둡다'의 뜻. 눈을 가려 어둡게 하며 말하다, 외다의 뜻을 나타냄.

[諳究 암구] 암송(暗誦)하고 연구함.
[諳記 암기] 기억(記憶)하여 잊지 아니함.
[諳練 암련] 아주 익숙하게 알고 있음.
[諳寫 암사] 보지 않고 베낌.
[諳算 암산] 마음속으로 셈함. 암산(暗算).
[諳誦 암송] ㉠보지 않고 읽음. 욈. 암송(暗誦). ㉡(佛教)불경(佛經)을 소리를 높여 읽음.
[諳識 암식] 외어 앎.
[諳悉 암실] 모두 욈. 다 앎.
[諳委 암위] 암실(暗悉).
[諳忽 암홀] 욀어 잊음.
[諳曉 암효] 외어 환히 앎.
● 事事諳. 詳諳. 熟諳.

9 ⑯ [諴] 함 ⊕咸 胡讒切 xián

字解 ①화동할 함 화합함. '其丕能一于小民'《書經》. ②정성 함 지성. '至一感神'《書經》. ③희롱거릴 함 까붊. 농함.
字源 形聲. 言+咸〔音〕

9 ⑯ [諵] 남 ⊕覃 那含切 nán

字解 ①수다스러울 남 말이 많은 모양. 喃(口部 九畫)과 同字. '論詩說賦相——'《韓愈》. ②시끄러운말 남 '一, 聒語'《集韻》.
字源 形聲. 言+南〔音〕

[諵諵 남남] 말이 많은 모양. 수다스럽게 지껄이는 모양. 남남(喃喃).

9 ⑯ [諓] 노 ⊕晧 乃老切 nǎo

字解 서로욕할 노 서로 욕함. 말로 서로 능멸함. '一, 語相侮也'《集韻》.

9 ⑯ [詉] 노 ㊀遇 乃故切 náo
字解 비방할 노 비방함. 욕함. 욕설을 함. '一, 惡言也'《字彙補》.

9 ⑯ [諶] 人名 심 ㊂侵 氏任切 chén 諶 <small>諶</small>
字解 ①참 심 진실하고 거짓이 없음. '其命匪一'《詩經》. ②믿을 심 신뢰함. '天難一, 命靡常'《書經》. ③참으로 심 진실로. '一荏弱而難持'《楚辭》. ④성 심 성(姓)의 하나.
字源 金文 𤯝 篆文 諶 形聲. 言+甚[音]. '甚심'은 '沈침'과 통하여, '침잠(沈潛)하다'의 뜻. 언약의 말 하나에 침잠하여 딴 것에 마음을 옮기지 않다의 뜻에서, 진실됨, 의지하여 믿다의 뜻을 나타냄.

[諶訓 심훈] 성의가 있는 가르침.
●匪諶.

9 ⑯ [諪] 人名 정 ㊄靑 唐丁切 tíng
字解 조정할 정 조절함. '一, 調一, 亦作調停'《正字通》.

9 ⑯ [諷] 人名 풍 ㊀送 方鳳切 fěng ㊁東 方馮切 諷 <small>讽</small>
字解 ①욀 풍 암송함. '能一書九千字以上'《漢書》. ②변죽울릴 풍 넌지시 비춤. 다른 사물에 가탁하여 말함. '一刺' '以談笑一諫'《史記》. ③간할 풍 '一, 一曰, 諫刺'《集韻》.
字源 篆文 諷 形聲. 言+風[音]. 바람처럼 말하다의 뜻에서, 외서 노래 부르다, 넌지시 비추다의 뜻을 나타냄.

[諷諫 풍간] 완곡하게 간함. 넌지시 간함.
[諷讀 풍독] 풍송(諷誦)❶.
[諷勉 풍면] 넌지시 격려함.
[諷味 풍미] 외서 음미함.
[諷書 풍서] 외어 씀.
[諷嘯 풍소] 시가(詩歌)를 외어 읊음.
[諷誦 풍송] ㉠욈. 암송함. ㉡《佛敎》불경(佛經)을 소리를 높여 읽음.
[諷詠 풍영] 시가(詩歌)를 외어 읊음.
[諷謠 풍요] ㉠외어 노래함. ㉡노래.
[諷諭 풍유] 넌지시 타이름.
[諷意 풍의] 뜻을 넌지시 말함.
[諷刺 풍자] 빗대고 남의 결점을 찌름.
[諷旨 풍지] 에둘러 말한 완곡한 뜻. 풍지(風指).
●譏諷. 朗諷. 微諷. 玩諷. 吟諷. 箴諷. 傳諷. 嗟諷.

9 ⑯ [諸] 中入 ☰ 제(저) ㊂魚 章魚切 zhū ☲ 저 ㊄魚 常如切 chú 諸 <small>诸</small>
筆順 言 言 訁 訁 諸 諸 諸 諸
字解 ☰ ①모든 제, 여러 제 '一君' '一事' '歷試一艱'《書經》. ②어조사 제 ㉠ '之於'와 뜻이 같음. '君子求一己, 小人求一人'《論語》. ㉡

'之乎'와 뜻이 같아 의문사(疑問辭)로 쓰임. '湯放桀, 武王伐紂, 有一'《孟子》. ㉢또, 특히 '乎'를 첨가한 것도 있음. '信有一乎'《史記》. ㉣무의미한 조사(助辭) '日居月一'('居'도 조사)《詩經》. ③무릇 제 凡(几部 一획)과 뜻이 같음. '一去大軍, 爲前禦之備'《尉繚子》. ④성 제 성(姓)의 하나. ☲ ①김치 저, 장아찌 저 '桃一梅一'《禮記》. ②두꺼비 저 '詹一'은 두꺼비. '詹一, 蝦蟆也'《字彙》.
字源 金文 𧰼 篆文 諸 形聲. 言+者[音]. '者자'는 모여서 많다의 뜻. 지시 대명사(指示代名詞)인 '이'의 뜻으로 차용(借用)되어, '言언'을 덧붙이게 되었음.

[諸家 제가] ㉠많은 집. ㉡많은 사람. 또, 여러 유파(流派).
[諸葛巾 제갈건] 제갈량(諸葛亮)이 썼다는 일종(一種)의 두건(頭巾).

[諸葛巾]

[諸葛亮 제갈량] 삼국(三國) 시대 촉(蜀)나라의 재상(宰相). 자(字)는 공명(孔明). 융중(隆中)에 은거(隱居)하고 있을 때, 유비(劉備)의 삼고초려(三顧草廬)에 못 이겨 출사(出仕)한 후 유비로 하여금 촉(蜀)나라를 건국(建國)하게 하였음. 유비가 죽은 뒤, 유조(遺詔)를 받들어 후주(後主)인 유선(劉禪)을 보필(輔弼)하다가 위(魏)나라의 사마의(司馬懿)와 오장원(五丈原)에서 대전중 진중(陣中)에서 졸(卒)하였음. 그가 지은 〈출사표(出師表)〉는 명문(名文)으로 유명함.
[諸客 제객] ㉠많은 식객(食客). 제국(諸國) 유세(遊說)를 다니는 사람들. ㉡많은 빈객(賓客).
[諸季 제계] 많은 동생.
[諸孤 제고] 여러 고아(孤兒).
[諸公 제공] 여러분.
[諸具 제구] 여러 가지의 기구(器具).
[諸舅 제구] 여러 외숙(外叔). 천자가 이성(異姓)의 제후(諸侯)를 부르는 말.
[諸國 제국] 여러 나라.
[諸君 제군] 여러분. 자네들.
[諸根 제근] 신(神)·근(勤)·염(念)·정(定)·혜(慧)의 오근(五根)과 그 밖의 일체의 선근(善根).
[諸等數 제등수] 둘 이상의 단위의 이름으로 표시하는 수. 삼 척(尺) 오 촌(寸), 삼 원(圓) 오십 전(錢) 따위.
[諸禮 제례] 모든 예의범절.
[諸母 제모] ㉠아버지의 모든 첩. ㉡아버지의 자매(姉妹). 고모(姑母).
[諸般 제반] 여러 가지. 모든.
[諸方 제방] 사방. 각지. 또, 여러 나라.
[諸邦 제방] 여러 나라. 각국(各國).
[諸法無我 제법무아] 우주 만물은 모두 인연 화합(因緣和合)으로 말미암아 나타난 것으로서 실다운 나[我]가 없음.
[諸父 제부] ㉠천자(天子)가 동성(同姓)의 제후를, 또 제후가 동성의 대부를 부르는 칭호. ㉡아버지의 형제.
[諸士 제사] 여러 선비.
[諸司 제사] 여러 관리. 모든 벼슬아치. 백관(百官).
[諸事 제사] 모든 일.
[諸色 제색] ㉠각 방면. 또, 각 부류(部類). ㉡각 가지 물품.

[諸生 제생] 학생. 학도.
[諸勝 제승] 여러 명승(名勝).
[諸氏 제씨] 여러분. 많은 사람에 대한 경칭(敬 「稱」.
[諸御 제어] ㉠군중(軍中)의 서무관(庶務官). ㉡ 천자의 시첩(侍妾)들.
[諸彦 제언] ㉠많은 뛰어난 사람. 언(彦)은 남자의 미칭(美稱). ㉡일반인에 대한 경칭(敬稱). 여러분.
[諸役 제역] 각종의 부역(夫役).
[諸緣 제연] 《佛敎》 모든 인연이 있는 것. 일체의 세계의 현상(現狀).
[諸英 제영] 여러 뛰어난 사람. 수재(秀才)들.
[諸于 제우] 부인(婦人)의 웃옷.
[諸位 제위] 여러분.
[諸人 제인] 모든 사람.
[諸子 제자] ㉠제군. 자네들. 웃어른이 아랫사람들을 부르는 제이 인칭. ㉡주대(周代)의 벼슬 이름. 제후의 세자(世子)의 일을 맡음. ㉢제자백가(諸子百家).
[諸姉 제자] 여러 여성에 대한 경칭(敬稱).
[諸子百家 제자백가] 선진(先秦), 곧 전국 시대(戰國時代)의 여러 학자. 또는 그들이 지은 책.
[諸將 제장] 모든 장수(將帥). 여러 장군.
[諸節 제절] ㉠모든 절차(節次). ㉡《韓》남의 집안 모든 사람의 기거동작.
[諸種 제종] 여러 종류(種類).
[諸天 제천] 《佛敎》 모든 천상계(天上界). 또, 그 곳에 사는 부처.
[諸夏 제하] 중국 본토 안에 있는 모든 제후의 나라. 사방의 이적(夷狄)에 대하여 중국(中國)을 이름.
[諸行 제행] 《佛敎》 인연에 의해 생긴 온갖 현상(現象). 여러 변화하는 것. '行'은 변천(變遷)·유동(流動)의 뜻.
[諸行無常 제행무상] 《佛敎》 우리가 거처하는 우주의 만물은 항상 돌고 변하여서 같은 모습으로 꽉 정착하여 있지 아니함. 현세(現世)의 덧없음을 이름.
[諸許 제허] 허다(許多).
[諸賢 제현] ㉠여러 현인(賢人). ㉡여러분.
[諸侯 제후] 봉건 시대(封建時代)에 봉토(封土)를 받아 그 역내의 백성을 지배하던 작은 나라의 임금.
[諸侯之門仁義存 제후지문인의존] 권력이 있는 자는 죄를 져도 걸리지 아니하고 도리어 겉으로는 인의(仁義)를 부르짖음. 곧, 인의(仁義)도 권력에 지배당함을 이름.
●居諸. 望諸. 方諸. 蟾諸. 于諸. 因諸. 偏諸. 忽諸.

9
16
[諺] 人名 ㊀언 ㊦霰 魚變切 yàn ㊁안 ㊦翰 魚旰切 ǎn 諺 諺

[筆順] 言 訁 訞 訞 諺 諺 諺 諺

[字解] ㊀①상말 언 이언(俚言). '俗―'. 所謂老�至, 而毛及之' 《左傳》. ②조문(弔問)할 언 조상(弔喪)함. '子游揚袂而一, 曾參指揮而咄' 《新論》. ㊁ 자랑할 안 스스로 자랑함. 一, 自矜' 《集韻》.
[字源] 形聲. 言+彦〔音〕. '彦언'은 '화장품'의 뜻. 인생을 아름답게 꾸밀 교훈을 담은 이언(俚諺)의 뜻을 나타냄.

[諺簡 언간] 한글로 쓴 편지.
[諺文 언문] 한글의 속칭(俗稱).
[諺語 언어] 이언(俚諺). 속담(俗談).
[諺言 언언] 이언(俚諺). 속담.
[諺譯 언역] 한글로 번역함.
[諺解 언해] 한글로 풀이함.
●古諺. 貴諺. 鄙諺. 俗諺. 野諺. 里諺. 俚諺.

9
16
[諼] 훤 ㊀元 況袁切 xuān ㊁阮 況晩切 諼 諼

[字解] ①속일 훤 기만함. '虛造詐一之策' 《漢書》. ②잊을 훤 망각함. 諠(言部 九畫)과 同字. '有斐君子, 終不可一兮' 《詩經》. ③시끄러울 훤 譁(言部 十八畫)과 통용.
[字源] 形聲. 言+爰〔音〕. '爰원'은 '끌다'의 뜻. 진실(眞實)로부터 일부러 멀리하여, 다른 방향으로 끄는 말, '거짓'의 뜻을 나타냄.

[諼草 훤초] 백합과에 속하는 다년초. 원추리. 망우초(忘憂草).
●弗諼. 詐諼.

9
16
[諾] 高入 낙 入藥 奴各切 nuò 諾 諾

[筆順] 言 言 訁 訐 許 許 諾 諾

[字解] ①대답할 낙 ㉠예 하고 대답함. '史起答一' 《呂氏春秋》. ㉡천천히 대답함. 공손하지 않은 대답. '父命呼, 唯而不一' 《禮記》. ②승낙할 낙 승인함. '輕一必寡信' 《老子》. ③승낙 낙 청하는 바를 들어줌. 또, 승낙한 일. '不如得季布一一' 《史記》. ④허용할 낙 '許一' '子路無宿一' 《荀子》. ⑤따를 낙 '劑貌辨答曰, 敬一' 《呂氏春秋》. ⑥성 낙 성(姓)의 하나.
[字源] 形聲. 言+若〔音〕. '若약'은 '승낙하다'의 뜻. 말로 승낙하다의 뜻을 나타냄.

[諾諾 낙낙] 남의 말을 잘 좇는 모양.
[諾否 낙부] 승낙함과 하지 아니함.
[諾唯 낙유] 옳다고 함. 그렇다고 함.
[諾責 낙책] 승낙한 책임.
●敬諾. 季布一諾. 謹諾. 嘯諾. 受諾. 宿諾. 承諾. 然諾. 唯諾. 唯唯諾諾. 應諾. 千鈞之諾. 快諾. 許諾.

9
16
[謀] 高入 모 (무)㊀尤 莫浮切 móu 謀 謀

[筆順] 言 言 訁 訐 訷 謀 謀 謀

[字解] ①꾀할 모 ㉠책략을 세움. 계획함. '一議' '圖一'. '公何不爲王一伐魏' 《戰國策》. ㉡생각함. 마음을 씀. '作事一始' 《易經》. '君子一道不一食' 《論語》. ②물을 모 상의함. '不卽我一, 徹我牆屋' 《詩經》. '二人對議, 謂之一' 《晉書》. ③속일 모 계략으로 속임. '貪必一人, 一人人亦一己' 《左傳》. ④꾀 모 계략. 술책. '嘉一' '君之一過矣' 《戰國策》. ⑤성 모 성(姓)의 하나.
[字源] 形聲. 言+某〔音〕. 일설(一說)에는, '某모'는 신목(神木)에 빌다의 뜻. 어려운 문제에 대해서 생각하다, 꾀하다의 뜻.

[謀計 모계] 꾀.
[謀及婦人 모급부인] 부인과 꾀를 꾸미면 누설될 염려가 많으므로 여자와 같이 일을 꾸미는 것을 비웃는 말.
[謀略 모략] 모계(謀計).
[謀慮 모려] 꾀.
[謀利 모리] 자기 이익만을 꾀함.
[謀免 모면] 면(免)하려고 꾀함.
[謀反 모반] ㉠모반(謀叛). ㉡군주를 시역(弑逆)함.
[謀叛 모반] 국가나 군주를 뒤집어엎으려고 병란을 일으킴.
[謀士 모사] 온갖 꾀를 잘 내는 사람. 책사.
[謀事 모사] 일을 꾀함.
[謀殺 모살] 계획적으로 사람을 죽임.
[謀臣 모신] 지모(智謀) 있는 신하.
[謀逆 모역] 반역을 꾀함. 역적질을 하려고 함.
[謀猷 모유] 모계(謀計).
[謀議 모의] 일을 계획하여 서로 의논함.
[謀將 모장] 꾀 많은 장수.
[謀主 모주] 주모자(主謀者).
[謀避 모피] 꾀를 써서 피(避)함.
[謀陷 모함] 꾀를 써서 남을 못된 구렁에 빠지게 함.
[謀害 모해] 꾀를 써서 남을 해(害)함.
[謀畫 모획] 모계(謀計).
◉嘉謀. 計謀. 寡謀. 軍謀. 權謀. 奇謀. 老謀. 廟謀. 無謀. 密謀. 祕謀. 詐謀. 善謀. 首謀. 詢謀. 深謀. 勇謀. 遠謀. 陰謀. 疑謀. 人謀. 智謀. 參謀. 策謀. 淺謀. 忠謀. 通謀. 獻謀. 譎謀.

9 ⑯ [謁] [高人] 알 [入]月 於歇切 yè 谒

[筆順] 言 言 訁 訂 訃 謁 謁 謁

[字解] ①명함 알 면회를 청할 때 내놓는 성명을 적은 쪽지. 명자(名刺). '一刺'. '高祖乃紿爲一'《史記》. ②뵐 알 ㉠높은 이에게 면회함. '面一'. '拜一'. '仗策一天子'《魏徵》. ㉡참배(參拜)함. '一廟'. '先拜而後一佛'《世說》. ③아뢸 알 사뢸. '臣請一其故'《戰國策》. ④고할 알 알림. '乃一關人'《儀禮》. '事至而戰. 又何一焉'《左傳》. ⑤찾을 알 방문함. '一, 增韻, 訪也'《康熙字典》. ⑥청할 알 구함. '宣子一諸鄭伯'《左傳》. ⑦성 알 성(姓)의 하나.
[字源] [篆文] 形聲. 言+曷〔音〕. '曷갈'은 '청하다'의 뜻. '曷'이 의문(疑問)의 조사(助辭)로 쓰임에 따라, '言언'을 덧붙여 구별했음.

[謁告 알고] 휴가를 청하여 고(告)하고 돌아감.
[謁過 알과] 허물을 알림.
[謁廟 알묘] 사당(祠堂)에 참배함.
[謁舍 알사] 객사(客舍). 여관.
[謁聖 알성] 임금이 문묘(文廟)에 참배함.
[謁刺 알자] 명함(名銜).
[謁者 알자] ㉠알현(謁見)을 구하는 사람. ㉡응접(應接)을 맡은 벼슬. 또, 그 사람. ㉢사방(四方)에 사신(使臣) 가는 벼슬.
[謁見 알현] 지위(地位)가 높은 사람을 뵘.
[謁候 알후] 웃어른을 가 뵙고 문안(問安)을 함.
[謁後塵 알후진] ㉠남의 턱찌끼를 핥음. ㉡귀인(貴人)의 뒤를 좇음.
◉啓謁. 內謁. 面謁. 拜謁. 伏謁. 私謁. 上謁. 女謁. 迎謁. 入謁. 刺謁. 典謁. 朝謁. 請謁. 親謁. 通謁.

9 ⑯ [謂] [高人] 위 [去]未 于貴切 wèi 谓

[筆順] 言 言 訂 訂 謂 謂 謂 謂

[字解] ①이를 위 ㉠이야기함. 고(告)함. '周公一魯公曰'《論語》. ㉡평론함. 비평함. '子一子賤'《論語》. ㉢일컬음. 말함. '此之一大丈夫'《孟子》. ㉣설명함. '一天蓋高'《詩經》. ㉤이르기를. 생각하기를. '人皆一, 卿但知經術, 不曉時務'《宋史》. ②이름 위 ㉠이르는 바. 이르는 일. '其斯之一與'《論語》. ㉡뜻. 의미. '非謂有喬木之一也'《孟子》. ③까닭 위 이유. '甚無一也'《漢書》. ④생각할 위 '嗚呼, 曾一泰山不如林放乎'《論語》. ⑤힘쓸 위 근면함. '遐不一矣'《詩經》. '迨其一之'《詩經》. ⑥이른바 위 소위. '諺所一輔車相依, 脣亡齒寒者'《左傳》. ⑦성 위 성(姓)의 하나.
[字源] [金文] [篆文] 形聲. 言+胃(䏶)〔音〕. '䏶위'는 '圍위'와 통하여, '에워싸다'의 뜻. 어떤 개념(概念)을 확실히 담아서 말하다의 뜻을 나타냄.

[謂人莫己若者亡 위인막기약자망] 나를 따를 만한 사람은 없다고 자만하는 사람은 망함.
[謂何 위하] ㉠여하(如何)와 내하(奈何). ㉡뭐라고 할까.
◉來謂. 無謂. 所謂. 意謂. 稱謂.

9 ⑯ [謔] [人名] 학 [入]藥 虛約切 xuè 谑

[字解] ①농할 학 희학질함. 농지거리함. '諧一'. '調一'. '善笑一兮'《詩經》. ②농 학 희학(戲謔). '是謂君臣爲一'《禮記》.
[字源] [篆文] 形聲. 言+虐〔音〕. '虐학'은 호랑이가 사람을 어르다가 잡아먹다의 뜻. 말로 농락하다, 장난하다의 뜻을 나타냄.

[謔劇 학극] 학랑(謔浪).
[謔浪 학랑] 농지거리함.
[謔笑 학소] 농을 하며 웃음.
[謔謔 학학] ㉠기뻐 즐기는 모양. ㉡성(盛)하고 맹렬한 모양.
◉乖謔. 侮謔. 善謔. 笑謔. 哂謔. 調謔. 嘲謔. 醜謔. 諧謔. 歡謔. 嬉謔. 戲謔.

9 ⑯ [諲] 인 [平]眞 於眞切 yīn

[字解] 공경할 인 삼감. '一, 敬也'《爾雅》.

9 ⑯ [謏] [一] 소 [上]篠 先鳥切 xiǎo [二] 수 [去]宥 先奏切 sòu

[字解] [一] 작을 소, 꾈 소 '一, 小也, 誘也'《說文新附》. [二] 뒤로욕할 수 못 듣는 데서 험담함.
[字源] [篆文] 形聲. 言+叜〔音〕

9 ⑯ [諻] 황 [平]庚 呼橫切 huáng

[字解] ①큰소리 황 喤(口部 九畫)과 통용. '喧嘩一呷'《左思》. ②소리 황 '一, 音也'《揚子方言》.

③말소리 황 '一, 語聲'《廣韻》.

9
⑯ [諏] 극 ⊼職 紀力切 jí

字解 말더듬거릴 극 말을 더듬음. '一, 訥言也'《集韻》.

9
⑯ [諿] ䷖ 집 ⊼緝 七入切 qī
䷀ 서 ⊥語 私呂切 xǔ

字解 ䷖ 화할 집 온화함. '一, 和也'《集韻》. ䷀ 꾀 서 계책. '次七女不女, 其心子, 覆夫一'《太玄經》.
字源 形聲. 言+咠〔音〕

9
⑯ [諽] 격 ⊼陌 楷革切 gé

字解 ①경계할 격 계칙(戒飭)함. '一, 飭也'《說文》. ②고칠 격 '一, 一曰, 更也'《說文》. ③삼갈 격 '一, 一曰, 謹也'《集韻》.
字源 篆文 諽 形聲. 言+革〔音〕

9
⑯ [諲] 훼 ⊥紙 虎委切 huǐ

字解 헐뜯을 훼 비방함. 毀(殳部 九畫)와 통용. '一, 謗也'《集韻》.

9
⑯ [譬] 〔계〕
啓(口部 八畫〈p. 385〉)와 同字

9
⑯ [諬] 가 ⊝禡 丘駕切 qià

字解 ①교묘한말 가 '一諬'는 교묘하게 말함. '一, 一諬, 巧言'《集韻》. ②교묘한말재주 가 '一, 一諬, 巧言才也'《廣韻》.

9
⑯ [諩] 〔보〕
譜(言部 十三畫〈p. 2158〉)와 同字

9
⑯ [諭] 〔유·투〕
諭(言部 九畫〈p. 2141〉)의 俗字

9
⑯ [諺] 〔언·안〕
諺(言部 九畫〈p. 2144〉)의 俗字

9
⑯ [譬] 〔감〕
監(皿部 九畫〈p. 1523〉)의 古字

9
⑯ [諤] 〔요〕
謠(言部 十畫〈p. 2150〉)의 俗字

9
⑯ [諄] 〔순〕
諄(言部 八畫〈p. 2134〉)의 俗字

9
⑯ [訶] 〔가〕
訶(言部 五畫〈p. 2112〉)와 同字

9
⑯ [諬] 〔기〕
記(言部 三畫〈p. 2107〉)와 同字

9
⑯ [譊] 〔뇨·효〕
譊(言部 十二畫〈p. 2155〉)의 略字

9
⑯ [謟] 〔도〕
謟(言部 十畫〈p. 2149〉)의 略字

9
⑯ [諣] 〔변·편·평〕
辯(辛部 十四畫〈p. 2284〉)과 同字

10
⑰ [諢] ䷖ 초 ⊥巧 初爪切 chǎo
䷀ 추 ⊥尤 楚鳩切 zhōu 𧪡𧪈

字解 ䷖ ①농할 초 농담함. 희롱거림. '胡一'. '一弄言'《集韻》. ②빠를 초 재빠름. 경첩(輕捷)함. '輕一趒悍'《馬融》. ③친압할 초 서로 친해짐. '一, 相擾也'《字彙》. ䷀ 속삭일 추 가만히 속삭임. 귀엣말함. '一諏, 陰私小言'《廣韻》.
字源 形聲. 言+芻〔音〕

●輕諢. 胡諢.

10
⑰ [諙] 선 ⊝霰 式戰切 shàn 諞

字解 미혹게할 선 말로 남을 미혹(迷惑)시킴. 또, 부추김.
字源 形聲. 言+扇〔音〕

10
⑰ [諬] 획 ⊼陌 虎伯切 huò

字解 ①빠를 획 '一然'은 빠른 모양. 諿(言部 八畫)과 同字. '一然, 速也'《集韻》. ②뼈발라내는소리 획 백정의 칼 놀리는 소리. '動刀甚微, 一然已解'《莊子》.
字源 會意. 言+桀. '桀결'은 사나운 소리의 뜻. 사나운 소리, 뼈와 살이 떨어지는 소리의 모양을 나타냄.

[諬然 획연] 빠른 모양.

10
⑰ [謎] 人名 미 ①⊝霽 莫計切
②⊛齊 緜批切 mí 謎迷

字解 ①수수께끼 미 은어(隱語). '君子嘲隱, 化而爲一語. 一也者, 廻互其辭, 使昏迷也'《文心雕龍》. ②미혹시킬 미 말로 현혹하게 함. '一, 言惑也'《集韻》.
字源 篆文 謎 形聲. 言+迷〔音〕. '迷미'는 미혹(迷惑)하게 하다의 뜻. 사람을 헷갈리게 하는 말의 뜻을 나타냄.

[謎語 미어] 사람을 미혹시키는 말. 또, 수수께끼.
[謎題 미제] 풀기 어려운, 또는 풀 수 없는 수수께끼 같은 문제.

10
⑰ [諟] ䷖ 제 ⊛齊 田黎切 tí
䷀ 사 ⊛支 相支切 sī

字解 ䷖ ①말꼬일 제 '一, 轉語'《廣韻》. ②울 제 '孤子一號'《漢書》. ③말로꾈 제 '一, 轉相誘語'《廣韻》. ䷀ ①참 사 신실(信實)함. '一, 諒也'《廣韻》. ②종종간(諫)할 사 '一, 數諫也'《集韻》.

10
⑰ [諬] ䷖ 소 ⊥篠 先鳥切 xiǎo
䷀ 수 ⊛有 蘇奏切 sòu

字解 ䷖ 적을 소, 작을 소 많지 않음. 또, 작음. '足以一聞'《禮記》. ䷀ 성내어말할 수 꾸짖음. '諬一, 怒言也'《廣韻》.

[字源] 形聲. 言＋叟〔音〕

[謏聞 소문] 명성(名聲)이 조금 남.

10 ⑰ [謐] [人名] 밀 [入]質 彌畢切 mì 谧

[字解] ①조용할 밀 고요하고 평온함. '靜—'. '內外寂—'《漢武帝內傳》. '海表—然'《魏志》. ②상세할 밀 자세함. '—, 猶密也'《說文繫傳》. ③삼갈 밀 조심함. '—, 愼也'《廣韻》. ④편안할 밀, 편안히할 밀 宓(宀部 五畫)과 통용.
[字源] [篆文] 形聲. 言＋监〔音〕. '监밀'은 '密밀'과 통하여, 아주 조용함의 뜻. 소리 없이 조용하다의 뜻을 나타냄.

[謐謐 밀밀] 아주 고요한 모양.
[謐然 밀연] 고요한 모양. 평온한 모양.
◉曠謐. 安謐. 恬謐. 寧謐. 寂謐. 靜謐. 澄謐. 淸謐. 平謐.

10 ⑰ [⿰言虔] 〔건〕
⿰言寋(言部 十三畫〈p. 2160〉)과 同字

10 ⑰ [⿰言⿰犭㞷] 〔광〕
誑(言部 七畫〈p. 2126〉)의 本字

10 ⑰ [⿰言眔] 〔답〕
誻(言部 八畫〈p. 2133〉)과 同字

10 ⑰ [謑] 혜 ①[上]薺 胡禮切 xǐ ②[平]齊 弦雞切 xí

[字解] ①꾸짖을 혜, 욕보일 혜 후욕(詬辱)함. '—, 怒言'《廣韻》. '無廉恥而任—訽'《荀子》. ②바르지아니할 혜 정직하지 아니한 모양. '—髁無任'《莊子》.
[字源] [篆文] [別體] 形聲. 言＋奚〔音〕. '奚혜'는 '종'의 뜻. 종에게 대하여 말하듯 창피를 주다의 뜻을 나타냄.

[謑訽 혜구] 혜후(謑詬).
[謑髁 혜화] 바르지 아니한 모양. 정직하지 아니한 모양.
[謑詬 혜후] 후욕(詬辱)함.

10 ⑰ [謖] [人名] 속 [入]屋 所六切 sù 谡

[字解] ①일어날 속 일어섬. '神醉而尸—'《詩經》. '未嘗見舟, 而—操之者也'《列子》. ②여밀 속 옷깃을 여밈. '公子—爾斂袂而興'《後漢書》. ③뛰어날 속 '——'은 훨씬 나은 모양. 일설(一說)에는, 소나무에 부는 바람 소리. '——如勁松下風'《世說》.
[字源] 形聲. 言＋畟〔音〕

[謖謖 속속] 자해(字解)❸을 보라.
[謖然 속연] 옷깃을 여며 단정히 하는 모양.

10 ⑰ [謗] [人名] 방 [去]漾 補曠切 bàng [平]陽 逋旁切 谤

[字解] 헐뜯을 방 헐어 말함. 비방함. '誹—'. '國人—王'《國語》. 또, 헐뜯는 말. 비방. '讒—'. '以速官—'《左傳》. '反離—而見攘'《楚辭》.
[字源] [篆文] 形聲. 言＋旁〔音〕. '旁방'은 '妨방'과 통하여, '방해하다'의 뜻. 악의(惡意)에 찬 말로 '방해하다, 헐뜯다, 하리놀다'의 뜻을 나타냄.

[謗議 방기] 헐뜯음. 비방함. 또, 비방. 방훼(謗毁).
[謗讟 방독] 원망하여 비방함.
[謗論 방론] 방의(謗議).
[謗罵 방매] 헐뜯어 욕함.
[謗訕 방산] 헐뜯음. 또, 비방.
[謗書 방서] 남을 헐뜯는 편지 또는 책.
[謗言 방언] 헐뜯는 말. 비방.
[謗譽 방예] 비방함과 칭찬함. 비방하는 말과 칭찬하는 말.
[謗怨 방원] 헐뜯으며 원망함. 원방(怨謗).
[謗議 방의] 헐뜯음. 비방함. 또, 그 비방.
[謗政 방정] 비방을 받을 만한 못된 정치.
[謗嘲 방조] 헐뜯고 비웃음.
[謗讒 방참] 헐뜯음. 비방함. 또, 비방.
[謗毁 방훼] 헐뜯음. 비방함.
◉群謗. 譏謗. 誣謗. 分謗. 非謗. 誹謗. 訕謗. 猜謗. 怨謗. 造謗. 嘲謗. 虛謗. 毁謗.

10 ⑰ [謘] 지 [平]支 直尼切 chí [去]寘 直利切

[字解] ①느릴 지 말이 느림. '衆積意——'《荀子》. ②말바르지않을 지 '諄—, 語不正'《集韻》.
[字源] [篆文] 形聲. 言＋屖〔音〕. '屖서'는 '느리다'의 뜻. 말이 느리다의 뜻을 나타냄.

[謘謘 지지] 말이 느린 모양.

10 ⑰ [謉]
[一] 괴 [去]寘 俱位切 kuì
[二] 궤 [上]紙 古委切 guǐ
[三] 회 [上]賄 虎猥切
[四] 퇴 ①[上]賄 都罪切 duǐ ②[平]灰 徒回切 tuí

[字解] [一] 부끄러워할 괴 '媿, 慙媿. 愧·聭·—, 竝上同'《廣韻》. [二] 나무랄 궤, 속일 궤 '詭, 說文, 責也, 一曰, 詐也. 或从鬼'《集韻》. [三] 농지거리 회 농담. '—, —諢, 譃言'《廣韻》. [四] ①농지거리 퇴 [三]과 뜻이 같음. ②겸손할 퇴 '—, 謙也'《集韻》.

10 ⑰ [⿺鬼言] 謉(前條)와 同字

10 ⑰ [⿰言耆]
[一] 치 [平]支 稱脂切 chī
[二] 기 [平]支 渠伊切 chī

[字解] [一] 꾸짖을 치 나무람. '—, 訶怒也'《集韻》. [二] 성낼 기 '—, 廣雅, 怒也'《集韻》.

10 ⑰ [謙] [高人] [一] 겸 [平]鹽 苦兼切 qiān [二] 협 [平]鹽 胡兼切 xián 谦

[筆順] 言 訁 訁 訁 訁 謙 謙 謙

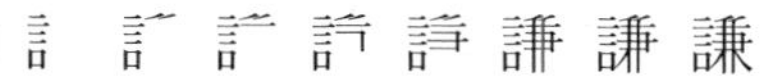

[字解] [一] ①겸손할 겸, 사양할 겸 제 몸을 낮춤. 또, 남에게 양보함. '—讓'. '人道惡盈而好—'《易經》. ②공경할 겸 삼감. '—敬博愛'《後漢書》. ③덜 겸 가볍게 함. '—, 輕也'《玉篇》. ④겸괘 겸 육십사괘(六十四卦)의 하나. 곤, ䷎〈간

하(艮下) 곤상(坤上)〉. 남에게 겸양(謙讓)하는
상(象). ⊟ 혐의 혐 嫌(女部 十畫)과 통용. '信
而不處一'《荀子》.
字源 篆文 謙 形聲. 言+兼〔音〕. '兼겸'은 '廉렴'과
통하여, '단정하다'의 뜻을 나타냄.
단정한 언동을 하다, 삼가다의 뜻을 나타냄.

[謙愨 겸각] 겸손하고 성실함.
[謙謙 겸겸] 겸손한 모양.
[謙敬 겸경] 겸손하고 공경함.
[謙謹 겸근] 겸손하고 삼감.
[謙德 겸덕] 겸손한 덕.
[謙默 겸묵] 겸손하여 말이 적음.
[謙卑 겸비] 자기(自己)의 몸을 겸손(謙遜)하여
낮춤.
[謙辭 겸사] ㉠겸손히 하는 말. ㉡겸손하여 사양
함.
[謙恕 겸서] 겸손하고 인정이 많음.
[謙素 겸소] 겸손하고 검소함.
[謙遜 겸손] 겸손(謙遜).
[謙巽 겸손] 겸손하여 우쭐거리지 않음.
[謙遜 겸손] 남 앞에서 제 몸을 낮춤.
[謙約 겸약] 겸손하고 절약함.
[謙讓 겸양] 겸손하고 사양함.
[謙抑 겸억] 겸손하여 자기를 억제함.
[謙靖 겸정] 겸손하고 조용함.
[謙沖 겸충] 겸허(謙虛).
[謙稱 겸칭] 겸손하여 일컬음. 또, 그 말.
[謙退 겸퇴] 겸손하고 허심탄회함.
[謙虛 겸허] 겸손하고 허심탄회함.
[謙和 겸화] 겸손하여 화평함.
[謙厚 겸후] 겸손하고 온후함.
  ●恭謙. 勞謙. 卑謙. 柔謙. 自謙. 和謙. 虧盈益
  謙.

10
⑰ [謚] 人名 ⊟ 익 ㉠陌 伊昔切 yì
        ⊟ 시 ㉿眞 神至切 shì

筆順 言 訁 訟 訟 訟 諡 諡 諡

字解 ⊟ 웃을 익 웃는 모양. '一, 笑兒'《廣韻》.
⊟ 시호 시 속(俗)에 諡(言部 九畫)로 오용(誤
用)함.
字源 篆文 謚 形聲. 言+益〔音〕. '益익'은 킬킬 웃
는 소리의 의성어.

10
⑰ [講] 中人 ⊟ 강 ㉠講 古項切 jiǎng
        ⊟ 구 ㉿宥 居候切 kòu

筆順 言 訁 訥 詩 請 請 講 講 講

字解 ⊟ ①풀이할 강 설명함. 의미를 밝힘. '一
釋'. '一義'. '一於仁'《禮記》. '村學堂一書'《王
君玉雜纂》. ②이야기할 강 담론(談論)함. '一
談'. '一信脩睦'《禮記》. ③익힐 강 연습함. 공
부함. '一學'. '一習'. '德之不修, 學之不一'
《論語》. '乃命將帥一武, 習射御'《禮記》. ④꾀
할 강 모의(謀議)함. '一事不令'《左傳》. ⑤토구
(討究)할 강 검토 연구함. '一究'. '物一不一'
《國語》. ⑥화해할 강 화의함. '一和'. '而秦未
與魏一也'《戰國策》. ⑦강의 강 경사(經史)의 해
석. '于鍾山聽一'《梁書》. ⑧논할 강 논의함. '仁
者一一'《國語》. ⑨알릴 강 一, 告也'《廣韻》.
⑩조사할 강 '擇臣取諫工, 而一以多物'《國語》.
⊟ 화해할 구 媾(女部 十畫)와 통용. '與魏一罷
兵'《史記》.

字源 篆文 講 形聲. 言+冓〔音〕. '冓구'는 어긋맞껴
짜 맞추다의 뜻. 발언(發言)하여 서
로 마음이 통하게 하다, 화해를 꾀하다의 뜻을
나타냄.

[講經 강경] 경전(經典)의 뜻을 해설함.
[講求 강구] 조사하여 찾음. 연구함.
[講究 강구] 좋은 방법을 궁리함.
[講壇 강단] 강의나 설교하는 단.
[講堂 강당] 많은 사람을 모아 놓고 강의나 설교
  등을 하는 큰 집.
[講道 강도] 도(道) 혹은 교리(敎理)를 강론(講
  論)함.
[講讀 강독] 글을 설명하며 읽음.
[講論 강론] 학술을 강의하고 토론함.
[講明 강명] 해석하여 밝힘.
[講目 강목] 강독하는 경전의 명목(名目).
[講武 강무] 무예(武藝)를 연습함.
[講史 강사] 송(宋)나라 때의 군담 소설(軍談小
  說). 연사(演史).
[講師 강사] ㉠학교의 촉탁으로 강의하는 교사.
  ㉡강습회 등에서 강의 또는 강연하는 사람. ㉢
  불교를 강의하는 것을 맡은 중. 경승승.
[講書 강서] 책(冊)의 글 뜻을 설명(說明)함.
[講席 강석] ㉠강연(講筵). ㉡스승에게 올리는
  편지에 쓰이는 높임말. 함장(函丈).
[講釋 강석] 강의(講義).
[講說 강설] 강의하여 설명함.
[講誦 강송] 강독(講讀).
[講授 강수] 강의하여 줌.   「함.
[講述 강술] 학술(學術)을 강의하여 설명(說明)
[講習 강습] 학문·기예 등을 배워 익힘.
[講業 강업] 학문·기예·기예를 연구함.
[講繹 강역] 강구(講究)하여 찾음. 또, 설명해 밝
  힘.
[講筵 강연] 강의(講義)하는 자리. 강석(講席).
[講演 강연] 강의 또는 연설을 함.
[講帷 강유] 강의하는 자리. 동중서(董仲舒)가
  장막을 치고 강의한 데서 나온 말.
[講義 강의] 문서·학설 등의 뜻을 해석함. 또, 그
  책.
[講章對問 강장대문] 경서(經書)의 뜻을 풀어서
  밝히고, 어려운 곳에 대해 문답(問答)하여 뜻
  과 이치를 분명하게 함.
[講座 강좌] ㉠강석(講席). ㉡대학교수로서 맡은
  학과목.
[講唱 강창] 강석하여 진술함.
[講學 강학] ㉠학문을 연구함. ㉡강설(講說)하고
  학습(學習)함.
[講解 강해] ㉠강화(講和). ㉡강의(講義).
[講和 강화] 서로 전쟁(戰爭)을 그치고 화의(和
  議)함.
[講話 강화] 학술상의 이야기.
  ●開講. 缺講. 勸講. 代講. 都講. 受講. 侍講.
  按講. 研講. 輪講. 進講. 聽講. 廢講. 會講.
  休講.

10
⑰ [謝] 中人 사 ㉿禡 辭夜切 xiè

筆順 言 訁 訝 訥 謝 謝 謝 謝

字解 ①끊을 사 거절함. '一絶'. '一絶賓客'《史

記). ②사양할 사 사퇴함. '一不受'《史記》. ③떠날 사 ㉠물러남. 사직함. '一政'.'青春受一, 白日昭只'《楚辭》. ㉡죽음. '形存則神存, 形一則神滅'《南史》. ④물러갈 사 ㉠퇴거(退去) 함. '新陳代一'.'若春秋有代一'《淮南子》. ㉡작별하고 떠남. 사퇴(辭退)함. '願歲幷與長友兮'《楚辭》. ⑤시들 사 이울음. 조락(凋落)함. '刺桐花一芳草歇'《李郢》. ⑥사죄할 사 과실에 대하여 용서를 빎. '陳一'.'若一我當釋罪'《世說》. ⑦사례할 사 고마운 뜻을 나타냄. '一恩'.'深一'.'阿母一媒人'《古詩》.'嘗有所薦, 其人來一'《漢書》. ⑧허락할 사 들어 줌. '大夫七十而致事. 若不得一, 則必賜之几杖'《禮記》. ⑨갚을 사 보상함. '臣私報諸羌, 一其錢貨'《後漢書》. ⑩부끄러워할 사 '屬美一繁髦'《顔延之》. ⑪성 사 성(姓)의 하나.

字源 篆文 形聲. 篆文은 言+躲〔音〕. '躲사'는 '쏘다, 던지다'의 뜻. 말을 던지다, 인사하다의 뜻. 또, '捨사'와 통하여 '버리다'의 뜻. '謝사'는 俗字.

[謝客 사객] ㉠손님과 헤어짐. ㉡손님을 받지 않음. 면회를 사절함. ㉢손님에게 사례함. ㉣남조(南朝) 송(宋)나라의 사영운(謝靈運)을 이름.

[謝遣 사견] ㉠사례하여 보냄. ㉡사절(謝絶)하여 보냄.

[謝公屐 사공극] 남조 송(宋)나라의 사영운(謝靈運)이 나막신을 신고 산에 오를 때엔 나막신 앞굽을 빼고, 내려올 때엔 뒤쪽 굽을 뺀 고사(故事).

[謝公墩 사공돈] 동진(東晉)의 명신(名臣) 사안(謝安)이 살던 곳. 왕희지(王羲之)와 더불어 노닐었음. 지금의 남경(南京)에 있음.

[謝過 사과] 잘못에 대하여 용서를 빎.

[謝金 사금] 사례로 주는 돈. 사례금.

[謝禮 사례] 고마운 뜻을 나타내는 말. 또, 사의를 표하여 보내는 물품.

[謝老 사로] 연로(年老)함을 구실로 사직(辭職)을 청원(請願)함. 고로(告老).

[謝枋得 사방득] 송(宋)나라 말엽의 충신(忠臣). 자(字)는 군직(君直). 호(號)는 첩산(疊山). 익양(弋陽) 태생. 의병(義兵)을 일으켜 원(元)나라 군사와 싸웠으나 포로가 되어 원나라 수도로 압송되자, 절식(絶食)하고 마침내 죽음. '문장궤범(文章軌範)'은 그가 편찬한 것임.

[謝病 사병] 병이라 핑계하고 거절함.

[謝辭 사사] ㉠사례(謝禮)의 말. ㉡사죄(謝罪)의 말.

[謝世 사세] 세상을 떠남. 죽음.

[謝神 사신] 연말(年末)에 상인(商人)들이 갖는 휴업(休業).

[謝安 사안] 동진(東晉) 중기(中期)의 명신(名臣). 자(字)는 안석(安石). 시호(諡號)는 문정(文靖). 양하(陽夏)에서 났음. 벼슬하지 아니하고 동산(東山)에 들어가 은거(隱居)하고 있다가 40세에 이르러 처음으로 관계에 나가서 환온(桓溫)의 사마(司馬)가 되고, 마침내 태보(太保)에 이르렀음. 사후(死後)에 태부(太傅)로 추증(追贈)되었으므로 사태부(謝太傅)라 불렸음.

[謝良佐 사양좌] 북송(北宋)의 유학자(儒學者). 상채(上蔡) 사람. 자(字)는 현도(顯道). 정문(程門)의 고제(高弟)로서, 상채학파(上蔡學派)의

의 조(祖).

[謝靈運 사영운] 남조(南朝) 송(宋)나라의 시인(詩人). 진(晉)나라의 명장(名將) 사현(謝玄)의 손자로서, 강락공(康樂公)의 작위(爵位)를 이었으므로 사강락(謝康樂)이라 불렸음. 문제(文帝) 때 시중(侍中)이 되었으나 참언에 걸려 사형을 당하였음. 그의 청신(淸新)한 시풍(詩風)은 후대(後代)에 큰 영향을 미쳤으며, 종제(從弟) 혜련(惠連)에 대하여 대사(大謝)로 일컬어짐. 불교(佛敎)에도 조예가 깊어 대반열반경(大般涅槃經) 36권의 번역을 완성시켰음.

[謝肉祭 사육제] 로마 구교국(舊敎國)에서 사순절(四旬節) 〈부활제 전 40일간의 재기(齋期)〉에 앞서 3일 내지 8일간 행하는 축제(祝祭). 카니발.

[謝恩 사은] 은혜(恩惠)를 사례(謝禮)함.

[謝意 사의] ㉠사례하는 뜻. 고마워하는 마음. ㉡사죄하는 뜻.

[謝絶 사절] 사양하여 받지 아니함.

[謝朓 사조] 남조(南朝) 남제(南齊)의 시인(詩人). 자(字)는 현휘(玄暉). 오언시(五言詩)를 잘 썼음. 선성(宣城)의 태수(太守)가 되었으므로 사선성(謝宣城)이라 불렸음. 〈사선성집(謝宣城集)〉5권이 전함.

[謝罪 사죄] 죄에 대한 용서를 빎.

[謝表 사표] 군은(君恩)에 대하여 사례하는 상서(上書).

[謝豹 사표] '자규(子規)'의 별칭(別稱). 두우(杜宇). 두견(杜鵑).

[謝玄 사현] 동진(東晉)의 명장(名將). 자(字)는 유도(幼度). 시호(諡號)는 헌무(獻武). 사안(謝安)의 조카. 무제(武帝) 때 적은 군사를 이끌고 나가서 전진(前秦) 부견(苻堅)의 백만(百萬) 대군(大軍)을 비수(淝水)에서 물리친 공(功)으로 전봉도독(前鋒都督)이 되고 강락현공(康樂縣公)에 피봉(被封)되었음.

[謝惠連 사혜련] 남조(南朝) 송(宋)나라의 시인(詩人). 영운(靈運)의 종제(從弟)로 문명(文名)을 함께 떨쳤으며 37세에 요사(夭死)하였음. ●懇謝. 感謝. 開謝. 固謝. 賂謝. 多謝. 代謝. 鳴謝. 薄謝. 拜謝. 報謝. 伏謝. 辭謝. 新陳代謝. 深謝. 月謝. 占謝. 週謝. 陳謝. 慙謝. 遷謝. 遜謝. 追謝. 悔謝. 厚謝.

10 ⑰ [謞] 　■학 ㋡覺 許角切 hè
　　　■효 ㋤效 許敎切 xiāo

字解 ■간특할 학 남을 헐뜯기를 즐기고 잔학한 것을 돕는 모양. '一一崇讒慝也'《爾雅》. ■부를 효 소리침. 대호(大呼)함. '若一之靜'《管子》.

字源 形聲. 言+高〔音〕

[謞謞 학학] ㉠남을 헐뜯기를 즐기고 잔학한 것을 돕는 모양. ㉡대단히 성(盛)한 모양.

10 ⑰ [謟] 　도 ㋤豪 土刀切 tāo
　　　㋤號 吐号切

字解 ①의심할 도 믿지 아니함. '天道不一, 不貳其命'《左傳》. ②어그러질 도 어긋남. '帝命不一'《逸周書》.

字源 形聲. 言+舀〔音〕

[參考] 諂(言部 八畫)은 別字.

●天道不諂.

10 ⑰ [謞] 격 ㈜陌 各額切 gé
[字解] ①슬기로울 격 '一, 慧也'《廣雅》. ②말어긋날 격 말이 엇갈려 맞지 않음. '一, 語不相入也, 故从鬲'《正字通》.

10 ⑰ [謠] ⟨高入⟩ 요 ㈜蕭 餘昭切 yáo   谣 诱
[筆順] 言 訁 訩 諍 諍 詺 謡 謠
[字解] ①노래할 요 악기의 반주(伴奏) 없이 노래함. '我歌且一'《詩經》. ②노래 요 악기 없이 하는 노래. 유행가. '俗一, 童一, 辨祅祥於一'《國語》. ③소문 요 유언(流言). 풍설. '一言, 一傳, 聽民庶之一吟'《後漢書》. ④헐뜯을 요 욕함. 비방함. '一諑謂余以善淫'《楚辭》.
[字源] 形聲. 言+䍃[音]. '䍃요'는 본래는 '䍃요'로 '노래하다'의 뜻. 거기에 다시 '언言'을 붙임.

[謠歌 요가] 가요(歌謠).
[謠俗 요속] ㉠세간의 풍속. ㉡풍속을 노래한 가요(歌謠).
[謠誦 요송] 요영(謠詠).
[謠言 요언] ㉠유행가(流行歌)의 말. ㉡세상의 풍설. '一說.'
[謠詠 요영] 노래함. 또, 노래.
[謠謠 요요] 요영(謠詠). 풍설(豐說). 유언비어(流言蜚語).
[謠傳 요전] 요언(謠言).
[謠諑 요탁] 헐뜯음. 비방함. 험담을 함.
●歌謠. 謳謠. 童謠. 民謠. 俗謠. 詩謠. 詠謠. 訛謠. 吟謠. 俚謠. 風謠. 諷謠.

10 ⑰ [謓] 진 ①㈜眞 昌眞切 chēn ②㈜震 之刃切 zhèn
[字解] ①성낼 진 嗔(口部 十畫)과 통용함. '或以主君寢食一怒, 拒客未通'《顏氏家訓》. ②웃을 진 비웃을 진 '一, 按, 猶蘇俗所謂冷笑也, 內怒而外笑'《說文通訓定聲》.
[字源] 形聲. 言+眞[音]. '眞진'은 '충실(充實)'의 뜻. 잔뜩 노기(怒氣)를 띠고 말하다, 성내다의 뜻을 나타냄.

10 ⑰ [譜] 견 ①㈜銑 去演切 qiǎn
[字解] 조금쉴 견 '一, 小息也'《集韻》.

10 ⑰ [潝] 원 ①㈜願 虞怨切 yuàn ①㈜元 愚袁切 yuán
[字解] ①천천히말할 원 천천히 하는 말이 끊어지지 않고 술술 나옴. '一, 徐語也'《說文》. ②끊임없을 원 끊이지 않는 모양. '孟子曰, 故一一而來'《說文》.
[字源] 形聲. 言+原[音]. '原원'은 끊임없이 솟아 나오는 샘의 뜻. 계속해서 말하다의 뜻을 나타냄.

10 ⑰ [謙] 〔겸〕 謙(言部 十畫〈p. 2147〉)의 俗字

10 ⑰ [諿] 〔소〕 訴(言部 五畫〈p. 2112〉)와 同字

10 ⑰ [謌] 〔가〕 歌(欠部 十畫〈p. 1133〉)와 同字

10 ⑰ [諤] 〔오〕 謼(言部 八畫〈p. 2138〉)의 俗字

10 ⑰ [詤] 〔황〕 謊(言部 六畫〈p. 2118〉)의 俗字

10 ⑰ [謄] 〔人名〕 등 ㈜蒸 徒登切 téng   誊 誊
[筆順] 丿 刂 刂` 广 胯 胯 謄 謄
[字解] 베낄 등 등초(謄草)함. '一寫'. '一錄試卷'《元史》.
[字源] 篆文 形聲. 言+朕[音]. '朕짐'은 위로 올리다의 뜻. 원본(原本)을 밑에 깔고, 그 밑에 있는 글이 얇은 종이에 내비치게 하여 쓰다, 베끼다의 뜻을 나타냄.

[謄記 등기] 등초(謄抄).
[謄錄 등록] 등사(謄寫).
[謄本 등본] 원본을 베낀 서류.
[謄寫 등사] 베껴 씀.
[謄書 등서] 등사(謄寫).
[謄抄 등초] 원본(原本)에서 베껴 냄.
[謄揚 등탑] 베낌. 또, 베낀 것. 이사(移寫).
[謄黃 등황] 황지(黃紙)로 조서(詔書)를 베낌.

10 ⑰ [謄] 謄(前條)과 同字

10 ⑰ [謇] 건 ①㈜銑 九輦切 jiǎn   謇
[字解] ①떠듬거릴 건 말을 더듬음. '因一而徐言'《北史》. ②곧을 건 말이 곧음. 직언을 함. '一謂'. '忠一'. 전(轉)하여, 충직(忠直). '殘忠害一'《晉書》. ③어려울 건 곤란함. '一吾法夫前修兮'《楚辭》. ④아 건 탄식하는 말. '一不可釋也'《楚辭》. ⑤성 건 성(姓)의 하나.
[字源] 形聲. 言+寒[省][音]. '寒한'은 추워서 몸이 움츠러들다의 뜻. 말이 막히다, 더듬다의 뜻을 나타냄. 또, '寒'은 '偃간'과 통하여, 바르고 강하다의 뜻. 직언하는 모양을 나타냄.

[謇謇 건건] ㉠곧은 말을 하는 모양. ㉡고생이 심한 모양. 건건(蹇蹇). ㉢충성되고 곧은 모양.
[謇愕 건악] 건악(謇諤).
[謇諤 건악] 거리낌 없이 곧은 말을 하는 모양.
●剛謇. 勤謇. 博謇. 謨謇. 忠謇.

10 ⑰ [謍] 영 ㈜庚 余傾切 yíng   謍
[字解] ①작은소리 영 '一一'은 작은 목소리의 형용. ②큰소리 영 큰소리의 형용. '聲激越, 一厲天'《班固》. ③피리소리 영 '一嘀'는 피리 소리의 형용. '鏗鍠一嘀'《馬融》.
[字源] 篆文 形聲. 言+熒[省][音]. '熒형'은 작은 등불의 뜻. 작은 목소리의 모양을 나타냄.

[營營 영영] 작은 소리의 형용. 영영 (營營).
[營嚆 영효] 피리 소리의 형용.

10 ⑰ [譽] 포 ㊀晧 薄皓切 ㊁豪 蒲褒切 páo

字解 ①호소할 포 큰 소리로 원죄 (冤罪)를 하소연함. '一, 大嘑自冤也'《說文》. ②아야 포 아플 때 내는 '아야' 소리. '郭舍人榜, 不勝痛呼一'《漢書》.

[譽言 포언] 억울한 죄임을 하소연하는 소리.

11 ⑱ [謨] 모 ㊀虞 莫胡切 mó

筆順 〔筆順 이미지〕

字解 ①꾀 모 주로 천자 (天子) 또는 정사상 (政事上)의 대계 (大計)를 이름. '聖一' '陳天下之一'《周禮》. ②꾀할 모 대계 (大計)를 정함. 또는, 널리 모책 (謀策)을 의논함. '計一定命《詩經》. '蓋都君咸我績《孟子》. ③없을 모 無(火部 八畫)와 뜻이 같음. '越人一信, 未可遽諶'《南唐書》. ④속일 모 '一, 僞也'《爾雅》.

字源 形聲. 言+莫〔音〕. '莫막'은 찾아 구하다의 뜻. 사물의 결론을 찾다, 꾀하다의 뜻을 나타냄.

[謨敎 모교] 회교(回敎).
[謨訓 모훈] 국가의 대계 (大計) 및 후왕 (後王)의 모범이 될 교훈.
● 嘉謨. 高謨. 宏謨. 奇謨. 謀謨. 廟謨. 聖謨. 宸謨. 良謨. 淵謨. 令謨. 英謨. 睿謨. 訏謨. 雄謨. 遠謨. 典謨. 帝謨. 朝謨. 忠謨. 玄謨. 皇謨.

11 ⑱ [謫] 적 ㊇陌 陟革切 zhé

字解 ①꾸짖을 적 견책함. '國子一我'《左傳》. ②죄줄 적 죄를 씌워 처벌함. '一戍之衆'《賈誼》. ③귀양갈 적, 귀양보낼 적 원지에 좌천당함. '流一' '貶一' '一守巴陵郡'《范仲淹》. ④운기 적 괴상한 운기 (雲氣). '日始有一'《左傳》.

字源 形聲. 篆文은 言+啻〔音〕. '啻시'는 적발하다, 들추어내다의 뜻. 책 (責)하다, 책 (責)하여 처벌하다의 뜻을 나타냄.

[謫降 적강] ㉠허물로 말미암아 변방의 외직 (外職)으로 좌천됨. ㉡신선 (神仙)이 인간 (人間)이 되어 탄생 (誕生)함.
[謫客 적객] 귀양살이하는 사람.
[謫居 적거] 귀양살이를 하고 있음.
[謫咎 적구] 재앙 (災殃).
[謫徙 적사] 적천 (謫遷).
[謫仙 적선] ㉠인간 세계에 귀양 온 신선. 곧, 초범 절군 (超凡絕群)한 시재 (詞才)가 있는 사람. ㉡이백 (李白)·소식 (蘇軾)을 칭찬하여 일컬음.
[謫仙人 적선인] 적선 (謫仙).
[謫所 적소] 귀양 가서 있는 곳.
[謫戍 적수] 죄를 저지르고 변방으로 수자리 살러 감. 또, 그 병사.
[謫遷 적천] 득죄 (得罪)하여 원지 (遠地)로 옮겨 감.
[謫墮 적타] 영락 (零落)함.

● 讁譎. 遠譎. 流譎. 遷譎. 眨譎. 瑕譎.

11 ⑱ [謬] 류 (무) ㊉宥 靡幼切 miù

字解 ①그릇될 류 ...記). ②잘못될 류 ... 非心'《書經》. ... 과 연... 毫毛一', ... '比之於春秋一矣'《史 ... 何其謬... 상위 (相違)함. ... 細忿紆一', ... 差以 ... 言也'《說文》. ⑤미친소리 류 '狂者之妄... '... 와 끙... ④... ⑤미친소리 류 ... 연이어지다, 휘... 엉켜지다의 뜻에 ... 한 뜻은 ... 는 양 날개 ... 의 모양으로, ... 말이다 ... 타냄.

[謬擧 유거] 잘못...
[謬見 유견] 잘못된...
[謬計 유계] 잘못된 견해.
[謬巧 유교] 남을 ...
[謬戾 유려] 틀려 (...
[謬例 유례] 이치에 ... 만의 계책.
[謬論 유론] 잘못된 ...
[謬聞 유문] 유전 (事例)...
[謬算 유산] 유계 (...된 논의.
[謬想 유상] 잘못된 의논.
[謬選 유선] 잘못된 ...
[謬習 유습] 그른 습...
[謬誤 유오] 과오 (過...
[謬字 유자] 자획 (字... (誤字).
[謬傳 유전] ㉠잘못 ... 오자
[謬解 유해] 잘못 해...
[謬諭 유휼] 거짓. 사...
● 忿謬. 詭謬. 糾繆음.
愚謬. 違謬. 僞...
舛謬. 脫謬. 悖...

11 ⑱ [讁] 조 ㊁御...

字解 저주할 조 詛 (... 宮有身者王美人及鳳...
字源 形聲. 言+... 이 어그러...

11 ⑱ [讓] 곤 ①㊁阮 ②㊁願

字解 ①말분명치않을... ②조롱할 곤 남을 놀림... 음. '讓, 戱人也, 或从袞...

11 ⑱ [讚] 〔곤〕 譓 (言部 十三畫)...

11 ⑱ [課] 〔뢰〕 譓 (言部 十五畫〈p.21...

11 ⑱ [謳] 구 ㊀尤 烏侯切 후 ㊀虞 匈于切

字解 ①노래할 구 ㉠노래를 ... 창가... 歌)를 함. '河西善一'《孟子》. ㉡아람... 창 (齊唱)함. '皆歌一思東歸'《漢... ㉢음음. '一, 吟也'《廣韻》. ②노래 구 '學... 青《列...

子》. [二] ①기뻐할 후 '一, 喜也'《廣雅》. ②따뜻
해질 후.
[字源] 篆文 謳 形聲. 言+區〔音〕. '區구'는 구획을 짓
다의 뜻. 말을 구획 짓다, 단락 짓
다, 가락을 붙여 노래하다의 뜻을 나타냄.

[謳歌 구가] 여러 사람이 ……을 칭송하여 ……송하는 노래.
제창(齊唱)함. …
[謳頌 구송] 사람의 덕… ㉡…래. …그 노래.
[謳誦 구송] ㉠구영(…). …부름.
[謳詠 구영] 노래를 노래 …노래를 부름.
[謳謠 구요] 노래 謳歌 …
[謳吟 구음] ㉠謳詠 …
[謳唱 구창] 謳 …
◉歌謳. …

11 ⑱ [謹] … 居隱切 jǐn / 渠斤切 謹 …
[古] … 諽 諽 謹 謹

…에 조심함. '一愼'. '一
…자성(自省)함. 스스로 경
…《史記》. 또, 삼가는 일.
…①》. ②존중할 근 소중히 함.
…熙字典》. ③엄하게할 근 '一
…할 근 엄금(嚴禁)함. '一盜
…근 삼가는 마음으로. 정중히.
…'《荀子》. ⑥성 근 성(姓)의
…塗之以一塗'《禮記》.
…言+堇〔音〕. '堇근'은 찰흙을 바
… 뜻. 말이 바르다의 뜻에서,
…다'의 뜻을 나타냄.

…에 충실하고 행동을 삼감.
…하고 성실함.
…가 아뢴다는 뜻으로, 편지의 서두에
…(拜啓). 숙계(肅啓).
…가 아룀.
…편지의 끝에 경의를 표하는 말. 경공
…
… 공손한 태도로 승낙함.
…근모실모] 털을 하나하나 다 그리려다
… 전체의 모양을 망침. 작은 일에 구애
…일을 망쳐 버림의 비유.
…민] 일을 조심성 있게 하면서도 민첩함.
…밀] 신중하고 치밀함.
…고백] 근언(謹言).
…근봉] 삼가 봉한다는 뜻으로, 편지나 물품의
…에 쓰는 …
… 근상] 삼가 올림. 편지 끝에 쓰는 말.
…守 근수] 신중하게 지킴. 조심하여 지킴.
…肅 근숙] 삼가 신중함.
[謹順 근순] 삼가 따름.
[謹愼 근신] 언행(言行)을 조심함.
[謹言 근언] 삼가 올린다는 뜻으로, 편지의 끝에
쓰는 말.
[謹嚴 근엄] ㉠…심성스럽고 엄숙함. ㉡조사(措
辭)가 엄격하여 일자 일구(一字一句)도 소홀히
하지 아니함.
[謹愿 근원] (謹慤).
[謹呈 근정] …을 삼가 바침. 삼가 드림.
[謹正 근정] …하고 정직함.
[謹奏 근주] 상주(上奏)함.
[謹直 근직] 신중하고 곧음.
[謹質 근질] 조신하고 솔직하여 꾸밈이 없음.
[謹聽 근청] 공손한 태도로 삼가 들음.
[謹勅 근칙] 삼가고 경계함.
[謹飭 근칙] 삼가고 경계함.
[謹賀 근하] 삼가 축하함.
[謹孝 근효] 공손하게 부모를 잘 섬김.
[謹厚 근후] 신중하고 중후(重厚)함.
◉恪謹. 謙謹. 敬謹. 恭謹. 勤謹. 大行不顧細謹. 篤謹. 細謹. 醇謹. 愼謹. 良謹. 廉謹. 溫謹. 柔謹. 忠謹. 和謹. 孝謹.

11 ⑱ [謻] [一] 이 [平]支 弋支切 yí
[二] 치 [上]紙 敞尒切 chǐ

[字解] [一] ①협문 이 '一門'은 정문(正門) 옆에 있는 작은 문. '一門且空'《晉書》. ②빙실 이 '一門'은 얼음을 저장하여 두는 곳. '一門曲榭, 邪阻城洫'《張衡》. [二] 이별할 치 誃(言部 六畫)와 同字. '一, 說文, 離別也'《集韻》.
[字源] 形聲. 言+移〔音〕. '移이'는 옮겨 가다의 뜻. 본체(本體)에서 옮겨져 갈라지다의 뜻을 나타냄.

[謻堂 이당] 따로 지은 건물. 별관(別館).
[謻門 이문] ㉠정문(正門)의 옆에 있는 작은 문. 협문(夾門). ㉡얼음을 저장하여 두는 곳. 빙실(氷室).

11 ⑱ [謥] 총 [去]送 千弄切 còng

[字解] 바쁠 총 '一詷'은 바쁜 모양. 분망한 모양. 또, 급히 말하는 모양. '輕薄一詷'《後漢書》.

[謥詷 총동] 자해(字解)를 보라.

11 ⑱ [謼] [一] 호 [去]遇 荒故切 / [平]虞 荒烏切 hū
[二] 효 [平]肴 虛交切 xiāo

[字解] [一] ①부를 호 嘑(口部 十一畫)와 同字. '一, 評也'《說文》. ②외칠 호 소리침. 부르짖음. '一大夫一'《漢書》. '仰天大一'《漢書》. ③성 호 성(姓)의 하나. [二] 울 효 '一服謝罪'《漢書》.
[字源] 篆文 謼 形聲. 言+虖〔音〕. '虖호'는 '부르다, 외치다'의 뜻. 큰 소리로 소리치다의 뜻을 나타냄.

◉大謼.

11 ⑱ [謽] 강 [上]養 巨兩切 jiàng

[字解] 강변(強辯)할 강 말을 굽히지 아니함. '一, 詞不屈也'《集韻》.

11 ⑱ [⿱既言] 기 [去]寘 几利切 jì

[字解] 말에차례없을 기 '一, 言無次也'《集韻》.

11 ⑱ [諅] 〔기〕
諆(言部 八畫〈p. 2134〉)와 同字

11 ⑱ [謾] [一] 만 ①-④[平]寒 母官切 mán
⑤⑥[去]諫 謨晏切 màn
[二] 면 [平]先 武延切
謾 謾

[證憑 증빙] 어떠한 사실을 증명할 만한 근거.
[證書 증서] 증거(證據)가 될 만한 서류(書類).
[證言 증언] ㉠사실을 증명하는 말. 말로써 사실을 증명(證明)함. ㉡증인(證人)이 진술한 말.
[證悟 증오] 《佛敎》 불도(佛道)를 수행하여 진리를 깨달음.
[證人 증인] ㉠증거를 드는 사람. ㉡보증하는 사람. 보증인. ㉢사실을 증명하기 위하여 법원에 호출당하여 선서(宣誓)를 하고 신문을 받는 사람.
[證引 증인] ㉠증거를 듦. ㉡증거를 들어 남을 끌어넣음.
[證印 증인] 증거로서 적는 인장.
[證入 증입] 《佛敎》 깨달음. 부처의 경지(境地)에 듦.
[證迹 증적] 증거가 되는 자취.
[證跡 증적] 증적(證迹).
[證左 증좌] ㉠증인(證人). ㉡증거(證據).
[證智 증지] 《佛敎》 보살(菩薩)이 중도 진실(中道眞實)의 이치를 깨닫는 정지(正智).
[證參 증참] 참고가 될 만한 증거.
[證票 증표] 어떠한 사실의 증거로서 내주는 표.
[證驗 증험] ㉠증거(證據). ㉡실지로 사실을 경험함.
●檢證. 考證. 論證. 明證. 反證. 傍證. 辨證. 保證. 查證. 實證. 例證. 誤證. 僞證. 引證. 認證. 立證. 典證. 左證. 罪證. 虛證. 驗證. 確證.

12 ⑲ [譊] ㊀뇨 ㉠肴 女交切 náo
　　 ㊁효 ㉠蕭 馨幺切 xiāo
字解 ㊀①부를 뇨, 떠들 뇨 성내어 부름. 또, 큰 소리로 지껄임. '臨時喧—'《晉書》. ②다툴 뇨 '—, 爭也'《廣韻》. ㊁①두려워할 효 曉(口部 十二畫)와 同字. '曉, 說文, 懼也. 或从言'《集韻》.
字源 篆文 形聲. 言＋堯[音].

[譊譊 요뇨] ㉠성내어 부르는 소리. ㉡쟁송(爭訟)하는 소리. 언성을 높여 싸우는 소리.
●誢譊. 讙譊.

12 ⑲ [譎] ㊀휼 (결)㉠屑 古穴切 jué
字解 ①속일 휼 기만함. 권모술수를 씀. '—主便私'《韓非子》. ②거짓 휼, 속임수 휼 권모술수. '權—自在'《漢書》. ③넌지시비출 휼 완곡하게 말함. '主文而—諫'《詩經序》. ④굽을 휼 굴곡함. '超紆—之淸澄'《漢書》. ⑤진기할 휼 보통과 다름. '怪—'. '彫飾—怪'《後漢書》. ⑥변할 휼 변화함. 바뀜. '瑰異—詭'《張衡》. ⑦어긋날 휼 어그러짐. '恢詭—怪'《易經注》.
字源 篆文 形聲. 言＋矞[音]. '矞휼'은 '과시하다'의 뜻. 실질(實質) 이상으로 과시하여 말하다의 뜻에서, '속이다'의 뜻을 나타냄.

[譎諫 휼간] 넌지시 간함.
[譎計 휼계] 남을 속이는 꾀.
[譎詭 휼궤] 속임.
[譎怪 휼괴] 괴이함. 괴상함. 진기함.
[譎權 휼권] 휼계(譎計).
[譎詭 휼궤] ㉠속임. ㉡괴이함. 이상함. 진기함.

[譎欺 휼기] 속임. 기만함.
[譎妄 휼망] 휼사(譎詐).
[譎謀 휼모] 휼계(譎計).
[譎詐 휼사] 허위(虛僞). 거짓.
[譎數 휼수] 휼계(譎計).
●怪譎. 巧譎. 狡譎. 權譎. 詭譎. 奇譎. 背譎. 詐譎. 智譎. 誕譎. 險譎.

12 ⑲ [讄] ㊀련 ㉠先 呂員切
　　 ㊁란 ㉠寒 落官切 luán
字解 ㊀①어지러울 련 '—, 亂也'《說文》. ②이을 련 '—, 繫也'《六書正譌》. ③다스릴 련 '—, 一曰, 治也'《說文》. ④끊어지지않을 련 '—, 一曰, 不絕也'《說文》. ⑤말끊어지지않을 련 '—, 言不絕'《集韻》. ⑥성 련 성(姓)의 하나. ㊁①어지러울 란, 다스릴 란 ㊀❶❸과 뜻이 같음. ②방울이름 란 '—, 同鑾, 鈴名'《六書統》.
字源 會意. 言＋絲

12 ⑲ [譏] 人名 기 ㉠微 居依切 jī
筆順 〡 〢 〣 訁 訁 譏 譏 譏 譏 譏
字解 ①나무랄 기 비난함. '稱鄭伯—失敎也'《左傳》. 또, 비난. '無伯夷之—'《論衡》. ②책할 기 책망함. '何以書. —'《公羊傳》. ③간(諫)할 기 충고함. 또, 간언(諫言). '殷有惑婦, 何所—'《楚辭》. ④기찰할 기 조사함. '關市—而不征'《孟子》.
字源 篆文 形聲. 言＋幾[音]. '幾기'는 '세세(細細)하다'의 뜻. 세세하게 남의 결점을 찾아 말하다, 힐뜯다의 뜻을 나타냄.

[譏訶 기가] ㉠조사함. 힐문(詰問)함. ㉡기가(譏詞).
[譏詞 기가] 힐뜯음. 나무람. 꾸짖음.
[譏諫 기간] 간(諫)함. 또, 간언(諫言).
[譏謗 기방] 비난함. 비방(誹謗).
[譏訕 기산] 나무람. 비난함.
[譏笑 기소] 비웃음.
[譏議 기의] 기평(譏評).
[譏而不征 기이부정] 기찰(譏察)만 할 뿐, 세금을 거두지 않음.
[譏刺 기자] 힐뜯음. 나무람. 비난함.
[譏訾 기자] 힐뜯음. 나무람. 또, 비방. 비난.
[譏切 기절] 통렬히 비난함.
[譏嘲 기조] 나무라고 비웃음. 비난하고 조소함.
[譏察 기찰] 탐사함. 사찰함.
[譏讒 기참] 힐뜯어 참소(讒訴)함.
[譏揣 기취] 비평하여 억측함.
[譏評 기평] 비난함. 악평(惡評)을 함.
[譏諷 기풍] 넌지시 비꼬는 말.
[譏嫌 기혐] 비난을 받아 남들이 싫어함.
●訶譏. 群譏. 誹譏. 刺譏. 嘲譏. 讒譏. 詬譏.

12 ⑲ [譑] ㊀교 ①-③㉠篠 居夭切 jiǎo
　　 ㊁㉠嘯 丘召切 qiào
字解 ①들추어낼 교 죄를 적발함. '必有貪利糾—之名'《荀子》. ②말많을 교 수다스러움. '多言也'《玉篇》. ③규명할 교 조사하여 밝힘. '—, 糾也'《集韻》. ④희롱할 교 조롱함. 놀림.

'一, 弄言'《集韻》.

12/19 [譓] 人名 혜 去霽 胡桂切 huì

字解 ①슬기로울 혜 총명함. '今陽子之情一'《晉書》. ②좇을 혜 명령을 지킴. '義征不一'《漢書》.
字源 形聲. 言＋惠〔音〕.

12/19 [譔] 目 선 (전全) 平先 此緣切 quán / 目 찬 上潸 雛產切 zhuàn

字解 ■①가르칠 선 오로지 가르침에 전념함. '一, 專敎也'《說文》. ②다를 선 달리함. '一, 殊也'《廣雅》. ③기릴 선 칭송함. '論一其先祖之美'《禮記》. ■①지을 찬 찬술(撰述)함. 撰(手部 十二畫)과 同字. '一孝行'《揚子法言》. ②갖춰질 찬 '聽歌一只'《楚辭》.
字源 形聲. 言＋巽(巽)〔音〕. '巽손'은 가지런히 갖추다의 뜻. 잘 다듬어진 말의 뜻을 나타냄.

12/19 [譕] 目 모 平虞 蒙晡切 mó / 目 무 平虞 武夫切 wú

字解 ■ 꾀할 모 謨(言部 十一畫)의 古字. '一臣者可以遠擧'《管子》. ■ 꾀는말 무 '一, 誘詞也'《集韻》.

12/19 [譓] 〔누〕 譞(言部 十四畫〈p. 2162〉)의 俗字

12/19 [譝] 〔력〕 讈(言部 十六畫〈p. 2165〉)과 同字

12/19 [譛] 삽 (십全) 入緝 色入切 sè

字解 ①더듬을 삽 말을 더듬음. 어눌(語訥)함. '言語訥一兮'《楚辭》. ②말멈추지않을 삽 '一霱'은 말이 끊이지 않음. 줄곧 지껄여 댐. '一霱, 言不止'《集韻》.
字源 形聲. 言＋霱〔音〕

12/19 [譝] 譛(前條)과 同字

12/19 [證] 의 去霽 壹計切 yì

字解 상세(詳細)할 의 분명함. '一譖, 諟也, 吳越日一譖'《方言》.

12/19 [譖] 참 ①②去沁 莊蔭切 zèn / (③점全) ③去豔 子念切 jiàn

字解 ①하리놀 참 남을 헐뜯어 윗사람에게 일러바침. 참언함. '一訴'. '夫人一公於齊侯'《公羊傳》. '膚受之一'《論語》. ②하소연할 참 거짓말을 하여 호소함. '一, 愬也'《說文》. ③거짓 참 속일 참 僭(人部 十二畫)과 통용. '一始竟背'《詩經》.
字源 形聲. 言＋朁〔音〕. '朁참'은 뒤에서 말하다의 뜻. 뒤에 숨어서 말하다, 뒷전에서 험담하다의 뜻을 나타냄.

[譖短 참단] 나쁘게 헐뜯어 말함. 참소(譖訴). 훼

단(毀短).
[譖說 참설] 헐뜯는 언론(言論).
[譖訴 참소] 간악한 말로 남을 헐뜯어 없는 죄도 있는 것처럼 윗사람에게 고해 바침.
[譖言 참언] 참소(譖訴)하는 말.
[譖潤 참윤] ㉠자꾸 참소하는 말을 들어 차차로 곧이 듣게 됨. 또, 그러한 참소. ㉡물이 스며들듯이 점차 감화(感化)됨.
[譖毀 참훼] 헐뜯음. 또, 비방. 비난. 참소(譖訴). ●蝎譖. 巧譖. 構譖. 誣譖. 猜譖. 冤譖. 祇譖. 醜譖. 浸潤之譖. 猾譖. 毀譖.

12/19 [識] 目 식 入職 賞職切 shí / 目 지 去寘 職吏切 zhì / 目 치 去寘 昌志切 zhì

筆順 訁 言 訁 訡 訡 諳 諳 識 識

字解 ■①알 식 ㉠깨달음. 인지함. '博一'. '不一時務'《後漢書》. '不一不知, 順帝之則'《詩經》. ㉡분별함. '辨一'. '君子是一'《詩經》. ㉢기억함. '意一'. '新婦一馬聲, 躡履相逢迎'《古詩》. ㉣인정함. 알아봄. '使形狀不可知, 行乞於市, 其妻不一也'《史記》. ㉤사귐. 아는 사이임. '交一'. '相一'. '二三舊不一, 欣然肯聯鞍'《蘇軾》. ②알려질 식 '但願一一韓荊州'《李白》. ③지식 식 아는 바. '有一'. '鄙夫寡一'《張衡》. ④식견 식 사려. 분별. '見一者'. '史有三長, 才學一, 世罕兼之'《唐書》. ⑤지혜 식 사람이 갖고 있는 시비선악(是非善惡)을 판별하는 마음. '一密鑒亦洞'《顏延之》. ⑥친분 식 친한 정분. 또, 친지. '舊一'. '嘗謂親一日'《梁書》. ⑦타고난성질 식 천성(天性). '一能匡欲者鮮矣'《後漢書》. ⑧성 식 성(姓)의 하나. ■①적을지 기록함. '子曰, 小子一之'《孔子家語》. ②표할지 표시함. '不可不一'《漢書》. ③표 지 안표. 기호. '標一'. '進止皆有表一'《後漢書》. ④음각 문자 지 금석(金石) 등에 음각한 글자. '款一'('款'은 양각 문자). 또, 기물·서적 등의 제자(題字)에도 이름. ■ 깃발 치 幟(巾部 十二畫)와 同字. '旗旗表一'《漢書》.
字源 金文 / 篆文 形聲. 金文은 音 또는 言＋弋〔音〕. '弋익'은 가로세로의 실로 짜다의 뜻. 말을 번갈아 내어서 사물을 구별해 가다, 알다의 뜻을 나타냄.

[識鑒 식감] 감식(鑑識).
[識見 식견] 학식(學識)과 견문(見聞).
[識其一不知其二 식기일부지기이] 사리(事理)의 일단(一端)은 알되 그 이상의 깊은 이치는 모름.
[識斷 식단] 식견(識見)이 있어 판단이 뛰어남.
[識達 식달] 식견(識見)이 있어서 사리(事理)에 통달(通達)함.   「量).
[識度 식도] 학식과 도량. 식견(識見)과 국량(局
[識量 식량] 식도(識度).
[識慮 식려] 식견(識見)과 사려(思慮).
[識陋 식루] 견식이 좁고 천함.
[識拔 식발] 인물을 식별하여 발탁함.
[識別 식별] 분별(分別)하여 앎. 감별(鑑別).
[識性 식성] 시비·선악을 잘 분간하는 천성(天性).
[識神 식신] 영혼(靈魂).   「性).
[識悉 식실] 모두 다 앎. 지실(知悉).
[識域 식역] 인식의 범위.

[識悟 식오] 깨달아 아는 일.
[識者 식자] 식견(識見)이 있는 사람.
[識字憂患 식자우환] 학식(學識)이 있는 것이 도리어 근심을 사게 됨.
[識韓 식한] 훌륭한 인사(人士)를 면회(面會)하여 이름이 알려짐의 비유(比喩). 한(韓)은 형주(荊州)의 태수(太守) 한조종(韓朝宗)을 이름.
[識荊 식형] 식한(識韓).
◉鑑識. 強識. 見識. 款識. 舊識. 器識. 記識. 多識. 達識. 面識. 明識. 無意識. 默識. 美意識. 博識. 半面識. 相識. 常識. 眼識. 良識. 遠識. 有識. 意識. 忍識. 潛在意識. 題識. 知識. 淺識. 卓識. 表識. 標識. 學識. 玄識.

12 ⑲ [⿰言莽] 모 [上]麌 滿補切 mǔ
[字解] 말모자랄 모 '一譢, 言不足'《集韻》.

12 ⑲ [⿰言勞] 로 ①-③[平]豪 朗刀切 láo ④[去]號 朗到切 lào
[字解] ①소리 로 嘮(口部 十二畫〈p. 405〉)와 同字. '一, 聲也, 尙書大傳, 一然作大唐之歌, 或从口'《集韻》. ②말하는소리 로 '譋, 一譋, 語聲'《集韻》. ③빛날 로 '一, 尙書大傳, 一然作大唐之歌, 鄭氏曰, 一, 猶灼也'《正字通》. ④소리 많을 로 소리가 많은 모양. '一, 聲多也'《集韻》.

12 ⑲ [譙] 초 ①[去]嘯 才笑切 qiào ②-④[平]蕭 昨焦切 qiáo
[字解] ①꾸짖을 초 책망함. 誚(言部 七畫)와 통용. '子孫有過失, 不一讓'《史記》. ②문루 초 성문(城門) 위의 망루(望樓). '井幹麗一'《王禹偁》. '與戰一門中'《漢書》. ③깃모지라질 초 새의 깃이 째어지고 무지러진 모양. '予羽一一'《詩經》. ④성 초 성(姓)의 하나.
[字源] 篆文 古文 形聲. 言+焦〔音〕. '책망하다, 꾸짖다'의 뜻을 나타냄.

[譙呵 초가] 누구인지 확인함. 일설에는, 꾸짖음.
[譙樓 초루] 성문(城門) 위에 세운 망루. 성루(城樓).
[譙門 초문] 초루(譙樓)의 문.
[譙讓 초양] 꾸짖음.
[譙譙 초초] 새의 깃 따위가 째어지고 무지러진 모양.
◉門譙. 麗譙. 連譙. 危譙. 重譙.

12 ⑲ [譚] [人名] 담 [平]覃 徒含切 tán
[筆順] 譚
[字解] ①편안할 담 하는 일 없이 편안히 지냄. '修業居久而一'《大戴禮》. ②붙을 담 부착함. '參一雲屬'《成公綏》. ③이야기 담, 이야기할 담 談(言部 八畫)과 同字. '此老生之常一'《魏志》. '夫子何不一我于王'《莊子》. ④깊을 담, 클 담 覃(襾部 六畫)과 통용. '一思'. '一, 大也'《廣韻》. ⑤나라이름 담 주대(周代)의 국명(國名). 지금의 산둥 성(山東省)에 있었음. ⑥성 담 성(姓)의 하나.
[字源] 形聲. 言+覃〔音〕. '覃담'은 깊고 두텁다의 뜻. 깊이 있는 이야기의 뜻을 나타냄.

[譚叢 담총] 여러 가지 이야기를 모아 놓은 것.
◉怪譚. 奇譚. 常譚. 參譚.

12 ⑲ [⿰言惡] 오 ①[上]麌 於五切 wù ②[去]遇 烏故切
[字解] ①헐어말할 오 서로 헐뜯어 말함. ②부끄러워할 오, 미워할 오 '惡, 恥也, 憎也, 或作一'《集韻》.

12 ⑲ [譒] 파 [去]箇 補過切 bò [平]歌 逋禾切
[字解] ①펼 파 널리 말을 퍼뜨림. '一, 敷也, 商書曰, 王一告之. (注) 布言之也'《說文》. ②노래할 파 '一, 謠也'《玉篇》.
[字源] 篆文 形聲. 言+番〔音〕. '番파'는 널리 퍼지게 하다의 뜻. 널리 알리다, 펴다를 뜻함.

12 ⑲ [⿱斯言] [一] 서 [平]齊 先稽切 xì [二] 시 [平]支 相支切 sí
[字解] [一] ①슬퍼하는소리 서 '一, 悲聲'《廣韻》. ②소리떨 서 목소리가 떨림. '一, 聲振也'《玉篇》. ③신음할 서 '一, 呻也'《玉篇》. [二] 목쉰소리 시 '一, 聲散也'《集韻》.
[字源] 篆文 形聲. 言+斯〔音〕

12 ⑲ [譀] [一] 감 [去]勘 下瞰切 hàn [二] 함 ①[平]咸 乎監切 hàn ②[去]陷 許鑑切 xiàn [三] 합 [入]洽 呼甲切
[字解] [一] ①자랑할 감 '一, 誇誕'《廣韻》. ②희롱할 감 '一, 調也'《廣雅》. [二] ①자랑할 함, 희롱할 함 [一]과 뜻이 같음. ②성낼 함 성내어 떠듦. '一, 叫怒'《字彙》. [三] 자랑할 합 [一]❶과 뜻이 같음.
[字源] 形聲. 言+敢〔音〕

12 ⑲ [謿] 〔조〕 嘲(口部 十二畫〈p. 402〉)와 同字

12 ⑲ [⿰言辜] 〔고〕 辜(辛部 五畫〈p. 2281〉)와 同字

12 ⑲ [譌] 〔와〕 訛(言部 四畫〈p. 2108〉)와 同字

12 ⑲ [譐] 〔준〕 噂(口部 十二畫〈p. 404〉)과 同字

12 ⑲ [譋] 〔란〕 讕(言部 十七畫〈p. 2166〉)과 同字

12 ⑲ [譜] 〔보〕 譜(言部 十三畫〈p. 2158〉)와 同字

12 ⑲ [⿱暴言] 〔포〕 謈(言部 十畫〈p. 2151〉)의 本字

13 ⑳ [譚] 〔담〕 譚(言部 十二畫〈p. 2157〉)의 訛字

13 ⑳ [⿰言善] 선 [上]銑 常演切 shàn

字解 착할 선 善(口部 九畫)의 古字. '安上治
民, 莫一於禮'《漢書》.

13/⑳ [譜] 高人 보 ⊕麌 博古切 pǔ 谱 譜

筆順 言 訌 許 許 誥 諄 諮 譜

字解 ①적을 보 순서·계통을 따라 열기(列記)
함. 표(表)를 만듦. '自殷以前, 諸侯不可得而一'
《史記》. ②계도 보 순서·계통을 따라 열기한 도
면, 또는 문서. '家一'. '年一'. ③악보 보 음악의
곡절(曲節)을 부호로 하여 기재한 표. '音一'.
'樂一'. '長官不用求琴一'《蘇軾》.

字源 篆文 譜 形聲. 言+普[音]. '普보'는 '펼치다'
의 뜻. 사물(事物)을 유별(類別)하여
말로 계통적으로 펼쳐 보이다의 뜻을 나타냄.

[譜系 보계] 보첩(譜牒).
[譜曲 보곡] ㉠악보(樂譜)에 적힌 곡조. ㉡악보.
[譜紀 보기] 가계(家系)의 기록.
[譜圖 보도] 보첩(譜牒).
[譜錄 보록] 보첩(譜牒).
[譜籍 보적] 보첩(譜牒).
[譜第 보제] ㉠보첩(譜牒). ㉡친척. 혈속(血屬).
[譜牒 보첩] 계보. 가보(家譜). 족보(族譜).
[譜學 보학] 제가문(諸家門)의 계보(系譜)를 연
구하는 학문.
●系譜. 曲譜. 棋譜. 圖譜. 世譜. 氏譜. 樂譜.
年譜. 音譜. 印譜. 族譜. 花譜.

13/⑳ [譝] 섭 ㈇葉 矢涉切 shè

字解 잘못말할 섭 실언(失言)함. '一, 譬一, 言
失也'《集韻》.

13/⑳ [譝] 승 ㉞蒸 食陵切 shéng 譝

字解 ①무식할 승 무지(無知)한 모양. '一一兮
如將孩'《子華子》. ②기릴 승 칭찬함. 繩(糸部
十三畫)과 同字. '一息嬀以語楚子'《左傳》.

[譝譝 승승] 무식한 모양.

13/⑳ [譟] 조(소)㊌ ㉞號 蘇到切 zào 譟 譟

字解 ①떠들 조 여러 사람이 모여서 큰 소리로
지껄임. 들렘. '魏人一而還'《左傳》. '王使婦人
不幃而一之'《國語》. ②떠들썩할 조 시끄러움.
'喧一'. ③기뻐할 조 '車徒皆一'《周禮》. ④북칠
조 북을 쳐 울림. '齊使萊人以兵鼓一, 劫定公'
《孔子家語》.

字源 篆文 譟 形聲. 言+喿[音]. '喿소'는 '떠들썩하
다'의 뜻. '言언'을 덧붙여, 그 뜻을
더욱 분명히 하였음.

[譟鼓 조고] 북을 시끄럽게 침. 또, 그 소리.
[譟急 조급] 떠들썩함. 시끄러움.
[譟聚 조취] 떠들어 대며 모임.
●驚譟. 鼓譟. 狂譟. 群譟. 叫譟. 蟬譟. 鴉譟.
譁譟. 喧譟. 誼譟. 讙譟.

13/⑳ [譪] 애 ㊌泰 於蓋切 ǎi 譪 譪

字解 ①많을 애 '一一'는 많은 모양. 또, 성
(盛)한 모양. 일설(一說)에는, 마음과 힘을 다
하는 모양. '一一王多吉士'《詩經》. ②온화할 애
말이 부드러움. '仁義之人, 其言一如'《通訓》.

字源 篆文 譪 形聲. 言+葛[音].

[譪譪 애애] 자해 (字解)❶을 보라.

13/⑳ [譫] 섬 (첨)㊀ ㊌鹽 之廉切 zhān 谵 譫

字解 ①헛소리 섬 병중(病中)에 정신을 잃고 중
얼거리는 말. '心病一妄煩亂'《本草綱目》. ②말
많을 섬 噡(口部 十三畫)과 同字. '一, 多言也'
《廣韻》.

字源 形聲. 言+詹[音]. '詹첨·섬'은 '뇌다'의 뜻.
'言언'을 붙여, 말이 많다의 뜻을 나타냄.

[譫妄 섬망] 실없는 말. 잠꼬대 같은 소리.
[譫語 섬어] 병중에 나오는 헛소리.
[譫言 섬언] 헛소리. 섬어(譫語).

13/⑳ [譯] 高人 역 ㈇陌 羊益切 yì 译 譯

筆順 言 訂 評 評 譯 譯 譯 譯

字解 ①통변할 역, 번역할 역 딴 나라의 말이나
글을 제 나라의 말이나 글로 옮김. 또, 그 말이
나 글. '通一'. '重一請朝'《史記》. ②풀이할 역
서사(書史)의 의리(義理)나 의미를 해석함.
'評一'. '傳一'. '賢者爲聖一'《潛夫論》. ③나
타낼 역 '一, 見也'《揚子方言》.

字源 篆文 譯 形聲. 言+睪(睪)[音]. '睪역'은 차례
차례 끌어당기다의 뜻. 하나의 국어
를 다른 외국어로 차례차례 옮겨 전하다, 통역·
번역하다의 뜻.

[譯講 역강] 뜻을 해석함.
[譯經 역경] 《佛敎》인도 등의 불전(佛典)을 한어
(漢語)로 번역함.
[譯官 역관] 통역관. 또는 번역관. 「읽음.
[譯讀 역독] 번역하여 읽음. 또, 해석(解釋)하여
[譯本 역본] 번역한 책. 역서(譯書).
[譯書 역서] 번역한 책.
[譯語 역어] 번역한 말.
[譯言 역언] 통역(通譯). 통변.
[譯註 역주] 원문을 번역하고 또 주해를 붙임.
[譯解 역해] 원문을 번역하고 또는 풀이함.
●共譯. 國譯. 對譯. 名譯. 翻譯. 佛譯. 新譯.
英譯. 誤譯. 意譯. 全譯. 重譯. 直譯. 抄譯.
通譯. 韓譯.

13/⑳ [譳] 누 ㊌尤 奴侯切 nóu

字解 말많을 누 많이 말함. 다투어 말하거나 아
첨함. '群司兮一一'《楚辭》.

[譳譳 누누] 여러 사람이 다투어 말하는 모양.

13/⑳ [議] 中人 의 ㊀寘 宜寄切 yì 议 議

筆順 言 訁 詳 議 議 議 議 議

날에는 부모의 상중에는 일을 하지 아니하고
오직 예서 (禮書)에 있는 상제 (喪祭)에 관한 것
만 읽었기 때문에 나온 말.
[讀法 독법] 주대 (周代)에 정월에 주민 (州民)을
모아 놓고 법령을 읽어 듣게 한 의식.
[讀本 독본] 글을 배우기 위하여 읽는 책.
[讀師 독사] 《(佛敎)법회 (法會) 때에 강사 (講師)
의 강경 (講經)에 대해 경제 (經題) 또는 강경제
목(講經題目)을 읽는 일을 맡은 승려.
[讀史方輿紀要 독사방여기요] 청 (淸)나라의 고조
우(顧祖禹)가 지은 책 이름. 모두 130권. 정사
(正史)에 의거해서 지리 (地理)를 고정 (考訂)하
고 산천 (山川)의 협요 (險要), 고금 (古今)의 용
병(用兵), 공수 성패 (攻守成敗)의 사적 (事迹)
을 적었음.
[讀書 독서] 글을 읽음. 책을 읽음.
[讀書記 독서기] 송 (宋)나라의 진덕수 (眞德秀)가
지은 책. 모두 61권. 천인이기 (天人理氣)를 논
하고, 또 우하 (虞夏) 이래의 명신 (名臣)의 사
적(事迹)을 논했음.
[讀書錄 독서록] 명 (明)나라의 유학자 (儒學者) 설
선(薛瑄)이 지은 책. 모두 11권. 또, 속록 (續
錄) 12권이 있음. 궁행심득 (窮行心得)의 말을
기록했음.
[讀書萬卷始通神 독서만권시통신] 책 만 권을 읽
고 난 후라야 비로소 필적 (筆蹟)이 신통 (神通)
하여 훌륭하게 된다는 뜻.
[讀書亡羊 독서망양] 마음을 딴 데에 팔다가 옳은
길을 잃음을 이름.
[讀書百遍義自見 독서백편의자현] 책을 자꾸 되
풀이하여 읽으면 뜻을 저절로 알게 됨.
[讀書分年日程 독서분년일정] 원 (元)나라 정단례
(程端禮)가 지은 책. 모두 3권. 보광 (輔廣)이가
엮은 《주자독서법 (朱子讀書法)》에 의하여 연
월일 (年月日)로 나누어 독서의 과정 (課程)을
세워 놓은 것.
[讀書不求甚解 독서불구심해] 책을 읽는데 모르
는 데가 있으면 잠깐 나중으로 미루어 두고, 당
장 억지로 캐어 알려고 하지 아니함.
[讀書三到 독서삼도] 독서하는 법은 입으로 딴말
을 하지 아니하고 한눈팔지 말며 마음에 딴생
각을 하지 말고 오로지 정력을 한곳에 쏟아 반
복하여 숙독 (熟讀)하여야 한다는 말.
[讀書尙友 독서상우] 책을 읽어 고인 (古人)을 벗
으로 삼음.
[讀書人 독서인] 학자. 학문에 종사하는 사람.
[讀種子 독서종자] 대대로 학문을 하는 자손.
[讀誦 독송] 읽음.
[讀脣術 독순술] 농아자 (聾啞者) 교육의 한 방법.
입술의 움직임을 보고 서로 상대방의 말을 알
아차림.
[讀習 독습] 읽고 익힘.
[讀十遍不如寫一遍 독십편불여사일편] 열 번 읽
는 것 보다도 한 번 베끼는 편이 효과가 많음.
[讀音統一會 독음통일회] 중국의 문자 개혁 (文字
改革)을 위한 위원회. 1913년에 처음 소집되어
〈주음자모 (注音字母)〉를 결정하였음.
[讀者 독자] 서적 (書籍)·신문 (新聞)·잡지 (雜誌)
등 출판물을 읽는 사람.
[讀祝 독축] 제사 (祭祀) 때 제문 (祭文)을 읽음.
[讀破 독파] 책 (冊)을 다 읽어 내림.
[讀畫 독화] 그림 속에 있는 시취 (詩趣)를 완상
(玩賞)함. 그림을 감상함.

[讀會 독회] 의안 (議案)의 심사 토의 (審査討議).
[讀點 두점] 구두점 (句讀點). 곧 ''의 이름.
●講讀. 購讀. 句讀. 濫讀. 朗讀. 多讀. 代讀.
默讀. 味讀. 色讀. 細讀. 素讀. 誦讀. 熟讀.
侍讀. 愛讀. 夜讀. 譯讀. 閱讀. 誤讀. 音讀.
吏讀. 一讀. 再讀. 轉讀. 精讀. 靜讀. 晴耕雨
讀. 耽讀. 通讀. 判讀. 徧讀. 諷讀. 披讀. 解
讀. 訓讀.

15 [讟] 전 ㊤銑 子淺切 jiǎn　　讇
㉒
字解 얕을 전 깊지 아니함. 천박함. '能薄而材
一'《史記》.
字源 形聲. 言＋𡮂〔音〕

[讇陋 전루] 천박하고 비루함.
[讇劣 전열] 천박하고 용렬함.
[讇材 전재] 천박한 재능. 비재 (菲才).

15 [譓] 혜 ㊥霽 胡桂切 huì
㉒
筆順 言 訐 訏 誋 誏 譓 譓 譓
字解 ①슬기로울 혜 총명하게 살핌. '今陽子之
情, 一矣《國語》. ②재지 (才智) 혜 재주와 슬기.
'一, 材智也'《玉篇》.

15 [譔] 락 ㊤藥 歷各切 luò
㉒
字解 미친말 락 미친 소리. '一, 一読, 狂言'《集
韻》.

15 [諼] 현 ①②㊤霰 翾縣切 juàn
㉒　　③㊤先　火玄切 xuān
字解 ①구할 현 추구함. '一, 求也'《廣雅》. ②
말퍼뜨릴 현 풍설을 퍼뜨림. 또, 뜬소문. '一,
流言也'. ③말많을 현 말을 많이 함. 諼 (言部 十三
畫)과 同字.

15 [讁] 적 ㊤陌 陟革切 zhé　　詑
㉒
字解 꾸짖을 적 讁 (言部 十一畫)과 同字. '室人
交徧一我'《詩經》.

15 [譅] 괵 ㊤陌 郭獲切 guó
㉒
字解 말많을 괵 '一, 一一, 多言'《集韻》.

15 [讄] 뢰 ㊤紙 力軌切 lěi
㉒
字解 ①빌 뢰 공덕 (功德)을 들어 복 (福)을 구
함. '一, 禱也. 絫功德目求福也'《說文》. ②뇌사
뢰 誄 (言部 六畫)와 통용.
字源 篆𠦝𠦝 別𠦝𠦝 形聲. 言＋畾〔音〕. '畾'는 '겹
쳐치다'의 뜻. 훌륭한 공적을 쌓
아서 행복을 구하고 빌다의 뜻을 나타냄.

15 [識] 〔참〕
㉒ 讖 (言部 十七畫〈p. 2166〉)의 俗字

15 [譯] 〔괘〕
㉒ 詿 (言部 六畫〈p. 2123〉)와 同字

15 ⑳ [讚]〔당〕 謹(言部 二十畫⟨p.2167⟩)과 同字

15 ⑳ [變]〔변〕 變(言部 十六畫⟨p.2164⟩)의 俗字

15 ⑳ [譜]〔심·반〕 審(宀部 十二畫⟨p.598⟩)과 同字
字源 形聲. 言+審〔音〕

15 ⑳ [讚]〔찬〕人名 讚(言部 十九畫⟨p.2167⟩)의 俗字
筆順 言 言 訁 訃 訃 譜 讚 讚

16 ㉓ [諂] ━ 첨 ①琰 丑琰切 chǎn ━ 염 ㊦鹽 余廉切 yán
字解 ━ 아첨할 첨, 아첨 첨 諂(言部 八畫)과 同字. '頌而無一'《禮記》. ━ 과공(過恭)할 염 지나치게 겸손함. '立容辨卑毋一'《禮記》. 諂

16 ㉓ [讗] 해 ㊤卦 下介切 xiè
字解 훈계할 해 경고함. '一, 誡也'《集韻》.

16 ㉓ [讌] 연 ㊦霰 於甸切 yàn 謙灩
字解 ①이야기할 연 여럿이 모여 좌담을 함. '孟嘗君一坐'《戰國策》. ②술잔치 연 주연(酒宴). 醼(酉部 十六畫)·宴(宀部 七畫)과 同字. '一會'. '預飮一'《顔氏家訓》. '欲與親知, 時坐歡一'《晉書》.
字源 形聲. 言+燕〔音〕. '燕연'은 '宴연'과 통하여 '잔치'의 뜻. 〔言언〕을 붙여, 잔치의 뜻이나, 잔치를 벌여 서로 이야기하다의 뜻을 나타냄.

[讌席 연석] 연회(宴會)의 자리.
[讌語 연어] 허물없이 이야기함. 연어(宴語).
[讌飮 연음] 잔치하는 곳에서 술을 마심. 연회를 열어 술을 마심.
[讌坐 연좌] 편히 앉음.
[讌會 연회] 술잔치. 연회(宴會).
[讌戲 연희] 술자리에서 희롱을 함.

16 ㉓ [讗]〔악〕 諤(言部 九畫⟨p.2140⟩)과 同字

16 ㉓ [變] 변 ㊤霰 彼卷切 biàn 変变
筆順 言 紆 絈 絲 縊 縊 綜 變
字解 ①변할 변 변화함. '一遷'. '動則一'《中庸》. ②움직일 변 이동함. '夫子之病革矣, 不可以一'《禮記》. ③고칠 변 변개함. '一法'. '國無道至死不一'《中庸》. ④변화 변 전화(轉化). '達萬物之一, 精於物數'《十八史略》. ⑤변고 변 ㉠사변. 예사에 어그러진 큰 일. '卒然有非常之一'《漢書》. ㉡모반. 반란. '舍人弟上一'《史記》. ⑥재앙 변 재난. '一死'. '天一地異'. '災一數見'《漢書》. ⑦상사 변 사람의 죽음. '有一以聞'《穀梁傳》. ⑧꾀 변 임시변통의 수단. '權一'. '非君子, 不可與語一'《文中子》. ⑨성 변 성(姓)

의 하나.
字源 篆文 鑾 會意. 䜌+攴. '䜌련'은 '계속하다'의 뜻. 연속된 것을 잘라서 바꾸다의 뜻을 나타냄.

[變改 변개] 변경(變更).
[變格 변격] ㉠정상적이 아닌 격식. 정격(正格)의 대(對). ㉡동사(動詞)의 어미(語尾)의 불규칙한 변화.
[變更 변경] 바꾸어 고침.
[變故 변고] 재변(災變)과 사고(事故).
[變怪 변괴] 도깨비. 요괴(妖怪). 또, 괴상스러운 일.
[變德 변덕] 이랬다저랬다 잘 변하는 성질.
[變動 변동] 변(變)하여 움직임.
[變亂 변란] ㉠난리. 병란(兵亂). ㉡변경하여 어지럽힘.
[變名 변명] 성명을 바꿈. 또, 그 성명.
[變貌 변모] 모습이 바뀜.
[變法 변법] 법률·제도를 고침. 또, 고친 법률·제도.
[變報 변보] 사변을 알리는 보도.
[變服 변복] 남의 눈을 가리려고 옷을 달리 바꿔 입음.
[變死 변사] 횡사(橫死)함. 비명에 죽음.
[變事 변사] 예삿일이 아닌 변스러운 일.
[變詐 변사] 거짓. 허위. 사기.
[變相 변상] 《佛敎》정토(淨土) 또는 지옥(地獄)에 있어서의 여러 가지로 변화한 상(相).
[變色 변색] ㉠안색이 변함. ㉡빛깔이 변함.
[變說 변설] 자기(自己)가 하던 말을 중간(中間)에 고침.
[變性 변성] 성질을 고침. 또는 바꿈.
[變姓 변성] 성(姓)을 바꿈.
[變聲 변성] 목소리를 달리 고침. 음성이 변함.
[變成男子 변성남자] 《佛敎》여자가 미래(未來)에 부처〔佛〕가 되기 위해 그 성(性)을 바꾸어 남자가 되는 일.
[變衰 변쇠] 변하여 쇠약해짐.
[變心 변심] 마음이 변(變)함.
[變易 변역] 바꿈. 또, 바뀜.
[變遷 변천] 변천(變遷).
[變異 변이] ㉠괴상스러운 일. 천변지이(天變地異). ㉡달리 변함.
[變作 변작] 고쳐서 만듦.
[變災 변재] ㉠재앙(災殃). ㉡사변(事變)과 재난(災難).
[變轉 변전] 변하여 달라짐.
[變節 변절] 절개(節槪)를 고침. 지조(志操)를 지키지 못함.
[變造 변조] 변작(變作).
[變種 변종] 형태와 성질이 변하여 달라진 종류. 동식물의 그 같은 종류 중에서 보통 것보다 변하여 달라진 것. 인위 도태(人爲淘汰)로 인(因)하여 같은 종자(種子)로서 특이(特異)한 점(點)이 가지게 된 것.
[變症 변증] 변화(變化)하는 병(病)의 증세(症勢).
[變遷 변천] 바뀌고 변(變)함.
[變體 변체] 형체(形體) 또는 체재(體裁)를 달리 고침.
[變置 변치] 바꾸어 놓음.
[變徵之聲 변치지성] 음악의 칠음(七音)의 하나

로, 가락이 비장(悲壯)한 것.
[變則 변칙] ㉠원칙에서 벗어남. ㉡변하여 달라진 법칙.
[變態 변태] ㉠변한 모습. 변한 상태. ㉡동물이 난자(卵子)에서 발생하여 성충(成蟲)에 이르기까지 그 형태를 변화하는 현상.
[變通 변통] 임기응변(臨機應變)하여 일을 처리함.
[變風 변풍] 시경(詩經)의 패풍(邶風)에서 빈풍(豳風)까지의 135편의 국풍(國風).
[變革 변혁] 변경(變更).
[變形 변형] 형상(形狀)이 변(變)함.
[變化 변화] 변하여 다르게 됨.
[變幻 변환] 급속히 변함. 또, 갑자기 나타났다 없어졌다 함.
[變換 변환] 변하여 바뀜.
●權變. 詭變. 機變. 大變. 萬變. 百變. 不變. 事變. 時變. 神變. 運變. 雲蒸龍變. 應變. 異變. 移變. 一變. 臨機應變. 災變. 地變. 滄桑變. 千變. 天變. 豹變. 合變. 禍變. 譎變.

16 ㉓ [讄] 력 ㈇錫 狼狄切 lì
[字解] 말분명하지않을 력 讄(言部 十二畫〈p.2156〉)과 同字. '一, 謰一, 言不明, 或省'《集韻》.

16 ㉓ [讎] 수 ㈠尤 市流切 chóu
[字解] ①원수 수 ㉠구적(仇敵). '仇一'. '反以我爲一'《詩經》. ㉡원수로 돌림. '又衆兆之所一'《楚辭》. ②동류 수 동배. 제배. '王之一民'《書經》. ③대답할 수 응답함. '無言不一'《詩經》. ④갚을 수 ㉠보상함. 값을 치름. '一數倍'《史記》. '子許買物, 隨價一直'《魏志》. ㉡대갚음함. 보복함. '難相與爲仇一'《周禮》. ⑤대접할 수 酬(酉部 六畫)와 통용. '屬之一柞'《戰國策》. ⑤맞을 수 당할 수 합당함. '其方盡多不一'《史記》. ⑥같을 수 동등함. 또, 동등하게. '皆一有功'《漢書》. ⑦바로잡을 수 원본과 대조하여 교정함. '校一'. '一校篆籀'《左思》. ⑧자주 수 빈번히. '用父一敏'《書經》. ⑨팔 수, 팔릴 수 售(口部 八畫)와 통용. '每買餅, 所從買家輒大一'《漢書》.
[字源] 形聲. 言+雔〔音〕. '雔수'는 두 마리의 새가 마주 대해 있는 모양을 본뜸. 말로 이어지다, 대답하다의 뜻을 나타내며, 파생(派生)되어 서로 이어져 있는 것, 원수의 뜻도 나타냄.
[參考] 讐(次條)는 同字.

[讎校 수교] 교정(校正)함. 교수(校讎).
[讎仇 수구] 원수(怨讎).
[讎斂 수렴] 자주 거두어들임. 가렴주구(苛斂誅求)함.
[讎問 수문] 힐문(詰問)함. 물어봄.
[讎殺 수살] 원수로 여겨 죽임.
[讎怨 수원] 원한 있는 자를 원수로 여겨 공격함.
[讎夷 수이] 응시(凝視)하여 아무 말도 아니하는 모양.
[讎柞 수작] 남과 인사함. 수작(酬酢).
[讎敵 수적] 수구(讎仇).
[讎正 수정] 수교(讎校).

[讎疾 수질] 원수처럼 미워함.
[讎嫌 수혐] 원수로서의 혐의. 원한. 원혐(怨嫌).
●校讎. 仇讎. 寇讎. 舊讎. 國讎. 黨讎. 報讎. 復讎. 私讎. 世讎. 深讎. 怨讎. 恩讎. 敵讎.

16 ㉓ [讐] 讎(前條)와 同字

16 ㉓ [讋] 섭 ㈎葉 之涉切 zhé
[字解] ①두려워할 섭 무서워하여 기가 꺾임. '一伏'. '諸將一服'《漢書》. ②꺼릴 섭 질투하여 싫어함. '因其資以一之'《淮南子》.
[字源] 形聲. 篆文은 言+龖〔省〕〔音〕. '龖답'은 '겹치다'의 뜻. 새가 깃을 한데 겹치어 움츠리다의 뜻에서, 두려워 움츠리면서 말하다의 뜻을 나타냄.
[讋伏 섭복] 두려워하여 복종함.
[讋服 섭복] 섭복(讋伏).
●攝讋. 疎讋. 憂讋. 戰讋. 震讋.

16 ㉓ [讆] 위 ㈜霽 于歲切 wèi
[字解] ①거짓 위, 속일 위 허위. '是一言也'《左傳》. ②잠꼬대 위 譓(心部 十六畫)와 同字. 잠잘 때 하는 헛소리. '一, 夢言不譓也'《玉篇》. ③어리석을 위 '讆一之人'《管子》.
[字源] 形聲. 言+衛〔音〕.

[讆言 위언] 거짓말.

17 ㉔ [讒] 참 ㈎咸 士咸切 chán ㈏陷 士懺切
[字解] ①헐뜯을 참, 하리놀 참 헐어 말하다. 또, 참소함. '一說殄行'《書經》. ②헐뜯는말 참, 참소 참 '去一遠色'《中庸》. ③손상할 참 해침. '傷良曰一'《荀子》. ④속일 참, 거짓말할 참 '一, 誕也'《韓詩外傳》. ⑤아첨할 참 아부함. '一, 佞也'《玉篇》. ⑥사특할 참 마음이 비뚤어짐. '一慝勝良'《呂氏春秋》.
[字源] 形聲. 言+毚〔音〕. '毚참'은 사람의 눈을 속이는 토끼의 뜻으로, 사람의 판단력을 혼란시키다의 뜻을 나타냄. 어떤 인물의 정당한 평가를 혼란시키기 위한 말, '비방·참소'의 뜻을 나타냄.

[讒間 참간] 교우(交友)·군신(君臣) 등의 사이를 헐뜯어 이간질함.
[讒口 참구] 참언(讒言).
[讒構 참구] 허구(虛構)의 사실을 꾸미어 남을 헐뜯음.
[讒佞 참녕] 교묘한 변설로 남을 모함함. 참소하고 아첨함. 또, 그 사람.
[讒誣 참무] 없는 말을 지어 남을 헐뜯음.
[讒謗 참방] 헐뜯음. 비방(誹謗)함.
[讒夫 참부] 남을 헐뜯는 사람. 또, 참소(讒訴)하는 사람.
[讒邪 참사] 마음이 바르지 못하여 남을 헐뜯음.
[讒說 참설] 참언(讒言).
[讒訴 참소] 간악한 말로 남을 헐뜯어 윗사람에게 고(告)해바침.

[讒臣 참신] 참소하는 신하(臣下).
[讒言 참언] 남을 헐뜯는 말. 또, 참소하는 말.
[讒人 참인] 헐뜯는 사람. 참소(讒訴)하는 사람.
[讒者 참자] 참언(讒言)을 하는 사람.
[讒鼎 참정] 노(魯)나라의 국보(國寶)의 하나인 솥의 이름.
[讒嫉 참질] 질투하여 참소함.
[讒諂 참첨] 참소하고 아첨함.
[讒慝 참특] 간특(奸慝)한 마음을 품고 남을 참소함. 또, 그 사람.
[讒陷 참함] 참소(讒訴)하여 남을 죄에 빠뜨림.
[讒毁 참훼] 참소하여 헐뜯음.
◉巧言讒. 口讒. 譏讒. 內讒. 謗讒. 掩鼻讒. 毁讒.

17 ㉔ [讓] [中人] 양 ㊀漾 人樣切 ràng 让

[筆順] 言 言 … 讓

[字解] ①겸손할 양 제 몸을 낮춤. '謙―'. '遜―'. '允恭克―'《書經》. ②사양할 양 사퇴함. '知死不可―兮'《楚辭》. '治斧鉞者, 不敢―刑'《管子》. ③넘겨줄 양 이양(移讓)함. '―渡'. '―位'. '堯以天下―舜'《呂氏春秋》. ④겸손 양 '―禮之主也'《左傳》. '溫良恭儉―'《論語》. ⑤꾸짖을 양 책망함. '誚―'. '―不貢'《國語》. '公使―之'《左傳》.

[字源] 篆文 形聲. 言+襄〔音〕. '襄양'은 옷에 이방의 주물(呪物)을 잔뜩 넣어, 사기(邪氣)를 물리치다의 뜻. 말로 책망하다, 꾸짖다의 뜻을 나타냄. 또, 잔뜩 넣다의 뜻에서, '양보하다, 물려주다'의 뜻을 나타냄.

[讓渡 양도] 남에게 넘겨줌.
[讓路 양로] 길을 남에게 사양(辭讓)함.
[讓畔讓居 양반양거] 논두을 양보하며 자기 거소(居所)를 양보함. 황제(黃帝)·순(舜)임금·문왕(文王) 때에는 어진 임금의 덕(德)에 감화(感化)를 받아 백성들이 모두 이러하였다 함.
[讓步 양보] 남에게 길을 비켜 주어 먼저 가게 함. 전(轉)하여, 자기의 주장을 굽혀 남의 의견을 좇음. 또, 남을 위하여 자기의 이익을 희생함.
[讓疏 양소] 사표(辭表).
[讓受 양수] 남에게서 넘겨받음.
[讓與 양여] 자기 소유를 남에게 넘겨줌.
[讓位 양위] ㉠자리를 양보함. ㉡임금의 자리를 물려줌.
[讓誚 양초] 꾸짖음.
◉謙讓. 敬讓. 交讓. 卑讓. 辭讓. 禪讓. 遜讓. 飾讓. 廉讓. 禮讓. 溫良恭儉讓. 委讓. 僞讓. 揖讓. 仁讓. 責讓. 誚讓. 推讓. 退讓. 割讓. 虛讓. 互讓. 確讓.

17 ㉔ [讔] 은 ㊤吻 倚謹切 yǐn

[字解] ①수수께끼 은 미어(謎語). '荊莊王立三年, 不聽而好―'《呂氏春秋》. ②저주해말할 은 '―, 詶言也'《字彙》.
[字源] 形聲. 言+隱〔音〕

17 ㉔ [⿰言謇] 〔건〕
謇(言部 十畫〈p. 2150〉)과 同字

17 ㉔ [讕] 란 ㊥寒 落干切 lán ㊤旱 落旱切 谰

[字解] ①헐뜯을 란 허구의 사실을 꾸며 해치려고 헐뜯음. 모함함. '是非之情, 不可以相―已'《春秋繁露》. ②실언할 란 잘못 말함. 실언(失言)을 함. '張亮―辭曰, 囚等畏死見誣耳'《唐書》. ③속일 란, 거짓말할 란 '滿―誣天'《漢書》. ④터무니없는말 란 허무맹랑한 말. '―言兼存'《文心雕龍》. ⑤간할 란 諫(言部 九畫)과 통용. '―言十篇'《漢書》.
[字源] 金文 篆文 別體 形聲. 言+闌〔音〕. '闌란'은 '가로막다'의 뜻. 상대를 막아 헐뜯다의 뜻을 나타냄.

[讕言 난언] 터무니없는 말.
◉滿讕. 詆讕.

17 ㉔ [謇] 건 ㊤銑 九輦切 jiǎn

[字解] ①말더듬을 건 말을 더듬거림. 謇(言部 十畫)과 同字. '―㥷淩誶'《列子》. ②어려울 건 곤란함. '―吾法夫前修兮'《楚辭》. ③곧은말할 건 직언(直言)하는 모양. 바른말을 하는 모양. '―, 其有意些'《楚辭》.

[謇㥷 건극] 말을 더듬음.

17 ㉔ [讖] [人名] 참 ①②㊀沁 楚譖切 chèn ③㊀陷 叉鑑切 chàn 谶

[字解] ①조짐 참 미래의 길흉화복의 전조(前兆). 또, 그 예언. '光武善―'《後漢書》. ②참서 참 예언의 기록. 미래기. 비결. '―緯'. '臣不讀―'《後漢書》. ③뉘우칠 참 참회함. 懺(心部 十七畫)과 同字.
[字源] 篆文 形聲. 言+韱〔音〕. '韱섬'은 가늘다, 미세(微細)하다의 뜻. 미세한 일로 미래를 예언(豫言)하다, 도참(圖讖)의 뜻을 나타냄.

[讖記 참기] 미래의 일을 예언한 기록. 미래기(未來記).
[讖步 참보] 미래의 길흉화복을 아는 술법.
[讖書 참서] 참기(讖記).
[讖術 참술] 앞에 올 일을 아는 술법.
[讖語 참어] 참언(讖言).
[讖言 참언] 앞에 올 일을 예언(豫言)하는 말.
[讖緯 참위] 참기(讖記).
◉當讖. 圖讖. 符讖. 祕讖. 詩讖.

18 ㉕ [讙] [一] 훤 ㊥元 況袁切 [二] 환 ㊥寒 呼官切 huān 讙

[字解] [一] 시끄러울 훤 떠들썩함. '―譁'. '天下應之如―'《荀子》. [二] ①시끄러울 환 [一]과 뜻이 같음. ②기뻐할 환 '三年不言, 言乃―'《禮記》. ③성 환 성(姓)의 하나.
[字源] 篆文 形聲. 言+雚〔音〕. '雚'은 '喚환'과 통하여 '부르다'의 뜻. 서로 말을 걸어 시끄럽다의 뜻을 나타냄.

[讙然 환연] 기뻐하는 모양.
[讙敖 훤오] 시끄러움. 시끄럽게 떠듦.
[讙譁 훤화] 시끄러움. 떠들썩함.
[讙囂 훤효] 훤화(讙譁).

[字源] 篆文 會意. 㕯+谷

6 ⑬ [谼] 홍 [平]東 戶公切 hóng

[字解] 골짜기 홍 큰 골짜기.

6 ⑬ [䜫] 〔각·극〕
䜫(谷部 四畫〈p.2168〉)의 本字

7 ⑭ [谽] 함 [平]覃 火含切 hān [平]咸 虛咸切

[字解] 휑뎅그렁할 함, 깊을 함 '—谺'는 골짜기가 크고 넓어 공허(空虛)한 모양. 또, 골짜기가 깊은 모양. '越—㗿之洞穴兮'《張衡》.
[字源] 形聲. 谷+含〔音〕

[谽呀 함하] 함하(谽谺).
[谽谺 함하] 골짜기가 깊고 공허(空虛)한 모양.
[谽㗿 함하] 함하(谽谺).
[谽㗿 함하] 함하(谽谺).

7 ⑭ [䜭] 〔학〕
壑(土部 十四畫〈p.470〉)의 本字

8 ⑮ [谾] [一] 홍 [平]東 呼東切 hōng [二] 롱 [平]東 盧東切 lóng

[字解] [一] 휑뎅그렁할 홍 골짜기가 공허(空虛)한 모양. '—壑奧竇'《吳徽》. [二] 골깊을 롱 '——'은 산이 깊숙한 모양. 또, 산골짜기가 깊이 통한 모양. '深山之——兮'《史記》.
[字源] 形聲. 谷+空〔音〕

[谾谾 농롱] 자해(字解)[二]를 보라.
[谾壑 홍학] 골이 텅 빈 모양.

10 ⑰ [䜮] 혜 [平]齊 弦雞切 xī

[字解] ①뒵들 혜 '勃—'는 서로 덤벼들어 말다툼하는 모양. '室無空虛, 則婦姑勃—'《莊子》. ② 공허할 혜 '—, 空也'《莊子 注》.

10 ⑰ [谿] [人名] 계 ①-③[平]齊 苦奚切 xī ④[平]齊 堅奚切 jī

[字解] ①시내 계 산골짜기에서 흐르는 작은 물. 溪(水部 十畫)와 同字. '—谷'. '—壑'. '澗—沼沚之毛'《左傳》. ②텅빌 계 공허함. '則耳—極'《呂氏春秋》. ③성 계 성(姓)의 하나. ④메뚜기 계 '螇—'는 송장메뚜기. 토종(土螽).
[字源] 篆文 形聲. 谷+奚〔音〕

[谿澗 계간] 산골짜기에서 흐르는 시내.
[谿谷 계곡] 골짜기.
[谿流 계류] 산골짜기의 시내.
[谿聲 계성] 산골짜기에서 흐르는 시냇물의 소리.
[谿水 계수] 산골짜기를 흐르는 물. 시냇물.
[谿鴨 계압] 비오리.
[谿子 계자] 옛날의 센 쇠뇌의 이름.
[谿壑 계학] ㉠큰 골짜기. 계곡(溪谷). ㉡물릴 줄 모르는 욕심의 비유.
[谿壑欲 계학욕] 만족할 줄을 모르는 욕심. 대단한 탐욕.
◉澗谿.

10 ⑰ [䜯] [一] 교 [平]蕭 牽幺切 [二] 호 [平]豪 呼高切 hāo

[字解] [一] 빈골짜기 교 '鼓—䜯而悲咤颰飅'《張志和》. [二] 깊을 호, 깊은골짜기 호 '—, —䜯, 深也'《集韻》. '—, —䜯, 深谷皃'《集韻》.

10 ⑰ [豁] [人名] 활 [入]曷 呼括切 huò

[字解] ①골짜기 활 넓고 내뚫린 골짜기. '—, 通谷也'《說文》. ②빌 활 공허하여 통한 모양. '空—'. '頭童齒—'《韓愈》. ③넓을 활, 클 활 ㉠광활한 모양. '開—'. ㉡마음·도량이 넓은 모양. '—達'. '意—如也'《十八史略》. ④확트일 활, 소통할 활 땅·경치·마음이 탁 트임. 막히지 않고 통함. '—若天開'《郭璞》. '灑沈菑於—瀆兮'《漢書》. ⑤깨달을 활 깨닫는 모양. 환히 아는 모양. '一旦—然貫通焉'《大學章句》. ⑥깊을 활 '—險呑若巨防'《左思》. ⑦용서할 활 면제(免除)함. '—, 猶捐除也'《中華大字典》.
[字源] 篆文 形聲. 谷+害〔音〕. '害해'는 '가르다'의 뜻. 넓게 갈라진 골짜기의 뜻에서, '열리다, 트이다'의 뜻을 나타냄.

[豁達 활달] ㉠도량이 넓은 모양. ㉡사방이 시원하게 트인 모양.
[豁達大度 활달대도] 도량이 큼.
[豁落 활락] 넓고 큼.
[豁如 활여] 도량이 넓은 모양.
[豁然 활연] ㉠시원하게 트인 모양. ㉡환히 깨달은 모양.
[豁然貫通 활연관통] 도(道)를 환히 깨달음.
[豁悟 활오] 환히 깨달음.
[豁爾 활이] 넓게 트인 모양.
[豁蕩 활탕] 마음이 트이어 사물에 구애되지 않음.
[豁平 활평] 넓고 평평하게 함.
[豁閜 활하] 휑뎅그렁한 모양. 공허(空虛)한 모양.
[豁險 활험] 깊고 험준함.
[豁豁 활활] 넓은 모양.
◉開豁. 空豁. 宏豁. 洞豁. 頭童齒豁. 舒豁. 疏豁. 深豁. 恬豁. 寥豁. 敞豁. 通豁. 軒豁.

10 ⑰ [䜰] 豁(前條)의 本字

11 ⑱ [䜱] 〔극〕
隙(阜部 十畫〈p.2473〉)과 同字

11 ⑱ [䜲] [一] 만 [平]寒 母官切 mǎn [二] 문 [平]元 模元切

[字解] [一] 정자이름 만 '—䜲'은 정자(亭子)의 이름. '—, —䜲, 亭名. 在上艾'《廣韻》. [二] 정자이름 문 [一]과 뜻이 같음.

12 ⑲ [䜳] 함 ①②[上]豏 荒檻切 hǎn ③[上]感 虎覽切

[字解] ①깊숙할 함 골짜기가 깊숙한 모양. '—, 谷深貌'《字彙》. ②트일 함, 트이고험할 함 '—如地裂, 豁若天開'《郭璞》. ③골짜기 함 계곡(溪谷)의 모양. '—, 谿谷皃'《集韻》.

12
⑲ [龥] 〔간〕
潤(水部 十二畫〈p.1294〉)과 同字

12
⑲ [䜌] 〔교·호〕
䜌(谷部 十畫〈p.2169〉)의 俗字

15
㉒ [䜋] 〔독〕
隤(阜部 十五畫〈p.2478〉)의 古字

16
㉓ [龒] 롱 ㉱東 盧紅切 lóng

字解 ①큰골짜기 롱 크고 긴 골짜기. '一, 大長谷也'《說文》. ②깊을 롱 산이 깊은 모양. '一, 山深貌'《正字通》. ③공허할 롱 '一谾'은 골짜기의 횡뎅그렁한 모양. '一谾谷中虛也'《六書故》.
字源 形聲. 谷+龍〔音〕. '龍룡'은 구불구불 이어지다의 뜻. 구불구불 이어지는 긴 골짜기의 뜻을 나타냄.

豆 (7획) 部
〔콩두부〕

0
⑦ [豆] 中入 두 ①-③⑤㉱有 徒候切 dòu ④㊤有 當口切 豆

筆順 一 丆 丆 亓 亓 亨 豆

字解 ①콩 두 콩깍지에 딸린 식물, 또는 그 열매. 특히, 대두(大豆). 荳(艸部 七畫)와 同字. '壺中實小一'《禮記》. 전(轉)하여, 콩 같은 작은 물건의 형용으로 쓰임. '一蟹'. '大山尺樹, 寸馬一人'《荆浩》. ②제기(祭器) 이름 두 목제(木製)의 식기. 제사 또는 예식(禮式) 때 음식을 담는 데 쓰임. '俎一', '邊一', '豚肩不掩一'《十八史略》. ③제물(祭物) 두 제기(祭器)에 담은 음식. '爲一孔庶'《詩經》. ④말 두 斗(部首)와 통용. '食一一肉, 飮一一酒, 中人之食也'《周禮》. ⑤성 두 성(姓)의 하나.

字源 甲骨 [豆] 金文 [豆] 小篆 [豆] 古文 [豆] 象形. 두부(頭部)가 불룩하고 다리가 긴 식기(食器), 제기(祭器)의 象形. 소금에 절인 육채류(肉荣類)를 담았음.
參考 豆를 의부(意符)로 하여, '豆'의 원래의 뜻인 제기(祭器)를 나타내는 문자와 콩이나 그 가공품에 관한 문자를 이름.

[豆羹 두갱] ㉠제기(祭器)에 담은 국. 전(轉)하여, 소량(少量)의 국. ㉡콩국.
[豆蔲 두구] 육두구(肉荳蔲).
[豆其 두기] 콩을 털고 남은 줄기와 가지. 콩대.
[豆類 두류] 콩·팥·녹두 등의 총칭.
[豆糜 두미] 콩죽.
[豆籩 두변] 두(豆)와 변(籩). 모두 제례 연향(祭禮宴享)에 쓰는 예기(禮器). 전(轉)하여, 예의(禮儀)의 요구(要具).
[豆腐 두부] 물에 불린 콩을 갈아서 익힌 뒤에 베자루에 걸러서 간수를 치고 익히어 굳힌 음식

(飲食).
[豆剖瓜分 두부과분] 콩과 외같이 갈라지고 나누어짐. 곧, 국토(國土)가 손쉽게 분할됨.
[豆分 두분] 콩이 갈라지듯이 국토(國土)가 분할됨. 두부과분(豆剖瓜分).
[豆豉 두시] 메주. 된장.
[豆芽菜 두아채] 콩나물.
[豆肉 두육] 제기(祭器) 두(豆)에 담은 고기.
[豆人 두인] 콩과 같이 작은 사람. 먼 데서 바라본 사람의 형용.
[豆滓 두재] 콩깻묵. 대두박(大豆粕).
[豆粥 두죽] 콩죽.
[豆青 두청] 연한 황색(黃色).
[豆太 두태] 콩과 팥.
[豆泡 두포] 두부(豆腐)의 별칭(別稱).
[豆蟹 두해] 작은 게.
[豆花雨 두화우] 콩노굿이 필 무렵에 오는 비. 곧, 음력 8월의 비.
[豆黃 두황] 콩가루.
●蠶豆. 綠豆. 大豆. 豚肩不掩豆. 登豆. 木豆. 邊豆. 小豆. 粟豆. 菽豆. 野豆. 鹽豆. 俎豆. 荎豆. 竹豆. 蜀豆.

2
⑨ [荳] 豆(前條)와 同字

3
⑩ [豇] 강 ㉱江 古雙切 jiāng 豇

字解 광저기 강 콩과에 속하는 일년생 만초(蔓草). 깍지가 매우 긺. 열매는 먹음. 대각두(大角豆). '一豆蔓生'《本草綱目》.
字源 形聲. 豆+工〔音〕.

[豇豆 강두] 광저기.

3
⑩ [豈] 高入 ■■ 기 ①尾 袪狶切 qǐ 豈
高入 ■ 개 ⑤賄 可亥切 kǎi

筆順 ㇄ 山 山 凿 凿 岢 岢 豈

字解 ■ ①어찌 기 어찌하여서, 왜, 설마 등의 뜻을 나타내는 반어(反語). '一不憚艱險'《魏徵》. '一非士之願與'《史記》. ②그 기 其(八部 六畫)와 뜻이 같음. '一若是乎'《戰國策》. '一將軍一有意乎'《戰國策》. ③바랄 기, 바라건대 기 원함. 원컨대. 覬(見部 十畫)와 뜻이 같음. '君不垂眷, 一云其誠'《曹植》. ④일찍이 기 '一一, 曾一'《廣韻》. ■ ①개가(凱歌) 개 凱(几部 十畫)와 통용. '一樂飲酒'《詩經》. ②화락할 개 愷(心部 十畫)와 통용. '一弟君子'《詩經》.
字源 篆文 [豈] 象形. 위에 장식이 붙은 북을 본뜬 모양으로, 전승(戰勝)의 기쁨을 나타낸 음악의 뜻에서, 파생(派生)하여 '즐기다'의 뜻을 나타냄.

[豈樂 개악] 개선(凱旋)할 때 연주하는 음악.
[豈弟 개제] 외모와 심정이 온화하고 단정함. 개제(愷悌).
[豈有此理 기유차리] 그럴 리가 있으랴. 그럴 리는 없음.

4
⑪ [豉] 시 ㉱寘 是義切 chǐ(shì) 豉

字解 메주 시, 된장 시 콩을 쑨 것으로, 간장을 담그는 원료. 또, 간장을 떠내고 남은 건더기. '豆一'.

字源 形聲. 豆+支〔音〕. '支지'는 가지가 갈라지다의 뜻. 발효되어 콩과 콩이 붙어서 가지가 갈라진 것같이 된 '된장·메주'의 뜻을 나타냄.

[豉酒 시주] 된장을 넣은 술.
●麴豉. 豆豉. 鹽豉.

5
12 [豆句] 두 尤 當侯切 dōu
字解 ①잘게찢어질 두 '一, 小裂'《玉篇》. ②작은구멍 두, 나눌 두 '剅, 小穿也, 一曰, 割也, 或作一'《集韻》.

[短] 〔단〕 矢部 七畫(p.1559)을 보라.

[登] 〔등〕 癶部 七畫(p.1498)을 보라.

[壹] 〔일〕 士部 九畫(p.474)을 보라.

6
13 [登] 등 蒸 都騰切 dēng
字解 제기이름 등 도제(陶製)의 제기(祭器). '于豆于一'《詩經》.
字源 會意. 又(廾)+豆+月(肉). '豆두'는 '토기(土器)'의 뜻. '廾공'은 '양손'의 뜻. 고기를 담은 제기를 받드는 모양으로, '예기(禮器)·제기'의 뜻을 나타냄.

6
13 [卷] 霰 居倦切
권 ①銑 古轉切 juàn
①阮 求晚切
字解 흰콩 권 '一, 黃豆'《廣韻》.
字源 形聲. 豆+弮〔音〕.

6
13 [豊] 中入 〔예〕 禮(示部 十三畫〈p.1604〉)의 古字
筆順 丨冂肙曲曲曹豊豊
字源 象形. 감주(廿酒)를 담는 굽 달린 그릇의 象形으로, 예(禮)를 집전(執典)할 때의 제기의 뜻을 나타냄.
參考 속(俗)에 豐(豆部 十一畫)의 略字로 쓰임.

6
13 [豏] 강 江 胡江切 xiáng
字解 동부 강 광저기. '一, 博雅, 胡豆, 一䕅'《集韻》.

7
14 [㾦] 〔수〕 酥(酉部 五畫〈p.2354〉)와 同字

8
15 [豌] 人名 완 寒 一丸切 wān

字解 ①완두 완 '一豆'는 콩과에 속하는 일년생 만초(蔓草). 또, 그 열매. '一豆種出西胡'《本草綱目》. ②콩엿 완 콩으로 만든 엿. '一, 說文, 豆飴也'《集韻》.
字源 形聲. 豆+宛〔音〕.

[豌豆 완두] 자해 (字解)❶을 보라.
[豌豆瘡 완두창] 완두 모양으로 허는 종기.

8
15 [䜺] 책 陌 測窄切 cè
字解 콩가루 책 볶은 콩을 매 같은 데 간 가루. 또, 갈아 짜갠 콩. '日膳裁豆一而已'《新唐書》.

8
15 [萁] 〔기〕 萁(艸部 八畫〈p.1935〉)와 同字

8
15 [㽯] 〔등〕 登(豆部 六畫〈p.2171〉)의 本字

8
15 [豍] 비 齊 邊迷切 bī
字解 완두(蜿豆) 비 '一豆'는 완두콩.

8
15 [豎] 수 麌 臣庚切 shù
字解 ①설 수 직립(直立)함. '一毛'. '槐樹自拔倒一'《後漢書》. ②세울 수 서게 함. '野一旌旗'《李華》. ③세로 수 두 끝이 위아래로 놓인 상태. '橫說一豎'. '人天本一, 畜生本橫'《楞嚴經》. ④곧을 수 곧 바름. '直一不斜'《晉書》. ⑤아이 수 아직 관례(冠禮)를 치르지 않은 아이. 또, 심부름하는 아이. '童一'. '隣人亡羊, 請楊子之一追之'《列子》. 전(轉)하여, 남을 경멸하여 부르는 말. '一子'. ⑥내시 수 궁중(宮中)에서 심부름하는 얕은 관원. '內一, 閹一, 遂使爲一'《左傳》. ⑦짧을 수 단소(短小)함. '衣則一褐不完'《荀子》. ⑧천할 수 비천(卑賤)함. '一儒幾敗乃公事'《史記》. ⑨성 수 성(姓)의 하나.
字源 形聲. 臤+豆〔音〕. '臤현'은 눈에 손을 대고 자세히 보는 모양에서, 견고(堅固)함의 뜻을 나타냄. '豆두'는 굽 달린 그릇의 象形으로 '세우다'의 뜻. 안정되게 세우다의 뜻을 나타냄. 또, 굽 달린 그릇은 머리 부분이 큰데, 이 모양이 유아(幼兒) 비슷한 데서, '아이'의 뜻으로도 쓰임.

[豎褐 수갈] 해진 짧은 베옷. 일설(一說)에는, 천한 사람이 입는 거친 털옷.
[豎童 수동] 심부름하는 더벅머리 아이.
[豎吏 수리] 수신(豎臣).
[豎立 수립] 똑바로 섬. 또, 똑바로 세움.
[豎毛 수모] 머리털이 곤두섬. 놀라 겁이 나서 머리끝이 뻣침. [臣]
[豎臣 수신] 얕은 벼슬아치. 하급 관리. 소신(小臣).
[豎儒 수유] 썩은 선비. 부유(腐儒).
[豎子 수자] ㉠아이. 동자. ㉡그 녀석. 남을 업신여겨 부르는 말.
[豎子不足與謀 수자부족여모] 위인이 좀 모자라서 함께 의논할 만한 사람이 못 됨.
[豎宦 수환] 내시. 환관.
●桀豎. 賈豎. 群豎. 內豎. 奴豎. 倒豎. 牧豎.

僕䝨. 斜䝨. 森䝨. 小䝨. 閫䝨. 堯䝨. 牛䝨.
二䝨. 鼙䝨. 橫䝨. 凶䝨.

8/⑮ [䝤] 감 ㉠勘 苦紺切 kàn

字解 된장맛좋을 감 '一, 豉味厚'《集韻》.

9/⑯ [莶] 근 ㉡吻 居隱切 jǐn

字解 술잔 근, 표주박 근 혼례식 때 쓰는 술 담는 그릇. '一, 瓢也'《廣雅》. '졺, 以瓢爲酒器, 婚禮用之也. 一, 上同'《廣韻》.
字源 會意. 豆＋烝〈省〉

[頭] 〔두〕
頁部 七畫(p. 2546)을 보라.

10/⑰ [䜶] 함 ㉡䜶 下斬切 xiàn

字解 콩반익을 함 콩이 반쯤 성숙(成熟)함. '秋種南山一'《李東陽》.
字源 形聲. 豆＋兼〔音〕

10/⑰ [䝧] 등 ㉤蒸 他登切 tēng

字解 늘일 등 펴서 길게 함. '一, 伸之長也'《字彙補》.

10/⑰ [䝨] 로 ㉤豪 魯刀切 láo

字解 새콩 로 콩과에 속하는 일년생 만초(蔓草). 구황용(救荒用) 재배 식물임. '撷一荳以食'《唐書》.

[䝨豆 노두] 새콩.

10/⑰ [䝩] 〔수〕
䝨(豆部 八畫〈p. 2171〉)의 籒文

10/⑰ [䝫] 동 ㉤東 都籠切 dōng

字解 북소리 동 북 칠 때 나는 소리. '一, 一一, 鼓聲'《集韻》.

10/⑰ [豐] 豐(次條)의 本字

11/⑱ [豐] 〔中/入〕 풍 ㉤東 敷隆切 fēng

丰 爯

字解 ①잔대 풍 치(觶) 같은 술잔을 받는 그릇. 두(豆)보다는 얕고 큼. 제기(祭器). '設一'《儀禮》. ②풍년들 풍 곡식이 잘 여묾. '一年'·'三年歲一政平'《說苑》. ③우거질 풍 무성함. '在彼一草'《詩經》. ④성할 풍 성대함. '不爲一約學'《國語》. ⑤넉넉할 풍 많음. '一饒'·'無一于昵'《書經》. ⑥클 풍 '羽一則遲'《周禮》. ⑦두터울 풍 얇지 아니

筆順 丨 ㅋ ㅋㅓ ㅐㅐㅐ 曲 曲 豐 豐 豐

[豐①]

함. '不量齊德之一否'《國語》. ⑧살질 풍 비대함. '一頰'·'貌一盈以莊姝兮'《宋玉》. ⑨넉넉히할 풍 풍성하게 함. '一兄弟之國'《國語》. ⑩풍괘 풍 육십사괘(六十四卦)의 하나. 곧, ䷶〈이하(離下), 진상(震上)〉. 성대(盛大)한 상(象). ⑪성 풍 성(姓)의 하나.

字源 [甲骨文] [金文] [篆文] [古文] 形聲. 장식이 있는 豆＋丰〔音〕. '豆두'는 굽 달린 그릇의 象形. '丰풍'은 '丰풍'과 통하여, 많이 우거지다의 뜻. 풍성하게 담긴 제기(祭器)의 뜻에서, '넉넉함, 풍부함, 풍요로움'의 뜻을 나타냄.

[豐儉 풍검] 여유가 있음과 검약함.
[豐歉 풍겸] 풍흉(豐凶).
[豐功 풍공] 위대(偉大)한 공(功).
[豐筋多力 풍근다력] 글씨의 획이 굵고 힘참을 이름.
[豐年 풍년] 곡식이 잘 익은 해. 농사(農事)가 잘된 해.
[豐登 풍등] 풍임(豐稔).
[豐樂 풍락] 재물이 많아 즐거움.
[豐麗 풍려] 풍부하고 미려(美麗)함.
[豐嶺 풍령] 산 이름. 산꼭대기에 아홉 개의 종(鐘)이 있는데 서리가 내릴 때에 저절로 소리가 난다고 함.
[豐隆 풍륭] ㉠뇌성(雷聲). 뇌신(雷神). ㉡비〔雨〕, 또는 구름〔雲〕의 신(神).
[豐滿 풍만] ㉠물건이 넉넉하게 많이 있음. ㉡몸이 비대함.
[豐美 풍미] 풍성하고 미려함.
[豐富 풍부] 넉넉하고 많음.
[豐碑 풍비] ㉠하관(下棺)할 때에 관의 네 모에 세우는 나무 기둥. ㉡공덕(功德)을 찬양한 큰 비(碑).
[豐上銳下 풍상예하] 이마는 살지고 뺨은 마름. 낮의 상부는 비만하고 하부는 수척함. 풍상 쇄하(豐上殺下).
[豐贍 풍섬] 재물이 넉넉함.
[豐盛 풍성] ㉠많이 담음. 또, 그것. ㉡넉넉하고 많음.
[豐城劍氣 풍성검기] 예장(豫章)의 풍성(豐城) 지방(地方)에 파묻힌 용천(龍泉)·태아(太阿)의 두 명검(名劍)이 자색(紫色)의 광망(光芒)을 발하며 하늘에 나타났다고 하는 고사(故事).
[豐歲 풍세] 풍년(豐年).
[豐熟 풍숙] 열매가 많이 달리고 잘 여묾.
[豐殖 풍식] 잘 번식함.
[豐約 풍약] ㉠넉넉하여 남아도는 일과 줄이어 아끼는 일. 풍부함과 절약함. ㉡빈부(貧富)·성쇠(盛衰)·다과(多寡)의 뜻.
[豐穰 풍양] 풍임(豐稔).
[豐漁 풍어] 물고기가 많이 잡힘.
[豐衍 풍연] 넉넉하여 남음.
[豐艷 풍염] 살이 포동포동 찌고 아리따움. 미인(美人)의 형용.
[豐饒 풍요] 매우 넉넉함.
[豐偉 풍위] 몸이 비만하고 장대함.
[豐潤 풍윤] ㉠풍부하고 윤택함. ㉡단 액즙(液汁)이 많음.
[豐頤 풍이] 살이 찐 턱.
[豐稔 풍임] 결실(結實)이 잘됨. 오곡(五穀)이 많이 잘 여묾.
[豐作 풍작] 풍년이 든 농작(農作).
[豐足 풍족] 부족하지 않고 넉넉함.

獿猱狿戱其巔'《張衡》. 〓 작은돼지 박 '一, 小豚也'《說文》.
字源 篆文 圞 形聲. 豕+彀〔音〕

11
⑱ [豵] 종 ㈦東 子紅切 zōng
字解 돼지새끼 종 생후 6개월 되는 돼지. 일설(一說)에는, 작은 돼지. '壹發五一'《詩經》.
字源 篆文 形聲. 豕+從〔音〕

11
⑱ [貗] 루 ㈦尤 落侯切 lóu
字解 암퇘지 루 발정한 암퇘지. '旣定爾一豬'《左傳》.

11
⑱ [獎] 괘(괴)㉿佳 古懷切 guāi
㉿眞 丘愧切
字解 ①개 괘 '一, 犬'《玉篇》. ②개쫓을 괘 '一, 犬逐也'《字學三正》.

12
⑲ [豷] 충 ㈦冬 丑凶切 chōng
字解 땅돼지 충 땅돼지. 또는, 돼지를 닮은 땅의 정(精). '一, 土豬'《玉篇》.

12
⑲ [獛] 증 ㈦蒸 慈陵切 céng
字解 ①돼지우리 증. ②우리 증.

12
⑲ [豷] 〓 희 ㉿眞 許位切 xì
〓 예 ㉿霽 於計切 yì
字解 〓 ①돼지숨 희 돼지가 쉬는 숨. ②사람이름 희 '淈豕豷室, 生澆及一'《左傳》. 〓 돼지숨 예, 사람이름 예 〓과 뜻이 같음.
字源 篆文 形聲. 豕+壹〔音〕

13
⑳ [貗] 거 ㉿御 古去切 jù
字解 돼지이름 거 '一, 豕名'《字彙補》.

13
⑳ [豶] 분 ㈦支 符分切 fén
字解 ①불깐돼지 분 거세(去勢)한 돼지. '一, 㹷豕也, 从豕賁聲'《說文》. ②없앨 분 제거함. '一豕之牙'《易經》.
字源 篆文 形聲. 豕+賁〔音〕

豸 (7획) 部
[발없는벌레치부·갖은돼지시부]

0
⑦ [豸] 〓 치 ㉠紙 池爾切 zhì
〓 태 ㉠蟹 宅買切
筆順 ⺈⺈⺈⺈豸豸豸
字解 〓 ①벌레 치 발 없는 벌레. '有足謂之蟲,

無足謂之一'《爾雅》. ②풀 치, 풀릴 치 느슨하게 함. 느슨해짐. '庶有一乎'《左傳》. ③웅크려노려볼 치 짐승이 먹이를 덮치려고 몸을 잔뜩 웅크리는 모양. '一, 獸長䰇行'. 〓一然, 欲有所司殺形'《說文》. 〓 해태 태 '獬一'는 전설상의 짐승으로 신수(神獸)의 하나.
字源 篆文 象形. 고양이 따위의 짐승이 몸을 웅크리고 등을 굽혀 먹이에 덮쳐들려고 노리는 모양.
參考 '豸'를 의부(意符)로 하여, 여러 가지 종류의 짐승의 이름을 나타내는 문자를 이룸. '豕시'와 비슷하되, 보다 복잡한 자형이므로 '갖은돼지시(豕)'로 이름.
[豸冠 치관] 해관(獬冠).
●無足豸. 蟲豸. 貔豸. 獬豸. 花豸.

3
⑩ [豹] 人名 표 ㉿效 北教切 bào
筆順 ⺈⺈⺈豸豸豸豹豹
字解 ①표범 표 고양잇과에 속하는 맹수(猛獸). 범 비슷한데, 온몸에 점무늬가 있어 아름다움. '一死留皮'《五代史》. '君子一變'《易經》. ②성 표 성(姓)의 하나.
字源 甲骨文 篆文 會意. 豸+勺. '豸치'는 '짐승'의 뜻. '勺작'은 '또렷하다'의 뜻. 검고 둥근 또렷한 무늬가 온몸에 덮여 있는 표범의 뜻.
[豹脚 표각] 발에 흰 반문(斑文)이 있는 모기.
[豹裘 표구] 표범의 가죽으로 만든 옷.
[豹騎 표기] 강하고 용감한 기병(騎兵). 효기병(驍騎兵).
[豹文 표문] ㉠표범의 모피(毛皮)에 있는 무늬. ㉡표범의 무늬와 같이 아름다운 무늬.
[豹尾 표미] ㉠표범의 꼬리를 단 것을 꽂아 세워 장식한 수레. 천자(天子) 또는 대장(大將)이 탐. ㉡음양가(陰陽家)의 팔장신(八將神)의 하나로서 길흉(吉凶)의 방위를 맡은 신. 그 방위를 향하여 짐승을 구(求)하거나 대소변을 하는 것을 꺼림.
[豹斑 표반] 표범의 얼룩무늬.
[豹變 표변] 표범의 무늬가 뚜렷하고 아름다운 것같이 사람의 성행(性行)이 갑자기 착해져서 면목을 일신함. 지금은 나쁜 뜻으로 오용(誤用)함.
[豹死留皮人死留名 표사유피인사유명] 표범은 죽어서 좋은 가죽을 남기는 것같이 사람은 죽어서 명예를 남겨야 함.
[豹隱 표은] 세상을 피하여 숨어 삶의 비유.
[豹皮 표피] 표범의 가죽.
●管中窺豹. 文豹. 獅豹. 水豹. 全豹. 虎豹.

3
⑩ [豺] 人名 시 ㈦佳 士皆切 chái
字解 승냥이 시 갯과에 속하는 이리 비슷한 산짐승. 성질이 잔인하고 흉포함. '一狼'.
字源 篆文 形聲. 豸+才〔音〕. '才재'는 찢다, 뜯다, 물어 떼다의 뜻. 고기를 물어뜯다, '승냥이'의 뜻을 나타냄.
[豺狼 시랑] ㉠승냥이와 이리. ㉡탐욕·잔인하고 무정한 자의 비유. 큰 해독을 끼치는 간악한 자

의 비유.
[豺狼當路 시랑당로] 간악한 대신(大臣)이 요로(要路)를 차지하여 권세를 떨침의 비유.
[豺狼橫道 시랑횡도] 승냥이와 이리가 길을 가로막고 있음. 간악한 자가 요로(要路)에 있어 권력을 부림의 비유.
[豺聲 시성] 승냥이의 울음소리. 또, 그와 같은 흉악한 목소리. 악인(惡人)의 목소리라 함.
[豺虎 시호] 승냥이와 범. 사납고 악독한 사람의 비유.

3 ⑩ [豿] 탁 [入]陌 陟格切 zhé
[字解] 튀기 탁 수탕나귀와 암말 사이에서 난 잡종(雜種). 馲(馬部 三畫)과 同字. '馲, 馲駞, 獸名, 驢父牛母, 或作一'《集韻》.

3 ⑩ [豻] [一] 안 ①[平]寒 俄寒切 án ②[去]翰 五旰切 [二] 한 [去]翰 侯旰切 hàn
[字解] [一] ①들개 안 여우 비슷한 야생(野生)의 개. 일설(一說)에는, 너구리 비슷한 짐승. 犴(犬部 三畫)과 同字. '麛裘靑一'《禮記》. ②옥 안 향정(鄕亭)의 죄수를 가두는 곳. '獄一不平之所致也'《漢書》. [二] 옥 한 [一]❷와 뜻이 같음.
[字源] [篆文] 豻 [別體] 犴 形聲. 豸+干〔音〕. '干간'은 '건 목 침, 조잡함'의 뜻. 여우 비슷한 야성(野性)의 개의 뜻.

[豻侯 안후] 들개의 가죽으로 장식한 과녁.
◉獄豻.

4 ⑪ [豝] 파 [平]麻 邦加切 bā
[字解] 짐승의흉한형상 파 '一, 獸醜狀'《集韻》.

4 ⑪ [豽] 날 [入]黠 女滑切 nà
[字解] 원숭이 날 뿔이 있고 앞발이 없다는 원숭이의 일종. '一, 獸名. 似狸蒼黑, 無前足, 善捕鼠'《廣韻》.

4 ⑪ [豼] 〔비〕
貔(豸部 十畫〈p. 2183〉)와 同字

4 ⑪ [豾] 〔휴〕
貅(豸部 六畫〈p. 2181〉)와 同字

4 ⑪ [豣] 〔견〕
豜(豕部 六畫〈p. 2176〉)과 同字

4 ⑪ [豛] 〔의〕
毅(殳部 十一畫〈p. 1160〉)의 訛字

5 ⑫ [貁] 유 [去]宥 余救切 yòu
[字解] ①긴꼬리원숭이 유 원숭이의 일종. 꼬리가 길. 일설(一說)에는, 검은원숭이. 狖(犬部 五畫)와 통용. '蝯一擬而不敢下'《漢書》. ②족제비 유 고양이 비슷한 족제비류(類). '一, 似猫搏鼠'《一切經音義》.
[字源] [篆文] 貁 會意. 豸+穴

◉蝯貁.

5 ⑫ [豿] [一] 구 [上]有 擧后切 gǒu [二] 학 [入]覺 許角切
[字解] [一] 튀기 구 곰과 범 사이에서 난 새끼. 狗(犬部 五畫)와 통용. '狗, 本或作一'《爾雅》. '一, 熊虎子也'《集韻》. [二] 돼지소리 학 '一, 豕聲'《廣韻》.

5 ⑫ [貀] [一] 날 [入]黠 女滑切 nà [二] 돌 [入]月 當沒切 [三] 눌 [入]質 女律切
[字解] [一] 짐승이름 날 앞발이 없다는 원숭이의 일종. '一, 一獸. 無前足'《說文》. [二] 짐승이름 돌 [一]과 뜻이 같음. [三] 짐승이름 눌 [一]과 뜻이 같음.
[字源] 形聲. 豸+出〔音〕

5 ⑫ [貂] [人名] 초 [平]蕭 都聊切 diāo
[字解] ①담비 초 족제빗과에 속하는 동물. 모양은 족제비 비슷하고, 털빛은 황갈색임. 가죽이 귀하여, 옛날에 그 꼬리로 시중(侍中) 등의 관(冠)에 달아 장식으로 하였음. '一尾爲飾'《後漢書》. ②성 초 성(姓)의 하나.
[字源] [篆文] 貂 形聲. 豸+召〔音〕

[貂璫 초당] ㉠한(漢)나라 시중 상시(侍中常侍)의 관(冠). 초미(貂尾)와 황금으로 된 구슬이 달려 있음. ㉡환관(宦官). 초시(貂寺).
[貂不足狗尾續 초부족구미속] 진(晉)나라 조왕륜(趙王倫)의 당(黨)이 모두 경상(卿相)이 되어 노졸(奴卒)에 이르기까지 작위를 탔으므로 시중(侍中)·중상시(中常侍) 등의 관(冠)의 장식으로 쓰는 담비의 꼬리가 부족하여 개의 꼬리로 장식한 고사(故事)에서, 관작(官爵)을 함부로 수여하여 군자가 소인과 동석(同席)한다는 뜻. 구미속초(狗尾續貂).
[貂蟬 초선] 담비 꼬리와 매미 날개. 모두 고관(高官)의 관(冠)의 장식으로 썼음. 전(轉)하여, 높은 조관(朝官).
[貂寺 초시] 내시(內侍). 곧, 환관(宦官). 담비 꼬리로 관(冠)을 장식하였으므로 이름.
[貂珥 초이] 고관(高官)을 이름.
◉狗尾續貂. 金貂. 白貂. 續貂. 玉貂. 黑貂.

5 ⑫ [貈] 동 [平]冬 都宗切 dōng
[字解] 짐승이름 동 표범 비슷하고 뿔이 있음. '一, 獸如豹有角'《集韻》.

5 ⑫ [貊] 비 [平]支 攀悲切 pī
[字解] ①너구리새끼 비 狉(犬部 五畫)와 同字. '狸子曰一'《集韻》. ②맹수이름 비 貔(豸部 七畫)와 同字. '貔, 貔也, 方言, 北燕朝鮮謂之貔, 或作一'《集韻》.
[字源] 形聲. 豸+丕〔音〕

5 ⑫ [𧳟] 〔호〕
狐(犬部 五畫〈p. 1391〉)와 同字

5 ⑫ [貃] 〔맥〕
貊(豸部 六畫〈p.2181〉)과 同字

5 ⑫ [⿰豸巠] 거 qú
[字解] 굳세고사나울 거 '—, 猛也'《篇海》.

5 ⑫ [⿰豸尼] 니 [平]支 女夷切 ní
[字解] 짐승이름 니 '—, 獸名'《廣韻》.

5 ⑫ [⿰豸朮] 〔휴〕
⿰豸朮(豸部 四畫〈p.2180〉)와 同字

6 ⑬ [貅] 휴 [平]尤 許尤切 xiū
[字解] 맹수이름 휴 貔(豸部 十畫)를 보라. '貔—'.
[字源] 形聲. 豸+休〔音〕

●貔貅.

6 ⑬ [貆] [一] 훤 [平]元 況袁切 [二] 환 [平]寒 胡官切 huán
[字解] [一] 오소리 훤 오소리의 일종(一種). 일설(一說)에는, 오소리의 새끼. 또 일설에는, 너구리의 일종. 곧, 단(貒)이라 함. '有縣—兮'《詩經》. [二] ①오소리 환 [一]과 뜻이 같음. ②호저(豪豬) 환 고슴도치 비슷한 동물. '譙明之山. …有獸焉. 其狀如—而赤豪'《山海經》.
[字源] 篆文 形聲. 豸+亘〔音〕

6 ⑬ [貉] [一] 학 [入]藥 下各切 hé [二] 맥 [入]陌 莫白切 mò
[字解] [一] 오소리 학 너구리 비슷한 짐승. 모피(毛皮)는 방한구로 씀. 狢(犬部 六畫)과 同字. '狐—之厚以居'《論語》. [二] ①오랑캐 맥 貊(豸部 六畫)과 同字. '子之道, —道也'《孟子》. ②고요할 맥 조용함. '—, 一曰, 靜也'《集韻》. ③정할 맥 '—, 定也'《集韻》. ④나쁠 맥 '——, 惡皃'《說文》.
[字源] 金文 篆文 形聲. 豸+各〔音〕

[貉子 학자] 오소리 새끼. 전(轉)하여, 사람을 욕하는 말.
●睡貉. 狐貉.

6 ⑬ [⿰豸合] 貉(前條)의 訛字

6 ⑬ [貈] 학 [入]藥 下各切 hé
[字解] 오소리 학 貉(前前條)과 同字. '—, 似狐, 善睡獸也'《說文》.
[字源] 篆文 形聲. 豸+舟〔音〕

6 ⑬ [貊] [人名] 맥 [入]陌 莫白切 mò
[字解] ①오랑캐 맥 랴오둥 반도(遼東半島)에서 한반도(韓半島) 북부에 걸쳐 살던 부족. '濊—'. '華夏蠻—'《書經》. ②조용할 맥, 조용히할 맥 '—其德音'《詩經》. ③맹수이름 맥 '哀牢夷出—獸'《後漢書》.
[字源] 形聲. 豸+百〔音〕

●羌貊. 九貊. 蠻貊. 濊貊. 戎貊. 胡貊.

6 ⑬ [⿰豸同] 동 [平]東 他東切 tōng
[字解] ①짐승이름 동 '⿰豸同, 獸名, 山海經, 泰山有獸, 狀如豚而有珠, 其名自呼, 或从豸'《集韻》. ②멧돼지 동 '⿰豸同, 野彘, 或从豸'《集韻》.

6 ⑬ [貇] 〔간〕
⿰豕艮(豕部 六畫〈p.2175〉)과 同字

6 ⑬ [⿰豸后] 〔구〕
狗(犬部 五畫〈p.1391〉)와 同字

6 ⑬ [⿰豸虫] 〔치·채〕
豸(部首〈p.2179〉)와 同字

7 ⑭ [貋] 한 [平]寒 河干切 àn
[字解] 들개 한 '犴, 或作—'《集韻》.

7 ⑭ [⿰豸角] 〔해〕
獬(犬部 十三畫〈p.1406〉)와 同字

7 ⑭ [貌] [高人] [一] 모 [去]效 莫教切 mào [二] 막 [入]覺 墨角切 mò
[筆順] 貌
[字解] [一] ①모양 모 皃(白部 二畫)와 同字. ㉠자태. 모습. '姿—'. '堂堂有天人之—'《列仙傳》. ㉡외모. 행동거지. '—思恭'《論語》. ㉢외관. 겉보기. '外—'. 전(轉)하여, 표면. 겉. '—愛'. '禮節者, 仁之—也'《禮記》. ㉣형상. 상태. '千態萬—'《李漢》. '人肖天地之—'《漢書》. ②얼굴 모 용모. 안색. '面—'. '情與—其不變'《楚辭》. ③예모 모 삼가는 태도. '雖褻必以—'《論語》. ④다스릴 모 '—, 治也'《廣雅》. ⑤성 모 성(姓)의 하나. [二] ①모사할 막 인물을 형체 그대로 그림. '命工—妃於別殿'《唐書》. ②멀 막, 아득할 막 邈(辵部 十四畫)·藐(艸部 十四畫)과 통용. '——上天東'《韓愈》.
[字源] 篆文 別體 籒文 篆文은 象形. '白백'은 사람의 두부(頭部), '儿인'은 사람의 모양을 본떠, 이미 정신적 활동이 없는 사람의 겉모양의 뜻을 나타냄. '貌모'는 豸+皃〔音〕의 籒文에 따름. '豸치'는 또렷한 무늬가 있는 표범의 象形으로, 모양의 뜻을 분명히 했음. 또, 別體는 豸+頁의 會意.

[貌敬 모경] 겉으로만의 공경.
[貌短 모단] 키가 작음.
[貌德 모덕] 예모(禮貌)와 덕행(德行).
[貌不揚 모불양] 용모가 미끈하지 못함.
[貌狀 모상] 모양. 모습. 꼴.
[貌色 모색] 얼굴빛.
[貌樣 모양] 꼴. 모습. 상태.

[貌言 모언] 겉치레하는 말.
[貌榮名 모영명] 영명(榮名)을 얼굴의 치레로 삼음. 영명을 자랑으로 여겨 뽐냄.
[貌執 모집] 정중히 사람을 대우함. 예모(禮貌)로써 사람을 대함.
[貌侵 모침] 몸집이 작음. 또, 용모가 추(醜)함.
[貌寢 모침] 모침(貌侵).
[貌形 모형] 모습. 형상.
●面貌. 美貌. 變貌. 狀貌. 相貌. 色貌. 聲貌. 聲音笑貌. 鬢貌. 顔貌. 言貌. 禮貌. 玉貌. 外貌. 容貌. 異貌. 姿貌. 才貌. 全貌. 體貌. 風貌. 形貌. 花貌.

7
⑭ [貇] 貌(前條)의 古字

7
⑭ [貍]
一 리 ㊀支 里之切 lí
二 매 ㊀佳 謨皆切 mái

字解 一 ①너구리 리 貍(犬部 七畫)와 同字. '熊羆狐一織皮'《書經》. ②살쾡이 리 삵, 一, 似貓'《玉篇》. '捕鼠不如一'《莊子》. ③죽일 리 '徐衍負石, 伐子自一'《文選 注》. ④성 리 성(姓)의 하나. 二 묻을 매 埋(土部 七畫)와 통용. '凡一物'《周禮》.
字源 篆文 貍 形聲. 豸+里〔音〕. 사람이 사는 마을(里)에 출몰하는 너구리의 뜻을 나타냄. 또, '매'로 읽을 때에는 '묻다'의 뜻을 나타냄.

[貍沈 매침] 희생을 묻어 산신(山神)을 제사하고 희생을 가라앉혀 강신(江神)을 제사함.
[貍奴 이노] 고양이(貓)의 이명(異名).
[貍製 이제] 너구리의 가죽으로 만든 옷.
●家貍. 貓貍. 文貍. 魚貍. 佩貍. 海貍. 香貍. 虎貍. 狐貍.

7
⑭ [貃] 비 ㊀支 貧悲切 péi
㊀紙 部鄙切
字解 너구리 비 너구리의 이명(異名). 狉(豸部 五畫)·狉(犬部 五畫)와 同字. '貃, 北燕朝鮮之閒謂之一, 關西謂之貍'《揚子方言》.

7
⑭ [貄] 〔모·막〕 貌(豸部 七畫〈p.2181〉)와 同字

8
⑮ [貋] 조 ㊁效 張貌切 zhào
字解 발없는벌레 조 '一, 豸也'《玉篇》.

8
⑮ [貏] 피 ㊀紙 補靡切 bǐ
字解 평평할 피 '一豸'는 점점 평평하여진 모양. '陂池一豸'《司馬相如》.

[貏豸 피치] 자해(字解)를 보라.

8
⑮ [隸]
一 사 ㊀寘 息利切 sì
二 기 ㊀寘 渠記切
三 이 ㊀寘 羊至切
四 예 ㊀霽 以制切
字解 一 너구리새끼 사 '貍子, 一'《爾雅》. 二 너구리새끼 기 三과 뜻이 같음. 三 너구리새끼 이 三과 뜻이 같음. 四 너구리새끼 예 三과 뜻이 같음.

8
⑮ [猗] 〔의〕 猗(犬部 八畫〈p.1397〉)와 同字

8
⑮ [貌] 〔예〕 猊(犬部 八畫〈p.1396〉)·麑(鹿部 八畫〈p.2691〉)와 同字

9
⑯ [貒] 단 ㊀寒 他端切 tuān
字解 오소리 단 족제빗과에 속하는 짐승. 족제비보다 크고 숲 속에 서식함. 토웅(土熊). '一貉兮蟬蟧'《王逸》.
字源 篆文 貒 形聲. 豸+耑〔音〕.

9
⑯ [貒] 貒(前條)과 同字

9
⑯ [貓]
一 묘 ㊀蕭 武瀌切 māo
二 묘 ㊁肴 莫交切
字解 ①고양이 묘 貓(犬部 九畫)의 本字. '迎一, 爲其食田鼠也'《禮記》. ②닻 묘 錨(金部 九畫)와 통용. '鐵一一篙'《大明會典》.
字源 篆文 貓 形聲. 豸+苗〔音〕. '苗묘'는 고양이의 울음소리를 나타내는 음성 표시. '고양이'의 뜻을 나타냄.

[貓頭 묘두] ㉠대나무의 일종. ㉡죽순(竹筍)의 이명(異名).
[貓眼 묘안] 고양이의 눈.
●窮鼠囓貓. 懶貓. 斑貓. 靈貓. 虦貓. 棘貓.

9
⑯ [貐] 유 ㊀麌 以主切 yǔ
㊀麌 容朱切
字解 짐승이름 유 '貜一'는 짐승의 이름. '貜一, 从貙, 虎爪. 食人, 迅走'《說文》.
字源 篆文 貐 形聲. 豸+俞〔音〕.

9
⑯ [貑] 알 〔설㊗〕 ㊇黠 烏黠切 yà
字解 짐승이름 알 '一貜'는 짐승 이름. 猰(犬部 九畫)과 同字. '一貜, 獸中最大者, 龍頭馬尾, 虎爪, 長四尺, 善走, 以人爲食, 遇有道君, 隱藏, 無道君, 出食人矣'《物類相感志》.

9
⑯ [豬] 〔저·자〕 豬(豕部 九畫〈p.2177〉)와 同字

9
⑯ [頯] 〔모·막〕 皃(白部 二畫〈p.1510〉)·貌(豸部 七畫〈p.2181〉)와 同字

9
⑯ [貑] 가 ㊀麻 居牙切 jiā
字解 ①큰곰 가 머리와 다리가 길며, 누르고 흰 무늬가 있는 곰. '似熊而長頭高脚, 猛憨多力, 能拔樹木, 關西呼曰一羆'《爾雅 注》. ②큰원숭이 가 '一, 玃也, 似獼猴而大'《爾雅 注》.

9
⑯ [貓] 노 ㊀晧 乃老切 nǎo
字解 암담비 노 담비의 암컷. '貓, 獸名, 雌貗也, 或作一'《集韻》.

[貢御 공어] 공물(貢物). 어(御)는 천자(天子)가 사용하는 물품.
[貢院 공원] 공사(貢士)를 시험하는 관사(官司).
[貢職 공직] 공물(貢物).
[貢獻 공헌] ㉠공물(貢物)을 나라에 바침. 또, 그 것. ㉡남을 위하여, 또 사회를 위하여 이바지함.
◉供貢. 九貢. 奇貢. 納貢. 來貢. 奉貢. 賦貢. 賓貢. 歲貢. 輸貢. 時貢. 年貢. 外貢. 禹貢. 雜貢. 租貢. 朝貢. 珍貢. 秋貢. 土貢. 鄕貢.

3 ⑩ **[貟]** 섬 ㊤琰 失冉切 shǎn

[字解] 성(姓) 섬 북쪽 오랑캐의 성. '一, 狄姓'《集韻》.

4 ⑪ **[販]** [高人] 판 ㊇願 方願切 fàn 贩

[筆順] 丨 冂 目 貝 貝⁻ 貶 販 販

[字解] ①팔 판, 살 판, 장사할 판 물품을 매매하여 이(利)를 봄. '一, 買賤賣貴者, 从貝反聲'《說文》. '睢陽一繒者也'《史記》. '市井勿得一賣'《漢書》. ②장사 판 상업. '子貢好一, 與時轉貨'《孔子家語》.

[字源] [篆文] 形聲. 貝+反〔音〕. '反반'은 '돌려주다'의 뜻. 받은 재화(財貨)에 상당(相當)하는 재화를 돌려주다, 장사하다, 팔다의 뜻을 나타냄.

[販客 판객] 행상인(行商人).
[販路 판로] 상품이 팔리는 방면이나 길.
[販賣 판매] 상품(商品)을 팖.
[販貿 판무] 장사함.
[販夫 판부] 상인(商人). 행상(行商)하는 사람.
[販婦 판부] 행상하는 여자.
[販糴 판적] 매매(賣買).
[販糶 판조] 쌀을 팖.
[販樵 판초] 땔나무를 팖.
◉街販. 沽販. 賈販. 共販. 屠販. 貿販. 負販. 商販. 市販. 營販. 傭販. 直販. 總販. 行販.

[敗] 〔패〕 攴部 七畫(p. 933)을 보라.

4 ⑪ **[貧]** [中人] 빈 ㊥眞 符巾切 pín 贫

[筆順] 丿 八 分 分 貧 貧 貧 貧

[字解] ①가난할 빈 빈한함. '一困'. '家一, 爲友壻富人所辱'《漢書》. ②모자랄 빈 학문·재덕 등이 부족함. '才富而學一'《文心雕龍》. ③가난 빈 빈곤. '韓宣子憂一'《國語》. 또, 가난한 사람. '增財役一'《漢書》.

[字源] [篆文] [古文] 形聲. 貝+分〔音〕. '分분'은 갈라지다의 뜻. 재화(財貨)가 분산(分散)되어 적어지다, 가난하다의 뜻을 나타냄.

[參考] 貪(貝部 四畫)은 別字.

[貧家 빈가] 가난한 집.
[貧居 빈거] 가난하게 삶. 또, 가난한 살림.
[貧潔 빈결] 가난하지만 결백함.
[貧苦 빈고] 빈곤(貧困).
[貧困 빈곤] 가난하여 고생함.
[貧交行 빈교행] 두보(杜甫)의 유명한 시(詩). 관중(管仲)·포숙(鮑叔)의 가난했을 때의 우정(友情)에 비교하건대 후세의 인정이 썩 박함을 읊은 것.
[貧窶 빈구] 가난하여 초췌함.
[貧國 빈국] 가난한 나라.
[貧窮 빈궁] 가난하여 생활이 곤궁함. 또, 그 사람. 빈곤(貧困).
[貧農 빈농] 가난한 농민. 가난한 농가(農家).
[貧餒 빈뇌] 가난하여 배를 주림.
[貧道 빈도] 중 또는 도사(道士)의 겸칭(謙稱).
[貧到骨 빈도골] 가난이 뼈에 사무침. 적빈(赤貧)의 형용. 빈철골(貧徹骨).
[貧陋 빈루] 가난하고 누추함.
[貧耗 빈모] 빈핍(貧乏).
[貧民 빈민] 가난한 백성.
[貧民窟 빈민굴] 빈민(貧民)만 사는 부락(部落).
[貧薄 빈박] 가난함.
[貧病 빈병] 가난한 자와 병든 자.
[貧富 빈부] 가난한 것과 넉넉한 것. 구차(苟且)한 것과 잘사는 것.
[貧士 빈사] 가난한 사람. 가난한 선비.
[貧相 빈상] 빈궁(貧窮)한 얼굴.
[貧生 빈생] ㉠가난한 사람. ㉡가난한 서생(書生).
[貧素 빈소] 가난하여 아무것도 없음. 또, 그 사람.
[貧僧 빈승] ㉠가난한 중. ㉡빈도(貧道).
[貧弱 빈약] ㉠가난하고 약(弱)함. ㉡내용이 충실하지 못함.
[貧而樂 빈이낙] 가난을 고생으로 여기지 않음. 구차하고 가난한 중에서도 편안한 마음으로 도(道)를 즐김. 안빈낙도(安貧樂道).
[貧人 빈인] 가난한 사람. 빈자(貧者).
[貧者 빈자] 가난한 사람.
[貧者士之常 빈자사지상] 선비는 도의(道義)를 지키고 재리(財利)를 바라지 아니하는 고로 항상 가난함.
[貧者一燈 빈자일등] 가난한 사람이 신불에 바치는 한 등은 부자가 바치는 만 등보다 오히려 불빛이 밝음. 곧, 성의로 바친 물건은 약소할지라도 공덕이 다대함을 이름.
[貧賤 빈천] 빈궁(貧窮)하고 비천(卑賤)함.
[貧賤可以驕人 빈천가이교인] 빈천하면서도 부귀를 바라지 아니하는 사람은 아무 거리낌이 없음.
[貧賤不能移 빈천불능이] 바른길을 걷는 사람은 아무리 가난하더라도 결코 그 지조(志操)를 꺾지 않음.
[貧賤之交 빈천지교] 빈천(貧賤)할 때에 사귄 친구(親舊).
[貧賤之交不可忘 빈천지교불가망] 빈천할 때에 사귄 친구는 잊어서는 아니 됨.
[貧賤親戚離 빈천친척리] 가난하면 일가친척도 멀어진다는 뜻으로, 인정의 경박스러움을 이름.
[貧齒類 빈치류] 포유동물(哺乳動物)에 속하는 한 목(目). 이가 퇴화하였거나 불완전하고 몸은 비늘로 덮였음. 천산갑(穿山甲)·개미핥기 등.
[貧乏 빈핍] 가난하여 아무것도 없음.
[貧寒 빈한] 가난하고 쓸쓸함.
[貧巷 빈항] 가난한 사람들이 사는 거리.
[貧血 빈혈] 신체 안의 혈액의 감소. 또, 그 병.
[貧戶 빈호] 가난한 집.

[貧鰥 빈환] 가난한 늙은 홀아비.
●甘貧. 寠貧. 樂貧. 奢者心嘗貧. 素貧. 守貧.
力勝貧. 赤貧. 賤貧. 清貧.

4
⑪ [貨] [中] 화 ㊦簡 呼臥切 huò   货货

[筆順] 亻 亻 化 佧 伫 俖 貨 貨

[字解] ①재화 화 ㉠재물. 물품. 상품. '奇—'.
'聚天之下—, 交易而退'《易經》. ㉡돈. 화폐.
'銀—'. '—幣'. '—謂布帛可衣及金刀龜貝, 所
以分財布利通有無者也'《漢書》. ②재물로여길
화 사람을 물건 취급함. 돈으로 사람을 자유로
이 부림. '無處而餽之, 是—之也'《孟子》. ③뇌
물줄 화 뇌물로 재화를 줌. '妻妾遂共一刺客,
伺醉而殺之'《顔氏家訓》. ④팔 화 물건을 매도
함. '今遂有一者'《輟耕錄》.
[字源] 形聲. 貝+化(音). '化'는 '바뀌다'
의 뜻. 다른 물품과 바뀔 수 있는 재
화(財貨), 보배의 뜻을 나타냄.

[貨賂 화뢰] 뇌물.
[貨利 화리] 재화와 이익.
[貨物 화물] ㉠재물. ㉡짐.
[貨寶 화보] 보물. 귀중품.
[貨產 화산] 재산(財産).   「色)
[貨色 화색] 재물(財物)과 여색(女色). 재색(財
[貨視 화시] 재화와 동일시한다는 뜻으로, 이용하
여 이익을 얻으려 하는 일.
[貨殖 화식] 금은 재물을 불림. 재산을 늘림.
[貨財 화재] 재물. 재화.
[貨羅 화적] 매매(賣買).
[貨主 화주] 화물의 임자.
[貨車 화차] 화물 열차(貨物列車).
[貨泉 화천] 왕망(王莽)이
주조(鑄造)한 동전(銅
錢). 표면에 전자로 '貨
泉' 두 자를 새겼음.
[貨取勢求 화취세구] 재물
로 벼슬을 사고, 세문(勢
門)에 빌붙어 관직(官職)을 얻음.

[貨泉]

[貨悖而入者亦悖而出 화패이입자역패이출] 부정
한 수단으로 얻은 재화는 역시 부정한 수단으
로 나가게 된다는 뜻. 곧, 부정한 돈은 오래가
지 않는다는 말.
[貨幣 화폐] 돈. 통화(通貨).
[貨布 화포] 왕망(王莽) 때의 화폐(貨幣). 전(轉)
하여, 널리 화폐를 이름.
[貨賄 화회] 돈·옥(玉)·포목(布木) 등. 금옥(金
玉)과 포백(布帛).
●硬貨. 金貨. 奇貨. 銅貨. 物貨. 寶貨. 良貨.
銀貨. 雜貨. 臟貨. 財貨. 楮貨. 錢貨. 珍貨.
通貨. 貝貨.

4
⑪ [貪] [高] 탐 ㊦覃 他含切 tān   贪贪
 [人] ㊥勘 他紺切

[筆順] 入 合 今 今 貪 貪 貪 貪

[字解] ①탐할 탐 과도히 욕심을 냄. 탐냄. '一
食'. '一人敗類'《詩經》. ②탐 탐 탐욕. '去其一'
《禮記》. 또, 탐내는 사람. '激一立懦'《謝朓》.
③탐구할 탐 탐색함. 찾음. 探(手部 八畫)과 통
용. '捨狀以一情'《後漢書》.

[字源] 會意. 貝+今. '今今'은 '含함'의 일
부로서, '포함하다, 품다'의 뜻. 재
화(財貨)를 마음속에 품다, 탐하다의 뜻을 나
타냄. 음형상(音形上)으로는 '探탐'과 통하여,
'탐색하다, 탐구하다'의 뜻을 나타내는 것으로
추측됨.

[貪看 탐간] 넋을 잃고 바라봄.
[貪強 탐강] 욕심이 많고 억셈.
[貪見 탐견] 《佛敎》자기의 심정(心情)에 맞는 사
물에 집착하여 일어나는 여러 가지 잘못된 생
각.
[貪競 탐경] 서로 탐내어 경쟁함.
[貪官 탐관] 욕심이 많은 관원(官員). 백성의 재물
을 탐내는 관리.
[貪嗜 탐기] 탐욕스럽게 즐김.
[貪讀 탐독] 욕심내어 읽음.
[貪惏 탐람] 탐람(貪婪).
[貪婪 탐람] 욕심이 많음. 몹시 탐냄.
[貪戾 탐려] 욕심이 많고 포악함.
[貪戀 탐련] 욕심에 마음이 끌림. 사물에 마음이
끌림.
[貪廉 탐렴] 탐욕과 청렴.
[貪吏 탐리] 탐관(貪官).
[貪利 탐리] 이익(利益)을 탐냄.
[貪悋 탐린] 욕심이 많고 인색함.
[貪冒 탐모] 대단히 욕심이 많음.
[貪沒 탐몰] 욕심이 많음. 또, 그 사람.
[貪墨 탐묵] 탐오(貪汚).
[貪放 탐방] 욕심이 많고 방자함.
[貪兵 탐병] 이익을 탐내는 군사.
[貪夫 탐부] 욕심이 많은 사내.
[貪夫徇財 탐부순재] 욕심이 많은 자는 재물 때문
에 목숨을 버림.
[貪鄙 탐비] 욕심이 많고 비루함.
[貪色 탐색] 여색(女色)을 탐냄.
[貪生 탐생] 살기를 탐함.
[貪惜 탐석] 욕심이 많아 아낌.
[貪俗 탐속] 탐욕스러운 풍습. 또, 욕심 많은 사
람.
[貪食 탐식] 음식(飮食)을 탐냄. 또, 게걸스럽게
먹음.
[貪心 탐심] 사물(事物)을 탐(貪)하는 마음. 탐욕
(貪慾)의 마음.
[貪汚 탐오] 욕심이 많아 더러움.
[貪惡 탐오] 욕심이 많고 마음씨가 나쁨.
[貪枉 탐왕] 탐욕스럽고 사악(邪惡)함.
[貪欲 탐욕] 탐욕(貪慾).
[貪慾 탐욕] 사물을 탐내는 욕심.
[貪淫 탐음] 지나치게 탐함.
[貪人 탐인] 욕심 많은 사람. 탐욕스러운 사람.
[貪恣 탐자] 욕심이 많고 방자함.
[貪殘 탐잔] 탐람하고 잔인함.
[貪財 탐재] 재물을 탐(貪)함.
[貪財嗜貨 탐재독화] 재화(財貨)를 탐하는 일.
[貪積 탐적] 욕심내어 쌓아 둠.
[貪瞋 탐진] 욕심과 노여움.
[貪濁 탐탁] 욕심이 많아 마음이 흐림.
[貪悖 탐패] 욕심이 많고 패려궂음.
[貪暴 탐포] 탐욕스럽고 포악함.
[貪虐 탐학] 탐욕(貪慾)이 많고 포학함.
[貪好 탐호] 몹시 즐김. 지나치게 좋아함.
[貪酷 탐혹] 탐람하고 잔인함.

[貪花 탐화] 호색 (好色) 함.
[貪猾 탐활] 탐욕이 많고 교활함.
[貪橫 탐횡] 탐람 (貪婪) 하고 방자함.
●慳貪. 強貪. 狼貪. 沓貪. 叨貪. 猛貪. 不貪.

4 ⑪ [貫] 高入 ■ 관 ㊀翰 古玩切 guàn ㋑ ■ 만 ㊁刪 烏關切 wān 貫 ^草

筆順 ㄴ ㅁ 毌 毌 毌 貫 貫 貫

字解 ■①돈꿰미 관 엽전을 꿰는 꿰미. '京師之錢, 累百鉅萬, 一朽而不可校'《漢書》. ②조리 관 일의 막히지 않고 통한 경로. '同條共一'《漢書》. '經之條一, 必出於傳'《左傳 序》. ③꿸 관 ㉠뚫음. '一通'. '矢—余手及肘'《左傳》. ㉡맞음. 맞힘. 적중함. '射則一兮'《詩經》. '楛矢—之'《易記》. ㉢통과함. '一流'. '白虹一日'《易記》. ㉣통하게 함. '吾道一以一之'《論語》. ㉤연이음. 계속함. '以次一行'《漢書》. ㉥일관함. 변치 않음. '峻節一秋霜'《顏延之》. ㉦거침. 지남. '一四時, 而不改柯易葉'《禮記》. ㉧이룸. 달성함. '一徹'. '一目的'. ㉨옷 같은 것을 입음. '一鉀跨馬于庭中'《晉書》. ④섬길 관 모시어 받듦. '三歲一女'《詩經》. ⑤거듭할 관 겹침. '一薜荔之落蕊'《楚辭》. ⑥명적 관 이름을 열기(列記)한 문서. '鄕一'. '其實官正職者, 亦列名一'《魏志》. ⑦익숙할 관 慣(心部 十一畫)과 통용. '一瀆'. '我不一與小人乘'《孟子》. ⑧성 관 성(姓)의 하나. ■당길 만 彎(弓部 十九畫)과 통용. '一弓執矢'《史記》.

字源 篆 貫 形聲. 貝+毌[音]. '毌관'은 '꿰뚫다'의 뜻. 꿰미에 꿴 돈의 뜻을 나타냄.

[貫弓 관궁] 활시위를 충분히 당김. 만궁 (彎弓).
[貫道之器 관도지기] 문장 (文章) 을 이름.
[貫瀆 관독] 익숙하여서 버릇없이 되어 업신여기고 더럽힘.
[貫流 관류] 꿰뚫어 흐름. 어떤 지역을 흘러 통과함.
[貫屬 관속] 관적 (貫籍) 의 소속지 (所屬地).
[貫首 관수] 우두머리.
[貫蝨 관슬] 관슬지기 (貫蝨之技).
[貫蝨之技 관슬지기] 기창 (紀昌) 이라는 활 잘 쏘는 사람이 이를 매달아 놓고 멀리서 활을 쏘아 이의 가슴을 맞혔다는 고사 (故事). 전 (轉) 하여, 사술 (射術) 이 입신 (入神) 함을 이름.
[貫習 관습] 관습 (慣習).
[貫魚 관어] 황후 (皇后) 의 이칭 (異稱). 어 (魚) 는 역 (易) 에서 음 (陰) 을 나타내어 부인 (婦人) 의 상 (象) 이고, 관 (貫) 은 궁중의 많은 부녀를 통솔한다는 뜻.
[貫盈 관영] 꿰뚫어 참. 널리 미침. 충만함.
[貫的 관적] 과녁.
[貫籍 관적] 본적 (本籍).
[貫珠 관주] ㉠구슬을 실로 꿰. ㉡염주 (念珠).
[貫穿 관천] 꿰뚫음. 널리 학문에 통한다는 뜻.
[貫徹 관철] 꿰뚫음. 끝까지 행 (行) 하여 달성함.
[貫通 관통] ㉠꿰뚫음. ㉡조리가 정연함. 문맥 같은 것의 앞뒤가 통함.
[貫通傷 관통상] 꿰뚫린 상처 (傷處).
[貫行 관행] 일을 계속하여 행함.
[貫鄕 관향] 시조 (始祖) 가 난 땅. 본 (本). 본향 (本鄕).
[貫革 관혁] 활·총 (銃) 을 쏠 때에 화살·총 (銃) 알

을 맞히는 목표 (目標). 가죽·널·베 들로 만듦. 과녁.
[貫革之射 관혁지사] 예용 (禮容) 을 무시한, 그저 쏘아 맞히는 실력만을 겨루는 사법 (射法). 오로지 적 (敵) 의 사살 (射殺) 만을 목적으로 하는 사법.
[貫朽而不可校 관후이불가교] 돈꿰미가 썩어 돈의 수를 셀 수 없음. 전 (轉) 하여, 창고에 물건이 풍부함을 이름.
●綱貫. 講貫. 舊貫. 羈貫. 條貫. 突貫. 滿貫. 名貫. 本貫. 斜貫. 世貫. 習貫. 魚貫. 淹貫. 盈貫. 一貫. 錢貫. 條貫. 縱貫. 淸貫. 洞貫. 通貫. 包貫. 鄕貫. 橫貫. 朽貫.

4 ⑪ [責] 中入 ■ 책 ㊀陌 側革切 zé ■ 채 ㊁卦 側賣切 zhài 責 ^草

筆順 一 二 キ キ 靑 靑 靑 責

字解 ■①꾸짖을 책 ㉠책망함. '叱一'. '詔書切峻, 一臣逋慢'《李密》. ㉡죄를 추궁하여 따짐. '一, 察其罪, 一之以刑罰也'《史記 注》. ②구할 책 요구함. '宋多一賂于鄭'《左傳》. ③권할 책 당연히 하여야 할 일을 하라고 권유함. '一善'. '一難於君, 謂之恭'《孟子》. ④재촉할 책 독촉함. '督一之'《史記》. ⑤헐뜯을 책 헐어 말함. '西隣一言'《左傳》. ⑥책임 책 당연히 하여야 할 임무. '重一'. '塞一'. '任其事而自當其一'《莊子 註》. ⑦책망 책 힐책. '不受當時之一'《仲長統》. ⑧취할 책 가짐. '歸其劍而一之金'《戰國策》. ⑨빚 채 債(人部 十一畫) 와 통용. '一主'. '施舍已一'《左傳》.

字源 甲骨文 ^甲 金文 ^金 篆文 ^篆 責 形聲. 원래 貝+朿[音]. '朿자'는 가시의 象形으로, '꾸짖다, 비난하다'의 뜻. 금품 (金品) 을 강요하다의 뜻을 나타냄.

[責家 채가] 빚이 있는 집.
[責主 채주] 채권자. 채주 (債主).
[責過 책과] 책망함. 또, 잘못을 책 (責) 함. 독과 (督過).
[責課 책과] 세 (稅) 의 납부를 독촉함.
[責躬 책궁] 자기가 자기를 책망함.
[責難 책난] ㉠곤란한 일을 하도록 권함. ㉡비난하여 나무람. 힐문 (詰問) 함.
[責怒 책노] 책망하여 노함.
[責望 책망] 하기 어려운 일을 서로 하라고 하며 원망함.
[責罵 책매] 꾸짖어 욕함. 매도 (罵倒).
[責務 책무] 책임지고 하여야 할 일.
[責問 책문] 책망하여 물음. 문책 함.
[責罰 책벌] 견책 (譴責) 과 형벌.
[責賦 책부] 구실을 빨리 바치라고 독촉함. 세금 독촉을 함.
[責善 책선] 착한 일을 하도록 서로 권함.
[責善朋友之道也 책선붕우지도야] 서로 착한 일을 하도록 권면 (勸勉) 하는 것이 친구의 도리임.
[責讓 책양] 꾸짖음. 나무람. 책망함.
[責言 책언] 꾸짖거나 나무라는 말.
[責任 책임] ㉠맡아서 해야 할 임무 또는 의무. ㉡자기가 하는 일, 또는 그 결과에 대해 법률상의 불이익 (不利益) 및 제재 (制裁) 를 받게 되는 일.
[責任內閣 책임내각] 시정 (施政) 의 성적 (成績) 에 대하여 책임을 지고 진퇴를 결정하는 내각.

[責誚 책초] 책양(責讓).
[責詬 책후] 꾸짖으며 욕함.
◉刻責. 譴責. 諸責. 督責. 免責. 面責. 默責. 文責. 問責. 薄責. 罰責. 簿責. 償責. 塞責. 收責. 宿責. 言責. 引責. 峻責. 重責. 職責. 叱責. 質責. 稱責. 笞責. 痛責. 貶責. 戲責.

4 ⑪ [贒] 〔현〕 賢(貝部 八畫〈p.2202〉)의 俗字

4 ⑪ [賟] 구 gòu
[字解] 다스릴 구 '一, 治也'《篇海類編》.

4 ⑪ [貭] 〔질〕 質(貝部 八畫〈p.2203〉)의 俗字

5 ⑫ [貯] [中人] 저 [上]語 丁呂切 zhù

[筆順] 丨 冂 目 貝 貝' 貯 貯 貯

[字解] ①쌓을 저 ㉠쌓아 둠. 또, 모아 둠. 축적해 둠. '一藏'. 또, 그렇게 해 둔 것. '發一'《漢書》. ㉡넣어 둠. 간수하거나 챙겨 둠. '一水'. '我有衣冠, 而子產一之'《呂氏春秋》. ②둘 저 집에서 데리고 있음. '一妓女, 藏歌舞'《王禹偁》. ③복 저 행복. '一, 福也'《玉篇》. ④멈춰설 저 우두커니 섬. '飭新宮以延一兮'《漢書》.
[字源] 甲骨文 金文 篆文 形聲. 貝+宁〔音〕. '宁저'는 무엇을 축적해 두기 위한 기구(器具)의 象形. '貝패'를 덧붙여, 화폐를 모으다의 뜻을 나타냄.

[貯金 저금] 돈을 모아 둠. 또, 그 돈.
[貯墨筆 저묵필] 만년필.
[貯米 저미] 쌀을 모아 둠. 또, 그 쌀.
[貯像簿 저상부] 사진 앨범.
[貯水 저수] 상수도(上水道)·관개용(灌漑用)으로 물을 모아 둠.
[貯藏 저장] 쌓아서 간직하여 둠.
[貯積 저적] 저축하여 쌓아 둠.
[貯蓄 저축] 절약(節約)하여 모아 둠.
◉窖貯. 滿貯. 積貯. 糴貯. 苞貯.

5 ⑫ [貶] [人名] 폄 [上]琰 方斂切 biǎn
[字解] ①덜 폄 감함. '損一'. '不可一也'《司馬相如》. ②떨어뜨릴 폄 관직을 낮춤. '一降'. '何以不氏, 一也'《公羊傳》. ③물리칠 폄 배척함. '一退'. ④폄할 폄 깎아 말함. '春秋采善一惡'《史記》. 또, 폄하는 일. '以一字爲褒一'《杜預》. ⑤떨어질 폄 관직 같은 것이 떨어짐. '又例一永州司馬'《韓愈》.
[字源] 篆文 形聲. 貝+乏〔音〕. '乏핍'은 '모자라다, 물리치다'의 뜻. 재화(財貨)가 부족하게 되다, 줄다의 뜻이나 깎아내리다의 뜻을 나타냄.

[貶降 폄강] 벼슬의 등급(等級)을 떨어뜨림.
[貶流 폄류] 관직을 떨어뜨리고 귀양 보냄.
[貶戮 폄륙] 폄좌(貶坐).
[貶辭 폄사] 사람을 깎아 하는 말.
[貶損 폄손] 덞. 떨어뜨림. 내림.
[貶殺 폄쇄] 줄임. 감함.
[貶謫 폄적] 벼슬자리에서 내치고 귀양 보냄.
[貶坐 폄좌] 벼슬자리에서 내치고 죄를 줌.
[貶職 폄직] 벼슬이 떨어짐. 면직(免職)을 당함.
[貶竄 폄찬] 벼슬을 떨어뜨리고 먼 곳에 귀양 보냄. 폄류(貶流).
[貶斥 폄척] 벼슬을 떨어뜨려 물리침.
[貶遷 폄천] 벼슬의 등급(等級)을 떨어뜨리어 다른 곳으로 옮김.
[貶逐 폄축] 벼슬을 떨어뜨리고 멀리 내쫓음.
[貶黜 폄출] 폄척(貶斥).
[貶退 폄퇴] 물리침.
[貶下 폄하] 가치를 깎아내림.
◉損貶. 抑貶. 自貶. 懲貶. 竄貶. 褒貶. 顯貶.

5 ⑫ [貺] 황 [去]漾 許訪切 kuàng
[字解] 줄 황, 하사할 황 '君辱一之'《左傳》. 또, 남이 주거나 웃어른이 하사하는 물건. '不敢求一'《左傳》.
[字源] 篆文 形聲. 貝+兄〔音〕. '兄형'은 '형님', 또, '위'의 뜻. 윗사람이 아랫사람에게 재화(財貨)를 내려 주다의 뜻을 나타냄.

[貺賜 황사] 내려 줌. 하사함. 또, 그 물건.
◉來貺. 大貺. 私貺. 天貺. 惠貺.

5 ⑫ [貼] [人名] 첩 [入]葉 他協切 tiē
[字解] ①붙을 첩 ㉠의지하여 닿음. 의부(依附)함. '低茅水上一'《徐渭》. ㉡달라붙음. ②붙일 첩 달라붙게 함. '一付'. '書之屛風, 以時揭一'《宋史》. ③전당잡힐 첩 저당(抵當)함. '身自販一與隣里'《南史》. ④메울 첩 부족을 보충함. '補一'. '一, 增韻, 裨也'《康熙字典》. ⑤편안할 첩 안정함. '妥一'.
[字源] 篆文 形聲. 貝+占〔音〕. '占점'은 일정한 장소에 놓아두다의 뜻. 재화(財貨)를 전당 잡히다의 뜻을 나타냄.

[貼墨 첩묵] 시험의 한 방법. 경서(經書) 중의 일행(一行)을 보이고, 그 전후를 가려 통독하게 하는 일. 첩시(貼試).
[貼夫 첩부] 간부(姦夫).
[貼付 첩부] 착 들러붙게 붙임.
[貼寫 첩사] 첩서(貼書).
[貼書 첩서] 서리(書吏)의 조수·필생(筆生) 등.
[貼試 첩시] 첩묵(貼墨).
[貼身 첩신] 시녀(侍女)나 잉첩(媵妾) 따위.
[貼用 첩용] 붙여서 씀.
[貼典 첩전] 전당 잡히는 일.
[貼錢 첩전] 거스름돈.
[貼黃 첩황] 당대(唐代)에 조서(詔書)에 고칠 데가 있으면 황지(黃紙)를 첩부하여 정정함을 이름. 후대에는 상소(上疏) 등에 뜻이 미진한 데가 있으면 황지를 끝에 첩부하여 부연(敷衍)함에도 이름.
◉揭貼. 補貼. 熨貼. 裝貼. 典貼. 簽貼. 妥貼. 販貼.

5 ⑫ [貽] [人名] 이 [平]支 與之切 yí
[字解] ①줄 이 증여함. '作師說以一之'《韓愈》.

②끼칠 이 후세에 물려줌. 전함. ‘一禍’. ‘一謀
寶訓明’《蔡襄》.
字源 篆文 貽 形聲. 貝+台〔音〕. ‘台이’는 ‘기뻐하다’
의 뜻. 기뻐해 하는 재화(財貨), 선물
의 뜻을 나타냄.

[貽厥 이궐] ㉠손자(孫子)의 이칭(異稱). ㉡자손
을 위하여 함.
[貽惱 이뇌] 남에게 괴로움을 끼침.
[貽謀 이모] 조상(祖上)이 자손(子孫)에게 끼친
계책(計策).
[貽笑 이소] 남에게 비웃음을 당함.
[貽害 이해] 남에게 해를 끼침.
[貽訓 이훈] 조상이 자손에게 끼친 교훈.
　◉形管貽. 相貽.

5
⑫ [貾] 지 ㊀支 直尼切 chí
字解 누른조개 지 ‘餘一’는 누른 바탕에 흰 얼
룩이 진 조개. ‘餘一, 黃白文. (注) 以黃爲質,
白文爲貾’《爾雅》.

5
⑫ [貱] 피 ㊁寘 彼義切 bì
字解 ①줄 피 ‘一, 迻予也’《說文》. ②더할 피
‘一, 益也’《廣雅》. ③차례 피 ‘一虒’는 차례.
‘一, 一曰, 一虒, 次第也’《集韻》.
字源 形聲. 貝+皮〔音〕.

5
⑫ [貵] 소 ⓛ語 疎阻切 shǔ
字解 복채놓고점칠 소 ‘竆財卜問爲一’《說文》.
字源 篆文 貵 形聲. 貝+疋〔音〕.

5
⑫ [眩] 현 ㊁霰 黃練切 xuàn
字解 팔 현 걸어서 이리저리 다니며 물건을 팖.

5
⑫ [眣] 〔이〕
貤(貝部 三畫〈p.2186〉)와 同字

5
⑫ [眚] 생 ㊁敬 所慶切 shèng
字解 ①재물 생 ‘一, 財也’《玉篇》. ②재산많을
생 가멺. ‘一, 富也’《集韻》.

5
⑫ [貳] 人名 이 ㊁寘 而至切 èr　貳 貳
筆順 一 二 亍 亓 亓 亓 貢 貳 貳
字解 ①두 이 둘. 二(部首)와 同字. ‘其爲物不
一’《中庸》. 지금은 주로 금전(金錢)의 숫자에
쓰임. ②두마음 이 두 가지 마음. 이심. 또, 두
가지 마음을 품음. ‘從君而一’《左傳》.
③거듭할 이 재차 함. 중복함. ‘不一過’《論語》.
④의심할 이 의혹을 품음. ‘攜一任’. ‘賢勿一’
《書經》. ⑤어길 이 위반함. ‘修道而不一’《荀
子》. ⑥변할 이 ㉠변심함. ‘妖壽不一’《孟子》.
㉡변화함. ‘事成不一’《國語》. ⑦대신할 이 대리
함. ‘其卜一圄也’《左傳》. ⑧내응할 이 내통함.
‘一於己’《左傳》. ⑨떨어질 이 따로 됨. ‘子盍蚤

自一焉’《國語》. ⑩도울 이 옆에서 보좌함. ‘副
一’. ‘一公弘化’《書經》. ⑪적수 이 필적(匹敵).
‘君之一也’《左傳》. ⑫성 이 성(姓)의 하나.
字源 金文 貮 篆文 貳 形聲. 弋+貝+二〔音〕. 창으로
조개를 둘로 가르는 모양에서,
‘둘, 두 개’의 뜻을 나타냄.

[貳車 이거] 바꿔 타기 위하여 여벌로 따르는 수레.
부거(副車).
[貳公 이공] 삼공(三公)의 부관(副官).
[貳師將軍 이사장군] 한무제(漢武帝) 때 설치한
벼슬 이름. 흉노(匈奴)의 이사성(貳師城)이라
는 지방을 정복한 데서 생긴 이름.
[貳臣 이신] 두 마음을 품은 신하.
[貳室 이실] 이궁(離宮).
[貳心 이심] 배반하려는 마음. 두 가지 마음. 이
심(二心).
[貳適 이적] 이심(貳心)을 품음.
　◉間貳. 介貳. 繼貳. 乖貳. 副貳. 不貳. 挈貳.
　猜貳. 違貳. 應貳. 疑貳. 離貳. 儲貳. 參貳.
　嫌貳. 攜貳.

5
⑫ [貰] 人名 세 ㊁霽 舒制切 shì　貰 貰
字解 ①외상으로살 세, 외상으로팔 세 현금을 내
지 않고 사거나 팖. ‘常從王媼武負一酒’《史
記》. 지금은 세주고 세내는 뜻으로도 쓰임. ②
외상 세 ‘未作一貸’《漢書》. ③용서할 세, 놓아줄
세 죄를 용서함. 또, 석방함. ‘得見一赦’《漢
書》. ‘不一不忍’《國語》. ‘良久酒一之’《漢書》.
字源 篆文 貰 形聲. 貝+世〔音〕. ‘世’는 ‘曳에’와 통
하여, ‘늘이다, 연기하다, 드티다’의
뜻. 금전의 지불을 미루다, 외상으로 사다의 뜻
을 나타냄.

[貰家 세가] 셋집.
[貰貸 세대] 대차(貸借).
[貰物 세물] 세(貰)를 주는 물건.
[貰赦 세사] 죄를 용서함.
[貰錢 세전] 셋돈.
[貰冊 세책] 셋돈을 받고 빌려 주는 책.
　◉貸貰. 物貰. 賒貰. 朔月貰. 傳貰.

5
⑫ [貲] 자 ㊀支 卽移切 zī　貲 貲
字解 ①재물 자 재화(財貨). ‘家一’. ‘轉貨一’
《史記》. ②값 자 ‘之龜爲無一’《管子》. ③셀 자
계산함. ‘不一’(셀 수 없이 많음). ‘不可一計’
《後漢書》. ④속(贖)할 자 재화(財貨)로써 죄를
속(贖)함. ‘一, 小罰目財自贖也’《說文》.
字源 篆文 貲 形聲. 貝+此〔音〕.

[貲郎 자랑] 돈을 내고 낭관(郎官)이 됨. 또, 그
사람. 전(轉)하여, 널리 돈으로 벼슬을 산 사람
을 이름.
[貲簿 자부] 금전 출납부.
[貲產 자산] 재산(財產). 자산(資產).
[貲財 자재] 재보(財寶)와 돈. 재산.
　◉家貲. 高貲. 傾貲. 不貲. 先貲. 貨貲.

5
⑫ [貴] 中人 귀 ㊁未 居胃切 guì　貴 貴

筆順 丨 冂 日 中 虫 冉 冑 貴

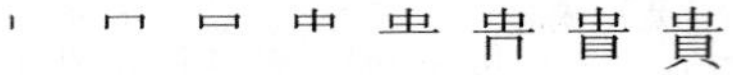

字解 ①귀할 귀 ㉠지위·신분이 높음. '高一'. '富一'. '吾乃今日知爲皇帝之一也'《史記》. ㉡값이 비쌈. '一貨'. '一金屬'. '器苦惡賈一'《漢書》. 또, 귀한 사물. 높은 지위. 높은 사람. '安窮乎, 安一乎'《戰國策》. '以一下人'《史記》. '饋遺朝一以營譽'《世說》. ㉢귀중함. 중요함. '禮之用, 和爲一'《論語》. 전(轉)하여, 존칭의 접두어(接頭語)로 쓰임. '一國'. '一意'. '一宅何所'《錢塘縣志》. ②귀히여길 귀 ㉠존숭함. '一德而尙齒'《禮記》. '一貨易土'《國語》. ㉡바람. 욕구함. '一合於秦以伐齊'《戰國策》. ③뽐낼 귀 '爲府卿一驕'《後漢書》. ④두려워할 귀 '一大患若身'《老子》. ⑤사랑할 귀 '下安則一上'《荀子》. ⑥성 귀 성(姓)의 하나.

字源 篆文  會意. 篆文은 臾+貝. '臾유'는 양손으로 선물을 주는 모양을 나타냄. '貝패'는 '재물(財物)'의 뜻. 선물의 뜻에서, '귀하다'의 뜻을 나타냄.

[貴家 귀가] ㉠지위가 높은 사람의 집. ㉡남의 집의 존칭.
[貴价 귀개] 남의 사환(使喚) 또는 사자(使者)의 존칭.
[貴介公子 귀개공자] 귀한 집의 자제.
[貴介子弟 귀개자제] 귀개공자(貴介公子).
[貴介弟 귀개제] 남의 아우의 존칭.
[貴客 귀객] 존귀(尊貴)한 손님.
[貴鵠賤雞 귀곡천계] 고니를 귀중(貴重)히 여기고 닭을 천(賤)하게 여김. 인정(人情)이란 드물고 먼 것을 귀하게 보고, 흔하고 가깝게 있는 것을 천하게 봄의 비유(比喩).
[貴骨 귀골] 귀(貴)히 자란 사람.
[貴公子 귀공자] 지위(地位)가 높은 집에 태어난 젊은이.
[貴官 귀관] ㉠지위가 높은 사람. ㉡상대자의 관직에 의한 이인칭 대명사.
[貴冠履忘頭足 귀관리망두족] 갓과 신을 귀히 여기고 머리와 발은 업신여긴다는 뜻으로, 근본(根本)을 경시(輕視)하고 지엽적(枝葉的)인 것을 중히 여김을 이름. 또, 상하(上下)·존비(尊卑)의 순서를 그르침의 비유.
[貴驕 귀교] 교만하게 뽐냄. 뽐내어 우쭐거림.
[貴國 귀국] 남의 나라의 존칭.
[貴金屬 귀금속] 황금(黃金)·백금(白金)과 같이 보통 산(酸)에 변화(變化)하지 아니하는 금속(金屬). 값이 비싼 백금·금·은 따위의 금속.
[貴女 귀녀] ㉠지위가 높은 집에 태어난 여자. ㉡부녀(婦女)에 대한 존칭.
[貴達 귀달] 지위가 높음.
[貴大 귀대] ㉠신분이 높고 재산이나 세력이 큼. ㉡뽐내어 우쭐댐.
[貴宅 귀댁] 남의 집의 존칭(尊稱).
[貴老 귀로] ㉠노인을 존대함. ㉡노인의 존칭.
[貴望 귀망] 신분이 높은 집안. 명예로운 일문(一門).
[貴命 귀명] 남의 명령의 존칭.
[貴門 귀문] ㉠존귀(尊貴)한 가문(家門). ㉡남의 가문(家門)의 존칭.
[貴物 귀물] 귀중한 물건. 흔하지 않은 물건. 진귀한 물건.
[貴邦 귀방] 귀국(貴國).
[貴寶 귀보] 귀중한 보배.
[貴富 귀부] 지위가 높고 재보(財寶)가 많음.
[貴婦人 귀부인] 지체가 높은 부인.
[貴妃 귀비] 여관(女官)의 계급. 지위는 상국(相國)과 같음. 귀빈(貴嬪)·귀인(貴人)과 아울러 삼부인(三夫人)이라 일컬음.
[貴賓 귀빈] 존귀(尊貴)한 손님.
[貴嬪 귀빈] 지위가 높은 여관(女官). 황후(皇后)의 다음 자리에 드는 지위.
[貴仕 귀사] 사환(仕宦)하여 출세함. 또, 그 벼슬.
[貴社 귀사] 남의 회사(會社)의 존칭.
[貴書 귀서] 남의 서장(書狀)의 존칭.
[貴盛 귀성] 지위가 높고 세력이 대단함.
[貴息 귀식] 남의 아들의 존칭. 영식(令息).
[貴臣 귀신] 지위가 높은 신하.
[貴紳 귀신] 존귀한 사람.
[貴要 귀요] 지위가 높고 요로(要路)에 있음. 또, 그 사람.
[貴庾 귀유] 물품을 저장하였다가 값이 비쌀 때 팖.
[貴遊 귀유] 상류 사회.
[貴遊子弟 귀유자제] 왕공(王公)·귀족(貴族)의 자제.
[貴意 귀의] 남의 의사(意思)의 존칭.
[貴耳而賤目 귀이이천목] 듣는 일을 귀하게 여기고 보는 일을 천시함. 곧, 생각이 천박함을 이름.
[貴人 귀인] ㉠지위 높은 사람. ㉡한대(漢代)의 여관(女官). 황후의 다음.
[貴糶 귀조] 시세보다 비싸게 쌀을 팖.
[貴族 귀족] ㉠사회(社會)의 윗자리에 있어서 특권(特權)을 가지고 있는 계급(階級). ㉡남의 가족의 존칭.
[貴族政治 귀족정치] 소수의 귀족이 국가의 주권을 장악한 정치.
[貴種 귀종] ㉠고귀한 집안의 태생. ㉡신분이 높은 씨족(氏族).
[貴州 귀주] 중국 서남부에 있는 성(省). 임산(林産)이 이 지방의 큰 자원(資源)이며 여러 종류의 약재(藥材)를 산출함. 성도(省都)는 구이양(貴陽). 검성(黔省).
[貴胄 귀주] 존귀한 집안의 자손.
[貴重 귀중] ㉠소중히 여김. ㉡지위가 높고 권세가 있음.
[貴重顧籍 귀중고적] 자중하여 함부로 나아가지 않음. 적(籍)은 석(惜).
[貴地 귀지] ㉠높은 지위. ㉡남의 거주지의 존칭.
[貴紙 귀지] 상대편의 신문(新聞)의 존칭.
[貴誌 귀지] 상대편의 잡지(雜誌)의 존칭.
[貴徵 귀징] 귀하게 될 조짐.
[貴札 귀찰] 남의 편지의 존칭. 존찰(尊札).
[貴妻 귀처] 아내. 첩(妾)에 대하여 이름.
[貴戚 귀척] ㉠귀인(貴人)의 친척(親戚). ㉡귀족(貴族).
[貴賤 귀천] ㉠부귀(富貴)와 빈천(貧賤). ㉡귀한 사람과 천한 사람.
[貴體 귀체] 남의 몸의 존칭(尊稱).
[貴寵 귀총] 천자가 아끼고 사랑함. 또, 그 사람.
[貴宅 귀택] 귀댁(貴宅).
[貴下 귀하] 남의 존칭.
[貴翰 귀한] 남의 편지의 존칭. 귀서(貴書).
[貴函 귀함] 남의 편지의 존칭.
[貴幸 귀행] 귀총(貴寵).

[貴顯 귀현] 존귀하고 현달함. 또, 그 사람.
● 高貴. 功貴. 窮貴. 權貴. 騰貴. 蒙貴. 富貴. 翔貴. 盛貴. 勝貴. 良貴. 榮貴. 踊貴. 隆貴. 朝貴. 尊貴. 至貴. 寵貴. 暴貴. 顯貴.

5 ⑫ [買] 中 매 ㊤蟹 莫蟹切 mǎi 人

[筆順] ' ㄇ ㄇ ㅁ 罒 罒 冒 胃 買 買

[字解] ①살 매 ㉠금전을 주고 물건을 구함. '購一'. '請―其方百金'《莊子》. 돈을 써서 쾌락 같은 것을 구함. '猶自經營一笑金'《劉禹錫》. ㉡구하여 얻음. '一名'. '所謂市怨而―禍者也'《戰國策》. 또, 사는 일. '聽賣一'《周禮》. ②세낼 매 '一舟乘興過滄浪'《薩都剌》. ③성 매 성(姓)의 하나.

[字源] 金文 罔 篆文 買 會意. '网+貝'. '网망'은 '그물'의 뜻. '貝패'는 '재화(財貨)'의 뜻. 그물을 씌워 재화(財貨)를 거두어들이다. 사다의 뜻을 나타냄.

[買價 매가] 사는 값.
[買官 매관] 돈을 내고 벼슬을 함.
[買路錢 매로전] 출관(出棺)할 때 길에 까는 지전(紙錢).
[買隣 매린] ㉠주택(住宅)을 정(定)하려면 먼저 그 근방(近傍)의 분위기(雰圍氣)부터 살핌. 복린(卜隣)하는 일. ㉡좋은 곳을 가려서 주거(住居)를 옮기는 일.
[買賣 매매] 사는 일과 파는 일. 사고팖.
[買賣城 매매성] 외몽고 고륜(庫倫) 북쪽에 있는 지명(地名). 중국과 러시아 사이의 육로 통상(陸路通商) 요충지임.
[買名 매명] 명예를 구함.
[買死馬骨 매사마골] 쓸모없는 것을 사 가지고 쓸모 있을 때가 오기를 기다림. 또, 재능이 대단치 않은 자를 우대하여 현자(賢者)가 자연히 모여들기를 기다린다는 뜻.
[買山 매산] ㉠산을 삼. ㉡은퇴(隱退)하기 위하여 산을 삼.
[買笑 매소] ㉠남의 비웃음을 당함. ㉡기생과 친숙하여짐.
[買收 매수] ㉠물건을 사들임. ㉡남의 마음을 사서 자기편으로 삼음.
[買受 매수] 사서 받음.
[買售 매수] 사는 일과 파는 일. 매매.
[買食 매식] 음식(飮食)을 사서 먹음. 사서 먹는 음식.
[買占 매점] 물건을 몰아 사 둠.
[買主 매주] 물건을 사는 사람.
[買春 매춘] 술을 삼.
[買春錢 매춘전] 주식(酒食)의 비용.
[買土 매토] 땅을 삼.
[買婚 매혼] 재화(財貨)를 써서 혼인을 맺음.
● 競買. 估買. 故買. 購買. 貴買. 多買. 賣買. 市買. 零買. 羅買. 賤買. 淸風明月不用一錢買.

5 ⑫ [貸] 高 대 ㊤隊 他代切 dài 人 ㊀特 ㊇職 慝得切 tè

[筆順] ノ 亻 亻 仁 代 代 侪 貸 貸

[字解] ㊀①빌려줄 대 금품을 대여함. 꾸어 줌.

'一假'. '盡其家―於公'《左傳》. 또, 빌려주는 일. '未作貸―'《史記》. ②돈 대 시여함. '一贍'. '賑―幷州四郡之貧民'《後漢書》. ③용서할 대 관대히 보아줌. '寬―'. '恩―'. '然亦縱舍, 時有大―'《漢書》. ㊁①빌릴 특 차용함. 빌려 받음. '凡此之者'《周禮》. ②틀릴 특 式(心部 三畫)과 통용. '司天日月星辰之行, 宿離不―'《禮記》.

[字源] 篆文 貸 形聲. 貝+代[音]. '代대'는 '갈리다, 바뀌다'의 뜻. 재화(財貨)의 임자가 바뀌다의 뜻에서, '베풀다, 빌려 주다'의 뜻을 나타냄.

[貸假 대가] 빌려 줌.
[貸減 대감] 관대히 하여 죄를 경하게 함.
[貸給 대급] 빌려 줌.
[貸邊 대변] 복식 부기(複式簿記)에서, 장부상(帳簿上)의 계정계좌(計定計座) 오른쪽. 자산(資産)의 감소(減少), 부채(負債), 자본(資本)의 증가(增加) 등을 기입(記入)함.
[貸賦 대부] 체납(滯納)돼 있는 조세(租稅).
[貸費生 대비생] 관(官), 또는 학교로부터 일정한 기간 동안 학자금을 빌려서 수학(修學)하는 학생.
[貸賖 대사] 외상으로 삼.
[貸贍 대섬] 재물을 베풀어 백성의 곤궁을 구함.
[貸施 대시] 베풂. 시여(施與).
[貸與 대여] 빌려 줌.
[貸宥 대유] 형벌 따위를 관대히 함.
[貸借 대차] ㉠꾸어 줌과 꾸어 옴. ㉡용서함.
● 假貸. 寬貸. 赦貸. 賖貸. 貰貸. 容貸. 優貸. 原貸. 恩貸. 賃貸. 轉貸. 賑貸. 稱貸. 通貸. 稟貸.

5 ⑫ [費] 高 비 ①-⑤㊦未 芳未切 fèi 人 ⑥㊦未 扶沸切

[筆順] ㄱ ㄹ 弓 弓 弗 弗 費 費

[字解] ①쓸 비 ㉠금품을 써서 없앰. '消一'. '浪一'. '君子惠而不―'《論語》. ㉡사용함. '一辭'. '無乃傷于德―于辭乎'《韓愈》. ㉢녹(祿)을 타 먹음. '月一俸錢歲糜廩粟'《韓愈》. ②과도히 소모함. '一力'. '一神傷魂'《呂氏春秋》. ㊀세월을 보냄. 경과함. '一白日些'《楚辭》. ②소모할 비 써서 없어짐. 결핍함. '中國虛一'《後漢書》. ③비용(費用) 비 '經一'. '國一'. '冗一'. '爲飮食一'《史記》. ④넓을 비 공용(功用)이 넓고 큼. '君子之道―而隱'《中庸》. ⑤재화(財貨) 비 '非愛其一也'《呂氏春秋》. ⑥성 비 성(姓)의 하나.

[字源] 篆文 費 形聲. 貝+弗[音]. '弗불'은 '뿌리다'의 뜻. 재화(財貨)를 흩어 뿌리다의 뜻을 나타냄.

[費句 비구] 쓸데없는 문구.
[費力 비력] 힘을 소비(消費)함. 또, 인력(人力)을 소모(消耗)함.
[費耗 비모] 써 없앰. 또, 비용.
[費糜 비미] 비용(費用).
[費散 비산] 함부로 써 버림. 모산(耗散).
[費消 비소] 써 없앰. 소비함.
[費損 비손] 써서 없앰. 소비(消費). 소비(消費).
[費心 비심] 근심함. 걱정함.
[費用 비용] 드는 돈. 쓰는 돈. 비발.

[費褘 비위] 삼국 시대 촉(蜀)나라 사람. 자(字)는 문위(文偉). 제갈량(諸葛亮)에게 크게 신임(信任)을 받았으며, 후주(後主) 때 황문시랑(黃門侍郞)을 거쳐 상서령(尙書令)이 되었음.

[費隱 비은] 성인(聖人)의 도(道)는 두루 미침. 공용(功用)의 광대한 것을 비(費)라 하고 지소지세(至小至細)함을 은(隱)이라 함.

[費長房 비장방] 후한(後漢) 때의 여남(汝南) 사람. 호공(壺公)을 따라 산에 들어가서 선술(仙術)을 배웠음.

[費錢 비전] 쓰는 돈. 쓴 돈. 또, 돈을 씀.
● 鉅費. 經費. 經常費. 公費. 空費. 官費. 國費. 給費. 濫費. 浪費. 勞費. 路費. 徒費. 煩費. 邊費. 私費. 奢費. 辭費. 歲費. 消費. 旅費. 冗費. 游費. 淫費. 臨時費. 入費. 匠費. 衆費. 出費. 土費. 學費. 會費. 橫費.

5 ⑫ [貿] 〔高人〕 무 ①-⑤㊧宥 莫候切 mào ⑥㊕尤 迷浮切

筆順 フ ヒ ㅌ ㅌㅌ ㅌㅌㅌ 罒 留 貿 貿

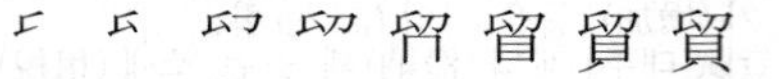

字解 ①무역할 무 교역함. '一易'. '一, 易財也'《說文》. '一, 市賣也'《廣韻》. ②살 무 물건을 삼. '抱布一絲'《詩經》. '杭有賣菓者, 善藏柑云云, 予一得其一'《劉基》. ③바꿀 무 교환함. '男女一功'《呂氏春秋》. ④갈마들 무 번갈아 나옴. '一亂'. '是非相一, 眞僞舛雜'《裴駰》. ⑤성 무 성(姓)의 하나. ⑥눈어두울 무 '一一'는 눈이 어두운 모양.

字解 金文 화 篆文 貿 形聲. 貝+卯[音]. '卯묘'는 등가(等價)의 물건과 바꾸다의 뜻. 재화(財貨)를 바꾸다의 뜻을 나타냄.

[貿亂 무란] 번갈아 어지러워짐.
[貿貿 무무] ㉠눈이 어두운 모양. ㉡사리(事理)에 밝지 않은 모양.
[貿首之讎 무수지수] 자기의 머리가 잘라져 달아나는 한이 있더라도 머리를 베어 죽이고 싶은 불구대천의 원수.
[貿市 무시] 서로 물품을 교환하여 장사함.
[貿易 무역] ㉠팔고 사고 함. 교역함. ㉡외국과 장사 거래를 함.
[貿易風 무역풍] 적도(赤道)의 남북(南北) 30도 이내(以內)의 바다 위에서 부는 풍향이 일정한 바람.
[貿糴 무적] 물자나 식량을 교환 매매(賣買)함.
[貿販 무판] 무시(貿市).
● 交貿. 賦貿. 易貿. 賤貿. 販貿.

5 ⑫ [賀] 〔中人〕 하 ㊉簡 胡簡切 hè

筆順 フ ㄱ 力 加 加 智 賀 賀

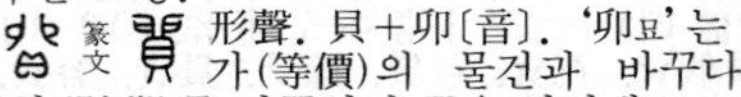

字解 ①하례할 하 ㉠예물(禮物)을 보내어 경사를 축하함. '昏禮不一, 人之序也'《禮記》. ㉡축사(祝辭)를 말하여 경사를 축하함. '羣臣聞見者畢一'《戰國策》. 또, 하례하는 일. 하례할 만한 일. 경축(慶祝). '年一'. '一慶之禮'《周禮》. ②위로할 하 노고(勞苦)에 대하여 치하함. '景公迎而一之'《晏子春秋》. ③가상(嘉尙)할 하 가상히 여김. '一, 嘉也'《廣雅》. ④질 하 등에 짐. '羣臣皆一戟侍'《唐書》. ⑤보탤 하 가(加)함. '一之結于後'《儀禮》. ⑥성 하 성(姓)의 하나.

字解 篆文 賀 形聲. 貝+加[音]. '加가'는 '더 하다'의 뜻. 재화(財貨)를 남에게 보내어 축하하다의 뜻을 나타냄.

[賀客 하객] 축하(祝賀)하는 손님.
[賀慶 하경] 경사(慶事).
[賀禮 하례] 축하하는 예식(禮式).
[賀私 하사] 사사로이 축하함.
[賀詞 하사] 축하하는 말. 축사.
[賀辭 하사] 하사(賀詞).
[賀召 하소] 서로 초청하여 축하하고, 친목을 두터이 함.
[賀頌 하송] 축하하며 칭송함. 또, 그 말.
[賀壽 하수] 장수(長壽)를 축하함.
[賀宴 하연] 축하의 술잔치. 축하연(祝賀宴).
[賀筵 하연] 축하하는 주연(酒宴). 또, 그 자리. 하연(賀宴).
[賀儀 하의] 하례(賀禮).
[賀狀 하장] ㉠축하의 편지. ㉡연하장(年賀狀).
[賀箋 하전] 하표(賀表).
[賀正 하정] 새해를 축하(祝賀)함.
[賀知章 하지장] 당(唐)나라 초기(初期)의 시인. 자(字)는 계진(季眞). 호(號)는 사명광객(四明狂客). 현종(玄宗) 때 예부시랑(禮部侍郞)이 되었으나, 만년(晩年)에는 벼슬을 버리고 고향에 돌아가 도사(道士)가 되었음. 시문(詩文) 외에 초(草)·예(隷)에도 능하였음. 또, 이태백(李太白)의 재능을 발견하여 현종에게 추천한 것으로도 유명함.
[賀表 하표] 조정 또는 나라에 경사가 있을 때에 신하가 올리는 축하하는 문서.
● 慶賀. 恭賀. 謹賀. 來賀. 大賀. 大廈成燕雀相賀. 拜賀. 上賀. 壽賀. 年賀. 弔賀. 朝賀. 參賀. 祝賀. 陞賀. 表賀.

5 ⑫ [賁] 〔분·비·륙〕
賁(貝部 六畫〈p.2196〉)의 俗字

5 ⑫ [䝙] 감(함)㊤ ①㊤覃 呼談切 hān ②㊤勘 呼紺切 hàn

字解 ①구걸할 감 어떤 재주를 부리고 돈이나 곡식을 달라고 함. 歆(欠部 十三畫〈p.1136〉)과 통용. '戲乞人物'《廣韻》. '一, 戲乞也, 通作歆'《集韻》. ②재물탐낼 감 '一, 賺一, 貪財也'《集韻》.

5 ⑫ [朐] 구 ㊧宥 居侯切 gòu

字解 ①베풀 구 남에게 줌. '一, 稟給也'《集韻》. ②다스릴 구 '一, 治也'《篇海》.

6 ⑬ [賂] 〔人名〕 뢰 ㊧遇 洛故切 lù

字解 ①줄 뢰 ㉠재화(財貨)를 증여(贈與)함. 물건을 남에게 줌. '國富, 厚一戰士'《史記》. ㉡뇌물을 줌. '貪而忽名, 可貨而一'《吳子》. ②뇌물 뢰 '賄一'. '吏爭納一, 以求美職'《十八史略》.

字解 篆文 賂 形聲. 貝+各[音]. '各각'은 '이르다'의 뜻. 재보(財寶)를 가져오다, 보내다의 뜻.

[賂物 뇌물] 자기의 목적을 이루기 위하여 권력 관

계자에게 몰래 주는 재물.
[賂謝 뇌사] 뇌물.
[賂遺 뇌유] 뇌물을 줌. 또, 뇌물.
●賕賂. 納賂. 寶賂. 緩賂. 重賂. 貨賂. 賄賂.
厚賂.

6/13 [賄] 〔人名〕 회 ⊕賄 呼罪切 huì

[字解] ①재물 회 재화(財貨). ‘財一’. ‘以爾車
來, 以我一遷《詩經》. ②뇌물 회 이익을 얻기
위하여 몰래 보내는 금품 ‘一賂’. ‘收一’. ‘亮
亦尋爲一敗’《世說》. ③예물 회 폐백, 선사. ‘先
事後一禮也’《左傳》. ⑤선사할 회, 뇌물줄 회 ‘一
用束紡’《儀禮》.
[字源] 〔篆文〕 賄 形聲. 貝＋有〔音〕. ‘有유’는 식사를 남
에게 권하다의 뜻. 재화(財貨)를 남
에게 보내다의 뜻을 나타냄.

[賄賂 회뢰] 뇌물(賂物).
[賄賂公行 회뢰공행] 뇌물이 아무 거리낌 없이 공
공연히 행해짐.
●方賄. 收賄. 容賄. 資賄. 財賄. 贈賄. 貨賄.

6/13 [賅] 해(개) ⊛灰 古哀切 gāi

[字解] ①갖출 해, 겸할 해 該(言部 六畫)와 통용.
‘百骸九竅六藏, 一而存焉’《莊子》. ②족할 해
‘一, 又贍也’《廣韻》. ③재화 해 재물. ‘一, 貨
也’《集韻》.
[字源] 形聲. 貝＋亥〔音〕. ‘該해’와 통하여, ‘갖춰지
다’의 뜻을 나타냄.

6/13 [賊] 〔高人〕 적 ㊇職 昨則切 zéi

[筆順] 貝 貝 則 賊 賊 賊 賊

[字解] ①도둑 적 남의 물건을 훔치는 사람. ‘盜
一’. ‘天下寧有白頭一乎’《晉書》. ②도둑질할 적
‘潛服一器入人宮’《周禮》. ③해칠 적 해를 끼침.
‘殘一之人, 謂之一夫’《孟子》. ④그릇칠 적 그릇
된 방향으로 인도함. ‘一夫人之子’《論語》. ⑤학
대할 적 몹시 굶. ‘一賢害民, 則伐之’《周禮》. ⑥
죽일 적 살해함. ‘世人多不擧女, 一行骨肉’《顏
氏家訓》. ‘使鉏麑一之’《國語》. ⑦으뜸 적의 협박
함. ‘一, 劫人也’《玉篇》. ⑧마디충 적 식물의 마
디를 갉아 먹는 해충. 명충. ‘去其螟螣, 及其
蟊一’《詩經》. ⑨역적 적 반란을 일으키는 자.
불충불효한 자. ‘國一’. ‘誅一臣辟陽侯’《史記》.
또, 외구(外寇)에도 이름. ‘寇 一’. ‘放殺其主,
天下之一也’《漢書》.
[字源] 〔金文〕 戝 〔篆文〕 賊 形聲. 戈＋則〔音〕. ‘戈과’는 큰
도끼의 象形. ‘則칙’은 솥〔鼎〕
에 새겨진 서약(誓約)의 뜻. 서약을 파기하다
의 뜻.

[賊魁 적괴] 도적의 괴수.
[賊寇 적구] 나라에 해를 끼치는 자(者). 반도(叛
徒). 또, 그 일.
[賊軍 적군] 도적의 군사. 적(賊)의 군사.
[賊窟 적굴] 도적의 소굴.
[賊氣 적기] 사람이나 물건을 해치는 기운.
[賊難 적난] 도둑맞은 재난. 도난(盜難).
[賊黨 적당] 도적의 무리. 적도(賊徒).

[賊徒 적도] 적당(賊黨).
[賊民 적민] 사람을 해치는 백성.
[賊反荷杖 적반하장] 도둑이 도리어 매를 든다는
뜻으로, 굴복해야 할 사람이 도리어 남을 억누
르려고 함을 이름.
[賊殺 적살] 해치어 죽임. 죽임.
[賊船 적선] 도적의 배.
[賊星 적성] ㉠요성(妖星). ㉡살별. 혜성(彗星).
[賊巢 적소] 적도(賊徒)의 소굴.
[賊首 적수] ㉠도적의 머리. ㉡적괴(賊魁).
[賊臣 적신] 불충한 신하. 또, 배반한 신하. 반신.
역신.
[賊心 적심] ㉠남을 해치려는 마음. ㉡모반(謀叛)
을 꾀하는 마음.
[賊子 적자] ㉠큰 불효자. 부모를 죽인 자. ㉡반
역자.
[賊情 적정] 적의 형편.
[賊酋 적추] 적의 우두머리.
[賊出關門 적출관문] 도둑이 나간 뒤에 문을 잠
금. 소 잃고 외양간 고치기.
[賊風 적풍] 틈으로 들어오는 바람.
[賊虐 적학] 해치고 학대함. 죽임.
[賊漢 적한] 도적놈.
[賊害 적해] 사람을 해침. 손해를 줌. 잔해(殘害).
[賊穴 적혈] 적굴(賊窟).
[賊患 적환] 도적(盜賊)에 대한 근심.
●姦賊. 劫賊. 寇賊. 國賊. 老賊. 大賊. 盜賊.
毒賊. 鈍賊. 蟊賊. 馬賊. 木賊. 螫賊. 民賊.
邦賊. 白波賊. 匪賊. 山賊. 鼠賊. 需事之賊.
水賊. 深賊. 蛾賊. 逆賊. 胡賊. 汚賊.
烏賊. 妖賊. 六賊. 陰賊. 義賊. 殘賊. 戕賊.
長髮賊. 讒賊. 諜賊. 討賊. 剽賊. 海賊. 險賊.
紅巾賊. 禍賊. 猾賊. 黃巾賊. 虜賊.

6/13 [賉] 〔휼〕
卹 (卩部 六畫〈p.316〉)과 同字

6/13 [賓] 〔과〕
寡 (宀部 十一畫〈p.594〉)와 同字

6/13 [詭] 〔궤·와〕
譌 (貝部 十二畫〈p.2207〉)와 同字

6/13 [賎] 〔천〕
賤 (貝部 八畫〈p.2200〉)의 俗字

6/13 [賌] 개 ⊕灰 歌開切 gāi

[字解] 이상할 개 ‘奇一’는 음양기비(陰陽奇祕)
의 요(要). ‘刑德奇一之數. (注) 奇一, 陰陽奇
祕之要’《淮南子》.

6/13 [賃] 〔高人〕 임 ㊀沁 乃禁切 lìn

[筆順] 亻 仁 仨 任 任 侄 賃 賃

[字解] ①품살 임 삯을 주고 사람을 부림. ‘一
儎’. ‘借一公田者, 畝一斗’《通典》. ②품팔 임
삯을 받고 일을 함. ‘一作’. ‘徒行負一’《揚雄》.
③품삯 임 품의 보수. ‘一錢’. ‘鬻米僕一之資是
急’《韓愈》. ④품팔이 임, 품팔이꾼 임 ‘爲人
僕一’《史記》. ⑤빌릴 임 사용료를 내고 차용(借
用)함. 임차(賃借)함. ‘一, 借也’《廣雅》.

字源 金文 貢 篆文 債 形聲. 貝+任〔音〕. '任임'은 '짐 어지다, 맡다'의 뜻. 재화(財貨)를 주고 일을 맡기다, 고용하다, 사용하다의 뜻을 나타냄.

[賃貸 임대] 삯을 받고 빌려 줌.
[賃書 임서] 삯전을 받고 글씨를 써 줌.
[賃春 임춘] 품삯을 받고 절구질함.
[賃銀 임은] 품삯. 삯전. 임금.
[賃作 임작] 품삯을 받고 일을 함.
[賃錢 임전] 품삯.
[賃借 임차] 삯을 주고 빌림.
[賃傭 임추] 품삯을 주고 사람을 부림. 또, 품삯.
◉僦賃. 負賃. 船賃. 傭賃. 運賃. 租賃. 車賃. 借賃.

6 [賅] 교 jiǎo
字解 밝을 교 '一, 一然也'《篇韻》.

6 [賑] 신 shèn
字解 바탕 신 본질(本質). 근본. '一, 質也'《篇韻》.

6 [賁]
一 비 ①-④去真 彼義切 bì
⑤平微 符非切 féi
二 분 ①-③平文 符分切 fén
④⑤平元 博昆切 bēn
⑥⑦上吻 父吻切 fèn
⑧去問 方問切 fèn
三 륙 入屋 力竹切 lù

字解 一①꾸밀 비 장식함. 또, 장식. '一其趾'《易經》. ②바뀔 비 변함. '一, 變也'《易經 注》. ③섞일 비 색(色)이 순일(純一)하지 않음. '孔子卜得一'《呂氏春秋》. ④비괘 비 육십사괘(六十四卦)의 하나. 곧, ䷕〈이하(離下), 간상(艮上)〉. 강(剛)과 유(柔)가 왕래 교착(交錯)하여 무늬를 이룬 상(象). '一, 亨, 小利有攸往'《易經》. ⑤성 비 성(姓)의 하나. 二①꾸밀 분 장식함. '一, 飾也'《集韻》. ②클 분 '用宏玆一'《書經》. ③큰북 분 '一鼓維鏞'《詩經》. ④날랠 분, 용감할 분 용기 있고 날램. 또, 그 용사. '虎一'. '虎一三千人'《孟子》, '旅一氏, 掌執戈盾夾王車而趨'《周禮》. ⑤성 분 성(姓)의 하나. ⑥결낼 분 憤(心部 十二畫)과 통용. '奮末廣一之音作'《禮記》. ⑦흙 솟아오를 분 墳(土部 十二畫)과 통용. '覆酒於地, 而地一'《穀梁傳》. ⑧무찌를 분, 패할 분 격파함. 패함. 債(人部 十二畫)과 同字. '一軍之將'《禮記》. 三 땅이름 륙 '一渾'은 지명(地名). '伐一渾之戎'《公羊傳》.

字源 篆文 賁 會意. 貝+卉. '卉분'은 '막 달리다'의 뜻. 조개껍데기에 무수한 무늬나 색(色)이 뒤섞여 교착되어 달리고 있는 모양에서, '꾸미다'의 뜻을 나타냄.

[賁鼓]

[賁鼓 분고] 길이 8척(尺)의 큰 북. 군진(軍陣)에서 씀. 분고(鼖鼓).
[賁軍 분군] 진 군대. 패군(敗軍).
[賁庸 분용] 대궐(大闕)의 담.

[賁育 분육] 맹분(孟賁)과 하육(夏育). 모두 춘추 전국 시대의 용사. 전(轉)하여, 용사의 범칭(汎稱).
[賁來 비래] 남의 내방(來訪)의 존칭.
[賁臨 비림] 비래(賁來).
[賁星 비성] 돌연 나타났다가 곧 사라지는 별. 살별. 혜성(彗星).
[賁飾 비식] 아름답게 꾸밈.
[賁然 비연] 장식(裝飾)한 모양. 무늬가 있는 모양. 광채가 도는 모양.
◉孟賁. 白賁. 寵賁. 褒賁. 顯賁. 虎賁.

6 [資] 高 人 자 ①-⑮平支 卽夷切 zī
⑯去寘 資四切 zì
資 㳄

筆順 ㇀ ㇏ ⼎ 次 咨 資 資 資

字解 ①재물 자 재화. '一財'. '一產'. '旅卽次, 懷其一'《易經》. ②비발 자 비용. '問歲月之一'《儀禮》. ③노비 자 노자. '一糧'. '黃公亡歿, 孺子往會葬, 無一以自致'《世說》. ④밑천 자 자본. '軍一'. '本一少而末甚多'《管子》. ⑤의뢰 자 의지할 곳. '以水爲一'《淮南子》. ⑥도움 자 자조(藉助). '師一'. '不善人者善人之一'《老子》. ⑦도울 자 '惡何以一汝'《莊子》. ⑧바탕 자 재질(材質). '天一'. '又有能致之一'《漢書》. ⑨자리 자 지위. 신분. '一格'. '不得任淸一要官'《舊唐書》. ⑩밑천으로삼을 자 자본으로 삼음. '一章甫, 適諸越'《莊子》. ⑪취(取)할 자, 쓸 자 취하여 씀. '大哉乾元, 萬物一始'《易經》. ⑫보낼 자, 줄자, 가져올 자 '若一東陽之盜, 使殺之其可乎'《國語》. '今乃棄黔首, 以一敵國'《史記》. ⑬물을 자 咨(口部 六畫)와 통용. '事君先一其言'《禮記》. ⑭줄 자, 줄일 자 '一衰於羊組兩端'《儀禮》. ⑮성 자 성(姓)의 하나. ⑯방자할 자 멋대로 굶. '恣, 說文, 縱也. 秦刻石文作一'《集韻》.

字源 篆文 㳄 形聲. 貝+次〔音〕. '次차'는 겉을 꾸미지 않은 편안한 자세의 사람의 象形. 본래에 가지고 있는 재화(財貨), 밑천의 뜻이나 본래의 바탕의 뜻을 나타냄.

[資格 자격] ㉠신분. 지위. ㉡어떤 신분이나 지위를 얻기 위한 필요한 조건.
[資金 자금] 무슨 일에 필요한 돈. 밑천. 자본금.
[資給 자급] 급여(給與).
[資德大夫 자덕대부]《韓》고려 때 종이품(從二品) 문관(文官)의 품계.
[資料 자료] 급료.
[資糧 자량] 여행에 소용되는 노자와 양식.
[資力 자력] ㉠바탕이 되는 힘. ㉡밑천. 자본.
[資歷 자력] 자격과 이력(履歷). 경력.
[資料 자료] 일의 바탕이 될 재료.
[資望 자망] 뛰어난 자질과 명망. 인품과 명예.
[資辯捷疾 자변첩질] 구변(口辯)이 좋고 빠름.
[資本 자본] ㉠사업의 성립·존속(存續)에 필요한 기본금(基本金). 밑천. ㉡과거(過去)의 저축의 결과로 미래의 생산(生産)에 쓸 재물(財物).
[資本家 자본가] 자본을 제공하는 사람.
[資本主義 자본주의] 모든 재화가 상품화되고 사람의 노동력도 상품이 되어서, 생산 수단을 가진 자본가가 노동자의 노동력을 이용하여 잉여가치의 생산을 하는 경제 조직.
[資斧 자부] 여행 중에 산이나 들에서 잘 때에 형

또, 宀＋人＋止. 밖에서 집 안으로 발을 들여
놓은 사람, 손님의 뜻을 나타냄. 또, 나중에
'貝째'를 덧붙인 것은 재화(財貨)를 써서 대접
하다의 뜻을 나타냄.《說文》에서는 形聲. 貝＋
宩〔音〕.
參考 賓(次條)은 俗字.

[賓客 빈객] 손. 손님.
[賓貢 빈공] 외국에서 와서 조공(朝貢)함.
[賓待 빈대] ㉠손님 대접. ㉡손님으로서 정중히 대
접함.
[賓頭盧 빈두로]《佛教》범어(梵語) pindola의 음
역(音譯). 십육나한(十六羅漢)의 제일 위. 백
두 장미(白頭長眉)의 모습을 했음.
[賓旅 빈려] 다른 나라에서 온 여행객.
[賓白 빈백] 대사(臺辭).
[賓服 빈복] 작은 나라가 큰 나라에 조공(朝貢)하
며 복종함.
[賓師 빈사] 제후(諸侯)에게 빈객으로 대우받는
학자.
[賓辭 빈사] 명제(命題)의 주사(主辭)를 설명(說
明)하는 말.
[賓筵 빈연] 손님을 청한 자리.
[賓友 빈우] 빈객과 붕우(朋友). 손님과 친구.
[賓位 빈위] 손님의 좌석. 빈객의 자리.
[賓游 빈유] 빈객과 고누. 손과 벗.
[賓雀 빈작] 참새.
[賓接 빈접] 빈대(賓待)❷.
[賓從 빈종] 빈복(賓服).
[賓主 빈주] 손과 주인(主人).
[賓至如歸 빈지여귀] 손님으로 온 사람이 자기 집
에 돌아온 것같이 조금도 걱정 없이 안심함.
[賓次 빈차] 손님을 초대하는 곳.
[賓天 빈천] 천자(天子)의 붕어(崩御).
[賓興 빈흥] 주대(周代)에 선비를 채용하는 법.
향음주(鄕飮酒)의 예(禮)로써 빈객(賓客)을 삼
아 추천하는 일.
◉嘉賓. 闃賓. 國賓. 群賓. 貴賓. 來賓. 名者實
之賓. 凡賓. 上賓. 俗賓. 惡賓. 野賓. 英賓.
迎賓. 外賓. 龍賓. 莚賓. 入幕之賓. 入室之
賓. 雜賓. 土賓. 衆賓.

7⑭ [賔] 賓(前條)의 俗字

7⑭ [賫] 〔재·자·제〕
齎(齊部 七畫〈p.2722〉)와 同字

8⑮ [賙] 주 ㉠尤 職流切 zhōu

字解 ①진휼(賑恤)할 주 구휼함.'欲令一餼之'
《詩經》. ②줄 주 베풂.'一, 給也'《玉篇》. ③보
탤 주 금품(金品)을 보태어 채움.'五黨爲州,
使之相一'《周禮》.
字源 形聲. 貝＋周〔音〕.'周주'는 두루 미치다의
뜻. 금품이 두루 미치게 하다, 베풀다의 뜻
을 나타냄.

[賙窮 주궁] 곤궁한 사람에게 베풂.
[賙贍 주섬] 어려운 사람에게 물건을 주어 도와
줌. 진휼(賑恤)함. 진섬(賑贍).
[賙委 주위] 비축해 둔 것을 베풂.
[賙卹 주휼] 진휼(賑恤)함.

◉相賙.

8⑮ [賜] 高人 사 ㉠寘 斯義切 cì

筆順 丨 目 貝 貝 貝 賜 賜

字解 ①줄 사 ㉠내리어 줌. 하사함.'一予'
'數 一縑帛'《列仙傳》.'凡一君子與小人, 不同
日'《禮記》. ㉡허여함. 들어 줌.'詔特一假'
('假'는 暇)《晉書》. ②받을 사 하사받음. 주는
것, 내리는 것을 받음.'一死'. ③사여 사, 사물
사 하사받은 것.'賞一以力'《國語》. ④
은혜 사 은택.'民到于今, 受其一'《論語》. ⑤다
할 사'若循環之無一'《潘岳》. ⑥성 사 성(姓)의
하나.
字源 形聲. 貝＋易〔音〕.'易이'는
'提제'와 통하여, 팔을 내밀다
의 뜻. 윗사람이 아랫사람에게 팔을 뻗어 재화
(財貨)를 주다의 뜻에서,'내려 주다, 하사하
다'의 뜻을 나타냄.

[賜假 사가] 사가(賜暇).
[賜暇 사가] 휴가(休暇)를 내림. 말미를 줌.
[賜劍 사검] 칼을 주어 자인(自刃)하도록 함.
[賜金 사금] 돈을 하사(下賜)함. 또, 그 돈.
[賜給 사급] 물건을 하사(下賜)함.
[賜賚 사뢰] 물건을 하사(下賜)함. 또, 그 물건.
[賜名 사명] 이름을 하사(下賜)함. 또, 그 이름.
[賜物 사물] 하사한 물건.
[賜鈇鉞 사부월] 천자(天子)로부터 부월(鈇鉞)을
하사(下賜)받음. 곧, 일군(一軍)의 대장(大將)
이 되어 생 사여탈지권(生死與奪之權)을 받음.
[賜不趨 사불추] 조정(朝廷)을 드나들 때에는 허
리를 굽히고 추창(趨蹌)하지 않아도 좋다는 허
가(許可)를 내려 받음. 공신(功臣)에게 내리는
특별(特別) 우대(優待)임.
[賜死 사사] 군왕(君王)이 신하에게 자살을 명함.
[賜書 사서] 조정(朝廷)에서 하사하한 서적(書籍).
[賜送 사송] 하사(下賜)하여 보내 줌.
[賜藥 사약] 임금이 죄인에게 독약을 내림. 또, 그
독약.
[賜予 사여] 하사(下賜)함.
[賜宴 사연] 군주(君主) 또는 귀인(貴人)의 연회
에 초대를 받음. 또, 그 연회(宴會).
[賜田 사전] 하사한 전지.
[賜饌 사찬] 임금이 음식을 내림.
[賜酺 사포] 조정에서 백성에게, 모여 술 마시며
즐김을 허가하는 일. 또, 관청에서 음식물을 베
풀어 주는 일.
[賜火 사화] 청명(淸明)에 불을 하사함.
◉嘉賜. 顧賜. 眷賜. 給賜. 勞賜. 拜賜. 分賜.
散賜. 賞賜. 受賜. 飫賜. 榮賜. 遺賜. 恩賜.
贈賜. 賑賜. 寵賜. 特賜. 褒賜. 惠賜. 厚賜.

8⑮ [賠] 人名 배 ㉠灰 音裴 péi

字解 물어줄 배 보상(補償)함. 변상(辨償)함.
'一償'.'照依原價一還'《尺牘雙魚》.
字源 形聲. 貝＋咅〔音〕.

[賠款 배관] 손실을 배상하는 관항(款項). 전승국
의 전비(戰費)를 전패국이 배상하는 따위.

[賠補 배보] 변상함. 보상함.
[賠償 배상] 남에게 끼친 손해를 갚아 줌.
[賠還 배환] 상환(償還)함.

8/15 [賤] 高入 천 㘬霰 才線切 jiàn   賎㥯

筆順 冂 目 貝 貝 貯 貯 賤 賤

字解 ①천할 천 ㉠지위·신분이 낮음. '貧—'. '人一物亦鄙'《古詩》. ㉡등급 또는 계급이 아래임. '下—'. '不使—者'《儀禮》. '大夫於其臣, 雖—必答拜之'《禮記》. ㉢값이 헐함. '物一無買錢'《李義山雜纂》. ㉣하등임. 저급함. '一業'. '不習一劣事'《李義山雜纂》. 전 (轉)하여, 자기의 겸칭 (謙稱)의 접두어(接頭語)로 쓰임. '一妾'. '一子歌一言'《鮑照》. 또, 천한 지위. 천한 사람. 천한 것. '貴—'. '以貴下—'《易經》. '貧與一, 是人之所惡也'《論語》. ②천히여길 천 ㉠천하다고 경멸함. '一易'. '恃才矜貴, 一侮朝臣'《北史》. ㉡경시(輕視)함. 귀하게 여기지 아니함. '不貴異物一物'《書經》. ③미워할 천 증오함. '下危則一上'《荀子》. ④쓰이지않게될 천 버림. '已用則一'《太玄經》.

字源 篆文 賤 形聲. 貝+戔[音]. '戔'은 '작다, 적다'의 뜻. 재화(財貨)가 적다의 뜻에서, 천하다, 값이 헐하다의 뜻으로 쓰임.

[賤家 천가] ㉠천한 사람의 집. ㉡천한 가벌(家閥).
[賤價 천가] ㉠헐한 값. 염가(廉價). ㉡값을 싸게 함.
[賤格 천격] 낮고 천(賤)하게 생긴 품격(品格).
[賤工 천공] 천한 직공. 서투른 직공.
[賤軀 천구] 천한 몸. 자기의 겸칭(謙稱).
[賤躬 천궁] 천한 몸. 자기의 겸칭(謙稱).
[賤技 천기] ㉠천한 기예. ㉡자기의 기예의 겸칭(謙稱).
[賤女 천녀] 천한 여자.
[賤奴 천노] ㉠천한 종. 비천한 사람. ㉡사람을 천히 여겨 이르는 말.
[賤待 천대] 업신여겨 푸대접함. 낮게 보아 예(禮)로써 대우하지 않음.
[賤劣 천렬] 천열(賤劣).
[賤隷 천례] 천예(賤隷).
[賤陋 천루] ㉠천함. 비천함. ㉡재덕(才德)이 모자람.
[賤買 천매] 싸게 삼.
[賤賣 천매] 싸게 팖.
[賤侮 천모] 천히 여겨 업신여김.
[賤民 천민] 천한 백성.
[賤夫 천부] 천한 사람.
[賤俘 천부] 천한 포로(捕虜).
[賤事 천사] 천한 일. 자기 일의 겸칭.
[賤視 천시] 업신여김. 천히 여김.
[賤息 천식] 자기 자식의 겸칭.
[賤臣 천신] ㉠비천한 신하. ㉡임금에 대하여 신하가 자기를 이르는 겸칭.
[賤業 천업] 천한 직업.
[賤業婦 천업부] 매춘부(賣春婦).
[賤役 천역] 천한 일. 또, 그 일에 종사하는 사람.
[賤劣 천열] 천하고 용렬함.
[賤隷 천예] 천한 종.
[賤惡 천오] 천하게 여기어 증오함.
[賤儒 천유] 천한 유생(儒生). 쓸모없는 선비.

[賤易 천이] 업신여김. 모멸함. 경멸(輕蔑).
[賤人 천인] 천한 사람.
[賤子 천자] 저. 자기의 겸칭(謙稱).
[賤丈夫 천장부] 행실이 천한 사람. 비열한 남자.
[賤族 천족] 천한 겨레.
[賤職 천직] 낮은 관직. 또, 천한 직업.
[賤質 천질] 천한 바탕. 천한 천성.
[賤斥 천척] 업신여겨 배척함.
[賤妾 천첩] ㉠기생(妓生) 또는 종으로 남의 첩(妾)이 된 여자. ㉡아내가 남편에 대한 자기의 겸칭(謙稱).
[賤出 천출] 천한 서출(庶出).
[賤稱 천칭] 천대(賤待)하여 일컬음.
[賤鄕 천향] 풍속이 비루한 시골.
●輕賤. 困賤. 窮賤. 貴賤. 羈賤. 陋賤. 微賤. 卑賤. 貧賤. 安往不得貧賤. 幽賤. 下賤.

8/15 [賦] 高入 부 㘬遇 方遇切 fù   賦㥞

筆順 貝 貯 貯 貯 賦 賦 賦

字解 ①구실 부 ㉠조세. '田一'. '貢一'. '收水泉池澤之一'《呂氏春秋》. ㉡부역(夫役). '以任地事, 而令貢一'《周禮》. ②군사 부 징발한 병사. '弊邑以一與陳蔡從'《左傳》. ③선비 부 공거(貢擧)의 인사(人士). '遁以臣錯充一'《漢書·鼂錯傳》. ④군비 부 군대에서 쓰는 양식 또는 금전. '可使治其一也'《論語》. ⑤매길 부 할당하여 징수함. '一課'. '一於民, 食人二雞子'《十八史略》. ⑥줄 부 수여함. '一與'. '一職任功'《國語》. ⑦받을 부 주는 것을 받음. 또, 타고남. '天一'. '一稟'. '一納以言'《左傳》. '氣以成形, 而理亦一焉'《中庸章句》. ⑧펼 부 널리 미치게 함. 반포함. '明命使一'《詩經》. '一藉藏鎭'《管子》. ⑨나눌 부 나누어 줌. '一醫藥'《漢書》. ⑩읊을 부, 지을 부 시(詩)를 음영(吟詠)하거나 지음. '臨淸流而一詩'《陶潛》. ⑪시체이름 부 고대의 시(詩)의 한 체(體). 육의(六義)의 하나. 소감(所感)을 솔직히 진술하는 것. '一比興'. '一者, 敷陳其事而直言之也'《文體明辯》. ⑫문체이름 부 운문(韻文)의 한 체(體). 사구(辭句)를 구사(驅使)하여 감상을 진술하는 미문(美文). '阿房宮一'. '赤壁一'. '一者古詩之流'《班固》.

字源 金文 賦 篆文 賦 形聲. 貝+武[音]. '武'는 '摹'와 통하여, 찾아 구하다의 뜻. 재화(財貨)를 구하여 할당해 거두다의 뜻을 나타냄.

[賦課 부과] 과세(課稅)함. 또, 그 쌀이나 금전.
[賦納 부납] 받음. 받아들임.
[賦斂 부렴] 조세를 부과하여 징수함.
[賦命 부명] 목숨. 생명.
[賦分 부분] 타고난 성질. 또, 운명.
[賦性 부성] 타고난 성질. 천품.
[賦稅 부세] 부조(賦租).
[賦粟 부속] 조세로 거두어들이는 벼.
[賦詩 부시] 시를 지음.
[賦予 부여] 부여(賦與).
[賦與 부여] ㉠나누어 줌. 별러 줌. ㉡타고난 성질. 또, 운명.
[賦役 부역] 세금과 부역(夫役).
[賦役冊 부역책] 호적부(戶籍簿).
[賦詠 부영] 시가(詩歌) 등을 지음. 또, 그 시가.

[賦傜 부요] 부역(賦役).
[賦用 부용] 부조(賦租).
[賦入 부입] 조세(租稅)를 거두어들임.
[賦租 부조] 조세(租稅).
[賦稟 부품] 부성(賦性).
　●更賦. 貢賦. 課賦. 九賦. 口賦. 丘賦. 薄賦.
　斜賦. 算賦. 常賦. 稅賦. 詩賦. 田賦. 征賦.
　租賦. 天賦. 連賦. 會賦. 厚賦.

8/15 [賝] 기 㴱實 奇寄切 jì
字解 ①조개이름 기 '一, 貝名'《集韻》. ②그릇 기 '一, 一曰, 器用'《集韻》.

8/15 [睟] 〔人名〕 수 㴱實 雖遂切 suì
字解 재물 수 재화(財貨). '破家殘一'《韓非子》.

8/15 [賵] 청 ①㴱敬 疾政切 jìng ②㴱庚 疾盈切 qíng
字解 ①내릴 청 줌. 하사(下賜)함. '一, 賜也'《集韻》. ②받을 청 하사한 것을 받음. '一, 受賜也'《集韻》.

8/15 [賧] 탐 㴱勘 吐監切 㴱感 杜覽切 dǎn
字解 속(贖)바질 탐 재물을 가지고 죄를 대속(代贖)함. '一, 蠻夷人以財贖罪'《集韻》.

8/15 [琛] 침 㴱侵 丑林切 chēn
字解 보배 침 琛(玉部 八畫)과 同字. '一, 一賣也'《廣韻》.
字源 形聲. 貝+罙〔音〕

8/15 [賬] 장 zhàng
字解 ①(現) ㉠대차계정(貸借計定) 장. ㉡치부책 장 금전 재화(金錢財貨)의 출입(出入)을 기재하는 장부. '今俗有一字, 謂一切計數之簿也'《王鳴盛》. ㉢채무(債務) 장 빚. '我不放一, 也沒有我的事'《紅樓夢》. ②帳(巾部 八畫〈p.675〉)의 俗字.

8/15 [賷] 상 㴱陽 式羊切 shāng
字解 장사할 상 행상(行商). 商(口部 八畫)과 同字. '一, 行賈也'《說文》.
字源 形聲. 貝+商〈省〉〔音〕. '商상'은 '장사'의 뜻. 재화(財貨)를 사용하여 장사하다의 뜻을 나타냄.

8/15 [賮] 〔人名〕 ㊀ 뢰 㴱隊 洛代切 lài ㊁ 래 㴱灰 郞才切
字解 ㊀①줄 뢰 내림. 하사함. '一與'. '予其大一汝'《書經》. ②사여(賜與) 뢰, 사물(賜物) 뢰 하사한 물건. '承天之一'《李觀》. '周有大一, 善人是富'《論語》. ③위로할 뢰 '勞一爲耒字'《玉篇》. ㊁줄 래, 사여 래, 사물 래, 위로할 래 ㊀과 뜻이 같음.
字源 形聲. 貝+來〔音〕. '來래'는 '오다'의 뜻. 하늘에서 온 것, 내려 준 것의 뜻

을 나타냄.
[賷賜 뇌사] 하사함. 줌. 또, 그 물건.
[賷賞 뇌상] 상(賞)을 내림.
[賷錫 뇌석] 뇌사(賷賜).
[賷與 뇌여] 하사함.
　●眷賷. 勞賷. 頒賷. 普賷. 賻賷. 分賷. 賜賷.
　祥賷. 賞賷. 錫賷. 恩賷. 振賷. 寵賷. 褒賷.
　惠賷. 犒賷.

8/15 [賧] 賷(前條)와 同字

8/15 [賮] 비 fèi
字解 거두어들일 비 징수함. '一, 賦斂也'《篇海》.

8/15 [賞] 〔中入〕 상 ㊂養 書兩切 shǎng
筆順 ' ⺌ ⺌ 呉 尙 尙 賞 賞
字解 ①칭찬할 상 아름답거나 좋은 것을 기림. '一美'. '嘉一'. '善則一之'《左傳》. '不一而民勸'《中庸》. ②상줄 상 칭찬의 물품을 줌. '一賜'. '晉侯一從亡者'《左傳》. ③숭상할 상 존중함. 尙(小部 五畫)과 통용. '一賢使能以次之'《荀子》. ④완상할 상, 즐길 상 아름다운 것을 보고 즐김. '一玩'. '吉祥寺一牡丹'《嘉軾》. '奇文共欣一'《陶潛》. ⑤줄 상 물품을 증여함. '主其任也, 一以酒肉'《柳宗元》. ⑥칭찬 상 칭찬하는 일. '一當則賢人勸'《說苑》. ⑦상 상 칭찬하여 주는 물건. '一延于世'《書經》. ⑧성 상 성(姓)의 하나.
字源 形聲. 貝+尙〔音〕. '尙상'은 '當당'과 통하여, …에 알맞다, 상당하다의 뜻. 공적에 상당하는 재화(財貨), 상(賞), 칭찬하다의 뜻을 나타냄.

[賞鑑 상감] 고금(古今)의 서화·골동품 등을 완상하고 감별함. 감상(鑑賞).
[賞格 상격] 상을 주는 규정.
[賞激 상격] 칭찬하여 격려함.
[賞慶 상경] 칭찬하고 기뻐함. 칭찬하여 물건을 하사함.
[賞官 상관] 금전을 바치고 벼슬을 얻어 하는 일.
[賞勸 상권] 칭찬하여 권함.
[賞金 상금] 상으로 주는 돈.
[賞給 상급] 상으로 줌. 또, 그 물품.
[賞祿 상록] 상으로 주는 녹(祿).
[賞味 상미] 칭찬하여 맛봄. 칭찬하여 완상함.
[賞美 상미] 찬미(讚美)함.
[賞杯 상배] 선행자·공로자에게 상으로 주는 잔 모양의 패.
[賞罰 상벌] 상과 벌. 또, 상 줌과 벌줌.
[賞罰無章 상벌무장] 상과 벌이 일정한 규정이 없이 마음 내키는 대로 함.
[賞不踰時 상불유시] 상(賞)을 즉시 줌. 즉시 행상(行賞)을 함.
[賞詞 상사] 칭찬하는 말. 찬사(讚辭).
[賞賜 상사] 상을 줌. 또, 그 물품.
[賞首 상수] 제일 으뜸의 상을 받는 이.
[賞心 상심] 경치를 완상하는 마음.

[賞與 상여] 상급(賞給)으로 줌.
[賞譽 상예] 칭찬함.
[賞玩 상완] 좋아하여 구경함.
[賞遇 상우] 칭찬하여 후하게 대접함.
[賞逸 상일] 은둔의 생활을 사랑하여 즐김.
[賞一勸百 상일권백] 한 사람의 착한 일을 칭찬하여 뭇사람에게 착한 일을 장려함.
[賞狀 상장] 상으로 주는 증서(證書).
[賞典 상전] 상여의 규정.
[賞讚 상찬] 칭찬함.
[賞擢 상탁] 그 인물을 칭찬하여 발탁해서 씀.
[賞歎 상탄] 칭찬함. 탄상함.
[賞牌 상패] 상으로 주는 패(牌).
[賞品 상품] 상으로 주는 물품.
[賞刑 상형] 상과 형벌. 착한 사람을 칭찬하고, 악한 사람을 벌줌.
[賞勳 상훈] 공훈을 칭찬함. 공훈이 있는 사람에게 상을 줌.
●嘉賞. 鑑賞. 激賞. 擊賞. 慶賞. 觀賞. 購賞. 軍賞. 濫賞. 論功行賞. 妄賞. 懸賞. 拔賞. 報賞. 上賞. 信賞. 飪賞. 幽賞. 游賞. 恩賞. 爵賞. 旌賞. 重賞. 嗟賞. 讚賞. 稱賞. 擢賞. 歎賞. 探賞. 褒賞. 行賞. 懸賞. 厚賞. 勳賞. 欣賞.

8/15 [賡] 갱 ㉠庚 古行切 gēng
㉡敬 居孟切
賡賡

字解 ①이을 갱 계속함. 또, 남의 노래에 이어 노래함. '乃一載歌'《書經》. ②갚을 갱 보상함. '愚者有不一本之事'《管子》.

字源 續의 古文 賡 형성. 貝+庚[音]. '貝패'는 '금품'의 뜻. '庚경'은 들어 올리다의 뜻. 금품을 사람에게 바치다, 갚다의 뜻을 나타냄. 또, '잇다'의 뜻도 나타냄.

[賡歌 갱가] 남과 같이 노래를 서로 이어 부름.
[賡酬 갱수] 남과 시(詩)의 증답(贈答)을 함.
[賡唱 갱창] 갱가(賡歌).

8/15 [賗] 거 ㉠魚 斤於切 jū

字解 ①팔 거 '一, 賣也'《廣雅》. ②쌓을 거 저장(貯藏)함. '一, 一曰, 貯也'《集韻》. '可以一酒'《元結》.

8/15 [貧] 〔관〕 貫(貝部 四畫〈p.2189〉)과 同字

8/15 [賟] 군 ㉠眞 區倫切 jùn

字解 조개이름 군 蜠(虫部 八畫〈p.2016〉)과 同字. '蜠, 貝也, 爾雅, 蜠, 大而險, 或作一'《集韻》.

8/15 [賢] 〔귀〕 貴(貝部 五畫〈p.2191〉)와 同字

8/15 [賢] 现 현 ㉠先 胡田切 xián
賢賢

筆順 一 丆 丏 臣 臤 臤 腎 腎 賢

字解 ①어질 현 덕행이 있고 재지(才智)가 많음. '一才'. '一哲'. '可久則一人之德'《易經》.

또, 어진 이에게 어진 이 대우를 함. 존숭함. '一賢易色'《論語》. '一其賢'《大學》. 전(轉)하여, 타인의 경칭(敬稱)의 접두어(接頭語), 또는 직접 경칭으로 쓰임. '一兄'. '此一何獨如此'《魏書》. ②어진이 현 어진 사람. '尙一'. '賢其一'《大學》. '野無遺一'《書經》. ③나을 현 서로 견주어 좋은 점이 더함. '某一於某'《禮記》. '臣死而治, 一於生'《戰國策》. ④많을 현 재화(財貨)가 많음. 넉넉함. '一於千里之地'《呂氏春秋》. ⑤지질 현, 애쓸 현 '我從事獨一'《詩經》.

字源 金文 臤 篆文 賢 형성. 貝+臤[音]. '臤견'은 '단단하다'의 뜻. 단단한 재화(財貨)의 뜻에서, '낫다, 어질다'의 뜻을 나타냄.

[賢關 현관] 현인(賢人)이 되기 위하여 통과하는 관문이라는 뜻으로, 높은 경지에 도달함을 이름.
[賢君 현군] 덕행(德行)이 있는 어진 임금.
[賢內助 현내조] 어진 아내. 현처(賢妻).
[賢女 현녀] 현명한 여자. 어진 여자.
[賢能 현능] 덕이 있는 사람과 재능이 있는 사람. 곧, 걸출(傑出)한 사람.
[賢達 현달] 현명하여 사물에 달통(達通)함. 또, 그 사람.
[賢臺 현대] 붕우(朋友) 등에 대한 존칭. 현형(賢兄).
[賢德 현덕] 어질고 덕이 있음. 또, 현명한 덕. 또, 그 사람.
[賢良 현량] ㉠어질고 착함. 또, 그 사람. ㉡한당(漢唐) 이후의 관리 등용 시험의 한 과목.
[賢良祠 현량사] 백성에게 공덕이 있는 관리를 제사 지내는 집. 경향(京鄕) 각 성(省)에 있음.
[賢勞 현로] 재덕이 있기 때문에 도리어 공사(公事)에 분주하여 시달림.
[賢路 현로] 어진 사람을 등용하는 길.
[賢明 현명] 어질고 밝음. 또, 그 사람.
[賢母 현모] 어진 어머니.
[賢髦 현모] 뛰어나게 어진 사람.
[賢輔 현보] 어진 보좌. 또, 그 사람.
[賢婦 현부] ㉠어진 아내. ㉡어진 부인.
[賢不肖 현불초] 현우(賢愚).
[賢妃 현비] ㉠어진 후비(后妃). ㉡여관(女官)의 이름.
[賢士 현사] 어진 선비.
[賢師 현사] 어진 스승. 현명한 스승.
[賢相 현상] 어진 재상(宰相). 현명한 재상.
[賢書 현서] ㉠훌륭한 이의 씨명(氏名)을 기재한 장부. ㉡향시(鄕試)에 입격한 사람.
[賢聖 현성] ㉠현명하고 성스러움. ㉡현인(賢人)과 성인(聖人).
[賢淑 현숙] 여자가 현명하고 숙덕(淑德)이 있음.
[賢臣 현신] 어진 신하.
[賢彦 현언] 현사(賢士).
[賢英 현영] 어질고 뛰어난 사람.
[賢王 현왕] ㉠어진 임금. 현명한 임금. ㉡흉노(匈奴)의 선우(單于)의 다음 지위. 곧, 선우(單于)의 보좌(輔佐).
[賢愚 현우] 현명함과 우매함. 또, 현명한 사람과 우매한 사람.
[賢人 현인] ㉠어진 사람. 현명한 사람. 특히 재덕을 겸비하여 성인(聖人) 다음가는 사람. ㉡탁주(濁酒)의 이칭.
[賢才 현재] 현명한 재능. 또, 그 사람.

[賢宰 현재] 현상(賢相).
[賢弟 현제] ㉠어진 아우. ㉡남의 아우의 존칭.
[賢佐 현좌] 어진 보좌(輔佐). 또, 그 사람.
[賢主 현주] 현군(賢君).
[賢俊 현준] 재능이 뛰어난 사람.
[賢智 현지] 현명하고 슬기가 있음.
[賢察 현찰] 남의 추찰(推察)의 존칭.
[賢妻 현처] 어진 아내. 현명한 아내.
[賢哲 현철] ㉠지혜가 깊고 사리에 밝음. 또, 그 사람. ㉡현인(賢人)과 철인(哲人).
[賢兄 현형] 벗에 대하여 쓰는 존칭.
[賢豪 현호] 현영(賢英).
●高賢. 群賢. 矜賢. 大賢. 名賢. 上賢. 尙賢. 先賢. 聖賢. 英賢. 往賢. 雄賢. 遺賢. 自賢. 前賢. 諸賢. 竹林七賢. 俊賢. 衆賢. 至賢. 眞賢. 忠賢. 七賢. 濁賢.

8 ⑮ [賣] 〔中 人〕 매 ㊡卦 莫懈切 mài　　卖 賣

筆順 一 ＋ 士 卖 声 杏 雷 賣 賣

字解 팔 매 ㉠값을 받고 물건을 내줌. '一藥'. '貴卽一之. 賤卽買之'《史記》. 또, 파는 일. '聽一買'《周禮》. ㉡속임. 기만함. '自知見一'《史記》. ㉢자기 이익을 위하여 남을 해침. '一國'. '欲秦趙之相一乎'《戰國策》. ㉣널리 퍼뜨림. '一名聲于天下'《莊子》.

字源 篆文 [篆] 形聲. 出+買(買)〔音〕. '買매'는 '장사하다'의 뜻. '買'가 '사다'의 뜻으로 사용되어, 구별하여 '出출'을 덧붙여 '팔다'의 뜻을 나타내었음.

參考 賣(貝部 八畫)은 別字.

[賣價 매가] 파는 값.
[賣却 매각] 팔아 버림.
[賣劍買牛 매검매우] 군사(軍事)를 그만두고 경작(耕作)에 종사함. 무(武)를 그만두고 농업에 힘씀.
[賣官 매관] 돈을 받고 벼슬을 시킴.
[賣交 매교] 이욕(利慾)으로 인하여 의(義)를 잊고 친구를 해침.
[賣國 매국] 자기 일신의 이익을 위하여 적국(敵國)과 내통(內通)함.
[賣國奴 매국노] 매국(賣國)하는 행동을 하는 사람. 적국에 이익을 제공한 사람을 욕하는 말.
[賣國賊 매국적] 매국(賣國)한 역적(逆賊).
[賣券 매권] 매도 증서(賣渡證書).
[賣渡 매도] 물건을 팔아넘김.
[賣弄 매롱] 자랑해 보임.
[賣買 매매] 물건을 파는 일과 사는 일.
[賣名 매명] 이름을 세상에 퍼뜨리려고 애씀.
[賣文 매문] 글을 지어 주고 그 사례로 돈을 받는 일.
[賣文爲活 매문위활] 자기 시문(詩文)을 팔아서 생계의 바탕을 삼음.
[賣卜 매복] 남의 길흉(吉凶)을 점쳐 주고 돈을 받음. 점으로 업을 삼음.
[賣笑 매소] 웃음을 팖. 매음(賣淫)을 함.
[賣笑婦 매소부] 매음하는 여자. 매음녀(賣淫女). 매춘부.
[賣僧 매승] ㉠장사하는 중. ㉡승려(僧侶)의 천칭(賤稱).
[賣身 매신] 몸을 팖.

[賣約 매약] 팔 약속.
[賣藥 매약] 약을 팖.　　「함.
[賣友 매우] 친구를 속여 자기 이익의 희생으로
[賣淫 매음] 여자가 돈을 받고 남자의 색욕(色慾)을 채워 주는 일.
[賣淫女 매음녀] 매음하는 계집.
[賣子 매자] 팔린 빈민(貧民)의 아들.
[賣醬家 매장가] 된장·간장 등을 파는 집.
[賣店 매점] 물건을 파는 가게.
[賣主 매주] 물건을 파는 사람.
[賣盡 매진] 물건이 전부 팔림.
[賣春婦 매춘부] 매음하는 여자.
[賣宅 매택] 가옥(家屋)을 팖.
[賣筆 매필] 글씨를 써 주고 돈을 받음.
[賣婚 매혼] 주는 금품의 다과에 의하여 혼인을 정하는 일.
●競賣. 沽賣. 故賣. 叫賣. 買賣. 發賣. 商賣. 略賣. 零賣. 佑賣. 鬻賣. 專賣. 轉賣. 斥賣. 販賣. 衒賣.

8 ⑮ [賨] 종 ㊤冬 藏宗切 cóng　　賨

字解 공물 종 남만(南蠻)의 공부(貢賦). '歲令大人輸布一疋, 小口二丈, 謂之一布'《後漢書》.
字源 篆文 [篆] 形聲. 貝+宗〔音〕

[賨布 종포] 공물(貢物)로 바치는 포백(布帛).

8 ⑮ [質] 〔中 人〕 一 질 ㊀質 之日切　㊁實 陟利切 zhì　二 지 ㊄實 脂利切 zhì　　质 質

筆順 一 ㇐ ㇏ 厇 所 所 盾 質

字解 一 ①모양 질 물건의 형체. '物一'. '形一'. '原始要終, 以爲一也'《易經》. ②바탕 질 ㉠물건을 이룬 재료. 또는 그 품질. '本一'. '雖曰布類, 其一精好'《急就篇》. 전(轉)하여, 기초·근본의 뜻으로 쓰임. '以鍊銅爲柱一'《戰國策》. '君子義以爲一'《論語》. ㉡타고난 성질이나 재질·체질. '性一'. '增美一'《禮記》. '恐情一不信兮'《楚辭》. ㉢있는 그대로 꾸밈이 없음. '文一'. '一樸'. '一素'. '遺華反一'《陸雲》. 전(轉)하여, 참·진실·사실 등의 뜻으로 쓰임. '君子有過, 則謝以一, 小人有過, 則謝以文'《史記》. ③맹세 질 맹약. 약속. '與吳王有一'《左傳》. ④어음 질 증권. '大市曰一, 小市曰劑'《周禮》. ⑤과녁 질 표적(標的). '是故一的張, 而弓矢至焉'《荀子》. ⑥정곡 질 과녁의 한가운데 되는 점. '公射出一'《說苑》. ⑦모탕 질 나무를 패는 데 받치는 나무토막. 또, 죄인의 목을 베는 데 받치는 나무토막. '不足以當棋一'《史記》. ⑧바를 질 올바름. '莫不一良'《禮記》. ⑨이룰 질 성취함. '虞芮一厥成'《詩經》. ⑩대답할 질 윗사람의 물음에 대답함. '一君之前'《禮記》. ⑪정할 질 결정함. '不擧人以一士'《孔子家語》. ⑫물을 질 의문되는 점을 물음. '一問'. '爰一所疑'《太玄經》. ⑬성 질 성(姓)의 하나. ⑭저당물 질. 볼모 질 저당 잡힐 물건. 또, 인질(人質). '典一'. '爲一於鄭'《左傳》. ⑮저당잡힐 질. 볼모잡힐 질 '莊襄王爲秦一子於趙'《史記》. 二 폐백 지 예물(禮物). 贄(貝部 十一畫)와 同字. '出疆必載一'《孟子》.

字源 篆文 會意. 所+貝. '所'은 '부절(符節)'의 뜻을 나타내는 것으로 추측됨. 금전(金錢)에 맞먹는 재화(財貨), 곧 전당물(物)의 뜻을 나타냄. 또, '信신'과 통하여 '진실·본바탕'의 뜻을 나타냄.

[質權 질권] 채권자가 채권의 담보로 잡은 물건을 점유(占有)하고 그 물건에 대하여 선취득권(先取得權)을 갖는 권리.
[質訥 질눌] 꾸밈이 없고 입이 무거움. 성실하고 말이 없음. 성실하고 말솜씨가 없음.
[質量 질량] 물체가 지니고 있는 실질적 양(量).
[質明 질명] 밤이 밝으려고 할 때. 여명.
[質問 질문] 모르거나 의심나는 점을 캐어물음.
[質物 질물] 저당물.
[質朴 질박] 질박(質樸).
[質樸 질박] 꾸밈새 없이 순박함.
[質性 질성] 타고남. 또, 꾸밈없는 마음. 성질.
[質素 질소] ㉠꾸밈없이 순박함. ㉡검소함.
[質勝文則野 질승문즉야] 실질 내용이 외부 수식보다 나으면 졸품(拙品)이 됨. 질(質)은 선천적인 본성, 문(文)은 후천적인 수련.
[質野 질야] 꾸밈이 없이 바탕 그대로임.
[質言 질언] 꾸밈없는 말. 성실한 말.
[質義 질의] 뜻을 물음.
[質疑 질의] 의심나는 곳을 질문함. 문의(問疑).
[質子 질자] 볼모. 인질(人質)로 보낸 아들.
[質的 질적] 과녁. 사적(射的).
[質正 질정] 질문하여 구명함.
[質定 질정] 갈피를 잡아서 작정함.
[質劑 질제] 어음.
[質直 질직] 질박하고 정직함.
[質眞 질진] 꾸밈없이 자연 그대로임. 가식이 없고 진실함.
[質責 질책] 책망하여 바로잡음.
[質稟 질품] 상관에게 여쭈어 봄.
[質行 질행] 착실한 행동. 성실한 행위.
[質厚 질후] 꾸밈이 없고 후함.
◉剛質. 交質. 謹質. 奇質. 氣質. 器質. 陋質. 面質. 文質. 物質. 美質. 樸質. 訪質. 變質. 伏鈇質. 本質. 尙質. 瑞質. 纖質. 性質. 聖質. 誠質. 素質. 淑質. 淳質. 實質. 心質. 弱質. 麗質. 廉質. 艶質. 叡質. 玉質. 頑質. 瑤質. 容質. 委質. 遺華反質. 惡質. 良質. 麗質. 異質. 咨質. 資質. 才質. 載質. 杜質. 地質. 直質. 天質. 賤質. 體質. 稚質. 特質. 蒲柳質. 稟質. 形質.

8 ⑮ [賣] 육 ㊅屋 余六切 yù

字解 행상할 육 팔면서 다님. '一, 衙也'. (段注)衙, 行且賣也'《說文》.

字源 金文 篆文 會意. 金文은, 貝+直. '直직'은 '직시(直視)하다'의 뜻. 상대방을 직시하여, 눈을 현혹시켜 물건을 팔다 또는 사다의 뜻. 다니면서 물건을 칭찬하여 팔다의 뜻을 나타냄. 篆文은 그 변형(變形)임.

參考 賣(貝部 八畫)는 別字.

8 ⑮ [賛] 人名 〔찬〕 贊(貝部 十二畫〈p. 2207〉)의 俗字

筆順 ㅡ 夫 夫ㅡ 㚘 𣌭 替 賛 賛

9 ⑯ [賱] 人名 운 ㊤吻 委隕切 yǔn

字解 부유(富裕)할 운 '一, 一賰, 富也'《集韻》.

9 ⑯ [賭] 人名 도 ㊤麌 當古切 dǔ 賭

字解 ①걸 도 노름판에서 돈·물품 등을 서로 대어 놓음. '方輿玄圍棊, 一別墅'《晉書》. ②노름 도 내기. 도박. '一博'. '設宴一射'《魏書》.

字源 篆文 形聲. 貝+者〔音〕. '者자'는 '집중하다, 쏟아 넣다'의 뜻. 금품을 쏟아 부어 노름을 하다의 뜻을 나타냄.

[賭弓 도궁] 도사(賭射).
[賭技 도기] 노름. 도박.
[賭命 도명] 생명을 걺.
[賭博 도박] 돈을 걸고 승부를 다투는 내기. 노름.
[賭坊 도방] 도장(賭場).
[賭射 도사] 금품을 걸고 승부를 다투는 활쏘기. 내기 활쏘기.
[賭賽 도새] 도박(賭博).
[賭場 도장] 도박장.
[賭錢 도전] ㉠돈내기. ㉡돈내기에 건 돈.
◉決賭. 競賭. 交賭. 攤賭.

9 ⑯ [賵] 봉 ㊄送 撫鳳切 fèng 賵

字解 보낼 봉 죽은 사람을 장사 지내는 데 필요한 거마(車馬)를 보냄. 또, 그 거마(車馬). '歸惠公仲子之一'《左傳》.

字源 篆文 會意. 貝+冒. '貝패'는 '재물(財物)'. '冒모'는 '덮어씌우다'의 뜻으로, 죽은 자(者)를 덮어 가리는 옷의 뜻. 사자(死者)에 대한 조의(弔意)를 표하기 위하여 상주(喪主)에게 보내는 의복(衣服)·거마(車馬)의 뜻을 나타냄.

[賵賻 봉부] 부의(賻儀)로 보내는 물건. 또, 부의를 보내는 일.
[賵襚 봉수] 죽은 사람을 위하여 거마(車馬)·수의(襚衣) 등을 보냄.
[賵弔 봉조] 부의를 보내어 조상함.
[賵贈 봉증] 부의로 보내는 물건. 또, 부의를 보내는 일.
◉賻賵. 歸賵. 賻賵. 禮賵. 贈賵.

9 ⑯ [賰] 人名 춘 ㊤軫 式允切 chǔn

筆順 丨 ㄇ 目 貝 貝ㅡ 貝夫 賰 賰

字解 넉넉할 춘 '賱一'은 부(富).

字源 形聲. 貝+春〔音〕

9 ⑯ [賝] 〔침〕 琛(貝部 八畫〈p. 2201〉)의 本字

9 ⑯ [賴] 高人 뢰 ㊄泰 落蓋切 lài 賴

筆順 ㅁ 中 東 東ㄱ 剌 賴 賴 賴

字解 ①의뢰할 뢰, 힘입을 뢰 ㉠믿고 의지함. '依一'. '萬世永一'《書經》. ㉡말미암음. 인(因)

리다, 보내다의 뜻을 나타냄.

[贈答 증답] 선사로 물건을 주고받음.
[贈別 증별] ㉠송별함. ㉡사람이 멀리 떠날 때 시문을 지어 주거나 물품을 보내어 석별의 정을 표함.
[贈賻 증부] 부의(賻儀).
[贈賜 증사] 금품을 내려 줌.
[贈序 증서] 작별할 때 지어 주는 글.
[贈送 증송] 금품을 주어 보냄.
[贈詩 증시] 시를 지어 줌. 또, 그 시.
[贈諡 증시] 제왕이 시호(諡號)를 내림.
[贈與 증여] 물건을 선사로 보냄.
[贈位 증위] 사후에 조정에서 벼슬을 내림. 또, 그 벼슬.
[贈遺 증유] 선사함. 또, 그 물품.
[贈爵 증작] 사후에 작위(爵位)를 내림.
[贈餞 증전] 전별(餞別)할 때 금품을 줌. 또, 그 금품. 전별금(餞別金).
[贈呈 증정] 물건을 드림.
[贈賄 증회] 선사를 함. 또, 선물. 선사품.
[贈恤 증휼] 물건을 주어 은혜를 베풂.
●奇贈. 寄贈. 賵贈. 分贈. 受贈. 酬贈. 宸贈. 腆贈. 持贈. 追贈. 顯贈. 睍贈. 賄贈.

12/(19) [賰] 담 ㉮感 徒感切　㉯勘 徒紺切 dàn

[字解] ①선금 담 선돈. '一, 賒物預授直也'《集韻》. ②권수비단 담 책의 권수(卷首)에 붙이는 비단 헝겊. 옥지(玉池). '隋唐藏書, 皆金題錦一'《米芾》.
[字源] 形聲. 貝＋覃〔音〕

●錦賰.

12/(19) [贊] 찬 ㉠翰 則旰切 zàn

[筆順] 一　生　先　先　先　先先　替　替　贊

[字解] ①도울 찬 조력함. 보좌함. '一助'. '一天地之化育'《中庸》. ②고할 찬 알림. 또, 설(說)함. '徧一賓客'《史記》. '伊陟一巫咸'. ③기릴 찬 칭찬함. 讚(言部 十九畫)과 同字. '賞一'. '夫子誦此詩而一之曰'《中庸章句》. ④찬사 찬 칭찬하는 말. '學者先讀此一, 而後讀其書'《史記》. ⑤이끌 찬 인도함. '陳百僚而一羣后'《後漢書》. ⑥뵐 찬 만나 뵘. '一, 見也'《說文》. ⑦밝힐 찬 '不可勝一'《宋玉》. ⑧전달할 찬 '宰自主人之左一命'《儀禮》. ⑨문체의하나 찬 ㉠인물을 칭송하고 논평하는 글. '伯夷一'. '孔子一'. ㉡서화의 옆에 쓰는 말. 찬(讚). '自圖宜尼像, 爲之而書之'《南史》. ㉢역사의 기사(記事)에 첨가하는 의론. '史記論一'. ⑩성찬 성(姓)의 하나.
[字源篆文] 贊 形聲. 貝＋兟〔音〕. '兟신'은 '올리다'의 뜻. 신(神)에게 재화(財貨)를 바쳐 알리다, 찬양하다의 뜻을 나타냄.
[參考] 賛(貝部 八畫)은 俗字.

[贊決 찬결] 도와서 결정함.
[贊導 찬도] 인도함.
[贊同 찬동] 찬성(贊成).

[贊美 찬미] 칭송함. 기림.
[贊普 찬보] 토번(吐蕃)의 군장(君長).
[贊否 찬부] 찬성과 불찬성.
[贊辭 찬사] 칭찬하는 말.
[贊善 찬선] 당(唐)나라의 벼슬 이름. 동궁(東宮)에 설치하는데 시종(侍從)·익찬(翊贊)을 맡음.
[贊成 찬성] 동의(同意)함. 동의하여 도와줌.
[贊述 찬술] 칭찬하여 진술함.
[贊揚 찬양] 칭찬하여 드러냄.
[贊襄 찬양] 임금을 도와 치적(治績)을 올리게 함.
[贊佑 찬우] 찬조(贊助).
[贊翼 찬익] 찬조(贊助).
[贊助 찬조] 찬동하여 도와줌.
[贊佐 찬좌] 찬조(贊助).
[贊嘆 찬탄] 찬탄(贊歎).
[贊歎 찬탄] 감탄하여 칭찬함.
●光贊. 勸贊. 輔贊. 扶贊. 敷贊. 毗贊. 宣贊. 翊贊. 翼贊. 自贊. 參贊. 天贊. 諷贊. 協贊. 弘贊. 恢贊.

12/(19) [贇] 人名 빈(윤㊀) ㉮眞 於倫切 yūn　　贇

[字解] 예쁠 빈 아름다운 모양. '一, 美好也'《廣韻》.
[字源] 會意. 貝＋斌. '斌빈'은 문무(文武)의 조화가 잡혀 있다의 뜻. 문무와 금품(金品)이 갖춰져 있어 아름답다의 뜻을 나타냄.

12/(19) [贋] 〔안〕 贗(貝部 十五畫〈p.2209〉)의 俗字

12/(19) [賻] 〔구〕 購(貝部 十畫〈p.2205〉)와 同字

12/(19) [贃] ㊀ 궤 ㉠眞 居僞切 guì　㊁ 와 ㉠馬 五寡切

[筆順] 刂 日 貝 貯 貯 賳 賴 賴

[字解] ㊀①재물 궤 '一, 資也'《說文》. ②걸 궤 내기를 함. '一, 賭也'《廣雅》. ㊁ 재물 와, 걸 와 ㊀과 뜻이 같음.
[字源] 形聲. 貝＋爲〔音〕

12/(19) [贘] 귤 ㊀質 巨律切 jú

[字解] 조개이름 귤 '一, 貝也'《字彙》.

12/(19) [贘] 도 ㉮虞 東徒切 dū

[字解] 내기에이길 도 '一, 賭勝曰一'《集韻》.

13/(20) [贍] 人名 섬 ㉠豓 時豓切 shàn　　贍

[字解] ①넉넉할 섬 ㉠많음. 풍부함. '一富'. '振人不一'《史記》. ㉡충분함. '力不一也'《孟子》. ②진휼할 섬 구휼함. '一賑'. '收一名士'《漢書》. ③성 섬 성(姓)의 하나.
[字源篆文] 贍 形聲. 貝＋詹〔音〕. '詹섬'은 '그득 차다'의 뜻. 재화(財貨)가 그득 차 있다의 뜻을 나타냄.

[贍給 섬급] 베풀어 줌. 물품을 넉넉히 댐.

[贍麗 섬려] 섬부(贍富)하고 화려함. 어휘가 풍부하고 문장이 화려함.
[贍敏 섬민] 섬부하고 민속함.
[贍富 섬부] 넉넉함.
[贍逸 섬일] 섬부(贍富)하고 뛰어남. 문장 등이 어휘가 풍부하고 뛰어남.
[贍足 섬족] 섬부(贍富).
[贍智 섬지] 넉넉한 슬기. 많은 슬기.
[贍賑 섬진] 재물을 주어 도와줌.
[贍學 섬학] 섬부한 학문. 박학.
[贍護 섬호] 진휼(賑恤)하여 구호함.
[贍卹 섬휼] 구휼(救恤).
◉供贍. 宏贍. 巧贍. 綺贍. 朗贍. 貸贍. 明贍. 美贍. 敏贍. 博贍. 班贍. 辯贍. 富贍. 分贍. 酬贍. 雅贍. 姸贍. 盈贍. 饒贍. 優贍. 雄贍. 流贍. 雋贍. 精贍. 賙贍. 拯贍. 賑贍. 淸贍. 充贍. 通贍. 豐贍. 該贍. 華贍. 卹贍.

13 ⑳ [⿰貝僉] 一 렴 ㊤豔 力驗切 liàn
二 담 ㊤勘 徒紺切

[字解] 一 선금(先金) 렴 선돈. 선금을 줌. '─, 市先入直, 若今賻錢'《集韻》. 二 선금 담 一과 뜻이 같음.

13 ⑳ [⿰貝廉] 렴 ㊥鹽 離鹽切 lián

[字解] 팔 렴 賺(貝部 十畫)의 本字. '─, 賣也'《集韻》.
[字源] 形聲. 貝+廉〔音〕

13 ⑳ [贏] 영 ㊥庚 以成切 yíng 赢

[字解] ①남을 영 한도 밖에 더 있음. '量入計出, 分所─'《唐書》. ②나머지 영 잔여. '尙有五升之─'《東坡酒經》. ③돈벌 영, 이 영 이익. 이득. '─利'. '賈而欲─, 而惡囂乎'《左傳》. ④지나칠 영 한도를 지남. 과도함. '撟幹欲孰於火而無─'《周禮》. ⑤풀릴 영 해이(解弛)함. '天地始肅, 不可以─'《禮記》. ⑥펴질 영 늘어남. '縮'의 대(對). '孟春始─'《淮南子》. ⑦받을 영 수용함. '以隸人之垣, 以─諸侯'《左傳》. ⑧쌀 영 포장(包裝)함. '─糧而趣之'《莊子》. ⑨질 영 등에 짊어짐. '─三日之糧'《荀子》. ⑩이길 영 전쟁 또는 도박 등에서의 승리. '輸─'. '爭言鬪草─'《陸游》. ⑪넘칠 영 '─, 溢也'《玉篇》. ⑫나아갈 영 '─縮轉化'《國語》.
[字源] 金文 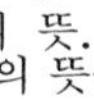 篆文 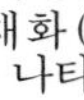 會意. 貝+𦝠. '𦝠라'는 달팽이의 象形으로, '늘어나다, 펴지다'의 뜻. 재화(財貨)가 그득 차 있다, 벌다, 남다의 뜻을 나타냄.

[贏金 영금] 나머지 돈.
[贏得 영득] 이득을 봄. 이것만은 이득이라는 뜻으로, 특히 시(詩)에 쓰는 말.
[贏利 영리] 이익(利益). 이득.
[贏副 영부] 나머지. 여분.
[贏財 영재] 재물(財物)을 남김. 또, 남은 재물. 여재(餘財).
[贏縮 영축] 남음과 모자람. 나감과 물러감. 늘어남과 줄어듦.
[贏絀 영출] 영축(贏縮).
◉奇贏. 薄贏. 輸贏. 餘贏. 長贏. 縮贏. 豐贏.

14 ㉑ [贔] 비 ㊤寘 ㊥秘切 bì 赑

[字解] ①힘쓸 비 '─屭'는 대단히 힘을 쓰는 모양. '巨靈─屭'《張衡》. ②큰거북 비 '─屭'는 거대한 거북으로, 붉은 거북 따위. '─屭大龜'《本草》. ③성낼 비 노함. '䢲回內─'《左思》.
[字源] 會意. 貝+貝+貝

[贔怒 비노] ㉠성냄. ㉡물이 세차게 흐름.
[贔屭 비희] 자해(字解)❶❷를 보라.

14 ㉑ [贐] 신 ㊤震 徐刃切 jìn 赆

[字解] ①전별할 신 여행하는 사람에게 노자 또는 물품을 줌. 또, 그 금품. '行者必以─'《孟子》. ②예물 신 회동(會同)할 때 주는 재화(財貨). '賮, 說文, 會禮也. 或从盡'《集韻》.
[字源] 形聲. 貝+盡〔音〕. '盡진'은 '進진'과 통하여 '권하다'의 뜻. 길 떠나는 사람에게 권하는 재물, 선물의 뜻을 나타냄.

[贐送 신송] 길 떠나는 사람에게 물품을 줌.
[贐儀 신의] 전별할 때 주는 금품.
[贐錢 신전] 신의(贐儀).
[贐行 신행] 전별함. 또, 그때 주는 물품. 또는 물건을 보내는 일.

14 ㉑ [⿱與貝] 거 ㊤御 居御切 jù

[字解] 전당(典當)잡힐 거 '─, 質錢也'《集韻》.

14 ㉑ [⿰貝袞] 곤 ㊤願 古困切 gùn

[字解] 둥글 곤 '─, 圓也'《字彙補》.

14 ㉑ [⿰貝藏] [人名] 장 ㊥陽 則郞切 zāng 赃

[字解] ①장물 장 부정한 방법으로 물품을 취득함. 또, 그 물품. '─品'. ②뇌물받을 장 '─吏'. '─濫官打罵公人'《李商隱雜纂》. ③감출 장 '─, 藏也'《玉篇》.
[字源] 形聲. 貝+臧〔音〕. '臧장'은 '거두다, 감추다'의 뜻. 금품을 부정하게 감추다의 뜻을 나타냄.
[參考] 贓(貝部 十一畫)은 本字.

[⿰貝藏官 장관] 부정한 관리. 뇌물을 탐하는 벼슬아치.
[⿰貝藏蠹 장두] 뇌물을 탐내는 간리(奸吏).
[⿰貝藏吏 장리] 부정한 수단으로 재물을 취득한 관리. 또, 뇌물을 받은 관리.
[⿰貝藏物 장물] 범죄(犯罪)에 의하여 얻은 물건.
[⿰貝藏穢 장예] 부정하여 더러움. 또, 부정한 물건. 더러운 물건.
[⿰貝藏汚 장오] 부정한 물품을 받는 더러운 행위.
[⿰貝藏罪 장죄] 뇌물을 받은 죄(罪).
[⿰貝藏品 장품] 장물(⿰貝藏物).
[⿰貝藏貨 장화] 부정 수단에 의하여 재화를 손에 넣음.
◉姦⿰貝藏. 犯⿰貝藏. 宿⿰貝藏.

14 ㉑ [贑] 〔감〕
灨(水部 二十四畫〈p. 1320〉)과 同字

14 ㉑ [贒] 〔현〕
賢(貝部 八畫〈p.2202〉)의 古字

15 ㉒ [贖] 속 [入]沃 神蜀切 shú

[字解] ①바꿀 속 물물 교환을 함. '解左驂—之'《史記》. ②속바칠 속 속전을 냄. 금품을 내고 죄를 면함. '—罪'. '金作—刑. (傳) 誤而入刑, 出金以—罪'《書經》. ③떠날 속 '—蟄蟲卵菱'《管子》. ④이을 속 續(糸部 十五畫)과 통용. '昔原大夫—桑下絕氣'《後漢書》.
[字源] 金文 篆文 形聲. 貝+賣〔音〕. '賣육'은 상대의 눈을 현혹시켜서 사다의 뜻. '속바치다'의 뜻을 나타냄.

[贖免 속면] 금품을 바치고 죄(罪)를 면함.
[贖錢 속전] 죄를 면하려고 바치는 돈.
[贖罪 속죄] 속바침. 재물을 내고 죄를 면함.
[贖刑 속형] 속바침. 또, 그 형벌. 벌금형.
◉極贖. 赦贖. 輸贖. 助贖. 重贖. 厚贖.

15 ㉒ [贕] 독 [入]屋 徒谷切 dú

[字解] ①곯을 독 알이 곯아 부화하지 아니함. ②죽을 독 짐승이 태내(胎內)에서 죽음. '獸胎不—'《淮南子》.

15 ㉒ [贗] 안 [去]諫 五晏切 yàn

[字解] ①거짓 안 위조. 또, 위조한 물건. 가짜. '—天子'. '居然見眞—'《韓愈》. ②바르지않을 안 옳지 않음. '—, 不直也'《玉篇》.
[字源] 形聲. 貝+鴈〔音〕. '鴈안'은 '기러기'의 뜻. 조그만 기러기가 큰 새의 습격에서 몸을 지키기 위해 보다 큰 새로 보이도록 정연하게 대오(隊伍)를 지어 나는 모양에서, '가짜'의 뜻을 나타냄.
[參考] 贋(貝部 十二畫)은 俗字.

[贗金 안금] 가짜 돈. 위조한 돈.
[贗物 안물] 위조한 물건. 가짜.
[贗本 안본] 위조한 책.
[贗書 안서] 가짜 책.
[贗作 안작] 가짜. 안조(贗造).
[贗鼎 안정] 가짜 솥. 전(轉)하여, 널리 '가짜'의 뜻으로 쓰임.
[贗造 안조] 위조함. 또, 위조품.
[贗札 안찰] 위조지폐.
[贗天子 안천자] 거짓 천자(天子).
◉眞贗.

16 ㉓ [贘] 돈 dǔn

[字解] 보낼 돈 기이(奇異)한 물건을 보냄. '—, 別寄異物也'《篇韻》.

16 ㉓ [贙] 현 [去]霰 黃絢切 xuàn

[字解] ①나눌 현, 나뉠 현 다투어 나눔. '兼葭—, 雚蒻森'《左思》. ②맞겨룰 현 '—, 對爭也'《字彙》.
[字源] 甲骨文 金文 篆文 會意. 虤+貝. 두 마리의 호랑이가 먹이〔貝〕를 다투어 나누다의 뜻에서, '맞겨루다, 나누다'의 뜻으로 쓰임.

17 ㉔ [贛] [一] 공 [去]送 古送切 gòng
[二] 감 [上]感 古禫切 gàn

[字解] [一] ①미련할 공 어리석음. 戇(心部 二十四畫)과 통용. '戇, 悻戇, 愚也. 或省'《集韻》. ②줄 공 내림. 하사(下賜)함. 또, 내려 준 것. '一朝用三千鍾—'《淮南子》. '今—人敖倉'《淮南子》. [二] 강이름 감 장시 성(江西省)을 흘러 포양호(鄱陽湖)에 들어가는 강(江).
[字源] 篆文 籀文 形聲. 貝+竷〈省〉〔音〕

17 ㉔ [贑] 贛(前條)의 本字

17 ㉔ [𧹎] 贛(前前條)의 籀文

18 ㉕ [贜] 〔장〕
贓(貝部 十四畫〈p.2208〉)의 俗字

赤 (7획) 部
〔붉을적부〕

0 ⑦ [赤] [中人] 적 [入]陌 昌石切 chì

[筆順] 一 十 土 产 赤 赤 赤

[字解] ①붉은빛 적 적색. '周人尙—'《禮記》. ②붉을 적 ㉠붉은빛임. '—衣'. '持—幟'《史記》. ㉡진심을 가지고 있음. 숨김이 없음. '—誠'. '—心'. '以玆報主寸心—'《杜甫》. ㉢공산주의·공산주의자의 속칭. ③빌 적 아무것도 없음. '—貧'. '蝗蟲大起, —地數千里'《漢書》. ④벌거벗을 적 알몸임. '—裸'. '—身受凍'《寄園寄所》. ⑤벨 적, 멸할 적 주멸(誅滅)함. '不知一跌將—吾之族'《揚雄》. ⑥염탐할 적 정탐꾼. 척후병. '虜秦將—'《史記》. ⑦없앨 적 쫓아 버림. 捇(手部 七畫)과 同字. '—, 除撥也'《集韻》. ⑧경기 적 기내(畿內). '畿—十九邑'《宋史》. ⑨성 적 성(姓)의 하나.
[字源] 甲骨文 金文 篆文 古文 會意. 大+火. '大대'는 사람을 본뜬 모양. 불빛을 받는 사람의 모양으로서, '붉다, 빨갛다'의 뜻을 나타냄.
[參考] '赤'을 의부(意符)로 하여, 붉은빛이나 물건, 붉어지는 일 등의 뜻을 나타내는 문자를 이룸.

[赤脚 적각] ㉠맨발. ㉡신선(神仙) 이름.
[赤脚大仙 적각대선] 맨발의 신선(神仙). 도교(道敎)의 신(神).
[赤褐色 적갈색] 붉은빛을 띤 갈색.
[赤蓋 적개] 서쪽으로 지는 해.
[赤口毒舌 적구독설] 근성(根性)이 나빠 남을 해치는 자를 욕해 이르는 말.
[赤軍 적군] 러시아의 10월 혁명(革命)(1917년)

뒤 징병제 (徵兵制)에 의하여 조직 (組織)된 정
규군 (正規軍). 붉은 군대.

[赤鬼 적귀] 지옥 옥졸의 하나로, 살갗이 붉은 귀 [신.

[赤根菜 적근채] 시금치.

[赤金 적금] 구리.

[赤旗 적기] 붉은 기 (旗). 공산주의 (共産主義)를
상징 (象徵)하는 기 (旗).

[赤裸裸 적나라] ㉠발가벗음. ㉡아무 숨김없이 진
상 (眞相) 그대로 드러냄.

[赤羅刹 적나찰] 《佛教》 적귀 (赤鬼).

[赤道 적도] 지축 (地軸)에 직교 (直交)하여 양극
(兩極)에서 90도의 거리에 있는 대권 (大圈).

[赤道祭 적도제] 함선 (艦船)이 적도 아래를 지나
갈 때에 지내는 제전 (祭典).

[赤凍 적동] 피부가 추위에 빨갛게 얾.

[赤銅 적동] ㉠구리. ㉡구리에 금이 약간 섞인 합
금 (合金).

[赤豆 적두] 적소두 (小豆).

[赤裸 적라] 발가벗음.

[赤痢 적리] 대변 (大便)에 피가 섞이어 나오는 이
질 (痢疾).

[赤面 적면] ㉠붉은 얼굴. ㉡얼굴을 붉힘.

[赤眉 적미] 후한 (後漢) 초에 산둥 (山東) 지방에
일어난 비도 (匪徒)의 이름. 모두 눈썹을 빨갛
게 물들이었으므로 이름.

[赤壁 적벽] ㉠후베이 성 (湖北省)에 있는 네 개의
산 이름. ㉮자위 현 (嘉魚縣) 동북쪽, 양쯔 강 (揚
子江) 가에 있음. 주유 (周瑜)가 조조 (曹操)를
격파한 곳. ㉯황강현 (黃岡縣) 성밖에 있음. 적
비기 (赤鼻磯)라 부름. 소식 (蘇軾)이 여기를 찾
아가 주유 (周瑜)가 싸웠던 적벽 (赤壁)으로 잘
못 알고, 전후 적벽부 (前後赤壁賦)를 지었음.
㉰우창 현 (武昌縣) 동남 70리에 있음. 적기 (赤
磯·赤圻)라고도 부름. ㉱한양현 (漢陽縣) 돈구
(沌口)의 임장산 (臨嶂山)을 오림 (烏林)의
속칭 (俗稱). ㉲물 이름. 산시 성 (山西省) 안택
현 (安澤縣)의 남부 (南部)를 서북 (西北)으로 흘
러 간수 (澗水)와 합류 (合流)하는 내.

[赤壁賦 적벽부] 송 (宋)나라 소식 (蘇軾)이 적벽
(赤壁) 아래에서 주유 (舟遊)할 때에 지은 유명
한 부 (賦). 전후 (前後) 2편 (篇)이 있음.〈문장
궤범 (文章軌範)〉·〈고문진보 (古文眞寶)〉에 실
려 있음.

[赤伏符 적복부] 후한 (後漢) 광무제 (光武帝)가
즉위 (卽位)할 때에 하늘로부터 내려 받았다는
적색 (赤色)의 부절 (符節).

[赤奮若 적분약] 축 (丑)의 해의 이명 (異名).

[赤紱之刺 적불지자] 군주 (君主)가 군자를 멀리
하고 소인을 가까이하거나 재위 (在位)한 군주
(君主)가 그 덕 (德)이 부족하여 군주의 자격이
없음을 기자 (譏刺)하는 말. 시경 (詩經)의 후인
(侯人)이라는 시에서 나온 말임.

[赤貧 적빈] 썩 가난함. 자산이 조금도 없음.

[赤貧如洗 적빈여세] 씻은 듯이 몹시 가난함. 극
빈하여 아무것도 없음.

[赤舃 적석] 붉은 신. 석 (舃)은
바닥이 두 겹으로 된 신.

[赤誠 적성] 참된 정성. 적심. 성
심.

[赤燒 적소] 저녁놀.

[赤小豆 적소두] 붉은팥.

[赤松 적송] 소나무의 일종 (一種). 껍질이 붉고
잎이 가는 것.

[赤舃]

[赤松子 적송자] 고대의 신선 (神仙) 이름.

[赤手 적수] 맨손.

[赤繩 적승] 붉은 노. 곧, 부부 (夫婦)의 인연.

[赤身 적신] 벌거벗은 몸. 알몸.

[赤心 적심] ㉠진심. 성심. ㉡과일 등의 빨간 속.

[赤鴉 적아] 태양 (太陽)의 딴 이름. 태양 한가운
데에 세 발 달린 까마귀가 있다는 전설에서 나
온 이름.

[赤羽 적우] ㉠붉은 깃. ㉡살깃이 붉은 화살을 이
름. ㉢태양.

[赤肉團上無位眞人 적육단상무위진인] 마음의 본
체 (本體)를 이름.

[赤衣 적의] ㉠죄인이 입는 붉은 옷. 또, 그 옷을
입은 죄인. ㉡붉은 녹 (綠).

[赤衣使者 적의사자] '고추잠자리'의 별칭 (別稱).

[赤子 적자] ㉠갓난아이. 핏덩이. ㉡임금의 치하
(治下)에서 그 은택 (恩澤)을 받는 백성.

[赤子之心 적자지심] 어린아이의, 세상의 죄악에
물들지 아니한 자연 그대로의 깨끗한 마음.

[赤箭 적전] 난초과에 속하는 기생 초본 (寄生草
本). 화살 깃 모양의 잎이 줄기의 마디마다 남.
뿌리는 천마 (天麻)라 하여 약재 (藥材)로 씀.
수자해좃. 정풍초 (定風草).

[赤帝 적제] 여름을 맡은 신 (神).

[赤帝子 적제자] 한 (漢)나라 고조 (高祖)를 일컬
음. 한 (漢)나라는 화덕 (火德)으로 적색 (赤色)
을 숭상 (崇尙)하였으므로 이름.

[赤條條 적조조] 적나라 (赤裸裸).

[赤族 적족] 멸족 (滅族)함.

[赤卒 적졸] '고추잠자리'의 별칭 (別稱).

[赤憎 적증] 생각한 바와는 어그러져. 공교롭게도.

[赤地 적지] 초목이 나지 않는 땅.

[赤痣 적지] 피부에 있는 붉은 점 (點).

[赤墀 적지] 빨간 칠을 한 궁중 (宮中)의 뜰. 전
하여, 대궐·조정의 일컬음.

[赤春 적춘] '봄'의 딴 이름.

[赤仄 적측] 한대 (漢代)의 동전.

[赤幟 적치] 붉은 기 (旗).

[赤土 적토] ㉠붉은 흙. ㉡초목이 나지 않는 토지.

[赤兔馬 적토마] 옛 준마 (駿馬)의 이름. 관우 (關
羽)가 탔었다는 말.

[赤霞 적하] 저녁놀.

[赤縣神州 적현신주] '중국 (中國)'의 이칭.

[赤血 적혈] 붉은 피. 선혈 (鮮血).

[赤血球 적혈구] 혈액 (血液)의 주성분 (主成分).
혈색소 (血色素)인 헤모글로빈을 가지고 있어
붉게 보임.

[赤頰 적협] '학 (鶴)'의 딴 이름.

[赤化 적화] ㉠붉게 됨. ㉡공산주의 (共産主義) 사
상 (思想)을 가지게 함.

[赤凶 적흉] 심 (甚)한 흉년 (凶年).

●畿赤. 韍赤. 丹赤. 面赤. 心赤. 六赤. 紅赤.
繻赤.

赦

4
11

㊀사 ㉠禡 始夜切 shè

人名

字解 ①놓을 사, 용서할 사 죄를 용서함. 놓아
줌. '一免'. '罔有攸一'《書經》. '君子以一過宥
罪'《易經》. ②용서 사, 사 사 사면 (赦免). '宜因
郊祀一, 以蕩滌瑕穢'《晉書》. ③성 사 성 (姓)
의 하나.

字源 篆文 [篆form] 別體 [form] 形聲. 攴+赤[音]. '赤적'은
'捨사'와 통하여, '놓아주다,

버리다'의 뜻. 특히, 죄를 용서하다의 뜻으로 쓰임.

[赦令 사령] 대사(大赦)의 명령. 사죄(謝罪)의 명령.
[赦例 사례] 죄인을 용서한 전례.
[赦免 사면] 죄를 용서하여 놓아줌.
[赦罰 사벌] 벌 받을 자를 용서함.
[赦貰 사세] 죄를 용서함.
[赦贖 사속] 죄를 속(贖)하게 하여 용서함.
[赦原 사원] 정상을 참작하여 용서함.
[赦宥 사유] 사면(赦免)하여 용서함.
[赦狀 사장] 죄를 용서한다는 내용을 적은 서면. 사면(赦免)의 신고서.
[赦詔 사조] 대사(大赦)의 조서(詔書).
●曲赦. 寬赦. 郊赦. 大赦. 免赦. 放赦. 肆赦. 三赦. 貰赦. 原赦. 恩赦. 裁赦. 誅赦. 擅赦. 特赦.

4 ⑪ [赥] 혁 㥄錫 許激切 xī
字解 ①붉을 혁 '一, 赤也'《玉篇》. ②웃는소리 혁 謚(言部 十畫)과 뜻이 같음. '言侃侃笑一一'《元包經》.
字源 形聲. 欠+赤〔音〕

5 ⑫ [赧] 난 ㊤潸 奴板切 nǎn
字解 ①붉힐 난 부끄러워 얼굴이 홍조가 됨. '一愧'. '五情愧一'《曹植》. ②두려워할 난 '自進則敬, 不則一'《國語》.
字源 篆文 赧 會意. 赤+反〔音〕. '反년'은 '然연'과 통하여, '불타다, 화끈 달아오르다'의 뜻. 부끄러워서 얼굴이 화끈 달아오르는 뜻.

[赧愧 난괴] 부끄러워하여 얼굴을 붉힘.
[赧赧 난난] 부끄러워 얼굴을 붉히는 모양.
[赧赧然 난난연] 난난(赧赧).
[赧然 난연] 난난(赧赧).
[赧獻 난헌] 주(周)나라의 난왕(赧王)과 후한(後漢)의 헌제(獻帝). 모두 암군(暗君)으로서 권신(權臣)에게 제어당하여 나라를 망쳤음.
●愧赧. 羞赧. 實赧. 歡赧.

5 ⑫ [赧] ■ 난 ㊤潸 乃版切 nǎn   ■ 년 ㊤銑 尼展切 niǎn
字解 ■ 부끄러워낯붉힐 난 赧(前條)과 同字. ■ 피리늘어지게불 년 '賞一'은 피리 소리가 늘어진 모양. '賞一, 笛聲緩也'《集韻》.

5 ⑫ [赦] 赨(次次條)과 同字

6 ⑬ [赨] 혁 ㊤職 許極切   혁 㥄陌 郝格切 xì 
字解 ①새빨갈 혁 ㉠아주 빨감. '丹沙一熾出其坂'《左思》. ㉡산 같은 데 초목이 없어 벌겋게 흙이 드러나 있는 모양. '北有寒山, 逴龍一只'《楚辭》. ②검푸른빛 혁 '靑黑曰一'《一切經音義》. ③노할 혁 성내는 모양. '一, 怒兒'《玉篇》.
字源 篆文 赨 形聲. 赤+色〔音〕. '빨간빛'의 뜻을 나타냄.

[赨熾 혁치] 몹시 붉음. 붉은 모양.
[赨赫 혁혁] 빛이 빨간 모양.
[赨紅 혁홍] 시뻘건 모양.

6 ⑬ [赨] ■ 동 ㉛冬 徒冬切 tóng   ■ 웅 ㉛東 余中切 róng
字解 ■ 붉을 동 붉은빛. '一, 赤色也'《說文》. '其種, 大苗·細苗, 一莖, 黑秀, 箭長'《管子》. ■ 붉은벌레이름 웅 '一, 赤蟲'《集韻》.
字源 篆文 赨 形聲. 赤+蟲〈省〉〔音〕

[赨莖 동경] 붉은 줄기.

6 ⑬ [桐] 동 ㊤董 杜孔切 dòng
字解 붉을 동 붉은색. '一, 赤色'《集韻》.

7 ⑭ [赫] ■ 혁 ㊅陌 呼格切 hè   ■ 하 ㊌禡 虛訝切 xià
筆順 一 十 土 赤 赤 赫 赫 赫
字解 ■ ①붉을 혁 빛이 빨간 모양. '一如渥赭'《詩經》. ②빛날 혁 광휘를 발하는 모양. '一一之光'《韓愈》. ③성할 혁 성대한 모양. 또는 기세가 대단한 모양. '一一師尹民具爾瞻'《詩經》. ④대로할 혁 크게 성을 내는 모양. '王一斯怒'《詩經》. ⑤나타날 혁, 나타낼 혁 드러남. 드러냄. '以一厥靈'《詩經》. ⑥두려워할 혁 겁냄. 무서워함. '一一在上'《詩經》. ⑦뻘뻘이떨어져내갈 혁 수주이 잘리어 뿔뿔이 됨. '則一一然死人也'《公羊傳》. ⑧성 혁 성(姓)의 하나. ■ 꾸짖을 하 嚇(口部 十四畫)와 통용. '反予來一'《詩經》.
字源 甲骨文 篆文 赫 會意. 赤+赤. '赤적'은 불빛을 받은 사람의 象形으로, 그것을 겹쳐서 불이 빨갛게 빛나는 모양을 나타냄.

[赫怒 혁노] 발끈 성냄. 대단히 성냄.
[赫胥氏 혁서씨] 태고(太古)의 제왕(帝王)의 이름.
[赫然 혁연] ㉠발끈 성내는 모양. ㉡성(盛)한 모양. 성대한 모양. 기세가 대단한 모양. ㉢시체(屍體)가 굳은 모양.
[赫灼 혁작] 빛나는 모양.
[赫吒 혁타] 혁노(赫怒).
[赫奕 혁혁] 대단히 아름다운 모양. 빛나는 모양.
[赫赫 혁혁] ㉠빛나는 모양. 환한 모양. ㉡성(盛)한 모양. ㉢더운 김이 대단히 나는 모양.
[赫赫之光 혁혁지광] 명성(名聲)이 세상에 떨치어 빛나는 모양.
[赫赫之名 혁혁지명] 세상에 크게 드러나는 명예(名譽).
[赫喧 혁훤] 매우 성대(盛大)한 모양.
[赫戱 혁희] ㉠빛나는 모양. ㉡성(盛)하게 일어나는 모양.
●光赫. 貴赫. 暖赫. 彤赫. 丕赫. 扇赫. 炎赫. 榮赫. 隆赫. 電赫. 震赫. 暵赫. 洪赫. 煥赫. 歊赫. 薰赫. 烜赫. 輝赫.

7 ⑭ [赬] 정 ㉛庚 丑貞切 chēng
字解 붉을 정, 붉은빛 정 적색(赤色). 또, 붉게

함. '一末長終幅'《儀禮》.
[字源] 篆文 [전서] 別體 [별체] 別體 [별체] 形聲. 赤+巠〔音〕

9/16 [椵] 하 ㊤麻 胡加切 xiá

[字解] ①붉은빛 하 적색. '絕岸萬丈, 壁立一駮'《郭璞》. ②아침놀 하, 저녁놀 하 霞(雨部 九畫)와 통용. '晨—爛爛照熹微'《吳景奎》.
[字源] 篆文 [전서] 形聲. 赤+叚〔音〕. '霞하'와 통하여, 벌건 아침놀, 또 저녁놀의 뜻.

●晨椵.

9/16 [䞓] 정 ㊤庚 丑貞切 chēng

[字解] 붉을 정, 붉은빛 정 두 번 물들인 적색. '魴魚—尾'《詩經》.
[字源] 形聲. 赤+貞〔音〕

[䞓面 정면] 벌건 얼굴.
[䞓尾 정미] 물고기의 붉은 꼬리. 고기가 피곤하면 그 꼬리가 붉어진다는 데서, 군자(君子)가 고생함의 비유.
[䞓顔 정안] 붉은 얼굴.
[䞓霞 정하] 붉은 아침놀 또는 저녁놀.
●童䞓. 微䞓. 發䞓. 騂䞓. 朱䞓. 含䞓.

9/16 [赭] 자 ㊤馬 章也切 zhě

[字解] ①붉은흙 자 적토(赤土). '丹—'. '其土則丹青一堊'《漢書》. ②붉은빛 자, 붉을 자 적색. '赫如渥—'《詩經》. ③벌거벗길 자 민둥산으로 만듦. '伐湘山樹—其山'《史記》. ④다할 자 바닥남. '羣飲源榼, 廻食野—'《柳宗元》.
[字源] 篆文 [전서] 形聲. 赤+者〔音〕. '赤적'은 불타는 모양으로, '붉다, 빨갛다'의 뜻. '者자'는 '煮자'의 原字로서, 불을 때다의 뜻. '붉다'의 뜻을 나타냄.

[赭面 자면] 붉은 얼굴.
[赭白馬 자백마] ㉠붉은 털과 흰 털이 섞인 말. ㉡진(晉)나라의 모용외(慕容廆)가 소유한 준마(駿馬)의 이름.
[赭山 자산] 나무가 없는 붉은 산. 민둥산.
[赭堊 자악] 붉은 흙과 흰 흙. 전(轉)하여, 그 벽(壁)의 빛.
[赭衣 자의] 죄수가 입는 붉은 옷. 전(轉)하여, 그 옷을 입은 죄인.
[赭鞭 자편] 붉은 회초리. 신농씨(神農氏)가 붉은 회초리로 풀을 쳐서 그 성질을 알았다는 고사(故事)에서 본초학자(本草學者)를 '——家'라 함.
●鉗赭. 丹赭. 代赭. 山赭. 渥赭.

9/16 [楝] 〔련〕煉(火部 九畫〈p.1341〉)과 同字

10/17 [糖] 당 ㊤陽 徒郞切 táng

[字解] ①붉을 당 붉은빛 당 '一, 赤色'《廣韻》. ②얼굴검붉을 당 '人面色紫曰—'《肯綮錄》.

10/17 [韓] ㊁ 환 ㊤旱 戶管切
　　㊀ 환 ㊤翰 胡玩切
　　㊁ 간 ㊤翰 古案切 gàn

[字解] ㊀ ①붉을 환 붉은빛. '一, 赤色也'《說文》. ②흐릴 환 탁(濁)함. '一, 一曰, 濁也'《集韻》. ㊁ ①흐릴 간 ㊀❷와 뜻이 같음. ②붉은빛 간 짙을 적색. '一, 大赤也'《集韻》.
[字源] 形聲. 赤+倝〔音〕

走 (7획) 部
〔달아날주부〕

0/7 [走] 中入 주 ㊤有 子苟切 zǒu
　　㊤有 則候切

[筆順] 一 十 土 キ 圭 走 走

[字解] ①달릴 주 ㉠빨리 달려감. '疾—'. '飛廉善—'《史記》. ㉡바삐 다님. '一名利'. '駿奔—'《書經》. ㉢빨리 가게 함. '一筆'. '一馬章臺街'《漢書》. ㉣…을 향해 주. '若蟬之—明火也'《呂氏春秋》. '從君而—患'《國語》. ②달아날 주 도망함. 또, 패주함. '逃—'. '棄甲曳兵而—'《孟子》. ③달아나게할 주 쫓음. '死諸葛一生仲達'《十八史略》. ④향할 주 '西—蜀漢中'《史記》. ⑤이를 주 '高門縣薄無不一也'《莊子》. ⑥떠날 주 '三國疾攻楚, 楚必一'《戰國策》. '域內乏食, 百姓咸有一情'《南史》. ⑦짐승 주 지상(地上)을 달리는 것, 곧, 수류(獸類). '飛—'. ⑧종 주 노비. 하인. '太史公牛馬一'《司馬遷》. 또, 자기의 겸칭(謙稱)으로 쓰임. '下一'(주로 편지에 씀). '一亦不任廁技於彼列'《班固》.
[字源] 金文 [금문] 篆文 [전서] 會意. 夭+止. 《說文》에서는 상부(上部)를 '夭'로 하고, 굽히는 모양으로 보지만, 실은 '夭'와는 달리 달리는 모양의 象形. '止지'는 발자국의 象形. '달리다'의 뜻을 나타냄.
[參考] '走'를 의부(意符)로 하여, '걷다, 달리다, 가다' 등의 동작에 관한 문자를 이룸.

[走舸 주가] ㉠빨리 달리는 배. 쾌속정(快速艇). ㉡전쟁에 쓰이는 노[棹]를 많이 장치했음. 전함(戰艦).

[走舸㉡]

[走介 주개] 남의 심부름하러 다니는 하인.
[走狗 주구] ㉠개와 경주를 시키는 유희. ㉡사람을 위하여 잘 달리는 사냥개. 전(轉)하여, 남의 앞잡이가 되어 일하는 사람.
[走禽類 주금류] 조류(鳥類)의 한 무리. 날개는 퇴화하거나 불완전하여 날지 못하는 대신에 다리가 강대(強大)하여 빠르게 달릴 수 있음. 타조(鴕鳥)·화식조(火食鳥) 따위.
[走浪 주랑] 거센 물결. 세찬 물결.
[走馬 주마] 잘 닫는 말.

[走馬加鞭 주마가편] ㉠달리는 말에 채찍질을 하여 더 빨리 달리게 함. ㉡부지런하고 착실한 사람을 더욱더 편달함.

[走馬看山 주마간산] ㉠달리는 말 위에서 산천(山川)을 구경함. ㉡바쁘고 어수선하여 천천히 살펴볼 여유가 없이 확확 지나쳐 봄을 이르는 말.

[走馬看花 주마간화] 달리는 말 위에서 꽃을 본다는 뜻으로, 사물의 외면만을 슬쩍 지나쳐 볼 뿐, 그 깊은 내용을 음미하지 못함의 비유.

[走馬燈 주마등] ㉠돌리는 대로 그림의 장면이 다르게 보이는 등. ㉡사물이 빨리 변함의 비유.

[走百病 주백병] 노(魯)·제(齊)나라 때 사람이 정월 16일 밤에 온갖 병(病)을 떨고 액(厄)을 막기 위하여 갖는 연중행사의 하나. 절에 가서 기도(祈禱)도 드리고 부인네들이 주문(呪文)도 외고 함.

[走奔 주분] 달림. 달아남.

[走散 주산] 뿔뿔이 흩어져 달아남.

[走尸行肉 주시행육] 달리는 시체(屍體)와 다니는 고깃덩이라는 뜻으로, 산 보람이 없는 사람이나 아무 쓸모없는 사람을 이름.

[走心 주심] 달려 달아나려는 마음.

[走肉 주육] 살아 달리는 고기. 쓸모없는 사람. 산 보람이 없는 사람.

[走卒 주졸] 남의 심부름을 하러 다니는 하인.

[走集 주집] 군대가 달려 모인다는 뜻으로, 국경의 성채(城砦).

[走竄 주찬] 달아나 숨음.

[走避 주피] 뛰어 달아남.

[走筆 주필] 붓을 달림. 글씨를 씀.

●卻走. 輕走. 競走. 驚走. 繼走. 倮走. 狂走. 驅走. 潰走. 逃走. 東奔西走. 遁走. 亡走. 帆走. 步走. 奔走. 飛走. 跌走. 迅走. 遠走. 偽走. 爭走. 疾走. 趨走. 逐走. 馳走. 脫走. 退走. 敗走. 暴走. 下走.

0 ⑥ [赱] 走(前條)의 略字

1 ⑧ [赱] 走(前前條)의 本字

1 ⑧ [赳] 赳(次條)와 同字

2 ⑨ [赳] 〔人名〕규 ㊤有 居黝切 jiū ㊥尤 居虯切

字解 헌걸찰 규, 굳셀 규 무예가 있고 용감한 모양. '一武夫, 公侯干城'《詩經》.

字源 形聲. 走+丩〔音〕

[赳赳 규규] 헌걸찬 모양. 무용(武勇)이 있는 모양.

2 ⑨ [赳] 赳(前條)의 訛字

2 ⑨ [赴] 〔高人〕부 ㊜遇 芳遇切 fù

筆順 一 十 土 卝 卡 走 赴 赴

字解 ①갈 부 ㉠…를 향하여 감. 나아감. '一任'. '寧一湘流, 葬於江魚之腹中'《楚辭》. ㉡들어감. '於是一江刺蛟'《呂氏春秋》. ㉢빨리 감. 달려감. '故人之能自直以一禮者, 謂之成人'《左傳》. ②다다를 부 …에 이름. '夢有小飛蟲無數, 一著身'《後漢書》. ③알릴 부 ㉠가서 알림. '一日, 君之臣某死'《儀禮》. ㉡부고(訃告)함. 訃(言部 二畫)와 통용. '一告'. '一以庚戌'《左傳》. ④죽을 부 쓰러져 죽음. 仆(人部 二畫)와 통용. '若不虔恪, 輒一癲'《帝堯碑》.

字源 篆文 赴 形聲. 走+卜〔音〕. '走주'는 '달리다'의 뜻. '卜복'은 점(占)에서, 순식간에 갈라진 금이 달리듯이 생기다의 뜻. 빠른 걸음으로 가다의 뜻.

[赴擧 부거] 과거를 보러 감.

[赴告 부고] '부고(訃告)'와 같음.

[赴救 부구] 가서 구함. 구원하러 감.

[赴援 부원] 구원하러 감. 원조하러 감.

[赴任 부임] 임소(任所)에 감.

[赴銓 부전] 선고(選考)에 관여함.

[赴趣 부취] …를 향하여 감.

[赴討 부토] 치러 감. 토벌하러 감.

●騰赴. 奔赴. 速赴. 迅赴. 掩赴. 往赴. 臨赴. 爭赴. 電赴. 走赴. 臻赴. 馳赴. 嚮赴.

2 ⑨ [赲] 력 ㊤職 六直切 lì

字解 가는모양 력 가는〔行〕모양. '一, 一趨, 行皃'《集韻》.

3 ⑩ [起] 〔中人〕기 ㊤紙 墟里切 qǐ

筆順 一 十 土 卝 走 走 起 起 起

字解 ①일어설 기 ㉠앉았다가 섬. '一坐'. '見代宗來一立'《指月錄》. ㉡우뚝 솟음. '孤峯秀一'《陳舜兪》. ②일어날 기 ㉠발생함. '一因'. '秋風一兮白雲飛'《漢武帝》. 전(轉)하여, 사물의 시초. '一首'. '一原'. ㉡잠을 깸. 晏一', '早一'. '鷄鳴而一'《孟子》. ㉢흥(興)함. 성(盛)해짐. '物之興衰, 情之一伏, 理有固然矣'《後漢書》. ㉣분발(奮發)함. '奮一'. '莫不興一'《鹽鐵論》. ㉤입신출세함. '蕭何·曹參, 皆一秦刀筆吏'《漢書》. ㉥살아 활동함. '復不一(죽음)'. ③일으킬 기 ㉠세움. '泝然一毫毛'《素問》. '趨而扶一'《舊唐書》. ㉡일을 시작함. '一算'. '一稿'. ㉢건축함. 축조함. '背山一樓'《李義山雜纂》. '武帝一建章宮'《漢書》. ㉣흥성(興盛)하게 함. '一業'. ㉤사람을 등용함. '一喬里子于國'《戰國策》. ㉥매우침. 계발함. '一予者商也'《論語》. ㉦파견(派遣)함. 보냄. '王一師於滑'《左傳》. ㉧되살아나게 함. 소생시킴. '緊一死人而肉白骨也'《國語》. ④병고칠 기 치유(治癒)함. '一廢疾'《後漢書》. ⑤다시 기 거듭. '諫若不入, 一敬一孝'《禮記》. ⑥성 기 성(姓)의 하나.

字源 篆文 起 古文 起 形聲. 走+己〔音〕. '己기'는 '무릎을 꿇음'의 뜻. 사람이 조심하여 무릎을 꿇었다 일어섬의 뜻을 나타냄. 篆文의 자형(字形)은 起(走+巳〔音〕)이지만, 음형상(音形上)으로는 '巳사'음은 될 수가 없음.

[起居 기거] ㉠행동거지. 기거동작. ㉡생활. ㉢문

안. ㉣임금의 언행을 기록하는 관직.
[起居動作 기거동작] 사람의 일상생활의 행동.
[起居動靜 기거동정] 기거동작.
[起居萬福 기거만복] 서간문(書簡文)에 쓰이는
말. 상대방의 무사(無事)함을 축원하는 말.
[起居無時 기거무시] 자기 마음대로 일어나고 자
고 하는 속박 없는 자유스러운 생활을 이름.
[起居注 기거주] ㉠임금의 나날의 언행을 적은 기
록. ㉡벼슬 이름. 천자의 언행(言行)을 기록하
는 직책.
[起耕 기경] 논밭을 갈아 일으킴.
[起稿 기고] 원고를 쓰기 시작함.
[起工 기공] 역사(役事)를 시작함.
[起句 기구] 발단(發端)의 구(句).
[起單 기단] 《佛敎》 단(單)은 단위(單位), 곧 좌
선(坐禪)하는 상(牀). 좌선하는 자리에서 일어
나 물러간다는 뜻으로, 절(寺)을 떠남을 이름.
[起動 기동] ㉠움직임. 움직이기 시작함. ㉡기거.
동작. 거동(擧動).
[起聯 기련] 율시(律詩)의 1·2 두 구(句)를 이름.
발구(發句).
[起立 기립] 일어섬.
[起滅 기멸] 흥기함과 쇠멸함. 나타남과 사라짐.
[起兵 기병] 군대를 일으킴.
[起伏 기복] ㉠일어났다 누웠다 함. ㉡나타났다
숨었다 함. ㉢혹은 높고 혹은 낮음. ㉣성했다
쇠했다 함.
[起復 기복] 부모의 거상(居喪) 중에 출사(出仕)
함.
[起復出仕 기복출사] 기복(起復).
[起峯 기봉] 여러 산 가운데 우뚝 솟은 봉우리.
[起死 기사] 죽은 사람을 소생시킴. 전(轉)하여,
큰 은혜를 베풂의 비유.
[起死人 기사인] 크게 남에게 은혜를 베풂을 이름.
[起死回生 기사회생] 빈사자를 소생시킴. 전(轉)
하여, 큰 행복을 주는 비유.
[起算 기산] 계산하기 시작함.
[起牀 기상] 잠자리에서 일어남.
[起訴 기소] 소송을 법원에 제기함.
[起首 기수] 사물의 시작. 시초.
[起承轉結 기승전결] 한시(漢詩)의 구(句)의 배
열의 명칭. 첫머리를 기, 첫머리의 뜻을 이어받
는 것을 승, 한 번 뜻을 돌리는 것을 전, 끝맺음
을 결(合)이라고도 함)이라 함.
[起承轉合 기승전합] 기승전결.
[起身 기신] ㉠발족(發足)함. 출발함. ㉡자리에서
일어나 경의(敬意)를 표함.
[起案 기안] 문안을 기초함.
[起業 기업] 사업을 일으킴.
[起予 기여] 자기가 미처 깨닫지 못한 것을 남에
게서 주의(注意)를 받아 깨달음을 이름.
[起獄 기옥] 송사(訟事)를 일으킴.
[起臥 기와] ㉠일어남과 누움. ㉡기거동작.
[起用 기용] ㉠벼슬에 등용함. ㉡면직 또는 휴직
한 자를 다시 씀.
[起原 기원] 사물의 처음 기원(起源).
[起因 기인] 일이 일어나는 원인.
[起程 기정] 여행을 떠남.
[起第 기제] 저택(邸宅)을 신축(新築)함.
[起坐 기좌] 일어나 앉음.
[起重機 기중기] 무거운 물건을 들어 움직이는 도
르래 장치를 한 기계.
[起刹 기찰] 절을 새로 지음.

[起債 기채] ㉠빚을 냄. ㉡공채(公債)를 모집함.
[起請 기청] ㉠일을 기획(企畫)하여 임금에게 청
함. 또 그 문서. ㉡신불(神佛)에게 맹세함. 또,
그 뜻을 적은 문서. ㉢서로 주고받는 약속의 문
서.
[起草 기초] 글의 초를 잡음.
[起枕 기침] 일어남. 기상함.
[起爆 기폭] 화약이 압력이나 열 따위의 충동을
받아 폭발 반응을 일으키는 현상.
●更起. 揭起. 決起. 驚起. 繼起. 橋起. 群起.
屈起. 蹶起. 靁起. 累起. 突起. 猛起. 勃起.
發起. 蜂起. 羣起. 扶起. 紛起. 奮起. 飛起.
四起. 秀起. 睡起. 晨起. 晏起. 躍起. 緣起.
臥起. 湧起. 蝟起. 隆起. 隱起. 滋起. 再起.
提起. 蚤起. 坐起. 峻起. 重起. 塵起. 迭起.
攢起. 吹起. 七轉八起. 特起. 暴起. 喚起. 曉
起. 興起.

3 ⑩ [赴] 〔도〕 徒(彳部 七畫〈p.744〉)와 同字

3 ⑩ [赱] 글 Ⓐ物 其迄切 Ⓐ質 極乙切 jí
[字解] ①곧갈 글 망설이지 않고 감. ②갈 글 가는
모양. '━, 行皃'《廣韻》.
[字源] 形聲. 篆文은 走+气〔音〕

3 ⑩ [赹] 경 qíng
[字解] 홀로가는모양 경 혼자 걸어가는 모양.
'━, 獨行貌'《篇韻》.

3 ⑩ [赽] 굴 Ⓐ物 九勿切 jué
[字解] 달리는모양 굴 달려가는 모양. '跊, 走皃,
或作━'《集韻》.

3 ⑩ [赾] 산 ㊀諫 所晏切 shàn
[字解] ①뛸 산 도약함. ②헤어져갈 산 떠남. '儦
也━, 我也━'《西廂記》.

3 ⑩ [赶] 〔간〕 趕(走部 七畫〈p.2218〉)과 同字 赶
[字源] 形聲. 走+干〔音〕. '干간'은 '돌진하
다'의 뜻. 기세 좋게 달리다의 뜻을
나타냄.

4 ⑪ [趂] 투 ㊀宥 他候切 tòu
[字解] ①달릴 투 '━, 走也'《玉篇》. ②몸던질 투
'━, 自投也'《集韻》.

4 ⑪ [趃] 잡 Ⓐ合 子答切 zá
[字解] 달음박질할 잡 빨리 달리는 모양. '趃━,
走急皃'《集韻》.

4 ⑪ [赹] 결 Ⓐ屑 古穴切 jué
[字解] ①밟을 결 '━, 蹻也'《說文》. ②달릴 결
'━, 走也'《玉篇》. ③빠를 결 '━, 疾也'《廣

雅〉. ④말빨리갈 결 '一, 馬疾行也'《韻》.
[字源] 篆文 形聲. 走+夬〔音〕. '夬결'은 '걸치다'의 뜻. 달리어 밟다의 뜻으로 쓰임.

4
⑪ [趜] 경 ㊤庚 葵營切 qióng
[字解] 혼자갈 경 혼자 감. 또, 혼자 가는 모양. '一, 獨行也'《說文》. '一, 獨行兒'《廣韻》.
[字源] 形聲. 走+匀〔音〕

4
⑪ [赹] 구 ㊤尤 渠尤切 qiú
[字解] 발굽을 구 발이 굽음. 발이 펴지지 아니함. '一, 足不伸也'《集韻》.

4
⑪ [赾] 근 ㊤吻 口謹切 qǐn
[字解] ①가기어려울 근 '一, 行難也'《說文》. ②절룩거릴 근 절룩거리는 모양. '一, 跂行兒'《廣韻》. ③삼갈 근 삼가는 모양. '一, 行謹兒'《玉篇》.
[字源] 形聲. 走+斤〔音〕

4
⑪ [赽] 〔글〕 起(走部 三畫〈p.2214〉)의 本字

4
⑪ [赼] 一 음 ㊤寢 魚錦切 yǐn
一 금 ㊤寢 丘甚切 qǐn
[字解] 一 고개숙이고빨리달릴 음 고개를 숙이고 빨리 달림. '低首疾趨'《集韻》. 二 고개숙이고빨리달릴 금 一과 뜻이 같음.

4
⑪ [赺] 기 ㊤支 巨支切 qí
㊤紙 墟彼切
㊤寘 去智切
[筆順] 十 土 キ キ 走 走 赺 赺
[字解] ①큰나무에오를 기 '一, 緣大木也'《說文》. ②갈 기 가는 모양. '一一'는 감. '一, 一曰, 行兒'《說文》. '一, 博雅, 一一, 行也'《集韻》. ③사슴달릴 기 '一一'는 사슴이 달림. '鹿走也'. ④원숭이나무에오를 기 원숭이가 나무에 오르는 모양. '一, 猱升木兒'《類篇》. ⑤나무에오를 기 이 나무에서 저 나무로 옮겨 감. '一, 一曰, 緣木行'《集韻》.
[字源] 形聲. 走+支〔音〕

4
⑪ [赻] 〔기〕 起(走部 三畫〈p.2213〉)의 俗字

4
⑪ [赹] 탐 ㊤感 他感切 tǎn
[字解] 머뭇거릴 탐 떠나지 못하고 망설임. '一, 一踔, 行進退也'《集韻》.

5
⑫ [趁] 진 ①-④㊤震 丑刃切 chèn
⑤㊤眞 直珍切 chén
[字解] ①쫓을 진 쫓아감. '爭奪遞追一'《文同》. ②따를 진 '好一春風入殿衛'《朱熹》. ③갈 진 향하여 감. '綠荷包飯一墟人'《柳宗元》. ④탈 진

틈탐. '一勢'. ⑤떠들 진 '一, 躁也'《玉篇》.
[字源] 篆文 形聲. 走+㐱〔音〕. '㐱진'은 많은 사람이 모이다의 뜻. 하나의 목적을 향하여 많은 사람이 모여서 가다의 뜻을 나타냄.
[參考] 趂(次條)은 俗字.

[趁來 진래] 뒤쫓아옴. 따라붙음.
[趁船 진선] 배를 탐. 승선(乘船) 함.
●驅趁. 尋趁. 遠趁. 參趁. 追趁.

5
⑫ [趂] 趁(前條)의 俗字

5
⑫ [赽] 발 ㊥曷 蒲撥切 bá
[字解] ①바삐갈 발 바삐 감. 또, 가는 모양. '一, 行兒'《廣韻》. ②가뭄 발 가뭄의 신(神). '一, 同魃'《字彙》.

5
⑫ [趄] 저 ㊤魚 七余切 jū
[字解] 머뭇거릴 저 앞으로 나아가지 못함. '趑一也'《說文》.
[字源] 篆文 形聲. 走+且〔音〕. '且저'는 '조금'의 뜻. 좀 나아가다의 뜻으로, 잘 나아가지 못하다의 뜻을 나타냄.

●趑趄.

5
⑫ [趍] 〔추·촉〕 趨(走部 十畫〈p.2221〉)의 略字·簡體字

5
⑫ [趑] 거 ㊤語 苟許切 jǔ
[字解] 가는모양 거 가는 모양. '一, 行兒'《集韻》.

5
⑫ [赾] 구 ㊥宥 丘救切 qiǔ
[字解] 절뚝거릴 구 절뚝절뚝 절며 걸음. '一, 跛行也'《類篇》.

5
⑫ [趉] 구 ㊤虞 權俱切 qú
[字解] 달아나며돌아볼 구 달아나며 돌아보는 모양. '一, 說文, 走顧兒'《集韻》.

5
⑫ [趉] 一 굴 ㊥物 九勿切 jué
二 굴 ㊥質 其律切 jú
三 출 ㊥質 直律切
四 궐 ㊥月 其月切
[字解] 一 ①달릴 굴 '一, 走也'《說文》. ②찌를 굴 '一, 走兒'《廣雅》. 二 별안간일어나달릴 굴 '卒起走也'《字彙》. 三 달릴 출 달리는 모양. '趣, 走兒, 或从出'《集韻》. 四 나아가넘을 궐 '趣, 行越趣也, 或省'《集韻》.
[字源] 形聲. 走+出〔音〕

5
⑫ [赸] 단 ㊤旱 他旱切 tǎn
[字解] 갈 단 감. 걸어감. '一, 行也'《玉篇》.

5 / ⑫ [超] 高入 초 ⑰蕭 勅宵切 chāo

筆順 土 キ キ 走 起 起 起 超 超

字解 ①뛰어넘을 초 ㉠몸을 솟구쳐 위로 넘음. '挾泰山以―北海'《孟子》. ㉡순서에 의하지 아니하고 나아감. '―拜'. '―升此位'《後漢書》. ②넘을 초 ㉠정한 데서 지나침. '―過'. ㉡지남. '―略陽而不反'《後漢書》. ㉢밟아 넘음. '―五嶺兮嵯峨'《楚辭》. ㉣건넘. '―, 渡也'《廣雅》. ③뛰어날 초 탁월함. '―凡'. '―然高擧'《楚辭》. ④빠를 초 신속함. '―旣離摩皇波'《漢書》. ⑤나아갈 초 '―, 出前也'《玉篇》. ⑥멀 초 아득함. '釗―, 遠也'《揚子方言》. ⑦높을 초 '―, 高也'《華嚴經音義》. ⑧근심할 초 '武侯―然不對'《莊子》. ⑨성 초 성(姓)의 하나.

字源 篆文 超 形聲. 走+召〔音〕. '召소'는 '跳도'와 통하여 '뛰어오르다'의 뜻. '走주'를 덧붙여, '뛰어넘다'의 뜻을 나타냄.

[超距 초거] 뛰어오름. 뛰어넘음.
[超階 초계] 순서를 뛰어넘어 지위가 오름. 초승(超升).
[超過 초과] 일정한 수를 넘음. 또, 예정한 것보다 지나침.
[超群 초군] 초륜(超倫).
[超黨派 초당파] 각 당파 간의 이해를 떠나, 보다 큰 입장에 섬.
[超登 초등] 뛰어오름. 남보다 뛰어나게 앞서 오름.
[超等 초등] 여럿 중에서 뛰어남.
[超倫 초륜] 여럿 중에서 뛰어남. 발군(拔群).
[超邁 초매] 보통보다 뛰어남. 걸출함.
[超拔 초발] 월등히 뛰어남.
[超拜 초배] 관등(官等)을 뛰어올라 임관됨.
[超凡 초범] 보통 사람보다 뛰어남.
[超世 초세] ㉠당세(當世)에 뛰어남. ㉡세속을 초월함.
[超歲 초세] 그해를 지냄. 새해를 맞이함.
[超俗 초속] 초세(超世).●
[超升 초승] 관등을 뛰어 오름.
[超昇 초승] ㉠세속(世俗)에서 초월함. 해탈함. ㉡극락왕생(極樂往生)함.
[超乘 초승] ㉠뛰어남. 나음. ㉡차에 뛰어오름. 전(轉)하여, 타고서 딴 수레 따위를 앞질러 감.
[超若 초약] 갑작스러운 모양.
[超然 초연] ㉠높이 빼어난 모양. ㉡세속을 초월한 모양. ㉢실의(失意)한 모양.
[超悟 초오] 뛰어나게 총명함.
[超遙 초요] 먼 모양. 요원한 모양.
[超遠 초원] 떨어져 멂. 아득히 멂.
[超越 초월] ㉠뛰어남. 나음. ㉡세속을 떠남. ㉢뛰어넘음. ㉣넘어서 멀리 감. 일설(一說)에는, 가볍고 빠른 모양.
[超人 초인] 범인보다 훨씬 뛰어난 사람. 비범한 능력을 가지고 세상 사람을 정복하는 강자.
[超軼 초일] 초일(超逸).
[超逸 초일] 뛰어남. 탁월(卓越)함.
[超迹 초적] 뛰어난 행위.
[超絕 초절] ㉠남보다 월등히 뛰어남. ㉡인식·경험의 범위 밖에 존재함.
[超遷 초천] 초승(超升).
[超超玄著 초초현저] 언론(言論)의 묘(妙)가 탁월함.

[超卓 초탁] 뛰어남. 탁월함.
[超擢 초탁] 동료를 뛰어넘어 발탁(拔擢)됨. 초승(超升).
[超脫 초탈] 세속을 벗어남.
[超忽 초홀] ㉠멀어서 아득한 모양. ㉡기상(氣象)이 높은 모양.
●高超. 騰超. 北海超. 飛超. 風超.

5 / ⑫ [越] 高入 월 ㉠月 王伐切 yuè / 활 ㉠曷 戶括切 huó

筆順 土 キ 走 走 起 越 越 越

字解 ━①넘을 월 ㉠높은 곳을 통과함. '―牆'. '關山難―'《王勃》. ㉡건넘. '―, 渡也'《廣雅》. ㉢한정에서 벗어남. 지남. '―俗'. '吾道之所寄, 不―乎言語文字之間'《朱熹》. ㉣앞지름. '油然若將可―而不可及者'《孔子家語》. ㉤경과함. 겪음. '―十七陌'《呂氏春秋》. ㉥뛰어남. '劉孝標目劉訐, 超然一俗, 如斗牛朱霞'《世說》. ㉦순서를 밟지 않고 나감. '―階'. ㉧도가 넘침. 분수를 넘음. '僭―'. '―躋天祿'《後漢書》. ②지날 월 세월을 경과함. '跨唐―漢'《葉采》. ③떨어질 월 추락함. '恐隕―於一'《左傳》. ④떨어뜨릴 월 잃음. '無―厥命'《書經》. ⑤흩어질 월 뜨릴 월 산일(散逸)함. '風不―而殺'《左傳》. ⑥이에 월 발어사(發語辭). 粤(米部 六畫)·日(部首)과 통용. '―有雛雉'《書經》. ⑦떨칠 월 발양(發揚)함. '使―于諸侯'《國語》. ⑧멀 월 멀어질 월 '―在他境'《左傳》. ⑨멀리할 월 가까이하지 아니함. '予曷敢有一厥志'《書經》. ⑩달아날 월 '天子播―'《後漢書》. ⑪떠날 월 '精―裂而衰耄'《楚辭》. ⑫어긋날 월 '率禮不―'《後漢書》. ⑬쉬울 월 '而處義不―'《呂氏春秋》. ⑭와 월, 및 월 나란히 보이는 조사(助辭). 與(臼部 七畫)와 통용. '大誥猷多邦―爾御事'《書經》. ⑮미칠 월, 이를 월 '言自旣望―乙未六日也'《經傳釋詞》. ⑯점점 월 '俗謂愈曰―'《中華大字典》. ⑰월나라 월 춘추 전국 시대(春秋戰國時代)의 국명. 저장 성(浙江省)에 있었음. '盟吳―而還'《左傳》. ⑱성 월 성(姓)의 하나. ━①부들자리 활 '―席'은 부들로 만든 자리. '大路―席'《左傳》. ②실구멍 활 큰 거문고의 하면(下面)의 구멍. '朱絃而疏―'《左傳》.

字源 金文 銭 篆文 銭 形聲. 走+戉〔音〕. '戉월'은 '遠원'과 통하여, '멀다'의 뜻을 나타냄. 먼 곳으로 넘어가다의 뜻을 나타냄.

[越價 월가] 값을 넘음.
[越江 월강] 강을 건넘.
[越犬吠雪 월견폐설] 중국 월(越)나라 개가 눈을 보고 짖는다는 뜻으로, 식견이 좁아서 보통 일을 보고도 놀람을 이름. 촉견폐일(蜀犬吠日).
[越勁 월경] 뛰어나게 굳셈. 월등히 강함.
[越境 월경] ㉠국경을 넘음. ㉡관할의 경계(境界)를 넘음.
[越階 월계] 순서를 뛰어넘어 관등(官等)이 뛰어 오름. 초계(超階).
[越鷄 월계] 닭의 한 종류. 당닭.
[越瓜 월과] 박과(科)에 속하는 만초(蔓草). 참외의 변종으로 오이보다 큰 열매를 맺음.
[越權 월권] 권한 외의 행위.
[越軌 월궤] 탈선(脫線)함.

월함.

[越棘 월극] 월나라에서 만들어 낸 창(槍). 천자가 갖는 무기의 하나.
[越騎 월기] ㉠월(越)나라의 기병(騎兵). 일설(一說)에, 뛰어난 기병. ㉡당(唐)나라 때 마술(馬術)·궁술(弓術)에 능하고 용맹하여 장애물을 자유로이 뛰어넘는 군사로써 조직한 기병.
[越幾斯 월기사] 약재나 식물에서 그 정액을 뽑아서 만든 분말이나 액체. 엑스트랙트(extract).
[越女 월녀] 월(越)나라의 미인. 특히 서시(西施)를 이름. 뒤에, 일반적으로 미인을 이름.
[越女齊姬 월녀제희] 미인(美人). 월과 제 두 나라는 미인이 많으므로 이름.
[越年 월년] 해를 넘김. 그해를 지남.
[越度 월도] ㉠도(度)가 넘침. ㉡관문(關門)을 넘을 때, 법을 어기고 가만히 샛길로 빠짐.
[越蹈 월도] 넘어섬.
[越等 월등] 사물(事物)의 정도의 차이가 대단함.
[越畔之思 월반지사] 자기의 직분(職分)을 지킬 뿐, 남의 직권을 범하는 일이 없는 마음가짐.
[越裳氏 월상씨] 교지(交趾)의 남방에 있던 나라. 후세(後世)의 점성(占城).
[越先 월선] 앞지름.
[越城 월성] 성을 넘음.
[越訴 월소] 순서를 거치지 않고 직접 상관(上官)에게 호소함.
[越俗 월속] 시속을 초월함. 세속에서 벗어남.
[越獄 월옥] 옥(獄)에서 도망함. 탈옥(脫獄).
[越月 월월] 달을 넘김. 그달을 지남.
[越踰 월유] 뛰어넘음. 순서를 건너뜀.
[越日 월일] 이튿날. 다음 날. 익일(翌日).
[越牆 월장] 담을 넘음.
[越在 월재] 먼 타향에서 방랑함.
[越絕書 월절서] 책 이름. 15권(卷). 한(漢)나라 원강(袁康)이 지었다 하나 확실치 않음. 원본(原本)은 25편(篇)이었으나 지금은 20편(篇)뿐임. 주(周)나라 때의 월국(越國)의 흥망(興亡)을 기록했음. 〈오월춘추(吳越春秋)〉와 흡사함.
[越俎 월조] 자기의 직분 밖의 일을 하여 남의 간섭을 함. 월권 행동을 함.
[越鳥巢南枝 월조소남지] 남쪽 월(越)나라에서 온 새는 나무의 남쪽 가지에 집을 지음. 고향을 잊지 못함의 비유.
[越職 월직] 자기의 직무 밖의 일에 간섭함. 월권(越權).
[越次 월차] 순서를 뛰어넘음. 차례를 건너뜀.
[越逐 월축] 성채(城砦)를 넘어 추격함.
◉葛越. 隔越. 激越. 汨越. 跨越. 乖越. 貴越. 南越. 凌越. 檀越. 度越. 騰越. 發越. 白越. 飛越. 散越. 消越. 疏越. 秀越. 殊越. 乘越. 於越. 吳越. 于越. 優越. 隕越. 違越. 踰越. 逸越. 溢越. 顚越. 秦越. 僭越. 淸越. 超越. 卓越. 播越. 胡越.

6 ⑬ [趑] 주 [平]尤 張流切 zhōu
[字解] 나아가지아니할 주 나아가지 아니함. 머뭇거림. '一, 一趄, 行不進也'《集韻》.

6 ⑬ [趑] 자 [平]支 取私切 zī

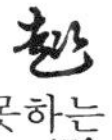

[字解] 머뭇거릴 자 앞으로 선뜻 나아가지 못하는 모양. 가기 힘든 모양. '一人荷戟, 萬夫一趄'《張載》.
[字源] 篆文  形聲. 走+次〔音〕. '次차'는 편안히 묵다의 뜻. 편안한 나머지 발걸음을 옮겨 나아가려고 하지 않다의 뜻을 나타냄.

[趑趄 자저] 머뭇거리는 모양. 가기 힘든 모양.

6 ⑬ [趎] 추 [平]虞 直誅切 chú
[字解] 사람이름 추 '南榮一, 蹴然正坐'《莊子》.

6 ⑬ [趏] 격 [入]陌 轄格切 hé
[字解] ①넘어질 격 넘어짐. 자빠짐. '一, 又一趚, 僵仆'《玉篇》. ②미친듯이달아날 격 미친 듯이 달아남. '一, 狂走也'《玉篇》.

6 ⑬ [趏] [一] 활 [入]曷 戶括切 huó
[二] 괄 [入]黠 古滑切 guā
[字解] [一] ①부들 활 부들. ②거문고구멍 활 거문고의 하면에 있는 구멍. '越, 艸也, 春秋傳, 大路越席, 一曰, 瑟虛, 或从舌'《集韻》. [二] 달릴 괄 달림. 또는 달리는 모양. '一, 走皃'《廣韻》.

6 ⑬ [趏] 〔궤〕
跪(足部 六畫〈p. 2231〉)와 同字

6 ⑬ [趏] 후 [去]宥 下溝切 hòu
[字解] 절 후 젊. 절뚝거리며 걸음. 또, 절뚝발이. '一, 蹇也'《集韻》.

6 ⑬ [趒] [一] 조 [平]蕭 徒聊切 tiáo
[二] 초 [去]嘯 他弔切 tiào
[字解] [一] 뛸 조 깡충깡충 뜀. '一, 雀行也'《說文》. [二] 넘을 초 趠(走部 八畫)와 同字. '趠, 越也. 或从兆'《集韻》.
[字源] 篆文 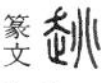 形聲. 走+兆〔音〕. '兆조'는 '뛰다'의 뜻. 뛰어넘다, 뛰어 나아가다의 뜻을 나타냄.

6 ⑬ [趌] 길 ①[入]質 居質切 jí
②[入]質 巨乙切
[字解] ①성내어달릴 길 '一趨, 怒走也'《說文》. ②곧장갈 길 똑바로 감. '一, 直行'《廣韻》.
[字源] 篆文  形聲. 走+吉〔音〕

6 ⑬ [趚] 척 [入]陌 七迹切 qì
[字解] 모걸음질할 척 모걸음함. 발소리를 죽여 가만가만 걸음. 어려워서 조심조심 발을 떼는 모양. '一, 側行也. …詩曰, 謂地蓋厚, 不敢不一'《說文》.
[字源] 篆文 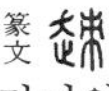 形聲. 走+朿〔音〕. '朿자'는 '꽂다'의 뜻. 땅에 발을 꽂아 넣듯이, 발을 세워 걷다의 뜻을 나타냄.

6 ⑬ [趡] 기 [上]紙 丘弭切 kuǐ
[字解] 반걸음 기 한 발 나아감. 또, 그 거리. 두 발 나아감을 '步'라 함. '一, 半步也'《說文》.
[字源] 篆文 形聲. 走+圭〔音〕. '圭규'는 '모나다, 뾰족하다'의 뜻. 한 발을 내디딜 때,

양쪽 발이 메산(山) 모양으로 모가 나다의 뜻
으로, 반걸음 내딛다의 뜻을 나타냄.

⑬ **[趍]** 〔추·촉〕
趨(走部 十畫⟨p. 2221⟩)의 俗字

字源 篆文 형성(形聲). 走+多〔音〕. '趨추'와 동일어
이체자(同一語異體字)로, '빨리 걷다'
의 뜻.

⑬ **[赾]** 〔병〕
赾(走部 八畫⟨p. 2221⟩)의 俗字

7
⑭ **[趕]** 간 ㊤루 古루切 gǎn

字解 ①달릴 간 급히 달려감. ②쫓을 간 뒤쫓아
감. '一起', '一, 追也'《字彙》.
字源 形聲. 走+루〔音〕.

參考 赶(走部 三畫)과 同字.

[趕赶 간간] 뒤쫓음.
[趕緊 간긴] 지급(至急).

7
⑭ **[趙]** 〔人名〕 조 ㊤篠 治小切 zhào 赵 𧾷

筆順 土 キ 丰 走 走 赳 赵 趙 趙

字解 ①찌를 조 날카로운 것으로 들이밂. '其鎛
斯一'《詩經》. ②미칠 조 '一, 及也'《廣雅》. ③
날쌜 조 잼. 민첩함. '一, 輕捷也'《六書故》. ④
작을 조 '一, 小也'《揚子方言》. ⑤적을 조 '一,
少也'《廣韻》. ⑥넘을 조 '天子北征一行'《穆天
子傳》. ⑦오랠 조 '一, 久也'《廣韻》. ⑧조나라
조 ㉠춘추 전국 시대(春秋戰國時代)에 진(晉)
나라의 경(卿) 한(韓)·위(魏)·조(趙)의 세 집
이 진나라를 삼분하여 세운 나라. 영역(領域)
은 허베이 성(河北省)의 남부 및 산시 성(山西
省)의 북부. ㉡동진(東晉) 때 오호 십육국(五
胡十六國)의 하나. 유연(劉淵)이 세운 한(漢)
나라의 제오대(第五代) 황제 유요(劉曜)가 고
친 국호(國號). 역사상, '前一'로 일컬어짐. ㉢
오호 십육국의 하나. 석륵(石勒)이 전조(前趙)
를 멸(滅)하고 세운 나라. 역사상, '後一'로 일
컬어짐. ⑨성(姓) 조 오대(五代)의 다음에 일어
난 송(宋)나라 천자(天子)의 성. '一匡胤'.
字源 金文 篆文 형성(形聲). 走+肖〔音〕. '肖초'는 '작
게 하다, 오므리다'의 뜻. 나아
감이 더딤의 뜻을 나타냄.

[趙簡子 조간자] 춘추 시대의 진(晉)나라 사람인
조앙(趙鞅)을 이름. 간(簡)은 시호(諡號).
[趙高 조고] 진(秦)나라의 환관(宦官). 옥법(獄
法)·사서(史書)에 능하고 기운이 강했음. 시황
(始皇)이 돌아가자, 승상(丞相) 이사(李斯)와
짜고 조서(詔書)를 고쳐서 장자 부소(扶蘇)를
죽이고, 차자 호해(胡亥)를 이세(二世)로 삼아
자기가 승상(丞相)이 됐으며, 다시 이사(李斯)
를 무살(誣殺)하고 이세(二世)마저 시살(弒
殺), 자영(子嬰)을 옹립한 후, 또다시 자영을
죽이고자 꾀하다가 자영이 앞질러 고(高)의 삼
족(三族)을 멸했음.
[趙匡胤 조광윤] 송(宋)나라 태조(太祖). 처음엔
주(周)나라 세종(世宗)을 섬겨 무공(武功)을

세웠음. 후에 여러 장사(將士)의 추대를 받아
제위(帝位)에 올라 국호(國號)를 송(宋)이라
했음.
[趙廣漢 조광한] 한(漢)나라 때의 유능(有能)한
지방관(地方官). 자(字)는 자도(子都). 선제
(宣帝) 때 경조윤(京兆尹)이 됨. 구거(鉤距)의
술(術)에 능하여 사정(事情)을 잘 알고, 발간
적복(發奸摘伏)하는 일이 귀신 같았다 함.
[趙岐 조기] 후한(後漢) 때 학자. 자(字)는 빈경
(邠卿). ⟨맹자장구(孟子章句)⟩·⟨삼보결록(三輔
決錄)⟩을 저술했음.
[趙南星 조남성] 명말(明末)의 정치가. 고읍(高
邑) 사람. 자(字)는 몽백(夢白). 희종(熹宗) 때
이부상서(吏部尙書)가 되어 정계(政界)의 부패
를 숙정(肅正)하고 군현(郡賢)을 등용(登用)하
였으나, 반대파의 위충현(魏忠賢)의 탄핵(彈
劾)을 받아 폄출(貶黜)되어 졸(卒)함.
[趙李 조리] ㉠한(漢)나라 성제(成帝)의 황후 조
비연(趙飛燕)과 한무제(漢武帝)의 이부인(李
夫人). ㉡열매가 열리지 않는 자두나무.
[趙孟頫 조맹부] 원(元)나라의 문인(文人). 본래
송(宋)나라 종실(宗室). 자(字)는 자앙(字昻).
호(號)는 송설(松雪). 세조(世祖) 이후 오조(五
朝)를 섬겨 신임(信任)이 두터웠으며, 벼슬이
한림학사 승지(翰林學士承旨)·영록대부(榮祿
大夫)에 이르렀음. 서(書)·화(畫)·시문(詩文)
에 크게 뛰어나 후세(後世)에 미친 영향이 큼.
⟨송설재집(松雪齋集)⟩ 10권이 있음.
[趙璧 조벽] 옛날의 보옥(寶玉)의 이름. 초(楚)
나라의 변화(卞和)가 발견한 도리옥으로서 전국
시대(戰國時代)에는 조(趙)나라에 있었다 함.
'완벽(完璧)' 참조(參照).
[趙抃 조변] 송(宋)나라 때의 정치가. 서안(西安)
사람. 자(字)는 열도(閱道). 전중시어사(殿中
侍御史)·참정지사(參政知事)를 지냈는데, 왕
안석(王安石)과 뜻이 맞지 않아 벼슬을 그만두
었음.
[趙普 조보] 송(宋)나라 건국(建國) 공신(功臣)·
재상(宰相). 자(字)는 칙평(則平). 태조(太祖)
추대(推戴)에 공(功)이 있어 정승(政丞)이 되
어 창업기(創業期)의 내외(內外) 정치에 참획
(參畫)하였으며, 태종(太宗) 때에도 정승(政
丞)과 태사(太師)를 지냈음. 처음에는 학문(學
問)이 어두웠으나 태조(太祖)의 권고(勸告)를
받은 뒤부터는 그의 손에서 책이 떠나지 않았
다 함.
[趙飛燕 조비연] 한(漢)나라 성제(成帝)의 황후
(皇后). 태생이 미천(微賤)하나 가무(歌舞)에
뛰어난 절세(絶世)의 미인으로서 여동생 합덕
(合德)과 함께 후궁(後宮)이 되어 임금의 총애
(寵愛)를 서로 다투었음. 성제가 죽은 후 동생
합덕은 자살(自殺)하였으며, 비연도 평제(平
帝) 때에 서민(庶民)으로 내침을 받고 자살하
였음.
[趙衰 조사] 춘추 시대 진(晉)나라 문공(文公)의
신하. 문공을 따라 출망(出亡)하기 19년, 귀국
(歸國) 후 문공을 도와 그 패업(霸業)을 이루
는 데 크게 이바지하여 경(卿)으로 임명되었음.
[趙良弼 조양필] ㉠금(金)나라 때의 문인(文人).
자(字)는 군경(君卿). 서화(書畫)에 뛰어났음.
㉡원(元)나라 때의 현신(賢臣). 자(字)는 보지
(輔之). 여진족(女眞族) 출신으로, 세조(世祖)
를 따라 남정(南征)하여 많은 전공(戰功)을 세

웠으며, 송(宋)나라 멸망 후에는 정사(政事)를 잘 보살폈음. 문정(文正)이라 시호(諡號)함.
[趙汝愚 조여우] 남송(南宋)의 재상(宰相). 자(字)는 자직(子直). 이부상서(吏部尙書)·지추밀원사(知樞密院事)를 거쳐 우승상(右丞相)에 올랐다가 한탁주(韓侂胄)의 참소에 걸려 귀양 가던 중 병몰(病沒)하였음. 일찍이 학문(學問)을 좋아하여 주희(朱熹)·여조겸(呂祖謙) 등과 사귀었음.
[趙藝祖 조예조] 송태조(宋太祖)의 일컬음. 예조(藝祖)는 태조(太祖)의 통칭(通稱).
[趙禹 조우] ㉠한(漢)나라의 현신(賢臣). 무제(武帝) 때의 어사중대부(御史中大夫). 율령(律令)을 정함. ㉡송대(宋代)의 충신. 인종(仁宗) 때 상서(上書)하여 조원호(趙元昊)의 모반을 예언하다가 건주(建州)로 좌천됨. 후에 서주(徐州)의 추관(推官)이 되었음.
[趙雲 조운] 삼국 시대 촉한(蜀漢)의 무장(武將). 자(字)는 자룡(子龍). 유비(劉備)가 조조(曹操)에게 쫓겨 처자(妻子)를 버리고 남으로 도망할 때에 기장(騎將)이 되어 그들을 보호하여 난을 면하게 하니, 유비가 '子龍一身都是膽'이라 평했음.
[趙元昊 조원호] 서하(西夏)의 초대(初代) 황제. 원래의 성(姓)은 이씨(李氏). 송나라에서 조(趙)라는 성(姓)을 내리고 서평왕(西平王)을 삼았으나, 그에 만족지 않고 국호(國號)를 대하(大夏)라 하고 스스로 제(帝)라 일컫고 송(宋)나라에 반기(叛旗)를 들었다가 나중에 화해하였음. 재위(在位) 16년.
[趙翼 조익] 청(淸)나라 학자. 양호(陽湖) 사람. 자(字)는 운송(耘松). 호(號)는 구북(甌北). 시(詩)에 능했음. 저술에는 이·두·한·백(李杜韓白) 이하 십가(十家)를 평론(評論)한 〈십가시화(十家詩話)〉와 〈이십이사차기(二十二史箚記)〉·〈해여총고(陔餘叢考)〉·〈구북 시집(甌北詩集)〉 등이 있음.
[趙鼎 조정] 남송(南宋) 초기(初期)의 현상(賢相). 자(字)는 원진(元鎭). 고종(高宗) 때 어사중승(御史中丞)이 됐음. 장준(張俊)과 함께 부흥(復興)을 꾀했으나 후에 진회(秦檜)의 화의(和議)에 반대하다가 영남(嶺南)으로 좌천되자 절식(絕食)하여 죽었음.
[趙眞女 조진녀] 고명(高明)이 지은 비파기(琵琶記)의 주인공 조왕랑(趙王娘)을 이름.
[趙執信 조집신] 청초(淸初)의 시인. 호(號)는 추곡(秋谷) 또는 이산 노인(飴山老人). 왕사정(王士禛)의 조카 사위. 벼슬이 우찬선(右贊善)에 이르렀으나 술〔酒〕로 말미암아 면관(免官)된 후로는 평생을 각지(各地)로 유력(遊歷)하여 술과 시(詩)로 세월을 보냈음. 처음에 시에 관하여 사정(士禛)에게 물었으나 순순히 가르쳐 주지 않으므로 악감정을 품고 '담룡록(談龍錄)'을 지어 사정(士禛)의 신운설(神韻說)을 배격(排擊)하였음.
[趙昌 조창] 중국 송(宋)나라 때의 화조 화가(花鳥畫家). 검남(劍南) 사람. 진필(眞筆)은 전(傳)하지 않음.
[趙充國 조충국] 전한(前漢)의 무장(武將). 무제(武帝) 때 흉노(匈奴)를 쳐부순 공으로 중랑장(中郞將)이 되었고, 선제(宣帝) 때 둔전(屯田)의 병제(兵制)를 확립했음.
[趙佗 조타] 남월(南越)의 첫 왕(王). 진정(眞定) 사람. 진(秦)나라가 망한 뒤 자립(自立)하여 남월(南越)의 무왕(武王)이 되었으나, 한(漢)고조(高祖)가 서자 화친(和親)하여 남월왕(南越王)으로서 신사(臣事)하였음.
◉伯趙. 燕趙. 前趙. 後趙.

7 ⑭ [趏] 〔부〕
仆(人部 二畫〈p. 96〉)와 同字

7 ⑭ [趕] 부 [去]遇 芳遇切 fù
[字解] ①빠를 부 빠름. '一, 疾也'《玉篇》. ②실기(失期)함이없이제때에댈 부 '一, 及期也'《玉篇》. ③갈 부 감. '一, 行也'《廣雅, 釋詁一》.

7 ⑭ [趗] 촉 [入]沃 七玉切 cù
[字解] ①좁을 촉 '趍一'. '一, 迫也'《玉篇》. ②빠를 촉 '一, 速也'《玉篇》. ③멈칫거릴 촉 앞으로 선뜻 나아가지 못함. '一, 行步局促也'《字彙》. ④종종걸음칠 촉 '趍一'은 종종걸음 침. ⑤귀뚜라미 촉 '一織'은 귀뚜라미.

◉趍趗.

7 ⑭ [趍] 준 [平]眞 七倫切 cūn
[字解] 빨리걸을 준 '一, 行速一一也'《說文》.
[字源] 篆文  形聲. 走+夋〔音〕. '夋준'은 쑥 빠져 나오다의 뜻. 쑥 빠져 나와서 나아가다, 빨리 걷다의 뜻을 나타냄.

7 ⑭ [趪] 광 [平]陽 誑王切 guāng
[字解] 황급히갈 광 황급히 감. 허둥지둥 감. '一, 行征伀也'《集韻》.

7 ⑭ [趘] 혁 [入]錫 刑狄切 xí
[字解] 달릴 혁 달림. '一, 走也'《篇海》.

7 ⑭ [趓] 구 [平]尤 巨鳩切 qiú
[字解] 어긋날 구 어긋남. 꼭 맞지 않음. '一, 違也'《廣韻》.

7 ⑭ [趞] 녈 niè
[字解] 갈 녈 감. 걸어감. '一, 行也'《篇韻》.

7 ⑭ [趒] 도 [平]虞 通都切 tū
[字解] 포복할 도 포복함. 땅에 배를 대고 김. '一, 一趙, 伏也'《集韻》.

8 ⑮ [趠] [一] 탁 [入]覺 勅角切 chuò
[二] 초 [去]嘯 他弔切 tiào 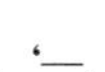
[字解] [一] ①멀 탁 가깝지 아니함. '一, 遠也'《說文》. ②달릴 탁 ㉠멀리 달림. '游不踐綽約之室, 一不希騄駬之蹤'《晉書》. ㉡놀라 달림. '一, 一曰, 驚走'《廣韻》. ③뛸 탁 '一, 跳也'《一切經音義》. '騰一飛超'《左思》. [二] 넘을 초 超(走部 五畫)·趒(走部 六畫)·踔(足部 八畫)와 同字. '一,

越也《集韻》.
字源 金文·篆文 形聲. 走+卓〔音〕. '卓탁'은 '뛰다'의 뜻. 놀라서 달리다의 뜻을 나타냄.

8 ⑮ [趢] 록 ㉠屋 盧谷切 lù
㉠沃 力玉切
字解 좁을 록 좁은 모양. 또, 등을 굽히고 가는 모양. '狹三王之一趢'《張衡》.
字源 篆文 形聲. 走+彔〔音〕

[趢趜 녹촉] 좁은 모양. 또, 등을 굽히고 가는 모양.

8 ⑮ [趜] ■ 국 ㉠屋 居六切 jú
■ 구 ㉱尤 渠竹切 qiú
字解 ■①궁할 국 괴로운 처지에 빠짐. '一, 窮也'《說文》.②궁하게할 국 남을 괴롭힘. '困人'《廣韻》.③웅크릴 국 몸을 펴지 못함. '體不申, 謂之一'《一切經音義》.④꼽추 국 '一趜'은 꼽추. '一, 一趜, 傴僂也'《集韻》.⑤발뻗어지지 않을 국 '一趜'은 발이 뻗어지지 않음. '一趜, 足不伸'《類篇》.⑥삼갈 국 '匊, 博雅, 匊匊, 謹敬也. 或作一'《集韻》. ■ 발뻗어지지않을 구 '趜, 足不伸也. 或作一'《集韻》.
字源 形聲. 走+匊〔音〕

8 ⑮ [趌] ■ 복 ㉠職 蒲北切 bó
■ 부 ㉱宥 匹候切
㉱遇 芳遇切
字解 ■①넘어질 복 '一, 僵也'《說文》.②곱드러질 복 '一, 頓也'《類篇》. ■ 넘어질 부, 곱드러질 부 ■과 뜻이 같음.
字源 形聲. 走+音〔音〕

8 ⑮ [趰] ■ 균 ㉯吻 丘粉切 qūn
■ 군 ㉱問 丘運切
■ 굴 ㉠質 其述切
四 운 ㉯吻 魚吻切 yǔn
字解 ■①달릴 균 '一, 走意'《說文》.②달리는 모양 균 '一, 走皃'《廣韻》. ■ 달릴 군, 달리는모양 군 ■과 뜻이 같음. ■ 달릴 굴, 달리는모양 굴 ■과 뜻이 같음. 四 달릴 운, 달리는모양 운 ■과 뜻이 같음.
字源 形聲. 走+囷〔音〕

8 ⑮ [趣] 高人 ■ 취 (추㉠) ㉱遇 七句切 qù
■ 촉 ㉠沃 七玉切 cù
筆順 土 キ 走 赴 赴 趑 趣 趣
字解 ■①추창할 취 질행(疾行)함. 빨리 달려감. '左右一之'《詩經》.②향할 취 목적을 정하고 향하여 감. '一走往還'《列子》. '一途遠有期'《謝惠連》.③뜻 취 ㉠마음이 향하는 바. 뜻하는 바. 행하는 바. '志一'《汝先觀吾一'《列子》. ㉡의미. 의의. '覽其旨一'《嵇康》. '亦得以曲暢旁通, 而各極其一'《朱熹》.④풍치 취 멋. 경치. '詩一'. '野一'. '識琴中一'《晉書》. ■①재촉할 촉 促(人部 七畫)과 同字. '一織'. '一獄刑,

無留有罪'《呂氏春秋》.②빨리 촉, 빠를 촉 促(人部 七畫)과 同字. '令—銷印'《十八史略》.③서두를 촉 '一使使下令'《史記》.
字源 金文·篆文 形聲. 走+取〔音〕. '取취'는 '速속'과 통하여 '빠르다'의 뜻. 빨리 달리다의 뜻. 전(轉)하여, 풍취. '멋·취지·의미'의 뜻을 나타냄.

[趣駕 촉가] 급히 탈것의 준비를 시킴.
[趣裝 촉장] 급히 여장(旅裝)을 꾸림.
[趣織 촉직] 귀뚜라미. '실솔(蟋蟀)'의 별칭.
[趣馬 취마] 말을 맡은 벼슬.
[趣味 취미] 감흥을 느끼어 마음이 당기는 멋. 흥취(興趣).
[趣舍 취사] ㉠나아감과 머무름. 진퇴(進退). ㉡취(取)함과 버림. 취사(取捨).
[趣尙 취상] 취미(趣味).
[趣意 취의] 생각. 뜻. 취지(趣旨).
[趣操 취조] 정취(情趣)와 지조(志操).
[趣奏 취주] 빨리 달림.
[趣旨 취지] 생각. 의향.
[趣向 취향] ㉠향하여 달림. ㉡의향(意向).
●佳趣. 嘉趣. 景趣. 鷄趣. 高趣. 巧趣. 舊趣. 歸趣. 琴中趣. 奇趣. 大趣. 同趣. 妙趣. 美趣. 媚趣. 別趣. 本趣. 奔趣. 辭趣. 善趣. 殊趣. 勝趣. 詩趣. 新趣. 深趣. 雅趣. 惡趣. 野趣. 餘趣. 遠趣. 有趣. 幽趣. 義趣. 意趣. 理趣. 異趣. 逸趣. 情趣. 諸趣. 酒中趣. 旨趣. 志趣. 眞趣. 千里趣. 淸趣. 醉趣. 表趣. 風趣. 筆趣. 閒中趣. 閑趣. 逈趣. 懷趣. 興趣.

8 ⑮ [楝] 동 ㉱東 德紅切 dōng
字解 미친듯이달릴 동 미친 듯이 마구 달림. '一, 狂走'《字彙》.

8 ⑮ [趡] ■ 추 ㉯紙 千水切 cuǐ
■ 유 ㉯紙 愈水切 wěi
字解 ■①움직일 추 '一, 動也'《說文》.②달릴 추 '一, 走也'《廣韻》. '騰而狂一'《史記》. ■ 달릴 유 달리는 모양.
字源 金文·篆文 形聲. 走+隹〔音〕. '隹추'는 '새'의 뜻. 새가 획 날아가듯 달리다의 뜻을 나타냄.

●狂趡.

8 ⑮ [趝] 겸 ㉱豔 吉念切 jiàn
字解 ①머리숙이고빨리갈 겸 머리를 숙이고 빨리 감. '一, 俯首疾行'《集韻》.②재빨리갈 겸 재빨리 가는 모양. '一, 疾行皃'《廣韻》.

8 ⑮ [趉] 〔굴·궤〕
越(走部 五畫〈p.2215〉)과 同字

8 ⑮ [趣] ■ 근 ㉯軫 丘忍切 qǐn
■ 균 ㉱眞 渠人切
■ 긴 ㉱震 去刃切
字解 ■ 가는모양 근 '一, 行皃'《說文》. ■ 가는 모양 균 ■과 뜻이 같음. ■ 가는모양 긴, 천천히 가는모양 긴 '一, 行皃'《廣韻》. '一, 行緩皃'《集韻》.

字源 形聲. 走+叜〔音〕

8 ⑮ [趍] 금 ⒜寑 牛錦切 yǐn
字解 머리숙이고빨리갈 금 ‘一, 低頭疾行也’《說文》.
字源 形聲. 走+金〔音〕

8 ⑮ [趌] 쟁 ⒠庚 竹盲切 zhēng
字解 뛸 쟁 ‘趌一’은 도약(跳躍)함. ‘相殘雀豹一’《韓愈》.
字源 形聲. 走+肙〔音〕

8 ⑮ [赾] 병 ⒠敬 北靜切 bèng
字解 달릴 병 ‘一, 走也’《集韻》.
參考 赾(走部 六畫)은 俗字.

8 ⑮ [逨] 래 ⒠灰 郎才切 lái
字解 올 래 옴. ‘來, 或从走’《集韻》.

9 ⑯ [趉] 갈 ⒜曷 居葛切 jié
⒜月 居謁切 jué
字解 성내어달릴 갈 ‘一, 趌一也’《說文》.
字源 篆文 형聲. 走+曷〔音〕

9 ⑯ [趏] 추 ⒠尤 七由切 qiū
字解 ①갈 추, 걸을 추 ‘一, 行皃’《說文》. ‘一, 徒行’《集韻》. ②찰 추 발로 참. ‘一, 蹴也’《字彙》.
字源 篆文 形聲. 走+酋〔音〕

9 ⑯ [趍] 〔자〕
趙(走部 六畫〈p.2217〉)의 俗字

10 ⑰ [趨] 人名 ▇ 추 ⒠虞 七逾切 qū
▇ 촉 ⒜沃 趨玉切 cù 趨縋
字解 ▇ ①추창(趨蹌)할 추 종종걸음으로 빨리 걸음. ‘一拜’. ‘過之必一’《論語》. ‘鯉一而過庭’《論語》. 빨리 감. ‘一走’. ‘疾一’. ‘帷薄之外不一’《禮記》. ‘一而救之’《公羊傳》. ②향할 추 ⑦마음이 쏠려 향하여 따름. ‘一利’. ‘秦人皆一令’《史記》. ⑥감. ‘一, 行也’《廣雅》. ‘去本末’《史記》. ▇ ①재촉할 촉 促(人部 七畫)과 통용. ‘一民收斂’《禮記》. ②빠를 촉 促(人部 七畫)과 통용. ‘衞音一數煩志’《禮記》.
字源 篆文 形聲. 走+芻〔音〕 ‘芻추’는 벤 풀을 한데 모아 간동그리다의 뜻. 보폭(步幅)을 줄여서 달리다, 종종걸음을 쳐서 가다의 뜻을 나타냄.

[趨數 촉삭] 빠름. 신속함.
[趨食 촉식] 음식 먹기를 재촉함.
[趨織 촉직] ‘실솔(蟋蟀)’의 별칭(別稱). 귀뚜라미. 촉직(促織).

[趨趨 촉촉] ⑦걸음걸이가 빠른 모양. 위의(威儀)가 적음을 이름. ⑥귀뚜라미.
[趨競 추경] 경쟁(競爭)함.
[趨利 추리] 영리(營利)에 마음을 기울임.
[趨拜 추배] 종종걸음으로 달려가 절을 함.
[趨步 추보] 종종걸음으로 빨리 나아감.
[趨附 추부] 남을 붙좇음.
[趨舍 추사] 나아감과 머무름. 진퇴(進退).
[趨舍有時 추사유시] 진퇴는 때가 있으므로 신중히 생각해서 하여야 함.
[趨翔 추상] 기거동작(起居動作).
[趨勢 추세] ⑦세력이 있는 데를 붙좇음. ⑥세상의 돌아가는 형편.
[趨廝 추시] 심부름꾼. 하인.
[趨時 추시] 시속(時俗)을 따름.
[趨謁 추알] 달려가서 뵘.
[趨炎附熱 추염부열] 권세 있는 사람을 붙좇아 아부함.
[趨迎 추영] 달려가 맞이함.
[趨走 추주] 총총걸음으로 빨리 달림.
[趨進 추진] 빨리 나아감.
[趨參 추참] 남의 집에 찾아감.
[趨蹌 추창] 예도(禮度)에 맞도록 허리를 굽히고 빨리 걸어감.
[趨風 추풍] 귀인(貴人)을 공경하여 그 앞을 바람처럼 달음질쳐 가는 일.
[趨下 추하] ⑦낮은 곳으로 감. 물이 흘러 내려감. ⑥하반신(下半身)이 짧음.
[趨賀 추하] 방문하여 축하함.
[趨行 추행] 달려감. 달려 나아감.
[趨向 추향] ⑦의향. 취향(趣向). ⑥추세(趨勢).
● 徑趨. 競趨. 巧趨. 急趨. 起趨. 騰趨. 拜趨. 竝趨. 赴趨. 賜不趨. 翔趨. 徐趨. 纎趨. 迅趨. 爭趨. 走趨. 進趨. 疾趨.

10 ⑰ [寋] 건 ⒠元 丘言切 qiān
⒠先 丘虔切
字解 ①달리는모양 건 ‘一, 走兒. 从走寋省聲’《說文》. ②절뚝발이가는모양 건 ‘趌, 說文, 寋行趌趌也, 或作一’《集韻》.

10 ⑰ [趌] ▇ 건 ⒠先 去乾切 qiān
▇ 간 ⒠删 丘閑切
字解 ▇ ①절름발이가는모양 건 ‘一, 寋行一一也’《說文》. ②절뚝발이발꿈치 건 ‘一, 寋足跟也’《廣韻》. ▇ 절름발이가는모양 간, 절뚝발이발꿈치 간 ⊟과 뜻이 같음.
字源 形聲. 走+虔〔音〕

10 ⑰ [趌] 걸 ⒜物 欺訖切 qì
字解 달리는모양 걸 달리는 모양. ‘一, 走貌’《篇海》.

11 ⑱ [趍] 참 ⒠覃 倉含切 cān
字解 달릴 참 ‘一趌’은 달리는 모양. 질주하는 모양. ‘一趌拕趌’《左思》.
字源 形聲. 走+參〔音〕

[趍趌 참담] 자해(字解)를 보라.

11 ⑱ [趯] 표 ㉜蕭 甫遙切 piāo

字解 사뿐사뿐걸을 표 가볍게 걸음. '一, 輕行也'《說文》.

字源 篆文 趯 形聲. 走+票〔音〕. '票표'는 가볍게 오르다의 뜻. 발걸음 가볍게 가다의 뜻을 나타냄.

11 ⑱ [趣] 〔단〕 搏(手部 十一畫〈p.901〉)과 同字

11 ⑱ [趨] ⊟ 문 ㉜元 莫奔切 / ㉜元 模元切 / 만 ㉜刪 謨還切 mán / ㉜寒 母官切

字解 ⊟ 더디걸을 문 천천히 감. '一, 行遲也'《說文》. ⊟ 더디걸을 만 ⊟과 뜻이 같음.

字源 形聲. 走+曼〔音〕.

11 ⑱ [趩] 〔필·비〕 躍(足部 十一畫〈p.2244〉)과 同字

字源 篆文 趩 形聲. 走+畢〔音〕.

12 ⑲ [趜] 황 ㉕陽 胡光切 huáng

字解 헌걸찰 황, 굳셀 황 무용(武勇)이 있는 모양. '洪鐘萬鈞, 猛虡一一'《張衡》.

[趜趜 황황] 무용(武勇)이 있는 모양. 일설(一說)에는, 힘을 다하여 버티는 모양.

12 ⑲ [趢] 교 ㉜蕭 巨嬌切 qiáo

字解 ①재빠를 교 ㉠몸이 재어 잘 달림. '往往跳一騎不得'《元稹》. ㉡몸이 재어 나무를 잘 탐. '非都盧之輕一, 孰能超而究升'《도로국(都盧國) 사람들은 나무를 잘 탐》《張衡》. ②굳셀 교 건장함. '捷一夫之敏手'《顏延之》. ③들 교 발을 듦. '亡可一足而待也'(빠름의 비유)《漢書》.

字源 篆文 趫 形聲. 走+喬〔音〕. '喬교'는 '높다'의 뜻. 이 나무에서 저 나무로 가볍게 움직이는 뜻에서, '날쌔다, 잽싸다'의 뜻을 나타냄.

[趢健 교건] 걸음이 빠름.
[趢猛 교맹] 잽싸고 용맹스러움.
[趢才 교재] ㉠재빠른 재주. 또, 그 사람. ㉡경박하고 약삭빠른 소년.
[趢捷 교첩] 몸이 잼. 걸음이 빠름.
[趢悍 교한] 날쌔고 사나움.
●輕趢. 跳趢. 勇趢.

12 ⑲ [趤] 초 ㉘嘯 子肖切 jiào

字解 ①달릴 초 뛰어감. '騰而狂一'《漢書》. ②떠들며움직일 초 '今躁動亦曰一'《通俗編》.

●狂趤.

12 ⑲ [趩] 담 ㉕覃 徒含切 tán

字解 달릴 담 趚(走部 十一畫)을 보라.

●趤趩.

12 ⑲ [趞] 산 ㉕寒 相干切 sān

字解 노는모양 산 물속에서 고기가 유동(游動)하는 모양. '漫漫有鯊, 其游一一'《古史紀年》.

12 ⑲ [趣] ⊟ 궐 ㉙月 居月切 jué / ⊟ 귀 ㉕霽 姑衛切 guì

字解 ⊟ ①뛸 궐, 뛰어일어날 궐 '一, 謂跳起皃也'《一切經音義》. ②말앞발헛디딜 궐 '一, 馬失前足'《增補五方元音》. ⊟ 넘어질 귀, 뛸 귀 '蹶, 僵也. 一曰, 跳也. 或从走'《集韻》.

字源 形聲. 走+厥〔音〕.

12 ⑲ [趜] ⊟ 귤 ㉘質 居聿切 jú / ⊟ 율 ㉘質 允律切

字解 ⊟ ①미쳐뛰어나갈 귤 '一, 狂走也'《說文》. ②달릴 귤 '趣, 走意. 一, 同趣'《廣韻》. ③適(辵部 十二畫〈p.2322〉)과 同字. ⊟ ①미쳐뛰어나갈 율 ⊟❶과 뜻이 같음. ②달릴 율 ⊟❷와 뜻이 같음.

字源 形聲. 走+矞〔音〕.

12 ⑲ [趢] ⊟ 기 ㉕微 居依切 jī / ⊟ 희 ㉔眞 虛器切 xī

字解 ⊟ ①달릴 기 '一, 走也'《說文》. ②달리는 모양 기 '趨, 走皃. 或从幾'《集韻》. ⊟ 달릴 희, 달리는모양 희 ⊟과 뜻이 같음.

字源 形聲. 走+幾〔音〕.

12 ⑲ [趬] 료 ㉜蕭 落蕭切 liáo

字解 성큼성큼걸을 료 '一, 腳長行皃'《玉篇》.

12 ⑲ [趨] 동 ㉖董 徒孔切 dòng

字解 달릴 동 달림. '一, 走也'《玉篇》.

12 ⑲ [趬] 교 ㉜蕭 去遙切 qiāo

字解 ①사뿐사뿐걸을 교 가볍게 걷는 모양. '或輕趬一悍'《後漢書》. ②발들 교 '一曰, 一, 舉足也'《說文》. ③일어설 교 '一, 起也'《玉篇》. ④높을 교 '一, 高也'《玉篇》.

字源 篆文 趬 形聲. 走+堯〔音〕. '堯요'는 '높다'의 뜻. 발을 높이 들어 사뿐사뿐 걸어가는 모양.

13 ⑳ [趲] 전 ①-⑤㉓先 直連切 zhān / ⑥㉑銑 丈善切 zhàn

字解 ①향해갈 전 '一, 趣也'《玉篇》. ②옮길 전 '一, 移也'《玉篇》. ③구를 전 '一, 轉也'《集韻》. ④머뭇거릴 전 遭(辵部 十三畫)과 同字. '遭一, 上同, 行難也'《廣韻》. ⑤쫓을 전 '一, 趁也'《說文》. ⑥따를 전 '一, 一曰, 循也'《集韻》.

字源 篆文 趲 形聲. 走+亶〔音〕.

13 [趮] ⑳
조 ㉣號 則到切 zào

字解 ①조급할 조 썩 급함. 躁(足部 十三畫)와 同字. '用兵靜吉, 一凶'《漢書》. ②흔들 조 움직임. 요동시킴. '羽殺則一'《周禮》.

字源 篆文 形聲. 走+喿[音]. '喿소'는 '시끄럽다'의 뜻. 방정맞게 뛰다의 뜻을 나타냄.

13 [趁] ⑳
금 ㉠寢 丘甚切 qǐn

字解 고개숙이고빨리달릴 금 고개를 숙이고 빨리 달림. '一, 低首疾趨'《集韻》.

13 [趫] ⑳
교 ㉥嘯 吉弔切 jiào

字解 ①순찰(巡察)할 교 또, 경계(境界). '一, 循也, 一曰, 境也, 或从走'《集韻》. ②오솔길 교 오솔길. 지름길. '一, 小道也'《字彙》. ③누울 교 누움. '一, 偃也'《字彙》.

13 [趯] ⑳
거 ㉤魚 求魚切 qú

字解 ①범할 거 범함. '一, 犯也'《集韻》. ②종종걸음으로걸을 거 종종걸음으로 걸음. '一, 小步也'《玉篇》. ③작게뛸 거 작게 뜀. '一, 小跳'《集韻》.

14 [趕] ㉑
괵 ㉢陌 求獲切 guó

字解 발긴모양 괵 발이 긴 모양. '一, 一趏, 足長兒'《集韻》.

14 [趯] ㉑
■ 약 ㉣藥 弋灼切 yuè
■ 적 ㉢錫 他歷切 tì

字解 ■ 뛸 약 躍(足部 十四畫)과 同字. '南一朱垠'《後漢書》. ■ ①뛸 적 '一一阜螽'《詩經》. ②놀랄 적 '一, 驚也'《廣雅》.

字源 篆文 形聲. 走+翟[音]. '翟적'은 높이 빼어나다의 뜻. 높이 뛰어나듯이 뛰어오름의 뜻을 나타냄.

[趯然 적연] 뛰는 모양.

[趯趯 적적] 팔딱팔딱 뛰는 모양. 도약(跳躍)하는 모양.

14 [赻] ㉑
〔분〕
奔(大部 六畫〈p.507〉)과 同字

14 [趞] ㉑
〔길・절〕
趤(走部 十五畫〈p.2223〉)과 同字

14 [趠] ㉑
■ 순 ㉤眞 松倫切 xún
■ 균 ㉤眞 規倫切

字解 ■ 달리는모양 순 '一, 走兒'《說文》. ■ 달리는모양 균 ■과 뜻이 같음.

15 [趨] ㉒
■ 굴 ㉢質 居聿切 jú
■ 현 ①㉥銑 香克切
②㉤霰 許縣切
③㉤隊 許礦切

字解 ■ ①달릴 굴 '一, 走意也'《廣韻》. ②달리는모양 굴 越(走部 五畫〈p.2215〉)과 同字. '一,

走兒'《集韻》. ■ 달릴 현, 달리는모양 현 ■과 뜻이 같음. ■ 달리는모양 훼 '一, 行走之兒'《廣韻》.

字源 形聲. 走+矞[音]

15 [趫] ㉒
길 ㉦質 激質切 jí
절 ㉦屑 昨結切 jié

字解 ■ ①달릴 길 달림. '一, 走意'《廣韻》. ②달리는모양 길 달리는 모양. ■ 비스듬히나갈 절 비스듬히 나아감. '一, 邪出前也'《集韻》.

15 [趨] ㉒
독 ㉦屋 徒祿切 dú

字解 갈 독 가는 모양. '其來一一'《石鼓文》.

15 [趩] ㉒
■ 력 ㉦錫 郎擊切 lì
■ 약 ㉦藥 弋灼切
■ 삭 ㉦藥 書藥切

字解 ■ ①움직일 력 '一, 動也'《說文》. ②밟을 력 '一, 踐也'《字彙》. ■ 뛸 약 '駏驢一一, 不能千步. (注)―與躍同義'《荀子》. ②밟을 약 '一, 踐也'《篇海類編》. ■ ①달릴 삭 '多庶一一'《石鼓文》. ②움직일 삭 ■❶과 뜻이 같음.

字源 形聲. 走+樂[音]

15 [趲] ㉒
〔찬〕
趲(走部 十九畫〈p.2223〉)의 俗字

16 [趨] ㉓
력 ㉦錫 狼狄切 lì

字解 ①가는모양 력 가는 모양. '一, 行兒'《集韻》. ②몰래갈 력 몰래 감. 살금살금 감. '一, 一速盜行'《集韻》.

17 [趨] ㉔
결 ㉦屑 吉屑切 jié

字解 달릴 결 달리는 모양. '一, 走意'《說文》.

字源 形聲. 走+薊[音]

18 [趨] ㉕
■ 권 ㉠先 巨員切 quán
㉠刪 巨班切
㉠諫 求患切
■ 관

字解 ■ 조심조심가는모양 권, 구부리고가는모양 권 '一, 行一趣也, 一曰, 行曲背兒'《說文》. ■ ①구부리고갈 관 '一, 行偏也'《集韻》. ②구불구불갈 관 곧게 가지 않음. '一, 行曲也'《集韻》.

字源 形聲. 走+萑[音]

18 [趨] ㉕
구 ㉤虞 其俱切 qú

字解 달리며돌아보는모양 구 '一, 走顧兒'《說文》.

字源 形聲. 走+瞿[音]

19 [趲] ㉖
찬 ㉡旱 藏旱切 zǎn

字解 ①달아날 찬 흐트러져 달아남. '一, 散走也'《玉篇》. ②내닫게할 찬 쫓아 달아나게 함.

'一, 逼使走'《集韻》.
字源 形聲. 走+贊〔音〕

[趲習 찬습] 급히 배움. 서둘러 익힘.
[趲行 찬행] 길을 바삐 감. 급행(急行).

20 ⑳ [趲] 곽(각)㊄藥 居縛切 jué
字解 성큼성큼걸을 곽 '一, 大步也'《說文》.
字源 形聲. 走+矍〔音〕. '矍'은 손에 든 새가 눈을 두리번거리다의 뜻으로, 놀라다, 놀라 당황하다의 뜻. 놀라고 당황하여 큰 걸음으로 껑충껑충 걷다의 뜻을 나타냄.

足(𧾷)(7획)部
〔발족부〕

0 ⑦ [足] ㊞一 족 ㊄沃 卽玉切 zú
     一 주 ㊄遇 子句切 jù

筆順 丨 口 口 甼 圼 足 足

字解 一 ①발 족 ㉠하지(下肢). '手一'. ㉡복사뼈부터 아래쪽. '漢王傷胸, 乃捫一'《史記》. 전(轉)하여, 보행(步行). '高材疾一者先得之'《十八史略》. ㉢기물(器物)의 발같이 생긴 것. '鼎一'. '鼎折一'《易經》. ㉣근본. '木以根爲一'《釋名》. ②산기슭 족 '吾得歸骨山一'《南史》. ③족할 족 ㉠충분함. '學然後知一'《禮記》. ㉡분수에 안주함. 만족함. '知一不辱'《老子》. ㉢넉넉히 있음. '財恆一矣'《大學》. ㉣감당함. '恐不一任使'《戰國策》. ㉤그 일이 가(可)하다는 뜻을 나타내는 말. '不一論'. '不吾一也'《國語》. ④족하게할 족 충분하게 함. 모자람을 채움. '一食一兵'《論語》. ⑤이룰 족 '言以一志, 文以一言'《左傳》. ⑥밟을 족 '一樔羊'《司馬相如》. ⑦머무를 족, 멈출 족 '法禮一禮, 謂之有方之士'《荀子》. ⑧성 족 성(姓)의 하나. 二 ①지날 주 정도에 지나침. '巧言令色一恭'《論語》. ②보낼 주 더함. '不待臣音復調而一'《漢書》. ③돋을 주 배토(培土)함. '苗一本'《管子》.
字源 指事. '口'는 사람의 몸통의 象形. '止'는 발을 본뜬 모양. 몸통 아래에 달린 발의 뜻을 나타냄. 음형상(音形上)으로도 붙다, 말리다, 이어지다의 뜻인 '屬足'과 통하여, 몸통에 붙은 부분, 발의 뜻을 나타냄. 본체(本體)에 곁들이다의 뜻에서, 보태어 더하다, 채우다의 뜻도 나타냄.
參考 '足'을 의부(意符)로 하여, 발의 각 부위의 이름, 발에 관한 동작·상태 등을 나타내는 문자를 이룸.

[足枷 족가] 족쇄(足鏡).
[足球 족구] ㉠야구와 비슷한 규칙 아래, 발로 공을 차서 두 팀이 승부를 겨루는 구기(球技). ㉡공을 발로 차 넘겨 배구처럼 하는 구기.
[足反居上 족반거상] 사물(事物)이 거꾸로 된 것을 가리키는 말.
[足跗 족부] 발등.
[足鏡 족쇄] 죄인(罪人)의 발에 채우던 쇠사슬.
[足心 족심] 발바닥의 중앙. 발바닥의 오목하게 들어간 곳.
[足腕 족완] 발회목.
[足音 족음] 발 디디는 소리.
[足衣 족의] 버선.
[足掌 족장] 발바닥.
[足迹 족적] ㉠발자국. ㉡걸어온 자취. 발자취.
[足指 족지] 발가락.
[足趾 족지] 발의 복사뼈 있는 데부터 아래.
[足疾 족질] 발병.
[足尖 족첨] 발부리.
[足下 족하] ㉠발밑. 아주 가까운 데. ㉡대등한 사람에 대한 경칭. 전국 시대에는 제후에게도 썼음.
[足恭 주공] 지나치게 공손함. 아부함. 아첨함.
●家給人足. 擧足. 塞足. 輕足. 高材疾足. 高足. 過不足. 踝足. 翹首企足. 具足. 跼足. 貴足. 冠履忘頭足. 禁足. 給足. 跂足. 駑足. 頓足. 獨足. 頓足. 頭足. 滿足. 忘足. 妙足. 無所措手足. 捫足. 物苦不知足. 發足. 百足. 補足. 不足. 不知足. 不失足. 不一而足. 備足. 蛇足. 山資已足. 三分鼎足. 上足. 跣足. 雪足. 瞻足. 躡足. 洗足. 手足. 雁足. 駃足. 厭足. 鷙足. 饒足. 遠足. 刖足. 維日不足. 殷足. 裏足. 一擧手一投足. 日亦不足. 逸足. 自給自足. 自足. 赭足. 長足. 張足. 赤繩繫足. 趲足. 展驥足. 全足. 纏足. 絶足. 頂足. 蹄足. 霽足. 駿足. 重足. 止足. 知足. 疾足. 充足. 聚足. 濯足. 跛足. 豐足. 畫蛇添足.

0 ⑥ [𠯌] 足(前條)의 俗字

1 ⑧ [趴] 趴(次條)와 同字

2 ⑨ [趴] 규 ㊂宥 祁幼切 jiù
字解 비스듬히갈 규 비스듬히 감. 가는 것이 바르지 아니함. '一, 一踆, 行不正'《集韻》.

2 ⑨ [趴] ㊃ 팔 pā
字解 《現》①엎드릴 팔 배와 가슴을 밑바닥에 대고 엎드림. '她笑着說, 有病是小事, 一一會就好了, 飜身才是大事'《孫犂》. ②기댈 팔 '彩雲一在張夫人椅子背上'《孽海花》. ③기어오를 팔 '濕地里一着'《楊朔》.

2 ⑨ [𧾷] 〔기〕企(人部 四畫〈p.104〉)의 訛字

3 ⑩ [𧾷] 𧾷(前條)와 同字

3 ⑩ [屈] 〔거〕居(尸部 五畫〈p.621〉)와 同字

[跋提河 발제하] 석가(釋迦)가 이 강의 서안(西岸)에서 열반(涅槃)했다 하는 강의 이름.
[跋扈 발호] 제멋대로 날뛴다는 뜻으로, 세력이 강하여 제어(制御)하기 힘듦을 이름.
[跋胡疐尾 발호치미] 늙은 이리가 앞으로 나가려 하면 호(胡)를 밟고 뒤로 물러나려 하면 꼬리를 밟아서 넘어진다는 뜻으로, 진퇴양난(進退兩難)을 이름. 호(胡)는 턱 밑에 늘어진 살.
●序跋. 題跋. 草跋. 馳跋.

5/12 [跋] 跋(前條)의 俗字

5/12 [跌] 人名 (질)本 ㉠屑 徒結切 diē
字解 ①넘어질 질 발을 헛디디거나 물건에 걸려 넘어짐. '一倒', '一而不振'《漢書》. ②지나칠 질 정도에 지남. '肆者何―也'《公羊傳》. ③잘못할 질, 틀릴 질 '無有差―'《後漢書》. ④달릴 질 질주함. '墨子―蹏而趁千里'《淮南子》. ⑤방종할 질 제멋대로 행동함. '一蕩放言'《後漢書》.
字源 篆文 跜 形聲. 足+失〔音〕. '失실'은 '빗나가다, 벗어나다'의 뜻. 발을 헛디디다, 발부리가 채어 넘어지다의 뜻을 나타냄.

[跌倒 질도] 발을 헛디디어 넘어짐.
[跌失 질실] 실족함.
[跌踼 질제] 빨리 달림.
[跌墜 질추] 거꾸러져 떨어짐.
[跌宕 질탕] 방종(放縱)함.
[跌蕩 질탕] 질탕(跌宕).
●傾跌. 跛跌. 顚跌. 蹉跌. 側跌.

5/12 [跍] 고 ㉮虞 空胡切 kū
字解 웅크린모양 고 쭈그리고 앉은 모양. '―, 蹲兒'《集韻》.

5/12 [瓠] 과 ㉮麻 姑華切 guā
字解 족문 과 족문(足紋). 발바닥의 살갗에 난 잔무늬의 금. '―, 足理文'《集韻》.

5/12 [跨] 〔과·고〕 跨(足部 六畫〈p.2230〉)와 同字

5/12 [跜] ▬ 니 ㉮齊 乃禮切 nǐ
▬ 년 ㉮銑 在演切 niǎn
字解 ▬ 다리부러질 니 다리가 부러짐. '―, 脚破也'《篇海》. ▬ 밟을 년 밟음. '―, 同跈'《篇海》.

5/12 [跎] 跎(次條)와 同字

5/12 [跎] 타 ㉮歌 徒河切 tuó
字解 헛디딜 타, 때놓칠 타 '欲自修而年已蹉一'《晉書》.
字源 篆文 跎 形聲. 足+它〔音〕. '它타'는 뱀이 몸을 사리고 있는 모양. 발이 구부러져 휘다, 발을 헛디디어 넘어지다의 뜻을 나타냄.

●蹉跎.

5/12 [跏] 人名 가 ㉮麻 古牙切 jiā
字解 책상다리할 가 한 다리를 오그리고 다른 한 다리를 그 위에 포개어 앉는 자세. 불교도는 오른발을 위로 가게 함. '結―跌坐'《法華經》.
字源 形聲. 足+加〔音〕

[跏跌 가부] 책상다리하고 앉음. 불교도(佛敎徒)의 좌법(坐法).
●結跏.

5/12 [跑] 포 ㉮肴 薄交切 páo, ③pǎo
字解 ①허비적거릴 포 발톱으로 땅을 긁어 팜. '二虎一地作穴'《臨安新志》. ②찰 포 발로 걷어참. '―, 蹴也'《集韻》. ③달릴 포 뛰어 감. '俗謂趨走曰一'《中華大字典》.
字源 形聲. 足+包〔音〕

5/12 [跜] 말 ㉮曷 莫葛切 mò
字解 지나칠 말 지나침. 지나쳐 감. '―, 行過也'《集韻》.

5/12 [跅] 매 ㉮泰 莫貝切 mèi
字解 밟을 매 밟음. 디딤. '―, 踐也'《集韻》.

5/12 [跔] 〔조〕 阼(阜部 五畫〈p.2452〉)와 同字

5/12 [踇] 구 ①②虞 擧朱切 jū
③麌 顆羽切 qǔ
字解 ①곱을 구 기온이 몹시 차서 발가락이 잘 움직이지 아니함. '寒凍, 手足一不伸也'《玉篇》. ②뛸 구 '踇―'는 뛰다. 도약함. 또, 한쪽 발을 듦. 또 일설(一說)에는, 맨발. '踇一科頭'《史記》. ③갈 구 가는 모양. '―, 行兒'《集韻》.
字源 篆文 踇 形聲. 足+句〔音〕. '句구'는 '구부러지다'의 뜻. 발가락이 구부러져 뻗을 수가 없다의 뜻을 나타냄.

●踶踇.

5/12 [跕] 무 ㉮有 莫厚切 mǔ
字解 ①엄지발가락 무 장지(將指). ②갈 무 가는 모양. '―, 行兒'《廣韻》.

5/12 [跕] 접 ①②㉮葉 他協切 tiē
③㉮葉 丁愜切 dié
字解 ①밟을 접 발로 밟음. '鼓鳴瑟―屨'《史記》. ②천천히갈 접 '―, 一曰, 徐行'《集韻》. ③떨어질 접 아래로 낙하함. '雁聞弦而一墮'《何遜》.
字源 形聲. 足+占〔音〕

[跕屣 접사] 신을 꿰어 신음.

[跕鳶 접연] 솔개를 떨어뜨림.
[跕跕 접접] 아래로 떨어지는 모양.
[跕足 접족] 발을 벌리고 힘껏 버팀.
[跕墮 접타] 밑으로 떨어짐.
◉廢跕.

5 ⑫ [跳] [一] 폐 [去]霽 蒲計切 bì [二] 별 [入]屑 蒲結切 bié

[字解] [一] 찰 폐 발로 참. '一, 蹴也'《集韻》. [二] 발길질할 별 '一, 足擊也'《集韻》.

5 ⑫ [跖] 척 [入]陌 之石切 zhí

[字解] ①발바닥 척 蹠(足部 十一畫)과 同字. '善學者, 若齊王之食雞, 必食其一'《淮南子》. ②밟을 척, 뛸 척 蹠(足部 十一畫)과 同字. '蹠, 足履踐也. 楚人謂跳躍曰蹠. 一, 上同'《廣韻》. ③사람이름 척 '盜一'은 진(秦)나라의 큰 도둑으로, 장자(莊子)에는 유하혜(柳下惠)의 아우라 하였음. '一蹻'.
[字源] [篆文] 形聲. 足+石〔音〕. 발의 돌을 밟는 곳, 곧 발바닥. 전(轉)하여, '밟다'의 뜻으로 쓰임.

[跖蹻 척교] 도척(盜跖)과 장교(莊蹻). 모두 옛날의 큰 도둑.
[跖之狗吠堯 척지구폐요] 도척(盜跖)이 기르는 개는 요(堯)임금 같은 성인에 대하여도 짖는다는 뜻으로, 사람은 제각기 그 섬기는 주인에게 충성을 다함을 이름. 전(轉)하여, 악당(惡黨)에 끼어 성현을 질투함의 비유.
[跖之徒 척지도] 도척(盜跖) 같은 큰 도둑놈의 무리.
◉巨跖. 桀跖. 蹻跖. 老跖. 盜跖. 顏跖. 夷跖.

5 ⑫ [跗] 부 [平]虞 甫無切 fū

[字解] ①발등 부 발의 위쪽. '結于一連約'《儀禮》. ②받침 부 물건의 밑바닥을 받치어 괴는 물건. 柎(木部 五畫)·趺(足部 四畫)와 통용. ③꽃받침 부 악(萼). '朱一黃實'《管子》. ④껍질 부 열매의 껍질. '家童掃栗一'《庾信》.

[跗骨 부골] 족근부(足根部)에 있는 뼈. 일곱 개의 뼈로 이루어졌음. 족근골(足根骨). 발목뼈.
[跗注 부주] 가죽으로 만든 바지로 그 끝은 발등에 닿는 옛 군복(軍服).
◉栗跗.

5 ⑫ [跍] [一] 라 [上]馬 力者切 liě [二] 각 [入]藥 乞約切 què

[字解] [一] 몸매이지않을 라 하는 일이 없는 모양. '一, 身不就皃'《集韻》. [二] 가기어려울 각 나아가지 못해 애먹음. '一, 行不進'《集韻》.

5 ⑫ [跏] 갑 [入]洽 古狎切 jiá

[字解] 가는소리 갑 가는 소리. 걸어가는 소리. '一, 行聲'《集韻》.

5 ⑫ [跔] 구 [去]宥 丘救切 qiù

[字解] 가는모양 구 가는 모양 '一, 一一, 行皃'《集韻》.

5 ⑫ [跌] 〔결〕 趹(足部 四畫〈p. 2225〉)의 本字

5 ⑫ [跘] [一] 반 [平]寒 蒲官切 pán [二] 판 [上]旱 補滿切 [去]諫 皮莧切 bàn

[字解] [一] 비틀거리며갈 반 '一跚'은 비틀거리며 가는 모양. '蹣, 蹣跚, 跛行也. 亦作一'《集韻》. [二] 도사리고앉을 판 '一, 交足坐'《集韻》.

5 ⑫ [跙] 저 [上]語 慈呂切 jù [平]魚 千余切 qū

[字解] 머뭇거릴 저 머뭇거리고 앞으로 잘 가지 아니하는 모양. '四馬一一'《揚雄》.
[字源] 形聲. 足+且〔音〕

[跙跙 저저] 머뭇거리고 잘 가지 아니하는 모양.

5 ⑫ [跓] 주 [上]麌 直主切 zhù

[字解] 머무를 주 발을 멈춤. 정지함. '將起一竢兮須明'《楚辭》.

5 ⑫ [跈] [一] 년 [上]銑 乃殄切 niǎn [二] 전 [上]銑 在演切 jiàn [三] 진 [平]眞 地鄰切 chén [四] 천 [上]銑 徒典切 tiàn

[字解] [一] 밟을 년 '趁, 踐也, 或作一'《集韻》. [二] 밟을 전 '一, 履也'《廣雅》. '一, 同踐, 蹋也'《篇海類編》. [三] 머뭇거릴 진 떠났지만 나아가지 않는 모양. '趁, 邅也, 或从足'《集韻》. [四] 그칠 천 '一, 止也'《集韻》.
[字源] 形聲. 足+㐱〔音〕

5 ⑫ [跡] 跈(前條)의 俗字

5 ⑫ [跰] [一] 봉 [上]腫 方勇切 fěng [二] 범 [上]豏 峯范切 fǎn

[字解] [一] 뒤집힐 봉 뒤집힘. 번복됨. '一, 說文, 反覆也'《集韻》. [二] ①기다릴 범 기다림. '一, 候也'《集韻》. ②빠를 범 '一, 疾也'《餘文》.

5 ⑫ [跇] [一] 예 [去]霽 餘制切 yì [二] 체 [去]霽 丑例切

[字解] [一] ①뛰어넘을 예 '騁容與兮一萬里'《史記》. ②건널 예 '一巒阬'《漢書》. [二] 뛰어넘을 체, 건널 체 [一]과 뜻이 같음.
[字源] [篆文] 形聲. 足+世〔音〕. '世세'는 '뻗다'의 뜻. 발을 뻗어 뛰어넘다, 건너다의 뜻을 나타냄.

5 ⑫ [跚] 跚(次條)과 同字

5 ⑫ [跚] 산 [平]寒 蘇干切 shān

[字解] 머뭇거릴 산, 절룩거릴 산, 비틀거릴 산 蹣(足部 十一畫)을 보라. '蹣一'.

[字源] 形聲. 足＋冊〔音〕

◉蹣跚.

5 [跛] [人名] [一] 파 [上]哿 布火切 bǒ
⑫ [二] 피 [去]寘 彼義切 bì

[字解] [一] ①절뚝발이 파 다리 하나가 짧거나 탈이 나서 기우뚱거림. 또, 그 사람. '—蹇'. '眇能視, —能履'《易經》. ②절룩거릴 파 절며 걸음. '孫良夫—'《穀梁傳》. [二] 기우듬히설 피 한쪽 발로 기우듬히 서서 물체에 의지함. '立毋—'《禮記》.

[字源] [篆文]  形聲. 足＋皮〔音〕. '皮피'는 '波파'와 통하여 '파도'의 뜻. 발이 자유롭지 못하여, 걸을 때 몸이 물결처럼 흔들려 기울어지는 모양에서, '절뚝발이'의 뜻을 나타냄.

[跛蹇 파건] 절뚝발이.
[跛驢之伍 파려지오] 무능한 사람들.
[跛鼈千里 파별천리] 절름거리며 가는 자라도 천리를 간다는 뜻으로, 어리석은 사람도 꾸준히 공부하면 성공한다는 비유.
[跛行 파행] 절룩거리며 감. 전(轉)하여, 균형이 잡히지 아니함.
[跛立 피립] 한쪽 다리로 섬.
[跛倚 피의] 한쪽 발로 기우듬히 서서 딴 물체에 의지함.
◉蹇跛. 眇跛. 笑跛. 羸跛. 偏跛.

5 [跉] 령 [平]庚 離貞切 líng
⑫

[字解] ①가는모양 령 '—, —跰, 行皃'《玉篇》. ②절뚝거리며갈 령 절뚝거리며 감 '—, —跰, 偏行'《集韻》. ③다리가늘고길 령 '跰, —跰, 細長皃'《龍龕手鑑》. '脚細曰—跰'《肯綮錄》. ④홀로 가는모양 령 '—, —跰, 獨行貌, 別作—跰, 伶行'《正字通》. '—, —姘, 行皃'《集韻》.

5 [⿰足玉] 옥 [入]沃 虞欲切 yù
⑫

[字解] 비틀거리는모양 옥 걷는 것이 바르지 못함. '—, 行不正'《集韻》.

5 [距] [高人] 거 [上]語 其呂切 jù
⑫

[筆順] 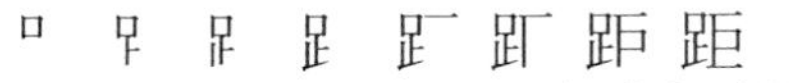

[字解] ①며느리발톱 거 닭 같은 것의 다리 뒤쪽에 있는 발톱. '如—之斯脫'(저항력이 없음의 비유)《宋史》. ②떨어질 거 ㉠서로 공간적으로 떨어져 있음. 또, 그 정도. '—離'. '相—千里'. ㉡서로 시간적으로 떨어져 있음. '—今九日'《國語》. ③이를 거 도달함. '予決九川, —四海'《書經》. ④멈출 거 歫(止部 五畫)와 통용. '來者鷙—'《管子》. ⑤어길 거 따르지 아니함. '不—朕行'《書經》. ⑥뛸 거 도약함. '—躍三百'《左傳》. ⑦겨룰 거 대항함. '敢—大邦'《詩經》. ⑧막을 거 拒(手部 五畫)와 통용. '—戰'. '—楊墨'《孟子》. ⑨닫을 거 '尤善爲鉤—, 以得事情'《漢書》. ⑩클 거 '蹠—者舉遠'《淮南子》.

[字源] [金文]  [篆文]  形聲. 足＋巨〔音〕. '巨거'는 '去거'와 통하여 '물리치다'의 뜻. 닭의 며느리발톱이나 사이를 떼다, 떨어지다, 격하다의 뜻을 나타냄.

[距擊 거격] 방어하며 침.
[距今 거금] 지금으로부터 지나간 어느 때까지의 상거(相距)를 나타내는 말.
[距跳 거도] 뛰어오름.
[距離 거리] 서로 떨어진 사이.
[距塞 거색] 막음. 차단함.
[距躍 거약] 뛰어넘음.
[距堙 거인] 적의 성에 오르기 위하여 흙을 쌓아서 만든 산.
[距戰 거전] 방어하며 싸움. 거전(拒戰).
[距絶 거절] 거부(拒否)하여 끊음. 거절(拒絶).
[距爪 거조] 며느리발톱.
◉鷄距. 冠距. 鉤距. 金距. 老距. 芒距. 毛距. 拔角脫距. 拔距. 鋒距. 上距. 商距. 鎖距. 心距. 雙距. 牙距. 利距. 長距. 折距. 爪距. 鐵距. 超距. 觜距. 脫距. 畢距. 筆距. 亢距. 黃距.

5 [踶] [一] 제 [去]霽 丁計切 dì
⑫ [二] 지 [平]支 張尼切 zhī

[字解] [一] 밟을 제 '—, 蹋也'《集韻》. [二] ①못 지 손발에 생긴 굳은살. 胝(肉部 五畫)와 同字. '胝, 說文, 腄也, 一曰, 繭也, 或作—'《集韻》. ②헛디뎌비틀거릴 지 헛디디거나 걸려서 비틀거리거나 넘어짐. '—, 跲也, 或作躓'《類篇》.

5 [跒] 가 [上]馬 苦下切 qiǎ
⑫

[字解] 걸을 가 跁(足部 四畫)를 보라. '跁—'.

◉跁跒.

5 [跜] 니 [平]支 女夷切 ní
⑫

[字解] 꿈틀거릴 니, 움직일 니 '蹝—'는 짐승이나 용이 꿈틀거리는 모양. '虯龍騰驤以蜿蟺, 頷若動而蹝—'《王延壽》.

5 [跼] 국 [入]屋 居六切 jú
⑫

[字解] 발 국 발. 다리. '—, 足謂之—'《集韻》.

5 [跍] 굴 [入]物 九勿切 jué
⑫

[字解] 달릴 굴 달리는 모양. '—, 走皃'《集韻》.

5 [跐] 자 [上]紙 ①-③雌氏切 cǐ
⑫ ④將此切 zǐ

[字解] ①밟을 자 '將抗足而—之'《左思》. ②쌍자, 짝 자 두 개. '必有菅屩—踦'《淮南子》. ③잴 자 측량함. '彼方—黃泉, 而登大皇'《莊子》. ④갈 자 가는 모양. '—, 行貌'《廣韻》.

[字源] 形聲. 足＋此〔音〕

[跐踦 자기] 한 쌍의 두 발이 가지런하지 않음.
[跐蹈 자도] 밟음.

5 [跸] 불 [入]物 敷勿切 fú
⑫

[字解] ①급히달릴 불 급히 가는 모양. '一, 急疾皃'《集韻》. ②뛸 불 도약함. '一, 跳也'《說文》.
[字源] 篆文 形聲. 足+弗〔音〕. '弗불'은 '물리치다, 털어 버리다'의 뜻. 물리치는 듯한 발 모양을 지어 뛰다의 뜻을 나타냄.

5 ⑫ [堂] 쟁 [平]庚 直庚切 chēng
[字解] ①바로잡을 쟁 바르게 함. '維角一之'《周禮》. ②막을 쟁 撐(手部 十二畫)과 통용. '一, 歫也'《說文》.
[字源] 篆文 形聲. 止+尙〔音〕. '尙상'은 '오르다'의 뜻. 오르는 것을 막다의 뜻을 나타냄.

6 ⑬ [跟] 근 [平]元 古痕切 gēn
[字解] ①발꿈치 근 발의 뒤쪽의 땅에 닿는 부분. '一亦謂之踵, 一猶根也, 下著於地, 如木根也'《急就篇》. ②뒤따를 근 수행함. '一隨僕隸隨主足踵行'《品字箋》. ③섬길 근 주인을 섬김. '僕屬事主, 亦曰一'《中華大字典》.
[字源] 篆文 別體 形聲. 足+艮(𥃩)〔音〕. '𥃩혼'은 '根근'과 통하여, '밑뿌리'의 뜻. 발의 밑뿌리, 발뒤꿈치의 뜻을 나타냄.

[跟隨 근수] 뒤를 따라다님. 수행함.
[跟肘 근주] 발꿈치와 팔꿈치.
◉脚跟. 肩跟. 排跟. 刖跟. 足跟. 胜跟.

6 ⑬ [跡] [高·人] 적 [入]陌 資昔切 jī
[筆順] 口 早 𧾷 𧿹 跁 跂 跡 跡
[字解] ①자취 적 ㉠발자국. 또, 발자취. '鳥一'. '人一'. '古一'. '將皆必有車轍馬一焉'《左傳》. 迹(辵部 六畫)과 同字. ㉡흔적. '筆一'. '畫空而尋一'《新論》. ②밟을 적 '一, 蹈也'《小爾雅》. ③뒤밟을 적 뒤를 캐어 찾음. 추적함. 미행함. '自然遭一捕'《范成大》. '一衰敝之所由致'《後漢書》.
[字源] 形聲. 足+亦〔音〕. '亦역'은 쌓아 겹치다의 뜻. 쌓여 포개진 발자국·발자취의 뜻. '迹적'과 동일어(同一語) 이체자(異體字).

[跡捕 적포] 뒤를 밟아 쫓아가 잡음. 미행하여 체포함.
◉刻跡. 去跡. 傑跡. 檢跡. 權跡. 屐跡. 奇跡. 紀跡. 勒跡. 撫跡. 文跡. 斧跡. 聖跡. 垂跡. 蝸跡. 禹跡. 人跡. 潛跡. 杖跡. 掌跡. 藏跡. 鳥跡. 足跡. 蹤跡. 車轍馬跡. 草跡. 萍跡. 筆跡. 弘跡. 痕跡.

6 ⑬ [跣] [人名] 선 ①②[上]銑 蘇典切 xiǎn / ③[平]先 蕭前切 xiān
[字解] ①맨발 선 아무것도 신지 않은 발. '裸一'. '一脚著靴, 一脚一足'《列仙傳》. ②맨발로 다닐 선 '若一弗視地, 厥足用傷'《書經》. ③돌아다닐 선 여기저기 떠돎. 또, 춤추는 모양. '蹁一, 旋行皃. 一曰, 舞容'《集韻》.
[字源] 篆文 形聲. 足+先〔音〕. '先선'은 '湔전'과 통하여 맨발을 씻다의 뜻. '足족'을 덧붙여, 맨발의 뜻을 나타냄.

[跣足 선족] 맨발.
[跣走 선주] 맨발로 달림.
[跣行 선행] 맨발로 다님.
◉揭跣. 踝跣. 裸跣. 露跣. 袒跣. 徒跣. 蹁跣.

6 ⑬ [跦] 주 ①②[平]虞 陟輸切 zhū / ③[平]虞 重株切 chú
[字解] ①뛸 주 깡충깡충 뛰며 걷는 모양. '鸜鵒一一'《左傳》. ②갈 주 가는 모양. '一, 行皃'《廣韻》. ③멈칫거릴 주 선뜻 나아가지 못함. '一, 博雅, 躕躅, 跢一也'《集韻》.
[字源] 形聲. 足+朱〔音〕

[跦跦 주주] 깡충깡충 뛰며 걷는 모양.

6 ⑬ [跧] [一] 전 [平]先 從緣切 quán / [二] 잔 [平]刪 阻頑切
[字解] [一] 엎드릴 전 부복함. '一伏'. '如虬如鳳, 若一若動'《白居易》. [二] 엎드릴 잔 [一]과 뜻이 같음.
[字源] 篆文 形聲. 足+全〔音〕

[跧伏 전복] 엎드림.

6 ⑬ [跭] 항 [平]江 胡江切 xiáng
[字解] ①우뚝설항 우뚝 섬. '一, 一踜, 竦立也'《集韻》. ②가기어려울 항 가려 해도 나아가지지 않아 안타까움. '一, 一曰, 行不進'《集韻》.

6 ⑬ [跨] [人名] [一] 과 [去]禡 苦化切 kuà / [二] 고 [去]遇 苦故切 kù
[字解] [一] ①넘을 과 ㉠넘어감. 건넘. '一谷彌阜'《張衡》. ㉡사타구니를 벌려 넘음. '康王一之'《左傳》. ②사타구니 과 두 넓적다리의 사이. 샅. '出一下'《史記》. ③점거할 과 '不一其國'《國語》. [二] ①걸터앉을 고 ㉠사타구니를 벌리고 탐. 말을 탐. '一野馬'《史記》. ㉡발밑에 밟고 제어함. 점유함. '一海內, 制諸侯'《李斯》. ②걸칠 고 이쪽에서 저쪽까지 뻗음. '飛梁石磴, 陵一水道'《後漢書》. '去秋以來, 沈雨一年'《晉書》. ③웅크릴 고 쭈그림. '一, 踞也'《廣韻》.
[字源] 篆文 形聲. 足+夸〔音〕. '夸과'는 활같이 굽다의 뜻. 두 다리를 활처럼 벌리다, 걸터앉다, 걸치다의 뜻을 나타냄.

[跨據 고거] 점거(占據)함.
[跨年 고년] 이태에 걸침.
[跨躡 고섭] 양쪽에 걸쳐 밟음. 모두 유린함.
[跨有 고유] 자기 소유로 함. 점유함.
[跨越 과월] 나음. 뛰어남.
[跨軼 과일] 과월(跨越).
[跨下 과하] 사타구니 밑.
◉駕跨. 兼跨. 盜跨. 白跨. 飛跨. 陸跨. 出跨. 醉跨.

6 ⑬ [跒] 跨(前條)와 同字

6 ⑬ [跓] 〔롤·려〕 踜(足部 八畫〈p. 2236〉)와 同字

6
⑬ **[跰]** 〔변·병〕
跰(足部 八畫〈p. 2236〉)과 同字

6
⑬ **[跪]** 궤 ⑭紙 渠委切 guì

字解 ①꿇어앉을 궤 무릎을 꿇고 앉음. '一坐'. '授立不一'《禮記》. ②무릎꿇고절할 궤 '一禮'. '伸腰再拜一'《古詩》. ③발 궤 주로, 게의 발. '蟹六而二螯'《荀子》.

字源 形聲. 足＋危〔音〕. '危위'는 '무릎 꿇다'의 뜻. '危'가 불안정(不安定)의 뜻으로 전용(專用)하게 되었기 때문에, 뒤에 '足족'을 덧붙였음.

[跪拜 궤배] 무릎을 꿇고 절함.
[跪伏 궤복] 꿇어 엎드림.
[跪捧 궤봉] 무릎을 꿇고 받듦.
[跪謝 궤사] 무릎을 꿇고 사죄함.
[跪謁 궤알] 무릎을 꿇고 뵘.
[跪進 궤진] 무릎을 꿇고 바침.
[跪坐 궤좌] 꿇어앉음.
[跪祝 궤축] 꿇어앉아 빎.
 ●擎跪. 拜跪. 長跪. 超跪.

6
⑬ **[跬]** ◯규 ⑭紙 丘弭切 kuǐ
◯설 ⑧屑 先結切 xiè

字解 ◯①반걸음 규 한 걸음의 반. 반보(半步). '故君子一步而不忘孝也'《禮記》. ②가까울 규 '敝一譽無用之言, 非乎'《莊子》. ③조금 규 얼마 안 됨. '故一步不休, 跛鼈千里'《淮南子》. ◯지칠 설 '敝一'은 지침. '敝一, 疲也'《集韻》.
字源 形聲. 足＋圭〔音〕.

[跬步 규보] 한 걸음의 반(半). 반(半)걸음. 반보(半步).
[跬譽 규예] 일시의 명예.

6
⑬ **[跮]** ◯희(치)⊕眞 丑利切 chì
◯질 ⑧質 丑栗切 dié

字解 ◯일진일퇴할 희 선뜻 나아가지 못함. '一蹀'은 일진일퇴함. 조금 나아갔다가 조금 물러감. '一蹀㭘轕, 容以委麗兮'《史記》. ◯일진일퇴할 질 ◯과 뜻이 같음.
字源 形聲. 足＋至〔音〕.

[跮蹀 희탁] 자해(字解)를 보라.

6
⑬ **[路]** 中◯로 ⊕遇 洛故切 lù
入◯락 ⑧藥 歷各切 luò

筆順 口 马 写 吊 足 趵 跻 路

字解 ◯①길 로 ㉠사람이나 수레가 다니는 길. '大一'. '掌達天下之道也'《周禮》. ㉡사람이 마땅히 행하여야 할 길. 도의. 도덕. '義人之正一也'《孟子》. ㉢사물의 조리. '有筆力有筆一'《玉海》. ㉣중요한 자리. '要一'. '夫子當一於齊'《孟子》. ㉤방도. 방법. '無一請纓'《王勃》. '欲陳之而未有一'《司馬遷》. ㉥방면. '荊湖北一'《宋史》. ㉦거치는 도중. '崎嶇官一多危機'《陸游》. ②클 로 주로 군주(君主)에 관한 사물에 쓰임. '一門'. '厥聲載一'《詩經》. ③바를

로 '雖有義臺一寢'《莊子》. ④고달플 로 동분서주하여 피로함. '是率天下而一也'《孟子》. ⑤드러낼 로, 드러날 로 '一亶者也'《荀子》. ⑥길손로, 나그넷길 로, 길갈 로 客(宀部 六畫)과 통용. '國家乃一'《管子》. '一室女之方桑兮'《楚辭》. ⑦수레 로 왕자(王者)의 수레. 輅(車部 六畫)와 통용. '鸞一'. '殊異乎公一'《詩經》. ⑧행정구획이름 로 송대(宋代)의 행정 구역의 이름. 지금의 성(省)에 해당함. ◯울 락 새끼를 둘러친 울. '廼虎一三嵏, 以爲司馬'《漢書》.
字源 金文 篆文 形聲. 足＋各〔音〕. '各각'은 '이르다'의 뜻. 사람이 걸어서 다다를 때의 '길'의 뜻.

[路鼓 노고] 사면(四面)을 가죽으로 싼 북. 종묘의 제사 때 씀.
[路衢 노구] 성(城) 안의 길.
[路岐 노기] 갈림길. 기로.
[路毒 노독] 길을 걸어서 심신(心身)이 피곤하여 앓는 병(病).
[路頭 노두] 노방(路傍).
[路柳牆花 노류장화] 노는 계집을 가리키는 말.
[路馬 노마] 노차(路車)를 끄는 말.
[路門 노문] 오문(五門) 또는 삼문(三門)에서 가장 내부에 있는 궁문(宮門).

[路門]

[路傍 노방] 길가. 길옆.
[路邊 노변] 노방(路傍).
[路不拾遺 노불습유] 길에 떨어져 있는 물건이 있어도 주워서 내 것으로 하지 않는다는 뜻으로, 나라가 잘 다스려진 상태를 이름.
[路費 노비] 노자(路資).
[路史 노사] ㉠송(宋)나라 나필(羅泌)이 지은 책 이름. 47권(卷). 상고(上古) 시대의 사실(事實)들을 기록했음. 위서(緯書)와 도서(道書)에 의거한 바 많음. ㉡명(明)나라 서위(徐渭)가 쓴 책. 2권(卷).
[路上 노상] 길 위.
[路需 노수] 노자(路資).
[路室 노실] 객사. 여관.
[路用 노용] 노자. 노비(路費).
[路人 노인] 길 가는 사람. 전(轉)하여, 자기와 아무 관계없는 타인.
[路人所知 노인소지] 세상 사람이 다 아는 바.
[路資 노자] 길 갈 때에 드는 돈. 여비.
[路殿 노전] 천자·제후의 정전(正殿).
[路節 노절] 사신(使臣)이 길을 걸을 때 가지고 다니는 부절(符節).
[路程 노정] ㉠길의 이수(里數). ㉡여행의 경로.
[路次 노차] 가는 길. 도중.
[路車 노차] 제후(諸侯)가 타는 수레.
[路寢 노침] 노전(路殿). 정침(正寢).
 ●街路. 間路. 澗路. 客路. 兼路. 徑路. 古路. 故路. 谷路. 廣路. 舊路. 衢路. 饋路. 歸路. 達路. 金路. 汲路. 岐路. 當路. 大路. 塗路. 道路. 磴路. 滿路. 末路. 覓路. 木路. 問路. 薄路. 返路. 妨賢路. 白路. 別路. 分路. 仕路.

邪路. 斜路. 絲路. 山路. 象路. 塞路. 生路. 船路. 世路. 細路. 小路. 水路. 殊路. 修路. 熟路. 新路. 失路. 惡路. 野路. 讓路. 御路. 言路. 驛路. 沿路. 迎路. 盈路. 榮路. 玉路. 王路. 往路. 要路. 迂路. 雲路. 運路. 原路. 遠路. 越路. 危路. 陸路. 戎路. 利路. 異路. 引路. 長路. 載路. 爭路. 磧路. 前路. 正路. 征路. 朱路. 峻路. 中路. 卽路. 直路. 進路. 借路. 遮路. 鑿路. 讒路. 川路. 天路. 捷路. 淸路. 燭路. 村路. 充路. 就路. 通路. 偸路. 坂路. 平路. 蔽路. 避路. 筆路. 篳路. 遐路. 旱路. 海路. 行路. 險路. 革路. 賢路. 血路. 夾路. 狹路. 還路. 皇路. 荒路.

6 ⑬ [趼] 견 [平]先 輕煙切 jiǎn

[字解] ①못 견 발에 생기는 딱딱한 군살. 또, 발가락이 트거나 부르트는 일. '百舍重一而不敢息'(重繭으로도 씀)《莊子》. ②자귀 견 짐승의 발자국. '一, 獸跡'《廣韻》.

[字源] 篆文 形聲. 足+幵〔音〕. '幵견'은 판판하게 늘어서다의 뜻. 발에 생기는 납작하고 판판한 못의 뜻을 나타냄.

[參考] 趼(足部 四畫)은 同字.

6 ⑬ [踁] 증 [上]迥 之郢切 zhěng

[字解] 발 증 발〔足〕. '一, 足也'《篇海》.

6 ⑬ [跱] 치 [上]紙 直里切 zhì

[字解] ①머뭇거릴 치 주저하여 앞으로 잘 가지 아니함. 일설(一說)에는, 머무름. 정지함. '一行不進'《類篇》. ②갖출 치 준비함. 저축함. '所經道上郡縣, 無得設儲一'《後漢書》. ③둘 치, 놓아둘 치 '一遊極於浮柱'《張衡》. ④웅크릴 치 '松喬高一'《後漢書》.

[字源] 形聲. 足+寺〔音〕. '寺시'는 '머무르다'의 뜻.

6 ⑬ [跲] 겁 [入]葉 居怯切 jiá

[字解] ①넘어질 겁 헛디디거나 무엇에 걸려 넘어짐. 전(轉)하여, 착오가 생김. '言前定則不一'《中庸》. ②번갈아 겁 번갈아듦. 迨(辵部 六畫)과 통용.

[字源] 篆文 形聲. 足+合〔音〕. '合합'은 '합쳐지다'의 뜻. 발이 무엇에 끼여 넘어지다의 뜻을 나타냄.

6 ⑬ [跳] [高人] 도(①-③ 조[本]) [平]蕭 徒聊切 tiào / [平]豪 徒刀切 táo

[筆順] 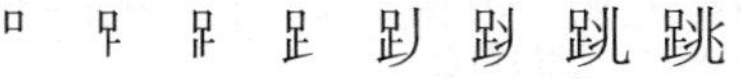

[字解] ①뛸 도 뛰어오름. 도약함. 또, 튐. '高一'. '飛一'. '東西一梁'《莊子》. '萬丸一猛雨'《杜牧》. ②솟구칠 도 몸을 솟아오르게 함. '一身遯者'《漢書》. ③넘어질 도 헛디디거나 발부리가 무엇에 걸려 넘어짐. '今謂失足傾墮爲一'《新方言》. ④달아날 도 逃(辵部 六畫)와 통용. '漢王一'《漢書》.

[字源] 篆文 形聲. 足+兆〔音〕. '兆조'는 점(占)을 칠 때 거북의 등딱지 위에 나타나는 갈라진 금의 象形으로, 터져 갈라지다의 뜻을 나타냄. '足족'을 덧붙여, 뛰어오르다, 실족(失足)해 넘어지다의 뜻을 나타냄.

[跳驅 도구] 급히 말을 달림.
[跳怒 도노] 세차게 뛰어오름.
[跳刀 도도] 칼을 세게 휘두르는 모양.
[跳梁 도량] ㉠뛰어 돌아다님. ㉡나쁜 놈들이 함부로 날뜀. 발호함.
[跳踉 도량] 도량(跳梁) ❼.
[跳沫 도말] 안개같이 뛰어오르는 물방울. 비말(飛沫).
[跳白 도백] 작은 어선(漁船)의 한 가지.
[跳奔 도분] 달아남.
[跳神 도신] 서장(西藏)·만몽(滿蒙)의 원시적(原始的) 토속 의식(土俗儀式). 각 절〔寺〕에서 나마(喇嘛)들이 울긋불긋한 신장(神裝)의 옷을 입고, 얼굴에는 이상한 탈을 쓰며, 손에는 칼을 들고 춤을 추면서 희생(犧牲)을 바치는데, 법기(法器)를 치고, 용도(踊蹈)·풍경(諷經)함으로써 구사(驅邪)·기복(祈福)함.
[跳躍 도약] 뛰어오름. 뜀.
[跳然 도연] 뛰는 모양.
[跳脫 도탈] ㉠금 또는 옥으로 만든 팔찌. ㉡몸을 출썩거리며 내뺌.
[跳盪 도탕] 접전(接戰)하기 전에 먼저 적진에 쳐들어가 승리함.
[跳行 도행] 글을 쓸 때에 경의(敬意)를 나타내는 구절(句節)을 평두(平頭)보다 한 자(字) 또는 두어 자(字)쯤 높이 올려서 쓰는 일. 대두(擡頭).
[跳丸 도환] ㉠백희(百戲)의 하나. 공을 가지고 놂. ㉡빨리 가는 세월의 비유.
[跳哮 도효] 펄쩍 뛰며 짖음. 뛰어 덤비며 짖음.
◉距跳. 驚跳. 高跳. 白魚跳. 飛跳. 簸跳.

6 ⑬ [跢]
[一] 대 [去]泰 當蓋切 dài
[二] 다 [去]箇 丁佐切 / [平]歌 當何切 duō
[三] 치 [平]支 陳知切 chí
[四] 질 [入]質 陟栗切

[字解] [一] ①넘어질 대 '一, 倒也'《玉篇》. ②발이 걸려넘어질 대 '跌, 蹶也. (注)江東謂一'《揚子方言》. ③어린애가는모양 대 '一, 小兒行皃'《集韻》. [二] ①어린애가는모양 다 [一]❸과 뜻이 같음. ②어린애데리고갈 다 '一, 攜幼行也'《集韻》. [三] 머뭇거릴 치 선뜻 나아가지 못함. '一, 博雅, 蹢躅, 一跦也'《集韻》. [四] 머뭇거릴 질 [三]과 뜻이 같음.

6 ⑬ [跺] 타 [上]哿 都果切 duò

[字解] ①갈 타 가는 모양. '一, 行皃'《集韻》. ②머뭇거릴 타 '一跟'은 머뭇거리고 나아가지 아니하는 모양. ③《現》밟을 타 밟음. 또, 발을 동동 구름.

[字源] 形聲. 足+朵〔音〕

[跺跟 타근] 머뭇거리고 나아가지 아니하는 모양.

6 ⑬ [跮] 광 [平]陽 曲王切 kuāng

字解 빨리걸을 광 '一躟'은 빨리 걷는 모양.

[跓躟 광양] 빨리 걷는 모양.

6 ⑬ [𨀛] 해 ㊎陔 戶代切 hài

字解 급히갈 해 급히 감. '一, 行急'《集韻》.

6 ⑬ [趼] 함 jiǎn

字解 가는모양 함 가는 모양. '一, 行貌'《篇韻》.

6 ⑬ [跠] 이 ㊏支 以脂切 yí

字解 웅크려앉을 이 웅크리고 앉음. 夷(大部 三畫)와 통용. '一, 踞也'《廣雅》.

6 ⑬ [跤] 교 ㊏肴 口交切 jiāo

字解 ①정강이 교 발회목. 骹(骨部 六畫)와 同字. '一, 脛骨近足細處'《廣韻》. ②공중제비칠 교 곤두박질함. '方轉回身要走時, 不防一塊石頭絆了一一'《紅樓夢》.

字源 形聲. 足+交〔音〕

6 ⑬ [践] 〔천〕 踐(足部 八畫〈p.2235〉)의 俗字

6 ⑬ [跚] 〔산〕 跚(足部 五畫〈p.2228〉)과 同字

6 ⑬ [跊] 〔반·판〕 跘(足部 五畫〈p.2228〉)과 同字

6 ⑬ [𧿒] 〔기〕 旡(部首〈p.967〉)와 同字

6 ⑬ [𨀈] 〔기〕 企(人部 四畫〈p.104〉)와 同字

6 ⑬ [跫] 공 ㊏冬 許容切 qióng 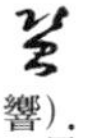

字解 발자국소리 공 발을 디디는 음향(音響). 또, 인기척이 나는 모양. '空谷一音'. '聞人足音一然而喜矣'《莊子》.

字源 形聲. 足+巩〔音〕

[跫跫 공공] 발을 디디는 소리. 발자국 소리.
[跫然 공연] 발자국 소리의 형용.
[跫音 공음] 발자국 소리.

6 ⑬ [𧿹] 힐 ㊇質 許吉切 xī

字解 갈 힐 감. 걸어감. '一, 行'《玉篇》.

7 ⑭ [跼] 국 ㊇沃 渠玉切 jú 

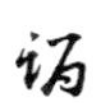

字解 ①구부릴 국 몸을 오그림. '騏驥之一躅'《史記》. '一高天蹐厚地'《後漢書》. ②구부러질 국 구부러져 펴지지 않음. '踡一, 不伸也'《集韻》.

字源 形聲. 足+局〔音〕. '局국'은 등을 구부리다의 뜻. 발이나 등을 굽히다, 구부리다의 뜻을 나타냄.

[跼踡 국권] 몸을 오그림.
[跼頓 국돈] 걸려 넘어짐.
[跼斂 국렴] 몸을 오그리고 손을 거둠. 어찌할 줄 모르는 모양.
[跼步 국보] 몸을 구부리고 걸음.
[跼跧 국전] 몸을 오그림. 엎드림.
[跼足 국족] 발을 오그리고 일이 닥쳐올 것을 기다림.
[跼蹐 국척] 국천척지(跼天蹐地).
[跼天蹐地 국천척지] 머리가 하늘에 닿을까 두려워하여 몸을 구부리고, 땅이 꺼질까 두려워하여 발끝으로 살살 디디어 걷는다는 뜻으로, 두려워하여 몸둘 곳을 모름을 이름.
[跼躅 국촉] 몸을 구부리고 힘들여 걷는 모양.
[跼縮 국축] 국척(跼蹐).
◉高跼. 曲跼. 踡跼. 羈跼. 躑跼.

7 ⑭ [𨁈] 좌 ㊎箇 祖臥切 zuò

筆順 口 ⺊ 𧾷 𧾷丿 𧾷人 𧾷从 𧾷坐 𨁈

字解 ①거짓절할 좌 거짓으로 절함. '一, 詐拜也'《集韻》. ②헛디딜 좌 헛디딤. 비틀거리는 모양. 층등(蹭蹬). '躍一'. '躍, 躍一. 猶蹭蹬也'《集韻》.

7 ⑭ [跮] 질 diē

字解 발 질 발〔足〕. '一, 足也'《字彙補》.

7 ⑭ [𨂈] 포 ㊏虞 滂模切 pū

字解 말발자국 포 말의 발자국. '一, 馬蹀跡'《集韻》.

7 ⑭ [跽] 기 ㊤紙 暨几切 jì 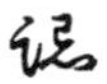

字解 ①꿇어앉을 기 무릎을 꿇고 앉되, 궁둥이를 발에 닿지 않게 몸을 폄. 이를 '長跪'라고도 함. 단순한 '跪'와는 자세가 다름. '項王按劍而一'《史記》. ②굽을 기 구부림. '擎一, 曲拳也'《玉篇》.

字源 甲骨文  篆文  形聲. 甲骨文은 止+己〔音〕. '止지'는 발의 象形. '己기'는 무릎 꿇은 모양과 비슷한 실패의 象形. '꿇어앉다'의 뜻을 나타냄. 篆文은 足+忌(音)의 形聲.

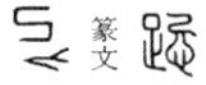

7 ⑭ [𨁎] [一] 도 ㊎遇 徒故切 dù [二] 타 ㊤馬 宅下切 zhà

字解 [一] 맨발 도 맨발. '一, 行不履也'《玉篇》. [二] 머뭇거릴 타 가기 어려움. '一踑'. '一, 一踑, 行不進'《集韻》.

7 ⑭ [跳] 〔도〕 跳(足部 六畫〈p.2232〉)와 同字

7 ⑭ [𨁿] [一] 정 ㊏庚 馳貞切 chéng [二] 형 ㊎徑 形定切 jìng

[足] ➊ 이수 정 길의 이수(里數). 이정(里程). '一, 行期也'《集韻》. ➋ 종아리 형 脛(肉部 七畫〈p. 1849〉)과 뜻이 같음. '脛, 說文, 胻也, 亦作一'《集韻》.

7
(14) **[踆]** 준 ①⑭眞 七倫切 qūn ②③⑪元 但昆切 cún ③⑪元 租昆切 zūn

字解 ①마칠 준, 물러날 준 竣(立部 七畫)과 同字. '巳事而一'《張衡》. ②짓밟을 준, 찰 준 발로 차 넘어뜨림. '逆而一之'《公羊傳》. ③쭈그리고 앉을 준 무릎을 세우고 앉음. 蹲(足部 十二畫)의 古字. '一於窾水'《莊子》. 字源 形聲. 足＋夋〔音〕

[踆烏 준오] 태양 속에 있다는 세 발 달린 까마귀.
[踆踆 준준] ㉠깡충깡충 뛰어가는 모양. ㉡뒷걸음질하는 모양.
[踆鴟 준치] 토란(芋)의 이명(異名). 모양이 올빼미가 웅크리고 있는 것과 같으므로 이름.

7
(14) **[跟]** ➊ 량 ①⑭陽 呂張切 liáng ②③⑪漾 力讓切 liàng ➋ 량 ㉻漾 郎宕切 làng

字解 ➊ ①뛸 량 도약함. '跳一乎井幹之上'《莊子》. ②비틀거릴 량 '一蹡'·'一蹌'은 비슬비슬 걷는 모양. '一蹡越門限'《韓愈》. ③서행할 량 천천히 감. '一蹡'은 천천히 걷는 모양. '巳一蹡而徐來'《潘岳》. ➋ 허둥지둥할 량 狼(犬部 七畫)의 本字. '一跟'. 字源 形聲. 足＋良〔音〕

[跟旁 낭방] ㉠가려고 하는 모양. ㉡가는 모양. ㉢부리나케 가는 모양. 허둥지둥 가는 모양.
[跟跟 낭패] '낭패(狼狽)'와 같음.
[跟蹡 양장] ㉠천천히 걷는 모양. ㉡비슬비슬 걷는 모양.
[跟蹌 양창] 비슬비슬 걷는 모양.
●跳跟, 蹌跟.

7
(14) **[踦]** 기 qì
字解 밟을 기 밟음. 디딤. '一, 蹊也'《篇韻》.

7
(14) **[踁]** ➊ 항 ㉻陽 胡郎切 háng ➋ 경 ㉻庚 居行切 gēng
字解 ➊ 짐승발자국 항 迒(辵部 四畫)과 同字. '远, 獸迹也, 一, 獸迹也'《說文》. ➋ 토끼 다니는길 경 '逕, 兔逕. 或从足'《集韻》.

7
(14) **[跮]** ➊ 제 ㉻霽 丑例切 chì ➋ 계 ㉻霽 去例切 qì
字解 ➊ ①뛸 제 뜀. '踯·踰·跇, 跳也. 楚曰一'《方言》. ②넘을 제 넘음. '一, 踰也'《玉篇》. ➋ 절름발이 계 '一, 跛也'《集韻》.

7
(14) **[跿]** 〔과·고〕
跨(足部 六畫〈p.2230〉)와 同字

7
(14) **[踋]** 〔곤〕
踞(足部 八畫〈p.2236〉)의 訛字

7
(14) **[跾]** 구 ㉻尤 渠尤切 qiú
字解 밟을 구 밟음. 디딤. '一, 蹂也'《集韻》.

7
(14) **[踂]** 나 ㉻歌 囊何切 nuó
字解 채어서비틀거릴 나 발끝이 채어서 비틀거림. '一, 足跌'《集韻》.

7
(14) **[踂]** 〔단〕
躑(足部 十四畫〈p.2250〉)의 略字

7
(14) **[跰]** 두 ㉻尤 當侯切 dōu
字解 채어서비틀거릴 두 채어서 비틀거림. 넘어짐. '一, 跌也'《集韻》.

7
(14) **[踊]** ⑧名 용 ⑪腫 余隴切 yǒng
筆順 〔筆順 생략〕
字解 ①뛸 용 도약함. '一躍用兵'《詩經》. 또, 죽음을 슬퍼하여 행하는 도약의 의식(儀式). '哭君成一'《公羊傳》. ②춤출 용 무용을 함. '千人一, 萬人賀'《楊炎》. '霓裳一于河上'《劉禹錫》. ③오를 용 위로 올라감. 湧(水部 九畫)과 통용. '物貨翔一'《唐書》. ④신 용 월형(刖刑)을 당한 사람이 신는 신. '屨賤一貴'《左傳》. ⑤심히 용 대단히. '物一耀耀'《史記》. ⑥미리 용 사전에. 豫(豕部 九畫)와 통용. '晉之不言出入者, 一爲文公諱也'《公羊傳》. 字源 形聲. 足＋甬〔音〕. '甬'은 '用'과 통하여, '들어 올리다'의 뜻. 발을 들어 올려 춤추다의 뜻.

[踊貴 용귀] 물건 값이 뛰어오름. 등귀(騰貴).
[踊躍 용약] ㉠뜀. ㉡좋아 날뛰어 기뻐함. ㉢펄쩍 뛰어 기세 좋게 나아감.
[踊溢 용일] 뛰어오름. 도약함.
[踊塔 용탑] 높이 솟은 탑.
[踊現 용현] 높이 나타남.
●驚踊, 曲踊, 哭踊, 袒踊, 騰踊, 舞踊, 辟踊, 抃踊, 憤踊, 飛踊, 翔踊, 駭踊, 號踊, 喜踊.

7
(14) **[跿]** 도 ㉻虞 同都切 tú
字解 ①맨발 도 아무것도 신지 않은 발. 도족(徒足). ②뛸 도 도약함. '虎賁之士, 一跗科頭'《史記》. 字源 形聲. 足＋徒〈省〉〔音〕. '徒도'는 '맨발'의 뜻.

[跿跔 도구] 뜀. 일설(一說)에는, 한쪽 발을 듦. 또 일설에는, 맨발.

7
(14) **[跰]** 잠 ㉻侵 鋤簪切 cén
字解 괸물 잠괸 물. 일설에는, 짐승의 발자국에 괸 물. '一, 蹛一, 停水也'《集韻》.

7
(14) **[跰]** 패 ①㉻泰 蒲蓋切 pèi ②③㉻泰 博蓋切 bèi

字解 ①허둥지둥할 패 狽(犬部 七畫)의 本字. '跟—'. ②넘어질 패 헛디디거나 발부리에 무엇이 걸려 넘어짐. '狽—, 顚—也'《一切經音義》. ③밟을 패 밟고 걸어감. '—, 步行獵跋也'《說文》.

字源 篆文 躓 形聲. 足+貝〔音〕. '貝패'는 둘로 쪼개지다, 실패하다의 뜻. 실족(失足)하여 넘어지다의 뜻을 나타냄.

●跟跟.

7 ⑭ [踬] 진 魚震 之刃切 魚眞 之人切 zhèn

字解 움직일 진 '—, 動也'《說文》.
字源 形聲. 足+辰〔音〕.

7 ⑭ [踂] 섭(녑)⊛ ⊛葉 尼輒切 niè

字解 두다리꼬일 섭 두 다리가 꼬여 떨어지지 않음. 또, 그 발. '兩足不能相過, 齊謂之蹙, 楚謂之一'《穀梁傳》.

7 ⑭ [踃] ━ 소 魚蕭 蘇彫切 xiāo　二 초 魚嘯 七肖切 qiào

字解 ━ ①뛸 소 도약함. '簡惰跳一'《傅毅》. ②움직일 소 '舞節轉曲, 一駃應聲'《揚雄》. 二 발병 초 발의 근육이 땅기는 병. '—, 足筋急病'《集韻》.

7 ⑭ [踄] ━ 박 ⊛藥 白各切 bù　二 보 魚遇 蒲故切

字解 ━ 밟을 박 '—, 蹈也'《說文》. 二 밟을 보 ⊟과 뜻이 같음.
字源 形聲. 足+步〔音〕.

7 ⑭ [跬] ━ 규 ⊛支 居追切 guī　⊛支 渠追切 kuí

字解 ①뛸 규 도약(跳躍)함. '鲮鯉一踢於埌隒'《郭璞》. ②종아리살 규 종아리의 근육. '—, 脛肉也'《說文》. ③휜종아리 규 또, 왼쪽 종아리가 굽음. '—, 一曰, 曲脛也'《說文》. '—, 左脛曲也'《廣韻》. ④넘어질 규 발을 헛디디거나 무엇이 발부리에 걸려 넘어짐. '—, 蹳也'《廣雅》. ⑤다리 규 기물(器物)을 받치는 것. '—, 柎也'《廣雅》.

字源 篆文 躨 形聲. 足+夅〔音〕. '夅규'는 붕긋 솟은 살의 뜻. '장딴지'의 뜻을 나타냄.

7 ⑭ [疎] 〔소〕 疎(疋部 七畫〈p.1476〉)의 訛字

7 ⑭ [踁] 〔경〕 脛(肉部 七畫〈p.1849〉)과 同字
字源 形聲. 足+巠〔音〕.

7 ⑭ [腳] 〔각〕 脚(肉部 七畫〈p.1848〉)과 同字

7 ⑭ [趼] 한 ⊛旱 下罕切 hàn

字解 비스듬히설 한 비스듬히 섬. '—, 偏立'《集韻》.

8 ⑮ [踏] 高入 답 ⊗合 他合切 tà

筆順 口　ロ　ア　ア　跣　跆　跣　踏

字解 ①밟을 답 ㉠발로 땅을 디딤. '握臂連—'《誠齋雜記》. ㉡밟고 누름. '以足—其頭'《汎池筆記》. ㉢보행함. 걸음. '—靑拾翠'《畫繼》. '忍觸瓏瓏瑽縱健—'《何中》. ②발판 답 밟고 올라서는 받침대. '以水晶飾腳—'《宋史》. ③신발 답 '瑤—動芳塵'《溫庭筠》.

字源 形聲. 足+沓〔音〕. '蹋답'의 俗字.

[踏歌 답가] 발로 땅을 구르며 장단을 맞추어 노래함.
[踏舞 답무] 제자리걸음을 하며 춤춤.
[踏白 답백] 송대(宋代)의 군대의 이름.
[踏步 답보] 땅을 구르며 걷는 걸음.
[踏査 답사] 산이나 들 또는 전답(田畓) 등을 실지로 조사함.
[踏殺 답살] 밟아 죽임.
[踏碎 답쇄] 밟아 부숨.
[踏襲 답습] 뒤를 이어받음. 선인(先人)의 행적을 그대로 따라 행함. 도습(蹈襲).
[踏月 답월] 달밤에 산보함.
[踏靑 답청] ㉠푸른 풀 위를 걷는다는 뜻으로, 봄날의 교외의 산책을 이름. 정월 7일에 남녀가 서로 놀며 즐기는 일. ㉡3월 3일의 곡수(曲水)의 잔치. ㉢2월 2일을 이름.
[踏破 답파] ㉠걸어 다님. 파(破)는 조자(助字). ㉡먼 길이나 험한 길을 끝까지 걸어 나감.
●檢踏. 高踏. 歐踏. 亂踏. 騰踏. 舞踏. 攀踏. 扶踏. 躑踏. 連踏. 履踏. 人跡未踏. 踐踏. 超踏.

8 ⑮ [踐] 高入 천 ⊛霰 才線切 jiàn ⊛銑 慈演切

筆順 口　ロ　ア　跣　跣　跣　跣　踐

字解 ①밟을 천 ㉠이행함. '實一. 修身一言'《禮記》. ㉡발로 디딤. 또, 발로 누름. '蹂—毋—屨'《禮記》. ㉢따름. 좇음. '不一迹'《論語》. ㉣걸음. 보행함. 감. '深一戎馬之地'《漢書》. '經宜陽而東—'《江淹》. ㉤오름. 자리에 나아감. '一祚'. '一其位, 行其禮'《中庸》. ②누를 천 진압함. 물리침. '晉之妖夢是一'《左傳》. ③차려놓을 천 진열·진설한 모양. '籩豆有—'《詩經》. ④해칠 천, 다칠 천 殘(歹部 八畫)과 통용. ⑤벨 천, 죽일 천 翦(羽部 九畫)과 통용. '成王東伐淮夷, 遂一奄'《古文尚書》. ⑥맨발 천, 맨발될 천 跣(足部 六畫)과 통용. '皆無—'《漢書》. ⑦얕을 천 淺(水部 八畫)과 통용. '有一家室'《詩經》.

字源 篆文 踐 形聲. 足+戔〔音〕. '戔전'은 갈기갈기 찢다, 토막을 내다의 뜻. 발로 짓밟아 해치다, 손상시키다의 뜻. 또, 단순히 '밟다'의 뜻도 나타냄.

[踐更 천경] 한대(漢代)의 제도. 병졸로서 징발된 자가 금전으로 사람을 사서 대신 보내는 일.

[踐極 천극] 임금의 자리에 오름. 등극(登極).
[踐年 천년] 해를 경과함.
[踐踏 천답] 짓밟음.
[踐歷 천력] 편력(遍歷)함. 전(轉)하여, 열력(閱歷).
[踐履 천리] ㉠걸음. 다님. ㉡밟음. ㉢행함. 이행함. 또, 행위. 품행.
[踐氷 천빙] 얼음을 밟고 건넘. 전(轉)하여, 위험을 무릅씀의 비유.
[踐勢 천세] 세력 있는 자리에 오름.
[踐修 천수] 실천하며 닦음.
[踐約 천약] 약속을 이행함.
[踐言 천언] 한 말을 실행함.
[踐位 천위] 임금 자리에 앉음. 즉위(卽位)함.
[踐蹂 천유] 짓밟음.
[踐阼 천조] 천극(踐極).
[踐祚 천조] 천극(踐極).
[踐統 천통] 천자의 자리에 오름. 또, 천자가 되어 통치를 함.
[踐行 천행] 실행함. 이행함.
[踐形 천형] 이목구비(耳目口鼻) 등 형체(形體)의 움직임을 바르게 함. 예절(禮節)에 맞게 함.
◉徒踐. 蹈踐. 登踐. 騰踐. 升踐. 實踐. 蹂踐. 履踐. 踵踐. 眞踐. 侵踐.

8 [踑] 기 ①[上]紙 巨几切 jì
⑮ ②[平]支 渠之切 qí

[字解] ①다리뻗고앉을 기 '一踞'는 두 다리를 쭉 뻗고 기대어 앉음. 기거(箕踞). '奮髯一踞'《劉伶》. ②발자국 기 또, 발자국을 따름. '一, 跡也'《集韻》. '一, 馴跡也'《廣韻》.
[字源] 形聲. 足+其〔音〕. '其기'는 키〔箕〕의 象形으로 '키'의 뜻. 다리를 키 모양으로 뻗고 앉다의 뜻을 나타냄.

[踑踞 기거] 자해(字解)❶을 보라.

8 [䠀] [一] 창 [上]養 齒兩切 chǎng
⑮ [二] 당 [現] tāng

[字解] [一] 웅크릴 창 '一, 踞也'《集韻》. [二]《現》김맬 당 쟁기·괭이 따위로 땅을 파헤쳐서 제초(除草)함.

8 [踔] [一] 초 [去]效 丑教切 chuō
⑮ [去]嘯 他弔切 tiào
[二] 탁(착[本]) [入]覺 敕角切 chuò

[字解] [一] ①달릴 초 빨리 감. 질주함. '趫一'. '一夭蹻'《漢書》. ②뛸 초 껑충 뜀. 도약함. '一婥枝'《後漢書》. ③넘을 초 뛰어넘음. '一宇宙, 而遺俗兮'《後漢書》. [二] ①멀 탁 멀리 떨어짐. '上谷至遼東, 地一遠'《史記》. ②뛰어날 탁 卓(十部 六畫)과 同字. '非有一絕之能, 不相踰越'《漢書》. ③절름거릴 탁 踸(足部 九畫)을 보라. '踸一'.
[字源] 篆文 形聲. 足+卓〔音〕. '卓탁'은 '높다'의 뜻. 한쪽 발로 높이 뛰어오르다의 뜻을 나타냄.

[踔厲風發 탁려풍발] 탁월하고 격렬하여 바람과 같이 세차게 나온다는 뜻으로, 도도(滔滔)하고 힘찬 웅변(雄辯)을 형용하는 말.
[踔然 탁연] 고원(高遠)한 모양. 또, 뛰어난 모양. 탁연(卓然).
[踔遠 탁원] 아득히 멂.
[踔絕 탁절] 훨씬 뛰어남. 탁절(卓絕).
◉趫踔. 躡踔. 略踔. 勇踔. 趻踔. 踸踔. 卓踔.

8 [踛] [一] 록 [入]月 勒沒切 lù
⑮ [二] 려 [去]霽 郎計切 lì

[字解] [一] 못나아갈 록 못 나아감. 앞으로 나아가지 못해 애먹음. '踕一'. '一, 踕一, 不進'《集韻》. [二] 저는발 려 절룩거리며 걷는 발. '一, 跛足'《集韻》.

8 [踖] 적 [入]陌 資昔切 jí
⑮ 秦昔切

[字解] ①밟을 적 밟고 지나감. '毋一席'《禮記》. ②삼갈 적 공손한 모양. 조심하는 모양. '踧一'. ③재빠를 적 민첩한 모양. '執爨一一'《詩經》. ④부끄러워할 적 양심에 가책을 느끼는 모양. '勞一一'《太玄經》.
[字源] 篆文 形聲. 足+昔〔音〕. '昔석'은 겹쳐 쌓다, 포개다의 뜻. 발을 포개어 넘어가다의 뜻을 나타냄. 또, 발을 조금씩 떼어 옮기다의 뜻에서, '조심하다'의 뜻을 나타냄.

[踖踖 적적] ㉠조심하여 걷는 모양. ㉡부끄러워하는 모양. ㉢민첩한 모양. 재빠른 모양.
[踖踧 적축] 조심하여 걷는 모양. 또, 공손한 모양.
◉踧踖.

8 [䠅] [人名] 곤 [上]阮 苦本切 kǔn
⑮

[筆順]

[字解] ①얼어터진발 곤 동상(疼傷) 걸린 발. '一, 瘃足也'《說文》. ②자취 곤 발자국. '一, 一曰, 迹也'《集韻》.
[字源] 形聲. 足+困〔音〕

8 [䠗] 구 [平]虞 恭于切 jū
⑮

[字解] 발곱을 구 추위에 발이 곱음. 추위로 발의 감각이 둔함. '一, 足寒曲也'《集韻》.

8 [䟾] [一] 철 [入]屑 株劣切 zhuó
⑮ [二] 궐 [入]屑 紀劣切 juě

[字解] [一] 뛸 철 뜀. 뛰어오름. '一, 跳也'《集韻》. [二] 팔짝팔짝뛸 궐 팔짝팔짝 뜀. 약간 뛰어오름. '一, 小跳也'《集韻》.

8 [跰] [一] 변 [平]先 部田切 pián
⑮ [二] 병 [去]徑 壁瞑切 bèng

[字解] [一] ①비틀비틀할 변 '一蹮'은 비틀비틀하며 이리저리 쓰러질 듯이 걷는 모양. '一蹮而鑑於井'《莊子》. ②못박일 변 살갗에 박이는 못. 또, 손발의 틈. 胼(肉部 八畫)과 同字. '胼胝, 皮上堅也. 一, 上同'《廣韻》. [二] 내달릴 병 흩어져 달아남. 迸(辵部 八畫)과 同字. '迸, 說文, 散走也. 或从足'《集韻》.
[字源] 形聲. 足+幷〔音〕
[參考] 跰(足部 六畫)은 俗字.

[跰蹮 변선] 자해(字解)[一]❶을 보라.

[蹁躚 변선] 춤추는 모양.
[蹁踵 변종] 세성(歲星)이 술(戌)에 있을 때의 이름.

8 ⑮ **[踝]** 과(화[本])[上]馬 胡瓦切 huái 

[字解] ①복사뼈 과 거골(距骨). '膝―'. ②발뒤꿈치 과 '負繩及―以應直'《禮記》. ③외로울 과 홀로 있는 모양. '其形――然'《釋名》.
[字源] 篆文  形聲. 足+果〔音〕. '果과'는 나무 열매의 뜻. 발에 호두 모양으로 있는 '복사뼈'의 뜻을 나타냄.

[踝踝 과과] 외로운 모양. 혼자 있는 모양.
[踝跣 과선] 맨발.
[踝足 과족] 맨발.
◉膝踝. 兩踝.

8 ⑮ **[𨂂]** 돌 [入]月 他骨切 tú

[字解] ①밟을 돌 밟음. 디딤. '―, 一曰, 蹀也'《集韻》. ②앞으로나아가지못할 돌 앞으로 나아가지 못함. 가는 데 불편함. '―踙'. '―, ―踙, 前不進也'《集韻》.

8 ⑮ **[踞]** [人名] 거 [去]御 居御切 jù 

[字解] ①웅크릴 거 무릎을 세우고 앉음. '蹲―'. '獨處而―'《大戴禮》. ②걸어앉을 거 걸터앉음. '沛公方―牀'《漢書》. ③발뻗고앉을 거 퍼더버림. '高祖箕―罵詈, 甚慢之'《漢書》. ④오만할 거 '威不信長城, 反賂遺而尙―敖'《鹽鐵論》.
[字源] 篆文  形聲. 足+居〔音〕. '居거'는 '앉다'의 뜻. '足족'을 붙여, 퍼더버리고 앉다의 뜻을 나타냄.

[踞肆 거사] 웅크림. 쭈그림.
[踞傲 거오] 오만함. 교만 방자함.
[踞蹲 거준] 웅크림. 쭈그림.
◉箕踞. 蹲踞. 盤踞. 龍蟠虎踞. 夷踞. 蹲踞. 虎踞.

8 ⑮ **[𨂊]** 굴 [入]物 九勿切 jué

[字解] 힘 굴 힘〔力〕. 힘이 셈. 발의 힘이 셈. '―, 足多力也'《玉篇》.

8 ⑮ **[踩]** [一] 규 kuí [二] 렬 liè [三] 채 [現] cǎi

[字解] [一] 뛸 규 '―, 跳也'《篇韻》. [二] 뛸 렬 [一]과 뜻이 같음. [三]《現》①밟을 채, 짓밟을 채 '不防脚底下果―滑了'《紅樓夢》. ②캘 채 채취(採取)함.

8 ⑮ **[踗]** 녑 [入]葉 諾叶切 niè

[字解] 경쾌하게갈 녑 경쾌하게 감. 사뿐사뿐 걸음. '―, 行輕也'《集韻》.

8 ⑮ **[𨁾]** 비 [去]未 扶沸切 fèi [上]尾 府尾切 

[字解] 종지뼈잘라낼 비 '―罰'은 종지뼈를 잘라 내는 형벌. '―罰五百'《書經》.
[字源] 篆文  形聲. 足+非〔音〕. '非비'는 양쪽으로 가르다의 뜻. 종지뼈를 잘라 내는 형벌(刑罰)의 뜻을 나타냄.

[𨁾罰 비벌] 자해(字解)를 보라.

8 ⑮ **[踟]** 지 [平]支 直離切 chí 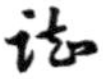

[字解] 머뭇거릴 지 망설이고 떠나지 못함. 떠나기를 주저함. '搔首―蹰'《詩經》. '每逢絕勝卽―躇'《范成大》.
[字源] 形聲. 足+知〔音〕

[踟躇 지저] 망설이고 떠나지 못하는 모양. 떠나기가 어려워 머뭇거리는 모양.
[踟跦 지주] 지주(踟蹰).
[踟蹰 지주] ㉠머뭇거리는 모양. 망설이고 잘 가지 못하는 모양. ㉡연(連)한 모양. 잇닿은 모양.

8 ⑮ **[踠]** [一] 원 [上]阮 於阮切 wǎn [二] 와 [去]箇 烏臥切 wò 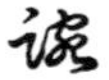

[字解] [一] 굽을 원, 굽힐 원 발·몸이 구부러짐. 발·몸을 구부림. '馬―餘足'《後漢書》. [二] 넘어질 와 헛디디거나 발부리가 무엇에 걸려 넘어짐. 踒(足部 八畫)와 同字. '踒, 說文, 足跌也. 或作―'《集韻》.
[字源] 形聲. 足+宛〔音〕. '宛완·원'은 '굽히다'의 뜻.

◉馬踠. 攣踠.

8 ⑮ **[𨂻]** 붕 [平]蒸 蒲登切 péng

[字解] 달릴 붕 달림. '―, 走也'《集韻》.

8 ⑮ **[𨂘]** 호 háo

[字解] 약이름 호 약 이름. 약명. '―, 藥名'《龍龕手鑑》.

8 ⑮ **[踡]** 권 [平]先 巨員切 quán 

[字解] 구부릴 권, 굽을 권 웅크림. 오그라져 펴지지 않음. 또, 마음이 위축(萎縮)되는 모양. '崙菌―嵼'《王延壽》. '―局顧而不行'《楚辭》.
[字源] 形聲. 足+卷〔音〕. '卷권'은 '말다'의 뜻. 다리를 말 듯하다, 구부리다의 뜻을 나타냄.

[踡跼 권국] 몸을 오그림. 또, 몸이 오그라져 펴지지 아니함.
[踡嵼 권산] 굽은 모양. 일설(一說)에는, 홀로 우뚝 솟은 모양.

8 ⑮ **[踢]** [一] 척 [入]錫 他歷切 tī [二] 착 [入]藥 勅略切 chuò 

[字解] [一] 찰 척 발로 물건을 참. '―, 以足蹵物'《正字通》. [二] 허둥지둥할 착 '矍―'은 갑작스러운 모양. 당황하여 허둥거리는 모양. '河靈矍―'《漢書》.
[字源] 形聲. 足+易〔音〕. '易역'은 '提제'와 통하여, 팔을 내밀다의 뜻. 다리를 내밀다, 발로 차다의 뜻을 나타냄.

[參考] 踼(足部 九畫)은 別字.

◉躩踼.

8 ⑮ [⿰足㝵] 득 [入]職 的則切 dé

[字解] 가는모양 득 가는 모양. '一, 一一, 行皃'《集韻》.

8 ⑮ [踣] [一] 복 [入]職 蒲北切 bó
[二] 부 [去]宥 匹候切 pòu
[去]遇 芳遇切

[字解] [一] 넘어질 복, 넘어뜨릴 복 '顚一'. '傾一'. '凡殺人者, 一諸市'《周禮》. [二] ①넘어질 부, 넘어뜨릴 부 仆(人部 二畫)와 同字. ②망할 부 '故設用無度, 國家一'《管子》.

[字源] 篆文 形聲. 足+咅〔音〕. '咅부'는 넘어지는 모양을 나타내는 의성어(擬聲語). '푹 쓰러지다'의 뜻을 나타냄.

[踣斃 복폐] 넘어져 죽음. 자빠져 죽음.
◉僵踣. 傾踣. 困踣. 頓踣. 顚踣. 躓踣. 竄踣. 斃踣.

8 ⑮ [踛] 록 [入]沃 龍玉切 lù

[字解] ①가는모양 록 가는 모양. 걸어가는 모양. '一, 行皃'《集韻》. ②삼갈 록 삼감. 공손함. '一, 一日, 恭也'《集韻》.

8 ⑮ [踤] [一] 졸 [入]月 昨沒切 zú
[二] 취 [去]寘 秦醉切 cuì

[字解] [一] ①찰 졸, 밟을 졸 발로 참. '師軍一陆'《漢書》. ②닿을 졸 부딪혀 닿음. '衝一而斷筋骨'《左思》. ③놀랄 졸 경악함. 啐(口部 八畫)과 통용. '一, 一日, 駭也'《說文》. ④허둥거릴 졸, 급작스러울 졸 猝(犬部 八畫)과 통용. '倉一'. [二] 모일 취 모여듦. '鷩一于林'《太玄經》.

[字源] 篆文 形聲. 足+卒〔音〕. '卒졸'은 '갑자기'의 뜻. '허둥거리다'의 뜻을 나타냄.

8 ⑮ [踥] 첩 [入]葉 七接切 qiè

[字解] 총총걸을 첩 '一蹀'은 총총히 걷는 모양. 또, 바삐 오가는 모양. '衆一蹀而日進兮'《楚辭》.

[踥蹀 첩접] 자해(字解)를 보라.

8 ⑮ [踦] [一] 기 ①-⑥[平]支 去奇切 qī
⑦[上]紙 語綺切 yǐ
[二] 의 [去]寘 於義切 yì

[字解] [一] ①절름발이 기 절름거리는 사람. '一跂畢行'《國語》. '兔跛鹿一'《易林》. ②한짝 기 짝이 있는 물건의 한쪽. '亦足以復雁門之一'《漢書》. ③발 기 또, 다리. '男女切一'《淮南子》. ④정강이 기 '一, 脛也'《廣雅》. ⑤모자랄 기 부족함. 畸(田部 八畫)와 통용. '或贏或一'《太玄經》. ⑥험준할 기 崎(山部 八畫)와 同字. '山阜猥積而一嶇'《左思》. ⑦닿을 기 접촉함. '膝之所一'《莊子》. [二] 의지할 의 倚(人部 八畫)와 통용. '強弱相一'《韓非子》.

[字源] 篆文 形聲. 足+奇〔音〕. '奇기'는 몸을 구부려서 서는 사람의 뜻. '足족'을 덧붙여, '절름발이'의 뜻을 명확히 했음.

[踦距 기거] 산길 따위의 평탄치 않은 모양. 험준한 모양.
[踦嶇 기구] 험준한 모양. 기구(崎嶇).
[踦跂 기기] 절름발이. 전(轉)하여, 불구자(不具者).
[踦隻 기척] 절름발이.
[踦閭 의려] 촌리(村里)의 문(門)에 몸을 기대어 섬. 또, 아들이 돌아오기를 어머니가 마음을 졸여 가며 기다림의 비유.
◉雁門之踦. 禹踦. 跐踦. 長踦.

8 ⑮ [⿰足卑] [一] 비 ①②[上]紙 部弭切 bì
③[平]支 篇夷切 bǐ
[二] 배 [平]佳 蘗佳切 bāi
[三] 변 [平]先 蒲眠切

[字解] [一] ①넓적다리 비 髀(骨部 八畫)의 古字. ②아랫부분클 비 물건의 아랫부분이 큼. '一, 形下大也'《集韻》. ③밑넓을 비 [三]과 뜻이 같음. [二] 왔다갔다할 배 '一, 蹟一, 行繚戾也'《集韻》. [三] 밑넓을 변 종(鐘)의 아랫부분이 넓음. '一, 鐘形下廣也'《集韻》.

8 ⑮ [踧] [一] 척 [入]錫 徒歷切 dí
[二] 축 [入]屋 子六切 cù

[字解] [一] 평평하여가기쉬울 척 길이 평탄한 모양. '一, 行平易也'《說文》. '一一周道'《詩經》. [二] ①받들고삼가는모양 축 '一, 一踖, 恭謹不安貌'《正字通》. ②가기어려울 축 '一, 踖, 不進也'《字林》. ③놀라는모양 축 '或人一爾曰'《法言》. ④쪼들릴 축 곤궁에 허덕임. '一, 困迫也'《正字通》.

[字源] 篆文 形聲. 足+叔〔音〕

[踧踧 척척] 길이 평탄한 모양.
[踧踖 축적] 조심하는 모양. 삼가는 모양. 또, 공손한 모양.
◉驅踧. 窮踧. 蹜踧. 踖踧.

8 ⑮ [⿰足典] 전 [上]銑 他典切 tiǎn

[字解] ①자국 전 자국. 지나간 발자취. '一, 行迹'《廣韻》. ②가는모양 전 가는 모양. '一, 行皃'《集韻》.

8 ⑮ [踪] [人名] 종 [平]冬 卽容切 zōng

[字解] 발자취 종 蹤(足部 十一畫)과 同字. '一跡深藏'《宋史》.

[字源] 形聲. 足+宗〔音〕

[踪跡 종적] 발자취. 전(轉)하여 행방.

8 ⑮ [踓] 유 [上]紙 愈水切 wěi

[字解] ①미쳐서달릴 유 '一, 狂走也'《類篇》. ②밟을 유 '一, 蹵也'《玉篇》.

8 ⑮ [踒] 와 [平]歌 烏禾切 wō
[去]箇 烏臥切

[字解] ①실족할 와 발을 헛디디어 엎드러짐. '—, 足跌也'《說文》. ②부러질 와 '一曰, 折也'《集韻》. '爰墮高木, 不一手足'《易林》.

[字源] 篆文 踓 形聲. 足+委[音]. '委'는 힘없이 늘어지다의 뜻. 발이 힘없이 구부러져 실족하다의 뜻을 나타냄.

[踓肩 와견] 굽은 어깨.

8 ⑮ [踜] 첩 ㈇葉 疾葉切 jié

[字解] ①발잴 첩 발이 잼. '—, 足疾'《集韻》. ②걸을 첩 걷는 모양. '—, 行皃'《集韻》.

8 ⑮ [踜] 륙 ㈇屋 力竹切 lù

[字解] ①뛰어갈 륙 발을 번쩍번쩍 들어 올리며 뛰어 달리는 모양. '—, 翹—, 行也'《玉篇》. '—, 翹—, 行貌'《直音篇》. '夔牻翹—於夕陽'《郭璞》. ②기어오를 륙 '像猢猻—樹一般'《平妖傳》.

8 ⑮ [�]
㈠ 촉 ㈎沃 丑玉切 chù
㈡ 탁 ㈎覺 竹角切 zhuó

[字解] ㈠ 달릴 촉 달림. '—, 走也'《集韻》. ㈡ 뛸 탁 띔. 뛰어오름. '—, 跳也'《集韻》.

8 ⑮ [踘] 〔국·궁〕鞠(革部 八畫〈p.2526〉)과 同字

8 ⑮ [踠] 〔부〕跗(足部 五畫〈p.2228〉)의 俗字

8 ⑮ [踨] 〔종〕蹤(足部 十一畫〈p.2245〉)의 俗字

8 ⑮ [踁] 〔경〕脛(肉部 七畫〈p.1849〉)과 同字

8 ⑮ [踔] 〔척·저〕蹢(足部 十一畫〈p.2244〉)의 古字

8 ⑮ [踘] 〔도〕蹈(足部 十畫〈p.2242〉)의 古字

9 ⑯ [踰] 人名
㈠ 유 ㈅虞 羊朱切 yú
㈡ 요 ㈅蕭 餘招切 yáo

[字解] ㈠ ①넘을 유 ㉠한정에서 벗어나 지남. '—越'. '吾年—七十'《世說》. '無—我里'《詩經》. ㉡어느 장소를 위로 통과함. 건넘. '—嶺'. '終不能—河而北'《主父偃》. ㉢뛰어넘음. '—獄'. '—垣上屋'《素問》. ㉣초월함. 걸출함. '—於等類'《急就篇》. ㉤경과함. 양쪽에 걸침. '—限'. '—月則其善也'《禮記》. ㉥나아감. 감. '固難—也'《呂氏春秋》. ②이길 유, 나을 유 '子發攻蔡—之'《淮南子》. ③뛸 유 도약함. '超—跳躍'《淮南子》. ④더욱 유 한층 더. '亂乃—甚'《淮南子》. ㈡ 멀 요, 아득할 요 遙(辵部 十畫)와 同字. '毋—言'《禮記》.

[字源] 篆文 踰 形聲. 足+兪[音]. '兪'는 빠져나오다, 벗어나다의 뜻. 어떤 범위의 곳에서 빠져나오다, 넘다의 뜻.

[踰望 요망] 멀리 바라봄.

[踰言 요언] 서로 멀리 떨어져 이야기함.
[踰檢 유검] 몸을 검속(檢束)하지 않고 제멋대로 굶.
[踰年 유년] 해를 넘겨 이듬해에 걸침.
[踰歷 유력] 넘음. 지남.
[踰嶺 유령] 고개를 넘음. 재를 넘음.
[踰輪 유륜] 주목왕(周穆王)의 말의 이름. 팔준마(八駿馬)의 하나.
[踰邁 유매] 세월이 지남.
[踰跗 유부] 고대(古代) 명의(名醫)의 이름. 황제(黃帝)의 신하(臣下)로서 오장(五臟)을 세척(洗滌)했다 함.
[踰獄 유옥] 옥의 담을 넘어 도망함. 탈옥(脫獄).
[踰月 유월] 달을 넘김. 그달이 지남.
[踰越 유월] ㉠넘어감. ㉡자기 분수에 지나침.
[踰佚 유일] 넘어서 딴 곳으로 감.
[踰逸 유일] 일락(逸樂)을 극(極)함.
[踰牆 유장] 담을 뛰어넘음. 남녀가 남몰래 만나 난잡한 짓을 하는 일.
[踰制 유제] 상규(常規)를 벗어남. 제한을 넘음.
[踰僭 유참] 참람(僭濫)함.
[踰侈 유치] 분수가 지나침. 분수에 넘게 사치함.
[踰限 유한] 기한(期限)을 넘김.
　●升踰. 遠踰. 越踰. 竊踰. 穿踰. 超踰.

9 ⑯ [踳]
㈠ 낙 ㈎藥 女略切 nuò
㈡ 나 ㈎禡 乃嫁切 nà
㈢ 야 ㈑馬 爾者切 rè

[字解] ㈠ 밟을 낙 밟음. '—, 踐也'《集韻》. ㈡ 아장거릴 나 아장거림. 어린애가 처음으로 걷기 시작하는 모양. '踳—, 行皃'. '—, 小兒始行兒'《集韻》. ㈢ 뻗디딜 야 뻗디딤. 발에 힘을 주고 버티어 디딤. '—, 踳—, 距地用力也'《集韻》.

9 ⑯ [踳] 준 ㈒軫 尺尹切 chǔn

[字解] ①실의할 준 뜻을 잃은 모양. 실망한 모양. '容色——'《盧照鄰》. ②어긋날 준, 어그러질 준. 그르칠 준 어그러져 어지러운 모양. '—駮, 相乖牛也'《廣韻》. '其道—駮'《莊子》. ③뒤섞일 준 舛(部首)·僢(人部 十二畫)과 同字. '—, 雜也'《集韻》.

[字源] 舛의 別體 踳 形聲. 足+春[音]

[踳駁 준박] 그르쳐서 혼란한 모양. 뒤죽박죽이 된 모양.
[踳踳 준준] 실의(失意)한 모양.

9 ⑯ [踵] 人名 종 ㈒腫 之隴切 zhǒng

[字解] ①발꿈치 종 발의 뒤꿈치. ②뒤밟을 종 가만히 뒤따름. 뒤쫓음. '—吳—楚'《左傳》. ③이를 종 도달함. '—門而告文公'《孟子》. ④이을 종 ㉠계속함. '後數十萬人'《漢書》. ㉡이어받음. 계승함. '—二皇之遐武'《張衡》. ⑤찾을 종 심방함. '—介旅'《後漢書》. ⑥인할 종 '—秦而置材官於郡國'《漢書》. ⑦자주 종 누차. 거듭. '—見仲尼'《莊子》.

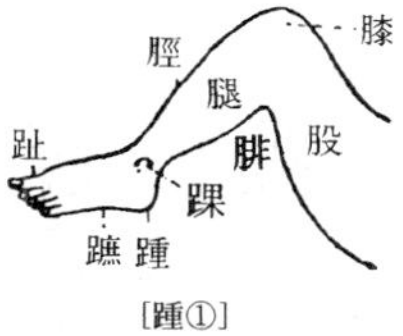

[踵①]

[字源] 篆文 形聲. 足+重〔音〕. '重중'은 뒤를 따르다의 뜻. 뒤를 쫓다의 뜻을 나타냄. 또, '重'은 '무겁다'의 뜻. 무게가 실리는 '발뒤꿈치'의 뜻.

[踵繫 종계] 연달아 포박당함.
[踵古 종고] 옛일을 계승함.
[踵武 종무] 뒤를 이음. 선인(先人)의 사업을 계속함. '武'는 발자국.
[踵門 종문] 친히 그 집에 이름. 방문함.
[踵息 종식] 발꿈치로 한다는 깊은 호흡. 마음을 조용히 하는 양생술(養生術).
[踵接 종접] 발꿈치가 잇닮. 곧, 많은 사람이 연달아 가거나 옴의 비유.
[踵踐 종천] 짓밟음.
◉擧踵. 繼踵. 企踵. 箕踵. 踏踵. 比踵. 接踵. 追踵.

9 ⑯ [踶] [一] 제 ①[去]霽 特計切 dì
②[平]齊 田黎切 tí
[二] 지 [上]紙 池爾切 zhì
[三] 시 [上]紙 上紙切 shì

[字解] [一] ①밟을 제 가볍게 밟음. '怒則分背相―'《莊子》. ②굽 제 蹏(足部 十畫〈p. 2243〉)와 同字. [二] ①힘쓸 지 '―跂'는 심력(心力)을 경주(傾注)하는 모양. '―跂爲義'《莊子》. ②머뭇거릴 지 알짱알짱하고 앞으로 나아가지 못함. '跱, 說文, 躇也, 或作踟·―'《集韻》. [三] 소발뻗을 시 소가 발을 폄. '―, 牛展足, 謂之―'《集韻》.
[字源] 篆文 形聲. 足+是〔音〕. '是시'는 '곧바로'의 뜻으로, 곧바로 나아가다의 뜻을 나타냄.

[踶馬 제마] 차는 버릇이 있는 말.
[踶死 제사] 밟혀 죽음.
[踶跂 제지] 자해(字解)[二]를 보라.
◉奔踶.

9 ⑯ [蹯] 밤 [平]咸 皮咸切 pán

[字解] 걸어건널 밤 걸어서 물을 건넘. '―, 步渡水'《廣韻》.

9 ⑯ [踸] 침 [上]寢 丑甚切 chěn
[平]侵 癡林切

[字解] 절룩거릴 침 '―踔'은 ㉠절룩거리며 가는 모양. 일설(一說)에는, 앙감질하는 모양. ㉡일정하지 아니한 모양. 무상(無常)한 모양. ㉢갑자기 자라는 모양. '何罪而―踔'《劉禹錫》.
[字源] 篆文 形聲. 足+甚〔音〕

[踸踔 침탁] 자해(字解)를 보라.

9 ⑯ [踴] 격 [入]錫 苦莫切 qù
[入]陌 弃役切

[字解] ①웅크릴 격 쭈그리고 앉음. '―, 踞也'《集韻》. ②굴신할 격 굴신(屈伸)하는 모양. '―, 踧―, 屈伸皃'《集韻》.

9 ⑯ [踺] [一] 규 ①[上]紙 丘弭切 kuǐ
②[平]齊 傾畦切 kuí
[二] 위 [上]紙 五委切 wěi

[字解] [一] ①발벌릴 규 '―踵'은 발을 벌리는 모양. '―, ―踵, 開足之皃'《廣韻》. ②칠 규 '―踽, 博物皃'《集韻》. [二] 비틀거릴 위 발을 벌리고 비틀거리며 걷는 모양. '―踽盤桓'《張衡》.

9 ⑯ [蹊] [一] 계 [去]寘 其季切 jì
[二] 규 [平]支 渠龜切 kuí

[字解] [一] 발 계 발〔足〕. '―, 足也'《集韻》. [二] 정강이살 규 정강이의 살. 또는 굽은 정강이. '―, 說文, 脛肉也'《集韻》.

9 ⑯ [踼] 탕 [平]陽 徒郎切 táng
[平]陽 吐郎切

[字解] ①넘어질 탕 미끄러지거나 걸려 넘어짐. '魂褫氣懾, 而自―跌者'《左思》. ②종적놓칠 탕 '―, 失跡也'《一切經音義》. ③막을 탕 저지함. 党(止部 八畫)과 통용.
[字源] 篆文 形聲. 足+昜〔音〕. '昜양'은 '오르다'의 뜻. 발이 올라가고 넘어지다의 뜻을 나타냄.
[參考] 踢(足部 八畫)은 別字.

9 ⑯ [蹃] [一] 복 [入]屋 方六切 fú
[二] 벽 [入]職 筆力切 bì

[字解] [一] 모일 복 '―踧'은 모이는 모양. '―, ―踧, 聚皃'《廣韻》. [二] ①땅밟는소리 벽 '―, 蹋地聲'《廣韻》. ②밟을 벽 '―, 踏也'《集韻》. ③닥칠 벽 '―踧'은 닥치는 모양. '―踧攢仄'《馬融》.

9 ⑯ [蹑] 하 [平]麻 何加切 xiā

[字解] ①발자국 하 '―, 足所履也'《說文》. ②발밑 하 발 아래. '―, 腳下'《廣韻》.
[字源] 形聲. 足+叚〔音〕

9 ⑯ [踽] 우(구[本]) [上]麌 俱雨切 jǔ

[字解] ①외로울 우 고독한 모양. 혼자 가는 모양. 친한 사람이 없는 모양. '獨行――'《詩經》. ②성기게갈 우 드문드문 가는 모양. '―, 疏行皃'《說文》. ③곱사등이 우 '旁行―僂'《宋玉》.
[字源] 篆文 形聲. 足+禹〔音〕. '禹우'는 '구푸리다'의 뜻. 등을 구푸리고 쓸쓸히 걸어가다의 뜻에서, 혼자 가다의 뜻을 나타냄.

[踽僂 우루] 곱사등이.
[踽踽 우우] 혼자 가는 모양. 외로운 모양.
[踽踽涼涼 우우양량] 우우(踽踽).

9 ⑯ [蹀] 접 [入]葉 徒協切 dié

[字解] ①밟을 접 땅을 밟고 감. 또는, 밟아 누름. '足―陽阿之舞'《淮南子》. ②잔걸음할 접 '躡―而容與'《張衡》.
[字源] 形聲. 足+枼〔音〕. '枼엽'은 '겹쳐지다'의 뜻. 발을 거듭 밟다, 제자리걸음을 하다의 뜻을 나타냄.

[蹀躞 접섭] ㉠말이 저벅저벅 걷는 모양. ㉡왕래가 빈번한 모양. ㉢허리띠의 장식.
[蹀蹀 접접] 가는 모양.
[蹀足 접족] 제자리걸음. 제자리걸음을 함.

●跋蹀. 跍蹀. 騰蹀. 躞蹀. 蹁蹀. 蹂蹀.

9 ⑯ [蹁] 편
㊀先 部田切 pián
㊁先 布玄切

字解 ①비틀거릴 편 '可聽一輖則駪'《晉書》. ②무릎 편 슬두(膝頭).

字源 形聲. 足+扁〔音〕. '扁편'은 '치우치다〔偏〕'의 뜻. 발이 한쪽으로 쏠리어, '비틀거리다'의 뜻을 나타냄.

[蹁躚 편선] ㉠빙 돌아서 가는 모양. ㉡빙빙 돌며 춤추는 모양.

9 ⑯ [踀] 주
㊇宥 則候切 zòu

字解 밟을 주 밟음. 디딤. '一, 躝也'《集韻》.

9 ⑯ [蹂] 유 [人名]
㉠㊇宥 人又切 rǒu
㉡㊇尤 耳由切 róu

字解 밟을 유 ㉠짐승이 발로 짓밟음. '一躝'. '餘騎相一踐'《史記》. ㉡벼를 짓밟아 곡식을 떪. '或簁或一'《詩經》.

字源 形聲. 足+柔〔音〕. '柔유'는 '부드럽다'의 뜻. 발을 써서 벼 따위를 부드럽게 되도록 밟다의 뜻을 나타냄.

[蹂轢 유린] 유린(蹂躪).
[蹂躙 유린] 유린(蹂躪).
[蹂躪 유린] ㉠짓밟음. ㉡폭력으로 남의 권리를 침해함.
[蹂若 유약] 짓밟음.
[蹂踐 유천] 짓밟음.
●攻蹂. 芟蹂. 殘蹂. 雜蹂. 踐蹂. 馳蹂.

9 ⑯ [蹇] 건
㊇願 渠建切 jiàn

字解 가는모양 건 가는 모양. '一, 行皃'《集韻》.

9 ⑯ [踹]
㊀㊄銑 市兗切 shuàn
㊁㊇翰 丁貫切 duàn

字解 ㊀①발꿈치 천 발의 후부. ②발구를 천 대단히 화가 나서 발을 구름. '一而怒'《淮南子》. ㊁발꿈치 단, 발구를 단 ㊀과 뜻이 같음.

字源 形聲. 足+耑〔音〕.

9 ⑯ [蹄] 제
①-③㊀齊 杜奚切 tí
④㊇霽 大計切 dì

字解 ①굽 제 마소 따위의 짐승의 발톱. '馬一'. '四騾去一'《儀禮》. ②발 제 짐승의 발. '獸一鳥迹之道, 交於中國'《孟子》. 전(轉)하여, 말을 세는 수사(數詞)로 쓰이는데, 네 발을 한 마리로 계산함. '陸地牧馬二百一'(오십 마리)《史記》. ③올무 제 토끼 같은 것을 잡는 올가미. '得兔而忘一'《莊子》. ④찰 제, 밟을 제 발로 차거나 짓밟음. '怒相一齧者'《韓愈》.

字源 形聲. 足+帝〔音〕. '帝제'는 하나로 통일하다의 뜻. 발가락이 하나로 뭉쳐진 발굽의 뜻을 나타냄.

[蹄齧 제설] 차고 깨뭄.
[蹄洼 제와] 우묵 들어간 마소의 발자국. 전(轉)하여, 협소(狹小)한 땅.

[蹄涔 제잠] 마소의 발자국에 괴어 있는 물. 곧, 조금 괴어 있는 물. 전(轉)하여, 미소(微小)한 사물의 비유.
[蹄筌 제전] 토끼 올무와 고기를 잡는 통발. 모두 동물을 잡는 도구로서 목적을 이루면 소용없이 되는 것. 전(轉)하여, 방편.
[蹄鐵 제철] 말굽에 박는 대접쇠 같은 쇠. 편자.
●輕蹄. 奇蹄. 單蹄. 豚蹄. 馬蹄. 瘦蹄. 獸蹄. 躍蹄. 牛蹄. 偶蹄. 圓蹄. 輪蹄. 枝蹄. 鐵蹄. 駝蹄. 侯蹄.

9 ⑯ [蹐] 독
㊇沃 徒沃切 dú

字解 바르게가지않을 독 바르게 가지 아니함. '一, 行不正'《集韻》.

9 ⑯ [踱]
㊀탁 ㊇藥 徒落切 duó
㊁착 ㊇藥 敕略切 chuò

字解 ㊀①맨발 탁, 맨발로밟을 탁 맨발. 또, 맨발로 땅을 밟음. '一, 跣足蹋地'《廣韻》. ②오락가락할 탁 머뭇거릴 탁 멈칫거리며 선뜻 가지 못함. '踛一, 乍前乍卻'《玉篇》. ③천천히걸을 탁 느릿느릿 크게 발을 떼어 걸음. '一出山門外'《水滸傳》. ㊁건너뛸 착 허둥지둥 건너뜀. 蹭(足部 十三畫)과 同字.

字源 形聲. 足+度〔音〕.

9 ⑯ [踻] 추
㊀尤 雌由切 qiū

字解 ①갈 추 가는 모양. 趥(走部 九畫)와 同字. '一, 說文, 行皃'《集韻》. ②밟을 추 鰌(魚部 九畫)와 통용. '鰌, 李云, 藉也. 本又作一'《莊子 注》.

9 ⑯ [踴] 〔용〕
踊(足部 七畫〈p. 2234〉)과 同字

9 ⑯ [遁] 〔돈·둔〕
遯(辵部 十一畫〈p. 2320〉)과 同字

9 ⑯ [躂] 〔달〕
躂(足部 十三畫〈p. 2249〉)과 同字

9 ⑯ [蹿]
蹿(前條)과 同字

9 ⑯ [踅] 〔가〕
骼(骨部 九畫〈p. 2616〉)의 俗字

9 ⑯ [踻] 과
㊀麻 姑華切 guā

字解 발금 과 발의 금. 발의 살갗에 나 있는 금. '一, 足理文'《集韻》.

9 ⑯ [跿] 체
㊀霽 丑例切 chì

字解 ①건널 체 '一, 渡也'《玉篇》. ②뛰어날 체 우수(優秀)함이 보통을 넘음. '趩, 說文, 超特也, 或从足'《集韻》.

9 ⑯ [跾] 총
㊀東 麤叢切 cōng

字解 황급히갈 총 황급히 감. 허둥지둥 감. '一,

豐一, 行遽'《集韻》.

9 [蹋] 탁 ㉠藥 闥各切 tuò
16

字解 해이할 탁 해이함. 조심성이 없고 예의에
벗어남. 방종함. '一弛'. '一, 一弛, 亦作跅'
《玉篇》.

10 [蹈] ㉭名 도 ㉠號 徒到切 dǎo
17

筆順 ⻊ ⻊⁻ ⻊⁼ ⻊⁼ 𧾷 𧾷 𧾷 蹈

字解 ①밟을 도 ㉠발을 구르며 땅을 밟음. '不
知手之舞之, 足之一之'《禮記》. ㉡짓밟음.
'蹂一文錦于泥塗之中'《論衡》. ㉢걸음. 보행함.
'使我高一'《左傳》. ㉣이행함. 실천함. '一道민
未也'《穀梁傳》. ㉤이어받음. 따름. 옛것대로
함. '不務襲一'《韓詩外傳》. ㉥점유(占有)함. 의
거함. '跨一漢南'《魏志》. ②슬퍼할 도 悼(心部
八畫)와 통용. '上帝甚一'《詩經》.
字源 篆文 蹈 形聲. 足+舀[音]. '舀도'는 '뽑아내
다'의 뜻. 발을 위로 뽑아 올리다의
뜻에서, '제자리걸음'의 뜻을 나타냄.

[蹈歌 도가] 발을 구르며 노래 부름. 답가(踏歌).
[蹈厲 도려] 분기(奮起)하여 힘씀.
[蹈履 도리] 이행함.
[蹈舞 도무] 몹시 좋아서 발을 구르며 춤춤.
[蹈水 도수] 헤엄침. 수영함.
[蹈水火 도수화] ㉠위험한 일을 함. ㉡대단히 위험
에 빠짐.
[蹈襲 도습] 전에 하던 방식이나 수법을 그대로
따라함. 답습(踏襲).
[蹈于湯火 도우탕화] 위험한 곳으로 들어감.
[蹈節死義 도절사의] 절조를 지키고 의를 위하여
죽음.
[蹈踐 도천] 짓밟음.
[蹈破 도파] ㉠밟음. 파(破)는 조자(助字). ㉡험한
길이나 먼 길을 끝까지 걸어 나감. 답파(踏破).
[蹈海 도해] ㉠절개와 지조를 지키기 위하여 바다
에 몸을 던져 죽음. ㉡위험을 무릅쓰고 바다를
항해함.
●高蹈. 跨蹈. 陵蹈. 舞蹈. 犯蹈. 赴蹈. 不知手
之舞足之蹈. 襲蹈. 蹂蹈. 履蹈. 足蹈. 遵蹈.
踐蹈. 築蹈.

10 [蹊] ㉭名 혜 ㉠齊 胡雞切 xī
17   ㉡薺 戶禮切

字解 ①지름길 혜, 좁은길 혜 소로(小路). '桃李
不言, 下自成一'《史記》. ②건널 혜 질러감. 가로
지름. '牽牛以一人之田, 奪之牛'《左傳》. ③기
다릴 혜 徯(彳部 十畫)와 同字. '一, 待也'《說
文》.
字源 徯의別體 蹊 形聲. 足+奚[音]. '奚해'는 '잇다'의
뜻. 끈을 이은 것과 같은 좁은 길의
뜻을 나타냄.

[蹊徑 혜경] 좁은 길. 지름길.
[蹊路 혜로] 좁은 길. 소로.
[蹊隧 혜수] 산의 좁은 길.
[蹊要 혜요] 요해처인 좁은 길목.
[蹊田奪牛 혜전탈우] 소가 남의 전답(田畓)에 들
어가면 벌로 그 소를 빼앗음. 벌(罰)은 죄(罪)

보다 무거움.
●求蹊. 山蹊. 霜蹊. 疏蹊. 餓虎之蹊. 幽蹊. 林
蹊. 庭蹊. 荒蹊.

10 [蹉] ㉭名 차 ㉤歌 七何切 cuō
17

字解 ①넘어질 차 발을 헛디디거나 물건에 걸려
넘어짐. '一跎'. 전(轉)하여, 실패함. 시기를
놓침. '不敢一跌'《漢書》. ②지날 차 통과함.
'賓客不得一'《張華》. ③어긋날 차, 틀릴 차 '宗
周罔職, 日月爽一'《揚雄》.
字源 篆文 蹉 形聲. 足+差[音]. '差차'는 '엇갈리다'
의 뜻. 발이 엇갈려 넘어지다의 뜻을
나타냄.

[蹉過 차과] 과오. 실책. 실패.
[蹉跌 차질] ㉠발을 헛디디어 넘어짐. ㉡실패함.
틀어짐.
[蹉跎 차타] ㉠발이 물건에 걸려 넘어짐. ㉡발버
둥질함. ㉢때를 놓침. 시기가 이미 지남. ㉣불
운하여 뜻을 얻지 못함.
●旁蹉. 日蹉.

10 [踦] 와 ①㉤禡 烏化切 wà
17   ②㉠馬 烏瓦切 wǎ

字解 ①짓밟을 와 짓밟음. 밟아 누름. '一, 一
跨, 踏地用力'《廣韻》. ②걸음바르지않을 와 가
는 것이 바르지 아니함. '一跨'. '一, 一跨, 行
不正'《集韻》.

10 [蹋] 답 ㉠合 徒盍切 tà
17

字解 ①밟을 답 踏(足部 八畫)은 俗字. ②찰 답
공 같은 것을 참. '六博一鞠者'《史記》.
字源 篆文 蹋 形聲. 足+羽[音]. '羽답'은 깃과 깃
을 겹쳐서 덮다의 뜻. 제자리걸음을
하다의 뜻을 나타냄.

[蹋鞠 답국] 공. 또, 공차기. 원래 무술(武術)을
단련하기 위한 것이었음. 후세에는 유희의 하
나가 되었음. 축국(蹴鞠).
●歐蹋. 撞蹋. 常蹋.

10 [蹐] 용 ①㉤冬 如容切 róng
17   ②㉠腫 乳勇切 rǒng

字解 ①가는모양 용 가는 모양. '一, 行兒《集
韻》. ②갈 용 감. 걸어감. '一, 行也'《集韻》.

10 [跿] 〔도〕
17 踤(足部 七畫〈p.2234〉)와 同字

10 [蹌] 창 ㉤陽 七羊切 qiāng
17

字解 ①추창할 창 달리는 모양. '巧趨一兮'《詩
經》. ②움직일 창, 비틀거릴 창 움직이는 모양.
비틀비틀하는 모양. '一跟'. ③춤출 창 춤을 추
는 모양. '鳥獸——'《書經》.
字源 篆文 蹌 形聲. 足+倉[音].

[蹌跟 창랑] 비틀비틀하는 모양. 비틀거리는 모
양.
[蹌蹌 창창] ㉠춤추는 모양. ㉡사대부(士大夫)의

위의 (威儀)가 있는 모양. ㉡공구(恐懼)하여 추창(趨蹌)하는 모양. 두려워하여 달리는 모양. ㉢가는 모양.
[蹌蹌跟跟 창창낭랑] 창랑(蹌跟).
●跟蹌.

10 ⑰ 〔䠶〕등 ㊀蒸 徒登切 téng

字解 가는모양 등 가는 모양. 걸어가는 모양. '一, 踤一, 行皃'《集韻》.

10 ⑰ 〔踏〕답 ㊋合 託合切 tà

字解 ①밟을 답 '一, 跊也'《說文》. ②뛸 답 '一, 跳也'《廣雅》.
字源 形聲. 足+沓〔音〕

10 ⑰ 〔跐〕〔기〕 跽(足部 七畫〈p.2233〉)의 訛字

10 ⑰ 〔踽〕〔교·갹〕 蹻(足部 十二畫〈p.2247〉)와 同字

10 ⑰ 〔䠢〕과 ㊀禡 枯化切 kuà

字解 웅크릴 과 '一, 踞也(段注) 按, 此恐又跨字之異體'《說文》.
字源 形聲. 足+夸〔音〕

10 ⑰ 〔䠞〕 ▋ 교 ㊀肴 丘交切 qiāo / ▋ 호 ㊄號 口到切 kào

字解 ▋ 정강이 교 정강이. '一, 說文, 脛也'《集韻》. ▋ 발나가지않을 호 발이 나아가지 아니함. '一, 足不前'《集韻》.

10 ⑰ 〔䠠〕 ▋ 규 ㊄宥 輕幼切 qiù / ▋ 흉 ㊄送 香仲切 xiòng

字解 ▋ ①가는모양 규 가는 모양. '跀一'. '跀, 跀一, 行皃'《玉篇》. ②바르게가지아니할 규 바르게 가지 아니함. '一, 跀一, 行不正也'《集韻》. ③절름거릴 규 절름거림. '一, 跀行'《集韻》. ▋ 갈 흉, 피로에지쳐갈 흉 피로에 지쳐 감. '一, 說文, 行也, 一曰, 蹙趣, 或从足'《集韻》.

10 ⑰ 〔踳〕〔섭〕 躡(足部 十八畫〈p.2252〉)의 俗字·簡體字

10 ⑰ 〔䠛〕추 ㊀尤 甾尤切 zōu

字解 발 추 발. 짐승의 발. '一, 獸足也'《集韻》.

10 ⑰ 〔踶〕〔퇴〕 腿(肉部 十畫〈p.1859〉)와 同字

10 ⑰ 〔䠌〕전 ㊄銑 知輦切 zhǎn

字解 ①밟을 전 디딤. 밟아 누름. '一市人之足'《莊子》. ②넘어질 전 헛디디거나 발부리가 무엇에 걸려 넘어짐. '一, 蹎也'《集韻》.
字源 形聲. 足+展〔音〕

10 ⑰ 〔蹍〕전 ㊀先 都年切 diān

字解 넘어질 전 걸리거나 헛디디어 넘어짐. '搏塗而塞江海, 憔僥而戴太山, 一跌碎折, 不待頃矣'《荀子》.
字源 篆文 蹍 形聲. 足+眞〔音〕. '眞진'은 '跌질'과 통하여, '넘어지다'의 뜻을 나타냄.
[蹍跌 전질] 걸려 넘어짐. 거꾸러짐.

10 ⑰ 〔踱〕제 ㊀齊 杜奚切 tí

字解 ①굽 제, 발 제 蹄(足部 九畫)와 同字. '牧馬二百一'《漢書》. ②올무 제 토끼 잡는 그물, 또는 올가미. 蹄(足部 九畫)와 同字. '罠一連綱'《左思》. ③밟을 제 '一, 一曰, 裛也'《集韻》. ④종이 제 '裛一'는 얇고 작은 종이쪽. '中有裛藥二枚裛一書'《漢書》.
字源 篆文 踱 形聲. 足+虒〔音〕. '蹄제'와 같은 뜻으로, '굽'의 뜻.
●岐踱. 罠踱. 揚踱. 裛踱.

10 ⑰ 〔蹐〕척 ㊋陌 資昔切 jí

字解 살살걸을 척 살금살금 걸음. 발소리를 죽여서 가마가만 걸음. '蹜一'. '謂地蓋厚, 不敢不一'《詩經》.
字源 篆文 蹐 形聲. 足+脊〔音〕. '脊척'은 척추골(脊椎骨)이 포개져 있는 등뼈의 뜻. 추골(椎骨)처럼 하나하나 포개다의 뜻에서, 발소리를 죽인 '살살 걸음'의 뜻을 나타냄.
[蹐地 척지] 발소리를 죽이고 땅 위를 가만가만 걸음.
●局蹐. 踧蹐. 俯蹐. 蹜蹐.

10 ⑰ 〔蹡〕방 ㊀陽 步光切 páng

字解 달음박질할 방 허둥지둥 뛰어가는 모양. '跟一, 行遽皃'《集韻》.

10 ⑰ 〔䠙〕〔만·반〕 蹣(足部 十一畫〈p.2245〉)과 同字

10 ⑰ 〔蹙〕반 ㊀寒 蒲官切 pán

字解 발굽힐 반 '一, 屈足也'《集韻》.

10 ⑰ 〔蹇〕〔人名〕건 ㊀銑 九輦切 jiǎn / ㊄阮 居偃切

字解 ①절뚝발 건 한 발의 병신. '跛一'. '騰駕罷牛, 驂一驢兮'《賈誼》. ②굼뜰 건, 느릴 건 지둔함. '遲一者被退'《孔文仲》. ③고생할 건 어려운 경우를 당하여 애씀. '屯一一步'《王臣——》《易經》. ④괘이름 건 육십사괘(六十四卦)의 하나. 곧, ䷦〈간하(艮下), 감상(坎上)〉. 험준한 데서 고생하는 상(象). ⑤뽑을 건 뽑아 취함. '毋一華絕芋'《管子》. ⑥걷을 건 옷을 걷어 올림. 褰(衣部 十畫)과 통용. '一裳'《莊子》. ⑦노둔한말 건 굼뜬 말. '策一赴前程'《孟浩然》. ⑧교만할 건 오만함. '驕一數不奉法'《漢書》. ⑨멈출 건 멈춰 섬. 정지함. '凝一而爲人'《管子》.

⑩강할 건 단단함. '合兩淖則爲一'《呂氏春秋》. ⑪굽을 건 굴절함. '一產溝瀆'《史記》. ⑫온전할 건 완전함. '與道大一'《莊子》. ⑬아 건 탄식하는 말. '一獨懷此異路'《楚辭》. ⑭성 건 성(姓)의 하나.

字源 篆文 [燷] 形聲. 足+寒〈省〉〔音〕. '寒한'은 추워서 몸을 움츠리다의 뜻. 발이 굽은 절뚝발이, 고생하다, 멈추다의 뜻을 나타냄.

[蹇脚 건각] 절름발이.
[蹇蹇 건건] ㉠고생하는 모양. 애쓰는 모양. ㉡충성을 다하는 모양.
[蹇蹇匪躬 건건비궁] 충성을 다하고 자신의 이익을 돌보지 아니함.
[蹇屯 건둔] 운수가 막힘. 운수가 침체함.
[蹇驢 건려] 절뚝발이 당나귀. 쓸모없는 사람의 비유.
[蹇連 건련] 길 걷기에 고생하는 모양. 고생하는 모양.
[蹇步 건보] 절뚝발이의 걸음. 굼뜬 걸음. 또, 애써 걷는 걸음.
[蹇士 건사] 충직(忠直)한 선비.
[蹇澁 건삽] 건체(蹇滯).
[蹇修 건수] 복희씨(伏羲氏)의 신하로서 중매를 잘하였다는 사람. 전(轉)하여, 중매인.
[蹇滯 건체] 힘들고 잘 진척되지 아니함. 일이 뜻과 같이 되지 아니함.
[蹇兔 건토] 절뚝발이 토끼.
[蹇跛 건파] 절뚝발이.
[蹇吃 건흘] ㉠말을 더듬음. ㉡말이 잘 나오지 아니함.
●剛蹇. 驕蹇. 窮蹇. 駑蹇. 屯蹇. 眇蹇. 連蹇. 鷔蹇. 疴蹇. 遅蹇. 跛蹇.

11 18 [蹕] 기 ㊦支 居之切 jī
字解 근원 기 근원. 바탕. '一, 本也'《篇海》.

11 18 [蹕] ■ 필 ㊀質 卑吉切 bì
■ 비 ㊀眞 毗至切
字解 ■ ①벽제 필 존귀한 사람이 출타할 때 도로를 경비하여 통행을 금하는 일. '秦制出警入一'《古今注》. ②벽제할 필 '掌一宮中之事'《周禮》. ③거둥 필 천자(天子)의 행행(行幸). 또, 그 수레. '駐一'《史記》. ■ 외발로설 비, 기댈 비 한쪽 발은 들고 다른 한쪽 발만으로 섬. '立不一'《列女傳》.
字源 形聲. 足+畢〔音〕. '畢필'은 '끝나다'의 뜻. 천자가 거둥할 때 통행인을 길에서 모조리 쫓아 버리다, '벽제(辟除)'의 뜻을 나타냄.

[蹕路 필로] ㉠벽제(辟除)를 함. ㉡임금이 거둥하는 길. '除'.
[蹕御 필어] 천자(天子)가 거둥할 때의 벽제(辟除).
●警蹕. 歸蹕. 金蹕. 鑾蹕. 犯蹕. 鳳蹕. 仙蹕. 按蹕. 緩蹕. 衛蹕. 入蹕. 掌蹕. 前蹕. 停蹕. 帝蹕. 從蹕. 駐蹕. 止蹕. 天蹕. 扈蹕.

11 18 [蹛] ■ 대 ㊦泰 當蓋切 dài
■ 체 ㊦霽 直例切 zhì
字解 ■ ①제사터 대 '一林'은 흉노(匈奴) 땅에서, 임목(林木)으로 둘러싸 하늘을 제사 지내는 곳. 일설에는, 지명(地名). '秋馬肥, 大會一

林'《史記》. ②밟을 대 '一, 蹛也'《說文》. ■ 쌓을 체 축적함. 저축함. '留一無所食'《史記》.
字源 篆文 形聲. 足+帶〔音〕. '踶제'와 동일어 이체자(同一語異體字)로 '밟다'의 뜻.

11 18 [踔] 량 ㊦陽 呂張切 liáng
字解 달릴 량 달림. '一, 跳一. 走也'《集韻》.

11 18 [蹞] 규 ㊤紙 犬縈切 kuǐ
字解 반걸음 규 趌(足部 六畫)와 同字. '不積一步, 無以致千里'《荀子》.
字源 形聲. 足+頃〔音〕

[蹞步 규보] 반걸음. 또는 반걸음 정도의 가까운 거리. 규보(跬步). 경보(頃步).

11 18 [蹟] 人名 적 ㊤陌 資昔切 jī
筆順 足 趵 趵 踦 踦 蹟 蹟 蹟
字解 ①자취 적 迹(辵部 六畫)·跡(足部 六畫)과 同字. '偉一. 史一. '見漱筆一末工'《北齊書》. ②좇을 적 따름. '念彼不一'《詩經》. ③멈출 적 '一, 止也'《廣雅》.
字源 迹의 別體字 [蹟] 形聲. 足+責〔音〕

[蹟蹈 적도] 밟아 따라감.
[蹟意 적의] 필적(筆蹟)과 문의(文意).
●奇蹟. 墨蹟. 不蹟. 祕蹟. 史蹟. 書蹟. 偉蹟. 陳蹟. 筆蹟. 畫蹟. 痕蹟.

11 18 [蹦] 붕 bèng
字解 《現》뛸 붕 '你二哥一听這句話, 一步一在路當中'《秋歌劇選》.

11 18 [蹬] 등 ㊤迥 徒等切 téng
字解 가는모양 등 가는 모양. 걸어가는 모양. '一, 一一, 行皃'《集韻》.

11 18 [蹠] 人名 ■ 척 ㊤陌 之石切 zhí
■ 저 ㊤御 章恕切 zhù
字解 ■ ①밟을 척 밟아 누름. '被堅甲, 一彊弩'《史記》. ②뛸 척 도약함. '楚人謂跳躍曰一'《說文》. ③발바닥 척 발의 이면. 跖(足部 五畫)과 同字. '一骭'. '一穿膝暴'《戰國策》. ④갈 척, 이를 척 나감. 다다름. '自無一有'《淮南子》. '致其所一'《淮南子》. ■ 뛸 저 도약함. '一, 跳也'《集韻》.
字源 篆文 形聲. 足+庶〔音〕.

[蹠骨 척골] 부골(跗骨)과 지골(趾骨) 사이에 있는 발의 뼈.
[蹠實 척실] ㉠땅을 밟음. ㉡사실(事實). 진실(眞實).
[蹠之徒 척지도] 도척(盜蹠)(옛날의 큰 도둑)의 동아리의 뜻으로, 제 이익만을 꾀하는 사람을

이름.
◉鷄蹠.

11 ⑱ [躿] 강 kāng

[字解] 달아날 강 달아남. 뛰어 달아남. '—, 跰也'《篇韻》.

11 ⑱ [⿰足區] 구 [平]虞 虧于切 qū

[字解] 다리절 구 다리를 젊. 절름거림. '—, 跛也'《集韻》.

11 ⑱ [⿰足鳥] 〔국〕
跼(足部 七畫〈p. 2233〉)과 同字

11 ⑱ [⿸广足] 〔궐·궤〕
蹷(足部 十二畫〈p. 2248〉)과 同字

11 ⑱ [⿰足條] 〔도〕
跳(足部 六畫〈p. 2232〉)와 同字

11 ⑱ [⿰足崔] 최 [平]灰 倉回切 cuī

[字解] 몹시심할 최 몹시 심함. 몹시 혹독함. '—, 躟—, 急甚也'《集韻》.

11 ⑱ [蹜] 축(숙[本]) [入]屋 所六切 sù

[字解] ①종종걸음칠 축 종종걸음으로 걸음. '—, 足迫也'《集韻》. '足——, 如有循'《論語》. ②오그라들 축 수축(收縮)함. '卷—短黃鬚髮, 凹兜黑墨容顔'《水滸全傳》.
[字源] 形聲. 足+宿〔音〕. '宿숙'은 '縮축'과 통하여, '줄어들다'의 뜻. 보폭(步幅)을 줄여서 걷다의 뜻을 나타냄.

[蹜蹜 축축] 종종걸음 침. 종종걸음으로 걷는 모양.

11 ⑱ [蹡] 장 ①-③[去]漾 七亮切 qiàng
④[平]陽 七羊切 qiāng

[字解] ①모일 장 한군데 모이는 모양. '磬筦——'《詩經》. ②비틀거릴 장 '踉—'은 비틀비틀하며 걷는 모양. '踉—越門限'《韓愈》. ③달릴 장 蹌(足部 十畫)과 同字. '—, 走也'《集韻》. ④갈 장 가는 모양. '—, 行皃'《廣韻》.
[字源] 形聲. 足+將〔音〕

[蹡蹡 장장] 모이는 모양.
◉踉蹡.

11 ⑱ [蹢] [一] 적 [入]錫 都歷切 dí
[二] 척 [入]陌 直炙切 zhí

[字解] [一] ①굽 적 마소 따위의 동물의 발톱. '有豕白—'《詩經》. ②던질 적 투척함. 내던짐. '齊人—子於宋者'《莊子》. [二] 머뭇거릴 척 躑(足部 十五畫)과 同字. '羸豕孚—躅'《易經》.
[字源] 篆文 形聲. 篆文은 足+啻〔音〕. '啻시'는 '모으다'의 뜻. 발을 모아 멈추다, 잠시 멈춰 서다의 뜻을 나타냄.

[蹢躅 척촉] ㉠머뭇거리는 모양. 망설이어 가지 않는 모양. 척촉(躑躅). ㉡제자리걸음을 하는 모양.
[蹢躅 척촉] 척촉(蹢躅).
◉白蹢. 四蹢.

11 ⑱ [蹣] [一] 반 [平]寒 薄官切 pán
[二] 만 [平]寒 母官切 mán

[字解] [一] 비틀거릴 반 '—跚'은 ㉠비틀거리는 모양. 또, 절룩거리는 모양. 또, 머뭇거리는 모양. ㉡빙 돌아서 가는 모양. 선행(旋行)하는 모양. '醉步—跚'. '天祿行—跚'《皮日休》. [二] 넘을 만 담을 넘음. '—, 踰牆'《廣韻》.
[字源] 形聲. 足+㒼〔音〕

[蹣連 반련] 비틀거리는 모양.
[蹣跚 반산] 자해(字解)[一]을 보라.

11 ⑱ [蹤] 종 [平]冬 卽容切 zōng

[字解] ①자취 종 발자취. 족적. 전(轉)하여, 행방. 또, 고인의 행적. 사적. '—迹'. '躡三皇之高—'《漢書》. ②뒤쫓을 종 뒤를 밟음. 뒤를 쫓아감. '質非薄而難—'《隋書》. ③놓을 종 縱(糸部 十一畫)과 통용. '發—指示獸處者人也'《史記》.
[字源] 形聲. 足+從〔音〕. '從종'은 '좇다'의 뜻. 사람의 발자취를 더듬다, '자취'의 뜻을 나타냄.

[蹤迹 종적] ㉠발자취. ㉡고인(古人)의 행적. 사적. ㉢행방. ㉣뒤를 쫓음. 추적함. 미행함. 종적(蹤跡).
[蹤跡 종적] 종적(蹤迹).
[蹤蹟 종적] 종적(蹤迹).
◉繼蹤. 故蹤. 高蹤. 舊蹤. 奇蹤. 曩蹤. 墨蹤. 美蹤. 發蹤. 事蹤. 昔蹤. 先蹤. 承蹤. 失蹤. 遺蹤. 異蹤. 履蹤. 人蹤. 停蹤. 追蹤. 逐蹤. 萍蹤. 筆蹤. 遐蹤. 休蹤.

11 ⑱ [蹥] 련 lián

[字解] ①발꿈치 련 '—, 跟也'《篇韻》. ②길이험난하여나아가지못할 련 '—蹇不比者, 爲負'《論衡》.

11 ⑱ [蹝] 사 [上]紙 所綺切 xǐ

[字解] ①짚신 사 躧(足部 十九畫)와 同字. '猶棄敝—也'《孟子》. ②밟을 사 '—履起而彷徨'《司馬相如》.
[字源] 形聲. 足+徙〔音〕

[蹝履 사리] 급히 나서느라고 신을 바로 신지 못하고 질질 끌고 나감.

11 ⑱ [蹖] 용(숭[本]) [平]冬 書容切 chōng

[字解] 밟을 용 '每勞—地之心'《白居易》.

11 ⑱ [⿰足參] 조 [去]號 則到切 zào

[字解] 성급할 조, 떠들 조 躁(足部 十三畫)와 同

字. '不無一急'《唐宋八大家文 序》.

11 ⑱ [𨅊] 촉 [入]沃 廚玉切 zhú

[字解] 머뭇거릴 촉 躅(足部 十三畫)과 同字.

11 ⑱ [䠞] 蹙(次條)과 同字

11 ⑱ [蹙] [人名] [一] 축 [入]屋 子六切 cù [二] 척 [入]錫 倉歷切 qī

[字解] [一] ①줄 축, 줄일 축 축소함. '今也日一國百里'《詩經》. ②닥칠 축 가까이 옴. '兩軍一兮生死決'《李華》. ③고생할 축 가난을 겪음. '窘一'. '困一'. '國一賦更重'《李商隱》. ④쫓을 축 구축함. '步騎驅一'《後漢書》. ⑤재촉할 축 독촉함. '待人督責迫一'《柳宗元》. ⑥삼갈 축 근신하는 모양. '容彌一'《儀禮》. ⑦찡그릴 축 얼굴에 주름을 지게 함. '擧疾首一頞而相告'《孟子》. ⑧오므릴 축 '嘯, 一口而出聲'《詩經 箋》. ⑨찰 축 蹴(足部 十二畫)과 통용. '以足一路馬芻有誅'《禮記》. [二] 줄어들 척 줄어 작아지는 모양. '一一靡所騁'《詩經》.

[字源] [篆文] 形聲. 足+戚〔音〕. '戚척'은 '움츠러들다'의 뜻. 무엇에 접근하여 발이 움츠러들다의 뜻에서, '움츠러듦, 닥침, 다가감'의 뜻을 나타냄.

[參考] 䠞(前條)은 同字.

[蹙蹙 척척] ㉠축소한 모양. ㉡줄어드는 모양.
[蹙金 축금] 금실로 수놓은 오그라든 무늬.
[蹙迫 축박] 오그라짐. 줄어듦. 또, 오므라뜨림. 오그림.
[蹙竦 축송] 두려워하여 안절부절못하는 모양.
[蹙頞 축알] 괴롭고 귀찮아서 콧대를 찡그림. 얼굴을 찡그림.
[蹙然 축연] 근심하는 모양.
[蹙踖 축척] 살살 걸음.
◉困蹙. 驅蹙. 跼蹙. 窘蹙. 窮蹙. 紆蹙. 鬱蹙. 危蹙. 攢蹙. 追蹙.

11 ⑱ [蹔] 잠 [去]勘 藏濫切 zàn

[字解] ①잠깐 잠 暫(日部 十一畫)과 통용. '其法可一行於一國'《列子》. ②빨리나아갈 잠 '一, 疾進也'《集韻》. ③갑자기 잠 '一, 猶卒也'《廣韻》.

[字源] 形聲. 足+斬〔音〕

11 ⑱ [蹛] [一] 제 [去]霽 都計切 [二] 대 [去]泰 當蓋切 dài [三] 체 [去]霽 丑例切 chì

[字解] [一] 성 제 성(姓)의 하나. '一, 姓也'《集韻》. [二] 성 대 성(姓)의 하나. [三] ①갈 체 떠나감. '一, 去也'《春秋 注》. ②막힐 체, 머무를 체 滯(水部 十一畫)와 통용. ③앙감질할 체 '踶, 一足而行也. 或从帶'《集韻》.

11 ⑱ [蹡] 장 ①-③[平]陽 千羊切 qiāng ④[去]漾 七亮切

[字解] ①갈 장 가는 모양. 蹌(足部 十一畫)과 同字. '管磬一一'《詩經》. ②공경할 장 '一, 敬也'《一切經音義》. ③모일 장 '一一'은 모이는 모양. 將(寸部 八畫)과 통용. '磬筦一一'《詩經》. ④달릴 장 蹡(足部 十一畫)·蹌(足部 十畫)과 同字. '蹡, 走也. 亦書作一'《集韻》.

[字源] [篆文] 形聲. 足+將〔音〕

11 ⑱ [䠟] 접 [入]葉 徒協切 dié

[字解] ①밟을 접 '一, 一足也'《說文》. ②잔걸음할 접 발걸음을 짧게 걸음. '一, 一曰, 小步'《集韻》.

[字源] [篆文] 形聲. 足+執〔音〕. '執집'은 단단히 잡다의 뜻. 발을 땅에 단단히 붙이고 디디다의 뜻을 나타냄.

11 ⑱ [䠗] [一] 첩 [入]葉 達協切 dié [二] 섭 [入]葉 悉協切 xiè

[字解] [一] 밟을 첩 밟음. 또, 종종걸음 침. '一, 說文, 足也'《集韻》. [二] 갈 섭 가는 모양. '一蹀'. '一, 一蹀, 行皃'《集韻》.

12 ⑲ [𨅷] 철 ①[入]屑 直列切 zhé ②[入]屑 敕列切 chè

[字解] ①바퀴자국 철 수레바퀴가 지나간 자국. 轍(車部 十二畫)과 同字. ②통할 철 통철함. 徹(彳部 十二畫)과 同字.

[字源] 形聲. 足+敢〔音〕

12 ⑲ [蹬] 등 ①[去]徑 徒亘切 dèng ②[去]徑 丁鄧切 ③[平]蒸 都騰切 dēng

[字解] ①비틀거릴 등 蹭(次條)을 보라. '一, 蹭一'《廣韻》. ②밟을 등 '一, 履也'《集韻》. ③오를 등 수레에 오름. 登(癶部 七畫)과 同字. '登, 說文, 上車也. 或从足'《集韻》.

[字源] [篆文] 形聲. 足+登〔音〕. '登등'은 위로 올리다의 뜻. 발을 들어 밟다의 뜻을 나타냄.

◉蹭蹬.

12 ⑲ [蹭] 층 [去]徑 千鄧切 cèng

[字解] 헛디딜 층, 비틀거릴 층 '一蹬'은 헛디디는 모양. 실족하는 모양. 전(轉)하여, 세력을 잃는 모양. '或乃一蹬窮波'《木華》. '一蹬遭讒毁'《李白》.

[字源] [篆文] 形聲. 足+曾〔音〕

[蹭蹬 층등] 자해(字解)를 보라.

12 ⑲ [蹮] 〔선〕 躚(足部 十六畫〈p. 2252〉)과 同字

[字源] [篆文] 形聲. 足+䙴〔音〕

12 ⑲ [蹯] [一] 번 [平]元 附袁切 fán [二] 분 [平]文 符分切

[字解] [一] ①발바닥 번 짐승의 발바닥. 또, 그 고기. '食熊一'《左傳》. ②자귀 번 짐승의 발자국. '一, 獸迹'《集韻》. [二] 발바닥 분, 자귀 분 [一]과

《[足部] 12획 蹲 蹰 蹳 蹴 蹻 蹺 蹠 蹼 蹶 *2247*》

뜻이 같음.

字源 形聲. 足+番〔音〕. '番번'은 발톱이 갈라진 짐승의 발자국의 뜻. '足족'을 붙여 뜻을 분명히 함.

◉深蹯. 熊蹯. 柔蹯. 掌蹯.

12
⑲ [蹲] 준 ①②㊦元 徂尊切 dūn
③④㊦眞 七倫切 cún

字解 ①쭈그릴 준 쭈그리고 앉음. 무릎을 세우고 웅크림. '一乎會稽'《莊子》. ②모을 준 한데 모음. '一, 聚也'《集韻》. '一甲而射之'《左傳》. ③춤출 준 춤을 추는 모양. '一一舞我'《詩經》. ④단정할 준 단정히 걷는 모양. '穆穆肅肅, 一一如也'《漢書》.

字源 形聲. 足+尊〔音〕. '尊준'은 '술 그릇'의 뜻. 술 그릇처럼 웅크리다의 뜻을 나타냄.

[蹲踞 준거] 쭈그리고 앉음. 무릎을 세우고 앉음.
[蹲循 준순] ㉠순순히 따름. ㉡뒷걸음질 치는 모양. 머뭇거리는 모양. 망설이는 모양.
[蹲坐 준좌] 준거 (蹲踞).
[蹲蹲 준준] ㉠단정히 걷는 모양. ㉡춤추는 모양.
[蹲止 준지] 일을 중도에서 그만둠.
[蹲鴟 준치] 토란(芋)의 이명(異名). 올빼미가 웅크리고 앉아 있는 모양과 비슷하므로 이름. 치준(鴟蹲).

◉熊蹲. 夷蹲. 鴟蹲. 虎蹲.

12
⑲ [蹰] ■ 저 ㊦魚 陳如切 chú
■ 지 ㊦支 陳尼切
■ 다 ㊦麻 宅加切

字解 ■ 머뭇거릴 저 앞으로 나아가지 않음. '一, 峙一, 不前也'《說文》. ■ 머뭇거릴 지 ■과 뜻이 같음. ■ 머뭇거릴 다 ■과 뜻이 같음.
字源 形聲. 足+屠〔音〕

12
⑲ [蹳] 발 ㊊曷 北末切 bō
㊊曷 蒲撥切

字解 ①밟을 발 밟아 누름. '常一兩兒棄之'《漢書》. ②떨 발 도약함. '一刺銀盤欲飛去'《李白》. ③넘어질 발 실족(失足)하여 넘어지거나 비틀거림. '一, 足跋物'《集韻》.

[蹳剌 발랄] ㉠물고기가 뛰는 모양. ㉡기운차고 활발한 모양. 발랄(潑剌).

12
⑲ [蹴] 人名 축 ㊊屋 七宿切 cù

字解 ①찰 축 ㉠발로 차서 뜨게 함. '新鞋袴一蹋'《王君玉雜纂》. ㉡발로 차서 내던짐. '一爾而與之'《孟子》. ②밟을 축 '以迫一民'《董仲舒》. ③삼갈 축, 공경할 축 '孔子一然辟席而對曰'《禮記》. ④얼굴빛변할 축 '諸大夫一然'《莊子》.
字源 形聲. 足+就〔音〕. '就취'는 자리·지위에 앉히다의 뜻. 어떤 것에 발을 가까이 가져가다의 뜻에서, '차다, 밟다'의 뜻을 나타냄.

[蹴球 축구] 구기(球技)의 한 가지. 상대편 골에 공을 차 넣어 승부를 겨룸. 풋볼.

[蹴毬 축구] 축국(蹴鞠).
[蹴踘 축구] 축국(蹴鞠).
[蹴鞠 축국] ㉠발로 차는 공. ㉡공을 발로 차는 유희(遊戲).
[蹴起 축기] 차 일으킴. 바다에서 빠른 속도로 내달아 물결을 일으킴.
[蹴踏 축답] 발로 차고 짓밟음.
[蹴殺 축살] 발로 차서 죽임.
[蹴然 축연] 삼가는 모양. 또, 불안한 모양.
[蹴爾 축이] 물건을 차 던지는 모양.
[蹴蹴 축축] 불안한 모양. 안절부절못하는 모양. 초조한 모양.

◉亂蹴. 怒蹴. 迫蹴. 排蹴. 一蹴. 顚蹴.

12
⑲ [蹻] ■ 교 ㊦蕭 去遙切 qiāo
■ 갹 ㊦藥 居勺切 jué

字解 ■ ①들 교 발뒤꿈치를 높이 듦. 발돋움함. '可一足待也'《漢書》. ②교만할 교 '一, 驕也. 慢也'《廣韻》. ③날쌜 교 날래고 민첩함. '爲人一勇'《五代史》. ④강성할 교 힘차고 왕성한 모양. '其馬一一'《詩經》. ■ ①짚신 갹 초리(草履). '躡一擔簦'《史記》. ②썰매 갹 설마(雪馬). '乘一'《抱朴子》. ③빠를 갹 가는 것이 빠른 모양. '一然不固'《呂氏春秋》. ④교만할 갹 소인이 득세하여 교만한 모양. '小子一一'《詩經》.
字源 形聲. 足+喬〔音〕. '喬교'는 '높다'의 뜻. 발을 높이 들고 걷다의 뜻.

[蹻蹻 갹갹] 소인(小人)이 득세(得勢)하여 교만한 모양.
[蹻趹 갹결] 짚신.
[蹻蹻 교교] ㉠날쌘 모양. ㉡강성(强盛)한 모양.
[蹻敬 교기] 도리(道理)를 벗어남.
[蹻騰 교등] 힘차게 달림.
[蹻勇 교용] 날쌔고 굳셈.
[蹻跖 교척] 초(楚)나라의 장교(莊蹻)와 진(秦)나라의 도척(盜跖). 모두 옛날의 대도(大盜). 척교(跖蹻).
[蹻捷 교첩] 빨리 달림. 또, 걸음이 빠름.

◉蹻蹻. 履蹻. 跖蹻. 中蹻. 敝蹻.

12
⑲ [蹺] 蹻(前條)와 同字

字源 形聲. 足+堯〔音〕. '堯요'는 '높다'의 뜻. 발을 높이 들다의 뜻을 나타냄.

12
⑲ [蹠] 지 ㊦寘 陟利切 zhì

字解 ①밟을 지 밟음. '一, 躍也'《篇海》. ②넘어질 지 발끝이 채어 넘어짐. '一, 頓也'《篇海》.

12
⑲ [蹼] 복 ㊊屋 博木切 pǔ

字解 물갈퀴 복 기러기·오리 따위의 발가락 사이의 얇은 막(膜). 헤엄을 치는 데 편리함. 오리발. '鳧鴈醜, 其足一'《爾雅》.
字源 形聲. 足+菐〔音〕

12
⑲ [蹶] 人名 ■ 궐 ㊊月 居月切 jué
■ 궤 ㊦霽 居衛切 guì

字解 ■ ①넘어질 궐 ㉠헛디디거나 걸려 넘어짐. '一者趨者'《孟子》. ㉡기진맥진하여 쓰러

짐. '形勞而不休, 則一'《淮南子》. ②엎어질 궐 전복함. 뒤집힘. '國乃一'《荀子》. ③거꾸러뜨릴 궐 죽임. '一上將'《史記》. ④기울 궐 다함. '天下財產, 何得不一'《漢書》. ⑤밟을 궐 발에 힘을 주어 누름. '高一而出於廷'《呂氏春秋》. ⑥찰 궐 발에 힘을 주어 참. '一浮麋'《漢書》. ⑦달릴 궐 질주함. '一而趨之'《國語》. ⑧뺄 궐 빼어 가짐. 탈취함. '一六國, 兼天下'《賈誼》. ⑨뛸 궐 껑충 뛰어오름. 도약함. '一, 跳也'《廣雅》. ⑩일어설 궐 놀라 벌떡 일어남. '廣成子一然而起'《莊子》. ⑪패할 궐 '一, 敗也'《廣雅》. ⑫꺾을 궐 좌절(挫折)시킴. '一, 猶挫也'《史記 注》. ⑬잽쌀 궐 날쌤. '師曠一然起'《逸周書》. [二] ①뛰어일어날 궤 깜짝 놀라 벌떡 뛰어 일어나는 모양. '子夏一然而起'《禮記》. ②움직일 궤 ㉠동(動)함. '天之方一'《詩經》. ㉡감동시킴. '文王一厥生'《詩經》. ③허둥지둥할 궤 당황함. '足毋一'《禮記》.

[字源] 篆文 別體 形聲. 足+厥〔音〕. '厥궐'은 '돌을 파다'의 뜻. 발로 돌을 파는 모양에서, 헛디디어 넘어지다, 발부리에 걸려 넘어지다의 뜻을 나타냄.

[蹶起 궐기] ㉠벌떡 일어남. ㉡기운을 내서 힘차게 일어남. 분기(奮起)함.
[蹶失 궐실] 넘어짐. 거꾸러짐.
[蹶然 궐연] 매우 기운차게 벌떡 일어나는 모양.
[蹶張 궐장] 쇠뇌〔弩〕를 발로 밟고 당김. 또, 그 군사.
[蹶躓 궐지] 실족(失足)하여 넘어짐.
[蹶蹶 궤궤] ㉠동작이 민첩(敏捷)한 모양. ㉡놀라 당황하는 모양.
◉竭蹶. 僵蹶. 擊蹶. 驚蹶. 搏蹶. 熱蹶. 誤蹶. 顚蹶.

12 ⑲ [蹸] 린 ㊘震 良刃切 lìn

[字解] ①짓밟을 린 '蹂一其十二三'《後漢書》. ②수레자국 린 '一, 轢也'. (段注) 轢, 車所踐也'《說文》.

[字源] 篆文 形聲. 足+粦(粦)〔音〕. '躪린'과 동일어(同一語) 이체자(異體字)로서, '밟다, 짓밟다'의 뜻.

12 ⑲ [蹺] 교 ㊤篠 巨皎切 qiāo

[字解] 갈 교 감. '一, 行'《玉篇》.

12 ⑲ [蹫] 귤 ㊇質 訣律切 jú

[字解] ①미쳐달릴 귤 미쳐서 달림. '趫, 狂走, 或从足'《集韻》. ②절뚝거릴 귤 절뚝거림. 저는 모양. '一, 跛皃'《玉篇》.

12 ⑲ [蹪] 퇴 ㊏灰 杜回切 tuí

[字解] 엎드러질 퇴 실족하여 엎드러짐. '人莫一於山, 而一於垤'《淮南子》.

12 ⑲ [蹩] 〔별〕
蹩(足部 十二畫〈p.2248〉)과 同字

12 ⑲ [蹹] 〔답〕
蹋(足部 十畫〈p.2242〉)과 同字

12 ⑲ [蹰] 〔주〕
躕(足部 十五畫〈p.2251〉)의 俗字

12 ⑲ [蹋] 〔답〕
踏(足部 八畫〈p.2235〉)과 同字

12 ⑲ [踏] 〔답〕
蹋(足部 十畫〈p.2243〉)과 同字

12 ⑲ [踒] 〔와〕
吪(口部 四畫〈p.354〉)와 同字

12 ⑲ [躅] 〔촉〕
躅(足部 二十一畫〈p.2253〉)의 略字

12 ⑲ [蹮] 〔선〕
䍀(网部 十二畫〈p.1792〉)과 同字

12 ⑲ [蹘] 〔조〕
躁(足部 十三畫〈p.2249〉)와 同字

12 ⑲ [𨃩] 〔궤〕
跪(足部 六畫〈p.2231〉)와 同字

12 ⑲ [蹵] 〔축〕
蹴(足部 十二畫〈p.2247〉)과 同字

12 ⑲ [蹷] 〔궐·궤〕
蹶(足部 十二畫〈p.2247〉)과 同字

12 ⑲ [𨅬] 담 ㊤豏 丑犯切 tǎn

[筆順] 𧾷 𧿹 跀 跙 跴 踻 𨅬 𨅬

[字解] 땅을밟아고르면서노래할 담 '一, 淒秋發陽春'《揚雄》. '一, 以足踏地而歌'《古文苑 注》.

12 ⑲ [䠎] [一] 잡 ㊇合 昨合切
[二] 잠 ㊏覃 祖含切 cán

[字解] [一] 머무를 잡 머무름. 그침. '一, 止也'《廣雅》. [二] 머무를 잠 [一]과 뜻이 같음.

12 ⑲ [蹩] 별 ㊇屑 蒲結切 bié

[字解] ①절름발이 별 발 하나의 불구. 또, 그 사람. '一躠'. '一, 一曰, 跛也'《說文》. ②빙돌아갈 별, 애쓸 별 '一躠'은 빙 돌아서 가는 모양. 또, 심력(心力)을 기울이는 모양. ③밟을 별 '一, 踶也'《說文》.

[字源] 篆文 形聲. 足+敝〔音〕. '敝폐'는 '깨어지다'의 뜻. 발의 균형이 깨지다, '절름발이'의 뜻을 나타냄.

[蹩躄 별벽] 절름발이와 앉은뱅이. 쓸모없는 어리석은 사람의 비유.
[蹩躠 별설] ㉠빙 돌아서 가는 모양. ㉡심력(心力)을 기울이는 모양. 애쓰는 모양. ㉢같은 곳으로만 늘 돌아다님.
[蹩躄 별설] 별설(蹩躠).

12 ⑲ [躈] [一] 각 què
[二] 오 áo

[字解] [一] 걸을 각 걸음. '一, 步也'《篇韻》. [二] 걸을 오 [一]과 뜻이 같음.

13 ⑳ [躁] [人名] 조 [去]號 則到切 zào 

[字解] ①떠들 조 시끄럽게 지껄거림. '君子齋戒, 處必掩身毋—'《禮記》. ②시끄러울 조 떠들썩함. 또, 마음이 안정(安靜)하지 아니함. '輕—浮薄'. '—者皆化而慤'《荀子》. ③움직일 조 동요함. '人主靜漠而不—'《淮南子》. ④거칠 조 난폭함. 또, 교활함. '—者皆化而慤'《荀子》. ⑤성급할 조 성질이 급함. '—急'. '—進'. '議者惜其人才, 而譏其—競'《北史》. ⑥빠를 조 趮(走部 十三畫)와 同字. '—, 疾也'《廣雅》.

[字源] 形聲. 足+喿〔音〕. '喿소'는 '시끄럽다'의 뜻. 발을 연하여 움직여 안정되지 않다의 뜻을 나타냄.

[躁競 조경] 조급히 굴면서 남과 권세(權勢)를 다툼.
[躁狂 조광] 미쳐 날뜀.
[躁急 조급] 침착함이 없이 성급함.
[躁氣 조기] 조급한 성미.
[躁怒 조노] 성급하여 화를 잘 냄.
[躁妄 조망] 조급하고 경망함.
[躁悶 조민] 마음이 초조하여 가슴이 답답하고 외로움.
[躁卞 조변] 조급(躁急).
[躁忿 조분] 조노(躁怒).
[躁擾 조요] 조급(躁急).
[躁人 조인] 조급한 사람.
[躁靜 조정] 조급함과 안존함.
[躁佻 조조] 조급하고 경박함.
[躁進 조진] ㉠조급히 나감. ㉡조급히 관위(官位) 등의 승진을 바람.
[躁虐 조학] 조급하고 포학(暴虐)함.
◉剛躁. 狷躁. 勁躁. 傾躁. 輕躁. 過躁. 狂躁. 驕躁. 矜躁. 煩躁. 浮躁. 忿躁. 勇躁. 靜躁. 褊躁. 險躁.

13 ⑳ [躅] [一] 촉 [入]沃 直錄切 zhú [二] 탁 [入]覺 直角切 zhuó 

[字解] [一] 머뭇거릴 촉 망설이고 앞으로 나아가지 아니함. 또, 제자리걸음을 함. '躑—'. '騏驥之跼—'《史記》. [二] 자취 탁 ㉠발자국. '牛—'. ㉡고인의 행적. 사적(事蹟). '遺—'. '伏孔周之軌—'《漢書》.

[字源] [篆文]  形聲. 足+蜀〔音〕. '蜀촉'은 '이어지다, 들러붙다'의 뜻. 발이 땅에 붙어 떨어지지 않다의 뜻으로, 밟다, 머뭇거리고 가지 못하다의 뜻을 나타냄.

◉跼躅. 軌躅. 奇躅. 鸞躅. 芳躅. 巡躅. 牛躅. 遺躅. 蹢躅. 躑躅.

13 ⑳ [蹬] 등 [平]蒸 徒登切 téng

[字解] 가는모양 등 가는 모양. '—, 踜—, 行貌'《篇海類編》.

13 ⑳ [躆] 거 [去]御 居御切 jù 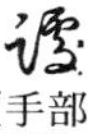

[字解] ①벋디딜 거 양발을 벌려 버팀. 據(手部 十三畫)와 同字. '超忽荒而—昊蒼也'《漢書》. ②손으로버틸 거 손으로 땅을 의지하여 버팀. '—, 手據地也'《集韻》. ③움직일 거 '僑—'는 움직임. 동작함. '僑—, 猶動作也'《集韻》.

13 ⑳ [蹍] [一] 전 [上]銑 他典切 tiǎn [二] 언 [上]銑 於殄切 yǎn

[字解] [一] 가는모양 전 가는 모양. '—, 行皃'《集韻》. [二] 발자취 언 발자취. '—, 行跡'《集韻》.

13 ⑳ [躇] [人名] [一] 저 [平]魚 直魚切 chú [二] 착 [入]藥 敕略切 chuò 

[字解] [一] ①머뭇거릴 저 가거나 떠나기를 망설임. 전(轉)하여, 널리 망설이는 뜻으로 쓰임. '躊—'. '優游—跱'《嵆康》. '每逢絕勝卽踟—'《范成大》. ②밟을 저 '若—步跐踏'《列子》. [二] 건너뛸 착 뛰어넘음. '—階而走'《公羊傳》.

[字源] 形聲. 足+著〔音〕. '著저·착'은 '달라붙다'의 뜻. 발이 땅에 붙은 듯이 나아가지 않다, 망설이다의 뜻을 나타냄.

[躇階 착계] 계단을 몇 단씩 건너뛰어 내려옴.
◉躊躇. 踟躇.

13 ⑳ [躂] 달 [入]曷 他達切 dá 跶

[字解] 발끝챌 달 발끝이 챔. 발끝이 채어 넘어질 뻔함. '—, 足跌'《集韻》.

13 ⑳ [躐] 렵 [入]葉 力涉切 liè

[字解] 밟을 렵, 넘을 렵 躐(足部 十五畫)과 同字. '涉—寥廓'《左思》.

◉涉躐.

13 ⑳ [躔] [一] 첨 [上]豏 丑犯切 [二] 찹 [入]洽 測洽切 chà

[字解] [一] 발돋움할 첨 '—, 跂足'《玉篇》. [二] 발돋움할 찹 [一]과 뜻이 같음.

13 ⑳ [躄] 벽 ①[入]陌 必益切 bì ②[入]陌 毗亦切

[字解] ①앉은뱅이 벽 일어나 앉기는 하여도 서지 못하는 장애인. '瘖聾跛—'《禮記》. ②넘어질 벽 쓰러짐. '—, 仆也'《集韻》.

[字源] 形聲. 足+辟〔音〕. '辟벽'은 '치우치다'의 뜻. 발이 치우치다, '앉은뱅이'의 뜻을 나타냄.

[躄躄 벽벽] 애써 가는 모양. 가기 힘든 모양.
[躄者 벽자] 앉은뱅이.
◉屈躄. 老躄. 攣躄. 跛躄.

13 ⑳ [躛] 궤 [去]隊 逵穢切 guì

[字解] ①조금빠질 궤 조금 빠짐. 좀 탐닉함. '—, 小溺也'《集韻》. ②싫증날 궤 싫증남. 물림. '—, 一曰, 倦也'《集韻》.

13 ⑳ [躃] 금 [平]侵 居吟切 [去]沁 巨禁切 jīn

[字解] 앉을 금 앉음. '—, 坐也'《集韻》.

13 ⑳ [躨] 기 [上]紙 丘癸切 kuǐ

字解 발들 기 발을 듦. '一, 擧足也'《篇海類編》.

13
⑳ [蹺] 효 㴩嘯 詰弔切 qiào

字解 말엉덩이뼈 효 말의 엉덩이뼈. 일설에는, 밑구멍. '馬蹄一千'《史記》.
字源 形聲. 足＋敻〔音〕

13
⑳ [躪] 첨 㴩豔 昌艶切 chàn
㴩鹽 處占切

字解 말달려갈 첨 '一, 馬急行也'《集韻》.

13
⑳ [䕃] 돈 ①阮 東本切 dǔn

字解 거룻배 돈 작은 배. '一船'.
字源 會意. 足＋萬

[䕃船 돈선] 거룻배. 단정 (短艇).

13
⑳ [玁] 〔견〕獫(犬部 十三畫〈p.1406〉)과 同字

13
⑳ [躄] 〔벽〕躃(足部 十三畫〈p.2249〉)과 同字

13
⑳ [蹋] 〔답〕蹋(足部 十畫〈p.2242〉)과 同字

13
⑳ [踲] 〔둔〕鈍(金部 四畫〈p.2379〉)과 同字

14
㉑ [躊] 从名 주 㴩尤 直由切 chóu

字解 머뭇거릴 주 가거나 떠나기를 망설임. 전(轉)하여, 널리 망설이는 뜻으로 쓰임. '一佇'. '哀裴回以一躇'《漢書》.
字源 形聲. 足＋壽〔音〕

[躊佇 주저] 주저 (躊躇). 〔설임.
[躊躇 주저] 머뭇거리고 나아가지 아니함. 또, 망
[躊躊 주주] ㉠머뭇거림. ㉡마음 아파함.

14
㉑ [躋] 제 㴩齊 祖稽切 jī
㴩霽 子計切

字解 ①오를 제 ㉠높은 곳에 올라감. '一覽'. '道阻且一'《詩經》. ㉡자구 진보함. '聖敬日一'《詩經》. ②올릴 제 '大事于大廟, 一僖公'《春秋》. ③떨어질 제 '一, 一日, 墜也'《集韻》.
字源 金文 躋 篆文 躋 形聲. 足＋齊〔音〕. '齊제'는 '進진'과 통하여, '나아가다'의 뜻. 올라 나아가다의 뜻을 나타냄.

[躋覽 제람] 높은 곳에 올라가 아래를 멀리 내려
[躋攀 제반] 기어 오름. 반제 (攀躋). 〔다봄.
[躋升 제승] 올라감.
[躋隲 제척] 올라감과 내려감. 승강 (昇降).
●難躋. 登躋. 攀躋. 上躋. 昇躋. 日躋.

14
㉑ [躍] 高人 ■ 약 ㉠藥 以灼切 yuè
人 ■ 적 ㉠錫 他歷切 tì

筆順 躍 躍 躍 躍 躍 躍 躍 躍

字解 ■ ①뛸 약 ㉠뛰어오름. '跳一'. '魚一于淵'《詩經》. ㉡뛰어넘음. '距一三百'《左傳》. ㉢뛰며 좋아함. '雀一'. '喜一'. ㉣가슴이 뜀. 격앙(激昂)함. '微心竦一'《梁簡文帝》. ㉤물가가 뜀. '以稽市物, 痛騰一'《漢書》. ②뛰게할 약 '搏而一之'《孟子》. ③나아갈 약 '一, 進也'《廣雅》. ■ 빨리달릴 적 뛰며 잘 달리는 모양. '一一毚兔, 遇犬獲之'《詩經》.
字源 篆文 躍 形聲. 足＋翟〔音〕. '翟적'은 '꿩'의 뜻. 꿩처럼 높이 뛰어오르다의 뜻.

[躍起 약기] 뛰어 일어남.
[躍動 약동] 생기 있게 움직임. 힘차게 활동함.
[躍升 약승] 뛰어 오름.
[躍躍 약약·적적] ㉠뛰며 좋아하는 모양. ㉡마음이 움직이어 안정하지 아니한 모양. ㉢'적적(躍躍)'을 보라.
[躍如 약여] ㉠뛰어오르는 모양. 힘찬 모양. 약연 (躍然). ㉡생생한 모양.
[躍然 약연] 생기 있게 뛰어노는 것 같은 모양.
[躍進 약진] 앞으로 뛰어나감. 빠르게 진보(進步)
[躍出 약출] 뛰어나옴. 〔함.
[躍躍 적적] 뛰며 빨리 달아나는 모양. 잘 달리는 모양.
●距躍. 驚躍. 高躍. 跳躍. 踖躍. 騰躍. 舞躍. 抃躍. 奮躍. 飛躍. 竦躍. 暗躍. 鳶飛魚躍. 勇躍. 踊躍. 一躍. 雀躍. 疊躍. 馳躍. 駿躍. 活躍. 欣躍.

14
㉑ [躍] 躍(前條)의 略字

14
㉑ [蹋] 단 ①旱 吐緩切 duàn

字解 ①발자국 단 발의 자취. 족적 (足跡). '鹿蹊兮一一'《楚辭》. ②빨리갈 단 '一, 行速'《廣韻》.
字源 篆文 蹋 形聲. 足＋斷〈省〉〔音〕

14
㉑ [蹂] 년 ①銑 奴典切 niǎn

字解 밟을 년 밟음. '一, 踏也'《篇海》.

14
㉑ [蹂] 무 ①麌 罔古切 wǔ

字解 밟을 무 밟음. '一, 踐也'《篇海》.

14
㉑ [躄] 경 㴩庚 去盈切 qīng
㴩徑 丘京切

字解 앙감질할 경, 절룩거릴 경 한 발로 걸음. 또, 절룩거리며 걸음. '夔猶一足一'《陸龜蒙》.

15
㉒ [躐] 렵 从葉 良涉切 liè

字解 ①밟을 렵 발로 디딤. '登席不由前, 爲一席'《禮記》. ②넘을 렵 순서를 밟지 않고 뛰어넘음. '學不一等'《禮記》. ③질 렵 손으로 잡아 쥠. '一纓整襟'《後漢書》.
字源 形聲. 足＋巤〔音〕. '巤렵'은 '獵렵'과 통하여, '사냥하다'의 뜻. 사냥할 때, 조수 (鳥獸)의

움직임에 따라 무질서하게 사냥꾼이 넘어가듯이 '넘다'의 뜻을 나타냄.

[躐等 엽등] 등급을 건너뜀.
[躐登 엽등] 순서를 건너뛰어 올라감.
[躐席 엽석] 차례를 따르지 않고 자리에 앉음.
◉僭躐. 超躐. 風狎躐.

15 ㉒ **[躑]** 척 [入]陌 直炙切 zhí 踯

[字解] 머뭇거릴 척 망설이고 앞으로 나아가지 아니함. 또, 배회함. 또, 제자리걸음을 함. '咏歸欤而一躅'《沈約》. '一躅青驄馬'《古詩》. '一躅, 以足擊地也'《荀子 註》.
[字源] 形聲. 足+鄭〔音〕

[躑躅 척국] 머뭇거려 앞으로 잘 가지 아니함. 또, 배회함.
[躑躅 척촉] ㉠머뭇거려 나아가지 아니함. 또, 제자리걸음을 함. 또, 배회함. ㉡철쭉. 철쭉나무.
◉跳躑. 躅躑. 號躑.

15 ㉒ **[躒]** [一] 력 [入]錫 郎擊切 lì [二] 락 [入]覺 力角切 luò 跞

[字解] [一] 움직일 력 '騏驥一一, 不能千里'《大戴禮》. [二] 넘을 락 뛰어남. 탁월함. '卓一'. '逴一諸夏'《班固》.
[字源] 形聲. 足+樂〔音〕

◉輔躒. 卓躒. 逴躒.

15 ㉒ **[躓]** [一] 지 [去]寘 陟利切 zhì [二] 질 [入]質 職日切 zhì 踬

[字解] [一] ①넘어질 지 ㉠발에 무엇이 걸려 넘어짐. '顚一'. '足一株陷'《列子》. ㉡실패함. '杜牧困一不振'《唐書》. ②차질(蹉跌) 지 전도(顚倒). 실패. '中年遭一'《南史》. [二] 넘어질 질, 차질 질 [一]과 뜻이 같음.
[字源] 篆文 躓 形聲. 足+質〔音〕. '跌질'과 통하여, 실족(失足)하여 넘어지다의 뜻을 나타냄.

[躓踣 지복·질복] 걸려서 넘어짐.
[躓顚 지전·질전] 걸려 넘어짐.
[躓馬破車惡婦破家 질마파거악부파가] 비틀거리는 말은 수레를 부수고, 성질이 모진 아내는 가정을 파괴함.
◉坎躓. 蹇躓. 困躓. 窮躓. 倒躓. 頓躓. 屯躓. 跋躓. 貧躓. 淪躓. 顚躓. 差躓. 飄躓.

15 ㉒ **[躖]** 〔단〕
躖(足部 十四畫〈p. 2250〉)의 本字

15 ㉒ **[躦]** 〔찬〕
躦(足部 十九畫〈p. 2253〉)과 同字

15 ㉒ **[躈]** 〔철〕
躈(足部 十二畫〈p. 2246〉)과 同字

15 ㉒ **[躔]** 전 ①-⑦[平]先 直連切 chán ⑧⑨[上]銑 丈善切 zhàn

[字解] ①궤도 전 해·달·별이 운행하는 길. '一度'. '日運爲一'《揚子方言》. ②자취 전 행적. '蓋以其跡一焉'《路史》. ③밟을 전 ㉠디딤. '一, 踐也'《說文》. ㉡거침. 이행함. '英雄之所一'《左思》. ④돌 전 궤도를 따라 돎. '一, 逡循也'《揚子方言》. '月一二十八宿'《呂氏春秋》. ⑤갈 전 '一, 行也'《廣雅》. ⑥있을 전 있음. 처(處)함. '北陸南一'《謝莊》. ⑦쉴 전 휴식함. '一建木於廣都兮'《張衡》. ⑧자귀 전 큰 사슴의 발자국. '麇, 其跡一'《爾雅》. ⑨따를 전 좇음. '一, 循也'《揚子方言》.
[字源] 篆文 躔 形聲. 足+廛〔音〕. '廛전'은 '집'의 뜻. 차례로 돌아 머무는 곳·자리의 뜻으로, 전(轉)하여 '돌다, 건너다'의 뜻을 나타냄.

[躔度 전도] 천체 운행의 도수(度數).
[躔次 전차] 별의 자리. 성좌(星座).
◉順躔. 升躔. 踆躔. 初躔.

15 ㉒ **[躔]** 광 [去]漾 苦謗切 kuàng

[字解] 멀 광 멂. 길이 멂. '一, 路曠遠也'《集韻》.

15 ㉒ **[躕]** 주 [平]虞 直誅切 chú

[字解] 머뭇거릴 주 '踟一'는 멈칫거림. 망설임. 선뜻 가지 못하는 모양. '踟一, 行不進皃'《廣韻》.
[字源] 形聲. 足+廚〔音〕
[參考] 蹰(足部 十四畫)는 俗字.

[躕躇 주저] 머뭇거림. 망설임.
◉踟躕.

15 ㉒ **[躐]** 뢰 [去]泰 落蓋切 lài

[字解] 절뚝거릴 뢰 '一, 跛一, 行皃'《廣韻》.

15 ㉒ **[躚]** 〔치〕
踶(足部 九畫〈p. 1478〉)와 同字

16 ㉓ **[躘]** 려 [平]魚 凌如切 lú

[字解] 전갈할 려 전갈함. 아랫사람에게 전하여 알림. '一, 傳也'《集韻》.

16 ㉓ **[躙]** 린 [去]震 良刃切 lìn

[字解] 짓밟을 린 짓밟음. 유린함. 躪(足部 二十畫)과 同字. '馳, 善一人也'《禮記註》.
[字源] 形聲. 足+閵〔音〕

16 ㉓ **[躠]** 〔설〕
躠(足部 十七畫〈p. 2252〉)과 同字

16 ㉓ **[躡]** 〔등〕
騰(馬部 十畫〈p. 2605〉)과 同字

16 ㉓ **[躢]** 궤 [去]霽 姑衛切 guì

[字解] ①쓰러질 궤 쓰러짐. 넘어짐. '蹷, 僵也, 或从衞'《集韻》. ②뛸 궤 '蹷, 跳也, 或从衞'《集韻》. ③밟을 궤 '一, 踐也'《龍龕手鑑》. ④서둘러 갈 궤 '一, 行急皃'《直音篇》. ⑤쓴대추 궤 쓴 대추. '一, 爾雅云, 一洩苦棗, 亦作蹷'《廣韻》.

16 [躒] 력 [入]錫 狼狄切 lì
㉓

[字解] 자취 력 자취. 지나온 자취. '一, 足所經踐'《集韻》.

16 [躘] 룡 [平]冬 力鍾切 lóng
㉓ [去]宋 良用切

[字解] ①어린애걸음 룡 어린애의 걷는 모양. '一踵'. '一, 一踵, 小兒行皃'《玉篇》. ②나아가지 못할 룡 나아가지 못하는 모양. '一, 一踵, 不能行皃'《集韻》. ③힘쓰지아니할 룡 힘쓰지 아니함. '一, 一踵, 一曰, 不強擧'《集韻》. ④바르게 갈 룡 '一, 行正也'《集韻》.

16 [躚] 선 [平]先 相然切 蘇前切 xiān 跹 遷
㉓

[字解] ①빙돌 선 빙 돌아서 가는 모양. 선행(旋行)하는 모양. 또, 춤추는 모양. 또, 일설(一說)에는, 절룩거리며 가는 모양. 또, 비틀거리는 모양. '蹩躃蹁一'《張衡》. ②춤출 선 춤추는 모양. '紆長袖而屢舞, 翩一一以裔裔'《左思》.
[字源] 形聲. 足＋遷〔音〕

[躚躚 선선] 춤추는 모양.
◉蹁躚.

16 [躛] [一] 위 [去]霽 于歲切 wèi
㉓ [二] 홰 [去]卦 火怪切 wèi

[字解] [一] ①밟을 위 '一, 踶也'《辭海》. ②잘못할 위, 속일 위, 거짓 위 '一, 過也'《廣韻》. '是一言也'《左傳》. [二] 잘못할 홰, 속일 홰, 거짓 홰 [一]❷와 뜻이 같음.
[字源] [篆文] 形聲. 足＋衞〔音〕

[躛言 위언] 실언(失言). 또, 거짓말.

16 [躠] [一] 설 [入]屑 私列切 xiè
㉓ [二] 살 [入]曷 桑割切 sǎ

[字解] [一] 돌아서갈 설 빙 돌아서 가는 모양. '蹩一爲仁'《莊子》. [二] 돌아서갈 살 [一]과 뜻이 같음.

17 [躝] 선 [平]先 相然切 蘇前切 xiān
㉔

[字解] 비틀비틀할 선 躚(足部 十六畫)과 同字. 跰(足部 八畫)을 보라. '跰一'.

◉跰躝.

17 [躞] 섭 [入]葉 蘇協切 xiè
㉔

[字解] ①축심 섭 권축(卷軸)의 심(心). '隋唐藏書, 皆金題玉一'《米芾》. ②걸을 섭 '一蹀'은 걷는 모양. '一蹀御溝上, 溝水東西流'《卓文君》.
[字源] 形聲. 足＋燮〔音〕

[躞蹀 섭접] 걷는 모양. 접섭(蹀躞).
◉玉躞.

17 [躟] 양 [平]陽 汝陽切 ráng
㉔ [上]養 如兩切

[字解] 빨리걸을 양 '一一'은 바삐 감. 질행(疾行)함. '踁一'. '擾一就駕'《傅毅》.

◉踁躟.

17 [躦] [一] 〔규〕 跬(足部 六畫〈p. 2231〉)와 同字
㉔ [二] 〔기〕 趌(走部 六畫〈p. 2217〉)와 同字

17 [躝] 란 [平]寒 落干切 lán
㉔

[字解] 넘을 란 '一踰也'《集韻》.
[字源] 形聲. 足＋闌〔音〕

17 [躔] 〔전〕
㉔ 躔(足部 十五畫〈p. 2251〉)의 訛字

17 [躘] 〔건〕
㉔ 蹇(足部 十畫〈p. 2243〉)의 俗字

17 [躗] 〔궐·궤〕
㉔ 蹷(足部 十二畫〈p. 2248〉)과 同字

17 [躃] 躄(次條)과 同字
㉔

17 [躠] [一] 설 [入]屑 私列切 xiè
㉔ [二] 살 [入]曷 桑割切 sǎ

[字解] [一] 빙돌 설 蹩(足部 十二畫)을 보라. '蹩一'. [二] 빙돌 살 [一]과 뜻이 같음.

◉蹩躠.

18 [躡] 섭 [入]葉 尼輒切 niè
㉕

[字解] ①밟을 섭 ㉠발로 디디어 누름. '張良陳平, 一漢王足, 因附耳語' (한왕의 발을 밟고 귓속말을 함)《史記》. ㉡이름. 다다름. '徑一都廣'《淮南子》. ㉢계속하여 뒤를 밟음. 끊이지 아니함. '勞問相一'《唐書》. ②오를 섭 올라감. '登一常著木屐'《宋書》. ③뒤쫓을 섭, 따를 섭 '姜維引退還, 楊欣等追一於彊川口'《魏志》. ④신을 섭 신을 신음. '足下一絲履'《古詩》. ⑤빠를 섭 급속함. '忽一景而輕騖'《曹植》.
[字源] [篆文] 形聲. 足＋聶〔音〕. '聶섭'은 귀를 가지런히 모으다의 뜻. 발자국·신발 따위 위에 발을 가지런히 얹다의 뜻에서, '밟다, 신다, 뒤쫓다' 따위의 뜻을 나타냄.

[躡蹀 섭접] 종종걸음 치는 모양.
[躡足附耳 섭족부이] 발을 밟아 일깨우고 귓속말로 귀띔을 해 줌. 곧, 남몰래 주의(注意)를 줌.
◉跨躡. 踏躡. 登躡. 承躡. 尋躡. 追躡.

18 [躤] 적 [入]陌 秦昔切 jí
㉕

[字解] 밟을 적 디딤. '人民之所蹈—'《史記》.

18 ㉕ **蹋** 답 [入]合 徒盍切 tà
[字解] 찰 답, 밟을 답 蹋(足部 十畫)과 同字. '尙穿域—鞠也'《漢書》.
[字源] 形聲. 足+闒〔音〕

18 ㉕ **躣** 〔권〕
踡(足部 八畫〈p. 2237〉)과 同字

18 ㉕ **蹶** 〔궐〕
蹶(足部 十二畫〈p. 2247〉)과 同字

18 ㉕ **躖** 〔단〕
躖(足部 十五畫〈p. 2251〉)의 訛字

18 ㉕ **蹤** 쌍 [平]江 所江切 shuāng
[字解] 우뚝솟을 쌍 우뚝하게 솟음.

18 ㉕ **躍** 구 [平]虞 其俱切 qú
[字解] 갈 구 가는 모양. '右蒼龍之——'《楚辭》.

19 ㉖ **躧** 사 [上]紙 所綺切 xǐ
[字解] ①걸을 사 천천히 행보함. '躑躅—曾阿'《謝朓》. ②짚신 사 蹝(足部 十一畫)와 同字. '吾視去妻子如脫—耳'《史記》. ③춤신 사 춤을 출 때 신는 신. 무리(舞履). '彈弦跕—'《漢書》. ④질질끌 사 급하여 신을 잘 신을 겨를이 없어 발가락에만 걸치고 질질 끌고 나감. '—履起迎'《漢書》.
[字源] 篆文 形聲. 足+麗〔音〕

[躧步 사보] 춤추는 걸음걸이.
◉芳躧. 釋敝躧. 跕躧.

19 ㉖ **躦** [一] 찬 [平]寒 徂丸切 zuān [二] 차 [平]歌 才何切 cuó
[字解] [一] 발모을 찬 '—, —既, 聚足'《集韻》. [二] 밟을 차 蹉(足部 十一畫)와 同字.

20 ㉗ **躩** 각 [入]藥 丘縛切 jué 居縛切
[字解] ①뛸 각 도약함. '蛗浴蝯—'《淮南子》. ②빠를 각 속함. '蹇裳—步'《莊子》. ③피할 각 '—如'는 경의(敬意)를 표하느라고 옆으로 피하여 천천히 걷는 모양. '足—如也'《論語》.
[字源] 篆文 形聲. 足+矍〔音〕. '矍'은 두려워하여 삼가다의 뜻. 조심스러운 걸음의 뜻을 나타냄.

[躩步 각보] 빨리 걸음.
[躩如 각여] 자해(字解)❸을 보라.
◉蹻躩.

20 ㉗ **躪** 린 [去]震 良刃切 lìn
[字解] 짓밟을 린 躙(足部 十六畫)과 同字. '奔走相蹂—'《漢書》.

20 ㉗ **躨** 기 [平]支 渠追切 kuí
[字解] 꿈틀거릴 기 '—跜'는 규룡(虯龍)이 꿈틀거리는 모양. '虯龍騰以蜿蟺, 頷若動而—跜'《王延壽》.

21 ㉘ **躅** 〔촉〕
躅(足部 十三畫〈p. 2249〉)과 同字

22 ㉙ **躨** 躨(前前條)와 同字

22 ㉙ **躞** 첩 [入]葉 達協切 dié
[字解] 달리는소리 첩 달리는 소리. '—, 走聲'《集韻》.

身 (7획) 部
〔몸신부〕

0 ⑦ **身** [中人] [一] 신 [平]眞 失人切 shēn [二] 견 [平]先 基堅切 juān
[筆順] ′ 亻 门 门 自 自 身
[字解] [一] ①몸 신 ㉠신체. 체구. '心—'. '—體髮膚'《孝經》. ㉡자기. 자기 몸. '檢—若不及'《書經》. ②몸소 신 친히. 자신이. '—自浣滌'《史記》. ③줄기 신 나무의 줄기. '樅, 松葉柏—'《爾雅》. ④애밸 신 임신함. '大任有—, 生此文王'《詩經》. ⑤해 신, 나이 신 연세. '文王受命, 惟中—'〈중년(中年)〉《書經》. [二] 나라이름 견 '—毒'은 천축(天竺). 지금의 인도(印度). '邛西可二千里, 有—毒國'《史記》.
[字源] 金文 篆文 象形. 사람이 애를 밴 모양을 본떠 '임신하다'의 뜻을 나타내며, 전(轉)하여 '몸'의 뜻을 나타냄.
[參考] '身'을 의부(意符)로 하여, '신체'를 뜻하는 문자를 이룸.

[身毒 견독] 자해(字解)[二]를 보라.
[身計 신계] 자기 일신의 일을 위하여 꾀하는 일. 자기 일신상에 관한 계획.
[身代 신대] ㉠몸. 신체. ㉡제 몸으로 남을 대신함.
[身圖 신도] 신계(身計).
[身命 신명] 몸과 목숨. 일신(一身).
[身貌 신모] 용모(容貌).
[身謀 신모] 신계(身計).
[身薄 신박] ㉠맨손으로 잡아챔. ㉡몸이 얇음. 가자미를 형용한 말.
[身邊 신변] 몸의 주위. 몸.
[身病 신병] 몸의 병(病).
[身分 신분] 개인의 사회적인 지위.
[身上 신상] 자기 일신상의 일.
[身世 신세] ㉠이 몸과 이 세상. ㉡일평생. 생명.
[身手 신수] 무예(武藝)를 이름.
[身數 신수] 한 몸의 운수(運數).

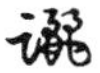

[身若不勝衣 신약불승의] ㉠몸이 옷의 무게에 견디지 못하는 것 같음. 몸이 대단히 허약함의 형용. ㉡공구(恐懼)하여 대단히 조심함의 형용.
[身恙 신양] 신병(身病).
[身言書判 신언서판] 당대(唐代)에 관리 등용의 표준이 된 체모(體貌)·언사(言辭)·서법(書法)·문리(文理)의 네 가지.
[身業 신업] 《佛教》 일신상(一身上)에 일어나는 업인(業因).
[身與煙消 신여연소] 사람이 죽어 없어지는 것은 연기가 사라지는 것과 꼭 같음.
[身熱 신열] 병 때문에 나는 몸의 열.
[身丈 신장] 신장(身長).
[身長 신장] 키.
[身章 신장] 몸의 장식. 곧, 의복.
[身在江海之上心居魏闕之下 신재강해지상심거위궐지하] 몸은 비록 은둔하였지만, 마음은 궁궐 속의 영귀(榮貴)를 잊을 수 없다는 말.
[身重 신중] 아이를 뱀. 임신함.
[身體 신체] 사람의 몸.
[身體髮膚 신체발부] 몸과 모발과 피부. 온몸.
[身火 신화] 《佛教》 몸을 태우는 불. 사람의 사욕(私慾)의 비유.
[身後 신후] 죽은 뒤. 사후(死後).
[身後計 신후계] 죽은 뒤의 자손을 위한 계책.
[身後名 신후명] 사후의 명예.
[身後之諫 신후지간] 생전에 미리 작정한 죽은 뒤의 간언(諫言). 죽은 뒤의 간(諫). 시간(尸諫).
[身後堆金拄北斗 신후퇴금주북두] 죽은 뒤에 재산을 북두칠성까지 닿을 만큼 높이 쌓아 놓음.
◉潔身. 敬身. 傾身. 輕身. 告身. 屈身. 勸身. 謹身. 寄身. 裸身. 累身. 單身. 端身. 膽大於身. 跳身. 滿身. 免身. 明哲保身. 眇身. 文身. 發身. 藩身. 法身. 保身. 佛身. 庇身. 傷身. 纖身. 守身. 修身. 隨身. 樹身. 失身. 安身. 約身. 厲身. 完身. 外身. 聳身. 危身. 衞身. 潤身. 二首六身. 理身. 頤身. 羸身. 一身. 立身. 自身. 長身. 藏身. 赤身. 全身. 前身. 挺身. 存身. 終身. 竹身. 中身. 出身. 致身. 漆身. 濯身. 脫身. 八尺長身. 便身. 萍身. 獻身. 化身. 黃袍加身. 後身.

3 ⑩ [躭] 〔담〕 軆(身部 十三畫〈p. 2256〉)과 同字

3 ⑩ [躬] [人名] 궁 [平]東 居戎切 gōng

[筆順] ′ ｒ 亻 自 身 身⁻ 身ᄀ 躬

[字解] ①몸 궁 ㉠신체. '聖一'. '王一是保'《詩經》. ㉡자기. 나. '不能反一'《禮記》. ②몸소 궁 친히. 손수. 자신이. '一行'. '己一命之'《儀禮》. ③몸소할 궁 자기가 직접 함. '弗一弗親, 庶民弗信'《詩經》. ④성 궁 성(姓)의 하나.

[字源] 篆文 別體 會意. 篆文은 呂+身. '呂려'는 '등뼈'의 뜻. 음(音)이 '宮궁'과 통하여, 굴곡(屈曲)하여 끝나다의 기본(基本) 뜻을 가짐. '身신'은 아이 밴 배의 뜻. 구부렸다 폈다 할 수 있는 몸의 뜻. '躬궁'은 俗字.

[躬稼 궁가] 직접 자기가 곡식을 심음. 몸소 농사를 지음.
[躬儉 궁검] 몸소 검약(儉約)함.
[躬耕 궁경] ㉠직접 자기가 농사를 지음. 몸소 전지를 경작함. ㉡임금이 몸소 적전(籍田)을 갊.
[躬圭 궁규] 오서(五瑞)의 하나. 사람의 모양을 새겨 장식한 홀〔圭〕. 백작(伯爵)이 가짐.

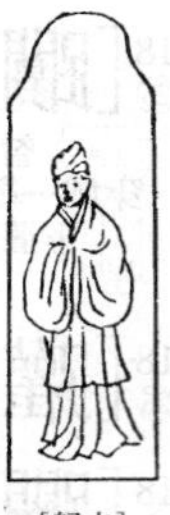
〔躬圭〕

[躬桑 궁상] 후비(后妃)가 몸소 누에를 침. 백성에게 양잠(養蠶)을 장려하기 위한 것임.
[躬行 궁행] 몸소 행(行)함. 친(親)히 행(行)함.
[躬化 궁화] 몸소 모범을 보임으로써 사람을 교화(教化)함.
◉蹇蹇匪躬. 鞠躬. 末躬. 眇躬. 微躬. 薄躬. 反躬. 保躬. 聖躬. 直躬. 責躬. 賤躬. 治躬. 飭躬. 渙躬.

3 ⑩ [躰] 릉 [平]蒸 力登切 léng
[字解] 몸 릉 몸. 신체. '一, 一身也'《玉篇》.

[射] 〔사〕 寸部 七畫(p. 604)을 보라.

4 ⑪ [躲] 비 [平]支 房脂切 pí 頻脂切
[字解] 간드러질 비 '躸一'.

4 ⑪ [躴] 〔강〕 軀(身部 十一畫〈p. 2255〉)과 同字

4 ⑪ [躵] 〔로〕 爐(火部 十六畫〈p. 1362〉)와 同字

4 ⑪ [躭] 〔탐〕 耽(耳部 四畫〈p. 1823〉)의 俗字

4 ⑪ [躸] 〔담〕 耼(耳部 四畫〈p. 1822〉)과 同字

4 ⑪ [躹] 〔담〕 膽(肉部 十三畫〈p. 1865〉)과 同字

5 ⑫ [駐] 주 [上]麌 重主切 zhù
[字解] 몸꼿꼿할 주 몸이 꼿꼿함. 몸이 똑바른 모양. '一, 身直皃'《集韻》.

5 ⑫ [躺] 친 [平]眞 癡鄰切 chēn
[字解] 달리는모양 친 달리는 모양. '一, 走皃'《集韻》.

5 ⑫ [躻] 사 [去]禡 神夜切 shè
[字解] 쏠 사 射(寸部 七畫)의 古字.

5 ⑫ [躰] 〔체〕 體(骨部 十三畫〈p. 2618〉)의 俗字

5 ⑫ [躯] 〔구〕 軀(身部 十一畫〈p. 2255〉)의 俗字

[軍用 군용] ㉠군대의 사용. ㉡군비(軍費).
[軍容 군용] ㉠군대의 장비(裝備). 군대의 몸차림.
　㉡군대의 사기(士氣) 또는 상태.
[軍律 군율] ㉠군법(軍法). ㉡군기(軍紀).
[軍醫 군의] 군대에서 의무(醫務)에 종사하는 의
　관(醫官).
[軍人 군인] 육해공군의 장병의 총칭. 군사. 병사.
[軍資 군자] 군수(軍需). 또, 군비(軍費).
[軍裝 군장] 군대의 장비. 또, 무장(武裝).
[軍籍 군적] 군인(軍人)의 성명(姓名)을 기록한
　문서(文書). 또, 그 적.
[軍政 군정] ㉠군사상의 정무(政務). ㉡군사(軍
　事)에 관한 행정 사무. ㉢전시나 사변 때에 군
　사령관이 임시로 하는 정치.
[軍情 군정] 군중(軍中)의 사정(事情). 군대의 정
　상(情狀).
[軍制 군제] 군사상(軍事上)에 관한 제도(制度).
[軍卒 군졸] 군병(軍兵).
[軍中 군중] ㉠군사(軍事)가 진(陣)을 치고 있는
　속. 진영(陣營)의 안. ㉡군대의 안.
[軍持 군지] 《佛敎》천수관음(千手觀音). 또, 중이
　가지는 물을 넣는 병(瓶).
[軍職 군직] 군사(軍事)를 맡은 벼슬.
[軍陣 군진] 군대의 진영(陣營).
[軍鎭 군진] 변방(邊方)을 수비(守備)하는 군대
　의 진영(陣營).
[軍學 군학] 전쟁에 관한 학문. 병법.
[軍艦 군함] 전쟁(戰爭)에 쓰는 규모(規模)가 큰
　배. 전함(戰艦).
[軍港 군항] 국방상(國防上) 해군(海軍)의 근거지
　(根據地)로서 특별한 시설(施設)이 있는 항구
　(港口).
[軍行 군행] ㉠군대의 행진. ㉡군대의 대열.
[軍餉 군향] 군량(軍糧).
[軍號 군호] 군중(軍中)에서 쓰는 암호(暗號).
[軍候 군후] 벼슬 이름. 행군(行軍)할 때 적정(敵
　情)을 살피는 일을 맡았음.
●卻軍. 減軍. 監軍. 建軍. 孤軍. 空軍. 官軍.
　救世軍. 禁軍. 旗軍. 娘子軍. 勞軍. 單軍. 大
　軍. 冬將軍. 撫軍. 反亂軍. 父子軍. 司軍. 三
　軍. 上軍. 上將軍. 船軍. 水軍. 肅軍. 十字軍.
　我軍. 弱軍. 女軍. 友軍. 羽林軍. 右翼軍. 援
　軍. 遊軍. 六軍. 陸軍. 義軍. 義兒軍. 義勇軍.
　一軍. 將軍. 賊軍. 敵軍. 全軍. 前軍. 殿軍.
　制軍. 從軍. 左翼軍. 舟軍. 酒軍. 駐軍. 中軍.
　衆軍. 支軍. 進軍. 治軍. 親軍. 敗軍. 下軍.
　海軍. 行軍. 懸軍. 護軍. 後軍. 麾軍.

²⁄₉ [匍] 軍(前條)의 本字

²⁄₉ [妻] 軎(次條)와 同字

³⁄₁₀ [軎] 〔예〕
　轊(車部 十一畫〈p. 2277〉)와 同字
〔字源〕 金文 𩩲 篆文 妻 別體 轊 의 象形. 수레의 굴대 머리
의 모양으로, '口'는 그 구멍의 모양. 일설에는 指事.

³⁄₁₀ [軏] 월 ㉠月 魚厥切 yuè
〔字解〕 끌채끝 월 끌채 끝의 멍에를 매는 데. '小

車無一'《論語》.
〔字源〕 篆文 軏 形聲. 車+兀〔音〕. '兀올'은 '쐐기'의
뜻. 작은 수레의 끌채의 끝에 멍에를 고정시키는 비녀장의 뜻을 나타냄.

³⁄₁₀ [軑] 대 ㉠霽 特計切 dài
〔字解〕 바퀴통끝휘갑쇠 대 수레 바퀴통 끝의 휘갑
쇠. '齊玉一而並馳'《楚辭》.
〔字源〕 篆文 軑 形聲. 車+大〔音〕

³⁄₁₀ [軓] 〔강〕
　釭(金部 三畫〈p. 2378〉)과 同字

³⁄₁₀ [軏] 〔돈〕
　軘(車部 四畫〈p. 2260〉)과 同字

³⁄₁₀ [軝]
　軝(次條)과 同字

³⁄₁₀ [軘] 춘 ㉠眞 敕倫切 chūn
〔字解〕 ①바퀴통치레 춘 바퀴통에 베푸는 장식.
'一, 車約一也'《說文》. ②하관차 춘 관(棺)을 무
덤 구덩이에 내릴 때에 싣는 수레. '一, 一曰,
下棺車曰一'《說文》.
〔字源〕 形聲. 車+川〔音〕

³⁄₁₀ [軒] 高八 헌 ①-⑨㉠元 虛言切 xuān
　⑩㉠願 許建切 xiàn
〔筆順〕 一 厂 百 亘 車 軒 軒 軒
〔字解〕 ①초헌 헌 대부(大夫) 이상이 타는 수레.
'鶴有乘一者'《左傳》. ②수레 헌 차량. '戎一'.
'朱一弁馬'《後漢書》. ③처마 헌 지붕의 도리 밖
으로 내민 부분. '高一'. '周一中天'《左思》.
④집 헌 가옥. '我亦一一容膝住'《蘇轍》. ⑤난간
헌 층계나 다리 같은 데의 가장자리를 막은 물
건. '天子自臨一檻'《漢書》. ⑥높을 헌 수레의
앞부분이 가볍고 높음. 낮은 것을 '軽'라 함.
'如軽如一'《詩經》. 전(轉)하여, 우수하다는 뜻
으로 쓰임. '居前不能令人輕, 居後不能令人一'
《漢書》. ⑦오를 헌 높이 올라감. '一擧'. '翔霧
連一'《木華》. ⑧웃을 헌 웃는 모양. '一然仰笑'
《天祿外史》. ⑨성 헌 성(姓)의 하나. ⑩크게저
민고기 헌 '皆有一'《禮記》.
〔字源〕 篆文 軒 形聲. 車+干〔音〕. '干간'은 '幹간'과
통하여 긴 나무줄기, 기둥의 뜻. 채
가 길게 뻗은 수레의 뜻. 또, 지붕 끝의, 건물
밖으로 길게 뻗은 처마의 뜻, 난간의 뜻, 난간
이 있는 긴 복도의 뜻을 나타냄.

[軒駕 헌가] 헌(軒)은 헌원씨(軒轅氏). 천자(天子)
　의 유행(遊幸)을 뜻함.
[軒蓋 헌개] 수레의 덮개.
[軒渠 헌거] 웃는 모양.
[軒擧 헌거] 높이 올라감. 또, 의기가 당당함.
[軒岐 헌기] 황제(黃帝) 헌원씨(軒轅氏)와 기백
　(岐伯). 모두 의술(醫術)의 시조(始祖). 전(轉)
　하여, 의학. 의술.
[軒唐 헌당] 헌원씨(軒轅氏)와 도당씨(陶唐氏).

곤, 황제(黃帝)와 요제(堯帝). 모두 고대의 성인(聖人).
[軒燈 헌등] 처마에 다는 등(燈).
[軒朗 헌랑] 헌활(軒豁).
[軒溜 헌류] 낙숫물.
[軒冕 헌면] 초헌과 면류관. 전(轉)하여, 관직(官職). 관록.
[軒眉 헌미] 눈썹을 듦. 곧, 마음이 명랑하여 눈살을 폄.
[軒帆 헌범] 수레와 배.
[軒序 헌서] 처마와 차양(遮陽).
[軒秀 헌수] 높이 뛰어남.
[軒昂 헌앙] ㉠헌거(軒擧). ㉡기운이 참. 세력이 성함.
[軒然 헌연] 쾌활하게 껄껄 웃는 모양.
[軒頊 헌욱] 황제(黃帝) 헌원씨(軒轅氏)와 전욱(顓頊) 고양씨(高陽氏). 모두 옛날의 성제(聖帝)의 이름.
[軒轅 헌원] 황제(黃帝)의 이름. 그가 헌원(軒轅)의 언덕〈지금의 허난 성(河南省) 신정현(新鄭縣)〉에서 낳았다고 하므로 이름.
[軒輊 헌지] 올라감과 내려감. 높낮이. 전(轉)하여, 우열(優劣).
[軒軺 헌초] 전망용(展望用)의 높은 수레.
[軒檻 헌함] 난간(欄干).
[軒軒 헌헌] ㉠춤추는 모양. ㉡득의(得意)한 모양. ㉢출중한 모양.
[軒軒丈夫 헌헌장부] 외모(外貌)가 준수(俊秀)하고 쾌활(快活)한 남자(男子).
[軒昊 헌호] 황제 헌원씨(黃帝軒轅氏)와 태호 복희씨(太昊伏羲氏). 모두 고대의 성제(聖帝)들임.
[軒豁 헌활] 앞이 탁 트이어 넓게 전개된 모양.
[軒羲 헌희] 헌원씨(軒轅氏)와 복희씨(伏羲氏). 모두 고대의 성인(聖人).
◉瓊軒. 高軒. 曲軒. 蘿軒. 彤軒. 騰軒. 茅軒. 文軒. 飛軒. 山軒. 犀軒. 小軒. 乘軒. 魚軒. 輶軒. 戎軒. 雕軒. 朱軒. 竹軒. 層軒. 皮軒. 皇軒.

3 ⑩ [軔] 인 [去]震 而振切 rèn 轫

[字解] ①바퀴굄목 인 바퀴가 구르지 않게 괴는 나무. '動—則泥陷'《詩經箋》. 전(轉)하여, 출발하는 것을 '發—'이라 함. '發—于天津'《楚辭》. ②정지시킬 인 못 가게 막음. '遂以頭—乘輿輪'《後漢書》. ③길 인 8척(尺). 仞(人部 三畫)과 통용. '掘井九—'《孟子》.

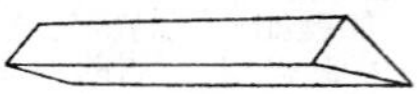
[軔①]

[字源] 篆文 形聲. 車+刃〔音〕. '刃인'은 '막다, 누르다'의 뜻. 바퀴가 도는 것을 막는 '굄목'의 뜻을 나타냄.

◉發軔. 安軔. 車軔.

3 ⑩ [軓] 범 [上]豏 防錽切 fàn

[字解] 수레앞턱나무 범 수레 앞의 가로나무로서, 진(軫)과 대(對)하며, 식(軾)의 아래에 있음. '祭—'《周禮》.
[字源] 篆文 形聲. 車+凡〔音〕

◉祭軓.

4 ⑪ [軘] 돈 [平]元 徒渾切 tún

[字解] 병거 돈 전차(戰車)의 일종으로, 수비하는 데 씀. '使—車逆之'《左傳》.
[字源] 篆文 形聲. 車+屯〔音〕

[軘車 돈거] 전차(戰車)의 일종. 수비하는 데 씀.

4 ⑪ [軛] 액 [入]陌 於革切 è 轭

[字解] 멍에 액 수레를 끌 때, 마소의 목에 얹는 가로나무. '兩—之間'《周禮 註》.

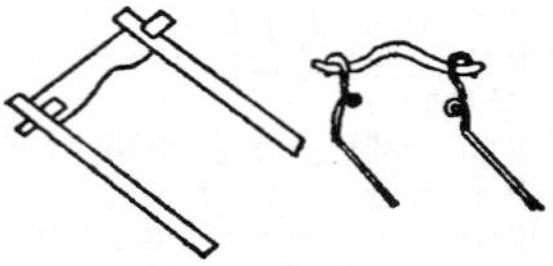
[軛]

[字源] 金文 篆文 形聲. 車+戹〔音〕. 金文인 '戹액'은 멍에의 象形으로 '軶액'의 原字. 뒤에 수레에 관한 것임을 밝히기 위하여 '車차'를 덧붙임. '軛액'은 俗字.

◉兩軛.

4 ⑪ [軟] [高·人] 연 [上]銑 而兗切 ruǎn 软

[筆順] 一 丆 冃 百 亘 車 軟 軟

[字解] ①부드러울 연 ㉠물질이 무름. 연함. '柔—'. '車—輪'《後漢書》. ㉡표현이 딱딱하지 아니함. '—文學'. ②약할 연 ㉠몸이 약함. '妻子—弱'《史記》. ㉡지조 같은 것이 굳지 아니함. '—化'.
[字源] 形聲. 車+耎〔音〕. '耎연'은 '부드럽다'의 뜻. 부드럽게 움직이는 수레의 뜻에서, 일반적으로 '부드럽다'의 뜻을 나타냄. '軟연'은 俗字.

[軟脚病 연각병] 각기(脚氣).
[軟膏 연고] 고약의 일종. 기름을 넣어 부드럽게 만든 고약.
[軟骨 연골] 여린뼈.
[軟肌 연기] 부드러운 살결.
[軟文學 연문학] 부드러운 감정을 나타낸 소설·미문(美文) 등에 관한 문학.
[軟媚 연미] 부드럽고 아리따움.
[軟聲 연성] 부드러운 소리.
[軟水 연수] 광물질이 들어 있지 아니한 순수한 물.
[軟熟 연숙] 부드럽게 익음.
[軟柹 연시] 연감.
[軟弱 연약] 몸이나 의지가 약함.
[軟玉 연옥] 두부(豆腐).
[軟着陸 연착륙] 우주 공간을 비행하는 물체가 지구나 그 밖의 천체에 속도를 늦추어 충격을 줄이며 착륙하는 일.
[軟派 연파] 강경(強硬)하지 아니한 의견을 가진 당파(黨派).
[軟風 연풍] ㉠솔솔 부는 바람. ㉡바닷가에서 밤과 낮의 온도의 차가 높을 때 부는 바람.

[軟化 연화] ㉠단단한 것이 연하게 됨. ㉡강경한 의견을 버리고 굴복 또는 타협(妥協)함.
◉甘軟. 硬軟. 輕軟. 嬌軟. 芳軟. 細軟. 溫軟. 婉軟. 柔軟. 羸軟. 淸軟. 脆軟. 罷軟.

4 ⑪ [軼] 부 [平]虞 奉扶切 fú

[字解] 비녀장 부 굴대 머리 끝에 박아 바퀴가 굴대에서 빠져나오지 않게 하는 쐐기. '一, 車轄'《字彙補》.

4 ⑪ [軜] 납 [入]合 奴荅切 nà

[字解] 고삐 납 말 셋이 끄는 수레에서, 바깥쪽 말의 안쪽 고삐. '鋈以觼一'《詩經》.
[字源] 篆文 形聲. 車+內〔音〕

◉觼軜.

4 ⑪ [軝] 기 [平]支 巨支切 qí

[字解] 바퀴통끝 기 수레 바퀴통 끝의 가죽으로 싼 부분. '約一錯衡'《詩經》.
[字源] 篆文 別體 形聲. 車+氏〔音〕. '氏씨'는 눈멀게 하다의 뜻. 굴대와 바퀴통이 눈과 같은 모양을 하고 있는데, 그 바퀴통 끝에 가죽을 감아 붉은 옻칠을 한 것의 뜻을 나타냄.
[參考] 軧(車部 五畫)는 別字.

4 ⑪ [軞] 파 [平]麻 邦加切 bā

[字解] 병거 파 군용(軍用) 수레. '一, 兵車也'《集韻》.

4 ⑪ [軬] 반 [平]元 孚袁切 fǎn

[字解] 수레휘장 반 수레를 덮는 휘장. '轓謂之一'《廣雅》.
[字源] 篆文 形聲. 車+反〔音〕

4 ⑪ [軿] 계 [平]齊 堅奚切 jī

[字解] 굴대끝 계 차축(車軸)의 양 끝. '一, 車兩轊'《集韻》.

4 ⑪ [軻] 강 [上]養 口朗切 kǎng

[字解] ①가마 강 앞뒤로 사람이 메는 가마. '一, 一一, 軻也'《廣韻》. ②바큇자국 강 수레의 지나간 흔적. '一, 車軌也'《集韻》.

4 ⑪ [軡] 금 [平]侵 渠今切 qián

[字解] 땅이름 금 '一, 地名, 在江南, 通作黔'《集韻》.

4 ⑪ [軠] 뉴 [平]有 女久切 niǔ

[字解] 굴대 뉴 수레의 굴대. '一, 車一也'《字彙補》.

4 ⑪ [軧] 〔저〕
軝(車部 五畫〈p. 2264〉)와 同字

4 ⑪ [軩] 〔태〕
軩(車部 五畫〈p. 2262〉)와 同字

4 ⑪ [軭] 광 [平]陽 巨王切 kuáng

[字解] ①물레 광 실을 자아내는 틀. 방차(紡車). ②외바퀴수레 광 '一, 一曰, 一輪車'《說文》.
[字源] 篆文 形聲. 篆文은 車+㞷〔音〕

4 ⑪ [軨] 굉 [平]蒸 苦肱切 kōng

[字解] 수레앞가로나무 굉 수레의 횡목(橫木).

4 ⑪ [軪] 모 [平]豪 謨袍切 máo

[字解] 수레이름 모 천자나 제후(諸侯)의 병거(兵車)로서, 부거(副車)의 일컬음. 정거(正車)는 원융(元戎). '公路, 主君之一車'《詩經 箋》.

4 ⑪ [較] [一] 각 [入]覺 古岳切 jué
[二] 교 [去]效 居效切 jiào

[字解] [一] 수레양쪽가로나무 각 수레에 서서 탈 때 붙잡는 양쪽의 가로나무. '一, 車輢上曲鉤也'《說文》. [二] 곧을 교, 같지않을 교 곧음. 또는 고르지 못함. '一, 直也, 一曰, 不等'《集韻》.
[字源] 篆文 形聲. 車+爻〔音〕
[參考] 較(車部 六畫)와 同字.

4 ⑪ [軳] 〔로〕
轤(車部 十六畫〈p. 2280〉)의 俗字

4 ⑪ [軥] 〔횡〕
軥(車部 九畫〈p. 2272〉)의 訛字

4 ⑪ [軟] 〔대〕
軑(車部 三畫〈p. 2259〉)의 訛字

4 ⑪ [軣] 〔굉〕
轟(車部 十四畫〈p. 2279〉)의 俗字

4 ⑪ [転] 〔전〕
轉(車部 十一畫〈p. 2276〉)의 略字

[斬] 〔참〕
斤部 七畫(p. 952)을 보라.

4 ⑪ [軥] 軥(次條)와 同字

5 ⑫ [軥] 구 [平]虞 其俱切 qú

[字解] 멍에 구 아래쪽으로 굽은 멍에. '射兩一而還'《左傳》.
[字源] 篆文 形聲. 車+句〔音〕. '句구'는 구부린 갈고리의 뜻. 갈고리 모양의 멍에의 뜻을 나타냄.

[軥錄 구록] 몸을 조심함.

5 ⑫ **[軨]** 령 [平]靑 郞丁切 líng

[字解] ①사냥수레 령 수렵에 쓰는 수레. 엽차(獵車). '以一獵車, 奉迎曾孫'《漢書》. ②굴대빗장 가죽 령 굴대의 빗장에 싼 가죽. '展一效駕'《禮記》. ③격자창 령 수레에 있는 격자창(格子窓). '據一軒而周流兮'《揚雄》.

[字源] [篆文] [別體] 形聲. 車+令〔音〕. '令령'은 '櫺령'과 통하여 '격자'의 뜻. 수레의 격자창의 뜻을 나타냄.

[軨獵車 영렵차] 사냥에 쓰는 수레.
[軨軒 영헌] 수레에 달린 격자창(格子窓).
◉展軨.

5 ⑫ **[軫]** [人名] 진 [上]軫 章忍切 zhěn

[筆順] 一 ㄇ 百 亘 車 軒 軫 軫

[字解] ①수레뒤턱나무 진 수레의 뒤에 있는 가로나무. '車一, 四尺'《周禮》. ②수레 진 차량. '神御出瑤一'《顏延之》. ③돌 진 회전함. '一轉其道'《太玄經》. ④굽을 진 곧지 아니함. '路紆一而多艱'《後漢書》. ⑤슬퍼할 진, 마음아파할 진 '一憂'. '一其寒飢'《韓愈》. ⑥두둑 진, 길 진 '以翔虛無之一'《淮南子》. ⑦별이름 진 이십팔수(二十八宿)의 하나. '一爲車, 主風'《史記》. ⑧거문고줄받침 진 거문고의 하면(下面)에 있어 줄을 굴리는 데 쓰이는 장치(裝置). '須施一如琴'《魏書》. '拂一弄瑤琴'《李白》. ⑨성 진 성(姓)의 하나.

[字源] [金文] [篆文] 形聲. 車+㐱〔音〕. '㐱진'은 '밀집하다'의 뜻. 수레가 많다의 뜻을 나타냄. 뒤에 '隱은'과 통하여, '슬퍼하다'의 뜻을 나타냄.

[軫念 진념] 임금의 마음. 또, 임금이 아랫사람을 생각하여 근심함.
[軫悼 진도] 임금이 슬퍼함.
[軫星 진성] 이십팔수(二十八宿)의 하나.
[軫宿 진수] 진성(軫星).
[軫憂 진우] 근심함.
[軫轉 진전] 돎. 돌아 옮김.
[軫軫 진진] 사물(事物)이 은성(殷盛)한 모양.
[軫懷 진회] 근심함. 상심함.
[軫恤 진휼] 불쌍히 여김.
◉琴軫. 鸞軫. 發軫. 庇軫. 瑤軫. 紆軫. 殷軫. 翼軫. 接軫. 停軫. 彫軫.

5 ⑫ **[軨]** 軫(前條)의 俗字

5 ⑫ **[軨]** 軫(前前條)과 同字

5 ⑫ **[軳]** 타 [平]歌 唐何切 tuó

[字解] 수레빨리달릴 타 '一, 車疾馳'《集韻》.

5 ⑫ **[軮]** [一] 앙 [上]養 烏朗切 yǎng [二] 복 [入]屋 房六切

[字解] [一] 삐걱거릴 앙 '一軋'은 수레바퀴가 물체에 닿아 쓸려서 나는 소리. 또 일설(一說)에는, 광대(廣大)하여 끝이 없는 모양. '忽一軋而無垠'《揚雄》. [二] 고을이름 복 현(縣)의 이름. '封浚儀公主, 適一侯'《後漢書》.

[字源] 形聲. 車+央〔音〕

[軮軋 앙알] 자해(字解)[一]을 보라.

5 ⑫ **[軗]** [一] 년 [上]銑 niǎn [二] 연 [上]銑 ruǎn

[字解] [一] 칠 년 수레바퀴가 물건을 치어 깔아 부숨. '一, 車轢物'《廣韻》. [二] 부드러울 연 연함. '一, 柔也'《集韻》.

[字源] 形聲. 車+㞋〔音〕

5 ⑫ **[軘]** 니 [平]支 柅夷切 ní

[筆順] 一 亘 車 軒 軒 軒 軘 軘

[字解] 수레앞턱나무 니 차 앞의 횡목(橫木). '一, 軾也'《玉篇》.

5 ⑫ **[軯]** 팽 [平]庚 披耕切 pēng

[字解] ①수레소리 팽 수레가 가는 소리. 일설(一說)에는, 종고(鐘鼓)의 소리. '一磕隱訇'《張衡》. ②우렛소리 팽 뇌성. '豐隆一其震霆兮'《張衡》.

[字源] 形聲. 車+平〔音〕

[軯磕 팽개] 수레가 가는 소리. 일설(一說)에는, 종고(鐘鼓)의 소리.

5 ⑫ **[軱]** 고 [平]虞 古胡切 gū

[字解] 큰뼈 고 거대한 뼈. '技經肯綮之未嘗, 而況大一乎'《莊子》.

[字源] 形聲. 車+瓜〔音〕

5 ⑫ **[軵]** [一] 용 [上]腫 而隴切 rǒng [二] 부 [上]麌 斐古切 fǔ

[字解] [一] 가벼운수레 용 빨리 달리는 수레. 경차(輕車). '一, 一曰, 輕車'《集韻》. [二] ①밀 부 힘을 주어 앞으로 나가게 함. '一車奉饟'《淮南子》. ②도울 부 '坤大一, 上發乃應. (注)一者, 輔也'《易緯乾坤鑿度》.

[字源] [篆文] 會意. 車+付

5 ⑫ **[軩]** 태 [上]賄 蕩亥切 dài

[字解] 수레기울 태 수레가 반듯이 있지 못하고 한쪽으로 기욺. '一, 博雅, 軚一, 車不平也'《集韻》.

5 ⑫ **[軷]** 발 [入]曷 蒲撥切 bá

[字解] 길제사 발 도신(道神)에 지내는 제사. 길을 떠날 때, 도중에 무사하기를 빌며 지내는 제사. '取羝以一'《詩經》.

字源 篆文 軷 形聲. 車+犮〔音〕. '犮발'은 '제거하다'의 뜻. '車차'는 차를 타고 가다의 뜻. 길 떠날 때 도신(道神)을 제사 지내어, 여행 중의 재해를 제거하다의 뜻을 나타냄.

[軷壤 발양] 발제(軷祭)를 지내는 제단(祭壇).
[軷祭 발제] 길을 떠날 때 지내는 제사. 길제사.
●祀軷. 釋軷. 舌軷. 祭軷. 祖軷.

5 ⑫ [軸] 人名 축 ⓐ屋 直六切 zhóu 軸軸

筆順 一 𠃌 𠃌 車 軕 軕 軸 軸

字解 ①굴대 축 수레바퀴의 한가운데의 구멍에 끼는 긴 나무 또는 쇠. '車一折'《史記》. ②바디 축 베틀에 딸린 제구의 하나. '杼一其宮'《詩經》. ③두루마리 축 권축(卷軸)을 박고 표장(表裝)하여 말아 놓은 서화. '見卷一未必多僕'《南史》. ④두루마리로할 축 표장하여 두루마리를 만듦. '一而藏之'《歐陽修》. ⑤축 축 ㉠두루마리를 세는 단위. '插架三萬一'《韓愈》. ㉡돌돌 말게 된 물건의 속에 박게 된 방망이. '卷一並廻乾一'《袁宏》. ⑥자리 축 중요한 지위. '樞一當一處中'《漢書》. ⑦앓을 축 병을 앓음. '碩人之一'《詩經》.
字源 篆文 軸 形聲. 車+由〔音〕. '由유'는 '의거하다'의 뜻. 회전하는 수레의 의지처가 되는 부분, 굴대의 뜻을 나타냄.

●坤軸. 掛軸. 群輕折軸. 卷軸. 權軸. 棘軸. 機軸. 寶軸. 新機軸. 牙軸. 雨如車軸. 轅軸. 杼軸. 折軸. 座標軸. 主軸. 中軸. 地軸. 車軸. 叢輕折軸. 樞軸. 標軸. 衡軸. 花軸. 厚軸.

5 ⑫ [軝] [차·거] 硨(石部 七畫〈p.1572〉)와 同字

5 ⑫ [軹] 지 ⓐ紙 諸氏切 zhǐ 軹軝

字解 ①굴대끝 지 차축(車軸)의 말단. 예두(軼頭). ②두갈래 지 분기(分岐). '北方中有一首蛇焉'《爾雅》. ③어조사 지 무의미의 어조사. 只(口部 二畫)와 同字. '許由曰, 而奚來爲一'《莊子》.
字源 篆文 軹 形聲. 車+只〔音〕. '只지'는 끝에서 머무르다의 뜻. 수레 바퀴통의 끝에 있는 구멍의 뜻을 나타냄.

[軹道 지도] 땅 이름. 진왕(秦王) 자영(子嬰)이 패공(沛公)에게 항복한 곳. 지금의 산시 성(陝西省) 셴양 현(咸陽縣) 동북(東北)쪽임. 〔蛇〕.
[軹首蛇 지수사] 머리가 둘 있는 뱀. 양두사(兩頭蛇).
●庇軹. 軡軹. 靈軹.

5 ⑫ [軲] 고 ⓐ虞 攻乎切 gū 軲

字解 ①수레 고 '一, 車也'《廣韻》. ②산이름 고 '依'는 산 이름. '一, 依一, 山名'《集韻》. '又東南三十里曰依一之山'《山海經》. ③성 고 성(姓)의 하나.

5 ⑫ [軱] 굉 ⓐ蒸 苦肱切 hóng

字解 수레가로나무 굉 輷(革部 五畫)과 同字. '輷, 說文, 車軫也, 或作一'《集韻》.

5 ⑫ [軺] 二 초 ⓐ蕭 丁聊切 diāo 요 ⓐ蕭 餘昭切 yáo 軺軺

字解 二 수레 초 경쾌한 소형의 수레. 또, 사방을 전망하는 수레. '一車'. '駕一封一傳'《漢書》. 二 수레요 軺(車部 十畫)와 同字.
字源 篆文 軺 形聲. 車+召〔音〕. '召소'는 '搖요'와 통하여 '흔들리다'의 뜻. 흔들흔들 흔들리는 작고 가벼운 수레의 뜻을 나타냄.

[軺傳 초전] 역참(驛站)에 딸린 경쾌한 수레.
[軺車 초차] 말 하나가 끄는 작은 수레. 경거(輕車).
●使軺. 停軺. 軒軺.

5 ⑫ [軻] 人名 가 ⓐ歌 苦何切 kē 軻軻

字解 ①가기힘들 가 '轗一'는 수레가 전진하기 힘든 모양. 전(轉)하여, 때를 못 만나 뜻을 얻지 못한 모양. 불우한 모양. '轗一, 不遇也'《廣韻》. ②높을 가 '一峨'는 높은 모양. '一峨大編望如豆'《陸游》. ③성 가 성(姓)의 하나.
字源 篆文 軻 形聲. 車+可〔音〕. '可가'는 갈고리꼴로 굽다의 뜻. 굴대를 갈고리 모양으로 이어 붙인 수레의 뜻을 나타냄. 수레가 나아가기 힘든 모양에서, 사람이 불우한 모양의 뜻도 나타냄.

[軻峨 가아] 높은 모양.
●轗軻. 丘軻. 走軻.

5 ⑫ [軼] 三 일 ⓐ質 夷質切 yì 질(절)ⓐ屑 徒結切 dié 철 ⓐ屑 直列切 zhé 軼軼

字解 一 ①앞지를 일 뒤에서 빨리 가서 앞을 차지함. '一迅風于淸源'《劉向》. ②지날 일 수레를 타고 질러 지나감. '一范028之絕迹'《後漢書》. ③범할 일 침범함. '懼其侵一我也'《左傳》. ④잃을 일 망실하여 전하지 아니함. 逸(辵部 八畫)과 同字. '一事'. '睹一詩可異焉'《史記》. ⑤뛰어날 일 탁월함. 逸(辵部 八畫)과 同字. '一材'. '因奏衷有一材'《漢書》. ⑥번갈아 질 갈마들어서. 迭(辵部 五畫)과 同字. '一興一衰'《史記》. 三 수레바퀴 철 輒(車部 十二畫)과 통용. '伏式結一'《史記》.
字源 篆文 軼 形聲. 車+失〔音〕. '失실'은 '빗나가다'의 뜻. 수레가 서로 빗나가려 하다의 뜻을 나타냄. 또, 무리에서 벗어나 뛰어나다의 뜻도 나타냄.

[軼群 일군] 여럿 중에서 뛰어남. 출중(出衆)함.
[軼事 일사] 세상에 널리 알려지지 아니한 일. 일사(逸事).
[軼詩 일시] ㉠없어져서 시경(詩經)에 수록되지 아니한 시. ㉡전해 내려오지 않는 시. 일시(逸詩).
[軼才 일재] 뛰어난 재능을 가진 사람.
[軼態 일태] 뛰어난 자태(姿態).
●競軼. 跨軼. 冠軼. 貫軼. 樂軼. 突軼. 亡軼. 鏖軼. 奔軼. 越軼. 遺軼. 超軼. 衝軼. 馳軼. 侵軼.

5
⑫ [輁] 공 ⒣腫 古勇切 gǒng

字解 ①바퀴테 공 '―, 車輞'《集韻》. ②수레바퀴에치일 공 '―, 一曰, 轢也'《集韻》. ③굽은끌채 공 '―, 曲轅'《集韻》.

5
⑫ [軴] 주 ⒢遇 中句切 zhù

字解 수레머무를 주 수레가 멈춤. '―, 車止也'《集韻》.

5
⑫ [軧] 저 ⒣薺 都禮切 dǐ

字解 수레뒤채 저 큰 수레 뒤에 내민 나무 막대로서, 언덕 같은 데를 내려갈 때 속력을 떨어뜨리는 것. '―, 大車後也'《說文》.

字源 篆 輕 形聲. 車＋氐〔音〕. '氐저'는 '낮다'의 뜻. 수레 뒤쪽에 낮게 내밀어 있어, 언덕을 내려갈 때 미끄러지지 않게 하는 나무 막대의 뜻을 나타냄.

參考 軧(車部 四畫)는 別字.

5
⑫ [軦] 〓 항 ⒢漾 許放切 kuàng
〓 황 ⒣養 詡往切

字解 〓 벌레이름 항 '黃―'은 벌레의 이름. '黃―生乎九猷'《莊子》. 〓 벌레이름 황 〓과 뜻이 같음.

5
⑫ [輮] 류 ⒣有 力久切 liǔ

字解 ①상여차 류 '―, 載柩車也'《玉篇》. ②상여차장식 류 蔞(艸部 十一畫)와 同字.

5
⑫ [軶] 〔액〕 軛(車部 四畫⟨p. 2260⟩)의 本字

5
⑫ [軽] 〔경〕 輕(車部 七畫⟨p. 2267⟩)의 俗字

5
⑫ [軰] 〓 반 ⒣阮 扶晚切 fàn
〓 본 ⒣阮 部本切 bèn

字解 〓 수레덮개 반 비를 막기 위해 수레 위를 덮는 물건. 〓 수레뜸 본 輽(車部 十畫)과 同字. '―, 車篷也'《集韻》.

5
⑫ [軰] 〔배〕 輩(車部 八畫⟨p. 2271⟩)의 俗字

6
⑬ [軾] 〔人名〕 식 ⒜職 賞職切 shì

筆順 一 「 冃 冐 車 車 軒 軾 軾

字解 수레앞턱가로나무 식 수레 안에서 절을 할 때에 손으로 쥐는 앞턱의 가로나무. 범(帆)의 위에 있음. '伏―' '輿' 참조. '憑―下東藩'《魏徵》. 또, 그 나무를 쥐고 몸을 의지하여 절을 함. '過段干木之閭, 必―'《十八史略》.

字源 篆 軾 形聲. 車＋式〔音〕. '式식'은 '弋익'과 통하여, 두 개의 나무를 교차시킨

［軾］

말뚝의 뜻. 수레 앞쪽의 가로나무의 뜻을 나타냄.

●據軾. 撫軾. 伏軾. 拊軾. 馮軾. 前軾. 折軾. 憑軾.

6
⑬ [鞏] 공 ⒥冬 渠容切 gǒng

字解 관굄공 상여에 실은 관(棺)을 움직이지 않도록 괴어 버티는 물건. '夷牀―軸'《儀禮》.

6
⑬ [較] 해 ⒣賄 苦亥切 kǎi

字解 ①수레기울어질 해. ②거리낄 해 '―, 一曰, 礙也'《集韻》.

6
⑬ [較] 〓 각 ⒜覺 古岳切 jué
〓 교 ⒢效 古孝切 jiào(jiǎo)

筆順 一 「 冃 冐 車 軒 軻 軻 較

字解 〓 ①차이(車耳) 각 차체(車體) 좌우의 널빤지 위에 댄 가로나무의 앞으로 고부라져 나온 부분. 수레 안에서, 서 있을 때 잡는 곳임. '輿' 참조. '倚重一兮'《詩經》. ②차체 각 수레 위의 상자처럼 된 부분. 차상(車箱). '爲輿倚―'《後漢書》. ③겨룰 각, 견줄 각 角(部首)과 통용. '魯人獵―'《莊子》. 〓 ①견줄 교 校(木部 六畫)와 통용. '比―'. '琴瑟不―'《史記》. ②대강 교 대략. '斯其大一也'《嵆康》. ③조금 교 좀. '春寒花一遲'《杜甫》. ④환할 교 분명한 모양. '一炳'. '一然甚明'《漢書》.

字源 金文 較 篆文 較 形聲. 較(車部 四畫)의 동일어(同一語) 이체자(異體字). 篆文은 車＋爻〔音〕. '爻효'는 '교차하다'의 뜻. 수레의 양옆 판자에 직각으로 교차하는 가로나무의 뜻을 나타냈으나, '皎교', '皦교'와 통하여 '분명하다'의 뜻을, '按교', '校교'와 통하여 '비교하다'의 뜻을 나타냄. 뒤에 '爻'가 '交교'로 변하여 '較교'가 쓰이게 됨.

[較略 교략] 개략. 대개. 대강의 줄거리.
[較明 교명] 명료함.
[較炳 교병] 뚜렷하고 분명함.
[較覆 교복] 비교하여 조사함.
[較若畫一 교약획일] 한일자를 쓴 것같이 간명함.
[較然 교연] 분명한 모양. 요연(瞭然)한 모양.
[較著 교저] 뚜렷이 드러남. 현저(顯著)함.
[較準 교준] 표준(標準).
●大較. 比較. 獵較. 詮較. 平較.

6
⑬ [輅] 〔人名〕 〓 로 ⒢遇 洛故切 lù
〓 락 ⒜藥 歷各切
〓 아 ⒥禡 魚駕切 yà
四 핵 ⒥陌 轄格切 hé

字解 〓 ①수레 로 ㉠천자(天子)가 타는 수레. '乘戎―'《禮記》. ㉡큰 수레. '乘殷之―'《論語》. ②클 로 주로 천자가 사용하는 물품에 쓰임. 路(足部 六畫)와 통용. '一寢'. '禮下公門軾―馬'《後漢書》. 〓 ①작은수레 락 인력(人力)으로 끄는 작은 수레. 또, 수레를 끌기 위하여 수레 앞에 댄 가로나무. '脫軛―'《史記》. ②끌 락 수레ㆍ말 같은 것을 끎. '軛―'. '服牛―馬'《管子》. 〓 맞이할 아 봉영(奉迎)함. '一秦伯'《左傳》. 四 수레앞가로나무 핵 사람이 수레를 끌 때 가슴

字源 篆文 輓 形聲. 車+免〔音〕. '免면'은 '빼내다'
의 뜻. 수레를 빼내다, 끌어내다의
뜻을 나타냄.

[輓歌 만가] ㉠상여를 메고 갈 때에 하는 노래. ㉡
　죽은 사람을 애도(哀悼)하는 노래. 만가(挽歌).
[輓近 만근] 요사이. 근래.
[輓輅 만락] 수레를 끎.
[輓詞 만사] 만장(輓章).
[輓送 만송] 수레를 끌어 보냄.
[輓輸 만수] 수레로 운반함.
[輓章 만장] 죽은 사람을 애도(哀悼)하는 글.
[輓推 만추] 앞에서 끌고 뒤에서 밂. 전(轉)하여,
　사람을 추천함.
　●漕輓. 推輓.

7 ⑭ [輔] 人名 보 ㉠麌 扶雨切 fǔ　　輔 捕

筆順 一 一 亘 車 車¹ 車¹ 輔 輔

字解 ①광대뼈 보 협골(頰
骨). '牙一'. '咸其一頰舌'
《易經》. ②바퀴덧방나무 보
수레에 무거운 짐을 실을
때, 바퀴에 묶어 바퀴를 튼
튼하게 하는 나무. '無棄爾
一'《詩經》. ③도울 보 거듦.
보좌함. '一弼'. '一翼'. '魯
以君子之道一其君'《史記》.
④도움 보 조력. 보좌. 또, 돕
는 사람. '范氏之亡也多一而少拂'('拂'은 弼)
《說苑》. ⑤재상 보 천자를 돕는 대신. '宰一'.
'四一'. '稱爲良一'《後漢書》. ⑥아전 보 속리
(屬吏). '置其一'《周禮》. ⑦경기 보 서울에 가
까운 땅. '畿一'. '家世宅三一'《鮑照》. ⑧성 보
성(姓)의 하나.
字源 金文 輔 篆文 輔 形聲. 車+甫〔音〕. '甫보'는 '扶
부'와 통하여, 힘을 거들다의
뜻. 수레의 덧방나무의 뜻에서, '돕다'의 뜻을
나타냄.

[輔②]

輔

[輔國安民 보국안민] 나라를 돕고 백성(百姓)을
　편안하게 함.
[輔臺 보대] 군주(君主)를 보좌함. 전(轉)하여, 삼
　공(三公)을 이름.
[輔導 보도] 도와 인도함. 또, 그 사람.
[輔相 보상] ㉠도와 바로잡음. ㉡천자(天子)의 보
　좌, 곧 재상(宰相).
[輔牙 보아] 광대뼈와 어금니. 상호 부조하는 사
　물의 비유로 쓰임. 보차(輔車).
[輔翊 보익] 임금을 보좌함.
[輔翼 보익] 보익(輔翊).
[輔仁 보인] 벗끼리 서로 격려하고 도와 덕(德)을
　닦음.
[輔佐 보좌] 도움.
[輔車 보차] 광대뼈와 잇몸. 상호 부조하는 사물
　의 비유로 쓰임.
[輔車相依 보차상의] 보(輔)는 광대뼈, 차(車)는
　치은(齒齦), 곧 잇몸. 광대뼈는 외골(外骨)이
　고 치은은 내골(內骨)이어서, 이 두 뼈가 서로
　움직여서 작용하는 것이므로, 서로 의지하고
　보조하지 아니하면 그 존재를 보전하기 어려운
　관계에 비유하여 이름.

[輔贊 보찬] 도움. 익찬(翼贊).
[輔弼 보필] ㉠임금이 정사(政事)를 하는 것을 보
　좌함. ㉡재상. 대신.
[輔行 보행] ㉠남을 도와서 행함. 또, 그 사람. ㉡
　부사(副使)로서 따라감. 또, 그 사람.
[輔護 보호] 보좌하고 보호함.
　● 諫輔. 卿輔. 鯁輔. 公輔. 匡輔. 口輔. 內輔.
　　大輔. 藩輔. 四輔. 三輔. 丞輔. 承輔. 牙輔.
　　良輔. 驪輔. 英輔. 王輔. 龍輔. 元輔. 衛輔.
　　翼輔. 宰輔. 雋輔. 鼎輔. 戚輔. 台輔. 賢輔.
　　夾輔. 挾輔. 頰輔. 后輔.

7 ⑭ [輕] 中 人 경 ㉠庚 去盈切 qīng　　輕 輕
　　　　　　　　　　㉡敬 牽正切 qīng

筆順 一 一 亘 車 車¹ 輕¹ 輕 輕

字解 ①가벼울 경 ㉠무게가 적음. '鴻毛一'.
'蟬翼爲重, 千鈞爲一'《楚辭》. ㉡정도가 대단하
지 않음. '一罪'. '一寒'. '君權一, 臣勢重'《尹
文子》. ㉢가치가 적음. '恩深命轉一'《裴度》.
㉣미천함. '恨君資一'《南史》. ㉤손쉬움. 간편
함. 또, 홀가분함. '一便'. '出入一單'《南齊書》.
㉥빠름. '一捷'. '一車'. ㉦적음. '一少'. ◎얇
음. 모자람. '才一任重'. ㉨침착성이 없음. 천
박함. '一率'. '秦師一而無禮'《左傳》. ②가벼
이여길 경 ㉠경시함. 경멸함. '每一陽虎由
此益一季氏'《史記》. ㉡낮게 봄. 천하게 여김.
'一喬松之永延, 貴一旦之浮爵'《列仙傳》. ③가
벼이할 경 경하게 함. 적게 함. '一刑'. ④성 경
성(姓)의 하나. ⑤가벼이 경 손쉽게. 경솔하게.
'一諾必寡信'《老子》.
字源 篆文 輕 形聲. 車+巠〔音〕. '巠경'은 '강하다,
곧다'의 뜻. 적진에 강하게 곧장 돌
진하는 전차의 뜻에서, '가볍다, 가벼이'의 뜻을
나타냄.

[輕舸 경가] 쾌속정(快速艇).
[輕勘 경감] 죄인을 가볍게 처분함.
[輕減 경감] 형벌이나 세금을 덜어 가볍게 함.
[輕裾 경거] 가벼운 옷자락.
[輕遽 경거] 경솔.
[輕擧 경거] ㉠경솔한 행동. 경솔하게 일함. ㉡가
　볍게 올라감. ㉢높은 위치에 올라감.
[輕車 경거] ㉠가볍고 빨리 달리는 수레. ㉡옛날
　의 병거(兵車).
[輕輕 경경] 가벼운 모양. 경박한 모양.
[輕矯 경교] 자유로이 행동함.
[輕裘 경구] 품질이 좋은 가벼운 가죽 옷.
[輕裘緩帶 경구완대] 가벼운 가죽 옷과 느슨한
　띠. 군복을 입지 아니한 홀가분한 몸차림.
[輕騎 경기] 경장(輕裝)한 기병(騎兵). 가볍게 차
　리고 날쌘 말을 탄 군사.
[輕氣球 경기구] 기구(氣球).
[輕諾 경낙] 경솔하게 승낙함.
[輕諾寡信 경낙과신] 신중히 생각하지 아니하고 대
　번 승낙하는 사람은 진실성이 적어 실행하는 일
　이 드묾.
[輕煖 경난] 의복이 가볍고 따스함.
[輕動 경동] 행동이 가벼움.
[輕羅 경라] 얇고 가벼운 비단.
[輕攏慢撚 경롱만연] 가볍게 손으로 비파를 누름
　을 이름.
[輕利 경리] ㉠이익을 가벼이 여김. ㉡병기(兵器)

같은 것이 가볍고 예리함. ㉢가볍고 편리함.
[輕慢 경만] 경모(輕侮).
[輕妄 경망] 언행(言行)이 가볍고 방정맞음. 진중하지 못함.
[輕蔑 경멸] 업신여김.
[輕侮 경모] 업신여김.
[輕妙 경묘] 솜씨가 경쾌하고 교묘함.
[輕微 경미] 가볍고 작음.
[輕薄 경박] ㉠경솔하고 진실성이 적음. ㉡경시(輕視)하여 소원(疏遠)히 함. ㉢가볍고 얇음.
[輕帆 경범] 가벼운 범선.
[輕兵 경병] 홀가분하게 차린 병사(兵士).
[輕寶 경보] 몸에 지니기 편한 보배. 가볍고 값나가는 재물.
[輕服 경복] 가벼운 의복. 간편한 옷차림.
[輕浮 경부] ㉠가볍게 뜸. ㉡경솔하고 침착성이 적음. 까불까불함.
[輕肥 경비] 품질이 좋은 가벼운 가죽 옷과 살진 말. 부귀한 사람의 외출할 때의 차림. 전(轉)하여, 부귀한 사람의 생활.
[輕傷 경상] 조금 다침.
[輕少 경소] 적음. 얼마 안 됨.
[輕速 경속] 가볍고 빠름.
[輕率 경솔] 행동이 진중하지 아니함.
[輕視 경시] 가볍게 봄. 깔봄.
[輕施好奪 경시호탈] 잘 주는 사람은 잘 빼앗음.
[輕迅 경신] 가볍고 빠름.
[輕軟 경연] 가볍고 부드러움.
[輕銳 경예] 날쌘 군사.
[輕銀 경은] 알루미늄.
[輕陰 경음] ㉠약간 흐림. ㉡엷은 그림자.
[輕易 경이] ㉠경모(輕侮). ㉡쉬움. 용이함.
[輕以約 경이약] 남이 모든 일을 다 잘하기를 바라기보다는 한 가지 행실이나 한 가지 학문이라도 잘하면 그것으로 충분하다고 여겨서, 남을 심하게 꾸짖지 아니함.
[輕裝 경장] 몸을 가볍게 차린 복장. 홀가분한 옷차림.
[輕敵 경적] ㉠하찮은 적. ㉡적을 깔봄.
[輕佻 경조] 경솔하고 천박함.
[輕躁 경조] 방정맞고 성미가 급함.
[輕佻詭激 경조궤격] 경솔하여 말이 중정(中正)을 잃음.
[輕卒 경졸] ㉠경장(輕裝)한 군사. ㉡신분이 낮은 군사.
[輕罪 경죄] 가벼운 죄.
[輕舟 경주] 가벼운 배. 쾌속정.
[輕舟已過萬重山 경주이과만중산] 잘 닫는 가벼운 배가 어느덧 첩첩산중(疊疊山中)을 빠져나감. 곧, 작은 배의 살같이 달림을 이름.
[輕重 경중] ㉠가벼움과 무거움. 가벼운 것과 무거운 것. ㉡경시할 것과 중시할 것. 작은 일과 큰 일. ㉢무게. 중량. ㉣돈. 금전.
[輕症 경증] 가벼운 병. 경미한 병증.
[輕車 경차] ㉠병거(兵車). 전차(戰車). ㉡가볍고 빠른 수레.
[輕車熟路 경차숙로] 경쾌한 수레로 익숙한 길을 간다는 뜻으로, 사물에 익숙함을 비유하는 말.
[輕捷 경첩] ㉠날램. 몸이 가볍고 민첩함. ㉡구조가 간단하고 속력이 빠름.
[輕脆 경취] ㉠성질이 경박하고 의지가 약함. ㉡가볍고 무름.
[輕快 경쾌] ㉠빠르고 상쾌함. ㉡병이 조금 나음.

[輕波 경파] 잔물결.
[輕便 경편] ㉠몸이 잼. 날램. ㉡가뜬하고 편리함. 간단함. 홀가분함.
[輕飆 경표] 경풍(輕風).
[輕風 경풍] 솔솔 부는 바람.
[輕霞 경하] 엷은 놀.
[輕汗 경한] 조금 난 땀.
[輕悍 경한] 날래고 사나움.
[輕寒 경한] 조금 추움. 쌀쌀함.
[輕俠 경협] 경박한 협기(俠氣).
[輕刑 경형] 죄를 가볍게 함.
[輕忽 경홀] ㉠경박하고 소홀함. ㉡소홀히 함. 등한시(等閑視)함.
[輕紅 경홍] 연분홍. 담홍(淡紅).
●群輕. 命緣義輕. 文人相輕. 仙姿玉質體香肌輕. 一寸光陰不可輕. 罪疑惟輕. 淸輕. 叢輕. 髟輕. 剽輕. 瓢輕.

7
⑭ [輑] 균 ㉱眞 去倫切 qūn
字解 ①차축(車軸) 균 '一, 車軸也'《集韻》. ②연할 균 연속함. '隁脛相一'《張衡》.
字源 篆文 輑 形聲. 車+君〔音〕

8
⑮ [輖] 주 ㉱尤 職流切 zhōu
字解 낮을 주 수레의 앞이 무거워 숙여서 낮음. '志矢一乘, 軒一中'《儀禮》.
字源 篆文 輖 形聲. 車+周〔音〕

8
⑮ [輗] 예 ㉱齊 五稽切 ní
字解 끌채끝 예 짐 싣는 수레, 곧 대차(大車)의 끌채 끝의 멍에를 매는 데. '大車無一'《論語》.
字源 篆文 輗 形聲. 車+兒〔音〕. '兒아·예'는 '매다'의 뜻. 대차의 끌채와 멍에를 매는 비녀장의 뜻을 나타냄.

[輗軏 예월] 짐 싣는 수레, 곧 대차(大車)의 끌채 끝과 사람이 타는 수레, 곧 소차(小車)의 끌채 끝. 전(轉)하여, 사물의 대소(大小)를 이름. 논어(論語)의 '大車無輗, 小車無軏'에서 나온 말.
●倚輗. 車輗.

8
⑮ [輎] 탑 ㉦合 託合切 tà
字解 바퀴통쇠 탑 바퀴통 속에 넣어 마멸을 방지하는 철관(鐵管). '一, 車釭'《集韻》.

8
⑮ [輆] 〔납〕
軜(車部 四畫〈p. 2261〉)의 訛字

8
⑮ [輑] 〔록〕
轆(車部 十一畫〈p. 2275〉)과 同字

8
⑮ [軙] 〔저〕
軧(車部 五畫〈p. 2264〉)와 同字

8
⑮ [軙] 〔종〕
輴(車部 十一畫〈p. 2276〉)과 同字

●輪輞. 重輞. 車輞.

8
⑮ [輇] 퇴 ㊀灰 通回切 tuī

字解 수레많을 퇴 帕(車部 六畫)와 同字. '一, 車盛皃, 或作帕'《集韻》.

8
⑮ [輘] 릉 ㊀蒸 魯登切 léng

字解 ①삐걱거릴 릉 수레바퀴가 갈림. 전(轉)하여, 서로 충돌함. 침범함. '一輘宗室'《漢書》. ②수레소리 릉 '一輷'은 수레가 지나갈 때 나는 소리. '一輷掉狂車'《韓愈》.
字源 形聲. 車+夌[音]. '夌릉'은 '타고 넘다'의 뜻. 수레가 물건을 타고 넘다의 뜻을 나타냄.

[輘轢 능력] 짓밟음. 침범함.
[輘輷 능횡] 수레가 지나갈 때 나는 소리. 차 소리.

8
⑮ [輚] 잔 ㊀潸 士限切
㊁諫 士諫切 zhàn

字解 수레 잔 輚(車部 十二畫)과 同字. '乘一輅'《後漢書》.

[輚輅 잔로] 누워 잘 수 있는 수레. 와거(臥車). 또, 병거(兵車).

8
⑮ [輛] 人名 량 ㊂漾 力仗切 liàng

字解 수레 량 수레바퀴 둘이란 뜻으로, 수레를 세는 수사(數詞). 승(乘). 또, 속(俗)에 '수레'의 뜻으로도 쓰임. '車一—'.
字源 形聲. 車+兩[音]. '兩량'은 '둘'의 뜻. 두 바퀴가 있는 수레의 뜻을 나타냄.

●車輛.

8
⑮ [輜] 人名 치 ①㊀支 側持切 zī
②㊁寘 側吏切 zì

字解 ①짐수레 치 하물(荷物) 또는 군량 등을 싣는 수레. 짐차. 또, '一車', 또, 덮개가 있는 수레. '乘安車一輜'《列女傳》. ②바퀴살끝 치 바퀴살이 바퀴통에 들어가는 부분. '車輜入牙曰一'《集韻》.
字源 形聲. 車+甾(甾)[音]. '甾치'는 '끊다'의 뜻. 또, '載재'와 통하여 '싣다'의 뜻. 덮개를 씌워 실은 짐을 밖으로부터의 시선에서 막는 수레의 뜻을 나타냄.

[輜重 치중] ㉠나그네의 짐. ㉡군대의 짐.
[輜重兵 치중병] 군수품을 나르는 병정.
[輜車 치차] ㉠전시 또는 평시에 쓰는 짐수레. ㉡ 덮개가 있는 수레.
●列輜. 盈輜. 雲輜.

8
⑮ [輞] 人名 망 ①㊀養 文兩切 wǎng

字解 바퀴테 망 수레바퀴 가의 테. 輪(車部 八畫) 참조(參照). '天子獵車, 重一縵輞'《後漢書》.
字源 形聲. 車+罔[音]

[輞川 망천] 당대(唐代)의 시인 왕유(王維)의 별장(別莊)이 있던 산시 성(陝西省) 남전현(藍田縣)에 있는 지명.

8
⑮ [輟] 人名 철 ㊇屑 陟劣切 chuò

字解 ①그칠 철 하던 일을 잠시 중지함. '一朝' '擾而不一'《論語》. ②버릴 철 돌보지 아니함. 방치함. '吾不以一日一汝而就也'《韓愈》.
字源 形聲. 車+叕[音]. '叕철'은 '이어 붙이다'의 뜻. 작은 부분들을 이어 붙여서 만든 수레바퀴의 뜻을 나타냄. '絶절'과 통하여, '중단하다, 그만두다'의 뜻으로 쓰임.

[輟耕錄 철경록] 원말(元末)의 문인(文人) 도종의(陶宗儀)의 수필집(隨筆集). 모두 30권. 원대(元代)의 법령·제도를 비롯하여 서화(書畫)·문예(文藝) 등에 관한 고정(考訂)에 볼만한 것이 있음.
[輟朝 철조] 천자(天子)가 병환으로 또는 대신 등의 죽음을 슬퍼하여 조회(朝會)를 폐하는 일.
●不輟. 作輟. 暫輟. 中輟.

8
⑮ [輠] ☰ 과 ①㊀哿 古火切 guǒ
☲ 화 ①㊀馬 胡瓦切 huà
☷ 회 ①㊀賄 胡罪切 huì

字解 ☰ 기름통 과 차축(車軸)에 바르는 기름을 담는 통. ☲ 기름통 화 輠(車部 九畫)와 同字. ☷ 굴릴 회 바퀴를 회전시킴. '關轂而一輠'《禮記》.

●炙輠.

8
⑮ [輤] 천 ㊁霰 倉甸切 qiàn

字解 상여뚜껑 천 '諸侯之一'《禮記》.
字源 形聲. 車+青[音]

8
⑮ [輣] 팽 ㊀庚 蒲萌切 péng

字解 ①병거 팽 싸움에 쓰는 수레. '作一車鏃矢'《史記》. ②물결소리 팽 격랑(激浪)의 소리. '砏汃一軋'《張衡》.
字源 形聲. 車+朋[音]

[輣軋 팽알] 격렬하게 물결치는 소리.
[輣車 팽차] 병거(兵車). 전차(戰車).
●轒輣. 雲輣. 衝輣.

8
⑮ [輥] 곤 ㊂阮 古本切 gǔn

字解 빠를 곤 수레바퀴의 회전이 빠름. '望其轂, 欲其一'《周禮》.
字源 形聲. 車+昆[音]. '昆곤'은 둥그렇게 늘어서다의 뜻. 바퀴통이 둥글게 정제되어 있는 모양을 나타내며, 파생하여, 바퀴가 매끄럽게 잘 나아가는 모양을 나타냄.

8
⑮ [輧] 人名 ☰ 병 ㊀青 薄經切 píng
☲ 변 ㊀先 部田切 píng

筆順 一 亘 亘 車 軒 軒 輧 輧

字解 ☰ 수레 병 ㉠앞쪽에 덮개를 씌운 수레.

'一, 輪—也'《說文》. ㉡덮개가 있는, 소가 끄는 부인용 수레. '乘紫闟一車'《後漢書》. 三 수레 변 日과 뜻이 같음.

字源篆文 形聲. 車+幷〔音〕. '幷병'은 병풍을 벌여 놓다의 뜻. 앞 또는 네 둘레에 덮개를 씌운 수레의 뜻을 나타냄.

參考 軿(車部 六畫)은 俗字.

8/⑮ [輨] 관 ㊤旱 古滿切 guǎn 輈

字解 바퀴통끝휘갑쇠 관 수레 바퀴통 끝의 휘갑 쇠.

字源篆文 形聲. 車+官〔音〕. '官관'은 '環환'과 통하여 '두르다'의 뜻. 바퀴통의 둘레에 휘갑친 쇠의 뜻을 나타냄.

8/⑮ [輪] 高人 륜 ㉠眞 力迍切 lún 轮 輪

筆順 一 日 旦 車 軒 輪 輪 輪

字解 ①바퀴 륜 수레바퀴. '車一'. '蒲一'. '察車自一始'《周禮》. 전 (轉)하여, 원형의 물건. '日一'. '圓旣照水'《梁簡文帝》. ②수레 륜 바퀴를 장치한 차량. '顧石室而廻一'《張協》. 또, 수레를 세는 수사(數詞). '車至二十一'《南史》. 또, 수레를 만드는 사람. '梓匠一輿'《孟子》. ③둘레 륜 외주(外周). 외곽. '肉好無一廓'《魏志》. ④세로 륜 남북의 길이. '周知九州之地域, 廣一之數'《周禮》. ⑤높을 륜 고대(高大)한 모양. '美哉一焉'《禮記》. ⑥돌 륜 회전함. '一轉'. '一運而輻集'《柳宗元》. ⑦성 륜 성(姓)의 하나.

[輪①]

字源篆文 形聲. 車+侖〔音〕. '侖륜'은 '조리 있다'의 뜻. 바퀴통이 둥글게 정제되어 있는 모양, 또 바퀴살이 방사상으로 질서 있게 벌여 서 있는 모양을 나타내어, 바퀴가 잘 굴러 나가는 모양, '바퀴'의 뜻을 나타냄.

[輪姦 윤간] 한 여자를 여러 남자(男子)가 돌려 가면서 강간(強姦)함.

[輪感 윤감] 돌림감기. 유행성(流行性) 감기.

[輪講 윤강] 윤번으로 강의를 함.

[輪郭 윤곽] 주위의 선. 외곽.

[輪廓 윤곽] 윤곽(輪郭).

[輪囷離奇 윤균이기] 나무가 꼬불꼬불하고 마디 진 모양.

[輪對 윤대] 백관(百官)이 순번으로 시정(時政)의 득실(得失)을 임금에게 아뢰는 일.

[輪讀 윤독] 여러 사람이 차례로 돌려 가며 글을 읽음.

[輪燈 윤등] 불전(佛前)에 매다는 윤상(輪狀)의 등.

[輪紋 윤문] 수레바퀴 모양의 무늬.

[輪番 윤번] 차례로 번을 듦.

[輪伐 윤벌] 임목(林木)을 차례로 일부분씩 벰.

[輪輻 윤복] 수레바퀴의 살.

[輪生 윤생] 잎이 줄기에 윤상(輪狀)으로 남.

[輪船 윤선] ㉠바퀴를 달아 그 회전에 의하여 달리는 장치를 한 배. ㉡화륜선(火輪船). 곧, 기선(汽船).

[輪旋 윤선] 돎. 선회함.

[輪輿 윤여] 수레를 만드는 사람.

[輪王 윤왕]《佛教》'전륜성왕(轉輪聖王)'의 준말.

[輪運 윤운] 바퀴와 같이 돌아감.

[輪人 윤인] 수레바퀴를 만드는 장인(匠人).

[輪作 윤작] ㉠순번으로 일 또는 경작을 함. ㉡일정한 토지에 수종의 작물을 순번으로 재배함.

[輪藏 윤장] 회전(回轉)할 수 있도록 만든 서가(書架). 소장(所藏)의 불경(佛經)을 열람(閱覽)하는데 편리하게 한 장치임.

[輪轉 윤전] 빙빙 돎. 회전함.

[輪轉機 윤전기] 인쇄지의 양면에 동시에 인쇄할 수 있는 회전이 빠른 인쇄 기계.

[輪座 윤좌] 원형(圓形)으로 앉음.

[輪直 윤직] 돌려 가며 하는 당직이나 숙직.

[輪彩 윤채] '태양(太陽)'의 이칭(異稱).

[輪塔 윤탑]《佛教》오륜탑(五輪塔).

[輪禍 윤화] 차륜(車輪)에 의한 재화(災禍). 곧, 교통사고.

[輪奐 윤환] 건물(建物)이 장대(壯大) 미려(美麗)함. 또, 그 건물.

[輪環 윤환] 돎. 순환(循環)함.

[輪廻 윤회] 수레바퀴가 돌고 돌아 끝이 없는 것과 같이, 중생(衆生)이 멸하지 않고 전전(轉轉)하여 무시무종(無始無終)으로 돈다는 일.

●徑輪. 輕輪. 廣輪. 九輪. 扣輪. 金輪. 金覆輪. 大輪. 動輪. 牛輪. 法輪. 覆輪. 奔輪. 飛輪. 氷輪. 相輪. 夕輪. 安車蒲輪. 兩輪. 御輪. 如意輪. 年輪. 軟輪. 五輪. 玉輪. 臥輪. 月輪. 揉輪. 銀輪. 靭輪. 一輪. 日輪. 前輪. 轉輪. 征輪. 朱輪. 珠輪. 持輪. 車輪. 斷輪. 隻輪. 鐵輪. 摧輪. 漆輪. 偏輪. 蒲輪. 護輪. 火輪. 後輪.

8/⑮ [輬] 량 ㊤陽 呂張切 liáng 輬

字解 수레 량 輻(車部 十畫)을 보라. '輻一'.

字源篆文 形聲. 車+京〔音〕.

●輻輬.

8/⑮ [輐] 운 ㊤文 於云切 yuān

字解 병거 운 輶(車部 十三畫)을 보라. '輶一'.

字源篆文 形聲. 車+宛〔音〕.

●輶輐.

8/⑮ [輢] 二 의 ㊤紙 於綺切 yǐ 三 기 ㊤眞 奇寄切

字解 二 수레양옆판자 의 수레의 양옆에 의지하게 만든 판자. '一, 車旁也. (段注) 謂車兩旁式之後, 較之下也, 注家謂之一, 按, 一者言人所倚也'《說文》. 三 의지할 기 '枕一交趾'《左思》.

字源篆文 形聲. 車+奇〔音〕. '奇기'는 '倚의'와 같은 뜻으로, '의지하다'의 뜻. 수레 양옆에 의지하게 만든 판자의 뜻을 나타냄.

8/⑮ [輎] 당 ㊤陽 待郎切 táng

字解 ①쇠굴대 당 '一, 鐵軸'《玉篇》. ②병거 당 輷(車部 十畫)과 同字. '輷, 兵車也, 或从堂'

亦省'《集韻》.

8 ⑮ [輷] 〔횡〕
輷(車部 九畫〈p.2272〉)의 訛字

8 ⑮ [輡] 〔감〕
轗(車部 十三畫〈p.2278〉)과 同字

[字源] 形聲. 車+臽〔音〕. '臽함'은 '빠지다'의 뜻. 수레가 도랑 따위에 빠져서 나아가지 못하다의 뜻을 나타냄.

8 ⑮ [輙] 〔첩〕
輒(車部 七畫〈p.2266〉)의 俗字

8 ⑮ [⿲王車王] 복 [入]屋 房六切 fú

[字解] 수레주머니 복 수레 상자 좌우의 가로나무에 비치하여 사자(使者)의 옥을 넣어 두는 가죽 주머니. '一, 車笭閒之皮匧也, 古者使奉玉, 所以盛之'《說文》.

[字源] [篆文] 會意. 車+珏. '珏각'은 쌍옥. 수레 상자 좌우의 가로나무에 다는 가죽 주머니의 뜻을 나타냄. 그 주머니에 사자(使者)가 보석을 넣어 두고, 전차(戰車)에서는 큰 활을 넣어 놓음.

8 ⑮ [⿰車旨] 갱 [平]庚 丘耕切 kēng

[字解] 수레소리 갱 '一, 一輘, 車聲'《集韻》.

8 ⑮ [⿰車卷] 권 [上]阮 居宛切 juān

[字解] 수레끌 권 수레를 끎. '一, 牽車也'《等韻》.

8 ⑮ [輝] [高·人] 휘 [平]微 許歸切 huī 辉

[筆順]

[字解] ①빛 휘 찬란한 빛. '光一'. '虹蜺揚一'《後漢書》. ②빛날 휘 광휘를 발함. '昭昭素明月, 一光燭我牀'《古詩》.

[字源] 形聲. 光+軍〔音〕. '煇휘'의 俗體.

[輝光 휘광] 빛남. 또, 찬란한 빛.
[輝然 휘연] 빛나는 모양.
[輝映 휘영] 뻔쩍뻔쩍 비침.
[輝耀 휘요] 번쩍번쩍 빛남.
[輝燭 휘촉] 환하게 비춤.
[輝赫 휘혁] 휘황(輝煌).
[輝煥 휘환] 휘황(輝煌).
[輝煌 휘황] 광채가 눈부시게 빛남.
[輝煌燦爛 휘황찬란] 휘황(輝煌).
◉慶輝. 瓊輝. 光輝. 明輝. 發輝. 伏輝. 鳳輝. 素輝. 餘輝. 烈輝. 映輝. 玉輝. 潛輝. 爭輝. 澄輝. 淸輝. 吐輝. 洪輝. 紅輝.

8 ⑮ [輦] [人名] 련 [上]銑 力展切 niǎn 辇

[字解] ①손수레 련 손으로 끄는 수레. '我任我一'《詩經》. 특히, 천자(天子)가 타는 수레. '玉一'. '帝悟, 方下一禮謝'《列仙傳》. ②끌 련 손수레를 끎. '以乘車, 一其母'《左傳》. ③성 련 성(姓)의 하나.

[字源] [金文] [篆文] 會意. 車+㚘. '㚘반'은 손발에 힘을 준 두 사람을 본뜬 것. 둘이 나란히 끄는 수레, '손수레'의 뜻을 나타냄.

[輦轂 연곡] ㉠천자가 타는 수레. ㉡연곡하(輦轂下).
[輦轂下 연곡하] 연하(輦下).
[輦道 연도] ㉠연로(輦路). ㉡궁중(宮中)의 길.
[輦郞 연랑] 관명(官名). 연(輦)을 끄는 것을 맡음.
[輦路 연로] 거둥하는 길.
[輦夫 연부] 손수레를 끄는 사람.
[輦車 연차] 손수레. 손으로 끄는 수레.
[輦下 연하] 임금이 타는 수레의 밑이란 뜻으로, 서울을 이름. 연곡하(輦轂下).
◉肩輦. 京輦. 輕輦. 大輦. 都輦. 同輦. 輓輦. 步輦. 鳳輦. 小輦. 乘輦. 御輦. 輿輦. 驢輦. 玉輦. 搖輦. 停輦. 帝輦. 彫輦. 駐輦. 翠輦. 香輦. 扈輦.

8 ⑮ [輂] 국 [入]沃 居玉切 jú

[字解] ①끌채곧은수레 국 끌채가 곧은 대차(大車). ②들것 국 흙을 나르는 기구. '一, 土轝也'《韻會》.

[字源] [篆文] 形聲. 車+具〔音〕

8 ⑮ [輩] [高·人] 배 [去]隊 補妹切 bèi 辈

[筆順]

[字解] ①무리 배 ㉠동등한 사람. '儕一'. '使者十一來'《史記》. ㉡배항(輩行). '後一'. '前一後一'《論語 註》. ㉢동아리. 패(낮추어 이르는 말). '或出倖臣一, 或由帝戚恩'《李商隱》. ②짝 배 상대자. 비류(比類). '當今無一'《吳志》. ③견줄 배 비교하여 동등하다고 여김. '時人以一前世趙張'《後漢書》. ④줄 배 수레의 행렬. '車以列分爲一'《六書故》.

[字源] [篆文] 形聲. 車+非〔音〕. '非비'는 '配배'와 통하여 '벌이다'의 뜻. 전시에 벌여 놓은 수레의 뜻에서 파생하여 '무리, 동아리'의 뜻을 나타냄.

[輩流 배류] 배항(輩行)㉡.
[輩出 배출] 인재(人材)가 쏟아져 나옴.
[輩行 배항] ㉠선배(先輩)·후배(後輩)의 순서. ㉡같은 또래의 친구. 동배(同輩). ㉢항렬(行列). 또, 형제의 서열. 배항(排行).
◉渠輩. 卿輩. 輕輩. 群輩. 奴輩. 老輩. 黨輩. 同輩. 等輩. 末輩. 凡輩. 朋輩. 鼠輩. 先輩. 俗輩. 我輩. 兒輩. 若輩. 弱輩. 汝輩. 年輩. 吾輩. 庸輩. 流輩. 倫輩. 爾輩. 儕輩. 曹輩. 疇輩. 後輩.

8 ⑮ [輤] 갱 [平]庚 口莖切 kēng

[字解] 수레의채찍 갱 '一, 車鞭'《玉篇》.

9 ⑯ [輮] 유 [上]有 人九切 rǒu

[字解] ①덧바퀴 유 수레바퀴의 외주(外周)를 싸

는 것. '行澤者反一'《周禮》. ②짓밟을 유 蹂(足部 九畫)와 통용. '一轢沙漠, 南面稱王'《晉書》. ③잡을 유 곧게 함. 揉(手部 九畫)와 통용. '坎爲矯一'《易經》.
[字源] [篆文] 形聲. 車+柔〔音〕

[輮轢 유력] 짓밟음. 유린함.
◉矯輮. 反輮.

9 ⑯ [輯] [人名] 집(즙本) [入]緝 秦入切 jí 辑

[筆順] 一 亘 車 軒 軻 軻 輯 輯

[字解] ①모을 집, 모일 집 ㉠한데 모음. '一萬國'《漢書》. ㉡거둠. '一五瑞'《書經》. ㉢저술의 재료를 모음. '編一'. '門人相與一而論纂'《漢書》. ②화목할 집 친목함. '和一'. '一寧爾邦家'《書經》. ③화기돌 집 얼굴에 온화한 기색이 돎. '一柔爾顏'《詩經》. ④상냥할 집 말이 부드럽고 애교가 있음. '辭之一矣'《詩經》. ⑤솔솔불 집 바람이 솔솔 부는 모양. '一一和風'《束晳》.
[字源] [篆文] 形聲. 車+咠〔音〕. '咠즙'은 '그러모으다'의 뜻. 사람이나 물건을 모아 싣는 수레의 뜻을 나타내며, '거두다, 모으다'의 뜻도 나타냄.

[輯寧 집녕] ㉠평안히 하여 안심시킴. ㉡무사태평함.
[輯錄 집록] 모아서 기록(記錄)함.
[輯睦 집목] 화목함.
[輯穆 집목] 집목(輯睦).
[輯成 집성] 모아서 이룸. 자료를 모아 책 따위를 이룸.
[輯柔 집유] 안색을 부드럽게 함. 순하게 함.
[輯輯 집집] 바람이 솔솔 부는 모양.
◉撫輯. 補輯. 裒輯. 收輯. 安輯. 寧輯. 完輯. 綴輯. 招輯. 統輯. 編輯. 和輯. 懷輯.

9 ⑯ [輏] 輯(前條)과 同字

9 ⑯ [輲] 천 [上]銑 竪兖切 chuán

[字解] 상여 천 관을 싣는 수레. 영구차. '載以一車'《禮記》.

[輲輪 천륜] 살이 없는 수레바퀴.
[輲車 천차] 관을 싣는 수레. 상여.

9 ⑯ [軭] 〔광〕 軖(車部 六畫〈p. 2265〉)의 本字

9 ⑯ [䡕] 〔경·항〕 聲(車部 十一畫〈p. 2275〉)과 同字

9 ⑯ [輳] [人名] 주 [去]宥 倉奏切 còu 辏

[字解] 모일 주 수레바퀴의 살이 바퀴통에 모임. '如輻之一轂, 水之朝宗'《參同契》. 전(轉)하여, 사물이 한군데에 모임. '四通輻一'《史記》.
[字源] 形聲. 車+奏〔音〕. '奏주'는 '湊주'와 통하여 '모이다'의 뜻. 수레바퀴의 살이 바퀴통에 모이다의 뜻을 나타냄.

◉載輳. 輻輳. 畫雲輳.

9 ⑯ [輵] [一] 갈 [入]曷 古達切 gé
[二] 알 [入]曷 阿葛切 è

[字解] [一] 수레소리 갈 수레가 달릴 때 나는 소리. '皇車幽一'《揚雄》. [二] 구를 알 '一轄'은 수레가 구르며 흔들리는 모양. '跮踱一轄'《史記》.
[字源] 形聲. 車+曷〔音〕

[輵轄 알할] 자해(字解)[二]를 보라.
◉轟輵. 轇輵. 幽輵.

9 ⑯ [輝] [人名] [一] 혼 [平]元 戶昆切 hūn
[二] 헌 [平]元 虛言切 xuān

[字解] [一] ①멍에의굽이 혼 멍에의 양 끝이 구부러져서 우마(牛馬)의 목에 닿는 부분. '一, 軶軥也'《說文》. ②수레서로피할 혼 '一, 還也. 車相避也'《廣韻》. ③가마 혼 탈것의 한 가지. '一, 輣也'《廣雅》. [二] 앞이가벼운수레 헌 '一, 車前輕也'《廣韻》.
[字源] 形聲. 車+軍〔音〕

9 ⑯ [輴] 순 [平]眞 丑倫切 chūn

[字解] ①상여 순 관을 싣는 수레. 영구차. '龍一'(용을 그린 영구차)《禮記》. ②썰매 순 진흙위를 다니는 데 쓰는 키 모양의 썰매. '泥乘一'《書經 註》.
[字源] 形聲. 車+盾〔音〕

◉龍輴.

9 ⑯ [輱] 감 ①[上]豏 苦感切 kàn
②[去]勘 苦紺切

[字解] ①수레소리 감 '一, 車聲'《集韻》. ②轗(車部 十三畫)과 同字. '轗, 轗軻, 車行不平, 一曰, 不得志, 或省'《集韻》.

9 ⑯ [輶] 유 [平]尤 以周切 yóu

[字解] ①가벼울 유 무겁지 아니함. '德一如毛'《詩經》. ②수레 유 가뿐한 수레. 경차(輕車). '一車鸞鑣'《詩經》.
[字源] [篆文] 形聲. 車+酋〔音〕

[輶車 유차] 수렵(狩獵) 따위를 할 때 쓰는 가뿐한 수레. 경차(輕車).
[輶軒 유헌] 가뿐한 수레. 칙사(勅使)가 타는 수레.

9 ⑯ [輷] 횡 [平]庚 呼宏切 hōng

[字解] 수레소리 횡 수레가 지나갈 때 쿵쿵 울리는 소리. '一一殷殷'《史記》.
[字源] 形聲. 車+訇〔音〕

[輷輷 횡횡] 수레가 지나갈 때 쿵쿵 울리는 소리.
◉轔輷.

9/16 [輸] 高人 수

①-⑥⊕虞 式朱切 shū 輸 *슈*
⑦⑧③遇 傷遇切 shù

[筆順] 一 亘 車 軨 軨 輸 輸 輸

[字解] ①보낼 수 화물을 운송함. '一送', '一粟於晉'《左傳》. ②알릴 수 사정을 통보(通報)함. '常以國情一楚'《戰國策》. ③다할 수 정성을 다함. '直求一赤誠'《李商隱》. 또, 물품을 다 내놓는 데도 이름. '一積聚以貧'《左傳》. ④깰 수, 부술 수 파손함. '載一爾載'(아래의 '載'는 짐·하물)《詩經》. ⑤질 수 '勝'의 대(對). '一贏'. 전(轉)하여, 승부(勝負). 주로, 내기를 함을 이름. '家無儋石一百萬'《杜甫》. ⑥성수 성(姓)의 하나. ⑦짐 수 보내는 물품. 화물. '漢有三輔委一官'《韻會》. ⑧경혈(經穴) 수 경맥(經脈)의 구멍. '五藏一'《史記》.

[字源] 篆文 輸 形聲. 車+兪〔音〕. '兪유'는 '뽑아내다'의 뜻. 어떤 구역에서 뽑아내어 다른 구역으로 수레로 옮기다의 뜻을 나타냄.

[輸肝 수간] 정성을 다함.
[輸納 수납] 바침.
[輸來 수래] 물건을 운반하여 옴.
[輸掠 수략] 물건을 약탈하여 보내옴.
[輸寫 수사] 숨김없이 심중(心中)을 털어놓음.
[輸送 수송] 물건을 실어 보냄.
[輸實 수실] 정성을 다함.
[輸贏 수영] 짐과 이김. 패배(敗北)와 승리.
[輸運 수운] 물건을 운반(運搬)함.
[輸一籌 수일주] 산가지 한 개를 보낸다는 뜻으로, 승부(勝負)에서 짐'을 이르는 말.
[輸入 수입] ㉠화물을 운반하여 들여옴. ㉡외국의 산물을 들여옴.
[輸將 수장] 수송(輸送).
[輸情 수정] 본국(本國)의 실정을 적에게 알림. 또는 진심을 다함.
[輸卒 수졸] 군대의 하물을 운반하는 병졸.
[輸籌 수주] 수일주(輸一籌).
[輸出 수출] 국내의 산물을 외국에 내보냄.
[輸平 수평] 평화를 깨뜨리는 일. 일설(一說)에, 불화(不和)하던 사이를 허물고 좋게 지냄.
●螢輸. 空輸. 交輸. 均輸. 代輸. 輓輸. 密輸. 運輸. 委輸. 流輸. 陸輸. 轉輸.

9/16 [輸] 輸(前條)와 同字

9/16 [輻] 人名 ■복(폭⑭)人屋 方六切 fú 輻 *扥*
■부 ⊕有 方副切 fú

[字解] ■①바퀴살 복 바퀴통에서 테를 향하여 방사선 모양으로 뻗은 나무. '輪一蓋軫'《蘇洵》. ②다투어모일 복 한 곳으로 다투어서 집중함. '一轃'. ■②몰려들 부 한곳으로 몰려듦.

[字源] 篆文 輻 形聲. 車+畐〔音〕.

[輻■①]
軸 轂

[輻射 복사] ㉠바퀴살 모양으로 한 점에서 둘레로 내쏨. ㉡빛이나 열이 물체에서 사방으로 직사(直射)하는 현상.
[輻轃 복주] 폭주(輻轃).

[輻湊 폭주] 폭주(輻轃).
[輻轃 폭주] 바퀴살이 바퀴통에 모이는 것같이 사물이 한곳으로 많이 모임.
●員輻. 輪輻. 折輻. 車輻. 脫輻.

9/16 [輹] 人名 복 ④屋 方六切 fù 輹 *舣*

[字解] 당토(當兎) 복 굴대의 중앙에 있어서 차체(車體), 곧 차상(車箱)과 굴대를 연결하는 물건. 좌우에 있는 것은 '轃'으로서, 복토(伏兎)라고도 함. '輿脫一'《易經》.

[字源] 篆文 輹 形聲. 車+复(夏)〔音〕.

●脫輹.

9/16 [轃] 종 ④董 作孔切 zǒng

[字解] 바퀴 종 수레의 바퀴. '輪, 關西謂之一'《揚子方言》.

9/16 [轃] 탁 入藥 達各切 duó 轃 *舣*

[字解] 구를 탁 돎. '一, 一輅, 轉也'《集韻》.

9/16 [輅] 핵 入陌 胡格切 hé

[字解] 수레채앞마구리 핵 사람이 끌 때 가슴이 닿는 손수레 앞의 가로나무. 輅(車部 六畫)과 同字. '一, 車前橫木'《集韻》.

9/16 [輠] 화 ④哿 戶果切 huǒ

[字解] 기름통 화 수레에 치는 기름을 담는 그릇. 輠(車部 八畫)와 同字.

9/16 [輗] 〔치〕 輗(車部 八畫〈p.2269〉)의 本字

9/16 [輗] 〔연〕 軟(車部 四畫〈p.2260〉)의 本字

9/16 [輼] 〔온〕 輼(車部 十畫〈p.2274〉)의 俗字

10/17 [輿] 高人 여 ①-⑨⊕魚 以諸切 yú 輿 *舣*
⑩去御 羊茹切 yù

[筆順] 「 F 戶 臼 車 車 輿 輿

[字解] ①차상(車箱) 여 수레 위의 사람이 타거나 물건을 싣는 곳. 차체. '上古, 聖人觀轉蓬始爲輪, 輪行不可載, 因物生智, 後爲一'《後漢書》. 전(轉)하여, 사물의 기초의 뜻으로도 쓰임. '敬禮之一也'《左傳》. ②수레 여 차량. '一乘'. '一脫輹'《易經》. 또, 수레를 만드는 사람. '梓匠輪一'《孟子》. ③실을 여 수레에 실음. '扶傷一死履腸涉血'《呂氏春秋》. ④질 여 등에 짐. '百人一瓢而趨'《戰國策》. ⑤마주들 여 두 사람

[輿①]
較
軾
轛
軨
輢
輞
軨
帆
軫
椅

이상이 들거나 멤. ‘一轎而隨嶺’《漢書》. ⑥종
여 노복. ‘一臺’. ‘厮一之卒’《漢書》. ⑦땅 여 대
지 (大地). ‘堪一’. ‘一地’. ‘坤爲地,
爲大一’《易經》. ⑧많을 여 수가 많음. 사람이
여럿임. ‘一望’. ‘無令一師淹於君地’《左傳》.
⑨성 여 성(姓)의 하나. ⑩가마 여 두 사람이 메
는 탈것. ‘肩一’. ‘乘藍一’《晉書》.

字源 形聲. 車+舁〔音〕. ‘舁여’는 양
손으로 들어 올리다의 뜻. 사람
이나 물건을 싣는 수레의 바탕의 뜻에서, ‘수
레’의 뜻으로 쓰임. 또, 두 사람 이상이 메는
수레, ‘가마’의 뜻을 나타냄.

[輿歌 여가] 대중(大衆)이 부르는 노래.
[輿駕 여가] 임금이 타는 수레.
[輿臺 여대] 종. 하인(下人).
[輿圖 여도] ㉠천하(天下)·세계(世界)를 이름. 강
 토(疆土). ㉡‘여지도(輿地圖)’의 준말.
[輿梁 여량] 수레나 가마가 통행하는 교량.
[輿輦 여련] 천자(天子)가 타는 손수레. 연 (輦).
[輿隷 여례] 하인.
[輿論 여론] 사회(社會) 일반(一般)이 주창(主唱)
 하는 의론(議論). 천하(天下)의 공론(公論).
 뭇사람의 의견.
[輿望 여망] 세상의 인망. 중망(衆望).
[輿服 여복] 차여(車輿)와 관복(冠服).
[輿師 여사] 많은 군대.
[輿誦 여송] 여러 사람의 입에 오르는 말.
[輿臣 여신] 여러 신하.
[輿薪 여신] 수레에 높이 실은 땔나무.
[輿議 여의] 여론(輿論).
[輿人 여인] ㉠뭇사람. 중인(衆人). ㉡수레를 만
 드는 장인(匠人). ㉢천한 사람. 천민(賤民).
[輿丁 여정] 가마를 메는 사람.
[輿皁 여조] 하인.
[輿志 여지] 지리책. 여지지(輿地誌).
[輿地 여지] 수레처럼 만물을 실은 대지(大地).
 곧, 지구(地球).
[輿地圖 여지도] 세계 지도.
[輿櫬 여츤] 관(棺)을 가마에 올려놓음. 자기가
 죽을죄를 졌다는 뜻을 나타내는 말.
●堪輿. 肩輿. 坤輿. 權輿. 錦輿. 機輿. 蘭輿.
 鸞輿. 籃輿. 方輿. 扶輿. 仙輿. 素木輿. 手輿.
 乘輿. 宸輿. 神輿. 連輿. 輂輿. 腰輿. 雲母輿.
 輪輿. 梓匠輪輿. 舟輿. 竹輿. 地輿. 車輿. 板
 輿. 編輿. 篼輿. 檻輿.

10 ⑰ [輾] 人名 ■전 ㉦銑 知演切 zhǎn
■년 ①㉦銑 尼展切 niǎn 輾 扺
②㉠霰 女箭切

字解 ■①돌 전, 구를 전 반 바퀴 돎. 반전(半
轉)함. 또, 돌아누움. ‘一轉反側’. ‘一轉伏枕’
《詩經》. ②성 전 성(姓)의 하나. ③(韓) 타작 전
곡식을 떨어서 거둠. ■①삐걱거릴 년 수레바
퀴가 쓸림. ②연자매 년 碾(石部 十畫)과 同字.

字源 形聲. 車+展〔音〕.

[輾轉 전전] 잠이 오지 않아 누워서 엎치락뒤치락
[輾轉反側 전전반측] 전전(輾轉).   함.

10 ⑰ [筆] 경 ㉦庚 葵營切 qióng

字解 외바퀴수레 경, 수레바퀴테를휘어둥글게만
드는기구 경 ‘一, 車輮規也. 一曰, 一輪車’《說
文》.

字源 形聲. 車+熒〈省〉〔音〕.

10 ⑰ [頚] 경 ㉦庚 丘耕切 kēng

字解 수레튼튼할 경 䡓(車部 十一畫)과 同字.
‘一, 說文, 車堅也. 或从冥’《集韻》.

10 ⑰ [轎] 〔교〕 轎(車部 十二畫〈p. 2277〉)와 同字

10 ⑰ [輾] 극 ㉠陌 竭戟切 jí

字解 복토(伏兔) 극 차여(車輿)와 차축(車軸)
을 연결 고정하는 나무. ‘一, 車軸伏兔’《集韻》.

10 ⑰ [輺] 〔도〕 韜(韋部 十畫〈p. 2534〉)의 訛字

10 ⑰ [轣] 〔력〕 轢(車部 十五畫〈p. 2280〉)과 同字

10 ⑰ [輮] 류 ㉟有 力九切 liǔ

字解 상여장식 류 ‘蔞, 喪車飾也. 或作一’《集
韻》.

10 ⑰ [轀] 온 ㉦元 烏渾切 wēn   轀

字解 수레 온 ‘一輬’은 누워 쉴 수 있는 수레.
창이 있어서 닫으면 따뜻해지고 열면 시원해지
므로, ‘溫涼’의 뜻으로 이름 지은 것임. 와거
(臥車). 안거(安車). 후세에는 시체를 싣는 수
레, 곧 상여·영구차로 쓰이게 되었음. ‘始皇居
一輬車中’《史記》.

字源 形聲. 車+𥁕〔音〕. ‘𥁕온’은 ‘따뜻하
다’의 뜻. 주위에 덮개를 씌워서 따뜻
하게 한 수레의 뜻을 나타냄.

參考 轀(車部 九畫)은 俗字.

[轀車 온거] 누워 갈 수 있게 된 수레.
[轀輬 온량] 자해(字解)를 보라.

10 ⑰ [轄] 人名 할 ㉠黠 胡瞎切 xiá   轄 𨎷

筆順 日 旦 車 軒 軒 軒 軒 轄

字解 비녀장 할 바퀴를 굴대에 끼고 벗어지지
않게 하느라고 굴대 머리에 내리지르는 큰 못.
‘巾車脂一’《左傳》. 전(轉)하여, 주관(主管)·단
속의 뜻으로 쓰임. ‘管一’. ‘統一’. ‘置兩總一’
《宋史》.

字源 形聲. 車+害〔音〕. ‘害할’은 ‘끊다’의
뜻. 수레가 굴대에서 빠지는 것을 막
기 위해 지르는 비녀장의 뜻을 나타냄. 굴대 끝
에 붙어져서 바퀴의 기능을 다조지는 부분인
데서, ‘주관, 단속’의 뜻으로도 쓰임.

●管轄. 錧轄. 分轄. 所轄. 輪轄. 直轄. 車轄.
 總轄. 樞轄. 統轄. 投轄.

10 ⑰ **[轅]** [人名] 원 [平]元 雨元切 yuán 辕

[筆順] 百 亘 車 軒 軒 軒 輶 轅

[字解] ①끌채 원 수레의 앞 양쪽에 대는 긴 채. '一下駒'. '軍行右一'《左傳》. ②성 원 성(姓)의 하나.

[字源] [篆文] 形聲. 車+袁〔音〕. '袁원'은 '멀다'의 뜻. 수레 앞쪽으로 길게 뻗은 끌채의 뜻을 나타냄.

[轅駒 원구] 원하구(轅下駒).
[轅門 원문] 끌채를 세워서 만든 문. 곧, 군문(軍門). 진영(陣營)의 문.
[轅下 원하] 끌채 밑. 전(轉)하여, 남의 부하(部下).
[轅下駒 원하구] 끌채 밑의 망아지. 그 망아지는 힘이 약하여 수레를 잘 끌 수 없으므로, 사람이 힘이 모자라서 망설이고 있는 상태를 이름.
◉丹轅. 斷轅. 攀轅. 方轅. 折轅. 車轅. 摧轅. 軒轅.

10 ⑰ **[螗]** 당 [平]陽 徒郎切 táng

[字解] 병거 당 전차(戰車). 韹(車部 十一畫)·輎(車部 八畫)과 同字. '一, 一輬, 軘軨'《廣韻》. '一, 兵車也, 或从堂, 亦省'《集韻》.

10 ⑰ **[輳]** [一] 진 [平]眞 側詵切 zhēn
[二] 전 [平]先 側前切 zhēn

[字解] [一] ①큰수레대자리 진 큰 수레에 까는 대자리. '一, 大車簀也'《說文》. ②이를 진 닿음. 이름. 臻(至部 十畫)과 同字. '福祿其一'《漢書》. [二] 큰수레대자리 전, 이를 전 [一]과 뜻이 같음.

[字源] [篆文] 形聲. 車+秦〔音〕

10 ⑰ **[轀]** 輳(前條)의 俗字

10 ⑰ **[轉]** 박 [入]藥 伯各切 bó

[字解] 수레밑밧줄 박 轉(革部 十畫)과 同字. '轉, 說文, 車下索也, 或从車'《集韻》.

10 ⑰ **[輽]** 본 [上]阮 部本切 bèn

[字解] 수레뜸 본 부들 같은 것으로 거적처럼 엮어, 수레를 가리는 데 쓰는 덮개.

10 ⑰ **[輾]** [一] 경 [平]庚 口莖切 kēng
[二] 간 [平]刪 丘閑切
[三] 진 [上]軫 止忍切 zhěn

[字解] [一] 수레소리 경 '一, 車聲'《廣韻》. [二] 수레소리 간 [一]과 뜻이 같음. [三] 수레뒤턱나무 진 '軫, 說文, 車後橫木. 或作一'《集韻》.

[字源] 形聲. 車+眞〔音〕

10 ⑰ **[轟]** 국 [入]沃 几足切 jú

[字解] 멍에끈 국 수레의 두 끌채의 끝과 멍에를 붙들어 매는 가죽끈. 轟(車部 八畫)과 同字. '一, 直轅轟縛也'《玉篇》.

10 ⑰ **[轀]** 요 [平]蕭 餘招切 yáo

[字解] 작은수레 요 軺(車部 五畫)와 同字.

10 ⑰ **[轂]** 곡 [入]屋 古祿切 gǔ 毂

[字解] ①바퀴통 곡 바퀴의 중앙에 있어서, 굴대가 그 가운데를 관통하고 있으며, 바퀴살이 그 주위에 모여 박힌 부분. '車一'. '一以利轉'《周禮》. ②수레 곡 차량. '轉一百數'《漢書》. ③밀곡 천거(薦擧)함. '其推一士'《史記》. ④묶을 곡 꼭 묶음. 바퀴통이 바퀴살을 한군데로 모은 데서 나온 뜻임. '縮一其口'《史記》.

[字源] [篆文] 形聲. 車+殻〔音〕. '殻각'은 속이 비어 있다의 뜻. 굴대를 싸고 있고 속이 비어 있으며, 바퀴살이 모여 있는 부분, '바퀴통'의 뜻을 나타냄.

[轂擊 곡격] 수레의 바퀴통끼리 서로 부딪침. 번화하여 수레의 왕래가 많은 형용.
[轂擊肩摩 곡격견마] 수레가 바퀴통끼리 서로 부딪치고 사람이 어깨를 서로 스침. 번화하여 사람과 수레의 왕래가 많은 땅의 형용.
[轂轂 곡곡] 주옥(珠玉)이 땅에 떨어지는 소리.
[轂轉 곡전] 바퀴통처럼 돎.
[轂下 곡하] 천자(天子)가 타는 수레의 밑이라는 뜻으로, 서울을 이름.
◉綰轂. 方轂. 飛轂. 輦轂. 遊轂. 輪轂. 長轂. 轉轂. 接轂. 輳轂. 車轂. 暢轂. 推轂. 華轂.

10 ⑰ **[轄]** 갑 [入]合 古盍切 kē

[字解] ①수레 갑 '一, 車也'《玉篇》. ②수레소리 갑 '一, 車聲'《集韻》.

11 ⑱ **[轆]** 록 [入]屋 盧谷切 lù 辘

[字解] ①수레소리 록 '白沙漫漫車一一'《元好問》. ②고패 록 활차(滑車). '橫架一轤牽素綆'《張籍》.

[字源] 形聲. 車+鹿〔音〕

[轆轤 녹로] ㉠고패. 활차. ㉡《韓》 회전하며 둥근 그릇을 만드는 제구.
[轆轤頭 녹로두] 목이 긴 사람.
[轆轆 녹록] 수레가 달리는 소리.
◉孛轆. 賀轆.

11 ⑱ **[轚]** [一] 경 [平]庚 丘耕切 kēng
[二] 항 [上]梗 苦杏切 kěng

[字解] [一] 수레견고할 경 '一, 車堅也'《說文》. [二] 수레소리 항 '一, 車聲'《集韻》.

[字源] 形聲. 車+殸〔音〕

11 ⑱ **[轇]** 교 [平]肴 古肴切 jiāo

[字解] 수레소리 교, 아득할 교, 달릴 교 '一輵'은 ㉠거마(車馬)의 시끄러운 소리. ㉡칼과 창이 뒤섞여 혼란한 모양. ㉢광대한 모양. 아득한 모

양. ㉣치구(馳驅)하는 모양. 달리는 모양.
字源 形聲. 車＋翏〔音〕

[轕轕 교갈] 자해(字解)를 보라.
[轕轕 교갈] 교갈(轕轕).

11
⑱ [輓] 만 ㉠願 無販切 màn
㉡翰 莫半切
㉢諫 莫晏切

字解 ①수레덮개 만 덮개가 있는 수레, 곧 의거(衣車)의 위쪽의 덮개. '一, 衣車蓋也'《說文》. ②병거포장 만 화살을 막는 병거(兵車)의 장막. '一, 戰車以遮矢也'《廣韻》.
字源 形聲. 車＋曼〔音〕

11
⑱ [輎] 〔당〕
轄(車部 十畫〈p. 2275〉)과 同字

11
⑱ [轗] 〔감〕
轗(車部 十三畫〈p. 2278〉)과 同字

11
⑱ [糠] 강 ㉠陽 口岡切 kāng

字解 종이바른바구니 강 죽은 사람을 보내는 종이를 바른 채롱. '一, 一車, 送亡者之紙簍也'《正字通》.

11
⑱ [轇] 소 ㉠看 鉏交切 cháo

字解 수레 소 망루(望樓)를 설치하여 적(敵)을 망보는 수레. 소차(巢車). '一兵車, 高如巢, 以望敵也'《說文》.
字源 篆文 轇 의 새둥주리의 뜻. 새둥주리처럼 보이는 망루를 갖춘 수레의 뜻을 나타냄.

11
⑱ [轇] 종 ㉠冬 將容切 zōng

字解 바퀴자국 종 수레바퀴의 자국. '一, 迹也'《廣雅》.
字源 形聲. 篆文은 車＋從〔音〕

11
⑱ [轉] 전 ㉠銑 陟兗切 zhuǎn   转 轺
㉢霰 知戀切 zhuǎn

筆順 亘 車 車 軯 軯 轉 轉 轉

字解 ①구를 전 ㉠회전함. '運一'. '轂者以爲利一也'《周禮》. ㉡뒹굶. '轉一'. '轉一反側'《詩經》. ②넘어질 전 '一倒'. '將一於溝壑'《國語》. ③나부낄 전 펄럭임. '四角龍子幡, 婀娜隨風一'《古詩》. ④더욱 전 한층 더. '一寂寥', '老來事業一荒唐'《蘇軾》. ⑤옮길 전 장소나 방향을 바꿈. '一居', '一移'. '一粟輓輪, 以爲之備'《漢書》. ⑥굴릴 전 굴러 가게 함. '我心匪石, 不可一也'《詩經》. ⑦바꿀 전 변하게 함. '一化'. '一禍爲福'《史記》. ⑧자루 전 수레 위에서 의복을 넣는 자루. '踞一而鼓琴'《左傳》.
字源 金文 轉 篆文 轉 形聲. 車＋專〔音〕. '專전'은 실 구르다, 돌다의 뜻을 나타냄.

參考 転(車部 四畫)은 略字.

[轉嫁 전가] ㉠두 번째 시집감. ㉡자기의 허물을 남에게 덤터기 씌움.
[轉居 전거] 집을 옮김.
[轉乾撼坤 전건감곤] 하늘을 돌리고 땅을 움직임. 곧, 대변동(大變動)을 이름. 경천동지(驚天動地).
[轉結 전결] 한시(漢詩)의 전구(轉句)와 결구(結句).
[轉轂 전곡] 수레로 물건을 운반함. 또, 그 일로 이익을 얻으려는 사람.
[轉句 전구] 한시(漢詩)의 절구(絶句)의 셋째 구(句).
[轉規 전규] 둥근 물건을 굴린다는 뜻으로, 빠르고 막힘이 없는 비유.
[轉勤 전근] 근무(勤務)하는 곳을 옮김.
[轉機 전기] 돌아가는 기회(機會). 사물(事物)이 바뀌는 때.
[轉達 전달] 전하여 보냄.
[轉貸 전대] 남에게서 빌려 온 물건을 딴 사람에게 또 빌려 줌.
[轉對 전대] 순번(順番)으로 정치의 득실을 임금에게 아룀. 윤대(輪對). 「함.
[轉倒 전도] ㉠넘어짐. ㉡거꾸로 됨. 또, 거꾸로
[轉讀 전독] 경문(經文)을 다 읽지 아니하고 요긴(要緊)한 곳만 중간 중간에서 추려서 읽음. 진독(眞讀)의 대(對).
[轉落 전락] 굴러 떨어짐. 「동안.
[轉漏 전루] 누각(漏刻)의 시각이 움직이는 잠깐
[轉輪經藏 전륜경장] 《佛敎》 일체경장(一切經藏)의 복판에 축(軸)을 세워서 회전하도록 만든 책상.
[轉輪王 전륜왕] 《佛敎》 인도의 신. 그 신이 소유하는 윤보(輪寶)의 선전(旋轉)에 의해서 일체를 항복받는다 함.
[轉輪藏 전륜장] '전륜왕(轉輪王)'과 같음.
[轉賣 전매] 산 물건을 도로 다른 사람에게 팖.
[轉免 전면] 전임(轉任)과 면직(免職).
[轉眄 전면] ㉠한눈을 팖. ㉡전순(轉瞬).
[轉聞 전문] 전하는 말을 들음.
[轉迷解悟 전미해오] 《佛敎》 번뇌의 미망(迷妄)을 벗어나서 열반(涅槃)의 깬 마음에 이름.
[轉法輪 전법륜] 《佛敎》 부처의 정법(正法)을 설교하여 중생(衆生)의 미망(迷妄)을 깨우침.
[轉變 전변] 변천(變遷).
[轉補 전보] 전임(轉任)시켜 딴 관직에 보(補)함.
[轉蓬 전봉] 바람에 나부끼는 쑥. 전(轉)하여, 고향을 멀리 떠나 유랑하는 비유.
[轉徙 전사] 전이(轉移).
[轉寫 전사] 베낀 것을 또 베낌.
[轉旋 전선] ㉠돎. 또, 돌림. ㉡짧은 시간.
[轉送 전송] 옮기어 보냄.
[轉宿 전숙] ㉠숙소를 옮김. ㉡전거(轉居).
[轉瞬 전순] 눈을 깜짝함. 또, 눈 깜짝할 만한 짧은 시간. 순간.
[轉語 전어] 본래의 말에서 변하여 나온 말.
[轉業 전업] 직업(職業)을 옮김.
[轉訛 전와] 언어의 와전(訛傳). 또, 그 말.
[轉用 전용] 딴 곳에 돌려씀.
[轉運 전운] ㉠그치지 아니하고 자꾸 돎. ㉡화물을 운반함.
[轉運使 전운사] 조세(租稅)·양미(糧米) 등의 조운(漕運)을 맡은 벼슬.

[轗軻 감가] ㉠수레가 가는 길이 험하여 고생하는 모양. ㉡때를 만나지 못하여 불우한 모양.
[轗軻不遇 감가불우] 감가(轗軻) ㉡.
[轗⿰車稟 감람] 감가(轗軻).

13 ⑳ [⿰車稟] 람 ㊤感 盧感切 lǎn

字解 가기힘들 람 轗(前條)과 뜻이 같음. '轗—'.

◉轗⿰車稟.

13 ⑳ [⿰車當] 당 ㊥陽 都郎切 dāng

字解 수레마루 당 수레의 바닥에 깐 마루. 檔(木部 十三畫)과 통용. '—, 車—, 通作檔'《集韻》.

13 ⑳ [轘] 환 ㊦諫 胡慣切 huàn / ㊥刪 戶關切 huán

字解 차열(車裂)할 환 수레 둘로 양쪽에서 끌어 당기어 인체(人體)를 찢어 죽임. 또, 그 형벌. '齊人—高渠彌'《左傳》.

字源 篆文 形聲. 車+睘(瞏)〔音〕. '瞏경·선'은 '遠원'과 통하여 '멀어지다'의 뜻. 사람을 두 대의 수레에 매달고, 서로 반대 방향으로 달리게 하여 찢어 죽이는 형벌을 뜻함.

[轘裂 환열] 수레 둘로 양쪽에서 끌어당기어 사람을 찢어 죽이는 형벌. 차열(車裂).
[轘轅 환원] 꼬불꼬불하고 험준한 땅.
[轘磔 환책] 환열(轘裂).
[轘刑 환형] 환열(轘裂).
◉車轘.

13 ⑳ [轙] 의 ㊤紙 魚倚切 yǐ

字解 채비차릴 의 종복(從僕)이 거마(車馬)의 떠날 준비를 함. '象輿—'《漢書》.

字源 篆文 形聲. 車+義〔音〕

◉輿轙.

13 ⑳ [轕] 〔갈〕 輵(車部 九畫〈p. 2272〉)과 同字

字源 形聲. 車+葛〔音〕

13 ⑳ [轚] ㊀ 격 ㊇錫 古歷切 jí / ㊁ 계 ㊦霽 古詣切 jí

字解 ㊀ 부딪칠 격 비녀장끼리 서로 부딪침. ㊁ 걸릴 계 거리낌. 방해가 됨. '流旁握御—者不得入'《穀梁傳》.

字源 篆文 形聲. 車+毄〔音〕. '毄격'은 수레와 수레가 접촉하여, 굴대의 비녀장이 부딪치다의 뜻. 뒤에 '車차'를 덧붙여 뜻을 분명히 함.

[轚互 격호] 배·수레 등이 서로 스쳐 지나가는 협착한 곳.

14 ㉑ [轟] 人名 굉 (횡㊍) ㊥庚 呼宏切 hōng 轰

字解 ①울릴 굉 여러 수레의 가는 소리가 덜거덕덜거덕하고 요란하게 울리거나, 총·우레 등의 소리가 쿵쿵 또는 우르르 쿵쾅 울리는 형용. 또, 그 소리. '—砲'. '雷—'. ②떠들썩할 굉 명성이 떠들썩한 모양. '要烈烈——做一場'《文天祥》.

字源 篆文 會意. 車+車+車. 많은 수레가 가는 소리의 뜻을 나타내며, 일반적으로 요란하게 울리다의 뜻을 나타냄.

[轟轟 굉굉] ㉠굉장히 크게 울리는 소리. 우르르 하는 소리. 쿵쾅하는 소리. ㉡떠들썩한 소리. ㉢명성이 자자하여 우레 같은 모양.
[轟笑 굉소] 크게 웃음. 대소(大笑).
[轟然 굉연] 대포나 우레 등의 소리가 우르르 쿵쾅하는 모양.
[轟飮 굉음] 술을 많이 마심.
[轟醉 굉취] 술이 대단히 취함.
[轟沈 굉침] 함선(艦船)을 포격(砲擊)하여 가라앉힘.
[轟破 굉파] 포격하여 파괴함.
◉雷轟. 嘲轟. 車轟. 砰轟. 喧轟.

14 ㉑ [轜] 이 ㊥支 人之切 ér

字解 상여 이 관을 싣는 수레. 영구차. '以—車挽歌, 爲葬送之法'《資治通鑑》.

字源 篆文 形聲. 車+需〔音〕

參考 輀(車部 六畫)의 俗字.

[轜車 이차] 관을 싣는 수레. 상여. 영구차(靈柩車).

14 ㉑ [⿰車㥯] 은 ㊤吻 倚謹切 yǐn

字解 ①수레소리 은 '—, 車聲'《集韻》. ②울리는소리 은 '——'은 울려 퍼지는 소리. '——, 聲也. (疏證) 車聲·雷聲·崩聲·羣行聲, 皆謂之——'《廣雅》.

14 ㉑ [轛] 대 ㊦隊 都隊切 duì

字解 ①수레앞격자 대 식(軾)의 아래에, 석 자 세 치 사이를 가로세로로 격자 모양으로 짠 것. '軾間衡植材, 總名爲—'《周禮》. ②수레 대 '—, 一曰, 車也'《集韻》.

字源 篆文 形聲. 車+對〔音〕. '對대'는 서로 마주 향하다, 앞쪽의 뜻. 수레의 앞쪽의 격자 모양으로 짠 것의 뜻을 나타냄.

14 ㉑ [轞] 함 ㊤豏 胡黤切 jiàn

字解 ①함거 함 사방을 널빤지로 막은, 죄수를 태우는 수레. '—車膠致, 與王詣長安'《漢書》. ②수레소리 함 수레가 가는 소리. '出車——'《左思》.

字源 形聲. 車+監〔音〕. '監감'은 '檻함'과 통하여 '우리'의 뜻. 맹수(猛獸)나 죄인(罪人)을 나르는 수레의 뜻을 나타냄.

[轞車 함거] 사방을 널빤지로 막은, 죄수(罪囚)를 싣는 수레.

[轞轞 함함] 수레가 가는 소리.

14 ⑳ [鑾] 轞(前條)과 同字

14 ⑳ [轝] 人名 여 ㊤御 羊洳切 yú
字解 수레 여 輿(車部 十畫)와 同字. '亟呼家人, 設酒勞一隷'《徐禎卿》.
字源 形聲. 車+與〔音〕.

[轝駕 여가] 천자(天子)의 수레
[轝隷 여례] 가마를 메는 하인. 여례(輿隷).
[轝馬 여마] 수레와 말.

14 ⑳ [轞] ㊀ 개 ㊤泰 丘蓋切 kài
㊁ 갈 ㊤曷 丘葛切 kě
字解 ㊀ 수레소리 개 수레가 지날 때 울리는 소리. 轞(車部 十畫)과 同字. '轞, 車聲, 或从蓋'《集韻》. ㊁ 수레소리 갈 軋(車部 九畫)과 同字. '軋一, 車聲, 或从曷'《集韻》.

15 ⑫ [轡] 비 ㊤寘 兵媚切 pèi
字解 고삐 비 마소의 재갈에 잡아매어 끄는 줄. '按一'. '執一如組'《詩經》.
字源 金文 纀 篆文 纀 篆文 纀 會意. 絲+軎. 말로 하여금 수레를 끌게 하는 밧줄, '고삐'의 뜻을 나타냄.

[轡勒 비륵] 비함(轡銜).
[轡銜 비함] 고삐와 재갈.
●金轡. 急轡. 攬轡. 頓轡. 返轡. 方轡. 秉轡. 竝轡. 騁轡. 按轡. 鞍轡. 連轡. 偉轡. 柔轡. 操轡. 策轡. 銜轡.

15 ⑫ [轢] 人名 력 ㊤錫 郎擊切 lì
字解 ①삐걱거릴 력 수레바퀴가 쓸려 소리를 냄. 전(轉)하여, 서로 반목함. '軋一, 凌一同列'《後漢書》. ②칠 력 수레바퀴 밑에 갈리게 함. '一死'. '徒車之所轢, 乘騎之所蹂若'《史記》.
字源 篆文 轢 形聲. 車+樂〔音〕. '樂락'은 도토리, 또는 방울의 象形. 수레에 치여서 도토리처럼 동글동글 작게 바수어지는 데서, 수레로 치다의 뜻을 나타냄.

[轢死 역사] 수레바퀴에 치여 죽음.
[轢殺 역살] 수레바퀴로 치어 죽임.
[轢轢 역축] 침범함.
●刻轢. 陵轢. 軋轢. 軨轢. 轔轢. 車轢.

15 ⑫ [轆] ㊀ 락 ㊤藥 歷各切 luò
㊁ 뢰 léi
字解 ㊀ 수레소리 락 '一, 車聲'《集韻》. ㊁ 轤(車部 十五畫)의 俗字. '一, 俗轤字'《正字通》.

15 ⑫ [輴] 뢰 ㊤灰 魯回切 léi
字解 잇달을 뢰 '一轤'는 왕래가 연락부절한 모양. '繽紛往來, 一轤不絕'《揚雄》.

[轤轤 뇌로] 자해(字解)를 보라.

15 ⑫ [轐] 〔차·거〕 車(部首〈p.2256〉)의 籀文

15 ⑫ [轆] 〔록〕 轆(車部 十一畫〈p.2275〉)과 同字

16 ㉓ [轣] 력 人錫 狼狄切 lì
字解 삐걱거릴 력 수레바퀴가 쓸려 소리를 냄. 또, 그 소리. '松下縱橫餘屐齒, 門前一轣想君車'《蘇軾》.
字源 形聲. 車+歷〔音〕.

[轣轆 역록] 수레바퀴가 삐걱거리는 소리.

16 ㉓ [轆] 롱 ㊤東 盧東切 lóng
字解 ①굴대머리 롱 축두(軸頭). '一, 方言, 車軭, 齊謂之一'《集韻》. ②위로굽은끌채 롱 곡주(曲輈). '車轅上者, 謂之一'《小爾雅》.

16 ㉓ [轤] 로 ㊤虞 落胡切 lú
字解 고패로 활차. '橫架轆一'《張籍》.
字源 形聲. 車+盧〔音〕.

●轆轤. 輴轤.

17 ㉔ [轡] 〔비〕 轡(車部 十五畫〈p.2280〉)와 同字

18 ㉕ [輴] 격 ㊤陌 古伯切 gé
字解 겹칠 격 중복됨. '一, 複也, 重複非一之言也'《釋名》.

18 ㉕ [轥] 휴 ㊤齊 玄圭切 xié
字解 한바퀴돌 휴 차륜(車輪)의 한 회전(回轉). 嶲(隹部 十畫)와 통용. '一, 車輪轉一周爲一, 通作嶲'《集韻》.

19 ㉖ [轣] 련 ㊤先 閭員切 lián
字解 맬 련 철(綴)함. '一, 一綴也'《字彙》.

19 ㉖ [轥] 찬 ㊤寒 祖官切 zuān
字解 ①끌채 찬 ㉠곧은 끌채. '一, 直轅也'《玉篇》. ㉡굽은 끌채. '一, 車曲轅也'《龍龕手鑑》. ②끌채동이는끈 찬 鑽(革部 二九畫)과 同字. '轥, 說文, 車衡三束也, 曲轅鑽縛, 直轅鑾縛, 或作一'《集韻》.

20 ㉗ [轣] ㊀ 얼 ㊤屑 魚列切 niè
㊁ 알 ㊤曷 五割切
字解 ㊀ 우뚝할 얼 높이 솟은 모양. '四門一一, 隆廈重起'《左思》. ㊁ 수레에높이실을 알 수레에 물건을 높이 싣고 가는 모양. '一一, 車載高貌'

《說文 段注》.
字源 篆文 轤 形聲. 車+獻〔音〕. '獻헌'은 높이 올
리다의 뜻. 수레에 물건을 높이 싣다
의 뜻을 나타냄.

20
㉗ [轥] 린 ㊤震 良刃切 lìn

字解 칠 린 轣(車部 十二畫)과 同字. '徒車之
所一轣'《司馬相如》.
字源 形聲. 車+藺〔音〕

[轥轢 인력] ㉠수레에 갈림. ㉡뛰어남. 탁월(卓
越)함.

20
㉗ [轤] 각 ㊤藥 厥縛切 jué

字解 수레덧바퀴 각 '一, 轗一, 車輞也'《集韻》.

21
㉘ [轣] 〔력〕
轣(車部 十六畫〈p.2280〉)과 同字

辛 (7획) 部
〔매울신부〕

0
㉛ [辛] 中入 신 ㊤眞 息隣切 xīn

筆順 ` 亠 宁 辛 辛 辛 辛

字解 ①매울 신 혀가 알알한 맛을 가짐. ②독할
신, 괴로울 신, 슬플 신 '一辣'. '一苦'. '悲一'.
또, 매운맛. '箪一不入口者十載'《宋史》. ③새
신 新(斤部 九畫)과 통용. '言萬物之一生'《史
記》. ④천간이름 신 십간(十干)의 제팔위(第八
位). '一酉'. ⑤성 신 성(姓)의 하나.
字源 甲骨文 辛 金文 辛 篆文 辛 象形. 문신을 하기 위한
바늘을 본뜬 것으로, '괴
롭다, 죄'의 뜻을 나타냄.
參考 '辛신'을 의부(意符)로 하여, 죄를 나타내
는 문자, 또 맛이 매움을 나타내는 문자를 이
룸. 부수 이름은 '매울신'.

[辛艱 신간] 고생. 신고(辛苦).
[辛苦 신고] ㉠매운맛과 쓴맛. ㉡괴로운 일을 견
디며 일함. 또, 대단히 괴로움. 고생함. 애씀.
[辛勤 신근] 고된 일을 맡아 부지런히 일함. 또,
고된 근무.
[辛棄疾 신기질] 남송(南宋)의 문신(文臣). 역성
(歷城) 사람. 자(字)는 유안(幼安). 호(號)는
가헌(稼軒). 감사(監司)·수신(帥臣)을 역임(歷
任)하여 지방의 통치(統治)에 힘을 기울였으
며, 남송의 향병(鄕兵)인 비호군(飛虎軍) 창설
에 공이 큼. 사(詞)에 능하여 그의 장단구(長短
句)는 유명함. 저술로는 〈가헌집(稼軒集)〉이
있음.
[辛毒 신독] 신고(辛苦) ㄴ.
[辛辣 신랄] ㉠맛이 몹시 맵고 아림. ㉡가혹하고
매서움.
[辛烈 신렬] 대단히 신랄함.

[辛勞 신로] 신고(辛苦) ㄴ.
[辛味 신미] 매운맛.
[辛盤 신반] 오신반(五辛盤)의 준말. 파〔葱〕·마늘
〔蒜〕·부추〔韮〕·여뀌 잎〔蓼〕·겨자〔蕎芥〕를 섞어
만든 음식. 원단(元旦)에 이것을 먹으면 오장
(五臟)의 기(氣)가 통하여 건강해진다고 함.
[辛酸 신산] ㉠맵고 심. ㉡괴로움과 쓰라림. 고
생. 고초(苦楚).
[辛螫 신석] 독충(毒蟲) 같은 것에 쏘인 아픔. 전
(轉)하여, 심한 고생.
[辛夷 신이] 목련과(木蓮科)에 속하는 낙엽 교목.
봄에 희고 큰 꽃이 핌. 백목련(白木蓮).
[辛坐乙向 신좌을향] 신방(辛方)에서 을방(乙方)
을 향함.
[辛楚 신초] 신산(辛酸) ㄴ.
●艱辛. 季辛. 苦辛. 悲辛. 酸辛. 上辛. 細辛.
少辛. 愁辛. 五辛. 下辛.

0
㉗ [辛] 〔건〕
愆(心部 九畫〈p.797〉)과 同字

1
㉘ [半] 辛(前前條)의 訛字

4
⑪ [兓] 개 音介 jiè

字解 섞일 개 '一, 雜也'《川篇》.

5
⑫ [辝] 〔사〕
辭(辛部 八畫〈p.2282〉)의 籀文

5
⑫ [辜] 人名 고 ㊤虞 古胡切 gū

字解 ①허물 고 죄. '無一'. '與其殺不一, 寧失
不經'《書經》. ②반드시 고 꼭. '言陽氣洗物, 一
絜之也'《漢書》. ③저버릴 고 孤(子部 五畫)와
통용. '猶有一般一負事'《白居易》. ④막을 고 방
해함. '豪右一權'《後漢書》. ⑤찢어발길 고 희생
(犧牲)을 죽여 사지를 찢는 일. '以疈一, 祭四
方百物'《周禮》. ⑥대강 고 대략. '蓋者, 一較之
辭'《孝經 註》. ⑦성 고 성(姓)의 하나.
字源 篆文 辜 古文 祐 形聲. 辛+古〔音〕. '古고'는
'固고'와 통하여 '굳게 닫히다'
의 뜻. 죄인에게 자자하여 단단히 가두는 데서
'죄'의 뜻을 나타냄.

[辜榷 고각] 남이 장사하는 것을 방해하여 이익을
독점함.
[辜功 고공] 죄상(罪狀).
[辜較 고교] 대략. 대개.
[辜負 고부] 배반(背反)함. 저버림. 고부(孤負).
[辜月 고월] 음력(陰曆) 11월의 이칭(異稱).
[辜罪 고죄] 허물. 죄.
●豪辜. 無辜. 伏辜. 不辜. 非辜. 死有餘辜. 速
辜. 深辜. 罪辜. 重辜. 恤辜.

6
⑬ [辟]
一 벽 ①-⑨入陌 必益切 bì
　　 ⑩-⑰入陌 芳辟切 pì
二 피 ①㊤眞 毗義切 pí
三 비 ①㊤眞 匹智切 pì
　　 ②㊤霽 匹計切

字解 一 ①임금 벽 ㉠천자(天子) 또는 제후(諸
侯). '復一'. '惟一作福'《張蘊古》. ㉡하늘의

존칭. '蕩蕩上帝, 下民之一'《詩經》. ②임 벽 죽은 남편의 호칭. '妻祭夫曰皇一'《禮記》. ③법 벽 법칙. 법률. '祇一'《書經》. ④밝힐 벽 명확하게 함. '對揚以一之'《禮記》. ⑤부를 벽 군주가 재야(在野)의 현자를 불러오게 함. '徵一'. '卽日一之'《晉書》. ⑥다스릴 벽 죄를 다스림. '一刑獄'《左傳》. ⑦길쌈할 벽 績(糸部 十三畫)과 同字. '妻一纑'《孟子》. ⑧절름발이 벽 躄(足部 十三畫)과 통용. '又類一'《賈誼》. ⑨성 벽 성(姓)의 하나. ⑩편벽될 벽 僻(人部 十三畫)과 同字. '一心一物以治之'《大學》. ⑪허물 벽 죄. '刑一'. '宮一'. ⑫죄줄 벽 형에 처함. '一以止一'《書經》. ⑬열 벽 闢(門部 十三畫)과 同字. 개간함. '一土地'《孟子》. ⑭물리칠 벽 물러나게 함. '行一人可也'《孟子》. ⑮물러날 벽 놀라서 피함. '人馬俱驚一易數里'《史記》. ⑯가슴칠 벽 擗(手部 十三畫)과 통용. '一踊'《禮記》. '寤一有摽'《詩經》. ⑰천둥 벽, 벼락소리 벽 霹(雨部 十三畫)과 통용. ☴ ①피할 피 避(辵部 十三畫)와 통용. '師再子一席再拜'《史記》. ☴ ①비유할 비, 비유컨대 비 譬(言部 十三畫)와 통용. '一如行遠, 必自邇'《中庸》. ②눈흘길 비 睥(目部 八畫)와 통용. '一兩宮間'《史記》.

[字源] 金文 辭 篆文 辭 會意. 辛[신]은 바늘의 象形. '卩절'은 웅크린 사람의 象形. '口구'는 바늘로 낸 상처의 象形. 사람에게 형벌을 내리는 모양에서, '죄주다'의 뜻을 나타냄. 또, 형벌권을 가지는 임금의 뜻도 나타냄.

[辭擧 벽거] 벽소(辭召)와 선거(選擧).
[辭穀 벽곡] 화식(火食)은 아니하고 생식(生食)만 하는 일.
[辭公 벽공] 제후(諸侯).
[辭宮 벽궁] 도마뱀붙이. 수궁(守宮).
[辭歷 벽력] 벼락. 벽력(霹靂).
[辭陋 벽루] 토지가 벽촌(僻村)이 되어서 사람이 고루함.
[辭名 벽명] 사실이 아닌 일을 적어 놓음.
[辭聘 벽빙] 재야(在野)의 현사(賢士)를 불러 기용함.
[辭邪 벽사] ㉠사귀(邪鬼)를 몰아내는 일. 재앙을 불제(祓除)하는 일. ㉡상상의 짐승 이름. 불제하는 뜻으로, 한대(漢代)에 그 형상을 많이 새겼음.

[辟邪㉡]

[辟邪符 벽사부] 재앙(災殃)을 물리치는 부적(符籍).
[辟書 벽서] 호출장(呼出狀).
[辟說 벽설] 편벽된 설.
[辟召 벽소] 임관(任官)시키기 위한 부름.
[辟言 벽언] 편벽(偏僻)된 말.
[辟易 벽역] ㉠두려워하여 물러남. ㉡물러나 피함.
[辟雍 벽옹] 주대(周代)의 천자(天子)의 도성(都城)에 설립한 대학(大

學). 주위의 형상이 벽(璧)과 같이 둥글고 물이 둘려 있음.

[辟廱 벽옹] 벽옹(璧雍).
[辟雍宮 벽옹궁] 북평(北平)에 있는 청조(淸朝) 시대의 대학(大學)이 있던 곳.
[辟王 벽왕] 임금. 군주(君主).
[辟違 벽위] 특사함. 사벽(邪僻).
[辟引 벽인] 벼슬을 시키려고 불러 끎.
[辟除 벽제] ㉠불러내어 관(官)을 제수(除授)함. ㉡깨끗이 치움. ㉢《韓》 귀인(貴人)이 외출할 때에 여러 사람의 통행을 금지하던 일.
[辟火符 벽화부] 불을 물리치는 부적(符籍).
[辟睨 비예] 눈을 흘김.
[辟忌 피기] 꺼리어 피함.
[辟世 피세] 세상을 피하여 숨음. 피(辟)는 피(避).
[辟寒丸 피한환] 추위를 없애는 환약.

● 黥辟. 群辟. 宮辟. 斷辟. 大辟. 東辟. 網辟. 放辟. 百辟. 復辟. 荊辟. 邪辟. 常辟. 召辟. 列辟. 英辟. 禮辟. 應辟. 剿辟. 重辟. 徵辟. 招辟. 便辟. 憲辟. 賢辟. 刑辟. 皇辟. 后辟.

---

6 ⑬ [辝]
〔사〕 辭(辛部 十二畫〈p. 2283〉)의 俗字

---

6 ⑬ [辠]
죄 ①賄 徂賄切 zuì

[字解] 허물 죄 罪(网部 八畫)의 古字. 진(秦)나라 시황제(始皇帝)가 이 글자가 황자(皇字)와 비슷하다 하여, '罪'로 고치었음. '秦以一似皇字, 改爲罪'《說文》.

[字源] 篆文 辠 會意. 辛＋自. '辛신'은 형벌로서의 침 [辛]의 상형으로 '죄'의 뜻. '自자'는 코의 象形. 죄인의 코에 형벌을 가하는 모양에서 '죄'의 뜻을 나타냄.

---

7 ⑭ [辣]
[人名] 랄 ㈇曷 盧達切 là

辢

[字解] 매울 랄 ㉠맛이 몹시 매움. '薑辛桂一'《齊民要術》. ㉡언행이 몹시 매serv움. '辛一'. '一腕'.
[字源] 形聲. 辛＋束[剌]〔音〕. '辛신'은 바늘을 본뜬 것. '剌랄'은 묶은 것에 칼질하다의 뜻. 바늘이나 칼로 찌르듯이 맛이 맵다의 뜻을 나타냄.

[辣手 날수] 날완(辣腕).
[辣腕 날완] 매서운 수완.

● 老辣. 毒辣. 颯辣. 辛辣. 惡辣. 香辣. 馨辣. 酷辣.

---

7 ⑭ [辢]
辣(前條)과 同字

---

7 ⑭ [辡]
☴ 변 ㈇銑 符蹇切 biàn
☷ 편 ㈇銑 方兗切

[字解] ☴ 죄인서로송사할 변 '一, 辠人相與訟也'《說文》. ☷ 죄인서로송사할 편 ☴과 뜻이 같음.
[字源] 會意. 辛＋辛.

---

8 ⑮ [辤]
〔사〕 辭(辛部 十二畫〈p. 2283〉)와 同字

[字源] 金文 辤 篆文 辤 籀文 辭 會意. 辛＋受. 몸에 받는 辤는 괴로움을 사절해야

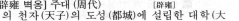
[辟雍]

한다의 뜻에서, '사절, 사양하다'의 뜻을 나타냄. 또, '辭사'와 통하여 '말'의 뜻을 나타냄.
[參考] '辤'는 본디, '사절하다'의 뜻으로, '辭'와는 別字이지만, 뒤에 혼용하게 되었음.

9 ⑯ [辜] 고 [去]遇 苦故切 kù

[字解] 수유(茱萸)를빻아가루를낸향신료(香辛料) 고 '一, 搗茱萸爲之, 味辛而苦'《集韻》.

9 ⑯ [辦] [人名] 판 [去]諫 蒲莧切 bàn

[字解] ①힘쓸 판 일을 힘써 주선함. '總一'. '項梁嘗爲主一'《史記》. ②갖출 판 물건을 갖춤. '大兄言一飯'《古詩》. 또, 처리함. '臣多多益一'《漢書》.

[字源] [篆文] 形聲. 力+辡〔音〕. '辡변'은 두 사람의 죄인이 서로 말다툼하다의 뜻. 힘을 다하여 겨루다, 힘쓰다, 힘써 말다툼을 처리하다의 뜻을 나타냄.

[辦嚴 판엄] 길 떠날 채비. 한명제(漢明帝)의 휘(諱) 장(裝) 자를 피하여 엄(嚴)으로 고친 것.
◉代辦. 咄嗟辦. 買辦. 密辦. 精辦. 整辦. 主辦. 總辦. 趨辦. 會辦.

9 ⑯ [辨] [高人] [一] 변 [上]銑 符蹇切 biàn [二] 판 [去]諫 蒲莧切 bàn [三] 편 [去]霰 普麵切 piàn

[筆順]

[字解] [一] ①나눌 변 구별함. '一析'. '序爵所以一貴賤也'《中庸》. ②나누일 변 구별됨. '男女以一'《左傳》. ③분별할 변 판별함. 식별함. '一識'. '有弗一, 一之弗明弗措也'《中庸》. ④구별 변, 분별 변 '效門室之一'《荀子》. ⑤밝힐 변 분명하게 함. '一吉凶者'《易經》. ⑥변화 변 고쳐져 달리 되는 일. '御六氣之一'《莊子》. ⑦쟁론할 변 말다툼함. 辯(辛部 十四畫)과 통용. ⑧성 변 성(姓)의 하나. [二] 갖출 판 辦(前條)과 통용. '以一民器'《周禮》. [三] 두루 편 徧(彳部 九畫)과 통용. '瑞應一至'《史記》.

[字源] [金文] [篆文] 會意. 刀+辡. 두 개의 바늘과 칼로, 나누다의 뜻을 나타냄. 파생하여, '처리하다, 분별하다'의 뜻을 나타냄.

[參考] 辧(次條)은 本字.

[辨告 변고] 이해시켜 알림. 사리를 따져 타이름.
[辨論 변론] 시비(是非)를 분변(分辨)하여 따짐.
[辨理 변리] 일을 맡아 처리함.
[辨明 변명] 사리를 분변(分辨)하여 명백하게 함.
[辨誣 변무] 원통한 것을 변명함.
[辨駁 변박] 시비를 분변(分辨)하여 논박(論駁)함.
[辨白 변백] 변명.
[辨別 변별] 분별함.
[辨別力 변별력] 사물의 시비선악(是非善惡)을 변별(辨別)하는 힘.
[辨士 변사] 말을 잘하는 사람. 변사(辯士).
[辨似 변사] 자서(字書)에서 비슷하여 혼동하기 쉬운 글자를 모아 그 이동(異同)을 밝힘.
[辨償 변상] 물어 줌. 치러 줌.
[辨析 변석] 명백히 분석함.
[辨釋 변석] 사리를 분명하게 해석함.
[辨說 변설] 시비를 분별하여 설명함.
[辨識 변식] 분별하여 앎.
[辨裝 변장] 길 떠날 채비.
[辨財天 변재천] '변재천(辯才天)'의 잘못.
[辨正 변정] 변명하여 바로잡음.
[辨證 변증] 직각(直覺) 또는 경험에 의하지 아니하고 개념(概念)의 분석에 의하여 사리를 연구함.
[辨察 변찰] 시비를 살펴 분명히 함.
[辨解 변해] 말로 자세히 밝힘.
[辨覈 변핵] 시비를 분별하여 밝힘.
◉強辨. 論辨. 多多益辨. 明辨. 分辨. 思辨. 審辨. 愚智辨. 自辨. 精辨. 澄辨. 治辨. 淄澠辨. 奚鬚髮足辨.

9 ⑯ [辧] 辨(前條)의 本字

9 ⑯ [辥] 설 [入]屑 私列切 xuē

[字解] ①허물 설 죄(罪). ②나라이름 설 薛(艸部 十三畫)과 통용. ③성 설 성(姓)의 하나.

[字源] [甲骨文] [金文] [篆文] 形聲. 辛+𠂤〔音〕. '辛신'은 끝이 뾰족한 날붙이의 象形. '𠂤얼'은 '다스리다'의 뜻. 법질서로 다스리다의 뜻을 기본으로 하고, 죄, 사형, 다스리다의 뜻을 나타냄.

10 ⑰ [辬] 겸 [平]鹽 苦兼切 qiān

[字解] 어려울 겸 힘듦. '一, 一苦, 艱也'《集韻》.

11 ⑱ [辩] 빈 [平]眞 悲巾切 bīn

[字解] 얼룩 빈 얼룩짐. '一, 駁也'《集韻》.

12 ⑲ [辭] [高人] 사 [平]支 似兹切 cí 辞

[筆順]

[字解] ①말 사, 말씀 사 ㉠언어. '言一'. '仲尼應答弟子及時人之一'《何晏》. ㉡문장. 사장(詞章). '文一'. '一, 合於說'《荀子》. ②핑계 사 구실. '因以爲一攻之'《戰國策》. ③알릴 사 고함. '使人一於狐突'《禮記》. ④타이를 사 사리를 말하여 알게 함. '仁者之過易一'《禮記》. ⑤청할 사 요청함. '大夫一而復之'《國語》. ⑥사양할 사 겸손하여 양보함. '溫顏遜一'《漢書》. ⑦사퇴할 사 ㉠응하지 아니함. '孺悲欲見孔子, 孔子一以疾'《論語》. ㉡받지 아니함. '爵祿可一也'《中庸》. ㉢그만둠. '一職'. '一意俱悽姸'《韋應物》. ㉣작별하고 떠남. '一家'. '賈生旣一往'《史記》. ⑧문체의하나 사 한문(漢文)의 한 체(體). 감상(感想)을 문장(文章)에 탁(託)한 것으로, 대개 운(韻)을 닮. '秋風一'. '詩變而爲騷, 騷變而爲一. 皆可歌'《古文眞寶 註》. ⑨성 사 성(姓)의 하나.

[字源] [金文] [篆文] [籀文] 會意. 𤔔+辛. '𤔔란'은 실을 아래위로 손을 대어 헝클어지지 않게 가지런히 정리하는 일의 象形. '辛신'은 '죄'의 뜻. 죄인을 나무라다, 죄

를 다스리다의 뜻에서, 일반적으로 '다스리다,
맡아 관리하다'의 뜻을 나타냄. '詞詞'와 통하
여 '말'의 뜻으로도 쓰임.

参考 辞(辛部 六畫)는 俗字.

[辭去 사거] 하직하고 감.
[辭決 사결] 하직 (下直).
[辭氣 사기] 말씨.
[辭達而已矣 사달이이의] 언어·문장의 목적은 자
기의 의사를 충분히 나타내면 그만임.
[辭令 사령] ㉠사람에게 응대하는 말. ㉡왕복 문
서. 편지. ㉢관직의 임명서. 사령장.
[辭理 사리] 말의 조리.
[辭林 사림] ㉠사전 (辭典). ㉡문사 (文士)가 모이
는 곳. 문인 (文人)들의 사회.
[辭免 사면] 맡아보던 일을 그만둠.
[辭貌 사모] 말과 용모. 언사와 풍모 (風貌).
[辭柄 사병] 이야깃거리.
[辭服 사복] 사죄 (謝罪)하고 복종함.
[辭賦 사부] 시가 (詩歌). 문장 (文章).
[辭謝 사사] 사절함. 사퇴함.
[辭色 사색] 말과 얼굴빛.
[辭書 사서] 사전 (辭典).
[辭說 사설] 말. 이야기.
[辭世 사세] 세상을 하직함. 죽음.
[辭受 사수] 사양하는 것과 받는 것.
[辭讓 사양] 받을 것을 겸손하여 안 받거나 자리
를 남에게 내어 줌.
[辭言 사언] 말. 언사 (言辭).
[辭緣 사연] 편지나 말의 내용.
[辭源 사원] ㉠말의 근원. ㉡말. 언사.
[辭意 사의] ㉠사퇴하는 마음. ㉡사직하는 마음.
㉢말의 뜻. 언어와 의미.
[辭任 사임] 사직 (辭職).
[辭章 사장] 시부 (詩賦)나 문장 (文章).
[辭典 사전] 언어 (言語)를 일정한 순서로 수록하
고 낱낱이 그 언어 (言語)·어원 (語源)·발음 (發
音) 등을 해설한 책. 사림 (辭林). 사서 (辭書).
[辭絶 사절] 사양하여 거절함.
[辭藻 사조] 문장. 시가 (詩歌).
[辭宗 사종] 시문 (詩文)의 대가 (大家). 사장 (辭
章)의 종사 (宗師). 사종 (詞宗). 문종 (文宗).
[辭旨 사지] 말의 취지. 사지 (辭指).
[辭指 사지] 사지 (辭旨).
[辭職 사직] 직무를 내놓고 물러남.
[辭趣 사취] 사지 (辭旨).
[辭吐 사토] 말. 언사. 담토 (談吐).
[辭退 사퇴] ㉠겸양 (謙讓)하여 물러남. ㉡사절하
고 물러섬.
[辭表 사표] 사직할 뜻을 적어 제출하는 문서.
[辭彙 사휘] 사전 (辭典).
●歌辭. 嘉辭. 甘辭. 謙辭. 告辭. 固辭. 賚辭.
怪辭. 瑰辭. 交辭. 嬌辭. 舊辭. 詭辭. 勞辭.
多辭. 答辭. 讜辭. 悼辭. 同辭. 遁辭. 曼辭.
蕪辭. 文辭. 美辭. 媚辭. 駁辭. 芳辭. 拜辭.
繁辭. 辯辭. 卜辭. 浮辭. 訃辭. 肥辭. 邪辭.
詐辭. 謝辭. 屬辭. 孫辭. 送辭. 頌辭.
碎辭. 修辭. 式辭. 飾辭. 失辭. 深辭. 兩辭.
言辭. 輿辭. 禮辭. 溫辭. 玩辭. 婉辭. 雄辭.
偉辭. 僞辭. 遊辭. 諛辭. 音辭. 淫辭. 俚辭.
異辭. 絶辭. 一言牛辭. 一言隻辭. 絶妙好
辭. 折辭. 接辭. 正辭. 題辭. 弔辭. 助辭. 措
辭. 陳辭. 贊辭. 淺辭. 綴辭. 祝辭. 置辭. 誕

辭. 吐辭. 通辭. 片辭. 便辭. 片言隻辭. 褒辭.
詖辭. 賀辭. 虛辭. 華辭. 爻辭. 訓辭. 休辭.

14
㉑ [辯] 高人
■ 변 ㊤銑 符蹇切 biàn
■ 평 ㊦庚 符兵切 píng
■ 편 ㊨霰 卑見切 biàn   辩辦

筆順 亠 立 辛 辛 辨 辨 辯 辯

字解 ㊀①말잘할 변 '言僞而一'《禮記》. ②다툴
변 말다툼함. 또, 논쟁함. '遠鬪一矣'《禮記》.
'一難攻擊之文'《文章軌範 小序》. ③효유할 변
가르쳐 깨닫도록 함. '其過失可微一, 而不可面
數也'《禮記》. ④나눌 변, 나누일 변 辨(辛部 九
畫)과 통용. '君子以一上下, 定民志'《易經》.
⑤바로잡을 변 바르게 함. '有司弗一也'《禮記》.
⑥말 변 잘하는 말. 웅변. '一舌', '予豈好一
哉'《孟子》. ⑦문체 변 한문의 한 체 (體). 언행
의 시비·진위 (眞僞)를 판단하여 설명하는 글.
'諱一'. '桐葉封弟一'. '一, 判別也, (中略) 至
唐韓柳乃始作焉, 然其原實出於孟莊'《文體明
辯》. ㊁고를 평 平(干部 二畫)과 통용. '一秩東
作'《史記》. ㊂두루미칠 편 徧(彳部 九畫)과 통
용. '其治一者, 其體具'《禮記》.
字源 篆文 辯 會意. 言+辡. '辡변'은 '나누다'의
뜻. 말로 일의 도리를 가려 밝히다의
뜻을 나타냄.

[辯告 변고] 널리 고함. 널리 알림.
[辯口 변구] 잘하는 말.
[辯難 변난] 말다툼함. 언론으로 반대하고 비난
함.
[辯佞 변녕] 말도 잘하고 비위도 잘 맞춤. 또, 그
사람.
[辯論 변론] ㉠변명하여 논함. ㉡언쟁함. 또, 그
의론. ㉢말을 잘함.
[辯妄 변망] 남의 망발된 의론을 변박 (辯駁)함.
[辯明 변명] 변해 (辯解).
[辯辯 변변] 조리 있게 논하는 모양.
[辯士 변사] ㉠말솜씨가 좋은 사람. 변사 (辨士).
㉡연설 또는 강연을 하는 사람. ㉢활동사진을
설명하는 사람.
[辯嘗 변상] 음식의 맛을 봄.
[辯析 변석] 이치를 똑똑히 밝힘. 변 (辯)은 별
(別), 석 (析)은 분 (分).
[辯釋 변석] 설명함.
[辯舌 변설] 잘하는 말. 또, 말솜씨.
[辯贍 변섬] 말재주가 있고 학식이 풍부함.
[辯疏 변소] 변해 (辯解).
[辯囿 변유] 변설이 유창한 사람들의 모임.
[辯才 변재] ㉠말을 잘하는 재주. ㉡변설과 재지
(才智).
[辯才天 변재천] 《佛敎》재지 (才智)·재복 (財福)·
음악을 맡은 여신 (女神). 막히지 아니하는 변
재가 있고 무한한 이익을 주며 비파를 잘 타 중
생 (衆生)을 기쁘게 한다고 함.
[辯財天 변재천] 변재천 (辯才天).
[辯足以飾非 변족이식비] 변재가 있어 자기의 잘
못을 잘 꾸며 대어 변해함.
[辯智 변지] ㉠사리를 분별하는 슬기. ㉡말을 잘
하고 슬기로움이 있음.
[辯天 변천] 《佛敎》변재천 (辯才天).
[辯捷 변첩] 말 잘하고 민첩함.
[辯解 변해] 죄가 없음을 밝힘. 잘못한 것이 없음

을 따져서 밝힘.
[辯慧 변혜] 말을 잘하고 지혜가 있음.
[辯護 변호] 변명하여 비호(庇護)함.
[辯護士 변호사] 당사자 또는 관계되는 사람의 위촉을 받거나 법원의 선임(選任)에 의하여 소송에 관한 행위 및 일반 법률 사무를 행함을 직무(職務)로 하는 사람.
●剛辯. 強辯. 堅白同異之辯. 堅白之辯. 警辯. 高辯. 曲辯. 宏辯. 闊辯. 巧辯. 口辯. 詭辯. 機辯. 論辯. 訥辯. 能辯. 多辯. 達辯. 談辯. 答辯. 大辯. 代辯. 明辯. 妙辯. 文辯. 敏辯. 博辯. 浮辯. 分辯. 不辯. 飛辯. 邪辯. 辭辯. 善辯. 小辯. 心辯. 熱辯. 佞辯. 英辯. 溫辯. 雄辯. 伊管之辯. 逸辯. 任辯. 才辯. 廷辯. 精辯. 俊辯. 陳辯. 聰辯. 贅辯. 治辯. 馳辯. 駁辯. 通辯. 豐辯. 筆辯. 抗辯. 懸河之辯. 好辯. 弘辯. 華辯.

17 ㉔ [韡] 〔고〕
辜(辛部 五畫〈p. 2281〉)와 同字

辰 (7획) 部
〔별진부〕

0 ⑦ [辰] 中 〓 진(신) ㊀眞 植隣切 chén
人 〓 신(辰) ㊀眞 植隣切 chén
[筆順] 一 厂 厂 厂 辰 辰 辰
[字解] 〓 ①다섯째지지 진 십이지(十二支)의 제오위(第五位). 방위로는 동남, 시각으로는 오전 7시부터 9시까지의 사이. 달로는 음력 3월, 띠로는 용(龍)에 배당함. ②지지 진 십이지의 총칭. '十有二一之號'《周禮》. 또, 자(子)의 날부터 해(亥)의 날까지의 열이틀간. '浹一之間'《左傳》. ③별이름 진 '一星'(수성). '大一'〈대화성(大火星)〉. 〓 ①일월성 신 해와 달과 별의 총칭. '三一'. 또, 그 교회(交會)하는 곳. '日月星一'《書經》. ②날 신 하루. '吉一'《左傳》. ③때 신 시각. 시절. '時一'. '良一'. '我生不一'《詩經》. ④별이름 신 '北一'(북극성).
[字源] 甲骨文 丙 金文 辰 篆文 辰 古文 匹 象形. 조개가 껍데기에서 발을 내밀고 있는 모양을 본뜸. 본디 '蜃신'의 原字. 假借하여 지지의 다섯째, '용'의 뜻으로 쓰임.
[參考] '辰'은 조가비를 나타내며, 옛날에 농구로 쓰였던 데서, '辰'을 바탕으로 하여 농사에 관한 문자를 이룸. 부수 이름은 '별진'.

[辰夜 신야] 아침과 밤. 신(辰)은 신(晨).
[辰刻 진각] 시간. 시각(時刻).
[辰方 진방] 동남(東南)쪽.
[辰砂 진사] 수은과 유황(硫黃)과의 화합물. 주사(朱砂).
[辰星 진성] 수성(水星)의 이칭(異稱).
[辰宿 진수] 성수(星宿).
[辰時 진시] 오전 7시부터 9시까지의 시각.
[辰緯 진위] 별. 성신(星辰).
[辰日 진일] 길일(吉日).
●佳辰. 嘉辰. 甲辰. 剛辰. 考辰. 忌辰. 吉辰. 大辰. 芳辰. 北辰. 司辰. 三辰. 參辰. 上辰. 霜辰. 生辰. 星辰. 聖辰. 時辰. 十二辰. 良辰. 嚴辰. 令辰. 靈辰. 五辰. 儀辰. 日辰. 匝辰. 淒辰. 測辰. 誕辰. 浹辰.

3 ⑩ [辱] 高 욕 ㊁沃 而蜀切 rǔ 　辱
[筆順] 厂 尸 尸 尼 辰 辰 辱 辱
[字解] ①욕보일 욕 수치를 당하게 함. '懼一親'《禮記》. ②욕볼 욕 수치를 당함. '事君數斯一矣'《論語》. ③욕되게 할 욕 남에게 분수에 넘치는 호(好意)를 받아서 이를 욕되게 하였다는 뜻으로, 대단히 죄송한 동시에 영광스럽다는 겸사말. '一知'. '再一手書'《蘇軾》. 또, 이상의 명사. '拜君言之一'《禮記》. ④욕 욕 ㉠수치. '恥一'. ㉡불명예. '屈一'. ㉢모멸. '侮一'. ⑤성 욕 성(姓)의 하나.
[字源] 篆文 辱 會意. 寸+辰. '寸촌'은 '손'의 뜻. '辰진'은 돌 또는 조개껍데기로 만든 풀 베는 농구로 뜻을 본뜬 것. 제초구로 풀을 베어 넣어 놓다의 뜻에서 파생하여, '싹을 따다, 욕보이다'의 뜻을 나타냄.

[辱交 욕교] 욕지(辱知).
[辱友 욕우] 욕지(辱知).
[辱在 욕재] 영락(零落)하여 부끄러운 처지에 놓임.
[辱知 욕지] 자기 같은 하찮은 사람과 교우(交友)하여 주어서 부끄럽다는 뜻으로, 그 사람의 지우(知遇)를 받아서 영광스럽다는 겸칭(謙稱).
●詞辱. 譴辱. 困辱. 媿辱. 國辱. 窘辱. 屈辱. 窮辱. 憤辱. 勞辱. 凌辱. 陵辱. 撻辱. 大辱. 罵辱. 侮辱. 榜辱. 雪辱. 小辱. 守辱. 榮辱. 汗辱. 憂辱. 謬辱. 戮辱. 豐辱. 忍辱. 誑辱. 折辱. 點辱. 廷辱. 挫辱. 衆辱. 差辱. 誚辱. 寵辱. 黜辱. 恥辱. 侵辱. 笞辱. 敗辱. 廢辱. 禍辱. 詬辱. 毀辱. 詰辱.

[脣] 〔진〕
口部 七畫(p. 377)을 보라.

[脣] 〔순〕
肉部 七畫(p. 1851)을 보라.

6 ⑬ [農] 中 농 ㊀冬 奴冬切 nóng 　农農
人
[筆順] 冂 曰 曲 曲 芇 芇 農 農
[字解] ①농사 농 농업. '一耕'. '其庶人力於一穡'《左傳》. ②농부 농 '老一'. '是月也, 一有不收藏積聚者'《呂氏春秋》. 또, 농사를 맡은 벼슬아치. '饗一'《禮記》. ③힘쓸 농 노력을 함. '小人一力, 以事其上'《左傳》. ④성 농 성(姓)의 하나.
[字源] 甲骨文 苜 金文 甾 篆文 農 籀文 燦 古文 黌 古文 農 會意. 甲骨文 文은 林+辰. '林림'은 '숲'의 뜻. '辰진'은 조개를 본뜬 것. 甲骨文에서는 석기(石器)의 상형처럼도 보임. 돌이나 조가비로 만든 농구로 땅을 갈다의 뜻을 나타냄. '林'의 부분을 甲骨文이나 金文에서는 '艸초'로 만든 것이 있으며, 金文에서는 다시 거기에 '田전'을 덧붙인 것도

있음. 篆文에서는 晨+凶로 변형되고, 다시 뒤에 曲+辰으로 변했음.

[農家 농가] ㉠농정(農政)에 관한 일을 연구하는 학파(學派). ㉡농삿집.
[農稼 농가] 땅을 갈고 곡물(穀物)을 심는 일.
[農耕 농경] 농사를 짓는 일. 농사. 농업.
[農工 농공] ㉠농업과 공업. ㉡농부와 직공.
[農功 농공] 농사.
[農科 농과] 대학의 한 분과. 농업에 관한 전문적인 학술을 연구하는 부분.
[農具 농구] 농사에 쓰는 기구. 농기(農器).
[農軍 농군] 농민.
[農隙 농극] 농사에 바쁘지 아니한 시기. 농한기(農閑期).
[農期 농기] 농사로 바쁜 때. 또, 농사에 적합한 때.
[農器 농기] 농구(農具).
[農奴 농노] 봉건 사회에서 영주(領主)에게 종처럼 매인 농민.
[農談 농담] 농사에 관한 이야기.
[農糧 농량] 농사 때의 양식(糧食).
[農林 농림] 농업과 임업(林業).
[農末 농말] 농민과 상인. 농사군과 장수.
[農務 농무] ㉠농사짓는 일. ㉡농정(農政).
[農民 농민] 농사짓는 사람.
[農繁期 농번기] 농사일이 바쁜 시기.
[農兵 농병] ㉠평상시에는 농업에 종사하고, 유사시에는 소집당하여 군인이 되는 사람. ㉡농부로 조직된 군대.
[農夫 농부] 농민.
[農事 농사] 밭 갈고 씨 뿌리고 김매고 거두는 일. 농부의 일.
[農師 농사] 고대(古代)의 관명(官名). 농사를 맡은 벼슬.
[農產 농산] 농산물.
[農產物 농산물] 농사하여 나는 물건.
[農桑 농상] 농업과 양잠.
[農商 농상] ㉠농업과 상업. ㉡농부와 상인.
[農穡 농색] 작물(作物)을 심고 거두어들이는 일. 경작(耕作)하는 일.
[農時 농시] 농사지을 때. 농사가 바쁜 때. 곧, 봄·여름·가을의 세 절기.
[農業 농업] ㉠농사에 종사하는 직업. ㉡토지를 사용하여 유용한 동식물을 사육하고 재배하여 인간에 필요한 조제품을 생산하는 산업.
[農業時代 농업시대] 인류 진화의 한 단계. 목축(牧畜) 시대가 진보하여 주로 농사를 지어 먹고 사는 시대.
[農藝 농예] 농업과 원예(園藝).
[農謠 농요] 농부들이 부르는 속요(俗謠).
[農牛 농우] 농사에 쓰는 소.
[農園 농원] 주로 원예 작물을 심어 가꾸는 농장.
[農月 농월] 입하(立夏) 후의 농사일이 바쁜 달.
[農爲國本 농위국본] 농업은 건국(建國)의 근본임.
[農人 농인] 농민.
[農資 농자] 농사에 드는 밑천. 농업 자본.
[農作 농작] 농사짓는 일.
[農作物 농작물] 농사를 지어 된 물건.
[農場 농장] 농지(農地)와 농사에 필요한 여러 시설을 갖춘 곳.
[農丁 농정] 농사짓는 장정(壯丁).
[農正 농정] 농사를 맡은 벼슬.

[農政 농정] 농사에 관계되는 정책 또는 정무.
[農村 농촌] 농부들이 사는 마을.
[農土 농토] 농사짓는 땅. 전지(田地).
[農學 농학] 농업상의 원리(原理)와 기술(技術)을 연구하는 학문.
[農閑 농한] 농한기(農閑期).
[農閑期 농한기] 농한기(農閑期).
[農閑期 농한기] 농사일이 한가한 시기.
[農形 농형] 농작물의 형편.
● 耕農. 勸農. 歸農. 醄農. 老農. 勞農. 大農. 篤農. 妨農. 兵農. 富農. 貧農. 司農. 三農. 上農. 傷農. 善農. 小農. 小作農. 良農. 力農. 窳農. 離農. 自作農. 惰農. 豪農.

6
⑬ [農] 農(前條)의 古字

6
⑬ [農] 農(前前條)의 古字

8
⑮ [𪗭] 용 ㋑腫 而隴切 rǒng

字解 ①못생길 용 어리석음. '一, 不肖也'《集韻》. ②용렬할 용 '一, 一曰, 傗一, 劣也'《集韻》.

8
⑮ [𪗫] 〔농〕
農(辰部 六畫〈p. 2285〉)의 古字

12
⑲ [𪗋] 진 ㋐黰 止忍切 zhěn

字解 웃을 진 웃는 모양. '桓公—然而笑'《莊子》.

[𪗋然 진연] 웃는 모양.

13
⑳ [農] 〔농〕
農(辰部 六畫〈p. 2285〉)의 本字

14
㉑ [農] 〔농〕
農(辰部 六畫〈p. 2285〉)의 籀文

辵(辶) (7획) 部

[쉬엄쉬엄갈착부·책받침부]

0
⑦ [辵] 착 ㋔藥 丑略切 chuò

筆順 ⼂ ⼃ ⼆ ⼿ ⼿ ⽅ 辵

字解 ①쉬엄쉬엄갈 착 잠시 가고 잠시 머무름. ②달릴 착 질주함. '一階而走'《公羊傳》.

字源  會意. 行〈省〉+止. 甲骨文은 行+止. '行'은 갈림길을 본뜬 것. '止지'는 '발, 걷다'의 뜻. 길을 가다의 뜻을 나타냄.

參考 '辵착'을 의부(意符)로 하여, 가는 일이나 원근(遠近) 등에 관한 문자를 이룸. 받침으로 쓰일 때에는 '辶'로 생략되고, 또 '辶'로도 생략됨. 부수 이름은 속칭 '갖은책받침'.

0 ④ [辶] 辵(前條)이 글자의 받침으로 올 때의 자체(字體). 속칭(俗稱) 책받침.

2 ⑤ [边] 〔변〕 邊(辵部 十五畫〈p. 2327〉)의 簡體字

2 ⑥ [辺] 〔변〕 邊(辵部 十五畫〈p. 2327〉)의 俗字

2 ⑥ [边] 〔변〕 邊(辵部 十五畫〈p. 2327〉)의 俗字

2 ⑥ [辷] 〔궤〕 軌(車部 二畫〈p. 2257〉)의 古字

3 ⑦ [辿] 천 [平]先 丑延切 chán

[字解] 천천히걸을 천 완보(緩步)함.

[字源] 會意. 辶(辵)+山

3 ⑦ [达] [一] 체 [去]霽 他計切 tì [二] 달 [入]曷 他達切 tà

[字解] [一] ①매끄러울 체 퉁소 소리의 형용. '順敍卑一'《王褒》. ②미끄러질 체 발이 미끄러짐. '一, 足滑也'《廣韻》. ③통달할 체 '一, 達也'《玉篇》. ④갈마들 체 바뀜. '一, 迭也'《玉篇》. [二] 달아날 달, 엇갈릴 달 '㺚, 博雅, 逃也. 一曰, 行不相遇. 或作一'《集韻》.

3 ⑦ [迂] [人名] 우(오[俗]) [平]虞 羽俱切 yū

[筆順] 一 二 于 于 汙 迂 迂

[字解] ①굽을 우, 굽힐 우 굴곡함. '一曲'《管子註》. '一乃心'《書經》. ②멀 우 ㉠길이 빙 돌아 멂. '一路'. '北渡一兮浚流難'《史記》. ㉡실지와 거리가 멂. 현실에 맞지 아니함. 사정에 어두움. '一闊'. '一遠而闊于事情'《史記》. ③먼길 우 빙 돌아 먼 길. '捨逕而就一'《宋史》. ④잠시 우 잠깐. 良(艮部 一畫)과 뜻이 같음. '一久, 大醉而還'《後漢書》.

[字源] 金文 篆文 形聲. 辶(辵)+于〔音〕. '于우'는 활꼴로 굽다의 뜻. 빙 돌아가다의 뜻을 나타냄.

[迂路 오로] 우로(迂路).
[迂闊 오활] 우활(迂闊).
[迂曲 우곡] 꼬불꼬불함.
[迂久 우구] 잠시 시간이 경과함. 양구(良久).
[迂鈍 우둔] 세상일에 어둡고 둔함.
[迂路 우로] 멀리 돌아가게 된 길.
[迂生 우생] 자기의 겸칭(謙稱).
[迂疎 우소] 세상일에 어둡고 소홀함.
[迂叟 우수] 세상일에 어두운 늙은이.
[迂愚 우우] 세상일에 어둡고 어리석음.
[迂遠 우원] ㉠세상일에 어두움. 실용에 적합하지 아니함. ㉡길이 돌아 멂.
[迂儒 우유] 세사(世事)에 통하지 아니하는 학자. 쓸모없는 학자.
[迂人 우인] 세상일에 어두운 사람.
[迂拙 우졸] 어리석어 세상일에 서투름.
[迂誕 우탄] 거짓. 허위.
[迂闊 우활] 사정(事情)에 어둡고 실용에 적합하지 아니함.
[迂回 우회] 멀리 돎.
◉怪迂. 疏迂. 迻迂. 惷迂. 廻迂.

3 ⑦ [迃] 迂(前條)와 同字

3 ⑦ [过] 〔과〕 過(辵部 九畫〈p. 2311〉)의 俗字

3 ⑩ [辻] 〔도〕 徒(彳部 七畫〈p. 744〉)의 本字

3 ⑦ [迄] 흘 [入]物 許訖切 qì

[字解] ①이를 흘 도달함. '以一于今'《詩經》. ②까지 흘 …에 이르기까지. '所編百有八十餘家矣一至魏晉, 作者間出'《文心雕龍》. ③마침내 흘 필경. '才疏意廣, 一無成功'《後漢書》.

[字源] 篆文 形聲. 篆文은 辶(辵)+气〔音〕. '气기·걸'은 '미치다'의 뜻. 어느 곳까지 이르러 미치다의 뜻을 나타냄.

3 ⑦ [迉] 〔기〕 起(走部 三畫〈p. 2213〉)의 古字

3 ⑩ [迋] 〔기〕 起(走部 三畫〈p. 2213〉)의 古字

3 ⑦ [迲] 〔도〕 徒(彳部 七畫〈p. 744〉)의 本字

3 ⑦ [迅] [人名] 신 [去]震 息晉切 xùn

[筆順] 乁 ㄱ 刊 刊 汛 汛 迅

[字解] 빠를 신 신속함. '一急'. '徒以母疾一歸'《列仙傳》.

[字源] 篆文 形聲. 辶(辵)+卂〔音〕. '卂신'은 '빠르다'의 뜻. '辵착'을 덧붙여 빨리 나아가다의 뜻에서, '빠르다'의 뜻을 나타냄.

[迅晷 신구] 세월이 빨리 감.
[迅急 신급] 신속(迅速).
[迅雷 신뢰] 맹렬한 우레.
[迅瀨 신뢰] 여울.
[迅雷不暇掩耳 신뢰불가엄이] '질뢰불급엄이(疾雷不及掩耳)'를 보라.
[迅雷風烈必變 신뢰풍렬필변] 천둥이 심하고 바람이 매울 때엔 어느 곳에서나 의관을 바로 하여서 하늘의 노염을 사지 않도록 조심함.
[迅速 신속] 썩 빠름. 속(速)함.
[迅羽 신우] '매〔鷹〕'의 이칭(異稱).
[迅雨 신우] 세차게 내리는 비. 소나기.
[迅傳 신전] 속하게 전함.
[迅電不及瞑目 신전불급명목] 번개가 빨라서 미처 눈을 감을 겨를이 없음. 일이 급해서 막을 틈이 없음의 비유.
[迅捷 신첩] 재빠름.
[迅趨 신추] 빨리 달림.
[迅辦 신판] 급하게 처치함.
[迅風 신풍] 질풍(疾風).

◉激迅. 勁迅. 輕迅. 趣迅. 奮迅. 獅子奮迅. 振迅.

3/7 [迆] 이 ⑭紙 演爾切 yǐ

字解 ①갈 이 비스듬히 감. '東一北會于匯'《書經》. ②연할 이 비스듬히 연속함. 비스듬히 뻗음. '衆山之邐一'《吳質》. ③기대어세울 이 비스듬히 기대어 놓음. '戈柲六尺有六寸, 旣建而一'《周禮》.

字源 形聲. 辶(辵)+也〔音〕. '也아'는 구불구불 구부러지다의 뜻. 구불구불 가다, 비스듬히 가다의 뜻을 나타냄.

參考 迤(辵部 五畫)는 同字.

[迆𨾴 이미] 잇닿은 모양. 연속한 모양.
[迆迆 이이] ㉠잇닿은 모양. 연속한 모양. ㉡비스듬히 뻗은 모양.
◉𨾴迆. 瀰迆. 演迆. 透迆. 邐迆.

3/7 [迁] 〔천〕 遷(辵部 十二畫〈p. 2321〉)의 俗字

[巡] 〔순〕 《《部 四畫(p. 658)을 보라.

3/7 [迀] 간 ⑭寒 居寒切 gān

字解 ①구할 간, 나아갈 간 요구함. '一, 進也.'(段注)干求之字, 當作一'《說文》. ②막을 간 가로막음. '一, 一曰, 遮也'《集韻》.
字源 形聲. 辶(辵)+干〔音〕.

3/7 [迒] 기 ⑭寘 居吏切 jì

字解 ①바칠 기 옛날에, 시(詩)를 채취(採取)하여 위에 바침. '一, 古之遒人, 日木鐸記詩言'《說文》. ②갈 기 '一, 又行也'《字彙》. ③적을 기 '一, 誌也'《字彙》. ④어조사 기 어세(語勢)를 고르게 하기 위한 어조사(語助辭). 其(八部 六畫)와 통용.
字源 形聲. 辶(辵)+丌〔音〕.

4/8 [迋] ■ 왕 ⑭漾 于放切 wàng / ■ 광 ⑭養 俱往切 guàng

字解 ■ 갈 왕 往(彳部 五畫)과 同字. '一勞於東門之外'《左傳》. ■ ①속일 광 기만함. '人實一女'《詩經》. ②두려워할 광 공구(恐懼)함. '子無我一'《左傳》.
字源 形聲. 辶(辵)+王〔音〕. '王왕'은 '𡉕광'의 생략체로, 자꾸자꾸 생겨나다의 뜻. 죽죽 나아가다의 뜻을 나타냄. '辵착'을 덧붙여 '가다'의 뜻을 나타냄. 또, '恇광'과 통하여 '속이다'의 뜻도 나타냄.

[迋迋 왕왕] 두려워하여 어찌할 줄 모르는 모양.

4/8 [迍] 둔(준)⑭ ⑭眞 陟綸切 zhūn

字解 머뭇거릴 둔 길이 험하여 머뭇거리고 잘 가지 못함. '賢者獨賤一'《白居易》.

字源 形聲. 辶(辵)+屯〔音〕. '屯둔'은 '頓돈'과 통하여, 실족하여 넘어지다의 뜻. 가려 하여도 가지 못하고 머뭇거리다의 뜻을 나타냄.

[迍邅 둔전] 길이 험하여 가기 힘든 모양. 둔전(屯邅).
◉賤迍.

4/8 [迒] 항 ⑭陽 胡郎切 háng

字解 자귀 항 짐승의 발자국. 또, 토끼의 발자국. '結罝百里, 一杜蹊塞'《張衡》.

字源 形聲. 辶(辵)+亢〔音〕. '亢항'은 발을 뻗다의 뜻. 짐승 등이 지나간 발자국의 뜻을 나타냄.

4/8 [迎] 中入 영 ⑭庚 語京切 yíng

筆順 ㇐ ㇏ ㇆ ㇗ ㇛ ㇜ 迎 迎

字解 ①맞이할 영 ㉠오는 이를 맞아들임. '送往一來'《中庸》. ㉡미래를 기다려 맞이함. '一春'. '一日推策'《史記》. ②맞출 영 남의 뜻을 잘 맞추어 줌. '一合一阿'《唐書》. ③마중할 영 출영함. 마중 나감. '親一于渭'《詩經》. ④마중 영 출영(出迎). '送一不出門'《晉書》.

字源 形聲. 辶(辵)+卬〔音〕. '卬앙'은 '仰앙'의 原字로 우러러보다의 뜻. 길에 나가서 맞다의 뜻을 나타냄.

[迎客 영객] 손을 맞음.
[迎擊 영격] 자기편을 치려고 오는 적군을 나아가 맞아 침.
[迎年 영년] 새해를 맞이함.
[迎勞 영로] 맞이하여 위로함.
[迎立 영립] 임금으로 맞아들임.
[迎梅雨 영매우] 음력 3월에 오는 비.
[迎送 영송] 맞는 일과 보내는 일. 영접함과 배웅함.
[迎阿 영아] 남의 비위를 맞춤. 아첨(阿諂)함.
[迎謁 영알] 마중 나가 뵘.
[迎意 영의] 남의 마음을 살펴서 그 뜻에 맞도록 함.
[迎引 영인] 맞이하여 인도함. 영접(迎接).
[迎接 영접] 손님을 맞아 응접함.
[迎春 영춘] ㉠봄을 맞이함. ㉡물푸레나뭇과에 속하는 낙엽 관목(落葉灌木). 이른 봄에 꽃이 핌. 열매는 연교(連翹)라 하여 한약재로 씀. 개나리.
[迎取 영취] 맞이하여 취함.
[迎合 영합] ㉠남의 비위를 맞춤. 아첨함. ㉡미리 기일을 약속하고 모임.
[迎候 영후] 마중 나감. 출영(出迎).
◉郊迎. 來迎. 倒屣迎. 拜迎. 奉迎. 逢迎. 不將不迎. 屣迎. 送迎. 將迎. 馳迎. 親迎. 歡迎. 候迎.

4/8 [近] 中入 ■ 근 ⑭吻 其謹切 jìn / ■ 근 ⑭問 巨靳切 jìn / ■ 기 ⑭寘 居吏切 jì

筆順 ㇐ ㇏ ㇗ 斤 汀 沂 近 近

字解 ■ ①가까울 근 ㉠시간 또는 거리가 멀지

아니함. '一世'. '一郊'. '爲其一于道也'《禮記》. ㉡통속적임. 천박함. '淺一'. '卑一'. '言語俚一'《唐書》. ㉢알기 쉬움. '言一而旨遠者'《孟子》. ㉣비슷함. 닮음. '好學一乎知'《中庸》. ㉤적절함. 절실함. '撥亂世反諸正, 莫一諸春秋'《公羊傳》. ㉥친함. '親一'. '姻一人懼其威'《唐書》. ②근처 근 가까운 곳. '取側一三十戶'《舊唐書》. ③요사이 근 근시(近時). '一者'. '獻一所爲復志賦已下十首'《韓愈》. ④근친 근 가까운 일가. '外無朞功強一之親'《李密》. ⑤가까이 근 가까운 데서. '一取諸身'《易經》. '能一取譬'《論語》. ⑥성 근 성(姓)의 하나. ⑦가까이할 근 ㉠가까이 감. 또는 가까이 당김. '一之則不厭'《中庸》. ㉡친히 지냄. '一小人'. '民可一'《書經》. [三] 어조사 기 무의미한 조사. '往一王舅'《詩經》.

[字源] [篆文]  形聲. 辶(辵)+斤〔音〕. '斤근'은 물건을 작게 만들기 위한 칼의 뜻. 거리나 시간을 작게 하다, 가까이하다의 뜻을 나타냄.

[近刊 근간] 최근의 출판. 또, 곧 나올 책.
[近間 근간] 요사이. 요새.
[近坰 근경] 근교(近郊)[ㄴ].
[近頃 근경] 요사이. 요새.
[近景 근경] 가까이 보이는 경치.
[近境 근경] ㉠가까운 지경. ㉡요즈음의 사정.
[近古 근고] 연대가 과히 멀지 아니한 옛적. 가까운 옛날.
[近郊 근교] ㉠도성(都城) 밖의 가까운 촌. 주대(周代)에 교외(郊外) 50리까지의 땅이었음. ㉡도회에 가까운 들.
[近畿 근기] 서울이 가까운 곳.
[近年 근년] 가까운 해. 지나간 지 얼마 안 되는 해. 최근의 몇 해.
[近代 근대] 가까운 시대.
[近東 근동] 서양(西洋)에 가까운 동양(東洋). 서남아시아.
[近洞 근동] 가까운 동네.
[近來 근래] 요사이. 이마적.
[近理 근리] 이치에 가까움.
[近隣 근린] 이웃. 인근.
[近密 근밀] 임금의 측근(側近).
[近方 근방] 근방(近傍).
[近傍 근방] 가까운 곳.
[近邊 근변] ㉠국경, 즉 변방에 가까이 감. ㉡근방(近傍).
[近似 근사] 비슷함. 거의 같음. 방불(彷彿)함.
[近事 근사] 최근의 사건.
[近思 근사] 몸을 반성함. 가까이 자기 몸에 견주어 생각함.
[近事女 근사녀] 우바이(優婆夷).
[近思錄 근사록] 송(宋)나라 주희(朱熹)·여조겸(呂祖謙)이 편찬한 책. 모두 14권. 주무숙(周茂叔)·정명도(程明道)·정이천(程伊川)·장횡거(張橫渠)의 설(說)에서 일상생활의 수양에 필요한 622조(條)를 추려서 14문(門)으로 분류하였음.
[近狀 근상] 요사이의 형편.
[近世 근세] 근대(近代).
[近歲 근세] 근년(近年).
[近所 근소] 가까운 곳. 근처.
[近水樓臺 근수루대] 부하 관리가 장관(長官)에게 접근하게 됨을 비유하는 말.
[近習 근습] ㉠가까이하여 익숙해짐. ㉡근신(近臣).
[近侍 근시] 임금을 측근에서 모심. 또, 그 신하.
[近時 근시] 요사이.
[近視 근시] 가까운 데는 잘 보나 먼 데 있는 물상을 잘 보지 못하는 눈.
[近視眼 근시안] 근시(近視).
[近臣 근신] 임금의 측근에서 섬기는 신하.
[近信 근신] ㉠가까이하여 신용함. ㉡근래의 음신(音信).
[近憂 근우] 눈앞에 닥쳐온 근심.
[近衛 근위] 궁성(宮城)의 수위.
[近邑 근읍] 가까운 고을.
[近邇 근이] 가까움. 또, 가까워짐.
[近因 근인] 직접의 원인. 가까운 원인.
[近姻 근인] 근족(近族).
[近日 근일] 요사이. 이사이.
[近日點 근일점] 지구가 궤도를 운행하며 태양에 가장 가까울 때의 위치.
[近者 근자] ㉠요사이. 이사이. ㉡가까이 있는 자.
[近者說遠者來 근자열원자래] 이웃에 있는 백성은 은혜에 감복하여 기뻐하고 먼 곳에 있는 백성도 그 소문을 듣고 흠모하여 찾아온다는 뜻으로, 덕택(德澤)이 널리 미침을 이름.
[近作 근작] 최근에 지은 시문(詩文). 최근의 저작.
[近著 근저] 최근의 저술(著述).
[近戰 근전] 적과 접근하여 싸움.
[近接 근접] 가까움. 또, 가까워짐. 접근(接近)함.
[近情 근정] 근상(近狀).
[近族 근족] 혈통이 가까운 일가.
[近衆 근중] 근신(近臣).
[近着 근착] 근래(近來)에 도착(到着)함.
[近處 근처] 가까운 곳.
[近戚 근척] 근족(近族).
[近體 근체] ㉠한시(漢詩)의 율시(律詩)·절구(絶句)를 이름. ㉡근래 유행하는 체재(體裁).
[近體詩 근체시] 근체(近體)[ㄱ].
[近村 근촌] 가까운 마을. 이웃 마을.
[近就 근취] 가까이하여 친히 사귐.
[近親 근친] 근족(近族).
[近海 근해] 육지에 가까운 바다.
[近幸 근행] ㉠가까이하여 귀여워함. ㉡가까이하여 귀염을 당하는 사람.
[近火 근화] 인근에 일어난 화재.
[近況 근황] 근상(近狀).
◉權近. 貴近. 朞功強近. 晩近. 輓近. 旁近. 傍近. 附近. 卑近. 鄙近. 媟近. 瑣近. 狎近. 遠近. 姻近. 隣近. 昵近. 接近. 至近. 知遠不知近. 戚近. 淺近. 最近. 側近. 親近. 嬖近.

4 ⑧ [迉] 기 ㊤紙 居以切 jì

[字解] 어조사(語助辭) 기 어세(語勢)를 고르는 조사임. '詩, 往近王舅, 楊愼作迉, 一作一'《九經考異》.

4 ⑧ [迟] 기 [去]寘 去智切 qì

[字解] 피할 기 '一, 避也'《廣雅》.

4 ⑧ [迓] 아 [去]禡 吾駕切 yà 迓 

[字解] 마중할 아 서로 마중 나가 맞음. '郊一'.

'予一續乃命于天'《書經》.
[字源] 訝의 別體 形聲. 辶(辵)+牙〔音〕. '牙아'는 '迎영'과 통하여 '맞다'의 뜻을 나타냄.

[迓勞 아로] 마중 나가 위로함.
◉郊迓. 邀迓.

4 ⑧ [迌] 돌 [入]月 他沒切 tù
[字解] 교활(狡猾)할 돌 '一, 詆誘皃'《玉篇》.

4 ⑧ [返] [高人] 반 ㊤阮 府遠切 fǎn 返
[筆順] 一 厂 万 反 反 汳 汳 返
[字解] ①돌아올 반 갔다가 옴. 복귀함. '往一'. '往者不一'《漢書》. ②돌려보낼 반 도로 돌려줌. 복귀시킴. '一還'. '一之於天'《漢書》. ③갚을 반 빚 같은 것을 청산함. '一金'《春渚紀聞》. ④번 반 횟수. '十一'. '伐宛再一'《漢書》.
[字源] 篆文 形聲. 辶(辵)+反〔音〕. '反반'은 '되돌리다'의 뜻. 왔던 길을 되돌아가다의 뜻을 나타냄.

[返却 반각] 돌려보냄.
[返簡 반간] 반서(返書).
[返景 반경] 반조(返照).
[返金 반금] 돈을 갚음.
[返納 반납] 도로 돌려 바침.
[返路 반로] 돌아가는 길. 귀로(歸路).
[返杯 반배] 받은 잔을 돌려보냄.
[返盃 반배] 반배(返杯).
[返璧 반벽] ㉠남의 물건을 갚는다는 존댓말. ㉡남이 선사한 물건을 받지 아니하고 돌려보냄.
[返報 반보] ㉠갚음. ㉡앙갚음.
[返付 반부] 도로 돌려보냄.
[返附 반부] 반부(返付).
[返償 반상] 상환(償還)함.
[返生香 반생향] 향의 이름. 죽은 사람이 이 향기를 맡으면 다시 살아난다 함.
[返書 반서] 편지 답장.
[返送 반송] 반환(返還).
[返信 반신] 편지의 답장 또는 전보의 답신(答信).
[返章 반장] 반서(返書).
[返照 반조] 저녁때의 볕.
[返潮 반조] 썰물.
[返初 반초] 초지(初志)를 관철함.
[返魂丹 반혼단] 죽은 사람이 다시 산다는 영약(靈藥).
[返魂香 반혼향] 향의 이름. 이 향을 태우면 그 연기 속에 죽은 사람의 모습을 볼 수 있다 함.
[返還 반환] 돌려보냄.
◉顧返. 忘返. 復返. 旋返. 往返. 匹馬隻輪無返. 還返.

4 ⑧ [迕] 오 [去]遇 五故切 ㊤麌 阮古切 wǔ 迕
[字解] ①만날 오 상봉함. '王甫時出, 與蕃相一'《後漢書》. ②거스를 오 어그러짐. '旁一'. '好惡乖一'《漢書》. ③섞일 오 뒤섞임. '廻穴錯一'《宋玉》. ④성 오 성(姓)의 하나.
[字源] 形聲. 辶(辵)+午〔音〕. '午오'는 '번갈다'의 뜻. 사람의 왕래가 어지럽게 되다, 만나다의 뜻을 나타냄.
◉乖迕. 旁迕. 錯迕.

4 ⑧ [⿺辶斗] [韓] 두
[字解]《韓》무지 두 완전히 한 섬이 못 되는 곡식의 양(量).

4 ⑧ [这] 〔저·자〕 這(辵部 七畫〈p.2299〉)의 俗字

4 ⑧ [达] 〔체·달〕 达(辵部 三畫〈p.2287〉)의 訛字

4 ⑧ [还] 〔환·선〕 還(辵部 十三畫〈p.2326〉)의 俗字

4 ⑧ [运] 운 ㊤吻 羽粉切 yǔn
[字解] 달리는모양 운 '一, 走皃'《集韻》.

4 ⑧ [迊] 〔잡〕 帀(巾部 一畫〈p.666〉)과 同字

5 ⑨ [迢] 초 [平]蕭 徒聊切 tiáo 迢
[字解] ①멀 초 먼 모양. 아득한 모양. '平蕪歸路綠一一'《高蟾》. ②높을 초 높은 모양. '一一百尺樓'《陶潛》.
[字源] 篆文 形聲. 辶(辵)+召〔音〕. '召소'는 곡선을 그리다의 뜻. 또 '超초'와 통하여 '넘다'의 뜻. 곡선을 그리며 어느 선을 넘어서 멀리 뻗는 모양, 아득하다의 뜻을 나타냄.

[迢遙 초요] 멀어 아득함.
[迢遞 초체] ㉠먼 모양. ㉡높은 모양.
[迢迢 초초] ㉠높은 모양. ㉡먼 모양.

5 ⑨ [迣] [一] 체 [去]霽 丑制切 chì [二] 렬 [入]屑 力蘗切 liè
[字解] [一] 넘을 체 뛰어넘음. '體容與, 一萬里'《漢書》. [二] 막을 렬 迾(辵部 六畫)의 古字. '部落鼓鳴, 男女遮一'《漢書》.
[字源] 篆文 形聲. 辶(辵)+世〔音〕
◉遮迣.

5 ⑨ [迤] [一] 이 ㊤紙 演爾切 yǐ [二] 타 [平]歌 唐河切 tuó 迤
[字解] [一] 연할 이 迆(辵部 三畫)와 同字. '一靡乎連屬'《揚雄》. [二] 갈 타 '逶一'는 비스듬히 가는 모양. '路逶一而脩廻兮'《王粲》.
[字源] 篆文 形聲. 篆文은 辶(辵)+也〔音〕. '迤이'는 동일어 이체자(同一語異體字).
[參考] 迆(辵部 三畫)·迱(次條)와 同字.

[迤邐 이리] 잇달아 뻗은 모양.
[迤靡 이미] 비스듬히 길게 연속한 모양.
[迤衍 이연] 지세(地勢)가 비스듬하게 넓고 평탄한 모양.
[迤迤 이이] 잇달아 연한 모양.
◉逶迤. 邐迤.

5 ⑨ [迱] 迤(前條)와 同字

[字源] 形聲. 辶(辵)+它〔音〕

5 ⑨ [迶] [一] 수 [去]寘 徐醉切 suì
[二] 치 ①[去]寘 追萃切 zhuì ②[去]寘 陟利切 zhì

[字解] [一] 드디어 수 遂(辵部 九畫)의 古字. '—, 說文, 亾也, 一曰, 因也, 達也. 古作—'《集韻》. [二] ①발이나아가지아니할 치 '—, 足不前也'《集韻》. ②곱드러질 치 '—, 前頓也'《集韻》.

5 ⑨ [迥] 형 [上]迥 戶頂切 jiǒng 迥

[字解] ①멀 형 요원함. '—遠'. '江—月來遠'《杜甫》. ②성 형 성(姓)의 하나.

[字源] 篆文 形聲. 辶(辵)+冋〔音〕. '冋형'은 아득한 야외의 뜻. '辵착'을 덧붙여 길이 멀다의 뜻을 나타냄.

[迥空 형공] 높은 하늘.
[迥遼 형료] 형원(迥遠).
[迥拔 형발] 높이 빼어남.
[迥野 형야] 아득한 평야.
[迥然 형연] 멀리.
[迥遠 형원] 멀리 아득함. 요원함.
[迥殘 형잔] 일단 산 물건을 사용하고 후에 값을 낮추어 팖.
[迥眺 형조] 먼 데를 바라봄.
[迥迥 형형] 먼 모양.
◉江迥. 高迥. 修迥. 遼迥. 幽迥. 遐迥.

5 ⑨ [迦] 가 [平]麻 古牙切 jiā
[平]歌 居伽切 迦

[字解] 부처이름 가 '釋—'는 석가모니. 범어(梵語)의 'ka' 음을 표기하는 데 이 자를 씀. '—葉'. '—陵頻—'.

[字源] 形聲. 辶(辵)+加〔音〕

[迦藍 가람] 《佛敎》 불사(佛寺).
[迦陵頻迦 가릉빈가] 《佛敎》 불교에 나오는 상상(想像)의 새. 미녀의 얼굴 모습에 새의 몸을 하고 있는데, 소리가 대단히 아름답다 함.
[迦葉 가섭] 《佛敎》 석가(釋迦)의 십대 제자(十大弟子)의 한 사람. 또는 십육나한(十六羅漢)의 하나. 석가여래가 죽은 후 왕사성(王舍城)의 제일회 경전 결집(經典結集)의 주임이 되어 이를 대성(大成)하였음.
[迦維 가유] 석가여래의 출생지. 가비라유(迦毘羅維).
◉迦陵頻迦. 釋迦.

5 ⑨ [迟] 격 [入]陌 苦席切 qì

[字解] ①굽게갈 격 '—, 曲行也'《說文》. ②굽을 격 '—, 曲也'《廣雅》.

[字源] 形聲. 辶(辵)+只〔音〕

5 ⑨ [迨] 태 [上]賄 徒亥切 dài 迨

[字解] 미칠 태 이름. '求我庶士, —其今兮'《詩經》.

[字源] 形聲. 辶(辵)+台〔音〕. '逮태·체'와 통하여 '미치다'의 뜻을 나타냄.

5 ⑨ [迪] [人名] 적 [入]錫 徒歷切 dí 迪

[筆順] 丨 冂 日 由 由 ⺀由 ⺀由 迪

[字解] ①나아갈 적 앞으로 나아감. '弗求弗—'《詩經》. ②행할 적 이행함. 실천 궁행함. '允—厥德'《書經》. ③이끌 적 교도(敎導)함. '啓—後人'《書經》. ④이를 적 미침. 도달함. '漢—于秦, 有革有因'《漢書》. ⑤길 적 도덕. '惠—吉'('惠'는 順)《書經》.

[字源] 篆文 形聲. 辶(辵)+由〔音〕. '由유·적'은 '경유하다'의 뜻. '道도'와 통하여 사람이 지나가는 길의 뜻을 나타냄.

[迪哲 적철] 명지(明智)를 실천함.
◉啓迪. 棐迪. 由迪. 惠迪. 訓迪.

5 ⑨ [迫] [高人] 박 [入]陌 博陌切 pò 迫

[筆順] ′ 亻 白 白 白 ⺀白 ⺀白 迫

[字解] ①닥칠 박 가까이 다다름. '急—'. ②가까이할 박 접근함. '—近'. '望崦嵫而勿—'《楚辭》. ③궁할 박 곤궁함. 고생함. '窮—'. '窘—'. '悲時俗之—阨兮'《楚辭》. ④핍박할 박 몹시 괴롭게 굶. '脅—'. '—害'. ⑤줄어들 박 작아짐. '蹙—'. '陰—而不能蒸'《史記》. ⑥좁을 박, 좁아질 박 협착함. '—脅'. '地勢局—'《後漢書》. ⑦몰릴 박 일이 밀려 여유가 없음. '外—公事'《漢書》.

[字源] 篆文 形聲. 辶(辵)+白〔音〕. '白백'은 '薄박'과 통하여 얇게 찰싹 붙다의 뜻. '닥치다'의 뜻을 나타냄.

[迫劫 박겁] 위협(威脅)함. 겁박함.
[迫擊 박격] 덤비어 몰아침.
[迫恐 박공] 박겁(迫劫).
[迫窘 박군] 죄어들며 괴롭힘.
[迫近 박근] 바싹 닥쳐 가까움.
[迫急 박급] 절박함.
[迫頭 박두] 가까이 닥쳐옴. 임박함.
[迫力 박력] 일을 밀고 나가는 힘.
[迫不得已 박부득이] 일이 매우 급박하여 어찌할 수가 없음.
[迫歲 박세] 세밑이 임박(臨迫)함.
[迫促 박촉] 줄어듦.
[迫害 박해] 몹시 굶. 핍박(逼迫)하여 해(害)롭게 굶.
[迫脅 박협] ㉠협박함. ㉡지세(地勢)가 협착함.
◉強迫. 驅迫. 局迫. 窘迫. 窮寇勿迫. 窮迫. 近迫. 急迫. 緊迫. 督迫. 壓迫. 憂迫. 優游不迫. 肉迫. 切迫. 卒迫. 倉迫. 焦迫. 催迫. 促迫. 追迫. 蹙迫. 怵迫. 侵迫. 逼迫. 脅迫. 惶迫.

5 ⑨ [迡] 제 ①②[上]薺 典禮切 dǐ
③-⑤[去]霽 丁計切 dì

[字解] ①성내어나아가지않을 제 '—, 怒不進也'《說文》. ②말질길 제 말이 말을 안 들음. '—,

一曰, 驚也《說文》. ③놀랄 제 '一, 驚也. 駮也'《玉篇》. ④놀라나아가지않을 제 '一, 驚不進也'《集韻》. ⑤미치지않을 제 '一, 向不及也'《玉篇》.
字源 形聲. 辶(辵) + 氏〔音〕.

5 ⑨ [迭]
人名 ■ 질(절) ⒜屑 徒結切 dié
■ 일④ ⒜質 弋質切 yì

字解 ■ ①갈마들 질 교대함. '更一' '日居月諸, 胡一而微'《詩經》. ②번갈아 질 교대로. 갈마들어서. '一用柔剛'《易經》. ③성 질 성(姓)의 하나. ■ ①범할 일 침범함. 침로함. 軼(車部 五畫)과 통용. '一我殽地'《左傳》. ②달아날 일 逸(辵部 八畫)과 통용. '其馬將一'《孔子家語》.
字源 形聲. 辶(辵) + 失〔音〕. '失실'은 '벗어나다'의 뜻. 일정한 길을 벗어나서 가다의 뜻에서, 갈마들다의 뜻을 나타냄.

[迭迭 질질] 사물이 질서 있게 갈마드는 모양.
●更迭. 交迭. 迷迭.

5 ⑨ [迡]
용 ①腫 乳勇切 rǒng
字解 갈 용 다님. 踊(足部 十畫)과 同字. '一, 行也, 或作踊'《集韻》.

5 ⑨ [迮]
책 ⒜陌 側伯切 zé
字解 ①닥칠 책 窄(穴部 五畫)과 同字. '隣舍比里, 共相壓一'《後漢書》. ②성 책 성(姓)의 하나.
字源 形聲. 辶(辵) + 乍〔音〕. '乍자·작'은 '作작'과 통하여, '일어나다, 시작하다'의 뜻. 갑자기 일어나서 걷기 시작하다의 뜻을 나타냄.

●排迮. 壓迮.

5 ⑨ [迠]
첩 ⒜葉 尺涉切 chè
字解 갈 첩 걸어감. '一, 行也'《字彙》.

5 ⑨ [越]
■ 월 ⒜月 王伐切 yuè
■ 훨 ⒜月 胡厥切
字解 ■ ①넘을 월 '一, 蹠也'《說文》. ②달아날 월 '一, 散走也'《玉篇》. ■ 넘을 훨, 달아날 훨 ■과 뜻이 같음.
字源 形聲. 辶(辵) + 戉〔音〕.

5 ⑨ [述]
高人 술 ⒜質 食聿切 shù
筆順 一 十 才 朮 朮 沭 沭 述

字解 ①말할 술 ⑦이야기함. '煥然可一'《漢書》. ⓒ설명함. '一而不作'《論語》. ⓒ의견을 말함. '陳一'. ②이을 술, 좇을 술 이전의 일을 이어받아 따름. '一遵' '父作之, 子一之'《中庸》. ③지을 술 저작함. '著一'. ④언설 술, 저술 술 이상의 명사. '前人之一備矣'《范仲淹》. ⑤성 술 성(姓)의 하나.
字源 金文 篆文 形聲. 辶(辵) + 朮〔音〕. '朮술'은 찰기장의 이삭을 본뜬 것.

찰수수의 열매가 정연히 죽 이어져 있는 모양에서, 선인(先人)의 언행을 이어받아 가다의 뜻을 나타냄.

[述敍 서술] 차례를 따라 말함. 서술(敍述).
[述語 술어] 체언(體言)에 대하여 그 형태·동작 등을 설명하는 말. 설명어(說明語). 풀이말.
[述作 술작] ⑦전인(前人)의 설(說)을 전술(傳述)하여 밝히는 일과 자기가 참신(斬新)한 설을 제창하는 일. ⓒ저작. 저술.
[述載 술재] 서술하여 실음.
[述遵 술준] 좇음. 따름. 준봉(遵奉).
[述職 술직] 제후(諸侯)가 조회(朝會)하여 자기가 맡은 직무에 관하여 천자(天子)에게 아뢰는 일.
[述懷 술회] 자기의 소회를 이야기함.
●繼述. 考述. 供述. 口述. 記述. 論述. 縷述. 覆述. 奉述. 刪述. 詳述. 序述. 敍述. 宣述. 紹述. 頌述. 修述. 略述. 著述. 前述. 傳述. 祖述. 陳述. 撰述. 贊述. 纂述. 續述. 追述. 稱述. 編述. 後述.

5 ⑨ [迡]
■ 니 ⒝霽 乃計切 nì
■ 지 ⒜支 除梨切 chí
字解 ■ 가까울 니 '一, 近也'《玉篇》. ■ 늦을 지 遲(辵部 十二畫)와 同字.

5 ⑨ [迲]
人名 韓 거
字解 《韓》자래 거 단위 명. 나뭇단을 세는 단위.

5 ⑨ [迱]
〔이〕 邇(辵部 十四畫〈p.2326〉)의 俗字

5 ⑨ [迧]
〔조〕 徂(彳部 五畫〈p.739〉)와 同字

5 ⑨ [迣]
〔도〕 逃(辵部 六畫〈p.2296〉)의 俗字

6 ⑩ [迴]
회 ⒝灰 胡隈切 huí
字解 돌 회, 돌릴 회 回(口部 三畫)·廻(廴部 六畫)와 同字. '圖一天下於掌上'《荀子》.

[迴鑾 회란] 천자(天子)의 어가(御駕)가 대궐로 돌아옴. 환궁(還宮).
[迴鸞 회란] 고대의 무곡(舞曲) 이름.
[迴文 회문] 한시(漢詩)의 한 체(體). 위에서 내리읽거나 밑에서 치읽거나 다 말이 되고 평측(平仄)·운자(韻字)가 서로 대응(對應)하게 된 것. 회문(廻文).
[迴幹 회알] 회전함.
[迴天之力 회천지력] 임금의 마음을 돌이키게 하[는 힘.
[迴風 회풍] 회오리바람.
●邀迴. 輪迴. 一日腸九迴.

6 ⑩ [迼]
결 ⒜屑 居列切 jié
字解 뛸 결 뛰어오름. '一, 跳'《玉篇》.

6 ⑩ [迧]
교 ⒝看 古肴切 jiāo

字源 篆文 榠 古文 鍯 會意. 篆文은 彳＋夊＋食〈省〉. '彳착'은 길의 象形. '夊쇠'는 발자국이 아래로 향한 모양을 본뜸. 고대에 벼슬아치가 관청에서 물러나서 집에 돌아와 밥을 먹는 모양을 나타내어, '물러나다'의 뜻을 나타냄. '彳'은 나중에 '辵착'이 됨.

[退却 퇴각] 물러감. 또, 물리침.
[退去 퇴거] 물러감. 또, 물러가게 함. 물리침.
[退耕 퇴경] 벼슬을 사양(辭讓)하고 시골로 내려가서 농사(農事)를 지음.
[退官 퇴관] 벼슬을 내놓음.
[退校 퇴교] 퇴학(退學).
[退軍 퇴군] 군대를 거두어 물러남.
[退屈 퇴굴] ㉠기가 꺾여 물러남. 퇴각함. ㉡기가 꺾임.
[退妓 퇴기] 기안(妓案)에서 벗어난 기생(妓生).
[退期 퇴기] 기한(期限)을 물림.
[退老 퇴로] 나이가 많아 벼슬살이를 그만두고 물러남.
[退路 퇴로] 뒤로 물러갈 길.
[退步 퇴보] ㉠뒤로 물러섬. ㉡재주·힘이 점점 줄어감. 진보(進步)의 대(對).
[退社 퇴사] ㉠사원(社員)이 규정(規定)한 시간에 퇴출(退出)함. ㉡사원(社員)이 회사(會社)에서 그만둠.
[退散 퇴산] 흩어져 감.
[退色 퇴색] 빛이 바램. 퇴색(褪色).
[退席 퇴석] 자리에서 물러감.
[退省 퇴성] 물러나서 자기 몸을 반성함.
[退俗 퇴속] 중이 도로 속인(俗人)이 됨. 환속(還俗).
[退損 퇴손] 겸손(謙遜)함.
[退送 퇴송] 물리치어 도로 보냄.
[退守 퇴수] 물러나서 지킴.
[退食 퇴식] 퇴근하여 집에 가서 식사를 함.
[退息 퇴식] 물러가 쉼. 사직함.
[退身 퇴신] 벼슬을 내놓고 물러감.
[退讓 퇴양] 물러나 남에게 사양함. 겸양함.
[退然 퇴연] 겸손하고 유순한 모양.
[退嬰 퇴영] 뒤로 물러남. 소극적이고 진취성이 없음.
[退院 퇴원] ㉠중이 절에서 물러남. ㉡입원(入院)한 병자(病者)가 병원(病院)에서 나옴.
[退隱 퇴은] 벼슬을 그만두고 은거함.
[退引 퇴인] 뒤로 물러남.
[退任 퇴임] 퇴직(退職).
[退場 퇴장] 회장(會場)에서 물러남.
[退藏 퇴장] 물러나 숨음. 퇴은(退隱).
[退轉 퇴전] 부처를 믿는 마음이 시들어지고 딴 일에 마음을 쓰는 것.
[退廷 퇴정] ㉠퇴조(退朝). ㉡법정(法廷)에서 물러남.
[退朝 퇴조] 조정(朝廷)에서 물러남. 조회(朝會)에서 나옴.
[退潮 퇴조] 썰물.
[退卒 퇴졸] 제대(除隊)한 병졸.
[退座 퇴좌] 좌석에서 물러남.
[退走 퇴주] 물러나 달아남.
[退職 퇴직] 벼슬을 내놓음.
[退陣 퇴진] 진(陣)을 뒤로 물림.
[退斥 퇴척] 물리침.
[退廳 퇴청] 관청에서 근무를 마치고 물러남.

[退縮 퇴축] 물러나 웅크림. 원기가 쇠약함.
[退出 퇴출] 물러남.
[退治 퇴치] 물리쳐서 없애 버림.
[退避 퇴피] ㉠관직에서 물러남. ㉡물러나서 피함.
[退筆 퇴필] 낡은 붓.
[退學 퇴학] 다니는 학교(學校)를 그만둠.
[退閑 퇴한] 퇴관하고 한가로이 지냄.
[退行 퇴행] 물러감. 퇴거(退去).
[退婚 퇴혼] 정(定)한 혼인(婚姻)을 어느 한편(便)에서 퇴(退)함.
[退紅 퇴홍] 연분홍빛. 담홍색(淡紅色).
[退化 퇴화] ㉠진보 이전의 상태로 되돌아감. ㉡생물의 어떤 기관(器官)이 작용을 하지 않음으로 말미암아 점차로 그 구조가 간단하여지고 작용력이 없어짐.
[退休 퇴휴] 사직(辭職)함.
●卻退. 減退. 擊退. 謙退. 恭退. 急流勇退. 鈍退. 遁退. 滅退. 排退. 凡退. 屏退. 奔退. 辭退. 衰退. 抑退. 旅進旅退. 廉退. 勇退. 懦退. 隱退. 引退. 一進一退. 早退. 坐作進退. 中退. 知進不知退. 進退. 斥退. 清退. 寸進尺退. 撤退. 脫退. 罷退. 敗退. 貶退. 廢退. 後退.

6
10 [送] 〔中·入〕송 ㉿送 蘇弄切 sòng

筆順 ノ 八 ム ム ⊨ 伴 关 关 送

字解 ①보낼 송 ㉠물건을 부쳐 줌. 증여함. '富貴者—人以財'《史記》. ㉡이별함. 전송함. '—別'. '—往迎來'《中庸》. ㉢가게 함. '—舊迎新'. '—夕陽迎新月'《王禹偁》. ②전송 송 송별하는 일. '師友之—'《漢書》.
字源 篆文 갫 會意. 篆文은 辶(辵)＋夋(舛). '夋잉'은 양손으로 밀어 올린 모양을 본뜬 것. 물건을 바치듯이 보내다의 뜻을 나타냄.

[送敬 송경] 사례를 함. 치사(致謝)함.
[送故迎新 송고영신] 전임자(前任者)를 보내고 신임자(新任者)를 맞음.
[送哭 송곡] 관(棺)을 떠나 보내면서 곡함.
[送舊迎新 송구영신] 옛것을 보내고 새것을 맞이함.
[送窮 송궁] 궁귀(窮鬼)를 내쫓음.
[送金 송금] 돈을 보냄.
[送達 송달] 보내어 줌.
[送料 송료] 물건(物件)을 보내는 데 드는 요금(料金).
[送梅雨 송매우] 5월에 오는 비.
[送別 송별] 사람을 작별(作別)하여 보냄. 배웅.
[送迎 송영] 사람을 보냄과 맞음.
[送往迎來 송왕영래] 떠나가는 사람을 환송(歡送)하고 오는 사람을 영접(迎接)함.
[送葬 송장] 장사 지내는 것을 배웅함. 장송(葬送).
[送電 송전] 전력(電力)을 보냄.
[送還 송환] 도로 돌려보냄.
●裹送. 郊送. 輓送. 目送. 搬送. 返送. 發送. 放送. 拜送. 配送. 奉送. 輸送. 驪送. 押送. 郵送. 運送. 移送. 資送. 葬送. 裝送. 前送. 電送. 傳送. 餞送. 轉送. 祖送. 縱送. 贈送. 直送. 集送. 遞送. 抽送. 追送. 託送.

解送. 護送. 歡送. 回送. 後送.

6 ⑩ [适] [人名] 괄 [入]曷 古活切 kuò 适

[字解] ①빠를 괄 신속함. ②성 괄 성(姓)의 하나.

[字源] [篆文] 形聲. 辶(辵)+舌(𠯑)〔音〕. '𠯑괄'은 물이 세차게 흐르는 소리를 나타냄. 물이 빨리 흐르다, 일반적으로 '빠르다'의 뜻으로 쓰임.

6 ⑩ [逃] [高人] 도 [平]豪 徒刀切 táo 逃

[筆順] 丿 丬 扌 兆 兆 兆 ˋ兆 逃

[字解] ①달아날 도 ㉠도망함. '一走'. '齊王一遁走莒'《戰國策》. ㉡벗어남. 탈출함. '項羽圍成皐, 漢王一'《史記》. ②피할 도 회피함. '一禪'. '季札讓一去'《史記》. ③떠날 도 버리고 감. '一嫁'. '一墨必歸於楊'《孟子》. '良才抱璞而一'《後漢書》. ④깜작일 도 눈을 잠깐 감았다가 뜸. 또, 눈동자를 굴림. '不目一'(눈을 끔쩍하지 아니함)《孟子》.

[字源] [篆文] 形聲. 辶(辵)+兆〔音〕. '兆조'는 점칠 때 나타나는 갈라진 금을 본뜬 것으로 튀어 갈라지다의 뜻. 나아가다의 뜻인 '辵착'을 덧붙여서, 갈라져 떠나다, 달아나다의 뜻을 나타냄.

[逃嫁 도가] 남편을 버리고 딴 데로 시집감.
[逃去 도거] 달아남.
[逃計 도계] 달아날 꾀.
[逃匿 도닉] 달아나 자취를 감춤.
[逃逃 도도] 놀라 달아남.
[逃遁 도둔] 달아남.
[逃亡 도망] 달아남. 쫓겨 감.
[逃北 도배] 달아남.
[逃背 도배] 도주하여 배반함.
[逃奔 도분] 달아남.
[逃散 도산] 도망하여 뿔뿔이 흩어짐.
[逃暑飮 도서음] 서기(暑氣)를 피하기 위한 주연(酒宴).
[逃禪 도선] 속세(俗世)를 피하여 참선함. 일설(一說)에는, 선(禪)을 떠남. 곧, 계율을 어기는 일.
[逃隱 도은] 달아나 숨음.
[逃走 도주] 달아남.
[逃竄 도찬] 도닉(逃匿).
[逃躲 도타] 도피(逃避).
[逃避 도피] 달아나서 몸을 피(避)함.
◉遁逃. 目逃. 奔逃. 三諫不聽逃. 竄逃. 逋逃.

6 ⑩ [迯] 逃(前條)의 古字

6 ⑩ [逄] 방 [平]江 薄江切 páng 逄

[字解] ①막을 방 '一, 塞也'《集韻》. ②성 방 성(姓)의 하나. '一蒙學射於羿'《孟子》.

[字源] 形聲. 辶(辵)+夆(夅)〔音〕. '夅봉'은 '封봉'과 통하여 '가두다'의 뜻.

6 ⑩ [逅] [人名] 후 [去]宥 胡遘切 hòu 逅

[筆順] 一 厂 戶 斤 后 后 ˋ后 逅

[字解] 만날 후 우연히 만남. '邂一相遇'《詩經》.

[字源] [篆文] 形聲. 辶(辵)+后〔音〕. '后후'는 '遘구'와 통하여 '만나다'의 뜻.

◉邂逅.

6 ⑩ [逆] [中人] 역 [入]陌 宜戟切 nì 逆

[筆順] ˋ ˇ 䒑 屰 屰 屰 ˋ屰 逆

[字解] ①거스를 역 ㉠순조롭지 아니함. '一運'. '一境'. ㉡순종하지 아니함. '順天者存, 一天者亡'《孟子》. ㉢반대함. 대항함. '順人之嗜好而不敢一'《尹文子》. ㉣배반함. '反一'. '一臣'. '未退而一之'《國語》. ㉤도리·이치에 벗어남. '一理'. '言辯而一'《荀子》. ㉥사물에 반대되는 길을 잡음. '一轉'. '水一行氾濫於中國'《孟子》. ㉦기운이 거꾸로 올라옴. 상기함. '大飮則氣一'《素問》. ②허물 역 큰 죄악. 반역·불효 따위. '大一無道'. '從一凶'《書經》. ③거꾸로 역 전도하여. '一數'. '倒行而一施'《史記》. ④맞을 역 ㉠불러오게 함. '一天命'《書經》. ㉡맞이하여 받음. '一命不辭'《儀禮》. ㉢오는 것을 대기하여 막음. '專兵一志, 以一秦'《戰國策》. ㉣미리 헤아림. 추측함. '不一詐'《論語》. ⑤미리 역 사전에. '一睹'. '凡事如是, 難可一見'《諸葛亮》.

[字源] [甲骨文] [金文] [篆文] 形聲. 辶(辵)+屰〔音〕. '屰역'은 거꾸로 선 사람의 象形. '거스르다'의 뜻을 나타냄. 또, '迎영'과 통하여 '맞다'의 뜻도 나타냄.

[逆擊 역격] 역습(逆襲)을 가(加)함. 맞아 침.
[逆境 역경] 모든 일이 뜻대로 되어 가지 아니하는 불행한 경우(境遇).
[逆黨 역당] 역적(逆賊)의 무리. 역도(逆徒).
[逆德 역덕] 도덕에 거슬린 행위.
[逆徒 역도] 역당(逆黨).
[逆睹 역도] 역도(逆覩).
[逆覩 역도] 사전(事前)에 앎. 미리 알아챔.
[逆亂 역란] 도덕을 거스르고 법을 어지럽힘.
[逆浪 역랑] ㉠거센 물결. ㉡물결을 거스름.
[逆旅 역려] 여관(旅館). 객사(客舍).
[逆旅過客 역려과객] 길 가는 손님이라는 뜻으로, 관계(關係)없는 사람을 가리키는 말.
[逆勞 역로] 마중 나가 위로함.
[逆料 역료] 미리 헤아림.
[逆流 역류] ㉠물을 거슬러 올라감. ㉡물이 거슬러 흐름. 또, 그 물.
[逆理 역리] 사리(事理)에 어그러짐.
[逆鱗 역린] 용의 턱 밑에 거슬려 난 비늘이 있어, 이것을 건드리면 노하여 건드린 자를 죽인다 함. 전(轉)하여, 제왕(帝王)의 분노(忿怒)의 비유.
[逆名 역명] 모반(謀叛)하였다는 소문.
[逆謀 역모] 반역(反逆)을 꾀함.
[逆產 역산] ㉠해산(解產)할 때에 아이의 다리부터 먼저 나오는 것. 도산(倒產). ㉡역적(逆賊)의 재산(財產).
[逆上 역상] 상기(上氣)함.
[逆說 역설] ㉠주의 또는 의견이 반대인 의론. ㉡모순된 것같이 보이나 실상은 그렇지 아니한

의론.
[逆水 역수] 거슬러 흐르는 물.
[逆修 역수] 《佛敎》 ㉠생전에 사후의 명복을 빌어 불사(佛事)를 닦는 일. ㉡산 늙은이가 죽은 젊은이의 명복을 비는 일. 「놈.
[逆豎 역수] 도덕에 어그러진 일을 하는 고약한
[逆數 역수] ㉠사시(四時)의 한서(寒暑)가 고르지 않음. ㉡거꾸로 미래를 헤아림.
[逆順 역순] 거역함과 순종함.
[逆襲 역습] 쳐들어오는 적(敵)을 이쪽에서 불의(不意)에 습격(襲擊)함. 「함.
[逆施 역시] 거꾸로 시행함. 도리를 거슬러 시행
[逆臣 역신] 역적질을 하는 신하. 임금을 해치려고 하는 신하.
[逆心 역심] 반역을 꾀하는 마음.
[逆億 역억] 미리 짐작함. 예측(豫測)함.
[逆閹 역엄] 도덕을 거스르거나 모반을 하는 환관(宦官).
[逆緣 역연] 《佛敎》 ㉠나쁜 짓을 한 것이 인연이 되어 불도(佛道)에 들어감. ㉡어버이가 자식보다, 노인이 젊은 사람보다 오래 사는 인연.
[逆用 역용] 반대로 이용(利用)함.
[逆運 역운] 불운(不運).
[逆意 역의] ㉠반역의 의사(意思). 모반하고자 하는 뜻. ㉡뜻에 거슬림.
[逆耳 역이] 귀에 거슬림.
[逆耳之言 역이지언] 귀에 거슬리는 말이라는 뜻으로, 바른말을 이름.
[逆賊 역적] 반역(叛逆)을 하는 사람.
[逆戰 역전] 역습(逆襲)하여 나아가 싸움.
[逆轉 역전] 형세(形勢)가 뒤집힘.
[逆天命 역천명] 천명(天命)을 거스름.
[逆取順守 역취순수] 정도(正道)에 어그러지는 행위로 천하를 빼앗고서 정도를 지킴.
[逆坂 역판] ㉠가파른 고개. ㉡고개를 위로 거슬러 감.
[逆風 역풍] ㉠거슬러 부는 바람. ㉡바람이 부는 쪽을 향하여 감.
[逆行 역행] ㉠거슬러 올라감. ㉡순서(順序)를 바꾸어 행(行)함.
[逆婚 역혼] 형제자매(兄弟姉妹) 중 나이 적은 자가 먼저 혼인(婚姻)을 함. 도혼(倒婚).
◉可逆. 亂逆. 大逆. 莫逆. 目逆. 反逆. 畔逆. 背逆. 犯逆. 復逆. 拂逆. 順逆. 弑逆. 惡逆. 五逆. 忤逆. 違逆. 六逆. 錯逆. 舛逆. 醜逆. 吐逆. 悖逆. 暴逆. 欸逆. 橫逆. 凶逆.

6 ⑩ [迻] 이 [平]支 弋支切 yí 

[字解] 옮길 이 移(禾部 六畫)와 통용. '屢懲艾而不—'《楚辭》.

[字源] 篆文  形聲. 辶(辵)+多〔音〕

6 ⑩ [迿] 순 [去]震 私閏切 xùn

[字解] 선손쓸 순 먼저 싸움을 겲. 선수를 씀. '朋友相衞而不相—'《公羊傳》.

6 ⑩ [逮] [人名] 율 [入]質 余述切 yù

[字解] ①흩어져퍼질 율 '—, 分布也'《玉篇》. ②가는모양 율 '—, 行皃'《玉篇》.

6 ⑩ [迨] 합 [入]合 侯閤切 hé

[字解] ①뒤따라미칠 합 '—遝, 行相及'《玉篇》. ②뒤섞일 합 '—, 遝也'《說文》.

[字源] 甲骨文 金文 篆文 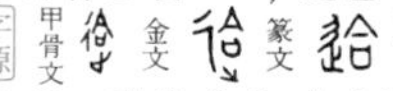 形聲. 辶(辵)+合〔音〕. '合합'은 '맞다, 만나다'의 뜻. 뒤섞이어 가다의 뜻을 나타냄.

6 ⑩ [迹] 〔회〕
恢(心部 六畫〈p. 777〉)와 同字

6 ⑩ [迩] 〔자〕
赼(走部 六畫〈p. 2217〉)와 同字

6 ⑩ [迥] 〔형〕
逈(辵部 五畫〈p. 2291〉)의 俗字

7 ⑪ [逋] 포 [平]虞 博古切 bū 逋 

[字解] ①달아날 포 도망하여 숨음. '—逃'. '歸而—'《易經》. ②포탈할 포 구실을 바치지 아니함. '—更賦'《漢書》. 또, 미납한 구실. '積—'. '洗雪百年之—負'《後漢書》.

[字源] 篆文  形聲. 辶(辵)+甫〔音〕. '甫보'는 '匍포'와 통하여 '기다'의 뜻. 기어서 몰래 달아나다의 뜻을 나타냄.

[逋客 포객] 은둔(隱遁)한 사람.
[逋貸 포대] 구실을 내지 아니하고 도망함.
[逋逃 포도] 죄를 짓고 달아남. 또, 그 사람.
[逋慢 포만] 회피하여 게을리 함. 책임을 피하고 태만함.
[逋亡 포망] 달아남.
[逋負 포부] 포조(逋租).
[逋租 포조] 바치지 아니한 구실. 미납세(未納稅).
[逋竄 포찬] 달아나 숨음.
[逋播 포파] 도망하여 딴 곳으로 감.
[逋播臣 포파신] 타국으로 달아나 방랑하는 신하.
[逋欠 포흠] 포조(逋租).
◉亡逋. 負逋. 宿逋. 詩逋. 流逋. 酒逋.

7 ⑪ [逌] [人名] 유 [平]尤 以周切 yōu, ②yóu 逌 

[字解] ①웃을 유 빙그레 웃는 모양. 卣(卜部 五畫)와 同字. '主人—爾而笑'《班固》. ②말미암을 유 由(田部 0畫)의 古字. '栗取弔於—吉兮'《班固》. ③바 유 장소. 攸(支部 三畫)의 古字. '彝倫—敍'《漢書》.

[字源] 金文 篆文  象形. 접시 위에 놓인 술 그릇 호리병을 본뜬 것. 술기운이 감도는 모양에서, 기분이 편안한 모양을 나타냄. 일설에는, 辶(辵)+卣〔音〕의 形聲. '辵착'은 안정된 접시의 象形의 변형. '卣유'는 술통의 象形.

[逌然 유연] ㉠자득(自得)한 모양. ㉡유이(逌爾).
[逌爾 유이] 빙그레 웃는 모양.

7 ⑪ [逍] [人名] 소 [平]蕭 相邀切 xiāo 逍 

[字解] 거닐 소 '—遙'는 이리저리 거닒. '河上乎—遙'《詩經》.

[字源] 篆文  形聲. 辶(辵)+肖〔音〕. '肖초'는 '작다'의 뜻. 좁은 보폭(步幅)으로 슬슬

걷다의 뜻을 나타냄.

[逍搖 소요] 소요 (逍遙).
[逍遙 소요] ㉠이리저리 거닒. 바람을 쐼. ㉡유유 자적 (悠悠自適)함.
[逍遙園 소요원] 《佛敎》 동산 이름. 구마라습 (鳩摩羅什)이 장안 (長安)에 갔을 때 요흥 (姚興)이 여러 사문 (沙門)과 함께 이곳에서 습 (什)의 불경 강화를 들었던 곳. 산시 성 (陝西省) 안에 있음.

7
⑪ [酒] 人名 〔주〕
迺 (辵部 九畫〈p. 2313〉)의 古字

筆順 一 丆 冂 丙 西 酉 酒 酒

7
⑪ [迥] ■ 갱 ㉗庚 居行切 gēng
■ 항 ㉗陽 胡郞切 háng
字解 ■토끼다니는길 갱 ‘一, 兔徑’《集韻》. ■①날아내릴 항 ‘一, 亦作頏. 飛而上曰頡, 飛而下曰一’《篇海類編》. ②자취 항, 긴길〔長道〕 항 迒 (辵部 四畫)과 同字. ‘迒, 迹也, 長道也, 一, 同迒’《玉篇》.

7
⑪ [透] 高人 투 ㉔宥 他候切 tòu

透丢

筆順 一 二 千 禾 禾 秀 秀 透

字解 ①뛸 투 도약함. ‘飛泳騁一’《謝靈運》. ②환할 투 환히 비침. ‘一明’, ‘表裏忽通一’《韓愈》. ③사무칠 투 통철 (通徹)함. 투철함. ‘此知如何捉摸得, 見得一時便是聖人’《傳習錄》. ④놀랄 투 경악함. ‘驚一沸亂’《左思》. ⑤던질 투 투신 (投身)함. ‘乃一井死’《南史》.
字源 篆文 透 形聲. 辶 (辵)+秀〔音〕. ‘秀수’는 길게 뻗다의 뜻. 길게 뻗어 나가다, 내뚫다의 뜻을 나타냄.

[透過 투과] 꿰뚫고 지나감.
[透光 투광] 물체를 통과하여 비치는 빛.
[透明 투명] ㉠환히 트임. 환히 트여 속까지 뵘. ㉡물체가 빛을 통과시킴.
[透明體 투명체] 공기·유리 (琉璃) 들과 같이 광선이 통하는 물체. 곧, 속까지 환히 보이는 물체.
[透寫 투사] 그림이나 글씨를 얇은 종이 밑에 받쳐 놓고 그대로 그리거나 씀.
[透水層 투수층] 모래땅과 같이 물이 잘 빠지는 지층 (地層).
[透視 투시] ㉠속에 있는 물건 (物件)을 내뚫어 비추어 봄. ㉡감관 (感官)의 매개 (媒介)를 받지 않고 생각하는 힘으로써 알아내는 봄.
[透映 투영] 환히 속까지 비치어 보임.
[透徹 투철] 사리 (事理)가 밝고 뛰어남.
●驚透. 騰透. 奔透. 騁透. 滲透. 陽氣發處金石亦透. 浸透. 通透.

7
⑪ [逐] 高人 축 ㉙屋 直六切 zhú

逐逼

筆順 一 丆 丂 豕 豕 豕 豕 逐

字解 ①쫓을 축 ㉠뒤쫓아감. ‘追一’, ‘子都拔棘以一之’《左傳》. ㉡추방함. ‘一出’, ‘請一切一客’《史記》. ㉢물리침. 배척함. ‘三仕三見一於

君’《史記》. ㉤뭄. ‘殘片一風廻’《楊發》. ㉤구함. ‘厭遠一邇’《國語》. ②쫓길 축 ‘斥乎齊, 一乎宋衛’《史記》. ③달릴 축 주함. ‘良馬一’《易經》. ④다툴 축 경쟁함. ‘一角一, 諸侯一進’《左傳》. ⑤좇을 축 뒤따름. ‘一隊而趨’《韓愈》. ‘乘白黿兮一文魚’《楚辭》. ⑥하나하나 축 사물을 하나하나 세는 데 이름. ‘一一’, ‘一條’.
字源 甲骨文 金文 篆文 逐 會意. 甲骨文은 豕+止 〔音〕. ‘止지’는 뒤에 ‘辵착’이 됨. ‘豕시’는 산돼지의 象形. 산돼지를 쫓는 발의 모양에서, ‘쫓다’의 뜻을 나타냄.

[逐客 축객] 손을 쫓음.
[逐去 축거] 쫓아 보냄.
[逐鬼 축귀] 잡귀 (雜鬼)를 쫓음.
[逐年 축년] 해마다.
[逐鹿 축록] 사슴을 국가의 원수 (元首)에 비유하여 원수의 지위를 획득하기 위하여 다툼을 이르는 말. 지금은 널리 의원 선거 (議員選擧)에 입후보하여 경쟁하는 일에도 이름.
[逐鹿者不見山 축록자불견산] 사슴을 쫓는 자 (者)는 산악 (山岳)의 험악 (險惡)함도 안중 (眼中)에 없다는 뜻. 이욕 (利慾)에 눈이 어둡거나, 한 일에 열중 (熱中)하는 사람은 다른 일을 돌보지 않음의 비유.
[逐鹿者不顧兔 축록자불고토] 사슴을 쫓는 자가 토끼를 돌아보지 않는다는 뜻으로, 큰 것을 구하는 사람은 작은 것을 돌아보지 아니함을 이름.
[逐朔 축삭] 다달이. 달마다.
[逐獸者目不見太山 축수자목불견태산] ‘축록자불견산 (逐鹿者不見山)’을 보라.
[逐臣 축신] 추방당한 신하.
[逐夜 축야] 밤마다. 매일 (每日) 밤.
[逐月 축월] 다달이. 달마다.
[逐二兔者不得一兔 축이토자부득일토] 한꺼번에 토끼 두 마리를 잡으려고 쫓으면 한 마리도 못 잡음. 동시에 두 가지 일을 뜻하면 결국 아무것도 안 됨의 비유. ‘그리
[逐一 축일] 하나씩 하나씩 빼놓지 아니하고. 깡
[逐日 축일] ㉠날마다. 매일. ㉡태양을 쫓아감. 걸음이 빠름을 이름.
[逐日瘧 축일학] 날마다 앓는 학질. 며느리고금.
[逐電 축전] 번개를 따름. 극히 빠름을 이름.
[逐條 축조] ㉠순차로 조목을 따름. 조목마다. ㉡매 줄마다.
[逐次 축차] 차례차례로.
[逐斥 축척] 쫓아서 물리침.
[逐逐 축축] ㉠빨리 달리는 모양. ㉡독실 (篤實)한 모양.
[逐出 축출] 쫓아냄.
[逐捕 축포] 쫓아가 체포함. 추포 (追捕).
[逐戶 축호] 한 집도 거르지 않고 집집마다. 매호 (每戶).
●角逐. 競逐. 驅逐. 牡馳牝逐. 放逐. 排逐. 徙逐. 隨逐. 誅逐. 徵逐. 斥逐. 追逐. 馳逐. 討逐.

7
⑪ [逑] 人名 구 ㉕尤 巨鳩切 qiú

逑逑

字解 ①짝 구 배우자. ‘窈窕淑女, 君子好一’《詩經》. ②모을 구 한데 모이게 함. 또, 일치시킴. ‘以爲民一’《詩經》.

篆文 緣 形聲. 辵(辶) + 求〔音〕. '求구'는 흩어
져 있던 것이 한 점에 모이다의 뜻.
'辵착'은 '나아가다'의 뜻. 합쳐서 '모이다'의
뜻. 또, 서로 구하여 찾는 상대 '짝'의 뜻을 나
타냄.

●民逑. 好逑.

7 ⑪ [途] 高人 도 ⑨虞 同都切 tú 途

筆順 ノ 人 へ 仝 今 余 涂 途

字解 길 도 도로. 塗(土部 十畫)와 同字. '一
上'. 〈遇諸一〉《論語》.
字源 形聲. 辵(辶) + 余〔音〕. '余여'는 '뻗다'의
뜻. 죽 뻗어 있는 길의 뜻을 나타냄.

[途上 도상] 길 위. 노상(路上).
[途程 도정] 노정(路程).
[途中 도중] ㉠길을 걷고 있는 때. 길. 길 가운데.
노중(路中). ㉡일의 중간. 중도.
[途轍 도철] 조리 (條理). 도리 (道理).
●官途. 窮途. 歸途. 當途. 道途. 登途. 命途.
冥途. 目途. 半途. 方途. 別途. 費途. 仕途.
使途. 三途. 先途. 世途. 首途. 要途. 用途.
危途. 壯途. 長途. 前途. 征途. 中途. 出途.
坦途.

7 ⑪ [逕] 人名 경 ⑨徑 古定切 jìng 逕

筆順 一 ㄑ 巛 巠 巠 巠 弪 逕 逕

字解 ①좁은길 경 소로(小路). 또, 지름길. '門
一'. 〈禪一閑淸〉《王融》. ②지날 경 소로를 통과
함. '一路'. 〈東一馬邑縣故城南〉《水經注》. ③
가까울 경 비근(卑近)함. 또, 곧음. '事略而意
一'《文心雕龍》. ④자취 경 발자취. '跐齫之一'
《莊子》.
字源 形聲. 辵(辶) + 巠〔音〕. '巠경'은 '곧다'의 뜻.
곧고 거리가 가장 짧은 길, 작은 길의 뜻을
나타냄.

[逕路 경로] 지나는 길.
[逕庭 경정] 큰 차이. 대차. 소로는 좁고 뜰은 넓
으므로 이름. 경정 (徑庭).
●門逕. 三逕. 禪逕. 小逕. 野逕. 柳逕. 峭逕.

7 ⑪ [逖] 적 ⑧錫 他歷切 tì 逖逷

字解 ①멀 적 요원함. '一矣, 西土之人'《書經》.
②멀리할 적 '紏一王愿'《左傳》. ③두려워할 적 惕
(心部 八畫)과 통용. '渙, 其血, 去一出'《易經》.
字源 篆文 𨕙 古文 遏 形聲. 辵(辶) + 狄〔音〕. '狄적'은
먼 데 사는 오랑캐의 뜻. 길이
멀다, 멀리하다의 뜻을 나타냄. 古文도 形聲으
로 辵(辶) + 易〔音〕. '易역'은 '場역'과 통하여
'변경'의 뜻.

[逖逖 적적] 이 (利)를 바라는 모양.
●紏逖. 疏逖. 離逖.

7 ⑪ [逓] 〔체·대〕
遞(辵部 十畫〈p. 2317〉)의 俗字

7 ⑪ [遞] 〔체〕
遞(辵部 十畫〈p. 2317〉)와 同字·
簡體字

7 ⑪ [逪] 〔기〕
棄(木部 八畫〈p. 1081〉)의 古字

7 ⑪ [适] 〔괄〕
适(辵部 六畫〈p. 2296〉)의 本字

7 ⑪ [逛] 광 ①-③⑭養 具往切 guàng ④去漾 古況切 kuáng 逛

字解 ①달릴 광 또, 달리는 모양. '一, 走也'《字
彙》. 走兒'《廣韻》. ②놀 광 빈둥빈둥 놂.
'一逖, 按, 今北方語, 謂閒遊曰一'《中華大字典》.
③성 광 성(姓)의 하나. ④속일 광 '迋, 欺也. 或
从狂'《集韻》.

7 ⑪ [逗] 人名 두 ①②⑭有 徒候切 dòu ③去遇 持遇切 zhù 逗逗

字解 ①머무를 두 임시로 체류함. '一留'. '一
華陰之湍渚'《後漢書》. ②피할 두 회피함. '一撓
當斬'《漢書》. ③성 두 성(姓)의 하나.
字源 篆文 逗 形聲. 辵(辶) + 豆〔音〕. '豆두'는 제기
를 본뜬 것으로, 안정되게 놓이다의
뜻. 머물러 움직이지 않다의 뜻을 나타냄.

[逗撓 두뇨] 적 (敵)을 보고 두려워하여 피하고 나
아가지 아니함.
[逗留 두류] ㉠한 곳에 머무름. ㉡객지에 잠시 묵
음.
[逗遛 두류] 두류(逗留).

7 ⑪ [這] 人名 저 (자本) ⑭馬 止也切 zhè 这这

字解 이 저 此(止部 二畫)와 뜻이 같음. '一般'.
'一賊謨我'《唐書》.
字源 形聲. 辵(辶) + 言〔音〕. 말을 걸어 맞이하다
의 뜻을 나타냄. '저·자'로 읽을 경우는
'適적'의 초서체를 잘못 쓴 것으로, 송(宋)나라
때부터 '이'의 뜻을 나타냄.

[這箇 저개] 이. 이것.
[這麼 저마] 이와 같이.
[這般 저반] 이. 이것.
[這回 저회] 이번.

7 ⑪ [通] 中人 통 ⑭東 他紅切 tōng 通通

筆順 ㄱ ㄱ ㄱ 甬 甬 甬 涌 通

字解 ①통할 통 ㉠꿰뚫음. '貫一'. '亨一'. '一
神明之德'《易經》. ㉡두루 미침. '流一'. '徧一'.
'知類一達'《禮記》. ㉢지남. '一過'. ㉣왕래함.
'舟楫所一'《新書》. ㉤왕래하게 함. '剖箭一使
一'《漢書》. ㉥한히 앎. '博一'. '不一于兵
者之論'《呂氏春秋》. ㉦의사가 상통함. '五方之
民, 言語不一'《禮記》. ㉧의사를 전하여 알림.
'一譯'. '不能一其意'《韓愈》. ㉨지장 없이 행
하여짐. '不出戶庭知一塞'《易經》. ㉩입신출세
함. '一則觀其所禮'《呂氏春秋》. 또, 명예·권력
의 지위에 있는 일. '窮一'. ㉪사귐. 교제함.
'非長者, 勿與一'《漢書》. ㉫간음함. '姦一'.
'竊私一呂不韋'《史記》. ②말할 통 진술함. '先

生一正言《漢書》. ③온통 통 전체. '一國'. '一常'. '夫三年之喪, 天下之一喪也'《論語》. ④통 통 편지 또는 서류를 세는 수사(數詞). '書面一'. 또, 수미(首尾)가 완결한 편장(篇章). '政論一一'《後漢書》. ⑤말똥 통 말의 대변. '以馬一薰之'《後漢書》. ⑥사방십리 통 토지 구획의 명목(名目). 곧, 십 리 사방. '井十爲一'《漢書》. ⑦성 통 성(姓)의 하나.

字源 金文 〔篆文〕 形聲. 辵(辵)＋甬〔音〕 '甬용·통' 은 대롱의 象形. 대롱처럼 장해물 없이 잘 통하다의 뜻을 나타냄.

[通家 통가] ㉠세의(世誼)가 있는 집. ㉡친척(親戚).
[通姦 통간] 남녀가 불의(不義)의 간음(姦淫)을 함. 사통(私通).
[通鑑 통감] '자치통감(資治通鑑)'의 준말.
[通鑑綱目 통감강목] '자치통감 강목(資治通鑑綱目)'의 준말.
[通鑑輯覽 통감집람] 역사서(歷史書). 청(淸)나라 건륭(乾隆) 32년 칙명(勅命)에 의해서 편찬되었는데, 모두 116권. 황제(黃帝)부터 명대(明代)까지의 역사를 기록했음.
[通計 통계] 통산(通算).
[通告 통고] 통지(通知).
[通共 통공] 쌍방에 통함. 서로 통하여 도움. 공통(共通).
[通過 통과] ㉠통(通)하여 지나감. ㉡회의(會議)에서 의안(議案)이 가결(可決)됨. ㉢관부(官府)에 제출(提出)한 원서(願書)가 수리(受理)됨.
[通貫 통관] 꿰뚫음. 관통함.
[通款 통관] ㉠수호(修好)를 맺음. ㉡적과 내통(內通)함.
[通交 통교] 국가 사이의 교제를 틈.
[通衢 통구] 사방으로 통하는 길.
[通國 통국] ㉠온 나라. 전국. ㉡나라를 통과함.
[通券 통권] 통행권.
[通勤 통근] 자택에서 출근하러 다님.
[通氣 통기] 공기를 유통시킴.
[通寄 통기] 통지(通知).
[通達 통달] ㉠막힘이 없이 환히 통함. ㉡사물의 이치를 환히 앎. ㉢통지(通知).
[通都 통도] 길이 사통팔달하는 큰 도회.
[通道 통도] ㉠통로(通路). ㉡일반(一般)이 행할 불변의 도의(道義).
[通讀 통독] 처음부터 끝까지 내리읽음.
[通覽 통람] 첫머리부터 끝까지 죄다 살펴봄.
[通朗 통랑] 사물의 이치에 통하여 환함.
[通力 통력]《佛敎》어떠한 사물이라도 자유자재로 할 수 있는 힘.
[通歷 통력] 연대(年代)의 통산(通算).
[通令 통령] 명령을 전달함.
[通例 통례] ㉠일반에 통하는 규칙. ㉡세상의 관습.
[通路 통로] 일반(一般)이 통행(通行)하는 길.
[通論 통론] ㉠사리(事理)에 통(通)하는 의론(議論). ㉡전체를 통한 이론(理論).
[通流 통류] ㉠통하여 흐름. 관류(貫流). ㉡막힘없이 흐르게 함.
[通理 통리] ㉠통의(通義). ㉡위아래로 죽 통한.
[通明 통명] 사리에 통달하여 밝음.
[通謀 통모] 공모(共謀)함.
[通問 통문] ㉠심방함. 방문함. ㉡서로 물음.
[通敏 통민] 사물에 통달하며 민첩함.

[通發作用 통발작용] 식물체 내의 수분이 수증기가 되어 발산하는 작용.
[通榜 통방] 당대(唐代)의 과거(科擧)에서 추천에 의한 급제.
[通法 통법] 통칙(通則).
[通辯 통변] ㉠서로 말이 달라서 의사가 통하지 못하는 사람 사이에 그 두 말을 다 아는 사람이 말을 서로 옮겨 의사를 통하여 줌. 또, 그 사람. 통역(通譯). ㉡광범위에 걸쳐 자세함.
[通報 통보] 통지(通知).
[通寶 통보] 천하 통용의 보배. 곧, 통화(通貨).
[通訃 통부] 사람의 죽음을 통지(通知)함.
[通分 통분] 분모(分母)가 다른 분수를 동분모(同分母)로 만듦.
[通比 통비] 전체를 모두 통하는 비례.
[通士 통사] 사리에 통달한 선비.
[通史 통사] 역사 기술법(記述法)의 한 양식. 어느 시대에 국한하지 아니하고 고금을 통하여 역사상의 변천(變遷)을 서술하는 것.
[通事 통사] ㉠통변(通辯)하는 사람. ㉡외국(外國)과의 교제(交際). 또, 통달함. 또, 그 사람. ㉢접대(接待)하는 일을 맡은 벼슬.
[通算 통산] 전부를 통틀어 셈함.
[通三 통삼] 사람을 가려 쓰고, 백성의 뜻을 좇으며, 시대의 조류(潮流)에 따르는, 이 세 가지 일에 통함.
[通常 통상] 심상(尋常)함. 보통임. 통례임.
[通商 통상] 외국인(外國人)과 서로 무역함.
[通塞 통색] ㉠통함과 막힘. ㉡행운(幸運)과 불운(不運).
[通夕 통석] 밤새도록. 철야(徹夜).
[通昔 통석] 통석(通夕).
[通說 통설] ㉠널리 통하는 설(說). ㉡환히 통달한 설(說).
[通性 통성] 일반에 공통(共通)으로 갖추고 있는 성질. 통유성(通有性).
[通姓名 통성명] 서로 성명(姓名)을 통함.
[通聲問 통성문] 음신(音信)을 통함. 곧, 소식이 서로 통함.
[通宵 통소] 통석(通夕).
[通俗 통속] ㉠일반 세상. ㉡누구나 알기 쉬움.
[通率 통솔] 되는대로 맡겨 방치(放置)함.
[通身 통신] 온몸. 전신.
[通信 통신] ㉠소식을 전함. ㉡통신 기관(通信機關)을 이용하여 의사(意思)를 서로 통하는 일.
[通信使 통신사]《韓》조선조 때 우리나라에서 일본으로 보내던 사신. 고종 때 수신사(修信使)로 고쳤음.
[通雅 통아] ㉠사리에 통하여 바름. ㉡책 이름. 52권. 명(明)나라 방이지(方以智)가 지음. 전체를 25문(門)으로 나누고 명물(名物)·훈고(訓詁)·상수(象數)·음운(音韻) 등을 고증(考證)한 것.
[通謁 통알] 명함(名銜)을 내놓고 면회(面會)를 청함.
[通夜 통야] 통석(通夕).
[通約 통약] 분수의 분모와 분자 속에서 공통되는 인자(因子)를 제거함.
[通譯 통역] 통변(通辯) ❼.
[通用 통용] ㉠일반(一般)이 널리 씀. ㉡서로 넘나들어 쓰임.
[通于一而萬事畢 통우일이만사필] 한 가지 일에 통달하면, 미루어 만사를 알 수 있음.

[通運 통운] 짐을 운반함. 운송(運送).
[通韻 통운] 음운(音韻)이 서로 통함. 또, 그 음운. 한자(漢字)의 양운(兩韻) 또는 그 이상의 운(韻)이 서로 통용됨을 이름. 동(東)·동(冬)·강(江)이 서로 통하고, 어(魚)·우(虞)가 상통(相通)하는 따위.
[通有 통유] 일반적으로 다 같이 갖추고 있음.
[通儒 통유] 박학(博學)하고 실천력이 있는 학자.
[通有性 통유성] 통성(通性).
[通融 통융] 융통성 있게 처리함.
[通邑 통읍] 사방으로 길이 통한 도회.
[通義 통의] 세상 사람이 모두 실천하고 준수하여야 할 도의.
[通誼 통의] 통의(通義).
[通人 통인] ㉠사물에 통효한 사람. 박람 다식한 학자. ㉡통사(通事) [른].
[通刺 통자] 명함을 내밀고 면회를 청함. 투자(投刺).
[通莊 통장] 사람이 많이 왕래하는 곳. 장(莊)은 육달(六達)의 길.
[通籍 통적] ㉠궁문(宮門)의 출입 허가를 받은 사람의 성명·연령 등을 적은 명패(名牌). ㉡사환(仕宦)하는 일.
[通典 통전] ㉠고금에 통하는 법칙. 일반에 행해지는 규칙. ㉡책 이름. 당(唐)나라 두우(杜佑)의 찬(撰). 2백 권. 고대로부터 당현종(唐玄宗)까지의 제도를 식화(食貨)·선거(選擧)·직관(職官)·예(禮)·악(樂)·병형(兵刑)·주군(州郡)·변방(邊方)의 팔문(八門)으로 나누어 기록했음.
[通情 통정] ㉠보통 일반의 인정. ㉡마음을 통함. 애정을 통함.
[通濟渠 통제거] 수양제(隋煬帝)가 만든 운하(運河). 지금의 허난 성(河南省) 사수현(汜水縣) 동북쪽의 판저(板渚)를 기점(基點)으로 하여 분류된 황허(黃河) 강이 남동쪽으로 흘러 화이허(淮河) 강으로 흘러들게 한 것. 변거(汴渠).
[通志 통지] 사서(史書). 송(宋)나라 정초(鄭樵)의 찬(撰). 2백 권. 고대로부터 수당(隋唐)에 이르기까지의 기전체(紀傳體)의 통사(通史)임.
[通知 통지] 기별(奇別)하여 알려 줌.
[通志堂經解 통지당경해] 총서(叢書)의 이름. 1,781권. 청(淸)나라의 서건학(徐乾學)이 편집하고, 납란성덕(納蘭成德)이 교간(校刊)한 것. 당송원명(唐宋元明)의 경학(經學)에 관한 해석서를 모아 놓았음.

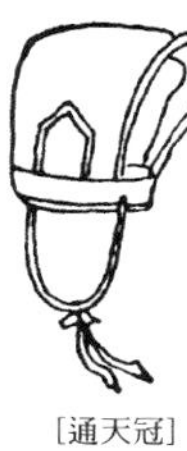
[通天冠]

[通察 통찰] 전체(全體)를 밝혀 살핌.
[通天 통천] ㉠하늘에 통함. 하늘까지 도달함. ㉡통천관(通天冠).
[通天冠 통천관] 천자(天子)의 관(冠)의 이름. 높이 9촌. 거여(車輿)로 거둥할 때 상복(常服)에 씀.
[通天御帶 통천어대] 통천서(通天犀)〈서각(犀角) 이름〉로 장식한 천자의 띠.
[通天下 통천하] 널리 천하(天下)에 통함.
[通徹 통철] 막힘이 없이 통(通)함.
[通牒 통첩] 관아(官衙)의 통지문(通知文).
[通治 통치] 한 가지 약(藥)으로 여러 병(病)을 고침.
[通則 통칙] 일반에 적용되는 법칙.
[通稱 통칭] 공통으로 쓰이는 이름. 널리 통용되는 이름.
[通脫 통탈] 사물에 구애되지 아니함. 예법을 등한시함. 소탈(疏脫)함.
[通態 통태] 일반에 공통되는 상태.
[通判 통판] ㉠송대(宋代)의 벼슬. 번진(藩鎭)의 권한을 줄이기 위하여 한 주(州)의 정사(政事)를 감독하던 벼슬. ㉡이사(吏事)를 구분하여 정함.
[通弊 통폐] 보통 일반의 폐해.
[通風 통풍] 바람을 소통(疏通)시킴.
[通學 통학] 학교(學校)에 다님. 다니며 배움.
[通航 통항] 배가 다님.
[通解 통해] 전부를 통하여 해석함.
[通行 통행] 통하여 다님. 지나다님.
[通玄 통현] 사물(事物)의 깊은 도리(道理)를 깨달음.
[通顯 통현] 지위와 명망이 높음.
[通婚 통혼] 서로 혼인을 통함.
[通貨 통화] ㉠재화를 서로 융통함. ㉡교환의 매개물로서 일반에 유통되는 화폐.
[通話 통화] 서로 말을 통(通)함.
[通患 통환] 통폐(通弊).
[通曉 통효] ㉠깨달아서 환히 앎. ㉡통석(通夕).
[通侯 통후] 그 공덕이 왕실에 통한다는 뜻으로, 모든 제후. 열후(列侯).
◉姦通. 感通. 開通. 共通. 貫通. 交通. 窮通. 均通. 內通. 多通. 大通. 木通. 默識心通. 文通. 密通. 博通. 旁通. 變通. 普通. 不通. 四通. 私通. 疏通. 神通. 略通. 淹通. 靈犀一點通. 苻通. 流通. 六通. 融通. 全通. 精通. 知通. 直通. 便通. 遐通. 該通. 玄通. 亨通. 瑩通. 曉通.

7 ⑪ [逝] [高人] 서 [去]霽 時制切 shì 逝

[字解] ①갈 서 ㉠세월이 감. '日月一矣, 歲不我與'《論語》. ㉡앞으로 감. 전진함. '騅不一兮可奈何'《史記》. ㉢떠남. 가 버림. '一川'. '今將返神還乎無名, 吾今一矣'《列仙傳》. ㉣죽음. '一長'. '瞑目而一'《王文成公 年譜》. ②이에 서 발어사(發語辭). 시경(詩經)에 많이 쓰임. '一不古處'《詩經》.
[字源] 篆文 篆文 形聲. 辶(辵)+折(斲)〔音〕. '斲절'은 '깎아 내다'의 뜻. 눈앞에서 떠나다의 뜻을 나타냄.

[逝去 서거] 죽음. 장서(長逝).
[逝世 서세] 세상을 떠남.
[逝水 서수] 서천(逝川).
[逝川 서천] ㉠흘러가는 냇물. ㉡한번 가면 다시 돌아오지 아니함의 비유.
◉高逝. 急逝. 仙逝. 永逝. 夭逝. 遠逝. 流逝. 日月逝. 長逝. 電逝. 徂逝. 遷逝. 騅逝. 遐逝.

7 ⑪ [逞] [人名] 령 (정[本]) ㊤梗 丑郢切 chěng 逞

[字解] ①왕성할 령 세력이 성대함. 또, 용감함. '其意驕一而不可摧'《蘇軾》. ②쾌할 령 만족을 느껴 상쾌함. '不一于許君'《左傳》. ③쾌하게할 령 마음대로 하여 만족을 얻음. '一意'. '殺人以一'《左傳》. ④다할 령 극진(極盡)함. '不可億一'《左傳》. ⑤풀 령 근심을 풂. '可以一'《左傳》. ⑥늦출 령 부드럽게 함. '一顏色'《論語》. ⑦검속할 령 몸을 단속함. '不一之徒'《宋書》.

字源 金文 篆文 程 形聲. 辵(辵)+呈[音]. '呈정'은 '드러내다'의 뜻. 자기의 뜻을 드러내어 일을 진행시키다의 뜻에서, 기운이 왕성하다의 뜻을 나타냄.

●勁逞. 驕逞. 不逞. 億逞. 橫逞.

7/11 [速] 中 속 㞃屋 桑谷切 sù 速速

筆順 一 丆 币 束 束 涑 速

字解 ①빠를 속 신속함. '急一則不達'《論語》. ②빨리할 속 '弟子曰, 可以一矣'《史記》. ③빨리 속 급속히. '王一出令'《孟子》. ④부를 속 ㉠초청함. '不一之客'《易經》. '以一諸父'《詩經》. ㉡초래함. '一禍'. ⑤성 속 성(姓)의 하나.

字源 金文 篆文 諫 形聲. 辵(辵)+束[音]. '束속'은 '묶다'의 뜻. 길을 가는 데 시간을 줄여 다잡다의 뜻에서, '빠르다'의 뜻을 나타냄.

[速決 속결] 속(速)히 결정(決定)함. 또, 속히 결정됨.
[速記 속기] ㉠글씨를 속(速)하게 씀. 또, 그 기록. ㉡속기법에 의하여 씀. 또, 그 기록.
[速記術 속기술] 간단한 부호(符號)를 써서, 말하는 것을 속(速)하게 받아 적는 기술(技術). 속기법.
[速斷 속단] 속하게 결단(決斷)함.
[速達 속달] 속(速)하게 이름.
[速度 속도] 빨리 가는 정도(程度).
[速力 속력] 속도를 이루는 힘. 빠르게 움직일 수 있는 힘.
[速步 속보] 빠른 걸음.
[速射 속사] 속(速)하게 발사(發射)함.
[速寫 속사] 글씨를 속(速)히 씀.
[速射砲 속사포] 특별한 장치에 의하여 탄환을 신속히 발사하는 화포.
[速成 속성] 속(速)하게 됨. 빨리 됨.
[速速 속속] ㉠친밀하게 가까이하지 않는 모양. ㉡가난하고 초라한 모양. ㉢궁박(窮迫)한 모양.
[速戰 속전] 빨리 싸움.
[速行 속행] 빨리 감.
[速禍 속화] 화를 초래함.
●加速. 輕速. 高速. 巧遲不如拙速. 球速. 急速. 機速. 等速. 妙速. 敏速. 兵貴神速. 不等速. 瞻速. 時速. 迅速. 神速. 失速. 嚴速. 音速. 早速. 拙速. 駿速. 遲速. 疾速. 捷速. 秒速. 快速. 風速. 火速.

7/11 [造] 中 조 ①-⑤㞃晧 昨早切 zào ⑥-⑩㞃號 七到切 造造

筆順 丿 亠 牛 生 牛 告 告 造

字解 ①지을 조 ㉠제작함. '製一'. '創一'. '不得一車馬'《禮記》. ㉡조작함. '一言之刑'《周禮》. ②시작할 조 처음으로 함. '文王一之而未遂'《呂氏春秋》. ③처음 조 맨 먼저. '一攻自鳴條'《書經》. ④때 조 시대. '夏之末一也'《禮記》. ⑤성 조 성(姓)의 하나. ⑥이룰 조 사물을 성취함. '小子有一'《詩經》. ⑦이를 조 ㉠옴. '其有衆咸一'《書經》. ㉡감. '先生坐, 一門欲見齊宣王'《戰國策》. ㉢깊은 경지에 도달함. '一

詣'. '深一之以道'《孟子》. ⑧넣을 조 속에 들어가게 함. '設大盤, 一冰'《禮記》. ⑨벌여놓을 조 나란히 늘어놓음. '一舟爲梁'《詩經》. ⑩갑자기 조 졸지에. '一然失容'《大戴禮》.

字源 金文 篆文 造 形聲. 辵(辵)+告[音]. 金文은 辶+舟+告. '宀면'은 '집'의 뜻. '舟주'는 '盤반'의 생략형으로, 큰 접시의 음식이라고도 하고, 배의 象形이라고도 함. '告고'는 '고하다'의 뜻. 집 안에 제물을 놓고 기도하기에 이르다의 뜻으로 풀이되고, 집 안에서 기도하기 위하여 배를 타고 이르다의 뜻이라고도 설명됨. 또, 사물이 목적점에 이르다의 뜻에서, '만들다'의 뜻도 나타냄. 뒤에 사태가 진행되다의 뜻에 관계되는 데서 辶(辵)+告가 됨.

[造構 조구] 만들어 얽음. 지어 얽음.
[造林 조림] 나무를 심어 수풀을 만듦.
[造物 조물] 천지 만물(天地萬物)을 만든 조화(造化).
[造物者 조물자] 조물주(造物主).
[造物主 조물주] 하늘과 땅의 모든 자연(自然)을 주재(主宰) 섭리(攝理)하는 신(神). 조화옹(造化翁).
[造兵 조병] 병장기를 만듦. 무기를 만듦.
[造父 조보] 주목왕(周穆王)의 말을 부리던 어자(御者). 마술(馬術)의 명인.
[造士 조사] ㉠학문을 성취한 선비. '造'는 '就'임. ㉡인재(人材)를 양성(養成)함.
[造船 조선] 배를 지어 만듦.
[造成 조성] 물건을 만들어서 이루어 냄.
[造釀 조양] 술을 빚음. 양조(釀造).
[造語 조어] 새로 말을 만듦. 또, 그 말.
[造言 조언] 무근지설. 날조한 말.
[造營 조영] 가옥 등을 지음.
[造詣 조예] ㉠방문(訪問). ㉡학문(學問)·기술(技術)이 깊은 경지에 다다름.
[造五鳳樓手 조오봉루수] '오봉루'라는 건물을 짓는 사람이라는 뜻으로, 시문(詩文)을 짓는 재주가 뛰어남을 이름.
[造謠生事 조요생사] 유언(流言)을 퍼뜨리어 소동(騷動)을 일으킴.
[造意 조의] ㉠지금까지 없는 일을 새로 생각해 냄. 고안(考案). ㉡범죄의 주모자(主謀者).
[造作 조작] ㉠물건(物件)을 만듦. ㉡무슨 일을 꾸며 냄.
[造次顛沛 조차전패] 창졸간. 별안간. 눈 깜짝할 사이. 발을 헛딛고 아차 넘어지는 사이에.
[造請 조청] 찾아가서 봄.
[造築 조축] 만들어 쌓음.
[造就 조취] ㉠가서 봄. 찾아가 봄. ㉡만들어 이룸. 그 재분(才分)에 따라 인물을 양성함.
[造幣 조폐] 화폐를 만듦.
[造化 조화] ㉠창조 화육(創造化育)하는 일. 또, 조물주. ㉡천지(天地)를 이룸. 우주(宇宙).
[造花 조화] 사람이 만든 꽃. 가화(假花).
[造化翁 조화옹] 조물주(造物主).
●改造. 建造. 構造. 急造. 亂造. 捏造. 濫造. 鍛造. 木造. 模造. 木造. 密造. 變造. 不造. 私造. 石造. 繕造. 塑造. 修造. 新造. 深造. 贗造. 兩造. 釀造. 營造. 原被兩造. 僞造. 人造. 再造. 爭造. 制造. 製造. 肇造. 酒造. 鑄造. 俊造. 刱造. 創造. 天造. 築造. 馳造. 虛造. 興造.

7 ⑪ [逡] 준
①-③㊀眞 七倫切 qūn
④㊁震 須閏切 jùn　逡逡

字解 ①뒷걸음질칠 준 조금씩 뒤로 물러남. '群臣一《漢書》. ②머뭇거릴 준 앞으로 나아가기를 주저함. '一遁有恥《漢書》. ③토끼 준 날쌘 토끼. 巍(厶部 十三畫)과 통용. '東郭一者, 海内之狡兔也'《戰國策》. ④빠를 준 駿(馬部 七畫)과 통용. '一奔走《禮記》.

字源 篆文 遬 形聲. 辶(辵)+夋[音]. '夋준'은 '蹲준'과 통하여 '웅크리다'의 뜻. 나아가지 않고 웅크리다의 뜻에서, '뒷걸음질 치다'의 뜻을 나타냄.

[逡遁 준둔] 준순(逡巡).
[逡遯 준둔] 준순(逡巡).
[逡巡 준순] ㉠뒷걸음질 침. 후퇴함. ㉡머뭇거림. 망설이고 나가지 아니함.
[逡次 준차] 머뭇거림.

7 ⑪ [逢] 봉
①-④㊀冬 符容切 féng
⑤㊀東 蒲蒙切 péng　逢逢

筆順 ノ 勹 夂 冬 夅 夆 逢

字解 ①만날 봉 ㉠사람과 만남. '一遇'. '飯顆山頭一杜甫《李白》. ㉡우연히 만남. '一時不祥'《後漢書》. ㉢…을 당함. '一誅'(주륙을 당함)《賈誼》. ②맞을 봉 영합함. '一君之惡, 其罪大'《孟子》. ③클 봉 '衣一祓之衣'《禮記》. ④꿰맬 봉 縫(糸部 十一畫)과 통용. '深衣一齊倍要'《禮記》. ⑤성 봉 성(姓)의 하나.

字源 甲骨文 篆文 逢 形聲. 辶(辵)+夆[音]. '夆봉'은 '逢봉'의 原字로 '만나다'의 뜻. 길을 가다, 우연히 만나다의 뜻을 나타냄. 甲骨文은 辶(辵)+丰[音]

[逢年 봉년] 풍년(豐年)을 만남.
[逢蒙 봉몽] 옛날의 활의 명수(名手).
[逢門子 봉문자] 옛날의 활의 명수.
[逢變 봉변] ㉠뜻밖의 변(變)을 당(當)함. ㉡남에게 욕(辱)을 당함.
[逢逢 봉봉] ㉠북소리. ㉡구름이 일거나 연기가 나는 모양.
[逢世 봉세] 세상에 등용되어 입신(立身)함. 때를 만남.
[逢時 봉시] 때를 만남.
[逢掖之衣 봉액지의] 소매가 넓은 유자(儒者)의 옷.
[逢迎 봉영] ㉠사람을 마중하여 접대함. ㉡남의 마음에 들도록 힘씀.
[逢俉 봉오] 만나 놀람.
[逢辱 봉욕] 욕(辱)되는 일을 당(當)함.
[逢原 봉원] 물〔水〕의 근원(根源)을 만남. 도(道)의 근원을 철저(徹底)하게 알아냄을 이름. 원(原)은 원(源).
[逢衣 봉의] 봉액지의(逢掖之衣).
[逢賊 봉적] 도둑을 만남.
[逢着 봉착] 만남. 착(着)은 조자(助字).
[逢敗 봉패] 실패(失敗)를 당(當)함.
[逢禍 봉화] 화를 당함.
●闋逢. 迎逢. 遭逢. 萍水相逢.

7 ⑪ [連] 련
①-④㊀先 力延切 lián
⑤㊁銑 力展切 liǎn　連连

筆順 一 𠂉 𠂤 亘 車 連連

字解 ①이을 련, 이어질 련 ㉠연속함. 계속함. '一續'. '淚落一珠子《古詩》. 또, 연하여, 계속하여. '一戰一勝'. '一微不至'《後漢書》. ㉡열을 지어 늘어섬. '一嶁列埒之門《淮南子》. ㉢붙음. 잇닿음. '雲一徒州'《國語》. ㉣합침. '一合'. '一諸侯者次之'《孟子》. ②살붙이 련 친척. '及蒼梧秦王有一'《史記》. ③열나라 련 주대(周代)의 제도(制度)로 십국(十國)을 한 구역으로 한 일컬음. '十國以爲一, 一有帥'《禮記》. ④성 련 성(姓)의 하나. ⑤더딜 련 길이 험하여 가는 데 시간이 걸림. '往蹇來一'《易經》.

字源 篆文 輦 會意. 辶(辵)+車. '車차'는 사람이 나란히 늘어서서 끄는 수레 '輦련'과 통함. 사람이 늘어서서 수레를 끌고 길을 가는 모양에서 '이어지다'의 뜻을 나타냄.

[連枷 연가] 도리깨.
[連乾 연건] 승마용(乘馬用) 장식의 한 가지.
[連蹇 연건] 길이 험하거나 피로하여 가기 힘든 모양. 전(轉)하여, 불운(不運). 불행.
[連結 연결] ㉠서로 이어서 맺음. ㉡서로 사귀어 결탁함.
[連境 연경] 지경(地境)이 잇닿은 곳. 접경(接境).
[連難不能俱止於棲 연계능능구지어서] 새끼로 잇대어 잡아맨 닭은 한 홰에 같이 올라가 있을 수 없다는 뜻으로, 군웅(群雄)이 병립(竝立)할 수 없음의 비유.
[連翹 연교] 개나리.
[連句 연구] 두 사람 이상이 모여 한 구(句)씩 지어 이를 연속해서 한 편(編)의 시로 하는 것. 연구(聯句).
[連蜷 연권] ㉠길게 굽은 모양. ㉡가기 힘든 모양.
[連及 연급] 연하여 미침. 연속함.
[連年 연년] ㉠해를 거듭함. ㉡해마다. 매년(每年).
[連弩 연노] 일시에 많은 화살을 쏠 수 있게 된 활. 쇠뇌.
[連帶 연대] ㉠서로 연결(連結)함. ㉡공동(共同)으로 책임(責任)을 짐.
[連絡 연락] 서로 잇닿음. 서로 관련(關聯)을 맺음.
[連連 연련] ㉠연하여 끊이지 아니하는 모양. ㉡조용한 모양.
[連累 연루] 남의 범죄(犯罪)에 연좌(連坐)함.

[連理枝㉠]

[連類 연류] 동류(同類). 동지.
[連理 연리] ㉠여러 가지 이치를 논(論)함. ㉡연리지(連理枝).
[連理枝 연리지] ㉠근간(根幹)이 다른 두 나무의 가지가 맞닿아 결이 서로 통한 것. ㉡서로 애정(愛情)이 깊은 부부(夫婦)의 관계. '비익연리(比翼連理)' 참조(參照).
[連甍 연맹] 기와가 잇닿음. 집이 즐비하게 많음.
[連盟 연맹] 동맹을 맺음. 또, 그 동맹.
[連綿 연면] 연면(連絲).
[連絲 연면] 잇닿아 끊이지 아니함.
[連名 연명] 두 사람 이상(以上)의 이름을 한 곳에

차례로 적음.
[連名狀 연명장] 연명한 서장(書狀). 연판장.
[連袂 연메] ㉠행동을 같이함. ㉡동서 간(同壻間).
[連發 연발] ㉠자꾸 일어남. 계속하여 발생함. ㉡계속해서 쏨.
[連放 연방] 연발(連發)㉡.
[連璧 연벽] ㉠한 쌍의 둥근 옥(玉). ㉡재학(才學)이 뛰어난 한 쌍의 벗.
[連峰 연봉] 죽 연(連)한 산봉우리.
[連比 연비] 줄지어 늘어섬. 죽 잇닿아 있음.
[連史紙 연사지] 푸젠(福建)·장시(江西) 양성(兩省)에서 생산되는 종이 이름. 본명은 연사(連四)인데, 연사(連泗)로 불리다가 연사(連史)로 와전됨. 대〔竹〕로 만들며 빛이 흼. 색과 질(質)이 변치 않아 널리 귀하게 쓰임.
[連山 연산] 죽 연(連)한 산(山).
[連署 연서] 연명(連名).
[連城璧 연성벽] 진(秦)나라 소왕(昭王)이 조(趙)나라 혜왕(惠王)에게 성(城) 열다섯과 바꾸자고 한 유명한 화씨벽(和氏璧). 전(轉)하여, 천하에 으뜸가는 둥근 옥(玉).
[連城寶 연성보] '연성벽(連城璧)'과 같음.
[連歲 연세] 연년(連年).
[連宵 연소] 연야(連夜).
[連續 연속] 끊이지 않고 죽 이음.
[連屬 연속] 연속(連續).
[連鎖 연쇄] ㉠쇠사슬. ㉡서로 잇대어 관련을 맺음.
[連帥 연수] 주대(周代)의 제도(制度)로서 십국(十國)을 연(連)이라 하고, 그 우두머리를 수(帥)라 함. 곧, 십국을 지배한 장관.
[連勝 연승] 연달아 이김.
[連夜 연야] 밤마다. 매야.
[連延 연연] 연하여 뻗침.
[連娟 연연] ㉠눈썹이 고부장하여 아름다운 모양. ㉡날씬하여 예쁜 모양.
[連伍之刑 연오지형] 같은 오(伍) 안에 범죄자가 생기면 그 오 안 사람도 걸려드는 형벌.
[連雲 연운] ㉠구름에 가 닿음. ㉡서로 잇닿아 있는 구름.
[連月 연월] ㉠달을 거듭함. ㉡달마다. 매달.
[連尹 연윤] 초(楚)나라의 활을 쏘는 일을 맡아보던 벼슬 이름.
[連引 연인] 관련이 있는 것을 끌어냄.
[連日 연일] 날마다. 매일.
[連作 연작] 해마다 같은 식물을 같은 토지에 재배함.
[連狀 연장] 연명장(連名狀).
[連載 연재] 긴 글을 끊어서 계속하여 실음.
[連戰 연전] 연달아 싸움.
[連錢馬 연전마] 털에 돈 모양의 반점(斑點)이 있는 말.
[連戰連勝 연전연승] 싸움할 때마다 연달아 이김.
[連接 연접] 서로 접(接)함.
[連坐 연좌] ㉠잇대어 죽 벌여 앉음. ㉡한 사람의 죄 때문에 다른 사람까지 범죄에 관련이 됨.
[連珠 연주] ㉠구슬을 꿤. 또, 그 구슬. ㉡한문(漢文)의 한 체. 사구(辭句)를 대비 연속(對比連續)하여 풍유(諷諭)를 주로 함.
[連珠瘡 연주창] 목에 힘줄과 살이 곰기어 좀처럼 낫지 아니하는 병(病). 나력창(瘰癧瘡).
[連中 연중] 연속(連續)하여 맞힘.
[連枝 연지] ㉠연접한 가지. ㉡형제자매(兄弟姉妹).
[連綴 연철] 죽 이음. 죽 연결함.
[連逮 연체] 연좌(連坐)되어 체포당함.
[連筒 연통] 대나무의 홈통.
[連判 연판] 연명하여 날인함.
[連敗 연패] 싸울 때마다 패(敗)함.
[連篇累牘 연편누독] 많은 문장(文章).
[連抱 연포] 여러 아름.
[連豐 연풍] 여러 해를 두고 계속해 드는 풍년(豐年).
[連合 연합] 두 가지 이상의 사물이 서로 합(合)함. 연합(聯合).
[連呼 연호] 연이어 부름.
[連婚 연혼] 혼인(婚姻)으로써 연결 관계(關係)가 생김.
[連和 연화] ㉠둘 이상의 독립한 것이 연합함. ㉡연합하여 화목함.
[連環 연환] 고리를 잇대어 꿴 쇠사슬.
[連環計 연환계] 간첩(間諜)을 놓아 적에게 헌책(獻策)을 시키고 자기는 그 동안에 승리를 얻는 계교.
[連衡 연횡] 연횡(連橫).
[連橫 연횡] 전국 시대(戰國時代)에 동서 제국(諸國)을 연합하여 진(秦)나라에 복종시키려 한 장의(張儀)의 정책(政策). 연횡(連衡).
[連凶 연흉] 흉년(凶年)이 계속함.
◉蹇連. 牽連. 結連. 貫連. 關連. 鉤連. 祁連. 莫連. 綿連. 嬋連. 蟬連. 藕斷絲連. 流連. 留連. 一連. 纏連. 錯連. 參連. 綴連. 下三連. 合連. 黃連.

7 ⑪ [逜] 오 ①[去]遇 五故切 wù ②㊤麌 阮古切 wǔ
[字解] ①깨우칠 오 깨움. '一, 寤也'《爾雅》. ②지날 오 '一, 過也'《集韻》.

7 ⑪ [⿺辶⿱日夊] 〔퇴〕 退(辵部 六畫〈p.2294〉)의 古字

7 ⑪ [⿺辶希] 흔 ㊤軫 許忍切 xǐn
[字解] 달릴 흔 달려감. '一, 迎一'《玉篇》.

8 ⑫ [逕] 〔경〕 輕(車部 七畫〈p.2267〉)의 古字

8 ⑫ [迸] 병 [去]敬 北諍切 bèng 迸
[字解] ①솟아나올 병 세차게 겉으로 나와 흐름. '一泉'. '淚橫一而霑衣'《潘岳》. ②흩어질 병, 달아날 병 흩어져 달아남. 궤주함. '一散'. '人庶流一'《後漢書》. 또, 흩어져 달아나게 함. '擊而一之'《五代史》. ③물리칠 병 屛(尸部 六畫)과 同字. '一諸四夷'《大學》.
[字源] 篆文 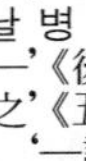 形聲. 辶(辵)+幷〔音〕. '幷병'은 나란히 늘어서다의 뜻. 나란히 서서 일제히 달리다의 뜻을 나타냄.
[參考] 迸(辵部 六畫)은 俗字.

[迸落 병락] 솟아 나와 떨어짐.
[迸沫 병말] 세차게 튀기는 비말(飛沫). 세차게 흩어지는 물방울.
[迸散 병산] 흩어짐.
[迸水 병수] 솟아 나오는 물.
[迸泉 병천] 솟아 나오는 샘.

[逬涕 병체] 자꾸 흘러나오는 눈물.
●流逬.

8
⑫ [逭] 환 ㊧翰 胡玩切 huàn

字解 달아날 환 도망함. '自作孽, 不可一'《書經》.

字源 篆文 형성. 辶(辵)+官〔音〕. '官관'은 '遠원'과 통하여 '멀어지다'의 뜻. 달아나서 멀어지다의 뜻을 나타냄.

8
⑫ [逮] 高人 ㊀태 ㊧隊 徒耐切 dài
㊁체 ㊧霽 特計切 dǎi, dì

字解 ㊀①미칠 태 ㊀이름. 닥쳐옴. '菑必一夫身'《大學》. ㊁따라감. 도달함. '恥躬之不一也'《論語》. ㊂때가 옴. 어느 때에 이름. '一淳熙之初, 元有朱熹之繼作'《葉采》. ②미치게할 태 이르게 함. '旅酬下爲上, 所以一賤也'《中庸》. ㊁①쫓을 체. 잡을 체 쫓아가 잡음. 추포(追捕)함. '一捕'. '一繫長安'《漢書》. ②단아할 체 단정한 모양. '威儀一一'《禮記》.

字源 篆文 형성. 辶(辵)+隶〔音〕. '隶대'는 '미치다'의 뜻. '辵착'을 덧붙여 뒤에서 길을 가 따라 미치다의 뜻을 분명히 함.

[逮繫 체계] 체포하여 옥에 가둠.
[逮坐 체좌] 체포하여 조사함.
[逮逮 체체] 단아한 모양. 단정한 모양.
[逮捕 체포] 죄인을 쫓아가서 잡음.
[逮夜 태야] ㊀밤이 됨. ㊁《佛敎》다비(茶毘)의 전날 밤. 또, 기일(忌日)의 전날 밤.
●及逮. 未逮. 訪逮. 心欲言口不逮. 連逮. 染逮. 容逮. 傳逮. 津逮. 追逮.

8
⑫ [週] 人名 주 ㊤尤 之由切 zhōu

筆順 丿 冂 月 冃 用 周 凋 週

字解 ①두를 주, 둘레 주 周(口部 五畫)와 동자. '一遊八極'《列仙傳》. ②일주 주 칠 일, 특히 칠요일(七曜日)을 '一一'라 함.

字源 형성. 辶(辵)+周〔音〕. '周주'는 두루 미치다의 뜻. 한 바퀴 돌다의 뜻을 나타냄.

[週刊 주간] 한 주일마다 하는 간행.
[週間 주간] 한 주일(週日) 동안. 이레 동안.
[週期 주기] ㊀한 바퀴를 도는 시기. ㊁일 회의 진동(振動) 시간. ㊂천체의 일 회의 공전(公轉) 시간.
[週年 주년] 돌이 되는 해. 주년(周年).
[週番 주번] 일주일마다 교대하는 근무. 또, 그 당번의 사람.
[週報 주보] 주간(週間)으로 발행하는 신문・잡지.
[週遊 주유] 두루 돌아다니며 놂. 곧, 주유(周遊).
[週日 주일] 한 주일(週日) 동안의 날. 이레.
[週初 주초] 한 주의 첫머리.
●隔週. 今週. 來週. 每週. 一週. 前週.

8
⑫ [進] 中人 진 ㊧震 卽刃切 jìn

筆順 丿 亻 亻 隹 隹 進 進

字解 ①나아갈 진 ㊀앞으로 나아감. '前一'. '趨

而一'《禮記》. ㊁벼슬살이함. 출사함. '仕一'. '君一, 則能益上之譽'《荀子》. ㊂선(善)으로 나아감. 차츰 좋은 데로 향하여 감. 나아감. '一步', '漸一也'《公羊傳》. ㊃임금을 뵈러 나아감. '毌或一'《禮記》. ②다가올 진 가까이 옴. 또, 다가오게 함. '引而一之'《禮記》. '古之君子, 一人以禮, 退人以禮'《禮記》. ③오를 진 ㊀위로 올라감. '三揖而一'《禮記》. ㊁지위 같은 것이 올라감. '一級'. ④올릴 진 ㊀끌어올림. 추천함. '一君子退小人'. '推賢而一達之'《禮記》. ㊁윗사람에게 올림. 드림. '一上'. '奉銅盤, 而一之楚王'《史記》. ㊂드릴 진 보탬. '一退之'《禮記》. ⑥힘쓸 진 노력함. '一德修業'《易經》. ⑦선물 진 선사. 贐(貝部 十四畫)과 통용. '蕭何爲主吏主一'《史記》. ⑧성 진 성(姓)의 하나.

字源 金文 篆文 회의. 辶(辵)+隹. '辵착'은 길을 가다의 뜻. '隹추'는 새를 본뜬 것. 새가 날아가는 모양에서 '나아가다'의 뜻을 나타냄.

[進甲 진갑] 환갑(還甲) 다음 해의 생일(生日). 곧, 62세 되는 해의 생일.
[進講 진강] 임금 앞에서 글을 강론(講論)함.
[進擊 진격] 진공(進攻).
[進攻 진공] 앞으로 나아가서 침.
[進軍 진군] 군대(軍隊)를 내보냄.
[進級 진급] ㊀학년(學年)이 올라감. ㊁등급(等級)이 올라감.
[進達 진달] ㊀천거하여 올림. ㊁서류 등을 위에 올림.
[進度 진도] 진행되는 정도.
[進旅 진려] ㊀전진하는 군대. ㊁함께 나아감.
[進路 진로] ㊀길을 감. ㊁나아가는 길.
[進物 진물] 선사하는 물품.
[進拔 진발] 인재(人材)를 선발하여 추천함.
[進發 진발] 출발함.
[進步 진보] ㊀발이 앞으로 나아감. ㊁차차 발달하여 나아감.
[進奉 진봉] 진헌(進獻).
[進士 진사] ㊀주대(周代)에 조사(造士)로서 선발되어 관(官)에 임명될 자격이 있는 사람. ㊁과거의 한 과목. 나중에는 과거에 급제하여 임관될 자격이 있는 사람. 우리나라에서는 소과(小科)의 초장(初場)의 시부(詩賦)에 합격한 사람을 이름. ㊂선비를 천거함.
[進仕 진사] 출사(出仕)함.
[進上 진상] 바침. 드림.
[進善之旌 진선지정] 요(堯)임금 때 기(旌)를 네 거리에 세우고 진언(進言)하고자 하는 사람을 그 밑에 서게 한 고사(故事).
[進水式 진수식] 새로 만든 함선(艦船)을 처음으로 물에 띄우는 의식.
[進食 진식] 입맛이 나서 식욕(食慾)이 더하여짐.
[進御 진어] ㊀천거하여 씀. ㊁임금의 침석(枕席)에 모심.
[進言 진언] 의견을 아룀. 또, 그 의견.
[進銳退速 진예퇴속] 나아감에 날카롭고, 물러섬에 빠르다는 뜻으로, '진퇴(進退)가 민첩함'을 이름.
[進用 진용] ㊀천거하여 등용(登用)함. ㊁소중하게 쓰이는 재물.
[進入 진입] 나아가 들어감.
[進呈 진정] 남에게 물건을 드림.

[進奏吏 진주리] 진주원(進奏院)의 속리(屬吏).
[進奏院 진주원] 송(宋)나라 때 관청(官廳)의 하나. 급사중(給事中)에 딸리어 조칙(詔勅) 및 제관성(諸官省)의 부첩(符牒) 등을 진국에 반포(頒布)하며, 또 천하의 장주(章奏) 등을 주진(奏進)하는 일을 맡음.
[進止 진지] ㉠나아감과 머무름. 움직임과 움직이지 아니함. ㉡기거동작. 행동. ㉢지휘(指揮).
[進暢 진창] 사물이 차차로 발달함.
[進陟 진척] ㉠벼슬 지위를 올림. ㉡일이 진행되어 나아감.
[進寸退尺 진촌퇴척] 얻는 것은 적고 잃는 것은 많음의 비유. 촌진척퇴(寸進尺退).
[進出 진출] 앞으로 나아감.
[進取 진취] 적극적으로 나아가 일을 함.
[進就 진취] 차차 일을 이루어 나아감.
[進退 진퇴] ㉠나아감과 물러감. ㉡벼슬을 함과 벼슬을 물러남. 거취(去就). ㉢행동거지.
[進退兩難 진퇴양난] 나아가지도 못하고 물러가지도 못함. 곧, 이러지도 저러지도 못하는 난처한 입장에 섬.
[進退韻 진퇴운] 시(詩)의 작법(作法)에서 한 작품 속에 운(韻) 둘을 가지고 짓는 일.
[進退維谷 진퇴유곡] 나아갈 수도 없고 물러갈 수도 없음. 곧, 어찌할 수 없는 궁지에 빠져 할 바를 모름.
[進逼 진핍] 나아가 핍박함.
[進學 진학] ㉠학문에 나아감. 곧, 공부함. ㉡상급(上級) 학교에 들어감.
[進航 진항] 물 위에 배를 띄워 나아감.
[進行 진행] ㉠앞을 향(向)하여 나아감. ㉡일이 되어 감.
[進獻 진헌] 드림. 바침.
[進見 진현] 나아가 뵘.
[進賢 진현] ㉠어진 이를 천거함. ㉡'진현관(進賢冠)'의 준말.
[進賢冠 진현관] 한대(漢代)에 문관(文官) 또는 유자(儒者)가 쓰던 관.

[進賢冠]

[進化 진화] ㉠사물이 발달함에 따라 점차로 변화함. ㉡생물이 세대(世代)를 바꿔 가는 동안에 외계의 영향과 내부의 발전에 의하여 본시 같은 생물이었던 것이 하등에서 고등으로 진전하면서 점차 상호의 상태를 달리함에 이르는 현상.
[進化論 진화론] 생물은 본시 동류(同類)의 조상에서 점차로 진화했다는 학설(學說).
◉強進. 改進. 輕進. 競進. 鼓進. 供進. 勸進. 急進. 累進. 頓進. 突進. 妄進. 邁進. 驀進. 盲進. 猛進. 冒進. 博進. 拔進. 背進. 竝進. 奮進. 仕進. 先進. 升進. 昇進. 陞進. 新進. 躍進. 盈科後進. 盈進. 榮進. 往進. 勇進. 月進. 誘進. 翼進. 引進. 日進. 長進. 獎進. 爭進. 前進. 轉進. 漸進. 挺進. 精進. 躁進. 增進. 疾進. 尺進. 薦進. 遞進. 促進. 寸進. 寵進. 抽進. 推進. 趨進. 逐進. 擢進. 特進. 行進. 懸進. 後進. 彙進.

8 ⑫ [遝] 답 ㊀合 達合切 tá
字解 ①가는모양 답 '一, 一一, 行貌'《字彙》. ②遝(辵部 十畫)의 俗字. '一, 俗遝字'《正字通》.

8 ⑫ [逴] 탁(착㊍) ㊀覺 敕角切 chuō ㊀藥 丑略切
字解 ①멀 탁 요원함. '一行殊遠'《史記》. ②넘을 탁 초월함. 초과함. '一躒諸夏'《班固》.
字源 篆文 形聲. 辶(辵)+卓〔音〕. '卓탁'은 높이 빼어나다의 뜻. 높게 뛰어 넘어가다의 뜻을 나타냄. 일반적으로 '멀다'의 뜻을 나타냄.

[逴躒 탁락] 뛰어남. 탁월함.
[逴逴 탁탁] 먼 모양. 아득한 모양.
[逴行 탁행] 먼 데를 감. 원행함.
◉郭逴. 卓逴.

8 ⑫ [逵] 人名 규 ㊉支 渠追切 kuí
筆順 一 十 土 夫 ⺷ 坴 逵 逵
字解 ①한길 규 아홉 군데로 통하는 길. 대로(大路). '九一'. '康一'. '入及大一'《左傳》. ②성 규 성(姓)의 하나.
字源 馗의 別體 會意. 辶(辵)+坴. '坴륙'은 죽 이어져 난 버섯의 뜻. 죽 이어져서 나는 버섯처럼 아홉 방향으로 통하는 길의 뜻을 나타냄.

[逵路 규로] 아홉 군데로 통(通)한 길. 큰길. 구달도(九達道).
◉康逵. 九逵. 大逵. 通逵.

8 ⑫ [遃] ■ 간 ㊉刪 丘閑切 ■ 건 ㊉先 丘虔切 qiān
字解 ■ 지날 간 '一, 過也'《說文》. ■ 허물 건 '愆, 說文, 過也. 亦作一'《集韻》.
字源 形聲. 辶(辵)+侃〔音〕

8 ⑫ [逶] 위 ㊉支 於爲切 wēi
字解 구불구불갈 위 사행(蛇行)하는 모양. '一迤而北'《史記》.
字源 篆文 形聲. 辶(辵)+委〔音〕. '委위'는 부드럽게 늘어져서 굽다의 뜻. 구불구불 구부러져서 비스듬히 나아가는 모양.

[逶迂 위우] 비스듬하게 꼬부라짐.
[逶池 위이] 위이(逶迤).
[逶迤 위이] 구불구불 가는 모양. 위이(委蛇). 위이(逶池).
[逶蛇 위이] 위이(逶迤).
[逶移 위이] 위이(逶迤).

8 ⑫ [逸] 高人 일 ㊀質 夷質切 yì
筆順 ノ ク 仒 㑒 免 免 逸 逸
字解 ①잃을 일 망실함. '亡一'. '一詩'. '多闕載, 多一文'《皇甫湜》. ②달릴 일, 달아날 일 질주함. 또, 도망함. '奔一'. '一逃'. '馬一不能止'《左傳》. ③즐길 일 안락하게 지냄. '安一'. '君一於上, 臣勞於下'《王禹偁》. ④편안 일 안락. '以一待勞'. '欲一而惡勞'《呂氏春秋》. ⑤놓을 일 놓아줌. 석방함. '乃一楚囚'《左傳》. ⑥

뛰어날 일 우수함. '一品'. '言行超一'《南史》. ⑦숨을 일 은거함. '擧一民'《論語》. ⑧은사 일 은거하는 어진 사람. 은군자. '搜賢採一'《北史》. ⑨그르칠 일 잘못함. '天吏一德'《書經》. ⑩음탕할 일 음란함. '耳不樂一聲'《國語》. ⑪빠를 일 신속함. '良駿一足'《傳毅》. ⑫격할 일 격앙함. '氣雄而一'《高適》.

[字源] 金文  篆文  會意. 篆文은 辶(辵)+兔. '兔토'는 '토끼'의 뜻. 토끼가 달아나다의 뜻에서, '달리다, 벗어나다'의 뜻을 나타냄. 또 파생하여 멋대로 방자하게 굴다의 뜻도 나타냄.

[逸去 일거] 달아남. 도망함.
[逸居 일거] 안일(安逸)하게 지냄.
[逸景 일경] 지나가는 햇빛이라는 뜻으로, '빠른 세월'을 이르는 말.
[逸口 일구] 지나친 말. 실언(失言).
[逸群 일군] 발군(拔群)함.
[逸氣 일기] ㉠뛰어난 기상(氣象). ㉡세속에서 벗어난 기상.
[逸驥 일기] 걸음이 빠른 준마(駿馬).
[逸德 일덕] 잘못된 행위. 실덕(失德).
[逸樂 일락] 편안(便安)히 놀기를 즐김. 안락하게 지냄.
[逸文 일문] ㉠뛰어난 문장. ㉡세상에 전하여지지 않은 글.
[逸民 일민] 속세를 버리고 은거하는 사람.
[逸史 일사] 정사(正史)에 기록되지 아니한 사실을 기록한 역사.
[逸事 일사] 세상에 전하여지지 않은 사건.
[逸書 일서] ㉠지금의 서경(書經)에 누락된 글. ㉡세상에 전하지 아니하는 책.
[逸聲 일성] 음란한 음악. 음탕한 악곡(樂曲).
[逸詩 일시] ㉠시경(詩經)에 누락된 시. ㉡세상에 전하여지지 않은 시.
[逸言 일언] 일구(逸口).
[逸豫 일예] 일락(逸樂).
[逸羽 일우] 빨리 나는 새.
[逸遊 일유] 즐겨 놂. 실컷 놂.
[逸隱 일은] 세상을 피해 숨음. 또, 그 사람.
[逸逸 일일] 질서정연히 왕래하는 모양.
[逸才 일재] 뛰어난 재주. 또, 그 사람.
[逸材 일재] 일재(逸才).
[逸情 일정] 세속(世俗)을 떠난 마음.
[逸藻 일조] 뛰어난 글재주 또는 시가(詩歌).
[逸足 일족] 걸음이 대단히 빠름. 또, 그 말.
[逸周書 일주서] 책 이름. 10권. 원이름은 주서(周書). 급총주서(汲冢周書)라고도 함. 진(晉)나라 태강(太康) 2년 급군(汲郡)에 사는 사람이 위(魏)나라 안리왕(安釐王)의 고총(古冢)에서 발굴(發掘)한 책. 주대(周代) 제왕(諸王)의 정벌(征伐)에 관한 언행(言行)을 적은 책.
[逸志 일지] ㉠높이 뛰어난 뜻. ㉡세속을 초월한 뜻.
[逸出 일출] ㉠피하여 빠져나옴. ㉡일반보다 뛰어남.
[逸致 일치] 뛰어난 아치(雅致).
[逸宕 일탕] 시원시원하고 작은 일에 구애를 안 받음.
[逸蕩 일탕] 방탕함.
[逸態 일태] 뛰어난 자태.
[逸品 일품] 썩 뛰어난 물품.
[逸話 일화] 세상에 널리 알려지지 아니한 이야기.
[逸荒 일황] 주색(酒色)에 빠져 질탕히 놂.
[逸興 일흥] 세속(世俗)을 떠난 뛰어난 흥취.

◉暇逸. 驚逸. 古逸. 高逸. 狂逸. 矜逸. 奇逸. 樂逸. 勞逸. 逃逸. 遁逸. 遯逸. 亡逸. 無逸. 槃逸. 放逸. 富逸. 奔逸. 焚逸. 邪逸. 散逸. 爽逸. 贍逸. 秀逸. 迅逸. 安逸. 麗逸. 豔逸. 傲逸. 龍蟠鳳逸. 優逸. 越逸. 游逸. 隱逸. 淫逸. 一勞永逸. 恣逸. 縱逸. 遒逸. 竹溪六逸. 俊逸. 儁逸. 駿逸. 天逸. 淸逸. 超逸. 卓逸. 蕩逸. 捕逸. 飄逸. 閒逸. 橫逸.

8 ⑫ **[逯]** 록 ㊀沃 力玉切 lù 逯

[字解] ①하는일없을 록 아무 하는 일이 없는 모양. '渾然而往, 一然而來'《淮南子》. ②성 록 성(姓)의 하나.

[字源] 篆文  形聲. 辶(辵)+彔〔音〕. '彔록'은 한 칼 한 칼 나무를 새기는 모양. 한 걸음 한 걸음 신중히 가다의 뜻을 나타냄.

8 ⑫ **[逿]** 적 ㊀錫 他歷切 tì

[字解] 멀 적 逖(辵部 七畫)의 古字. '用一蠻方'《詩經》.

[字源] 逖의 古文  形聲. 辶(辵)+易〔音〕. '易역'은 '埸역'과 통하여 '변경'의 뜻.

[參考] 逿(辵部 九畫)은 別字.

8 ⑫ **[逪]** 착 ㊀藥 倉各切 cuò

[字解] ①섞일 착 뒤섞임. ②어지러울 착 '一, 亂也'《玉篇》. ③등질 착 '一, 偕也'《廣雅》.

[字源] 形聲. 辶(辵)+昔〔音〕

8 ⑫ **[逫]** [一] 결 ㊀屑 吉穴切 jué [二] 출 ㊀質 竹律切 zhú

[字解] [一] 멀 결 '一, 遠也'《玉篇》. [二] 달릴 출 달리는 모양. 또, 달려서 감. '一, 走皃'《廣韻》.

[字源] 形聲. 辶(辵)+叕〔音〕

8 ⑫ **[逳]** 아 ㊀禡 衣駕切 yà

[字解] ①차례로갈 아 '一, 次第行也'《集韻》. ②버금 아 亞(二部 六畫)와 同字. '一, 次也, 或作亞'《玉篇》.

8 ⑫ **[迬]** 〔왕〕 往(彳部 五畫〈p.737〉)의 古字

8 ⑫ **[逰]** 〔유〕 遊(辵部 九畫〈p.2309〉)의 俗字

8 ⑫ **[逺]** 〔원〕 遠(辵部 十畫〈p.2317〉)의 俗字

8 ⑫ **[遣]** 〔견〕 遣(辵部 十畫〈p.2318〉)의 俗字

8 ⑫ **[過]** 〔과〕 過(辵部 九畫〈p.2311〉)의 俗字

8 ⑫ **[逵]** 〔귀〕
歸(止部 十四畫〈p. 1144〉)와 同字

8 ⑫ **[遙]** 〔도〕
逃(辵部 六畫〈p. 2296〉)의 俗字

9 ⑬ **[逼]** [人名] 핍(벽[本]) [入]職 彼側切 bī

[字解] ①닥칠 핍 가까이 다다름. '勢危事—'《梁武帝》. ②가까이할 핍 가까이 감. '不敢—'《南史》. ③핍박할 핍 ㉠침노함. '漸相攻—'《後漢書》. ㉡억지로 시키려고 괴롭게 굶. '自誓不嫁, 其家—之'《古詩》. ④쪼그라들 핍 위축함. '蹙畏—以潛身兮'《阮籍》. ⑤몰 핍 구축함. '不得輒有驅—'《隋書》. ⑥좁을 핍, 좁아질 핍 협착함. '岸狹勢—'《山川攷》.

[字源] 篆文 形聲. 辶(辵)＋畐〔音〕. '迫박'과 거의 같은 뜻으로 '닥치다'의 뜻을 나타냄.

[逼隣 핍린] 가까운 이웃.
[逼迫 핍박] ㉠닥쳐옴. 절박함. ㉡억지로 청함. 또, 억지로 하게 함.
[逼扶 핍부] 가까이 가서 도움.
[逼塞 핍색] 꽉 막힘.
[逼眞 핍진] 실물(實物)과 흡사함.
[逼奪 핍탈] ㉠임금을 침범하여 그 지위를 빼앗음. ㉡협박하여 빼앗음.
◉攻逼. 驅逼. 內逼. 畏逼. 危逼. 進逼. 脅逼.

9 ⑬ **[逾]** [人名] 유 [平]虞 羊朱切 yú

[字解] ①넘을 유, 지날 유 ㉠넘어감. 건너감. '—于洛'《書經》. ㉡한도를 넘음. '—越'. ㉢지나감. 경과함. '日月—邁'《書經》. ②더욱 유 한층 더. '亂乃—甚'《淮南子》.

[字源] 篆文 形聲. 辶(辵)＋兪〔音〕. '兪유'는 빠져나가다의 뜻. 어떤 범위에서 빠져나가다의 뜻에서 '넘다'의 뜻을 나타냄.

[逾邁 유매] 지나감. 경과함.
[逾月 유월] 달을 넘김. 그달이 지남.
[逾越 유월] 어떠한 한도를 넘음.
[逾日 유일] 날을 넘김. 그날이 지남.

9 ⑬ **[逿]** [一] 탕 [去]漾 徒浪切 dàng
[二] 당 [平]陽 徒郎切 táng

[字解] [一] ①넘어질 탕 쓰러짐. '陽醉—地'《漢書》. ②움직일 탕 동요하게 함. '重陽者—心主'《史記》. [二] 찌를 당 충돌함. '藐以迭—'《張衡》.

[字源] 形聲. 辶(辵)＋易〔音〕

[參考] 逷(辵部 八畫)은 別字.

◉迭逿.

9 ⑬ **[遁]** [人名] [一] 둔 [去]願 徒困切 dùn
(돈[本]) [上]阮 徒損切
[二] 준 [平]眞 七倫切 qūn

[筆順] 一 厂 厂 斤 盾 盾 遁 遁

[字解] [一] ①달아날 둔 도망함. '—逃'. '曳柴而僞—'《左傳》. ②숨을 둔 ㉠도피하여 숨음. '冉—身于梁沛之間, 徒行敝衣, 賣卜于市'《後漢書 范沛傳》. ㉡속세를 피하여 삶. '隱—'. '—世不見知而不悔'《中庸》. ③피할 둔 몸을 피함. 또는 책임을 회피함. '—辭'. '上下相—'《後漢書》. [二] 뒷걸음질칠 준 逡(辵部 七畫)과 同字. '—巡而不敢進'《賈誼》.

[字源] 篆文 形聲. 辶(辵)＋盾〔音〕. '盾순'은 몸을 숨기는 방패의 뜻. 숨어 달아나다의 뜻을 나타냄.

[遁甲 둔갑] 남의 눈을 현혹하게 하여 자기 몸을 감추는 술법(術法).
[遁甲藏身 둔갑장신] 둔갑(遁甲)의 술법(術法)을 써서 몸을 감춤.
[遁逃 둔도] 피하여 달아남. 달아나 숨음.
[遁北 둔배] 도망함.
[遁兵 둔병] 달아나는 군사.
[遁思 둔사] 은둔하고자 하는 생각.
[遁辭 둔사] 빠져나가려고 꾸며 대는 말.
[遁世 둔세] ㉠세상을 피하여 숨음. 둔세(遯世). ㉡불문(佛門)에 들어감.
[遁迹 둔적] 종적(蹤迹)을 감춤.
[遁走 둔주] 도망(逃亡)함.
[遁天之刑 둔천지형] 천리(天理)를 어겨 받는 형벌(刑罰).
[遁避 둔피] 도망하여 피함.
[遁化 둔화] 도사(道士)의 죽음.
[遁巡 준순] 뒷걸음질 침. 망설이고 나가지 아니함.
◉驚遁. 逃遁. 駭遁. 鼠遁. 懾遁. 隱遁. 逡遁. 逐遁. 敗遁. 逋遁.

9 ⑬ **[遂]** [高人] 수 [去]寘 徐醉切 suì

[筆順] 八 亼 兮 豸 豸 豙 㒸 遂

[字解] ①이룰 수 ㉠성취함. '功成名—'. '百事乃—'《禮記》. ㉡자람. 성장함. 또, 천명대로 삶. '痛萬姓之罹罪, 憂衆生之不—也'《說苑》. ㉢끝냄. 마침. '吾聞, 先生事魏不—'《漢書》. ②나갈 수 전진함. '不能退, 不能—'《易經》. ③올릴 수 끌어올림. 등용함. '顯忠—良'《書經》. ④따를 수 순응함. '以—八風'《國語》. ⑤오로지할 수 전단(專斷)하여 행함. '大夫無—事'《公羊傳》. ⑥망설일 수 주저함. 머뭇거림. '小事殆乎—'《荀子》. ⑦드디어 수 마침내. 그 결과로서. '侵蔡, 蔡潰. —伐楚'《春秋》. ⑧도랑 수 밭 사이의 작은 수로(水路). '夫閒有—, —上有徑'《周禮》. ⑨행정구획이름 수 주대(周代)의 행정 구획의 하나. 왕성(王城)으로부터 1리에서 3백 리까지의 사이의 땅. 먼 교외(郊外)의 땅. '六鄕六—'. '五縣爲—'《周禮》. ⑩성 수 성(姓)의 하나.

[字源] 金文 篆文 形聲. 辶(辵)＋㒸〔音〕. '㒸수'는 '따르다'의 뜻. 일정한 길을 따라 일이 진행되어 '성취하다'의 뜻을 나타냄. 金文에서는 '述술'과 동일한 글자임.

[遂古 수고] 상고(上古).
[遂非 수비] 나쁜 줄 알면서도 하고 맒.
[遂事 수사] 이미 이룬 일.
[遂遂 수수] ㉠따라가는 모양. 수행하는 모양. ㉡성(盛)한 모양.
[遂長 수장] 자람. 생장함.

[遂初 수초] 벼슬살이를 그만두고 야인 (野人)으로 돌아가고자 하는 숙망 (宿望)을 이룸.
[遂行 수행] 해냄.
●甘遂. 功成名遂. 功成事遂. 郊遂. 旣遂. 陶遂. 茂遂. 未遂. 生遂. 成遂. 玉遂. 完遂. 容遂. 六遂. 已遂. 豐遂. 鄕遂.

9 ⑬ [遄] 천 ㉻先 市緣切 chuán
[字解] 빠를 천 내왕 (來往)이 잦고 빠른 모양. ‘一臻于衞’《詩經》.
[字源] 金文 篆文 형성. 辶(辵)＋耑〔音〕. ‘耑단·전’은 ‘端단’과 통하여 ‘곧다’의 뜻. 들르지 않고 곧장 가다의 뜻에서 ‘빠르다’의 뜻을 나타냄.

9 ⑬ [遇] 中入 우 ㉻遇 牛具切 yù
[筆順] 丨 冂 曰 月 禺 禺 湡 遇
[字解] ①만날 우 ㉠길에서 만남. ‘宋公衞公一于垂’《春秋》. ㉡우연히 만남. ‘遊於匡山, 一處士張孝秀’《南史》. ㉢일을 만남. ‘今又一難於此’《史記》. ㉣때를 만남. 등용됨. ‘無所一’《史記》. ㉤…을 당함. ‘一奪釜鬲於塗’《史記》. ‘躍躍毚兔, 一犬獲之’《詩經》. ②대접할 우 접대함. ‘待一厚’. ‘一我厚’《漢書》. ③때 우 기회. 계제. ‘千載一一, 賢智之嘉會’《袁宏》. ④마침 우 그 경우에 걸맞게. ‘一有以夢得事白上者’《韓愈》. ⑤뜻밖에 우 우연치. ‘一見豐彊’《李義山雜纂》. ⑥조현 우 제후가 겨울에 천자 (天子)에게 하는 알현 (謁見). ‘冬見曰一’《周禮》. ⑦성 우 성 (姓)의 하나.
[字源] 金文 篆 형성. 辶(辵)＋禺〔音〕. ‘辵착’은 길을 가다의 뜻. ‘禺우’는 원숭이와 비슷한 나무늘보 종류의 象形으로, 아무 뜻 없이 하다의 뜻. 뜻하지 않게 만나다의 뜻을 나타냄.

[遇待 우대] 대접함.
[遇合 우합] 어진 임금을 만나 쓰임. 군신 (君臣)의 조우 (遭遇).
[遇害 우해] 살해 (殺害)를 당 (當)함. 피살됨.
●感遇. 客遇. 敬遇. 境遇. 顧遇. 遘遇. 眷遇. 詭遇. 奇遇. 冷遇. 待遇. 薄遇. 逢遇. 不遇. 賞遇. 善遇. 殊遇. 崇遇. 逆遇. 禮遇. 優遇. 隆遇. 恩遇. 接遇. 際遇. 遭遇. 知遇. 千載一遇. 寵遇. 値遇. 親遇. 會遇. 厚遇.

9 ⑬ [遊] 中入 유 ㉻尤 以周切 yóu
[筆順] 亠 方 方 扩 扩 游 游 遊
[字解] ①놀 유 ㉠즐겁게 지냄. ‘逸一’. ‘一樂’. ‘盤一無度’《書經》. ㉡일없이 세월을 보냄. ‘一民’. ‘息焉一焉’《禮記》. ㉢자적 (自適)하고 있음. ‘一乎塵垢之外’《莊子》. ㉣벼슬을 하지 아니함. ‘國子存一倅’《禮記》. ㉤흩어짐. 소속한 데가 없음. ‘一軍’. ‘一魂爲變’《易經》. ㉥취학함. 배움. ‘一學’. ‘一於聖人之門’《孟子》. ㉦사귐. ‘交一’. ‘與君子一’《大戴禮》. ㉧박으로 나감. ‘出一’. ‘夜一’. ㉨여행함. 나그네가 됨. ‘客一’. ‘王資臣萬金而一’《戰國策》. ②놀게할

유 전항의 타동사. ‘所以一目騁懷’《王羲之》. ③놀이 유 ‘爲周道一’《史記》. ④벗 유 사귀는 사람. ‘交一稱其信也’《禮記》. ⑤여행 유 ‘奔奔千里一’《謝靈運》. ⑥틈 유 한산 (閑散). ‘貴一子弟’《周禮》. ⑦유세 (遊說)할 유 여러 곳에 돌아다니면서 자기 뜻을 말하는 일. ‘子好一乎’《孟子》.
[字源] 辶(辵)＋㪔〔音〕. ‘游유’의 俗字.

[遊客 유객] 하는 일 없이 노는 사람.
[遊擊 유격] 임기응변 (臨機應變)으로 적 (敵)을 공격 (攻擊)함.
[遊棍 유곤] 노름꾼. 부랑자.
[遊廓 유곽] 창기 (娼妓)가 모여 있는 일정 (一定)한 구역 (區域).
[遊官 유관] 원지 (遠地)에 가서 벼슬살이함. 또, 그 사람.
[遊觀 유관] ㉠유람 (遊覽). ㉡놀기 위하여 세운 망루 (望樓).
[遊軍 유군] 유병 (遊兵).
[遊𨂂 유궐] 보충 (補充)한 유병 (遊兵).
[遊屐 유극] 놀러 다니는 데 신는 나막신이라는 뜻으로, 놀러 다닌 족적 (足跡)을 이름.
[遊氣 유기] ㉠공중에 떠다니는 운기 (雲氣). ㉡얼마 남지 아니한 기식 (氣息). 여천 (餘喘).
[遊女 유녀] 노는계집.
[遊年 유년] 음양가 (陰陽家)가 팔괘 (八卦)를 배당 (配當)하여 사람의 나이에 의하여 꺼리는 방위 (方位)를 이름.
[遊談 유담] ㉠유세 (遊說). ㉡심심풀이로 하는 쓸데없는 말.
[遊道 유도] 교유 (交遊). 교제 (交際).
[遊樂 유락] 놀며 즐김. 즐겁게 놂.
[遊覽 유람] 돌아다니며 구경함. 즐거이 놀며 구경함.
[遊歷 유력] 여러 곳으로 놀러 돌아다님.
[遊獵 유렵] 재미로 하는 사냥.
[遊離 유리] ㉠떨어져 헤어짐. ㉡어떠한 단체 (單體)가 다른 것과 화합 (化合)하지 아니함.
[遊牧 유목] 목축 (牧畜)을 업 (業)으로 삼고 수초 (水草)를 따라 주거 (住居)를 옮김.
[遊民 유민] 일정한 직업이 없이 놀고 사는 백성.
[遊方僧 유방승] 사방으로 운유 (雲遊)하는 중. 행각승 (行脚僧).
[遊兵 유병] 유격전 (遊擊戰)에 종사하는 군대.
[遊步 유보] ㉠산책 (散策)함. ㉡닦아 배움.
[遊絲 유사] 아지랑이.
[遊辭 유사] 진실하지 아니한 말. 쓸데없는 말.
[遊辭費句 유사비구] 쓸데없는 어구 (語句).
[遊山 유산] 산 (山)에 노닒. 산놀이.
[遊船 유선] 뱃놀이. 또, 놀잇배.
[遊仙窟 유선굴] 당 (唐)나라 장문성 (張文成)이 지은 소설. 모두 5권. 문성 (文成)이 명령을 받들어 하원 (河源)으로 가는 도중, 신선이 사는 굴에 들어 십낭 (十娘)·오수 (五嫂)의 두 선녀로부터 환대 (歡待)를 받은 염사 (艶事)를 그린 소설.
[遊仙枕 유선침] 베고 자면 선경 (仙境)에 가서 노는 꿈을 꾼다는 베개.
[遊涉 유섭] 놀러 다님.
[遊星 유성] 태양의 주위를 주기적 (週期的)으로 운행하는 별.
[遊說 유세] 각처 (各處)로 돌아다니며 자기의 의견 (意見)을 두루 퍼뜨림.

[遊手 유수] 일을 하지 아니하고 놀고 지내는 사
[遊僧 유승] 행각(行脚)하는 중.   람.
[遊食 유식] 놀고먹음. 무위도식함.
[遊息 유식] 편안히 쉼.
[遊冶郎 유야랑] 방탕을 일삼는 화류남(花柳男).
　탕아(蕩兒).
[遊衍 유연] 실컷 놂.
[遊宴 유연] 잔치를 차리고 재미있게 놂.
[遊燕 유연] 유연(遊宴).
[遊預 유예] 유예(遊豫).
[遊豫 유예] ㉠천자(天子)의 놀이. ㉡즐겁게 놂.
　놀며 즐김.
[遊藝 유예] 예술에 취미를 붙여 즐김.
[遊敖 유오] 놂. 놀며 즐김.
[遊雲驚龍 유운경룡] 노는 구름과 놀란 용. 교묘
　한 초서(草書)의 형용.
[遊園地 유원지] 유람(遊覽)·오락(娛樂)을 위하여
　여러 가지 시설을 해 놓은 곳.   음.
[遊意 유의] ㉠마음을 기울임. ㉡놀고자 하는 마
[遊衣遊食 유의유식] 아무 하는 일이 없이 놀면서
　입고 먹음.
[遊弋 유익] ㉠유렵(遊獵). ㉡군함이 해상(海上)
　에서 배회함.
[遊刃有餘地 유인유여지] 고기를 저미는 칼을 자
　유자재로 놀린다는 뜻으로, 일을 처리하는 데
　여유가 있는 비유.
[遊逸 유일] 즐겁게 놂.
[遊子 유자] 나그네.
[遊畋 유전] 유렵(遊獵).
[遊兆 유조] 천간(天干) 병(丙)의 별칭.
[遊卒 유졸] 제후(諸侯)·경대부(卿大夫)·사(士)
　의 서자(庶子)로서 아버지의 일을 도와 이에 종
　사하는 사람. 유(遊)는 아직 벼슬하지 않은 사
　람, 졸(卒)은 쉬(倅).
[遊就 유취] 나아가 가르침을 청함. 교제하면서 배
　우는 것을 뜻함.
[遊惰 유타] 놀기만 하고 게으름.
[遊蕩 유탕] 방탕함.
[遊必有方 유필유방] 부모가 살아 있는 동안에는
　유학(遊學)을 하게 되더라도 멀리 가지 말고 반
　드시 일정한 곳을 정하여 머물러야 한다는 뜻.
[遊學 유학] 타향(他鄕)에 가서 공부함.
[遊閒公子 유한공자] 한가하여 유흥(遊興)에 팔
　린 부귀한 집 자제.
[遊行 유행] 놀러 다님.
[遊幸 유행] 천자의 놀러 가는 행차.
[遊俠 유협] 협기(俠氣). 협객(俠客).
[遊魂 유혼] ㉠육체에서 떠난 영혼. ㉡정신을 기
　울임.
[遊興 유흥] 주연 같은 것을 베풀고 재미있게 놂.
[遊戲 유희] ㉠장난을 하며 즐겁게 놂. ㉡일정한
　방법에 의하여 하는 아동의 운동.
[遊戲三昧 유희삼매] 《佛敎》㉠중생을 구제하는
　데 전심함. ㉡예술 같은 것이 극진한 경지에 이
　름을 이름.
　●客遊. 官遊. 觀遊. 交遊. 舊遊. 群遊. 貴遊.
　浪遊. 來遊. 同遊. 慢遊. 漫遊. 末遊. 盤遊.
　秉燭遊. 父母在不遠遊. 浮遊. 貧遊. 賓遊. 山
　遊. 西遊. 仙遊. 遡遊. 水遊. 巡遊. 雅遊. 冶
　遊. 夜遊. 野遊. 歷遊. 宴遊. 燕遊. 放遊. 邀
　遊. 臥遊. 周遊. 曾遊. 天遊. 淸遊. 春遊. 出遊.
　快遊. 惰遊. 行遊. 豪遊. 扈遊. 宦遊. 歡遊.

回遊. 嬉遊.

9 ⑬ [運] 中 人 운 ㊀問 王問切 yùn　运 辶

筆順 ′ ⼀ ⼞ 冟 軍 運 運

字解 ①돌 운 회전함. '一行'. '日月一行'《易
經》. ②돌릴 운 회전시킴. '一轉' '君子欠伸
筿'《禮記》. ③움직일 운 ㉠위치가 변함. '海一
則將徙南溟'《莊子》. ㉡부리어 씀. '一筆' '一
用'. ④궁리할 운 궁구함. '一籌策帷幄之中'《史
記》. ⑤옮길 운 운반함. '一輸' '一百覺於齋外'
《十八史略》. ⑥운 운 운수. '一命' '世一'. '漢
承堯一'《史記》. ⑦세로 운 토지의 남북을 이름.
동서는 '廣'이라 함. '廣一百里'《國語》. ⑧십
이대(十二代) 운 360년의 일컬음. ⑨성 운 성
(姓)의 하나.
字源 篆文 形聲. 辶(辵)+軍[音]. '軍군'은 전차(戰
車)를 빙 둘러 배치하다의 뜻. 걸어
돌아다니다의 뜻을 나타냄.

[運柩 운구] 관(棺)을 운반함.
[運斤成風 운근성풍] 도끼를 휘둘러 바람을 일으
　키어 무엇을 깎아 낸다는 뜻으로, 재주가 훌륭
　한 공장(工匠)의 솜씨의 형용.
[運氣 운기] 운명(運命).
[運到時來 운도시래] 운수가 닿아서 때가 옴.
[運動 운동] ㉠움직임. ㉡위생을 위하여 몸을 놀
　려 움직임. ㉢어떤 일의 달성(達成)을 위하여
　돌아다니며 도모(圖謀)함. ㉣물체의 위치의 변
　화.
[運命 운명] 사람에게 닥쳐오는, 인력으로는 어찌
　할 수 없는 길흉화복.
[運命論 운명론] 세상의 치란(治亂), 인생의 길흉
　화복 등이 모두 자연의 운수에 의하여 미리 정
　하여져 있다는 설(說). 숙명론(宿命論).
[運搬 운반] 물건(物件) 또는 사람을 옮겨 나름.
[運甓 운벽] 체력을 강하게 하기 위해 진(晉)나라
　도간(陶侃)이 아침마다 벽돌을 운반한 고사(故
　事).
[運算 운산] 산식(算式)에 의(依)하여 수치(數値)
　를 구(求)하는 일.
[運勢 운세] 운명(運命).
[運送 운송] 물건을 운반하여 보냄.
[運數 운수] 사람의 몸에 돌아오는 길흉화복(吉凶
　禍福).
[運輸 운수] 운송(運送).
[運水搬柴 운수반시] 불법(佛法)의 수행은 결코
　고상한 이론에 있지 않고 그날그날 물을 긷고
　땔나무를 하는 생활 가운데 있다는 뜻.
[運身 운신] 몸을 움직임.
[運用 운용] 부리어 씀. 활용(活用)함.
[運用之妙存乎一心 운용지묘존호일심] 법식(法式)
　은 사물(事物)이므로 이것을 활용하는 묘술(妙
　術)은 오로지 마음속에 있음. 곧, 전략(戰略)은
　활용하는 것이 중함을 이름.
[運意 운의] 이리저리 생각함.
[運賃 운임] 물건을 운반하는 삯.
[運掌 운장] 손바닥에 놓고 굴림. 곧, 대단히 처리
　하기 용이함을 이름.
[運轉 운전] ㉠움직이어 돌림. ㉡수레·배 등을 조
　종하여 달리게 함.
[運轉技士 운전기사] 기차·전동차·자동차·선박·

枉道. 外道. 要道. 祅道. 龍尾道. 運道. 遠道. 袁彥道. 危道. 違而道. 有道. 柔道. 游道. 儒道. 誘道. 六道. 二河白道. 幸行道. 人道. 仁道. 佚道. 入道. 棧道. 赤道. 傳道. 轉道. 正道. 政道. 帝道. 祖道. 鳥道. 左道. 中道. 證道. 至道. 車道. 倡道. 天道. 鐵道. 淸道. 治道. 馳道. 稱道. 彈道. 太平道. 八道. 霸道. 便道. 鋪道. 海道. 險道. 弘道. 黃道. 孝道.

9 ⑬ [逳] 道(前條)와 同字

9 ⑬ [達] 〔中·入〕 달 ㉠曷 唐割切 dá ㉠曷 他達切 tà　　达 達

筆順 一 十 土 去 寺 幸 幸 幸 達達

字解 ①통할 달 ㉠꿰뚫음. ‘蹠一膝’《淮南子》. ㉡두루 미침. ‘通一’. ‘天下之一道五’《中庸》. ㉢길이 통함. ‘四通八一’. ㉣깨달음. 앎. ‘通一’. ‘俗儒不時宜’《漢書》. ②달할 달 ㉠영화를 누림. 세상에 알려짐. ‘窮一’. ‘榮一’. ‘不離道’《孟子》. ③목적을 이룸. ‘一目的’. ③이를 달 ㉠도착함. ‘到一’. ‘一于河’《書經》. ㉡그때에 이름. ‘夜夜一五更’《古詩》. ④보낼 달 전하여 줌. ‘配一’. ‘傳一’. ‘主以旌節’《周禮》. ⑤올릴 달 끌어올려 씀. ‘推賢而進一’《禮記》. ⑥방자할 달 방종함. ‘放一’. ‘挑兮一兮’《詩經》. ⑦두루 달 빠짐없이. ‘一觀’. ⑧새끼양 달 어린 양(羊). ‘先生如一’《詩經》. ⑨어진이 달 군자. 뛰어난 사람. ‘先一宿德’《晉書》. ⑩성 달 성(姓)의 하나.

字源 甲骨文 夵 金文 達 篆文 䢭 〔音〕 ‘幸달’은 활달하게 뛰어 돌아다니는 ‘새끼 양’의 뜻. 활달하게 나아가다의 뜻을 나타냄.

[達見 달견] 사리에 밝은 식견(識見). 뛰어난 식견.

[達官 달관] 높은 벼슬. 현달한 관직. 또, 그 사람.

[達觀 달관] ㉠널리 봄. 두루 봄. ㉡사물을 넓게 관찰함. ㉢세속을 벗어난 높은 견식(見識).

[達德 달덕] ㉠어떠한 지역이나 어떠한 경우에도 널리 행하여야 하는 덕(德). ㉡덕 있는 사람을 적당한 지위에 거용(擧用)함.

[達道 달도] 어떠한 지역이나 어떠한 경우에도 널리 행하여야 할 도(道).

[達練 달련] 사물에 통달하여 익숙함.

[達魯花赤 달로화적] 원대(元代)의 관명(官名). 몽고어로 관장(官長)의 뜻. 원대(元代)의 성로 부주현(省路府州縣) 기타 각 방면에 장관(長官)으로 삼고, 몽고인을 임명했음.

[達賴喇嘛 달뢰라마] 티베트의 라마교의 교주(教主). 활불(活佛)이라 일컬음. 정권을 장악하고 있음.

[達磨 달마] ㉠범어(梵語)로는 일체 만법(一切萬法)의 뜻. ㉡천축(天竺)의 중. 보리달마(菩提達磨)의 준말. 남인도 향지국(南印度香至國)의 셋째 왕자(王子). 양무제(梁武帝) 때 금릉(金陵)에 갔다가 뒤에 숭산(嵩山)의 소림사(少林寺)에서 9년간 면벽 좌선(面壁坐禪)하고 나서 오도(悟道)하여 선종(禪宗)의 시조(始祖)가 됨. 시호(諡號)는 원각 대사(圓覺大師).

[達辯 달변] 매우 능란한 말솜씨.

[達士 달사] 널리 사리(事理)에 통달한 선비.

[達喪 달상] 천자(天子)에서 아래는 서인(庶人)에 이르기까지 공히 행하여야 하는 상례(喪禮).

[達成 달성] 목적(目的)을 이룸.

[達宵 달소] 달야(達夜).

[達識 달식] 달견(達見).

[達夜 달야] 밤새 밤을 새움.

[達言 달언] 사리에 통달한 말.

[達意 달의] 자기의 의사를 잘 드러내어 진술(陳述)함.

[達人 달인] 사물에 널리 통달한 사람.

[達人大觀 달인대관] 사리에 널리 통달한 사람은 전체를 올바르게 관찰함.

[達者 달자] 달인(達人).

[達才 달재] 널리 사물에 통달한 재주. 또, 그 사람.

[達材 달재] 널리 사물에 통달한 사람.

[達政 달정] 정치의 도리(道理)에 통달함. 또, 두루 미친 정치.

[達尊 달존] ㉠천하를 통하여 어떠한 시대에나 존중하여야 할 것. 곧, 관작(官爵)과 나이와 학덕(學德)의 세 가지. ㉡존귀한 지위에 오름.

[達通 달통] 사리(事理)에 정통함.

[達筆 달필] 빠르고도 잘 쓰는 글씨.

[達孝 달효] 부모를 잘 섬겨 세상 사람이 다 인정하는 효도(孝道).

●高達. 曠達. 閎達. 口達. 窮達. 貴達. 朗達. 到達. 挑達. 道達. 騰達. 晩達. 邁達. 萌達. 明達. 聞達. 文章憎命達. 敏達. 博達. 發達. 放達. 旁達. 配達. 不達. 四達. 死諸葛走生仲達. 四通八達. 上達. 上意下達. 舒達. 先達. 疏達. 速達. 送達. 秀達. 熟達. 識達. 約而達. 亮達. 練達. 英達. 榮達. 睿達. 要而達. 欲速不達. 諭達. 利達. 任達. 專達. 傳達. 早達. 條達. 調達. 綜達. 洞達. 暢達. 踢達. 薦達. 超達. 推達. 稱達. 洞達. 通達. 特達. 八達. 布達. 下達. 下學上達. 閑達. 顯達. 闊達. 豁達. 恢達.

9 ⑬ [達] 達(前條)의 本字

9 ⑬ [違] 〔高·入〕 위 ㉤微 雨非切 wéi　　违 违

筆順 丿 ナ ヰ 吾 吾 晝 韋 韋 違

字解 ①어길 위 법령·약속 등을 위반함. ‘一約’. ‘一憲’. ‘愼勿一吾語’《古詩》. ②어그러질 위 맞지 아니함. ‘一例’. ‘各一戾不和’《魏志》. ③다를 위 다름. ‘相一’. ④떨어질 위 서로 거리를 둠. ‘天威不一顏咫尺’《國語》. ‘忠恕一道不遠’《中庸》. ⑤피할 위 회피함. ‘一齊難也’《左傳》. ⑥달아날 위 도망함. ‘一’. ‘凡諸侯之大夫一’《左傳》. ⑦멀리할 위 가까이하지 아니함. 소원하게 함. ‘棄而一之’《論語》. ⑧원망할 위 원한을 품음. ‘厥心一怨’《書經》. ⑨간사 위 사악(邪惡). ‘昭德塞一’《左傳》. ⑩허물 위 과실. ‘有一失, 則勁奏’《後漢書》.

字源 金文 緯 篆文 䢠 形聲. 辶(辵)+韋〔音〕. ‘韋위’는 ‘어기다’의 뜻. 어기어 떨어지다, 어그러지다의 뜻을 나타냄.

[違角 위각] 정상적 상태에서 어긋남.

[違骨 위골] 뼈가 어그러짐. 관절(關節)이 물러남.
[違期 위기] 기한(期限)을 어김.
[違戾 위려] 어기고 어그러짐. 틀림.
[違例 위례] 상례(常例)에 어그러짐.
[違命 위명] 명령을 어김.
[違反 위반] 어김.
[違叛 위반] 위반(違反).
[違背 위배] 위반(違反).
[違犯 위범] 어기고 범함.
[違法 위법] 법(法)을 어김.
[違覆 위복] 일의 의심스러운 데를 소상히 캐어 밝힘.
[違常 위상] 정상(正常)의 관례(慣例)·습관과 다름.
[違失 위실] 과실(過失).
[違約 위약] 약속(約束)을 어김.
[違言 위언] ㉠말다툼. ㉡도리에 어긋나는 말.
[違忤 위오] 거슬러 어김. 반대함.
[違怨 위원] 원망함.
[違貳 위이] 이심(二心)을 품음. 또, 그 사람.
[違而道 위이도] 명령에 어긋나나 도(道)에 맞음.
[違舛 위천] 틀리고 어그러짐. 잘못됨.
[違廢 위폐] 어기어 폐(廢)하고 행하지 아니함.
[違限 위한] 기한(期限)을 어김.
[違憲 위헌] ㉠법을 어김. ㉡헌법(憲法)을 어김.
[違惑 위혹] 미혹(迷惑)하여 도(道)에 어긋남.
[違和 위화] 몸이 편하지 아니하여 기분이 좋지 아니함.
◉乖違. 睽違. 遁違. 背違. 非違. 相違. 先天而天弗違. 心事違. 心與口違. 依違. 猗違. 差違. 避違.

9 ⑬ [遉] 정 [去]敬 丑鄭切 zhēn(zhēng)
[字解] 엿볼 정, 정탐할 정 偵(人部 九畫)과 同字.

9 ⑬ [逽] 낙 [入]藥 女略切 nuò
[字解] ①달릴 낙 '一, 走也'《類篇》. ②나아갈 낙 앞섬. '一, 先也'《集韻》.

9 ⑬ [⿺辶彖] [一] 둔(돈[本]) [去]願 徒困切 dùn
[二] 돈 [平]元 徒渾切 tún
[字解] [一] 옮길 둔, 달아날 둔 遯(辵部 十一畫)과 同字. [二] 새끼돼지 돈 돼지의 새끼.

9 ⑬ [遅] 〔지〕 遲(辵部 十二畫〈p. 2321〉)의 俗字

10 ⑭ [⿺辶羑] 〔급〕 及(又部 二畫〈p. 328〉)의 古字

10 ⑭ [道] 〔도〕 道(辵部 九畫〈p. 2313〉)의 本字

10 ⑰ [⿺辶䭫] 〔도〕 道(辵部 九畫〈p. 2313〉)의 本字

10 ⑭ [⿺辶𦊱] 〔선〕 選(辵部 十二畫〈p. 2322〉)의 俗字

10 ⑭ [遘] 구 [去]宥 古候切 gòu 遘
[字解] 만날 구 조우(遭遇)함. '一此雲雷屯'《李商隱》.
[字源] 甲骨文 金文 篆文 形聲. 辶(辵)+冓〔音〕. '冓구'는 '짜 맞추다'의 뜻. 사람이 길에서 만나다, '만나다'의 뜻을 나타냄.

◉頻遘. 嬰遘. 遠遘. 潛遘.

10 ⑭ [遙] [高][人] 요 [平]蕭 餘昭切 yáo 遥
[筆順]
[字解] ①멀 요, 아득할 요 요원함. '千里而一'《禮記》. ②멀리 요 멀리 떨어져서. 먼 데서. '一青'. '悵然一相望'《古詩》. ③거닐 요 逍(辵部 七畫)를 보라. '逍一'.
[字源] 篆文 形聲. 辶(辵)+䍃〔音〕. '䍃요'는 흔들흔들 흔들리다의 뜻. 흔들흔들 걷다, 방황하다의 뜻을 나타냄. 또 흔들흔들 목적도 없이 계속 걷는 모양에서 '아득하다'의 뜻을 나타냄.

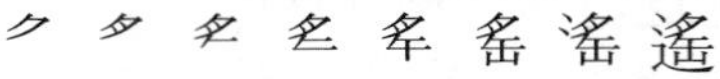

[遙巒 요만] 멀리 보이는 산봉우리.
[遙望 요망] 멀리서 바라봄.
[遙拜 요배] 멀리 바라보고 절함. 망배(望拜).
[遙碧 요벽] 멀리 보이는 푸른 하늘.
[遙昔 요석] 먼 옛날. 태고(太古).
[遙夜 요야] 긴 밤.
[遙然 요연] 먼 모양. 아득한 모양.
[遙曳 요예] 길게 끎.
[遙遙 요요] ㉠먼 모양. 아득한 모양. ㉡멀리 가는 모양.
[遙遠 요원] 아득히 멂.
[遙岑 요잠] 멀리 보이는 산봉우리.
[遙青 요청] 멀리 보이는 푸른 산.
[遙矚 요촉] 멀리 바라봄. 먼 곳에서 봄.
[遙度 요탁] 먼 곳에서 남의 마음을 헤아림.
◉翹遙. 賖遙. 逍遙. 遼遙. 迢遙. 超遙.

10 ⑭ [遛] 류 [平]尤 力求切 liù, liú 遛
[字解] 머무를 류 '逗一'는 머무름. 정지함. '追鹵料敵不拘以逗一法'《後漢書》.
[字源] 形聲. 辶(辵)+留〔音〕. '留류'는 '머무르다'의 뜻.

◉逗遛.

10 ⑭ [遜] [人][名] 손 [去]願 蘇困切 xùn 逊
[筆順]
[字解] ①달아날 손 도망함. '一于荒'《書經》. ②순할 손 순종함. '五品不一'《書經》. ③겸손할 손 자기 몸을 낮춤. '惟學一志'《書經》. ④사양할 손 남에게 양보함. '一讓'. '將一于位'《書經序》. ⑤못할 손 딴 것보다 떨어짐. '一色'. ⑥성 손 성(姓)의 하나.
[字源] 篆文 形聲. 辶(辵)+孫〔音〕. '孫손'은 '遁둔'과 통하여 '달아나다'의 뜻. '달아나다, 사양하다'의 뜻을 나타냄.

[遜辭 손사] 겸손한 말. 겸사(謙辭).

[遜色 손색] 서로 견주어 보아 못한 점. 빠지는 점.
[遜讓 손양] 겸손(謙遜)하여 사양(辭讓)함.
[遜愿 손원] 겸손하고 근신함.
[遜位 손위] 양위(讓位)함.
[遜弟 손제] 웃어른에게 겸손하고 온순함.
[遜志 손지] 겸손한 마음.
[遜志時敏 손지시민] 겸허(謙虛)한 마음을 가지고 학문에 힘씀.
[遜避 손피] 모면(謀免)하여 피(避)함.
◉謙遜. 敬遜. 恭遜. 不遜. 撝遜. 揖遜.

10 ⑭ [遝] [人名] 답 [入]合 徒合切 tà

[字解] 뒤섞일 답, 모일 답 한데 모여 혼잡함. '紛—'. '衆靈雜—'《曹植》.
[字源] 甲骨文 篆文 形聲. 辶(辵)+眔〔音〕. '眔답'은 '沓답'과 통하여 '겹치다'의 뜻. 길 가는 사람들이 겹치다, 뒤섞이다의 뜻을 나타냄.

[遝至 답지] 한군데로 들이몰려서 옴.
◉紛遝. 颯遝. 雜遝. 迨遝. 合遝.

10 ⑭ [遞] [高人] [一] 체 [上]薺 徒禮切 dì
[二] 대 [去]泰 當蓋切 dài 递

[筆順] 厂 ... 虒 遞

[字解] [一] ①갈마들 체 번갈아듦. '—三世, 可至萬世而爲君'《杜牧》. ②번갈아 체 교대로. '—興—廢'. '詐術—用'《呂氏春秋》. ③역말 체 역참(驛站). '定賦租立站—'《元史》. 또, 역참에서 발송하는 인마(人馬). '發馬—上之'《宋史》. 전(轉)하여, 문서 또는 물건을 차례차례로 여러 곳을 거쳐서 전하여 보내는 뜻으로 쓰임. '傳—'. '若隣境官司, 囚到稽留, 不卽—送者, 罪亦如之'《明律》. [二] 두를 대 둘러쌈. 위요함. '依諸將之—, 據相扶之執'《漢書》.
[字源] 篆文 形聲. 辶(辵)+虒〔音〕. '虒치·사'는 '易역'과 통하여 '갈마들다'의 뜻. 번갈아 나아가다, 차례로 전하여 보내다의 뜻을 나타냄.

[遞加 체가] 차례로 더함.
[遞減 체감] 차례로 감(減)함.
[遞代 체대] 서로 바꾸어 대신함.
[遞夫 체부] 체전부(遞傳夫).
[遞送 체송] 체전(遞傳).
[遞任 체임] 직무가 갈림.
[遞傳 체전] 차례차례 여러 곳을 거쳐서 전(傳)하여 보냄.
[遞傳夫 체전부] 우편물(郵便物)을 배달하는 사람. 우편집배원.
[遞職 체직] 체임(遞任).
[遞次 체차] 순차(順次).
◉更遞. 急遞. 馬遞. 步遞. 驛遞. 郵遞. 傳遞. 站遞. 迢遞.

10 ⑭ [遠] [中人] 원 ①②[上]阮 雲阮切 yuǎn
③④[去]願 于願切 yuàn 远

[筆順] 土 吉 声 ... 袁 遠 遠

[字解] ①멀 원 ㉠시간 또는 거리가 길거나 멂. '遼—'. '遙—'. '日暮塗—'《史記》. '音樂之所由來者—矣'《呂氏春秋》. ㉡깊음. 고상함. 알기 어려움. '深—'. '言近而指—者'('指'는 旨)《孟子》. ㉢관계가 가깝지 아니함. 또, 친하지 아니함. '疏—'. '—兄弟終無服也'《禮記》. ㉣큰 차이가 있음. '雖不中不—矣'《大學》. ②먼데 원 먼 곳. '行—必自邇'《中庸》. ③멀리할 원 ㉠가까이하지 아니함. '敬—'. '敬鬼神—之'《論語》. ㉡물리침. 먼 곳으로 쫓음. '—佞人'《論語》. ㉢벗어남. 격리함. '—恥辱也'《論語》. ④멀어질 원 멀리 떨어지게 됨. '女子有行, —兄弟父母'《詩經》.
[字源] 金文 篆文 古文 形聲. 辶(辵)+袁〔音〕. '袁원'은 '멀어지다'의 뜻. '辵착'을 덧붙여 뜻을 분명히 함.

[遠客 원객] 먼 곳에서 온 손님. 또, 먼 나라에서 온 나그네.
[遠距離 원거리] 먼 거리(距離).
[遠隔 원격] 멀리 떨어짐. 또, 멀리 격리시킴.
[遠景 원경] 먼 경치.
[遠境 원경] 먼 지경.
[遠郊 원교] 도회(都會)에서 좀 멀리 떨어진 곳. 주제(周制)에서는 읍외(邑外) 50리 이상 100리까지의 땅.
[遠交近攻 원교근공] 먼 나라와는 사귀고 가까운 나라는 침.
[遠國 원국] 먼 나라.
[遠郡 원군] 먼 데 있는 군(郡).
[遠近 원근] ㉠멂과 가까움. 거리. ㉡먼 곳과 가까운 곳. 이곳저곳. 여기저기. ㉢먼 곳과 가까운 곳의 사람.
[遠紀 원기] 멀리 떨어진 세기(世紀).
[遠棄 원기] 멀리하여 버림.
[遠大 원대] 뜻이 깊고 큼. 또, 그 일.
[遠到 원도] 멀리 이름. 학문·기예 등이 조예가 깊어짐.
[遠島 원도] 육지에서 멀리 떨어진 섬.
[遠圖 원도] 원모(遠謀).
[遠來 원래] 먼 곳에서 옴.
[遠略 원략] ㉠먼 나라의 경략(經略). ㉡원모(遠謀).
[遠黎 원려] 먼 지방의 백성.
[遠慮 원려] 먼 앞일을 헤아리는 깊은 생각.
[遠路 원로] 먼 길.
[遠雷 원뢰] 먼 데서 들리는 뇌성.
[遠流 원류] 원배(遠配).
[遠巒 원만] 멀리 보이는 산봉우리.
[遠蠻 원만] 먼 데 있는 오랑캐.
[遠望 원망] 멀리 바라봄.
[遠謀 원모] 원대한 꾀. 원주(遠籌).
[遠廟 원묘] 먼 조상의 사당(祠堂).
[遠物 원물] 먼 곳에서 나는 산물.
[遠味 원미] 먼 곳에서 온 맛 좋은 음식.
[遠方 원방] 먼 지방(地方).
[遠邦 원방] 먼 나라.
[遠配 원배] 먼 곳으로 귀양 보냄.
[遠蕃 원번] 원만(遠蠻).
[遠藩 원번] 먼 곳에 있는 번진(藩鎭).
[遠碧 원벽] 먼 산의 푸른빛.
[遠別 원별] 이별하여 멀리 떨어짐.
[遠山 원산] 먼 곳에 있는 산(山).
[遠算 원산] 원모(遠謀).
[遠山黛 원산대] 원산미(遠山眉).
[遠山眉 원산미] 먼 데 있는 산같이 파랗게 그린

눈썹. 미인의 눈썹을 이름.
[遠想 원상] 원대(遠大)한 사상.
[遠塞 원새] 먼 지방의 요새.
[遠色 원색] 여색(女色)을 멀리함.
[遠逝 원서] 먼 데 감. 전(轉)하여, 죽음.
[遠墅 원서] 인적이 드문 곳에 있는 촌집.
[遠歲 원세] 긴 세월.
[遠紹 원소] 먼 선대(先代)의 뒤를 이어받음.
[遠孫 원손] 먼 자손.
[遠水 원수] 먼 곳에 있는 물.
[遠戍 원수] 변경(邊境)의 방위(防衛).
[遠水不救近火 원수불구근화] 먼 곳에 있는 친척은 급할 때 소용이 없음의 비유.
[遠視 원시] ㉠먼 곳을 바라봄. ㉡원시안(遠視眼).
[遠視眼 원시안] 조절근(調節筋)의 신축(伸縮)이 불충분(不充分)하거나 또는 수정체(水晶體)가 편평(扁平)한 까닭으로 가까이 있는 물체를 똑똑히 볼 수 없는 눈. 노인(老人)의 눈은 대개(大槪) 이러함.
[遠臣 원신] ㉠임금과 소원한 신하. ㉡먼 나라에서 와서 섬기는 신하.
[遠心力 원심력] 회전하는 물체가 그 중심에서 멀리 가려고 하는 힘. 구심력(求心力)의 반대 작용.
[遠洋 원양] 육지에서 멀리 있는 바다.
[遠域 원역] 먼 지역.
[遠裔 원예] ㉠먼 자손. 원손(遠孫). ㉡오랑캐의 나라.
[遠由 원유] 먼 유래.
[遠猷 원유] 원모(遠謀).
[遠遊 원유] 학문 같은 것을 배우기 위하여 먼 곳에 감.
[遠遊冠 원유관] 제후(諸侯)의 관(冠)의 이름. 위(魏)·진(晉)이후 원(元)나라 때까지 썼음.
[遠意 원의] ㉠고인(古人)의 뜻. ㉡먼 데 있는 사람의 뜻. ㉢멀리 생각을 달림.

[遠遊冠]

[遠邇 원이] 원근(遠近).
[遠人 원인] 먼 나라의 사람.
[遠因 원인] 간접(間接)의 원인(原因).
[遠日點 원일점] 지구(地球)가 태양(太陽)의 주위를 도는 궤도(軌道) 위에서 태양이 가장 멀어진 점(點).
[遠迹 원적] 옛사람의 자취.
[遠謫 원적] 원배(遠配).
[遠征 원정] ㉠먼 곳을 침. ㉡먼 곳에 감. 원행(遠行).
[遠程 원정] 먼 길.
[遠祖 원조] 먼 조상.
[遠族 원족] 먼 일가.
[遠胄 원주] 먼 자손. 원손(遠孫).
[遠籌 원주] 먼 장래를 위한 계책. 원대한 계책. 원모(遠謀).
[遠地 원지] 멀리 떨어진 땅.
[遠志 원지] ㉠원대(遠大)한 뜻. 먼 장래(將來)를 생각하는 마음. ㉡인정이 소원해지는 마음. ㉢원지과(科)에 속하는 다년초. 뿌리는 약재로 씀. 영신초(靈神草).
[遠竄 원찬] ㉠멀리 달아나 숨음. ㉡원배(遠配).
[遠處 원처] 먼 곳.
[遠戚 원척] 먼 친척.
[遠矚 원촉] 멀리 바라봄. 원망(遠望).

[遠寸 원촌] 먼 촌(寸).
[遠村 원촌] 먼 마을.
[遠親 원친] 먼 친척.
[遠親不如近隣 원친불여근린] 먼 데 있는 일가보다 이웃에 사는 남이 위급한 경우에 의지가 됨. '이웃사촌'과 비슷한 말.
[遠播 원파] 멀리 퍼짐.
[遠抱 원포] 원대한 포부.
[遠航 원항] 원양(遠洋)의 항해(航海).
[遠海 원해] 원양(遠洋).
[遠行 원행] 멀리 여행(旅行)함.
[遠鄉 원향] 먼 지방.
[遠效 원효] 먼 장래에 나타나는 보람.
[遠洽 원흡] 먼 데까지 두루 미침.
◉隔遠. 敬遠. 高遠. 廣遠. 曠遠. 宏遠. 鉤深致遠. 久遠. 極遠. 道在邇求諸遠. 望遠. 明遠. 博遠. 放遠. 僻遠. 邊遠. 鄙遠. 四遠. 性相近智相遠. 疏遠. 疎遠. 雖不中不遠. 脩遠. 綏遠. 窈遠. 崇遠. 愼終追遠. 深遠. 言近旨遠. 淵遠. 永遠. 英遠. 奧遠. 遙遠. 遼遠. 迂遠. 幽遠. 柔遠. 悠遠. 隱遠. 凝遠. 以近知遠. 以遠. 日暮途遠. 任重道遠. 長遠. 絶遠. 淸遠. 迢遠. 超遠. 追遠. 黜遠. 沈遠. 遐遠. 險遠. 玄遠. 逈遠. 弘遠. 闊遠. 荒遠. 恢遠. 懷遠.

10
(14)
[遡] 人名 소 ㊀遇 桑故切 sù

筆順 ﾉ ﾝ ﾋ ﾌﾟ 朔 朔 溯 遡

字解 ①거슬러올라갈 소 흐르는 물을 거슬러 올라감. '一洄從之'《詩經》. 전(轉)하여, 과거를 거슬러 올라감. ②따라내려갈 소 흐르는 물을 따라 내려감. '一游從之'《詩經》. ③향할 소 향하여 감. '一其過澗'《詩經》. ④거스를 소 반대되는 길을 취함. '如彼一風'《詩經》. ⑤하소연할 소 愬(心部 十畫)와 통용. '衛君跣行, 告一于魏'《戰國策》.
字源 別體 形聲. 辶(辵)+朔〔音〕. '朔삭·소'는 '거스르다'의 뜻. 물 흐름에 거슬러 올라가다의 뜻을 나타냄.

[遡及 소급] 지나간 일에까지 거슬러 올라가서 미침.
[遡流 소류] 수류(水流)를 따라 내려감.
[遡源 소원] ㉠수원지(水源地)로 거슬러 올라감. ㉡학술의 근원을 궁구함.
[遡風 소풍] 맞바람.
[遡洄 소회] 물을 거슬러 올라감.
◉告遡.

10
(14)
[遣] 高人 견 ㊀銑 去演切 qiǎn

筆順 ﾛ 中 虫 串 𦜝 𦜝 遣 遣

字解 ①보낼 견 ㉠용무를 띄워 보냄. '派一' '一使'. ㉡부쳐 줌. '書一于策'《儀禮》. ㉢시켜 보냄. '平一囚徒'《後漢書》. ㉣쫓아 보냄. '醉而一之'《左傳》. ②시집보낼 견 '謝知其貧澤一女必當率薄'《世說》. ③버릴 견 아내를 버림. 이혼함. '焦仲卿妻劉氏, 爲仲卿母所一'《古詩》. ④풀 견 원한·분노 같은 것을 풀어 없앰. '一悶' '一憤'. '消一世慮'《王禹偁》. ⑤하여금 견 …으로 하여금 …하게 함. 使(人部 六畫)와 뜻

이 같음. '乃—張良往立信爲齊王'《史記》.
[字源] 甲骨文 金文 金文 篆文 形聲. 辶(辵)+𠳋〔音〕. '𠳋견'은 양손으로 묶은 고기를 드는 모양을 본떠, 고기를 보존 식량으로 가지고 군대가 원정하러 가다의 뜻을 나타냄. '辵착'을 덧붙여 '보내다'의 뜻을 나타냄. 金文에는 '𠳋', '遣견'의 자형이 있고 甲骨文에는 '𠳋'의 자형이 있음.

[遣歸 견귀] 돌려보냄.
[遣悶 견민] 우울한 기분을 풂.
[遣憤 견분] 분노(憤怒)를 풂. 울분을 씻음.
[遣外 견외] 사람을 외국에 사신 보냄.
[遣車 견차] 신하의 장례(葬禮)에 희생(犧牲)을 싣게 하기 위하여 임금이 하사하는 수레.

[遣車]

◉勞遣. 發遣. 放遣. 分遣. 謝遣. 先遣. 消遣. 原遣. 殷遣. 裝遣. 調遣. 縱遣. 差遣. 斥遣. 黜遣. 擇遣. 派遣. 罷遣. 休遣.

10 ⑭ [遢] 탑 [入]合 吐盍切 tà 遢

[字解] ①천천히걸을 탑 '—, 穩行皃'《玉篇》. ②급히갈 탑 '—, 急行貌'《正字通》.
[字源] 形聲. 辶(辵)+㒓〔音〕

11 ⑮ [遨] 오 [平]豪 五勞切 áo 遨

[字解] 놀 오 즐겁게 놂. '從牧兒—'《後漢書》.
[字源] 形聲. 辶(辵)+敖〔音〕. '敖오'는 '멋대로 하다'의 뜻. 마음대로 돌아다녀 놀다의 뜻을 나타냄.

[遨遊 오유] 놂.
[遨怡 오이] 즐겁게 놂.
[遨嬉 오희] 오이(遨怡).

11 ⑮ [適] [中人] 적 ①-⑦[入]陌 施隻切 shì ⑧-⑪[入]錫 都歷切 dí ⑫[入]陌 陟革切 zhé 适

[筆順] 亠 亣 产 产 啇 啇 滴 適

[字解] ①갈 적 ㉠찾아감. '—子之館兮'《詩經》. ㉡돌아갈 데로 감. 마땅히 가야 할 데로 감. '—歸'. '民知所—'《左傳》. ②시집갈 적 출가(出嫁)함. '少喪父母, —人而所天又殞'《潘岳》. ③고를 적 과부족이 없음. '風雨則不—'《呂氏春秋》. ④맞을 적 ㉠수가 서로 같음. '軍馬不—士'《漢書》. ㉡사리에 알맞음. '—當'. '惟變所—'《傳習錄》. ㉢마음에 듦. '悠悠自—'. '吾與子之所共—'《蘇軾》. ㉣합치함. 일치함. '—我願兮'《詩經》. ⑤마침 적 우연히. '高祖—從旁舍來'《史記》. ⑥다만 적 겨우. '口腹豈—爲尺寸之膚哉'《孟子》. ⑦성 적 성(姓)의 하나. ⑧맏아들 적 嫡(女部 十一畫)과 통용. '天位殷—'《詩經》. ⑨큰마누라 적 본처. '—妾'. ⑩전일할 적 한 일에 열중함. '無—也, 無莫也, 義之與比'(군자의 마음의 공평함을 이름)《論語》. ⑪적 적 敵(攴部 十一畫)과 통용. '後如脫兔, —不敢拒'《史記》. ⑫꾸짖을 적 謫(言部 十一畫)과 통용. '室人交徧—我'《詩經》.
[字源] 金文 篆文 形聲. 篆文은 辶(辵)+啻〔音〕. '啻적'은 구심적(求心的)으로 따라가다의 뜻. 일이 목적으로 하는 한 점을 따라가다, 맞다의 뜻을 나타냄.

[適格 적격] 격에 맞음.
[適歸 적귀] 따라가 좇음. 가서 의뢰함. 안정함.
[適期 적기] 알맞은 시기.
[適當 적당] 알맞음.
[適度 적도] 알맞은 정도(程度).
[適量 적량] 알맞은 분량(分量).
[適例 적례] 적당한 전례(前例).
[適莫 적막] ㉠좋아하는 것과 싫어하는 것. ㉡적극적인 것과 소극적인 것.
[適法 적법] 법률 또는 규칙에 적합함.
[適否 적부] 맞음과 안 맞음.
[適士 적사] 주대(周代)에 선비를 상·중·하의 세 계급으로 나눈 중의 최상의 것. 상사(上士).
[適嗣 적사] 뒤를 이을 자손. 적사(嫡嗣).
[適孫 적손] 맏손자. 장손(長孫).
[適戍 적수] 죄를 책(責)하여 원지(遠地)에 수자리 보내는 일. 또, 그 병졸.
[適室 적실] 정침(正寢).
[適藥 적약] 병(病)에 맞는 약(藥).
[適業 적업] 적당(適當)한 직업(職業).
[適然 적연] 마침 공교로움.
[適用 적용] 맞추어 씀.
[適應 적응] 걸맞아서 서로 어울림.
[適宜 적의] 맞추어 하기에 마땅함.
[適意 적의] 뜻에 맞음.
[適人 적인] ㉠적인(敵人). 상대자(相對者). ㉡시집가는 일.
[適任 적임] ㉠어떠한 임무에 적당함. ㉡그 사람의 재능에 적당한 임무.
[適子 적자] 맏아들. 장자(長子).
[適者生存 적자생존] 생물(生物)이 외계(外界)의 형편(形便)에 맞는 것은 살고, 그렇지 못한 것은 절멸하는 자연도태(自然淘汰)의 현상(現象).
[適長公主 적장공주] 한대(漢代)에는 천자(天子)의 장녀(長女), 당대(唐代)에는 천자의 고모(姑母).
[適材 적재] 적당(適當)한 인재(人材).
[適材適所 적재적소] 적당(適當)한 인재(人材)를 적당한 자리에 씀.
[適適 적적] 놀라는 모양.
[適切 적절] 꼭 맞음.
[適正 적정] 알맞고 바름.
[適卒 적졸] 죄로 인하여 변방(邊方)에 수자리 보낸 군사.
[適中 적중] ㉠알맞음. ㉡들어맞음.
[適千里者三月聚糧 적천리자삼월취량] 먼 길을 여행하는 사람은 그만한 양식(糧食)을 준비하여 가지고 감.
[適妾 적첩] 본처와 소실. 적첩(嫡妾).
[適評 적평] 적절한 비평.
[適合 적합] 꼭 합당(合當)함.
◉佳適. 酣適. 曠適. 均適. 妙適. 不適. 嗣適. 舒適. 順適. 榮適. 娛適. 貳適. 自適. 正適. 調適. 縱適. 主一無適. 暢適. 淸適. 快適. 閒適. 閑適. 偕適. 好適. 和適. 禍適. 歡適. 戲適.

11
⑮ [遬] 속 ㊅屋 桑谷切 sù

速

字解 ①움츠릴 속 공경하는 뜻으로 몸을 오그림. '見所尊者齊一'《禮記》. ②빠를 속 速(辵部 七畫)과 통용. '疾以一'《淮南子》. ③못날 속 '僕一'은 용렬한 모양. '僕一不足數'《漢書》.

字源 速의 籀文 [圖] 形聲. 辵(辶)+欶[音]. '欶속'은 바쁘게 하다의 뜻.

●僕遬. 齊遬. 劋遬.

11
⑮ [遭] 人名 조 ㊀豪 作曹切 zāo

遭遭

筆順 一 丆 冃 曲 曲 曹 遭 遭

字解 ①만날 조 ㊀우연히 만남. '一逢'. '一先生於道'《禮記》. ㊁일을 당함. '一難'. '王安豐一艱'('艱'은 '喪')《世說》. ㊂…을 당함. '一漁者得之'《史記》. ②두를 조 둘러쌈. '山圍故國周一在'《劉禹錫》. ③번 조 횟수를 나타내는 수사 (數詞).

字源 篆文 [圖] 形聲. 辵(辶)+曹(㯥)[音]. '㯥조'는 둘이 마주 대하다의 뜻. 길에서 둘이 만나다의 뜻을 나타냄. '棘조'가 줄어서 '曹'가 됨.

[遭難 조난] 재액 (災厄)을 만남.
[遭逢 조봉] 조우(遭遇).
[遭遇 조우] ㊀우연히 만남. ㊁난세 (亂世)를 만남. ㊂높은 자리에 오름. 출세 (出世)함.
[遭際 조제] 우연히 만남.
[遭値 조치] 만남.

11
⑮ [遮] 人名 ◨차 ㊀麻 正奢切 zhē
◨자 ㊅禡 之夜切

遮遮

字解 ◨①막을 차 ㊀가로막음. '一斷'. '一道拜伏'《明史》. ㊁못하게 함. '子不一乎親'《呂氏春秋》. ②가릴 차 ㊀덮음. 엄폐(掩蔽)함. '一蔽'. '一迾出入'《後漢書》. ㊁잘 보이지 않게 막음. '樹陰一景'《李義山雜纂》. ③수다스러울 차 '周一'는 말이 많은 모양. '周一說話長'《白居易》. ◨이 자 這(辵部 七畫)와 뜻이 같음. '一箇在油鐺'《蘇軾》.

字源 篆文 [圖] 形聲. 辵(辶)+庶[音]. '庶서'는 많은 사람이 모이다의 뜻. 길을 가는데 많은 사람이 있어 나아가는 것을 가로막다의 뜻을 나타냄.

[遮箇 자개] 이것. 이.
[遮那教主 자나교주]《佛敎》대일여래 (大日如來)를 이름. 자나(遮那)는 '비로자나(毘盧遮那)'의 준말.
[遮回 자회] 이번.
[遮莫 차거] 차막(遮莫).
[遮擊 차격] 복병(伏兵)하였다가 침. 요격함.
[遮斷 차단] 막아서 끊음.
[遮道 차도] 차로(遮路).
[遮迾 차렬] 차열(遮迾).
[遮路 차로] 길을 막음.
[遮莫 차막] 그것은 그렇다 치고.
[遮碍 차알] 차지 (遮止).
[遮迾 차열] 덮어 가림.
[遮日 차일] 볕을 가림. 또, 그 물건.

[遮絕 차절] 차단(遮斷).
[遮止 차지] 막아 못하게 함.
[遮蔽 차폐] 가려 막고 덮음. 막아 보호함.
[遮扞 차한] 가려 방어함.
●要遮. 周遮. 重遮. 蔽遮.

11
⑮ [遯] 人名 둔 ㊅願 徒困切 dùn
㊅阮 徒損切

遯遯

字解 ①달아날 둔 遁(辵部 九畫)과 同字. '隱一'. '我不顧行一'《書經》. ②속일 둔 기만함. '審于刑者, 不可一以狀'《淮南子》. ③둔괘 둔 육십사괘 (六十四卦)의 하나. 곧, ≪〈간하(艮下) 건상(乾上)〉≫으로서, 군자는 은퇴하여 형통 (亨通)하고, 소인은 정(正)을 지켜 이(利)를 보는 상(象). '一, 亨. 小利貞'《易經》.

字源 篆文 [圖] 形聲. 辵(辶)+豚[音]. '豚돈'은 '盾순'과 통하여 몸을 가리는 방패의 뜻. 방패 뒤로 몸을 빼다의 뜻에서 '달아나다'의 뜻을 나타냄.

[遯世 둔세] 세상을 피해 삶. 둔세 (遁世).
[遯世無悶 둔세무민] 은거 (隱居)하여, 마음의 번민이 없음.
[遯隱 둔은] 달아나 숨음.
[遯逸 둔일] 세상을 피하여 편안히 삶.
[遯竄 둔찬] 달아나 숨음.
●嘉遯. 亂遯. 肥遯. 深遯. 隱遯.

11
⑮ [遧] 관 ①㊅翰 古玩切 guàn
②㊅諫 古患切

字解 ①갈 관 '一, 行也'《廣韻》. ②익숙할 관, 익힐 관 '一, 習也'《說文》.

字源 形聲. 辵(辶)+貫[音]

11
⑮ [遰] ◨체 ㊅霽 特計切 dì
◨서 ㊅霽 征例切 shì

遰遰

字解 ◨①떠날 체 가 버림. '九月一鴻雁'《大戴禮》. ②멀 체 '迢一'는 멀리 떨어져 있는 모양. '迢一白雲天'《揚炯》. ◨①갈 서 逝(辵部 七畫)와 통용. '鳳漂漂其高一兮'《史記》. ②칼집 서 칼을 꽂는 집. '右佩玦捍管一'《禮記》.

字源 篆文 [圖] 形聲. 辵(辶)+帶[音]. '帶대'는 띠 모양으로 이어지다의 뜻. 길게 이어져서 꼬리를 빼고 떠나다, 가다의 뜻을 나타냄.

●高遰. 管遰. 屈遰. 迢遰.

11
⑮ [遧] 장 ㊀陽 諸良切 zhāng

字解 드러낼 장 드러내어 밝힘. '斯庶孅一. 一則事上靜'《大戴禮》.

字源 形聲. 辵(辶)+章[音]

11
⑮ [遲] 〔지〕
遲(辵部 十二畫〈p. 2321〉)의 訛字

11
⑮ [遧] 〔각〕
殼(殳部 八畫〈p. 1157〉)과 同字

12
⑯ [遴] 린 ①②㊅震 良刃切 lìn
③④㊀眞 離珍切 lín

遴遴

字解 ①어려워할 린 어렵게 여겨 주저함. '誠難以忽, 不可以一'《漢書》. ②탐할 린 탐함. 吝(口部 四畫)과 통용. '晩節一, 惟恐不足于財'《漢書》. ③가릴 린 선택함. '一選學術該博, 通曉世務, 骨鯁敢言者'《金史》. ④성 린 성(姓)의 하나.
字源 篆文 形聲. 辶(辵)+粦(粦)〔音〕. '粦린'은 '履리'와 통하여 '밟다'의 뜻. 한 점을 밟고 서서 나아가지 못하다의 뜻을 나타냄. 또 '吝린'과 통하여 '탐하다'의 뜻을 나타냄.

[遴柬 인간] ㉠가림. 선택함. ㉡아껴 작게 함.
[遴嗇 인색] '인색(吝嗇)'과 같음.
[遴選 인선] 인간(遴柬)㉠.
[遴集 인집] 모여듦.
◉亡遴. 貪遴.

12 ⑯ [遲] 高人 지 ①-④(平)支 直尼切 chí ⑤-⑦(去)寘 直吏切 zhì 迟

筆順 尸 尸 尸 尸 屖 犀 𨒈 遲

字解 ①더딜 지 빠르지 아니함. '舒一'. '行道一一'《詩經》. ②굼뜰 지 느림. '一鈍'. ③늦을 지 뒤짐. '一刻'. '稽一不進'《南史》. ④성 지 성(姓)의 하나. ⑤무렵 지 그때쯤. '一帝還, 趙王死'《漢書》. ⑥기다릴 지 오기를 바람. '一明'. '朕思一直士'《後漢書》. ⑦이에 지 이리하여. '一令韓魏歸帝重于齊'《史記》.
字源 金文 篆文 籀文 金文은 會意. 辶(辵)+尸+辛. '辛신'은 '바늘'의 뜻. 사람이 길을 가는 것을 바늘로 방해하는 모양에서, '더디다'의 뜻을 나타냄. 篆文은 辶(辵)+犀〔音〕의 形聲. '犀서'는 걸음이 느린 동물로 '코뿔소'의 뜻.
參考 ①遅(辵部 九畫)는 俗字. ②遲(辵部 十一畫)는 訛字.

[遲刻 지각] 정각(定刻)보다 늦음.
[遲久 지구] 더디고 오램. 또, 오래 기다림.
[遲旦 지단] 지명(遲明).
[遲鈍 지둔] 영민(英敏)하지 못하고 몹시 굼뜸. 우둔(愚鈍)함.
[遲頓 지둔] 지둔(遲鈍).
[遲留 지류] 오래 머묾.
[遲慢 지만] 더디고 느림.
[遲明 지명] 날이 밝기를 기다린다는 뜻으로, 날 샐 녘.
[遲莫 지모] 점차(漸次) 나이를 먹음. 늙어 감('莫'는 暮).
[遲速 지속] 더딤과 빠름.
[遲淹 지엄] 지체(遲滯).
[遲延 지연] ㉠오래 끎. ㉡시기에 뒤짐.
[遲緩 지완] 더디고 느즈러짐.
[遲疑 지의] 의심하여 망설임.
[遲引 지인] 오래 끎.
[遲日 지일] 봄날. 해가 길어지므로 이름.
[遲遲 지지] ㉠침착하고 진중한 모양. ㉡천천히 걷는 모양. ㉢더딘 모양. 해가 긴 모양.
[遲遲澗畔松 지지간반송] 더디게 자라는 계곡(溪谷) 사이의 소나무.
[遲滯 지체] 때를 늦추거나 질질 끎.
[遲徊 지회] 천천한 걸음으로 거닒.
◉稽遲. 工遲. 巧遲. 陵遲. 舒遲. 棲遲. 奄遲. 淹遲. 倭遲. 逶遲. 依遲. 委遲. 縣遲.

12 ⑯ [遵] 高人 준 (平)眞 將倫切 zūn 遵

筆順 八 䒑 台 酋 酋 尊 𨗭 遵

字解 ①따라갈 준 …을 따라서 감. '一彼汝墳'《詩經》. ②좇을 준 따라감. 좇아감. '一守'. '一奉'. '君子一道而行'《中庸》. '墨者儉而難一'《史記》. ③성 준 성(姓)의 하나.
字源 篆文 形聲. 辶(辵)+尊〔音〕. '尊존·준'은 '追추'와 통하여 '따르다'의 뜻. '따라가다'의 뜻을 나타냄.

[遵據 준거] 의거하여 좇음.
[遵法 준법] 법령(法令)을 지킴.
[遵奉 준봉] 준수(遵守).
[遵守 준수] 좇아 지킴.
[遵承 준승] 이어받아 준봉함.
[遵施 준시] 준봉(遵奉)하여 시행함.
[遵養時晦 준양시회] 도(道)를 좇아 덕을 기르고, 때가 오지 아니할 경우에는 언행을 삼가 자기를 나타내지 아니하고 숨음.
[遵用 준용] 좇아 씀.
[遵義 준의] ㉠정도(正道)를 좇는 일. ㉡구이저우 성(貴州省)의 현명(縣名).
[遵行 준행] 좇아 행함.
◉奉遵. 述遵. 準遵. 陳遵.

12 ⑯ [遶] 요 ㊤篠 而沼切 rǎo

字解 두를 요 繞(糸部 十二畫)와 同字. '一樹三匝'《魏武帝》.
字源 形聲. 辶(辵)+堯〔音〕. '繞요'와 통하여 '두르다'의 뜻을 나타냄.

[遶梁 요량] 아름다운 노랫소리를 이름.
[遶弄 요롱] 둘러싸고 장난함.
[遶縈 요영] 주위에 두름. 또, 두르게 함.

12 ⑯ [遷] 高人 천 (平)先 七然切 qiān 迁

筆順 襾 覀 要 要 要 䙴 𨙻 遷

字解 ①옮길 천 ㉠장소를 바꿈. '一移'. '一于喬木'《詩經》. ㉡관직이 바뀜. '左一'. '累一'. '理學人一美官'《黃允文雜纂》. ㉢이것을 버리고 저리로 감. '改過一善'. '見善則一'《易經》. ㉣고침. 변명함. '吾子爲國政, 未改禮而又一之'《左傳》. ㉤교역(交易)함. '一有無'《書經》. ㉥내쫓음. '何一乎有苗'《書經》. ②천도 천 국도(國都)의 이전. '季文子如晉, 賀一也'《左傳》. ③성 천 성(姓)의 하나.
字源 篆文 形聲. 辶(辵)+䙴〔音〕. '䙴천'은 두 사람이 양손으로 사람의 시체를 머리를 안고 옮기는 모양을 본뜸. '옮기다'의 뜻을 나타냄.

[遷改 천개] 달라짐. 또, 달라지게 함. 고침.
[遷客 천객] 좌천(左遷)된 사람. 귀양 간 사람.
[遷固 천고] 사기(史記)의 저자 사마천(司馬遷)과 한서(漢書)의 저자 반고(班固).
[遷喬 천교] 새가 골짜기에서 높은 나무로 올라가 앉음. 전(轉)하여, 관위(官位)의 승진.
[遷都 천도] 도읍(都邑)을 옮김.

[遷墓 천묘] 천장(遷葬).
[遷徙 천사] 옮김.
[遷善 천선] 착하게 됨.
[遷易 천역] 변천함.
[遷延 천연] ㉠물러감. 망설임. ㉡오래 끎. 미룸. ㉢연이음. 잇닮.
[遷訛 천와] 변천함.
[遷移 천이] 천사(遷徙).
[遷葬 천장] 무덤을 다른 곳으로 옮김.
[遷謫 천적] 천적(遷謫).
[遷謫 천적] 죄로 인하여 관직을 떨어뜨려 먼 곳으로 보냄. 좌천(左遷).
[遷轉 천전] 옮김.
[遷職 천직] 벼슬을 옮김.
[遷就 천취] 견강부회(牽強附會)하여 맞추기를 힘쓺.
[遷行 천행] 임금의 거둥.
[遷幸 천행] 천자(天子)가 다른 곳으로 옮겨 가는 일.
[遷革 천혁] 천선(遷善)하고 개과(改過)함.
[遷化 천화] ㉠달라짐. 변전함. 또, 변하게 함. ㉡고승(古僧) 등의 죽음.
◉高遷. 喬遷. 國遷. 君遷. 累遷. 孟母三遷. 美遷. 變遷. 三遷. 升遷. 斡遷. 鶯遷. 蹟遷. 優遷. 轉遷. 左遷. 超遷. 播遷. 下遷.

12 [選] ㊥㉠ ■ 선 ①銑 思兗切 xuǎn
⑯ ㉠霰 息絹切
■ 산 ㉠旱 思管切 suàn
■ 손 ㉠願 蘇困切 xùn

选選

筆順 ㄹ 吅 吜 甼 罜 巽 巽 選

字解 ■ ①가릴 선 ㉠여럿 가운데서 뽑음. '一擇'. '一賢與能'《禮記》. ㉡선택하여 등용함. '詮'. '命鄕論秀士, 升之司徒, 日一士'《禮記》. '擧不失一'《左傳》. ②선 선, 선택 선 전항의 명사. '入一'. '古文一'. ③잠깐 선 잠시. '少一'. '一閒食熟'《呂氏春秋》. ④성 선 성(姓)의 하나. ■ ①춤출 선 환무(環舞)하는 모양. '舞則一兮'《詩經》. ■ 셀 산 算(竹部 八畫)과 통용. '斗筲之人, 何足一'《漢書》. ■ 유순할 손 巽(己部 九畫)과 통용. '一儒之思'《後漢書》.
字源 篆文 形聲. 辶(辵)+巽[音]. '巽손'은 둘이 나란히 서서 추는 춤의 象形. 정제된 춤의 모양에서 '가지런히 하다, 가리다'의 뜻을 나타냄.

[選間 선간] 잠시 동안.
[選揀 선간] 가림. 선택함.
[選擧 선거] ㉠여러 사람 가운데에서 뽑아 추천함. ㉡많은 사람 가운데에서 적당한 사람을 뽑아냄.
[選官 선관] ㉠선사(選事). ㉡관리를 가려 씀.
[選良 선량] 뛰어난 인물을 가려 뽑음. 또, 그 뽑힌 사람.
[選練 선련] 선발(選拔).
[選拔 선발] 가려 뽑음.
[選兵 선병] 선발한 군사.
[選付 선부] 인재(人材)를 선발하여 일을 맡김.
[選佛場 선불장] 〔佛敎〕법연(法筵)을 열어 계도(戒導)를 행하는 장소.
[選士 선사] ㉠주대(周代)에 수사(秀士) 중에서 사도(司徒)에게 뽑혀 올라가 향리(鄕吏)가 될 자격이 있는 사람. ㉡선발된 인사. ㉢인사를 선

(選拔) 함.
[選事 선사] 관리를 선임하는 일을 맡은 벼슬.
[選手 선수] 어떤 기술에 뛰어나 여럿 중에서 대표로 뽑힌 사람.
[選授 선수] 사람을 선발하여 관직을 수여함.
[選侍 선시] 명말(明末)에 궁중(宮中)으로 뽑혀 들어간 시녀(侍女).
[選試 선시] 시험을 통해 선발함.
[選用 선용] 사람을 골라서 씀.
[選人 선인] 향리(鄕里)에서 선발되어 과거를 보러 상경한 사람. 거자(擧士). 공사(貢士).
[選任 선임] 뽑아서 직무(職務)를 맡김.
[選者 선자] 골라 뽑은 사람.
[選定 선정] 골라서 정(定)함.
[選曹 선조] 선사(選事).
[選種 선종] 씨를 골라냄.
[選體 선체] 문선(文選) 중에 있는 시체(詩體). 주로 오언 고시(五言古詩)를 이름.
[選出 선출] 골라냄.
[選擇 선탁] 선발(選拔).
[選擇 선택] 골라서 뽑음.
[選耎 손연] 두려워하여 나아가지 아니하는 모양. 손(選)은 손(巽).
[選懦 손유] 약함. 유약함.
◉嘉選. 簡選. 改選. 更選. 擧選. 公選. 官選. 魁選. 國選. 落選. 掄選. 當選. 募選. 妙選. 美選. 民選. 拔選. 碎選. 本選. 詳選. 少選. 殊選. 搜選. 蒐選. 良選. 嚴選. 豫選. 膺選. 人選. 入選. 再選. 詮選. 精選. 俊選. 徵選. 察選. 淸選. 靑錢萬選. 招選. 特選. 被選. 鄕擧里選. 互選.

12 [遹] ㊥ ■ 휼 (①-③)율㉠, ㉠質 餘律切 yù
⑯ ㉠④술㉠, ㉠質 食律切
字解 ①좇을 휼 따름. '祗一乃文考'《書經》. ②이에 휼 발어사(發語辭). '一駿有聲'《詩經》. ③성 휼 성(姓)의 하나. ④간사할 휼 간휼함. '謀猶回一'《詩經》.
字源 金文 形聲. 辶(辵)+矞[音]. '矞휼·율'은 받침에 창을 세워 놓은 모양으로 '시위(示威)'의 뜻. 시위하면서 사찰하고 다니다의 뜻을 나타냄.

[遹追 휼추] 뒤따라가 좇음. 이어받아 닦음.
[遹皇 휼황] 왕래하는 모양.

12 [遺] ㊥ ■ 유 ㉠支 以追切 yí
⑯ ㉠寅 以醉切 wèi
■ 수 ㉠支 旬爲切 suí
筆順 ㄱ 中 虫 串 貴 貴 貴 潰 遺

字解 ■ ①남을 유 뒤에 처져 있음. '子一有一音者矣'《禮記》. ②빠질 유 누락함. '漏'. '無一字一落'《武帝內傳》. 또, 누락한 것. '拾一補過'《史記》. ③남길 유 남아 있게 함. '不一尺寸'《說苑》. ④끼칠 유 후세에 남겨 줌. '一業'. '先帝簡拔, 以一陛下'《諸葛亮》. ⑤버릴 유 ㉠내버림. '一棄'. '不遐一'《易經》. ㉡돌보지 아니함. '今天不一斯民'《蘇軾》. ⑥물릴 유 시들해짐. '歡樂不一'《呂氏春秋》. ⑦잊을 유 망각함. '一忘'. '棄予如一'《詩經》. ⑧잃을 유 떨어뜨림. '一失'. '楚王一弓, 楚人得之'《公孫龍子》. 또, 떨어뜨린 것. '塗不拾一'《史記》. ⑨오

字源 篆文 邇 古文 迩 形聲. 辶(辵)＋爾[音]. ‘爾이’는 ‘尼니’와 통하여, 친하여 가까이하다의 뜻. ‘가깝다’의 뜻을 나타냄.

[邇來 이래] ㉠요사이. 근래 (近來). ㉡그 후. 이래 (以來).
[邇言 이언] 통속적이어서 알기 쉬운 말.
　●密邇. 遠邇. 柔遠能邇. 遐邇. 行遠自邇. 嚮邇.

14 ⑱ [邈] 人名 막 ㊡覺 莫角切 miǎo

字解 ①멀 막, 아득할 막 멀리 떨어져 있음. ‘一一’. ‘一而不可慕’《楚辭》. ②업신여길 막 경멸함. ‘顧一同列’《陸機》. ③근심할 막 수심에 잠긴 모양. ‘表安困積雪, 一然不可干’《古詩》.

字源 篆文 邈 形聲. 篆文은 辶(辵)＋貌[音]. ‘貌묘·막’은 ‘淼묘’와 통하여 ‘희미하다, 아득하다’의 뜻. 멀리 희미하게 흐린 모양을 나타냄.

[邈邈 막막] ㉠번민 (煩悶)하는 모양. ㉡먼 모양.
[邈然 막연] ㉠근심하는 모양. ㉡아득한 모양.
[邈猗 막의] 猗, 의는 조자 (助字).
[邈志 막지] 원대 (遠大)한 뜻.
[邈乎 막호] ㉠먼 모양. 아득한 모양. ㉡남을 소원 (疎遠)하는 모양.
　●高邈. 曠邈. 宏邈. 茫邈. 綿邈. 緬邈. 茗邈. 冥邈. 徐邈. 蕭邈. 崇邈. 淵邈. 寥邈. 遼邈. 悠邈. 隆邈. 絕邈. 澄邈. 清邈. 沖邈. 飄邈. 遐邈. 玄邈. 懸邈.

15 ⑲ [邊] 高人 변 ㊤先 布玄切 biān

筆順 自 皀 臱 臱 臱 臱 瀺 邊

字解 ①가 변 가장자리. 변두리. ‘緣一’. ‘雜色綴其一’《釋名》. ②변방 변 국경 지대. ‘一備’. ‘重兵多在一’《李商隱》. 또, 국경의 방비. ‘顧輸家財半, 助一’《漢書》. 또, 국경의 소요. ‘不能生一’《潛夫論》. ③두메 변 벽지. ‘其在一邑’《禮記》. ④곁 변 근처. ‘不以一坐’《禮記》. ⑤끝 변 종말. 제한 (際限). ‘無始無一’《齊書》. ⑥물가 변 수애 (水涯). ‘一沙’. ‘長安水一多麗人’《杜甫》. ⑦이웃할 변 이웃에 있음. ‘齊一楚’《漢書》. ⑧변 변 ㉠문자 (文字)의 좌문 (左文). ㉡다각형을 둘러싼 선 (線). ‘等一三角形’. ⑨성 변 성 (姓)의 하나.

字源 金文 𢔃 篆文 邊 形聲. 辶(辵)＋臱[鼻][音]. ‘臱’은 自＋丙＋方이며 ‘自자’는 코의 象形. ‘丙병’은 대 (臺)의 象形. ‘方방’은 책형을 당한 사람을 본뜬 것이라고 함. 요사스러운 귀신의 침입을 막기 위하여 경계에 놓인 주술 (呪術)의 모양을 나타낸다고 함. 또 일설에는 ‘臱’은 코의 양옆의 뜻이라고 함. 중심에서 벗어난 부분, ‘가’의 뜻을 나타냄.

參考 辺(辵部 二畫)·邊(辵部 十三畫)은 俗字.

[邊彊 변강] 변경 (邊境). 땅.
[邊境 변경] 나라의 경계 (境界)가 되는 변두리의 땅.
[邊警 변경] 나라 (邊境)의 경계 (警戒).
[邊界 변계] 변경 (邊境).
[邊功 변공] 변방에서 세운 공로.

[邊關 변관] 변경 (邊境)의 관 (關).
[邊隙 변극] 국경 지대의 분쟁. 국경에서의 싸움.
[邊寄 변기] 변방 수비의 임무.
[邊壘 변루] 국경 지대의 보루 (堡壘).
[邊民 변민] 변경에 사는 백성.
[邊方 변방] 변경 (邊境).
[邊防 변방] 변경 (邊境)의 방비. 변수 (邊戍).
[邊備 변비] 국경의 방비.
[邊鄙 변비] 두메. 벽촌.
[邊沙 변사] 물가의 모래땅.
[邊塞 변새] 변경 (邊境). 변경의 요새.
[邊城 변성] 국경 지대에 있는 성.
[邊守 변수] 변수 (邊戍).
[邊戍 변수] 국경 (國境)의 수비 (守備).
[邊陲 변수] 변경 (邊境).
[邊涯 변애] 끝. 한계.
[邊圉 변어] 변경 (邊境).
[邊役 변역] 국경을 지키는 병역 (兵役). 수자리.
[邊域 변역] 국경 지역. 변방 (邊方).
[邊裔 변예] 변경 (邊境).
[邊隅 변우] 변경 (邊境).
[邊邑 변읍] 벽촌 (僻村).
[邊將 변장] 국경을 지키는 장수.
[邊錢 변전] 이자가 붙는 돈. 변돈.
[邊情 변정] 변경 (邊境)의 정세 (情勢).
[邊際 변제] 변애 (邊涯).
[邊坐 변좌] 곁에 앉음.
[邊地 변지] 변토 (邊土).
[邊鎭 변진] 변경 (邊境)에 있는 군영 (軍營).
[邊陬 변추] 변경 (邊境).
[邊土 변토] ㉠변비 (邊鄙). ㉡변경 (邊境).
[邊患 변환] 외적이 국경을 침범하는 근심.
　●開邊. 界邊. 廣大無邊. 近邊. 那邊. 道邊. 無邊. 四邊. 山邊. 上邊. 水邊. 綏邊. 身邊. 岸邊. 沿邊. 緣邊. 籬邊. 一邊. 日邊. 周邊. 池邊. 天邊. 下邊. 河邊. 海邊.

15 ⑲ [瀆] 독 ㊡屋 徒谷切 dú

字解 ①더럽힐 독 친압 (親狎)하여 더럽힘. ②익힐 독 ‘一, 狎也’《玉篇》. ③흔하게여길 독 ‘一, 易也’《玉篇》. ④자주 독 ‘一, 數也’《玉篇》.
字源 形聲. 辶(辵)＋賣[音]

15 ⑲ [邋] 랍 ㊡葉 良涉切 liè

字解 나부낄 랍 기 (旗)가 펄렁거리는 모양. ‘一一員斿’《石鼓文》.
字源 甲骨文 篆文 邋 形聲. 辶(辵)＋巤[音]

[邋邋 납랍] 기 (旗)가 나부끼는 모양.

15 ⑲ [邌] 려 ㊤齊 郞奚切 lí

字解 천천히걸을 려 ‘一, 徐行皃’《廣韻》.
字源 篆文 邌 形聲. 辶(辵)＋黎[音]. ‘黎려’는 신에 바르는 풀의 뜻. 땅에 붙어서 떨어지지 않도록 천천히 걷다의 뜻을 나타냄.

16 ⑳ [邍] 원 ㊤元 愚袁切 yuán

[字解] 들 원 높고 편편한 땅. 原(厂部 八畫)과 통용. '一隰之名物'《周禮》.
[字源] 金文 篆文 會意. 辶(辵)＋备＋彔

16 [邈] 〔막〕
⑳ 邈(辵部 十四畫〈p. 2327〉)의 本字

17 [邍] 〔원〕
㉑ 邍(辵部 十六畫〈p. 2327〉)의 本字

19 [邏] [人名] 라 ㊎箇 郎佐切 luó
㉓

[字解] ①돌 라 순찰함. '巡一'. '宜遠偵一'《晉書》. 또, 순찰하는 사람. '偵一'. '戍一減半分'《晉書》. ②두를 라 위요함. '春山紫一長'《杜甫》.
[字源] 篆文 形聲. 辶(辵)＋羅〔音〕. '羅라'는 그물을 치다, 두르다의 뜻. '순찰하다'의 뜻을 나타냄.

[邏騎 나기] 순라(巡邏) 도는 기병.
[邏吏 나리] 순라 도는 벼슬아치.
[邏子 나자] 나졸(邏卒).
[邏卒 나졸] 순라 도는 병졸(兵卒).
◉街邏. 警邏. 烽邏. 巡邏. 夜邏. 游邏. 紫邏. 覘邏. 偵邏. 候邏.

19 [邐] 리 ㊤紙 力紙切 lǐ
㉓

[字解] 연할 리 연속함. '迤一覯鵝翼'《梁簡文帝》.
[字源] 金文 篆文 形聲. 辶(辵)＋麗〔音〕. '麗려·리'는 '이어지다'의 뜻. '辵착'을 덧붙여 '연하다'의 뜻을 나타냄.

[邐倚 이의] 도로가 꼬불꼬불하고 높았다 낮았다 한 모양.
[邐迤 이이] 비스듬히 연한 모양.
◉迤邐.

19 [遺] 〔독〕
㉓ 遺(辵部 十五畫〈p. 2327〉)의 本字

邑(阝) (7획) 部
〔고을읍·우부방부〕

0 [邑] [中人] ■ 읍 ㊅緝 於汲切 yì
⑦ ■ 압 ㊅合 遏合切 è

[筆順] 丨 ㄇ 口 吕 吊 邑 邑

[字解] ■ ①고을 읍 많은 사람이 모여 사는 곳. 큰 마을. '二年成一, 三年成都'《史記》. ②영지 읍 ㉠천자(天子)가 직할(直轄)하는 영지(領地). 기내(畿內). '商一翼翼'《詩經》. ㉡제후(諸侯)의 영지. 봉토(封土). '作一于豐'《詩經》. ㉢대부(大夫)의 영지. '以家一之田任稍地'《周禮》. ③영유할 읍 영지를 가짐. '武王旣崩, 叔虞一唐'《史記》. ④근심할 읍 悒(心部 七畫)과 同字. '一憐'. '安能一一待數十百年'《史記》. ■ 아첨할 압 아유함. 영합함. '阿一人主'《漢書》.

[字源] 甲骨文 金文 篆文 會意. 口＋卩. '卩절'은 편안히 앉아 쉬는 사람의 象形이 변형된 것. '口구'는 일정한 장소의 뜻. 사람이 무리 지어 편안히 사는 곳, '마을, 고을'의 뜻을 나타냄.
[參考] '邑읍'을 의부(意符)로 하여 사람이 사는 지역, 땅 이름을 나타내는 문자를 이룸. 방(旁)으로 쓰일 때에는 자형이 '阝'이 됨. 부수 이름은 '고을읍'.

[邑君 읍군] 여자의 봉호(封號).
[邑落 읍락] 읍리(邑里).
[邑閭 읍려] 읍한(邑閈).
[邑憐 읍련] 근심하여 아낌.
[邑里 읍리] 읍과 촌락.
[邑名勝母曾子不入 읍명승모증자불입] 어머니보다 나으면 불효(不孝)가 되므로, 승모(勝母)라는 이름의 읍(邑)에는 효자(孝子)인 증자(曾子)는 들어가지 아니함.
[邑庠 읍상] 촌락의 학교.
[邑邑 읍읍] ㉠근심하는 모양. 우울한 모양. ㉡미약한 모양. 여러 고을이 연속한 모양.
[邑人 읍인] 읍(邑)에 사는 사람.
[邑入 읍입] 읍의 조세(租稅).
[邑子 읍자] 읍인(邑人).
[邑長 읍장] 읍의 우두머리.
[邑宰 읍재] 읍장(邑長).
[邑誌 읍지] 한 읍(邑)의 역사(歷史)·지지(地誌)를 기록한 책.
[邑閈 읍한] ㉠읍(邑)의 문. ㉡읍(邑). 읍리(邑里).
◉佳邑. 京邑. 公邑. 國邑. 劇邑. 大邑. 都邑. 同邑. 邊邑. 奉邑. 封邑. 富邑. 私邑. 城邑. 小邑. 食邑. 新邑. 十室誌邑. 巖邑. 良邑. 於邑. 鬱邑. 爵邑. 井邑. 朝宿邑. 宗邑. 州邑. 采邑. 村邑. 陬邑. 聚邑. 湯沐邑. 通邑. 偏邑. 敝邑. 弊邑. 下邑. 鄕邑. 縣邑. 皇邑.

0 [阝] 邑(前條)의 글자의 오른편〔旁〕으로 올 때의 자체(字體). 속칭 '우부방(右阜旁)'.
③

[筆順] ㇇ 了 阝

2 [邝] 기 ㊤紙 擧履切 jǐ
⑤

[字解] 땅이름 기 '一, 地名'《說文》.
[字源] 形聲. 阝(邑)＋几〔音〕

3 [叩] 구 ㊥有 苦后切 kǒu
⑥

[字解] 마을이름 구 산시 성(陝西省) 남전현(藍田縣)의 서쪽. '一, 京兆藍田鄕'《說文》.
[字源] 形聲. 阝(邑)＋口〔音〕

3 [邕] [人名] 옹 ①㊤腫 委勇切 yǒng
⑩ ②㊥冬 於容切 yōng
③㊎宋 於用切

[字解] ①막을 옹 壅(土部 十三畫)과 同字. '一河水不流'《漢書》. ②화락할 옹 雍(隹部 五畫)과 同字. '閨門一穆'《晉書》. ③성 옹 성(姓)의 하나.

字源 金文 篆文 籀文 會意. 巜＋邑. '巜천'은 '물'의 뜻. '邑읍'은 사람이 사는 곳의 뜻. 물로 둘러싸인 주거의 뜻에서 '화락하다'의 뜻을 나타냄.

[邕穆 옹목] 화목(和睦)함.
[邕邕 옹옹] 조화(調和)한 모양.

3/6 [邔] 기 ⊕紙 墟里切 qǐ
字解 고을이름 기 한(漢)나라의 현(縣)의 이름. 지금의 후베이 성(湖北省) 의성현(宜城縣). '—縣, 屬南郡'《後漢書 註》.
字源 篆文 形聲. 阝(邑)＋己〔音〕

3/6 [邗] 한 ⊕寒 胡安切 hán
字解 땅이름 한, 운하이름 한 '—江'은 지금의 장쑤 성(江蘇省) 양저우(揚州)의 옛 이름. 또, '—溝'는 옛날의 운하(運河)의 이름. 지금의 장쑤 성의 장두 현(江都縣)에서 시작하여 화이안 현(淮安縣)에 이르렀음. '吳城—, 溝通江淮'《左傳》.
字源 金文 篆文 形聲. 阝(邑)＋干〔音〕
參考 邘(次條)와는 別字.

[邗江 한강] 자해(字解)를 보라.
[邗溝 한구] 자해(字解)를 보라.

3/6 [邘] 우 ⊕虞 羽俱切 yú
字解 ①나라이름 우 주(周)나라 무왕(武王)의 아들을 봉(封)한 나라. '明年伐—'《史記》. ②땅이름 우 지금의 허난 성(河南省) 허난 현(河南縣) 안에 있던 지명(地名). '王取邘劉蒍—之田于鄭'《左傳》. ③성 우 성(姓)의 하나.
字源 篆文 形聲. 阝(邑)＋于（亏）〔音〕
參考 邗(前條)과는 別字.

3/6 [邙] 망 ⊕陽 武方切 máng
字解 산이름 망 허난 성(河南省) 뤄양(洛陽)의 북쪽에 있는 산. 귀인·명사(名士)의 무덤이 많음. '千秋萬古北—塵'《劉廷芝》.
字源 篆文 形聲. 阝(邑)＋亡〔音〕. '亡망'은 죽어 없어지다의 뜻. 죽은 사람의 무덤이 있는 땅의 뜻을 나타냄.

●北邙.

3/6 [邛] 공 ⊕冬 渠容切 qióng
字解 ①오랑캐 공 한대(漢代)에 쓰촨 성(四川省) 시창 현(西昌縣) 지방에 살던 서남이(西南夷). '—筰之君長'《史記》. ②언덕 공 구릉(丘陵). '—有旨苕'《詩經》. ③고달플 공, 앓을 공 피로함. 병듦. '維王之—'《詩經》. ④성 공 성(姓)의 하나.
字源 金文 篆文 形聲. 阝(邑)＋工〔音〕

[邛都 공도] 지금의 쓰촨 성(四川省) 시창 현(西昌縣)의 동남에 있던 지명(地名).
[邛筰 공작] 공(邛)과 작(筰). 모두 서남이(西南夷)의 이름.

4/7 [邠] 人名 빈 ⊕眞 府中切 bīn
字解 ①땅이름 빈 주대(周代)의 서울로서, 지금의 산시 성(陝西省) 빈현(邠縣). 豳(豕部 十畫)과 同字. '大王居—'《孟子》. ②빛날 빈 彬(彡部 八畫)과 同字. '斐如一如'《太玄經》. ③성 빈 성(姓)의 하나.
字源 篆文 形聲. 阝(邑)＋分〔音〕

4/7 [邡] 방 ⊕陽 府良切 fāng ⊕漾 敷亮切 fàng
字解 ①땅이름 방 쓰촨 성(四川省)에 있는 지명(地名). ②찾을 방 방문함. 訪(言部 四畫)과 통용. '—公也'《穀梁傳》.
字源 篆文 形聲. 阝(邑)＋方〔音〕

4/7 [邟] 一 항 ㊀漾 苦浪切 kàng ㊁陽 胡郞切 ㊁háng 二 경 ㊁庚 居行切 三 강 ⊕陽 苦岡切 kāng
字解 一 고을이름 항 ㉠허난 성(河南省) 임여현(臨汝縣). '—, 潁川縣'《說文》. ㉡'餘—'은 한나라 때 두었던 현(縣)으로, 지금의 저장 성(浙江省) 여항현(餘杭縣). '—, 餘—, 縣名. 在吳興'《廣韻》. 二 고을이름 경 三❶과 뜻이 같음. 三 ①고을이름 강 二❶과 뜻이 같음. ②성(城)이름 강 허난 성(河南省) 우현(禹縣)에 있는 성(城)의 이름. '—, 一城, 在陽翟'《廣韻》.
字源 形聲. 阝(邑)＋亢〔音〕

4/7 [邥] 뉴 ⊕有 女久切 niǔ
字解 ①땅이름 뉴 '—, 地名'《說文》. ②구리 뉴 '—陽珍'은 구리의 딴 이름. '是稱—陽之珍'《梁簡文帝》.
字源 形聲. 阝(邑)＋丑〔音〕

4/7 [邢] 人名 형 ⊕青 戶經切 xíng
筆順 一 二 于 开 开' 邢 邢
字解 ①나라이름 형 주공(周公)의 아들을 봉(封)한 나라. 지금의 허베이 성(河北省) 싱타이 현(邢臺縣)의 서남(西南) 지방. '以鄭人—人伐翼'《左傳》. ②성 형 성(姓)의 하나.
字源 金文 篆文 形聲. 阝(邑)＋开〔音〕

4/7 [那] 高人 一 나 ⊕歌 諾何切 nā, nuó ㊀哿 奴可切 nǎ 二 내 ㊀簡 奴簡切 nuò
筆順 丁 刀 尹 尹 尹' 那 那
字解 一 ①어찌 나 어찌하여. 何(人部 五畫)와

뜻이 같은데, 시(詩)에 많이 쓰임. '處分適兄意, 一得自任專'《古詩》. ②내하(奈何)오 나 어떠하냐. 여하(如何). '棄甲則一'《左傳》. ③어찌하리오 나 어찌하면 좋으랴. '強欲從君, 無一老'《王維》. ④많을 나 '受福不一'《詩經》. ⑤편안할 나 편안한 모양. '有一其居'《詩經》. ⑥어느 나 어떤. '一事'. '一裏'(어느 곳). '君家阿一邊'《李白》. ⑦저 나 彼(彳部 五畫)와 뜻이 같은데, 시(詩)에 많이 쓰임. '大作家在一邊'《盧氏雜記》. '所以一老人'《禪月》. [三] 어조사 내 무의미한 조사(助辭). '公是韓伯休一'《後漢書》.
[字源] 篆文 會意. 篆文은 阝(邑)＋冄(冄). 본디 땅 이름을 나타내었으나, 假借하여 '어찌'의 뜻을 나타냄.

[那間 나간] 언제.
[那箇 나개] 그. 저.
[那羅延 나라연]《佛敎》 천계(天界)의 역사(力士).
[那落 나락]《佛敎》나락가(那落迦).
[那落迦 나락가]《佛敎》 지옥(地獄).
[那落底 나락저] ㉠지옥의 밑바닥. ㉡영구히 드러나지 않는 곳. ㉢최종. 끝의 끝.
[那裏 나리] ㉠어느 곳. ㉡저곳.
[那邊 나변] 어느 곳.
[那事 나사] 무슨 일.
[那時 나시] 언제. 어느 때.
[那由他 나유타]《佛敎》 무량(無量)의 수. 나유다(那由多).
[那中 나중] 그곳. 그 속.
[那何 나하] 내하(奈何). 여하(如何).
◉伽那. 落那. 盧舍那. 旦那. 檀那. 毘盧舍那. 禪那. 阿那. 猗那. 維那. 任那. 支那. 刹那. 陀那.

4 ⑦ [𨙸] 那(前條)의 本字

4 ⑦ [𨙶] 운 [平]文 王分切 yún
[字解] 나라이름 운 鄖(邑部 十畫)과 同字. '若敖娶於一'《左傳》.

4 ⑦ [邥] 심 ㊤寢 式荏切 shěn
[字解] 땅이름 심 '一垂'는 지금의 허난 성(河南省) 뤄양 현(洛陽縣) 남쪽에 있던 옛날의 지명(地名). '敗戎于一垂'《左傳》.
[字源] 形聲. 阝(邑)＋冘〔音〕

4 ⑦ [邦] [高人] 방 [平]江 博江切 bāng
[筆順] 一 二 三 丰 丰' 丰ß 邦
[字解] ①나라 방 국가. 국토. '掌一之六典'《周禮》. ②봉할 방 제후를 봉함. 영지(領地)를 줌. '乃命諸王, 一之蔡'《書經》. ③성 방 성(姓)의 하나.
[字源] 甲骨文 金文 篆文 形聲. 阝(邑)＋丰〔音〕. '邑읍'은 사람이 사는 장소의 뜻. '丰봉'은 '封봉'과 통하여 나무 심은 경계의 뜻. 경계가 정해진 영지, '나라'의 뜻을 나타냄.

[邦家 방가] 국토와 왕실. 나라. 국가.
[邦慶 방경] 나라의 경사(慶事).
[邦交 방교] 나라와 나라와의 교제. 국교(國交).
[邦敎 방교] 국가의 교육.
[邦國 방국] 나라. 국가(國家).
[邦禁 방금] 국가의 금령(禁令). 국법.
[邦紀 방기] 국가의 기강(紀綱).
[邦畿 방기] 서울을 중심으로 한 지역. 기내(畿內). 경기(京畿).
[邦器 방기] 예악(禮樂)의 기구와 제기(祭器).
[邦良 방량] 나라 안의 선량한 사람.
[邦禮 방례] 국가의 전례(典禮).
[邦伯 방백] 제후(諸侯). 방백(方伯).
[邦本 방본] 국가의 근본.
[邦俗 방속] 나라의 풍속. 국풍(國風).
[邦語 방어] 자기 나라의 말. 그 나라의 말.
[邦彦 방언] 나라 안의 뛰어난 인물.
[邦域 방역] 나라의 경계. 국경(國境).
[邦甸 방전] 천자(天子)의 직할(直轄)의 땅. 기내(畿內).
[邦典 방전] 방헌(邦憲).
[邦政 방정] 나라의 정치. 국정(國政).
[邦治 방치] 방정(邦政).
[邦土 방토] 나라. 국토.
[邦憲 방헌] 국법(國法).
[邦刑 방형] 나라의 형률(刑律).
[邦畫 방화] 우리나라에서 만든 영화.
◉建邦. 舊邦. 亂邦. 萬邦. 盟邦. 本邦. 庶邦. 聯邦. 友邦. 異邦. 隣邦. 他邦.

4 ⑦ [邧] 원 [平]元 愚袁切 yuán
[字解] 고을이름 원 지금의 산시 성(陝西省) 징성 현(澄城縣) 안에 있던 진(秦)나라의 읍(邑). '晉侯伐秦, 圍一新城'《左傳》.
[字源] 篆文 形聲. 阝(邑)＋元〔音〕

4 ⑦ [邪] [高人] [一] 사 [平]麻 似嗟切 xié [二] 야 [平]麻 以遮切 yé [三] 여 [平]魚 羊諸切 yú [四] 서 [平]魚 詳余切 xú
[筆順] 一 匚 于 牙 牙' 牙ß 邪
[字解] [一] ①간사할 사 ㉠바르지 못함. 정직(正直)하지 못함. 부정(不正). '一道'. '思無一'《論語》. ㉡성질이 간교하고, 행동이 바르지 못함. '妖一'. '佞一'. 또, 그 사람. '誅暴禁一'《史記》. ②기우듬할 사 한쪽으로 기울어짐. '其文敧一'《釋名》. ③열병 사 오열(惡熱)이 나는 병. '有病一者'《南史》. ④사기(邪氣) 사 몸에서 오열을 나게 하는 외기(外氣). '以驅百一'《齊民要術》. [二] 그런가 야 의문사(疑問辭). 耶(耳部 三畫)와 同字. '天道是一非一'《史記》. [三] 나머지 여 餘(食部 七畫)와 同字. '歸一於終'《史記》. [四] ①느릴 서 언행이 조용하고 느린 모양. '其虛其一'《詩經》. ②성 서 성(姓)의 하나.
[字源] 篆文 形聲. 阝(邑)＋牙〔音〕. 본래는 땅 이름을 나타냄. '衺사'와 同字로서 '바르지 않다, 기우듬하다'의 뜻을 나타냄. 또 假借하여 의문의 조사(助辭)를 나타냄.

[邪見 사견] ㉠올바르지 아니한 견해. ㉡《佛敎》

인과(因果)의 도리를 무시한 망견(妄見).
[邪徑 사경] 곧지 아니한 길. 부정한 마음 또는 행위의 비유.
[邪計 사계] 간사한 꾀.
[邪曲 사곡] 마음이 바르지 아니함.
[邪巧 사교] 간사하고 교묘함.
[邪敎 사교] 부정한 종교(宗敎).
[邪鬼 사귀] 요사스러운 귀신.
[邪氣 사기] 부정한 기운. 나쁜 기운.
[邪念 사념] 간악한 생각. 망령된 생각.
[邪佞 사녕] 간사하고 아첨을 잘함. 또, 그 사람.
[邪黨 사당] 간사(奸邪)한 무리.
[邪道 사도] 올바르지 않은 길. 부정한 도(道).
[邪戀 사련] 옳지 아니한 연애(戀愛).
[邪路 사로] 올바르지 않은 길. 부정한 방향.
[邪魔 사마] 《佛敎》불도에 어그러지는 견해를 품어 보리도(菩提道)에 장애가 되는 자.
[邪萌 사맹] 사념(邪念)의 맹아(萌芽). 간사한 생각의 싹.
[邪薄 사박] 마음이 간사하고 덕이 박함.
[邪法 사법] ㉠악법(惡法). ㉡사교(邪敎).
[邪辟 사벽] 도리에 어긋나 편벽됨.
[邪僻 사벽] 사벽(邪辟). 「없음.
[邪不犯正 사불범정] 사(邪)는 정(正)을 이길 수
[邪辭 사사] 간사한 말.
[邪散 사산] 사벽(邪辟).
[邪說 사설] 부정한 설.
[邪說暴行又作 사설폭행우작] 사설과 폭행이 또 벌어지게 됨. 곧, 세상이 다시금 크게 혼란스러워짐을 이름.
[邪世 사세] 사악한 세상.
[邪術 사술] 요사(妖邪)스러운 방법.
[邪臣 사신] 간사한 신하.
[邪神 사신] 요사(妖邪)한 귀신(鬼神).
[邪心 사심] 간사한 마음.
[邪惡 사악] 간사(奸邪)하고 악독(惡毒)함. 또, 그 사람.
[邪睨 사예] 흘김. 곁눈질하여 봄.
[邪枉 사왕] 사곡(邪曲).
[邪淫 사음] ㉠간사하고 음란함. ㉡사음(邪婬).
[邪婬 사음] 《佛敎》십악(十惡)의 하나. 남의 처첩(妻妾)을 간통함.
[邪音 사음] 부정(不正)한 음악.
[邪意 사의] 사심(邪心).
[邪議 사의] 부정한 의론.
[邪正 사정] 사곡(邪曲)과 정직(正直).
[邪智 사지] 간사한 지혜.
[邪侈 사치] 간사하고 사치함.
[邪慝 사특] 간사(奸邪)하고 못됨.
[邪學 사학] 정도(正道)에 어그러진 학문.
[邪呼 사호] 사호(邪許).
[邪許 사호] 여럿이 무거운 물건을 옮길 때 힘을 내기 위하여 부르는 소리. '어여차'하고 지르는 소리. 야호(邪許).
[邪滑 사활] 간사하고 교활함.
[邪譎 사휼] 간사하여 남을 속임.
[邪揄 야유] '야유(揶揄)'와 같음.
[邪呼 야호] 사호(邪呼).
[邪許 야호] 사호(邪許).
● 奸邪. 姦邪. 傾邪. 群邪. 歸邪. 奇邪. 莫邪. 辟邪. 僻邪. 氛邪. 思無邪. 胥邪. 昔邪. 濕邪. 若邪. 佞邪. 汚邪. 妖邪. 歙邪. 正邪. 陳善閉邪. 讒邪. 諂邪. 破邪. 風邪. 凶邪.

4
⑦ [邿] 〓 기 ㊀支 巨支切 qí
〓 지 ㊀支 章移切 zhī
[字解] 〓 땅이름 기 주(周)나라의 고을 이름. 지금의 산시 성(陝西省) 치산 현(岐山縣)의 동북쪽. 岐(山部 四畫)와 同字. 〓 고을이름 지 허난 성(河南省) 신야현(新野縣)의 고을 이름.
[字源] 篆文 邿 別體 岐 形聲. 阝(邑)＋支〔音〕

4
⑦ [邔] 〔구〕
邱(邑部 五畫〈p.2332〉)의 本字

4
⑦ [邨] 人名 〔촌〕
村(木部 三畫〈p.1035〉)과 同字
[字源] 篆文 邨 形聲. 阝(邑)＋屯〔音〕'屯둔'은 많은 것이 모이다의 뜻. '취락, 마을'의 뜻을 나타냄.

5
⑧ [邹] 〔추〕
鄒(邑部 十畫〈p.2343〉)의 俗字·簡體字

5
⑧ [邴] 〔나·내〕
那(邑部 四畫〈p.2329〉)의 訛字

5
⑧ [邪] 〔사·야〕
邪(邑部 四畫〈p.2330〉)와 同字

5
⑧ [鄂] 〓 호 ㊀豪 胡刀切 háo
〓 요 蕭 于嬌切
[字解] 〓 고을이름 호 허난 성(河南省) 난양 시(南陽市)의 동쪽에 있는 향(鄕)의 이름. '―, 南陽淯陽縣《說文》. 〓 고을이름 요 〓과 뜻이 같음.
[字源] 篆文 鄂 形聲. 阝(邑)＋号〔音〕

5
⑧ [邯] 〓 한 ㊀寒 胡安切 hán
〓 함 ㊀覃 胡甘切 hàn
[字解] 〓 조나라서울 한 '一鄲'은 전국 시대(戰國時代)의 조(趙)나라 서울. 지금은 허베이 성(河北省)의 한 현(縣)임. '一鄲之郊'《戰國策》. 〓 사람이름 함 '章一'은 진(秦)나라 이세 황제(二世皇帝)의 장수.
[字源] 篆文 邯 形聲. 阝(邑)＋甘〔音〕

邯

[邯鄲 한단] 전국 시대(戰國時代)의 조(趙)나라의 서울.
[邯鄲之夢 한단지몽] 노생(盧生)이 한단(邯鄲)에서 도사(道士) 여옹(呂翁)의 베개를 빌려 잠깐 눈을 붙인 사이에 부귀영화의 꿈을 꾼 고사(故事). 전(轉)하여, 부귀공명의 덧없음의 비유.
[邯鄲之步 한단지보] 한단학보(邯鄲學步).
[邯鄲枕 한단침] 한단(邯鄲)에서 노생(盧生)이 베던 베개. 전(轉)하여, 한단지몽(邯鄲之夢).
[邯鄲學步 한단학보] 연(燕)나라의 소년이 조(趙)나라의 서울 한단(邯鄲)에 가서 서울 사람들의 한아(閑雅)한 걸음걸이를 배우다가 아직 익숙하지 못하여 도중에 고향으로 돌아오니, 서울 사람들의 걸음걸이도 제대로 걷지 못하고 그 전의 걸음걸이도 잊었다는 고사(故事). 전(轉)하여, 자기의 본분을 잊고 남의 흉내를 내서는 안 된다는 비유.

●章邯.

5
⑧ [邮] 一 유 ㊀尤 以周切 yóu
二 적 ㊈錫 徒歷切
三 독 ㊈沃 徒沃切
四 우

字解 一 정자이름 유, 고을이름 유 산시 성(陝西省) 고릉현(高陵縣)의 서남쪽에 있는 정자(亭子)의 이름. 또, 향(鄕)의 이름. '一, 左馮翊高陵亭'《說文》. '一, 鄕名, 在高陵'《廣韻》. 二 정자이름 적, 고을이름 적 一과 뜻이 같음. 三 정자이름 독, 고을이름 독 一과 뜻이 같음. 四 郵(邑部 八畫)의 簡體字.

5
⑧ [邰] ⼈名 태 ㊀灰 土來切 tái

筆順 ㇒ 厶 厷 台 台 台ʼ 台阝 邰

字解 ①나라이름 태 주(周)나라의 선조(先祖) 후직(后稷)이 처음으로 봉(封)함을 받은 나라. '有一'('有'는 발성(發聲)의 말)라고도 함. 지금의 산시 성(陝西省) 우공 현(武功縣) 내. '卽有一家室'《詩經》. ②성 태 성(姓)의 하나.
字源 篆文 邰 形聲. 阝(邑) + 台〔音〕

●有邰.

5
⑧ [邱] ⼈名 구 ㊀尤 去鳩切 qiū

筆順 一 厂 斤 斤 丘 丘ʼ 丘阝 邱

字解 언덕 구 丘(一部 四畫)와 同字. '一陵隄防'《孫子》.
字源 篆文 邱 形聲. 阝(邑) + 丘(北)〔音〕. '北구'는 '언덕'의 뜻.

[邱甲 구갑] 주대(周代)의 법령에서 제정한 전(甸)(576戶)에서 징집하던 군용(軍用)의 조세 및 인부를 고쳐서 구(邱)(144戶)에서 징집하던 세법(稅法). 갑(甲)은 법령(法令).

[邱壻 구서] 딸이 죽은 사위. 딸 없는 사위. 구(邱)는 공(空)의 뜻. 구서(丘壻).

[邱濬 구준] 명(明)나라 중기(中期)의 유학자(儒學者). 자(字)는 중심(仲深). 국가의 전고(典故)에 밝았으며, 벼슬이 예부상서(禮部尙書)에 이르러 대학사(大學士)를 겸했음. 주자학(朱子學)에 정통하여 〈문공가례의절(文公家禮義節)〉·〈대학연의보(大學衍義補)〉등을 지음.

[邱處機 구처기] 금말(金末) 원초(元初)의 도사(道士). 구도교(舊道敎)를 개혁(改革)한 왕중양(王重陽)의 고제(高弟) 칠진인(七眞人)의 한 사람으로 도학(道學)에 정통하여 스스로 호(號)를 장춘자(長春子)라고 했음. 성길사한(成吉思汗)을 알현(謁見)하고 온 대여행기(大旅行記)〈장춘진인서유록(長春眞人西遊錄)〉은 매우 귀중한 자료이며, 〈반계집(磻溪集)〉·〈대단직지(大丹直指)〉등의 저서가 있음.

5
⑧ [邲] 필 ㊈質 毗必切 bì

字解 ①땅이름 필 춘추 전국 시대(春秋戰國時代)의 정(鄭)나라의 땅. 지금의 허난 성(河南省) 정센(鄭縣)의 동쪽. '戰于一'(진초(晉楚)의 싸움으로, 춘추(春秋)의 오대전(五大戰)의 하나)《左傳》. ②성 필 성(姓)의 하나.
字源 篆文 邲 形聲. 阝(邑) + 必〔音〕

5
⑧ [邳] 비 ㊀支 符悲切 pī, péi

字解 ①땅이름 비 지명(地名). 지금의 산둥 성(山東省) 등현내(滕縣內). '奚仲遷于一'《左傳》. 또, '下一'는 장양(張良)이 황석공(黃石公)을 만난 곳으로서, 지금의 장쑤 성(江蘇省) 비현내(邳縣內). '彭越渡睢水, 戰於下一'《史記》. ②클 비 丕(一部 四畫)와 통용. '橋檻一張'《何晏》. ③성 비 성(姓)의 하나.
字源 篆文 邳 形聲. 阝(邑) + 丕〔音〕

●下邳.

5
⑧ [邭] 구 ㊄遇 九遇切 jù
㊄虞 權俱切

字解 땅이름 구 '一, 地名'《說文》.
字源 形聲. 阝(邑) + 句〔音〕

5
⑧ [郇] 포 ㊂肴 匹交切 bāo
㊂豪 博毛切

字解 ①땅이름 포 서남방(西南方)의 이민족(異民族)의 땅의 이름. '一, 地名'《說文》. ②성 포 성(姓)의 하나.
字源 形聲. 阝(邑) + 包〔音〕

5
⑧ [邴] 병 ㊀梗 兵永切 bǐng
㊄敬 陂病切 bǐng

字解 ①땅이름 병 춘추 시대(春秋時代)의 정(鄭)나라의 땅. '使宛來歸一'《穀梁傳》. ②기뻐할 병 기뻐하는 모양. '一一乎其似喜平'《莊子》. ③성 병 성(姓)의 하나.
字源 篆文 邴 形聲. 阝(邑) + 丙〔音〕

[邴邴 병병] 기뻐하는 모양. 일설(一說)에는, 밝은 모양.

5
⑧ [邵] ⼈名 소 ㊄嘯 寔照切 shào

筆順 ㇇ 刀 刀ʼ 召 召 召ʼ 召阝 邵

字解 ①고을이름 소 '一一'는 허난 성(河南省)에 있던 진(晉)나라의 읍(邑). ②성 소 성(姓)의 하나. '召公'을 '一公'으로도 씀. '周一呂望之功'《史記》.
字源 篆文 邵 形聲. 阝(邑) + 召〔音〕

[邵雍 소옹] 송(宋)나라 때의 학자(學者). 자(字)는 요부(堯夫). 역리(易理)에 정통하였으며, 저서에 〈황극경세(皇極經世)〉·〈이천격양집(伊川擊壤集)〉등이 있음. 시호(諡號)는 강절(康節).

[邵長蘅 소장형] 청(淸)나라 사람. 자(字)는 자상(子湘), 호(號)는 청문(靑門). 고문(古文)을

잘하였음. 〈청문집 (靑門集)〉을 지었음.
[邵晉涵 소진함] 청 (淸)나라 학자. 여요 (餘姚) 사람. 자 (字)는 여동 (與桐). 사학 (史學)·경학 (經學)에 밝아, 사고전서관 (四庫全書館)에서 사부 (史部)의 조사 (調査)에 종사하였으며, 벼슬이 시독학사 (侍讀學士)에 이르렀음. 〈이아정의 (爾雅正義)〉·〈한시내전고 (韓詩內傳考)〉 등을 지었음.
●郱邵.

5/⑧ [邶] 패 ㉭隊 蒲昧切 bèi

[字解] 땅이름 패 은 (殷)나라 조가 (朝歌)의 북반 (北半)으로서, 주 (周)나라 무왕 (武王)이 은 (殷)나라 주왕 (紂王)의 아들 무경 (武庚)을 봉 (封)한 땅. 지금의 허난 성 (河南省) 위휘부 (衛輝府) 지방. '分朝歌而北謂之一' 《詩經 序》.
[字源] 金文 北 篆文 㘰 形聲. 阝(邑)+北〔音〕. '北북'은 '북쪽'의 뜻.

[邶風 패풍] 시경 (詩經) 십오 국풍 (十五國風)의 하나.

5/⑧ [邸] 저 ㉧薺 都禮切 dǐ

[筆順] 一 厂 F 氏 氐 氐' 邸' 邸

[字解] ①사처 저 내조 (來朝)한 제후 (諸侯)가 서울에서 머무르는 숙사. '至一而議之'《漢書》. 전 (轉)하여, 널리. ②주막 저 숙사. 여관. '因留客一'《史記》. ③집 저 주택. 주로, 고귀한 이의 집. '一宅'. ④官一. '以北一爲建章宮'《南史》. ④종친 저 황족 (皇族). '晉一稱爲二張'《北史》. ⑤밑 저 ㉠밑바닥. '一謂之柢'《爾雅》. ㉡밑둥. '四圭有一, 以祀天旅上帝'《周禮》. ⑥병풍 저 방안 같은 데 둘러치는 제구. '張氈案, 設皇一'《周禮》. ⑦다다를 저, 이를 저 抵〔手部 五畫〕와 통용. '自中山西一瓠口'《史記》. ⑧댈 저 닿게 함. '一華葉而振氣'《宋玉》. ⑨성 저 성 (姓)의 하나.
[字源] 篆文 㘰 形聲. 阝(邑)+氏〔音〕. '氏저'는 '충당하다'의 뜻. 제후가 서울에 올라왔을 때 숙소로 충당하는 장소, 사처의 뜻을 나타냄.

[邸閣 저각] 집. 저택 (邸宅). 일설 (一說)에는 창고 (倉庫).
[邸觀 저관] 저택 (邸宅)과 누각 (樓閣).
[邸報 저보] 경사 (京師)에 있는 제후 (諸侯)의 저택 (邸宅)에서 본국 (本國)에서 보내는 통보 (通報)에 조령 (詔令)·장주 (章奏) 등을 기재한 것으로서 지금의 관보 (官報)와 같은 것.
[邸舍 저사] ㉠저택 (邸宅). ㉡내조 (來朝)한 제후 (諸侯)의 사처. ㉢시중 (市中)의 상점.
[邸第 저제] ㉠저사 (邸舍)❶. ㉡귀인 (貴人)의 집.
[邸宅 저택] 집.
[邸下 저하] 왕세자 (王世子)의 존칭.
●甲邸. 客邸. 京邸. 公邸. 官邸. 舊邸. 藩邸. 別邸. 本邸. 私邸. 御邸. 旅邸. 列邸. 外邸. 龍邸. 潛邸. 儲邸. 峻邸. 皇邸.

[祁] 〔기〕
示部 三畫 (p. 1590)을 보라.

6/⑨ [邽] 규 ㉿齊 古攜切 guī

[字解] ①고을이름 규 한대 (漢代)의 한 현 (縣)으로서, '上一'는 지금의 간쑤 성 (甘肅省) 톈수이 현내 (天水縣内), '下一'는 산시 성 (陝西省) 웨이난 현내 (渭南縣内). ②성 규 성 (姓)의 하나.
[字源] 金文 圭 篆文 㘰 形聲. 阝(邑)+圭〔音〕. '圭규'와 통하여 '옥'의 뜻으로 쓰임.
●上邽. 下邽.

6/⑨ [郱] 년 ㉿先 寧顚切 nián

[字解] 고을이름 년 중국 산시 성 (陝西省) 예천현 (醴泉縣) 동북쪽에 있음.

6/⑬ [輄]

郱 (前條)과 同字

6/⑨ [邾] 주 ①㉿虞 陟輸切 zhū ②㉿虞 鍾輸切

[字解] ①나라이름 주 춘추 시대 (春秋時代)의 노 (魯)나라의 부용국 (附庸國). 후에 추 (鄒)라 개칭하였음. 지금의 산둥 성 (山東省) 추현 (鄒縣) 지방. '公及一儀父盟于蔑'《春秋》. ②성 주 성 (姓)의 하나.
[字源] 金文 㘰 篆文 㘰 形聲. 阝(邑)+朱〔音〕

6/⑨ [邿] 시 ㉿支 書之切 shī

[字解] ①나라이름 시 춘추 시대 (春秋時代)의 노 (魯)나라의 부용국 (附庸國). 지금의 산둥 성 (山東省) 지닝 현 (濟寧縣)의 남부 지방. '一亂分爲三, 師救一, 遂取之'《左傳》. ②산이름 시 산둥 성 핑윤현 (平陰縣)의 서쪽에 있는 산 이름. '以下軍克一'《左傳》.
[字源] 金文 㘰 篆文 㘰 形聲. 阝(邑)+寺〔音〕

6/⑨ [郁] 욱 ㈇屋 於六切 yù

[筆順] 丿 ナ 才 有 有 有' 郁 郁

[字解] ①땅이름 욱 '一夷'는 지금의 산시 성 (陝西省)에 있는 지명. ②성할 욱 ㉠문물 (文物)이 융성한 모양. '一一乎文哉'《論語》. ㉡향기가 대단히 나는 모양. '踐椒塗之一烈'《曹植》. ③성 욱 성 (姓)의 하나.
[字源] 金文 㘰 篆文 㘰 形聲. 阝(邑)+有〔音〕. 본래는 옛 나라 이름을 나타냄. 假借하여, 향기가 대단한 모양을 나타내는 의태어로서 쓰임.

[郁烈 욱렬] 향기가 대단히 나는 모양.
[郁文 욱문] 문물 (文物)이 융성한 모양.
[郁馥 욱복] 향기가 높은 모양.
[郁氛 욱분] 향기.
[郁芬 욱분] 욱분 (郁氛).
[郁靄 욱애] 구름이 뭉게뭉게 피어오르는 모양.
[郁郁 욱욱] ㉠문물 (文物)이 융성한 모양. ㉡향기가 대단히 나는 모양.
[郁郁靑靑 욱욱청청] 향기가 대단히 나며 무성한

모양.
[郁毓 욱육] 퍽 많은 모양.
[郁伊 욱이] 우울한 모양. 또, 한탄하는 소리.
[郁夷 욱이] 자해 (字解)❶을 보라.
●蘭郁. 醲郁. 芳郁. 馥郁. 芬郁. 紛郁. 淑郁.
鬱郁.

6 ⑨ [郃] 합 ㉑合 侯閤切 hé

[字解] ①고을이름 합 '一陽'은 산시 성 (陝西省)의 현명 (縣名). ②물이름 합 산시 성 (陝西省)에 있던 강. 원은 '洽'이라 하였음. '在一之陽'《詩經》. ③성 합 성 (姓)의 하나.
[字源] 篆文 合邑 形聲. 阝(邑)＋合〔音〕.

[郃陽 합양] 자해 (字解)❶을 보라.

6 ⑨ [郅] ▤ 질 ㉠質 職日切 zhì
▤ 길 ㉠質 激質切 jí

[字解] ▤ ①고을이름 질 '郁一'은 지금의 간쑤 성 (甘肅省)에 있던 현 (縣). ②이를 질 至(部首)와 뜻이 같음. 일설 (一說)에는, 일성 (一盛)함. '文王改制, 爰周一隆'《史記》. ③성 질 성 (姓)의 하나. ▤ 깃대 길 '一偈'는 깃대. 기간 (旗竿). '夫何旟旐一偈之旒旐也'《揚雄》.
[字源] 篆文 㞢邑 形聲. 阝(邑)＋至〔音〕.

[郅偈 길게] 깃대. 기간 (旗竿).
[郅都 질도] 전한 (前漢) 초기의 관리. 경제 (景帝)때 제남태수 (濟南太守)를 거쳐 중위 (中尉)가되어 백관 (百官)을 감찰 (監察)하였는데, 지나치게 엄혹하였으므로 창응 (蒼鷹)이라는 칭호를 받았음. 뒤에 두태후 (竇太后)의 미움을 사서 참형 (斬刑)을 당하였음.
[郅隆 질륭] 태평 (太平)한 시대 (時代).
[郅隆之治 질륭지치] 왕화 (王化)가 고루 미친 정치.
[郅支單于 질지선우] 한대 (漢代)의 흉노 (匈奴)의왕. 호한선우 (呼韓單于)의 형. 좌현왕 (左賢王)호도오사 (呼屠吾斯)가 자립하여 일컬은 칭호.
[郅治 질치] 질륭지치 (郅隆之治).

6 ⑨ [䣝] 우 ㉯麌 王矩切 yǔ

[字解] 정자이름 우 허난 성 (河南省) 친양 현 (沁陽縣)의 북쪽의 무음성 (舞陰城). '一, 南陽舞陰亭'《說文》.
[字源] 形聲. 阝(邑)＋羽〔音〕.

6 ⑨ [郇] ▤ 순 ㉫眞 相倫切 xún
▤ 환 ㉫刪 戶關切 huán

[字解] ▤ ①땅이름 순 춘추 시대 (春秋時代)의 진 (晉)나라의 땅. 지금의 산시 성 (山西省)의 의씨현 (猗氏縣)의 지방. '退軍于一'《左傳》. ②성 순 성 (姓)의 하나. ▤ 성 환 성 (姓)의 하나.
[字源] 篆文 㫰邑 形聲. 阝(邑)＋旬〔音〕.

[郇廚 순주] 맛있는 음식. 진수성찬. 당 (唐)나라의 순공 위척 (郇公韋陟)이 음식 차례를 굉장하게 한 데서 나온 말.

6 ⑨ [邼] 광 ㉘陽 去王切 kuāng

[字解] 고을이름 광 향 (鄕)의 이름.
[字源] 形聲. 阝(邑)＋匡 (匡)〔音〕.

6 ⑨ [郋] 궤 ㉛紙 古委切 guǐ

[字解] 산이름 궤 산 이름. '陸一之山'《山海經》.

6 ⑨ [郈] 후 ㉒有 胡口切 hòu

[字解] ①고을이름 후 춘추 시대 (春秋時代)의 노 (魯)나라의 읍 (邑). 지금의 산둥 성 (山東省) 동평현내 (東平縣內). '叔孫氏墮一'《左傳》. ②성후 성 (姓)의 하나.
[字源] 篆文 郈 形聲. 阝(邑)＋后〔音〕.

6 ⑨ [郊] 高入 교 ㉘看 古看切 jiāo

筆順 ` 亠 六 亣 交 交 郊 郊

[字解] ①성밖 교 주대 (周代)의 제도 (制度)에서는 국도 (國都)에서 거리가 50리 이내의 곳을 '近一', 백 리 이내를 '遠一'라 함. '邯鄲之一'《戰國策》. 전 (轉)하여, 도회의 부근을 이름. '一外'. ②들, 시골 교 인가는 드물고 전야 (田野)가 많은 땅. '農一'. '當春一而徑平'《謝朓》. ③교사 (郊祀) 교 천지 (天地)의 제사. '一祭'. '冬至祀天于南郊, 夏至祀地于北郊, 故謂祀天地爲一'《康熙字典》. ④제사지낼 교 교사 (郊祀)를 지냄. '魯今且一'《史記》.
[字源] 篆文 郊 形聲. 阝(邑)＋交〔音〕. '交'는 '烄 교'와 통하여, 엇걸어 놓은 나무에 불을 붙여 하늘에 지내는 제사의 뜻. 교외에서 제사를 지낼 장소, 서울의 변두리 지역, 교외의 뜻을 나타냄.

[郊歌 교가] 교사 (郊祀) 때 부르는 노래.
[郊坰 교경] 교외 (郊外).
[郊關 교관] 교외 (郊外)에 있는 관문 (關門).
[郊圻 교기] 성읍 (城邑)의 경계.
[郊畿 교기] 교기 (郊圻).
[郊壇 교단] 교사 (郊祀)를 지내는 터.
[郊勞 교로] 교외까지 마중 나가서 위로함.
[郊里 교리] 마을. 읍리 (邑里).
[郊陌 교맥] 시골의 길.
[郊保 교보] 교외의 작은 성.
[郊祀 교사] 교제 (郊祭).
[郊社 교사] 천지 (天地)의 제사. 사 (社)는 지신 (地神)에 지내는 제사.
[郊使 교사] 교외까지 마중 나오는 사신 (使臣).
[郊射 교사] 교외에서 사례 (射禮)를 행함.
[郊祀歌 교사가] 한무제 (漢武帝)가 교사 (郊祀)의 예 (禮)를 정하고, 악부 (樂府)를 세워, 이연년 (李延年)으로 협률랑 (協律郞)을 삼고 만들어 내게 한 19장 (章)의 노래.
[郊墅 교서] 시골에 있는 별장.
[郊送 교송] 교외까지 배웅함.
[郊遂 교수] 교외의 땅. 국도 (國都) 밖을 '교 (郊)'라 하고, 교 (郊) 밖을 '수 (遂)'라 함.
[郊野 교야] 교외의 들.

곽자의 (郭子儀)의 일컬음.
[郭索 곽삭] ㉠게가 가는 모양. ㉡ '게〔蟹〕'의 별칭 (別稱). ㉢마음이 안정하지 아니한 모양. 또, 밭이 많은 모양.
[郭象 곽상] 서진 (西晉)의 학자. 허난 (河南) 사람. 자 (字)는 자현 (子玄). 노장 (老莊)을 좋아하여 장자 (莊子)의 주해 (註解)를 지었음.
[郭守敬 곽수경] 원 (元)나라 때의 과학자 (科學者). 자 (字)는 약사 (若思). 유병충 (劉秉忠)의 제자 (弟子)로 오경 (五經)에 통하고 역산 (曆算)과 수리 (水利)에 밝아, 세조 (世祖) 때 태사령 (太史令)이 되어 천문 의기 (天文儀器)의 제작 (制作)과 관측 (觀測)에 종사하였음.
[郭隗 곽외] 전국 (戰國) 시대 연 (燕)나라의 현인 (賢人). 소왕 (昭王)이 국력 (國力) 회복을 위하여 외 (隗)에게 인재의 등용책을 물었을 때 '외 (隗)부터 먼저 시작하시오.' 하였던 바, 왕이 그를 위해 궁 (宮)을 짓고 그를 사사 (師事)하니 악의 (樂毅) 등 제국 (諸國)의 명사 (名士)들이 많이 모여 이후 국력이 점차 부강하여졌음.
[郭威 곽위] 후주 (後周)의 태조 (太祖)의 이름. 후한 (後漢) 때에는 제위 (帝位)에 앉고, 변 (汴)에 도읍했음.
[郭子儀 곽자의] 당 (唐)나라 명장 (名將). 화주 (華州) 사람. 현종 (玄宗) 때에 삭방절도 우병마사 (朔方節度右兵馬使)가 되고, 안사 (安史)의 난 (亂)을 평정, 또 회흘 (回紇)과 손잡고 토번 (吐蕃)을 정벌했음. 벼슬이 태위 (太尉) 중서령 (中書令)에 이르고, 분양군왕 (汾陽郡王)에 봉 (封)해졌음. 곽영공(郭令公).
[郭田 곽전] 성곽 (城郭) 밖의 땅.
[郭忠恕 곽충서] 송 (宋)나라 초기 (初期)의 문인 화가 (文人畫家). 뤄양 (洛陽) 사람. 자 (字)는 서선 (恕先). 태종 (太宗) 때 국자감주부 (國子監主簿)가 되었음. 누각임석 (樓閣林石)의 그림을 잘 그리고, 문자학 (文字學)에 환하여 전례 (篆隸)에도 능했음.
[郭橐駝 곽탁타] 식목 (植木)하는 것을 업으로 삼는 사람.
[郭解 곽해] 전한 (前漢) 시대의 협객 (俠客). 젊어서 건달 노릇을 했으나, 장성함에 따라 덕을 닦아 협기 (俠氣)로 민간 (民間)의 중망 (衆望)을 모았음.
[郭熙 곽희] 송 (宋)나라 화가. 허난 (河南) 사람. 산수화를 이성 (李成)한테서 배워 그 묘 (妙)를 얻고 거기에 웅장 (雄壯)한 멋을 더했음. '임천고치 (林泉高致)'는 그의 산수화론 (山水畫論)을 곽사 (郭思)가 필록 (筆錄) 편집한 책임.
●匡郭. 規郭. 羅郭. 內郭. 負郭. 郭郭. 膚郭. 山郭. 城郭. 水郭. 水村山郭. 外郭. 遊郭. 輪郭. 一郭. 鄽郭. 周郭. 鐵郭. 恢郭. 胸郭.

8 ⑪ [郯] 담 ㉠覃 徒甘切 tán

字解 ①나라이름 담 춘추 시대 (春秋時代)에, 지금의 산둥 성 (山東省) 담성현 (郯城縣)에 있던 나라. '平莒及一'《春秋》. ②성 담 성 (姓)의 하나.
字源 金文·篆文 形聲. 阝(邑) + 炎〔音〕

8 ⑪ [郰] 추 ㉠尤 側鳩切 zōu

字解 고을이름 추 노 (魯)나라의 읍 (邑)으로서, 공자 (孔子)의 출생지. 지금의 산둥 성 (山東省) 추현 (鄒縣)의 서북. '一人紇抉之, 以出門者'《左傳》.
字源 金文·篆文 形聲. 阝(邑) + 取〔音〕

8 ⑪ [郜] ㊀효 ㉠肴 何交切 xiáo ㊁오 ①皓 烏皓切 ǎo

字解 ㊀①땅이름 효 땅 이름. '一, 地名'《玉篇》. ②산이름 효 산 이름. ㊁고을이름 오 고을 이름. '一, 邑名'《廣韻》.

8 ⑪ [郱] 병 ㊀青 薄經切 píng

字解 땅이름 병 춘추 시대 (春秋時代)의 지명 (地名). 지금의 산둥 성 (山東省) 임구현내 (臨朐縣內).
字源 篆文 形聲. 阝(邑) + 幷〔音〕

8 ⑪ [郜] 〔고〕 郜 (邑部 七畫〈p.2336〉)와 同字

8 ⑪ [郂] 〔기〕 敧 (攴部 八畫〈p.922〉)와 同字

8 ⑪ [都] 〔도〕 都 (邑部 九畫〈p.2340〉)의 略字

8 ⑪ [鄉] 〔향〕 鄕 (邑部 十畫〈p.2342〉)의 略字

8 ⑪ [郲] 래 ㊀灰 落哀切 lái

字解 ①땅이름 래 지금의 허난 성 (河南省) 형택현 (滎澤縣)에 있던 정 (鄭)나라의 땅. ②성 래 성 (姓)의 하나.
字源 形聲. 阝(邑) + 來〔音〕

8 ⑪ [郳] 예 ㊀齊 五稽切 ní

字解 ①나라이름 예 지금의 산둥 성 (山東省) 등현 (滕縣)에 있던 노 (魯)나라의 부용국 (附庸國). '秋, 一犂來來朝'《春秋》. ②성 예 성 (姓)의 하나.
字源 金文·篆文 形聲. 阝(邑) + 兒〔音〕

8 ⑪ [郴] 침 ㊀侵 丑林切 chēn

字解 ①고을이름 침 한 (漢)나라의 계양군 (桂陽郡)의 한 현 (縣). 지금은 후난 성 (湖南省)의 한 현. 항우 (項羽)가 의제 (義帝)를 옮겨 놓은 곳. '追殺之一縣'《史記》. ②성 침 성 (姓)의 하나.
字源 形聲. 阝(邑) + 林〔音〕

8 ⑪ [黨] ㊀당 ㊀養 底朗切 dǎng ㊁창 ㊀養 齒兩切

字解 ㊀①땅이름 당 '一, 地名'《說文》. ②마을 당 5백 호 (戶)의 마을. '一, 一曰, 五百家爲一'

《玉篇》. ③머물 당 '一, 居也'《廣雅》. ■ 땅이름
창 '一, 地名'《集韻》.
字源 形聲. 阝(邑) + 向〔音〕

8 ⑮ [郋] 郋(前條)의 古字

8 ⑪ [郐] ■ 서 ⊕魚 傷魚切 shū
■ 사 ⊕禡 式夜切 shè
字解 ■ 땅이름 서 '一, 地名. 在廬江'《廣韻》.
■ 고을이름 사 '一, 邑名'《集韻》.
字源 形聲. 阝(邑) + 舍〔音〕

8 ⑪ [郵] 高人 우 ⊕尤 羽求切 yóu　邮郵
筆順 三 千 千 垂 垂 垂 郵 郵
字解 ①역말 우 문서·명령을 전달하는 인마(人
馬)를 번갈아 발송(發送)하기 위하여 적당한
거리를 두고 베푼 시설. 역참(驛站)을. 또, 말로
전달하는 것을 '置', 보행으로 전달하는 것을
'一'라 함. '一驛'. '速於置而傳命'《孟子》.
②오두막집우 농사를 감독하기 위해 밭 사이에
지은 작은 집. '一表畷'《禮記》. ③탓할 우, 허물
우 尤(尤部 一畫)와 통용. '罪人不一其上'《荀
子》. '以顯朕一'《漢書》. ④성 우 성(姓)의 하
나.
字源 會意. 阝(邑) + 垂(坙). '坙수'는 땅끝
의 뜻. 변경 땅에 설치된 문서 전달을
위한 숙소의 뜻을 나타냄. 음형상(音形上) '丘
구'와 통하여, 그것이 대개 행정 구역의 경계인
언덕 등지에 설치되기 때문에, '역참'의 뜻을
나타냄.

[郵館 우관] 역마을의 객사(客舍).
[郵吏 우리] 역참(驛站)에서 일을 보는 하급 관
리. 역리(驛吏).
[郵舍 우사] 역참(驛站)의 말을 갈아타는 것을 취
급하는 곳.
[郵書 우서] 우편으로 보내는 편지.
[郵送 우송] 우편으로 보냄.
[郵信 우신] 우편으로 오가는 편지.
[郵驛 우역] 우치(郵置).
[郵子 우자] 역졸(驛卒).
[郵傳 우전] 역참(驛站). 또, 역참의 인마(人馬).
[郵政 우정] 통신에 관한 정무(政務).
[郵亭 우정] 우관(郵館).
[郵遞 우체] 우치(郵置).
[郵置 우치] 역참(驛站).
[郵票 우표] 우편 요금(郵便料金)을 내었다는 표
시(表示)로 우편물(郵便物)에 붙이는 증표(證
標).
●官郵. 督郵. 邊郵. 傳郵. 亭郵. 置郵. 平原督
郵.

8 ⑪ [郾] 엄 ⊕琰 衣檢切 yǎn
字解 나라이름 엄 산둥 성 취푸 현(曲阜縣) 동쪽
의 옛 나라 이름. '周公所誅一國, 在魯'《說文》.
字源 篆文 郾 形聲. 阝(邑) + 奄〔音〕

9 ⑫ [郹] 격 ㅅ錫 古闃切 jú
字解 땅이름 격 춘추 시대(春秋時代)에 지금의
허난 성(河南省) 신채현(新蔡縣)에 있던 채
(蔡)나라의 지명. '一陽封人之女奔之'《左傳》.
字源 篆文 郹 形聲. 阝(邑) + 狊〔音〕

9 ⑫ [都] 中人 도 ⊕虞 當孤切 dū
筆順 一 十 土 耂 者 者 都 都
字解 ①도읍 도 서울. '遷一'. 주대(周代)에는,
제후(諸侯) 및 경대부(卿大夫)의 봉읍(封邑)에
도 이름. '大一會'. '一城不過百雉'《禮記》. 또,
큰 고을. '市'. '不如因而賂之一名一'
《戰國策》. ②도읍할 도 서울을 정함. '一南鄭'
《史記》. ③있을 도, 거할 도 점유함. 그 지위에
있음. '身一卿相之位'《漢書》. ④모일 도 군집
함. '蟲鳥之所一聚'《釋名》. ⑤모을 도 ⑦모이게
함. '一一授時'《漢書》. ⑥한데 합침. '頃撰遺
文, 一爲一集'《魏文帝》. ⑥거느릴 도 통령(統
領)함. 총리함. '一督中外諸軍事'《晉書》. ⑦모
두 도 모조리. '一是'. '使人名利之心一盡'《世
說》. ⑧아름다울 도, 우아할 도 모습이나 거동이
고아(高雅)함. '一雅'. '洵美且一'《詩經》. ⑨
아 도 탄미(歎美)하는 소리. '皐陶曰, 一'《書
經》. ⑩성 도 성(姓)의 하나.
字源 金文 㞷 篆文 都 形聲. 阝(邑) + 者〔音〕. '者자'
는 받침대 위에 섶을 모아 쌓
은 것을 본떠 '모이다'의 뜻. 많은 사람이 모이
는 고을, 도시, 서울의 뜻을 나타냄.

[都家 도가] 주대(周代)의 제후(諸侯)의 자제 및
공경(公卿)·대부(大夫)의 영지(領地).
[都講 도강] ⑦문생(門生)의 장(長). 숙두(塾頭).
⑥강사 또는 선생. ⑥군사(軍事)를 강습함.
[都官 도관] 관명(官名). 한대(漢代)에는 시중
(市中)의 경찰의 일을 맡았고, 위대(魏代)에는
상서도관랑(尙書都官郎)이라 고쳐 군사(軍事)·
형옥(刑獄)을 감독하였음.
[都君 도군] 순(舜)임금의 미칭(美稱). 순임금이
사는 곳이 수년마다 도회를 이루었다 하여 붙여
진 이름.
[都堂 도당] ⑦당대(唐代)의 상서성(尙書省). ⑥
명대(明代)의 도찰원(都察院)의 당상관(堂上
官)의 일컬음.
[都督 도독] ⑦통틀어 거느리고 감독함. ⑥일군
(一軍)의 총대장.
[都輦 도련] 서울.
[都盧 도로] 서역(西域)의 국명(國名). 그 나라
사람은 몸이 가벼워서 높은 데에 오르기를 잘
한다 함.
[都料匠 도료장] 목수의 두목.
[都門 도문] ⑦도읍의 입구의 문. ⑥도하(都下).
[都兵 도병] 벼슬 이름. 위(魏)에서는 도내(都內)
의 병사(兵事)를 맡았고, 북제(北齊)에서는 음
악을 맡았음.
[都府 도부] 도회(都會).
[都鄙 도비] 도회와 촌락. 서울과 시골. [리.
[都省 도성] 상서(尙書)의 벼슬. 지금의 국무총
[都城 도성] 서울. 도읍. 주대(周代)에 제후의 자
제 및 경대부(卿大夫)의 영지(領地)에 있는 성.

[都雅 도아] 우아함. 아담함.
[都冶 도야] 우아하고 아름다움. 또, 그러한 여자.
[都養 도양] 학생의 취사(炊事)를 맡아봄.
[都御史 도어사] 도찰원(都察院)의 장관.
[都虞侯 도우후] 관명(官名). 절도사의 속관(屬官). 군대의 풍기를 맡았음.
[都尉 도위] 관명(官名). 진한(秦漢) 때 각 군(郡)에 둔 군사(軍事)·경찰(警察)을 맡은 벼슬. 군수(郡守)의 버금이 됨. 그 뒤에는 경거도위(輕車都尉)·기도위(騎都尉)·부마도위(駙馬都尉) 등 널리 무관(武官)의 훈관(勳官)으로 되었으며, 청(淸)나라 때에는 정삼품(正三品) 내지 종사품(從四品) 무관(武官)의 계급(階級)으로 쓰였음.
[都俞吁咈 도유우불] 도유는 '찬성', 우불은 '반대'의 뜻. 요임금이 군신(群臣)과 정사(政事)를 의논할 때에 쓰인 말. 전(轉)하여, 군신(君臣) 간의 토론·심의의 뜻으로 쓰임.
[都邑 도읍] 도회(都會).
[都肄 도이] 군대를 함께 모아 훈련시킴.
[都人士 도인사] 서울에 사는 인사.
[都點檢 도점검] 벼슬 이름. 천자를 호위하는 사람. '점검(點檢)'은 준말.
[都亭 도정] 군현(郡縣)의 마을이 있는 곳에 지은 나그네가 휴식하는 옥사(屋舍).
[都指揮使 도지휘사] 명대(明代)의 관명. 지방의 군무를 맡음.
[都察院 도찰원] 명대(明代)의 관청. 관리의 비행을 탄핵하고 각 성(省)을 감찰함.
[都合 도합] 합계.
[都護 도호] 군대의 장(長)으로서 한 지방의 진호(鎭護)를 맡은 벼슬.
[都會 도회] 사람이 많이 살고 번화한 곳.
◉江都. 京都. 古都. 故都. 舊都. 國都. 大都. 商都. 成都. 首都. 信都. 麗都. 王都. 雄都. 幽都. 奠都. 定都. 帝都. 遷都. 通都. 嫺都. 玄都. 皇都.

9 ⑫ [郾] 언 [去]願 於建切 yǎn
[字解] 땅이름 언 한대(漢代)에 지금의 허난 성(河南省) 언성현(郾城縣)에 있던 지명(地名). '次于—'《柳宗元》.
[字源] 金文 篆文 形聲. 阝(邑)+匽〔音〕

9 ⑫ [郿] 미 [平]支 武悲切 méi
[字解] 고을이름 미 ㉠산시 성(陝西省) 메이 현(郿縣)의 고칭(古稱). 동탁(董卓)이 이곳에 쌓은 작은 성(城)을 '—塢'라 함. '王餞于—'《詩經》. ㉡노(魯)나라의 읍(邑). 지금의 산둥 성(山東省) 수장현(壽張縣)의 서북(西北). '築—'《左傳》.
[字源] 篆文 形聲. 阝(邑)+眉(𥃩)〔音〕

◉築郿.

9 ⑫ [鄀] 약 [入]藥 而灼切 ruò
[字解] 나라이름 약 ㉠춘추 시대(春秋時代)에, 지금의 허난 성(河南省) 내향현(內鄕縣)에 있던 작은 나라. '秦晉伐—'《左傳》. ㉡춘추 시대에, 후베이 성(湖北省) 의성현(宜城縣)에 있던 초(楚)나라의 읍(邑). '楚恐而去郢徙—'《史記》.
[字源] 形聲. 阝(邑)+若〔音〕

◉伐鄀. 遷鄀.

9 ⑫ [鄂] [人名] 악 [入]藥 五各切 è
[字解] ①나라이름 악 은대(殷代)에 있던 나라. '鬼侯—侯文王, 紂之三公也'《戰國策》. ②고을이름 악 춘추 시대(春秋時代)에, 지금의 후베이 성(湖北省) 우창 현(武昌縣)에 있던 초(楚)나라의 읍(邑). '中子紅爲—王'《史記》. ③나타날 악 밖에 나타나는 모양. '—不韡韡'《詩經》. ④한계 악 일정한 범위. '亡—'《揚雄》. ⑤놀랄 악 愕(心部 九畫)과 통용. '群臣皆驚—失色'《漢書》. ⑥곧은말할 악 직언(直言)을 하는 모양. 諤(言部 九畫)과 통용. '諸大夫朝, 徒聞唯唯, 不聞周舍之——'《史記》.
[字源] 金文 篆文 形聲. 阝(邑)+咢(㖾)〔音〕

[鄂鄂 악악] ㉠바른말을 거리낌 없이 하는 모양. ㉡말이 많은 모양. 시끄러운 모양.
[鄂王墓 악왕묘] 송(宋)나라 충신 악비(岳飛)의 뫼. 서호(西湖) 가에 있음.
◉驚鄂. 沂鄂. 圻鄂. 作鄂. 柞鄂. 題鄂.

9 ⑫ [鄃] 유 [上]麌 羊朱切 shū
[字解] 고을이름 유 한대(漢代)에, 지금의 산둥 성(山東省) 평원현(平原縣)에 있던 현(縣). '田蚡爲丞相, 其奉邑食—'《史記》.
[字源] 篆文 形聲. 阝(邑)+俞〔音〕

◉食鄃.

9 ⑫ [鄄] 견 [平]先 稽延切 juàn
[字解] 땅이름 견 춘추 시대(春秋時代)에, 지금의 산둥 성(山東省) 복현(濮縣)에 있던 위(衛)나라의 지명(地名). '單伯會齊侯宋公衛侯鄭伯于—'《春秋》.
[字源] 篆文 形聲. 阝(邑)+垔(𡍬)〔音〕

9 ⑫ [郃] 〔갑·합·개〕
郃(邑部 十畫〈p. 2343〉)의 本字

9 ⑫ [鄉] 〔경〕
卿(卩部 十畫〈p. 318〉)과 同字

9 ⑫ [郾] 〔광〕
邼(邑部 六畫〈p. 2334〉)의 本字

9 ⑫ [鄅] 우 [上]麌 王矩切 yǔ
[字解] ①나라이름 우 춘추 시대(春秋時代)에 지금의 산둥 성(山東省) 난산현(蘭山縣)에 있던

나라. '邾人入—'《春秋》. ②성 우 (姓)의 하나.
字源 篆文 [圖] 形聲. 阝(邑)+禹〔音〕

9/12 [郹] 운 ㊀問 王問切 yùn

字解 ①고을이름 운 ㉠춘추 시대(春秋時代)의 거(莒)나라의 읍(邑). 지금의 산둥 성(山東省) 주청 현내(諸城縣內). '遂入—'《左傳》. ㉡춘추 시대의 노(魯)나라의 읍(邑). 지금의 산둥 성 운성현(郹城縣)의 동쪽. '待于—'《左傳》. ②성 운(姓)의 하나.
字源 金文 [圖] 篆文 [圖] 形聲. 阝(邑)+軍〔音〕

9/12 [郈] 후 ㊀宥 胡遘切 hòu　㊁尤 戶鉤切

字解 땅이름 후 춘추 시대(春秋時代)에 지금의 허난 성(河南省) 무척현(武陟縣)에 있던 진(晉)나라의 지명(地名). '晉郈至與周爭—田'《左傳》.
字源 篆文 [圖] 形聲. 阝(邑)+侯〔音〕

9/12 [郣] 계 ㊀霽 古詣切 jì

字解 나라이름 계 주(周)나라가 황제(黃帝)의 후손을 봉한 나라. 지금의 북평(北平)임. 薊(艸部 十三畫)와 통용. '周封黃帝之後於—也'《說文》.
字源 篆文 [圖] 形聲. 阝(邑)+契〔音〕

9/12 [郣] 규 ㊀支 渠追切 kuí

字解 땅이름 규 지금의 산시 성 분성현(汾城縣) 남쪽의 임분(臨汾). '—, 河東臨汾地'《說文》.
字源 篆文 [圖] 形聲. 阝(邑)+癸〔音〕

9/12 [郣] 전 ㊀先 直連切 chán

字解 가게 전 廛(邑部 十五畫)의 俗字.

10/13 [鄉] 향 ①~⑥㊀陽 許良切 xiāng ⑦⑧㊁養 許兩切 xiǎng ⑨⑩㊂漾 許亮切 xiàng

筆順 [圖]

字解 ①마을 향 행정 구획의 하나. 주한(周漢) 때에는 12,500호(戶), 수당(隋唐) 때에는 500호가 사는 구역. '五家爲隣, 五隣爲里, 四里爲族, 五族爲黨, 五黨爲州, 五州爲鄉'《漢書》. ②시골 향 촌의 마을. '邑—稱善人'《陳師道》. ③고향 향 자기가 나서 자란 곳. '同—'. '去國懷—'《范仲淹》. ④곳 향 장소. '遊無何有之—'《莊子》. ⑤구역이름 향 주대(周代)에, 왕성(王城)으로부터 백 리까지의 땅. '—遂'. ⑥성 향(姓)의 하나. ⑦음향 향 響(音部 十三畫)과 통용. '如影—之應形聲'《漢書》. ⑧대접할 향 饗(食部 十三畫)과 통용. '專—獨美其福'《漢書》. ⑨접대 향 饗(口部 十六畫)과 통용. '—也吾見

於夫子而問知'《論語》. ⑩향할 향 向(口部 三畫)과 통용. '宗屬唯嬰, 賢而喜、士—之'《史記》.
字源 甲骨文 [圖] 篆文 [圖] 象形. 甲骨文은 '卿경'과 같은 꼴로 향하다의 뜻을 나타냄. 또 '畺강'과 통하여 구획된 농경지의 뜻에서, '시골'의 뜻을 나타냄.
參考 鄉(次條)은 俗字.

[鄉客 향객] 시골 손.
[鄉擧里選 향거이선] 주제(周制)의 인재 등용법. 향리에서 재덕 있는 사람을 들어 조정에 추천하면 조정에서 그 그릇에 따라 벼슬을 시키던 일.
[鄉曲 향곡] 시골 구석.
[鄉貢 향공] 지방 장관이 천거하는 사람.
[鄉貢進士 향공진사] 향공(鄉貢)으로서 진사 시험을 보는 사람.
[鄉官 향관] ㉠고을의 관리. ㉡시골의 관청.
[鄉貫 향관] ㉠본적. ㉡고향.
[鄉關 향관] 고향. 향리.
[鄉校 향교] 시골의 학교.
[鄉舊 향구] 고향의 옛 벗.
[鄉國 향국] 고향.
[鄉黨 향당] 12,500호의 향(鄉)과 500호의 당(黨). 전(轉)하여, 향리(鄉里).
[鄉黨尙齒 향당상치] 향리에서는 나이 많은 사람을 높이 대접함.
[鄉大夫 향대부] 주대(周代)의 벼슬. 한 향리의 정교 금령(政敎禁令)을 맡음.
[鄉導 향도] 길을 인도함. 또, 그 사람. 향도(嚮導).
[鄉老 향로] ㉠주(周)의 관명(官名). 육향(六鄉)에 세 사람 두고 천자(天子)와 치도(治道)를 상의하는 사람. ㉡시골의 노인. 향리(鄉里)의 선배.
[鄉吏 향리] 향(鄉)의 벼슬아치.
[鄉里 향리] ㉠시골. 촌락. ㉡고향. ㉢시골 사람. 고향 사람. ㉣부부가 서로 부르는 호칭.
[鄉隣 향린] 이웃. 근린.
[鄉夢 향몽] 타향에서 꾸는 고향의 꿈.
[鄉民 향민] 그 시골 사람.
[鄉背 향배] ㉠마주 대함과 등을 보임. 거죽과 안. ㉡좇음과 배반함. 향배(向背).
[鄉士 향사] ㉠육향(六鄉;여섯 마을)의 옥(獄)을 맡은 벼슬. ㉡시골에 사는 인사(人士).
[鄉射 향사] 주대(周代)의 제도로서 향대부(鄉大夫)가 시골의 어진 사람을 선발하기 위해 행하는 활 쏘는 의식.
[鄉絲 향사] 우리나라에서 나는 명주실.
[鄉三物 향삼물] 주대(周代) 향학(鄉學)의 교정(敎程)으로서 육덕(六德)·육행(六行)·육예(六藝)의 세 가지.
[鄉書 향서] 고향에서 온 편지.
[鄉先生 향선생] 치사(致仕)하고 향리에 돌아가 그 향학(鄉學)의 선생이 된 사람.
[鄉俗 향속] 시골의 풍속(風俗).
[鄉愁 향수] 고향을 그리워하는 마음.
[鄉遂 향수] 왕성(王城)에서 백 리까지를 향(鄉), 백 리에서 2백 리까지의 사이를 수(遂)라 함. 왕성(王城) 참조.
[鄉塾 향숙] 시골에 있는 학교.
[鄉試 향시] 청조(淸朝)의 과거 제도로서 3년마다 한 번씩 수재(秀才) 및 공생(貢生)을 각 성(省)의 성도(省都)에 모아 행하던 시험. 합격자를

거인(擧人)이라 함.
[鄕信 향신] 고향(故鄕)의 소식(消息).
[鄕約 향약] 시골 동네의 규약(規約).
[鄕藥 향약] 시골에서 나는 약재(藥材).
[鄕往 향왕] 마음이 늘 어느 한 사람이나 지역으로 향하여 감.
[鄕友 향우] 고향 친구.
[鄕原 향원] 향원(鄕愿).
[鄕園 향원] 고향.
[鄕愿 향원] 한 시골에서 인정을 살펴 이에 영합하여 군자(君子) 소리를 듣는 위선자(僞善者).
[鄕音 향음] 시골 사투리.
[鄕飮酒 향음주] 주대(周代)에 향교(鄕校)의 우등생을 중앙 정부에 천거할 때 향대부(鄕大夫)가 주인이 되어 송별연을 베풀던 일.
[鄕邑 향읍] 시골. 향리(鄕里).
[鄕人 향인] ㉠마을 사람. ㉡시골 사람. 시골의 평범한 사람.
[鄕長 향장] 향(鄕)의 우두머리. 한 마을의 장(長).
[鄕井 향정] 고향(故鄕).
[鄕弟 향제] 동향인(同鄕人)에 대한 자기의 겸칭(謙稱).
[鄕親 향친] ㉠고향의 부모 또는 친척. ㉡동향 친구.
[鄕土 향토] 고향.
[鄕風 향풍] 향속(鄕俗).
[鄕學 향학] ㉠학문에 뜻을 두고 그 길로 나아감. 향학(向學). ㉡향교(鄕校).
[鄕賢祠 향현사] 청대(淸代)에 한 지방에서 명망이 있는 사람을 죽은 후에 그 고향에서 제사 지내던 일. 또 그 사당.
[鄕戶 향호] 송대(宋代)에 한 시골에서 항산(恆產)이 있던 사람 또는 토착민(土着民)의 일컬음.
[鄕豪 향호] 지방의 호족(豪族).
[鄕黌 향횡] 향교(鄕校).
◉家鄕. 故鄕. 貫鄕. 舊鄕. 君子鄕. 歸鄕. 同鄕. 望鄕. 無何有之鄕. 白雲鄕. 射鄕. 水雲鄕. 水鄕. 殊鄕. 熱鄕. 溫柔鄕. 遠鄕. 衣錦還鄕. 異鄕. 杖鄕. 氈鄕. 帝鄕. 醉鄕. 他鄕. 寒鄕. 狹鄕. 懷鄕. 黑甜鄕.

10 ⑬ [鄉] 鄕(前條)의 俗字

10 ⑬ [鄍] 〔격〕 郹(邑部 九畫〈p. 2340〉)의 訛字

10 ⑬ [鄐] 〔두〕 郖(邑部 七畫〈p. 2335〉)와 同字

10 ⑬ [鄋] 수 [平]尤 疎鳩切 sōu
[字解] 오랑캐 수 '―瞞'은 춘추 시대(春秋時代)의 북적(北狄)의 하나. '―瞞侵齊'《左傳》.
[字源] 篆文 形聲. 阝(邑)＋叟(叜)〔音〕

[鄋瞞 수만] 자해(字解)를 보라.

10 ⑬ [鄍] 명 [平]青 莫經切 míng
[字解] 고을이름 명 춘추 시대(春秋時代)의 우(虞)나라의 읍(邑). 지금의 산둥 성(山東省) 평륙현(平陸縣) 내의 땅. '伐―三門'《左傳》.
[字源] 篆文 形聲. 阝(邑)＋冥〔音〕

10 ⑬ [郎] 식 [入]職 相卽切 xì
[字解] ①나라이름 식 주대(周代)에, 지금의 허난 성(河南省)에 있던 나라. ②땅이름 식 주대(周代)에, 지금의 허난 성(河南省)에 있던 제(齊)나라의 땅. '師于―'《春秋》.
[字源] 篆文 形聲. 阝(邑)＋息〔音〕

10 ⑬ [鄏] 욕 [入]沃 而蜀切 rǔ
[字解] 땅이름 욕 郟(邑部 七畫)을 보라. '郟―'.
[字源] 篆文 形聲. 阝(邑)＋辱〔音〕

10 ⑬ [鄐] 축 [入]屋 丑六切 chù
[字解] ①고을이름 축 춘추 시대(春秋時代)의 진(晉)나라의 형후(邢侯)의 읍(邑). '雍子奔晉, 晉人與之―'《左傳》. ②성 축 성(姓)의 하나.
[字源] 篆文 形聲. 阝(邑)＋畜〔音〕

10 ⑬ [鄑] [一] 자 [平]支 卽移切 zī
[二] 진 [去]震 卽刃切 zī
[字解] [一] 고을이름 자 춘추 시대(春秋時代)에, 지금의 산둥 성(山東省) 창읍현(昌邑縣)에 있던 기(紀)나라의 읍(邑). '齊師遷紀郱―郚'《春秋》. [二] 땅이름 진 지금의 산둥 성(山東省)에 있던, 춘추 시대(春秋時代)의 송(宋)나라와 노(魯)나라 사이의 땅. '敗宋師于―'《春秋》.
[字源] 篆文 形聲. 阝(邑)＋晉(簮)〔音〕

10 ⑬ [郃] [一] 갑 [入]合 古盍切
[二] 합 [入]合 胡臘切 hé
[三] 개 [去]泰 苦蓋切
[字解] [一] 땅이름 갑 전국 시대(戰國時代)에 제(齊)나라의 읍(邑). 한(漢)나라의 개현(蓋縣). 산둥 성(山東省) 이수이 현(沂水縣)의 서북쪽. '―, 地名'《廣韻》. [二] 땅이름 합 [一]과 뜻이 같음. [三] 땅이름 개 [一]과 뜻이 같음.
[字源] 形聲. 阝(邑)＋盍(盇)〔音〕

10 ⑬ [鄒] [人名] 추 [平]尤 側鳩切 zōu
[筆順] 勹 句 匊 芻 芻 芻 芻 鄒
[字解] ①나라이름 추 邾(邑部 六畫)를 보라. '孟子居―'《孟子》. ②성 추 성(姓)의 하나.
[字源] 篆文 形聲. 阝(邑)＋芻〔音〕

[鄒魯 추로] 추(鄒)나라는 맹자의 출생지, 노(魯)나라는 공자의 출생지이므로 공맹(孔孟)의 이칭(異稱). 또, 그들이 제창한 유교(儒敎)의 일컬음.

[鄒魯學 추로학] 공맹 (孔孟) 의 학문. 곧, 유교.

[鄒馬 추마] 추양 (鄒陽) 과 사마상여 (司馬相如). 모두 한대 (漢代) 의 문학가.

[鄒枚 추매] 추양 (鄒陽) 과 매승 (枚乘). 모두 한대 (漢代) 의 문학가로서 양왕 (梁王) 의 빈객이 되었음.

[鄒查 추사] 소곤거리는 말소리.

[鄒守益 추수익] 명 (明) 나라 중기 (中期) 의 유학자 (儒學者). 안복 (安福) 사람. 자 (字) 는 겸지 (謙之). 왕수인 (王守仁) 의 제자 (弟子) 로 양명학 (陽明學) 에 통달하였으며, 벼슬은 남경 (南京) 좨주 (祭酒) 를 지냈음.

[鄒陽 추양] 서한 (西漢) 의 임류 (臨溜) 사람. 문학에 정통하였음.

[鄒衍 추연] 전국 시대 제 (齊) 나라의 음양 오행가 (陰陽五行家). 연 (燕) 의 소왕 (昭王) 이 갈석궁 (碣石宮) 을 지어 그에게 사사 (師事) 했음. 종시 오덕 (終始五德) 의 설 (說) 을 주창했음. 종시 오덕설은 왕조 (王朝) 의 흥망 (興亡) 을 그 고유 (固有) 의 덕 (德) 인 토 (土)·목 (木)·금 (金)·화 (火)·수 (水) 의 오행 (五行) 의 순차적 (順次的) 인 극복 (克服) 으로 설명하려는 것으로, 한대 (漢代) 의 참위학 (讖緯學) 의 기초가 되었음. 〈사기 (史記)〉에는 '추연 (騶衍)' 이라 적었음.

[鄒元標 추원표] 명 (明) 나라 말기 (末期) 의 정치가. 길수 (吉水) 사람. 희종 (熹宗) 때 벼슬이 좌도어사 (左都御史) 에 이르렀음. 만년에는 수선서원 (首善書院) 을 짓고 동지를 모아 학문을 가르쳤음.

10(13) [鄔] 오 ㊤麌 安古切 wū

字解 ①땅이름 오 ㉠춘추 시대 (春秋時代) 에, 지금의 허난 성 (河南省) 언사현 (偃師縣) 에 있었던 정 (鄭) 나라의 지명 (地名). '王取—劉蔿邘之田于鄭'《左傳》. ㉡춘추 시대에, 지금의 산시 성 (山西省) 개휴현 (介休縣) 내에 있었던 진 (晉) 나라의 지명 (地名). '司馬彌牟爲—大夫'《左傳》. ②성 오 성 (姓) 의 하나.

字源 形聲. 阝(邑) + 烏〔音〕

10(13) [鄝] 건 ㊤先 渠焉切 qián / ㊤銑 九件切

字解 마을이름 건 산시 성 (山西省) 문희현 (聞喜縣) 의 촌락 (村落) 의 이름. '—, 河東聞喜縣'《說文》.

字源 形聲. 阝(邑) + 虔〔音〕

10(13) [鄖] 운 ㊤文 王分切 yún

字解 ①나라이름 운 춘추 시대 (春秋時代) 의 한 나라. 지금의 후베이 성 (湖北省) 안륙현 (安陸縣) 의 땅. '—人軍於蒲騷'《左傳》. ②땅이름 운 춘추 시대의 위 (衛) 나라의 지명 (地名). 지금의 장쑤 성 (江蘇省) 여고현 (如皐縣) 의 땅. '續於—'《左傳》. ③성 운 성 (姓) 의 하나.

字源 形聲. 阝(邑) + 員〔音〕

10(13) [鄗] ㊀호 ㊤晧 胡老切 hào / ㊁효 ㊤看 口交切 qiāo

字解 ㊀①고을이름 호 춘추 시대 (春秋時代) 에, 지금의 허베이 성 (河北省) 백향현 (柏鄉縣) 에 있던 진 (晉) 나라의 읍 (邑). 전국 시대 (戰國時代) 에는 조 (趙) 나라에 속하였고, 후한 (後漢) 의 광무제 (光武帝) 는 이곳에서 즉위 (卽位) 한 후, 고읍 (高邑) 이라고 고친 곳임. '伐晉, 取刑任欒—'《左傳》. ②호경 호 주 (周) 나라의 서울. 鎬 (金部 十畫) 와 통용. '西顧鄗'《後漢書》. ㊁산이름 효 허난 성 (河南省) 형양현 (滎陽縣) 에 있는 산. '晉師在敖—之閒'《左傳》.

字源 形聲. 阝(邑) + 高〔音〕

11(14) [鄘] 용 ㊦冬 餘封切 yōng

字解 ①땅이름 용 원은 은 (殷) 나라 주왕 (紂王) 의 도성 (都城) 의 일부인데, 주 (周) 나라 무왕 (武王) 이 은나라를 멸한 후, 도성을 이분하여 남쪽 반을 '—'(북쪽은 '邶') 이라 고치고, 관숙 (管叔) 을 그곳의 윤 (尹) 으로 봉 (封) 하였음. 지금의 허난 성 (河南省) 급현 (汲縣) 의 동북쪽. ②담 용 성의 담. 성벽. 墉 (土部 十一畫) 과 同字. '宋城舊—'《左傳》.

字源 形聲. 阝(邑) + 庸〔音〕. '墉용' 과 통하여 '토담' 의 뜻을 나타냄.

11(14) [鄺] 당 ㊦陽 徒郎切 táng

字解 땅이름 당 지명 (地名).

字源 形聲. 篆文은 阝(邑) + 臺〔音〕

11(14) [鄙] 비 ㊤紙 方美切 bǐ

字解 ①마을 비 주대 (周代) 의 행정 구획의 하나. 500 호가 사는 소읍 (小邑). '縣—'. ②식읍 비 공경대부 (公卿大夫) 의 식읍 (食邑). 채지 (采地). '以八則治都—'《周禮》. ③두메 비 서울에서 멀리 떨어진 궁벽한 곳. '邊—'. ④촌스러울 비 촌뜨기 같음. '野—'. 전 (轉) 하여, 자기의 사물에 관 (冠) 하는 겸칭 (謙稱) 으로 쓰임. '—見'. '妾願以—軀, 易父之死'《列女傳》. ⑤더러울 비 마음이 비루함. '—吝'. '在位貪—'《詩經序》. ⑥고집셀 비 완고함. '或仁或—'《漢書》. ⑦천할 비 신분이 낮음. '魯之一家也'《呂氏春秋》. ⑧천하게여길 비 ㉠얕봄. 천대함. '過我而不假我, 一我也'《左傳》. ㉡비천 (卑賤) 하다고 생각함. '巫醫百工之人, 君子—之'《韓愈》. ⑨천한이 비 천한 사람. '賞一以招賢'《潛夫論》.

字源 甲骨文 金文 篆文 形聲. 阝(邑) + 啚〔音〕. '啚비' 는 마을의 쌀 곳집의 象形. 먼 데 있는 마을·시골의 뜻을 나타냄. 변경의 시골의 뜻에서 파생하여 '경박하다, 촌스럽다' 의 뜻을 나타냄.

[鄙見 비견] 자기 견해의 겸칭 (謙稱).

[鄙軀 비구] 자기 몸의 겸칭 (謙稱).

[鄙近 비근] 상스럽고 천박함.

[鄙劣 비렬] 비열 (鄙劣).

[鄙老 비로] 노인이 자기를 일컫는 겸칭.

[鄙陋 비루] 마음이 고상 (高尙) 하지 않고 하는 짓이 더러움.

[鄙俚 비리] 풍속·언어 등이 상스러움. 또, 그 사람.
[鄙吝 비린] 다랍고 인색 (吝嗇) 함.
[鄙朴 비박] 촌스럽고 소박 (素朴) 함.
[鄙薄 비박] ㉠비루하고 천박함. ㉡천히 여겨 박대함.
[鄙倍 비배] 비루하고 이치에 어긋남.
[鄙僻 비벽] 성질이 못나고 편벽됨.
[鄙夫 비부] 비루(鄙陋)한 남자.
[鄙事 비사] 천한 일.
[鄙詐 비사] 비열하여 남을 속임.
[鄙笑 비소] 더럽게 여겨 냉소함.
[鄙俗 비속] 촌스러움. 우아 (優雅) 하지 아니함.
[鄙闇 비암] 비루(鄙愚).
[鄙野 비야] ㉠비리(鄙俚). ㉡시골.
[鄙語 비어] 낮고 속된 말. 상스러운 말.
[鄙言 비언] 비어 (鄙語).
[鄙諺 비언] 항간에 퍼져 쓰이는 이언 (俚言). 상말.
[鄙劣 비열] 마음이 더럽고 용렬함.
[鄙猥 비외] 야비하고 외설함.
[鄙愚 비우] 상스럽고 어리석음.
[鄙遠 비원] 궁벽하고 멂. 또, 그 땅.
[鄙願 비원] 자기 소원의 겸칭 (謙稱).
[鄙儒 비유] 식견이 좁고 행동이 상스러운 선비.
[鄙人 비인] ㉠언행이 상스러운 사람. ㉡지위가 낮은 사람. ㉢시골 사람. 촌뜨기. ㉣자기의 겸칭 (謙稱).
[鄙淺 비천] 야비하고 천박함.
[鄙賤 비천] ㉠신분이 낮음. 천함. ㉡천하게 여겨 깔봄. 비웃음. 조소함.
[鄙懷 비회] 자기 생각의 겸칭 (謙稱).
●郊鄙. 陋鄙. 都鄙. 昧鄙. 蒙鄙. 微鄙.

鄚 막 ㉨藥 慕各切 mào
字解 ①땅이름 막 허베이 성(河北省)에 있던 지명(地名). '與燕一易'《史記》. ②성 막 성(姓)의 하나.
字源 形聲. 阝(邑)＋莫〔音〕

鄛 소 ㉠肴 鉏交切 cháo
字解 땅이름 소 지금의 허난 성(河南省) 신야현(新野縣)에 있던 지명. 한(漢)나라 화제(和帝)가 환관(宦官) 정중(鄭衆)을 봉(封)한 땅. '念衆功美, 封爲一鄕侯'《後漢書》.
字源 形聲. 阝(邑)＋巢〔音〕

鄜 부 ㉠虞 芳無切 fū
字解 땅이름 부 진대(秦代)의 지명(地名). 문공(文公)이 백제(白帝)를 제사 지낸 곳. 지금의 산시 성(陝西省) 시안 부(西安府)의 북쪽. '初爲一時'《史記》.
字源 形聲. 篆文은 阝(邑)＋麃〔音〕

鄝 료 ㉠篠 盧鳥切 liǎo
字解 나라이름 료 춘추 시대(春秋時代)에 지금의 안후이 성(安徽省) 서성현(舒城縣)에 있던

나라. '楚人滅舒一'《穀梁傳》.
字源 形聲. 阝(邑)＋翏〔音〕
●舒鄝.

鄞 은 ㉠眞 語巾切 yín
字解 고을이름 은 한대(漢代)의 회계군(會稽郡)의 한 현(縣). 지금의 저장 성(浙江省) 인현(鄞縣). '一章安故治'《後漢書》.
字源 形聲. 阝(邑)＋堇〔音〕

鄡 간 ㉠寒 居寒切 gān
字解 땅이름 간 춘추 시대(春秋時代) 진(晉)나라의 읍(邑). 허베이 성(河北省) 성안현(成安縣)의 동남쪽. '一, 地名'《說文》.
字源 形聲. 阝(邑)＋乾〔音〕

鄣 鄡(前條)과 同字

鄟 전 ㉠先 職緣切 zhuān
字解 ①고을이름 전 춘추 시대(春秋時代)에, 산둥 성(山東省)에 있던 주(邾)나라의 읍(邑). '取一'《春秋》. ②성 전 성(姓)의 하나.
●取鄟.

鄠 호 ㉡麌 侯古切 hù
字解 ①고을이름 호 한대(漢代)에, 우부풍(右扶風)에 속한 한 현(縣). 지금은 산시 성(陝西省)의 한 현. ②성 호 성(姓)의 하나.
字源 形聲. 阝(邑)＋雩〔音〕

鄡 교 ㉠蕭 苦幺切 qiāo
字解 ①고을이름 교 한대(漢代)의 한 현(縣). 지금의 허베이 성(河北省) 동록현(東鹿縣). '繫銅馬於一'《後漢書》. ②성 교 성(姓)의 하나.
字源 形聲. 阝(邑)＋梟〔音〕

鄡 鄡(前條)와 同字

鄢 언 ㉠阮 於幰切 yān ㉠願 於建切
字解 ①땅이름 언 ㉠춘추 시대(春秋時代) 정(鄭)나라의 땅. 지금의 허난 성(河南省) 언릉현(鄢陵縣)의 일부. '一陵'은 춘추(春秋)의 오대전(五大戰)의 하나인 언릉(鄢陵)의 싸움이 있었던 곳으로, 이곳에서 진(晉)나라의 여공(厲公)이 초(楚)나라를 격파하였음. '克段于一'《左傳》. ㉡춘추 시대 초(楚)나라의 땅. 지금의 후베이 성(湖北省) 의성현(宜城縣)의 일부. ②성 언 성(姓)의 하나.

字源 篆文 形聲. 阝(邑)＋焉〔音〕

[鄢陵 언릉] 자해 (字解)❶㉠을 보라.

11/(14) [鄣] 장 ①㊀陽 諸良切 zhāng
②㊁漾 之亮切 zhàng 　鄣

字解 ①고을이름 장 ㉠춘추 시대 (春秋時代)의 거 (莒)나라의 읍 (邑). 지금의 장쑤 성 (江蘇省) 공유현 (贛楡縣)의 일부. ㉡춘추 시대의 기 (紀) 나라의 읍 (邑). 지금의 산둥 성 (山東省) 동평현 (東平縣)의 일부. ②막을 장 障과 통용. '鮌—鴻水而殛死'《禮記》.
字源 篆文 形聲. 阝(邑)＋章〔音〕.

[鄣泥 장니] 말의 흙받기.

11/(14) [鄤] 만 ㊀翰 莫半切 màn
㊁寒 謨官切 　鄤

字解 땅이름 만 춘추 시대 (春秋時代)에, 지금의 허난 성 (河南省) 사수현 (汜水縣)에 있던 정 (鄭)나라 땅. '使東鄤覆諸—'《左傳》.

11/(14) [鄐] 차 ㊀歌 昨何切 cuó

字解 땅이름 차 한 (漢)나라에서 지금의 허난 성 영성현 (永城縣)에 둔 현 (縣) 이름. '一, 沛國縣, 今鄐縣'《說文》.
字源 篆文 形聲. 阝(邑)＋虘〔音〕.

11/(14) [鄁] 배 ㊀灰 薄回切 péi

字解 나라이름 배 한 (漢)나라 후국 (侯國)의 이름. '一, 在今陝西西安府鄁縣'《說文通訓定聲》.
字源 篆文 形聲. 阝(邑)＋崩〔音〕.

12/(15) [鄇] ▤도 ㊀虞 同都切 tú
▤다 ㊀麻 宅加切

字解 ▤정자이름 도, 고을이름 도 산시 성 (陝西省) 합양현 (郃陽縣)의 땅. '一, 左馮翊郃陽亭'《說文》. '一, 鄕名'《廣韻》. ▤정자이름 다, 고을이름 다 ▤과 뜻이 같음.
字源 形聲. 阝(邑)＋屠〔音〕.

12/(15) [鄅] 허 ㊀語 虛呂切 xǔ 　鄅

字解 허나라 허 춘추 시대에, 지금의 허난 성 (河南省) 쉬창 현 (許昌縣)에 있던 나라. 정 (鄭)나라에게 멸망당함. 許(言部 四畫)와 同字. '一公惡鄭於楚'《史記》.
字源 金文 篆文 形聲. 阝(邑)＋無(橆)〔音〕.

12/(15) [鄧] 〔人名〕등 ㊀徑 徒亘切 dèng 邓 鄧

筆順 ⺀ ⺀⺀ ⺀⺀⺀ 癶 登 登⻖ 鄧

字解 ①나라이름 등 춘추 시대 (春秋時代)에, 지금의 후베이 성 (湖北省) 샹양 현 (襄陽縣)에 있

던 나라. '一侯吾離來朝'《春秋》. ②성 등 성 (姓)의 하나.
字源 甲骨文 金文 篆文 形聲. 阝(邑)＋登〔音〕.

[鄧林 등림] 초 (楚)나라 북경 (北境)에 있는 대숲의 이름. 일설 (一說)에는, 도림 (桃林)을 가리킨다고 함.
[鄧析子 등석자] 춘추 (春秋) 시대 정 (鄭)나라의 대부 (大夫) 등석 (鄧析)이 지은 책. 1권. 현존 (現存)하는 책에는 법가 (法家)·도가 (道家)의 학설 (學說)이 잡연 (雜然)히 섞여 있고, 고서 (古書)로부터의 인용 (引用)이 많은 것을 보아 진대 (晉代)의 위작 (僞作)으로 추정됨.
[鄧艾 등애] 삼국 시대 위 (魏)나라의 명장 (名將). 극양 (棘陽) 사람. 자 (字)는 사재 (士載). 사마의 (司馬懿)의 인정 (認定)을 받아 상서랑 (尙書郞)이 되고, 남안태수 (南安太守) 등을 거쳐 진서 장군 (鎭西將軍)으로서 촉 (蜀)나라를 멸하는 데에 큰 공을 세웠으나, 종회 (鍾會)의 참소로 참형 (斬刑) 당하였음.
[鄧禹 등우] 후한 (後漢) 창업기 (創業期)의 명신 (名臣). 자 (字)는 중화 (仲華). 광무 (光武)를 도와서 천하를 평정하여 벼슬이 대사도 (大司徒)에 이름. 운대 이십팔장 (雲臺二十八將)의 제일 (第一).
[鄧攸 등유] 진 (晉)나라 양양 (襄陽) 사람. 자 (字)는 백도 (伯道). 벼슬은 상서좌복야 (尙書左僕射)에 이르렀음. 석륵 (石勒)의 병란 (兵亂)을 당하여 가족을 데리고 피란할 때에 아들을 버리고 조카를 살려 내니 사람들이 슬퍼하여 '天道無知, 使鄧伯道無兒'라 했음.
[鄧芝 등지] 삼국 시대 촉 (蜀)나라의 정치가. 제갈량 (諸葛亮)의 사후 (死後) 대장군 (大將軍)으로 20년간 지내면서 상벌을 엄정하게 하고 사졸 (士卒)을 사랑했음.
[鄧通 등통] 한 (漢)나라의 남안 (南安) 사람. 처음에 뱃사공이었으나 우연히 문제 (文帝)의 총애를 받아 상대부 (上大夫)가 되었고, 촉 (蜀)나라 엄도 동산 (嚴道銅山)을 하사받아 스스로 돈 〔錢〕을 만들어 내니, 이를 등씨전 (鄧氏錢)이라 하였음.

12/(15) [鄩] 심 ㊀侵 徐林切 xún 　鄩

字解 ①고을이름 심 지금의 허난 성 (河南省) 궁현 (鞏縣)에 있던 주 (周)나라의 읍 (邑). '鄩—潰'《左傳》. ②성 심 성 (姓)의 하나.
字源 篆文 形聲. 阝(邑)＋尋〔音〕.

12/(15) [鄪] 비 ㊁寘 兵媚切 bì 　鄪

字解 고을이름 비 지금의 산둥 성 (山東省) 비현 (費縣)에 있던 노 (魯)나라의 읍 (邑). '以汶陽—封季友'《史記》.

12/(15) [鄫] 증 ㊀蒸 疾陵切 zēng(céng) 　鄫

字解 ①나라이름 증 춘추 시대 (春秋時代)에, 지금의 산둥 성 (山東省) 이 현 (嶧縣)에 있던 소국 (小國). 거 (莒)나라에 멸망당함. '一子來朝'《春秋》. ②땅이름 증 춘추 시대에, 지금의 허난

성(河南省)에 있던 정(鄭)나라의 땅. '次于一' 《春秋》. ③성증 성(姓)의 하나.
字源 篆文 형성. 阝(邑)＋曾〔音〕

12/⑮ [鄲] 담 ⑭覃 徒南切 tán
字解 나라이름 담 주대(周代)의 나라 이름. 영성(嬴姓). 자작(子爵). 춘추 시대(春秋時代)에 제(齊)나라에 망함. 산둥 성(山東省) 리청 현(歷城縣)의 동남쪽.
字源 形聲. 阝(邑)＋亶(覃)〔音〕

12/⑮ [鄬] 위 ⑭支 薳支切 wéi ⑭紙 韋委切
字解 땅이름 위 춘추 시대(春秋時代)에, 지금의 허난 성(河南省) 노산현(魯山縣)에 있던 정(鄭)나라의 지명(地名). '會于一'《春秋》.
字源 篆文 形聲. 阝(邑)＋爲〔音〕

12/⑮ [鄭] 人名 정 ⑭敬 直正切 zhèng
筆順 八 乑 乑 酋 酋 奠 鄭

字解 ①정나라 정 ㉠춘추 전국 시대(春秋戰國時代)의 한 나라. 선왕(宣王)의 서제(庶弟) 환공(桓公) 우(友)를 봉(封)한 곳으로서, 지금의 허난 성(河南省) 신정현(新鄭縣)의 일부. 전국 시대에 한(韓)나라에게 멸망당함. '一伯克段于鄢'《春秋》. ㉡수(隋)나라 말년(末年)에, 왕세충(王世充)이 지금의 허난 성(河南省) 뤄양현(洛陽縣)에 세운 나라. 당(唐)나라에게 병합당함. ②정나라풍류 정 정나라에서 부르는 음악. 정나라에는 음탕한 음악이 많이 유행하였으므로, 전(轉)하여, 음탕한 음악의 뜻으로 쓰임. '雅一異音聲'《曹植》. ③정중할 정 '一重'. '一重, 慇懃'《廣韻》. ④성 정 성(姓)의 하나.
字源 甲骨文 金文 篆文 形聲. 阝(邑)＋奠〔音〕. '奠전'은 '정하다, 안정시키다'의 뜻. '仍잉'과 통하여 '겹치다, 정중하다'의 뜻을 나타냄.
參考 속(俗)에 글자의 왼쪽 윗부분이 당나귀의 귀와 같다 하여 '당나귀정'이라 이름.

[鄭虔 정건] 당(唐)나라의 문신(文臣). 자(字)는 약재(弱齋). 현종(玄宗) 때 광문박사(廣文博士)가 됨. 서화(書畫)와 시(詩)를 잘하여, 현종으로부터 정건삼절(鄭虔三絶)이라 칭찬을 받았음.
[鄭當時 정당시] 한(漢)나라 때의 관리(官吏). 자(字)는 장(莊). 임협객(任俠客)을 좋아하였으며, 제남태수(濟南太守)·우내사(右內史) 등을 거쳐 무제(武帝) 때 대농령(大農令)에 이르렀음.
[鄭白 정백] 전국 시대(戰國時代) 한(韓)나라의 수공(水工)인 정국(鄭國)이 만든 수로(水路) 정거(鄭渠)와, 한(漢)나라 대부(大夫)인 백공(白公)이 만든 수로 백거(白渠). 둘 다 산시 성(陝西省) 경계(境界)에 있음.
[鄭聲 정성] 정(鄭)나라의 음악. 정나라에 음탕한 음악이 유행하였으므로 전(轉)하여, 음

악의 뜻으로 쓰임.
[鄭成功 정성공] 명말(明末) 부흥 운동(復興運動)의 중심인물. 정지룡(鄭芝龍)의 아들. 처음 이름은 삼(森). 명(明)나라가 망하자 대만(臺灣)을 근거지로 하여 광복(光復)을 꾀하였음.
[鄭所南 정소남] 송말(宋末) 원초(元初)의 은사(隱士). 렌장(連江) 사람. 일명 (一名) 사초(思肖). 송나라가 망하자 숨어서 농사를 지으며 일생을 원조(元朝)에 대한 저항(抵抗)으로 보냈음. 저서에 〈철함심사(鐵函心史)〉가 있음.
[鄭衛桑間 정위상간] 정(鄭)과 위(衛) 두 나라의 음란(淫亂)한 음악. 상간(桑間)은 음란한 망국(亡國)의 음악임.
[鄭音 정음] 정성(鄭聲).
[鄭箋 정전] 후한(後漢)의 경학자(經學者) 정현(鄭玄)이 지은 모시전(毛詩箋).
[鄭重 정중] ㉠은근(慇懃)함. 점잖고 묵직함. ㉡자주. 빈번히.
[鄭衆 정중] ㉠후한(後漢)의 학자. 자(子)는 중사(仲師). 경학(經學)에 정통했음. 장제(章帝) 때 대사농(大司農)이 된 데서 경학가(經學家)는 그를 정사농(鄭司農)이라 일컬었음. ㉡후한(後漢)의 환관(宦官). 자(字)는 계산(季産). 화제(和帝) 때 두헌(竇憲) 형제(兄弟)의 불궤(不軌)를 꺾어 그 일당(一黨)을 몰살(沒殺)한 공(功)으로 대장추(大長秋)로 영진(榮進)하여 국정(國政)에 참여하였음. 후한의 환관이 권세를 잡게 된 것은 정중에 비롯함.
[鄭芝龍 정지룡] 명말(明末) 사람. 당왕(唐王)을 받들어 명(明)나라의 회복(恢復)을 꾀했으나 이루지 못한 채 청(淸)나라에 항복하였음. 정성공(鄭成功)은 그의 아들임.
[鄭樵 정초] 남송(南宋)의 학자. 자(字)는 어중(漁仲). 고증학(考證學)을 좋아하여 통지(通志) 2백 권을 썼음.
[鄭圃 정포] 열자(列子)가 살던 지명.
[鄭玄 정현] 후한(後漢)의 학자. 자(字)는 강성(康成). 모든 경(經)에 널리 정통하여 한대(漢代) 경학(經學)을 통일적으로 집대성(集大成)하였음. 모시전(毛詩箋)·주례(周禮)·의례(儀禮)·예기(禮記) 등의 주(註)를 지었음.
[鄭俠 정협] 송(宋)나라의 정치가. 자(字)는 개부(介夫). 왕안석(王安石)의 신법(新法)에 반대하여 누차(屢次) 신법의 불편(不便)함을 왕안석에게 상언(上言)하여 한때 그 시행을 중지케 하였음.
●南鄭. 雅鄭. 流鄭.

12/⑮ [鄪] 무 ⑭宥 莫候切 mào
字解 ①고을이름 무 한대(漢代)의 현. 지금의 저장 성(浙江省) 인 현(鄞縣) 땅. '一縣屬會稽郡'《漢書》. ②성 무 성(姓)의 하나.
字源 篆文 形聲. 阝(邑)＋貿〔音〕

12/⑮ [鄯] 선 ⑭霰 時戰切 shàn
字解 나라이름 선 '一善'의 약칭. '一善'. '留湟而棄一'《甲申雜記》. '一善國名, 本名樓蘭, 元鳳四年改名'《漢書》.
字源 篆文 形聲. 阝(邑)＋善〔音〕

[鄯善 선선] 서역(西域)의 한 나라로 본시 누란(樓蘭)이라 일컬었음. 지금의 신장 성(新疆省) 착강현(婼羌縣) 지방. 청대(淸代)의 선선현(鄯善縣)은 그 북방임.

12 ⑮ [鄰] 〔린〕
隣(阜部 十二畫〈p. 2475〉)의 本字

12 ⑮ [郯] 〔담〕
郯(邑部 八畫〈p. 2339〉)의 訛字

12 ⑮ [黎] 〔려〕
黎(黍部 三畫〈p. 2702〉)와 同字

12 ⑮ [鄱] 파 [平]歌 薄波切 pó

[字解] ①고을이름 파 '—陽'은 예장군(豫章郡)의 한 현(縣). 지금은 장시 성(江西省)의 한 현(縣). ②호수이름 파 '—陽'은 장시 성(江西省)에 있는 호수(湖水). 고대(古代)의 팽려(彭蠡).

[字源] 篆文 形聲. 阝(邑)+番〔音〕

[鄱陽 파양] 자해(字解)를 보라.

12 ⑮ [鄲] [人名] 단 [平]寒 都寒切 dān

[字解] 조(趙)나라서울 단 邯(邑部 五畫)을 보라. '邯—'.

[字源] 金文 篆文 形聲. 阝(邑)+單〔音〕

◉邯鄲.

12 ⑮ [鄗] 교 [上]篠 擧夭切 jiǎo

[字解] 나라이름 교 '—, 黃帝後, 姬姓之國'《字彙補》.

13 ⑯ [鄳] 맹 [平]庚 武庚切 méng

[字解] 고을이름 맹 한대(漢代)에, 지금의 허난 성(河南省) 나산현(羅山縣) 지방에 있던 현(縣). 고래(古來)로 험준한 요해처로서 유명함. '江夏郡有—縣'《漢書》.

[字源] 篆文 形聲. 阝(邑)+黽〔音〕

13 ⑯ [鄴] 업 [入]葉 魚怯切 yè

[字解] ①위나라서울 업 한대(漢代)에, 지금의 허난 성(河南省) 임장현(臨漳縣)에 있던 한 현(縣)인데, 후한말(後漢末)에는 문학(文學)의 연수(淵藪)였고, 삼국 시대(三國時代)에는 위(魏)나라의 서울이 되었음. '公之圍—也'《魏志》. ②성 업 성(姓)의 하나.

[字源] 篆文 形聲. 阝(邑)+業〔音〕

[鄴架 업가] 서가(書架). 또, 다수의 장서. '업후서(鄴侯書)'를 보라.

[鄴下七子 업하칠자] 위대(魏代)의 문사(文士) 일곱 사람. 곧, 공융(孔融)·서간(徐幹)·왕찬(王粲)·진임(陳琳)·완우(阮瑀)·유정(劉楨)·응창(應瑒).

[鄴侯書 업후서] 당(唐)나라의 업후(鄴侯) 이승휴(李承休)가 장서 2만여 권을 가진 고사. 전(轉)하여, 많은 장서(藏書).

13 ⑯ [鄵] 조 [去]號 七到切 cào

[字解] 땅이름 조 춘추 시대(春秋時代)에, 지금의 허난 성(河南省)에 있던 정(鄭)나라의 지명(地名). '鄭伯髡頑, …卒于—'《春秋》.

13 ⑯ [鄶] 회(괴[本]) [去]泰 古外切 kuài

[字解] ①나라이름 회 주대(周代)에, 지금의 허난 성(河南省) 밀현(密縣)에 있던 나라. 정(鄭)나라에게 망하였음. '葬之—城之下'《左傳》. ②성 회 성(姓)의 하나.

[字源] 金文 篆文 形聲. 阝(邑)+會〔音〕

13 ⑯ [鄸] 갈 [入]曷 居曷切 gé

[字解] 고을이름 갈 허난 성(河南省) 난양 시(南陽市)의 땅. '—, 南陽陰鄉'《說文》.

[字源] 形聲. 阝(邑)+葛〔音〕

13 ⑯ [𨞙] 〔구〕
斠(斗部 十三畫〈p. 950〉)의 訛字

13 ⑯ [酆] 〔풍〕
酆(邑部 十八畫〈p. 2349〉)의 俗字

14 ⑰ [鄸] 몽 [平]東 謨中切 méng
[去]送 莫鳳切

[字解] 고을이름 몽 춘추 시대(春秋時代)에, 지금의 산둥 성(山東省) 허쩌 현(荷澤縣)에 있던 조(曹)나라의 읍(邑). '曹公孫會自—出奔宋'《春秋》.

14 ⑰ [鄹] 〔추〕
郰(邑部 八畫〈p. 2339〉)와 同字

[字源] 形聲. 阝(邑)+聚〔音〕

15 ⑱ [鄺] 광 [上]養 古晃切 kuàng

[字解] 성 광 성(姓)의 하나. '—露'는 명대(明代)의 사람.

[字源] 形聲. 阝(邑)+廣〔音〕

15 ⑱ [鄽] 전 [平]先 直連切 chán

[字解] 가게 전 廛(广部 十二畫)과 同字. '隘—亦隘衢'《元稹》.

[字源] 形聲. 阝(邑)+廛〔音〕

◉市鄽. 隘鄽. 通鄽.

15 ⑱ [鄾] 우 [平]尤 於求切 yōu

字解 ①땅이름 우 춘추 시대(春秋時代)에, 지금의 후베이 성(湖北省) 샹양 현(襄陽縣) 지방에 있던 등(鄧)나라의 지명(地名). '鄧南鄾一人, 攻而奪之幣'《左傳》. ②성 우 성(姓)의 하나.
字源 篆文 [전서] 形聲. 阝(邑)＋憂〔音〕

15/18 [鄲] 련 ⊕銑 力展切 liǎn
字解 고을이름 련 주(周)나라의 한 읍(邑). '王子趙車入于一以叛'《左傳》.
字源 篆文 [전서] 形聲. 阝(邑)＋輦〔音〕

15/18 [鄺] 〔찬〕
酇(邑部 十九畵〈p.2349〉)의 俗字

[嚮] 〔향〕
口部 十六畵(p.411)을 보라.

16/19 [鄲] 기 ⊕微 居希切 jī
字解 땅이름 기 패군(沛郡)의 지명(地名). 일설(一說)에는, 초(楚)나라의 지명. 薊(艸部 十六畵)와 同字.

16/19 [鄴] 〔휴〕
酅(邑部 十八畵〈p.2349〉)의 俗字

16/19 [鄽] 〔곽〕
郭(邑部 八畵〈p.2338〉)의 本字

16/19 [鄸] 〔당〕
鄧(邑部 十一畵〈p.2344〉)의 本字

17/20 [鄅] 참 ⊕咸 士咸切 chán
字解 땅이름 참 춘추 시대(春秋時代)의 송(宋)나라의 지명(地名). '宋皇麋奪其兄一般邑以與之'《左傳》.
字源 篆文 [전서] 形聲. 阝(邑)＋毚〔音〕

17/20 [鄳] 령 ⊕青 郎丁切 líng
字解 고을이름 령 한대(漢代)에, 지금의 후난 성(湖南省) 헝양 현(衡陽縣)에 있던 현(縣). '長沙國有一縣'《漢書》.
字源 篆文 [전서] 形聲. 阝(邑)＋霝〔音〕

[鄳淥 영록] 미주(美酒)의 이름. 후난 성(湖南省) 헝양 현(衡陽縣)에서 영호(鄳湖)의 물로 빚은 술.
[鄳釀 영록] 영록(鄳淥).

18/21 [酅] 휴 ⊕齊 戶圭切 xī
字解 ①고을이름 휴 춘추 시대(春秋時代)에, 산둥 성(山東省) 린쯔 현(臨淄縣)에 있던 기(紀)나라의 읍(邑). '紀季以一入于齊'《春秋》. ②땅이름 휴 춘추 시대에, 지금의 산둥 성(山東省) 둥아현(東阿縣)에 있던 제(齊)나라의 지명.

'公追齊師至一, 不及'《春秋》.
字源 篆文 [전서] 形聲. 阝(邑)＋巂〔音〕

18/21 [酆] 풍 ⊕東 敷隆切 fēng
字解 ①주나라서울 풍 주(周)나라 문왕(文王)이 도읍한 곳. 지금의 산시 성(陝西省) 호현(鄠縣)의 땅. '康有一宮之朝'《左傳》. ②나라이름 풍 주대(周代)의 한 나라. 주(周)나라와 동성(同姓). 문왕(文王)이 도읍한 고지(故地). '畢原一郇, 文之昭也'《左傳》. ③성 풍 성(姓)의 하나.
字源 甲骨文 [갑골문] 金文 [금문] 篆文 [전서] 形聲. 阝(邑)＋豐〔音〕

18/21 [鄻] 각 ⊕藥 乞約切 què
字解 고을이름 각 고을 이름. 지금의 산시 성(山西省) 문희현(聞喜縣)에 있던 고을. '鄻, 鄉名, 在河東聞喜縣, 或省'《集韻》.

18/21 [酄] 目 환 ⊕寒 呼官切 huān 目 권 ⊕光 驅圓切 quān
字解 目 고을이름 환 춘추(春秋)시대 노(魯)나라의 하읍(下邑). 산둥 성(山東省) 비성현(肥城縣)의 서쪽. '一, 魯下邑'《說文》. 目 고을이름 권 산시 성(山西省) 문희현(聞喜縣)의 향(鄉)의 이름. '一, 鄉名, 在聞喜縣'《集韻》.
字源 篆文 [전서] 形聲. 阝(邑)＋雚〔音〕

19/22 [酇] 찬 ①②⊕旱 作管切 zàn ③④⊕翰 則旴切
字解 ①마을 찬 주(周)대의 행정 구획의 하나. 백 집이 사는 구역. '四里爲一'《周禮》. ②모일 찬 한군데에 모여듦. '位有一列之處'《禮記 註》. ③땅이름 찬 한(漢)나라 소하(蕭何)를 봉(封)한 땅. 지금의 후베이 성(湖北省) 광화현(光化縣)의 북쪽. '封爲一侯'《漢書》.
字源 篆文 [전서] 形聲. 阝(邑)＋贊〔音〕

[酇白 찬백] 백주(白酒). 빛이 흰 술.

19/22 [酈] 目 려 ⊕支 呂支切 lí 目 력 ⊕錫 郎擊切 lì
字解 目 땅이름 려 춘추 시대(春秋時代)의 노(魯)나라의 지명(地名). 지금의 산둥 성(山東省) 연주부(兗州府) 부근. '敗莒師于一'《春秋》. 目 ①땅이름 력 한대(漢代)에 지금의 허난 성(河南省) 내향현(內鄉縣)에 있던 지명. '與偕攻析一, 皆降'《漢書》. ②성 력 성(姓)의 하나. '一食其'는 한(漢)나라 고조(高祖)의 공신(功臣).
字源 篆文 [전서] 形聲. 阝(邑)＋麗〔音〕

[酈道元 역도원] 북위(北魏)의 지리학자(地理學者). 자(字)는 선장(善長). 어사중위(御史中尉)가 되어 법을 엄혹하게 다스렸는데, 산시(陝西) 방면의 행정 사찰(行政査察)을 나갔을 때 암살(暗殺) 당했음. 저서에 〈수경주(水經註)〉 40권

(卷)이 있음.

[酈食其 역이기] 한초(漢初)의 책사(策士). 고양 (高陽) 사람. 고조(高祖)를 위해 제(齊)나라에 가서 유세(遊說)하여 70여 성(城)을 항복받았는 데, 그 직후(直後)에 한신(韓信)의 대병(大兵) 이 제(齊)나라를 공략(攻略)하였으므로 대로 (大怒)한 제왕 전광(田廣)한테 죽임을 당했음.

20
㉓ [鄭] 〔당〕
鄭(邑部 八畫〈p. 2339〉)과 同字

酉 (7획) 部
〔닭유부〕

0
⑦ [酉] 中人 유 ㊤有 與久切 yǒu

[筆順] 一 丁 丌 丙 西 西 酉

[字解] ①열째지지 유 십이지(十二支)의 열째 자리. 달로는 8월, 방위로는 서쪽, 시각으로는 오후 5시부터 7시 사이, 때로는 닭에 해당함. ②익을 유 성숙함. ③성 유 성(姓)의 하나.
[字源] 甲骨文 金文 篆文 古文 象形. 술 그릇을 본뜬 것으로 '술'의 뜻을 나타냄. 酒주'의 原字. 假借하여 지지의 열째, '닭'의 뜻으로 쓰임.
[參考] '酉유'를 의부(意符)로 하여, 술 종류나 그 밖에 발효시켜서 만드는 식품, 술을 빚는 일, 마시는 일 등에 관한 문자를 이룸. 부수 이름은 '닭유'.

[酉聖 유성] '술〔酒〕'의 별칭(別稱).
[酉陽 유양] 후난 성(湖南省) 완릉현(沅陵縣) 서북(西北)쪽에 있는 산 이름. 그 산 밑의 석혈 (石穴) 속에는 천 권의 책이 숨겨져 있다 함. 일명(一名) 소유산(小酉山).
[酉陽雜俎 유양잡조] 당(唐)의 단성식(段成式)이 지은 책 이름. 모두 20권(卷) 속집(續集) 10권(卷). 기괴(奇怪)한 이야기를 많이 집록(輯錄)하였음.
●上酉. 二酉. 日沒酉.

2
⑨ [酊] 人名 정 ㊤迥 都挺切 dǐng

[字解] 술취할 정 술을 먹어 심하게 취함. '酩— 無所知'《晉書》.
[字源] 篆文 酊 形聲. 酉+丁〔音〕.

●酩酊. 飲酒莫教成酩酊.

2
⑨ [酋] 人名 추 ㊤尤 自秋切 qiú

[字解] ①오래될 추 오래 경과함. 구원(久遠)함. '昔酒, 今之一久白酒'《周禮 註》. ②술 추 오래된 술. 또, 술을 맡은 벼슬아치. '仲秋之月, 乃命大一'《禮記》. ③끝날 추 종료(終了)함. '似先公一矣'《詩經》. ④뛰어날 추 남보다 우월함. '設難旣一'《漢書》. ⑤우두머리 추 야만인 등의

부락의 수령. '一長'. '蠻—'. '僞耳黑齒之一'《左思》. ⑥창 추 자루의 길이가 스무 자 되는 창. '一矛'《周禮》.
[字源] 甲骨文 篆文 酋 象形. 술 그릇 속의 술이 향기를 내뿜어 주둥이에서 넘쳐 나오는 모양을 본떠, 오래된 술의 뜻을 나타냄. 또, 술 빚는 일을 주관하는 벼슬아치의 뜻을 나타내며, 파생하여 '우두머리'의 뜻도 나타냄.

[酋渠 추거] 추장(酋長)㉠.
[酋領 추령] 추장(酋長)㉠.
[酋矛 추모] 자루의 길이가 스무 자인 창.
[酋帥 추수] 추장(酋長)㉠.
[酋長 추장] ㉠야만인(野蠻人)의 두목. ㉡도적 등의 두목.
●羌酋. 大酋. 蠻酋. 蕃酋. 氐酋. 諸酋. 悍酋. 豪酋.

3
⑩ [酌] 高人 작 ㊤藥 之若切 zhuó

[筆順] 一 丁 丌 西 酉 酉 酌 酌

[字解] ①따를 작 술을 따름. 전(轉)하여, 술을 마심. '獨一'. '對一'. '引壺觴以自一'《陶潛》. ②퍼낼 작 액체를 떠냄. '一焉而不竭'《莊子》. ③가릴 작 선택함. 분간하여 채택함. '上一民言, 則下天上施'《禮記》. ④참작할 작 참조함. 이것저것 대보아 취사(取捨)함. '斟一. 子爲大政, 將一於民者也'《左傳》. ⑤잔 작 술잔. '華一旣陳'《宋玉》. ⑥잔치 작 주연. '別酒寒一'《李白》. ⑦술 작 '酒曰清一'《禮記》.
[字源] 篆文 酌 形聲. 酉+勺〔音〕. '酉유'는 술 단지를 본떠 '술'의 뜻, '勺작'은 국자를 본떠 국자의 뜻. 술을 따르다, 뜨다의 뜻을 나타냄.

[酌交 작교] 술잔을 서로 주고받음.
[酌量 작량] 짐작하여 헤아림.
[酌婦 작부] 주점(酒店)에서 손님을 대접하고 술을 따라 주는 여자.
[酌損 작손] 퍼내어 덞. 또, 더하고 덜함.
[酌飲 작음] 한 국자의 물. 전(轉)하여, 얼마 안 되는 음료.
[酌定 작정] 일을 짐작하여 결정함.
[酌酒 작주] 술을 술잔(盞)에 붓는 일.
[酌斟 작짐] 술을 따름.
●佳酌. 傾酌. 孤酌. 對酌. 獨酌. 晚酌. 滿酌. 杯酌. 觴酌. 細酌. 小酌. 酬酌. 數酌. 緩酌. 飲酌. 挹酌. 離酌. 樽酌. 蠶酌. 斟酌. 參酌. 淺酌. 添酌. 清酌. 品酌. 洞酌.

3
⑩ [配] 高人 배 ㊤隊 滂佩切 pèi

[筆順] 一 冂 丙 西 酉 酉 酉 配

[字解] ①짝지을 배 ㉠짝을 이룸. 필적함. '廣大一天地, 變通一四時'《易經》. ㉡부부가 됨. '婦者一己而成德者也'《易經 註》. ㉢짝지을 배 짝이 되게 함. '雖離樂得淑女, 以一君子'《詩經 周南 關雎 序》. ②짝 배 ㉠필적(匹敵). '匹一'. '推光武以爲一'《張衡》. ㉡부부. '一偶'. '天立厥一'《詩經》. ④종사할 배 부제(祔祭)함. '一享一食縣社'《管書》. ⑤나눌 배 분배함. '一當'.

'散—鄕村'《舊唐書》. ⑥귀양보낼 배 유형에 처함. '—所'. '刺面—華州'《王溥》. ⑦딸릴 배 예속함. 또, 예속시킴. '—隷'. '—支'. '均爲差—'《金史》.

[字源] 金文 篆文 會意. 酉+己. '己기'는 사람의 象形의 변형. 사람이 술 단지를 늘어놓는 모양에서, '늘어놓다'의 뜻을 나타냄.

[配軍 배군] 유형(流刑)을 당하여 국경에 가서 지키는 군사.
[配給 배급] 별러서 공급함. 적당히 나누어 줌.
[配達 배달] 돌아다니며 물건을 돌라 줌. 물건을 갖다 줌.
[配當 배당] 적당히 별러서 나눔.
[配島 배도] 섬으로 귀양 보냄.
[配慮 배려] 이리저리 마음을 씀.
[配蘂 배려] 낱낱이 흩어져 떨어지는 모양.
[配隷 배례] 각각 나누어서 속(屬)하게 함.
[配流 배류] 섬으로 귀양 보냄.
[配兵 배병] 군사를 각각 요처에 배치함. 또, 그 군사.
[配本 배본] 책을 배달함. 출판물을 배부함.
[配付 배부] 나누어 줌.
[配賦 배부] 세금 등을 배당함. 또, 그 배당한 세금.
[配分 배분] 분배함.
[配備 배비] 따로따로 갈라서 베풂.
[配色 배색] 색의 배합.
[配所 배소] 죄인을 귀양 보내는 곳. 적소(謫所).
[配食 배식] 배향(配享).
[配御 배어] 궁녀가 밤에 군주(君主)를 모심.
[配偶 배우] 짝이 되는 아내나 남편.
[配耦 배우] 배우(配偶).
[配位 배위] 부부(夫婦)가 다 죽었을 때에 그 아내의 존칭.
[配率之科 배율지과] 빈부의 차이에 따라 조세를 매기는 일.
[配謫 배적] 배류(配流).
[配劑 배제] 약을 조제함.
[配車 배차] 기차·전차 등을 여러 곳으로 별러서 보냄.
[配天 배천] ㉠덕이 광대하여 하늘과 짝 지을 만함. 덕의 광대함이 하늘과 필적함. ㉡왕자(王者)가 하늘을 제사 지낼 때 그의 조상을 같이 제사 지냄.
[配置 배치] 갈라서 따로따로 둠.
[配布 배포] 분배함.
[配幅 배폭] 두 폭을 나란히 걸어 놓은 권축(卷軸).
[配匹 배필] 배우(配偶).
[配合 배합] ㉠짝. ㉡알맞게 섞어 합침.
[配行 배항] ㉠한 겨레붙이 안에서 존속(尊屬)·비속(卑屬) 또는 연령(年齡) 관계에 의하여 정하여진 서열(序列). ㉡줄을 지어 섬.
[配享 배향] ㉠종묘(宗廟)에 공신(功臣)을 부제(祔祭)함. ㉡문묘(文廟)에 학덕 있는 사람을 부제(祔祭)함.
◉交配. 勻配. 分配. 四配. 散配. 手配. 年配. 流配. 嫡配. 定配. 支配. 迭配. 集配. 匹配. 合配.

3 ⑩ [酎] [人名] 주 [去]宥 直祐切 zhòu

[字解] ①전국술 주 세 번 빚은 순주(醇酒). '孟夏之月, 天子飮—'《禮記》. ②주금 주 '—金'은 한대(漢代)의 제도(制度)로서, 천자(天子)가 햇곡식으로 빚은 순주(醇酒)를 종묘(宗廟)에 올릴 때, 제후(諸侯)가 모두 자격에 따라 금(金)을 바치고 그 술을 마시던 일. 바친 금의 분량이 적거나 질이 나쁘면 영토(領土)를 깎이었음. '高廟—'《史記》.

[字源] 篆文 形聲. 酉+肘〈省〉〔音〕. '肘주'는 '팔꿈치'의 뜻. 세 번 거듭 가공한 좋은 술의 뜻을 나타냄.

[酎金 주금] 자해(字解)❷를 보라.
◉芳酎. 燒酎. 醇酎. 溫酎. 重酎. 淸酎.

3 ⑩ [酏] 이 [平]支 弋支切 yí

[字解] ①맑은술 이 쌀로 빚은 청주(淸酒). 일설(一說)에는, 찰기장으로 쑨 맑은 죽. 주대(周代)의 사음(四飮)의 하나. '辨四飮之物, 四曰—'《周禮》. ②떡 이 쌀 또는 찰기장으로 만든 떡. '羞豆之實, —食糝食'《周禮》.

[字源] 篆文 形聲. 酉+也〔音〕

◉餠酏. 醴酏. 饘酏.

3 ⑩ [酒] [中人] 주 [上]有 子酉切 jiǔ

[筆順] 丶 冫 氵 汀 沂 洒 洒 酒

[字解] ①술 주 누룩과 곡식을 넣어 빚어 만든 음료. '濁—'. '銷憂者莫若—'《漢書》. ②잔치 주 주연(酒宴). '—酣起前'《戰國策》. ③성 주 성(姓)의 하나.

[字源] 甲骨文 金文 篆文 象形. 甲骨文·金文은 '酉유'와 동일한 글자로, 술그릇을 본뜬 것. '술'의 뜻을 나타냄. 뒤에, '水수'를 덧붙여, 氵(水)+酉〔音〕의 形聲이 됨.

[酒家 주가] 술집.
[酒榷 주각] 술을 전매(專賣)하여 이익을 독점함.
[酒渴 주갈] ㉠술에 취하여 목이 마름. ㉡술을 매우 마시고 싶어함.
[酒酣耳熱 주감이열] 크게 취한 모양.
[酒客 주객] 술을 잘하는 사람.
[酒戒 주계] 술을 삼가라는 훈계.
[酒庫 주고] 술을 저장하는 곳. 술 창고.
[酒困 주곤] 주광(酒狂).
[酒果 주과] 주과포혜(酒果脯醯).
[酒過 주과] 주실(酒失).
[酒果脯醯 주과포혜] 술과 과실과 포(脯)와 식혜, 곧 간소한 제물(祭物).
[酒狂 주광] 술에 취하여 미쳐 날뜀. 술주정이 심함.
[酒國 주국] 술에 취해 느끼는 별천지.
[酒極亂 주극난] 술을 과도히 마시면 난잡해짐.
[酒禁 주금] 금주(禁酒).
[酒氣 주기] ㉠술 냄새. ㉡술기운. 술을 마셔 취한 기운. ㉢술을 마신 기미.
[酒旗 주기] 술집에 다는 기.

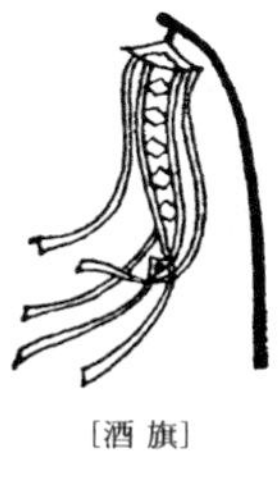
〔酒旗〕

[酒囊飯袋 주낭반대] 술과 밥을 넣는 포대. 먹고 마실 줄만 아는 무능한 자를 욕하는 말.

[酒談 주담] 술김에 하는 객설 (客說).

[酒德 주덕] ㉠음주 (飮酒)로 인한 악덕 (惡德). ㉡술의 공덕 (功德).

[酒徒 주도] 술꾼. 술을 즐기는 무리.

[酒毒 주독] 술의 중독 (中毒)으로 얼굴에 생기는 붉은 점.

[酒亂 주란] 주광 (酒狂).

[酒量 주량] 술을 마시는 분량 (分量).

[酒力 주력] 술의 힘.

[酒令 주령] 술 마실 때 놀기 위하여 만든 규칙. 어기면 벌주를 마심.

[酒醴 주례] 술과 단술.

[酒壚 주로] 술집. 주사 (酒肆).

[酒醪 주료] 약주와 탁주.

[酒樓 주루] 술을 파는 집.

[酒妄 주망] 주광 (酒狂).

[酒媒 주매] 누룩.

[酒母 주모] ㉠술밑. ㉡술 파는 여자.

[酒無量不及亂 주무량불급란] 술을 마시는 분량을 제한하지는 아니하나, 각자의 주량에 따라서 정신이 흐려지지 아니할 한도 내에서 마심.

[酒味 주미] 술 맛.

[酒杯 주배] 술잔.

[酒百藥之長 주백약지장] 술은 모든 약 중에서 제일임. 술을 찬미하는 말.

[酒癖 주벽] ㉠술을 좋아하여 자주 마시는 버릇. ㉡술을 마신 뒤에 나타나는 버릇.

[酒兵 주병] 술은 수심 (愁心)을 없애고 군사는 물건을 파괴하여 없애므로, 전 (轉)하여 술〔酒〕을 이름.

[酒瓶 주병] 술병.

[酒保 주보] ㉠술집의 심부름꾼. ㉡술을 빚는 사람. 또는 술 파는 사람.

[酒朋 주붕] 같이 술을 마시는 친구.

[酒悲 주비] 술 마시면 슬퍼하는 버릇.

[酒邪 주사] 술 먹은 뒤에 부리는 나쁜 버릇.

[酒社 주사] 술을 마시는 모임. 또는 술을 마시는 무리. 주도 (酒徒).

[酒肆 주사] 술집.

[酒商 주상] 술장사.

[酒傷 주상] 음주로 인하여 일어나는 위 (胃)의 고장 (故障).

[酒色 주색] 술과 여자. 음주 (飮酒)와 여색 (女色).

[酒席 주석] 술을 마시는 자리.

[酒仙 주선] 술을 많이 마시며 세상일을 돌보지 않는 사람. 모주망태. 대주가.

[酒船 주선] 술을 실은 배.

[酒星 주성] 술을 맡았다는 별.

[酒聖 주성] ㉠맑은술. 약주 (藥酒). ㉡주량이 아주 큰 사람. 주호 (酒豪).

[酒稅 주세] 술을 양조하는 데 부과하는 세금. 주조세 (酒造稅).

[酒數 주수] 술잔의 수량 (數量). 주량 (酒量).

[酒食 주식] 술과 음식 (飮食).

[酒失 주실] 술에 취하여 저지른 과실 (過失).

[酒案 주안] 술상.

[酒宴 주연] 술잔치.

[酒翁 주옹] ㉠술 빚는 사내. ㉡술을 좋아하는 노인.

[酒友 주우] 술친구.

[酒暈 주운] 술을 마셔 얼굴이 발개짐.

[酒有別腸 주유별장] 주량의 다소는 몸집의 대소와는 관계없음.

[酒有聖賢 주유성현] 청주 (淸酒)는 성인, 탁주는 현인이라 부른 고사 (故事).

[酒肉 주육] 술과 고기.

[酒人 주인] ㉠술을 잘 마시는 사람. ㉡술 빚는 일을 맡았던 벼슬 이름.

[酒入舌出 주입설출] 술을 마시면 마음이 돌아 쓸데없는 말을 함부로 지껄임.

[酒貲 주자] 술 마실 돈. 술값.

[酒資 주자] 주자 (酒貲).

[酒杓 주작] ㉠술을 푸는 구기. ㉡술잔.

[酒漿 주장] 술과 음료 (飮料).

[酒材 주재] 술을 만드는 원료.

[酒敵 주적] 주우 (酒友).

[酒錢 주전] 주자 (酒貲).

[酒戰 주전] 술을 많이 마시는 내기.

[酒顚 주전] 주광 (酒狂).

[酒店 주점] 술집.

[酒酲 주정] 숙취 (宿醉).

[酒精 주정] 술의 주성분. 알코올.

[酒槽 주조] 술통.

[酒糟 주조] 재강.

[酒罇 주준] 술동이. 준.

[酒中趣 주중취] 술 마시는 재미.

[酒池肉林 주지육림] 술은 못과 같고, 고기는 숲과 같이 많이 있다는 뜻으로, 굉장하게 잘 차린 잔치의 형용.

[酒饌 주찬] 주효 (酒肴).

[酒債 주채] 술빚.

[酒泉 주천] ㉠주 (周)나라의 고을 이름. 산시 성 (陝西省) 대려현 (大荔縣). 그곳의 샘물은 술빚기에 알맞다 함. ㉡한 (漢)나라 군 (郡) 이름. 지금의 간쑤 성 (甘肅省) 주천현 (酒泉縣)의 동북 (東北). 그곳 샘물은 맛이 술 같다 함. ㉢다량의 술.

[酒天之美祿 주천지미록] 술은 하늘이 주시는 훌륭한 녹봉 (祿俸)임. 술을 찬미하는 말.

[酒滯 주체] 음주 (飮酒)로 인한 체증.

[酒臭 주취] 술에 취한 냄새. 술내.

[酒卮 주치] 술잔. 주배 (酒杯).

[酒吞人 주탄인] 술은 사람을 삼킴. 술을 많이 마시면 사람이 도리어 술에 진다는 뜻.

[酒婆 주파] 술을 파는 노파 (老婆).

[酒逋 주포] 주채 (酒債).

[酒酺 주포] 큰 잔치를 베풀고 서로 경하 (慶賀)함을 이르는 말.

[酒鋪 주포] 주사 (酒肆).

[酒缸 주항] 술 항아리.

[酒戶 주호] ㉠주량. 음주의 분량. 주량이 크면 대호 (大戶), 작으면 소호 (小戶). ㉡술집.

[酒壺 주호] 술병.

[酒豪 주호] 술을 많이 마시는 사람.

[酒禍 주화] 술로 인해 입은 화 (禍).

[酒荒 주황] 술에 빠져 마음이 거칢.

[酒肴 주효] 술과 안주.

[酒殽 주효] 주효 (酒肴).

[酒後 주후] 술을 마신 뒤.

[酒痕 주흔] 술이 떨어진 자국.

[酒興 주흥] 술에 취하여 일어나는 흥취 (興趣).

●甘酒. 秬酒. 擧酒. 傾酒. 傾海爲酒. 鷄鳴酒. 鷄酒. 古酒. 沽酒. 酤酒. 穀酒. 公酒. 共酒. 國子祭酒. 菊酒. 勸酒. 琴酒. 禁酒. 嗜酒. 樂酒. 藍尾酒. 南州溽暑醉如酒. 冷酒. 綠酒. 漉

酒. 大酒. 桃花酒. 斗酒. 杜酒. 亡酒. 賣酒.
麥酒. 涌酒. 名酒. 銘酒. 茅柴酒. 卯酒. 文酒.
美酒. 薄酒. 杯酒. 柏葉酒. 白酒. 法酒. 罰酒.
別酒. 奉酒. 些子酒. 使酒. 觴酒. 牲酒. 聲酒.
小酒. 醇酒. 侍酒. 詩酒. 新酒. 雙柑酒. 惡
酒. 藥酒. 羊酒. 洋酒. 釀酒. 御酒. 捐酒. 醴
酒. 玉酒. 溫酒. 醞酒. 牛酒. 鬱鬯酒. 猶惡醉
而强酒. 淫酒. 飮酒. 離酒. 酌酒. 殘酒. 藏酒.
載酒. 齋酒. 節酒. 祭酒. 縱酒. 佐酒. 樽酒.
中酒. 卽時一杯酒. 旨酒. 珍酒. 秩酒. 斟酒.
澄酒. 鬯酒. 天酒. 薦酒. 酤酒. 淸酒. 椒酒.
桃醉酒. 卮酒. 置酒. 濁酒. 耽酒. 葡萄酒.
被酒. 幸酒. 獻酒. 賢人酒. 玄酒. 好酒. 荒酒.
葦酒. 黑黍酒.

4 酖 （11） ◨탐 ⊕覃 丁含切 dān
◨짐 ⊕沁 直禁切 zhèn

字解 ◨ 즐길 탐, 빠질 탐 술을 대단히 즐겨함.
술에 탐닉함. '荒一于酒' 《漢書》. ◨ 짐새 짐 鴆
(鳥部 四畫)과 통용. '宴安一毒, 不可懷也'《左
傳》.
字源 篆文 酖 形聲. 酉+尤〔音〕. '尤음'은 '가라앉
다'의 뜻. 심신이 모두 술에 빠지다
의 뜻을 나타냄.

[酖毒 짐독] 짐새라는 독조(毒鳥)의 깃을 담근 술
의 독기. 이 술을 마시면 사람이 죽음. 전(轉)
하여, 해독(害毒).
[酖殺 짐살] 짐독(酖毒)을 먹여 죽임.
[酖酖 탐탐] 즐기는 모양.

4 酗 （11） 후 ⊕遇 香句切 xù

字解 주정할 후 주사(酒邪)를 피움. '我用沈一
于酒'《書經》.
字源 形聲. 酉+凶〔音〕. '凶흉'은 '나쁘다'의 뜻.
나쁜 술, 취해서 주정 하다의 뜻을 나타냄.

[酗訟 후송] 주정 하다가 싸우고 송사하는 일.
[酗醟 후영] 주정. 주사.
●淫酗. 沈酗. 兜酗.

4 酕 （11） ◨순 ⊕眞 船倫切 chún
◨준 ⊕眞 重倫切

字解 ◨ ①맛있을 순 '一, 美也'《廣韻》. ②진할
순 술 맛이 농후함. '一, 酒厚也'《集韻》. ③전
국술 순 진하고 맛있는 술. '一, 釀美酒也'《字
彙》. ④미주 준 전국술. 좋은 술. '一, 純美酒
也'《廣韻》.

4 酘 （11） 두 ⊕尤 徒侯切 tóu
⊕宥 徒候切

字解 거듭빚을 두 두 번 빚음. 중양(重釀)함.
'猶一一之酒, 不可以方九醞之醇耳'《抱朴子》.
字源 形聲. 酉+殳〔音〕

4 酕 （11） 모 ⊕豪 莫袍切 máo

字解 곤드레만드레할 모 '一醄'는 몹시 취한 모
양. 곤드레만드레가 된 모양. '遇一醄飮'《姚合》.

[酕醄 모도] 자해 (字解)를 보라.

4 酕 （11） 〔강〕
舡(舟部 四畫〈p.2687〉)과 同字

4 酙 （11） 〔짐·침〕
斟(斗部 九畫〈p.950〉)과 同字

4 酘 （11） 〔효〕
酵(酉部 六畫〈p.2355〉)와 同字

4 酔 （11） 〔취〕
醉(酉部 八畫〈p.2357〉)의 俗字

4 酓 （11） 염 ⊕琰 於琰切 yǎn
字解 ①산뽕나무 염 檿(木部 十四畫)과 同字.
'厥篚一絲'《史記》. ②쓸 염 술 맛이 씀.
字源 金文 酓 篆文 酓 形聲. 酉+今〔音〕. '今금'은 '含
함'과 통하여 '머금다'의 뜻. 술
을 입에 머금다, 마시다의 뜻을 나타냄. '飮음'
의 原字. 또, '厭염'과 통하여 물리는 술, 쓰다
의 뜻도 나타냄.

5 酌 （12） 후 ⊕遇 吁句切 xù
字解 주정할 후 酗(酉部 四畫)와 同字. '數醉一
羌人'《漢書》.
字源 篆文 酌 形聲. 酉+句〔音〕. '酗후'와 통하여
'주정하다'의 뜻을 나타냄.

5 酡 （12） 타 ⊕歌 徒河切 tuó
字解 발개질 타 술에 취하여 얼굴이 홍조가 됨.
'醉一'. '美人旣醉, 朱顏一些'('些'는 조사(助
辭))《楚辭》.
字源 形聲. 酉+它〔音〕

●微酡. 半酡. 醉酡.

5 酡 （12） 酡(前條)와 同字

5 酡 （12） 포 ⊕效 皮敎切 bào
字解 발개질 포 주기가 얼굴에 나타남. '美人
醉一, 則面著赤色而鮮好也'《楚辭 註》.

5 酢 （12） ◨작 〔人名〕藥 在各切 zuò
◨초 ⊕遇 倉故切 cù
字解 ◨ 잔돌릴 작 손이 주인한테서 받은 술잔
을 도로 돌림. 주인이 손에게 술잔을 돌리는 것
은 '酬'라 함. '酬一'. '君子有酒, 酌言一之'
《詩經》. ◨ ①초 초 신 조미료(調味料). '寧飮
三升一, 不見崔弘度'《隋書》. ②실 초, 신맛 초
산미(酸味)가 있음. 또, 그 맛. '一梨酸棗'《馬
第伯》.
字源 金文 酢 篆文 酢 形聲. 酉+乍〔音〕. '乍작'은
'組조'와 통하여 겹쳐 쌓다의
뜻. 손의 주인에 대한 술잔 돌리기의 뜻을 나타
냄. 또, 술을 조작하여 만든 식초의 뜻도 나타
냄.

[酢漿 작장] 괭이밥과 (科)에 속하는 다년초. 줄기

와 잎에서 모두 신맛이 남. 괭이밥. 괴승아.
[酢敗 초패] 술이 시어져 썩음.
●交酢. 實酢. 酬酢. 攸酢. 獻酢.

5⑫ [酊] 동 ⑭冬 徒冬切 tóng
字解 부패할 동 술·식초 따위가 부패함. '一, 酒醋壊'《集韻》.

5⑫ [酣] 감 ⑭覃 胡甘切 hān
字解 ①즐길 감 술을 마시며 즐김. '一飮'. '相與飮酒一'《呂氏春秋》. ②한창 감 ㉠술을 거나하게 마셔 주흥이 한창 일어남. 또, 그때. '酒一起前'《史記》. ㉡사물의 힘이 가장 힘차게 되어 올라 아직 쇠하지 아니함. 또, 그때. '戰一日暮'《淮南子》.
字源 形聲. 酉+甘〔音〕. '甘감'은 맛을 즐기다의 뜻. 술을 즐기다의 뜻을 나타냄.

[酣歌 감가] 주흥이 나서 노래함.
[酣酣 감감] ㉠꽃이 한창 피는 모양. ㉡춘경(春景)이 화창한 모양. ㉢술을 마시고 기분이 좋은 모양.
[酣放 감방] ㉠문장이 자유자재한 모양. ㉡감종(酣縱).
[酣賞 감상] 실컷 놀며 완상(玩賞)함.
[酣觴 감상] 술잔을 자꾸 돌려 실컷 마심.
[酣湑 감서] 술을 실컷 마시며 즐김.
[酣媒 감설] 아무 거리낌 없이 희롱거림. 아주 버릇없이 굶.
[酣睡 감수] 달게 잠. 깊이 잠듦.
[酣飫 감어] 주식(酒食)을 실컷 마시고 먹음.
[酣宴 감연] 성대한 주연.
[酣娛 감오] 술에 취하여 즐거이 놂.
[酣臥 감와] 감수(酣睡).
[酣戰 감전] 양군이 뒤섞여 한창 싸움.
[酣縱 감종] 술을 마시고 방종(放縱)함. 감방(酣放).
[酣中客 감중객] 부귀(富貴)에 탐닉(耽溺)하는 사람.
[酣暢 감창] 술이 거나하게 취하여 마음이 화창함.
[酣春 감춘] 봄이 한창일 때.
[酣醉 감취] 술이 몹시 취함.
[酣謔 감학] 술에 취하여 실없는 농지거리를 함.
[酣豢 감환] 남부럽지 않게 삶. 사치한 생활을 함.
[酣興 감흥] 주흥(酒興).
●牛酣. 善酣. 睡酣. 樂酣. 宴酣. 長酣. 戰酣. 酒酣. 沈酣. 興酣.

5⑫ [酤] 고 ①②⑭虞 古胡切 gū ③㉠遇 古暮切
字解 ①단술 고 감주(甘酒). '旣載淸一'《詩經》. ②살 고 술을 삼. '高祖毎一留飮酒'《史記》. ③팔 고 술을 팖. '一酒無行'《史記》.
字源 形聲. 酉+古〔音〕. '古고'는 '賈고'와 통하여 술을 사다의 뜻을 나타냄. 또, '古'는 '糊호'와 통하여 '풀'의 뜻. 풀꼴이 되었을 뿐 덜 발효된 술, '단술'의 뜻을 나타냄.

[酤榷 고각] 정부가 술을 전매하여 이익을 독점함.

[酤鬻 고육] 매매(賣買). 또, 매매를 함.
●榷酤. 芳酤. 賒酤. 淸酤. 村酤. 香酤.

5⑫ [酦] 발 ㉠曷 蒲撥切 pò
字解 술기운 발 술기운. 주기(酒氣). '一, 字林, 酒氣也'《集韻》.

5⑫ [酥] 수 ⑭虞 素姑切 sū
字解 연유 수 우유 또는 양유로 만든 식료품. '酪成'《本草別錄》.
字源 形聲. 酉+蘇(省)〔音〕. '蘇소'는 범어 sudhā의 su의 음역. 술처럼 발효시킨 것이므로 '酉유'를 덧붙임.

[酥燈 수등] 불전(佛前)의 등불.
[酥酪 수락] 우유(牛乳).
●酪酥.

5⑫ [酠] 가 ㉠馬 苦下切 qiǎ
字解 쓴술 가 쓴 술. '一, 苦酒也'《五音集韻》.

5⑫ [觚] 〔고〕 觚(角部 五畫〈p.2097〉)와 同字

5⑫ [酟] 첨 ⑭鹽 他兼切 tiān
字解 ①고를 첨 고르게 함. 조화(調和)시킴. '一, 和也'《集韻》. ②적실 첨 '一以春梅'《張協》.

5⑫ [酲] 〔제〕 醍(酉部 九畫〈p.2358〉)와 同字

5⑫ [酫] 〔앙〕 醠(酉部 十畫〈p.2361〉)과 同字

5⑫ [酫] 〔거·각〕 醵(酉部 十三畫〈p.2363〉)와 同字

6⑬ [酩] 图 명 ⑭迥 莫迥切 mǐng
字解 ①술취할 명 술을 먹어 몹시 취함. '一酊無所知'《晉書》. ②단술 명 감주(甘酒). '食肉而飮一'《漢書》.
字源 形聲. 酉+名〔音〕. '名명'은 '冥명'과 통하여, 눈이 어두워지다의 뜻. 눈이 어두워질 정도로 술에 취하다의 뜻을 나타냄.

[酩酊 명정] 술을 먹어 몹시 취함.
●飮酩.

6⑬ [酪] 图 락 ㉠藥 盧各切 lào
筆順 一 冂 西 酉 酌 酩 酪 酪
字解 ①타락 락 우유 또는 양유를 끓여 만든 음료. '羊一'. '乳一'. '羶肉一漿'《李陵》. ②죽 락 흰죽. '無鹽一不能食'《禮記》. ③과즙 락 과실을 익혀 짜낸 물. '杏一'. '敎民賣木爲一'《漢書》.

字源 篆文 酪 形聲. 酉+各〔音〕. '各각'은 '이르다'의 뜻. 외국에서 들어온 발효유(發酵乳)의 뜻을 나타냄.

[酪奴 낙노] 차(茶)의 별칭(別稱).
[酪母 낙모] 술찌끼.
[酪酥 낙수] 젖으로 정제한 식료품.
[酪漿 낙장] 소나 양의 젖.
　●甘酪. 乾酪. 糖酪. 渾酪. 馬酪. 羊酪. 醍酪. 牛酪. 乳酪. 肉酪. 飮酪. 酒酪. 杏酪.

6
⑬ [醓]
　■ 염 ⑪琰 而琰切 rǎn
　■ 남 ①⑪感 乃感切 nǎn
　　　②⑪勘 奴紺切 nàn

字解 ■ ①싱거울 염 맛이 싱거움. '一, 醥味薄'《廣韻》. ②된장 염 '一曰, 醬也'《集韻》. ■ ①된장 남 目❷와 뜻이 같음. ②물릴 남 많이 먹어 먹기 싫음. '一, 餉也'《集韻》.
字源 形聲. 酉+任〔音〕.

6
⑬ [酛]
　■ 이 ⑤眞 仍吏切 èr
　■ 니 ⑤眞 女利切
字解 ■ 두번빚은술 이 '一, 重釀酒也'《說文》. ■ 두번빚은술 니 目과 뜻이 같음.
字源 形聲. 酉+耳〔音〕.

6
⑬ [酬] 人名 수 ⑪尤 市流切 chóu

字解 ①잔돌릴 수 酢(酉部 五畫)을 보라. '一酢' '主人實觶一賓'《儀禮》. ②보낼 수 손을 대접하고 또 재화(財貨)를 보내 줌. '主人一賓, 束帛儷皮'《儀禮》. ③갚을 수 보답함. 사례함. '一恩' '一勞' '可與一酢'《易經》. ④갚음 수 보답. '終期國士一'《周曇》.
字源 籀文 酬 形聲. 酉+州(酬)〔音〕. '酬主·수'는 '이어지다'의 뜻. 주객이 서로 술잔을 주고받기를 잇따라 하는 데서, '갚다'의 뜻을 나타냄.
参考 醻(次條)는 俗字.

[酬答 수답] 말 응답.
[酬對 수대] 수답(酬答).
[酬報 수보] 수화(酬和).
[酬悉 수실] 자세히 대답함.
[酬讌 수연] 답례(答禮)로 차린 주연(酒宴).
[酬應 수응] ㉠응대. 응답. ㉡술잔을 도로 내줌.
[酬酢 수작] 주객(主客)이 서로 술잔을 주고받고 함. 전(轉)하여, 응대(應對)함의 뜻.
[酬唱 수창] 시문(詩文)의 증답(贈答)을 함.
[酬和 수화] 시문 등을 지어 응답함.
　●賡酬. 交酬. 貴酬. 答酬. 對酬. 報酬. 旅酬. 侑酬. 應酬. 重酬. 唱酬. 餉酬. 獻酬. 和酬. 厚酬.

6
⑬ [醻] 酬(前條)의 俗字

6
⑬ [酭] 유 ⑤宥 于救切 yòu
字解 권할 유 술을 권함. 잔을 돌림. '惟用贊報一'《韓愈》.

字源 形聲. 酉+有〔音〕

6
⑬ [酳] 철 ㊀屑 昌悅切 chuò
字解 소금절임 철 소금에 절임. 소금에 절인 것. '一, 鹹葅也'《字彙》.

6
⑬ [酵] 효 ㉱肴 何交切 xiáo
字解 술팔 효 술을 팖. '一, 沽也'《集韻》.

6
⑬ [酮] 동 ①②東 徒東切 tóng
　　　③㉱冬 傳容切 chóng
字解 ①말젖 동 '一, 㙳倉, 馬酪也'《集韻》. ②초 동 '一, 酢也'《廣雅》. ③신술 동 술이 시어짐. '一, 酒欲酢'《集韻》.

6
⑬ [戠] 재 ㉻隊 昨代切 zài
字解 뜨물 재 미즙(米汁). '醴一灰炭'《漢書》.
字源 篆文 戠 形聲. 酉+戈(弋)〔音〕.

7
⑭ [醒] 정 ㉱庚 直貞切 chéng
字解 숙취 정 이튿날까지 깨지 아니한 술의 취기. '帶一' '酲一' '憂心如一'《詩經》.
字源 篆文 醒 形聲. 酉+呈〔音〕. '呈정'은 뚫고 나오다의 뜻. 술기운이 목을 뚫고 나오다, 숙취의 뜻을 나타냄.
　●酲醒. 帶醒. 煩醒. 宿醒. 餘醒. 朝醒. 酒醒. 解醒.

7
⑭ [酳] 윤 ㉲震 羊晉切 yìn
字解 ①가실 윤 술로 입 안을 가심. '執爵而一'《禮記》. ②드릴 윤 술을 바침. '主人洗角升, 酌一尸'《儀禮》.
字源 形聲. 酉+胤〈省〉〔音〕.

7
⑭ [酴] 도 ㉲虞 同都切 tú
字解 ①술밑 도 주모(酒母). ②막걸리 도 탁주. '寒食賜宰臣以下一醾酒'《輦下歲時記》.
字源 篆文 酴 形聲. 酉+余〔音〕. '余여·도'는 늘어지다, 퍼지다의 뜻. 진득진득하게 퍼지는 '막걸리'의 뜻을 나타냄.

[酴醾 도미] 거듭 빚은 술. 일설에는, 탁주.
[酴清 도청] 거듭 빚은 술.

7
⑭ [酵] 人名 효
　　　(교)㊀ ㉲效 古孝切 jiào (xiào)
字解 ①술밑 효 주모(酒母). '一母'. ②지게미 효 술찌끼. '遂以酒一作湯'《癸辛雜識》. ③술괼 효 발효함. '發一'.
字源 形聲. 酉+孝〔音〕

[酵母 효모] 술밑.

●發酵. 醱酵. 糟酵. 酒酵.

7(14) [醂] 견 㳠霰 圭玄切 ⑯先 局縣切 juān

字解 술거를 견 술을 구멍으로 떨어뜨려서 거름. 一, 以孔下酒也《玉篇》.

字源 形聲. 酉+肙〔音〕.

7(14) [酶] 매 ⑭灰 謨杯切 méi

字解 술밑 매 주모(酒母).

7(14) [酷] 人名 혹 ㉠沃 苦沃切 kù

字解 ①독할 혹 ㉠술 맛 같은 것이 지나치게 진함. 一烈淑郁《司馬相如》. ㉡성질이 잔인함. 殘一. 暴一. 離桼之一《史記》. ②괴로울 혹 신고. 幼刁艱一《晉書》. ③한 혹 원통한 일. 銜一茹恨, 徹於心髓《顏氏家訓》. ④심할 혹 대단함. 극심함. 是故德不稱, 其禍必一《潛夫論》. ⑤심히 혹 ㉠대단히. 지극히. 年來一愛香山老《張養浩》. ㉡매우. 아주. 一似其身《晉書》.

字源 形聲. 酉+告〔音〕. 告고·곡은 조상의 영혼 등에 바치기 위하여 참혹하게 희생된 소의 뜻. 酉유를 더하여 술의 맛이 독하다의 뜻을 나타냄. 일반적으로 심하다, 독하다의 뜻을 나타냄.

[酷毒 혹독] ㉠대단히 심함. ㉡성질·행위 등이 매우 모짊. 一일.
[酷濫 혹람] 사리(事理)에 어긋나게 함부로 하는 일.
[酷烈 혹렬] ㉠대단히 심함. 격렬함. ㉡냄새가 지독하게 남. ㉢아주 혹독함.
[酷類 혹류] 혹사(酷似).
[酷吏 혹리] ㉠혹독한 관리. 무자비한 관리. ㉡혹서(酷暑)의 아칭(雅稱). 더위의 심한 것을 혹리의 심함에 비유한 말.
[酷薄 혹박] 대단히 박정함. 아주 무자비함.
[酷法 혹법] 가혹한 법.
[酷似 혹사] 아주 비슷함.
[酷暑 혹서] 심한 더위. 혹독한 더위.
[酷惡 혹악] 잔인하고 포악함.
[酷愛 혹애] 지극히 사랑함.
[酷炎 혹염] 혹서(酷暑).
[酷慘 혹참] 잔인하고 참혹함.
[酷臭 혹취] 매우 고약한 냄새.
[酷評 혹평] 가혹한 비평.
[酷暴 혹포] 잔인하고 횡포함.
[酷虐 혹학] 몹시 학대함.
[酷寒 혹한] 지독(至毒)한 추위. 혹독(酷毒)한 추위.
[酷刑 혹형] 가혹한 형벌(刑罰).
[酷禍 혹화] 지독한 재화(災禍).
●苛酷. 冷酷. 嚴酷. 烈酷. 枉酷. 怨酷. 冤酷. 殘酷. 峻酷. 慘酷. 憯酷. 貪酷. 暴酷. 禍酷. 橫酷.

7(14) [酸] 人名 산 ⑭寒 素官切 suān

筆順 一 厂 丙 酉 酉⌐ 酉⌐ 酞 酸

字解 ①초 산 신 조미료. 粲以芳一《曹植》. ②

실 산 산미가 있음. 其味一, 其臭羶《禮記》. ③신맛 산 산미. 甘一. ④괴로울 산, 고될 산 힘에 부치어 참기 어려움. 自致力所難, 臨文情辛一《嵆康》. ⑤가슴아플 산, 슬플 산 비통함. 寒心一鼻《宋玉》. ⑥가난할 산 빈한함. 寒一. 豪氣一洗儒生一《蘇軾》. ⑦(現)산 산 ㉠산소(酸素)의 생략. ㉡산성 반응을 하는 수소(水素) 화합물의 기체로서, 맛이 시며 물에 잘 녹음. 窒一. 黃一.

字源 會意. 酉+夋. 夋준은 험하다, 엄하다의 뜻. 신맛의 발효품, 시다의 뜻을 나타냄.

[酸梗 산경] 슬퍼하여 가슴이 막힘.
[酸毒 산독] 남을 대단히 괴롭힘. 일설(一說)에는, 슬퍼하고 원망함.
[酸類 산류] 산성(酸性)이 있는 화합물의 총칭.
[酸味 산미] 신맛.
[酸鼻 산비] 코가 찡해서 눈물이 난다는 뜻으로, 매우 비통(悲痛)함을 이르는 말.
[酸性 산성] 산(酸)을 띤 성질.
[酸素 산소] 무색(無色)·무미(無味)·무취(無臭)의 기체 원소. 물건을 태우는 힘이 있고 호흡에 필요함.
[酸辛 산신] 괴로움. 고됨. 신산(辛酸).
[酸然 산연] 상심(傷心)하는 모양.
[酸嚘 산열] 산경(酸梗).
[酸漿 산장] 가짓과의 다년초. 꽈리.
[酸棗 산조] 멧대추.
[酸慘 산참] 가슴 아파함. 상심함.
[酸愴 산창] 서러움. 슬픔.
[酸楚 산초] 몹시 슬픔. 비통(悲痛).
[酸痛 산통] 산초(酸楚).
[酸寒 산한] ㉠가난하여 고생스러움. ㉡불쌍함. 가련함.
[酸化 산화] 어떠한 물질의 산소와의 화합.
●甘酸. 梅酸. 微酸. 芳酸. 別離酸. 悲酸. 辛酸. 哀酸. 餘酸. 鹽酸. 尿酸. 胃酸. 乳酸. 燐酸. 棗酸. 窒酸. 凄酸. 靑酸. 炭酸. 寒酸. 鹹酸. 醋酸. 黃酸.

7(14) [酹] 뢰 㳠泰 郎外切 lèi

字解 부을 뢰, 강신할 뢰 술을 땅에 붓고 신(神)에게 제사를 지냄. 不以斗酒隻雞過相沃一《後漢書》.

字源 形聲. 酉+寽〔音〕. 寽랄은 손에 잡다의 뜻. 술 그릇을 손에 잡고 땅에 붓다의 뜻을 나타냄.

[酹觴 뢰상] 술을 땅에 붓는 데 쓰는 술잔.
●沃酹.

7(14) [酺] 포 ⑭虞 薄胡切 pú

字解 ①회습할 포 국가의 경사를 축하하기 위하여, 신민(臣民)이 모여 술을 마시며 즐김. 天下大一《史記》. ②사찬 포 조정에서 백성에게 주식(酒食)을 하사하는 일. 또, 그 주식. 一宴一《漢書》. ③귀신이름 포 재해를 내리는 귀신. 春秋祭一亦如之《周禮》.

字源 形聲. 酉+甫〔音〕. 甫보는 평평하게 펼쳐지다의 뜻. 술을 모든 사람에게

주는 데서, '술잔치'의 뜻을 나타냄.

[酺宴 포연] 조정에서 백성에게 주식(酒食)을 하사하는 일. 또, 그 주식. 사찬(賜饌).
[酺燕 포연] 포연(酺宴).
　●醑酺. 大酺. 頒酺. 賜酺.

8/15 [醁] 록 ㉜沃 力玉切 lù

[字解] 미주 록 맛 좋은 술. '寒泉旨於醁一'《抱朴子》.
[字源] 形聲. 酉+彔[音]. '彔록'은 녹색을 띤 맑은 물의 뜻. '酉유'를 더하여 맛 좋은 술의 뜻을 나타냄.

　●芳醁. 杯中醁. 醽醁. 春醁.

8/15 [醂] 림(람㉠) ㉧感 盧感切 lǎn

[字解] ①곶감 림 건시. ②우릴 림 떫은 감을 우려냄. 또, 땡감을 저장하여 연감이 되게 함. 장시(藏柹). '藏果實謂之一, 今一柹是也'《楊彦遠》.
[字源] 形聲. 酉+林[音]. '林림'은 '立립'과 통하여, 오랜 시간 서 있다의 뜻. 장시간에 걸쳐서 감을 술에 담가 우리다의 뜻을 나타냄.

[醂柹 임시] 연감. 연시(軟柹).

8/15 [醃] 엄 ㉠鹽 央炎切 yān

[字解] ①절일 엄 소금에 절임. 또, 절인 생선이나 채소류. ②김치 엄 침채(沈菜).
[字源] 形聲. 酉+奄[音]. '奄엄'은 '덮다'의 뜻. 소금이나 술찌끼 등으로 덮어, 채소나 생선을 절인 것의 뜻을 나타냄.

8/15 [醅] 배 ㉧灰 芳杯切 pēi

[字解] ①빚을 배 거듭 빚어 진하게 함. '恰似葡萄初醱一'《李白》. ②막걸리 배 탁주. '尊酒家貧只舊一'('尊'은 樽)《杜甫》.
[字源] 形聲. 酉+咅[音]. '咅부'는 '부풀다'의 뜻. 발효 중인 술, '막걸리'의 뜻을 나타냄.

　●舊醅. 綠醅. 凍醅. 醱醅. 新醅. 玉醅. 村醅.

8/15 [醆] 잔 ㉧潸 阻限切 zhǎn

[字解] ①술잔 잔 盞(皿部 八畫)·琖(玉部 八畫)과 同字. ②막걸리 잔 부유스름한 탁주. 약간 맑은 탁주. '醴一在戶'《禮記》.
[字源] 形聲. 酉+戔[音]. '戔전'은 '작다'의 뜻. 작은 술잔의 뜻을 나타냄.

　●醴醆.

8/15 [醇] 순 ㉧眞 常倫切 chún

[筆順] 一 冂 西 酉 酉 醇 醇 醇
[字解] ①진할 순 전국술이어서 맛이 농후함. '一酎'. '顓飮以一酒'《漢書》. ②전국술 순 무회주

(無灰酒). '嗜學如嗜一'《方岳》. ③순수할 순 섞인 것이 없음. 純(糸部 四畫)과 통용. '一美'. '政事惟一'《書經》. ④도타울 순 온후(溫厚)함. 淳(水部 八畫)과 통용. '一謹'. '黎民一厚'《漢書》.
[字源] 形聲. 惟+享[章][音]. '享순'은 '두텁다'의 뜻. 맛이 농후한 술의 뜻을 나타냄.

[醇謹 순근] 돈후(敦厚)하고 신중함.
[醇醲 순농] ㉠맛 좋은 술. 진한 술. ㉡백성의 풍속이 순박하고 근후(謹厚)한 모양.
[醇篤 순독] 순량하고 인정이 두터움.
[醇醴 순례] ㉠진한 술과 단술. ㉡진한 단술.
[醇醪 순료] 맛 좋은 탁주.
[醇醨 순리] ㉠진한 술과 묽은 술. ㉡순후한 풍속과 경박한 풍속.
[醇味 순미] 진한 술의 좋은 맛.
[醇美 순미] 순수(純粹)하고 아름다움. 순미(純美).
[醇朴 순박] 순량하고 소박함. 순박(淳朴).
[醇白 순백] ㉠아주 흼. 희디흼. ㉡마음이 순수하고 깨끗함.
[醇備 순비] 조금도 흠이 없이 다 갖추어 아름다'움'.
[醇駟 순사] 한 수레를 끄는, 빛이 똑같은 네 마리의 말.
[醇醇 순순] 순박하고 경솔하지 아니한 모양.
[醇儒 순유] 순정(純正)하고 잡박(雜駁)하지 아니한 유학자. 순유(純儒).
[醇壹 순일] 순수하고 전일(專一)함. 성의(誠意)에 참.
[醇酒 순주] 딴것을 섞지 아니한 전국술. 무회주(無灰酒).
[醇乎 순호] 아주 순수함.
[醇化 순화] ㉠자연의 발육. ㉡정성 어린 가르침의 감화. 순화(純化). 이상화(理想化).
[醇厚 순후] ㉠순독(醇篤). ㉡진함.
　●甘醇. 醲醇. 芳醇. 醇乎醇. 雅醇. 貞醇. 淸醇. 化醇.

8/15 [醉] [高人] 취 ㉠眞 將遂切 zuì

[筆順] 一 冂 西 酉 酉 醉 醉 醉
[字解] ①취할 취 ㉠술에 취함. '一興'. '旣一旣飽'《詩經》. ㉡사물에 마음이 쏠려 취하다시피 됨. '陶一'. '心若一六經'《文中子》. ㉢제정신을 차리지 못함. '衆人皆一, 我獨醒'《楚辭》. 취하는 일. '宿一'. '酒有千日一'《南史》. ②취하게할 취 전항의 타동사. '饗齊戒, 一而弑之'《左傳》.
[字源] 形聲. 酉+卒[音]. '卒졸·취'는 '온전하다'의 뜻. 주량을 다 채우다의 뜻에서 '취하다'의 뜻을 나타냄.
[參考] 醉(酉部 四畫)는 俗字.

[醉歌 취가] 술에 취하여 노래함.
[醉脚 취각] 술에 취해 비틀거리는 다리.
[醉渴 취갈] 술에 취하여 갈증을 느낌.
[醉客 취객] ㉠술에 취(醉)한 사람. ㉡술이 취한 손님. ㉢목부용(木芙蓉)의 별명(別名).
[醉困 취곤] 술에 취하여 피곤함.
[醉狂 취광] 술에 취하여 광증을 부림.

[醉氣 취기] 술에 취하여 얼근한 기운.
[醉談 취담] 취중(醉中)에 하는 말.
[醉倒 취도] 술에 취하여 넘어짐.
[醉罵 취매] 술에 취하여 꾸짖음.
[醉面 취면] 취안(醉顔).
[醉眠 취면] 술에 취하여 잠.
[醉貌 취모] 취안(醉顔).
[醉夢 취몽] 술에 취하여 꾸는 꿈.
[醉墨 취묵] 취중(醉中)에 그린 그림이나 쓴 글씨.
[醉步 취보] 술에 취하여 비틀비틀 걷는 걸음걸이.
[醉朋 취붕] 술친구. 주붕(酒朋).
[醉士 취사] ㉠술 취한 사람. ㉡당(唐)나라 피일휴(皮日休)의 호.
[醉殺 취살] 술에 취(醉)하게 함. 살(殺)은 조자(助字).
[醉生夢死 취생몽사] 술에 취하여 꿈을 꾸다가 죽음. 곧, 일생(一生)을 의미(意味) 없이 보내는 것을 이름.
[醉石 취석] 진(晉)나라 도연명(陶淵明)이 술 취하여 누워 잤다는 돌.
[醉聖 취성] 술에 만취하고서도 정신이 멀쩡한 것을 칭찬하여 이른 말.
[醉瀋 취심] 취묵(醉墨).
[醉眼 취안] 술 취한 눈.
[醉顔 취안] 술 취한 얼굴.
[醉語 취어] 취중에 하는 말.
[醉憶 취억] 취중에 떠오른 생각.
[醉言 취언] 취어(醉語).
[醉如泥 취여니] 몹시 취하여 몸을 가누지 못함. '泥'는 남해(南海)에서 나는 뼈가 없는 벌레.
[醉翁 취옹] ㉠술에 취한 노인. ㉡구양수(歐陽修)의 별호(別號).
[醉翁亭 취옹정] 안후이 성(安徽省) 저현(滁縣) 서남쪽에 있는 정자(亭子) 이름. 송(宋)나라 구양수(歐陽修)가 추주(滁州) 지사(知事)가 되었을 때 연음(宴飮)하고 기문(記文)을 지은 곳.
[醉臥 취와] 술에 취하여 누움.
[醉吟 취음] 술에 취하여 노래·시 같은 것을 읊조림.
[醉吟先生 취음선생] ㉠당(唐)나라 백거이(白居易)의 호(號). ㉡당나라 피일휴(皮日休)의 호.
[醉人 취인] 술에 취한 사람. 취객(醉客).
[醉中 취중] 술에 취하여 있는 동안.
[醉中無天子 취중무천자] 취중(醉中)에는 무서워하는 것이 없음.
[醉趣 취취] 취중의 흥취.
[醉態 취태] 술에 취(醉)한 꼴.
[醉飽 취포] 실컷 마시고 먹음.
[醉筆 취필] 취묵(醉墨).
[醉漢 취한] 술에 취한 자.
[醉鄕 취향] 취중(醉中)의 별천지(別天地).
[醉戶 취호] 술꾼. 당(唐)나라 백거이(白居易)의 자호(自號).
[醉虎 취호] 진(晉)나라 사현(謝玄)이 술에 취하였을 때에 남이 부른 이름.
[醉後 취후] 술에 취(醉)한 뒤.
[醉暈 취훈] 술에 취하여 눈이 아물아물함.
[醉興 취흥] 취중(醉中)의 흥미.
●酣醉. 徑醉. 骨醉. 狂醉. 極醉. 亂醉. 爛醉. 大醉. 陶醉. 獨醉. 麻醉. 微醉. 放醉. 詳醉. 宿醉. 熟醉. 心醉. 僞醉. 飮醉. 泥醉. 張公喫酒李公醉. 長醉. 霑醉.

8〔15〕[醊] 一 철 ㈇屑 陟劣切 chuò
　二 체 ㈛霽 陟衛切 zhuì

字解 一①부을 철 술을 땅에 따름. ②제사이름 철 제신(諸神)의 제좌(祭座)를 병설(倂設)하고 술을 땅에 부어 지내는 제사. 봉선(封禪). '其下四方地爲一食'《史記》. 二 부을 체, 제사이름 체 一과 뜻이 같음.
字源 形聲. 酉+叕〔音〕. '叕철'은 '잇대다'의 뜻. 많은 신을 잇대어 모시고 술을 올려 제사 지내다의 뜻을 나타냄.

8〔15〕[醋] 一 작 ㈇藥 疾各切 zuò
　二 초 ㈛遇 倉故切 cù

字解 一 잔돌릴 작 酢(酉部 五畫)과 同字. '祝酌受尸, 尸一主人'《儀禮》. 二 초 초 신 조미료의 한 가지. '薄一'. '酒一'.
字源 篆 醋 形聲. 酉+昔(耤)〔音〕. '耤석'은 날을 거듭하다의 뜻. 술이 몇 날을 지나 시어지다, 식초의 뜻을 나타냄. 또, 주인이 준 술잔에 거듭 술을 따라 되돌리다, 갚다의 뜻을 나타냄.

[醋酸 초산] 자극성의 냄새가 나고 무색투명한 액체. 초의 주성분임.
●榷醋. 薄醋. 鹽醋. 醬醋. 酒醋.

8〔15〕[醄] 도 ㈢豪 徒刀切 táo
字解 크게취할 도 곤드레만드레 술에 취한 모양. '酕一. 醉兒'《集韻》.

8〔15〕[酖] ①㈢覃 徒甘切 tán
　②㈦感 杜覽切 dàn
字解 ①밍밍할 담 술이나 초의 맛이 싱거움. '一, 酒醋薄也'《集韻》. ②박주(薄酒) 담 싱거운 술. '一, 醹也'《集韻》.

8〔15〕[醁] ①②㈛漾 力讓切 liáng
　③④㈢陽 呂張切
字解 ①맑은술 량 '淸漿曰一'《集韻》. ②마실것 량 잡(雜)맛이 있는 마실 것의 하나. '一, 卽周禮漿人之涼, 禮記內則之濫也. 涼者, 以糗飯雜水, 濫者, 以桃梅和水. 其事相類'《說文通訓定聲》. ③장(醬) 량 '一, 醬也'《廣雅》. ④미음(米飮) 량 '一, 漿也'《廣雅》.
字源 篆 醁 形聲. 酉+京〔音〕. '京경'은 '涼량'과 통하여 '맑다'의 뜻. 맑은술의 뜻을 나타냄.

8〔15〕[醂] 〔담〕
醓(酉部 九畫〈p. 2359〉)과 同字

9〔16〕[醍] 一 제 ①㈊齊 他禮切 tǐ
　②㈢齊 杜奚切 tí

字解 ①맑은술 제 붉은빛이 도는 약주. '粢一在堂'《禮記》. ②우락더껑이 제 '一醐'는 버터 위에 엉긴 기름 모양의 맛이 썩 좋은 액체. 전(轉)하여, 불성(佛性) 또는 불법(佛法)의 묘리(妙理). 또, 우수한 인물(人物)의 비유.
字源 篆 醍 形聲. 酉+是〔音〕
參考 酏(酉部 五畫)는 同字.

[醍醐 제호] 자해 (字解)❷를 보라.
[醍醐味 제호미]《佛敎》오미 (五味)의 다섯째인 제호미 (醍醐)는 자양 (滋養)이 풍부한 것인데, 최상 지극 (最上至極)의 정법 (正法)이나 불성 (佛性)을 비유하는 말.
●粲醍.

9 ⑯ [醐] 호 ㉱虞 戶吳切 hú

[字解] 우락더껑이 호 醍 (前條)를 보라. '醍—'.
[字源] 形聲. 酉+胡〔音〕. '胡호'는 '糊호'와 통하여 '풀'의 뜻. 소·양의 젖을 발효시켜서 만든 풀 모양의 버터 따위를 나타냄.

●醍醐.

9 ⑯ [醋] 고 ㉱遇 苦故切 kù

[字解] 부추김치 고 부추김치. 또는 채소 절임. '一, 說文, 韭鬱也, 一日, 葅也, 或作一'《集韻》.

9 ⑯ [醔] 규 ①紙 巨委切 kuí

[字解] ①맑은술 규 맑은술. '一, 醠也'《玉篇》. ②묵힌술 규 묵힌 술. '一, 醒也'《字彙》.

9 ⑯ [醶] 남 ①感 乃感切 nǎn

[字解] ①삶을 남 삶음. '一, 羮也, 亦作腩'《玉篇》. ②국 남 국. 뜨거운 국. '腩, 曘也, 或从酉'《集韻》.

9 ⑯ [醑] 서 ①語 私呂切 xǔ

[字解] 미주 (美酒) 서 맛 좋은 술. 또, 거른 술. 맑은술. '中山—淸'《庾信》.
[字源] 形聲. 酉+胥〔音〕. '胥서'는 초에 절인 맛있는 고기의 뜻. 맛있는 술의 뜻을 나타냄.

[醑醥 서리] 상등 (上等) 술과 하등 (下等) 술. 수주 (首酒)와 미주 (尾酒).
●醂醑. 糠醑. 蘭醑. 美醑. 薄醑. 淸醑. 歡醑.

9 ⑯ [醒] ㉱青 桑經切 xīng / ①逈 蘇挺切 xǐng / ㉱徑 蘇佞切　[人名] 성

[筆順] 一 丙 酉 酉⁐ 酉⁐ 醒 醒 醒

[字解] ①깰 성 ㉠술이 깸. '明朝酒一還獨來'《蘇軾》. ㉡잠이 깸. '一目常不眠'《梅堯臣》. ②깨달을 성 미혹 (迷惑)이 풀림. '覺一, 衆人皆醉, 我獨一'《楚辭》. ③깨울 성, 깨우칠 성 이상의 타동사. '柳眠鶯喚一'《眞山民》.
[字源] 形聲. 酉+星〔音〕. '星성'은 맑은 별처럼 산뜻하다의 뜻. 취기가 깨어서 기분이 맑아지다의 뜻을 나타냄.

[醒覺 성각] 깨달음.
[醒目 성목] 자지 아니함.
[醒然 성연] 잠에서 깬 모양. 꿈에서 깨는 모양.
[醒悟 성오] 깨달음.
[醒寤 성오] 잠이 깸.

[醒日 성일] 술 취하지 아니한 날. 취일 (醉日)의 대 (對).
[醒酒花 성주화] 모란 (牡丹)의 별칭 (別稱).
●覺醒. 警醒. 夢醒. 睡醒. 我獨醒. 鶯喚醒. 酒醒. 醉醒.

9 ⑯ [醓] 담 ①感 他感切 tǎn

[字解] 육장 담 포 (脯)를 썰어 누룩 및 소금을 섞어서 술에 담근 식품. '一醓以薦'《詩經》.
[字源] 形聲. 酉+皿+冘〔音〕. '冘음'은 '가라앉히다'의 뜻. 효모균과 소금에 담근 식품의 뜻을 나타냄.

[醓醢 담해] 육장 (肉醬).

9 ⑯ [醥] ㊀두 ㉱宥 大透切 tú / ㉱尤 度侯切 / ㊁도 ㉱虞 同都切

[字解] ㊀①느릅나무장 두 느릅나무 열매로 담근 장 (醬). '二月楡莢成, 可作醬一'《齊民要術》. ②맛있는맛 두 '醾—'는 맛있는 맛. '一, 梵書, 美味日醾'《康熙字典》. ③천주 (天酒) 두 '一—'는 천주 (天酒). 천상계 (天上界)의 술. '一天酒, 名日一一'《康熙字典》. ④장 두 간장·된장 따위. '一, 醬也'《廣雅》. ㊁느릅나무장 도, 맛있는맛 도, 천주 도, 장 도 ㊀과 뜻이 같음.
[字源] 形聲. 酉+兪〔音〕

9 ⑯ [醏] 도 ㉱虞 東徒切 dū

[字解] 된장 도 된장. 간장. '醵一'. '一, 醬一, 醬也'《廣韻》.

9 ⑯ [醙] 수 ㉱尤 疏鳩切 sōu

[字解] 백주 수 빛이 흰 술. 일설 (一說)에는, 찰기장으로 만든 술. '一黍淸皆兩壺'《儀禮》.

9 ⑯ [醭] ㊀음 ㉱侵 餘針切 / ㊁심 ㉱侵 昨淫切 / ㊂침 ㉱侵 持林切 cén

[字解] ㊀①누룩 음 또, 누룩을 띄움. '一, 孰籟也'《說文》. ②즐길 음, 빠질 음 지나치게 즐김. '一, 一說, 詩和樂且一, 言樂之甚也'《正字通》. ㊁누룩 심, 즐길 심, 빠질 심 ㊀과 뜻이 같음. ㊂누룩 침, 즐길 침, 빠질 침 ㊀과 뜻이 같음.
[字源] 形聲. 酉+甚〔音〕

9 ⑯ [醄] 매 ㉱灰 謨杯切 méi

[字解] ①초 (醋) 매 '一, 醋之別名'《廣韻》. ②술밑 매 효모 (酵母). 媒 (女部 九畫)와 통용.

9 ⑯ [醔] 면 ①銑 彌兗切 miǎn

[字解] 술에빠질 면 湎 (水部 九畫)과 同字. '一, 飮酒失度'《玉篇》.

9 ⑯ [醎] 〔함〕 鹹 (鹵部 九畫〈p. 2687〉)의 俗字

9 ⑯ [醖] 〔온〕
醞(酉部 十畫〈p. 2360〉)의 俗字

9 ⑯ [醓] 〔혜〕
醯(酉部 十二畫〈p. 2362〉)의 俗字

10 ⑰ [醜] [高·人] 추 [上]有 昌九切 chǒu 丑

[筆順] 冂 酉 酉′ 酌 酣 醜 醜 醜

[字解] ①추할 추 언행이 더러움. '一行'. '行莫一於辱先'《司馬遷》. 또, 그러한 사람. '群一破滅'《晉書》. ②못생길 추 용모가 보기 흉함. '一女'. '老漢嫌妻一'《王君玉雜纂》. 또, 그러한 사람. '里一捧心'《文心雕龍》. ③미워할 추 싫어함. '旣一有夏'《史記》. ④부끄러워할 추 수치로 여김. '於是一之去衛'《史記》. ⑤무리 추 ㉠다수의 사람. '執訊獲一'《詩經》. ㉡같은 무리. 동류. '離群一也'《易經》. ⑥견줄 추 비교함. '比物一類'《禮記》. ⑦같을 추 동등함. '一類'. '地一德齊'《孟子》. ⑧성 추 성(姓)의 하나.

[字源] 篆文 形聲. 鬼+酉〔音〕. '鬼귀'는 이상한 탈을 쓴 사람의 象形. '酉유'는 '술'의 뜻. 술을 땅에 부으며 괴상한 탈을 쓰고 신을 섬기는 사람의 모양에서, '추하다'의 뜻을 나타냄.

[醜怪 추괴] 용모가 못생기고 괴상함.
[醜女 추녀] 얼굴이 못생긴 부녀자.
[醜談 추담] 음란(淫亂)하고 더러운 말. 추잡(醜雜)한 말.
[醜徒 추도] 추악한 무리. 악당(惡黨).
[醜麗 추려] 추미(醜美).
[醜虜 추로] ㉠추이(醜夷). ㉡많은 오랑캐.
[醜陋 추루] 추잡하고 비루함.
[醜類 추류] ㉠나쁜 놈들의 무리. 악당. ㉡동아리. 부류(部類). ㉢유사한 사물을 비교함.
[醜末 추말] 못생긴 말배(末輩). 자기의 겸칭(謙稱).
[醜面 추면] 못생긴 얼굴.
[醜名 추명] 오명(汚名).
[醜聞 추문] 추잡한 소문(所聞). 품행이 바르지 못하다는 소문.
[醜美 추미] 못생김과 잘생김. 보기 싫음과 아름다움.
[醜婦 추부] 추녀(醜女).
[醜聲 추성] 추문(醜聞).
[醜惡 추악] ㉠보기 흉하거나 못생김. 용모가 흉함. ㉡더러움. 추잡(醜雜)함.
[醜業 추업] 더러운 생업(生業).
[醜業婦 추업부] 매춘부(賣春婦).
[醜穢 추예] 추악(醜惡)하고 더러움.
[醜夷 추이] 많은 동배(同輩).
[醜雜 추잡] 언행(言行)이 추저분함.
[醜詆 추저] 막된 소리로 욕설을 함.
[醜地 추지] 좋지 못한 땅. 척박한 땅.
[醜妻 추처] 못생긴 아내. 자기 아내의 겸칭(謙稱).
[醜醜婦 추추부] 추녀(醜女).
[醜態 추태] 추악한 꼴.
[醜漢 추한] ㉠얼굴이 못생긴 사내. ㉡행실이 더러운 사내.
[醜行 추행] 더러운 행위. 음란한 짓.

◉群醜. 奇醜. 老醜. 虜醜. 短醜. 大醜. 美醜. 俘醜. 比醜. 肥醜. 小醜. 餘醜. 姸醜. 戎醜. 里醜. 殘醜. 壯醜. 麤醜. 廢醜. 獻醜. 好醜. 詬醜. 凶醜. 黑醜.

10 ⑰ [醝] 차 [平]歌 昨何切 cuō

[字解] 백주 차 빛이 흰 술. '蒼梧竹葉淸, 宣城九醞一'《張華》.

10 ⑰ [醛] 철 [入]屑 測劣切 chuò

[字解] ①술맛변할 철 술 맛이 변함. '一, 酒味變也'《集韻》. ②푸성귀절임 철 푸성귀 절임. '一, 鹹菹也'《字彙》.

10 ⑰ [醞] 온 [去]問 於問切 yùn
[上]吻 於粉切
酝

[字解] ①빚을 온 양조(釀造)함. '酒則九一甘醴'《張衡》. ②술 온 빚은 술. '春一時獻斟'《王僧達》. ③온자할 온 溫(水部 十畫)과 同字. '容止一藉'《北史》.

[字源] 篆文 形聲. 酉+𥁕〔音〕. '𥁕온'은 '따뜻하다'의 뜻. 온도가 올라 발효가 잘되다, 빚어지다의 뜻을 나타냄.

[醞釀 온양] ㉠술을 빚음. 양조(釀造). ㉡무근한 사실을 꾸며 모함함. ㉢점차로 양성(養成)함. ㉣사물을 알맞게 조화(調和)함.
[醞藉 온자] 마음이 넓고 온전함.
[醞戶 온호] 술을 빚는 사람.
◉九醞. 春醞.

10 ⑰ [醨] 력 [入]錫 狼狄切 lì

[字解] 술거를 력 '一, 漉酒也'《玉篇》.
[字源] 形聲. 酉+鬲〔音〕

10 ⑰ [醡] 자 [去]禡 側駕切 zhà

[字解] ①술주자 자 술을 짜는 틀. '松槽葛囊纔上一'《楊萬里》. ②기름틀 자 기름을 짜는 틀. '一, 打油具'《證俗文》.
[字源] 形聲. 酉+窄〔音〕. '窄착'은 '搾착'과 통하여 '짜다'의 뜻. 술을 짜는 틀의 뜻을 나타냄.

10 ⑰ [醢] 해 [去]賄 呼改切 hǎi

[字解] ①육장 해 포(脯)를 썰어 누룩 및 소금을 섞어서 술에 담근 음식. '魚一'. '菹一'. '醓一以薦'《詩經》. ②절일 해 소금을 섞어서 절게 함. '衛人一子路'《十八史略》. 또, 인체(人體)를 소금에 절이는 형벌. '殺梅伯, 而遺文王其一'《呂氏春秋》. ③삶을 해 삶아서 죽임. '吾將使秦王烹一梁王'《史記》.
[字源] 篆文 形聲. 酉+㐭〔音〕. '㐭유·회'는 皿+右〔音〕. '右우'는 '侑유'와 통하여 고기를 손에 들고 사람에게 권하다의 뜻. 고기를 항아리에 넣고 술, 소금 따위로 절인 식해의 뜻을 나타냄.

◉醓醢. 瑱醢. 魚醢. 菹醢. 烹醢. 脯醢. 醯醢.

字解 빚을 발 ㉠술을 거듭 빚어 진하게 함. '恰似葡萄初一醱'《李白》. ㉡발효(發酵)의 '發'의 뜻으로 씀.
字源 形聲. 酉＋發[音]. '發발'은 '열다'의 뜻. 효소가 열려 퍼져 나가다, 빚다의 뜻을 나타냄.

[醱醅 발배] 술을 거듭 빚어 진하게 함.
[醱酵 발효] 발효(發酵).

12⑲ [醱] 기 ①②㉾未 其旣切 jì ③㉾尾 擧豈切 jǐ
字解 ①차조술 기 '一, 秔酒名'《廣韻》. ②목욕한뒤먹는술 기 禨(示部 十二畫)와 통용. '一, 沐酒名'《集韻》. ③술웃국 기 '一, 酒浮也'《集韻》.

12⑲ [醖] 간 ㉾諫 居莧切 jiǎn
字解 짤 간 짬. 짠맛. '一, 鹹也'《集韻》.

13⑳ [醲] 농 ㉾冬 女容切 nóng
字解 ①진한술 농 '醇一'. '甘脆肥一, 命曰腐腸之藥'《枚乘》. ②두터울 농 후함. 濃(水部 十三畫)과 통용. '明主一于用賞, 約于用刑'《後漢書》.
字源 篆文 形聲. 酉＋農[音]. '農농'은 '濃농'과 통하여 '진하다'의 뜻. 진한 술의 뜻을 나타냄.

●舊醲. 肥醲. 觴醲. 醇醲. 新醲. 淸醲. 村醲.

13⑳ [醳] 一 역 ㉾陌 羊益切 yì 二 석 ㉾陌 施隻切 shì
字解 一 ①술 역 좋은 술. 전국술. 순주(醇酒) 일설(一說)에는, 오래 묵은 술. 고주(古酒). 또 일설에는, 맛이 쓴 술. 고주(苦酒). 또 일설에는, 겨울에 빚어 봄에 익은 술. '有一順時'《左思》. ②호궤할 역 군사에게 주식(酒食)을 풀어 먹여 위로함. '一兵'《史記》. 二 풀 석 석방함. 釋(采部 十三畫)과 통용. '共執張儀, 掠笞數百, 不服一之'《史記》.
字源 形聲. 酉＋睪[音]. '睪역'은 차례차례 당겨 붙이다의 뜻. 차져서 진한 술의 뜻을 나타냄.

●舊醳. 觴醳. 新醳. 淸醳. 村醳.

13⑳ [醴] 례 ㉾薺 盧啓切 lǐ
字解 ①단술 례 감주(甘酒). '且以酌一'《詩經》. ②달 례 샘물이 감미가 있음. '地出一泉'《禮記》.
字源 甲骨文 金文 金文 篆文 甲骨文은 제기에 바쳐진 단술의 象形으로, '단술'의 뜻을 나타냄. 뒤에 '酉(酒)'를 덧붙임. 篆文은 酉＋豐(豊)[音]의 形聲. '豊례'는 '醴례'의 原字.

[醴酪 예락] 감주와 타락(駝酪). 단술과 우유.
[醴漿 예장] 예주(醴酒).
[醴酒 예주] 단술. 감주(甘酒).
[醴酒不設 예주불설] 스승을 대접하는 예의가 차차 박해짐을 이름.
[醴泉 예천] 물이 단 샘.

●甘醴. 牢醴. 凍醴. 芳醴. 牲醴. 醇醴. 醪醴. 酒醴.

13⑳ [醵] 人名 一 거 ㉾御 其據切 jù 二 갹 ㉾藥 其虐切 jù
字解 一 ①추렴내어마실 거 여러 사람이 각기 돈을 내어 함께 술을 마심. 또, 그 비용. 또는, 그 음식. '窮漢一率'(가난한 사람이 술을 마시는데 추렴이 잘 걷히지 아니함)《李義山雜纂》. ②추렴할 거 '隣里一金治具'《輟耕錄》. 二 추렴내어마실 갹, 추렴할 갹 一과 뜻이 같음.
字源 形聲. 酉＋豦[音]. '豦거'는 짐승이 엉켜 싸운다의 뜻. 추렴 내어 술을 마시다의 뜻을 나타냄.

[醵金 거금·갹금] 돈을 추렴함. 또, 그 돈.
[醵飮 거음·갹음] 술추렴.
[醵出 거출·갹출] 돈이나 물건을 한데 서로 냄.

13⑳ [醷] 一 억 ㉾職 於力切 yì 二 의 ㉾紙 於擬切 yǐ
字解 一 ①매실주(梅實酒) 억 '漿水一濫'《禮記》. ②막걸리 억 '一, 濁漿'《廣韻》. ③단술 억 단술〔醴〕과 맑은술〔酏〕을 섞은 단술. '一, 醴醷酏爲漿也'《集韻》. 二 단술 의 一❸과 뜻이 같음.

13⑳ [醶] 곡 ㉾屋 胡谷切 hú
字解 막걸리 곡 막걸리. '一, 濁酒也'《字彙》. 醶(酉部 十畫〈p.2361〉)의 訛字.

13⑳ [醶] 一 엄 ㉾豔 魚窆切 yàn 二 ①㉾感 慮感切 ②㉾豏 初檻切 三 참 ㉾豏 力減切 liǎn 四 함 ㉾咸 虛咸切 xiān
字解 一 ①초 엄 신 조미료(調味料). '一, 酢也'《廣雅》. ②진할 엄 술이나 초의 맛이 진함. '一, 酒酢味厚也'《字彙》. 二 ①초 람, 진할 람 一과 뜻이 같음. ②실 람 맛이 심. '一, 一醶, 酢味'《廣韻》. 三 초 참, 진할 참 一과 뜻이 같음. 四 짤 함 맛이 짬. '一, 鹵味'《集韻》.
字源 形聲. 酉＋僉[音].

13⑳ [醸] 〔양〕 釀(酉部 十七畫〈p.2364〉)의 略字.

14㉑ [醹] 유 ㉾麌 而主切 rú
字解 진할 유 술이 진함. 술이 독함. '酒醴維一'《詩經》.
字源 篆文 形聲. 酉＋需[音]. '需유'는 '술'의 뜻. '需유'는 '부드럽다'의 뜻. 물을 타지 않은 부드러운 술의 뜻을 나타냄.

14㉑ [醺] 훈 ㉾文 許云切 xūn
字解 ①취할 훈 술에 취함. '微一卽止'《宋史》. ②취하게할 훈 '但願不爲世一'《蘇軾》. ③술기운 훈 주기(酒氣). '帶微一'. 또, 술에 취하는 일. '愁多少酒一'《杜甫》.

字源 篆文 醺 形聲. 酉+熏〔音〕. '熏훈'은 '찌다'의 뜻. 술기운이 자욱이 끼다의 뜻에서 술에 취하다, 술기운의 뜻을 나타냄.

[醺然 훈연] 술에 취한 모양.
[醺醺 훈훈] 술이 얼근히 취해 기분이 좋은 모양.
● 微醺. 小醺. 宿醺. 餘醺.

14
㉑ [醑] 서 ㊤語 徐呂切 xǔ

字解 ①좋은술 서 '一, 美酒'《字彙》. ②술맛좋을 서 '一, 酒之美也'《廣韻》.

14
㉑ [醢] 람 ㊧勘 盧瞰切 làn
    ㊤感 魯敢切

字解 ①잔띄울 람 잔을 물에 띄움. ②막걸리 람. ③단술 람 단술에 물을 탄 마실 것. 또 일설(一說)에는 맑은 술.
字源 篆文 醢 形聲. 酉+監〔音〕

14
㉑ [醻] 〔수〕 酬(酉部 六畫〈p.2355〉)와 同字

字源 篆文 醻 別體 酬 形聲. 酉+壽(쟈)〔音〕. '쟈수'는 '이어지다'의 뜻. 주객이 서로 술잔 주고받기를 잇대다의 뜻에서 갚다의 뜻을 나타냄. 오늘날에는 別體인 '酬수'가 쓰임.

● 獻醻.

15
㉒ [醸] 포 ㊦號 薄報切 bào

字解 단술 포 단술. 또, 담근 지 하룻밤 만에 마시는 술. '一, 一宿酒也'《集韻》.

16
㉓ [醺] 람 ㊤感 盧敢切 lǎn

字解 시큼할 람 시큼함. 시큼한 맛. '一, 醋味也'《五音集韻》.

16
㉓ [醼] 〔연〕 宴(宀部 七畫〈p.582〉)과 同字

字源 篆文 醼 形聲. 酉+燕〔音〕. '燕연'은 '宴연'과 통하여 술잔치의 뜻을 나타냄.

[醼飮 연음] 주연(酒宴). 연회(宴會).

17
㉔ [醽] 령 ㊤靑 郎丁切 líng

字解 미주 령 맛 좋은 술. 또, 거른 술. '寒泉旨於一醁'《抱朴子》.
字源 形聲. 酉+霝〔音〕

[醽醁 영록] 맛 좋은 술.

17
㉔ [醾] 미 ㊤支 忙皮切 mí

字解 막걸리 미 탁주. '寒食賜宰臣以下酴一酒'《輦下歲時記》.
字源 形聲. 酉+麻〔音〕

參考 醾(次條)는 同字.

● 酴醾.

17
㉔ [醾] 醾(前條)와 同字

17
㉔ [醸] 人名 양 ㊧漾 女亮切 niàng

字解 ①빚을 양 ㉠술을 빚음. '一造', '一泉爲酒'《歐陽修》. ㉡자아냄. '一成', '一禍', '以相區咐醸一, 而成有萬物'《淮南子》. ②술 양 '一佳', '春一', '令人欲傾家一'《世說》.
字源 篆文 醸 形聲. 酉+襄〔音〕. '襄양'은 속에 물건을 채우다의 뜻. 술 단지에 원료를 채워 넣어 발효시켜서 술을 만들다의 뜻을 나타냄.
參考 醸(酉部 十三畫)은 略字.

[醸具 양구] 술을 빚는 데 쓰이는 도구.
[醸母 양모] 술밑. 주모(酒母).
[醸費 양비] 술을 담그는 비용.
[醸成 양성] ㉠양조(醸造). ㉡재해·소동 등이 일어나는 원인을 만듦.
[醸甕 양옹] 술을 담그는 항아리.
[醸造 양조] 술·간장 등을 담금.
[醸酒 양주] 술을 빚음.
[醸禍 양화] 재화(災禍)를 자아냄.
● 家醸. 嘉醸. 冬醸. 私醸. 新醸. 野醸. 醞醸. 自醸. 造醸. 重醸. 村醸. 春醸.

17
㉔ [蠱] ▤ 감 ㊤感 古禫切 gǎn
       ▤ 담 ㊤勘 古暗切
       ▤ 담 ㊧勘 徒紺切

字解 ▤ ①술맛빌 감 '一, 酒味淫也'. (段注) 淫者, 浸淫隨理也. 謂酒味淫液深長'《說文》. ②술맛쓸 감 '一, 酒味苦也'《玉篇》. ▤ 술맛빌 담, 술맛쓸 담 ▤과 뜻이 같음.
字源 形聲. 酉+贛(省)〔音〕

18
㉕ [醮] 조 ㊧嘯 子肖切 jiào

字解 마실 조 잔에 있는 술을 다 마심. '長者擧未一, 少者不敢飮'《禮記》.
字源 篆文 醮 形聲. 酉+爵〔音〕. '爵작'은 '술잔'의 뜻. 술잔의 술을 다 마시다의 뜻을 나타냄.

18
㉕ [釁] 흔 ㊤震 許覲切 xìn

字解 ①피칠할 흔 희생(犧牲)의 피를 그릇에 발라 신(神)에게 제사 지냄. '成廟則一之'《禮記》. ②허물 흔 죄과. '用師觀一而動'《左傳》. ③틈 흔 ㉠간격. '間一隙'. ㉡약점. 이용할 수 있는 기회. '觀一', '讎有一不可失也'《左傳》. ㉢불화. '楚人不假道于宋, 以啓一端'《春秋胡傳》. ④바를 흔 향을 몸에 바름. '三一三浴之'《國語》. ⑤움직일 흔 활동함. '夫小人之性, 一於勇'《左傳》. ⑥성 흔 성(姓)의 하나.
字源 篆文 釁 會意. 釁(省)+酉+分. '釁찬'은 부뚜막의 제사로, 그때 술[酉]을 올리고, 희생의 피를 뿌려서[分] 부정을 없애다, 피

를 칠하다의 뜻을 나타냄.

[釁咎 흔구] 재앙.
[釁隙 흔극] 틈. 벌어진 틈. 전(轉)하여, 불화(不和).
[釁端 흔단] 사이가 불화(不和)하게 되는 단서(端緖). 서로 다투는 시초.
[釁鐘 흔종] 희생(犧牲)의 피를 종(鐘)에 발라서 신(神)을 제사(祭祀)함.
◉奸釁. 過釁. 觀釁. 窺釁. 垢釁. 國釁. 待釁. 乘釁. 妖釁. 疵釁. 摘釁. 罪釁. 瑕釁. 間釁.

19 [釃] [一] 시 [上]紙 所綺切 shī
㉖ [二] 소 [平]魚 所葅切 shāi
[三] 리 [平]支 隣知切 lí

[字解] [一] ①거를 시 술을 거름. '一酒有萸'《詩經》. ②나눌 시 가름. '一二渠, 以引其河'《漢書》. [二] 거를 소, 나눌 소 [一]과 뜻이 같음. [三] 묽은술 리 醨(酉部 十一畫)와 同字. '歠其一'《楚辭》.
[字源] 篆文 會意. 酉+麗. '麗려·시'는 가지런히 벌여 놓다의 뜻. 술을 거르다의 뜻을 나타냄.

19 [醿] 〔미〕
㉖ 醾(酉部 十七畫〈p. 2364〉)와 同字

20 [釅] 엄 [去]豔 魚欠切 yàn
㉗

[字解] 진할 엄 술 또는 차(茶)가 농후함. '一茶三兩椀'《指月錄》.
[字源] 形聲. 酉+嚴〔音〕

[釅茶 엄차] 진한 차(茶).

20 [醲] 〔농〕
㉗ 醲(酉部 十三畫〈p. 2363〉)의 本字

21 [醨] [一] 력 [入]錫 狼狄切 lì
㉘ [二] 려 [平]齊 憐題切
[三] 례 [上]薺 里弟切

[字解] [一] 타락 력 타락(酡酪). 우유. '一䤈'. '一, 一䤈, 酪也'《集韻》. [二] 술재강 려 술의 재강. '一䤈'. '一, 䤈一, 酒滓, 一曰, 酪毋'《集韻》. [三] 젖찌끼 례 젖의 찌끼. '一䤈'. '一, 䤈一, 酪滓, 或省'《集韻》.

24 [醽] 〔령〕
㉛ 醽(酉部 十七畫〈p. 2364〉)과 同字

釆 (7획) 部
〔분별할변부〕

0 [釆] 변 [去]諫 蒲莧切 biàn
⑦

[筆順]

[字解] 나눌 변, 분별할 변 辨(辛部 九畫)과 同字.
[字源] 金文 篆文 古文 象形. 짐승의 발톱이 갈라져 있는 모양을 본떠, '나누다'의 뜻을 나타냄.
[參考] ①'釆변'을 의부(意符)로 하여, '나누다'의 뜻을 포함하는 문자를 이룸. 부수 이름은 '분별할변'. ②采(次條)는 別字.

1 [采] [人名] 채 ①-⑪[上]賄 倉宰切 cǎi
⑧ ⑫[去]隊 倉代切 cài

[筆順]

[字解] ①캘 채 채취함. 採(手部 八畫)와 同字. '一薪之憂'. '執袵一藥'《司馬光》. ②가릴 채 선택함. 채용함. '一用'. '近一故事'《漢書》. ③채색 채, 무늬 채 彩(彡部 八畫)와 同字. '文一'. '以五一, 彰施于五色'《書經》. ④일 채 할 일. 직무. '展一錯事'《史記》. ⑤벼슬 채 관직. '疇咨若予一'《書經》. ⑥식읍 채 신하의 영지(領地). '邑一'. '大夫有一, 以處其子孫'《禮記》. ⑦풍신 채 풍자(風姿). 모습. '天下想聞其風一'《漢書》. ⑧폐백 채 綵(糸部 八畫)와 同字. '召公奭贊一'《史記》. ⑨참나무 채 棌(木部 八畫)와 同字. '一椽不刮'《史記》. ⑩주사위 채 투자(骰子). '明皇與貴妃一戲'《明皇雜錄》. ⑪성 채 성(姓)의 하나. ⑫나물 채 菜(艸部 八畫)와 통용. '春入學, 舍一合舞'《周禮》.
[字源] 甲骨文 甲骨文 金文 篆文 會意. 木+爪. '木목'은 甲骨文에서는 '果과'로 되어 있는 것도 있으며 나무 열매의 뜻. '爪조'는 '손'의 뜻. 열매를 따다의 뜻에서, 일반적으로 채취하다의 뜻을 나타냄.
[參考] 釆(前條)은 別字.

[采菊東籬下 채국동리하] 동편(東便) 울타리 밑에 피어 있는 국화(菊花)를 꺾어 땀. 도잠(陶潛)의 '음주시(飮酒詩)'의 한 구(句).
[采女 채녀] 한대(漢代)의 궁녀(宮女)의 한 계급. 전(轉)하여, 궁녀.
[采毛 채모] 빛이 아름다운 털.
[采薇歌 채미가] 백이(伯夷)와 숙제(叔齊)가 주(周)나라 무왕(武王)을 섬기는 것을 수치로 여겨 서우양 산(首陽山)에 숨어서 고비를 채취하여 먹다가 아사(餓死)할 때 지은 노래.
[采葑采菲無以下體 채봉채비무이하체] 순무와 무는 뿌리와 줄기를 다 먹는데, 그 뿌리에 맛이 나쁜 것도 있고 좋은 것도 있을 것이니, 그 뿌리가 나쁘다고 하여 그 줄기의 좋은 것까지 버려서는 안 된다는 뜻으로, '일부분이 나쁘다고 해서 전부를 내버려서는 아니 됨'을 비유하여 이르는 말.
[采蘋 채빈] 시경(詩經)의 편명(篇名). 대부(大夫)의 아내가 문왕(文王)의 덕화(德化)로 제사(祭祀)를 잘 받들었음을 묘사했음.
[采色 채색] 고운 색. 아름다운 색. 채색(彩色).
[采色不定 채색부정] 희로(喜怒)가 일정하지 아니하여 안색(顏色)이 잘 변함을 이름.
[采石磯 채석기] 안후이 성(安徽省) 당투 현(當塗縣) 서북(西北)쪽에 있는 우저산(牛渚山) 기슭 북부(北部)의 강변(江邊). 송(宋)나라 우윤문(虞允文)이 금(金)나라 군사를 격파한 곳.
[采菽 채숙] 시경(詩經)의 편명(篇名). 유왕(幽王)이 포학하여 제후가 배반한 일을 읊었음.
[采詩之官 채시지관] 주대(周代)에 풍속(風俗)을

살펴 시정(施政)의 참고로 하기 위하여 민간(民間)에서 부르는 시가(詩歌)를 수집(蒐集)하던 벼슬.
[采飾 채식] 채색하여 장식함.
[采薪之憂 채신지우] 자기의 병의 겸칭(謙稱). 몸이 아파서 나무를 못 하는 것이 걱정이란 뜻. 일설에는, 나무를 하는 데 지쳐서 난 병이라 함.
[采椽 채연] 산에서 벌채한 나무를 그대로 쓴 서까래. 일설에는, 대패질하지 아니한 참나무 서까래. 전(轉)하여, 거친 서까래, 또는 막 지은 집.
[采用 채용] 가려 씀. 채용(採用).
[采邑 채읍] 식읍(食邑).
[采緝 채집] ㉠채집(采集). ㉡삼을 자아 실을 만듦.
[采地 채지] 채읍(采邑).
[采采 채채] ㉠많이 캐는 모양. ㉡많이 나는 모양. 무성한 모양. ㉢많은 모양. 일설(一說)에는, 화려하게 치장하는 모양. ㉣여러 가지 일. 이것저것.
[采取 채취] 골라서 캐어 냄.
[采畫 채화] 채색을 한 그림.
[采戲 채희] 주사위. 주사위놀이.
◉喝采. 光采. 九采. 納采. 丹采. 大采. 文采. 服采. 丰采. 舍采. 色采. 少采. 神采. 新采. 薪采. 五采. 六采. 異采. 姿采. 爭采. 精采. 晁采. 衆采. 樵采. 七采. 探采. 風采. 筆采. 華采. 畫采.

4 ⑪ [釈] 釋(次次條)의 俗字

5 ⑫ [釉] 人名 유 ㊤宥 余救切 yòu

字解 윤 유 광택. '—藥'.
字源 形聲. 釆+由〔音〕. '釆변'은 '采채'의 변형으로 색깔의 뜻. '由유'는 '油유'와 통하여 '기름'의 뜻. 애벌구이한 도자기 위에 입혀서 기름을 흘려 부은 것 같은 광택을 내다, 유약의 뜻을 나타냄.

[釉藥 유약] 도자기(陶瓷器)의 몸에 덧씌워 광택이 나게 하는 약. 잿물.

13 ⑳ [釋] 高·人 석 ㊇陌 施隻切 shì 释

筆順 ㇒ 平 釆 釆冂 釆罒 釋 釋 釋

字解 ①풀 석 ㉠설명함. '解—'. '—義'. '—明明德'《大學章句》. ㉡변명함. '—明'. '使行人奚斯—言於齊'《國語》. ㉢처리함. 다스림. '太子不肯自—'《呂氏春秋》. ㉣액체에 딴 것을 탐. '稀—'. ②풀릴 석 ㉠의심이나 오해가 사라짐. '惑不—也'《國語》. ㉡녹음. '融—'. '若氷之將—'《老子》. ㉢해이해짐. '心凝形—'《列子》. ③벗을 석 옷을 벗음. '—衣'. '初—服朝見二宮'(상복을 벗음)《顏氏家訓》. ④내놓을 석 석방함. '放—'. '開—無辜'《書經》. ⑤용서할 석 용대함. '若謝我當—罪'《世說》. ⑥놓을 석 ㉠손을 뗌. '手不—卷'. '篤志于學, 雖職務繁雜, 書不—手'《隋書》. ㉡일정한 자리에 둠. '—采'. '—奠于學'《禮記》. ⑦버릴 석 ㉠그만둠. 폐(廢)함. '聞命而—兵'《李覯》. ㉡상관하지 아니함. 떠남. '—虛而攻實'《管子》. ⑧쏠 석 발사함. '往省括于度則—'《書經》. ⑨쥣을 석, 축일 석 '—而煎之'《禮記》. ⑩일 석 쌀을 읾. '—之叟叟'《詩經》. ⑪풀이 석 해석. '註—'. '作字—'《魏志》. ⑫석가 석 불교의 교조(敎祖). '—迦'의 약칭(略稱). 전(轉)하여, 널리 불교 또는 중의 뜻으로 쓰임. '—門'. '鑿—像於上'《喬宇》. ⑬성 석 성(姓)의 하나.
字源 篆文 形聲. 釆+睪〔音〕. '釆변'은 낱낱이 분해하다의 뜻. '睪역'은 '斁역'과 통하여 덩어리를 분해하다의 뜻. 합쳐서 '분해하다'의 뜻을 나타냄.
參考 釈(前前條)은 俗字.

[釋家 석가] 불교를 믿는 사람들의 사회.
[釋迦 석가] ㉠인도의 한 종족의 이름. ㉡'석가모니(釋迦牟尼)'의 준말.
[釋迦牟尼 석가모니] 범어(梵語) śākyamuni의 음역(音譯). 불교의 개조(開祖).
[釋迦如來 석가여래] 석가모니.
[釋褐 석갈] 천한 사람이 입는 갈의(褐衣)를 벗는다는 뜻으로, 처음으로 벼슬살이함을 이름.
[釋階而登天 석계이등천] 사다리를 버리고 하늘에 오르려 함. 불가능(不可能)한 일의 비유(比喩).
[釋敎 석교] 불교(佛敎)의 별칭(別稱).
[釋根灌枝 석근관지] 뿌리는 버려두고 가지에 물을 줌. 곧, 근본을 잊고 지엽(枝葉)의 일에 힘을 들임을 이름.
[釋慮 석려] 걱정을 하지 않음.
[釋老 석로] 석가와 노자. 또, 그 교(敎).
[釋名 석명] 후한(後漢)의 유희(劉熙)가 지은 책. 8권. 〈이아(爾雅)〉를 본떠서 석천(釋天)·석지(釋地) 등 27류(類)로 나누어 물명(物名)의 훈고(訓詁)를 싣고 해석한 사전임.
[釋明 석명] ㉠풀어 밝힘. ㉡오해를 산 자기의 언론에 대하여 변명을 함.
[釋門 석문] 불문(佛門). 불도(佛道).
[釋放 석방] 가두었던 사람을 풀어 내보냄.
[釋像 석상] 석가모니의 상(像).
[釋氏 석씨] ㉠석가모니. ㉡불가(佛家).
[釋言 석언] 변해(辯解). 변명.
[釋然 석연] ㉠미심쩍은 것이 확 풀리는 모양. ㉡마음이 풀리는 모양.
[釋義 석의] 글의 뜻을 해석(解釋)함.
[釋子 석자] 중. 사문(沙門). 불자(佛子).
[釋典 석전] 불교(佛敎)의 경전(經典). 불경(佛經).
[釋奠 석전] 선성 선사(先聖先師)의 제사. 한(漢)나라 이후에는 공자(孔子)의 제사만을 이름.
[釋尊 석존] 석가모니(釋迦牟尼)의 존칭(尊稱).
[釋旨 석지] 불교의 교지(敎旨).
[釋菜 석채] 소나 양의 희생 없이 채소만 올리고 지내는 간단한 석전(釋奠).
[釋回增美 석회증미] 사벽(邪僻)을 버리고 아름다움을 더함. '回'는 사벽(邪僻)을 이름.
◉講釋. 開釋. 孔釋. 老釋. 放釋. 辯釋. 保釋. 剖釋. 分釋. 氷釋. 散釋. 舒釋. 消釋. 語釋. 慰釋. 儒釋. 融釋. 箋釋. 詮釋. 注釋. 通釋. 評釋. 解釋. 訓釋. 稀釋.

15 ㉒ [釋] 광 ㊤漾 古曠切 guàng

字解 꾸민빛 광 꾸민 빛깔. 겉치레. '光, 飾色也, 或作—'《集韻》.

里 (7획) 部
[마을리부]

$^0_⑦$ [里] 中入 리 ㊤紙 良士切 lǐ

筆順 丨 冂 冂 曱 旦 甲 里

字解 ①마을 리 ㉠행정 구획의 하나. 주대(周代)에는 스물다섯 집이 사는 구역을 '一一'라 하였음. '五家爲隣, 五隣爲一'《周禮》. ㉡촌락. '村─' '鄕─' '無踰我一'《詩經》. ㉢촌. 시골. 벽지. '有一一醫'《本事方》. ②이 리 노정(路程)의 단위. 360보(步)의 길이. '行百一者半于九十'《戰國策》. ③헤아릴 리 이수(里數)를 대중 쳐 봄. '一西土之數'《穆天子傳》. ④근심할 리 悝(心部 七畫)와 통용. '云如何一'《詩經》. ⑤거할 리 있음. '一仁爲美'《孟子》. ⑥이미 리 벌써. '一爲式'《周禮》. ⑦성 리 성(姓)의 하나.

字源 金文 里 篆文 里 會意. 田+土. '田전'은 정리된 농토의 象形. '土토'는 토지의 신을 모신 사당의 象形. 농토와 토지의 신의 사당이 있는 마을의 뜻을 나타냄.

參考 '里리'를 의부(意符)로 하여, 교외의 뜻을 포함하는 문자를 이룸. '重중'·'量량' 등 단순히 자형상 이 부수에 포함된 것도 있음. 부수 이름은 '마을리'.

[里居 이거] ㉠벼슬을 그만두고 시골에서 삶. 또, 그 사람. ㉡줄지어 있는 인가(人家).
[里曲 이곡] 마을이 있는 부근.
[里落 이락] 촌락(村落).
[里閭 이려] 이문(里門).
[里門 이문] 이(里)의 어구에 세운 문(門). 전(轉)하여, 향리(鄕里).
[里社 이사] ㉠마을에서 토지의 신을 제사 지내는 당집. ㉡마을의 조합.
[里胥 이서] 촌락의 하급 관리. 마을 아전.
[里所 이소] 이허(里許).
[里俗 이속] 마을의 풍속.
[里數 이수] 길의 거리(距離)의 수.
[里塾 이숙] 마을 안에 있는 사숙(私塾).
[里諺 이언] 마을에서 쓰는 속담(俗談). 마을의 상말.
[里尹 이윤] 이정(里正).
[里醫 이의] 시골 의사.
[里耳 이이] 고상한 음악이나 심원한 이치를 이해하지 못하는 속인(俗人)의 귀.
[里人 이인] 마을 사람.
[里仁 이인] ㉠인후(仁厚)의 미풍(美風)이 있는 마을. 일설(一說)에는, 인자(仁者)가 사는 곳에 산다의 뜻. ㉡〈논어(論語)〉의 편명(篇名).
[里長 이장] 마을의 우두머리.
[里宰 이재] 이정(里正).
[里正 이정] 이장(里長).
[里程 이정] 길의 이수(里數). 노정.
[里中 이중] 마을의 안.
[里布 이포] 주대(周代)에 택지(宅地)에 뽕과 삼을 심지 아니하는 집에 과(課)하던 과료(科料).

[里閈 이한] 이문(里門).
[里巷 이항] 마을의 거리.
[里許 이허] 1 리(里)쯤.
[里埈 이후] 이정(里程)을 표시하기 위하여 쌓은 돈대(墩臺).
◉隔千里. 階前萬里. 故里. 高陽里. 冠蓋里. 郊里. 丘里. 舊里. 窮里. 闕里. 道里. 同里. 坊里. 北里. 鵬程萬里. 市里. 野里. 閭里. 沃野千里. 遊里. 邑里. 仁里. 隣里. 一瀉千里. 梓里. 田里. 廛里. 井里. 州里. 志在千里. 戚里. 尺寸千里. 村里. 舳艫千里. 跛鼈千里. 下里. 巷里. 海里. 鄕里. 墟里.

$^2_⑨$ [重] 中入 ▆重 중 ㊤宋 柱用切 zhòng
▆腫 ㊤腫 直隴切
▆東 ㊀㊄冬 直容切 chóng
②㊄東 徒紅切 tóng

筆順 一 一 亠 亓 亓 盲 盲 重 重

字解 ▆①무거울 중 ㉠무게가 가볍지 아니함. '一荷' '引一鼎, 不程其力'《禮記》. ㉡성질·언행이 가볍지 아니함. '鎭一' '君子不一則不威'《論語》. ㉢권력·지위·명망 등이 높음. '一職' '裴長史名一中朝'《晉書》. ㉣두터움. 공손함. '鄭一' '帝以其勳舊者老, 禮之甚一'《晉書》. ㉤많음. '一利' '祿而義士輕死'《三略》. ②중할 중 ㉠책임·사업 등이 소중함. 중대함. '一要' '其爲任亦一矣'《司馬光》. ㉡대단함. 심함. 큼. '刑一' '病一, 死期有日'《史記》. ③무겁게 할 중 '尊其位, 一其祿'《中庸》. ④무겁게여길 중 '載華嶽而不一'《中庸》. ⑤소중히 여김. '一名' '帝王所一者國體, 所切者人情'《舊唐書》. ㉡인물을 존중함. '張於大學中見文季, 甚一之'《世說》. ⑥더딜 중 느림. 굼뜸. '卑濕一遲'《荀子》. ⑦진할 중 농후함. '烈味一酒'《呂氏春秋》. ⑧심히 중 대단히. '似一有憂者'《禮記》. ⑨무게 중 중량. '輕一' 또, 무거운 물건. '此擧一勸力之歌也'《淮南子》. ⑩겹칠 중 중첩함. '一複'《古詩》. ⑪거듭할 중 되풀이함. '勿復一紛紜'《古詩》. ⑫거듭 중 또 한 번. '一立賞格'《南史》. ▆①늦곡식 동 種(禾部 十二畫)과 同字. '黍稷一穋'《詩經》. ②아이 동 童(立部 七畫)과 同字. '與其隣一汪踦, 往皆死焉'《禮記》.

字源 金文 東 金文 東 篆文 重 形聲. 壬+東[음]. '壬정'은 사람이 버티고 서 있는 모양을 본뜸. '東동'은 주머니에 넣은 짐의 象形. 사람이 짐을 짊어진 모양에서, '무겁다'의 뜻을 나타냄. 또 '겹치다'의 뜻도 나타냄.

[重價 중가] 비싼 값.
[重刻 중각] 중간(重刊).
[重閣 중각] 2 층 이상으로 된 누각.
[重刊 중간] 거듭 발간함. 재간함.
[重甲 중갑] 무거운 갑옷.
[重剛 중강] 역(易)에서, 겹친 강(剛)의 덕(德). 강(剛)의 덕이 지나침을 이름.
[重客 중객] 존귀한 손.
[重趼 중견] 발에 못이 박힘. 중견(重繭)●.
[重繭 중견] ㉠발이 자꾸 부르틈. 곧, 먼 길을 신고(辛苦)하여 걸음. ㉡솜옷을 겹쳐 입음.
[重敬 중경] 존경함.
[重慶 중경] ㉠조부모와 부모가 모두 생존함. ㉡쓰촨 성(四川省) 제일의 도시. 중일 전쟁(中日

戰爭) 때 임시 수도(首都)였음.

[重科 중과] 중죄(重罪).

[重光 중광] ㉠십간(十干) 신(辛)의 고갑자(古甲子). ㉡명군(明君)이 계속하여 재위(在位)함.

[重交單拆 중교단탁] 돈을 쳐서 점(占)을 치는 방법의 한 가지.

[重九 중구] 음력 9월 9일. 곧, 중양(重陽).

[重句 중구] 같은 말을 겹친 구.

[重構 중구] 겹친 구조.

[重禁 중금] 엄한 법.

[重金屬 중금속] 비중(比重)이 5 이상 되는 금속(金屬). 곧, 동(銅)·철(鐵)·연(鉛) 따위.

[重寄 중기] 중대한 임무의 위임(委任).

[重器 중기] ㉠중대한 기물. ㉡중대한 것. ㉢기국(器局).

[重大 중대] ㉠중요(重要)하고 큼. ㉡경솔(輕率)히 볼 수 없음. 용이하지 아니함.

[重代 중대] 대대(代代). 누세(累世).

[重德 중덕] 중후(重厚)한 덕행.

[重瞳 중동] 겹으로 된 눈동자.

[重來 중래] 거듭 옴. 다시 옴.

[重量 중량] 무게.

[重戾 중려] 몹시 도리(道理)에 어긋남.

[重力 중력] ㉠큰 힘. ㉡지구(地球)가 지구 위에 있는 물체를 끄는 힘.

[重祿 중록] ㉠많은 녹봉. ㉡녹을 많이 줌.

[重樓 중루] 중각(重閣).

[重利 중리] ㉠많은 이익. ㉡이익을 중히 여김. ㉢복리(複利).

[重離 중리] 역경(易經)의 이괘(離卦)는 해〔日〕둘을 겹친 것을 상징함. 곧, 부자(父子)가 제위(帝位)를 상속(相續)함을 이름.

[重巒 중만] 겹겹이 들어선 산봉우리.

[重名 중명] ㉠매우 두터운 명망(名望). ㉡명망을 중히 여김.

[重明 중명] ㉠해와 달이 하늘에 떠서 광명을 발함. ㉡군신(君臣)이 모두 현명함. ㉢중동(重瞳).

[重溟 중명] 바다.

[重門擊柝 중문격탁] 문을 겹겹이 세워 단속을 엄히 하고 딱따기를 치며 순경을 돌아 경계를 엄중히 함.

[重藩 중번] 권세가 있는 번병(藩屛).

[重罰 중벌] 무거운 벌. 중한 형벌.

[重犯 중범] ㉠큰 범죄. ㉡누범(累犯).

[重辟 중벽] 중죄(重罪).

[重病 중병] 중한 병(病).

[重寶 중보] 귀중한 보배.

[重複 중복] 거듭함. 겹침.

[重負 중부] 무거운 짐. 중하(重荷).

[重聘 중빙] 예를 융숭히 하여 부름.

[重死 중사] 생명을 중히 여김. 헛되이 죽지 아니함.

[重使 중사] 무거운 사명을 띤 사신(使臣).

[重射 중사] 재물을 많이 걸고 승부를 겨룸.

[重三 중삼] 음력 3월 3일. 곧, 삼짇날. 상사(上巳).

[重三譯 중삼역] 세 나라의 통역을 써서 의사를 통함. 곧, 먼 나라에서 몇 번이고 통역을 세워 언어(言語)가 다른 곳을 통과한다는 뜻.

[重喪 중상] 탈상(脫喪) 전에 부모상을 거듭 당함.

[重傷 중상] 심한 부상.

[重賞 중상] 후하게 주는 상.

[重賞下必有勇夫 중상하필유용부] 상을 후히 주면 목숨을 아끼지 아니하고 사력(死力)을 다하여 싸우는 용사가 생기는 법임.

[重世 중세] ㉠여러 대를 거듭함. ㉡여러 대. 누대(累代).

[重稅 중세] ㉠무거운 세금. ㉡세금을 많이 매김.

[重霄 중소] 높은 하늘. 하늘의 높은 곳. 구천(九天).

[重囚 중수] 죄가 무거운 죄수.

[重修 중수] 낡은 것을 다시 고침.

[重襲 중습] ㉠겹침. ㉡몇 겹으로 엄중하게 방위함.

[重視 중시] 중요시함. 소중하게 여김.

[重侍下 중시하] 조부모와 부모를 다 모시고 있음.

[重臣 중신] 벼슬이 높은 신하.

[重愼 중신] 신중함.

[重心 중심] 중력(重力)의 중심.

[重巖 중암] 여러 층으로 겹쳐 쌓인 바위.

[重愛 중애] 여기고 사랑함.

[重陽 중양] ㉠음력 9월 9일의 명절. 구일(九日). ㉡높은 하늘. ㉢깨끗이 쓴 땅. ㉣혈맥의 순환이 너무 성함.

[重言 중언] ㉠같은 뜻의 말을 겹쳐 말함. ㉡같은 자(字)가 겹쳐 뜻을 이루는 말. '孜孜'·'明明白白' 등.

[重役 중역] ㉠중직(重職). ㉡사장·이사(理事) 등과 같이 은행·회사의 중임을 맡은 역원.

[重譯 중역] ㉠이중의 통역. ㉡이중 번역.

[重淵 중연] 아주 깊은 못.

[重然諾 중연낙] 한번 승낙한 일은 중히 여겨 반드시 실행함.

[重午 중오] 5월 5일. 곧, 단오(端午).

[重五 중오] '중오(重午)'와 같음.

[重屋 중옥] 높은 다락집. 고루(高樓).

[重雍襲熙 중옹습희] 옹희(雍熙)를 중습(重襲)한다는 뜻으로, 태평한 세상이 오래 계속됨을 이름. '雍熙'는 화락(和樂)을 뜻함.

[重要 중요] 매우 귀중하고 중요로움.

[重用 중용] 중요로운 직책을 맡겨 씀.

[重位 중위] 중요한 지위.

[重威 중위] 진중하고 위엄이 있음.

[重圍 중위] 여러 겹의 포위.

[重闈 중위] ㉠여러 겹으로 세운 궁문(宮門). ㉡깊숙한 궁전. 심궁(深宮). ㉢부녀(婦女)가 거처하는 곳. 규중(閨中).

[重油 중유] 원유(原油)를 증류하여 휘발유·석유 등을 얻은 뒤에 남는 끈끈한 기름.

[重恩 중은] 무거운 은혜. 매우 두터운 은혜.

[重音 중음] ㉠한 자(字)에 두 음이 있는 것. ㉡거듭소리. 복음(複音).

[重衣 중의] 옷을 겹쳐 입음. 또, 겹쳐 입은 옷.

[重耳 중이] 진(晉)나라 문공(文公)의 이름.

[重以周 중이주] 스스로 성현의 도(道)로써 엄중하게 과(課)하며, 일예 일선(一藝一善)일지라도 모두 두루 원만 구족하게 갖추고자 함.

[重因 중인] 중요한 원인.

[重茵 중인] 중인(重絪).

[重絪 중인] 두터운 요.

[重任 중임] ㉠중대한 임무. ㉡중대한 임무를 맡김. ㉢거듭 이전의 임무를 맡음.

[重仍 중잉] 겹침. 거듭함.

[重載 중재] 무거운 짐.

[重積 중적] 겹겹이 쌓음. 또, 겹겹이 쌓임.

[重謫 중적] 무거운 죄. 중죄(重罪).

[重典 중전] ㉠엄한 법률. ㉡장중한 의식(儀式).

[重殿 중전] 앞뒤 채로 된 궁전.
[重點 중점] ㉠지렛대로 움직이려는 물체의 무게가 걸리는 점. ㉡중요한 점.
[重訂 중정] 거듭 정정함.
[重鼎 중정] 무거운 솥.
[重阻 중조] 거듭 막힘.
[重祚 중조] 양위(讓位)한 임금이 다시 즉위함. 복벽(復辟).
[重足仄目 중족측목] 발을 포개고 곁눈질함. 곧, 몹시 무서워하는 모양.
[重踵屏息 중종병식] 발을 포개고 숨을 죽임. 곧, 몹시 무서워하는 모양.
[重罪 중죄] 무거운 죄.
[重酎 중주] 거듭 빚어 정제한 술.
[重重 중중] ㉠겹치는 모양. ㉡물방울 같은 것이 떨어지는 소리.
[重症 중증] 위중한 병.
[重胝 중지] 발에 못이 거푸 박임. 전(轉)하여, 먼 길을 감.
[重職 중직] 중대한 직책. 중요한 직무.
[重鎭 중진] 병권을 잡고 요해처를 지키는 사람. 전(轉)하여, 권리를 잡고 중요한 자리에 있는 사람.
[重疾 중질] 중병(重病).
[重徵 중징] 가중한 조세의 징수.
[重塹 중참] 이중(二重)의 참호(塹壕).
[重創 중창] ㉠상처가 난 데에 또 상처가 남. ㉡중상(重傷).
[重柵 중책] 이중(二重)의 목책(木柵).
[重戚 중척] 지위가 높은 친척.
[重疊 중첩] 거듭됨. 또, 거듭함.
[重聽 중청] 한 번 들은 것을 다시 들음.
[重腿 중추] 다리가 붓는 병. 각기·수종다리 등.
[重出 중출] 먼저 나온 것이 거듭 나옴.
[重治 중치] 엄중히 치죄함.
[重親 중친] ㉠인척간에 다시 인연을 맺음. 겹사돈 따위. ㉡조부모와 부모의 병칭(竝稱).
[重濁 중탁] 무겁고 탁함.
[重態 중태] 병(病)의 위중(危重)한 형세(形勢).
[重砲 중포] 거탄(巨彈)을 발사할 수 있는 위력이 큰 대포.
[重荷 중하] 무거운 짐.
[重恨 중한] 쌓이고 쌓인 원한.
[重閤 중합] 겹으로 된 궁전.
[重憲 중헌] 엄한 법. 중전(重典).
[重險 중험] 여러 겹의 험조(險阻).
[重刑 중형] 중한 형벌.
[重婚 중혼] ㉠사돈 간에 다시 사돈이 됨. 겹사돈. ㉡아내나 또는 남편(男便)이 있는 사람이 또 다른 데로 혼인(婚姻)하는 일.
[重華 중화] ㉠순(舜)임금의 이름. ㉡별 이름.
[重患 중환] 중병(重病).
[重厚 중후] ㉠두터움. ㉡점잖고 너그러움.
[重熙累洽 중희누흡] 밝음이 거듭하여 은혜가 두루 미친다는 뜻으로, '임금이 대대로 현명하여 태평성대가 계속함'을 이르는 말.
◉加重. 苛重. 敬重. 輕重. 功疑惟重. 過重. 寬重. 九重. 貴重. 器重. 內重. 累重. 端重. 鈍重. 萬重. 問鼎輕重. 樸重. 方重. 百重. 數重. 愼重. 深重. 十二重. 十重. 雅重. 兩重. 嚴重. 威重. 陰重. 倚重. 引重. 自重. 莊重. 積重. 鄭重. 尊重. 至重. 志重. 持重. 珍重. 質重. 千萬重. 千重. 疊重. 體重. 推重. 輜重. 沈重. 偏重. 荷重. 顯重. 厚重. 後重.

3 ⑩ [䡖] 重(前條)의 本字

4 ⑪ [重] 重(前前條)의 本字

4 ⑪ [野] 中·人 야 ㊤馬 羊者切 yě 

筆順 ㄇ 日 旦 甲 里 野 野 野

字解 ①들 야 ㉠벌판. '平―'. '原―'. ㉡밭. '農夫相與扑於―'《蘇軾》. ㉢민간. '朝―'. '賢人在―'《王禹偁》. ②성밖 야, 문밖 야 ㉠교외. '四―'. '叔適―'《詩經》. ㉡왕성(王城)의 2백리 밖에서 3백 리까지의 사이. '縣士掌―'《周禮》. ③곳 야 장소. '遊霄霓之―'《淮南子》. ④별자리 야 성수(星宿). '分―'. '七宿畫―'《張衡》. ⑤질박할 야 겉치레를 하지 아니함. 촌스러워 예의범절 등에 익지 아니함. '質勝文則―'《論語》. ⑥야할 야 상스럽고 천함. '―鄙'. '故騷騷爾則―'《禮記》. ⑦미개할 야 지능이 열리지 아니함. '―蠻'. '―哉由也'《論語》. ⑧길들지아니할 야 사람을 따르지 아니하고 해치려 함. '狼子―心'《左傳》.

字源 甲骨文 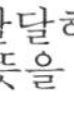 金文 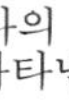 篆文 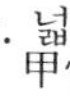 古文 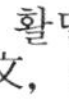 形聲. 里＋予〔音〕. '予여'는 넓고 활달하다의 뜻. 넓고 활달한 고을, 들, 교외의 뜻을 나타냄. 甲骨文, 金文은 林＋土의 會意.

參考 ①埜(土部 八畫)·壄(土部 十二畫)는 古字. ②墅(土部 九畫)는 同字.

[野歌 야가] 야인(野人)이 부르는 노래. 시골 노래.
[野干 야간] 여우와 같다는 요수(妖獸).
[野客 야객] 민간 사람. 벼슬하지 아니한 사람.
[野犬 야견] 주인이 없이 들판으로 돌아다니는 개. 들개.
[野坰 야경] 성밖의 들. 교외(郊外).
[野徑 야경] 들 가운데의 좁은 길.
[野逕 야경] 야경(野徑).
[野鷄 야계] 꿩. 한대(漢代)에 여후(呂后)의 이름을 꺼려 일컬은 말.
[野嫗 야구] 천한 노파. 시골 노파.
[野球 야구] 미국(美國)에서 발달한 9인조 옥외경기(屋外競技). 두 팀이 각각 9회씩 공방(攻防)하여 다투는데, 공격측은 상대편의 투수(投手)가 던진 공을 배트로 치고 내야(內野)를 한 바퀴 돌아 본루(本壘)에 돌아오면 득점을 함. 베이스볼.
[野菊 야국] 들국화.
[野禽 야금] 산이나 들에서 사는 새.
[野衲 야납] 시골의 중. 중이 자기를 이르는 겸칭(謙稱).
[野談 야담] 야사(野史)의 이야기.
[野黨 야당] 정당 정치에서 현 내각이나 행정부에 참여하지 아니한 정당. 재야당(在野黨).
[野渡 야도] 시골의 나루.
[野童 야동] 시골 아이.
[野屯 야둔] 들에 진(陣)을 침.
[野廬 야려] ㉠주대(周代)의 벼슬 이름. ㉡시골

집. 촌가(村家).
[野老 야로] 시골에 사는 노인(老人).
[野錄 야록] 야사(野史).
[野陋 야루] 야비(野鄙).
[野馬 야마] ㉠아지랑이. ㉡들에 방사(放飼)하는 말.
[野蠻 야만] ㉠문화가 열리지 아니함. 미개함. 또, 그 종족. ㉡버릇이 없음. 예의를 모름.
[野梅 야매] 야생의 매화나무.
[野鶩 야목] 물오리.
[野無遺賢 야무유현] 어진 사람은 전부 거용(擧用)하여 민간에 한 사람도 남지 아니함.
[野無靑草 야무청초] 들에 푸른 풀이 하나도 없음. 곧, 기근 또는 난후(亂後)의 황량한 경치를 이름.
[野物不爲犧牲 야물불위희생] 들짐승은 희생으로 쓰지 아니한다는 뜻으로, 속학자(俗學者)는 묘당(廟堂)에 거용(擧用)하지 아니함의 비유.
[野民 야민] 농업을 주로 하는 백성.
[野芳 야방] 들에 피는 꽃.
[野舫 야방] 들 가운데의 강에 떠 있는 거룻배.
[野服 야복] 재야(在野)한 사람이 입는 옷. 시골 사람이 입는 옷.
[野夫 야부] 시골 남자.
[野卑 야비] 야하고 비루함. 속되고 천함.
[野扉 야비] 시골집.
[野鄙 야비] ㉠시골. ㉡야비(野卑).
[野史 야사] 민간의 역사. 관명에 의하지 아니하고 사사로이 기록한 역사.
[野舍 야사] 왕이 여행 중에 묵고 있는 집.
[野色 야색] 들의 경치.
[野生 야생] ㉠동식물이 들에서 자연히 생장함. 또, 그 동식물. ㉡남자의 자기의 겸칭(謙稱).
[野性 야성] ㉠교양이 없는 거친 성질. ㉡길들지 아니하는 성질. ㉢전원생활을 좋아하는 성질.
[野蔬 야소] 야채(野菜).
[野蔌 야속·야수] 들이나 산에서 나는 나물. 고비·고사리·죽순 따위.
[野獸 야수] 들짐승.
[野宿 야숙] 들에서 잠. 한데서 잠.
[野乘 야승] 야사(野史).
[野僧 야승] ㉠시골의 중. ㉡중의 겸칭(謙稱).
[野豕 야시] 멧돼지. 야저(野豬).
[野心 야심] ㉠잘 길들지 아니하고 사람을 해치고자 하는 마음. ㉡민간에 은둔하여 전원생활을 즐기고자 하는 마음. ㉢분수에 넘치는 욕망.
[野蛾 야아] 나비(蝶)의 이칭(異稱).
[野鴨 야압] 들오리.
[野羊 야양] ㉠야생의 양. ㉡몽골·만주의 고원에 야생하는 양.
[野釀 야양] 시골에서 빚은 술.
[野語 야어] 시골말.
[野言 야언] 야어(野語).
[野諺 야언] 속담. 이언(俚諺).
[野煙 야연] 들에서 떠오르는 연기.
[野營 야영] 들에 진(陣)을 침. 또, 그 진영.
[野牛 야우] 야생의 소. 들소.
[野虞 야우] 들을 지키는 벼슬아치.
[野遊 야유] 들에서 놂.
[野吟 야음] ㉠들에서 시를 읊조림. ㉡자기가 읊는 시의 겸칭(謙稱).
[野意 야의] 야취(野趣).
[野人 야인] ㉠순박(淳朴)한 사람. ㉡시골 사람. 천한 사람. ㉢재야(在野)한 사람. 벼슬하지 아니

한 사람. ㉣여진(女眞)의 별종(別種). 명(明)의 중세 이후에 지금의 지린 성의 동남부 및 헤이룽 강의 하류에 걸쳐 부락을 이루고 우리나라에 자주 침범하였음.
[野人無曆日 야인무역일] 시골에 묻혀서 세상일을 돌보지 않는 사람은 날짜 가는 것도 모른다는 뜻.
[野人獻芹 야인헌근] 남에게 물품을 보냄의 겸사.
[野蠶 야잠] 산누에. 산잠(山蠶).
[野豬 야저] 멧돼지. 산돼지.
[野豬而介者 야저이개자] 갑옷을 입은 멧돼지라는 뜻으로, 앞뒤를 가리지 아니하고 돌진하는 용사를 이름.
[野戰 야전] 들에서 싸움.
[野店 야점] 시골에 있는 상점. 시골 가게.
[野亭 야정] ㉠시골의 숙소. ㉡시골의 정자.
[野情 야정] ㉠시골 사람의 마음. ㉡야취(野趣).
[野艇 야정] 야방(野舫).
[野次 야차] 들에서 잠. 한데서 잠.
[野菜 야채] ㉠들이나 산에 나는 나물. ㉡채소.
[野處 야처] 집을 짓지 아니하고 들에서 삶.
[野彘 야체] 멧돼지. 산돼지. 야저(野豬).
[野草 야초] 야생의 풀.
[野趣 야취] 시골의 정취.
[野致 야치] ㉠야취(野趣).
[野態 야태] 시골티.
[野砲 야포] 야전(野戰)에 쓰는 대포. 야전포(野戰砲).
[野鶴 야학] ㉠들에 사는 학. 사환(仕宦)하지 아니한 한인(閑人)에 비유함. ㉡두루미.
[野合 야합] ㉠정식의 결혼에 의하지 아니하고 부부 관계를 맺음. ㉡야외(野外)에서의 합주(合奏). ㉢야전(野戰).
[野鴿 야합]
들비둘기.
[野航 야항]
시골의 나
룻배.

[野航]

[野狐禪 야호선] 선학(禪學)을 닦아 아직 증오(證悟)하지 못하였는데, 이미 증오하였다고 만심(慢心)하는 자를 욕하는 말.
[野火 야화] 들에서 나는 불.
[野花 야화] 들에서 피는 꽃.
[野篁 야황] 들에 있는 대숲.
[野卉 야훼] 들에서 나는 풀.
[野畦 야휴] 들에 있는 밭두둑 길.
●鉅野. 經野. 枯野. 廣野. 曠野. 郊野. 磽野. 九野. 窮野. 內野. 綠野. 大野. 牧野. 文野. 朴野. 樸野. 分野. 卑野. 鄙野. 四野. 山野. 桑野. 霜野. 疎野. 視野. 略野. 涼野. 淹野. 列野. 沃野. 外野. 燎野. 原野. 匿野. 林野. 在野. 田野. 塵野. 朝野. 粗野. 中野. 質野. 草野. 村野. 平野. 蔽野. 豐野. 下野. 荒野.

4 **量**
⑪ 量(次條)의 古字

5 **量** 〔中〕 ㉘-④㉛漾 力讓切 liàng 量
⑫ 〔人〕 량 ⑤-⑦㉖陽 呂張切 liáng

筆順 丨 𠮛 𠮛 㫓 㫓 量 量 量

8획

字解 ①양 량 분량. ‘容—’. ‘惟酒無—, 不及亂’《論語》. 전(轉)하여, 널리 다소·장단·경중 등의 수. ‘辨其物之媺惡與其數—’《周禮》. ②되량 분량을 되는 용기. ‘同律度—衡’《書經》. 또, 되로 되는 용적. ‘—者, 龠·合·升·斗·斛也’《漢書》. ③기량 량, 국량 량 사물을 받아들여 담당하는 성격·재능. ‘度—’, ‘才—’. ‘光武之—, 包乎天地之外’《范仲淹》. ④잴 량 하나 가득 됨. ‘其死者—於澤矣’《呂氏春秋》. ⑤달 량, 잴 량, 될 량 경중·장단·용적 등을 알아봄. ‘行者當—其淺深而後可渡’《詩經傳》. ⑥헤아릴 량 ㉠상량한. ‘商—’, ‘—力而行之’《左傳》. ㉡추측함. ‘—知’. ‘其志豈易—哉’《歐陽修》. ⑦성 량 성(姓)의 하나.

字源 〔金文〕𥂲 〔篆文〕量 〔古文〕量 象形. 곡물을 넣는 주머니 위에 깔때기를 댄 모양을 본떠, 분량을 되다의 뜻을 나타냄. 篆文은 그 변형.

[量加 양가] 헤아려 보탬.
[量槩 양개] 평미레. 평목(平木).
[量檢 양검] 헤아리고 조사함.
[量決 양결] 상량(商量)하여 결정함.
[量器 양기] 분량을 되는 그릇. 되·말 따위.
[量粟而舂 양속이용] 조를 세어서 방아를 찧음. 사소(些少)한 일에 골몰함의 비유(譬喩).
[量試 양시] 헤아리고 시험하여 봄.
[量移 양이] 먼 곳에 귀양 간 사람의 형벌을 가볍게 하여 가까운 곳으로 옮김.
[量入爲出 양입위출] 수입액(收入額)을 고려하여 일상(日常)의 비용을 절약함.
[量知 양지] 추측하여 앎.
[量出制入 양출제입] 지출(支出)의 비용을 헤아려 이에 따르는 수입(收入)의 길을 생각함.
[量幣 양폐] 종묘(宗廟)에 제사 지내는 데 올리는 폐백.

●減量. 車載斗量. 計量. 考量. 公輔量. 過量. 較量. 局量. 權量. 斤量. 技量. 氣量. 器量. 多量. 大量. 德量. 度量. 斗量. 等量. 廟堂量. 無量. 物量. 微量. 本量. 分量. 比量. 思量. 商量. 碩量. 聲量. 少量. 殊量. 數量. 識量. 食牛量. 雅量. 力量. 熱量. 料量. 容量. 宇量. 雨量. 遠量. 偉量. 踰量. 逸群量. 丈量. 才量. 裁量. 宰輔量. 適量. 帝王量. 酒量. 重量. 質量. 斟量. 推量. 測量. 秤量. 稱量. 打量. 狹量. 弘量.

[童]〔동〕
立部 七畫 (p. 1649) 을 보라.

[裡]〔리〕
衣部 七畫 (p. 2065) 을 보라.

[裏]〔리〕
衣部 七畫 (p. 2065) 을 보라.

10
⑰
[釐] 釐(次條)와 同字

11
⑱
[釐]〔人名〕 一 ㉪ 리 ㉪支 里之切 lí
二 ㉪ 희 ㉪支 虛其切 xī
三 ㉪ 태 ㉪灰 湯來切 tāi
四 ㉪ 뢰 ㉪泰 落蓋切 lài
釐釐

字解 一 ①이 리 ㉠소수(小數)의 하나. 일(一)의 백분의 일. 분(分)의 십분의 일. ㉡척도(尺度)의 단위. 분(分)의 십분의 일. ㉢무게의 단위. 분(分)의 십분의 일. ㉣돈의 단위. 전(錢)의 십분의 일. 전(轉)하여, 극소한 분량. ‘毫—’. ‘失之毫—’《漢書》. ②다스릴 리 바르게 고침. ‘允—百工’《書經》. ③명아주 리 萊 (艸部 八畫)와 뜻이 같음. ‘—蔓華也’《爾雅》. ④과부리 嫠(女部 十一畫)와 통용. ‘隣之—婦’《詩經傳》. 二 ①제육 희 제사 지내는 고기. ‘上方受—宣室’《漢書》. ②복 희 행복. 禧(示部 十二畫)와 同字. ‘—祝—’《漢書》. ③성 희 성(姓)의 하나. 僖(人部 五畫)와 同字. 四 ①땅이름 태 지명. 郃(邑部 五畫)와 同字. 三 줄 뢰 賚(貝部 八畫)와 통용. ‘—爾女士’《詩經》.

字源 〔金文〕𢼨 〔篆文〕釐 形聲. 𣦼+里〔音〕. ‘𣦼리’는 곡물을 수확하는 모양을 본떠 ‘다스리다’의 뜻. ‘里’는 금을 가지런히 하다의 뜻. 조리를 바로 세워 다스리다의 뜻을 나타냄.

[釐降 이강] 황녀(皇女)가 신하에게 시집감. 강가(降嫁).
[釐改 이개] 개혁(改革)함.
[釐金稅 이금세] 청조(淸朝)에서 국내 통항의 화물에 대하여 보통의 관세(關稅) 이외에 과(課)한 세금.
[釐稅 이세] 이금세(釐金稅).
[釐捐 이연] 이금세(釐金稅).
[釐正 이정] 개정(改正)함.
[釐定 이정] 개정(改定)함.
[釐替 이체] 고침.
[釐革 이혁] 이개(釐改).

●保釐. 福釐. 受釐. 嫠釐. 陟釐. 祝釐. 毫釐. 鴻釐.

金 (8획) 部
[쇠금부]

0
⑧
[金]〔中入〕 一 금 ①-④㉪侵 居吟切 jīn ⑤㉮寢 渠飮切 jìn
〔韓〕 二 김
金

筆順 ノ 人 个 合 全 全 金 金

字解 一 ①쇠 금 ㉠쇠붙이의 총칭. ‘—石’. ‘其利斷—’《易經》. ㉡쇠붙이로 만든 무기. ‘—創’. ‘衵—革, 死而不厭’《中庸》. ㉢쇠붙이로 만든 기물. 종정(鐘鼎) 따위. ‘功績銘于—石’《呂氏春秋》. ㉣돈. 화폐. ‘位高而多—’《戰國策》. ㉤쇠붙이와 같이 견고한 사물의 일컬음. ‘—城湯池’. ②금 금 ㉠황색의 금속. ‘黃—’. ‘—銀琳瑯’《左思》. ㉡오행(五行)의 하나. 방위로는 서쪽, 시절로는 가을, 오음(五音)으로는 상(商)에 배당(配當)함. ‘五行, 四曰—’《書經》. ㉢팔음(八音)의 하나. 쇠붙이로 만든 악기. 또, 그 소리. ‘—石絲竹’. ‘—奏彭于《左傳》. ㉣화폐의 단위. 대개, 당시(當時)의 최고 단위로서, 한대(漢代)에는 금 한 근(斤)을 ‘——’이라 하였고, 근대(近代)에는 은(銀) 한 냥(兩)을 ‘——’이라 하였음. ‘請買其方百—’《莊子》. ㉤금과 같이 귀

중한 사물의 일컬음. '―言'. '―科玉條'. ㉫금과 같이 아름다운 사물의 일컬음. '―殿玉樓'. ③금빛 금 황금빛. '―波'. '―芝九莖〈漢書〉'. ④금나라 금 여진족(女眞族)이 세운 나라. 완안부(完顏部)의 아쿠타(阿骨打)가 창건하였음. 서울은 회령(會寧), 후에 연경(燕京)·변경(汴京). 요(遼) 및 북송(北宋)을 멸하고, 만주·몽골 및 중국 북부를 점거(占據)하였다가, 9주(主) 120년 만에 원(元)나라에게 멸망당하였음. (1115~1234) ⑤다물 금 噤(口部 十三畫)과 통용. '―口閉舌〈荀子〉'. 〓《韓》성 김 성(姓)의 하나.

[字源] 金[籀文]·金[古文]·金[古文] 形聲. 土+丷+今[音]. '今금'은 '含함'과 통하여 '포함하다'의 뜻. '土토'는 '흙'의 뜻. '土' 속에 좌우로 쓰이는 '丷'는 금속이 땅속에 있는 모양을 본뜸. 흙 속에 포함되어 있는 것, '쇠'의 뜻을 나타냄.

[參考] '金금'을 의부(意符)로 하여, 여러 가지 종류의 금속, 금속제의 용구, 그 상태, 그것을 만드는 일 등에 관한 문자를 이룸. 부수 이름은 '쇠금'.

[金閣 금각] ㉠황금으로 장식한 누각. ㉡미려(美麗)한 누각.

[金柑 금감] 밀감(密柑)의 변종(變種).

[金甲 금갑] ㉠황금으로 만든, 또는 황금빛의 갑옷. ㉡금혁(金革).

[金剛 금강] ㉠금속의 단단함. 전(轉)하여, 가을. 또는 서방(西方)의 덕(德). ㉡금강석(金剛石)의 준말. 불가(佛家)에서는 이것을 칠보(七寶)의 하나로 침. 전(轉)하여, 견고하여 깨지지 않는 불과(佛果). 또, 무명(無明)을 비추어 번뇌(煩惱)를 끊는 지혜(智慧)를 이름. ㉢금강사(金剛砂)·금강신(金剛神)·금강저(金剛杵) 등의 준말.

[金剛經 금강경] 《佛敎》대일여래(大日如來)의 지덕(智德)을 기린 불경.

[金剛界 금강계] 대일여래(大日如來)의 덕(德)을 지적(智的) 방면에서 해설한 부분.

[金剛橛 금강궐] 《佛敎》호마단(護摩壇)의 사방의 기둥.

[金剛童子 금강동자] 《佛敎》천마(天魔)를 항복시키는 동형(童形)을 이름.

[金剛力 금강력] 금강석처럼 굳센 힘.

[金剛不壞 금강불괴] 아주 견고해서 좀처럼 깨지지 아니함. 불신(佛身)을 이름.

[金剛砂 금강사] 석류석(石榴石)의 가루.

[金剛石 금강석] 순수한 탄소로 된 정팔면체(正八面體)의 결정물(結晶物). 다이아몬드.

[金剛神 금강신] 《佛敎》불법을 수호하는 신(神). 사문(寺門)의 양쪽에 안치함. 밀적금강(密迹金剛)·나라연금강(那羅延金剛)이 있음. 인왕(仁王). 금강역사(金剛力士).

[金剛心 금강심] 아주 견고(堅固)한 정신. 썩 굳은 마음.

[金剛夜叉 금강야차] 《佛敎》오대 명왕(五大明王)의 하나. 얼굴이 셋이고 팔이 여섯으로 무기를 가지고 북방을 지켜 일체의 악마를 항복시킴.

[金剛力士 금강역사] 금강신(金剛神).

[金剛杵 금강저] 《佛敎》번뇌를 타파(打破)하는 보리심(菩提心)을 상징하는, 쇠붙이로 만든 법구(法具). 독고(獨鈷)의 총칭.

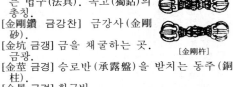
[金剛杵]

[金剛鑽 금강찬] 금강사(金剛砂).

[金坑 금갱] 금을 채굴하는 곳. 금광.

[金莖 금경] 승로반(承露盤)을 받치는 동주(銅柱).

[金景 금경] 황금빛.

[金鏡 금경] ㉠금으로 장식한 거울. ㉡'달'의 이칭(異稱). ㉢밝은 도덕.

[金戒 금계] 금반지.

[金鷄 금계] 천상(天上)에 산다는 닭.

[金庫 금고] ㉠금은보화를 저장하는 창고. ㉡화폐·귀중품 등을 넣고 화재·도난을 방지하는 특별 장치를 한 궤.

[金鼓 금고] 군중(軍中)에서 치는 쇠붙이와 북.

[金谷酒數 금곡주수] 진(晉)나라의 석숭(石崇)이 금곡(金谷)에 빈객을 회동하고 잔치를 베풀어 각각 시를 짓게 하여, 시를 짓지 못하면 벌주로 술 서 말을 마시게 한 고사(故事).

[金骨相 금골상] 선인(仙人)이 되는 상.

[金工 금공] ㉠주물(鑄物)하는 직공. ㉡금속에 세공을 가하는 공예. 또, 그 직공.

[金科玉條 금과옥조] 금이나 옥과 같이 귀중한 법칙이나 규정.

[金官 금관] 철(鐵)을 채굴하는 것을 맡은 벼슬.

[金冠 금관] 금으로 만든 관.

[金塊 금괴] 금덩이.

[金口 금구] ㉠귀중한 말. 남의 말의 경칭(敬稱). ㉡입을 다묾. ㉢《佛敎》부처의 말. 또, 그 가르침.

[金丘 금구] 서쪽. 서방(西方). 오행설(五行說)에서 금(金)은 서(西)에 배당하므로 이름.

[金口木舌 금구목설] ㉠옛날에 교령(敎令)을 발포(發布)할 때 치던 목탁(木鐸)의 구조(構造)를 이름. ㉡학자(學者)가 지위(地位)를 얻어 민중(民衆)을 교도(敎導)함을 비유한 말.

[金甌無缺 금구무결] 나라가 한 번도 외모(外侮)를 받지 않음을 이름.

[金甌覆名 금구복명] 새로 재상(宰相)을 임명하는 일. 당(唐)의 현종(玄宗)이 재상을 선정하여 그 이름을 책상 위에 써 놓고 금사발로 가려 신하에게 맞히게 한 고사(故事)에서 나옴.

[金口閉舌 금구폐설] 입을 다물고 혀를 놀리지 않는다는 뜻으로, 침묵(沈默)하고 말하지 않음을 이름.

[金屈卮 금굴치] 구부러진 손잡이가 달린 금제(金製)의 술잔.

[金券 금권] ㉠금으로 만든 패(牌). 천자(天子)가 그 패에 글씨를 써서 신하에게 하사(下賜)함. ㉡금화(金貨)와 태환(兌換)할 수 있는 지폐.

[金權 금권] 재력의 권세. 돈의 힘.

[金券玉冊 금권옥책] 천자(天子)로부터 내려진 조서(詔書).

[金闕 금궐] ㉠도교(道敎)에서 천제(天帝)가 있는 곳. ㉡천자(天子)의 궁궐. ㉢금으로 장식한 문.

[金櫃 금궤] ㉠금으로 만든 궤. ㉡철궤(鐵櫃).

[金匱之計 금궤지계] 금궤 속에 감추어 둘 만한 홀

룽한 계책. 영원한 계획.

[金匱之書 금궤지서] 금궤 속에 비장(祕藏)한 책.

[金龜 금귀] ㉠벼슬아치가 차는 금으로 만든 거북. 현대의 훈장 같은 것. ㉡금인(金印)과 귀뉴(龜紐).

[金閨 금규] ㉠한대(漢代)에 금마문(金馬門)의 이칭(異稱). ㉡침실(寢室)의 미칭(美稱).

[金橘 금귤] 금감(金柑).

[金禽 금금] 닭(鷄)의 별칭(別稱).

[金氣 금기] 가을 기운. 추기(秋氣).

[金諾 금낙] 틀림없는 승낙.

[金納 금납] 조세를 현금으로 바침.

[金女母 금녀모] '서왕모(西王母)'의 별칭(別稱).

[金泥 금니] 금박(金箔)·금가루를 아교에 푼 것.

[金丹 금단] ㉠도사(道士)가 정련(精煉)한 황금의 정(精)으로 만든 환약. 먹으면 장생불사(長生不死)한다 함. ㉡도가(道家)가 행하는 신기 수련(神氣修鍊)의 묘술(妙術).

[金堂 금당] 절의 본당(本堂). 본존(本尊)을 안치(安置)하고 내부를 금빛으로 칠함.

[金璫 금당] 금으로 만든 관(冠)의 장식.

[金德 금덕] 가을〔秋〕의 기운.

[金刀 금도] ㉠한(漢)나라 왕망(王莽)이 주조한 화폐(貨幣)의 이름. 모양이 칼과 비슷함. ㉡금으로 만든 칼.

[金刋 금도] 쇠붙이로 만든 술잔.

[金櫝 금독] 금으로 장식한 함(函).

[金斗 금두] ㉠다리미. ㉡쇠붙이로 만든 술을 푸는 구기.

[金縢 금등] 서경(書經)의 편명(篇名). 금으로 봉인(封印)함의 뜻.

[金蘭 금란] 붕우 간(朋友間)의 극친한 관계의 비유.

[金蘭契 금란계] 극친한 붕우 간의 정의(情誼). 금란지교(金蘭之交).

[金蘭薄 금란부] 벗의 주소·성명 등을 기록하는 장부.

[金蘭之友 금란지우] 극친한 벗.

[金力 금력] 돈의 힘. 금전의 위력.

[金蓮步 금련보] 미인의 정숙한 걸음걸이. 제(齊)의 동혼후(東昏侯)가 그의 총희(寵姬) 반비(潘妃)가 걷는 길에 황금제의 연꽃을 깔고 그 위를 걸어가게 하고 '此步步生蓮華也'라고 한 고사(故事)에서 나옴.

[金蓮燭 금련촉] 금붙이로 연꽃 형상으로 만든 촉대(燭臺).

[金鈴 금령] 금으로 만든 방울.

[金蕾 금뢰] 금빛의 꽃봉오리.

[金罍 금뢰] 금으로 만든 술 그릇. 뇌(罍)는 예기(禮器)로 운뢰(雲雷)의 무늬가 있는 준(尊). 금준(金尊).

[金縷 금루] 금빛의 실.

[金輪際 금륜제]《佛敎》지하(地下) 160만 유순(由旬)되는 곳. 곧, 땅의 밑바닥.

[金陵 금릉] 지금의 난징(南京) 부근 장쑤 성(江蘇省) 안의 지명(地名). 진(晉)나라 때에는 건강(建康)이라 불렀으며, 진(晉)·송(宋)·제(齊)·양(梁)·진(陳)이 모두 이곳에 도읍하였음.

[金利 금리] 돈의 이자.

[金門 금문] 한(漢)의 미앙궁(未央宮)의 문. 문전에 동제(銅製)의 말이 있으므로 이름.

[金馬玉堂 금마옥당] 한대(漢代)의 미앙궁(未央宮) 중의 금마문(金馬門)과 옥당전(玉堂殿) 모두 문학지사(文學之士)가 출사(出仕)하는 곳. 전(轉)하여, 한림원(翰林院)의 이칭(異稱).

[金面 금면] 금빛의 얼굴.

[金毛 금모] 금빛의 털.

[金帽 금모] 금으로 만든 모자.

[金文 금문] ㉠금니(金泥)로 쓴 글자. ㉡금석문(金石文). 종정문(鐘鼎文).

[金門 금문] 금마문(金馬門).

[金箔 금박] 금을 얇은 종이같이 늘인 조각.

[金髮 금발] 노란 머리카락.

[金榜 금방] 과거에 급제한 사람의 이름을 게시하는 방.

[金杯 금배] 금으로 만든 잔.

[金帛 금백] 황금과 비단.

[金魄 금백] '달〔月〕'의 별칭(別稱).

[金法 금법] 시비를 결정하는 법.

[金碧 금벽] 노란빛과 푸른빛. 전(轉)하여, 고운 색채.

[金屛風 금병풍] 금박(金箔)을 올린 병풍.

[金鳳 금봉] 봉선화(鳳仙花).

[金芙蓉 금부용] 햇빛에 비치는 수려한 고산(高山).

[金盆 금분] '달〔月〕'의 별칭.

[金粉 금분] 금가루. 또는 금빛의 가루.

[金不換 금불환] 금전으로 바꿀 수 없는 귀중한 사물. 특히, 명묵(名墨)을 이름.

[金毘羅 금비라] 어신 사형(魚身蛇形)의 영취산(靈鷲山)의 신(神).

[金史 금사] 서명(書名). 125권(卷). 원(元)나라 탁극탁(托克托) 등이 칙명(勅命)을 받들어 금대(金代) 118년의 사실(史實)을 찬(撰)한 기전체(紀傳體)의 사서(史書).

[金砂 금사] 금의 모래.

[金蛇 금사] ㉠뱀의 일종. 전신이 금빛임. ㉡번개. 전광(電光).

[金絲 금사] 금빛의 실.

[金絲雀 금사작] 되샛과에 속하는 새. 종달새 비슷한데 털이 노랗고 울음소리가 고움. 카나리아.

[金絲酒 금사주] 달걍을 풀어 넣고 데운 술.

[金山 금산] ㉠장쑤 성(江蘇省) 전장 현(鎭江縣) 서북(西北) 쪽에 있는 산. ㉡서몽고(西蒙古)의 알타이 산. ㉢금이 나는 산. ㉣금속으로 된 것 같은 견고(堅固)한 산.

[金山玉海 금산옥해] 기우(氣宇)가 뛰어나고 거룩하며 지모(智謀)가 깊은 인격을 이름.

[金商 금상] 가을. 또, 가을의 하늘.

[金相玉質 금상옥질] 황금(黃金)의 질(質)과 주옥(珠玉)의 바탕. 형식(形式)과 내용(內容)이 모두 아름다움의 형용(形容).

[金色 금색] ㉠금빛. ㉡《佛敎》부처의 몸빛.

[金色堂 금색당] 금당(金堂).

[金生水 금생수] 오행(五行)의 운행에 금(金)에서 수(水)가 남을 이름.

[金書鐵券 금서철권] 한대(漢代)에 공신(功臣)을 봉(封)하는 데 쓰던 패(牌).

[金石 금석] ㉠쇠와 돌. ㉡단단한 사물의 비유. ㉢종정(鐘鼎)과 비갈(碑碣). ㉣병기(兵器). ㉤종(鐘)과 경(磬). 쇠로 만든 악기. ㉥장생불사(長生不死)의 약(藥). ㉦광물(鑛物).

[金石契 금석계] 금석과 같이 변하지 아니하는 정의(情誼).

[金石交 금석교] 금석과 같이 변하지 아니하는 굳

8획

은 교분. 금란지계(金蘭之契). 단금지교(斷金之交).

[金石文 금석문] 종정(鐘鼎)·비갈(碑碣) 등에 새긴 글의 총칭.

[金石絲竹匏土革木 금석사죽포토혁목] 여덟 가지 악기. 금(金)은 종(鐘), 석(石)은 경(磬), 사(絲)는 현(絃), 죽(竹)은 관(管), 포(匏)는 생(笙), 토(土)는 훈(壎), 혁(革)은 고(鼓), 목(木)은 축(柷敔).

[金石索 금석색] 서명(書名). 12권(卷). 청(淸)나라 풍운붕(馮雲鵬)의 찬(撰). 은(殷)나라에서 원(元)나라에 이르기까지의 금석(金石)의 그림을 게재(揭載)하여 고증(考證)하였음.

[金石聲 금석성] 금석을 치는 것 같은 아름다운 소리가 난다는 뜻으로, 훌륭한 시문을 이름. 금옥지향(金玉之響).

[金石人 금석인] ㉠금석(金石)과 같이 마음이 굳은 사람. ㉡송(宋)나라 김안절(金安節)을 이름. 안절(安節)이 급사중(給事中)이 되어, 직간(直諫)하여 마지 않으매 장준(張浚)이 이르되, 김급사(金給事)는 금석인(金石人)이라 했음.

[金石之樂 금석지악] 종(鐘)과 경(磬)을 쓰는 음악.

[金石之言 금석지언] 교훈이 되는 귀중한 말. 격언(格言). 금언(金言).

[金石之典 금석지전] 변하지 아니하는 법전(法典).

[金石萃編 금석췌편] 금석학(金石學)의 서(書). 청(淸)나라 왕창(王昶)의 찬(撰). 160권(卷). 3대(代)에서 금(金)까지의 금석문(金石文)을 모아 해석(解釋)을 가(加)한 것.

[金石學 금석학] ㉠광물학(鑛物學). ㉡금석문(金石文)을 연구하는 학문.

[金仙 금선] 석가여래(釋迦如來)의 미칭(美稱).

[金線蛙 금선와] 참개구리.

[金蟬脫殼 금선탈각] 허물을 벗음. 몸을 빼쳐 도망함을 이름.

[金舌蔽口 금설폐구] 혀를 다물고 입을 가림. 입을 굳게 다물고 말을 하지 아니함.

[金蟾 금섬] ‘달〔月〕’의 이칭(異稱). 달 속에 두꺼비가 있다는 데서 나온 말.

[金鑷 금섭] ㉠족집게. ㉡비녀의 종류.

[金星 금성] 태양계(太陽系) 중의 제2 유성(遊星). 저녁에 서쪽 하늘에 보일 때에는 장경성(長庚星), 새벽에 동쪽 하늘에 보일 때에는 계명성(啓明星)이라 일컬음.

[金城 금성] ㉠아주 견고한 성벽(城壁). ㉡아주 견고한 방어. ㉢바깥 성 안에 있는 성. 아성(牙城).

[金聲玉振 금성옥진] ㉠금(金)은 종(鐘)이고 옥(玉)은 경(磬)임. 팔음(八音)을 합주할 때 먼저 종을 쳐 시작하고 마지막에 경을 침. 전(轉)하여, 사물을 집대성(集大成)하는 일. ㉡전자와 후자의 언론 사조(詞藻)가 맥락(脈絡)이 서로 연결되어 모두 일세(一世)의 숭상하는 바 됨을 이름.

[金城鐵壁 금성철벽] ㉠방비가 아주 견고한 성. ㉡아주 견고한 사물의 비유.

[金城湯池 금성탕지] 방비가 아주 견고한 성. 금성철벽(金城鐵壁).

[金素 금소] ㉠‘가을’의 별칭. ㉡상품(上品)의 흰 비단.

[金粟 금속] ㉠금전과 곡식. ㉡《佛敎》유마(維摩)의 이칭(異稱). ㉢월계(月桂)꽃의 딴 이름.

[金屬 금속] 금붙이나 쇠붙이.

[金屬元素 금속원소] 금·은·구리·쇠·우라늄 등의 금속성(金屬性)의 원소.

[金鎖 금쇄] ㉠황금의 사슬. ㉡황금의 자물쇠.

[金綉 금수] 금실로 놓은 수.

[金繡 금수] 금수(金綉).

[金翅鳥 금시조] 불전(佛典)에 있는 괴조(怪鳥). 수미산(須彌山) 북방의 철수(鐵樹)에 살며 입에서 불을 토하여 용(龍)을 잡아먹는다 함. 가루라(迦樓羅).

[金身 금신] 불상(佛像)을 이름.

[金娥 금아] ㉠‘달〔月〕’의 별칭(別稱). ㉡음곡(音曲)의 이름.

[金鴉 금아] 금오(金烏).

[金雁 금안] 가을의 기러기.

[金鞍 금안] 금으로 장식한 안장(鞍裝).

[金鴨 금압] 쇠붙이로 만든 향로(香爐). 모양이 오리같이 되었으므로 이름.

[金鴨]

[金魚 금어] ㉠금으로 만든 어대(魚袋). ㉡금빛의 물고기. ㉢물고기의 이름.

[金言 금언] ㉠교훈이 될 만한 귀중한 말. 격언(格言). ㉡언제까지나 변하지 않는 말. 굳은 맹세의 말.

[金蘂 금예] 국화(菊花).

[金吾 금오] 한대(漢代)의 천자(天子)의 호위병. ‘집금오(執金吾)’의 준말.

[金烏 금오] ‘태양(太陽)’의 별칭(別稱). 해 속에 세 발 달린 까마귀가 있다는 전설에서 나온 말.

[金五京 금오경] 금대(金代)의 다섯의 서울. 곧, 상경(上京)·북경(北京)·남경(南京)·중경(中京)·서경(西京).

[金烏玉兔 금오옥토] 해와 달.

[金玉 금옥] ㉠금과 옥. 황금과 주옥. ㉡귀중하거나 찬미할 만한 사물의 비유.

[金玉君子 금옥군자] 절개가 굳은 군자.

[金玉滿堂 금옥만당] 보배가 방 안에 가득 참. 전(轉)하여, 어진 신하가 조정에 가득함의 비유.

[金玉聲 금옥성] 금석성(金石聲).

[金玉爾音 금옥이음] 함부로 말하지 아니함.

[金屋藏嬌 금옥장교] 부녀(婦女)를 대단히 총애함을 이름.

[金玉之世 금옥지세] 태평 무사한 세상.

[金屋寵 금옥총] 궁인(宮人)이 임금의 총애를 받는 일. 한무제(漢武帝)의 고사(故事)에서 나옴.

[金旺之節 금왕지절] 가을의 절후.

[金牛 금우] ㉠황금(黃金)으로 만든 소. ㉡산시 성(陝西省) 면현(沔縣)에서 쓰촨 성(四川省) 검각현(劍閣縣) 대검관(大劍關)에 이르는 잔도(棧道)의 이름. ㉢저장 성(浙江省) 해령현(海寧縣) 동(東)쪽의 산 이름.

[金牛宮 금우궁] 황도(黃道) 12궁(宮)의 하나.

[金融 금융] ㉠돈의 융통. ㉡돈의 수요 공급의 경제상 관계.

[金銀 금은] ㉠금과 은. ㉡통용하는 화폐(貨幣).

[金衣公子 금의공자] ‘꾀꼬리’의 이명(異名).

[金夷 금이] 금이(金痍).

[金珥 금이] 금으로 만든 귀고리.

[金痍 금이] 금창(金瘡).

[金人 금인] 금속으로 만든 사람의 상(像).

[金印 금인] 금으로 만든 인장. 장군(將軍)이 쓰는

8획

도장. 또, 고귀(高貴)한 사람의 도장.

[金子 금자] ㉠금빛의 종자. ㉡돈. 금전(金錢).

[金紫 금자] 금으로 만든 인과 자줏빛의 인끈. 곧, 고관의 인과 인끈. 전(轉)하여, 재상 귀현(宰相貴顯)의 뜻.

[金字牌 금자패] 금니(金泥)로 써서 급사(急使)를 띄워 보내는 조서(詔書).

[金爵 금작] 금으로 만든 술잔.

[金雀兒 금작아] 콩과에 속하는 상록 관목(常綠灌木). 금작지(金雀枝). 금작화(金雀花).

[金雀枝 금작지] 금작아(金雀兒).

[金雀花 금작화] 금작아(金雀兒). 「名」

[金盞銀臺 금잔은대] 수선화(水仙花)의 이명(異名).

[金盞花 금잔화] 국화과에 속하는 일년생 관상용 화초. 금송화(金松花).

[金簪 금잠] 금비녀(金釵).

[金簪草 금잠초] 민들레.

[金張 금장] 김장(金張).

[金裝 금장] ㉠금제(金製). 금으로 만듦. ㉡훌륭한 차림. ㉢갑주(甲冑)의 차림.

[金裝刀 금장도] 금으로 만든 칼.

[金章玉句 금장옥구] 금옥(金玉)처럼 훌륭한 시가(詩歌)·문장(文章). 월장성구(月章星句).

[金漿玉醴 금장옥례] ㉠금장과 옥례. 모두 선약(仙藥) 이름. ㉡미주(美酒)의 이름.

[金張七葉 금장칠엽] 김장칠엽(金張七葉).

[金狄 금적] ㉠동상(銅像)을 이름. ㉡부처를 이름.

[金鈿 금전] 금차(金釵).

[金殿 금전] 금으로 장식한 전각(殿閣).

[金箭 금전] 물시계의 물을 받는 병 속에 꽂아 놓은 금속제(金屬製)의 화살. 눈금이 새겨져 있어 시간의 경과를 나타냄.

[金錢 금전] ㉠돈. ㉡금화(金貨).

[金殿玉樓 금전옥루] 화려한 전각(殿閣).

[金精 금정] ㉠금의정(精). 곧, 달을 이름. ㉡금성(金星)의 별칭.

[金堤 금제] 쇠로 만든 둑. 아주 튼튼한 둑을 이름.

[金齏玉膾 금제옥회] 맛있는 요리.

[金蜩 금조] 금으로 만든 매미의 장식이 있는 관(冠). 환관(宦官)이 씀.

[金鐘兒 금종아] 귀뚜라밋과에 속하는 벌레. 가을에 방울 소리를 내며 욺. 방울벌레.

[金主 금주] 돈 임자. 전주(錢主).

[金州 금주] ㉠관동주(關東州) 금주 반도(金州半島)에 있는 도시(都市). 청일(淸日)·러일 전쟁의 고전장(古戰場). ㉡주명(州名). 산시 성(陝西省) 안캉 현(安康縣)에 있음. 남송(南宋) 때 금장(金將) 살리갈(撒離曷)이 송군(宋軍)과 싸운 곳.

[金奏 금주] 금속제의 악기. 곧, 종(鐘) 같은 것.

[金竹 금죽] ㉠대의 일종. 황금죽(黃金竹). ㉡쇠붙이로 만든 악기의 소리와 대로 만든 관악기의 소리. 「듯.

[金尊 금준] 금으로 장식한 술 그

[金樽 금준] 금준(金尊).

[金繒 금증] 금과 비단. 전(轉)하여, 재화(財貨).

[金池 금지] 벼루[硯]의 딴 이름.

[金枝玉葉 금지옥엽] ㉠황족(皇族). 왕족(王族).

[金尊]

수목(樹木)에 비유한 말. ㉡아름다운 구름의 형용. 아름다운 초목(草木)에 비유한 말.

[金釵 금차] 금비녀.

[金札 금찰] ㉠금으로 만든 패(牌). ㉡금화(金貨) 대용의 지폐(紙幣).

[金刹 금찰] 절. 사원(寺院).

[金創 금창] 금창(金瘡).

[金瘡 금창] 칼 같은 쇠붙이에 다친 상처.

[金策 금책] ㉠금으로 만든 패(牌). ㉡금으로 만든 지팡이.

[金天 금천] 가을 하늘. 오행설(五行說)에서, 금(金)은 가을에 배당함.

[金鐵 금철] ㉠금과 쇠. 전(轉)하여, 견고한 사물의 비유. ㉡철제(鐵製)의 형구(刑具).

[金貂 금초] 금당(金璫)과 초미(貂尾)로 장식한 관(冠). 후세에 시종하는 사람이 많이 이 관을 썼으므로, 전(轉)하여 지위가 높은 근신(近臣)의 뜻으로 씀.

[金鍼度人 금침도인] 금바늘을 남에게 내어 줌. 곧, 비결을 가르쳐 줌을 이름.

[金柝 금탁] 진중(陣中)에서 경계하기 위하여 치는 징과 딱따기.

[金鐸 금탁] 쇠로 만든 추(錘)를 단 큰 방울. 옛날에 무사(武事)에 관한 명령을 내릴 때 울렸음. '목탁(木鐸)' 참조.

[金鐲 금탁] 금팔찌.

[金湯 금탕] '금성탕지(金城湯池)'의 준말.

[金湯之固非粟不守 금탕지고비속불수] 견고한 성(城)도 양식이 떨어지면 지킬 수 없음.

[金鐸]

[金胎兩部 금태양부] 금강계(金剛界)와 태장계(胎藏界).

[金兔 금토] '달[月]'의 별칭(別稱). 달 속에 토끼가 살고 있다는 전설에서 나온 말.

[金波 금파] ㉠달빛. ㉡달빛에 비쳐 금빛으로 빛나는 물결.

[金葩 금파] 금빛의 꽃. 주로 국화꽃을 이름.

[金牌 금패] 금으로 만든 패.

[金幣 금폐] 금화(金貨).

[金鑣 금표] 금으로 만든 재갈.

[金風 금풍] 가을바람. 금(金)은 오행설(五行說)에서 가을임. 추풍(秋風).

[金荷 금하] 촛대. 촉대(燭臺).

[金榼 금합] 금준(金尊).

[金革 금혁] 병기(兵器)와 갑주(甲冑). 전(轉)하여, 전쟁(戰爭).

[金革之世 금혁지세] 전쟁이 끊이지 아니하는 난세. 전란의 세상.

[金穴 금혈] ㉠금갱(金坑). ㉡금을 보관한 곳간. ㉢큰 부자. 재산가.

[金戶 금호] 금으로 만든 집.

[金虎 금호] ㉠'태양(太陽)'의 별칭(別稱). ㉡금성(金星)과 묘성(昴星). 이 두 별이 접근한 때에는 전란(戰亂)이 있다고 함.

[金壺 금호] ㉠물시계. 누각(漏刻). ㉡금속제의 술병.

[金虎符 금호부] 금으로써 범 모양으로 만든 부절(符節).

[金婚式 금혼식] 결혼한 지 만 50년 되는 날을 축하하는 식.

[金貨 금화] 금으로 만든 돈.

8 획

[金丸 금환] ㉠'달'의 이명(異名). 금경(金鏡). 금분(金盆). ㉡금속제의 탄환.

[金環 금환] 금반지. 금가락지.

[金環食 금환식] 금환식(金環蝕).

[金環蝕 금환식] 태양이 고리 모양으로 뵈는 일식(日蝕).

[金聖嘆 김성탄] 명말(明末) 청초(淸初)의 문예 비평가. 본디 성명은 장채(張采). 양자(養子)로 가서 개명(改名)하였다 함. 이름은 위(喟) 또는 인서(人瑞). 성탄(聖嘆)은 자(字)임. 장주(長洲) 사람. 수호전(水滸傳)·서상기(西廂記) 등을 개작(改作)했으며, 소설·사곡(詞曲)의 평해(評解)를 잘하였음. 불경죄(不敬罪)로 사형됨.

[金履祥 김이상] 송말(宋末) 원초(元初)의 학자. 난계(蘭谿) 사람. 송학(宋學)에 통하며 '대학소의(大學疏義)'·'상서표주(尙書表注)' 등을 저술(著述)하였음. 인산(仁山) 밑에 있었으므로 인산 선생(仁山先生)이라 일컬어졌음.

[金日磾 김일제] 한무제(漢武帝) 때의 사람. 흉노(匈奴) 휴도왕(休屠王)의 태자(太子)인데 무제(武帝)를 섬겨 시중(侍中)으로서 신애(信愛)를 받았음.

[金張 김장] 한(漢)나라 선제(宣帝) 때에 영화(榮華)를 누린 김일제(金日磾)와 장안세(張安世)의 가족. 전(轉)하여, 권력이 있는 귀족.

[金張七葉 김장칠엽] 김일제(金日磾)와 장안세(張安世)의 자손이 일곱 대 동안 천자를 가까이하여 영화를 누린 고사(故事).

[金弘道 김홍도] 조선 영조(英祖) 때의 서화가. 자(字)는 사능(士能), 호는 단원(檀園). 궁중에 출사(出仕)하여 절묘한 필치로 많은 그림을 그렸음.

●釀金. 擊金. 兼金. 瓜子金. 掘金. 基金. 南金. 斷金. 代金. 貸金. 淘金. 鍍金. 鈍金. 萬金. 亡金. 滅金. 募金. 美金. 璞玉渾金. 返金. 白金. 百兩金. 罰金. 餠金. 賦金. 備金. 私金. 沙金. 砂金. 詐金. 賜金. 謝金. 爍金. 上金. 賞金. 償金. 誠金. 稅金. 屑金. 銷金. 笑騮金. 速金. 碎金. 手金. 受金. 純金. 視金. 惡金. 愛金. 冶金. 陽邁金. 年金. 捐金. 鍊金. 預金. 料金. 燿金. 鬱金. 元金. 僞金. 僞黃金. 柔金. 遺金. 義金. 利金. 泥金. 二人同心其利斷金. 人造金. 一刻千金. 一攫千金. 賃金. 入金. 資金. 紫磨金. 殘金. 齎金. 貯金. 赤金. 積金. 鑄金. 點鐵成金. 雕金. 酌金. 鈷金. 鑄金. 衆口鑠金. 中流失舟一壺千金. 地金. 眞金. 借金. 借墨如金. 嚭金. 千金. 靑金. 春宵一刻直千金. 駱金. 汰金. 投金. 陷金. 獻金. 現金. 懸金. 好金. 渾金. 黃金. 懷金. 黑金.

¹₉ [釓] 釚(次條)와 同字

²₁₀ [釚] 구 ㉻尤 巣尤切 qiú

字解 ①쇠뇌고동 구 쇠뇌를 쏘는 장치. 釚(次條)와 同字 '一, 弩機謂之一, 或从니'《集韻》. ②끌 구정. 구멍을 뚫는 연장. 銶(金部 七畫)와 통용. '銶, 鑿屬, 通作一'《集韻》.

²₁₀ [釙] 釚(前條)와 同字

²₁₀ [釟] 〔도〕 刀(部首〈p.239〉)와 同字

²₁₀ [釚] 〔란〕 亂(乙部 十二畫〈p.67〉)의 俗字

²₁₀ [釙] 박 ㊀覺 匹角切 pò 釙

字解 조광(粗鑛) 박 무쇠의 원광(原鑛). '一, 金酺'《集韻》.

²₁₀ [釛] 팔 ㊀點 布拔切 bā

字解 불릴 팔 쇠붙이를 야금(冶金)함. '一, 冶金謂之一'《集韻》.

²₁₀ [釛] 핵 ㊀職 胡刻切 hé

字解 황금 핵, 쇠붙이 핵 '一, 金也'《玉篇》.

²₁₀ [釕] 조 ㊀篠 都了切 liǎo 釕釕

字解 재갈 조 '一轡'는 아름답게 장식한 말의 재갈. '一轡藻轙'《唐書》.

[釕轡 조비] 자해(字解)를 보라.

²₁₀ [釗] ㊀人名 ㊀소(조) ㊀蕭 止遙切 zhāo ㊁교 ㉻蕭 古堯切 zhāo ㊂쇠 釗

筆順 ノ 人 ᄼ 全 金 釒 釗 釗

字解 ㊀①볼 소 만나 봄. '一我周王'《逸周書》. ②깎을 소, 勉也. '釗也'《說文》. ③쇠뇌고동 소 '一, 亦弩牙'《廣韻》. ④성 소 성(姓)의 하나. ㊁사람이름 교 주(周)나라 강왕(康王)의 이름. '康王一'《史記》. ㊂(韓) 쇠 쇠 철(鐵). 금속(金屬). 또, 어린아이나 종의 이름으로 쓰임. '쇠'

字源 篆文 釗 會意. 金+刂(刀). 금속제의 날붙이로 깎다의 뜻을 나타냄.

²₁₀ [釘] 정 ㊀①㊀靑 當經切 dīng ㊁②㊀徑 丁定切 dìng 釘釘

字解 ①못 정 박는 데 쓰는, 쇠·대 같은 것으로 만든 물건. '以所貯竹頭爲一, 裝船'《晉書》. ②박을 정 못 같은 것을 박음. '裝一'. '以棘針一其心'《晉書》.

字源 篆文 釘 形聲. 金+丁〔音〕. '丁정'은 못을 본뜬 것. 뒤에 '金금'을 덧붙임.

[釘頭 정두] 못대가리. ●撞釘. 銅釘. 拔釘. 浮漚釘. 鏽釘. 眼中釘. 銀釘. 裝釘. 竹頭釘. 竹釘. 閂釘. 朽釘.

²₁₀ [針] ㊀中人 침 ①②㊀侵 職深切 zhēn ③㊀沁 之任切 针针

筆順 ノ 人 ᄼ 全 金 釒 金 針

字解 ①바늘 침, 침 침 鍼(金部 九畫)과 同字 ㉠현재는 보통 꿰매는 바늘은 '一', 침놓는 바늘, 곧 침은 '鍼'자를 씀. '病結積在內, 一藥所不能及'《魏志》. ㉡바늘 모양을 한 것. '磁一'.

②성 침 성(姓)의 하나. ③바느질할 침 '因命染
人與一女'《白居易》.
字源 形聲. 金+十〔音〕. '鍼침'의 異體字.

[針工 침공] 바느질.
[針孔 침공] 바늘귀.
[針灸 침구] 침질과 뜸질. 침구(鍼灸).
[針口魚 침구어] 공미리.
[針女 침녀] 바느질하는 여자.
[針路 침로] ㉠자석의 지침이 가리키는 방향. 배
가 가는 방향. ㉡방향.
[針母 침모] 남의 바느질을 하여 주고 삯을 받는
여자.
[針線 침선] 바늘과 실. 바느질. 침선(鍼線).
[針小棒大 침소봉대](韓) 바늘만 한 작은 것을
몽둥이처럼 크다고 말함. 곧, 작은 일을 크게
허풍 떨어 말함.
[針術 침술] 침을 놓아 병을 고치는 의술. 침술(鍼
術).
[針才 침재] 바느질 재주.
[針砭 침폄] 의료에 쓰는 쇠로 만든 침과 돌침. 전
(轉)하여, 경계·교훈. 침폄(鍼砭).
●檢針. 古針. 灸針. 棘針. 短針. 磨針. 綿裏針.
茅針. 方針. 縫針. 細針. 按針. 秒針. 運針.
磁針. 長針. 藏針. 釦針. 頂門一針. 指針. 秒
針. 玄針. 懸針.

²⁄₁₀ [釜] 人名 부 ㊄麌 扶雨切 fǔ

字解 ①가마솥 부 원은 큰 솥
의 뜻이었으나, 널리 솥의 뜻
으로 쓰임. '鍋一'. '維錡及
一'《詩經》. ②용량의단위 부
곡식 같은 것을 되는 단위.
말 넉 되. 우리나라의 대여섯
되에 해당함. '與之一'《論語》.
字源 籀의 別體 形聲. 金+父〔音〕. '䈤부'의 別體.

[釜①]

[釜鬲 부력] 가마솥과 다리 굽은 솥.
[釜庾 부유] 부(釜)는 중국 되로 엿 말 넉 되, 유
(庾)는 중국 되로 열여섯 말. 얼마 안 되는 벼
라는 뜻.
[釜竈 부조] 솥과 부엌.
[釜中生魚 부중생어] 오래 밥을 하지 못하여 솥 안
에 물고기가 생김. 극빈(極貧)의 형용. 후한(後
漢)의 범염(范冉)이 가난하여 이따금 끼니를
굶은 고사(故事).
[釜中魚 부중어] 솥 안에서 노는 물고기. 생명이
오래 남지 않은 사람, 또는 동물의 비유.
[釜甑 부증] 솥과 시루.
●鍋釜.

²⁄₁₀ [釜] 釜(前條)와 同字

³⁄₁₁ [釣] 人名 조 ㊂嘯 多嘯切 diào

筆順 ^ ㅅ 午 全 金 釒 釣 釣

字解 ①낚시 조 고기를 낚는 굽은 바늘 모양의
물건. '還有魚兒上一來'《戴表元詩》. ②낚시질

조 고기를 낚는 일. '屠一卑事也'《宋書》. ③낚
을 조 ㉠고기를 낚시로 잡음. 낚시질함. '一千
世之鯉'《淮南子》. ㉡유혹함. 꾐. '以利一人'.
'虞君好寶, 而晉獻以璧馬, 一之'《淮南子》. ㉢
탐내어 구함. '一名'. ④성 조 성(姓)의 하나.
字源 篆 形聲. 金+勺〔音〕. '금금'은 '금속'의
뜻. '勺작'은 물건을 떠내는 국자의
象形으로 '떠내다'의 뜻. 물고기를 낚아 올리
는 '낚시'의 뜻을 나타냄.

[釣竿 조간] 낚싯대.
[釣鉤 조구] 낚싯바늘.
[釣臺 조대] 낚시터.
[釣徒 조도] 낚시질하는 무리.
[釣名 조명] 명예를 구함.
[釣緡 조민] 낚싯줄.
[釣船 조선] 고기를 낚는 배.
[釣叟 조수] 낚시질하는 노인.
[釣詩鉤 조시구] 주흥(酒興)을 빌려 시사(詩思)
를 낚는 뜻. 곧, '술〔酒〕'의 이칭(異稱).
[釣魚 조어] 고기를 낚음. 낚시질함.
[釣遊 조유] 낚시질하며 놂. 속(俗)에 고향을 조유
구지(釣遊舊地)라 함.
[釣艇 조정] 조선(釣船).
[釣舟 조주] 조선(釣船). 「집.
[釣戶 조호] 낚시질을 업으로 하는 사람. 또, 그의
●耕釣. 屠釣. 獨釣. 晩釣. 上釣. 垂釣. 魚釣.
漁釣. 弋釣. 沈釣. 投釣. 下釣. 開釣.

³⁄₁₁ [釤] 삼 ①㊄陷 所鑑切 shàn
②㊂咸 師咸切 shān

字解 ①낫 삼 풀을 베는 큰 낫. '鑟一鉏劚'《韓
愈》. ②성 삼 성(姓)의 하나.
字源 形聲. 金+彡〔音〕

[釤利 삼리] 선명(鮮明)함.

³⁄₁₁ [鈔] 초 ㊤篠 親小切 qiāo

字解 아름다울 초 미호(美好)함.
字源 形聲. 金+小〔音〕

³⁄₁₁ [釩] 범 ①②㊤豏 峰范切 fǎn
③④㊄陷 孚梵切 fàn, ④fán

字解 ①떨 범 떨어냄. '一, 拂也'《玉篇》. ②그릇
범 기물(器物). '一, 器也'《集韻》. ③술잔 범 盈
(皿部 五획)과 同字. '盈, 盌滷, 杯也, 或
作一'《集韻》. ④화학원소의이름 범 바나듐
(Vanadium)을 이름. '一, 化學元質之一, 金屬,
或譯鑮'《中華大字典》.

³⁄₁₁ [釦] 구 ㊤有 苦后切 kòu

字解 ①금테두리할 구 금은으로 기명(器皿)의
가장자리를 장식함. '其蜀漢一器'《後漢書》. ②
아로새길 구 교묘하게 새기고 거기에 금을 주옥
등을 박음. '玄墀一砌'《班固》. ④떠들 구 종 같
은 것을 치며 환호함. '三軍皆譁一'《國語》. ④
단추 구, 옷고름 구 '俗謂衣紐曰一'《正字通》.
字源 篆文 形聲. 金+口〔音〕. '口구'는 '입'의 뜻.
쇠붙이 기물(器物)의 주둥이나 가장

자리를 장식하다의 뜻을 나타냄.

[釦器 구기] 금은(金銀)으로 테를 둘러 장식한 그릇.
[釦鈕 구뉴] 단추.
[釦鼻子 구비자] 단춧구멍.
[釦砌 구체] 옥(玉)을 박아 꾸민 섬돌.
◉金釦. 鈕釦. 銀釦. 譁釦.

3 ⑪ [釧] 人名 천 (去)霰 尺絹切 chuàn

字解 ①팔가락지 천 팔목에 끼는 고리 같은 장식품. 비환(臂環). 팔찌. '玉—'. '珍玉名—'《何偃》. ②성 천 성(姓)의 하나.
字源 篆文 形聲. 金+川〔音〕. '川천'은 '돌다'의 뜻. 팔이나 목에 두르는 금속 고리의 뜻을 나타냄.

[釧臂 천비] 팔찌를 낀 팔.
◉金釧. 名釧. 寶釧. 玉釧. 腕釧. 銀釧. 釵釧. 鐶釧.

3 ⑪ [釪] 人名 우 (平)虞 雲俱切 yú

筆順 ノ 𠆢 亼 全 㑒 金 釒 釪

字解 ①창고달 우 창(槍) 같은 것의 자루 끝을 싼, 쇠붙이로 만든 원추형(圓錘形)의 물건. '鐏謂之—'《揚子方言》. ②바리때 우 중의 밥그릇. '自是鉢—後王何人也'《世說》.
字源 形聲. 金+于〔音〕

3 ⑪ [釲] 시 (上)紙 象齒切 sì

字解 ①거친쇠 시 원광(原鑛). 鉬(金部 五畫)와 同字. '鉬, 博雅, 鉬鉛, 鋌也, 或作—'《集韻》. ②금덩이 시 금의 작은 덩이. '—, 金子'《玉篇》.

3 ⑪ [釫] 호 (平)虞 洪孤切 wū

字解 흙손 호 흙을 바르는 연장.
字源 篆文 形聲. 金+亏〔音〕

3 ⑪ [釬] 한(②간本) (去)翰 侯旰切 hàn

字解 ①팔찌 한 활 쏠 때에 왼쪽 팔뚝에 대어, 활시위에 맞지 않게 막는 제구. '弛弓脫—'《管子》. ②급할 한, 켕길 한 촉급함. '有緩而—'《莊子》.
字源 篆文 形聲. 金+干〔音〕. '干간'은 '막다, 지키다'의 뜻. 싸울 때 착용하는 팔찌의 뜻을 나타냄.

◉脫釬.

3 ⑪ [釭] ■강 (平)江 古雙切 gāng
■공 (平)東 古紅切 gōng

字解 ■①등잔 강 등불을 켜는 그릇. ②등불 강 등잔불. '金—'. '蘭—當夜明'《謝朓》. ③바퀴통쇠 강 바퀴통의 구멍에 끼는 철관(鐵管). '車—'. ■ 화살촉 공 전촉(箭鏃).
字源 篆文 形聲. 金+工〔音〕. '工공'은 '꿰뚫다'의 뜻. 바퀴통에 끼워 마멸을 막는 철관의 뜻을 나타냄.

◉金釭. 冬釭. 晨釭. 銀釭. 殘釭. 車釭. 寒釭. 曉釭.

3 ⑪ [釱] ■체 (去)霽 特計切 dì
■대 (去)泰 徒蓋切 dài

字解 ■ 차꼬 체 죄인의 발목을 채우는 형구(刑具). '敢私鑄鐵器煮鹽者, —左趾'《史記》. ■ 비녀장 대 수레의 굴대 머리에 지르는 물건. '肆玉—而下馳'《漢書》.
字源 金文 篆文 形聲. 金+大〔音〕

◉鉗釱. 玉釱.

3 ⑪ [釵] ■채 (平)佳 楚佳切 chāi
■차 (平)麻 初加切 chā

字解 ■ 비녀 채 두 갈래로 된 비녀. '金—'. '荊—'. '玉—挂臣冠'《司馬相如》. ■ 비녀 차 ■과 뜻이 같음.
字源 篆文 形聲. 金+叉〔音〕. '叉차'는 '두 갈래'의 뜻. 두 갈래 진 비녀의 뜻을 나타냄.

[釵梳 차소] 비녀와 빗.
[釵釧 차천] 비녀와 팔찌.
◉裙釵. 金鳳釵. 金釵. 寶釵. 松釵. 玉釵. 銀釵. 雀釵. 翠釵. 荊釵. 花釵. 攫釵.

3 ⑪ [釳] 흘 (入)物 許訖切 xì

字解 말머리장식 흘 천자의 수레를 끄는 말의 머리의 장식. 방흘(防釳). '方—左纛'《張衡》.
字源 篆文 形聲. 篆文은 金+气〔音〕

3 ⑪ [釨] 걸 (入)屑 吉列切 jié

字解 창 걸 날이 없는 창. '凡戟而無刃, 秦晉之閒謂之—'《揚子方言》.
參考 釨(次條)는 別字.

3 ⑪ [釨] 자 (上)紙 祖似切 zǐ

字解 강할 자 쇠가 단단함. '—, 剛也'《集韻》.
參考 釨(前條)은 別字.

3 ⑪ [釰] 일 (入)質 入質切 rì

字解 ①무딜 일 날카롭지 못함. 둔함. '—, 鈍也'《集韻》. ②화학원소의이름 일 크세논(Xenon)을 이름.

3 ⑪ [釴] 익 (入)職 與職切 yì

字解 솥귀 익 솥 겉에 달린 귀. '鼎附耳外, 謂之—'《爾雅》.

3 ⑪ [釶] 〔시〕
鍦(金部 九畫〈p.2406〉)와 同字

3 [鈍] 〔둔〕
⑪ 鈍(金部 四畫〈p. 2379〉)과 同字

3 [鈼] 〔망〕
⑪ 鋩(金部 七畫〈p. 2396〉)의 俗字

4 [釜] 〔부〕
⑫ 釜(金部 二畫〈p. 2377〉)의 本字

4 [鈓] 〔임〕
⑫ 銋(金部 六畫〈p. 2391〉)과 同字

4 [鈲] [一] 벽 [入]錫 匹歷切 pī
⑫ [二] 백 [入]陌 匹麥切

[字解] [一] 갈이그릇 벽 나무를 파서 만든 그릇. '一挸兼呈'《左思》. [二] 깰 백 부숨. '鉤一析亂而已'《漢書》.
[字源] 篆文 會意. 金＋爪. '爪조'는 '손톱'의 뜻. 손톱으로 째듯이 칼로 베다의 뜻을 나타냄. 本字는 '鎃'으로 金＋𠂢〔音〕의 形聲. '𠂢파'는 '갈라지다'의 뜻. 쇠붙이로 된 날붙이로 가르다, 째다의 뜻을 나타냄.

◉鉤鈲.

4 [釿] [一] 근 [平]文 擧欣切 jīn
⑫ [二] 은 [平]文 魚斤切 yín

[字解] [一] 자귀 근 斤(部首)과 同字. '一鋸制焉, 繩墨殺焉, 椎鑿決焉'《莊子》. [二] ①대패 은 나무를 밀어 깎는 연장. ②밀 은 대패로 밀어 깎음. '用此一之'《釋名》.
[字源] 篆文 形聲. 金＋斤〔音〕. '斤근'은 잘게 쪼개는 자귀의 象形. '金금'을 더하여 '자귀'의 뜻을 나타냄.

[釿鋸 근거] 자귀와 톱.
[釿鍔 근악] 기물(器物)의 들쭉날쭉한 가장자리.

4 [鈀] 파 [平]麻 伯加切 bā, ②pá
⑫

[字解] ①병거 파 전쟁에 쓰는 수레. '晨夜內一車'《司馬法》. ②쇠스랑 파 耙(耒部 四畫)와 同字.
[字源] 篆文 形聲. 金＋巴〔音〕

4 [鈇] 부 [平]虞 甫無切 fū
⑫

[字解] 도끼 부 형구(刑具)로 쓰이는 큰 도끼. '民威于一鉞'《中庸》.
[字源] 篆文 形聲. 金＋夫〔音〕. '夫부'는 '斧부'와 통하여 '도끼'의 뜻. '金금'을 더하여 '도끼'의 뜻을 나타냄.

[鈇鉞 부월] 작은 도끼와 큰 도끼. 모두 형구(刑具).
[鈇質 부질] 부질(鈇鑕).
[鈇鑕 부질] 도끼로 허리를 베는 형벌. 또, 그 형구(刑具).

4 [鈍] [高·人] 둔 [去]願 徒困切 dùn 钝
⑫

[筆順] ⺈ 스 수 숲 金 金一 鈩 鈍

[字解] ①무딜 둔 끝이나 날이 날카롭지 아니함. '利一'. '莫邪爲一兮, 鉛刀爲銛'('銛'은 '銳')《漢書》. ②무디어질 둔, 무디게할 둔 '兵不一鋒'《陳琳》. ③굼뜰 둔 행동이 느림. '遲一'. '吶一於辭'《漢書》. ④우둔할 둔 미련함. '愚一'. '頑一嗜利無恥者'《史記》.
[字源] 篆文 形聲. 金＋屯〔音〕. '屯둔'은 '頓돈'과 통하여, 실족하여 넘어지다의 뜻. 실족하여 넘어지듯이 잘 들지 않는 날붙이의 뜻에서, '둔하다'의 뜻을 나타냄.

[鈍角 둔각] 직각(直角)보다 큰 각.
[鈍感 둔감] 감각이 무딤. 또는 무딘 감각.
[鈍根 둔근] 둔한 재주.
[鈍金 둔금] 무딘 연장.
[鈍器 둔기] ㉠무딘 연장. ㉡둔재(鈍才).
[鈍刀 둔도] 무딘 칼. 잘 들지 아니하는 칼. 연도(鉛刀).
[鈍馬 둔마] 굼뜬 말.
[鈍冥 둔명] 굼뜨고 흐림. 우둔하고 혼명(昏冥)함.
[鈍悶 둔민] 감정이 둔하여 인정(人情)이 없음.
[鈍兵 둔병] ㉠무딘 병기. ㉡굼뜬 병사. ㉢병사를 굼뜨게 함.
[鈍步 둔보] 굼뜬 걸음. 더딘 걸음걸이.
[鈍頑 둔완] 우둔하고 완고함. 어리석고 고집이 셈.
[鈍才 둔재] 둔한 재주. 또, 그 사람.
[鈍賊 둔적] 미련한 도둑. 남의 시구(詩句)를 표절(剽竊)하는 자를 욕하는 말.
[鈍質 둔질] 둔근(鈍根).
[鈍磔 둔책] 자획(字畫)의 오른쪽이 처지게 쓰는 필법(筆法).
[鈍濁 둔탁] 성질이 둔하고 흐리터분함.
[鈍敝 둔폐] 병기(兵器)가 무디고 낡음.
[鈍弊 둔폐] 둔폐(鈍敝).
[鈍筆 둔필] 재치 없는 글씨.
[鈍漢 둔한] 아둔한 사람. 미련한 사람.
[鈍惛 둔혼] 우둔함. 어리석음.
◉老鈍. 駑鈍. 魯鈍. 磨鈍. 蒙鈍. 樸鈍. 鄙鈍. 銛鈍. 闇鈍. 鉛鈍. 頑鈍. 愚鈍. 利鈍. 遲鈍. 椎鈍. 癡鈍. 朽鈍.

4 [鈐] [人名] [一] 검 [平]鹽 巨淹切 qián 鈐
⑫ [二] 근 [平]眞 巨巾切 qín

[字解] [一] ① 비녀장 검 굴대 머리에 지르는 못같이 생긴 물건. ②자물쇠 검 여닫는 물건을 잠그는 쇠. '六藝之一鍵'《爾雅 序》. ③찍을 검 도장을 찍음. '一印'. '一璽'. [二] 창자루 근 矜(矛部 四畫)과 同字. '矛其柄謂之一'《揚子方言》.
[字源] 篆文 形聲. 金＋今〔音〕. '今금'은 '누르다'의 뜻. 수레의 굴대를 누르는 금속제의 '비녀장'의 뜻을 나타냄.

[鈐鍵 검건] ㉠자물쇠와 열쇠. ㉡사물의 가장 중요한 곳. 관건(關鍵).
[鈐韜 검도] 자물쇠를 장치한 포대. 전(轉)하여, 비밀히 하여 남에게 알리지 않는 무술(武術)·병법(兵法).
[鈐印 검인] 도장을 찍음.
[鈐制 검제] 자유로이 제어(制御)함.
◉鉤鈐. 韜鈐. 兵鈐. 玉鈐. 樞鈐.

4 [鈅] 월 [入]月 魚厥切 yuè
⑫

[字解] 무기(武器) 월 병기(兵器). '一, 兵器'《集韻》.

4 ⑫ [鈑] [人名] 판 [上]潸 布綰切 bǎn 钣

[字解] ①금화 판 떡 모양으로 된 금의 화폐. '祭五帝, 供金一'《周禮》. ②널조각 판 板(木部 四畫)과 통용. '金一六弢'《莊子》.
[字源] 形聲. 金+反〔音〕

◉金鈑.

4 ⑫ [鈊] [一] 침 [平]侵 思林切 xīn
[二] 심 [去]沁 七鴆切 qìn

[字解] [一] ①금속(金屬)의이름 침 '一, 金名'《玉篇》. ②화학원소의이름 침 가돌리늄(Gadolinium)을 이름. '一, 化學原質之一, 金屬'《中華大字典》. [二] 날카로울 심 '一, 利也'《集韻》.

4 ⑫ [鈒] 삽 [入]合 蘇合切 sà

[字解] ①창 삽 무기의 한 가지. '一戟'. '擧一成雲, 下一成雨'《陸雲》. ②아로새길 삽 누각(鏤刻)함. '一鏤'.
[字源] [篆文] 形聲. 金+及〔音〕

[鈒鏤 삽루] 아로새김. 누각(鏤刻).
◉擧鈒. 下鈒.

4 ⑫ [鈔] 초 ①-④[平]肴 楚交切 chāo
⑤[去]效 初教切 chào
⑥[上]篠 齒紹切 chǎo 钞

[字解] ①노략질할 초 약탈함. '一略'. '攻一郡縣'《後漢書》. ②베낄 초 ㉠그대로 옮겨 씀. '好讀書, 或手自一寫'《晉書》. ㉡필요한 대목만 베낌. '拔一'. '溫公自一纂通鑑之要'《郡齋讀書志》. ③초 초 초록. 발록(拔錄). '天文集要一二卷'《隋書》. ④성 초 성(姓)의 하나. ⑤지전 초 지폐. '交一'. 또, 정부가 발행하는 영수증·증서·수표 따위. 관부(官符). ⑥끝 초 杪(木部 四畫)와 통용. '敎行於一'《管子》.
[字源] [篆文] 形聲. 金+少〔音〕. '少소'는 '깎다, 조금'의 뜻. 조금 노략질하다, 손가락으로 집다의 뜻을 나타냄. 파생하여 뽑아서 베끼다의 뜻을 나타냄.

[鈔劫 초겁] 약탈함. 노략질함.
[鈔關 초관] 명대(明代)에 배에 실은 화물을 취체하고 과세하던 관아(官衙). 세관(稅關).
[鈔校 초교] 책을 베끼며 틀린 곳을 고침.
[鈔盜 초도] 협박하여 빼앗음. 겁도(劫盜).
[鈔略 초략] 노략질함.
[鈔錄 초록] ㉠베껴 씀. ㉡필요한 부분만을 뽑아서 적음.
[鈔本 초본] 초(抄)한 책. 초본(抄本).
[鈔寫 초사] 책을 베낌. 초사(抄寫).
[鈔引 초인] ㉠송대(宋代)의 지폐(紙幣)의 한 가지. ㉡발췌(拔萃)함. 또, 그것.
[鈔暴 초포] 약탈함. 폭행을 함.
◉劫鈔. 交鈔. 寇鈔. 盜鈔. 手鈔. 銀鈔. 造鈔. 暴鈔. 昏鈔.

4 ⑫ [鈂] [一] 침 ①-④[平]侵 直深切 chén
⑤[平]沁 知鴆切 zhèn
[二] 심 [平]侵 昨淫切 qín

[字解] [一] ①가래 침 농구(農具)의 하나. '一, 臿屬也'《說文》. ②쇠공이 침 '一, 鐵杵也'《六書統》. ③쇠바늘 침 '一, 鐵鑯'《六書故》. ④팔 침 땅을 팜. '欥, 掘也. 一, 上同'《廣韻》. ⑤무거울 침 '一, 重也'《集韻》. [二] 가래 심, 쇠공이 심, 쇠바늘 심, 팔 심 [一]❶-❹와 뜻이 같음.
[字源] 形聲. 金+冘〔音〕

4 ⑫ [鈕] [人名] 뉴 [上]有 女久切 niǔ 钮

[筆順] 丿 亼 兯 金 釘 釦 鈕 鈕

[字解] ①꼭지 뉴, 손잡이 뉴 기물(器物)의 손으로 쥐게 된 부분. '印一'. '遺失兮一樞'《王逸》. ②성 뉴 성(姓)의 하나.
[字源] [篆文] 形聲. 金+丑〔音〕. '丑추'는 손가락으로 꼭 쥐는 모양을 본뜸. 도장 꼭지의 뜻을 나타냄.

◉扣鈕. 龜鈕. 鼻鈕. 印鈕. 虎鈕.

4 ⑫ [鈜] 횡 [平]庚 戶萌切 hóng

[字解] 소리 횡 쇠 또는 종·북 같은 것의 소리. '一然'. '鏗一'.
[字源] 形聲. 金+厷〔音〕

[鈜鏗 횡갱] 종소리나 북소리.
◉鏗鈜.

4 ⑫ [鈠] 역 [入]陌 營隻切 yì

[字解] ①그릇 역 기물(器物). '一, 器也'《玉篇》. ②작은창(槍) 역 鍛(金部 七畫)과 同字. '一, 小矛, 或从役'《集韻》.

4 ⑫ [鈚] 비 [平]支 房脂切 pī

[字解] 화살 비 화살의 이름. 일설(一說)에는, 화살의 한 가지. '長一逐狡兔'《杜甫》.

◉長鈚.

4 ⑫ [鈉] 납 [入]合 諾荅切 nà 钠

[字解] 마치 납 못을 박는 연장.
[字源] 形聲. 金+內〔音〕

4 ⑫ [鈖] 공 [平]冬 求龍切 yìng

[字解] 팔찌 공 팔에 끼는 장신구(裝身具). '一, 釧也'《字彙》.

4 ⑫ [鈞] [人名] 균 [平]眞 居匀切 jūn 钧

[字解] ①서른근 균 무게 30근의 일컬음. '千一'. '正一石'('石'은 120근)《呂氏春秋》. ②녹로 균

오지그릇을 만드는 데 쓰이는 바퀴 모양의 연장. '猶泥在一之上'《漢書》. 이 바퀴를 회전시켜 갖가지 오지그릇을 자유로이 만들 수 있으므로, 전(轉)하여 만물의 조화(造化)의 뜻으로 쓰이며, 하늘 곧 조물주를 '大一' 혹은 '洪一'이라 함. 또, 사물의 추기(樞機)의 뜻으로도 쓰임. '如何秉國一'《白居易》. ③고를 균, 고르게할 균 均(土部 四畫)과 통용. '多鼓一聲'《左傳》. ④고루 균 같이, 한 가지로. '一是人也'《孟子》. ⑤존경 균 존경의 뜻을 나타내는 말로서, 서한문에 많이 쓰임. '一安'. '一啓'. '一鑒'. ⑥성 균 성(姓)의 하나.

字源 形聲. 金+勻〔音〕. '勻균'은 '같다, 고르다'의 뜻. 균질한 금속의 뜻에서, 저울추, 무게의 단위 등의 뜻을 나타냄.

[鈞鑒 균감] 상관(上官) 또는 대관(大官)에게 제출하는 서면의 첫머리에 쓰는 경칭(敬稱).
[鈞陶 균도] 녹로(轆轤)로 질그릇을 만듦. 전(轉)하여, 인물을 양성함.
[鈞駟 균사] 수레 하나를 끄는, 털빛이 같은 네 마리의 말. 순사(醇駟).
[鈞石 균석] 저울추. 균(鈞)은 서른 근. 석(石)은 120근.
[鈞旋轂轉 균선곡전] 녹로(轆轤)가 돌고 수레의 속바퀴가 구른다는 뜻으로, 사물이 변천함을 이름.
[鈞敵 균적] 힘이 비슷하여 우열(優劣)이 없음.
[鈞旨 균지] 천자(天子)의 뜻. 천자의 명령.
[鈞天 균천] ㉠균천 광악(鈞天廣樂). ㉡구천(九天)의 하나. 중앙의 하늘.
[鈞天廣樂 균천광악] 아주 미묘(微妙)한 천상(天上)의 음악.
[鈞樞 균추] 균축(鈞軸). 추(樞)는 문지도리.
[鈞軸 균축] 저울추와 굴대. 모두 저울과 수레에 아주 긴요(緊要)한 물건이므로 요로(要路)의 대신(大臣)의 비유로 쓰임.
[鈞衡 균형] ㉠국정을 잡아 공평히 해 나간다는 뜻으로, 재상(宰相)을 이름. ㉡인재(人材)를 저울질하여 뽑음. 전형(銓衡). ㉢어느 한편에 기울어 치우치지 아니함. 평균(平均).
●國鈞. 大鈞. 陶鈞. 萬鈞. 秉鈞. 韶鈞. 淳鈞. 運鈞. 千鈞. 天鈞. 衡鈞. 洪鈞.

4/⑫ [鈄] 두 ㉠有 徒口切 dǒu

字解 ①성 두 성(姓)의 하나. ②鐓(金部 十畫)의 俗字

4/⑫ [鈁] 방 ㉠陽 府良切 fāng   钫

字解 되그릇 방 양기(量器)의 하나. 종(鍾)과 모양이 같은데 네모짐. '一, 方鍾也'《辭海》.
字源 篆文 鈁 形聲. 金+方〔音〕. '方방'은 '네모'의 뜻.

4/⑫ [鈗] 人名 윤 ㉠軫 庾準切 yǔn

筆順 ハ ヘ ム 牟 全 金 釒 鈗

字解 창 윤 시신(侍臣)이 잡는 창. '一, 侍臣所執兵也. 云云, 周書曰, 一人冕執一'《說文》.

字源 篆文 鈗 金+允〔音〕

4/⑫ [鈗] 鈗(前條)의 譌字

4/⑫ [鈏] 인 ㉠軫 余忍切 yǐn ㉡震 羊晉切

字解 ①주석 인 '一, 錫也'《說文》. ②쇠 인 철(鐵). '一, 鐵也'《廣韻》.
字源 篆文 鈏 形聲. 金+引〔音〕. '引인'은 '잡아 늘이다'의 뜻. 쉽게 늘일 수 있는 금속, '주석'의 뜻을 나타냄.

4/⑫ [鈌] 열 ㉠屑 於決切 결 ㉠屑 古穴切 jué 계 ㉡霽 涓惠切

字解 𨥍 ①찌를 열 '一, 本作鈌, 刺也'《康熙字典》. ②천문 열 '列一'은 천문(天門). '貫列一之倒景兮'《史記》. 𨥍 찌를 결, 천문 결 □과 뜻이 같음. 𨥍 찌를 계, 천문 계 □과 뜻이 같음.
字源 形聲. 金+夬〔音〕.

4/⑫ [鈙] 금 ㉠侵 渠金切 qín ㉡沁 巨禁切

字解 움켜질 금 '一, 持也'《說文》.
字源 形聲. 攴+金〔音〕.

4/⑫ [鈪] 와 ㉠歌 五禾切 é

字解 깎을 와, 둥글릴 와 모를 깎아 둥글게 함. '其音沉濁而一鈍, 得其質直'《顏氏家訓》.
字源 篆文 鈪 形聲. 金+化〔音〕.

[鈪鈍 와둔] 모가 죽어서 둔함.

4/⑫ [鈅] 야 ㉠麻 以遮切 yé   钘

字解 칼이름 야 '鏌一'는 오(吳)나라의 칼 이름. 鎁(金部 七畫)·鋣(金部 九畫)와 통용. '一, 鏌一也'《說文》.
字源 篆文 鈅 形聲. 金+牙〔音〕.

4/⑫ [鈇] 〔과〕 鍋(金部 九畫〈p.2404〉)와 同字

4/⑫ [鈆] 〔연〕 鉛(金部 五畫〈p.2384〉)의 俗字

4/⑫ [鈄] 〔구〕 鉤(金部 五畫〈p.2385〉)의 俗字

4/⑫ [鈢] 〔비〕 鉳(金部 五畫〈p.2385〉)와 同字

4/⑫ [鈃] 〔치·이〕 銴(金部 六畫〈p.2390〉)와 同字

4/⑫ [鈅] 〔조〕 釣(金部 三畫〈p.2377〉)와 同字

8획

4
⑫ [鈇] 人名 〔체〕
鈇(金部 三畫〈p. 2378〉)와 同字

4
⑫ [鈡] 〔종〕
鐘(金部 十二畫〈p. 2417〉)과 同字

4
⑫ [釳] 〔흘〕
釳(金部 三畫〈p. 2378〉)의 本字

4
⑫ [鈃] 〔견〕
鈃(金部 六畫〈p. 2391〉)의 俗字

[欽] 〔흠〕
欠部 八畫(p. 1130)을 보라.

5
⑬ [鈯] 돌 入月 陁沒切 tú

字解 ①둔할 돌. ②창칼 돌. ③팔 돌 掘(手部 八畫)과 통용. '一人之墓'《荀子》.
字源 形聲. 金＋出〔音〕

5
⑬ [鈰] 제 㑆齊 徂奚切 qí

字解 날카로울 제 '一, 利也'《說文》.
字源 形聲. 金＋㐬〔音〕

5
⑬ [鈴] 人名 령 㑆青 郎丁切 líng

筆順 ㇒ ㇓ 金 金 釒 釒 鈴 鈴

字解 방울 령 흔들면 소리가 나는, 쇠붙이로 만든 둥근 물건. '一鐸'. '錫鸞和一'《左傳》.
字源 金文 釒 篆文 鈴 形聲. 金＋令〔音〕. '令령'은 '冷랭'과 통하여 '서늘하다'의 뜻. 서늘한 소리가 나는 방울의 뜻을 나타냄.

[鈴鈴 영령] 방울 또는 물건이 울리는 소리.
[鈴鈸 영발] 방울과 동발(銅鈸).
[鈴語 영어] 방울 소리. 영성(鈴聲).
[鈴鐸 영탁] 방울. 탁령(鐸鈴).
[鈴下 영하] 장수(將帥)에 대한 경칭(敬稱).
[鈴閤 영합] 장수(將帥)가 있는 곳.
撼鈴. 金鈴. 鸞鈴. 絢鈴. 鳴鈴. 門鈴. 說鈴. 掩耳盜鈴. 驛鈴. 搖鈴. 電鈴. 津鈴. 鐸鈴. 風鈴. 懸鈴. 和鈴.

5
⑬ [鉂] 사 㑆支 詳慈切 cí

字解 자루 사 낫의 자루. '懷鉂一'《管子》.
字源 鈶의 別體 篆文 鉂 形聲. 金＋台〔音〕

●鉊鉂.

5
⑬ [鉖] 동 㑆冬 徒冬切 tóng

字解 낚싯바늘 동 '一, 釣一'《玉篇》.

5
⑬ [鈷] 고 㑁麌 公戶切 gǔ

字解 ①다리미 고 다림질을 하는 제구. '一鉧潭

記'《柳宗元》. ②금강저(金剛杵) 고 불구(佛具)의 한 가지. 고대(古代) 인도(印度)의 호신용 무기(護身用武器). 전(轉)하여, 번뇌를 타파하는 뜻으로 쓰임. 손잡이의 양쪽 끝에 달린 손톱 수(數)에 따라, '獨一'·'三一'·'五一'라 함.
字源 形聲. 金＋古〔音〕

[鈷鉧 고망] 다리미.
[鈷鉧 고무] 다리미.

5
⑬ [鈸] 발 入曷 蒲撥切 bó

字解 동발 발 악기의 한 가지. '鐃一'. '一亦謂之銅盤'《正字通》.
字源 形聲. 金＋犮〔音〕

●螺鈸. 銅鈸. 鈴鈸. 鐃鈸. 鋪鈸.

5
⑬ [鈹] 피 㑆支 敷羈切 pī

字解 ①바늘 피 큰 바늘. '一鍼'. '一, 大針也'《說文》. ②칼 피 무기로 쓰는 칼. 검(劍). '以一殺諸盧門'《左傳》. ③흩어질 피 披(手部 五畫)와 同字. '吏謹將之, 無一滑'《荀子》.
字源 篆文 鈹 形聲. 金＋皮〔音〕. '皮피'는 '破파'와 통하여 '찢다'의 뜻. 종기를 따는 데 쓰는 큰 바늘의 뜻을 나타냄.

[鈹滑 피골] 흩어져 어지러움. 분란(紛亂)함.

5
⑬ [鉅] 파 㑆歌 滂禾切 pō

字解 구리그릇 파 '一, 鐸, 銅器'《集韻》.

5
⑬ [鈿] 人名 전 ①㑆先 徒年切 tián ②㑁霰 堂練切 diàn

字解 ①비녀 전 화잠(花簪). '誰忍去金一'《庾肩吾》. ②나전세공 전 '一螺椅子象牙牀'《尹廷高》.
字源 篆文 鈿 形聲. 金＋田〔音〕. '田전'은 논밭처럼 평평하다의 뜻. 황금을 평평하게 펴서 세공한 장식품의 뜻을 나타냄.

[鈿笠篌 전공후] 나전(螺鈿)으로 꾸민 공후.
[鈿帶 전대] 금을 박아 장식한 띠.
[鈿螺 전라] 나전(螺鈿) 세공.
[鈿蠟 전비] 비녀.
[鈿瓔 전영] 나전(螺鈿) 세공을 한 목걸이.
[鈿釵 전침] 비녀.
[鈿合 전합] 나전(螺鈿) 세공을 한 작은 상자.
●金鈿. 螺鈿. 芳鈿. 碎鈿. 翠鈿. 花鈿.

5
⑬ [鈸] 〔열〕
鈌(金部 四畫〈p. 2381〉)의 本字

5
⑬ [鈸] 발 入黠 百轄切 bā

字解 쇠붙이 발 금속(金屬). '一, 金類'《五音集韻》.

5
⑬ [鉀] 人名 갑 入洽 古狎切 jiǎ

字源 形聲. 金＋石〔音〕

●鐌鉐.

5 ⑬ [鉐] 작 ㊅藥 疾各切 zuó
字解 ①가마 작 가마솥. '—, 釜也'《玉篇》. ②시루 작 김을 올려 음식을 찌는 기구. '—, 甑也'《集韻》.

5 ⑬ [鑒] 〔감〕
鑑(金部 十四畫〈p.2423〉)의 訛字

5 ⑬ [鈇] 紩(糸部 五畫〈p.1722〉)의 古字. 속(俗)에 鐵(金部 十三畫〈p.2419〉)의 略字로 씀.
参考 '鐵'의 古文 '銕철'이 잘못 속용(俗用)되어, '鐵'의 略字로 쓰이는 것임.

5 ⑬ [鉁] 〔진〕
珍(玉部 五畫〈p.1421〉)과 同字

5 ⑬ [鉱] 〔광〕
鑛(金部 十五畫〈p.2423〉)의 略字

6 ⑭ [鉶] 형 ㊀青 戶經切 xíng
字解 제기 형 국을 담는, 귀가 둘, 발이 셋이 있는 제기(祭器). '宰夫設—'《儀禮》.
字源 篆文 鉶 形聲. 金＋刑(荆)〔音〕. '荆형'은 테두리 안에 가두다의 뜻. 국을 담는 솥의 뜻을 나타냄.

[鉶羹 형갱] 형(鉶)에 담은 오미(五味)를 섞어 끓인 국.

6 ⑭ [鉸] 교 ㊀巧 古巧切 jiǎo
㊁看 古看切
字解 ①가위 교 전도(翦刀). '細束龍髯—刀翦'《李賀》. ②장식 교, 장식할 교 금(金)의 장식.
字源 形聲. 金＋交〔音〕. '交교'는 '교차시키다'의 뜻. 두 개의 날을 교차시켜서 물건을 자르는 가위의 뜻을 나타냄.

[鉸刀 교도] 가위. 전도(翦刀).
●寶鉸.

6 ⑭ [銕] 주 ㊀尤 職流切 zhōu
字解 금장도(金裝刀) 주 '—, 金刀'《五音集韻》.

6 ⑭ [鉻] 락 ㊅藥 盧各切 luò
字解 깎을 락 체발(剃髮) 함.
字源 篆文 鉻 形聲. 金＋各〔音〕

6 ⑭ [鉺] 이 ㊃寘 如志切 èr
字解 갈고리 이 갈고랑이. '俯箭鼻金—'《韓愈》.

●金鉺.

6 ⑭ [銀] ㊥㊅ 은 ㊄眞 語巾切 yín　　銀鈏
筆順 ᐟ ⺈ 牟 金 金 釒 鈩 鈤 銀
字解 ①은 은 금속(金屬)의 한 가지. '它——流直千'《漢書》. ②은기 은 은으로 만든 그릇. '—黃, 懷—紆紫'《論衡》. ③은빛 은 은색. '一世界', '雪鷺一鷗左右來'《李紳》. ④돈 은 금전. '貧—, 路—'《賦一日急家日貧》《貢師泰》. ⑤지경 은 垠(土部 六畫)과 통용 '守其—'《荀子》. ⑥날카로울 은 서슬이 있음. '—手如斷'《大戴禮》. ⑦성 은 성(姓)의 하나.
字源 篆文 銀 形聲. 金＋艮(昆)〔音〕. '昆흔'은 그대로 머무르다의 뜻. 황금이 되지 못하고 은으로 머무르고 있는 금속. '은'의 뜻을 나타냄. '銀은'은 '鋃은'의 변형.

[銀甲 은갑] ㊀은으로 만든 갑옷. ㊁비파(琵琶)를 탈 때 손가락에 끼우는 은으로 만든 골무.
[銀釭 은강] 밝은 등불.
[銀礦 은광] 은광(銀鑛).
[銀鑛 은광] ㊀은을 함유한 광석(鑛石). ㊁은의 광석을 매장하고 있는 광산. 은광(銀礦).
[銀塊 은괴] 은덩이. 은의 지금(地金).
[銀舡 은강] 은배(銀杯).
[銀鉤 은구] ㊀은으로 만든 갈고리. ㊁아주 잘 쓴 초서(草書)의 형용. 또는 잘 쓰는 글씨.
[銀鷗 은구] 흰 갈매기. 백구(白鷗).
[銀器 은기] 은으로 만든 기명(器皿).
[銀泥 은니] 은을 금니(金泥)로 만든 것.
[銀臺 은대] ㊀신선(神仙)이 사는 곳. ㊁송대(宋代)의 주장(奏狀)을 접수하던 마을.
[銀刀 은도] ㊀은으로 만든 칼. ㊁빛은 희고 모양은 칼 같은 조그만 물고기.
[銀條 은조] 은실로 땋은 끈.
[銀濤 은도] 은파(銀波).
[銀鐙 은등] 은으로 만든 등자(鐙子).
[銀浪 은랑] 은파(銀波).
[銀鈴 은령] 은으로 만든 방울.
[銀露 은로] 달빛에 비치는 흰 이슬.
[銀幕 은막] ㊀영사막(映寫幕). ㊁영화계(映畫界).
[銀灣 은만] 은하(銀河)●.
[銀箔 은박] 은을 종이같이 얇게 만든 조각.
[銀盤 은반] ㊀은으로 만든 쟁반. ㊁'달[月]'의 이칭(異稱). ㊂얼음판.
[銀髮 은발] 은백색의 머리털.
[銀房 은방] 금·은으로 물건을 만들어 파는 가게.
[銀杯 은배] 은잔(銀盞).
[銀瓶 은병] ㊀은으로 만든 병. ㊁물을 푸는 아름다운 두레박. ㊂악비(岳飛)의 어린 딸의 일컬음. 아버지가 참소로 죽었다는 말을 듣자, 은병을 안은 채 우물에 빠져 죽었다 함.
[銀沙 은사] 은빛을 띤 흰 모래.
[銀絲 은사] 은빛의 실.
[銀山 은산] ㊀은이 나는 광산. 은갱(銀坑). ㊁높이 솟은 흰 물결. ㊂신선(神仙)이 사는 산.
[銀色 은색] 은빛.
[銀蟾 은섬] '달'의 이칭(異稱). 달 속에 두꺼비가 있다는 전설에서 나온 말.
[銀世界 은세계] 눈이 쌓인 경치. 또, 매림(梅林)의 매화꽃이 만발한 경치.
[銀鞍 은안] 은으로 장식한 안장.
[銀鴨 은압] 은(銀)으로 만든 집오리 모양의 향로

8
획

8획

(香爐)

[銀艾 은애] 은인(銀印)과 녹수(綠綬). 한대(漢代)에 고관(高官)이 찼음. 애(艾)는 애수(艾綬). 쑥으로 녹색 물을 들이기 때문임.

[銀魚 은어] ㉠뱅어〔白魚〕. 면조어(麵條魚). ㉡은으로 만든 어대(魚袋). 당대(唐代) 오품관(五品官) 이상이 패용했음. ㉢바다빙엇과에 속하는 물고기. ㉣도루묵.

[銀髯 은염] 흰 수염.

[銀葉 은엽] 분향(焚香)할 때 불 위에 까는 운모(雲母)의 얇은 조각.

[銀子 은자] 은화(銀貨). 전(轉)하여, 돈. 금전(金錢).

[銀字 은자] ㉠고대 악기(樂器) 이름. 피리의 한 가지. ㉡은니(銀泥)로 쓴 글자.

[銀字兒 은자아] 송대 소설(宋代小說)의 별칭(別稱). 설화(說話)의 일종.

[銀盞 은잔] 은으로 만든 술잔. 은배(銀杯). 은굉(銀觥).

[銀匠 은장] 금·은·구리들로 그릇을 만드는 장색(匠色). 은장색(銀匠色).

[銀裝刀 은장도] 은으로 만든 칼.

[銀渚 은저] 은하(銀河)❶.

[銀箭 은전] 물시계의 눈금이 새겨 있는, 은으로 만든 누전(漏箭).

[銀錢 은전] 은으로 만든 돈. 은화(銀貨).

[銀竹 은죽] 소나기.

[銀釵 은차] 은비녀.

[銀釧 은천] 은팔찌.

[銀青 은청] '은인청수(銀印青綬)'의 준말. 한대(漢代)에 고관(高官)들이 패용(佩用)했음. 금자(金紫)의 대(對).

[銀燭 은촉] 빛이 희고 밝은 촛불.

[銀鍼 은침] 은으로 만든 침.

[銀兔 은토] ㉠'달'의 이칭(異稱). 달 속에 토끼가 있다는 전설에서 나온 말. ㉡한대(漢代)에 지방관(地方官)에게 주던 부절(符節).

[銀波 은파] 흰 달빛. 달빛이 비친 바다.

[銀牌 은패] 은제의 패(牌).

[銀河 은하] ㉠청명(淸明)한 날 밤에 공중에 흰구름같이 남북으로 길게 보이는 별의 무리. 천하(天河). 천한(天漢). 운한(雲漢). 하한(河漢). 은한(銀漢). 은황(銀潢). 은만(銀灣). ㉡도가(道家)에서 눈〔目〕의 일컬음. 술을 따르는 그릇의 한 가지. 은해(銀海).

[銀河落九天 은하낙구천] 은하(銀河)가 하늘에서 떨어짐. 폭포가 쏜살같이 떨어지는 형용.

[銀河沙漲三千界 은하사창삼천계] 대설(大雪)의 형용(形容). 백거이(白居易)의 시(詩)의 한 구절.

[銀河水 은하수] 은하(銀河)❶.

[銀漢 은한] 은하(銀河)❶.

[銀海 은해] ㉠은빛으로 번쩍이는 바다. ㉡도가(道家)에서 눈〔目〕을 이름.

[銀行 은행] 신용(信用)을 이용하여 자기 자본 및 여러 사람의 예금(預金)을 가지고 자본의 수요(需要)와 공급(供給)의 매개(媒介)를 하는 금융 기관.

[銀杏 은행] 은행나무.

[銀婚式 은혼식] 서양의 예식으로서, 결혼 후 25년 만에 올리는 부부의 축하식.

[銀花 은화] ㉠밝은 등불. 또는 촛불을 이름. ㉡눈〔雪〕을 이름.

[銀貨 은화] 은전(銀錢).

[銀環 은환] 은으로 만든 고리.

[銀黃 은황] ㉠은과 금. ㉡은빛과 금빛. 흰빛과 누른빛. ㉢은으로 만든 인(印)과 금으로 만든 인. 모두 고관이 띠는 것.

[銀潢 은황] 은하(銀河)❶.

● 假銀. 金銀. 路銀. 白銀. 賦銀. 善銀. 碎銀. 水銀. 熟銀. 純銀. 冶銀. 洋銀. 烏銀. 鎔銀. 僞銀. 凝鉛爲銀. 賃銀. 采銀. 黃銀

銅

6／14 [銅] 高入 동 ㉠東 徒紅切 tóng 铜 銅

筆順 ハ ト イ 牟 全 金 釓 釘 銅 銅

字解 ①구리 동 금속의 한 가지. '赤一'. '青一'. '凡律度量用一者'《漢書》. ②동기 동 구리로 만든 그릇. '五兩之綸, 半通之一'《揚子法言》. ③동화 동 구리로 만든 돈. 전(轉)하여, 널리 돈의 뜻으로 쓰임. '將錢買官, 謂之一臭'《釋常談》.

字源 金文 鋼 篆文 銅 形聲. 金+同[音]. '同동'은 원기둥꼴의 기구를 본뜬 것. '同'이라는 기구를 만들기 위한 금속, '구리'의 뜻을 나타냄.

[銅坑 동갱] 동산(銅山).

[銅磬 동경] 동(銅)으로 만든 경(磬)쇠.

[銅磬]

[銅鼓 동고] 꽹과리. 동(銅)으로 주조하였음.

[銅骨胎 동골태] 황갈색의 구릿빛이 나는 도자기.

[銅礦 동광] 구리를 함유한 광석.

[銅鑛 동광] 구리 광석. 동광(銅鑛).

[銅券 동권] 동으로 만든 병부(兵符).

[銅觔鐵肋 동근철륵] 동으로 된 근육과 철로 된 늑골(肋骨). 강건(強健)한 신체의 형용. 근(觔)은 근(筋).

[銅金 동금] 구리. 동(銅).

[銅鑼 동라] 정(鉦).

[銅綠 동록] 구리에 생긴 녹.

[銅馬之賊 동마지적] 후한(後漢) 초기에 일어난 적도(賊徒)의 이름.

[銅面具 동면구] 동제(銅製)의 가면(假面).

[銅墨 동묵] 동인(銅印)과 묵수(墨綬). 구리로 만든 관인(官印)과 빛이 검은 인끈.

[銅盤 동반] 구리로 만든 쟁반.

[銅鉢 동발] 《佛敎》 중이 근행(勤行)할 때 치는 구리로 만든 주발 모양의 악기.

[銅鈸 동발] 동(銅)으로 만든 원반(圓盤) 비슷한 두 개의 짝을 마주 쳐서 소리를 내는 악기(樂器). 요발(鐃鈸).

[銅佛 동불] 구리로 만든 불상(佛像).

[銅山 동산] 구리를 채굴하는 산. 동갱(銅坑).

[銅鉢]

[銅像 동상] 구리로 그 사람의 형체(形體)와 같이 만든 형상(形像).

[銅色 동색] 구릿빛.

[銅屑 동설] 구리의 가루.

[銅印 동인] 구리로 만든 관인(官印).

[銅爵臺 동작대] 위(魏)의 조조(曹操)가 업(鄴)에 쌓은 대(臺)의 이름. 구리로 만든 봉황새를 옥상에 안치하였음. 동작대(銅雀臺).
[銅匠 동장] 구리 그릇을 만드는 직공.
[銅錢 동전] 구리로 만든 돈.
[銅鉦 동정] ㉠동라(銅鑼). ㉡해〔日〕의 비유.
[銅柱 동주] ㉠구리로 만든 기둥. ㉡구리로 만든 표주(標柱).
[銅池 동지] 구리로 만든 홈통.
[銅靑 동청] 동록(銅綠).
[銅臭 동취] 돈 냄새. 돈으로 벼슬을 산 사람을 조소하는 말. 전(轉)하여, 돈을 탐내는 일.
[銅駝街 동타가] 낙양(洛陽)의 거리 이름. 동제(銅製)의 낙타(駱駝)가 그곳에 있었음. 동가(銅街).
[銅版 동판] 구리 조각에 새긴 인쇄 원판.
[銅牌 동패] 구리로 만든 패(牌), 또는 상패(賞牌).
[銅標 동표] 구리로 만든 표(標).
[銅壺 동호] 구리로 만든 누각(漏刻).
[銅虎符 동호부] 구리로 범 형상으로 만든 병부(兵符). 군사를 징발하는 데 씀. 호부(虎符).
[銅渾 동혼] 구리로 만든 혼천의(渾天儀). 옛날에 천체(天體)의 위치·운동 등을 나타내기 위하여 만든 구면(球面). 동의(銅儀).

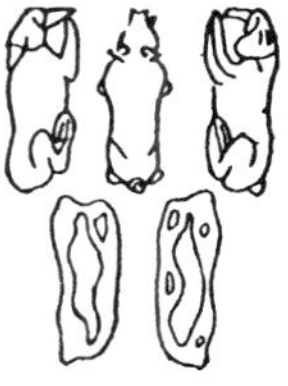
〔銅虎符〕

[銅貨 동화] 동전(銅錢).
◉金銅. 白銅. 分銅. 鍊銅. 紫銅. 赤銅. 精銅. 鑄銅. 採銅. 靑銅. 廢銅. 黃銅.

6 ⑭ [銉] 율 [入]質 允律切 yù
[字解] 바늘 율 '一, 鉥也'《集韻》.

6 ⑭ [銍] 질 [入]質 陟栗切 zhì
[字解] ①낫 질 벼를 베는 데 쓰는 짧은 낫. '一, 穫禾鐵也'《釋名》. ②벨 질 베어 거둠. '奄觀一艾'《詩經》. ③벼이삭 질 낫으로 벤 벼의 이삭. '二百里納一'《書經》.
[字源] 篆文 形聲. 金+至〔音〕

[銍艾 질예] 낫으로 벰. 베어 거둠.
[銍刈 질예] 질예(銍艾).

6 ⑭ [鉿] [一] 협 [入]洽 古洽切 jiā [二] 합 [入]合 古沓切 gē, ③hā 铪
[字解] [一] 빠지는소리 협, 구멍뚫리는소리 협 '陽氣扶物而鑽乎堅, 一然有穿'《太玄經》. [二] ①소리의모양 합 '一, 聲也'《玉篇》. ②광석(鑛石) 합 '一, 鋌也'《廣雅》. ③원소이름 합 화학 원소(化學元素) 하프늄(Hafnium)의 역어(譯語).

6 ⑭ [銑] [人名] 선 [上]銑 蘇典切 xiǎn 铣
[筆順] 𠆢 亼 全 金 金' 金⺧ 金牛 銑
[字解] ①끌 선 나무에 구멍을 파는 연장. '一, 一曰, 小鑿也'《說文》. ②뿌릴 선 물을 뿌림. '一者寒甚矣'《國語》. ③꾸밀 선 금으로 활고자를 장식함. '弓以金者, 謂之一'《爾雅》. ④금 선 황금 중에서 가장 광택이 나는 것. '絕澤謂之一'《爾雅》. ⑤무쇠 선 주철(鑄鐵). '一鐵'.
[字源] 篆文 形聲. 金+先〔音〕. '先선'은 '洗세'와 통하여 '씻다'의 뜻. 씻긴 듯이 윤이 나는 금속의 뜻을 나타냄.

[銑錢 선전] 무쇠로 만든 돈.
[銑鐵 선철] 무쇠.
[銑鋧 선현] 먼 데서 던져서 사람을 살상하는 데 쓰는 푼끌.

6 ⑭ [銓] [人名] 전 [平]先 此緣切 quán 铨
[筆順] 𠆢 亼 全 金 金𠆢 金亼 鈴 銓
[字解] ①저울 전 무게를 다는 제구. '考量以一'《漢書》. ②저울질할 전 무게를 닮. '量丈尺寸斤兩一'《急就篇》. ③가릴 전 인물의 재능을 저울질하여 뽑음. '一衡'. '吏部有三一法'《唐六典》. ④성 전 성(姓)의 하나.
[字源] 篆文 形聲. 金+全〔音〕. '全전'은 '算산'과 통하여 '세다'의 뜻. 무게를 재기 위한 금속제의 도구, '저울'의 뜻을 나타냄.

[銓簡 전간] 전선(銓選).
[銓考 전고] 인물을 전형(銓衡)하고 고찰(考察)함.
[銓管 전관] 전선(銓選)하고 관리(管理)함.
[銓校 전교] 전고(銓考).
[銓別 전별] 전판(銓判).
[銓補 전보] 전형하여 보충함.
[銓部 전부] '이부성(吏部省)'의 이칭(異稱).
[銓敍 전서] 인재를 가려 서임(敍任)함.
[銓選 전선] 전형하여 선발함.
[銓掌 전장] 인물을 전형하는 것을 관장함.
[銓綜 전종] 전총(銓總).
[銓次 전차] 재능을 조사하여 우열의 차서를 매김.
[銓總 전총] 전형하고 총리(總理)함.
[銓擢 전탁] 전형하여 발탁함.
[銓汰 전태] 선악을 가려냄.
[銓擇 전택] 전선(銓選).
[銓判 전판] 선악을 판단하여 가림.
[銓衡 전형] ㉠저울. ㉡인재를 가려 등용함. 또, 그 벼슬.
◉末銓. 分銓. 釘銓. 執銓. 判銓.

6 ⑭ [銏] [一] 산 [去]諫 所諫切 shàn [二] 책 [入]陌 測革切
[字解] [一] 정금 산 정련(精鍊)한 황금. '一, 精金'《字彙》. [二] 쇠그릇 책 철제(鐵製)의 그릇. '一, 鐵器'《集韻》.

6 ⑭ [鈚] [一] 피 [平]支 攀悲切 pī [二] 비 [平]支 貧悲切
[字解] [一] 기이름 피 '靈姑一'는 기명(旗名). '公卜使王黑以靈姑一率, 吉'《左傳》. [二] 기이름 비 [一]과 뜻이 같음.

◉靈姑鈚.

6 ⑭ [銖] [人名] 수 [平]虞 市朱切 zhū 铢

8
획

[筆順] ㅅ ㅗ 金 金 金 金 釨 鈇 鉄

[字解] ①중량이름 수 무게의 단위. 양(兩)의 24분의 1. '一而稱之, 至石必過'《說苑》. 전(轉)하여, 근소(僅少). 극소량. '分一'. '雖分國如錙一'《禮記》. ②무딜 수 끝이나 날이 날카롭지 아니함. '其兵戈一, 而無刃'《淮南子》. ③성 수 성(姓)의 하나.
[字源] 篆文 鉄 形聲. 金+朱[音]

[鉄鈍 수둔] 둔함. 무딤.
[鉄兩 수량] ㉠수(鉄)와 양(兩). 곧, 무게가 얼마 안 나가는 저울눈. ㉡약간. 근소(僅少).
[鉄兩之姦 수량지간] 사소한 악사(惡事).
[鉄分 수분] 세밀히 분별함.
[鉄積寸累 수적촌루] 티끌 모아 태산과 같은 뜻. 진합태산(塵合泰山).
[鉄寸 수촌] 조금. 극히 적음.
[鉄稱差 수칭차] 조금씩 나누어서 달아 합친 무게는 함께 합쳐 단 것과 약간의 차이가 남을 이름.
●毛鉄. 分鉄. 五鉄. 一鉄. 錙鉄.

⁶₍₁₄₎ [錕] 은 ㉠文 宜斤切 yín
[字解] 말치장 은 말을 치장(治裝)하는 기구. '一, 馬飾器'《篇海》.

⁶₍₁₄₎ [銛] 후 ㉠尤 戶鉤切 xiàng
[字解] 항통(銛簡) 후 투서함(投書函)의 한 가지. 銛(缶部 六畫)과 뜻이 같음. '投一購告言姦'《漢書》.
[字源] 形聲. 金+后[音]

[銛鏤 후루] 옛 솥의 한 가지.

⁶₍₁₄₎ [銡] 길 ㋐物 古乞切 jí
[字解] 삐걱거릴 길 '機械軋一'《錢氏桑海遺錄序》.

⁶₍₁₄₎ [銘] ⁞高⁞入 명 ㉠青 莫經切 míng

[筆順] ㅅ ㅗ 年 金 金 釤 釤 銘

[字解] ①새길 명 ㉠각(刻)함. '一金石'. '故一其栝, 曰肅愼氏之貢矢'《國語》. ㉡마음속에 깊이 기억하여 둠. '一佩'. '一肌鏤骨'《顔氏家訓》. ②명 명 ㉠금석(金石)에 새긴 글. '刀'. '鼎一'. '爲之一志'《南史》. ㉡문체의 이름. 곧, 한문의 한 체(體)로서, 혹은 그릇에 새겨 스스로 경계하고, 혹은 묘비(墓碑) 등에 새겨 그 사람의 공덕을 찬양하는 글. '墓誌一'. '一名也, 述其功美, 使可稱名也'《釋名》. ㉢장례(葬禮) 때, 기(旗)에 적은 죽은 사람의 관직·성명 등. '一旌'. '設熬置一'《周禮》.
[字源] 金 銘 篆文 鉻 形聲. 金+名[音]. '名명'은 이름을 대다의 뜻. 금속에 이름을 새기다의 뜻을 나타냄.

[銘刻 명각] ㉠금석(金石)에 문자를 새김. 또, 그 문자. ㉡명심(銘心).

[銘肝 명간] 명심(銘心).
[銘戒 명계] 깊이 마음에 새겨 두고 경계함.
[銘旗 명기] 명정(銘旌).
[銘肌鏤骨 명기누골] 명심불망(銘心不忘).
[銘戴 명대] 마음에 깊이 느끼어 받듦.
[銘誄 명뢰] 죽은 사람의 공덕(功德)을 적은 글.
[銘心 명심] 마음에 새겨 둠. 간명(肝銘).
[銘鏤骨 명심누골] 명심불망(銘心不忘).
[銘心不忘 명심불망] 마음속에 깊이 새기어 잊지 아니함.
[銘意 명의] 명심(銘心).
[銘旌 명정] 장사 때 쓰는, 죽은 사람의 관직·성명 등을 적은 기. 명정(明旌). 명기(銘旗).
[銘志 명지] 비석·종 등에 새기는 글.
[銘誌 명지] 명지(銘志).
[銘佩 명패] 마음속에 깊이 간직함.
●刻銘. 刊銘. 肝銘. 感銘. 鑑銘. 鏡銘. 勒銘. 刀銘. 銅銘. 墓誌銘. 盤銘. 碑銘. 箴銘. 篆銘. 鼎銘. 鐘銘. 座右銘. 座左銘.

[銘旌]

⁶₍₁₄₎ [銙] 과 ㉮馬 苦瓦切 kuǎ
[字解] 띠쇠 과 띠를 매는 데 달린 쇠. 대구(帶鉤). '玉工爲帝作帶, 誤毀一一'《唐書》.
[字源] 形聲. 金+夸[音]

⁶₍₁₄₎ [銚] ㊀요 ㉠蕭 餘昭切 yáo ㊁조 ㉠蕭 田聊切 tiáo
[字解] ㊀①냄비 요 자루와 귀때가 달린 냄비. '當以銀一煮'《遵生八牋》. ②성 요 성(姓)의 하나. ㊁①가래 조 큰 가래. '一耒一耜一'《管子》. ②창 조 긴 창. '長一利兵'《呂氏春秋》. ③깎을 조, 벨 조 '一鎒於是乎始修'《莊子》.
[字源] 篆文 銚 形聲. 金+兆[音]. '兆조'는 점칠 때 나타나는 갈라진 금의 象形, 논밭에 갈라진 금을 내기 위한 농구 '가래'의 뜻을 나타냄. 또 '兆조'는 '跳도'와 통해 '튀어 오르다'의 뜻. 물을 튀어 오르게 하여 끓게 만드는 그릇, '냄비'의 뜻을 나타냄.

[銚鎒 조누] 가래와 호미.
●茶銚. 銅銚. 瓦銚. 銀銚. 湯銚. 把銚.

⁶₍₁₄₎ [銍] ㊀치 ㉮紙 敝尒切 chǐ ㊁이 ㉮支 余支切 yī
[字解] ㊀①시루 치 쌀 따위를 찌는 그릇으로, 바닥에 작은 구멍이 있는 것. '一, 方言云, 涼州呼甑'《廣韻》. ②찬칼 치 작은 칼. '一, 一曰, 小刀'《集韻》. ㊁시루 이, 찬칼 이 ㊀과 뜻이 같음.
[字源] 形聲. 金+多[音]

⁶₍₁₄₎ [銛] 섬 ㉠鹽 息廉切 xiān
[字解] ①쟁기 섬 밭을 가는 농구. ②작살 섬 물고기를 찔러 잡는 연장. ③날카로울 섬 예리함. '莫邪爲鈍兮, 鉛刀爲一'《漢書》.
[字源] 篆文 銛 會意. 金+舌. 끝이 혀 모양인 쟁기·작살 등의 쇠붙이 기구의 뜻을 나타냄.

[銛鋼 섬강] 예리한 강철.
[銛戈 섬과] 예리한 창. 섬극(銛戟). 섬모(銛矛).
[銛鉤 섬구] 날카로운 낚시.
[銛戟 섬극] 섬과(銛戈).
[銛刀 섬도] 잘 드는 칼. 이도(利刀).
[銛鈍 섬둔] 잘 듦과 무딤. 예둔(銳鈍). 이둔(利鈍).
[銛利 섬리] 칼이 잘 듦. 예리(銳利).
[銛矛 섬모] 섬과(銛戈).
[銛鍔 섬악] 섬도(銛刀).
[銛銳 섬예] 예리함.
[銛錐 섬추] 날카로운 송곳.
◉內銛. 鋋銛. 鋒銛.

6 ⑭ [銬] [現] 고 kào

[字解] 《現》 ①쇠고랑 고 '一子·手一子'는 쇠고랑. 수갑(手甲). ②쇠고랑채울 고.

6 ⑭ [⿰金宅] 타 chá

[字解] 띠끝 타 '一尾'는 예장(禮裝)할 때 띠는 띠의 늘어진 끝. 어미(魚尾). '腰帶者, 搢垂頭以下, 名曰一尾'《唐書》.

[⿰金宅尾 타미] 자해(字解)를 보라.

6 ⑭ [⿰金⿱厶月] 〔현〕
鋗(金部 七畫〈p. 2395〉)과 同字

6 ⑭ [⿰金𠂢] 〔벽·백〕
鈲(金部 四畫〈p. 2379〉)의 本字

6 ⑭ [鉷] [人名] 홍 ㊏東 胡公切 hóng

[筆順] 𠂉 𠆢 牟 釒 金 金一 鉡 鉷

[字解] 쇠뇌고동 홍 쇠뇌의 살을 발사하는 부분. '一, 埤倉, 弩牙辟致也'《集韻》.
[字源] 形聲. 金+共〔音〕

6 ⑭ [銃] [高人] 총 ㊎送 充仲切 chòng 铳 銃

[筆順] 𠂉 𠆢 牟 釒 金 金亠 鉝 銃

[字解] ①도끼구멍 총 도끼 자루를 박는 구멍. ②총 총 무기의 한 가지. '小一'. '每一隊一手'《紀效新書》.
[字源] 形聲. 金+充〔音〕. '充충'은 '채우다'의 뜻. 화약과 탄알을 재어서 쏘는 '총'의 뜻을 나타냄.

[銃架 총가] 총을 걸쳐 두는 받침.
[銃劍 총검] ㉠총(銃)과 칼. ㉡총열 끝에 꽂은 칼.
[銃擊 총격] 총으로 쏨.
[銃口 총구] 총부리.
[銃器 총기] 여러 가지 총의 총칭.
[銃獵 총렵] 총을 가지고 하는 사냥.
[銃殺 총살] 총으로 쏘아 죽임.
[銃床 총상] 총대.
[銃牀 총상] 총상(銃床).
[銃傷 총상] 총에 맞아 다친 상처.
[銃聲 총성] 총을 쏘는 소리.
[銃手 총수] 총을 쏘는 사람.
[銃身 총신] 총열.
[銃眼 총안] 성벽(城壁) 등에 뚫어 놓은 총을 내쏘는 구멍.
[銃創 총창] 총상(銃傷).
[銃鎗 총창] ㉠총과 창. ㉡총 끝에 꽂는 창.
[銃帚 총추] 총을 소제하는 용구.
[銃彈 총탄] 총알.
[銃筒 총통] 탄환을 넣어 쏘던 옛날의 총.
[銃炮 총포] 총. 총포(銃砲).
[銃砲 총포] ㉠총. ㉡총과 대포(大砲).
[銃刑 총형] 총살하는 형벌.
[銃火 총화] 총부리에서 번쩍이는 불.
[銃丸 총환] 총알.
◉拳銃. 機關銃. 機銃. 多發銃. 短銃. 木銃. 小銃. 獵銃. 長銃. 鳥銃. 火繩銃.

6 ⑭ [⿰金危] [人名] 귀 ㊤紙 過委切 guǐ

[字解] 가래 귀 가래의 쇠 부분. '一, 臿金也'《說文》.
[字源] [篆文] 形聲. 金+危〔音〕

6 ⑭ [鉵] 동 ㊏冬 徒冬切 tóng

[字解] ①가래 동 농기구의 하나. '一, 梠屬也'《說文》. ②큰가래 동 큰가래. 또, 가래가 큰 모양. '一, 大鉏'《廣韻》. '一, 鉏大皃'《玉篇》.
[字源] 形聲. 金+蟲〈省〉〔音〕

6 ⑭ [銄] 〔향〕
餉(食部 六畫〈p. 2573〉)의 訛字

6 ⑭ [銋] 임 ㊏侵 如林切 rén

[字解] ①젖을 임 '一, 字林, 濡也'《集韻》. ②구부릴 임, 구부러질 임 '韜缺卷一'《淮南子》.

6 ⑭ [銒] ■ 형 ㊏青 戶經切 xíng ■ 견 ㊏先 經天切 jiān

[字解] ■ 술그릇 형 주기(酒器)의 한 가지. ■ 사람이름 견 인명(人名). '宋一'. '是墨翟宋一也'《荀子》.
[字源] [金文] [篆文] 形聲. 金+幵〔音〕
[參考] 鈃(金部 四畫)은 俗字.

6 ⑭ [銙] ■ 겸 ㊏鹽 丘廉切 qiān ■ 겸 ㊏咸 丘凡切

[字解] ■ 머리가구부러진끌 겸 '一, 曲頭鑿'《集韻》. ■ 머리가구부러진끌 겸 [一]과 뜻이 같음.

6 ⑭ [銕] 〔철〕
鐵(金部 十三畫〈p. 2419〉)의 古字

6 ⑭ [⿱旬金] 〔균〕
鈞(金部 四畫〈p. 2380〉)과 同字

6 ⑭ [銞] 〔균〕
鈞(金部 四畫〈p. 2380〉)의 古字

8
획

6 [鉾] 〔모·무〕
⑭ 矛(部首〈p. 1555〉)의 古字

[字源] 形聲. 金+牟〔音〕. '牟모'는 '矛모'와 통하여 '창'의 뜻. 금속제의 창의 뜻을 나타냄.

6 [銆] 맥 (入)陌 莫白切 mò
⑭

[字解] 맥도 맥 병기(兵器)의 이름. '一, 一刀, 兵器'《集韻》.

6 [鎍] 〔쇄〕
⑭ 鏁(金部 十一畫〈p. 2412〉)와 同字

6 [鋖] 타 ①(上)哿 都果切 duǒ
⑭ ②(去)箇 都唾切 duò

[字解] ①이지러질 타 '一, 缺也'《集韻》. ②자를 타 썲. 剁(刀部 六畫)와 同字. '一, 㓸也, 或从刀'《集韻》.

6 [鉼] [人名] 〔병〕
⑭ 鉼(金部 八畫〈p. 2403〉)의 俗字

[筆順] ㇒ 𠆢 亼 今 全 金 釒 鉼

6 [銭] 〔전〕
⑭ 錢(金部 八畫〈p. 2400〉)의 俗字

6 [銜] [人名] 함 (平)咸 戶監切 xián
⑭

[字解] ①재갈 함 말의 입에 물리는, 쇠로 만든 물건. '馬一'. '鑣一'. '利其一策'《漢書》. ②물 함 입에 묾. '一枚'. '吾欲一汝去, 口噤不能開'《古詩》. ③받들 함 명령을 받아 일을 행함. '一君命而使'《禮記》. ④원망할 함 함혐함. '后不遜, 壽皇有怒語, 后一之'《十八史略》. ⑤품을 함 ㉠마음속에 지님. '一怨入骨'《十八史略》. ㉡싸서 가짐. 포유(包有)함. '一遠山呑長江'《范仲淹》. ⑥직함 함 관리의 위계(位階). '十年不改舊官一'《白居易》.

[字源] 篆文 會意. 行+金. 말을 가게 하기 위하여 말의 입에 물리는 '재갈'의 뜻을 나타냄. '金금'은 재갈이 금속제이기 때문에 쓰임.

[銜塊 함괴] 입에 흙을 머금음. 옛날에 죄를 청하여 죽기를 결심한 뜻을 보이는 예(禮).
[銜橛之變 함궐지변] 말이 성을 내어 재갈이 벗겨지고 굴대가 부러져 수레가 전복하는 변고(變故).
[銜勒 함륵] 재갈.
[銜枚 함매] 옛날에 진군할 때에 군졸이나 말이 소리를 내지 못하게 하기 위하여 입에다 나무를 물리던 일. 매(枚)는 젓가락같이 생긴 나무. 입에 물리고 양쪽 끝에 끈을 달아 목 뒤로 매게 되었음.
[銜命 함명] 명령을 받들어 타인에게 전함.
[銜尾相隨 함미상수] 뒤따르는 말의 재갈이 앞 말의 꼬리를 따른다는 뜻. 길이 험하여 나란히 가지 못하고 기마(騎馬)가 종렬(縱列)로 바싹 붙어 감을 이름.
[銜杯 함배] 술을 마심.
[銜璧輿櫬 함벽여츤] 옛날에 항복(降服)할 때의 예(禮). 손을 묶였으므로 옥(玉)을 입에 물고 관(棺)을 등에 진다는 뜻.
[銜冤 함원] 억울한 죄를 쓰고 하소연할 곳이 없음.
[銜泣 함읍] 소리를 내지 않고 욺.
[銜字 함자] 남의 이름의 존칭(尊稱).
[銜荷 함하] 남에게서 입은 은혜를 고맙게 여김.
[銜華佩實 함화패실] 꽃이 피고 열매를 맺음. 곧, 문(文)과 질(質)이 겸비(兼備)됨을 이름.
◉羈銜. 馬銜. 密銜. 轡銜. 新銜. 深銜. 鞍銜. 列銜. 弛銜. 人銜. 紫鸞銜. 轉銜. 縱銜. 駘銜. 鑣銜.

6 [銐] **一** 체 (去)霽 尺制切 chì
⑭ **二** 례 (去)霽 力制切 lì

[字解] **一** 낫 체 풀을 베는 기구. 鏨(金部 八畫)와 同字. '鏨, 除艸器, 或作一'《集韻》. **二** 날카로울 례 예리(銳利)함. '一, 利也'《集韻》.

6 [鋓] 銐(前條)와 同字
⑭

6 [銎] 공 (平)冬 曲恭切 qióng
⑭

[字解] 도끼구멍 공 도끼의 자루를 박는 구멍. '大柯斧一長八寸'《六韜》.

[字源] 篆文 形聲. 金+巩(玌)〔音〕. '玌공'은 구멍을 뚫다의 뜻. 날붙이에 뚫어 놓은 구멍의 뜻을 나타냄.

[銎銎 공공] 물건을 때려 치는 모양.

6 [銮] 〔란〕
⑭ 鑾(金部 十九畫〈p. 2426〉)의 俗字

6 [銝] 휴 (平)尤 虛尤切 xiū
⑭

[字解] 긴바늘 휴 '一, 長針也'《字彙》.

7 [銳] [高·人] **一** 예 (去)霽 以芮切 ruì
⑮ **二** 태 (去)泰 杜外切 duì 锐

[筆順] ㇒ 𠆢 亼 今 全 金 釒 鈆 銳

[字解] **一** ①날카로울 예 ㉠끝이 뾰족하거나 날이 서 있음. '一利'. '尖一'. '淸徑皓刃, 苗山一鋒'《陳琳》. 또, 날카로운 끝. 봉망(鋒芒). '挫其一'《老子》. 또, 날카로운 무기. '被堅執一'. ㉡민첩함. 재치가 있음. '聰一'. '子羽一敏'《左傳》. ②날랠 예 나는 듯이 기운차고 빠름. '一騎'. '我以一師, 宵加於鄍'《左傳》. 또, 날랜 군사. '精一'. '盡一攻之'《漢書》. ③날카롭게할 예, 날래게할 예 '習於兵, 一意攻取'《十八史略》. '魏其一身爲救灌夫'《史記》. ④작을 예 세소(細小)함. '不亦一乎'《左傳》. ⑤성 예 성(姓)의 하나. **二** 창 태 창(槍)의 일종. '一人冕執一'《書經》.

[字源] 篆文 形聲. 金+兌〔音〕. '兌태'는 맺힌 것이 분해되다의 뜻. 물건을 분해하는 금속의 뜻에서 '날카롭다'의 뜻을 나타냄.

[銳角 예각] 직각(直角)보다 작은 각.
[銳口 예구] 변설(辯說)이 능란함.
[銳氣 예기] 성질이 굳세어 남에게 지지 아니하는 날카로운 기운.

[銳騎 예기] 날랜 기병.
[銳鈍 예둔] 날카로움과 둔(鈍) 함.
[銳鋃 예랑] 연찬(硏鑽) 함.
[銳利 예리] 두뇌나 칼날이 날카로움.
[銳敏 예민] 날쌔고 민첩(敏捷) 함.
[銳兵 예병] ㉠예리한 무기. ㉡예졸(銳卒).
[銳鋒 예봉] 날카로운 창끝.
[銳士 예사] 날랜 군사.
[銳師 예사] 날랜 군대. 이사(羸師)의 대(對).
[銳上 예상] 이마가 좁고 뾰족함.
[銳意 예의] 마음을 단단히 차려 힘써 함. 예지(銳志). 예정(銳精).
[銳將 예장] 날랜 장수.
[銳精 예정] 예의(銳意).
[銳爪 예조] 날카로운 발톱.
[銳卒 예졸] 날랜 병졸. 강한 군대.
[銳志 예지] 예의(銳意).
[銳進 예진] 용기(勇氣) 있게 나아감.
[銳悍 예한] 날래고 사나움. 효용(驍勇) 함. 경한(勁悍). 효한(驍悍).
[銳喙 예훼] 뾰족한 부리.
●剛銳. 勁銳. 輕銳. 果銳. 極銳. 氣銳. 芒銳. 猛銳. 明銳. 敏銳. 鑣銳. 銛銳. 纖銳. 盛銳. 細銳. 新銳. 養銳. 練銳. 完銳. 勇銳. 圓銳. 意銳. 利銳. 長銳. 折銳. 精銳. 進銳. 尖銳. 聰銳. 蓄銳. 被堅執銳. 悍銳. 陷銳. 豪銳. 驍銳.

7/15 [銳] 만 ㉭阮 亡返切 wǎn
字解 끌 만 끌어당김. '一, 引也'《字彙》.

7/15 [錇] 발 ㉯月 蒲沒切 bó
字解 솥에서끓어넘칠 발 '鬻, 說文, 吹沸溢也, 或从金'《集韻》.

7/15 [鈔] 사 ㉭歌 素何切　㉭麻 師加切 shā
字解 징 사 '一鑼'는 정(鉦)의 일종. 일설에는, 술동이.

[鈔鑼 사라] 자해(字解)를 보라.

7/15 [銶] ㉴ 구 ㉭尤 巨鳩切 qiú
筆順 ノ 스 牟 金 釒 針 釙 銶
字解 끌 구 나무에 구멍을 파는 연장. 착(鑿)의 일종. '又缺我一'《詩經》.
字源 形聲. 金+求〔音〕

7/15 [銆] 패 ㉭泰 博蓋切 bèi
字解 ①거친쇠 패 제련(製鍊)하지 않은 원광(原鑛). '一, 鋌也'《廣雅》. ②칼끝 패 칼·창 등의 뾰족한 끝. '一, 鋒也'《字彙》.

7/15 [銷] ㉴ 소 ㉭蕭 相邀切 xiāo
字解 ①녹을 소, 녹일 소 용해함. 용해시킴. '一金. '收天下之兵, 聚之咸陽, 一鋒鑄鐻, 以爲金

人十二'《史記》. ②사라질 소, 꺼질 소 없어짐. '魂一'. '燈一'. '虹一雨霽'《王勃》. ③사라지게 할 소, 꺼지게할 소 '一夏'《王勃》. ④쇠할 소, 쇠하게할 소 쇠약함. 쇠약하게 함. '其勢一弱'《史記》. ⑤작을 소 크지 아니함. '其聲一'《莊子》. ⑥무쇠 소 생철(生鐵). '羊頭一'《淮南子》. ⑦성 소 성(姓)의 하나.
字源 形聲. 金+肖〔音〕. '肖소·초'는 '작아지다'의 뜻. 금속이 작아지다, 녹다의 뜻을 나타냄.

[銷刻 소각] 깎여 없어짐. 깎아 없앰. 소마(銷磨).
[銷距 소거] 며느리발톱을 없앤다는 뜻으로, 용병(用兵)치 아니함을 이름.
[銷骨 소골] 단단한 뼈도 녹인다는 뜻으로, 참소(讒訴)의 피해가 대단히 큼을 이름.
[銷金 소금] ㉠녹인 금. 또, 금을 녹임. ㉡돈을 물 쓰듯 헤프게 씀. ㉢금박(金箔)을 입힘.
[銷金鍋 소금과] 금을 녹이는 냄비라는 뜻으로, 금전(金錢)을 낭비하는 곳. 유락지(遊樂地) 등을 이름.
[銷金帳 소금장] 금박(金箔)으로 장식한 휘장.
[銷落 소락] 소실(銷失).
[銷磨 소마] 닳아 없어짐. 또, 닳아 없어지게 함.
[銷鋒灌燧 소봉관수] 병기(兵器)를 녹이고 봉화(烽火)에 물을 끼얹는다는 뜻으로, 전란(戰亂)이 가라앉음을 이름.
[銷鑠 소삭] 쇠붙이가 녹아서 없어짐.
[銷暑 소서] 더위를 없앰. 소하(銷夏).
[銷損 소손] 손상(損傷) 함. 지워 없앰.
[銷衰 소쇠] 쇠약해짐.
[銷息 소식] 사라져 없어짐.
[銷失 소실] 삭아 없어짐. 녹아 없어짐. 사라져 없어짐. 소락(銷落).
[銷弱 소약] 쇠약함.
[銷悁 소연] 소약(銷弱).
[銷憂 소우] 근심을 없앰.
[銷殘 소잔] 삭아 없어짐.
[銷沈 소침] ㉠기세(氣勢)가 쇠퇴함. ㉡없어짐.
[銷夏 소하] 여름의 더위를 없앰.
[銷魂 소혼] 넋이 빠짐. 혼소(魂銷).
[銷毀 소훼] 녹여 없앰. 소멸시킴.
●燈銷. 兵銷. 廢銷. 魂銷. 虹銷.

7/15 [銼] ■ 좌 ㉭歌 昨禾切 cuò　■ 좌 ㉭簡 麤臥切 cuò
字解 ■ 가마솥 좌 통통하고 작은 솥. '土一烹熬雨露香'《洪希文》. ■ 꺾을 좌 挫(手部 七畫)와 同字. '兵一藍田'《史記》.
字源 錘 形聲. 金+坐〔音〕. '坐좌'는 '앉다'의 뜻. 통통하고 키가 낮은 가마솥의 뜻을 나타냄.
●土銼.

7/15 [銛] 괄 ㉯黠 古刹切 guā
字解 끊을 괄 베어 끊음. '一, 斷也'《說文》.
字源 形聲. 金+昏〔音〕

7/15 [鋂] 매 ㉭灰 莫杯切 méi

8 획

字解 사슬고리 매 한 큰 고리에 작은 두 고리를 끼운 사슬. 자모환(子母環). '盧重一'《詩經》.
字源 篆文 鋂 形聲. 金+每〔音〕. '每매'는 '어머니'의 뜻. 큰 고리에 두 개의 작은 고리를 끼운 사슬의 뜻을 나타냄. 그 모양이 어머니가 아기를 안고 있는 것과 같으므로 일컬음.

7/(15) [鋑] 〓 찬 ㉿寒 七丸切 cuān
〓 첨 ㉿鹽 將廉切 cuān
〓 전 ㉿先 子泉切 juān
字解 〓 칼 찬 '一, 刀也'《集韻》. 〓 송곳 첨 '一, 錐也, 或作㺉·鑯'《集韻》. 〓 끌 전, 뚫을 전 끌은 단단한 것을 쪼아 내는 연장. 鑯(金部 十三畫)과 同字. '鑯, 一, 說文, 穿木鑯也, 一曰, 琢石也'《集韻》.

7/(15) [鋃] 랑 ㉿陽 魯當切 láng
字解 쇠사슬 랑 '一鐺'은 쇠사슬. 전 (轉)하여, 곤란(困難)의 비유로 쓰임. '一鐺之爲物, 連牽而重, 故俗以困重不擧, 爲一鐺'《六書故》.
字源 篆文 鋃 形聲. 金+良〔音〕

[銀鐺 낭당] 쇠사슬. 쇠사슬은 무거워 들기 어려운 물건이므로, 전 (轉)하여 '곤란(困難)'의 비유로 쓰임.

7/(15) [鋊] 욕 ㈠沃 余蜀切 yù
字解 구리가루 욕 구리를 갈아 만든 가루. 동설(銅屑). '或盜摩錢質, 以取一'《漢書》.
字源 篆文 鋊 形聲. 金+谷〔音〕

7/(15) [鋌] 제 ㉿齊 杜奚切 tī, ②tī
字解 ①구슬이름 제 '鑅一'는 구슬의 이름. '一, 鑅一, 火齊'《廣韻》. ②원소이름 제 화학 원소(化學元素) 안티몬의 역어(譯語).
字源 形聲. 金+弟〔音〕

7/(15) [鋋] 〓 연 ㉿先 以然切 yán
〓 선 ㉿先 市連切 chán
字解 〓 ①창 연 쇠 자루가 달린 짧은 창(槍). '此矛一之地'《漢書》. ②찌를 연 창으로 찌름. '一猛氏'《漢書》. 〓 창 선, 찌를 선 〓과 뜻이 같음.
字源 篆文 鋋 形聲. 金+延〔音〕. '延연'은 '늘이다'의 뜻. 금속을 얇게 편 날붙이의 뜻을 나타냄.

●鎧鋋. 戈鋋. 矛鋋. 殳鋋.

7/(15) [鋌] 人名 정 ㈠迥 徒鼎切 dìng, ④tǐng
筆順 ^ 午 金 金二 釘 釘 鋌 鋌
字解 ①광석 정 동(銅)·철(鐵)의 광석(鑛石). '耶谿之一'《張協》. ②동철 정 구리와 쇠의 총칭. '至內庫, 閱珍物, 見金一'《南史》. ③없어질 정, 빌 정 '物空盡者曰一'《揚子方言》. ④달릴

정 빨리 달리는 모양. '一而走險'《左傳》.
字源 篆文 鋌 形聲. 金+廷〔音〕. '廷정'은 곧게 뛰어 나오다의 뜻. 곧게 뛰어나온 금속, 동이나 철의 광석의 뜻을 나타냄.

[鋌鑰 정약] 열쇠. ●金鋌.

7/(15) [鋏] 협 ㈠葉 古協切 jiá   鋏 銕
字解 ①부젓가락 협 부젓가락. '鐵一染浮煙'《庾信》. ②칼 협 도검(刀劍). '長一歸來乎'《十八史略》. ③칼코등이 협 검비(劍鼻). '周宋爲鋏, 韓魏爲一'《莊子》.
字源 篆文 鋏 形聲. 金+夾〔音〕. '夾협'은 '끼다'의 뜻. 대장간에서 달군 금속을 단련할 때 끼우는 도구, 부젓가락의 뜻을 나타냄.

●劍鋏. 擊鋏. 短鋏. 矛鋏. 長鋏. 鐵鋏. 彈鋏.

7/(15) [鋐] 굉 ㉿庚 戶萌切 hóng
字解 그릇 굉 기물(器物). '一, 器也'《玉篇》.

7/(15) [鋑] 난 ㉿感 奴敢切 nǎn
字解 은(銀)을두드들기는기구(器具) 난 '一, 一鐵, 打銀貝'《篇海》.

7/(15) [鋒] 人名 봉 ㉿冬 敷容切 fēng   鋒 錇
筆順 ^ 스 金 金 釒 鋝 鋅 鋒
字解 ①봉망(鋒芒) 봉 무기의 첨단. '以智勇之士爲一'《莊子》. 전 (轉)하여, 날카로운 기세. 예기(銳氣). '機警有一'《晉書》. ②끝 봉 사물의 첨단. '筆一', '抽一擢穎'《晉書》. ③앞장 봉 군대의 앞줄. '先一', '布爲前一'《漢書 黥布傳》. ④병기 봉 날이 있는 무기. '天下精銳持一'《史記》.
字源 篆文 鋒 形聲. 篆文은 金+逢〔音〕. '逢봉'은 '峰봉'과 통하여 뾰족한 끝의 뜻. '봉망(鋒芒)'의 뜻을 나타냄. '鋒봉'은 俗字.

[鋒戈 봉과] 창. 병과(兵戈). 모극(矛戟).
[鋒起 봉기] 창이 불쑥 나오는 것처럼 성하게 일어남.
[鋒旗 봉기] 진중(陣中)에서 쓰는 기(旗)의 한 가지.
[鋒端 봉단] 봉망(鋒鋩). ●
[鋒利 봉리] 날카로움. 예리함.
[鋒芒 봉망] ㉠봉망(鋒鋩). ㉡약간. 근소.
[鋒鋩 봉망] ㉠날이 있는 무기의 첨단. 창 같은 것의 끝. 봉망(鋒芒). ㉡날카로운 기세 또는 날카로운 기상의 비유.
[鋒發韻流 봉발운류] 문장이 유창함을 이름.
[鋒銛 봉섬] 창끝.
[鋒銳 봉예] 성질이 예민(銳敏)함.
[鋒蝟 봉위] 고슴도치.
[鋒刃 봉인] 창·칼 따위의 날.
[鋒鏑 봉적] 창(槍)끝과 살촉.
[鋒尖 봉첨] 창끝.
[鋒出 봉출] 봉기(鋒起).

8 ⑯ [錕] 人名 곤 ㊤元 古渾切 kūn

錕 錕

筆順 ⌒ ⠀ ⠀ 金 釒 釒 釒 錕

字解 산이름 곤 '一錔'는 명검(名劍)을 만드는 쇠가 난다는 산. '一鏔', 또는 '昆吾'라고도 함. '一錔之劍'《列子》.

字源 形聲. 金+昆〔音〕

[錕刀 곤도] 곤오(錕鏔)의 칼. 명검(名劍)을 이름.
[錕鏔 곤오] 좋은 칼을 만드는 쇠가 산출되는 산.
[錕鏔 곤오] 곤오(錕鏔).

8 ⑯ [錔] 탑 ㊈合 他合切 tà

錔

字解 쌀 탑 금(金)으로 물건의 표면을 쌈. '以金一距'《史記 註》.

字源 篆文 錔 形聲. 金+沓〔音〕. '沓답'은 겹쳐 합치다의 뜻. 금속으로 표면을 싸다, 표면을 싸는 쇠붙이의 뜻을 나타냄.

8 ⑯ [錘] 人名 ▤ 추 ㊤支 直垂切 chuí ▤ 수 ㊥寘 之瑞切 ▤ 수 ㊤寘 息委切

錘 錘

筆順 ⌒ ⠀ 金 釒 釒 釒 錘 錘

字解 ▤ ①중량이름 추 무게의 단위. 여덟 수(銖)의 일컬음. '割國之錘'《淮南子》. ②저울추 추 저울대에 거는 쇠. '權謂之一'《博雅》. ③ 도가니 추 쇠붙이를 녹이는 그릇. 감과(坩堝). '在爐一之閒耳'《莊子》. ▤ 드리울 수 垂(土部五畫)와 同字. '一以玉環'《太玄經》.

字源 篆文 錘 形聲. 金+垂(䍃)〔音〕. '䍃수'는 '드리우다'의 뜻. 저울대에 늘어져 있는 '추'의 뜻을 나타냄.

[錘鐘 추종] 추가 달린 괘종(掛鐘).
●爐錘. 紡錘. 鉛錘. 玉錘. 錙錘.

8 ⑯ [錊] ▤ 쵀 ㊧隊 祖對切 zuì ▤ 족 ㊈沃 租毒切 zū

字解 ▤ 쇠불릴 쵀, 단련할 쵀 '一, 鍊也'《集韻》. ▤ 성 족 성(姓)의 하나. '一, 姓也'《集韻》.

8 ⑯ [錙] 치 ㊤支 側持切 zī

錙 錙

字解 중량이름 치 여섯 수(銖)의 무게. '割國之一錘'《淮南子》. 전(轉)하여, 약소. 근소. 극량. '雖分國如一銖'《禮記》. 또, 대단치 않은 이해(利害). '計校一銖'《顏氏家訓》.

字源 篆文 錙 形聲. 篆文은 金+甾〔音〕

[錙銖 치수] 치(錙)와 수(銖). 모두 무게가 얼마 안 나가는 저울눈. 전(轉)하여, 약소. 근소. 극소량. 또, 하찮은 득실(得失).

8 ⑯ [錚] 人名 쟁 ㊤庚 楚耕切 zhēng

錚 錚

筆順 ⌒ ⠀ 金 釒 釒 釒 錚 錚

字解 ①쇳소리 쟁 쇠의 울리는 소리. '衝牙一

鎗'《潘岳》. ②징 쟁 악기의 한 가지. '鼓吹一鐸'《東觀漢記》.

字源 篆文 錚 形聲. 金+爭〔音〕. 금속이 서로 부딪치는 소리의 의성어.

[錚錚 쟁쟁] ㉠좋은 쇠의 소리가 맑게 쟁그랑 울리는 형용. ㉡인물이 뛰어난 모양. ㉢투호(投壺)의 화살 소리.
[錚鎗 쟁쟁] 쟁쟁(錚錚) ㉠.
[錚鏦 쟁창] 쟁쟁(錚錚) ㉠.
●鏗錚. 鏦錚. 鐵中錚錚.

8 ⑯ [鍪] 독 ㊈沃 都毒切 dú

字源 고삐고리 독 말고삐의 고리. '一, 艫舌'《集韻》.

8 ⑯ [鋉] 종 ㊤東 菹聾切 zòng

字源 금빛털 종 '一, 金毛也'《玉篇》.

8 ⑯ [錠] 人名 정 ㊥徑 丁定切 dìng

錠 錠

筆順 ⌒ ⠀ 金 釒 釒 釒 錠

字解 ①제기이름 정 제기(祭器)의 한 가지. 발이 셋 있으며, 익은 음식을 담음. '漢虹燭一'《博古圖》. ②은화 정 통화(通貨)의 은편(銀片). '銀一, 一幅梅價, 不下百十一'《洞天淸錄》. ③《韓》 정제 정 납작하게 굳힌 알약. '一劑'.

[錠①]

字源 篆文 錠 形聲. 金+定〔音〕. '定정'은 '안정하다'의 뜻. 안정감이 있는 금속제 제기의 뜻을 나타냄.

●糖衣錠. 銀錠. 砝錠. 虹燭錠.

8 ⑯ [錗] ▤ 예 ㊥寘 女恚切 nèi ▤ 추 ㊥寘 竹瑞切 zhuì ▤ 위 ㊥寘 弋睡切 wèi

字解 ▤ 기울 예 '一, 側意'《說文》. ▤ 저울추 추 '同義'《五音集韻》. ▤ 걸 위 매닭. '一, 懸也'《集韻》.

字源 形聲. 金+委〔音〕

8 ⑯ [錞] 人名 ▤ 순 ㊥眞 常倫切 chún ▤ 대 ㊧隊 徒對切 duì

錞

筆順 ⌒ ⠀ 金 釒 釒 釒 錞 錞

字解 ▤ 악기이름 순 북에 맞추어 울리는 금속제(金屬製)의 악기. '以金一和鼓'《禮記》. ▤ 창고달 대 창의 자루 끝을 싼 쇠붙이로 만든 원추형(圓錐形)의 물건. '厹矛鋈一'《詩經》.

[錞▤]

字源 金文 錞 篆文 錞 形聲. 金+享(𩱾)〔音〕. '𩱾순'은 '敦돈'과 같은 뜻으

로 '묵직하다'의 뜻. 묵직한 창고달의 뜻을 나타냄.

[錞于 순우] 북에 맞추어 울리는 쇠붙이로 만든 악기.
●鐓錞.

8획

8 (16) [錟] 人名 ■ 담 ㊤覃 徒甘切 tán
■ 섬 ㊤鹽 思廉切 xiān
■ 염 ㊤琰 以冉切 yǎn

錟錝

字解 ■ 창 담 긴 창(槍). '一謂之鈹'《揚雄》. ■ 날카로울 섬 銛(金部 六畫)과 同字. '非一於句戟長鎩也'《史記》. ■ 서슬 염 날카로운 칼날. 이인(利刃). '一戈在後'《史記》.
字源 篆文 錟 形聲. 金+炎〔音〕.

[錟戈 염과] 예리한 창.

8 (16) [錡] 人名 ■ 기 ㊤支 渠綺切 qí
■ 의 ㊤紙 魚倚切 yǐ

錡錝

筆順 ノ 수 金 釒 鈘 鉐 錡 錡

字解 ■ ①가마솥 기 발이 셋 달린 가마솥. '維一及釜'《詩經》. ②성 기 성(姓)의 하나. ■ ①쇠뇌틀 의 쇠뇌를 걸어 놓는 틀. '武庫禁兵, 設在蘭一'《張衡》. ②끌 의 나무에 구멍을 파는 연장. 착(鑿)의 일종. '又缺我一'《詩經》.
字源 篆文 錡 形聲. 金+奇〔音〕. '奇기'는 비스듬하다. 기울다의 뜻. 어슷하게 베는 톱의 뜻을 나타냄.

[錡①]

[錡釜 기부] 발이 달린 솥과 발이 달리지 않은 가마.
●崎錡. 蘭錡. 木錡. 鬴錡.

8 (16) [錢] 中人 ■ 전 ①②㊤先 昨先切 qián ③㊤銑 卽淺切 jiǎn

钱錝

筆順 ノ 수 金 釒 鈐 鋑 銭 錢

字解 ①돈 전 화폐. '金一'. '銅一'. '不直一一'《漢書》. ②성 전 성(姓)의 하나. ③가래 전 농구의 한 가지. '庤乃一鎛'《詩經》. ④(韓) 전 전 화폐의 단위로, 원(圓)의 백분의 일.
字源 篆文 錢 形聲. 金+戔〔音〕. '戔전'은 얇게 베다의 뜻. 금속제의 얇은 날의 가래의 뜻을 나타냄. 파생하여 '돈'의 뜻으로도 쓰임.

[錢③]

[錢價 전가] 돈을 은(銀)으로 환산한 가치. 돈의 은에 대한 비가(比價).
[錢渴 전갈] 돈이 잘 돌지 아니함.
[錢謙益 전겸익] 명말(明末) 청초(淸初)의 문인(文人). 강남 상숙(江南常熟) 사람. 호(號)는 목재(牧齋). 명나라가 망하자 청조(淸朝)의 예부우시랑(禮部右侍郎)이 되어 명사(明史)의 편찬(編纂)에 종사하였음. 그의 사후(死後) 건륭제(乾隆帝)로부터 명청(明淸) 2 조(朝)를 섬긴 불충지신(不忠之臣)으로 비난(非難)을 받아 그의

저서의 판목(板木)은 모두 불태워겼음. 시(詩)에 능하며, 저서에 〈초학집(初學集)〉·〈유학집(有學集)〉이 있음.
[錢穀 전곡] 돈과 곡식(穀食). 전(轉)하여, 재정(財政).
[錢貫 전관] 돈꿰미.
[錢起 전기] 중당(中唐)의 시인(詩人). 벼슬이 고공낭중(考功郎中)에 이르렀음. 청신 수려(淸新秀麗)한 가구(佳句)가 많아 낭사원(郞士元)과 함께 전랑(錢郞)으로 병칭되었음.
[錢塘江 전당강] 강(江)의 이름. 저장 성(浙江省)에 있는 저장 하류(下流)로서 항저우 만(杭州灣)으로 흐름.
[錢大昕 전대흔] 청조(淸朝)의 학자. 호(號)는 죽정(竹汀). 혜동문하(惠棟門下)의 이재(異才)로서 사학(史學)에 능하여 〈이십이사고이(二十二史考異)〉·〈십가재양신록(十駕齋養新錄)〉·〈잠연당문집(潛研齋文集)〉, 그 밖에 많은 저서(著書)가 있음.
[錢刀 전도] 돈. 금전.
[錢糧 전량] 전곡(錢穀).
[錢路 전로] 금전(金錢)이 융통(融通)되는 길.
[錢龍 전룡] ㉠용(龍)의 한 가지. ㉡돈을 꿰어 만든 용.
[錢鏐 전류] 오대십국(五代十國) 오월(吳越)의 초대 국왕. 임안(臨安) 사람. 당말(唐末) 동란기(動亂期)를 틈타 진해(鎭海)·진동(鎭東) 양군(兩軍) 절도사(節度使)를 겸(兼)하더니 당(唐)나라가 망(亡)하자 자립(自立)하여 오월(吳越)의 시조(始祖)가 되었음.
[錢文 전문] 돈의 표면에 새긴 글자.
[錢緡 전민] 전관(錢貫).
[錢癖 전벽] 돈을 탐내는 버릇.

[錢文]

[錢樹子 전수자] 돈이 열리는 나무. 한 집안이 의지하여 사는 여자. 특히 기녀(妓女)를 이름.
[錢神 전신] 금전의 힘을 신(神)에 비유한 말.
[錢引 전인] 송대(宋代)의 지폐(紙幣)·어음 따위.
[錢財 전재] 돈. 재보(財寶).
[錢主 전주] ㉠밑천을 대는 사람. ㉡빚을 준 사람.
[錢幣 전폐] 금전(金錢).
[錢布 전포] 엽전과 지폐.
[錢貨 전화] 돈. 금전. 전도(錢刀). 전폐(錢幣).
●姦錢. 慳錢. 更錢. 醵錢. 縑錢. 輕錢. 古錢. 庫錢. 口錢. 舊錢. 軍錢. 金錢. 禁錢. 給錢. 男錢. 濫錢. 綠錢. 賚錢. 多錢. 大錢. 刀錢. 銅錢. 買山錢. 母錢. 無錢. 緡錢. 半兩錢. 壁錢. 本錢. 俸錢. 不直一錢. 一紙半錢. 散錢. 三銖錢. 錫錢. 善錢. 小錢. 銷錢. 市錢. 息錢. 新錢. 惡錢. 女錢. 榮錢. 連錢. 敘錢. 用錢. 鎔錢. 偽錢. 楡錢. 遺錢. 銀錢. 意錢. 異錢. 子錢. 藏錢. 靑錢. 儲錢. 積錢. 酒錢. 鑄錢. 紙錢. 餐錢. 靑苗錢. 靑錢. 攤錢. 苔錢. 破錢. 荷錢. 香錢. 英錢. 昏寓錢. 貨錢.

8 (16) [錭] ■ 도 ㊤豪 徒刀切 táo
■ 조 ㊤蕭 丁聊切 diāo

字解 ■ 무딜 도 둔(鈍)함. '一, 鈍也'《說文》. ■ 새길 조 조각함. '必將一琢刻鏤'《荀子》.

[字源] 形聲. 金＋周〔音〕

8 ⑯ [錣] 철 [入]黜 丁刮切 zhuì 

[字解] 바늘 철 채찍 끝에 박은 쇠 바늘. '白公倒杖策, 一上貫頤血流'《淮南子》.
[字源] 形聲. 金＋叕〔音〕

8 ⑯ [鋭] [一] 예 [去]霽 儒稅切 ruì
[二] 철 [入]屑 株劣切 zhuì

[字解] [一] 날카로울 예 '一, 銳也'《集韻》. [二] 채찍 끝에붙인쇠 철 錣(金部 八畫)과 同字. '錣, 策耑有鐵, 或作一'《集韻》.

8 ⑯ [錶] 표 biǎo

[字解] 시계 표 '手一'는 손목시계, '懷一'는 회중시계(懷中時計).

8 ⑯ [錥] 육 [入]屋 余六切 yù

[字解] 작은솥 육 '鎢一'은 옹솥. '鎢一, 小釜也'《玉篇》.
[字源] 形聲. 金＋育〔音〕

8 ⑯ [錦] [高人] 금 [上]寢 居飮切 jǐn 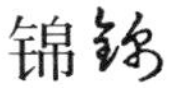

[筆順] 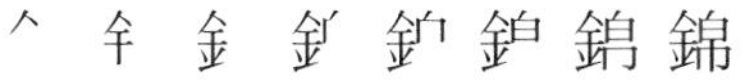

[字解] ①비단 금 ㉠여러 빛깔을 섞어 짠 무늬 있는 비단. '文一'. '子有美一'《左傳》. ㉡비단의 무늬처럼 아름다운 것. '一鱗'. '祠堂列一楓'《馬汝驥》. ㉢탄미(歎美)하는 뜻을 나타내는 관형사. '一地'. '璧房一殿相玲瓏'《王勃》. ②비단옷 금 '衣一尙絅'《中庸》. ③성 금 성(姓)의 하나.
[字源] [篆文] 形聲. 帛＋金〔音〕. '金금'은 '황금'의 뜻. 황금빛으로 빛나는 비단의 뜻을 나타냄.

[錦鷄 금계] 꿩과(科)에 속하는 새. 꿩과 비슷한데 수컷은 더욱 아름답고 황금색 관우(冠羽)가 있음.
[錦官城 금관성] 삼국(三國)의 촉한(蜀漢)의 도읍, 서도(西都)의 성(城)의 일컬음. 비단을 관장(管掌)하는 관아(官衙)를 두었던 까닭에 이름. 지금의 쓰촨 성(四川省) 청두 현(成都縣)에 있음. 금성(錦城).
[錦歸 금귀] 금환(錦還).
[錦葵 금규] 아욱과에 속하는 월년생(越年生)의 화초.
[錦衾 금금] 비단 이불.
[錦旗 금기] 비단의 천으로 만든 기.
[錦綺 금기] 비단. 전(轉)하여, 화려한 옷. 고운 옷.
[錦囊 금낭] ㉠비단 주머니. ㉡시(詩)의 원고를 넣어 두는 주머니. 당(唐)의 이하(李賀)가 좋은 시(詩)를 지었을 때마다 주머니에 넣어 둔 고사(故事)에서 나온 말. 시낭(詩囊).
[錦帶 금대] ㉠비단 띠. ㉡'순채(蓴菜)'의 별칭.
[錦纜牙檣 금람아장] 비단의 닻줄과 상아의 돛대. 곧, 수양제(隋煬帝)의 호화스러운 선유(船遊).
[錦鱗 금린] 아름다운 비늘. 아름다운 물고기.
[錦鱗魚 금린어] 쏘가리.
[錦伯 금백] 충청도(忠清道) 관찰사(觀察使)의 이칭(異稱).
[錦帆 금범] 비단으로 만든 돛.
[錦步障 금보장] 비단으로 만든 휘장. 금장(錦帳).
[錦上添花 금상첨화] 비단 위에 꽃을 더 얹는다는 뜻으로, 아름다운 데에 아름다운 것을 더함을 이르는 말.
[錦城 금성] 금관성(錦官城).
[錦繡 금수] 비단과 수(繡). 또는 비단에 놓은 수. 화려한 옷.
[錦繡江山 금수강산] 비단에 수를 놓은 듯이, 경치가 좋은 산천(山川). 우리나라의 강산을 기리는 말.
[錦繡段 금수단] 무늬가 있는 고운 견직물.
[錦繡萬花谷 금수만화곡] 서명(書名). 찬자 불명(撰者不明). 전집(前集)·후집(後集)·속집(續集) 각각 40권. 주로 송대(宋代)의 일사일시(軼事逸詩)를 모았음.
[錦繡腸 금수장] 시문(詩文)에 뛰어난 재주가 있어 지은 글이 비단같이 고움. 금심수장(錦心繡腸).
[錦心繡口 금심수구] 아름다운 사상(思想)과 아름다운 언어(言語). 문재(文才)가 뛰어난 사람을 칭찬하여 이르는 말.
[錦心繡腸 금심수장] 금심수구(錦心繡口).
[錦輿 금여] 비단을 바른 화려한 가마.
[錦筵 금연] 비단의 자리. 화려한 좌석을 이름.
[錦衣 금의] ㉠비단옷. ㉡'금의위(錦衣衛)'의 준말.
[錦衣玉食 금의옥식] 비단옷과 옥(玉) 같은 밥. 전(轉)하여, 호화로운 생활.
[錦衣衛 금의위] 명대(明代)에 천자를 호위하고 궁성을 수비하던 군대.
[錦衣還鄕 금의환향] 출세하여 고향에 돌아감. 의금환향(衣錦還鄕).
[錦字 금자] ㉠비단에 짜 넣은 글자. '회문금자(廻文錦字)'를 보라. ㉡아내가 남편을 그리워하여 보내는 글. ㉢가려(佳麗)한 시구.
[錦帳 금장] 비단의 장막. 비단의 모기장.
[錦殿 금전] 화려한 궁전.
[錦纏頭 금전두] 가무(歌舞)한 기녀(妓女)에게 주는 놀음차.
[錦地 금지] 상대편을 높이어 그의 거주지를 이르는 말. 귀지(貴地).
[錦旆 금패] 금기(錦旗).
[錦袍 금포] 비단의 도포.
[錦楓 금풍] 가을에 붉게 물든 단풍.
[錦被 금피] 비단 이불.
[錦虹 금홍] 비단같이 아름다운 무지개.
[錦還 금환] 의금환향(衣錦還鄕).
◉練錦. 古錦. 綾錦. 燈籠錦. 文錦. 美錦. 反錦. 蕃錦. 舒錦. 素錦. 紫錦. 書錦. 晝如錦. 重錦. 萋斐貝錦. 蜀江錦. 翠錦. 奪錦. 貝錦. 鋪錦. 匹錦. 紅錦. 廻文錦.

8 ⑯ [錫] [人名] 석 [入]錫 先擊切 xī 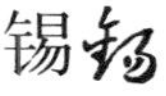

[筆順] 

字解 ①주석 석 금속의 하나. 은백색 광택이 나며 녹이 슬지 아니함. '如金如一'《詩經》. ②줄석 하사함. '賞一一賚甚厚'《舊唐書》. 또, 하사한 물건. '茅土之一'《魏書》. ③석장 석사(道士)나 중이 짚는 지팡이. '巡一'. '杖一東顧'《柳宗元》. ④가는베 석 부드럽고 고운 베. '被阿一'《史記》. ⑤성 석 성(姓)의 하나.

字源 甲骨文 金文 篆文錫 錫은 평평하게 펴다의 뜻. 평평하게 늘여 펼 수 있는 금속의 뜻을 나타냄.

[錫鑛 석광] 주석을 파내는 광산.
[錫奴 석노] 각로(脚爐). 탕파(湯婆).
[錫賚 석뢰] 하사(下賜)한 물품.
[錫類 석류] 착한 동기(同氣)를 내리심. 자손에 선량한 자가 많게 하여 줌. '類'는 착한 것〔善〕을 이름.
[錫杖 석장] 중 또는 도사(道士)가 짚는 지팡이. 위에 여러 개의 쇠고리를 달아 소리가 나게 되었음. 선장(禪杖).

[錫杖]

[錫錢 석전] 주석으로 만든 돈.
[錫響 석향] 석장(錫杖)을 짚는 소리.
●挂錫. 九錫. 賚錫. 銅錫. 瓶錫. 飛錫. 賞錫. 巡錫. 阿錫. 優錫. 恩錫. 銀錫. 杖錫. 赤錫. 珍錫. 天錫. 寵錫. 追錫. 褒錫. 犒錫.

8
16 [錮] 人名 고 (去)遇 古暮切 gù 錮錮

字解 ①막을 고 틈을 막음. '雖一南山猶有隙'《漢書》. ②맬 고 잡아매어 자유를 속박함. '子反請以重幣一之'《左傳》. 전(轉)하여, 죄인을 가둠. 또, 벼슬을 못하게 함. 공권을 박탈함. '禁一終身'《十八史略》. ③고질 고 痼(疒部 八畫)와 통용. '身有一疾'《禮記》.
字源 篆文錮 形聲. 金+固[音]. '固고'는 '굳다'의 뜻. 금속을 녹여 구멍을 단단히 막다의 뜻을 나타냄.

[錮鑄著生鐵 고로착생철] 고(錮)는 땜질, 노(鑄)는 솥붙이. 솥을 땜질하는 데에는 무쇠로는 안 된다는 뜻으로, 효과(效果) 없는 노력(努力)을 비유함.
[錮送 고송] 구속하여 보냄.
[錮疾 고질] 고치기 어려운 병(病). 고질(痼疾). 숙아(宿痾). 숙아(宿痾).
●久錮. 禁錮. 黨錮. 廢錮.

8
16 [錯] 高入 ■ 착 (入)藥 倉各切 cuò
　　　 ■ 조 (去)遇 倉故切 cù 錯錯

筆順 ^ ニ 金 金 釒 錯 錯 錯

字解 ■ ①꾸밀 착 ㉠금속(金屬)을 입혀 장식함. '以黃金一其文'《漢書》. ㉡아로새김. 그림. '簟笫一衡'《詩經》. ②줄 착 쇠붙이를 깎는 연장. '錫貢磬一'《書經》. ③숫돌 착 거친 숫돌. '佗山之石, 可以爲一'《詩經》. ④번갈아 착 순차(順次)로. '一擧'. '如四時之一行'《中庸》. ⑤어긋날 착 맞지 아니함. '舛一'. '乖一'. '與仲舒一'《漢書》. ⑥그릇할 착 잘못함. '一誤'. '其事詞一出, 不雅馴'《王世貞》. ⑦섞일 착, 섞을 착 뒤섞임. 뒤섞음. '一雜'. '一綜其數'《易經》. ⑧틀 착 피부가 틈. '手爲一, 足下無菲'《古詩》.

⑨삼갈 착 경신(敬愼)하는 모양. '履一然'《易經》. ⑩성 착 성(姓)의 하나. ■ ①둘 조 措(手部 八畫)와 同字. '一之牢筴之中'《莊子》. ②허둥지둥할 조 당황함. '二人一愕不能對'《後漢書》. ③성 조 성(姓)의 하나.
字源 篆文錯 形聲. 金+昔(촙)[音]. '촙석'은 겹쳐 쌓다의 뜻. 금속을 거듭 칠하여 도금(鍍金)하다의 뜻을 나타냄. 파생하여 여러 가지 금속이 섞이다의 뜻을 나타내고, 또 假借하여 '措조'와 통하여, '두다'의 뜻도 나타냄.

[錯事 조사] 사업(事業)을 처리함.
[錯辭 조사] 조사(措辭).
[錯愕 조악] 허둥지둥함.
[錯憚 조탄] 당황함.
[錯覺 착각] 지각(知覺)이 외계(外界)의 대상을 어긋나게 깨닫는 현상.
[錯簡 착간] 뒤섞인 죽간(竹簡). 곧, 서책의 내용에 자구(字句) 또는 지면(紙面)의 전후가 뒤바뀐 것.
[錯擧 착거] 번갈아듦.
[錯過 착과] 착오(錯誤).
[錯刀 착도] ㉠한(漢)나라 왕망(王莽) 시대의 화폐(貨幣)이름. 형상이 칼 비슷함. ㉡금으로 만든 칼.

[錯刀㉠]

[錯落 착락] ㉠뒤섞임. ㉡술 그릇.
[錯亂 착란] 뒤섞여서 어수선함.
[錯戾 착려] 어긋남.
[錯慮 착려] 틀린 생각.
[錯連 착련] 교차(交叉)하여 연속함.
[錯列 착렬] 뒤섞여 늘어섬. 또, 뒤섞어 늘어놓음. 착진(錯陳).
[錯繆 착류] ㉠착류(錯謬). ㉡뒤섞임.
[錯謬 착류] 착오(錯誤).
[錯臂 착비] 팔에 입묵(入墨)함.
[錯繡 착수] ㉠여러 빛깔을 섞어 수를 놓음. ㉡경계(境界)가 들쭉날쭉함의 형용.
[錯視 착시] 잘못 봄.
[錯薪 착신] 여러 가지 나무가 뒤섞인 섶나무.
[錯然 착연] 공경하고 삼가는 모양.
[錯午 착오] 섞임. 뒤섞임.
[錯迕 착오] 착오(錯午).
[錯誤 착오] 착각으로 인한 오류(誤謬).
[錯認 착인] 오인(誤認)함.
[錯雜 착잡] 뒤섞여서 순서가 없음.
[錯節 착절] 엉클어진 나무 마디. 전(轉)하여, 엉클어진 곤란한 사건.
[錯綜 착종] 서로 섞여 엉클어짐. 또, 복잡하게 섞음.
[錯陳 착진] 착렬(錯列).
[錯舛 착천] 문란함. 위배(違背)함.
[錯崔 착최] 험준(險峻)한 모양.
[錯峙 착치] 뒤섞여 대치(對峙)함.
[錯合 착합] 섞임.
[錯行 착행] 번갈아 감. 번갈아 돎.
[錯衡 착형] 아로새겨 장식한 멍에.
●擧錯. 綺錯. 磬錯. 乖錯. 交錯. 糾錯. 大錯. 倒錯. 忙裡錯. 迷錯. 駁錯. 盤錯. 煩錯. 紛錯. 星錯. 失錯. 搖錯. 謬錯. 疑錯. 雜錯. 注錯. 差錯. 參錯. 舛錯. 璀錯. 合錯. 涸錯.

8 ⑯ [鋽]

조 ㊀嘯 徒弔切 diào

字解 ①불리지않은쇠 조 '一, 鐵未煉'《集韻》.
②물건을태우는그릇 조 '一, 燒器也'《玉篇》.

8 ⑯ [錧]

人名 관 ㊤旱 古滿切 guǎn

筆順 ᐟ ᆢ ᆃ 金 釒 釕 鈩 錧

字解 비녀장 관 帕(車部 八畫)과 同字. '論語者
五經之一錧, 六藝之喉衿也'《趙岐》.
字源 形聲. 金+官〔音〕

[錧鎋 관할] 수레의 비녀장. 수레의 운전에 필요
한 중요한 것이므로, 사물의 가장 중요한 부분
의 뜻으로 쓰임.

8 ⑯ [鋊]

人名 기 ㊤支 居之切 jī

筆順 ᐟ ᆢ ᆃ 金 釒 釘 鈤 鋊

字解 호미 기 김을 매는 농구. '鎡一, 鉏名'《集
韻》.
字源 形聲. 金+其〔音〕

8 ⑯ [錍]

비 ①②㊤支 府移切 bēi
③㊤齊 匹迷切 pī

字解 ①도끼 비 짧은 도끼. ②쟁기 비, 보습 비
'一, 謂之錍'《廣雅》. ③살촉 비 鈚(金部 四畫)
와 同字. '一, 鏑也'《廣雅》.
字源 篆 (금)形聲. 金+卑〔音〕. '卑비'는 '낮다, 짧
文 (금)다'의 뜻. 짧은 도끼의 뜻을 나타냄.

8 ⑯ [錩]

창 ㊤養 丑兩切 cháng

字解 날카로울 창 '一, 利也'《集韻》.
字源 形聲. 金+長〔音〕

8 ⑯ [銚]

도 ㊤豪 徒刀切 táo

字解 ①무딜 도 날카롭지 못함. '鋼, 說文, 鈍
也, 或作一'《集韻》. ②주조(鑄造)할 도 '鋼, 或
作一, 一曰, 一, 鑄也'《集韻》.

8 ⑯ [銘]

目 ①陷 戶籍切 xiàn
目 감 ㊤勘 古暫切 gàn

字解 目 ①쇠사슬 함 '一, 連環也'《集韻》. ②빠
질 함 陷(阜部 八畫)과 통용. '一沒而下'《莊
子》. 目 화로 감 '一, 鑪屬'《集韻》.

8 ⑯ [銸]

녑 ㊤葉 奴協切 niè

字解 ①작은비녀 녑 '雜華一之葳蕤'《王粲》. ②
못 녑 대가리가 작은 못. '一, 一曰, 小頭釘'《集
韻》.
字源 形聲. 金+念〔音〕

8 ⑯ [錉]

민 ㊤眞 眉貧切 mín

8 ⑯ [鋪]

업 민, 구실 민, 돈꿰미 민 '一, 業也. 賈人
占一'《說文》. '一, 博雅, 稅也'《集韻》.
字源 形聲. 金+昏〔音〕

8 ⑯ [鋏]

비 ①㊤尾 父尾切 fèi
②㊤微 匹依切 pī

字解 ①작은못 비. ②침 비 바늘. 침(鍼). '砭石
今以一鍼代之'《素問 注》.

8 ⑯ [鋷]

야 ㊤禡 黃謝切 yè

字解 거울 야 '一, 鏡也'《集韻》.

8 ⑯ [錇]

최 ㊤寘 將遂切 zuì

字解 송곳 최 '一, 錐屬'《篇海》.

8 ⑯ [錇]

부 ㊤尤 浦侯切 póu

字解 큰못 부 커다란 못의 이름.

8 ⑯ [錈]

권 ①阮 窘遠切 juǎn

字解 쇠굽을 권 쇠가 말림. 또, 구부러진 쇠.
'柔則一, 堅則折. 劍折且一, 焉得爲利劍'《呂氏
春秋》.
字源 形聲. 金+卷〔音〕

8 ⑯ [錀]

人名 目 륜 ㊤眞 龍春切 lún
目 분 ㊤文 府文切 fēn

字解 目 금속(金屬)이름 륜 '一, 金也'《字彙》.
目 토끼그물의장식 분 '一, 埤蒼云, 兔奄一'《廣
韻》.

8 ⑯ [錫]

〔탕〕
錫(金部 十二畫〈p.2417〉)과 同字

8 ⑯ [鉼]

人名 병 ㊤梗 必郢切 bǐng

筆順 ᐟ ᆢ ᆃ 金 釒 釕 鈰 鉼

字解 금화 병, 은화 병 금 또는 은을 떡 모양으
로 만든 화폐. '賜與金一一'《王暉》.
字源 形聲. 金+幷〔音〕

參考 鉼(金部 六畫)은 俗字.

8 ⑯ [鋼]

〔형〕
鋼(金部 六畫〈p.2387〉)의 本字

8 ⑯ [鑼]

〔라〕
鑼(金部 十九畫〈p.2425〉)의 俗字

8 ⑯ [錋]

팽 ㊤庚 浦庚切 péng

字解 무기(武器) 팽 '一, 兵器'《集韻》.

9 ⑰ [錨]

人名 묘 ㊤蕭 眉鑣切 máo

筆順 ᐟ ᆃ 金 釒 鈗 鈤 錆 錨

字解 닻 묘 배를 멈추게 하기 위하여 밧줄에 매어 물속에 넣는 철제(鐵製)의 기구. '投一'. '拔一'. '船上鐵貓曰一'《焦竑》.
字源 形聲. 金＋苗〔音〕

●拔錨. 投錨. 下錨.

9
⑰ [錯] 개 ㊤蟹 苦駭切 kǎi   錯鎎
字解 쇠 개 상등의 쇠. 정철(精鐵). '銅一之垠'《左思》.
字源篆文 錯 形聲. 金＋皆〔音〕

●銅錯.

9
⑰ [鍒] 주 ㊤宥 千侯切 còu
字解 창(槍) 주 창의 일종(一種). '一, 槍屬'《集韻》.

9
⑰ [鍉] ▬ 시 ㊤支 常支切 chí   鍉
       ▬ 적 ㊅錫 丁歷切 dí
字解 ▬ 숟가락 시 맹세할 때 피를 입 언저리에 바르는 데 쓰는 숟가락. '牽馬操刀, 奉盤錯一'《後漢書》. ②열쇠 시 자물쇠를 여는 쇠. '鑰一'. '一, 所以啓鑰'《正字通》. ▬ 살촉 적 鏑(金部 十一畫)과 同字. '銷鋒一'《漢書》.
字源 形聲. 金＋是〔音〕

●鋒鍉. 鑰鍉.

9
⑰ [鍊] �入 련 ㊤霰 郎甸切 liàn   鍊鍊
筆順 ㇒ 𠂉 牟 金 釒 鉅 鉅 鈩 鍊
字解 ①불릴 련 쇠붙이를 불에 달굼. '鍛一'. '金百一然後精, 人亦如此'《皇極經世書》. ②불린쇠 련 달구어 질이 좋아진 금속. 정금(精金). '精一藏於鑛璞'《王襃》. ③이길 련 물을 붓고 반죽하여 만듦. '一丹'. '安期一五石'《郭璞》. ④익힐 련 사물에 익숙하게 함. '一習'. '其性一'《新論》. ⑤익을 련 익숙함. 또, 정숙(精熟)함. '一土生木, 一木生火'《淮南子》. ⑥엮을 련 교묘하게 죄안(罪案)을 엮어 만듦. '鍛一而周內之'《漢書》.
字源篆文 鍊 形聲. 金＋柬〔音〕. '柬간·련'은 '練련'과 통하여 '누이다, 이기다'의 뜻. 금속을 녹여서 불리다의 뜻을 나타냄.

[鍊鋼 연강] 단련(鍛鍊)한 강한 쇠. 강철(鋼鐵).
[鍊句 연구] 머리를 짜내어 좋은 어구(語句)를 생각함. 어구를 퇴고(推敲) 함.
[鍊金 연금] 쇠를 단련(鍛鍊)함.
[鍊金術 연금술] 고대 이집트에서 일어나 아라비아를 거쳐 유럽에 전한 원시적 화학 기술. 비금속(卑金屬)으로 황금을 만들며, 불로불사(不老不死)의 영약(靈藥)을 만들려고 한 것. 연금술 그 자체는 실패하였으나 갖가지 화학 물질을 다루는 기술이 발달하였음.
[鍊丹 연단] 도가(道家)에서 단약(丹藥), 곧 장생

불사약(長生不死藥)을 만듦. 또, 그 약. 연단(煉丹).
[鍊達 연달] 숙련(熟練)하고 통달(通達) 함.
[鍊磨 연마] 깊이 연구함. 학문을 정성 들여 닦음. 연마(練磨).
[鍊武 연무] 무예(武藝)를 단련함.
[鍊師 연사] 덕(德)이 있고 마음이 깨끗한 도사(道士)를 일컫는 말.
[鍊石補天 연석보천] 옛날에 하늘의 서북(西北)쪽이 없는 것을 보고, 여왜씨(女媧氏)가 오색(五色)의 돌을 불려서 하늘을 보완(補完)한 일.
[鍊熟 연숙] 단련(鍛鍊)하여 익숙함.
[鍊習 연습] 단련(鍛鍊)하여 익힘. 연습(練習).
[鍊藥 연약] 연단(鍊丹).
[鍊鐵 연철] 단련한 쇠. 정련(精鍊)한 철. 단철(鍛鐵).
[鍊形 연형] 도가(道家)에서 몸을 단련하여 무병장수하게 하는 일.
●鍛鍊. 陶鍊. 百鍊. 修鍊. 冶鍊. 硏鍊. 煮鍊. 精鍊. 製鍊. 鑄鍊. 砥鍊. 鑽鍊. 採鍊. 烹鍊.

9
⑰ [鍋] ㊜人名 과 ㊤歌 古禾切 guō   鍋鍋
字解 ①노구솥 과, 냄비 과 음식을 익히거나 데우는 데 쓰는, 얄팍한 금속제의 그릇. '茶一'. '銀一'. '冶人一釜'《王君玉雜纂》. ②기름통 과 기계유(機械油) 따위를 담는 그릇. '車轂一'.
字源 形聲. 金＋咼〔音〕

[鍋戶 과호] 소금을 굽는 백성.
●茶鍋. 新鍋. 銀鍋. 銅鍋.

9
⑰ [鍍] ㊜人名 도 ㊤遇 徒故切 dù   鍍鍍
筆順 ㇒ 𠂉 牟 金 釒 鉙 鉙 鈩 鍍
字解 올릴 도 도금함. '一銀'. '假金方用眞金一, 若出眞金不一金'《李紳》.
字源 形聲. 金＋度〔音〕. '度도'는 '건네다'의 뜻. 얇은 금·은 따위를 다른 금속에 씌워 건네다, 도금의 뜻을 나타냄.

[鍍金 도금] 금·은·니켈 등의 얇은 금속막을 다른 금속의 표면에 올리는 일.
●金鍍. 眞金不鍍.

9
⑰ [鎪] 수 ㊤尤 宿由切 xiū
字解 쇳덩이 수 불리지 않은 조광(粗鑛). '一, 鋌也'《玉篇》.

9
⑰ [鍐] 종 ㊤東 祖叢切 zōng   鍐
字解 말굴레 종 말 대가리에 씌우는 물건. '金一者, 馬冠也'《蔡邕》.
字源 形聲. 金＋㑇〔音〕

9
⑰ [鍑] ㊜人名 복 ㊅屋 方六切 fù   鍑鍑
筆順 ㇒ 𠂉 牟 金 釒 鈤 鈤 鈤 鍑

[字解] 솥 복 아가리가 큰 솥. 일설(一說)에는, 아가리가 오므라진 솥. '多鬵融—薪炭'《漢書》.
[字源] 篆文 形聲. 金+复(㚆)〔音〕

◉融鍑.

9 ⑰ **[鍴]** 단 [平]寒 多官切 duān

[字解] ①송곳 단 '鑽謂之—'《方言》. ②고기(古器)의이름 단 '—, 古器名, 又作耑, 似觶而稍高'《辭海》.

9 ⑰ **[鎪]** 수 [平]尤 所鳩切 sōu

[字解] 새길 수, 아로새길 수 누각(鏤刻)함. '雕—'. '刻鏤物爲—'《爾雅 註》.
[字源] 形聲. 金+叜〔音〕

◉雕鎪.

9 ⑰ **[鍔]** [人名] 악 [入]藥 五各切 è 锷

[字解] ①칼날 악 칼의 물건을 베는 부분. '底厲鋒—'《漢書》. ②가 악 가장자리. 堮(土部 九畫)과 통용. '前後無有垠—'《張衡》.
[字源] 形聲. 金+咢〔音〕

[鍔鍔 악악] 높이 솟은 모양.
◉劍鍔. 露鍔. 鋩鍔. 寶鍔. 鋒鍔. 氷鍔. 銛鍔. 礪鍔. 垠鍔. 皓鍔.

9 ⑰ **[⿰金匽]** 〔언〕
𥎞(矛部 九畫〈p.1556〉)과 同字

9 ⑰ **[⿰金研]** 〔견〕
銒(金部 四畫〈p.2382〉)과 同字

9 ⑰ **[⿱鍵毛]** 견 [去]霰 古電切 jiàn

[字解] 격구(擊毬) 견 '—, 踢毛毬'《字彙補》.

9 ⑰ **[鍯]** 〔총〕
鏓(金部 十一畫〈p.2415〉)의 俗字

9 ⑰ **[鍚]** 양 [平]陽 與章切 yáng 钖

[字解] ①당로(當盧) 양 말의 이마에 대는 금속제의 장식물. '鉤膺鏤—'《詩經》. ②방패장식 양 방패의 이면(裏面)의 금식(金飾). '朱干設—'《禮記》.
[字源] 形聲. 金+昜〔音〕

◉鏤鍚.

9 ⑰ **[鍛]** [人名] 단 [去]翰 丁貫切 duàn 锻

[筆順] 𠆢 亼 今 金 釒 鈩 鍜 鍛

[字解] ①두드릴 단 쇠붙이를 불에 달구어 두드림. '—鍊'. '—乃戈矛'《書經》. ②대장일 단 쇠붙이를 달구어 두드리는 일. '康性絶巧而好—'《晉書 嵇康傳》. ③익힐 단 익숙하게 함. '—而勿灰'《儀禮》. ④얽을 단 죄안(罪案)을 교묘하게 꾸밈. '爲奔走椎—詔獄'《唐書》. ⑤때릴 단 침. '取石來—之'《莊子》. ⑥숫돌 단 거친 숫돌. '取厲取—'《詩經》. ⑦포 단 腶(肉部 九畫)과 통용. '棗栗—脩'《穀梁傳》.
[字源] 篆文 形聲. 金+段〔音〕. '段단'은 철저하게 가공(加工)을 거듭하다의 뜻. 금속을 단련하기 위해 불에 달구어 두드리다의 뜻을 나타냄.
[參考] 鍜(次條)는 別字.

[鍛工 단공] 대장장이.
[鍛金 단금] 쇠붙이를 불림.
[鍛鍊 단련] ㉠쇠붙이를 불에 달구어 두드림. ㉡없는 죄를 교묘하게 꾸며 냄. ㉢혹리(酷吏)가 남을 억지로 죄에 빠뜨림. ㉣몸과 마음을 닦아 기름. ㉤사물을 연마(硏磨)함.
[鍛石 단석] ㉠숫돌. ㉡석회(石灰).
[鍛矢 단시] 예리한 화살.
[鍛冶 단야] 쇠를 달구어 기물을 만듦. 또, 그 사람. 대장장이.
[鍛鐵 단철] 쇠를 달굼. 또, 그 쇠. 연철(鍊鐵).
◉百鍛. 鑄鍛. 千鍛. 椎鍛. 好鍛.

9 ⑰ **[鍜]** 하 [平]麻 胡加切 xiá

[字解] 경개(頸鎧) 하 투구에 늘어져 목을 가리게 된 부분. '明光細甲照鏂—'《韓翃》.
[字源] 篆文 形聲. 金+叚〔音〕
[參考] 鍛(前條)은 別字.

◉鏂鍜.

9 ⑰ **[鍠]** 굉(횡[本]) [平]庚 戶盲切 huáng 锽

[字解] ①도끼 굉 부월(鈇鉞). '秦改鐵鉞爲—'《古今注》. ②종고소리 굉 종 또는 북의 소리. '——鎗鎗'《後漢書》.
[字源] 篆文 形聲. 金+皇(皇)〔音〕. '皇황'은 크게 넓혀지다의 뜻. 크게 퍼져 가는 종소리의 뜻을 나타냄.

[鍠鍠 굉굉] 종고(鐘鼓)의 소리.
◉鏗鍠. 儀鍠. 鎗鍠. 渾鍠.

9 ⑰ **[鍤]** 삽 [入]洽 楚洽切 chā 锸

[字解] 가래 삽 농구(農具)의 한 가지. 臿(臼部 三畫)과 同字. '擧—如雲'《史記》.
[字源] 篆文 形聲. 金+臿〔音〕. '臿삽'은 '꽂다'의 뜻. 흙에 꽂아 넣어 땅을 가는 '가래'의 뜻을 나타냄.

◉耒鍤. 負鍤. 畚鍤. 鉏鍤. 利鍤. 杖鍤. 縱鍤. 抱鍤. 荷鍤. 揮鍤.

9 ⑰ **[鍞]** 경 [平]庚 丘耕切 kēng

[字解] 금석(金石)의소리 경 鏗(金部 十一畫)과

同字. '一, 一鏘, 金石聲, 同鏗'《篇海》.

●眞鍮.

9 ⑰ [鍥] 계 ㊈霽 詰計切 qiè 鍥鍥

字解 ①새길 계 조각함. '一而不舍, 金石可鏤'《荀子》. ②끊을 계, 자를 계 절단함. '一朝涉之脛, 而一薄之風先搖'《戰國策》. ③모질 계 잔인함. '道德之旨未弘, 而一薄之風先搖'《唐書》.

字源 篆文 鍥 形聲. 金＋契〔音〕. '契계'는 잘게 썰다, 새기다의 뜻. 풀 따위를 잘게 썰기 위한 금속제의 기구, 낫의 뜻을 나타냄. 또, '새기다'의 뜻도 나타냄.

[鍥薄 계박] ㉠돈을 깎아 얇게 함. ㉡잔인하고 각박함.
[鍥而舍之 계이사지] 새기다가 중도에 버려둠.

9 ⑰ [鉇] 시 ㊈支 式支切 shī 鉇

字解 창 시 무기의 한 가지. '矛, 吳揚江淮南楚五湖之間, 謂之一'《揚子方言》.

字源 形聲. 金＋施〔音〕

9 ⑰ [銄] 굉 ㊈庚 呼宏切 hōng 銄

字解 종고소리 굉 '鏗一'은 종과 북의 뒤섞인 소리. '鐘鼓鏗一'《班固》.
字源 形聲. 金＋訇〔音〕. '訇굉'은 큰 소리의 의성어.

9 ⑰ [鍭] 후 ㊈尤 戶鉤切 hóu ㊈宥 胡遘切 鍭

字解 ①화살 후 쇠 살촉이 달린 화살. '四一旣鈞'《詩經》. ②살촉 후 화살 살촉. '善射者, 能令後一中前括'《列子》.
字源 篆文 鍭 形聲. 金＋侯〔音〕. '侯후'는 과녁을 살펴보고 화살을 쏘는 모양. 금속제의 살촉이 있는 화살의 뜻을 나타냄.

[鍭矢 후시] 쇠 살촉이 달린 화살.
●後鍭.

9 ⑰ [鉖] 돌 ㊈月 陁沒切 tú

字解 창(槍) 돌 鐥(次條)과 同字. '鐥, 槍也, 或从突'《集韻》.

9 ⑰ [鐥] 鉖(前條)과 同字

9 ⑰ [鍮] 유 ㊈虞 ㊈尤 託侯切 tōu 鍮鍮

字解 ①자연동 유 금빛이 나는 자연동(自然銅). 자연동 중에서 가장 품질이 좋은 것. '水銀墮地, 一石可引上'《本草》. ②놋쇠 유 '眞一'는 구리와 아연과의 합금. 황동(黃銅). ③성 유 성(姓)의 하나.
字源 形聲. 金＋兪〔音〕

[鍮器 유기] 놋그릇.
[鍮刀 유도] 놋쇠로 만든 칼.

9 ⑰ [鍰] 환 ㊈刪 戶關切 huán ㊈諫 胡慣切 鍰

字解 ①엿냥쭝 환 주대(周代)의 화폐(貨幣)의 무게, 여섯 냥(兩)의 일컬음. '其罰百一'《書經》. ②고리 환 環(玉部 十三畫)과 통용. '宮門銅一'《漢書》.
字源 甲骨文 形聲. 金＋爰〔音〕 篆文 鍰

●銅鍰. 百鍰.

9 ⑰ [鍱] 섭 ㊈葉 實協切 shè 鍱

字解 쇠붙이조각 섭 구리 또는 쇠 따위를 두드려 편 박편(薄片). '鍱謂之一'《博雅》.
字源 篆文 鍱 形聲. 金＋葉〔音〕. '葉엽'은 나뭇잎의 象形으로 얇고 판판하다의 뜻. 금속을 얇고 판판하게 편 쇠붙이 조각의 뜻을 나타냄.

9 ⑰ [鍵] ㊊名 건 ㊈阮 其偃切 jiàn 鍵鍵

筆順 ⌒ 牛 金 金ㄱ 金ㅋ 金ㅋ 鍵ㄱ 鍵

字解 열쇠 건 자물쇠를 여는 쇠. '管一'. '修一閉'《禮記》.
字源 篆文 鍵 形聲. 金＋建〔音〕. '建건'은 길게 뻗어 서다의 뜻. 수레의 굴대나 문에 붙이는 긴 열쇠의 뜻을 나타냄.

[鍵關 건관] 열쇠와 빗장. 전(轉)하여, 문단속.
[鍵盤 건반] 풍금·피아노 따위의 건(鍵)이 늘어놓인 바다.
[鍵閉 건폐] 열쇠와 자물쇠. 전(轉)하여, 문단속.
●鈐鍵. 局鍵. 管鍵. 關鍵.

9 ⑰ [鍼] ㊊名 침 ㊈侵 職深切 zhēn 鍼

字解 ①바늘 침, 침 침 ㉠꿰매는 바늘. '一線'. '執斷執一織紅'《左傳》. ㉡침놓는 바늘. '一砭'. '一寸之一, 一丸之艾'《論衡》. 원래는 '針'과 一의 중문(重文;같은 글자)인데, 현재는 보통 꿰매는 바늘은 '針', 침놓는 바늘, 곧 침은 '一'을 씀. ②찌를 침, 침놓을 침 바늘이나 침으로 찌름. '以鐵鍼一之'《漢書》.
字源 篆文 鍼 形聲. 金＋咸〔音〕. '咸함'은 완전히 봉하다의 뜻. 봉하기 위한 바늘의 뜻을 나타냄.

[鍼工 침공] 바느질. 재봉(裁縫). 또, 그것을 하는 사람.
[鍼孔 침공] 침을 맞는 구멍.
[鍼灸 침구] 침질과 뜸질.
[鍼路 침로] 자침(磁針)이 가리키는 방향. 진행되는 길. 침로(針路).
[鍼縷 침루] 바늘과 실.
[鍼末 침말] 바망(鍼芒).
[鍼芒 침망] 바늘 끝. 전(轉)하여, 극히 미세(微細)한 것을 이름.
[鍼盤 침반] 나침반(羅針盤).
[鍼鋒 침봉] 침망(針芒).

민심 (民心)을 진정시켜 안무(按撫)함.
[鎭邊 진변] 변경(邊境)을 진압(鎭壓)하여 다스림.
[鎭星 진성] '토성(土星)'의 별칭(別稱).
[鎭守 진수] ㉠군대를 주둔시켜 요처(要處)를 엄중히 지킴. ㉡《佛敎》 사원(寺院) 수호의 가람신 (伽藍神).
[鎭戍 진수] 진수(鎭守)❶.
[鎭綏 진수] 진안(鎭安).
[鎭息 진식] 진정(鎭定)하여 그치게 함. 또, 진정 (鎭靜)하여 그침.
[鎭安 진안] 진정(鎭定)하여 편안히 함. 또, 진정 (鎭定)되어 가라앉음.
[鎭遏 진알] 진정(鎭定)하여 막음.
[鎭壓 진압] 진정(鎭定)시키고 위압함.
[鎭禦 진어] 백성을 진정시키고 적군을 방어함.
[鎭厭 진엽] 진압(鎭壓).
[鎭慰 진위] 진정(鎭定)하여 위무함.
[鎭日 진일] 진종일. 종일(終日). 긴 하루.
[鎭子 진자] 문진(文鎭).
[鎭定 진정] 진압하여 평정함.
[鎭靜 진정] 왁자하거나 요란하던 것을 가라앉게 함. 또는 가라앉음.
[鎭重 진중] 점잖고 무게가 있음.
[鎭宅符 진택부] 집안을 안전하게 하는 부적.
[鎭討 진토] 쳐 진압(鎭壓)함.
[鎭痛 진통] 아픈 것을 진정시킴.
[鎭扞 진한] 진수(鎭守)❶.
[鎭護 진호] 난리를 진압하여 나라를 수호함.
[鎭火 진화] 화재를 꺼서 잡음.
●國鎭. 軍鎭. 撫鎭. 文鎭. 藩鎭. 邊鎭. 四鎭. 山鎭. 書鎭. 外鎭. 要鎭. 雄鎭. 留鎭. 節鎭. 州鎭. 重鎭. 至鎭. 八鎭. 風鎭.

10/18 [鎰] 人名 일 ㈎質 夷質切 yì

筆順 金 金 釒 釖 鈢 鉝 鎰 鎰

字解 중량이름 일. 무게의 단위. 스물넉 냥(兩). 일설(一說)에는, 스무 냥, 또는 서른 냥이라 함. '雖萬—, 必使玉人雕琢之'《孟子》.
字源 形聲. 金＋益〔音〕

●萬鎰.

10/18 [鎈] 차 ①㈎麻 初加切 chā ②㊤哿 相可切 suǒ
字解 ①돈 차 '—, 錢異名'《廣韻》. ②금빛 차 금의 빛깔. '—, 金光'《玉篇》.
字源 形聲. 金＋差〔音〕

10/18 [鎢] 오 ㈎虞 哀都切 wū
字解 옹솥 오. 작은 솥. '釜瓮銚槃—銷, 皆民間之急用也'《杜預》.
字源 形聲. 金＋烏〔音〕

10/18 [鎨] 구 ㈎尤 居侯切 gōu
字解 ①쟁기 구. 밭이랑을 만드는 경구(耕具). '—, 溝也, 旣割去壟上草, 又辟其土以雍苗根,

使壟下爲溝受, 水潦也'《釋名》. ②굽을 구 鉤(金部 五畫)와 同字. '鉤, 說文, 曲也, 或作—'《集韻》.

10/18 [鐑] 기 ㈎支 渠伊切 qí
字解 굴대덧방쇠 기 수레의 굴대 끝을 휘감아 싸는 쇠. '—, 軸耑鐵'《集韻》.

10/18 [鐹] 관 ㈎刪 姑頑切 guān
字解 쟁기날 관 쟁기날·삽·호미의 날. '—, 犁鈝也'《集韻》.

10/18 [鐎] 결 ㈎屑 詰結切 qiè
字解 ①새길 결 '—, 刻也'《字彙》. '鐎山石, —金玉'《淮南子》. ②낫 결.

10/18 [鍒] 삭 ①㈎藥 昔各切 suǒ ②㈎陌 色窄切 sè
字解 ①쇠줄 삭 쇠로 만든 줄. '—, 鐵繩也'《集韻》. ②석쇠 삭 고기·떡 등을 굽는 기구. '—, 鐵弗'《集韻》.
字源 形聲. 金＋索〔音〕

10/18 [鐆] 질 ㈎質 昨悉切 jí
字解 쇠회초리 질.

10/18 [鎲] 당 ㊤養 朵榜切 tǎng
字解 당파창 당 '—鈀'는 끝이 세 갈래 진 창.

10/18 [鎠] 〔함〕 鎙(金部 八畫〈p.2397〉)의 本字

10/18 [鎘] 〔력〕 鬲(部首〈p.2632〉)과 同字

10/18 [鎦] 〔류〕 劉(刀部 十三畫〈p.268〉)와 同字

10/18 [鎭] 〔진〕 鎭(金部 十畫〈p.2410〉)의 俗字

10/18 [鍛] 〔쇄〕 鍛(金部 十一畫〈p.2412〉)의 俗字

10/18 [鎏] 류 ㈎尤 力求切 liú
字解 금 류 질이 좋은 금. 미금(美金).
字源 形聲. 金＋流〔音〕

10/18 [鎣] 人名 형 ㈎徑 烏定切 yíng
字解 ①줄 형 쇠붙이를 갈아 광택이 나게 하는 연장. ②꾸밀 형 장식함.
字源 篆文 形聲. 金＋熒(省)〔音〕. '熒형'은 '빛나다'의 뜻. 금속을 갈아 윤을 내는 연장의 뜻을 나타냄.

11 ⑲ **[鏁]** 쇄 [上]哿 蘇果切 suǒ

[字解] 자물쇠 쇄, 쇠사슬 쇄 鎖(金部 十畫)와 同字. '—閉'. '冩以鐵—'《潘岳》.

[鏁廳 쇄청] 과거에 응하는 자.
[鏁閉 쇄폐] 자물쇠를 채움.
◉鐵鏁.

11 ⑲ **[鏃]** [人名] 족(촉[俗]) [入]屋 作木切 zú

[字解] 살촉 족 화살촉. '鋒—'. '石—'. '秦無亡矢遺—之費'《賈誼》.
[字源] 篆文 形聲. 金+族〔音〕. '族족'은 '모이다'의 뜻. 예리한 날 부분이 모여 뾰족해진 화살촉의 뜻을 나타냄.

[鏃矢 족시] 살촉이 있는 화살.
◉剛鏃. 勁鏃. 弓鏃. 金鏃. 磨鏃. 亡鏃. 沒鏃. 石鏃. 矢鏃. 礪鏃. 利鏃. 箭鏃. 鐵鏃. 虛鏃.

11 ⑲ **[鏇]** 선 [去]霰 辭戀切 xuàn

[字解] ①갈이틀 선 굴대를 돌려서 물건을 자르거나 깎는 기계. '—盤'. ②술데우는그릇 선 '—, 溫器也. 旋之湯中, 以溫酒'《六書故》.
[字源] 篆文 形聲. 金+旋〔音〕. '旋선'은 빙글빙글 돌다의 뜻. 빙글빙글 돌려서 둥근 그릇을 만드는 갈이틀의 뜻을 나타냄.

[鏇盤 선반] 갈이틀. 선반(旋盤).

11 ⑲ **[鏄]** 단 [平]寒 徒官切 tuán

[字解] 쇳덩어리 단 '—, 塊鐵'《集韻》.

11 ⑲ **[鏈]** 련 [平]先 力延切 liàn

[字解] ①쇠사슬 련 쇠고리를 이은 것. '—鎖'. '今人以銀鐺之類相連續者爲—'《六書故》. ②《現》케이블 련 거리의 단위. 케이블(cable)의 음역. 10분의 1해리(海里).
[字源] 篆文 形聲. 金+連〔音〕. '連련'은 '이어지다'의 뜻. 길게 이어진 '쇠사슬'의 뜻을 나타냄.

[鏈繫 연계] 쇠사슬로 맴.
[鏈鎖 연쇄] 쇠사슬.
◉鐵鏈.

11 ⑲ **[鏌]** 막 [入]藥 慕各切 mò

[字解] 칼이름 막 '—鋣'는 간장(干將)과 병칭(竝稱)되는 오(吳)나라의 명검(名劍). '—邪'·'莫邪'로도 씀. '求—鋣於明智'《後漢書》.
[字源] 篆文 形聲. 金+莫〔音〕

[鏌干 막간] 막야(鏌鋣)와 간장(干將). 모두 상고(上古)의 명검(名劍).
[鏌邪 막야] 막야(鏌鋣).
[鏌鋣 막야] 고대(古代)의 오(吳)나라의 명검(名劍).

11 ⑲ **[鏐]** 류 [平]尤 力求切 liú

[字解] 금 류 질이 좋은 금. 미금(美金). '鐐琫而—珌'《詩經 箋》.
[字源] 金文 篆文 形聲. 金+翏〔音〕

◉精鏐.

11 ⑲ **[鏅]** 수 ①[平]尤 思留切 xiū ②[去]宥 息救切 xiù

[字解] ①쇳덩이 수 조광(粗鑛). '—鉏, 鋌也'《廣雅》. ②쇠불릴 수 단련(鍛鍊)함. '—, 鍛也'《集韻》.

11 ⑲ **[鎩]** [一] 쇄 [去]卦 所拜切 shài [二] 살 [入]黠 所八切 shā

[字解] [一] ①창 쇄 긴 창(槍). '非錟於句戟長—也'《史記》. ②자를 쇄 절단함. '鳥—翮'《左思》. [二] 창 살, 자를 살 [一]과 뜻이 같음.
[字源] 篆文 形聲. 金+殺〔音〕. '殺살·쇄'는 뾰족하게 자르다, 가늘게 베어 내다의 뜻. 끝의 양쪽이 가늘게 베어 내어진 창의 뜻을 나타냄.

[鎩羽 살우] 날개가 부러져 날지 못한다는 뜻으로, 뜻을 잃음을 비유하여 이르는 말.
[鎩翼 살익] 날개를 폄.
◉長鎩.

11 ⑲ **[鏕]** [一] 록 [入]屋 盧谷切 lù [二] 오 [平]豪 於刀切 áo

[筆順] 鏕

[字解] [一] ①솥이름 록 '—, 釜名'《集韻》. ②현(縣)이름 록 '—, 一曰, 鉅—, 縣名'《集韻》. [二] 냄비 오 鏖(金部 十一畫)와 同字. '—, 同鏖'《龍龕手鑑》.

11 ⑲ **[鏑]** [人名] 적 [入]錫 都歷切 dí

[字解] ①살촉 적 화살촉. '銷鋒—'《史記》. ②우는살 적 쏘아 나갈 때 소리가 나는 화살. 명전(鳴箭). '飛—'. '作爲鳴—'《史記》.
[字源] 篆文 形聲. 金+啇〔音〕. '啇적'은 '가다'의 뜻. 적을 향해 날아가는 화살촉, '우는살'의 뜻을 나타냄.

◉鳴鏑. 鋒鏑. 飛鏑. 鎖鏑. 矢鏑. 流鏑. 箭鏑. 响鏑.

11 ⑲ **[鏗]** 갱 [平]庚 口莖切 kēng

[字解] ①금석소리 갱 쇠나 돌 따위의 울리는 소리. 종이나 경쇠가 울리는 소리. '鍾聲—'《禮記》. ②거문고소리 갱 거문고를 타는 소리. '鼓瑟希, —爾舍瑟'《論語》. ③칠 갱 종 같은 것을 침. '—鐘搖簴'《楚辭》.
[字源] 會意. 金+堅. 굳은 금석에서 나는 소리의 형용을 나타냄.

[鏗鏗 갱갱] ㉠금석(金石) 또는 거문고의 소리. ㉡언어가 명확한 모양.

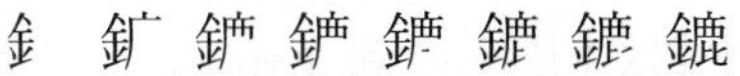

[鏗鍠 갱굉] 종고(鐘鼓)의 소리.
[鏗戛 갱알] 갱연(鏗然).
[鏗然 갱연] 금석(金石) 또는 거문고의 소리.
[鏗爾 갱이] 갱연(鏗然).
[鏗鏘 갱장] 금옥(金玉)의 소리. 악기의 소리.
[鏗錚 갱쟁] 금옥(金玉)의 소리.
[鏗鎗 갱쟁] 금석(金石)의 소리.

11 ⑲ **[鏤]** 루 [去]宥 郎豆切 lòu

[字解] 쇠의녹 루 산화철(酸化鐵). '一, 鏉一, 鐵生衣'《集韻》.

11 ⑲ **[鏘]** 장 [平]陽 七羊切 qiāng 锵

[字解] ①울리는소리 장 옥(玉) 또는 방울 같은 것이 울리는 소리. '一然而韶鈞鳴'《李漢》. ②높을 장 높은 모양. '蹌高閣之一一'《後漢書》.
[字源] 形聲. 金+將〔音〕. '將장'은 금속이 서로 부딪치는 소리의 의성어.

[鏘然 장연] 옥(玉) 또는 방울 같은 것이 울리는 소리.
[鏘鏘 장장] ㉠옥(玉) 또는 방울이 울리는 소리. ㉡음악 소리. ㉢높은 모양.
◉鏗鏘. 凄鏘.

11 ⑲ **[鏚]** 척 [入]錫 倉歷切 qī

[字解] 도끼 척 戚(戈部 七畫)과 同字. '君王命剝圭以爲一柲'(柲는 자루)《左傳》.
[字源] 形聲. 金+戚〔音〕. '戚척'은 '도끼'의 原字. 친척 등의 딴 의미로 많이 쓰이었기 때문에, '金금'을 덧붙여 '도끼'의 뜻을 분명히 함.

[鏚鉞 척월] 도끼.

11 ⑲ **[鏪]** 조 [平]豪 財勞切 cáo

[字解] 뚫을 조 '一, 穿也'《集韻》.

11 ⑲ **[鏜]** 당(탕[本]) [平]陽 吐郎切 tāng 镗

[字解] 종고소리 당 종이나 북의 소리. '擊鼓其一'《詩經》.
[字源] 篆文 形聲. 金+堂〔音〕. 종이나 북소리의 의성어.

[鏜鏜 당당] ㉠종고(鐘鼓)의 소리. 당연(鏜然). ㉡큰 소리의 형용.
[鏜然 당연] 북 치는 소리의 형용.
[鏜鞳 당탑] ㉠파도·폭포·종고 등의 모든 큰 소리의 형용. 당당(鞺鞺). ㉡종고(鐘鼓)의 큰 소리.

11 ⑲ **[鏝]** 만 [平]寒 母官切 màn 镘

[字解] 흙손 만 흙 바르는 연장. '手一'. '泥一'.
[字源] 篆文 形聲. 金+曼〔音〕. '曼만'은 길게 늘이다의 뜻. 벽토를 길게 늘여 펴기 위한 쇠흙손의 뜻을 나타냄.

[鏝胡 만호] 날이 없고 큰 창.
◉手鏝. 泥鏝. 操鏝. 畫鏝.

11 ⑲ **[鏞]** [人名] 용 [平]冬 餘封切 yōng 镛

[筆順] 釒 鏞

[字解] 종 용, 쇠북 용 큰 종. '笙一以閒'《書經》.
[字源] 篆文 形聲. 金+庸〔音〕. 原字는 '甬용'이었으나, '甬'의 뜻이 다양하게 파생 분화하였으므로, 이 글자가 쓰이게 됨. '庸용'은 '들어 올리다'의 뜻. 들어 올려서 매다는 큰 종의 뜻을 나타냄.

[鏞]

◉金鏞. 大鏞. 笙鏞.

11 ⑲ **[鏟]** 산 [上]潸 初限切 chǎn 铲

[字解] ①대패 산 나무를 밀어 깎는 연장. ②깎을 산 剷(刀部 八畫)과 同字. '意欲一疊障'《杜甫》.
[字源] 篆文 形聲. 金+産〔音〕. '産산'은 뚜렷하게 잘리어 떨어지다의 뜻. 뚜렷하게 깎아 내는 대패의 뜻을 나타냄.

[鏟幣]

[鏟幣 산폐] 대팻날 모양의 옛날 돈. 춘추(春秋) 시대 이전의 유물(遺物)로 생각됨.

11 ⑲ **[鏠]** 봉 [平]冬 敷容切 fēng

[字解] 봉망 봉 鋒(金部 七畫)의 本字.
[字源] 鋒(金部 七畫)의 字源을 보라.

[鏠旗 봉기] 대 끝에 창을 단 기.
[鏠出 봉출] 칼날 끝이 돌출함.

11 ⑲ **[鏡]** [高人] 경 [去]敬 居慶切 jìng 镜

[筆順] 釒 鏡

[字解] ①거울 경 ㉠물체의 형상을 비추어 보는 물건. '銅一'. '淸水明一, 不可以形逃'《漢書》. ㉡모범·경계가 될 만한 것. '以前人爲一戒'《後漢書》. ②비출 경 빛을 발사함. '金光一野'《班固》. ③비추어볼 경 조감(照鑑)함. 대조하여 봄. '孰當可而一'《呂氏春秋》. ④살필 경 '深說經義, 明一聖法'《漢書》. ⑤안경 경 시력을 보충 또는 조절하는 기구. '望遠一'. '初始名之爲千里一'《乾隆帝》. ⑥성 경 성(姓)의 하나.
[字源] 篆文 形聲. 金+竟〔音〕. '竟경'은 '景경'과 통하여 '빛'의 뜻. 모습을 비추어 내는 구리 거울의 뜻을 나타냄.

[鏡鑑 경감] ㉠거울. ㉡본보기.
[鏡匣 경갑] 거울을 넣은 상자.
[鏡戒 경계] 경계(警戒). 감계(鑑戒).
[鏡誡 경계] 경계(鏡戒).
[鏡考 경고] 거울삼아 생각함. 살펴 생각함.
[鏡臺 경대] 거울을 달아 세운 화장대.

[鏡奩 경렴] 경갑(鏡匣).
[鏡匲 경렴] 경갑(鏡匣).
[鏡籢 경렴] 경갑(鏡匣).
[鏡裏 경리] 거울 속. 경중(鏡中).
[鏡面 경면] 거울이 비치는 면.
[鏡餅 경병] 보리와 쌀을 빻아 섞어서 거울 모양으로 만든 떡.
[鏡水 경수] 거울과 같이 맑고 잔잔한 물.
[鏡影 경영] 거울에 비치는 형상.
[鏡淨 경정] 경청(鏡清).
[鏡彩 경채] 거울과 같이 맑은 빛.
[鏡清 경청] 거울과 같이 맑고 깨끗함.
[鏡花水月 경화수월] 거울에 비친 꽃과 물에 비친 달. 눈으로는 보나 손으로는 쥘 수 없는 것과 같이, 시문(詩文) 등의 언어(言語)를 초월한 묘취(妙趣)를 이름.
[鏡花緣 경화연] 소설 이름. 청(清)나라 이여진(李汝珍)의 작(作). 전편(全篇) 1백 회(回). 당(唐)나라 측천무후(則天武后) 때 득죄(得罪)한 화신(花神)이 하늘에서 쫓겨 백(百) 사람의 여자로 태어나 다 과거(科擧)에 급제(及第)하고 홍문연(紅文宴)에 초대됨을 그린 것.
●古鏡. 掛鏡. 皎鏡. 龜鏡. 金鏡. 鸞鏡. 銅鏡. 磨鏡. 萬華鏡. 望遠鏡. 明鏡. 撲鏡. 反鏡. 反射鏡. 方鏡. 寶鏡. 氷鏡. 水鏡. 神鏡. 心鏡. 雙眼鏡. 鑾鑾鏡. 眼鏡. 瑩鏡. 玉鏡. 凹面鏡. 圓鏡. 人鏡. 粧鏡. 照鏡. 地鏡. 塵鏡. 天鏡. 千里鏡. 天眼鏡. 鐵鏡. 凸面鏡. 清鏡. 破鏡. 合鏡. 海鏡. 向鏡. 懸鏡. 顯微鏡.

11 (19) [鋺] 원 ㊀元 於袁切 yuān
字解 호미목의구부러진쇠 원 鋺(金部 八畫)과 同字. '一, 鉏頭曲鐵, 或从宛'《集韻》.

11 (19) [鏢] 표 ㊀蕭 撫招切 biāo 鏢鏢
字解 ①칼집끝장식 표 칼집의 끝에 있는 장식. ②칼끝 표 칼의 뾰족한 끝. 도봉(刀鋒). ③푼끝 표 먼 데서 던져 사람을 살상하는 데 쓰는 작은 끝.
字源 篆文 鏢 形聲. 金+票(嘌)〔音〕. '嘌표'는 가볍게 떠오르는 끝의 뜻. 칼의 뾰족한 끝, 또 칼집의 끝의 뜻을 나타냄.

11 (19) [鏤] 人名루 ①-④㊁宥 盧候切 lòu ⑤㊀虞 力朱切 lú 鏤鏤
字解 ①강철 루 단단한 쇠. '璆鐵銀一'《書經》. ②새길 루, 아로새길 루 쇠에 여러 가지 무늬를 새김. '刻一'. '器不彫一'《左傳》. 전(轉)하여, 널리 나무를 새기는 데도 이름. '一板'. ③뚫을 루 개통함. '一山'. '一靈山'《漢書》. ④성 루 성(姓)의 하나. ⑤칼이름 루 '屬一'는 검(劍)의 이름. '賜子胥屬一之劍'《史記》.
字源 篆文 鏤 形聲. 金+婁〔音〕. '婁루'는 가공한 위에 또 가공하다의 뜻. 아로새기기 위한 금속, 강철의 뜻이나, 칼로 아로새기다의 뜻을 나타냄.

[鏤刻 누각] 새김. 조각함. 전(轉)하여, 문장·사구(辭句) 등을 꾸밈.
[鏤句 누구] 구(句)를 교묘하게 지음. 또, 그 구.
[鏤膚 누부] 누신(鏤身).

[鏤氷雕朽 누빙조후] 얼음 덩어리나 썩은 나무에 조각한다는 뜻으로, 애쓴 보람이 없음을 이름.
[鏤山 누산] 산을 뚫어 길을 개통함.
[鏤身 누신] 문신(文身)함.
[鏤月裁雲 누월재운] 달을 아로새기고 구름을 마름. 세공(細工)의 교묘(巧妙)함을 비유한 말.
[鏤梓 누자] ㉠판(板)에 새김. ㉡서적을 출판함.
[鏤塵 누진] 티끌에 새김질을 한다는 뜻. 불가능한 일, 도로무공(徒勞無功)의 비유로 쓰임.
[鏤彩 누채] 아로새기고 색칠을 함.
[鏤板 누판] 목판(木板)을 새김.
●刻鏤. 丹鏤. 彤鏤. 釵鏤. 鐫鏤. 雕鏤. 錯鏤. 青鏤.

11 (19) [鏦] ㊀총 ㊀冬 七恭切 cōng ㊁창 ㊀江 楚江切 cōng 鏦
字解 ㊀①창 총 작은 창(槍). ②찌를 총. ㊁①찌를 창 창 같은 것으로 찌름. '一特肩'《後漢書》. ②울리는소리 창 쇠붙이가 울리는 소리. '一一鏦鏦, 金鐵皆鳴'《歐陽修》.
字源 篆文 鏦 形聲. 金+從〔音〕. '從종'은 길게 세로로 뻗다의 뜻. 가늘고 긴 창의 뜻을 나타냄.

[鏦殺 창살] 창으로 찔러 죽임.
[鏦鏦 창창] 금속이 울리는 소리.

11 (19) [鑵] 관 ㊁翰 古玩切 guàn
筆順 ⽜ 金 釒 釒 釒 釒 錚 鑵
字解 ①팔찌 관 '一, 鐶手謂之一'《集韻》. ②뚫을 관 꿰뚫음. '一, 穿也'《玉篇》.

11 (19) [鏹] 강 ㊁養 居兩切 qiǎng 鏹鏹
字解 돈꿰미 강 繦(糸部 十一畫)과 同字. '藏一巨萬'《左思》.
字源 形聲. 金+強〔音〕

11 (19) [鏋] 무(모)㊈麌 ㊀麌 滿補切 mǔ 鏋
字解 다리미 무 '鈷一'는 다림질하는 제구. 다리미. 고무(鈷鏋).
●鈷鏋.

11 (19) [鏉] 수 ①②㊁宥 所祐切 shòu ③㊀尤 速侯切 sōu
字解 ①날카로울 수 '一, 利也'《說文》. ②녹 수 쇠에 스는 녹. '一, 一曰, 一鏽, 鐵上衣'《集韻》. ③새길 수, 아로새길 수 鎪(金部 十畫)와 同字. '一, 彫也'《集韻》.
字源 篆文 鏉 形聲. 金+欶〔音〕

11 (19) [鑅] ㊀위 ㊈霽 于歲切 wèi ㊁혜 ㊈霽 胡桂切 ㊂세 ㊈霽 祥歲切
字解 ㊀솥 위 ㉠작은 솥. 또, 귀 없는 솥. '一小鼎. 又曰, 鼎無耳爲一'《說文 段注》. ㉡귀 있는 솥. '一, 銅器. 三足有耳也'《玉篇》. ㊁솥 혜

[一]과 뜻이 같음. [三] 솥 세 큰 솥. '一, 大鼎'《廣韻》.
[字源] 形聲. 金＋彗〔音〕

11 ⑲ [鏎] 필 [入]質 壁吉切 bì

[字解] 간찰(簡札) 필 畢(田部 六畫)·篳(竹部 十一畫)과 통용. '一, 簡也, 通作畢·篳'《集韻》.

11 ⑲ [鏒] [一] 삼 [上]感 桑感切 sǎn
[二] 초 [平]蕭 千遙切 qiāo
[三] 참 [去]勘 七紺切 càn

[字解] [一] ①쇠 삼 금속(金屬). '一, 玉篇, 金一'《字彙》. ②철기(鐵器)의모양 삼 '一, 鐵器貌'《五音集韻》. [二] 꿰맬 초 바늘로 옷을 기움. '一, 以箴紩衣, 通作繰'《集韻》. [三] 호미 참 '一, 鋤也'《集韻》.

11 ⑲ [鏋] [人名] 만 [上]旱 母伴切 mǎn

[筆順] 釒 釒一 鉗 鉗 錆 鏋 鏋 鏋

[字解] 금 만 '一, 金也'《玉篇》.
[字源] 形聲. 金＋㒼〔音〕

11 ⑲ [鏂] [一] 우 [平]尤 烏侯切 ōu
[二] 후 [平]尤 墟侯切 kōu
[三] 구 [平]虞 丘于切 ōu

[字解] [一] ①우후(鏂銗) 우 ㉠'一銗'는 문고리를 다는 쇠 장식. '一, 門鋪謂之一銗'《集韻》. ㉡'一銗'는 투구 드림. 투구의 뒤와 좌우에 드리워 목을 보호하는 드림. '錏鍜謂之一銗'《廣雅》. ②부우(鈇鏂) 우 ㉠'鈇一'는 거울 상자의 장식. '鈇, 鈇一, 籢飾也'《玉篇》. ㉡'鈇一'는 큰못. '鈇, 鈇一, 大釘'《集韻》. [二] 깎을 후 '劅, 剾也. 或作一'《集韻》. [三] 용량단위 구 2되 8홉. '百泉則 一二十也. (注) 二升八合曰一'《管子》.

11 ⑲ [鏍] 〔라〕
鑹(金部 十九畫〈p. 2425〉)와 同字

11 ⑲ [鏫] 〔려·리〕
鑗(金部 十五畫〈p. 2423〉)와 同字

11 ⑲ [鏸] 〔환〕
鐶(金部 十三畫〈p. 2420〉)의 俗字

11 ⑲ [鏽] 〔수〕
銹(金部 七畫〈p. 2397〉)와 同字

11 ⑲ [鏩] 〔참〕
鏨(金部 十一畫〈p. 2415〉)과 同字

11 ⑲ [鏊] 오 [去]號 五到切 ào
[去]嘯 牛召切

[字解] 번철 오 지짐질하는 데 쓰는, 솥뚜껑을 젖힌 모양의 쇠 그릇.
[字源] 形聲. 金＋敖〔音〕

11 ⑲ [鏕] 鏊(前條)와 同字

11 ⑲ [鏖] 오 [平]豪 於刀切 áo

[字解] ①오살할 오 모조리 죽임. 많이 죽임. '一殺'. '秦以山西, 一六國'《李覯》. ②시끄러울 오 훤조(喧噪)함. '市聲一午枕'《黃庭堅》.
[字源] 形聲. 金＋鹿〈省〉〔音〕

[鏖殺 오살] 한 사람도 남기지 않고 모두 무찔러 죽임.
[鏖戰 오전] 힘을 다하여 적이 다 죽든지 자기편이 다 죽든지 간에 최후까지 싸움.
[鏖糟 오조] ㉠오살(鏖殺). ㉡불결하고 난잡함. ㉢끈질기어 남을 불쾌하게 함.

11 ⑲ [鏨] [一] 참 [平]覃 昨甘切 zàn
[上]感 才敢切
[二] 잠 [去]勘 藏濫切 zàn

[字解] [一] ①새길 참 돌에 글자 같은 것을 새김. ②끌 참 돌에 글자 같은 것을 새기는 작은 끌. [二] 새길 잠, 끌 잠 [一]과 뜻이 같음.
[字源] 篆文 形聲. 金＋斬〔音〕. '斬참'은 '베다'의 뜻. 작은 끌의 뜻을 나타냄.
[參考] 鏩(金部 十一畫)은 同字.

[鏨字 참자] 글자를 새김.

11 ⑲ [鍪] 〔무〕
鍪(金部 九畫〈p. 2408〉)와 同字

11 ⑲ [鏉] 구 [平]尤 墟侯切 kōu

[字解] 깎을 구 깎아 냄. 鏂(金部 十一畫)와 同字. '劅, 剾也, 或作鏂·斸·一·剅'《集韻》.

11 ⑲ [鏓] [一] 총 [平]東 倉紅切 zǒng
[二] 송 [上]董 損動切
[三] 몽 [平]東 謨蓬切

[字解] [一] ①종소리 총 '一, 鎗一也'《說文》. ②뚫을 총 큰 끌로 나무에 구멍을 뚫음. '一, 一曰, 大鑿中木也'《說文》. ③끌 총 큰 끌. '一, 大鑿平木器'《廣韻》. [二] 종소리 송, 뚫을 송, 끌 송 [一]과 뜻이 같음. [三] 뚫을 몽 [一]❷와 뜻이 같음.
[字源] 形聲. 金＋悤〔音〕

11 ⑲ [鏦] 鏓(前條)과 同字

12 ⑳ [鐃] 뇨 ①-③[平]肴 女交切 náo
④[去]效 女敎切 nào
铙

[字解] ①징 뇨 악기의 한 가지. 군중(軍中)에서 쓰는 작은 징. '以金一止鼓'《周禮》. ②동발 뇨 자바라 종류의 악기. '一鈸'. '一聲爲陰'《禮記 註》. ③시끄러울 뇨 譊(言部 十二畫)와 통용. '今年尙可, 後年一'《後漢書》. ④휠 뇨 撓(手部 十二畫)와 통용. '萬物無足以一心者'《莊子》.
[字源] 篆文 形聲. 金＋堯〔音〕. '堯요'는 '높다'의 뜻. 청동으로 만든 높은 음이 나는 타악기, '징'의

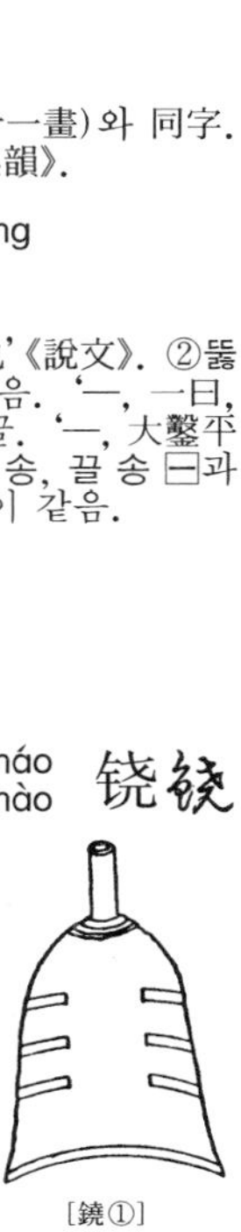
〔鐃①〕

뜻을 나타냄.

[鐃歌 요가] 징을 두드리며 부르는 노래. 곧, 군악(軍樂)의 하나.
[鐃鈸 요발] 《佛敎》 자바라 종류의 악기. 마주 쳐 울림. 동발(銅鈸).
[鐃吹 요취] 요가(鐃歌).
●金鐃.

[鐃鈸]

12/20 [鏷] 박(복)㊄ ㋐沃 蒲沃切 pú 鏷鏸
字解 무쇠 박 정련(精鍊)하지 아니한 쇠. '一越
鍛成'《張協》.
字源 形聲. 金+業〔音〕

12/20 [鏸] 혜 ㊄霽 胡桂切 huì 鏸
字解 세모창 혜 세모진 창.
字源 形聲. 金+惠〔音〕

12/20 [鏺] 발 ㋐曷 普活切 pō 鏺
字解 ①낫 발 쌍날로 된 낫. ②벨 발 낫으로 풀을 깎음. '一廣濟'《韓愈》.
字源 形聲. 金+發〔音〕. '發발'은 '튕겨 내다'의 뜻. 쌍날의 낫으로 풀을 베어 내다의 뜻을 나타냄.

12/20 [鐄] 횡 ㊄庚 戶盲切 huáng 鐄
筆順 金 釒 鈁 鈁 鐄 鐄 鐄 鐄
字解 ①종 횡, 쇠북 횡 큰 종. ②소리 횡 물건의 소리의 형용. '錚一聲喤'《馬融》.
字源 形聲. 金+黃〔音〕

●錚鐄.

12/20 [鐇] 번 ㊄元 附袁切 fán 鐇
字解 ①도끼 번 날이 넓은 도끼. ②벨 번, 깎을 번 벌채함. '一钁株林'《後漢書》.
字源 形聲. 金+番〔音〕

[鐇钁 번곽] 벌채함.

12/20 [鐍] ▤ 결 ㋐屑 古穴切 jué 鐍
▤ 휼(결)㊄ ㋐屑 古穴切 jué
字解 ▤ 고리 결 잠그게 된 고리. '施玉鐍一'《後漢書》. ▤ 자물쇠류 여닫는 물건을 잠그는 쇠. '固扃一'《莊子》. 전(轉)하여, 추요(樞要)의 뜻으로 쓰임. '扣二儀之一鐍'《李嶠》.
字源 形聲. 金+矞〔音〕. '矞결·휼'은 구멍을 뚫는 송곳의 뜻. 고리 속에 송곳 같은 금속제의 혀가 있는 자물쇠의 뜻을 나타냄.

[鐍固 휼고] 자물쇠로 잠금.

[鐍閉 휼폐] 자물쇠로 잠금.
●扃鐍. 鐶鐍.

12/20 [鐎] 초 ㊄蕭 卽消切 jiāo 鐎鐍
字解 조두(刁斗) 초 '一斗'는 군대에서 쓰는 냄비 비슷한 그릇. 발이 셋이고 자루가 달림. 낮에는 음식을 데우고, 밤에는 두드려 야경(夜警)을 함. 銅. '煮之一中, 停于祭前'《周禮 註》.
字源 形聲. 金+焦〔音〕. '焦초'는 불에 눋게 하다의 뜻. 냄비 종류의 뜻을 나타냄.

[鐎斗]

[鐎斗 초두] 자해(字解)를 보라.
●銅鐎.

12/20 [鐏] 준 ㊄願 祖寸切 zūn 鐏鐍
字解 창물미 준 창(槍)의 자루 끝을 싼, 쇠붙이로 만든 원추형(圓錐形)의 물건. '進戈者前其一'《禮記》.
字源 形聲. 金+尊〔音〕. '尊준'은 통통한 술통의 뜻. 창자루 따위의 끝에 끼우는, 작은 술통 모양의 물미의 뜻을 나타냄.

12/20 [鐪] 로 ㊄遇 魯故切 lù
字解 금으로장식한수레 로 '一, 金路'《字彙》.

12/20 [鐒] 〔로〕
鐒(金部 七畫〈p.2397〉)와 同字

12/20 [鐒] 료 ㊄蕭 落蕭切 liáo 鐒鐍
字解 은 료 질이 좋은 미은(美銀). '南一'. '一質輪菌'《何晏》.
字源 形聲. 金+寮(尞)〔音〕. '尞료'는 '밝다, 희다'의 뜻. 하얗게 빛나는 금속, '은'의 뜻을 나타냄.

●南鐒.

12/20 [鐓] ▤ 대 ㊄隊 徒對切 duì 鐓鐍
▤ 돈 ㊄元 都昆切 dūn
字解 ▤ 창고달 대 창(槍)의 자루 끝을 싼, 쇠붙이로 만든 납작한 물건. 원추형의 것은 '鐏'이라 함. '進矛者前其一'《禮記》. ▤ 창고달 돈 ▤과 뜻이 같음.
字源 形聲. 金+敦(敦)〔音〕. '敦돈'은 '묵직하다'의 뜻. 묵직한 물미의 뜻을 나타냄.

12/20 [鐔] ▤ 심 ㊄侵 徐林切 xín 鐔鐍
▤ 담 ㊄覃 徒含切 tán
字解 ▤ ①날밑 심 칼날과 칼 자루와의 사이에 끼우는 테. '周宋爲一'《莊子》. ②칼코등이 심 칼자루의 하단(下端). 검수(劍首). 검비(劍鼻). ③칼 심 작은 검(劍). '鑄作刀劍鉤一'《漢書》. ▤ 날밑 담, 칼코등이 담, 칼 담 ▤과 뜻이

같음.
字源 篆文 鐔 形聲. 金＋覃(담) 〔音〕. '覃담'은 깊게 파고 들어가다의 뜻. 칼에 깊숙이 끼우는 날밑의 뜻을 나타냄.

●劍鐔. 戈鐔.

12/20 [鐖] 기 ㊀微 渠希切 qí

字解 낫 기 큰 낫. '非直適戍之衆, 一鑿棘矜也' 《史記》.
字源 形聲. 金＋幾〔音〕.

12/20 [鐘] ㊥入 종 ㊀冬 職容切 zhōng

筆順 金 釒 釒 鉊 鋪 鐈 鐈 鐘

字解 ①종 종, 쇠북 종 쇠로 만든 악기. '一鼓樂之'《詩經》. ②성 종 성(姓)의 하나.
字源 金 釒 篆文 鐘 形聲. 金＋童〔音〕. '童동'은 '重중'과 통하여 '무겁다'의 뜻. 무거운 금속의 뜻에서 파생하여 '종'의 뜻을 나타냄.

[鐘閣 종각] 큰 종(鐘)을 달아 놓은 집.
[鐘磬 종경] 종과 경. 전(轉)하여, 악기(樂器).
[鐘鼓 종고] 종과 북.
[鐘樓 종루] 종을 달아 놓은 누각.
[鐘銘 종명] 종에 새긴 명(銘).
[鐘鳴漏盡 종명누진] 때를 알리는 종이 울리고 물시계의 물이 다 한다는 뜻으로, 밤이 자꾸 깊어 감을 이름. 전(轉)하여, 노쇠(老衰)하여 여명(餘命)이 얼마 남지 아니함을 이름.

[鐘①]

[鐘鳴鼎食 종명정식] 종을 쳐서 집 안 사람을 모아 솥을 늘어놓고 먹음. 곧, 가족이 많은 부귀(富貴)한 사람의 살림을 이름. 격종 정식(擊鐘鼎食).
[鐘鎛 종박] 큰 종과 작은 종. 종.
[鐘笙 종생] 종소리와 생황(笙簧) 소리.
[鐘聲 종성] 종소리.
[鐘鼎 종정] 종과 가마솥.
[鐘鼎文 종정문] 은주 시대(殷周時代)의 종정(鐘鼎)의 명(銘)에 쓰인 고문(古文)·대전(大篆)·주문(籀文).

●鼖鐘. 巨鐘. 擊鐘. 警鐘. 古鐘. 撾鐘. 掛鐘. 亂鐘. 撞鐘. 晩鐘. 鳴鐘. 暮鐘. 半鐘. 飯後之鐘. 梵鐘. 山鐘. 曙鐘. 小鐘. 時鐘. 晨鐘. 夜鐘. 掩耳盜鐘. 午鐘. 五鐘. 遠鐘. 應鐘. 林鐘. 自鳴鐘. 鼎鐘. 弔鐘. 朝鐘. 坐鐘. 編鐘. 夾鐘. 昏鐘. 洪鐘. 鴻鐘. 曉鐘. 霽鐘.

12/20 [鐙] 등 ①㊀徑 都鄧切 dèng ②-④㊀蒸 都騰切 dēng

字解 ①등자 등 말을 탈 때 디디고 올라가는 제구. '和裙穿玉一'《韓偓》. ②제기 등 금속제의 제기(祭器). 익힌 음식(飮食)을 올리는 데 쓰임. 와두(瓦豆). '實于一'《儀禮》. ③등잔 등 제구. 모양이 두(豆) 비슷함. ④등불 등 등화. '華一錯些'《楚辭》.

① ② [鐙] ③

字源 篆文 鐙 形聲. 金＋登〔音〕. '登등'은 물건을 올리기 위한 제기의 뜻. 금속제의 제기의 뜻을 나타냄.

[鐙骨 등골] 귀의 고막(鼓膜)에서 더 들어간 곳에 있는 뼈. 모양이 등자(鐙子) 비슷하므로 이름. 마등골(馬鐙骨).
●跨鐙. 金鐙. 馬鐙. 木鐙. 玉鐙. 銀鐙. 雕鐙. 鐵鐙. 衝鐙.

12/20 [鐕] 잠 ㊀覃 作含切 zān

字解 ①못 잠 대가리가 없는 못. '用雜金一'《禮記》. ②꿰맬 잠 옷을 지음. '一, 綴衣也'《集韻》. 撍(手部 十二畫)과 통용.
字源 篆文 鐕 形聲. 金＋朁〔音〕. '朁참'은 '숨다'의 뜻. 두드려 박으면 숨어 버리는 못의 뜻을 나타냄.

12/20 [鏵] 화 ㊀麻 戶花切 huá

字解 가래 화 농구의 하나.

12/20 [鐉] ㊀先 逡緣切 quān ㊁先 逡緣切

字解 ㊀ 문돌개쇠 전 문장부를 끼우는 반구형(半球形)의 쇠. '一, 所目鉤門戶樞也'《說文》. ㊁ 문돌개쇠 천 ㊀과 뜻이 같음.
字源 形聲. 金＋巽〔音〕.

12/20 [鐉] ㊀翰 先旰切 sǎn ㊁霰 私箭切 xiàn

字解 ㊀ 쇠뇌 산 여러 개의 화살을 한꺼번에 쏘는 활. ㊁ 불깔 선 수탉을 거세함.

12/20 [鐥] ㊣人名 ㊤韓 선

字解 《韓》복자 선 술·기름 따위를 담는 작은 접시 모양의 쇠 그릇. 귀때가 달려 있음.

12/20 [鐗] 간 ㊁諫 古晏切 jiàn, ②jiǎn

字解 ①수레굴대쇠 간 수레의 굴대의 바퀴통에 들어가는 부분을 싼 쇠. '一, 車軸鐵也'《說文》. ②창 간 날이 없는 모가 넷 있는 창.
字源 篆文 鐗 形聲. 金＋閒〔音〕. '閒간'은 사이에 끼이다의 뜻. 바퀴통쇠(釭)와 굴대의 사이에 있는, 마찰을 적게 하기 위한 쇠의 뜻을 나타냄.

12/20 [鐋] 탕 ㊀漾 他浪切 tàng, ②tāng

字解 ①대패 탕 도끼로 깎은 뒤에 다듬는 연장. '一, 平木器'《字彙》. ②소라 탕 청(淸)나라 때에 요가(鐃歌)의 음악에 쓰이던, 구리로 만든

소라(小鑼). '一鑼'.
[字源] 形聲. 金+湯〔音〕

12⑳ [鏜] 쟁 [平]庚 楚耕切 chēng

[字解] 종소리 쟁 '鎗, 說文, 鏜聲也, 或作一'《集韻》.

12⑳ [𨭉] 관 [去]翰 苦喚切 kuǎn

[字解] ①쇠를달구어지질 관 '一, 燒鐵灸也'《廣韻》. ②낙인(烙印) 관 쇠를 달구어 간찰(簡札)의 차례를 표시함. '一, 坤蒼日, 燒鐵灸也, 一日, 灼鐵以識簡次'《集韻》. ③봉인(封印)할 관 '一, 一縫'《廣韻》. '今于紙縫上署記, 謂之一刻'《字林》.

12⑳ [鐈] 교 [平]蕭 巨嬌切 / [上]篠 擧夭切 qiáo / [去]嘯 渠廟切

[字解] ①냄비 교 솥 비슷하고 발이 긴 냄비. '一, 似鼎而長足'《說文》. ②가마 교 가마솥. '一, 釜也'《廣雅》.
[字源] 形聲. 金+喬〔音〕

12⑳ [鐝] [現] 궐 jué

[字解] 《現》 괭이 궐, 가래 궐 땅을 파는 연장.

12⑳ [鏶] [人名] 집 [入]緝 秦入切 jí

[筆順] 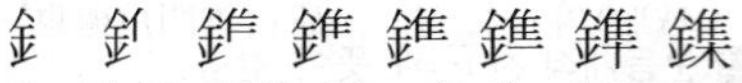

[字解] 쇳조각 집 쇠를 두드려 편 판금(板金). '一, 謂之鍱'《博雅》.
[字源] [篆文] 形聲. 金+集〔音〕

12⑳ [𨫒] 람 [平]覃 盧含切 lán

[字解] 말재갈 람 '一驂'은 재갈. '一驂, 馬口中鐵'《字彙》.

12⑳ [𨬍] 타 [上]哿 杜果切 duò

[字解] ①보습 타 '鈐一'는 큰 보습. '一, 鈐一也'《說文》. ②바퀴통끝휘갑쇠 타 '鍊一'는 바퀴통 끝에 물리는 휘갑쇠. '輨軑鍊一, 關之東西曰輨, 南楚曰軑, 趙魏之間曰鍊一'《揚子方言》.
[字源] [篆文] 形聲. 金+隋〔音〕. '隋타'는 무너져 내리다의 뜻. 흙을 무너뜨리는 보습의 뜻을 나타냄.

12⑳ [𨬖] 고 [平]虞 攻乎切 gū

[字解] 화살 고 '鏷一'는 화살 이름. '鏷一, 矢名'《集韻》.

12⑳ [鐑] 결 [入]屑 吉屑切 qiè

[字解] 낫 결.

12⑳ [鐀] 〔궤〕
匱(匚部 十二畫〈p.294〉)와 同字

12⑳ [鐂] 〔류〕
鎦(金部 十畫〈p.2411〉)의 本字
[字源] [篆文] 形聲. 金+畱〔音〕. '畱류'는 '劉류'와 통하여 '죽이다'의 뜻.

12⑳ [鐚] 〔아〕
錏(金部 八畫〈p.2398〉)와 同字

12⑳ [鏹] 〔강〕
鏹(金部 十一畫〈p.2414〉)의 俗字

[鏽] 〔수〕
金部 十三畫(p.2421)을 보라.

12⑳ [鏻] [人名] 린 [平]眞 離珍切 lín

[字解] 굳셀 린 건강한 모양. '一, 健皃'《廣韻》.

12⑳ [鐅] 별 [入]屑 普蔑切 piě

[字解] ①보습날 별 '一, 江南呼鍫刃'《廣韻》. ②소금가마 별 소금 굽는 가마솥.
[字源] [篆文] 形聲. 金+敝〔音〕. '敝폐·별'은 '갈라 나누다'의 뜻. 흙을 갈라 나누는 쇠붙이의 뜻으로, '보습의 날'의 뜻을 나타냄.

12⑳ [𨭆] 궐 [入]月 其月切 jué

[字解] 갈 궐 '一, 磨也'《集韻》.
[字源] 形聲. 金+厥〔音〕

13㉑ [鐩] 수 [去]寘 徐醉切 suì

[字解] 화경 수 햇빛을 비추어서 불을 일으키는 렌즈. '陽一'.

◉陽鐩.

13㉑ [鐰] [一] 초 [平]蕭 千遙切 qiāo / [二] 소 [去]號 先到切 sào / [三] 조 [平]豪 財勞切 cáo

[字解] [一] 가래 초 삽. '斛, 爾雅, 斛謂之疀, 惑作一'《集韻》. [二] ①쇠단단할 소 '一, 金鐵大剛曰一'《集韻》. ②마를 소 건조함. '一, 乾也'《廣雅》. [三] 쇠가단단하여부러질 조 '一, 剛, 折謂之一'《集韻》.

13㉑ [鐫] [人名] 전 [平]先 子泉切 juān 鐫

[字解] ①새길 전 조각함. '一琢'. '彫一'. '可一廣之'《漢書》. ②물리칠 전 관위(官位)를 강등함. 좌천함. '一級'. '有犯則一黜'《宋史》.
[字源] [篆文] 形聲. 金+雋〔音〕. '雋전'은 '穿천'과 통하여 '뚫다'의 뜻. 구멍을 뚫기 위한 쇠 연장, 끌의 뜻을 나타냄.

[鐫級 전급] 등급을 내림. 강급(降級)함.
[鐫鏤 전루] 새김. 조각함.
[鐫勒 전륵] 돌 같은 데에 새김.

字解 고리 환 기름한 물건을 둥글게 휘어서 맞붙여 만든 물건. '金一'. '指一'. '錘以玉一'《太玄經》.
字源 形聲. 金+瞏〔音〕. '瞏선·환'은 '고리'의 뜻. 금속제의 고리의 뜻을 나타냄.

[鐶鈕 환뉴] 손잡이.
◉金鐶. 銅鐶. 鎖鐶. 指鐶.

13 21 [鐭] 오 ㊇屋 烏倒切 yù
字解 냄비 오, 솥 오 '一, 溫器, 或作鏖'《集韻》.

13 21 [鐸] 人名 탁 ㊇藥 徒落切 duó 铎
筆順 金 金罒 ... 鐸
字解 ①방울 탁 옛날에, 교령(教令)을 선고할 때 흔들어 울리던 큰 방울. 목탁(木鐸)·금탁(金鐸)의 두 종류가 있는데, 목탁은 나무 추(錘)가 달린 것으로서 문사(文事)에 쓰며, 금탁은 쇠 추(錘)가 달린 것으로서 무사(武事)에 씀. '一鈴'. '以木一徇于路'《書經》. ②성 탁 성(姓)의 하나.
字源 金文 篆文 形聲. 金+睪〔音〕. '睪택'은 차례로 당겨 붙이다의 뜻. 음계(音階)를 표현하기 위하여 차례로 크기를 바꾸어 늘어놓은 방울의 뜻을 나타냄.

[鐸鐃 탁뇨] 방울과 동라(銅鑼).
[鐸鈴 탁령] 방울.
◉鼓鐸. 金鐸. 大鐸. 銅鐸. 鳴鐸. 木鐸. 辨鐸. 鈴鐸. 鉦鐸. 鐘鐸. 振鐸. 執鐸. 風鐸.

13 21 [鏽] 수 ㊄宥 息救切 xiù 锈 鏽
字解 녹 수 쇠붙이의 산화 작용으로 변한 빛. '鏡一卽鏡上綠也'《本草》.
字源 形聲. 金+肅〔音〕

[鏽澁 수삽] 녹이 슬어 깔깔함.
◉鏡鏽.

13 21 [鐹] 과 ①㊄箇 古火切 guǒ ②㊅歌 古禾切 guō
字解 ①낫 과 풀 베는 연장. '一, 鎌也'《廣韻》. ②바퀴통쇠 과 '一, 釭也'《廣雅》.

13 21 [鐺] 人名 一 당 ㊅陽 都郞切 dāng 二 쟁 ㊅庚 楚庚切 chēng 铛
筆順 金 金" ... 鐺
字解 一 ①종고소리 당 鏜(金部 十一畫)과 통용. '鏗鎗一鼛'《史記》. ②쇠사슬 당 鋃(金部 七畫)을 보라. '鋃一'. 二 솥 쟁 세 발 달린 솥. '母好食一底焦飯'《世說》.
字源 篆文 形聲. 金+當〔音〕. '當당'은 '맞다'의 뜻. 맞아서 나는 소리의 뜻으로, 종소리 등의 뜻을 나타냄.

[鐺鼛 당답] 북소리.
[鐺戶 당호] 소금을 굽는 집.
[鐺鬲 쟁력] 발이 있는 솥.
◉空鐺. 銀鐺. 茶鐺. 藥鐺. 折脚鐺. 鼎鐺. 鐵鐺. 土鐺. 破鐺. 平底鐺.

13 21 [鐻] 거 ①㊤語 其呂切 jù ②㊄御 居御切 ③㊅魚 強魚切 qú
字解 ①악기틀 거 簴(竹部 十四畫)와 同字. '銷以爲鐘一'《史記》. ②악기이름 거 악기의 한 가지. 나무를 깎아 만듦. '削木爲一'《莊子》. ③귀고리 거 귀에 거는 고리의 한 가지. '一耳之傑'《左思》.
字源 篆文 形聲. 金+豦〔音〕

◉金鐻. 鑄鐻.

13 21 [鐯] 一 작 ㊇藥 職略切 zhuó 二 착 ㊇藥 張略切
字解 一 가래 작 큰 가래. '斫謂之一. (注)钁也. (疏)說文云, 钁, 大鉏也'《爾雅》. 二 가래 착 一과 뜻이 같음.

13 21 [鏢] 표 ㊅蕭 卑遙切 biāo
字解 칼끝 표 鏢(金部 十一畫)와 同字. '皆以白珠鮫爲一口之飾. (注)通俗文曰, 刀鋒曰一'《後漢書》.
字源 形聲. 金+剽〔音〕

13 21 [鐼] 一 훈 ㊄問 許運切 fén 二 분 ㊅元 逋昆切 bēn
字解 一 쇠 훈 '一, 鐵屬'《說文》. 二 자귀 분, 대패 분 '一, 平木器'《集韻》.
字源 篆文 形聲. 金+賁〔音〕

13 21 [鐽] 〔건〕 鍵(金部 九畫〈p. 2406〉)의 俗字

13 21 [鐷] 〔섭〕 鍱(金部 九畫〈p. 2406〉)과 同字

13 21 [鐮] 〔겸〕 鎌(金部 十畫〈p. 2408〉)과 同字

13 21 [鑞] 〔랍〕 鑞(金部 十五畫〈p. 2423〉)과 同字

13 21 [鏋] 〔만〕 鏝(金部 十一畫〈p. 2413〉)의 俗字

13 21 [鐳] 〔승·민〕 繩(糸部 十三畫〈p. 1774〉)과 同字

13 21 [贏] 〔라〕 鑹(金部 十九畫〈p. 2425〉)와 同字

14 22 [鑂] 人名 훈 ㊄問 吁運切 xùn
筆順 金 金一 ... 鑂
字解 금빛투색할 훈 '一, 金色渝也'《集韻》.

形聲. 金+熏〔音〕

14
㉒ [鐃] 녕 ①②㉠庚 尼耕切 níng
③㉡迥 乃挺切 nǐng
字解 ①쇠 녕 '一, 鐵一'《廣韻》. ②칼자루 녕 '一, 刀柄'《集韻》. ③슴베 녕 칼의 자루 속에 박히는 부분. '一, 吳俗謂刀柄入處爲一'《集韻》.

14
㉒ [鏷] 〔박·복〕
鏷(金部 十二畫〈p.2416〉)과 同字

14
㉒ [鐄] 횡 ㉠庚 胡盲切 héng
字解 종소리 횡 '一, 鐘聲'《集韻》.

14
㉒ [鑄] 高人 주 ㉠遇 之戍切 zhù
㉡宥 昭秀切
铸铸
筆順 金 釒 鉒 鋍 鋍 鑄 鑄 鑄
字解 ①부어만들 주 금속을 녹여 거푸집에 넣어서 기물을 만듦. '一鑊', '一鼎象物'《左傳》. 전(轉)하여, 인재를 양성하는 뜻으로 쓰임. '孔子一顏回矣'《揚子法言》. ②성 주 성(姓)의 하나.
字源 金文 篆文 金文은 會意로 鬲+火+皿. 불을 가해 금속을 녹여 거푸집에 부어서 기물을 만드는 모양을 나타내어, 부어 만들다의 뜻을 나타냄. 篆文은 金+壽〔音〕의 形聲. '壽수'는 잇대다의 뜻. 금속을 녹여서 뜻하는 모양으로 잇대다, 부어 만들다의 뜻을 나타냄.
參考 鋳(金部 七畫)는 略字.

[鑄工 주공] 쇠를 다루는 장인(匠人). 야인(冶人).
[鑄耜 주사] 쇠로 보습을 만듦.
[鑄山煮海 주산자해] 산에서는 구리를 캐내어 돈을 만들고, 바다에서는 해수를 끓여 소금을 만듦. 나라의 산물(産物)이 극히 많음을 이름.
[鑄顏 주안] 공자(孔子)가 제자 안회(顏回)를 훌륭한 인물로 만든 일.
[鑄鎔 주용] 쇠를 녹임. 용주(鎔鑄).
[鑄人 주인] 인재를 양성함. 도주 인재(陶鑄人才).
[鑄錢 주전] 쇠를 녹여 돈을 만듦.
[鑄造 주조] 쇠를 녹여 물건을 만듦.
[鑄鐵 주철] 갓 파낸 철광(鐵鑛)에서 잡것을 분리(分離)시킨 쇠. 선철(銑鐵). 시우쇠.
[鑄型 주형] 물건을 주조(鑄造)하는 데 쓰는 골.
●姦鑄. 改鑄. 更鑄. 鼓鑄. 陶鑄. 盜鑄. 私鑄. 新鑄. 冶鑄. 鎔鑄. 造鑄. 雕鑄.

14
㉒ [鑊] 확 人藥 胡郭切 huò
鑊鑊
字解 가마솥 확 발이 없는 큰 솥. 옛날에, 고기를 삶거나 죄수를 삶아 죽이는 데 썼음. '鼎一'. '一烹之刑'《漢書》.
字源 甲骨文 篆文 形聲 甲骨文은 鬲+隻〔音〕. '鬲력·격'은 솥의 象形. '隻척'은 새를 잡다의 뜻. 새나 물고기를 붙잡아서 끓이는 솥의 뜻을 나타냄. 篆文은 金+蒦〔音〕. '蒦확'은 새를 잡다의 뜻.

[鑊]

[鑊烹 확팽] 가마에 삶아 죽이는 형벌(刑罰).
●鉅鑊. 大爨鑊. 大鐵鑊. 大鑊. 斧鑊. 沸鑊. 銀鑊. 鼎鑊. 鐵鑊. 湯鑊.

14
㉒ [鑐] 수 ㉠虞 相兪切 xū
字解 자물쇠 수 문을 잠그는 쇠.

14
㉒ [鎚] 주 ㉠寘 直類切 zhuì
字解 녹기시작한구리 주 '一, 銅半熟也'《五音集韻》.

14
㉒ [鑌] 人名 빈 ㉠眞 必隣切 bīn
字解 강철 빈 강하고 좋은 쇠. '三尺一刀耀雪光'《長生殿》.
字源 形聲. 金+賓〔音〕.

14
㉒ [鑑] 高人 감 ㉠陷 格懺切 jiàn
鉴鑑
筆順 金 釒 鈩 鉅 鉶 鉶 鑑 鑑
字解 ①거울 감 ㉠물체의 형상을 비추어 보는 물건. '王以后之鑒一與之'《左傳》. 본보기. 경계. '殷一不遠'《詩經》. ㉡안식(眼識). 靈一. '有知人之一'《梁書》. ②볼 감 ㉠거울 같은 것에 비추어 봄. '無一于水'《國語》. ㉡살펴봄. 고찰함. '魏不審一'《諸葛亮》. ㉢식별함. 一識'. '一'剛'. '其獎拔人士, 皆如所一'《後漢書》. ③거울삼을 감 본보기로 함. 또는 경계로 삼음. '以自一戒'《後漢書》. ④성 감 성(姓)의 하나.
字源 金文 篆文 形聲. 金+監〔音〕. '監감'은 비추어 보다의 뜻. '金금'을 덧붙여 구리거울의 뜻을 나타냄.
參考 鑒(金部 十四畫)은 同字.

[鑑戒 감계] ㉠거울삼아 경계(警戒)함. ㉡본보기. 모범. 경계(鏡戒).
[鑑念 감념] 거울삼아 생각함.
[鑑寐 감매] 감매(鑑寐).
[鑑寐 감매] 낮잠. 가수(假睡).
[鑑銘 감명] 거울에 새긴 명(銘).
[鑑別 감별] 감정(鑑定)하여 분별(分別)하여 냄.
[鑑賞 감상] 예술 작품을 음미함.
[鑑識 감식] ㉠감정하여 식별함. 또, 그 식별하는 학식과 견문. ㉡사물의 취미(趣味)를 이해하는 지력(知力).
[鑑悟 감오] 총명(聰明)함.
[鑑定 감정] 사물(事物)의 선악·우열 등을 분별하여 작정(作定)함.
[鑑止 감지] 환히 봄.
●鏡鑑. 古鑑. 窮鑑. 龜鑑. 金鑑. 圖鑑. 明鑑. 武鑑. 寶鑑. 氷壺玉鑑. 商鑑. 賞鑑. 省鑑. 聖鑑. 識鑑. 神鑑. 宸鑑. 深鑑. 年鑑. 靈鑑. 睿鑑. 殷鑑. 以人爲鑑. 印鑑. 臨鑑. 才鑑. 寂鑑. 前鑑. 精鑑. 藻鑑. 智鑑. 淸鑑. 總鑑. 卓鑑. 通鑑. 品鑑. 風鑑. 虛鑑. 玄鑑. 皇鑑.

14
㉒ [鐵] 〔철〕
鐵(金部 十三畫〈p.2419〉)의 古字

14 ㉒ [鑦] 현 ㊤銑 呼典切 xiǎn

字解 깎을 현 깎아 냄. '剹, 削也, 或从金'《集韻》.

14 ㉒ [鑧] 〔궤〕 匱(匚部 十二畫⟨p.294⟩)와 同字

14 ㉒ [鑨] 〔요·조〕 銚(金部 六畫⟨p.2390⟩)와 同字

14 ㉒ [鑩] 경 ㊥徑 苦定切
경 ㊧敬 牽正切 qìng

字解 앙감질할 경 한 발을 들고 한 발로만 뛰어 가는 것. '一而乘於他車以歸'《左傳》.
字源 形聲. 金+輕〔音〕.

14 ㉒ [鑑] 〔감〕 名 鑑(金部 十四畫⟨p.2422⟩)과 同字

筆順

14 ㉒ [鑪] 녑 ㊤葉 諾叶切 niè
녜 ㊤薺 乃禮切 nǐ

字解 一①바룰 녑 '一, 說文, 正也'《集韻》. ②족집게 녑 '鑷, 說文, 箝也. 亦作鑪'《集韻》. 二①수레멍에 실을 감아 두는 것. '榍, 絡絲鑪, 或作一'《集韻》. ②수레를멈추게하는나무 녜 杭(木部 五畫)와 통함. '一, 杭·鈀通, 易姤初六, 繫于金杭, 子夏傳作一'《正字通》.

15 ㉓ [鑬] 독 ㊤屋 徒谷切 dú

字解 인궤(印櫃) 독 도장을 넣는 상자. '一, 印之匱'《集韻》.

15 ㉓ [鑭] 질 ㊤質 之日切 zhì

字解 ①도끼 질 부월(鈇鉞). '執鈇一'《公羊傳》. ②모루 질 쇠로 만든 모탕. 質(貝部 八畫)과 同字. '斧一'.
字源 形聲. 金+質〔音〕.

●斧鑭. 鈇鑭. 鐵鑭. 砧鑭.

15 ㉓ [鑮] 파 ㊥支 班麋切 bēi

字解 ①쟁기 파 농구의 한 가지. ②갈 파 경작함.
字源 形聲. 金+罷〔音〕. '罷파'는 물리쳐 제거하다의 뜻. 잡초 등을 제거하기 위한 농구, '쟁기'의 뜻을 나타냄.

15 ㉓ [鑯] 광 ㊤梗 古猛切 kuàng

筆順 金 釒 釒 釒 鑛 鑛 鑛 鑯

字解 쇳돌 광 광석. 礦(石部 十五畫)과 同字. '精鍊藏於一朴'《王褒》.
字源 形聲. 金+廣〔音〕.

[鑯毒 광독] 광산의 채굴 또는 제련 등의 결과로 생기는 해독.
[鑯脈 광맥] 광물의 맥. 쇳줄.
[鑯物 광물] 암석·토양 중에 함유된 천연의 무기물.
[鑯璞 광박] 아직 제련하지 아니한 광석과 아직 다듬지 아니한 옥.
[鑯夫 광부] 광물(鑯物)을 파내는 인부(人夫).
[鑯山 광산] 광물(鑯物)을 파내는 산(山).
[鑯產 광산] 광물(鑯物)의 산출(產出).
[鑯石 광석] 금속(金屬)을 포함한 광물(鑯物). 쇳돌.
[鑯泉 광천] 광물질을 다량으로 함유한 샘이나 온천.
[鑯穴 광혈] 광물(鑯物)을 파내기 위하여 뚫은 구덩이.

●金鑯. 銅鑯. 選鑯. 銀鑯. 採鑯. 鐵鑯. 炭鑯. 廢鑯.

15 ㉓ [鑰] 랍 ㊤合 盧盍切 là

字解 땜납 랍 납과 주석(朱錫)과의 합금. '白一'이라고도 함.
字源 形聲. 金+巤〔音〕.

●白鑰. 錫鑰.

15 ㉓ [鑱] 려 ㊤齊 憐題切
리 ㊤支 良脂切 lí

字解 一①쇠 려 금속(金屬). '一, 金屬也'《說文》. ②벗길 려 '一, 一曰, 剝也'《說文》. 二쇠 리 검은 금속(金屬). '一, 金屬'《廣韻》. '一, 黑金也'《集韻》.
字源 形聲. 金+黎〔音〕.

15 ㉓ [鑲] 삭 ㊤藥 書藥切 shuò

字解 ①녹일 삭 쇠를 용해함. '衆口一金'《國語》. 전(轉)하여, 소산(銷散)케 함. 흩뜨림. '非由外一我也'《孟子》. ②녹을 삭 용해함. '金一'《史記 註》. 전(轉)하여, 소산함. 흩어짐. '韓氏一'《戰國策》. ③아름다울 삭 '一金, 於一王師'《詩經》. ④정정할 삭 늙어서 기력이 좋은 모양. 노익장(老益壯)한 모양. '矍一'.
字源 形聲. 金+樂〔音〕. '樂악'은 '銷소'와 통하여 금속을 녹이다의 뜻. 또, '爍삭'과 통하여 '아름답다, 좋다'의 뜻도 나타냄.

[鑲金 삭금] ㉠쇠를 녹임. 중언(衆言)이 무서움의 비유. ㉡아름다운 황금. 일설(一說)에는, 녹은 황금.
[鑲鑲 삭삭] 빛나는 모양. 번쩍번쩍하는 모양.
[鑲石流金 삭석유금] 더위가 대단함의 비유.

●景鑲. 瑰鑲. 鍛鑲. 陶鑲. 謗鑲. 閃鑲. 銷鑲. 燒鑲. 鍊鑲. 鎔鑲. 懿鑲. 燋鑲. 矍鑲.

15 ㉓ [鑳] 려 ㊥御 良倨切 lǜ

字解 ①줄 려 쇠붙이를 갈아 닳게 하는 연장. ②갈 려 줄로 갊. '尙可磨一而平'《詩經箋》. ③다스릴 려 '躬自一'《太玄經》. ④성 려 성(姓)의

하나.
字源 篆文 鑪 形聲. 金＋盧〔音〕

●磨鑪.

15
㉓ [鐸] 계 ㉠齊 堅奚切 jī
　　 　 ㉡薺 遣禮切
字解 단단할 계 굳음. '一, 堅也, 吳揚江淮之閒
曰一'《方言》.

15
㉓ [鑣] 표 ㉠蕭 甫嬌切 biāo
鑣鍩
字解 ①재갈 표 말의 입에 물리는 물건. '揚一
漂沫'《曹植》. 전(轉)하여, 기마(騎馬)의 뜻으
로 쓰임. '連一'. ②성(盛)할 표 '朱幩——'《詩
經》. ③푼끌 표 鏢(金部 十一畫)와 同字.
字源 篆文 鑣 形聲. 金＋麃〔音〕

[鑣轡 표비] 재갈과 고삐.
[鑣鑣 표표] 성(盛)한 모양.
　●驅鑣. 金鑣. 連鑣. 玉鑣. 龍鑣. 停鑣. 朱鑣.
　　華鑣.

15
㉓ [鏒] 포 ㉤效 皮敎切 bào
筆順 金 鈩 鈩 銧 鏒 鏒 鏒 鏒
字解 ①대패 포, 대패질할 포 '今人謂以鐵器刮
木爲暴, 其器曰暴子, 俗曰作一'《新方言》. ②대
팻밥 포 '一花'는 대팻밥. '一, 俗謂鉋木之屑
曰一花'《中華大字典》.

15
㉓ [鋼] 려 ㉤御 良據切 lù
字解 줄 려 쇠붙이를 깎거나 쓰는 데 쓰이는 연
장. 鋁(金部 七畫)·鑪(金部 十五畫)와 同字.
'秦無盧. (注) 盧, 或曰, 摩一之器'《周禮》.
字源 形聲. 金＋閭〔音〕

15
㉓ [鑽] 〔찬〕
鑽(金部 十九畫〈p. 2425〉)의 俗字

15
㉓ [鏰] 〔향·상〕
鉶(金部 六畫〈p. 2391〉)과 同字

16
㉔ [鐜] 〔순·대〕
錞(金部 八畫〈p. 2399〉)의 本字

16
㉔ [錀] 〔녑·녜〕
鑷(金部 十四畫〈p. 2423〉)의 本字

16
㉔ [鑪] 로 ㉤虞 落胡切 lú
鋁
字解 ①화로 로 爐(火部 十六畫)와 同字. '邶莊
公廢于一炭'《左傳》. ②향로 로 爐(火部 十六畫)
와 同字. '金一颺薰'《陶弘景》. ③목로 로 술집
에서 술병을 놓고 술을 파는 데. '文君當一'《史
記》. ④성 로 성(姓)의 하나.
字源 金文 鑪 篆文 鑪 形聲. 金＋盧〔音〕. '盧'는 '밥
통'의 뜻. 밥통 비슷한 금속제

의 화로의 뜻을 나타냄.

[鑪冶 노야] 쇠를 불려 물건을 만드는 공장.
[鑪橐 노탁] 풍구.
[鑪炭 노탄] 화로에 피운 숯.
[鑪火 노화] 화로의 불.
　●金鑪. 當鑪. 大鑪. 冶鑪. 洪鑪.

16
㉔ [鑴] 롱 ㉤東 盧東切 lóng
字解 그릇 롱 '一, 器也'《集韻》.

16
㉔ [鑑] 〔감〕
鑑(金部 十四畫〈p. 2422〉)과 同字

16
㉔ [鑗] 강 ㉡養 巨兩切 jiàng
字解 납붙이 강 납〔鉛〕 비슷한 무리. '一, 鉛屬'
《集韻》.

16
㉔ [鑫] ▤ 흠 ㉤侵 許金切 xīn
　　 　 ▤ 훈 　　　　　　xùn
字解 ▤ ①돈불을 흠 돈이 많이 들어옴. '一, 金
長'《篇海》. ②인명 또는 옥호(屋號)로 쓰이는
글자. '宋子虛名友五子, 以一·森·淼·焱·垚立
名'《正字通》. ▤ 주발 훈, 공기 훈 '一, 盂器'
《篇海》.

16
㉔ [鑎] 력 ㉧錫 郎擊切 lì
字解 솥 력 鬲(部首)과 同字. '見兩一蒸而不
炊'《吳越春秋》.

17
㉕ [鏄] 박 ㉧藥 補各切 bó
鎛
字解 ①종 박, 쇠북 박 큰 종. '其南一'《儀禮》.
②호미 박 鎛(金部 十畫)과 同字. '一, 亦鋤類
也'《釋名》.
字源 金文 鏄 篆文 鏄 形聲. 金＋薄〔音〕

●鼓鏄. 鐘鏄.

17
㉕ [鐵] 첨 ㉤鹽 子廉切 jiān
鐵
字解 칼 첨 양쪽 끝에 자루가 있어, 두 손으로
잡아당겨 물건을 깎아 판판하게 하는 칼.
字源 篆文 鐵 形聲. 金＋韱〔音〕. '韱첨'은 '가늘다'
의 뜻. 가늘고 날카로운 칼의 뜻을
나타냄.

17
㉕ [鑭] 란 ㉤翰 郎旰切 làn
鑭
字解 ①금의빛나는모양 란 '一, 金光皃'《玉篇》.
②금색(金色) 란 '一, 金采也'《集韻》.

17
㉕ [鑰] 약 ㉧藥 以灼切 yào
钥鑰
字解 ①자물쇠 약 여닫는 물건을 잠그는 쇠.
'扃一'. '管一'. '堅玉一於命門'《抱朴子》. 전
(轉)하여, 추요(樞要). '扣二儀之鍵一'《李嶠》.
②닫을 약 폐쇄함. '生平所緘一者'《唐書》. ③들
어갈 약 '一天門'《淮南子》.

形聲. 金+龠〔音〕. '龠약'은 '잡도리하다'의
뜻. 문단속을 하는 '자물쇠'의 뜻을 나타
냄.

[鑰鉤 약구] 약모(鑰牡).
[鑰牡 약모] 자물쇠와 열쇠.
[鑰匙 약시] 약모(鑰牡).
●局鑰. 庫鑰. 管鑰. 關鑰. 宮鑰. 金鑰. 禁鑰.
牧鑰. 門鑰. 銷鑰. 魚鑰. 玉鑰. 衆鑰. 下鑰.
緘鑰.

17 ㉕ [鑱] 참 ㊌咸 鉏銜切 chán

鑱 鑱

字解 ①침 참 치료용의 돌 바늘. '一石鑱引'《史
記》. ②보습 참 쟁기술 바닥에 맞추는 쇳조각.
'長一長一白木柄'《杜甫》. ③약솥 참 약을 달이
는 솥. '何須乎一鼎哉'《抱朴子》. ④침놓을 참,
찌를 참 침으로 찌름. '九疑一天荒是非'《韓愈》.
⑤새길 참 조각함. '鑱一物象危'《宋郊》.
字源 篆文 鑱 形聲. 金+毚〔音〕. '毚참'은 '斬참'과
통하여 '베다'의 뜻. 물건을 베는 날
카로운 금속의 뜻을 나타냄.

●藥鑱. 長鑱. 鑴鑱. 天鑱. 鐵鑱.

17 ㉕ [鑲] 양 ㊌陽 汝陽切 ráng

鑲 鑲

字解 ①거푸집속 양 거푸집을 만드는 데, 부어
넣는 곳을 공허하게 하기 위하여 처넣은 것. ②
처넣을 양 채워 넣음.
字源 篆文 鑲 形聲. 金+襄〔音〕. '襄양'은 속에 물
건을 채워 넣다의 뜻. 거푸집에 부어
넣은 내용물의 뜻을 나타냄.

[鑲牙 양아] 의치(義齒).
●鉤鑲.

18 ㉖ [鑺] 간 ㊌銑 古典切 jiǎn

字解 무기(武器) 간 '一, 兵器也'《字彙補》.

18 ㉖ [鑺] 구 ㊌虞 權俱切 qú

字解 창(槍) 구 '戳, 戟屬. 一, 上同'《廣韻》.
字源 形聲. 金+瞿〔音〕.

18 ㉖ [鑴] 휴 ㊌齊 戶圭切 xī

鑴

字解 ①솥 휴 솥, 곧 정(鼎)의 일종. ②햇무리
휴 해 둘레에 생기는 둥근 운기(雲氣). '一日
祲, 二日象, 三日一'《周禮》.
字源 篆文 鑴 形聲. 金+巂〔音〕.

18 ㉖ [鑷] 섭(녑)㊀葉 泥輒切 niè

鑷 鑷

字解 ①못뽑을 섭, 족집게 섭 물건을 끼워 뽑는
기구, '金一'. '左右進銅一'《雲仙雜記》. ②뽑을
섭 끼워서 빼냄. '朝朝一又生'《韋莊》. ③비녀
섭 여자의 수식(首飾). '一髮鑷瑩'《崔瑗》.
字源 形聲. 金+聶〔音〕. '聶섭·녑'은 귀를 대다의
뜻. 가위의 귀 모양의 손잡이 부분을 당겨

대어, 끼워 잡다, 뽑다의 뜻을 나타냄.

●釘鑷. 金鑷. 刀鑷. 銅鑷. 休鑷.

18 ㉖ [鑵] 관 ㊌翰 古玩切 guàn

鑵

字解 두레박 관 긷는 그릇.
字源 形聲. 金+雚〔音〕. '雚관'은 황새의 象形. 황
새처럼 배가 부른 원통 모양의 두레박의 뜻
을 나타냄.

18 ㉖ [鑶] 〔동〕

鈾(金部 六畫〈p. 2391〉)과 同字

18 ㉖ [鑹] 찬 ㊌翰 七亂切 cuàn

鑹

字解 작은창 찬 欑(矛部 十九畫)과 同字. '一,
小稍也'《集韻》.

18 ㉖ [鑼] 〔라〕

鸁(金部 十三畫〈p. 2421〉)의 訛字

18 ㉖ [鑶] 〔참〕

鑱(金部 十七畫〈p. 2425〉)의 本字

19 ㉗ [鑼] 라 ㊌歌 魯何切 luó

鑼 鑼

字解 징 라 악기의 한 가지. '銅一'. '鳴一擊鼓'
《元史》.
字源 形聲. 金+羅〔音〕

●銅鑼. 小鑼.

19 ㉗ [鑼] 라 ㊌歌 落戈切 luó

字解 작은솥 라 옹솥. 큰 냄비. '一, 銼一, 小釜
也'《廣韻》.
字源 篆文 鑼 形聲. 金+鸁〔音〕. '鸁리'는 축 처지
다의 뜻. 삶아서 축 처지게 만드는 냄
비나 솥의 뜻을 나타냄.

19 ㉗ [鑽] ⊕寒 借官切 zuān
㊍翰 子筭切 zuàn

鑽 鑽

筆順 金 鈩 鈩 鈩 鐟 鑽 鑽 鑽

字解 ①끌 찬 나무에 구멍을 파는 연장. '用
之穿物曰一'《六書故》. ②빈형(臏刑) 찬 발을
끊는 형벌. '一笮'. '其次用一鑿'《漢書》. ③끊을 찬 베어 단절함. '一去其臏骨'《漢書 註》. ④
뚫을 찬 ㉠송곳으로 나무를 뚫음. '一燧改火'
《論語》. ㉡꿰뚫음. 사물을 깊이 연구함. '研
一'. '仰之彌高, 一之彌堅'《論語》. ㉢깊이 뚫
고 들어가 인연을 맺음. 자기 손아귀에 넣음.
'商鞅挾三術, 以一孝公'《漢書》. ⑤모을 찬 한
데 모음. '列刃一鏃'《班固》. ⑥날 찬 봉인(鋒
刃). '施一如蠢蟲'《史記》. ⑦송곳 찬 세모진
송곳.
字源 篆文 鑽 形聲. 金+贊〔音〕. '贊찬'은 '穿천'과
통하여 '뚫다'의 뜻. 구멍을 뚫기 위
한 연장, 끌이나 송곳의 뜻을 나타냄.

[鑽堅 찬견] 단단한 물건을 뚫음. 전(轉)하여, 깊

이 연구함.
[鑽空 찬공] 송곳으로 뚫은 구멍.
[鑽具 찬구] ㉠구멍을 뚫는 연장. 송곳. ㉡술책(術策)을 써서 상관에게 인정받기를 바라는 사람을 이르는 말.
[鑽厲 찬려] 부지런히 힘씀.
[鑽礪 찬려] 쪼거나 새기는 일.
[鑽木 찬목] 옛날, 나무에 구멍을 뚫고 비비어 불을 일으키던 일.
[鑽味 찬미] 깊이 완미(玩味)함.
[鑽石 찬석] 질(質)이 떨어지는 금강석. 옥석(玉石)·유리·금붙이 등을 갈거나 끊는 데 쓰임.
[鑽燧 찬수] 나무를 송곳으로 뚫어 그 마찰하는 힘으로 불을 일으킴.
[鑽燧改火 찬수개화] 철이 바뀔 때마다 그 계절의 나무를 비벼대어 새로이 불을 얻음.
[鑽仰 찬앙] 성인(聖人)의 학덕(學德)을 숭앙함.
[鑽研 찬연] 깊이 연구(研究)함. 연찬(研鑽).
[鑽灼 찬작] 귀갑(龜甲)을 불에 그슬려 그 튼 금을 보고 점을 침. 전(轉)하여, 연구(研究)함.
[鑽笮 찬작] 빈형(臏刑)과 경형(黥刑).
[鑽鑿 찬착] 찬작(鑽笮).
[鑽穴隙 찬혈극] 울타리나 담장에 구멍을 내어 남녀가 서로 만남. 남녀 간의 불의(不義)의 뜻으로 씀.
◉金剛鑽. 研鑽. 雕鑽.

19 [鑾] [一] 란 [平]寒 落官切 luán
㉗ [二] 거 [韓]

[字解] [一] 방울 란 천자(天子)가 타는 수레를 끄는 말의 고삐에 다는 방울. '鳴靑一于東郊'《齊書》. 전(轉)하여, 천자가 타는 수레. '隨一憾玉珂'《李賀》. [二] 《韓》 보습 거 犂(牛部 八畫)와 뜻이 같음.
[字源] 金文 篆文 形聲. 金+䜌〔音〕. '䜌란'은 방울 소리를 나타내는 의성어. 금속제의 방울의 뜻을 나타냄.

[鑾駕 난가] 난여(鑾輿).
[鑾鈴 난령] 천자(天子)의 수레의 방울.
[鑾輅 난로] 난여(鑾輿).
[鑾輿 난여] 천자(天子)가 타는 마차(馬車). 난가(鑾駕). 난로(鑾輅).
[鑾旆 난패] 난령(鑾鈴)이 달린 기(旗). 난기(鑾旗).
[鑾和 난화] 난여(鑾輿)에 달린 방울.
◉金鑾. 鳴鑾. 陪鑾. 保鑾. 停鑾. 駐鑾. 淸鑾. 華鑾. 廻鑾. 迴鑾. 後鑾.

20 [鏜] 당 tǎng
㉘

[字解] 당파창 당 무기의 이름. 창(槍) 모양의 자루가 있고, 칼날은 반달 모양임. '一, 兵器. 形如半月, 有柄'《中華大字典》.

20 [钀] 알 [入]月 語訐切 niè
㉘

[字解] 재갈 알 말의 입에 물리는 물건. '鑣謂之一'《爾雅》.

20 [钁] 곽 [入]藥 居縛切 jué
㉘

[字解] 괭이 곽 큰 괭이. '揭一臿'《淮南子》.
[字源] 篆文 形聲. 金+矍〔音〕. '矍확·곽'은 '움켜잡다'의 뜻. 흙을 움켜잡듯 하는 큰 괭이의 뜻을 나타냄.

[钁臿 곽삽] 큰 괭이.
◉犁钁. 鍬钁. 荷钁.

20 [鑶] 〔대·돈〕
㉘ 鐓(金部 十二畫〈p. 2416〉)의 本字

20 [鑿] 鑶(前條)와 同字
㉘

20 [钂] 〔대·돈〕
㉘ 鐓(金部 十二畫〈p. 2416〉)의 本字

20 [鑿] [人名] [一] 착 [入]藥 在各切 záo
㉘ [入]藥 則落切 zuò
[二] 조 [去]號 在到切 zào

[字解] [一] ①끌 착 나무에 구멍을 파는 연장. '枘一'. '孟莊子作一'《古史考》. ②팔 착 우물이나 못 따위를 팜. '一斯池也, 築斯城也'《孟子》. ③뚫을 착 ㉠구멍을 뚫음. '一冰沖沖'《詩經》. ㉡개통함. '開一'. '然騫一空'《漢書》. ㉢끝까지 캐냄. 또, 함부로 억측함. '穿一'. '爲其一也'《孟子》. ④경형(黥刑) 착 자자(刺字)하는 형벌. '其次用鑽一'《漢書》. ⑤생각 착 정념(情念). '六一相攘'《莊子》. ⑥대낄 착 곡식을 깨끗이 찧음. '粢食不一'《左傳》. [二] 구멍 조 뚫은 구멍. '羊入其一'《漢書》.
[字源] 篆文 形聲. 金+糳〔音〕. '糳착'은 나무를 깎아서 구멍을 뚫는 끌의 뜻. 금속제의 끌의 뜻을 나타냄.

[鑿開 착개] 파 넓힘.
[鑿漑 착개] 땅을 뚫어 물을 통함.
[鑿空 착공] ㉠도로를 개통함. ㉡구멍을 뚫음. ㉢억지 이유를 끌어 냄.
[鑿掘 착굴] 구멍을 뚫어 파냄.
[鑿絡 착락] 착락(鑿落).
[鑿落 착락] 술잔. 또, 술의 이름.
[鑿飮耕食 착음경식] 우물을 파서 마시고 밭을 갈아 먹음. 요(堯)임금 때의 천하가 태평한 모양.
[鑿井 착정] 우물을 팜.
[鑿鑿 착착] ㉠선명한 모양. ㉡의론이 정확한 모양. 조리가 닿는 모양.
[鑿八 착팔] 이할감(二割減).
◉刻鑿. 墾鑿. 開鑿. 巨鑿. 鋸鑿. 耕鑿. 刳鑿. 孔鑿. 空鑿. 掘鑿. 洞鑿. 方枘圓鑿. 斧鑿. 石鑿. 疏鑿. 六鑿. 翦鑿. 精鑿. 鑽鑿. 穿鑿. 樵鑿.

21 [钃] 촉 [入]沃 陟玉切 zhú
㉙

[字解] ①괭이 촉, 호미 촉 괭이 또는 호미. ②버릴 촉 내버림. 제거함. '以狐父之戈, 一牛矢也'《荀子》.
[字源] 形聲. 金+屬〔音〕

21 [鑑] 〔감〕
㉙ 鑑(金部 十四畫〈p. 2422〉)과 同字

長(镸) (8획) 部
〔길장부〕

0
⑧ [長] 中人 장
①-⑤㊤陽　直良切　cháng
⑥-⑳㊥養　知丈切　zhǎng
㉑㊦漾　直亮切　zhàng

筆順 丨 丆 丆 토 巨 匡 辰 長

字解 ①길 장 ㉠짧지 아니함. ‘一尾’. ‘尺有所短, 寸有所一’《楚辭》. ㉡거리가 멂. ‘一途’. ‘道阻且一’《詩經》. ㉢오램. ‘一壽’. ‘天地所以能一且久者’《老子》. ②클 장 ㉠거대함. ‘願乘一風破萬里浪’《南史》. ㉡키가 큼. ‘一大’. ‘皆謂之一人’《史記》. ③늘 장 항상. ‘門雖設而一關’《陶潛》. ④키 장, 길이 장 ‘身一’. ‘布帛一短’《孟子》. ⑤성 장 성(姓)의 하나. ⑥처음 장 시초. 근원. ‘元者善之一也’《易經》. ⑦앞 장 선두. ‘吳晉爭一’《國語》. ⑧맏 장 첫째. ‘一子’. ⑨우두머리 장 수령. ‘家一’. ‘一官’. ⑩어른 장 ㉠성인(成人). ‘一而卑’《公羊傳》. ㉡손윗사람. ‘一上’. ‘弟者所以事一也’《大學》. ⑪어른될 장 성인이 됨. ‘及一爲委吏’《史記》. ⑫나이먹을 장 늙음. ‘年一身多病’《張籍》. ⑬나이많을 장 나이가 위임. ‘鄉人一於伯兄一歲’《孟子》. ⑭나아갈 장 전진함. 진보함. ‘君子道一’《易經》. ⑮더할 장 늚. ‘不月一’《國語》. ⑯쌓을 장 축적함. ‘唯一舊怨’《國語》. ⑰자랄 장 생육함. ‘生一’. ‘苟得其養, 無物不一’《孟子》. ⑱기를 장 양육함. ‘以生育養一爲事’《漢書》. ⑲가르칠 장 교도함. ‘克一克君’《詩經》. ⑳나을 장 남보다 우수함. ‘一點’. ‘論人必先稱其所一’《晉書》. 또, 나은 일. ‘一短’. ‘誦足下之一’《戰國策》. ㉑남을 장, 많을 장 ‘宂一’. ‘無取乎宂一’《陸機》.

字源 甲骨文 𠃬 金文 𦓐 篆文 𨱋 篆文 𣎴 古文 𠃬 古文 镸 象形. 사람의 긴 머리를 본떠 ‘길다’의 뜻을 나타냄.

參考 ①‘長장’을 의부(意符)로 하여, ‘길다’의 뜻을 포함하는 문자를 이루지만 예는 적음. 부수 이름은 ‘길장’. ②镸(次條)은 古字.

[長假 장가] ㉠우대(優待). ㉡벼슬을 그만둠. 치사(致仕).
[長歌 장가] 말이 긴 노래.
[長駕 장가] 말을 타고 먼 데를 감.
[長竿 장간] 긴 장대.
[長簡竹 장간죽]《韓》긴 담배설대.
[長江 장강] ‘양쯔 강(揚子江)’의 별칭(別稱). 대강(大江)이라고도 함.
[長江天塹 장강천참] 양쯔 강(揚子江)은 천연(天然)의 요해(要害)라는 뜻.
[長距 장거] 긴 며느리발톱.
[長距離 장거리] 긴 거리(距離). 먼 거리(距離).
[長劍 장검] 긴 칼.
[長庚 장경] 저녁에 서쪽 하늘에 보이는 큰 별. 태백성. 장경성(長庚星).
[長鯨 장경] ㉠큰 고래. ㉡대단히 탐욕이 많은 악인(惡人).
[長庚星 장경성] 장경(長庚).
[長頸烏喙 장경오훼] 긴 목과 까마귀 같은 뾰족한 입. 이런 인상을 가진 사람은 슬기가 있고 참을성이 있어서 간난(艱難)한 경우에는 고생을 이겨 낼 수 있으나 탐람하고 시기가 많으므로 안락을 누리기 어려움.
[長慶子 장경자] 아악(雅樂)의 곡명(曲名). 무악(舞樂)의 끝머리에 연주함.
[長慶集 장경집] 당(唐)나라 때의 시문집(詩文集). 백거이찬(白居易撰)과 원진찬(元稹撰)의 두 가지가 있음. 장경(長慶)은 그 책을 편집한 해의 연호(年號). 앞의 것은 71권, 뒤의 것은 66권.
[長鯨吸百川 장경흡백천] 대주가가 큰 잔의 술을 단숨에 들이켬을 이름.
[長計 장계] ㉠원대한 계책. ㉡뛰어난 계책. 좋은 계책. 양책(良策).
[長公主 장공주] 천자(天子)의 자매.
[長官 장관] 한 관청의 으뜸 벼슬.
[長廣 장광] 길이와 넓이.
[長廣舌 장광설] 광장설(廣長舌).
[長久 장구] 오램. 영구(永久)히 변하지 아니함.
[長句 장구] ㉠자수(字數)가 많은 구. ㉡칠언 고시(七言古詩)의 일컬음.
[長驅 장구] ㉠말을 타고 오랫동안 멀리 달림. ㉡멀리 적을 몰아 쫓음.
[長君 장군] 남의 장형(長兄)을 이름.
[長裙 장군] 긴 치마.
[長跪 장궤] 몸을 펴서 무릎을 꿇고 하는 예(禮).
[長技 장기] 능(能)한 재주.
[長期 장기] 오랜 기간.
[長男 장남] 맏아들. 장자(長子).
[長女 장녀] 맏딸.
[長年 장년] ㉠오랜 해. ㉡노년(老年). 노인. ㉢장수(長壽). ㉣뱃사공.
[長年三老 장년삼로] 뱃사공.
[長腦 장뇌] 사람이 심은 산삼(山蔘).
[長短 장단] ㉠긺과 짧음. ㉡길이. ㉢나음과 못함. 우열. ㉣장처와 단처. 잘함과 못함. ㉤임기응변하여 혹은 길게 설명하고 혹은 짧게 설명함.
[長短句 장단구] 자수가 많은 긴 구와 자수가 적은 짧은 구. 또, 그것이 섞인 사곡(詞曲).
[長短說 장단설] 임기응변하여 혹은 길게 혹은 짧게 자유자재로 설명함.
[長短自在 장단자재] 장처와 단처가 자연히 갖추어져 있음.
[長大 장대] ㉠키가 큼. ㉡재주가 뛰어남. ㉢어른이 됨. 성장함.
[長刀 장도] 긴 칼. 또, 언월도(偃月刀).
[長途 장도] 먼 길. 또, 오랜 여행.
[長曆 장력] 만세력(萬歲曆).
[長齡 장령] 장수(長壽).
[長老 장로] ㉠나이 많은 사람. 노인. ㉡나이가 많고 덕(德)이 높은 사람. 특히, 나이가 많은 고승(高僧). ㉢선가(禪家)에서 주지(住持)·선배(先輩)의 승려에 대한 높임말. ㉣기독교(基督敎)에서 신자(信者)를 교도(敎導)하고 자기가 맡은 교회를 감독하는 교직(敎職).
[長流 장류] ㉠긴 흐름. 강의 흐름. ㉡길게 흐름.
[長律 장률] ㉠한시(漢詩)의 배율(排律). ㉡칠언율시(七言律詩)의 일컬음.
[長吏 장리] 현(縣)의 벼슬아치의 우두머리. 현리(縣吏)의 장관.
[長利 장리] 영구의 이익.

[長林 장림] 우거진 수풀.

[長眠 장면] 죽음. 영면 (永眠).

[長命 장명] 장수(長壽).

[長鳴 장명] ㉠군중(軍中)에서 불어 호령 (號令)을 전달하는 악기. 호통 (號筒). ㉡소리를 길게 내어 욺.

[長明燈 장명등] 대문 (大門) 밖 처마 끝에 달아 두고 밤새도록 켜 놓는 등.

[長命富貴 장명부귀] 오래 살며 부귀 (富貴)를 누림.

[長目飛耳 장목비이] 서적을 이름. 고금 (古今)이나 원근 (遠近)의 일들을 듣고 볼 수가 있음에서 이름.

[長木之斃無不摽 장목지폐무불표] 긴 나무가 넘어질 때엔 무엇이든 마구 침. 강포 (強暴)한 대국 (大國)이 망할 때엔 상대가 누구이든 공벌 (攻伐)한다는 말. 표 (摽)는 격 (擊).

[長文 장문] 글자의 수 (數)가 많은 긴 글.

[長物 장물] 쓸데없는 물건. 남는 물건. 용물 (冗物).

[長尾難 장미계] 꼬리가 길고 아름다운 닭.

[長髮 장발] 머리를 길게 기름. 또, 그 머리.

[長髮賊 장발적] 청 (淸)나라 도광제 (道光帝)의 30년에 일어나 홍수전 (洪秀全)을 수령으로 하고 난징 (南京)에 웅거하여 전후 15년간 중국을 소란케 하던 비적 (匪賊).

[長方形 장방형] 길이가 넓이보다 긴 방형 (方形).

[長別離 장별리] 영구의 이별. 사별 (死別).

[長病 장병] 오래된 병 (病).

[長服 장복] 같은 약 (藥) 또는 음식 (飲食)을 오래 계속해서 먹음.

[長婦 장부] ㉠형수. ㉡키가 큰 며느리.

[長史 장사] 한 (漢)나라 때 승상 (丞相) 또는 삼공 (三公)의 속관 (屬官). 위진 (魏晉) 이후엔 왕공부 (王公府)의 속관. 후세 (後世)엔 자사 (刺史)의 부관 (副官).

[長沙 장사] ㉠옛 고을 이름. 지금의 후난 성 (湖南省) 창사 현 (長沙縣). 샹장 하류 (湘江下流)에 위치 (位置)함. ㉡현 (現) 후난 성 (湖南省)의 주부 (主府). 개항장 (開港場)으로 군사·교통상의 요지 (要地)임. ㉢별 이름.

[長蛇 장사] ㉠긴 뱀. 전 (轉)하여, 잔인하고 탐란한 구적 (寇賊)을 이름. ㉡흉걸에 견주어 이름. ㉢'장사진 (長蛇陣)'의 준말.

[長史司馬 장사사마] 당대 (唐代)의 관명 (官名). 주 (州)의 자사 (刺史)의 부관 (副官)으로, 한 사람씩 둠.

[長蛇陣 장사진] ㉠긴 뱀과 같이 길게 줄지은 군진 (軍陣). ㉡많은 사람이 늘어선 긴 줄.

[長上 장상] ㉠윗사람. ㉡쉬지 않고 근무함.

[長殤 장상] 요사 (夭死).

[長生 장생] 오래 삶. 장수.

[長生久視 장생구시] 오래 삶.

[長生不死 장생불사] 오래 살고 죽지 아니함.

[長生殿 장생전] ㉠당 (唐)나라 때 화청궁 (華淸宮) 안의 궁전 (宮殿) 이름. 신 (神)을 모시었음. ㉡청대 (淸代)의 희곡 (戲曲) 이름. 홍승 (洪昇)의 작 (作). 당 (唐)나라 현종 (玄宗)과 양귀비 (楊貴妃)와의 관계를 그린 것으로, 도화선 (桃花扇)과 병칭 (竝稱)함. ㉢관 (棺)의 속어 (俗語).

[長書 장서] ㉠긴 글. ㉡긴 편지.

[長逝 장서] ㉠멀리 감. ㉡죽음. 영면.

[長舌 장설] 말이 많음. 잘 지껄임. 다변임.

[長成 장성] 자람. 큼.

[長星 장성] 살별. 혜성 (彗星).

[長城 장성] ㉠긴 성. ㉡'만리장성 (萬里長城)'의 준말. ㉢한 나라의 중진 (重鎮)이 되는 인물.

[長城線 장성선] 만리장성 (萬里長城)에 연 (沿)한 지역 (地域)의 일컬음. 곧, 허베이 (河北)·산시 (山西)·산시 (陝西)·간쑤 (甘肅省)과, 만주 (滿洲)·찰합이성 (察哈爾省)·쑤이위안 성 (綏遠省)·닝샤 성 (寧夏省) 등의 경역 (境域)임.

[長所 장소] 장점.

[長嘯 장소] 소리를 길게 빼어 읊음.

[長孫 장손] 맏손자.

[長松 장송] 큰 소나무.

[長袖 장수] ㉠긴 소매. 밑천이 많음의 비유. ㉡소매 긴 옷을 입은 기녀 (妓女)나 무희 (舞姬).

[長嫂 장수] 맏형수.

[長壽 장수] 수명이 긺. 오래 삶.

[長鬚 장수] ㉠긴 수염. ㉡'노복 (奴僕)'의 별칭 (別稱).

[長袖善舞 장수선무] 소매가 길면 춤을 잘 춘다는 뜻으로, 재물 (財物)이 많은 자는 일을 하기가 쉬움을 이름.

[長嘶 장시] 소리를 길게 빼어 욺.

[長時間 장시간] 오랜 시간 (時間).

[長時日 장시일] 오랜 시일 (時日).

[長息 장식] 긴 한숨. 장태식 (長太息).

[長身 장신] 큰 키.

[長安 장안] 주 (周)·진 (秦) 이래, 전한 (前漢)·수 (隋)·당 (唐) 등의 국도 (國都)의 소재지 (所在地)였던 지명 (地名). 지금의 산시 성 (陝西省) 장안현 (長安縣) 서북 (西北)쪽에 있음.

[長安居大不易 장안거대불이] 도회 (都會)는 물가가 비싸서 살기가 어려움. 당 (唐)나라의 문인 (文人) 고황 (顧況)이 찾아온 백거이 (白居易)를 보고 그의 이름 거이 (居易)에 걸어서 놀린 말.

[長安似奕棊 장안사혁기] 왕자 흥망 (王者興亡)의 빈번함을 바둑·장기의 승패가 무상 (無常)함에 비유한 말.

[長夜 장야] ㉠겨울의 긴 밤. ㉡매장 (埋葬)을 이름. ㉢'장야지음 (長夜之飲)'의 준말.

[長夜眠 장야면] 일생을 꿈속에서 삶.

[長夜室 장야실] 무덤.

[長夜之飲 장야지음] 밤이 새어도 문을 닫고 초를 켜 놓고 술을 마심. 밤새도록 술을 마심.

[長魚 장어] 뱀장어.

[長髯 장염] 긴 구레나룻.

[長髯主簿 장염주부] '양 (羊)'의 이칭 (異稱). 양의 수염은 길고, 털로는 붓을 만들므로 이름. 주부 (主簿)는 서기 (書記).

[長榮 장영] 길이 번영함.

[長嬴 장영] '여름〔夏〕'의 별칭 (別稱).

[長臥 장와] 오래 잠. 곧, 죽음을 이름.

[長吁 장우] 길게 한숨을 쉼. 장탄식함.

[長遠 장원] 길고 멂. 장구 (長久).

[長圍之策 장위지책] 오래 둘러싸서 적군의 병량 (兵糧)이 끊어지게 하는 계책 (計策).

[長幼 장유] 어른과 어린이.

[長幼之序 장유지서] 연장자와 연소자의 사회적 지위의 순서.

[長音 장음] 길게 나는 음.

[長揖 장읍] 두 손을 잡아 높이 들고 허리를 굽히는 예.

[長人 장인] 키가 큰 사람.

[長日 장일] ㉠해가 긴 여름날. ㉡동지 (冬至)의 철. 동지가 지나면 하루하루 해가 길어지므로 이름. ㉢긴 시일.
[長子 장자] ㉠장남 (長男). 총자 (冢子). 적자 (嫡子). ㉡장녀 (長女).
[長姉 장자] 맏누이.
[長者 장자] ㉠연장자. 나이 먹은 사람. ㉡윗사람. ㉢덕망이 있는 사람. 또, 관대한 사람. ㉣신분이 높은 사람. ㉤부호 (富豪). 부자 (富者).
[長者萬燈 장자만등] 부자가 등화를 만 (萬)이나 신불 (神佛)에 바쳐도 그 공덕은 가난한 여자가 등 하나 바치는 것만 못함. 형식보다 정성을 중히 여김의 비유.
[長者之言 장자지언] 군자 (君子)의 말.
[長斫 장작] 통나무를 쪼갠 땔나무.
[長棧 장잔] 긴 잔도 (棧道).
[長齋 장재] 오랫동안 재계함. 일 년 내내 채식 (菜食)하는 일.
[長嫡 장적] 적장자 (嫡長子).
[長錢 장전] 전화 (錢貨)의 이름. 족전 (足錢).
[長點 장점] 다른 것과 비교하여 특히 좋은 점.
[長汀 장정] 길게 뻗은 물가.
[長征 장정] ㉠멀리 감. ㉡'원정 (遠征)'과 같음.
[長亭 장정] 십 리마다 있는 역참의 여관 (旅館).
[長程 장정] 거리가 먼 노정.
[長弟 장제] ㉠제일 나이가 많은 동생. ㉡선후 (先後). 우열 (優劣).
[長悌 장제] 형제간에 우애가 있음.
[長堤 장제] 긴 방죽.
[長調 장조] 장음계 (長音階)로 된 곡조.
[長足 장족] ㉠빠른 걸음. ㉡진보가 빠름.
[長存 장존] 장생 (長生).
[長洲 장주] 긴 사주 (砂洲).
[長竹 장죽] 긴 담뱃대. 긴 대.
[長至 장지] 밤이 가장 긴 동지 (冬至)와 낮이 가장 긴 하지 (夏至).
[長指 장지] 가운뎃손가락.
[長姪 장질] 장조카.
[長嗟 장차] 장탄 (長歎).
[長鑱 장참] 긴 보습.
[長槍 장창] 긴 창 (槍).
[長槍大劍 장창대검] 긴 창과 큰 칼. 곧, 정예 (精銳)한 무기.
[長策 장책] ㉠긴 채찍. ㉡원대한 계책. 양책 (良策).
[長處 장처] ㉠가장 잘하는 점 (點). ㉡그중에 나은 점 (點).
[長天 장천] 높고 멀고 넓은 하늘.
[長秋 장추] 한대 (漢代)의 관명 (官名). 황후의 궁 (宮)의 일을 맡음.
[長秋宮 장추궁] 황후가 거처 (居處)하는 궁전 (宮殿). 전 (轉)하여, '황후'의 이칭 (異稱).
[長春花 장춘화] '장미 (薔薇)'의 별칭 (別稱).
[長醉 장취] 술에 늘 취 (醉)해 있음.
[長針 장침] 긴 바늘.
[長枕大衾 장침대금] 긴 베개와 큰 이불. 형제가 함께 자기에 편리하므로, 전 (轉)하여 형제 친애 (兄弟親愛)의 뜻으로 쓰임.
[長歎 장탄] 길게 한숨을 쉼. 대단히 탄식함.
[長太息 장태식] 소리를 길게 내는 한숨. 전 (轉)하여, 대단히 탄식함.
[長篇 장편] ㉠긴 시문. ㉡긴 소설.
[長鞭不及馬腹 장편불급마복] 채찍이 길어도 말

의 배까지는 닿지 아니함. 힘이 강대해도 오히려 미치지 못하는 곳이 있음의 비유.
[長風 장풍] 먼 데서 불어오는 거센 바람.
[長夏 장하] 해가 긴 여름. 또, '음력 6월'의 별칭 (別稱).
[長旱 장한] 오랜 가뭄. 긴 가뭄.
[長恨歌 장한가] 당 (唐)나라 백낙천 (白樂天)이 지은 시 (詩). 현종 황제 (玄宗皇帝)와 양귀비 (楊貴妃)와의 정사 (情事)를 읊음.
[長鋏歸來乎 장협귀래호] 맹상군 (孟嘗君)의 식객 (食客) 풍훤 (馮諼)이 대우 (待遇)가 나쁨을 불만스럽게 여겨 '長鋏歸來乎, 食無魚'라고 노래했더니, 맹상군이 알아듣고 고기 대접을 해 주었는데, 얼마 안 되어, 풍훤이 또 '長鋏歸來乎, 出無車'라 노래하므로 수레를 내어 주었던 바, 또다시 '長鋏歸來乎, 無以爲家'라 노래하는 것을 맹상군이 듣고서 풍훤의 노모 (老母)에게 급량 (給糧)해 주었다는 고사 (故事). 인 (因)하여, 식객 (食客) 등이 영달 (榮達)을 구하는 뜻으로 쓰임. 협 (鋏)은 칼자루.
[長兄 장형] ㉠맏형. 백형 (伯兄). ㉡연장자의 존칭.
[長號 장호] 오래 통곡함.
[長虹 장홍] ㉠긴 무지개. ㉡긴 다리.
[長話 장화] 긴 이야기.
[長靴 장화] 목이 긴 구두.
[長皇 장황] ㉠번거롭고 긺. ㉡지루함.
[長喙 장훼] 쓸데없는 말을 길게 지껄임.
[長休告 장휴고] 사직 (辭職).

◉家長. 衙長. 渠長. 系長. 課長. 官長. 館長. 光焰萬丈長. 魁長. 宏長. 舊家長. 久長. 耆長. 局長. 君長. 郡長. 機長. 短長. 團長. 隊長. 萬物長. 牧長. 無短長. 茂長. 博長. 班長. 坊長. 百事長. 百藥之長. 兵長. 部長. 副長. 薄長. 賓長. 師團長. 舍短取長. 社長. 師長. 肆長. 山高水長. 山靜日長. 上長. 生長. 恕長. 庶長. 船長. 成長. 細長. 少長. 消長. 首長. 帥長. 修長. 遂長. 瘦長. 市長. 身長. 伸長. 深長. 什長. 養長. 讓長. 驛長. 年長. 延長. 永長. 靈長. 五穀之長. 五長. 伍長. 冗長. 優長. 鬱長. 雄長. 院長. 園長. 悠長. 邑長. 意味深長. 議長. 里長. 翼長. 一日之長. 日長. 任長. 滋長. 才學識三長. 亭長. 艇長. 助長. 宗長. 增長. 次長. 參謀長. 尺有所短寸有所長. 天長. 觸類長. 寸長. 村長. 總長. 酋長. 取長. 侈長. 齒長. 太長. 統長. 偸長. 特長. 廢長. 學長. 賢長. 狹長. 會長. 訓長.

0 ⑦ [镸] 長 (前條)의 古字

2 ⑨ [乮] 곤 ㉲元 丘敦切 kūn

字解 ①추한소 곤 지저분한 소. '一屯掣牛, 既牳以牻, 夬桑而犢, 生子而犧'《淮南子》. ②추악할 곤 '一屯, 醜惡也'《駢雅》.

3 ⑩ [敋] 구 ㉰有 己有切 jiǔ

字解 길 구 오래됨. '一, 長也, 通作久'《集韻》.

[套] 〔투〕
大部 七畫 (p.508)을 보라.

4 ⑪ [镺] 오 [上]晧 烏皓切 ǎo [去]號 烏到切

[字解] 길 오 짧지 아니함. '卉木一蔓'《左思》.

[镺蔓 오만] 길게 뻗음. 무성함.

4 ⑪ [镻] 단 [去]翰 杜翫切 duàn

[字解] 던질 단 물건을 던짐. '一, 投物'《字彙》.

5 ⑫ [镻] 절 [入]屑 徒結切 dié

[字解] 독사 절 살무사의 일종. '一, 蛪. (注) 蝮屬, 大眼, 最有毒, 今淮南人呼蛪子'《爾雅》.

[字源] 篆文 形聲. 長+失〔音〕

5 ⑫ [䯼] 도 [去]號 都到切 dào

[筆順] 一 厂 F E 镸 镸 䯼 䯼

[字解] 긴모양 도 짧지 않은 모양. '一, 長貌'《字彙》.

6 ⑬ [镽] 뇨 [上]篠 乃了切 niǎo

[字解] 가죽신 뇨 모래 위를 걷는 데 신는 신. '一, 淮南子, 水行用舟, 沙行用一'《字彙補》.

6 ⑬ [䯧] 노 [去]號 杜皓切 nǎo

[字解] 긴모양 노 '一, 一镺, 長也'《集韻》.

6 ⑬ [镹] 〔발〕 髮(髟部 五畫〈p. 2625〉)과 同字

[肆] 〔사〕 聿部 七畫(p. 1832)을 보라.

7 ⑭ [镽] 〔뇨〕 镽(長部 六畫〈p. 2430〉)의 俗字

8 ⑮ [镼] 굴 [入]物 渠勿切 jué

[字解] 짧은옷 굴 '服婦人衣, 諸于·繡一'《後漢書》.

10 ⑰ [镻] 차 [平]麻 咨邪切 jiē

[字解] ①한탄할 차, 슬퍼할 차 嗟(口部 十畫)의 古字. '一, 長歎'《廣韻》. ②산이름 차 차악산(镻岳山). '一, 又山名. 山海經有一岳山'《字彙》.

12 ⑲ [镽] 교 [上]篠 巨夭切 jiào

[字解] 길 교 기다란 모양. '一, 镽一, 長也'《集韻》.

12 ⑲ [䯾] 로 [平]豪 郎刀切 láo

[字解] 길 로 긴 모양. '一, 一䵏, 長皃'《集韻》.

13 ⑳ [䵜] 농 [平]冬 女容切 nóng

[字解] 많을 농 '一, 多也'《廣韻》.

14 ㉑ [镽] 녕 [平]庚 女耕切 níng

[字解] ①머리흐트러질 녕 '一, 髯一'《字彙》. ②鬡(髟部 十四畫)의 俗字. '一, 俗鬡字'《正字通》.

16 ㉓ [镽] 뇨 [去]嘯 奴弔切 niào

[字解] 부드럽고길 뇨 '一, 柔長也'《集韻》.

門 (8획) 部

〔문문부〕

0 ⑧ [門] [中][人] 문 [平]元 莫奔切 mén 门 门

[筆順] 丨 𠃌 𠃍 門 門 門 門 門

[字解] ①문 문 ㉠집의 외부에 설치한 출입하는 곳. 대문. '一內'. '一外可設雀羅'《漢書》. ㉡사물의 출입에 경유하는 곳. '道義之一'《易經》. '衆妙之一'《老子》. ㉢문 앞. 집 앞. '有荷蕢而過一者'《史記》. ㉣동류. '同一'. '孔一'(공자의 교를 신봉하는 사람들). ㉤관리가 자기를 추천한 사람에게 대하여 일컫는 말. '天下桃李, 悉在公一'《十八史略》. ㉥분류상의 구별. '部一'. 또, 학술의 한 종류. '專一'. ㉦대포를 세는 수사(數詞). '砲十一'. ②집 문 가정. 집안. '孝子之一'. '是兒亦將興我一'《宋書》. ③지체 문 벌열. '名一'. '一閥'. ④문칠 문 문을 공격함. '一於東閭'《左傳》. ⑤성 문 성(姓)의 하나.

[字源] 甲骨文 金文 篆文 象形. 좌우 두 개의 문짝을 본떠 '문'의 뜻을 나타냄.

[參考] '門문'을 의부(意符)로 하여, 여러 가지 문, 문에 부속된 것에 관한 문자를 이룸. '問문'·'悶민'·'聞문' 등의 문자는 각각 '口구'·'心심'·'耳이'가 의부(意符)이고, '門'은 음부(音符)이므로, 그 의부에 따라 부수가 분류되고 있음. 부수 이름은 '문문'.

[門間 문간] 대문 또는 중문(重門)이 있는 곳.
[門鑑 문감] 문의 출입을 허가하는 감찰(鑑札).
[門客 문객] ㉠식객(食客). ㉡글방의 선생(송인(宋人)의 말).
[門逕 문경] ㉠문 앞의 좁은 길. ㉡문으로 통하는 길. 전(轉)하여, 실마리. 단서(端緖).
[門閫 문곤] 문지방.
[門功 문공] 부조(父祖)의 공으로 벼슬을 하는 일. 남행(南行).
[門框 문광] 문(門)얼굴.
[門衢 문구] 문 앞의 도로.
[門闕 문궐] 대궐의 문.
[門內 문내] 대문(大門) 안.
[門闥 문달] 궁중의 크고 작은 문.
[門徒 문도] ㉠제자. ㉡문지기. ㉢불가 또는 도가

의 신도(信徒).

[門到戶說 문도호설] 호별 방문하여 설명함.

[門閭 문려] 집의 문과 마을 입구의 문.

[門聯 문련] 문첩(門帖).

[門隷 문례] 문위(門衞).

[門樓 문루] 문 위의 다락집.

[門望 문망] 가문의 명망. 문벌.

[門無雜賓 문무잡빈] 속인(俗人)의 내방(來訪)이 없다는 뜻으로, 사람을 가리어 사귐을 이름.

[門楣 문미] ㉠문 위에 가로 댄 나무. ㉡가문(家門). ㉢여자(女子).

[門閥 문벌] 가문(家門)의 대대로 내려오는 지위. 벌열(閥閱).

[門不停賓 문부정빈] 손님을 기다리게 하지 않고 즉시 응접(應接)함.

[門不夜關 문불야관] 세상이 태평하여 도둑 따위의 우환(憂患)이 없음.

[門庇 문비] 문공(門功).

[門扉 문비] 문짝.

[門士 문사] 문지기.

[門生 문생] ㉠문하(門下)의 서생. 문인(門人). ㉡당대(唐代)에 과거의 시험관을 선생이라고 하는 데 대하여 수험자의 자칭.

[門生天子 문생천자] 당말(唐末)에 환관(宦官)이 정권(政權)을 전횡(專橫)하여 천자를 문생(門生)처럼 생각했던 일.

[門扇 문선] 문(門)짝.

[門素 문소] 문벌(門閥).

[門塾 문숙] ㉠대문의 양쪽에 있는 방. ㉡'가숙(家塾)'과 같음.

[門鑰 문약] 문의 자물쇠.

[門業 문업] 집안에 대대로 내려오는 직업. 가업(家業).

[門如市心如水 문여시심여수] 청을 하러 오는 사람이 문이 메어지도록 많으나, 그들을 대하는 마음은 물같이 맑아 조금도 사심이 없음.

[門閱 문열] 문벌(門閥).

[門外 문외] 문 밖.

[門外可設雀羅 문외가설작라] 문 밖에 참새 그물을 칠 수 있음. 곧, 찾아오는 사람이 없어 한적함을 이름.

[門外多有長者車轍 문외다유장자거철] 귀한 사람이 많이 내방함을 이름.

[門外漢 문외한] 직접(直接)으로 그 일에 관계(關係)하지 아니하는 사람. 테 밖의 사람. 장외한(牆外漢).

[門衞 문위] 문지기.

[門尹 문윤] 수위(守衞)의 장(長).

[門蔭 문음] 문공(門功).

[門義 문의] 문하(門下)의 의도(義徒). 의로써 섬기는 제자.

[門人 문인] ㉠제자. 문하인(門下人). ㉡문지기. ㉢식객(食客). ㉣문객(門客).

[門子 문자] ㉠옛날에 경대부(卿大夫)의 적자(嫡子). ㉡문지기. ㉢급사(給仕).

[門者 문자] ㉠문지기. ㉡문 안에 있는 사람.

[門資 문자] 문벌(門閥).

[門牆 문장] ㉠문과 담. 또, 가문(家門). ㉡스승 집의 문.

[門前 문전] 대문(大門) 앞.

[門前乞食 문전걸식] 집집이 돌아다니며 먹을 것을 구걸(求乞)함.

[門前成市 문전성시] 문정여시(門庭如市).

[門前雀羅 문전작라] 아무도 찾는 사람이 없어 문 앞에 참새를 잡는 그물을 칠 수 있을 정도로 쓸쓸하다는 뜻. 문외가설작라(門外可設雀羅).

[門庭 문정] ㉠대문 안의 뜰. ㉡집 안.

[門庭如市 문정여시] 사람이 많이 찾아옴의 형용. 문전성시(門前成市).

[門弟 문제] 제자(弟子).

[門弟子 문제자] 제자(弟子).

[門祚 문조] 집안의 복조. 가운(家運).

[門胄 문주] 집안의 혈통.

[門誅 문주] 일문일족(一門一族)이 모두 주벌(誅伐)당하는 일.

[門中 문중] 동성동본(同姓同本)의 가까운 친척.

[門地 문지] 문벌(門閥).

[門帖 문첩] 문에 거는 주련(柱聯).

[門樞 문추] 문지도리. 전(轉)하여, 문호(門戶).

[門牌 문패] 문에 다는 주소 성명(住所姓名)을 적은 패(牌). 문찰(門札).

[門表 문표] 가문의 명성. 집안의 명예.

[門標 문표] 문패(門牌).

[門風 문풍] 한 집안의 풍습. 가풍.

[門下 문하] ㉠집 안. ㉡식객. 또, 하인. ㉢제자(弟子). ㉣스승의 밑.

[門下生 문하생] 제자(弟子).

[門下省 문하성] 진대(晉代)에 비롯한 관서명(官署名). 삼성(三省)의 하나로 중서성(中書省)에서 내려온 조칙(詔勅)을 심사하던 곳. 문(門)은 황문(黃門)의 뜻.

[門限 문한] 문지방.

[門巷 문항] 문호(門戶)와 문으로 들어가는 좁은 길.

[門衡 문형] 문의 가로 댄 나무.

[門戶 문호] ㉠집 안에 드나드는 곳. ㉡문벌(門閥). ㉢자기에게 찬동(讚同)하는 파(派).

[門火 문화] ㉠문의 화재. ㉡장사 따위를 지낼 때에 죽은 사람의 혼을 보내기 위하여 문 앞에서 때는 불.

[門會 문회] 문중(門中)의 모임.

[門候 문후] 문지기.

●家門. 閣門. 姦門. 開門. 凱旋門. 叩門. 庫門. 高門. 皐門. 公門. 孔門. 款門. 關門. 校門. 求忠臣必于孝子之門. 國門. 軍門. 權門. 鬼門. 貴門. 闈門. 棘門. 金馬門. 金門. 及門. 期門. 南門. 路門. 樓門. 疊門. 大門. 到門. 道門. 突門. 同門. 杜門. 登龍門. 名門. 廟門. 武門. 梵門. 法門. 蓬門. 部門. 北門. 不老門. 佛門. 比門. 毘沙門. 四門. 私門. 沙門. 師門. 山門. 三門. 相門. 桑門. 禪門. 城門. 盛門. 聖門. 小門. 素門. 巢門. 衰門. 水門. 守門. 市門. 柴門. 晨門. 牙門. 阿門. 掖門. 迎門. 營門. 詣門. 玉門. 獄門. 王門. 外門. 堯母門. 雲門. 轅門. 衛門. 幽門. 儒門. 邑門. 應門. 倚門. 里門. 一門. 入門. 子門. 將門. 專門. 正門. 旌門. 除門. 造門. 宗門. 朱門. 竹門. 中門. 陣門. 柵門. 千門. 天門. 鐵門. 淸門. 譙門. 出門. 雉門. 奪門. 台門. 通德門. 通用門. 破門. 閉門. 風門. 畢門. 寒門. 闔門. 闐門. 肛門. 夾門. 荊門. 衡門. 豪門. 和門. 禍福同門. 禍福無門. 黃門. 候門. 勳門. 興門.

¹⑨ 【閂】 산 ⑩删 數還切 shuān 〔字解〕 문빗장 산 문을 잠그는 나무때기.

字源 象形. 문을 잠가 두는 가로나무를 본떠 빗장의 뜻을 나타냄.

2/10 [閃] 人名 섬 ⊕琰 失冉切 shǎn ㊛豔 舒贍切

字解 ①엿볼 섬 틈 사이로 봄. '嘗自于牆壁門閥一'《魏略》. ②언뜻보일 섬 잠시 보임. '一影'. '蜩像暫曉而一屍'《木華》. ③번득일 섬, 나부낄 섬 '颭一才人補'《元稹》. ④번득이게할 섬, 나부끼게할 섬 '風一雁行疎又密'《李咸用》. ⑤번쩍할 섬 '一火'. ⑥성 섬 성(姓)의 하나.

字源 篆文閃 會意. 人+門. 문 안을 사람이 퍼뜩 통과하는 것을 보는 모양에서, '번득이다'의 뜻을 나타냄.

[閃光 섬광] 번쩍하는 빛.
[閃刀紙 섬도지] 도련칠 때에 귀가 접힌 채로 베어진 종이.
[閃爍 섬삭] 섬삭(閃鑠).
[閃鑠 섬삭] 번쩍번쩍 빛나는 모양.
[閃閃 섬섬] ㉠빛나는 모양. 비치는 모양. ㉡나부끼는 모양. 번득이는 모양.
[閃屍 섬시] 언뜻 보이는 모양.
[閃影 섬영] 언뜻 보이는 그림자.
[閃楡 섬유] 마음을 기울여 아첨함.
[閃電 섬전] 번쩍하는 번개. 신속함의 비유.
[閃爍 섬찬] 번쩍번쩍 빛나는 모양.
[閃忽 섬홀] 번쩍함. 번쩍하는 모양.
[閃火 섬화] 번쩍이는 불빛.
●闚閃. 騰閃. 候閃. 電閃. 颱閃. 躱閃. 廻閃.

2/10 [冊] 진 ㊛震 直刃切 zhèn

字解 오를 진 '一, 登也'《說文》.
字源 會意. 門+二

2/10 [閃] 구 ㊛尤 居尤切 jiū

字解 송사(訟事)할 구 소송(訴訟)함. '一, 訟也'《字彙》.

3/11 [閆] 염 ㊛鹽 余廉切 yán

字解 성 염 성(姓)의 하나. '一, 見姓苑'《萬姓系譜》.

3/11 [閄] ▆ 올 ㊇月 五忽切 wù ▆ 골 ㊇月 胡骨切 wù

字解 ▆①묶을 올 '一, 括也'《廣韻》. ②어그러질 올 도리에 맞지 않음. '一, 一曰, 姯很也'《集韻》. ▆ 묶을 골, 어그러질 골 ▆과 뜻이 같음.

3/11 [閈] 한 ㊛翰 侯旰切 hàn 閈字

字解 ①이문 한 동네의 어귀에 세운 문. '高其一閈'《左傳》. ②마을 한 동네. '陳亡歸鄕一'《唐書》. ③담 한 담장. '一庭詭異'《張衡》.

字源 金文㪅 篆文閈 形聲. 門+干[音]. '干'은 '막다'의 뜻. 적의 침입을 막기 위한 '문'의 뜻을 나타냄.

[閈閎 한굉] 이문(里門). 일설(一說)에는, 마을을 둘러싼 담.

[閈庭 한정] 담과 뜰. 저택 안.
●開閈. 關閈. 同閈. 城閈. 閭閈. 邑閈. 廛閈. 鄕閈.

3/11 [閇] 정 ㊀迥 他頂切 tǐng

字解 빗장 정 문빗장. '一, 門上關也'《字彙補》.

3/11 [閉] 中人 폐 ㊛霽 博計切 bì 閉字

筆順 丨 冂 冃 門 門 閂 閉 閉

字解 ①닫을 폐 열린 것을 막음. '一門'. '一鎖'. '至日一關'《易經》. 전(轉)하여, 마침. 끝냄. 그만둠. '一會'. '一店'. '一肆下簾, 而授老子'《漢書》. ②막을 폐, 막힐 폐 통하지 못하게 함. 통하지 아니함. '一塞'. '天地否一'《易經疏》. ③가릴 폐 엄폐함. '予不敢一于天降威用'《書經》. ④감출 폐 수장(收藏)함. '助天地之一藏也'《禮記 註》. ⑤자물쇠 폐 여닫는 물건을 잠그는 쇠. '修鍵一'《禮記》. ⑥도지개 폐 트집 난 활을 바로잡는 틀. '竹一緄滕'《詩經》. ⑦입추 폐, 입동 폐 입추(立秋) 또는 입동(立冬)을 이름. '分至啓一'《左傳》.

字源 金文明 篆文閉 會意. 門+才. '才'는 '목재'의 뜻. 문을 나무 빗장으로 닫아건 모양에서, '닫다'의 뜻을 나타냄.

[閉講 폐강] 강의나 강습 등을 폐지함.
[閉居 폐거] 집 안에 들어박혀 있음. 칩거(蟄居)함.
[閉關 폐관] ㉠관문(關門)을 닫음. ㉡문을 닫고 사람을 만나지 아니함. 몸을 감춤.
[閉關却掃 폐관각소] 문(門)을 닫고 딴 사람과의 상종(相從)을 끊음.
[閉口 폐구] ㉠입을 다뭄. ㉡함구불언(緘口不言)함. 침묵(沈默).
[閉凍 폐동] 얼어 막힘.
[閉幕 폐막] 연극(演劇)을 마치고 막(幕)을 닫음.
[閉門 폐문] 문(門)을 닫음.
[閉塞 폐색] ㉠막힘. 막음. ㉡추위에 생기가 막힘.
[閉鎖 폐쇄] 문(門)을 닫고 자물쇠를 채움.
[閉囚 폐수] 간힘. 또, 그 사람.
[閉市 폐시] 시장(市場)의 가게를 닫음.
[閉息 폐식] 숨을 죽임.
[閉尼 폐액] 막혀 고생함.
[閉藏 폐장] ㉠닫아 숨음. ㉡물건(物件)을 감추어 둠.
[閉店 폐점] 가게를 닫음. 가게를 그만둠.
[閉廷 폐정] 법정(法廷)을 닫음.
[閉蟄 폐칩] 동면(冬眠)함.
[閉戶 폐호] 폐문(閉門).
[閉戶先生 폐호선생] 집 안에 들어박혀 독서(讀書)만 하는 사람.
[閉會 폐회] 회를 마침.
●開閉. 鍵閉. 啓閉. 噤閉. 凍閉. 杜閉. 密閉. 封閉. 否閉. 偃閉. 掩閉. 甕閉. 鬱閉. 幽閉. 隱閉. 凝閉. 潛閉. 藏閉. 竹閉. 中局外閉. 重閉.

[問] 〔문〕 口部 八畫(p.385)을 보라.

4/⑫ [開] 中人 개 ㊄灰 苦哀切 kāi 开 㓷

筆順 丨 丆 丨 門 門 閂 閈 開 開

字解 ①열 개 ㉠닫힌 것을 틈. '—門'. '善閉無關鍵, 而不可—'《老子》. ㉡시작함. '—會'. ㉢입을 열어 말을 함. '—陳'. ㉣통함. '—通'. ㉤새로 전답을 만듦. '—墾'. '—拓'. '秦—阡陌'《戰國策》. ㉥수학에서 승근(乘根)을 구함. '—立'. '—平'. ②열릴 개 ㉠열어짐. ㉡문화가 개발됨. '—明'. '—化'. ㉢길이 트임. '—通'. ③벌릴 개 오므라진 것을 펴 엶. '—口而笑者'《莊子》. ④펼 개 ㉠개킨 것을 젖히어 놓음. '—卷'. '視歷一書'《古詩》. ㉡넓게 깖. '—瓊筵'《李白》. ⑤필 개 꽃이 핌. '—花'. '桃花含雨一'《梁簡文帝》. ⑥깨우칠 개 계발함. 깨닫게 함. '—悟'. '或—子'《禮記》. ⑦풀 개 놓아줌. '—放無罪之人'《書經》. ⑧성 개 성(姓)의 하나.

字源 金文 朤 篆文 開 古文 閈 會意. 門+开(幵). '幵견'은 양손의 象形. 문에 양손을 대어서 열다의 뜻을 나타냄. 古文은 門+卄의 會意. '門산'은 '빗장'의 뜻. '卄공'은 '양손'의 뜻.

[開可 개가] 허가(許可).
[開刊 개간] 책(冊)을 처음 간행(刊行)함.
[開墾 개간] 황무지(荒蕪地)를 개척(開拓)하여 논밭을 만듦.
[開講 개강] 강의를 시작함.
[開缺 개결] 관리가 직(職)을 떠남. 사임(辭任). 퇴직(退職).
[開棺 개관] 매장(埋藏)할 때에 관(棺)을 엶.
[開館 개관] 회관(會館)·공관(公館) 따위의 사무(事務)를 개시(開始)함.
[開光 개광] 개안(開眼)ㄴㅁ.
[開曠 개광] 앞이 환히 트임.
[開鑛 개광] 광산(鑛山)의 채굴(採掘)을 시작함.
[開校 개교] 학교에서 공부를 시작함.
[開口 개구] ㉠입을 열어 말을 함. ㉡입을 벌려 먹음. 입을 벌려 웃음.
[開國 개국] ㉠새로 나라를 세움. 건국(建國). ㉡외국과 국교를 맺음. 쇄국(鎖國)의 대(對).
[開國伯 개국백] 당송 시대(唐宋時代)의 명예(名譽)의 봉작(封爵).
[開掘 개굴] 파서 헤치어 냄.
[開卷 개권] ㉠책을 폄. ㉡엶과 맒.
[開卷有益 개권유익] 책을 펴고 읽으면 반드시 유익함.
[開金 개금] 열쇠.
[開襟 개금] ㉠옷섶을 폄. ㉡흉금을 터놓음.
[開基 개기] ㉠기초를 닦음. 사물을 제일 먼저 시작함. ㉡개산(開山)❶.
[開年 개년] 그해의 처음. 세시(歲始).
[開導 개도] 가르쳐 인도함.
[開冬 개동] 초겨울. 초동(初冬).
[開東 개동] ㉠밝을 녘. 새벽. ㉡동이 틈.
[開落 개락] 꽃이 피고 떨어짐.
[開朗 개랑] ㉠탁 터져 환함. ㉡현명(賢明)함.
[開立 개립] 입방근(立方根)을 계산하여 구함.
[開幕 개막] 연극(演劇)을 상연(上演)할 때에 막(幕)을 엶. 「함.
[開明 개명] 지(智)가 열리고 문물(文物)이 발달
[開門 개문] 문을 엶.

[開門納賊 개문납적] 제 스스로 재화(災禍)를 초래함을 이름.
[開門揖盜 개문이읍도] 문을 열어 도둑을 절하고 맞이함. 스스로 즐거워서 재화(災禍)를 초치(招致)함의 비유(比喻).
[開物成務 개물성무] 사람이 아직 알지 못하는 도리를 깨달아 이것을 실지로 시행하여 성공함.
[開發 개발] ㉠엶. 봉한 것을 뜯음. ㉡지식을 계발함. ㉢개척(開拓).
[開發主義 개발주의] 아동으로 하여금 자발적으로 공부하도록 인도하는 주의. 주입주의(注入主義)의 대(對).
[開方 개방] 개평(開平)·개립(開立)의 총칭(總稱).
[開放 개방] ㉠죄를 용서하여 방면함. ㉡열어 터놓음. ㉢경계(警戒)하지 아니함.
[開帆 개범] 돛을 달고 출발함.
[開闢 개벽] 천지가 생긴 맨 처음.
[開復 개복] ㉠회복(恢復). ㉡휴직 중(休職中)의 관리가 복직(復職)됨. ㉢처분(處分) 등을 취소하는 것.
[開腹 개복] 수술(手術)하기 위하여 배를 쨈.
[開封 개봉] 봉(封)한 것을 엶. 봉지(封紙)를 뗌.
[開府 개부] ㉠관아(官衙)를 베풀어 속관(屬官)을 둠. 한(漢)나라의 제도(制度)로서 삼공(三公)에게 윤허(允許)되었음. 후세(後世)에는 장군(將軍)도 이에 준(準)하여 '—儀同三司'라 하였음. ㉡순무(巡撫)·총독(總督) 등의 존칭.
[開扉 개비] ㉠사립짝을 엶. ㉡《佛教》개장(開帳).
[開顰 개빈] 찌푸렸던 양미간(兩眉間)을 폄. 걱정을 풂.
[開士 개사] 《佛教》'보살(菩薩)'의 이칭(異稱).
[開謝 개사] 꽃이 핌과 짐.
[開山 개산] ㉠처음으로 산을 개척(開拓)하여 절을 세우는 일. 또, 그 사람. ㉡일종 일파(一宗一派)를 창시한 사람. ㉢어느 사업을 처음으로 함. 또, 그 사람.
[開生路 개생로] 활로(活路)를 개척(開拓)함.
[開曙 개서] ㉠날이 샘. ㉡새벽.
[開析 개석] 개탁(開坼).
[開釋 개석] 개방(開放)❶.
[開設 개설] 새로 설치(設置)함. 처음으로 엶.
[開說 개설] 설명하기 시작함.
[開成 개성] 개물성무(開物成務).
[開城 개성] 성문을 엶. 항복함.
[開歲 개세] 개년(開年).
[開市 개시] 장(場)이나 가게를 엶.
[開示 개시] 열어 보임. 또, 숨김없이 알림. 설명하여 보임.
[開始 개시] 시작함. 처음으로 함.
[開眼 개안] ㉠눈을 떠 바라봄. ㉡《佛教》새로 된 부처를 공양하여 눈을 넣고 그 영(靈)을 맞는 의식. ㉢《佛教》본래 갖춘 불성(佛性)을 열어 진리를 달관함.
[開顏 개안] 파안대소(破顏大笑)함. 해안(解顏). 파안(破顏).
[開業 개업] ㉠사업을 시작함. ㉡영업(營業)을 시작(始作)함.
[開筵 개연] 자리를 폄. 좌석을 베풂.
[開悟 개오] 깨달음. 또, 깨닫게 함.
[開運 개운] 운(運)이 열림.
[開元 개원] 개국(開國).
[開元天寶遺事 개원천보유사] 개원(開元)·천보간(天寶間)의 유사(遺事)를 기술(記述)한 책.

오대(五代)의 왕인유(王仁裕)의 찬(撰)으로, 4권. '개천유사(開天遺事)'라고 약칭(略稱)함.
[開誘 개유] 가르쳐 인도함. 훈유(訓誘).
[開諭 개유] 타이름. 알아듣도록 말함.
[開允 개윤] 윤허(允許)함.
[開帳 개장] 《佛敎》 불감(佛龕)을 열어 공중(公衆)으로 하여금 비불(祕佛)에게 배례(拜禮)시킴.
[開張 개장] ㉠전개(展開). ㉡저자를 열어 장사를 함.
[開場 개장] 그 장소를 개방하여 입장(入場)을 하게 함.
[開展 개전] 폄. 전개(展開).
[開戰 개전] 싸움을 시작(始作)함.
[開店 개점] 가게를 열어 영업(營業)을 개시(開始)함.
[開廷 개정] 소송 사건(訴訟事件)을 재판하기 위하여 법정(法廷)을 엶.
[開濟 개제] ㉠개물성무(開物成務). ㉡임금의 마음을 계발하여 도움.
[開霽 개제] 하늘이 갬.
[開祖 개조] ㉠교(敎)를 처음으로 시작(始作)한 사람. ㉡처음으로 사업(事業)을 일으킨 사람.
[開宗明義 개종명의] ㉠《효경(孝經)》의 제일장(第一章). 이 책의 본의(本義)를 명시(明示)하고, 효도(孝道)의 대강(大綱)을 서술한 편(篇)임. ㉡사물의 강요(綱要)를 서술함을 이름.
[開罪 개죄] 스스로 죄를 지음.
[開陳 개진] 진술함.
[開鑿 개착] 산(山)을 뚫어 길을 내거나 막힌 내를 파 넓힘.
[開札 개찰] 입찰한 상자 또는 투표함을 열어 조사함.
[開拓 개척] 토지(土地)를 개간(開墾)하여 경지(耕地)를 넓힘.
[開闡 개천] 열어 넓힘.
[開秋 개추] 초가을. 초추(初秋).
[開春 개춘] 이른 봄. 초춘(初春).
[開坼 개탁] 엶. 또, 열림.
[開湯網 개탕망] 은(殷)나라의 탕왕(湯王)이 금수(禽獸)를 잡는데 그물의 삼면(三面)을 풀어 놓고 도망갈 길을 터 주었다는 고사(故事)에서, 관대(寬大)하게 처사함을 이름. 탕망(湯網).
[開土 개토] 땅을 파기 시작함.
[開通 개통] 열어 통함. 또, 열림. 길이 트임.
[開平 개평] 제곱근을 계산하여 구함.
[開閉 개폐] 열고 닫고 함. 여닫음.
[開票 개표] 투표함(投票函)을 열고 투표의 결과를 조사(調査)함.
[開學 개학] 학교(學校)의 수업을 시작함.
[開緘 개함] 봉(封)을 엶. 곧, 속을 봄.
[開闔 개합] 개폐(開閉).
[開港 개항] ㉠항구를 개설함. ㉡항구(港口)를 개방(開放)하여 외국(外國) 선박(船舶)의 출입과 무역(貿易)을 허락하여 통상(通商)을 하게 함.
[開化 개화] ㉠위에서 아랫사람을 교도하여 선량하게 함. ㉡사물(事物)이 진보하고 인지(人智)가 발달함.
[開豁 개활] ㉠마음이 탁 트여 넓음. ㉡앞이 탁 트여 조망(眺望)이 넓음.
[開曉 개효] 개유(開諭).
● 公開. 廣開. 爛開. 滿開. 末開. 半開. 散開. 新開. 運開. 再開. 全開. 展開. 切開. 打開.

洞開. 鬪開. 廓開.

4 ⑫ 〔閖〕 항(강)⊛㊀漢 苦浪切 kàng ㊁陽 丘岡切
字解 높을 항. 문이 높은 모양. '高門有一'《左思》.
字源 篆文 形聲. 門+亢〔音〕. '亢항'은 똑바로 서다의 뜻. 똑바로 높이 서 있는 문의 뜻을 나타냄.

[閖閬 항랑] 솟을대문의 모양.

4 ⑫ 〔閎〕 굉(횡)⊛㊀庚 戶萌切 hóng
字解 ①문 굉 ㉠작은 길이나 거리의 문. '乘輦而入一'《左傳》. ㉡천상(天上)의 문. '騰九一'《漢書》. ㉢보통의 문. '高其閎一'《左傳》. ②넓을 굉 중턱이 불룩하여 넓음. '其器圜以一'《禮記》. ③빌 굉 공허함. '彷徨乎馮一'《莊子》. ④클 굉 광대함. '曾一以迫身'《楚辭》. ⑤넓게할 굉. 크게할 굉 '一其中而肆其外'《韓愈》. ⑥성 굉 성(姓)의 하나.
字源 篆文 形聲. 門+厷〔音〕. '厷굉'은 '펼쳐지다'의 뜻. 거기서부터 마을이 펼쳐지는 '문'의 뜻을 나타냄.

[閎閎 굉굉] ㉠큰 소리의 형용. ㉡광대하고 아름다운 모양.
[閎達 굉달] 마음이 넓고 편협(偏狹)하지 아니함. 활달함.
[閎覽 굉람] 널리 사물을 보아 앎. 박람함.
[閎辯 굉변] 웅대한 변론. 웅변(雄辯).
[閎衍 굉연] 문사(文辭)가 풍부하고 아름다움.
[閎中肆外 굉중사외] 문장(文章)의 내용(內容)이 풍부하고 필치(筆致)가 변화무쌍(變化無雙)함.
[閎誕 굉탄] 허황됨.
[閎廓 굉확] 넓고 큼.
● 高閎. 魁閎. 九閎. 深閎. 曾閎. 閈閎.

4 ⑫ 〔閏〕 윤 ⊛㊀震 如順切 rùn
筆順 丨 冂 門 門 門 閂 閏 閏
字解 ①윤 윤 윤달이 드는 일. '一月'. '一年'. 전(轉)하여, 정수(正數)가 아닌 잉여(剩餘). 또는 정통(正統)이 아닌 위조(僞朝). '正一'. '餘分一位'《漢書》. '謂秦爲一'《司馬光》. ②달들 윤 윤달이 듦. '五歲再一'《易經》. ③성 윤 성(姓)의 하나.
字源 篆文 會意. 門+王. '王왕'은 실은 '玉'으로 재화의 뜻. 문 안에 재화가 넘쳐서 집 안이 윤택해진다는 뜻을 나타냄. 나중에 '閏윤'이 주로 윤달의 뜻을 나타내게 되자, 윤택하다의 뜻으로는 '水氵'를 더하여 '潤윤'을 만듦. 《說文》에서는, 고삭(告朔)의 예식을 보통 달에는 종묘(宗廟)에서 거행하지만, 윤달에는 문중(門中)에서 지내므로, 왕이 문 안에 있는 모양에서 윤달의 뜻을 나타낸다고 설명함.

[閏年 윤년] 윤달이 든 해.
[閏朔 윤삭] 윤월(閏月).
[閏餘 윤여] 윤월(閏月).
[閏月 윤월] 윤달.

[閏位 윤위] ㉠달에 차지 않는 역수상(曆數上)의 여분. ㉡정통(正統)이 아닌 임금의 자리.
●歷閏. 榮閏. 立閏. 再閏. 正閏.

4
⑫ [閑] 中入 한 ㊔刪 戶閒切 xián　　閑 罕

[筆順] 丨 冂 冃 冄 門 門 閂 閑 閑

[字解] ①마구간 한 말이 거처하는 곳. '天子十有二一'《周禮》. ②막을 한 ㉠방어함. '遠備一之'《國語》. ㉡가까이 못하게 함. '一邪存其誠'《易經》. ③닫을 한 폐쇄함. '日一興衛也'《易經》. ④법 한 법도. '大德不踰一'《論語》. ⑤클 한 '旅楹有一'《詩經》. ⑥익을 한 숙습(熟習)함. '四馬旣一'《詩經》. ⑦틈 한, 한가할 한 閒(門部 四畫)과 혼용함. '九日驅馳一日一'《韋應物》. ⑧등한히할 한 무심히 버려둠. '一却'. '一他不得'《朱子語類》.

[字源] 金文 罙 篆文 閑 會意. 門+木. 문 사이에 나무를 놓고 다른 데서부터의 침입을 막는 칸막이의 뜻을 나타냄. 또 '閒한'과 통하여 한가한 틈, 한가하다의 뜻을 나타냄.

[閑却 한각] 무심히 버려둠.
[閑客 한객] ㉠한가한 손. ㉡휜 꿩.
[閑居 한거] ㉠일이 없이 집에 한가히 있음. ㉡한적한 땅에서 삶. 또, 그 집.
[閑官 한관] 한직(閑職).
[閑達 한달] 익숙함. 숙달함.
[閑談 한담] 한화(閑話).
[閑談屑話 한담설화] 심심풀이로 하는 쓸데없는 잔말.
[閑放 한방] 근심·걱정 없이 방심함.
[閑肆 한사] 한방(閑放).
[閑散 한산] ㉠조용하고 한가함. ㉡일이 없이 놀고 있음.
[閑書 한서] 소설(小說)·시화(詩話)처럼 한가한 때 힘 안 들이고 읽는 책.
[閑素 한소] 조용하고 소박함.
[閑習 한습] 익숙함. 숙달함.
[閑雅 한아] ㉠얌전하고 우아(優雅)함. ㉡한적하고 아취(雅趣)가 있음.
[閑夜 한야] 조용한 밤.
[閑言語 한언어] 쓸데없는 말.
[閑緩 한완] 느림.
[閑雲野鶴 한운야학] 한가로이 떠도는 구름과 들녘의 두루미. 유유자적하면서 속세 밖에 초연(超然)한 모양.
[閑人 한인] 한가한 사람. 일 없는 사람. 산인(散人). 한인(閒人).
[閑日月 한일월] ㉠한가한 세월. ㉡여유작작함. 한세월(閑歲月).
[閑適 한적] 한가하게 살며 마음 편히 지냄.
[閑靜 한정] 한가(閑暇)하고 고요함.
[閑地 한지] ㉠조용한 땅. ㉡한가한 지위.
[閑職 한직] 한가한 벼슬자리.
[閑筆 한필] 한가한 마음으로 쓴 글씨나 글.
[閑閑 한한] ㉠남녀의 구별 없이 왕래하는 모양. ㉡동요하는 모양. ㉢넓고 큰 모양. ㉣조용하고 침착한 모양.
[閑話 한화] ㉠조용히 이야기함. 또, 그 이야기. ㉡쓸데없는 말.
[閑華 한화] 한아(閑雅)하고 화려함.

[閑話休題 한화휴제] 쓸데없는 말은 그만두고, 화제를 돌릴 때 쓰는 말.
●寬閑. 廐閑. 給閑. 佶閑. 農閑. 等閑. 忙裏御閑. 繁閑. 森閑. 小閑. 少閑. 消閑. 安閑. 餘閑. 優閑. 悠悠閑閑. 有閑. 幽閑. 自閑. 靜閑. 帝閑. 清閑. 投閑. 偸閑.

4
⑫ [間] 中入 간 ①-⑩㊔刪 古閑切 jiān
⑪-⑲㊤諫 古莧切 jiàn　　間 罕

[筆順] 丨 冂 冃 冄 門 門 門 問 間

[字解] ①사이 간 ㉠양자의 사이. 중간. 가운데. '伯仲之一'. ㉡동안. '時一'. '三年一'. ㉢떨어진 정도. 거리. '一隔'. '賢不肖之相去, 其一不能以寸'《孟子》. ㉣두 물건의 중간의 장소. '天地之一'. ㉤장소. 곳. '行一'. '田一'. ㉥무렵. '七八月之一, 雨集溝澮皆盈'《孟子》. ㉦근처. '嫣然一笑竹籬一'《蘇軾》. ◎안. '民一'. '坊一'. '攘臂於其一'《莊子》. ②틈 간 ㉠벌어져 사이가 뜬 곳. '一隙'. ㉡불화. '君臣多一'《左傳》. ㉢기회. '乘一'. ㉣결함. 실수. '以謹愼周密自著, 外内無一'《漢書》. ③들어갈 간 '一三席'(세자리가 들어갈 정도로 비어 있음). ④요마적 간 요사이. '一者'로 연용(連用)하기도 함. '一蒙甲胄'《左傳》. ⑤염탐꾼 간 세작(細作). '一諜'. '用一有五'《孫子》. ⑥엿볼 간 기회를 노림. '齊人一晉之禍'《國語》. ⑦번갈아들 간 교대함. '皇以一之'《詩經》. ⑧헐뜯을 간 헐어 말함. '人不一於其父母昆弟之言'《論語》. ⑨이간할 간 사이를 멀어지게 함. '反一'. '後妻一之'《顏氏家訓》. ⑩성간 성(姓)의 하나. ⑪거를 간 사이를 둠. '一歲而祫'《漢書》. ⑫막을 간 가로막음. '道里悠遠, 山川一之'《列仙傳》. ⑬섞일 간 뒤섞임. '一色'. '遠一親, 新一舊'《左傳》. ⑭간여할 간 참여함. '又何一焉'《左傳》. ⑮나을 간 병이 얼어짐. '旬有二日乃一'《禮記》. ⑯잠시 간 잠깐. '立有一'《列子》. ⑰칸 간 집의 방. '安得廣廈千萬一'《杜甫》. ⑱간간이 간 ㉠드문드문. '一有闕文'《葉采》. ㉡때때로. '高辛時爲雨師, 一遊人間'《列仙傳》. ⑲몰래 간 비밀히. '一行'.

[字源] 會意. 門+日. 閒(門部 四畫)의 字源을 보라. '間간'은 '閒간·한'의 俗字.

[間架 간가] 칸살의 얽이. 전(轉)하여, 글의 짜임새.
[間刻 간각] 칸살. 간격(間隔).
[間間 간간] 꼼꼼히 살피는 모양.
[間介 간개] 좁은 길. 소로(小路).
[間隔 간격] 물건과 물건의 거리(距離). 사이. 틈.
[間見層出 간견층출] 살며시 드러나 겹치어 나옴. 시(詩)의 묘(妙)를 형용(形容)하는 말.
[間關 간관] ㉠길이 험하여 걷기에 힘든 모양. ㉡수레의 굴러 가는 소리. ㉢새가 지저귀는 소리.
[間隙 간극] 틈.
[間氣豪傑 간기호걸] 세상에 어쩌다가 나타나는 호걸. 곧, 불세출(不世出)의 영웅(英雄).
[間斷 간단] 중간(中間)이 끊김.
[間道 간도] 샛길.
[間路 간로] ㉠샛길. 간도(間道). ㉡지름길.
[間方 간방] 네 방위의 각 사이의 방위. 곧, 건(乾)·곤(坤)·간(艮)·손(巽)의 방위.
[間步 간보] 간행(間行).

[間不容髮 간불용발] 털 하나 들어갈 틈이 없음. 일이 대단히 급박함을 이름. 간불용식(間不容息).
[間不容息 간불용식] 숨 한 번 쉴 사이도 없음. 일이 몹시 급박함을 이름.
[間色 간색] 두 가지 이상(以上)의 원색(原色)이 섞이어 되는 빛. 잡색.
[間稅 간세] 간접세(間接稅).
[間歲 간세] 한 해 거름.
[間食 간식] ㉠군음식. ㉡곁두리.
[間於齊楚 간어제초] 약자(弱者)가 강자(強者) 틈에 끼여 괴로움을 받음을 이름.
[間言 간언] 남을 이간(離間)시키는 말.
[間然 간연] 결점을 지적하여 비난함.
[間人 간인] 간첩(間諜).
[間日 간일] 하루 거름. 격일(隔日).
[間者 간자] ㉠간첩(間諜). ㉡요사이. 근자(近者).
[間作 간작] 한 작물 사이에 딴 작물을 재배함. 사이짓기.
[間接 간접] 중간(中間)에 매개(媒介)를 두고 연락(連絡)하는 관계(關係).
[間接稅 간접세] 소비자가 간접으로 부담하는 세금. 곧, 술·담배 등의 세금.
[間執 간집] 막음. 못하게 함.
[間諜 간첩] 적진(敵陣) 또는 적지(敵地)에 들어가서 사정(事情)을 정탐(偵探)하는 사람. 염탐(廉探)꾼. 세작(細作). 스파이.
[間出 간출] 몰래 나감. 미행(微行).
[間廁 간치] 뒤섞임. 낌.
[間投詞 간투사] 감탄사.
[間行 간행] 몰래 감. 숨어 감.
[間歇 간헐] 일정(一定)한 시간을 격(隔)하여 쉬었다 일어났다 함.
[間或 간혹] 이따금. 드물게. 어쩌다가.
[間婚 간혼] 남의 혼인(婚姻)을 중간(中間)에서 이간질함.
◉居間. 股間. 空間. 期間. 朞間. 無間. 眉間. 民間. 反間. 坊間. 幇間. 伯仲之間. 兵間. 病間. 伺間. 山間. 舒間. 世間. 少間. 俗間. 俗世間. 瞬間. 瞬息之間. 承間. 時間. 食間. 心間. 顏間. 腋間. 夜間. 兩間. 年間. 嬴劉之間. 用間. 雲間. 爲間. 游間. 離間. 人間. 林間. 入無間. 田間. 貞間. 鄭衛桑間. 晝間. 週間. 中間. 讒間. 艙間. 破屋數間. 巷間. 行間. 峽間. 花落訟庭間.

4 ⑫ [閅] [一] 분 [平]文 敷文切 fēn [二] 계 [去]霽 胡計切 xiè
[字解] [一] 싸움이뒤엉킬 분 '闅, 說文, 鬭連結闠紛相牽也, 或作—'《集韻》. [二] 문짝 계 '—, 門扇'《字彙》.

4 ⑫ [閇] [一] 閅(前條)과 同字 [二] 閉(門部 四畫〈p. 2437〉)의 訛字

4 ⑫ [閞] 관 [上]旱 古滿切 guǎn
[字解] 관(管) 관 쇠사슬을 뽑아내는 관. 管(竹部 八畫)과 통용. '—, 所以出鏈也, 通作管'《五音集韻》.

4 ⑫ [𨳝] 뉴 [上]有 女九切 niǔ
[字解] 빗장 뉴 문빗장. '—, 門關也'《集韻》.

4 ⑫ [閒] [人名] [一] 한 [平]刪 古閑切 jiān [二] 간 [去]諫 古莧切 jiàn 间
[筆順] 丨 𠃍 𠃑 門 門 閂 閒 閒
[字解] [一] ①틈 한 겨를. '連得—矣'《孟子》. ②한가할 한 ㉠무사함. 일이 없음. '—居'. '—而以師討焉'《左傳》. ㉡놀고 있음. 직업이 없음. '九日, —民'《禮記》. ③쉴 한 휴식함. '可以少—'《國語》. ④조용할 한 안정함. '幽—'. '—雅'. '問余何意栖碧山, 笑而不答心自—'《李白》. [二] 사이 간 間(門部 四畫)의 本字.
[字源] [金文] [金文] [篆文] [古文] 會意. 門+月. 문을 닫아도 달빛이 새어드는 모양에서 '틈, 사이'의 뜻을 나타냄. 일설에는, '月월'은 '살'의 뜻. 살에 칼로 칼집을 내어서, 문 안에 두어 막다의 뜻을 나타낸다고 함.
[參考] 間(門部 四畫)은 俗字.

[閒暇 한가] ㉠할 일이 없음. 틈이 있음. ㉡나라가 태평하여 조용함. ㉢의용(儀容)이 점잖음.
[閒居 한거] ㉠손을 피하고 마음대로 기거(起居)함. ㉡일이 없어 한가히 있음. ㉢조용한 집. 유거(幽居).
[閒隙 한극] 한가(閒暇)한 틈. 겨를.
[閒談 한담] 쓸데없는 이야기.
[閒談屑話 한담설화] 쓸데없는 잡담(雜談).
[閒民 한민] 직업 없는 백성.
[閒步 한보] 한가(閒暇)히 산보(散步)함.
[閒事 한사] 쓸데없는 일.
[閒散 한산] 일이 없이 한가함.
[閒雅 한아] 점잖고 품위가 있음.
[閒語 한어] 조용히 이야기함.
[閒雲 한운] 한가(閒暇)히 오락가락하는 구름.
[閒月 한월] 1년 중 농사를 안 짓는 한가한 달. 망월(忙月)의 대(對).
[閒遊 한유] 한가히 놂.
[閒人 한인] 한가(閒暇)한 사람. 일 없는 사람.
[閒日 한일] 한가한 날. 가일(暇日).
[閒寂 한적] 한가(閒暇)하고 고요함.
[閒田 한전] 주인 없는 전지.
[閒靜 한정] 한가(閒暇)하고 고요함.
[閒中趣 한중취] 조용한 때의 흥취.
[閒話 한화] ㉠조용한 이야기. ㉡쓸데없는 이야기.
[閒話休題 한화휴제] 한화휴제(閑話休題).
[閒況 한황] 한가한 형편. 한산(閑散)한 신분(身分).
◉窺閒. 農閒. 多閒. 等閒. 安閒. 餘閒. 優閒. 有閒. 幽閒. 請閒. 退閒.

4 ⑫ [𨳿] 閒(前條)의 古字

4 ⑫ [閔] [人名] 민 ①[平]眞 眉貧切 mín ②-⑤[上]軫 眉殞切 mǐn 闵
[筆順] 丨 𠃍 𠃑 門 門 門 閔 閔
[字解] ①근심할 민 걱정함. '鬻子之—斯'《詩經》. ②우환 민 질병·사망 등의 걱정. '—凶'. '覯—既多'《詩經》. ③가엾게여길 민 애처롭게 여김. '祖母劉—臣孤弱, 躬親撫養'《李密》. ④힘쓸 민

'予惟用一于天越民'《書經》. ⑤성 민 성(姓)의 하나.
字解 篆文 閔 古文 惪 形聲. 門+文〔音〕. '文문'은 '愍민'과 통하여 가엾게 여기다의 뜻. 불행한 사람을 조문하여 가엾게 여기다, 근심하다의 뜻을 나타냄.

[閔急 민급] 우환(憂患)과 병(病).
[閔免 민면] 힘씀.
[閔閔 민민] 근심하는 모양.
[閔傷 민상] 가엾게 여겨 마음 아파함.
[閔然 민연] 가련한 모양. 또, 불쌍히 여기는 모양.
[閔慰 민위] 가엾게 여겨 위로함.
[閔子騫 민자건] 춘추(春秋) 시대 노(魯)나라 사람. 이름은 손(損). 자건(子騫)은 자(字). 공자(孔子)의 제자. 효(孝)로써 공문십철(孔門十哲)의 한 사람으로 꼽힘.
[閔悔 민회] 마음 아프게 후회함.
●覯閔. 遘閔. 顔閔. 憐閔. 憂閔. 曾閔. 偕閔.

④⑫ [閮] 돈 ①元 徒渾切 tún
字解 문에가득찰 돈 흔히 빈객(賓客)이 많음을 이름. '一, 闐門也'《集韻》.

④⑫ [閍] 팽 ⑤庚 甫盲切 bēng
字解 ①대궐문 팽 궁중의 문. '一, 宮中門'《集韻》. ②사당문이름 팽 묘문(廟門)의 이름. '一謂之門.(疏) 一, 廟門名'《爾雅》.
字源 形聲. 門+方〔音〕

④⑫ [閛] 계 ㊦卦 下介切 xiè
㊦霽 胡計切
字解 문짝 계 '一, 門扉也'《說文》.
字源 形聲. 門+介〔音〕

④⑫ [閛]
• 변 ㊦霰 皮變切 biàn
• 별 ㊦屑 必結切
• 폐 必計切 bì
字解 • 칠 변 때림. '一, 搏也'《篇海類篇》. 닫을 별 '荊扉晝常一'《陶潛》. 폐 閉(門部 三畫)와 同字.

④⑫ [閝] 하 ㊦禡 魚駕切 xiǎ
字解 ①빌 하 공허함. ②갈라질 하 '谺一'.

[悶] 〔민〕
心部 八畫(p.784)을 보라.

⑤⑬ [閘] 갑 ㊦人名 ㊦合 古盍切 zhá
字解 ①물문 갑 수문(水門). ②닫을 갑 폐문함.
字源 篆文 閘 形聲. 門+甲〔音〕. '甲갑'은 봉하다, 덮어 싸다의 뜻. 물을 덮어 싸서 가두다, 봉하다, 또 그 수문의 뜻을 나타냄.

[閘頭 갑두] 때때로 개폐(開閉)하는 수문(水門).

⑤⑬ [閜] 령 ㊦青 郎丁切 líng
字解 들창 령 문 위에 낸 창. '一, 門上窗謂之一, 或从霝'《集韻》. 원래 櫺(木部 十七畫)이었음. '一, 本作櫺'《正字通》.

⑤⑬ [閞] 변 ㊦霰 皮變切 biàn
字解 대접받침 변 문·기둥의 주두(柱枓).
字源 形聲. 門+弁〔音〕. '弁변'은 '씌우다'의 뜻. 문기둥의 대접받침의 뜻을 나타냄.

⑤⑬ [閟] 비 ㊦寘 兵媚切 bì
字解 ①닫을 비, 닫힐 비 숨어서 나타나지 아니함. '永一'. '幽一'. '我思不一'《詩經》. ②깊을 비, 으슥할 비 유심(幽深)함. '一宮有侐'《詩經》. ③삼갈 비 근심함. '天一毖我成功所'《書經》. ④마칠 비 끝냄. '一其事也'《左傳》.
字源 篆文 閟 形聲. 門+必〔音〕. '必필'은 '閉폐'와 통하여 문을 닫다의 뜻. 닫다, 문이 닫혀진 사당의 뜻을 나타냄.

[閟宮 비궁] 종묘(宗廟).
[閟匿 비닉] 깊숙이 숨김.
[閟毖 비비] 삼감, 근심함.
[閟寢 비침] 비궁(閟宮).
●深閟. 永閟. 幽閟. 隱閟. 潛閟. 淸閟.

⑤⑬ [閞] 녜 ㊤薺 奴禮切 nǐ
字解 뒤떨어질 녜 능력이 뒤짐. '一, 智小力劣'《集韻》.

⑤⑬ [閜] 하 ㊤馬 許可切 xiǎ
字解 휑뎅그렁할 하 넓고 공허함. '谽呀豁一'《史記》.
字源 篆文 閜 形聲. 門+可〔音〕

[閜呵 하가] 서로 도움.
[閜口 하구] 큰 잔. 대배(大杯).

⑤⑬ [閛] 팽 ㊤庚 普耕切 pēng
字解 닫을 팽 폐문함. '閉之一然不覩牆之裏'《揚子法言》.

⑤⑬ [閜]
• 첨 ㊤鹽 癡廉切 chān
• 참 ㊤咸 側銜切 zhān
字解 • 엿볼 첨 문을 빠끔히 열고 엿봄. '一, 小開門以候望也'《集韻》. • 서서기다릴 참 '一, 立待也'《玉篇》.

⑤⑬ [閛]
• 계 ㊦霽 呼計切 xì
• 간
字解 • 문짝 계 '一, 門閞'《篇海》. • 間(門部 四畫)의 古字.

⑤⑬ [開] 〔개〕
開(門部 四畫〈p.2433〉)의 古字

5
⑬ [閧] 계 jī
字解 문둥개 계 지도리를 받치는 문둔테의 구멍. '一, 門臼'《篇海》.

5
⑬ [閒] 〔관〕
關(門部 十一畫〈p.2446〉)과 同字

5
⑬ [閒] 단 ⯑부 黨旱切 dǎn, tǎn
字解 ①빗장 단 '一, 扊扅也'《集韻》. '一, 關也'《集韻》. ②문옆에세워문짝을옅게하는말뚝 단 '一, 閩也, 門傍橛, 所以止扉也'《玉篇》.

5
⑬ [閬] 당 ⯑漾 大浪切 dàng
字解 문열리지않을 당 '一, 門不開'《集韻》.

5
⑬ [閘] 〔뇨〕
閙(門部 五畫〈p.2630〉)의 訛字

6
⑭ [閡] ㊀애 ㊄隊 五漑切 ài
㊁해 ⯑賄 下改切 hài
㊂핵 ㊄職 紇則切 hé
字解 ㊀닫을 애 밖에서 닫음. '寒暑隔一於邃宇'《左思》. ㊁막을 해 안에 넣고 막음. '該藏萬物, 而雜品一種'《漢書》. ㊂거리낄 핵 방해가 됨. '勿令有所拘一而已'《後漢書》.
字源 篆文 閡 形聲. 門+亥〔音〕. '亥해'는 '굳어지다'의 뜻. 문을 굳게 닫다의 뜻을 나타냄.

6
⑭ [閣] 高人 각 ㊄藥 古落切 gé
筆順 ｜ 厂 尸 門 門 閁 閣 閣
字解 ①다락집 각 층집. '樓一'. '高樓重一'《晉書》. ②대궐 각 궁전. '圖畫其人于麒麟一'《漢書》. ③마을 각 관성(官省). '內一'. '取宿衛之臣留祕一之吏'《魏志》. ④복도 각 낭하(廊下). '周馳爲一道'《史記》. ⑤잔교 각 계곡에 높이 걸쳐 놓은 다리. '棧一絶敗'《後漢書》. ⑥찬장 각 식기·음식 등을 넣어 두는 장. '大夫七十而有一'《禮記》. ⑦선반 각 물건을 올려놓는 데. '束之高一'《晉書》. ⑧놓을 각 擱(手部 十四畫)과 同字. '朕一筆思之久矣'《說苑》. ⑨성 각 성(姓)의 하나.
字源 篆文 閣 形聲. 門+各〔音〕. '各각'은 외부로 튀어나오다의 뜻. 문 있는 데에 내밀고 있는, 문짝을 고정시키기 위한 말뚝의 뜻을 나타냄. 또, 지상에 높이 솟은 다락집의 뜻을 나타냄.

[閣①]

[閣閣 각각] ㉠곧은 모양. 단직(端直). ㉡개구리가 우는 소리. 합합(閤閤).
[閣道 각도] ㉠복도(複道). ㉡잔도(棧道). ㉢북두칠성(北斗七星) 중의 한 별.
[閣老 각로] ㉠당대(唐代)에는 중서사인(中書舍人)의 연공자(年功者). ㉡명대(明代)에는 재상.
[閣僚 각료] 내각의 장관 자리에 있는 관료.

[閣免 각면] 과거의 잘못을 용서하고 묻지 아니함.
[閣手 각수] 팔짱을 낀다는 뜻으로, 아무 일도 하지 아니하는 모양을 이르는 말.
[閣臣 각신] 국무 대신(國務大臣).
[閣議 각의] 내각(內閣)의 회의(會議).
[閣正 각정] 남의 아내를 이름.
[閣筆 각필] 붓을 놓음. 쓰던 것을 그만둠. 각필(擱筆).
[閣下 각하] ㉠전각(殿閣)의 아래. ㉡고위 고관(高位高官)의 존칭.
[閣學 각학] 송대(宋代)의 내각학사(內閣學士)를 이름.
●傑閣. 劍閣. 階閣. 高閣. 曲閣. 谷閣. 空中閣. 觀閣. 橋閣. 闕閣. 几閣. 庋閣. 綺閣. 煖閣. 內閣. 樓閣. 臺閣. 倒閣. 梵閣. 複閣. 佛閣. 飛閣. 祕閣. 山閣. 上閣. 禪閣. 城閣. 束之高閣. 阿閣. 連閣. 芸閣. 雲閣. 危閣. 麟閣. 入閣. 邸閣. 殿閣. 組閣. 朱閣. 峻閣. 重閣. 池閣. 椒閣. 層閣. 香閣. 畫閣. 廓閣.

6
⑭ [閤] 人名 합 ㊄合 古沓切 gé
字解 ①협문 합 대문 옆에 있는 작은 문. '宮一'. '出入閨一'《漢書》. ②대궐 합 궁전. 일설(一說)에는, 침방. 침실. '國王居重一'《齊書》. ③마을 합 관성(官省). '率諫官伏一'《唐書》.
字源 篆文 閤 形聲. 門+合〔音〕. '合합'은 '합치다, 포함하다'의 뜻. 큰 문의 일부로서 포함되어 있는 협문의 뜻을 나타냄.

[閤閭 합려] 이물. 선수(船首).
[閤門 합문] 편전(便殿)의 앞문(門).
[閤下 합하] '각하(閣下)'와 같음. 옛날에 삼공 대신(三公大臣)은 모두 대문에 합(閤)을 설비해 놓은 데서 이름.
[閤閤 합합] 개구리가 우는 소리. 각각(閣閣).
●開閤. 宮閤. 閨閤. 內閤. 大閤. 房閤. 迎閤. 幽閤. 中閤. 重閤. 閉閤. 後閤.

6
⑭ [閥] 人名 벌 ㊄月 房越切 fá
筆順 ｜ 厂 門 門 門 閁 閥 閥
字解 ①공로 벌 공적. '功一'. '明其等曰一'《史記》. ②지체 벌 가문. '門一'. '一閱'. '實著名一'《唐書》. ③문지방 벌 '不踰一'《孔子家語》.
字源 篆文 閥 形聲. 門+伐〔音〕. '伐벌'은 적을 치다, 공적의 뜻. 공적이 있는 집의 문에 세운 기둥의 뜻을 나타내며, 파생하여 지체 있는 가문의 뜻을 나타냄.

[閥閱 벌열] ㉠공적을 써서 문에 거는 방(榜). 문(門)의 왼쪽의 것이 벌(閥), 오른쪽의 것이 열(閱). 벌(閥)은 공적(功績), 열(閱)은 경력(經歷). 전(轉)하여, 공적. ㉡문벌(門閥).
[閥族 벌족] 문벌이 좋은 집안.
●家閥. 功閥. 官閥. 軍閥. 閨閥. 黨閥. 名閥. 門閥. 財閥. 積閥. 族閥. 派閥. 學閥. 勳閥.

6
⑭ [閨] 人名 규 ㉨齊 古攜切 guī
筆順 ｜ 厂 門 門 門 門 閨 閨

字解 ①협문 규 궁중(宮中)의 작은 문. '一閨'. '金一'〈금마문(金馬門)을 이렇게도 썼음〉. '每夜刺一'《南史》. 또, 벽을 뚫어, 위는 원형, 아래는 방형(方形)인 홀(笏)과 같은 모양으로 만든 초라한 출입구를 이름. '華門一竇之人'《左傳》. ②도장방 규 부녀자가 거처하는 방. 침방. 침실. '一房'. '安閨念春一'《李白》. 전(轉)하여, 남녀의 관계를 이름. '一怨'. 전하여, 부녀자, 또는 부녀자에 관한 일을 이름. '一秀'. '一範'. '一人識字'《黃允文雜纂》.
字源 篆文 閨 形聲. 門+圭〔音〕. '圭규'는 위가 뚱그스름하고 밑이 네모진 옥의 뜻. 규(圭) 모양의 문, 궁중의 작은 문의 뜻을 나타냄.

[閨內 규내] 규중(閨中).
[閨闥 규달] ㉠궁녀(宮女)의 방. ㉡부인의 침실.
[閨竇 규두] 뙤창문. 전(轉)하여, 가난한 사람의 집.
[閨裏 규리] 침실 안.
[閨門 규문] ㉠침실의 입구. 전(轉)하여, 침실 안. ㉡가정방.
[閨房 규방] 안방. 침실. 내실(內室).
[閨範 규범] 여자가 지켜야 할 도덕.
[閨秀 규수] 재학(才學)이 뛰어난 부인. 재원(才媛). 현부인(賢婦人).
[閨心 규심] 남녀가 서로 연모하는 정. 춘정(春情).
[閨愛 규애] 딸.
[閨艷 규염] 소녀(少女).
[閨怨 규원] 사랑하는 사람에게 버림을 받은 여자의 원한(怨恨). 또, 그 원한을 읊은 시.
[閨牖 규유] 침실의 창문.
[閨人 규인] 여자. 부인(婦人).
[閨庭 규정] 침실 안. 집안.
[閨中 규중] 부녀(婦女)가 거처(居處)하는 방 안. 침방(寢房). 침실.
[閨中力 규중력] 부녀자의 힘. 아내의 힘.
[閨閤 규합] ㉠궁중(宮中)의 작은 문. 전(轉)하여, 내전(內殿). ㉡규방(閨房). ㉢여자.
[閨閤之臣 규합지신] 궁중에서 섬기는 신하.
[閨戶 규호] 침실의 문.
●孤閨. 空閨. 金閨. 蘭閨. 深閨. 令閨. 幽閨. 天閨. 秋閨. 春閨. 寒閨. 香閨. 紅閨.

6획⑭ [闕] 결 ㉲屑 苦穴切 què
字解 ①빌 결 공허함. '一, 空也'《廣雅》. ②문없을 결 闕(門部 九畫)과 同字. '一, 一闋, 無門戶也. 或不省'《集韻》.

6획⑭ [閚] ㊀광 ㉮陽 曲王切 kuāng ㊁곡 ㉥沃 丘玉切
字解 ㊀문얼굴 광 문광(門框). '一, 門一也'《玉篇》. '一, 門周木也'《集韻》. ㊁문얼굴 곡 ㊀과 뜻이 같음.

6획⑭ [閚] ㊀위 ㉮支 魚爲切 wéi ㊁궤 ㉤紙 古委切
字解 ㊀문높을 위 '一, 門危也'《字彙》. ㊁문높을 궤 ㊀과 뜻이 같음.

6획⑭ [閜] 남 nán

字解 문지기 남 '一, 門人'《篇海》.

6획⑭ [閩] 민 ㉤眞 武巾切 mǐn 閩哭
字解 ①오랑캐이름 민 중국 동남 지방의 인종의 이름. 또, 그 인종이 살던 땅. 현재의 푸젠 성(福建省) 지방의 일컬음. 동월(東越). '四夷八蠻七一九貉五戎六狄'《周禮》. ②나라이름 민 국명. 오대(五代) 십국(十國)의 하나. 왕조(王潮)·왕심지(王審知) 형제가 세운 나라로서, 칠주(七主) 55년 만에 남당(南唐)에게 멸망당하였음. (892~946) ③성 민 성(姓)의 하나.
字源 篆文 閩 形聲. 蟲〈省〉+門〔音〕

[閩廣 민광] 지금의 푸젠 성(福建省)과 광둥 성(廣東省)·광시 성(廣西省)을 총괄(總括)한 지방.
[閩粤 민월] 지명(地名). 지금의 푸젠 성(福建省) 주(周)나라 때에 칠민(七閩)의 땅이고, 뒤에 월인(越人)이 이곳에 살았으므로 이름. 월(粤)은 월(越).
[閩中 민중] 진(秦)나라 때의 군(郡) 이름. 지금의 푸젠 성(福建省).
●南閩. 東閩. 七閩.

6획⑭ [閪] 시 ㉢眞 時吏切 shì
字解 내시 시 환관(宦官). 寺(寸部 三畫)와 同字.

6획⑭ [閚] 한 ㉡潸 胡簡切 xiàn
字解 문지방 한 '一, 閾也'《集韻》.

6획⑭ [閡] 축 ㉧屋 初六切 chù
字解 ①많을 축 '一, 眾也'《玉篇》. ②무리 축 문 안에 사람이 많이 모여 있음. '一, 眾在門中'《集韻》. ③부처이름 축 아축불(阿閡佛). '東方, 有阿一鞞佛'《華嚴經》.
字源 形聲. 門+众〔音〕. '众중'은 '많다'의 뜻. 문 안에 사람이 많다의 뜻을 나타냄.

6획⑭ [開] 평 ㉤庚 披耕切 pēng
字解 문짝닫는소리 평 '閛, 閛扉聲, 或从幷'《集韻》.

6획⑭ [閚] 질 ㉧質 職日切 dié
字解 문닫칠 질 '門閚謂之一'《集韻》.

6획⑭ [開] 〔개〕 開(門部 四畫〈p.2433〉)의 本字

6획⑭ [閚] ㊐ 서
字解 《韓》잃을 서 '一失'.

[閚失 서실] 《韓》잃어버림. 유실(遺失).

6획⑭ [閚] ㊀괄 ㉧點 苦滑切 kuà ㊁활 ㉧曷 呼括切

字解 ■一 문활짝열 괄 '一, 大開門皃'《集韻》. ■二 문활짝열 활 ⊟과 뜻이 같음.

6 ⑭ [関] 〔관〕
關(門部 十一畫〈p. 2446〉)의 俗字

6 ⑭ [閧] 〔홍〕
鬨(鬥部 六畫〈p. 2630〉)의 訛字

[聞] 〔문〕
耳部 八畫(p. 1826)을 보라.

7 ⑮ [閫] 곤 ㊤阮 苦本切 kǔn

字解 ①문지방 곤 문 밑을 받친 하방의 부분. 전(轉)하여, 호내(戶內)·호외(戶外)의 한계. '內言不出於一, 外言不入於一'《禮記》. ②성문 곤 성곽(城郭)의 문. '一以內者, 寡人制之, 一以外者, 將軍制之'《史記》. ③성 곤 성(姓)의 하나.
字源 形聲. 門＋困〔音〕. '困곤'은 '가두다'의 뜻. 사람을 문 안에 가두다, 문지방의 뜻을 나타냄.

[閫寄 곤기] 곤외(閫外)의 기탁(寄託)이란 뜻으로, 장군(將軍)의 임무.
[閫內 곤내] ㉠문지방 안. ㉡성 안. 지경 안.
[閫德 곤덕] 곤범(閫範).
[閫範 곤범] 부녀자가 가정에서 지켜야 할 범절. 규범(閨範). 곤칙(閫則).
[閫席 곤석] ㉠문지방과 자리. ㉡남녀의 구별.
[閫奧 곤오] ㉠깊숙한 곳. 마음속. ㉡깊은 뜻. 학술·기예 등의 오의(奧義).
[閫外 곤외] ㉠문지방 밖. ㉡성 밖. 지경 밖.
[閫外之任 곤외지임] 장군(將軍)의 직임(職任).
[閫正 곤정] 규문(閨門) 가운데의 바름이란 뜻으로, 부녀의 도(道)가 바름을 이르는 말.
[閫則 곤칙] 곤범(閫範).
◉桂閫. 閨閫. 門閫. 天閫. 出閫.

7 ⑮ [閬] 랑 ㊁漾 來宕切 làng / ㊥陽 魯當切 láng

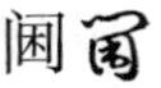

字解 ①휑뎅그렁할 랑 광대하고 공허함. '胞有重一, 心有天遊'《莊子》. ②높을 랑 문이 크고 높음. 전(轉)하여, 고대(高大)함. '集太微之一一'《後漢書》. ③성 랑 성(姓)의 하나. ④《韓》 불알 랑 음낭(陰囊).
字源 篆文 形聲. 門＋良〔音〕. '良량'은 '朗랑'과 통하여 '높다랗다'의 뜻. 높다란 문의 뜻을 나타냄.

[閬閬 낭랑] 고대(高大)한 모양. 또, 휑뎅그렁한 모양.
[閬苑 낭원] 신선(神仙)이 산다는 곳.
[閬風 낭풍] 산명(山名). 곤륜산(崑崙山) 위에 있는 신선이 사는 곳.
[閬風瑤池 낭풍요지] 낭원(閬苑).
◉崑閬. 罔閬. 土閬.

7 ⑮ [閴] 〔격〕
闃(門部 九畫〈p. 2442〉)의 俗字

7 ⑮ [閭] 人名 려 ㊥魚 力居切 lǘ

筆順 丨 ｢ ｣ 門 門 閂 閅 閭

字解 ①이문 려 마을의 문. 주대(周代)의 제도(制度)에, 스물다섯 집을 이(里)라 하고, 그 문을 '一'라 함. '倚一'. '旌一'. '門一毋閉'《淮南子》. ②마을 려 스물다섯 집이 사는 구역. '與其得罪於鄕黨州一'《禮記》. 전하여, 널리 촌락의 뜻으로 쓰임. '鬱葱佳氣夜充一'《蘇軾》. ③성 려 성(姓)의 하나.
字源 金文 篆文 形聲. 門＋呂〔音〕. '呂려'는 모여서 이어지다의 뜻. 집들이 모여서 이어진 마을의 문의 뜻을 나타냄.

[閭家 여가] 여염집.
[閭里 여리] 마을. 또는 마을 사람.
[閭門 여문] 마을의 입구의 문. 이문(里門).
[閭胥 여서] 주대(周代)의 관명(官名). 마을의 징세(徵稅) 등을 맡은 아전.
[閭市 여시] 마을의 거리.
[閭閻 여염] ㉠여문(閭門). ㉡민간 사람.
[閭伍 여오] 마을의 반(班). 전(轉)하여, 민간 사람.
[閭井 여정] 마을. 촌락.
[閭左 여좌] 진대(秦代)에 부역 등을 면제하고 이문(里門)의 왼편에 살게 한 빈민. 오른쪽엔 부자가 삶.
[閭娵 여추] 옛날의 미녀(美女)의 이름.
[閭閈 여한] ㉠여문(閭門). ㉡여리(閭里).
[閭巷 여항] 마을. 전(轉)하여, 민간(民間).
[閭巷人 여항인] 민간 사람.
◉衢閭. 門閭. 尾閭. 民閭. 坊閭. 辟閭. 幷閭. 不過勝母之閭. 比閭. 飛閭. 石閭. 式閭. 奄閭. 女閭. 邑閭. 倚閭. 踦閭. 醫無閭. 里閭. 異閭. 田閭. 井閭. 旌閭. 州閭. 村閭. 表閭. 閻閭. 闔閭. 鄕閭.

7 ⑮ [⿵門局] 국 ㊇屋 居六切 jú

字解 ①막을 국 가로막음. '一, 閑也'《集韻》. ②문닫을 국 '一, 閉也'《類篇》. ③두손으로물건을 받들어올릴 국 '一, 兩手捧物也'《篇海》.

7 ⑮ [闋] 굴 ㊇屑 苦穴切 què

字解 문없을 굴 '一, 無門戶也'《篇海》.

7 ⑮ [閠] 〔윤〕
閏(門部 四畫〈p. 2434〉)과 同字

7 ⑮ [⿵門昜] 〔궐〕
闕(門部 十畫〈p. 2445〉)과 同字

7 ⑮ [閲] 高人 열 ㊇屑 弋雪切 yuè

筆順 丨 ｢ ｣ 門 門 閂 閲 閲

字解 ①점고할 열 수효를 일일이 세며 조사함. '商人一其禍敗之釁'《左傳》. 전(轉)하여, 자세히 살핌. 검사함. '檢一'. '一兵'. ②가릴 열 간택함. '簡一'. '克一乃邑謀介'《書經》. ③읽을 열 독서함. '一書'. '可以調素琴, 一金經'《劉禹錫》. ④지낼 열, 겪을 열 경력함. '一月'. '一天下之義理多矣'《漢書》. ⑤모을 열 모음. 합함. '夫川一水以成川'《陸機》. ⑥공로 열 공적 또는

4⑦ [阯] 지 ⒞紙 諸市切 zhǐ

字解 ①터 지 터전. 기초. '顧立產業基一'《漢書》. ②기슭 지 산의 기슭. '太山下一'《史記》. ③주춧돌 지 초석(礎石). '得顛一于榛荒'《朱熹》. ④물가 지 沚(水部 四畫)와 통용. '黑水玄一'《張衡》. ⑤발 지 趾(足部 四畫)와 통용. '合浦交一'《漢書》.

字源 篆文 阯 別體 地 形聲. 阝(自)+止〔音〕. '止지'는 '발'의 뜻. 언덕의 밑 부분, '기슭'의 뜻을 나타냄.

4⑦ [防] 방 ⒞陽 符方切 fáng

筆順 ˊ ㄱ ㅏ ㅏ' ㅑ 防 防

字解 ①둑 방 제방. '堤一'. '無曲一'《孟子》. ②막을 방 ㉠가로막음. 못 가게 함. '一止'. '一遏'. '不一川'《國語》. ㉡대비함. '豫一之'《易經》. ㉢가림. '一露'《楚辭》. 또, 막는 일. 막는 설비. '海一'. '邊一'. '長城鉅一'《戰國策》. ③당(當)할 방 '百夫一之一'《詩經》. ④방 방 房(戶部 四畫)과 통용. '生殿一內中'《漢書》. ⑤성 방 성(姓)의 하나.

字源 篆文 防 形聲. 阝(自)+方〔音〕. '方방'은 '내밀다'의 뜻. 내민 언덕, 둑의 뜻. 또 둑으로 막다의 뜻을 나타냄.

[防奸 방간] 간사(奸邪)한 것을 막음.
[防拒 방거] 막음. 방어함.
[防穀 방곡] 곡식의 수출(輸出)을 막음.
[防穀令 방곡령] 곡식의 수출 또는 수입을 금지하는 법령.
[防空 방공] 항공기에 의한 공격을 방비함.
[防毒 방독] 독기(毒氣)를 막아냄.
[防腐 방부] 썩지 못하게 함.
[防腐劑 방부제] 썩지 못하게 하는 약제(藥劑).
[防備 방비] 방어(防禦)하는 설비(設備). 또, 그 설비를 함.
[防山 방산] 공자(孔子)의 부모(父母)를 합장(合葬)한 산 이름. 산둥 성(山東省) 취푸 현(曲阜縣)의 동쪽에 있음.
[防塞 방새·방색] ㉠방비. 요새(要塞). ㉡막음.
[防水 방수] 물을 막음. 방천(防川).
[防守 방수] 막아서 지킴. 파수(把守).
[防水布 방수포] 방수제를 바른 베.
[防身刀 방신도] 호신도(護身刀).
[防遏 방알] 막음.
[防禦 방어] 침입을 막아냄. 또, 그 설비(設備).
[防衛 방위] 방어(防禦)하여 호위(護衛)함.
[防慾 방욕] 사욕(私慾)이 생겨남을 막음.
[防材 방재] 쇠사슬로 묶어 적함(敵艦)의 출입을 막는 큰 재목.
[防戰 방전] 방어하여 싸움.
[防止 방지] 막아서 그치게 함.
[防秋 방추] 북적(北狄)의 침노를 방어함. 북적은 항상 가을에 침노하므로 이름.
[防蟲網 방충망] 파리·모기 등의 해충이 날아들지 못하게 창문 같은 곳에 치는 망.
[防臭劑 방취제] 악취를 없애는 약제.
[防波堤 방파제] 거센 파도를 막기 위하여 쌓은 둑.
[防風 방풍] ㉠바람을 막음. ㉡미나릿과에 속하는 풀. 뿌리는 풍증을 고치는 데 씀.
[防風林 방풍림] 방풍하기 위하여 심은 산림.
[防寒 방한] 추위를 막음.
[防寒具 방한구] 방한용의 기구.
[防護 방호] 방위(防衛).
[防荒 방황] 흉년을 예방함. 기근을 예방함.
●警防. 攻防. 關防. 國防. 漏防. 屯防. 法防. 邊防. 備防. 砂防. 消防. 水防. 猜防. 遏防. 豫防. 雍防. 堤防. 隄防. 重防. 鎭防. 捍防. 海防.

4⑦ [阱] 정 ㉠敬 疾正切 ⒞梗 疾郢切 jǐng

字解 함정 정 穽(穴部 四畫)과 同字. '塞一杜擭'《周禮》.

字源 甲骨文 阱 別體 阱 形聲. 阝(自)+井〔音〕. '井정'은 '우물'의 뜻. 언덕에 판, 우물과 같은 '함정'의 뜻을 나타냄.

[阱擭 정확] 짐승을 잡는 함정과 덫.
●坎阱. 陷阱.

4⑦ [阱] 승 ㉠蒸 書蒸切 shēng

字解 오를 승 陞(阜部 七畫)과 同字. '一, 登也'《字彙》.

4⑦ [阧] 두 ⒞有 當口切 dǒu

字解 가파를 두 陡(阜部 七畫)와 同字.
字源 形聲. 阝(自)+斗〔音〕

4⑦ [阺] 시 ⒞紙 上紙切 shì

字解 무너져가는벼랑 시 돌출(突出)하여 무너지려고 하는 벼랑.
參考 阺(阜部 五畫)는 別字.

4⑦ [阳] 〔양〕陽(阜部 九畫〈p.2468〉)과 同字·簡體字

4⑦ [阴] 〔음·암〕陰(阜部 八畫〈p.2460〉)과 同字·簡體字

4⑦ [阦] 〔양〕陽(阜部 九畫〈p.2468〉)의 俗字

4⑦ [阤] 〔음·암〕陰(阜部 八畫〈p.2460〉)의 俗字

4⑦ [阰] 비 ㉠支 房脂切 pí

字解 산이름 비 '朝搴一之木蘭. (注)一, 山名'《楚辭》.
字源 形聲. 阝(自)+比〔音〕

4⑦ [坏] 배 ㉠灰 蒲枚切 pēi

字解 담 배 담장. 坏(土部 四畫)와 同字. '民之於利甚勤, 子有殺父, 臣有殺君, 正晝爲盜, 日中穴一'《莊子》.

字源 形聲. 阝(阜)＋不〔音〕

5 ⑧[阹] 거 ㊤魚 去魚切 qū

字解 울 거 산곡(山谷)에 짐승이 빠져나가지 못하게 설치한 우리. '江河爲─'《司馬相如》.
字源篆文 䖙 形聲. 阝(阜)＋去〔音〕

5 ⑧[阺] 저 ㊤薺 典禮切 dǐ

字解 ①비탈 저, 언덕 저 산비탈, 또는 구릉. '拒─隴'《後漢書》. ②무너질 저 산비탈의 흙이 무너져 내려오는 모양. '嚮若一隤'《漢書》.
字源篆文 陛 形聲. 阝(阜)＋氐〔音〕. '氐저'는 '梯제'와 통하여 '사다리'의 뜻. 사다리를 오르내리는 듯한 가파른 '비탈'의 뜻을 나타냄.
參考 阺(阜部 四畫)는 別字.

●隴阺.

5 ⑧[岣] 후 ㊤麌 火羽切 xǔ / 구 ㊤虞 權俱切

字解 ■①떨어질 후 떨어짐. 갈라져 따로 됨. '─, 博雅, 離也'《集韻》. ②고을이름 후 고을 이름. 안읍(安邑)에 있음. '─, 一日, 鄕名'《集韻》. ▤①땅이름 구 땅 이름. 하동(河東)에 있음. '─, 地名'《廣韻》. ②고을이름 구 고을 이름.

5 ⑧[阻] 人名 조 ㊤語 側呂切 zǔ

字解 ①험할 조 험준함. '險─'. '道─且長'《詩經》. 또, 험준한 곳. '周知其山林川澤之─'《周禮》. ②떨어질 조 멀리 떨어져 있음. '─隔'《怨故鄕之一遐》《傅亮》. ③허덕거릴 조 괴로워함. '黎民─饑'《書經》. ④저상할 조 기가 꺾임. '氣而志奪'《子華子》. ⑤그칠 조 저지함. '之以兵'《禮記》. ⑥의심할 조 의아하게 여김. '狂夫一之'《左傳》. ⑦의거할 조 의지함. '─邱而保威'《呂氏春秋》. ⑧믿을 조 남의 힘을 입어 든든함. '─兵而安忍'《左傳》. ⑨고난 조 고생. 고초. '弱冠逢世─'《陶潛》.
字源篆文 阻 形聲. 阝(阜)＋且〔音〕. '且차·저·조'는 겹쳐 쌓이다의 뜻. 겹쳐 쌓인 언덕의 뜻에서 험하다, 떨어져 있다의 뜻을 나타냄.

[阻澗 조간] ㉠험준한 곳에 있는 시내. ㉡깊은 시내를 격(隔)함.
[阻艱 조간] 험준하여 허덕거림. 조난(阻難).
[阻隔 조격] 거리가 서로 떨어져 있음. 또, 격리.
[阻固 조고] 견고한 방어 시설. 〔─함.
[阻難 조난] 험준하여 통행하기 곤란함.
[阻遼 조료] 멀리 떨어져 있음.
[阻脩 조수] 길이 멂.
[阻深 조심] 산이 험준하고 강이 깊음.
[阻阨 조애] 험하고 좁음. 또, 그 땅.
[阻礙 조애] 지장. 장애.
[阻折 조절] 험준하고 꼬불꼬불함.
[阻峻 조준] 험준(險峻)함.
[阻止 조지] 막음. 방해함.
[阻峭 조초] ㉠험준하게 하여 남이 가까이하지 못하게 함. ㉡험준함. 또, 그러한 곳.

[阻限 조한] 막혀 한계에 이름.
[阻害 조해] 방해함.
[阻險 조험] ㉠지세가 험준하여 방비하기에 든든함. ㉡지세가 험함. 또, 그곳.
●艱阻. 難阻. 妨阻. 崇阻. 猜阻. 深阻. 惡阻. 巖阻. 峻阻. 重阻. 天阻. 險阻. 廻阻.

5 ⑧[阼] 조 ㊤遇 昨誤切 zuò

字解 ①섬돌 조 제사 등을 지낼 때에, 주인이 당(堂)에 올라가는 동편 층계. 중국의 당(堂)은 동서 양쪽에 각기 층계가 있어서, 손은 서쪽에서, 주인은 동쪽에서 올라감. '朝服而立於─階'《論語》. '踐─臨祭祀'《禮記》. ②보위 조 천자가 즉위하여 제사를 지내는데 동쪽 층계로 올라가므로, 전(轉)하여 천자의 자리의 뜻이 되었음. 보조(寶祚). 지금은 '祚'자를 많이 씀. '踐─而治'《禮記》. ③제육 조 胙(肉部 五畫)와 통용. '一俎, 羊肺一'《儀禮》.
字源篆文 胙 形聲. 阝(阜)＋乍〔音〕. '乍자·작'은 작위(作爲), 만들다의 뜻. 작위를 가한 언덕의 뜻에서, 주인이 빈객을 접할 때 쓰는 '섬돌'의 뜻을 나타냄.

[阼階 조계] 동편 섬돌.
[阼俎 조조] 주인(主人)에 속(屬)하는 제육(祭肉).
●泣阼. 踐阼.

5 ⑧[阽] 점 (①염㊤鹽 余廉切 yán / ②㊦豔 都念切 diàn

字解 ①위태할 점 위험함. '爲天下一危'《漢書》. ②떨어뜨릴 점, 떨어질 점 위에서 밑의 위험한 곳으로 떨어지게 함. '─余身而危死兮'《楚辭》.
字源篆文 胋 形聲. 阝(阜)＋占〔音〕. '占점'은 '點점'과 통하여 물방울이 똑똑 떨어지다의 뜻. 벽이 삭아서 무너져 내리려 하다다의 뜻을 나타냄.

[阽危 점위] 대단히 위험함.

5 ⑧[阿] 人名 아 ㊤歌 烏何切 ē / 옥 ㊥屋 烏谷切 ā

筆順 ' ３ 阝 阝 阝 阿 阿 阿

字解 ■①언덕 아 구릉. '順一而下'《司馬相如》. ②물가 아 수변(水邊). '天子飮于河水之一'《穆天子傳》. ③모퉁이 아 길모퉁이. '隔之一'《楚辭》. ④기슭 아 산기슭. '流目眺夫衡一兮'《張衡》. ⑤의지할 아 의뢰함. '一衡'. ⑥마룻대 아 마룻도리. '當─東面致命'《儀禮》. ⑦아름다울 아 미려한 모양. '隰桑有一'《詩經》. ⑧아첨할 아 아유함. '察─上亂法者'《呂氏春秋》. ⑨대답하는소리 아 건성으로 대답하는 소리. '唯之與─, 相去幾何'《老子》. ⑩성 아 성(姓)의 하나. ▤호칭 옥 남을 부를 때 친근한 뜻을 나타내기 위하여 위에 붙이는 말. '一妹'. '一兄'. '家中有一誰'《古詩》.
字源金文 阿 篆文 阿 形聲. 阝(阜)＋可〔音〕. '可가'는 갈고리 모양으로 굽다의 뜻. 언덕이 굽혀 들어간 곳의 뜻을 나타냄. 파생하여 자기의 기분을 굽혀서 따르다의 뜻을 나타냄.

[阿伽 아가] 《佛敎》부처에 올리는 정수(淨水). 알

가(閼伽).

[阿家 아가] 며느리가 시어머니를 부르는 말. 시어머님.

[阿伽陀 아가타]《佛敎》㉠진언 비밀(眞言祕密)의 영약(靈藥). 모든 독기(毒氣)를 없애 준다 함. ㉡술(酒)의 별칭.

[阿監 아감] 궁녀(宮女)를 단속하는 여관(女官).

[阿公 아공] ㉠며느리가 시아버지를 부르는 말. ㉡조부(祖父).

[阿嬌 아교] ㉠계집애. ㉡한무제(漢武帝)가 반한 미인(美人)의 이름. 전(轉)하여, 미인.

[阿膠 아교] 동물의 가죽·뼈 등을 고아 굳힌 황갈색의 접착제(接着劑).

[阿膠珠 아교주] 보제(補劑)·지혈제(止血劑) 따위로 쓰이는 갖풀.

[阿丘 아구] 한쪽이 높은 언덕.

[阿那 아나] ㉠유약(柔弱)한 모양. ㉡아리따운 모양.

[阿娜 아나] 아나(阿那).

[阿難 아난] 석가(釋迦)의 제자(弟子)로, 석가의 종형제(從兄弟). 석가 입멸(入滅) 후 경문 찬집(經文撰集)에 참여(參與)하고, 가섭(迦葉)에 이어 장로(長老)가 되었음.

[阿嬭 아내] 유모(乳母).

[阿女 아녀] 딸.

[阿耨多羅三藐三菩提 아누다라삼먁삼보리]《佛敎》㉠무상정편지(無上正遍智)·절대지자(絕對智者)의 뜻. ㉡부처의 최상(最上)의 지혜(智慧). ㉢부처의 지덕(智德)을 칭송하는 칭호.

[阿爹 아다] 아버지.

[阿黨 아당] 서로 아부하여 결합된 당여(黨與).

[阿堵 아도] ㉠이, 이것. ㉡눈동자. 안정(眼睛).

[阿堵物 아도물] 돈. 진(晉)나라 왕연(王衍)이 돈[錢]이라는 말을 입 밖에 낸 일이 없으므로, 그의 아내가 시험 삼아 돈을 상 옆에 놓아 두었던 바, 연(衍)이 '阿堵物(저것의 뜻)'을 가져가라고 한 고사(故事)에서 나온 말.

[阿羅漢 아라한] ㉠소승 불교(小乘佛敎)의 수행자(修行者)가 오료 도달(悟了到達)하는 최고(最高)의 지위(地位). 또, 그러한 각자(覺者). 나한(羅漢). 진인(眞人). ㉡생사를 초월한 경지의 부처.

[阿蘭若 아란야]《佛敎》절. 사원.

[阿濫堆 아람퇴] 당(唐)나라 현종(玄宗)이 지은 피리 곡명(曲名).

[阿媽 아마] 어머니. 또는 유모(乳母).

[阿摩 아마]《佛敎》여자 또는 어머니의 일컬음.

[阿媽港 아마항] 아오먼(澳門). 마카오.

[阿瞞 아만] ㉠위(魏)나라 조조(曹操)의 소자(小字). ㉡당(唐)나라의 현종(玄宗)의 유명(幼名).

[阿妹 아매] 여동생.

[阿母 아모] ㉠유모(乳母). ㉡어머니를 친근히 부르는 말.

[阿蒙 아몽] 아이를 이름.

[阿媚 아미] 아첨(阿諂).

[阿彌陀 아미타] 서방정토(西方淨土)의 부처의 이름.

[阿房宮 아방궁] 진시황(秦始皇) 35년 조궁(朝宮)을 위남(渭南)의 상림원(上林苑) 안에 지을 계획을 세우고, 그 전전(前殿)으로서 아방(阿房)에 지었던 궁전 이름. 산시 성(陝西省) 장안현(長安縣)에 그 유적이 있음.

[阿保 아보] 보호하여 기름. 또, 그 사람.

[阿父 아부] ㉠백숙부(伯叔父)를 친근하게 부르는 칭호. 또, 백숙부의 자칭(自稱). ㉡아버지를 친근하게 부르는 칭호.

[阿附 아부] 아첨하고 좇음.

[阿鼻 아비] 팔대 지옥(八大地獄)의 하나. 무간지옥(無間地獄)의 일컬음.

[阿鼻叫喚 아비규환] 아비지옥(阿鼻地獄)과 규환지옥(叫喚地獄). 전(轉)하여, 쉴 새 없이 고통을 받아 울부짖는 일.

[阿鼻地獄 아비지옥] 아비(阿鼻).

[阿奢 아사] 유모(乳母)의 남편의 일컬음.

[阿闍梨 아사리]《佛敎》㉠화상(和尙) 다음가는 중. ㉡스승이 되는 중. ㉢모범이 될 만한 사람.

[阿世 아세] 세인(世人)에 아첨함.

[阿誰 아수] 누구.

[阿修羅 아수라]《佛敎》싸움을 일삼는 인도(印度)의 귀신.

[阿僧祇 아승기]《佛敎》이루 헤아릴 수 없는 많은 수. 무수(無數).

[阿匼 아암] 아첨(阿諂).

[阿爺 아야] 아버지.

[阿翁 아옹] ㉠조부. ㉡며느리가 시아버지를 이르는 말.

[阿婉 아완] 아리따운 여자. 미녀.

[阿枉 아왕] 아첨하여 굽힘.

[阿吽 아운]《佛敎》㉠입을 열고 내는 소리와 입을 닫고 내는 소리. ㉡기식(氣息)의 출입(出入). ㉢밀교(密敎)에서, 일체 만법(一切萬法)의 시종(始終).

[阿魏 아위] 미나릿과에 속하는 다년생 약초. 또, 그 뿌리에서 나오는 진액으로 만든 약제.

[阿諛 아유] 아첨(阿諂).

[阿戎 아융] ㉠종제(從弟). ㉡남의 아들을 이름.

[阿邑 아읍] 아첨(阿諂).

[阿姨 아이] ㉠어머니의 자매. 이모(姨母). ㉡아내의 자매.

[阿姊 아자] 누이.

[阿字觀 아자관]《佛敎》범어(梵語)에서 모든 말은 '아' 음(音)에서 나오는 까닭에 아자(阿字)를 좌선(坐禪)하여 달관(達觀)하면 일체 제법(一切諸法)의 근본의(根本義)를 깨닫게 된다는 교의(敎義). 아자본불생(阿字本不生)의 관법(觀法).

[阿字本不生 아자본불생] 일체의 법(法)은 본래 무성(無性)이어서 종멸(終滅)하지 아니함.

[阿弟 아제] 아우. 동생.

[阿諂 아첨] 남의 환심(歡心)을 사기 위(爲)하여 알랑거림.

[阿婆 아파] 나이 먹은 부인(婦人)의 일컬음.

[阿片 아편] 익지 아니한 양귀비 열매의 진액을 말린 것. 마취제(痲醉劑) 또는 설사(泄瀉)·이질(痢疾) 등에 약으로 씀. 아편(鴉片).

[阿呀 아야] 놀라서 지르는 소리. 아이고머니.

[阿含 아함]《佛敎》석가(釋迦)가 설파한 교법(敎法). 곧, 소승교(小乘敎). 무비법(無比法).

[阿香車 아향차] 우레. 뇌신(雷神). 진(晉)나라의 아향(阿香)이라는 여자가 뇌차(雷車)를 밀었다는 고사(故事)에서 나온 말.

[阿兄 아형] 형. 가형(家兄).

[阿衡 아형] ㉠은(殷)나라의 이윤(伊尹)이 한 벼슬. 지금의 국무총리 같은 것. 아(阿)는 의뢰함, 형(衡)은 저울대로서 물건을 달 때 평평하게 되는 것. 천하 백성이 그에게 의뢰하여 공평·태평을 얻는다는 뜻. ㉡재상(宰相). ㉢이윤(伊尹)의 칭호.

[阿縞 아호] 산둥 성 (山東省) 동아현 (東阿縣)에 나
는 고운 깁.
◉曲阿. 陪阿. 四阿. 山阿. 纖阿. 水阿. 順阿.
崇阿. 巖阿. 迎阿. 中阿. 太阿. 偏阿.

5 ⑧ [陂]
人名 一 피 ①-③㉠支 彼爲切 bēi
     ④⑤㉡寘 彼義切 bì
     二 파 ㉰歌 滂禾切 pō

字解 一 ①못 피 저수지. '毋漉一池'《禮記》. ②
방죽 피, 둑 피 제방. '九澤旣一'《書經》. ③곁 피
옆. '騰雨師, 洒路一'《漢書》. ④기울어질 피 한
쪽으로 쏠림. '無平不一'《易經》. ⑤간사할 피 바
르지 아니함. '險一之衆'《漢書》. 二 ①비탈 파
산비탈. '山旁曰一'《釋名》. ②비탈질 파 경사진
모양. '登一陁之長阪兮'《司馬相如》. ③치우침
파 편파(偏頗). '無偏無一'《書經》.
字源 形聲. 阝(自)+皮〔音〕. '皮피'는 '波파'
와 통하여 '물결'의 뜻. 물결이 밀어
닥치는 '둑'의 뜻을 나타냄. 또 물결치는 언덕
의 모양에서 '비탈'의 뜻을 나타냄.

[陂陁 파타] 비탈이 진 모양.
[陂陀 파타] 파타(陂陁).
[陂隤 파퇴] 무너짐. 퇴락함.
[陂曲 피곡] 편벽됨. 바르지 아니함.
[陂池 피지] 못. 방죽.
◉山陂. 長陂. 澤陂. 偏陂. 險陂.

5 ⑧ [附]
高入 부 ㉰遇 符遇切 fù

筆順 ⁷ ⁷ 阝 阝 阝 阶 阝 附 附

字解 ①붙을 부 ㉠달라붙음. '一着'《易經》.
㉡귀신이 붙음. '爲巫者, 鬼必一之'
《譚子》. ㉢한편이 됨. 친밀히 함. '一於楚則晉
怒, 一於晉則楚來伐'《史記》. ㉣좇아 따름. 종속
(從屬)함. '一屬'. '百姓一'《淮南子》. '四夷未
'王禹偁'. ㉤의탁함. '一於諸侯'《孟
子》. ②붙일 부 ㉠가까이 댐. '一耳之言, 聞於千
里'《淮南子》. ㉡첨가함. '一錄'. '一加'. '別爲
或問以一其後'《朱熹》. ㉢더함. 보탬. '一益
一之以韓魏之家'《孟子》. ㉣줌. '一與'. '寄
一'. '一書與六親'《杜甫》. ③합사할 부 祔(示部
五畫)와 통용. '大夫一于士'《禮記》. ④창자 부
腑(肉部 八畫)와 통용. '臣得幸託肺一'《漢書》.
⑤성 부 성(姓)의 하나.
字源 形聲. 阝(自)+付〔音〕. '付부'는 '封봉'
과 통하여 흙을 쌓아 돋우다의 뜻. '
흙을 쌓아 돋운 작은 산의 뜻을 나타냄. 또 '付
부'와 통하여 '붙다'의 뜻을 나타냄.

[附加 부가] 덧붙임. 보탬.
[附加稅 부가세] 지방세 (地方稅)의 한 가지.
[附加刑 부가형] 주형 (主刑)에 덧붙여 과하는 형
벌.
[附款 부관] 종속 (從屬)하여 정의 (情誼)를 통함.
[附近 부근] ㉠가까운 곳. 언저리. ㉡가까이 감.
[附記 부기] 본문에서 뜻이 다하지 아니한 때 거
기에 붙이어 적음.
[附驥尾 부기미 (附驥尾)]
[附驥尾 부기미] 파리가 준마 (駿馬) 꼬리에 붙어
천 리 (千里)를 갈 수 있음과 같이, 후진 (後進)
이 선배 (先輩)의 덕택으로 입신양명 (立身揚名)

함을 이름.
[附帶 부대] 덧붙어 따름.
[附錄 부록] ㉠본문에 덧붙인 기록 (記錄). ㉡신
문·잡지 등의 규정된 지면 외에 부가한 지면 또
는 책자.
[附鳳翼 부봉익] 봉황 (鳳凰)의 날개에 달라붙는
다는 뜻으로, 영웅 (英雄)을 따라서 공을 세움
을 이름. 반용린 (攀龍鱗).
[附比 부비] 붙어 따름.
[附設 부설] 부속 (附屬)시켜 설치함.
[附屬 부속] 좇아 따름. 딸려 붙음. 주 (主)된 사물
에 소속되어 있음.
[附屬品 부속품] 어떤 물건에 딸린 물품.
[附隨 부수] 따름.
[附順 부순] 붙좇아 따름.
[附言 부언] 덧붙여서 말함. 또, 그 말.
[附與 부여] 줌. 부여 (付與).
[附炎棄寒 부염기한] 권세를 떨칠 때에는 붙좇고
권세가 쇠하면 버리고 떠남. 인정의 경박 (輕
薄)함을 이름.
[附庸 부용] 천자 (天子)에 직속 (直屬)하지 못한
제후 (諸侯)에 부속한 작은 나라.
[附疣 부우] 혹.
[附耳之言 부이지언] 귀에 대고 하는 말.
[附益 부익] ㉠더함. 보탬. ㉡봉토 (封土)의 정한
(定限)을 넘음.
[附子 부자] '오두 (烏頭)'의 이칭 (異稱). 바꽃.
[附葬 부장] 합장 (合葬)함.
[附箋 부전] 무엇을 표하거나 덧붙여 적어 넣은
쪽지.
[附着 부착] 딱 붙어서 떨어지지 아니함.
[附贅 부췌] 부췌 현우 (附贅懸疣).
[附贅懸疣 부췌현우] 혹. 전 (轉)하여, 무용지물.
[附託 부탁] 당부함.
[附合 부합] 서로 마주 대어 붙임.
[附化 부화] 귀화 (歸化)함.
[附和 부화] 주견 (主見)이 없이 경솔히 남의 설
(說)에 찬성함.
[附和雷同 부화뇌동] 일정한 견식 (見識)이 없이
남의 말에 찬성해 같이 행동함.
[附會 부회] ㉠관련이 없는 일을 합쳐 하나로 함.
㉡억지로 이치를 붙임.
◉降附. 景附. 高附. 歸附. 寄附. 內附. 來附.
毒附. 媚附. 攀附. 藩附. 朋附. 比附. 疏附.
送附. 承附. 新附. 阿附. 畏附. 依附. 倚附.
蟻附. 貼附. 添附. 招附. 親附. 便附. 肺附.
下附. 闔附. 和附. 還附. 驥附. 懷附.

5 ⑧ [阺]
一 국 ㉠屋 居六切 jú
二 외 ㉡灰 烏回切 jú

字解 一 물가언덕 국 물가 언덕의 바깥쪽. '曲
岸水外曰一'《廣韻》. 二 물굽이 외 물가의 굽어
들어간 곳. 隈(阜部 九畫)와 同字.

5 ⑧ [陀]
人名 타 ㉰歌 徒河切 tuó

字解 비탈질 타 '陂一'.
字源 形聲. 阝(自)+它〔音〕
參考 범어 (梵語) ta, dha를 음역 (音譯)하는 데
쓰이었음. '一羅尼'. '頭一'.

[陀羅經被 다라경피] 청조 시대 (淸朝時代)에 왕
(王)이나 대신 (大臣)이 죽었을 때 그 유해 (遺

6 ⑨ [陙]
目 홍 ㊀東 胡公切 hóng
目 공 ㊁送 古送切
字解 目 산이름 홍 산 이름. '一, 從一, 山名'《集韻》. 目 산이름 공 ㊁과 뜻이 같음.

6 ⑨ [陔]
해 ㊀灰 古哀切 gāi
字解 ①층계 해 계단. '一壇三一'《漢書》. ②층해 천상 세계의 계층(階層). '九一'(구천(九天)). ③풍류이름 해 연음(燕飲)의 끝에 아뢰는 음악. '賓出奏一'《儀禮》.
字源 篆文 歸 形聲. 阝(阜) + 亥〔音〕

●九陔. 奏陔.

6 ⑨ [陶]
〔도〕
陶(阜部 八畫〈p. 2465〉)와 同字

6 ⑨ [陊]
타 ①哿 徒火切 duǒ
字解 풀열매 타 만생(蔓生)의 열매. 오이. '果一'《史記》.

●果陊.

6 ⑨ [陑]
홍 ㊀東 胡公切 hóng
字解 구덩이 홍 구덩이. 땅 구멍. '一, 博雅, 一坑也'《集韻》.

6 ⑨ [陑]
이 ㊀支 如之切 ér
字解 땅이름 이 산시 성(山西省) 융지 현(永濟縣) 남쪽에 있는 땅 이름. '伊尹相湯伐桀, 升自一'《書經 序》.
字源 形聲. 阝(阜) + 而〔音〕

6 ⑨ [陒]
이 ㊀支 延知切 yí
字解 ①험할 이 험(險)함. ②땅이름 이 '一, 地名'《玉篇》.
字源 形聲. 阝(阜) + 夷〔音〕

6 ⑨ [陊]
〔타〕
垜(土部 六畫〈p. 443〉)와 同字

6 ⑨ [陊]
陊(前條)와 同字

6 ⑨ [陊]
目 치 ①紙 池爾切 duò
目 타 ①哿 徒可切 duò
字解 目 ①무너질 치 조금 무너짐. 阤(阜部 三畫)와 同字. '壞也'《廣雅》. 目 ①떨어질 타 '一, 落也'《說文》. ②무너질 타 조금 무너짐. ③비탈내려올 타 비탈을 내려가는 모양. '一, 下坂皃'《廣韻》.
字源 篆文 陊 形聲. 阝(阜) + 多〔音〕. '嗜타'와 통하여 '떨어지다, 깨지다'의 뜻을 나타냄.

6 ⑨ [陽]
〔양〕
陽(阜部 九畫〈p. 2468〉)과 同字

6 ⑨ [除]
〔음〕
陰(阜部 八畫〈p. 2460〉)과 同字

6 ⑨ [陝]
目 陝(阜部 七畫〈p. 2458〉)의 俗字·簡體字
目 陝(阜部 七畫〈p. 2458〉)의 古字

6 ⑨ [陥]
각 ㊂藥 剛鶴切 gè
㊂陌 各額切
字解 사람이름 각 사람 이름. '一, 闕, 人名'《集韻》.

6 ⑨ [陒]
〔광〕
垙(土部 六畫〈p. 444〉)과 同字

7 ⑩ [陵]
준 ㊄震 私閏切 jùn
字解 가파를 준 峻(山部 七畫)과 同字. '徑一赴險'《司馬相如》.
字源 篆文 餕 形聲. 阝(阜) + 夋〔音〕. '峻준'과 통하여 '가파르다'의 뜻을 나타냄.

7 ⑩ [陗]
초 ㊃嘯 七肖切 qiào
字解 가파를 초, 급할 초 峭(山部 七畫)와 同字. '爲人一直刻深'《漢書》.
字源 篆文 陗 形聲. 阝(阜) + 肖〔音〕. '肖초'는 잘게 깎다의 뜻. 깎아 낸 듯이 험하고 높은 곳의 뜻을 나타냄.

[陗直 초직] 성급하여 남을 용납하지 아니함. 초직(峭直).

7 ⑩ [陥]
目 곡 ㊃沃 古沃切 kū
目 고 ㊃屋 空谷切
目 고 ㊀號 古到切
字解 目 큰언덕 곡, 언덕이름 곡 '一, 大自也. 一曰, 右扶風郿有一自'《說文》. 目 큰언덕 고, 언덕이름 고 目과 뜻이 같음.
字源 形聲. 阝(阜) + 告〔音〕

7 ⑩ [陻]
〔한〕
限(阜部 六畫〈p. 2456〉)의 本字

7 ⑩ [陘]
형 ㊀青 戶經切 xíng
字解 ①지레목 형 산줄기가 끊어진 곳. '山絕一'《爾雅》. ②비탈 형 산비탈. '華山窮絕一'《韓愈》. ③부뚜막 형 아궁이 위에 솥이 걸린 주위. '東面設主於竈一'《禮記 註》. ④성 형 성(姓)의 하나.
字源 篆文 陘 形聲. 阝(阜) + 巠〔音〕. '巠경'은 '곧다'의 뜻. 산맥(山脈)이 곧게 끊어진 곳의 뜻을 나타냄.

●井陘. 竈陘.

7 ⑩ [陛]
〔人名〕
폐 ①薺 傍禮切 bì
筆順 ' 阝 阝 阝 阹 阹 陛 陛
字解 섬돌 폐, 층계 폐 ㉠궁전에 올라가는 돌층

계. '以次進至—'《史記》. ㉡높은 곳으로 올라가는 계단. '學傑歷—'《楚辭》.

字源 形聲. ß(阜)+坒〔音〕. '坒비·폐'는 쌓아놓은 흙이 연하여 있다의 뜻. '自阜'는 층계' 의 뜻. 나란히 연하여 있는 섬돌의 뜻을 나타내며, 특히 궁전의 층계의 뜻을 나타냄.

[陛戟 폐극] 창을 가지고 섬돌 밑에서 지킴. 또 그 군사.

[陛覲 폐근] 폐현 (陛見).

[陛對 폐대] 폐현 (陛見).

[陛楯 폐순] 방패를 가지고 섬돌 밑에서 지킴. 또 그 군사.

[陛列 폐열] 섬돌 아래에 늘어섬.

[陛衞 폐위] 궁중의 섬돌 밑을 지키는 군사.

[陛坐 폐좌] 천자의 좌석의 곁.

[陛陛 폐폐] 많이 겹쳐 늘어선 모양.

[陛下 폐하] ㉠섬돌 아래. ㉡원은 제후 (諸侯)의 존칭. 진시황 (秦始皇) 이후에는 오로지 천자 (天子)의 존칭. 직접 천자를 지칭함을 피하고 섬돌 밑에 선 호위병을 부르는 뜻.

[陛賀 폐하] 섬돌 밑에서 하례 (賀禮) 함.

[陛見 폐현] 폐하에게 알현 (謁見) 함.

●階陛. 宮陛. 禁陛. 納陛. 丹陛. 飛陛. 玉陛. 殿陛. 天陛.

7/10 [陜] 협 ㈠治 侯夾切 xiá

字解 좁을 협 狹 (犬部 七畫)과 同字. '陜—且百里'《漢書》.

字源 形聲. ß(阜)+夾〔音〕. '夾협'은 '끼다'의 뜻. 산과 산 사이에 끼인 좁은 곳의 뜻을 나타냄.

參考 陝 (次條)은 別字.

[陜隘 협애] 좁음. 협애 (狹隘).

●陥陜.

7/10 [陝] 섬 ㈠琰 失冉切 shǎn

字解 ①땅이름 섬 괵 (虢)나라의 고지 (故地). 지금의 허난 성 (河南省) 섬현 (陝縣). '自—而東者周公主之, 自—而西者召公主之'《公羊傳》. ②성 섬 성 (姓)의 하나.

字源 形聲. ß(阜)+夾〔音〕

參考 陜 (前條)은 別字.

[陝府鐵牛 섬부철우] 섬주 (陝州)에 있는 철제 (鐵製)의 거대한 소. 부동 (不動)의 예 (例)로 쓰임.

[陝西 섬서] 중국 서북부의 성 (省). 성도 (省都)는 시안 (西安). 황토 지대 (黃土地帶)이며 대체로 고원과 산악임. 기후가 온화하고 우량이 적음.

[陝輸 섬수] 침착하지 아니한 모양.

7/10 [陞] 승 ㈜蒸 識蒸切 shēng

筆順 ㄱ ㄢ ß ß ß ß 陞 陞

字解 ①오를 승, 올릴 승 升 (十部 二畫)과 同字. '—龍'《爾雅》. ②성 승 성 (姓)의 하나.

字源 形聲. ß(阜)+土+升〔音〕. '升승'은 '오르다'의 뜻. 흙으로 쌓인 언덕을 오르다의 뜻을

나타냄.

[陞降石 승강석] 섬돌.

[陞官圖 승관도] 쌍륙 (雙六) 비슷한 유희 (遊戲) 제구의 하나. 대소 (大小)의 관위 (官位)를 지상 (紙上)에 써 벌이고 주사위를 던져서 위 (位)의 승강 (升降)을 헤아려 승부를 결정함. 당 (唐)나라 이합 (李郃)의 고안 (考案)임.

[陞級 승급] 등급 (等級)이 오름.

[陞敍 승서] 벼슬을 올림.

[陞任 승임] 승직 (陞職).

[陞職 승직] 벼슬이 오름.

[陞進 승진] 지위가 오름.

[陞獻 승헌] 올림. 바침.

7/10 [陟] 척 ㈤職 竹力切 zhì

筆順 ㄱ ㄢ ß ß ß ß 陟 陟

字解 ①오를 척 ㉠높은 곳으로 올라감. '登—'. '鬱紆—高岫'《魏徵》. ㉡높은 자리에 나아감. '汝—帝位'《書經》. ②올릴 척 관작을 올림. '黜—'. '姦人附勢, 我將—之, 直士抗言, 我將黜之'《王禹偁》.

字源 會意. ß(阜)+步. '自阜'는 단 (段)이 이루고 있는 고지의 象形. '步보'는 '걷다'의 뜻. 언덕을 오르다의 뜻을 나타냄.

[陟降 척강] ㉠오름과 내림. 또, 올림과 내림. ㉡혹은 하늘에 올라가고 혹은 인간계로 내려옴.

[陟降晦明 척강회명] 높은 데에 오르면 사방이 환하게 보이고, 낮은 곳으로 내려가면 음회 (陰晦)해서 어두움. 척명 강회 (陟明降晦).

[陟屺 척기] 시경 (詩經) 척호편 (陟岵篇)의 '陟彼岵兮, 瞻望父兮', '陟彼屺兮, 瞻望母兮'에서 나온 말로 뜻이 '척호 (陟岵)'와 같음.

[陟方 척방] 하늘에 오른다는 뜻으로, 천자 (天子)의 죽음. 승하 (昇遐).

[陟罰 척벌] 관위를 올려 상 줌과 관위를 내려 벌줌.

[陟升 척승] 높은 데 올라감.

[陟岵 척호] 시경 (詩經)의 척호편 (陟岵篇)은 효자가 먼 곳으로 부역을 가서 산에 올라 부모를 사모하는 정을 읊은 시 (詩)이므로, 고향의 부모를 그리워함을 이름. '척기 (陟屺)' 참조 (參照).

[陟岵思 척호사] 고향의 부모를 그리워하는 마음.

●降陟. 濫陟. 登陟. 攀陟. 昇陟. 仰陟. 優陟. 進陟. 絀陟. 黜陟.

7/10 [陚] ㈠부 ㈜遇 方遇切 fù ㈡무 ㈜虞 罔甫切 wǔ

字解 ㈠①언덕이름 부 '一, 丘名'《說文》. ②작은언덕 부 '一, 小阜'《玉篇》. ㈡들 무 평원 (平原). '一, 平原'《集韻》.

字源 形聲. ß(阜)+武〔音〕

7/10 [陡] 두 ㈜有 當口切 dǒu

字解 ①가파를 두 경사가 깎아지른 듯이 급함. '一上振孤影'《杜甫》. ②갑자기 두 돌연 (突然). '一然'.

字源 金文 篆文 古文 金文은 形聲으로 攴＋陳[音]. '陳진'은 또 阝(自)＋東의 會意. '東동'은 주머니를 막대에 맨 象形. 그것을 쳐서 넓게 늘여 펴다의 뜻을 나타냄. '陳'은 '自부'가 있는 것으로도 알 수 있듯이 본래 땅 이름을 나타내었으나, '펴서 넓히다, 늘어놓아 묵히다'의 뜻도 나타냄. 篆文도 形聲으로 阝(自)＋木＋申[音].

[陳啓 진계] 사룀. 아룀.
[陳告 진고] 죽 이야기하여 사룀.
[陳穀 진곡] 묵은 곡식. 구곡(舊穀).
[陳久 진구] 오래 묵음.
[陳摶 진단] 오대(五代) 송초(宋初)의 도사(道士). 자(字)는 도남(圖南). 호는 부요자(扶搖子). 화산(華山)에 숨어 평생 벼슬하지 않았음. 송태조(宋太祖)의 용흥(龍興)을 예언하였다 함.
[陳摶高臥 진단고와] 원(元)나라 마치원(馬致遠)의 잡극(雜劇). 송(宋)나라의 은사(隱士) 진단(陳摶)이 화산(華山)에 숨어 벼슬하지 아니한 일을 묘사(描寫)함.
[陳東 진동] 북송(北宋) 말기(末期)의 정치가. 단양(丹陽) 사람. 자(字)는 소양(少陽). 고종(高宗) 때, 황잠선(黃潛善)·왕백언(汪伯彦) 등을 탄핵(彈劾)하고 도리어 두 사람에게 참소(讒訴)당하여 피살(被殺)됨.
[陳登 진등] 후한말(後漢末) 때 조조(曹操)의 부장(部將). 하비(下邳) 사람. 자(字)는 원룡(元龍). 여포(呂布)를 죽이는 데 공로가 커서 복파 장군(伏波將軍)이 됨.
[陳亮 진량] 남송(南宋)의 학자. 영강(永康) 사람. 자(字)는 동보(同甫). 호(號)는 용천(龍川). 주희(朱熹)의 친구. 그의 학문은 사공(事功)에 중점을 두었으므로 후세(後世)에 사공파(事功派)로 불림. 저서에 〈용천문집(龍川文集)〉 30권이 있음.
[陳露 진로] 털어놓고 이야기함. 토로함.
[陳論 진론] 진술하여 의논함.
[陳雷 진뢰] 후한(後漢)의 진중(陳重)과 뇌의(雷義). 우정(友情)이 두터워 이름 높음.
[陳琳 진림] 건안 칠자(建安七子)의 한 사람. 장쑤(江蘇) 광릉(廣陵) 사람. 자(字)는 공장(孔璋). 문재(文才)가 뛰어나 원소(袁紹) 밑에 있을 때 쓴 조조(曹操)를 공격하는 격문(檄文)이 그의 대표작(代表作)으로 일컬어짐. 뒤에는 조조(曹操)에게 항복하여 그 밑에서 격문의 기초(起草)를 담당했음.
[陳武帝 진무제] 남조(南朝) 진(陳)나라의 초대(初代) 황제. 이름은 진패선(陳霸先). 처음에 양(梁)나라를 섬겨 힘이 강대해지자 경제(敬帝)를 폐(廢)하고 스스로 제위(帝位)에 올랐음. 재위(在位) 2년 남짓.
[陳米 진미] 묵은쌀.
[陳蕃下榻 진번하탑] 빈객(賓客)을 공경함을 이름. 후한말(後漢末)의 정치가 진번(陳蕃)이 특별히 교의(交椅) 하나를 걸어 두었다가 서치(徐穉)가 내방하면 이를 내려서 우대(優待)한 고사(故事)에 유래(由來)함.
[陳辯 진변] 진소(陳疏).
[陳腐 진부] ㉠오래되어 썩음. ㉡낡아서 새롭지 못함. 케케묵음.
[陳謝 진사] ㉠이유를 말하고 사죄함. ㉡사례(謝禮)함.

[陳師道 진사도] 북송(北宋)의 시인(詩人). 팽성(彭城) 사람. 자(字)는 이도(履道). 호(號)는 후산거사(後山居士). 증공(曾鞏)의 문제(門弟). 경학(經學) 특히 시례(詩禮)에 밝았으며, 그의 문장은 정심 아오(精深雅奧)하였음. 저서에 〈후산집(後山集)〉 24권이 있음.
[陳狀 진상] 상황을 진술함.
[陳書 진서] 당(唐)나라 요사렴(姚思廉)이 칙명(勅命)을 받들어 찬(撰)한 사서(史書). 본기(本紀) 6권, 열전(列傳) 30권. 남진(南陳)의 사실(史實)을 기록하였음.
[陳設 진설] 음식을 상(床)에 차려 놓음.
[陳說 진설] 진술(陳述).
[陳疏 진소] 변명함.
[陳壽 진수] 서진(西晉)의 역사가(歷史家). 안한(安漢) 사람. 사필(史筆)이 뛰어나 삼국지(三國志)를 저술(著述)하였음.
[陳淳 진순] 송(宋)나라의 유학자(儒學者). 자(字)는 안경(安卿). 북계 선생(北溪先生)이라 일컬어짐. 주희(朱熹)에게 배움. 저서에 〈북계대전집(北溪大全集)〉 등이 있음.
[陳述 진술] ㉠자세히 말함. ㉡구두로 의견을 말함.
[陳勝吳廣 진승오광] '진오(陳吳)'를 보라.
[陳詩 진시] 시를 모아 살피는 일.
[陳寔 진식] 후한말(後漢末)의 지방관(地方官). 영천(潁川) 사람. 자(字)는 중궁(仲弓). 환제(桓帝) 때 태구현장(太丘縣長)이 되었는데, 송사(訟事)를 판정(判定)함에 지극히 공정하였음. 양상군자(梁上君子)를 훈계한 고사(故事)로써 유명함.
[陳悉 진실] 빠짐없이 모두 진술함.
[陳言 진언] 진부(陳腐)한 말.
[陳餘 진여] 진말(秦末)의 군웅(群雄)의 한 사람. 위(魏) 대량(大梁) 사람. 처음에 장이(張耳)와 문경지교(刎頸之交)를 맺어 같이 조왕(趙王)을 섬겼으나, 진군(秦軍)에게 포위된 장이의 청원(請援)을 거절하여 두 사람 사이에 틈이 벌어져, 상산왕(常山王)으로 피봉(被封)된 장이를 습격(襲擊)하더니 한(漢)나라로 투항(投降)한 장이와 한신(韓信)의 군(軍)에게 패하여 지수(泜水) 가에서 죽음을 당하였음.
[陳列 진열] 죽 벌여 놓음. 또, 죽 늘어섬.
[陳吳 진오] 진승(陳勝)과 오광(吳廣). 진말(秦末)의 난리(亂離)의 주창자(主唱者). 진승은 '연작안지홍곡지지(燕雀安知鴻鵠之志)', '왕후장상영유종호(王侯將相寧有種乎)' 등의 명구(名句)로 유명함. 전(轉)하여, 사물의 주창자(主唱者).
[陳友諒 진우량] 원말(元末)의 군웅(群雄)의 한 사람. 면양(沔陽) 사람. 어부(漁父)의 아들로 태어나 간적(奸賊) 서수휘(徐壽輝)의 부장(副將)이 되었다가 그를 죽이고 거병(擧兵). 양자강 상류 지역에 웅거(雄據)하여 대한국(大漢國) 황제를 칭(稱)하더니 오(吳)나라 주원장(朱元璋)과 포양 호(鄱陽湖) 가에서 결전 끝에 화살에 맞아 죽었음.
[陳維崧 진유숭] 청초(淸初)의 문인(文人). 의흥(宜興) 사람. 자(字)는 기년(其年). 호(號)는 가릉(迦陵). 사(詞)와 변문(騈文)을 잘하였으며 저서에 〈호해루시집(湖海樓詩集)〉 등이 있음. 만년에는 한림원(翰林院) 검토(檢討)로서 명사(明史) 편수(編修)에 종사하였음.

[陳人 진인] 시대에 뒤떨어진 쓸모없는 사람. 또, 자기의 겸칭(謙稱).

[陳子昻 진자앙] 당나라의 시인(詩人). 사홍(射洪)사람. 자(字)는 백옥(伯玉). 당시의 형식(形式)에 치우친 귀족(貴族) 문학에 의식적 비판을 가하고 한위(漢魏)에의 복고(復古)를 주창(主唱)하여 정아(正雅)한 시로써 성당(盛唐) 시인의 선구(先驅)가 됨. 그의 작품은〈진백옥문집(陳伯玉文集)〉10권에 집록되어 있음.

[陳迹 진적] 묵은 일의 자취. 기왕의 사적(事迹).

[陳田 진전] 묵정밭.

[陳情 진정] 사정을 진술(陳述)함.

[陳慥 진조] 송(宋)나라 영가(永嘉) 사람. 그의 처 유씨(柳氏)가 질투심이 강하여 남편이 연석에 성기(聲妓)를 부르면 지팡이를 휘둘러 벽을 치며 야단을 쳐서 객을 물러가게 하였음.

[陳奏 진주] 사정을 진술하여 상주(上奏)함.

[陳遵 진준] 전한말(前漢末)의 두릉(杜陵) 사람. 자(字)는 맹공(孟公). 애제(哀帝) 때 교위(校尉)가 되어 적(賊)을 무찌른 공(功)으로 가분후(嘉奮侯)가 되었으며, 왕망(王莽) 밑에서 대사마호군(大司馬護軍)으로 있다가 적도(賊徒)의 손에 죽었음. 객(客)을 좋아하여 회음(會飮)할 때마다 객의 수레바퀴를 빼어서 죽림(竹林)에 던져 자리를 뜨지 못하게 하였다 함.

[陳陳 진진] ㉠케케묵은 모양. 또, 쌓인 모양. ㉡오래된 모양. 오래 계속하는 모양.

[陳陳相因 진진상인] ㉠묵은쌀이 쌓임. 시화연풍(時和年豊)한 모양. ㉡케케묵어 새로운 맛이 없는 모양.

[陳陳相仍 진진상잉] 진진상인(陳陳相因).

[陳蔡之厄 진채지액] 공자(孔子)가 진과 채 사이에서 당한 봉변.

[陳湯 진탕] 한(漢)나라의 무장(武將). 산양(山陽) 사람. 원제(元帝) 때 서역부교위(西域副校尉)로서 질지선우(郅支單于)를 참(斬)하고 관내후(關內侯)가 되었음.

[陳套 진투] 진부(陳腐).

[陳篇 진편] 고서(古書).

[陳編 진편] 진편(陳篇).

[陳平 진평] 전한(前漢)의 공신(功臣). 양무(陽武)사람. 지모(智謀)가 뛰어나 고조(高祖)를 도와 천하(天下)를 평정(平定)하고 혜제(惠帝) 때 좌승상(左丞相)이 되었으며, 여공(呂公)이 죽은 후 주발(周勃)과 함께 여씨(呂氏) 일가를 죽이고 한실(漢室)을 편안케 하였음.

[陳平宰肉 진평재육] 전한(前漢)의 진평(陳平)이 향리(鄕里)의 연회(宴會)에서 요리사가 되어 고기(肉)를 손에게 골고루 나누어 주며 내가 천하의 재상이 되면 이처럼 국가를 공평하게 다스리겠다고 한 고사(故事).

[陳皮 진피] 말린 귤껍질. 한약재임.

[陳獻章 진헌장] 명(明)나라의 유학자(儒學者). 자(字)는 공보(公甫). 호(號)는 석재(石齋). 그의 학풍(學風)은 정좌(靜座)로써 마음을 깨끗하게 하여 이치(理致)를 직관(直觀)하는 일이었음. 백사(白沙)에 거(居)하였기에 백사 선생(白沙先生)이라 일컬어침.

[陳玄 진현] 먹〔墨〕의 이명(異名).

[陳話 진화] 진부한 이야기.

[陳荒地 진황지] 거친 상태로 버려두고 매만지지 아니한 땅.

[陳後主 진후주] 남조(南朝) 진(陳)의 마지막 황제. 선제(宣帝)의 아들. 유락(遊樂)에 빠져 정사를 태만히 하고 임춘(臨春)·결기(結綺)·망선(望仙)의 삼각(三閣)을 지어 비빈(妃嬪)과 밤낮을 즐기다가 수군(隋軍)에게 멸망당하였음.

●開陳. 堅陳. 泗陳. 具陳. 羅陳. 縷陳. 面陳. 部陳. 敷陳. 肆陳. 疎陳. 疏陳. 列陳. 營陳. 前陳. 條陳. 奏陳. 指陳. 錯陳. 出陳. 布陳. 鋪陳. 披陳. 行陳. 圜陳. 橫陳.

⁸₁₁ [陳] 래 ㉠灰 郎才切 lái

字解 ①섬돌 래 섬돌. 층계.'―, 階也'《集韻》. ②긴모양 래 긴 모양.'―, 一陞, 長兒'《集韻》.

⁸₁₆ [䏁] ▤ 부 ㉤有 房九切 fù
▤ 수 ㉤宥 扶缶切
▤ 수 ㉤宥 扶富切

字解 ▤ ①언덕과언덕사이 부'―, 兩阜之閒也'《說文》. ②성할 부'―, 盛也'《康熙字典》. ▤ 언덕과언덕사이 수, 성할 수 ▤과 뜻이 같음.
字源 會意. 自＋自

⁸₁₁ [陴] 비 ㉤支 符支切 pí

字解 성가퀴 비 성 위에 낮게 쌓은 담. 성첩(城堞).'―堄'.'閉門登―'《左傳》.
字源 甲骨文 篆文 形聲. 阝(自)＋卑〔音〕.'卑비'는'낮다'의 뜻. 낮은 언덕,'성가퀴'를 뜻함.

[陴堄 비첩] 성가퀴.
[陴隍 비황] 성가퀴와 해자(垓字).
●登陴.

⁸₁₁ [陵] 高人 릉 ㉤蒸 力膺切 líng

筆順 ' ⻖ ⻖ ⻖ ⻖ 陜 陵 陵

字解 ①언덕 릉 큰 언덕.'―丘'.'懷山襄―'《書經》. ②무덤 릉 묘.'―爲之終'《國語》. ③능 릉 임금의 무덤.'山―'.'秦名天子冢曰山, 漢曰―'《水經注》. ④업신여길 릉 대수롭지 않게 여김.'以蕩―德'《書經》. ⑤깔신여길 릉 모멸함.'―侮'.'在上位不―下'《中庸》. ⑥범할 릉 침범함.'―犯'.'不相侵―'《禮記》. ⑦넘을 릉 한도를 지나침.'不―節'《禮記》. ⑧오를 릉 높은 데를 올라감.'齊侯親鼓士―城'《左傳》. ⑨불릴 릉 쇠붙이를 불에 달구었다가 물에 담금.'兵刃不待―而勁'《荀子》. ⑩험할 릉 험준함.'凡節奏欲―而生民欲寬'《荀子》. ⑪능이(陵夷)할 릉 차차로 쇠하여짐.'一替'.'至於戰國, 漸至頹―'《漢書》. ⑫짓밟을 릉 輘(車部 八畫)과 통용.'一轢中國'《史記》. ⑬성 릉 성(姓)의 하나.
字源 甲骨文 金文 篆文 形聲. 阝(自)＋夌〔音〕.'夌릉'은 높은 땅을 넘다의 뜻. 넘어가야 하는 언덕의 뜻을 나타냄《說文》은 큰 언덕의 뜻이라고 풀이함. 甲骨文은 阝(自)＋兂＋夂의 會意로, 사람이 언덕에 오르다의 뜻. 또 언덕이 점점 낮아지듯이 쇠하다의 뜻도 나타냄.

[陵駕 능가] 훨씬 뛰어남. 능가(凌駕).

[陵京 능경] 높고 큰 언덕.
[陵谷 능곡] ㉠언덕과 골짜기. 상하(上下)·고저(高低) 등의 비유로 쓰임. ㉡'능곡지변(陵谷之變)'의 준말.
[陵谷易處 능곡역처] 언덕이 변하여 골짜기가 되고, 골짜기가 변하여 언덕이 됨. 군신 상하의 위치가 전도(顚倒)됨의 비유.
[陵谷之變 능곡지변] 언덕이 변하여 골짜기가 되고, 골짜기가 변하여 언덕이 됨. 세사(世事)의 변천이 격심함의 형용. 능곡(陵谷). 상창지변(桑滄之變).
[陵汩 능골] 경멸하여 어지럽힘. 대수롭지 않게 여김.
[陵丘 능구] 언덕.
[陵畓 능답] 능(陵)에 딸려 있는 논.
[陵突 능돌] 능월(陵越).
[陵轢 능력] 유린함.
[陵慢 능만] 능모(陵侮).
[陵罵 능매] 업신여겨 욕함.
[陵蔑 능멸] 능모(陵侮).
[陵冒 능모] 능범(陵犯).
[陵侮 능모] 업신여김.
[陵墓 능묘] 능.
[陵犯 능범] 침범함.
[陵所 능소] 능(陵)이 있는 곳.
[陵霄花 능소화] 능소화(凌霄花).
[陵域 능역] 능의 지역 안.
[陵辱 능욕] 업신여기어 욕을 보임.
[陵雨 능우] 폭우(暴雨).
[陵雲之志 능운지지] ㉠세속의 밖에 초연한 뜻. ㉡높은 지위에 올라가고자 하는 뜻. 청운지지(青雲之志).
[陵園 능원] 능묘(陵墓).
[陵越 능월] 침범하여 넘음.
[陵夷 능이] 언덕이 점점 평평하여진다는 뜻으로, 사물이 차차 쇠퇴해짐을 이름.
[陵遲 능지] ㉠능이(陵夷). ㉡팔·다리·머리 등을 토막 치는 형벌.
[陵遲處斬 능지처참] 능지(陵遲)의 형벌로 베어 죽임.
[陵斥 능척] 업신여겨 배척함.
[陵替 능체] ㉠아랫사람이 윗사람을 능멸하여 윗사람의 권위가 떨어짐. ㉡차차로 쇠퇴함.
[陵苕 능초] 능소화(凌霄花)의 이명(異名).
[陵聚 능취] 언덕과 같이 많이 모임.
[陵寢 능침] 능.
[陵暴 능포] 능멸(陵蔑)하여 포악한 짓을 함.
[陵虐 능학] 능멸하고 학대함.
[陵幸 능행] 임금이 능(陵)에 참배(參拜)함.
[陵戶 능호] 능지기의 집.
[陵忽 능홀] 깔보고 소홀히 함.
◉江陵. 岡陵. 京陵. 古陵. 高陵. 魁陵. 丘陵. 金陵. 馬陵. 秣陵. 武陵. 馮陵. 憑陵. 山陵. 崇陵. 王陵. 春陵. 園陵. 堙陵. 侵陵. 頹陵. 巴陵. 懷山襄陵.

8 ⑪ [陶] [高·人] [一] 도 [平]豪 徒刀切 táo [二] 요 [平]蕭 餘昭切 yáo 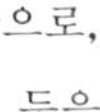

[筆順] 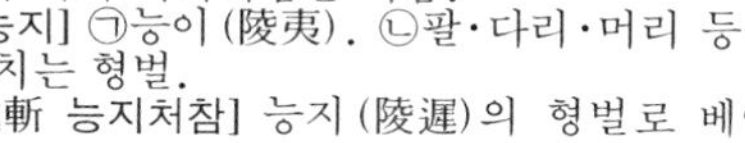

[字解] [一] ①질그릇 도 진흙만으로 구워 만든 그릇. '一器'. '一窯'. '一復一穴'《詩經》. ②구울 도 질그릇을 구움. '一于河濱'《呂氏春秋》. ③만들 도 제조함. 양성함. '猶將一鑄堯舜者也'《莊子》. 또, 질그릇을 만들듯이 사람을 교화(教化)함. '薰一'. '譚禮樂, 以一吾民'《李覯》. ④기뻐할 도 기쁜 생각이 마음속에 움직임. '一斯咏'《禮記》. ⑤근심할 도 우울한 마음이 아직 풀리지 아니함. '鬱一乎予心'《書經》. ⑥성 도 성(姓)의 하나. [二] ①사람이름 요 '皐一'는 순(舜)임금의 신하. ②따라갈 요 수행하는 모양. 일설(一說)에는, 줄지어 가는 모양. '一一遂遂'《禮記》.

[字源] 金文  篆文  金文은 象形으로 계단이 있는 가마터에서 사람이 질그릇을 손에 들고 늘어놓고 있는 모양을 본떠, 질그릇의 뜻을 나타냄. 篆文은 形聲으로 阝(阜)+匋〔音〕. '匋도'는 도자기를 굽다의 뜻. 계단이 있는 가마터에서 질그릇을 굽다의 뜻을 나타냄.

[陶侃 도간] 동진(東晉)의 명장(名將). 심양(潯陽) 사람. 자(字)는 사행(士行). 원제(元帝) 때 광주자사(廣州刺史)가 되고 명제(明帝) 때 정서대장군(征西大將軍)이 되어 소준(蘇峻)을 평정한 공으로 태위(太尉)가 되고 장사군공(長沙郡公)에 피봉(被封)되었음. 근면 역행(勤勉力行)으로써 유명하였고, 동진(東晉)의 주석(柱石)으로 지목(指目)되었음.
[陶甄 도견] 도균(陶鈞).
[陶犬瓦雞 도견와계] 질그릇의 개와 기와의 닭. 무용지물의 비유.
[陶工 도공] 옹기장이.
[陶均 도균] 도균(陶鈞).
[陶鈞 도균] 도공(陶工)의 녹로(轆轤). 도공이 녹로로 여러 가지 그릇을 만들므로, 천하를 잘 다스림의 비유. 또 인물을 양성함의 비유.
[陶器 도기] 질그릇. 오지그릇.
[陶唐 도당] 요(堯)임금. 처음에 도(陶)라는 땅에 살다가 당(唐)이란 땅으로 이사하였으므로 이렇게 이름.
[陶陶 도도] ㉠말을 달리는 모양. ㉡흐뭇이 즐기는 모양. ㉢밤이 긴 모양.
[陶鍊 도련] 단련함. 정제(精製)함.
[陶遂 도수] 자라는 모양.
[陶冶 도야] ㉠도공(陶工)과 주물사(鑄物師). ㉡스승이 제자의 재능을 길러 줌을 이름.
[陶然 도연] 취하여 흥이 돋는 모양.
[陶淵明 도연명] '도잠(陶潛)'을 보라.
[陶染 도염] 질그릇을 만들고 옷에 물을 들임. 전(轉)하여, 사람을 감화(感化)함.
[陶兀 도올] 취(醉)하여 비틀비틀하는 모양. 올오(兀傲).
[陶瓦 도와] 질그릇.
[陶鬱 도울] 우울(憂鬱)함.
[陶猗 도의] 도주(陶朱)와 의돈(猗頓). 모두 옛날의 부호. 전(轉)하여, 부호(富豪).
[陶人 도인] 도공(陶工).
[陶潛 도잠] 동진(東晉)의 자연 시인(自然詩人). 심양(潯陽) 사람. 자(字)는 연명(淵明). 명장(名將) 간(侃)의 증손(曾孫). 주 좨주(州祭酒)로 시작하여 뒤에 팽택(彭澤)의 영(令)이 되었으나, 80여 일 만에 '귀거래사(歸去來辭)'를 읊고 벼슬을 떠나 전원(田園)생활을 즐겼음. 그의 시는 기품(氣品)이 높고, 생(生)에 대한 애정(愛情)이 넘쳐 있는 것이 특색임.
[陶鑄 도주] 도야(陶冶).
[陶朱公 도주공] ㉠월왕(越王) 구천(句踐)의 신하

범여 (范蠡)의 변명 (變名). 축재 (蓄財)의 재주가 있어 19년 동안에 세 차례 천금의 치부 (致富)를 하였음. ①부자 (富者).

[陶朱猗頓之富 도주의돈지부] 도의 (陶猗).

[陶眞 도진] 송대 (宋代)에 비파 (琵琶)를 타면서 소설 (小說)을 낭독하는 자 (者)의 일컬음. 도진 (淘眞).

[陶醉 도취] ㉠흥치가 있게 술이 취 (醉)함. ㉡무엇에 열중 (熱中)함.

[陶誕 도탄] 완고하고 도리 (道理)에 어두움.

[陶汰 도태] 많은 것 가운데 필요하지 않는 부분을 줄여 버림.

[陶土 도토] 질그릇을 만들 원료로 쓰는 점토 (粘土).

[陶泓 도홍] 도기제의 벼루. 또, 널리 벼루.

[陶弘景 도홍경] 남북조 (南北朝) 시대의 본초가 (本草家). 남제 (南齊)의 고조 (高祖) 때 제왕 (諸王)의 시독 (侍讀)이 되었다가 구용 구곡산 (句容句曲山)에 숨어 스스로 화양 도은거 (華陽陶隱居)라 일컬었음. 널리 음양오행 (陰陽五行)·풍각성산 (風角星算)·산천지리 (山川地理)·의술본초 (醫術本草)에 환하고 유불도 (儒佛道)에 통했음. 저서에 〈학원 (學苑)〉·〈본초경집주 (本草經集注)〉 등이 있음.

[陶化 도화] ㉠만들어 육성함. ㉡선도 (善導)하여 교화함.

[陶陶 요요] ㉠양기 (陽氣)가 왕성한 모양. ㉡화락 (和樂)한 모양. ㉢따라가는 모양.

●甄陶. 皐陶. 鈞陶. 復陶. 鬱陶. 作陶. 蒲陶. 薰陶. 黑陶.

8 ⑪ [陶] 陶(前條)와 同字

8 ⑪ [陷] 高入 함 ㊀陷 戶韽切 xiàn

筆順 ⁷ ⁷ ⻖ ⻖′ ⻖′′ ⻖′′′ 陷 陷

字解 ①빠질 함 ㉠구멍·함정 같은 데 빠짐. '毋使其首一焉'《禮記》. ㉡가라앉음. '踏流而不一'《符子》. ㉢우묵 들어감. '地一'. ㉣죄 또는 모략 따위에 걸림. '自一重刑'《後漢書》. ㉤성 (城) 같은 것이 적의 수중에 떨어짐. '城一'《魏志》. ②빠뜨릴 함 ㉠함정에 빠뜨림. '設穽而一之'《孔子家語》. ㉡모략에 걸리게 함. '欲一之'《史記》. ㉢성을 떨어뜨림. '戰常一城'《史記》. ③함정 함 허방다리. '汙壑穽一'《淮南子》.

字源 形聲. 阝(自)+臽(音). '臽함'은 '빠지다'의 뜻. 언덕이 두려 빠지다의 뜻을 나타냄.

參考 陷(阜部 七畫)은 略字.

[陷假 함가] 남에게 모해 (謀害)를 당하여 승진한 지위를 떠남. 가 (假)는 승 (升).

[陷溺 함닉] ㉠함정이나 물에 빠짐. ㉡주색 등에 빠짐. ㉢괴롭힘.

[陷落 함락] ㉠땅이 무너져 떨어짐. ㉡성 따위가 공격을 받아 떨어짐.

[陷壘 함루] 진루 (陣壘)가 함락 (陷落)됨. 또, 진루를 함락시킴.

[陷沒 함몰] 성 따위가 떨어짐. 재난 (災難)을 당하여 멸망함.

[陷城 함성] 성 (城)이 함락 (陷落)됨. 또, 성을 함

락시킴.

[陷銳 함예] 정예한 적을 격파함.

[陷入 함입] 빠져 들어감.

[陷阱 함정] 짐승 또는 적군 (敵軍)을 잡기 위하여 파 놓은 구덩이.

[陷穽 함정] 함정 (陷阱).

[陷地 함지] 빠져 들어간 땅.

[陷之亡地然後存 함지망지연후존] 사졸 (士卒)들을 일단 멸망의 지경에 빠지도록 한 연후에 각자로 하여금 분발하여 생 (生)을 얻게 함.

[陷害 함해] 남을 재해 (災害)에 빠뜨림.

●坑陷. 缺陷. 傾陷. 攻陷. 構陷. 潰陷. 機陷. 陵陷. 誣陷. 排陷. 失陷. 枉陷. 寃陷. 圍陷. 淪陷. 擠陷. 讒陷. 推陷. 墜陷. 隕陷. 破陷. 險陷.

8 ⑪ [陸] 中入 륙 ㊀屋 力竹切 lù, ④liù (lù) 陆陸

筆順 ⁷ ⻖ ⻖′ ⻖′′ ⻖′′′ 陸 陸 陸

字解 ①물 륙 물에 덮이지 아니한 넓은 땅. '一地'. '水一'. '作車以行一'《周禮》. ②언덕 륙 높고 평평한 땅. '高平日一, 大一日阜, 大阜日陵'《詩經 毛傳》. ③뛸 륙 도약함. '翹足而一'《莊子》. ④여섯 륙 숫자의 '六'의 대용 (代用)으로 쓰임. ⑤성 륙 성 (姓)의 하나.

字源 形聲. 阝(自)+坴(音). '坴룩'은 圥+圥이며, '圥룩'은 또 十+六(音). '六'은 '버섯'의 뜻. '坴'은 다닥다닥 붙은 버섯의 뜻을 나타냄. 이어진 고지 (高地), '육지'의 뜻을 나타냄.

[陸賈 육가] 한초 (漢初)의 학자 (學者). 초 (楚)나라 사람. 고조 (高祖)의 세객 (說客)으로서 천하 통일에 공 (功)이 커 벼슬이 태중대부 (太中大夫)에 이름. 칙명 (勅命)을 받들어 신어 (新語) 12편을 지었음.

[陸橋 육교] 구름다리.

[陸龜蒙 육구몽] 당 (唐)나라 시인 (詩人)·농학자 (農學者). 자 (字)는 노망 (魯望). 스스로 강호산인 (江湖散人)이라 호 (號)하고 천수자 (天隨子)라고도 함. 손수 농사를 지어 농업 (農業)을 개량 (改良)하고 다원 (茶園)을 경영하였음. 저서에 벗 피일휴 (皮日休)와 창화한 시 (詩)를 모은 〈송릉창화시집 (松陵唱和詩集)〉을 비롯하여 농서 (農書) 〈뇌사경 (耒耜經)〉 1권, 〈오흥실록 (吳興實錄)〉 40권, 〈입택총서 (笠澤叢書)〉 3권 등이 있음.

[陸九淵 육구연] 남송 (南宋)의 유학자 (儒學者). 장시 (江西) 금계 (金谿) 사람. 자 (字)는 자정 (子靜), 호 (號)는 상산 (象山). 주희 (朱熹)와 동시대인 (同時代人)으로 덕성 (德性)을 존중하며 인성선 (人性善)의 일원설 (一元說)로서 주희 (朱熹)와 대치 (對峙)함. 벼슬은 지형문군 (知荊門軍)에 이르렀음. 〈육상산전집 (陸象山全集)〉 36권이 있음.

[陸軍 육군] 육상의 전투 및 방어를 맡은 군대.

[陸機 육기] 서진 (西晉) 시대의 문인 (文人). 오 (吳)나라 사람. 자 (字)는 사형 (士衡). 아우 운 (雲)과 더불어 시문 (詩文)을 잘하여 이륙 (二陸)이라 일컬어짐. 참소 (讒訴)를 당하여 죽음. 〈육사형집 (陸士衡集)〉 10권이 있음.

[陸隴其 육농기] 청 (淸)나라 학자 (學者). 저장 평

호(浙江平湖) 사람. 자(字)는 가서(稼書). 벼슬이 강남 가정(江南嘉定)·직례 영수(直隷靈壽)의 지현(知縣)을 거쳐 사천도 감찰어사(四川道監察御史)에 이르렀음. 그의 학(學)은 거경궁리(居敬窮理)를 주(主)로 하여 정주(程朱)를 숭상하며 왕수인(王守仁)을 배척하였음. 저서에 〈학술변(學術辨)〉·〈삼어당문집(三魚堂文集)〉 등이 있음.

[陸德明 육덕명] 당초(唐初)의 유학자(儒學者). 이름은 원랑(元朗). 고조(高祖) 때 국자박사(國子博士)가 되어 태자중윤(太子中允)을 겸함. 〈경전석문(經典釋文)〉 30권을 저술함.

[陸稻 육도] 밭에 심는 벼.

[陸落 육락] 영락(零落)함.

[陸梁 육량] ㉠어지럽게 달아나는 모양. 뛰어다니는 모양. ㉡제멋대로 구는 모양.

[陸路 육로] 육지(陸地)의 길.

[陸陸 육륙] 하는 것 없이 꿈지럭꿈지럭하는 모양. 녹록(碌碌)한 모양.

[陸離 육리] ㉠빛이 눈부시게 아름다운 모양. ㉡고르지 않아서 가지런하지 않은 모양. ㉢뒤섞여 흩어진 모양.

[陸味 육미] 토지에서 나는 식물(食物). 해미(海味)의 대(對).

[陸產 육산] 뭍에서 나는 물건.

[陸上 육상] 뭍 위.

[陸上競技 육상경기] 육지에서 하는 운동 경기.

[陸象山 육상산] 육구연(陸九淵).

[陸棲 육서] 육지에 삶.

[陸船 육선] 배 모양으로 만든 꽃수레.

[陸世儀 육세의] 청초(淸初)의 유학자(儒學者). 자(字)는 도위(道威). 호(號)는 부정(桴亭). 육농기(陸隴其)와 함께 이륙(二陸)이라 병칭(竝稱)됨. 실학(實學)을 주창(主唱)하고 〈사변록(思辨錄)〉 35권을 씀.

[陸續 육속] 이어서 끊어지지 아니하는 모양.

[陸松 육송] 솔. 소나무.

[陸輸 육수] 육로(陸路)로 수송함.

[陸秀夫 육수부] 남송말(南宋末)의 충신. 자(字)는 군실(君實). 이부시랑(吏部侍郞) 때 몽고군(蒙古軍)에게 쫓겨 복주(福州)로 가서 장세걸(張世傑)과 함께 단종(端宗)을 옹립(擁立)하여 정권(政權)을 잡았으며 임금이 죽은 후 다시 후위왕(後衛王) 조병(趙昺)을 황제로 세웠으나 애산(崖山)에서 원군(元軍)에게 패하매 임금을 업고 바다에 몸을 던져 죽었음.

[陸王之學 육왕지학] 송(宋)나라의 육구연(陸九淵)과 명(明)나라의 왕수인(王守仁)이 주창한 유학(儒學). 종지(宗旨)가 서로 비슷함.

[陸羽 육우] 당(唐)나라의 은사(隱士). 자(字)는 홍점(鴻漸). 호(號)는 상저옹(桑苧翁). 차(茶)를 즐겨, 후세(後世) 사람들로부터 다신(茶神)으로서 숭앙(崇仰)됨. 저서에 〈다경(茶經)〉 3권이 있음.

[陸雲 육운] 서진(西晉)의 문인(文人). 오(吳)나라 사람. 자(字)는 사룡(士龍). 시문(詩文)에 능(能)하여 형인 기(機)와 더불어 이륙(二陸)이라 일컬어짐. 팔왕(八王)의 난(亂) 때 형과 함께 형사(刑死)하였음.

[陸運 육운] 육로에 의한 운반.

[陸游 육유] 남송(南宋)의 대표적 시인(詩人). 자(字)는 무관(務觀). 호(號)는 방옹(放翁). 범성대(范成大)의 참의(參議)로 있었으며, 뒤에 대중대부(大中大夫)·보모각대제(寶謨閣待制)로서 치사(致仕)하였음. 청신한 시(詩)로 일가(一家)를 이루었는데, 특히 촉중(蜀中) 풍토(風土)를 사랑하여 시집의 제목을 '검남시고(劍南詩稿)'라 하였으므로 검남파(劍南派)로 일컬어짐. 〈입촉기(入蜀記)〉·〈노학암필기(老學庵筆記)〉 등을 저술(著述)함.

[陸田 육전] 밭. 수전(水田)의 대(對).

[陸戰 육전] 육지에서 싸우는 전쟁(戰爭).

[陸地 육지] 뭍.

[陸贄 육지] 당(唐)나라 사람. 자(字)는 경여(敬輿). 덕종(德宗) 때 한림학사(翰林學士)가 되어 신임이 두터웠으며, 중서시랑(中書侍郞)·동평장사(同平章事)에 이르렀음. 그 주의(奏議)는 후세에까지 존중됨.

[陸處 육처] 뭍 위에 있음. 육상(陸上)에 있음.

[陸沈 육침] ㉠세상을 피하여 숨지 못하고 본의 아니면서도 속세에서 삶. ㉡나라가 외적에게 침입당하여 망함. ㉢옛것은 아나 지금의 것은 모름. 시대의 추이를 모름.

[陸馱 육태] ㉠뭍에서 마소로 실어 나르는 짐. ㉡배에서 육지로 옮겨 놓는 짐.

[陸風 육풍] 밤에 육지에서 바다로 향하여 부는 바람.

[陸海 육해] 뭍과 바다. 또, 물산(物產)이 풍성한 땅.

[陸海軍 육해군] 육군과 해군.

[陸行 육행] 육로(陸路)로 감.

◉空陸. 魁陸. 內陸. 大陸. 博陸. 阜陸. 北陸. 上陸. 商陸. 西陸. 水陸. 雙陸. 揚陸. 離陸. 著陸. 推舟於陸. 平陸. 海陸. 莧陸. 薰陸.

8 ⑪ [陱] 국 [入]屋 居六切 jū

[字解] ①기를 국 기름. 양육함. '一, 養也'《集韻》. ②찰 국 참. 가득함. '一, 盈也'《集韻》.

8 ⑪ [陮] 권 [上]阮 窘遠切 / [上]銑 居轉切 juǎn / [去]霰 古倦切

[字解] 마을이름 권 지금의 산시 성(山西省) 윈청 현(運城縣) 안읍성(安邑城)에 있던 마을의 이름. '一, 河東安邑陬也'《說文》.

[字源] 形聲. 阝(自)+卷〔音〕

8 ⑪ [险] 념 [去]豔 奴店切 niàn

[字解] 언덕위에서만날 념 언덕 위에서 만남. '一, 遇在岸上'《字彙》.

8 ⑪ [陫] 비 ①[上]尾 浮鬼切 fèi / ②[去]未 父沸切 fèi

[字解] ①좁은두메 비 외딴 시골. '一, 陋也'《集韻》. ②측은할 비 '隱思君兮一側'《楚辭》.

[字源] 形聲. 阝(自)+非〔音〕

8 ⑪ [陭] [一] 기 [去]寘 奇寄切 / [二] 의 [平]支 於離切 yì

[字解] [一] 험할 기 崎(山部 八畫)와 同字. [二] 험할 의 [一]과 뜻이 같음.

[字源] 金文 篆文 形聲. 阝(自)+奇〔音〕. '崎기'와 동음 이체자로 '험하다'의 뜻

을 나타냄.

[隑嶇 기구] ㉠험준 (險峻)한 모양. ㉡생존에 고난 (苦難)이 많은 모양.

8
⑪ [隆] 〔륭〕
隆(阜部 九畫〈p. 2469〉)의 俗字

8
⑪ [隬] 〔강〕
岡(山部 五畫〈p. 637〉)의 俗字

8
⑪ [隝] 〔곽〕
崞(山部 八畫〈p. 645〉)과 同字

8
⑪ [隞] 부 ①②㉠有 扶缶切 fù
②㉢有 扶富切

字解 ①성할 부 '一, 盛也'《廣韻》. ②두언덕사이 부 餌(阜部 八畫)와 同字. '餌, 說文, 兩阜之間也. 隷作一'《集韻》.

8
⑪ [隟] 〔언〕
隁(阜部 十一畫〈p. 2474〉)과 同字

8
⑪ [険] 〔험〕
險(阜部 十三畫〈p. 2476〉)의 略字

9
⑫ [陻] 인 ㉠眞 於眞切 yīn

字解 막을 인, 막힐 인 埋(土部 九畫)과 同字. '鯀一洪水'《書經》.

9
⑫ [陽] 양 ㉠陽 與章切 yáng 阳㧐

筆順 ﹅ ﹅ ﹅ ﹅ ﹅ ﹅ ﹅ ﹅

字解 ①양기 양 역학상 (易學上)의 용어. '陰'의 대 (對)로, 동 (動)·개 (開)·상 (上)·현 (顯)·강 (剛)·전 (前)·천 (天)·남 (男)·군 (君)·주 (畫)·일 (日) 등 적극성 (積極性)을 가진 남성의 의미를 가진 것. '乾一物也, 坤陰物也, 陰一合德, 而剛柔有體'《易經》. ②해 양 태양. '夕一'. '匪一不晞'《詩經》. ③양지 양 볕이 쪼이는 곳. '日之所照, 日之一'《穀梁傳》. ④낮 양 주간. '殷人祭其一'《禮記》. ⑤남쪽 양 산의 남쪽. '岳一'. '耕牧河山之一'《史記》. ⑥북쪽 양 하천의 북쪽. '漢一'(한수 (漢水)의 북쪽). '在洽之一'《詩經》. ⑦맑을 양, 밝을 양 깨끗함. 또, 환함. '一聲'. '我朱孔一'《詩經》. ⑧따뜻할 양 온난함. '春日載一'《詩經》. ⑨거짓 양 佯 (人部 六畫)과 同字. '一狂'. '一死'. '一若善之'《禮記》. ⑩자지 양 남자의 생식기. '一莖'. '一道'. ⑪시월 양 음력 시월 (十月)의 이칭 (異稱). '歲亦一止'《詩經》. ⑫성 양 성 (姓)의 하나.

字源 甲文 金文 篆文 形聲. 阝(自)＋昜〔音〕. '昜양'은 해가 떠오르다의 뜻. 언덕의 양지쪽의 뜻을 나타냄.

[陽刻 양각] 철형 (凸形)으로 새김. 돋을새김.
[陽乾 양건] 볕에 쬐어서 말림.
[陽莖 양경] 자지. 음경 (陰莖).
[陽驚 양경] 거짓 놀람. 놀란 체함.
[陽界 양계] 이 세상 (世上).
[陽關曲 양관곡] ㉠원이 (元二)가 안서 (安西) 지방

의 사신 (使臣)이 되어 떠날 때, 왕유 (王維)가 지어서 부른 시 (詩). '渭城朝雨浥輕塵, 客舍青青柳色新, 勸君更盡一杯酒, 西出陽關無故人'. ㉡송별의 시 (詩).
[陽光 양광] 태양의 광선. 햇빛. 천자 (天子)의 덕 (德)의 비유.
[陽狂 양광] 거짓으로 미친 체함. 양광 (佯狂).
[陽九 양구] 재화 (災禍)를 이름. 음양가 (陰陽家)가 오행 (五行)의 수리 (數理)에서 풀어낸 말. 양액 (陽厄) 다섯과 음액 (陰厄) 넷을 합하여 아홉으로 한 것임.
[陽氣 양기] ㉠양 (陽)의 기운. 만물의 발생을 돕는 기운. ㉡남자의 정기 (精氣)와 성욕 (性慾).
[陽氣發處金石亦透 양기발처금석역투] 양기가 발하는 곳에는 금석도 뚫음. 곧, 결심을 단단히 하면 어떠한 난관도 돌파할 수 있음의 비유.
[陽怒 양노] ㉠성난 체함. ㉡겉으로 나타난 분노.
[陽德 양덕] 양의 덕. 곧, 만물 (萬物)을 생장 발육시키는 덕.
[陽道 양도] ㉠하늘의 강건한 도. ㉡군주 또는 남자의 도. ㉢남자의 생식력. ㉣남자의 음경 (陰莖). ㉤태양이 운행하는 궤도.
[陽曆 양력] 지구가 태양의 주위를 공전 (公轉)하는 시간을 약 365일로 하여 만든 달력. 태양력 (太陽曆).
[陽靈 양령] ㉠'태양 (太陽)'의 별칭 (別稱). ㉡하늘을 제사 지내는 궁전 (宮殿).
[陽禮 양례] 주대 (周代)의 예 (禮)의 하나. 향사 (鄉射)·향음주 (鄉飲酒) 등의 공공 행사의 예.
[陽六 양륙] 십이율 (十二律) 중에서 양 (陽)에 속하는 여섯 율 (律). 곧, 황종 (黃鍾)·태주 (太族)·고선 (姑洗)·유빈 (蕤賓)·이칙 (夷則)·무역 (無射).
[陽明 양명] ㉠해. 태양. ㉡양기 (陽氣)의 밝음을 이름. ㉢한의학에서, 몸의 경맥 (經脈)의 이름.
[陽明洞 양명동] 구이저우 성내 (貴州省內)의 동명 (洞名). 명 (明)나라 왕양명 (王陽明)의 구적 (舊蹟).
[陽明四句訣 양명사구결] 왕양명 (王陽明)의 도 (道)를 배우는 입문 (入門)으로서 그 문인 (門人)들에게 준 가르침. 사언교 (四言敎).
[陽明學 양명학] 명 (明)나라의 왕양명 (王陽明)이 주창 (主唱)한 지행합일 (知行合一)을 주로 하는 유학.
[陽木 양목] 봄과 여름에 잘 자라는 나무. 오동 (梧桐) 따위. 일설 (一說)에는, 산의 남쪽에 자라는 나무.
[陽門 양문] 별 이름. 천고성 (天庫星)의 동북에 있는 두 별. 「莖」
[陽物 양물] ㉠양 (陽)에 속하는 물건. ㉡음경 (陰
[陽報 양보] 나타난 보답 (報答).
[陽死 양사] 죽은 시늉을 함.
[陽事 양사] ㉠양기 (陽氣)가 이루는 일. ㉡남녀의 방사 (房事).
[陽祀 양사] 봄과 여름의 제사.
[陽性 양성] 적극적으로 나아가는 성질 (性質).
[陽聲 양성] ㉠양 (陽)에 속하는 소리. 곧, 양륙 (陽六). ㉡우렛소리. ㉢맑은 소리.
[陽燧 양수] 화경 (火鏡).
[陽陽 양양] ㉠무늬가 찬란한 모양. ㉡득의 (得意)한 모양. 일설 (一說)에는, 개의치 아니하는 모양. ㉢흐르는 모양.
[陽言 양언] 거짓으로 풍을 떪.

[陽炎 양염] 아지랑이.
[陽焰 양염] 양염(陽炎).
[陽燄 양염] 양염(陽炎).
[陽烏 양오] '태양(太陽)'의 별칭. 해 속에 세 발 달린 까마귀가 있다는 전설에서 나온 말.
[陽曜 양요] '태양(太陽)'의 별칭(別稱).
[陽旭 양욱] 아침 해. 욱일(旭日).
[陽月 양월] 음력 시월(十月)의 이칭(異稱). 시월(十月)은 음(陰)이 매우 성한 달로, 음이 매우 성하면 양(陽)이 생긴다는 뜻임.
[陽日 양일] 해. 태양(太陽).
[陽鳥 양조] ㉠태양을 따르는 새. 곧, 홍안(鴻雁) 따위. ㉡학의 이명(異名).
[陽尊 양존] 존경하는 체함.
[陽宗 양종] '태양(太陽)'의 별칭(別稱).
[陽中 양중] '봄〔春〕'의 별칭(別稱).
[陽地 양지] 남쪽으로 향한 땅. 볕이 바로 드는 땅. 양지쪽.
[陽天 양천] 구천(九天)의 하나. 동남의 하늘을 이름.
[陽秋 양추] 공자(孔子)의 저서 〈춘추(春秋)〉의 별칭.
[陽春 양춘] ㉠따뜻한 봄. ㉡은택·은혜 등의 비유. ㉢고상한 가곡(歌曲). ㉣음력 정월의 이칭(異稱).
[陽春白雪 양춘백설] 초(楚)나라의 가곡(歌曲). 전(轉)하여, 고상한 가곡.
[陽宅 양택] 사람이 사는 집.
[陽夏 양하] 여름. 양기(陽氣)가 왕성하므로 이렇게 이름.
[陽和 양화] ㉠화창한 춘절(春節). 춘화(春和). ㉡인정(仁政)에 비유함.
[陽侯 양후] 바다의 신(神). 전(轉)하여, 파도·물결.
[陽煦山立 양후산립] 태양이 따사롭고 산이 우뚝 솟았다는 뜻으로, 인품(人品)이 온화(溫和)하고 단정(端正)함을 이름.
[陽侯之波 양후지파] 진(晉)나라의 양릉국후(陽陵國侯)가 익사(溺死)하여 해신(海神)이 되어서는 풍파를 일으켜 배를 뒤집어엎었다는 데서 바다의 큰 물결의 뜻으로 쓰임.
[陽卉 양훼] 봄과 여름에 무성해지는 초목.
◉鞠陽. 昆陽. 九陽. 洛陽. 落陽. 端陽. 孟陽. 明陽. 補陽. 斜陽. 山陽. 上陽. 夕陽. 歲陽. 昭陽. 水陽. 首陽. 睢陽. 新陽. 漁陽. 炎陽. 豔陽. 迎陽. 龍陽. 陰陽. 一陽. 殘陽. 正陽. 精陽. 朝陽. 仲陽. 重陽. 靑陽. 淸陽. 初陽. 秋陽. 春陽. 太陽. 頹陽. 咸陽. 亢陽. 滎陽.

9 ⑫ [陾] 잉 [平]蒸 如乘切 réng

[字解] 담쌓는소리 잉 '捄之——'《詩經》.
[字源] 篆文 形聲. 阝(自)+耎〔音〕. '耎연'은 부드럽고 끈적끈적하다의 뜻. 끈적끈적한 흙으로 토담을 쌓다의 뜻을 나타냄.

9 ⑫ [⿰阝建] 〔건〕
乾(乙部 十畫〈p.65〉)과 同字

9 ⑫ [陿] 협 [入]洽 侯夾切 xiá

[字解] 좁을 협 狹(犬部 七畫)·陜(阜部 七畫)과 同字. '遠逮秦地之—隘'《史記》.

[陿隘 협애] 좁음.

9 ⑫ [隃] [一] 유 [平]虞 羊朱切 yú [二] 요 [平]蕭 餘招切 yáo

[字解] [一] 넘을 유 逾(辵部 九畫)와 통용. '—隱而待之'《左傳》. [二] 멀 요 遙(辵部 十畫)와 통용. '—謂布, 何苦而反'《漢書 英布傳》.
[字源] 篆文 形聲. 阝(自)+兪〔音〕. '兪유'는 빼내다, 중간에 있는 방해물을 제거하다의 뜻. 험한 곳을 넘다의 뜻을 나타냄.

[隃麋 유미] 산시 성(陝西省)에 있는 현명(縣名). 먹의 산지(産地)로서 유명함. 전(轉)하여, 먹〔墨〕의 이명(異名).

9 ⑫ [⿰阝界] 계(개[本]) [去]卦 居拜切 jiè

[字解] 경계 계 경계. 한계. '畍, 說文, 境也, 或作—'《集韻》.

9 ⑫ [隅] [人名] 우 [平]虞 偶俱切 yú

[筆順] ㇇ 了 阝 阝冂 阝日 阝甲 阝禺 隅

[字解] ①구석 우 모퉁이의 안쪽. '—奧'. '摳衣趨—'《禮記》. ②모퉁이 우 구부러지거나 꺾어져 돌아간 자리. '—曲'. '止于丘—'《詩經》. ③귀 우 네모진 것의 모퉁이의 끝. '擧——, 不以三—反'《論語》. ④절개 우 절조. '維德之—'《詩經》.
[字源] 篆文 形聲. 阝(自)+禺〔音〕. '禺우'는 '愚우'와 통하여 둔하다, 똑똑하지 않다의 뜻, 언덕의 똑똑히 보이지 않는 구석의 뜻을 나타냄.

[隅曲 우곡] 모퉁이.
[隅目 우목] 맹수(猛獸)가 성내어 눈을 부릅뜸.
[隅反 우반] 유추(類推)함. 사물의 사우(四隅) 가운데 일우(一隅)를 들어서 다른 삼우(三隅)를 안다는 뜻.
[隅淵 우연] 옛날에 해가 지는 곳이라고 상상했던 곳.
[隅奧 우오] 방의 구석. 방의 서남쪽 구석을 오(奧)라 함.
[隅中 우중] 정오(正午)가 될 무렵. 우중(禺中).
◉曲隅. 端隅. 僻隅. 邊隅. 四隅. 山隅. 三隅. 城隅. 廉隅. 一隅. 坐隅. 天隅. 海隅.

9 ⑫ [隆] [高人] 륭 [平]東 力中切 lóng

[筆順] ㇇ 了 阝 阝夂 阝夅 阝夅生 隆 隆

[字解] ①성할 륭 성대함. '—盛'. '漢室之—, 可計日而待也'《諸葛亮》. 또, 성대하게 함. '—禮'《禮記》. ②높을 륭 ㉠땅 같은 것이 높음. 주로, 중앙이 높음을 이름. '—波'. '宛中—'《爾雅》. ㉡존귀함. '方—貴用事'《史記》. ③높일 륭 ㉠높게 함. '—薛之城'《戰國策》. ㉡존숭함. '—師'. ④두터울 륭 후함. '—寵'. '使後世不見—薄進退之隙'《後漢書》. ⑤성 륭 성(姓)의 하나.
[字源] 篆文 形聲. 生+降〔音〕. '降강'은 봉긋 돋아 오르는 모양을 나타내는 의태어. 융성하게 커지다, 높다, 융성하다의 뜻을 나타냄.

[隆慶 융경] 대단히 경사스러움.

[隆古 융고] 옛날의 융성한 시대.
[隆眷 융권] 융은(隆恩).
[隆貴 융귀] 존귀함.
[隆極 융극] 지극히 높은 지위.
[隆起 융기] 평면보다 높아 불룩함.
[隆冬 융동] 추위가 대단히 심한 겨울. 한겨울. 엄동(嚴冬).
[隆禮 융례] ㉠예(禮)를 성대하게 함. ㉡융숭한 대접. ㉢예(禮)를 존숭함.
[隆老 융로] 일흔 또는 여든 살 이상의 노인(老人).
[隆隆 융륭] ㉠소리가 큰 모양. ㉡세력이 융성한 모양.
[隆名 융명] 높은 명성(名聲).
[隆富 융부] 대단히 부유(富裕)함.
[隆鼻 융비] 우뚝한 코.
[隆顙 융상] 불룩 나온 이마.
[隆暑 융서] 대단한 더위.
[隆盛 융성] 성함. 번창함.
[隆崇 융숭] 매우 높음.
[隆渥 융악] 군주(君主)의 두터운 은혜.
[隆顔 융안] 천자(天子)의 얼굴.
[隆然 융연] 높은 모양.
[隆永 융영] 융성하고 장구함.
[隆遇 융우] 융숭(隆崇)한 대우.
[隆運 융운] 성운(盛運).
[隆窳 융유] 융체(隆替).
[隆恩 융은] 높은 은혜. 큰 은혜.
[隆陰 융음] 왕성한 음기(陰氣).
[隆情 융정] 두터운 정(情).
[隆準 융준] 우뚝한 콧마루. 우뚝한 코.
[隆中 융중] 후베이 성(湖北省) 샹양 현(襄陽縣) 서쪽에 있는 산 이름. 한말(漢末)에 제갈량(諸葛亮)이 이 산에 숨어 초려(草廬)를 짓고 살았음.
[隆車 융차] 큰 수레. 높은 수레.
[隆昌 융창] ㉠융성(隆盛). ㉡남북조(南北朝) 때 제(齊)나라 울림왕(鬱林王)의 연호(年號).
[隆替 융체] 성쇠(盛衰).
[隆寵 융총] 두터운 총애.
[隆就 융취] 기름. 양육함.
[隆熾 융치] 왕성(旺盛)함.
[隆頹 융퇴] 울룩불룩한 모양.
[隆波 융파] 높은 물결. 큰 물결.
[隆寒 융한] 대단한 추위. 엄한(嚴寒).
[隆顯 융현] 지위가 높고 명성이 세상에 나타남.
[隆刑 융형] 형벌을 무겁게 함. 또, 무거운 형벌. 엄형(嚴刑).
[隆洽 융흡] 성하게 전파(傳播)됨.
[隆興 융흥] 성하게 일어남. 성함.
[隆熙 융희] 조선조 순종(純宗) 때의 연호.
●高隆. 穹隆. 汙隆. 浡隆. 蘊隆. 優隆. 夷隆. 豐隆. 熙隆. 興隆.

9 [隈] 외 ㊌灰 烏恢切 wēi
字解 ①굽이 외 ㉠물가의 굽어 들어간 곳. '因復指河曲之淫一'《列子》. ㉡산의 굽어 들어간 곳. '大山之一'《管子》. ②후미진곳 외 쑥 들어가서 으슥한 곳. '過析一'《左傳》. ③사타구니 외 두 다리의 사이. '奎蹄曲一'《莊子》.
字源 形聲. 阝(阜)+畏[音]. '畏외'는 '屈'과 통하여 '구부리다'의 뜻. 산이나 물 따위의 구부러져 휘어진 곳, '굽이'의 뜻을

나타냄.

[隈曲 외곡] 굽이.
[隈澳 외욱] 후미.
●澗隈. 江隈. 界隈. 曲隈. 瀾隈. 四隈. 山隈. 城隈. 水隈. 岸隈. 巖隈. 林隈.

9
⑫ [陧] 얼 ㊎屑 五結切 niè
字解 위태할 얼 '杌一'은 위태로운 모양. '邦之阢一'《書經》.
字源 會意. 阝(阜)+毀〔省〕. '毀훼'는 '부서지다'의 뜻. 무너지고 있는 벼랑의 뜻에서 '위태하다'의 뜻을 나타냄.
●杌陧.

9
⑫ [隊] ㊀ 대 ㊌隊 徒對切 duì
㊁ 추 ㊌寘 直類切 zhuì
㊂ 수 ㊌寘 徐醉切 suì
筆順 ' ⻖ 阝 阝 阝 阽 阽 隊 隊 隊
字解 ㊀①대 대 편제(編制)된 군대(軍隊). 여러 사람이 열을 지은 떼. '樂一'. '探險一'. '隨行而入逐一而趨'《韓愈》. ②대오 대 군대의 항오(行伍). '會師於臨品, 分爲二一'《左傳》. ㊁떨어질 추, 떨어뜨릴 추 墜(土部 十二畫)와 통용. '退人若將一諸淵'《禮記》. ㊂길 수 隧(阜部 十三畫)와 통용. '鉼山之一'《穆天子傳》.
字源 甲骨文은 會意로서 自+人을 본뜬 것. 계단에서 사람이 거꾸로 떨어지는 모양에서 '떨어지다'의 뜻을 나타냄. 假借하여 '屯둔'과 통하여 무리의 뜻으로도 쓰임. 篆文은 形聲으로 阝(阜)+㒸[音]. '㒸수'는 '떨어지다'의 뜻.

[隊列 대렬] 대열(隊列).
[隊商 대상] 단체를 짜고 사막을 왕래하는 상인.
[隊帥 대수] 대장(隊長).
[隊帥 대수] 대장(隊長).
[隊率 대수] 대장(隊長).
[隊列 대열] 대를 지어 늘어선 행렬.
[隊伍 대오] 군대(軍隊)의 항오(行伍). 대열(隊列).
[隊長 대장] ㉠군대의 장(長). 대오(隊伍)의 장. ㉡단체의 장.
[隊主 대주] 대장(隊長).
●啓蒙隊. 鼓笛隊. 軍隊. 旗隊. 大隊. 馬隊. 兵隊. 步隊. 本隊. 部隊. 分隊. 小隊. 樂隊. 聯隊. 一隊. 入隊. 全隊. 前隊. 縱隊. 中隊. 支隊. 陣隊. 編隊. 艦隊. 橫隊. 後隊.

9
⑫ [隋] ㊀ 타 ㊀智 他果切 duò
㊁ 수 ㊎支 旬爲切 suí
筆順 ' ⻖ 阝 阝 阽 阽 隋 隋
字解 ㊀①둥글길쭉할 타 橢(木部 十二畫)와 통용. '一圓'. ②떨어질 타 墮(土部 十二畫)와 통용. '有一星五'《史記》. ③게을 타 惰(心部 九畫)와 통용. '一游之士也'《禮記》. ㊁수나라 수 문제(文帝) 양견(楊堅)이 북주(北周)의 선위(禪位)를 받아 세운 왕조(王朝). 서울은 장안(長安). 진(陳)나라를 멸하여 남북조(南北朝)를 통일하였으나, 삼주(三主) 38년 만에 당(唐)나

라에 망하였음. (581~617) ②성 수 성(姓)의 하나.
[字源] 篆文 形聲. 阝(自)＋隓〈省〉〔音〕. '隓타·휴'는 무너져 내린 성벽의 뜻. 잘게 쩨어 부드러워진 제수용 고기의 나머지의 뜻을 나타냄.

[隋文帝 수문제] 수(隋)나라의 첫 황제. 성(姓)은 양(楊), 이름은 견(堅). 처음에는 북주(北周)에 사관(仕官)하다가 정제(靜帝)의 선위(禪位)를 받아 제위(帝位)에 오르고 국호(國號)를 수(隋)라 하였으며, 진(陳)나라를 멸(滅)하여 남북(南北)을 통일하였음.
[隋書 수서] 24사(史)의 하나. 당(唐)나라 위징(魏徵) 등이 칙명(勅命)을 받들어 찬(撰)하였음. 85권. 수대(隋代)의 역사를 기록하였음.
[隋煬艷史 수양염사] 수(隋)나라 양제(煬帝)에 관하여 쓴 소설(小說).
[隋煬帝 수양제] 수(隋)나라의 제이대(第二代) 황제. 이름은 광(廣). 문제(文帝)의 둘째 아들. 사치(奢侈)를 일삼았으며 토목(土木) 공사를 크게 일으키고 대운하(大運河)를 만들고 장성(長城)을 쌓았음. 재위 12년. 우문화급(宇文化及)에게 시살(弑殺)되었음.
[隋苑 수원] 수(隋)나라 양제(煬帝)가 만든 정원(庭園). 장쑤 성(江蘇省) 장두 현(江都縣)의 서북(西北)쪽에 있음. 상림원(上林苑) 또는 서원(西苑)이라고도 함.
[隋隄 수제] 수양제(隋煬帝)가 쌓은 운하(運河)의 제방.
[隋珠 수주] 수후지주(隋侯之珠).
[隋和 수화] 수후지주(隋侯之珠)와 화씨지벽(和氏之璧). 모두 천하의 지보(至寶)이므로, 인재(人才)의 훌륭함을 비유하는 말로 쓰임.
[隋侯之珠 수후지주] 수후(隋侯)가 뱀을 도와준 덕(德)으로 얻었다는 보배로운 구슬. 명월지주(明月之珠). 야광지주(夜光之珠).
[隋游 타유] 게으르고 놀기를 좋아함.

9획
⑫ **[隊]** ▬전 ㉠銑 杜兗切 zhuàn
　　　　 ▬단 ㉠翰 徒玩切
[字解] ▬담 단. 一, 垣也《廣雅》. ㉠길가의 낮은 담. 一, 道邊庳垣也《說文》. ㉡건물 주위의 담. 一, 院也《廣雅》. ▬담 단 ▬과 뜻이 같음.
[字源] 形聲. 阝(自)＋象〔音〕

9획
⑫ **[隍]** 人名 황 ㉠陽 胡光切 huáng
[字解] 해자 황 성 밖에 둘러 판 물 없는 못. 물이 있는 못은 '壕'라 함. 深一, 물이 없는 해자. '隍復于一'《易經》.
[字源] 篆文 形聲. 阝(自)＋皇〔音〕. '皇황'은 《廣雅》 과 통하여 넓고 비다의 뜻. 물이 없는 '해자'의 뜻을 나타냄.

[隍塹 황참] 물이 없는 해자(垓子).
●陴隍. 城復于隍. 城隍. 深隍. 池隍. 濠隍.

9획
⑫ **[階]** 高人 계 ㉠佳 古諧切 jiē
[筆順] 一 一 一 一 一 一 一 一 階 階
[字解] ①섬돌 계, 층계 계 계단. '陛一'. '一段'.

'舞干羽于兩一'《書經》. ②사다리 계 높은 데를 디디고 오르는 기구. '狄人設一'《禮記》. 또, 사다리를 놓음. '猶天之不可一而升也'《論語》. 전(轉)하여, 일을 하는 데 차례로 밟아 올라가는 경로의 뜻으로 쓰임. '四子六經之一梯, 近思錄四子之一梯'《葉采》. ③층 계 한 계단. 또는, 한 겹. '二一, 壁岸無一'《水經注》. ④벼슬차례 계 벼슬의 등급. '一級'. '位一'. '有勳有一'《唐書》.
[字源] 篆文 形聲. 阝(自)＋皆〔音〕. '皆개'는 나란히 늘어서다의 뜻. 나란히 늘어선 층층대의 뜻을 나타냄.

[階級 계급] ㉠등급. ㉡층계. 계단(階段). ㉢신분 또는 재산·지위에 의하여 갈린 사회적 지위.
[階級鬪爭 계급투쟁] 사회적(社會的) 지위(地位)가 서로 다른 유산자(有産者)와 무산자(無産者) 사이에 일어나는 정치적(政治的) 다툼.
[階段 계단] 층계. 전(轉)하여, 일을 하는 데 밟아야 할 순서.
[階闥 계달] 섬돌과 궁중(宮中)의 작은 문. 전(轉)하여, 궁중.
[階序 계서] 층계. 계단(階段).
[階承 계승] 순차(順次)로 이어받음.
[階緣 계연] ㉠층계. 계단(階段). ㉡연(緣) 줄을 탐.
[階前 계전] 섬돌 앞.
[階前萬里 계전만리] 만 리나 떨어진 먼 곳도 발밑에 있는 계단 앞과 같이 환히 내다본다는 뜻으로, 지방 행정의 득실을 임금이 모두 듣고 알아 신하들이 결코 속일 수 없다는 말.
[階前盈尺之地 계전영척지지] 섬돌 앞의 한 자 사방의 공지. 곧 대관·귀인 앞에 있는 조그마한 좌석.
[階前千里門外萬里 계전천리문외만리] 섬돌 앞은 천 리를 보고 문밖은 만 리를 본다는 뜻으로, 아무리 먼 곳이라도 섬돌 앞이나 문밖에 있는 것처럼 환하게 다 안다는 말.
[階除 계제] 층계. 계단(階段).
[階梯 계제] 사다리. 전(轉)하여, 일을 하는 데 차례로 밟아 올라가는 경로.
[階次 계차] 계급(階級)의 차례. 지위의 고하.
[階陛 계폐] 궁전(宮殿)의 섬돌.
[階下 계하] 층계(層階) 아래. 섬돌 아래.
[階閤 계합] 섬돌이 있는 궁전(宮殿)의 작은 문.
●貴階. 金階. 亂階. 段階. 得階. 武階. 文階. 石階. 歷階. 玉階. 瑤階. 越階. 位階. 音階. 二階. 寅階. 殿階. 庭階. 阼階. 芝蘭玉樹生庭階. 職階. 天階. 淸階. 超階. 苔階. 土階.

9획
⑫ **[隄]** 제 ㉠齊 都奚切 dī
[字解] ①둑 제, 방죽 제 堤(土部 九畫)와 同字. '修利一防'《禮記》. ②성 제 성(姓)의 하나.
[字源] 篆文 形聲. 阝(自)＋是〔音〕. '是시·제'는 '곧다'의 뜻. 곧게 벋어 있는 둑의 뜻을 나타냄.

[隄溝 제구] 둑과 도랑.
[隄塘 제당] 둑.
[隄防 제방] 둑.
[隄扞 제한] 둑.
●金隄. 沙隄. 御隄. 堰隄. 柳長隄. 柳隄. 障隄. 千丈隄.

9
⑫ **[随]** 〔수〕
随(阜部 十三畫〈p. 2475〉)의 略字

9
⑫ **[隔]** 〔벽·결〕
陜(阜部 四畫〈p. 2450〉)과 同字

9
⑫ **[陖]** 단 [去]翰 都玩切 duàn

[字解] 험할 단 험함. 가파름. '一, 險也'《集韻》.

9
⑫ **[陼]** 저 [上]語 章與切 zhǔ

[字解] 물가 저 渚(水部 九畫)와 同字. '朝發枉一兮夕宿辰陽'《楚辭》.

[字源] 篆文 形聲. 阝(自)+者〔音〕. '者자'는 '모이다'의 뜻. 토사가 모여서 생긴 물속의 섬의 뜻을 나타내며, '渚저'와 통하여 '물가'의 뜻을 나타냄.

9
⑫ **[隁]** 〔언〕
堰(土部 九畫〈p. 455〉)과 同字

[字源] 形聲. 阝(自)+匽〔音〕

9
⑫ **[陰]** 〔음〕
陰(阜部 八畫〈p. 2460〉)의 俗字

10
⑬ **[隒]** 엄 [上]琰 魚檢切 yǎn

[字解] 언덕 엄, 낭떠러지 엄 땅이 조금 높은 곳. 또는 깎아지른 듯한 언덕.

[字源] 篆文 形聲. 阝(自)+兼〔音〕. '兼겸'은 날카롭게 모가 나다의 뜻. 험한 벼랑의 뜻을 나타냄.

10
⑬ **[隔]** [高人] 격 [入]陌 古核切 gé

[筆順] ㇇ 了 阝 阝一 阝𠁣 隔 隔 隔

[字解] ①막을 격 ㉠물건을 중간에 놓아 가로막음. '築牆一山'《李義山雜纂》. '防一內外'《史記》. ㉡통하지 못하게 함. '欲一絶漢'《漢書》. ②뜰 격 시간이나 공간에 사이가 뜸. '一遠'. '縣一'. '日一之遠'《韓愈》. ③막이 격 ㉠칸막이. 경계. '秦無韓魏之一'《戰國策》. ㉡사이가 막힘, 또는 뜨임. '間一'. '吾兵少而臨賊營門, 所恃一水一耳'《五代史》. ④이미 격 이왕에. '一是身如蒙'《元稹》.

[字源] 篆文 形聲. 阝(自)+鬲〔音〕. '鬲격'은 다리가 높아 바닥에서 멀리 떨어져 있는 세발솥을 본뜬 것. 떨어져 있다의 뜻을 분명히 하기 위하여 사다리를 본뜬 '自부'를 덧붙임.

[隔近 격근] 사이가 가까움.
[隔年 격년] ㉠해를 거름. 한 해를 건너뜀. ㉡나이가 다름. 나이가 서로 떠 있음.
[隔斷 격단] 사이를 막음.
[隔離 격리] ㉠사이를 떼어 놓음. 또 떨어져 있음. ㉡전염병 환자를 딴 곳에 옮겨 전염을 방지함.
[隔面 격면] 절교(絶交).
[隔壁 격벽] 벽 하나를 사이에 둠. 곧 아주 가까운 이웃.
[隔世 격세] ㉠세대(世代)를 거름. ㉡심(甚)한 변천을 지낸 딴 세대.
[隔歲 격세] 격년(隔年).
[隔世之感 격세지감] 딴 세대(世代)와 같이 달라진 느낌.
[隔心 격심] 격의(隔意).
[隔夜 격야] 하룻밤씩 거름.
[隔遠 격원] 동떨어지게 멂.
[隔月 격월] 한 달씩 거름.
[隔越 격월] 멀리 떨어짐.
[隔意 격의] 서로 터놓지 아니하는 속마음.
[隔異 격이] 떼어 놓아 나눔. 또 떨어져 나누임.
[隔日 격일] 하루씩 거름.
[隔牆 격장] 담 하나를 사이에 둠.
[隔牆有耳 격장유이] 벽에도 귀가 있다는 뜻으로, 비밀은 없으므로 경솔히 말하지 말 것을 비유적으로 이르는 말.
[隔絶 격절] 막아 끊음.
[隔阻 격조] 오랫동안 소식(消息)이 막힘.
[隔轍雨 격철우] 음력(陰曆) 5월에 내리는 비. 소의 등 하나를 사이하여 비가 오고 아니 오고 하는 여름의 소낙비.
[隔靴搔痒 격화소양] 신 신고 발바닥 긁기와 같다는 뜻. 곧, 일이 철저하지 못하여 성에 차지 않는다는 말.
◉間隔. 關隔. 乖隔. 杜隔. 防隔. 分隔. 疏隔. 雍隔. 遼隔. 遠隔. 離隔. 阻隔. 限隔. 懸隔.

10
⑬ **[隕]** [人名] [一] 운 [上]軫 于敏切 yǔn [二] 원 [平]先 于權切 yuán 隕

[字解] [一] ①떨어질 운, 떨어뜨릴 운 낙하함. '一石'. '夜中星一如雨'《漢書》. ②잃을 운 상실함. '失一'. '洒一其身'《賈誼》. ③무너질 운 허물어짐. '一潰'. '景公臺一'《淮南子》. ④사로잡힐 운 포로가 됨. '子國卿也, 一子辱矣'《左傳》. ⑤죽을 운, 죽일 운 殞(歹部 十畫)과 同字. '巢一諸樊'《左傳》. [二] 둘레 원 주위. 員(貝部 三畫)과 통용. '幅一旣長'《詩經》.

[字源] 篆文 形聲. 阝(自)+員〔音〕. '員원'은 '毁훼'와 통하여 '찌부러지다'의 뜻. 언덕이 무너져 내리다의 뜻에서, '떨어지다'의 뜻을 나타냄.

[隕潰 운궤] 무너짐.
[隕涙 운루] 눈물을 떨어뜨림. 낙루함.
[隕泗 운사] 운루(隕涙).
[隕石 운석] 큰 유성(流星)이 공중에서 다 타지 못하고 지상에 떨어진 물체.
[隕星 운성] 하늘에서 떨어지는 유성(流星).
[隕越 운월] ㉠굴러 떨어짐. ㉡실패함.
[隕顚 운전] 떨어져 넘어짐.
[隕絶 운절] 쇠(衰)하여 끊어짐.
[隕鐵 운철] 운석(隕石)에서 나온 쇠.
[隕涕 운체] 운루(隕涙).
[隕隊 운추] 운추(隕墜). 추(隊)는 추(墜).
[隕墜 운추] 떨어짐.
[隕蘀 운택] 초목(草木)의 잎이 시들어 떨어짐.
[隕穫 운확] 곤궁하여 뜻을 잃는 모양.
◉飛隕. 失隕. 沈隕. 幅隕. 隍隕.

10
⑬ **[隖]** 오 [上]麌 安古切 wù

[字解] ①토성 오 마을 안에 흙으로 쌓은 작은 성. 벽루(壁壘). '築一於郿, 高厚七尺, 號曰萬歲一'《後漢書》. ②둑 오 작은 제방. 塢(土部 十畫)와 同字. '逡春經野一'《杜牧》.

字源 形聲. 阝(自)+烏[音]. '烏오'는 '歟오'
와 통하여 가슴이 막혀 구역질이 나
다의 뜻. 구역질 날 오수(汚水)를 채운 마을의
보루로서의 '둑'의 뜻을 나타냄.

●壁隝. 山隝. 城隝. 竹隝. 築隝. 春隝. 侯隝.

10
⑬ [隗] 외 ⊕賄 五罪切 wěi
　　　　⊕灰 吾回切
字解 ①높을 외 산이 높고 험함. '峗嶵一廜其相
嬰'《揚雄》. ②성 외 성(姓)의 하나.
字源 形聲. 阝(自)+鬼[音]. '鬼귀'는 '이상하
다'의 뜻. 야릇한 언덕, 험하다의 뜻
을 나타냄.

[隗囂 외효] 후한(後漢) 초기(初期)의 군웅(群雄)
의 한 사람. 자(字)는 계맹(季孟). 왕망(王莽)
의 말기(末期)에 농서(隴西)를 본거지(本據地)
로 삼고 서주상장군(西州上將軍)이라 일컬었으
나, 광무제(光武帝)에게 멸망당함.

10
⑬ [隘] 人名 ⊜애 ⊕卦 烏懈切 ài
　　　　⊜액 ⊛陌 乙革切
字解 ❶①좁을 애 ㉠협착함. '一狹'. '道一不
容車'《古詩》. ㉡소견이 좁음. '伯夷一'《孟子》.
②더러울 애 비루함. '君子以爲一矣'《禮記》. ③
험할 애 지세가 험준함. 또, 그 땅. '險一'. '不
恃一害'《張衡》. ❷막을 액 못하게 함. 방해함.
阨(阜部 四畫)과 同字. '齊王一之'《戰國策》.
字源 形聲. 阝(自)+益[音]. '益익'
은 '屵액'과 통하여 '좁다'의
뜻. 좁은 땅의 뜻을 나타냄. 籀文은 양쪽으로
언덕이 바싹 붙어 있고, 가운데에 목의 자(字)
를 두어, 산이 붙어 있고 목처럼 좁은 곳의 뜻
을 나타냄.

[隘勇 애용] 대만(臺灣)에서 생번(生蕃)을 막기 위
하여 토인(土人)에게서 모집한 군대.
[隘鄽 애전] ㉠협소한 점방. ㉡저자들로 가로막힘.
[隘巷 애항] 좁고 더러운 거리. 누항(陋巷).
[隘害 애해] 지세가 험하여 수비하기 좋은 요해지.
[隘險 애험] 좁고 험준함.
[隘狹 애협] 좁음.
[隘陿 애협] 좁음 (隘狹).
●猖隘. 困隘. 關隘. 陋隘. 貧隘. 危隘. 壙隘.
墊隘. 阻隘. 峻隘. 湫隘. 褊隘. 險隘. 嶮隘.
陝隘. 陜隘.

10
⑬ [隙] 人名 극 ⊛陌 綺戟切 xì
筆順 ㇒ ㇇ 阝 阝⺀ 阝⺌ 隙 隙 隙
字解 틈 극 ㉠벌어져 사이가 난 자리. '空一'.
'間一'. '若駟之過一'《禮記》. ㉡겨를. '皆於農
一以講事也'《左傳》. ㉢불화. 원한. '與沛公有
一'《史記》. ㉣싸움. 다툼. '開邊一'《漢書》.
기회. '窺間伺一'《漢書》.
字源 形聲. 阝(自)+㦰[音]. '㦰극'은 벽의
틈의 뜻. 뒤에 '自부'를 더하여 뜻을
분명히 함.
參考 隟(阜部 十一畫)은 俗字.

[隙孔 극공] 극혈(隙穴).

[隙壞 극괴] 틈이 생겨 무너짐.
[隙駒 극구] 세월이 빨리 가는 것이 문틈에서 백구
(白駒)가 빨리 닫는 것을 잠시 보는 것 같다는
뜻으로, 빨리 가는 세월. 광음(光陰).
[隙大牆壞 극대장괴] 담에 틈이 크게 생기면 무너
지는 것처럼, 인심이 화합하지 아니하면 국가
가 망한다는 말.
[隙駟 극사] 극구(隙駒).
[隙地 극지] 공지(空地).
[隙罅 극하] 벌어져서 사이가 난 자리. 틈.
[隙穴 극혈] 틈에 생긴 구멍. 극공(隙孔).
[隙穴之臣 극혈지신] 안에 있으면서 은밀히 적에
게 내통(內通)하는 자(者). 배반자(背反者).
[隙會 극회] 좋은 기회.
●間隙. 孔隙. 空隙. 過隙. 仇隙. 駒隙. 農隙.
門隙. 白駒過隙. 邊隙. 駟過隙. 尤隙. 怨隙.
牆隙. 鑽穴隙. 鐵穴隙. 寸隙. 罅隙. 穴隙. 嫌
隙. 荒隙.

10
⑬ [隑] ❶개 ⊛隊 巨代切 gài
　　　　❷기 ⊛微 渠希切 qí
字解 ❶ 사닥다리 개 사다리. '江南人呼梯爲一'
《揚子方言 註》. ❷굽은언덕 기 '堨, 曲岸也. 亦
作一'《集韻》.
字源 形聲. 阝(自)+豈[音]

10
⑬ [隗] 〔비〕 阰(阜部 四畫〈p.2451〉)와 同字

10
⑬ [隚] 〔당〕 塘(土部 十畫〈p.458〉)과 同字

10
⑬ [隂] 〔함〕 陷(阜部 八畫〈p.2466〉)의 訛字

10
⑬ [隰] 〔습〕 隰(阜部 十四畫〈p.2477〉)과 同字

10
⑬ [随] 〔수〕 隨(阜部 十三畫〈p.2475〉)의 俗字

11
⑭ [隠] 〔은〕 隱(阜部 十四畫〈p.2477〉)의 俗字

11
⑭ [際] 高人 제 ⊕霽 子例切 jì
筆順 ㇒ ㇇ 阝 阝⺀ 阝⺌ 阝⺀ 際 際 際
字解 ①사이 제 ㉠두 사물의 중간. '天地一也'
《易經》. ㉡이 때에서 저 때로 옮길 무렵. '春夏
之一'《唐虞之一》《史記》. ②때 제 '一…을 하는
때. 그 경우. '其授受之一, 丁寧告戒'《朱熹》.
㉡기회. 시기. '一會'. '因事一, 以遂其志'《晉
書》. ③사귈 제 교제함. 또, 그 일. '交一'. '仁
義之士貴一'《莊子》. ④가 제 변두리. 끝. '天
一'. '一涯'. '不可得見'《晉書》. ⑤닿을 제 맞
접속함. '一天接地'《漢書》. ⑥만날 제 사람 또
는 때를 만남. '一會'. '一太平之世'.
字源 形聲. 阝(自)+祭[音]. '祭제'는 '叉
차'와 통하여 손가락 사이에 무엇을
끼워 섞이게 하다의 뜻. 언덕과 언덕이 만나는
경계, 하늘과 땅이 만나는 끝 등의 뜻을 나타냄.

[際可 제가] 예의를 갖추어 대접함.
[際可之仕 제가지사] 임금이 예로써 대우하므로 하는 벼슬.
[際畔 제반] 제애(際涯).
[際涯 제애] 끝. 한.
[際遇 제우] 제회(際會)[ㄴ].
[際之不際 제지부제] 제한이 있으면서 제한이 없음.
[際限 제한] 끝 닿는 곳.
[際會 제회] ㉠시기. 기회. ㉡좋은 때를 만남. 어진 신하가 어진 임금을 만남.
◉空際. 交際. 國際. 極際. 金輪際. 端際. 邊際. 縫際. 分際. 實際. 涯際. 天際. 八際.

11
⑭ [障] [高人] 장 [去]漾 之亮切 zhàng

[筆順] ㇇ ㇌ 阝 阝 阝 陪 陪 障

[字解] ①막을 장, 막힐 장 ㉠통하지 못하게 함. '一百川, 而東之'《韓愈》. ㉡방해함. '聞見日益, 一道日深耳'《王文成公年譜節略》. ②밭두둑길 장, 둑 장 밭 사이의 길. 또, 제방. '堤一'. '陂一卑下'《漢書》. ③보루 장 변방의 요새. '保一'. '築亭一'《史記》. ④병풍 장, 장지 장, 울 장 집에서 가려 막는 물건. '屛一'. '金雞大一'《唐書》. ⑤지경 장, 칸막이 장 경계·한계 또는 차폐(遮蔽)하는 물건. '陵海越一'《後漢書》. ⑥장애 장 거치적거리는 것. '故一'. '吾有慾一'《晉書》.

[字源] [篆文] 形聲. 阝(自)+章〔音〕. '章장'은 '倉창'과 통하여 보이지 않게 하다의 뜻. 가려서 막다, 지장이 있다의 뜻을 나타냄.

[障拒 장거] 막음.
[障距 장거] 가로막아 사이를 떼어 놓음.
[障惱 장뇌] 고민. 고뇌.
[障泥 장니] 말다래. 마구(馬具)의 하나.
[障壁 장벽] ㉠칸막이 벽. 둘러싼 벽. ㉡보루(堡壘). 요새(要塞).
[障塞 장새·장색] ㉠요새. 성채. ㉡막음. 또, 막힘.
[障碍 장애] 장애(障礙).
[障礙 장애] ㉠가로막아 거치적거리는 것. ㉡신체 기관이 제 기능을 하지 못하거나 결함이 있음.
[障蔽 장폐] 가림. 또, 가리는 물건.
[障扞 장한] 막음. 방어함.
◉故障. 魔障. 萬障. 茅障. 藩障. 邊障. 屛障. 保障. 紗障. 事障. 五障. 肉障. 理障. 亭障. 堤障. 隄障. 罪障. 支障. 蔽障. 陂障. 行障.

11
⑭ [隔] 구 [平]虞 豈俱切 qū

[字解] 편치못할 구 불안한 모양.

[字源] [篆文] 形聲. 阝(自)+區〔音〕. '區구'는 '구분하다'의 뜻. 다른 산과 구별되어 돌출한 불안정한 산의 뜻을 나타냄.

11
⑭ [陛] 폐 [平]齊 邊兮切 bī

[字解] 옥 폐 감옥. '一牢謂之獄, 所以拘非也'《說文》.

[字源] [篆文] 形聲. 非+陛〈省〉〔音〕. '非비'는 사람 축에 못 드는 비인(非人), 곧 '죄인'의 뜻. '陛폐'는 '층층대'의 뜻. 죄인을 가둬 두는 '옥'의 뜻을 나타냄.

11
⑭ [隆] 최 [平]灰 倉回切 cuī

[字解] ①무너질 최 '一隤'는 무너짐. '一隤, 崩也'《集韻》. ②높을 최 崔(山部 八畫)와 同字.

11
⑭ [隝] 도 [上]晧 覩老切 dǎo

[字解] 섬 도 물속에 솟은 섬 같은 산. 島(山部 十一畫)와 同字. '阜陵別一'《司馬相如》.

11
⑭ [隚] 당 [平]陽 徒郞切 táng

[字解] 초석 당 초석(礎石). 주춧돌. '一, 殿基謂之一'《集韻》.

11
⑭ [隞] 오 [平]豪 牛刀切 áo

[字解] 땅이름 오 은(殷)나라 때의 땅 이름. 지금의 허난 성(河南省) 형양현(滎陽縣) 북쪽 오산(隞山)의 남쪽.

11
⑭ [隟] 〔극〕
隙(阜部 十畫〈p. 2473〉)의 古字

11
⑭ [隠] 〔언〕 隁(阜部 九畫〈p. 2472〉)·堰(土部 九畫〈p. 455〉)과 同字

11
⑭ [隙] 〔극〕
隙(阜部 十畫〈p. 2473〉)의 俗字

11
⑭ [隱] 〔은〕
隱(阜部 十四畫〈p. 2477〉)의 略字

11
⑭ [隷] 강 [平]陽 丘岡切 kāng

[字解] 공허할 강 공허함. '一, 虛也'《集韻》.

12
⑮ [隤] 퇴 [平]灰 杜回切 tuí

[字解] ①무너질 퇴, 무너뜨릴 퇴 頹(頁部 七畫)와 통용. '一牆塡塹'《司馬相如》. ②내릴 퇴 강하함. 강하시킴. '發祥一祉'《揚雄》. ③순할 퇴 유순한 모양. '夫坤一然示人簡矣'《易經》. ④고달플 퇴 피로함. '我馬虺一'《詩經》.

[字源] [篆文] 形聲. 阝(自)+貴〔音〕. '貴귀'는 '찌부러지다'의 뜻. 언덕 따위가 무너지다의 뜻을 나타냄.

[隤舍 퇴사] 헌 집. 허물어진 집.
[隤然 퇴연] 부드러운 모양.
[隤垣 퇴원] 퇴장(隤牆).
[隤牆 퇴장] 무너진 담. 퇴락한 담. 또, 담을 헒.
[隤陷 퇴함] 함정 같은 데에 빠짐.
◉傾隤. 壞隤. 隆隤. 崔隤. 陂隤. 虺隤.

12
⑮ [隭] 이 [平]支 如之切 ér

[字解] ①땅이름 이 땅 이름. '一, 地名'《廣韻》. ②험할 이 험함.

12
⑮ [隥] 등 [去]徑 都鄧切 dèng

[字解] ①비탈 등 된비탈. '升於長松之一'《穆天

子傳). ②층계 등 계단(階段). '玄武疏遙一'《李百藥》.

字源 篆文 **隖** 形聲. 阝(自)＋登[音]. '登등'은 '오르다'의 뜻. 언덕에 오르다, 비탈의 뜻을 나타냄.

●遙隥.

12
15 [隖] 위 ㊤紙 韋委切 wéi

字解 고개이름 위 춘추 시대 정(鄭)나라의 고개이름.

字源 篆文 **隖** 形聲. 阝(自)＋爲[音].

12
15 [隣] 高 린 ㊦眞 力珍切 lín 　　邻隣

筆順 ' 了 阝 阝⺊ 阝⺦ 阝⺦⺋ 阝㷉 隣

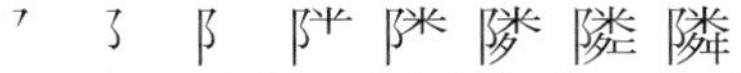

字解 ①이웃 린 ㉠서로 연접하여 있는 집. '疑一人之父'《韓非子》. ㉡서로 연접하여 있는 지역 또는 나라. '近一'. '善一'. '睦乃四一'《書經》. ㉢이웃하여 서로 도움이 될 만한 사람, 또는 사물. 동류. '德不孤, 必有一'《論語》. ②이웃할 린 이웃에 있음. 연접함. '比一'. '一於善, 民之望也'《左傳》. ③보필 린 좌우에서 임금을 돕는 신하. '臣哉一哉'《書經》. ④수레소리 린 轔(車部 十二畫)과 통용. '有車一'《詩經》. ⑤행정구획이름 린 주대(周代)의 행정 구획의 하나. 다섯 집이 사는 구역. '一里'. '五家爲一, 五一爲里'《周禮》. ⑥성 린 성(姓)의 하나.

字源 篆文 **隣** 形聲. 阝(阜)＋粦(㷉)[音]. '粦린'은 '黎려'와 통하여 '서민'의 뜻. 서민이 사는 마을, 이웃의 뜻을 나타냄.

參考 鄰(邑部 十二畫)은 本字.

[隣家 인가] 이웃집.
[隣境 인경] 이웃. 인근. 또, 이웃 나라.
[隣交 인교] 이웃 사람과의 교제.
[隣國 인국] 이웃 나라.
[隣近 인근] 이웃. 또, 이웃함.
[隣里 인리] 5가(家)의 반(班)과 25가의 반(班). 전(轉)하여, 이웃 사람. 인근에 사는 주민.
[隣里鄕黨 인리향당] 주(周)나라의 제도로서 인리 근향(隣里近鄕)의 뜻. 5가(五家)를 인(隣), 5인(五隣)을 이(里), 12,500가를 향(鄕), 500가를 당(黨)이라 함.
[隣隣 인린] ㉠수레바퀴가 삐걱거리는 소리. 인린(轔轔). ㉡잇단 모양. 연속한 모양.
[隣睦 인목] 이웃과 화목하게 지냄. 이웃하여 친목함.
[隣邦 인방] 인국(隣國).
[隣保 인보] 같은 반(班)에 있는 집. 곧, 이웃집. 또, 그 사람들.
[隣比 인비] 이웃.
[隣舍 인사] 이웃집.
[隣熟 인숙] 잘 익음. 충분히 여묾.
[隣伍 인오] 이웃. 주대(周代)의 제도에서 다섯 집을 '隣'이라 하였으므로 이렇게 이름.
[隣屋 인옥] 인가(人家).
[隣人 인인] 이웃 사람. 근처에 사는 사람.
[隣敵 인적] 서로 이웃하고 있는 적. 또, 근린(近隣)의 적국.

[隣接 인접] 이웃함.
[隣好 인호] 인교(隣交).
●近隣. 萬里比隣. 買隣. 白圭�♦隣. 駢隣. 卜隣. 比隣. 四隣. 生亡爲隣. 善隣. 淵隣. 天涯比隣. 擇隣. 鄕隣.

12
20 [鴃] 〓 결 ㊢屑 古穴切 jué
　　〓 열 ㊢屑 一決切

字解 〓 언덕구멍 결 陜(阜部 四畫)의 古字. '陜, 陵阜突也. 古作一'《集韻》. 〓 언덕구멍 열 □과 뜻이 같음.

字源 形聲. 鬩＋夬[音].

13
16 [隧] 人名 〓 수 ㊧眞 徐醉切 suì 　　隧隧
　　〓 추 ㊧眞 直類切 zhuì

字解 〓 ①굴 수 산이나 땅 밑을 뚫고 만든 길. 또, 평지에서 광혈(壙穴)까지 비스듬히 파서 통하게 한 길. '一道'. '闕地及泉, 一而相見'《左傳》. ②길 수 ㉠경로. '一道'. ㉡좁은 길. 소로. '起亭一'《漢書》. ③돌 수 회전함. '若磨石之一'《莊子》. 〓 떨어질 추, 떨어뜨릴 추 墜(土部 十二畫)와 통용. '不一如爰'《漢書》.

字源 篆文 **隧** 形聲. 阝(自)＋㒸[音]. '㒸수'는 지나가는 길의 뜻. 언덕으로 통하는 길, 묘도(墓道), 굴의 뜻을 나타냄.

[隧渠 수거] 암거(暗渠).
[隧道 수도] ㉠묘도(墓道). ㉡산복(山腹)·하저(河底) 등 땅속을 파낸 길. 굴. 터널. ㉢지하도(地下道).
[隧埏 수연] 묘도(墓道). 지중(地中)을 수(隧), 지상(地上)을 연(埏)이라 함. 굴.
[隧正 수정] 춘추 시대(春秋時代)의 관명(官名). 역도(役徒). 곧, 인부(人夫)를 감독함.
●徑隧. 古隧. 郊隧. 丘隧. 大隧. 墓隧. 門隧. 邪隧. 埏隧. 障隧. 亭隧. 陣隧. 出隧. 蹊隧.

13
16 [隨] 高 수 ㊦支 旬爲切 suí 　　随㕪

筆順 ' 了 阝 阝一 阝⺨ 阝⺨ 阝有 阝有 隋 隨

字解 ①따를 수 ㉠따라감. 수행함. '一從'. '一兄播遷韶嶺'《李漢》. ㉡함께 감. 동도(同道)함. '一伴'. '妻卒被病, 行不能相一'《古詩》. ㉢떨어지지 아니함. 붙어 다님. '印似嬰兒, 常一身'《李義山雜纂》. ㉣뒤따름. 뒤를 따라 계속함. '公亦一手亡矣'《史記》. ㉤나중에 함. '主唱而臣和, 主先而臣一'《史記》. ㉥연(沿)함. '一山刊木'《書經》. ㉦마음대로 움직임. '兩脚一不一'《馬第伯》. ㉧본뜻. '水一方圓之器'. ②따라서 수 그대로 좇아서. '一亂一失'《韓愈》. ③발 수 족부(足部). '艮其腓, 不拯其一'《易經》. ④수괘 수 육십사괘(六十四卦)의 하나. 곧, ䷐ ⟨진하(震下), 태상(兌上)⟩으로서, 물건과 물건이 서로 따르는 상(象). '一元亨利貞'《易經》. ⑤성 수 성(姓)의 하나.

字源 篆文 **隨** 形聲. 辵＋隋[音]. '隋수'는 '무너져 내리다'의 뜻. 긴장이 풀어진 채로 가다의 뜻에서 따라 하다, 따르다의 뜻을 나타냄.

[隨駕 수가] 어가(御駕)를 뒤따름. 호종(扈從)함.
[隨駕隱士 수가은사] 어가(御駕)를 따르는 은사

(隱士). 고상한 체하면서 마음속으로는 벼슬을 하고자 하는 욕심을 버리지 못하는 은사(隱士)를 조롱하는 말.
[隨感 수감] 마음에 느낀 그대로.
[隨機應變 수기응변] 임기응변(臨機應變).
[隨變 수란] 난여(鑾輿)를 뒤따름. 수가(隨駕).
[隨力 수력] 힘에 따라 함. 힘대로 함.
[隨陸無武 수륙무무] 전한(前漢)의 수하(隨何)와 육가(陸賈)는 문학(文學)은 있으나 무공(武功)이 없다는 말.
[隨伴 수반] 함께 감. 동반함.
[隨分 수분] ㉠분수에 넘치지 않음. 신분에 알맞음. ㉡당연히 그러함. 물론.
[隨說隨忘 수설수망] 이야기를 한 뒤 바로 잊어 버림.
[隨聲附和 수성부화] '부화뇌동(附和雷同)'과 같음.
[隨勢 수세] 시세(時勢)를 따름.
[隨俗 수속] 세상(世上)의 풍속(風俗)을 따름.
[隨手 수수] ㉠닥치는 대로. 손이 가는 대로. ㉡뒤쫓아. 뒤이어. 즉시.
[隨兕 수시] 사나운 짐승의 이름. 이 짐승을 죽이면, 석 달이 지나지 않아 죽는다고 함.
[隨侍 수시] 높은 이를 뒤따라 다니며 시중듦.
[隨時 수시] ㉠때를 따름. ㉡때때로.
[隨身 수신] ㉠뒤따르는 하인. 호위하는 사람. ㉡호신용으로 가지고 다니는 물건.
[隨緣赴感 수연부감] 《佛敎》 불신(佛身)은 인연(因緣)이 있는 곳, 마음이 있는 곳이면 어디에나 그 모습을 나타낸다는 말.
[隨緣眞如 수연진여] 《佛敎》 진여(眞如), 곧 만물의 본체는 하나이나 인연에 따라서 각기 차별상(差別相)을 나타내는 일. 불변진여(不變眞如)의 대(對).
[隨員 수원] 외국에 가는 사신(使臣)을 따라가는 관원.
[隨意 수의] 마음 내키는 대로. 뜻대로.
[隨夷 수이] 하대(夏代)의 변수(卞隨)와 주대(周代)의 백이(伯夷). 모두 청렴 정의(淸廉正義)의 선비임.
[隨從 수종] 수행(隨行).
[隨坐 수좌] 연좌(連坐)함.
[隨珠 수주] 수후지주(隨侯之珠).
[隨處 수처] 도처(倒處).
[隨逐 수축] 뒤따라 다님.
[隨筆 수필] 붓 가는 대로 생각나는 대로 쓰는 글. 만필(漫筆). 만록(漫錄).
[隨行而入 수행이입] 사람의 행렬 속에 끼어듦. 뭇 사람과 행동을 같이함.
[隨行 수행] 따라감. 또, 그 사람.
[隨鄕入鄕 수향입향] 다른 지방에 가서는 그 지방의 풍속·예절을 따라야 함.
[隨和 수화] ㉠옛날에 수후(隨侯)가 가졌던 구슬과 화씨(和氏)가 발견한 구슬. 모두 천하(天下)의 귀중한 보배. 수화(隋和). ㉡뛰어난 재덕(才德). ㉢부화뇌동(附和雷同)함.
[隨後婁藪 수후누수] 누수(婁藪)는 머리 위에 짐을 얹는 도구. 곧, 똬리. 머리 위에 있으면서 사람이 가는 대로 추종함. 곧, 부화뇌동(附和雷同)함의 뜻.
[隨侯之珠 수후지주] 수후(隨侯)가 부상당한 뱀을 구해 주고 그 보답으로 받은 구슬. 수후지주(隋侯之珠).

[隨喜 수희] 《佛敎》 ㉠교법(敎法)을 듣고 기뻐함. ㉡남이 한 선근 공덕(善根功德)을 보고 같이 기뻐함. ㉢사찰(寺刹) 등에 참예(參詣)하는 일.
●肩隨. 詭隨. 跟隨. 伴隨. 半身不隨. 附隨. 夫唱婦隨. 成吉毀隨. 續隨. 與燕雀相隨. 迎隨. 委隨. 意到筆隨. 倡隨. 追隨. 衡尾相隨.

13
⑯ [隩] 거 ㉵魚 求於切 qú
字解 섬돌 거 섬돌. 층계. '一, 階也'《集韻》.

13
⑯ [隩] ▤ 오 ㉹號 烏到切 ào
▤ 욱 ㉹屋 於六切 yù
字解 ▤①물굽이 오 만곡(灣曲)하여 물이 육지까지 들어온 곳. '一, 水隈厓也'《說文》. ②숨길 오, 숨을 오 은닉함. '一愛太子'《國語》. ▤ ①거처 욱 사는 곳. '回一旣宅'《書經》. ②따뜻할 욱 燠(火部 十三畵)과 同字. '厥民一'《書經》.
字源 篆文 隩 形聲. 阝(阜)+奧[音]. '奧오'는 깊숙한 속의 뜻. 물이 물의 안쪽까지 들어온 곳, 후미, 굽이의 뜻을 나타냄.

[隩室 욱실] 따스한 방.

13
⑯ [嶆] 초 ㉵語 刱所切 chǔ
字解 비탈 초 비탈. 산비탈. '一, 阪也'《集韻》.

13
⑯ [嶃] 건 ㉵阮 其偃切 jiǎn
字解 거만할 건 거만함. 교만을 떪. '一, 本作傆, 倨也'《五音集韻》.

13
⑯ [嶮] 高人 험 ㉵琰 虛檢切 xiǎn
筆順 ⁷ 阝 阝ˊ 阝ˇ 阽 阾 阾 險 險
字解 ①험할 험 ㉠험준함. '一道'. '阻一'. '國一而多馬'《左傳》. 또, 험준한 것. 또는, 요해처. '在德不在一'《十八史略》. '王公設一, 以守其國'《易經》. ㉡위태로움. '危一'. 또, 위태로운 일. '小人行一'《中庸》. ②음흉할 험 마음이 검음. '陰一'. '內一而外仁'《阮籍》. ③높을 험 '天一不可升也'《易經》. ④어려울 험 힘이 듦. '一句'. '以知一'《易經》.
字源 篆文 嶮 形聲. 阝(阜)+僉[音]. '僉첨'은 '檢검'과 통하여 엄하게 잡도리하다의 뜻. 사람에게 엄한 긴장을 주는 산, '험하다'의 뜻을 나타냄.

[嶮艱 험간] 험난(險難).
[嶮客 험객] 성질(性質)이 험악한 사람.
[嶮固 험고] 지세(地勢)가 험준한 요해처(要害處)를 이름.
[嶮口 험구] 늘 남의 단처(短處)를 찾아내기를 좋아함. 또, 그 사람.
[嶮句 험구] 어려운 구(句). 난구(難句).
[嶮棘 험극] 위험함.
[嶮難 험난] 위험(危險)하여 어려움. 고생이 됨.
[嶮談 험담] 남의 흠을 찾아내어 하는 말.
[嶮道 험도] 험로(險路).
[嶮路 험로] 험한 길.
[嶮壘 험루] 험새(險塞).

[險魄 험백] 화(禍)를 내리는 혼(魂).
[險峰 험봉] 험한 산봉우리.
[險膚 험부] 세상인심이 거칠고 야박함.
[險山 험산] 험(險)한 산.
[險澁 험삽] 험조(險阻).
[險狀 험상] 험악(險惡)한 상태(狀態).
[險相 험상] 험상스러운 인상(人相).
[險塞 험새] 험한 요새(要塞). 험루(險壘).
[險惡 험악] 험하고 나쁨.
[險調 험알] 여자가 사사로운 친분을 가지고 고위
　고관에게 남몰래 청탁하는 일.
[險阨 험애] 험준(險峻)하고 좁음.
[險阨 험애] 험애(險阨).
[險隘 험애] 험애(險阨).
[險語 험어] 어려운 말. 난어(難語).
[險談 험담] 험담(險談).
[險要 험요] 험하고 중요한 곳.
[險韻 험운] 시를 짓기 어려운 운자.
[險夷 험이] 험이(險易).
[險易 험이] ㉠지세(地勢)의 험준함과 평탄함. ㉡
　뜻의 어려움과 쉬움.
[險賊 험적] 험해(險害).
[險絶 험절] 대단히 험준함.
[險程 험정] 험한 길.
[險阻 험조] 험함. 또, 그 땅. ㉡인심이 험함.
[險躁 험조] 음흉하고 조급함.
[險屯 험준] 근심. 걱정.
[險峻 험준] 험하고 높음.
[險地 험지] 험한 땅.
[險窄 험착] 험준하고 협착함.
[險灘 험탄] 위험(危險)한 여울.
[險陂 험피] 마음이 음흉함.
[險詖 험피] 험피(險陂).
[險害 험해] 음흉하여 남을 해침.
[險滑 험활] 길이 험준하여 미끄러지기 쉬움.
[險猾 험활] 음흉하고 교활함.
[險譎 험휼] 음흉하고 간사함.
[險釁 험흔] 운수가 좋지 아니함. 불행.
[險戲 험희] 험희(險戱).
[險巇 험희] 험난(險難)한 모양. 전(轉)하여, ‘세
　상살이의 어려움’의 비유.
　●姦險. 艱險. 輕險. 窮險. 詭險. 奇險. 難險.
　冒險. 保險. 浮險. 猜險. 巖險. 歷險.
　佞險. 要險. 危險. 陰險. 夷險. 在德不在險.
　絶險. 阻險. 佻險. 屯險. 峻險. 重險. 至險.
　天險. 麤險. 偏險. 行險. 兇險.

13
⑯ [隟] 간 ㉧阮 口很切 kěn
　字解 느릴 간 느림. 더딤. ‘一, 遲也’《玉篇》.

14
⑰ [隮] 제 ㉴齊 祖稽切 jī
　字解 ①오를 제 높은 데 올라감. 躋(足部 十四
　畫)와 통용. ‘由賓階一’《書經》. ②무지개 제 홍
　예(虹霓). ‘十輝, 九曰, 一’《周禮》. ③떨어질
　제, 떨어뜨릴 제 추락함. ‘我乃顚一’《書經》.
　字源 形聲. 阝(阜)＋齊〔音〕. ‘齊제’는 앞으로 나
　아가 건너다의 뜻. 언덕을 오르다의 뜻을
　나타냄.

[隮墜 제추] 떨어뜨림. 떨어짐.
　●階隮. 顚隮.

14
⑰ [隰] 습 ㉠緝 似入切 xí
　字解 ①진펄 습 지세가 낮고 습한 땅. ‘原一.
　下一’. ‘山有榛, 一有苓’《詩經》. ②따비밭 습
　새로 개간한 밭. ‘徂一徂畛’《詩經》. ③물가 습
　수애(水涯). ‘逐翼侯于一汾’《左傳》. ④성 습 성
　(姓)의 하나.
　字源 篆文 形聲. 阝(阜)＋㬎〔音〕. ‘㬎습’은 ‘㵨습’
　의 생략체로 ‘축축하다’의 뜻. 언덕
　밑의 습한 곳, 늪의 뜻을 나타냄.

[隰皋 습고] 땅이 낮고 습한 물가의 땅.
　●卑隰. 原隰. 平隰. 下隰.

14
⑰ [隱] 은 ①-⑩⑭吻 於謹切 yǐn
　　　　　⑪⑫㉠問 於靳切 yìn
　筆順 丨 阝 阡 阡 隆 隆 隱 隱
　字解 ①숨을 은 ㉠자취를 감춤. ‘一身’. ‘伏一’.
　‘將身一’《左傳》. ㉡달아남. 도망. ‘逃一’. ‘龍德
　而一者也’《易經》. ㉢보이지 아니함. 나타나지
　아니함. ‘一而顯’《禮記》. ㉣나타나지 않은 깊
　은 이치. ‘探賾索一’《易經》. ㉤명예나 부귀를
　버리고 속세를 멀리함. 속세를 버림. ‘一居’.
　‘一遁’. 또, 그 사람. ‘一一’. ‘大一朝市’《王
　康琚》. ②숨길 은 ㉠보이지 않게 함. ‘日月一
　曜’《范仲淹》. ㉡남이 알지 못하게 함. 비밀에
　붙임. ‘父爲子一, 子爲父一’《論語》. ㉢또, 비밀
　에 붙일 일. 음사. ‘莫見於一’《中庸》. ㉣알리지
　아니함. 발설하지 아니함. ‘進不一賢’《孟子》.
　㉤외부에 나타내지 아니함. ‘一情’《禮記》. ③
　점칠 은 길흉을 알아봄. ‘一, 占也’《爾雅》. ④가
　엾어할 은 불쌍하게 여김. ‘惻一’. ‘王若一其無
　罪而就死地’《孟子》. ⑤근심할 은 걱정함. 우려함. ‘一
　身’《左傳》. ⑥음흉할 은 속이 검음. ‘外溫仁謙
　遜而乃一’《漢書》. ⑦담 은 얕은 담. ‘蹠一而待
　之’《左傳》. ⑧수수께끼 은 미어(謎語). ‘一語’.
　‘臣非敢詆之, 廼與爲一耳’《漢書》. ⑨무게있을
　은 위엄이 있는 모양. ‘一若一國’《十八史略》.
　⑩성은 성(姓)의 하나. ⑪기댈 은 의지함. ‘一
　几而臥’《孟子》. ⑫쌓을 은 축조(築造)함. ‘一以
　金椎’《漢書》.
　字源 篆文 形聲. 阝(阜)＋㥯〔音〕. ‘㥯은’은 ‘㿃은’
　과 통하여 휩싸서 숨기다의 뜻. 언덕
　에서 숨다, 숨겨진 지점의 뜻을 나타냄. 또 ‘慇
　은’과 통하여 가엾이 여기다의 뜻도 나타냄.

[隱客 은객] ‘창포(菖蒲)’의 별칭(別稱).
[隱居 은거] 세상을 피하여 삶. 벼슬하지 않고 집
　에 묻혀 삶.
[隱鵠 은곡] ‘세상의 표준(標準)이 됨’의 뜻. 육운
　(陸雲)의 자칭(自稱)임.
[隱溝 은구] 땅속에 묻은 수채.
[隱君子 은군자] ㉠세상을 피하여 숨어 사는 덕이
　높은 사람. ㉡은일화(隱逸花).
[隱宮 은궁] 궁형(宮刑). 궁형에 처한 뒤 백일(百
　日) 동안 은실(隱室)에 가둬 두었기 때문에 생
　긴 말.
[隱囊 은낭] 수레 안에서 몸을 기대는 커다란 자
　루.
[隱匿 은닉] 숨기어 감춤.
[隱德 은덕] 남이 알지 못하는 숨은 덕행(德行).
[隱遁 은둔] 세상(世上)을 피(避)하여 숨음.

[隱遯 은둔] 은둔(隱遁).
[隱淪 은륜] ㉠영락(零落)함. ㉡은사(隱士)를 이름. ㉢선인(仙人)을 이름.
[隱謀 은모] 음모(陰謀).
[隱沒 은몰] 없어짐. 산실(散失)함.
[隱微 은미] ㉠작아서 보기 어려움. ㉡속이 깊어서 알기 어려움.
[隱民 은민] 은거(隱居)한 백성. 일설(一說)에는, 곤궁하여 고생하는 백성.
[隱憫 은민] 가엾이 여김.
[隱密 은밀] 숨겨 비밀히 함.
[隱發 은발] 비밀을 적발함.
[隱辟 은벽] 몸을 숨기고 조용히 물러감.
[隱僻 은벽] 궁벽(窮僻)하여 사람의 왕래(往來)가 드묾.
[隱伏 은복] 숨어 엎드림.
[隱不違親 은불위친] 속세를 떠나 산림(山林)에 숨어 살아도 어버이 섬기기를 잘함.
[隱庇 은비] 덮어 줌. 비호(庇護)함.
[隱祕 은비] ㉠숨겨 비밀로 함. ㉡미묘하여 알기 어려운 진리. 숨은 진리.
[隱士 은사] ㉠입신출세를 바라지 아니하고 숨어 사는 선비. ㉡은어(隱語)를 잘하는 사람.
[隱事 은사] 숨은 일.
[隱栖 은서] 세상(世上)을 피(避)하여 숨어 삶.
[隱書 은서] 수수께끼를 쓴 책.
[隱棲 은서] 은서(隱栖).
[隱鼠 은서] '전서(田鼠)'의 별칭(別稱).
[隱惜 은석] 아껴 숨김.
[隱身 은신] 몸을 감춤.
[隱惡 은악] 나타나지 아니한 악한 일.
[隱藹 은애] 나무가 무성한 모양.
[隱約 은약] ㉠말은 간단하나 뜻이 깊음. ㉡고생함. ㉢숨음. ㉣확실히 보이지 아니하는 모양.
[隱若一敵國 은약일적국] 그 위엄의 대단함이, 한 적국을 함부로 움직일 수 없음과 같다는 말.
[隱語 은어] 사물(事物)을 바로 말하지 않고 은연중(隱然中)에 그 뜻을 깨닫게 하는 말.
[隱掩 은엄] 숨겨 가림.
[隱然 은연] 겉으로 뚜렷이 나타나지는 않으나, 무게가 있어 보이는 모양. 위엄이 있는 모양.
[隱映 은영] 겉으로 환히 드러나지 않게 비침.
[隱耀 은요] 빛을 숨겨 나타내지 아니함. 곧, 자기의 재덕(才德)을 감춤.
[隱憂 은우] ㉠불쌍히 여겨 걱정함. ㉡남이 알지 못하는 근심.
[隱喩 은유] 겉으로는 비유 형식을 갖추지 않고, 비유하는 것과 비유되는 것을 합치시켜 표현하는 수사법(修辭法)으로, 비유법(譬喩法)의 한 가지. '시간은 금이다.' 따위. 암유(暗喩).
[隱隱 은은] ㉠근심하는 모양. 슬퍼하는 모양. ㉡많고 성(盛)한 모양. ㉢아득한 모양. 분명하지 아니한 모양. ㉣큰 소리의 모양. ㉤우렛소리.
[隱忍 은인] 겉에 나타내지 않고 견디며 참음.
[隱逸 은일] 세상을 피하여 숨음. 또, 그 사람.
[隱逸花 은일화] 국화(菊花)의 아칭(雅稱).
[隱者 은자] 세상을 피하여 숨은 사람.
[隱藏 은장] 숨음. 또, 숨김.
[隱才 은재] 밖에 나타나지 않고 속에 숨어 있는 재주.
[隱田 은전] 은지(隱地)㉠.
[隱地 은지] ㉠관부(官府)의 장부에 적히지 아니한 땅. 탈세(脫稅)의 토지. ㉡은서(隱栖)에 적당한 장소.
[隱帙 은질] 깊이 감추어 둔 책.
[隱疾 은질] 의복에 가리어 남에게 보이지 아니하는 병.
[隱竄 은찬] 달아나 숨음.
[隱處 은처] ㉠은거(隱居). ㉡숨은 장소.
[隱親 은친] ㉠스스로 숨음. ㉡스스로 자기를 가엾이 여김.
[隱宅 은택] 은사(隱士)의 집.
[隱退 은퇴] ㉠세상을 피하여 야(野)에 숨음. ㉡벼슬을 물러나 한가히 삶.
[隱慝 은특] 나타나지 아니한 악한 일. 은악(隱惡).
[隱蔽 은폐] 덮어 감춤. 가리어 숨김. 또, 가리어 덮임.
[隱避 은피] 숨어서 피(避)함.
[隱學 은학] 은둔하여 학문을 함. 은둔한 학자. 이해하는 사람이 없는 학문.
[隱害 은해] 남몰래 사람을 해침.
[隱行 은행] 사람이 모르는 선행(善行).
[隱見 은현] 보였다 안 보였다 함.
[隱現 은현] 은현(隱見).
[隱顯 은현] ㉠세상을 피하여 숨음과 세상에 나타남. ㉡은현(隱見).
[隱虹 은홍] 큰 무지개.
[隱化 은화] 죽음의 경칭(敬稱).
[隱花植物 은화식물] 포자(胞子)로 번식하는 식물.
[隱晦 은회] 숨음. 또, 숨김.
[隱諱 은휘] 꺼리어 숨김.
[隱恤 은휼] 딱하게 여겨 은혜를 베풂.
◉角隱. 姦隱. 大隱. 逃隱. 韜隱. 遯隱. 民隱. 屛隱. 父爲子隱子爲父隱. 祕隱. 索隱. 棲隱. 雪隱. 小隱. 市隱. 深隱. 抑隱. 幽隱. 逸隱. 朝隱. 招隱. 惻隱. 痛隱. 退隱. 蔽隱. 回隱. 諱隱. 卹隱.

15 ⑱ [隮] [一] 독 [入]屋 徒谷切 dú [二] 동 [去]送 徒弄切
[字解] [一] 도랑 독 '一, 通溝, 目防水者'《說文》. [二] 통할 동 洞(水部 六畫)과 同字.
[字源] 形聲. 阝(自)+賣〔音〕

15 ⑱ [隳] 휴 [平]支 許規切 huī 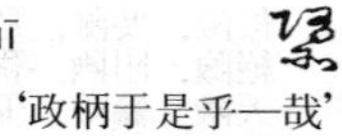
[字解] 무너질 휴, 무너뜨릴 휴 '政柄于是乎一哉'《王禹偁》.
[參考] 墮(土部 十二畫)와 同字.

[隳壞 휴괴] 무너짐.
[隳脞 휴좌] 일이 잘 마물러지지 않고, 번잡스러운 모양.
[隳惰 휴타] 게으름. 나태함.

15 ⑱ [隵] 〔곽〕 郭(邑部 八畫〈p. 2338〉)과 同字

16 ⑲ [隴] 롱 [上]腫 力踵切 lǒng 陇
[字解] ①밭두둑 롱 壟(土部 十六畫)과 통용. '一畝'. ②언덕 롱 구릉. '鳴騶入谷, 鶴書赴一'《孔稚珪》. ③땅이름 롱 지금의 간쑤 성(甘肅省) 공창부(鞏昌府). '得一望蜀'. ④성 롱 성(姓)의

하나.
字源 篆文 形聲. 阝(自)+龍〔音〕. '龍룡'은 꿈틀거리는 긴 뱀의 뜻. 용처럼 꿈틀거리는 언덕, 밭두둑의 뜻을 나타냄.

[隴客 농객] 농금(隴禽).
[隴耕井汲 농경정급] 밭 갈아 농사지어 먹고 우물물을 길어 마심. 소박한 전원생활을 이름.
[隴禽 농금] '앵무(鸚鵡)'의 별칭(別稱). 앵무새. 농서(隴西)에서 많이 산출되므로 이렇게 이름.
[隴廉 농렴] 옛날의 추녀(醜女)의 이름.
[隴畝 농묘] 밭. 밭이랑. 전(轉)하여, 민간(民間). 시골.
[隴山 농산] 산시 성(陝西省) 룽 현(隴縣) 서북(西北)쪽에 있는 산 이름. 관중(關中)의 서면(西面)의 요해처(要害處)임. 농저(隴坻). 농판(隴坂). 농수(隴首).
[隴西 농서] ㉠간쑤 성(甘肅省)의 별칭(別稱). ㉡옛 군(郡) 이름. 지금의 간쑤 성 농서현(隴西縣) 서남(西南)쪽에 있었음.
[隴樹 농수] ㉠작은 언덕 위의 나무. ㉡묘지(墓地)의 나무.
[隴坻 농저] 농산(隴山)을 이름.
[隴鳥 농조] 농금(隴禽).
[隴種 농종] 쇠퇴(衰頹)한 모양. 또는 부서져 허물어지는 모양.
[隴海鐵道 농해철도] 장쑤 성(江蘇省) 동해현(東海縣)에서 간쑤 성(甘肅省) 란저우 시(蘭州市)에 이르는 철도. 해란(海蘭) 철도.
◉丘隴. 麥隴. 赴隴.

16 ⑲ [隳] 뇨 ㊤篠 乃了切 niǎo
字解 엎어질 뇨 엎어짐. '一, 偃低皃'《集韻》.

[騭] 〔즐〕 馬部 十畫(p.2606)을 보라.

18 ㉑ [隵] 〔환·권〕 酄(邑部 十八畫〈p.2349〉)과 同字

18 ㉑ [隵] 닙 ㊅緝 昵立切 nì
字解 좁을 닙 '隉'은 좁은 모양. '一, 隉一, 陜皃'《集韻》.

隶 (8획) 部
〔미칠이부〕

0 ⑧ [隶] ㊀ 이 ㊄寘 羊至切 yì ㊁ 대 ㊄隊 徒耐切 dài

筆順 ㇕ ⺕ ⺕ 肀 隶 隶 隶 隶

字解 ㊀ 미칠 이 추급(追及)함. ㊁ 미칠 대 ㊀과 뜻이 같음.
字源 金文 篆文 會意. 又+尾(尾)〈省〉. 꼬리를 잡으려는 손이 뒤에서 미치는 모양에서 '미치다'의 뜻을 나타냄.
參考 '隶이'를 의부(意符)로 하여 붙잡아서 복종시키는 노예의 '隸례' 따위의 글자를 이룸. 부수 이름은 '미칠이'.

8 ⑯ [隸] 高校 隸(次條)와 同字

9 ⑰ [隸] 례 ㊄霽 郎計切 lì
字解 ①종 례 천역에 종사하는 사람. '奴一'. '臣一'. '各有配一'《後漢書》. ②죄인 례 죄수. '罪一'. '一人涅廁'《儀禮》. ③붙을 례 종속함. '一屬'. '割此三郡, 配一益州'《晉書》. ④살필 례 조사함. '關東吏一郡國出入關者'《史記》. ⑤서체이름 례 서체의 하나. 진(秦)나라의 정막(程邈)이 소전(小篆)을 간략히 하여 만든 것으로, 지금의 해서체(楷書體)인데, 한(漢)나라 이후에 널리 쓰이게 되었음. 구양수(歐陽修)의 집고록(集古錄)에 팔분(八分)을 잘못 말하여 '一書'라고 한 후로 팔분을 지칭하게 되었고, '一書'는 해서(楷書)라고 일컫게 되었음. '一書者, 篆之捷也'《晉書》. ⑥성 례 성(姓)의 하나.
字源 篆文 古文 會意. 隶+柰. '隶이'는 '붙잡다'의 뜻. '柰내'는 古文에서는 '祟수'인데 그 뜻을 알 수 없음. 죄인이나 이민족을 붙잡아서 종으로 삼다, 복종시키다의 뜻을 나타냄.

[隸僕 예복] ㉠주대(周代)의 관명(官名). 궁중(宮中)의 청소를 담당했음. ㉡예인(隸人)❷.
[隸事 예사] 고사(故事)를 나열하고 분류(分類)하는 일.
[隸書 예서] 한문 서체(書體)의 이름. 전서(篆書)의 자획(字畫)을 간략하게 고친 것임. 진시황(秦始皇) 때 정막(程邈)이 만들었다고 함. 한(漢)나라 때는 다시 고쳐 팔분(八分)이라 했으나, 송(宋)나라의 구양수(歐陽修)가 그의 집고록(集古錄)에서 이를 예서라고 적었음. 진서(眞書).

[隸書]

[隸釋 예석] 송(宋)나라 홍괄(洪适)이 지은 책. 27권. 한례(漢隸) 189종(種)을 들어 논증했음. 괄(适)은 또한 예속(隸續) 21권을 지었음.
[隸屬 예속] 남의 지휘 아래 매임. 지배하에 있음. 또, 부하(部下).
[隸臣 예신] 신하(臣下).
[隸也不力 예야불력] 종이 힘쓰지 아니한다는 뜻으로, 신하가 충성을 다하지 아니함을 이름.
[隸圉 예어] 노복(奴僕)과 마부(馬夫). 천(賤)한 사람을 이름.
[隸御 예어] 종. 노복(奴僕).
[隸役 예역] 종. 노복(奴僕).
[隸人 예인] ㉠죄인(罪人). ㉡종. 노복(奴僕).
[隸篆 예전] 예서(隸書)와 전자(篆字).
◉奴隸. 臺隸. 徒隸. 僮隸. 氓隸. 陪隸. 僕隸. 俘隸. 私隸. 廝隸. 女隸. 輿隸. 篆隸. 族隸. 罪隸. 直隸. 秦隸. 賤隸. 庖隸. 奚隸.

9 ⑰ [隸] 태 ㊤賄 徒亥切 dài
字解 미칠 태 미침. '一天之未陰雨'《詩經》.

字源 篆文 隸　形聲. 隶+彖〔音〕

隹 (8획) 部
〔새추부〕

0
⑧ [隹] ﹦추 ㊀支 職追切 zhuī
　　　﹦최 ㊀賄 祖猥切 cuǐ

筆順　丿 亻 亻 亻 亻 亻 佳 隹

字解 ﹦새 추 꽁지가 짧은 새의 충칭. ﹦높을
최 崔(山部 八畫)와 통용. '山林之畏一'《莊子》.
字源 甲骨文 金文 篆文　象形. 꼬리가 짧고 뚱뚱
한 새를 본떠 작은 새의
뜻을 나타냄.
參考 '隹추'를 의부(意符)로 하여 새에 관한 문
자를 이룸.

2
⑩ [隻] ㊀척 ㊀陌 之石切 zhī　只（篆文）

字解 ①하나 척 단지 하나. 단일(單一). '形單
影一'《韓愈》. ②짝 척 한 쌍의 한쪽. 외짝. 한
짝. '一眼'. '得一一鳥'《漢書》. ③척 척 배·수
레 등을 세는 수사(數詞). '一船'.
字源 甲骨文 金文 篆文　會意. 又+隹. 손으로 한
마리의 새를 잡는다는 뜻
에서 새 한 마리. 파생하여 한쪽 또는 하나의
뜻으로 쓰임.

[隻劍 척검] 한 자루의 칼.
[隻雞絮酒 척계서주] 후한(後漢)의 서치(徐穉)가
친구인 황경(黃瓊)이 죽었을 때 닭 한 마리를
볶고, 솜을 술에 담갔다가 말려서 그 솜으로 닭
을 싸 가지고 무덤 근처에 이르러 솜을 물에 담
가서 술기운이 우러나게 한 다음 띠를 깔고 닭
을 놓아 제사(祭祀)를 지내고는 상주(喪主)를
만나지 않은 채 돌아간 고사(故事). 후세(後世)
에 조제문(弔祭文)에 이 말을 많이 인용(引用)
함.
[隻句 척구] 짧은 문구(文句).　　　　「騎).
[隻騎 척기] 단지 한 사람의 기병(騎兵). 단기(單
[隻履西歸 척리서귀] 달마(達磨)가 외짝의 짚신
을 갖고 서쪽 나라로 떠났다는 고사(故事).
[隻立 척립] 원호(援護)하는 사람 없이 혼자 해 나
[隻手 척수] 한쪽 손.　　　　　　　　「감.
[隻身 척신] 홀몸. 단신.
[隻眼 척안] ㉠애꾸눈. ㉡남다른 견식(見識). 일
가견(一家見).
[隻愛 척애] 짝사랑.
[隻語 척어] 한 마디의 말. 짤막한 말.
[隻言 척언] 척어(隻語).
[隻影 척영] 외따로 떨어져 있는 물건의 그림자.
그림자 하나.　　　　　　　　　　　「(對).
[隻日 척일] 기수(奇數)의 날. 쌍일(雙日)의 대
[隻字 척자] 한 글자.
[隻窓 척창] 외짝 창. 쪽창.

2
⑩ [雊] 〔구〕
鳩(鳥部 二畫〈p.2659〉)와 同字

2
⑩ [隼] 人名 준 〔순㊀〕 ㊀軫 思尹切 sǔn　隼（篆文）

筆順　丿 亻 亻 亻 亻 佳 隹 隼

字解 송골매 준 매의 일종으로서 매보다 좀 작
음. '鴥彼飛一, 其飛戾天'《詩經》.
字源 彙의
釋別體 隼　指事. '隹추'의 다리 밑에 '一일'을
더하여, 사람이 팔에 앉게 하여 매
사냥에 쓰는 새의 모양을 나타내어, '송골매'
의 뜻을 나타냄. '雖추'의 別體.

●飛隼. 射隼. 翔隼. 旗隼. 鷹隼. 鵰隼. 蒼隼.
鷙隼.

2
⑩ [难] 〔난·나〕
難(隹部 十一畫〈p.2491〉)의 俗字

[准] 〔준〕
冫部 八畫(p.231)을 보라.

2
⑩ [隺] 〔학〕
鶴(鳥部 十畫〈p.2675〉)의 俗字
字源 篆文 隺　會意. 冂+隹. 새가 경계(冂)를 나와
높이 날아오르려 하다의 뜻을 나타
냄.

3
⑪ [雀] 人名 작 ㊀藥 卽略切 què　雀（篆文）

筆順　丿 亅 小 少 少 雀 雀 雀

字解 ①참새 작 새의 하나. '誰謂一無角'《詩
經》. ②다갈색 작 참새의 털 같은 빛. '一弁'.
③뛸 작 도약함. '一躍'. '一立不轉'《戰國策》.
字源 甲骨文 篆文　形聲. 隹+小〔音〕. 작은 새의 뜻
에서 '참새'의 뜻을 나타냄.

[雀角鼠牙之爭 작각서아지쟁] 송사(訟事)를 제기
(提起)하고 곡직(曲直)을 법정(法廷)에서 다툼.
[雀羅 작라] 새그물.
[雀卵斑 작란반] 작반(雀斑).
[雀立 작립] 작약(雀躍).
[雀麥 작맥] 귀리.　　　　　　　　「목(雀目).
[雀盲 작맹] 밤눈이 어두움. 야맹증(夜盲症). 작
[雀目 작목] 작맹(雀盲).
[雀瞀 작무] 작맹(雀盲).
[雀斑 작반] 주근깨.
[雀弁 작변] 다갈색의 갓. 일설(一說)에는 모양
이 참새 비슷한 갓이라 함.
[雀舌 작설] 차나무의 어린 싹으로 만든 차. 잎
이 참새 혀 크기만 할 때 따서 만든다는 데서
생긴 이름.
[雀息 작식] 입을 다물고 말하지 않는 일.
[雀躍 작약] 뛰며 좋아함.
[雀鷂 작요] 새매.
[雀釵 작차] 참새의 모양을 아로새긴 비녀.
●鷄雀. 孔雀. 鸛雀. 鳩雀. 群雀. 金雀. 羅雀.
桃雀. 麻雀. 負雀. 鵰雀. 小雀. 鶉雀. 鷐雀.
燕雀. 雲雀. 乳雀. 鳥雀. 朱雀. 簧雀. 靑雀.
楚雀. 黃雀.

3
⑪ [豻] 간 ㊀寒 居寒切 gān
字解 까치 간 까치. '一, 一鵲, 鵲也'《集韻》.

4 ⑫ [集] 中人 집 ㉠緝 秦入切 jí

筆順 亻 亻 佢 佳 隹 隼 集

字解 ①모일 집, 모을 집 한데 모임. '群一'. '一合'. '收一降卒'《後漢書》. 또, 시문 등을 모은 책. '文一'. '詩一五十卷'《隋書》. ②이루어질 집 집 성취함. '大統未一'《書經》. ③편안히할 집 편안하게 함. '安一百姓'《史記》. ④이를 집 至(部首)와 뜻이 같음. '不其一亡'《左傳》. ⑤가지런할 집 균제함. '動靜不一'《漢書》. ⑥보루 집 국경의 요새. '險其走一'《左傳》. ⑦장 집 시장. '宜率當邑東乘趁一'《續文獻通考》. ⑧성 집 성(姓)의 하나.

字源 甲骨文 金文 篆文 別體 會意. 隹+木. 새가 나무에 모여 앉는 모양에서 모이다의 뜻을 나타냄. 篆文은 形聲으로 木+雥〔音〕. '雥잡'은 새가 모이다의 뜻.

[集結 집결] 한곳에 모임. 또는 뭉침.
[集古 집고] 옛것을 모음.
[集古錄 집고록] 서명(書名). 송(宋)나라 구양수(歐陽修)의 찬(撰). 모두 10권. 400여 편(篇). 금석문(金石文)을 집록(集錄)하여 해설한 것.
[集句 집구] 한시(漢詩)의 한 체(體). 고인(古人)의 성구(成句)를 모아서 한 편(篇)의 시를 만듦. 또, 그 시(詩).
[集權 집권] 권력을 한군데에 집중함.
[集團 집단] 모여서 이룬 떼.
[集大成 집대성] 여럿을 모아 하나로 크게 완성함. 또, 그 완성된 것.
[集服 집복] 모여 와서 따름. 함께 귀순함.
[集部 집부] 책들을 사대 분류(四大分類)한 것의 하나. 문집(文集)·시집(詩集) 등이 이에 듦. 정부(丁部).
[集散 집산] 모임과 헤침. 또, 모음과 헤뜨림.
[集成 집성] 집대성(集大成).
[集小成多 집소성다] '티끌 모아 태산'과 같은 뜻.
[集腋 집액] 뭇사람의 힘을 모아 성사(成事)함의 비유.
[集英 집영] ㉠영재(英才)를 모음. ㉡궁전(宮殿)의 이름.
[集往 집왕] 여럿이 모여서 감.
[集韻 집운] 음운서(音韻書). 송(宋)나라 정도(丁度) 등의 봉칙찬(奉勅撰). 10권.
[集義 집의] 도의(道義)·선행(善行)이 쌓인 것. 적선(積善).
[集議 집의] 함께 모여 상의함.
[集字 집자] ㉠문장(文章)을 쓰는 등의 목적으로, 선인(先人)의 비첩(碑帖) 중의 글씨를 모으는 일. ㉡시부(詩賦)를 짓는 등의 목적으로, 선인(先人)의 시부 속에 사용된 문자(文字)를 모으는 일.
[集注 집주] ㉠집중(集中) ❶. ㉡제가(諸家)의 주석을 모음. 또, 그 책.
[集註 집주] 집주(集注) ❷.
[集中 집중] ㉠한군데로 모임. 또, 한군데로 모음. ㉡시문집(詩文集)의 속.
[集輯 집집] 시문(詩文) 또는 여러 가지 재료를 수집함.
[集綴 집철] 사실을 모아서 글로 지음.
[集抄 집초] 여러 가지 책에서 모은 초록(抄錄). 여러 책을 모아 초록함.

[集聚 집취] 모임. 또, 모음.
[集合 집합] 한군데로 모임. 또, 한군데로 모음.
[集解 집해] 집주(集注) ❷.
[集賢殿 집현전] 당(唐)나라 때 관아(官衙)의 이름. 경적(經籍)을 간행(刊行)하고 일서(佚書)를 수집하는 일을 관장(管掌)함.
[集會 집회] 여러 사람을 모음. 또, 여러 사람이 모임.

●家集. 歌集. 結集. 經史子集. 鳩集. 驅集. 群集. 論集. 募集. 撫集. 文集. 密集. 別集. 補集. 私集. 翔集. 選集. 召集. 收集. 綏集. 蒐集. 拾集. 詩集. 安集. 烏集. 外集. 雨集. 雲集. 雲合霧集. 蝟集. 凝集. 蟻集. 鱗集. 全集. 前集. 走集. 徵集. 撰集. 纂集. 參集. 採集. 招集. 總集. 叢集. 聚集. 驟集. 特集. 呼集. 和集. 畫集. 會集. 懷集. 後集.

[焦] 〔초〕
火部 八畫 (p. 1339)을 보라.

4 ⑫ [雅] 高人 아 ㉠馬 五下切 yǎ

筆順 一 匸 牙 牙 玗 玗 雅 雅 雅

字解 ①바를 아 올바름. 정당하여 법도에 맞음. '一正'. '一道今復存'《盧照隣》. ②악기이름 아 칠통(漆筒) 모양의 길쭉한 옛 악기. '訊疾以一'《禮記》. ③아 아 시(詩)의 육의(六義)의 하나. 정악(正樂)의 노래. '大一'. '小一'. '頌各得其所'《論語》. ④평상 아 평소. '一故'. '子所一言'《論語》. ⑤우아할 아 고상함. '典一'. '一致'. '雍容閒一甚都'《史記》. 전(轉)하여, 남의 시문 또는 언행에 대한 경칭(敬稱). '一囑'. '一鑑'. ⑥성 아 성(姓)의 하나.

字源 篆文 形聲. 牙+隹〔音〕. '牙아'는 까마귀의 울음소리를 나타내는 의성어. 초(楚) 지방의 까마귀의 뜻을 나타냄. 우아한 여름 축제의 춤의 뜻인 '夏하'와 통하여 '우아하다'의 뜻을 나타냄.

[雅②]

[雅歌 아가] ㉠바른 노래. 바른 노래를 함. ㉡아악(雅樂). ㉢구약 성서(舊約聖書) 중의 일서(一書).
[雅鑑 아감] 뵈어 드림.
[雅客 아객] ㉠마음이 바르고 품위가 있는 사람. ㉡수선(水仙)의 아칭(雅稱).
[雅健 아건] 필력(筆力)이 고상(高尙)하고 기운참.
[雅潔 아결] 마음이 고상하고 깨끗함.
[雅故 아고] ㉠바른 뜻. 바른 훈고(訓詁). ㉡옛 친구. 구우. ㉢평소(平素). 평상.
[雅誥 아고] 바른 훈계(訓戒).
[雅曲 아곡] 아악(雅樂). 속곡(俗曲)의 대(對).
[雅教 아교] 남의 교시(教示)의 경칭(敬稱).
[雅談 아담] 고상한 담론.
[雅澹 아담] 고상하고 담백함.
[雅道 아도] 바른길.
[雅量 아량] 너그러운 도량(度量). 관대(寬大)한 기상(氣像).

[雅麗 아려] 우아하고 화려함.
[雅望 아망] 바르고 깨끗한 인망(人望).
[雅文 아문] 바른 학문. 또, 문장.
[雅美 아미] 우아하고 미려함. 아려(雅麗).
[雅步 아보] 우아한 걸음걸이. 고상한 보조(步調).
[雅士 아사] ㉠바르고 훌륭한 선비. 아담한 선비. ㉡풍류(風流)를 아는 선비. 운치(韻致)가 있는 선비.
[雅思 아사] ㉠바른 생각. ㉡고상한 생각. 풍류적(風流的)인 생각.
[雅詞 아사] 바른말. 아언(雅言).
[雅素 아사] 평소(平素).
[雅俗 아속] ㉠아담함과 속됨. 고상함과 비속(鄙俗)함. ㉡아악(雅樂)과 속악(俗樂).
[雅頌 아송] 시경(詩經) 중의 아(雅)와 송(頌). 아(雅)는 정악(正樂)의 노래, 송(頌)은 조상의 공덕을 찬미(讚美)하는 노래.
[雅秀 아수] 고상하고 준수함. 기품(氣品)이 높음.
[雅馴 아순] 문사(文辭)가 바르고 숙련(熟練)됨.
[雅勝 아승] 고상하고 뛰어남.
[雅樂 아악] 바른 음악. 속악(俗樂)의 대(對).
[雅愛 아애] 평소에 사랑함. 원래 사랑함.
[雅言 아언] ㉠항상 하는 말. 평소에 하는 말. ㉡바른말. 정언(正言).
[雅宴 아연] 풍류스러운 잔치. 고아(高雅)한 주연(酒宴).
[雅詠 아영] 고상한 시가(詩歌). 또 고상한 시나 노래를 읊거나 부름.
[雅玩 아완] 고상한 놀이. 시문을 짓거나 그림을 그리는 일 따위.
[雅韻 아운] ㉠아치(雅致). ㉡바른 악곡(樂曲). 고상한 노래.
[雅裕 아유] 고상하고 관대함. 성품이 바르고 마음이 너그러움.
[雅遊 아유] ㉠고상한 놀이. 시문·서화·음악 등의 품위 있는 놀이. ㉡평소의 교제.
[雅儒 아유] 바른 도(道)를 행하는 유학자(儒學者).
[雅音 아음] 바른 소리. 바른말.
[雅意 아의] ㉠평소의 뜻. 본래의 뜻. ㉡고상한 뜻.
[雅人深致 아인심치] 고상한 뜻을 품고 있는 사람의 심원(深遠)한 의취(意趣).
[雅章 아장] 올바른 시가(詩歌). 올바른 음악의 편장(篇章).
[雅材 아재] 우아(優雅)한 재능.
[雅典 아전] 고상하고 바른 규범(規範). 모범.
[雅節 아절] 바른 절개. 곧은 지조.
[雅正 아정] 고상하고 바름.
[雅鄭 아정] 아악(雅樂)과 정성(鄭聲). 바른 음악과 음란한 노래.
[雅調 아조] 고상한 음악의 가락.
[雅操 아조] 바른 지조.
[雅拙 아졸] 조촐하고 고지식함.
[雅奏 아주] 고상한 음악의 연주.
[雅贈 아증] 남의 선물에 대한 경칭.
[雅志 아지] 바른 생각. 훌륭한 취지.
[雅志 아지] ㉠평소의 뜻. 본래의 뜻. ㉡고상한 뜻.
[雅集 아집] 아회(雅會).
[雅體 아체] 바른 문체(文體). 시가 문장(詩歌文章)의 올바른 체제를 이름.
[雅趣 아취] ㉠아담한 정취(情趣). ㉡고상한 취미.
[雅致 아치] 아담한 운치. 고상한 운치.
[雅飭 아칙] ㉠문장 같은 것이 우아하고 정제(整齊)됨. ㉡바르게 갖추어짐.

[雅行 아행] 바른 행위. 훌륭한 행실.
[雅兄 아형] 벗의 존칭.
[雅號 아호] 문인·화가·학자 등의 호(號).
[雅會 아회] 시문 등을 짓는 고상한 모임.
[雅誨 아회] 바른 가르침. 바른 교훈.
[雅懷 아회] ㉠평소부터 품은 생각. ㉡풍아(風雅)스러운 생각.
●間雅. 古雅. 高雅. 寬雅. 端雅. 淡雅. 大雅. 都雅. 敦雅. 文雅. 博雅. 素雅. 醇雅. 麗雅. 妍雅. 溫雅. 優雅. 儒雅. 典雅. 正雅. 藻雅. 清雅. 通雅. 風雅. 閑雅.

4⑫ [雅] 〔견〕
雅(隹部 六畫〈p. 2486〉)의 俗字

4⑫ [雉] 〔결〕
鳩(鳥部 四畫〈p. 2662〉)과 同字

4⑫ [雄] 中人　웅　㉠東　羽弓切　xióng　〔草書〕

〔筆順〕一 ナ ナ ナ ナ 雄 雄 雄

〔字解〕①수컷 웅 동물의 남성. 주로 조류에 대해 이름. '雄一'. '飛曰一雄, 走曰牝牡'〈'飛'는 조류, '走'는 수류(獸類)〉《急就篇》. ②굳세고 무용(武勇)이 있음. '心一萬夫'《李白》. 또, 그 사람. '是寡人之一也'《左傳》. ③뛰어날 웅 걸출함. '秦一天下'《戰國策》. 또, 그 사람. '英一'. '韓信是一'《人物志》. ④두목 웅 우두머리. '七一虓鬭'《班固》. ⑤성 웅 성(姓)의 하나.
〔字源〕〔篆文〕雄 形聲. 隹+厷〔音〕. '厷'은 '넓혀지다, 넓다'의 뜻. 날개가 넓은 새, 수새의 뜻을 나타냄. 파생하여 '수컷'의 뜻을 나타냄.

[雄強 웅강] ㉠굳셈. 강함. ㉡필력(筆力)이 힘참.
[雄彊 웅강] 웅강(雄強).
[雄據 웅거] 땅을 차지하고 막아 지킴.
[雄健 웅건] ㉠굳셈. 강함. ㉡시문·서화 등의 필력이 뛰어나고 힘이 있음.
[雄桀 웅걸] 웅걸(雄傑).
[雄傑 웅걸] 슬기와 용맹이 뛰어남. 또 그 사람.
[雄劍 웅검] ㉠잘 드는 칼. ㉡옛날에 간장(干將)이 주조(鑄造)하였다는 자웅 한 쌍의 칼 중의 수칼.
[雄勁 웅경] 웅강(雄強).
[雄難自斷其尾 웅계자단기미] 수탉은 희생이 되기를 두려워하여 제가 제 꼬리를 자른다는 뜻으로, '현철한 선비는 화(禍)를 피하여 미천한 곳에 숨어 있음'의 비유.
[雄狡 웅교] 강하고 교활함.
[雄國 웅국] 강성한 나라.
[雄氣 웅기] 씩씩한 기력.
[雄氣堂堂貫斗牛 웅기당당관두우] 씩씩하고 뛰어난 기상(氣像)의 왕성함이 하늘의 북두(北斗)·견우(牽牛) 두 별까지도 관통(貫通)함.
[雄斷 웅단] 씩씩한 결단.
[雄談 웅담] 뛰어난 변설(辯舌).
[雄略 웅략] 웅대(雄大)한 계략.
[雄力 웅력] 뛰어난 힘. 강한 힘.
[雄劣 웅렬] 뛰어나서 강함과 못나서 약함. 우수함과 용렬함.

달게 꾸밈.
[雕題 조제] ㉠이마에 그림 같은 것을 새김. 남방
　의 만인(蠻人)의 풍속. ㉡서적의 두주(頭註).
　책의 상란(上欄)에 기술하는 해석(解釋).
[雕雕 조조] 명백한 모양. 환한 모양.
[雕柱 조주] 조각한 기둥.
[雕蟲小技 조충소기] 벌레 모양이나 전서(篆書)
　를 조각하듯이, 미사여구(美辭麗句)로 문장을
　꾸미는 조그마한 기교.
[雕蟲篆刻 조충전각] 조충소기(雕蟲小技).
[雕琢 조탁] ㉠옥(玉)을 새기고 쫌. ㉡시문(詩文)
　에 퇴고를 가함.
[雕悍 조한] 강하고 사나움.
[雕朽 조후] 썩은 나무에 조각함. 아무 소용이 없
　음의 비유.
　　●刻雕. 鏤雕. 玉雕. 篆雕. 漆雕. 琢雕.

8/⑯ 〔䧍〕 〔작〕
　鵲(鳥部 八畫〈p.2672〉)과 同字
　[字源] 篆文 䧍 形聲. 隹+昔〔音〕. '焉작'의 篆文.

8/⑯ 〔雔〕 수 ㉳尤 時流切 chóu
　[字解] ①새한쌍 수 두 마리의 새. '一, 雙鳥也'
　《說文》. ②가죽나무누에 수 '一由'는 가죽나무의
　잎을 먹는 누에의 일종. '一由, 樗繭. (注) 食樗
　葉'《爾雅》.
　[字源] 會意. 隹+隹. '隹추'는 새의 象形. 두 마리
　의 새의 뜻을 나타냄.

8/⑯ 〔雓〕 〔순·단〕
　鶉(鳥部 八畫〈p.2673〉)과 同字

8/⑯ 〔難〕 〔기〕
　鵋(鳥部 八畫〈p.2671〉)와 同字

8/⑯ 〔雕〕 〔곤〕
　鵾(鳥部 八畫〈p.2673〉)의 俗字

8/⑯ 〔雘〕 〔국〕
　鶪(鳥部 十六畫〈p.2685〉)·鵙(鳥部
　八畫〈p.2671〉)과 同字

8/⑯ 〔雖〕
　雖(次次條)의 俗字

〔錐〕 〔추〕
　金部 八畫(p.2398)을 보라.

9/⑰ 〔雖〕 中人 수 ㉳支 息遺切 suī　　虽 雖
　[筆順] 口 吕 虽 虽 虽 虽 虽 虽
　[字解] ①비록 수 아무리 …하여도. 암만 …하여
　도. '一聖人亦有所不知焉'《中庸》. '一即死無
　憾'《宋濂》. ②밀 수 推(手部 八畫)와 뜻이 같음.
　'吾一之不能, 去之不忍'《國語》. ③오직 수 惟
　(心部 八畫)와 뜻이 같음. '一有明君能決之, 又
　能塞之'《管子》.
　[字源] 金文 뾹 篆文 雖 形聲. 虫+唯〔音〕. '唯유'는
　'堆퇴'와 통하여 수북하게 높
　다의 뜻. 등이 붕긋 솟은 큰 도마뱀의 뜻을 나

타냄. 假借하여 '비록'의 뜻으로 쓰임.
　[參考] 雖(前前條)는 俗字.

[雖不中不遠矣 수부중불원의] 비록 적중(的中)하
　지는 못했어도 과히 틀리지는 않음. 적중에 가
　까움.
[雖有絲麻無棄菅蒯 수유사마무기관괴] 사마(絲麻)
　와 관괴(菅蒯)는 신을 삼는 데 쓰는 섬유. 신을
　삼을 때엔 상품(上品)의 사마가 있더라도 하품
　(下品)의 관괴를 버려서는 안 된다는 뜻으로,
　정세(精細)한 것이 있더라도 천한 것, 거친 것
　을 버려서는 안 됨을 비유.
[雖有智慧不如乘勢 수유지혜불여승세] 지혜 있는
　자도 시세(時勢)를 따라 일하지 않으면 공(功)
　을 이룰 수 없음.
[雖千萬人吾往 수천만인오왕] 스스로 돌아보아
　자기 행위가 올바르면 천만인(千萬人)의 대세
　(大勢)라도 이를 두려워하지 않고 물리쳐 나아
　간다는 뜻.
[雖鞭之長不及馬腹 수편지장불급마복] 채찍이 길
　다 하여도 타고 있는 말의 배 밑에는 닿지를 않
　음. 세력(勢力)이 강대(强大)할지라도 오히려
　미치지 못하는 데가 있음. 일설(一說)에는, 세
　력이 넘쳐도 함부로 휘두르지 말라는 비유(比
　喩).

9/⑰ 〔雗〕 〔개〕
　鶡(鳥部 九畫〈p.2674〉)와 同字

9/⑰ 〔雘〕 〔격〕
　鶪(鳥部 九畫〈p.2675〉)과 同字

9/⑰ 〔雜〕 〔규〕
　鶨(鳥部 十三畫〈p.2684〉)와 同字

9/⑰ 〔雘〕 〔전·단〕
　鶉(鳥部 九畫〈p.2674〉)과 同字

9/⑰ 〔雘〕 〔돌〕
　鵽(鳥部 九畫〈p.2674〉)과 同字

10/⑱ 〔雙〕 高人 쌍 ㉳江 所江切 shuāng　双 雙
　[筆順] 亻 亻 仠 俌 佳 雔 雙 雙
　[字解] ①쌍 쌍 둘씩 짝을 이룸. '一璧'. '中有一
　飛鳥, 自名爲鴛鴦'《古詩》. 또, 짝을 이룬 것을
　세는 수사(數詞). '屛風一一'. '奉白璧一一,
　再拜獻軍足下'《十八史略》. ②견줄 쌍 '精妙世
　無一'《古詩》. ③성 쌍 성(姓)의 하나.
　[字源] 篆文 雙 會意. 雔+又. '雔수'는 두 마리의 새
　의 뜻. 두 마리 새를 손에 쥔 모양에
　서 '둘, 쌍'의 뜻을 나타냄.
　[參考] 双(又部 二畫)은 俗字.

[雙柑斗酒 쌍감두주] 두 개의 밀감과 한 말의 술.
　송(宋)나라 대옹(戴顒)이 이것을 가지고 꾀꼬
　리 소리를 들으러 간 고사(故事).
[雙劍 쌍검] 두 손으로 쓰는 큰 칼.
[雙肩 쌍견] ㉠두 어깨. 전(轉)하여, 자기의 부담.
　책임. ㉡두 마리의 짐승. 견(肩)은 세 살 된 짐
　승.
[雙關法 쌍관법] 문장 구조법의 하나. 상대되는 문

구를 늘어놓아 일편(一篇)의 골자로 삼는 것. 한유(韓愈)의 원훼(原毁) 따위. 쌍선법(雙扇法).
[雙句 쌍구] 쌍구(雙鉤).
[雙鉤 쌍구] ㉠운필법(運筆法)의 하나. 엄지손가락·집게손가락·가운뎃손가락으로 붓대를 걸쳐 잡고 약손가락으로 받쳐 쥐는 방법. 단구(單鉤)의 대(對). ㉡서화(書畫) 등을 사생(寫生)할 때 그림이나 글씨의 가장자리만을 선을 그어 베껴 내는 일.

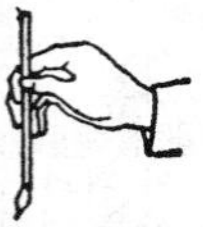
[雙鉤㉠]

[雙弓米 쌍궁미] '죽(粥)'의 이명(異名).
[雙闕 쌍궐] 망루(望樓)가 있는 대궐(大闕)의 좌우의 문.
[雙南 쌍남] 금(金)을 이름. 쌍(雙)은 겸금(兼金), 남(南)은 남금(南金).
[雙女 쌍녀] 한 태(胎)에서 나온 두 딸. 쌍동딸.
[雙童 쌍동] 한 태에서 나온 두 아이. 쌍둥이.
[雙瞳 쌍동] 두 눈동자가 있는 눈. 중동(重瞳).
[雙麗 쌍려] 둘이 나란히 걸림.
[雙淚 쌍루] 두 눈에서 흐르는 눈물.
[雙六 쌍륙] 쌍륙(雙陸).
[雙陸 쌍륙] 주사위를 써서 말이 먼저 궁에 들어가기를 겨루는 놀이.
[雙鯉 쌍리] 편지. 멀리서 보내 온 두 마리의 잉어 배 속에 편지가 들어 있었다는 고사(故事)에서 나온 말. 이소(鯉素).
[雙鯉魚出 쌍리어출] 후한(後漢)의 강시(姜詩)와 진왕상(晉王祥)의 고사(故事). 효심(孝心)이 지극한 탓으로 두 마리의 잉어를 낚았다고 함.
[雙林 쌍림] 사라쌍수(沙羅雙樹)의 숲.
[雙眸 쌍모] 두 눈동자.
[雙目 쌍목] 두 눈. 좌우의 눈.
[雙廟 쌍묘] 두 사람을 합사(合祀)하는 사당(祠堂).
[雙眉 쌍미] 두 눈썹.
[雙美 쌍미] ㉠둘 다 아름답거나 뛰어남. ㉡두 명의 미인.
[雙方 쌍방] 두 편. 두 쪽.
[雙璧 쌍벽] 한 쌍의 구슬. 전(轉)하여, 양쪽이 모두 우열(優劣)을 다툴 수 없을 만큼 똑같이 뛰어남의 비유.
[雙峯 쌍봉] 가지런히 선 두 산봉우리.
[雙斧伐孤樹 쌍부벌고수] 좌우 양쪽에서 도끼로 나무 하나를 벰. 곧, 주색(酒色)으로 수명을 줄임의 비유.
[雙墳 쌍분] 합장하지 않고 나란히 매장한 부부의 무덤.
[雙飛 쌍비] ㉠짝지어 낢. ㉡부부의 사이가 떨어지지 않음의 비유.
[雙鬢 쌍빈] 좌우의 구레나룻.
[雙生 쌍생] 쌍둥이. 쌍생아(雙生兒).
[雙棲 쌍서] ㉠짝지어 삶. ㉡부부가 같이 삶.
[雙星 쌍성] 나란히 보이는 두 별. 견우(牽牛)·직녀(織女) 따위.
[雙聲 쌍성] 두 자로 된 숙어(熟語)의 상하(上下)의 첫 자음(子音)이 같은 일. '股肱'·'名望' 따위.
[雙手 쌍수] 두 손.
[雙袖 쌍수] 좌우 양쪽 소매.
[雙樹 쌍수] ㉠한 쌍의 나무. ㉡'사라쌍수(沙羅雙樹)'의 준말.
[雙翅類 쌍시류] 곤충(昆蟲)의 한 목(目). 한 쌍의 얇은 날개와 복안(複眼)이 있음. 파리·모기 따위.
[雙雙 쌍쌍] 한 쌍. 또, 쌍을 지어.
[雙蛾 쌍아] ㉠좌우의 아미(蛾眉). 눈썹. ㉡미인(美人).
[雙眼 쌍안] 좌우 양쪽 눈. 두 눈.
[雙眼鏡 쌍안경] 망원경(望遠鏡).
[雙魚 쌍어] 쌍리(雙鯉).
[雙曜 쌍요] 해와 달. 일월(日月).
[雙月 쌍월] 열두 달 중 큰달. 단월(單月)의 대(對).
[雙翼 쌍익] 좌우 두 날개.
[雙日 쌍일] 우수(偶數)의 날. 척일(隻日)의 대(對).
[雙子葉 쌍자엽] 한 개의 배(胚)에서 나오는 두 개의 자엽.
[雙全 쌍전] 두 가지가 다 완전함.
[雙窓 쌍창] 문짝이 두 짝으로 된 창.
[雙親 쌍친] 양친(兩親).
[雙胎 쌍태] 한 태(胎)에 두 아이를 뱀.
[雙斃 쌍폐] ㉠양쪽이 모두 엎드러짐. ㉡남녀의 정사(情死).
[雙行 쌍행] 두 줄.
◉無等雙. 無雙. 白鷗雙. 少雙. 一雙.

10 ⑱ [雚] [一] 관 [去]翰 古玩切 guàn [平]寒 古丸切 [二] 환 [平]寒 胡官切

[字解] [一] 황새 관 황샛과의 물새. '一, 水鳥. 今作鸛'《玉篇》. [二] ①박주가리 환 박주가릿과의 다년생 덩굴풀. '一, 芄蘭'《爾雅》. ②물억새 환 물가에 나는 풀의 이름.
[字源] 象形. 두 개의 도가머리와 두 눈이 강조(強調)된 물새의 象形으로, 물새의 일종인 황새의 뜻을 나타냄.

10 ⑱ [巂] [一] 휴 [平]齊 戶圭切 guī [二] 수 [上]紙 息委切 xī

[字解] [一] ①소쩍새 휴 '一周'는 두견(杜鵑)의 이칭(異稱). 일설에, 제비. '一周, 子規也'《康熙字典》. '一周, 燕也'《說文》. ②한바퀴 휴 수레바퀴의 1회전. '立視五一'《禮記》. [二] 고을이름 수 '越一'는 한대(漢代)의 군명(郡名)으로, 지금의 쓰촨 성(四川省) 영원부(寧遠府).
[字源] 篆文  形聲. 隹+屮+冏〔音〕. 본뜻은 '소쩍새'. '屮좌'는 그 갓의 象形.
[參考] 嶲(隹部 八畫)는 同字.

[巂周 휴주] '두견(杜鵑)'의 별칭(別稱). 소쩍새. 일설에 제비.

10 ⑱ [臒] [一] 확 [入]藥 烏郭切 wò [二] 호 [去]遇 胡故切

[字解] [一] 진사(辰砂) 확 수은과 유황과의 화합물. 채색(彩色)감을 만들기도 하고, 약으로도 씀. '雞山, 其下多丹一'《山海經》. [二] 붉을 호, 붉은빛 호 적색.
[字源] 篆文  形聲. 丹+蒦〔音〕

◉丹臒. 青臒.

10 ⑱ [雛] [人名] 추 [平]虞 仕于切 chú

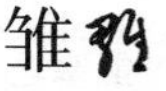

[字解] ①병아리 추 '力不能勝一匹一'《孟子》. 전(轉)하여, 널리. ②새새끼 추 '鳳凰鳴啾啾, 一母將九一'《古詩》. ③아이 추 어린아이. 소아.

[離居 이거] 떨어져 있음. 떨어져 삶.
[離隔 이격] 격리(隔離)함.
[離經 이경] ㉠경서(經書)에 구두점(句讀點)을 찍고, 그 뜻을 해석함. ㉡경서를 해설하고도 정의(正義)에 배치되는 행위를 함.
[離苦 이고]《佛教》㉠이별하는 괴로움. ㉡고난을 떠남.
[離群索居 이군색거] 동료(同僚)들과 떨어져 외로이 삶.
[離宮 이궁] 임금의 유행(遊幸)을 위하여 궁성에서 떨어진 데 지은 궁전.
[離襟 이금] 이별(離別)하여 그리워하는 마음.
[離奇 이기] 꼬부라지고 비틀어진 모양.
[離棄 이기] 내버려둠. 버리고 돌보지 아니함.
[離落 이락] 이반(離叛).
[離亂 이란] 사방으로 흩어져 혼란함.
[離淚 이루] 이별의 눈물.
[離婁 이루] ㉠황제(黃帝) 때의 사람. 눈이 비상히 밝았다 함. ㉡무늬 같은 것이 선명함.
[離樓 이루] 많은 재목이 쌓인 모양.
[離陸 이륙] 육지를 떠남.
[離離 이리] ㉠흩어지는 모양. ㉡곡식·과일 등이 익어서 늘어진 모양. 축 처진 모양. ㉢정이 떨어져 친숙하지 아니한 모양. ㉣구름이 길게 번은 모양.
[離立 이립] ㉠늘어섬. ㉡봉(鳳)이 서 있는 것.
[離靡 이미] 연속하여 끊이지 아니하는 모양.
[離叛 이반] 떨어져 나와 배반(背反)함.
[離杯 이배] 이별의 술잔.
[離背 이배] 이반(離叛).
[離別 이별] 서로 따로 떨어짐.
[離思 이사] 이별의 쓰라린 생각.
[離詞 이사] 딴 것과 다른 말. 이사(異詞).
[離山 이산] ㉠고립해 있는 산. 외떨어진 산. ㉡절에서 떠남. 절에서 나감.
[離散 이산] 떨어져 흩어짐. 뿔뿔이 헤어짐.
[離析 이석] 떨어져 나감. 분열함.
[離石卿侯 이석경후] '벼루[硯]'의 이칭.
[離騷 이소] 초사(楚辭)의 편명(篇名). 이(離)는 이(罹), 소(騷)는 우(憂), '근심을 만남'의 뜻. 초(楚)나라의 굴원(屈原)이 지은 부(賦)의 이름. 참소(讒訴)를 당하여 궁정(宮廷)에서 쫓겨난 몸으로 충신(忠臣)의 격정을 읊은 것으로, 초사(楚辭)의 기원이 됨.
[離俗 이속] 세상일에 관계하지 않음.
[離愁 이수] 이별의 수심.
[離心 이심] 떨어져 배반하고자 하는 마음.
[離宴 이연] 송별연(送別宴).
[離筵 이연] 이연(離宴).
[離緣 이연] ㉠부부 사이의 이혼. ㉡양친 양자(養親養子) 관계를 끊음.
[離讌 이연] 이연(離宴).
[離憂 이우] 근심을 만남. 걱정거리를 만남.
[離違 이위] 불화(不和)함.
[離貳 이이] 이반(離叛).
[離酌 이작] 이연(離宴).
[離迹 이적] 멀어짐. 또, 멀리함.
[離籍 이적] 가족의 어떤 사람을 호적에서 떼어냄.
[離絕 이절] 서로 관계를 끊음. 절연(絕緣)함.
[離亭 이정] 길을 떠나는 사람을 보내는 자리. 전별(餞別)의 좌석.
[離坐 이좌] 나란히 앉음.

[離朱 이주] 이루(離婁).
[離磔 이책] 몸을 찢어 발김.
[離礁 이초] 암초에 걸린 함선이 떨어져 뜨는 일.
[離脫 이탈] 떨어져 벗어남. 관계를 끊음.
[離披 이피] 꽃이 활짝 핌.
[離恨 이한] 이별의 서러움.
[離合 이합] ㉠떨어짐과 합함. 또, 분리시킴과 합침. ㉡헤어짐과 만남.
[離婚 이혼] 부부 관계를 끊고 서로 갈라섬.
[離魂 이혼] ㉠나그네의 꿈속의 혼. ㉡육체를 떠난 혼.
[離魂記 이혼기] 당대(唐代)의 전기 소설(傳奇小說). 진원우(陳元祐)가 지음. 천랑(倩娘)과 약혼한 남자인 왕주(王宙)와의 정사(情事)를 묘사했음. 원곡(元曲)〈천녀이혼(倩女離魂)〉은 이 소설을 각색(脚色)한 것임.
[離魂病 이혼병] 몽유병(夢遊病).
[離鴻 이홍] 외로이 혼자 떨어져 있는 기러기. 고안(孤雁).
[離闊 이활] 서로 떨어져 살아 오래 격조(隔阻)함.
●距離. 隔離. 光彩陸離. 乖離. 久離. 暌離. 羈離. 亂離. 迷離. 剝離. 背離. 別離. 不卽不離. 分離. 莆離. 不忍離. 仳離. 散離. 纖離. 厭離. 遠離. 違離. 流離. 遊離. 陸離. 淋離. 長距離. 侏離. 支離. 出離. 披離. 合離. 解離. 會者定離.

11 [難] 〔中入〕日 난　㉑寒 那干切 nán
（19）　　　　　日 나　㉒翰 奴案切 nàn　难 難
　　　　　　　　㉓歌 襄何切 nuó

筆順 一 卄 苣 莫 剋 難 難 難

字解 日 ①어려울 난 쉽지 아니함. '爲政不一'《孟子》. 또, 어려운 일. '責一於君'《孟子》. ②어려워할 난 어렵게 여김. '惟帝其一'《書經》. ③괴로워할 난, 근심할 난 재난 또는 난처한 처지를 당하여 속을 썩임. '華歆王朗, 俱乘船避難, 有一人, 欲依附, 歆輒一之'《世說》. ④근심 난, 재앙 난, 난리 난 '患一'. '困一'. '災一'. '避一'. '吾昔從夫子, 遇一於匡'《史記》. ⑤나무랄 난 책망함. 힐난함. '非一'. '一攻中山之事'《呂氏春秋》. 또, 힐난할 만한 결점. '遂發八一'《十八史略》. ⑥막을 난, 물리칠 난 못 하게 함. 거절함. '一任人'(간사하고 아첨 잘하는 사람을 물리침)《書經》. ⑦원수 난, 적 난 구적(仇敵). '興秦爲一'《戰國策》. 日 ①추나(追儺) 나 儺(人部 十九畫)와 통용. '季春命國一'《禮記》. ②우거질 나 무성한 모양. '其葉有一'《詩經》.

字源 [金文]𦰩 [篆文]𩔖 [別体]𩅀 [古文]𩅀 形聲. 隹+堇 〔董〕〔音〕 '堇 근'은 화재 따위의 재앙을 만나서 양손을 교차하고 머리 위에 축문을 얹어 비는 무당의 象形으로, '어렵다, 근심'의 뜻을 나타냄. '隹추'는 새를 본뜬 것으로, 그 기도 때에 새를 희생으로 바치는 것을 나타냄. 재난을 당해 새를 바치고 비는 모양에서, '어렵다, 재앙'의 뜻을 나타냄.

[難堪 난감] 견디기 어려움.
[難境 난경] 어려운 처지. 곤란한 상황.
[難困 난곤] 곤란(困難).
[難攻 난공] 치기 어려움.
[難關 난관] ㉠통과하기 어려운 문, 또는 관문(關門). ㉡수월하게 넘기기 어려운 장소, 또는 일

의 어려운 고비.
[難句 난구] 의미를 해득하기 어려운 글귀.
[難局 난국] 어려운 판국. 간난(艱難) 한 시국.
[難當 난당] 당하기 어려움. 대적할 수 없음.
[難得 난득] 얻기 어려움.
[難忘 난망] 잊기 어려움.
[難免 난면] 면하기 어려움.
[難問 난문] ㉠힐문함. ㉡어려운 문제. 난제(難題).
[難駁 난박] 비난하고 반박함.
[難保 난보] 지탱하기 어려움.
[難事 난사] 어려운 일.
[難事必作易 난사필작이] 어려운 일은 반드시 쉬운 일에서 생김. 곧, 쉬운 일을 조심해서 하면 어려운 일은 일어나지 아니한다는 말.
[難産 난산] ㉠해산(解産)이 순조롭지 못하여 고생함. ㉡일이 어려워 잘 이루어지지 아니함.
[難色 난색] 난처한 기색.
[難素 난소] 난경(難經)과 소문(素問). 모두 고대의 의서(醫書)임.
[難言之地 난언지지] 말하고자 하나 말하기 어려운 경우.
[難月 난월] 산월(産月). 임월(臨月).
[難爲兄難爲弟 난위형난위제] 양자(兩者)의 낫고 못함이 없음. 우열(優劣)이 없음.
[難有 난유] 있기 어려움. 진귀(珍貴) 함.
[難義 난의] 어려운 뜻.
[難疑 난의] 결점을 비난하고 의문되는 곳을 질문 「함.
[難易 난이] 어려움과 쉬움.
[難字 난자] 어려운 글자.
[難戰 난전] 곤란한 싸움. 괴로운 싸움. 고전(苦戰).
[難題 난제] 어려운 문제. 난문제. 「움.
[難中之難 난중지난] 어려운 중에도 유달리 어려
[難陳 난진] 서로 의론하고 비난하면서 자기의 할 말을 진술하는 일.
[難盡筆紙 난진필지] 붓과 종이, 곧 글월로는 이루 다 표현(表現)할 수 없음.
[難處 난처] ㉠험준한 곳. ㉡처치하기 어려움.
[難測 난측] 측량하기 어려움.
[難治 난치] ㉠다스리기 어려움. ㉡병을 고치기 어려움.
[難陀 난타] 《佛教》㉠팔대용왕(八大龍王)의 하나. 난타발난(難陀跋難). ㉡석가(釋迦)의 이모제(異母弟). 석가를 따라서 득도(得道)함. 난타존자(難陀尊者).
[難風 난풍] 배의 진행을 방해하는 바람.
[難航 난항] 항행(航行)하기 어려움.
[難解 난해] 해석하기 어려움.
[難解難入 난해난입] 법화경(法華經)의 뜻이 심오(深奧)하여 깨치기 어렵다는 말.
[難行 난행] 《佛教》심신을 괴롭히며 하는 수행(修行).
[難行苦行 난행고행] 《佛教》심신을 괴롭혀 견디어 가며 하는 수행(修行).
[難行道 난행도] 《佛教》자기의 힘으로 불과(佛果)를 얻는 도. 자력 법문(自力法聞). 자력 본원(自力本願). 이행도(易行道)의 대(對).
[難詰 난힐] 힐난(詰難)함.
●家難. 艱難. 戢難. 劍難. 苦難. 困難. 關山難. 匡難. 救難. 寇難. 國難. 急難. 奇難. 難中之難. 內難. 論難. 多難. 大難. 逃難. 盜難. 屯難. 萬難. 木難. 無難. 問難. 法難. 辯難. 兵

難. 非難. 批難. 死難. 釋難. 說難. 水難. 受難. 殉難. 厄難. 女難. 外難. 憂難. 危難. 益難. 臨難. 災難. 賊難. 定難. 靖難. 濟難. 阻難. 遭難. 嘲難. 至難. 責難. 天步艱難. 七難. 脫難. 八難. 避難. 海難. 行路難. 險難. 火難. 禍難. 患難. 後難.

11 ⑲ [難] 難(前條)의 俗字

11 ⑲ [雜] 〔급〕 鶏(鳥部 十一畫〈p.2680〉)과 同字

12 ⑳ [䨄] 규 ㉄齊 翾畦切 huī
字解 새나는모양 규 새 나는 모양. '一, 鳥飛兒' 《集韻》.

12 ⑳ [䴉] 〔궐〕 鷢(鳥部 十二畫〈p.2682〉)과 同字

12 ⑳ [䳠] 〔요〕 鷂(鳥部 十二畫〈p.2681〉)와 同字

13 ㉑ [䴈] 〔거〕 鶋(鳥部 十二畫〈p.2682〉)와 同字

13 ㉑ [雓] 〔촉·독〕 鸀(鳥部 十三畫〈p.2683〉)과 同字

14 ㉒ [雗] 〔난〕 難(隹部 十一畫〈p.2491〉)의 本字

14 ㉒ [雘] 〔녕〕 鸋(鳥部 十四畫〈p.2684〉)과 同字

14 ㉒ [雗] 〔순·단〕 鷷(鳥部 八畫〈p.2673〉)과 同字

[難] 〔수〕 言部 十六畫(p.2165)을 보라.

16 ㉔ [難] 〔난〕 難(隹部 十一畫〈p.2491〉)의 古字

16 ㉔ [雥] 〔순·단〕 鷷(鳥部 八畫〈p.2673〉)의 本字

20 ㉘ [集] 〔집〕 集(隹部 四畫〈p.2481〉)의 古字

22 ㉚ [難] 〔난〕 難(隹部 十一畫〈p.2491〉)의 古字

雨 (8획) 部
〔비우부〕

0 ⑧ [雨] ㊥우 ㊤우 ①㉻麌 王矩切 yǔ ②-④㉤遇 王遇切 yù 雨

筆順 一 ー 广 币 币 雨 雨 雨

字解 ①비 우 구름에서 떨어지는 물방울. ‘一雪’. ‘雲行一施’《易經》. ②비올 우 비가 내림. ‘一我公田’《詩經》. ③올 우 눈·우박 등이 하늘에서 내림. ‘秋七月, 冬, 大一雪’《春秋》. ④오게할 우 전항과 전전항의 타동사. ‘使天而一玉, 飢者不得爲粟’《蘇軾》.

字源 [甲骨文 金文 古文] 象形. 하늘의 구름에서 물방울이 뚝뚝 떨어지는 모양을 본떠 ‘비’의 뜻을 나타냄.

參考 ‘雨우’를 의부(意符)로 하여 ‘雪설’, ‘電전’, ‘雷뢰’ 등 기상 현상에 관한 문자를 이룸.

[雨脚 우각] 빗발.
[雨降 우강] 비가 옴. 또는 비 오는 날.
[雨景 우경] 빗속의 경치.
[雨傾盆 우경분] 비가 억수같이 내림의 형용.
[雨季 우계] 우기(雨期).
[雨具 우구] 비 맞지 않게 하는 데 쓰는 제구.
[雨祇 우기] 우사(雨師).
[雨氣 우기] 비가 올 것 같은 모양.
[雨期 우기] 1년 중에 비가 가장 많이 오는 시기.
[雨奇晴好 우기청호] 비가 올 때나 날이 개었을 때나 언제 보아도 경치가 좋음.
[雨量 우량] 비가 온 분량(分量). 강우량(降雨量).
[雨露 우로] ㉠비와 이슬. ㉡비와 이슬이 만물을 화육(化育)하는 것 같은 은택. 큰 은혜. 우로지택(雨露之澤).
[雨露恩 우로은] 우로(雨露) ㉡.
[雨露之澤 우로지택] 우로(雨露) ㉡.
[雨潦 우료] 비가 와서 길바닥 같은 데 괸 물.
[雨淚 우루] 우읍(雨泣).
[雨裏 우리] 우중(雨中).
[雨淋鈴 우림령] 악곡명(樂曲名). 당현종(唐玄宗)이 안녹산(安祿山)의 난(亂)을 피하여 촉(蜀)으로 갈 때, 도중에서 총희(寵姬) 양귀비(楊貴妃)를 의사(縊死)케 한 후 촉(蜀)의 잔도(棧道)에서 빗소리와 말방울 소리가 어울려 들림에, 양귀비를 추념(追念)하여 지은 곡(曲)임. 우림령곡(雨霖鈴曲)이라고도 함.
[雨笠煙簑 우립연사] 어부나 농민 등의 우중(雨中)의 간단한 몸차림.
[雨沐 우목] ㉠비를 맞음. 비에 젖음. ㉡비로 머리를 감음. 우중(雨中)에 분주하게 근고(勤苦)함을 이름.
[雨雹 우박] 봄 또는 여름에 오는 싸라기눈보다 굵고 딴딴한 덩이.
[雨翻盆 우번분] 비가 억수같이 내림의 형용. 우경분(雨傾盆).
[雨不破塊 우불파괴] 비가 곱게 와서 흙덩이를 부수지 않는다는 뜻으로, 태평(太平)의 상(象).
[雨備 우비] 비 맞지 않게 하는 준비. 또, 비를 가리는 제구.
[雨師 우사] 비를 맡은 신(神). 우기(雨祇).
[雨絲風片 우사풍편] 가랑비가 오고 바람이 솔솔 붊.
[雨傘 우산] 비 올 때 손에 들고 머리 위를 가리는 우구(雨具).
[雨雪 우설] ㉠비와 눈. ㉡내리는 눈. 또, 눈이 내림.
[雨聲 우성] 빗소리.
[雨勢 우세] 비 오는 형세.

[雨水 우수] ㉠빗물. ㉡이십사절기의 하나. 입춘(立春)과 경칩(驚蟄) 사이에 드는데, 양력 2월 18일경임.
[雨順風調 우순풍조] 비와 바람이 때를 어기지 아니하고 순조로움.
[雨矢 우시] 빗발같이 내려오는 화살.
[雨施 우시] ㉠비가 와서 만물을 적심. ㉡비처럼 구석구석까지 고루 배풂.
[雨暘 우양] 우천(雨天)과 청천(晴天).
[雨暘時若 우양시약] 비가 내려야 할 때 내리고, 볕이 나야 할 때 남. 기후가 철에 맞게 조화됨을 이름.
[雨暘晦明 우양회명] 우천(雨天)과 청천(晴天)과 주야(晝夜).
[雨餘 우여] 우후(雨後).
[雨如車軸 우여차축] 비가 수레의 굴대와 같이 굵음. 큰비가 내림의 형용.
[雨月 우월] 음력 5월의 이칭(異稱).
[雨泣 우읍] 눈물이 비 오듯이 흐름.
[雨衣 우의] 비가 올 때 입는 옷. 비옷.
[雨意 우의] 우기(雨氣).
[雨一犂 우일리] 전답을 갈기에 알맞은 비.
[雨裝 우장] 비가 올 때 비를 맞지 않게 입는 옷이나 쓰는 제구. 삿갓·우산·도롱이 따위.
[雨滴 우적] 빗방울.
[雨點 우점] 우적(雨滴).
[雨注 우주] 비처럼 쏟아짐.
[雨中 우중] 비가 오는 중.
[雨集 우집] ㉠빗물이 모임. ㉡빗물처럼 많이 모임.
[雨天 우천] 비가 내리는 하늘.
[雨澤 우택] 비의 혜택. 천자(天子)의 은택의 비유.
[雨下 우하] ㉠비가 옴. ㉡우주(雨注).
[雨虐風饕 우학풍도] 비가 학대하고 바람이 탐낸다는 뜻으로, 비바람에 괴로움을 받음을 형용하는 말. 설학풍도(雪虐風饕).
[雨花臺 우화대] 난징 시(南京市) 남쪽 취보산(聚寶山) 위에 있는 대(臺) 이름. 양무제(梁武帝) 때 운광법사(雲光法師)가 이곳에서 강경(講經)하니 하늘이 감동(感動)하여 천화(天花)가 내렸다고 함.
[雨後 우후] 비가 온 뒤.
[雨後竹筍 우후죽순] 비 온 뒤에 여기저기 무럭무럭 솟는 죽순. 곧, 어떠한 일이 한때에 많이 일어남의 형용.

●渴雨. 甘雨. 江雨. 降雨. 苦雨. 膏雨. 穀雨. 過雨. 蛟龍得雲雨. 敎雨. 久雨. 舊雨. 劇雨. 急雨. 綠雨. 雷雨. 大雨. 凍雨. 梅雨. 麥雨. 猛雨. 冒雨. 暮雨. 沐雨. 濛雨. 微雨. 密雨. 密雲不雨. 白雨. 翻雲覆雨. 法雨. 飛雨. 氷雨. 斜雨. 絲雨. 山雨. 暑雨. 細雨. 小雨. 疏雨. 宿雨. 時雨. 嶽雨. 暗雨. 夜雨. 涼雨. 煙雨. 五風十雨. 雲雨. 淫雨. 陰雨. 淋雨. 霖雨. 慈雨. 殘雨. 長雨. 瘴雨. 積雨. 朝雨. 朝雲暮雨. 櫛風沐雨. 陣雨. 疾雨. 凄雨. 天雨. 檐雨. 簷雨. 靑雨. 晴雨. 催花雨. 秋雨. 春雨. 翠雨. 驟雨. 澤雨. 砲煙彈雨. 暴雨. 暴風雨. 風雨. 夏雨. 汗雨. 寒雨. 香雨. 峽雨. 好雨. 豪雨. 紅雨. 喜雨. 黑雨.

3
⑪ [雩] [人名] 우 ㉤虞 羽俱切 yú　　雩

[字解] 기우제 우, 기우제지낼 우 비가 오기를 비는 제사. 또, 그 제사를 지냄. '仲夏大一'《禮記》. '龍見而一'('龍'은 별 이름)《左傳》.

[字源] 甲骨文 金文 雩 篆文 雩 는 '華(욱)화'와 통하여 '화려하다'의 뜻. 화려한 춤을 추어 신을 놀라게 하여 비를 비는 제사의 뜻을 나타냄.

[參考] 雩(次條)와 同字.

[雩祭 우제] 기우제 (祈雨祭).

3
⑪ [雫] 雩(前條)와 同字

3
⑪ [雫] 뇌 ⓐ馬 奴寡切 nǎ

[字解] 뇌 뜻은 불명 (不明).

3
⑪ [雭] 령 ⓟ靑 力丁切 líng

[字解] 여자의자 령 여자의 자(字). '一, 女字'《篇海》.

3
⑪ [雪] 설 ⓐ屑 相絶切 xuě

[筆順] 一 ㄸ 二 千 雨 雫 雪 雪 雪

[字解] ①눈 설 공중의 수증기가 얼어서 내리는 것. 육화 (六花). '一景'《冬大雨一》《春秋》. ②눈올 설 눈이 내림. '于令始一'《世說》. ③흴 설 빛이 흼. '一羽'. '星星愁鬢一'《白居易》. ④씻을 설 ㉠더러운 것을 없앰. '澡一而精神'《莊子》. ㉡누명·치욕을 벗음. 원한을 품. '一怨'. '一其先君之恥'《史記》. ⑤성 설 성 (姓)의 하나.

[字源] 甲骨文 篆文 雪 篆文은 形聲. 雨＋彗(음). '彗혜·수·세'는 비로 쓸어서 깨끗이 하다의 뜻. 비로 씻어 깨끗이 하다, 풀다의 뜻을 나타냄. 또 '霰(산)'와 통하여 잘고 가늘다의 뜻, 잘고 가벼운 눈의 뜻을 나타냄. 甲骨文은 깃털과 같은 눈송이의 象形.

[雪客 설객] ㉠해오라기. 곧, '백로(白鷺)'의 별칭 (別稱). ㉡설중(雪中)의 내객 (來客).
[雪見羞 설견수] 결백함이 눈보다 더 흼을 비유하여 이르는 말.
[雪景 설경] 눈이 온 경치.
[雪姑 설고] 할미새. 곧, '척령 (鶺鴒)'의 별칭 (別稱).
[雪光 설광] 눈의 빛.
[雪宮 설궁] 전국 (戰國) 시대 제왕 (齊王)의 이궁 (離宮) 이름.
[雪肌 설기] 희고 고운 살결.
[雪氣 설기] 설의 (雪意).
[雪泥 설니] 눈이 녹은 진창.
[雪泥鴻爪 설니홍조] 녹기 시작한 눈 위에 남긴 기러기의 발자국. 그 발자국이 바로 사라지는 것같이, 인생이 덧없이 이 세상에 나왔다가 아무 자취도 남기지 아니하려고 사라짐의 비유.
[雪堂 설당] 후베이 성 (湖北省) 황강 (黃岡)에 송 (宋)나라 소동파 (蘇東坡)가 축조 (築造)한 당 (堂). 큰 눈이 올 무렵에 지었고, 사벽 (四壁)에 설경 (雪景)을 그려 놓았음.
[雪洞 설동] 풍로 (風爐)의 덮개.

[雪嶺 설령] 눈이 쌓인 산봉우리.
[雪裏 설리] 설중 (雪中).
[雪裏淸香 설리청향] '매화나무〔梅〕'의 별칭.
[雪馬 설마] 썰매.
[雪面 설면] 눈같이 흰 얼굴.
[雪綿子 설면자] 풀솜.
[雪毛 설모] 눈같이 흰 털.
[雪眉 설미] ㉠흰 눈썹. ㉡노인.
[雪白 설백] ㉠눈과 같이 몹시 흼. ㉡마음과 행실이 결백함의 비유.
[雪魄 설백] '매화나무〔梅〕'의 별칭.
[雪魄氷姿 설백빙자] 꽃의 깨끗함을 비유하는 말.
[雪峯 설봉] 눈이 오는 산봉우리. 또, 눈이 쌓인 산봉우리.
[雪膚 설부] 눈같이 흰 살결.
[雪膚花容 설부화용] 눈처럼 흰 살과 꽃처럼 아름다운 얼굴.
[雪憤 설분] 분(憤)한 것을 품. 분풀이.
[雪崩 설붕] 쌓인 눈이 무너져 내려옴.
[雪似鵝毛 설사아모] 눈이 거위 털빛 같음. 눈 내림의 형용.
[雪山 설산] ㉠사시 (四時)에 눈이 있는 높은 산 (山). ㉡산 같은 흰 물결. ㉢쓰촨 성 (四川省) 쑹판 현 (松潘縣) 남쪽에 있는 산. ㉣서역 (西域)에 있는 산.
[雪上 설상] 눈 위.
[雪上加霜 설상가상] 눈 위에 서리가 내림. 무용 (無用)한 일의 비유. 또, 불행 (不幸)한 일이 거듭되는 것을 이름. 엎친 데 덮치기.
[雪色 설색] ㉠눈의 빛. ㉡눈의 경치. 설경 (雪景).
[雪線 설선] 1년 동안 눈이 녹지 아니하는 높은 지대의 계선 (界線).
[雪水 설수] 눈이 녹은 물.
[雪兒 설아] 가무 (歌舞)를 잘하던, 이밀 (李密)의 애희 (愛姬). 전 (轉)하여, 가희 (歌姬). 기생.
[雪萼霜葩 설악상파] '매화나무〔梅〕'의 별칭 (別稱).
[雪案 설안] 눈 올 때 놓인 책상. 고학 (苦學)의 뜻으로 쓰임. 진 (晉)나라의 손강 (孫康)이 눈빛으로 독서한 고사 (故事)에서 이름.
[雪夜 설야] 눈이 오는 밤.
[雪餘 설여] 설후 (雪後).
[雪然 설연] 눈이 내리듯이 해오라기가 날아 내림의 형용.
[雪髥 설염] 눈같이 흰 수염.
[雪蕊 설예] 흰 꽃술.
[雪辱 설욕] 부끄러움을 씻음. 설치 (雪恥).
[雪冤 설원] 원통 (冤痛)함을 품. 억울한 죄의 누명을 벗음. 청천백일의 몸이 됨.
[雪月 설월] 눈과 달.
[雪月花 설월화] 눈과 달과 꽃. 천지사시 (天地四時)의 아름다운 경치.
[雪隱 설은] 뒷간. 변소. 설봉 선사 (雪峯禪師)가 항상 변소 청소를 하다가 대오 (大悟)했다는 고사 (故事)에서 이름. 일설 (一說)에는, 저장 성 (浙江省) 설두산 (雪竇山)의 명각 선사 (明覺禪師)가 영은사 (靈隱寺)에서 변소 청소를 담당했던 때문이라고도 함.
[雪意 설의] 눈이 올 듯한 기색.
[雪衣娘 설의랑] 흰 앵무새의 이명 (異名).
[雪衣兒 설의아] '백로(白鷺)'의 이명 (異名).
[雪戰 설전] 눈싸움.
[雪爪 설조] ㉠눈같이 흰 손톱. ㉡'설니홍조(雪泥

[雹霰 박산] 우박. 누리.
[雹凸 박철] 돌출한 모양.
　●霜雹. 雨雹.

5 ⑬ [雺] 몽 ㊀東 莫紅切 méng

[字解] 안개 몽 땅 위에 가까이 낀 미세한 물방울. ‘天氣下, 地氣不應曰一’《爾雅》.
[字源] 霧의 籀文 雺 形聲. 雨＋矛〔音〕

5 ⑬ [電] 전 ㊁霰 堂練切 diàn

[筆順] 一 冖 冖 兩 兩 雨 雪 雪 電

[字解] ①번개 전 ㉠공중에서 음양의 두 전극(電極)이 만나 방전(放電)할 때 발하는 섬광. 번갯불. ‘雷一’. ‘一光’. ‘大雪震一’《春秋》. ㉡번개가 빠르므로, 빠른 비유로 쓰임. ‘一光石火’. ‘風馳一掣’. ㉢번개와 같이 환히 비친다는 뜻으로, 남에 대하여 존경을 표하는 말로 쓰임. ‘一覽’. ‘一兒一’. ②번쩍일 전 번개가 섬광을 발함. ‘雷乃發聲始一’《禮記》. ③전기 전 우주 간에 있는 음양 두 종류의 세력. ‘一熱’. ‘一力’.
[字源] 金文 霚 篆文 電 古文 霅 形聲. 雨＋申(申)〔音〕. ‘申신’은 번개를 본뜬 것. ‘雨우’를 덧붙여 ‘번개’의 뜻을 나타냄.

[電激 전격] 번개와 같이 격렬하게 일어남.
[電擊 전격] 번개같이 단숨에 몹시 침.
[電頃 전경] 번갯불이 번쩍이는 동안. 곧, 지극히 짧은 시간.
[電光 전광] ㉠번개. 번개가 번쩍이는 빛. ㉡대단히 빠름.
[電光石火 전광석화] 번개와 돌을 쳐서 나는 불. 대단히 빠름의 비유.
[電光朝露 전광조로] 번갯불과 아침 이슬. 극히 짧은 시간. 또는 덧없는 인생의 비유.
[電球 전구] 전깃불이 켜지는 데를 유리로 만든 진공관.
[電戟 전극] 번개불과 같이 번쩍이는 창(槍).
[電極 전극] 전류(電流)의 양극(陽極) 및 음극(陰極).
[電氣 전기] 우주에 존재하는 음양 두 가지의 세력. 곧, 전자(電子)의 이동으로 생기는 에너지의 한 형태. 동종(同種)의 전기끼리는 서로 배척하며, 이종(異種)의 전기끼리는 서로 끌어당김.
[電機 전기] 전력(電力)을 사용하는 기계.
[電氣學 전기학] 전기(電氣)의 물리적(物理的) 현상을 연구하는 학문.
[電鍍 전도] 전기 작용으로 하는 도금.
[電動機 전동기] 전류로 회전 운동을 일으키는 기계.
[電燈 전등] 전기의 열작용을 이용한 등.
[電覽 전람] 남의 관람(觀覽)에 대한 존칭.
[電力 전력] 전기의 힘.
[電鈴 전령] 전화기·초인종 따위와 같이 전기나 전지(電池)를 이용하여 소리가 울리게 된 장치.
[電路 전로] 전류의 통로.
[電流 전류] 전기가 도체(導體) 안에서 흐르는 현상(現象).
[電沫 전말] 번개와 거품. 무상(無常)·덧없음의

비유.
[電滅 전멸] 번갯불과 같이 홀연히 멸망함.
[電命 전명] 전보(電報)로 하는 명령.
[電母 전모] 번개를 맡은 신(神).
[電騖 전무] 전치(電馳).
[電文 전문] 전보(電報)의 글귀.
[電報 전보] 전신기(電信機)에 의하여 원거리 사이에 송달(送達)하는 통보(通報).
[電赴 전부] 전광(電光)처럼 재빨리 다다름.
[電扇 전선] 선풍기(扇風機).
[電線 전선] 전류(電流)가 통하는 철선.
[電閃 전섬] ㉠번갯불과 같이 번쩍임. ㉡번개. 번갯불.
[電送 전송] 전류(電流)에 의하여 보냄.
[電信 전신] 전신기(電信機)에 의하여 원거리 사이에 송달(送達)하는 통신.
[電信機 전신기] 전류(電流)를 응용(應用)하여 통신(通信)하는 기계.
[電繞樞 전요추] 전광(電光)이 북두(北斗)의 추성(樞星)을 감돎. 상서(祥瑞)로운 상징(象徵)임.
[電子 전자] 자연에서 발견되는 최소량의 음전기량(陰電氣量)을 가지고 있는 미소한 입자(粒子).
[電磁石 전자석] 연철(軟鐵)로 속을 박고 그 주위에 절연(絶緣)한 도선(導線)을 감아서 전류(電流)를 통하여 그 연철(軟鐵)이 자석(磁石)의 성질을 가지게 한 것.
[電子說 전자설] 물질(物質)의 원자(原子)는 음양(陰陽)의 두 전자(電子)로 구성하는 것이라고 가상(假想)하는 물리학(物理學)의 학설.
[電柱 전주] 전선(電線)을 걸쳐 매기 위하여 세운 기둥. 전봇대.
[電池 전지] 화학 작용(化學作用)으로 전류(電流)를 일으키는 장치.
[電車 전차] ㉠아주 빨리 달리는 수레. ㉡전력(電力)을 이용하여 궤도(軌道) 위를 달리는 차량.
[電掣 전철] ㉠번갯불이 공중에서 번쩍함. ㉡번갯불같이 번쩍함. ㉢번갯불같이 빨리 움직임. ㉣번개처럼 급격히 잡아당김. ㉤몹시 짧은 시간.
[電燭 전촉] 번갯불과 같이 번쩍임.
[電囑 전촉] 전람(電覽).
[電馳 전치] 아주 빨리 달림.
[電波 전파] 전기(電氣)의 파동(波動).
[電鞭 전편] 번개.
[電解 전해] 전류를 통할 때 일어나는 물질 분해. 전기 분해(電氣分解).
[電赫 전혁] 번갯불처럼 매우 빛남.
[電話 전화] 전화기(電話機)를 이용하여 떨어져 있는 사람과 말을 통함.
　●家電. 感電. 急電. 露電. 雷電. 漏電. 無電. 返電. 發電. 放電. 配電. 奔電. 飛電. 瑞電. 閃電. 送電. 迅電. 弱電. 如電. 外電. 耀電. 流電. 紫電. 赤電. 節電. 呈電. 停電. 霆電. 弔電. 終電. 祝電. 逐電. 蓄電. 充電. 打電. 荷電. 回電. 訓電.

5 ⑬ [霯] 동 ㊀冬 都宗切 dōng

[字解] 비뚝뚝떨어질 동 비가 내리는 모양. ‘一, 雨兒’《集韻》.

5 ⑬ [霙] 앙 ①養 倚朗切 yāng ㊀陽 於良切

[字解] 흰구름피어오를 앙 흰 구름이 뭉게뭉게 피어오르는 모양. '一一, 白雲貌'《玉篇》.
[字源] 形聲. 雨+央〔音〕

5 ⑬ [雴] [一] 립 [入]緝 力入切 lì
[二] 칩 [入]緝 敕立切 chì

[字解] [一] 큰비 립 '一霫'은 큰비. '一霫, 大雨'《集韻》. [二] 큰비 칩 [一]과 뜻이 같음.

5 ⑬ [雸] 감 [平]覃 五甘切 án

[字解] 서리 감 서리〔霜〕. '一, 霜也'《集韻》.

6 ⑭ [雨羽] [人名] 우 [上]麌 王矩切 [去]遇 王遇切 yù

[筆順]

[字解] ①물소리 우 물이 흐르는 소리. '一, 水音也'《說文》. ②오음(五音) 우 오음의 하나. '一, 羽之俗字'《集韻》.
[字源] [篆文] 形聲. 雨+羽〔音〕

6 ⑭ [需] [高·人] [一] 수 [平]虞 相俞切 xū
[二] 연 [上]銑 乳兖切 ruǎn

[筆順]

[字解] [一] ①구할 수 바람. 요구함. '一用'. ②요구 수 청구. '以待子不時之一'《蘇軾》. 또, 소용되는 물품. 필수의 물자. '軍一'. '以供轉一'《十六國春秋》. ③기다릴 수 오기를 바람. '一于郊'《易經》. ④머뭇거릴 수 주저함. 또, 주저하는 일. '一, 事之賊也'《左傳》. ⑤수괘 수 육십사괘(六十四卦)의 하나. 곧, ䷄〈건하(乾下), 감상(坎上)〉. 험조(險阻)를 만나도 때를 기다리면 통하는 상(象). '一有孚光亨'《易經》. ⑥성 수 성(姓)의 하나. [二] 연할 연 軟(車部 四畫)과 통용. '一弱'.
[字源] [篆文] 會意. 雨+而. '而이'는 머리털을 밀고 수염을 기른 무당의 象形. 비 오기를 비는 무당의 뜻에서 기다려 구하다의 뜻을 나타냄. '須수'와 통하여 쓰임. 또 파생하여 비를 만나 부드럽고 연해지다의 뜻도 나타냄.

[需頭 수두] 한대(漢代)에 장주(章奏)할 때, 맨 첫머리의 상단(上端)을 공백(空白)으로 비워 두고 내놓은 서식(書式). 그 빈 곳에는 조지(詔旨)·비답(批答)을 기록함. 운장(雲章).
[需事之賊 수사지적] 의심하여 머뭇거리면 일을 망침.
[需要 수요] ㉠소용됨. ㉡구매력(購買力)에 따라 시장에 나타나는 상품 구매의 희망이나 분량.
[需用 수용] 구하여 씀. 또, 그 물품.
[需弱 연약] '연약(軟弱)'과 같음.
◉供需. 軍需. 貴需. 內需. 民需. 百需. 不之時需. 外需. 應需. 特需. 必需. 婚需.

6 ⑭ [雩] 우 [平]虞 邕俱切 yū

[字解] ①소낙비 우 소나기. 취우(驟雨). ②비쏟아질 우 비가 쏟아지는 모양. '一, 注雨皃'《廣韻》.

6 ⑭ [雿] 조 [去]嘯 徒弔切 diào

[字解] 어두울 조 '䨏一'는 어두움. '䨏一, 幽冥也'《字彙》.

7 ⑮ [霊] 〔령〕
靈(雨部 十六畫〈p. 2510〉)의 略字

7 ⑮ [霂] 목 [入]屋 莫卜切 mù

[字解] 가랑비 목 霢(雨部 十畫)을 보라. '霢一'.
[字源] [篆文] 形聲. 雨+沐〔音〕. '沐목'은 머리를 늘어뜨려 감다의 뜻에서 '덮다'의 뜻을 나타냄. 주위를 온통 뒤덮듯이 내리는 가랑비의 뜻을 나타냄.

◉霢霂.

7 ⑮ [霄] 소 [平]蕭 相邀切 xiāo

[字解] ①하늘 소 천상(天上). '雲一'. '一壤'. '上出重一'《王勃》. ②구름기 소 태양(太陽) 곁에 나타나는 운기(雲氣). '騰淸一而軼浮景兮'《漢書》. ③성 소 성(姓)의 하나.
[字源] [篆文] 形聲. 雨+肖〔音〕. '肖소·초'는 '梢소·초'와 통하여 고층(高層)의 하늘의 뜻. 높은 데서 내리는 비, 진눈깨비의 뜻을 나타내며, 높은 하늘의 뜻도 나타냄.

[霄構 소구] 천자(天子)의 지위.
[霄嶺 소령] 하늘에 높이 솟은 산.
[霄半 소반] 하늘의 한복판. 중천.
[霄壤 소양] ㉠하늘과 땅. 천양(天壤). ㉡엄청난 차이(差異).
[霄元 소원] 소한(霄漢).
[霄月 소월] 하늘에 걸린 달.
[霄雿 소조] 높고 험준한 모양. 고준(高峻).
[霄峙 소치] 하늘 높이 우뚝 솟음.
[霄漢 소한] 하늘. 창천(蒼天).
◉絳霄. 九霄. 凌霄. 陵霄. 丹霄. 半霄. 碧霄. 鵬霄. 雲霄. 元霄. 遠霄. 紫霄. 絕霄. 澄霄. 靑霄. 晴霄. 層霄. 逼空霄. 遐霄. 寒霄.

7 ⑮ [霅] [一] 삽 [入]合 蘇合切 sà
[二] 잡 [入]洽 丈甲切 zhà
[三] 합 [入]洽 胡甲切 xiá

[字解] [一] 비올 삽 비가 내림. '一爾雹落'《馬融》. [二] ①천둥번개칠 잡 천둥하면서 번개가 번쩍이는 모양. '一一'. ②성 잡 성(姓)의 하나. [三] 빛날 합 광채를 발하는 모양. '煜一其閒'《班固》.
[字源] [篆文] 形聲. 雨+譶〈省〉〔音〕. '雨우'는 번개, '譶답·칩'은 음성이 겹쳐 시끄럽다의 뜻.

[霅溪 삽계] 저장 성(浙江省) 우싱 현(吳興縣) 남쪽에 있는 강(江) 이름.
[霅霅 잡잡] 천둥이 치면서 번갯불이 번쩍이는 모양.
◉煜霅.

7 ⑮ [霆] [人名] 정 [平]靑 特丁切 tíng

[字解] ①천둥소리 정 오래 끄는 뇌성(雷聲). 일설(一說)에는, 요란한 천둥. '如一如雷'《詩經》.

②번개 정 전광(電光). ‘電, 一也’《穀梁傳》.
[字源] 篆文 霆 形聲. 雨+廷〔音〕. ‘雨우’는 번개, ‘廷정’은 곧추 돌출하다의 뜻. 뚫고 나오는 듯한 천둥, 번개의 뜻을 나타냄.

[霆激 정격] 번갯불처럼 격심하게 일어남.
[霆擊 정격] 번갯불이 번쩍이듯이 느닷없이 침.
[霆奮 정분] 번개처럼 격렬하게 떨침.
●驚霆. 雷霆. 奔霆. 威霆. 震霆. 疾霆.

7 ⑮ [震] <u>高人</u> ■ 진 㳉震 章刃切 zhèn
　　　　 ■ 신 㴍眞 升人切 shēn

[筆順] 一 厂 雨 雨 雪 雪 震 震 震

[字解] ■①천둥소리 진 일설(一說)에는, 요란한 천둥. ‘爗爗一電’《詩經》. ②진괘 진 ㉠팔괘(八卦)의 하나. 곧, ☳. 동(動)·봄〔春〕을 상징(象徵)하며, 방위로는 동(東)에 배당함. ㉡육십사괘(六十四卦)의 하나. 곧, ䷲〈진하(震下), 진상(震上)〉. 만물이 발동하는 상(象). ③벼락칠 진 낙뢰함. ‘一夷伯之廟’《春秋》. ④흔들릴 진 진동함. ‘地一’《春秋》. ⑤움직일 진 움직일 진 ‘一天動地’. ‘功烈一主者’《李覯》. ⑥떨 진 두려워 떪. ‘一驚’. ‘斬首八萬, 諸侯一恐’《史記》. ⑦놀랄 진 놀랠 진 경악함. 놀라게 함. ‘可一而走’《吳子》. ⑧떨칠 진 위세가 널리 퍼짐. ‘泉浦之捷威一滄溟’《宋書》. ⑨위엄 진 위광(威光). ‘畏君之一’《左傳》. ⑩지동 진 지진(地震). ‘一災’. ■ 애밸 신 娠(女部 七畫)과 통용. ‘后緡方一’《左傳》.
[字源] 篆文 震 形聲. 雨+辰〔音〕. ‘辰진’은 떨리는 입술의 뜻. 뇌우(雷雨)가 사람을 놀라고 떨게 하는 모양에서 ‘떨리다’의 뜻을 나타냄.

[震撼 진감] 흔들어 움직임. 또, 흔들려 움직임.
[震強 진강] 두려워 떪.
[震驚 진경] 두려워 놀람. 또, 두려워 놀라게 함.
[震悸 진계] 진공(震恐).
[震恐 진공] 두려워 떪.
[震懼 진구] 진공(震恐).
[震宮 진궁] 황태자의 궁전. 동궁(東宮). 역(易)에서 진괘(震卦)는 동방에 배당하며 장남(長男)의 상(象).
[震怒 진노] ㉠하늘이 성내는 일. ㉡임금의 격노(激怒).
[震旦 진단] 인도에서 중국(中國)을 일컫는 말. 범어(梵語)의 음역(音譯). 일설(一說)에는, 진(震)은 진(秦), 단(旦)은 사단(斯坦)(땅의 뜻). 또, 동방(東方)의 나라라는 뜻. ‘지나(支那)’ 참조(參照).
[震檀 진단] 우리나라의 별칭(別稱). ‘진단(震旦)’ 참조.
[震怛 진달] 놀라 떪. 또, 놀라 떨게 함.
[震悼 진도] ㉠신하의 죽음을 임금이 몹시 슬퍼함. ㉡몹시 슬퍼함.
[震動 진동] 흔들어 움직임. 또, 흔들려 움직임.
[震雷 진뢰] 벼락.
[震雷無暇掩聰 진뢰무가엄총] 신속하여 막을 여유가 없음.
[震慄 진률] 진율(震慄).
[震方 진방] 묘방(卯方).
[震服 진복] 두려워 복종함.
[震憤 진분] 몸을 떨며 분해함.

[震死 진사] 벼락을 맞아 죽음.
[震懾 진섭] ㉠위협함. ㉡두려워하여 기절함. 몹시 두려워함.
[震騷 진소] 놀라 떨며 떠듦.
[震悚 진송] 진공(震恐).
[震慴 진습] 진공(震恐).
[震蝕 진식] 지진(地震)과 일식(日蝕) 또는 월식.
[震揚 진양] 떨쳐 들날림.
[震志 진에] 대단히 성냄.
[震域 진역] ㉠지진에 지반(地盤)의 진동을 느낄 수 있는 지역. ㉡진단(震檀).
[震畏 진외] 두려워 떪.
[震搖 진요] 흔들려 움직임.
[震源 진원] 지진(地震)의 원동지.
[震慄 진율] 무서워서 몸을 떪.
[震災 진재] 지진(地震)의 재앙.
[震電 진전] 천둥소리가 나고 번개가 번쩍임.
[震霆 진정] 번개.
[震主 진주] 위광(威光)이 있어 군주(君主)로 하여금 두려워하게 함.
[震震 진진] ㉠진동하는 모양. 천둥하는 모양. ㉡광명한 모양. ㉢성(盛)한 모양.
[震天動地 진천동지] 진천해지 (震天駭地).
[震川文集 진천문집] 명(明)나라 가정(嘉靖)의 삼대가(三大家)의 한 사람인 귀유광(歸有光)의 문집(文集). 30권. 진천(震川)은 귀유광의 호(號).
[震天駭地 진천해지] 하늘을 진동시키고 땅을 놀라게 한다는 뜻. 곧, 세력이 대단히 크거나 음향이 굉장함의 형용.
[震疊 진첩] 진공(震恐).
[震蕩 진탕] 흔들어 움직임. 또, 흔들려 움직임.
[震盪 진탕] 흔들려 움직임.
[震怖 진포] 진공(震恐).
[震汗 진한] 몹시 두려워 땀이 남.
[震害 진해] 지진(地震)의 피해.
[震駭 진해] 놀람. 놀램.
[震赫 진혁] 위세가 떨쳐 빛남.
[震眩 진현] 놀라 눈이 아찔함.
[震惶 진황] 진공(震恐).
●強震. 激震. 輕震. 驚震. 懼震. 劇震. 耐震. 雷震. 大震. 微震. 辣震. 弱震. 餘震. 烈震. 影駭響震. 遠震. 威震. 中震. 地震. 響震.

7 ⑮ [霆] 연 㴍霰 延面切 yàn
[字解] 구름일 연 구름이 읾. ‘一, 一一, 雲兒’《集韻》.
[參考] 霆(雨部 七畫〈p.2500〉)은 別字.

7 ⑮ [霈] 패 㳉泰 普蓋切 pèi
[字解] ①비쏟아질 패 비가 억수같이 오는 모양. ‘澇一’. ‘大雨澇一’《風俗通》. ②흐를 패 물이 세차게 흐르는 모양. ‘雲雨流一’《獨孤及》.
[字源] 形聲. 雨+沛〔音〕. ‘沛패’는 넓은 폭으로 물이 풍성하게 흐르다의 뜻. ‘雨우’를 더하여 비가 억수같이 오는 모양을 나타냄.

[霈霈 패패] 물이 세차게 흐르는 소리.
●甘霈. 澇霈. 流霈. 恩霈. 澧霈.

7 ⑮ [霉] 매 㴯灰 莫裴切 méi

字解 매우(梅雨) 매 6월경의 장마. '—雨善汙
衣服'《正字通》.
字源 形聲. 雨+每〔音〕. '每매'는 '梅雨매우'의
'梅'와 통하여 '장마'의 뜻.

[霉跡 매적] 종적을 감춤.

7 ⑮ [霂] 갱 ⊕梗 古杏切 gěng
字解 구름피어오를 갱 구름이 피어오름. 구름이
피어오르는 모양. '一, 雲皃'《集韻》.

7 ⑮ [霃] 침 ⊕侵 直深切 chén
字解 음산할 침 오랫동안 날씨가 흐림. '一, 久
霒也'《說文》.
字源篆文 形聲. 雨+沈〔音〕. '沈침'은 '오래다'
의 뜻. 비 오는 날씨가 오래 계속됨을
뜻함.

7 ⑮ [霓] 〔산〕
霰(雨部 十二畫〈p. 2506〉)과 同字

8 ⑯ [霍] 곽 ⊕藥 虛郭切 huò
字解 ①빠를 곽 신속함. '一然病已'《枚乘》. ②
흩어질 곽, 사라질 곽 소산(消散)하는 모양. '一
焉離耳'《荀子》. ③나라이름 곽 주(周)나라 무왕
(武王)의 아우 곽숙(霍叔)의 영지(領地). 지금
의 산시 성(山西省) 곽주(霍州). '滅一'《左傳》.
④콩잎 곽 술이름(卹部 十六畫)과 통용. '漿酒一肉'
《漢書》. ⑤성씨 곽(姓)의 하나.
字源 會意. 雨+隹. '隹추'는 새를 본뜬 것. 비가
와서 새들이 황급히 나는 모양에서 '빠르
다'의 뜻을 나타냄.

[霍去病 곽거병] 전한(前漢)의 장군. 무제(武帝)
때 외삼촌인 장군 위청(衛青)과 함께 흉노(匈
奴)를 정벌하기 여섯 차례, 크게 용명을 날림.
표기 장군(驃騎將軍)이 되었으므로 곽표요(霍
驃姚)라고도 일컬음. 스물네 살에 죽음.
[霍霍 곽곽] 칼날이 번쩍이는 모양. 일설(一說)에
는, 빠른 모양.
[霍光 곽광] 전한(前漢) 사람. 거병(去病)의 이모
제(異母弟). 무제(武帝)의 유조(遺詔)를 받들
어 대사마대장군(大司馬大將軍)으로서 소제
(昭帝)를 도왔으며, 다음 창읍왕(昌邑王)이 음
란하므로 그를 폐위시켜 중기(中期)의 정치 실
력자(政治實力者) 선제(宣帝)를 세웠음. 금중
(禁中) 출입 20여 년에 기린각 공신(麒麟閣功
臣)의 으뜸으로 꼽힘.
[霍亂 곽란] 더위에 음식이 체하여 별안간 토사가
심한 급성 위장병.
[霍山 곽산] ㉠산시 성(山西省) 곽현(霍縣) 동남
쪽에 있는 산 이름. 옛 이름은 태악(太岳). ㉡
안후이 성(安徽省) 곽산현(霍山縣) 남쪽에 있
는 산. 본명은 천주산(天柱山). ㉢안후이 성(安
徽省)에 있는 현명(縣名).
[霍閃 곽섬] 번개.
[霍焉 곽언] 소산(消散)하는 모양.
[霍然 곽연] 급한 모양. 갑자기.   「양.
[霍澤紛泊 곽택분박] 짐승이 비주(飛走)하는 모
[霍奕 곽혁] 빨리 달리는 모양.

[霍濩 곽확] 성(盛)한 모양.
●雷霍. 伊霍. 吻霍. 揮霍.

8 ⑯ [霎] 삽 ⊕洽 山洽切 shà
字解 ①가랑비 삽 이슬비. 세우(細雨). ②빗소
리 삽 비 오는 소리. '一高林簇雨聲'《韓偓》.
③잠시 삽 '一一'은 한바탕 오는 비이므로, 전
(轉)하여, 잠시(暫時)의 뜻으로 쓰임. '一時
萬頃銀濤半一間'《楊萬里》.
字源篆文 霎 形聲. 雨+妾〔音〕

[霎霎 삽삽] ㉠비 오는 소리. ㉡바람 부는 소리.
[霎時 삽시] 잠시(暫時).
[霎雨 삽우] 가랑비.
●半霎. 瞬霎. 一霎.

8 ⑯ [霏] 비 ⊕微 芳非切 fēi
字解 ①올 비 비나 눈 같은 것이 오는 모양. '雨
雪其一'《詩經》. ②안개 비 땅 위 가까이 낀 미
세한 물방울. '日出而林一開'《歐陽修》. ③올라
갈 비 연기 같은 것이 뭉게뭉게 올라가는 모양.
'煙一霧結'《晉書》.
字源篆文 霏 形聲. 雨+非〔音〕. '雨우'는 '눈', '非
비'는 나뉘어 열리다의 뜻. 눈이 어지
럽게 흩어져서 펄펄 내리는 모양을 나타냄.

[霏微 비미] 가랑비 또는 가랑눈이 오는 모양.
[霏霏 비비] ㉠비나 눈이 부슬부슬 오는 모양. ㉡
미세한 것이 날아 흩어지는 모양. ㉢구름이 이
는 모양. ㉣서리가 많이 내리는 모양. ㉤풀이
우거진 모양. ㉥번갯불이 번쩍이는 모양.
●霧霏. 紛霏. 雰霏. 夕霏. 水霏. 晨霏. 連霏.
煙霏. 陰霏. 林霏. 飄霏.

8 ⑯ [霙] 삼 ⊕咸 所咸切
첨 ⊕鹽 子廉切 jiān
字解 ⬛①이슬비 삼 보슬비. '一, 微雨也'《說
文》. ②비내리는모양 삼 '一, 雨皃'《廣韻》. 🔲
①담글 첨 적심. '一, 漬也'《廣韻》. ②이슬비 첨
🔲❶과 뜻이 같음.
字源 形聲. 雨+𣴎〔音〕

8 ⑯ [霑] 〔인명〕 점 ⊕鹽 張廉切 zhān
字解 젖을 점, 적실 점 '雨一服'《禮記》. 전(轉)
하여, 은혜를 입음. 은혜를 베풂. '白骨始一恩'
《李商隱》.
字源篆文 霑 形聲. 雨+沾〔音〕. '沾점'은 '點점'과
통하여 '점'의 뜻. 비가 점점이 떨어
져 내려서 촉촉이 적시다의 뜻을 나타냄.

[霑灑 점쇄] 뿌려 적심.
[霑汙 점오] 적시어 더럽힘.
[霑潤 점윤] ㉠흐뭇하게 젖음. ㉡은혜를 입음.
[霑漬 점지] 젖음. 또, 적심.
[霑醉 점취] 대단히 취함.
[霑被 점피] ㉠젖음. 또, 적심. ㉡은혜를 입음.
또, 은혜를 베풂.
[霑汗 점한] 땀이 뱀.

●均霑. 露霑. 淚霑. 普霑. 潤霑.

8 ⑯ [霓] 人名 예 ㉻齊 五稽切 ní

字解 ①무지개 예 蜺(虫部 八畫)와 同字. '若大旱之望雲一'《孟子》. ②성 예 성(姓)의 하나.
字源 篆文 霓 形聲. 雨+兒〔音〕. '兒아'는 '어린이'의 뜻. 비의 아들, '무지개'의 뜻을 나타냄.

[霓裳羽衣曲 예상우의곡] 월궁(月宮)의 음악(音樂)을 모방(模倣)하여 만든 악곡(樂曲) 이름.
[霓衣 예의] 천인(天人)이 입는 무지개 옷.
[霓旌 예정] 무지개같이 아름다운 기(旗). 우모(羽毛)로 만든 오색기(五色旗).
●潤霓. 絳霓. 斷霓. 白霓. 素霓. 雲霓. 陰霓. 㛚霓. 紅霓.

8 ⑯ [䨝] 둔 ㉻元 徒昆切 tún

字解 구름클 둔 구름이 큼. 구름이 큰 모양. '一, 雲大貌'《字彙》.

8 ⑯ [霖] 人名 림 ㉸侵 力尋切 lín

筆順 一 厂 戸 币 币 雨 雨 雫 霂 霖

字解 장마 림 사흘 이상 계속하여 내리는 비. '梅一.' '雨自三日以往爲一'《左傳》.
字源 甲骨文 篆文 霖 形聲. 雨+林〔音〕. '林림'은 '立립'과 통하여 어떤 위치를 차지하고 서다의 뜻. 비가 사흘 이상 장기간에 걸쳐서 눌러앉아 내리다, 장맛비의 뜻을 나타냄.

[霖潦 임뇨] 장마가 져서 쑥쑥 빠짐.
[霖瀝 임력] 장마 짐. 또, 장마.
[霖潦 임료] 장마가 져서 흙탕물이 가득히 내려감.
[霖霖 임림] 장마가 지는 모양.
[霖濕 임습] 장마 때의 습기(濕氣).
[霖餘 임여] 비가 막 갠 뒤.
[霖雨 임우] ㉠장마. ㉡가뭄을 푸는, 사흘 이상 오는 비. ㉢은택(恩澤)의 뜻으로 쓰임.
[霖霪 임음] 장마. 임우(霖雨).
[霖澍 임주] 장마가 퍼부음.
●甘霖. 膏霖. 梅霖. 麤霖. 愁霖. 連霖. 靈霖. 沃霖. 幽霖. 陰霖. 霪霖. 秋霖. 春霖. 夏霖. 洪霖.

8 ⑯ [䨠] 대 ㉵隊 徒奈切 dài

字解 구름의형상 대 구름의 형상. '一, 雲狀也'《字彙補》.

8 ⑯ [霔] 주 ㉵遇 朱戍切 zhù

字解 ①장마 주 임우(霖雨). '一, 霖一'《廣韻》. ②시우(時雨) 주, 적실 주 때맞추어 오는 비. 澍(水部 十二畫)와 同字.

8 ⑯ [霋] 처 ㉻齊 七稽切 qī

字解 ①갤 처 날씨가 청명하고 맑음. '霽謂之一'《說文》. ②구름뭉게뭉게갈 처 구름이 떠가는 모양. '一, 雲行皃'《玉篇》.
字源 篆文 霋 形聲. 雨+妻〔音〕.

8 ⑯ [霌] 굉 ㉸庚 姑橫切 gōng

字解 사람이름 굉 사람 이름. '一, 吳王孫休子名'《集韻》.

8 ⑯ [霒] 음 ㉸侵 於金切 yīn

字解 흐릴 음 구름이 끼어 날씨가 흐림. '五日生民有一陽'《大戴禮》.
字源 篆文 霒 古文 霒 形聲. 雲+今〔音〕. '今금'은 위에서 덮다의 뜻. 하늘을 덮은 구름, '흐리다'의 뜻을 나타냄. 古文은 云+今〔音〕. '云운'은 '雲운'의 古字.

8 ⑯ [霮] 단 ㉻寒 徒官切 tuán

字解 이슬많을 단 이슬이 많은 모양. '溥, 溥溥, 露多皃, 或作霮, 或省'《集韻》.

9 ⑰ [霙] 人名 영 ㉸庚 於驚切 yīng

字解 진눈깨비 영 비가 섞여 오는 눈. '晚雨纖纖變玉一'《蘇軾》.
字源 霙 形聲. 雨+英〔音〕. '英영'은 '꽃'의 뜻. 꽃처럼 내리는 눈, '진눈깨비'의 뜻을 나타냄.
●飛霙. 垂霙. 玉霙. 珠霙. 飄霙.

9 ⑰ [霮] 담 ㊤感 徒感切 dàn

字解 구름피어날 담 구름이 피어남. 구름의 모양. '一, 一霮, 雲皃'《廣韻》.

9 ⑰ [霮] 담 ㊤感 徒感切 dàn

字解 구름모양 담 구름의 모양. '一, 一霮, 雲貌'《搜眞玉鏡》.

9 ⑰ [霜] 中人 상 ㉸陽 色莊切 shuāng ㉭漾 色壯切

筆順 一 厂 戸 币 币 雨 雫 霏 霜 霜

字解 ①서리 상 이슬이 언 것. '白露爲一'《詩經》. ②흴 상, 백발 상 수염이나 머리가 세어 흼. 또, 그 수염이나 머리. '一髮'. '何處得秋一'《李白》. ③해 상 지나온 세월. 햇수. '星一'. '陛下之壽三千一'《李白》. ④엄할 상 서리를 맞으면 초목의 잎이 고사(枯死)하므로, 엄(嚴)함의 형용으로 쓰임. '秋一烈日'. '風行一烈'《後漢書》. ⑤성 상 성(姓)의 하나.
字源 篆文 霜 形聲. 雨+相〔音〕. '相상'은 '喪상'과 통하여 '잃다'의 뜻. 만물을 시들게 하여 보지 못하게 만드는 '서리'의 뜻을 나타냄.

[霜柯 상가] 서리를 맞은 나뭇가지.
[霜降 상강] 이십사절기(二十四節氣)의 하나. 한

로(寒露)와 입동(立冬) 사이에 있는 절기(節氣). 양력 10월 23일경.
[霜劍 상검] 상도(霜刀).
[霜空 상공] 상천(霜天).
[霜戈 상과] 번쩍번쩍하는 예리한 창.
[霜禽 상금] 서리가 내릴 때의 새. 겨울새를 이름.
「운.
[霜氣 상기] 찬 기운. 또, 서리와 같은 엄숙한 기
[霜氣黃秋 상기황추] 추상(秋霜) 같은 엄숙한 기상이 나타남을 이름.
[霜臺 상대] '어사대(御史臺)'의 아칭(雅稱). 어사대는 법률을 관장하므로, 추관(秋官)에 배당하여 상(霜)이라 함.
[霜刀 상도] 날이 시퍼레서 희게 번득이는 칼.
[霜橙 상등] 서리를 맞아 잘 익은 등자(橙子).
[霜羅 상라] 서리와 같이 희고 고운 깁.
[霜烈 상렬] 서리와 같이 엄함. 추상(秋霜)같이 엄함.
[霜露 상로] 서리와 이슬.
[霜露之疾 상로지질] 찬 기운이 침범하여 일어나는 병. 곧, 감기(感氣)를 이름.
[霜毛 상모] 서리같이 흰 털.
[霜矛 상모] 상과(霜戈).
[霜眉 상미] 서리같이 흰 눈썹.
[霜雹 상박] 서리와 우박.
[霜髮 상발] 서리같이 흰 머리.
[霜蓬 상봉] ㉠서리를 맞아 마른 쑥. ㉡서리같이 센 백발을 이르는 말.
[霜鋒 상봉] 번쩍번쩍하는 예리한 봉망(鋒鋩).
[霜鬢 상빈] 서리같이 흰 구레나룻.
[霜霰 상산] 서리와 싸라기눈.
[霜署 상서] 상대(霜臺).
[霜雪 상설] 서리와 눈. 마음이 결백하고 엄함의 비유.
[霜鬚 상수] 서리와 같이 흰 수염.
[霜信 상신] '기러기〔雁〕'의 별칭(別稱).
[霜晨 상신] 서리가 내린 새벽.
[霜夜 상야] 서리가 내린 밤.
[霜野 상야] 서리 맞은 들. 서리가 내린 들.
[霜髯 상염] 서리와 같이 흰 구레나룻.
[霜葉 상엽] 서리를 맞아 단풍 든 잎.
[霜螯 상오] 상해(霜蟹).
[霜月 상월] ㉠서리가 내린 밤의 달. ㉡음력 7월의 이칭(異稱).
[霜威 상위] ㉠초목을 고사(枯死)하게 하는 서리의 맹위(猛威). ㉡엄한 위광(威光).
[霜刃 상인] 상도(霜刀).
[霜髭 상자] 서리와 같이 흰 코밑수염. 흰 수염.
[霜災 상재] 서리가 와서 곡식이 해(害)를 입음.
[霜蹄 상제] ㉠준마(駿馬)의 발굽. ㉡준마(駿馬).
[霜操 상조] 서리와 같이 늠렬(凜烈)한 지조(志操).
[霜鐘 상종] 서리 내린 밤의 종소리.
[霜洲 상주] 서리가 내린 사주(砂洲).
[霜天 상천] 서리가 내리는 밤의 하늘.
[霜草 상초] 서리 맞은 풀.
[霜砧 상침] 서리가 내린 밤의 다듬이질.
[霜楓 상풍] 서리 맞은 단풍잎.
[霜下傑 상하걸] '국화(菊花)'의 별칭(別稱).
[霜蟹 상해] 서리가 내릴 무렵의 게. 맛이 가장 좋음. 상오(霜螯).
[霜憲 상헌] 상대(霜臺).
[霜蹊 상혜] 서리가 내린 소로(小路).
[霜毫 상호] 서리와 같이 흰 털. 상모(霜毛).
[霜花 상화] 서리를 꽃에 견주어 이른 말.
[霜華 상화] 상화(霜花).
[霜紈 상환] 서리같이 흰 고운 깁.
[霜曉 상효] 상신(霜晨).
[霜畦 상휴] 서리가 내린 밭.
◉降霜. 琨玉秋霜. 露霜. 晩霜. 微霜. 薄霜. 半成霜. 繁霜. 鬢霜. 氷霜. 雪霜. 星霜. 愁霜. 肅霜. 身似浮雲鬢似霜. 晨霜. 新霜. 嚴霜. 零霜. 傲霜. 流霜. 字挾風霜. 朝霜. 秋霜. 淸霜. 板橋霜. 風霜. 寒霜. 皓霜. 曉霜.

9 ⑰ [䨚] [一] 적 (入)錫 亭歷切 dí
[二] 독 (入)沃 徒沃切

[字解] [一] 비올 적 비가 옴. '—, 博雅, ——, 雨也'《集韻》. [二] 비오는모양 독 비가 오는 모양. '—, 雨皃'《集韻》.

9 ⑰ [霝] 령 (平)青 郎丁切 líng

[字解] ①내릴 령, 비내릴 령 '—, 雨零也. 詩曰, —雨其濛'《說文》. ②떨어질 령 '—, 落也. 墮也'《廣韻》. ③좋을 령 '—, 令也'《廣雅》. ④빌 령 공허함. '—, 空也'《廣雅》.
[字源] 會意. 雨+口口口

9 ⑰ [霞] [人名] 하 (平)麻 胡加切 xiá

[筆順]

[字解] ①놀 하 공중의 수증기에 해가 비치어 붉게 보이는 기운. '夕—'. '遠而望之, 皎若太陽升朝—'《曹植》. ②멀 하 遐(辵部 九畫)와 통용. '載營魄而登—'《楚辭》. ③새우 하 鰕(魚部 九畫)와 통용. '啄—矯翮兮雲閒'《吳越春秋》. ④성 하 성(姓)의 하나.
[字源] 篆文 形聲. 雨+叚〔音〕. '叚하'는 '붉다'의 뜻. 미처 비가 되지 않은 수증기가 햇빛을 받아 붉게 보이는 아침노을 등의 뜻을 나타냄.

[霞徑 하경] 놀이 낀 소로(小路).
[霞光 하광] 놀.
[霞洞 하동] 신선이 사는 곳.
[霞氛 하분] 동방(東方)의 붉은 운기(雲氣).
[霞觴 하상] 신선(神仙) 등이 쓰는 술잔.
[霞舒雲卷 하서운권] 놀같이 펴고 구름같이 말린다는 뜻으로, 그림의 필법(筆法)과 착색(着色) 등이 아주 묘함을 이름.
[霞彩 하채] 놀의 아름다운 빛.
[霞帔 하피] ㉠무의(舞衣)의 우아한 모양. ㉡도사(道士)의 옷. ㉢송명대(宋明代)의 부인(婦人)의 예복. 배자(褙子).

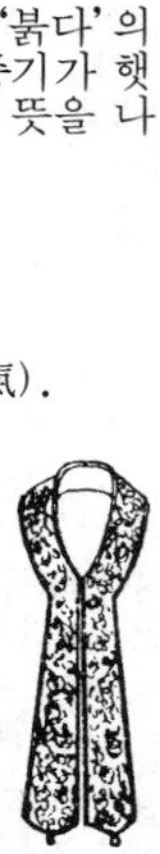
[霞帔㉢]

◉絳霞. 落霞. 丹霞. 晩霞. 暮霞. 夕霞. 燒霞. 晨霞. 煙霞. 雲霞. 流霞. 紫霞. 殘霞. 赤霞. 赬霞. 朝霞. 餐霞. 彩霞. 春霞. 形霞. 紅霞. 曉霞.

9 ⑰ [䨣] [一] 박 (入)藥 匹各切
[二] 격 (入)陌 古核切 gé

字解 ■ 비에젖은가죽 박 '一, 雨濡革也'《說文》.
■ 비 격 '一, 雨也'《廣韻》.
字源 會意. 雨＋革

9
⑰ [䨌] 대 ㉿隊 度柰切 dài
字解 구름낀모양 대 구름이 낀 모양. '一, 雲貌'《字彙》.

9
⑰ [霘] 음 ㉿侵 於金切 yīn
字解 흐릴 음 구름이 낌. '忠昭昭而願見兮, 然一曀而莫達'《楚辭》.

[霘曀 음예] 바람이 불어 하늘에 구름이 낌.

9
⑰ [霊] 와 ㉿麻 烏瓜切 wā
字解 괸물 와 마소의 발자국에 괸 물. '一, 蹄洿, 馬牛跡中水'《正字通》.

9
⑰ [霦] 〔령〕
靈(雨部 十六畫〈p. 2510〉)의 古字

9
⑰ [霨] 〔애〕
霨(雨部 十六畫〈p. 2510〉)와 同字

10
⑱ [霡] 맥 ㉿陌 莫獲切 mài
字解 가랑비 맥 '一霢'은 가랑비. 세우(細雨). '益之以一霢'《詩經》.
字源 篆文 霡 形聲. 雨＋脈〔音〕. '脈맥'은 실처럼 가늘게 이어지다의 뜻.
參考 霢(次條)은 同字.

[霡霢 맥목] 가랑비. 또, 가랑비가 부슬부슬 오는 모양.

10
⑱ [霢] 霡(前條)과 同字

10
⑱ [霣] ■ 운 ㉿軫 羽敏切 yǔn
　　■ 곤 ㉿元 公渾切
字解 ■ ①떨어질 운 隕(阜部 十畫)과 통용. '夜中星一如雨'《公羊傳》. ②죽을 운 殞(歹部 十畫)과 통용. '惠之早一'《史記》. ③천둥 운 '齊人謂雷爲一'《說文》. ■ 떨어질 곤, 천둥 곤 ■❶❸과 뜻이 같음.
字源 篆文 霣 古文 𩂣 形聲. 雨＋員〔音〕. '員원'은 동글동글하게 뭉쳐서 떨어지다의 뜻. 떨어지다의 뜻이나 떨어져 내려오는 천둥의 뜻을 나타냄. 古文은 雨＋鼎〔音〕.

●星霣.

10
⑱ [霤] 구 ㉿宥 居候切 gòu
字解 큰비 구 큰비. 대우(大雨). '一, 大雨也'《集韻》.

10
⑱ [霤] 류 ㉿宥 力救切 liù
字解 ①낙숫물 류 처마 끝에서 떨어지는 물. '聽長一之涔涔'《潘尼》. ②낙숫물그릇 류 낙숫물을 받는 그릇. '玉堂對一'《左思》. ③물방울 류 듣는 물방울. 溜(水部 十畫)와 통용. '泰山之一穿石'《漢書》. ④방 류 집 안의 빈방. '其祀中一'《禮記》.
字源 形聲. 雨＋留(畱)〔音〕. '畱류'는 '流류'와 통하여 '흐르다'의 뜻. 지붕에서 흘러 떨어지는 비, '낙숫물'의 뜻을 나타냄.

[霤水足以溢壺榼 유수족이일호합] 작은 물방울도 많이 괴면 항아리나 통에 가득 참.
[霤槽 유조] 낙숫물을 받는 통.
●甘霤. 階霤. 修霤. 屋霤. 長霤. 中霤.

10
⑱ [霶] 방 ㉿陽 普郎切 pāng
字解 ①눈내릴 방 눈이 많이 내리는 모양. 雱(雨部 四畫)과 同字. ②죽죽퍼부을 방 비가 세차게 퍼붓는 모양. 滂(水部 十畫)과 同字.

10
⑱ [霖] 력 ㈅錫 狼狄切 lì
字解 비긋지아니할 력 비가 긋지 아니함. '一一, 雨不止'《篇海》.

10
⑱ [霝] 렴 ㉿鹽 力鹽切 lián
字解 장마 렴 '一, 久雨也'《說文》.
字源 篆文 霝 形聲. 雨＋兼〔音〕. '兼겸'은 '겸하다'의 뜻.

10
⑱ [霅] 〔애〕
曖(白部 十畫〈p. 1513〉)와 同字

11
⑲ [霧] 高入 무 ㊀遇 亡遇切 wù
筆順 一 ㄱ 雨 霏 霚 霚 霧 霧
字解 안개 무 ㉠땅 위에 가까이 끼는 미세한 물방울. '雲一'. ㉡안개와 같이 밀집(密集) 또는 비산(飛散)하는 것을 형용하여 이름. '一集'. '雄州一'《王勃》.
字源 篆文 霚 籒文 霧 篆文은 形聲. 雨＋務〔音〕. '務무'는 '冒모'와 통하여 '덮다'의 뜻. 천지간에 낀 '안개'의 뜻을 나타냄. '霧무'는 '霚'의 동일어 이체자임.

[霧縠 무곡] 고운 비단. 비단이 안개와 같이 가볍다는 뜻으로 이름.
[霧光 무광] 안개의 빛.
[霧氣 무기] 안개.
[霧亂 무란] 안개가 흩어짐.
[霧露 무로] 병(病)을 이름.
[霧裏 무리] 안개 속.
[霧杳 무묘] 안개가 잔뜩 끼어 앞을 볼 수 없음.
[霧鬢風鬟 무빈풍환] 무환(霧鬟).
[霧散 무산] ㉠안개가 흩어짐. 안개가 갬. ㉡안개가 개듯이 흩어짐.
[霧塞 무색] 안개가 짙게 끼어 막힘.
[霧消 무소] 안개처럼 사라짐.
[霧袖 무수] 고운 비단으로 만든 소매.
[霧市 무시] 후한(後漢)의 장해(張楷)가 도술(道

術)로써 오리무(五里霧)를 만들어 홍농 산중(弘農山中)에 은거(隱居)하였는데, 그를 따르는 학자(學者)들이 운집(雲集)하여 저자를 이룬 것을 일컬은 말.
[霧瘴 무장] 안개의 독기(毒氣).
[霧笛 무적] 선박이 짙은 안개 속에서 충돌을 피하기 위하여 울리는 기적.
[霧朝 무조] 안개 낀 아침.
[霧集 무집] 안개처럼 많이 모임.
[霧綃 무초] 무곡(霧穀).
[霧萃 무췌] 무집(霧集).
[霧聚 무취] 무집(霧集).
[霧壑 무학] 안개가 낀 구렁.
[霧合 무합] 무집(霧集).
[霧鬟 무환] 윤이 나는 아름다운 머리.
[霧會 무회] 무집(霧集).
[霧曉 무효] 안개가 낀 새벽.
◉輕霧. 濃霧. 醲霧. 斷霧. 大霧. 毒霧. 密霧. 薄霧. 白霧. 氛霧. 噴霧. 三里霧. 祥霧. 瑞霧. 夕霧. 細霧. 宿霧. 晨霧. 深霧. 埃霧. 煙霧. 烟霧. 五里霧. 妖霧. 雨霧. 雲霧. 鬱霧. 陰霧. 瘴霧. 貯雲含霧. 朝霧. 塵霧. 秋霧. 海霧. 香霧. 紅霧. 花庭霧. 黃霧. 曉霧. 曛霧. 黑霧.

11 ⑲ [霪] 음 [平]侵 餘針切 yín

[字解] 장마 음 열흘 이상 오는 비. '禹沐浴—雨'《淮南子》.
[字源] 形聲. 雨+淫〔音〕. '淫음'은 너무 많이 내린 비의 뜻.

[霪霖 음림] 음우(霪雨).
[霪雨 음우] 장마. 음우(淫雨).
◉陰霪. 霖霪.

11 ⑲ [霫] 〔설〕 雪(雨部 三畫〈p.2494〉)의 本字

11 ⑲ [霫] 습 [入]緝 先立切 xí

[字解] 나라이름 습 '白—'은 흉노(匈奴)의 별종이 세운 나라. '白—居鮮卑故地, 其部有三'《唐書》.
[字源] 形聲. 雨+習〔音〕

◉白霫.

11 ⑲ [霩] 확 [入]藥 虛郭切 kuò

[字解] 휑할 확 廓(广部 十一畫)과 통용. '道始于虛—, 虛—生宇宙'《淮南子》.
[字源] 篆文 形聲. 雨+郭(郭)〔音〕. '郭곽'은 '廓곽'과 통하여 '열다'의 뜻.

◉虛霩.

11 ⑲ [霨] 위 [去]未 紆胃切 wèi

[字解] 구름피어오를 위 구름이 피어오르는 모양. '—, 雲起皃'《集韻》.
[字源] 形聲. 雨+尉〔音〕

11 ⑲ [霮] [一] 단 [平]寒 徒官切 tuán
[二] 천 [上]銑 豎兗切

[字解] [一] 이슬많이내린모양 단 이슬이 많이 내린 모양. 漙(水部 十一畫)과 同字. '漙, 漙漙, 露多皃, 或作—'《集韻》. [二] 이슬많이내린모양 천 [一]과 뜻이 같음.

11 ⑲ [霬] 루 [上]麌 隴主切 lǚ

[字解] 비오는모양 루 비가 오는 모양. '—, 雨皃'《集韻》.

11 ⑲ [霦] 중 [平]東 職戎切 zhōng
[去]送 之仲切

[字解] ①가랑비 중 가늘게 오는 비. '—, 小雨也'《說文》. ②장맛비 중 오래 오는 비.
[字源] 篆文 形聲. 雨+眾〔音〕

11 ⑲ [霦] [人名] 빈 [平]眞 府巾切 bīn

[字解] ①옥광채 빈 옥(玉)의 광채(光彩). '—, 玉光色'《玉篇》. ②옥빛 빈 '璘—'은 옥의 빛나는 색(色). '璘—, 玉光色也'《廣韻》.

12 ⑳ [霰] [人名] 산(선[本]) [去]霰 蘇佃切 xiàn

[字解] 싸라기눈 산 빗방울이 내리다가 얼어서 싸라기같이 된 눈. '如彼雨雪, 先集維—'《詩經》.
[字源] 金文 篆文 形聲. 雨+散(㪔)〔音〕. '㪔산'은 뿔뿔이 흩어지다의 뜻. 뿔뿔이 흩어진 꼴로 내려오는 비, '싸라기눈'의 뜻을 나타냄.

[霰雹 산박] 싸라기눈.
[霰散 산산] 싸라기눈처럼 흩어짐.
[霰雪 산설] 싸라기눈. 또는 진눈깨비.
[霰彈 산탄] 많은 탄환이 한꺼번에 터져 나오게 된 탄환.
◉輕霰. 驚霰. 急霰. 微霰. 雹霰. 飛霰. 霜霰. 雪霰. 雨霰. 流霰. 霖霰. 滋霰. 馳霰. 漂霰. 風霰. 曉霰.

12 ⑳ [露] [中人] 로 [去]遇 洛故切 lù, lòu

[筆順] 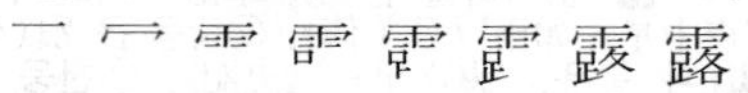

[字解] ①이슬 로 ㉠물기가 얼어서 물방울이 되어 풀잎 같은 데 붙어 있는 것. '玉—'. '孟秋白—降'《禮記》. ㉡덧없음의 비유로 쓰임. '一命'. '朝—'. ㉢한데에서 자면 이슬을 맞으므로, 한데 또는 위를 가리지 아니한 뜻으로 쓰임. '—宿'. '—臺'. 전(轉)하여, 한데에서 재움. 들에서 있게 함. '暴兵—師十有餘年'《主父偃》. ②적실 로, 젖을 로 이슬로 적심. '—彼菅茅'《詩經》. 전(轉)하여, 은혜를 베풂. 은혜를 입음. '覆—萬民'《漢書》. ③드러날 로, 나타날 로 ㉠숨긴 일이 알려짐. '—顯'. '謀—被誅'. ㉡밖에서 보임. '—出'. ④드러낼 로, 나타낼 로 전항의 타동사. '暴—'. ⑤고달플 로, 고달프게할 로 '以—其體'《左傳》. ⑥성 로 성(姓)의 하나. ⑦《韓》러시아 로 러시아의 음역(音譯) '노서아(露西亞)'의 생략. '—人'.

[字源] 篆文  形聲. 雨+路〔音〕. '路로'는 '落낙'과 통하여 '떨어지다'의 뜻. 떨어져 내린 빗방울, '이슬'의 뜻을 나타냄. 또 떨어져서 모습을 드러내다, 나타나다의 뜻도 나타냄.

[露檄 노격] 봉하지 아니한 격문(檄文).
[露鷄 노계] 야생(野生)의 닭.
[露骨 노골] ㉠뼈를 땅 위에 드러냄. ㉡조금도 숨김없이 드러냄.
[露光 노광] 이슬의 빛.
[露槐風棘 노괴풍극] 삼공구경(三公九卿)을 이름. 노(露)와 풍(風)은 형용의 문사(文詞). '괴극(槐棘)'을 보라.
[露國 노국] 노서아(露西亞).
[露葵 노규] 아욱. 순채(蓴菜).
[露根 노근] 땅 위로 드러난 뿌리.
[露氣 노기] 이슬 기운.
[露堂堂 노당당] 조금도 은폐함이 없이 공명정대한 모양.
[露臺 노대] ㉠지붕 없는 정자. ㉡옥상의 운동장. 발코니.
[露頭 노두] ㉠쓴 것이 없는 맨머리. ㉡광맥(鑛脈) 등이 지면에 드러난 것.
[露馬脚 노마각] 마각(馬脚)을 드러냄. 숨기고 있던 간사(奸邪)한 꾀가 부지중(不知中)에 드러남.
[露眠 노면] 한데서 잠.
[露命 노명] 이슬의 목숨. 곧, 덧없는 생명. '조로(朝露)' 참조.
[露盤 노반] ㉠'승로반(承露盤)'의 준말. 한무제(漢武帝)가 이슬을 받기 위해 건장궁(建章宮)에 세운 동반(銅盤)임. ㉡《佛教》 탑(塔)의 구륜(九輪)의 최하부에 있는 방형(方形)의 동반(銅盤). 노반(露盤). '상륜탑(相輪塔)' 참조.
[露佛 노불] 지붕이 없는 곳에 안치한 불상(佛像).
[露索 노색] 옷을 벗기고 조사함.
[露生 노생] 나타남. 드러남.
[露西亞 노서아] 러시아(Russia)의 음역(音譯).
[露跣 노선] 맨발.
[露首 노수] 맨머리. 머리에 아무것도 쓰지 않은 일.
[露宿 노숙] 한데서 잠. 집 밖에서 잠.
[露芽 노아] '차(茶)'의 별칭(別稱).
[露眼 노안] 불쑥 나온 눈. 퉁방울눈.
[露營 노영] 산이나 들에 벌인 진영(陣營). 야영(野營).
[露臥 노와] 노숙(露宿).
[露雨 노우] 이슬과 비. 은택(恩澤)의 비유.
[露人 노인] 노서아 사람.
[露刃 노인] 칼집에서 뺀 칼.
[露積 노적] 옥외(屋外)에 쌓음.
[露電 노전] 이슬과 번개. 곧, 인생의 덧없음의 비유.
[露店 노점] 한데에 내는 가게.
[露點 노점] 수증기가 대기(大氣) 중에서 냉각되어 응결을 시작할 때의 온도.
[露井 노정] 지붕이 없는 우물.
[露呈 노정] 나타냄. 또, 나타남.
[露坐 노좌] 한데에 앉음.
[露柱 노주] ㉠《佛教》 당(堂) 밖의 정면에 세운 두 기둥. ㉡무정(無情) 또는 비상(非常)의 뜻으로 쓰임.
[露珠 노주] 이슬방울.
[露竹 노죽] 이슬이 내린 대나무.
[露地 노지] ㉠지면(地面). 지상(地上). ㉡건물 사이의 좁은 길. ㉢문 안 또는 정원(庭園)의 길. ㉣법화경(法華經)에서, 번뇌를 초탈한 경지에 비유함. 넓은 평지(平地)의 뜻.
[露次 노차] 노숙(露宿).
[露車 노차] 뚜껑이 없는 차. 무개차(無蓋車).
[露處 노처] 한데서 삶.
[露天 노천] 한데.
[露體 노체] 몸을 드러냄.
[露草 노초] 이슬이 앉은 풀.
[露出 노출] 거죽으로 드러남. 또, 거죽으로 드러냄.
[露寢 노침] 노숙(露宿).
[露板 노판] 노포(露布).
[露版 노판] 노포(露布).
[露布 노포] ㉠봉하지 아니한 문서. ㉡문체(文體)의 이름. 전승(戰勝)한 보도를 널리 알리기 위하여 포백(布帛)에 써서 장대 위에 걸어 누구나 볼 수 있게 한 것. 노판(露板).
[露表 노표] 조금도 숨김없이 드러냄.
[露見 노현] 노현(露顯).
[露顯 노현] ㉠나타내어 보임. ㉡나타나 알려짐.
[露花 노화] 이슬에 젖은 꽃.
[露華 노화] 이슬이 빛남. 또, 이슬의 빛. 또, 빛나는 이슬. 노광(露光).
◉甘露. 結露. 罄露. 庫露. 膏露. 矜露. 冷露. 濃露. 漏露. 沐露. 霧露. 發露. 白露. 繁露. 祥露. 霜露. 瑞露. 泄露. 承露. 渥露. 夜露. 如露. 零露. 玉露. 溽露. 雨露. 月露. 流露. 銀露. 人生如朝露. 滴露. 電光朝露. 呈露. 朝露. 珠露. 陳露. 塵露. 淸露. 草露. 墜露. 翠露. 湛露. 吐露. 暴露. 曝露. 表露. 風露. 風雲月露. 披露. 韓露. 寒露. 薤露. 泫露. 顯露. 浩露. 華露. 花上露. 曉露.

12 ⑳ [霳] 륭 [平]東 力中切 lóng

[字解] 뇌신(雷神) 륭 '靊—'은 우레를 맡은 신. 뇌공(雷公). '靊—, 雷師'《集韻》.
[字源] 形聲. 雨+隆〔音〕

12 ⑳ [霯] 등 [去]徑 台隥切 tèng

[字解] 큰비 등 큰비. 대우(大雨). '—, 大雨'《集韻》.

12 ⑳ [⿱雨湛] 담 [去]勘 徒濫切 dàn / [上]感 徒感切

[字解] ①구름많을 담 '—䨴'는 구름이 많은 모양. '雲覆—䨴'《王延壽》. ②구름피어오를 담 구름이 뭉게뭉게 피어오르는 모양. '—, 雲皃, 䨴謂之—䨴'《集韻》.

12 ⑳ [⿱雨湳] 남 [去]陷 尼賺切 nàn

[字解] ①진흙 남 진흙. '—, 泥'《玉篇》. ②진창 남 진창. '—, 雨淖也'《集韻》.

12 ⑳ [霱] 율 [入]質 餘律切 yù

[字解] ①상서로운구름 율 경운(景雲). 서운(瑞雲). 矞(矛部 七畫)과 통용. '卿雲謂之—'《集韻》. ②삼색(三色)구름 율 세 가지 빛깔의 구름. '雲則五色而爲慶, 三色而爲—'《西京雜記》.

字源 形聲. 雨＋喬〔音〕

12 ⑳ [雷]〔류〕
畾(雨部 十畫〈p. 2505〉)의 本字

12 ⑳ [霧]〔대〕
霼(雨部 十四畫〈p. 2509〉)와 同字

12 ⑳ [靆]〔대〕
靆(雨部 二十八畫〈p. 2512〉)와 同字

12 ⑳ [霖]〔력〕
靂(雨部 十九畫〈p. 2512〉)과 同字

12 ⑳ [罺]〔암〕
黤(黑部 八畫〈p. 2707〉)의 通字

12 ⑳ [霥]〔중〕
霺(雨部 十一畫〈p. 2506〉)의 訛字

13 ㉑ [霸]
패(파)㊤ 覇 必駕切 bà

字解 ①두목 패 무력(武力)·권도(權道)로써 정치를 하는 제후(諸侯)의 우두머리. 춘추 시대(春秋時代)의 제환공(齊桓公)·진문공(晉文公)·송양공(宋襄公)·진목공(秦穆公)·초장왕(楚莊王)을 '五一'라 함. '以力假仁者一'《孟子》. 전(轉)하여, 널리 두목·우두머리의 뜻으로 쓰임. '文采必一'《文心雕龍》. ②으뜸갈 패 우두머리가 됨. '孔子爲政必一'《史記》. ③성 패 성(姓)의 하나.

字源 金文 霸 篆文 覇 形聲. 月＋霝〔音〕. '霝박'은 '白'과 통하여 '희다'의 뜻. 초승달의 흰빛의 뜻. '伯백'과 통하여 제후의 우두머리의 뜻으로 쓰임.

參考 覇(西部 十三畫)는 俗字.

[霸功 패공] 패자(霸者)가 되는 공.
[霸橋 패교] 산시 성(陝西省) 패수(霸水), 곧 지금의 파수(灞水)에 놓인 다리 이름. 당대(唐代)에 도읍 장안(長安)에서 떠나는 사람의 송별은 대개 여기에서 하였으므로, 소혼교(銷魂橋)라고도 일컬어짐.
[霸國 패국] 패자(霸者)가 일어난 나라.
[霸國之餘業 패국지여업] 패자(霸者)였던 나라의 남은 공업(功業).
[霸權 패권] 한 지방 또는 한 부류(部類) 중의 우두머리가 가진 권력.
[霸氣 패기] ㉠패자(霸者)가 되려고 하는 기상(氣象). ㉡모험(冒險)을 행하고 또는 자웅을 다투어 공명을 구하고자 하는 마음.
[霸道 패도] 패자(霸者)가 취하는 도. 인의(仁義)를 가볍게 여기고, 무력과 권모(權謀)로 천하를 다스리는 방법. 왕도(王道)의 대(對).
[霸圖 패도] 패략(霸略).
[霸略 패략] 패자(霸者)의 계략.
[霸陵舊將軍 패릉구장군] ㉠전한(前漢)의 이광(李廣)이 장군직(將軍職)을 그만둔 후에 술에 취한 패릉(霸陵)의 위관(尉官)으로부터 고장군(故將軍)이라 경모(輕侮)를 받은 고사(故事). ㉡몽당붓의 비유.
[霸夫 패부] 지략이 뛰어난 패기가 있는 남자.
[霸府 패부] 패자(霸者)가 정치를 하는 곳. 막부

(幕府). 번부(藩府).
[霸業 패업] 제후(諸侯)의 두목이 될 사업.
[霸王 패왕] ㉠패자(霸者)와 왕자(王者). ㉡패자의 힘과 왕자의 덕을 겸한 사람.
[霸王樹 패왕수] 선인장(仙人掌).
[霸王之補 패왕지보] 패자나 왕자를 도와 보필함. 또, 그 사람.
[霸王之資 패왕지자] 패자나 왕자가 될 자격.
[霸者 패자] ㉠제후(諸侯)의 두목. 패주(伯主). ㉡패도(霸道)로 천하를 다스리는 자.
[霸迹 패적] 패자(霸者)의 공업(功業)의 자취.
[霸朝 패조] 패자(霸者)의 조정.
　●彊霸. 連霸. 英霸. 五霸. 王霸. 雄霸. 爭霸.
定霸. 制霸. 偏霸.

13 ㉑ [霝]
一 곤 ㊤元 公渾切
二 정 ㊥青 唐丁切 tíng

字解 一 번개 곤 우레. 實(雨部 十畫)의 籒文. '實, 齊人謂雷曰霝. 籒作一'《集韻》. 二 번개소리 정 霆(雨部 七畫)과 同字. '霆, 雷餘聲. 或从鼎一'《集韻》.

13 ㉑ [霹]〔人名〕
벽 ㊤錫 普擊切 pī

字解 천둥 벽, 벼락 벽 '一霾'은 천둥 또는 벼락이 침. 또, 천둥이나 벼락을 침. '雷霆一霾'. '一霾破所倚柱'《世說》.
字源 形聲. 雨＋辟〔音〕.

[霹靂 벽력] ㉠천둥소리가 급격히 요란하게 남. 또, 그 천둥. ㉡벼락. 벼락이 침.
[霹靂車 벽력거] 옛날에 돌을 튀겨 내쏘는 장치를 한 병거(兵車).
[霹靂手 벽력수] 민첩함. 또, 그 사람.

13 ㉑ [震]
농 ㊥冬 奴冬切 nóng

字解 ①이슬흠치르르할 농 이슬이 많이 내림. '一, 博雅, 露多也'《集韻》. ②이슬많을 농 '一一'은 이슬이 많은 모양. '一一, 露也'《廣雅》.

13 ㉑ [霷]
양 ㊥陽 余章切 yáng

字解 시월 양 10월의 일컬음. 陽(阜部 九畫)과 통용. '十月爲一'《集韻》.

13 ㉑ [霃]
一 첨 ㊤鹽 子廉切 jiān
二 렴 ㊤豔 力驗切
三 점 ㊤豔 子豔切
四 잠 ㊤陷 子鑑切
　　 咸減切

字解 一 ①가랑비 첨 '一, 小雨也'《說文》. ②젖을 첨 '一, 又霑也'《廣韻》. 二 가랑비 렴, 젖을 렴 一과 뜻이 같음. 三 가랑비 점, 젖을 점 一과 뜻이 같음. 四 ①가랑비 잠 一❶과 뜻이 같음. ②담글 잠 물건을 물속에 넣음. '一, 以物內水中'《廣韻》.
字源 形聲. 雨＋僉〔音〕.

13 ㉑ [澇]〔방〕
滂(水部 十畫〈p. 1274〉)과 同字

13 ㉑ [䨏] 〔담〕
䨓(雨部 十二畫〈p. 2507〉)과 同字

14 ㉒ [霽] 人名 제 ㊀霽 子計切 jì

字解 ①갤 제 비나 눈이 그침. 안개나 구름이 사라짐. '虹銷雨—'《王勃》. ②풀릴 제 화나 불쾌감 같은 것이 풀림. 기분이 좋아짐. '怒容未—'《輟耕錄》. ③풀 제 전항의 타동사. '心善其言, 爲—威嚴'《漢書》.
字源 篆文 形聲. 雨＋齊(亝)〔音〕. '亝제'는 '濟제'와 통하여 '건너다'의 뜻. 비가 하늘을 끝까지 다 건너다, 비가 개다의 뜻을 나타냄.

[霽氛 제분] 맑게 갠 기(氣).
[霽月 제월] 갠 날의 달.
[霽月光風 제월광풍] 도량(度量)이 넓고 시원함.
[霽威 제위] 화가 풀림.
[霽朝 제조] 비가 갠 맑은 아침.
[霽後 제후] 비가 갠 뒤. 우후(雨後).
◉開霽. 暖霽. 晩霽. 明霽. 夕霽. 晨霽. 新霽. 雲霽. 林霽. 澄霽. 天霽. 淸霽. 秋死霽. 秋霽. 曉霽.

14 ㉒ [霾] 매 ㊥佳 莫皆切 mái

字解 흙비올 매 바람이 거세어 토우(土雨)가 내림. '終風且—'《詩經》.
字源 甲骨文 篆文 形聲. 雨＋貍〔音〕. '貍매'는 '묻다'의 뜻. 큰 바람이 불어서 떨어뜨리는 흙먼지가 주위를 뒤덮다, 흙비가 내리다의 뜻을 나타냄.

[霾曀 매예] 흙비로 인하여 하늘이 흐림.
[霾翳 매예] 매예(霾曀).
[霾風 매풍] 흙비를 오게 하는 바람.
[霾晦 매회] 매예(霾曀).
◉氛霾. 翳霾. 雲霾. 陰霾. 積霾. 風霾.

14 ㉒ [霿] 몽 ㊀送 莫弄切 mèng

字解 아낄 몽 인색함. 비린(鄙吝)함. '—恒風若'《漢書》.
字源 篆文 形聲. 雨＋務〔音〕

14 ㉒ [䨴] 대 ㊀隊 徒對切 duì

字解 검은구름 대 '黵—'는 구름의 검은 모양. '黵—, 雲黑皃'《說文》.
字源 篆文 形聲. 雨＋對〔音〕. '雨우'는 구름, '對대'는 '薱대'와 통하여 풀이 무성하다의 뜻. 검은 구름이 끼는 모양을 나타냄.

14 ㉒ [䨲] 산 ㊥寒 素官切 suān

字解 가랑비 산 가는 비. '—, 小雨也'《說文》.
字源 篆文 形聲. 雨＋酸〔音〕

14 ㉒ [䨸] 만 ①㊥寒 謨官切 mán ②㊀翰 莫半切 màn

字解 ①비이슬될 만 비나 이슬이 짙게 내린 모양. '—, 雨露濃皃'《集韻》. ②구름낄 만 구름이 끼는 모양. '—, 雲貌'《類篇》.
字源 形聲. 雨＋漫〔音〕

14 ㉒ [䨹] ━ 희 ①㊀寘 虛器切 xì ②㊥微 香依切 xī
═ 간 ㊥刪 丘閑切

字解 ━ ①비만나급히피하여숨찰 희 일설(一說)에 숨이 막힘. '—, 見雨而比息. (段注)比, 密也. 密息者, 謂鼻息數速也. 道途遇雨急行, 則息必頻喘矣'《說文》. ②비그칠 희 비가 그치는 모양. '—, 雨止皃'《集韻》. ═ 비만나급히피하여숨찰 간 ━❶과 뜻이 같음.
字源 會意. 雨＋覞

14 ㉒ [靆] 희 ㊤尾 虛豈切 ㊀未 許旣切 xì

字解 구름낄 희, 흐릴 희 靉(雨部 十七畫)를 보라. '靉—'.

◉靉靆.

14 ㉒ [䨺] ━ 누 ㊥尤 奴鉤切 nóu
═ 만 ㊀願 無販切 wàn

字解 ━ 토끼새끼 누 '明眎八世孫—'(의인(擬人)한 것)《韓愈》. ═ 성 만 성(姓)의 하나.

15 ㉓ [靁] 뢰 ㊥灰 盧回切 léi

字解 ①천둥 뢰 ㉠雷(雨部 五畫)의 本字. '殷其—, 在南山之陽'《詩經》. ㉡우렛소리. 큰 소리의 비유. '聚蟁成—'《漢書》. ②성 뢰 성(姓)의 하나.

15 ㉓ [䨻] 담 ㊀勘 徒紺切 dàn

字解 장마 담 장마. '—, 久雨也'《集韻》.

16 ㉔ [靂] 人名 력 ㊇錫 郞擊切 lì

字解 천둥 력, 벼락 력 霹(雨部 十三畫)을 보라. '霹—'.
字源 形聲. 雨＋歷〔音〕

◉雷霆霹靂. 靑天霹靂.

16 ㉔ [靃] ━ 확 ㊇藥 虛郭切 huò
═ 수 ㊤紙 息委切 suǐ

字解 ━ 나는소리 확 새 같은 것이 날아다니는 소리. '雨而雔飛者, 其聲—然'《說文》. ═ 쇠잔할 수 '—靡'는 풀이 쇠잔한 모양. 일설(一說)에는 풀이 바람에 나부끼는 모양. '薠草—靡'《楚辭》.
字源 甲骨文 篆文 會意. 雨＋雔. '雔수'는 한 쌍의 새. 비 오는데 함께 날아가는 새의 날갯소리의 뜻을 나타냄. ═는 雨＋雔〔音〕의 形聲.

[靃靡 수미] ㉠풀이 쇠잔한 모양. ㉡풀이 바람에 나부끼는 모양.

16 ㉔ [靄] [人名] 애 [去]泰 於蓋切 [上]賄 依亥切 ǎi 霭

[字解] ①놀 애 공중의 수증기에 해가 비치어 붉게 보이는 기운. '朝—'. '夕—'. '連氛累—'《謝靈運》. ②피어오를 애 구름이 뭉게뭉게 피어오르는 모양. '停雲——, 時雨濛濛'《陶潛》.

[字源] 篆文 形聲. 雨+藹〈省〉〔音〕. '雨우'는 구름. '藹애'는 수목이 무성하여 덮이는 모양. 구름이 피어오르는 모양을 나타냄.

[靄乃 애내] 노를 저으며 부르는 노랫소리. 뱃노래를 부르는 소리.
[靄散 애산] 연무가 흩어짐.
[靄靄 애애] 구름이 피어오르는 모양. 구름이 끼는 모양.
[靄然 애연] 애애(靄靄).
◉江靄. 嵐靄. 茶靄. 淡靄. 晩靄. 暮靄. 芳靄. 山靄. 夕靄. 宿靄. 晻靄. 黯靄. 埃靄. 野靄. 烟靄. 窅靄. 遙靄. 遠靄. 林靄. 朝靄. 蒼靄. 彩靄. 川靄. 淺靄. 靑靄. 春靄. 香靄. 曉靄.

16 ㉔ [龗] 롱 [平]東 盧東切 lóng

[字解] 천둥소리 롱 우렛소리. '——'.

[龗龗 농롱] 천둥소리. 우렛소리.

16 ㉔ [靈] [高·人] 령 [平]靑 郞丁切 líng 灵

[筆順]

[字解] ①신령 령 신명(神明). '—皇皇兮旣降'《楚辭》. ②신령할 령 신기하여 인지(人智)로써 알 수 없음. 또, 그러한 사물. '—妙'. '蓋人心之—, 莫不有知'《大學章句》. ③영 령, 영혼 령 ㉠만유(萬有)의 정기(精氣). '惟人萬物之—'《書經》. ㉡인체의 정기(精氣). '不可入於—府'《莊子》. ㉢죽은 사람의 혼백. '告先帝之—'《諸葛亮》. ㉣천(天)·지(地)·인(人) 삼재(三才)의 일컬음. '答三—之蕃祉'《班固》. ㉤일(日)·월(月)·성(星)의 일컬음. '獵三—之流'《揚雄》. ㉥생명·명수(命數). '竊國—'《揚子法言》. ④정성 령 진심. '橫大江兮揚—'《楚辭》. ⑤존엄 령 존귀하여 범할 수 없음. '若以君之—'《國語》. ⑥행복 령, 은총 령 '寵—顯赫'《後漢書》. ⑦좋을 령 令(人部 三畫)과 통용. '—雨旣零'《詩經》. ⑧성 령 성(姓)의 하나.

[字源] 金文 篆文 別體 形聲. 篆文은 王+霝〔音〕. '霝령'은 기도하는 말을 늘어놓아 비 내리기를 빌다의 뜻. '王옥'은 '옥'의 뜻. 신을 섬길 때 옥을 쓰므로 덧붙였음. 別體는 '巫무'를 곁들여 '무당'의 뜻. 기우제를 올리는 사람, 무당의 뜻을 나타내고, 파생하여 넋, 신령하다의 뜻을 나타냄.

[靈駕 영가] 《佛教》 영혼(靈魂).
[靈感 영감] 신불의 영묘한 감응.
[靈鑑 영감] ㉠뛰어난 감식(鑑識). ㉡신불(神佛)이 봄.
[靈境 영경] 영지(靈地).
[靈契 영계] 자연의 이수(理數)의 회합.
[靈界 영계] 영혼의 세계. 정신세계.
[靈鼓 영고] 육면(六面)으로 된 북. 지기(地祇)를 제사 지낼 때 썼음.
[靈光 영광] 신령한 빛. 이상한 빛.
[靈怪 영괴] 이상함. 또, 그 물건.
[靈柩 영구] 시체(屍體)를 넣는 관.
[靈窟 영굴] 신령한 굴. 신불(神佛)이 있는 굴.
[靈鬼 영귀] 신령한 귀신.
[靈龜 영귀] 신령스러운 거북. 만년(萬年)의 수명(壽命)을 갖는다는 거북.
[靈均 영균] 굴원(屈原)의 자(字).

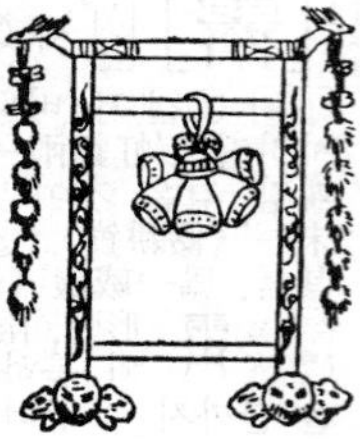
[靈鼓]

[靈禽 영금] 영조(靈鳥).
[靈氣 영기] 영묘(靈妙)한 심기(心氣).
[靈囊 영낭] 영묘(靈妙)한 주머니. 전(轉)하여, 존위(尊位)에 있어 사방을 포유(包有)하는 일.
[靈丹 영단] 이상한 효능이 있는 환약.
[靈壇 영단] 신선이 사는 곳.
[靈堂 영당] ㉠영검스러운 신불(神佛)이 있는 당(堂). ㉡사당(祠堂).
[靈臺 영대] ㉠마음. 정신. ㉡주문왕(周文王)의 지붕이 없는 대(臺). ㉢천문대(天文臺).
[靈德 영덕] 영묘(靈妙)한 덕(德).
[靈媒 영매] 신령(神靈)이나 사자(死者)의 혼령(魂靈)과 의사(意思)를 득통(得通)한 매개자(媒介者). 무당·판수 따위.
[靈命 영명] '명령(命令)'의 경칭(敬稱).
[靈木 영목] 신령한 나무.
[靈夢 영몽] 신령한 꿈.
[靈妙 영묘] 신령하고 기묘(奇妙)함.
[靈苗 영묘] 훌륭하고 좋은 묘목(苗木).
[靈廟 영묘] 사당(祠堂).
[靈武 영무] ㉠인간으로서는 상상할 수 없는 뛰어난 무용(武勇). ㉡간쑤 성(甘肅省)의 옛 현명(縣名). 안녹산(安祿山)의 난(亂)에 현종(玄宗)이 촉(蜀)으로 피난하였을 때 당(唐)나라 숙종(肅宗)이 이곳에서 즉위했음.
[靈物 영물] 신령한 물건.
[靈魄 영백] 영혼(靈魂).
[靈保 영보] 무당. 판수.
[靈寶 영보] 뛰어나게 훌륭한 보배.
[靈峰 영봉] 영산(靈山).
[靈府 영부] 영혼이 있는 곳. 곧, 마음. 정신.
[靈符 영부] 영검이 있는 부적(符籍).
[靈芬 영분] 썩 좋은 향기.
[靈氛 영분] 옛날에 점을 잘 친 사람의 이름.
[靈祕 영비] 신비(神祕)스러움.
[靈砂 영사] 수은(水銀)을 고아서 결정체(結晶體)로 만든 약재(藥材). 홍령사(紅靈砂)와 백령사(白靈砂)가 있음.
[靈祠 영사] 신령스러운 사당. 영검 있는 사당.
[靈山 영산] ㉠신불(神佛) 등을 제사 지내는 산. 신령한 산. ㉡도가(道家)에서, '봉래산(蓬萊山)'의 별명(別名). ㉢《佛教》 '영취산(靈鷲山)'의 준말.
[靈爽 영상] ㉠아주 신묘(神妙)한 일. ㉡영혼(靈魂) ❼.
[靈璽 영새] 천자의 인장(印章)의 존칭(尊稱). 옥새(玉璽).
[靈胥 영서] 수신(水神) 이름. 오자서(伍子胥)를 제사 지낸 자라 함.

[靈犀 영서] ㉠영검이 있는 무소. ㉡영서일점통(靈犀一點通).
[靈瑞 영서] 신령한 상서(祥瑞).
[靈犀一點通 영서일점통] 영검이 있는 무소의 뿔은 한 가닥의 흰 줄이 밑에서부터 끝에까지 통하고 있다는 말에서, 피차의 마음과 마음이 암묵(暗默) 중에서도 통함을 이름. 영서(靈犀).
[靈星 영성] 별 이름. 곡식 농사를 맡은 별.
[靈沼 영소] ㉠주(周)나라 문왕(文王)의 이궁(離宮)에 있는 못. ㉡영묘(靈妙)한 못.
[靈秀 영수] 뛰어남. 빼어남. 신수(神秀).
[靈脩 영수] 신명(神明)이 멀리 나타나는 일.
[靈獸 영수] 신령한 짐승. 기린(麒麟) 따위.
[靈辰 영신] 길한 날. 곧, 음력 정월 칠일. 인일(人日).
[靈液 영액] ㉠영묘(靈妙)한 물. ㉡'이슬〔露〕'의 별칭(別稱).
[靈藥 영약] 영묘(靈妙)한 약. 효험이 신기하게 나는 약.
[靈羊 영양] 영양(羚羊).
[靈圄 영어] 신선(神仙)의 이름.
[靈輿 영여] 상여(喪輿).
[靈域 영역] 영지(靈地).
[靈然 영연] ㉠영묘(靈妙)한 못. ㉡마음〔心〕을 이름.
[靈烏 영오] 신묘(神妙)한 까마귀.
[靈屋 영옥] 사당(祠堂).
[靈曜 영요] '태양(太陽)'의 별칭(別稱). 「늘.
[靈耀 영요] ㉠이상한 빛. ㉡영요(靈曜)❶.하
[靈雨 영우] 때맞추어 오는 비. 감우(甘雨).
[靈運 영운] 하늘의 도움을 받은 운명.
[靈運子孫俱得鳳 영운자손구득봉] 진(晉)나라 사영운(謝靈運)의 자손은 모두 봉황(鳳凰) 같은 현인(賢人)이라는 말.
[靈源 영원] 영묘한 근원. 곧, 마음〔心〕을 이름.
[靈位 영위] 신주(神主). 위패(位牌).
[靈威 영위] 신묘(神妙)한 위광(威光).
[靈囿 영유] 문왕(文王)의 영묘한 덕을 기리어 백성들이 그의 대(臺)를 영대(靈臺)라 하고, 대하(臺下)의 동산을 영유(靈囿)라 했음.
[靈肉 영육] 영혼과 육체(肉體).
[靈隱 영은] 저장 성(浙江省) 항저우 시(杭州市) 서호(西湖) 가에 있는 산 이름. 고대의 허유(許由)·갈홍(葛洪) 등이 은거한 곳임.
[靈應 영응] 영묘(靈妙)한 감응(感應).
[靈衣 영의] ㉠영묘한 옷. ㉡죽은 사람이 평소에 입던 옷.
[靈異 영이] 영묘하고 이상함.
[靈輀 영이] 영차(靈車).
[靈人 영인] 신선(神仙).
[靈長 영장] ㉠영묘(靈妙)하고 오래감. ㉡영묘한 힘을 가진 것 중에서 첫째가는 것.
[靈場 영장] 신불을 봉사한 신성한 곳.
[靈迹 영적] 신령한 내력이 있는 고적(古迹). 신불(神佛)에 관한 고적.
[靈蹟 영적] 영적(靈迹). 「앞.
[靈前 영전] ㉠신령(神靈)의 앞. ㉡혼령(魂靈)의
[靈祭 영제] 법사(法事)·추선공양(追善供養) 등의 제자.
[靈祚 영조] 큰 복조(福祚).
[靈祖 영조] 덕이 뛰어난 조상.
[靈鳥 영조] 영묘(靈妙)한 새. 봉황새 따위.
[靈座 영좌] 영위(靈位).

[靈地 영지] 신성한 토지. 또, 그 사찰(寺刹) 등의 경내. 영역(靈域). 영경(靈境).
[靈芝 영지] 모균류(帽菌類)에 속하는 버섯의 일종. 균산(菌傘)은 신장형(腎臟形)으로 윤이 나고 몹시 딱딱함. 말려서 약용 또는 장식용·애완용으로 함. 복초(福草)라고도 하며, 상서로운 것으로 여김.
[靈知 영지] 마음.
[靈祉 영지] 영조(靈祚).
[靈智 영지] 영묘한 지혜.
[靈車 영차] 관(棺)을 실은 수레. 영구차.
[靈刹 영찰] 절이 있는 영지(靈地).
[靈泉 영천] ㉠영묘한 샘. 약효가 뛰어난 샘. ㉡영검이 있는 온천.
[靈草 영초] 영묘(靈妙)한 풀. 불사(不死)의 약초(藥草).
[靈寵 영총] 신불(神佛) 등의 은총.
[靈樞經 영추경] 고의서(古醫書)의 이름. 침구(鍼灸)를 논함. 12권. 저자 불명임.
[靈鷲山 영취산] 《佛敎》 중인도(中印度)에 있는 산 이름. 석가여래가 설법(說法)한 곳. 산 모양이 독수리 같다는 데서, 또 일설(一說)에는 독수리가 많이 산다는 데서 지은 이름이라 함.
[靈櫬 영츤] 영혼을 편안하게 하는 널.
[靈時 영치] 신성한 제사 터.
[靈鼉之鼓 영타지고] 자라 껍데기로 메운 훌륭한 북. 타고(鼉鼓).
[靈通 영통] ㉠감초(甘草)의 별칭(別稱). ㉡상호간에 감통(感通)하는 일. ㉢민첩함.
[靈品 영품] 진귀한 물품.
[靈墟 영허] 사당·불각 등이 있는 신령한 고적(古迹).
[靈驗 영험] 신불(神佛)의 영묘(靈妙)한 감응(感應).
[靈慧 영혜] 뛰어나고 지혜가 있음.
[靈魂 영혼] ㉠넋. 정신. 영백(靈魄). ㉡사람의 육체를 지배하는 정신 현상(精神現象)의 본원(本源).
[靈魂不滅說 영혼불멸설] 육체(肉體)는 죽음과 함께 없어지나, 영혼(靈魂)은 육체를 떠나서 영원(永遠)히 생존한다고 하는 학설.
[靈煦 영후] 신기하게 따뜻함.
●乾靈. 坤靈. 光靈. 群靈. 穹靈. 萬靈. 萬物之靈. 亡靈. 明靈. 冥靈. 廟靈. 民靈. 百靈. 炳靈. 伏靈. 不靈. 四靈. 死靈. 山靈. 上靈. 祥靈. 生靈. 仙靈. 性靈. 粹靈. 淑靈. 神靈. 心靈. 惡靈. 陽靈. 英靈. 五靈. 幽靈. 怨靈. 月靈. 威靈. 慰靈. 幽靈. 人傑地靈. 人靈. 人萬物之靈. 資靈. 情靈. 精靈. 帝靈. 祖靈. 尊靈. 衆靈. 至靈. 地靈. 清靈. 蔥靈. 翎靈. 忠靈. 河靈. 含靈. 海靈. 皇靈.

16획 靆 체 ㉭隊 徒耐切 dài ㉑賄 蕩亥切
字解 구름길 체 구름이 끼는 모양. '一, 靆一, 雲兒《集韻》.
字源 形聲. 雲＋逮〔音〕.

●靉靆.

16획 霴 〔산〕
霰(雨部 十二畫〈p.2506〉)의 本字

17
㉕ [靏] 〔기〕
羇(网部 十七畫〈p. 1794〉)의 俗字

17
㉕ [霹] [一] 사 [平]支 息移切 sī
[二] 선 [去]霰 蘇佃切 xiàn

[字解] [一] 비뚝뚝들을 사 비가 뚝뚝 오기 시작함. [二] 싸라기 선 빗방울이 얼어 내리는 것. 霰(雨部 十二畫)과 同字.

[字源] 篆文 形聲. 雨+鮮〔音〕. '鮮선'은 적다, 성기다의 뜻.

17
㉕ [靁] 섬 [平]鹽 子廉切 jiān

[字解] ①이슬비 섬 가랑비보다 가는 비. '細雨謂之一'《集韻》. ②비부슬부슬올 섬 비가 오는 모양. ③담글 섬 물에 담금. '一, 漬也'《康熙字典》.

[字源] 形聲. 雨+韱〔音〕

17
㉕ [靉] 애 [去]隊 烏代切 ài

[字解] ①구름낄 애 구름이 많이 끼는 모양. 또, 구름이 뭉게뭉게 피어오르는 모양. '一靆'. '一靅'. '高堂梧與竹, 一一排空青'《顧瑛》. ②모호할 애 흐릿한 모양. 자세하지 않은 모양. '仿像其色, 一靅其形'《木華》.

[字源] 形聲. 雲+愛〔音〕. '愛애'는 휘감겨 붙다의 뜻. 구름이 끼는 모양을 나타냄.

[靉靉 애애] 구름이 많이 끼는 모양. 일설(一說)에는, 수목이 무성한 모양.
[靉靆 애체] ㉠구름이 많이 모이는 모양. ㉡'안경(眼鏡)'의 이명(異名).
[靉靅 애희] 구름이 낀 모양. 또, 모호한 모양. 자세하지 아니한 모양.

18
㉖ [靊] 풍 [平]東 敷馮切 fēng

[字解] 뇌신(雷神) 풍 '一靇'은 우레를 맡은 신. 뇌사(雷師). '一靇, 雷師'《集韻》.

[字源] 形聲. 雨+豐〔音〕

19
㉗ [靂] 력 [入]錫 郎狄切 lì

[字解] 비그치지않을 력 '霖一'은 비가 그치지 않는 모양. '一, 霖一, 雨不止皃'《集韻》.

28
㊱ [靆] 대 [去]隊 徒罪切 duì

[字解] 구름모양 대 구름의 모양. '一, 雲貌'《篇海》.

青 (8획) 部
〔푸를청부〕

0
⑧ [青] [中·人] 청 [平]青 倉經切 qīng

[筆順] 一 二 キ 丰 丰 青 青 青

[字解] ①푸른빛 청, 푸를 청 ㉠청색. 푸름. '一出於藍, 而一於藍'《荀子》. ㉡봄·동쪽·젊음 등의 뜻으로 쓰임. '一春'. '一年'. '祭一帝'《史記》. ②땅이름 청 옛날의 구주(九州)의 하나. 지금의 산둥 성(山東省) 지방. ③대껍질 청 대나무의 외피(外皮). '殺一簡以寫經書'《後漢書》. ④성 청 성(姓)의 하나.

[字源] 金文 篆文 古文 形聲. 丹+生〔音〕. '生생'은 푸른 풀이 나다의 뜻. '丹단'은 우물 난간 속의 물감의 뜻. 푸른 풀빛의 물감의 뜻에서, '푸르다'의 뜻을 나타냄.

[參考] ①'青청'을 의부(意符)로 하는 문자의 예는 적으나 자형(字形) 분류상 부수로 설정됨. ②青(次條)은 俗字.

[青簡 청간] 서적(書籍)의 일컬음. 옛날에 종이가 없을 때에 푸른 대껍질을 불에 쬐어 기름기를 빼고 글씨를 썼으므로 이름.
[青剛石 청강석] 단단하고 빛이 푸른 옥돌.
[青剛水 청강수] '염산(鹽酸)'의 속칭.
[青蓋車 청개차] 천자(天子) 또는 황태자가 타는 덮개가 푸른 수레.
[青溪 청계] 푸른 시내.
[青空 청공] 푸른 하늘. 창궁(蒼穹).
[青丘 청구] ㉠신선이 산다는 땅. ㉡별 이름. 진수(軫宿) 동남쪽에 있는 일곱 별. ㉢《韓》[ㄴ]의 별이 우리나라를 맡고 있다는 신앙에서, 우리나라의 별칭(別稱)으로 쓰임. 또, 동방(東方)의 나라라는 뜻이 있음.
[青穹 청궁] 푸른 하늘. 창궁(蒼穹).
[青宮 청궁] 동궁(東宮). 오행설(五行說)에서 청(青)은 동(東)·봄〔春〕에 배당했으므로 이름.
[青橘 청귤] 빛이 푸른 귤(橘).
[青衿 청금] ㉠깃이 푸른 옷. 학생이 입던 것. ㉡학생의 일컬음.
[青襟 청금] 청금(青衿).
[青氣 청기] 푸른 기운.
[青旗 청기] 주점(酒店)에 세우는 기. 청렴(青帘).
[青囊 청낭] ㉠옛날에 진(晉)나라 곽박(郭璞)이 곽공(郭公)에게서 청색(青色) 주머니에 넣은 책을 받아서 천문(天文)·복서(卜筮)·의술(醫術)에 정통하였다는 고사(故事). ㉡약주머니. ㉢천문(天文)·복서(卜筮)·의술(醫術)에 관한 책을 이름. ㉣도장을 넣는 주머니.
[青女 청녀] ㉠서리와 눈을 맡은 신(神). ㉡'서리〔霜〕'의 이명(異名).
[青年 청년] 나이가 젊은 사람. 청(青)은 젊음의 뜻.
[青寧 청녕] 대나무 뿌리에 생기는 벌레.
[青奴 청노] 대오리로 길고 둥글게 만든 제구. 여름밤에 끼고 누워 서늘한 기운을 취함. 죽부인(竹夫人).
[青棠 청당] 자귀나무, 곧 '합환(合歡)'의 별칭(別稱).
[青黛 청대] ㉠쪽으로 만든 검푸른 물감. ㉡눈썹을 그리는 푸른 먹.
[青桐 청동] 벽오동(碧梧桐).
[青銅 청동] ㉠구리와 주석을 주성분(主成分)으로 한 합금(合金). ㉡청동으로 만든 돈. ㉢거울.
[青瞳 청동] 푸른 눈동자.
[青童君 청동군] 신선(神仙).
[青燈 청등] 푸른 등불. 청사등롱(青紗燈籠).

[靑藤 청등] 푸른 등나무.

[靑螺 청라] ㉠껍데기가 푸른 소라. ㉡멀리 보이는 푸른 산을 소라에 비유하여 이름.

[靑嵐 청람] 푸른 산의 기 (氣). 이내. 남기 (嵐氣).

[靑琅玕 청랑간] 빛이 푸른 보석 (寶石).

[靑娘子 청랑자] 잠자리.

[靑廬 청려] 혼례 (婚禮) 때 신부 (新婦)가 일시 들어가 있기 위하여 시집의 문 옆에 푸른 막을 쳐 만든 곳.

[靑蓮 청련] ㉠푸른 연 (蓮). ㉡당 (唐)나라 이백 (李白)의 호.

[靑帘 청렴] 주점 (酒店)에 거는 기 (旗). 주기 (酒旗).

[靑龍 청룡] ㉠푸른 용. 창룡 (蒼龍). ㉡이십팔수 (二十八宿) 중에서 동방 (東方)에 있는 각 (角)·항 (亢)·저 (氐)·방 (房)·심 (心)·미 (尾)·기 (箕)의 일곱 성수의 총칭. ㉢사신 (四神)의 하나. 동쪽 하늘을 맡은 신 (神)으로, 푸른 용 (龍)의 형상으로 상징함. ㉣가재의 일종. 갯가재.

[靑龍刀 청룡도] 보병 (步兵)이나 기병이 가지고 싸움에 쓰는 청룡을 새긴 언월도 (偃月刀).

[靑樓 청루] ㉠푸르게 칠한 누각. ㉡귀인 (貴人)의 여자 또는 미인 (美人)이 사는 집. 노는계집의 집. 기생집. 기루 (妓樓).

[靑蔓 청만] 푸른 만초 (蔓草).

[靑梅 청매] 푸른 열매를 맺는 매화나무. 열매를 꿀에 담갔다가 먹음. 소금에 담갔다가 말린 것을 백매 (白梅)라 함.

[靑盲 청맹] 청맹과니.

[靑冥 청명] ㉠푸른 하늘. ㉡검 (劍)의 이름.

[靑木香 청목향] 목향 (木香).

[靑苗 청묘] ㉠국용 (國用)이 급하여 벼가 익기 전에 세금을 과하는 일. ㉡송 (宋)나라의 왕안석 (王安石)의 신법 (新法)의 한 가지. 싹이 파랄 때에 관 (官)에서 돈 100문 (文)을 대여하고 추수한 뒤에 이자 20문을 붙여 상환하게 하였음.

[靑苗法 청묘법] 청묘 (靑苗).

[靑蕪 청무] ㉠푸르게 자란 풀. ㉡풀이 무성하게 자란 초원 (草原).

[靑門 청문] ㉠한 (漢)나라 장안성 (長安城)의 동남문의 이름. 그 빛이 푸른 까닭임. 패성문 (霸城門). ㉡악곡 (樂曲) 이름.

[靑盼 청반] 청안 (靑眼).

[靑蕃 청번] 무성하여 푸름.

[靑碧 청벽] 옥 (玉)의 푸른빛.

[靑蚨 청부] ㉠부유 (蜉蝣)의 일종. ㉡'돈 〔錢〕'의 별칭 (別稱).

[靑士 청사] '대나무〔竹〕'의 별칭 (別稱).

[靑史 청사] 역사 (歷史). 사서 (史書). 옛날 종이가 없을 때에 푸른 대껍질을 불에 쬐어 기름기를 빼고 글씨를 썼으므로 이름.

[靑蛇 청사] 빛이 푸르고 머리가 큰 뱀. 오래되면 귀가 생긴다고 함.

[靑絲 청사] 푸른 실.

[靑詞 청사] 도가 (道家)에서 제사에 쓰는 문체 (文體). 또는 그 문장. 청등지 (靑藤紙)에 붉은 글씨로 씀.

[靑絲穿 청사천] 빛이 푸른 돈꿰미.

[靑山 청산] ㉠나무가 무성한 푸른 산. ㉡묘지 (墓地). '청산가매골 (靑山可埋骨)' 참조. ㉢안후이성 (安徽省) 당도현 (當塗縣) 동남쪽에 있는 산 이름. 일명 (一名) 청림산 (靑林山). 남제 (南齊)의 사조 (謝朓)가 이곳에 집을 지었으므로 사공산 (謝公山)이라고도 함.

[靑山可埋骨 청산가매골] 도처에 청산이 있어서 뼈를 묻을 수 있음. 남자는 반드시 고향에 묻혀야 한다는 법은 없다는 말.

[靑山白雲人 청산백운인] 높은 산의 흰 구름이 끼는 곳에 은거하는 사람.

[靑山流水 청산유수] 말을 잘하는 것을 이름.

[靑山一髮 청산일발] 넓은 바다 위에 멀리 푸른 산이 한 가닥의 실처럼 보임의 형용.

[靑山在屋上 청산재옥상] 푸른 산이 지붕 위에 높이 솟아 있음.

[靑山只麼靑 청산지마청] 푸른 산이 그 모습을 언제나 변하지 않음을 이름.

[靑珊瑚 청산호] 청랑간 (靑琅玕).

[靑衫 청삼] ㉠푸른 옷. ㉡청년 (靑年).

[靑孀 청상] 청상과부 (靑孀寡婦).

[靑孀寡婦 청상과부] 나이가 젊은 과부 (寡婦).

[靑葙子 청상자] 개맨드라미의 씨. 약제 (藥劑)로 씀. 강남조.

[靑色 청색] 푸른빛. 퍼렁.

[靑鼠 청서] 설치류 (齧齒類)에 속하는 동물. 다람쥐 비슷한데 조금 크며 깊은 산의 나무 굴 속에 삶.

[靑石 청석] 빛이 푸른 돌.

[靑疏 청소] 무성귀.

[靑霄 청소] 푸른 하늘.

[靑少年 청소년] 청년과 소년.

[靑松 청송] 푸른 소나무.

[靑松白沙 청송백사] 푸른 소나무와 흰 모래. 해안 (海岸)의 아름다운 경치.

[靑瑣 청쇄] 대궐의 문. 궁문. 한 (漢)나라 때 궁문에 쇠사슬 같은 모양을 새기고 푸른 칠을 했으므로 이름.

[靑蠅 청승] ㉠쉬파리. ㉡미운 소인 (小人)의 비유.

[靑蠅染白 청승염백] 쉬파리가 희고 깨끗한 물건을 더럽힌다는 뜻으로, 소인이 군자 (君子)를 해침의 비유.

[靑蠅點素 청승점소] 청승염백 (靑蠅染白).

[靑娥 청아] 소녀 (少女). 젊은 미인 (美人).

[靑蛾 청아] ㉠아름다운 눈썹. ㉡미인 (美人).

[靑眼 청안] 기뻐하는 눈. 귀여워하는 눈. 백안 (白眼)의 대 (對).

[靑靄 청애] 푸른빛을 띤 놀.

[靑陽 청양] ㉠'봄 〔春〕'의 별칭 (別稱). ㉡천자 (天子)의 동당 (東堂). 맹춘 (孟春)에 거처하는 전당.

[靑魚 청어] ㉠청어과에 속하는 바닷물고기. 비웃. 비어 (鯡魚). ㉡빛이 푸른 물고기.

[靑玉 청옥] ㉠푸른 옥 (玉). ㉡'대나무〔竹〕'의 별칭 (別稱).

[靑蛙 청와] 청개구리.

[靑要 청요] ㉠서리와 눈을 맡은 신 (神). ㉡눈〔雪〕을 이름.

[靑雨 청우] 댓잎에 떨어지는 비.

[靑牛車 청우거] 노자 (老子)가 푸른빛의 소가 끄는 수레를 타고 함곡관 (函谷關)을 지나 서역 (西域)으로 들어간 고사 (故事).

[靑雲 청운] ㉠푸른 하늘. 청천 (靑天). ㉡고관 (高官)의 지위를 이름. ㉢속세를 떠난 은일 (隱逸). 또 고상한 지조 (志操)의 비유. ㉣미덕 영예 (美德令譽)를 비유하는 말. ㉤입신출세 (立身出世)를 이르는 말.

[靑雲客 청운객] 청운 (靑雲)의 뜻을 품은 사람.

ⓛ높은 벼슬에 오른 사람.
[靑雲紫陌 청운자맥] 의기상투(意氣相投)하지 않음을 이름.
[靑雲志 청운지] ㉠은거하고자 하는 마음. 세속(世俗)에 초연한 지조(志操). ⓛ출세하고자 하는 마음.
[靑雲之交 청운지교] 같이 벼슬한 동료의 교분.
[靑雲之士 청운지사] ㉠학덕(學德)이 높은 사람. ⓛ고관(高官) 자리에 오른 사람.
[靑衣 청의] ㉠푸른 옷. ⓛ천한 사람이 입는 옷. ㉢하인(下人).
[靑一髮 청일발] 물 위로 멀리 머리카락 한 올을 잡아 늘인 것같이 보이는 육지(陸地)의 경치.
[靑子 청자] ㉠'감람(橄欖)'의 별칭(別稱). ⓛ'매실(梅實)'의 별칭.
[靑瓷 청자] 푸른 빛깔의 자기.
[靑紫 청자] 한대(漢代)에 구경(九卿)은 푸른 인끈을, 공후(公侯)는 자주 인끈을 썼으므로, 공경(公卿)의 지위를 이름.
[靑磁 청자] 청자(靑瓷).
[靑雀 청작] ㉠콩새, 곧 '상호(桑扈)'의 이칭(異稱). ⓛ'익(鷁)새'의 이칭. 옛날에 이 새의 형상을 뱃머리에 그렸으므로, 전(轉)하여 '배'의 뜻으로 쓰임. ㉢한무제(漢武帝)의 대(臺) 이름.
[靑錢 청전] ㉠청동으로 만든 돈. 푸른 돈. ⓛ연(蓮)의 잎을 형용하는 말.
[靑錢萬選 청전만선] 청동 만전(靑銅萬錢)만 있으면 과거(科擧)에 만 번도 급제(及第)할 수 있다는 뜻으로, 돈의 위력이 큼을 말함.
[靑帝 청제] 봄을 맡은 동쪽의 신(神). 오행설(五行說)에서 청색은 봄〔春〕·동(東)에 배당됨.
[靑鳥 청조] ㉠푸른 빛깔의 새. 파랑새. ⓛ사자(使者). 또, 편지. 동방삭(東方朔)이 푸른 새가 온 것을 보고 서왕모(西王母)의 사자라고 한 고사에서 나온 말.
[靑珠 청주] '낭간(琅玕)'의 별칭(別稱).
[靑州從事 청주종사] 좋은 술(酒)의 이칭(異稱).
[靑天 청천] 푸른 하늘. 청운(靑雲).
[靑天白日 청천백일] ㉠맑게 갠 날. ⓛ심사가 명백하여 조금도 은폐하거나 의혹하는 것이 없음. ㉢혐의 또는 원죄(冤罪)가 풀림.
[靑天霹靂 청천벽력] 청천의 뇌명(雷鳴)이라는 뜻으로, 필세(筆勢)의 비동(飛動)함의 형용. 또, 뜻밖에 생기는 일. 변.
[靑靑 청청] ㉠푸릇푸릇한 모양. ⓛ초목이 무성한 모양.
[靑塚 청총] ㉠푸른 이끼가 낀 무덤. ⓛ왕소군(王昭君)의 무덤. 청총(靑冢).
[靑春 청춘] ㉠봄의 절기(節氣). 초목이 무성하고 푸르러서 이름. 또는 봄〔春〕은 동방(東方), 동방은 청색(靑色)이므로 이름. ⓛ젊은 나이. 청년(靑年). 청(靑)은 젊음의 뜻.
[靑出於藍而靑於藍 청출어람이청어람] 쪽에서 뽑아낸 푸른 물감이 쪽보다 더 푸르다는 말로, 제자(弟子)가 스승보다 나음의 비유.
[靑苔 청태] ㉠푸른 이끼. ⓛ갈파래.
[靑萍 청평] ㉠푸른 부평초. ⓛ고대의 명검(名劍)이름.
[靑萍結綠 청평결록] 청평은 명검(名劍), 결록은 미옥(美玉)의 이름.
[靑蒲 청포] 푸른 부들로 엮은 천자(天子)가 까는 자리.
[靑漢 청한] 푸른 하늘. 청천(靑天).

[靑翰 청한] 새 모양을 새기고 푸른색을 칠한 배.
[靑海 청해] ㉠푸른 바다. ⓛ칭하이 성(靑海省) 북동부에 있는 중국 최대의 함수호(鹹水湖). ㉢중국 북서부의 성(省). 지세(地勢)가 험준한 대고원 지대로 황허·양쯔 강 등의 발원을 이룸. 옛날에는 서융(西戎)의 지역(地域)으로 한(漢)나라 때까지는 서강(西羌), 동진(東晉)까지 당(唐)까지는 토욕혼(吐谷渾)의 근거지였으며, 명(明)나라 때엔 몽고(蒙古)에 편입되었었음. 성도(省都)는 시닝(西寧).
[靑血 청혈] 푸른 피. 생피. 선혈(鮮血).
[靑熒 청형] ㉠푸르게 빛나는 모양. 옥(玉)의 광택을 이름. ⓛ등불의 푸른빛.
[靑花 청화] ㉠벼루〔硯〕의 꽃무늬. ⓛ자기(瓷器)의 한 가지.
[靑黃 청황] ㉠푸른빛과 누른빛. ⓛ봄의 푸른 잎과 가을의 누런 잎. 사철의 즐거운 풍경. ㉢칼의 빛. ㉣장식. 색채.
[靑黃不接之候 청황부접지후] '靑'은 햇곡식, '黃'은 묵은 곡식. 묵은 곡식이 떨어지고, 아직 햇곡식은 나지 않을 때. 보릿고개. 또, 한때 생활고를 겪음의 비유.

●紺靑. 空靑. 群靑. 男靑. 碌靑. 丹靑. 淡靑. 踏靑. 黛靑. 冬靑. 萬年靑. 白靑. 碧靑. 殺靑. 石靑. 水靑. 純靑. 深靑. 女靑. 瀝靑. 遙靑. 刺靑. 田靑. 曾靑. 葱靑. 翠靑. 扁靑. 縹靑. 汗靑.

⁰ [靑] 靑(前條)의 俗字
⑧

³ [晴] 정 ㊄庚 玆盈切 qíng
⑪
字解 뜻 정 情(心部 八畫)의 古字. '一文俱盡'《史記》.

⁵ [靖] ⼈名 정 ㊤梗 疾郢切 jìng
⑬   ㊦敬 疾正切

筆順 ⼀ ⼉ ⽴ ⽴ ⽴ ⽴ 靖 靖 靖

字解 ①꾀할 정 좋은 계책을 생각함. '自作弗一'《書經》. ②다스릴 정 처리함. '俾予一之'《詩經》. ③편안히할 정 잘 다스리어 안락하게 함. '吾人一國'《左傳》. ④편안할 정 안온 무사하여 조용함. '一譖庸回'《左傳》. ⑤조용할 정 靜(靑部 八畫)과 同字. '天性怡一'《宋書》. ⑥성 정 성(姓)의 하나.
字源 篆文 靖 形聲. 立+靑〔音〕. '靑청'은 '靜정'과 통하여 '조용하다'의 뜻. 조용히 서다, 편안하다의 뜻을 나타냄.

[靖嘉 정가] 편안하고 화락함.
[靖共 정공] 삼가 힘씀. 공(共)은 공(恭).
[靖匡 정광] 천하를 잘 다스리어 바로잡음.
[靖國 정국] 나라를 태평하게 다스림.
[靖難 정난] ㉠국가의 위난(危難)을 평정함. ⓛ정난사(靖難師).
[靖難師 정난사] 명(明)나라의 연왕(燕王) 체(棣)가 군측(君側)의 간신을 제거한다는 명의로 일으킨 군사(軍士)의 칭호.
[靖邊 정변] 변방을 다스려 편안히 함.
[靖綏 정수] 안온함. 또, 안온하게 함.
[靖節 정절] 깨끗한 절개.

[靖獻 정헌] 선왕(先王)의 영(靈)에 성의를 다하
는 일.
●嘉靖. 簡靖. 綏靖. 安靖. 恬靖. 寧靖. 底靖.
清靖. 祝靖. 閑靖.

6
⑭ [靘] 정
①舌徑 千定切 qìng
②舌敬 疾正切 jìng

[字解] ①감색 정. 청흑색 정 검푸른 빛. '玄猿啼
深一'《李華》. ②안존할 정 靚(次次條)과 同字.
'桃李晨粧一'《韓愈》.
[字源] 形聲. 色+靑〔音〕

●深靘. 粧靘.

6
⑭ [静] 靜(次次條)의 略字

7
⑮ [靚] 人名 정
舌敬 疾政切 jìng
舌梗 疾郢切

[筆順] 二 丰 圭 圭 靑 靑 靚 靚

[字解] ①단장할 정 화장함. '昭君豐容一飾, 光明
漢宮'《後漢書》. ②단장 정 화장. '一粧刻飾'《司
馬相如》. ③안존할 정 여자가 얌전하고 조용한
모양. '意態閒且一'《賈師泰》. ④조용할 정 靜
(次條)과 同字. '若深淵之一'《賈誼》. ⑤부를 정
'一, 召也'《說文》.
[字源] 形聲. 見+靑〔音〕. '靑청'은 '請청'과
통하여 접견(接見), 초청의 뜻. 불러
서 만나 주다, 부르다의 뜻을 나타냄.

[靚飾 정식] 정장(靚妝).
[靚衣 정의] 아름답게 꾸민 옷.
[靚妝 정장] 화장함. 또, 화장.
[靚莊 정장] 정장(靚妝).
[靚粧 정장] 정장(靚妝).
●深靚. 妝靚. 華靚.

8
⑯ [靜] 中人 정
舌梗 疾郢切 jìng
舌敬 疾正切

[筆順] 二 丰 圭 圭 靑 靜 靜 靜

[字解] ①조용할 정 ㉠움직이지 아니함. '一水'.
'壽夭數也, 非鈍銳動一所制'《唐子西集》. ㉡얌
전함. 안존함. '一女'. '一壽躁夭'. ㉢말이 없
음. '吾其一也'《國語》. ㉣소리가 없음. 고요함.
'一寂'. '一閒安些'《楚辭》. ②조용히 정 전향의
부사. '一觀'. '無言無思, 一以待時'《申子》. ③
조용히할 정 조용하게 함. '綏一諸侯'《左傳》. ④
깨끗할 정 청결함. '邊豆一嘉'《詩經》. ⑤깨끗이
할 정 청결하게 함. '一其巾冪'《國語》. ⑥쉴 정
휴식함. '百官一事毋刑'《禮記》.
[字源] 金文 篆文 形聲. 爭+靑〔音〕. '爭쟁'은 '다
툼'의 뜻. '靑청'은 아주 맑다의
뜻. 다툼이 맑게 끝나다, 조용해지다의 뜻을 나
타냄.
[參考] 静(前前條)은 略字.

[靜嘉 정가] 깨끗하고 아름다움.
[靜客 정객] 연꽃을 이르는 말.
[靜居 정거] 조용히 삶.
[靜憩 정게] 조용히 쉼.

[靜境 정경] 조용한 장소.
[靜鏡 정경] 고요한 거울. 물이 맑고 고요함의 형
용.　　　　　　　　　　　　　　　　「봄.
[靜觀 정관] 마음을 조용히 가라앉히고 사물을
[靜氣 정기] ㉠고요한 기운. ㉡기운을 가라앉힘.
[靜女 정녀] 얌전한 여자. 또, 절개가 굳은 여자.
[靜寧 정녕] 조용하고 평온함. 세상이 평온함.
[靜樂 정락] 조용히 즐김.
[靜慮 정려] 정사(靜思).
[靜脈 정맥] 노폐(老廢)한 피를 심장으로 돌려보
내는 핏줄.
[靜默 정묵] 조용하고 말이 없음.
[靜謐 정밀] 세상이 잘 다스려져 조용함.
[靜僻 정벽] 조용한 두메.
[靜步 정보] 조용한 걸음. 한보(閑步).
[靜舍 정사] 절. 사찰.
[靜思 정사] 고요히 생각함.
[靜攝 정섭] 정양(靜養).
[靜水 정수] 흐르지 않는 물. 지수(止水).
[靜修 정수] 마음을 안정히 하고 몸을 닦음.
[靜邃 정수] 조용하고 그윽함.
[靜壽躁夭 정수조요] 마음을 안존히 하는 사람은
수(壽)하고, 조급히 구는 사람은 일찍 죽음.
[靜淑 정숙] 거동이 안존하고 마음이 착함.
[靜肅 정숙] ㉠고요하고 엄숙(嚴肅)함. ㉡여관
(女官) 이름.
[靜勝熱 정승열] 심신을 조용히 하면 번열(煩熱)
을 이김.
[靜息 정식] 조용해져 그침.
[靜室 정실] ㉠방을 깨끗이 함. ㉡조용한 방.
[靜心 정심] 고요한 마음. 또는 마음을 고요히 가
라앉힘.
[靜深 정심] 조용하고 깊숙함.
[靜晏 정안] 정태(靜泰).
[靜遏 정알] 조용히 막음.
[靜養 정양] 심신을 조용히 하여 양생함.
[靜語 정어] 조용히 이야기함. 조용한 이야기. 정
화(靜話).
[靜言 정언] ㉠조용히 말함. ㉡교묘하게 이야기
함. 교언(巧言).
[靜嚴 정엄] 조용하고 엄숙함.
[靜域 정역] 조용한 장소.
[靜然 정연] 조용한 모양. 고요한 모양.
[靜淵 정연] 마음이 조용하고 깊음.
[靜影沈璧 정영침벽] 달 그림자가 고요한 물결에
비침의 형용.
[靜穩 정온] 고요하고 평온함.
[靜意 정의] 마음을 안정시킴.
[靜寂 정적] 고요함.
[靜躁 정조] ㉠고요함과 시끄러움. ㉡안존함과 조
급함.
[靜坐 정좌] 심신을 조용히 하고 단정히 앉음. 가
라앉힘.
[靜坐法 정좌법] 고요히 앉아 호흡을 조정하고 마
음을 가라앉혀 정신 수양과 신체의 건강을 꾀
하는 방법.
[靜止 정지] 고요하고 움직이지 아니함.
[靜聽 정청] 조용히 들음.
[靜治 정치] 조용히 다스려짐.
[靜泰 정태] 조용하고 태평함.
[靜閒 정한] 조용하고 한가함.
[靜閑 정한] 정한(靜閒).
[靜虛 정허] 마음이 조용하고 공허함.

[靜好 정호] 조용하고 좋음.
[靜和 정화] 마음이 조용하고 온화함.
[靜話 정화] 정어(靜語).
●簡靜. 空靜. 寬靜. 謹靜. 冷靜. 端靜. 澹靜. 動靜. 密靜. 綏靜. 肅靜. 愼靜. 安靜. 養靜. 淵靜. 恬靜. 寧靜. 幽靜. 隱靜. 寂靜. 貞靜. 躁靜. 主靜. 至靜. 鎭靜. 淸靜. 沖靜. 沈靜. 湛靜. 退靜. 平靜. 風波靜. 閒靜. 和靜. 虛靜. 玄靜.

8
(16) [靛] 전 ㊀霰 堂練切 diàn　靛靛

字解 청대(靑黛) 전 쪽으로 만든 검푸른 물감. 또, 그 물감으로 물을 들임. '藍質浮水面者爲一花'《本草》.
字源 形聲. 靑+定〔音〕

[靛子 전자] 보석의 이름. 푸른 것.
●水靛. 莊靛. 吐靛. 閒靛.

8
(16) [瀞] 청 ㊀徑 千定切 qìng

字解 찰 청 淸(水部 十五畫)과 同字. '瀞, 說文, 冷寒也. 或从水'《集韻》.

非 (8획) 部
〔아닐비〕부

0
(8) [非] ㊥人 비 ㊀微 甫微切 fēi, ⑤fěi　非

筆順 ノ ノ ヲ ヲ ヲ 非 非 非

字解 ①아닐 비 그렇지 아니함. '城一不高也'《孟子》. ②어긋날 비 위배됨. '一禮'. ③그를 비 옳지 아니함. '覺今是而昨一'《陶潛》. ④그르다 할 비 옳지 않다고 함. '俗儒不達時宜, 好是古一今'《漢書》. ⑤헐뜯을 비 비방함. 誹(言部 八畫)와 통용. '一聖人者無法'《孝經》. ⑥나무랄 비 책망함. '責人一我'《漢書》. ⑦성 비 성(姓)의 하나.
字源 金文 非 篆文 非 象形. 서로 등을 지고 좌우로 벌리는 모양을 본떠 등지다, 어긋나다의 뜻을 나타냄. 파생하여 부정(否定)의 조사로 쓰임.
參考 '非비'를 의부(意符)로 하여, '어긋나다, 헤어지다'의 뜻을 포함하는 문자를 이룸.

[非據 비거] 있어서는 안 될 곳에 있다는 뜻으로, 재능이 없이 높은 지위에 있음을 이름.
[非計 비계] 나쁜 계책.
[非公式 비공식] 공식이 아님.
[非金屬 비금속] 금속이 아닌 물질.
[非幾 비기] 나쁜 조짐(兆朕).
[非翼 비기] 비망(非望).
[非其鬼而祭之諂也 비기귀이제지첨야] 제사 지낼 조상이 아닌데 제사 지냄은 신(神)에게 아첨하는 짓임.
[非難 비난] 남의 결점(缺點)을 초들어 말함.

[非但 비단] '다만'의 뜻. 부정의 경우에 씀.
[非短 비단] ㊀결점(缺點). 흠. ㊁헐뜯음.
[非道 비도] 도리(道理)에 어긋남.
[非禮 비례] 예의에 어긋남.
[非禮之禮 비례지례] 예의에 맞는 것 같으면서도 실제로는 맞지 않는 예의.
[非類 비류] 동류(同類)가 아닌 것.
[非理 비리] 도리가 아님.
[非望 비망] ㊀신분(身分)에 넘치는 소망(所望). ㊁예기하지 아니함. 생각하지도 아니함. ㊂바라지 아니함. 소망이 아님.
[非賣品 비매품] 팔지 않는 물건.
[非命 비명] 천명(天命)이 아님. 천명이 아닌 불시의 변사. 횡사(橫死). 정명(正命)의 대(對).
[非命橫死 비명횡사] 비명(非命).
[非謀 비모] ㊀나쁜 일을 꾀함. ㊁옳은 꾀가 아님.
[非夢似夢間 비몽사몽간] 잠이 들락 말락 한 때. 깰락 말락 한 때.
[非凡 비범] 평범하지 아니함. 뛰어남.
[非法 비법] 불법(不法).
[非夫 비부] 대장부가 아님. 사내답지 않음.
[非分 비분] 신분에 지나침.
[非非 비비] 잘못을 잘못이라고 함.
[非事 비사] 일이 아님.
[非常 비상] ㊀보통(普通)이 아님. 심상(尋常)하지 아니함. ㊁소동. 사변(事變). ㊂《佛敎》 무상(無常).
[非常線 비상선] 화재 또는 범죄 사건이 일어났을 때 경찰관이 일정한 범위를 한정하여 치는 경계선.
[非常時 비상시] 심상(尋常)치 아니한 때. 사변(事變) 등이 발생하였을 때.
[非常之人 비상지인] 비범(非凡)한 사람.
[非想天 비상천] 《佛敎》 무색계(無色界)의 사천(四天)의 최상천(最上天). 무위 무상(無爲無想)의 경지.
[非笑 비소] 비방하여 웃음.
[非俗 비속] 속인(俗人)이 아닌 사람. 곧 승려(僧侶)를 이름.
[非時 비시] 《佛敎》 ㊀일중(日中)부터 후야(後夜)까지. ㊁오후의 식사(食事).
[非心 비심] 좋지 아니한 마음. 사심(邪心).
[非訐 비알] 남의 잘못을 비방하여 들추어냄.
[非業 비업] ㊀하지 않아도 좋은 일. 좋지 않은 일. 부당한 사업. ㊁《佛敎》 정당한 죄가 아님. 전세의 업인(業因)이 아니고 현세의 재난에 의한 죽음.
[非吾徒 비오도] ㊀내 제자(弟子)가 아니라는 뜻으로, 가르침을 배반하는 자를 말함. ㊁우리 편이 아님. 동료의 주의(主義)에 어긋남을 이름.
[非爲 비위] 정도(正道)에 어긋난 행위. 불량한 행위.
[非有非空 비유비공] 《佛敎》 제법(諸法)의 실상(實相)은 유(有)와 공(空)에 치우치지 아니한 중도(中道)임.
[非義 비의] 도의에 어그러짐.
[非意 비의] 뜻밖임.
[非議 비의] 논의(論議)하여 비난함.
[非人 비인] ㊀인간(人間)이 아님. ㊁폐질(癈疾)에 걸린 사람. 불구자. 폐인(廢人).
[非認 비인] 승인하지 아니함.
[非訾 비자] 헐뜯음. 비방함.
[非戰員 비전원] 군대에 소속되었으나 직접 전쟁

에 참가하지 아니하는 사람.
[非情 비정]《佛教》정 (情)을 갖추지 않은 것. 곧, 초목 토석 (草木土石) 따위.
[非朝則夕 비조즉석] 아침이 아니면 저녁이라는 뜻으로, 기한(期限)이 임박한 것을 이름.
[非族 비족] 같은 겨레붙이가 아닌 사람.
[非池中物 비지중물] 못 속의 용(龍)은 언젠가는 때를 만나 하늘에 오름. 곧, 영웅(英雄)은 세상에 묻혀 있어도 때를 만나면 반드시 공명(功名)을 이룬다는 말.
[非次 비차] 순서에 맞지 아니함.
[非行 비행] 그른 행실(行實). 좋지 못한 행동(行動)].
[非毁 비훼] 헐뜯음. 비방함.
●嫁非. 覺非. 姦非. 格非. 禁非. 今是昨非. 百非. 辯足以飾非. 負非. 似而非. 先非. 世情非. 是非. 是是非非. 心非. 養非. 悟非. 淫非. 理非. 匿非. 昨非. 前非. 節非.

[韭] 〔구〕
部首(p. 2536)를 보라.

3/11 **[啡]** 배 ㉠灰 鋪枚切 pēi, ②fēi
字解 ①숨소리 배 잘 때의 호흡 소리. ②《現》커피 배 '咖―'는 커피의 음역 (音譯).
字源 形聲. 口+非〔音〕

[斐] 〔비〕
文部 八畫(p. 947)을 보라.

[蜚] 〔비〕
虫部 八畫(p. 2019)을 보라.

[裴] 〔배〕
衣部 八畫(p. 2068)을 보라.

[翡] 〔비〕
羽部 八畫(p. 1809)을 보라.

[輩] 〔배〕
車部 八畫(p. 2271)을 보라.

5/13 **[蜚]** 〔고〕
苦(艸部 五畫〈p. 1908〉)와 同字

7/15 **[靠]** 고 ㉠號 苦到切 kào
字解 기댈 고 의지함. 속문(俗文)에 쓰임. '依―'.
字源 形聲. 非+告〔音〕

7/15 **[靠]** 靠(前條)와 同字

11/19 **[靡]** 〔人名〕 ㊀미 ①紙 文彼切 mǐ ②支 忙皮切 mí ㊁마 ⑨歌 眉波切 mó
字解 ㊀①쓰러질 미, 쓸릴 미 초목(草木) 또는 기 (旗) 따위가 센 바람에 쓰러지거나 쏠림. '望其旗―'《左傳》. 전 (轉)하여, 따름. 복종함. '風一'. '燕從風而一'《史記》. ②쓰러뜨릴 미, 쏠리

게할 미 전항의 타동사. '夫上化下, 猶風一草'《說苑》. ③호사할 미 사치함. '奢一'. '以政令禁物一而均市'《周禮》. ④화려할 미 화미(華美)함. '華一一麗'. 또, 그러한 일 '有任俠之一'《左思》. ⑤다할 미 없어짐. '百姓一於外'《戰國策》. ⑥없을 미 無(火部 八畫)와 뜻이 같음. '命一常'《書經》. ⑦말 미 금지의 말. 勿('勹部二畫)과 뜻이 같음. '一有屛穡'《漢書》. ⑧물가 미 수애(水涯). '竘瓅江一'《史記》. ⑨나눌 미 분할함. 나누어 가짐. '我有好爵, 吾與爾一之'《易經》. ⑩멸할 미, 멸망할 미 麋(米部 十一畫)와 통용. '一爛其民'《孟子》. ⑪써없앨 미 금전 등을 낭비함. 糜(米部 十一畫)와 통용. '無一費之用'《荀子》. ㊁갈 마 摩(手部 十一畫)와 同字. '與物相刃相一'(마음과 외물(外物)이 서로 다툼)《莊子》.
字源 篆文 形聲. 非+麻〔音〕. '非비'는 '분리하다'의 뜻. '麻마'는 물에 담근 삼의 뜻. 섬유를 빼내기 위하여 물에 불린 삼 껍질이 힘없이 쓰러지는 모양에서, '쓰러지다, 문드러지다'의 뜻을 나타냄.

[靡傾 미경] 쏠려 기울어짐.
[靡勸 미권] 쏠려 권함. 붙좇아 권함.
[靡徒 미도] ㉠올바르지 못한 모양. ㉡준순 (逡巡)함.
[靡爛 미란] 썩어 문드러짐. 또, 썩어 문드러지게 함.
[靡拉 미랍] 쓰러져 꺾임.
[靡麗 미려] 화려함.
[靡寧 미령] 병 (病)이 있어 몸이 편하지 못함.
[靡曼 미만] ㉠보드랍고 고운 살결. 미색 (美色)을 이름. ㉡문장 (文章)의 아름다움을 비유하여 이름.
[靡靡 미미] ㉠쓰러지는 모양. ㉡천천히 걷는 모양. 느릿느릿한 모양. ㉢다해 없어지는 모양. ㉣순풍(順風)이 부는 모양. ㉤서로 의지하는 모양. ㉥소리가 곱고 아름다운 모양. ㉦정숙한 모양.
[靡薄 미박] 경박하여 독실하지 않음.
[靡徙 미사] ㉠정도(正道)를 잃은 모양. ㉡자제 (自制)하는 모양.
[靡然 미연] 붙좇는 모양. 따라오는 모양.
[靡衣媮食 미의투식] 고운 옷을 입고 맛있는 음식을 탐내며 장래를 생각하지 아니함.
[靡盡 미진] 멸하여 없어짐. 또, 멸하여 없앰.
[靡草 미초] 지엽이 가는 풀.
[靡他 미타] 무타(無他)❶.
[靡敝 미폐] 재물이 없어지고 백성이 피폐함.
●江靡. 綺靡. 妙靡. 封靡. 浮靡. 奢靡. 胥靡. 麗靡. 妖靡. 委靡. 淫靡. 猗靡. 進靡. 離靡. 雕靡. 靡靡. 織靡. 草靡. 摧靡. 侈靡. 波流弟靡. 風靡. 披靡. 華靡.

面 (9획) 部
〔낯면부〕

0/9 **[面]** 〔中/人〕 면 ㉬霰 彌箭切 miàn
筆順 一 丆 币 而 面 面 面

9획

字解 ①낯 면 얼굴. 얼굴의 바닥. '顏一'. '一貌'. '一無作色'《世說》. ②면 면 ㉠겉. '外一'. '西湖水一, 唯務深闊'《宋史》. ⓛ수학에서 평면을 이름. '多一形'. ③쪽 면 방향. '方一一'. ④탈 면 종이·나무 따위로 만든 얼굴의 모양. '用鐵一自衞'《晉書》. ⑤만날 면 대면함. '一會'. '帝每一稱之曰, 此點兒也, 當有所成'《顏氏家訓》. ⑥뵐 면 웃어른을 대하여 보고 절을 함. '出必告, 反必一'《禮記》. ⑦향할 면 얼굴을 그쪽으로 돌리어 대함. '不學牆一'《書經》. ⑧면전 면 그 사람 앞에서. 눈앞에서. '一責'. '汝無一從, 退有後言'《書經》. ⑨등질 면 반대 방향으로 향함. '馬童一之'('馬童'은 사람 이름)《史記》.

字源 篆文 象形. 篆文은 '圓'. 사람의 머리 부분의 象形인 '百𦥑'에 얼굴의 윤곽을 나타내는 '口𡆥'를 붙여 사람의 얼굴의 뜻을 나타냄.

參考 ①'面면'을 의부(意符)로 하여 안면에 관한 문자를 이룸. 부수의 이름은 '낯면부'. ②面(次條)은 俗字.

[面見 면견] 눈앞에서 봄.
[面決 면결] 눈앞에서 결정함.
[面結 면결] ㉠대면하여 직접 약속을 맺음. ⓛ겉으로는 번드르르하게 하는 교제.
[面鏡 면경] 작은 거울.
[面交 면교] 겉만 차리는 교우(交友). 교제.
[面具 면구] 탈. 가면(假面).
[面欺 면기] 눈앞에서 속임.
[面談 면담] 서로 만나서 이야기함.
[面對 면대] 서로 얼굴을 대(對)함.
[面刀 면도] 면도칼.
[面謾 면만] 눈앞에서 거짓말을 함.
[面面 면면] 각 방면(方面).
[面命 면명] 눈앞에서 명령하거나 가르침.
[面命提耳 면명제이] 면전에서 가르치고 귀를 당겨 일러 줌. 곧 아주 친절히 일러 줌.
[面貌 면모] 얼굴의 모양.
[面目 면목] ㉠얼굴의 생긴 모양. ⓛ남을 대(對)하는 체면. ㉢모양, 상태.
[面門 면문] 입(口)을 이름.
[面駁 면박] 대면하여 논박(論駁)함.
[面縛 면박] 손을 뒤로 하여 묶음.
[面壁 면벽] ㉠달마(達磨)가 소림사(小林寺)에서 아홉 해 동안 벽을 향하여 좌선한 고사(故事). ⓛ좌선(坐禪)하는 일.
[面壁九年 면벽구년] 면벽(面壁) ❶.
[面部 면부] 안면의 부분. 얼굴.
[面分 면분] 사이가 가깝지 않고 얼굴만 알 만한 교분(交分).
[面朋 면붕] 면우(面友).
[面謝 면사] 대면하여 사죄함.
[面上 면상] 얼굴. 얼굴 위.
[面相 면상] 면모(面貌).
[面像 면상] 면모(面貌).
[面色 면색] 얼굴빛.
[面首 면수] 얼굴과 머리털이 아름다운 남자.
[面數 면수] 면책(面責).
[面熟 면숙] 얼굴을 잘 알게 됨. 낯이 익음.
[面試 면시] 면전에서 시험함.
[面飾 면식] 얼굴의 치장. 단장. 화장.
[面識 면식] 얼굴을 서로 앎.

[面藥 면약] 얼굴에 발라 한열(寒熱)을 막는 약.
[面禳 면양] 사면(四面)의 신(神)에게 제사 지내어 역려(疫癘)를 예방함.
[面語 면어] 만나 이야기함.
[面如土 면여토] 몹시 놀라 얼굴이 흙빛이 됨.
[面譽 면예] 마주 대하고 칭찬함.
[面晤 면오] 서로 만나 봄.
[面辱 면욕] 면전(面前)에서 욕(辱)을 함.
[面友 면우] 겉탈로만 사귄 친구.
[面諛 면유] 마주 대하고 아첨함.
[面衣 면의] 얼굴을 가리는 옷.
[面引 면인] 대면하여 그 사람의 허물을 들어 책망함.
[面子 면자] 체면. 면목.
[面長 면장] 한 면(面)의 우두머리.
[面牆 면장] 담을 면(面)한다는 뜻으로, 식견(識見)이 좁음을 이름.
[面爭廷論 면쟁정론] 면절정쟁(面折廷爭).
[面詆 면저] 직접 대면하고 꾸짖음.
[面積 면적] 물건의 평면(平面)의 넓이. 지면(地面)의 넓이.
[面前 면전] 면대(面對)한 앞. 그 사람 앞. 눈앞.
[面折 면절] 마주 대고 과실을 힐책함.
[面折廷爭 면절정쟁] 조정에서 마주 대하여 나무라고 다툼. 곧 장소를 가리지 않고 아무 거리낌 없이 다툼.
[面接 면접] 서로 대면하여 만나 봄. 면대(面對).
[面從 면종] 그 사람이 보는 데서만 복종(服從)함.
[面從後言 면종후언] 보는 데서는 복종하고, 안 보는 데서는 비난함.
[面奏 면주] 배알(拜謁)하고 상주(上奏)함.
[面陳 면진] 대면하고 이야기함.
[面叱 면질] 대면(對面)하여 꾸짖음.
[面質 면질] 대질(對質)함. 무릎맞춤.
[面責 면책] 대면(對面)하여 책망(責望)함.
[面稱 면칭] 직접 대면하고 칭찬함.
[面歎 면탄] 마주 대하고 찬탄함.
[面皰 면포] 여드름.
[面皮 면피] 낯가죽. 전하여, 남을 대하는 면목.
[面皮厚 면피후] 낯가죽이 두꺼움. 염치가 없음. 후안무치함.
[面汗 면한] 부끄러워하여 얼굴에 땀이 남.
[面話 면화] 면담(面談).
[面會 면회] 만남. 대면함. 면접(面接).
[面詰 면힐] 마주 대하고 힐문함.

◉假面. 鏡面. 鯨面. 刮面. 廣面. 嬌面. 垢面. 球面. 局面. 鬼面. 南面. 藍面. 內面. 路面. 露面. 多面. 斷面. 當面. 對面. 黛面. 韜面. 東面. 馬面. 磨面. 滿面. 文面. 反面. 半面. 方面. 背面. 白面. 屛面. 譜面. 覆面. 北面. 粉面. 四面. 私面. 斜面. 上面. 西面. 書面. 皙面. 扇面. 雪面. 洗面. 沼面. 素面. 笑面. 小人革面. 水面. 羞面. 瘦面. 繡面. 顙面. 識面. 顏面. 仰面. 額面. 髯面. 玉面. 外面. 凹面. 圓面. 月面. 梨面. 裏面. 人面. 人心如面. 一面. 立面. 字面. 赭面. 粧面. 場面. 牆面. 全面. 前面. 正面. 顚面. 池面. 紙面. 地面. 直面. 塵面. 千里猶對面. 凸面. 鐵面. 剃面. 體面. 皺面. 醜面. 醉面. 側面. 他面. 唾面. 土面. 八面. 便面. 平面. 表面. 皮面. 下面. 海面. 湖面. 花面. 畫面. 黃面. 會面. 後面. 毁面.

0 ⑧ [靣] 面(前條)의 俗字

3 ⑫ [⿰面刃] 〔뉵〕 ⿰面丑(面部 四畫〈p. 2519〉)과 同字

3 ⑫ [⿰面干] 〔간〕 皯(皮部 三畫〈p. 1516〉)과 同字

3 ⑫ [⿰面寸] 〔내·능〕 耐(而部 三畫〈p. 1818〉)의 訛字

4 ⑬ [⿰面冘] 담 [去]勘 丁紺切 dàn
[字解] 완고할 담 완고함. 완고하고 졸렬함. '—⿰面巠'. '—, 頑劣皃'《集韻》.

4 ⑬ [⿰面冗] ⿰面冘(前條)과 同字

4 ⑬ [⿰面丑] 뉵 [入]屋 女六切 niǔ
[字解] 부끄러울 뉵 부끄러움. '—, 慙也, 亦作⿰面刃'《篇海》.

4 ⑬ [⿰面丰] 방 [去]絳 匹降切 pàng
[字解] 면종날 방 얼굴에 종기가 남. '—, 面腫'《集韻》.

5 ⑭ [靤] 포 [去]效 防教切 pào 
[字解] 면종 포 얼굴에 나는 부스럼.
[字源] 形聲. 面+包〔音〕

6 ⑮ [⿰面𠬝] 〔난〕 ⿰面柰(面部 九畫〈p. 2519〉)과 同字

7 ⑯ [靦] 전 [上]銑 他典切 tiǎn 
[字解] ①부끄러워할 전 무안해함. '慙—'. '愧—'. ②볼 전 ㉠사람을 면대하고 보는 모양. '有—面目'《詩經》. ㉡면목이 있어 사람을 보는 모양. '余雖—然而人面哉. 吾猶禽獸也'《國語》.
[字源] 篆文  別體  形聲. 面+見〔音〕. '見견'은 '보다'의 뜻. 맞대 놓고 상대의 얼굴을 보다의 뜻을 나타냄. 別體는 面+旦〔音〕. '旦단'은 위로 분명히 나타나다의 뜻. 빤히 상대의 얼굴을 보는 모양.

[靦愧 전괴] 부끄러워함. 무안해함.
[靦懼 전구] 부끄러워하고 두려워함.
[靦顏 전안] 부끄러워하는 얼굴.
[靦然 전연] 면목이 있어 사람을 보는 모양.
[靦怍 전작] 전괴(靦愧).
[靦慙 전참] 전괴(靦愧).
[靦汗 전한] 부끄러워하여 땀이 남.
◉愧靦. 負靦. 增靦. 慙靦.

7 ⑯ [⿰面甫] 보 [上]麌 扶雨切 fǔ 
[字解] 광대뼈 보 輔(車部 七畫)와 同字. '靨—在頰則好, 在顙則醜'《淮南子》.
[字源] 篆文  形聲. 面+甫〔音〕. '甫보'는 '輔보'와 통하여 '위턱'의 뜻. 얼굴의 양 볼의 뜻을 나타냄.

◉靨⿰面甫.

7 ⑯ [⿰面忍] 닉 nì
[字解] 수심띤얼굴 닉 수심 띤 얼굴. '—, 愁面'《玉篇》.

9 ⑱ [⿰面柰] 난 [上]潸 乃版切 nǎn
[字解] 부끄러워얼굴붉힐 난 '—, 怍—, 色慙'《集韻》.

9 ⑱ [⿱面面] 산 [去]翰 蘇貫切 suàn
[字解] 얼굴넓을 산 얼굴이 넓음. '—, 面博也'《篇海》.

10 ⑲ [⿰面冥] 면 [去]霰 莫甸切 miàn
[字解] 피땀 면 '—炫'은 피와 같은 땀. '—炫, 汗血'《集韻》.

10 ⑲ [⿰面臭] 구 [上]有 去久切 qiǔ
[字解] 얼굴못생길 구 얼굴이 못생김. '—, 醜—, 面醜'《集韻》.

12 ㉑ [靧] 회 [去]隊 荒內切 huì 
[字解] 세수할 회 낯을 씻음. '面垢, 燂潘, 請—'《禮記》.
[字源] 形聲. 面+貴〔音〕

[靧面 회면] 낯을 씻음. 세수함.

12 ㉑ [⿰面然] 년 [上]銑 乃殄切 niǎn
[字解] 앳된얼굴빛 년 앳된 얼굴빛. 젊어 보이는 안색(顏色). '—, 靦—, 少色'《集韻》.

12 ㉑ [⿰寽面] [一] 선 [平]先 荀緣切 xuān
[二] 단 [去]翰 徒玩切
[字解] [一] 둥근얼굴 선 둥근 얼굴. '顐, 圓面也, 或作—'《集韻》. [二] 둥근얼굴 단 [一]과 뜻이 같음.

12 ㉑ [⿰面焦] 초 ①②[平]蕭 慈消切 qiáo
③[去]嘯 子肖切
[字解] ①얼굴야윌 초 얼굴이 파리함. '—, 面焦枯小也'《說文》. ②근심할 초 걱정함. '—, 憂也'《廣雅》. ③얼굴에윤기없을 초 '—, 面不澤也'《集韻》.
[字源] 形聲. 面+焦〔音〕

14 ㉓ [靨] 엽 [入]葉 於葉切 yè 
[字解] 보조개 엽 웃을 때에 양쪽 볼에 오목하게

9 획

우물지는 자국. '笑一'. '嬌一'. '一輔奇牙'《楚辭》.

字源 篆文 形聲. 面+厭〔音〕. '厭염'은 누르다, 오목하게 패다의 뜻. 볼의 오목하게 들어간 부분, '보조개'의 뜻을 나타냄.

[靨輔 엽보] 보조개.
[靨笑 엽소] 보조개를 짓고 웃음.
[靨飾 엽식] 엽전(靨鈿).
[靨鈿 엽전] 여자의 보조개 근처의 장식(裝飾).
◉嬌靨. 斤靨. 媚靨. 寶靨. 笑靨. 兩靨. 淺靨. 歡靨.

19 ㉘ [醪] 〔라〕 儸(心部 十九畫〈p. 829〉)와 同字

革 (9획) 部
〔가죽혁부〕

0 ⑨ [革] 中 入 ■ 혁(격㊀) ㊁陌 古核切 gé
■ 극 ㊁職 訖力切 jí

筆順 一 十 廿 廿 芦 苩 苩 革

字解 ■ ①가죽 혁 털을 벗긴 수피(獸皮). 날가죽. '羔羊之一'《詩經》. ②갑옷투구 혁 가죽으로 만든 갑주(甲冑). '衽金一'《中庸》. ③팔음의하나 혁 가죽을 팽팽하게 댄 악기. 곧, 북 따위. '皆播之以八音, 金石土一絲木匏竹'《周禮》. ④혁괘 혁 육십사괘(六十四卦)의 하나. 곧, ䷰〈이하(離下), 태상(兌上)〉. 옛것을 개혁하는 상(象). ⑤고칠 혁 변개함. '變一'. '改一'. '請一心易行'《晏子春秋》. ⑥털갈 혁 새 털이 남. '鳥獸希一'《書經》. ⑦펼 혁 날개를 벌림. '如鳥斯一'《詩經》. ⑧성 혁 성(姓)의 하나. ■ 중해질 극 위독하여짐. '夫子之病一矣'《禮記》.

字源 金文 篆文 革 古文 象形. 金文은 머리부터 꼬리까지 벗긴 짐승 가죽을 본뜬 것으로 '가죽'의 뜻을 나타냄. 또 '改개'와 통하여 '고치다'의 뜻도 나타냄.

參考 '革혁'을 의부(意符)로 하여 여러 가지 종류의 가죽 제품을 나타내는 문자를 이룸.

[革甲 혁갑] 갑옷.
[革改 혁개] 개혁(改革).
[革去 혁거] ㉠구법(舊法)의 폐해를 개혁함. ㉡직책을 박탈함. 파면함.
[革更 혁경] 고침. 또, 고쳐짐.
[革故 혁고] 옛것을 고침.
[革囊 혁낭] 가죽으로 만든 주머니.
[革帶 혁대] 가죽으로 만든 띠.
[革留 혁류] 청조(清朝)의 제도(制度). '혁직유임(革職留任)'의 준말. 일단 면직당한 자가 그대로 유임하여 직무를 보는 일.
[革履 혁리] 가죽신.
[革面 혁면] 면모만 고치고 본심은 고치지 아니함.
[革命 혁명] ㉠이전의 통치자가 망하고 새 통치자가 대신함. 곧 왕조(王朝)가 바뀜. ㉡목적이 국가 사회의 기초에 관계되고, 행동이 헌법의 범위를 넘은 급격한 개혁.
[革船 혁선] 가죽을 꿰매어 만든 배.
[革新 혁신] 묵은 것을 고쳐서 새롭게 함.
[革音 혁음] 북소리.
[革正 혁정] ㉠고쳐 바로잡음. 바르게 고침. 개정함. ㉡태세(太歲)의 지지(地支)가 묘(卯)나 유(酉)로 된 해.
[革職 혁직] 청조(清朝)의 제도로, 관직을 면함.
[革橐 혁탁] 가죽으로 만든 주머니. 혁낭(革囊).
[革罷 혁파] 폐지(廢止)함.
[革鞭 혁편] 가죽으로 만든 채찍.
[革弊 혁폐] 폐해(弊害)를 고침.
◉甲革. 改革. 檢革. 堅革. 矯革. 金革. 變革. 兵革. 刪革. 三革. 修革. 偃革. 沿革. 韋革. 鼇革. 鼎革. 犛革. 桝革. 皮革. 希革.

2 ⑪ [靪] 정 ㊤青 當經切 dīng

字解 기울 정, 신창받을 정 신창을 기워 꿰맴. '一, 補履下也. (段注) 今俗謂補綴曰打補一'《說文》.

字源 篆文 形聲. 革+丁〔音〕. '革혁'은 '가죽신'의 뜻. '丁정'은 '치다'의 뜻. 가죽신의 바닥을 쳐서 수선하다의 뜻을 나타냄.

[勒] 〔륵〕 力部 九畫(p. 278)을 보라.

3 ⑫ [靫] ■ 채 ㊤佳 楚佳切 chāi
■ 차 ㊤麻 初牙切 chā

字解 ■ 전동 채 화살을 넣어 두는 통. '千一鳴鏑發胡弓'《元稹》. ■ 전동 차 ■과 뜻이 같음.

字源 形聲. 革+叉〔音〕. '叉차'는 끼워 집다의 뜻. 화살을 끼워 넣어 두는 가죽제의 화살집, 전동의 뜻을 나타냄.

◉鞴靫. 箭靫.

3 ⑫ [靰] ■ 흘(홀㊀) ㊁月 呼骨切 hū
■ 격 ㊁陌 紀彳切 jí

字解 ■ 졸라맬 흘 졸라맴. 묶음. '一, 急擷'《玉篇》. ■ 쇠다리맬 격 소의 정강이를 맴. '覲, 說文, 繫牛脛, 或从乞'《集韻》.

3 ⑫ [靰] 규 ㊦寘 居僞切 guì

字解 가죽 규 가죽. 무두질한 가죽. '一, 革也'《篇海》.

3 ⑫ [靬] 간 ①㊤寒 苦寒切 kān
②㊤刪 古閑切 jiān

字解 ①가죽 간 마른 가죽. ②나라이름 간 '黎一'은 한대(漢代)의 서역(西域)에 있던 나라. 곧, 고대 로마 제국. '以大鳥卵及黎一眩人獻于漢'《漢書》.

字源 篆文 形聲. 革+干〔音〕. '干간'은 '마르다'의 뜻. 말린 가죽의 뜻을 나타냄.

◉黎靬.

3 ⑫ [靲] ■ 우 ㊤虞 雲俱切 yú
■ 후 ㊤虞 匈于切

字解 ■ ①관(鞼)안쪽에두른가죽 우 수레의 가죽 마구(馬具)인 관(鞼)의 안쪽을 두른 가죽.

8
⑰ [鶡] 역 ㈇陌 夷益切 yì

字解 흰신 역 흰 신. '一, 素一履也'《集韻》.

8
⑰ [鞨] 녑 ㈇葉 諾叶切 niè

字解 대발 녑 대발. 대오리를 결어 만든 발. '一, 字林, 鞨一, 薄也'《集韻》.

8
⑰ [鞏] 간 ㈢刪 丘閒切 qiān

字解 ①굳을 간 굳음. 단단함. '一, 博雅, 固確, 堅也'《集韻》. ②깨지는소리 간 단단한 것이 깨지는 소리. '一, 堅破聲'《廣韻》.

9
⑱ [鞕] 극 ㈇職 訖力切 jí

字解 ①빠를 극, 급할 극 '一, 疾也'《廣雅》. ②가죽단단할 극 가죽이 단단한 모양. '一, 皮鞭兒'《廣韻》. ③다룬가죽단단할 극 '一, 韋堅也'《廣韻》.

字源 形聲. 革+亟〔音〕

9
⑱ [鞣] 유 ㈤尤 耳由切 róu

字解 ①가죽 유 다룬 가죽. 무두질한 가죽. ②무두질할 유 날가죽을 다루어 부드럽게 함.

字源 篆文 鞣 形聲. 革+柔〔音〕. '柔유'는 '부드럽다'의 뜻. 동물의 가죽을 부드럽게 하다, 무두질하다의 뜻을 나타냄.

9
⑱ [鞨] 갈(할)㈄ 갈 ㈇曷 胡葛切 hé

字解 오랑캐이름 갈 鞨(革部 五畫)을 보라. '一'.

字源 形聲. 革+曷〔音〕

●鞕鞨.

9
⑱ [鞦] 추 ㈤尤 七由切 qiū

字解 ①밀치 추 마소의 꼬리에 거는 끈. '鞍 참조. 緧(糸部 九畫)·緧(糸部 九畫)와 同字. '馬一, 結斷緶而作一'《束晳》. ②그네 추 一䪘, '一䪘者千秋也, 漢武帝祈千秋之壽, 故後宮多一䪘之樂'《高無際》, '一䪘北方戲, 以習輕趫者, 本作秋千'《康熙字典》.

字源 形聲. 革+秋〔音〕

[鞦䪘 추천] 그네. 한무제(漢武帝) 때 후궁(後宮)에서 시작한 유희. 원래 축사(祝詞)의 뜻으로 천추(千秋)라고 하던 것이 뒤바뀌어 추천(秋千)으로 되고, 다시 '——'으로 쓰게 된것임. 일설(一說)에는 산융(山戎)에서 전래하였다고 함.

●馬鞦. 䪘鞦. 玉鞦. 紫金鞦.

[鞦䪘]

9
⑱ [鞦] 鞦(前條)와 同字

9
⑱ [鞨] 〔하〕 鞨(韋部 九畫〈p.2534〉)와 同字

9
⑱ [鞫] 국 ㈎名 국 ㈇屋 居六切 jū

字解 ①국문할 국 죄인을 문초함. '一獄'. '訊一論報'《史記》. ②궁할 국 곤궁함. '昔育恐育一'(예전에 양육할 때 갖은 수단을 다 써서 길렀음)《詩經》. ③물가 국 수애(水涯). '芮一之卽'《詩經》. ④성 국 성(姓)의 하나.

字源 會意. 革+勹+言. '革혁'은 가죽 채찍의 뜻. '勹포'는 사람의 象形. 잡힌 사람에 대하여 가죽 채찍이나 말로 죄를 추궁하다의 뜻을 나타냄.

[鞫勘 국감] 국정(鞫正).
[鞫斷 국단] 죄를 조사하여 결정함.
[鞫問 국문] 죄를 신문함.
[鞫訊 국신] 국문(鞫問).
[鞫實 국실] 문초.
[鞫正 국정] 문초하여 바로잡음.
●考鞫. 窮鞫. 訊鞫. 案鞫. 育鞫. 逮鞫. 推鞫. 親鞫.

9
⑱ [鞙] 훤 ㈤願 呼願切 xuàn

字解 ①가죽신 훤 가죽신. '一, 履一也'《玉篇》. ②북만드는사람 훤 북을 만드는 사람. '鞙, 治鼓工也, 或作一'《集韻》.

9
⑱ [鞬] 건 ㈤元 居言切 jiān

字解 ①동개 건 활과 화살을 넣는 용기. '左執鞭弭, 右屬櫜一'《左傳》. ②맬 건 동여맴. '抴勒一鞅'(마차의 출발 준비를 함).

字源 篆文 鞬 形聲. 革+建〔音〕. '建건'은 곧게 뻗어 선 붓의 뜻. 활과 화살을 추려서 세워 놓기 위한 활집, 동개의 뜻을 나타냄.

●櫜鞬. 弓鞬. 腰鞬. 佩鞬.

9
⑱ [鞭] 편 ㈎名 편 ㈎先 卑連切 biān

字解 ①채찍 편 ㉠마소를 모는 데 쓰는 채. '左執一弭'《左傳》. ㉡형벌 또는 독려하는 데 쓰는 채. '胥吏執一度守門'《周禮》. ②채찍질할 편 ㉠채찍으로 침. '以赤一草木'《史記》. ㉡쳐서 몲. '驅一復恩恩'《史記》. ㉢벌로 침. '請雨不驗, 遂一像一百'《北史》. ㉣격려하다. '一撻'. '古心雖自一'《韓愈》.

字源 篆文 鞭 形聲. 革+便(㑎). '㑎편'은 '편리하다'의 뜻. 마소에 채찍질을 가하여 사람에게 편리하도록 부리다의 뜻. '가죽 채찍, 채찍질하다'의 뜻을 나타냄.

[鞭擊 편격] 채찍질함.
[鞭撻 편달] ㉠채찍으로 때림. ㉡격려(激勵)함.
[鞭鸞笞鳳 편란태봉] 길을 재촉하는 신선(神仙)이 난봉(鸞鳳)에 채찍질하며 타고 달림을 말함.
[鞭罰 편벌] 종아리를 쳐 범함. 또, 그 형벌.
[鞭扑 편복] ㉠채찍. 회초리. 편(鞭)은 관리를 벌주는 채찍, 복(扑)은 학생을 벌주는 채찍. ㉡태형(笞刑).

[鞭絲 편사] 채찍.
[鞭死屍 편사시] ㉠송장을 회초리로 쳐서 생전의 원한을 갚음. ㉡죽은 사람의 언론(言論)·행위(行爲)를 공격함.
[鞭殺 편살] 채찍질하여 죽임.
[鞭聲 편성] 채찍질하는 소리.
[鞭筍 편순] 대의 뿌리.
[鞭尸 편시] 시체를 매질하여 깊은 원한을 풂.
[鞭影 편영] 채찍의 그림자.
[鞭杖 편장] 채찍. 또, 채찍질함.
[鞭策 편책] ㉠채찍. ㉡채찍질함.
[鞭草 편초] 신농씨(神農氏)를 이름.
[鞭鞘 편초] 채찍.
[鞭捶 편추] 채찍질함.
[鞭箠 편추] 채찍. 또, 채찍질함.
[鞭杻 편축] 채찍과 수갑. 볼기채와 고랑. 형벌의 뜻으로 쓰임.
[鞭笞 편태] ㉠채찍. ㉡편달(鞭撻).
◉擧鞭. 敎鞭. 驅鞭. 掉鞭. 馬鞭. 先鞭. 揚鞭. 赭鞭. 長鞭. 停鞭. 執鞭. 着先鞭. 着鞭. 投鞭. 蒲鞭. 揮鞭.

9 ⑱ [𩋡] 즙 [入]緝 卽入切 juān

[字解] 멍에맬 즙 멍에를 맴. 멍에에 묶음. '一, 博雅, 一謂之𩋡, 一曰, 車一'《集韻》.

9 ⑱ [鞮] 제 [平]齊 都溪切 dī

[字解] ①신 제 가죽신. '一屨'《禮記》. ②성 제 성(姓)의 하나.
[字源] 篆文 形聲. 革+是〔音〕. 가죽신의 뜻을 나타냄.

[鞮鞻氏 제루씨] 주대(周代)의 관명(官名). 사방(四方)의 음악을 맡음. 누(鞻)는 춤추는 사람이 신는 신.
[鞮鍪 제무] ㉠투구. ㉡가죽신과 투구.
◉絡鞮. 銅鞮. 狄鞮. 革鞮.

9 ⑱ [鞢] 섭 [入]葉 蘇協切 xiè

[字解] 언치 섭 '鞊一'은 말의 등을 덮어 주는 언치. '鞊一, 鞍具'《廣韻》.
[字源] 形聲. 革+枼〔音〕

9 ⑱ [䩵] 운 [平]文 王問切 yùn

[字解] 북장이 운 가죽을 다루어 북을 메는 장인(匠人). '一, 攻皮治鼓工也'《說文》.
[字源] 篆文 形聲. 革+軍〔音〕. '軍군'은 '두르다'의 뜻. 가죽을 둘러 대어 북을 만드는 장인의 뜻을 나타냄.

9 ⑱ [䩛] 면 [上]銑 彌兗切 miǎn / [去]霰 彌箭切

[字解] 굴레 면 '一, 勒靼也'《說文》.
[字源] 形聲. 革+面〔音〕

9 ⑱ [䩡] 개 ①[平]佳 戶皆切 xié / ②[去]卦 口戒切 kài

[字解] ①신 개 신발. '一, 履也'《玉篇》. ②북이름 개 북의 일종. '一, 鼓名, 通作揩'《集韻》.

9 ⑱ [𩍐] 〔영〕 鞕(革部 七畫〈p. 2525〉)과 同字

9 ⑱ [𩋾] 〔단〕 𩏠(韋部 九畫〈p. 2534〉)과 同字

9 ⑱ [鞪] 무 [平]尤 莫浮切 móu

[字解] 투구 무 鍪(金部 九畫)와 同字. '被甲鞮一, 居馬上'《漢書》.
[字源] 篆文 形聲. 革+敄〔音〕. '敄무'는 '힘껏 죄다'의 뜻.

◉鞮鞪.

9 ⑱ [鞤] 방 [平]陽 博旁切 bāng

[字解] ①신가죽 방 신을 만드는 가죽. '一, 鞋革皮'《玉篇》. ②신가꾸밀 방 신의 가장자리를 손질함. 幫(巾部 十四畫)과 同字.

9 ⑱ [𩋂] 니 [上]薺 乃禮切 nǐ

[字解] ①부드러울 니 부드러움. 홀보들함. '𩋂, 輭也, 或作一'《集韻》. ②말고삐늘어질 니 말고삐가 늘어짐. '𩍐, 轡垂也通作一'《集韻》.

9 ⑱ [𩌦] 〔복〕 箙(竹部 八畫〈p. 1670〉)과 同字

10 ⑲ [鞲] 구 [平]尤 恪侯切 gōu

[字解] ①팔찌 구 활을 쏠 때 활 쥐는 소매를 걷어 매는 가죽으로 만든 띠. '射一'. ②풀무 구 불을 피우는 데 바람을 일으키는 제구.
[參考] 韝(韋部 十畫)와 同字.

[鞲鞴 구비] 피스톤(piston).
◉射鞲.

10 ⑲ [鞳] 탑 [入]合 吐盍切 tà

[字解] 종고소리 탑 鞺(革部 十一畫)을 보라. '鞺一'.
[字源] 形聲. 革+荅〔音〕

◉鞺鞳.

10 ⑲ [𩍗] 추 [上]有 楚九切 chǒu / [平]尤 菑尤切 zhōu

[字解] ①단으로묶을 추 단으로 묶음. 다발을 지음. '鞦, 束也, 或从芻'《集韻》. ②가죽주름 추 가죽의 주름. 가죽의 구김살. '一, 革文蹙也《集韻》.

10 ⑲ [鞴] 비 [去]寘 平祕切 bèi

[字解] 풀무 비 불을 피우는 데 바람을 일으키는 제구. 옛날에는 가죽 부대에서 바람을 내게 하

였음.
字源 紈의別體 鞙 形聲. 革+甫〔音〕. '甫비'는 화살집을 갖추다의 뜻. 가죽제의 전동의 뜻을 나타냄. 또 전동과 같은 풀무의 뜻도 나타냄.

10/19 [鞛] 쇄 ⓔ哿 損果切 suǒ
字解 가죽고리줄 쇄 가죽을 고리 지어 만든 줄. 가죽을 쇠사슬처럼 만든 줄. '一, 革鎖也'《集韻》.

10/19 [鞵] 혜 ⓔ佳 戶佳切 xié
字解 신 혜 鞋(革部 六畫)와 同字. '一鞵'.
字源 篆文 鞵 形聲. 革+奚〔音〕.

[鞵鞿 혜말] 가죽신과 버선.
●芒鞵. 皷鞵. 箏鞵. 草鞵.

10/19 [鞧] 액 ①②入陌 逆革切 é ③入陌 下革切
字解 ①신코 액 신의 앞머리. '履首爲之一'《集韻》. ②신기울 액 신을 수리함. '一, 補履'《廣韻》. ③기울 액 '一, 補也'《廣雅》.

10/19 [鞈] 합(갑)ⓐ洽 訖洽切 jiǎ ⓐ合 克盍切
字解 가죽신 합 가죽신. '一, 一鈔, 革履'《集韻》.

10/19 [鞏] 공 ⓑ董 古孔切 gǒng
字解 날가죽 공 날가죽. 생피(生皮). '一, 生皮也'《玉篇》.

10/19 [鞭] 一 회 ⓔ灰 戶恢切 huái 二 궤 ⓐ寘 求位切 guì
字解 一 거친베 회 거친 베. '一, 鬼布'《玉篇》. 二 고삐 궤 고삐. '一, 馬韁也'《集韻》.

10/19 [鞺] 〔옹〕 韄(革部 十三畫〈p.2530〉)과 同字

10/19 [鞱] 〔도〕 韜(韋部 十畫〈p.2534〉)와 同字

10/19 [鞻] 학 入覺 黑角切 xuè
字解 바싹묶을 학 졸라맴. '㩻研楔一'《舊唐書》.

10/19 [鞶] 반 ⓔ寒 薄官切 pán
字解 ①띠 반 가죽으로 만든 큰 띠. 조정에서 하사함. '或錫之一帶'《易經》. ②주머니 반 수건 따위를 넣는 작은 가죽 주머니. '王以后之一鑑與之'《左傳》.
字源 篆文 鞶 形聲. 革+般〔音〕. '般반'은 '크다'의 뜻. 큰 가죽띠의 뜻을 나타냄.

[鞶鑑 반감] 거울을 장식으로 매단 큰 띠.
[鞶囊 반낭] 큰 띠에 짐승의 머리를 장식한 것.
[鞶帶 반대] 가죽으로 만든 큰 띠. 조정에서 하사

(下賜)함.
[鞶帨 반세] 띠와 수건.
●孚鞶. 錫鞶. 施鞶. 羊鞶.

11/20 [鞝] 삼 ⓔ咸 師銜切 shān
字解 ①밀치끈드리워질 삼 밀치끈이 드리워짐. 밀치끈은 안장이나 길마와 밀치를 이어 매는 끈. '一, 馬鞘垂兒'《集韻》. ②깃발 삼 깃발. '一, 旌旗旒也'《玉篇》.

11/20 [鞽] 봉 ⓔ冬 符容切 féng
字解 ①북소리 봉 북소리. '一, 一曰, 鼓聲'《集韻》. ②덮어서꿰맬 봉 덮어서 꿰맴. '一, 字林被縫也'《集韻》. ③풀이름 봉 풀 이름. '一, 一曰, 鞍一 艸名'《集韻》.

11/20 [鞹] 곽 入藥 苦郭切 kuò
字解 가죽 곽 털만 벗긴 날가죽. '虎豹之一'《論語》.
字源 篆文 鞹 形聲. 革+郭(鞹)〔音〕. '鞹곽'은 도시의 바깥 울의 뜻. 짐승의 몸을 싸고 있는 가죽의 뜻을 나타냄.
參考 鞹(革部 八畫)은 略字.

●駢鞹. 朱鞹. 皮鞹. 鞹鞹.

11/20 [鞺] 당 ⓔ陽 他郎切 tāng
字解 종고소리 당 '一鞳'은 종 또는 북의 소리.

[鞺鞳 당탑] 종 또는 북의 소리.

11/20 [鞻] 루 ⓔ尤 落侯切 lóu
字解 신 루 '鞮一'는 춤을 출 때 신는 신. '鞮一氏'.

11/20 [鞮] 사 ⓑ紙 所綺切 xǐ
字解 가죽신 사 가죽으로 만든 신. 갖신. '一, 鞮屬'《說文》.
字源 篆文 鞮 形聲. 革+徙〔音〕. '徙사'는 좌우의 발을 번갈아 움직여서 가다의 뜻.

11/20 [鞭] 〔편〕 鞭(革部 九畫〈p.2527〉)의 本字

11/20 [鞸] 〔필〕 韠(韋部 十一畫〈p.2535〉)과 同字
字源 形聲. 革+畢〔音〕

12/21 [鞵] 돈 ⓔ元 都昆切 dūn
字解 오랑캐술그릇 돈 오랑캐의 술 그릇. '一, 胡人酒器'《篇海》.

12/21 [鞴] 궤 ⓐ寘 求位切 guì
字解 ①방패끈 궤 방패에 매단, 수를 놓은 가죽

끈. '輕罪贖以一盾一戟'《國語》. ②꺾을 궤, 꺾일 궤 '堅強而不一'《淮南子》.
[字源] [篆文] 形聲. 革+貴〔音〕. '貴귀'는 문채가 있다의 뜻. 방패 따위를 꾸미는 수놓은 가죽끈의 뜻을 나타냄.

[韇盾 궤순] 수를 놓은 가죽끈을 매단 방패.

12 ㉑ [韈] 기 [平]微 居依切 jī

[字解] 고삐 기 말의 고삐의 입 언저리에 있는 부분. '是猶以一而御駻突'《漢書》. 전(轉)하여 속박·제어를 당하는 일. 굴레. 기반(羈絆). '脫一'. '絆一'. '以一羈兮'《楚辭》.
[字源] 形聲. 革+幾〔音〕. '幾기'는 '近근'과 통하여 가까이 오게 하다의 뜻. 말을 마부 곁에 가까이 있게 하기 위한 가죽 고삐, 굴레의 뜻을 나타냄.

[韈羈 기기] 고삐.
◉絆韈. 轉韈. 脫韈.

12 ㉑ [鞹] [一] 격 [入]陌 各核切 gé
[二] 극 [入]職 訖力切

[字解] [一] ①고삐 격 고삐. 말고삐. ②재갈 격 재갈. '韈, 靶也, 一, 同韈'《玉篇》. [二] 고삐 극, 재갈 극 [一]과 뜻이 같음.

12 ㉑ [韡] 화 [平]歌 許肥切 xuē

[字解] 신 화 가죽신. 靴(革部 四畫)와 同字. '著一騎驢'《晉書》.
[字源] [篆文] 形聲. 革+華〔音〕

◉短韡. 弗韡. 素韡. 繡韡. 皁韡. 青韡. 皮韡.

12 ㉑ [鞽] [一] 橇(木部 十二畫〈p. 1108〉)와 同字
[二] 屩(尸部 十五畫〈p. 627〉)과 同字

12 ㉑ [韃] 동 [平]東 徒東切 tóng

[字解] 수레가죽꾸밈 동 수레의 가죽 꾸밈. 거가(車駕)의 가죽 꾸밈. '一, 車被具飾'《集韻》.

13 ㉒ [韁] 강 [平]陽 居良切 jiāng

[字解] 고삐 강 말의 재갈에 매는 줄. '貫仁義之羈絆, 繫名聲之一鎖'《漢書》.
[字源] 形聲. 革+畺〔音〕

[韁鎖 강쇄] 고삐와 쇠사슬. 전(轉)하여, 속박. 구속.
◉飛韁. 紅韁.

13 ㉒ [韃] 달 [入]曷 他達切 dá

[字解] ①칠 달 撻(手部 十三畫)과 통용. ②오랑캐이름 달 '一靼'은 옛날에, 몽골(Mongol) 지방에 살던 민족.
[字源] 形聲. 革+達〔音〕

[韃靼 달단] ㉠몽골 족(Mongol族)의 한 갈래. 원(元)나라가 망한 뒤 몽골 족의 일부가 흥안령(興安嶺) 서남 지방으로 북진(北進)하여 북원국(北元國)을 수립하였는데 '一一'이라 불리어졌음. 후일(後日) 몽골 전체의 이름이 되었음. ㉡백정(白丁). 그 종족이 달단으로부터 들어왔다고 함.

13 ㉒ [韣] [一] 촉(속[本]) [入]沃 市玉切 dú
[二] 독 [入]屋 徒谷切 dú

[字解] [一] 활집 촉 궁의(弓衣). '因罷兵倒一而去'《戰國策》. [二] 활집 독 [一]과 뜻이 같음.

◉倒韣.

13 ㉒ [韂] 〔단〕
靼(革部 五畫〈p. 2522〉)의 古字

13 ㉒ [韅] 옹 [平]冬 於容切 yōng

[字解] 가죽신 옹 가죽으로 만든 신. 鞰(革部 十畫)과 同字. '一, 韡鞠'《集韻》.
[字源] 形聲. 革+雍〔音〕

13 ㉒ [韂] 첨 [去]豔 昌豔切 chàn

[字解] 말다래 첨 말의 복부(腹部)에 늘이어 진흙 같은 것이 튀어오르는 것을 막는 것. 장니(障泥). '一, 馬障泥也'《集韻》.

13 ㉒ [鞫] [一] 籟(竹部 十六畫〈p. 1692〉)과 同字
[二] 鞠(革部 八畫〈p. 2526〉)과 同字

13 ㉒ [韄] 〔갈〕
鞨(革部 九畫〈p. 2527〉)과 同字

14 ㉓ [韄] 획 [入]陌 胡陌切 hù

[字解] ①칼끈 획 패도(佩刀)에 매달린 끈. ②묶을 획 동여맴. 속박함. '夫外一者, 不可繁而捉'〈외(外)는 이목(耳目)의 욕(欲)〉《莊子》.
[字源] [篆文] 形聲. 革+蒦〔音〕. '蒦확'은 손으로 잡다의 뜻. 가죽제의 칼 끈의 뜻을 나타냄.

14 ㉓ [鞻] 니(네[本]) [上]薺 乃禮切 nǐ

[字解] 고삐드리워질 니 고삐가 드리워짐. '一, 轡垂也'《集韻》.

14 ㉓ [韆] 견 [去]霰 詰戰切 qiàn

[字解] 허리띠 견 허리띠. 가죽 띠. '一, 胥帶一'《玉篇》.

14 ㉓ [韇] 〔궤〕
韇(革部 十二畫〈p. 2529〉)와 同字

14 ㉓ [韉] 락 [入]覺 力角切 luò

[字解] 질긴가죽 락 질긴 가죽. '一, 一慶, 皮堅也'《集韻》.

14 ㉓ [䪙] 추 [去]宥 側教切 zhòu
[字解] 마구(馬具)아울러이를 추 안장·고삐 등의 총칭. '一, 鞁也'《集韻》.

14 ㉓ [韅] 현 [上]銑 呼典切 xiǎn / [去]霰 馨甸切
[字解] 뱃대끈 현 마소의 배에 걸쳐 안장이나 길마를 졸라매는 줄.
[字源] [篆文] 形聲. 革+㬎〔音〕. 篆文은 革+顯〔音〕

[韅靷 현인] 뱃대끈과 가슴걸이.

15 ㉔ [韆] [人名] 천 [平]先 七然切 qiān 千
[字解] 그네 천 '鞦一'.
[字源] 形聲. 革+遷〔音〕

◉鞦韆.

15 ㉔ [韇] 독 [入]屋 徒谷切 dú
[字解] ①점대통 독 서죽(筮竹)을 넣는 통. '筮人 執筴, 抽上一'《儀禮》. ②동개 독 궁시(弓矢)를 넣는 제구. '一丸'.
[字源] [篆文] 形聲. 革+𧶠〔音〕. '𧶠육'은 '통, 궤짝'의 뜻. 가죽으로 만든 동개의 뜻을 나타냄.

[韇丸 독환] 동개.

15 ㉔ [韈] 말 [入]月 望發切 wà
[字解] 버선 말 발에 꿰어 신는 물건. 韤(韋部 十五畫)과 同字. '文王一繫解, 因自結'《韓非子》.

[韈繫 말계] 대님.

16 ㉕ [⿰革⿱⺮匊] 〔국〕
鞠(革部 八畫〈p. 2526〉)과 同字

16 ㉕ [⿰革賛] 〔궤〕
鞼(革部 十二畫〈p. 2529〉)의 本字

16 ㉕ [⿰革龍] 롱 [平]東 盧東切 lóng
[字解] 굴레 롱, 재갈에매어진가죽끈 롱 '一, 一頭也'《玉篇》.

17 ㉖ [韂] 참 [去]陷 仕懺切 zhàn
[字解] 언치 참 말의 등을 덮는 담요 따위. '一, 鞍一'《玉篇》. '一, 馬韉也'《集韻》.

17 ㉖ [韉] 천 [平]先 則前切 jiān
[字解] 언치 천 말의 등을 덮어 주는 방석이나 담요 따위. 그 위에 안장을 얹음. '虎一'. '鞍一'. '織草爲一'《北史》.
[字源] [篆文] 形聲. 革+薦〔音〕. '薦천'은 '깔개'의 뜻. 가죽제의 언치의 뜻을 나타냄.

◉錦韉. 馬韉. 繡韉. 鞍韉. 破韉. 蒲韉. 皮韉. 虎韉.

17 ㉖ [⿰革蹇] 〔건〕
鞬(革部 九畫〈p. 2527〉)과 同字

18 ㉗ [⿰革巂] [一] 쇠 [平]灰 素回切 suī / [二] 수 [平]支 山垂切 suī
[字解] [一] 안장끈 쇠 안장에 딸린 끈. '一, 鞌邊帶'《集韻》. [二] ①수레끈 수 수레에 딸린 끈. '一, 綏也'《說文》. ②늘어질 수 '一, 一曰, 垂皃'《廣韻》.
[字源] [篆文] 形聲. 革+巂〔音〕

19 ㉘ [⿰革麗] 〔사〕
躧(足部 十九畫〈p. 2253〉)와 同字

21 ㉚ [韊] 란 [平]刪 離閑切 lán
[字解] 동개 란 큰 동개. '平原君負一矢'《史記》.
[字源] 形聲. 革+蘭〔音〕

[韊矢 난시] 동개에 넣은 화살.

24 ㉝ [⿰革𩫖] 〔곽〕
鞹(革部 十一畫〈p. 2529〉)의 本字

24 ㉝ [⿰革⿱棘棘] 〔격·극〕
⿰革棘(革部 十二畫〈p. 2530〉)과 同字

韋 (9획) 部
〔다룸가죽위부〕

0 ⑨ [韋] [人名] 위 [平]微 雨非切 wéi 韦
[筆順] 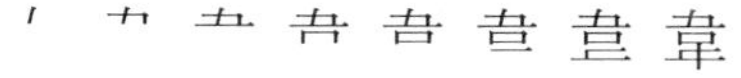
[字解] ①가죽 위 ㉠무두질하여 부드러워진 가죽. '一帶'. '佩一'. ㉡부드러운 것의 비유로 쓰임. '如脂如一'《屈原》. 전(轉)하여, 아첨을 '脂一'라 함. ②에울 위, 아름 위 圍(囗部 九畫)와 통용. '大木十一以上'《漢書》. ③어길 위, 틀릴 위 違(辵部 九畫)와 통용. '五音六律不相依一'《漢書》. ④성 위 성(姓)의 하나.
[字源] [甲骨文] [金文] [篆文] [古文] 會意. 舛+囗. '舛천'은 내디딘 방향이 다른 발을 본뜬 것. '囗위'는 '장소'의 뜻. 어떤 장소에서 다른 방향으로 발걸음을 내디디는 모양에서 '어기다'의 뜻을 나타냄. 또 '어기다, 떨어뜨리다'의 뜻에서 假借하여 무두질한 가죽의 뜻도 나타냄.
[參考] '韋위'를 의부(意符)로 하여 여러 가지 종류의 가죽 제품을 나타내는 문자를 이룸. 부수 이름으로 '皮피'·'革혁'과 구별하여, 특히 '다룸가죽위'라 이름.

[韋皐 위고] 당(唐)나라의 절도사(節度使). 만년

9 획

(萬年) 사람. 덕종(德宗) 때 검남서천 절도사(劍南西川節度使)가 되어 전남(滇南)을 경영(經營)하기를 21년, 토번(吐蕃)의 병력 48만을 격파하여 그 공(功)으로 남강군왕(南康郡王)에 피봉(被封)되었음.

[韋袴布被 위고포피] 가죽 바지와 베옷. 곧, 빈사(貧士)의 차림.

[韋鞲 위구] 부드러운 가죽으로 만든 팔찌.

[韋帶 위대] 가죽 띠. 곧, 빈천한 사람이 띠는 띠.

[韋杜 위두] 위씨(韋氏)와 두씨(杜氏). 모두 당(唐)나라의 명족(名族).

[韋輪 위륜] 흔들림을 막기 위해 가죽으로 바퀴를 싼 수레.

[韋柔 위유] 다룬 가죽처럼 부드러움.

[韋應物 위응물] 당(唐)나라의 시인(詩人). 소주자사(蘇州刺史)를 지냈으므로 위소주(韋蘇州)라고도 함. 성품이 고결(高潔)하고 시(詩) 또한 담박(淡泊)함. 왕유(王維)·맹호연(孟浩然)·유자후(柳子厚)와 함께 왕맹위류(王孟韋柳)라 일컬어짐. 시집 〈위소주집(韋蘇州集)〉 10권이 있음.

[韋衣 위의] 부드러운 가죽으로 만든, 사냥할 때 입는 옷.

[韋莊 위장] 당(唐)나라 말기의 시인(詩人). 자(字)는 단기(端己). 건녕(乾寧) 원년의 진사(進士). 중원(中原)이 어지러운 때 전촉(前蜀)의 왕건(王建) 밑에서 재상(宰相)이 됨. 사(詞)에 뛰어나, 온정균(溫庭筠)과 병칭(竝稱)되는 당시의 대표적 작가(作家). 장편시(長篇詩) '진부음(秦婦吟)'이 유명함.

[韋駄天 위태천] 《佛敎》 불법(佛法) 수호(守護)의 신(神). 팔대 장군(八大將軍)의 하나. 마왕(魔王)이 불사리(佛舍利)를 훔쳐 도망갔을 때 그를 쫓아가서 도로 빼앗아 온, 달음질 잘하는 신으로 유명함.

[韋編 위편] 책을 꿰맨 가죽끈.

[韋編三絶 위편삼절] 공자(孔子)가 만년에 주역(周易)을 좋아하여 자꾸 숙독하였기 때문에 맨 가죽끈이 세 번이나 끊어졌다는 고사(故事).

[韋布 위포] 위대(韋帶)와 포의(布衣). 곧 빈천한 사람의 의복.

[韋革 위혁] ㉠무두질한 부드러운 가죽과 날가죽. ㉡무두질한 부드러운 가죽.

[韋玄成 위현성] 한(漢)나라 사람. 경서(經書)에 달통함. 아버지의 벼슬을 이어 원제(元帝) 때 승상(丞相)이 됨.

◉韎韋. 依韋. 脂韋. 佩韋. 布韋.

3 ⑫ [靭] 인 [去]震 而振切 rèn

[字解] 질길 인 탄력성이 있어 잘 끊어지지 아니함. '蔓—時縈'《皇甫嵩》.

[字源] 篆文 形聲. 韋+刃〔音〕. '刃인'은 '忍인'과 통하여 부드럽고 강하다의 뜻. 부드럽고 질긴 다룬 가죽의 뜻을 나타냄.

[靭帶 인대] '인대(靭帶)'와 같음.

◉蔓靭.

4 ⑬ [鞍] 교 [平]肴 古肴切 jiāo

[字解] 주머니 교 가죽으로 만든 주머니·자루·전대 따위. '—, 囊—'《玉篇》.

4 ⑬ [靸] 삽 [入]合 悉合切 sǎ

[字解] 신 삽 ㉠아이들의 신. 꺽두기. '—, 說文, 小兒履也. 或作—'《集韻》. ㉡짚신. '靸, 履也. 亦作—'《玉篇》.

4 ⑬ [靹] 납 [入]合 諾答切 nà

[字解] ①약할 납 '—, 弱也'《廣雅》. ②연할 납 연함. '—, 博雅, 軟也'《集韻》. ③부드러울 납 부드러운 모양. '—, 腝皃'《廣韻》.

5 ⑭ [鞑] 비 [去]寘 兵媚切 bì

[字解] 도지개 비 활을 바로잡는 틀. 궁경(弓檠).

5 ⑭ [韎] 매 [去]卦 莫拜切 mèi

[字解] 가죽 매 꼭두서니 빛의 가죽. '—韋之跗注'《左傳》.

[字源] 篆文 形聲. 韋+末〔音〕. 꼭두서니로 물들인, 연붉은 다룬 가죽의 뜻을 나타냄.

[韎韐 매겹] 가죽의 슬갑(膝甲).

[韎樂 매악] 동이(東夷)의 음악의 명칭.

[韎韋 매위] 꼭두서니 빛의 가죽으로 만든 군복(軍服).

5 ⑭ [韍] 불 [入]物 分勿切 fú

[字解] ①슬갑 불 옛 제복(祭服)의 하나. 바지 위에 껴입는, 무릎까지 닿는 가죽 옷. '一命縕—'《禮記》. ②끈 불 땋아서 만든 끈. 인끈 따위. '奉上璽—'《漢書》.

[字源] 金文 篆文 篆文은 會意. 韋+犮. '犮발'은 '祓불'과 통하여 떨어 없애다의 뜻. 먼지 등을 떨 수 있는 가중제의 슬갑의 뜻을 나타냄. 金文은 슬갑의 象形.

[韍①]

[韍佩 불패] 슬갑(膝甲)과 패옥(佩玉).

◉璽韍. 縕韍.

5 ⑭ [鞋] 주 [去]遇 朱戍切 zhù

[字解] ①가죽바지 주 가죽으로 만든 바지. '—, 一曰, 韋袴'《集韻》. ②슬갑 주 무릎까지 내려오게 걸쳐 입는 군복(軍服)의 하나. '—, 戎服蔽膝也'《集韻》.

6 ⑮ [韗] 훤 [去]願 虛願切 yùn

[字解] 북짓는직공 훤 북 장인(匠人). 북을 만드는 사람. '—, 作鼓工'《篇海》.

6 ⑮ [韏] 권 [去]願 去願切 quàn / [去]霰 渠卷切 juàn / [上]銑 居轉切 quàn / [上]阮 九遠切

[字解] ①가죽주름 권 가죽에 주름이 짐. ②가죽갈라질 권 가죽이 꺾어진 곳에서 째짐. '革中絶謂

之辨, 革中辨謂之一'《爾雅》. ③굽을 권 '一, 詘也. 曲也'《玉篇》. ④수레위에쓰이는가죽 권 '一, 車上所用皮也'《廣韻》. ⑤가죽신솔기 권 '韏, 緣韗縫也. 一, 上同'《廣韻》.
[字源] 形聲. 篆文은 韋+𢍏〔音〕

6 ⑮ [較] 〔교〕
㪉(韋部 四畫〈p. 2532〉)와 同字

6 ⑮ [輅] 〔구〕
韝(韋部 十畫〈p. 2535〉)와 同字

6 ⑮ [韗] 근 [平]元 口恩切 kēn
[字解] 묶을 근 묶음〔束〕. '一, 束也'《玉篇》.

6 ⑮ [韐] 겹 [入]洽 古洽切 gé
[字解] 슬갑 겹 '韎一'은 꼭두서니 빛의 가죽으로 만든 슬갑(膝甲). '韎一有奭'《詩經》.
[字源] [篆文] [別體] 形聲. 篆文은 巿+合〔音〕. '巿불'은 슬갑. 別體도 形聲. 韋+合〔音〕. '韋위'는 다룬 가죽. '合합'은 다룬 가죽을 합쳐서 만들다의 뜻.

◉韎韐.

7 ⑯ [鞘] 〔초〕
鞘(革部 七畫〈p. 2525〉)와 同字

7 ⑯ [韚]
韐(前前條)과 同字

7 ⑯ [韍] 〔단〕
韍(韋部 九畫〈p. 2534〉)과 同字

8 ⑰ [韔] 창 [去]漾 丑亮切 chàng
[字解] 활집 창 궁의(弓衣). '虎一鏤膺'《詩經》.
[字源] [篆文] 形聲. 韋+長〔音〕. '韋위'는 '다룬 가죽'의 뜻. '長장'은 '길다'의 뜻. 가죽제의 기다란 활집의 뜻을 나타냄.

◉弓韔. 櫜韔.

8 ⑰ [鞫] 국 [入]屋 巨竹切 jú
[字解] ①쌀 국 쌈. 바깥을 둘러쌈. '一, 裹也'《玉篇》. ②공 국 공. '一, 同鞠'《五字通》.

8 ⑰ [韏] 권 [去]願 去願切 quàn, juàn
[去]霰 逵眷切
[字解] ①굽을 권 굽음. '一, 曲也'《篇海》. ②갖신솔기 권 갖신의 솔기. '一, 緣韗縫也'《字彙》.

8 ⑰ [韛] 패 [去]卦 步拜切 baì
[字解] 허풍선 패 숯불을 피우는 손풀무의 한 가지. '一, 吹火韋囊也'《集韻》.

8 ⑰ [韐] [一] 답 [入]合 託合切 tà
[二] 배 [去]卦 蒲拜切
[字解] [一] 깍지 답 활 쏠 때 끼는 가죽 장갑. '一, 指衣'《集韻》. [二] 풀무 배 韛(韋部 十一畫)의 俗字. '一, 韛俗字. 韋囊, 吹火具也'《龍龕手鑑》.

8 ⑰ [韓] [中人] 한 [平]寒 胡安切 hán 韩

[筆順] 十 古 卓 𠦝 𠦝 韓 韓 韓
[字解] ①나라이름 한 ㉠주대(周代)의 제후(諸侯)의 나라. 지금의 허난(河南) 및 산시(山西) 두 성(省)의 일부에 웅거하여 신정(新鄭)에 도읍하였는데, 후에 진(秦)나라에게 망함. '爲一報仇'《史記》. ㉡상고(上古) 시대에, 우리나라 남쪽에 있던 세 나라. '馬一'·'辰一'·'弁一'을 '三一'이라 함. 또, 조선(朝鮮)이 고종(高宗) 34년에 중국의 기반(羈絆)을 벗어났을 때 '大一帝國'이라 일컬었으며, 1945년 8·15 해방 후 독립하였을 때 '大一民國'이라 칭하여 현재에 이름. '一有三種'《後漢書》. ②우물난간 한 우물의 정간(井幹). ③성 한 성(姓)의 하나.
[字源] [金文] [篆文] 形聲. 韋+倝〔音〕. '韋위'는 '에우다'의 뜻. '倝간'은 '마르다'의 뜻. 우물 난간의 뜻을 나타냄.

[韓康 한강] 후한(後漢)의 패릉(霸陵) 사람. 자(字)는 백휴(伯休). 장안(長安)의 저자에서 30여 년 약(藥)을 팔았는데 결코 에누리하는 일이 없어 이름이 나자, 이를 한탄하여 패릉 산중으로 은둔(隱遁)하였음.
[韓翃 한굉] 당(唐)나라 중기의 시인(詩人). 자(字)는 군평(君平). 벼슬이 중서사인(中書舍人)에 이르렀음.
[韓國 한국] ㉠대한 제국(大韓帝國). ㉡대한민국(大韓民國).
[韓琦 한기] 범중엄(范仲淹)과 병칭(竝稱)되는 송(宋)나라의 현상(賢相). 자(字)는 치규(稚圭). 인종조(仁宗朝)에 재상이 되어 위국공(魏國公)에 피봉(被封)됨. 시호(諡號)는 충헌(忠獻).
[韓盧 한로] 전국 시대(戰國時代)에 한(韓)나라에서 난 명견(名犬) 이름.
[韓盧逐塊 한로축괴] 한로(韓盧)가 흙덩이를 쫓아간다는 뜻으로, 무용한 사물에 시간과 정력을 소비함의 비유.
[韓柳李杜 한류이두] 당대(唐代)의 문호 한유(韓愈)·유종원(柳宗元)과 시백(詩伯) 이백(李白)·두보(杜甫).
[韓陵 한릉] 허난 성(河南省) 안양현(安陽縣) 동북(東北)쪽의 산 이름.
[韓文 한문] 한유(韓愈)의 문장.
[韓范歐富 한범구부] 한기(韓琦)와 범중엄(范仲淹)과 구양수(歐陽修)와 부필(富弼). 모두 북송(北宋)의 명신(名臣).
[韓非 한비] 전국 시대(戰國時代) 말기의 법가(法家)의 대성자(大成者). 한(韓)나라의 공자(公子)임. 형명법술(刑名法術)의 학(學)을 좋아하여 이사(李斯)와 더불어 순자(荀子)에게 배움. 진(秦)나라에 사신(使臣)으로 갔다가 갇혀 이사(李斯) 때문에 독살(毒殺)당하였음. 한비자(韓非子)라고도 함. 저서에 〈한비자(韓非子)〉 20권이 있음.
[韓非子 한비자] ㉠한비(韓非)의 찬(撰), 20권임. 원이름은 한자(韓子)이나 후세에 당(唐)나라의

9 획

한유(韓愈)를 한자(韓子)라 부르는 것과 구별하기 위하여 한비자(韓非子)로 일컫게 된 것임. 소론(所論)은 형명 사상(刑名思想)의 제창(提唱)임. ⓛ한비(韓非).

[韓世忠 한세충] 남송(南宋) 건국초(建國初)의 무장(武將). 연안(延安) 사람. 자(字)는 양신(良臣). 북송(北宋)이 망하자 부하를 거느리고 고종(高宗)에게 달려가 남쪽의 묘부(苗傅)·유정언(劉正彦)의 난(亂)을 평정하고 올출(兀朮)을 격파하여 자못 권세(權勢)를 떨쳤으나, 진회(秦檜)의 책략(策略)으로 병권(兵權)을 빼앗긴 후 서호(西湖)에 은거(隱居)하여 스스로 청량 거사(淸涼居士)라 일컬었음.

[韓娥 한아] 옛날의 한(韓)나라의 가기(歌妓)의 이름.

[韓偓 한악] 당말(唐末)의 시인. 경조(京兆) 사람. 자(字)는 치요(致堯). 그의 시풍(詩風)을 향렴체(香奩體)라 일컬음. 벼슬이 병부시랑(兵部侍郞)·한림 학사(翰林學士)에 이름. 시집(詩集)에 〈옥산초인집(玉山樵人集)〉과 〈향렴집(香奩集)〉이 각각 한 권씩 있음.

[韓原 한원] 옛 지명(地名). 지금의 산시 성(山西省)에 있었다고도 하고, 산시 성(陝西省)에 있었다고도 함.

[韓魏 한위] ㉠한씨(韓氏)와 위씨(魏氏). 모두 진(晉)나라 육경(六卿) 중의 하나. ㉡부귀한 집.

[韓愈 한유] 당(唐) 중기(中期)의 유자(儒者)·문장가(文章家). 당송 팔대가(唐宋八大家)의 한 사람. 자(字)는 퇴지(退之). 등주 남양(鄧州南陽) 사람. 벼슬은 국자감 사문박사(國子監四門博士)·국자박사(國子博士) 등을 거쳐 이부시랑(吏部侍郞)에 이르렀음. 그의 문장은 고문(古文)을 모범(模範)으로 삼아 웅위굉심(雄偉宏深)하여 후세의 종(宗)이 됨. 〈한창려집(韓昌黎集)〉50권이 있음.

[韓子 한자] ㉠당대(唐代)의 문호(文豪) 한유(韓愈)의 경칭(敬稱). ㉡한비(韓非)의 저서인 〈한비자(韓非子)〉의 본이름.

[韓侂冑 한탁주] 송(宋)나라의 정치가. 기(琦)의 증손(曾孫). 영종(寧宗) 때 태사(太師)·평원군왕(平原郡王)·평장 군국사(平章軍國事)가 되어 전횡(專橫)을 극(極)하였음. 뒤에 중원(中原)을 회복하여 자기의 지위를 강화하고자 금(金)에게 전단(戰端)을 벌이어 패하고 송인(宋人)에게 피살되었음.

[韓海蘇潮 한해소조] 한유(韓愈)의 글은 왕양(汪洋)하여 바다 같고 소식(蘇軾)의 글은 파란(波瀾)이 있어서 조수 같음.

[韓休 한휴] 당(唐)나라 경조(京兆) 사람. 현종(玄宗) 때의 재상(宰相). 성품이 강직(剛直)하여 현종에게 조그마한 허물이 있어도 반드시 이를 간(諫)하였음.

● 大韓. 來韓. 馬韓. 訪韓. 弁韓. 三韓. 離韓. 辰韓. 着韓.

---

9 ⑱ [韗] 운 ㉠問 王問切 yùn

字解 혁공 운 가죽을 만드는 장인. '一人爲皐陶'《周禮》.

字源 篆文 韗 形聲. 韋+軍〔音〕.

9 ⑱ [韗] 韗(前條)과 同字

9 ⑱ [韗] 韗(前前條)과 同字

9 ⑱ [韘] 섭 ㈁葉 書涉切 shè

字解 깍지 섭 활 쏠 때 시위를 잡아당기는 엄지 손가락에 끼는 기구. 決(水部 四畫) 참조. '童子佩一'《詩經》.

字源 篆文 韘 別體 韘 形聲. 韋+枼〔音〕. '枼엽'은 '얇다'의 뜻. 다른 얇은 가죽으로 만든 깍지의 뜻을 나타냄.

● 佩韘.

9 ⑱ [韜] 〔도〕 韜(韋部 十畫〈p.2534〉)와 同字

9 ⑱ [韚] 〔극〕 鞍(革部 九畫〈p.2527〉)과 同字

9 ⑱ [韛] 단 ㉠翰 徒玩切 duàn ㉡旱 徒管切

字解 신뒤축가죽 단 신 뒤축을 싼 가죽. '一, 履後帖也'《說文》.

字源 形聲. 韋+段〔音〕.

9 ⑱ [韛] 하 ㉠麻 何加切 xiá

字解 신뒤축가죽 하 신 뒤축을 싼 가죽. '一, 履跟後帖'《廣韻》.

字源 形聲. 韋+叚〔音〕.

9 ⑱ [韞] 〔온〕 韞(韋部 十畫〈p.2535〉)의 俗字

9 ⑱ [韙] 위 ㉠尾 于鬼切 wěi

字解 옳을 위 바름. 또, 좋음. '犯五不一'《左傳》.

字源 篆文 韙 籀文 韙 形聲. 是+韋〔音〕. '是시'는 '바르다, 좋다'의 뜻. '韋위'는 '부드럽다, 순수하다'의 뜻. 籀文은 心+韋〔音〕.

● 不韙. 昭韙.

9 ⑱ [韙] 韙(前條)와 同字

10 ⑲ [韜] 人名 도 ㉠豪 土刀切 tāo

字解 ①활집 도 활을 넣어 두는 자루. 전(轉)하여, 널리 물건을 넣어 두는 자루. '劍一'. '囊

[響應 향응] 지른 소리에 울리는 소리가 따라 일어나듯이, 남의 주창(主唱)에 따라 다른 사람이 그와 같은 행동을 마주 취함.
[響箭 향전] 우는살. 명적(鳴鏑).
◉歌響. 澗響. 鼓響. 谷響. 管響. 交響. 嬌響. 弓響. 屐響. 奇響. 暖響. 䕺響. 妙響. 美響. 反響. 沸響. 悲響. 錫響. 聲響. 細響. 睡響. 樹響. 新響. 餘響. 影響. 遺響. 吟響. 音響. 鈿響. 震響. 釧響. 簷響. 淸響. 騶響. 灘響.

13 ㉒ [illegible] 〔공〕
贛(貝部 十七畫〈p. 2209〉)의 訛字

14 ㉓ [illegible] [人名] 호 [去]遇 胡誤切 hù
[筆順] 亠 立 音 音艹 ... [illegible]
[字解] 풍류이름 호 '大一'는 은(殷)나라 탕왕(湯王)이 지은 음악. '大濩'로도 씀.
[字源] 形聲. 音+蒦〔音〕
◉大[illegible].

15 ㉔ [illegible] 광 [去]漾 古曠切 guàng
[字解] 소리 광 소리. '一, 聲也'《奚韻》.

頁 (9획) 部
〔머리혈부〕

0 ⑨ 頁 [人名] [一] 혈 [入]屑 胡結切 xié [二] 엽 yè
[筆順] 一 丆 丅 万 百 百 頁 頁
[字解] [一] 머리 혈 두부(頭部). [二] 쪽 엽 서책의 지면의 한 면. 또, 그것을 세는 말. 페이지. '一, 俗以書冊一翻爲一, 讀與葉同'《中華大字典》.
[字源] 金文 篆文 象形. 사람의 머리를 강조한 모양을 본뜸. 머리의 뜻을 나타냄. 篆文의 '𦣻혈'이 '頁혈'로 변형됨.
[參考] '頁혈'을 의부(意符)로 하여 머리나 머리에 관한 명칭, 상태 등을 나타내는 문자를 이룸. 부수 이름은 '머리혈'.

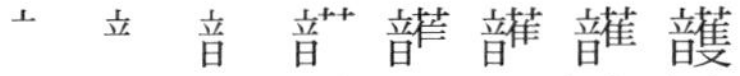

2 ⑪ 頂 [中人] 정 [上]迥 都挺切 dǐng
[筆順] 一 丁 丁一 丁丆 丁丌 丁万 丁百 頂
[字解] ①정수리 정 머리의 최상부. '圓一黑衣'. '過涉滅一'《易經》. ②꼭대기 정 물건의 가장 높은 데. '山一'. '一上'. ③일 정 머리 위에 놓음. '一戴奉持'《梁武帝》.
[字源] 篆文 形聲. 頁+丁〔音〕. '丁정'은 못으로 고정시키다의 뜻. 인체의 윗부분으로 안정되어 있는 머리의 뜻을 나타냄.

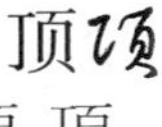

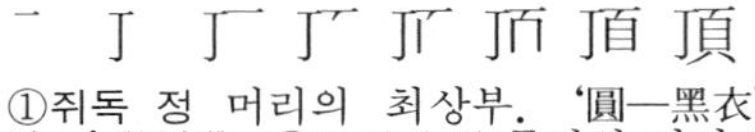

[頂角 정각] 삼각형의 밑변에 대하는 각.
[頂光 정광] 《佛敎》 부처의 머리 뒤에서 비추는 광명.
[頂戴 정대] ㉠머리 위에 임. ㉡청대(淸代)에 관리의 계급을 표시하기 위하여 관(冠)의 꼭대기에 단 주옥(珠玉)의 휘장(徽章).
[頂禮 정례] 《佛敎》 부처의 앞에 엎드려 이마를 땅에 대고 하는 절.
[頂門 정문] 정수리.
[頂門金椎 정문금추] 정수리에 철추를 내린다는 뜻으로, '정문일침(頂門一鍼)'과 같은 말.
[頂門有眼 정문유안] 머리 위에 눈이 있음. 시비·선악을 가리는 식견이 비상함을 이름.
[頂門一鍼 정문일침] 정수리에 침(鍼)을 한 대 놓는다는 뜻으로, 남의 급소를 찔러 통절히 경계하는 일.
[頂拜 정배] 머리를 숙이고 예배함.
[頂上 정상] 꼭대기.
[頂顚 정전] 꼭대기.
[頂點 정점] ㉠꼭대기. 맨 위. ㉡각을 이룬 두 직선이 모인 점. 또, 다면각(多面角)을 이룬 여러 면이 모이는 점. 꼭짓점.
◉高頂. 灌頂. 丹頂. 露頂. 登頂. 摩頂. 峰頂. 山頂. 嶽頂. 巖頂. 嶺頂. 銳頂. 屋頂. 圓頂. 絕頂. 朱頂. 天頂. 尖頂. 峭頂. 塔頂.

2 ⑪ 頃 [高人] [一] 경 [上]梗 去潁切 qǐng [平]庚 去營切 qīng [二] 규 [上]紙 尤𥼶切 kuǐ
[筆順] ㇒ 匕 匕一 匕丆 匕丅 匕万 匕百 頃
[字解] [一] ①백이랑 경 밭 백묘(百畝)의 지적(地積). '一碧萬一'《范仲淹》. ②잠깐 경 잠시. '食一'. '一刻'. '天下之悖亂而相亡不待一矣'《荀子》. ③이마적 경 근자에. '一者'. '一日'로 연용(連用)하기도 함. '一積雪凝寒'《王羲之》. '一與諸老論及此學'《傳習錄》. ④기울 경 傾(人部 十一畫)과 同字. '不盈一筐'《詩經》. ⑤성 경 성(姓)의 하나. [二] 반걸음 규 跬(足部 六畫)와 통용. '君子一步而弗敢忘孝也'《禮記》.
[字源] 篆文 會意. 匕+頁. '匕비'는 한쪽으로 쏠리는 사람의 象形. 머리를 한쪽으로 기울이다의 뜻을 나타냄. 일반적으로 기울다의 뜻을 나타냄. 假借하여 '이마적'의 뜻을 나타냄.

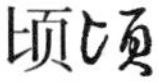

[頃刻 경각] 잠시. 잠깐 동안.
[頃刻花 경각화] '눈〔雪〕'의 별칭(別稱).
[頃間 경간] 요사이. 요즈음.
[頃聞 경문] 근자에 들으니.
[頃歲 경세] 이마적. 근래.
[頃焉 경언] 잠시.
[頃日 경일] 경자(頃者).
[頃者 경자] 이마적. 근래에.
[頃之 경지] 잠시 후에.
[頃步 규보] 반걸음. 규보(跬步).
◉過頃. 洞庭四萬八千頃. 萬頃. 半頃. 西頃. 少頃. 食頃. 俄頃. 有頃. 一碧萬頃.

2 ⑪ 頄 [一] 구 [平]尤 巨鳩切 qiú [二] 규 [平]支 渠追切 kuí
[字解] [一] 광대뼈 구 관골(顴骨). '壯于一'《易經》. [二] 광대뼈 규 [一]과 뜻이 같음.
[字源] 形聲. 頁+九〔音〕

9 획

3/12 [項] 高人 항 ㊤講 胡講切 xiàng 項 頂

[筆順] 一 T 工 エ 耳 項 項 項

[字解] ①목덜미 항 목의 뒤쪽. '其─類臯陶'《史記》. 또, 관(冠)의 뒤쪽. '賓右手執一'《儀禮》. ②클 항 '四牡一領'《詩經》. ③항 항 문장 등의 구분. ④성 항 성(姓)의 하나.

[字源] 篆文 項 形聲. 頁+工〔音〕. '頁혈'은 머리를 꾸민 사람을 본뜬 것. '工공'은 '後후'와 통하여 뒤의 뜻. 머리의 뒤쪽, '목덜미'의 뜻을 나타냄.

[項領 항령] ㉠큰 목. ㉡목. 목덜미. ㉢요해처. 목. ㉣두목. 장(長).
[項目 항목] 조목(條目).
[項背相望 항배상망] 서로 목덜미와 등을 본다는 뜻으로, 남이 하는 일을 보고 진퇴를 결정함을 이름.
[項羽 항우] 항적(項籍). 우(羽)는 자(字).
[項籍 항적] 진말(秦末)의 하상(下相) 사람. 자(字)는 우(羽). 진말(秦末)에 진승(陳勝)과 오광(吳廣)이 거병(擧兵)하자 숙부(叔父) 양(梁)과 오중(吳中)에서 병(兵)을 일으켜 진군(秦軍)을 격파(擊破)하고 스스로 서초(西楚)의 패왕(霸王)이라 일컬음. 한고조(漢高祖)와 천하(天下)를 다투다가 해하(垓下)에서 패사(敗死)하였음.
●各項. 強項. 曲項. 款項. 內項. 短項. 黨項. 同項. 別項. 逢人說項. 事項. 修項. 贏項. 外項. 要項. 劉項. 移項. 條項. 縮項.

3/12 [頋] 요 ㊦蕭 於宵切 yāo

[字解] 머리작을 요 머리가 작은 모양. '一, 頭小貌'《字彙》.

3/12 [頌] 頋(前條)의 訛字

3/12 [預] 한 ㊦寒 河干切 hān 頇

[字解] 얼굴클 한 顢(頁部 十一畫)을 보라. '顢一'.
[字源] 形聲. 頁+干〔音〕

●顢頇.

3/12 [順] 中人 순 ㊦震 食閏切 shùn 順 川

[筆順] 丿 川 厂 川 順 順 順 順

[字解] ①순할 순 온순함. '柔一'. ②좇을 순 ㉠들음. 청종(聽從)함. '祗一德意'《李覯》. ㉡도리(道理)에 따름. '耳一'. '一理則裕'《程頤》. 복종함. 따름. '歸一'. '四國一之'《詩經》. 또, 따르는 사람. '去暴擧一'《王粲》. ③즐길 순, 기뻐할 순 '父母其一矣乎'《中庸》. ④차례 순 차서. '一次'. '陰陽一序'《王勃》. ⑤성 순 성(姓)의 하나.
[字源] 篆文 順 形聲. 頁+川〔音〕. '川천'은 한 줄기를 이루어 흐르는 내의 뜻. '頁혈'은 '얼굴'의 뜻. 얼굴을 순하게 하여 사태가 흘러가는 대로 맡겨 두다, 따르다, 좇다의 뜻을 나타냄.

[順境 순경] 만사(萬事)가 뜻대로 순조로이 되어 가는 경우(境遇).
[順氣 순기] ㉠순조로운 기후. ㉡순하고 바른 기상(氣象). ㉢기후에 순응(順應)함.
[順德 순덕] 온순하여 거역하지 않는 덕.
[順良 순량] 성질(性質)이 유순(柔順)하고 선량(善良)함.
[順禮 순례] 예법을 따름.
[順路 순로] ㉠순조로운 길. ㉡평탄한 길. 또는 두르지 않고 곧장 가는 바른 길.
[順賴 순뢰] 좇아 의뢰함.
[順流 순류] ㉠막힘없이 순조로이 내려감. ㉡물이 흐르는 쪽으로 따름. ㉢물이 아래로 흐름. ㉣《佛敎》우레〔雷〕.
[順理 순리] 도리(道理)에 순종(順從)함.
[順娩 순만] 순산(順産).
[順民 순민] ㉠민심을 따름. 백성의 소망을 좇음. ㉡천명(天命)을 따르는 백성. ㉢법을 잘 지키는 순한 백성.
[順番 순번] 차례대로 갈마드는 번.
[順服 순복] 순순히 복종(服從)함.
[順奉 순봉] 준수(遵守)함. 준봉(遵奉)함.
[順産 순산] 아무 탈 없이 아이를 낳음. 순만(順娩).
[順序 순서] 차례. 차서(次序).
[順成 순성] 아무 거침없이 잘 이룸.
[順孫 순손] 순종하여 잘 섬기는 손자.
[順守 순수] 도리에 순응하여 지킴.
[順數 순수] 차례(次例)로 수효(數爻)를 셈.
[順順 순순] 차례차례로.
[順逆 순역] 도리를 순종하여 따름과, 도리에 거슬려 부정함. 순리(順理)와 역리(逆理).
[順延 순연] 순차(順次)로 연기(延期)함.
[順緣 순연] ㉠나이가 많은 사람부터 차례로 죽음. ㉡《佛敎》불도(佛道)에 자진하여 들어가는 인연.
[順應 순응] ㉠순(順)하게 대응(對應)함. ㉡외계에 적응(適應)하여 변화함.
[順義 순의] 의를 좇음.
[順易 순이] 순조로움. 평온함.
[順適 순적] 순종(順從)하여 거스르지 아니함.
[順正 순정] 도리에 순종하여 올바름.
[順調 순조] 어떤 일이 아무 탈 없이 예정(豫定)대로 잘되어 감.
[順從 순종] 순순히 복종함.
[順職 순직] 자기 집무상 마땅히 해야 할 일을 함.
[順次 순차] ㉠차례. ㉡차례를 따름.
[順天 순천] 천명을 따름.
[順便 순편] 거침새가 없이 편함.
[順平 순평] 성질(性質)이 유순(柔順)하고 화평(和平)함.
[順風 순풍] ㉠뒤에서 불어오는 바람. ㉡바람이 부는 방향을 따름.
[順風耳 순풍이] ㉠보통 사람이 듣지 못하는 비밀까지 잘 듣는 귀. ㉡음성을 원방에 전하는 기계. 확성기 따위.
[順行 순행] ㉠차례대로 감. ㉡따라감. ㉢당연한 행동. ㉣유성(流星)이 서쪽에서 동쪽으로 향하는 운동.
[順和 순화] 순탄하고 평화로움.
[順孝 순효] 부모에게 순종하여 효도를 다함.

9획

●健順. 謙順. 敬順. 恭順. 歸順. 大順. 奉順.
附順. 婦順. 不順. 卑順. 席順. 遜順. 手順.
隨順. 順順. 承順. 信順. 阿順. 女順. 逆順.
溫順. 婉順. 委順. 柔順. 六順. 耳順. 將順.
獎順. 從順. 聽順. 忠順. 打順. 筆順. 和順.
孝順.

3/12 [須] 中入 수 ㊗虞 相兪切 xū　須汤

筆順 ´ ⺌ ⺈ 纟 須 須 須 須 須

字解 ①수염 수 턱 밑 수염. 鬚(影部 十二畫)와 통용. ‘賁其一’《易經》. ②기다릴 수 오기를 바람. ‘卬—我友’《詩經》. ③바랄 수 구함. 원함. ‘自識不足補吾子所—也’《韓愈》. ④잠깐 수 잠시. ‘一臾’. ‘不待一’《荀子》. ⑤쓸 수 사용함. ‘此兩人, 而後從政’《史記》. ⑥모름지기 수 모름지기 …하여야 함. 명령 또는 결정의 말. ‘適有事務, 一自經營’《應璩》. ⑦성 수 성(姓)의 하나.

字源 金文 篆文 象形. 얼굴에 수염이 난 사람의 모양을 본떠 ‘수염’의 뜻을 나타냄. ‘需수’와 통하여 ‘기다리다, 바라다’의 뜻도 나타냄. 篆文은 頁+彡의 會意.

[須留 수류] 머물러 기다림.
[須眉 수미] 수염과 눈썹.
[須彌 수미] 수미산(須彌山).
[須彌內芥中 수미내개중] 큰 수미산을 조그마한 겨자 속에 넣음. 곧, 우주의 진리는 대소(大小)를 초월함을 이름.
[須彌壇 수미단] 절의 중당(中堂)에 불상 또는 불감(佛龕)을 안치한 단.
[須彌山 수미산]《佛敎》불교의 세계설(世界說)에서 세계의 중심에 솟아 있다고 하는 산. 주위에는 사주(四洲)가 있고 높이 8만 4천 유순(由旬)이라 함. 묘고산(妙高山).
[須搖 수요] 잠시. 수유(須臾).
[須臾 수유] ㉠잠시. ㉡종용(從容)한 모양.
●軍須. 急須. 密須. 兵須. 夫須. 斯須. 要須. 資須. 必須.

3/12 [頋]

一 독 入屋 徒谷切 duó
二 탁 入藥 徒落切
三 척 入陌 丑格切

字解 一 해골 독 머리의 뼈. ‘一頋謂之髑髏’《廣雅》. 二 해골 탁 一과 뜻이 같음. 三 해골 척 二과 뜻이 같음.
字源 形聲. 頁+乇[音]

3/12 [頋]

一 굴 入月 丘謁切 kū
二 곤 ㊤阮 苦本切 kū

字解 一 ①대머리 굴 벗어진 머리, 독두(禿頭). ②광대뼈나올 굴 광대뼈가 나온 모양. 二 대머리 곤 ①대머리 곤. ②광대뼈나올 곤 一과 뜻이 같음.
字源 篆文 形聲. 篆文은 頁+气[音]

3/12 [頋]

一 이 ㊤支 與之切 yí
二 탈 ㊩

字解 一 기를 이 기름. ‘一, 養也’《字彙補》. 二《韓》탈날 탈 뜻밖에 생긴 사고(事故)나 병(病).

3/12 [頋]

一 개 ㊤賄 己亥切 gǎi
二 해 ㊣灰 戶來切 hái

字解 一 볼 개 볼. 볼의 아래쪽. ‘一, 頻下曰一’《集韻》. 二 어린아이 해 어린아이. ‘一, 俗孩字’《五音集韻》.

3/12 [頋]

궁 ㊤東 渠公切 qióng

字解 ①얼굴 궁 얼굴. 낯. ‘一, 面上也’《五音集韻》. ②표면 궁 표면. 겉.

4/13 [頊] 人名 욱 入沃 許玉切 xū　頊頊

筆順 一 二 干 王 玙 玙 珂 珥 頊

字解 멍할 욱 정신이 빠진 것 같은 모양. ‘一一然自不得’《莊子》.
字源 金文 篆文 形聲. 頁+玉[音]. ‘玉옥’은 옥으로 보고 소중히 하다의 뜻.

[頊頊 욱욱] 정신이 멍한 모양. 정신을 잃어 어리둥절한 모양.

4/13 [頌] 高人

一 송 ㊤宋 似用切 sòng
二 용 ㊤冬 餘封切 róng　頌頌

筆順 八 八 公 公 頌 頌 頌 頌

字解 一 ①기릴 송 칭송함. ‘一德’. ‘一而無謅’《禮記》. ②송 송 문체의 하나. 칭찬하는 글. ‘伯夷一’. ‘酒德一’. ‘爲聖主得賢臣一’《漢書》. 시(詩)의 육의(六義)의 하나. 성덕(盛德)을 칭송하여 신명(神明)에게 고하는 것. ‘周一’. ‘魯一’. ‘詩有六義, 六曰一’《詩經 序》. ③점사 송 점조(占兆)의 말. ‘其一皆千有二百’《周禮》. ④성 송 성(姓)의 하나. 二 ①얼굴 용 容. ‘一部 七畫’과 통용. ‘魯徐生善爲一’《漢書》. ②용서할 용 容(宀部 七畫)과 통용. ‘當鞠擊者一繫之’《漢書》.
字源 金文 篆文 形聲. 頁+公[音]. ‘頁혈’은 머리 부분을 본뜬 제사 담당자의 모양. ‘公공’은 제사터인 광장의 뜻. 무악(舞樂)을 벌여서 제사 지내다의 뜻에서 ‘칭송하다’의 뜻을 나타냄.

[頌歌 송가] ㉠칭송하여 노래함. ㉡덕을 칭송하는 노래.
[頌琴 송금] 거문고의 한 가지.
[頌德 송덕] 공덕(功德)을 칭송함.
[頌德碑 송덕비] 공덕(功德)을 칭송(稱頌)하여 세운 비(碑). 「문장.
[頌德表 송덕표] 공덕을 칭송한 상주문. 또는 그
[頌美 송미] 칭송함.
[頌辭 송사] 공덕을 찬미하는 언사.
[頌聲 송성] 공덕을 칭송하는 소리. 또, 태평을 노래하는 음악.
[頌述 송술] 칭송하여 진술함.
[頌瑟 송슬] 거문고의 일종.
[頌祝 송축] 경사(慶事)를 축하함.
●歌頌. 偈頌. 謳頌. 廟頌. 善頌. 詩頌. 咏頌. 從頌. 追頌. 推頌. 稱頌. 襃頌.

4/13 [頋]

담 ㊤感 都感切 dàn

字解 ①머리 담 머리〔頭〕. ②頫(頁部 四畫)의 訛字. '—, 頫—也'《字彙》.

9획

4⑬ [頮] ☰ 침 ㊤寢 章荏切 zhěn
☱ 담 ①㊤感 都感切 dǎn
②㊡勘 丁紺切 dàn

字解 ☰ ①목뼈 침 베개에 닿는 뼈. '—, 頭骨後'《廣韻》. ②머리숙일 침 고개를 숙이는 모양. '—, 垂頭皃'《玉篇》. ☱ ①추할 담 '頮—'은 추(醜)한 모양. '頮—, 醜也'《廣韻》. ②어리석을 담 '—頮'은 어리석은 모양. '—, —頮', 癡兒《集韻》.
字源 形聲. 頁+尤〔音〕.

4⑬ [頍] 규 ㊤紙 丘弭切 kuǐ

字解 들 규 머리를 듦. '有—者弁'《詩經》.
字源 篆文 形聲. 頁+支〔音〕. '支지'는 '지탱하다'의 뜻. 머리를 똑바로 들다의 뜻을 나타냄.

4⑬ [頎] ☰ 기 ㊤微 渠希切 qí
☱ 간 ㊤阮 口很切 kěn

字解 ☰ 헌걸찰 기 키가 크고 풍채가 좋은 모양. '頎人其—'《詩經》. ☱ 가엾을 간 측은한 모양. '稽顙而后拜, —乎其至也'《禮記》.
字源 篆文 形聲. 頁+斤〔音〕. '斤근'은 자루가 긴 도끼의 象形. 자귀처럼 늘씬하게 뻗은 끝에 머리가 있듯이 키가 훤칠하게 큰 모양을 나타냄.

[頎乎 간호] 측은한 모양.
[頎頎 기기] ㋀헌걸찬 모양. 키가 크고 품위가 있는 모양. ㋁성장(成長)하는 모양.

4⑬ [頠] 오 ㊤晧 五老切 ǎo

字解 큰머리 오 큰 머리. '—, 顱—, 大頭'《廣韻》.

4⑬ [頏] ①㊤陽 胡郎切 háng
②㊤養 戶朗切 hàng

字解 ①내려갈 항 새가 아래로 향하여 낢. '頡—, 燕燕于飛, 頡之—之'《詩經》. ②목구멍 항 吭(口部 四畫)과 同字.
字源 亢의 形聲. 頁+亢〔音〕. '亢항'은 결후(結喉), '頁혈'은 사람의 머리의 뜻. '목구멍'의 뜻을 나타냄.

●頡頏.

4⑬ [頜] ☰ 감 ㊤覃 枯含切 kān
☱ 검 ㊤咸 丘凡切 qiān

字解 ☰ 추한모양 감 추한 모양. ☱ 추한모양 검 ☰과 뜻이 같음.

4⑬ [頦] 〔굴·곤〕 頋(頁部 三畫〈p.2541〉)의 本字

4⑬ [頮] 배 ㊤灰 蒲回切 péi
㊤佳 步皆切 bāi

字解 ①주걱턱 배 '—, 曲頤也'《說文》. ②주걱

턱의모양 배 '—, 曲頤皃'《廣韻》.
字源 形聲. 頁+不〔音〕.

4⑬ [預] 人名 예 ㊡御 羊洳切 yù 預預

筆順 マ ア 予 予 孖 預 預 預 預

字解 ①미리 예 사전에. '—想'. '禍不可以—度'《晉書》. ②즐길 예 놀 예 즐거워함. 즐거이 놂. '虎丘時游—'《白居易》. ③참여할 예 간여함. '干—', '仲容已—之'《世說》. ④관계할 예 관계를 가짐. 관련됨. '—知', '公榮者無—焉'《世說》. ⑤(韓) 맡길 예 금품을 맡김. '—金'.
字源 篆文 形聲. 頁+予〔音〕. '予예'는 편안한 모양. 얼굴이 편안해지다, 즐기다의 뜻을 나타냄. 파생하여 여유를 가지고 미리 하다의 뜻을 나타냄.

[預金 예금] 은행(銀行) 같은 곳에 돈을 맡겨 두는 일. 또, 그 돈.
[預慮 예려] 미리 앞일을 생각함.
[預買 예매] 미리 사 둠.
[預買法 예매법] 민간에서 잘 팔리지 아니하는 물건을 정부에서 사 두었다가 그 물자가 부족해졌을 때 상당한 가격으로 파는 법률. 송(宋)나라 왕안석(王安石)의 신법(新法)의 하나.
[預備 예비] 미리 준비함. 예비(豫備).
[預想 예상] 미리 생각함. 예상(豫想).
[預知 예지] 관계하여 앎.
[預度 예탁] 미리 헤아림.
●干預. 不預. 參預.

4⑬ [頑] 人名 완 ㊟刪 五還切 wán 頑頑

字解 ①완고할 완 고루하여 고집이 셈. 미련하여 도덕을 모름. '—陋', '—鈍', '父—母囂'《書經》. 또, 완고함. '舉—用囂'《左傳》. ②탐할 완 욕심이 많음. '聞伯夷之風者, 一夫廉, 懦夫有志'《孟子》.
字源 篆文 形聲. 頁+元〔音〕. '元원'은 '圓원'과 통하여 '돌다'의 뜻. 생각이 오직 한 가지 일에만 돌아 구애되어서 발전이 없다, 완고하다의 뜻을 나타냄.

[頑強 완강] 태도가 검질기고 굳셈.　　　　「칭.
[頑健 완건] ㋀매우 건강함. ㋁자기의 건강의 겸
[頑固 완고] ㋀성질이 검질기게 굳고 고집이 셈. ㋁고루하여 도리를 모름.
[頑空 완공] 겉은 단단하나 속은 비어 있는 것.
[頑狡 완교] 완악(頑惡)하고 교활함.
[頑軀 완구] 미련한 몸. 또, 자신의 겸칭(謙稱).
[頑頓 완돈] 완둔(頑鈍).
[頑童 완동] 의리를 모르는 완악한 아이.
[頑鈍 완둔] 고루하고 둔함.
[頑廉懦立 완렴나립] 욕심이 많은 자도 청렴해지고 나약한 사람도 분기함.
[頑魯 완로] 완둔(頑鈍).
[頑陋 완루] 완고하고 고루함.
[頑慢 완만] 완악(頑惡)하고 거만함.
[頑昧 완매] 완명(頑冥).
[頑命 완명] 죽지 않고 모질게 살아 있는 목숨.
[頑冥 완명] 어리석어 사리에 어두움.

[頑迷 완미] 완명(頑冥).
[頑民 완민] 의리를 모르는 완악한 백성. 조정의 덕화를 받지 아니한 백성.
[頑朴 완박] 완고하고 소박(素朴)함.
[頑夫 완부] 욕심 많은 사람.
[頑碑 완비] 견고한 비(碑).
[頑鄙 완비] 완고하고 비루함.
[頑石點頭 완석점두] 감각이 없는 돌도 감격하여 머리를 숙인다는 뜻으로, 감화가 깊음을 비유하는 말.
[頑癬 완선] 헌데가 둥글고 불그스름하며 가려운 피부병.
[頑守 완수] 완강하게 고수함.
[頑習 완습] 완악(頑惡)한 습관(習慣).
[頑兒 완아] 자기 아들의 겸칭(謙稱).
[頑惡 완악] 완만(頑慢)하고 불량(不良)함. 성질(性質)이 흉악(凶惡)함.
[頑闇 완암] 완명(頑冥).
[頑然 완연] 완고한 모양.
[頑愚 완우] 완고하고 미련함.
[頑嚚 완은] 완악하고 어리석음.
[頑敵 완적] 완강(頑強)한 적(敵).
[頑癡 완치] 완우(頑愚).
[頑愎 완퍅] 완고하고 퍅함.
[頑悍 완한] 완고하고 사나움.
◉強頑. 堅頑. 驚頑. 驕頑. 懦頑. 頓頑. 冥頑. 石頑. 疏頑. 傲頑. 訂頑. 癡頑. 昏頑.

4 ⑬ [頒] [人名] [一] 반 [平]刪 布還切 bān [二] 분 [平]文 符分切 fén 颁

[筆順] 八 𠆢 分 分 分丆 分丙 頒 頒

[字解] [一] ①나눌 반 ㉠나누어 줌. '一賜'. '一度量而天下大服'《禮記》. ㉡널리 퍼뜨림. '一布'. ㉢구분함. '乃惟孺子, 一朕不暇'《書經》. ②반쯤셀 반 머리나 수염이 반쯤 흼. 斑(文部 九畫)과 통용. '一白者, 不負戴於道路矣'《孟子》. [二] 머리클 분 물고기의 머리가 큰 모양. '有一其首'《詩經》.

[字源] 篆文 形聲. 頁+分〔音〕. '分분'은 '墳분'과 통하여 흙을 돋우어 올린 무덤의 뜻, 무덤처럼 큰 머리의 뜻을 나타냄. 또 '分'은 '나뉘다'의 뜻으로 흑백으로 나뉜 머리털, '백발'의 뜻을 나타내며, 단순히 '나누다'의 뜻으로도 쓰임.

[頒給 반급] 임금이 봉록(俸祿)·물품(物品) 등을 나누어 줌.
[頒祿 반록] 임금이 녹봉을 반급(頒給)함.
[頒賚 반뢰] 반사(頒賜).
[頒白 반백] 머리털이 반쯤 흼. 반백(斑白·半白).
[頒斌 반빈] 뒤섞인 모양.
[頒賜 반사] 줌. 수여함.
[頒布 반포] 널리 펴서 알게 함.
[頒行 반행] 널리 펴 행함.
[頒犒 반호] 군사(軍士)를 위로하여 나누어 주는 물품.
◉戴頒. 散頒. 時頒. 平頒.

4 ⑬ [頓] [人名] [一] 돈 [去]願 都困切 dùn [二] 둔 [去]願 徒困切 dùn [三] 돌 [入]月 當沒切 dú 顿

[筆順] 一 𠃊 屮 屯 屯丆 頓 頓 頓

[字解] [一] ①조아릴 돈 머리를 숙여, 땅에 대고 절을 함. '一首'. ②넘어질 돈 발이 걸려 자빠짐. '一躓'. ③꺾일 돈 좌절함. '一挫'. ④머무를 돈 정지함. '三日三夜, 不一舍'《史記》. ⑤패할 돈, 무너질 돈 '甲兵不一'《左傳》. ⑥가지런히할 돈 '整一'. '一網探淵'《陸機》. ⑦갑자기 돈 급작스럽게. '一悟'. '一死'. '精神一生'《世說》. ⑧숙사 돈 숙박하는 집. '數道置一'《隋書》. ⑨끼니 돈 한 끼니. '欲乞一一食耳'《世說》. ⑩성 돈 성(姓)의 하나. [二] 둔할 둔 鈍(金部 四畫)과 통용. '芒刃不一'《漢書》. [三] 흉노왕이름 돌 '冒一(묵돌)'은 흉노(匈奴)의 왕(王)의 이름.

[字源] 篆文 形聲. 頁+屯〔音〕. '屯돈'은 많은 것이 모이다의 뜻. 머리를 땅에 대고 하는 절로, 내려뜨려진 기세가 땅바닥에서 일단 중단되어, 힘이 집중되는 데서, '조아리다'의 뜻을 나타내고 '넘어지다'의 뜻도 나타냄.

[頓綱 돈강] 강기(綱紀)를 정돈함.
[頓儉 돈검] 갑자기 검소하여짐.
[頓教 돈교] 장기의 수행을 겪지 아니하고 문득 깨달아서 불과(佛果)를 얻는 교. 화엄(華嚴)·천태(天台)·정토(淨土) 등의 교(教).
[頓宮 돈궁] 행궁(行宮).
[頓窮 돈궁] 몹시 곤궁함.
[頓棄 돈기] 파손(破損)하여 버림.
[頓喫 돈끽] 한번에 많이 먹음.
[頓飯 돈반] 밥을 한번에 많이 먹음.
[頓病 돈병] 급환(急患).
[頓服 돈복] 한번에 먹음.
[頓仆 돈부] 넘어짐. 쓰러짐.
[頓踣 돈부] 돈부(頓仆).
[頓憊 돈비] 좌절(挫折)하여 피로함.
[頓死 돈사] 급사(急死). 폭사(暴死).
[頓舍 돈사] 머물러 묵음. 군대가 진 치고 머무름.
[頓顙 돈상] 돈수(頓首).
[頓設 돈설] 갑자기 설치함.
[頓首 돈수] ㉠머리가 땅에 닿도록 굽혀 절함. ㉡편지 끝에 써서 경의(敬意)를 표(表)하는 말. ㉢피아(彼我)를 구별하기 위하여 표를 붙인 투구.
[頓然 돈연] 별안간. 갑자기.
[頓悟 돈오] 별안간 깨달음.
[頓才 돈재] 돈지(頓智).
[頓絕 돈절] 별안간 끊어짐. 갑자기 격조(隔阻)함.
[頓漸 돈점] 돈교(頓教)와 점교(漸教).
[頓足 돈족] 발을 구름.
[頓挫 돈좌] 갑자기 세력이 꺾임.
[頓證菩提 돈증보리] 《佛教》 어느 기회에 갑자기 불도(佛道)를 깨달음.
[頓之 돈지] 잠시 후에.
[頓智 돈지] 임기응변의 슬기.
[頓躓 돈지] ㉠발끝에 걸려 넘어짐. ㉡곤경(困境)에 처함의 비유.
[頓進 돈진] 갑자기 나아감.
[頓着 돈착] ㉠안치(安置)함. ㉡《佛教》 탐착(貪着)의 전와(轉訛). 탐내어 집착(執着)함.
[頓弊 돈폐] 피폐함.
[頓廢 돈폐] 쇠퇴함.
◉撼頓. 困頓. 跼頓. 倒頓. 登頓. 冒頓. 仆頓. 踣頓. 上頓. 營頓. 頑頓. 愚頓. 圓頓. 委頓. 猗頓. 一頓. 顚頓. 停頓. 整頓. 挫頓. 止頓. 遲頓. 掔頓. 摧頓. 沈頓. 寢頓. 廢頓. 乏頓.

虛頓. 號頓. 荒頓. 毁頓.

[傾] 〔경〕 人部 十一畫(p. 172)을 보라.

[煩] 〔번〕 火部 九畫(p. 1344)을 보라.

5 ⑭ [頔] 적 [入]錫 徒歷切 dí

[字解] 사람이름 적 '于—'은 당(唐)나라 사람.

[字源] 形聲. 頁+由〔音〕

5 ⑭ [頛] 말 [入]曷 莫葛切 mò

[字解] ①튼튼할 말 튼튼함. 건장함. '—, —顒, 健也'《集韻》. ②굴곡없이밋밋한얼굴 말 굴곡이 없이 밋밋한 얼굴. '—, —顒, 一曰, 面平'《集韻》.

5 ⑭ [頖] 반 [去]翰 普半切 pàn

[字解] 학교이름 반 泮(水部 五畫)과 同字. '諸侯曰—宮'《禮記》.

[字源] 形聲. 頁+半〔音〕

[頖宮 반궁] 주대(周代)에 제후의 서울에 설립한 대학.

5 ⑭ [頩] 겸 [上]琰 丘檢切 qiǎn

[字解] 평평하지않을 겸 평평하지 아니함. 顩(頁部 十六畫)과 同字. '頩, 頩顩, 面不平也, 或作—'《集韻》.

5 ⑭ [頮] 염 [平]鹽 汝鹽切 rán

[字解] 구레나룻 염 髯(髟部 四畫)과 同字. '黑色而—'《莊子》.

[字源] 形聲. 頁+冉〔音〕. '冉염'은 수염을 본뜬 것. '頁혈'을 더하여, '구레나룻'의 뜻을 나타냄.

5 ⑭ [頣] 민 [平]眞 眉貧切 mín

[字解] ①강할 민 강함. 굳셈. '—, 強也'《廣韻》. ②단단한머리 민 단단한 머리. '—, 彊頭也'《集韻》.

5 ⑭ [頗] [高人] 파 ①[平]歌 滂禾切 pō ②③[上]哿 普火切 pǒ 颇

[筆順] 丿 厂 广 皮 皮⁻ 皮丆 頗 頗

[字解] ①치우칠 파 공평하지 아니함. '偏—'. '無偏無—'《書經》. ②자못 파 ㉠약간. '—采古禮'《史記》. ㉡매우 많이. '國人—有知者'《戰國策》. ③성 파 성(姓)의 하나.

[字源] 篆文 形聲. 頁+皮〔音〕. '皮피'는 '波파'와 통하여 파도처럼 흔들려 기울다의 뜻. 머리가 기우는 모양에서 '치우치다'의 뜻을 나타냄.

[頗牧 파목] 염파(廉頗)와 이목(李牧). 전국 시대의 조(趙)나라의 명장(名將). 전(轉)하여, 명장.
[頗僻 파벽] 치우치고 그름.
[頗偏 파편] 한편에 치우쳐 공정하지 못함.
◉兩頗. 偏頗. 險頗.

5 ⑭ [領] [中人] 령 [上]梗 良郢切 lǐng 领

[筆順] 𠆢 亼 今 令 令⁻ 令丆 領 領

[字解] ①목 령 경항(頸項). '天下之民, 引—而望之矣'《孟子》. ②옷깃 령 의복의 목을 싸는 부분. '若挈裘—'《荀子》. 전(轉)하여, 중요한 부분. 요긴한 점. '要—'. '紘—不振'《晉書》. ③벌 령 옷의 한 벌. '衣衾三—'《荀子》. ④다스릴 령 처리함. '—父子君臣之節'《禮記》. ⑤거느릴 령 통솔함. '統—'. '總—衆職'《漢書》. ⑥깨달을 령 알아차림. '—解'. '接要心已—'《杜甫》. ⑦받을 령 '—受'. '實—懸悟'《深雪偶談》. ⑧재 령 嶺(山部 十四畫)과 통용. '輿轎而踰—'《漢書》.

[字源] 篆文 形聲. 頁+令〔音〕. '令령'은 고개를 숙이어 신의 뜻을 듣다의 뜻. '頁혈'을 더하여 '목'의 뜻을 나타냄.

[領去 영거] 거느리고 감. 데리고 감.
[領巾 영건] 부인의 머리에 얹어 장식하는 헝겊.
[領揆 영규] '영의정(領議政)'의 별칭.
[領內 영내] 영토 안.
[領膩 영니] 옷깃의 때.
[領導 영도] 거느려 이끎.
[領事 영사] 본국(本國) 정부(政府)의 명령을 받아 외국(外國)에 주재(駐在)하여 거류민(居留民)의 보호(保護) 및 항해(航海)·통상(通商) 등에 관한 사무를 감독하는 벼슬.
[領相 영상] 《韓》 '영의정(領議政)'의 별칭(別稱).
[領率 영솔] 부하(部下)를 거느림.
[領收 영수] 받아들임.
[領受 영수] 영수(領收).
[領袖 영수] ㉠옷깃과 소매. ㉡옷깃과 소매는 사람의 눈에 잘 띄는 곳이므로 여러 사람 중에서 의표(儀表)가 되는 사람, 또는 두목을 이름.
[領如蝤蠐 영여추제] 미인(美人)의 목의 맑고 흼의 비유(比喩). 추제(蝤蠐)는 나무 속에 사는 맑고 희게 생긴 굼벵이.
[領悟 영오] 깨달음.
[領有 영유] 점령하여 소유함.
[領地 영지] 소유하는 토지. 영토.
[領土 영토] 한 나라의 주권(主權)을 행사(行使)할 수 있는 지역(地域).
[領海 영해] 그 연안에 있는 나라의 통치권 밑에 있는 바다. 공해(公海)의 대(對).
[領解 영해] ㉠깨달음. 이해가 감. ㉡당대(唐代)의 제도. 향시(鄕試) 급제의 일컬음.
[領會 영회] 깨달음. 이해가 감.
◉監領. 綱領. 頸領. 管領. 交領. 裘領. 舊領. 頭領. 拜領. 本領. 不得要領. 簿領. 所領. 屬領. 受領. 首領. 押領. 要領. 衣領. 引領. 咽領. 將領. 宰領. 占領. 正領. 主領. 天領. 總領. 酋領. 統領. 項領. 橫領.

5 ⑭ [頕] [一] 담 [平]覃 都甘切 dān [二] 점 [去]豔 都念切 diàn

字解 ▇ 볼처질 담 볼이 처짐. 볼이 느슨하게 처짐. '一, 頰緩'《廣韻》. ▇ 떨어뜨린머리 점 수 그린 머리. '一, 垂首也'《集韻》.

5
⑭ [頗] 파 ㉠歌 湀禾切 ㉡賀 普火切 pō

字解 머리기울 파 머리가 기욺. 頖(頁部 五畫)와 同字. '頖, 說文, 頭偏也, 或从囟'《集韻》.

5
⑭ [頞] ▇ 비 ㉠支 攀悲切 pī ▇ 배 ㉠佳 藥皆切 bāi

字解 ▇ 큰얼굴 비 '一, 大面'《玉篇》. ▇ ①큰얼굴 배 '一, 大面兒'《集韻》. ②주걱턱 배 굽은 턱의 모양. '一, 曲頤兒'《廣韻》.

5
⑭ [頖] 변 ㉠霰 皮變切 biàn

字解 ①관(冠) 이름 변 '一, 冠名'《玉篇》. ②관(冠)클 변 관의 큰 모양. '一, 冠碩兒'《集韻》. ③얼굴 변 '粉其題一'《太玄經》.

5
⑭ [頜] ▇ 구 ㉠宥 居候切 gòu ▇ 후 ㉠宥 許候切 hòu

字解 ▇ 힘쓸 구 힘씀. 노력함. '一, 勤也'《玉篇》. ▇ 노인 후 노인. 늙은이. '一, 一說, 一頜, 老稱'《集韻》.

5
⑭ [頧] 절 ㉠屑 職悅切 zhuō

字解 광대뼈 절 관골(顴骨). '一, 面骨. 博雅, 顴頧, 一也'《集韻》.
字源 篆文 頧 形聲. 頁+出〔音〕. '出출'은 위로 튀어나오다의 뜻.

5
⑭ [顧] 〔고〕 顧(頁部 十二畫〈p. 2556〉)의 俗字

5
⑭ [頸] 〔경〕 頸(頁部 七畫〈p. 2548〉)의 略字

[碩] 〔석〕 石部 九畫(p. 1577)을 보라.

5
⑭ [頗] 감 ㉡感 苦感切 kǎn

字解 볼병 감 볼의 병. 뺨에 생기는 종기 따위. '一, 頰疾'《字彙補》.

5
⑭ [頜] ▇ 호 ㉠虞 洪孤切 hú ▇ 고 ㉠虞 空胡切 kū

字解 ▇ 소의처진턱살 호 소의 처진 턱살. 胡(肉部 五畫)와 同字. '胡, 說文, 牛頜垂也, 或作一'《集韻》. ▇ 아래턱뼈 고 아래턱뼈.

6
⑮ [頛] 교 ㉠看 丘交切 qiāo ㉡巧 苦絞切

字解 ①아양부리지않을 교 아양 부리지 아니함. '一, 贄, 不媚也'《集韻》. ②조금아양떨 교 조금 아양을 떪. 박미(薄媚). '一, 薄媚'《集韻》.

6
⑮ [頜] 합(갑)㉤合 古沓切 hé

字解 턱 합 턱의 뼈. '稽頼樹一'《揚雄》.

字源 篆文 頜 形聲. 頁+合〔音〕. '合합'은 '합쳐지다'의 뜻. 아래위 두 개가 합쳐져서 물건을 씹는 데 쓰는 기관, '턱'의 뜻을 나타냄.

●稽頼樹頜.

6
⑮ [頞] 알 ㉤曷 烏葛切 è

字解 콧날 알 콧등의 우뚝한 줄기. 비경 (鼻莖). '蹙一'(콧대를 찡그림)《孟子》.
字源 篆文 頞 形聲. 頁+安〔音〕. '頁혈'은 '얼굴'의 뜻. '安안'은 '안정되다'의 뜻. 얼굴의 한 가운데에 안정되어 있는 콧등의 뜻을 나타냄.

●幽頞. 縮頞. 蹙頞.

6
⑮ [額] 액 ㉤陌 五陌切 é

字解 ①이마 액 額(頁部 九畫)과 同字. '髮下眉上謂一'《六書故》. ②쉬지않을 액 휴식하지 않는 모양. '罔晝夜一一'《書經》.
字源 篆文 頛 形聲. 頁+各〔音〕. '各각'은 '格격'과 통하여 튀어나오게 하다의 뜻. 인체의 머리 부위에서 튀어나온 부분, '이마'의 뜻을 나타냄.

[頛頛 액액] 쉬지 않는 모양.

6
⑮ [頠] 위 ㉡紙 魚毀切 wěi

字解 ①조용할 위 한정(閑靜)함. ②익힐 위 연습함.
字源 篆文 頠 形聲. 頁+危〔音〕. '危위'는 높은 데에 있어 몸을 굽히다의 뜻. 머리를 쳐들거나 숙이는 모습이 얌전하다의 뜻을 나타냄.

6
⑮ [頡] ▇ 힐(혈)㉧㉠屑 胡結切 xié ▇ 갈 ㉤點 古點切 jiá

字解 ▇ ①날아올라갈 힐 위쪽으로 향하여 낢. '燕燕于飛, 一之頡之'《詩經》. ②성 힐 성(姓)의 하나. ▇ 겁략할 갈 폭력으로 빼앗음. '盜一資糧'《唐書》.
字源 金文 頡 篆文 頡 形聲. 頁+吉〔音〕. '吉길'은 똑바로 서서 바르다의 뜻. 목줄기가 곤추서다의 뜻을 나타냄. 또 새가 목줄기의 근육을 긴장시켜서 날아오르다의 뜻을 나타냄.

[頡頏 힐항] ㉠새가 오르락내리락 나는 모양. ㉡대항하여 굴하지 아니하는 모양.
[頡滑 힐활] ㉠착란(錯亂)함. ㉡바르지 아니한 말.

6
⑮ [頦] 해 ㉠灰 戶來切 kē

字解 아래턱 해 하악골(下顎骨)이 있는 부분. '我手承一時挂坐'《韓愈》.
字源 篆文 頦 形聲. 頁+亥〔音〕. '頁혈'은 얼굴. '亥해'는 뼈대가 단단하다의 뜻.

6
⑮ [頖] ▇ 박 ㉤藥 匹各切 pò ▇ 악 ㉤藥 逆各切 è

字解 ▇ 추할 박 얼굴이 크고 추한 모양. ▇ 엄숙할 악 엄숙함. 근엄함. 顎(頁部 九畫)과 同字.

9획

'顥, 恭嚴也, 或作一'《集韻》.

6 ⑮ [頫] [一] 부 [平]虞 方矩切 fǔ [二] 조 [去]嘯 他弔切 tiào

[字解] [一] 숙일 부, 굽힐 부 고개를 숙임. 몸을 아래로 굽힘. 俯(人部 八畫)와 同字. '一首係頸'《賈誼》. [二] ①뵐 조 알현함. '一聘'. ②찾을 조 천자의 사절(使節)이 제후(諸侯)를 방문함. '存一省聘問臣之禮'《周禮 疏》. ③볼 조 살펴봄. 자세히 봄. '流目一乎衡阿'《張衡》.

[字源] 篆文 形聲. 頁+逃〈省〉〔音〕. 사람의 눈을 피하여 고개를 숙이다의 뜻을 나타냄.

[頫仰 부앙] 구부려 보고 쳐다봄.
[頫視 부시] 내려다봄.
[頫聘 조빙] 제후(諸侯)의 대부(大夫)가 조정에 와서 천자(天子)에게 알현함. 여럿이 와서 알현함을 '頫', 적은 인원이 와서 알현함을 '聘'이라 함.

6 ⑮ [頩] 〔병〕
頩(頁部 八畫〈p. 2549〉)의 俗字

6 ⑮ [頨] [一] 편 ①②[平]先 紕延切 biàn ③[去]霰 卑見切 [二] 현 [平]先 許緣切 [三] 우 [上]麌 王矩切 yǔ

[字解] [一] ①머리고울 편 '一, 一姸, 美頭'《廣韻》. ②우묵들어간공자의머리 편 '一, 孔子頭也'《廣韻》. ③고울 편 '一一'은 아름다움. '一, 一一狡也'《集韻》. [二] 머리고울 현, 우묵들어간공자의 머리 현 [一] ❶❷와 뜻이 같음. [三] 머리고울 우, 우묵들어간공자의머리 우 [一] ❶❷와 뜻이 같음.

[字源] 形聲. 頁+翩〈省〉〔音〕

6 ⑮ [頤] [人名] 이 [平]支 與之切 yí

[筆順] 一 丅 丙 丙 叵 叵 頤 頤

[字解] ①턱 이 상악골(上顎骨) 및 하악골(下顎骨)이 있는 부분. '一使'. '一霤垂拱'《禮記》. ②기를 이 의식을 공급함. '一養'. '觀一, 觀其所養也'《易經》. ③어조사 이 무의미한 조사. '夥一, 涉之爲王, 沈沈者'《史記》. ④이괘 이 육십사괘(六十四卦)의 하나. 곧, ䷚〈진하(震下), 간상(艮上)〉으로서, 음식을 씹어 사람을 기르는 상(象). '一, 貞吉'《易經》. ⑤성 이 성(姓)의 하나.

[字源] 金文 古文 篆文 古文의 '匝이'는 턱의 象形으로 '턱'의 뜻을 나타냄. 뒤에 '頁혈'을 덧붙임. 篆文은 頁+匝〔音〕의 形聲. 金文에서는 젖을 먹일 수 있는 두 개의 큰 유방의 象形으로 여겨짐. 젖에 가까이 대는 머리의 모양에서 '기르다, 턱'의 뜻을 나타냄.

[參考] 頣(次條)은 別字.

[頤令 이령] 이사(頤使).
[頤使 이사] 턱으로 부린다는 뜻으로, 남을 마음대로 부림을 이름.
[頤神 이신] 정신을 수양함.
[頤神養性 이신양성] 마음을 가다듬어 정신(精神)을 수양(修養)함.
[頤養 이양] 기름. 수양함.
[頤指 이지] 이사(頤使).
[頤和園 이화원] 북평(北平)의 서북(西北) 만수산(萬壽山) 기슭에 있는 정원(庭園) 이름. 청(淸)나라 광서 연간(光緒年間)에 개축(改築)하여 서태후(西太后)가 피서하던 곳.
◉廣頤. 期頤. 方頤. 垂頤. 拄頤. 朶頤. 脫頤. 解頤.

6 ⑮ [頣] 신 [上]軫 式忍切 shěn

[字解] 눈썹들고볼 신 눈썹을 들고 사람을 봄.

[字源] 篆文 形聲. 頁+臣〔音〕. '頁혈'은 얼굴, '臣신'은 몸을 눕히다의 뜻. 숙인 머리를 들고 상대를 보다의 뜻을 나타냄.

[參考] 頤(前條)는 別字.

6 ⑮ [頧] 퇴 [平]灰 都回切 duī

[字解] 관(冠)이름 퇴 '母一'는 하(夏)나라의 관명(冠名). '母一, 夏冠名'《集韻》.

6 ⑮ [⿰艮頁] [一] 간 [上]阮 古很切 gěn [去]願 古恨切 [二] 전 [上]銑 多殄切 [三] 견 [上]銑 古典切

[字解] [一] ①빰의뒤쪽 간 '一, 頰後'《廣韻》. ②빰높을 간 '一, 頰高也'《集韻》. [二] 빰의뒤쪽 전 [一] ❶과 뜻이 같음. [三] 빰의뒤쪽 견 [一] ❶과 뜻이 같음.

[字源] 形聲. 頁+艮〔音〕

6 ⑮ [頢] [一] 괄 [入]曷 古活切 kuò [二] 활 [入]黠 下刮切

[字解] [一] ①짧은얼굴 괄 '一, 短面皃也'《廣韻》. ②머리작을 괄 머리가 작은 모양. '一, 小頭皃'《廣韻》. [二] 짧은얼굴 활, 머리작을 활 [一]과 뜻이 같음.

[字源] 形聲. 篆文은 頁+昏〔音〕

6 ⑮ [⿰匡頁] 〔광〕
眶(目部 六畫〈p. 1539〉)과 同字

6 ⑮ [頮] 회 [去]隊 呼內切 huì

[字解] 큰머리 회 큰 머리. '一, 大首也'《集韻》.

6 ⑮ [⿰囟頁] 〔신〕
囟(口部 三畫〈p. 422〉)의 古字

[頴] 〔영〕
水部 十一畫(p. 1278)을 보라.

[熲] 〔경〕
火部 十一畫(p. 1350)을 보라.

7 ⑯ [頭] [中人] 두 [平]尤 度侯切 tóu

[筆順] 一 口 豆 豆 豆 頭 頭 頭

[字解] ①머리 두 ㉠몸의 목 이상의 부분. '一腦'.

'一容直'《禮記》. ㉡머리털. '蓬一亂髮'. '穩婆
梳一'《雜纂新續》. ②우두머리 두 ㉠장(長). '一
目'. '一領'. '以彊幹者爲番一'《唐書》. ㉡첫째.
'一等'. ③첫머리 두 사물의 시작. '年一月尾'
《唐書》. ④꼭대기 두 '樓一'. '果乘白鶴駐山一'
《列仙傳》. ⑤끝 두 선단. '舌一'. '以百錢挂杖
一'《晉書》. ⑥가 두, 옆 두 근처. 곁. '店一'.
'珮聲歸向鳳池一'《王維》. ⑦마리 두 마소를 세
는 수사(數詞). '牛十一'. 또, 사람의 수효.
'人一稅'.

字源 篆文 頭 形聲. 頁＋豆〔音〕. '頁혈'은 '머리'의
뜻. '豆두'는 윗부분이 큰 제기의 象
形. '머리, 우두머리'의 뜻을 나타냄.

[頭角 두각] ㉠머리 끝. 전(轉)하여, 우뚝 뛰어
남. ㉡처음. 단서.
[頭蓋骨 두개골] 뇌(腦)를 싸고 있는 뇌개골과 안
면을 이루고 있는 안면 두개골의 총칭.
[頭巾 두건] 머리에 쓰는 베로 만든 물건.
[頭頸 두경] 목.
[頭骨 두골] 머리를 이룬 뼈.
[頭腦 두뇌] ㉠머릿골. ㉡사물(事物)을 판단하는
힘. ㉢조리(條理). ㉣우두머리. 두목. ㉤사물의
중요 부분.
[頭童齒豁 두동치활] 머리가 벗겨지고 이가 빠짐.
노인이 됨.
[頭頭 두두] 각각. 제각기 (各其).
[頭等 두등] 일등. 최상급.
[頭領 두령] 여러 사람을 거느리는 사람. 두목(頭
目).
[頭顱 두로] 머리.
[頭面 두면] 머리와 얼굴.
[頭目 두목] ㉠머리와 눈. ㉡여러 사람의 우두머
리. ㉢원대(元代)의 군중(軍中)의 장관(長官).
[頭尾 두미] ㉠머리와 꼬리. ㉡처음과 끝. 전말
(顛末).
[頭髮 두발] 머리털.
[頭髮上指 두발상지] 머리털이 곤추선다는 뜻으
로, 용사가 격분함의 형용.
[頭上 두상] 머리 위. 머리 위.
[頭上安頭 두상안두] 머리 위에 또 머리를 놓는다
는 뜻으로, 쓸데없는 것이 중복함의 비유.
[頭狀花 두상화] 화축(花軸) 끝에 많은 꽃이 밀착
(密着)하여 사람의 머리 모양으로 피는 꽃. 국
화 따위.
[頭緖 두서] ㉠일의 단서(端緖). ㉡조리 (條理).
[頭鬚 두수] 머리털과 수염.
[頭人 두인] 우두머리. 수령.
[頭足異處 두족이처] 몸이 베이어 두 동강이 남.
[頭註 두주] 서책(書冊)의 위쪽에 기록(記錄)한
주해 (註解).
[頭瘡 두창] 머리에 나는 부스럼.
[頭陀 두타] 중의 수행(修行). 전(轉)하여, 중의
칭호.
[頭陀袋 두타대] 행각승(行脚僧)이 물건을 넣기
위하여 목에 거는 포대.
[頭痛 두통] 머리가 아픔. 또, 그 병. 「람.
[頭風 두풍] 두통(頭痛). ㉠두통(頭痛).
[頭上 두상] 머리 위로 부는 바
[頭寒足熱 두한족열] 머리는 차고 발이 더움. 몸
이 건강한 표시임.
[頭會箕斂 두회기렴] 사람의 머릿수로 곡식을 내
게 하여 키로 이것을 거두어들임. 곧, 가혹하게
세금을 징수함을 이름.

●街頭. 竿頭. 江頭. 劍頭. 鷄頭. 叩頭. 科頭.
寡頭. 魁頭. 橋頭. 口頭. 卷頭. 龜頭. 亂頭.
路頭. 露頭. 轆轤頭. 樓頭. 單頭. 壟頭. 到頭.
渡頭. 禿頭. 等頭. 馬頭. 碼頭. 饅頭. 毛頭.
冒頭. 沒頭. 白頭. 百頭. 劈頭. 蓬頭. 埠頭.
社頭. 山頭. 先頭. 船頭. 舌頭. 城頭. 搔頭.
蠅頭. 心頭. 丫頭. 岳頭. 帝頭. 竈頭. 鴨頭.
夜叉頭. 語頭. 驛頭. 年頭. 燕領虎頭. 念頭.
烏頭. 鼇頭. 甕頭. 原頭. 龍頭. 乳頭. 入頭.
作頭. 杖頭. 檣頭. 低頭. 點頭. 枝頭. 竹頭.
地頭. 津頭. 陣頭. 蒼頭. 初頭. 焦頭. 出頭.
砧頭. 枕頭. 塔頭. 平頭. 筆頭. 解頭. 軒頭.
話頭. 初頭. 黃頭. 黑頭.

---

7 頮 (16) 회 㘴隊 荒内切 huì 頮
字解 세수할 회 낯을 씻음. '王乃洮一水'《書
經》.
字源 沬의古字 頮 會意. 頁＋廾＋水. '廾공'은 양손으
로 받들다의 뜻. 양손으로 물을 떠
올려 얼굴을 씻다의 뜻을 나타냄.

---

7 頋 (16) 곤 ㉤元 苦昆切
㉥院 苦本切 kūn
㉦願 苦悶切
字解 ①대머리 곤 '一, 一顀'《廣韻》. ②귓구멍
곤 '一, 耳門'《廣韻》.
字源 形聲. 篆文은 頁＋困〔音〕

---

7 頯 (16) 구 ㉤尤 渠尤切 qiú
字解 ①일 구 머리에 임. '一, 戴也'《廣韻》. ②
공손히따르는모양 구 공손히 따르는 모양. 또,
관(冠) 꾸미개의 모양. '一, 詩戴弁俅俅, 鄭玄
云, 恭順皃, 或作一'《玉篇》.

---

7 頯 (16) ㆍ규 ㉤支 渠追切 kuí
ㅡ괴 ㉤隊 苦會切
字解 ㆍ광대뼈 규 관골(顴骨). ㅡ쑥내밀 괴 이
마가 보기 좋게 쑥 내민 모양. '其顙寂, 其頯一
然'《莊子》.
字源 篆文 頯 形聲. 頁＋夎〔音〕. '夎규'는 솟아오른
살의 뜻. 솟아오른 광대뼈의 뜻을 나
타냄.

---

7 頲 (16) 정 ㉥迥 他鼎切 tǐng
字解 곧을 정, 바를 정 '梐梗較一'《爾雅》.
字源 篆文 頲 形聲. 頁＋廷〔音〕. '廷정'은 가늘고
곧게 튀어나오다의 뜻.

---

7 頰 (16) 人名 협 ㉭葉 古協切 jiá 頰
字解 ①뺨 협 얼굴의 양옆. '紅一'. ②성 협 성
(姓)의 하나.
字源 篆文 頰 籀文 頰 形聲. 頁＋夾〔音〕. '夾협'은
'끼다'의 뜻. 안면을 양쪽에
서 끼고 있는 부분, '뺨'의 뜻을 나타냄.

[頰顴 협관] 광대뼈.
[頰輔 협보] 뺨.
[頰適 협적] 좋은 얼굴을 함. 남의 비위를 맞춤.

[頰車 협차] ㉠하악골(下顎骨). ㉡뺨의 이칭.
●口頰. 曼頰. 方頰. 批頰. 鬢頰. 牙頰. 兩頰.
緩頰. 赤頰. 拄頰. 豊頰. 紅頰.

7
⑯ [䞓] 정 ㊌丑盈切 chēng

字解 붉을 정 적색. '魴魚一尾'《詩經》.
參考 䞓(赤部 九畫)의 俗字.

[䞓文 정문] 빨간 무늬.
[䞓尾 정미] 물고기의 빨간 꼬리.
[䞓楣 정미] 빨간 문미(門楣).
[䞓膚 정부] 빨간 피부.
[䞓脣 정순] 붉은 입술. 주순(朱脣). 단순(丹脣).
[䞓液 정액] 붉은 액체(液體).
[䞓羽 정우] 새의 빨간 깃.
●微䞓. 辟䞓. 深䞓. 含䞓.

7
⑯ [顈] ☰ 심 ㊲沁 時鳩切
☷ 잠 ㊲寢 士瘁切 zèn

字解 ☰ 머리숙일 심 '一, 顈一, 俯首'《集韻》.
☷ 추할 잠 頩(頁部 七畫)과 同字. '一, 醜兒, 或
作頩'《集韻》.

7
⑯ [頷] ☰ 함 ㊦感 胡感切 hàn
☷ 암 ㊦感 五感切 hàn

字解 ☰ 턱 함 하악골(下顎骨)이 있는 부분. '虎
頭燕一'《漢書》. ☷ 끄덕일 암 승낙 또는 알았다
는 뜻으로 고개를 앞뒤로 움직임. '衛公入, 逆
于門者, 一之而已'《左傳》.
字源 金文 簒文 形聲. 金文은 頁+今[音]. 篆
文은 頁+含[音]. '今금', '含
함'은 '머금다'의 뜻. 입에 물건을 머금을 때 중
요한 구실을 하는 '턱'의 뜻을 나타냄.

[頷可 암가] 머리를 끄덕여 승낙함.
[頷首 암수] 머리를 끄덕여 허락하는 뜻을 보임.
[頷聯 함련] 오칠언 율시(五七言律詩)의 앞의 연
구. 제3·제4의 양 구. 전련(前聯).
●滿頷. 探龍頷. 豊頷. 虎頭燕頷.

7
⑯ [頸] 人名 경 ㊙梗 居郢切 jǐng
㊙庚 巨成切

字解 목 경 ㉠머리와 몸을 잇는 부분. '長一'.
'刎一'. '思漢之士, 延一鶴望'《漢書》. ㉡물건
의 목 모양으로 된 부분. '畢, 其一五寸'《禮記》.
字源 簒文 形聲. 頁+巠[音]. '巠경'은 '곧다'의
뜻. 머리로 연결되는 곧은 부분, '목'
의 뜻을 나타냄.
參考 頚(頁部 五畫)은 略字.

[頸骨 경골] 목뼈.
[頸聯 경련] 오칠언 율시(五七言律詩)의 제5·제6
의 두 구(句). 후련(後聯).
[頸領 경령] 목.
[頸椎 경추] 경부(頸部)의 척추골(脊椎骨).
[頸血 경혈] 목에서 흐르는 피.
●交頸. 短頸. 頭頸. 刎頸. 駢頸. 伸頸. 延頸.
咽頸. 長頸. 鶴頸.

7
⑯ [頓] 차 ㊃麻 昌遮切 chē

字解 잇몸 차 잇몸. 치은(齒齦). '一, 牙車'《集

韻》.

7
⑯ [頽] 人名 퇴 ㊹灰 杜回切 tuí

字解 ①질풍 퇴 거센 바람. '維風及一'《詩經》.
②떨어질 퇴 떨어뜨릴 퇴 낙하함. '星辰隕今日
月一'《阮籍》. ③무너질 퇴, 무너뜨릴 퇴 떨어져
흩어짐. '泰山其一乎'《禮記》. '一其土'《漢書》.
④쇠할 퇴 쇠퇴하여 떨치지 못함. '廢一一
運'. '蕪穢積一齡'《謝靈運》. ⑤쓰러질 퇴 넘어
짐. '蒼顔白髮, 一乎其中者太守也'《歐陽修》.
⑥좇을 퇴 순종하는 모양. '一乎其順也'《禮記》.
⑦흐를 퇴 물이 아래로 내려감. '水一以絶商顔'
《史記》. ⑧성 퇴 성(姓)의 하나.
字源 會意. 頁+禿. '禿독'은 머리가 벗어지다의
뜻. 머리가 벗어지다의 뜻에서 파생하여,
'무너지다'의 뜻을 나타냄.
參考 頹(次條)는 訛字.

[頽缺 퇴결] 무너져 이지러짐.
[頽教 퇴교] 쇠퇴한 가르침.
[頽闕 퇴궐] 퇴결(頽缺).
[頽唐 퇴당] 무너져 떨어짐.
[頽落 퇴락] 무너지고 떨어짐.
[頽齡 퇴령] 나이 먹음. 또, 노쇠한 나이.
[頽壟 퇴롱] ㉠무너진 무덤. ㉡무너진 두둑.
[頽漏 퇴루] 퇴락하여 샘.
[頽淪 퇴륜] 무너져 가라앉음.
[頽圮 퇴비] 쇠퇴하여 무너짐. 퇴패 (頽敗).
[頽思 퇴사] 생각에 잠김.
[頽雪 퇴설] 무너져 떨어지는 눈.
[頽勢 퇴세] 쇠퇴하는 형세(形勢).
[頽俗 퇴속] 나빠진 풍속. 퇴폐한 풍속.
[頽岸 퇴안] 무너진 언덕.
[頽顔 퇴안] 야윈 얼굴.
[頽巖 퇴암] 무너져 떨어진 바위.
[頽陽 퇴양] 석양(夕陽).
[頽然 퇴연] ㉠유순(柔順)한 모양. ㉡힘이 없는
모양. ㉢술에 취해 몸을 가누지 못하는 모양.
[頽雲 퇴운] 무너지려고 하는 구름.
[頽運 퇴운] 쇠퇴한 운.
[頽絶 퇴절] 쇠퇴하여 뒤가 끊어짐.
[頽挫 퇴좌] 무너져 꺾임.
[頽替 퇴체] 쇠퇴함.
[頽墜 퇴추] 무너져 떨어짐.
[頽惰 퇴타] 쇠약하고 나태함. 「퇴함.
[頽墮委靡 퇴타위미] 기력이나 정신이 차차로 쇠
[頽波 퇴파] ㉠무너지는 물결. ㉡쇠(衰)하는 사물
의 형세.
[頽敗 퇴패] 퇴비(頽圮).
[頽廢 퇴폐] 헐어 무너짐. 또, 쇠하여 전보다 못
하여 감.
[頽風 퇴풍] ㉠폭풍. 질풍(疾風). ㉡퇴속(頽俗).
[頽乎 퇴호] ㉠예의(禮儀)가 올바른 모양. ㉡취하
여 몸을 가누지 못하는 모양.
[頽朽 퇴후] 무너져 썩음.
[頽毁 퇴훼] 무너져 파손됨.
[頽虧 퇴휴] 퇴결(頽缺).
●傾頽. 救頽. 老頽. 衰頽. 玉山將頽. 顚頽. 崔
頽. 敗頽. 廢頽.

7
⑯ [頹] 頽(前條)의 訛字

7/16 [頻]

高人 빈 ㊀眞 符眞切 pín, ④bīn 頻 𩑋

筆順 ⺊ ⺋ 止 ⺌ 步 𩑋 頻 頻

字解 ①급할 빈 위급함. '國步斯一'《詩經》. ②늘어설 빈 나란히 섬. '群臣一行'《國語》. ③자주 빈 여러 번 잇달아. '三顧—煩天下計'《杜甫》. 또, 잦음. 잦은 모양. '汝何去來之一'《列子》. ④물가 빈 濱(水部 十四畫)·瀕(水部 十六畫)과 同字. '池之竭矣, 不云自一'《詩經》. ⑤찡그릴 빈 顰(頁部 十五畫)과 통용. '一復屬無咎'《易經》. ⑥성 빈 성(姓)의 하나.

字源 會意. 본디 涉+頁. '涉섭'은 물을 건너다의 뜻. '頁혈'은 '얼굴'의 뜻. 강을 건널 때의 물결처럼 얼굴에 주름을 짓다, 찡그리다의 뜻을 나타냄. 또 주름 지듯 파도가 몰려오는 물가의 뜻도 나타냄. 파생하여 '자주'의 뜻을 나타냄.

[頻伽 빈가]《佛敎》'가릉빈가(迦陵頻伽)'의 준말. 극락정토(極樂淨土)에 산다는 새 이름. 묘음조(妙音鳥). 호성조(好聲鳥).
[頻度 빈도] 잦은 도수.
[頻發 빈발] 자주 생겨남.
[頻煩 빈번] ㉠자주. 여러 번. ㉡자꾸 귀찮게 함.
[頻繁 빈번] 바쁨. 잦음.
[頻頻 빈빈] 잦은 모양.
[頻數 빈삭] 잦음. 빈번함.
[頻顣 빈축] 얼굴을 찡그림.
[頻出 빈출] 자주 나옴. 자주 외출함.
[頻行 빈행] 나란히 서서 감.
●國步斯頻.

7/16 [顄]

㊁윤 ㊀眞 於倫切 yūn
㊁군 ㊀眞 居筠切 jūn
字解 ㊁머리통클 윤 머리가 큼. '一, 頭一大也'《說文》. ㊁머리클 군 머리가 큰 모양. '一, 頭大兒'《集韻》.
字源 形聲. 頁+君[音]. '君군'은 '크다'의 뜻.

7/16 [䪩]

염 ㊀鹽 汝鹽切 rán
字解 구레나룻 염 뺨에 난 수염. '髥(影部 四畫)과 통용. '一, 頰須也'《說文》.
字源 形聲. 須+冄[音]. '冄염'은 구레나룻의 象形. 뒤에 '頁혈'을 덧붙임.

7/16 [須]

〔모〕 貌(豸部 七畫)와 同字

7/16 [頤]

〔이〕 頤(頁部 六畫)의 俗字

7/16 [頢]

곡 ㊆沃 胡沃切 hú
字解 코우뚝할 곡 코가 우뚝함. 우뚝 솟은 코. '一, 高鼻'《集韻》.

7/16 [頟]

〔간〕 頗(頁部 六畫)의 本字

7/16 [頯]

㊀성 ㊀庚 時征切 chéng
㊁경 ㊀庚 渠京切

㊀①목 성 목. '一, 頸也'《玉篇》. ②목덜미 성 목덜미. ㊁목 경, 목덜미 경 ㊀과 뜻이 같음.

7/16 [頢]

㊀頢(頁部 六畫)의 本字
㊁窫(穴部 十一畫)과 同字

7/16 [頟]

〔배〕 頖(頁部 四畫)와 同字

7/16 [頴]

〔영〕 穎(禾部 十一畫)의 俗字

[穎]

〔영〕 禾部 十一畫을 보라.

8/17 [𩑶]

자 ㊀支 卽移切 zī
字解 윗수염 자 髭(影部 五畫)와 同字. '生而有一'《左傳》.

8/17 [頠]

𩑶(前條)와 同字
字源 形聲. 須+此[音]. '此차'는 '觜자'와 통하여 '부리'의 뜻. 입 위의 '수염'의 뜻을 나타냄.

8/17 [頲]

정 ㊂徑 丁定切 dìng
字解 이마 정 눈썹 위로부터 머리털이 난 아래까지의 부분. '一, 題也'《爾雅》.

8/17 [頠]

㊀두 ㊀尤 當侯切 wù
㊁오 ㊁麌 於五切
字解 ㊀얼굴비뚤 두 ㊀, 顧一, 面折'《康熙字典》. ㊁머리쓰개 오 두건(頭巾). '幈, 首巾謂之幉. 或作一'《集韻》.

8/17 [頷]

㊀함 ㊆感 胡感切 hàn
㊁함 ㊃覃 胡男切
字解 ①턱 함 頷(頁部 七畫)과 同字. '王莽爲人侈口蹙一'《漢書》. ②바닷물출렁일 함 '一淡滂流'《馬融》.
字源 形聲. 頁+函[音]. '函함'은 '휩싸 넣다'의 뜻. 음식을 머금어 넣는 부분, '아래턱'의 뜻을 나타냄.

[頷淡 함담] 넓은 바다의 물결이 출렁이는 모양.
●侈口蹙頷.

8/17 [頩]

병 ㊀靑 普丁切 pīng
字解 성낼 병 얼굴에 화낸 기색이 보이는 모양. '一薄怒以自持兮'《宋玉》.
字源 形聲. 頁+幷[音]
參考 頩(頁部 六畫)은 俗字.

8/17 [顆]

人名 과 ㊀哿 苦果切 kē, ②kě 顆 𩑘
字解 ①낱알 과 작고 둥근 물건의 낱개. 또, 그것을 세는 수사(數詞). '一粒'. '一一'. '圜物以一計'《六書故》. ②흙덩이 과 堁(土部 八畫)와

同字. '使其後世曾不得蓬一, 蔽冢而托葬焉'《漢書》.
[字源] 篆文 形聲. 頁+果〔音〕. '頁혈'은 둥근 머리의 뜻. '果과'는 나무 열매의 뜻. 열매처럼 둥근 작은 알의 뜻을 나타냄.

[顆粒 과립] 둥글고 자잘한 낟알 모양의 것의 총칭. 알. 낟알.
◉幾顆. 飯顆. 蓬顆. 熟顆. 玉顆.

8 ⑰ [頍] [一] 규 [平]支 居隋切 guī [去]寘 居悸切 [二] 주 [平]支 津垂切
[字解] [一] ①작은머리 규 顝(頁部 八畫〈次條〉)와 同字. '顝, 小頭顝顝也. (段注) 亦作一'《說文》. ②그릴 규 '一, 畫也'《廣雅》. [二] 머리작을 주 '頍, 小頭皃. 或書作一'《集韻》.
[字源] 形聲. 頁+枝〔音〕

8 ⑰ [顝] 頍(前條)와 同字

8 ⑰ [頮] [一] 隤(阜部 十二畫〈p.2474〉)와 同字 [二] 頹(頁部 七畫〈p.2548〉)의 俗字

8 ⑰ [顄] 문 [平]元 莫奔切 mén
[字解] 어리석을 문 무지(無知)한 모양. '一, 不曉'《玉篇》.
[字源] 篆文 形聲. 頁+昏〔音〕. '昏혼'은 어둡다, 어리석다의 뜻.

8 ⑰ [顇] 췌(취[本]) [去]寘 秦醉切 cuì
[字解] 야윌 췌, 병들 췌 悴(心部 八畫)·瘁(疒部 八畫)와 同字. '羸馬一奴僅充而已'《顏氏家訓》.
[字源] 篆文 形聲. 頁+卒〔音〕. '卒졸·취'는 '다하다'의 뜻. 한도에 달할 때까지 머리를 썩이다, 야위다의 뜻을 나타냄.

[顇奴 췌노] 쇠약한 사내종. 병든 노복(奴僕).
◉顦顇.

8 ⑰ [顈] 경 [上]迥 犬迥切 jiǒng [平]青 涓熒切
[字解] 풀이름 경 모시풀 비슷한 식물로서, 껍질은 짜서 갈포의 대용품으로 함. '旣一其練祥皆行'《禮記》.

8 ⑰ [顉] [一] 암 [上]感 五感切 hàn [二] 금 [平]侵 去金切 qīn
[字解] [一] 끄덕일 암 頷(頁部 七畫)과 同字. '一頤折頞'《漢書》. [二] 주걱턱 금 顩(頁部 十三畫)과 同字.
[字源] 篆文 形聲. 頁+金〔音〕

8 ⑰ [頱] [人名] 정 [去]敬 疾政切 jìng [上]梗 疾郢切
[字解] ①목위고울 정 목부터 위가 아름다운 모양. '一, 一首. 說文, 好皃'《廣韻》. ②광대 정 연예인(演藝人). '一, 樂工倡優弄人, 一曰一'《正字通》.
[字源] 形聲. 頁+爭〔音〕

8 ⑰ [頼] [一] 뢰 [去]泰 力載切 lài [二] 래 [平]灰 郎才切 lái
[字解] [一] 힘입을 뢰 힘입음. 賴(貝部 九畫)의 訛字. '一, 一蒙也'《玉篇》. [二] 머리길 래 머리통이 긴 모양. '一, 一體, 頭長皃'《集韻》.

8 ⑰ [頬] 기 [平]支 去其切 qī
[字解] 못날 기 '一醜'은 보기 싫은 모양. '視毛嬙西施, 猶一醜也'《淮南子》.
[字源] 篆文 形聲. 頁+其〔音〕

[頬醜 기추] 못난 모양. 보기 흉한 모양.

8 ⑰ [顅] [一] 간 [平]刪 苦閑切 qiān [二] 견 [平]先 經天切
[字解] [一] 길 간 목이 긴 모양. '數目一脰'《周禮》. [二] 길 견 [一]과 뜻이 같음.
[字源] 篆文 形聲. 頁+肩〔音〕

8 ⑰ [顄] 감 [平]咸 口咸切 kǎn [上]感 口感切
[字解] ①낯굽을 감 낯이 굽음. 얼굴이 오목함. '一, 面窊也'《龍龕手鑑》. ②얼굴길 감 얼굴이 깊. '一, 顑一'《玉篇》.

8 ⑰ [顆] 고 [上]晧 古老切 gǎo
[字解] 머리 고 머리〔頭〕. '一, 頭也'《字彙》.

8 ⑰ [顐] 〔곤〕 顐(頁部 七畫〈p.2547〉)의 本字

8 ⑰ [顖] 굴 [入]物 魚屈切 wù
[字解] 얼굴짧을 굴 얼굴이 짧음. '一, 一顇, 面短'《集韻》.

8 ⑰ [顴] 권 [平]先 逵員切 quán
[字解] 굽은뿔 권 굽은 뿔. 觠(角部 六畫)과 同字.

8 ⑰ [顊] 이 [平]支 余其切 yí
[字解] 턱 이 頤(頁部 六畫)와 同字. '策銳貫一'《韓非子》.
[字源] 形聲. 皀+頤〈省〉〔音〕. '頤이'는 '턱'의 뜻.

8 ⑰ [顉] 〔수〕 鬚(髟部 十二畫〈p.2629〉)와 同字

9 ⑱ [顋] 시(새[本]) [平]灰 蘇來切 sāi
[字解] ①뺨 시 얼굴의 양옆. ②아가미 시 물고기의 숨 쉬는 기관. '曝一之魚'《南史》.

[字源] 形聲. 頁＋思〔音〕

9 ⑱ [題] [中人] 제 ①-⑩[平]齊 杜溪切 tí ⑪[去]霽 特計切 dì 题

[筆順] 日 旦 早 早 是 是 題 題

[字解] ①이마 제 눈썹 위로부터 머리털이 난 데까지의 부분. '雕—交趾'《禮記》. ②끝 제 선단. '榱—數尺'《孟子》. ③표 제 표지(表識). '欲墾荒田, 先立表—'《晉書》. ④표제 제 책의 이름. '—目'. ⑤글제 제 시문의 제목. '文—'. '詩—'. '分—賦詩'《然藜餘筆》. ⑥물음 제 시문(詩問). '問—'. '某年試—'《唐國史補》. ⑦품평 제 평정(評定). '—評'. '一經品—, 便作佳士'《李白》. ⑧문체이름 제 한문의 한 체(體). 서책의 권두(卷頭)에 씀. '—跋'. '—辭'. ⑨적을 제, 쓸 제 기록함. '名山壁上—詩'《黃允文》. ⑩성 제 성(姓)의 하나. ⑪볼 제 자세히 봄. '—彼脊令'《詩經》.

[字源] 篆文 形聲. 頁＋是〔音〕. '是시·제'는 튀어나와 있다의 뜻. 얼굴 중에서 튀어나온 '이마'의 뜻을 나타냄. 파생하여 물건의 안표의 뜻을 나타냄.

[題名 제명] ㉠성명을 사람의 눈에 잘 띄는 데 적음. ㉡'안탑 제명(雁塔題名)'과 같음. 진사(進士)에 급제하는 일. ㉢한문의 한 체(體). 명승 또는 사원 등을 등람(登覽) 심방한 날짜와 같이 간 이의 이름을 적음.
[題名記 제명기] 관서의 벽에 퇴관한 자의 성명·경력 등을 기록한 것. 당대(唐代)에는 벽기(壁記)라 일컬었음.
[題目 제목] ㉠책의 표제(標題). ㉡품평(品評). ㉢명호. 명칭. ㉣문제. 물음. ㉤글제.
[題跋 제발] ㉠책의 제(題)와 발(跋). ㉡발(跋). 발문(跋文).
[題鳳 제봉] '봉자(鳳字)'를 보라.
[題詞 제사] 책머리에 기록하는 글.
[題寫 제사] 베낌.
[題辭 제사] 책머리 또는 빗돌 위 같은 데에 쓰는 말.
[題額 제액] 편액(扁額)에 글씨를 씀.
[題詠 제영] 제목을 내고 시를 지음.
[題字 제자] ㉠책머리 또는 빗돌 위 같은 데에 쓰는 글자. ㉡사람의 눈에 잘 띄는 데에 글씨를 쓰는 일. 또는 그 글자.
[題材 제재] 문예 작품의 제목과 재료.
[題奏 제주] 명대(明代)의 제본(題本), 곧 공사(公事)의 상서(上書)와, 주본(奏本), 곧 사사(私事)의 상서.
[題評 제평] 품평(品評).
[題品 제품] 고하 우열(高下優劣)의 판정.
[題號 제호] 제목(題目).
[題畫 제화] 그림에 시문을 씀.
◉改題. 兼題. 課題. 難題. 內題. 論題. 名題. 命題. 問題. 本題. 封題. 書題. 旋題. 設題. 省題. 宿題. 失題. 御題. 演題. 例題. 玉題. 外題. 議題. 雕題. 主題. 榱題. 出題. 探題. 破題. 平題. 評題. 表題. 標題. 品題. 閑話休題. 解題. 話題.

9 ⑱ [額] [高人] 액 [入]陌 五陌切 é 额

[筆順] 宀 安 安 客 客 額 額 額

[字解] ①이마 액 눈썹 위로부터 머리털이 난 데까지의 부분. '被創中—'《後漢書》. ②머릿수 액 일정한 분량. '定—'. '—數'. '所收日—'《宋史》. ③편액 액 문 위 또는 방 안에 걸어 놓는 현판. '題—'. '前世牌—'《捫蝨新話》.

[字源] 形聲. 頁＋客〔音〕. '客객'은 '恪각'과 통하여 '내밀다'의 뜻. 인체의 머리 부분의 내민 부분, '이마'의 뜻을 나타냄.

[額面 액면] 유가 증권(有價證券) 등에 적힌 일정한 돈의 액수.
[額畔 액반] 이마의 가장자리.
[額手 액수] 이마에 손을 댄다는 뜻으로 존경하여 우러러보는 모양.
[額數 액수] 돈 같은 것의 머릿수.
[額字 액자] 현판에 쓴 큰 글자.
[額黃 액황] 육조(六朝) 시대에 부녀자가 이마에 누런빛으로 화장하던 일.
◉價額. 減額. 巨額. 高額. 廣額. 金額. 爛額. 同額. 馬額. 方額. 兵額. 稅額. 少額. 手額. 龍門點額. 月額. 殘額. 低額. 篆額. 點額. 定額. 題額. 租額. 差額. 焦額. 總額. 勅額. 扁額. 豐額.

9 ⑱ [顎] [人名] 악 [入]藥 五各切 è

[字解] 턱 악 구강(口腔)의 상하에 있는 뼈 및 그 위의 부분. '上—'. '下—'.

[字源] 形聲. 頁＋咢〔音〕

◉上顎. 下顎.

9 ⑱ [⿰契頁] [一] 계 [去]霽 苦計切 qì [二] 알 [入]黠 乙轄切 yà [三] 결 [入]屑 苦結切 qiè

[字解] [一] 상황을살필 계, 두려워할 계 '—, 司人也. 一曰, 恐也'《說文》. [二] 성낼 알 성내는 모양. '—, 怒皃'《集韻》. [三] 짧을 결 '顑—'은 짧은 모양. '—, 顑—, 短皃'《廣韻》.

[字源] 形聲. 頁＋契〔音〕

9 ⑱ [頯] 계 [去]寘 其季切 guì

[字解] 큰입 계 '—, 大口'《集韻》.

9 ⑱ [顏] [中人] 안 [平]刪 五姦切 yán 颜

[筆順] 亠 文 文 产 彦 顏 顏 顏

[字解] ①얼굴 안 ㉠머리의 전면. '—面'. '揚且之—也'《詩經》. ㉡안색(顏色). '怡—'. '必和—溫語待之'《名臣言行錄》. ㉢면목. '我何—謝桓公'《世說》. ㉣낯가죽. '巧言如簧, —之厚矣'《詩經》. ②이마 안 얼굴의 눈썹 위의 부분. '隆準而龍—'《史記》. ③편액 안 현판(懸板). 또, 현판의 제자(題字). '—曰大成殿'. ④성 안 성(姓)의 하나.

[字源] 篆文 籀文 籀文 形聲. 頁＋彥〔音〕. '彥언'은 광물성 안료(顏料)의

뜻. 화장하는 머리 부위, '얼굴'의 뜻을 나타냄.
[顔甲 안갑] 뻔뻔스럽고 염치를 모름. 후안(厚顔).
철면피.
[顔杲卿 안고경] 당(唐)나라 현종(玄宗) 때의 충
신(忠臣). 린이(臨沂) 사람. 자(字)는 흔(昕).
북제(北齊)의 학자 안지추(顔之推)의 오대손(五
代孫)이며, 안진경(顔眞卿)과는 족형제(族兄
弟)임. 상산(常山)의 태수(太守)로 있을 때 근
왕(勤王)의 병(兵)을 일으켜 안녹산(安祿山)을
쳤으나, 안녹산에게 잡히어 죽임을 당하였음.
[顔筋柳骨 안근유골] 당(唐)나라의 안진경(顔眞
卿)과 유공권(柳公權)의 필법을 터득했다는 뜻
으로, 글씨가 훌륭함을 이름.
[顔料 안료] ㉠화장품. ㉡도료. 물감.
[顔面 안면] 얼굴.
[顔貌 안모] 얼굴의 생김새.
[顔謝 안사] 남조(南朝)의 문장가 안연지(顔延
之)와 사영운(謝靈運).
[顔師古 안사고] 당초(唐初)의 학자. 이름은 주
(籒). 사고(師古)는 자(字). 안지추(顔之推)의
손자. 태종(太宗) 때 중서시랑(中書侍郞)이 됨.
훈고학(訓詁學)에 자세하며 문장에 능하여 오
경(五經)을 고정(考定)하였으며, 또 오례(五禮)
찬정(撰定)에 참여하여 〈대당의례(大唐儀禮)〉
100권을 찬(撰)하였고, 한서(漢書)를 주(註)함.
[顔狀 안상] 얼굴의 생김새. 얼굴 모양.
[顔常山舌 안상산설] 당(唐)나라의 상산 태수(常
山太守) 안고경(顔杲卿)이 안녹산(安祿山)을
꾸짖다가 혀를 잘리고 학살당한 고사(故事).
[顔色 안색] ㉠얼굴에 나타나는 기색. 얼굴빛. ㉡
빛. 색채.
[顔氏家訓 안씨가훈] 서명(書名). 안지추(顔之推)
의 찬(撰). 2권. 자손(子孫)에게 주는 훈계(訓
戒)의 책으로서 입신 치가(立身治家)의 법을
논술하고, 또 자획(字畫)·자훈(字訓)·전고(典
故)·문예(文藝) 등에 논급(論及)하였음.
[顔氏之子 안씨지자] 안회(顔回). 회(回)의 부친
안노(顔路)가 생존하였었기 때문에 이른 말.
[顔如渥丹 안여악단] 얼굴빛이 불그레하여 혈색
이 좋고 아름다움을 이름.
[顔淵 안연] '안회(顔回)'를 보라.
[顔延之 안연지] 남조(南朝) 송(宋)나라의 문장
가(文章家). 린이(臨沂) 사람. 자(字)는 연년
(延年). 벼슬이 어사중승(御史中丞)·비서감(祕
書監) 등을 거쳐 금자광록대부(金紫光祿大夫)
에 이르렀음. 시재(詩才)로써 사영운(謝靈運)
과 함께 병칭(竝稱)됨.
[顔冉 안염] 공자(孔子)의 문인(門人) 안연(顔
淵)과 염백우(冉伯牛). 두 사람은 덕행(德行)
으로 이름이 높았음.
[顔容 안용] 안모(顔貌).
[顔元 안원] 청초(淸初)의 학자. 자(字)는 이직(易
直). 호(號)는 습재(習齋). 평생을 의사(醫師)·
숙사(塾師)·농경(農耕) 등에 종사하면서 육왕
학(陸王學)·주자학(朱子學)을 연구하였으나 이
에 만족하지 않고, 마침내 독자적인 복고적 실
천주의(實踐主義)에 도달했음. 저서(著書)에
〈안리총서(顔李叢書)〉가 있음.
[顔曾 안증] 안회(顔回)와 증삼(曾參). 모두 공자
(孔子)의 문인(門人)으로서 덕행이 뛰어난 사
람임.
[顔之徒 안지도] 안회(顔回)의 무리. 안회는 공자
(孔子)의 수제자.

[顔之推 안지추] 남북조(南北朝)의 문신(文臣)·
학자(學者). 린이(臨沂) 사람. 자(字)는 개(介).
박학(博學)으로 술을 좋아함. 양(梁)나라의 산
기시랑(散騎侍郞), 북제(北齊)의 중서사인(中
書舍人)·황문시랑(黃門侍郞), 주(周)나라의 어
사상사(御史上士), 수(隋)나라의 학사(學士)가
됨. 문집(文集) 30권은 망실되고, 〈안씨가훈
(顔氏家訓)〉20편이 전해짐.
[顔眞卿 안진경] 당(唐)나라의 충신(忠臣)이며
서예가(書藝家). 자(字)는 청신(淸臣). 현종(玄
宗) 때 평원(平原)의 태수(太守)가 되었는데,
안사(安史)의 난(亂)에는 족형(族兄) 안고경
(顔杲卿)과 더불어 의병(義兵)을 일으켜 저항
(抵抗)하였음. 덕종(德宗) 때 적장(賊將) 이희
열(李希烈)을 설유(說諭)하러 갔다가 그대로
잡혀 의살(縊殺)되었음. 서예가(書藝家)로서
해서(楷書)·초서(草書)를 잘 썼음. 노국공(魯
國公)에 피봉(被封)되었으므로 안노공(顔魯公)
이라고 일컬어짐.
[顔巷 안항] 안회(顔回)가 살던 거리라는 뜻. 청
빈한 사람이 사는 거리.
[顔行 안행] 앞줄. 선봉. 선발대.
[顔回 안회] 춘추 시대(春秋時代) 말기의 학자. 노
(魯)나라 사람. 자(字)는 자연(子淵). 공자(孔
子)의 제자로서 십철(十哲)의 으뜸으로 꼽힘.
안빈낙도(安貧樂道)하여 덕행(德行)으로 이름
이 높았음.
[顔厚 안후] 안갑(顔甲).
●彊顔. 開顔. 苦顔. 孔顔. 嬌顔. 權顔. 那顔.
奴顔. 童顔. 美顔. 拜顔. 犯顔. 別顔. 聖顔.
洗顔. 素顔. 衰顔. 秀顔. 愁顔. 承顔.
麗顔. 溫顔. 王顔. 瑤顔. 容顔. 龍顔. 憂顔.
隆顔. 二顔. 怡顔. 慈顔. 楮顔. 厚顔. 赤顔.
赧顔. 正顔. 禎顔. 尊顔. 朱顔. 塵顔. 蒼顔.
戚顔. 天顔. 淸顔. 忰顔. 醉顔. 稚顔. 酡顔.
類顔. 破顔. 汗顔. 亢顔. 抗顔. 解顔. 紅顔.
和顔. 花顔. 華顔. 厚顔.

9
⑱ [頓] 돈 ㉰願 徒困切 dùn

字解 대머리 돈 '一, 一頹, 禿也'《集韻》.

9
⑱ [顒] 옹 ㉳冬 魚容切 yóng   顒形

字解 ①엄숙할 옹 엄격하고 근신하는 모양. '有
孚一若'《易經》. ②클 옹, 힘셀 옹 짐승이 크고
힘이 센 모양. '四牡修廣, 其大有一'《詩經》. ③
성옹 성(姓)의 하나.
字源 篆文 顒 形聲. 頁+禺〔음〕. '頁혈'은 '머리'의
뜻. '禺옹'은 머리가 큰 원숭이의 象
形. 큰 머리의 뜻을 나타냄.

[顒若 옹약] 엄숙한 모양. 엄정(嚴正)한 모양.
[顒顒 옹옹] 엄정한 모양. 엄숙한 모양. 일설(一
說)에는, 온화한 모양. 온공한 모양. 또 일설에
는 공경하는 모양. 숭앙하는 모양.

9
⑱ [顓] 전 ㉳先 職緣切 zhuān   顓顓

字解 ①오로지 전 專(寸部 八畫)과 통용. '客愚
無知, 一妄言輕威'《史記》. ②어리석을 전 우매
함. '性一而嗜古'《歐陽修》. ③성 전 성(姓)의
하나.

[顲] 〔유〕
龠部 九畫(p. 2734)을 보라.

18 ㉗ [顳] 섭 [入]葉 而涉切 niè 颞

[字解] 관자놀이 섭 '一顬'.
[字源] 形聲. 頁+聶〔音〕. '聶섭'은 '속삭이다'의 뜻. 사람이 속삭일 때 쓰는 머리의 부분, '관자놀이'의 뜻을 나타냄.

[顳顬 섭유] 귀와 눈 사이의 맥박이 뛰는 곳으로, 얼굴의 살쩍이 난 태양혈(太陽穴)이 있는 부분. 관자놀이.

18 ㉗ [贔] 비 [去]寘 皮媚切 bì

[字解] ①눈썹 비 '一, 眉也'《字彙補》. ②贔(貝部 十四畫)의 俗字. '一, 俗贔字'《龍龕手鑑》.

18 ㉗ [顴] 관(권[本]) [平]先 巨員切 quán 颧

[字解] 광대뼈 관 관자놀이 아래에 있는 뼈. '長頸高一'《齊書》.
[字源] 形聲. 頁+雚〔音〕

[顴骨 관골] 광대뼈.
◉高顴. 頄顴.

風 (9획) 部
〔바람풍부〕

0 ⑨ [風] [中·人] 풍 [平]東 方戎切 fēng / [去]送 方鳳切 fèng 风

[筆順] 丿 几 凡 凧 凮 凬 風 風

[字解] ①바람 풍 대기(大氣)의 움직임. '一雨'. '大塊噫氣, 其名爲一'《莊子》. ②바람불 풍 바람이 일어남. '終一且暴'《詩經》. ③바람쐴 풍 바람을 받음. 외기(外氣)에 닿음. '有寒疾不可以一'《孟子》. ④바람날 풍 마음이 들뜸. 방일함. '馬牛其一'《書經》. ⑤빠를 풍 바람과 같이 신속함. '兎胄而趨一'《左傳》. ⑥가르침 풍 교화. '一教'. '時乃一'《書經》. ⑦습속 풍 관습. '一俗'. '移一易俗'《禮記》. ⑧기세 풍 세력. '威一遠暢'《後漢書》. ⑨위엄 풍 위광(威光). '王公貴人, 望一憚之'《晉書》. ⑩모습 풍 용모. 태도. '一采'. '有國士之一'《史記》. ⑪경치 풍 조망. '一景'. '一致'. ⑫노래 풍 가요. 고대에, 조정(朝廷)에서 습속의 양부(良否), 정치의 선악을 보기 위하여 각지의 노래를 수집한 것을 '國一'이라 하였는데, 시경(詩經)에 수록되었음. ⑬풍병 풍 중풍. '一淫末疾'《左傳》. ⑭감기 풍 고뿔. '一邪'. ⑮성 풍 성(姓)의 하나. ⑯풍자할 풍 諷(言部 九畫)과 통용. '一刺'. '下以一刺上'《詩經》.

[字源] 甲骨文  甲骨文  篆文  古文  甲骨文에는 돛의 象形과 봉황의 象形의 두 가지가 있음. 바람을 받는 돛에서, 또 바람처럼 자유로운 봉황새에서, '바람'의 뜻을 나타냄. 뒤에 形聲의 虫+凡〔音〕으로 바뀌는데, '虫훼'는 풍운을 탄 용의 뜻을 나타냄.
[參考] '風풍'을 의부(意符)로 하여, 여러 가지 바람의 명칭이나 바람을 형용하는 문자를 이룸.

[風角 풍각] ㉠각적(角笛)을 부는 소리. ㉡사방사우(四方四隅)의 바람을 보아 길흉을 점치는 술법.
[風諫 풍간] 넌지시 간함. 완곡하게 충고함.
[風鑑 풍감] 사람의 용모·풍채로 그 사람의 성질을 감별하는 일.
[風概 풍개] ㉠고상(高尙)한 인품. 거룩한 인격. ㉡절개(節概). 지조(志操).
[風客 풍객] 바람만 피우고 다니는 사람. 바람둥이.
[風擧雲搖 풍거운요] 바람이 불고 구름이 떠도는 것처럼 마음이 내키는 대로 이리저리 돌아다님.
[風格 풍격] ㉠인품. 인격. ㉡풍도(風度).
[風景 풍경] ㉠경치. ㉡좋은 경치. ㉢모습. 풍채.
[風磬 풍경] 처마 끝에 달아 바람에 흔들려서 소리가 나게 하는 작은 종. 풍령(風鈴). 풍금(風琴). 풍탁(風鐸).

[風磬]

[風鷄 풍계] 두꺼비.
[風告 풍고] 넌지시 알아듣도록 말함.
[風骨 풍골] ㉠풍채와 골격. ㉡모습. 상태.
[風光 풍광] ㉠경치. 풍경(風景). ㉡모습. ㉢인품. 품격.
[風狂夫 풍광부] 미친 사람. 광인.
[風教 풍교] 덕행으로 사람을 가르치고 인도하는 일.
[風規 풍규] 풍교(風教).
[風琴 풍금] ㉠양악기의 하나. 오르간. ㉡손풍금. ㉢거문고의 한 가지. ㉣풍경(風磬).
[風紀 풍기] 풍속상의 규율.
[風氣 풍기] ㉠바람과 공기. ㉡기후. 천후. ㉢인생계에 미치는 자연계의 영향. ㉣풍속에 나타난 민정(民情). 기풍. ㉤인품. 인격. ㉥풍치(風致). ㉦풍각(風角). ㉧중풍.
[風暖 풍난] 바람이 따뜻함.
[風度 풍도] 풍채와 태도. 또, 거룩한 인격(人格).
[風濤 풍도] ㉠바람과 물결. 또, 바람이 불고 물결이 읾. ㉡세상살이의 어려움의 비유.
[風動 풍동] ㉠바람에 나부끼는 것처럼 따름. 감화됨. ㉡바람이 붊.
[風燈 풍등] ㉠바람에 흔들리는 등불. ㉡풍중촉(風中燭).
[風浪 풍랑] 바람과 물결. 또, 바람이 불고 물결이 읾.
[風來 풍래] 바람이 불어옴.
[風厲 풍려] ㉠바람이 세참. ㉡가르치고 장려함.
[風力 풍력] ㉠감화시키는 힘. 복종시키는 힘. ㉡풍채와 뼈대. 풍채와 골력(骨力). ㉢풍세(風勢).
[風烈 풍렬] 바람이 거세게 붊.
[風鈴 풍령] 풍경(風磬).
[風爐 풍로] 아래에 구멍이 있어서 바람이 통하는 작은 화로의 일종.

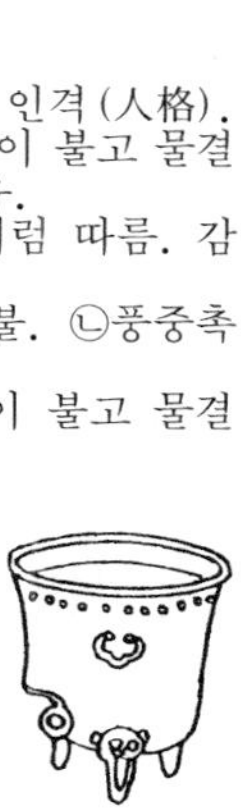
[風爐]

[風籟 풍뢰] 바람 소리.
[風流 풍류] ㉠유풍(遺風). ㉡풍아(風雅). ㉢인

품. 품격.

[風流人 풍류인] 범속을 초탈한 사람. 풍아(風雅)를 좋아하는 사람.

[風流場 풍류장] 풍류랑(風流郎)이 모이는 사회. 화류계(花柳界).

[風流罪過 풍류죄과] 법률상의 허물이 되지 아니하는 풍아(風雅)한 죄.

[風馬牛不相及 풍마우불상급] 구애(求愛)하는 소나 말의 암컷과 수컷이 서로 찾아도 이를 수 없다는 뜻으로, 서로 멀리 떨어져 있음을 이름.

[風磨雨洗 풍마우세] 비와 바람에 씻기고 갈림.

[風望 풍망] 풍채와 인망(人望).

[風靄 풍매] 바람이 불고 흙비가 옴.

[風媒花 풍매화] 바람에 의해 수분(受粉)을 하는 꽃.

[風貌 풍모] 모습. 용모.

[風木 풍목] ㉠바람에 불리는 나무. ㉡‘풍목지비(風木之悲)’의 준말.

[風木之悲 풍목지비] 풍수지탄(風樹之歎).

[風聞 풍문] ㉠소문. ㉡소문에 들음. ㉢관리의 비행을 탄핵하여 어사에게 상신하는 문서.

[風物 풍물] ㉠풍경(風景). ㉡농악(農樂)의 악기.

[風味 풍미] ㉠음식의 좋은 맛. ㉡풍류적(風流的) 성격.

[風靡 풍미] 바람에 풀이 나부끼듯 저절로 쏠려 따름.

[風發 풍발] 바람이 이는 것처럼 기운차게 일어남.

[風伯 풍백] ㉠바람의 신(神). ㉡‘기자(箕子)’의 딴 이름.

[風旛 풍번] ㉠바람에 나부끼는 깃발. ㉡사물이 움직이어 일정하지 아니함의 비유. ㉢마음이 외물(外物)에 끌려 동하는 일.

[風旛之論 풍번지론] 기(旗)가 바람에 움직이는 것 같은 일정하지 않은 언론(言論).

[風帆 풍범] 바람을 받은 돛.

[風病 풍병] ㉠감기. ㉡정신병. ㉢중풍(中風).

[風丰 풍봉] 살지고 아름다운 풍채.

[風不鳴枝 풍불명지] 세상이 태평한 상태.

[風痱 풍비] 반신불수(半身不隨)가 됨.

[風痺 풍비] 중풍. 풍증.

[風飛雹散 풍비박산] 사방으로 날아 흩어짐.

[風沙 풍사] 폭풍으로 날리는 모래.

[風邪 풍사] 감기.

[風師 풍사] 풍백(風伯)❶.

[風散 풍산] 풍비박산(風飛雹散).

[風尙 풍상] ㉠높은 절개. ㉡세상 사람이 좋아하는 것.

[風霜 풍상] ㉠바람과 서리. ㉡세월. 성상(星霜). ㉢엄숙하고 맹렬함. ㉣많이 겪는 세상의 간난(艱難).

[風霜之氣 풍상지기] 풍상(風霜)❸.

[風霜之任 풍상지임] 엄숙하고 사정(私情) 없는 임무. 곧, 어사(御史)·사법관을 이름.

[風色 풍색] ㉠천기. 날씨. ㉡경치. ㉢안색(顔色).

[風生 풍생] ㉠바람이 읾. ㉡의론이 격렬한 모양.

[風扇 풍선] 바람을 일으키는 선풍기.

[風船 풍선] 가벼운 기체를 넣어 공중으로 높이 올라가게 하는 둥근 주머니. 기구(氣球).

[風雪 풍설] ㉠바람과 눈. ㉡바람이 불고 눈이 옴.

[風說 풍설] 소문. 풍문(風聞).

[風聲 풍성] ㉠바람 소리. ㉡교훈. 가르침. ㉢풍문. ㉣인품.

[風聲鶴唳 풍성학려] 겁을 집어먹은 사람이 당치 아니한 사물에도 놀라는 것을 이름. 중국 동진(東晉) 때 진왕(秦王) 부견(苻堅)이 비수(淝水)에서 대패하고 바람 소리와 학의 소리를 듣고도 진(晉)나라의 추병(追兵)인가 하고 놀랐다는 고사(故事)에서 온 말.

[風勢 풍세] 바람의 세력. 바람의 힘.

[風騷 풍소] 풍아(風雅)와 이소(離騷). 전(轉)하여, 시부(詩賦).

[風俗 풍속] ㉠옛적부터 사회에 행하여 온 의식주(衣食住) 등의 습관. ㉡유행가. ㉢옷차림. 복장.

[風損 풍손] 풍재(風災).

[風刷雨淋 풍쇄우림] 여러 해 동안 비바람을 맞음.

[風水 풍수] ㉠바람과 물. ㉡지술(地術).

[風樹 풍수] 풍수지탄(風樹之歎).

[風樹之感 풍수지감] 풍수지탄(風樹之歎).

[風樹之歎 풍수지탄] 이미 돌아간 부모에게 효도를 다하지 못한 한탄.

[風習 풍습] 풍기와 습관.

[風濕 풍습] 습(濕)한 곳에 살아서 뼈마디가 저리고 아픈 병.

[風示 풍시] 넌지시 알림.

[風蝕 풍식] 바람에 의하여 암석 등의 표면에 일어나는 침식 작용.

[風信 풍신] ㉠소식. ㉡바람의 방향.

[風神 풍신] ㉠바람의 신. 풍백(風伯). ㉡풍채(風采).

[風晨月夕 풍신월석] 시원한 바람이 부는 새벽과 달이 환한 밤.

[風雅 풍아] ㉠시경(詩經)의 국풍(國風)과 대소아(大小雅). ㉡고상하고 바른 시가(詩歌). ㉢고상한 오락.

[風樂 풍악] 음악(音樂).

[風岸 풍안] ㉠모가 져서 친하기 어려움. ㉡바람이 부는 강 언덕.

[風眼 풍안] 눈시울과 결막(結膜)이 빨갛게 붓고 고름이 나오는 병.

[風埃 풍애] ㉠바람과 먼지. ㉡사람이 사는 이 세상. 속세(俗世).

[風煙 풍연] ㉠바람과 연기. 또, 바람이 일고 연기가 남. ㉡세상 안.

[風鳶 풍연] 연. 지연(紙鳶).

[風謠 풍요] ㉠유행가. ㉡시경(詩經)의 국풍(國風)의 시.

[風容 풍용] 풍모(風貌).

[風雨 풍우] 바람과 비. 또, 바람이 불고 비가 옴.

[風雨對牀 풍우대상] 비바람 치는 밤에 형제가 오래간만에 서로 만나 이야기하는 다정스러운 정경.

[風雲 풍운] ㉠바람과 구름. ㉡지세(地勢)의 고원(高遠)한 비유. ㉢고위(高位)의 비유. ㉣용이 비바람을 얻어 하늘에 올라가는 것같이 영웅이 때를 만나 세상에 나오는 비유. ㉤성(盛)한 모양. ㉥변화가 헤아릴 수 없는 모양. ㉦진(陣)의 이름. ㉧일의 경과.

[風韻 풍운] ㉠풍도(風度)와 운치(韻致). ㉡고상한 인품. ㉢바람이 부는 소리.

[風雲兒 풍운아] 풍운을 타서 활동하는 남자.

[風雲月露 풍운월로] 세도인심(世道人心)에 조금도 유익하지 않은 화조월석(花鳥月夕)만을 읊은 부화(浮華)한 시문(詩文).

[風雲之會 풍운지회] ㉠용호(龍虎)가 풍운을 만나 득세하는 것처럼 명군(明君)과 현신(賢臣)이 제회(際會)함을 이름. ㉡영웅이 때를 만나 뜻을

이룸을 이름. ⓒ전란(戰亂) 때를 이름.

[風雲會 풍운회] 용이 풍운을 만나 세력을 얻듯이 영웅이 명군을 만나 쓰이거나, 또는 좋은 기회를 타서 재능을 발휘하여 공명을 이루는 일.

[風月 풍월] 청풍(淸風)과 명월(明月). 곧, 자연의 좋은 경치.

[風月主人 풍월주인] 좋은 경치를 관상하는 주인.

[風位 풍위] 바람이 부는 방향.

[風儀 풍의] ⓐ훌륭한 풍채. ⓑ모습. ⓒ기거동작(起居動作).

[風日 풍일] ⓐ바람과 햇빛. ⓑ날씨. 천후(天候).

[風刺 풍자] ‘풍자(諷刺)’와 같음.

[風姿 풍자] 모습.

[風檣陣馬 풍장진마] 배가 돛에 순풍을 받아 쏜살같이 가며 무사가 준마를 타고 늠름히 진두에 선다는 뜻으로, 문장이 웅건하거나 필적이 주경(遒勁)함을 이름.

[風災 풍재] 농작물(農作物) 등이 받는 바람의 재해(災害).

[風裁 풍재] 스스로 굳게 지키는 위의(威儀).

[風箏 풍쟁] ⓐ풍경(風聲). ⓑ연. 지연(紙鳶).

[風迹 풍적] 교화(敎化)의 업적.

[風前 풍전] 바람이 불어 오는 앞. 바람받이.

[風前燈 풍전등] 풍중촉(風中燭).

[風情 풍정] ⓐ풍치(風致). ⓑ모습.

[風鳥 풍조] 극락조(極樂鳥).

[風潮 풍조] ⓐ바람의 방향과 조수의 간만. ⓑ시대에 따라 변하는 세태. 세상의 경향. 시세의 변천.

[風調 풍조] ⓐ모습. ⓑ시가(詩歌) 등의 가락. ⓒ관습. 행습(行習). ⓓ풍조우순(風調雨順).

[風調雨順 풍조우순] 비바람이 순조로움.

[風中燭 풍중촉] 인생이 덧없음의 비유.

[風櫛雨沐 풍즐우목] 바람에 머리를 빗고 비에 머리를 씻는다는 뜻으로, 풍진(風塵) 속에서 분주히 돌아다니며 고생함을 이름.

[風指 풍지] 넌지시 타이름. 풍지(諷指).

[風塵 풍진] ⓐ바람과 티끌. ⓑ병란(兵亂). ⓒ사람이 사는 이 세상. 속세(俗世). ⓓ속사(俗事). ⓔ벼슬길. ⓕ지방관. 경관(京官)의 대(對).

[風鎭 풍진] 족자 같은 것이 바람에 흔들거리지 아니하도록 축(軸)의 양 끝에 다는 수정(水晶)·구슬 같은 것을 꿴 추.

[風塵世上 풍진세상] 난리가 난 세상.

[風塵之警 풍진지경] 병란(兵亂)이 일어났다고 알리는 보도. 또, 병란.

[風塵之變 풍진지변] 병란(兵亂).

[風塵之會 풍진지회] 병란(兵亂).

[風塵表物 풍진표물] 속세를 벗어난 사람.

[風疾 풍질] ⓐ미치는 병. ⓑ중풍. ⓒ부는 바람같이 빠름.

[風車 풍차] ⓐ풍력(風力)을 이용하여 바퀴를 회전시켜 양수(揚水) 등에 쓰는 장치. ⓑ풀무.

[風餐露宿 풍찬노숙] 한데서 바람과 이슬을 피하지 아니하고 먹고 자고 함. 곧, 옥외(屋外)에서 일에 분주하여 한둔함.

[風窓破壁 풍창파벽] 뚫어진 창짝과 헐어진 담벼락의 허술한 집.

[風采 풍채] ⓐ모습. 인품. ⓑ풍속과 일. ⓒ풍문(風聞).

[風檐 풍첨] 바람이 부는 처마 밑.

[風簷 풍첨] 풍첨(風檐).

[風聽 풍청] 어렴풋이 들음. 풍문에 들음.

[風體 풍체] 모습. 용모.

[風草德 풍초덕] 군자의 덕을 바람에 비유하고 소인의 덕을 풀이 바람에 나부껴 따르는 데 비유한 말.

[風燭 풍촉] 바람에 흔들리는 촛불. 덧없는 인생.

[風趣 풍취] 풍치(風致)ⓛ.

[風致 풍치] ⓐ풍모(風貌). 인품(人品). ⓑ시원스럽게 격(格)에 맞는 멋.

[風馳電掣 풍치전체] 바람이 쏜살같이 불고 번개가 순식간에 번쩍인다는 뜻으로, 대단히 신속함을 이름.

[風打 풍타] 바람이 침.

[風鐸 풍탁] 풍경(風磬).

[風態 풍태] 자태(姿態).

[風土 풍토] 기후와 토지. 기후와 토지와의 관계.

[風妬雨憎 풍투우증] 비바람 때문에 일이 방해가 되거나 흥이 깨짐을 이름.

[風波 풍파] ⓐ바람과 물결. 풍랑(風浪). 또, 바람이 불고 물결이 읾. ⓑ동요하기 쉬움. ⓒ분란(紛亂). 분요. ⓓ속세의 귀찮은 일.

[風波之民 풍파지민] 마음이 동요하기 쉬운 백성.

[風說 풍설] 풍설(風說).

[風標 풍표] ⓐ풍채(風采). ⓑ풍취(風趣)의 표지(標識).

[風飇 풍표] 회오리바람.

[風漢 풍한] 미친 사람.

[風害 풍해] 풍재(風災).

[風憲 풍헌] ⓐ풍기를 단속하는 법규. ⓑ풍기를 단속하는 벼슬아치.

[風眩 풍현] 간질(癎疾).

[風穴 풍혈] 바람이 나오는 구멍.

[風化 풍화] ⓐ풍속과 교화. ⓑ결정체(結晶體)가 결정수(結晶水)를 잃어 가루가 되는 현상. ⓒ바위가 대기의 작용을 받아 부스러지는 현상.

[風花雪月 풍화설월] 사철의 뛰어난 경치.

[風候 풍후] ⓐ바람이 부는 방향. ⓑ바람개비. 풍향계(風向計). ⓒ날씨. 기후(氣候).

◉家風. 強風. 剛風. 凱風. 憷風. 巨風. 結繩風. 勁風. 景風. 輕風. 驚風. 古風. 高風. 谷風. 觀風. 廣莫風. 光風. 狂風. 矯風. 校風. 舊風. 國風. 君子之德風. 金風. 暖風. 南風. 冷風. 綠風. 大風. 德風. 道風. 突風. 同風. 東風. 馬牛風. 馬耳東風. 萬里同風. 滿面春風. 晩風. 蠻風. 霾風. 盲風. 猛風. 面面風. 明庶風. 穆如淸風. 沐雨櫛風. 門風. 美風. 微風. 民風. 防風. 背風. 培風. 排風. 屛風. 扶搖風. 不周風. 扶風. 北風. 悲風. 四面風. 土風. 師風. 朔風. 上雨旁風. 上風. 相風. 祥風. 商風. 西風. 書風. 瑞風. 曙風. 石犬風. 旋風. 細風. 小男風. 小女風. 松風. 送風. 修風. 淳風. 順風. 習風. 濕風. 迅風. 信風. 神風. 晨風. 握月擔風. 惡風. 暗風. 埃風. 野風. 羊角風. 良風. 洋風. 涼風. 閭風. 颺風. 御風. 嚴風. 厲風. 餘風. 麗風. 逆風. 軟風. 煙風. 錬風. 烈風. 炎風. 英風. 嘒風. 溫風. 龍門扶風. 運斤成風. 雄風. 威風. 流風. 遺風. 肉屛風. 淫風. 陰風. 義風. 二十四番花信風. 鯉魚風. 懿風. 仁風. 作風. 長風. 終風. 中風. 眞風. 秦風. 疾風. 且風. 閶風. 閶闔風. 千里同風. 淸明風. 淸風. 秋風. 趨風. 春風. 颱風. 土風. 通風. 痛風. 頹風. 鬪風. 八風. 弊風. 暴風. 爆風. 飇風. 飄風. 被風. 下風. 學風. 寒風. 恒風. 惠風. 胡馬依北風. 好風. 花信風. 和風. 畫風. 黃雀風. 廻風. 懷風. 橫風.

曉風. 薰風. 暄風.

2 [颰] ⑪
一 초 ⊕看 丑交切 chāo
二 뇨 ⊕看 尼交切

字解 一 ①뜨거운바람 초 '一, 炎風謂之一'《集韻》. ②바람부는모양 초 '一, 一颰, 吹皃'《玉篇》. 二 뜨거운바람 뇨 '一, 熱風'《集韻》.

3 [颩] ⑫
一 표 巴收切 biāo
二 두 diū

字解 一 ①던져버릴 표 '一了僧伽帽, 袒下我這偏衫'《西廂記》. ②휘둘러때릴 표 '差人去一了白士中首級'《望江亭》. ③양사(量詞) 표 군대에서 인마(人馬)에 대하여 썼는데, '彪'로도 표기했음. '不許當不許攔, 一一軍沒擋的撞入長安'《鴈門關存孝打虎》. 二 ①던질 두 '八下裏磚一'《般涉調》. ②곁눈질할 두 '打訕的, 將納老胡一'《般涉調》. ③잡아당길 두 '粧旦不抹一, 蠢身軀似水牛'《般涉調》.

4 [颬] ⑬
하 ⊕麻 許加切 xiā

字解 불 하 입을 벌리고 숨기운을 내어 보내는 모양. '舍利一一, 化爲仙車'《張衡》.

4 [颫] ⑬
감 ⊕覃 姑南切 gān

字解 바람 감 '一, 風也'《集韻》.

4 [颭] ⑬
颮(次條)와 同字

4 [颮] ⑬
부 ⊕虞 馮無切 fú

字解 ①큰바람 부 '一, 大風也'《集韻》. ②扶(手部 四畫)와 통용. '一, 通作扶'《集韻》.

4 [颯] ⑬
율 ⑧質 于筆切 yù

字解 큰바람 율 몹시 부는 바람. '迴一泱溘, 聳散穹窿'《庚闡》.
字源 形聲. 風+曰〔音〕. '曰왈'은 큰 소리로 부르다의 뜻.

4 [颰] ⑬
돈 ⊕元 徒渾切 tún

字解 바람 돈 '一, 風也'《集韻》.

5 [颭] ⑭
점 ⊕琰 占琰切 zhǎn

字解 ①물결일 점 바람이 불어 파도가 일어남. '驚風亂一芙蓉水'《柳宗元》. ②흔들릴 점 바람에 요동하는 모양. '廻一一, 其泠泠'《柳歈》.
字源 形聲. 風+占〔音〕.

[颭閃 점섬] 바람에 번득임
[颭颭 점점] ㉠바람에 흔들리는 모양. ㉡물결이 일어 흔들리는 모양.
●亂颭.

5 [颮] ⑭
一 표 ⊕看 薄交切 biāo
二 박 ⑧覺 匹角切 páo

一 폭풍 표 거센 바람. '游說之徒, 風一雷激'《班固》. 二 많을 박 많은 모양. 많이 나는 모양. '一一紛紛, 繒繳相纏'《班固》.
字源 形聲. 風+包〔音〕.

[颮颮 박박] 많은 모양.
●風颮.

5 [颱] ⑭
人名 태 tái

字解 태풍 태 여름에서 가을에 걸쳐 북태평양 남서부 열대 지방, 중국 남해 상에 일어나는 폭풍.
字源 形聲. 風+台〔音〕.

5 [颳] ⑭
굴 ⑧物 曲勿切 qū

字解 바람 굴 '一, 風也'《集韻》.

5 [颲] ⑭
류 ⊕有 力久切 liǔ

字解 ①바람소리 류 '一, 風聲也'《龍龕手鑑》. ②바람불 류 바람이 부는 모양.

5 [颴] ⑭
불 ⑧物 分勿切 fú

字解 ①바람 불 '一, 風也'《玉篇》. ②솔솔부는 바람 불 부드럽게 부는 바람. '小風謂之一'《集韻》. ③센바람 불 몹시 빠르게 부는 바람. '一, 一曰, 疾風'《集韻》.

5 [颵] ⑭
령 ⊕靑 郎丁切 líng

字解 찬바람 령 '一, 寒風'《集韻》.

5 [颶] ⑭
월 ⑧月 許月切 xuè

字解 ①바람 월 '一, 風也'《廣雅》. ②솔솔부는 바람 월 부드럽게 부는 바람. '小風謂之一'《集韻》.

5 [颯] ⑭
人名 삽 ⑧合 蘇合切 sà

字解 ①바람소리 삽 바람이 부는 소리의 형용. '有風一然而至'《宋玉》. ②성할 삽 많고 성(盛)한 모양. '賓御紛一沓'《鮑照》. ③쇠할 삽 쇠잔한 모양. '鬢毛一已蒼'《岑參》.
字源 形聲. 風+立〔音〕. '立립'은 바람 소리의 형용.

[颯沓 삽답] ㉠중첩한 모양. ㉡많고 성(盛)한 모양.
[颯遝 삽답] 솟아 나오는 소리가 요란한 모양.
[颯辣 삽랄] 용감하고 강한 모양.
[颯戾 삽려] 시원한 모양. 청량(淸涼)한 모양.
[颯纚 삽사] 소매가 긴 모양.
[颯颯 삽삽] ㉠바람이 쌀쌀하게 부는 소리. ㉡비가 쏟아지는 소리.
[颯爽 삽상] ㉠바람이 시원하여 마음이 상쾌함. ㉡모습이 썩썩하고 성품이 좋음.
[颯灑 삽쇄] 바람이 불어 흩음.

[飛仙 비선] 공중을 나는 신선.
[飛灑 비쇄] 튀어 흩어짐.
[飛蛾 비아] 여름에 등불에 날아와 모이는 벌레. 불나방 따위.
[飛蛾赴火 비아부화] 벌레가 등불에 날아들어 타 죽듯이, 위험한 일을 자진해서 저지름을 이름.
[飛躍 비약] 높이 뛰어오름.
[飛揚 비양] ㉠날아오름. ㉡제멋대로 굶.
[飛颺 비양] 비양(飛揚) [ㄱ].
[飛揚跋扈 비양발호] 날랜 새가 비양하고 큰 고기가 발호하듯이, 신하가 멋대로 굴어 법을 좇지 아니하는 일. 또는 모반(謀叛)하는 일.
[飛語 비어] 무근한 말. 유언(流言).
[飛魚 비어] 날치.
[飛言 비언] 비어(飛語).
[飛燄 비염] 튀어나오는 불꽃.
[飛宇 비우] 비헌(飛軒).
[飛雨 비우] 바람에 불려 날리는 비.
[飛肉 비육] 새. 곧, '조류(鳥類)'의 별칭(別稱).
[飛耳長目 비이장목] 먼 곳의 일을 잘 보고 듣는 이목(耳目).
[飛棧 비잔] 높이 걸린 잔교(棧橋).
[飛章 비장] 지급히 전하는 편지.
[飛將 비장] 행동이 재빠른 장군.
[飛將軍 비장군] 비장(飛將).
[飛電 비전] ㉠번쩍이는 번개. ㉡급한 전보.
[飛傳 비전] 역참(驛站)의 급히 달리는 말.
[飛箭 비전] 날아오는 화살.
[飛錢 비전] 당(唐)나라 헌종(憲宗) 때 돈의 대용으로 쓰이던 수표.
[飛征 비정] 나는 것과 달리는 것. 날짐승과 길짐승. 금수(禽獸).
[飛梯 비제] 높은 사닥다리.
[飛鳥 비조] 날아다니는 새.
[飛鳥盡而良弓藏 비조진이양궁장] 나는 새를 다 잡으면 좋은 활도 소용없어 방치하듯이, 신하도 소용이 있으면 쓰고 소용이 없으면 버림을 받는다는 말.
[飛淙 비종] 폭포(瀑布).
[飛走 비주] 비금주수(飛禽走獸).
[飛注 비주] 쏜살같이 빨리 흐름.
[飛塵 비진] 공중에 뜬 먼지.
[飛車 비차] 바람의 힘으로 공중을 난다는 수레.
[飛札 비찰] 편지를 급히 보냄. 또, 그 편지.
[飛泉 비천] ㉠솟아오르는 샘. ㉡폭포.
[飛檐 비첨] 비첨(飛簷).
[飛簷 비첨] 높은 처마.
[飛蟲 비충] ㉠새. 조류(鳥類). ㉡잘 나는 벌레. 모기 같은 것.
[飛馳 비치] 날아 달림. 달리어 낢.
[飛彈 비탄] 나는 탄알.
[飛塔 비탑] 높은 탑.
[飛兔龍文 비토용문] 비토(飛兔)와 용문(龍文)이 모두 옛날 준마(駿馬)의 이름. 뛰어난 자제(子弟)의 비유.
[飛陛 비폐] 높은 섬돌. 높은 석계(石階).
[飛瀑 비폭] 폭포(瀑布).
[飛行 비행] 공중으로 날아다님.
[飛行機 비행기] 발동기를 장치하여 공중을 나는 기계.
[飛行船 비행선] 경기구(輕氣球)에 기관을 장치하여 나는 기계.
[飛行殿 비행전] '연(輦)'의 별칭(別稱).
[飛軒 비헌] 높은 처마. 또, 높은 집.
[飛虎 비호] ㉠나는 듯이 닫는 범. ㉡동작(動作)이 용맹(勇猛)스럽고 날쌘 것을 이름.
[飛華 비화] 지는 꽃.
[飛禍 비화] 뜻밖의 재화.
[飛丸 비환] 나는 탄알. 전(轉)하여, 빨리 경과함.
[飛黃 비황] ㉠신마(神馬)의 이름. 등에 뿔이 있으며, 천 년을 산다고 함. ㉡준마(駿馬).
[飛蝗 비황] 누리. 황충(蝗蟲).
◉輕飛. 孤飛. 高飛. 群飛. 突飛. 奮飛. 桑飛. 雙飛. 聯飛. 燕雁代飛. 龍飛. 雨飛. 雄飛. 六飛. 翰飛. 鴻飛. 翾飛. 翬飛.

10 [䎙] 〔한〕
⑲ 翰(羽部 十畫〈p. 1810〉)과 同字

12 [飜] [高人] 번 [平]元 孚袁切 fān 
㉑

[筆順] 丷 釆 香 番 番 番 飜 飜

[字解] ①날 번, 나부낄 번 翻(羽部 十二畫)과 同字. '孰能飛—'《王粲》. ②옮길 번 한 나라 말을 다른 나라 말로 옮김. '—譯'.

[字源] 形聲. 飛+番〔音〕. '番번'은 씨를 흩뿌리다의 뜻. 새가 하늘을 날아 나부끼다의 뜻을 나타냄.

[飜倒 번도] 거꾸로 됨. 거꾸로 함.
[飜流 번류] 아래로 흐르던 물이 거슬러 흐름.
[飜翔 번상] 낢.
[飜焉 번언] 나는 모양.
[飜譯 번역] 한 나라의 말이나 글을 딴 나라의 말이나 글로 옮김. 번역(翻譯).
[飜雲覆雨 번운복우] 손바닥을 뒤집듯이 인정이 변하기 쉬움을 비유하여 이르는 말.
[飜潮 번조] 거슬러 밀려오는 조수.
[飜車 번차] 용골차(龍骨車).
◉踏飜. 騰飜. 覆飜. 翩飜.

13 [䨱] 환 [平]刪 胡關切 huán
㉒

[字解] 빙돌아날 환 새가 빙빙 돌며 낢. '—, 禽遶飛也'《集韻》.

食(飠) (9획) 部

〔밥식부〕

0 [食] [中人] [一] 식 [入]職 乘力切 shí
⑨ [二] 사 [去]寘 祥吏切 sì
[三] 이 [去]寘 羊吏切 yì 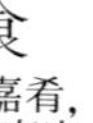

[筆順] 𠆢 亽 今 今 今 飠 食 食

[字解] [一] ①먹을 식 ㉠음식을 삼킴. '雖有嘉肴, 弗—不知其旨也'《禮記》. ㉡식사를 함. '願東家—而西家宿'《事文類聚》. ㉢놀고먹음. '遊—者衆'《後漢書》. ㉣마심. '—酒, 至數石不亂'《漢書》. ㉤젖을 먹음. '適見㹠子—於其死母'《莊子》. ㉥죽어 제사를 받음. '死當廟—'《後漢書》. ㉦녹을 탐. '—祿'. '彼君子兮不素—兮'《詩經》.

◎거짓말함. '朕不一言'《書經》. ②먹이 식 먹을 거리. 먹는 물건. '糧'·'美'. 또, 먹는 일. 먹기. '佳一往'. '發憤忘一'《論語》. ③제사 식 제향. '薦其時一'《中庸》. ④녹 식 녹봉. '一俸' '君子謀道不謀一'《論語》. ⑤벌이 식 생활. 생계. '趨末一'《漢書》. ⑥현혹게할 식 미혹(迷惑)하게 함. '明君在上, 便嬖不能一其意'《管子》. ⑦지울 식 없앰. '後雖悔之, 不可一已'《左傳》. ⑧개먹을 식 蝕(虫部 九畫)과 통용. '日有一之'《春秋》. ⑨성 식 성(姓)의 하나. ◨①밥 사 곡식을 익힌 주식. '一居人之左'《禮記》. ②기를 사 ㉠양육함. '穀也一子'. '穀'은 사람 이름)《左傳》. ㉡동물을 사육함. '一牛以要秦穆公'《孟子》. ③먹일 사 ㉠먹여 줌. '飮之一之'《詩經》. ㉡먹여 살림. '吾業賴之以一吾軀'《劉基》. ◨ 사람이름 이 인명. '酈一其'. '審一其'.

字源 甲骨文 金文 篆文 象形. 식기에 음식을 담고 뚜껑을 덮은 모양을 본떠 '음식, 먹다'의 뜻을 나타냄.

參考 '食식'을 의부(意符)로 하여, 여러 가지 종류의 음식물이나 먹는 행위에 관한 문자를 이룸. 부수 이름은 '밥식', 변으로 쓰일 때에는 '食'의 자형이 됨.

[食氣 사기] 밥. 밥의 기(氣).
[食客 식객] 문하(門下)에서 기식(寄食)하는 선비. 문객(門客).
[食頃 식경] 식사를 할 만한 시간. 조금 긴 시간.
[食口 식구] 한집에 살고 있는 사람 수. 또, 인구(人口)○.
[食舊德 식구덕] 선조(先祖)의 공로(功勞)로 자손(子孫)이 작위(爵位)를 받음.
[食氣 식기] ㉠음식을 먹고 싶어하는 마음. ㉡귀신이 흠향(歆饗)을 함. ㉢도가(道家)의 양생법으로서 심호흡 비슷한 방법으로 공기를 마시는 일. ㉣밥. 밥의 기(氣).
[食器 식기] 음식(飮食)을 담는 그릇.
[食啖 식담] 음식을 먹음.
[食堂 식당] ㉠음식(飮食)을 먹는 방. ㉡주식(酒食)을 파는 음식점(飮食店).
[食刀 식도] 식칼.
[食道 식도] ㉠양식을 운반하는 길. ㉡목구멍에서 위(胃)에 이르는 소화기(消化器) 계통의 처음 부분.
[食量 식량] 음식을 먹는 분량.
[食糧 식량] 먹을 양식(糧食).
[食力 식력] ㉠백성의 조세(租稅)로 먹고삶. ㉡자기 힘으로 생계를 세움. 일하여 먹고삶. 또, 그 사람.
[食祿 식록] ㉠녹. 녹봉(祿俸). ㉡녹을 타 생활함.
[食料 식료] ㉠음식을 만드는 재료. ㉡음식 값.
[食母 식모] ㉠유모(乳母). ㉡《韓》고용되어 밥 짓는 여자.
[食物 식물] 먹는 물건.
[食補 식보] 음식을 먹어서 원기(元氣)를 도움.
[食福 식복] 먹을 복(福).
[食封 식봉] 식읍(食邑).
[食俸 식봉] 녹. 녹봉(祿俸).
[食不重肉 식부중육] 한 번 하는 식사에 고기를 두 가지 이상 놓고 먹지 아니함. 제(齊)나라의 안영(晏嬰)의 생활이 검소했던 고사(故事).
[食不知其味 식부지기미] 마음을 딴 데 두면 밥을 먹어도 그 맛을 모름.

[食不二味 식불이미] 일상 먹는 식사에 딴 음식을 더 보태지 아니함. 곧, 음식을 잘 차려 먹지 아니함.
[食匕 식비] 순가락. 수저.
[食費 식비] 밥값.
[食事 식사] 밥을 먹는 일.
[食傷 식상] 먹은 음식이 소화되지 않고 복통·토사(吐瀉)가 나는 병.
[食色 식색] 식욕(食慾)과 색욕(色慾).
[食色性也 식색성야] 식욕과 성욕은 선천적으로 가지고 있는 사람의 고유한 성(性)임.
[食膳 식선] ㉠음식. ㉡상에 차린 음식.
[食性 식성] 음식에 대하여 좋아하고 싫어하는 성질.
[食少事煩 식소사번] 먹을 것은 적고 일만 많음.
[食率 식솔] 한 집안에 딸린 식구.
[食數 식수] 먹을 운수. 식복(食福).
[食案 식안] 밥상.
[食言 식언] 거짓말을 함. 한 말을 실행하지 아니함. 남과 약속한 것을 지키지 아니함.
[食熱 식열] 어린애의 과식(過食)으로 나는 신열(身熱).
[食鹽 식염] 식용(食用)의 소금.
[食玉炊桂 식옥취계] 옥(玉)을 먹고 계수(桂樹)나무로 밥을 지음. 곧, 물가(物價)가 비쌈의 비유.
[食慾 식욕] 음식을 먹고자 하는 마음.
[食用 식용] 먹을 것에 씀. 또, 식료.
[食牛之氣 식우지기] 소를 삼킬 만한 큰 기상. 어려서부터 비범한 기상이 있음을 이름. 탄우지기(吞牛之氣).
[食肉類 식육류] 포유류(哺乳類) 중의 한 무리. 주로 육식을 하는 짐승. 대개가 사나운 짐승임. 개·고양이·족제비 따위.
[食飮 식음] 먹고 마심.
[食飮全廢 식음전폐] 음식(飮食)을 전혀 먹지 아니함.
[食邑 식읍] 공신(功臣)에게 논공행상(論功行賞)으로 주는 영지(領地). 그 조세를 받아 먹게 함. 채읍(采邑).
[食醫 식의] 주대(周代)의 벼슬 이름. 음식을 관장함.
[食餌 식이] 먹을 것. 식물(食物).
[食而不知其味 식이부지기미] 식부지기미(食不知其味).
[食者民之本 식자민지본] 음식은 백성을 보존하는 근본임.
[食田 식전] ㉠전지의 수입으로 삶. ㉡식읍(食邑).
[食前 식전] 밥을 먹기 전(前).
[食前方丈 식전방장] 자기 자리 앞에 진수성찬을 열 자 사방가량 늘어놓음. 아주 음식에 호사함을 이름.
[食鼎 식정] 밥솥.
[食駿馬之肉 식준마지육] 야인(野人)들이 진(秦)나라 목공(穆公)의 준마(駿馬)를 잡아먹었을 때 공(公)은 이를 벌(罰)하지 않고 도리어 술로 대접(待接)을 했더니, 야인들이 그 은혜(恩惠)에 감복(感服)하여 진(晉)과의 싸움에 역전(力戰)해 주었기 때문에, 목공이 대승(大勝)했다는 고사(故事).
[食地 식지] 곡식을 심는 땅. 경지(耕地). 「락.
[食指 식지] 집게손가락. 일설(一說)에는 약손가
[食指動 식지동] 집게손가락이 자연히 움직임. 맛

있는 음식을 먹을 조짐이라 함. 전(轉)하여, 욕심이 생김을 이름.
[食次冊 식차책] 요리의 목록. 메뉴.
[食饌 식찬] 반찬.
[食滯 식체] 먹은 음식(飮食)이 소화(消化)가 아니 되는 병(病).
[食醋 식초] 조미료로 쓰이는 초(醋).
[食蟲類 식충류] 주로 벌레를 잡아먹고 사는 동물(動物)의 한 목(目). 몸은 작고 구멍 속이나 나무 위에 살며, 입이 길고 눈이 작음. 두더지 따위.
[食蟲植物 식충식물] 잎의 섬모(纖毛)·점액(粘液)·소화액(消化液) 등의 포충 기관(捕蟲器官)으로 벌레를 잡아먹는 식물. 파리지옥풀·끈끈이주걱 따위.
[食卓 식탁] 음식을 차려 놓는 탁자.
[食品 식품] 식료품.
[食稟 식품] 음식(飮食)을 먹는 분량(分量). 먹음새.
[食醯 식혜] 밥에 엿기름가루 우린 물을 부어서 담근 음식(飮食).
[食貨 식화] 음식물과 재화.
[食後 식후] 밥을 먹은 뒤.
●肝食. 間食. 甘食. 減食. 強食. 丐食. 乞食. 缺食. 過食. 饋食. 錦食玉食. 金環食. 給食. 寄食. 飢者易爲食. 難食. 暖衣飽食. 祿食. 廩食. 多食. 簞食. 斷食. 大食. 徒食. 斗食. 馬食. 末食. 眠食. 目食. 廟食. 美食. 飯食. 伴食. 配食. 陪食. 減食. 副食. 粉食. 菲食. 三食. 尙食. 羨食. 鮮食. 少食. 素食. 疎食. 疏食. 蔬食. 宵食. 熟食. 侍食. 惡食. 約食. 弱食. 肉強食. 洋食. 糧食. 御食. 漁食. 旅食. 易衣竝食. 噉食. 五鼎食. 玉食. 蓐食. 宂食. 備食. 寅食. 牛飮馬食. 月食. 侑食. 遊食. 衣食. 衣食. 耳食. 因噎廢食. 日食. 日中則昃月滿則食. 譽食. 蠶食. 財食. 爭食. 傳食. 絶食. 節食. 井渫不食. 定食. 鼎食. 粗食. 朝食. 坐食. 主食. 酒食. 中食. 嗟來之食. 餐食. 榮食. 稍食. 寢食. 呑食. 貪食. 退食. 嬪食. 偏食. 貶食. 飽食. 暴食. 寒食. 行食. 血食. 火食. 會食. 虧食.

¹[飢] 〔의·애〕 ⑩ 饐(食部 十二畫⟨p.2583⟩)와 同字

²[飢] 기 ⑪ 高入 ㉿支 居夷切 jī 饥𩜾

[筆順] 丷 亽 今 亽 亽 亽 飠 飢 飢

[字解] ①주릴 기 굶주림. '一而易爲食'《孟子》. ②굶길 기 굶주리게 함. '稷思天下有飢者, 由己一之也'《孟子》. ③흉년들 기 오곡이 잘 여물지 아니함. '歲且荐一'《蘇軾》. ④굶주림 기 기아. '黎民阻一'《書經》. ⑤성 기 성(姓)의 하나.
[字源] 篆文 飢 形聲. 飠(食)+几〔音〕. '几궤'는 '稽계'와 통하여 '머무르다'의 뜻. 음식물이 바닥나다, 주리다의 뜻을 나타냄.

[飢渴 기갈] 배고프고 목마름. 굶주림.
[飢困 기곤] 굶주려 고생함.
[飢饉 기근] 흉년(凶年)으로 인하여 곡식이 부족하여 먹지 못하고 굶주림. 기근(饑饉).
[飢色 기색] 굶주린 얼굴빛. 기색(饑色).

[飢歲 기세] 흉년.
[飢餓 기아] 굶주림. 기아(饑餓).
[飢穰 기양] 흉년과 풍년.
[飢疫 기역] 기근과 전염병.
[飢者易爲食 기자이위식] 주린 사람은 무엇이든지 먹음. 곤궁한 백성은 조금만 은혜를 베풀어도 감격함의 비유.
[飢寒 기한] 배고프고 추위에 떪. 전(轉)하여, 의식(衣食)의 결핍.
[飢寒發善心 기한발선심] 의식(衣食)이 결핍하면 분투노력하여야겠다는 마음이 저절로 생김.
●凍飢. 餓飢. 療飢. 泣飢. 朝飢. 調飢.

²[飣] 정 ⑪ ㉿徑 丁定切 dìng 飣飣

[字解] ①쌓아둘 정 저장함. '一而不食者'《玉海》. ②늘어놓을 정 '一餖'는 음식을 죽 늘어놓고 먹지 아니함. 전(轉)하여, 의미 없는 문사(文詞)를 죽 늘어놓음. '看核分一餖'《韓愈》.
[字源] 形聲. 飠(食)+丁〔音〕. '丁정'은 못 박아 두다의 뜻. 음식을 못 박아 두듯 저장하다의 뜻을 나타냄.

[飣餖 정두] 자해(字解)❷를 보라.

²[飤] 사 ⑪ ㉿實 祥吏切 sì

[字解] 먹일 사 먹게 함. '子推自割而一君兮, 德日忘而怨深'《楚辭》.
[字源] 金文 飤 篆文 飤 形聲. 人+飠(食)〔音〕. 사람에게 음식을 주어 먹이다의 뜻을 나타냄.

²[飧] 〔손〕 ⑪ 飧(食部 三畫⟨p.2570⟩)의 俗字

²[飩] 〔도〕 ⑪ 饕(食部 十三畫⟨p.2585⟩)와 同字

³[飥] 탁 ⑫ ㉡藥 他各切 tuō 飥

[字解] 떡 탁 음식의 한 가지. '餺一'. '麥麪堪作飯及餠一'《齊民要術》.
[字源] 形聲. 飠(食)+乇〔音〕.

●餺飥. 餠飥.

³[飧] 〔도〕 ⑫ 饕(食部 十三畫⟨p.2585⟩)의 俗字

³[飪] ◨ 기 / 흘 ⑫ ㉡物 許訖切 xì gē

[字解] ◨ 수제비 기 '一餄'은 수제비. '吃南瓜面一餄'《丁玲》. ◨ 배부를 흘 만족함. '一, 飽也'《字彙》.

³[飫] 飪(前條)와 同字 ⑫

³[飪] 뉴 ⑫ ㉿有 女救切 niǔ

[字解] ①비빔밥 뉴 '一, 雜飯也'《五音篇海》. ②

飪(食部 四畫)의 俗字. '一, 飪俗字'《龍龕手鑑》.

3 ⑫ **[飦]** 전 [平]先 諸延切 zhān

[字解] 죽 전 饘(食部 十三畫)과 同字. '一粥之食'《孟子》.

[字源] 篆文 形聲. 倉(食)+干〔音〕

3 ⑫ **[飧]** 손 [平]元 思渾切 sūn

[字解] ①저녁밥 손 석식. 만찬. '一饔'. ②지을 손 저녁밥을 지음. '饔一而治'《孟子》. ③말 손 밥을 물이나 국물 같은 데에 넣어 풂. '不敢一'《禮記》. ④먹을 손 '子夜一瓊液'《列仙傳》.

[字源] 篆文 會意. 夕+食. 저녁에 먹는 밥의 뜻을 나타냄.

[參考] 飱(食部 四畫)·飡(食部 二畫)은 俗字.

[飧饔 손옹] 저녁밥과 아침밥. 조석의 식사.
◉盤飧. 腐儒飧. 素飧. 晨飧. 饔飧. 朝飧. 壺飧.

4 ⑬ **[飩]** 돈 [平]元 徒渾切 tún

[字解] 만두 돈, 빵 돈 餛(食部 八畫)을 보라. '餛一'.

[字源] 形聲. 倉(食)+屯〔音〕. '屯둔'은 물건이 모여 섞여서 분간을 할 수 없다의 뜻. 모여 섞여 있는 음식의 뜻을 나타냄.

◉餛飩. 餫飩.

4 ⑬ **[飪]** 용 [上]腫 而勇切 rǒng

[字解] 먹을 용 '一, 食也'《玉篇》.

4 ⑬ **[飪]** 임 [上]寢 如甚切 rèn

[字解] 익힐 임 불에 익게 함. 또 익힌 음식. '失一, 不食'(너무 익혀 먹을 수 없음)《論語》.

[字源] 篆文 形聲. 倉(食)+壬〔音〕. '壬임'은 장시간에 걸쳐 꼼꼼히 하다의 뜻. 꼼꼼하게 한 조리의 뜻을 나타냄.

[參考] 餁(食部 六畫)은 同字.

◉囊飪. 烹飪.

4 ⑬ **[飫]** 어 [去]御 依倨切 yù

[字解] ①실컷먹을 어 먹기 싫도록 많이 먹음. '一肥鮮'《劉基》. ②잔치 어 서서 먹는 연회. '武王克殷, 作一歌'《國語》.

[字源] 篆文 形聲. 倉(食)+夭〔音〕. '夭요'는 젊고 정력적이다의 뜻. 정력적으로 먹다, 술잔치, 물리다의 뜻을 나타냄.

[飫歌 어가] 서서 먹는 연회(宴會)에서 부르는 노래.
[飫聞 어문] 하도 들어 듣기 싫음.
[飫賜 어사] 실컷 먹도록 주식을 많이 하사함.
[飫宴 어연] 주연(酒宴).
◉酣飫. 厭飫. 饜飫. 飮飫. 飽飫.

4 ⑬ **[飪]** 뉴 [去]宥 女救切 niù / [上]有 女九切

[字解] 비빔밥 뉴 '一, 襍飯也'《說文》.

[字源] 形聲. 倉(食)+丑〔音〕

4 ⑬ **[飭]** [人名] 칙 [入]職 恥力切 chì

[字解] ①신칙할 칙 타일러 훈계함. '一其子弟'《國語》. ②갖출 칙 정비함. '戎車旣一'《詩經》. ③삼갈 칙 조신(操身)함. '一躬齋戒'《漢書》. ④힘쓸 칙 부지런히 일함. '百工一化八材'《周禮》.

[字源] 篆文 形聲. 人+力+倉(食)〔音〕. '食식'은 '直직'과 통하여 '곧다'의 뜻. 노력하여 바르게 하다의 뜻을 나타냄.

[飭勵 칙려] 신칙(申飭)하고 격려함.
[飭愿 칙원] 삼가고 조심함.
[飭正 칙정] ㉠삼가고 바름. ㉡몸을 닦아 바르게 함.
◉謙飭. 敬飭. 警飭. 戒飭. 誡飭. 匡飭. 具飭. 規飭. 謹飭. 誓飭. 修飭. 約飭. 嚴飭. 整飭.

4 ⑬ **[飽]** 구 [去]宥 居又切 jiù

[字解] 물릴 구, 포식할 구 匓(勹部 十二畫)와 同字. '匓, 說文, 飽也, 祭祀曰厭匓, 或作一'《集韻》.

4 ⑬ **[飽]** 〔구〕 飼(食部 五畫〈p. 2573〉)와 同字

4 ⑬ **[飶]** 〔액〕 餩(食部 五畫〈p. 2573〉)과 同字

4 ⑬ **[飮]** [中人] 음 ①-⑤[上]寢 於錦切 yǐn / ⑥[去]沁 於禁切 yìn

[筆順] 𠆢 亼 今 今 今 倉 飠 飮

[字解] ①마실 음 ㉠물·차 등을 마심. '一茶'. '一用六淸'《周禮》. ㉡술을 마심. '一豪'. '酣一'. '太守與客來, 一于此'《歐陽修》. ②마실것 음 물·술 등의 음료. '一瓢一'. 또, 물·술 등을 마시는 일. '僧解一則犯戒律'(중이 술 맛을 알면 타락함)《李義山雜纂》. ③머금을 음 참음. 품음. '一恨'. ④숨길 음 감춤. '一章'. '一其德'《漢書》. ⑤잔치 음 주연. '張樂設一'《戰國策》. ⑥마시게할 음 ㉠음료를 주어 마시도록 함. '酌而一寡人'《禮記》. ㉡마소에게 물을 마시게 함. '一馬于墎'《左傳》.

[字源] 甲骨文 金文 篆文 形聲. 篆文은 酉+欠+今〔音〕. '今금'은 '含함'과 통하여 '머금다'의 뜻. 입에 술을 머금다의 뜻에서 '마시다'의 뜻을 나타냄. 뒤에 '酓염'을 '食식'으로 고쳐서 '飮음'이 됨.

[飮噱 음갹] 술을 마시고 즐거워 껄껄 웃음.
[飮器 음기] ㉠술잔. ㉡요강.
[飮啗 음담] 마시고 먹음.
[飮德 음덕] 덕을 숨기고 나타내지 않음.
[飮徒 음도] 술친구.
[飮毒 음독] 독약(毒藥)을 먹음.
[飮樂 음락] 술을 마시며 즐김.
[飮量 음량] 술을 마시는 분량. 주량.

[養父 양부] ㉠자기를 낳지는 아니하였으나, 자기를 자식처럼 기른 남자. ㉡양가(養家)의 아버지. ㉢아버지를 봉양함.
[養父母 양부모] 양부와 양모.
[養分 양분] 영양(榮養)이 되는 성분(成分). 자양분.
[養嗣 양사] 양자(養子)함.
[養生 양생] ㉠병(病)에 걸리지 않도록 섭생(攝生)함. ㉡부모 생존 시에 잘 봉양함.
[養生喪死 양생상사] 살아 있는 사람을 잘 부양(扶養)하고 죽은 사람을 공손히 장사 지냄.
[養成 양성] 길러서 이루게 함.
[養性 양성] 자기의 성품을 육성하여 완전하게 함. 심신을 안정히 함.
[養孫 양손] 아들의 양자(養子).
[養羞 양수] 먹을 것을 저장하여 둠.
[養視 양시] 기르고 돌봄.
[養息 양식] 양자(養子).
[養心 양심] 심성(心性)을 좋게 기름.
[養痾 양아] 병을 고침. 양병(養病).
[養艾 양애] 노인을 봉양함.
[養夜 양야] 긴 밤. 동지(冬至).
[養養 양양] 근심 때문에 불안한 모양.
[養魚 양어] 물고기를 기름.
[養銳 양예] 예기(銳氣)를 기름.
[養由基 양유기] 춘추 시대(春秋時代)의 궁술(弓術)의 명인(名人).
[養育 양육] 길러 자라게 함.
[養毓 양육] 양육(養育).
[養子 양자] ㉠데려다 기른 아들. 수양아들. ㉡대를 잇기 위하여 동성동본(同姓同本)의 계통의 남자를 자기가 거두어 기른 아들. 양아들.
[養蠶 양잠] 누에를 기름.
[養材 양재] ㉠곡식·수목 따위를 재배함. ㉡인재를 양성함.
[養靜 양정] 조용한 마음을 육성함.
[養拙 양졸] 타고난 소박(素朴)한 덕(德)을 길러 보존함.
[養地 양지] 식읍(食邑).
[養志 양지] ㉠양친의 뜻을 받들어 그 마음을 즐겁게 함. ㉡뜻을 고상하게 함. 정신을 수양함.
[養眞 양진] 천진한 마음을 기름. 천부(天賦)의 본성을 육성함.
[養治 양치] 길러 다스림.
[養齒 양치] 이를 닦고 물로 입 안을 씻어 냄.
[養親 양친] 부모를 봉양(奉養)함.
[養兎 양토] 토끼를 기름.
[養形 양형] 몸을 기름.
[養護 양호] 길러서 거둠. 양육하고 보호함.
[養虎遺患 양호유환] 화근(禍根)을 길러 근심을 사는 것을 이름.
[養和 양화] ㉠화합(和合)하도록 노력함. ㉡화순(和順)의 정신(精神)을 기름. ㉢등을 기대는 기구.
[養花天 양화천] 봄에 꽃이 한창 필 무렵.
[養活 양활] 길러 살림.
[養晦 양회] 은거(隱居)하여 덕(德)을 기름.
◉供養. 教養. 鞠養. 歸養. 籠養. 都養. 罔養. 牧養. 撫養. 培養. 保養. 奉養. 扶養. 負養. 飼養. 色養. 生養. 收養. 修養. 素養. 馴養. 侍養. 祝養. 廝養. 愛養. 藥養. 女子與小人難養. 燕養. 榮養. 療養. 容養. 優養. 乳養. 育養. 恩養. 頤養. 字養. 滋養. 長養. 將養. 靜養. 存養. 廚養. 遵養. 畜養. 抱養. 哺養. 涵養. 惠養. 孝養. 休養. 卹養.

6 ⑮ [餈] 자 ㊀支 疾資切 cí

字解 인절미 자 떡의 한 가지. '糗餌粉—'《周禮》.

字源 篆文 形聲. 食+次〔音〕. '次차'는 차례로 마련하다의 뜻.

◉粉餈.

6 ⑮ [餋] 권 ㊂願 俱願切 juàn

字解 ①제사(祭祀) 권 桊(示部 六畫)과 同字. '—, 常山謂祭爲—, 或从示'《集韻》. ②제사이름 권 '—, 祭名'《廣韻》.

6 ⑮ [餆] 요 ㊀蕭 餘招切 yáo

字解 떡 요 '—, 餌也'《集韻》.

6 ⑮ [餐] 〔찬〕 餐(食部 七畫〈p. 2578〉)의 俗字

7 ⑯ [餑] 불 ㊅月 蒲沒切 bō

字解 보리떡 불 맥병(麥餅). '麴—'.

字源 形聲. 食(食)+孛〔音〕

7 ⑯ [餒] 뇌 ㊁賄 奴罪切 něi

字解 ①주릴 뇌 굶주림. '吾有—而已'《左傳》. ②굶길 뇌 굶주리게 함. '凍—其妻子'《孟子》. ③썩어문드러질 뇌 부란(腐爛)함. '魚—而肉敗不食'《論語》.

字源 篆文 形聲. 食(食)+妥〔音〕. '妥타'는 '떨어지다'의 뜻. 식료품이 떨어지다, 주리다, 썩다의 뜻을 나타냄.

[餒饉 뇌근] 주림. 굶주림.
[餒棄 뇌기] 굶주려 투신자살함.
[餒病 뇌병] 굶주려 병듦. 굶주려 힘이 빠짐.
[餒士 뇌사] 굶주린 군사.
[餒死 뇌사] 굶주려 죽음. 굶어 죽음.
[餒餓 뇌아] 굶주림.
[餒而 뇌이] 굶주림. 이(而)는 조자(助子).
[餒斃 뇌폐] 굶주려 쓰러져 죽음.
◉困餒. 窮餒. 鬼餒. 飢餒. 饑餒. 凍餒. 貧餒. 萎餒. 羸餒. 豐餒. 乏餒. 寒餒. 懸餒.

7 ⑯ [餓] 高人 아 ㊂箇 五个切 è

筆順 𠆢 今 𩙿 食 飠 餓 餓 餓

字解 ①주릴 아 대단히 굶주림. '凍—'. '夫子爲粥, 與國之—者'《禮記》. ②굶길 아 굶주리게 함. '—其體膚'《孟子》. ③굶주림 아 기아. '伯夷守—'《後漢書》.

字源 篆文 形聲. 食(食)+我〔音〕. '我아'는 깔쭉깔쭉한 날의 도끼의 象形. 먹을 것이 없어져 야위어서 뼈의 깔쭉깔쭉한 부분이 드러

나다, 주리다의 뜻을 나타냄.

[餓鬼 아귀] ㉠《佛教》 항상 굶주려서 얻어먹지 못하는 귀신. ㉡탐욕이 많고 사나운 자의 비유.
[餓鬼道 아귀도] 《佛教》 삼도(三途) 또는 육취(六趣)의 하나. 이곳에 있는 자는 늘 주리고 매를 맞아 운다 함.
[餓狼 아랑] 굶주린 이리.
[餓狼之口 아랑지구] 굶주린 이리의 입. 곧, 위험(危險)한 장소.
[餓死 아사] 굶어 죽음.
[餓殺 아살] 굶겨 죽임.
[餓則爲用飽則颺去 아즉위용포즉양거] 궁할 때에는 복종하여 섬기나 궁하지 아니할 때는 모반하여 가 버리어 조금도 방심할 수 없음을 이름.
[餓鴟叫 아치규] 주린 솔개의 울음소리.
[餓莩 아표] 굶어 죽은 송장.
[餓殍 아표] 아표(餓莩).
◉困餓. 窮餓. 飢餓. 饑餓. 凍餓. 流餓. 殍餓. 寒餓.

7 ⑯ [餔] 포 ①②[平]虞 博孤切 bū ③[去]遇 薄故切 bù

[字解] ①저녁밥 포 신시(申時), 곧 오후 네 시경에 먹는 밥. '晪至—'《呂氏春秋》. ②먹을 포 哺(口部 七畫)와 同字. '何不—其糟而歠其醨'《楚辭》. ③먹일 포 먹게 함. '有老父過, 請飲, 呂后因—之'《漢書》.
[字源] 篆文 形聲. 倉(食)+甫〔音〕. '甫보'는 '저녁때'의 뜻. '저녁밥'의 뜻을 나타냄.

[餔時 포시] 저녁 먹을 때. 신시(申時).
[餔啜 포철] 먹고 마심. 음식을 먹음.
[餔歠 포철] 포철(餔啜).
◉玉餔. 饌餔. 下餔. 含餔.

7 ⑯ [䭌] [人名] 정 [去]敬 丑正切 chèng

[筆順] 𠆢 𠆤 𠊊 食 飠 䭌 䭌 䭌
[字解] 먹을것보낼 정 '—, 饋也'《集韻》.

7 ⑯ [餕] 준 [去]震 子峻切 jùn

[字解] ①대궁 준 먹다 남은 밥. '旣食恆—'《禮記》. ②먹을 준 대궁을 먹음. '日中而—' (아침에 남긴 밥을 점심에 먹음)《禮記》.
[字源] 篆文 形聲. 倉(食)+夋〔音〕

[餕餘 준여] 먹던 찌끼. 대궁.
◉御餕. 餘餕. 飮餕.

7 ⑯ [餖] 두 [去]宥 徒候切 dòu

[字解] 늘어놓을 두 飣(食部 二畫)을 보라. '飣—'.
[字源] 形聲. 倉(食)+豆〔音〕

7 ⑯ [餇] 용 [上]腫 尹竦切 yǒng

[字解] 먹을 용, 먹을것 용 餸(食部 九畫)과 同字. '餸, 食也, 或省'《集韻》.

7 ⑯ [餗] 속 [入]屋 桑谷切 sù

[字解] 솥안음식 속 솥 안에 든 음식. '鼎折足, 覆公—' (직무를 충실히 이행하지 못한 비유)《易經》. 전(轉)하여, 재상의 직책을 '鼎—'이라 함. '安能任鼎—'《傳咸》.
[字源] 甲骨文 篆文 形聲. 倉(食)+束〔音〕

◉折足覆餗. 鼎餗.

7 ⑯ [餘] [中人] 여 [平]魚 以諸切 yú 余

[筆順] 𠆢 𠆤 𠊊 食 飠 飠 餘 餘
[字解] ①나머지 여 ㉠여분. '亦無使有—'《呂氏春秋》. '有—不敢盡'《中庸》. ㉡잉여. '殘—'. '日計無算, 歲計有—'《淮南子》. ㉢그 밖의 것. '—皆釋放'《吳志》. ㉣딴 일. '唯酒是務, 焉知其—'《劉伶》. ②잉여 여 그 이상. '月—'. '食客三千—'《張華》. ③남을 여, 남길 여 여분이 있음. 또, 여분이 있게 함. '—棄粱肉'《史記》. ④성 여 성(姓)의 하나.
[字源] 篆文 形聲. 倉(食)+余〔音〕. '余여'는 '펴지다'의 뜻. 음식이 남다, 넉넉하다의 뜻을 나타냄.
[參考] 余(人部 五畫)는 俗字.

[餘價 여가] 후세에까지 남아 있는 가치.
[餘暇 여가] 겨를. 틈.
[餘角 여각] 두 각을 합친 것이 직각을 이룰 때 그 한 각을 다른 쪽의 각에 대하여 일컫는 말.
[餘皆倣此 여개방차] 나머지는 모두 이와 같음.
[餘慶 여경] 적선(積善)의 갚음으로 앞으로 받을 경사(慶事).
[餘光 여광] ㉠남은 빛. ㉡은혜.
[餘教 여교] 예전부터 전해 내려오는 교훈.
[餘年 여년] ㉠여생(餘生). ㉡딴 해. 다른 해.
[餘念 여념] 다른 생각. 딴생각.
[餘怒 여노] 아직 남아 있는 분노. 아직 다 풀리지 아니한 분노.
[餘談 여담] 나머지 말. 남은 말.
[餘黨 여당] 나머지의 무리. 잔당(殘黨).
[餘德 여덕] 나중까지 남아 있는 은덕.
[餘桃啗君 여도담군] 위(衛)나라의 미자하(彌子瑕)가 임금의 총애를 받아 자기가 먹다 남은 복숭아를 임금에게 먹게 했다고 해서 칭찬을 들었는데, 그 총애가 식자 먹던 복숭아를 임금에게 먹였다 해서 벌을 받았다는 고사(故事). '애증(愛憎)의 변화가 심함'의 비유.
[餘毒 여독] 나머지 독기. 남은 독기.
[餘糧 여량] 남은 식량. 여분의 식량.
[餘力 여력] 남은 힘.
[餘瀝 여력] 마시다 남은 술찌끼.
[餘烈 여렬] 여열(餘烈).
[餘齡 여령] 여생(餘生).
[餘錄 여록] 남은 사실의 기록.
[餘論 여론] 남은 의론(議論).
[餘流 여류] 지류(支流).
[餘類 여류] 여당(餘黨).
[餘沫 여말] 남은 거품.

[餘望 여망] 남아 있는 희망.
[餘命 여명] 여생(餘生).
[餘物 여물] 나머지 물건. 남은 물건.
[餘芳 여방] ㉠죽은 뒤에 남은 명예. ㉡아직 남아 있는 향기. ㉢남은 필적.
[餘白 여백] 글씨를 쓰고 남은 빈자리.
[餘帛 여백] 남은 비단.
[餘病 여병] 다른 병(病). 딴 병.
[餘福 여복] 조상이 적선(積善)한 덕택으로 자손이 받는 복.
[餘夫 여부] 아직 스물이 되지 아니한 남자.
[餘分 여분] 나머지.
[餘憤 여분] 아직 남아 있는 분노.
[餘事 여사] 그 밖의 일.
[餘師 여사] ㉠딴 스승. 일설(一說)에는, 많은 스승. ㉡나머지 군대(軍隊).
[餘色 여색] 보색(補色).
[餘生 여생] 아직 붙어 있는 목숨. 이제부터 앞으로 남아 있는 목숨.
[餘胥 여서] 하인(下人).
[餘暑 여서] 가을까지 남은 더위.
[餘習 여습] 예전부터 남아 내려온 습관.
[餘燼 여신] ㉠타다 남은 불. ㉡죽지 않고 살아남은 사람. 곧, 패잔병(敗殘兵) 등의 비유.
[餘殃 여앙] 나쁜 일을 한 갚음으로 받는 재앙. 여경(餘慶)의 대(對).
[餘哀 여애] 다 가시지 아니한 슬픔.
[餘厄 여액] 뒤에 다시 당할 재액.
[餘額 여액] 나머지 돈. 남은 돈.
[餘孼 여얼] 멸망하다시피 한 집의 남은 자손.
[餘業 여업] ㉠전인(前人)이 남긴 사업. ㉡본업 이외의 일.
[餘烈 여열] ㉠전인(前人)이 남긴 공훈이나 공덕(功德). ㉡전인이 남긴 부덕(不德). 여독(餘毒).
[餘熱 여열] 여서(餘暑).
[餘炎 여염] 여서(餘暑).　　　　　　　「光」.
[餘榮 여영] ㉠죽은 뒤의 영광. ㉡조상의 여광(餘
[餘贏 여영] 나머지. 잉여.
[餘裔 여예] ㉠말류(末流). ㉡자손. 후예.
[餘蘊 여온] 남은 저축. 또는 나머지.
[餘姚之學 여요지학] 양명학(陽明學). 왕양명(王陽明)이 저장(浙江)의 위야오(餘姚) 사람이라서 이르는 말.
[餘勇 여용] 넘쳐 남은 용기. 십이분(十二分)의 용기.
[餘運 여운] 남은 운수(運數). 아직 더 흥왕(興旺)할 운기(運氣).
[餘韻 여운] ㉠아직 가시지 않고 남아 있는 운치. ㉡여음(餘音).
[餘威 여위] 남아 있는 위력.
[餘裕 여유] ㉠물건 같은 것이 넉넉하고 남음이 있음. ㉡성급하지 않고 사리를 찬찬히 판단하는 마음이 있음.
[餘音 여음] 소리가 그친 뒤에 여파(餘波)로 남아 있는 음향.
[餘蔭 여음] 조상(祖上)의 공덕(功德)으로 받는 행복(幸福).
[餘意 여의] 언어나 문자로는 다 표현하지 못하는 뜻. 언외(言外)의 뜻.
[餘日 여일] ㉠남아 있는 날. ㉡한가.
[餘剩 여잉] 나머지. 잉여(剩餘).
[餘子 여자] ㉠적자의 동모제(同母弟). ㉡장남 이외의 아들. ㉢대부의 서자. ㉣어느 일정한 사람 이외의 사람. 기타의 사람.

[餘積 여자] 여분(餘分)의 저축(貯蓄).
[餘貲 여자] 여재(餘財).
[餘財 여재] 남은 재산. 또, 남은 재물.
[餘滴 여적] 남은 물방울. 잔적(殘滴).
[餘積 여적] 여자(餘積).
[餘錢 여전] 쓰고 남은 돈.
[餘情 여정] 가시지 않고 남아 있는 정취.
[餘胙 여조] 남은 제육(祭肉).
[餘祚 여조] 남은 복조(福祚).
[餘罪 여죄] 다른 죄(罪). 그 밖의 죄.
[餘症 여증] 합병증(合倂症).
[餘地 여지] ㉠남은 땅. ㉡여유(餘裕).
[餘址 여지] 남은 터. 유지(遺址).
[餘祉 여지] 여조(餘祚).
[餘塵 여진] 고인(古人)이 남겨 놓은 자취.
[餘震 여진] 대지진(大地震)이 난 뒤에 이어 일어나는 작은 지진.　　　　　　　　「생명.
[餘喘 여천] 겨우 부지해 있는 숨. 죽음에 가까운
[餘醜 여추] 토벌한 뒤에 남아 있는 악당.
[餘蓄 여축] 여분(餘分)의 저축(貯蓄).
[餘臭 여취] 사라지지 아니하고 남아 있는 냄새.
[餘澤 여택] 선인(先人)이 남긴 덕택.
[餘波 여파] 나머지의 물결. 전(轉)하여, 남은 영향(影響).
[餘弊 여폐] 남은 폐단(弊端).
[餘風 여풍] 남아 있는 풍습(風習).
[餘恨 여한] 나중까지 풀리지 아니하는 원한.
[餘閒 여한] 여가(餘暇).
[餘寒 여한] 남은 추위. 늦추위.
[餘香 여향] 사라지지 않고 남은 향기.
[餘響 여향] 남아 있는 음향.
[餘血 여혈] 해산(解産) 뒤에 나오는 악혈(惡血).
[餘嫌 여혐] 남아 있는 혐의(嫌疑).
[餘悔 여회] 남아 가시지 않는 후회.
[餘煦 여후] 남아 있는 온기(溫氣).
[餘薰 여훈] 여향(餘香).
[餘醺 여훈] 아직 남아 있는 취기.
[餘暉 여휘] 석양(夕陽).
[餘輝 여휘] 여휘(餘暉).
[餘痕 여흔] 남아 있는 흔적.
[餘興 여흥] ㉠남은 흥취(興趣). ㉡모임 뒤에 흥취를 돕기 위해 하는 놀이.
◉暇餘. 公餘. 狗猪不食其餘. 窮餘. 刀鋸之餘. 俸餘. 夫餘. 三餘. 緖餘. 羨餘. 歲餘. 睡餘. 旬餘. 詩餘. 盈餘. 王餘. 雨餘. 紆餘. 月餘. 有餘. 遺餘. 聞餘. 日計不足歲計有餘. 剩餘. 自餘. 殘餘. 餕餘. 祝餘. 春餘. 醉餘. 豊餘. 行餘. 刑餘.

7
⑯ [餫] 연 㲃霰 烏縣切 yuàn
[字解] 물릴 연 많이 먹어 먹기 싫음. '一, 猒也' 《說文》. '一, 飫也, 賈思勰曰, 飽食不一'《集韻》.
[字源] 形聲. 食(食)＋肙〔音〕. '肙'은 똥똥하게 살찐 개고기의 뜻. 그것을 많이 먹어 물리다의 뜻을 나타냄.

7
⑯ [餀] 읍 㲆緝 乙及切 yì
[字解] ①냄새날 읍 나쁜 냄새가 남. '一, 臭也' 《廣雅》. ②밥쉰내날 읍 밥이 쉬어 냄새가 남.

'一, 食一'《廣韻》. ③누질 읍 습기가 참. '一, 一濕也'《玉篇》.

7 ⑯ [餇] [一] 원 [平]元 於袁切 yuān
[二] 만 [平]元 模元切 mán

[字解] [一] 탐낼 원 음식 같은 것을 먹고 싶어 함. [二] 게검스럽게먹을 만 탐하여 많이 먹음. '一, 貪食'《集韻》.

7 ⑯ [餇] [一] 세 [去]霽 舒芮切 shuì
[二] 유 [平]支 儒垂切
[三] 휴 [平]支 翾規切
[四] 서 [去]寘 式瑞切
[五] 뢰 [去]泰 郎外切

[字解] [一] 제사이름 세 '一, 小餟也'《說文》. [二] 제사이름 유 [一]과 뜻이 같음. [三] 제사이름 휴 [一]과 뜻이 같음. [四] 제사이름 서 [一]과 뜻이 같음. [五] ①제사이름 뢰 [一]과 뜻이 같음. ②떡 뢰 '湯一'는 얇은 떡. '一, 湯一, 薄餠. 以湯沃之, 宜冬食'《正字通》.
[字源] 形聲. 食(食)＋兌〔音〕

7 ⑯ [餐] [人名] [一] 찬 [平]寒 七安切 cān
[二] 손 [平]元 蘇昆切 sūn

[字解] [一] ①먹을 찬 음식을 먹음. '使我不能一兮'《詩經》. ②음식 찬 식물(食物). '佳一'. '賜一錢'《漢書》. ③샛밥 찬 간식. '令其裨將傳一'《漢書》. ④거둘 찬 채취함. 수집함. '一輿誦於丘里'《王儉》. [二] ①저녁밥 손 飧(食部 三畫)과 통용. ②물말이할 손 밥에 물을 부음. '見而下壺, 一以餔之'《列子》.
[字源] [篆文] 形聲. 食(食)＋奴〔音〕. '奴찬'은 뼈를 손에 든 모양을 본뜬 것. 뼈를 바른 음식의 뜻이나 먹다의 뜻을 나타냄.

[餐饕 찬도] 음식 또는 재물을 탐냄. 또, 그 사람.
[餐飯 찬반] 밥을 먹음.
[餐食 찬식] 먹음.
[餐錢 찬전] 임금이 신하에게 하사하는 돈.
[餐車 찬차] 식당차(食堂車).
[餐啄 찬탁] 쪼아 먹음.
◉加餐. 佳餐. 晩餐. 常餐. 聖餐. 素餐. 尸位素餐. 晨餐. 一餐.

8 ⑰ [饟] 낭 [上]養 乃網切 nǎng

[字解] ①가까울 낭 '一, 近也'《五音集韻》. ②갑자기 낭 홀연. '一, 忽也'《五音集韻》. ③아주가까이에서볼 낭 지척에서 봄. '一, 咫尺見也'《五音集韻》.

8 ⑰ [餥] 녁 [入]陌 尼厄切 nè

[字解] ①게으름피울 녁 어린아이가 게으름을 피움. '一, 楚人謂小兒嬾曰一'《說文》. ②구운떡 녁 '一, 炙餠餌也'《玉篇》.
[字源] 會意. '臥와'와 '食식'을 합쳐서, 자고 이어 먹다의 뜻. 어린아이가 게으름 피우다의 뜻을 나타냄.

8 ⑰ [餛] 혼 [平]元 戶昆切 hún

[字解] 만두 혼, 빵 혼 '一飩'은 밀가루 반죽에 고기 따위의 소를 넣어 삶거나 찐 음식.
[字源] 形聲. 食(食)＋昆〔音〕

[餛飩 혼돈] 자해(字解)를 보라.

8 ⑰ [餞] [人名] 전 [上]銑 慈演切 jiàn
[去]霰 才線切
饯

[字解] ①전송할 전 떠나는 사람에게 주식을 베풀거나 선물을 주어 송별함. '一別'. 또, 그 잔치. 전별연. 또, 그 선물. '飮一于禰'《詩經》. '晛一東堂'《詩書》. ②보낼 전 지나가게 함. '一春'. '寅一納日'《書經》.
[字源] [篆文] 形聲. 食(食)＋戔〔音〕. '戔전'은 '踐천'과 통하여 여행길의 첫발을 내딛다의 뜻. 사람이 여행에 앞서 나그넷길의 신(神)에 제사 지내고 잔치를 벌여 보낼 때의 음식, 전별 선물의 뜻을 나타냄.

[餞杯 전배] 전별(餞別)의 술잔.
[餞別 전별] 잔치를 베풀거나 선물을 주고 송별(送別)함.
[餞席 전석] 송별의 연회석.
[餞送 전송] 전별(餞別).
[餞筵 전연] 송별연(送別宴).
[餞春 전춘] 봄을 보냄. 봄이 가는 것을 서운하게 여겨 주식을 차려 놓고 즐거이 놂.
◉供餞. 郊餞. 代餞. 盛餞. 送餞. 勝餞. 宴餞. 豫餞. 偉餞. 飮餞. 臨餞. 祖餞. 贈餞. 追餞. 親餞.

8 ⑰ [餟] [一] 체 [去]霽 陟衛切 zhuì
[二] 철 [入]屑 陟劣切 chuò

[字解] [一] 제사이름 체 여러 신(神)의 신위(神位)를 늘어놓고 술을 뿌려 지내는 제사. '其下四方地爲一食'《史記》. [二] 제사이름 철 [一]과 뜻이 같음.
[字源] [篆文] 形聲. 食(食)＋叕〔音〕. '叕철'은 물건이 이어지는 모양. 여러 신의 자리를 이어 놓고 주식을 올리어 제사 지내다의 뜻을 나타냄.

8 ⑰ [餭] 록 [入]屋 力谷切 lù

[字解] 먹을것 록 음식물. '一, 食也'《玉篇》.

8 ⑰ [餡] 업 [入]葉 乙業切 yè

[字解] ①떡 업 '一, 餌也, 粢也'《廣韻》. ②사육(飼育)할 업 '一, 博雅, 飴一, 飼也'《集韻》.

8 ⑰ [餠] [人名] 병 [上]梗 必郢切 bǐng
饼

[字解] 떡 병 음식의 한 가지. '畫一'. '硬一'. '太祖好水引一'《齊書》. 또, 떡 모양을 한 물건을 형용하는 말. '一銀'. '一金'.
[字源] [篆文] 形聲. 食(食)＋幷〔音〕. '幷병'은 '합치다'의 뜻. 곡물 가루를 이겨 붙이고, 쪄서 만드는 식품의 뜻을 나타냄.
[參考] 餅(食部 六畫)은 俗字.

[餠金 병금] 떡같이 둥근 금덩이.

‘蕃中畢氏·羅氏, 好食此味, 因名畢羅, 後人加
食旁爲一饠'《資暇集》.
字源 形聲. 會(食)+畢〔音〕

11⑳ [簡] 적 ⊼陌 陟革切 zhāi
字解 일월식 적 일식(日蝕)과 월식(月蝕). ‘一,
日月一蝕'《集韻》.

11⑳ [饚] 강 ⊥養 巨兩切 jiàng
字解 된밥 강 ‘一, 硬食'《篇海》.

11⑳ [餀] 기 ⊝未 居氣切 jì
字解 날음식보낼 기 조리하지 않은 음식을 보
냄. ‘一, 饋食生也'《集韻》.

11⑳ [餸] 종 ⊕江 鉏江切 chuáng
字解 게걸들릴 종 음식을 탐냄. ‘一, 欲食也'
《集韻》.

11⑳ [饕] 잠 ①⊥感　子敢切 zǎn
②③⊥琰　子冉切 jiǎn
字解 ①맛없을 잠 음식의 맛이 없음. ‘潛一, 無
味也'《集韻》. ②맛볼 잠 ‘一, 嘗食也'《集韻》.
③싱거울 잠 음식의 맛이 담담함.

11⑳ [饜] ⊟ 마 ⊕歌 眉波切 mó
⊟ 미 ⊕支 忙皮切 mí
字解 ⊟ ①먹을 마, 먹을것 마 ‘一, 食也'《集
韻》. ②어린애입에먹여줄 마 양육함. ‘一日,
哺小兒'《集韻》. ⊟ 죽 미 糜(米部 十一畫)와 同
字. ‘糜, 說文, 糜也, 或作一·饜'《集韻》.

12㉑ [饋] 궤 ⊛眞 求位切 kuì　馈 馈
字解 ①보낼 궤 ㉠음식을 보내 줌. ‘老弱一食'
《孟子》. ㉡물건을 보내 줌. ‘有一其兄生鵝者'
《孟子》. ②권할 궤 식사를 권함. ‘主人親一, 則
拜而食'《禮記》. ③식사 궤 밥을 먹는 일. ‘一一
而十起'《淮南子》. ④선물 궤 보내 준 음식이나
물품. ‘厚一', ‘朋友之一'《論語》.
字源 篆文 形聲. 會(食)+貴(實)〔音〕. ‘實귀'는
금품을 보내다의 뜻. 보내는 음식의
뜻을 나타냄.

[饋給 궤급] 급여함.
[饋糧 궤량] 양식을 보냄. 또, 양식.
[饋路 궤로] 양식을 운반하는 길.
[饋歲 궤세] 연말(年末)의 선사.
[饋食 궤식] ㉠제사 때 익힌 음식을 바치는 일. ㉡
음식물을 보냄.
[饋遺 궤유] 물건을 보냄. 궤송(饋送).
[饋人 궤인] 군주(君主)의 식사를 맡은 사람.
[饋奠 궤전] 제수(祭需). 또, 제수를 차려 놓고 제
사 지냄.
[饋饌 궤찬] 존장에게 드리는 음식. 진지.
[饋恤 궤휼] 가난한 사람에게 물건을 주어 도움.
[饋餉 궤희] 보낸 음식.
●薄饋. 野饋. 羊饋. 糧饋. 中饋. 饌饋. 餉饋.

獻饋. 犒饋. 厚饋.

12㉑ [饕] 돈 ⊕元 都昆切 dūn
字解 음식탐할 돈 ‘一, 貪食'《集韻》.

12㉑ [饌] 찬 ㉠名 ⊕潸 雛鯇切 zhuàn　馔饌
字解 ①차려낼 찬 음식을 차려 내어 먹게 함.
‘有酒食, 先生一'《論語》. ②음식 찬 상 같은 데
차린 음식. ‘具官一于寢東'《儀禮》.
字源 篆文 象文 形聲. 會(食)+巽〔音〕. ‘巽손'
의別體 은 ‘갖추다'의 뜻. 갖추어
차려진 음식의 모양에서 ‘제물'의 뜻을 나타냄.

[饌具 찬구] 식사 그릇. 또, 식사를 차림.
[饌饋 찬궤] 식사를 권함.　　　　　　　　　「자.
[饌母 찬모] 남의 집에서 반찬을 만들어 주는 여
[饌房 찬방] 반찬거리 같은 것을 넣어 두는 방.
[饌需 찬수] 반찬감.
[饌用 찬용] 반찬에 드는 비용(費用).
[饌肉 찬육] 반찬을 만드는 데 쓰는 쇠고기.
[饌欌 찬장] 반찬을 넣어 두는 장.
[饌舖 찬포] 식사를 함. 또, 식사. 밥.
[饌庖 찬포] ㉠푸줏간. ㉡옛날 그 지방의 권세가
에게 쇠고기를 대던 푸줏간.
[饌品 찬품] 반찬감. 찬수(饌需).
●佳饌. 嘉饌. 甘饌. 具饌. 饋饌. 奇饌. 美饌.
飯饌. 盛饌. 羞饌. 午饌. 玉饌. 異饌. 酒饌.
珍饌. 淸饌. 饐饌. 豐饌. 華饌.

12㉑ [饏] 당 ⊕江 傳江切 chuáng
字解 탐하여먹을 당 음식을 염치없이 욕심껏 먹
음. 噇(口部 十二畫)과 同字. ‘一, 食無廉也, 或
从口'《集韻》.

12㉑ [饎] 치 ⊛眞 昌志切 chì　饎饎
字解 ①주식 치 술과 밥. 주효와 음식. ‘吉蠲爲
一' (몸을 깨끗이 하고 음식을 조리함)《詩經》.
②기장 치 서직(黍稷). ③기장찔 치 기장을 찜.
字源 甲骨文 象文 形聲. 會(食)+喜〔音〕. ‘喜희'는
음식을 조리할 때 뿜어 나오는
김, 화기의 소리를 나타내는 의성어(擬聲語).
‘食식'을 더하여 조리한 음식의 뜻을 나타냄.

[饎人 치인] 취사(炊事)를 맡은 벼슬. 또, 그 벼
슬아치.

12㉑ [饚] 담 ⊥感 杜覽切 dàn
字解 맛없을 담 ‘一, 無味也'《集韻》.

12㉑ [餤] 饚(前條)과 同字

12㉑ [饐] ⊟ 의 ⊛眞 乙冀切 yì　饐
⊟ 애 ⊕霽 御例切 yì
字解 ⊟ 쉴 의 음식이 상하여 맛이 변함. ‘食一
而餲'《論語》. ⊟ 쉴 애 ⊟과 뜻이 같음.
字源 象文 形聲. 會(食)+壹〔音〕. ‘壹일'은 단지
를 밀폐하는 모양을 본뜸. 단지 속에

서 음식이 발효하여 '쉬다'의 뜻을 나타냄.

12 ㉑ [麿] 력 Ⓐ陌 令益切 lì

字解 젓가락으로먹을 력 '—, —籭, 食相箸'《集韻》.

12 ㉑ [饑] Ⓛ名 기 ㉔微 居依切 jī

字解 ①흉년들 기. 흉년 기 오곡이 잘 여물지 아니함. 또, 그 해. '—饉'. '荒—'. ②주릴 기 飢(食部 二畫)와 同字. '—渴'. '寧—月—'《淮南子》.

字源 篆文 形聲. 食(食)+幾[音]. '幾기'는 '미미하다'의 뜻. 음식이 거의 없다, 주리다의 뜻을 나타냄.

[饑渴 기갈] 배가 고프고 목이 마름. 굶주림과 목마름.
[饑嗛 기겸] 먹을 것이 적어 굶주림.
[饑歉 기겸] ㉠기겸(饑嗛). ㉡흉년(凶年)이 듦.
[饑窮 기궁] 굶주려 고생함.
[饑倦 기권] 굶주리고 피로함.
[饑匱 기궤] 기겸(饑嗛).
[饑饉 기근] 흉년(凶年).
[饑凍 기동] 기한(饑寒).
[饑雷 기뢰] 배가 고파 배 속이 쪼르륵쪼르륵함.
[饑民 기민] 굶주린 백성.
[饑死 기사] 굶어 죽음.
[饑色 기색] 굶주린 얼굴빛.
[饑歲 기세] 흉년(凶年).
[饑餓 기아] 배가 고픔. 주림.
[饑戹 기액] 굶주려 고생함.
[饑而求黍稷 기이구서직] 굶주린 후에 곡식을 구함. 소 잃고 외양간 고치기.
[饑者甘糟糠 기자감조강] 배고픈 사람은 술지게미나 쌀겨도 달게 먹음.
[饑弊 기폐] 굶주려 피로함.
[饑飽 기포] 굶주림과 배부름.
[饑寒 기한] 배고프고 추위에 떪. 전(轉)하여, 의식(衣食)이 모자라 고생함.
[饑寒起盜心 기한기도심] 춥고 배고프면 도적질할 생각이 일어남.
[饑戶 기호] 흉년의 가난한 집. 굶는 집.
[饑荒 기황] 기근(饑饉).
●大饑. 兵饑. 荒饑.

12 ㉑ [饒] Ⓛ名 요 ㉔蕭 如招切 ráo ㉔嘯 人要切

筆順 亠 今 今 食 食 饒 饒 饒

字解 ①넉넉할 요 ㉠충분히 있음. 많음. '豐—'. '富—'. '資用益—'《漢書》. ㉡남음이 있음. '子弟衣食, 皆有餘—'《蜀志》. ②넉넉히할 요 전향의 타동사. '大王能—人以爵邑'《漢書》. ③두터울 요 후함. '情—'. ④기름질 요 비옥함. '—沃'. '地肥—'《史記》. ⑤너그러울 요 관대함. '—恕'. '寬—之道'《書經 疏》. ⑥용서할 요 용대(容貸)함. 내버려 둠. 너그러이 보아줌. '公道世間惟白髮, 貴人頭上不曾—'(백발(白髮)은 귀인(貴人)의 머리에서도 가차없이 생김)《許渾》. ⑦성 요 성(姓)의 하나.

字源 篆文 形聲. 食(食)+堯[音]. '堯요'는 높고 뛰어나다, 풍성하다의 뜻. 충분히 먹

어서 물리다, 음식이 좋은 상태에 있다, 넉넉하다의 뜻을 나타냄.

[饒居 요거] 넉넉하게 삶.
[饒過 요과] 잘못을 용서함.
[饒給 요급] 요족(饒足).
[饒多 요다] 풍족함. 많음.
[饒貸 요대] 용서(容恕)함.
[饒利 요리] 넉넉한 이익.
[饒民 요민] 생활이 넉넉한 백성.
[饒培 요배] 충분히 거름을 줌.
[饒富 요부] 넉넉함.
[饒恕 요서] 용서함. 사면함.
[饒舌 요설] 잘 지껄임. 다변(多辯).
[饒贍 요섬] 요족(饒足).
[饒衍 요연] 쓰고 남도록 풍족함.
[饒益 요익] 재물이 넉넉함.
[饒足 요족] 넉넉함. 풍족함.
[饒侈 요치] 요연(饒衍).
[饒飽 요포] 곡식이 먹고 남게 넉넉함.
[饒幸 요행] '요행(僥幸)'과 같음.
[饒戶 요호] 살림이 넉넉한 집.
●佳饒. 寬饒. 廣饒. 富饒. 肥饒. 上饒. 餘饒. 沃饒. 優饒. 菩饒. 豐饒. 洪饒.

12 ㉑ [獠] ㉻ 료

字解 《韓》 요기할 료 '—飢'는 시장기를 면할 정도로 조금 먹음.

12 ㉑ [䭑] 등 ㉔蒸 都騰切 dèng

字解 제사(祭祀)음식 등 '—, 祭食謂之—'《集韻》.

12 ㉑ [馓] 산 ⓛ旱 蘇旱切 sǎn

字解 산자 산 쌀가루 반죽에 튀밥을 붙인 음식.

字源 篆文 形聲. 食(食)+散(散)[音]. '散산'은 발산(發散), 부풀리다의 뜻. 쌀에 열을 가하여 부풀게 한 음식, '산자'의 뜻을 나타냄.

12 ㉑ [餾] 〔류〕

餾(食部 十畫〈p. 2582〉)의 本字

12 ㉑ [饍] 〔선〕

膳(肉部 十二畫〈p. 1864〉)과 同字

字源 形聲. 食(食)+善[音].

12 ㉑ [䬞] 쟁 ㉔庚 丑庚切 chēng

字解 잔뜩먹어물릴 쟁 '—, —餹, 飽也'《字彙》.

12 ㉑ [餦] 쟁 ㉔庚 丑庚切 chēng

字解 상한음식 쟁 부패한 음식물. '—, 瘍食曰—'《字彙補》.

13 ㉒ [饘] 전 ㉔先 諸延切 zhān ⓛ銑 旨善切

字解 ①죽 전 된죽. '厚曰—, 希曰粥'《禮記》.

②죽먹을 전 죽을 먹음. '一于是, 鬻于是, 以餬余口'《左傳》.
字源 篆文 饘 形聲. 食(食)+亶[音]. '亶전'은 '두껍다'의 뜻.

[饘酏 전이] 전죽(饘粥).
[饘粥 전죽] 된죽과 묽은 죽. 죽.
●羹饘. 麥饘. 粱饘. 餬饘.

13/22 [饘] 당 ㊀陽 都郎切 dāng
字解 밥줄 당 남에게 먹을 것을 베풀어 줌. '一, 與食也'《字彙》.

13/22 [饖] 〓 예 ㊜隊 於廢切 wèi
〓 의 ㊝寘 乙冀切 wèi
字解 〓 쉴 예 음식이 부패하여 맛이 변함. 〓 쉴 의 〓과 뜻이 같음.
字源 篆文 饖 形聲. 食(食)+歲[音]. '歲세'는 정도를 넘다의 뜻. 지나치게 열을 가하여, 쉬어서 상한 밥의 뜻을 나타냄.

13/22 [鎌] 겸 ㊀琰 兼忝切 jiǎn
字解 ①빌 겸 기원(祈願)함. '一, 博雅, 祈也'《集韻》. ②鎌(食部 十畫)의 訛字. '一, 鎌字之譌'《正字通》.

13/22 [餜] 과 ㊝箇 古臥切 guò
字解 먹을 과 '一, 食也'《玉篇》.

13/22 [饢] 농 ㊀江 濃江切 nóng
字解 억지로먹을 농 '一, 儜一, 強食也'《集韻》. '一, 食無廉'《集韻》.

13/22 [䪏] 독 ㊇屋 徒谷切 dú
字解 죽 독 '一, 粥也'《集韻》.

13/22 [餰] 렴 ㊝豔 力驗切 liàn
字解 맛없을 렴 음식이 맛이 없음. '一, 食無味'《字彙》.

13/22 [䉩] 령 ㊉青 郎丁切 líng
字解 배불리먹을 령 물리도록 먹음. '一, 食飽也'《集韻》.

13/22 [醳] 역 ㊇陌 夷益切 yì
字解 ①제사다음날또제사 역 정제(正祭) 다음날에 지내는 제사. '一, 祭之明日又祭也, 或作繹'《正字通》. ②밥쉴 역 밥이 상함. '一, 飯壞曰一'《集韻》.

13/22 [饋] 회 (괴)㊄泰 古外切 kuài
字解 ①먹을 회, 먹을것 회 '一, 食也'《集韻》. ②회(膾) 회 膾(肉部 十三畫)·鱠(魚部 十三畫)의 俗字. '一, 一說, 膾, 集韻作鱠, 俗作一'《正

字通》.

13/22 [饢] 오 ㊎號 烏到切 ào
字解 게염내먹을 오 음식에 게염을 냄. '一, 妬食'《集韻》.

13/22 [憾] 함 ㊏勘 呼紺切 hàn
字解 나쁠 함 음식이 양에 차지 않음. '一, 食不飽也'《集韻》.

13/22 [餙] 〔치〕
饎(食部 十二畫〈p. 2583〉)와 同字

13/22 [饋] 분 ㊍文 府文切 fēn
字解 ①잦히는밥 분 잦히기 위하여 다시 물을 부은 밥. '饙, 餴飯也. 从食弅聲. 一, 餴或从賁'《說文》. ②찔 분 쪄서 익힘. '或如火熺焰, 或若氣一餾'《韓愈》.
字源 別體 饙 形聲. 食(食)+賁[音]. '賁분'은 맹렬히 뿜어내다의 뜻.
參考 餴(食部 九畫)과 同字.

13/22 [饔] 옹 ㊀冬 於容切 yōng
㊝宋 於用切
字解 ①아침밥 옹 조반. 또, 조반을 지음. '一飧而治'(조석으로 부엌일을 하면서 정사(政事)를 함)《孟子》. ②익은음식 옹 익힌 음식. '有母之尸一'《詩經》. ③요리할 옹 '佐一者得嘗'《國語》. ④희생 옹 죽인 희생. '君使卿韋弁歸一五牢'《儀禮》.
字源 金文 饔 篆文 饔 形聲. 食+雍(雝)[音]. '雝옹'은 '부드러워지다'의 뜻. 열을 가하여 부드럽게 만든 음식의 뜻을 나타냄.

[饔膳 옹선] 잘 차린 맛 좋은 음식.
[饔飧 옹손] 아침밥과 저녁밥. 또, 조석의 밥을 지음.
[饔餼 옹희] 죽인 희생과 산 희생.
●飧饔. 佐饔. 餕饔.

13/22 [饕] 도 ㊊豪 土刀切 tāo
字解 탐할 도 재화 또는 음식을 탐냄. 전(轉)하여, 악수(惡獸) 또는 악인의 뜻으로 쓰임. '縉雲氏有不才子, 貪於飲食, 冒於貨賄, 天下謂之一饕'《左傳》.
字源 篆文 饕 形聲. 食+號[音]. '號호'는 큰 소리로 외치다의 뜻. 소리치면서 먹는 모양에서 '탐하다'의 뜻을 나타냄.

[饕據 도거] 지위를 탐내어 그 자리에 앉음.
[饕餮 도철] ㉠재물과 음식을 탐냄. ㉡악수(惡獸)의 이름. 탐욕이 많고 사람을 잡아먹는다 함. 전(轉)하여, 탐욕이 많은 흉악한 사람.
●老饕. 吏饕. 貪饕.

13/22 [饗] 향 ㊊養 許兩切 xiǎng 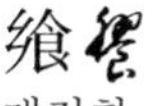
字解 ①대접할 향 주식(酒食)을 차려 대접함. '一應', '一朝之一'《詩經》. ②제사지낼 향 주식을 차려 놓고 제사함. '大一, 其王事與'《禮記》.

③드릴 향 올림. '王乃淳濯一醴'《國語》. ④마실 향. 먹을 향 주식을 먹음. '先祭而後一'《淮南子》. ⑤흠향할 향 신명(神明)이 제사 음식을 받음. 운감함. '宗廟一之'《中庸》. ⑥누릴 향 향유(享有)함. 받음. '一大利'《左傳》. ⑦주식 향 차려 올리는 주식(酒食). '以共皇天上帝社稷一'《禮記》. ⑧잔치 향 연회. '祭祀一食'《荀子》. ⑨제사 향 '嘗禘烝一'《國語》.

[字源] 甲骨文 金文 篆文 形聲. 食+鄕〔音〕. '鄕향'은 음식을 사이에 두고 두 사람이 마주 보는 모양을 본뜸. '잔치, 대접하다'의 뜻을 나타냄. 甲骨文·金文은 '卿경'과 똑같음.

[饗告 향고] 제수를 차려 놓고 조상에게 제사를 지냄.
[饗報 향보] 잘 대접해 공덕을 갚음.
[饗宴 향연] 향응하는 잔치.
[饗應 향응] 주식을 차려 사람을 대접(待接)함.
●降饗. 大饗. 祠饗. 宴饗. 燕饗. 禮饗. 祭饗. 尊饗. 贊饗.

14
㉓ [饛] 녕 ㊤庚 尼耕切 níng
[字解] ①찰 녕 속이 꽉 참. 배가 부름. '一, 內充實'《玉篇》. ②먹을 녕 '一, 食也'《集韻》. ③억지로먹을 녕 '一, 一饛, 強食也'《玉篇》.

14
㉓ [饛] 몽 ㊤東 莫紅切 méng
[字解] 수북이담을 몽 음식을 고봉으로 담은 모양. '有一簋飱'《詩經》.
[字源] 篆文 形聲. 食(食)+蒙〔音〕. '蒙몽'은 '덮다'의 뜻. 음식이 그릇을 덮어 가릴 정도로 있는 모양의 뜻을 나타냄.

14
㉓ [饢] 확 ㊤藥 黃郭切 wò
[字解] ①맛없을 확 음식 맛이 없음. '一, 食無味'《集韻》. ②싱거울 확 음식 맛이 담담함. '一, 味薄'《廣韻》.

14
㉓ [饜] 염 ㊤豔 於豔切 yàn ㊤鹽 一鹽切
[字解] ①포식할 염 배불리 먹음. '一酒肉'《孟子》. ②흐뭇할 염 만족함. '不奪不一'《孟子》.
[字源] 形聲. 食+厭〔音〕. '厭염'은 '물리다'의 뜻. '食식'을 더하여 '포식하다'의 뜻을 나타냄.

[饜忿 염분] 짐짓 성내는 체함.
[饜事 염사] 일이 많음을 이름.
[饜飫 염어] 포식함.
[饜足 염족] 주식에 물림. 실컷 마시고 먹음. 염포(饜飽).
[饜飽 염포] 염족(饜足).
●不奪不饜.

14
㉓ [饛] 견 ㊤銑 去演切 qiǎn
[字解] ①씹어먹을 견 '一, 嚼也'《玉篇》. ②말린 보리떡 견 '一, 乾麴餅'《玉篇》. ③뭉쳐동글게만들 견 주먹밥을 만듦. '一, 搏也'《廣雅》. ④차질 견 곡식이 끈기가 있음. '一, 一曰, 粘也'《集

韻》. ⑤饛(食部 十畫)과 同字. '一, 或省'《集韻》.

14
㉓ [饢] 〔찬〕
饌(食部 十二畫〈p.2583〉)의 本字
[字源] 篆文 別體 形聲. 食(食)+算〔音〕. '算산'은 가지런히 갖추다의 뜻. 차려 놓은 음식의 뜻을 나타냄. 別體는 食+巽〔音〕의 形聲.

16
㉕ [饢] 롱 ㊤東 盧東切 lóng
[字解] 떡 롱 떡의 한 가지. '一, 餅屬'《集韻》.

16
㉕ [饢] 〔궤〕
饋(食部 十二畫〈p.2583〉)의 本字

17
㉖ [饢] 참 ㊤咸 士咸切 chán 饞饞
[字解] 탐할 참 탐냄. '舌一於腹'《易林》.
[字源] 形聲. 食(食)+毚〔音〕. '毚참'은 '탐하다'의 뜻. 음식이나 이익을 탐하다의 뜻을 나타냄.

[饞吻 참문] 굶주려서 먹고자 하는 입.
[饞涎 참연] 먹고 싶어서 침을 흘림. 또, 그 침.
●老饞. 舌饞. 貪饞.

17
㉖ [饢] 향(상㊤) ㊤漾 式亮切 xiǎng ㊤養 書兩切
[字解] 건량 향 餉(食部 六畫)과 同字. '其一伊黍'《詩經》.
[字源] 篆文 形聲. 食(食)+襄〔音〕. '襄양'은 옷을 벗고 논밭을 갈다의 뜻. 들에서 일하고 있는 사람에게 보내는 식사, '도시락'의 뜻을 나타냄.

[饢道 향도] 군량을 운반하는 길.
●餽饢. 糧饢. 漕饢.

19
㉘ [饢] 찬 ㊤翰 則旰切 zàn
[字解] 국말이 찬 국에 만 밥. '時混混兮澆一'《楚辭》.
[字源] 篆文 形聲. 食(食)+贊〔音〕

●澆饢.

19
㉘ [饢] 라 ㊤歌 良何切 luó
[字解] ①떡 라 '饆一'는 보리떡의 한 가지. ②음식이름 라 음식의 한 가지. '一, 食名'《正韻》.
[字源] 形聲. 食(食)+羅〔音〕

首 (9획) 部
[머리수부]

0
⑨ [首] ㊥㊤수 ①-⑧㊤有 書九切 shǒu ⑨-⑪㊤宥 舒救切

子》. ③큰말 치 키가 큰 말. '一, 一曰, 馬高大'《集韻》.

6 ⑯ [駩] 전 ㊊先 從緣切 quān

字解 입술검은흰말 전 입술이 검은 백마(白馬).

6 ⑯ [駛] 시 ㊋寘 疎吏切 shǐ ㊤紙 師止切

字解 빠를 시 말이 빨리 감. '一, 疾也, 一曰, 馬行疾'《說文新附》.

字源 篆文 形聲. 馬+吏〔音〕

參考 駃(馬部 五畫)와 同字.

6 ⑯ [駱] 맥 ㊅陌 莫白切 mò

字解 노새 맥 수나귀와 암말 사이에서 난 짐승. '一, 獸名, 說文, 駏一'《集韻》.

7 ⑰ [駭] 해 ㊤蟹 侯楷切 hài

字解 ①칠 해 북을 침. '鼓皆一, 車徒皆譟'《周禮》. ②놀랄 해, 놀랠 해 駭(馬部 六畫)와 통용. '聖人之所以一天下'《莊子》.

字源 形聲. 馬+戒〔音〕. '駭해'와 통하여 '놀라다'의 뜻을 나타냄.

7 ⑰ [駵] 류 ㊊尤 力求切 liú

字解 월따말 류 몸은 붉고 갈기는 검은 말. '騏一是中'《詩經》.

字源 篆文 形聲. 馬+丣〔音〕. '丣류'는 '畱류'의 생략. '畱'는 '瑠류'와 통하여 '유릿빛'의 뜻.

參考 騮(馬部 十畫)와 同字.

[駵駒 유구] 몸은 붉고 갈기는 검은 말. 월따말.
◉騏駵. 華駵. 驊駵. 黃駵.

7 ⑰ [駷] 송 ㊤腫 息拱切 sǒng

字解 재갈채쳐달릴 송 말의 재갈에 채찍을 쳐 달림. '陽越下取策, 臨南一馬, 而由乎孟氏'《公羊傳》.

7 ⑰ [駸] 침 ㊊侵 七林切 qīn

字解 ①달릴 침 말이 질주하는 모양. '載驟一一'《詩經》. ②빠를 침 진행이 빠른 모양. '斜日晚一一'《梁簡文帝》.

字源 篆文 形聲. 馬+侵〈省〉〔音〕. '侵침'은 어기어 나아가다의 뜻. 말이 어기어 달리다의 뜻을 나타냄.

[駸駸 침침] ㉠말이 달리는 모양. ㉡진행이 빠른 모양.

7 ⑰ [駹] 방(망㊍) ㊊江 莫江切 máng

字解 ①얼룩말 방, 찬간자 방 검은 털과 흰 털이 섞인 말. 일설(一說)에는 푸른 말. 또 일설에는 얼굴과 이마가 흰 말. '匈奴騎, 其西方盡白, 東方盡一'《漢書》. ②얼룩진희생 방 잡색(雜色)의 희생(犧牲). '用一可也'《周禮》.

字源 篆文 形聲. 馬+尨〔音〕. '尨방'은 털이 많고 잡색의 뜻.

7 ⑰ [駬] ㊀ 녑 ㊅葉 尼輒切 niè ㊁ 영 ㊤梗 如穎切

字解 ㊀ 말빨리걸을 녑 '一, 馬步疾也'《說文》. ㊁ 말빨리걸을 영 ㊀과 뜻이 같음.

字源 形聲. 馬+耴〔音〕

7 ⑰ [駻] 한 ㊋翰 侯旰切 hàn

字解 한마(駻馬) 한 사나운 말. 일설(一說)에는, 키가 6척(尺) 되는 말. '無轡策而御一馬'《韓非子》.

字源 篆文 形聲. 馬+旱〔音〕. '旱한'은 '거칠다'의 뜻. 거친 말의 뜻을 나타냄.

[駻突 한돌] 사나운 말.
[駻馬 한마] 사나운 말.

7 ⑰ [駼] 도 ㊊虞 同都切 tú

字解 말이름 도 騊(馬部 八畫)를 보라. '騊一'.

字源 篆文 形聲. 馬+余〔音〕

◉騊駼.

7 ⑰ [駾] 담 ㊋勘 丁紺切 dàn

字解 관(冠)이앞으로숙을 담 '一, 冠幘近前也'《字彙補》.

7 ⑰ [駽] 현 ㊊先 火玄切 xuān ㊤銑 胡犬切

字解 돗총이 현 검푸른 말. '駜彼乘一'《詩經》.

字源 篆文 形聲. 馬+肙〔音〕. '肙연'은 '旬순'과 통하고, '旬'은 '絢현'과 통하여, 문채가 아름답다의 뜻. 윤기 나는 검푸른 털의 말의 뜻을 나타냄.

7 ⑰ [駾] 태 ㊋泰 他外切 tuì

字解 ①부딪칠 태 달려가 충돌함. '混夷一矣'《詩經》. ②달릴 태 말이 달리는 모양.

字源 篆文 形聲. 馬+兌〔音〕. '兌태'는 '빠지다'의 뜻. 말이 위험한 곳에서 재빨리 빠져나오다의 뜻을 나타냄.

7 ⑰ [駶] 국 ㊅沃 衢六切 jú

字解 말앞발내저을 국 말이 몸부림침. '故一跳而遠去'《楚辭》.

7 ⑰ [駿] 人名 준 ㊋震 子峻切 jùn 骏

筆順 丨 ㄏ 馬 馬 馬' 馬ᐟ 駿 駿

字解 ①준마 준 잘 달리는 좋은 말. '一馬'. '周穆王欲驅八一周行天下'《博物志》. ②클 준 '爲

10 획

下國一厖'《詩經》. ③빠를 준 신속함. '一奔走在廟'《詩經》. ④준걸 준 俊(人部 七畫)과 통용. '誹一疑桀'《史記》. ⑤높을 준, 험할 준 峻(山部 七畫)과 통용. '崧高維嶽, 一極于天'《詩經》.
[字源] 篆文 形聲. 馬+夋〔音〕. '夋준'은 '出출'과 통하여 '나다'의 뜻. 뛰어난 말의 뜻을 나타냄.

[駿桀 준걸] 천만(千萬) 사람 중에서 뛰어난 재주.
[駿犬 준견] 빨리 달리는 개.
[駿骨 준골] 준마의 뼈.
[駿驥 준기] 준마(駿馬).
[駿良 준량] 뛰어나게 좋음.
[駿馬 준마] 잘 달리는 좋은 말.
[駿命 준명] 하늘의 큰 명령.
[駿敏 준민] 걸출하고 민첩함.
[駿厖 준방] 매우 두터움. 뛰어나게 큼.
[駿奔 준분] 빨리 달음질침.
[駿爽 준상] 뛰어나고 상쾌함.
[駿逸 준일] ㉠뛰어나고 빠름. 또, 기세가 왕성함. ㉡뛰어난 인재. 준재(駿才).
[駿足 준족] ㉠걸음이 대단히 빠름. ㉡준마(駿馬).
[駿足思長阪 준족사장판] 잘 닫는 말은 긴 고개에서 달려 보고 싶어함. 곧, 영웅호걸이 때를 만나 자기 재능을 충분히 발휘하고자 함의 비유.
[駿惠 준혜] 큰 은혜. 대은(大恩).
◉桀駿. 勁駿. 奇駿. 駑駿. 奔駿. 秀駿. 神駿. 良駿. 英駿. 龍駿. 逸駿. 精駿.

7 ⑰ [騁] [人名] 빙 (칭[本]) ㊤梗 丑郢切 chěng 骋

[字解] ①달릴 빙 질주함. '馳一'. '時一而要其宿'《莊子》. ②펼 빙 신장함. 발전시킴. '一能'. '一志'. '游目一懷'《王羲之》.
[字源] 篆文 形聲. 馬+甹〔音〕. '甹병'은 굽은 것을 펴다, 곧다, 또 재빠르다의 뜻. 말을 곧장 재빨리 달리게 하다의 뜻을 나타냄.

[騁觀 빙관] 빙망(騁望).
[騁能 빙능] 재능을 발전시킴.
[騁望 빙망] 실컷 봄.
[騁邁 빙매] 빨리 달림.
[騁騖 빙무] 치구(馳驅)함.
[騁步 빙보] 달림.
[騁志 빙지] 뜻을 폄.
◉驅騁. 縱騁. 馳騁.

7 ⑰ [騂] 성 [平]庚 息營切 xīng 骍

[字解] ①절따말 성 적황색의 말. '有一有騏'《詩經》. ②붉을 성 ㉠적색. '一犢'. '凡糞種, 一剛用牛'《周禮》. ㉡희생(犧牲)의 털빛이 붉음. 또, 그 희생. '一且角'《論語》. ③붉힐 성 부끄러워 얼굴을 붉힘. '內愧面汗一'《孫覿》.
[字源] 甲骨文 篆文 形聲. 馬+觲〈省〉〔音〕

[騂剛 성강] ㉠붉은빛의 단단한 토질. ㉡붉은빛의 소.
[騂犢 성독] 털이 붉은 송아지.
[騂馬 성마] 털이 붉은 말. 절따말.
[騂牡 성모] 털이 붉은 수소.
[騂牲 성생] 털이 붉은 희생.
[騂騂 성성] 활이 부드러워 쏘기 좋은 모양.

7 ⑰ [⿰馬孛] [一] 발 [入]月 蒲沒切 bó
[二] 박 [入]覺 蒲角切

[字解] [一] 짐승이름 발 쇠꼬리에 뿔이 하나 있는 말. '一, 獸名, 馬形牛尾一角'《集韻》. [二] 짐승이름 박 [一]과 뜻이 같음.

7 ⑰ [騃] 애 ㊤蟹 五駭切 ái 骙

[字解] ①어리석을 애 미련함. '愚一'. '內實一, 不曉政事'《漢書》. ②나아갈 애 말이 씩씩하게 전진함.
[字源] 篆文 形聲. 馬+矣〔音〕. '矣의'는 과단성 있는 호흡의 모양. 말이 과감하게 나아가다의 뜻을 나타냄.

[騃女 애녀] 어리석은 여자.
[騃子 애자] 어리석은 사람.
[騃惷 애준] 굼뜨고 어리석음.
[騃態 애태] 어리석은 태도.
◉朴騃. 鄙騃. 愚騃. 拙騃. 癡騃. 貪騃.

7 ⑰ [⿰馬延] 단 ㊤旱 從亶切 dàn

[字解] 예비(豫備)말 단 '一, 散馬, 卽誕馬, 亦曰但馬, 或作⿰馬延馬'《正字通》.

7 ⑰ [騀] 아 ㊤哿 五可切 ě

[字解] 머리내두를 아, 높을 아 駊(馬部 五畫)를 보라. '駊一'.
[字源] 篆文 形聲. 馬+我〔音〕. '我아'는 톱날처럼 깔쭉깔쭉하다의 뜻. 말이 머리를 흔들어 움직이는 모양을 나타냄.
[參考] ⿰我馬(次次條)는 別字.

◉駊騀.

7 ⑰ [⿰馬步] 보 [去]遇 蒲故切 bù

[字解] 말걸음익힐 보 말에게 보행(步行)을 익힘. '一, 習馬也'《集韻》.

7 ⑰ [⿰我馬] 아 [平]歌 五何切 ě

[字解] 나아갈 아 말이 나아감.
[參考] 騀(前前條)는 別字.

7 ⑰ [⿰馬孚] [一] 뢰 [去]泰 魯外切 lèi
[二] 라 [去]箇 盧臥切 luò

[字解] [一] 얼룩말 뢰 '一, 馬毛斑白'《集韻》. [二] 곡식이름 라 '一, 一歲, 穀名, 賈思勰說'《集韻》.

7 ⑰ [騱] 희 [去]未 許旣切 xì

[字解] 말달리는모양 희 '一, 馬走皃'《集韻》.

8 ⑱ [騄] 록 [入]沃 力玉切 lù 騄

[字解] 말이름 록 '一耳'는 목왕(穆王)의 팔준마(八駿馬)의 하나. '華騮一耳, 一日千里'《淮南子》.
[字源] 形聲. 馬+彔〔音〕

10획

[騄耳 녹이] 준마의 이름. 주(周)나라의 목왕(穆王)이 천하를 주유(周遊)할 때 타던 팔준마(八駿馬)의 하나. 녹이(綠耳).
[騄駬 녹이] 녹이(騄耳).

8 [騅] 추 ⊕支 職追切 zhuī 騅骓

字解 ①오추마 추 검푸른 털에 흰 털이 섞인 말. '有一有駓'《詩經》. ②성 추 성(姓)의 하나.
字源 篆文 騅 形聲. 馬＋隹〔音〕

[騅不逝 추불서] 초(楚)나라의 항우(項羽)의 사랑하는 준마 오추마(烏騅馬)가 전진하지 못한다는 뜻으로, 세궁역진(勢窮力盡)한 경우를 이름.
[騅 추비] 오추마(烏騅馬).
●神騅. 烏騅. 駿騅. 黃騅.

8 [騔] ⊟ 탁 ⊛覺 竹角切 zhuō
⊟ 초 ⊛效 敕教切 chào

字解 ⊟ 말나아가지않을 탁 '一, 一驚, 馬行不前兒'《集韻》. ⊟ 말달릴 초 '一, 馬馳也'《集韻》.

8 [騂] ⊟ 주 ⊕支 子垂切 zuī
⊟ 취 ⊕紙 醉綏切

字解 ⊟ ①말작을 주 말이 작은 모양. ②망아지 주 '一, 馬駒謂之一'《集韻》. ⊟ 말작을 취, 망아지 취 ⊟와 뜻이 같음.
字源 篆文 形聲. 馬＋垂(垂)〔音〕

8 [騑] 취 ⊕眞 七醉切 cuì

字解 ①마부(馬夫) 취 '一, 馬卒'《集韻》. ②騑(馬部 七畫〈p.2600〉)의 訛字.

8 [騊] 도 ⊕豪 徒刀切 táo 騊

字解 말이름 도 '一騄'는 북국(北國)에서 나는 준마(駿馬)의 이름. '一騄監'《漢書》.
字源 篆文 騊 形聲. 馬＋匋〔音〕

[騊駼 도도] 자해(字解)를 보라.

8 [駢] ⊟ 변 ⊕先 部田切 pián 駢騈
人名 ⊟ 병 ⊕青 旁經切 pián

字解 ⊟ ①나란히할 변 수레에 두 필의 말을 나란히 세워 매고 멍에를 메움. 곧, 두 필의 말로 수레를 끌게 함. '乘飾車一馬'《書經》. ②늘어설 변, 늘어놓을 변 나열(羅列)함. '井邑一列'《遼史》. ③줄 변 열(列). '以一隣從'《史記》. ⊟ 땅이름 병 제(齊)나라의 지명(地名). '一邑三百'《論語》.
字源 篆文 駢 形聲. 馬＋幷〔音〕. '幷병'은 나란히 늘어놓다의 뜻. 말을 두 마리 나란히 수레에 매다의 뜻을 나타냄.

[駢羅 변라] 변열(駢列).
[駢麗 변려] 변려(駢儷).
[駢儷 변려] 사자구(四字句)와 육자구(六字句)의 대구(對句)를 써서 지은 화려한 문장. 육조(六朝) 시대에 많이 행한 문체. 사륙(四六)이라고

도 함.
[駢儷體 변려체] 변려(駢儷)의 문체. 사륙문(四六文).
[駢拇 변무] 발가락 다섯 중 엄지발가락과 둘째 발가락이 붙어서 네 발가락이 된 것.
[駢拇枝指 변무지지] 네 발가락과 여섯 손가락. 무용지물의 비유.
[駢比 변비] 변열(駢列).
[駢坒 변비] 변비(駢比).
[駢死 변사] 나란히 죽음. 죽은 사람이 많은 것.
[駢四儷六 변사여륙] 변려(駢儷).
[駢植 변식] 늘어섬.
[駢列 변열] 늘어섬. 또, 늘어놓음.
[駢偶 변우] 변려(駢儷).
[駢字類編 변자유편] 유서(類書). 청조(淸朝) 강희(康熙) 58년의 칙찬(勅撰). 240권. 천지(天地)·시령(時令) 등의 12목(目)으로 나누어 그 숙어(熟語)를 두자(頭字)가 같은 것의 순서(順序)로 편집(編輯)하였음.
[駢田 변전] 늘어섬.
[駢闐 변전] 늘어섬.
[駢指 변지] 변무기지(駢拇枝指).
[駢植 변치] 나란히 섬.
[駢脅 변협] 갈빗대가 나란히 붙어서 통뼈로 이루어진 것처럼 보이는 늑골(肋骨). 통갈비.

8 [騋] 래 ⊛灰 落哀切 lái 騋
⊛隊 洛代切

字解 큰말 래 키가 7척(尺) 이상의 말. '一牝三千'《詩經》.
字源 篆文 騋 形聲. 馬＋來〔音〕

[騋馬 내마] 키가 7척(尺) 이상 되는 말.
[騋牝 내빈] 큰 말과 암말.

8 [騎] 高入 기 ⊕支 渠羈切 qí 騎騎
⊕眞 奇寄切 jì

筆順 ｜ ＦＦ 馬 馬 馬 騎 騎 騎

字解 ①말탈 기 말을 탐. '坐高堂, 一大馬'《劉基》. 전(轉)하여, 널리 짐승을 탐. '公昔一龍白雲鄕'《蘇軾》. ②기마 기 타기 위한 말. '車六百乘, 一五千匹'《史記》. ③기병 기, 기사 기 말 탄 군사. 또, 말 탄 사람. '驍一'《前有車一'《禮記》. ④성 기 성(姓)의 하나.
字源 篆文 騎 形聲. 馬＋奇〔音〕. '奇기'는 갈고리 모양으로 구부리다의 뜻. 양다리를 구부려 말에 올라타다의 뜻을 나타냄.

[騎鼓 기고] 전진(戰陣)에서 쓰는 북.
[騎隊 기대] 기병(騎兵)의 대(隊).
[騎驢覓驢 기려멱려] 나귀를 타고서 나귀를 찾는다는 뜻으로, 근본(根本)을 잊고서 딴 곳에서 구하는 어리석음의 비유(比喩). 기우멱우(騎牛覓牛).
[騎馬 기마] 말을 탐. 또, 그 탄 사람.
[騎兵 기병] 말 탄 군사(軍士).
[騎士 기사] ㉠기병(騎兵). ㉡중세(中世) 유럽의 말 탄 무사(武士).
[騎射 기사] 말을 타고 활을 쏨.
[騎省 기성] '산기성(散騎省)'과 같음.
[騎乘 기승] ㉠말을 탐. ㉡말을 타는 일과 수레에

오르는 일.
[騎月雨 기월우] 다음 달까지 계속하여 내리는 비.
[騎將 기장] 기병을 지휘하는 장수.
[騎卒 기졸] 기병(騎兵).
[騎從 기종] ㉠말을 타고 따라감. ㉡기마의 시종(侍從).
[騎芻 기추] 말을 타고 달리면서 활을 쏨.
[騎鶴上揚州 기학상양주] ㉠학을 타고 양주에 오름. 많은 복락(福樂)을 한몸에 다 갖추려고 함을 말함. ㉡실행(實行)하기 어려운 망상(妄想)의 비유.
[騎虎之勢 기호지세] 범을 타고 달리는 형세. 곧, 중도에서 하던 일을 중지하기 어려움을 이름.
◉甲騎. 健騎. 勁騎. 輕騎. 羅騎. 邏騎. 單騎. 獨騎. 突騎. 屯騎. 萬騎. 步騎. 善騎. 兩騎. 驛騎. 獵騎. 龍騎. 羽騎. 越騎. 游騎. 誘騎. 壯騎. 前騎. 殿騎. 偵騎. 精騎. 卒騎. 從騎. 車騎. 斥騎. 隻騎. 鐵騎. 追騎. 探騎. 豹騎. 驃騎. 虎騎. 胡騎. 彍騎. 梟騎. 驍騎. 後騎. 候騎.

10 획

8 ⑱ [騏] [人名] 기 [平]支 渠之切 qí 骐

[筆順] 丨 冂 馬 馬 馬 馯 騏 騏

[字解] ①검푸른말 기 청흑색의 말. '駕我一馵'《詩經》. ②준마 기 잘 달리는 말. 하루에 천 리를 달린다는 말. '一驥一躍不能十步, 駑馬十駕, 功在不舍'《荀子》. ③성 기 성(姓)의 하나.
[字源] [篆文] 形聲. 馬+其〔音〕

[騏驥 기기] 하루에 천 리를 달린다는 준마(駿馬).
[騏驎 기린] ㉠준마. ㉡'기린(麒麟)'과 같음.
[騏麟 기린] 기린(麒麟).
[騏驎之衰也駑馬先之 기린지쇠야노마선지] 영웅이 늙으면 보통 사람만도 못한 비유.
[騏馵 기주] 왼쪽 뒷발이 흰 검푸른 말.
◉驥騏. 四騏. 素騏. 秀騏. 龍騏. 朱騏. 蒼騏.

8 ⑱ [騑] 비 [平]微 芳非切 fēi

[字解] 곁말 비 사마(駟馬)의 바깥쪽 좌우의 말. '一驂'. 駟(馬部 五畫)를 보라. '兩馬夾轅名服馬, 兩邊名一馬'《禮記 註》. 전(轉)하여, 널리 말〔馬〕을 이름. '天路下征一'《柳宗元》.
[字源] [篆文] 形聲. 馬+非〔音〕. '非비'는 '配배'와 통하여 나란히 곁에 따르다의 뜻. '곁말'의 뜻을 나타냄.

[騑騑 비비] 말이 쉬지 않고 달리는 모양.
[騑驂 비참] 사마(駟馬) 중의 바깥쪽에 있는 두 말.
◉右騑. 征騑. 左騑. 驂騑. 馳騑.

8 ⑱ [騉] 곤 [平]元 古渾切 kūn

[字解] 말이름 곤 '一蹄'는 말 이름. '一蹄, 趼, 善陞甗'《爾雅》.

[騉蹄 곤제] 말 이름.

8 ⑱ [騇] 겁 [入]葉 苦劫切 qiè

[字解] 말이바위를무서워하여나아가지못할 겁 '一, 馬怕石不能行'《字彙》.

8 ⑱ [騐] 답 [入]合 徒合切 dá

[字解] 말걸을 답, 말빨리걸을 답 '馺一'은 말이 걸어가는 모양. 또, 빠른 모양. '馺一, 馬行皃'《玉篇》. '馺一, 馬行疾也'《集韻》.

8 ⑱ [騌] 철 [入]屑 株劣切 zhuó

[字解] 별박이 철 이마에 흰 점이 박인 말. '一, 白顙馬'《玉篇》.

8 ⑱ [騍] 〔종〕 驄(馬部 十一畫(〈p. 2606〉))의 俗字

8 ⑱ [騌] 〔종〕 騣(馬部 九畫(〈p. 2603〉))의 俗字

8 ⑱ [騐] 〔험〕 驗(馬部 十三畫(〈p. 2609〉))의 俗字

8 ⑱ [験] 〔험·엄〕 驗(馬部 十三畫(〈p. 2609〉))의 略字

8 ⑱ [騊] 강 [平]江 枯江切 qiāng

[字解] 말나아가는모양 강 '一, 馬行皃'《集韻》.

8 ⑱ [騍] 과 [平]箇 苦臥切 kè

[字解] 암말 과 '一, 俗呼牝馬, 卽草馬'《正字通》.

8 ⑱ [騏] 굴 [入]物 曲物切 qū

[字解] 양마(良馬)이름 굴 屈(尸部 五畫)과 통용. '一, 一產, 良馬, 通作屈'《集韻》.

8 ⑱ [騔] 騏(前條)과 同字

9 ⑲ [騕] 요 [上]篠 烏皎切 yǎo

[字解] 말이름 요 '一褭'는 준마(駿馬)의 이름. 하루에 1만 8천 리를 달린다 함. '罥一褭'《司馬相如》.

[騕褭 요뇨] 자해(字解)를 보라.

9 ⑲ [騙] [人名] 편 [去]霰 匹羨切 piàn 骗

[字解] ①뛰어오를 편 말에 뛰어올라 탐. ②속일 편 기만함. '欺一'.

◉拐騙. 欺騙. 詐騙.

9 ⑲ [騞] 획 [入]陌 霍虢切 huō

[字解] 가르는소리 획 칼로 물건을 베어 가르는 소리. '奏刀一然'(소 같은 것을 해부하는 소리의 형용)《莊子》.
[字源] 形聲. 馬+砉〔音〕. '砉획'은 칼로 뼈를 베어 가르는 소리의 의성어.

13 ⓐ [騬] ■ 예 ㊥隊 烏廢切 wèi
■ 궤 ㊥霽 姑衛切 guì
字解 ■ 말성낼 예 '一, 騬, 馬怒'《集韻》. ■ 거친말 궤 말의 성미가 나쁨. '一, 馬性惡《集韻》.

14 ⓐ [驟] 入名 취 ㊥宥 鋤祐切 zhòu 骤 骤
字解 ①달릴 취 질주함. '載一驟驟'《詩經》. ②몰 취 달리게 함. '馳之一之'《莊子》. ③갑작스러울 취 돌연함. 의외로 급함. '一雨'. '一暑消雨餘'《責奎》. ④자주 취 여러 번. '一戰而一勝'《呂氏春秋》.
字源 篆文 形聲. 馬+聚[音]. '聚취'는 '速속'과 통하여 '빠르다'의 뜻. 말이 빨리 달리다의 뜻을 나타냄.

[驟暑 취서] 갑자기 온 더위.
[驟雨 취우] 소나기. 소낙비.
[驟雨不終日 취우부종일] 소나기는 하루 종일 오는 일이 없음. 급히 서두르는 일이 오래 계속되지 아니함의 뜻.
●決驟. 驚驟. 急驟. 馳驟.

14 ⓐ [驣] 몽 ㊥東 莫紅切 méng
字解 당나귀새끼 몽 당나귀의 새끼.

14 ⓐ [騋] 〔도〕
禂(示部 八畫〈p. 1599〉)와 同字

14 ⓐ [鶯] 〔등〕
騰(虍部 二十二畫〈p. 2001〉)과 同字

14 ⓐ [騬] 빈 ㊥眞 紕民切 pīn
字解 떠들썩할 빈 다수가 떠들썩하는 소리.

14 ⓐ [驒] 탁 ㊤藥 他各切 tuō
字解 낙타 탁 駝(馬部 三畫)과 同字.

15 ⓐ [驦] 표 ㊥蕭 悲嬌切 biāo
字解 재갈 표 鑣(金部 十五畫)와 同字. '燭龍導輕一'《王融》.
●輕驦.

15 ⓐ [騋] 력 ㊤錫 郎笛切 lì
字解 말빛 력 '一, 馬色'《字彙》.

15 ⓐ [驩] 광 ㊥陽 姑黃切 guāng
字解 등에가마가있는말 광 廣(广部 十二畫〈p.708〉)과 同字. '一, 馬回毛在背曰閼一, 或作廣'《集韻》.

15 ⓐ [駿] 경 ㊤敬 呼正切 xiòng
字解 말성낼 경 말이 먹이를 못 얻어 성을 냄. '一, 馬怒, 言馬求芻不得而怒也'《五音集韻》.

16 ⓐ [驒] 각 ㊤覺 古岳切 jué
字解 이마가흰말 각 별박이. 대성마(戴星馬). '一, 馬白額'《字彙》.

16 ⓐ [驣] 등 ㊤蒸 徒登切 téng
字解 말뛸 등 '一, 馬躍也'《海篇》.

16 ⓐ [驒] ■ 봉 ㊥東 蒲蒙切 lóng
■ 룡 ㊥宋 良用切 lòng
字解 ■ 가득찰 봉 충만(充滿)함. 충실(充實)함. '一, 充實兒'《集韻》. ■ 겹쳐탈 룡 두 사람이 한 말에 탐. '一, 重騎'《集韻》.

16 ⓐ [驢] 入名 려 ㊥魚 力居切 lú 驴 驴
字解 당나귀 려 말의 일종. 몸이 작고 귀가 깊. '面長似一'《吳志》.
字源 篆文 形聲. 馬+盧[音]. '盧로'는 고리버들로 결은 밥그릇으로, 작고 둥글다의 뜻.

[驢車 여거] 당나귀가 끄는 수레.
[驢年 여년] 십이지(十二支) 가운데, 당나귀 해라는 것이 없으므로, 미래 영구(未來永久)하다는 비유(比喩)로 쓰이는 말.
[驢輦 여련] 당나귀가 끄는 수레.
[驢馬 여마] 당나귀.
[驢鳴犬吠 여명견폐] 당나귀가 울고 개가 짖는다는 뜻으로, 졸렬한 문장의 비유(譬喩).
[驢上 여상] 당나귀의 등 위.
[驢前馬後 여전마후] 당나귀의 앞이고 말의 뒤라는 뜻으로, 우둔하여 하잘것없는 사람을 이름.
[驢車 여차] 당나귀가 끄는 수레.
[驢駝藥 여타약] 당나귀나 낙타에 실어야 할 만큼 많은 약.
●蹇驢. 騾驢. 墜驢. 跂驢. 罷驢. 海驢.

17 ⓐ [驒] 〔건〕
騫(馬部 十畫〈p.2606〉)과 同字

17 ⓐ [驤] 양 (상ⓑ) ㊥陽 息良切 xiāng 骧 骧
字解 ①들 양 고개를 듦. '龍一虎視'《蜀志》. ②달릴 양, 뛸 양 뛰며 달림. '奮翅而騰一'《張衡》.
字源 篆文 形聲. 馬+襄[音]. '襄양'은 속에 부적을 넣어 요사스러운 기운을 떨어 없애다의 뜻. 말이 무엇을 떨쳐 내듯 고개를 흔들어 올리다의 뜻을 나타냄.
●高驤. 騰驤. 馬驤. 奮驤. 上驤. 神驤. 雲驤. 電驤. 超驤. 風驤. 虎視龍驤.

17 ⓐ [驥] 入名 기 ㊤寘 几利切 jì 骥 骥
筆順 ﾁ 馬 馬 馬 馿 驥 驥 驥
字解 천리마 기, 준마 기 하루에 천 리를 달릴 수 있다는 좋은 말. '一垂兩耳, 服鹽車兮'(인재를 적소에 배치하지 아니함)《賈誼》. 전 (轉)하여 준재(俊才). '劉正兄弟二人, 時號兩一'《白帖》.

字源 形聲. 馬+翼〔音〕. '翼기'는 옛 구주(九州)의 하나로, 북방의 이민족의 뜻. 북쪽에서 나는 좋은 말의 뜻을 나타냄.

[驥尾 기미] 준마의 꼬리. 전(轉)하여 뛰어난 사람의 뒤.
[驥服鹽車 기복염차] 준마가 소금을 실은 수레를 끈다는 뜻으로, 뛰어난 사람이 천역에 종사하여 그 재능을 발휘하지 못함을 이름.
[驥子龍文 기자용문] 두 어진 아들의 일컬음.
[驥足 기족] 준마의 발. 전(轉)하여 뛰어난 재능을 가진 사람의 비유.
● 渴驥. 騏驥. 老驥. 駑驥. 白驥. 病驥. 附驥. 奔驥. 船驥. 按圖求驥. 良驥. 牛驥. 人中騏驥. 逸驥. 展驥. 駿驥. 天驥. 馳驥.

17/27 [騰] 등 ㈜蒸 徒登切 téng
字解 ①달리고뛸 등 '一, 奔馳躍也'《海篇》. ②공허할 등 '一, 虛也'《海篇》. ③건널 등 '一, 度也'《海篇》.

17/27 [驦] 상 ㈜陽 師莊切 shuāng ㊤養 所兩切
字解 말이름 상 驦(馬部 十三畫〈p.2609〉)을 보라. '驦一'.
●驦驦.

17/27 [驧] 국 ㈏屋 渠竹切 jú
字解 ①새우등말 국 새우처럼 등이 굽은 말. '一, 馬曲脊也'《說文》. ②말뛸 국 말이 펄쩍 뜀. '一, 馬跳躍也'《集韻》.
字源 形聲. 馬+鞠〔音〕. '鞠국'은 웅크려 구부러지다의 뜻. 등이 굽은 말의 뜻을 나타냄.

18/28 [驅] 구 ㈜虞 權俱切 qú
字解 말갈 구 '一, 馬行也'《集韻》.

18/28 [驩] 환 ㈜寒 呼官切 huān
筆順 ㇇ 馬 馬 馬⁺ 馬 驩 驩 驩
字解 기뻐할 환, 기쁨 환 歡(欠部 十八畫)과 통용. '交一, 霸者之民, 一虞如也'《孟子》.
字源 形聲. 馬+萑〔音〕.

[驩兜 환두] 요순 시대(堯舜時代)의 사람. 공공(共工)과 결탁하여 나쁜 짓을 하였으므로 순(舜)임금이 그를 숭산(崇山)에 내쫓았다 함.
[驩附 환부] 기뻐하여 붙좇음.
[驩然 환연] 기뻐하는 모양.
[驩迎 환영] 기뻐하여 맞이함. 환영(歡迎).
[驩虞 환우] 즐겨함. 기뻐함.
[驩洽 환흡] 기뻐하여 화합함.
●交驩. 舊驩. 悲驩. 至驩. 合驩.

18/28 [驨] 섭(녑)㈜葉 尼輒切 niè

字解 달릴 섭 말이 빨리 달림.

19/29 [驪] ⋏⋎ 려 ㈜齊 郎奚切 lí
字解 ①가라말 려 검은 말. '四一濟濟'《詩經》. ②검을 려 흑색. '有一色之馬'《公孫龍子》. ③나란히할 려 수레에 두 필의 말을 나란히 세워 매고 명에를 메움. '輦車一駕'《後漢書》. ④성 려 성(姓)의 하나.
字源 形聲. 馬+麗〔音〕. '麗려'는 '黧려'·'黎려'와 통하여 '검다'의 뜻. 윤기가 흐르는 검은 말의 뜻을 나타냄.

[驪歌 여가] 송별의 노래.
[驪駕 여가] 두 필의 말이 끌게 하는 수레. 자해(字解)❸.
[驪駒 여구] 가라말.
[驪龍之珠 여룡지주] 검은 용의 턱 밑에 있는 귀중한 구슬.
[驪山 여산] 산시 성(陝西省) 임동현(臨潼縣)의 동남(東南)인 옛날의 장안(長安) 부근에 있는 산 이름. 당(唐)나라 현종(玄宗)이 이곳에 화청궁(華淸宮)이라는 온천궁(溫泉宮)을 세웠음. 곧, 양귀비(楊貴妃)가 목욕하던 곳이며, 진시황(秦始皇)의 묘지(墓地)임. 여산(麗山)·여융지산(驪戎之山)이라고도 함.
[驪戎 여융] 주(周)나라 때 산시 성(陝西省)에 있던 국명(國名).
[驪珠 여주] 여룡지주(驪龍之珠).
[驪姬 여희] 여융(驪戎)의 계집. 진(晉)나라 헌공(獻公)의 비(妃)로서, 태자(太子) 신생(申生)을 참살(慘殺)하였음.
●駕驪. 四驪. 駻驪. 烏驪. 溫驪. 驖驪. 漢驪.

20/30 [驫] ㈠ 표 ㈜尤 甫烋切 biāo ㈡ 습 ㈜蕭 甫遙切 piāo ㈢ 집 ㈏緝 仕戢切 ㈣ 휴 ㈜尤 香幽切
字解 ㈠ ①많은말 표 '一, 衆馬也'《說文》. ②말몰려달아날 표 말이 무리를 지어 달리는 모양. '一, 衆馬走兒'《廣韻》. ③물이름 표 '淲水, 南歷猗氏闕, 與一水合'《水經注》. ㈡ 많은말 습, 말몰려달아날 습, 물이름 습. ㈢ 말몰려달아날 휴 ㈠❷와 뜻이 같음.
字源 會意. 馬+馬+馬. 많은 말의 뜻.

20/30 [驨] 〔빙〕 騁(馬部 七畫〈p.2600〉)의 古字

20/30 [驨] 〔담〕 驔(馬部 十二畫〈p.2608〉)의 本字

骨 (10획) 部
[뼈골부]

0/10 [骨] ⋔⋎ 골 ㈏月 古忽切 gǔ

[筆順] 丨 冂 冂 冎 冎 冎 骨 骨

[字解] ①뼈 골 ㉠근육 속에 싸여 몸을 지탱하는 물질. '筋—'. '—肉'. '以酸養—'《周禮》. ㉡모든 물건 속의 단단히 굳어 있는 부분. '石爲之—'《博物志》. 또, 사물의 중추. '蓬萊文章建安—'《李白》. ㉢몸. 시체. '流血積—'《晉書》. 또, 죽은 사람. '下無怨—, 上無怨人'《晉書》. ㉣깊은 속. 골수. '銜怨入—'《十八史略》. ②뼈대 골 골격. '仙—'. '—相'. '有封侯—'《漢書》. 전(轉)하여, 인격. 풍도. '氣—'. '俠—'. '讀之凜然, 如見其道—'《石門題跋》. ③성 골 성(姓)의 하나.

[字源] [篆文] 會意. 冎+月(肉). '冎과'는 뼈의 象形. 몸의 핵을 이루는 '뼈'의 뜻을 나타냄.

[參考] '骨골'을 의부(意符)로 하여, 몸의 각 부위의 뼈의 명칭, 뼈로 만든 물건 등을 나타내는 문자를 이룸. 부수 이름은 '뼈골변'.

[骨角 골각] 뼈와 뿔.
[骨幹 골간] 골격(骨格).
[骨格 골격] ㉠뼈대. ㉡고등 동물의 체격(體格)을 형성하고 몸을 지탱하며 근육이 붙어 있는 기관. 사람에게는 200여 개가 있음.
[骨骼 골격] 골격(骨格).
[骨骾 골경] ㉠물고기의 뼈. ㉡모든 말을 꺼리지 아니하고 함. 강직함. 또, 그 사람.
[骨鯁 골경] 골경(骨骾).
[骨鯁之臣 골경지신] 강직(剛直)한 신하(臣下).
[骨堂 골당] 화장한 유골을 넣어 두는 당집.
[骨董 골동] ㉠오래되어 희귀한 세간이나 미술품(美術品). 골동품. ㉡여러 가지 자질구레한 것이 한데 섞인 것.
[骨董羹 골동갱] 곤죽. 또, 어육(魚肉)을 곤죽처럼 범벅이 되게 끓인 국.
[骨董飯 골동반] 비빔밥.
[骨騰肉飛 골등육비] 용사(勇士)의 활약하는 상태를 이름.
[骨力 골력] 서화(書畫) 등의 필력(筆力).
[骨立 골립] 몸이 수척하여 뼈만 남음.
[骨立憊伏 골립비복] ㉠몸이 수척하고 뼈만 남아 지쳐서 넘어짐. ㉡근심과 걱정으로 식음(食飮)을 전폐한 모양.
[骨膜 골막] 뼈를 싸고 있는 막(膜).
[骨盤 골반] 구간(軀幹)과 하지(下肢)를 연결하는 부분의 뼈. 관골(髖骨)·선골(仙骨)·미저골(尾骶骨)의 세 부분으로 구분됨.
[骨法 골법] ㉠골격(骨格). ㉡골력(骨力).
[骨相 골상] 뼈대에 나타난 성격이나 운명의 상(相).
[骨相學 골상학] 골상(骨相)을 보고 그 사람의 지능·성격·빈부(貧富)·길흉(吉凶)·화복·수명 등을 판단하는 학문.
[骨生員 골생원] 《韓》 ㉠사람됨이 옹졸하고 고루한 사람. ㉡몸이 약하여 잔병치레로 골골하는 사람.
[骨髓 골수] ㉠뼈와 그 골. 또, 골. ㉡마음속. 심중. 충심(衷心). ㉢요점(要點). 안목(眼目).
[骨肉 골육] ㉠뼈와 살. ㉡골육지친(骨肉之親).
[骨肉相殘 골육상잔] 부모(父母)·형제(兄弟) 사이에 서로 해침.
[骨肉之親 골육지친] 부모(父母)·형제(兄弟)의 사「이.
[骨子 골자] ㉠뼈. ㉡요긴한 부분. 요점(要點).
[骨折 골절] 뼈가 부러짐.
[骨節 골절] 뼈의 마디. 뼈가 꺾이는 곳.
[骨醉 골취] ㉠뼈까지 취하게 함. ㉡깊이 취함.
[骨朵 골타] 옛 병기(兵器)의 하나. 막대기 끝에 마늘 모양의 대가리가 달려 있으며, 쇠나 단단한 나무로 만듦.
[骨炭 골탄] 동물의 뼈로 만든 숯.
[骨痛 골통] 과도(過度)한 노력(勞力)으로 인하여 뼈가 쑤시는 것같이 아프고 신열(身熱)이 오르내리는 병.
[骨牌 골패] 뼈로 만들어 장난 또는 노름하는 데 쓰는 물건.

〔骨朵〕

[骨筆 골필] 복사(複寫)할 때 쓰는 뼈로 만든 붓.
◉乞骸骨. 肩胛骨. 硬骨. 鯁骨. 苦骨. 枯骨. 窮到骨. 龜甲獸骨. 筋骨. 金骨. 肌骨. 奇骨. 氣骨. 納骨. 老骨. 露骨. 鏤骨. 肋骨. 頭蓋骨. 萬骨. 買骨. 買死馬骨. 銘肌鏤骨. 沒骨. 武骨. 無骨. 反骨. 叛骨. 白骨. 凡骨. 病骨. 腐骨. 粉骨. 佛骨. 氷肌玉骨. 山骨. 顙骨. 生死肉骨. 仙骨. 俗骨. 鎖骨. 瘦骨. 獸骨. 尸骨. 心骨. 弱骨. 軟骨. 英骨. 傲骨. 玉骨. 龍骨. 柳骨. 異骨. 人骨. 積毁銷骨. 接骨. 整骨. 駿骨. 鐵骨. 青山可埋骨. 冢中枯骨. 恥骨. 透骨. 暴骨. 風骨. 解骨. 骸骨. 俠骨. 換骨. 朽骨. 後骨. 喉骨. 胸骨.

2 ⑫ [骪] [一] 골(굴[本]) [入]月 苦骨切 kū
[二] 괄 [入]黠 口滑切

[字解] [一] 힘쓸 골 힘써 일함. '—, 勤也'《廣雅》. [二] 힘쓸 괄 [一]과 뜻이 같음.

2 ⑫ [骫] 기 [平]支 居狋切 jī

[字解] 살 기 肌(肉部 二畫)와 同字. '—骨無礙'《列子》.

3 ⑬ [骩] 위 [上]紙 於詭切 wěi

[字解] ①굽을 위 우회함. '其文—骳'《漢書》. ②굽힐 위 굽게 함. '—天下正法'《漢書》. ③모일 위 '禍所—也'《太玄經》. ④성 위 성(姓)의 하나.

[字源] [篆文] 會意. 骨+凡. '凡환'은 뼈가 구부러진 사람의 象形으로 둥글게 구부러지다의 뜻. 뼈가 굽다의 뜻을 나타냄.

[骩䌯 위리] 좌우(左右)로 잇달아 연해 있는 것.
[骩骳 위피] 문세(文勢)가 우회(迂回)하여 뜻을 해득하기 어려운 모양.
◉茂骩. 盤骩. 發骩. 橈骩.

3 ⑬ [骫] 骩(前條)의 俗字

3 ⑬ [骭] 한 [去]翰 古案切 gàn
[去]諫 下晏切

[字解] ①정강이뼈 한 경골(脛骨). '短布單衣適至—'《甯戚》. ②갈비 한 늑골(肋骨). '顚頊駢—'《新論》.

[字源] [篆文] 形聲. 骨+干〔音〕. '干한'은 '줄기'의 뜻. 줄기와 같은 뼈, '정강이뼈'의 뜻을 나타냄.

10획

[參考] 骬(次條)는 別字.

◉露骬. 餅骬. 衣至骬.

3 ⑬ [骬] 우 [平]虞 雲俱切 yú

[字解] 빗장뼈 우 '髃—'는 가슴 위쪽에 있는 긴 뼈. 쇄골(鎖骨). 결분골(缺盆骨). '髃—以下至天樞, 心岐骨也'《靈樞經》.

[字源] 形聲. 骨+于〔音〕

[參考] 骬(前條)은 別字.

4 ⑭ [骯] 항 [上]養 胡朗切 āng

[字解] 살찔 항, 꿋꿋할 항 '—髒'은 몸이 비대한 모양. 일설(一說)에는, 태도가 강직한 모양. '—髒倚門邊'《後漢書》.

[字源] 形聲. 骨+亢〔音〕

[骯髒 항장] 자해(字解)를 보라.

4 ⑭ [骱] [一] 갈 [入]黠 古黠切 jiá [二] 할 [入]曷 胡葛切 [三] 해 [去]卦 下介切 xiè

[字解] [一] 작은뼈 갈 '髖—'은 작은 뼈. '—, 髖—, 小骨'《廣韻》. [二] 뼈굳을 할 뼈가 단단함. '—, 骨堅'《廣韻》. [三] 굳은뼈 해 '—, 堅骨'《集韻》.

4 ⑭ [骮] 〔기〕 跂(足部 四畫〈p. 2225〉)와 同字

4 ⑭ [骰] 투 [平]尤 度侯切 tóu

[字解] 주사위 투 '—子'는 주사위. '玲瓏—子安紅豆'《溫庭筠》.

[字源] 形聲. 骨+殳〔音〕. '殳수'는 '던지다'의 뜻. 던지다, 뼈로 만든 '주사위'의 뜻을 나타냄.

[骰子 투자] 정방형의 육면체로 된 장난감. 주사위.

[骰戲 투희] 노름. 도박.

5 ⑮ [骲] 박 [入]覺 蒲角切 bào

[字解] 살촉 박 뼈로 만든 살촉. '—箭'. '乃更以—箭射其臍'《資治通鑑》.

[字源] 形聲. 骨+包〔音〕

[骲箭 박전] 뼈로 만든 살촉을 붙인 화살.

◉骨骲.

5 ⑮ [骷] 고 [平]虞 空胡切 kū

[字解] ①종지뼈 고 슬골(膝骨). '—, 廣雅, —髆, 髆也'《集韻》. ②해골 고 죽은 사람의 뼈. '謂枯骨爲—'《通雅》.

5 ⑮ [骳] 피 [去]寘 平義切 bèi [上]紙 部靡切

[字解] 굽을 피 우회함. '骫—'.

5 ⑮ [骶] 저 [去]霽 都計切 dǐ [上]薺 典禮切

[字解] 꽁무니 저 등골뼈의 끝진 곳. '尾—骨'.

[字源] 形聲. 骨+氐〔音〕. '氐저'는 '낮다'의 뜻. 낮은 쪽의 뼈, '꽁무니뼈, 꼬리뼈'의 뜻을 나타냄.

5 ⑮ [𩨗] 고 [平]豪 丘刀切 kāo

[字解] ①미골(尾骨) 고 '—, 尻骨也, 尻, 脊梁盡處'《正字通》. ②뼈 고 '—, 骨也'《集韻》.

5 ⑮ [𩨍] 곤 [上]阮 古本切 gǔn

[字解] ①가는뼈 곤 '—, 細骨'《集韻》. ②鯀(骨部 七畫)과 同字. '鯀, 𩨍, 人名, 禹父也, 通作—'《集韻》.

5 ⑮ [䯜] 과 [平]歌 丘靴切 quē

[字解] ①수족이병든모양 과 𩩍(次條)와 同字. '𩩍, 手足病皃, —, 上同'《廣韻》. ②수족이굽는 병 과 '—, 肥—, 手足曲病'《字彙》.

5 ⑮ [𩩍] 䯜(前條)와 同字

5 ⑮ [𩨥] 궁 [平]東 巨䩐切 qióng

[字解] 맥(脈) 궁 핏줄. '—, 脈也'《篇海》.

5 ⑮ [骴] 〔자〕 胔(肉部 五畫〈p. 1839〉)와 同字

[字源] [篆文] 形聲. 骨+此〔音〕. '此차'는 '柴시'와 통하여 '섶'의 뜻. 섶처럼 된 새나 짐승의 뼈의 뜻을 나타냄.

5 ⑮ [骵] 〔체〕 體(骨部 十三畫〈p. 2618〉)의 俗字

5 ⑮ [䯊] 굴 [入]月 苦骨切 kū

[字解] 굴 굴 窟(穴部 八畫)의 古字. '月—'은 달 뜨는 곳. '西厭月—'《漢書》.

5 ⑮ [𩨰] 䯊(前條)과 同字

5 ⑮ [䯍] 령 [平]青 郎丁切 líng

[字解] ①허리뼈 령 '—, 髋骨'《廣韻》. ②뼈모양 령 髎(骨部 十三畫)과 同字. '髎, 髎髝, 骨皃, 或省'《集韻》.

6 ⑯ [骺] [一] 후 [平]尤 戶鉤切 hóu [二] 구 [去]宥 居候切

[字解] [一] ①뼈끝 후 '骺—'는 뼈의 끝. '—, 骺—也'《玉篇》. ②살촉 후 '骺—'는 뼈로 만든 화살촉. '—, 一曰, 骨鏃'《集韻》. ③骺(次條)의 訛字. [二] 뼈끝 구, 살촉 구 [一]과 뜻이 같음.

10 획

6 [骺] [一] 괄 [入]曷 古活切 guā
⑯ [二] 활 [入]黠 戶八切 huá

[字解] [一] ①뼈끝 괄 '一, 骨端'《廣韻》. ②무릎관절 괄. ③종지뼈 괄 무릎뼈. '一, 骬也'《廣雅》. [二] 장애 활 '骫一'은 지장(支障). '一, 骫一, 所以礙也'《集韻》.

[字源] 形聲. 篆文은 骨+昏〔音〕

6 [骴] 광 [平]陽 枯光切 kuāng
⑯

[字解] ①허리뼈 광 '一, 骬也'《廣韻》. ②넓적다리뼈 광 '一, 一䯊, 股骨也'《玉篇》.

6 [骸] [人名] 해 [平]佳 戶皆切 hái
⑯

[字解] ①뼈 해 골(骨). '析一而炊爨'《左傳》. ②몸 해 신체. '衰一'. '形一'. '逸身煖一'《呂氏春秋》. ③정강이뼈 해 경골(脛骨). '治其一關'《素問》.

[字源] 篆文 形聲. 骨+亥〔音〕. '亥해'는 머리·몸통·사지 등 돼지의 뼈대의 모양을 본뜬 것으로, '核핵'과 통하여 열매 중심의 단단한 부분의 뜻. 몸의 중심이 되는 단단한 부분, '뼈'의 뜻을 나타냄.

[骸骼 해격] 시체.
[骸骨 해골] ㉠몸. 신체. ㉡시체. 또 살이 죄다 썩고 남은 뼈.
[骸軀 해구] 몸. 신체.
[骸筋 해근] 뼈와 심줄. 심줄. 몸.
[骸炭 해탄] 가스를 빼낸 석탄. 코크스.
◉乞骸. 骨骸. 軀骸. 窮骸. 筋骸. 煖骸. 死骸. 衰骸. 易子析骸. 遺骸. 羸骸. 殘骸. 土木形骸. 形骸.

6 [骹] 교 [平]肴 口交切 qiāo
⑯

[字解] 발회목뼈 교 경골(脛骨) 중의 발회목에 있는 부분. '去一以爲一圍'《周禮》.

[字源] 篆文 形聲. 骨+交〔音〕. '交교'는 정강이를 꼰 모양으로 '교차하다'의 뜻. '骨골'을 더하여 그 '정강이'의 뜻을 나타냄.

6 [骼] 격 [入]陌 古伯切 gé
⑯

[字解] 백골 격 고골(枯骨). '骨一'. '掩一埋胔'《禮記》.

[字源] 篆文 形聲. 骨+各〔音〕. '各각'은 '挌격'·'格격'과 통하여 나뭇가지가 내밀다의 뜻. 나뭇가지처럼 내민 백골의 뜻을 나타냄.

◉骨骼. 筋骼. 掩骼. 龍骼. 胔骼. 骸骼.

6 [骻] 과 [去]禡 枯化切 kuà
⑯

[字解] ①허리뼈 과 요골(腰骨). ②사타구니 과 胯(肉部 六畫)와 同字. '缺一之服'《唐書》.

[字源] 形聲. 骨+夸〔音〕

6 [髂] 〔뇌〕
⑯ 腦(肉部 九畫〈p. 1855〉)와 同字

6 [骿] 〔변〕
⑯ 骿(骨部 八畫〈p. 2616〉)의 俗字

7 [髇] 효 [平]肴 許交切 xiāo
⑰

[字解] 우는살 효 명적(鳴鏑). '貫一矢'《唐書》.

7 [髀] 폐 [上]薺 傍禮切 bì
⑰

[字解] 넓적다리 폐 무릎 관절 위의 다리. '槃其肉皮通一臂'《韓愈》.

7 [骾] 경 [上]梗 古杏切 gěng
⑰

[字解] 걸릴 경 먹은 가시가 목구멍에 걸림. 전(轉)하여, 사람의 성질이 모져서 시속을 따르지 아니함. '骨一不動於物'《晉書》.

[字源] 篆文 形聲. 骨+更(㪅)〔音〕. '㪅경'은 '단단하다'의 뜻. 뼈대 있고 굳다의 뜻을 나타냄.

[骾訐 경알] 직언(直言)하여 남의 악(惡)을 폭로(暴露)함.
[骾朴 경박] 강직(剛直)하며 소박함.
◉剛骾. 骨骾.

7 [髆] 요 [上]篠 以紹切 yǎo
⑰

[字解] 갈비 요 협골(脅骨). 일설(一說)에는 견갑골(肩胛骨). '左髀達於右一爲下射'《唐書》.

7 [髈] 경 [平]青 乎經切 xíng, ②jìng
⑰

[字解] ①뼈 경 '一, 骨也'《集韻》. ②脛(肉部 七畫)과 同字. '一, 同脛'《正字通》.

7 [髐] 〔괄〕
⑰ 骺(骨部 六畫〈p. 2615〉)과 同字

7 [骽] 〔퇴〕
⑰ 腿(肉部 十畫〈p. 1859〉)의 俗字

7 [髌] 〔곤〕
⑰ 鯀(魚部 七畫〈p. 2647〉)과 同字

8 [髀] 비 [上]紙 幷弭切 bì
⑱

[字解] 넓적다리 비 무릎 관절 위의 다리. '一肉之歎'《蜀志》. '帶下毋厭一'《禮記》.

[字源] 篆文 形聲. 骨+卑〔音〕. '卑비'는 '낮다'의 뜻. 골격 가운데 낮은 쪽에 있는 '넓적다리뼈'의 뜻을 나타냄.

[參考] 髀(次條)는 俗字.

[髀骨 비골] 넓적다리의 뼈.
[髀膂 비려] 넓적다리와 등뼈. 전(轉)하여 몸.
[髀裏肉生 비리육생] 넓적다리의 살이 찐다는 뜻으로, 오래 말을 타지 않아서 살이 빠졌던 넓적다리에 다시 살이 찜을 이름.
[髀肉皆消 비육개소] 넓적다리의 살이 닳아 없어진다는 뜻으로, 항상 말을 탐을 이름.
[髀肉之歎 비육지탄] 말 타고 전장에 나가지 않은 지가 오래되어 넓적다리에 살만 찜을 탄식함.

곤 영웅이 공을 세우지 못하고 헛되이 날만 보냄을 탄식함을 이름.
●肩髀. 撫髀. 拍髀. 搏髀. 拊髀. 肕髀. 腰髀.

8/18 [髀]
髀(前條)의 俗字

8/18 [骶]
철 入屑 株劣切 chuò
字解 뼈이을 철 뼈를 붙임. '一, 續骨也'《玉篇》.

8/18 [髁]
■ 과 去箇 苦臥切 kuà
■ 화 上馬 苦瓦切 kē
字解 ■ 종지뼈 과 슬골(膝骨). ■ 부정할 화 바르지 않은 모양. '謑—無任'《莊子》.
字源 篆文 形聲. 骨+果〔音〕. '果과'는 '둥글다'의 뜻. 둥근 모양의 '종지뼈'의 뜻을 나타냄.

●謑髁.

8/18 [骹]
강 平江 枯江切 qiāng
字解 ①궁둥이뼈 강 '一, 尻骨'《集韻》. ②궁둥이뼈이름 강 '髗, 髗一, 尻骨名'《集韻》.

8/18 [骑]
기 上紙 巨綺切 jì
字解 잔뼈 기 작은 뼈. '一, 小骨也'《集韻》.

8/18 [骫]
완 去翰 烏貫切 wàn
字解 무릎뼈 완 슬골(膝骨). '張進昭截在一廬于墓'《唐書》.

8/18 [骿]
변 平先 部田切 pián
字解 통갈비 변 갈빗대가 나란히 바싹 붙어서 통뼈로 이루어진 것처럼 보이는 갈비. '聞其一脅, 欲觀其狀'《國語》.
字源 篆文 形聲. 骨+幷〔音〕. '幷병'은 나란히 늘어서 있다의 뜻. 나란히 이어져 있는 '갈비뼈'의 뜻을 나타냄.
參考 骿(骨部 六畫)은 俗字.

[骿胝 변지] 살가죽이 스쳐 딴딴하게 된 자리. 못. 변지(骿胝).
[骿骭 변한] 변협(骿脅).
[骿脅 변협] 갈빗대가 나란히 바싹 붙어서 통뼈로 이루어진 것처럼 보이는 갈비. 통 갈비.
[骿脇 변협] 변협(骿脅).

9/19 [髂]
가 去禡 枯駕切 qià
字解 허리뼈 가 요골(腰骨). '折骨拉一'《漢書》.

9/19 [髇]
도 上麌 動五切 dù
字解 두개골(頭蓋骨) 도 머리뼈. '一, 顱也'《集韻》.

9/19 [髓]
〔수〕
髓(骨部 十三畫〈p.2618〉)의 略字

9/19 [骽]
〔수〕
髓(骨部 十三畫〈p.2618〉)와 同字

9/19 [骹]
대 去隊 徒對切 duì
字解 ①어리석은모양 대 '一, 骹一, 愚兒'《集韻》. ②어리석은사람 대 '一, 骹一, 愚人'《廣韻》. ③뼈 대 '一, 骨也'《字彙》.

9/19 [骺]
〔후〕
骺(骨部 六畫〈p.2614〉)와 同字

9/19 [骹]
骹(前條)와 同字

9/19 [鶡]
과 平麻 枯瓜切 kuā
字解 ①이마위의뼈 과 '一, 額上骨也'《廣韻》. ②허리뼈 과 '一, 一髖, 髂上骨'《玉篇》.

9/19 [骺]
〔경〕
髖(骨部 七畫〈p.2615〉)의 本字

9/19 [鶡]
갈 할 入曷 何葛切 hé
字解 ①어깨뼈 갈 '一, 一骭, 肩骨'《玉篇》. ②가슴앞뼈 갈 '一, 一骭, 胷前骨'《集韻》.

9/19 [髂]
〔개〕
膌(肉部 九畫〈p.1856〉)와 同字

9/19 [髃]
우 平虞 偶俱切 yú
字解 어깻죽지 우 髃(肉部 九畫)와 同字. '髆前骨謂之一'《集韻》.
字源 篆文 形聲. 骨+禺〔音〕. '禺우'는 '隅우'와 통하여 '구석'의 뜻. 어깨의 끝, 또 어깻죽지의 뜻을 나타냄.

10/20 [髎]
겸 去豔 吉念切 jiàn
字解 여윈모양 겸 몸이 마름. '一, 瘦兒'《集韻》.

10/20 [髆]
박 入藥 補各切 bó
字解 어깨뼈 박 견갑골(肩胛骨). '擊一拊髀'《夢遊錄》.
字源 篆文 形聲. 骨+尃〔音〕. '尃부·박'은 넓혀지다의 뜻. 뼈 가운데 가장 편편하게 퍼진 부분, 견갑골의 뜻을 나타냄.

[髆骨 박골] 어깨뼈. 견갑골(肩胛骨).

10/20 [髊]
■ 박 入覺 北角切 bó
■ 각 入覺 訖岳切 jué
字解 ①뼈끝 박 '一, 骨耑也'《玉篇》. ②뼈 박 '一, 骨也'《玉篇》. ■ 뼈단단하고휠 각 '一, 骨堅白'《集韻》.

10/20 [鶻]
괴 去泰 古對切 guì
去隊 苦外切
字解 어리석은모양 괴 '一, 愚兒也'《玉篇》.'一, 骹, 愚兒'《集韻》.

10 획

10
⑳ [髈] 방 ㊤養 匹朗切 pǎng
　　　방 ㊤養 步光切 páng
　　　방 ㊗陽 蒲光切 bǎng
字解 ①넓적다리 방 ‘一, 股也’《玉篇》. ②옆구리 방 옆구리의 근육. ‘一, 脅肉也’《集韻》. ③어깨 방 ‘兩箇肩一擡着箇口’《三國志通俗演義》.
字源 形聲. 骨＋旁〔音〕

10
⑳ [髇] 오 ㊤晧 烏浩切 ǎo
字解 ①뼈갈무리할 오 ‘一, 藏骨’《廣韻》. ②허리뼈 오 膭(肉部 十三畫)와 同字. ‘一, 脊骨, 或作膭’《集韻》.

10
⑳ [髊] ▤ 차 ㊤歌 倉何切 cuō
　　　▤ 자 ㊗寘 疾智切 cī
字解 ▤ 뼈갈 차 엄니나 뼈를 갊. 磋(石部 十畫)와 통용. ‘一, 治牙骨也’《集韻》. ▤ ①삭은뼈 자 ‘一, 腐骨也’《玉篇》. ②살붙은뼈 자 살이 붙어 있는 뼈. ‘髂’의 대(對). ‘捊髂霤一’《呂氏春秋》.

10
⑳ [髇] 〔효〕
　　　 髐(骨部 七畫〈p.2615〉)와 同字

11
㉑ [髏] 루 ㊤尤 落侯切 lóu
字解 해골 루 髑(骨部 十三畫)을 보라. ‘髑一’
字源 形聲. 骨＋婁〔音〕. ‘婁루’는 끊어지지 않고 이어지다의 뜻. 살은 다 빠지고, 뼈만 이어져 있는 ‘해골’의 뜻을 나타냄.

11
㉑ [髇] 〔구〕
　　　 軀(身部 十一畫〈p.2255〉)와 同字

11
㉑ [髇] 〔괵〕
　　　 膭(肉部 十一畫〈p.1861〉)과 同字

11
　 [鶻] 〔골〕
　　　 鳥部 十畫(p.2676)을 보라.

11
㉑ [螯] 오 ㊗豪 牛刀切 áo
字解 집게발 오 게의 집게발. 螯(虫部 十一畫)와 同字. ‘一, 蟹大足者’《集韻》.

11
㉑ [髍] 마 ①㊤哿 母果切 mǒ
　　　 ②㊤歌 莫婆切 mó
字解 ①잘 마, 작을 마 ‘又況幺一尙不及數子’《漢書》. ②중풍(中風) 마 반신불수가 되는 병.

12
㉒ [臋] 〔둔〕
　　　 屍(尸部 五畫〈p.622〉)과 同字

12
㉒ [髒] 당 ㊤江 傳江切 chuáng
字解 꽁무니뼈 당 膭(肉部 十二畫)과 同字. ‘一, 一腔, 尻骨, 或从肉’《集韻》.

12
㉒ [髉] 궐 ㊤月 居月切 jué
字解 ①꽁무니뼈 궐 미저골(尾骶骨). ‘一, 屍骨

也’《說文》. ②꽁무니살 궐 ‘一, 尾肉亦曰一’《通訓》.
字源 形聲. 骨＋厥〔音〕

12
㉒ [髉] 궐 ㊗月 居月切 jué
字解 엉덩뼈 궐 일설(一說)에는, 꼬리가 붙은 뿌리. ‘一, 博雅, 臒, 髁, 一也, 一曰, 尾本’《集韻》.

12
㉒ [髇] ▤ 괴 ㊥寘 丘愧切 kuì
　　　▤ 궤 ㊧隊 古對切 guì
字解 ▤ ①종지뼈 괴 슬개골(膝蓋骨). ②무릎꿇을 괴 ‘一, 膝加地也’《廣韻》. ▤ 머리뼈모양 궤 ‘一, 頭骨兒’《集韻》.
字源 形聲. 骨＋貴(貴)〔音〕

12
㉒ [髐] 효 ㊤肴 虛交切 xiāo
　　　 효 ㊤蕭 馨幺切
字解 백골모양 효 백골이 땅 위에 있는 모양. ‘莊子之楚, 見空髑髏, 一然有形’《莊子》.
字源 形聲. 骨＋堯〔音〕

[髐骨 효골] ㉠백골(白骨). ㉡백골(白骨)처럼 말라 빠짐.

13
㉓ [髉] 감 ㊤咸 丘銜切 qiān
字解 뼈높은모양 감 뼈가 불거진 모양. ‘一, 醎, 骨高兒’《集韻》.

13
㉓ [髇] 괴 ㊧泰 古外切 kuài
筆順 ﾧﾧ 丹 丹 丹 丹 丹 丹 丹
字解 동곳 괴 상투가 풀어지지 않게 꽂는 물건. ‘一, 骨擿之可會髮者’《說文》.
字源 形聲. 骨＋會〔音〕

13
㉓ [髑] 촉 ㊤屋 徒谷切 dú
字解 해골 촉 ‘一髏’는 뼈만 앙상하게 남은 죽은 사람의 머리뼈. ‘見空一髏, 髐然有形’《莊子》.
字源 形聲. 骨＋蜀〔音〕. ‘蜀촉’은 ‘獨독’과 통하여 단 하나 고립하다의 뜻. 비바람에 씻기어 살이 없어지고 허옇게 된 머리뼈의 뜻을 나타냄.

[髑髏 촉루] 해골.

13
㉓ [髇] 장 ㊤養 子朗切 zāng
字解 살질 장, 꼿꼿할 장 骯(骨部 四畫)을 보라. ‘骯一’
字源 形聲. 骨＋葬〔音〕

13
㉓ [髉] ▤ 비 ㊥寘 卑義切 bì
　　　▤ 벽 ㊧陌 必益切

字解 ▇ 활고자 비 활 양 끝의 시위를 거는 부분. '一, 弓弭《集韻》. ▇ 활고자 벽 曰과 뜻이 같음.

---

13 ㉓ [髒] 억 ㉘職 乙力切 yì

字解 ①가슴뼈 억 '肐, 說文, 胷骨也, 或作臆·一《集韻》. ②뼈 억 '一, 骨'《玉篇》.

---

13 ㉓ [髓] ㉛名 수 ㊤紙 息委切 suǐ   髓鎚

筆順 ⺼ ⺿ 骨 骨 骨 骨 骨 骨 骨 髓

字解 골 수 뼈의 속에 차 있는 누른빛의 기름 같은 물질. '骨一. '腦一. 전(轉)하여, 마음속. '德淪于骨一'《史記》. 또, 사물의 중심이 되는 중요한 부분. 요점. '精一. '筆下滴滴文章一'《李咸用》.

字源 篆文 髓 形聲. 骨+遀(隨)〔音〕. '隨휴'는 긴 장이 풀어져 무너지다의 뜻. 동물의 뼈의 중심에 있는 연한 부분, '골'의 뜻을 나타냄.

[髓腦 수뇌] 머릿골. 뇌수. 전(轉)하여 요처(要處). 요점(要點).
●骨髓. 肌髓. 腦髓. 得髓. 白獺髓. 神髓. 心髓. 怨入骨髓. 精髓. 芝髓. 眞髓. 脊髓.

---

13 ㉓ [體] ㊥入 체 ㊤薺 他禮切 tǐ   体骿

筆順 ⺼ ⺿ 骨 骨 骨 骨 體 體 體

字解 ①몸 체 육체. '身一. '父母之遺一'《禮記》. ②사지 체 팔다리. '四一不勤'《論語》. ③바탕 체 사물의 토대. '本一. '一要'. ④모양 체 ㉠모습. 용모. '姿一. ㉡체재 '字一. '國一. ⑤점상(占象) 체 거북점 같은 데에 나타난 종횡의 균열. 점에 나타난 형상. 점조(占兆). '君占一'《周禮》. ⑥물건 체 '物一. 液一. ⑦자체 체 물건 그 자체. '用'의 대(對)로서, 움직이지 않는 것. '禮之一主於敬, 而其用以和爲貴'《論語集註》. ⑧나눌 체 구획함. '一國經野'《周禮》. ⑨형성할 체 형체를 이룸. '方苞方一'《詩經》. ⑩친할 체 친근히 함. '就賢一遠'《禮記》. ⑪본받을 체 본뜸. '汝等一此旨'. '太一'《淮南子》. ⑫행할 체 실행함. '一驗'. '以身一之'《淮南子》. ⑬성 체 성(姓)의 하나.

字源 篆文 體 形聲. 骨+豊(豐)〔音〕. '豐례'는 '參진'과 통하여 많은 것이 모이다의 뜻. 많은 뼈의 모임의 뜻에서 '몸'의 뜻을 나타냄.

參考 体(人部 五畫)·骵(骨部 五畫)는 俗字.

[體幹 체간] 몸.
[體腔 체강] 동물(動物)의 몸속의 빈 곳.
[體格 체격] ㉠몸의 생긴 골격(骨格). ㉡시문(詩文)의 체재.
[體鏡 체경] 전신(全身)을 비추는 큰 거울.
[體系 체계] 낱낱을 계통(系統)이 서게 한 조직.
[體軀 체구] 몸. 몸집.
[體國經野 체국경야] 도시(都市)를 정하고 읍리(邑里)를 구획(區劃)함. 체(體)는 나눔. 국(國)은 성중(城中). 경(經)은 이수(里數)를 정함.
[體內 체내] 몸의 안. 신체의 내부.

[體念 체념] 깊이 생각함.
[體大 체대] 몸이 큼.
[體道 체도] 도의(道義)를 본뜸.
[體得 체득] ㉠몸소 체험하여 얻음. ㉡충분히 납득하여 자기의 것을 만듦.
[體量 체량] 체중(體重).
[體諒 체량] 깊이 헤아림.
[體力 체력] 몸의 힘.
[體面 체면] 남을 대(對)하는 면목과 체재.
[體貌 체모] ㉠모습. 형체와 상모. ㉡예로서 대접함. 예우(禮遇)함.
[體魄 체백] 죽은 지 오래된 송장. 땅속에 묻은 송장.
[體罰 체벌] 체형(體刑).
[體法 체법] ㉠체식(體式). ㉡법규를 좇음.
[體膚 체부] 몸과 살갗. 신체와 피부. 육체를 이름.
[體相 체상] 체격과 상모.
[體性 체성] 몸과 마음. 신체 성정(身體性情).
[體式 체식] 체재와 방식.
[體語 체어] 반절(反切)로 말하는 은어(隱語). 문(門)을 막문(莫奔)이라 하는 따위.
[體言 체언] 명사·대명사·수사로서 문장의 주어가 될 수 있는 단어. 용언(用言)의 대(對).
[體溫 체온] 동물(動物)의 몸의 온도.
[體要 체요] ㉠사물의 중요한 곳. 요점. ㉡대체와 강요(綱要).
[體用 체용] 본체(本體)와 작용(作用).
[體容 체용] 몸의 형상(形狀).
[體用一原 체용일원] 마음의 본체와 작용은 같다는 말.
[體元 체원] 군주(君主)가 새로 즉위하여 연호(年號)를 고치는 것. 곧, 군주로서 천하(天下)에 임(臨)함을 이름.
[體育 체육] 신체의 발달을 도와 건강하게 하는 교육.
[體認 체인] 말뿐이 아니고 마음속으로 깊이 납득(納得)하고 실천궁행(實踐躬行)함.
[體長 체장] 몸의 길이.
[體裁 체재] ㉠이루어진 형식(形式). 또는 됨됨이. ㉡문장의 격식.
[體積 체적] 입방체(立方體)가 가지고 있는 공간(空間)의 분량(分量).
[體制 체제] 체재(體裁).
[體製 체제] ㉠뼈대. ㉡시문의 격식.
[體操 체조] 몸의 모든 기관(器官)의 발육(發育)을 돕고, 또 신체(身體)의 운동(運動)을 민첩(敏捷)하게 하기 위하여 행(行)하는 체육술(體育術).
[體重 체중] ㉠몸의 무게. 체량(體量). ㉡지위(地位)가 높고 중(重)함.
[體肢 체지] 몸과 팔다리.
[體質 체질] ㉠몸의 바탕. ㉡성질.
[體測 체측] 자기 처지에 견주어 추측함.
[體統 체통] ㉠체면(體面). 품위. ㉡합법적(合法的).
[體解 체해] ㉠팔다리를 찢어 죽이는 형벌. ㉡한 덩어리가 된 것을 분해함.
[體憲 체헌] 본보기. 모범. 또, 본보기로 함. 모범으로 삼음.
[體驗 체험] 자기(自己)의 실제(實際)의 경험(經驗).
[體現 체현] 형체를 나타냄. 구체적(具體的)으로 표현(表現)함.
[體刑 체형] 직접(直接) 사람의 몸에 주는 형벌

《說文》.
字源 形聲. 髟+弟〔音〕. '弟제'는 '점차'의 뜻. 조금씩 머리를 깎다의 뜻을 나타냄. '剃체'와 동일어 이체자(同一語異體字).

7⑰ [髳] 〔빈〕 鬢(髟部 十四畫〈p.2629〉)의 俗字

7⑰ [髻] 〔괄〕 髻(髟部 六畫〈p.2626〉)의 本字

8⑱ [髼] 종 ㊀冬 藏宗切 zōng
字解 ①상투 종 높은 상투. 고계(高髻). ②갈기 종 말갈기. '欲將一鬣重裁剪'《曹唐》.
字源 形聲. 髟+宗〔音〕

[髼鬣 종렵] 말갈기.
[髼尾 종미] 갈기와 꼬리.

8⑱ [髼] 붕 ㊀蒸 步崩切 péng
字解 헝클어질 붕 '一髼'은 머리가 흩어진 모양. 또, 모발이 짧은 모양. '傍架討尋書散亂, 倚屏吟嘯髮一髼'《陸游》.
字源 形聲. 髟+朋〔音〕. '朋붕'은 '崩붕'과 통하여 뿔뿔이 흩어지다의 뜻. 머리털이 헝클어지다의 뜻을 나타냄.

[髵髼 붕승] 자해(字解)를 보라.

8⑱ [髻] 답 ㊁合 達合切 dá
字解 머리털 답 머리털. 머리카락. '一, 髮也'《集韻》.

8⑱ [髰] ㊀①다리 체 髢(髟部 三畫)와 同字. '因名髰一'《儀禮 註》. ②깎을 체 체발(剃髮)함. '其次一髡髮'《漢書》. ㊁뼈바를 척 '其實特豚, 四一去蹄'《儀禮》과 同字.
字源 形聲. 髟+易〔音〕

●髮髰.

8⑱ [髿] 송 ㊀冬 息恭切 sōng ㊀東 蘇叢切 sòng
字解 ①헝클어질 송 머리가 산란한 모양. ②거칠 송 곱지 아니함. '粗一'. '須求一土淺耕下秧'《黃省曾》.
字源 形聲. 髟+松〔音〕

[髿土 송토] 거친 땅.
●粗髿.

8⑱ [髳] 동 ㊀送 多貢切 dòng
字解 머리헝클어질 동 머리털이 헝클어진 모양. '一髿'. '一髿, 髮亂皃'《集韻》.

8⑱ [髰] 간 ㊀刪 丘顏切 qiān
字解 성긴머리털 간 성긴 머리털. 머리숱이 적음. '一, 寡髮也'《集韻》.

8⑱ [髳] 권 ㊀先 巨員切 quán
字解 ①머리털아름다울 권 머리털이 아름다움. '一, 髮好'《篇海》. ②호인의머리털 권 호인(胡人)의 머리털. '一, 又胡人髮'《篇海》.

8⑱ [髱] 권 ㊀先 巨員切 quán
字解 ①고울 권 머리털이 고움. '其人美且一'《詩經》. ②갈라빗을 권 머리를 갈라서 빗음. '燕則一首'《禮記》.
字源 形聲. 髟+卷〔音〕. '卷권'은 '말다'의 뜻. 머리털을 둘로 갈라서 마는 머리형의 뜻을 나타냄.

[髱首 권수] 머리를 갈라 빗음.

8⑱ [髶] 굴 ㊇物 渠勿切 jué
字解 깃옷 굴 반소매의 우의(羽衣). '更始諸將軍皆幘而衣婦人衣繡擁一'《後漢書》.

●繡髶.

8⑱ [髮] 채 ①㊀賄 此宰切 cǎi ②㊁隊 倉代切
字解 ①상투 채 틀어 올린 머리. '髻謂之一'《集韻》. ②머리쓰개 채 머리를 싸매는 형겊. '一, 一曰, 覆巾'《集韻》.

8⑱ [髳] 쟁 ㊀庚 助庚切 zhēng
字解 머리더부룩할 쟁 '怒鬢猶一髳'《韓愈》.
字源 形聲. 髟+爭〔音〕

9⑲ [髱] 전 ①㊀先 子仙切 jiǎn ②㊁霰 子賤切
字解 ①귀밑머리늘어질 전 여자의 귀밑머리가 늘어진 모양. '盛一不同制'《楚辭》. ②깎을 전, 벨 전 '一茅作堂'《漢書》.
字源 形聲. 髟+前(湔)〔音〕. '髟표'는 머리털. '湔전'은 '劗전'·'剪전'과 통하여 가지런히 베다의 뜻. 가지런히 잘라서 늘어뜨리는 여자의 귀밑머리의 뜻을 나타냄.

●盛髱.

9⑲ [髰] 타 ㊀哿 徒果切 duǒ
字解 황새머리 타 어린아이의 머리 깎을 때 조금 남겨 놓는 머리. '鬋髮爲一'《禮記》.
字源 形聲. 髟+隋(省)〔音〕. '隋타'는 '떨어지다'의 뜻. 머리털이 빠지다의 뜻을 나타냄.

9⑲ [髰] 호 hú

[字解] 수염 호 '一子'는 수염의 속칭(俗稱).
[字源] 形聲. 髟+胡〔音〕

[鬍子 호자] 수염의 속칭(俗稱). 본시 '胡子'라 하였음.

9 ⑲ [鬊] 순 [去]震 舒閏切 shùn
[字解] 난발 순 헝클어진 머리. '有黑雲, 狀如猋風亂一'《漢書》.
[字源] 篆文 形聲. 髟+春(萶)〔音〕. '萶춘'은 밀어 내다의 뜻. 밀어 내어져서 빠진 머리털의 뜻을 나타냄.

◉亂鬊.

9 ⑲ [⿱髟奐] 〔간〕
鬜(髟部 十二畫〈p.2629〉)과 同字

9 ⑲ [⿱髟客] 객 [入]陌 乞格切 kè
[字解] 머리털길 객 머리털이 긺. 머리카락이 몹시 긺. '一, 髮長'《篇海》.

9 ⑲ [⿱髟奓] 나 [去]禡 乃亞切 nà
[字解] 머리흐트러진모양 나 머리 흐트러진 모양. '髺一', '一, 髺一, 髮亂貌'《五音集韻》.

9 ⑲ [⿱髟怱] [一] 종 [平]東 祖叢切 zōng
[二] 송 [平]冬 蘇宗切 sōng
[字解] [一] ①말갈기 종 '一, 馬鬣'《集韻》. ②댕기 종 '頭一'은 머리를 묶는 비단 헝겊. '繫髮繻曰頭一'《集韻》. [二] 머리더부룩할 송 鬆(髟部 八畫)과 同字.

9 ⑲ [鬉] 종 [平]東 子紅切 zōng
[字解] ①머리흩어질 종 '一, 髮亂'《集韻》. ②말갈기 종 '滑州刺史李邕獻馬, 肉一麟臆'《唐書》. ③갈기억센말 종 '一, 馬鬣之勁者'《六書故》.
[字源] 形聲. 髟+㚇〔音〕

9 ⑲ [⿱髟思] 새 [平]灰 桑才切 sāi
[字解] ①텁석부리 새 수염이 많음. ②머리적을 새 '一, 小髮'《玉篇》.

[⿱髟首] 〔불〕
首部 十畫(p.2588)을 보라.

10 ⑳ [鬒] 진 [上]軫 章忍切 zhěn
[去]震 之刃切
[字解] 숱많고검을 진 머리가 숱이 많고 검어 아름다움. '一髮如雲'《詩經》.
[字源] 篆文 形聲. 髟+眞〔音〕. '眞진'은 가득 메워지다의 뜻. 머리숱이 많아 검다의 뜻을 나타냄.

[鬒髮 진발] 숱이 많고 검어 아름다운 머리.
[鬒黑 진흑] 머리가 검고 아름다움.

10 ⑳ [鬐] 기 [平]支 渠脂切 qí
[字解] ①갈기 기 말의 갈기. '揚而奮一'《莊子》. ②등지느러미 기 물고기의 등에 있는 지느러미. '魚進一'《儀禮》.
[字源] 篆文 形聲. 髟+耆〔音〕

◉奮鬐.

10 ⑳ [⿱髟般] 반 [平]寒 薄官切 pán
[字解] 북상투 반 낮게 올려 튼 머리. '一頭, 曲髮爲之, 又臥髻也'《廣韻》.
[字源] 篆文 形聲. 髟+般〔音〕. '般반'은 '槃반'과 통하여 '대야'의 뜻. 낮게 올려 튼 머리의 뜻을 나타냄.

10 ⑳ [鬄] 척 [入]錫 他歷切 tì
[字解] ①머리깎을 척 '一, 鬀髮也'《說文》. ②다리 척 숱을 많게 하려고 겹쳐 넣었던 딴머리.
[字源] 篆文 形聲. 髟+剔〔音〕. '髟표'는 '머리털'의 뜻, '剔척'은 '깎다'의 뜻.

11 ㉑ [鬘] 만 [平]刪 莫還切 mán
[字解] ①다리 만 월자(月子). ②가발 만 머리털로 여러 가지 머리 모양을 만들어 차례로 쓰는 물건. ③머리꾸미개 만 수식(首飾). '貫霍爲華一'《白居易》. ④아름다울 만 머리가 아름다운 모양.
[字源] 形聲. 髟+曼〔音〕. '曼만'은 모양을 내어 아름답다의 뜻.

◉華鬘.

11 ㉑ [鬖] 삼 [平]覃 蘇甘切 sān
[平]侵 疏簪切
[字解] 헝클어질 삼 머리가 헝클어져 내려온 모양. '下復數層紅羽, 一一然如夜合花'《東觀餘論》.
[字源] 形聲. 髟+參〔音〕. '參참'은 어지럽게 뒤섞이다의 뜻. 머리털이 헝클어져 내려오다의 뜻을 나타냄.

[鬖髿 삼사] 머리가 헝클어진 모양.
[鬖鬖 삼삼] 머리가 헝클어져 내려온 모양.
[鬖鬖然 삼삼연] 날개 따위가 흐트러져 드리워진 모양.

11 ㉑ [⿱髟兜] 두 [平]尤 當侯切 dōu
[字解] 머리카락흐트러질 두 머리카락이 흐트러짐. '一, 一⿱髟欶, 髮亂'《集韻》.

11 ㉑ [⿱髟從] [一] 종 [平]冬 七恭切 cōng
[二] 총 [上]董 祖動切 zǒng
[字解] [一] 머리털헝클어질 종 머리털이 헝클어진 모양. '一, ⿱髟共一, 髮亂'《集韻》. [二] 갈기 총 갈기. 말갈기.

11 ㉑ [鬗] 만 [去]願 無販切 mán
[平]寒 母官切
[字解] 길 만 긴 모양. '掩回轅, 一長馳'《漢書》.

字源 形聲. 髟+萳〔音〕. '髟표'는 머리털,
'萳만'은 '蔓만'과 통하여 길게 이어
지다의 뜻.

12
㉒ [髾] 승 ㊀蒸 蘇增切 sēng

字解 헝클어질 승 鬙(髟部 八畫)을 보라. '鬙'

字源 形聲. 髟+曾〔音〕

參考 髾(髟部 十三畫)은 別字.

●鬙髾.

12
㉒ [顥] 괴 ㊀眞 丘媿切 ㊁去 丘畏切 kuì

字解 ①상투 괴 '一, 髻也'《廣雅》. ②상투끈 괴
'紐, 謂結之一也'《急就篇》.
字源 形聲. 髟+貴(貴)〔音〕

12
㉒ [鬚] 人名 수 ㊀虞 相兪切 xū

字解 수염 수 ㉠아랫수염. 턱 밑의 수염. '多
一', 一鬚'. '積雪沒脛, 堅冰在一'《李華》. ㉡
동물의 입 언저리에 난 뻣뻣한 길 털. '鼠一'.
'虎一'. ㉢수염 모양을 한 것. '一根'.
字源 形聲. 髟+須〔音〕. '須수'는 '수염'의 뜻.

[鬚根 수근] 벼 같은 것의 줄기 밑에서 많이 나는
실 같은 뿌리.
[鬚面 수면] 수염이 많은 얼굴.
[鬚貌 수모] 수면(鬚面).
[鬚目 수목] 수염과 눈.
[鬚眉 수미] 수염과 눈썹. 전(轉)하여, 남자.
[鬚髮 수발] 아랫수염과 머리털.
[鬚髯 수염] 아랫수염과 구레나룻.
[鬚髭 수자] 아랫수염과 코수염.
[鬚頰 수협] 수염 있는 빰.
　●鯨鬚. 驚鬚. 頭鬚. 美鬚. 白鬚. 拂鬚. 霜鬚.
　魚鬚. 髯鬚. 饒鬚. 龍鬚. 髭鬚. 笭鬚. 好鬚.
　虎鬚.

12
㉒ [戠] 극 ㊁陌 訖逆切 jǐ

字解 코밑수염의모양 극 코밑수염의 모양. '一,
髭兒'《集韻》.

12
㉒ [髳] 뇨 ㊁效 女敎切 nào

字解 수염많은모양 뇨 수염이 많은 모양. '一,
多須兒'《集韻》.

12
㉒ [鬜] 간 ㊀刪 可顏切 qiān

字解 두창 간 머리에 나는 부스럼. '或赤若禿
一'《韓愈》.
字源 篆文 形聲. 髟+閒〔音〕. '髟표'는 '머리털',
'閒간'은 '틈', 또 틈이 벌어져 있다
의 뜻. 머리털이 벗어지다의 뜻을 나타냄.

　●禿鬜.

12
㉒ [鼠] 〔렵〕
鬣(髟部 十五畫〈p. 2630〉)의 略字

12
㉒ [鬠] 등 ㊀蒸 都騰切 dēng

字解 머리털흐트러진모양 등 머리털이 흐트러진
모양. '一, 一髮, 毛亂兒'《集韻》.

13
㉓ [鬟] 환 ㊀刪 戶關切 huán

字解 ①쪽 환 부인(婦人)의 결발(結髮). '窈窕
雙一女'《白居易》. ②계집종 환 비자(婢子). 'Y
一, 一小一迎先生'《列仙傳》. ③산색(山色) 환
머리털의 빛깔이 먼 산의 검푸른 빛과 비슷하
므로 이름. '窓中遠黛曉千一'《虞集》.
字源 篆文 形聲. 髟+睘〔音〕. '髟표'는 '머리털',
'睘환'은 구부려서 고리를 만들다의
뜻.

　●嬌鬟. 黛鬟. 小鬟. 垂鬟. 雙鬟. Y鬟. 鴉鬟.
　娃鬟. 雲鬟. 翠鬟. 花鬟. 曉鬟.

13
㉓ [鬞] 농 ㊀冬 尼容切 náng

字解 ①털많을 농 털이 많음. '一, 毛多'《玉篇》.
②머리털길 농 머리털이 긺. '一, 髮長'《類篇》.
③머리털헝클어진모양 농 머리털이 헝클어진 모
양. '一, 坤倉, ——, 髮亂'《集韻》.

13
㉓ [鬠] 괄 ㊁曷 戶括切 kuò

字解 결발할 괄 髻(髟部 六畫)과 통용. '一笄用
桑'《儀禮》.
字源 形聲. 髟+會〔音〕. '會회'는 '합치다'의 뜻.
끈으로 머리털을 합쳐 묶다의 뜻을 나타냄.
參考 髻(髟部 十二畫)은 別字.

14
㉔ [鬢] 빈 ㊀震 必刃切 bìn

字解 살쩍 빈 관자놀이와 귀 사이에 난 머리털.
'一雪'. '美一長大則賢'《國語》.
字源 篆文 形聲. 髟+賓〔音〕. '髟표'는 '머리털',
'賓빈'은 '濱빈'과 통하여, '물가'
의 뜻. 양 볼 곁의 털, '살쩍'의 뜻을 나타냄.
參考 髩(髟部 四畫)·鬂(髟部 七畫)은 俗字.

[鬢禿 빈독] 살쩍이 빠짐.
[鬢毛 빈모] 살쩍.
[鬢髮 빈발] 살쩍과 머리털. 또는 머리털.
[鬢絲 빈사] 관자놀이와 귀 사이에 난 흰 머리털.
[鬢絲茶煙 빈사다연] 노후(老後)의 조용한 생활.
[鬢霜 빈상] 빈설(鬢雪).
[鬢雪 빈설] 살쩍이 흼.
[鬢鴉 빈아] 살쩍이 검음.
　●老鬢. 綠鬢. 禿鬢. 霧鬢. 霜鬢. 雪鬢. 疎鬢.
　衰鬢. 鬚鬢. 雙鬢. 鴉鬢. 兩鬢. 雲鬢. 翠鬢.

14
㉔ [鬠] 람 ㊀覃 魯甘切 lán

字解 많을 람, 길 람 머리털이 많음. 또, 머리털
이 긺. '白鬢垂鬠正一鬠'《韓維》.
字源 篆文 形聲. 髟+監〔音〕. '髟표'는 '머리털',
'監감'은 엎드려서 위에서 아래를 보

다의 뜻. 위에서 아래로 길게 늘어진 머리털의 뜻을 나타냄.

14 ㉔ [鬡] 녜 [平]薺 乃禮切 nǐ
[字解] 머리털모양 녜 '一, 髮皃'《說文》.
[字源] 形聲. 髟+爾〔音〕

14 ㉔ [鬡] 녕 [平]庚 女耕切 níng
[字解] 머리흩어질 녕 머리가 흩어진 모양. '鬤一, 髮亂皃'《集韻》.

14 ㉔ [鬢] 〔빈〕
鬢(髟部 十四畫〈p.2629〉)의 俗字

15 ㉕ [鬣] 렵 [入]葉 良涉切 liè
[字解] ①갈기 렵 말갈기. '夏后氏駱馬黑一'《禮記》. ②수염 렵 긴 수염. '使長一者相'《左傳》. ③지느러미 렵 물고기 등의 헤엄치는 기관. '洞庭紫一之魚'《吳均》. ④솔잎 렵 송엽(松葉). '五一松'. ⑤비끝 렵 비〔帚〕의 말단. '拚席不以一'《禮記》.
[字源] [篆文] 形聲. 髟+巤〔音〕. '巤렵'은 긴 갈기의 象形. '髟표'를 더하여 '갈기'의 뜻을 나타냄.

◉剛鬣. 棘鬣. 馬鬣. 美鬣. 蕃鬣. 奮鬣. 長鬣. 豬鬣. 赤鬣. 鬃鬣. 振鬣. 黑鬣.

16 ㉖ [鬠] 〔괴〕
鬠(髟部 十二畫〈p.2629〉)의 本字

17 ㉗ [鬤] [一] 양 [平]陽 汝陽切 / [上]養 汝兩切 ráng
[二] 녕 [平]庚 乃庚切 níng
[字解] [一] ①엉킨머리 양 '一, 亂髮'《玉篇》. ②머리털엉킬 양 머리털이 엉키는 모양. '一, 髮亂皃'《集韻》. [二] 머리털엉킬 녕 '鬡一'은 머리털이 엉키는 모양. 鬡(髟部 十四畫)과 同字. '鬤, 鬡一, 髮亂皃或从襄'《集韻》.

鬥 (10획) 部
〔싸울투부〕

0 ⑩ [鬥] [一] 투 [去]宥 都豆切 dòu
[二] 각 [入]覺 克角切
[筆順] 丨 𠂇 ... 鬥
[字解] [一] 싸울 투 완력 또는 무기로써 서로 겨룸. 鬭(鬥部 十四畫)와 同字. [二] 싸울 각 [一]과 뜻이 같음.
[字源] [甲骨文] [篆文] 象形. 두 사람이 마주 대하여 싸우고 있는 모양을 본떠, '싸우다'의 뜻을 나타냄. '鬪투'의 原字.
[參考] ① '鬥투'를 의부(意符)로 하여, '싸우다, 다투다'의 뜻을 포함하는 문자를 이룸. 부수 이름은 '싸울투'. ②門(部首)은 別字.

4 ⑭ [鬦] 〔투〕
鬪(鬥部 十畫〈p.2630〉)의 俗字

5 ⑮ [鬧] [人名] 뇨 [去]效 奴教切 nào
[字解] 시끄러울 뇨, 들렐 뇨 소란함. 또, 소란. '喧一'. '以召一取怒乎'《柳宗元》.
[字源] [篆文] 會意. 鬥+市. '市시'는 많은 사람이 모이다, '鬥투'는 다투고 싸우다의 뜻.

[鬧歌 요가] 시끄럽게 노래 부름. 또, 그 노래.
[鬧事 요사] 함부로 일으키는 풍파(風波).
[鬧熱 요열] 혼잡하여 시끄럽고 귀찮음.
[鬧裝 요장] 여러 가지 보석(寶石)으로 화려하게 장식함.
◉奴鬧. 蜂鬧. 紛鬧. 熱鬧. 雜鬧. 衆鬧. 浩鬧. 喧鬧.

6 ⑯ [鬨] [一] 홍 [去]送 胡貢切 hòng
[二] 항 [去]絳 胡絳切 xiàng
[字解] [一] ①싸울 홍 전투함. '鄒與魯一'《孟子》. 또, 싸우는 소리. 전쟁할 때 지르는 소리. '屯一'. '高言喧一'《朱熹》. ②떠들 홍 시끄럽게 지껄임. '笑一'. [二] 싸울 항, 떠들 항 [一]과 뜻이 같음.
[字源] [篆文] 形聲. 鬥+共〔音〕. '鬥투'는 두 사람이 손을 내밀어 싸우는 모양. '共공'은 '크다'의 뜻. 큰 외침 소리, 함성 소리, 싸우다의 뜻을 나타냄.

◉屯鬨. 笑鬨. 市鬨. 喧鬨.

8 ⑱ [鬩] [一] 혁 [入]錫 許激切 xì
[二] 격 [入]陌 郝格切 hè
[字解] [一] 다툴 혁 서로 시비를 함. '兄弟一于牆, 外禦其務'《詩經》. [二] 고요할 격 闃(門部 九畫)과 통용. '一其無人'《易經》.
[字源] [篆文] 形聲. 鬥+兒〔音〕. '兒예'는 '擊격'과 통하여 원망하고 다투다의 뜻. '다투다'의 뜻을 나타냄.

[鬩牆 혁장] 울타리 안에서 싸움. 형제끼리 다툼.
[鬩鬪 혁투] 싸움. 다툼.
◉忿鬩. 訟鬩. 離鬩. 譏鬩. 鬪鬩. 脅鬩.

10 ⑳ [鬪] [高人] 투 [去]宥 都豆切 dòu
[筆順] 𠃍 ... 鬪
[字解] ①싸움 투 ㉠연장 또는 완력으로 겨루는 일. '決一'. '爭一'. ㉡전쟁. '戰一'. ②싸울 투 전항의 동사. '寧一而死'《史記》. ③싸우게할 투 전항의 타동사. '季平子與郈昭伯, 以一雞故得罪魯昭公'《史記》. ④다툴 투 교졸·우열 등을 겨룸. '一詩'. '吾寧一智, 不一力'《十八史略》. ⑤성 투 성(姓)의 하나.
[字源] [篆文] 形聲. 鬥+斲(斲)〔音〕. '斲착·주'는 '깎다'의 뜻. '鬥투'는 사람이 싸우는 모양의 象形. 다투어 싸우다의 뜻을 나타냄. '鬦투'는 俗字.

[鬪舸 투가] 배를 젓는 경쟁.
[鬪角 투각] 지붕의 모서리가 모여 합치는 것.
[鬪擊 투격] 서로 치며 싸움.
[鬪鷄 투계] ㉠닭끼리 싸움 붙임. ㉡싸움닭.
[鬪技 투기] 재주를 서로 겨룸.
[鬪士 투사] 전장(戰場)에서나 경기장에서 싸우려고 나선 사람.
[鬪死 투사] 싸우다 죽음.
[鬪射 투사] 궁술(弓術)의 우열을 겨룸.
[鬪船 투선] 싸움에 쓰이는 배. 전선(戰船).
[鬪詩 투시] 서로 시를 지어 우열을 다툼.
[鬪壤 투양] 전쟁 장소.
[鬪牛 투우] ㉠소끼리 싸움 붙임. ㉡싸움 잘하는 소.
[鬪爭 투쟁] 싸워서 다툼.
[鬪戰 투전] 싸움. 전투(戰鬪).
[鬪志 투지] 싸울 마음.
[鬪智 투지] 지혜를 겨룸.
[鬪草 투초] 풀의 우열(優劣)을 다투는 놀이. 음력 5월 5일에 행하였음. 풀싸움.
[鬪風 투풍] 앞바람. 역풍(逆風).
[鬪艦 투함] 싸움에 쓰이는 큰 배. 전함(戰艦).
[鬪香 투향] 여러 사람이 한곳에 모여서 제각기 준비한 향(香)을 태워서 그 우열(優劣)을 다투는 일.
[鬪鬩 투혁] 형제가 서로 다툼.
[鬪花 투화] 꽃의 우열을 겨루는 놀이. 투초(鬪草) 비슷한 놀이.

[鬪艦]

[鬪很 투흔] 서로 다투고 싸움.
◉敢鬪. 酣鬪. 健鬪. 挌鬪. 格鬪. 決鬪. 結鬪. 苦鬪. 拳鬪. 亂鬪. 武鬪. 搏鬪. 奮鬪. 死鬪. 私鬪. 善鬪. 殊鬪. 惡戰苦鬪. 暗鬪. 力鬪. 鏖鬪. 遠鬪. 爭鬪. 觝鬪. 戰鬪. 轉鬪. 衆鬪.

11 ㉑ [⿵鬥翏] [一] 류 [平]尤 力求切 liú [二] 력 [入]錫 狼狄切 [三] 교 ㊤篠 古了切 jiǎo

[字解] [一] ①목매어죽일 류 목 졸라 죽임. '一, 經繆殺也'《說文》. ②죽일 류 '一, 殺也'《廣雅》. [二] 죽일 력 '一, 殺也'《集韻》. [三] ①목매어죽일 교 [一]❶과 뜻이 같음. ②강복(降服) 교 상복(喪服)의 등급(等級)을 내림. '一, 喪之降殺'《廣韻》.
[字源] 形聲. 鬥+翏〔音〕

12 ㉒ [鬫] 함 ㊤豏 虎檻切 hǎn

[字解] ①고함지를 함 성내어 큰 소리로 외침. 또, 그 모양. 그 소리. '哮一'. '七雄虓一'《漢書》. ②울 함 짐승, 특히 범 같은 것이 욺. '一如虓虎'《詩經》.
[字源] 形聲. 鬥+敢〔音〕. '鬥투'는 '싸우다'의 뜻. '敢감'은 짐승이 성나서 큰 소리로 우는 소리의 의성어.

[鬫鬫 함함] ㉠범 같은 것이 우는 소리. ㉡무섭게 화내는 모양.
◉虓鬫. 哮鬫.

14 ㉔ [⿵鬥爾] [一] 녜 ㊤薺 奴禮切 nǐ [二] 미 ㊤紙 綿婢切

[字解] [一] ①어리석을 녜 지력(知力)이 못남. '一, 智少力劣也'《說文》. ②어리석어다툴 녜 '一, 一曰, 智力劣而爭'《集韻》. ③편협할 녜 마음이 좁음. '一, 褊狹也'《集韻》. [二] 어리석을 미, 어리석어다툴 미, 편협할 미 [一]과 뜻이 같음.
[字源] 形聲. 鬥+爾〔音〕

14 ㉔ [鬭] 〔투〕 鬪(鬥部 十畫〈p.2630〉)의 本字

17 ㉗ [⿵鬥龜] [一] 구 [平]尤 居求切 jiū [二] 규 ㊤有 居黝切 jiū

[字解] [一] 제비 구 심지. '拈一'. '探一'. [二] 제비 규 [一]과 뜻이 같음.
[字源] 篆文 形聲. 鬥+龜〔音〕. '龜귀'는 '糾규'와 통하여 '달라붙다'의 뜻. 달라붙어 싸우다의 뜻을 나타냄. 또 '龜'는 점치는 데 쓰는 거북의 뜻. '鬥투'를 더하여 '제비'의 뜻을 나타냄.

◉拈⿵鬥龜. 探⿵鬥龜.

鬯 (10획) 部
〔술창부〕

0 ⑩ [鬯] 창 [去]漾 丑亮切 chàng

[筆順]

[字解] ①술이름 창 울기장으로 빚은 술. '一酒'. '秬一一卣'《詩經》. ②자랄 창 성장함. 暢(日部 十畫)과 同字. '草木一茂'《漢書》. ③활집 창 활을 넣어 두는 자루. 韔(韋部 八畫)과 통용.
[字源] 甲骨文 金文 篆文 會意. 凵+米+匕. 그릇인 '凵감'에 쌀을 넣고, 숟갈 '匕비'를 곁들여서, 울기장 등으로 빚은 창술의 뜻을 나타냄.
[參考] '鬯창'을 의부(意符)로 하여 술 향기, 술의 원료 등에 관한 문자를 이룸. 부수 이름은 '술창'.

[鬯茂 창무] 초목이 자라서 무성함.
[鬯人 창인] 벼슬 이름. 창주(鬯酒)를 종묘에 올리는 일을 맡음.
[鬯酒 창주] 울기장으로 빚은 술. 강신제(降神祭)에 씀. '울창주(鬱鬯酒)' 참조.
◉介鬯. 秬鬯. 祼鬯. 明鬯. 鬱鬯. 條鬯.

10 ⑳ [⿱矩鬯] 거 ㊤晧 臼許切 jù

[字解] 검은기장 거 秬(禾部 五畫)와 同字. '一, 黑黍也'《說文》.
[字源] 形聲. 鬯+矩〔音〕

18 ㉘ [鬱] 울 [入]物 紆物切 yù

[字解] 울금향 울 향초(香草)의 하나. ‘一鬯, 百艸之華, 遠方鬱人所貢芳艸, 合釀之以降神’《說文》.
[字源] 篆文 會意. 臼+缶+冖+鬯+彡. ‘鬱’의 異體字.

19 鬱 [人名] 울 ㊀物 紆物切 yù

[字解] ①산앵두나무 울 장미과에 속하는 낙엽 관목(落葉灌木). 앵두나무 비슷한 과수(果樹)임. 산이스랏나무. ‘六月食—及薁’《詩經》. ②심황 울 생강과에 속하는 다년초. 지하경(地下莖)을 가루로 만들어 황색의 염료(染料)로 씀. 울금(鬱金). ‘和一鬯以實彝而陳之’《周禮》. ③우거질 울 초목이 무성함. ‘一茂’. ‘一彼北林’《詩經》. ④막을 울 통하지 못하게 함. ‘一令而不出者, 幽其君者也’《管子》. ⑤막힐 울 통하지 아니함. ‘一結’. ‘水一則爲汚’《呂氏春秋》. ⑥답답할 울 ‘一一氣蒸’. ⑦성할 울 사물이 왕성한 모양. ‘一勃’. ‘玄靈淶一’《漢書》. ⑧향기로울 울 향기가 좋음. ‘言一郁於蘭茝’《劉峻》. ⑨성 울 성(姓)의 하나.
[字源] 金文 篆文 金文은 象形으로 사람이 기둥과 기둥 사이에 있어서, 향초를 디딜방아에 찧고 있는 모양을 본뜸. 篆文에서는 거기에 독의 象形인 ‘缶부’와 향초 넣은 술단지를 본뜬 ‘鬯창’ 등이 더해졌는데, 자욱한 향기의 뜻에서 ‘찌다, 막히다, 답답하다’의 뜻도 나타내게 됨. 《說文》은 林+鬱(省)〔音〕의 形聲으로 봄. ‘林림’은 ‘두 기둥’의 뜻, ‘鬱울’은 ‘향초’의 뜻.

[鬱結 울결] 가슴이 막혀 답답함.
[鬱屈 울굴] ㊀울결(鬱結). ㊁산길이 꼬불꼬불한 모양. 울우(鬱紆).
[鬱崛 울굴] 울창하고 높은 모양.
[鬱金 울금] 생강과에 속하는 다년초. 지하경(地下莖)의 분말(粉末)은 황색의 물감으로 씀. 심황.
[鬱金香 울금향] ㊀백합과에 속하는 다년초. 틀립. ㊁미주(美酒)의 한 가지.
[鬱氣 울기] 우울한 기분.
[鬱怒 울노] 쌓여 풀리지 않는 분노.
[鬱陶 울도] ㊀마음이 답답함. ㊁날씨가 무더움.
[鬱律 울률] ㊀연기가 올라가는 모양. ㊁깊숙하고 험준(險峻)한 모양. ㊂소리가 작은 모양. ㊃자체(字體)가 바르지 못하고 뒤틀린 모양.
[鬱隆 울륭] 성하게 일어나는 모양.
[鬱林 울림] 무성한 숲.
[鬱冒 울모] 무덥고 구름이 많이 낌.
[鬱茂 울무] 초목이 무성한 모양.
[鬱悶 울민] 번민하여 가슴이 답답함.
[鬱勃 울발] ㊀왕성(旺盛)한 모양. ㊁초목이 무성한 모양.
[鬱憤 울분] 쌓여 풀리지 않는 분노.
[鬱岪 울불] 산이 험준(險峻)한 모양.
[鬱怫 울불] 가슴이 답답함. 마음이 침울함.
[鬱森 울삼] 초목이 무성한 모양.
[鬱塞 울색] 기운이 막힘. 마음이 답답함.
[鬱述 울술] 비 같은 것이 하늘 자욱이 내리는 모양.
[鬱怏 울앙] 마음이 답답하여 우울함.
[鬱鞅 울앙] 성(盛)한 모양.
[鬱焉 울언] 성(盛)한 모양. 울연(鬱然).

[鬱然 울연] ㊀초목이 무성한 모양. ㊁사물(事物)이 성(盛)한 모양. ㊂울적한 모양.
[鬱懊 울오] 무더움.
[鬱蓊 울옹] ㊀초목이 무성한 모양. ㊁구름이 뭉게뭉게 이는 모양.
[鬱紆 울우] ㊀울읍(鬱悒). ㊁산길이 꼬불꼬불한 모양.
[鬱郁 울욱] ㊀문채(文彩)가 아름다운 모양. ㊁좋은 향기가 물씬 나는 모양.
[鬱燠 울욱] 무더운 모양.
[鬱鬱 울울] ㊀기분이 언짢은 모양. 우울한 모양. ㊁기(氣)가 성(盛)한 모양. ㊂수목이 울창한 모양.
[鬱潤 울윤] 초목이 무성하고 윤기가 있음.
[鬱邑 울읍] 울읍(鬱悒).
[鬱悒 울읍] 근심하는 모양. 수심에 찬 모양.
[鬱猗 울의] 초목이 무성하여 아름다운 모양.
[鬱伊 울이] 침울한 모양.
[鬱積 울적] 울색(鬱塞).
[鬱蒸 울증] 무더움.
[鬱蒼 울창] 나무가 빽빽이 들어서 무성하여 푸릇푸릇한 모양.
[鬱鬯酒 울창주] 울금초(鬱金草)를 쪄서 창주(鬯酒)에 섞은 술. 옛날에 강신(降神)할 때 썼음.
[鬱滯 울체] 울색(鬱塞).
[鬱蔥 울총] ㊀나무가 빽빽이 들어서 울창한 모양. ㊁기운이 왕성한 모양.
[鬱閉 울폐] 막혀서 흐르지 않는 모양.
[鬱血 울혈] 충혈(充血).
[鬱乎 울호] ㊀초목이 무성한 모양. ㊁성(盛)한 모양.
[鬱懷 울회] 울적한 회포. 우울한 심사.

●決鬱. 氣鬱. 陶鬱. 勃鬱. 煩鬱. 芬鬱. 弗鬱. 怫鬱. 暑鬱. 衰鬱. 深鬱. 哀鬱. 抑鬱. 炎鬱. 翳鬱. 蓊鬱. 窈鬱. 紆鬱. 憂鬱. 幽鬱. 隆鬱. 陰鬱. 蔭鬱. 悒鬱. 伊鬱. 堙鬱. 壹鬱. 積鬱. 蒸鬱. 蒼鬱. 沈鬱. 薈鬱.

鬲 (10획) 部
〔솥력부〕

0 鬲 ㉚ ▉력 ㊀錫 郎擊切 lì ▉격 ㊀陌 古核切 gé

[筆順] 一 T FT FT FT FT FT 鬲 鬲

[字解] ▉솥 력 발이 굽은 솥. 또 발 사이가 넓은 솥. 또 발의 속이 빈 솥. ‘一實五觳’《周禮》. ▉①막을 격 隔(阜部十畫)과 통용. ‘一閉門戶’《漢書》. ②성 격 성(姓)의 하나.
[字源] 金文 篆文 象形. 다리가 셋 있는 솥을 본떠 ‘솥’의 뜻을 나타냄.
[參考] ‘鬲력’을 의부(意符)로 하여, 솥이나 솥으로 찌는 일 등에 관한 문자를 이룸. 부수 이름은 ‘솥력’.

〔鬲▉〕

[鬲塞 격색] 가로막힘.

[鬲如 격여] 분묘(墳墓)의 높은 모양.
[鬲絕 격절] 사이를 떼어 끊음. 막아 끊음.
[鬲閉 격폐] 격리하여 잠금.
　●鐺鬲. 寶鬲. 釜鬲. 瓦鬲. 有鬲. 鼎鬲. 周鬲.

0 ⑩ [鬲] 鬲(前條)과 同字

3 ⑬ [鬵] 　□ 과 ㉩歌 古禾切 guō
　　　　　□ 라 ㉩歌 盧戈切
　字解 □ 흙가마 과 토제(土製)의 가마. 토부(土釜). '秦名土鬴曰—'《說文》. □ 흙가마 라 □과 뜻이 같음.
　字源 形聲. 鬲＋冎〔音〕
　參考 鍋(金部 九畫〈p.2404〉)는 俗字.

4 ⑭ [鬴] 鬵(前條)의 訛字

4 ⑭ [鬴] 　□ 의 ㉠紙 魚綺切 yǐ
　　　　　□ 기 ㉠紙 巨綺切
　字解 □ 세발가마솥 의, 쌀이는그릇 의 주둥이가 큰 세 발 달린 가마. '—, 三足鍑也'《說文》. 또 쌀을 이는 그릇. 이남박. '—, 一曰, 滴米器也'《說文》. □ 세발가마솥 기, 쌀이는그릇 기 □과 뜻이 같음.
　字源 形聲. 鬲＋支〔音〕

4 ⑭ [鬲] 〔과〕
　鍋(金部 九畫〈p.2404〉)와 同字

5 ⑮ [鬲] 〔력〕
　鬲(部首〈p.2632〉)과 同字

[融] 〔융〕
　虫部 十畫(p.2026)을 보라.

[鬲] 〔핵〕
　羽部 十畫(p.1810)을 보라.

6 ⑯ [鬳] 권 ㉩願 俱願切 yàn
　字解 솥 권 가마솥의 일종.
　字源 形聲. 鬲＋虎(省)〔音〕

6 ⑯ [鬲] 　□ 鬲(次條)의 本字
　　　　　□ 鬲(部首)의 古字

6 ⑯ [鬲] 　□ 력 ㊊錫 狼狄切 lì
　　　　　□ 비 ㉩未 父沸切 fèi
　字解 □ 솥 력 鬲(部首)의 古字. □ 김오를 비 '—, 上烝氣也'《集韻》.
　字源 象形. '鬲(部首)'의 字源을 보라.

6 ⑯ [鬲] 해 ㉿灰 何開切 hái
　字解 ①새알심 해 새알심. 샐심. 죽 속에 넣는 곡식 가루로 만든 동글동글한 덩이[麩中塊]. '—, 一曰, 麩中塊'《集韻》. ②보리싸라기 해 보

리 싸라기. '—, 麩也'《集韻》.

7 ⑰ [鬲] 경 ㉨徑 古定切 jìng
　字解 가로막을 경 가로막음. 가림. '—, 隔也'《廣雅》.

7 ⑰ [鬴] 부 ⑪麌 扶雨切 fǔ

　字解 ①가마솥 부 釜(金部 二畫)와 同字. '多饗—鍑薪炭'《漢書》. ②되 부 엿 말 넉 되들이의 되. 안은 네모지고 밖은 둥글. '鬴—上也'《周禮》. ③성 부 성(姓)의 하나.
[鬴②]
　字源 金文 篆文 別體 形聲. 鬲＋甫〔音〕. '甫보'는 '크다'의 뜻. 別體 '釜부'는 金＋父〔音〕. '父부'는 '크다'의 뜻.
　●錡鬴. 銅鬴. 覆鬴. 瓦鬴. 縣鬴.

8 ⑱ [鬵] 심 ㉣侵 徐林切 xín
　字解 ①옹가마 심 큰 가마솥. '溉之釜—'《詩經》. ②시루 심 떡을 찌는 데 쓰는 그릇. '甑, 自關而東謂之—, 或謂之—'《揚子方言》.
　字源 篆文 形聲. 鬲＋兓〔音〕. '兓침'은 '숨다'의 뜻. 아랫부분이 작아서 큰 윗부분이 그것을 숨기는 꼴의 큰 가마솥, '시루'의 뜻을 나타냄.
　●釜鬵.

9 ⑲ [鬲] 　□ 이 ㉠齊 人移切 ní
　　　　　□ 내 ㉠灰 汝來切
　筆順 一 口 冎 鬲 鬲 鬲冎 鬲而 鬲
　字解 □ 젓갈 이 젓갈. 뼈를 바르지 아니하고 담은 젓갈. '—, 說文, 有骨醯也'《集韻》. □ 젓갈 내 □과 뜻이 같음.

9 ⑲ [鬷] 종 ㉫東 子紅切 zōng
　字解 ①가마솥 종. ②많을 종 중다(衆多)함. '越以—邁'《詩經》. ③아뢸 종 사룀. '—假無言'(중용(中庸)에는 '奏假'로 됨)《詩經》. ④성 종 성(姓)의 하나.
　字源 篆文 形聲. 鬲＋𡗉〔音〕

10 ⑳ [鬲] 력 ㊊錫 郎狄切 lì
　字解 ①거를 력 거름. 찌꺼기를 걸러 냄. '—, 去滓也'《字彙》. ②鬲(部首)의 俗字.

10 ⑳ [鬲] 　□ 羹(羊部 十三畫〈p.1803〉)과 同字
　　　　　□ 烹(火部 七畫〈p.1333〉)의 古字

11 ㉑ [鬲] 상 ㉮陽 尸羊切 shāng
　字解 삶을 상 음식을 삶음. '皆嘗烹—上帝鬼神'《史記》.

字源 形聲. 鬲+煬〈省〉〔音〕. '煬양'은 불에 쬐다의 뜻. 가마솥에 삶다의 뜻을 나타냄.

◉烹鬺.

11 [鬹] ㊀ 규 ㊥支 均窺切 guī
㉑ ㊁ 휴 ㊥齊 玄圭切

字解 ㊀ 세발가마솥 규 자루와 주둥이가 있는 세 발 달린 가마솥. '一, 三足鬴也. 有柄喙'《說文》. ㊁ 가마솥 휴 '一, 鑊也'《集韻》.
字源 形聲. 鬲+規〔音〕

12 [鬻] ㊀ 죽 ㊇屋 之六切 zhōu
㉒ ㊁ 육 ㊇屋 余六切 yù
㊂ 국 ㊇屋 居六切 jū

字解 ㊀ 죽 죽 묽은 죽. 粥(米部 六畫)과 同字. 또, 죽을 먹음. '饘於是, 一於是'《左傳》. ㊁ ① 팔 육 ㉠물건을 팖. '畫其像, 印一之, 畫工有致富者'《十八史略》. ㉡노력 등에 대하여 보수를 얻음. '一文'. '一色'. ㉢기만함. '一五國'《戰國策》. ②성 육 성(姓)의 하나. ㊂ 어릴 국 나이가 어림. 일설(一說)에는 기름. 양육함. '一子之閔斯'《詩經》.
字源 篆文 會意. 𩰲+米. '𩰲력·비'는 가마솥에서 김이 나오는 모양을 본뜸. 푹 삶은 쌀, '죽'의 뜻을 나타냄. 또 '賣육'과 통하여 '팔다'의 뜻도 나타냄.

[鬻子 국자] ㉠어린아이. ㉡[육자] 책 이름. 주(周)나라 문왕(文王)의 스승인 육웅(鬻熊)의 찬(撰). 1권. 현존(現存)하는 것은 당인(唐人)의 위작(僞作)일 것이라 함.
[鬻賣 육매] 팖.
[鬻爵 육작] 조정(朝廷)에서 관작(官爵)을 팖.
◉酤鬻. 嫗伏孕鬻. 賣鬻. 私鬻. 粥鬻. 自鬻. 轉鬻. 販鬻. 衒鬻.

13 [鬲+裘] ㊀ 객 ㊇陌 克革切 kè
㉓ ㊁ 격 ㊇錫 吉歷切

字解 ㊀ ①갖옷안 객 가죽 옷의 안찝. 裲(衣部 十畫)과 同字. '一, 裘裏, 與皮相隔'《正字通》. ②얇을 객 '一, 一曰, 薄也'《集韻》. ㊁ 갖옷안 격, 얇을 격 ㊀과 뜻이 같음.
字源 形聲. 裘+鬲〔音〕

13 [鬲+求+衣]
㉓ [鬲+裘](前條)의 本字

13 [鬲+嵏] 〔종〕
㉓ 鬷(鬲部 九畫〈p.2633〉)과 同字

14 [𩰲+侃] ㊀ 건 ㊥元 居言切 jiān
㉔ ㊁ 전 ㊥先 諸延切 zhān

字解 ㊀ 죽 건 '一, 鬻也'《說文》. ㊁ 죽 전 ㊀과 뜻이 같음.
字源 形聲. 𩰲+侃〔音〕

15 [𩰲+者] 자(저本) ㊤語 章與切 zhǔ
㉕

字解 삶을 자, 구울 자 煮(火部 九畫)와 同字. '一鹽以待戒令'《周禮》.
字源 篆文 別體 形聲. 𩰲+者〔音〕. '𩰲력·비'는 가마에서 김이 피어오르는 모양을 본뜸. '者자'는 많은 것을 모으다의 뜻. 많은 것을 한데 삶다, '삶다'의 뜻을 나타냄. '煮자'는 別體.

16 [𩰲+羊] 〔갱〕
㉖ 羹(羊部 十三畫〈p.1803〉)과 同字

20 [𩰲+翟] 약 ㊇藥 弋灼切 yuè
㉚

字解 데칠 약 고기나 야채를 끓는 물에 데침. '一, 內肉及菜湯中薄出之'《說文》.
字源 形聲. 𩰲+翟〔音〕

20 [𩰲+毓] ㊀ 육 ㊇屋 余六切 yù
㉚ ㊁ 축 ㊇屋 之六切

字解 ㊀ 죽 육 '一, 鬻也'《說文》. ㊁ 죽 축 ㊀과 뜻이 같음.
字源 形聲. 𩰲+毓〔音〕

鬼(10획)部

〔귀신귀부〕

0 [鬼] 高人 귀 ㊤尾 居偉切 guǐ
⑩

筆順 ノ 亻 白 白 由 由 鬼 鬼

字解 ①귀신 귀 ㉠음(陰)의 신령. 양(陽)의 신령은 '神'이라 함. '子曰, 一神之爲德, 其盛矣乎'《中庸》. ㉡죽은 사람의 혼. '知一神之情狀'《易經》. ㉢신(神)으로서 제사 지내는 망령(亡靈). '天神'·'地祇'에 다음가는 것. '列於一神'《禮記》. ㉣명명(冥冥)한 가운데에서 사람에게 앙화를 내린다는 요귀. '惡一'. '貧一守門'《易林》. ②도깨비 귀 나쁜 음기(陰氣)의 화신(化身). 또는, 상상의 괴물. '爲一爲蜮'《詩經》. '阮德如嘗於廁見一, 長丈餘, 色黑而眼大'《世說》. ③별이름 귀 이십팔수(二十八宿)의 하나. 주작(朱雀) 칠수(七宿)의 제이성(第二星). ④성 귀 성(姓)의 하나.
字源 甲骨文 金文 篆文 古文 象形. 무시무시한 머리를 한 사람의 象形으로 죽은 사람의 혼의 뜻을 나타냄.
參考 '鬼귀'를 의부(意符)로 하여 영혼이나 초자연적인 것, 그 작용 등에 관한 문자를 이룸. 부수 이름은 '귀신귀'.

[鬼瞰 귀감] 귀신이 내려다봄. 귀신이 엿봄.
[鬼臉嚇人 귀검하인] 귀신의 얼굴을 하고 남을 으른다는 뜻으로, 허세를 부려 으름의 비유.
[鬼谷 귀곡] ㉠허난 성(河南省) 덩펑 현(登封縣) 동남에 있는 산골짜기의 이름. 귀곡자(鬼谷子)가 살던 곳. ㉡별의 이름. 귀신이 모이는 곳. 북극성(北極星) 아래 있다고 함.
[鬼哭 귀곡] ㉠귀신이 욺. 또 그 우는 소리. ㉡귀

신마저도 통곡함.

[鬼谷子 귀곡자] ㉠전국(戰國) 시대 종횡가(縱橫家)의 조(祖). 허난 성(河南省) 귀곡(鬼谷)에 숨어서 소진(蘇秦)·장의(張儀)를 가르쳤다 함. ㉡종횡가(縱橫家)의 서(書). 1권, 12편. 귀곡자(鬼谷子)가 쓴 것이라고 전하나, 한(漢)나라 이후의 것이라고도 함.

[鬼哭鳥 귀곡조] 밤중에 공중(空中)으로 날아다니며 구슬프게 우는 새. 부엉이의 일종. 귀곡새.

[鬼工 귀공] 귀신의 제작. 사람의 솜씨로는 하기 어려운 교묘한 세공.

[鬼怪 귀괴] ㉠이상함. 괴이함. ㉡도깨비.

[鬼區 귀구] ㉠멀리 떨어진 지방. ㉡먼 구이저우(貴州)의 지방.

[鬼氣 귀기] 소름이 끼치는 분위기.

[鬼道 귀도] ㉠귀신이 다니는 길. ㉡혹세무민(惑世誣民)하는 술법.

[鬼董狐 귀동호] 귀신(鬼神)·괴물(怪物)에 관한 것을 쓴 훌륭한 역사가(歷史家). 동호(董狐)는 춘추(春秋) 때 직필(直筆)로써 이름 높은 사가(史家)임.

[鬼錄 귀록] 죽은 사람의 이름을 적는 장부.

[鬼燐 귀린] 귀화(鬼火).

[鬼媚 귀매] 도깨비. 두억시니.

[鬼面 귀면] 귀신의 얼굴. 도깨비의 탈.

[鬼貌 귀모] 유령과 같은 얼굴.

[鬼貌藍色 귀모남색] 귀신 같은 얼굴이고 빛도 검푸름.

[鬼門 귀문] ㉠도깨비가 모이는 곳. ㉡귀수(鬼宿)가 있는 방향. 간방(艮方), 곧 동북간. ㉢배우(俳優)가 드나드는 무대(舞臺)의 출입구.

[鬼門關 귀문관] 광시 성(廣西省) 북류현(北流縣) 남쪽에 있는 관(關) 이름. 관(關)의 남쪽은 장려(瘴癘)병이 심하여 천적(遷謫)되어 이곳에 오는 사람은 생환(生還)함이 드물다고 함.

[鬼物 귀물] 도깨비.

[鬼方 귀방] 먼 지방.

[鬼伯 귀백] 백귀(百鬼)의 우두머리.

[鬼斧 귀부] 귀신이 도끼로 깎은 것처럼 교묘하게 이루어진 세공(細工).

[鬼設 귀설] 귀신이 만든 것 같은 교묘한 설비.

[鬼宿 귀수] 이십팔수(二十八宿)의 하나. 남방 주작(朱雀)의 제이성(第二星).

[鬼神 귀신] ㉠죽은 사람의 혼령(魂靈). ㉡명명(冥冥)한 가운데 있어서 인류(人類)에게 화복(禍福)을 내려 주는 정령(精靈).

[鬼薪 귀신] 진한(秦漢) 시대의 형벌. 땔나무를 작는 고역(苦役).

[鬼神避之 귀신피지] 귀신이 피한다는 뜻으로, 과단성 있게 행하면 귀신도 피하고 방해하지 아니한다는 말.

[鬼眼睛 귀안정] 《佛敎》 귀신의 눈동자. 사견(邪見)을 말함.

[鬼雨 귀우] 큰비. 호우(豪雨).

[鬼子母神 귀자모신] 《佛敎》 출산·양육을 수호하는 여신(女神).

[鬼才 귀재] ㉠세상에 드물게 뛰어난 시문(詩文)의 재주. ㉡세상에 드문 재주. 또, 그 사람.

[鬼籍 귀적] 죽은 사람의 사망 연월일 등을 기재하는 장부. 과거장부.

[鬼誅 귀주] 귀신이 내리는 벌.

[鬼畜 귀축] 아귀(餓鬼)와 축생(畜生). 곧, 잔인 무도한 자.

[鬼出電入 귀출전입] 귀신처럼 나가고, 번개처럼 들어온다는 뜻으로, '언제 어디서 나타날지 모름'의 비유. 신출귀몰(神出鬼沒).

[鬼胎 귀태] 심중에 품은 두려워하는 마음.

[鬼享 귀향] 종묘(宗廟)의 제사(祭祀).

[鬼形 귀형] 귀신의 형상.

[鬼化 귀화] 귀신.

[鬼火 귀화] 도깨비불.

[鬼禍 귀화] 재화(災禍). 불행(不幸).

[鬼話 귀화] ㉠엉터리 이야기. 거짓말. ㉡도깨비에 관한 이야기?

●強鬼. 怪鬼. 舊鬼. 窮鬼. 狼鬼. 魔鬼. 冥鬼. 百鬼. 邪鬼. 山鬼. 水鬼. 施餓鬼. 新鬼. 餓鬼. 惡鬼. 暗鬼. 野鬼. 厲鬼. 輿鬼. 疫鬼. 靈鬼. 愚鬼. 冤鬼. 幽鬼. 陰鬼. 疑心生暗鬼. 異域鬼. 人鬼. 赤鬼. 債鬼. 忠義鬼. 打鬼. 敝鬼. 瘧鬼. 恨鬼.

2 [勉] 〔리〕

⑫ 魑(鬼部 十一畫〈p. 2638〉)와 同字

3 [彭] 매(미)㊤ ㊀寘 明祕切 mèi

⑬

字解 도깨비 매 늙은 정물(精物). '以夏日至致地示物一'《周禮》.

字源 會意. 鬼＋彡. '삼'은 귀신의 털. 늙은 도깨비의 뜻을 나타냄. '魅매'는 別體로 鬼＋未〔音〕의 形聲. '未미'는 똑똑하지 않다의 뜻.

4 [魟] 개 gà

⑭

字解 보행이바르지않을 개 보행(步行)이 바르지 아니함. '一, 同忦, 舷忦, 行不正也'《篇海》.

4 [魁] 〔人名〕 괴 ㊀灰 苦回切 kuí

⑭

字解 ①우두머리 괴 수령. '首一'. '殲厥渠一'《書經》. ②으뜸 괴 최초. 제일. '原涉爲一'《漢書》. ③클 괴 위대함. 웅대함. '始以薛公爲一然也'《史記》. ④편안할 괴 마음이 편안함. '猶之一然'《莊子》. ⑤별이름 괴 북두칠성의 첫째 별. 문운(文運)을 맡은 별로서, 과거에 응시하는 자는 이 별에 기도를 드렸다 함. 일설(一說)에는 북두칠성의 첫째에서 넷째까지의 네 별을 일컬음. 다섯째에서 일곱째까지의 세 별은 '杓'. '一星'. '一方杓'《後漢書》. ⑥언덕 괴 작은 구릉. '以爲一陵冀土'《國語》. ⑦흙덩이 괴 塊(土部 十畫)와 통용. '一然無徒, 廓然獨居'《漢書》. ⑧성 괴 성(姓)의 하나.

字源 形聲. 斗＋鬼〔音〕. '鬼귀'는 '유다르다'의 뜻. 커다란 국자의 뜻을 나타냄.

[魁甲 괴갑] 장원 급제(壯元及第)한 사람.

[魁健 괴건] 건장하고 기운이 셈.

[魁傑 괴걸] 걸출한 인물.

[魁閎 괴굉] 뛰어나고 큼.

[魁奇 괴기] 걸출(傑出)하여 보통 사람과 다름.

[魁黨 괴당] 악당(惡黨)의 괴수들.

[魁頭 괴두] 맨머리. 아무것도 쓰지 아니한 머리. 과두(科頭).

[魁壘 괴뢰] 괴안(魁岸).

[魁蠡 괴뢰] 재촉하여 괴롭힘.

[魁陸 괴륙] 꼬막.
[魁陵 괴릉] 작은 구릉(丘陵). 언덕.
[魁柄 괴병] 국자의 자루. '권병(權柄)'의 비유.
[魁士 괴사] 걸출(傑出)한 선비.
[魁選 괴선] 과거에 장원으로 급제함.
[魁星 괴성] ㉠북두칠성(北斗七星)의 첫째 별. ㉡북두칠성의 첫째부터 넷째까지의 네 별.
[魁秀 괴수] 뛰어남. 빼어남.
[魁首 괴수] ㉠명대(明代)에 과거에 장원 급제 한 사람. ㉡악인(惡人)의 두목(頭目). 무뢰배(無賴輩)의 우두머리.
[魁帥 괴수] 두목.
[魁宿 괴숙] ㉠전부터 잘 아는 사이. ㉡노숙(老熟)한 사람.
[魁岸 괴안] 체격이 장대하고 풍채가 훌륭함.
[魁然 괴연] ㉠장대(壯大)한 모양. ㉡마음이 편안한 모양. ㉢고독하게 혼자 서 있는 모양.
[魁梧 괴오] 괴위(魁偉).
[魁偉 괴위] 장대(壯大)한 모양.
[魁壯 괴장] 모습이 건장하고 뛰어남.
[魁堆 괴퇴] 높은 모양.
[魁蛤 괴합] 살조개. 안다미조개.
[魁形 괴형] 큰 몸집.
●巨魁. 渠魁. 怪魁. 黨魁. 大魁. 瑞草魁. 首魁. 芋魁. 雄魁. 元魁. 里魁. 賊魁. 酒魁. 八魁. 花魁. 俠魁.

4
⑭ [魝] 기 ㉠支 渠羈切 jì
㉡紙 巨綺切
㉢寘 奇寄切
字解 ①수의 기 시신(屍身)에 입히는 옷. '一, 鬼服也'《說文》. ②아이귀신 기 전욱(顓頊)의 세 아들이 어려서 죽어 귀신이 되었는데, 그 가운데 방(房) 안에 있어 사람을 놀라게 하는 것을 아이 귀신이라 함. '一, 一曰, 小兒鬼'《說文》.
字源 形聲. 鬼＋支〔音〕.

4
⑭ [魝] 기 ㉠微 渠希切 qí
字解 별이름 기 '九一'는 북두칠성(北斗七星). '訊九一與六神'《楚辭》.

4
⑭ [魂] 혼 혼 ㉠元 戶昆切 hún

筆順 一 二 云 云' 动 动 动 动

字解 ①넋 혼 ㉠사람의 정신. '靈一'. '我命絶今日, 一去尸長留'《古詩》. ㉡영혼의 양(陽)에 속하는 부분. 음(陰)에 속하는 것은 '魄'이라 함. '人生始化曰魄, 旣生魄, 陽曰一'《左傳》. ㉢물건의 정신. '花一'. ②마음 혼 심정. '旅一'. '斷一'. '馳一魏闕'《許敬宗》. '費神傷一'《呂氏春秋》.
字源 篆文 寛 혼 籀文 魂 운 形聲. 鬼＋云〔音〕. '鬼귀'·'云운' 모두 비일상적(非日常的)인 것의 뜻. 사후의 영혼의 뜻을 나타냄. 또 '云'은 '돌다'의 뜻. 하늘 위를 뛰어 돌아다니는 넋의 뜻으로도 생각할 수 있음.

[魂氣 혼기] 정신. 영혼(靈魂).
[魂膽 혼담] 영혼. 마음.

[魂魄 혼백] 넋.
[魂飛魄散 혼비백산] 혼이 날아가고 백(魄)이 흩어진다는 뜻으로 몹시 놀람을 이름.
[魂爽 혼상] 영혼. 정령(精靈).
[魂殿 혼전] 임금이나 왕비의 국상 뒤에 3년 동안 신위를 모시는 궁전.
[魂魂 혼혼] ㉠많은 모양. ㉡찬란하게 빛나는 모양.
●客魂. 怯魂. 驚魂. 孤魂. 九折魂. 羈魂. 斷魂. 亡魂. 夢魂. 反魂. 芳魂. 別魂. 商魂. 傷魂. 銷魂. 詩魂. 神魂. 心魂. 旅魂. 英魂. 靈魂. 冤魂. 雄魂. 幽魂. 遊魂. 遺魂. 吟魂. 離魂. 人魂. 入魂. 殘魂. 精魂. 鎭魂. 淸魂. 招魂. 蜀魂. 忠魂. 鬪魂. 香魂. 花魂.

4
⑭ [寛] 魂(前條)과 同字

5
⑮ [魃] 人名 발 ㉠曷 蒲撥切 bá
字解 ①가물귀신 발 가물을 맡은 신(神). '旱一爲虐'《詩經》. ②가물 발 가뭄. 오래 비가 안 오는 날씨.
字源 篆文 魃 形聲. 鬼＋犮〔音〕. '犮발'은 '제거하다'의 뜻. 지상의 생물을 제거하는 신, '가뭄의 신'의 뜻을 나타냄.
●驕魃. 老魃. 暑魃. 炎魃. 妖魃. 旱魃.

5
⑮ [魅] 人名 매(미) ㉠寘 明祕切 mèi
字解 ①도깨비 매 요괴(妖怪). '魑一'. '死老一'《後漢書》. ②호릴 매 남의 정신을 호리게 함. '一惑'. '容媚諂一'《孔叢子》.
字源 鬽의 別體 魅 形聲. 鬼＋未〔音〕.

[魅力 매력] 마음을 호리어 끄는 힘.
[魅了 매료] 완전히 매혹(魅惑)함.
[魅虛 매허] 도깨비.
[魅狐 매호] 사람을 호리는 여우.
[魅惑 매혹] 남을 호리어 현혹하게 함.
●蠱魅. 鬼魅. 魔魅. 魍魅. 木魅. 物魅. 射魅. 山魅. 魑魅. 野魅. 妖魅. 陰魅. 魈魅. 精魅. 衆魅. 諂魅. 狐魅.

5
⑮ [魆] 人名 훌 ㉠物 許屈切 xū
字解 ①속일 훌 '一, 謫也'《字彙補》. ②갑자기 훌 '一, 猝然也'《字彙補》.

5
⑮ [魄] 人名 ▤ 백 ㉠陌 普伯切 pò
▤ 박 ㉠藥 白各切 bó
▤ 탁 ㉠藥 他各切 tuò
字解 ▤ ①넋 백 사람의 정신의 음(陰)에 속하는 부분. 양(陽)에 속하는 것은 '魂'이라 함. ②몸 백, 모양 백 형체. '其一兆乎民矣'《國語》. ③달 백, 달빛 백 월영(月影). '露巖淪曉一'《駱賓王》. 또 달의 윤곽의 빛이 없는 부분. '惟一月壬辰旁死一'('死一'은 달빛이 아주 소멸한 때, 곧 초하루이고, '旁死一'은 초이튿날)《書經》. ▤ ①재강 박, 찌끼 박 '古人之槽一'《莊子》. ②넓을 박 薄(艸部 十三畫)과 통용. '旁一四塞'

《史記》. ㊁ 영락할 탁 영체(零替)함. '家貧落—'《史記》.

字源 篆文 形聲. 鬼+白〔音〕. '鬼귀'는 '영혼'의 뜻, '白백'은 생기를 잃다의 뜻. 육체에 깃들여 있다가, 죽으면 그 육체를 떠나서 땅으로 돌아가는 '넋'의 뜻을 나타냄.

◉驚魂動魄. 桂魄. 古人糟魄. 氣魄. 羈魄. 落魄. 杜魄. 亡魄. 旁魄. 死魄. 生魄. 蟾魄. 纖魄. 素魄. 心魄. 夜魄. 厲魄. 艷魄. 營魄. 靈魄. 玉魄. 妖魄. 圓魄. 月魄. 毅魄. 精魄. 地魄. 體魄. 蜀魄. 兔魄. 險魄. 形魄. 虎魄. 皓魄. 魂魄. 曉魄.

5 ⑮ [䰡] ㊀ 치 ㊄寘 丑吏切 chì ㊉支 抽知切 ㊁ 질 ㊅質 敕栗切

字解 ㊀ ①역신(疫神) 치 계춘(季春), 맹추(孟秋), 추동(秋冬)의 세 철에 음양(陰陽)의 기(氣)가 시체(屍體)의 기(氣)와 만나서, 사람에게 재앙과 역병(疫病)을 갖다 주는 귀신. '—, 厲鬼也'《說文》. ②도깨비 치 '—, 魑彪之類也'《玉篇》. ㊁ 역신 질, 도깨비 질 ㊀과 뜻이 같음.

字源 形聲. 鬼+失〔音〕

5 ⑮ [𩲡] 䰡(前條)와 同字

5 ⑮ [䰟] 〔귀〕 鬼(部首〈p. 2634〉)의 古字

5 ⑮ [𩲅] 갑 ㊅洽 古洽切 jiǎ

字解 숨어있는귀신 갑 숨어 있는 귀신. '—, 竊鬼'《字彙》.

6 ⑯ [𩲸] 괴 ㊉灰 枯灰切 chì

字解 도깨비 괴 도깨비. 요괴. '剛山是多神—'《山海經》.

6 ⑯ [𩳁] 귀 ㊄寘 俱位切 kuì

字解 크게볼 귀 크게 봄. 또, 그 모양. '—, 大視貌'《篇海》.

7 ⑰ [魈] 소 ㊉蕭 相邀切 xiāo

字解 도깨비 소 산의 요괴(妖怪). 또 목석(木石)의 요괴. 발이 하나이며 밤에 나와 사람을 침범한다 함. '山精, 形如小兒, 獨足向後, 夜喜犯人. 名曰—. 呼其名, 則不能犯'《抱朴子》.

字源 形聲. 鬼+肖〔音〕

[魈魅 소매] 발이 하나이며 밤에 나와 사람을 침범한다는 도깨비.

7 ⑰ [𩳅] 리 ㊃紙 良以切 lǐ

字解 악귀 리 악귀(惡鬼). 악한 귀신. '—, 惡鬼'《篇海》.

[醜] 〔추〕 酉部 十畫(p. 2360)을 보라.

8 ⑱ [䰤] 동 ㊉東 都籠切 dōng

字解 ①추한모양 동 추한 모양. 보기 흉한 모양. '—, 一曰, 醜皃'《集韻》. ②귀신이사람죽일 동 귀신이 사람을 죽임. '—, 鬼殺人也'《玉篇》. ③귀신이름 동 귀신의 이름. '—, 鬼名'《集韻》.

8 ⑱ [魋] ㊀ 추 ㊉支 傳追切 chuí ㊁ 퇴 ㊉灰 杜回切 tuí

字解 ㊀ 몽치머리 추 머리를 뒤로 늘여 땋은 몽치 모양의 머리. 椎(木部 八畫)와 통용. '尉佗—結箕踞'《漢書》. ㊁ ①퇴(魋)곰 퇴 붉은 곰. 또, 곰 비슷한 신수(神獸). ②사람이름 퇴 인명(人名). '桓—'《論語》. ③성 퇴 성(姓)의 하나.

字源 篆文 形聲. 鬼+隹〔音〕. '隹추'는 꽁지 짧은 새의 뜻으로, 작고 통통하다의 뜻을 나타냄. 퇴(魋)곰을 이름.

[魋結 추결] 몽치 모양의 상투. 북상투.
[魋顔 퇴안] 장대한 얼굴.
[魋翕 퇴흡] 이마가 튀어나온 모양.

◉桓魋.

8 ⑱ [魍] 망 ㊃養 文兩切 wǎng

字解 도깨비 망 '—魎'은 산수(山水)·목석(木石)의 요괴(妖怪). '山林民可入, —魎莫逢旃'《韓愈》.

字源 形聲. 鬼+罔〔音〕. '罔망'은 덮여 가려져서 보이지 않다의 뜻.

[魍魎 망량] 도깨비. 두억시니. 산수·목석의 요괴.
[魍魅 망매] 물속의 요괴.

8 ⑱ [魎] 량 ㊃養 良獎切 liǎng

字解 도깨비 량 魍(前條)을 보라. '魍—'.

字源 形聲. 鬼+兩〔音〕. '魍魎망량'은 '朦朧몽롱'과 마찬가지로 흐려서 똑똑하지 않음을 나타내는 의성어. 산천에 산다는 상상의 괴물의 뜻을 나타냄.

◉魍魎.

8 ⑱ [𩃬] 격 ㊅錫 古歷切 guǐ

字解 비를맡은귀신 격 비를 맡은 귀신. '—, 雨鬼'《五音集韻》.

8 ⑱ [𩴐] 기 ㊉支 渠羈切 qí

字解 아이귀신 기 아이 귀신. '—, 或从支'《集韻》.

8 ⑱ [魌] 기 ㊉支 去其切 qī

字解 ①못날 기 頗(頁部 八畫)와 同字. ②방상시 기 구나(驅儺)할 때 쓰는 탈의 하나. '—頭'. '冒熊皮者. 以驚毆疫癘之鬼, 如今—頭也'《周禮注》.

[字源] 形聲. 鬼＋其〔音〕

8
⑱ [䫱] 독 [入]屋 丁木切 zhú

[字解] 추한머리 독 추한 머리. 보기 흉한 머리. '—, 醜頭'《字彙》.

8
⑱ [魏] [人名] 위 [去]未 魚貴切 wèi 

[筆順] 二 禾 秃 委 委白 委由 魏 魏

[字解] ①높을 위 巍(山部 十八畫)와 통용. '—闕之高'《淮南子》. ②나라이름 위 ㉠전국 시대(戰國時代)의 한 나라. 진(晉)나라의 대부(大夫) 위사(魏斯)가 진나라를 삼분하여 그중의 허난성(河南省) 북부, 산시 성(山西省)의 서남부를 차지하여 창건하였는데, 후에 진(秦)나라에 멸망당하였음. ㉡삼국(三國)의 하나. 조조(曹操)의 아들 조비(曹丕)가 후한(後漢)에 대신하여 화북(華北)에 세운 왕조(王朝). 5주(主) 46년 만에 사마염(司馬炎)에게 양위(讓位)하여 망하였음. 이를 '曹—'라 함. (220～265) ㉢탁발규(拓跋珪)가 화북(華北)에 세운 왕조. 이를 '後—'라 함. 후에 '東—'·'西—'로 나뉘었는데, '東—'는 북제(北齊)에, '西—'는 북주(北周)에 멸망당하였음. (386～534) ③성 위 성(姓)의 하나.

[字源] 形聲. 鬼＋委〔音〕

[魏闕 위궐] 높고 큰 문이란 뜻으로, 대궐의 정문. 전(轉)하여 조정.

[魏了翁 위료옹] 남송말(南宋末)의 유가(儒家)·정치가. 포강(蒲江) 사람. 자(字)는 화보(華父). 주자(朱子)의 문인(門人) 보광(輔廣)과 벗하여 경학(經學)에 통함. 각지의 지방관(地方官)을 역임(歷任)하면서 한편 서원(書院)을 세워 강의(講義)를 하였음. 〈학산전집(鶴山全集)〉 109권을 저술(著述)하였음.

[魏柳 위류] 버들잎과 같은 눈썹.

[魏武帝 위무제] 위(魏)나라의 무제(武帝). 곧 조조(曹操).

[魏文帝 위문제] 삼국(三國) 위(魏)나라의 초대(初代) 황제. 조조(曹操)의 장자. 이름은 비(丕). 후한(後漢) 헌제(獻帝)의 선위(禪位)를 받아 즉위(卽位)하여 뤄양(洛陽)에 도읍하였음. 아우 조식(曹植)과 함께 문학에 뛰어났음.

[魏相 위상] 한(漢)나라 선제(宣帝) 때의 재상. 자(字)는 약옹(弱翁). 곽광(霍光) 일족(一族)이 멸족(滅族)되고 친정(親政)이 행하여진 후 병길(丙吉)과 더불어 합심하여 정사(政事)를 도와 고평후(高平侯)에 피봉(被封)되었음.

[魏書 위서] 중국의 정사(正史)의 하나. 북제(北齊)의 위수(魏收)의 찬(撰). 130권. 위(魏)나라의 사실(史實)을 기술함. 논술(論述)이 불공평(不公平)하다 하여 예사(穢史)라 불리었음.

[魏舒 위서] 진(晉)나라 임성(任城) 사람. 무제(武帝) 때 사도(司徒)가 되어 위품(威品)과 덕망(德望)이 있었음.

[魏收 위수] 남북조(南北朝) 시대의 학자. 자(字)는 백기(伯起). 기경능문(機警能文)하여 북위말(北魏末)에 온자승(溫子昇)·형소(邢邵)와 더불어 북위 삼재(三才)라 일컬어지고 사관(史官)으로서 중용(重用)되었음. 북제(北齊)가 성립되자 칙명(勅命)으로 위서(魏書)를 찬(撰)하고 율령(律令)의 수개(修改), 예전 제정(禮典制定)에 공(功)이 많아서 벼슬이 상서우복야(尙書右僕射)에 이르렀음.

[魏魏 위위] 고대(高大)한 모양. 큰 모양.

[魏紫姚黃 위자요황] 목단(牧丹)의 딴 이름. 본시 위씨(魏氏)와 요씨(姚氏) 두 집에서 심었다는 데서 나온 말.

[魏徵 위징] 당(唐)나라 태종(太宗)의 명신(名臣). 자(字)는 현성(玄成). 간의대부(諫議大夫)·비서감(祕書監)이 되고 누진(累進)하여 간신(諫臣)으로서 태종을 잘 섬겼으며, 또 주서(周書)·수서(隋書)·북제서(北齊書)·양서(梁書)·진서(陳書)의 편찬에 관여하였음.

[魏忠賢 위충현] 명말(明末)의 환관(宦官). 희종(熹宗) 때 무뢰한(無賴漢) 출신으로 자궁(自宮)하여 환관이 되었는데, 유모(乳母) 봉성 부인(奉聖夫人) 객씨(客氏)와 사통(私通)하고 정사(政事)를 마음대로 하다가 다음 의종(毅宗) 때 탄핵(彈劾)을 받아 스스로 목매어 죽었음.

[魏孝文帝 위효문제] 북위(北魏)의 6대 황제. 탁발씨(拓跋氏). 이름은 굉(宏). 경학(經學)은 물론, 노불(老佛)에도 정통하고 문사(文詞)에도 능한 교양(敎養) 높은 군주로서, 즉위(卽位)한 뒤 문치(文治)를 크게 일으키고 북족(北族)의 한화(漢化) 정책을 강행(強行), 뤄양(洛陽)으로 도읍을 옮겼음.

◉東魏. 房魏. 三魏. 象魏. 西魏. 阿魏. 曹魏. 黃魏. 後魏.

9
⑲ [魌] 격 [入]陌 古役切 jú

[字解] 고요할 격 고요함. 조용함. '—, 靜也'《篇海》.

9
⑲ [䰩] [一] 차 [上]馬 齒者切 chě
[二] 도 [平]虞 東徒切 dū

[字解] [一] 추악할 차 나쁨. [二] 산귀(山鬼) 도 산에 사는 귀신. '—, 山鬼'《集韻》.

10
⑳ [䰫] 〔기〕
䰫(鬼部 十二畫〈p. 2639〉)와 同字

11
㉑ [魑] 리(치[本]) [平]支 丑知切 chī 魑 

[字解] 도깨비 리 산의 요괴. '—魅罔兩, 莫能逢之'《左傳》.

[字源] [篆文]  形聲. 鬼＋离〔音〕. '离치·리'는 짐승 모양을 한 산신(山神)의 뜻.

[魑魅 이매] 산의 요괴. 도깨비.

[魑魅魍魎 이매망량] 도깨비. 두억시니.

11
㉑ [魌] [一] 나 [平]歌 諸何切 nuó
[去]箇 乃箇切
[二] 뇨 [平]肴 尼交切
[三] 난 [去]翰 乃旦切

[字解] [一] ①도깨비보고놀라는소리 나 '—, 纂文云, 人値鬼驚聲'《廣韻》. ②구나(驅儺) 나 儺(人部 十九畫)와 同字. '—, 驚毆疫癘之鬼也'《玉篇》. [二] 도깨비보고놀라는소리 뇨, 구나 뇨 [一]과

의 한 가지. 도마뱀 비슷함. 산초어(山椒魚). '禺禺鱋—'《史記》.
字源 形聲. 魚+內〔音〕

4 ⑮ [魰] 어 ㊥魚 牛居切 yú
字解 물고기잡을 어 漁(水部 十一畫)와 同字. '逞欲畋—'《張衡》.

4 ⑮ [𩵩] 문 ㊥文 無分切 wén
字解 가물치 문, 날치 문 '—, 魚名'《集韻》.

4 ⑮ [魧] ■ 강 ㊥陽 古郎切 / ■ 항 ㊥陽 寒剛切 ㊤養 下朗切 háng
字解 ■ ①큰조개 강 '—, 大貝也'《說文》. ②물고기기름 강 '—, 一曰, 魚膏'《說文》. ③자가사리 강 '—, 魠也'《廣雅》. ④물고기뼈 강 '—, 一曰魚骨'《集韻》. ■ 큰조개 항, 물고기기름 항, 자가사리 항, 물고기뼈 항 ㊀과 뜻이 같음.
字源 形聲. 魚+亢〔音〕

4 ⑮ [𩵆] 魧(前條)의 訛字

4 ⑮ [𩵹] 부 ㊥虞 風無切 fū
字解 물고기이름 부 '—, 鮇魚. 出東萊'《說文》.
字源 形聲. 魚+夫〔音〕

4 ⑮ [魫] ■ 심 ㊤寢 式荏切 shěn / ■ 침 ㊥侵 持林切
字解 ■ ①물고기알 심 '—, 魚子'《廣韻》. ②물고기머리뼈 심 침골(枕骨). '—, 魚腦骨曰枕'《正字通》. ■ 물고기알 침, 물고기머리뼈 침 ㊀과 뜻이 같음.

4 ⑮ [魦] 〔사〕 鯊(魚部 七畫〈p. 2648〉)와 同字
字源 篆文 形聲. 魚+沙〈省〉〔音〕. '沙사'는 '모래'. 모래를 불어 뿜는 작은 물고기의 뜻을 나타냄.

4 ⑮ [𩵖] 魦(前條)와 同字

4 ⑮ [魳] 〔사〕 鰤(魚部 十畫〈p. 2653〉)와 同字

4 ⑮ [魲] 〔로〕 鱸(魚部 十六畫〈p. 2657〉)의 俗字

5 ⑯ [魼] 거 ㊥魚 去魚切 qū
字解 가자미 거 가자밋과에 속하는 바닷물고기. 접어(鰈魚). 일설(一說)에는 넙치. 비목어(比目魚). '禺禺—鰨'《漢書》.
字源 篆文 形聲. 魚+去〔音〕

5 ⑯ [鮀] 타 ㊥歌 徒河切 tuó
字解 ①모래무지 타 잉엇과에 속하는 민물고기. 사어(鯊魚). '—魚生湖畔土窟中'《本草圖經》. ②메기 타 '—, 鮎也'《說文》.
字源 篆文 形聲. 魚+它〔音〕. '它타'는 '뱀'으로, 뱀과 비슷한 모양을 나타냄.

5 ⑯ [鮃] 평 ㊥庚 符兵切 píng
字解 넙치 평 가자밋과에 속하는 바닷물고기. 몸은 넓적하고, 두 눈은 몸의 왼쪽에 있음. 비목어(比目魚).
字源 形聲. 魚+平〔音〕. '平평'은 '평평하다'의 뜻. 눈이 있는 쪽을 위로 향하고 납작하게 누워 있는 '넙치'의 뜻을 나타냄.

5 ⑯ [䱂] ■ 유 ㊥尤 於虯切 yǒu ㊤有 於柳切 / ■ 요 ㊥蕭 於堯切 yǒu
字解 ■ 노랑횟대 유 둑중갯과(科)에 속하는 횟대의 일종. 얕은 물의 바위틈에 살며, 다섯 줄의 가로줄이 있음. 두부(杜父). 황유어(黃䱂魚). ■ 연어(鰱魚) 요 '—, 鱮魚也'《玉篇》.
字源 篆文 形聲. 魚+幼〔音〕

5 ⑯ [魾] 비 ①㊥支 貧悲切 pí ②㊥支 頻脂切 pí
字解 ①큰메기 비 '—, 大鱯也'《說文》. ②방어 비 '魴, —'《爾雅》.
字源 形聲. 魚+丕〔音〕

5 ⑯ [鮇] 미 ㊋未 無沸切 wèi
字解 곤들매기 미 연어과에 속하는 민물고기. 송어 비슷한데 몸은 작고 암황갈색임. 가어(嘉魚).
字源 形聲. 魚+未〔音〕

5 ⑯ [鮎] 점 ㊥鹽 奴兼切 nián
字解 메기 점 메깃과에 속하는 민물고기. 입이 몹시 크고, 네 개의 긴 수염이 있음. 언어(鰋魚).
字源 篆文 形聲. 魚+占〔音〕

5 ⑯ [鮔] 거 jù
字解 물고기이름 거 물고기 이름. '—, 魚名'《篇海類編》.

5 ⑯ [鮈] 구 ㊥虞 恭于切 jū
字解 ①물고기이름 구 물고기 이름. '—, 鯸—, 魚名'《集韻》. ②사람이름 구 사람 이름. '子鮒—立'《史記》.

5 ⑯ [鮏] 성 ㊥青 桑經切 xīng

11획

[字解] 비릴 성 물고기의 냄새가 남.
[字源] [篆文] 形聲. 魚+生〔音〕. '生생'은 '날것'의 뜻. 날생선의 냄새, '비리다'의 뜻을 나타냄.
[參考] 鯹(魚部 九畫)은 同字.

5 ⑯ [鮐] 태 [平]灰 土來切 tái

[字解] 복 태 참복과에 속하는 바닷물고기의 총칭. 내장에 맹독(猛毒)이 있음. 하돈(河豚).
[字源] [篆文] 形聲. 魚+台〔音〕

[鮐背 태배] 늙은이. 노인(老人). 노인의 등은 복생선과 같은 점(點)이 생기기 때문에 이름.

5 ⑯ [鮒] 함 [平]覃 胡甘切 hán

[字解] 새꼬막 함 새꼬막. 꼬마피안다미조개. '一, 蛤也'《集韻》.

5 ⑯ [鮑] [人名] 포 [上]巧 薄巧切 bào

[字解] ①절인어물 포 소금에 절인 물고기. '以一石一魚亂其臭'《十八史略》. ②혁공(革工) 포 鞄(革部 五畫)와 통용. '攻皮之工, 函一'《周禮》. ③전복 포 '一, 若今俗所呼一魚. 讀若砲. 卽屬腹足類之石決明也'《中華大字典》. ④성 포 성(姓)의 하나.
[字源] [金文] [篆文] 形聲. 魚+包〔音〕

[鮑肆 포사] '포어지사(鮑魚之肆)'의 준말.
[鮑叔 포숙] '포숙아(鮑叔牙)'의 약(略).
[鮑叔牙 포숙아] 춘추(春秋) 시대 제(齊)나라의 대부(大夫). 양공(襄公)의 아들 소백(小白)을 보좌(輔佐)하여 소백이 제왕(齊王)이 된 뒤 그 지우(知友) 관중(管仲)을 재상(宰相)으로 천거(薦擧)함. '관포지교(管鮑之交)'를 보라.
[鮑魚 포어] ㉠절인 어물. ㉡전복.
[鮑魚之肆 포어지사] ㉠건어물(乾魚物)을 파는 가게. ㉡소인배(小人輩)들이 모이는 곳의 비유.
[鮑照 포조] 남조(南朝) 송(宋)나라의 시인. 임해왕(臨海王)의 아들 진(瑱)이 형주(荊州)를 다스릴 때 그 참군(參軍)이 되었으므로 포참군(鮑參軍)이라 일컬어짐. 시(詩)는 사영운(謝靈運)과 함께 포사(鮑謝)로 병칭(竝稱)됨.

5 ⑯ [鮓] 압 [入]洽 轄甲切 xiá

[字解] ①물고기이름 압 '一, 魚名'《集韻》. ②겹칠 압 '一鰈'은 장식(裝飾)이 많이 겹쳐진 모양. '一鰈參差'《潘岳》.

5 ⑯ [罬] 〔환〕 鰥(魚部 十畫〈p. 2652〉)의 古字

5 ⑯ [鮔] [一] 하 [平]歌 寒歌切 hé [二] 가 [上]哿 賈我切 gě

[字解] [一] 복 하 복. 하돈(河豚). '河豚善怒, 故謂之鮭, 又謂之一, 鮭之言恚, 一之言訶'《廣雅·疏證》. [二] 젓 가 젓. 소금에 절인 생선. '一, 鮓也, 南超曰一'《集韻》.

5 ⑯ [鮘] 〔개〕 魪(魚部 四畫〈p. 2642〉)의 訛字

5 ⑯ [鮕] [一] 령 [平]青 郎丁切 líng [平]庚 離貞切 [二] 린 [平]眞 離珍切 lín [三] 건 [平]眞 巨巾切

[字解] [一] ①꿈틀거리며기는벌레·물고기 령 뱀장어·뱀 따위와 같이 발이 없어 꿈틀꿈틀 기는 벌레나 물고기. '一, 蟲連行紆行者'《說文》. ②물고기이름 령 '一, 一日, 魚名'《集韻》. [二] ①비늘 린 鱗(魚部 十二畫)과 同字. '一, 說文, 魚甲也'《集韻》. ②성 린 성(姓)의 하나. [三] 꿈틀거리며 기는벌레·물고기 건 [一]❶과 뜻이 같음.
[字源] 形聲. 魚+令〔音〕

5 ⑯ [鮖] [一] 유 [平]尤 以周切 yóu [二] 수 [平]尤 市流切 chóu [三] 주 [平]尤 直由切

[字解] [一] ①피라미 유 '鮖, 魚也. 或作一'《玉篇》. ②나무에있는물고기 유 '范蜀公言, 蜀中實有一種魚在樹上, 聲如女兒啼. 名曰一魚'《通雅》. [二] 물고기이름 수 '一, 魚名'《廣韻》. [三] 물고기이름 주 [二]와 뜻이 같음.

5 ⑯ [鮒] 부 [去]遇 符遇切 fù

[字解] 붕어 부 잉엇과에 속하는 민물고기. 즉어(鯽魚). '魚用一'《儀禮》.
[字源] [篆文] 形聲. 魚+付〔音〕

◉井鮒. 轍鮒. 涸鮒.

5 ⑯ [鮍] 피 [平]支 攀糜切 pí

[字解] 물고기이름 피 '一, 一魚也'《說文》.
[字源] 形聲. 魚+皮〔音〕

5 ⑯ [鮓] 자 [上]馬 側下切 zhǎ

[字解] 젓 자 새우·조기·멸치 같은 것을 짜게 절인 것.
[字源] 形聲. 魚+酢〈省〉〔音〕. '酢작·초'는 '식초'의 뜻.

5 ⑯ [鮛] 교 [平]蕭 祈姚切 qiáo

[字解] ①피라미 교 잉엇과의 민물고기. 흑조어(黑條魚). '鯈一, 魚名, 浮陽, 謂此魚好浮於水上, 就陽也'《荀子 注》. ②강준치 교 잉엇과의 민물고기. '一, 魚名, 一名陽鱎'《字彙》.

5 ⑯ [鮊] 백 [入]陌 傍陌切 bó

[字解] ①바닷물고기이름 백 비늘이 없고 꼬리는 갈라진 바닷물고기의 하나. 맛은 없음. '一, 海魚也'《說文》. ②강준치 백 잉엇과의 민물고기. '一, 鱎也'《廣雅》.
[字源] [篆文] 形聲. 魚+白〔音〕

11획

5 ⑯ [鉉] 〔곤〕
鯤(魚部 七畫〈p.2647〉)과 同字

5 ⑯ [鮰] 〔회〕
回(口部 三畫〈p.420〉)와 同字

5 ⑯ [魯] 〔로〕
魯(魚部 四畫〈p.2641〉)의 本字

5 ⑯ [魿] 〔즐〕
齟(齒部 五畫〈p.2724〉)의 譌字

5 ⑯ [魟] 〔선〕
鱓(魚部 十二畫〈p.2655〉)과 同字

5 ⑯ [魶] 鮆(次條)와 同字

5 ⑯ [鮆] 제 ⊕薺 在禮切 jì
字解 갈치 제 바닷물고기의 한 가지. 도어(刀魚). 일설(一說)에는, 웅어. 제어(鱭魚).
字源 篆文 形聲. 魚＋此〔音〕

6 ⑰ [魤] ⿋ 렬 ⼊屑 良薛切 liè
⿌ 례 ⊕霽 力制切 liè
字解 ⿋ 웅어 렬 제어(鮆魚). '一, 鱭刀'《爾雅》. ⿌ 웅어 례 ⿋과 뜻이 같음.

6 ⑰ [魝] 魤(前條)과 同字

6 ⑰ [鮚] 길 ⼊質 巨乙切 jié
字解 대합 길 참조갯과에 속하는 조개의 한 가지. 무명조개. 문합(文蛤). 일설(一說)에는 씹조개[蚌].
字源 篆文 形聲. 魚＋吉〔音〕

6 ⑰ [鮞] 이 ⊕支 如之切 ér
字解 ①곤이 이 물고기의 배 속의 알. '魚禁鯤一'《國語》. ②고기이름 이 어명(魚名). '魚之美者, 洞庭之鱄, 東海之一'《呂氏春秋》.
字源 篆文 形聲. 魚＋而〔音〕

●鯤鮞.

6 ⑰ [鮠] 외 ⊕灰 五灰切 wéi
字解 고기이름 외 메기 비슷한 큰 민물고기.
字源 形聲. 魚＋危〔音〕

6 ⑰ [鮑] 구 ⊕有 巨九切 jiù
字解 ①물고기이름 구 '一, 魚名'《集韻》. ②鯦(魚部 八畫)의 俗字.

6 ⑰ [鮚] ⿋ 위 ⊕尾 盱鬼切 huǐ
⿌ 홍　　　　　hóng

字解 ⿋ 뱅어 위 꼬리가 붉은 뱅어. 또는 뱅어의 수컷. '白魚赤尾者曰一'《古今注》. ⿌ 뱅어 홍 ⿋과 뜻이 같음.

6 ⑰ [鮦] 주 ⊕尤 之由切 zhōu
字解 ①물고기이름 주 물고기의 이름. '一, 魚名'《集韻》. ②도미 주 도미. 鯛(魚部 八畫)의 俗字.

6 ⑰ [鮰] 회 ⊕灰 戶恢切 huí
字解 민어 회 민어(民魚). 회어(鮰魚). '一, 一魚不鱗, 狀似鮀, 生大江中'《六書故》.

6 ⑰ [鮨] ⿋ 지 ⊕支 蒸夷切 zhī
⿌ 예 ⊕霽 研計切 yì
字解 ⿋ 젓 지 새우 따위를 소금에 짜게 절인 것. ⿌ 능성어 예 농엇과(科)에 속하는 바닷물고기. 몸빛은 담자회색임.
字源 篆文 形聲. 魚＋旨〔音〕. '旨지'는 '맛있다'의 뜻. 물고기로 만든 맛있는 것, '젓'의 뜻을 나타냄.

6 ⑰ [鮩] 병 ⊕梗 蒲猛切 bìng
字解 뱅어 병 뱅엇과에 속하는 바닷물고기. 백어(白魚).
字源 形聲. 魚＋幷〔音〕

6 ⑰ [鮥] ⿋ 락 ⼊藥 盧各切 luò
⿌ 괴 ⊕賄 戶賄切
⿌ 각 ⼊藥 剛鶴切 gé
字解 ⿋ 다랑어 락 작은 다랑어. '一, 叔鮪也'《說文》. ⿌ 다랑어 괴 ⿋과 뜻이 같음. ⿌ 거북 각 거북의 종류. '一, 魚名. 如鼉. 喙長三尺, 利齒'《集韻》.
字源 形聲. 魚＋各〔音〕

6 ⑰ [鮛] ⿋ 공 ⊕腫 古勇切 gǒng
⿌ 홍 ⊕東 呼公切
字解 ⿋ 곤이 공 곤이(鮏鮞). 물고기의 배 속의 알. '一, 鯤也'《廣雅》. ⿌ 물고기이름 홍 물고기 이름.

6 ⑰ [鮪] 유 ⊕有 云九切 wěi
字解 다랑어 유 고등엇과에 속하는 바닷물고기. '鱣—發發'《詩經》.
字源 篆文 形聲. 魚＋有〔音〕. '有유'는 '侑유'와 통하여 식사를 권하다의 뜻. 조상을 제사 지낼 때 올리는 물고기의 뜻을 나타냄.

6 ⑰ [鮫] 교 ⊕看 古肴切 jiāo
字解 상어 교 횡구류(橫口類) 중 교류(鮫類)에 속하는 바닷물고기의 총칭. 고래상어·수염상어·철갑상어 등이 있는데, 대개 횡포하고 민활함. 사어(鯊魚). '楚人一革犀兕以爲甲'《荀子》.
字源 篆文 形聲. 魚＋交〔音〕. '交교'는 '교차하다'의 뜻. 아래위의 엄니를 교차하여

드러내는 물고기, '상어'의 뜻을 나타냄.

[鮫魚 교어] 상어.
[鮫人 교인] 물속에 산다는 괴상한 사람.
[鮫函 교함] 상어 가죽의 갑옷.
　●大鮫. 馬鮫. 鰐鮫. 魚鮫. 頳鮫. 舟鮫.

6 ① [鮭] ⓐ 규 ㉭齊 苦圭切 guī
　　　 ⓑ 해 ㉠佳 戶佳切 xié

字解 ⓐ ①복 규 참복과에 속하는 바닷물고기. 하돈(河豚). '─肝死人'《論衡》. ②연어 규 연어과에 속하는 바닷물고기. ⓑ 어채 해 음식의 한 가지. '─羹常有二十七種'《世說》.
字源 形聲. 魚+圭〔音〕.

[鮭羹 해갱] 어채(魚羹).
　●乾鮭. 生鮭. 鹽鮭.

6 ⑰ [鮄] 보 ㉦遇 薄故切 bù
字解 물고기이름 보 붕어 비슷한 민물고기의 일종.
字源 形聲. 魚+夸〔音〕.

6 ⑰ [鮮] ①-⑤㉛先 相然切 xiān
　　　 ⑥上銑 息淺切 xiǎn
　　　 ⑦㉰霰 私箭切 xiàn

筆順 ノ ク 勹 负 负 魚 魚 魛 鮮 鮮

字解 ①고울 선 선명함. '─美'. '澄─'. '上天無光彩, 五色一何─'《魏文帝》. ②새 선 새로움. 새것임. '新─'. '衣服常一於我'《漢書》. ③날 선 익히지 아니함. '─膾'. ④생선 선, 날것 익히지 아니한 어육 또는 수육. '肥一'. '唯君用一'《左傳》. ⑤좋을 선, 아름다울 선 보기 좋음. '蓬蒢不一'《詩經》. ⑥적을 선 '惡而知其美者天下一矣'《大學》. ⑦성 선 '一于'는 복성(複姓).
字源 會意. 魚+羊. 신선함을 존중하는 물고기나 양을 들어, '곱다, 선명하다'의 뜻을 나타냄. 또 '尠선'과 통하여 '적다'의 뜻도 나타냄.

[鮮可食 선가식] 신선하여 먹을 만함.
[鮮潔 선결] 곱고 산뜻함.
[鮮穠 선농] 곱고 무성함.
[鮮度 선도] 어육(魚肉)이나 채소 등의 신선도.
[鮮麗 선려] 대단히 고움.
[鮮明 선명] 산뜻하고 분명함.
[鮮毛 선모] 고운 털. 아름다운 모피(毛皮).
[鮮文 선문] 고운 무늬.
[鮮美 선미] 곱고 아름다움.
[鮮媚 선미] ㉠필력(筆力)이 곱고 부드러움. ㉡경치가 곱고 조용함.
[鮮民 선민] 빈한하고 부모가 없는 고독한 사람.
[鮮白 선백] 곱고 흼.
[鮮服 선복] 고운 의복.
[鮮肥 선비] 신선하고 살찐 고기.
[鮮卑 선비] ㉠동호(東胡)의 부족(部族). 동호의 묵돌선우(冒頓單于)에게 격파당하였을 때 몽고의 선비산(鮮卑山)으로 달아난 여중(餘衆). ㉡

위진(魏晉) 때에 오호(五胡)의 하나로서 자못 위세를 떨쳤으며, 후위(後魏)의 탁발씨(拓跋氏)도 이 부족에서 나왔슴.
[鮮殺 선살] 신선한 희생(犧牲).
[鮮色 선색] 고운 빛.
[鮮腥 선성] 신선하고 비린내가 남.
[鮮少 선소] 드묾. 얼마 안 됨.
[鮮食 선식] ㉠갓 잡은 짐승의 고기. 또는 그 고기를 먹음. ㉡음식을 적게 먹음.
[鮮飾 선식] 곱게 몸치장을 함. 또, 고운 꾸밈.
[鮮新 선신] 새로움. 신선(新鮮).
[鮮魚 선어] 신선한 물고기. 생선.
[鮮艶 선염] 아름답고 요염함.
[鮮耀 선요] 선명하게 빛남.
[鮮原 선원] 비옥(肥沃)한 들.
[鮮肉 선육] 신선한 고기.
[鮮衣 선의] 고운 옷.
[鮮妝 선장] 고운 단장(丹裝).
[鮮腆 선전] 잘난 체함. 뽐냄.
[鮮淨 선정] 곱고 깨끗함.
[鮮車怒馬 선차노마] 좋은 수레와 살진 말. 임금의 호사(豪奢)함의 형용.
[鮮彩 선채] 고운 채색.
[鮮血 선혈] 신선(新鮮)한 피. 선지피.
[鮮好 선호] 곱고 아름다움.
[鮮花 선화] 고운 꽃.
[鮮華 선화] 곱고 화려함.
[鮮膾 선회] 신선한 회.
[鮮肴 선효] 신선한 안주.
[鮮暉 선휘] 고운 햇빛.
[鮮希 선희] 드묾.
　●嘉鮮. 群鮮. 明鮮. 芳鮮. 百花鮮. 碧鮮. 肥鮮. 生鮮. 纖鮮. 小鮮. 新鮮. 精鮮. 朝鮮. 珍鮮. 澄鮮. 淺鮮. 治大國若烹小鮮. 烹鮮.

6 ⑰ [鮔] 긍 ㉛蒸 居曾切 gèng
字解 다랑어 긍 고등엇과에 속하는 바닷물고기. '─鰭漸離'《司馬相如》.
字源 形聲. 魚+亙〔音〕.

6 ⑰ [鮧] ⓐ 이 ㉛支 以脂切 yí
　　　 ⓑ 제 ㉛齊 杜奚切 tǐ
字解 ⓐ 메기 이 메깃과에 속하는 민물고기. ⓑ 메기 제 ⓐ과 뜻이 같음.
字源 形聲. 魚+夷〔音〕.

6 ⑰ [鮟] 〔人名〕 안 ㉠翰 於肝切 ān
字解 아귀 안 '─鱇'은 아귓과에 속하는 바닷물고기.
字源 形聲. 魚+安〔音〕.

[鮟鱇 안강] 자해(字解)를 보라.

6 ⑰ [鮡] ⓐ 조 ㊤篠 治小切 zhào
　　　 ⓑ 초 ㉠蕭 徒聊切
　　　 ⓒ 요 ㉠蕭 餘招切
　　　 ⓓ 도 ㊤晧 吐皓切
字解 ⓐ 물고기이름 조 메기 비슷하되 큰 물고

기. '一, 魚名, 似鮎而大'《廣韻》. [二] 물고기이름 초 [一]과 뜻이 같음. [三] 물고기이름 요 [一]과 뜻이 같음. [四] 물고기이름 도 [一]과 뜻이 같음.
[字源] 形聲. 魚+兆〔音〕

6 ⑰ [鮦] [一] 동 [平]東 徒紅切 tóng
[二] 종 [上]腫 直隴切
[字解] [一] 가물치 동 '一魚, 一曰, 鱶也'《說文》. [二] 가물치 종 [一]과 뜻이 같음.
[字源] [篆文] 形聲. 魚+同〔音〕

6 ⑰ [𩶛] 〔시〕
鰣(魚部 十畫〈p. 2652〉)와 同字

6 ⑰ [鮇] 미 [上]薺 母禮切 mǐ
[字解] ①물고기알 미 어란(魚卵). '一, 魚子'《廣韻》. ②물고기이름 미 '一, 魚名'《集韻》.

6 ⑰ [䱍] 〔긍〕
𩸂(魚部 九畫〈p. 2652〉)과 同字

6 ⑰ [鮯] 합 [入]合 葛合切 gé
[字解] 고기이름 합 고기 이름. '一, 博雅, 東方有魚, 如鯉六足鳥尾, 名曰一'《集韻》.

6 ⑰ [鮝] 〔상〕
鯗(魚部 八畫〈p. 2650〉)의 俗字

7 ⑱ [䲔] 경 [平]庚 巨成切 qíng
[字解] 방어 경 전갱잇과에 속하는 바닷물고기. 맛이 좋음.
[字源] [篆文] 形聲. 魚+巠〔音〕

7 ⑱ [鮸] 면 [上]銑 亡辨切 miǎn
[字解] 민어 면 민어과에 속하는 바닷물고기. 면어(鮸魚). 일설(一說)에는 조기. 석수어(石首魚). 종어(鰵魚).
[字源] [篆文] 形聲. 魚+免〔音〕

7 ⑱ [鮶] 군 [平]文 拘云切 jūn
[字解] 벌레이름 군 벌레 이름. 수군(水鮶). '一, 水一, 蟲名'《集韻》.

7 ⑱ [鮹] 초(소[本]) [平]肴 所交切 shāo
[平]蕭 相邀切
[字解] 물고기이름 초 말채찍 비슷하고 꼬리가 두 갈래 진 민물고기.
[字源] 形聲. 魚+肖〔音〕

7 ⑱ [𩵹] 부 [平]虞 芳無切 fū
[字解] 돌고래 부 강(江)으로 거슬러 올라온 돌고래. 강돈(江豚).

7 ⑱ [鮿] 첩 [入]葉 陟葉切 zhé
[字解] ①건어 첩 말린 물고기. 일설(一說)에는 소금에 절인 물고기. '一鮑千鈞'《漢書》. ②망성어 첩 양망성엇과에 속하는 바닷물고기.
[字源] 形聲. 魚+耴〔音〕

7 ⑱ [䱾] 두 [上]有 天口切
[去]宥 大透切 tǒu
[平]尤 他侯切
[字解] 물고기이름 두 '一, 一魚也'《說文》.
[字源] 形聲. 魚+豆〔音〕

7 ⑱ [鯀] 곤 [上]阮 古本切 gǔn
[字解] ①곤어 곤 일종의 큰 물고기. ②사람이름 곤 우왕(禹王)의 아버지의 이름.
[字源] [金文] [篆文] 形聲. 魚+系〔音〕
[參考] 鮌(魚部 五畫)은 同字.

7 ⑱ [𩶲] [一] 모 [平]尤 迷浮切 móu
[二] 매 [平]灰 謨杯切 méi
[字解] [一] 황화어 모 황화어(黃花魚). 조기 비슷한데 작음. '一, 魚名, 或省'《集韻》. [二] 물고기 가는모양 매 물고기가 떼 지어 가는 모양. '一, 魚行貌'《集韻》.

7 ⑱ [鯁] 경 [上]梗 古杏切 gěng
[字解] ①뼈 경 물고기의 뼈. '乾魚近腴多骨一'《儀禮 註》. ②가시걸릴 경 먹은 가시가 목구멍에 걸림. '祝一在後'《漢書》. ③바를 경 사람이 곧아, 남에게 아유구용(阿諛苟容)하지 아니함. '骨一可任'《後漢書》. ④막힐 경 梗(木部 七畫)과 통용. '至今爲一'《後漢書》.
[字源] [篆文] 形聲. 魚+更(㪅)〔音〕. '㪅경'은 '굳다'의 뜻. 물고기의 단단한 뼈의 뜻을 나타냄.

[鯁固 경고] 대단히 굳음.
[鯁骨 경골] 강직(剛直)함. 또, 그 사람.
[鯁烈 경렬] 강직하고 과격함.
[鯁論 경론] 강직(剛直)한 의론(議論).
[鯁輔 경보] 강직한 보좌인.
[鯁諤 경악] 조금도 꺼리지 아니하고 당당히 의론(議論)함.
[鯁言 경언] 강직하여 굽히지 아니하는 말.
[鯁切 경절] 강직하고 성실함.
[鯁正 경정] 경직(鯁直).
[鯁直 경직] 뜻이 굳고 곧음.
[鯁涕 경체] 흐느껴 욺.
◉強鯁. 剛鯁. 高鯁. 骨鯁. 端鯁. 誠鯁. 直言骨鯁. 峭鯁. 蟲鯁.

7 ⑱ [鯅] 광 [平]陽 渠王切 kuáng
[字解] 큰물고기 광 큰 물고기. '一, 大魚'《集韻》.

7 ⑱ [𩶪] 鯅(前條)과 同字

11 획

7 (18) [鯆] 포 㨾虞 普胡切 pū

鯆

字解 돌고래 포 강(江)으로 거슬러 올라온 돌고래. 강돈(江豚).
字源 形聲. 魚+甫〔音〕

7 (18) [鯇] 혼 ①阮 戶袞切 huàn

鯇鯶

字解 혼어(鯇魚) 혼 연어과에 속하는 민물고기.
字源 篆文 形聲. 魚+完〔音〕

7 (18) [鯉] 리 人名 ①紙 良士切 lǐ

鯉鯉

字解 ①잉어 리 잉엇과에 속하는 민물고기. '一魚', '豈其食魚, 必河之一'《詩經》. ②편지 리 서찰. '一素', '雙一迢迢一紙書'《李商隱》.
字源 篆文 形聲. 魚+里〔音〕 '里리'는 '금'의 뜻. 비늘의 선이 뚜렷이 보이는 '잉어'의 뜻을 나타냄.

[鯉素 이소] 편지. 서찰(書札). 흰 비단에 쓴 편지가 잉어의 배 속에 있었다는 고사(故事)에서 유래함.
[鯉魚 이어] 잉어.
[鯉魚風 이어풍] 음력 9월에 부는 바람. 가을바람.
[鯉庭 이정] 아들이 아버지의 교훈을 받는 곳. 공자(孔子)가 아들 이(鯉)가 추창(趨蹌)하여 뜰을 지나갈 때, 그를 불러 세우고 시(詩)와 예(禮)를 배워야 한다고 훈계한 고사(故事)에서 온 말.
●江鯉. 健鯉. 錦鯉. 緋鯉. 氷鯉. 鮮鯉. 雙鯉. 赤鯉. 頳鯉. 紅鯉. 黑鯉.

7 (18) [鮷] 제 㨾齊 杜奚切 tí
㨾霽 大計切

字解 메기 제 메깃과에 속하는 민물고기.
字源 篆文 形聲. 魚+弟〔音〕

7 (18) [鱏] 〔심·잠·음·건〕
鱘(魚部 四畫〈p.2642〉)과 同字

7 (18) [鯋] 鯊(次條)와 同字

7 (18) [鯊] 사 㨾麻 所加切 shā

鯊鯊

字解 ①모래무지 사 잉엇과에 속하는 민물고기. 타어(鮀魚). '魚麗于罶, 鱨一'《詩經》. ②상어 사 속(俗)에 사어(沙魚) 두 글자를 합쳐서 '상어'의 뜻을 나타냄.
字源 形聲. 魚+沙〔音〕 '沙사'는 '모래'의 뜻. 모래를 뿜는 물고기의 뜻을 나타냄.

●海鯊.

7 (18) [鯈] 조 㨾蕭 田聊切 tiáo

鯈

字解 피라미 조 잉엇과에 속하는 민물고기. 뒷지느러미가 특별히 크며, 하천(河川) 상류의 맑은 물에 서식함. 흑조어(黑條魚). '一魚出游'

《莊子》.
字源 篆 儵 形聲. 魚+攸〔音〕
參考 鰷(魚部 十一畫)는 同字.

8 (19) [鯠] 래 㨾灰 郎才切 lái

字解 큰메기 래 '一, 魚名'《廣韻》. '鮺·一, 鮋也'《爾雅》.

8 (19) [鯔] 치 㨾支 側持切 zī

鯔鯔

字解 숭어 치 숭엇과에 속하는 물고기. 바닷물·민물에 널리 분포함. '一魚似鯉'《本草》.
字源 形聲. 魚+甾〔音〕

[鯔魚 치어] 숭어.

8 (19) [鯖] 청 人名 ☰청 㨾靑 倉經切 qīng
☲정 㨾庚 諸盈切 zhēng

鯖鯖

字解 ☰청어 청 청어과에 속하는 바닷물고기. ☲오후정(五侯鯖) 정 물고기·새 또는 수육 등을 섞어 끓인 음식. 열구자탕 비슷함. '世稱五侯一, 以爲奇味焉'《西京雜記》.
字源 形聲. 魚+靑〔音〕

●腥鯖. 五侯鯖.

8 (19) [鯛] 조 㨾蕭 都聊切 diāo

鯛鯛

字解 도미 조 감성돔과에 속하는 바닷물고기.
字源 篆文 形聲. 魚+周〔音〕

8 (19) [鮨] ☰함 㨾陷 乎韽切 xiàn
☲겸 㨾豔 吉念切

字解 ☰물고기이름 함 '一, 鱤魚別名'《正字通》. ☲물고기이름 겸 ☰과 뜻이 같음.
字源 形聲. 魚+舀〔音〕

8 (19) [鯇] 과 ①馬 戶瓦切 huà

字解 물고기이름 과 메기 비슷한 물고기. '一, 魚似鮎也'《廣韻》.
字源 形聲. 魚+果〔音〕

8 (19) [鯭] 내 㨾嘯 乃帶切 nài

字解 전어 내 전어. 제내(鮨鯭). '一, 鯭一, 魚名'《集韻》.

8 (19) [鯭] 〔맹〕
蜢(虫部 八畫〈p.2015〉)과 同字

8 (19) [鯝] 고 㨾遇 古慕切 qù

鯝鯝

字解 창자 고 물고기의 창자. 어장(魚腸).
字源 形聲. 魚+固〔音〕

11 획

8
⑲ [鯡] 비 㞢未 方味切 fēi   鯡鮡

字解 ①곤이 비 물고기의 배 속의 알. ②청어 비 청어과에 속하는 바닷물고기.
字源 形聲. 魚+非〔音〕.

8
⑲ [鯢] 예 㐀齊 五稽切 ní   鯢𩵋

字解 ①도룡뇽 예 양서류(兩棲類)에 속하는 동물. 머리는 납작하고 꼬리는 긺. 산초어(山椒魚). ‘一名王鮪, 在山溪中’《本草》. ②암고래 예 고래의 암컷. ‘取其鯨而封之’《左傳》. ③잔고기 예 소어(小魚). ‘守一鮂’《莊子》.
字源 篆文 𩺄 形聲. 魚+兒〔音〕. ‘兒아’는 ‘아이’의 뜻. 아이가 나무에 올라가 노는 것처럼 나무에 오르는 ‘도룡뇽’의 뜻을 나타냄.

[鯢鮒 예부] 잔고기. 소어(小魚).
[鯢齒 예치] 어린아이의 이. 전(轉)하여 어린아 ‘이’.
●鯨鯢.

8
⑲ 人名 [鯤] 곤 㐀元 古渾切 kūn   鯤𩷍

字解 ①곤이 곤 물고기의 배 속의 알. ‘魚禁一鮞’《國語》. ②곤어 곤 상상(想像)의 큰 물고기. ‘北冥有魚, 其名爲一’《莊子》.
字源 形聲. 魚+昆〔音〕.

[鯤鵬 곤붕] 곤어와 붕새. 장자(莊子)에 나오는 상상(想像)의 큰 물고기와 큰 새. 아주 큰 물건의 비유.
[鯤鮞 곤이] 물고기의 배 속의 알.

8
⑲ [鯥] 륙 㣊屋 力竹切 lù   鯥鑫

字解 ①괴어(怪魚) 이름 륙 모양은 소 비슷하고, 꼬리는 뱀 꼬리 같으며, 날개가 있다는 동물. ‘鯥一蹄踽於垠壤’《郭璞》. ②게르치 륙 게르칫과에 속하는 바닷물고기.
字源 形聲. 魚+坴〔音〕. ‘坴륙’은 ‘陸륙’과 통하여, ‘魚어’를 붙여 육지에 사는 괴상한 물고기의 뜻을 나타냄.

8
⑲ [鯑] 역 㣊陌 夷益切 yì   鯑

字解 뱀장어 역 ‘一, 鱷一’《篇海》.

8
⑲ 人名 [鯨] 경 㐀庚 渠京切 jīng   鯨鱇

筆順 ノ 白 角 角 魚 鮡 鮂 鯨

字解 고래 경 바다에서 사는 포유동물(哺乳動物)의 한 가지. 또 암컷인 ‘鯢’에 대하여 수컷을 가리켜 이르기도 함. ‘一鯢’. ‘取其一鯢而封之’《左傳》.
字源 鯨의 別體 𩼪 形聲. 魚+京〔音〕. ‘京경’은 높은 언덕의 뜻. 언덕처럼 큰 물고기, ‘고래’의 뜻을 나타냄.

[鯨鯤 경곤] 고래와 곤어. 둘 다 바닷속에 사는 큰 동물임.

[鯨浪 경랑] 큰 물결. 경파(鯨波).
[鯨鱷 경악] 고래와 악어.
[鯨魚 경어] ㉠고래. ㉡당목(撞木). 곧, 종(鐘). 경쇠 따위를 치는 정자형(丁字形)의 방망이.
[鯨鯢 경예] ㉠수고래와 암고래. 작은 고기를 삼켜 먹으므로 의롭지 못한 악인의 거괴(巨魁)의 비유. ㉡살육당하는 것의 뜻으로 쓰임.
[鯨油 경유] 고래의 지방(脂肪). 고래 기름.
[鯨音 경음] 범종(梵鐘)의 소리.
[鯨飮 경음] 고래가 물을 들이켜듯이 술을 썩 많이 마심을 이름.
[鯨吞 경탄] 고래가 고기를 삼키듯이 세력이 강성하여 약자를 병탄(併呑)함.
[鯨波 경파] ㉠큰 물결. ㉡납함(吶喊). 함성.
[鯨吼 경후] ㉠고래가 큰 소리로 욺. ㉡경음(鯨音).
●巨鯨. 蛟鯨. 抹香鯨. 奔鯨. 修鯨. 鯢鯨. 雄鯨. 雌鯨. 長鯨. 捕鯨. 海鯨. 吼鯨.

8
⑲ [鯟] 동 㣊東 都籠切 dōng

字解 물고기이름 동 물고기 이름. 잉어 비슷한 물고기. ‘一, 魚名, 似鯉’《集韻》.

8
⑲ [鯯] 졸 㣊質 卽聿切 zú

字解 피라미 졸 피라미. 또 다랑어. ‘一, 魚名, 鰷也’《集韻》.

8
⑲ [鯪] 릉 㐀蒸 力膺切 líng   鯪鮻

字解 천산갑 릉 ‘一鯉’는 천산갑(穿山甲).
字源 形聲. 魚+夌〔音〕.

[鯪鯉 능리] 유린류(有鱗類)에 속하는 동물. 동남아 지방에 분포함. 온몸이 각질(角質)의 인갑(鱗甲)으로 덮였음. 천산갑(穿山甲).
[鯪魚 능어] 천산갑(穿山甲).

8
⑲ [鯫] 추 ①㐀尤 鉏鉤切 zōu ②③㐀有 士九切   鯫𩼪

字解 ①돌잉어 추 잉엇과에 속하는 민물고기. 일설(一說)에는 잔 물고기. ‘一千石’《史記》. ②소견좁을 추 소견이 좁은 모양. 소인의 모양. ‘沛公曰. 一生說我’《史記》. 전(轉)하여 자기의 겸칭. ‘一生小技眞榮遇’《趙孟頫》. ③성 추 성(姓)의 하나.
字源 篆文 𩺰 形聲. 魚+取〔音〕.

[鯫生 추생] 소인. 소견이 좁은 사람. 전(轉)하여 자기의 겸칭(謙稱).

8
⑲ [鯩] 륜 㐀眞 力迍切 lún

字解 고기이름 륜 모양은 붕어 비슷하여, 검은 무늬가 있는 물고기. ‘鯪鯦一鰰’《郭璞》.
字源 形聲. 魚+侖〔音〕.

8
⑲ [鯓] 아 㐀麻 於加切 yā

11
획

자가사리 아 자가사리. 작은 자가사리. '一, 狁人以小鱖魚, 爲一鮾'《字彙補》.

8 [鮆] 〔조·도〕

鮡(魚部 六畫〈p. 2646〉)와 同字

8 [鮏] 계 ㊀眞 吉器切 jì

字解 물고기이름 계 물고기 이름. 부리는 날카롭고 비늘은 작은 물고기. '一, 魚名'《字彙》.

8 [鮥]

一 구 ㊀有 巨九切
㊀宥 巨救切 jiù
二 수 ㊀尤 徐由切
三 애 ㊀賄 倚亥切 ǎi

字解 一 준치 구 '一, 當魱'《爾雅》. 二 준치 수 一과 뜻이 같음. 三 다랑어 애 '一, 魚名. 叔鮪也'《集韻》.
字源 形聲. 魚+各〔音〕.

8 [鮔]

一 국 ㊀屋 居六切 jú
二 곡 ㊀沃 丘玉切

字解 一 돌고래 국 '一, 魚名, 鱄也'《集韻》. 二 돌고래 곡 一과 뜻이 같음.
字源 形聲. 魚+匊〔音〕.

8 [鯕] 기 ㊀支 渠之切 qí

字解 ①물고기이름 기 '一, 魚名'《說文》. ②방어 기 '一, 鯿魚'《廣韻》.
字源 形聲. 魚+其〔音〕.

8 [鮾] 뇌 ㊀賄 奴罪切 něi

字解 생선썩을 뇌 '一, 魚敗也'《集韻》.
字源 會意. 魚+委. '委위'는 '시들다'의 뜻.

8 [鮓] 작 ㊀藥 七雀切 cuò

字解 상어 작 대개는 태생(胎生)이고, 흉포·민활한 바닷물고기. '一, 魚名, 鼻前有骨如斧斤, 一說, 生子在腹'《集韻》.

8 [鮿] 제 ㊀霽 征例切 zhì

字解 ①물고기이름 제 식해(食醢)를 만드는 데 적합한 물고기의 일종. '一, 魚名'《集韻》. ②전어(錢魚) 제 鰶(魚部 十一畫)와 同字.
字源 形聲. 魚+制〔音〕.

8 [鮋] 거 ㊀御 居御切 jù

字解 암조기 거 암조기. 조기의 암컷. 일설에는 동갈민어의 한 가지. '一, 魚名'《廣韻》.

8 [羕] 상 ㊀養 息兩切 xiǎng

字解 건어 상 말린 물고기. '索食之甚美, 因書美下魚一字'《吳地記》.
字源 形聲. 魚+養〈省〉〔音〕.

9 [鯷] 제 ㊀齊 杜奚切 tí
㊀霽 特計切

字解 메기 제 큰 메기〔鮎〕의 일종. 그 가죽으로 관(冠)을 만든다 함. '一冠秫縫'《戰國策》.
字源 形聲. 魚+是〔音〕.

9 [鯑] 제 ①-③㊀齊 杜奚切 tí
④④㊀霽 丁計切 dì

字解 ①도롱뇽 제 '一, 魚四足者'《廣韻》. ②검은물고기 제 '一, 魚黑色'《廣韻》. ③메기 제 '一, 鮎別名'《正字通》. ④큰가물치 제 '一, 魚名. 大鱧也'《集韻》.

9 [鯼] 종 ㊀東 子紅切 zōng

字解 조기 종 석수어(石首魚). 종어(鯮魚). 일설(一說)에는 민어. 면어(鮸魚). '一鱢順時而往還'《郭璞》.
字源 形聲. 魚+髮〔音〕.

9 [鰆] 춘 ㊀眞 樞倫切 chūn

字解 삼치 춘 동갈삼칫과 삼치속(屬)의 바닷물고기.
字源 形聲. 魚+春〔音〕. 봄에 많이 잡히는 '삼치'의 뜻을 나타냄.

9 [鯒] 〔동〕

鮦(魚部 六畫〈p. 2647〉)과 同字

9 [鯸] 후 ㊀尤 戶鉤切 hóu

字解 복 후 참복과에 속하는 바닷물고기. 하돈(河豚).
字源篆文 形聲. 魚+侯〔音〕.

9 [鰂] 즉 ①㊀陌 資昔切 jì
①〈적⑥〉 ①㊀職 子力切
②㊀職 疾則切 zéi

字解 ①붕어 즉 잉엇과에 속하는 민물고기. 부어(鮒魚). '一魚, 鮮一銀絲膾'《杜甫》. ②오징어 즉 鰂(魚部 九畫)과 同字.
字源鰂의別體 形聲. 魚+卽〔音〕.

9 [鰎] 건 ㊀阮 紀偃切 jiǎn

字解 ①약간절인고기 건 약간 절인 물고기. '一, 鯹魚微用鹽曰一'《正字通》. ②물고기이름 건 물고기 이름.

9 [鰹] 〔경〕

鯁(魚部 七畫〈p. 2647〉)의 本字

9 [鰅] 서 ㊀魚 相居切 xū

기의 한 가지. 특히 시끈가오리, 곧 '電一'의 뜻으로 많이 쓰임.
字源 形聲. 魚+覃(覃)〔音〕. '覃담·심'은 '潭담'과 통하여 물이 깊은 곳의 뜻. 깊은 물에 사는 물고기의 뜻을 나타냄.

12
㉓ [鐘] 〔동·종〕
鮦(魚部 六畫〈p. 2647〉)과 同字

12
㉓ [鱓] 선 ①銑 常演切 shàn
字解 드렁허리 선 드렁허릿과에 속하는 민물고기. '蛇一着泥'《淮南子》.
字源 形聲. 魚+單〔音〕. '單단·선'은 다만 그것뿐 복잡성이 없다의 뜻. '드렁허리'의 뜻을 나타냄.
參考 鱔(次條)은 俗字.

●蛇鱓.

12
㉓ [鱔] 鱓(前條)의 俗字

12
㉓ [鱜] 〔건〕
鰱(魚部 九畫〈p. 2650〉)과 同字

12
㉓ [鱳] 과 guǒ
字解 물고기이름 과 물고기 이름. '鱠鮤一鱳'《南齊書》.

12
㉓ [鱖] 一 궐 ㈧月 居月切 jué
二 궤 ㈜霽 居衛切 guì
字解 一 쏘가리 궐 농엇과에 속하는 민물고기. 입이 크고 아래턱이 좀 길. '桃花流水一魚肥'《張志和》. 二 쏘가리 궤 一과 뜻이 같음.
字源 形聲. 魚+厥〔音〕.

12
㉓ [鱍] 발 ㈧曷 北末切 bō
字解 ①물고기꼬리길 발 '一, 尾長兒'《玉篇》. ②물고기꼬리칠 발 '一, 魚掉尾也'《廣韻》.
字源 形聲. 魚+發〔音〕.

12
㉓ [鱣] 잔 ①潸 仕限切 zhàn
字解 물고기이름 잔.

12
㉓ [鱎] 一 율 ㈜質 餘律切 yù
二 술 ㈜質 食聿切
三 괄 ㈧黠 古滑切
四 결 ㈧屑 古穴切
字解 一 ①작은물고기이름 율 '一魚'는 작은 물고기의 이름. '一, 小魚名'《廣韻》. ②납자루 율 '一鱎'는 납자루. '一鱎鰟'《爾雅》. 二 작은물고기이름 술, 납자루 술 一과 뜻이 같음. 三 작은물고기이름 괄, 납자루 괄 一과 뜻이 같음. 四 작은물고기이름 결, 납자루 결 一과 뜻이 같음.

12
㉓ [鱗] ㈇名 린 ㉠眞 力珍切 lín

字解 비늘 린 물고기·뱀 같은 것의 껍질을 보호하는 각질(角質)의 작은 조각. '宜一物'《周禮》. 전(轉)하여, 비늘을 가진 동물. 특히, 어류. '一毛'. '錦一游泳'《范仲淹》.
字源 形聲. 魚+粦(粦)〔音〕. '粦린'은 '도깨비불'의 뜻. 도깨비불처럼 이어져서 희미하게 빛나는 '비늘'의 뜻을 나타냄.

[鱗甲 인갑] ㉠비늘과 껍데기. ㉡패류(魚貝類). ㉢비늘 모양의 굳은 껍질. ㉣마음속에 규각(圭角)이 있음.
[鱗介 인개] 어류(魚類)와 패류(貝類).
[鱗莖 인경] 비늘 모양의 지하경(地下莖).
[鱗構 인구] 인비(鱗比).
[鱗羅 인라] 인비(鱗比).
[鱗淪 인륜] 비늘같이 보이는 잔물결.
[鱗鱗 인린] ㉠비늘 같은 물결의 형용. ㉡비늘같이 산뜻하고 고운 모양.
[鱗毛 인모] ㉠어류(魚類)와 수류(獸類). ㉡충어 조수(蟲魚鳥獸)를 이름. 화훼(花卉)의 대(對).
[鱗物 인물] 비늘이 있는 동물.
[鱗比 인비] 비늘처럼 죽 늘어섬.
[鱗昫 인순] 궁전(宮殿)의 계단(階段)이 가파른 모양.
[鱗羽 인우] 어류(魚類)와 조류(鳥類).
[鱗接 인접] 비늘처럼 잇닿음.
[鱗族 인족] 어류(魚類).
[鱗集 인집] 비늘이 죽 붙은 것처럼 많이 모임.
[鱗次 인차] 인비(鱗比).
[鱗砌 인체] 비늘 같은 섬돌.
[鱗蟲 인충] 인물(鱗物).
[鱗萃 인췌] 인집(鱗集).
[鱗布 인포] 비늘처럼 산포(散布)함.
[鱗鴻 인홍] 편지. 서찰(書札).
[鱗彙 인휘] 어류(魚類).

●介鱗. 巨鱗. 驚鱗. 枯鱗. 窮鱗. 錦鱗. 文鱗. 凡鱗. 伏鱗. 批鱗. 三十六鱗. 常鱗. 細鱗. 魚鱗. 逆鱗. 龍鱗. 羽鱗. 游鱗. 六六鱗. 銀鱗. 潛鱗. 吞舟鱗. 片鱗. 活鱗. 橫海鱗.

12
㉓ [鱘] 심 ㉠侵 徐心切 xún
字解 ①철갑상어 심 철갑상엇과에 속하는 바닷물고기의 총칭. 심어(鱘魚). ②다랑어 심 고등엇과에 속하는 바닷물고기.
字源 形聲. 魚+尋〔音〕.

12
㉓ [鱦] 관 ㉠旱 苦緩切 kuǎn
㉣翰 苦玩切
字解 ①물고기이름 관 물고기의 이름. '一, 魚名'《集韻》. ②물고기그물에걸릴 관 물고기가 그물에 걸림. '一, 魚觸罔也'《集韻》.

12
㉓ [鱶] 타 ①②㉣哿 徒果切 duò
㉠⑮箇 吐臥切 tuò
字解 ①물고기새끼 타 알에서 갓 깐 물고기 새끼. '一, 魚子已生者也'《說文》. ②게새끼 타 '一, 蟹子'《廣韻》. ③비늘벗길 타 물고기의 비늘을 뗌. '魚去鱗曰一'《集韻》.
字源 形聲. 魚+隋〔音〕. '隋타'는 아래로 늘어지다의 뜻. 아랫배에서 늘어져 내리는 알에서 태어난 물고기의 뜻

을 나타냄.
参考 鰭(魚部 九畫)는 俗字.

12 ⑳ [鱎] 교 ㊤篠 居夭切 jiǎo
   ㊤蕭 居妖切
   字解 강준치 교 잉엇과의 민물고기. '一, 白魚'《集韻》
   字源 形聲. 魚+喬〔音〕

12 ⑳ [鱇] 〔거〕
   魠(魚部 五畫〈p.2643〉)와 同字

   [鱐] 〔숙〕
   魚部 十三畫(p.2656)을 보라.

12 ⑳ [鰡] 〔뇌〕
   鮾(魚部 八畫〈p.2650〉)의 訛字

12 ⑳ [鰵] 〔별〕
   鼈(黽部 十二畫〈p.2712〉)과 同字

13 ㉔ [鱢] 소 ㊦豪 蘇遭切 sāo
   字解 비릴 소 비린내가 남. '膏一'.
   字源 篆文 形聲. 魚+喿〔音〕. '喿소'는 '臊조'와 통하여 '비리다'의 뜻. 물고기가 비리다의 뜻을 나타냄.
   参考 鯵(魚部 十一畫)는 訛字.

   ●膏鱢.

13 ㉔ [鱶] 의 ㊦支 魚羈切 yí
   字解 물고기새끼 의 물고기의 새끼. '一, 魚子'《集韻》.

13 ㉔ [鱧] 례 ㊤薺 盧啓切 lǐ
   字解 가물치 례 가물칫과에 속하는 민물고기. 일설(一說)에는 칠성장어. '魚麗于罶鰋鱧'《詩經》.
   字源 篆文 形聲. 魚+豊(豐)〔音〕. '豐례'는 제기 두(豆)에 제물을 담은 모양을 본뜬 것. 그 모양 비슷한 물고기, '가물치'의 뜻을 나타냄.

13 ㉔ [鱣] ㊀전 ㊦先 張連切 zhān
   ㊁선 ㊤銑 上演切 shàn
   字解 ㊀①잉어 전 잉어의 일종. ②철갑상어 전 철갑상엇과에 속하는 바닷물고기. 황어(鰉魚). '橫江湖之一鱣'《漢書》. ㊁드렁허리 선 鱔(魚部 十二畫)과 同字. '一似蛇, 蠶似蝡'《韓非子》.
   字源 篆文 籀文 形聲. 魚+亶〔音〕. '亶단·선'은 '遭전'과 통하여 '돌다'의 뜻. 뱅글뱅글 돌기를 잘하는 물고기, '잉어'의 뜻을 나타냄. 籀文은 魚+蟺〔音〕. '蟺선'도 '돌다'의 뜻.

[鱣堂 전당] 강당(講堂). 후한서(後漢書) 양진전(楊震傳)의 '有冠雀啣三鱣魚, 飛集講堂前, 都講取魚進曰, 蛇鱣者, 卿大夫服之象也, 數三者, 法三台也, 先生自此升矣'라는 고사(故事)에서

나온 말.
[鱣序 전서] 전당(鱣堂).

13 ㉔ [鰭] 보 ㊤麌 普姑反 pū
   字解 돌고래 보 강(江)으로 거슬러 올라간 돌고래. 강돈(江豚). '一魚, 一名江豚, 欲風則湧也'《顧野王》.

13 ㉔ [鱐] ㊀숙 ㊇屋 息逐切 sù
   ㊁수 ㊦尤 思留切
   字解 ㊀말린고기 숙 건어(乾魚). '夏宜腒一'《禮記》. ㊁말린고기 수 ㊀과 뜻이 같음.
   字源 形聲. 魚+肅〔音〕

   ●腒鱐.

13 ㉔ [鱠] 회 ㊦泰 古外切 kuài
   字解 회 회 膾(肉部 十三畫)와 同字. '食魚一'《博物志》.
   字源 形聲. 魚+會〔音〕

   ●魚鱠.

13 ㉔ [鱷] 경 ㊤庚 渠京切 jīng
   字解 고래 경 鯨(魚部 八畫)과 同字. '一, 海大魚也'《說文》.
   字源 篆文 別體 形聲. 魚+畺〔音〕

13 ㉔ [鱷] 승 ㊤徑 實證切 shéng
   字解 ①물고기새끼 승 '一, 小魚'《爾雅》. ②복 승 복의 일종. '一, 鮭屬'《廣韻》.

13 ㉔ [鰔] 〔즉〕
   鯽(魚部 九畫〈p.2652〉)과 同字

13 ㉔ [鰻] 〔환〕
   鯶(魚部 十畫〈p.2652〉)과 同字
   字源 形聲. 魚+睘〔音〕

13 ㉔ [鱟] 후 ㊤有 胡遘切 hòu
   字解 ①참게 후 바위겟과에 속하는 게의 일종. ②무지개 후 속(俗)에 무지개를 이름. '東一晴, 西一雨'《農政全書》.
   字源 形聲. 魚+罦〔省〕〔音〕

13 ㉔ [鰔] 감 ㊤感 古禫切 gǎn
   字解 자가사리 감 자가사리. 황협어(黃頰魚). '姑兒之水出焉, 其中有一'《山海經》.

14 ㉕ [鱨] 상 ㊦陽 辰羊切 cháng
   字解 자가사리 상 동자갯과에 속하는 민물고

기. 황협어(黃頰魚). 황상어(黃鱨魚). '魚麗于
罶—鯊'《詩經》.
字源 形聲. 魚+嘗〔音〕

14 ⑤ [鰻] 서 ⑪語 徐呂切 xù
字解 연어(鰱魚) 서 붕어 비슷한 민물고기. 鰱
(魚部 十一畫)과 같은 뜻. 서어(鰻魚). '其魚魴
—'《詩經》.
字源 形聲. 魚+與〔音〕. '與여'는 함께 하
다, 떼 지어 가다의 뜻. 떼 지어 다니
기를 좋아하는 물고기 '연어'의 뜻을 나타냄.

14 ⑤ [鱇] ▤ 호 ⑯遇 胡誤切 hù
▤ 화 ⑰禡 胡化切
字解 ▤ 큰메기 호. 메기의 일종. '一, 似鮎而
大, 白色'《爾雅 注》. ▤ 큰메기 화 ▤과 뜻이 같
음.
字源 形聲. 魚+蒦〔音〕

14 ⑤ [鰭] 〔제〕
鮆(魚部 五畫〈p.2645〉)와 同字

15 ⑥ [鰤] 절 ⑧屑 子結切 jié
字解 연어(鰱魚) 절 붕어 비슷한 민물고기.
字源 形聲. 魚+節〔音〕

15 ⑥ [鱲] 렵 ⑧葉 良涉切 liè
字解 물고기이름 렵 물고기의 한 가지.
字源 形聲. 魚+巤〔音〕

15 ⑥ [鰈] ▤ 락 ⑧藥 歷各切 luò
▤ 록 ⑭屋 盧谷切 lù
▤ 력 ⑧錫 狼狄切 lì
字解 ▤ 물고기이름 락 '一, 一魚也'《說文》. ▤
물고기이름 록 ▤과 뜻이 같음. ▤ 자가사리 력
'鯌, 魚名. 博雅, 魿也. 或从樂'《集韻》.
字源 形聲. 魚+樂〔音〕

15 ⑥ [鰥] 멸 ⑧屑 莫結切 miè
字解 웅어 멸 '一魛, 今鮆魚也'《廣韻》.
字源 形聲. 魚+蔑〔音〕

15 ⑥ [鰔] 침 ⑰侵 職深切 zhēn
字解 학꽁치 침. 학꽁칫과에 속하는 바닷물고기.
아래턱이 바늘처럼 길게 돌출하였음. 침어(針
魚). 공미리.
字源 形聲. 魚+箴〔音〕. '箴침'은 '바늘'의 뜻. 가
늘고 길며 빛나는 바늘과 같은 물고기, '학
꽁치'의 뜻을 나타냄.

15 ⑥ [鱉] 〔상〕
鯗(魚部 八畫〈p.2650〉)과 同字

16 ⑦ [鱷] 악 ⑧藥 五各切 è
字解 악어 악 '一魚'는 파충류(爬蟲類)의 하나.
악어(鰐魚). '惡溪有一魚'《唐書》.
[鱷溪 악계] 광동 성(廣東省) 차오안 현성(潮安縣
城)의 동북에 있는 한장 강(韓江)의 일컬음. 당
나라 때 악어가 있어 해(害)를 끼쳤으나 한유
(韓愈)가 글을 지어 쫓아 버렸다고 함.
[鱷魚 악어] 파충류(爬蟲類)에 속하는 동물. 열대
지방의 물가에 사는데, 도마뱀 비슷하고 경린
(硬鱗) 예치(銳齒)가 있으며, 성질이 사나워
인축(人畜)을 해침.

16 ⑦ [鱺] 력 ⑧錫 狼狄切 lì
字解 자가사리 력 자가사리. 鯝(魚部 十畫)과
同字. '鯝, 或从歷'《集韻》.

16 ⑦ [鰿] ▤ 달 ⑧曷 他達切
▤ 뢰 ⑰泰 落蓋切 lài
字解 ▤ 물고기이름 달 ▤와 뜻이 같음. ▤ 물고
기이름 뢰 '一, 賴魚也'《說文》.
字源 形聲. 魚+賴〔音〕

16 ⑦ [鱸] 로 ⑭虞 落胡切 lú
字解 농어 로 '一魚'는 농어. '松江之一魚'《後
漢書》.
字源 形聲. 魚+盧〔音〕

[鱸魚 노어] 농엇과에 속하는 바닷물고기. 농어.
[鱸魚膾 노어회] 농어의 회.
[鱸膾 노회] 노어회(鱸魚膾).
●江鱸. 碧鱸. 思蓴鱸. 松江鱸. 新鱸. 銀鱸. 鱠
鱸.

18 ⑨ [鱹] 구 ⑭虞 權俱切
⑪麌 果羽切
⑯遇 俱遇切 qú
字解 물고기이름 구 '一, 魚名'《說文》.
字源 形聲. 魚+瞿〔音〕

18 ⑨ [鱹] 관 ⑭翰 古玩切 guàn
字解 사람이름 관 인명(人名). '鱹—爲司徒'《左
傳》.

19 ⑳ [鱺] ▤ 리 ⑭支 鄰知切 lí
▤ 례 ⑪薺 盧啓切 lì
字解 ▤ 뱀장어 리 1 갯장어과에 속하는 바닷물고
기. '鰻一'. ▤ 가물치 례 鱧(魚部 十三畫)와 同
字.
字源 形聲. 魚+麗〔音〕

●鰻鱺.

11
획

〔魚部〕

20 ³¹ [鱲] 당 dǎng

字解 물고기이름 당 물고기 이름. '一魚似鮒鯶'《南越志》.

21 ³² [鱫] 례 ⊕蕠 里弟切 lǐ

字解 가물치 례 鱧(魚部 十三畫)와 同字. '一, 鮦也'《說文》.

22 ³³ [鱻] 선 ①⊕先 相然切 xiān ②⊕銑 息淺切 xiǎn

字解 ①생선 선 물고기의 날것. '凡其死生一薨之物, 以共王之膳'《周禮》. ②적을 선 鮮(魚部 六畫)과 同字.

字源 金文 鱻 篆文 鱻 會意. 세 개의 '魚어'를 합쳐 '생선'의 뜻을 나타냄.

鳥 (11획) 部

〔새 조 부〕

0 ¹¹ [鳥] 조 ⊕篠 都了切 niǎo

筆順 ′ ⼔ ⼧ 白 臼 鳥 鳥 鳥

字解 ①새 조 조류(鳥類). 꽁지가 짧은 새를 '隹'라 하는데 대하여, 꽁지가 긴 것을 이름. '一獸孶尾'《書經》. ②성 조 성(姓)의 하나.

字源 甲骨文 鳥 金文 鳥 篆文 鳥 象形. 새를 본떠 '새'의 뜻을 나타냄.

參考 '鳥조'를 의부(意符)로 하여, 여러 가지 조류의 명칭 등을 나타내는 문자를 이룸. 부수이름은 '새조변'.

[鳥瞰圖 조감도] 높은 곳에서 아래로 내려다본 상태의 도면.
[鳥罟 조고] 새그물.
[鳥過目 조과목] 새가 눈앞을 날아가는 것같이 지극히 짧은 시간.
[鳥倦飛而知還 조권비이지환] 새는 날아다니다가 피로하면 보금자리로 돌아온다는 뜻으로, 사람의 출처 진퇴(出處進退)도 새와 같이 자연스러워야 한다는 말.
[鳥起者伏 조기자복] 하늘을 나는 새가 느닷없이 놀라 높이 날 때는 그 밑에 복병(伏兵)이 있다는 말.
[鳥道 조도] 새가 아니면 통과할 수 없을 만큼 험한 또는 좁은 길.
[鳥羅 조라] 새그물.
[鳥路 조로] 새가 나는 길. 또, 일직선의 길.
[鳥籠 조롱] 새장.
[鳥類 조류] 척추동물(脊椎動物)에 속하는 한 강(綱). 파충류에서 진화(進化)된 것으로, 온혈(溫血)·난생(卵生)이고 몸의 겉에는 우모(羽毛)가 났고 한 쌍의 날개가 있음.
[鳥黐 조리] 새를 잡는 끈끈이.
[鳥網 조망] 새를 잡는 그물.
[鳥面鵠形 조면곡형] 굶어서 무척 야윈 형용(形容).
[鳥飛 조비] 새가 낢.

[鳥散魚潰 조산어궤] 새가 날아가고 물고기가 달아나듯이, 군중이 사방으로 흩어짐.
[鳥鼠 조서] 간쑤 성(甘肅省) 위원현(渭源縣) 서쪽에 있는 산 이름.
[鳥獸 조수] 새와 짐승.
[鳥語 조어] ㉠새소리. 금어(禽語). ㉡만이(蠻夷)의 말.
[鳥雀 조작] 참새 같은 작은 새.
[鳥葬 조장] 시체를 들에 버려 새가 쪼아먹도록 하는 장사(葬事).
[鳥迹 조적] ㉠새 발자국. ㉡창힐(蒼頡)이 새 발자국을 보고 처음으로 문자를 만들었다는 고사(故事)에서 문자의 일컬음.
[鳥跡 조적] 조적(鳥迹).
[鳥篆 조전] ㉠전자(篆字). 모양이 새의 발자국 비슷하므로 이름. ㉡새의 발자국.
[鳥箋 조전] 조전(鳥篆).
[鳥中之曾參 조중지증삼] 까마귀를 말함. 증삼(曾參)은 공자(孔子)의 제자로, 효자(孝子)로서 유명함. 까마귀는 반포지효(反哺之孝)가 있는 까닭에 말함.
[鳥之將死其鳴也悲, 人之將死其言也善 조지장사기명야비, 인지장사기언야선] 새가 죽을 때에는 그 울음소리가 슬픈 것같이, 사람이 죽을 때에는 자연히 그 본성으로 돌아가서 그 하는 말이 착함.
[鳥盡弓藏 조진궁장] 나는 새가 없어지면 활이 소용없어 벽장 같은 데 넣어 둔다는 뜻으로, 천하(天下)가 평정되면 공신(功臣)은 소용이 없어 버림을 받음의 비유.
[鳥集 조집] 새처럼 많이 모여듦.
[鳥竄 조찬] 새가 날아가듯이 도망함.
[鳥銃 조총] 소총. 엽총.
[鳥革翬飛 조혁휘비] 새가 날개를 펴는 것 같고, 꿩이 나는 것 같다는 뜻으로, 훌륭한 집의 구조를 이름(혁(革)은 익(翼), 휘(翬)는 치(雉)).

[鳥銃]

[鳥喙 조훼] ㉠새의 부리. ㉡새의 부리같이 뾰족한 입. 탐욕 많은 상(相)임.
◉介鳥. 高鳥. 怪鳥. 巧婦鳥. 九華鳥. 窮鳥. 禽鳥. 羈鳥. 籠鳥. 丹鳥. 猛鳥. 鳴鳥. 妙音鳥. 文鳥. 反舌鳥. 百舌鳥. 白鳥. 凡鳥. 報春鳥. 保護鳥. 鳳鳥. 不死鳥. 飛鳥. 蜚鳥. 山鳥. 傷弓之鳥. 翔鳥. 棲鳥. 瑞鳥. 夕鳥. 小鳥. 水鳥. 宿鳥. 時鳥. 信鳥. 野鳥. 陽鳥. 魚鳥. 鳥鳥. 越鳥. 幽鳥. 乙鳥. 益鳥. 一石二鳥. 子雋鳥. 雀鳥. 征鳥. 啼鳥. 朱鳥. 池魚籠鳥. 鷙鳥. 蜀鳥. 翠鳥. 駝鳥. 寒鳥. 海鳥. 害鳥. 玄鳥. 好婦鳥. 好鳥. 花鳥. 黃鳥. 孝鳥. 候鳥.

1 ¹² [鳦] 을 ㋺質 於筆切 yǐ / 알 ㋺黠 乙黠切

字解 ■제비를 참새류에 속하는 새의 한 가지. 현조(玄鳥). '燕一'. ■제비 알 ■과 뜻이 같음.

字源 乙의 別體 鳦 形聲. 鳥+乙[音]. '乙을'은 제비가 갈지자(之字)로 나는 모양을 본뜸. '鳥조'를 더하여 '제비'의 뜻을 나타냄.

◉燕鳦.

2 ¹³ [鳧] 부 ㉮虞 防無切 fú

[字解] 물오리 부 오릿과에 속하는 야생의 오리. '一鴨'. '弋一與雁'《詩經》.
[字源] 金文 篆文 形聲. 鳥+几〔音〕. '几수'는 깃이 짧은 새가 나는 것을 본뜬 것. 물오리의 뜻을 나타냄. 또 '几'는 뻗는 발의 象形. 물갈퀴 발이 있는 물오리의 뜻을 나타낸다고도 함.

[鳧脛 부경] 물오리의 다리. 짧은 다리.
[鳧脛雖短續之則憂 부경수단속지즉우] 물오리의 발이 짧다고 이어 대면 걱정이 된다는 뜻으로, 사물의 특성을 인위적으로 손익 가감하여서는 안 된다는 말.
[鳧鷗 부구] 물오리와 갈매기.
[鳧葵 부규] 순채(蓴菜)의 일종.
[鳧氏 부씨] 주대(周代)의 관명(官名). 종을 만드는 벼슬.
[鳧雁 부안] 물오리와 기러기.
[鳧鴨 부압] 물오리와 집오리. 전(轉)하여 오리.
[鳧影 부영] 물오리가 나는 그림자.
[鳧鷖 부예] 부구(鳧鷗).
[鳧翁 부옹] ㉠물오리의 목털. ㉡물오리.
[鳧渚 부저] 물오리가 내려와 노는 물가.
[鳧藻 부조] 기뻐함. 물오리는 조류(藻類)를 보면 기뻐하므로 이름.
[鳧舟 부주] 모양이 물오리 같은 배.
[鳧趨雀躍 부추작약] 뛰며 좋아함.
◉家鳧. 輕鳧. 驚鳧. 飛鳧. 水鳧. 睡鳧. 信鳧. 野鳧. 魚鳧. 游鳧. 弋鳧. 渚鳧. 春鳧.

2
⑬ [鳶] 구 [平]尤 居求切 jiū

[字解] ①메추라기 구 메추라기. '一, 鴿也'《字彙補》. ②鳩(次條)의 俗字.

2
⑬ [鳩] [人名] 구 [平]尤 居求切 jiū

[筆順] 丿 九 九' 九𠃌 九𠃌 九鸟 鳩 鳩

[字解] ①비둘기 구 새의 한 가지. '維鵲有巢, 維一居之'《詩經》. ②모일 구, 모을 구 '一首'. '一合同志'《陸機》. ③편안할 구, 편안히할 구 '敢使魯無一乎'《左傳》. ④성 구 성(姓)의 하나.
[字源] 篆文 形聲. 鳥+九〔音〕. '九구'는 비둘기의 우는 소리의 의성어.

[鳩居鵲巢 구거작소] 비둘기는 집을 짓지 못하고 까치집에서 살므로, 아내가 남편의 집을 자기 집으로 삼는 데 비유하며, 또 남의 집을 빌려 사는데도 이름.
[鳩斂 구렴] 사방에 흩어져 있는 백성을 모아 한군데 안주(安住)시키고 구실을 거둠.
[鳩摩羅什 구마라습] 후진(後秦)의 고승(高僧). 서역(西域) 구자국(龜兹國) 태생. 후진(後秦)의 국왕 요흥(姚興)의 신임을 받아 군승(群僧)과 함께 경론(經論) 300권을 번역함. 삼론종(三論宗)의 개조(開祖)임.
[鳩尾 구미] 가슴과 배의 경계인 한가운데 우묵하게 들어간 곳. 명치.
[鳩槃茶 구반다] 《佛敎》 형체가 보기 흉한 일종의 악신(惡神)의 이름. 후세(後世)에는 못생긴 추부(醜婦)를 일컬음.
[鳩婦 구부] 암비둘기.
[鳩率 구솔] 규합(糾合)하여 거느림.
[鳩首 구수] 서로 머리를 맞대고 의논(議論)함.
[鳩杖 구장] ㉠지팡이 머리에 비둘기를 새긴 노인장(老人杖). ㉡비둘기를 새긴 노인의 젓가락.
[鳩集 구집] 구합(鳩合).
[鳩車 구차] 비둘기 모양을 만들어 실은 작은 수레. 어린아이의 장난감의 한 가지.

[鳩杖㉠]

[鳩聚 구취] 구합(鳩合).
[鳩合 구합] 한데 모아 합침. 또, 한데 모여 합함.
[鳩形鵠面 구형곡면] 오래 주려 수척한 형용. 조면곡형(鳥面鵠形).

[鳩車]

◉鶻鳩. 鵻鳩. 隴上鳩. 鳴鳩. 蒙鳩. 斑鳩. 爽鳩. 鳲鳩. 雎鳩. 傳書鳩. 蒼鳩. 鸒鳩. 荊鳩.

2
⑬ [鳨] 력 [入]職 六直切 lì

[字解] ①상오리 력 상오리. 오릿과에 딸린 물새. '一, 鳥名, 少鳧也'《集韻》. ②집새의딴이름 력 집새〔鳩〕의 딴 이름. '一, 鳩別名'《類篇》. ③비둘기의딴이름 력 비둘기의 딴 이름. '一, 一曰, 鳩別名'《集韻》.

2
⑬ [鳨] 鳨(前條)과 同字

2
⑬ [鳮] 〔계〕 鷄(鳥部 十畫〈p. 2677〉)의 俗字

2
⑬ [鳭] 효 [平]蕭 虛嬌切 xiāo

[字解] 올빼미 효 梟(木部 七畫)의 俗字. '一, 不孝鳥, 食父母也'《篇海》.

2
⑬ [鳭] 鳭(前條)와 同字

2
⑬ [鳳] 〔봉〕 鳳(鳥部 三畫〈p. 2660〉)의 俗字

3
⑭ [鳲] 시 [平]支 式脂切 shī

[字解] 뻐꾸기 시 '一鳩'는 뻐꾸기. '一鳩在桑'《詩經》.
[字源] 形聲. 鳥+尸〔音〕

[鳲鳩 시구] 두견잇과에 속하는 새. 뻐꾸기. 곽공(郭公). 포곡(布穀).

3
⑭ [鳴] [中人] 명 ①-③[平]庚 武兵切 míng ④[去]敬 眉病切

[筆順] 丨 口 口' 口𠃌 口𠃌 口鸟 鳴 鳴

[字解] ①울 명 새가 소리를 냄. '鳳凰一矣'《詩經》. 전(轉)하여 널리 생물 등이 소리를 내는 뜻으로 쓰임. '其於馬也, 爲善一'《易經》. ②울릴 명 ㉠음향이 남. '叩之以大者則大一'《禮記》.

11획

ⓛ명성이 들날림. '以文章─江東'《元史》. ⓒ말을 함. '孟軻荀卿, 以道─者也'《韓愈》. ⓔ소리를 나게 함. '不─其善鳴者'《韓愈》. ③성 명 성(姓)의 하나. ④부를 명 새가 서로 부름. '儔嘯匹侶'《曹植》.

字源 甲骨文 金文 篆文 會意. 鳥+口. 수탉이 홰치며 울다. '울다'의 뜻을 나타냄.

[鳴珂里 명가리] ㉠가(珂)는 귀인(貴人)이 쓰는 마구(馬具)의 구슬 장식(裝飾). 가(珂)를 울리는 마을이란 뜻으로, 귀인이 사는 마을을 이름. ⓒ남의 고향(故鄉)을 높여서 가리(珂里)·가향(珂鄉)이라 함.
[鳴謙 명겸] 겸손한 태도가 언사와 용모에 드러남.
[鳴鼓 명고] 북을 침.
[鳴鼓而攻之 명고이공지] 죄상(罪狀)을 하나하나 들어서 공박(攻駁)함.
[鳴管 명관] 조류(鳥類)의 발성(發聲)하는 기관. 울대.
[鳴鳩 명구] 산비둘기.
[鳴琴 명금] ㉠거문고. ⓒ거문고를 탐. ⓔ폭포(瀑布)의 소리의 비유.
[鳴禽 명금] ㉠듣기 좋게 잘 우는 새. ⓒ명금류(鳴禽類)에 속(屬)한 새.
[鳴禽類 명금류] 조류를 생태(生態)나 습성상(習性上)으로 구분한 유(類). 울대를 가지고 대개 잘 옮. 할미새·꾀꼬리·제비 따위. 연작류(燕雀類).
[鳴器 명기] 매미 따위의 소리 내는 기관.
[鳴動 명동] 울리어 진동함.
[鳴鑾 명란] 천자의 수레에 다는 방울.
[鳴絲 명사] 거문고.
[鳴謝 명사] 사례(謝禮) 함.
[鳴鴉 명아] 우는 까마귀.
[鳴雁 명안] 우는 기러기.
[鳴雁之期 명안지기] 혼기(婚期).
[鳴軋 명알] 삐걱삐걱 울림.
[鳴嚶 명앵] 새가 욺.
[鳴籥 명약] 피리.
[鳴蛙 명와] 우는 개구리.
[鳴竽 명우] 피리.
[鳴笛 명적] ㉠피리를 붊. ⓒ피리.
[鳴鏑 명적] 쏘면 공기에 부딪쳐 소리가 나게 만든 화살. 우는살.
[鳴條 명조] 은(殷)나라 탕왕(湯王)이 하(夏)나라 걸왕(桀王)을 격파(擊破)한 곳. 지금의 산시성(山西省) 안이 현(安邑縣)의 북쪽.
[鳴蜩 명조] 우는 매미.
[鳴鐘 명종] 종소리.
[鳴砌 명체] ㉠섬돌을 울리게 함. 섬돌을 때려 소리가 나게 함. ⓒ'구인(蚯蚓)'의 별칭(別稱). 지렁이.
[鳴騶 명추] 종자(從者)가 탄 말이 욺. 귀인의 거마(車馬)의 출행(出行) 소리를 이름.
[鳴鞭 명편] 옛날 의장중(儀仗中)에 쓰는 제구의 하나. 이를 흔들어 소리를 내어 사람들로 하여금 정숙(靜肅)하게 함. 정편(靜鞭).
[鳴吠 명폐] ㉠닭이 울고 개가 짖음. ⓒ하찮은 기능을 이름.
[鳴鶴在陰其子和之 명학재음기자화지] 학이 그늘에서 울어도 새끼가 따라 욺. 덕(德)이 있는 자

는 세상에 자연히 알려짐의 비유(比喻).
[鳴弦 명현] 우는 활시위.
[鳴呼 명호] ㉠차탄(嗟歎)하는 소리. ⓒ탄미하는 소리.
[鳴號 명호] 울부짖음. 규호(叫號).
[鳴吼 명후] 새와 짐승이 욺.
●鷄鳴. 孤掌豈能鳴. 共鳴. 群鳴. 鹿鳴. 雷鳴. 馬鳴. 百家爭鳴. 飛鳴. 悲鳴. 哀鳴. 嚶鳴. 鸞鳴. 蛙鳴. 瓦釜雷鳴. 牛鳴. 猿鳴. 陰德猶耳鳴. 耳鳴. 一鳴. 自鳴. 長鳴. 鶴鳴. 和鳴.

3획/14 [馱] ㊀제 ㉿霽 大計切 ㊁대 ㉿泰 徒蓋切 dài
字解 ㊀새이름 제 새의 이름. '首山, 其陰有谷曰机谷, 多─鳥, 其狀如梟, 而三目有耳, 其音如錄, 食之已墊'《山海經》. ㊁새이름 대 ㊀과 뜻이 같음.

3획/14 [塢] 두 ㊀囊 動五切 dù
字解 두견새 두 두견이. '─, 一鵑鳥名, 通作杜'《集韻》.

3획/14 [鳱] ㊀간 ㉿寒 古寒切 gān ㊁안 ㉿諫 魚澗切 yàn
字解 ㊀까치 간 '一鴲'은 까치. '一鴲, 誰也'《廣雅》. ㊁기러기 안 雁(佳部 三畫)과 同字.

3획/14 [鴈] 鳱(前條)과 同字

3획/14 [鳿] 〔구〕 鳩(鳥部 二畫〈p. 2659〉)의 譌字

3획/14 [搗] 〔도·주〕 擣(手部 十四畫〈p. 913〉)와 同字

3획/14 [鳳] 高人 봉 ㉿送 馮貢切 fèng 凤
筆順 丿 几 凡 凢 凧 凨 鳯 鳳
字解 ①봉새 봉 봉황의 수컷. 봉황은 상상(想像)의 서조(瑞鳥). 성인(聖人)이 세상에 나오면 이에 응하여 나타난다고 함. 수컷은 '─', 암컷은 '凰'이라 함. '麟─龜龍, 謂之四靈'《禮記》. ②성 봉 성(姓)의 하나.
字源 甲骨文 篆文 形聲. 鳥+凡〔音〕. '凡범'은 바람에 펄럭이는 돛의 뜻. 바람에 날개를 펄럭이는 '봉새'의 뜻을 나타냄.

[鳳駕 봉가] ㉠천자(天子)가 타는 수레. ⓒ신선(神仙)이 타는 수레.
[鳳閣 봉각] '중서성(中書省)'의 별칭(別稱).
[鳳蓋 봉개] 천자(天子)가 타는 수레의 덮개.
[鳳舉 봉거] ㉠사신(使臣)이 사명을 띠고 봉새처럼 멀리 감. ⓒ몸을 깨끗이 하고 은퇴함. ⓔ올라감.
[鳳闕 봉궐] 천자(天子)의 대궐(大闕).
[鳳起 봉기] 봉황처럼 날아오름.
[鳳團 봉단] 상등(上等)의 차(茶)의 이름.
[鳳德 봉덕] 성인군자의 덕.
[鳳頭鞋 봉두혜] 썩 좋은 여자의 신.
[鳳鸞 봉란] 봉새와 난새. 난새는 봉새를 돕는 신

11획

조(神鳥)라 함.
[鳳曆 봉력] 달력. 봉황은 천시(天時)를 안다 하므로 이름.
[鳳輦 봉련] ㉠천자(天子)가 타는 연(輦). ㉡신선(神仙)이 타는 연.
[鳳樓 봉루] 누각(樓閣)의 지붕의 모퉁이. 봉새 모양의 장식이 있으므로 이름.
[鳳梨 봉리] 열대 지방에 나는 상록 초본(常綠草本). 열매는 파인애플이라 함. 아나나스.
[鳳麟洲 봉린주] 봉새와 기린이 많이 있으며 신선이 산다는 곳. 서해(西海) 중앙에 있는 사주(砂洲)의 이름.
[鳳鳴朝陽 봉명조양] 봉새가 산의 동편에서 욺. 천하가 태평할 길조(吉兆)라 함.
[鳳毛 봉모] 뛰어난 풍채. 또 재사(才士)를 칭찬하여 이르는 말.
[鳳門 봉문] 대궐(大闕)의 문.
[鳳尾草 봉미초] 은화식물(隱花植物)의 하나. 풀고사리.
[鳳尾蕉 봉미초] 소철(蘇鐵).
[鳳翔 봉상] ㉠봉새가 하늘 높이 낢. ㉡당대(唐代) 및 금대(金代)의 부(府)의 이름. 지금의 산시 성(陝西省) 서남의 땅.
[鳳仙花 봉선화] 봉숭아.
[鳳城 봉성] 궁성(宮城). 대궐.
[鳳聲 봉성] 편지에 쓰는 말로, 남에게 부탁하는 전언(傳言)의 존칭.
[鳳沼 봉소] 대궐(大闕) 안에 있는 못.
[鳳韶 봉소] 순(舜)임금이 지었다는 음악.
[鳳兒 봉아] 뛰어난 아이. 대단히 영리한 아이.
[鳳庭 봉정] 태자(太子)의 궁정(宮庭). 액(掖)은 대궐(大闕)의 좌우의 협문(夾門).
[鳳輿 봉여] 봉련(鳳輦).
[鳳友 봉우] '공작(孔雀)'의 별칭(別稱).
[鳳苑 봉원] 대궐(大闕) 안에 있는 동산. 비원(祕苑). 금원(禁苑).
[鳳吟 봉음] 대나무가 울리는 소리를 봉새가 우는 소리에 견주어 이르는 말.
[鳳子 봉자] 호랑나비. 범나비.
[鳳字 봉자] ㉠조칙(詔勅) 등의 문자의 존칭. ㉡'鳳'이란 글자를 파자(破字)하면 범조(凡鳥)가 되므로, 범용(凡庸)한 사람을 냉소(冷笑)하는 말.
[鳳姿 봉자] 봉새의 모습. 봉새와 같은 거룩한 풍채.
[鳳簪 봉잠] 봉황의 모양을 새긴 비녀.
[鳳邸 봉저] 천자(天子)의 즉위하기 전의 구거(舊居). 잠저(潛邸).
[鳳蝶 봉접] 호랑나비. 범나비.
[鳳詔 봉조] '조서(詔書)'의 존칭.
[鳳藻 봉조] 아름다운 문장(文章).
[鳳鳥 봉조] 봉황(鳳凰).
[鳳鳥不至 봉조부지] 성군(聖君)이 나타나지 아니하여 인도(人道)가 쇠미한 것을 개탄하는 말.
[鳳池 봉지] 봉황지(鳳凰池).
[鳳紙 봉지] 천자(天子)가 사용하는 종이. 조서(詔書)를 쓰는 종이.
[鳳車 봉차] ㉠봉가(鳳駕). ㉡봉자(鳳子).
[鳳釵 봉채] 봉잠(鳳簪).
[鳳雛 봉추] ㉠봉의 새끼. ㉡봉아(鳳兒). ㉢아직 세상에 두각(頭角)을 나타내지 아니한 영재(英才).
[鳳吹 봉취] 생황(笙簧)·퉁소 등을 이름.

[鳳峙 봉치] ㉠봉새와 같이 아름답게 우뚝 솟음. ㉡거룩하게 한 지방에 웅거(雄據)하는 모양.
[鳳胎龍肝 봉태용간] 봉의 태(胎)와 용의 간(肝). 맛보기 어려운 진미(珍味)를 이름.
[鳳匏 봉포] 일종의 악기(樂器)의 이름.
[鳳穴 봉혈] 문채(文采)가 모이는 곳. 곧 훌륭한 사람들이 모이는 곳의 뜻.
[鳳兮歌 봉혜가] 초(楚)나라 사람 접여(接輿)가 봉황을 공자(孔子)에게 견주어 부른 노래로서, 공자가 난세(亂世)에 은둔하지 않는 것을 풍자(諷刺)함.
[鳳皇 봉황] 봉황(鳳凰).
[鳳凰 봉황] 상상(想像)의 서조(瑞鳥). 성인(聖人)이 세상에 나오면 이에 응하여 나타난다고 함. 수컷은 봉(鳳), 암컷은 황(凰)이라 함.
[鳳凰來儀 봉황내의] 봉황이 와서 춤춘다는 뜻. 태평의 길조(吉兆).
[鳳凰臺 봉황대] 난징 시(南京市)의 남쪽에 있는 대(臺)의 이름.
[鳳凰兒 봉황아] 봉아(鳳兒).
[鳳凰子 봉황자] 산둥 성(山東省) 치천현(淄川縣)에서 나는 벼룻돌. 돌의 생김새가 난형(卵形)인 데서 이르는 말. 홍사석(紅絲石).
[鳳凰在笯 봉황재노] 봉황이 새장에 갇혀 있다는 뜻. 성현(聖賢)·군자(君子)가 그 지위를 잃음을 이름.
[鳳凰池 봉황지] 당(唐)나라의 중서성(中書省)에 있는 못. 전(轉)하여 중서성의 별칭(別稱).
[鳳凰銜書 봉황함서] 천자(天子)의 사신(使臣)이 칙서(勅書)를 받들고 옴의 비유(比喩).
●龜鳳. 鸞鳳. 鷟鳳. 丹鳳. 丹山鳳. 飛鳳. 祥鳳. 瑞鳳. 神鳳. 靈鳳. 幺鳳. 龍鳳. 麟鳳. 綵鳳. 雛鳳. 翠鳳.

3 ⑭ [鳶] 人名 연 ㉠先 與專切 yuān　　鳶鳶
字解 ①솔개 연 수릿과(科)에 속하는 새. 공중에 떠 있다가 땅 위의 작은 동물을 잡아먹음. '一飛戾天'《詩經》. ②연 종잇조각에 가는 대쪽을 엇걸리게 대고 실로 벌이줄을 매어 날리는 것. 지연(紙鳶).
字源 會意. 鳥＋弋

[鳶肩 연견] 위로 올라간 어깨.
[鳶目兔耳 연목토이] 잘 보이는 눈과 잘 들리는 귀. 비이조목(飛耳馬目).
[鳶飛魚躍 연비어약] 솔개는 날고 물고기는 뜀. 곧 천지조화의 묘용(妙用)을 이름.
[鳶色 연색] 다갈색(茶褐色).
●鳴鳶. 木鳶. 飛鳶. 魚鳶. 鷹鳶. 鵰鳶. 紙鳶. 風鳶.

3 ⑭ [豹] 표 ㉠效 布效切 bào
字解 새이름 표 새의 이름. '一, 鳥名'《篇海》.

3 ⑭ [鴰] 〔골〕
鶻(鳥部 十畫〈p.2676〉)과 同字

4 ⑮ [鴃] 격 ㉠錫 局闃切 jué　　鴃鴃
字解 때까치 격 때까칫과에 속하는 새. 잡은 물

고기 같은 것을 나무에 꿰어 말리는 습성(習性)이 있음. 개고마리. 박로(博勞). 백로(伯勞).
[字源] 形聲. 鳥+夬〔音〕

[鴂舌 격설] 알아들을 수 없는 야만인의 언어.
◉鸋鴂. 鳴鴂. 啼鴂. 春鴂.

4 ⑮ [鳷] 지 [平]支 章移切 zhī

[字解] ①새매 지 수릿과(科)에 속하는 맹금(猛禽). ②새이름 지 '—鵲'은 한(漢)나라 장제(章帝) 때 조지국(條支國)에서 조공(朝貢)한 새. 키가 7척(尺)이며 사람의 말을 알아들었다 함.
[字源] 形聲. 鳥+支〔音〕

[鳷鵲 지작] 자해(字解) ❷를 보라.
[鳷鵲觀 지작관] 한(漢)나라 무제(武帝)가 쌓은 감천궁(甘泉宮) 안에 있던 누대(樓臺).

4 ⑮ [鳿] 공 [平]東 沽紅切 gōng

[字解] 새매 공 새매. 수릿과에 딸린 새. '—, 似鷹而小, 能捕雀'《字彙》.

4 ⑮ [鵁] 교 [平]肴 居肴切 jiāo

[字解] 해오라기 교 해오라기. 교청(鵁鶄). '—, 鵙—, 似鳧'《廣韻》.

4 ⑮ [鳹] 균 [平]眞 呼鄰切 xīn

[字解] 작은새 균 작은 새. 작은 새의 이름. '—, —鷐, 小鳥'《集韻》.

4 ⑮ [鴔] 급 [入]緝 極入切 jié

[字解] 검정때까치 급 검정때까치. 鵖(鳥部 十一畫〈p. 2680〉)과 同字. '鵖, 鵖鴔, 小黑鳥, 或从及'《集韻》.

4 ⑮ [鴟] [一] 기 [平]支 翹移切 qí
[二] 지 [平]支 章移切

[字解] [一] ①꿩 기 꿩의 딴 이름. '—, 雉別名'《玉篇》. ②기러기 기 기러기. [二] 닭 지 닭. 雉(隹部 四畫〈p. 2483〉)와 同字. '鶅—'. '—, 方言, 雞'《集韻》.

4 ⑮ [鴂] [一] 결 [入]屑 古穴切 jué
[二] 계 [去]霽 涓惠切 guī

[字解] [一] ①올빼미 결 올빼미[鴞]의 일종. ②뱁새 결 '鸋—'은 뱁새. [二] 두견이 계 鶗(鳥部 九畫)를 보라. '鶗—'.
[字源] 篆文 形聲. 鳥+夬〔音〕

◉鸋鴂. 鶗鴂. 鷤鴂.

4 ⑮ [鴆] 짐 [去]沁 直禁切 zhèn

[字解] 짐새 짐 광동 성(廣東省)에서 사는 독조(毒鳥). 그 깃을 담근 술을 마시면 죽는다 함. '吾令—爲媒'《楚辭》. 또 이 새의 깃을 담근 술. 또 그 술을 마시게 하여 죽임. '—殺'. '使醫—之'《國語》.
[字源] 篆文 形聲. 鳥+冘〔音〕. '冘음'은 '가라앉히다'의 뜻. 사람을 물속에 가라앉히듯 숨통을 끊어 버리는 새, 독조(毒鳥)의 뜻을 나타냄.

[鴆毒 짐독] ㉠짐새의 깃을 술에 담근 독. ㉡짐주(鴆酒)를 마시게 하여 죽임. ㉢해독이 심한 자의 비유.
[鴆殺 짐살] 짐주(鴆酒)를 마시게 하여 죽임.
[鴆肉 짐육] 짐새의 고기. 독조(毒鳥)의 고기.
[鴆酒 짐주] 짐독(鴆毒)을 섞은 독(毒)한 술.
◉仰鴆. 飮鴆.

4 ⑮ [鴇] 보 [上]晧 博抱切 bǎo

[字解] ①능에 보 새의 한 가지. 모양이 기러기와 같으나 훨씬 큼. 너새. 야안(野雁). '肅肅—羽'《詩經》. 또 능에는 음란하다 하여, 전(轉)하여 창부(娼婦) 등의 뜻으로 쓰임. '—母'. '—性最淫, 逢鳥則與之交'《庶物異名 疏》. ②오총이 보 흰 털이 섞인 검은 말. '叔于田, 乘乘—'《詩經》.
[字源] 篆文 形聲. 鳥+午〔音〕. '午보'는 '갖추어지다'의 뜻. 깃이 가지런히 잘 갖추어진 새, '능에'의 뜻을 나타냄.

[鴇母 보모] 기루(妓樓)에서 기생의 뒤를 보는 여자. 기생 어미.
[鴇羽之嗟 보우지차] 신민(臣民)이 전역(戰役)에 종사하여 부모(父母)를 봉양(奉養)하지 못하는 한탄.

4 ⑮ [鴉] [人名] 아 [平]麻 於加切 yā

[字解] ①큰부리까마귀 아 까마귓과(科)에 속하는 새. 성질이 고약하여 반포(反哺)를 하지 않는다 함. '純黑反哺者, 謂之烏, 小而腹下白, 不反哺者, 謂之—烏'《廣雅》. ②검을 아 까마귀 털빛처럼 새까맘. '—鬢靑雛色'《古詩》.
[字源] 形聲. 鳥+牙〔音〕. '牙아'는 깍깍 우는 까마귀 울음소리의 의성어.
[參考] 鵶(鳥部 八畫)는 同字.

[鴉舅 아구] ㉠옻나뭇과에 속하는 낙엽 교목. 거망옻나무. ㉡새의 이름. 일명(一名), 아궁(鴉鵼).
[鴉群 아군] ㉠까마귀 떼. ㉡질서가 문란한 약한 군대를 이름.
[鴉背 아배] 까마귀의 등.
[鴉軋 아알] 부딪쳐 나는 소리.
[鴉陣 아진] 나는 까마귀 떼. 줄지어 날므로 이름.
[鴉靑 아청] 검푸른 빛깔. 야청.
[鴉片 아편] 아편(阿片).
[鴉鬟 아환] ㉠검은 머리. ㉡비녀(婢女). 계집종.
[鴉黃 아황] 부인이 쓰는 분으로 주로 눈썹을 그리는 것.
◉群鴉. 歸鴉. 金鴉. 亂鴉. 晩鴉. 鳴鴉. 暮鴉. 鬢鴉. 山鴉. 栖鴉. 曙鴉. 赤鴉. 村鴉. 雛鴉. 寒鴉. 昏鴉. 曉鴉.

11획

鳻 4/15
- 분 ⊕文 敷文切 fén
- 반 ⊕刪 布還切 bān

字解 ■ 세가락메추라기 분 ‘一鳻’은 메추라기의 일종. ‘春鳻, 一鳻’《爾雅》. ■ 산비둘기 반 ‘一鳻’는 산비둘기. ‘鳻, 自關而西, 秦漢之間, 其大者謂之一鳩’《揚子方言》.

毛鳥 4/15
- 모 ⊕號 莫報切 mào

字解 솜털 모 새의 솜털. ‘一, 輕毛’《集韻》.
字源 形聲. 鳥+毛〔音〕

鳺 4/15
- 부 ⊕虞 甫無切 fū
- 규 ⊕支 均窺切 guī

字解 ■ 산비둘기 부 ‘一鳺’는 산비둘기. ■ 두견새 규 자규(子規).

鴒 4/15
- 겸 ⊕鹽 巨淹切
- 금 ⊕侵 渠金切 qín
- 감 ⊕覃 姑南切

字解 ■①새이름 겸 부리가 굽은 새. 또 흰 부리의 새. ‘鴒喙鳥’《爾雅》, ‘一, 白喙鳥’《廣韻》. ②쫄 겸 새가 모이를 쪼아 먹음. ‘一, 鳥喙食’《玉篇》. ■ 새이름 금, 쫄 금 ■과 뜻이 같음. ■ 새이름 감 ‘雉, 鳥名. 或作一’《集韻》.

鳩 4/15
- 개 ⊕卦 居拜切 jiè

字解 새이름 개 ‘一, 一雀也. 侶鶪而青, 出羌中’《說文》.
字源 形聲. 鳥+介〔音〕

鳶 4/15
- 봉 ⊕送 馮貢切 fèng
- 궉 ⊕韓

字解 ■ 봉새 봉 봉새. 鳳(鳥部 三畫)의 古字. ■《韓》성 궉 성(姓)의 하나.

鵗 4/15
- 부 ⊕尤 甫鳩切
- ⊕有 方久切 fǒu

字解 산비둘기 부 산비둘기의 일종. ‘一, 鳥名, 鵗鳩也’《集韻》.

鴎 4/15
〔구〕
鷗(鳥部 十一畫〈p.2679〉)의 略字

厒 4/15
- 호 ⊕麌 侯古切 hù

字解 세가락메추라기 호 메추라기의 일종. ‘春一, 鴆鶉’《爾雅》.

鴈 4/15
〔高入〕
안 ⊕諫 五晏切 yàn

筆順 一 厂 厂 厈 厈 雁 鴈 鴈

字解 ①기러기 안 雁(隹部 四畫)과 同字. ‘鴈一來’《禮記》. ②오리 안. ③가짜 안 贗(貝部 十五畫)과 通用. ‘齊伐魯, 索讒鼎, 魯以其一往’《韓非子》. ④성 안 성(姓)의 하나.
字源 形聲. 鳥+人+厂〔音〕. ‘厂한’은 벼랑 밑의 집의 뜻. 사람의 집에서 기르는 새, 오리의 뜻을 나타냄.

● 歸鴈. 來鴈. 鳴鴈. 梟鴈. 舒鴈. 數行鴈. 旅鴈. 赤鴈. 地鴈. 天鴈.

鴗 4/15
〔견·역·연〕
鴗(鳥部 六畫〈p.2667〉)의 俗字

鴕 5/16
- 타 ⊕歌 唐何切 tuó 鴕鵌

字解 타조 타 ‘一鳥’. ‘一鳥如鴕生西戎’《本草》.
字源 形聲. 鳥+它〔音〕. ‘它타’는 동류(同類)가 아닌 것의 뜻. 타국 원산(原產)의 새, ‘타조’의 뜻을 나타냄.

[鴕鳥 타조] 타조과에 속하는 열대산의 큰 새. 키가 8~9척이나 되어 현생 조류 중 가장 큼. 날지는 못하나 다리는 썩 발달(發達)되어 달아날 때는 한 걸음이 20여 척(尺)이나 된다고 함.

鵌 5/16
- 종 ⊕冬 之戎切 zhōng

筆順 𠂤 鳥 鳥 鵌 鵌 鵌 鵌

字解 새이름 종 새 이름. 청둥오리 비슷하나 작은 물새. ‘一, 鳥名’《集韻》.

鴥 5/16
- 율 ⊕質 餘律切 yù 鴥

字解 휙날 율 송골매 같은 것이 빨리 나는 모양. ‘一彼飛隼’《詩經》.
字源 篆文 形聲. 鳥+穴〔音〕. ‘穴혈’은 날개를 접고 확 빠져 날아가다의 뜻을 나타냄.

鴗 5/16
鴥(前條)과 同字

駒 5/16
- 가 ⊕歌 古俄切 gē
- ⊕麻 居牙切

字解 ①거위 가 오릿과의 새. ②기러기 가 기러기의 일종.
字源 篆文 形聲. 鳥+可〔音〕

鴗 5/16
- 교 ⊕巧 苦絞切 qiǎo

字解 뱁새 교 뱁새. 교부조(鴗婦鳥). ‘一, 鶯鶯, 鳥名, 巧婦也’《集韻》.

鴗 5/16
鴗(前條)와 同字

鴗 5/16
- 두 ⊕有 他口切 tǒu

字解 검은오리 두 오리 비슷하고 검은 물새. ‘一, 水鳥, 黑色’《廣韻》.
字源 形聲. 鳥+主〔音〕

駒 5/16
〔구〕
鴒(鳥部 五畫〈p.2664〉)와 同字

鴒 5/16
- 령 ⊕青 郎丁切 líng 鴒鵊

字解 할미새 령 鶺(鳥部 十畫)을 보라. '鶺一'.
字源 形聲. 鳥+令〔音〕

●柴鶺鴒. 鶺鴒. 鶺鴒.

5/16 [鴲] 정 㴣敬 之盛切 zhèng
字解 ①매 정 맷과의 맹조. '一, 鳥名, 鴟鳲也'《集韻》. ②닭 정 '一, 雞也'《廣韻》.
字源 形聲. 鳥+正〔音〕

5/16 [鷝] 一 멸 㴨屑 莫結切 miè
二 필 㴨質 薄必切 bì
字解 一 동박새 멸 동박새. 백안작(白眼省). '一, 鳥名, 繼英也'《集韻》. 二 새이름 필 새 이름. 까치 비슷한 새의 이름. '一, 鶺一, 鳥名'《集韻》.

5/16 [鴟] 치 㴣支 處脂切 chī
字解 ①올빼미 치 올빼밋과에 속하는 새. 부엉이와 비슷한데, 모각(毛角)이 없음. 밤에 나와서 닭이나 새 새끼를 잡아먹는 악조(惡鳥)임. 전(轉)하여, 흉악한 사람의 뜻으로 쓰임. '一梟. '鷙鳥伏竄兮一鳥翱翔'《史記》. ②단지 치 술단지. '金錢百萬酒千一'《蘇軾》. ③소리개 치 雕(隹部 五畫)와 同字. '一, 鳶屬'《玉篇》.
字源 形聲. 篆文은 隹+氐〔音〕. '隹추'는 꽁지 짧은 새, '氐지'는 목이 낮다의 뜻. 목이 짧은 새, '올빼미'의 뜻을 나타냄. 籒文은 鳥+氐〔音〕. 일설에는 '氐'는 실명(失明)한 눈의 象形. 낮에는 눈이 보이지 않는 '올빼미'의 뜻을 나타냄.

[鴟顧 치고] 올빼미처럼 몸은 움직이지 아니하고 모가지만 돌려 뒤를 돌아다봄.
[鴟目虎吻 치목호문] 올빼미의 눈과 범의 입술. 탐욕(貪慾)이 많은 상(相).
[鴟尾 치미] 방자하고 교만함.
[鴟義 치의] 올빼미처럼 사납게 방자함이 의(義)라고 생각하는 사람을 이름.
[鴟夷 치이] ㉠말가죽으로 만든 부대. 술을 담는 데 씀. ㉡술 항아리.
[鴟張 치장] 올빼미가 날개를 편 것처럼 폭위(暴威)를 떨침.
[鴟梟 치효] ㉠올빼미. ㉡간악한 사람.
[鴟鴞 치효] 치효(鴟梟).
[鴟鵂 치휴] 수리부엉이. 수알치새.
●茅鴟. 伏鴟. 餓鴟. 蹲鴟. 寒鴟. 梟鴟.

5/16 [鴝] 구 ①㴣虞 其俱切 qú ②㴣尤 古侯切 gōu
字解 ①구욕(鴝鵒)새 구 鸜(鳥部 十八畫)와 同字. ②수리부엉이 구 올빼밋과에 속하는 맹금(猛禽). 부엉이 비슷함. 수알치새. 치휴(鴟鵂).
字源 形聲. 鳥+句〔音〕.
參考 鉤(鳥部 五畫)는 同字.

[鴝鵒 구욕] 구욕새. 구욕(鸜鵒).

5/16 [鴠] 단 ①㴦旱 黨翰切 dàn ㉡㴦翰 得按切
字解 산박쥐 단 鷃(鳥部 九畫)을 보라. '鷃一'.
字源 形聲. 鳥+旦〔音〕. '旦단'은 해가 돋다의 뜻. 울어서 새벽을 맞는 새의 뜻을 나타냄.
參考 鴠(鳥部 五畫)는 別字.

●鶡鴠.

5/16 [鴄] 비 㴦支 貧悲切 pí
字解 ①물수리 비 물수리. 징경이. 저구(雎鳩). '一, 鴅'《廣韻》. ②귀신이름 비 귀신 이름. 흠비(欽䲹). '欽一化爲大鶚, 其狀如鵰而黑文'《山海經》.

5/16 [䲹] 鴄(前條)와 同字

5/16 [鴣] 고 㴦虞 古胡切 gū
字解 자고 고 鷓(鳥部 十一畫)를 보라. '鷓一'.
字源 形聲. 鳥+古〔音〕. '古고'는 그 울음소리의 형용.

●鷓鴣. 鴣鴣.

5/16 [鴨] 人名 압 㴨洽 烏甲切 yā
筆順 冂 曰 甲 卯 卯 鴨 鴨
字解 오리 압 안압류(雁鴨類)에 속하는 새의 일종. 물오리는 '鳧', 집오리는 '鶩'로 구분함. '家一'. '野一'.
字源 形聲. 鳥+甲〔音〕. '甲갑'은 그 울음소리의 형용.

[鴨脚樹 압각수] 은행나무. 곧 '공손수(公孫樹)'의 별칭(別稱).
[鴨頭 압두] 오리의 머리. 빛이 푸르므로 물의 푸른빛의 비유로 쓰임.
[鴨爐 압로] 오리 모양을 한 향로(香爐).
[鴨舌草 압설초] 물달개비.
[鴨兒芹 압아근] 미나리아재빗과에 속하는 다년초(多年草). 파드득나물. 야촉규(野蜀葵).
[鴨跖草 압척초] 닭의장풀과에 속하는 일년초(一年草). 닭의장풀.
[鴨黃 압황] 오리 새끼. 털빛이 노라므로 이름.
●家鴨. 綠頭鴨. 放鴨. 鳧鴨. 水鴨. 野鴨. 雛鴨. 土鴨. 黃鴨.

5/16 [鶇] 동 㴦冬 都宗切 dōng
字解 논병아리 동 논병아리. 논병아릿과의 물새. '一, 鳥好入水食'《集韻》.

5/16 [鴞] 효 㴦蕭 于嬌切 xiāo
字解 올빼미 효 梟(木部 七畫)와 同字. '有一萃止'《詩經》.
字源 形聲. 鳥+号〔音〕. '号호'는 '울부짖다'의 뜻.

字解 새이름 회 새 이름. '一, 鳥名'《篇海》.

6 ⑰ [鴌] 〔란〕
鸞(鳥部 十九畫〈p.2686〉)의 俗字

7 ⑱ [鴄] 〔압〕
鴨(鳥部 五畫〈p.2664〉)과 同字

7 ⑱ [鵔] 〔준〕
鵔(鳥部 七畫〈p.2669〉)과 同字

7 ⑱ [鵊] 겹 ㊅洽 古洽切 jiá
字解 ①두견이 겹 두견이(鵑)의 일종. ②최명조(催明鳥) 겹 '鵊一'은 새의 일종. 최명조(催明鳥).
字源 形聲. 鳥+夾〔音〕

●鵑鵊.

7 ⑱ [鵑] 人名 견 ㊀先 古玄切 juān
筆順 口 冎 肙 肙 䏍 䏍 鵑 鵑
字解 두견이 견 '杜一'은 두견잇과에 속하는 새. 뻐꾸기 비슷하며, 여름에 밤낮 처량하게 욺. 촉(蜀)나라 망제(望帝)의 넋이 화(化)하여 된 새라고 전함. 접동새. 두백(杜魄). 두우(杜宇). 망제혼(望帝魂). 불여귀(不如歸). 자규(子規). 제계(鶗鴂). 촉백(蜀魄). 촉조(蜀鳥). 촉혼(蜀魂). '杜一苦啼, 啼血不止'《埤雅》.
字源 形聲. 鳥+肙〔音〕
參考 鵑(鳥部 六畫)은 俗字.

[鵑血滿胸 견혈만흉] 두견이가 피를 토하여 가슴에 가득하다는 뜻으로, 사모(思慕)하는 마음이 간절함을 이르는 말.
[鵑花 견화] 두견화(杜鵑花).
●杜鵑.

7 ⑱ [鵒] 욕 ㊅沃 余蜀切 yù
字解 구욕새 욕 鸜(鳥部 十八畫)를 보라. '鸜一'
字源 篆文 形聲. 鳥+谷〔音〕

7 ⑱ [鵓] 발 ㊅月 蒲沒切 bó
字解 집비둘기 발 '一鴿'은 집비둘기.
字源 形聲. 鳥+孛〔音〕. '孛발'은 비둘기 울음소리를 나타내는 의성어.

[鵓鴣 발고] 비둘기의 일종. 집비둘기. 축구(祝鳩).

7 ⑱ [鵙] ㊀沃 拘玉切 jú　㊀屋 居六切　㊁有 居九切 jiù
字解 ㊀ 새이름 국 '一, 一鳥也'《說文》. ㊁ ①때까치 구 백설조(百舌鳥). '一, 鳥名. 百舌鳥'

《集韻》. ②새이름 구 '鳥一'는 새의 이름. '一, 一曰, 鳥一, 鳥名'《集韻》.
字源 形聲. 鳥+臼〔音〕

7 ⑱ [鵖] ㊀緝 彼及切 bī　㊁葉 居輒切 jié
字解 ㊀ 오디새 업 '一, 䴔一也'《說文》. ㊁ 오디새 겹 ㊀과 뜻이 같음.
字源 形聲. 鳥+皀〔音〕

7 ⑱ [鵍] 관 ㊖寒 古丸切 guàn
字解 ①새이름 관 새 이름. '一, 鶾一, 鳥名'《集韻》. ②鸛(鳥部 十八畫)과 同字.

7 ⑱ [鵍] 鵍(前條)의 訛字

7 ⑱ [鵍] 〔괄〕
鴰(鳥部 六畫〈p.2668〉)의 本字

7 ⑱ [鵍] 군 ㊖問 具運切 jùn　㊆軫 巨隕切
字解 꼬리없는닭 군 꼬리 없는 닭. '一, 雞無尾'《集韻》.

7 ⑱ [鴺] 녑 ㊅葉 昵輒切 niè
字解 ①새날 녑 새가 낢. 또는 그 모양. '一, 鳥飛皃'《集韻》. ②새이름 녑 새 이름. '一, 一曰, 鳥名'《集韻》.

7 ⑱ [鵌] ㊀虞 同都切 tú　㊁魚 以諸切
字解 ㊀ 새이름 도 쥐와 같은 구멍에서 함께 삶. '一, 鳥名. 與鼠同穴'《廣韻》. ㊁ 새이름 여 ㊀ '鵌一'는 새의 이름. '一, 鵌一, 鳥名'《集韻》. ㊁㊀과 뜻이 같음.

7 ⑱ [鵌] 鵌(前條)와 同字

7 ⑱ [鵔] 준 ㊖震 私閏切 jùn
字解 ①금계(錦鷄) 준 '一鸃'는 꿩 비슷한 새. ②관(冠) 이름 준 '孝惠時, 郎侍中, 皆冠一鸃'《漢書》.
字源 篆文 形聲. 鳥+夋〔音〕. '夋준'은 가늘고 길다의 뜻.
參考 鵔(鳥部 七畫)은 同字.

[鵔鸃 준의] ㊀꿩과에 속하는 꿩 비슷한 새. 수컷의 관우(冠羽)는 황금색임. 금계(錦鷄). 적치(赤雉). ㊁관(冠)의 이름.

7 ⑱ [鵗] 제 ㊀齊 杜奚切 tí
字解 ①사다새 제 '一鵜'. ②두견이 제 두견새. '鶗(鳥部 九畫)와 통용. '一鴂'.
字源 鵜의 別體 形聲. 鳥+弟〔音〕

[參考] 鶗(鳥部 六畫)는 同字.

[鵜鴂 제계] 두견이. 소쩍새. 제계(鶗鴂).
[鵜鶘 제호] 사다샛과에 속하는 큰 물새. 사다새. 가람조(伽藍鳥). 오택(鴮鸅).

7 ⑱ [鵠] [人名] 곡(① ①[入]沃 胡沃切 hú 혹[本]) ②③[入]沃 姑沃切 gǔ

[字解] ①고니 곡 물새의 한 가지. 기러기 비슷한데 모양이 큼. 백조(白鳥). '黃—一擧'《漢書》. ②정곡 곡 과녁의 한가운데 되는 부분. 포제(布製)의 과녁의 한가운데를 '正', 혁제(革製)의 한가운데를 '—'이라 함. '失諸正—'《中庸》. ③성 곡 성(姓)의 하나.

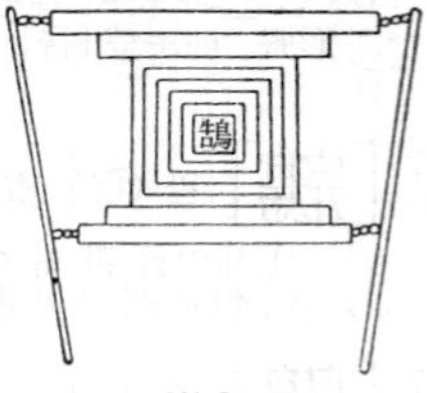

[鵠②]

[字源] [篆文] 形聲. 鳥+告〔音〕

[鵠鵠 곡곡] 고니가 우는 소리.
[鵠企 곡기] 고니와 같이 고개를 쳐들고 발돋움하여 바라봄.
[鵠卵 곡란] 고니의 알. 큰 것의 비유.
[鵠立 곡립] 곡기(鵠企).
[鵠望 곡망] 고니와 같이 목을 빼고 발돋움하여 바라봄. 몹시 바람을 이름. 곡기(鵠企).
[鵠面 곡면] 대단히 주려서 고니 비슷하게 된 얼굴.
[鵠髮 곡발] 백발(白髮).
[鵠不浴而白 곡불욕이백] 고니는 멱을 감지 않아도 희다는 뜻으로, 바탕이 아름다운 것은 꾸미지 않아도 아름답다는 말.
[鵠侍 곡시] 고니처럼 직립(直立)하여 곁에서 모심.
[鵠的 곡적] 과녁. 정곡(正鵠).
[鵠鼎 곡정] 이윤(伊尹)이 고니의 요리인(料理人)으로서 탕왕(湯王)을 섬겨 차차 출세하여 재상이 되었다는 고사(故事). 대신(大臣)이 되어 임금을 섬김을 이름.
[鵠志 곡지] 큰 뜻. 대지(大志). 홍곡지지(鴻鵠之志).
◉丹鵠. 白鵠. 翔鵠. 正鵠. 海鵠. 鴻鵠. 黃鵠. 候鵠.

7 ⑱ [鵡] [人名] 무 [上]麌 文甫切 wǔ

[字解] 앵무새 무 '鸚—'.
[字源] 形聲. 鳥+武〔音〕

◉鸚鵡.

7 ⑱ [鵐] [人名] 무 [平]虞 微夫切 wú

[字解] 세가락메추라기 무 세가락메추라기. 메추라기의 한 가지. '鴾, 鴾鶬, 鳥名, 鴽也, 或作—'《集韻》.

7 ⑱ [鵙] 격 [入]錫 扃闃切 jú

[字解] 때까치 격 백로(伯勞). '仲夏之月—始鳴'《禮記》.

7 ⑱ [⿰牢鳥] 로 [平]豪 郎刀切 láo

[字解] 깃에비단무늬있는새 로 깃에 비단 무늬가 있는 새. '—, 鴾—, 鳥名, 綿文'《集韻》.

7 ⑱ [鵝] [人名] 아 [平]歌 五何切 é

[字解] ①거위 아 오릿과에 속하는 가금(家禽)의 하나. 가안(家雁). '雪似—毛飛散亂'《白居易》. ②진이름 아 군진(軍陣)의 한 가지. '其御願爲—'《左傳》. ③성 아 성(姓)의 하나.
[字源] [篆文] 形聲. 鳥+我〔音〕. '我아'는 그 울음소리의 형용.
[參考] 鵞(鳥部 七畫)는 同字.

[鵝鸛 아관] 관아(鸛鵝).
[鵝口瘡 아구창] 유아(幼兒)의 입 속이 희게 헐고 젖먹기에 애를 쓰게 되는 병(病).
[鵝翎 아령] 거위의 깃.
[鵝毛雪 아모설] 거위털같이 흰 눈.
[鵝眼 아안] 남조(南朝)의 송(宋)나라 때 주조한, 구멍이 있는 돈.
[鵝湖 아호] 장시 성(江西省) 연산현(鉛山縣)에 있는 산 이름. 주자(朱子)가 여조겸(呂祖謙)·육구연(陸九淵) 형제와 함께 강학(講學)하던 곳임.
[鵝黃 아황] ㉠거위의 새끼. ㉡거위의 새끼는 빛이 노랗고 아름다우므로, 노랗고 아름다운 물건의 비유로 쓰임.
[鵝黃酒 아황주] 빛이 노란 좋은 술.
◉駕鵝. 鸛鵝. 白鵝. 雪裏鵝. 野鵝. 銀鵝. 鬪鵝. 換鵝.

7 ⑱ [䳘] 鵝(前條)와 同字

7 ⑱ [鵋] 기 [去]寘 渠記切 jì

[字解] 수리부엉이 기 '—鵙, 鵂鶹鳥'《韻會》.
[字源] 形聲. 鳥+忌〔音〕

7 ⑱ [鵛] 경 [平]青 堅靈切 jīng

[字解] 새이름 경 새 이름. 쥐와 함께 산다는 괴조(怪鳥). '—雀, 怪鳥屬也'《廣雅》.

7 ⑱ [鵗] 희 [平]微 香衣切 xī

[字解] ①꿩 희 '雉, 北方曰—'《爾雅》. ②가죽다루는장인 희 옛 관명(官名)의 하나. '五雉爲五工正. (疏) 賈逵云, 北方曰—雉. 攻皮之工也'《左傳》.

7 ⑱ [鵟] 광 [平]陽 巨王切 kuáng

[字解] ①쏙독새 광 쏙독샛과에 속하는 새. 몸빛은 회색에 갈색·회색 등의 복잡한 무늬가 있음. 삼림 속에 서식함. 바람개비. ②말똥가리 광 독수릿과(科)에 속하는 새.

9 ⑳ [鶏] 규 ㊤支 渠惟切 kuí

字解 작은비둘기 규 작은 비둘기. '鶏, 或作一' 《集韻》.

9 ⑳ [鸔] 〔로〕

鵅(鳥部 六畫〈p.2666〉)와 同字

9 ⑳ [鶙] 제 ㊤齊 田黎切 tí

字解 새매 제 '一鶙'은 새매. '一鶙, 鶙也'《廣雅》.

9 ⑳ [鶪] 〔격〕

鵙(鳥部 七畫〈p.2670〉)의 本字

字解 篆文 [篆] 形聲. 鳥+昊[音]. '昊격'은 양 날개를 펴서 몸을 움직이다의 뜻.

9 ⑳ [鶕] 〔황〕

凰(几部 九畫〈p.234〉)과 同字

9 ⑳ [鶖] 추 ㊤尤 七由切 qiū

字解 무수리 추 황새과에 속하는 물새. 목에 흰털이 목도리 모양으로 났음. 부로(扶老). 독추(禿秋). 독추(禿鶖). '有一在梁'《詩經》.

字源 篆文 [篆] 別體 [篆] 形聲. 篆文은 鳥+木[音]. '鶖추'는 別體로 鳥+秋[音].

● 鵗鶖.

9 ⑳ [鶩] 목 ㊤屋 莫卜切 mù

字解 ①집오리 목 오릿과에 속하는 가금(家禽). '刻鵠不成, 尙類一'《後漢書》. ②달릴 목 치빙(馳騁)함. 鶩(馬部 九畫)과 同字. '馳一' '騁一兮江皐'《楚辭》.

字源 篆文 [篆] 形聲. 鳥+敄[音]. '敄무'는 몽둥이를 들고 가볍게 치다, 힘쓰게 하다의 뜻.

[鶩櫂 목도] 목령(鶩舲).
[鶩列 목렬] 집오리처럼 백관(百官)이 조용히 늘어섬.
[鶩舲 목령] 거룻배.
● 家鶏野鶩. 刻鵠類鶩. 江鶩. 鵗鶩. 孤鶩. 煩鶩. 鳬鶩. 夜鶩. 野鶩. 寒鶩.

9 ⑳ [鷃]

　一 훤 ㊤元 許元切 xuān
　二 선 ㊤先 荀緣切

字解 一 뱁새 훤 뱁새. 교부조(巧婦鳥), 초료(鷦鷯). '鷃一' '一一, 鷦一, 鷃鷃別名'《正字通》.
二 뱁새 선 一과 뜻이 같음.

9 ⑳ [鶬]

鷃(前條)과 同字

10 ㉑ [鶴] 〔체〕

鸇(鳥部 十畫〈p.2677〉)와 同字

字源 篆文 [篆] 形聲. 鳥+虒[音]

10 ㉑ [鶬] 창 ㊤陽 七岡切 cāng

字解 ①재두루미 창 두루밋과에 속하는 새. 온몸이 거의 잿빛임. '一鶬'. ②꾀꼬리 창 '一鵹'은 꾀꼬리. '草蟲哀鳴, 一鶬振羽'《阮籍》.

字源 篆文 [篆] 別體 [篆] 形聲. 鳥+倉[音]. '倉창'은 '蒼창'과 통하여 '푸르다'의 뜻. 푸른빛을 띤 재두루미의 뜻을 나타냄. 別體는 隹+倉[音]. '隹추'는 꽁지 짧은 새의 뜻.

[鶬鵹 창경] 꾀꼬리. 금의공자(金衣公子). 황조(黃鳥).
[鶬鷄 창계] 재두루미.
[鶬鴰 창괄] 재두루미.

10 ㉑ [鶴] 高 入 학 ㊤藥 下各切 hè

鶴 [篆]

筆順 ⼧ ⼧ 隹 隹 鶴 鶴 鶴 鶴

字解 ①두루미 학 섭금류(涉禽類)에 속하는 큰 새. 몸이 희고 정수리는 붉음. 예부터 서조(瑞鳥)라 일컬으며 천 년 산다고 하나, 실제는 사오십 년에 불과함. 선금(仙禽). ②흴 학 깃털이 흰 모양. '白鳥一一'《孟子》. 또, 널리 빛이 흰 모양. '一髮' '一裳'. ③성 학 성(姓)의 하나.

字源 篆文 [篆] 形聲. 鳥+隺[音]. '隺학'은 높게 이르다의 뜻. 그 우는 소리나 나는 모양이 하늘까지도 이르는 새, '학'의 뜻을 나타냄.

[鶴駕 학가] ㉠태자(太子)가 타는 수레. ㉡신선이 타는 수레.
[鶴脛雖長斷之則悲 학경수장단지즉비] 학의 다리가 길다 하여 짧게 자르면 학은 슬퍼할 것임. 사물은 각각 천부의 특성이 있으니, 함부로 가감(加減)하여서는 안 된다는 비유.
[鶴宮 학궁] ㉠황태자(皇太子)의 궁정. ㉡황태자의 존칭. 동궁(東宮).
[鶴禁 학금] 학궁(鶴宮).
[鶴企 학기] 학처럼 목을 길게 빼고 발돋움하여 기다림. 학수(鶴首).
[鶴頭書 학두서] 학서(鶴書).
[鶴唳 학려] 학이 우는 소리.
[鶴列 학렬] 학이 좌우의 날개를 펼친 것처럼, 좌우로 벌인 진형(陣形).
[鶴林 학림] ㉠인도(印度) 구시라(拘尸羅)의 북쪽 발제하(跋提河)의 서안(西岸)의 사라쌍수림(沙羅雙樹林)의 일컬음. 여기서 석가(釋迦)가 입적(入寂)하자, 그 사방의 나무가 희게 말랐다고 하여 이름 지음. ㉡절. 사원(寺院).
[鶴林玉露 학림옥로] 수필서(隨筆書). 송(宋)나라 나대경(羅大經)의 찬(撰). 16권. 이름 있는 학자·문인의 시문(詩文)·어록(語錄)에 고평(考評)을 가한 것임.
[鶴立鷄群 학립계군] 많은 닭 무리 중에 한 마리 학이 우뚝 서 있다는 뜻으로, 호걸이 뭇사람 가운데에서 뚜렷이 두각을 나타냄의 비유. '계군일학(鷄群一鶴).' 참조.
[鶴立企佇 학립기저] 발돋움하고 바라봄.
[鶴望 학망] 학처럼 목을 길게 빼고 발돋움하여 봄. 간절히 기다림.
[鶴鳴九皐聲聞于天 학명구고성문우천] 학이 깊숙한 못가에서 울어도 그 소리는 하늘에까지 들린다는 뜻으로, 군자는 깊숙이 숨어 있어도 명성이 자연 세상에 높이 드러남을 이름.
[鶴鳴山 학명산] 쓰촨 성(四川省)에 있는 산 이

름. 도교(道教)의 시조(始祖) 장도릉(張道陵)이 승천(昇天)한 곳임. 곡명산(鵠鳴山).
[鶴舞 학무] 학춤.
[鶴髮 학발] 노인(老人)의 백발(白髮).
[鶴俸 학봉] 당대(唐代) 관리의 녹봉(祿俸)을 이름.
[鶴山 학산] 쓰촨 성(四川省) 공래현(邛崍縣) 서쪽에 있는 산 이름. 송(宋)나라 위요옹(魏了翁)의 형제가 공부하던 곳임.
[鶴書 학서] 조정(朝廷)에서 부르는 문서. 그 글씨가 학의 머리 비슷하므로 이름. 한대(漢代)에는 척일간(尺一簡)이라고 하였음. 학두서(鶴頭書).
[鶴首 학수] ㉠학처럼 목을 길게 빼고 기다림. 학기(鶴企). ㉡흰머리. 백수(白首).
[鶴壽 학수] 학은 천 년 동안 산다 하여, 사람의 장수(長壽)를 이름.
[鶴膝 학슬] ㉠작시상(作詩上)의 팔병(八病)의 하나. 오언시(五言詩)의 제일구(第一句)의 다섯째 자(字)와 제삼구(第三句)의 다섯째 자(字)에 동성(同聲)의 글자를 씀을 이름. ㉡창〔矛〕. 창날이 두루미의 정강이와 비슷하다 하여 일컬음.
[鶴膝風 학슬풍] 무릎이 붓고 아프며 정강이가 마르는 병(病).
[鶴乘軒 학승헌] 학은 선금(仙禽)이므로 산중에 있어야 할 것임에도 불구하고 대부(大夫)의 수레에 탐은 마땅치 않다는 말. 헌(軒)은 대부(大夫)의 수레.
[鶴馭 학어] ㉠신선(神仙)의 수레. ㉡상여(喪輿). 영구차.
[鶴翼 학익] 학이 날개를 펴듯 좌우익(左右翼)으로 벌인 진(陣). 적(敵)을 포위하는 형임. '어린(魚鱗)' 참조.
[鶴鼎 학정] 대신(大臣)의 직위(職位)를 이름. 곡정(鵠鼎).
[鶴汀鳧渚 학정부저] 학과 물오리가 노는 물가. 곧, 유정(幽靜)한 물가.
[鶴氅 학창] 학의 털로 만든 옷.
[鶴板 학판] 조정(朝廷)에서 부르는 문서. 학서(鶴書).
[鶴鶴 학학] 우모(羽毛)가 흰 모양.
◉鷄群一鶴. 孤鶴. 龜鶴. 琴鶴. 舞鶴. 白鶴. 飛鶴. 翔鶴. 瑞鶴. 素鶴. 乘鶴. 夜鶴. 野鶴. 唳鶴. 一琴一鶴. 田鶴. 丁零威化鶴. 閒雲孤鶴. 閑雲野鶴. 玄鶴. 皓鶴. 黃鶴.

10 ㉑ [鶸] 약 [入]藥 而灼切 ruò

[字解] 곤계(鶤鷄) 약 닭의 일종. 보통 닭보다 몸집이 큼.
[字源] 形聲. 鳥+弱〔音〕

10 ㉑ [鶹] 류 [平]尤 力求切 liú

[字解] 수리부엉이 류 '鵂—'.
[字源] [篆文] 形聲. 鳥+留(畱)〔音〕

10 ㉑ [鶷] 할 [入]黠 胡瞎切 xiá / [入]曷 何葛切

[字解] 개똥지빠귀 할 '—鶡'은 티티새. 백설조(百舌鳥). '字林云, 一鶡, 似伯勞而小'《爾雅釋文》.

10 ㉑ [鶺] 척 [入]陌 資昔切 jí

[字解] 할미새 척 '—鴒'. '—鴒在原, 兄弟急難'《詩經》.
[字源] 形聲. 鳥+脊〔音〕

[鶺鴒 척령] 할미새. 걸어다닐 때 항상 꽁지를 아래위로 흔들어 화급(火急)한 일을 고하는 것 같으므로, 위급(危急)·곤란(困難)의 비유로 쓰임. 옹거(鸜渠). 척령(脊令).
[鶺鴒在原 척령재원] 형제가 급한 일이나 어려운 일을 당하여 서로 돕는 비유로 쓰임.

10 ㉑ [鶻] 골(②③홀[本]) [入]月 古忽切 gǔ / [入]月 戶骨切 hú

[字解] ①산비둘기 골 '—鳩'. ②송골매 골 매의 일종. '犬馬鷹—'《唐書》. ③오랑캐 골 '回—'은 북방의 오랑캐 이름. '回紇'이라고도 함.
[字源] [篆文] 形聲. 鳥+骨〔音〕. '骨골'은 '滑활'과 통하여 우는 소리가 매끄럽다의 뜻.

[鶻鳩 골구] 비둘깃과에 속하는 새. 아름답게 욺. 산비둘기. 반구(斑鳩).
[鶻突 골돌] 분명하지 아니한 모양. 또, 일을 깨닫지 못함.
[鶻圇 골륜] 분명하지 아니한 모양. 혼돈한 모양.
[鶻入鴉羣 골입아군] 아주 용맹한 자가 약한 사람들의 떼를 쳐 흩어 버림의 비유.
[鶻隼 골준] 매의 한 가지. 새매.
◉霜鶻. 栖鶻. 義鶻. 蒼鶻. 秋鶻. 海鶻. 回鶻.

10 ㉑ [鸜] 구 [平]虞 權俱切 qú

[字解] 왼발흰새 구 왼발이 흰 새. 鶪(鳥部 六畫)와 同字. '鶪, 鳥左足白, 或从䀠'《集韻》.

10 ㉑ [鶼] 겸 [平]鹽 古甜切 jiān

[字解] 비익조(比翼鳥) 겸 '——'은 자웅이 짝을 짓지 않으면 날 수 없다는 상상(想像)의 새. 부부(夫婦)의 비유로 쓰임. '南方有比翼鳥焉, 不比不飛. 其名謂之——'《爾雅》.
[字源] 形聲. 鳥+兼〔音〕

[鶼鶼 겸겸] 비익조(比翼鳥).

10 ㉑ [鷂] 요 [去]嘯 弋照切 yào

[字解] 새매 요 매의 일종. '久復爲—'《列子》.
[字源] [篆文] 形聲. 鳥+䍃〔音〕. '䍃요'는 '遙요'와 통하여 멀리 날아다니다의 뜻.

10 ㉑ [鷁] 익(역[本]) [入]錫 五歷切 yì

[字解] 새이름 익 백로 비슷한 큰 새. 풍파에 잘 견디어 내므로 뱃머리에 이 새의 모양을 그리는 일이 있는데, 주로 천자(天子)가 타는 배에 그림. '龍頭—首'. '龍舟—首, 浮吹以娛'《淮南子》. 또 이 새의 모양을 뱃머리에 그린 배.

'泛一兮遊蘭池'《謝靈運》.
[字源] 形聲. 鳥+益〔音〕

[鷁舸 익가] 큰 익수(鷁首).
[鷁首 익수] 익(鷁)이라는 물새의 형상을 선수(船首)에 그리거나 새긴 배. 풍파를 잘 견디어 내므로 이 새를 장식한다 함.

[鷁首]

◉輕鷁. 文鷁. 浮鷁. 飛鷁. 修鷁. 繡鷁. 龍鷁. 戰鷁. 舟鷁. 彩鷁. 花鷁. 畫鷁.

10 ㉑ [鷃] 안 ㊀諫 烏澗切 yàn
[字解] 세가락메추라기 안 '雉兔鶉一'《禮記》.
[字源] 形聲. 鳥+晏〔音〕

[鷃鵬 안붕] 세가락메추라기와 붕새. 메추라기는 작고 붕새는 아주 크므로, 사람의 식견(識見)이나 도량(度量)의 광협 대소(廣狹大小)가 같지 않거나 큰 차이가 있음의 비유로 쓰임. 붕안(鵬鷃).
◉幽鷃. 斥鷃.

10 ㉑ [鷈] 체 ㊥齊 土雞切 tī
[字解] 논병아리 체 '鷿一'.
[字源] 鷉(鳥部 十畫)의 字源을 보라.

10 ㉑ [鷁] 역 ㊇錫 倪歷切 yì
[字解] 칠면조 역 칠면조과(科)에 속하는 새. 닭 비슷한데, 머리와 목에 털이 없음. 수조(綬鳥). 진주계(眞珠鷄). '綬鳥, 一名一'《埤雅》.
[字源] 鶂의 別體 形聲. 鳥+鬲〔音〕

10 ㉑ [鷀] 자 ㊥支 疾之切 cí 鹚
[字解] 가마우지 자 '鸕一'.
[字源] 金文 篆文 形聲. 鳥+玆〔音〕

◉鸕鷀.

10 ㉑ [鷎] 고 ㊥豪 居勞切 ㊤晧 古老切 gāo
[字解] ①비둘기 고 비둘기. '鵖一'. ②호도애 고 호도애. 염주비둘기. '鷱一'.

10 ㉑ [鷍] 교 ㊥蕭 古幺切 xiāo
[字解] 올빼미 교 올빼미. '一, 不孝鳥'《字彙補》.

10 ㉑ [鶮] ㊀ 고 ㊥豪 居勞切 ㊁ 혹 ㊇沃 胡沃切 hú ㊂ 학 ㊇藥 曷各切 hè
[字解] ㊀ 땅이름 고 전국 시대 한(韓)나라의 고을 이름. '一, 邑名. 在韓'《集韻》. ㊁ 땅이름 혹 ㊀과 뜻이 같음. ㊂ 두루미 학 鶴(鳥部 十畫)과 同字. '鶴, 鳥名. 或作一'《集韻》.
[字源] 形聲. 鳥+高〔音〕

10 ㉑ [鶲] 옹 ㊥東 烏紅切 wēng
[字解] 새이름 옹 '一, 鳥也'《玉篇》.
[字源] 形聲. 鳥+翁〔音〕

10 ㉑ [䳍] 공 ㊀送 古送切 gòng
[字解] 새모이사양할 공 '一, 鳥讓食'《集韻》.
[字源] 形聲. 鳥+貢〔音〕

10 ㉑ [鷌] 답 ㊇合 達合切 tà
[字解] ①새이름 답 '一, 鳥名'《玉篇》. ②날 답 새가 낢.

10 ㉑ [鷅] 률 ㊇質 力質切 lì
[字解] 수리부엉이 률 '鶹一, 梟也'《洪武正韻》.
[字源] 形聲. 鳥+栗〔音〕

10 ㉑ [鶶] 당 ㊥陽 徒郎切 táng
[字解] 새이름 당 새 이름. 까마귀 비슷하며, 털빛이 흰 매의 한 가지. '一鷵'. '鶩, 一鷵'《爾雅》.

10 ㉑ [鶵] 추 ㊥虞 仕于切 chú
[字解] ①난새 추 난봉(鸞鳳)의 일종. '南方有鳥, 其名爲鵷一'《莊子》. ②새새끼 추 雛(隹部 十畫)의 籒文.
[字源] 雛의 籒文 形聲. 鳥+芻〔音〕

10 ㉑ [鷄] [中人] 계 ㊥齊 古奚切 jī 鸡
[筆順] 𠂆 爫 𡗗 奚 𡗗 鷄 鷄 鷄
[字解] ①닭 계 '牝一莫晨'《書經》. ②성 계 성(姓)의 하나.
[字源] 甲骨文 篆文 籒文 形聲. 鳥+奚〔音〕. '奚'는 '매다'의 뜻. 가축으로서 매어 두는 새, '닭'의 뜻을 나타냄.
[參考] 雞(隹部 十畫)는 本字.

[鷄姦 계간] 비역. 남색(男色). 용양(龍陽).
[鷄犬 계견] 닭과 개.
[鷄犬相聞 계견상문] 인가에서 기르는 닭과 개의 우는 소리가 이곳저곳에서 들림. 곧 인가가 죽 늘어선 형용.
[鷄膏 계고] 닭을 고아서 만든 국. 닭곰.
[鷄冠 계관] ㉠닭·꿩·칠면조 등의 머리 위에 있는 맨드라미 꽃 같은 살 조각. 볏. ㉡맨드라미. ㉢닭 털로 장식한 관(冠).
[鷄冠石 계관석] 붉은 비소(砒素)와 유황(硫黃)의 화합물로 된 돌. 불놀이 딱총의 재료와 채색

에도 쓰임.
[鷄冠花 계관화] 맨드라미의 꽃.
[鷄口 계구] 닭의 입이란 뜻으로, 하류 계급 또는 작은 단체의 수령의 비유.
[鷄狗馬之血 계구마지혈] 옛날에 맹세를 할 때에 그 신분에 따라 천자(天子)는 소와 말, 제후(諸侯)는 개와 돼지, 대부(大夫) 이하는 닭의 피를 마셨음.
[鷄口牛後 계구우후] 작아도 남의 윗자리에 앉을 일이지, 크다 하여 남의 밑에 있지 말라는 말. '위계구무위우후(爲鷄口無爲牛後)'와 같음.
[鷄群一鶴 계군일학] 다수의 평범한 사람 중에서 뛰어난 한 사람. 계군고학(鷄群孤鶴). 군계일학(群鷄一鶴).
[鷄毒 계독] ㉠바꽃의 뿌리. 독(毒)이 있음. 부자(附子). 오두(烏頭). ㉡천축(天竺). 인도(印度)를 이름.
[鷄頭 계두] 계관(鷄冠).
[鷄頭肉 계두육] 미인의 유방(乳房)을 이름.
[鷄卵 계란] 달걀.
[鷄龍山 계룡산] 장쑤 성(江蘇省)의 남경(南京) 서북(西北) 쪽에 있는 산 이름. 계명산(鷄鳴山).
[鷄肋 계륵] ㉠닭의 갈비는 먹을 것은 없으나 그냥 버리기는 아깝다는 말로, 그리 소용은 없으나 버리기는 아까운 사물을 이름. ㉡닭갈비처럼 몸이 작고 약한 이의 비유.
[鷄肋集 계륵집] 송(宋)나라 조보지(晁補之)의 시문집(詩文集). 모두 17권.
[鷄林 계림] 《韓》 '신라(新羅)'의 이칭(異稱). 신라 탈해왕(脫解王) 때 시림(始林)에서 닭 우는 소리가 있어 가 보니 금궤(金櫃)가 있는데, 그 안에서 남아(男兒)가 나왔다는 고사(故事). 후세에는 우리나라 전체를 일컬음.
[鷄盲 계맹] 밤에는 잘 보이지 아니하는 눈. 밤눈이 어두운 눈. 야맹증(夜盲症) 〔벽.
[鷄鳴 계명] ㉠닭의 울음. ㉡첫닭이 울 무렵. 새
[鷄鳴狗盜 계명구도] 맹상군(孟嘗君)이 닭 우는 흉내를 내는 자의 힘으로 함곡관(函谷關)을 빠져나오고, 개의 흉내를 내는 자로 하여금 도둑질하게 한 고사(故事). 전(轉)하여, 사대부(士大夫)가 취하지 아니하는 천한 기예(技藝)를 가진 사람을 비유함.
[鷄鳴狗吠 계명구폐] 닭의 울음소리와 개 짖는 소리가 여기저기서 들린다는 뜻으로, 인가(人家)가 많이 상접하여 있음을 이름. 계견상문(鷄犬相聞).
[鷄鳴酒 계명주] 하룻밤 새에 빚은 술. 곧, 단술.
[鷄鳴之助 계명지조] 군주(君主)에 대한 현비(賢妃)의 내조(內助)를 이름.
[鷄鳴天上 계명천상] 회남왕(淮南王) 유안(劉安)이 신선(神仙)이 되어 간 뒤 남겨 놓았던 약그릇을 닭과 개가 핥고 다 하늘로 올라갔다는 고사(故事). 〔유.
[鷄鶩 계목] ㉠닭과 집오리. ㉡평범한 사람의 비
[鷄卜 계복] 닭을 죽여 그 뼈 또는 눈을 보고 일의 선악·길흉 등을 알아보는 점.
[鷄栖 계서] 계서(鷄棲).
[鷄黍 계서] 한 노인이 공자의 문인 자로(子路)를 집에 묵게 하고 닭을 잡아 기장밥을 지어 대접한 고사(故事). 손님의 대접을 이름.
[鷄棲 계서] 닭이 자는 홰.
[鷄栖鳳凰食 계서봉황식] 봉황이 닭의 홰에서 살며, 모이를 함께 먹음. 충신(忠臣)이 천한 죄인

(罪人)과 함께 먹음의 비유.
[鷄舌香 계설향] 향(香)의 이름.
[鷄尸牛從 계시우종] 계구우후(鷄口牛後). 시(尸)는 주(主)임.
[鷄兒腸 계아장] 국화과에 속하는 다년초. 꽃은 자줏빛이며 관모(冠毛)가 없음. 가는쑥부쟁이.
[鷄眼 계안] 티눈.
[鷄五德 계오덕] 닭이 가진 다섯 가지 덕. 곧, 머리의 볏은 문(文), 발에 난 며느리발톱은 무(武), 싸울 때 분전 감투함은 용(勇), 먹이를 보면 서로 불러 함께 먹음은 인(仁), 밤새워 날 밝을 녘에 울어서 때를 알림은 신(信)의 다섯 가지로, 전요(田饒)가 노애공(魯哀公)에게 한 말.
[鷄彝 계이] 강신제(降神祭) 지낼 때 쓰는 제기(祭器)의 하나. 닭을 새긴 술 그릇.
[鷄人 계인] 궁중에서 날이 밝은 것을 알려 잠을 깨우는 일을 맡은 사람.
[鷄日 계일] 정월 초하루. 원단(元旦).
[鷄子 계자] ㉠달걀. ㉡병아리.
[鷄子白 계자백] 달걀의 흰자위.
[鷄子淸 계자청] 달걀의 흰자위.
[鷄子黃 계자황] 달걀의 노른자위.
[鷄腸草 계장초] 닭의장풀과에 속하는 일년초. 달기씨깨비. 닭의장풀.

[鷄彝]

[鷄窓 계창] 독서실(讀書室). 서재. 진(晉)나라의 송처종(宋處宗)이 닭 한 마리를 사다가 창가에 매어 두었더니 말을 잘하기에 더불어 종일토록 담론(談論)했던 바 그 뜻이 매우 깊어 하루 종일 그치지 않았다는 고사(故事)에서 나온 말임.
[鷄蹠 계척] 제왕(齊王)이 닭고기를 먹을 때 닭의 발바닥 살만을 주로 먹는데, 그 수가 천 마리에 이르렀다는 고사(故事)에서, 학문(學問)도 이와 같이 박람 다식(博覽多識)하여야 비로소 좋은 지위에 다다를 수 있음을 이름.
[鷄蟲得失 계충득실] 닭이 벌레를 쪼아 먹고, 또 사람이 그 닭을 잡아먹는 일. 모두가 큰 득실(得失)은 아니라는 뜻. 작은 이해·득실을 이름.
[鷄皮鶴髮 계피학발] 닭의 살가죽과 같이 주름이 잡힌 피부와 학의 털같이 흰 머리. 곧, 노인(老人)의 모습.
●家鷄. 群鷄. 鴨鷄. 金鷄. 錦鷄. 魯鷄. 陶太瓦鷄. 辟鷄. 伏鷄. 卑鷄. 牝鷄. 莎鷄. 梭鷄. 酸鷄. 水鷄. 樹鷄. 晨鷄. 秧鷄. 野鷄. 養鷄. 軟鷄. 甕裏醯鷄. 矮鷄. 長尾鷄. 樗鷄. 天鷄. 蜀鷄. 雛鷄. 吐綬鷄. 鬪鷄. 醯鷄. 火鷄. 黃鷄.

10 [鷇] 구 ㉮有 苦候切 kòu
㉑ ㉮遇 苦慕切
[字解] ①새새끼 구 연작류(燕雀類)처럼 어미 새가 먹이를 갖다 먹여 주는 새끼. 계치류(鷄雉類)와 같이 스스로 먹이를 찾아 먹는 새끼는 '雛'라 함. '鳥翼一鷇'《國語》. ②먹일 구 먹이를 먹여 주어 기름. '風胎雨一'《揚雄》.
[字源] 形聲. 鳥+㲉〔音〕. '㲉각'은 '殼각'과 같아 '알껍데기'의 뜻. 껍데기에서 나온 새, '새 새끼'의 뜻을 나타냄.

[鷇卵 구란] 새 새끼와 알.
[鷇食 구식] 새 새끼가 어미 새의 포육(哺育)을

받듯이, 혜택(惠澤)을 받아서 만족(滿足)함을
이름.
[鷇音 구음] 새 새끼의 울음소리라는 뜻으로, 남
의 말의 옳고 그름을 판단하기 어려움의 비유.

10
㉑ [鸎] 人名 앵 ㉻庚 烏莖切 yīng   莺 莺

[筆順] ⺊ ⺊ ⺊⺊ 丱丱 鴬 瞥 瞥 鸎

[字解] ①꾀꼬리 앵 새의 한 가지. 금의공자(金衣
公子). 황조(黃鳥). 창경(鶬鶊). ②휘파람새 앵
휘파람새과(科)에 속하는 작은 새. 봄에 곤줄
옮. ③무늬 앵 새의 깃의 무늬. '有─其羽'《詩
經》

[字源] 篆文 鸎 形聲. 鳥+熒〈省〉〔音〕. '熒영'은 문채
나 무늬가 선명하고 곱다의 뜻.

[鸎歌 앵가] 꾀꼬리 소리를 노래에 비유하여 이른
말.
[鸎谷 앵곡] 꾀꼬리가 골짜기에 있다는 뜻으로,
아직 현직(顯職)에 오르지 못함을 이름. '앵천
(鸎遷)'을 보라.
[鸎嚨 앵롱] 꾀꼬리가 우는 소리.
[鸎梭 앵사] 꾀꼬리가 이 가지에서 저 가지로 자
꾸 날아 옮겨 앉는 것을, 베를 짤 때 북이 이리
저리 왔다 갔다 하는 데 비유함.
[鸎舌 앵설] 꾀꼬리의 혀라는 뜻으로, 꾀꼬리가
우는 소리.
[鸎聲 앵성] 앵어(鸎語).
[鸎粟 앵속] 양귀비. 앵속(罌粟).
[鸎脣 앵순] 꾀꼬리의 입술이라는 뜻으로, 꾀꼬리
가 우는 소리. 앵설(鸎舌).
[鸎兒 앵아] 앵추(鸎雛).
[鸎語 앵어] 꾀꼬리 소리. 앵성(鸎聲).
[鸎燕 앵연] ㉠꾀꼬리와 제비. ㉡꾀꼬리와 제비가
모두 꽃과 버들에 인연이 있으므로, 화류계(花
柳界) 또는 기녀(妓女)·창녀(娼女) 등의 비유
로 쓰임.
[鸎韻 앵운] 앵가(鸎歌).
[鸎吟 앵음] 앵가(鸎歌).
[鸎衣 앵의] 꾀꼬리의 털.
[鸎囀 앵전] 꾀꼬리가 지저귐.
[鸎啼 앵제] 꾀꼬리가 욺.
[鸎遷 앵천] 꾀꼬리가 골짜기에서 나와 교목(喬
木)에 앉는다는 뜻으로, 과거(科舉)에 급제하
는 일. 또, 승진(昇進)·이사(移徙) 등을 축하
할 때에도 이름.
[鸎雛 앵추] 꾀꼬리 새끼.
[鸎吭 앵항] 앵후(鸎喉).
[鸎花海 앵화해] 꾀꼬리가 울고 꽃이 만발하여 봄
경치가 한창인 때.
[鸎簧 앵황] 아름다운 꾀꼬리 소리를 생황(笙簧)
의 소리에 비유한 말.
[鸎喉 앵후] 꾀꼬리의 목구멍이라는 뜻으로, 꾀꼬
리 소리를 이름.
●老鸎. 籠鸎. 晚鸎. 曙鸎. 新鸎. 流鸎. 殘鸎.
啼鸎. 遷鸎. 春鸎. 黃鸎. 曉鸎.

10
㉑ [鶱] 헌 ㉻元 虛言切 xiān   窯

[字解] 날 헌 나는 모양. '將─復斂翮'《沈約》.
[字源] 篆文 窯 形聲. 鳥+寒〈省〉〔音〕.

[鶱騰 헌등] 높이 낢.
[鶱翥 헌저] 날아 올라감.

10
㉑ [鶛] 〔가〕 鴐(鳥部 五畫〈p. 2663〉)와 同字

10
㉑ [鷟] 〔자〕 鷻(鳥部 十畫〈p. 2677〉)와 同字

11
㉒ [鷓] 자 ㉻禡 之夜切 zhè   鷓 鷓

[字解] 자고 자 '─鴣'. '宮女如花滿春殿, 只今惟
有─鴣飛'《李白》.
[字源] 篆文 鷓 形聲. 鳥+庶〔音〕.

[鷓鴣 자고] 꿩과(科)에 속하는 새. 메추라기 비
슷하며, 맛이 좋은 엽조(獵鳥)임.

11
㉒ [鰛] 鷗(次條)의 本字

11
㉒ [鷗] 人名 구 ㉻尤 烏侯切 ōu   鸥 鷗

[筆順] ⼐ ⼐⼐ 品 品 鴎ⁿ 鴎 鷗 鷗

[字解] ①갈매기 구 갈매기과에 속하는 물새. 백구
(白鷗). '─者浮水上'《李時珍》. ②성 구 성(姓)
의 하나.
[字源] 篆文 鷗 形聲. 鳥+區〔音〕. '區구'는 '구분하
다, 구획하다'의 뜻. 전체가 희기 때
문에 푸른 바다에서 두드러지게 눈에 잘 띄는
새, '갈매기'의 뜻을 나타냄.
[參考] 鴎(鳥部 四畫)는 略字.

[鷗鷺 구로] 갈매기와 백로.
[鷗鷺亡機 구로망기] 금곡(琴曲)의 이름. 은거하
여 스스로 즐기며 세상의 치란 성쇠(治亂盛衰)
를 잊어버리는 것을 노래한 것.
[鷗盟 구맹] 속세에서 초연한 풍류(風流)의 사귐.
[鷗汀 구정] 갈매기가 있는 물가.
[鷗洲 구주] 갈매기가 있는 사주(砂洲).
[鷗波 구파] ㉠갈매기가 물속에서 놀며 유유자적
(悠悠自適)함. ㉡퇴은(退隱)한 땅의 비유.
[鷗鶴 구학] 갈매기와 학.
●輕鷗. 鷺鷗. 盟鷗. 眠鷗. 白鷗. 浮鷗. 鳬鷗.
飛鷗. 沙鷗. 翔鷗. 水鷗. 馴鷗. 信鷗. 夜鷗.
銀鷗. 渚鷗. 閒鷗. 海鷗. 浩蕩鷗.

11
㉒ [鷞] 상 ①㉻陽 色莊切 shuāng ②㉻養 疎兩切 shuǎng   鷞

[字解] ①신조 상 '鷫─'은 서방(西方)을 지키는
신조(神鳥). ②매 상 '─鳩'는 매〔鷹〕의 일종.
[字源] 篆文 鷞 形聲. 鳥+爽〔音〕.

[鷞鳩 상구] 매〔鷹〕의 일종. 상구(爽鳩).

11
㉒ [鸂] ▅ 난 ㉻寒 那干切 nán
▅ 간 ㉻旱 許旱切

[字解] ▅ ①새이름 난. ②어려울 난, 괴로워할 난
'─, 一曰, 艱也'《集韻》. ③성 난 성(姓)의 하

나. ④막을 난 難(隹部 十一畫)의 古字. '難, 阻也. 古作一'《集韻》. ▣二 새이름 간 ㊀❶과 뜻이 같음.

11 ㉒ [𪇆] 송 ㊥冬 書容切 chōng

字解 뻐꾸기 송 포곡(布穀).

11 ㉒ [鷐] 신 ㊥眞 植隣切 chén

字解 새매 신 '一風'은 소형의 매. '一, 一風也'《說文》.

字源 篆文 形聲. 鳥+晨〔音〕. '晨신'은 해가 뜨듯이 기세 좋게 춤추며 날아오르다의 뜻.

11 ㉒ [鷑] ▣一 급 ㊅緝 極入切 jí ▣二 립 ㊅緝 力入切

字解 ▣一 검은때까치 급 '一鳩, 鵖一'《爾雅》. ▣二 검은때까치 립 ㊀과 뜻이 같음.

11 ㉒ [𪇘] ▣一 호 ㊤麌 侯古切 hù ▣二 고 ㊦遇 古慕切

字解 ▣一 세가락메추라기 호 '扈, 九扈, 農桑候鳥. 一, 扈或从雩'《說文》. ▣二 돌아볼 고 顧(頁部 十二畫)의 古字. '顧, 說文, 還視也. 古作一'《集韻》.

11 ㉒ [鷇] 구 ㊦宥 丘侯切 kòu

字解 ①사막꿩 구 사막꿩. 사막꿩과에 딸린 꿩 모양의 비둘기 비슷한 새. 중국 북쪽의 사막 지대에 서식함. '一, 爾雅, 寇雉, 卽鵽鳩, 本作寇, 俗作一'《正字通》. ②물오리 구 물오리의 한 가지.

11 ㉒ [鷇] 〔구〕 鷇(鳥部 十三畫〈p. 2684〉)의 訛字

11 ㉒ [鷒] ▣一 단 ㊥寒 徒官切 tuán ▣二 전 ㊥先 朱遄切

字解 ▣一 새이름 단 '鸛一'은 까치와 비슷하며 꼬리가 짧은 새. '鸛一, 鶝鶔. 如鵲短尾'《爾雅》. ▣二 새이름 전 ㊀과 뜻이 같음.

11 ㉒ [𪇏] 상 ㊥陽 式羊切 shāng

字解 ①외발이새 상 '一羊'은 발이 하나인 새. '一羊, 鳥名'《集韻》. ②꾀꼬리 상 '一鶊'은 꾀꼬리. '一鶊, 鵹黃'《集韻》.

字源 形聲. 鳥+商〔音〕

11 ㉒ [鶕] 암 ㊥覃 烏含切 ān

字解 세가락메추라기 암 메추라기의 일종.

參考 雒(隹部 十一畫)의 籒文.

11 ㉒ [鸖] 〔학〕 鶴(鳥部 十畫〈p. 2675〉)의 俗字

11 ㉒ [鷕] 요 ㊤篠 以沼切 yǎo

字解 울 요 까투리가 욺. 또 그 모양. '有一雉鳴'《詩經》.

字源 篆文 篆文 形聲. 鳥+唯〔音〕

11 ㉒ [鷖] 예 ①②㊥齊 烏奚切 yī ③㊦霽 壹計切 yì

字解 ①갈매기 예 물새의 일종. 백구(白鷗). '鳧一在涇'《詩經》. ②봉황 예 봉황(鳳凰)의 별칭. '駟玉虬以乘一兮'《楚辭》. ③감색 예 검푸른 빛. 청흑색. '彫面一總'《周禮》.

字源 篆文 形聲. 鳥+殹〔音〕. '殹예'는 '덮다'의 뜻. 일대를 온통 덮고 나는 새의 뜻을 나타냄.

[鷖總 예총] 검푸른 빛. 비단의 청흑색.
◉浮鷖. 鳧鷖. 夕鷖. 秋鷖.

11 ㉒ [鷚] ▣一 류 ㊦宥 力救切 / ㊥尤 力求切 liù ▣二 모 ㊥尤 武彪切 ▣三 무 ㊥尤 莫浮切 ▣四 규 ㊥尤 渠幽切

字解 ▣一 ①종다리 류 종달새. ②꿩새끼 류 꿩 새끼. 또 병아리. '雉之暮子爲一'《爾雅》. '一, 雞子'《廣韻》. ▣二 종다리 모 '一, 天鸙'《爾雅》. ▣三 종다리 무 ㊁와 뜻이 같음. ▣四 종다리 규 ㊁와 뜻이 같음.

11 ㉒ [𪆺] 鷚(前條)의 本字

11 ㉒ [䳏] 규 ㊥支 古隨切 guī

字解 자규 규 자규(子規). 두견새. '一, 按子規俗作一'《正字通》.

11 ㉒ [鷙] ▣一 지 ㊦寘 脂利切 zhì ▣二 질 ㊅質 敕栗切 zhì

字解 ▣一 ①맹금 지 매·수리와 같은 사나운 새. '一鳥之不群兮'《楚辭》. ②칠 지 맹금이 작은 새를 쳐 죽임. '鷹隼早一'《呂氏春秋》. ③굳셀 지, 사나울 지 '喬詰卓一'《莊子》. ▣二 의심할 질 '下愈覆一, 而不聽從'《管子》.

字源 篆文 形聲. 鳥+執〔音〕. '執집'은 '잡다'의 뜻. 다른 생물을 잡아먹는 맹조의 뜻을 나타냄.

[鷙強 지강] 사납고 강함.
[鷙距 지거] 의심하여 정지함. 거(距)는 지(止).
[鷙禽 지금] 지조(鷙鳥).
[鷙戾 지려] 억세고 사나워 도리에 어긋남.
[鷙曼 지만] 말〔馬〕이 주인의 뜻을 거역하고 날뛰는 것. 지(鷙)는 저(抵), 만(曼)은 돌(突).
[鷙勇 지용] 사납고 용감함.
[鷙忍 지인] 굳세고 잔인함.
[鷙鳥 지조] 매·수리 같은 사나운 새.
[鷙鳥累百不如一鶚 지조누백불여일악] 사나운 새〔鷙〕 백 마리가 물수리〔鶚〕 한 마리만 못함. 곧, 무능한 자 백 인이 모여도 유능한 인사 한 사람을 당하지 못한다는 비유.
[鷙鳥將擊卑飛斂翼 지조장격비비염익] 적을 치려는 자는 우선 그 예봉을 숨긴다는 비유.
[鷙蟲 지충] 사나운 새와 짐승. 맹조(猛鳥)와 맹

수(猛獸).
[鷙悍 지한] 강하고 사나움.
◉剛鷙. 擊鷙. 趫鷙. 猛鷙. 搏鷙. 猜鷙. 勇鷙. 忍鷙. 殘鷙. 鵰鷙. 沈鷙. 卓鷙. 虎鷙.

11 ㉒ [鷟] 작 [入]覺 士角切 zhuó
[字解] 봉황 작 鸑(鳥部 十四畫)을 보라. '鸑—'.
[字源] 篆文 形聲. 鳥+族〔音〕
◉鸑鷟. 鸑鷟.

11 ㉒ [鷋] 도 [平]虞 同都切 tú
[字解] ①비둘기 도 '—, —鳩'《玉篇》. ②새이름 도 '輿鵌, —'《爾雅》.

11 ㉒ [鷔] 〔칙〕 鶒(鳥部 九畫〈p.2674〉)과 同字

12 ㉓ [鷣] [一] 음 [平]侵 餘針切 yín
[二] 요 [去]嘯 弋照切 yín
[字解] [一] 새매 음 매〔鷹〕의 일종. [二] 새매 요 [一]과 뜻이 같음.
[字源] 形聲. 鳥+覃〔音〕. 또 覃+鳥〔音〕

12 ㉓ [鷦] 초 [平]蕭 即消切 jiāo
[字解] ①굴뚝새 초 '—鷯'는 굴뚝샛과(科)에 속하는 작은 새. 숲 속이나 굴뚝 부근에서 서식함. ②뱁새 초 휘파람샛과(科)의 작은 새. 집을 교묘히 지음. 교부조(巧婦鳥). '—鷯巢林'《莊子》.
[字源] 篆文 形聲. 鳥+焦〔音〕. '焦초'는 고동색의 털빛의 뜻.

[鷦鷯 초료] 휘파람샛과에 속하는 새. 모양이 굴뚝새 비슷함. 뱁새. 교부조(巧婦鳥).
[鷦鷯巢林不過一枝 초료소림불과일지] 뱁새가 숲에 보금자리를 만드는 데 필요한 것은 나무 한 가지에 불과함. 사람은 각각 자기 분수에 만족하여야 한다는 비유.
[鷦明 초명] 봉황(鳳凰) 비슷하며 남방에 산다는 신조(神鳥). 초명(焦明).

12 ㉓ [𪇆] 동 [平]東 徒東切 tóng
[字解] 새이름 동 새 이름. 교지(交趾) 지방에 서식하는 물새의 일종. '鸏—'. '—, 鸏—, 水鳥, 黃喙, 長尺餘, 南人以爲酒器'《集韻》.

12 ㉓ [鷯] 료 [平]蕭 落蕭切 liáo
[字解] ①굴뚝새 료. ②뱁새 료 '鷦—'.
[字源] 篆文 形聲. 鳥+尞〔音〕. '尞료'는 들을 태우다의 뜻으로 '고동색'의 뜻. '굴뚝새'의 뜻을 나타냄.

12 ㉓ [鷭] 번 [平]元 附袁切 fán
[字解] 쇠물닭 번 뜸부깃과에 속하는 물새.
[字源] 形聲. 鳥+番〔音〕

12 ㉓ [鷍] 요(뇨[本]) [平]肴 尼交切 náo
[字解] 꾀꼬리 요 꾀꼬리. 또 꾀꼬리의 우는 소리. '—, 鸋—, 黃鳥'《玉篇》.

12 ㉓ [鷮] 교 [平]蕭 擧喬切 jiāo
[字解] 꿩 교 꿩과(科)에 속하는 새의 일종. '女几之山, 其鳥多白—'《山海經》.
[字源] 篆文 形聲. 鳥+喬〔音〕. '喬교'는 키가 크다의 뜻.

[鷮息 교식] 도사(道士)의 도인(導引)의 법. 도사가 행하는 일종의 양생법(養生法).
[鷮雉 교치] 새 이름. 꽁지가 긴 꿩.

12 ㉓ [鷤] [一] 제 [平]齊 杜奚切 tí
[二] 단 [平]寒 徒干切 tán
[字解] [一] 두견이 제 鶗(鳥部 九畫)와 同字. [二] 꿩새끼 단.

12 ㉓ [鷻] [一] 퇴 [平]灰 徒回切
[二] 단 [平]寒 徒官切 tuán
[字解] [一] 독수리 퇴 '—, 雕也'《說文》. [二] 독수리 단 [一]과 뜻이 같음.
[字源] 形聲. 鳥+敦〔音〕

12 ㉓ [鷸] [人名] 휼 (율[本]) [入]質 餘律切 yù
[字解] ①도요새 휼 도욧과(科)에 속하는 새의 일종. 떼새 비슷한데 좀 큼. 수찰아(水札兒). '—蚌相持'《戰國策》. ②물총새 휼 물새의 일종. 쇠새. 비취(翡翠). '鄭子臧好聚—冠'《左傳》.
[字源] 篆文 形聲. 鳥+矞〔音〕. '矞율·휼'은 '遹율·휼'과 통하여 재빨리 피해 달아나다의 뜻.

[鷸冠 휼관] 물총새의 깃으로 만든 관.
[鷸蚌之爭 휼방지쟁] 도요새와 씹조개의 다툼. 곧, 양자가 서로 다투다가 방관자인 제삼자(第三者)에게 이익을 빼앗김을 이름. 방휼지쟁(蚌鷸之爭). '어부지리(漁父之利)' 참조.

12 ㉓ [鷱] 고 [平]豪 古勞切 gāo
[上]晧 古老切
[字解] 비둘기 고 '鵖—'는 비둘기의 일종. '—, 鵖—, 鳥名. 鳩類'《集韻》.

12 ㉓ [鷇] 구 [去]宥 古候切 kòu
[字解] 병아리 구 병아리. 날짐승의 새끼. '—, 雛也'《廣雅》.

12 ㉓ [𪆾] 등 [平]蒸 都騰切 dēng
[字解] ①부엉이 등 부엉이. 휴류(鵂鶹). '—, 鳥名, 鵂鶹也'《集韻》. ②뜸부기 등 뜸부기. 등계(登雞). 뜸부깃과의 여름새. 아침저녁으로 "뜸북뜸북" 하고 우는 데서 온 이름.

12 ㉓ [鷳] 한 ㊥刪 戶閒切 xián

字解 백한(白鷳) 한 꿩과에 속하는 새. 온몸이 거의 다 희고 꽁지가 길. 숲 속에 삶. '自起開籠放白一'《雍陶》.

字源 篆文 形聲. 鳥+閒〔音〕. '閒한'은 '閑한'과 통하여 '한가롭다'의 뜻. 유유히 하늘을 나는 새의 뜻을 나타냄.

參考 鷴(鳥部 十二畫)은 同字.

12 ㉓ [鷉] 사 ㊥支 相支切 sī

字解 갈까마귀 사 '鷽一'는 까마귀와 비슷하나 약간 작고 배 아래가 흰 새. 떼를 지어 다님. '鷽一, 雅烏也'《集韻》.

12 ㉓ [鷋] 기 ㊥支 去其切 gī

字解 부엉이 기 '鵋一'는 부엉이. 鵙(鳥部 八畫)와 同字. '一, 鳥名, 今江東呼鵂鶹, 爲鵋一'《集韻》.

12 ㉓ [鷧] ━ 의 ㊤寘 乙冀切 yì
━ 예 ㊤霽 壹計切

字解 ━ 가마우지 의 '一, 一鶘, 鷘鳥'《廣韻》. ━ 가마우지 예 ━과 뜻이 같음.

字源 形聲. 鳥+壹〔音〕

12 ㉓ [鷾] 鷧(前條)의 本字

12 ㉓ [鸈] 거 ㊥魚 強魚切 qú

字解 할미새 거 '鸜一'는 할미새. '一, 鳥名, 說文, 鸜一也, 飛則鳴, 行則搖'《集韻》.

字源 篆文 形聲. 鳥+渠〔音〕. '渠거'는 '도랑'의 뜻. 물가를 좋아하는 새, '할미새'의 뜻을 나타냄.

12 ㉓ [鷵] 도 ㊥虞 同都切 tú

字解 어린매 도 '鷏一'는 어린 매. '鷟, 鷏一'《爾雅》.

12 ㉓ [鷷] ━ 준 ㊥眞 將倫切 zūn
━ 존 ㊥元 徂昆切

字解 ━ 꿩 준 '雉, 西方曰一'《爾雅》. ━ 꿩 존 ━과 뜻이 같음.

12 ㉓ [鷴] 〔한〕
鷳(鳥部 十二畫〈p.2682〉)과 同字

12 ㉓ [鷚] 〔류〕
鷚(鳥部 十畫〈p.2676〉)의 本字

[鷫] 〔숙〕
鳥部 十三畫(p.2683)을 보라.

12 ㉓ [鸝] 력 ㊇錫 狼狄切 lì

字解 매비슷한새 력 매 비슷한 새. 매보다 큼. '一, 鳥名, 似鷹而大也'《集韻》.

12 ㉓ [鷩] 별 ㊇屑 幷列切 biē

字解 금계(錦鷄) 별 꿩 비슷한 새. 적치(赤雉).

字源 篆文 形聲. 鳥+敝〔音〕. '敝폐'는 '찢어지다'의 뜻. 꿩처럼 균일한 빛이 아니고, 녹색, 적색, 황색 등 고운 깃털을 가진 금계(錦鷄)의 뜻을 나타냄.

12 ㉓ [鷢] 궐 ㊇月 其月切 jué

字解 물수리 궐 징경이. 저구(雎鳩). '飄然逐鷢一'《韓愈》.

字源 篆文 形聲. 鳥+厥〔音〕

12 ㉓ [鷲] 人名 취 ㊤宥 疾僦切 jiù

字解 수리 취 독수릿과(科)에 속하는 맹금의 일종. '鷲悍多力, 盤旋空中, 無細不見, 皀鵰, 卽一也'《本草》.

字源 篆文 形聲. 鳥+就〔音〕

[鷲嶺 취령] 석가(釋迦)가 설법한 인도의 영취산(靈鷲山).
[鷲山 취산] 취령(鷲嶺).

12 ㉓ [鷺] 人名 로 ㊤遇 洛故切 lù

筆順 ㅁ ㅁ 足 路 路 鷺 鷺 鷺

字解 ①백로 로 백로과에 속하는 물새. 온몸이 희고 부리와 다리는 검음. 해오라기. 백조. 설객(雪客). ②노우(鷺羽) 로, 무적(舞翟) 로 옛날에 춤을 추는 자가 가지고 지휘하던 백로의 깃으로 만든 물건. '振振一'《詩經》.

字源 篆文 形聲. 鳥+路〔音〕. '路로'는 '露로'와 통하여 '희다'의 뜻. 온몸이 흰 '해오라기'의 뜻을 나타냄.

[鷺鷗 노구] 백로와 갈매기.
[鷺序 노서] 조정(朝廷)에서의 벼슬아치의 석차. 백로가 순서 있게 날므로 이름.
[鷺約 노약] 세속(世俗)을 떠난 교우(交友). 풍류의 사귐.
[鷺羽 노우] ㉠백로의 깃. ㉡자해(字解)❷를 보라.
[鷺吟 노음] 백로의 우는 소리.
[鷺鷥 노자] 백로(白鷺).
◉鷗鷺. 鸑鷺. 眠鷺. 白鷺. 梟鷺. 飛鷺. 沙鷺. 翔鷺. 霜雪之鷺. 鴉鷺. 烏鷺. 鵷鷺. 汀鷺. 振鷺.

12 ㉓ [鷥] 사 ㊥支 新玆切 sī

字解 해오라기 사 백로(白鷺). '一, 舊注, 鷺一, 按, 鷺頭有白毛似絲, 故呼爲鷺絲, 贅作一'《正字通》.

字源 形聲. 鳥+絲〔音〕. '絲사'는 '실'의 뜻. 머리에 실 같은 흰 털이 있는 새의 뜻을 나타냄.

12 ㉓ [鷱] 서 ㊥魚 商居切 shū

字解 오리 서 '一, 鳥名, 似鳬'《集韻》.

12 / ㉓ [鷻] 단 ㊀寒 徒官切 tuán

字解 ①수리 단 '一, 鵰也'《爾雅》. ②솔개 단 '一, 鳶之別名'《廣韻》.

12 / ㉓ [鷰] 연 ㊏霰 於甸切 yàn

字解 제비 연 燕(火部 十二畫)과 同字.
字源 形聲. 鳥+燕〈省〉〔音〕. '燕연'은 제비를 본뜬 것.

12 / ㉓ [鷩] 창 ㊄養 齒兩切 chǎng

字解 무수리털 창 氅(毛部 十二畫)과 同字.

13 / ㉔ [鸆] ▅ 환 ㊎刪 胡關切 huán ▅ 선 ㊍先 旬宣切

字解 ▅ 물새이름 환 '一, 水鳥名. 紅白深目, 目傍毛長'《集韻》. ▅ 물새이름 선 ▅과 뜻이 같음.

13 / ㉔ [鷬] 의 ㊍支 魚羈切 yí

字解 금계(錦雞)의 '鷩一'.
字源 篆文 形聲. 鳥+義〔音〕. '義의'는 뛰어나고 훌륭하다의 뜻.

●鷩鷬.

13 / ㉔ [鷞] 의 ㊏寘 於記切 yì

字解 제비 의 '一鷂'는 제비. '鳥莫知於一鷂'《莊子》.
字源 形聲. 鳥+意〔音〕

[鷞鷂 의이] 제비. 현조(玄鳥).

13 / ㉔ [鸆] 〔녕〕

鷤(鳥部 十四畫〈p.2684〉)의 訛字.

13 / ㉔ [鷬] 〔거〕

鷠(鳥部 十二畫〈p.2682〉)와 同字.

13 / ㉔ [鷣] 〔골〕

鷢(鳥部 十畫〈p.2676〉)과 同字.

13 / ㉔ [鷢] 규 ㊍支 居爲切 guī

字解 두견이 규 '子一'는 두견새. '一, 子規鳥也'《字彙》. '狟貗糖蛢, 子一呼焉'《揚雄》.

13 / ㉔ [鸂] 계 ㊍齊 苦奚切 xī, qī

字解 자원앙 계 '一鶒'은 자원앙(紫鴛鴦). '覽水禽之萬類, 信莫麗於一鶒'《謝靈運》.
字源 形聲. 鳥+溪〔音〕. '溪계'는 '계곡, 계류'의 뜻. 골짜기를 흐르는 내에 살며, 물여우 등을 잡아먹다의 뜻을 나타냄.

[鸂鶒 계칙] 원앙보다 크고 자줏빛이 도는 물새. 자원앙(紫鴛鴦).

[鸂鷟 계칙] 계칙(鸂鶒).

13 / ㉔ [鷠] 농 ㊄冬 女冬切 nóng

字解 기러기 농 기러기. 큰기러기. '一, 鴻也'《集韻》.

13 / ㉔ [鷦] 령 ㊍青 郎丁切 líng

字解 ①할미새 령 척령(鶺鴒)의 별칭. ②두루미 령 학(鶴)의 별칭(別稱).

13 / ㉔ [鸀] ▅ 촉 ①-③沃 殊玉切 shǔ / ④入沃 之欲切 zhú / ▅ 탁 入覺 直角切 zhuó / ▅ 독 入屋 徒谷切

字解 ▅ ①새이름 촉 '海外互人之國有青鳥, 身黃赤足六首, 名曰一'《山海經》. ②집오리닮은새 촉 '一鳴'은 집오리를 닮되 크고, 눈이 붉으며, 부리가 감색(紺色)인 새. '一, 一鳴, 鳥名. 似鴨而大, 赤目紺觜'《集韻》. ③산까마귀 촉 까마귀를 닮되 작은 새. '一, 鳥名, 山烏也. 似烏而小, 穴乳, 出西方'《集韻》. ④오리닮은새 촉 '一璊'은 오리를 닮되 큰 새. '馰鵝一璊'《史記》. ▅ 산까마귀 탁 ▅❸과 뜻이 같음. ▅ 뻐꾸기 독 '一, 一鷜, 鳥也'《廣韻》.

13 / ㉔ [鸃] 전 ㊍先 諸延切 zhān

字解 송골매 전 매[鷹]의 일종. 신풍(晨風). '爲叢敺爵者一也'《孟子》. '爵'은 '雀'.
字源 篆文 形聲. 鳥+亶〔音〕. '亶단·선'은 같은 장소를 빙글빙글 돌다의 뜻.

●飢鸃. 老鸃. 霜鸃. 鷹鸃. 蒼鸃.

13 / ㉔ [鷬] 택 入陌 場伯切 zhé

字解 사다새 택 '鶇一'.

●鶇鷬.

13 / ㉔ [鷪] 가 jiǎ

字解 새이름 가 새 이름. 매의 한 가지. '一, 鳥名'《玉篇》.

13 / ㉔ [鸀] 숙 入屋 息逐切 sù

字解 신조 숙 '一鷞'은 서방(西方)을 지킨다는 신조(神鳥). '家貧以一鷞裘貰酒'《史記》.
字源 篆文 形聲. 鳥+肅〔音〕.

[鸀鷞 숙상] 서방(西方)을 지키는 신조(神鳥). 목이 길고 털빛이 초록색이며 가죽으로는 갑옷을 만든다고 함.

13 / ㉔ [鸃] ▅ 현 ㊍先 隳緣切 huán / ▅ 선 ㊍先 旬宣切 xuán

字解 ▅ 돌며날 현 돌며 훨훨 낢. 翾(羽部 十三畫)과 통용. '一, 繞飛也'《正字通》. ▅ 물새이름 선 '一目'은 물새의 이름. 旋(方部 七畫)과

통용. '一目, 水鳥'《集韻》.

13 ㉔ [鸈] [一] 알 [入]黠 乙轄切 yà
[二] 갈 [入]曷 居曷切

[字解] [一] 개똥지빠귀 알 '字林云, 鶪一, 似伯勞而小'《爾雅 釋林》. [二] 개똥지빠귀 갈 [一]과 뜻이 같음.

13 ㉔ [鷇] 구 [去]有 丘侯切 kòu

[字解] 새새끼 구 새 새끼. '一, 鳥子生哺者'《集韻》.

13 ㉔ [鸄] 〔규〕
鶟(鳥部 九畫〈p. 2675〉)와 同字

13 ㉔ [鷹] [人名] 응 [平]蒸 於陵切 yīng 鷹 𢉖

[筆順] 广 庐 㡯 㡯 㢈 應 鷹 鷹

[字解] 매 응 맹금(猛禽)의 일종. 정조(征鳥). '蒼一'. '一犬'. '時維一揚'《詩經》.

[字源] [金文] 𩾏 [篆文] 䧹 [籒文] 䧹 形聲. 鳥+應〈省〉〔音〉. '雁응'의 籒文. 본래는 '雁'이었으며, '雁'은 金文에서는 사람의 가슴 옆과 '隹추'의 會意. 곧 매사냥하는 '매'의 뜻을 나타냄.

[鷹擊毛摯 응격모지] 매가 새를 잡고 맹수가 작은 짐승을 채듯이, 엄혹하여 조금도 빈틈이 없음.
[鷹犬 응견] ㉠매와 개. ㉡매와 개로 사냥함. ㉢부하가 되어 분주히 돌아다니는 자의 비유. ㉣쓸 만한 재능이 있는 자의 비유.
[鷹師 응사] 매를 놓아 새를 잡는 사람.
[鷹視 응시] 매처럼 노려봄.
[鷹揚 응양] ㉠매같이 날아 올라가는 뜻. 곧, 세력을 신장함을 이름. ㉡명성을 들날림을 이름.
[鷹鸇之志 응전지지] 매나 새매가 새를 잡듯이 맹위를 떨치고자 하는 뜻.
[鷹鸇逐鳥雀 응전축조작] 간사한 자를 주륙(誅戮)하는 데 엄함의 비유.
[鷹爪 응조] ㉠매의 발톱. ㉡매 발톱같이 생긴 상품의 차(茶).
◉角鷹. 勁鷹. 奇鷹. 饑鷹. 籠鷹. 萬雀不能抵一鷹. 名鷹. 放鷹. 白鷹. 鵴鷹. 飛鷹. 眼如鷹. 野鷹. 良鷹. 魚鷹. 如養鷹. 雀鷹. 鸇鷹. 鵰鷹. 準鷹. 蒼鷹. 秋鷹. 虎鷹. 黃鷹. 黑鷹.

13 ㉔ [鷩] [一] 격 [入]錫 古歷切 jī
[二] 규 [去]嘯 古弔切
[三] 교 [上]篠 吉了切
[四] 효 [平]蕭 堅堯切

[字解] [一] 새이름 격 까마귀를 닮되, 창백색(蒼白色)인 새. '一, 鳥似烏, 蒼白色'《廣韻》. [二] 새이름 규 [一]과 뜻이 같음. [三] 새이름 교 [一]과 뜻이 같음. [四] 새이름 효 [一]과 뜻이 같음.

13 ㉔ [鷿] 벽 [入]錫 扶歷切 pì 𪇘

[字解] 논병아리 벽 '一鷉'. '鷿雁一鷉'《馬融》.

[字源] [篆文] 𪈐 形聲. 鳥+辟〔音〕. '辟벽'은 '澼벽'과 통하여 물에 떴다 가라앉았다 하다의 뜻을 나타냄.

[鷿鷉 벽체] 논병아리과에 속하는 물새. 호수나 물가에 사는데 크기는 비둘기만 함. 논병아리. 되강오리. 영정(鸊鴫). 유압(油鴨).

13 ㉔ [鷽] 학 [入]覺 胡覺切 xué 鸴 𪈗

[字解] ①비둘기 학 작은 비둘기. '蜩與一鳩笑鵬'《莊子》. ②피리새 학 참샛과에 속하는 새. 피리를 부는 듯이 곱게 욺. '一, 山鵲'《爾雅》.

[字源] [篆文] 𪈗 [別體] 鷽 形聲. 鳥+學〈省〉〔音〕

[鷽鳩笑鵬 학구소붕] 조그만 비둘기가 큰 붕새를 비웃는다는 뜻으로, 소인(小人)이 위인(偉人)의 훌륭한 언행을 이해하지 못하고 도리어 비웃음을 이름.

13 ㉔ [鶡] 과 [平]歌 古禾切 guō

[字解] 뱁새 과 뱁새. '一鸁, 工雀也'《廣雅》.

14 ㉕ [鸎] 앵 [平]庚 烏莖切 yīng

[字解] 휘파람새 앵, 꾀꼬리 앵 鶯(鳥部 十畫)과 同字. '一鳴嚶嚶'《禽經》.

[鸎鳴 앵명] 꾀꼬리의 울음소리.
[鸎鳥 앵조] 꾀꼬리.

14 ㉕ [鸍] [一] 시 [平]支 式支切 shī
[二] 미 [平]支 武移切

[字解] [一] ①상오리 시 오리를 닮되, 꼬리가 길고 등에 무늬가 있는 새. '一, 沈鳧'《爾雅》. ②짐(鴆)새 시 독조(毒鳥)의 이름. '一, 鴆鳥名'《廣韻》. [二] 상오리 미, 짐새 미 [一]과 뜻이 같음.

14 ㉕ [鸏] 람 [平]覃 盧甘切 lán

[字解] 뻐꾸기 람 뻐꾸기. 곽공(郭公). '一鷜'. '一, 一鷜, 鳥名, 郭公也'《集韻》.

14 ㉕ [鸐] [一] 주 [平]尤 直由切 chóu
[二] 도 [平]豪 徒刀切 táo

[字解] [一] 꿩이름 주 남방(南方)의 꿩의 이름. '趙武靈王, 貝帶鵔一而朝, 趙國化之'《淮南子》. [二] 사다새 도 '一河'는 사다새. '一, 一河, 鳥名. 通作淘'《集韻》.

14 ㉕ [鸋] 녕 [平]青 奴丁切 / [去]徑 乃定切 níng

[字解] ①메추라기새끼 녕 '鶉子鳼, 鴽子一'《爾雅》. ②올빼미 녕 '鴟鴞, 一鴂'《爾雅》.

14 ㉕ [鸑] 악 [入]覺 五角切 yuè 𪈾

[字解] ①봉황 악 '一鷟'은 봉황(鳳凰)의 별칭(別稱). '周之興也, 一鷟鳴於岐山'《國語》. ②물새이름 악 '一鷟'은 오리 비슷하되 더 크고 눈이 붉은 물새의 일종.

[字源] [篆文] 𪈾 形聲. 鳥+獄〔音〕

[鸑鷟 악작] 자해(字解)❶❷를 보라.

[字源] 麇의 籒文 形聲. 鹿+囷〔音〕. '囷균'은 '통통하다'의 뜻.

[麕至 군지] 떼 지어 옴.

8 ⑲ [麑] 예 [平]齊 五稽切 ní

[字解] ①사자 예 猊(犬部 八畫)와 同字. '狻—, 如虦猫'《爾雅》. ②사슴새끼 예 '素衣—裘'《論語》.
[字源] 甲骨文 篆文 形聲. 鹿+兒〔音〕. '兒아'는 '어린이'의 뜻. 사슴 새끼의 뜻을 나타냄.

[麑裘 예구] 사슴의 가죽으로 만든 옷.
[麑鷇 예구] 사슴 새끼와 새 새끼.
[麑鹿 예록] 사슴 새끼. 예전에 폐백으로 썼음.
◉狻麑.

8 ⑲ [麔] 구 [上]有 其九切 jiù

[字解] 수사슴 구 사슴의 수컷. '—麌短脰'《爾雅》.
[字源] 篆文 形聲. 鹿+咎〔音〕

8 ⑲ [麕] 곤 [平]元 公渾切 kūn

[字解] 사슴 곤 사슴. 사슴의 한 가지. '—, 鹿屬'《集韻》.

8 ⑲ [麖] 경 [平]庚 擧卿切 jīng

[字解] 큰사슴 경 뿔이 하나 있는 큰 사슴의 하나. '履游麖兔, 蹈踐—鹿'《枚乘》.
[字源] 篆文 形聲. 鹿+京〔音〕. '京경'은 '크다'의 뜻.

[鏖] 〔오〕 金部 十一畫(p. 2415)을 보라.

8 ⑲ [麒] [人名] 기 [平]支 渠之切 qí

[筆順] 广 声 声 唐 鹿 麒 麒 麒

[字解] 기린 기 '—麟'은 상상(想像)의 영수(靈獸). '鳳凰—麟'《禮記》. 또, 아프리카산(產)의 기린과(科)의 동물의 속칭. 목과 다리가 모두 긺.
[字源] 篆文 形聲. 鹿+其〔音〕

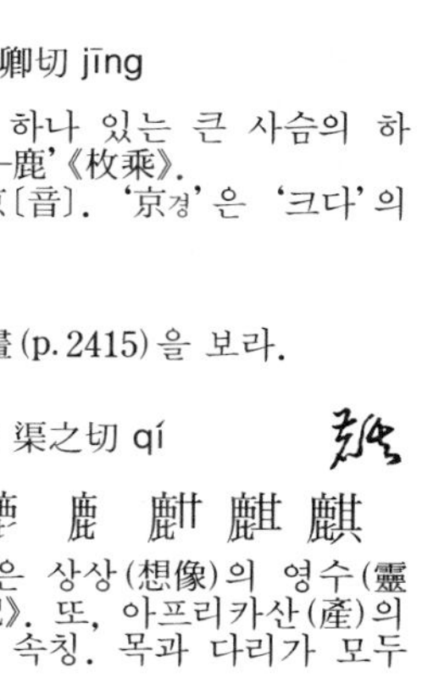
[麒麟㉠]

[麒閣 기각] '기린각(麒麟閣)'의 준말.
[麒麟 기린] ㉠상상(想像)의 영수(靈獸). 성군(聖君)이 나서 왕도(王道)가 행하여지면 나타나며 생초(生草)를 밟지 않고 생물을 먹지 아니하며, 모양은 사슴 같고 이마는 이리, 꼬리는 소, 굽은 말과 같고 머리 위에 뿔 한 개가 있다 함. 수컷을 기(麒), 암컷을 린(麟)이라 함. ㉡기린과에 속하는 동물. 모양은 사슴 같고 목이 길어 육지의 포유동물 중 키가 가장 큼. 아프리카의 특산(特產)임.
[麒麟角 기린각] '선인장(仙人掌)'의 별칭(別稱).
[麒麟閣 기린각] 전한(前漢)의 무제(武帝)가 기린을 얻었을 때 건축한 누각(樓閣). 선제(宣帝)가 공신 11인의 상(像)을 그리어 각상(閣上)에 걸었음.
[麒麟兒 기린아] 재능(才能)·기예(技藝)가 비상히 뛰어난 소년.

8 ⑲ [麓] [人名] 록 [入]屋 盧谷切 lù

[字解] ①산기슭 록 산족(山足). '瞻彼旱—'《詩經》. ②숲 록 산기슭에 있는 삼림. '旣人大—'《淮南子》. ③산감 록 산림을 맡은 관리. '—不聞'《國語》.
[字源] 甲骨文 金文 篆文 形聲. 林+鹿〔音〕. '鹿록'은 '絡락'과 통하여 길게 이어지다의 뜻. 산자락에 길게 이어지는 임야, '산기슭'의 뜻을 나타냄.

◉大麓. 山麓. 城麓. 嶽麓. 巖麓. 林麓. 蒼麓. 翠麓. 層麓. 旱麓.

8 ⑲ [麗] [高人] 려 [去]霽 郎計切 lì (⑩리[本]) [平]支 呂支切 lí 丽

[筆順] 丽 丽丽 严 严 麗 麗 麗 麗

[字解] ①고울 려 아름다움. 또, 예쁨. '美—'. '婉—'. '裴叔則營新宅, 甚—'《世說》. ②맑을 려 깨끗함. '山高水—'. '淸—之志'《後漢書》. ③빛날 려 광채를 발함. '—萬世'《揚雄》. ④붙을 려 부착함. '草木—乎土'《易經》. ⑤맬 려 잡아맴. '君牽牲, 旣入廟門, —于碑'《禮記》. ⑥짝 려, 짝지을 려 儷(人部 十九畫)와 통용. '—皮爲禮'《史世紀》. ⑦수 려 수효. '商之孫子, 其—不億'《詩經》. ⑧마룻대 려 欐(木部 十九畫)와 통용. '居則連—'《列子》. ⑨성 려 성(姓)의 하나. ⑩나라이름 려 '高—'는 한국 고대 왕조의 하나.
[字源] 金文 籒文 古文 古文 篆文 象形. 아름다운 뿔이 가지런히 난 사슴의 모양을 본떠 '곱다'의 뜻을 나타냄.

[麗曲 여곡] 아름다운 음곡(音曲).
[麗句 여구] 아름다운 구(句).
[麗女 여녀] 여인(麗人).
[麗代 여대] 고려 시대(高麗時代).
[麗都 여도] 곱고 맵시가 있음.
[麗妙 여묘] 아름답고 묘함.
[麗文 여문] 아름다운 무늬. 고운 문채.
[麗美 여미] 곱고 아름다움. 미려(美麗).
[麗靡 여미] 곱고 화사(華奢)함.
[麗密 여밀] 화려하고 치밀함.
[麗服 여복] 고운 옷. 화려한 의복.
[麗史 여사] 고려의 역사. 고려사(高麗史).
[麗辭 여사] 아름다운 말. 미사(美辭).
[麗色 여색] ㉠고운 안색(顏色). ㉡아름다운 경치.
[麗樹 여수] 아름다운 나무.
[麗水生金 여수생금] 여수(麗水)는 윈난 성(雲南省)의 진사 강(金沙江)의 일컬음. 금이 남. 금

생여수(金生麗水).
[麗視 여시] 사팔뜨기.
[麗飾 여식] 화려 하게 꾸밈. 또, 화려한 장식.
[麗雅 여아] 화려하고 단아함.
[麗顏 여안] 고운 얼굴.
[麗億 여억] 수(數)가 많음.
[麗艶 여염] 곱고 예쁨.
[麗蕊 여예] 아름다운 꽃술.
[麗容 여용] 고운 얼굴.
[麗月 여월] 음력 2월의 별칭(別稱).
[麗人 여인] 얼굴이 예쁜 사람. 미인.
[麗日 여일] 화창한 날. 좋은 날.
[麗藻 여조] 화려한 문장.
[麗姝 여주] 여인(麗人).
[麗質 여질] ㉠고운 바탕. ㉡미인.
[麗采 여채] 고운 채색(彩色).
[麗矚 여촉] 아름다운 조망(眺望).
[麗春花 여춘화] 개양귀비. 곧, 우미인초(虞美人草)의 별칭(別稱).
[麗澤 여택] 인접한 두 못이 서로 물을 윤택하게 함. 벗이 서로 도와서 학문과 덕을 닦음의 비유.
[麗風 여풍] 서북풍(西北風).
[麗皮 여피] 두 장의 사슴 가죽. 옛날에 의백(衣帛)이 없었을 적에 혼인(婚姻)의 폐백(幣帛)으로 썼음.
●佳麗. 江山麗. 巨麗. 怪麗. 姣麗. 驕麗. 極麗. 奇麗. 綺麗. 朗麗. 端麗. 曼麗. 縣麗. 明麗. 妙麗. 文麗. 美麗. 靡麗. 配麗. 駢麗. 富麗. 奢麗. 鮮麗. 贍麗. 纖麗. 盛麗. 秀麗. 純麗. 崇麗. 雅麗. 哀麗. 梁麗. 妍麗. 妍麗. 艶麗. 英麗. 婉麗. 妖麗. 縟麗. 優麗. 偉麗. 透麗. 流麗. 淫麗. 壯麗. 典麗. 絶麗. 精麗. 遒麗. 珍麗. 清麗. 晴麗. 醜麗. 侈麗. 豐麗. 顯麗. 豪麗. 弘麗. 華麗. 暉麗.

9/20 [麛] 미 ㊀齊 莫兮切 mí

[字解] ①사슴새끼 미 '一裘'(〈논어(論語)〉에는 '麑裘'로 됨)《禮記》. ②새끼 미 짐승의 새끼. '春田, 土不取一卵'《禮記》.
[字源] 篆文 麛 形聲. 鹿+弭〔音〕. '弭미'는 '활고자'의 뜻으로 가늘고 작다의 뜻.

[麛裘 미구] 새끼 사슴 가죽으로 만든 옷.
[麛犢 미독] 사슴 새끼와 송아지.
[麛卵 미란] 짐승의 새끼와 새알.
[麛夭 미요] 아직 성장하지 않은 짐승.
●羔麛. 麋麛. 少麛.

9/20 [麎] 난 ㊀翰 奴亂切 nuàn

[字解] 사슴새끼 난 '一, 麎也'《說文》.
[字源] 形聲. 鹿+耎〔音〕

9/20 [麐] 향 ㊀陽 虛良切 xiāng

[字解] 사향사슴 향 그 배꼽에서 사향(麝香) 향료를 채취하는 짐승. '一, 麝一, 獸名'《集韻》.

9/20 [麂] 암 ㊀咸 五咸切 yán

[字解] 산양 암 뿔이 가늘고 덩치가 큰 산양(山羊). '獸則一羊野麂'《揚雄》.
[字源] 篆文 麂 形聲. 鹿+咸〔音〕

9/20 [麚] 가 ㊀麻 古牙切 jiā

[字解] 수사슴 가 사슴의 수컷. '特一昏影'《馬融》.
[字源] 篆文 麚 形聲. 鹿+叚〔音〕. '叚가'는 '假가'와 통하여 '크다'의 뜻.

10/21 [麝] 사 ㊀禡 神夜切 shè

[字解] 사향노루 사 사향노릇과에 속하는 짐승. 암수가 모두 뿔이 없고, 수컷은 견치(犬齒)가 밖에 나와 있으며, 또 향낭(香囊)이 있어 그 속에 사향(麝香)이 들어 있음. 궁노루. '一, 如小麋, 臍有香'《說文》.
[字源] 篆文 麝 形聲. 鹿+射(躲)〔音〕. '躲사'는 활을 쏘다의 뜻. 향내를 발사하다의 뜻을 나타냄.

[麝煤 사매] 사묵(麝墨).
[麝墨 사묵] 향기가 좋은 먹.
[麝芬 사분] 사향(麝香).
[麝臍 사제] 사향노루의 배꼽. 향기가 좋음.
[麝香 사향] 사향노루의 배꼽과 불두덩의 중간에 있는 포피선(包皮腺)을 쪼개어 말린 것. 흥분·회생약(回生藥) 또는 향료로 씀.
[麝薰 사훈] 사향(麝香).
●蘭麝. 腦麝. 水麝. 龍麝. 沈麝. 香麝.

10/21 [麊] 〔려〕 麗(鹿部 八畫〈p.2691〉)의 古字

11/22 [麞] 장 ㊀陽 諸良切 zhāng

[字解] 노루 장 사슴 비슷한 짐승. 몸집이 사슴보다 작음. '平澤中逐一'《南史》.
[字源] 篆文 麞 形聲. 鹿+章〔音〕. '章장'은 '憧장'과 통하여 놀라 당황하다의 뜻.

[麞頭鹿耳 장두녹이] 빈천한 기골의 사람을 이르는 말.
[麞牙 장아] ㉠노루의 어금니. ㉡벼〔稻〕의 별칭(別稱).
[麞香草 장향초] 마늘.

12/23 [麟] 린 ㊀眞 力珍切 lín

[筆順] 广 广 户 鹿 麐 麟 麟 麟 麟
[字解] 기린 린 '麒一'.
[字源] 甲骨文 篆文 麟 形聲. 鹿+粦(㷠)〔音〕. '㷠린'은 '隣린'과 통하여 서로 나란히 이웃하다의 뜻.

[麟角 인각] ㉠기린(麒麟)의 뿔. ㉡대단히 희귀한 물건의 비유.
[麟閣 인각] '기린각(麒麟閣)'과 같음.
[麟經 인경] '춘추(春秋)'의 별칭. '애공 십사년 춘 서수획린(哀公十四年春西狩獲麟)'에서 각필(擱筆)하였으므로 이름.

[麟臺 인대] ㉠당(唐)나라 무후(武后) 때 비서성(祕書省)을 고친 이름. ㉡'기린각(麒麟閣)'의 별칭.
[麟麟 인린] 광명(光明)한 모양.
[麟鳳 인봉] 기린과 봉새. 진기한 것 또는 현철(賢哲)한 사람의 비유.
[麟鳳龜龍 인봉귀룡] 기린·봉황·거북·용의 네 가지 신령스러운 동물.
[麟史 인사] 인경(麟經).
[麟孫 인손] 남의 자손을 칭찬하여 이르는 말.
[麟兒 인아] '기린아(麒麟兒)'와 같음.
[麟趾之化 인지지화] 주(周)나라 문왕(文王)의 후비(后妃)의 덕이 자손 종족(子孫宗族)까지 선화(善化)한 까닭에 시인(詩人)이 인지지(麟之趾)의 시를 지어서 이를 칭송(稱頌)한 일로 인(因)하여 황후(皇后)·황태후(皇太后)의 덕을 기리는 말.
[麟筆 인필] 사관(史官)의 붓. 사필(史筆).
●龜麟. 麒麟. 鳳麟. 祥麟. 神麟. 天麟. 天上石麒麟. 獲麟.

12⃝㉓ [麐] 麟(次次條)와 同字

13⃝㉔ [麖] 경 ㉠庚 擧卿切 jīng
字解 큰사슴 경 뿔이 하나인 큰 사슴. 麠(鹿部八畫)과 同字. '一, 大麃, 牛尾一角'《爾雅》.
字源 形聲. 鹿+畺[音]. '畺강'은 '彊강'과 통하여 '강하다'의 뜻.

14⃝㉕ [麌] 三유 ㉠虞 人朱切
二누 ㉠尤 奴侯切
三난 ㉠翰 奴亂切 nuàn
字解 一사슴새끼 유 '一, 鹿子'《廣韻》. 二사슴새끼 누 一과 뜻이 같음. 三사슴새끼 난 一과 뜻이 같음.

17⃝㉘ [麠] 령 ㉠靑 朗丁切 líng
字解 영양(羚羊) 령 '翠山其陰多旄毛一麠'《山海經》.
字源 形聲. 鹿+霝[音]. '霝령'은 '靈령'과 통하여 '뛰어나다'의 뜻.

22⃝㉝ [麤] 추 ㉠虞 倉胡切 cū
字解 ①거칠 추 ㉠정세(精細)하지 아니함. '一疏'. '用意尚一'《公羊傳》. ㉡성질이 조포(粗暴)함. '一暴'. '謝奕性一'《晉書》. ②매조미쌀 추 현미. '粱則無矣. 一則有之'《左傳》. ③대강 추 대략. '一述存亡之徵'《史記》.
字源 會意. 鹿+鹿+鹿. 사슴 떼는 양처럼 밀집하지 않는 데서, 멀리 떨어지다, 거칠다의 뜻을 나타냄. '疏소'·'粗조'와 통함.

[麤功 추공] 큰 공적. 대공(大功).
[麤官 추관] 절도사(節度使) 같은 무관(武官)을 이름.
[麤略 추략] 소략함. 거칢.
[麤良 추량] 좋은 것과 나쁜 것. 소략한 것과 정밀한 것.

[麤糲 추려] ㉠거친 현미. 궂은쌀. ㉡거친 음식.
[麤糲之積 추려지적] 거친 음식을 늘 먹음.
[麤鹵 추로] 거칠고도 어리석음.
[麤末 추말] ㉠거칢. ㉡굵은 가루.
[麤米 추미] 쓿지 아니한 궂은쌀.
[麤樸 추박] 거칠고 소박함.
[麤薄 추박] 거칠고 얇음.
[麤飯 추반] 거친 밥.
[麤服 추복] 누추한 옷.
[麤服亂頭 추복난두] 추한 옷과 헝클어진 머리.
[麤笨 추분] 거칠고 서투름. 조잡함.
[麤相 추상] 추한 상. 험한 상.
[麤疎 추소] ㉠거칢. ㉡소홀함.
[麤率 추솔] 거칠고 경솔(輕率)함.
[麤習 추습] 거칠고 막된 버릇.
[麤食 추식] 거친 밥.
[麤惡 추악] 품질(品質)이 거칠고 언짢음.
[麤言 추언] 거친 말.
[麤言細語 추언세어] 거친 말과 찬찬한 말. 소루한 말과 세밀한 말.
[麤雜 추잡] 곱지 아니함. 거칢.
[麤才 추재] 둔한 재주. 치밀하지 않은 재주. 또, 그 사람.
[麤中 추중] 마음이 거칠고 사나움.
[麤枝大葉 추지대엽] 거친 가지와 큰 잎. 문장의 잔다란 법칙에 구애되지 않고 자유분방하게 쓰는 것의 비유.
[麤醜 추추] 보기 싫음. 못생김.
[麤麤 추추] 거칢.
[麤誕 추탄] 거칠고 허황함.
[麤暴 추포] 사나움. 난폭함.
[麤豪 추호] 거칠고 굳셈.
●微麤. 線麤. 細麤. 疏麤. 精麤. 綹麤. 貪麤. 豪麤.

麥 (11획) 部
[보리맥부]

0⃝⑪ [麥] 中入맥 ㉠陌 莫獲切 mài　　麦 麦
筆順 一 ㄱ ㅈ ㅈ 來 夾 夾 麥 麥
字解 ①보리 맥 오곡(五穀)의 하나. 맥류의 총칭. '大一'. '小一'. '裸一'. ②성 맥 성(姓)의 하나.
字源 會意. 來+夂. '來래'는 까끄라기가 붙어 있는 보리의 象形. '夂치'는 뿌리가 땅속 깊이 내리다의 뜻. 가을에 씨를 뿌려 겨울을 나기 위하여 뿌리가 땅속 깊이 내린 보리의 뜻을 나타냄. 음형상(音形上)으로는 '埋매'와 통하여, 월동을 감안해서 씨를 깊이 묻는 보리의 뜻을 나타냄.
參考 '麥맥'을 의부(意符)로 하여, 보리의 종류나 보리로 만드는 것에 관한 문자를 이룸. 변, 받침으로 두루 쓰임. 부수 이름은 '보리맥'.

[麥稈 맥간] 밀짚이나 보릿짚의 줄기.
[麥藁 맥고] 밀짚.
[麥曲之英 맥곡지영] 술을 이름. 맥(麥)과 곡(曲)

을 합하면 국(麯)이 됨.
[麥光 맥광] 종이의 한 가지.
[麥邱人 맥구인] 제(齊)나라 환공(桓公)이 맥구라는 곳에 갔을 때 만난 노인. 전(轉)하여, 노인.
[麥氣 맥기] 보리밭 위를 불어오는 바람의 향기.
[麥奴 맥노] 깜부기.
[麥農 맥농] 보리농사(農事).
[麥浪 맥랑] 보리의 파란 잎이 바람에 나부끼는 모양을 물결에 견주어 이른 말.
[麥糧 맥량] 농가(農家)에서 여름의 양식(糧食)으로 하는 보리.
[麥隴 맥롱] 보리밭.
[麥麪 맥면] 국수.
[麥門冬 맥문동] 백합과에 속하는 다년초. 뿌리는 약재로 씀. 겨우살이풀. 계전초(階前草).
[麥飯 맥반] 보리밥.
[麥粉 맥분] ㉠밀가루. ㉡보릿가루.
[麥穗 맥수] 보리 이삭.
[麥穟 맥수] 맥수(麥穗).
[麥穗兩岐 맥수양기] 보리 이삭이 두 가닥 짐. 풍년의 징조라 함.
[麥秀之歌 맥수지가] ㉠기자(箕子)가 폐허(廢墟)가 된 은(殷)나라의 도읍 터를 지나다가 그 폐허에 자란 보리가 팬 것을 보고 한탄하여 지은 노래. ㉡고국의 멸망을 한탄(恨歎)함을 맥수지탄(麥秀之歎)이라 함.
[麥菽 맥숙] 보리와 콩.
[麥芽 맥아] 엿기름.
[麥蘖 맥얼] 맥아(麥芽).
[麥英 맥영] '앵두'의 별칭(別稱).
[麥雨 맥우] 보리 익을 무렵에 오는 비.
[麥人 맥인] 보리의 심(心).
[麥作 맥작] 보리농사(農事).
[麥酒 맥주] 보리를 원료로 하여 담근 술.
[麥秋 맥추] 보리가 익는 계절(季節).
[麥皮 맥피] 밀기울.
◉枯麥. 菽麥. 蕎麥. 瞿麥. 裸麥. 大麥. 稻麥. 豆麥. 麻麥. 晩麥. 牟麥. 麰麥. 米麥. 粉麥. 不辨菽麥. 小麥. 秀麥. 宿麥. 菽麥. 熟麥. 野麥. 燕麥. 俚麥. 雀麥. 精麥. 陳麥. 炊麥. 翠麥. 胡麥. 禾麥.

0 ⑦ [麦] 麥(前條)의 俗字

2 ⑬ [⿰麦匕] 〔국〕 麴(麥部 八畫〈p.2695〉)과 同字

2 ⑬ [⿰麦丂] 〔면〕 麪(麥部 四畫〈p.2694〉)의 訛字

3 ⑭ [麧] 흘 [入]月 恨竭切 hé
[字解] 보리싸라기 흘 '士不厭糠—'《韓愈》.
[字源] 篆文  形聲. 篆文은 麥+气〔音〕

3 ⑭ [⿰麦亡] 망 [平]陽 謨郎切 máng
[字解] 까끄라기 망 芒(艸部 三畫)의 俗字. '—, 俗芒字. 凡草木有芒束者'《正字通》.
[字源] 形聲. 麥+亡〔音〕

4 ⑮ [麨] 초 [上]篠 尺沼切 chǎo
[字解] 보릿가루 초 보리쌀 또는 쌀을 볶아 가루로 만든 것. '授—蜜處'《佛國記》.

4 ⑮ [⿰麦反] 거 [平]魚 求於切 qú
[字解] 익지않은보리 거 익지 아니한 보리. '—, 麥不成'《字彙》.

4 ⑮ [⿰麦斤] 계 [平]齊 堅溪切 jī
[字解] 보리떡 계 보리떡.

4 ⑮ [麩] 부 [平]虞 芳無切 fū 
[字解] 밀기울 부 밀을 빻아서 가루를 빼고 남은 찌꺼기.
[字源] 篆文  形聲. 麥+夫〔音〕

[麩炭 부탄] 뜬숯.

4 ⑮ [麪] 면 [去]霰 莫甸切 miàn 
[字解] 밀가루 면 '重羅之—, 塵飛雪白'《東晳》. 또, 밀가루로 만든 음식. '—牲而不血食'《路史》.
[字源] 篆文  形聲. 麥+丏〔音〕. '丏면'은 '綿면'과 통하여 '이어지다'의 뜻. 반죽하면 실 모양으로 이어지는 '밀가루'의 뜻을 나타냄.
[參考] ①麫(次次條)은 俗字. ②麵(麥部 九畫)은 同字.

[麪類 면류] 메밀국수·밀국수 등속.
[麪粉 면분] 밀가루.
[麪牀 면상] 국수를 만들 때 쓰는 널판.
[麪牲 면생] 제사에 희생(犧牲) 대신 쓰는 국수. 불가(佛家)에서는 희생을 쓰지 아니함.
[麪市鹽車 면시염차] 밀가루 저자와 소금 실은 수레. 눈이 많이 쌓인 형용.
[麪杖 면장] 국수를 만들 때 치는 방망이.
[麪包 면포] 면포(麪麭).
[麪麭 면포] 빵.
◉粰麪. 麥麪. 線麪. 新麪. 雜麪. 粥麪.

4 ⑮ [⿰麦屯] 돈 [平]元 徒渾切 tún
[字解] 경단 돈 경단. 찐만두. 飩(食部 四畫)의 俗字.

4 ⑮ [麫] 麪(前前條)의 俗字

4 ⑮ [⿰麦斗] 두 [上]有 當口切 dǒu
[字解] 보리 두 보리. '—, 麥—'《集韻》.

4 ⑮ [⿰麦夬] 〔얼〕 糵(米部 十七畫〈p.1709〉)과 同字

5 ⑯ [麮] 거 [去]御 丘倨切 qù / [上]語 羌擧切
[字解] 보리죽 거 '夏日則與之瓜—'《荀子》.

字源 篆文 麮 形聲. 麥+去[音]. '去거'는 뚜껑 있는 밥그릇의 뜻. 그 밥그릇에 담은 보리죽의 뜻을 나타냄.

●麥麮.

5/16 [麭] 포 ㊁效 披敎切 pào

字解 ①경단 포 떡의 한 가지. ②《現》빵 포 '麵一'는 빵, 식빵.
字源 形聲. 麥+包[音]

5/16 [麬] 활 ㊂黠 戸八切 huá

字解 누룩 활 '一, 麴也'《廣雅》.
字源 形聲. 麥+穴[音]

5/16 [麮] 투 ㊂有 他口切 tǒu

字解 떡 투 고물 묻힌 떡의 일종. '一, 糕一, 餠屬'《集韻》.

5/16 [麱] 타 ㊀歌 湯河切 tuō

字解 떡 타 粍(米部 五畫)와 同字. '一, 餌也, 或从米'《集韻》.

5/16 [粔] 〔거〕
粔(米部 五畫〈p.1698〉)와 同字

5/16 [䴴] 〔국〕
麴(麥部 八畫〈p.2695〉)과 同字

5/16 [䴱] 말 ㊂曷 莫葛切 mò

字解 ①밀가루 말 '一, 麱也'《玉篇》. ②쌀가루 말, 싸라기 말 '一, 今呼米屑也'《玉篇》. ③밀기울 말.

6/17 [麵] 동 ㊀董 吐孔切 tǒng

字解 떡 동 떡의 일종. '一, 餠屬'《集韻》.

6/17 [麷] 모(무㊀) ㊀尤 莫浮切 móu

字解 보리 모 대맥. '今夫一麥, 播種而耰之'《孟子》.
字源 篆文 麷 形聲. 麥+牟[音]. '牟모'는 '크다'의 뜻.

[麷麥 모맥] 보리. 대맥(大麥).

6/17 [䴺] 격 ㊂陌 各額切 gé

字解 보리싸라기 격 '一, 麥碎曰一'《集韻》.

6/17 [麰] 〔국〕
麴(麥部 八畫〈p.2695〉)과 同字

6/17 [餠] 국 ㊂屋 丘六切 qū

字解 ①누룩 국 麴(麥部 八畫)과 同字. '枕一籍糟'《劉伶》. ②성 국 성(姓)의 하나.

6/17 [䴾] 〔병〕
餠(食部 六畫〈p.2573〉)과 同字

7/18 [稆] 라 ㊂簡 盧臥切 luò

字解 조죽 라 '一鵩'. '有一鵩粥法'《齊民要術》.

[稆鵩 나사] 조로 쑨 죽.

7/18 [麒] 〔견〕
稆(禾部 七畫〈p.1620〉)과 同字

8/19 [麒] 기 ㊄支 渠之切 qí

字解 떡 기 떡의 일종. '人懷乾一, 馬囊蒸䕁'《潛書·五形》.

8/19 [麴] 〔人名〕국 ㊂屋 驅匊切 qū

字解 ①누룩 국 술을 빚는 원료. 주모. '一蘗'. ②술 국 '道逢一車口流涎'《杜甫》. ③청황색 국 '天子乃薦一衣于先帝'《周禮》. ④성 국 성(姓)의 하나.
字源 形聲. 麥+匊[音]. '匊국'은 '麴'과 통하여 축국(蹴鞠)의 뜻. 찐보리 따위에 누룩곰팡이가 번식하여 축국의 공과 같은 모양이 된 것, 누룩의 뜻을 나타냄.

[麴君 국군] 술.
[麴生 국생] 술.
[麴室 국실] 누룩을 뜨게 하는 방.
[麴蘗 국얼] ㉠누룩. ㉡술.
[麴衣 국의] 국진(麴塵)의 옷. 곧, 천자의 옷.
[麴引錢 국인전] 주세(酒稅).
[麴子 국자] 누룩.
[麴塵 국진] ㉠화초(花草)의 이름. 천자의 옷은 이 꽃 빛깔을 본떠서 누르게 하여 국진의(麴塵衣)라 일컬음. 학자초(鶴子草). ㉡누룩에 생기는 세균(細菌). 담황색으로, 가벼워서 먼지같이 낢. 또, 그 빛깔.
[麴塵絲 국진사] 청황색의 버들가지.
[麴車 국차] 술을 실은 수레.
●麥麴. 米麴. 麩麴. 神麴. 新麴. 糟麴. 酒麴. 香麴.

8/19 [䴿] ㊀ 과 ㊁智 古火切 guǒ ㊂智 魯果切 luǒ ㊣元 胡昆切 hún

字解 ㊀ 떡 과 '一, 餅一食'《廣韻》. ㊁ 보릿가루 라 '一, 麰也'《集韻》. ㊂누룩 혼 소맥(小麥)으로 만든 누룩. '一, 麴也'. (注) 小麥麴爲一, 即麬也'《方言》.

8/19 [䵀] 군 ㊀軫 巨隕切 jùn

字解 떡 군 '一, 餅屬'《集韻》.

8/19 [麴] 도 ㊀豪 徒刀切 táo

字解 떡 도 餉(食部 八畫)·餡(食部 十畫)와 同

字. '一, 餌也, 或作餡, 通作餡'《集韻》.

8 [䴸] 〔임·녑〕
⑲ 餘(食部 八畫〈p. 2579〉)과 同字

9 [䵍] 과 [平]歌 苦禾切 kē
⑳

[字解] 올챙이모양으로만든떡 과 餜(食部 九畫)와 同字. '一, 一斗, 餌也, 象蟲形, 或从食'《集韻》.

9 [䵋] 사 [去]箇 蘇臥切 suò
⑳

[字解] 조죽 사 조로 쑨 죽. '麩一'.

◉麩䵋.

9 [麵] 〔면〕 面
⑳ 麪(麥部 四畫〈p. 2694〉)과 同字

10 [䵉] 온 [去]問 紆問切 yùn
㉑

[字解] 누룩 온 '一, 麴也'《集韻》.

10 [䵈] 곡 [入]屋 空谷切 kū
㉑

[字解] 누룩 곡 '一, 麴也'《廣雅》.

[字源] 形聲. 麥+殸〔音〕

12 [䵃] [一] 굉 [上]梗 古猛切 kuàng
㉓ [二] 황 [平]陽 胡光切 huáng

[字解] [一] 보리기울 굉 '況臣糠一粿之雕胡'《晉書》. [二] 누룩곰팡이 황.

12 [䵆] 담 [平]覃 徒含切 tán
㉓

[字解] 맛좋을 담 맛있음. '一, 味長'《字彙》.

13 [麮] 거 [平]魚 求於切 qú
㉔

[字解] 잔보리 거 크기가 작은 보리. '一, 麥小者, 一'《集韻》.

13 [䵅] 독 [入]屋 徒谷切 dú
㉔

[字解] 찐떡 독 삶은 떡. '一, 一餗, 煮餅'《集韻》.

15 [䵄] 굉 [上]梗 古猛切 kuàng
㉖

[字解] 보리 굉 대맥. '旱稻法, 宜五六月暵之, 以擬一麥'《齊民要術》.

18 [麷] 풍 [平]東 敷隆切 fēng
㉙

[字解] 볶은보리 풍 보리를 볶은 것. 또, 그 가루. '朝事之籩, 其實一蕡'《周禮》.

[字源] 篆文 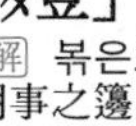 形聲. 麥+豐〔音〕. '豐풍'은 '제기'의 이름. 제기에 담아 올리는 '볶은보리'의 뜻을 나타냄.

19 [𪎌] 라 [平]歌 良何切 luó
㉚

[字解] 떡 라 떡의 일종. '一, 餅也, 或从食'《集韻》.

麻 (11획) 部

〔삼마부〕

0 [麻] [高·人] 마 [平]麻 莫霞切 má 
⑪

[筆順] 丶 亠 广 广 庁 床 府 麻

[字解] ①삼 마 뽕나뭇과에 속하는 일년생 재배초. 씨는 약용으로 하고, 줄기의 껍질은 섬유의 원료로서 삼베를 짬. '大一'. '一衣如雪'《詩經》. ②참깨 마 참깻과에 속하는 일년생 재배초. 씨는 참기름을 짜 식용으로 함. 진임(眞荏). '胡一'. '食一與犬'《禮記》. ③조칙 마 당대(唐代)에, 칙명(勅命)을 황백(黃白)의 마지(麻紙)에 썼으므로 이름. '黃一'. '白一'. '弘景草一'《舊唐書》. ④마비될 마 痲(疒部 八畫)와 통용. '手足頑一'《朱熹》. ⑤성 마 성(姓)의 하나.

[字源] 金文  篆文  會意. 金文은 厂+林. '厂한'은 낭떠러지를 본뜬 것으로 '갈라지다'의 뜻. '林파'는 줄기가 긴 풀, 삼의 껍질을 벗기는 모양을 본뜸. 겉껍질을 벗기기 쉬운 '삼'의 뜻을 나타냄. 일설에는 '厂'은 집을 뜻하며, 신을 모실 때 쓰이는 삼의 뜻을 나타낸다고도 함. 篆文은 广+林.

[參考] '麻마'를 의부(意符)로 하여 삼에 관한 문자를 이룸. 부수 이름은 '삼마'.

[麻稭 마개] 삼대. 마경(麻莖).
[麻莖 마경] 삼대. 삼의 줄기.
[麻姑 마고] 손톱 긴 선녀의 이름.
[麻姑搔痒 마고소양] 마고라는 손톱이 긴 선녀가 가려운 데를 긁어 준다는 뜻으로, 일이 뜻대로 됨의 비유.
[麻姑爬痒 마고파양] 마고소양(麻姑搔痒).
[麻骨 마골] 겨릅대.
[麻屨 마구] 삼으로 삼은 신. 미투리.
[麻袋 마대] 아마(亞麻)로 짠 부대.
[麻頭 마두] 삼 껍질의 지스러기.
[麻立干 마립간] 신라 임금의 칭호의 하나.
[麻冕 마면] 검은 삼베로 만든 갓. '치포관(緇布冠)'의 별칭(別稱).
[麻木 마목] ㉠근육의 마비(痲痺). 또는 문둥병의 초기 증상으로 피부의 허는 자리. ㉡겨릅대.
[麻勃 마발] 삼꽃.
[麻蕡 마분] ㉠삼꽃의 꽃가루. 약재로 씀. ㉡삼씨.
[麻痺 마비] 신경이나 심줄이 그 구실을 못하거나 소멸되어서 생기는 병.
[麻沸 마비] 헝클어진 삼오리같이 끓어오름.
[麻絲 마사] 삼실.
[麻沙本 마사본] 조잡(粗雜)한 책. 푸젠 성(福建省) 젠양 현(建陽縣) 마사(麻沙)에서 낸 판본(板本)이 인쇄가 선명하지 않고 틀린 데가 많았으므로 이름.
[麻繩 마승] 삼노.
[麻繩拂 마승불] 삼노로 만든 먼지떨이.
[麻枲 마시] 삼.

[麻藥 마약] '마취약(麻醉藥)'의 준말.
[麻魚 마어] 삼치.
[麻葉 마엽] 삼의 잎.
[麻油 마유] 삼씨로 짠 기름.
[麻衣 마의] ㉠삼베옷. ㉡삼베 의상.
[麻仁 마인] 삼씨.
[麻子 마자] 삼씨.
[麻紵 마저] 삼베.
[麻田 마전] 삼을 심는 밭.
[麻中之蓬 마중지봉] 삼밭 속의 쑥. 곧, 곧은 삼 속에서 자란 쑥은 저절로 곧게 자라게 된다는 뜻으로, 훌륭한 사우(師友)의 감화(感化)로 선량한 사람이 됨을 이름.
[麻紙 마지] 삼 껍질로 만든 종이.
[麻織 마직] 삼으로 짠 직물.
[麻疹 마진] 홍역(紅疫).
[麻醉 마취] 독이나 또는 약으로 인하여 몸의 일부나 전부의 감각을 잃음.
[麻醉藥 마취약] 마취시키는 약재.
[麻醉劑 마취제] 마취약(麻醉藥).
[麻布 마포] 베.
[麻皮 마피] ㉠삼 껍질. ㉡화법(畫法)에서 삼을 쪼갠 형상을 한 주름.
[麻蜆 마현] 노래기.
[麻鞋 마혜] 미투리.
●交麻. 漚麻. 亂麻. 大麻. 鈍麻. 牡麻. 白麻. 絲麻. 山麻. 桑麻. 疏麻. 升麻. 蕁麻. 亞麻. 雄麻. 油麻. 子麻. 苴麻. 苧麻. 詔麻. 脂麻. 天麻. 快刀亂麻. 披麻. 胡麻. 禾麻. 黃麻.

0 ⑪ [麻] 麻(前條)의 俗字

3 ⑭ [麼] 마 ㉮歌 眉波切 mó ㉯哿 亡果切 ma, me
字解 ①잘 마, 가늘 마 세소(細小)함. 또, 하찮음. '幺一'. ②그런가 마 속어(俗語)의 조사(助詞)로 의문의 말. 耶(耳部 三畫)와 뜻이 같음. '恁一'. '且道拍板爲什一'《撼言》.
字源 形聲. 幺+麻〔音〕. '幺요'는 '잘다, 희미하다'의 뜻.
參考 麽(次條)는 俗字.

[麼蟲 마충] 작은 벌레.
●眇麼. 細麼. 什麼. 甚麼. 幺麼. 恁麼. 作麼. 這麼. 怎麼.

3 ⑭ [麽] 麼(前條)의 俗字

4 ⑮ [麾] 휘 ㉮支 許爲切 huī
字解 ①대장기 휘 장수가 군대를 지휘하는 데 쓰는 기. 또, 진(陣)에 표시(標示)로 세우는 기. '建大一'《周禮》. ②가리킬 휘 ㉠기(旗)를 가지고 군사에게 향할 바를 지시함. '莊王自手旗一軍引兵去'《史記》. ㉡가리켜 보여서 일을 하도록 함. 지휘함. '右秉白旄以一'《書經》. ③부를 휘 손짓하여 오라고 함. '一而呼曰'《左傳》. '一之以肱'《詩經》.
字源 形聲. 手+靡〈省〉〔音〕. '靡미'는 '쓸리다'의 뜻. 손에 들고 휘날리게 하여 지시하는 기의 뜻을 나타냄. '麾'는 俗字.

[麾鉞 휘월] 대장의 기와 도끼.
[麾節 휘절] 휘정(麾旌).
[麾旌 휘정] 지휘하는 기.
[麾下 휘하] 주장(主將)의 진영. 또, 그 부하.
●戒麾. 軍麾. 幢麾. 大麾. 矛麾. 白羽麾. 戎麾. 節麾. 旌麾. 指麾. 招麾.

4 ⑮ [麗] ㊀ 력 ㉧錫 狼狄切 ㊁ 미 ㉯支 忙皮切 mí
字解 ㊀ 달력 력 '一, 象也'《說文》. ㊁ 햇빛 미 '一, 日光也'《字彙》.

[摩] 〔마〕 手部 十一畫(p.898)을 보라.

5 ⑯ [麔] ㊀ 구 ㉤有 丘九切 qiāng ㊁ 강 ㉮陽 驅羊切
字解 ㊀ 삼 구 '一, 麻也'《字彙》. ㊁ 삼 강 ㊀과 뜻이 같음.

[糜] 〔미〕 米部 十一畫(p.1707)을 보라.

[縻] 〔미〕 糸部 十一畫(p.1770)을 보라.

8 ⑲ [䕸] 미 ㉤紙 眉几切 měi
字解 깊은모양 미 '一, 深一貌'《字彙補》.

8 ⑲ [䗫] 추 ㉮尤 側鳩切 zōu
字解 삼대 추 삼을 벗긴 대. '莨蔀雜於一蒸兮'《楚辭》.
字源 形聲. 麻+取〔音〕. '取취'는 '벗겨 내다'의 뜻. 껍질을 벗겨 낸 삼 줄기의 뜻을 나타냄.

[靡] 〔미〕 非部 十一畫(p.2517)을 보라.

9 ⑳ [䜈] 논 ㉮元 奴昆切 nún
字解 향기로울 논 '一, 香也'《集韻》.

9 ⑳ [䵇] 두 ㉮尤 徒侯切 tóu
字解 ①어저귀 두 '一, 卽今白麻, 多生卑溼處'《正字通》. ②삼한묶음 두 '一, 一絜也'《玉篇》.
字源 形聲. 麻+兪〔音〕.

10 ㉑ [䕸] 모 ㉥麌 莫補切 mǔ
字解 삼 모 뽕나뭇과의 일년초. '一, 麻一也'《字彙》.

[魔] 〔마〕 鬼部 十一畫(p.2639)을 보라.

12 ㉓ [䵈] 미 ㉮支 靡爲切 méi
字解 검은기장 미 '一, 穄也'《說文》.

字源 篆文 黂 形聲. 黍+麻〔音〕. '黍서'는 기장, 수수의 뜻.

13
㉔ 【黂】 분 ㊌文 符分切 fén

字解 삼씨 분 삼의 씨. 마실(麻實). '萉者麻之有一者也'《儀禮》.

20
㉛ 【黀】 착 ㊄藥 倉各切 zuò

字解 참기름 착 '油麻一搾曰一'《集韻》.

黃 (12획) 部
〔누를황부〕

0
⑫ 【黃】 ㊥人 황 ㊌陽 胡光切 huáng 黃

筆順 一 艹 芊 芇 芇 芇 黄 黄 黃

字解 ①누를 황, 누른빛 황 오색(五色)의 하나. 중앙의 색, 흙의 색으로서, 중국에서 가장 귀(貴)히 여김. '天玄而地一'《易經》. ②노래질황 누렇게 됨. '草木一落'《禮記》. ③늙은이 황 노인. 노인의 머리는 희어진 후 다시 노래지므로 이름. '一髮' '一耉無疆'《詩經》. ④황금 황 금. '一白'(금은). '懷銀一'《漢書》. ⑤황마 황 털빛이 노란 말. '有驪有一'《詩經》. 또, 노란빛의 물건을 이름. '大一硫一雌一充耳以一乎而'《詩經》. ⑥어린애 황 소아. 당대(唐代)에는 세 살 이하를 이름. '凡男女始生爲一'《唐開元志》. ⑦황제 황 상고의 성천자(聖天子) 황제(黃帝) 및 그 교(教). '本於一耉'《史記》. ⑧성 황 성(姓)의 하나.

字源 甲骨文 ꋷ 金文 黃 篆文 黃 象形. 甲骨文은 大+口. '大대'는 사람의 象形. '口구'는 허리에 찬 옥의 象形. 허리에 찬 옥의 뜻에서 '노랗다'의 뜻을 나타냄. 일설에는 '大'를 화살의 象形이라 보고, 불이 붙은 화살의 뜻에서 '노랗다'의 뜻으로 쓴다고 설명함. 《說文》에서는, 田+炗〔音〕의 形聲으로 보고, '田전'은 '땅바닥'의 뜻, '炗광'은 '光광'의 古字로, 땅의 빛깔, '노랗다'의 뜻을 나타낸다고 함.

參考 ① '黃황'을 의부(意符)로 하여, 황색을 나타내는 문자를 이룸. 부수 이름은 '누를황'. ② 黄(次條)은 同字.

[黃閣 황각] 재상의 관서(官署).
[黃間 황간] '쇠뇌'를 이름.
[黃褐色 황갈색] 황색(黃色)이 나는 갈색(褐色).
[黃柑 황감] 잘 익어 노랗게 된 감자(柑子). 곧, 귤.
[黃岡 황강] 후베이 성(湖北省) 황강현(黃岡縣) 동쪽에 있는 산 이름. 소식(蘇軾)의 적벽부(赤壁賦)에 나오는 황니지판(黃泥之阪)이 있는 곳.
[黃巾賊 황건적] 후한말(後漢末)에 일어난 비적(匪賊). 황건(黃巾)을 썼으므로 이 칭호로 불림. 수령은 장각(張角).
[黃繭 황견] 빛깔이 누른 고치.

[黃絹幼婦 황견유부] '절묘(絕妙)'의 은어(隱語). 황견은 색실로 짠 것이므로, 곧 절(絕) 자, 유부는 연소한 여자, 곧 묘(妙) 자.
[黃鷄 황계] 털빛이 누른 닭.
[黃姑 황고] 견우성(牽牛星).
[黃公望 황공망] 원(元)나라 말기의 화가(畫家). 본성(本姓)은 육(陸). 자(字)는 자구(子久), 호(號)는 일봉(一峯). 대치도인(大癡道人)이라고도 함. 동원(董源)·거연(巨然)의 제자로서 산수화를 잘 그렸음. 왕몽(王蒙)·예찬(倪瓚)·오진(吳鎭)과 더불어 원나라의 사대가(四大家)라 일컬어짐.
[黃公酒壚 황공주로] 황공(黃公)이 술을 마신 곳. 노(壚)는 술독을 두는 곳.
[黃瓜 황과] 오이.
[黃冠 황관] 노란빛의 관. 옛날에는 야인이 썼으며, 후세에는 도사(道士)만이 썼음. 또 전(轉)하여, 도사(道士).
[黃馘 황괵] 누런 얼굴.
[黃教 황교] 나마교(喇嘛教)의 한 파. 15세기 초에 홍교(紅教)에서 분립(分立)함. 이 파의 중은 황색(黃色)의 가사(袈裟)에 황색의 모자(帽子)를 씀.
[黃口 황구] ㉠어린애. ㉡새 새끼. ㉢나이가 어리고 경험(經驗)이 부족한 사람.
[黃狗 황구] 빛깔이 누른 개.
[黃耉 황구] 늙은이. 머리가 희어졌다가 다시 누렇게 되고 얼굴에 검버섯이 생기는 노인이란 뜻.
[黃菊 황국] 빛이 누른 국화(菊花).
[黃宮 황궁] 도가(道家)에서 정수리를 이름.
[黃卷 황권] 책(冊). 서적. 옛날에 책이 좀먹는 것을 막기 위하여 황벽(黃蘗)나무의 내피(內皮)로 염색한 황색 종이를 썼으므로 이름.
[黃金 황금] ㉠금(金). ㉡돈.
[黃金臺 황금대] 연(燕)나라 소왕(昭王)이 국도(國都)의 동남에 대(臺)를 쌓고 천하의 현사(賢士)를 초치(招致)한 곳.
[黃金宅 황금댁] 사찰(寺刹) 또는 정사(精舍)의 이칭(異稱).
[黃金萬能 황금만능] 돈만 있으면 무슨 일이든지 뜻대로 된다는 생각.
[黃金不多交不深 황금부다교불심] 돈이 많지 아니하면 서로 사귀는 정도 깊지 않음. 곧, 세상 사람이 이익을 중히 여기고 정의(情誼)를 경하게 여김을 이름.
[黃金時代 황금시대] ㉠사회의 진보가 최고도로 발달하여 이상이 모두 실현된 시대. ㉡개인(個人)의 가장 득의(得意)한 시대.
[黃綺 황기] 상산(商山)의 사호(四皓) 가운데 하황공(夏黃公)·기리계(綺里季)의 두 사람의 병칭(並稱).
[黃旗紫蓋 황기자개] 천자(天子)의 기(氣)를 이름.
[黃媚 황면] 낮잠. 오수(午睡).
[黃農 황농] 황제(黃帝) 헌원씨(軒轅氏)와 염제(炎帝) 신농씨(神農氏).
[黃嫩 황눈] 노란 어린잎.
[黃泥 황니] 노란 진흙. 황색의 점토(黏土).
[黃丹 황단] 연(鉛)에 유황(硫黃)을 섞어서 만든 약제(藥劑). 고약(膏藥)의 재료(材料)로 씀.
[黃疸 황달] 주로 간장(肝臟)의 이상으로 담즙(膽汁)의 색소(色素)가 혈액에 옮아가서 생기는 병. 살빛과 오줌이 누른빛으로 변하며 두통·구토가 남. 달병(疸病).

[黃闥 황달] 대궐 (大闕)의 문. 전 (轉)하여, 대궐.

[黃唐 황당] 황제 (黃帝)와 당요 (唐堯). 모두 태고의 성천자 (聖天子).

[黃堂 황당] 태수 (太守)가 집무 (執務)하는 곳. 또, 태수 (太守)의 별칭.

[黃道 황도] ㉠태양이 운행하는 궤도 (軌道). ㉡천자 (天子)가 거둥하는 길.

[黃道吉日 황도길일] 음양도 (陰陽道)에서 일을 거행하는 데 가장 좋다는 날.

[黃道帶 황도대] 황도 (黃道)를 싸고 있는 천구 (天球) 위의 띠. 황도 (黃道)의 남북 (南北) 양 (兩) 쪽에 각 (各) 약 (約) 팔도 (八度)의 폭 (幅)을 가짐. 이것을 춘분점 (春分點)에서 시작 (始作)하여 12등분한 것을 십이궁 (十二宮)이라고 함.

[黃道周 황도주] 명 (明)나라 말기의 충신 (忠臣)·학자. 자 (字)는 유원 (幼元). 호 (號)는 석재 (石齋). 명 (明)나라가 망하자 남경 (南京)에 옹립 (擁立)된 복왕 (福王) 밑에서 예부 상서 (禮部尙書)를 지내고 다시 복주 (福州)에서 명실 (明室) 회복 (回復)을 꾀하여 무영전학사 (武英殿學士)가 되었으나, 마침내 청군 (淸軍)에게 패 (敗)하여 잡혀 죽었음. 천문 (天文)·역수 (曆數)·황극 (皇極)의 제서 (諸書)에 정통하고 시문서화 (詩文書畫)에도 뛰어났음. 저서에 〈역상정 (易象正)〉·〈홍범명의 (洪範明義)〉 등이 있음.

[黃犢 황독] 노란 송아지.

[黃童 황동] ㉠두서너 살의 어린아이. ㉡도가 (道家)에서 비장 (脾臟)의 신 (神)의 이름.

[黃銅 황동] 놋쇠.

[黃銅鑛 황동광] 빛이 누른 동·철·유황의 화합물.

[黃頭 황두] ㉠당 (唐)나라의 정규군 (正規軍)의 이름. ㉡황두랑 (黃頭郞).

[黃頭郞 황두랑] ㉠한 (漢)나라의 관명 (官名). 선박 (船舶)을 관장하였음. ㉡뱃사공.

[黃落 황락] 잎이 누렇게 되어 떨어짐.

[黃蠟 황랍] 꿀벌의 집에서 꿀을 짜내고 찌꺼기를 끓여 만든 기름 덩이. 밀. 밀랍 (蜜蠟).

[黃粱 황량] 메조.

[黃粱一炊夢 황량일취몽] 당 (唐)나라 노생 (盧生)이 도사 (道士) 여옹 (呂翁)의 베개를 빌려 잠을 잤더니 메조밥을 한 번 짓는 동안에 부귀공명 (富貴功名)을 다 누린 꿈을 꾸었다는 데서, 부귀공명이 덧없음의 비유. 한단몽 (邯鄲夢).

[黃廬 황려] 오두막집.

[黃鸝 황려] 꾀꼬리.

[黃櫟 황력] 황벽 (黃檗).

[黃連 황련] 깽깽이풀.

[黃蠪 황령] ㉠하늘의 신 (神)의 이름. ㉡물고기의 이름. 노란 무늬가 있음.

[黃老 황로] 황제 (黃帝)·노자 (老子)의 도 (道).

[黃壚 황로] 지하 (地下)를 이름. 저승. 황천 (黃泉).

[黃櫨 황로] 거먕옻나무.

[黃潦 황료] 길 같은 데 괸 흙탕물.

[黃流 황류] 강을 흐르는 흙탕물.

[黃騮 황류] 월따말.

[黃栗 황률] 황밤.

[黃梨 황리] 누르고 큰 배의 한 가지. 황술레.

[黃燐 황린] 노르스름한 밀 모양의 고체. 야릇한 냄새가 나며 독이 심하고, 공기 (空氣) 속에서 발화 (發火) 함.

[黃麻 황마] ㉠삼〔麻〕의 일종. 조서 (詔書). 당 (唐)나라 때, 외사 (外事)에 관한 조서는 황마지 (黃麻紙)에 썼음.

[黃麻紙 황마지] 충해 (蟲害)를 막기 위하여 황벽나무의 내피 (內皮)로 물들인 마지 (麻紙).

[黃梅 황매] ㉠매화나무의 익은 열매. 빛이 누름. ㉡생강나무. 새양나무.

[黃梅雨 황매우] 매우 (梅雨).

[黃面老子 황면노자] 《佛敎》 석가여래 (釋迦如來)의 별칭.

[黃面兒 황면아] 얼굴이 노란 아이.

[黃毛 황모] 족제비의 꼬리털.   「原).

[黃蕪 황무] 서리를 맞아 황량 (荒涼)한 초원 (草

[黃霧四塞 황무사색] 누른 안개가 천지 사방에 자욱이 낌. 천하가 어지러워질 징조라 함.

[黃吻 황문] ㉠황구 (黃口). ㉡화장을 한 입가.

[黃門 황문] ㉠대궐 (大闕)의 문. 금문 (禁門). ㉡환관 (宦官)의 별칭. 후한 (後漢) 때 환관이 금문을 지켰으므로 이름. ㉢장가는 들어도 일평생 아이가 없는 사람.

[黃米 황미] 찹쌀.

[黃髮 황발] ㉠누레진 노인의 머리털. ㉡노인을 이름.

[黃榜 황방] ㉠노란빛의 패. ㉡황지 (黃紙)에 쓴 칙서 (勅書).

[黃醅 황배] 막걸리. 탁주 (濁酒).

[黃白 황백] ㉠노란빛과 흰빛. 모두 정색 (正色). ㉡금과 은. 전 (轉)하여, 돈. ㉢도사 (道士)가 단사 (丹砂)로 금을 만드는 선술 (仙術).

[黃柏 황백] 황벽나무.

[黃柏皮 황백피] 황벽나무의 껍질. 강장제 (強壯劑) 또는 건위약 (健胃藥)으로 씀.

[黃檗 황벽] ㉠운향과에 속하는 낙엽 교목. 내피 (內皮)는 노란 물감 원료임. 황벽나무. 황경나무. ㉡황벽종 (黃檗宗)의 약칭 (略稱).

[黃檗宗 황벽종] 선종 (禪宗)의 한 파 (派).

[黃蜂 황봉] 꿀벌의 일종 (一種). 보통 꿀벌보다 큰 것.

[黃扉 황비] ㉠재상 (宰相)을 이름. ㉡당대 (唐代)에 급사중 (給事中)의 일컬음.

[黃沙 황사] ㉠누런 모래. ㉡사막 (沙漠)의 땅.

[黃色 황색] 누른빛.

[黃色人種 황색인종] 황인종 (黃人種).

[黃鼠 황서] 족제비.

[黃石公 황석공] 진 (秦)나라 말기에 이상 (圯上)에서 장량 (張良)에게 병서 (兵書)를 수여 (授與)했다고 하는 노인.

[黃巢 황소] 당 (唐)나라 말기의 역신 (逆臣). 산동 (山東) 사람. 기사 (騎射)에 능하였음. 처음에는 소금 장사를 하여 부호 (富豪)가 되었으나, 왕선지 (王仙之)의 난 (亂)에 호응 (呼應)하여 장안 (長安)을 함락하고 제제 (齊帝)라 일컫다가 이극용 (李克用)에게 패하자 조카 임언 (林言)에게 명하여 자기 목을 베게 하여 죽었음.

[黃綬 황수] 노란 인끈. 황색의 인수 (印綬).

[黃綬吏 황수리] 황색의 인수 (印綬)를 띤 벼슬아치. 곧, 지위가 낮은 관리.

[黃鬚兒 황수아] 조조 (曹操)가 수염이 누런 자기의 아들 조창 (曹彰)을 부른 말.

[黃熟 황숙] 누렇게 익음.

[黃絁 황시] ㉠빛이 누런 거친 비단. ㉡도사 (道士)의 옷. 황시 (黃絁)로 지으므로 이름.

[黃氏日鈔 황씨일초] 송 (宋)나라 주자학자 (朱子學者) 황진 (黃震)의 수필 (隨筆). 97권. 독효경 (讀孝經)·독논어 (讀論語)·독맹자 (讀孟子)·독모시 (讀毛詩)·독상서 (讀尙書) 등의 경의 (經

義)를 해설하여 자기의 견해를 폄.

[黃埃 황애] 누런 먼지.

[黃鶯 황앵] 꾀꼬리.

[黃冶 황야] 도가(道家)에서 단사(丹砂)를 황금으로 변화시키는 방술(方術).

[黃楊 황양] 회양목.

[黃壤 황양] ㉠누런 흙. 황토(黃土). ㉡저승. 황천(黃泉).

[黃淤 황어] 홍수(洪水)로 인하여 비옥하여진 땅.

[黃頓 황연] 빛이 노랗고 연함.

[黃炎 황염] 황제(黃帝) 헌원씨(軒轅氏)와 염제(炎帝) 신농씨(神農氏).

[黃葉 황엽] 누렇게 된 나뭇잎.

[黃玉 황옥] ㉠빛이 누런 패옥(佩玉). ㉡수선화(水仙花)의 이명(異名).

[黃玉石 황옥석] 투명(透明) 또는 반투명의 돌로, 황색의 것을 보석(寶石)으로 사용함. 토파즈.

[黃屋 황옥] ㉠노란 비단으로 싼 천자(天子)의 수레의 덮개. ㉡천자의 존칭.

[黃屋左纛 황옥좌도] 황옥과 좌도. 좌도는 수레의 왼쪽 위에 세운 기.

[黃牛 황우] 누른 빛깔의 소.

[黃雲 황운] ㉠누런 구름. ㉡누렇게 익은 전답의 보리나 벼를 구름에 견주어 이르는 말.

[黃熊 황웅] 노란 곰. 하(夏)나라 우(禹)임금의 아버지 곤(鯀)의 영혼이 노란 곰으로 화(化)하였는데, 이것을 제사 지내면 전흉위길(轉凶爲吉)한다 함.

[黃鉞 황월] 금으로 장식한 도끼. 천자(天子)가 정벌(征伐)할 때 씀.

[黃緯 황위] 황도(黃道)에서 천체(天體)까지의 각거리(角距離). 북으로 재는 것은 북위(北緯), 남으로 재는 것은 남위(南緯)임.

[黃潤 황윤] 고운 옷감. 고운 베.

[黃耳 황이] ㉠진(晉)나라 육기(陸機)의 애견(愛犬) 이름. 육기의 고향 오도(吳都)와 뢰양(洛陽)과의 사이를 왕복하면서 서신(書信)을 전했다고 함. ㉡위(魏)나라 때 서비(西卑)가 바친 명마(名馬)의 이름. 빛이 희고 두 귀가 황색임.

[黃人種 황인종] 머리털이 검고 살빛이 황색 또는 짙은 갈색(褐色)인 인종. 동양 사람은 대부분 이 이에 속함.

[黃雀 황작] 참샛과에 속하는 철새. 목에 황갈색 반점이 있음. 섬참새.

[黃雀風 황작풍] 유월 중에 부는 동남풍.

[黃磧 황적] '사막(沙漠)'을 이름.

[黃庭 황정] ㉠토지(土地). ㉡뇌(腦)의 가운데, 심장의 가운데, 비장(脾臟)의 가운데를 이름.

[黃庭堅 황정견] 송(宋)나라의 시인(詩人). 자(字)는 노직(魯直), 호(號)는 산곡(山谷). 벼슬이 비서승(祕書丞)·국사편수관(國史編修官)에 이르렀으나, 신법당(新法黨)·구법당(舊法黨)의 알력(軋轢)에 휩쓸려 지방관(地方官)으로 좌천되었음. 강서시파(江西詩派)의 조(祖)로서 시는 소동파(蘇東坡)와 병칭(並稱)되었으며, 서예가(書藝家)로서도 송대(宋代) 사대가(四大家)의 한 사람으로 꼽힘.

[黃庭經 황정경] 도교(道敎)의 경서(經書). 〈황정내경경(黃庭內景經)〉·〈황정외경경(黃庭外景經)〉·〈황정둔갑연신경(黃庭遁甲緣身經)〉 등의 총칭(總稱).

[黃鳥 황조] 꾀꼬리.

[黃鐘 황종] ㉠십이율(十二律)의 하나인 양률(陽律). ㉡음력 11월의 별칭(別稱).

[黃鐘毀棄瓦釜雷鳴 황종훼기와부뇌명] 황종이 훼손되어 버려지고 질그릇 밥솥이 큰소리친다는 뜻으로, 군자(君子)가 배척당하고 소인(小人)이 발호(跋扈)함의 비유.

[黃宗羲 황종희] 명말(明末)·청초(淸初)의 유학자(儒學者), 자(字)는 태충(太冲), 호(號)는 남뢰(南雷) 또는 이주(梨洲). 명나라가 망하자 고향의 자제(子弟) 수백 명을 규합하여 청조(淸朝)에 대항하였으나, 복명(復明)의 희망이 끊어지자 고향으로 돌아가 학문에 몰두하였음. 그의 학문은 철학(哲學)·사학(史學)·천문학·수학 등 각 분야에 걸쳤으며, 송학(宋學)에 통하여 〈송원학안(宋元學案)〉·〈명유학안(明儒學案)〉 등을 저술하였음.

[黃塵 황진] ㉠누런 먼지. ㉡세상의 속사(俗事).

[黃泉 황천] ㉠저승. ㉡땅 밑의 샘.

[黃泉客 황천객] 죽은 사람.

[黃貂 황초] 노랑담비.

[黃土 황토] ㉠누런 흙. ㉡저승. ㉢황토로 만든 대황적색(帶黃赤色)의 채료.

[黃波 황파] 보리·벼 등의 익은 이삭이 바람에 나부끼어 물결치듯이 보임의 형용(形容).

[黃袍 황포] 황색의 웃옷. 수대(隋代) 이후의 천자의 예복임.

[黃鶴樓 황학루] 후베이 성(湖北省) 우창 현(武昌縣)의 서쪽 황허 산(黃鶴山) 서북쪽 강가에 있는 고루(高樓).

[黃頷兒 황함아] 젖내 나는 아이. 사람을 경멸하여 이르는 말.

[黃蛤 황합] 모시조개.

[黃閤 황합] ㉠재상(宰相)이 있는 관아(官衙). ㉡황문(黃門).

[黃墟 황허] 땅속. 지하(地下). 구천(九天).

[黃昏 황혼] 해가 지고 어둑어둑할 때. 어스레할 때.

[黃花 황화] 황국(黃菊)의 꽃. 또는 평지의 꽃.

[黃華 황화] ㉠노란 꽃. 곧, 황국(黃菊) 꽃. 전(轉)하여, 국화(菊花)의 별칭.

[黃禍 황화] 황인종인 아시아 사람이 백인종인 유럽 사람을 침략하리라는 공포.

[黃化物 황화물] 유황과 어떤 물질과의 화합물.

[黃暉 황휘] 황색의 햇빛.

[黃麾 황휘] 옛날 승여(乘輿)의 장식.

[黃羲 황희] 황제(黃帝) 헌원씨(軒轅氏)와 태호(太昊) 복희씨(伏羲氏).

●渠黃. 口中雌黃. 卵黃. 大黃. 騰黃. 麻黃. 飛黃. 蘇黃. 松黃. 純黃. 乘黃. 鴉黃. 鵝黃. 鴨黃. 熬黃. 外黃. 雄黃. 流黃. 硫黃. 銀黃. 雌黃. 雌黃. 鸞黃. 中黃. 地黃. 倉黃. 蒼黃. 榮花黃. 天地玄黃. 淺黃. 帖黃. 貼黃. 靑黃. 玄黃. 昏黃. 曛黃. 纁黃.

0
⑪ [黃] 黃(前條)과 同字

4
⑯ [黗] 돈 ㊼元 徒渾切 tún
字解 누른빛 돈 黗(黃部 八畫)과 同字. '黗, 黃色, 或从屯'《集韻》.

4
⑯ [黇] 〔돈〕
黗(黃部 八畫〈p. 2701〉)과 同字

4 [黋] 광 [平]陽 姑黃切 guāng 
⑯
[字解] 씩씩할 광, 날랠 광 굳세고 용감한 모양. '——將軍, 威蓋不當'《班固》.
[字源] 形聲. 尢+黃〔音〕

[黋黋 광광] 굳세고 용감한 모양. 무용(武勇)이 있는 모양.

4 [黅] 금 [平]侵 居吟切 jīn
⑯
[字解] 누를 금, 누른빛 금 '其穀玄—'《素問》.

4 [黆] 강 [去]漾 口浪切 kàng
⑯
[字解] 누를 강 '—, 博雅, 黃也'《集韻》.

5 [黈] 주(두[本]) [上]有 天口切 tǒu 
⑰
[字解] ①누를 주, 누른빛 주 '大夫倉, 士—'《穀梁傳》. ②귀막이솜 주 '—纊' 은 갓에 매달아 두 귀 옆에 늘어뜨린 노란 솜으로 만든 구형의 물건. 함부로 아무 말이나 듣지 않도록 경계하는 것임. '雖—纊塞耳而聽於無聲'《十八史略》. ③늘릴 주 증익(增益)함. '二皇聖哲—益'《馬融》.
[字源] 形聲. 黃+主〔音〕

[黈纊 주광] 자해(字解)❷를 보라.
[黈益 주익] 늘림. 더함. 증익(增益)함.

6 [黊] 규 [平]齊 戶圭切 huà
⑱
[字解] 곱게누를 규 선명한 황색. '—, 鮮明黃色也'《說文》.
[字源] 形聲. 黃+圭〔音〕. '圭규'는 맑다, 떳떳하다의 뜻.

6 [䵍] [一] 회 [上]賄 虎猥切 huì
⑱ [二] 유 [上]紙 榮美切 wěi
[三] 궤 [去]隊 古對切 kuì
[字解] [一] 누른빛 회 푸르스름한 누른빛. '—, 靑黃色也'《說文》. [二] 누른빛 유 [一]과 뜻이 같음. [三] 누른빛 궤 [一]과 뜻이 같음.
[字源] 形聲. 黃+有〔音〕

8 [䵎] 돈 [平]元 他昆切 tūn
⑳
[字解] 누른빛 돈 '—, 黃色'《集韻》.

8 [𪏲] 䵎(前條)과 同字
⑳

8 [𪏳] 〔굉〕
⑳ 𦢈(肉部 十二畫〈p. 1864〉)과 同字

8 [𪏴] 〔요〕
⑳ 曜(日部 十四畫〈p. 1002〉)와 同字

9 [䵑] 단 [平]寒 他官切 tuān
㉑
[字解] ①거망빛 단 짙게 검붉은 빛. '—, 黑黃色也'《說文》. ②누를 단, 누른빛 단 '—, 黃也'《廣雅》. ③사람이름 단 '—, 一說, 敎—, 梁四公子名'《集韻》.
[字源] 形聲. 黃+耑〔音〕

9 [𪏵] 〔주〕
㉑ 黈(黃部 五畫〈p. 2701〉)와 同字

9 [𪏶] 𪏷(次條)과 同字
㉑

10 [𪏷] 운 [上]吻 云粉切 yǔn
㉒
[字解] 얼굴빛누레질 운 안색이 갑자기 누레짐.
[參考] 𪏶(前條)은 同字.

10 [𪏸] 황 [平]陽 胡光切 huáng
㉒
[字解] 노른자 황 '—, 卵中黃'《集韻》.

12 [𪏹] 궤 [去]隊 古對切 guì
㉔
[字解] 앓는모양 궤 병든 모양. '—, 病皃'《集韻》.

13 [黌] 횡 [平]庚 戶盲切 hóng 
㉕
[字解] 학교 횡, 글방 횡 학문을 가르치는 곳. '更修—宇'《後漢書》.
[字源] 形聲. 學〈省〉+黃〔音〕. '黃황'은 '廣광'과 통하여 '넓다'의 뜻. 넓은 학교의 뜻을 나타냄.

[黌校 횡교] 횡우(黌宇).
[黌堂 횡당] 횡우(黌宇).
[黌門客 횡문객] 독서인(讀書人).
[黌舍 횡사] 횡당(黌堂).
[黌室 횡실] 횡우(黌宇).
[黌宇 횡우] 학문을 가르치는 곳. 학교.
◉庠黌. 脩黌. 春黌. 鄕黌.

黍 (12획) 部

〔기장서부〕

0 [黍] [人名] 서 [上]語 舒呂切 shǔ 
⑫
[筆順] 
[字解] ①기장 서, 찰기장 서 오곡(五穀)의 하나. '—稷' 으로 연용(連用)할 때에는 '—' 는 찰기장, '稷' 은 메기장임. ②무게의단위 서 기장 한 알의 중량으로, 중량의 단위. '十—' 를 '絫', '百—' 를 '銖' 라 함. 전(轉)하여, 극소의 중량. '權輕重者, 不失—絫'《漢書》. ③술그릇 서 서 되들이 주기(酒器). '操—酒'《呂氏春秋》.
[字源] 甲骨文 金文 篆文 篆文 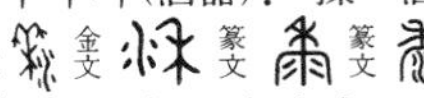 會意. 본디 禾+水. '禾화'는 '벼'의 뜻. '水수'는 '물'의 뜻. 물은 액체인 술을

12획

나타내며, 술의 재료로 알맞은 기장의 뜻을 나타냄. 《說文》에서는 禾+雨〈省〉〔音〕의 形聲으로 봄.

[參考] '黍서'를 의부(意符)로 하여 찰기장이 차진 데서, '차지다, 차진 것'을 나타내는 문자를 이룸. 부수 이름은 '기장서'.

[黍稻 서도] 기장과 벼.
[黍絫 서루] 극소의 중량. 자해 (字解)❷를 보라.
[黍離之歎 서리지탄] 나라가 망하고 종묘·궁전이 없어져 그 터가 기장 밭이 된 탄식. 곧, 세상의 영고성쇠 (榮枯盛衰)가 무상한 탄식.
[黍苗若仰陰雨 서묘약앙음우] 기장의 이삭이 비를 바라듯이 임금의 은택 (恩澤)을 입기를 절망 (切望)하는 뜻.
[黍酒 서주] ㉠술 그릇의 이름. 약 서 로 듦. ㉡기장으로 빚은 술.
[黍稷 서직] 찰기장과 메기장.
[黍禾 서화] 기장.
●角黍. 鉅黍. 鷄黍. 團黍. 摶黍. 麥黍. 食黍. 玉蜀黍. 委黍. 稷黍. 薦黍. 春黍. 炊黍. 禾黍. 黃黍. 黑黍.

3/⑮ [黎] [人名] 려 ㉠齊 郎奚切 lí

[筆順] 一 千 禾 秒 秒 黎 黎 黎

[字解] ①검을 려 黧(黑部 八畫)와 同字. '厥土靑一'《書經》. ②많을 려, 뭇 려 중서(衆庶). '一民', '群一百姓'《詩經》. ③녘 려 무렵. '一明圍宛城'《史記》.

[字源] [篆文] 形聲. 黍+利〈省〉〔音〕. '利리'는 '隣린'과 통하여 '이웃하다'의 뜻. 이웃하는 기장의 뜻에서 '많다'의 뜻을 나타냄. 또 '黐린'과 통하여 희미한 빛, 검다, 새벽녘의 뜻도 나타냄.

[黎明期 여명기] 국가나 사회에서 새로운 문화 따위가 일어나려는 즈음.
[黎民 여민] 뭇사람. 서민. 백성.
[黎庶 여서] 여민 (黎民).
[黎首 여수] 여민 (黎民).
[黎元 여원] 여민 (黎民).
[黎杖 여장] 명아주의 지팡이. 여 (黎)는 여 (藜).
[黎獻 여헌] 어진 백성. 여 (黎)는 현 (賢).
●黔黎. 群黎. 氓黎. 萌黎. 生黎. 庶黎. 遠黎. 遺黎. 重黎. 烝黎. 懸黎.

3/⑮ [黏] 黎(前條)의 本字

3/⑮ [黐] 〔닐·일〕 黏(黍部 四畫〈p.2702〉)과 同字

4/⑯ [黐] 黏(前前條)의 訛字

4/⑯ [黐] 〔려〕 犂(牛部 八畫〈p.1383〉)와 同字

4/⑯ [黏] ▤ 닐 ㉠質 尼質切 nì ▤ 일 ㉠質 入質切

[字解] ▤ 붙을 닐 '一, 黏也'《說文》. ▤ 붙을 일

▤과 뜻이 같음.
[字源] 形聲. 黍+日〔音〕

4/⑯ [黐] 뉴 ㉤有 女九切 niǔ

[字解] 차질 뉴 곡식이 메지지 않고 차짐. '一, 黏也'《集韻》.

4/⑯ [黐] 근 ㉠吻 几隱切 jǐn ㉤問 渠欣切

[字解] 차질 근 곡식이 끈기가 있음. '一, 黏也'《廣雅》.

5/⑰ [黐] 필 ㉠屑 薄必切 bì

[字解] 향기로울 필 苾 (艸部 五畫)·苾(香部 五畫)과 同字. '苾, 說文, 馨香也, 或从黍'《集韻》. '一, 俗苾字'《正字通》.

5/⑰ [黐] 네 ㉤薺 奴禮切 nǐ

[字解] 차질 네 곡식이 차짐. '一, 黏也'《玉篇》.

5/⑰ [黏] 점 ㉤鹽 女廉切 nián

[字解] ①차질 점 끈기가 있음. '一土'. '泥一雪滑, 足力不堪'《白居易》. ②붙을 점 착 달라붙음. '一着'. ③떡 점, 죽 점 떡 또는 죽. '飯一一粒'《晉書》.

[字源] [篆文] 形聲. 黍+占〔音〕. '占점'은 '拈점'과 통하여 손으로 집다의 뜻. 기장 따위를 손으로 집어서 느끼는 차진 기운의 뜻을 나타냄.

[黏米 점미] 찹쌀.
[黏液 점액] 끈끈한 액체.
[黏着 점착] 틈이 없이 착 붙음. 달라붙음.
[黏土 점토] 차진 흙.
●飯黏. 泥黏.

5/⑰ [黐] 黐(次條)와 同字

6/⑱ [黐] 나 ㉤馬 女下切 nǎ

[字解] 척척들러붙을 나 끈기가 대단함. 黐(黍部 五畫)와 同字. '一, 黐一, 粘也, 或作黐'《集韻》.

8/⑳ [黐] 권 ㉤阮 苦遠切 quǎn

[字解] ①넓을 권 '一, 博也'《玉篇》. ②차질 권 메지지 않음. '一, 黏一'《廣韻》. ③가루 권, 둥글게뭉칠 권 '黐, 說文, 粉也, 一曰, 饐黐, 博也, 或从黍'《集韻》.

8/⑳ [黐] 동 ㉤董 多動切 dǒng

[字解] ①차진모양 동 메지지 않음. '一, 舊注, 黏貌'《正字通》. ②올라가지않을 동 '一, 欐一, 不上'《廣韻》.

9
㉑ [種] 糠(前條)과 同字

9
㉑ [黏] 점(녑㊈) ㊥鹽 尼占切 nián
字解 마음붙일 점 무엇에 생각을 둠. '一, 心有所着'《集韻》.

10
㉒ [稻] 도 ㊥晧 土皓切 tǎo
字解 옥수수 도 '一黍'는 옥수수. '關西呼蜀黍曰一黍'《集韻》.

11
㉓ [糎] 리 ㊥支 呂支切 lí
字解 끈끈이 리 새·벌레 같은 것을 잡는 물질. '一, 所以黏鳥'《廣韻》.
字源 形聲. 黍+离〔音〕

[糎黏 이점] 끈끈이.

11
㉓ [糎] ▤ 닉 ㊈職 昵力切 nì ▤質 入質切
字解 ▤ 차질 닉 메지지 않고 차짐. '一, 黏也'《集韻》. ▤ 䵃(黍部 四畫)의 俗字.

13
㉕ [糣] 농 ㊤董 乃董切 nǒng
字解 ①과일 농 먹는 과실(果實). '一, 果子總名'《字彙》. ②농사할 농 '一, 耕種也'《玉篇》.

黑 (12획) 部
〔검을흑부〕

0
⑫ [黑] ㊥入 흑 ㊈職 呼北切 hēi
筆順 丨丬刊刊四甲里里黑黑
字解 ①검은빛 흑, 흑색 흑 ㊀오색(五色)의 하나. '漆一'. '夏后氏尙一'《禮記》. ㊁'白'에 대하여 나쁜 것의 뜻으로 쓰임. '一白分明'. '心不染一'《法苑珠林》. ②검을 흑 ㊀빛이 검음. '厥土一墳'《書經》. ㊁마음이 검음. '心一'. ③어두울 흑 일광이 어두움. '暗一, 日一, 大風起天'《漢書》. ④거메질 흑 거멓게 됨. '池水盡一'《魏志, 註》. ⑤양 흑, 돼지 흑 양 또는 돼지. '以其騂一'《詩經》. ⑥성 흑 성(姓)의 하나.
字源 金文 𤋱 篆文 𤰃 象形. 위쪽의 굴뚝에 검댕이 차서, 아래쪽에 불길이 오르는 모양을 본떠, '검다'의 뜻을 나타냄.
參考 '黑흑'을 의부(意符)로 하여, 검은빛이나 검은 것을 나타내는 문자를 이룸. 부수 이름은 '검을흑'.

[黑角 흑각] 물소의 뿔.
[黑褐色 흑갈색] 검은빛을 띤 짙은 갈색.
[黑尻 흑고] '황새'의 별명.
[黑鬼子 흑귀자] 살빛이 검은 사람을 조롱하여 이

르는 말.
[黑禽 흑금] 능금의 이명(異名). 금(禽)은 금(檎).
[黑奴 흑노] 흑귀자(黑鬼子).
[黑檀 흑단] 감나뭇과에 속하는 상록 교목(常綠喬木). 둥글둥글한 열매가 익으면 적황색(赤黃色)이 되며, 심재(心材)는 오목(烏木)이라 함.
[黑糖 흑당] 검은 설탕(雪糖).
[黑頭公 흑두공] 머리가 세지 아니한 삼공(三公). 곧, 소장(少壯)의 재상.
[黑潦 흑로] 길 같은 데 괸 흙탕물.
[黑龍江 흑룡강] ㊀만주 북경(北境)·시베리아의 동남부를 동쪽으로 흘러, 타타르 해협(海峽)으로 들어가는 강. ㊁중국 북동부, 헤이룽 강을 사이로 러시아와 접하는 성(省). 몽골 족·솔론 족 등의 소수 민족이 거주함. 성도(省都)는 하얼빈(哈爾濱).
[黑眸 흑모] 검은 눈동자.
[黑牡丹 흑목단] '소〔牛〕'의 별칭(別稱).
[黑髮 흑발] 검은 머리털.
[黑白 흑백] ㊀검은빛과 흰빛. ㊁옳은 것과 그른 것. 선악(善惡).
[黑白分明 흑백분명] 시비선악(是非善惡)이 분명함.
[黑白差 흑백차] 매우 큰 차이를 이름.
[黑死病 흑사병] 급성 전염병(傳染病)의 한 가지. 오한(惡寒)·고열·두통 등이 일어남. 페스트.
[黑色 흑색] 검은빛.
[黑黍 흑서] 옻기장.
[黑錫 흑석] '연〔鉛〕'의 별칭. 땜납.
[黑窣窣 흑솔솔] 마음속이 어쩐지 불안한 모양.
[黑松 흑송] 소나무의 일종(一種). 껍질이 검고 잎이 굵고 긺. 곰솔.
[黑心 흑심] 검측스러운 마음.
[黑暗 흑암] 껌껌하고 어두움.
[黑夜 흑야] 깜깜한 밤. 매우 어두운 밤.
[黑煙 흑연] 검은 연기.
[黑鉛 흑연] 납과 같은 광택(光澤)이 있는 검고 연(軟)한 광물. 연필심으로 쓰임.
[黑曜石 흑요석] 회색 또는 흑색의 파리질(玻璃質)의 화산암(火山岩). 오석(烏石).
[黑雲 흑운] 검은 구름. 먹구름.
[黑月 흑월] 음력에서 달의 하반기(下半期), 곧, 15일 이후.
[黑油麻 흑유마] 검은깨. 흑임자.
[黑衣 흑의] ㊀검은 옷. ㊁위사(衛士)의 일컬음. 검은 옷을 입으므로 이름. ㊂검게 물들인 옷. 중의 옷. 전(轉)하여, 중.
[黑衣宰相 흑의재상] 중으로서 천하의 정권에 참여하는 사람.
[黑人 흑인] 흑인종(黑人種)에 속(屬)하는 사람.
[黑人種 흑인종] 인종의 하나. 피부(皮膚)는 흑색(黑色) 혹은 흑갈색(黑褐色), 머리털은 흑색이며 코는 납작하고 턱은 쑥 나온 것이 특징임.
[黑荏子 흑임자] 검은깨.
[黑子 흑자] ㊀사마귀. ㊁좁은 지역(地域)의 비유. ㊂바둑의 검은 돌.
[黑鳥 흑조] 까마귀.
[黑質 흑질] 검은 몸.
[黑甜 흑첨] 낮잠. 오수(午睡).
[黑貂之裘 흑초지구] 검은담비의 갖옷.
[黑齒 흑치] 검게 염색한 이.
[黑齒雕題 흑치조제] 이를 검게 염색하고 이마에 자문(刺文)을 함. 야만(野蠻)의 풍속(風俗).

12
획

[黑炭 흑탄] 석탄의 한 가지. 무연탄과 갈탄(褐炭)의 중간치.
[黑表 흑표] 위험인물의 주소·성명을 적은 장부. 블랙리스트.
[黑風 흑풍] 하늘이 흐린 뒤에 부는 거센 바람.
[黑風白雨 흑풍백우] 거센 바람과 소나기.
[黑胡麻 흑호마] 검은깨. 흑임자.
[黑花蛇 흑화사] 빛이 검은 뱀. 먹구렁이.
◉黛黑. 黴黑. 白黑. 純黑. 深黑. 鴉陣黑. 暗黑. 黯黑. 黧黑. 陰黑. 赤黑. 窈黑. 正黑. 塵黑. 黰黑. 蒼黑. 淺黑. 靑黑. 醜黑. 漆不厭黑. 漆黑. 昏黑. 曛黑.

1 ⑬ [⿰黑乚] 알 [入]黠 乙黠切 yà

[字解] 시커멀 알 아주 검음. '圖像之威, 一昧就滅'《韓愈》.

[⿰黑乚昧 알매] 아주 검어 알 수 없음.

2 ⑭ [⿰黑刂] 〔경〕
黥(黑部 八畫〈p. 2707〉)과 同字

[墨] 〔묵〕
土部 十二畫(p. 466)을 보라.

3 ⑮ [黓] 익 [入]職 與職切 yì

[字解] 검을 익 빛이 검음. 약(略)하여, '弋'으로 씀. '身衣一綈'《漢書》.
[字源] 形聲. 黑+弋〔音〕

3 ⑮ [⿰黑大] 대 ①②④[去]泰 徒蓋切 dài
③[去]泰 他蓋切 tài

[字解] ①검은자국 대 '一, 黑跡'《廣韻》. ②검을 대 '一, 黑也'《集韻》. ③몹시검을 대 '一, 黑甚'《集韻》. ④黛(黑部 五畫)의 俗字.

3 ⑮ [⿰黑乇] 〔탄·돈〕
黗(黑部 四畫〈p. 2704〉)과 同字

3 ⑮ [⿰黑干] 간 [上]旱 古旱切 gǎn

[字解] ①검을 간 '一, 黑色'《玉篇》. ②기미낄 간 皯(皮部 三畫)과 同字.
[字源] 形聲. 黑+干〔音〕

4 ⑯ [黔] [人名] [一] 검 [平]鹽 巨淹切 qián
[二] 금 [平]侵 巨金切 qián

[字解] [一] ①검을 검 '安一首'《戰國策》. ②거메질 검 거멓게 됨. '墨突不得一'('墨突'은 묵자(墨子)의 집의 굴뚝)《韓愈》. [二] ①귀신이름 금 '一嬴'. ②성 금 성(姓)의 하나.
[字源] 篆文 形聲. 黑+今〔音〕. '今금'은 '덮다'의 뜻. 야외에서 일을 하여 볕에 탄 사람들의 뜻에서, 또 일설에는 목까지 덮인 검은 두건의 뜻에서, '검다'의 뜻을 나타낸다고 함.

[黔突 검돌] 검은 굴뚝. 꺼메진 연돌.
[黔黎 검려] 검수(黔首).
[黔驢之技 검려지기] 검주(黔州)는 나귀가 없는 땅이라 어떤 사람이 나귀를 타고 그곳을 지나는데 범이 보고 대단히 무서워했으나, 그 후 나귀가 범을 발길로 찼던 바 범은 나귀가 그 밖의 기능(技能)이 없음을 알고 마침내 나귀를 물어 죽였다는 이야기. 사람의 졸렬한 기능의 비유.
[黔庶 검서] 검수(黔首).
[黔細 검세] 검우(黔愚). 세(細)는 세민(細民).
[黔首 검수] 백성. 관을 쓰지 않아 검은 머리를 드러내고 있다는 뜻.
[黔愚 검우] 백성. 국민.
[黔沈 검침] 마음이 음흉함. 검측스러움.
[黔雷 금뢰] 금영(黔嬴).
[黔嬴 금영] 조화(造化)의 신(神)의 이름.

4 ⑯ [黗] [一] 탄 [上]阮 他袞切
[二] 돈 [平]元 他昆切 tūn

[字解] [一] ①누렇게흐린검은빛 탄 '一, 黃濁黑也'《說文》. ②검을 탄 '一, 黑也'《廣雅》. [二] 누렇게 흐린검은빛 돈, 검을 돈 [一]과 뜻이 같음.
[字源] 形聲. 黑+屯〔音〕

4 ⑯ [黕] 담 [上]感 都感切 dǎn

[字解] ①때 담 끼거나 묻은 더러운 것. '或一點而汙之'《楚辭》. ②검을 담 검은 모양. '翠幕一以雲布'《潘岳》.
[字源] 篆文 形聲. 黑+冘〔音〕. '冘음'은 '가라앉다'의 뜻. 액체에 가라앉은 찌꺼기, 앙금의 뜻을 나타냄.

[黕點 담점] 더럽힘.

4 ⑯ [⿱开黑] 견 [上]銑 吉典切 jiǎn

[字解] ①검을 견 '一, 黑也'《廣雅》. ②살갗검을 견 '一, 皮黑'《篇海》. ③주름살 견 검은 주름살. '一, 皮皺'《字彙》. ④䵡(黑部 六畫〈p. 2707〉)과 同字.

4 ⑯ [⿰黑旦] 〔달〕
黵(黑部 五畫〈p. 2706〉)과 同字

4 ⑯ [⿰黑太] 태 [去]泰 他蓋切 tài

[字解] 시커멀 태 몹시 검음. '一, 黑甚'《字彙》.

4 ⑯ [⿰黑亢] 항 [平]陽 虛郞切 hāng

[字解] 검은모양 항 '一, 黑皃'《集韻》.

4 ⑯ [黖] 기 [去]未 許旣切 xì

[字解] 날 기 물건이 생기는 모양. '萬物蠢生, 芒芒一一'《左思》.

[黖黖 기기] 물건이 나거나 생기는 모양.

4 ⑯ [默] [高人] 묵 [入]職 莫北切 mò

[筆順]

字解 ①잠잠할 묵 ㉠말이 없음. '―然'. '終日―如愚'《列仙傳》. ㉡조용하여 아무 소리가 없음. '至道之極, 昏昏――'《莊子》. ②입다물 묵 말을 하지 아니함. '或―或語'《易經》. ③성묵 성(姓)의 하나.

字源 篆文 默 形聲. 犬+黑〔音〕. '黑흑'은 검다, 움직임이 없다의 뜻. 개가 입을 다물고 사람을 따라가다의 뜻에서, 입을 다물다의 뜻을 나타냄.

参考 默(次條)은 同字.

[默契 묵계] ㉠마음속으로 서로 승낙함. ㉡은연중에 서로 뜻이 통함.
[默考 묵고] 말없이 마음속으로 생각함.
[默稿 묵고] 심중에서 구상한 시문(詩文) 등의 초안.
[默記 묵기] 무언중에 기억해 둠.
[默諾 묵낙] 무언중에 승낙함.
[默念 묵념] ㉠묵묵히 생각함. ㉡묵도(默禱).
[默禱 묵도] 마음속으로 빎. 말없이 기도(祈禱)함.
[默禮 묵례] 말없이 머리를 숙여 절함.
[默默 묵묵] ㉠입을 다물고 말을 아니하는 모양. ㉡조용하여 아무 소리가 없는 모양. 허무한 모양.
[默思 묵사] 묵고(默考).
[默寫 묵사] ㉠묵묵히 적거나 그림. ㉡보지 않고 기억에 의하여 적거나 그림.
[默想 묵상] 묵고(默考).
[默省 묵성] 말없이 조용히 반성함.
[默示 묵시] 직접(直接)으로 밝히어 말은 아니하나, 간접(間接)으로 의사(意思)를 표시(表示)함. 계시(啓示).
[默識 묵식] 무언중에 깊이 이해함.
[默識心通 묵식심통] 남이 말한 것을 암묵리(暗默裡)에 깨달아 피차의 마음이 서로 통함.
[默言 묵언] 말하지 아니함.
[默然 묵연] 잠잠히 있는 모양.
[默吟 묵음] 소리 없이 시(詩)를 읊음.
[默認 묵인] 암묵리(暗默裡)에 용인함.
[默存 묵존] 말없이 생각함. 묵상(默想). 묵고(默考).
[默坐 묵좌] 묵묵히 앉아 있음.
[默坐澄心 묵좌징심] 묵묵히 앉아 마음을 가라앉힘.
[默重 묵중] 말이 적고 신중(愼重)함.
[默許 묵허] 묵인(默認).
●箝默. 謙默. 拱默. 恭默. 寡默. 憫默. 愼默. 暗默. 瘖默. 語默. 淵默. 恬默. 靜默. 沈默. 退默. 緘默. 玄默. 顯默.

4
⑮ [默] 默(前條)과 同字

4
⑯ [朏] 〔우〕 朓(肉部 四畫〈p.1837〉)의 籒文

5
⑰ [黜] 人名 출 ㉠質 丑律切 chù 黜

字解 ①떨어뜨릴 출 관위(官位)를 낮춤. '姦人附勢, 我將陟之, 直士抗言, 我將一之'《王禹偁》. ②물리칠 출 ㉠쫓아냄. '一公者, 非吾意也'《公羊傳》. ㉡없애 버림. 억제함. '君將一嗜欲'《莊子》. ㉢폐함. 버림. '公一太子申生'《國語》.

字源 篆文 黜 形聲. 黑+出〔音〕. '出출'은 '내다'의 뜻. '黑흑'은 형벌로서의 자자(刺字)의 뜻. 벌을 주어 쫓아내다, 물리치다의 뜻을 나타냄.

[黜遣 출견] 출방(黜放).
[黜敎 출교] 배도(背道)한 교도(敎徒)를 제명(除名)하여 내쫓음.
[黜棄 출기] 물리쳐 버림.
[黜嫚 출만] 출만(黜慢).
[黜慢 출만] 내쫓고 업신여김.
[黜免 출면] 관직을 파면하여 물리침.
[黜剝 출박] 관직을 박탈하여 물리침.
[黜放 출방] 물리쳐 내침.
[黜罰 출벌] 관직을 삭탈하고 벌을 줌.
[黜陞 출승] 관직을 떨어뜨림과 올림.
[黜遠 출원] 물리쳐 멀리함.
[黜刺 출자] 물리치고 책망함.
[黜責 출책] 물리쳐 견책함.
[黜斥 출척] 물리쳐 쓰지 아니함.
[黜陟 출척] 관직을 혹은 떨어뜨리고 혹은 올림. 무능한 사람을 물리치고 유능한 사람을 등용함.
[黜退 출퇴] 관직을 떨어뜨려 물리침.
[黜廢 출폐] 폐기(廢棄)함.　　「음.
[黜學 출학] 학생(學生)을 학교(學校)에서 내쫓
[黜會 출회] 회(會)에서 내쫓음. 회(會)에서 제외(除外)함.
●減黜. 降黜. 譴黜. 糾黜. 免黜. 放黜. 屛黜. 削黜. 陞黜. 抑黜. 裁黜. 左黜. 竄黜. 責黜. 斥黜. 遷黜. 罷黜. 貶黜. 廢黜. 褒黜. 顯黜.

5
⑰ [黝] 유 ㉠有 於糾切 yǒu 黝

字解 ①검푸른빛 유, 검푸른 청흑색. 약간 푸른빛을 띤 검정. '陰祀用一牲'《周禮》. ②칠할 유 바름. '旣祥――堊'《禮記》.

字源 篆文 黝 形聲. 黑+幼〔音〕. '幼유'는 '幽유'와 통하여, 빛이 희미하다의 뜻. 엷게 푸르스름한 검은빛의 뜻을 나타냄.

[黝糾 유규] 특출(特出)한 모양. 또, 삼림(森林)이 연해 둘러 있는 모양.
[黝賁 유분] 북궁유(北宮黝)와 맹분(猛賁)의 두 용사. 맹자가 나이 40세에 부동심(不動心)으로 참된 용기를 얻었다 하여 유분(黝賁)의 혈기지용(血氣之勇)과 비교하여 논한 일이 있음.
[黝牲 유생] 빛이 검푸른 희생.
[黝堊 유악] 검푸르게 칠할 것은 칠하고 흰 것을 바를 데는 바름.
[黝藹 유애] 수목이 무성한 모양.
[黝牛 유우] 검푸른 소.
[黝黝 유유] 검푸른 모양. 나무가 무성하여 침침한 모양.
●紺黝. 騂黝. 深黝.

5
⑰ [點] 高人 점 ㉠琰 多忝切 diǎn 点 點

筆順 丨 冂 日 旦 里 黒 黒 點

字解 ①점 점 ㉠세소(細小)한 흔적. '斑一'. '血一'. '其白質如玉, 紫一爲文'《詩經》. ㉡문장의 구절(句節) 또는 사물 표지(標識)로 찍는 작은 표(標). '句一'. '訓一'. '凡所讀, 無加

標一《宋史》. ㉒글자를 쓸 때 찍는 작은 획.
'一書'. '每作一一, 如高峯墜石'《王羲之》. ㉣
평가(評價)할 때 또는 선악 등을 지적하는 데
쓰는 말. '評一, 長一'. ⑤시간. '午後三一'.
'難三號, 更五一'《韓愈》. ㉔군데. 개소(個所).
부분. '到着一'. '要一'. '論一'. ㉗문자의 말
소 또는 자구의 정정. '覽筆而作, 文無加一'《後
漢書》. ②흠 점 결함. '汚一, 百行無一'《劉孝標》. ③
물방울 점 우적(雨滴). '雨一墮車軸'《陸游》. ④
잎 점 떨어지는 꽃잎·나뭇잎 따위. '風飄萬一正
愁人'《杜甫》. ⑤점찍을 점 '一其點'《王羲之》. ⑥
조사할 점 세밀히 조사함. '一檢'. ㉗끄덕거릴
점 승낙하는 뜻으로 머리를 앞뒤로 흔듦. '一
頭'. ⑧켤 점 불을 붙임. '一火'. '一燈'. '火一
伊陽村'《岑參》. ⑨따를 점 액체를 부음. '露一
蜜飴《梁簡文帝》. ⑩가리킬 점 지시함. '指一
下'《白居易》. ⑪더럽힐 점 더럽게 함. '適足以
見笑而自一耳'《司馬遷》.

[字源] 形聲. 黑+占[音]. '占점'은 특정한
장소를 차지하다의 뜻. 작고 검은 점
의 뜻을 나타냄.

[參考] ①点(火部 五畫)은 俗字. ②奌(大部 五
畫)은 略字.

[點勘 점감] 표를 해 놓으며 조사함. 일일이 조사
함.
[點檢 점검] 낱낱이 조사(調査)함. 자세히 검사
(檢查)함.
[點缺 점결] 흠. 결점.
[點鬼簿 점귀부] 죽은 사람의 이름을 적은 명부.
[點茶 점다] 차(茶)를 넣음.
[點頭 점두] 응낙(應諾)하거나 옳다는 뜻으로 머
리를 끄덕거림.
[點燈 점등] 등(燈) 불을 켬.
[點名 점명] 학생(學生)·군사(軍士) 등의 점호(點
呼).
[點募 점모] 가려 모집함.
[點發 점발] 한 글자에 여러 음(音)
이 있어 그 음에 따라 의미(意味)
가 달라질 경우에 글자의 네 귀에
점 또는 동그라미를 하여 사성(四
聲)을 나타내는 일. 권발(圈發).
[點線 점선] 점을 이어서 찍어 놓은
줄.
[點數 점수] ㉠숫자로 나타낸 평가. ㉡물건의 수
효.
[點試 점시] 조사하여 시험함.
[點心 점심] ㉠간식(間食). ㉡(韓) 낮 끼니로 먹
는 음식.
[點眼水 점안수] 안약(眼藥).
[點額 점액] ㉠잉어가 용문(龍門)을 거슬러 올라
가면 용이 되고, 올라가지 못한 것은 이마를 상
하여 돌아온다는 뜻으로, 고시(考試)에 낙제함
을 이름. ㉡머리를 숙여 공손히 절함.
[點染 점염] ㉠물들임. 더럽힘. ㉡오예(汚穢). ㉢
그림을 그림. 칠함.
[點汚 점오] 더럽힘.
[點辱 점욕] ㉠더럽힘. ㉡욕보임.
[點字 점자] 맹인용(盲人用)의 기호 문자. 두꺼운
종이에 도도록하게 크고 작은 여섯 개의 구멍
을 뚫어 표기함. 손가락 끝으로 더듬어서 읽음.
[點在 점재] 점을 찍은 것처럼 여기저기 산재함.
[點滴 점적] 처마에서 떨어지는 물방울. 낙숫물.
[點點 점점] ㉠점을 찍은 것처럼 여기저기 흩어진

모양. ㉡물방울이 뚝뚝 떨어지는 모양. ㉢땀방
울을 이름.
[點定 점정] 문장을 조사하여 고침.
[點睛 점정] 눈에 눈동자를 그림. 중요한 점을 가
(加)함. '화룡점정(畫龍點睛)' 참조.
[點竄 점찬] 글을 고쳐 씀. 문장(文章)의 자구(字
句)를 고쳐 씀.
[點綴 점철] ㉠점을 찍은 것처럼 띄엄띄엄 여기저
기 흩어져 있음. ㉡점을 찍고 선을 그림. ㉢그
림의 운필(運筆).
[點鐵成金 점철성금] 쇳덩이를 다루어서 황금(黃
金)을 만듦. 나쁜 것을 고쳐서 좋은 것으로 만
듦의 비유(比喩). 「음.
[點穴 점혈] 뜸질할 급소(急所)에 먹으로 점을 찍
[點化 점화] ㉠풍속을 더럽힘. ㉡도가(道家)에서
종래의 물건을 고쳐 새롭게 함을 이름. ㉢전인
(前人)이 만든 시문(詩文)을 고쳐 신기축(新機
軸)을 내놓음.
[點火 점화] 불을 붙임.
[點畫 점획] 문자의 점과 획.

◉加點. 絳點. 據點. 缺點. 觀點. 光點.交點.
句頭點. 句點. 灸點. 圈點. 極點. 起點. 基點.
難點. 論點. 到着點. 得點. 萬綠叢中紅一點.
滿點. 盲點. 無點. 美點. 半點. 返點. 斑點.
沸騰點. 批點. 氷點. 時點. 視點. 弱點. 零點.
汚點. 要點. 雨點. 原點. 利點. 一點. 自點.
接點. 頂點. 終點. 朱點. 中心點. 重點. 支點.
地點. 指點. 次點. 採點. 焦點. 總點. 出發點.
特點. 痛點. 評點. 標點. 血點. 紅一點. 訓點.
黑點.

5 ⑰ [黔]
一 겸 ㉔鹽 巨淹切 qián
二 금 ㉔侵 巨金切
三 감 ㉔勘 古暗切

[字解] 一 ①검누를 겸 '一, 淺黃黑也'《說文》. ②
검을 겸 '一, 黑也'《廣雅》. ③물이름 겸 구이저
우 성(貴州省) 쭌이 현(遵義縣) 부근을 흘러 양
쯔 강(揚子江)으로 흘러드는 강. '一, 水名. 南
至鳖入江. 再檴爲'《集韻》. 二 검누른빛 금 '一,
黃黑色'《集韻》. 三 검을 감 '一, 博雅, 黑也'《集
韻》.
[字源] 形聲. 黑+甘[音].

5 ⑰ [黮]
달 ㉔曷 當割切 dá

[字解] ①흰가운데있는검은기 달 '一, 白而有黑也'
《說文》. ②검고윤기날 달 '一, 黑而有艷曰一'《字
統》. ③고을이름 달 '一, 莫一縣, 在五原'《廣
韻》.
[字源] 形聲. 黑+旦[音].

5 ⑰ [黈]
주 ㉔麌 知庾切 zhǔ

[字解] 점 주 붓으로 찍는 점. '黝一點黬'《衛常》.
[字源] 形聲. 黑+主[音].

◉黝黈.

5 ⑰ [黛]
㉔隊 徒耐切 dài

字解 ①눈썹먹 대 눈썹을 그리는 청흑색의 먹. '粉一'. '眉一'. '靑一'. '粉白一黑'《楚辭》. 또, 눈썹먹으로 그린 눈썹. '怨一舒還敏'《梁元帝》. ②검푸를 대 산이 검푸른 모양. '翠一'. '一樹'. '山撥一水接藍'《黃庭堅》.
字源 形聲. 黑+代〔音〕. '代대'는 '갈음하다'의 뜻. 사람의 눈썹 대신 쓰이는 검은 먹, '눈썹먹'의 뜻을 나타냄.

[黛螺 대라] ㉠화가가 쓰는 청록색의 안료(顏料). ㉡여자의 눈썹을 그리는 먹과 소라의 모양으로 쪽 찐 머리. ㉢멀리 검푸르게 보이는 산의 형용.
[黛綠 대록] 눈썹을 그린 먹이 검푸름. 미인(美人)의 형용.
[黛面 대면] 눈썹을 그린 얼굴.
[黛墨 대묵] 눈썹을 그리는 먹. 눈썹먹.
[黛眉 대미] 먹으로 그린 눈썹.
[黛樹 대수] 멀리 파랗게 보이는 나무를 눈썹먹에 견주어 이른 말.
[黛靑 대청] 눈썹먹처럼 검푸름.
[黛鬟 대환] 검고 윤이 나는 머리.
[黛黑 대흑] 대묵(黛墨).
●綠黛. 濃黛. 眉黛. 薄黛. 粉黛. 昂黛. 鉛黛. 遠山黛. 靑黛. 秋黛. 春黛. 翠黛. 紅黛.

6/18 [黓] 울 ㊇物 於勿切 yù
字解 ①검을 울 '一, 黑也'《字彙》. ②깊을 울 '一, 深也'《海篇》. ③黝(黑部 八畫)의 訛字.

6/18 [黓] 이 ㊃支 於脂切 yī
字解 검을 이 빛이 검음. '一然黑者爲星星'《歐陽修》.
字源 形聲. 黑+多〔音〕. '多다'는 '많다'의 뜻. 검은 기가 많은 나무의 뜻을 나타냄.

[黓然 이연] 검은 모양.

6/18 [黰]
一 견 ㊤銑 吉典切 jiǎn
현 ㊤銑 胡典切 xiàn
전 ㊤銑 多殄切
字解 一 ①검은주름 견 '一, 黑皴也'《說文》. ②검을 견 검은 모양. '一, 黑也'《廣韻》. 二 검은주름 현, 검을 현 曰과 뜻이 같음. 三 검을 전 '一, 黑也'《廣雅》.
字源 形聲. 黑+幵〔音〕.

6/18 [黠] 할(힐)㊗ ㊇點 胡八切 xiá
字解 ①약을 할 혜민(慧敏)함. '凝一各半'《晉書》. ②교활할 할 간교함. '狡一'. '姦一'. 또, 교활한 사람. '彈豪糾一'《皇甫湜》.
字源 形聲. 黑+吉〔音〕. '吉길'은 '堅견'과 통하여 '굳다'의 뜻. 검고 굳다는 뜻을 나타냄. 또 '賢현'과 통하여 '교활하다'의 뜻도 나타냄.

[黠奴 할노] 교활한 놈.
[黠鼠 할서] 교활한 쥐.

[黠兒 할아] 꾀 많은 아이. 약은 아이.
[黠智 할지] 교활한 지혜.
[黠慧 할혜] 약음. 꾀가 많음.
[黠繪 할회] 간교(奸巧)함. 교활함.
●奸黠. 姦黠. 健黠. 桀黠. 輕黠. 警黠. 狡黠. 敏黠. 汚黠. 陰黠. 捷黠. 癡黠. 慧黠. 豪黠. 凶黠.

7/19 [黣] 매 ㊤賄 米水切 měi
字解 검을 매 피부가 거무스름함. '肌色黣一'《列子》.
字源 形聲. 黑+每〔音〕.

●奸黣.

7/19 [黭] 맘 ㊤濂 亡范切 wǎn
字解 ①어둠속에걸어갈 맘 '一, 闇行也'《集韻》. ②캄캄할 맘 몹시 어두움. '一, 暗也'《字彙》.

[黡] 〔숙〕 人部 十七畫(p. 187)을 보라.

8/20 [黤] 암 ①㊤濂 於檻切 yǎn
②㊤感 烏感切
字解 ①검푸를 암 청흑색. ②어두울 암 '一黮'은 일광이 어두운 모양. '一黮玄夜陰'《劉伶》.
字源 形聲. 黑+奄〔音〕. '奄엄'은 '가리다, 덮다'의 뜻.

[黤黮 암탐] 어두운 모양.

8/20 [黥] 경 ㊃庚 渠京切 qíng
字解 ①자자(刺字) 경 얼굴에 입묵(入墨)하는 형벌. 묵형(墨刑). '一罪'. '爰始淫爲劓刵椓一'《書經》. ②성 경 성(姓)의 하나.
字源 形聲. 黑+京〔音〕. '京경'은 '畺강'과 통하여 경계선을 긋다의 뜻. 죄인에게 먹을 넣어 구별하는 형벌, '자자(刺字)'의 뜻을 나타냄.

[黥徒 경도] 면상(面上)에 형벌로 입묵(入墨)한 죄인.
[黥面 경면] 얼굴에 입묵(入墨)함. 또, 입묵한 얼굴.
[黥辟 경벽] 입묵(入墨)하는 죄. 경죄(黥罪).
[黥首 경수] 입묵(入墨)한 이마. 형벌의 하나.
[黥罪 경죄] 입묵(入墨)하는 죄.
●面黥. 墨黥. 私黥. 印黥. 灼黥. 天黥.

8/20 [黲] 담 ㊤感 徒敢切 dǎn
字解 구름검을 담 '一, 雲黑也'《篇海》.

8/20 [黦] 울 ①㊇物 紆物切 yuè
②㊇月 於歇切 yè
字解 ①검누른빛 울 황흑색(黃黑色). '一, 玄黃也'《集韻》. ②바랠 울, 얼룩질 울 색이 변함. '淚霑紅袖一'《韋莊》.

●袖黦.

8 [黹] 치 [上]紙 展豸切 zhǐ
⑳
[字解] 초서쓸 치 초서(草書)를 씀.

[黹黈 치주] 붓으로 초서를 쓰고 점(點)을 찍음.

8 [黭] 답 [入]合 他合切 tà
⑳
[字解] ①함부로우거질 답 '一, 猥茸貌'《字彙》. ②검을 답 몹시 검음. '一, 黑甚也'《正字通》. ③많이겹칠 답 䨻(水部 十三畫)의 訛字.

8 [黚] [一] 금 [平]侵 居吟切 jīn
⑳ [二] 감 [平]咸 古咸切 qián
[字解] [一] ①검누른빛 금 '一黃黑如金也'《玉篇》. ②연노랑 금 '一, 淺黃色'《廣韻》. [二] 검누른빛 감 [一]❶과 뜻이 같음.
[字源] 形聲. 黑+金〔音〕

8 [黫] 곤 ①[去]願 古困切 gùn
⑳ ②③[去]願 昏困切 hùn
[字解] ①새카만빛 곤 '一, 純黑色'《集韻》. ②잊어버릴 곤 '一, 忘失也'《字彙》. ③쓸모없을 곤 어리석음. '一, 黮一, 不幹事'《集韻》.

8 [黧] [一] 리 [平]支 良脂切 lí 
⑳ [二] 려 [平]齊 郞奚切 lí
[字解] [一] 검을 리 빛이 검음. 또, 검은데 누른빛을 띰. '面目一黑'《戰國策》. [二] 검을 려 [一]과 뜻이 같음.
[字源] 形聲. 黑+秎〔音〕

[黧顏 이안] 검은 얼굴. 또는 얼굴을 타게 함.
[黧牛 이우] 누른빛을 띤 검은 소.
[黧黃 이황] 꾀꼬리. 곧, '창경(倉庚)'의 별칭(別稱).
[黧黑 이흑] 누른빛을 띤 검은색. 초췌한 안색을 이름.
◉垢黧. 黴黧. 緇黧.

8 [黨] [高人] 당 [上]養 多朗切 dǎng 党 
⑳
[筆順] 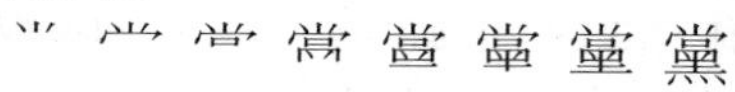
[字解] ①마을 당 주대(周代)의 행정 구역의 하나. 오백가(五百家)가 사는 지역. '掌其一之政令敎治'《周禮》. 전(轉)하여, 향리. 고향. '孔子於鄕一, 恂恂如也'《論語》. ②무리 당 목적·의견·행동 등을 같이하는 자의 단체. '徒一'. '朋一'. '吾一之小子'《史記》. ③일가 당 친척. '睦于父母之一'《禮記》. ④아부할 당 아유구용함. '阿一'. '比而不一'《國語》. ⑤도울 당 서로 도와 나쁜 짓을 숨김. '君子不一'《論語》. ⑥기울 당, 치우칠 당 편파적임. 불공평함. '無偏無一'《書經》. ⑦거듭 당 연거푸. '怪星之一見'《荀子》. ⑧혹시 당 儻(人部 二十畫)과 통용. '一可得見乎'《漢書》. ⑨바를 당 정직함. 讜(言部 二十畫)과 통용. '博而一正'《荀子》. ⑩바 당 所(戶部 四畫)와 뜻이 같음. 제(齊)나라의 방언(方言). '往一'《公羊傳》. '師乎師乎, 何一之乎'《左傳》.
[字源] [篆文]  形聲. 黑+尙〔音〕. '尙상'은 '堂당'과 통하여 한 지붕 아래 모인 무리의 뜻을 나타냄. '黑흑'은 그 연대감을 나타내기 위한 상징적인 빛깔임.
[參考] 党(儿部 八畫)은 略字.

[黨枯竹護朽骨 당고죽호후골] 고인(古人)의 편을 들어 구설(舊說)을 고수(固守)함. 옛적 종이가 없을 때에 죽간(竹簡)에 글씨를 썼으므로 고죽(枯竹)이라 함.
[黨錮之禍 당고지화] 후한(後漢)의 환제(桓帝) 때 환관(宦官)들이 정권(政權)을 전단(專斷)하므로 진번(陳蕃)·이응(李膺) 등 우국지사(憂國志士)가 환관을 공격하니, 그들은 도리어 조정을 반대하는 당인(黨人)이라고 몰아 이들 우국지사를 옥에 가두고 종신 금고(終身禁錮)에 처했는데, 이것을 '당고지화'라 함.
[黨魁 당괴] 당수(黨首).
[黨規 당규] 당의 규칙.
[黨禁 당금] 당인(黨人)의 금고(禁錮).
[黨同伐異 당동벌이] 시비곡직을 불문하고 자기편의 사람은 무조건 돕고 반대편의 사람은 무조건 공격하는 일.
[黨論 당론] 그 당파의 주장하는 의론(議論).
[黨類 당류] 한 무리의 동류. 끼리.
[黨輩 당배] 한 당(黨)의 무리. 당여(黨與).
[黨朋 당붕] 붕당(朋黨).
[黨勢 당세] 당파(黨派)의 세력(勢力).
[黨首 당수] 한 당(黨)의 우두머리. 당괴(黨魁).
[黨與 당여] 한편이 되는 당류(黨類). 자기편 당.
[黨援 당원] 동류(同類)를 도움. 또, 도움이 되는 동류.
[黨議 당의] 당론(黨論).
[黨人 당인] ㉠향당(鄕黨)의 사람. 마을 사람. ㉡같은 당파의 사람.
[黨引 당인] 도당(徒黨)을 짜 서로 끎.
[黨爭 당쟁] 당파(黨派)의 싸움.
[黨籍碑 당적비] 송(宋)나라의 휘종(徽宗) 때 재상(宰相) 채경(蔡京)이 철종(哲宗)의 원우(元祐) 연간(年間)에 조정에 있던 문언박(文彥博)·사마광(司馬光) 등 명사를 간당(姦黨)이라 몰아 그 성명을 기록하여 궁성 문밖에 세운 비(碑).
[黨正 당정] ㉠바르고 착함. ㉡주대(周代)의 당(黨)의 장(長). 곧, 500가(家)의 장(長). 그 당(黨)의 정령 교치(政令敎治)를 관장함.
[黨派 당파] ㉠주의(主義)·목적(目的)을 같이하는 사람들의 단체. ㉡붕당(朋黨)의 나누어진 갈래.
[黨巷 당항] 읍리(邑里). 또, 민간(民間).
[黨見 당현] 연거푸 나타남. 또는 때로 나타나는 일이 있음.
[黨禍 당화] 붕당(朋黨) 때문에 생기는 재화.
◉強黨. 學黨. 結黨. 公黨. 魁黨. 洛黨. 洛蜀朔三黨. 洛蜀二黨. 亂黨. 內黨. 徒黨. 母黨. 無偏無黨. 父黨. 不偏不黨. 朋黨. 比黨. 私黨. 俗黨. 樹黨. 新黨. 阿黨. 惡黨. 野黨. 與黨. 餘黨. 吾黨. 僚黨. 友黨. 元佑三黨. 僞黨. 離黨. 一黨. 殘黨. 賊黨. 敵黨. 政黨. 族黨. 左黨. 創黨. 妻黨. 黜黨. 脫黨. 偏黨. 害黨. 鄕黨. 凶黨.

8 [黮] 돈 [去]願 暾頓切 tùn
⑳

일감당하지못할 돈 어리석음. '一, 一黗 不幹事'《集韻》.

9 ㉑ [黫] ㊀ 안 ㊁ 인
㊀ 删 烏閑切 yān
㊁ 眞 於仁切 yīn

字解 ㊀ 검을 안 '與尾箕晨出, 日天皓, 一然黑色甚明'《史記》. ㊁ 검을 인 ㊀과 뜻이 같음.

[黫然 안연] 검은빛이 매우 선명한 모양.

9 ㉑ [黚] 념 ㊏琰 乃玷切 niǎn
字解 초서(草書) 의필세(筆勢) 념, 자획(字畫)의 점(點) 념 '一, 點一, 屮書勢'《集韻》.

9 ㉑ [黬] 암 ㊏咸 五咸切 yán
字解 검댕 암 솥이나 냄비 밑에 검은 기운이 모여 붙은 검댕. '有生一也'(사람의 생명은 검댕 같은 것으로서, 실상(實相)을 가지고 있는 것이 아님)《莊子》.

9 ㉑ [黭] 암 ㊀感 烏感切 yǎn
字解 ①별안간 암 '一然'은 갑자기. '一然而雷擊之'《荀子》. ②검을 암 '氣滃靄以一黭'《張說》. 字源 形聲. 黑+弇〔音〕. '弇엄'과 통하여 '덮다, 가리다'의 뜻. 검은빛이 가리다, 새까맣다의 뜻을 나타냄.

[黭黮 암담] 구름 같은 것이 검은 모양.
[黭然 암연] 별안간. 갑자기.
[黭淺 암천] 우매하고 천박함.

9 ㉑ [黮] ㊀ 심 ㊁ 담 ㊂ 탐
㊀ 寢 時審切 shèn
㊁ 感 徒感切 dǎn
㊂ 勘 他紺切 tàn

字解 ㊀ 오디 심 뽕나무의 열매. 甚(屮部 九畫)과 통용. '食我桑一'《詩經》. ㊁ 검을 담 검은 모양. ㊂ 어두울 탐 '人固受其一闇'《莊子》. 字源 形聲. 黑+甚〔音〕. '甚심'은 '심하다'의 뜻. 심히 검다는 뜻을 나타냄.

[黮黮 담담] 구름 같은 것이 검은 모양.
[黮霴 담대] 담담(黮黮).
[黮闇 탐암] 어두운 모양.
●桑黮. 晻黮. 黯黮. 黭黮.

9 ㉑ [黯] 암 ㊀豏 乙減切 àn
字解 ①검을 암, 어두울 암 '一然而黑'《史記》. '一兮慘悴'《李華》. ②슬퍼할 암 이별을 슬퍼하는 모양. '慘一'. '一然銷魂者, 惟別而已矣'《江淹》. 字源 形聲. 黑+音〔音〕. '音음'은 '暗암'과 통하여 '어둡다'의 뜻. '어둡다, 검다'의 뜻을 나타냄.

[黯淡 암담] 어스레함.
[黯澹 암담] 암담(黯淡).
[黯黮 암담] 구름이 끼어 흐린 모양.
[黯漠 암막] 어둠침침함.
[黯然 암연] ㉠검은 모양. 어두운 모양. ㉡이별을

슬퍼하는 모양.
[黯湛 암잠] 어둡고 깊숙함.
[黯慘 암참] 어둠침침함.
[黯黑 암흑] 어둠. 검음.
●汲黯. 雲黯. 慘黯. 沈黯.

10 ㉒ [黰] 진 ㊛軫 章忍切 zhěn
字解 검은머리 진 함치르르하여 아름다운 흑발. 鬒(髟部 十畫)과 통용. '昔有仍氏生女, 一黑甚美'《左傳》. 字源 形聲. 黑+眞〔音〕. '眞진'은 가득 메워지다의 뜻. 머리털이 짙고 검다의 뜻을 나타냄.

10 ㉒ [黱] 대 ㊏隊 徒耐切 dài
字解 ①눈썹먹 대 눈썹 그리는 먹. ②검푸를 대 黛(黑部 五畫)와 同字. '一色參天二千尺'《杜甫》. 字源 會意. 黑+朕.

10 ㉒ [黳] 〔낭〕 黳(黑部 十七畫〈p.2710〉)의 俗字

11 ㉓ [黪] 참 ㊀感 七感切 cǎn
字解 검푸르죽죽할 참 연한 청흑색. '暗一'. 字源 形聲. 黑+參〔音〕. '參참·삼'은 '滲삼'과 통하여 '배다, 스미다'의 뜻. 검은빛이 스며서 거무스름하게 된 빛의 뜻을 나타냄.

[黪黷 참독] 흐리고 더러움.
[黪黪 참참] 거무스름함. 일에 실패(失敗)했을 때의 얼굴빛.
●暗黪.

11 ㉓ [黴] 〔人名〕 미 ㊏支 武悲切 méi
字解 ①곰팡이 미 음습할 때 옷·기구 등에 나는 하등 균류(菌類). 곰팡이. ②곰팡날 미 곰팡이가 생겨 물건이 썩음. ③창병 미 매독. '一毒'. ④때낄 미, 검을 미 얼굴에 때가 끼어 빛이 검음. '舜一黑, 禹胼胝'《淮南子》. 字源 形聲. 黑+微(省)〔音〕. '微미'는 '희미하다'의 뜻. 털처럼 미세한 '곰팡이'의 뜻을 나타냄.

[黴菌 미균] 유기물에 기생하는 하등 식물. 지극히 미세하고 번식이 빠르며 물건을 발효시키고 전염병의 원인이 됨. 세균.
[黴毒 미독] 성병(性病)의 한 가지. 매독(梅毒).
[黴黧 미리] 미흑(黴黑).
[黴胔 미척] 때가 끼고 야윔.
[黴黑 미흑] 때가 끼어 빛이 검음.
●檢黴. 驅黴.

11 ㉓ [黳] 예 ㊐齊 烏奚切 yī
字解 주근깨 예 작란반(雀卵斑). '色若一'《酉陽雜俎》. 字源 形聲. 黑+殹〔音〕. '殹에'는 '추하다'의 뜻. 검은 반점이 생겨서 보기 흉하

다의 뜻을 나타냄.

12
㉔ **[黷]** 대 ①㊱隊 徒對切 duì
②㊱隊 徒戴切 dài
字解 ①검을 대 黪(次條)와 同字. '一, 黪一, 黑也, 或从隊'《集韻》. ②어두울 대 曃(日部 十二畫)와 뜻이 같음. '一, 暖一, 暗也, 亦从黑'《集韻》.

12
㉔ **[黱]** 대 ㊱隊 徒對切 duì
字解 ①검은구름가는모양 대 '一, 黑雲行皃'《玉篇》. ②검을 대 黷(前條)와 同字. '黷, 黱黱, 黑也, 或从隊'《集韻》.

12
㉔ **[黱]** 黱(次條)과 同字

13
㉕ **[黵]** 담 ㊤感 都敢切 dǎn
字解 자자(刺字) 담 입묵(入墨)하는 형벌. 묵형(墨刑). '除一面之刑'《梁書》.
字源 形聲. 黑＋詹[音]. '黑흑'은 '거메지다'의 뜻. '詹첨'은 '번거롭다'의 뜻. 지저분하게 더러워져 거메지다의 뜻을 나타냄.

13
㉕ **[黔]** 금 ㊦侵 渠金切 qín
字解 ①누른빛 금 황색. '一, 黃色也'《玉篇》. ②검누른빛 금 누른빛을 띤 검은빛. 黔(黑部 五畫)과 뜻이 같음. '黔, 黃黑色, 或从禽'《集韻》. ③黔(黑部 四畫)의 俗字.

13
㉕ **[黲]** 검 ㊤琰 居奄切 jiǎn
字解 검을 검 黔(黑部 四畫)과 同字. '一, 黑也, 或作黔'《集韻》.

13
㉕ **[黔]** 금 ㊦侵 渠金切 qín
字解 누른검은빛 금 黔(黑部 五畫)과 同字. '黔, 黃黑色, 或从蔵'《集韻》.

13
㉕ **[黱]** 농 ㊦冬 尼容切 nóng
字解 검을 농 짙게 검음. '一, 黱一, 黑甚'《集韻》.

14
㉖ **[黱]** 대 ㊦灰 當來切 tái
字解 ①검을 대 '一, 黑也'《玉篇》. ②새카만모양 대 '一, 黱一, 大黑皃'《集韻》.

14
㉖ **[黶]** ㊀염 ㊤琰 於琰切 yǎn
㊁암 ㊤豏 乙減切 yǎn
字解 ㊀사마귀 염 피부에 도도록하게 생기는 검은 점. 흑자(黑子). '披毛索一'《抱朴子》. ㊁검은점 암 피부에 거뭇하게 박힌 표 난 부분.
字源 形聲. 黑＋厭[音]. '厭염'은 '누르다'의 뜻. 점점이 위에서의 누른 것 같은 검은 점, '사마귀'의 뜻을 나타냄.

●瘢黶. 披毛索黶.

15
㉗ **[黷]** 독 ㊇屋 徒谷切 dú
字解 ①더러울 독 ㊀때가 묻음. '林木爲之潤一'《左思》. ㊁추함. '或先貞而後一'《孔稚珪》. ②더럽힐 독 전항의 타동사. '一職'. ③친압할 독 너무 익숙해져서 버릇없이 굴며 깔봄. '媟一貴幸'《漢書》.
字源 形聲. 黑＋賣[音]. '賣육'은 사람의 눈을 흐리게 하여 홀리어 팔다의 뜻. 사람의 눈을 흐리게 하고 깔보다, 더럽히다의 뜻을 나타냄.

[黷武 독무] 함부로 전쟁을 하여 무덕(武德)을 더럽힘.
[黷煩 독번] 자주 폐를 끼침. 「지냄.
[黷祭 독제] 제사 지내서는 안 될 신(神)을 제사
[黷職 독직] '독직(瀆職)'과 같음.
[黷貨 독화] 금전 재화(金錢財貨)를 탐냄.
●干黷. 慢黷. 冒黷. 煩黷. 私黷. 媟黷. 褻黷. 碟黷. 塵黷. 侵黷. 貪黷. 嚚黷. 喧黷.

15
㉗ **[黸]** ㊀감 ㊦咸 古咸切 jiān
㊁짐 ㊦侵 諸深切
字解 ㊀①낯검을 감 몸이 희고 얼굴이 검음. '一, 雖皙而黑也'《說文》. ②검댕 감 솥 밑의 검댕. '一, 一曰, 釜底黑'《集韻》. ㊁낯검을 짐, 검댕 짐 ㊀과 뜻이 같음.
字源 形聲. 黑＋箴[音].

16
㉘ **[黸]** 로 ㊦虞 落胡切 lú
字解 검을 로, 새까말도 로 '齊謂黑爲一'《說文》. '一, 黑甚'《廣韻》.
字源 形聲. 黑＋盧[音]. '盧로'는 '화로'의 뜻. 그을린 것 같은 검은빛의 뜻을 나타냄.

16
㉘ **[黱]** ㊀등 ㊦蒸 徒登切 téng
㊁동 ㊦東 徒東切 téng
字解 ㊀검은모양 등 '一, 黑皃'《集韻》. ㊁검은모양 동 ㊀과 뜻이 같음.

17
㉙ **[黱]** 낭 ㊤養 女兩切 niǎng
字解 검을 낭 '一, 黑也'《篇海》.

黹 (12획) 部
[바느질할치부]

0
⑫ **[黹]** 치 ㊤紙 豬几切 zhǐ
筆順 [필순 그림]
字解 ①바느질할 치 침선(針線)을 함. '呼縫紩衣爲一'《爾雅 註》. ②수 치 자수(刺繡). '黼黻絺繡爲一'《爾雅 疏》.
字源 象形. 헝겊에 무늬를 수 놓은 모양을 본떠 '자수'

의 뜻을 나타냄.
[參考] '黹치'를 의부(意符)로 하여, 자수를 나타
내는 문자를 이룸. 부수 이름은 '바느질할치'.

5
⑰ [黻] 불 ⑧物 分勿切 fú

[字解] ①수 불
고대(古代)의
예복(禮服)에
놓는 수(繡).
반흑반청(半
黑半靑)의 빛
으로 '己'자
두 개를 서로
[黻①]　　　[黻②]
반대로 하여 수를 놓았음. '一文'. '一衣繡裳'
《詩經》. 또, 그 수를 놓은 예복. '諸侯黻, 大夫
一', 가죽으로 만든 슬갑(膝甲). '致美乎一冕'
《論語》. ③성 불 성(姓)의 하나.
[字源] [篆文] 會意. 黹+犮. '黹치'는 수놓은 술 장
식을 본뜬 것. '犮발'은 '祓불'과 통하
여 부정한 것을 제거하다의 뜻. 청색, 흑
색 실로 수놓은 예복의 뜻을 나타냄.

[黻冕 불면] 슬갑(膝甲)과 갓. 모두 제복(祭服).
[黻文 불문] '亞' 자 모양으로 놓은 수. 자해(字
解) ❶을 보라.
[黻班 불반] 불의(黻衣)를 입은 귀현(貴顯)한 사
람의 반열(班列).
[黻黼 불보] 천자(天子)의 예복.
[黻衣 불의] 불문(黻文)이 있는 제복(祭服).
　●圭黻. 黼黻. 兗黻. 華黻.

7
⑲ [黼] 보 ⑧襄 方矩切 fǔ

[字解] 수 보 고대(古代)의 예
복(禮服)에 놓은 수(繡). 반
흑반백(半黑半白)의 빛으로
자루가 없는 도끼의 모양을
수놓은 것. '一黻文章'《禮
記》. 또, 그 수를 놓은 예복.
'諸侯一, 大夫黻'《禮記》.
[字源] [篆文] 形聲. 黹+甫〔音〕. '甫보'는 '斧부'와
통하여 '도끼'의 뜻. 도끼 무늬를 수
놓은 예복의 뜻을 나타냄.

[黼裘 보구] 새끼 양과 여우의 가죽으로 만들어
자루 없는 도끼의 모양을 수놓은 옷.
[黼冕 보면] 보의(黼衣)와 면류관(冕旒冠).
[黼黻 보불] ㉠보(黼)와 불(黻). 옷의 수(繡). ㉡
문장(文章)의 비유.
[黼繡 보수] 자루 없는 도끼의 모양을 수놓은 것.
[黼衣 보의] 자루 없는 도끼 모양을 수놓은 옷.
[黼依 보의] 보의(黼扆).
[黼扆 보의] 자루가 없는 도끼를 그린 빨간 비단
을 바른 병풍. 천자(天子) 있는 자리의 뒤에 침.
도끼는 위엄(威嚴)을 상징한 것이고, 자루가 없
는 것은 이것을 쓰지 않는다는 뜻임. 부의(斧
扆).
[黼帳 보장] 자루 없는 도끼의 모양을 수놓은 휘
장.
[黼座 보좌] 천자(天子)가 앉는 자리. 옥좌(玉座).
　●繡黼. 刺黼.

11
㉓ [黼] 초 ⑧襄 創擧切 chǔ

[字解] 오색빛 초 오색빛이 모여 선명한 모양.
'衣裳——'《詩經》.
[字源] [篆文] 形聲. 黹+虘〔音〕.

黽 (13획) 部
〔맹꽁이맹부〕

0
⑬ [黽] ⼀ 맹 ⑧梗 武辛切 měng
　　　　⼆ 민 ⑧軫 彌竟切 mǐn
　　　　⼀ 면 ⑧銑 彌兗切 miǎn

[筆順] 丨 勹 勹 𪓑 𪓑 𪓒 黽 黽

[字解] ⼀①맹꽁이 맹 개구리 비슷한 동물. ②성
맹 성(姓)의 하나. ⼀힘쓸 민 노력함. '一勉從
事'《詩經》. ⼀고을이름 면 '一池'는 한대(漢
代)의 현명(縣名). 지금의 허난 성(河南省) 신
양현(信陽縣)의 동남(東南). '秦蹻一隘之塞而
攻楚'《史記》.
[字源] [篆文] [籀文] 象形. 맹꽁이를 본떠 '맹꽁이'
의 뜻을 나타냄.
[參考] '黽맹'을 의부(意符)로 하여 개구리나 거
북 등 물가에 사는 동물을 나타내는 문자를 이
룸. 부수 이름은 '맹꽁이맹'.

[黽勉 민면] 부지런히 힘씀.
[黽俛 민면] 민면(黽勉).
[黽池 면지] 자해(字解)⼀를 보라.
　●耿黽. 求黽. 水黽. 搖黽.

0
⑧ [黾] 黽(前條)의 俗字

0
⑧ [黾] 黽(前前條)의 簡體字

0
⑧ [黽] 〔맹〕 黽(部首〈p.2711〉)의 略字

1
⑭ [黽] 〔맹·면〕 黽(部首〈p.2711〉)의 本字

4
⑰ [黿] 원 ㉷元 愚袁切 yuán

[字解] ①자라 원 큰 자라. 옛날에, 이 자라 고기
를 진미(珍味)로 여겼음. '楚人獻一於鄭靈公'
《左傳》. ②영원 원 蚖(虫部 四畫)과 同字. '化
爲玄一'《史記》.
[字源] [篆文] 形聲. 黽+元〔音〕. '黽맹'은 개구리를
본뜬 것. '元원'은 '우두머리'의 뜻.
머리가 큰 거북, '영원'의 뜻을 나타냄.

[黿鳴鼈應 원명별응] 큰 자라가 울면 보통 자라가
이를 따라 운다는 뜻으로, 군신(君臣)이 서로
감응함의 비유.
[黿鼉 원타] 큰 자라와 악어.
　●蛟黿. 伏黿. 浮黿. 潛黿. 天黿. 海黿.

5 (18) [鼂] 조
①㊀蕭 陟遙切 zhāo
②③㊀蕭 直遙切 cháo

[字解] ①아침 조 朝(月部 八畫)·晁(日部 六畫)와 同字. '一不及夕《漢書》. ②바다거북 조. ③성조 성(姓)의 하나.

[字源] 篆文 · 古文 會意. 旦+黽. '旦단'은 바다거북의 머리의 모양. '黽맹'은 '바다거북'의 뜻. 바다거북 비슷한 바다의 생물의 뜻을 나타냄. 古文도 皀+黽의 會意. '皀조'도 그 머리 부분의 象形.

[鼂不及夕 조불급석] 아침에는 무사하였으나 저녁까지는 어떻게 될지 모른다는 뜻으로, 위급함이 닥쳐 있음을 이름.
[鼂錯 조조] 한(漢)나라의 정치가. 영천(潁川) 사람. 신상(申商)의 형명학(刑名學)을 배워서 문제(文帝) 때 태자사인(太子舍人)·태자가령(太子家令)·중대부(中大夫)를 역임(歷任). 재변(才辯)의 덕으로 경제(景帝)가 등극하자 더욱 총애(寵愛)를 받아 어사대부(御史大夫)로 영진(榮進)하였으나, 제후(諸侯)들의 세력을 억제하기 위해 그 봉지(封地)를 삭감하려 하다가 오초칠국(吳楚七國)이 들고일어나매 그 난(亂)의 희생으로 참형(斬刑)되었음. 조조(晁錯)로도 씀.
[鼂采 조채] 미옥(美玉)의 이름. 아침마다 무지개처럼 빛난다 함.

5 (18) [鼃] 거
㊀御 丘據切 qù

[字解] ①두꺼비 거 蛣(虫部 五畫)와 同字. '一, 蟲名. 爾雅, 一鼃, 蟾諸, 一曰, 去父, 或作蛣'《集韻》. ②鼄(前前條)의 譌字. '一, 鼃字之譌'《正字通》.

5 (18) [鼄] 구
①㊀虞 其俱切 qú
②㊀尤 古侯切 gōu

[字解] ①개구리 구 '一, 鼃屬'《說文》. ②거북 구 거북의 일종.

[字源] 形聲. 黽+句〔音〕.

5 (18) [鼅] 구
鼄(前條)와 同字

5 (18) [鼆] 〔맹·민〕
黽(部首〈p.2711〉)의 籀文

6 (19) [鼇] 와
㊀麻 烏瓜切 wā
왜 ㊀佳 烏媧切 wā

[字解] ■①개구리 와 올챙이의 다 자란 것. ②음란할 와 음탕하고 난잡함. 蛙(虫部 六畫)의 古字. '掌去一黽'《周禮》. '紫色一聲, 餘分閏位'《漢書》. ■ 개구리 왜, 음란할 왜 〓과 뜻이 같음.

[字源] 篆文 形聲. 黽+圭〔音〕. '黽맹'은 개구리의 象形. '圭규'는 개구리의 울음소리의 의성어를 나타내는 말. '개구리'의 뜻을 나타냄. '蛙와'는 이체자(異體字).

[鼇咬 와교] 속악(俗樂)을 이름.
[鼇黽 와맹] 개구리.
[鼇聲 와성] 음란한 음악 소리. 바르지 아니한 음악. 속악(俗樂).

6 (19) [鼈] 鼇(前條)와 同字

6 (19) [鼉] 주
㊀虞 陟輪切 zhū

[字解] 거미 주 蛛(虫部 六畫)와 同字.

[字源] 金文 · 篆文 · 別體 形聲. 黽+朱〔音〕. '朱주'는 '株주'와 통하여 나무의 중심에 있다의 뜻. 친 거미줄의 중심에 있는 거미의 뜻을 나타냄. 金文은 거미의 象形+朱〔音〕. 別體는 虫+朱〔音〕.

8 (21) [鼊] 지
㊀支 珍離切 zhī

[字解] 거미 지 蜘(虫部 八畫)와 同字.

11 (24) [鼇] 〔人名〕 오
㊀豪 五勞切 áo

[字解] 자라 오 바다에서 사는 큰 자라. '斷一足以立四極'《史記》.

[字源] 篆文 形聲. 黽+敖〔音〕. '敖오'는 '크다'의 뜻.

[鼇禁 오금] 한림원(翰林院)을 이름. 오봉(鼇峯).
[鼇戴 오대] 큰 자라가 산(山)을 이고 짐. 후세에 감대(感戴)의 뜻으로 쓰임.
[鼇頭 오두] ㉠관리 등용(登用) 시험의 장원(壯元). 곧, 수석 급제자(首席及第者)의 일컬음. 오두(鰲頭). ㉡책의 본문(本文)의 위 난(欄)에 써 넣는 주해문(註解文). 일설(一說)에는, 괴본(魁本)의 뜻. 명말(明末)·청초(淸初)의 잡학속배(雜學俗輩)의 용어(用語)임.
[鼇抃 오변] 기뻐하여 손뼉을 치며 춤을 춤.
[鼇峯 오봉] ㉠오산(鼇山)의 봉우리. 곧, 신선이 사는 곳. ㉡한림원(翰林院). 오액(鼇掖).
[鼇山 오산] ㉠큰 자라의 등에 얹혀 있다고 하는 바다 속의 산. 신선(神仙)이 산다는 곳. ㉡후난성(湖南省) 창더 현(常德縣) 북쪽에 있는 산 이름. 도승(道僧)인 선감(宣鑒)·의존(義存)·문수(文邃) 세 사람이 이곳에서 오도(悟道)했다 하여 '오산오도(鼇山悟道)'라 일컬음. ㉢오산(鼇山) 모양을 꾸며 장식한 산디.
[鼇掖 오액] 오금(鼇禁). 오봉(鼇峯).
●巨鼇. 鯨鼇. 鵬鼇. 神鼇. 靈鼇. 海鼇.

12 (25) [鼊] 〔人名〕 별
㊁屑 幷列切 biē

[字解] ①자라 별 파충(爬蟲)의 일종. 모양이 거북과 비슷함. '鳥獸魚一'《書經》. ②성 별 성(姓)의 하나.

[字源] 篆文 形聲. 黽+敝〔音〕. '敝폐·별'은 '찢어지다'의 뜻. 보통의 거북에 비해 흐트러진 모양의 '자라'의 뜻을 나타냄.

[鼊甲 별갑] 자라의 껍데기. 여자의 혈병(血病)·학질 따위에 약으로 쓰임.
[鼊裙 별군] 자라의 몸 둘레의 연한 살. 맛이 좋음.
[鼊靈 별령] 형주(荊州)의 우물 속에서 나와 촉(蜀)나라 망제(望帝)에게 출사(出仕)하고 재상(宰相)이 되었다가 수년 후에 왕위(王位)를 물려받았다고 하는 전설상(傳說上)의 인물.

모아 놓고 책 상자를 열어 책을 꺼내게 한다는
뜻으로, 취학(就學)함을 이름.
[鼓惑 고혹] 선동하여 미혹(迷惑)하게 함.
●諫鼓. 羯鼓. 敢諫之鼓. 警鼓. 軍鼓. 金鼓. 急
鼓. 旗鼓. 騎鼓. 路鼓. 雷鼓. 漏鼓. 樓鼓. 擔
鼓. 鼗鼓. 銅鼓. 鼖鼓. 登聞鼓. 烽鼓. 鼖鼙鼓.
三鼓. 簫鼓. 戌鼓. 雅鼓. 量鼓. 兩杖鼓. 魚鼓.
楹鼓. 靈鼓. 靈鼉之鼓. 玉帛鐘鼓. 蛙鼓. 腰
鼓. 戰鼓. 旌鼓. 鉦鼓. 鐘鼓. 晉鼓. 天鼓. 土
鼓. 敗鼓. 枹鼓. 河鼓. 縣鼓. 曉鼓. 鼞鼓.

[0/13] [鼓]
鼓(前條)와 同字
[字源] 篆文 鼓 會意. 壴+攴. '鼓'의 字源을 보라.
[參考] '鼓'는 '북고'자이고 '鼓'는 '북칠고'
자로서 원래 별자(別字)이나 지금은 혼용(混
用)함.

[3/16] [鼙]
격 ⑧陌 古逆切 jī
[字解] 북소리 격 '一, 鼓聲'《字彙》.

[4/17] [鼖]
〔고〕
鼓(部首〈p.2714〉)와 同字

[5/18] [鼛]
동 ㊀冬 徒冬切 dōng
㊀東 徒東切
[字解] 북소리 동 북소리의 형용. '滿城——白雲
飛'《杜牧》.
[字源] 形聲. 鼓+冬〔音〕. '冬동'은 북소리의 의성
어.

[鼛鼛 동동] 북소리의 형용.

[鼞]
〔고〕
目部 十三畫(p.1553)을 보라.

[5/18] [鼝]
부 ㊀虞 馮無切 fú
[字解] 떠들썩할 부 '一諜'는 군중(軍中)이 떠들
썩함. '乃鼓一諜'《書經 傳》.
[字源] 形聲. 鼓+付〔音〕.

[鼝諜 부조] 군중(軍中)이 떠들썩함.

[6/19] [鼟]
■ 답 ㊇合 他合切 tà
㊇합 苦盍切
[字解] ■ 북소리 답 '一, 鼓聲——'《廣韻》.
□ 북소리 합 □과 뜻이 같음.
[字源] 形聲. 鼖(鼓)+合〔音〕
[參考] 鞈(革部 六畫)은 古字.

[6/19] [鼠]
답 ㊇合 託盍切 tà
[字解] 북소리 답 '一, 鼓鼠聲'《說文》.
[字源] 形聲. 鼖(鼓)+缶〔音〕

[6/19] [鼚]
동 ㊀冬 徒冬切 dōng

[字解] 북소리 동 鼛(鼓部 五畫)과 同字. '一, 鼓
聲, 或作鼛'《玉篇》.

[6/19] [鼖]
분 ㊀文 符分切 fén
[字解] 북 분 전쟁(戰陣)에서 쓰던, 길이 8척
(尺)의 큰 북. '以一鼓鼓軍事'《周禮》.
[字源] 篆文 鼖 形聲. 鼓+卉〔音〕. '卉분'은 흥성하게
일어나다의 뜻.

[鼖鼓 분고] 전쟁용의 양면(兩面)의 큰 북.

[6/19] [鼛]
고 ㊀豪 古刀切 gāo
[字解] 북 고 '一, 鼓也'《字彙補》.

[6/19] [鼗]
〔도〕
鼗(次條)·鞀(革部 五畫〈p.2522〉)와
同字

[6/19] [鼗]
도 ㊀豪 徒刀切 táo

[鼗]

[字解] 땡땡이 도 좌우의 끈에 단 구
슬이, 자루를 잡고 좌우로 돌리면
치게 된 북. '下管一鼓, 合止柷敔'
《書經》.
[字源] 形聲. 鼓+兆〔音〕. '兆조'는 '튀
어 오르다'의 뜻. 북에 작은 구
슬을 매달고 자루를 잡고 흔들면 그
작은 구슬이 튀어 오르는 땡땡이의
뜻을 나타냄.

[鼗鼓 도고] 땡땡이.
[鼗響 도향] 땡땡이 소리.

[7/20] [鼙]
〔동〕
鼛(鼓部 五畫〈p.2715〉)과 同字

[7/20] [鼚]
鼚(前條)과 同字

[8/21] [鼛]
답 ㊇合 托盍切 tà
[字解] ①북소리느릴 답 '一, 鼓寬'《玉篇》. ②북
소리시끄러울 답 '一, 鼓聲雜沓也'《正字通》.

[8/21] [鼙]
비 ㊀齊 部迷切 pí

[鼙①]

[字解] ①마상고 비 기병(騎兵)이
말 위에서 치는 북. '漁陽一鼓動
地來'《白居易》. ②비파 비 琵(玉
部 八畫)와 통용. '梅卿上馬彈一
婆'《楊維楨》.
[字源] 篆文 鼙 形聲. 鼖(鼓)+卑〔音〕.
'卑비'는 휴대용의 술 그릇의 뜻. 또
정도가 낮다의 뜻. 일반적인 것보다 작은 휴대
용의 북의 뜻을 나타냄.

[鼙鼓 비고] 기병(騎兵)이 마상(馬上)에서 치는
북.
[鼙舞 비무] 무악(舞樂)의 이름.
[鼙婆 비파] '비파(琵琶)'와 같음.
●鼓鼙. 戰鼙. 征鼙. 寒鼙.

鼓部 (계속)

8 ㉑ [墼] 공 ⊕東 枯公切 kōng
字解 ①북소리 공 '一, 鼓聲'《集韻》. ②단단하지않은모양 공 '一―然不堅'《靈樞經》.

8 ㉑ [鼛] 고 ⊕豪 古勞切 gāo
字解 북고 길이 12척 (尺) 되는 큰 북. 역사 (役事)를 시작하고 마칠 때 침. '以―鼓鼓役事'《周禮》.
字源 形聲. 鼓(鼓) + 咎〔音〕

[鼛鼓 고고] 길이 12척 되는 큰 북.

9 ㉒ [鼓] 〔고〕 鼓(部首〈p.2714〉)와 同字

9 ㉒ [鼟] 동 ⊕送 徒弄切 dòng
字解 북소리 동 '一, 鼓聲'《字彙》.

9 ㉒ [鼘] 연 ⊕先 烏玄切 yuān
字解 북소리 연 북을 쳐 울리는 소리. '鼚鼓――'《詩經》.
字源 形聲. 鼓(鼓) + 鼎〔音〕. '鼎연'은 그 소리의 의성어.

[鼘鼘 연연] 북소리.

10 ㉓ [鼚] 〔답〕 鼛(鼓部 六畫〈p.2715〉)의 俗字

10 ㉓ [鼚] 척 ㊇錫 倉歷切 qì
字解 순경북 척 야경 돌 때 치는 북. '軍旅夜鼓一'《周禮》.
字源 篆文은 壴+蚤〔音〕. '壴주'를 지금은 '鼓고'로 씀.

11 ㉔ [鼞] 당 ⊕陽 吐郞切 tāng
字解 북소리 당 '擊鼓其一'《詩經》.
字源 形聲. 鼓(鼓) + 堂〔音〕. '堂당'은 북소리의 의성어.

12 ㉕ [鼟] 등 ⊕蒸 他登切 tēng
字解 북소리 등 '夢聽鼓――'《元稹》.

12 ㉕ [鼟] ▤ 동 ⊕冬 徒冬切 tóng ▤ 륭 ⊕東 力中切 lóng
字解 ▤ 북소리 동 '一, 鼓聲也'《說文》. ▤ 북소리 륭과 뜻이 같음.
字源 形聲. 鼓(鼓) + 隆〔音〕. '隆륭'은 북소리의 의성어.

13 ㉖ [鼟] 鼟(前條)과 同字

14 ㉗ [鼟] 등 ⊕蒸 他登切 tēng
字解 긴모양 등 '一, 俊一, 長兒'《集韻》.

鼠 (13획) 部
〔쥐서부〕

0 ⑬ [鼠] 人名 서 ㊤語 舒呂切 shǔ
筆順 「 ㄈ ㄈ 鬥 臼 臼 鼠 鼠
字解 ①쥐 서 동물의 하나. '窮―嚙猫'《鹽鐵論》. 쥐는 사람에게 큰 해를 끼치는 짐승이므로, 전(轉)하여, 해를 끼치는 자의 비유로 쓰임. '社一'. '一賊'. ②근심할 서 瘋(疒部 十三畫)와 통용. '一思泣血'《詩經》.
字源 象形. 이를 드러내고 있고, 꼬리가 긴 쥐의 모양을 본떠, '쥐'의 뜻을 나타냄.
參考 '鼠서'를 의부(意符)로 하여, 여러 가지 종류의 쥐나, 쥐 비슷한 동물의 명칭을 나타내는 문자를 이룸. 부수 이름은 '쥐서'.

[鼠肝蟲臂 서간충비] 쥐의 간과 벌레의 팔. 모두 하찮은 것.
[鼠姑 서고] ㉠쥐며느릿과(科)에 속하는 절지동물(節肢動物). 몸길이 1cm가량. 쓰레기·마루 밑 등에 서식함. 이위(伊威). 쥐며느리. ㉡'모란 (牡丹)'의 별칭(別稱).
[鼠盜 서도] 서적 (鼠賊).
[鼠遁 서둔] 쥐처럼 재빨리 달아나 숨음.
[鼠狼 서랑] 족제비.
[鼠李 서리] 갈매나무.
[鼠目 서목] ㉠탐욕(貪慾)이 어린 눈. ㉡견해(見解)가 좁은 모양.
[鼠尾 서미] 꿀풀과에 속하는 다년초. 둥근뱀차조기. 서미초(鼠尾草).
[鼠朴 서박] 서박(鼠璞).
[鼠腊 서박] 쥐의 포육(脯肉). 무용지물(無用之物)
[鼠璞 서박] 서박(鼠樸).
[鼠輩 서배] ㉠쥐의 떼. ㉡쥐같이 보잘것없는 무리. 소인 (小人).
[鼠伏 서복] 쥐처럼 숨음.
[鼠負 서부] 서고(鼠姑)❶.
[鼠婦 서부] 서고(鼠姑)❶.
[鼠憑社貴 서빙사귀] 사당(祠堂)에 굴을 판 쥐는 이를 잡고자 하여도 사당을 부술까 두려워 내버려둠. 임금의 위엄(威嚴)에 편승하는 소인 (小人)의 비유. 호자 호위(狐藉虎威).
[鼠思 서사] 근심. 걱정. 또, 근심함. 걱정함.
[鼠色 서색] 푸른빛이 나는 검은빛. 쥐색.
[鼠鬚筆 서수필] 쥐의 입수염으로 만든 붓.
[鼠矢 서시] 쥐똥.
[鼠牙雀角 서아작각] 쟁송(爭訟)함을 이름.
[鼠疫 서역] 흑사병(黑死病). 페스트.
[鼠梓 서재] 광나무. 서재목(鼠梓木).
[鼠賊 서적] 좀도둑.
[鼠竊狗偸 서절구투] 서적 (鼠賊).
[鼠竄 서찬] 쥐처럼 달아나 숨음.
[鼠皮 서피] 쥐의 가죽.
[鼠蹊 서혜] 샅. 사타구니.

[鼠蹊管 서혜관] 서혜 인대(靭帶)를 엇비슷하게 뒤에서 앞쪽으로 향하여 뚫은 관.
[鼠蹊部 서혜부] 샅의 오목하게 된 곳.
◉嫁鼠. 甘鼠. 鷇鼠. 拱鼠. 狗鼠. 窮鼠. 老鼠. 苗鼠. 辟毒鼠. 腐鼠. 飛鼠. 氷鼠. 社鼠. 鼪鼠. 碩鼠. 仙鼠. 城狐社鼠. 水鼠. 首鼠. 輸鼠. 令狸執鼠. 禮鼠. 鼯鼠. 兀兒鼠. 栗鼠. 隱鼠. 陰鼠. 耳鼠. 雀鼠. 田鼠. 昌鼠. 天鼠. 香鼠. 鼷鼠. 狐鼠. 火鼠. 黑鼠. 黠鼠.

3 ⑯ [鼦] 인 [去]震 而振切 rèn
[字解] 쥐 인 '一, 鼠也'《字彙》.

3 ⑯ [鼩] [一] 표 [去]效 北教切 zhuó [二] 작 [入]藥 卽畧切 jué
[字解] [一] ①날쥐 표 두 날개가 있어 날고 범을 잡아먹는다는, 높이 삼 척(尺) 가량의 개같이 생긴 쥐. '一, 胡地風鼠'《說文》. ②석서(鼫鼠) 표 다람쥐의 일종. [二] 날쥐 작, 석서 작 [一]과 뜻이 같음.
[字源] 篆文 形聲. 鼠＋勺〔音〕. '勺작'은 '趵표'와 통하여 솟구쳐 오르다의 뜻.

4 ⑰ [鼢] 분 [上]吻 房吻切 [平]文 符分切 fén
[字解] 두더지 분 언서(鼴鼠). 전서(田鼠).
[字源] 篆文 形聲. 鼠＋分〔音〕. '分분'은 '가르다'의 뜻. 앞발로 흙을 갈라 파고 나아가는 두더지의 뜻을 나타냄.

4 ⑰ [鼤] [一] 함 [平]覃 胡男切 hán [二] 감 [平]覃 古南切
[字解] [一] ①쥐 함 쥐의 일종. '一, 鼠屬'《說文》. ②도마뱀 함 '一, 蜥蜴'《玉篇》. [二] 쥐 감, 도마뱀 감 [一]과 뜻이 같음.
[字源] 形聲. 鼠＋今〔音〕

5 ⑱ [鼦] 초 [平]蕭 丁聊切 diāo
[字解] 담비 초 貂(豸部 五畫)와 同字. '狐一裘千皮'《史記》.

5 ⑱ [鼪] 생 [平]庚 所庚切 shēng
[字解] 족제비 생 족제비과에 속하는 담비 비슷한 동물. 유서(鼬鼠). 일설(一說)에는 날다람쥐. 오서(鼯鼠). '一鼬之逕'《莊子》.
[字源] 形聲. 鼠＋生〔音〕

[鼪鼬 생유] 족제비.
[鼪鼬之逕 생유지경] 족제비가 다니는 좁은 길. 산간(山間)의 소로.

5 ⑱ [鼫] 석 [入]陌 常隻切 shí
[字解] ①석서(鼫鼠) 석 다람쥐과에 속하는 동물. 몸빛은 황갈색, 볼에는 협낭이 있음. 털로 붓을 만듦. '如一鼠'《易經》. ②땅강아지 석 땅강아짓과에 속하는 곤충. 땅속을 뚫고 다니는 해충임. 누고(螻蛄). '螻蛄, 一名一鼠'《本草》.
[字源] 篆文 形聲. 鼠＋石〔音〕

[鼫鼠 석서] 자해(字解)❶을 보라.

5 ⑱ [鼮] 경 [平]青 古螢切 jiōng
[字解] 얼룩쥐 경 '一鼢'은 얼룩쥐. '時驚一鼢鼠'《皮日休》.

5 ⑱ [鼬] 유 [去]宥 余救切 yòu
[字解] ①족제비 유 족제빗과(科)에 속하는 동물. 황서랑(黃鼠狼). '倏閃雜鼯一'《韓愈》. ②성 유 성(姓)의 하나.
[字源] 篆文 形聲. 鼠＋由〔音〕

◉鼯鼬.

5 ⑱ [鼩] 구 [平]虞 其俱切 qú
[字解] 생쥐 구 鼱(鼠部 八畫)을 보라. '鼱一'.
[字源] 篆文 形聲. 鼠＋句〔音〕. '句구'는 작게 구부리다의 뜻.

5 ⑱ [鼨] 종 [平]東 職戎切 zhōng
[字解] 얼룩쥐 종 '一, 豹文鼠也'《說文》.
[字源] 篆文 形聲. 鼠＋冬〔音〕

6 ⑲ [鼭] [一] 학 [入]藥 下各切 hé [二] 락 [入]藥 盧各切
[字解] [一] 쥐 학 쥐의 일종. '一, 一鼠. 出胡地, 皮可作裘'《說文》. [二] 쥐 락 [一]과 뜻이 같음.

6 ⑲ [貉鼠] 鼭(前條)과 同字

6 ⑲ [鼮] 〔경〕 鼮(鼠部 五畫〈p. 2717〉)의 訛字

7 ⑳ [鼮] 정 [平]青 特丁切 tíng
[字解] 얼룩쥐 정 표범과 같은 무늬가 있는 쥐. '一鼠'.
[字源] 形聲. 鼠＋廷〔音〕

[鼮鼠 정서] 얼룩쥐.

7 ⑳ [鼰] 년 [去]霰 南見切 xiàn
[字解] 푸른다람쥐 년 털빛이 푸르며 나무 위에서 서식함. '一鼠. (注) 今江東山中有一鼠. 狀如鼠而大, 蒼色, 在樹木上'《爾雅》.

7 ⑳ [鼯] 오 [平]虞 五乎切 wú
[字解] 날다람쥐 오 다람쥣과에 속하는 동물. 다람쥐와 비슷하며, 전후 양지(兩肢) 사이에 피막(皮膜)이 있어 나무 사이를 날아다님. 오기

13 획

서 (五技鼠). '一鼠夜叫'《馬融》.
字解 形聲. 鼠+吾〔音〕. '吾오'는 '五오'와 통하여, 篆文의 '五오' 자처럼 발을 벌려서 나는 날다람쥐의 뜻을 나타냄.

[鼫鼠 오서] 날다람쥐.
[鼫鼠之技 오서지기] 날다람쥐는 날기, 나무 오르기, 헤엄치기, 구멍 파기, 달리기 등 다섯 가지를 다 할 줄 아나 모두 서투르다는 뜻으로, 재주는 많아도 하나도 제대로 이룬 것이 없음의 비유.
[鼫鼬 오유] 날다람쥐와 족제비.
●飢鼫. 山鼫. 狐鼫. 鼬鼫.

7
⑳ [鼰] 鼫(前條)와 同字

8
㉑ [鼱] 정 ㊄庚 子盈切 jīng
字解 생쥐 정 '一鼱'는 생쥐. 쥐 중에 가장 작음. '譬由一鼱之襲狗'《東方朔》.
字源 形聲. 鼠+靑〔音〕.

[鼱鼩 정구] 생쥐. 가장 작은 집쥐로서 애완용·실험용으로 기름.

9
㉒ [顤] ❶ 혁 ㈺錫 形狄切 xí
❷ 결 ㈺屑 奚結切 xié
字解 ❶ 흰쥐 혁 '銀鼠, 白色如銀, 本名一鼠'《本草綱目》. ❷ 쥐이름 결 鼰(鼠部 九畫)과 뜻이 같음. '鼰, 鼠名, 狀如鼠, 在樹木上, 或作一'《集韻》.

9
㉒ [鼺] 언 ㊤阮 於幰切 yǎn
㊤銑 於蹇切
字解 두더지 언 두더짓과에 속하는 동물. 쥐와 비슷하나 좀 크고 주둥이가 날카로워 땅속을 잘 뚫고 다님. 전서 (田鼠).
字源 形聲. 鼠+匽〔音〕.
參考 鼴(鼠部 十畫)은 同字.

[鼺鼠 언서] 두더지.

9
㉒ [鼷] 돌 ㈺月 陁沒切 tū
字解 새와함께사는쥐 돌 '鳥鼠同穴, 其鳥爲鵌, 其鼠爲一'《爾雅》.

9
㉒ [鼶] 격 ㈺錫 古闃切 jú
字解 ①짐승이름 격 크기가 물소만 하고 무게가 천 근(千斤) 된다는 산짐승의 이름. '一, 鼠身長須而賊, 秦人謂之小驢', 似鼠而馬蹄, 一歲千斤, 爲物殘賊'《爾雅》. ②쥐이름 격 나무 위에서 사는 큰 쥐의 일종. '今江東山中有一鼠, 狀如鼠而大, 蒼色, 在樹木上'《爾雅 注》.

10
㉓ [鼸] 당 ㊄陽 徒郎切 táng
字解 쥐이름 당 쥐의 일종. '一, 鼲一, 鼠屬, 一曰, 易腸鼠, 謂一月三易腸'《集韻》.

10
㉓ [鼶] 혜 ㊄齊 胡雞切 xī
字解 생쥐 혜 쥐의 일종. 쥐의 종류 중에서 가장 작음. '一鼠食郊牛之角'《春秋》.
字源 形聲. 鼠+奚〔音〕. '奚혜'는 그 울음소리를 나타내는 의성어.

[鼶鼠 혜서] 생쥐. 정구(鼱鼩).

10
㉓ [𪕄] 곡 ㈇屋 古祿切 gǔ
字解 족제비 곡 유서(鼬鼠). '一, 一鼲, 鼠名'《集韻》.

10
㉓ [𪕊] 𪕄(前條)과 同字

10
㉓ [𪕋] 〔언〕 鼺(鼠部 九畫〈p.2718〉)과 同字

15
㉘ [𪕚] 루 ㊄支 倫爲切 léi
字解 날다람쥐 루 다람쥣과에 속하는 동물. 나무 사이를 날아다님. 오기서 (五技鼠). '騰蝯飛一, 相奔越'《晉書》.
字源 形聲. 鼠+畾〔音〕.

●飛𪕚

18
㉛ [𪕛] 〔구〕 鼩(鼠部 五畫〈p.2717〉)와 同字

鼻 (14획) 部
〔코비부〕

0
⑭ [鼻] ㊥비 ㊧眞 毗至切 bí
筆順 丿 宀 自 自 鼻 畠 皇 鼻
字解 ①코 비 오관(五官)의 하나. 동물의 후각(嗅覺) 및 호흡을 맡은 기관. '掩一而過之'《孟子》. ②코꿸 비 짐승의 코에 구멍을 뚫어 바깥 것으로 꿰. '一赤象, 圈巨狿'《張衡》. ③시초 비 최초. 처음. 태생 동물은 코부터 먼저 생긴다는 데서 나온 뜻. '人之胚胎, 一先受形, 故謂始祖爲一祖'《正字通》. ④손잡이 비, 귀 비 기물의 손으로 쥐는 부분. '銅印銅一'《隋書》.
字源 甲骨文·金文은 코를 본뜬 것. 뒤에 음을 나타내는 '畀비'를 덧붙임. 篆文은 形聲으로 自+畀〔音〕. '畀비'는 증기를 통과시키기 위한 시룻밑의 뜻. 공기를 통하는 '코'의 뜻을 나타냄.
參考 ①'鼻비'를 의부(意符)로 하여, 코의 상태나 숨소리 등에 관한 문자를 이룸. ②鼻(次條)는 同字.

[鼻腔 비강] 코 안. 콧속.
[鼻莖 비경] 비량(鼻梁).

[鼻骨 비골] 코뼈.
[鼻孔 비공] 콧구멍.
[鼻孔上 비공상] 코앞. 바로 눈앞.
[鼻觀 비관] 비공(鼻孔).
[鼻竅 비규] 비공(鼻孔).
[鼻衄 비뉵] 코피.
[鼻頭出火 비두출화] 코끝에서 불이 남. 곧, 기염(氣焰)이 대단함을 이름.
[鼻梁 비량] 콧마루.
[鼻毛 비모] 콧구멍에 난 털.
[鼻門 비문] 콧구멍.
[鼻齄 비사] 코등에 열꽃이 돋아 불그스름한 병증. 주사(酒皶).
[鼻塞症 비색증] 콧속이 빽빽하여 숨을 쉬기가 어렵고 냄새를 맡지 못하게 되는 병(病).
[鼻聲 비성] 콧소리. 코 울림소리.
[鼻笑 비소] 코웃음.
[鼻息 비식] ㉠콧숨. ㉡남의 안색(顏色). 남의 의견
[鼻哂 비신] 코웃음을 침.
[鼻液 비액] 비이(鼻洟).
[鼻淵 비연] '축농증'의 한방명(漢方名).
[鼻炎 비염] 비강점막(鼻腔粘膜)의 염증(炎症).
[鼻音 비음] 콧소리.
[鼻飲 비음] 코로 마심.
[鼻洟 비이] 콧물.
[鼻祖 비조] 시조(始祖). 창시자(創始者). 사람이 배 속에서 생길 때 코가 먼저 이루어진다 하여 이름.
[鼻柱 비주] 비량(鼻梁).
[鼻涕 비체] 비이(鼻洟).
[鼻痔 비치] 콧구멍 속에 군살이 생기는 병(病).
[鼻鼾 비한] 코 고는 소리.
[鼻血 비혈] 코피.
[鼻燻 비훈] 약의 훈기(燻氣)를 콧구멍에 쐬는 일.
●巨鼻. 高鼻. 骨鼻. 犢鼻. 沒色鼻. 反鼻. 酸鼻. 盾鼻. 阿鼻. 掩鼻. 有鼻. 類鼻. 隆鼻. 耳鼻. 長鼻. 赤鼻. 尖鼻. 炊鼻. 亢鼻.

0
⑭ [鼻] 鼻(前條)와 同字

1
⑮ [鼽] ▆요 ㊀嘯 五弔切 yào
▆교 ㊀嘯 詰弔切
▆후 ㊀宥 牛救切

字解 ▆ 들창코 요 '一, 仰鼻'《廣韻》. ▆ 들창코 교 㠯과 뜻이 같음. ▆ 들창코 후 㠯과 뜻이 같음.

2
⑯ [鼿] ▆요 ㊀篠 魚小切 yào
▆교 ㊀嘯 苦弔切

字解 ▆ 매부리코 요 '一, 折鼻也'《集韻》. ①들창코 교 '一, 仰鼻'《字彙》. ②鼽(前條)와 뜻이 같음.

2
⑯ [鼿] 교 ㊀嘯 丘召切 yào

字解 ①들창코 교 '一, 鼻仰也'《集韻》. ②鼽(前前條)의 俗字.

2
⑯ [鼽] 구 ㊀尤 巨鳩切 qiú

字解 코막힐 구 감기가 들어 코가 막히는 일. '季秋行夏令, 則其國大水, 冬藏殃敗, 民多一 嚏'《禮記》.

字源 篆文 [鼽] 形聲. 鼻+九〔音〕. '九구'는 구부려져서 눌려 막히다의 뜻. 감기가 들어 코가 막히다의 뜻을 나타냄.

[鼽窒 구질] 코가 막힘.
[鼽嚏 구체] 코가 막혀 재채기를 함.
[鼽欬 구해] 감기가 들어 코가 막히고 기침을 함.

[鼿] 〔의〕 刀部 十四畫(p. 270)을 보라.

3
⑰ [鼾] 한 ㊀翰 侯旰切 hān

字解 코고는소리 한 '爛醉就臥, 鼻一如雷'《黃庭堅》.

字源 篆文 [鼾] 形聲. 鼻+干〔音〕. '干간'은 '침해하다, 깎다'의 뜻. 코를 침해하여 깎는 듯한 소리의 코 고는 소리의 뜻을 나타냄.

[鼾雷 한뢰] 한성여뢰(鼾聲如雷).
[鼾聲如雷 한성여뢰] 코 고는 소리가 우레같이 요란함.
[鼾睡 한수] 코를 골며 잠.
[鼾息 한식] 코 고는 소리.

3
⑰ [歇] 〔구〕 鼽(鼻部 二畫〈p.2719〉)와 同字

4
⑱ [衄] 뉵 ㊁屋 尼六切 nù

字解 코피 뉵 衄(血部 四畫)과 뜻이 같음.
字源 形聲. 鼻+丑〔音〕

5
⑲ [鴕] 구 ㊁宥 丘救切 qiù

字解 들창코 구 '一, 一鼽, 仰鼻'《集韻》.

5
⑲ [齁] 후 ㊀尤 呼侯切 hōu

字解 코고는소리 후 '鼻息一一自成曲'《蘇軾》.
字源 形聲. 鼻+句〔音〕. '句구'는 코 고는 소리의 의성어.

[齁睡 후수] 코 골며 잠.
[齁齁 후후] 코 고는 소리의 형용.

5
⑲ [齁] 〔포〕 皰(皮部 五畫〈p. 1516〉)와 同字

6
⑳ [齛] 괴 ㊀灰 枯回切 kuī

字解 콧숨소리 괴 '一, 鼻息聲'《字彙》.

6
⑳ [齈] 합 ㊁合 呼合切 hē

字解 콧숨 합 코로 쉬는 숨. '一, 一齁, 鼻息, 或从夾'《集韻》.

8
㉒ [齈] 희 ㊀眞 虛器切 xiè

字解 누워숨쉴 희, 코골 희 '一, 臥息也'《說文》.
字源 篆文 [齈] 形聲. 鼻+隶〔音〕. '隶이'는 '逮태'와 통하여 편안한 모양.

14
-
17
획

9 ㉓ [齃] 알 [入]曷 烏葛切 è

[字解] 콧대 알 콧대. 비경(鼻莖). '魋顔蹙一, 膝攣'《史記》.

[字源] 類의 別體 形聲. 鼻+曷〔音〕

◉蹙齃.

9 ㉓ [齇] 사(차[本]) [平]麻 莊加切 zhā

[字解] 주부코 사 비사증(鼻齇症)이 있는 코. 또, 그 병증.

[字源] 形聲. 鼻+查〔音〕

[參考] 齄(次次條)는 同字.

10 ㉔ [齅] 후 [去]宥 許救切 xiù

[字解] 맡을 후 嗅(口部 十畫)와 同字. '獨倚寒村一野梅'《唐彥謙》.

[字源] 篆文 形聲. 鼻+臭〔音〕. '臭취·후'는 '냄새'의 뜻. 코로 냄새를 맡다의 뜻을 나타냄. 뒤에 '鼻비' 대신 '口구'로 바뀌어 '嗅후'가 됨.

11 ㉕ [齄] 사(차[本]) [平]麻 莊加切 zhā

[字解] 주부코 사 비사증(鼻齇症)이 있는 코. 皻(皮部 十一畫)와 同字. '王氏世一鼻'《魏書》.

[字源] 形聲. 鼻+虘〔音〕

[參考] 齇(前前條)는 同字.

13 ㉗ [齈] 농 [平]冬 奴冬切 nóng
[去]送 奴凍切 nòng

[字解] 콧물 농 콧구멍에서 흘러나오는 물. 비체(鼻嚏). '一, 鼻病, 多涕'《集韻》.

[字源] 形聲. 鼻+農〔音〕

22 ㊱ [齉] 낭 nàng

[字解] 코막힐 낭, 소리분명치않을 낭.

齊 (14획) 部
〔가지런할제부〕

0 ⑭ [齊] [高人] [一] 제 [平]齊 徂奚切 qí
[二] 재 [平]佳 莊皆切 zhāi
[三] 자 [平]支 津私切 zī

[筆順]

[字解] [一] ①가지런할 제, 같을 제 균일함. 또, 동등함. '一一'. '與我一者'《呂氏春秋》. ②가지런히 제, 같이 제 가지런하게. 또, 함께. '一列'. '不一出于南畝'《史記》. ③같이할 제 같게 함. '一心合力'. '一死生'《淮南子》. ④가지런히할 제 ㉠균등하게 함. '一大小'. ㉡정리함. 다스림. '整一'. '先一其家'《大學》. ⑤바를 제 평정(平正)함. '一明而不竭'《荀子》. ⑥엄숙할 제 장엄함. '一莊'. '子雖一聖, 不先父食'《左傳》. ⑦삼갈 제 근신함. 조심함. '一敬'. ⑧재빠를 제 민첩함. '一給'. '幼而徇一'《史記》. ⑨오를 제 躋(足部 十四畫)와 同字. '地氣上一'《禮記》. ⑩한 제 제한. '無復一限'《晉書》. ⑪가운데 제 중위(中位). '不知斯一國幾千萬里'《列子》. ⑫배꼽 제 臍(肉部 十四畫)와 통용. '噬一'《左傳》. ⑬제나라 제 ㉠주대(周代)의 제후(諸侯)의 나라. 진(秦)나라에 멸망당함. 지금의 산둥 성(山東省) 지방. ㉡남조(南朝)의 한 나라. 소도성(蕭道成)이 송(宋)나라를 찬탈(簒奪)하고 지금의 창장(長江)·웨장(粵江) 유역 지방에 창건(創建)한 나라. 도읍(都邑)은 건강(建康). 7주(主) 24년(年) 만에 양(梁)나라에 선양(禪讓)함. 남제(南齊). (479～502) ㉢북조(北朝)의 한 나라. 고양(高洋)이 동위(東魏)를 찬탈(簒奪)하고 창건(創建)한 나라. 5주(主) 28년(年) 만에 후주(後周)에게 멸망됨. 북제(北齊). (550～577) ⑭성 제 성(姓)의 하나. [二] 재계할 재 齋(齊部 三畫)와 통용. '齋之爲言一也'《禮記》. [三] ①옷자락 자 '攝一升堂'《論語》. ②상복 자 상복의 아랫단을 혼 것. '一疏'. '一衰'.

[字源] 甲骨文 金文 篆文 象形. 곡물의 이삭이 자라서 가지런한 모양을 본떠, '가지런하다, 균일하다'의 뜻을 나타냄.

[參考] ①'齊제'를 의부(意符)로 하는 문자는 적음. 부수 이름은 '가지런할제'. ②斉(文部 四畫)는 俗字.

[齊疏 자소] 거친 베로 지은 아랫단을 혼 상옷.
[齊衰 자최] 재최(齊衰).
[齊戒 재계] 재계(齋戒).
[齊郎 재랑] 재랑(齋郎).
[齊衰 재최] 삼베로 지은 아랫단을 혼 상옷.
[齊家 제가] 집안을 다스림.
[齊肩 제견] 어깨를 나란히 함.
[齊敬 제경] 삼가고 공경함.
[齊契 제계] ㉠같이 만남. ㉡마음이 맞는 사람.
[齊恭 제공] ㉠삼감. ㉡차별 없이 공경함.
[齊國 제국] ㉠중국(中國)을 이름. ㉡춘추 전국 시대(春秋戰國時代)에 지금의 산둥 성(山東省)에 있던 나라.
[齊叫 제규] 일제히 부르짖음. 함성(喊聲)을 지름.
[齊均 제균] 한결같이 가지런함.
[齊給 제급] ㉠약삭빠름. ㉡등분하여 급여함.
[齊女 제녀] '매미〔蟬〕'의 별칭(別稱).
[齊年 제년] ㉠동방급제(同榜及第)를 한 사람. ㉡같은 나이. 동년(同年).
[齊岱 제대] '태산(泰山)'의 별칭(別稱).
[齊東野語 제동야어] ㉠제동야인지어(齊東野人之語). ㉡책 이름. 송(宋)나라 주밀(周密)의 찬(撰). 20권. 주로 남송(南宋) 시대의 사실(事實)·전고(典故)·인사(人事)·문예(文藝)·일사(佚事)를 기술(記述)한 것으로 독사(讀史)에 도움이 됨.
[齊東野人之語 제동야인지어] 제(齊)나라 동쪽 벽촌 사람의 말. 믿을 수 없는 황당한 말.
[齊等 제등] 비등함. 동등함.
[齊梁體 제량체] 육조(六朝)의 제(齊)·양(梁) 시대의 시체(詩體). 염미(艷美)를 주로 함.
[齊列 제렬] 제열(齊列).

[齊魯 제로] 춘추 전국 시대의 제(齊)나라와 노(魯)나라. 문학의 근원지임.
[齊栗 제률] 제율(齊栗).
[齊慄 제률] 제율(齊慄).
[齊盟 제맹] 모두 함께 맹세함.
[齊明 제명] 바르고 밝음.
[齊物論 제물론] 장자(莊子)의 중심 사상(中心思想)을 나타내는 논설. 또, 그 저서 〈장자(莊子)〉의 제2편의 이름. 세상의 시비 진위(是非眞僞)를 모두 상대적으로 보고 함께 하나로 돌아가야 한다고 하는 주장.
[齊眉之禮 제미지례] 눈썹 높이까지 밥상을 들어 받드는 예. 삼가 남편을 섬기는 예법(禮法).
[齊民 제민] ㉠백성을 잘 다스림. ㉡보통 사람. 일반 백성. 서민(庶民).
[齊民要術 제민요술] 책 이름. 10권(卷) 92편(篇). 후위(後魏)의 가사협(賈思勰)의 찬(撰). 농포 의식(農圃衣食)의 법을 상술(詳述)하였음. 농가(農家)의 서(書)로서 가장 오래된 책임.
[齊聖 제성] 엄숙하고 사리에 통달함.
[齊遬 제속] 공손함.
[齊心 제심] 마음을 같이함. 합심(合心).
[齊嚴 제엄] 엄숙함.
[齊如 제여] 엄숙하고 근신하는 모양. 경의(敬意)를 표하는 모양.
[齊列 제열] 가지런히 늘어섬.
[齊鉞越椎 제월월추] 대신(大臣)·대장(大將)의 비유. 월(鉞)과 추(椎)는 모두 정권(政權)의 뜻.
[齊栗 제율] 몸을 단정히 하고 언행을 조심함.
[齊慄 제율] 제율(齊栗).
[齊一 제일] 가지런함. 균일함.
[齊紫敗素 제자패소] 세상에서 진중(珍重)히 여기는 제(齊)나라의 자주 비단도 헌 흰 실을 가공하여 짠 것이라는 뜻으로, 전화위복(轉禍爲福)함의 비유.
[齊莊 제장] 엄숙함.
[齊正 제정] 가지런하고 바름. 또, 가지런하고 바르게 함.
[齊整 제정] 정돈됨. 또, 정돈함.
[齊齊 제제] ㉠공손하고 삼가는 모양. ㉡가지런한 모양.
[齊州 제주] 중국(中國)을 이름. 중주(中州)의 뜻.
[齊車 제차] 금은으로 장식한 수레.
[齊唱 제창] 여러 사람이 일제히 노래를 부름.
[齊楚 제초] 깨끗하고 고움. 청초(淸楚)함.
[齊吹 제취] ㉠여러 사람이 일제히 피리를 붊. ㉡무능자(無能者)가 여러 유능자 속에 끼여 같이 일을 함을 이름.
[齊齒 제치] 제열(齊列).
[齊編 제편] 같이 편입함.
[齊平 제평] 가지런하여 평평함. 똑같음.
[齊限 제한] 한도(限度). 정도.
[齊諧 제해] 괴담(怪談)을 적은 책.
[齊桓晉文 제환진문] 제(齊)나라의 환공(桓公)과 진(晉)나라의 문공(文公). 두 사람 춘추 시대(春秋時代)의 오패(五霸) 중에서 가장 강한 사람임.
●均齊. 萬物齊. 物我齊. 散齊. 蕭齊. 愼齊. 夷齊. 一齊. 整齊. 斬齊. 總齊. 海東齊. 火齊.

筆順 一ナ亣亣亦齊齋齋
字解 一 ①재계 재 제사 같은 것을 지낼 때, 그 전 며칠 동안 심신을 깨끗이 하며 부정한 일을 가까이하지 않는 일. '致一' '是祭祀之一, 非心也'〈莊子〉. ②재계할 재 '聖人以此一戒'〈易經〉. ③집 재, 방 재 연거(燕居)의 방. '山一' '書'. ④식사 재 법회(法會) 때의 식사, 식사(食事). '受持一法'〈起世經〉. 二 상복 자 상옷의 한 가지. 아랫단을 혼 것. '一疏之服'〈孟子〉.
字源 金文 林 篆文 齋 形聲. 示+齊(齋)〈省〉〔音〕. '齋제'는 가지런히 하다의 뜻. 몸과 마음을 깨끗이 하여 신을 섬기다, 부정한 일을 가까이하지 않다의 뜻을 나타냄.
參考 斋(文部 七畫)는 俗字.

[齋潔 재결] 재계(齋戒)하여 심신(心身)을 깨끗이 함.
[齋戒 재계] 부정(不淨)을 기(忌)하고 몸을 깨끗하게 함.
[齋鼓 재고]《佛敎》절에서 식사 시간을 알리기 위하여 치는 북.
[齋供 재공] 절에서 내놓는 식사.
[齋宮 재궁] 천자(天子)가 대묘(大廟)의 제사 전에 재계(齋戒)하는 궁전.
[齋祈 재기] 재계(齋戒)하고 기도를 드림.
[齋壇 재단] ㉠하늘에 제사를 지내는 곳. ㉡중 또는 도사(道士)가 경을 읽으며 신불(神佛)에게 제사 지내는 곳.
[齋禱 재도] 재기(齋祈).
[齋郞 재랑] 제사 때 집사(執事)하는 벼슬아치.
[齋糧 재량] 법회(法會) 때 메를 짓는 쌀.
[齋米 재미] 중에게 주는 쌀.
[齋牓 재방] 서재(書齋)에 거는 편액(扁額).
[齋舍 재사] ㉠재 옥(齋屋). ㉡서재.
[齋所 재소] ㉠재계(齋戒)를 하는 곳. ㉡재(齋)를 올리는 곳.
[齋宿 재숙] 재계하고 하룻밤을 지냄.
[齋食 재식] 불가(佛家)의 식사.
[齋心 재심] 마음을 깨끗이 함.
[齋筵 재연] 공양(供養)하는 좌석.
[齋屋 재옥] 재계(齋戒)하는 집.
[齋院 재원] 제사 지내기 전날에 제사 지낼 사람이 재계(齋戒)하는 곳.
[齋日 재일] 재계(齋戒)하는 날.
[齋長 재장] 서재(書齋)의 우두머리.
[齋場 재장] 재소(齋所).
[齋主 재주] 제사를 지내는 일을 주관하는 사람.
[齋廚 재주] 사찰(寺刹)·도관(道觀)의 취사장(炊事場).
[齋車 재차] 금은(金銀)으로 장식한 수레.
[齋醮 재초] 중이나 도사(道士)가 단(壇)을 설치하고 재를 올림.
[齋七 재칠]《佛敎》사람이 죽은 후 49일간 이레마다 행하는 재(齋).
[齋寢 재침] 서재와 침실.
[齋會 재회]《佛敎》승려·도사(道士)를 모아 놓고 독경(讀經)·공양(供養)하는 법회(法會).
●潔齋. 高齋. 空齋. 山齋. 書齋. 禪齋. 小齋. 心齋. 長齋. 淸齋. 致齋. 寢齋.

3 ⑰ [齋] 人名 一 재 ㉠佳 側皆切 zhāi 二 자 ㉠支 津私切 zī 斎 舌

3 ⑰ [齎] 二 제 ㉠齊 徂奚切 qí 二 재 ㉠佳 側皆切 zhāi

14-17획

[字解] [一] 좋을 제 '一, 好皃'《廣韻》. [二] 삼갈 재.
[字源] 篆文 形聲. 女+齊〔音〕. '齊제'는 갖추어져 가지런하다의 뜻. 재능이 갖추어진 여자의 뜻을 나타냄.

4 ⑱ [齌] 제 [去]霽 在詣切 jì

[字解] ①불땔 제 밥을 짓느라고 불을 땜. ②몹시 노할 제 '一怒'.
[字源] 篆文 形聲. 火+齊〔音〕. '齊제'는 '빠르다'의 뜻. 불을 때어 저녁밥을 짓는 것이 빠르다의 뜻을 나타냄.

[齌怒 제노] 버럭 성냄. 격노(激怒)함.

5 ⑲ [齍] [一] 자 [平]支 卽夷切 zī
[二] 제 [平]齊 牋西切 zī

[字解] [一] ①제기 자 서직(黍稷)을 담는 제기(祭器). '大宗伯奉玉一'《周禮》. ②기장 자 제사에 쓰는 서직(黍稷). 粢(米部 六畫)와 同字. '世婦共一盛'《周禮》. [二] 제기 제, 기장 제 [一]과 뜻이 같음.
[字源] 金文 篆文 形聲. 皿+齊〔音〕. '齊제'는 '齋재'와 통하여 '청정(淸淨)'의 뜻. 신에 대한 제물을 담는 그릇, '제기'의 뜻을 나타냄.

[illegible] 〔자〕 衣部 十四畫(p. 2079)을 보라.

7 ㉑ [齎] [人名] [一] 재(자[本]) [平]支 津私切 jī
[二] 자 [平]支 卽夷切 zī
[三] 제 [平]齊 祖稽切

[字解] [一] ①가져갈 재 '鄭莊行千里不一糧'《史記》. ②가져올 재 '一此嘉端'《謝觀》. ③아 재 '아' 하고 탄식하는 소리. '一咨涕洟'《易經》. [二] 재물 자 資(貝部 六畫)와 同字. '歲終則會其財一'《周禮》. [三] ①가져갈 제, 가져올 제 [一]과 뜻이 같음. ②가질 제, 지닐 제 휴대함. '一磨鏡具自隨'《世說》. ③줄 제, 보낼 제 증여함. 또는 보내 줌. 또, 그 물품. '一送'. '一貸子錢'《史記》. ④성 제 성(姓)의 하나.
[字源] 篆文 形聲. 貝+齊〔音〕. '齊제'는 '進진'과 통하여 '권하다'의 뜻. 사람에게 권하는 재화, 재화를 가지고 나아가다, 가져가다의 뜻을 나타냄.

[齎用 자용] 소용이 되는 금품(金品). 자용(資用).
[齎貸 재대] 대여(貸與)함.
[齎盜糧 재도량] 도둑에게 먹을 것을 갖다 준다는 뜻으로, 적(敵)에게 편의(便宜)를 줌의 이름.
[齎盜食 재도식] 재도량(齎盜糧).
[齎糧 재량] 양식(糧食)을 가지고 감.
[齎捧 재봉] 가지고 가 바침.
[齎送 재송] 물품을 보냄. 또, 보내온 물품.
[齎咨 재자] ㉠차탄(嗟歎)하는 소리. ㉡탄식함.
◉輕齎. 私齎. 重齎.

9 ㉓ [齏] 제 [平]齊 祖稽切 jī

[字解] ①회 제, 나물 제 어육 따위를 날로 엷게 썬 음식. 또, 푸성귀를 잘게 썰어 무친 음식. '凡醯醬所和, 細切爲一'《周禮 註》. ②부술 제, 섞을 제 부수어 혼합함. '一萬物'《莊子》.
[字源] 籀의 別體 形聲. 韭+齊〔音〕. '齊제'는 가지런히 하다의 뜻. '韭구'는 부추의 象形. 야채를 잘게 썰고, 된장·깨·초 등으로 간을 맞춘 '나물'의 뜻을 나타냄.

◉淡齏. 玉齏. 懲羹吹齏. 黃齏.

齒 (15획) 部
〔이치부〕

0 ⑮ [齒] [中人] 치 [上]紙 昌里切 chǐ

[筆順]

[字解] ①이 치 ㉠음식을 씹는 기관. '一牙'. '一亡舌存'. ㉡이와 같이 생긴 물건. 또는 이와 같은 작용을 하는 물건. '鋸一'. '不覺屐一之折'《晉書》. ②어금니 치 송곳니 안쪽에 있는 이. '元龜象一'《詩經》. ③나이 치 연령. '年一'. '非義不盡一'《國語》. ④나란히설 치 동렬(同列)에 섬. 비견(比肩)함. '不敢與諸任一'《左傳》. ⑤나이셀 치 연령을 셈. '一路馬有誅'《禮記》. ⑥적을 치 기록함. '一錄'. '終身不一'《禮記》. ⑦성 치 성(姓)의 하나.
[字源] 甲骨文 篆文 古文 甲骨文은 이를 본뜬 것. '𠚕'는 그 변형. 뒤에 '止지'를 덧붙여 𠚕+止〔音〕 形聲字가 됨. '止지'는 '머무르다'의 뜻. 물건을 물어 멈추게 하는 아래위의 이의 뜻을 나타냄.
[參考] ①'齒치'를 의부(意符)로 하여, 이의 종류나 상태, 무는 일 등에 관한 문자를 이룸. 부수 이름은 '이치'. ②歯(凵部 十畫)는 俗字.

[齒劍 치검] ㉠칼에 닿음. ㉡자살(自殺)함. ㉢참살당함.
[齒決 치결] 이로 깨물어 끊음.
[齒頸 치경] 치관(齒冠)과 치근(齒根)의 경계가 되는 부분.
[齒骨 치골] 이틀을 이루는 뼈.
[齒科 치과] 이의 병(病)을 고치는 의술(醫術).
[齒冠 치관] 이의 노출(露出)된 부분. 「촉.
[齒根 치근] 이의 치조(齒槽) 속에 있는 부분. 이
[齒德 치덕] ㉠연령과 덕행. ㉡고년(高年)과 영덕(令德). 많은 나이와 뛰어난 덕.
[齒冷 치랭] 자꾸 비웃음.
[齒列 치렬] 치열(齒列).
[齒錄 치록] 모아 적음. 수록함.
[齒亡舌存 치망설존] 이는 빠져도 혀는 남음. 곧, 강한 자가 먼저 망하고 유한 자가 나중까지 남음을 이름.
[齒髮 치발] 이와 머리털. 이가 빠지고 머리가 희어지는 것은 나이 먹은 표시임.
[齒算 치산] 나이. 연치(年齒).
[齒序 치서] 나이의 차례(次例).
[齒石 치석] 이의 안쪽의 엉기어 붙은 물질.
[齒聲 치성] 치음(齒音).
[齒宿 치숙] 나이 먹음. 연로함.
[齒牙 치아] 이와 어금니. 이.

[齒牙餘論 치아여론] 남을 칭찬함.
[齒讓 치양] 연장자에게 사양함.
[齒如瓠犀 치여호서] 잇바디가 아름답고 빛이 흼을 이름.
[齒列 치열] ㉠이가 박힌 열(列)의 생김새. 잇바디. ㉡나란히 섬. 같이 섬. 또, 그 늘어선 줄.
[齒齯 치예] 노인의 이가 빠지고 다시 나는 작은 이. 예치(齯齒).
[齒齗 치은] 치근(齒根).
[齒齦 치은] 치근(齒根).
[齒音 치음] 혀끝과 윗니 또는 잇몸 사이에서 나는 소리. 'ㅅ'·'ㅈ' 같은 음. 잇소리.
[齒杖 치장] 임금이 일흔 살의 노인에게 하사하는 지팡이. 왕장(王杖).
[齒長 치장] 노인.
[齒槽 치조] 이촉이 박혀 있는 구멍.
[齒胄 치주] 왕(王)의 태자(太子)가 학교에 들어가는데 연령순으로 차례를 정하는 일.
[齒次 치차] 연령순. 또, 연령순으로 섬.
[齒車 치차] 톱니바퀴.
[齒痛 치통] 이앓이.
[齒革 치혁] 짐승의 이와 가죽.
◉鋸齒. 犬馬之齒. 犬齒. 堅齒. 丱齒. 臼齒. 舊齒. 馬齒. 明眸皓齒. 暮齒. 沒齒. 拔齒. 不足齒. 不齒. 不見齒. 尙齒. 素齒. 收齒. 宿齒. 脣齒. 兒齒. 雁齒. 羊齒. 年齒. 涅齒. 永久齒. 玉齒. 齲齒. 幼齒. 乳齒. 孺齒. 義齒. 履齒. 壯齒. 切齒. 折齒. 齊齒. 尊齒. 種齒. 鑿齒. 髫齒. 稚齒. 含齒. 鄕黨尙齒. 皓齒. 毁齒. 黑齒.

1 ⑯ [齓] 齔(次次條)과 同字

2 ⑰ [⿰齒八] 팔 [入]黠 普八切 pà

[字解] 이의소리 팔 이가 부딪는 소리, 또는 이를 가는 소리. '一, 齒聲'《集韻》.

2 ⑰ [齔] 츤 [去]震 初覲切 chèn

[字解] ①이갈 츤 배냇니가 빠지고 간니가 남. '未一者'《周禮》. ②어릴 츤, 어린애 츤 이를 갈 무렵의 나이. 또, 그 나이의 아이. '髫一'. '年皆童一'《後漢書》.
[字源] [篆文] 會意. 齒+匕. '匕화'는 '化화'로 '변하다'의 뜻. 이가 빠져 간니로 바뀌다의 뜻을 나타냄.
[參考] 齓(前前條)은 同字.

[齔童 츤동] 배냇니가 빠지는 나이쯤 되는 어린아이. 칠팔 세경의 어린아이.
[齔髫 츤초] 츤동(齔童).
◉童齔. 髫齔. 沖齔.

3 ⑱ [齕] 흘 [入]月 下沒切 hé

[字解] 깨물 흘, 씹을 흘 이로 깨물거나 씹음. '一噬'. '削瓜庶人一之'《禮記》.
[字源] [篆文] 形聲. 篆文은 齒+气〔音〕. '气걸'은 '乙을'과 통하여 갈지자 모양의 뜻. 아래위의 이를 마찰시켜서 깨물어 씹다의 뜻을 나타냄.

[齕齩 흘교] 깨묾. 씹음.
[齕萁 흘기] 콩깍지를 씹음.
[齕啖 흘담] 씹어 먹음.
[齕咋 흘사] 흘담(齕啖).
[齕噬 흘서] 깨묾. 씹음.
[齕齧 흘설] 흘서(齕噬).
[齕呑 흘탄] 동물 중에 음식을 씹지 않고 삼키는 것. 곧, 조류(鳥類) 따위.

4 ⑲ [齖] 아 [平]麻 五加切 yá

[字解] 말듣지않을 아 '聱一'는 남의 말을 듣지 않는 일. '能學聱一, 保宗而全家'《唐書》.
[字源] 形聲. 齒+牙〔音〕

◉聱齖.

4 ⑲ [⿰齒巴] 파 [平]麻 邦加切 bà
[去]禡 步化切

[字解] ①이드러날 파 '一齖'는 이가 밖으로 드러난 모양. '一, 一齖, 齒出也'《集韻》. ②이바르지않을 파 '一, 齒不正也'《字彙》.

4 ⑲ [⿰齒今] 금 [去]沁 巨禁切 jìn

[字解] ①혀에난병 금 혀에 나는 병. '一, 舌病'《玉篇》. ②소의혀에난병 금 ⿰牛今(牛部 四畫)과 同字. '⿰牛今, 說文, 牛舌病, 或从齒'《集韻》. ③슬퍼할 금 '一, 哀也'《廣雅》.

4 ⑲ [⿰齒内] 납 [入]合 諾盍切 nà

[字解] ①씹을 납, 갉아먹을 납, 계속씹어먹을 납 '一, 齧也'《集韻》. '一, 茹嚼不輟'《六書故》. ②이움직이는모양 납 '一, ⿰齒臿一, 齒動皃'《集韻》.

4 ⑲ [齗] 은 [平]文 語斤切 yín

[字解] ①잇몸 은 치은(齒齦). '一齶'. '敷墮齒之一'《舊唐書》. ②말다툼할 은 '孔子曰, 甚矣魯道之衰也, 洙泗之閒, 一一如也'《史記》.
[字源] [篆文] 形聲. 齒+斤〔音〕. '斤근'은 잘게 썰다의 뜻. 이의 뿌리를 싸고 있는 잘게 저민 모양을 한 살, '잇몸'의 뜻을 나타냄.

[齗骨 은골] 이〔齒〕.
[齗齶 은악] 잇몸.
[齗齗 은은] ㉠말다툼하는 모양. ㉡성내어 미워하는 모양.

4 ⑲ [⿰齒支] 〔교〕
齩(齒部 六畫〈p. 2725〉)와 同字

4 ⑲ [齘] 계(해[本]) [去]卦 胡介切 xiè

[字解] ①이갈 계 분노하여 이를 갊. '三嘆一良久乃止'《北史》. ②맞지않을 계 물건의 이어 댄 데가 꼭 맞지 아니함. '凡甲衣之欲其無一也'《周禮》.
[字源] [篆文] 形聲. 齒+介〔音〕. '介개'는 '깎다, 문지르다'의 뜻. 아래위의 이를 서로 문지르다, 이를 갈다의 뜻을 나타냄.

4⑲ [𪗄] 齘(前條)의 本字

4⑲ [𪗉] 흘 [入]月 下沒切 hé

[字解] 깨물 흘, 씹을 흘 齕(齒部 三畫)의 本字. '一草飮水'《莊子》.

5⑳ [齚] 색 [入]陌 鋤陌切 zé 齚

[字解] 깨물 색, 씹을 색 '魏其必內愧, 杜門一舌自殺'《史記》.

[字源] 齰의 別體 形聲. 齒+乍〔音〕

[齚舌 색설] 부끄러워 혀를 깨묾.
[齚齧 색설] 깨물어 끊음.

5⑳ [䶖] [一] 즐 [入]質 崱瑟切 zhí [二] 실 [入]質 仕叱切

[字解] [一] ①깨물어드러나는이 즐 '一, 齚齒也. (段注) 謂齚物而外露之齒也'《說文》. ②깨무는소리 즐 '一, 齧聲'《廣韻》. ③깨물 즐 齛(齒部 八畫)과 同字. '一, 齧也'《廣雅》. [二] 깨물어드러나는이 실, 깨무는소리 실, 깨물 실 [一]과 뜻이 같음.

[字源] 形聲. 齒+出〔音〕

5⑳ [齞] 언 [上]銑 研峴切 yǎn

[字解] 이드러날 언 이야기할 때 이가 드러남. '一脣歷齒'《宋玉》.

[字源] 篆文 形聲. 齒+只〔音〕. '只지·진'은 입이 벌어져 숨이 나오다의 뜻.

[齞脣 언순] 이야기할 때 이가 드러남.

5⑳ [齟] 서(주[本]) [上]語 壯所切 jǔ 龃

[字解] 맞지않을 서 '一齬'는 위아래의 이가 서로 잘 맞지 않음. 전(轉)하여, 사물이 어긋남. 기대에 어그러짐. '其志一齬'《太玄經》.

[字源] 形聲. 齒+且〔音〕. '且차'는 제물을 담는 대(臺)의 象形. 치아 위에 음식을 얹어 씹다의 뜻을 나타냄.

[齟齬 서어] 자해(字解)를 보라.

5⑳ [齠] 초 [平]蕭 田聊切 tiáo 龆

[字解] 이갈 초 배냇니가 빠지고 간니가 남. 또 이를 가는 칠팔 세의 무렵. '昔在一齔, 便蒙誨誘'《顏氏家訓》.

[字源] 形聲. 齒+召〔音〕

[齠年 초년] 초세(齠歲).
[齠髮 초발] 초세(齠歲).
[齠歲 초세] 배냇니가 빠지는 칠팔 세. 또, 그 아이.
[齠容 초용] 젊고 아름다운 얼굴.
[齠耋 초질] 어린아이와 노인.
[齠齔 초츤] 이를 가는 칠팔 세 무렵. 또, 칠팔 세의 어린아이.

5⑳ [齡] [人名] 령 [平]青 郎丁切 líng 龄

[筆順] 𠃊 ... 齒 齡 齡

[字解] 나이 령 연치. '年一'. '延億一'《晉書》.

[字源] 篆文 形聲. 齒+令〔音〕. '令령'은 '櫺령' 등과 통하여, 같은 간격으로 정연히 늘어서다의 뜻. '齒치'는 치아의 象形으로, 사람의 나이와 관계가 깊음. 같은 간격으로 매겨지는 나이의 뜻을 나타냄.

◉高齡. 龜齡. 老齡. 馬齡. 耄齡. 妙齡. 三十齡. 衰齡. 修齡. 壽齡. 樹齡. 夙齡. 弱齡. 餘齡. 年齡. 延齡. 月齡. 幼齡. 長齡. 適齡. 增齡. 稚齡. 頹齡. 遐齡. 學齡.

5⑳ [齣] 착 chū 出

[字解] 일절 착, 일회 착 각본(脚本)·전기(傳奇) 등의 한 회(回). '高則誠琵琶記, 有第一一'《路史》. '傳奇中一廻爲一一'《字彙補》.

[字源] 會意. 齒+句. '齒치'는 이처럼 나란히 벌여 있다의 뜻. '句구'는 그 한 단락의 뜻.

5⑳ [齝] 치 [平]支 丑之切 chī

[字解] 새김질할 치 소가 반추(反芻)하여 씹음. '牛曰一. (注) 食之已久, 復出嚼之'《爾雅》.

[字源] 篆文 形聲. 齒+台〔音〕. '台이'는 '기르다'의 뜻.

5⑳ [𪗸] 齝(前條)와 同字

5⑳ [𪗿] 립 [入]緝 力入切 lì

[字解] 마른것깨물 립 마른 것을 깨물어 씹는 소리. '一, 噍燥物聲'《玉篇》.

5⑳ [𪘀] 가 ①②[平]麻 丘加切 qiā ③[去]禡 口下切 qiǎ ④[去]箇 口箇切 kè

[字解] ①크게깨물 가 '一, 字林, 大齧也'《集韻》. ②씹을 가 '一, 齧也'《廣雅》. ③뼈가잇새에끼여나오지않을 가 '一, 骨着齒間不去也'《六書故》. ④이모양 가 '一, 一䶩, 齒皃'《集韻》.

5⑳ [䶙] [一] 거 [上]語 其呂切 jù [二] 구 [上]麌 顆羽切 jǔ

[字解] [一] 잇몸무를 거 잇몸이 무름. '齗不固曰一'《集韻》. [二] 잇몸부을 구 '一, 齗腫也'《說文》.

[字源] 篆文 形聲. 齒+巨〔音〕. '巨거'는 '크다'의 뜻.

6㉑ [齦] [一] 은 [平]文 語斤切 yín [二] 간 [上]阮 康很切 kěn 龈

[字解] [一] 잇몸 은 치경(齒莖). '齒一'. '香一皓齒疑貝編'《李禎》. [二] 깨물 간 '一其姦猖'《韓愈》.

[字源] 篆文 形聲. 齒+艮(皀)〔音〕. '皀혼·안'은 '根근'과 통하여 '뿌리'의 뜻. 이의 뿌리 부분, 잇몸의 뜻을 나타냄. 또 '皀'은 '한

정하다'의 뜻. 잇자국이 나게 깨물다의 뜻을 나타냄.

●齒齦. 香齦.

6 ㉑ [齰] 할 ㉠黠 下八切 xiá
[字解] 깨무는소리 할 '一, 齰堅聲'《說文》.
[字源] 篆文 形聲. 齒+吉〔音〕. '吉길'은 '堅견'과 통하여 '단단하다'의 뜻. 이가 굳다의 뜻을 나타냄.

6 ㉑ [齰] ▤ 괄 ㉠曷 古活切 kuò ▥ 활 ㉠黠 乎刮切 huá
[字解] ▤ 씹는소리 괄. ▥ 이소리 활, 씹는소리 활 '一, 齒聲'《集韻》.
[字源] 篆文 形聲. 篆文은 齒+舌〔音〕

6 ㉑ [齟] 구 ㉘有 其九切 jiù
[字解] ①움팬이 구 절구처럼 가운데가 움팬 이. 노인(老人)의 이를 이름. '一, 老人齒如臼也'《說文》. ②여덟말 구 여덟 살 먹은 말. '一, 亦馬八歲'《廣韻》.
[字源] 形聲. 齒+臼〔音〕

6 ㉑ [齚] 명 ㉛靑 莫丁切 míng
[字解] 이 명이빨. '一, 齒也'《玉篇》.

6 ㉑ [齜] 〔의·애〕
齝(齒部 八畫〈p.2726〉)와 同字

6 ㉑ [齩] 교 (요㉒) ㉛巧 五巧切 yǎo
[字解] 깨물 교 '罷夫贏老, 易子而一其骨'《漢書》.
[字源] 篆文 形聲. 齒+交〔音〕. '交교'는 '만나다'의 뜻. 아래위의 이가 만나서 깨물다의 뜻을 나타냄.

[齩齧 교설] 깨물어 씹음.

6 ㉑ [骿] 병 ㉛梗 必郢切 pián
[字解] 덧니 병 '一, 竝齒也'《正字通》.

6 ㉑ [齟] 〔우〕
齵(齒部 九畫〈p.2726〉)의 俗字

6 ㉑ [齧] 人名 설 (얼㉒) ㉠屑 五結切 niè
[字解] ①깨물 설 '毋一骨'《禮記》. ②씹을 설, 갉아먹을 설 '衆蛇競來, 一索且齧'《後漢書》. '書畵被鼠一'《王君玉》. ③이갈 설 분노하여 이를 갊. 절치(切齒)함. '自一其齒'《南史》. ④개먹을 설 침식함. '濝水一其墓'《戰國策》.
[字源] 篆文 形聲. 齒+㓞〔音〕. '㓞활·계'는 '새기다'의 뜻. 치아로 잘게 쪼개다, 갉아먹다의 뜻을 나타냄.

[齧殺 설살] 물어 죽임.

[齧噬 설서] 깨묾.
[齧膝 설슬] 양마(良馬)의 이름.
[齧齒類 설치류] 포유류(哺乳類)의 한 목(目). 송곳니가 없으며 앞니는 끊임없이 자라는, 몸집이 작은 짐승. 쥐·토끼·다람쥐 따위의 동물.
[齧破 설파] 깨물어 깨뜨림.
●齩齧. 唶齧. 剝齧. 搏齧. 酢齧. 醋齧. 獸窮則齧. 食齧. 蹄齧. 觸齧. 侵齧. 齕齧.

6 ㉑ [齛] 齗(次條)과 同字

6 ㉑ [齗] ▤ 랄 ㉠曷 盧達切 là ▥ 렬 ㉠屑 力糵切
[字解] ▤ ①뼈를씹어으깨는소리 랄 '齛, 齒分骨聲. (段注) 篇韵, 皆作一'《說文》. ②씹을 랄. ▥ 뼈를씹어으깨는소리 렬, 씹을 렬 ▤과 뜻이 같음.
[字源] 形聲. 齒+列〔音〕

6 ㉑ [齤] 권 ㉔先 巨員切 quán
[字解] 이드러낼 권 이를 드러내고 웃는 모양. '若士者, 一然而笑'《淮南子》.
[字源] 篆文 形聲. 篆文은 齒+季〔音〕. '季권'은 둥글게 하다, 동글동글하다의 뜻.

[齤然 권연] 이를 드러내고 웃는 모양.

7 ㉒ [齥] 곤 ㉑阮 苦本切 kǔn
[字解] 이빠질 곤, 이솟을 곤 이가 빠지는 모양. '一然而齒墜矣'《荀子》.

[齥然 곤연] 이가 빠지는 모양.

7 ㉒ [齬] 人名 어 ㉑語 魚巨切 yǔ
[字解] 맞지않을 어 齟(齒部 五畫)를 보라. '齟一'.
[字源] 篆文 形聲. 齒+吾〔音〕. '吾오'는 '어긋나다'의 뜻. 이가 어긋물리어 맞지 않다의 뜻에서, 일반적으로 '어긋나다'의 뜻으로 쓰임.

●齟齬.

7 ㉒ [齪] 人名 착 ㉑覺 測角切 chuò
[字解] 작을 착, 잗달 착 '齷一'은 이가 잔 모양.
[字源] 形聲. 齒+足〔音〕

[齷齪 착착] 소심한 모양. 신중한 모양. 염근(廉謹)한 모양.
●握齪. 齷齪. 冗齪.

7 ㉒ [齦] 〔은·간〕
齦(齒部 六畫〈p.2724〉)의 本字

7 ㉒ [齭] 산 ㉕寒 蘇官切 suān
[字解] 이새근거릴 산, 이곱을 산 산(酸)으로 하여

이가 새근거림. '一, 齒酸也'《集韻》.

7 ㉒ [䶍] 곡 [入]沃 姑沃切 gǔ
[字解] ①상아(象牙)다룰 곡 상아를 다듬어 물건을 만듦. '一, 治象牙曰一'《集韻》. ②이소리 곡 이가 부딪는 소리나 이 가는 소리. '一, 一曰, 齒聲'《集韻》.

7 ㉒ [齬] 〔괄〕
䶋(齒部 六畫〈p.2725〉)의 本字

7 ㉒ [齛] 협 [入]洽 轄夾切 xiá
[字解] ①옥니 협 '一, 曲齒'《玉篇》. ②덧니날 협 '一, 齒重生'《廣韻》. ③이빠질 협 '一, 又缺也'《廣韻》.

7 ㉒ [䶘] 〔착〕
齪(齒部 七畫〈p.2725〉)과 同字

8 ㉓ [齮] 의 [上]紙 魚倚切 yǐ
[字解] ①깨물 의 '一齕用事者墳墓矣'《漢書》. ②성 의 성(姓)의 하나.
[字源] 篆文 形聲. 齒+奇〔音〕. '奇기'는 '한쪽'의 뜻. 한쪽으로만 깨물다의 뜻을 나타냄.

[齮嚼 의작] 깨묾.
[齮齕 의흘] ㉠깨물어 뜯음. ㉡남의 재능을 시기하여 배제함.

8 ㉓ [齻] 기 [平]支 渠之切 qí
[字解] 깨물 기, 갉아먹을 기 齮(齒部 八畫)와 뜻이 같고, 齗(齒部 四畫)는 古字. '一, 齧也, 古作齗'《集韻》. '一, 或从奇'《集韻》.

8 ㉓ [齯] 예 [平]齊 五稽切 ní
[字解] 다시난이 예 노인의 이가 다 빠지고 다시 난 이. 장수의 상(相)이라 함. '黃髮一齒鮐背耇老, 壽也'《爾雅》. 전(轉)하여, 90세(歲)의 노인. '一齒'. '九十曰鮐背, …或曰一齒'《釋名》.
[字源] 篆文 形聲. 齒+兒〔音〕. '兒아'는 '아이'의 뜻. 어린아이의 이와 같은 노인의 이의 뜻을 나타냄.

[齯齒 예치] 늙은이의 이가 빠지고 다시 난 이. 전(轉)하여, 90세의 노인.

8 ㉓ [齱] 추 [平]尤 側鳩切 zōu
[字解] 작을 추, 잗달 추 齪(齒部 七畫)과 뜻이 같음. '握一好苛禮'《漢書》.
[字源] 篆文 形聲. 齒+取〔音〕

◉握齱.

8 ㉓ [齰] 색 [入]陌 鋤陌切 zé
[字解] 깨물 색 '上使太子一癰, 太子一癰而色難之'《漢書》.
[字源] 篆文 別體 形聲. 齒+昔〔音〕. '昔석'은 겹쳐 쌓다의 뜻. 이 위에 이를 포개다, 깨물다의 뜻을 나타냄. 別體는 齒+乍〔音〕의 形聲.

[齰齧 색설] 물어뜯음.

8 ㉓ [齸] [一] 의 [平]支 魚羈切 yí
[二] 애 ①[平]佳 宜佳切 yá
②[去]卦 牛懈切 yà
[字解] [一] 이드러나는모양 의 齵(齒部 八畫)와 同字. '齵, 齝齵, 齒露皃, 或从宜'《集韻》. [二] ① 이가지런하지못할 애 齷(齒部 六畫)와 同字. '一, 齝一, 齒不齊, 或作齷'《集韻》. ②분하여이갈 애 '一, 齝一, 切齒'《類篇》.

8 ㉓ [齫] 〔간〕
齦(齒部 十二畫〈p.2728〉)과 同字

8 ㉓ [齵] [一] 애 [去]卦 牛懈切 yà
[二] 의 [平]支 魚羈切 yí
[字解] [一] 이갈 애 절치(切齒)함. [二] 이드러나는 모양 의 이가 밖으로 드러남. '齒一一以齴齴'《王延壽》.

8 ㉓ [齹] 잔 [上]濟 仕限切 zhàn
[字解] 이어긋날 잔 '一, 齒跌皃'《集韻》.

[齹齴 잔언] 이가 고르지 않은 모양.

8 ㉓ [齾] 견 [上]銑 牽典切 qiǎn
[字解] 이드러나는모양 견 '一, 一齞, 齒露皃'《集韻》.

8 ㉓ [齺] 골 gǔ
[字解] 물골 깨묾. '一, 齧也'《篇海》.

8 ㉓ [齼] 함 [去]陷 乎韽切 xiàn
[字解] 분하여이갈 함 절치(切齒)함. '一, 怒齒也'《集韻》.

8 ㉓ [齭] 초 [上]語 創擧切 chǔ
[字解] 이곱을 초 이가 산으로 말미암아 곱아서 상함. '一, 齒傷酢也'《說文》.
[字源] 篆文 形聲. 齒+所〔音〕. '所소'는 톱으로 나무를 켜는 소리. 이가 욱신욱신 아프다의 뜻을 나타냄.

9 ㉔ [齲] 우(구[本]) [上]麌 驅雨切 qǔ
[字解] 충치 우 벌레 먹은 이. '齊中大夫病一齒'《史記》.
[字源] 䫻의 別體 形聲. 齒+禹〔音〕. '禹우'는 '벌레'의 뜻. '충치'의 뜻을 나타냄.

[齲齒 우치] 충치(蟲齒).
[齲痛 우통] 충치가 나서 아픔.

14-17획

9 ㉔ [齃] 할 [入]曷 何葛切 hé

[字解] 깨무는소리 할 씹는 소리. '一, 齧一, 齧物聲'《集韻》.

9 ㉔ [齳] 운 [上]吻 魚吻切 yǔn

[字解] 이빠질 운 '太公年七十二, 一然而齒墜矣'《韓詩外傳》.

[字源] 篆文 形聲. 齒+軍〔音〕. '軍군'은 '毁훼'와 통하여 무너져 내리다의 뜻. 이가 빠지다의 뜻을 나타냄.

[齳然 운연] 이가 빠지는 모양.

9 ㉔ [齴] 언 [上]阮 魚蹇切 yǎn

[字解] 이드러날 언 이가 겉으로 보이는 모양. '齒齷齷以一一'《王延壽》.

[字源] 形聲. 齒+彥〔音〕

[齴齴 언언] 이가 드러나는 모양.

9 ㉔ [齶] 악 [入]藥 五各切 è

[字解] 잇몸 악 치은(齒齦). '斷一'.

[字源] 形聲. 齒+咢〔音〕

◉斷齶.

9 ㉔ [⿱咸齒] [一] 감 [平]咸 胡讒切 xián
[二] 암 [平]咸 魚咸切
[三] 협 [入]洽 乞洽切 jiān

[字解] [一] ①씹을 감. ②입에넣고씹지않을 감 '一, 口持不齧'《集韻》. [二] 이높을 암 이가 높은 모양. '一, 齒高皃'《集韻》. [三] ①씹을 협 '一, 齧咋皃'《廣韻》. ②씹는소리 협 '一, 噍聲'《廣韻》. ③이굽게날 협 이가 굽게 나는 모양. '一, 齒曲生皃'《集韻》. 또, 빠진 이. '一, 一曰, 缺齒'《集韻》.

[字源] 形聲. 齒+咸〔音〕

9 ㉔ [⿰齒咸] ⿱咸齒(前條)의 本字

9 ㉔ [齵] 우 ①[平]尤 五婁切 óu
②[平]虞 偶俱切 yú

[字解] ①맞지않을 우 위아래의 이가 서로 맞지 아니함. 전(轉)하여, 사물이 어긋남. '察其菑蚤之不一'《周禮》. ②덧니 우 '一, 齒重生'《廣韻》.

[字源] 篆文 形聲. 齒+禺〔音〕. '禺우'는 벌여 서다의 뜻. 이 옆에 따로 나란히 겹쳐져서 난 이, '덧니'의 뜻을 나타냄. 파생하여 치열(齒列)이 고르지 않다의 뜻을 나타냄.

9 ㉔ [齷] [人名] 악 [入]覺 於角切 wò

[字解] 작을 악, 잗달 악 '一齪'은 이가 세밀(細密)한 모양. 전(轉)하여, 마음이 좁은 모양. 작은 일에 구애하는 모양. '小人自一齪, 寧知曠士志'《鮑照》.

[字源] 形聲. 齒+屋〔音〕

[齷齪 악착] 자해(字解)를 보라.

9 ㉔ [⿰齒客] 가 [去]禡 丘駕切 qià

[字解] 뻐드렁니 가 이가 밖으로 나온 모양. '一, 一齖, 齒出皃'《集韻》.

9 ㉔ [⿰齒胥] 서 [上]語 寫與切 chǔ

[字解] 이새근거릴 서, 이곱을 서 산(酸)으로 말미암아 이가 새근거림. '一, 齒酸也'《集韻》.

10 ㉕ [齺] 착 [入]覺 士角切 zōu

[字解] ①마주대할 착 위아래의 이가 마주 대한 모양. 전(轉)하여, 위아래가 맞는 모양. '一然上下相信'《荀子》. ②물 착 마주 깨묾. '車轂一騎, 連伍而行'《管子》.

[字源] 篆文 形聲. 齒+芻〔音〕

[齺然 착연] 윗니와 아랫니가 서로 가까워지는 모양. 전(傳)하여, 상하(上下) 모두 서로 화합(和合)함을 이름.

10 ㉕ [齸] 익 [入]陌 伊昔切 yì

[字解] 새김질할 익 노루나 사슴이 반추(反芻)함. '一, 呑芻而反出嚼之也'《廣韻》. '牛曰齝, 云云, 麋鹿曰一'《爾雅》.

[字源] 篆文 形聲. 齒+益〔音〕. '益익'은 '넘치다'의 뜻. 일단 삼킨 음식을 입 안으로 되내어 씹는 사슴의 일종의 뜻을 나타냄.

10 ㉕ [⿰齒豈] [一] 애 [平]灰 魚開切 ái
[二] 개 [平]灰 古哀切 gāi

[字解] [一] ①이갈리게할 애 '一, 䶩牙'《說文》. 또, 물건을 가는 도구. '亦引伸爲摩器之名'《說文段注》. ②엄니 애 '一, 牙也'《廣韻》. [二] 이갈리게할 개, 엄니 개 [一]과 뜻이 같음.

[字源] 形聲. 齒+豈〔音〕

10 ㉕ [齤] 〔권〕
齤(齒部 六畫〈p. 2725〉)의 本字

10 ㉕ [⿰齒眞] 전 [平]先 都年切 diān

[字解] ①사랑니 전 '一, 眞牙也, 男子二十四歲, 女子二十一歲, 眞牙生'《正字通》. ②송곳니 전 '右一左一'《儀禮》. ③엄니 전 '一, 牙也'《玉篇》.

10 ㉕ [⿰齒害] 계 [去]霽 渠介切 jiè

[字解] 자며이갈 계 자면서 이 가는 소리. '一, 睡中切齒聲'《集韻》.

10 ㉕ [⿰齒骨] 할 [入]黠 胡八切 huá

[字解] 뼈깨무는소리 할 '一, 齧骨聲'《說文》.
[字源] 形聲. 齒＋骨〔音〕

10 ㉕ [⿰齒屑] 절 [入]屑 千結切 qiè
[字解] 이갈릴 절 이가 갈림. '一, 按, 謂齒相摩切也'《說文通訓定聲》.
[字源] 篆文  形聲. 齒＋屑(屑)〔音〕. '屑설'은 '삐걱거리다'의 뜻.

10 ㉕ [齹] 차 [平]歌 昨何切 cuó / [上]哿 才可切
[字解] ①이고르지못할 차 '一, 齒不齊也'《集韻》. ②이촉 차 잇몸 속에 들어 있는 이의 뿌리. '一, 齒本'《正韻》.
[字源] 篆文  形聲. 齒＋差〔音〕. '差차'는 '고르지 않다'의 뜻.

10 ㉕ [⿰齒差] 齹(前條)와 同字

10 ㉕ [⿰齒脊] 〔제〕 ⿰齒齊(齒部 十四畫〈p. 2728〉)와 同字

11 ㉖ [⿰齒堇] 근 [上]吻 口謹切 qǐn
[字解] 이모양 근 치아의 모양새. '一, 一齗, 齒皃'《集韻》.

11 ㉖ [⿰齒匿] 닉 [入]職 昵力切 mì
[字解] 이앓이 닉 치통(齒痛). '一, 齒疾'《集韻》.

12 ㉗ [⿰齒單] 〔운〕 齳(齒部 九畫〈p. 2727〉)의 訛字

12 ㉗ [⿰齒幾] 기 [平]微 渠希切 qí
[字解] 이흔들릴 기 '一, 齒危'《集韻》.

12 ㉗ [⿰齒閒] 간 [去]諫 居晏切 jiàn
[字解] 깨무는모양 간 '一一嚙嚙, 貧鬼相責'《易林》.

12 ㉗ [⿰齒堯] 〔교〕 齩(齒部 六畫〈p. 2725〉)와 同字

13 ㉘ [齼] 초 [上]語 創擧切 chǔ
[字解] 이곱을 초 이가 산(酸)으로 말미암아 상해서 곱음. 齭(齒部 八畫)와 同字.

13 ㉘ [⿰齒葛] 갈 [入]黠 居轄切 hé
[字解] ①이소리 갈 이 맞닿는 소리. '一, 齒聲'《集韻》. ②齃(齒部 九畫)의 俗字.

13 ㉘ [齽] 금 ①[去]沁 居廕切 jìn / ②[去]沁 巨禁切
[字解] ①옥니 금 안으로 옥게 난 이. '鉤齒內曲, 謂之一'《集韻》. ②입다물 금 噤(口部 十三畫)과 同字.
[字源] 形聲. 齒＋禁〔音〕

13 ㉘ [⿱豤齒] 곤 ①②[平]元 枯昆切 kūn / ③[平]元 苦本切 kěn
[字解] ①깨물 곤 씹음. '一, 齧也'《康熙字典》. ②줄어들 곤 '一, 減也'《康熙字典》. ③돼지가씹을 곤 '一, 豕齧物也'《康熙字典》.

14 ㉙ [⿰齒齊] 제 [去]霽 才詣切 jì
[字解] ①이가지런할 제 이가 가지런하여, 위아래 이가 잘 맞음. '一, 齒齊不齵也'《正字通》. ②씹을 제 '一齝'는 씹음. '一齝, 齧也'《集韻》.

16 ㉛ [⿰齒歷] 력 [入]錫 狼狄切 lì
[字解] 너리먹을 력 잇몸 병. '一, 齒病'《集韻》.

20 ㉟ [齾] 알 ①②[入]黠 五鎋切 yà / ③[入]曷 五割切 è
[字解] ①이빠질 알 '一, 缺齒也'《說文》. ②그릇이빠질 알 '交斫相缺一'《韓愈》. ③짐승턱찌끼 알 짐승이 먹다 남긴 찌끼. '獸食之餘曰一'《廣韻》.
[字源] 篆文  形聲. 齒＋獻〔音〕

龍 (16획) 部

〔용룡부〕

0 ⑯ [龍] [高入] [一] 룡 [平]冬 力鍾切 lóng / [二] 롱 [上]腫 魯勇切 lǒng / [三] 망 [平]江 莫江切 máng / [四] 총 [上]腫 丑隴切 chǒng

[筆順] 

[字解] [一] ①용 룡 상상(想像)의 신령한 동물. 구름을 일으켜 비를 내리게 한다 함. 그중, 비늘이 있는 것을 '蛟一', 날개가 있는 것을 '應一', 뿔이 있는 것을 '虬一', 뿔이 없는 것을 '螭一'이라 함. '時乘六一以御天'《易經》. '一鳳'. '飛一'. 전(轉)하여, 뛰어난 인물의 비유로 쓰임. '伏一'. '諸葛孔明臥一也'《蜀志》. 또, 천자(天子)에 관한 사물의 관형사로 쓰임. '一顏'. '一駕'. '一德而隱者也'《易經》. ②말 룡 높이 8척 이상의 말. '駕蒼一'《禮記》. ③별이름 룡 세성(歲星), 곧 목성(木星)의 별칭. '一, 宋鄭之星也'《左傳》. ④성 룡 성(姓)의 하나. [二] 언덕 롱 壟(土部 十六畫)과 통용. '有私一斷'《孟子》. [三] 얼룩 망 흑백의 반점. '上公用一'《周禮》. [四] 은총 총 寵(宀部 十六畫)과 통용. '何天之一'('何'는 '荷')《詩經》.
[字源] 甲骨文 金文 篆文 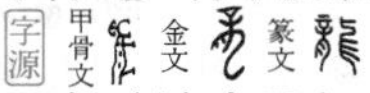 象形. 머리 부분에 '辛신' 자 모양의 장식이 있는 뱀을 본떠, '용'의 뜻을 나타냄.
[參考] ①'龍룡'을 의부(意符)로 하여, 용에 관한 문자를 이룸. 부수 이름은 '용룡'. ②竜(立部

五畫)은 古字.

[龍斷 농단] '농단(壟斷)'과 같음.
[龍舸 용가] ㉠천자(天子)가 타는 큰 배. ㉡용을 그린 배.
[龍駕 용가] 임금의 수레. 어가(御駕).
[龍歌鳳笙 용가봉생] 맑은 노래와 아름다운 풍류를 이름.
[龍桷 용각] 용을 새긴 서까래.
[龍車 용거] 천자(天子)가 타는 수레.
[龍騫鳳翥 용건봉저] 용이 오르고 봉이 낢. 인품이 출중함을 이름.
[龍袞 용곤] 용을 수놓은 천자의 옷. 곤룡포(袞龍袍).
[龍骨車 용골차] 발로 밟아 돌려서 물을 길어 올려 논밭에 대는 수차(水車).

[龍骨車]

[龍光 용광] ㉠군자의 덕(德)을 칭찬하여 이름. ㉡남의 풍채(風采)의 경칭(敬稱). ㉢용천(龍泉)이라는 명검(名劍)의 광채.
[龍廐 용구] 천자(天子)의 마구간.
[龍駒 용구] ㉠잘생긴 망아지. ㉡뛰어난 아이. 기린아.
[龍駒鳳雛 용구봉추] 용구와 봉추. 곧, 재주와 지혜가 뛰어난 아이. 수재(秀才)인 아동.
[龍宮 용궁] 바다 속에 있다고 하는 용왕(龍王)의 궁전(宮殿).
[龍卷 용권] 용곤(龍袞).
[龍葵 용규] 까마종이.
[龍忌 용기] 불을 때는 것을 꺼리는 날.
[龍旂 용기] 용기(龍旗).
[龍旗 용기] 교룡(交龍), 곧 용틀임을 그리고 끝에 방울을 단 천자(天子)의 기(旗). '기(旂)' 참조(參照).
[龍拏猊攫 용나예확] 용과 사자가 붙어 싸움. 격렬한 싸움의 형용. 예(猊)는 사자의 종류. 용나호확(龍拏虎攫).
[龍拏虎擲 용나호척] 용과 범처럼 덤벼들어 싸움. 맹렬한 싸움을 말함. 용나예확(龍拏猊攫).
[龍拏虎攫 용나호확] 용나호척(龍拏虎擲).
[龍女 용녀] 용왕(龍王)의 딸.
[龍腦 용뇌] 동인도(東印度)에서 나는 용뇌수(龍腦樹)의 줄기에서 덩어리로 되어 나오는 무색(無色)·투명(透明)의 결정체(結晶體). 방충제(防蟲劑)·훈향(薰香) 등으로 씀. 용뇌향(龍腦香).
[龍膽 용담] 용담과(科)에 속하는 다년초. 뿌리는 약용함. 과남풀.
[龍德 용덕] 천자(天子)의 덕.
[龍圖 용도] 하도(河圖). 용마(龍馬)가 업고 나왔다는 데서 이름.
[龍韜 용도] ㉠육도(六韜)의 제삼편(第三篇)의 이름. ㉡병서(兵書) 또는 병법(兵法).
[龍瞳鳳頸 용동봉경] 용의 눈동자와 봉황(鳳凰)의 목. 귀인(貴人)의 인상(人相)을 말함.
[龍頭 용두] ㉠용의 머리. ㉡수령(首領)의 비유. ㉢진사(進士) 시험에 제1위로 급제(及第)하는 일. ㉣종(鐘)을 도리에 매달게 된 용의 머리 모양의 고리. ㉤회중시계나 손목시계의 태엽(胎葉)을 감는 부분.
[龍頭蛇尾 용두사미] 머리는 용이고 꼬리는 뱀이라는 뜻으로, 처음은 왕성하나 끝은 흐지부지됨.
[龍頭鷁首 용두익수] 천자(天子)의 배. 두 척으로 한 쌍이 이루었는데 한 척은 뱃머리에 용의 머리를, 다른 한 척은 익조(鷁鳥)의 머리를 새겼음. 용은 물을, 익조(鷁鳥)는 바람을 이겨 낸다는 데서 장식함.
[龍淚 용루] 임금의 눈물.
[龍樓 용루] ㉠궁중(宮中)의 누각 문의 이름. 누상(樓上)에 동룡(銅龍)이 있으므로 이름. ㉡태자(太子)의 궁전.
[龍勒 용륵] 천자(天子)가 타는 수레를 끄는 말의 굴레.
[龍鯉 용리] '천산갑(穿山甲)'의 속칭(俗稱).
[龍鱗甲 용린갑] 용(龍)의 비늘 형상의 미늘을 장식한 갑옷.
[龍馬 용마] ㉠걸음이 빠른 말. 준마(駿馬). ㉡복희씨(伏羲氏) 때 하도(河圖)를 업고 나왔다는 말.
[龍媒 용매] ㉠준마(駿馬). ㉡기우제(祈雨祭)에 쓰던, 흙으로 만든 용.
[龍眠居士 용면거사] 만년(晩年)에 용면산(龍眠山)에 은거한 송(宋)나라의 문인 화가(文人畫家) 이공린(李公麟)의 호(號).
[龍文 용문] ㉠용의 몸의 무늬. 용무늬. ㉡옛날의 준마 이름. 전(轉)하여, 뛰어난 인물.
[龍門 용문] 중국(中國) 황하(黃河)의 상류(上流)에 있는 산. 또, 그곳을 통과하는 여울목의 이름. 잉어가 이곳을 거슬러 오르면 용이 된다 함.
[龍門扶風 용문부풍] 〈사기(史記)〉의 저자 사마천(司馬遷)은 용문 사람이고, 〈한서(漢書)〉의 저자 반고(班固)는 부풍 사람이므로, 역사(歷史) 또는 사가(史家)의 별칭(別稱)으로 쓰임.
[龍門點額 용문점액] 과거(科擧)에 떨어지고 돌아옴의 비유. '점액(點額)' 참조(參照).
[龍門之遊 용문지유] 빼어난 인물들의 놀이.
[龍尾 용미] ㉠'기수(箕宿)'와 같음. ㉡용미도(龍尾道).
[龍尾道 용미도] 당나라 궁전 태극전(太極殿) 앞의 통로. 궁전(宮殿) 앞의 통로(通路). '름.
[龍味鳳湯 용미봉탕] 맛이 좋은 음식(飮食)을 이
[龍蟠 용반] 용이 서림. 곧, 호걸(豪傑)이 민간에 숨어 있음의 비유.
[龍蟠鳳逸 용반봉일] 뛰어난 재주를 가진 선비가 아직 세상에 쓰이지 아니함을 이름.
[龍蟠鳳逸之士 용반봉일지사] 뛰어난 재주를 가지고 있고서도 뜻을 펴지 못하여 민간에 있는 사람.
[龍盤鳳翥 용반봉저] 용이 서리고 봉황이 낢. 산세(山勢)가 험한 모양.
[龍蟠虎踞 용반호거] 험준하여 적을 막아 내기 용이한 지형(地形)을 이름.
[龍鳳 용봉] ㉠용과 봉황. ㉡뛰어난 인물의 비유.
[龍逢比干 용봉비간] 하(夏)나라 걸왕(桀王)의 신하 관용봉(關龍逢)과 은(殷)나라 주왕(紂王)의 신하 비간(比干). 둘 다 임금을 간(諫)하다가 죽음을 당함. 따라서, 충간지사(忠諫之士)의 비유로 쓰임. 용비(龍比).
[龍鳳之姿 용봉지자] 용과 봉황의 모습. 준수한 모

습. 제왕(帝王)의 모습.

[龍鳳花牋 용봉화전] 용과 봉새의 무늬가 있는 시문(詩文)을 쓰는 아름다운 종이.

[龍飛 용비] 천자(天子)가 즉위(卽位)함.

[龍飛鳳舞 용비봉무] 산세(山勢)가 기이하고 절묘함을 이름.

[龍飛鳳峙 용비봉치] 용처럼 날고 봉황처럼 섬. 명성(名聲)이 세상에 높이 나타남을 이름.

[龍祠 용사] 용신(龍神)의 사당.

[龍蛇 용사] ㉠용과 뱀. ㉡비상한 인물(人物). 성현(聖賢). 영웅(英雄). ㉢《佛敎》성현과 범인(凡人). ㉣초서(草書)의 필세(筆勢)의 주경(遒勁)한 형용. ㉤은퇴하여 명철보신(明哲保身)함.

[龍駟 용사] 한 마차를 끄는 네 마리의 준마(駿馬).

[龍蛇之歲 용사지세] 진(辰)과 사(巳)의 해. 현사(賢士)가 죽는 해라 함.

[龍蛇混雜 용사혼잡] 현우(賢愚)가 함께 섞여 있음. 용은 성자(聖者), 뱀은 범부(凡夫)에 비유함.

[龍林 용상] 임금의 자리. 임금이 앉는 상(牀).

[龍象 용상]《佛敎》지행(智行)을 겸비한 중을 이름.

[龍生日 용생일] 음력 5월 13일의 별칭(別稱). 이날 대나무를 심으면 잘 자란다 함.

[龍犀 용서] 중앙이 높은 이마. 천자(天子)가 될 상(相).

[龍瑞 용서] 용이 하늘에서 내려오는 상서(祥瑞).

[龍舌蘭 용설란] 용설란과(科)에 속하는 상록 다년초. 잎은 두툼하고 길며 톱니가 있음. 황색 꽃이 여름에 핌. 멕시코 원산임.

[龍星 용성] 이십팔수(二十八宿)의 각(角)과 항(亢)을 이름.

[龍城 용성] 흉노(匈奴)의 지명(地名). 흉노의 여러 추장(酋長)이 모여 하늘에 제사 지내는 곳.

[龍城飛將 용성비장] 용성은 흉노의 왕정(王庭)이 있던 곳. 한(漢)나라 대장군 이광(李廣)이 한때 흉노에게 잡혔다가 틈을 보아 그들의 말을 훔쳐 타고 되돌아왔으므로 그를 비장군(飛將軍)이라 하여 두려워하였음.

[龍沼 용소] 폭포(瀑布)가 떨어지는 바로 밑에 있는 웅덩이.

[龍孫 용손] ㉠준마(駿馬). ㉡'죽순(竹筍)'의 별칭(別稱). ㉢대나무[竹]의 일종.

[龍鬚 용수] 임금의 수염.

[龍神 용신] 용왕(龍王).

[龍眼 용안] ㉠천자(天子)의 눈. ㉡무환자과(無患子科)에 속하는 열대산(熱帶産)의 상록 교목. 흰 꽃이 피고 핵과(核果)가 열리는데, 그 살은 용안육(龍眼肉)이라 하여 약재로 씀.

[龍顏 용안] ㉠임금의 얼굴. 천안(天顏). ㉡용과 같이 생긴 얼굴.

[龍躍雲津 용약운진] 영웅(英雄)이 풍운(風雲)을 좇아서 일어남의 비유.

[龍陽 용양] 위왕(魏王)의 폐신(嬖臣)의 이름. 전(轉)하여, 남색(男色).

[龍驤麟振 용양인진] 용처럼 올라가고 기린처럼 떨친다는 뜻으로, 위세(威勢)가 대단함을 이름.

[龍攘虎搏 용양호박] 용처럼 돌격하여 물리치고 범처럼 맹렬하게 침. 격전(激戰)의 형용.

[龍驤虎步 용양호보] 용양호시(龍驤虎視).

[龍驤虎視 용양호시] 용처럼 뛰어 올라가고 범같이 노려본다는 뜻으로, 영웅(英雄)이 한 지방에 세력을 부식하고 천하를 병합(倂合)하고자 하여 호시탐탐(虎視眈眈)함을 이름.

[龍馭 용어] ㉠천자(天子)의 마차를 어거함. ㉡천자가 백성을 다스림.

[龍輿 용여] 천자(天子)가 타는 수레.

[龍涎 용연] 명향(名香)의 이름.

[龍淵 용연] ㉠용이 사는 못. ㉡고대(古代)의 명검(名劍) 이름.

[龍淵太阿 용연태아] 용연(龍淵)과 태아(太阿)가 모두 고대의 명검(名劍)의 이름.

[龍王 용왕] 용궁(龍宮)의 임금.

[龍吟 용음] ㉠용이 소리를 길게 뺌. ㉡무악(舞樂)의 가락의 하나. ㉢금곡(琴曲)의 이름. ㉣피리[笛]를 이름.

[龍吟魚躍 용음어약] 용음은 마융(馬融)이 용의 울음소리를, 어약은 은탕(殷湯)이 뭐수이(洛水)에 옥[璧]을 가라앉힐 때 물고기가 뛰놀던 소리를 모방하여 지었다는 악곡(樂曲) 이름.

[龍子 용자] ㉠용(龍). ㉡용의 새끼. ㉢준마(駿馬)의 이름.

[龍姿 용자] 거룩한 모습. 고상한 풍채(風采).

[龍子衣 용자의] 뱀 껍질.

[龍潛 용잠] 천자(天子)가 아직 등극(登極)을 하지 않았을 때를 이름.

[龍簪 용잠] 용의 머리 형상을 새긴 비녀.

[龍章 용장] ㉠용의 무늬. ㉡뛰어난 풍채(風采). 고상한 용모.

[龍藏 용장] 비밀히 저장하여 두는 곳집.

[龍章鳳姿 용장봉자] 준수(俊秀)한 풍채(風采).

[龍邸 용저] 천자(天子)가 아직 즉위하기 전의 저택.

[龍戰 용전] 군웅(群雄)이 할거(割據)하여 싸움.

[龍戰虎爭 용전호쟁] 영웅끼리 서로 다툼을 이름.

[龍節 용절] 육절(六節)의 하나. 옛날에 늪[澤]이 많은 나라로 사신(使臣) 갈 때 지니던 부절(符節). 용(龍)을 그렸음.

[龍節]

[龍庭 용정] ㉠흉노(匈奴)의 왕정(王庭). ㉡뛰어난 상(相).

[龍種 용종] ㉠준마(駿馬). 또, 그 씨. ㉡제왕의 자손. ㉢준걸(俊傑). ㉣어진 아들.

[龍鍾 용종] ㉠대나무[竹]의 별칭(別稱). ㉡노쇠한 모양. 늙어서 앓는 모양. '용종(龍鍾)'의 두 자의 음(音)을 합하면 '용(癃)'자 음이 되므로 이름. ㉢눈물을 흘리는 모양. ㉣실지(失志)한 모양.

[龍舟 용주] 천자(天子)가 타는 배.

[龍準 용준] 우뚝한 코. 융준(隆準).

[龍駿 용준] 준마(駿馬).

[龍智慧燭 용지혜촉] 용상(龍象), 곧 고승(高僧)의 지혜와 그 지혜의 빛. 승려(僧侶)의 심흉(心胸)을 칭찬하여 이르는 말.

[龍集 용집] 용성(龍星), 곧 목성(木星)의 성좌(星座)가 1년에 한 번씩 깃들이는 일. 곧, 세차(歲次)를 이름. '——戊辰'과 같이 쓰임. 집(集)은 차(次).

[龍集鳳會 용집봉회] 용과 봉새가 모인다는 뜻으로, 뛰어난 인물의 모임을 이름.

[龍車 용차] 용거(龍車).

[龍驂 용참] 잘 닫는 부마(副馬).

[龍泉太阿 용천태아] 용연태아(龍淵太阿).

[龍體 용체] 천자(天子)의 몸. 옥체(玉體).
[龍湫 용추] 폭포(瀑布).
[龍雛 용추] '죽순(竹筍)'의 별칭. 용손(龍孫).
[龍堆 용퇴] 옛날의 새외(塞外)의 지명(地名). 몽골의 사막 지방(沙漠地方)을 이름.
[龍鬪野 용투야] 천하가 어지러워 피를 흘림의 비유.
[龍幣 용폐] 한(漢)나라 무제(武帝) 때 만든 둥근 은화(銀貨). 무게 8냥(兩). 용문(龍文)이 있음.

[龍幣]

[龍翰鳳翼 용한봉익] 용의 몸과 봉새의 날개. 왕자(王者)의 상(相)을 이름.
[龍行虎步 용행호보] 용이나 범이 보행하듯이 위풍당당한 걸음걸이.
[龍虎 용호] ㉠용(龍)과 범. ㉡걸출한 인물. 뛰어난 풍채. ㉢뛰어난 문장. ㉣오색(五色)으로 된 이상한 운기(雲氣). ㉤도가(道家)에서 물〔水〕과 불〔火〕을 이름.
[龍虎榜 용호방] 과거에 동시에 급제한 명사(名士)의 성명을 적은 방(榜). 호방(虎榜).
[龍虎山 용호산] 장시 성(江西省) 구이시 현(貴溪縣)에 있는 도교(道敎)의 총본산(總本山).
[龍虎相搏 용호상박] 용과 범이 서로 싸움. 두 강자(强者)가 서로 승패를 겨룸을 이름.
[龍虎之姿 용호지자] 뛰어난 풍채(風采). 영웅의 바탕.
[龍華三會 용화삼회] 《佛敎》 석가(釋迦)의 다음에 이 세상에 출현할 미륵불(彌勒佛)이 용화수(龍華樹) 밑에서 3회에 걸쳐 행하리라는 설법(說法).
[龍華樹 용화수] 《佛敎》 미륵보살(彌勒菩薩)이 다시 세상에 나와, 밑에 앉아 설법(說法)하리라고 하는 나무. 꽃 모양이 용 비슷하다 함.
[龍華會 용화회] 석가여래의 탄신일인 사월 초파일의 관불회(灌佛會).
[龍渙 용환] 조서(詔書)를 이름. '환한(渙汗)' 참조.
[龍興致雲 용흥치운] 성덕(聖德)이 있는 제왕(帝王)이 현명한 신하를 씀을 이름.
◉降龍. 袞龍. 恐龍. 蛟龍. 虬龍. 獨眼龍. 馬如龍. 蟠龍. 攀龍. 伏龍. 飛龍. 水龍. 升龍. 躍龍. 魚龍. 蝘龍. 臥龍. 雨龍. 應龍. 麟鳳龜龍. 人中龍. 殘龍. 潛龍. 雕龍. 竹龍. 蒼龍. 天龍. 靑龍. 燭龍. 醉龍. 翠龍. 蟄龍. 土龍. 亢龍. 見龍. 畫龍. 黃龍.

2 ⑱ [龎] 〔방〕
龐(龍部 三畫〈p. 2731〉)의 俗字

[壟] 〔롱〕
土部 十六畫(p. 471)을 보라.

3 ⑲ [龏] ㊀ 공 ㊥冬 九容切 gōng
㊖宋 居用切
㊁ 악 ㊇覺 於角切 wò

[字解] ㊀ ①삼갈 공 '一, 愨也'《說文》. ②오를 공 높은 데로 올라감. '一, 升也'《字彙》. ㊁ ①삼갈 악 ㊀❶과 뜻이 같음. ②등불가리개 악 '一, 燭蔽'《廣韻》.
[字源] 會意. 龍+廾

3 ⑲ [龐] [人名] ㊀ 방 ㊥江 薄江切 páng
㊁ 롱 ㊥東 盧東切 lóng
庞

[筆順] 亠 广 庐 庐 庿 庿 龐 龐

[字解] ㊀ ①어지러울 방 난잡함. '不和政一'《書經》. ②클 방, 높을 방 고대(高大)함. '形之一也, 類有德'《柳宗元》. ③성 방 성(姓)의 하나. ㊁ 찰 롱, 살질 롱 충실한 모양. 비대한 모양. '四牡一一'《詩經》.
[字源] 甲骨文 篆文 形聲. 广+龍〔音〕. '广'은 집, '龍롱'은 높고 크다의 뜻.

[龐龐 농롱] 살진 모양. 충실한 모양.
[龐眉皓髮 방미호발] 눈썹이 크고 머리가 희다는 뜻으로, 노인(老人)을 이름.
[龐涓 방연] 전국(戰國) 시대 위(魏)나라의 병법가(兵法家). 손빈(孫臏)과 함께 병법을 배웠음. 뒷날에 제(齊)나라의 군사(軍師)가 된 손빈과 싸워 마릉(馬陵)에서 패사(敗死)하였음.
[龐錯 방착] 뒤섞임. 난잡함.
[龐統 방통] 삼국(三國) 시대의 촉한(蜀漢) 사람. 자(字)는 사원(士元). 유비(劉備)에게 출사(出仕)하여 치중종사(治中從事)가 되었으며, 제갈량(諸葛亮)과 더불어 복룡봉추(伏龍鳳雛)라 일컬어졌음.

4 ⑳ [龑] 엄 ㊤琰 於檢切 yǎn
[字解] 높고밝을 엄 고명(高明)한 모양.
[字源] 會意. 龍+天

4 ⑳ [龕] 〔감〕
龕(龍部 六畫〈p. 2732〉)과 同字

[櫳] 〔롱〕
木部 十六畫(p. 1122)을 보라.

[礱] 〔롱〕
石部 十六畫(p. 1588)을 보라.

6 ㉒ [龔] 공 ㊥冬 九容切 gōng
龚

[字解] ①이바지할 공 供(人部 六畫)과 同字. ②공손할 공 恭(心部 六畫)과 통용. '一行天罰'《梁元帝》. ③성 공 성(姓)의 하나.
[字源] 金文 篆文 形聲. 龍+共〔音〕. '共공'은 '供공'·'恭공'과 통하여 같은 뜻으로 쓰임.

[龔遂 공수] 한(漢)나라의 산양(山陽) 사람. 자(字)는 소경(少卿). 선제(宣帝) 때에 발해 태수(渤海太守)가 되자, 농사를 권장(勸奬)하니 모두 창검(槍劍)을 팔아서 소를 사게 되어 민생(民生)이 부유해져서 경내(境內)가 잘 다스려졌음.
[龔勝 공승] 전한말(前漢末)의 고절(高節)의 선비. 애제(哀帝) 때 간의대부(諫義大夫)가 되어 왕망(王莽)이 정사(政事)를 전횡(專橫)하자 단식(斷食)하고 죽었음.
[龔自珍 공자진] 청말(淸末)의 학자. 자(字)는 슬인(瑟人). 호(號)는 정암(定庵). 벼슬로는 영달(榮達)하지 못하고 예부주사(禮部主事)에 머물렀음. 공양학(公羊學)을 주장하여 시세(時世)

14-17획

를 논하고 민권설(民權說), 사회주의(社會主義)의 경향이 있었음. 〈공양결사비(公羊決事比)〉·〈태서답문(泰誓答問)〉등의 저서 이외에 심원(深遠)하고 넓은 문장으로 일가(一家)를 이룬 그의 시문(詩文)이 〈정암문집(定庵文集)〉에 수록되어 있음.
[龔黃 공황] 한(漢)나라의 순리(循吏)인 공수(龔遂)와 황패(黃霸).

[聾] 〔롱〕
耳部 十六畫 (p.1831)을 보라.

[襲] 〔습〕
衣部 十六畫 (p.2080)을 보라.

6
22
[聾] 襱(次條)과 同字

6
22
[襱] 롱 ㉠東 盧紅切 lǒng
字解 겸유할 롱 겸하여 가짐. '一貨物'《漢書》.
字源 甲骨文 篆文 形聲. 有+龍(音). '有유'는 '가지다, 보유하다'의 뜻. '龍룡'은 '籠롱'과 통하여 속에 넣다, 아울러 통할하다의 뜻.

6
22
[瓏] 롱 ㉠冬 力鍾切 lóng
字解 용그린옥 롱 가뭄에 기우제를 드릴 때에 쓰는 용무늬 있는 옥(玉). 瓏(玉部 十六畫)과 同字.

6
22
[龕] 〔人名〕감 ㉠覃 口含切 kān
字解 ①탑 감 절의 탑(塔). 또, 탑 아래의 방. '禪一只晏如'《杜甫》. ②감실 감 신불(神佛)을 안치(安置)하는 장, 불단(佛壇). '佛一'. '啓一'.《莊嚴一像》《江淹》. ③이길 감 지움. '一暴資神理'《謝靈運》.
字源 金文 篆文 形聲. 龍+今(音). '今금'은 '含함'과 통하여 '포함하다'의 뜻. 그릇에 갇힌 용의 모양에서, 어지러운 세상을 평정하다, 들어박히다의 뜻을 나타냄. 뒤에 '今'이 '合함'으로 변형됨.

[龕②]

●啓龕. 佛龕. 山龕. 石龕. 禪龕. 龍龕.

[䶜] 〔섭〕
言部 十六畫 (p.2165)을 보라.

16
32
[䶙] ㊀답 ㉳合 徒合切 dá
㊁삽 ㉳合 悉合切
字解 ㊀①나는용 답, 용날 답 비룡(飛龍). 또, 용이 나는 모양. '一, 飛龍也'《說文》. '一, 龍飛之狀'《廣韻》. ②두려워할 답 '一, 震怖也. 二龍竝飛, 威靈盛赫, 見者氣奪'《六書精薀》. ㊁나는용 삽, 용날 삽, 두려워할 삽 ㊀과 뜻이 같음.
字源 會意. '龍룡'을 둘 나란히 놓아, 용이 함께 겹쳐서 날다의 뜻을 나타냄.

32
48
[龘] 답 dá
字解 용갈 답 용이 앞으로 가는 모양. '一, 龍行也'《玉篇》.

48
64
[龖龖龖龖] 절 ㉳屑 知子切 zhé
字解 말많을 절 '一, 多言'《字彙補》.

龜 (16획) 部
[거북귀부]

0
16
[龜] ㊀귀 ㉰支 居追切 guī
㊁구 ㉰尤 居求切 qiū
㊂균 ㉰眞 俱倫切 jūn
〔高人〕 龟亀

筆順 勹 勹 勹 龟 龟 龜 龜 龜

字解 ㊀①거북 귀 파충류의 하나. 고대에 신령한 동물로 여겨, 그 껍데기는 거북점에 썼음. '一卜'. '麟鳳一龍, 謂之四靈'《禮記》. 또, 그 껍데기로써 삼은 화폐. '人用莫如一'《漢書》. ②거북껍데기 귀 귀갑. '攻一用春時'《周禮》. ③등골뼈 귀 척골. '射藥麗一'《左傳》. ④패물 귀 관리가 차는 물건. '解一在景平'《謝靈運》. ㊁나라이름 구 '一玆'는 쿠처(庫車) 부근에 있던 서역(西域)의 한 나라. ㊂틀 균 피부가 추위에 얼어 갈라짐. '一裂'. '宋人有善爲不一手之藥者'《莊子》.
字源 甲骨文 金文 篆文 古文 象形. 거북의 모양을 본떠 '거북'의 뜻을 나타냄.
參考 ① '龜귀'를 의부(意符)로 하여, 거북에 관한 문자를 이룸. 부수 이름은 '거북귀'. ②亀(乙部 十畫)는 俗字.

[龜蒙 구몽] 산둥 성(山東省) 쓰수이 현(泗水縣) 동북쪽에 있는 구산(龜山)과 산둥 성 몽음현(蒙陰縣) 남쪽에 있는 몽산(蒙山).
[龜山 구산] ㉠산둥 성(山東省) 쓰수이 현(泗水縣) 동북쪽에 있는 산 이름. ㉡푸젠 성(福建省)에 있는 산 이름. 송(宋)나라의 양시(楊時)가 퇴관(退官)한 뒤 은거(隱居)한 곳.
[龜玆 구자] 서역(西域)의 한 나라. 지금의 쿠처(庫車) 부근의 지역.
[龜脚 귀각] ㉠조개의 한 가지. 거북다리. ㉡거북의 발.
[龜殼 귀각] 귀갑(龜甲).
[龜鑑 귀감] 사물(事物)의 거울. 법도(法度). 본보기. 귀(龜)는 길흉(吉凶)을 알고, 감(鑑)은 연추(妍醜)를 분별(分別)한다는 뜻.
[龜甲 귀갑] 거북의 등딱지.
[龜甲文 귀갑문] '갑골 문자(甲骨文字)'를 보라.
[龜鏡 귀경] 귀감(龜鑑).
[龜鈕 귀뉴] 거북의 형상을 새긴 인꼭지.

[龜鈕]

[龜齡 귀령] 거북의 나이. 장수(長壽)를 이름.
[龜龍壽 귀룡수] 거북과 용과 같이 오래 사는 수

14
-
17
획

명. 장수(長壽)를 축원(祝願)할 때 씀.
[龜麟 귀린] 거북과 기린. 모두 영물(靈物).
[龜毛兔角 귀모토각] 거북의 털과 토끼의 뿔이라는 뜻으로, 절대로 있을 수 없음의 비유.
[龜文 귀문] 거북의 등딱지 무늬.
[龜文鳥跡 귀문조적] 거북 등딱지의 무늬와 새의 발자국. 모두 문자(文字)의 기원(起源)을 이름.
[龜背 귀배] 곱사등이.
[龜背刮毛 귀배괄모] 거북의 등에 있는 털을 긁는다는 뜻으로, 될 수 없는 일을 무리하게 하는 것을 이름.
[龜鼈 귀별] 거북과 자라. 전(轉)하여, 남을 경멸하여 이르는 말.
[龜卜 귀복] 거북 껍데기를 불에 그슬리어 그 튼 금으로 점치는 일. 또, 그 법. 거북점.
[龜趺 귀부] 석각(石刻)한 거북 모양의 빗돌 받침.
[龜書 귀서] 낙서(洛書). 신귀(神龜)가 업고 나왔다는 데서 이름.
[龜船 귀선] 조선 시대에 이순신(李舜臣)이 창안(創案)한 철갑선(鐵甲船). 거북선.
[龜玉 귀옥] 점치는 데 쓰는 거북 껍데기와 구슬. 또, 귀중한 물건.
[龜鼎 귀정] 국가의 보기(寶器)인 원귀(元龜)와 구정(九鼎). 천자(天子)의 지위의 비유.
[龜兆 귀조] 귀갑(龜甲)을 태울 때 나타나는 길흉의 조짐. 귀복(龜卜)에서 얻는 길흉의 징조.
[龜策 귀책] 점치는 데 쓰는 거북 껍데기와 점대. 또, 점(占)　　「方名]
[龜板 귀판] 거북 배 바닥의 껍데기의 한방명(漢
[龜貝 귀패] 거북의 등딱지와 조가비. 고대에 화폐로 썼음.
[龜幣 귀폐] 한대(漢代)의 화폐의 한 가지. 무게는 넉 냥(兩). 거북 등딱지 무늬를 그렸음.
[龜鶴 귀학] 거북과 학. 모두 오래 산다 하여, 장수(長壽)를 이름.
[龜筴 귀협] 귀책(龜策).
[龜胸 귀흉] 불거져 나온 가슴. 새가슴.
[龜胸龜背 귀흉귀배] 안팎곱사등이.
[龜裂 균렬] 균열(龜裂).
[龜手 균수] 추위에 튼 손.
[龜裂 균열] 손발이 추위에 트거나 땅 같은 것이 갈라지는 것. 또, 금이 가고 벌어진 틈.
[龜拆 균탁] ㉠그슬린 거북 껍데기에 나타난 금. 이것으로 길흉을 판단함. ㉡땅이 갈라진 틈.
●綠毛龜. 盲龜. 文龜. 山龜. 筮龜. 旋龜. 攝龜. 尊龜. 著龜. 著神龜. 鶩龜. 靈龜. 五總龜. 環龜.

0
⑰ [龜] 龜(前條)와 同字

1
⑰ [龜] 龜(前前條)의 本字

2
⑱ [龜] 〔귀〕
龜(部首〈p.2732〉)와 同字

[龜趺]

[龜幣]

3
⑲ [嫢] 규 ㊄支 去爲切 kuī
字解 ①여자의자(字) 규 여자 이름에 쓰는 문자. '一, 女字'《五音集韻》. ②이변(異變)을 알 규 '一, 知異也'《玉篇》.

4
⑳ [䶍] 구 ㊄尤 居侯切 gōu
字解 거북류(類) 구 '一, 龜類'《字彙》.

4
⑳ [熊] 초 ㊄蕭 卽消切 jiāo
字解 점조안나타날 초 거북 껍데기가 눌어서 점조(占兆)가 나타나지 않음. '一, 灼龜不兆也'《說文》.
字源 會意. 龜+灬(火). 불에 태운 거북딱지가 눌어서 점조(占兆)가 나타나지 않다의 뜻을 나타냄.

4
⑳ [䶃] 감 ㊀勘 古暗切 gàn
字解 거북 감 '一, 龜也'《字彙》.

5
⑲ [龜] 구 ㊄尤 驅尤切 qiū
字解 나라이름 구 '一, 一茲, 國名, 俗字'《字彙》.

5
㉑ [墔] 거 ㊁御 丘據切 qù
字解 두꺼비 거 '一, 蟾也'《字彙》.

5
㉑ [䶄] 구 ㊄虞 巨偶切 gōu
字解 거북류(類) 구 거북의 한 종류. 䶆(黽部五畫)의 俗字. '一, 水蟲'《篇海》. '一, 俗䶆字, 舊注, 水蟲, 卽鼀屬, 當从䶆'《正字通》.

5
㉑ [穐] 〔추〕
秋(禾部 四畫〈p.1611〉)의 古字

11
㉗ [龜] 구 qū
字解 거북기어갈 구 '一, 龜行也'《字彙補》.

龠 (17획) 部
[피리약부]

0
⑰ [龠] 약 ㊏藥 以灼切 yuè
字解 ①피리 약 대나무로 만든, 구멍이 셋 또는 여섯 있는 피리. 籥(竹部 十七畫)과 同字. '左手執一'《詩經》. ②작 약 분량의 단위의 하나. 한 홉의 십 분의 일. 곧, 기장(黍) 1,200 알의 분량. '合一爲合, 十合爲升, 十升爲斗, 十斗爲斛'《漢書》.
字源 甲骨文 金文 篆文 龠 象形. 부는 구멍이 있는 관(管)을 나란히 엮은 모

양을 본떠 '관악기, 피리'의 뜻을 나타냄. '籥약'의 原字.
參考 '龠약'을 의부(意符)로 하여 피리나 그 취주에 관한 문자를 이룸. 부수 이름은 '피리약'.

[龠合 약흡] 곡량(穀量)의 적은 수량.
●執龠.

4/21 [歙] 취 ㊌支 姝爲切 chuī
字解 불 취 吹(口部 四畫)와 同字. '籥師, 掌教國子舞羽一籥'《周禮》.

[歙篇 취약] 피리를 붊.

5/22 [龢] 화 ㊌歌 戶戈切 hé
字解 화할 화 和(口部 五畫)의 古字. '如樂之一'《左傳》.
字源 甲骨文 金文 篆文 形聲. 龠+禾〔音〕. '龠약'은 관악기의 象形. '禾화'는 '和화'와 통하여 '맞다, 따르다'의 뜻. 음악이 조화하다의 뜻을 나타냄.

8/25 [龣] ㊀각 ㊊覺 訖岳切 jué ㊁록 ㊊屋 盧谷切
字解 ㊀①동방(東方)의소리 각 오음(五音)의 하나. 角(部首)과 통용. '宮商一徵羽'《魏書》. ②악기이름 각 '一, 樂器'《廣韻》. ㊁ 동방의소리

록, 악기이름 록 ㊀과 뜻이 같음.

9/26 [頨] 유 ㊍遇 羊戍切 yù
字解 ①부를 유 호소함. '舞辜一天'《書經》. ②고를 유 조화함. '率一衆感'《書經》.
字源 形聲. 頁+龠〔音〕

9/26 [齰] 〔해〕 諧(言部 九畫〈p.2141〉)와 同字

10/27 [齝] 지(치)㊍ ㊌支 直離切 chí
字解 저이름 지 가로 부는 대나무로 만든 관악기의 하나. 구멍이 여덟 개인데, 그중 하나는 뚝 떨어져 있어, 이 구멍으로 불게 되어 있음. 길이는 큰 것은 1척(尺) 4촌(寸), 작은 것은 1척 2촌. 篪(竹部 十畫)와 同字. '鳴一兮吹竽'《楚辭》.
字源 篆文 別體 形聲. 龠+虒〔音〕. 別體는 竹+虒〔音〕. '虒치'는 옆으로 길게 이어지다의 뜻. 가로 부는 '저'의 뜻을 나타냄.

16/33 [籥] 〔소〕 簫(竹部 十三畫〈p.1687〉)의 古字

附　　錄

1. 운자표(韻字表)

四聲(사성)	106韻(운)
平聲(평성) (30韻)	〔上平 15韻〕東 冬 江 支 微 魚 虞 齊 佳 灰 眞 文 元 寒 刪 〔下平 15韻〕先 蕭 肴 豪 歌 麻 陽 庚 靑 蒸 尤 侵 覃 鹽 咸
上聲(상성) (29韻)	董 腫 講 紙 尾 語 麌 薺 蟹 賄 軫 吻 阮 旱 澘 銑 篠 巧 晧 哿 馬 養 梗 迴 有 寢 感 琰 豏
去聲(거성) (30韻)	送 宋 絳 寘 未 御 遇 霽 泰 卦 隊 震 問 願 翰 諫 霰 嘯 效 號 箇 禡 漾 敬 徑 宥 沁 勘 豔 陷
入聲(입성) (17韻)	屋 沃 覺 質 物 月 曷 黠 屑 藥 陌 錫 職 緝 合 葉 洽

2. 주요 출전(主要出典)

(가나다순)

강희자전 (康熙字典)	淸나라 聖祖가 張玉書(장옥서)·陳廷敬(진정경) 등 30인의 학자에게 명하여 편찬한 중국 최대의 자전. 강희 55년(1716년)에 간행됨.
광아(廣雅)	중국 魏나라 張揖(장읍)이 편찬한 한자자전. 10권.
광운(廣韻)	한문자를 韻에 따라 분류·배열하고, 글자마다 음과 뜻을 주해한 韻書. 26,194자.
국어(國語)	左氏傳에 누락된 춘추 시대의 역사를 적은 책. 左丘明이 지었다 함.
논어(論語)	四書의 하나. 孔子의 언행이나, 弟子·諸侯·隱者와의 문답, 제자끼리의 문답 등을 기술한 것으로, 공자의 생전부터 기록되어 그의 몰후(歿後), 門弟(문제)들에 의하여 편찬된 것으로 추정됨. 공자의 이상적 도덕인 '仁'의 뜻, 정치·교육에 대한 의견 등이 씌어 있는 儒敎의 경전임. 7권 20편.
문선(文選)	중국 梁나라 昭明太子 蕭統(소통)이 엮은 시문집.
서경(書經)	五經의 하나. 중국 堯舜 때부터 周나라 때까지의 政事에 관한 文書를 孔子가 수집·편찬한 책. 20권 58편.
석명(釋名)	後漢의 劉熙(유희)가 지은 책. 爾雅를 본떠서 訓詁를 설명하였음.
설문(說文)	後漢의 許愼(허신)이 撰한 중국의 가장 오래된 字典. 중국 文字學의 기본적인 古典의 하나. 漢字를 분류하여 六書의 뜻을 캐고, 文字의 의미를 밝혔음. 30권. 설문해자.

설원(說苑)	중국의 훈계적 전설집. 君道·臣術·建本·立節·貴德·復恩(부은) 등 20편으로 나누어서, 처음에 序說을 말하고, 뒤에 逸話를 열거함. 漢나라 劉向이 편찬. 20권.
시경(詩經)	五經의 하나. 孔子가 편찬하였다고 함. 殷代부터 春秋 시대까지의 詩 311편으로, 기원전 10~6세기의 古詩로 추정되며, 國風·雅·頌의 세 부분으로 대별하였음.
옥편(玉篇)	중국 梁나라 顧野王(고야왕)이 엮은 한자자전. 30권.
의례(儀禮)	중국 經書의 하나. 관혼상제를 비롯하여 중국 고대 사회의 사회적 의식을 자세히 기록하였음.
이아(爾雅)	중국 고대의 經典에 物名을 주해한 책. 천문·지리·음악·기재(器材)·초목·조수 등의 낱말을 해석하였음.
자휘(字彙)	중국 明나라의 梅膺祚(매응조)가 지은 字書. 33,079자.
전국책 (戰國策)	중국 전국 시대에 종횡가가 諸侯에게 논한 책략을 國別로 모은 책. 劉向이 편찬함.
정자통 (正字通)	중국의 音韻字書. 明나라 張自烈(장자열)이 지은 것으로, 淸나라의 廖文英(요문영)이 南康의 白鹿洞에서 版刻(판각)하였음. 12권.
좌전(左傳)	春秋의 해석서로서 모두 30권. 左丘明의 작품이라고 전하여짐. 전국 시대에 성립된 것임. 좌씨전. 좌씨춘추전. 춘추좌씨전.
집운(集韻)	중국의 音韻書. 宋나라 丁度 등의 奉命撰. 53,525자.
초사(楚辭)	중국 楚나라 屈原의 辭賦와 그의 문하생 및 後人의 작품을 모은 책. 漢나라 劉向이 지었다 함.
한서(漢書)	중국의 前漢, 곧 高祖에서 王莽(왕망)까지 229년간의 역사를 기록한 책. 120권.
여씨춘추 (呂氏春秋)	중국 秦나라의 呂不韋(여불위)가 賓客을 모아 지었다고 전해지는 史論書. 26권.
한시외전 (韓詩外傳)	漢나라의 韓嬰(한영)이 지은 漢詩에 관한 책. 古事나 古語를 들고 詩語에 대한 염원을 밝히고 있음. 10권.
회남자 (淮南子)	중국 前漢의 회남왕인 劉安이 편저한 철학서. 정식 명칭은 〈淮南鴻烈〉.
후한서 (後漢書)	중국 後漢 12 임금의 史蹟을 적은 역사책. 南朝 宋나라 范曄(범엽)이 지은 것을 梁나라 劉昭(유소)가 보충하여 완성하였음. 120권.

3. 육십사괘(六十四卦)

䷀	乾下乾上(건하 건상) 爲天(위천)	乾(건)	䷠	艮下乾上(간하 건상) 天山(천산)	遯(돈)
䷁	坤下坤上(곤하 곤상) 爲地(위지)	坤(곤)	䷡	乾下震上(건하 진상) 雷天(뇌천)	大壯(대장)
䷂	震下坎上(진하 감상) 水雷(수뢰)	屯(둔)	䷢	坤下離上(곤하 이상) 火地(화지)	晉(진)
䷃	坎下艮上(감하 간상) 山水(산수)	蒙(몽)	䷣	離下坤上(이하 곤상) 地火(지화)	明夷(명이)
䷄	乾下坎上(건하 감상) 水天(수천)	需(수)	䷤	離下巽上(이하 손상) 風火(풍화)	家人(가인)
䷅	坎下乾上(감하 건상) 天水(천수)	訟(송)	䷥	兌下離上(태하 이상) 火澤(화택)	睽(규)
䷆	坎下坤上(감하 곤상) 地水(지수)	師(사)	䷦	艮下坎上(간하 감상) 水山(수산)	蹇(건)
䷇	坤下坎上(곤하 감상) 水地(수지)	比(비)	䷧	坎下震上(감하 진상) 雷水(뇌수)	解(해)
䷈	乾下巽上(건하 손상) 風天(풍천)	小畜(소축)	䷨	兌下艮上(태하 간상) 山澤(산택)	損(손)
䷉	兌下乾上(태하 건상) 天澤(천택)	履(이)	䷩	震下巽上(진하 손상) 風雷(풍뢰)	益(익)
䷊	乾下坤上(건하 곤상) 地天(지천)	泰(태)	䷪	乾下兌上(건하 태상) 澤天(택천)	夬(쾌)
䷋	坤下乾上(곤하 건상) 天地(천지)	否(비)	䷫	巽下乾上(손하 건상) 天風(천풍)	姤(구)
䷌	離下乾上(이하 건상) 天火(천화)	同人(동인)	䷬	坤下兌上(곤하 태상) 澤地(택지)	萃(췌)
䷍	乾下離上(건하 이상) 火天(화천)	大有(대유)	䷭	巽下坤上(손하 곤상) 地風(지풍)	升(승)
䷎	艮下坤上(간하 곤상) 地山(지산)	謙(겸)	䷮	坎下兌上(감하 태상) 澤水(택수)	困(곤)
䷏	坤下震上(곤하 진상) 雷地(뇌지)	豫(예)	䷯	巽下坎上(손하 감상) 水風(수풍)	井(정)
䷐	震下兌上(진하 태상) 澤雷(택뢰)	隨(수)	䷰	離下兌上(이하 태상) 澤火(택화)	革(혁)
䷑	巽下艮上(손하 간상) 山風(산풍)	蠱(고)	䷱	巽下離上(손하 이상) 火風(화풍)	鼎(정)
䷒	兌下坤上(태하 곤상) 地澤(지택)	臨(임)	䷲	震下震上(진하 진상) 爲雷(위뢰)	震(진)
䷓	坤下巽上(곤하 손상) 風地(풍지)	觀(관)	䷳	艮下艮上(간하 간상) 爲山(위산)	艮(간)
䷔	震下離上(진하 이상) 火雷(화뢰)	噬嗑(서합)	䷴	艮下巽上(간하 손상) 風山(풍산)	漸(점)
䷕	離下艮上(이하 간상) 山火(산화)	賁(비)	䷵	兌下震上(태하 진상) 雷澤(뇌택)	歸妹(귀매)
䷖	坤下艮上(곤하 간상) 山地(산지)	剝(박)	䷶	離下震上(이하 진상) 雷火(뇌화)	豐(풍)
䷗	震下坤上(진하 곤상) 地雷(지뢰)	復(복)	䷷	艮下離上(간하 이상) 火山(화산)	旅(여)
䷘	震下乾上(진하 건상) 天雷(천뢰)	无妄(무망)	䷸	巽下巽上(손하 손상) 爲風(위풍)	巽(손)
䷙	乾下艮上(건하 간상) 山天(산천)	大畜(대축)	䷹	兌下兌上(태하 태상) 爲澤(위택)	兌(태)
䷚	震下艮上(진하 간상) 山雷(산뢰)	頤(이)	䷺	坎下巽上(감하 손상) 風水(풍수)	渙(환)
䷛	巽下兌上(손하 태상) 澤風(택풍)	大過(대과)	䷻	兌下坎上(태하 감상) 水澤(수택)	節(절)
䷜	坎下坎上(감하 감상) 爲水(위수)	坎(감)	䷼	兌下巽上(태하 손상) 風澤(풍택)	中孚(중부)
䷝	離下離上(이하 이상) 爲火(위화)	離(이)	䷽	艮下震上(간하 진상) 雷山(뇌산)	小過(소과)
䷞	艮下兌上(간하 태상) 澤山(택산)	咸(함)	䷾	離下坎上(이하 감상) 水火(수화)	旣濟(기제)
䷟	巽下震上(손하 진상) 雷風(뇌풍)	恆(항)	䷿	坎下離上(감하 이상) 火水(화수)	未濟(미제)

4. 찾기 어려운 한자

부
록

(가나다순)

加 (가) 〈力부 3획〉	契 (계) 〈大부 6획〉	來 (래) 〈人부 6획〉
嘉 (가) 〈口부 11획〉	季 (계) 〈子부 5획〉	両 (량) 〈一부 5획〉
街 (가) 〈行부 6획〉	睾 (고) 〈目부 9획〉	兩 (량) 〈入부 6획〉
各 (각) 〈口부 3획〉	嚳 (곡) 〈口부 17획〉	侖 (륜) 〈人부 6획〉
脚 (각) 〈肉부 7획〉	贛 (공) 〈貝부 17획〉	粦 (린) 〈米부 8획〉
囏 (간) 〈口부 20획〉	艸 (관) 〈丨부 4획〉	卍 (만) 〈十부 4획〉
幹 (간) 〈干부 10획〉	乖 (괴) 〈丿부 7획〉	丏 (면) 〈一부 3획〉
丐 (개) 〈一부 3획〉	教 (교) 〈口부 13획〉	丙 (병) 〈一부 4획〉
更 (갱) 〈曰부 3획〉	句 (구) 〈口부 2획〉	並 (병) 〈一부 7획〉
去 (거) 〈厶부 3획〉	舊 (구) 〈臼부 12획〉	報 (보) 〈土부 10획〉
巨 (거) 〈工부 2획〉	歸 (귀) 〈止부 14획〉	丕 (비) 〈一부 4획〉
乾 (건) 〈乙부 10획〉	堇 (근) 〈土부 8획〉	囂 (비) 〈口부 16획〉
竭 (걸) 〈曰부 10획〉	其 (기) 〈八부 6획〉	顰 (빈) 〈頁부 15획〉
憩 (게) 〈心부 12획〉	南 (남) 〈十부 7획〉	㘞 (뿐) 〈口부 6획〉
奘 (결) 〈大부 9획〉	囊 (낭) 〈口부 19획〉	乍 (사) 〈丿부 4획〉
缺 (결) 〈缶부 4획〉	靆 (누) 〈雨부 14획〉	司 (사) 〈口부 2획〉
慶 (경) 〈心부 11획〉	臺 (대) 〈至부 8획〉	傘 (산) 〈人부 10획〉
競 (경) 〈立부 15획〉	豆 (두) 〈一부 10획〉	商 (상) 〈口부 8획〉
啓 (계) 〈口부 8획〉	屯 (둔) 〈屮부 1획〉	喪 (상) 〈口부 9획〉

塓 (서) 〈土부　9획〉	潁 (영) 〈水부 11획〉	裎 (정) 〈赤부　7획〉
亽 (선) 〈人부　3획〉	脆 (올) 〈口부　7획〉	兆 (조) 〈儿부　4획〉
卨 (설) 〈卜부　9획〉	歪 (외) 〈止부　5획〉	刁 (조) 〈刀부　0획〉
韱 (섬) 〈韭부　8획〉	凹 (요) 〈凵부　3획〉	條 (조) 〈木부　7획〉
世 (세) 〈一부　4획〉	堯 (요) 〈土부　9획〉	糶 (조) 〈米부 19획〉
卋 (세) 〈一부　5획〉	友 (우) 〈又부　2획〉	丟 (주) 〈一부　5획〉
厎 (소) 〈一부　6획〉	鬱 (울) 〈鬯부 18획〉	胄 (주) 〈冂부　7획〉
垂 (수) 〈土부　5획〉	鬱 (울) 〈鬯부 19획〉	胄 (주) 〈肉부　5획〉
堊 (수) 〈土부　9획〉	員 (원) 〈口부　7획〉	粥 (죽) 〈米부　6획〉
塍 (승) 〈土부 10획〉	毓 (육) 〈毋부　9획〉	夋 (준) 〈厶부 13획〉
凶 (신) 〈口부　3획〉	胤 (윤) 〈肉부　5획〉	且 (차) 〈一부　4획〉
丫 (아) 〈丨부　2획〉	霒 (음) 〈雨부　8획〉	奲 (차) 〈大부 21획〉
亞 (아) 〈二부　6획〉	懿 (의) 〈心부 18획〉	糳 (착) 〈米부 21획〉
靉 (애) 〈雨부 17획〉	以 (이) 〈人부　3획〉	毚 (참) 〈比부 13획〉
臬 (얼) 〈自부 10획〉	諫 (인) 〈日부 10획〉	倉 (창) 〈人부　8획〉
与 (여) 〈一부　3획〉	頿 (자) 〈頁부　8획〉	册 (책) 〈冂부　3획〉
余 (여) 〈人부　5획〉	丈 (장) 〈一부　2획〉	囅 (천) 〈口부 19획〉
豔 (염) 〈豆부 20획〉	臧 (장) 〈臣부　8획〉	凸 (철) 〈凵부　3획〉
豓 (염) 〈豆부 21획〉	商 (적) 〈口부　8획〉	僉 (첨) 〈人부 11획〉
顉 (염) 〈頁부　7획〉	糴 (적) 〈米부 16획〉	靆 (체) 〈雨부 16획〉
擄 (염) 〈鹵부　8획〉	丼 (정) 〈丶부　4획〉	叢 (총) 〈又부 16획〉
鹽 (염) 〈鹵부 13획〉	矴 (정) 〈干부　4획〉	丑 (축) 〈一부　3획〉

嚲 (타) 〈口부 17획〉	罕 (한) 〈网부　3획〉	彟 (확) 〈彐부 23획〉
乒 (팡) 〈丿부　5획〉	䏡 (할) 〈自부 13획〉	叵 (회) 〈口부　2획〉
牌 (패) 〈口부 10획〉	圅 (함) 〈口부　7획〉	孝 (효) 〈子부　4획〉
匏 (포) 〈勹부　9획〉	韰 (해) 〈韭부 14획〉	嶲 (휴) 〈隹부 10획〉
麭 (포) 〈口부 15획〉	縶 (혈) 〈糸부　9획〉	釁 (흔) 〈酉부 18획〉
乓 (핑) 〈丿부　5획〉	化 (화) 〈匕부　2획〉	

5. 인명용 한자표

(호적법시행규칙 제37조)

한글	한문 교육용 기초한자 (2000.12.31. 현재)	인명용 추가 한자						
		(1991.4.1.)	(1994.9.1.)	(1998.1.1.)	(2001.1.4.)	(2003.10.20.)	(2005.1.1.)	(2007.2.15.)
가	家佳街可歌加價假架暇	嘉嫁稼賈駕	伽	迦柯	呵哥枷珂痂苛袈訶跏軻茄			哿
각	各角脚閣却覺刻	珏恪殼			慤			
간	干間看刊肝幹簡姦懇	艮侃杆玕竿揀諫墾		栞	奸柬桿澗癎磵稈艱			
갈	渴	葛			曷喝楬碣竭褐蝎鞨			
감	甘減感敢監鑑(鑒)	勘堪瞰			坎嵌憾戡柑橄疳紺邯龕			
갑	甲	鉀			匣岬胛閘			
강	江降講强(強)康剛鋼(鎠)綱	杠堈岡崗姜橿疆慷			畺疆糠絳羌腔舡薑襁鱇		嫝跭	
개	改皆個(箇)開介慨槪蓋(盖)	价凱愷漑			塏愾疥芥豈鎧		玠	
객	客				喀			
갱	更	坑			粳羹			
갹					醵			
거	去巨居車擧距拒據	渠遽	鉅	炬	倨据祛踞鋸			
건	建(建)乾件健	巾虔楗鍵			愆腱騫蹇			漧
걸	傑乞	杰			桀			
검	儉劍(劒)檢				瞼鈐黔			
겁					劫怯法			
게		揭			偈	憩		
격	格擊激隔	檄			膈覡			
견	犬見堅肩絹遣牽	鵑			甄繭譴			
결	決結潔缺	訣			抉			
겸	兼謙	鎌			慊箝鉗			
경	京景經庚耕敬輕驚慶競竟境鏡頃傾硬警徑卿(卿)	倞鯨坰耿更炅梗憬暻璟擎瓊儆俓涇莖勁逕潁憼	冏	勍	烱絅脛頸磬痙擎		囧褧鶊	冂涇
계	癸季界計溪鷄系係戒械繼契桂啓階繫	誡烓		屆	堺悸棨磎稽谿			
고	古故固苦高考(攷)告枯姑庫孤鼓稿顧	叩敲皐		暠	呱尻拷槁沽睾羔股膏苽菰藁蠱袴誥賈辜錮雇槁		杲	
곡	谷曲穀哭				斛梏鵠			
곤	困坤	昆崑琨錕			梱棍滾袞鯤			
골	骨				汨滑			

부록

한글	한문 교육용 기초한자 (2000.12.31. 현재)	인명용 추가 한자						
		(1991.4.1.)	(1994.9.1.)	(1998.1.1.)	(2001.1.4.)	(2003.10.20.)	(2005.1.1.)	(2007.2.15.)
공	工功空共公孔供恭攻恐貢	珙控			拱蚣鞏			
곶					串			
과	果課科過誇寡	菓			鍋顆跨	戈瓜		
곽	郭	廓			槨藿			
관	官觀關館(舘)管貫慣冠寬	款琯錧灌瓘梡			串棺罐菅			
괄		括			刮恝适			
광	光(炛)廣(広)鑛狂	侊洸珖桄匡曠	眖		壙筐胱			
괘	掛				卦罫			
괴	塊愧怪壞				乖傀拐槐魁			
굉		宏			紘肱轟			
교	交校橋敎(教)郊較巧矯	僑喬嬌膠			咬嶠攪狡皎絞翹蕎蛟轎鮫驕餃		姣	佼
구	九口求救究久句舊具俱區驅苟拘狗丘懼龜構球	坵玖矩邱銶溝購鳩軀	耈	枸	仇勾咎嘔垢寇嶇廐柩歐毆毬灸瞿絿臼舅衢謳逑鉤駒	鷗		玽
국	國(国)菊局	鞠			麴鞫			
군	君郡軍群				窘裙			
굴	屈	窟			堀掘			
궁	弓宮窮	躬			穹芎			
권	券權勸卷拳	圈眷			倦捲港			
궐	厥	闕			獗蕨蹶			
궤	軌				机櫃潰詭饋			
귀	貴歸鬼	龜			句晷		鮻	
규	叫規糾	圭奎珪揆逵窺	葵		槻硅竅赳	闚	糺	邽嫢
균	均菌	畇鈞			勻筠龜			
귤		橘						
극	極克劇	剋隙			戟棘			
근	近勤根斤僅謹	漌墐槿筋瑾嫤	劤		勲芹菫覲饉			
글					契			
금	金今禁錦禽琴	衾襟	昑		妗擒檎芩衿			
급	及給急級	汲			伋扱			
긍	肯	亘(亙)兢矜						
기	己記起其期基氣技幾旣紀忌旗欺奇騎寄豈棄祈企畿飢器機	淇琪璂棋祺錤騏麒玘杞埼崎琦綺錡箕岐汽沂圻耆璣磯譏冀驥嗜曁	伎		夔妓朞畸碁祁祇羈璣肌饑		稘	
긴	緊							
길	吉	佶桔姞			拮			
김					金			
낌					喫			

부록

한글	한문 교육용 기초한자 (2000.12.31. 현재)	인명용 추가 한자						
		(1991.4.1.)	(1994.9.1.)	(1998.1.1.)	(2001.1.4.)	(2003.10.20.)	(2005.1.1.)	(2007.2.15.)
나	那	奈柰娜	挐		喇儒拿儺		挐胗胗	
낙	諾							
난	暖難	煖						
날		捺			捏			
남	南男	楠湳			枏			
납	納				衲			
낭	娘				囊			
내	內乃奈耐	柰						
녀	女							
년	年(秊)				撚			
념	念				恬拈捻			
녕	寧				寗甯			
노	怒奴努				弩瑙駑			
농	農				膿	濃		
뇨					尿鬧撓			
눈					嫩			
눌					訥			
뇌	腦惱							
뉴		紐	鈕		杻			
능	能							
니	泥				尼		柅	濔膩
닉					匿溺			
다	多茶						爹	茶
단	丹但單短端旦段壇檀斷團	緞鍛			亶象湍簞蛋袒疸			煓
달	達				撻澾獺疸			
담	談淡擔	譚膽	澹覃		啖坍憺曇湛痰聃錟薝	潭		倓
답	答畓踏				沓遝			
당	堂當唐糖黨	塘鐺		撞	幢戇棠螳			
대	大代待對帶臺貸隊	垈玳袋戴擡		旲	坮岱黛			
댁					宅			
덕	德(悳)							
도	刀到度道島徒圖倒都桃挑跳逃渡陶途稻導盜塗	堵棹濤燾鍍蹈禱			屠嶋悼掉搗櫂淘滔睹萄覩賭鞀			稻
독	讀獨毒督篤				瀆牘犢禿纛			
돈	豚敦	墩惇暾燉頓			旽沌焞			
돌	突	乭						
동	同洞童冬東動銅凍	棟董潼	垌瞳	蝀	仝憧疼胴	桐	朣瞳彤烔	
두	斗豆頭	杜枓			兜痘竇荳讀逗		阧	
둔	鈍屯	遁			臀芚遯			
득	得							
등	等登燈騰	藤謄鄧			嶝橙			
라	羅		螺		喇懶癩蘿裸邏		剆	覼摞
락	落樂絡	珞酪			烙駱	洛		
란	卵亂蘭欄	瀾瓓			丹欒鸞	爛		

부록

한글	한문 교육용 기초한자 (2000.12.31. 현재)	인명용 추가 한자						
		(1991.4.1.)	(1994.9.1.)	(1998.1.1.)	(2001.1.4.)	(2003.10.20.)	(2005.1.1.)	(2007.2.15.)
랄					剌辣			
람	覽濫				嵐嵒攬欖籃纜襤	藍	婋	
랍					拉臘蠟			
랑	浪郎廊	琅瑯			狼螂	朗		烺
래	來(来·秡)	崍萊			徠			
랭	冷							
략	略掠							
량	良兩量凉梁糧諒	亮倆樑		涼	粮粱輛			
려	旅麗慮勵	呂侶閭黎			儷廬戾櫚濾礪藜驪驪蠣蜧			
력	力歷曆				瀝礫轢靂			
련	連練鍊憐聯戀蓮	煉璉			攣漣輦		變	
렬	列烈裂劣	洌			冽			
렴	廉	濂簾斂			殮			
렵	獵							
령	令領嶺零靈	伶玲姈昤鈴齡	怜		囹岺答羚翎聆逞	岭	澪	
례	例禮(礼)隸				澧醴			
로	路露老勞爐	魯盧鷺			撈擄櫓潞瀘蘆虜輅鹵		嚧	
록	綠祿錄鹿	彔			碌菉麓			
론	論							
롱	弄	瀧瓏籠			壟朧聾			
뢰	雷賴		瀨		儡牢磊賂賚			
료	料了僚			遼	寮廖燎療瞭聊蓼			
룡	龍(竜)							
루	屢樓累淚漏				壘婁瘻縷蔞褸鏤陋			
류	柳留流類	琉劉	瑠	硫	瘤旒榴溜瀏謬			
룩	六陸				戮			
륜	倫輪	侖崙(崘)綸			淪	錀		
률	律栗率				慄		嵂	
륭	隆							
륵					勒肋			
름		凛				廩	澟	
릉	陵	綾菱		稜	凌楞			
리	里理利梨李吏離裏(裡)履	俚莉离璃	俐	俐	厘唎浬犁狸痢籬罹贏釐鯉		浰蔽	
린	隣	潾璘麟			吝燐藺躪鱗	鄰躙撛	鏻	
림	林臨	琳霖	淋					痳琳
립	立	笠粒			砬			
마	馬麻磨	瑪			摩瘼碼魔			
막	莫幕漠				寞膜邈			
만	萬晚滿慢漫	万曼蔓鏋			卍娩巒彎挽灣瞞輓饅鰻	蠻		

부록

한글	한문 교육용 기초한자 (2000.12.31. 현재)	인명용 추가 한자						
		(1991.4.1.)	(1994.9.1.)	(1998.1.1.)	(2001.1.4.)	(2003.10.20.)	(2005.1.1.)	(2007.2.15.)
말	末		茉		秣抹沫襪靺			
망	亡忙忘望茫妄罔	網			芒莽輞邙			
매	每買賣妹梅埋媒				寐昧枚煤罵邁魅			苺
맥	麥脈				貊陌驀			
맹	孟猛盟盲	萌			氓			
멱					冪覓			
면	免勉面眠綿	冕棉			沔眄緬麵			
멸	滅				蔑			
명	名命明鳴銘冥	溟			暝椧皿瞑茗蓂螟酩		慏洺	明鴨
몌					袂			
모	母毛暮某謀模貌募慕冒侮	摸牟謨			姆帽摹牡瑁眸耗芼茅	矛		橅
목	木目牧睦	穆			鶩	沐		
몰	沒				歿			
몽	夢蒙				朦			
묘	卯妙苗廟墓	描錨	畝		昴杳淼猫玅			橅
무	戊茂武務無(无)舞貿霧	拇珷畝撫	懋		巫憮楙毋繆蕪誣鵡			
묵	墨默							
문	門問聞文	汶炆紋			們刎吻紊蚊雯			
물	勿物				沕			
미	米未味美尾迷微眉	渼薇彌(弥)	嵋	媄媚	嵄梶楣湄謎靡黴		躾嫐	瀰
민	民敏憫	玟旻旼閔珉(瑉)岷	忞慜敃	愍潣啓顄泯攺	悶緡		磻顝	鈱
밀	密蜜				謐			
박	泊拍迫朴博薄	珀撲璞	鉑	舶	剝樸箔粕縛膊雹駁			
반	反飯半般盤班返叛件	畔頒潘磐			拌搬攀斑槃泮礬盼磻攀絆蟠			團
발	發拔髮	潑鉢渤			勃撥跋醱魃			
방	方房防放訪芳傍妨倣邦	坊彷昉	龐	榜	尨幇旁枋滂磅紡肪膀舫蒡蚌謗			
배	拜杯(盃)倍培配排輩背	陪裵(裴)湃			俳徘焙胚褙賠北			
백	白百伯	佰帛			魄	栢(柏)		
번	番煩繁飜(翻)		蕃		幡樊燔磻藩			
벌	伐罰	閥			筏			
범	凡犯範	帆机氾范		梵	泛	汎		釩
법	法				琺			
벽	壁碧	璧闢			僻劈擘檗癖蘗霹			
변	變辯辨邊	卞		弁	便			采
별	別				瞥襒鼈		馓馞	莂
병	丙病兵竝(並)屛	幷(并)倂甁軿餠炳柄昞			餅騈			

부록

한글	한문 교육용 기초한자 (2000.12.31. 현재)	인명용 추가 한자						
		(1991.4.1.)	(1994.9.1.)	(1998.1.1.)	(2001.1.4.)	(2003.10.20.)	(2005.1.1.)	(2007.2.15.)
		(昺)秉棟						
보	保步報普補譜寶(宝)	堡甫輔	菩	漕	洑湺珤褓			俌
복	福伏服復腹複卜覆	馥	鍑		僕匐宓茯葡輹輻鰒			
본	本							
볼					乶			
봉	奉逢峯(峰)蜂封鳳	俸捧琫烽棒蓬鋒			熢縫			漨(浲)
부	夫扶父富部婦否浮付符附府腐負副簿赴賦	孚芙傅溥敷復			不俯剖咐埠孵斧缶腑孵訃芣賻趺釜阜駙鳧	膚		
북	北							
분	分紛粉奔墳憤奮	汾芬盆			吩噴忿扮昐焚黃雰			
불	不佛拂				彿	弗		
붕	朋崩	鵬			棚硼繃			
비	比非悲飛鼻備批卑婢碑妃肥祕(秘)費	庇枇琵扉譬			丕匕匪憊斐榧悱妣芘沸泌痺砒秕粃緋翡脾臂菲蜚裶誹鄙		棐	
빈	貧賓頻	彬斌濱嬪		穦儐璸玭	顮檳殯浜瀕牝		邠繽	份圚霦贇鑌
빙	氷聘	憑			騁			
사	四巳士仕寺史使舍射謝師死私絲思事司詞蛇捨邪賜斜詐社沙似查寫辭斯祀	泗砂糸紗裟徙奢	嗣	赦	乍些伺俟傞唆栖梭渣瀉獅祠肆莎蓑娑飼駟麝篩			
삭	削朔				數索			
산	山産散算	珊傘			刪汕疝蒜霰	酸		
살	殺	薩			乷撒煞			
삼	三	參蔘杉		衫	滲芟	森		
삽	揷(插)				澁鈒颯			
상	上尙常賞商相霜想傷喪嘗裳詳祥象像床(牀)桑狀償	庠湘箱翔爽	塽		孀峠廂橡觴		樣	
새	塞				壐賽			
색	色索	嗇	穡		塞			
생	生				牲甥省笙			
서	西序書署敍(叙)徐庶恕暑緒誓逝	抒舒瑞棲(栖)曙壻(婿)	惝	謂	墅嶼揳犀筮絮胥薯鋤黍鼠		嵎黃	揟念
석	石夕昔惜席析釋	碩奭汐淅晳祏鉐錫			潟蓆			舄
선	先仙線鮮善船選宣旋禪	扇渲瑄愃膳墡繕琁琔璇	珗	嫙	僊敾煽癬腺薛詵跣鐥饍			洒

부록

한글	한문 교육용 기초한자 (2000.12.31. 현재)	인명용 추가 한자						
		(1991.4.1.)	(1994.9.1.)	(1998.1.1.)	(2001.1.4.)	(2003.10.20.)	(2005.1.1.)	(2007.2.15.)
욕	欲浴慾辱				縟褥			
용	用勇容庸	溶鎔瑢榕蓉湧涌埇踊鏞茸	埇	甬	俑傭冗慂熔罃		㝩	㭏
우	于宇右牛友雨憂又尤遇羽郵愚偶優	佑祐禹瑀寓堣隅玗釪迂	霧	旰	盂禑紆芋藕虞雩		扜	圩慪燠愰
욱		旭昱煜郁頊或			勖栯稢			燠
운	云雲運韻	沄澐	耘	暈会	量橒殞熉芸蕓隕			篔(簱)
울		蔚			鬱乫			
웅	雄	熊						
원	元原願遠園怨圓員源援院	袁垣洹沅瑗媛嫄愿苑轅	婉		寃湲爰猿阮鴛		褑	朊杬鋺
월	月越				鉞			
위	位危爲偉威胃謂圍衛(衞)違委慰僞緯	尉韋瑋暐渭魏			萎葦蔿蝟褘			
유	由油酉有猶唯遊柔遺幼幽惟維乳儒裕誘愈悠	侑洧宥庾喩兪(俞)楡瑜猷	濡(濬)釉愉柚攸	釉珛	孺揄楢游癒臾萸諛諭蹂鍮踰逾		嚅媃	囿牖逌
육	肉育	堉			毓			
윤	閏潤	尹允玧鈗胤	阭淪		贇		閏昀	荺贇
율					聿		燏汩	建
융		融			戎瀜絨			
은	恩銀隱	垠殷誾(圁)	溵	珢	慇		濦听璁訢億圻蒑檼㘵	
을	乙							圪
음	音吟飮陰淫				蔭			愔
읍	邑泣				揖			
응	應凝	鷹鷹					膺	
의	衣依義議矣醫意宜儀疑	倚誼毅擬	懿		椅艤薏蟻			
이	二以已耳而異移夷	珥伊易弛怡彛(彝)爾	頤		姨痍肄荑貽邇飴	貳	嫏杝	胒
익	益翼	翊瀷謚	翌				熤	
인	人引仁因忍認寅印姻				咽湮絪茵蚓靭靷	刃	靭芢	氤牣璌
일	一日逸	溢鎰馹	佾		佚	壹		
임	壬任賃	妊姙稔			恁荏		誑	
입	入				卄			
잉		剩			仍孕芿			
자	子字自者姉(姊)慈玆紫資姿恣刺	仔滋磁藉瓷			呰孜炙煮疵茨蔗諮	雌		秄
작	作昨酌爵	灼芍雀鵲			勺嚼斫炸綽			舄
잔	殘				孱棧潺盞			
잠	潛(潜)暫	箴			岑簪	蠶		
잡	雜							

부록

한글	한문 교육용 기초한자 (2000.12.31. 현재)	인명용 추가 한자						
		(1991.4.1.)	(1994.9.1.)	(1998.1.1.)	(2001.1.4.)	(2003.10.20.)	(2005.1.1.)	(2007.2.15.)
장	長章場將(將)壯(壮)丈張帳莊(庄)裝獎墻(牆)葬粧掌藏臟障腸	匠杖奬漳樟璋暲薔	蔣		仗檣欌漿狀獐臧臟醬			
재	才材財在栽再哉災裁載宰	梓縡齋渽			滓齎			
쟁	爭	錚			筝諍			
저	著貯低底抵	苧邸	楮	沮	佇儲咀姐杵樗渚狙猪疽箸紵菹藷詛躇這雎齟			
적	的赤適敵滴摘寂籍賊跡積績	迪			勣吊嫡狄炙翟荻謫迹鏑	笛蹟		
전	田全典前展戰電錢傳專轉殿	佺栓詮銓琠甸塡	奠荃雋	顚	佃剪塼廛悛氈澱煎畑癲筌箋箭篆纏輾鈿顫餞			
절	節絕切折竊		哲		截浙癤			
점	店占點(点)漸				岾粘霑鮎			
접	接蝶				摺			
정	丁頂停井正政定貞精情靜(静)淨庭亭訂廷程征整	汀玎町呈桯珽婷偵湞幀槙禎挺鋌鼎晶晸柾鉦淀錠鋌鄭靖靚	鋥娗	釘淳婷涏頱	旌檉瀞睛碇穽艇諪酊霆		埩姃彭佂	梃胜
제	弟第祭帝題除諸製提堤制際齊濟(済)	悌梯瑅			劑啼臍薺蹄醍霽			媞
조	兆早造鳥調朝助弔燥操照條潮租組祖	彫措晁窕祚趙肇詔釣曹遭		眺	俎凋嘈曺棗槽漕爪璪稠粗糟繰藻蚤躁阻雕			昭
족	足族				簇鏃			
존	存尊							
졸	卒拙				猝			
종	宗種鐘終從縱	悰琮淙棕悰綜琮鍾			慫腫踵踪		柊椶	
좌	左坐佐座				挫			
죄	罪							
주	主注住朱宙走酒晝舟周株州洲柱奏珠鑄	冑湊炷註疇週遒(酒)駐	姝澍	妹	侏倜呪嗾廚籌紂紬綢蛛誅躊輳酎		燽鈺拄徜	
죽	竹				粥			
준	準(准)俊遵	峻浚晙埈焌竣畯駿准濬(容)雋儁埻	隼		寯樽蠢逡		純莈濬	僔
줄		茁						
중	中重衆仲							

한글	한문 교육용 기초한자 (2000.12.31. 현재)	인명용 추가 한자						
		(1991.4.1.)	(1994.9.1.)	(1998.1.1.)	(2001.1.4.)	(2003.10.20.)	(2005.1.1.)	(2007.2.15.)
즉	卽				即			
즐		櫛						
즙		汁			楫葺			
증	曾增證憎贈症蒸	烝甑			拯繒			
지	只支枝止之知地指志至紙持池誌智遲	旨沚址祉趾祇芝摯	鋕	脂	咫枳漬肢砥芷蜘識贄		洔厎	泜
직	直職織	稙稷						
진	辰眞(真)進盡振鎭陳珍震	晉(晋)瑨(璡)塡津璡秦軫塵	禛診縝塡賑	溱抮	唇嗔搢振榛殄桭畛縉臻蓁袗		鉁昣秦昣	枃
질	質秩疾姪	瓆			侄叱嫉帙窒膣蛭跌迭			
짐					斟朕			
집	集執	什潗(潗)輯楫	鏶		絹			
징	徵懲	澄						
차	且次此借差	車叉	瑳		侘嗟嵯磋箚茶蹉遮		硨鹺姹	
착	着錯捉				搾窄鑿齪			
찬	贊(贊)讚(讃)	撰纂粲澯燦璨瓚纘鑽			竄篡餐饌		攢巑	儧(儹)
찰	察			札	刹擦紮			
참	參慘慙(慚)				僭塹懺斬站讒識			
창	昌唱窓倉創蒼暢	菖昶彰敞廠			倡娼倀猖愴瘡脹艙槍	滄		
채	菜採彩債	采埰寀蔡	綵		寨砦釵		琗責棌婇	睬
책	責冊(册)策				柵			
처	妻處				凄	悽		
척	尺斥拓戚	陟坧			倜刺剔慽擲滌瘠脊蹠隻			
천	天千川泉淺賤踐遷薦	仟阡			喘擅玔穿舛釧闡韆		茜	
철	鐵哲徹	喆澈轍撤綴			凸輟			悊
첨	尖添	僉瞻			沾惉簽籤詹諂			
첩	妾	帖捷			堞牒疊睫諜貼輒			
청	靑(青)淸(清)晴(晴)請(請)廳聽				菁鯖			
체	體替遞滯逮	締諦			切剃涕			諟
초	初草(艸)招肖超抄礎秒	樵焦蕉楚			剿哨憔梢椒炒硝礁稍苕貂酢醋醮		岧釥	
촉	促燭觸				囑矗蜀			
촌	寸村				忖邨			
총	銃總聰(聡)	寵叢			塚恖憁摠蔥		総	
촬					撮			

부록

한글	한문 교육용 기초한자 (2000.12.31. 현재)	인명용 추가 한자						
		(1991. 4. 1.)	(1994. 9. 1.)	(1998. 1. 1.)	(2001. 1. 4.)	(2003. 10. 20.)	(2005. 1. 1.)	(2007. 2. 15.)
최	最催	崔						
추	秋追推抽醜	楸樞鄒錐錘			墜椎湫皺剡萩諏趨陬鎚雛騶鰍			
축	丑祝蓄畜築逐縮	軸			竺筑蹙蹴			
춘	春	椿瑃賰						
출	出				朮怵			
충	充忠蟲(虫)衝	珫沖(冲)衷						
췌		萃			悴膵贅			
취	取吹就臭醉趣	翠聚			嘴娶炊脆驟鷲			
측	側測				仄厠惻			
층	層							
치	治致齒値置恥	熾峙雉馳			侈嗤幟梔淄痔痴癡瘲稗緇緻蚩輜	稚		
칙	則	勅			飭			
친	親							
칠	七漆				柒			
침	針侵浸寢沈枕		琛		砧鍼			棽
칩		蟄						
칭	稱	秤						
쾌	快	夬						
타	他打妥墮				咤唾惰拖朶楕舵陀馱駝			
탁	濁托濯卓	度倬琸晫託擢鐸	拓		啄坼柝		琢	
탄	炭歎彈誕	吞坦灘			嘆憚綻			
탈	脫奪							
탐	探貪	耽			眈			
탑	塔				榻			
탕	湯				宕帑糖蕩			
태	太泰怠殆態	汰兌台胎邰			笞苔跆颱			鈦
택	宅澤擇	垞						
탱					撑			
터					攄			
토	土吐討					兎		
통	通統痛	桶			慟洞筒			
퇴	退	堆			槌腿褪頹			
투	投透鬪				偸套妬			
특	特				慝			
틈					闖			
파	破波派播罷頗把	巴芭琶坡		杷	婆擺爬跛			
판	判板販版	阪坂			瓣辦鈑			
팔	八				叭捌			
패	貝敗	霸浿佩牌			唄悖沛狽稗			
팽		彭澎			烹膨			
퍅					愎			
편	片便篇編遍偏	扁			翩鞭騙			

한글	한문 교육용 기초한자 (2000.12.31. 현재)	인명용 추가 한자 (1991.4.1.)	(1994.9.1.)	(1998.1.1.)	(2001.1.4.)	(2003.10.20.)	(2005.1.1.)	(2007.2.15.)
폄					貶			
평	平評	坪枰		泙	萍			
폐	閉肺廢弊蔽幣	陛			吠斃獘			
포	布抱包胞飽浦捕	葡褒砲		鋪	佈匍匏咆哺圃怖拋暴泡疱脯苞蒲袍逋鮑			
폭	暴爆幅				曝瀑輻			
표	表票標漂	杓豹彪驃			俵剽慓瓢飇飄			
품	品	稟						
풍	風豐(豊)				諷馮	楓		
피	皮彼疲被避				披陂			
필	必匹筆畢	弼泌珌苾馝	鉍佖		疋			
핍					乏逼			
하	下夏賀何河荷	廈(厦)昰霞			瑕蝦遐鰕		呀嘏碬	
학	學(学)鶴				壑虐謔		嗃	
한	閑寒恨限韓漢旱汗	澣瀚翰閒			悍罕		澗釁	
할	割	轄						
함	咸含陷	函涵艦			啣喊檻緘銜鹹			
합	合				哈盒蛤閤闔陜			
항	恒(恆)巷港項抗航	亢沆姮			伉嫦杭桁缸肛行降			
해	害海(海)亥解奚該	偕楷諧			咳垓孩懈瀣蟹邂駭骸		咍	
핵	核				劾			
행	行幸	杏			倖荇			涬
향	向香鄉響享	珦			嚮餉饗			麞
허	虛許	墟			噓			
헌	軒憲獻	櫶					幰	
헐					歇			
험	險驗							
혁	革	赫爀	奕				焱衋焃	
현	現賢玄絃縣懸顯(顕)	見峴眼泫炫玹鉉	眩	晛絢呟	俔睍舷衒	弦	儇譞怰	儇
혈	血穴				孑頁			
혐	嫌							
협	協脅	俠挾峽浹			夾狹脇莢鋏頰			洽
형	兄刑形亨螢衡	型邢珩泂炯瑩瀅馨	熒		滎鎣荊迥鑒			
혜	惠(恵)慧兮	蕙彗譿	憓嘒		暳蹊醯鞋			譓鏸
호	戶乎呼好虎號湖互胡浩毫豪護	晧皓澔昊淏濠灝祜琥瑚頀扈鎬壕壺顥	護	淏	岵弧狐瓠糊縞芦葫蒿蝴		皞	婋
혹	或惑				酷			
혼	婚混昏魂	渾			琿			

부록

한글	한문 교육용 기초한자 (2000.12.31. 현재)	인명용 추가 한자						
		(1991.4.1.)	(1994.9.1.)	(1998.1.1.)	(2001.1.4.)	(2003.10.20.)	(2005.1.1.)	(2007.2.15.)
홀	忽	惚			笏			
홍	紅洪弘鴻	泓烘虹	鈜		哄汞訌			
화	火化花貨和話畫(畵)華禾禍	嬅樺			譁靴			
확	確(碻)穫擴				廓攫			
환	歡患丸換環還	喚奐渙煥晥幻桓鐶	驩		宦紈鰥			
활	活	闊(濶)			滑猾豁			
황	黃皇況荒	凰堭媓晃滉榥煌璜	熀		幌徨恍惶愰慌湟潢眖篁蝗遑隍			
회	回會悔懷	廻恢晦檜澮繪(絵)	誨		匯徊淮獪膾	灰茴蛔賄		
획	獲劃							
횡	橫		鐄	宖				
효	孝效(効)曉	涍爻驍	斅		哮嚆梟淆肴酵		晶歊	窙
후	後厚侯候	后垕逅			吼嗅帿朽煦珝	喉		
훈	訓	勳(勛.勲)焄熏薰(蕙)燻塤	鑂		暈			
훙					薨			
훤		喧暄萱			煊			
훼	毁				卉喙	毀		
휘	揮輝	彙徽暉煇			諱麾			
휴	休携	烋			畦虧			
휼					恤譎鷸			
흉	凶胸				兇匈洶			
흑	黑							
흔		欣炘昕			痕		忻	
흘		屹			吃紇訖			
흠		欽			欠歆			
흡	吸	洽恰翕						
흥	興							
희	希喜稀戱	姬晞僖嬉禧橲嬉憙熹羲爔曦瀷	俙		囍憘犧	噫熙	烯	暿
힐		詰						

주: 1. 위 한자는 이 표에 지정된 발음으로만 사용할 수 있다. 그러나 첫소리(初聲)가 "ㄴ" 또는 "ㄹ"인 한자는 각각 소리 나는 바에 따라 "ㅇ" 또는 "ㄴ"으로 사용할 수 있다.
   2. 동자(同字)·속자(俗字)·약자(略字)는 ( )내에 기재된 것에 한하여 사용할 수 있다.
   3. "示"변과 "礻"변, "艹"변과 "艹"변은 서로 바꾸어 쓸 수 있다.
     예 : 福=福, 蘭=蘭

總 畫 索 引

- 이 字典에 收錄된 表題字를 部首에 의하지 않고, 각 畫數만으로 찾아볼 수 있도록 總畫數에 따라 大別하고, 다시 部首順으로 配列하였다.
- 다만, 部首字는 같은 畫數의 글자 중의 첫머리에 실었다.
- 表題字 왼편의 글자는 部首를, 오른편 숫자는 쪽수를 나타낸다.

총획

1획	亠 亠 83	又 又 327	入 辶 200	子 555	弓 弓 717	弔 48	仄 95	出 236
一 一 1	人 人 89	弓 弖 717	冂 冄 221	孑 555	ヨ 彐 729	丶 丹 49	仉 96	刀 分 241
丨 丨 43	亻 93	**3획**	冫 习 227	宀 宀 567	互 729	为 49	仆 96	刃 办 241
丶 丶 48	儿 儿 188	一 三 14	几 凡 233	小 小 610	彡 彡 731	丿 乌 54	仇 97	切 241
丿 丿 52	入 入 198	下 24	几 234	尢 尢 616	彳 彳 736	之 54	仅 97	刈 241
乀 52	八 八 206	万 26	凵 凷 235	允 616	心 忄 757		仂 97	力 劝 272
乁 52	冂 冂 220	丈 26	刀 刃 240	兀 616	手 扌 843	乙 纟 63	仏 97	办 272
乙 乙 57	冖 一 224	丌 27	刃 241	尸 尸 618	才 843	乡 63	仐 97	勹 匀 286
乚 57	冫 冫 227	上 27	双 241	尸 618		亖 63	仍 97	匀 286
乚 58	几 几 233	且 30	勹 匀 285	屮 628		亅 予 69	儿 允 189	勾 286
亅 亅 69	凵 凵 235	个 43	勺 286	中 628		二 元 189	元 189	匂 286
乚 69	刀 刀 239	丫 43	十 廿 300	山 山 629		开 74	入 内 200	勿 286
乚 69	刂 240	丶 丸 49	千 300	巛 巛 656		三 74	从 203	匕 早 289
乛 69	勹 240	凡 49	卂 302	巜 657		云 74	八 公 209	化 289
2획	厶 去 324	丿 久 53	卩 卪 313	川 657		专 74	六 212	匚 匹 294
一 丁 11	幺 54	夊 54	厶 厺 324	工 工 659		亝 74	穴 212	区 295
丂 11	厶 厽 54	又 叉 328	口 口 334	己 己 664		五 75	今 212	十 廿 300
七 11	乙 乞 62	毛 54	囗 囗 415	巳 664		井 80	兮 212	卅 302
丨 屮 43	乚 乜 63	乙 乞 62	土 土 431	巳 664		亠 亢 84	宂 212	升 302
卜 43	也 63	彑 63	土 士 472	巾 巾 666		亢 84	冂 冈 221	午 303
丿 乂 52	亅 亇 69	也 63	夂 夂 475	干 干 684		人 今 93	内 221	卆 303
乃 52	二 于 73	亅 亇 69	夂 夊 476	幺 幺 689		仒 93	冃 221	卜 卝 311
夕 53	亐 74	二 于 73	夕 夕 477	乡 689		介 94	円 221	卡 311
乙 乜 58		亐 74	大 大 483	广 广 693		什 95	冄 221	卩 卬 313
九 58			女 女 511	廴 廴 711		仁 95	冖 冗 224	阤 313
亅 了 69			子 子 554	廾 廾 713			尤 224	卯 313
二 二 71				弋 弋 716			几 凤 234	厂 厄 318
							凵 凶 235	厅 318

총획

布	667	斤 斥	951	犬 犯	1387	内 内	1607	癶	64	优	108	光	194	刖	245	口 吁	343
布	668	日 旧	969	犮	1387	禾 禾	1608	夅	64	仳	108	兆	195	刉	246	吊	343
干 平	684	旦	969	犯	1387	禾	1608	夗	64	伕	108	兊	195	刔	246	皿	343
幺 幼	690	木 本	1025	玄 玄	1410	穴 穴	1633	乬	64	伊	108	尧	195	列	246	吴	343
广 広	693	术	1025	玉 玉	1412	立 立	1646	刟	64	伉	108	兂	195	划	246	吗	344
庀	693	未	1027	王	1417	网 罒	1786	耒	64	伋	109	兊	195	刘	247	吋	344
庆	693	札	1027	瓜 瓜	1445	聿 聿	1831	乚 孖	69	伎	109	入 全	203	剄	247	吐	344
庁	693	朮	1028	瓦 瓦	1447	艸 艹	1896	争	69	伏	109	八 共	216	力 边	274	吒	344
廾 弁	713	东	1029	甘 甘	1452	衣 衤	2051	二 互	81	伍	109	关	217	劢	274	旷	344
弇	714	朱	1029	目	1453	辵 边	2287	亘	81	伐	110	关	217	动	274	吓	344
弋 弎	716	尢	1029	生 生	1453	邑 阝	2328	亚	81	伶	111	兴	217	劣	274	吃	344
弓 弘	719	止 正	1137	生	1456	阜 阝	2449	亠 交	84	佈	111	冂 册	221	劦	274	同	345
马	720	此	1140	用 用	1457	阞	2449	亦	86	伙	111	冎	222	勹 匈	287	吏	345
弔	720	歹 歺	1146	田 田	1458	**6 획**		亥	86	休	111	再	222	匃	287	向	345
弗	720	卢	1146	甲	1459	一 両	42	人 企	104	乑	112	再	222	匚 匠	292	各	347
弘	720	毋 母	1161	申	1460	丽	42	众	105	仮	112	一 农	224	匡	292	合	348
彳 彴	736	氏 民	1170	由	1461	乔	42	仰	105	伹	112	冫 冱	227	匠	292	吉	349
行	736	氐	1170	疋 疋	1475	丞	42	会	105	伯	112	决	228	十 吉	304	吉	350
心 忉	757	水 氷	1178	疋	1476	丢	42	件	106	份	112	冰	228	卅	304	名	350
必	757	永	1179	疒 疒	1478	丙	42	价	106	伃	112	冲	228	卉	304	后	351
戈 戉	829	氶	1180	癶 癶	1498	甘	42	伛	106	伤	112	沁	228	卍	305	吕	352
戊	830	氿	1181	白 白	1502	北	43	仳	106	伜	112	次	228	协	305	口 回	420
戋	830	氾	1181	皮 皮	1515	丿 乔	55	作	106	役	112	冴	228	华	305	囝	421
戶 戹	839	汀	1181	皿 皿	1518	丢	55	伏	106	伝	112	几 凨	234	卩 印	314	困	421
手 扐	844	汉	1181	目 目	1527	丣	55	似	106	松	112	凵 凷	239	危	314	因	421
扑	844	汁	1182	皿	1528	自	55	仲	106	仡	112	凶	239	卯	315	回	421
扒	844	氿	1182	矛 矛	1555	乒	55	沙	106	伙	112	刀 初	244	厂 压	319	团	422
打	844	汇	1182	矢 矢	1557	兵	55	伖	106	儿 充	191	刅	244	厌	319	团	422
扐	845	火 灭	1322	石 石	1561	乙 巹	63	仿	107	先	192	刎	244	又 叏	330	团	422
払	845	爪 爬	1364	示 示	1588	厾	64	任	107	兆	192	刑	244	叒	330	囟	422
扔	845	爿 扩	1369	礼	1589	乱	64	优	107	兒	192	刔	245	受	331	土 圭	433

総
획

총획

邙 2329	余 113	佖 119	其 218	励 275	吩 354	品 357	均 437	大 夻 502
邢 2329	侴 114	佛 120	具 218	劭 275	叱 354	呬 357	呈 437	夭 502
邪 2329	伶 114	作 121	冂 冏 223	勹 匋 287	听 354	各 358	坊 437	夽 502
阜 阢 2449	同 114	佣 122	一 亘 224	匚 匣 293	吠 354	否 358	址 437	夾 502
阡 2449	似 114	信 123	冫 冷 228	匭 293	听 354	吞 358	坂 437	夾 502
阤 2449	伸 114	但 123	治 228	匸 医 295	㐃 355	吞 358	坎 438	女 妢 517
阠 2449	但 114	佝 123	泮 229	十 㠯 305	吮 355	吾 359	坑 438	妊 517
7획	伻 114	佉 123	波 229	朴 305	呐 355	含 359	坅 438	妍 517
一 两 43	伽 115	你 123	況 229	卜 卣 312	吹 355	告 360	坍 438	妓 518
丽 43	佢 115	佞 123	几 凨 234	卤 312	映 355	告 361	坛 438	妖 518
丙 43	伕 115	侮 123	刀 初 247	卤 312	吸 355	启 361	坏 438	妘 518
亞 43	佃 115	俩 123	刲 248	卩 却 315	吭 355	咉 361	坑 438	妖 518
丨 串 48	伷 115	侣 123	删 248	卲 315	吱 356	吃 361	至 438	妙 519
丿 禹 55	佇 115	你 123	删 248	卵 316	呇 356	佁 361	坋 438	姒 519
乙 耂 64	位 116	佁 123	判 248	即 316	吻 356	呫 361	坬 439	妧 519
乱 64	低 116	体 123	刵 249	厂 居 319	吵 356	口 咠 422	坺 439	娇 520
二 况 81	佌 116	伏 123	别 249	厎 319	呋 356	困 422	坲 439	妞 520
巠 82	佈 116	征 124	利 250	底 319	吽 356	囵 422	坟 439	姆 520
些 82	佑 117	佴 124	别 250	又 夋 331	呎 356	国 423	坽 439	妠 520
亜 82	住 117	佟 124	刔 251	口 呂 352	吧 356	囷 423	坐 439	妭 520
巠 82	佐 117	儿 克 195	刺 251	吳 352	咹 356	図 423	坚 440	妢 520
亠 充 86	佢 118	免 196	刐 251	呈 352	呀 356	园 423	垄 440	妩 520
宙 86	体 118	兌 196	刨 251	呈 353	吼 356	困 423	士 壳 473	妞 520
亨 86	佚 118	兕 197	创 251	呆 353	叫 357	围 423	壳 473	妪 520
人 余 112	彼 118	兒 197	力 助 274	吳 353	呕 357	囬 423	声 473	姈 520
佥 112	佀 118	児 197	劫 275	吳 353	君 357	囷 423	壱 473	妒 520
伯 112	佔 118	髡 197	劯 275	吟 353	昏 357	回 423	壮 473	晏 521
估 113	何 118	兔 197	劲 275	哎 354	吲 357	囮 423	夂 夆 476	姘 521
佅 113	佤 119	八 兌 217	努 275	吨 354	呃 357	土 圻 437	夆 476	妥 521
伴 113	佚 119	兵 217	劳 275	吸 354	呷 357	块 437	夆 476	子 孕 558
佋 113	佗 119		劳 275		呭 357	圾 437		孜 558

총
획

孛 558	屌 621	希 669	形 733	伎 763	批 848	抚 854	曳 1006
孝 559	戻 621	干 邗 688	彳 彷 736	低 764	扼 848	挖 854	木 李 1032
季 559	屮 室 629	幺 纱 690	彷 736	忼 764	抵 848	拘 854	杆 1034
孟 559	肯 629	广 庚 693	徇 736	忸 764	技 849	抚 854	杋 1034
孝 559	山 岌 633	庇 693	忪 736	忳 764	扗 849	扳 854	杉 1034
孛 559	岑 633	庇 693	役 736	怀 764	扭 849	报 854	枅 1034
宀 宋 571	岇 634	庅 694	彶 737	伏 764	扻 849	拝 854	杇 1034
完 571	岈 634	庎 694	彻 737	忰 764	扑 849	扲 854	扸 1034
宊 572	岍 634	庋 694	心 忈 758	忪 764	扻 849	抗 854	权 1034
宎 572	岭 634	庐 694	忌 758	忕 764	抄 849	扰 854	杆 1034
宏 572	岐 634	庐 694	念 758	恆 764	找 849	扯 854	杏 1034
宊 572	岐 634	床 694	忞 758	怖 764	抉 850	择 854	枋 1034
宋 572	岈 634	序 694	応 758	忟 764	拖 850	抛 854	机 1035
宋 572	岎 634	庌 694	忻 758	忻 764	浦 850	护 854	材 1035
宜 572	岘 634	庄 694	忍 758	忲 765	扟 850	攴 改 923	村 1035
宛 572	岠 634	底 694	忍 758	悴 765	把 850	攸 923	杔 1035
寸 对 603	岊 634	廴 延 711	志 758	忼 765	抑 850	夅 923	杓 1035
寿 603	岜 634	延 712	忒 758	拎 851	攻 924	杜 1036
小 岂 615	岠 634	廾 弅 714	忐 759	恼 765	攺 925	代 1036
尖 615	岈 634	弄 714	忘 759	戈 成 831	抔 851	文 奀 947	杖 1036
尢 尨 616	巛 巠 658	弅 714	忑 760	戒 832	抒 851	孝 947	杕 1036
尬 617	衾 658	弃 715	忟 762	我 832	抓 851	方 斺 960	杠 1037
尪 617	巡 658	弃 715	忤 762	戓 832	投 851	日 旰 971	杞 1037
尫 617	工 巩 663	弋 牀 717	忼 762	戸 戻 839	抖 852	昊 971	杚 1037
尸 尾 619	巫 663	弓 奂 721	怀 763	戼 839	折 852	旵 971	束 1037
局 620	己 巵 665	弦 721	忮 763	阨 839	抗 852	旴 971	杝 1037
眉 620	巾 帄 668	弟 721	忡 763	手 扲 847	抇 853	旱 971	初 1037
尿 620	帉 668	弚 721	忪 763	扶 847	扐 853	旾 972	杈 1037
屁 620	晷 669	彡 形 731	忱 763	扮 847	抏 853	时 972	来 1038
屏 621	帕 669	彤 732	快 763	抝 847	拚 853	杘 972	林 1038
居 621	帊 669	形 732	扱 847	抔 853	日 更 1006	枀 1038

杲 1038
柔 1038
杲 1038
屎 1038
欠 歐 1127
歾 1127
改 1127
止 步 1140
帯 1140
歹 叏 1147
歼 1148
毋 每 1161
毎 1162
毒 1162
气 氜 1172
水 求 1180
汞 1182
汨 1186
汩 1186
汫 1187
汲 1187
汪 1187
汧 1187
汭 1187
汰 1187
决 1188
汹 1188
汶 1188
汸 1188
汴 1188
汳 1188

汽 1189	沚 1195	犹 1388	疔 1478	肧 1835	芏 1898	迁 2287	阬 2450	戸 88
沂 1189	沪 1196	犾 1388	白 皁 1509	肚 1835	芧 1898	迄 2287	阮 2450	面 88
汾 1189	汴 1196	狃 1389	兒 1510	肛 1835	虫 虬 2001	迁 2288	阪 2450	人 侖 124
沁 1189	汶 1196	狇 1389	皂 1510	肜 1835	重 2001	迂 2288	阰 2451	來 124
沃 1189	汝 1196	狄 1389	皀 1510	肝 1835	衣 礿 2052	迆 2288	防 2451	佩 125
沅 1190	凇 1196	狆 1389	皮 皯 1516	胁 1835	机 2052	迁 2288	阯 2451	佳 126
沄 1190	泽 1196	独 1390	皿 盂 1518	肍 1835	見 見 2086	邑 邑 2328	阺 2451	佰 126
沈 1190	沛 1196	狱 1390	目 盯 1528	朌 1835	角 角 2095	邙 2329	阱 2451	佯 126
沆 1190	汹 1196	狅 1390	盰 1528	肻 1835	言 言 2103	邠 2329	阳 2451	侔 127
沃 1191	沪 1196	犴 1390	盱 1528	肐 1835	谷 谷 2168	邡 2329	阴 2451	佹 127
沈 1191	火 炟 1322	狫 1390	盷 1528	肓 1836	谷 2168	邢 2329	阹 2451	佶 127
汧 1192	灸 1323	狖 1390	矢 矣 1557	育 1836	豆 豆 2170	邤 2330	阺 2451	併 127
沌 1192	炃 1323	玉 玕 1417	石 矴 1565	自 皕 1875	豕 豕 2173	邦 2330	阺 2451	佴 127
沐 1192	灶 1323	玖 1417	砒 1565	䘒 1875	豸 豸 2179	邪 2330	阱 2451	俄 127
沍 1192	灼 1323	玒 1418	示 礽 1589	臼 舁 1878	貝 貝 2184	邠 2330	麥 麦 2694	佸 127
沉 1192	災 1323	玘 1418	社 1589	艮 良 1893	赤 赤 2209	邥 2330	**8획**	佼 128
沍 1192	灾 1323	玗 1418	禾 秀 1608	艸 芎 1897	走 走 2212	邘 2331	一 並 43	佲 128
没 1193	夭 1323	玚 1418	秀 1608	芑 1897	足 足 2224	邛 2331	丽 43	侉 128
没 1193	灿 1323	玧 1418	私 1609	芃 1897	身 身 2253	邡 2331	丨 弗 48	使 128
泚 1193	灯 1323	玽 1418	秅 1610	芳 1897	車 車 2256	邨 2331	丿 乖 55	侅 128
沏 1193	灵 1324	珊 1418	穴 究 1633	芋 1897	辛 辛 2281	酉 酉 2350	乙 乭 64	伽 128
沟 1194	灵 1324	用 甫 1458	穸 1633	芍 1897	辛 2281	釆 采 2365	乳 64	佺 128
泅 1194	牛 牡 1376	甬 1458	穷 1633	芊 1897	辰 辰 2285	里 里 2367	乯 65	佻 128
汭 1194	牢 1376	田 男 1461	糸 糺 1709	艽 1897	辵 辵 2286	長 長 2429	乵 65	伩 128
泜 1194	牰 1376	畂 1462	系 1709	艿 1898	迆 2287	阜 阝 2449	丨 事 70	侃 129
沙 1194	牣 1376	畀 1462	网 罕 1786	芐 1898	达 2287	阶 2450	予 71	侜 129
沖 1194	犬 状 1387	甹 1462	羊 羊 1795	芉 1898	过 2287	阽 2450	二 亙 82	佾 129
泆 1195	犰 1388	町 1462	耳 耴 1822	芡 1898	迟 2287	阮 2450	亞 82	侂 129
泠 1195	狂 1388	甸 1462	肉 肎 1834	芄 1898	辻 2287	阵 2450	亠 京 87	佹 129
沂 1195	犽 1388	广 疜 1478	朋 1834	芒 1898	迅 2287	阬 2450	享 87	例 130
汝 1195	狘 1388	疔 1478	肘 1835	芇 1898	迓 2287	陕 2450		

총획

侁 130	侀 134	制 253	卒 306	呭 362	周 367	坯 442	女 妲 521	妾 525
侄 130	儿 兒 197	刺 254	单 307	咂 362	咎 368	坺 442	妹 521	要 526
侈 130	兕 197	刻 254	卓 307	呿 363	呰 368	坲 442	妺 521	子 孤 560
侅 130	兎 197	刽 254	卜 卦 312	呶 363	囗 固 423	坿 442	妬 521	孟 559
侍 131	兒 198	刺 254	卧 312	呻 363	囷 423	垂 442	姁 521	季 562
侏 131	兖 198	刻 255	卩 卶 316	咀 363	囹 423	坨 442	姆 522	孥 562
侐 131	入 兩 204	刮 255	卷 316	呼 363	囻 424	坧 442	始 522	学 562
供 132	八 其 218	刿 255	卸 316	呷 363	囯 424	坮 443	姊 522	宀 宓 572
侤 132	具 218	刯 255	卹 316	呤 363	国 424	垈 443	姉 522	宗 572
侗 132	具 219	刪 255	卺 317	咕 364	图 424	坴 443	姃 522	宕 572
佬 132	典 219	刪 255	厂 厏 319	咄 364	土 坤 440	坌 443	妭 522	官 573
侔 132	冂 冐 223	刹 255	厓 319	咐 364	坦 440	坐 443	姑 523	宙 575
侑 132	杲 223	剎 255	厶 叁 326	咈 364	坡 440	夊 夌 476	姌 523	定 575
侘 132	冖 冞 224	刱 255	叀 326	咋 364	坰 441	夎 476	姈 523	宛 576
𠈌 133	冫 冽 229	剑 255	叄 326	咉 364	坷 441	夕 夜 481	姍 523	宜 576
依 133	洛 229	力 劼 275	参 326	咏 364	坩 441	大 奇 502	姒 523	宖 576
侜 133	几 凭 234	劻 276	又 叔 331	咆 364	坍 441	奄 502	姓 523	宩 577
価 134	凯 234	劵 276	叕 331	咍 364	坻 441	奋 504	姐 523	宝 577
佮 134	咸 234	势 276	取 331	咁 364	坫 441	奃 504	姖 524	実 577
侉 134	凵 齿 239	劾 276	受 332	呾 365	坳 441	臭 504	妮 524	实 577
侒 134	函 239	効 276	口 呢 361	呝 365	坱 441	奆 504	妳 524	审 577
侎 134	刀 刜 251	勹 匊 287	呔 361	咜 365	坼 441	奈 504	㚷 524	宐 577
侮 134	刧 252	匋 287	呦 361	咇 365	坪 441	卖 504	姏 524	宔 577
侚 134	刹 252	匌 287	呪 361	咊 365	坙 442	奔 504	姅 524	寸 导 603
㑴 134	券 252	匸 匼 295	呫 361	和 365	坒 442	夶 504	妿 524	㝵 603
㑌 134	刮 252	十 卑 305	呬 361	呺 365	坵 442	㚘 504	妸 524	小 尚 615
佽 134	刲 252	丧 305	呟 361	咖 366	坬 442	奅 504	妯 524	尚 616
侙 134	刳 252	卌 305	呴 362	命 366	坭 442	奣 504	娃 524	尢 尣 616
佷 134	到 252	協 305	呵 362	舍 366	垕 442	奉 505	妷 524	尫 617
侠 134	刵 252	協 305	呱 362	杏 366	坣 442	奌 505	妻 524	尸 居 621
佪 134	刷 253	卑 306	味 362	咅 366	垃 442	奊 505	委 525	屆 622

총획

총획

杯 1040	枝 1044	兓 1166	洞 1203	泳 1212	爪 爭 1364	㺄 1391	瓜 瓯 1446	盂 1518
杵 1040	柝 1045	肱 1166	泐 1204	泲 1212	㞢 1365	狒 1391	瓦 瓨 1447	盅 1518
杶 1040	東 1045	氏 民 1171	泌 1204	泆 1212	爬 1365	狄 1391	瓬 1448	盇 1518
杼 1040	枤 1045	气 氛 1172	泊 1204	沸 1212	父 爸 1368	狍 1391	㽄 1448	目 盰 1528
杷 1040	果 1046	氤 1172	泗 1204	沴 1212	爻 㸚 1368	狓 1391	田 畂 1462	盹 1528
枏 1040	枢 1046	氥 1172	洙 1204	泜 1213	爿 牀 1369	狐 1391	畀 1462	盱 1528
柿 1040	杲 1047	水 杳 1186	沺 1204	袁 1213	片 版 1371	狟 1392	畎 1463	眄 1528
松 1041	棵 1047	黍 1196	泲 1204	泪 1213	牛 牦 1377	狚 1392	甿 1463	眇 1528
板 1041	枤 1047	沫 1197	泓 1204	沴 1213	牧 1377	㹒 1392	甾 1463	直 1528
极 1042	欠 欽 1127	沬 1197	泔 1205	泻 1213	物 1377	狛 1392	备 1463	盰 1528
枅 1042	欣 1127	沜 1197	法 1205	火 炎 1324	牬 1379	狌 1392	畄 1463	眈 1528
枌 1042	欧 1128	沮 1198	泗 1207	炊 1324	牰 1379	狦 1392	画 1463	盲 1530
枇 1042	炊 1128	沱 1198	洵 1208	芡 1325	牥 1379	狜 1392	画 1463	眔 1530
枋 1042	欥 1128	池 1198	泛 1208	炔 1325	牲 1379	狟 1392	疋 疌 1476	直 1530
枉 1042	欥 1128	河 1198	泝 1208	眇 1325	牧 1379	犹 1392	疒 疜 1478	矛 矜 1555
柳 1042	止 卢 1141	沴 1200	泞 1208	炅 1325	牫 1379	玉 玒 1418	疛 1478	矢 知 1557
杻 1042	歧 1141	波 1200	泜 1208	炄 1325	把 1379	玠 1418	疚 1479	矤 1559
构 1043	武 1141	沸 1200	泄 1208	炳 1325	犬 臭 1388	玦 1418	疝 1479	石 砀 1565
柑 1043	步 1141	油 1200	流 1208	炖 1325	狀 1388	玫 1418	疜 1479	矼 1565
枺 1043	歹 殈 1148	孤 1201	泙 1208	炓 1325	狀 1388	玞 1418	疕 1479	矹 1565
析 1043	殁 1148	油 1201	泠 1209	炉 1325	献 1388	玢 1418	疚 1479	矾 1565
枒 1043	殁 1148	治 1201	泡 1209	炊 1325	狓 1390	玒 1419	疢 1479	矽 1565
枑 1043	殁 1148	沽 1202	波 1209	烊 1325	狂 1390	玲 1419	疸 1479	矸 1565
桐 1043	妖 1148	沼 1202	泥 1210	松 1325	狉 1390	玨 1419	疰 1479	矻 1565
栀 1043	殍 1148	沿 1202	泣 1210	炒 1325	狎 1390	玭 1419	白 的 1510	砂 1565
枭 1043	欧 1148	沾 1202	注 1211	炕 1325	狋 1390	珏 1419	旳 1510	砌 1565
枓 1043	殟 1148	沰 1202	泫 1211	炘 1325	狂 1390	玓 1419	皮 皯 1516	砒 1565
枕 1043	殳 殴 1155	泄 1203	泇 1212	炝 1326	狛 1391	玔 1419	皴 1516	示 社 1589
枢 1043	煅 1155	沿 1203	浚 1212	炅 1326	狗 1391	玩 1419	皱 1516	祁 1590
杭 1044	毋 毒 1162	沿 1203	泯 1212	炙 1326	狔 1391	玧 1419	皰 1516	祀 1590
枚 1044	毛 毨 1166	況 1203	泮 1212		㹒 1391		皿 盂 1518	禾 季 1610

총획

총획

鱐	2656	牰	1376	訓	2106	苩	1904	縢	1867	乘	56	阠	2451	弑	717	狧	1387
鷫	2683	錞	1382	詢	2118	術	2048	藤	1984	乘	56	陞	2458	弛	720	猜	1393
순		猗	1394	諄	2134	術	2048	蚩	2002	僧	174	騋	2605	絺	731	狶	1394
徇	134	珣	1423	諄	2146	術	2049	蝇	2013	僧	177	鬐	2629	徥	750	猜	1398
脣	377	醑	1474	趨	2223	訹	2112	螽	2020	勝	281	鱐	2656	恃	776	狋	1400
脣	377	皊	1516	輴	2272	述	2292	飁	2565	升	302	**시**		提	887	疼	1485
淳	382	旬	1528	洵	2297	遹	2322	**습**		塍	456	台	64	揌	889	眂	1531
姁	529	盾	1533	郇	2334	銊	2386	習	227	塍	460	伯	123	撕	904	眡	1535
峋	638	昳	1535	酳	2353	鱐	2655	慴	814	嵊	649	侍	131	枝	921	眂	1536
巡	658	朐	1538	醇	2357	**승**		拾	866	愢	822	偲	161	施	960	矢	1557
幃	678	曭	1549	錞	2399	娀	529	榴	1099	承	846	兕	197	時	972	示	1588
巡	711	睛	1550	鐺	2424	崇	641	湿	1268	抍	853	兕	198	旹	978	紫	1597
徇	736	瞬	1550	隼	2480	崧	643	湿	1278	昇	973	漸	232	是	979	笑	1660
徇	739	笋	1655	雓	2487	崰	645	淫	1278	滕	1023	匙	291	是	980	箷	1677
循	750	筍	1663	雛	2492	嵩	648	濸	1280	桑	1081	厮	323	皇	985	篒	1677
忀	763	篅	1677	雛	2492	憳	825	濕	1306	朕	1097	啻	393	時	985	絁	1725
恂	776	簨	1678	順	2540	苔	1900	瀑	1313	殊	1149	嘶	403	杝	1042	緦	1756
揗	881	簨	1686	馴	2593	菘	1931	熠	1350	丞	1180	塒	457	柿	1049	罳	1791
揗	886	紃	1711	髻	2628	貹	2666	習	1806	泳	1217	始	522	柹	1049	羠	1799
旬	971	純	1715	鶉	2673	鷥	2673	炅	1807	滵	1300	媤	541	柿	1049	狋	1805
旽	977	絢	1735	錞	2673	**쉬**		聶	1830	睦	1473	媞	542	枲	1054	狋	1805
栒	1063	胊	1837	**숄**		佹	112	褶	2074	繩	1753	寺	602	柴	1056	翄	1805
楯	1087	胸	1847	嗺	399	倅	149	襲	2080	繩	1760	尸	618	楷	1089	翅	1809
樺	1096	脣	1851	恢	772	晬	991	諿	2153	繩	1774	尸	618	榹	1094	翅	1810
橓	1111	舜	1885	戌	830	淬	1244	隡	2473	艶	1895	屍	623	鍏	1149	腮	1859
敒	1128	苔	1904	术	1025	焠	1334	隰	2477	藤	1970	屎	623	葹	1166	蒒	1947
殉	1149	荀	1917	沭	1213	**숼**		霅	2506	蝇	2019	屟	626	緦	1167	蒔	1950
洵	1219	蒓	1957	潚	1291	刣	318	飀	2565	蝇	2024	市	667	氏	1170	蓍	1955
淳	1246	蕣	1959	珬	1424	瑟	1432	鷊	2612	蠅	2034	布	668	沶	1212	蕬	2024
湻	1286	雞	1968	疣	1484	璱	1441	**승**		謔	2158	廝	706	蔡	1278	褆	2074
焞	1334	楯	2071	絖	1725	縢	1861	丞	42	鍉	2421	弑	717	漸	1298	襹	2081

視 2088	駛 2599	餝 2580	晨 987	申 1878	失 499	沁 1189	諶 2143	亞 82
視 2088	鰣 2647	**[신]**	神 1051	苆 1914	実 577	沈 1191	譖 2164	俄 139
饟 2089	鰤 2652	伈 104	榊 1104	莘 1925	実 577	沉 1192	郴 2330	俹 148
試 2118	鶭 2659	伸 114	敒 1128	蓐 1925	室 579	淰 1244	鄩 2346	児 197
詩 2119	鸍 2684	伩 130	歆 1129	薪 1976	宲 585	深 1244	醂 2359	兒 197
謚 2139	**[식]**	信 144	汛 1184	藎 1980	實 596	潒 1278	鈂 2380	兜 197
諟 2140	埴 449	妽 198	洶 1221	蜄 2013	禠 752	潭 1295	鈊 2380	唖 374
諡 2140	媳 542	出 236	燊 1353	蜃 2015	悉 780	潯 1296	鐔 2416	哦 375
諰 2142	寔 593	囟 239	爐 1360	褃 2063	窸 1643	瀋 1311	顉 2548	呃 380
諡 2148	弑 671	卂 302	狌 1392	舳 2096	蟋 2029	灒 1317	篿 2633	啞 383
誓 2157	式 716	吲 357	坤 1420	訊 2105	鼥 2724	煁 1341	鱏 2642	娿 524
豉 2170	息 775	呻 363	璶 1442	訧 2108	**[심]**	燖 1356	魫 2643	妸 524
豕 2173	扚 846	哂 371	牲 1456	詵 2122	伈 108	甚 1453	鱘 2648	娥 533
豨 2173	拭 864	囟 422	申 1460	詳 2133	是 295	淋 1744	鱏 2654	娥 537
豺 2179	捹 880	姺 529	鼻 1512	賑 2196	応 1479	縿 1773	鱘 2655	婀 537
躧 2240	栻 1060	娠 533	胂 1536	賮 2205	痒 1487	芯 1901	鱐 2709	婀 537
邦 2333	植 1079	娮 533	脊 1538	贐 2208	瘮 1490	甚 1944	**[십]**	婴 539
釃 2365	殖 1151	籔 551	訣 1559	身 2253	瞫 1550	藻 1964	什 95	屙 624
鈀 2378	湜 1264	籔 552	矧 1559	辛 2281	審 577	蕁 1965	十 296	峨 639
鉈 2378	熄 1348	宸 585	辛 2281	辛 2281	宷 585	蕈 1966	卅 304	峨 639
鈇 2384	瘜 1491	屾 633	神 1594	迅 2287	審 598	薭 1989	卌 305	庌 694
鉬 2384	絼 1737	峷 639	神 1596	郎 2335	尋 603	薭 1989	拾 866	御 748
鍉 2404	腺 1860	弞 721	祳 1599	震 2501	尋 607	蟫 2032	譅 2156	忤 763
鏇 2406	蝕 2024	昌 730	禋 1603	頤 2546	尋 608	蟳 2032	**[싱]**	我 832
閟 2439	裋 2061	憇 805	籸 1696	頤 2546	尋 609	蟳 2041	臏 2205	扼 847
闚 2442	襫 2076	愼 805	紳 1724	駪 2597	心 755	襑 2077	**[씨]**	旆 965
阤 2449	識 2156	扟 846	紳 1753	鮮 2654	小 757	諗 2138	氏 1170	椏 1080
阺 2451	軾 2264	押 857	脤 1841	鷐 2680	慎 802		**[아]**	橷 1100
顊 2550	郎 2343	新 953	脤 1849	麎 2690	邊 922		丫 43	牙 1373
钄 2563	食 2567	新 956	腎 1852	**[실]**	桪 1078		亜 81	犽 1388
馶 2594	飾 2572	脊 984	腎 1854		椹 1083		亜 82	猗 1397
			臣 1870		樳 1106			疋 1476
					樳 1107			

嗌	396	儿	188	歆	1132	軔	2260	釰	2378	鈓	2391	認	2126	慈	804	瓷	1448
妷	517	刃	240	殥	1154	釽	2381	鎰	2411	飪	2570	�	2205	扠	849	疵	1481
廣	707	刃	241	氤	1174	闉	2443	馴	2593	飪	2574	陾	2469	批	857	甈	1516
廙	710	刄	241	沏	1184	陻	2468	駰	2593	餡	2579	**자**		挏	858	眦	1536
鳦	716	印	314	洇	1222	靭	2521	軼	2595	鴍	2668	仔	100	搾	897	眥	1538
弋	716	咽	371	湮	1266	靷	2521	躵	2665	慫	2696	作	121	揸	900	磁	1578
杙	1036	曰	420	湮	1266	鞇	2523	鳷	2665	**입**		傷	173	厰	939	磁	1580
檍	1091	因	421	濱	1308	靭	2532	軔	2702	入	198	刺	254	柬	1032	禃	1599
瀷	1316	垔	445	牣	1376	駰	2598	黏	2702	卄	300	刾	257	柘	1034	秄	1611
熼	1350	堙	454	禋	1601	魜	2641	韁	2703	卄	302	劑	262	柘	1050	秭	1615
益	1519	圁	454	稇	1617	甄	2709	刌	2717	牵	504	劑	270	枇	1052	積	1628
益	1520	壺	460	紖	1716	靭	2717	**임**		**잉**		叁	326	梓	1068	穧	1630
紉	1734	墕	460	絪	1736	**일**		任	107	仍	97	孨	326	榨	1093	穦	1631
翌	1805	夤	482	繵	1759	一	1	壬	473	剩	263	呰	368	樜	1100	竿	1655
翊	1806	姻	529	繽	1765	佚	119	妊	517	剰	264	咨	373	橴	1118	第	1658
翼	1811	媷	542	甄	1802	佾	128	姙	526	媵	544	呰	386	歔	1131	笮	1659
翼	1812	寅	588	朋	1835	咉	364	恁	773	孕	556	她	516	欨	1148	簎	1677
膉	1859	寅	594	朐	1845	壱	473	推	864	扔	845	姉	522	欬	1150	箦	1680
艗	1891	戼	619	朒	1851	壹	474	棯	1078	揨	865	姉	522	滋	1268	籍	1691
翊	2010	巾	666	腝	1862	失	499	稔	1620	杤	1031	姐	523	澬	1272	籽	1696
謚	2139	夂	711	芢	1899	弌	716	紝	1719	樗	1069	姿	531	滋	1275	粂	1700
謚	2148	引	718	茵	1916	日	967	維	1738	礽	1589	子	554	濱	1300	紫	1728
鈙	2378	弘	720	黄	1964	泆	1204	肚	1838	繩	1753	孖	557	炙	1326	罝	1787
鷁	2676	蚓	758	蚓	2003	溢	1271	脍	1854	繩	1760	字	557	鬵	1345	者	1816
黓	2704	忍	758	螾	2028	燚	1356	荏	1920	繩	1774	孜	558	煮	1346	秄	1818
鎰	2727	戴	836	裀	2061	紑	1725	葚	1932	珔	1823	孳	564	赭	1820
인		敳	940	禋	2072	至	1877	衽	2054	臘	1861	嵫	648	羕	1348	腐	1836
人	89	棘	1012	訒	2106	祖	2053	衽	2062	臘	1867	丝	690	箸	1368	齘	1839
仁	95	轫	1012	認	2126	軼	2263	託	2110	茾	1896	庇	696	牸	1380	胏	1840
仞	103	初	1037	認	2126	迭	2292	賃	2195	苭	1904	恣	774	兹	1411	栽	1845
伒	103	欧	1128	諲	2145	逸	2306	鈓	2379	認	2126	慈	799	玭	1420	塍	1859

自	1872	豬	2182	鷰	2679	灼	1323	詐	2131	殘	1150	晵	982	蠶	2040	眨	1536
芧	1898	貲	2191	鷦	2679	炸	1327	譇	2153	殘	1151	暫	999	詀	2113	礁	1585
苴	1910	資	2196	齊	2720	焯	1334	譇	2153	潺	1296	椊	1065	謙	2159	箈	1670
茈	1912	責	2199	齋	2721	�	1363	趵	2225	琖	1429	椊	1071	賺	2205	粂	1696
茈	1913	賣	2206	齌	2722	爵	1366	酌	2350	盞	1520	樆	1107	跨	2234	襜	1802
莩	1915	赭	2212	齏	2722	爵	1366	酢	2353	盞	1522	歠	1136	蹔	2246	襜	1803
茨	1915	趙	2217	작		作	1379	醋	2358	碊	1576	冷	1195	蹰	2248	褋	2077
玆	1916	趜	2221	乍	55	狚	1396	�	2387	錢	1784	涔	1232	錾	2415	趙	2214
莿	1932	跙	2229	仢	103	猎	1398	鐯	2421	羨	1801	湛	1264	鐕	2417	蹯	2248
蒩	1935	这	2290	作	121	嚼	1515	雀	2480	獑	1809	漸	1273	霙	2508	迊	2290
蔗	1961	迲	2297	勺	285	敐	1517	誰	2487	戲	2000	潜	1293	顂	2548	鉔	2384
蘆	1964	這	2299	勺	286	硴	1570	酢	2573	號	2000	潜	1293	饕	2583	雜	2486
薺	1976	遮	2320	嚼	413	礁	1575	鮓	2650	跧	2230	潜	1315	鴒	2642	雜	2489
藉	1979	鄑	2343	彴	515	禓	1603	鵲	2672	輚	2269	斬	1350	鮮	2648	霅	2500
蚜	2002	醡	2360	娟	534	稓	1615	鸑	2681	輚	2277	嶘	1353	鰦	2654	聶	2536
蚝	2004	釨	2378	婥	536	糕	1626	覦	2717	醆	2357	燡	1353	鱃	2654	장	
載	2012	鎡	2410	岸	635	稻	1632	잔		騬	2608	癜	1490	鵤	2671	丈	26
蜡	2015	雌	2485	彴	736	崝	1650	俴	164	鱰	2655	稽	1630	잡		丈	38
蘆	2030	鼁	2549	怍	768	蹭	1652	僝	176	戲	2726	筊	1656	匝	292	乚	69
祗	2060	韻	2549	恣	781	笒	1659	剗	260	잘		箋	1673	卡	312	仉	97
嵫	2070	餇	2573	彴	845	筰	1666	劋	266	乲	65	箣	1681	帀	357	伏	102
齋	2079	鮺	2573	摺	919	柞	1698	屛	564	喥	414	籛	1682	咂	362	伏	106
觜	2097	瓷	2575	敀	935	綽	1750	嶘	645	잠		籛	1686	啑	382	偉	174
訿	2117	餷	2581	斫	952	綽	1773	棧	651	劋	266	籛	1687	喋	390	尢	191
訾	2117	餕	2582	斳	953	繳	1775	戈	830	劋	267	襜	1802	嘁	405	兂	195
諫	2125	魷	2614	昨	981	繁	1775	戔	833	喥	388	襜	1803	帀	666	尩	197
詐	2131	髊	2617	杓	1035	糟	1821	拃	863	寋	590	肵	1836	搔	910	匠	292
諮	2142	髭	2625	柞	1051	鳥	1879	斬	953	岑	633	蕉	1992	杂	1032	場	455
譇	2153	鱅	2634	槽	1081	舄	1879	棧	1065	撍	886	欓	1125	蚕	2006	墊	460
譇	2153	鮓	2644	沴	1182	芍	1897	棧	1076	撍	903	潛	1311	蚕	2019	墇	460
豬	2177	鷓	2677	淖	1239	芧	1912	殏	1148	搢	904	蠶	2040	煠	1343	場	461

薥	1977	鸀	2683	駿	942	偬	2241	崒	382	蓃	1965	揫	885	秋	1611	蝵	2022
蠋	1988	**촌**		惣	1087	銃	2391	籤	942	蕞	1968	揪	892	烌	1614	蟭	2033
蠾	1993	刌	244	鬷	1106	鏦	2405	騌	2032			稍	1624	褵	2073
蜀	2015	吋	344	漗	1288	鎟	2408	崒	1599	峻	2044	搊	895	穐	1629	䩄	2096
蠋	2034	寸	602	漎	1291	鏦	2414	崒	1749	衰	2055	搊	896	穋	1631	諈	2135
蠾	2041	忖	760	漎	1295	鏦	2415	萃	1935	褼	2077	搊	897	龝	1632	諏	2136
褥	2078	村	1035	熄	1345	鏦	2415	崒	2399	躍	2245	播	908	穐	1632	謅	2146
襡	2079	邨	2331	熜	1360	聡	2602	**최**		鍬	2403	欀	942	等	1669	緅	2183
襡	2081	**총**		惣	1384	聡	2603	催	168	陮	2474	杻	1040	篘	1671	趨	2215
犖	2096	丛	99	惣	1385	聡	2606	灌	232	隹	2480	柩	1046	萩	1677	趍	2217
触	2099	偬	164	璁	1439	鬷	2628	唯	400	**추**		榱	1077	窵	1678	趍	2218
觸	2101	傯	168	稷	1623	龍	2728	嘬	402	丑	38	椎	1079	篘	1683	趣	2220
豖	2173	偬	174	穋	1631	**좌**		墤	458	傶	167	楸	1081	粗	1698	趡	2220
趢	2215	冢	225	篹	1691	銼	2393	崔	642	偢	177	楸	1089	糫	1708	趙	2221
趢	2218	匆	287	総	1753	**촬**		摧	900	傸	180	楒	1093	緅	1751	趨	2221
起	2219	叢	333	惣	1758	掇	538	最	1009	啾	388	槌	1095	緅	1760	蹈	2241
趣	2220	囪	423	総	1760	振	903	槯	1093	墜	465	榀	1102	緧	1760	躑	2243
趨	2221	塚	457	總	1767	撮	907	歠	1130	妯	524	橾	1115	緧	1761	追	2293
踱	2239	塚	459	罳	1792	攛	920	歠	1135	婌	534	殠	1153	緧	1761	邹	2331
蹅	2246	寵	600	聡	1826	桜	1065	洒	1214	掇	538	湫	1265	聚	1826	郰	2339
躅	2248	忩	762	聡	1827	楼	1071	淮	1290	嫐	542	餈	1334	腄	1855	鄒	2343
躅	2249	忽	767	聰	1828	欄	1125	漼	1385	屖	626	犓	1384	腿	1859	鄹	2348
躅	2253	总	768	惹	1938	窜	1640	璀	1438	崷	647	甄	1449	臭	1875	酋	2350
鈇	2384	恖	780	葱	1946	窣	1643	確	1514	崼	651	甃	1449	芻	1898	醜	2360
鏃	2412	惣	788	葱	1959	竄	1643	礎	1583	帚	671	瘳	1493	菗	1924	錐	2398
钃	2426	恖	793	蒽	1965	繥	1773	崒	1621	惆	791	皺	1517	萩	1929	錘	2399
雛	2492	惣	803	藂	1981	朏	1844	絒	1722	慽	819	蔙	1517	萑	1937	錣	2399
韣	2530	憁	811	藂	1992	苗	1911	崒	1749	抽	857	麈	1517	萩	1938	鎚	2410
韣	2535	捴	885	蟌	2023	褵	2077	緅	1761	捶	876	晳	1542	菆	1957	队	2449
顬	2557	惣	892	蟌	2029	頽	2549	腋	1851	推	883	硾	1574	蓮	1964	陬	2460
斶	2617	惣	903	聡	2152	**쵀**		腄	1855	搝	885	礎	1581	蘿	1994	隊	2470

隊 2475	搐 893	蠾 2246	怵 772	痤 1485	**[취]**	萃 1935	儊 187	齒 239
佳 2480	杻 1040	蹴 2247	扰 929	盅 1519	冣 226	蝡 2023	劓 266	齜 239
雛 2485	柚 1051	鼀 2248	斪 950	稦 1556	取 331	騷 2032	槭 1122	齒 239
雛 2488	杭 1053	軸 2263	朮 1029	神 1591	吹 355	觜 2097	竫 1649	剌 265
鞦 2526	槭 1099	輈 2266	泏 1204	种 1613	嘴 403	趣 2220	藽 1989	厓 313
鞦 2527	滀 1273	逐 2298	焌 1332	狳 1804	娶 538	踤 2238	襯 2080	哆 372
鞧 2527	瀙 1300	鄐 2343	犹 1392	荎 1917	就 617	醉 2353	亂 2723	嗤 397
鞴 2528	畜 1466	閦 2439	秫 1615	蟲 1922	悴 788	醉 2357	亝 2723	埴 449
鞲 2531	碱 1583	顣 2555	絀 1725	虫 2001	惴 800	轎 2530	**[츰]**	夂 475
餽 2579	祝 1594	鬻 2634	茁 1913	重 2001	敵 937	頮 2550	闖 2446	媸 543
騅 2601	稸 1625	鰪 2654	袽 2060	迿 2003	篲 942	騄 2601	**[츱]**	寘 593
驟 2604	竺 1654	**[춘]**	詘 2116	蟲 2030	椊 1080	驛 2601	被 1516	峙 638
䮲 2637	笁 1654	幨 678	趉 2215	衝 2049	橇 1108	驟 2611	**[층]**	嵯 648
譸 2639	筑 1660	旾 978	逫 2307	衝 2051	橇 1114	鷲 2682	增 463	差 663
魫 2649	筑 1663	春 982	黜 2705	衷 2056	橇 1121	歙 2734	层 621	卮 665
鰌 2651	築 1678	杶 1040	**[충]**	祍 2061	毳 1167	**[측]**	層 626	幟 681
鰍 2651	築 1678	椿 1084	充 191	稦 2179	潹 1277	仄 95	層 626	庤 696
雛 2671	蹙 1683	楯 1106	充 191	幢 2278	炊 1324	側 161	曾 1009	庰 697
鶖 2675	築 1684	櫄 1119	沖 228	**[췌]**	瘁 1488	則 256	曾 1010	廁 702
鶹 2677	縬 1761	瑃 1435	忠 760	忰 765	竁 1644	厠 322	贈 1551	廌 704
麁 2689	縮 1764	賰 1858	忡 762	悴 788	絕 1684	矢 491	艷 1895	弛 720
麤 2693	繊 1769	賰 2204	憃 828	惴 800	翠 1804	庂 693	覾 2093	彨 736
麖 2697	舳 1888	輇 2259	橦 1111	揣 890	翠 1808	廁 702	蹭 2246	待 749
齱 2726	菫 1925	軘 2259	沖 1194	毳 937	聚 1826	側 801	騬 2605	徥 750
穐 2733	蓄 1954	輇 2265	浺 1208	漢 1313	脆 1846	昃 972	**[치]**	徵 752
[축]	蓫 1958	鰆 2650	浺 1222	瘁 1488	脃 1847	吳 972	佁 123	徵 752
丑 38	蝍 2033	鶞 2674	沖 1230	膵 1864	臇 1864		伿 130	志 758
噈 405	豕 2173	**[출]**	㲱 1279	萃 1905	臭 1875		值 153	恥 772
妯 524	趿 2238	出 236	爞 1363	萃 1935	臭 1875		偫 158	恀 779
屡 623	蹜 2245	出 633	狆 1389	贅 2206	皛 1875		傪 164	懘 823
憱 806	蹙 2246	悆 768	珫 1423	領 2550			傪 167	懬 825

抐 865	菑 1448	緻 1763	誃 2125	魑 2638	櫬 1122	沈 1191	酖 2353	藕 1977
揷 880	甾 1463	繚 1764	諫 2138	鯔 2648	瀙 1313	沉 1192	醮 2359	騁 2600
掫 889	甾 1465	織 1771	諸 2147	鴟 2664	竲 1649	櫼 1125	針 2376	**쾌**
摭 896	畤 1468	置 1789	謻 2152	鳲 2665	親 2091	浸 1229	鈊 2380	儈 182
摛 900	畤 1472	絁 1804	識 2156	馶 2665	舳 2254	湛 1264	鈂 2380	噲 408
撖 905	走 1476	袘 1819	豸 2179	鳲 2665	**칠**	湷 1267	鍰 2395	夬 493
撄 914	粂 1476	耻 1823	独 2181	鶅 2666	七 11	潯 1274	鍼 2406	快 763
攗 919	彲 1478	胝 1838	獝 2183	鷀 2671	刦 265	瀙 1305	鍖 2407	悵 772
扡 1037	彲 1478	胵 1845	跮 2231	鶅 2674	柴 1055	牝 1379	霃 2502	獪 1406
屎 1038	痔 1485	膥 1847	跱 2232	黐 2708	李 1066	琛 1429	煩 2542	筷 1667
栀 1050	痴 1489	腦 1854	踄 2232	黹 2710	椮 1104	瑒 1438	髮 2599	駃 2593
栀 1068	癡 1496	致 1877	躓 2251	齒 2722	漆 1283	瘦 1487	魷 2643	**타**
榹 1079	直 1528	致 1877	輜 2269	齝 2724	**침**	砧 1567	鱘 2654	他 101
植 1079	直 1530	茬 1906	輜 2273	嗣 2724	侵 136	碪 1578	鯵 2654	佗 119
橓 1090	眙 1535	茬 1920	迣 2291	鱺 2734	沁 228	磣 1583	鱣 2657	杲 223
樆 1103	眵 1539	蕾 1931	郗 2335	**칙**	浸 229	褑 1598	**칩**	剁 255
欻 1130	瞵 1549	菽 1945	紙 2381	伬 134	寑 593	寢 1643	屧 626	吒 344
歖 1133	稙 1617	蕾 1949	鈔 2390	則 256	寑 593	篴 1677	湁 1267	佗 365
峙 1142	稚 1620	薤 1974	錙 2399	勅 277	寢 595	緂 1740	褺 1278	咤 369
耻 1143	稻 1621	虋 1985	錙 2408	勅 278	寱 651	綝 1744	熱 1770	唾 381
齒 1143	檡 1625	虒 1996	阤 2449	忕 779	忱 763	彤 1887	蟄 1948	庱 389
治 1201	檡 1629	蚳 2005	陊 2457	敕 934	扰 854	芡 1904	蟄 2030	嚲 413
泜 1208	糦 1707	蚩 2005	雌 2483	汦 1192	揕 888	葳 1949	霅 2500	佗 442
泲 1212	紂 1714	螭 2027	雉 2484	飭 2570	斟 950	葳 1964	疉 2593	垛 443
沍 1219	純 1715	袳 2061	饎 2583	鴟 2666	枕 1043	覘 2090	**칭**	垛 444
淄 1238	絺 1739	豸 2062	饎 2585	鶒 2674	枯 1048		倗 163	埵 449
潪 1276	紩 1743	徵 2072	馳 2592	鷙 2681	桥 1069		秤 1614	堶 456
羡 1333	緇 1752	褫 2073	駤 2597	**친**	棱 1070		稱 1616	堕 456
羴 1348	緻 1759	觝 2101	駐 2598	傸 187	梣 1074		稱 1623	埵 465
熾 1353	繬 1760	觶 2101	魑 2637	嚫 411	椹 1083		穪 1631	墮 465
猵 1403	縒 1761	誃 2123	魁 2637	亲 1056	炂 1155		秤 1819	墮 467

憛 467	毻 1168	躲 2255	鴕 2695	晫 991	殺 2174	弢 721	覘 2090
驔 511	沱 1198	躱 2255	鼉 2713	杔 1035	豜 2180	**[탈]**	詀 2125
她 516	沲 1198	躳 2255	**[탁]**	栃 1051	趠 2219	倪 137	貪 2188
妊 517	湤 1253	靼 2262	毛 54	桌 1065	踔 2236	夺 500	賧 2201
妥 521	灑 1253	迌 2290	侂 124	棹 1078	踱 2239	奪 510	趈 2215
婿 541	牠 1379	迱 2291	侂 129	椓 1080	躇 2241	挩 869	軓 2254
媞 542	疼 1485	酡 2353	侂 155	槧 1088	蹖 2242	敓 932	酖 2353
它 567	砣 1570	醡 2353	倬 232	櫛 1090	躅 2249	毤 935	黤 2688
屵 636	碩 1578	鉈 2391	劇 262	橐 1098	轈 2273	挩 1071	黮 2709
隋 652	牷 1611	鉾 2392	剢 270	橐 1113	逴 2306	巎 1167	**[탑]**
廌 699	種 1622	錔 2407	卓 307	檡 1113	鐯 2419	敪 1516	佮 134
侘 779	稆 1624	鐄 2418	啄 381	檡 1119	鐸 2421	稅 1618	傝 166
惰 799	窩 1638	阤 2449	晫 382	檴 1121	鋈 2397	脫 1847	嗒 396
憜 819	籍 1686	陀 2454	哣 389	欘 1125	頢 2541	脫 1849	噠 408
打 844	紽 1725	陁 2455	噣 406	沰 1202	飥 2569	莌 1918	塔 456
扡 846	綠 1737	陏 2457	坼 441	浊 1219	馲 2593	莌 1924	塌 457
拖 861	綏 1741	陊 2457	墲 456	涿 1238	駱 2601	說 2130	塔 457
挓 861	腄 1826	陊 2457	庉 693	濁 1303	驦 2611	説 2131	佮 743
操 869	臍 1863	陊 2457	度 697	濯 1309	魄 2636	頢 2541	搨 876
揣 889	舵 1889	隋 2470	庹 699	猭 1398	魠 2641	**[탐]**	搨 896
攡 907	舥 1889	轂 2521	侘 779	玃 1407	鸔 2683	倓 166	搭 896
㪏 937	袉 2059	軠 2523	憴 803	琢 1429	**[탄]**	噉 399	搭 908
朶 1032	㢮 2061	鞃 2524	托 845	琸 1431	但 115	袒 2057	榙 1077
朵 1032	訑 2106	駄 2592	拆 858	籜 1692	僤 179	裧 2068	榻 1094
杕 1036	詑 2117	駝 2596	拓 860	翟 1808	呑 358	訑 2106	榻 1094
柁 1049	詑 2120	馳 2596	琢 878	擇 1986	吞 358	詑 2117	楡 1112
柂 1049	詝 2123	髻 2627	擢 913	蠗 2036	嘆 399	誕 2126	毾 1168
椯 1084	跿 2227	鮀 2643	敠 935	祐 2060	嘽 404	譚 2159	澾 1289
楕 1090	跎 2227	鯷 2651	毲 942	襗 2077	坦 440	貚 2183	韃 1300
橢 1111	跢 2232	鱓 2655	欘 942	觕 2100	弓 718	驒 2608	猺 1393
櫫 1122	跢 2233	黿 2663	戳 942	託 2107	弖 719	黕 2704	緤 1762

砧	1784	蕩	1949	欑	942	銳	2392	樘	1109	桶	1100	碴	1581	杏	366	鬥	2630
碟	1884	蕩	1969	瞜	1001	隸	2479	堂	1143	洞	1216	磧	1631	音	366	鬩	2630
牒	1884	蕩	1981	棣	1076	鞓	2525	掌	1374	烔	1333	頍	1827	套	508	鬭	2630
韜	1885	蝪	2023	殆	1149	颱	2562	**터**		燑	1350	朕	1852	妬	520	鬮	2631
搨	1891	踢	2240	汰	1187	駄	2592	攄	916	痌	1485	腿	1859	妒	521	麩	2695
鞜	1891	邊	2308	泰	1196	駄	2594	**토**		痛	1485	蓷	1959	姹	524	**퉁**	
輡	2268	鎒	2403	炲	1327	駘	2595	兎	197	筒	1663	葦	1968	婾	539	佟	124
遢	2319	鐋	2413	炱	1328	駾	2599	免	197	箭	1666	蘈	1989	捊	639	**특**	
鐺	2399	錫	2417	眱	1552	鮐	2644	吐	344	統	1727	褪	2073	廥	702	忒	758
鎝	2408	闒	2447	硬	1576	默	2704	土	431	統	1738	徹	2077	愉	801	忑	760
閤	2444	**태**		稅	1618	**택**		圡	432	統	1744	諉	2147	愉	802	态	767
闒	2444	忒	84	答	1657	垞	445	夲	499	蓮	1964	魋	2147	投	851	廳	809
闒	2447	能	168	薏	1677	臭	504	套	508	通	2299	蹄	2243	歆	1129	揯	876
輸	2523	兖	195	給	1725	宅	568	稻	1096	**퇴**		蹟	2248	毀	1157	特	1380
鞜	2526	兌	196	絿	1741	侘	580	芏	1898	自	55	騅	2269	渝	1256	牾	1382
鞳	2528	台	343	胎	1840	庀	693	菟	1932	償	176	追	2293	膭	1372	蟘	2026
鰨	2652	呆	353	脫	1849	畧	716	討	2106	堆	450	退	2294	狂	1390	螣	2026
탕		埭	449	苔	1905	択	854	鞀	2521	塠	458	還	2304	疣	1479	螣	2033
傷	158	大	483	落	1933	擇	910	鵖	2671	摧	617	鎚	2410	誣	2126	貣	2186
宕	572	太	491	蛻	2012	樺	1113	**톤**		殰	618	隤	2474	諭	2141	貸	2193
帑	670	夳	499	詒	2114	沢	1196	噋	382	朒	736	頹	2546	論	2146	**틈**	
惕	802	娧	532	詒	2114	澤	1300	噋	403	悷	788	頹	2548	論	2146	闖	2446
湯	1266	媞	542	豸	2179	睪	1545	涒	1231	推	883	頹	2548	狔	2176	**파**	
潒	1299	徥	750	跆	2226	蘀	1986	褪	2073	搥	895	頹	2550	趟	2214	巨	337
燙	1356	忕	760	軑	2261	藫	1989	退	2294	敦	936	鎚	2582	透	2298	吧	356
瑒	1433	忕	764	軚	2262	蘿	2683	**통**		槌	1095	骰	2615	鉈	2395	坡	440
璗	1440	态	765	迨	2291	**탱**		侗	132	焞	1334	魋	2637	鎞	2406	壩	472
盪	1526	怠	766	逮	2305	撑	904	恫	778	燸	1362	籔	2681	鬪	2446	婆	538
碭	1578	態	804	邰	2332	撐	904	働	812	琟	1438	**투**		鬪	2447	嫛	545
簜	1684	榱	807	鐿	2371	橕	1100	捅	873	瘣	1495	偸	163	骰	2571	叵	603
宕	1933	抬	863	鏊	2371	橕	1106	桶	1067	蠚	1526	託	227	骰	2614	岥	636

皤 652
巴 665
帊 669
帕 669
弝 721
怕 769
把 850
擎 892
播 907
擺 915
攞 920
杷 1040
橎 1106
欛 1125
欛 1126
波 1209
派 1221
灞 1319
爬 1365
爸 1368
犯 1379
玻 1420
琶 1429
番 1471
疤 1479
皤 1514
破 1568
碆 1577
磻 1585
䆉 1614
穲 1631
竡 1650
笆 1655
筢 1667
箥 1668
簸 1688
紴 1724
紦 1737
罷 1791
羓 1797
耙 1819
䎱 1821
䑺 1887
芭 1901
苩 1913
菠 1932
葩 1946
蚆 2005
罷 2085
譒 2157
豝 2174
豝 2180
跁 2226
跛 2229
䩻 2261
鄱 2348
鈀 2379
鉕 2382
䥯 2423
陂 2454
霸 2508
靶 2521
頗 2544
頣 2545
顰 2555
駊 2596
䶕 2723

팍

曝 410
瀑 1312

판

判 248
办 272
反 329
反 330
坂 437
辦 716
阪 764
拌 859
攀 951
昄 977
板 1041
泮 1212
版 1371
瓣 1447
眅 1464
販 1531
蝂 2018
販 2187
跘 2228
踩 2233
辦 2283
辨 2283
辦 2283
鈑 2380
阪 2450

팔

八 206
叭 337
捌 873
朳 1031
杁 1053
汃 1182
䈲 1708
趴 2224
釟 2376
馸 2591
䶕 2723

팜

湴 1257

팡

乓 55

패

伂 111
伯 112
佩 125
另 336
唄 376
啤 395
垻 447
孛 558
怖 764
悑 771
悖 783
拔 860
拔 860
捭 876
敗 933
旆 961
旆 962
㫲 990
朩 1025
宋 1029
林 1039
枝 1053
桿 1069
沛 1196
浿 1230
渒 1241
牌 1372
犻 1379
犤 1385
猈 1388
猇 1390
猇 1390
狽 1395
狽 1398
珮 1424
琪 1428
稗 1561
稗 1620
筏 1660
箄 1668
簰 1682
粺 1702
肺 1837
茷 1917
䕈 2039
覇 2086
誖 2127
貝 2184
跡 2225
跙 2234
邶 2333
郥 2337
鋇 2393
霈 2501
霸 2508
韛 2526
鞴 2533
駊 2594

팽

亨 86
伻 114
傍 165
庄 693
弸 727
彭 734
旁 962
泙 1208
澎 1298
烹 1333
瞪 1405
髮 1451
痭 1489
砰 1568
碰 1583
祊 1591
絣 1747
膨 1863
蟛 2031
蟚 2033
軯 2262
輣 2269
鏰 2403
閍 2437
閛 2437
闀 2444
騯 2604
鸗 2633

퍅

愎 802

편

便 137
偏 158
便 164
匾 296
媥 541
平 684
彄 727
徧 749
惼 801
扁 841
楄 1084
梗 1089
片 1370
牑 1372
猵 1400
㾝 1490
箯 1673
篇 1676
篾 1684
編 1756
緶 1759
翩 1809
艑 1890
苹 1910
蝙 2021
褊 2070
謌 2118
謌 2118
諞 2140
諞 2146
蹁 2241
辡 2282
辨 2283
辦 2283
辯 2284
遍 2311
鞭 2527
鞭 2529
頨 2546
鯿 2581
騙 2602
鯿 2651
鯾 2651

폄

砭 1565
砭 1568
窆 1637
貶 2190

평

匉 287
坪 441
平 684
怦 770
抨 855
拼 868
拼 880
枰 1048
秤 1379
粹 1380
玶 1421
硼 1574
䶄 1798
苹 1910
萍 1937
蓱 1949
薲 1959
蚲 2008
評 2115
謌 2118
謌 2118
諞 2146
辯 2284
閛 2439
閞 2442
鮃 2643

폐

佊	142	祂	2059	拊	855	舖	1884	飽	2572	彪	733	翲	1811	驪	2611	浥	1252
吷	354	跛	2228	抱	856	舗	1885	餔	2576	影	735	藨	1821	驫	2612	澦	1291
嬖	551	鎞	2396	抛	859	苞	1907	鬊	2625	慓	811	膘	1828	髟	2623	瀔	1312
币	666	鈚	2396	捕	874	莆	1924	鮑	2644	捧	876	臕	1862	鰾	2653	**피**	
帗	669	鐴	2419	晡	989	菢	1938	鯆	2648	標	902	臕	1868	鮃	2661	彼	118
幣	682	閉	2432	暴	997	葡	1945	曓	2685	藨	966	蔈	1927	麃	2689	儸	186
廃	703	閇	2437	暴	1002	莆	1951	鶝	2685	暩	998	葽	1963	豹	2717	厦	621
廢	707	陛	2457	炮	1049	蒲	1951	麃	2689	杓	1035	藻	1978	**품**		岥	669
弊	715	陛	2474	麭	1112	薄	1957	麅	2690	杪	1037	薰	1984	品	357	彼	737
怖	764	髀	2615	牝	1166	麶	2000	麭	2695	標	1101	蟉	2028	品	368	披	855
敝	934	**포**		泡	1209	麶	2000	魮	2719	標	1116	裱	2067	稟	1622	旇	963
斃	942	佈	116	浦	1224	袍	2057	**폭**		棄	1117	標	2075	**풍**		柀	1048
枈	1040	儤	186	涵	1253	襃	2060	幅	679	樧	1119	豹	2179	凨	234	殍	1148
柿	1040	刨	251	瀑	1312	褒	2072	暴	997	歊	1131	趮	2222	凬	234	泜	1195
枅	1054	勹	285	炮	1327	襃	2076	曝	1003	殍	1150	玓	2225	咸	234	波	1209
椑	1068	包	286	炰	1328	誉	2151	瀑	1312	瀌	1282	醥	2361	楓	1085	羅	1385
潎	1291	匍	287	爆	1361	誉	2157	瀑	1318	瀌	1311	錶	2401	渢	1256	狓	1391
猈	1394	匏	288	狍	1391	哺	2198	爆	1361	熛	1349	鏢	2414	灃	1317	疲	1480
獘	1404	咆	364	脬	1446	跑	2227	爆	1364	爂	1361	鑣	2421	瘋	1489	癖	1494
癈	1495	哺	375	疱	1480	踄	2233	輻	2273	爂	1361	鑣	2424	薑	1992	皮	1515
箅	1668	鞄	409	痡	1486	逋	2297	**표**		焱	1396	顠	2555	諷	2143	耚	1516
肺	1837	圃	424	癧	1492	郙	2332	俵	148	瓢	1446	飇	2562	豐	2172	坡	1516
胇	1842	埔	447	炮	1516	酺	2353	傈	173	療	1493	飇	2562	豐	2172	紴	1724
胼	1852	奅	504	潐	1525	酺	2356	儦	185	儦	1514	飇	2563	酆	2348	罷	1791
萆	1936	宩	585	砲	1568	釀	2364	剽	266	暩	1549	飄	2565	酆	2349	狓	1806
蔽	1965	專	605	礮	1588	鉋	2384	勡	283	碟	1583	飇	2565	靈	2512	藅	1953
薜	1966	布	667	箁	1672	餔	2384	受	331	票	1597	飆	2565	風	2559	被	2058
薛	1975	庖	695	精	1701	鋪	2396	嘌	399	標	1629	飈	2566	覾	2566	裴	2060
藥	1991	怖	769	胞	1841	鐴	2424	嫖	545	醀	1631	驃	2606	馮	2591	襬	2079
蛭	2014	扶	847	脬	1850	胞	2519	嶓	650	簸	1682	**퓨**		夒	2696	詖	2115
袚	2059	抛	854	脯	1850	鞄	2523	熛	680	縹	1766					貏	2182

賖 2191	拂 857	靴 2523	吓 344	蝦 2022	學 565	貂 2181	捍 873	罘 1787
跛 2229	毕 1164	鞸 2529	呀 356	柯 2060	學 565	郝 2336	搁 903	羲 1802
辟 2281	泌 1204	韠 2535	哬 376	襑 2077	嚳 653	崔 2480	敤 934	翰 1810
避 2325	潷 1291	飶 2572	嗄 389	詫 2120	㝈 923	鞏 2529	旱 971	鷽 1821
鈹 2382	濞 1312	饆 2582	煆 401	諕 2138	㜯 947	騅 2605	嘆 999	贙 1984
釽 2389	珌 1420	秘 2589	喝 407	譁 2153	敊 1157	奭 2623	斡 1096	轩 2002
鑒 2398	玾 1439	駜 2596	嚇 409	谺 2168	涸 1237	鶴 2675	汉 1181	蟹 2011
鑑 2398	畢 1466	駽 2603	墢 461	賀 2194	㵦 1300	鷝 2677	汗 1184	蜆 2093
陂 2454	疋 1475	鴔 2664	夏 476	赫 2211	澩 1315	鶴 2680	浐 1226	豻 2180
猈 2524	禪 1603	鵯 2672	岈 634	椵 2212	狢 1393	鶯 2684	漢 1278	犴 2181
敝 2614	秘 1615	祕 2702	廈 703	跮 2240	㲉 1402	鸛 2685	漢 1286	㺝 2235
髲 2625	笓 1656	**핍**	假 751	退 2312	疟 1479	貉 2717	瀚 1300	邗 2329
鮍 2644	笔 1656	乏 54	抲 859	鍜 2405	瘧 1490	飉 2717	瀚 1300	邯 2331
픽	筆 1660	偪 161	敤 934	閜 2437	㙔 1513	**한**	瀚 1313	銲 2378
愊 802	筆 1681	妚 522	是 980	閜 2437	曤 1515	很 134	灘 1318	銲 2397
煏 1345	縪 1764	幅 679	歌 1128	霞 2504	㬭 1548	個 178	焊 1333	閈 2432
覆 1361	畢 1792	愊 802	河 1198	鞎 2527	曤 1554	厂 318	漢 1350	閑 2435
腷 1857	胇 1839	泛 1208	煆 1341	鞎 2534	碻 1576	埠 447	狠 1392	閒 2436
필	肺 1842	疺 1484	瑕 1433	颬 2562	嚻 1810	嫺 548	猂 1396	閒 2436
佖 119	芯 1911	皀 1510	疒 1479	騢 2603	矐 1869	嫻 548	嘆 1474	閞 2439
佛 120	荜 1922	逼 2308	痄 1480	舸 2644	虐 1995	嫻 548	痫 1495	限 2456
潷 232	蓽 1960	鵖 2665	瘕 1490	鰕 2652	蠚 2037	寒 591	旰 1510	陥 2457
匹 294	蚾 2006	髟 2665	碬 1578	**학**	舺 2097	誉 654	皔 1513	韓 2533
呸 365	祕 2058	**핑**	礣 1785	洛 229	㬎 2102	忏 759	鞍 1516	頇 2540
奋 504	薺 2100	乒 55	苄 1898	嗃 395	謞 2145	恨 778	睅 1541	輅 2567
弼 727	趩 2222	**하**	茄 1912	殼 398	譹 2149	悍 782	瞷 1551	駻 2592
弻 727	蹕 2244	下 24	荷 1923	嚛 410	叡 2169	憪 818	瞷 1551	騢 2599
彈 727	鄪 2332	己 38	菏 1938	㸒 476	狗 2174	憪 818	瞷 1551	驨 2609
必 757	鉍 2386	何 118	蕸 1977	孝 559	豿 2180	憪 819	硍 1571	驧 2609
怭 771	鏎 2415	假 157	虾 2002	学 562	貉 2181	戙 834	硙 1574	骭 2613
拂 855	靴 2521	廈 322	蚵 2008	㸒 562	狢 2181	扞 845	罕 1786	鷳 2682

鶡 2682	黠 2707	櫪 1119	腦 1854	陷 2473	欯 1129	鼞 2715	缸 1783	闞 2630
鼾 2719	齰 2725	伙 1128	腦 1860	頷 2548	歛 1134	鴿 2719	矼 1784	航 2643
【할】	【함】	欦 1128	名 1879	顔 2549	洽 1220	【항】	翂 1805	航 2643
丏 63	函 239	欲 1130	艦 1892	顲 2553	溘 1270	況 81	肛 1835	點 2704
刱 251	圅 239	歑 1132	荅 1926	顃 2555	潝 1277	巟 82	航 1837	【해】
割 264	含 359	泠 1195	菡 1932	顣 2557	疲 1479	亢 84	缸 1887	亥 86
劼 275	咁 364	泔 1205	葴 1949	餡 2579	盍 1519	伉 108	航 1887	佅 130
勗 280	咸 373	洽 1235	菡 1957	饜 2582	盇 1519	吭 355	芫 1899	偕 160
圈 428	哈 376	涵 1236	蘫 1991	饐 2585	盒 1520	夅 476	虹 2002	懈 180
害 581	唅 381	洦 1253	蛹 2018	鬫 2631	簄 1681	夯 499	珙 2002	嶰 187
愒 802	啣 383	涌 1278	街 2049	鉗 2644	給 1820	姮 528	肮 2005	咍 364
揳 891	喊 390	灆 1308	諴 2142	鮯 2648	蓋 1955	嫦 546	行 2045	咳 370
楬 1096	嗛 397	煩 1349	譀 2157	鹹 2651	蛤 2010	峘 638	術 2047	嚡 407
毼 1168	憾 407	獫 1403	谽 2169	鹹 2687	褡 2073	巷 665	徛 2049	垓 443
瞎 1548	嚂 408	獥 1404	徹 2169	齝 2717	襘 2075	恆 776	跮 2226	奎 476
磍 1582	喴 409	獻 1404	鎌 2172	齡 2726	譀 2157	恒 777	跕 2226	奚 508
緆 1876	函 425	猳 1407	缿 2194	【합】	迨 2297	悙 793	踦 2230	妎 520
羯 1885	塪 469	玲 1428	跲 2233	匌 287	郃 2334	抗 852	踁 2234	孩 562
稧 1972	妗 520	胎 1448	轞 2279	合 348	郟 2341	航 960	輆 2264	害 580
蝎 2020	嵅 648	頷 1448	鼉 2280	呷 363	鄐 2343	杭 1039	輅 2265	害 581
蠍 2026	弓 717	覽 1451	邯 2331	哈 372	鉿 2389	桁 1057	頓 2272	屧 623
褐 2070	感 795	麿 1453	醎 2359	嗑 396	閤 2438	桁 1060	聲 2275	峐 638
轄 2274	憾 821	曆 1453	醶 2363	峆 638	闔 2445	沆 1190	迒 2288	嶰 653
鎋 2408	撼 892	睯 1544	街 2392	恰 769	雪 2500	港 1259	連 2298	帗 668
鞨 2527	撖 908	稬 1625	鉿 2395	屉 841	韐 2529	港 1268	邟 2329	廨 709
顜 2553	檢 1070	筡 1656	鋓 2397	敆 929	頜 2545	灌 1301	閡 2434	懈 802
餲 2582	械 1083	糠 1706	銜 2403	敆 938	頷 2554	炕 1325	閤 2442	懈 822
骱 2614	憾 1116	緘 1754	鍼 2411	柙 1051	鉿 2647	坑 1448	降 2455	晐 986
鶡 2616	檻 1118	鹽 1785	闔 2447	柙 1063	鱠 2653	硫 1566	項 2540	楷 1089
鶡 2674		羬 1802	陷 2460	榼 1094	鱠 2654	笕 1656	頏 2542	槲 1116
鶷 2676		肣 1838	陷 2466	欲 1128	鴿 2668	筎 1663	航 2614	攺 1127

賢	2202	眴	1535	夾	293	狹	1394	俙	156	瑩	1435	**혜**		直	1875	呼	363

字	번호	字	번호	字	번호	字	번호	字	번호	字	번호	字	번호	字	번호	字	번호
賢	2202	眴	1535	夾	293	狹	1394	俙	156	瑩	1435			直	1875	呼	363
賓	2209	瞯	1551	協	305	狹	1394	兄	191	瞥	1548	傒	166	葵	1952	吟	363
贙	2209	秴	1611	協	305	胎	1539	刑	244	硎	1571	兮	212	蕙	1959	喝	365
趨	2223	稧	1624	協	305	硤	1574	刑	255	硎	1577	弓	212	蕙	1967	呼	393
鉉	2383	穴	1633	庎	320	袷	1597	営	395	罃	1803	匸	294	蟪	2024	唬	398
銷	2391	糸	1696	叶	336	筴	1667	型	445	脛	1849	嘒	400	蟪	2032	嘑	399
鋗	2395	絃	1725	嗋	396	篋	1676	夐	477	営	1859	嚖	410	褉	2073	嘷	403
鋧	2396	潔	1739	嗛	397	綊	1743	婞	533	荊	1918	奚	508	謑	2147	壆	469
鑗	2423	糜	1760	夾	501	脅	1838	陘	639	荊	1919	嫇	542	譓	2156	壕	469
鞙	2523	纈	1778	夾	502	脅	1847	笒	649	営	1938	惠	599	譿	2163	壺	474
鞙	2525	翓	1805	妗	533	脅	1848	形	731	荊	1938	嵇	647	篋	2169	壼	474
鞙	2531	翓	1807	峽	639	胎	1848	彤	733	蘅	1987	嵇	647	篋	2178	壺	474
獧	2546	莔	1922	峽	640	脅	1848	形	733	蛍	2009	彗	730	篋	2183	喬	499
頭	2553	爒	2001	弰	722	胅	1851	悙	783	螢	2009	傒	752	跨	2226	好	514
顯	2557	血	2041	渫	727	荚	1926	撗	914	螢	2027	恚	773	蹊	2242	姻	535
馬	2591	襺	2079	悏	779	蛺	2012	皇	941	衡	2050	惠	786	醯	2360	姱	535
駽	2599	覸	2525	快	784	鈴	2389	桁	1060	衡	2051	慧	809	醯	2362	嫣	547
鷢	2683	頁	2539	愻	799	鋏	2394	泂	1203	訶	2115	憓	817	鏏	2414	嬉	547
蘐	2707	頡	2545	恢	802	陜	2457	泂	1230	踁	2233	撨	893	鏸	2416	岾	636
혈		**혐**		慮	803	陜	2458	荥	1208	迥	2291	暳	998	鞵	2524	嶱	654
映	355	嫌	544	慊	806	陜	2469	滎	1268	迥	2297	槥	1098	鞵	2529	弧	722
夬	505	慊	806	憎	807	鞈	2523	濴	1310	邢	2329	橞	1112	鞵	2718	怙	769
孑	555	獫	1403	拹	868	頰	2547	瀅	1310	邢	2335	歠	1136	**호**		怒	775
岐	636	慊	1493	挟	869	颭	2563	濴	1314	釧	2387	殨	1154	乎	54	怙	778
揳	891	稴	1625	挟	871	欸	2726	滢	1317	鈃	2391	暳	1473	冎	55	憮	818
搣	895	謙	2147	柑	1063	鹽	2727	炯	1326	鏗	2396	盆	1519	互	74	戲	837
撷	915	**협**		梜	1069	鹽	2727	荥	1328	鏠	2403	眅	1530	傸	179	戲	837
沴	1212	侠	134	歊	1133	**형**		炯	1333	鎣	2411	睚	1538	冱	227	戶	838
威	1329	俠	144	汁	1182	亨	86	熒	1347	陘	2457	總	1771	冸	228	戹	839
疾	1479	劦	274	浹	1230	言	89	営	1358	詅	2538	慓	1813	勢	283	屎	840
眹	1532	勰	284	熀	1349	俐	134	珩	1423	馨	2589	獩	1813	号	336	扈	842

[illegible] 1099
樺 1108
火 1320
燊 1353
[illegible] 1371
画 1463
画 1463
画 1464
画 1464
畫 1469
畵 1470
畫 1472
畫 1474
盉 1520
禍 1599
禍 1601
禾 1608
畫 1832
腂 1854
[illegible] 1885
花 1901
華 1933
萃 1954
蕐 1970
荂 1977
鮭 2099
話 2121
諣 2141
譁 2154
貨 2188
踝 2237
輠 2269
[illegible] 2273
鉌 2386
鋘 2395
鏵 2417
靴 2521
韡 2530
[illegible] 2582
驊 2607
髁 2616
鱯 2657
龢 2734

확

[illegible] 294
嬳 551
廓 704
彉 728
彍 729
彏 729
彠 731
戄 829
拡 863
擭 914
擴 915
攉 917
攫 920
檴 1118
[illegible] 1277
濩 1308
[illegible] 1314
獲 1407
玃 1409
[illegible] 1497
㲉 1517
矆 1553
矍 1553
矐 1554
矡 1557
矱 1561
確 1579
碻 1580
穫 1631
[illegible] 1671
籆 1678
篧 1680
篗 1691
籰 1695
[illegible] 1821
[illegible] 1859
臛 1860
艧 1892
藿 1994
蠖 2036
貜 2183
鑊 2422
雘 2488
霩 2506
靃 2509
[illegible] 2586
騅 2605
鰝 2653

환

丸 49
凡 49
亘 81
[illegible] 169
喚 391
喛 391
嚾 413
圂 424
圜 430
[illegible] 467
奐 506
宦 579
寰 600
峘 638
幻 689
弮 723
患 779
懁 822
懽 828
捖 869
換 889
擐 911
攌 917
[illegible] 947
晥 989
㬇 996
桓 1062
槵 1099
[illegible] 1112
欢 1127
歓 1135
歡 1136
歡 1136
汍 1183
洹 1219
浣 1223
渙 1253
漶 1290
澴 1300
澣 1300
煥 1344
[illegible] 1385
犿 1388
獾 1409
瑍 1435
環 1441
瓛 1445
皖 1513
[illegible] 1516
[illegible] 1528
眩 1535
睆 1541
[illegible] 1546
[illegible] 1597
[illegible] 1639
[illegible] 1699
[illegible] 1701
紈 1714
絙 1737
綄 1743
羦 1800
[illegible] 1817
肒 1835
臛 1869
芄 1897
荁 1918
莞 1926
萑 1937
蒝 1955
[illegible] 1967
讙 2166
貆 2175
豢 2175
豯 2176
豲 2178
貆 2181
貛 2183
[illegible] 2212
轘 2279
还 2290
逭 2305
還 2326
郇 2334
酄 2349
鋎 2395
鍰 2406
[illegible] 2415
鐶 2420
闤 2448
[illegible] 2479
雚 2488
[illegible] 2567
馬 2591
[illegible] 2591
驩 2612
鬟 2629
[illegible] 2644
鯇 2651
鰥 2652
鱞 2656
[illegible] 2683

활

佸 127
昏 357
咶 370
[illegible] 470
姡 529
婚 533
[illegible] 618
敌 929
活 1220
涽 1224
滑 1276
[illegible] 1299
[illegible] 1304
濊 1305
濶 1310
猾 1402
䀨 1540
磆 1582
祮 1597
䄆 1599
秳 1617
[illegible] 1620
窶 1643
蛞 2010
螖 2025
豁 2169
䜭 2169
越 2216
趏 2217
[illegible] 2439
闊 2443
頢 2546
[illegible] 2549
[illegible] 2615
[illegible] 2653
[illegible] 2695
[illegible] 2725

황

巟 86
偟 161
兄 191
况 229
凰 234
喤 392
堭 455
媓 541
[illegible] 671
幌 679
徨 749
怳 772
恍 777
惶 800
愰 807
慌 807
慌 807
揘 892
晃 984
晄 986
[illegible] 998
[illegible] 1022
榥 1092
橫 1119
況 1203
洸 1219
洸 1219
湟 1265
滉 1275
潢 1294
煌 1341
熀 1348
熿 1353
爌 1362
[illegible] 1403
獚 1405
瑝 1435
璜 1439
皇 1510
皝 1514
[illegible] 1540
磺 1585
[illegible] 1617
篁 1675
簧 1686
[illegible] 1805

肓 1835
䐵 1864
艎 1890
⿰色黃 1891
芒 1898
茫 1915
荒 1921
蝗 2021
蟥 2032
衁 2042
詤 2118
謊 2118
諻 2145
謊 2150
貺 2190
趪 2222
⿰身皇 2255
輄 2264
遑 2313
隍 2471
⿰風黃 2565
餭 2580
騜 2603
鱑 2609
鰉 2651
鷬 2675
⿰麥黃 2696
黃 2698
黄 2700
⿰黃殳 2701

홰

嚝 406
噦 407
繣 1773
罫 1789
翽 1813
譢 2159
譮 2159
[illegible] 2252

회

会 105
佪 134
囘 221
刽 255
劊 269
匯 294
喛 391
回 420
囬 423
壞 471
嬒 550
廆 704
廻 712
廻 713
廽 713
徊 740
徻 743
怀 764
恢 777
恛 779
悔 779
悔 782
悝 783
懀 822
懐 823
懷 826
拻 865
晦 989
會 1008
會 1011
會 1011
桧 1065
檜 1115
橧 1121
櫰 1121
[illegible] 1140
殨 1154
汇 1182
沬 1197
洄 1213
淮 1244
湏 1265
滙 1278
澮 1301
瀤 1313
灰 1322
灰 1322
燴 1359
犪 1386
獪 1406
璯 1442
痐 1485
盔 1520
䃶 1588
禬 1604
絵 1738
繢 1772
繪 1773
繪 1774
瞶 1829
脄 1847
膾 1865
茴 1916
蘬 1971
薈 1973
虺 2002
蚘 2004
蚚 2005
⿰虫回 2005
蛔 2009
蛕 2009
蝝 2014
螝 2026
褢 2074
褱 2074
襀 2076
襘 2077
詼 2123
誨 2130
詯 2139
諣 2141
謉 2147
䰎 2147
讉 2154
豗 2173
賄 2195
⿰貝每 2198
輠 2269
迴 2292
䢈 2297
鄶 2348
闠 2448
靧 2519
⿰韋鬼 2529
頮 2546
頪 2547
顪 2555
饖 2581
⿰食會 2585
鮰 2645
鮰 2645
鱠 2656
⿰灰鳥 2668
⿰黃有 2701

획

划 246
劃 266
劃 266
⿰口或 382
嚍 403
嚄 409
嚿 413
嫿 548
⿰巾畫 681
㤳 801
⿰忄畫 819
掝 885
⿰扌畫 904
擭 914
湱 1267
瀖 1310
獲 1407
畫 1470
砉 1567
窢 1640
繣 1773
⿰月畫 1864
蒦 1957
諕 2138
謋 2146
讗 2167
韄 2530
⿰風或 2563
騞 2602

횡

吰 356
喤 392
弘 576
彋 728
揈 888
横 1104
橫 1111
澋 1299
瀇 1313
竑 1647
紘 1727
⿱罒厷 1787
翃 1805
翁 1811
蓊 1812
耾 1823
⿰色黃 1891
蘔 1976
衡 2050
衡 2051
訇 2105
谹 2168
軥 2261
輷 2265
輷 2271
輷 2272
轟 2279
鈜 2380
鍠 2405
鐄 2416
鐷 2422
閎 2434
黌 2701

효

傚 156
傚 167
効 276
呺 365
哮 375
唬 383
嗃 395
嘐 399
嘪 402
嘵 403
嚆 409
囂 413
嚻 413
窯 509
孝 559
[illegible] 567
[illegible] 567
崤 644
恔 763
憢 816
撓 904
⿰扌學 917
效 929
斅 942
斆 942
⿰日孝 990
曉 996
曉 1000
枵 1048
梟 1072
⿰木肴 1080
歊 1133
殽 1158
[illegible] 1160
洨 1217
涍 1230
淆 1238
⿰氵晶 1311
烋 1330
熇 1348
燆 1356
爻 1368
猇 1396
獢 1404
痚 1487
皛 1513
皢 1514
⿰目孝 1542
窙 1639
絞 1735
肴 1839
胶 1845
膮 1863
⿱艹教 1976
藃 1981
⿱艹殽 1986
虈 1993
虓 1996
詨 2124
譊 2146
謞 2149
⿰言孝 2152
譊 2155
躈 2250
郩 2339
鄗 2344
酘 2353
酵 2355
酵 2355
⿰酉學 2362

顥	2555	姁	521	粿	1704	靬	2521	勲	1895	暖	994	喙	391	撝	905	携	897
顙	2556	帿	679	姤	1784	頏	2545	菫	1947	暎	995	檓	1116	撝	916	携	908
餚	2580	後	741	猴	1809	餱	2580	蕙	1964	晦	996	殨	1153	摩	966	㩦	912
驍	2607	忏	759	猴	1809	骺	2614	薰	1978	烜	1329	毁	1158	暉	994	攜	916
觲	2615	怮	759	臭	1875	骺	2616	覲	2090	煊	1333	毁	1159	楎	1085	攜	918
犒	2617	憮	818	芌	1897	骸	2616	訓	2106	煖	1342	毁	1160	汇	1182	烋	1330
髐	2617	昫	981	芋	1897	鰽	2650	醺	2363	煊	1345	毇	1160	沬	1204	狖	1394
虯	2659	朽	1030	蚼	2008	鱟	2656	鑂	2421	狟	1392	烜	1329	潬	1312	璃	1445
鄶	2659	朽	1034	蛄	2010	鸲	2666	鑂	2421	夐	1541	炬	1332	煇	1341	畦	1469
鴝	2664	枡	1058	蚴	2010	乣	2719	鑫	2424	暖	1546	烟	1333	煒	1342	畦	1538
鷟	2684	槴	1089	螉	2024	姁	2719	馴	2593	萱	1677	燬	1359	燿	1362	盻	1540
【후】		槱	1113	訏	2106	頯	2720	**【훌】**		萱	1940	豐	1475	獋	1401	晉	1540
休	111	欨	1128	詴	2110	**【훈】**		欻	1130	蕿	1949	碼	1584	肇	1809	睢	1544
佝	123	歈	1129	詾	2113	勛	280	燊	1136	蘐	1977	屮	1897	岾	1897	纗	1782
侯	135	歍	1132	詡	2118	勳	284	烋	1332	護	1989	虫	2001	褘	2071	肤	1847
候	151	殁	1146	詬	2120	動	284	魖	2636	蝖	2020	虺	2002	諱	2142	脉	1849
帿	223	涸	1237	謧	2139	塤	459	**【훔】**		覸	2090	娃	2003	輝	2271	茠	1922
厚	319	煦	1346	謳	2151	壎	469	吽	356	舼	2099	佗	2005	麾	2697	虧	2000
后	351	姁	1379	諤	2153	暈	993	**【훙】**		誼	2140	蒇	2026	**【휴】**		觿	2001
吼	356	猴	1400	狗	2174	曛	1002	薨	1812	諼	2144	詯	2146	虧	43	蠵	2040
呕	357	猴	1400	赳	2217	君	1333	薨	1976	謹	2166	譭	2159	休	111	㒩	2085
呴	362	玾	1417	逅	2296	煇	1341	**【훤】**		狟	2181	趣	2223	伏	123	觿	2102
听	369	珝	1424	邱	2334	熏	1347	卌	343	鞗	2527	顪	2557	倠	155	觿	2102
咻	371	珛	1425	鄇	2342	熏	1349	咺	371	輨	2532	**【휘】**		咻	371	狖	2180
煦	388	瘊	1489	酗	2353	勲	1351	嗳	391	鶢	2675	微	680	曽	402	狖	2181
喉	389	昫	1536	酗	2353	燻	1361	喧	392	䮄	2675	彙	730	墮	456	狖	2181
喉	390	瞴	1546	鉝	2390	爋	1362	嚾	413	**【훼】**		彙	730	墮	467	轐	2280
嗅	396	煦	1547	鍭	2406	獯	1407	愃	801	越	2292	徽	755	麻	697	鄦	2349
嘔	400	嫗	1550	鏂	2415	纁	1778	昍	977	**【훼】**		戲	837	㑁	802	鄦	2349
垕	445	庥	1559	陶	2452	朋	1835	晅	986	卉	303	戲	837	懱	828	鉢	2392
堠	454	篌	1676	軒	2520	臐	1867	暄	994	卉	304	揮	891	挼	871	鑴	2425

字	번호	字	번호	字	번호	字	번호	字	번호	字	번호	字	번호	字	번호	字	번호
隳	2478	鷸	2681	焮	1334	糺	1696	喩	405	嘻	404	檓	1112	誒	2126	肸	1837
崔	2486	**흐**		狠	1392	紇	1714	嶀	676	嚊	406	櫗	1122	譆	2154	膝	1864
嶲	2488	兇	192	痕	1485	綱	1738	念	773	噫	407	攺	1127	譩	2159	襭	2079
鸝	2566	凶	235	痛	1487	骹	1834	恰	779	噫	412	欨	1128	譆	2167	詰	2121
餒	2578	匈	287	痯	1487	肐	1835	肐	1835	姬	528	歆	1129	豨	2176	踕	2233
儶	2597	吶	357	罄	1785	虪	2086	歙	1135	娭	534	歁	1132	豷	2179	頡	2545
騽	2597	响	372	肩	1838	虪	2086	洽	1220	嫛	542	歔	1136	趦	2222	颲	2563
矞	2612	惱	765	疊	1882	訖	2107	潝	1293	嫛	542	烯	1332	跂	2231	黠	2707
桼	2624	恟	777	岬	2043	訖	2110	胳	1544	嬉	549	焕	1332	釐	2371		
榛	2626	殈	1148	訢	2109	較	2265	翖	1807	屓	624	熙	1346	釐	2371		
蒿	2634	洶	1196	銀	2124	迄	2287	翕	1807	屭	628	熙	1347	鎎	2409		
儶	2668	洶	1219	誢	2132	釳	2378	猲	1807	巇	655	熛	1348	闟	2441		
흑		胸	1845	逓	2304	釳	2382	胁	1838	卶	665	熙	1349	陒	2456		
憊	806	匌	1848	豐	2364	阣	2449	脅	1848	希	669	熺	1356	靂	2509		
畜	1466	訩	2110	鞎	2524	乾	2520	胎	1848	悕	783	熹	1356	靃	2509		
菫	1925	詾	2123	駻	2594	飢	2569	脅	1848	意	798	爔	1362	餼	2581		
흠		蹜	2243	**흘**		飢	2569	闟	2447	憘	806	犠	1384	驊	2600		
卹	316	**흑**		仡	103	麩	2694	**흥**		憙	815	犠	1385	鵗	2670		
恤	777	嬲	549	仡	106	齕	2723	兴	217	憘	819	狶	1394	隷	2719		
怵	779	默	1135	仡	112	齕	2724	興	1880	戲	831	獯	1405	**히**			
憰	819	澺	1298	吃	344	**흡**		轟	2589	戲	836	瘎	1487	叿	344		
潏	1291	黑	2703	吃	361	佹	111	**희**		戲	837	睎	1542	屎	623		
獝	1404	**흔**		屹	633	歓	706	俙	138	戲	837	瞦	1551	屓	1127		
矞	1556	很	740	忔	760	欠	1126	傄	179	敧	941	禧	1603	**힐**			
穴	1633	忻	764	汔	765	欽	1130	凞	233	既	967	稀	1617	咭	371		
狘	1807	惞	793	扢	846	歆	1132	呬	361	既	967	糦	1707	擷	915		
郵	2042	垠	864	朅	1012	猷	1453	咥	370	旣	967	義	1802	欯	1128		
譎	2155	掀	877	汔	1183	夐	1517	唉	376	晞	989	義	1802	犵	1387		
賉	2195	昕	977	汽	1189	鑫	2424	唏	376	晞	1000	螤	2031	纈	1778		
遹	2322	欣	1127	疙	1479	**흥**		喜	384	曦	1002	舾	2099	翓	1807		
鐍	2416	忻	1325	秫	1611	吸	355	喜	395	曦	1003	訢	2109	肸	1837		

❖ 민중서림의 사전 ❖